Oxford English-Greek Learner's Dictionary

D N Stavropoulos & A S Hornby

Oxford University Press

Περιεχόμενα

Oxford University Press
Great Clarendon Street, Oxford OX2 6DP

Oxford New York
Athens Auckland Bangkok Bogota Bombay Buenos Aires Calcutta Cape Town Dar es Salaam Delhi Florence Hong Kong Istanbul Karachi Kuala Lumpur Madras Madrid Melbourne Mexico City Nairobi Paris Singapore Taipei Tokyo Toronto

and associated companies in
Berlin Ibadan

Oxford and *Oxford English* are trade marks of Oxford University Press

ISBN 0 19 431147 3

First published 1977
Fourteenth impression 1997

Printed in China

Τί ὑπάρχει στό λεξικό:

λήμματα

[1]**pale** /peɪl/ *ἐπ.* (*-r, -st*) **1**. χλωμός, ὠχρός: *look* ~, φαίνομαι χλωμός. **turn** ~, χλωμιάζω. **2**. (*γιά χρῶμα*) ξεπλυμένος: ~ *blue*, ξεπλυμένο μπλέ. —*ρ.ἀ.* ὠχριῶ. ~ **before/by the side of**..., (*μεταφ.*) ὠχριῶ μπροστά/πλάϊ, σέ σύγκριση μέ... ~**·ly** /ˈpeɪllɪ/ *ἐπίρ.* χλωμά, ὠχρά. ~**·ness** *οὐσ.* ‹U› χλωμάδα, ὠχρότης.

συγκριτικός & ὑπερθετικός

para·dise /ˈpærədaɪs/ *οὐσ.* ‹C› παράδεισος. (*βλ. & λ. fool*)...

παραπομπή σέ ἄλλα λήμματα

ban·dage /ˈbændɪdʒ/ *οὐσ.* ‹C› ἐπίδεσμος. —*ρ.μ.* ἐπιδένω (πληγή).

γραμμή πού δείχνει ὅτι τό λῆμμα ἀλλάζει σά μέρος τοῦ λόγου

ἡ προφορά μέ φωνητικά σύμβολα

[1]**dif·fuse** /dɪˈfjuz/ *ρ.μ/ἀ.* **1**. διαχέω: ~ *light/heat*. **2**. διαδίδω/-ομαι, ἐξαπλώνω: ~ *learning/news/a rumour*, διαδίδω παντοῦ τή μόρφωση/τά νέα/μιά φήμη. **3**. (*φυσ.*) ἀναμιγνύω/-ομαι (διά διαχύσεως). **dif·fu·sion** /dɪˈfjuʒn/ *οὐσ.* ‹U› διάχυσις, διάδοσις, ἐξάπλωσις. .

[2]**dif·fuse** /dɪˈfjus/ *ἐπ.* **1**. διάχυτος: ~ *light*, διάχυτο φῶς. **2**. σχοινοτενής, ἀπεραντολόγος, φλύαρος: *a* ~ *style/writer*, φλύαρο στύλ/-ος συγγραφεύς.

ἀρίθμηση τῶν λημμάτων πού γράφονται ἴδια

μέρη τοῦ λόγου

καλολογικές βραχυγραφίες

[1]**dig** /dɪg/ *ρ.μ/ἀ. ἀνώμ.* (*ἀόρ. & π.μ. dug* /dʌg/) (*-gg-*) **1**. σκάβω: ~ *the ground/in the garden*, σκάβω τό ἔδαφος/στόν κῆπο. ~ *(up) potatoes/a well/a grave*, σκάβω (ξεχώνω) πατάτες/πηγάδι/τάφο. **2**. (*μέ ἐπίρ. & προθέσεις*): ***dig in/into***, χώνω: ~ *a fork into a potato*, χώνω πηρούνι σέ πατάτα. ~ *one's spurs into a horse*, χώνω τά σπηρούνια μου σ' ἕνα ἄλογο. ~ ***in/into food***, σερβίρομαι, παίρνω: *D* ~ *into the pie!* πάρε πίττα! *The food's here,* ~ *in!* νά τό φαΐ, πήδα μέσα! ~ ***oneself in***, περιχαρακώνομαι, (*μεταφ.*) χώνομαι, κολλῶ γερά (σέ θέση, κλπ). ~ ***sb in the ribs***, σκουντῶ κπ στά πλευρά (μέ τό δάχτυλο). ***dig out***, ξεχώνω, ἀνακαλύπτω, ξετρυπώνω: ~ *out the truth/a criminal*, ἀνακαλύπτω τήν ἀλήθεια/ἕναν ἐγκληματία. ***dig up***, ξεθάβω, φέρω στήν ἐπιφάνεια, ἀνασκάπτω: ~ *up a statue/an old scandal*, ξεθάβω ἕνα ἄγαλμα/ἕνα παληό σκάνδαλο. ~ *up the earth*, ἀνασκάπτω τό χῶμα.

διπλασιασμός συμφώνων

ἀνώμαλα ρήματα μέ φωνητική μεταγραφή τῆς προφορᾶς τους

ἰδιαίτερη καταχώριση τῶν περιφραστικῶν ρημάτων

πολυάριθμες παραδειγματικές φράσεις & προτάσεις

[3]**press** /pres/ *ρ.μ.* **1**. ἐπιστρατεύω βιαίως. **ˈ~-gang**, ἀπόσπασμα βιαίας στρατολογίας. **2**. ***press (sth) into service***, ἐπιτάσσω: *Even carts were* ~*ed into service*, εἶχαν ἐπιτάξει ἀκόμα καί τά κάρρα.

παράγωγα, σύνθετες λέξεις & ἰδιωματισμοί μέ μαῦρα στοιχεῖα

σημασιολογική ἀρίθμηση

saus·age /ˈsosɪdʒ/ *οὐσ.* ‹C,U› λουκάνικο. **ˈ~-meat**, κιμᾶς γιά λουκάνικα. **ˈ~-ˈroll**, πιροσκί μέ λουκάνικο.

διάκριση τῶν οὐσιαστικῶν σέ ἀριθμήσιμα & μή ἀριθμήσιμα

τονισμός τῶν συνθέτων λέξεων

ba·cil·lus /bəˈsɪləs/ *οὐσ.* ‹C› (*πληθ. -cilli* /-ˈsɪlaɪ/) βάκιλλος.

διαίρεση τῶν λέξεων σέ συλλαβές

ἀνώμαλοι πληθυντικοί μέ φωνητική μεταγραφή τῆς προφορᾶς τους

Preface

Mr Dimitri Stavropoulos has been one of my most valued friends for many years. I know that he has worked with the greatest enthusiasm in the cause of promoting a knowledge of English in Greece.

His new *Oxford English-Greek Learner's Dictionary*, based on my *Oxford Advanced Learner's Dictionary*, is the result of many years of devoted study and hard work. It provides a careful and thorough adaptation and translation of the definitions and of the grammatical information, with Greek equivalents for the English example sentences. It has been a pleasure to have the cooperation of such an experienced and intelligent scholar. This dictionary will be welcomed by teachers and students alike, and will be a great help both in the classroom and at home. I wish it every success.

A S HORNBY

London 1977

Πρόλογος

Δικαιολογημένα, ἴσως, θά μποροῦσε νά ἀναρωτηθῆ κανείς ἄν ἦταν ἀναγκαῖο, στά ὑπάρχοντα πολλά Ἀγγλοελληνικά λεξικά, νά προστεθῆ ἀκόμα ἕνα. Καί μολονότι ἡ ἀπάντηση προβάλλει, ὅπως ἐλπίζομε, πειστική μέσα ἀπό τά ἀναλυτικά ἐπεξηγηματικά σχόλια τῆς Εἰσαγωγῆς, δέν θά ἦταν ἄσκοπο νά ὑπογραμμισθοῦν ἐδῶ μέ συντομία τά γνωρίσματα ἐκεῖνα πού συγκροτοῦν τήν εἰδοποιό διαφορά ἀνάμεσα στό Oxford English-Greek Learner's Dictionary (OEGLD) καί στά ἄλλα πού βρίσκονται αὐτή τή στιγμή σέ κυκλοφορία:

I. Ἀντίθετα ἀπ' ὅλα σχεδόν τά ὑπάρχοντα λεξικά, τό παρόν λεξικό δέν περιορίζεται μονάχα νά παραθέτη στά Ἑλληνικά τίς διάφορες σημασίες τῆς κάθε Ἀγγλικῆς λέξεως ἀλλά ταυτόχρονα δίνει, ὅπου χρειάζεται, μιά ἤ περισσότερες παραδειγματικές φράσεις μέσα ἀπό τίς ὁποῖες καί ἡ χρήση τῆς Ἀγγλικῆς λέξεως διευκρινίζεται πληρέστερα καί ἡ Ἑλληνική ἀπόδοση προσδιορίζεται σημασιολογικά μέ περισσότερη ἀκρίβεια καί ἐνάργεια. Οἱ φράσεις αὐτές, πού βοηθοῦν τό σπουδαστή νά μαθαίνη κάθε καινούργια λέξη "λειτουργικά" καί ὄχι ἀφηρημένα, ἀποτελοῦν τή μεγαλύτερη ἀρετή τοῦ OEGLD καί τοῦ προσδίδουν τόν χαρακτῆρα ἑνός χρηστικοῦ, καί ὄχι ἁπλά σημασιολογικοῦ, λεξικοῦ.

II. Οἱ διάφορες σημασίες τῶν Ἀγγλικῶν λέξεων δέν ἀποδίδονται μέ τήν σχοινοτενῆ παράθεση Ἑλληνικῶν λέξεων, ὅπως γίνεται σέ ὅλα σχεδόν τά ὑπάρχοντα Ἀγγλοελληνικά λεξικά, καί ἡ ὁποία συχνά καταλήγει σέ πλήρη σύγχυση τοῦ σπουδαστῆ. Στό παρόν λεξικό, ἀντίθετα, ὕστερα ἀπό προσεχτική ἀξιολόγηση, οἱ ἐπί μέρους σημασίες κάθε λέξεως διαχωρίζονται καί ἀριθμοῦνται σέ τρόπο πού νά δίνεται στό σπουδαστή μιά ἀκριβής καί καθαρή εἰκόνα τῆς σημασιολογικῆς πολλαπλότητας τῆς κάθε λέξεως.

III. Ὅπου ἦταν ἀναγκαῖο δόθηκε, ἐκτός ἀπό τή σημασιολογική, καί ἡ καλολογική ἀξία τῶν Ἀγγλικῶν λέξεων, δηλαδή ὁ ἰδιαίτερος χῶρος μέσα στόν ὁποῖο λειτουργεῖ ἡ κάθε λέξη – π.χ. ἄν ἀνήκη στίς λόγιες λέξεις ἤ στήν καθομιλουμένη ἤ στό λαϊκό γλωσσικό ἰδίωμα, κλπ. Αὐτό προσπάθησα νά τό πετύχω μέ δύο τρόπους: α) μέ ἄφθονες σχετικές ὑπομνηματικές βραχυγραφίες, καί β) μέ τή χρησιμοποίηση τέτοιων λέξεων στήν Ἑλληνική ἀπόδοση πού νά ἀντιστοιχοῦν, κατά τό δυνατόν, στή χρηστική ἰδιομορφία τῆς δοσμένης Ἀγγλικῆς λέξεως.

IV. Ἐντελῶς ξεχωριστή θέση μέσα στό λεξικό ἔχει ὁ ἰδιωματικός πλοῦτος τῆς Ἀγγλικῆς γλώσσας, εἴτε πρόκειται γιά ὁλόκληρες ἰδιωματικές φράσεις εἴτε γιά τήν ἰδιωματική λειτουργία καί χρήση μεμονωμένων λέξεων. Κι᾽ ἀκόμα καταβλήθηκε κάθε προσπάθεια νά δοθοῦν ὅλες οἱ ἀναγκαῖες ἐνημερωτικές πληροφορίες γιά κάθε λέξη πού, εἴτε γενικά, εἴτε εἰδικά γιά τόν Ἕλληνα, παρουσιάζει ἰδιαίτερες γραμματικές ἤ συντακτικές ἀνωμαλίες ἤ δυσκολίες χρήσεως.

Ἀπό τά παραπάνω γίνεται φανερό ὅτι ἐπιδίωξη καί φιλοδοξία τοῦ Oxford English-Greek Learner's Dictionary εἶναι νά βοηθήση συγκεκριμένα καί πολύπλευρα τόν Ἕλληνα σπουδαστή τῶν Ἀγγλικῶν νά τά μάθη καλύτερα καί γρηγορώτερα, κι᾽ ἀκόμη, νά βοηθήση θετικά ἐκεῖνον πού ξέρει ἤδη Ἀγγλικά, ὥστε νά τά χρησιμοποιήση πιό σωστά καί πιό εὔστοχα. Τό OEGLD εἶναι χρηστικό λεξικό τῆς σύγχρονης ἰδιωματικῆς Ἀγγλικῆς, τῆς ζωντανῆς γλώσσας πού χρησιμοποιεῖ ὁ μέσος Ἄγγλος στόν προφορικό καί γραπτό λόγο. Καί ἔχει ἀποδοθῆ στήν ἁπλή, ζωντανή Ἑλληνική γλῶσσα πού μιλᾶμε καί γράφομε σήμερα.

Ἡ σύνταξη τοῦ OEGLD βασίστηκε στό περίφημο λεξικό τοῦ A S Hornby Oxford Advanced Learner's Dictionary of Current English (3η ἔκδοση) τοῦ Oxford University Press (OUP), δηλ. τοῦ ἐκδοτικοῦ ὀργανισμοῦ τοῦ Πανεπιστημίου τῆς Ὀξφόρδης, πού εἶναι γνωστός σάν ἕνας ἀπό τούς ἀρχαιότερους καί ἐγκυρότερους ἐκδοτικούς ὀργανισμούς τοῦ κόσμου. Τό λεξικό αὐτό ἔχει πουλήσει ἑκατομμύρια ἀντίτυπα στά τριάντα χρόνια πού πέρασαν ἀπό τότε πού πρωτοεκδόθηκε καί ἔχει βοηθήσει, ὅσο κανένα ἄλλο βοήθημα, δύο σχεδόν γενιές ξένων σπουδαστῶν σ᾽ ὁλόκληρο τόν κόσμο στήν προσπάθειά τους νά μάθουν καλά Ἀγγλικά. Καί ἐλπίζω ὅτι ὁ προχωρημένος Ἕλληνας σπουδαστής, παρά τήν ἔκδοση τοῦ παρόντος, θά συνεχίση νά τό χρησιμοποιῆ καί νά τό συμβουλεύεται, γιατί ἀπό ὡρισμένες πλευρές εἶναι ἀναντικατάστατο.

Ἡ ὀφειλή μου στό OALDCE εἶναι μεγάλη, ἰδιαίτερα στίς παραδειγματικές φράσεις καί στόν προσδιορισμό τῆς καλολογικῆς ἀξίας τῶν λέξεων. Καί τό χρέος αὐτό ἔκρινα ὅτι ἔπρεπε νά ἀναγνωρισθῆ, ὅπως καί ἔγινε, μέ τόν ἐπισημότερο τρόπο: μέ τήν ἀναγραφή τοῦ ὀνόματος τοῦ ἀκριβοῦ μου φίλου καί δάσκαλου A S Hornby στή θέση τοῦ συγγραφέως-συνεργάτη τοῦ παρόντος λεξικοῦ. Κατά τά λοιπά, βέβαια, ἡ ἐπιλογή τῶν λημμάτων, ἡ διάρθρωση τῆς ὕλης, ἡ Ἑλληνική ἀπόδοση, καθώς καί ὅλη ἡ ὑπόλοιπη ἐργασία, εἶναι ἀποκλειστικά δική μου εὐθύνη καί σέ μένα μόνο θά πρέπει νά καταλογισθοῦν οἱ ὅποιες ἀδυναμίες ἤ παραλείψεις ὑποπέσουν στήν ἀντίληψη τοῦ προσεχτικοῦ σπουδαστῆ.

Πίστευα πάντοτε ὅτι ἕνα καλό Ἀγγλοελληνικό λεξικό ἔχει ἀνεκτίμητη μορφωτική καί πρακτική ἀξία γιά μᾶς τούς Ἕλληνες στή σύγχρονη ἐποχή καί φιλοδοξοῦσα νά τό προσφέρω κάποτε στήν πατρίδα μου, καί ἰδιαίτερα στή νεολαία μας. Τήν πίστη καί τή φιλοδοξία μου αὐτή συμμερίστηκαν μέ ἐνθουσιασμό οἱ ἐπικεφαλῆς τοῦ Oxford University Press, καί ἰδιαίτερα ὁ Peter Collier καί ὁ Peter Barnes, τούς ὁποίους καί εὐχαριστῶ θερμά, γιατί χάρη στή δική τους ἐπιμονή ἔγινε δυνατόν νά ξεπεραστοῦν οἱ πολλές καί μεγάλες τεχνικές δυσκολίες πού παρουσίαζε μιά τέτοια ἔκδοση.

Τίς πιό θερμές μου εὐχαριστίες ἐκφράζω ἐπίσης: στή Christina Ruse, ἡ ὁποία, σάν ὑπεύθυνη ἀπό τήν πλευρά τοῦ Oxford University Press, εἶχε τή γενική ἐπιμέλεια καί τό σχεδιασμό τῆς παρούσης ἐκδόσεως, κι᾽ ἔβαλε σ᾽ αὐτή τήν τεράστια πεῖρα της κι᾽ ὅλο τό δημιουργικό της ἐνθουσιασμό, στή Jana Gough, ἡ ὁποία, ὡς ἀμέσως ὑπεύθυνη, ἐπιμελήθηκε τήν ἔκδοση τοῦ παρόντος λεξικοῦ μέ περισσή ἀγάπη, ἀνεξάντλητη ὑπομονή καί ἀκούραστη φροντίδα, καί στόν Μίκη Ζαμπακίδη, ὁ ὁποῖος ἔκανε μέ προσοχή τίς διορθώσεις τῶν τυπογραφικῶν δοκιμίων.

Τέλος θά ἤθελα νά ἐκφράσω τήν εὐγνωμοσύνη μου στή γυναίκα μου Ὄλγα καί στόν ἀδελφό μου Γιῶργο, γιατί χωρίς τή δική τους πολύπλευρη κι᾽ ἀνεκτίμητη βοήθεια, τό ἔργο αὐτό ἴσως νά μήν εἶχε ποτέ ὁλοκληρωθῆ.

Δ Ν ΣΤΑΥΡΟΠΟΥΛΟΣ

Βασσαρᾶς 1977

Εἰσαγωγή

Εἶναι παληά συνήθεια στούς περισσότερους ἀναγνῶστες νά μή διαβάζουν καθόλου τούς Προλόγους καί τίς Εἰσαγωγές ἤ, τό πολύ-πολύ, νά τούς ρίχνουν μιά βιαστική καί ἀφηρημένη ματιά. Στήν περίπτωση ὅμως ἑνός βιβλίου σάν τό λεξικό, πού εἶναι γεμᾶτο βραχυγραφίες, σύμβολα καί ποικίλα ἄλλα συγγραφικά καί τυπογραφικά ἐπινοήματα ἀπό τήν ἀνάγκη νά δοθοῦν ὅσο τό δυνατόν περισσότερες πληροφορίες σ' ἕνα δοσμένο χῶρο, ἡ Εἰσαγωγή εἶναι ὁ μόνος χῶρος πού μένει στό συγγραφέα νά ἐξηγήση τόν τροπο τῆς δουλειᾶς του καί νά δώση στό σπουδαστή μερικές ἁπλές καί χρήσιμες συμβουλές γιά τό πῶς θά μπορέση νά ἀξιοποιήση τήν ὕλη τοῦ λεξικοῦ καλύτερα καί πληρέστερα. Γι' αὐτό γίνεται θερμή σύσταση στό σπουδαστή ν' ἀφιερώση τόν λίγο χρόνο καί κόπο πού χρειάζονται οἱ σελίδες τῆς εἰσαγωγῆς, μέ τή βεβαιότητα ὅτι θά κερδίση πολλαπλάσια καί σέ χρόνο καί σέ ὠφέλεια.

διάταξη τῆς ὕλης

λήμματα Τά λήμματα, δηλαδή οἱ ἀλφαβητικά καταχωρημένες στό λεξικό λέξεις, εἶναι τυπωμένα μέ μαῦρα πεζά στοιχεῖα στήν ἀριστερή πλευρά κάθε στήλης καί ἀρχίζουν λίγο πιό ἔξω ἀπό τό σῶμα τοῦ κειμένου. Κάθε λῆμμα ἀποτελεῖ μιά παράγραφο, μέ μοναδική ἐξαίρεση τά περιφραστικά ρήματα *(phrasal verbs)*, πού γιά λόγους ἐμφατικῆς προβολῆς, ἔχουν ἰδιαίτερη παράγραφο μέσα στίς στῆλες τοῦ κειμένου. Ἄν μιά λέξη ἔχη πολλές καί ἐντελῶς διαφορετικές σημασίες, ἤ ἄν χρησιμοποιῆται σά διαφορετικό μέρος τοῦ λόγου, εἶναι δυνατό νά ἀναχθῆ σέ περισσότερα αὐτοτελῆ λήμματα, μέ κριτήριο τή διευκόλυνση τοῦ σπουδαστῆ καί τήν καλύτερη παρουσίαση τοῦ λεξιλογικοῦ ὑλικοῦ. Σέ τέτοια περίπτωση, τά ἀντίστοιχα λήμματα ἀριθμοῦνται στήν ἀρχή, ὅπως φαίνεται παρακάτω.

παράδειγμα

[1]**mean** *ἐπ.* (ἄθλιος, ταπεινός, κλπ).
[2]**mean** *ἐπ.* (μέσος, μεσαῖος). —*οὐσ.* ‹C› (μέσον).
[3]**mean** *ρ.μ/ἀ.* (ἐννοῶ, κλπ).

συλλαβισμός Μολονότι εἶναι κατά κανόνα φρονιμώτερο νά ἀποφεύγεται ὁ χωρισμός τῶν λέξεων στό τέλος τῆς σειρᾶς, κρίθηκε σκόπιμο νά σημειωθῆ στά λήμματα ποῦ εἶναι δυνατόν νά χωριστῆ μιά λέξη. Αὐτό γίνεται μέ μαύρη στιγμή μέσα στή λέξη. Ἡ ἴδια στιγμή, καί γιά τόν ἴδιο σκοπό, χρησιμοποιεῖται στά παράγωγα, εἴτε αὐτά δίνονται σάν πλήρεις λέξεις, εἴτε μονάχα σάν καταλήξεις μετά ἀπό τήν κυματιστή γραμμή πού ὑποδηλώνει ἐπανάληψη τοῦ λήμματος.

παραδείγματα

com·fort·able	**come·ly**	**com·bat**
com·fort·ably	**come·li·ness**	**~·ant**

προφορά Ἡ προφορά σημειώνεται μέ φωνητικά σύμβολα μέσα σέ δυό πλάγιες κάθετες γραμμές ἀμέσως μετά τό λῆμμα. Ἄν ἡ προφορά τοῦ λήμματος ἀλλάζη ὅταν ἡ λέξη χρησιμοποιῆται σά διαφορετικό μέρος τοῦ λόγου, ἡ νέα προφορά δίνεται μέ τόν ἴδιο τρόπο ἀμέσως μετά τήν ἔνδειξη τῆς ἀλλαγῆς.

παράδειγμα

im·port /ɪm`pɔt/ *ρ.μ.* (εἰσάγω, κλπ). *—οὐσ.* ‹C,U› /`ɪmpɔt/ (εἰσαγωγή, κλπ).

Στά παράγωγα δίνεται μόνο ἡ προφορά τῆς καταλήξεως τῆς νέας λέξεως, ἐκτός ἄν ἀλλάζη ἡ προφορά καί τοῦ τμήματος πού ἀποτελεῖ τό λῆμμα, ὁπότε δίνεται ὁλόκληρη ἡ προφορά της.

παραδείγματα

com·mend /kə`mend/ **com·bat** /`kombæt/
~·able /-əbl/ **~·ant** /`kombətənt/

παράγωγα Οἱ παράγωγες λέξεις, δηλαδή αὐτές πού σχηματίζονται μέ τήν προσθήκη μιᾶς καταλήξεως στό λῆμμα, εἶναι τυπωμένες μέ μαῦρα πεζά στοιχεῖα, ἀλλά λίγο πιό λεπτά ἀπό ἐκεῖνα πού χρησιμοποιοῦνται στό λῆμμα. Τά παράγωγα–κυρίως οὐσιαστικά, ἐπίθετα, ρήματα καί ἐπιρρήματα–καταχωροῦνται κατά κανόνα στό τέλος τῆς σχετικῆς παραγράφου τοῦ κάθε λήμματος.

παραδείγματα

com·pen·sate **re·sent** **slow**
com·pen·sa·tory **~·ment** **~·ly**

σύνθετες λέξεις Σύνθετες λέξεις εἶναι ἐκεῖνες πού ἀποτελοῦνται ἀπό τό λῆμμα καί μιά ἤ περισσότερες ἄλλες λέξεις. Μιά σύνθετη λέξη ἄλλοτε γράφεται σάν μία αὐτοτελής λέξη, ἄλλοτε τά συνθετικά ἑνώνονται μέ παῦλα–ἤ παῦλες–καί ἄλλοτε, τέλος, τά συνθετικά γράφονται σά χωριστές λέξεις. Στό παρόν λεξικό οἱ σύνθετες λέξεις εἶναι τυπωμένες μέ τά ἴδια στοιχεῖα πού χρησιμοποιοῦνται καί γιά τά παράγωγα, δηλ. λεπτά μαῦρα πεζά.

παραδείγματα

night (νύχτα) **mother** (μητέρα)
`~·dress** (νυχτικό) **`~-in-law (πεθερά)
`~-bird** (νυχτοπούλι) **'~-of-`pearl (σεντέφι)

mountain (βουνό) **bill** (λογαριασμός, κλπ)
~ range (ὀροσειρά) **~ of lading** (φορτωτική)

Ὅπως φαίνεται ἀπό τά παραπάνω παραδείγματα, ἀπό τίς σύνθετες λέξεις τοῦ λήμματος *night*, ἡ λέξη *nightdress* (νυχτικό) γράφεται σά μιά λέξη – ἡ μαύρη στιγμή πρίν ἀπό τό *dress* σημειώνει τόν συλλαβισμό – ἐνῶ στή λέξη *night-bird* (νυχτοπούλι) τά δύο συνθετικά συνδέονται μέ παῦλα. Μέ παῦλες ἐπίσης συνδέονται τά συνθετικά τῶν λέξεων πού παράγονται ἀπό τό λῆμμα *mother (mother-in-law, mother-of-pearl)*, ἐνῶ στίς σύνθετες λέξεις πού παράγονται ἀπό τά λήμματα *mountain (mountain range)* καί *bill (bill of lading)* τά συνθετικά διατηροῦν τήν αὐτοτέλειά τους καί γράφονται σά χωριστές λέξεις. Θά ἔπρεπε ἐδῶ νά σημειωθῆ ὅτι δέν ὑπάρχει ὁμοφωνία ὡς πρός τήν γραφή πολλῶν συνθέτων λέξεων, καί ἰδιαίτερα καθ' ὅσον ἀφορᾶ τή χρήση τῆς παύλας, καί εἶναι ἐνδεχόμενο νά συναντήση ὁ σπουδαστής τή λέξη "νυχτικό" γραμμένη ὡς *night-dress* ἤ, ἀντιθέτως, τή λέξη "νυχτοπούλι" ὡς *nightbird*. Στή γραφή τῶν συνθέτων λέξεων ἀκολουθήσαμε ἐκείνη πού δίνεται στό λεξικό τοῦ *A S Hornby*.

Ἰδιαίτερα πρέπει νά προσεχθοῦν οἱ πληροφορίες πού δίνονται στό λεξικό σχετικά μέ τόν τονισμό τῶν συνθέτων λέξεων. Ἀπό τά παραδείγματα γίνεται φανερό ὅτι στίς σύνθετες λέξεις *`nightdress, `night-bird,* καί *`mother-in-law* τονίζεται τό πρῶτο συνθετικό, στή λέξη *'mother-of-`pearl* ἔχομε τήν κύριο τόνο (`) στό τελευταῖο συνθετικό κι' ἕναν δευτερεύοντα τόνο (') στό πρῶτο συνθετικό, ἐνῶ στίς λέξεις *mountain range* καί *bill of lading* ὁ τόνος κατανέμεται σχεδόν ὁμοιόμορφα στά οὐσιαστικά συνθετικά, γι' αὐτό καί δέν σημειώνεται καθόλου. Ὁ σωστός τονισμός τῶν συνθέτων λέξεων ἔχει μεγάλη σημασία γιά τήν ὀρθή κατανόηση σέ κάθε περίπτωση, ἰδιαίτερα ὅμως ὅταν ἕνα ἀπό τά συνθετικά εἶναι ὁ τύπος *-ing* ἑνός ρήματος: *a `walking-stick* εἶναι "ἕνα μπαστούνι, ἕνα ραβδί περιπάτου", ἐνῶ *a 'walking `stick* θά ἦταν "ἕνα ραβδί πού περπατάει" – ἕνα μᾶλλον ἀσύνηθες φαινόμενο! Ἡ διαφορετική λειτουργία τῆς λέξεως *walking*, σά ρηματικό οὐσιαστικό (γερούνδιο) στήν πρώτη περίπτωση καί σά ρηματικό ἐπίθετο (μετοχή) στή δεύτερη, γίνεται φανερή στήν ὁμιλία μόνον μέσα ἀπό τό σωστό τονισμό.

ἰδιωματισμοί "Φραστικόν ἰδίωμα" εἶναι ἡ χρησιμοποίηση τοῦ λήμματος μαζί μέ ἄλλες λέξεις μέσα σέ φράσεις πού ἀποτελοῦν μιά ἐννοιολογική ἑνότητα καί πού πρέπει συνεπῶς νά μαθαίνονται καί νά χρησιμοποιοῦνται σάν ἕνα σύνολο, σάν μιά ἰδιαίτερη λεξιλογική μονάδα, μέ σημασία ἀνεξάρτητη ἤ καί ἐντελῶς διαφορετική ἀπό τίς ἐπί μέρους σημασίες τῶν λέξεων πού τήν ἀπαρτίζουν.

παραδείγματα
make up one's mind (ἀποφασίζω)
let the cat out of the bag (μοῦ ξεφεύγει ἕνα μυστικό)
be struck all of a heap (μένω ἄναυδος, τά χάνω)

Στόν ὅρο, ὅμως, "ἰδιωματισμός" πού ἔχει – μᾶλλον ἀδόκιμα – καθιερωθῆ μεταξύ διδασκόντων καί διδασκομένων τήν Ἀγγλική στόν τόπο μας, περιλαμβάνεται μιά μεγάλη ποικιλία γλωσσικῶν φαινομένων, πού χαρακτηριστικό τους εἶναι μιά ὡρισμένη ἰδιομορφία ἤ δυσκολία πού παρουσιάζουν ἤ ἀκόμα καί διαφορά πού ἔχουν σέ σύγκριση μέ τά Ἑλληνικά. Δίνομε παρακάτω ἐνδεικτικά ὡρισμένες περιπτώσεις πού ἐμπίπτουν στή εὐρύτερη αὐτή ἔννοια τοῦ "ἰδιωματισμοῦ": α) ἡ χρησιμοποίηση μιᾶς συγκεκριμένης προθέσεως μετά ἀπό ὡρισμένες λέξεις ἤ μέσα σέ ὡρισμένες φράσεις: π.χ. *accuse of, charge with, capable of, to my mind, in my opinion*, κλπ. β) ἡ ἐπιλογή, ἀνάλογα μέ τή φράση, μιᾶς ὡρισμένης λέξεως μεταξύ δύο ἤ περισσοτέρων πού ἔχουν τήν ἴδια περίπου ἔννοια: π.χ. *say* καί *tell* (*say good-bye, tell the truth), make* καί *do (make a fuss, do one's duty)*, κλπ. γ) περιπτώσεις ὅπου στά Ἑλληνικά χρησιμοποιοῦμε διαφορετική λέξη ἀπ' ὅ,τι στά Ἀγγλικά γιά νά ἐκφράσωμε τήν ἴδια ἔννοια: π.χ. *take examinations* (δίνω ἐξετάσεις), *as like as two peas* (ἴδιοι σά δυό σταγόνες νερό), κλπ.

Ὅλες αὐτές οἱ περιπτώσεις ἰδιωματισμῶν, καί πολλές ἄλλες πού δέν ἐπιδέχονται ταξινόμηση, καταχωροῦνται ἐξαντλητικά στό παρόν λεξικό μέ μαῦρα πλάγια στοιχεῖα ὥστε νά ἐπισημαίνονται ἀμέσως καί νά μαθαίνονται εὔκολα. Κατά κανόνα, κάθε ἰδιωματισμός καταχωρεῖται μιά φορά, σ' ἕνα μονάχα λῆμμα, καί γίνεται συνήθως παραπομπή στό λῆμμα αὐτό στίς ἄλλες λέξεις τοῦ ἰδιωματισμοῦ: π.χ. ὁ ἰδιωματισμός *drop a brick* ἐμφανίζεται στό λῆμμα *brick*, εἰς δέ τό λῆμμα [2]*drop* γίνεται παραπομπή στό *brick* μέ τήν ἔνδειξη μέσα σέ παρένθεση *"βλ. & λ. brick"*, πού σημαίνει *"βλέπε καί λῆμμα brick"*. Ὁ σπουδαστής, λοιπόν, πού ἀναζητεῖ στό λεξικό τήν ἔννοια ἑνός ἰδιωματισμοῦ θά πρέπει, ἄν δέν τόν βρῆ σέ μιά ἀπό τίς λέξεις πού κοίταξε, νά ψάξη στίς ἄλλες, καί ἄν ὁ ἰδιωματισμός εἶναι πραγματικά σημαντικός, εἶναι βέβαιον ὅ,τι τελικά θά τόν βρῆ καταχωρημένον. Γιατί ἕνας ἀπό τούς βασικούς στόχους αὐτοῦ τοῦ λεξικοῦ εἶναι νά δώση ἕνα πολύ μεγάλο τμῆμα ἀπό τόν ἰδιωματικό πλοῦτο τῆς Ἀγγλικῆς γλώσσας–μεγαλύτερο ἀπό κάθε ἄλλο λεξικό τοῦ ἴδιου μεγέθους.

περιφραστικά ρήματα Περιφραστικά ρήματα *(phrasal verbs)* εἶναι ὅσα ἀποτελοῦνται ἀπό ἕνα ρῆμα καί ἕνα ἐπιρρηματικό μόριο (πρόθεση ἤ ἐπίρρημα) καί ἐφ' ὅσον ὁ συνδυασμός αὐτός ἔχει μιά ξεχωριστή, δική του σημασία, ἀνεξάρτητη ἀπό ἐκείνη τῶν λέξεων πού τόν συγκροτοῦν.

παραδείγματα

run down (κακολογῶ)	***leave off*** (σταματῶ)
blow up (ἀνατινάσσω)	***come round*** (συνέρχομαι)
make out (καταλαβαίνω)	***keep on*** (συνεχίζω)

Τά περιφραστικά ρήματα εἶναι στήν πραγματικότητα ἰδιωματισμοί, γι' αὐτό καί στό παρόν λεξικό εἶναι τυπωμένα μέ πλάγια μαῦρα στοιχεῖα, ὅπως ὅλοι οἱ ἰδιωματισμοί. Ἐπειδή, ὅμως, ὡρισμένα ρήματα σάν τό *break, bring, come, cut, do, get, lay, lie, make, put, run, sit,* κλπ. συνδυάζονται μέ πολλά ἐπιρρηματικά μόρια γιά νά μᾶς δώσουν πλῆθος αὐτοτελῶν ἐννοιῶν, κρίθηκε σωστό νά δοθῆ στό κάθε περιφραστικό ρῆμα ἰδιαίτερη παράγραφος, σά νά ἦταν ἰδιαίτερο λῆμμα, ἀλλά μέσα στή στήλη καί μέ πλάγια στοιχεῖα. Ἔτσι, στό ρῆμα *come*, ἀφοῦ δίνονται πρῶτα σέ μία παράγραφο ἐννέα ἀριθμημένες σημασίες, δίνεται τελικά καί ἡ δεκάτη πού ἀφορᾶ τά περιφραστικά ρήματα πού βασίζονται στό *come*, ὡς ἑξῆς:

10. *(μέ ἐπιρ. & προθέσεις):*
come about...
come across...
come along...
come apart...

καί ἔτσι ὥς τό τέλος, πού εἶναι τό περιφραστικό ρῆμα *come upon*. Καθένα ἀπό τά ρήματα αὐτά *(come about, come across,* κλπ*)* ἔχει καταχωρηθῆ, ὅπως σημειώθηκε παραπάνω, σέ ἰδιαίτερη παράγραφο. Μέ τήν τυπογραφική αὐτή διάταξη εἶναι βέβαιο ὅτι διευκολύνεται πάρα πολύ ὁ σπουδαστής στήν ἀνεύρεση τῆς ἐννοίας τοῦ περιφραστικοῦ ρήματος, ἐπιπλέον ὅμως ἐπισημαίνεται· μέ ἰδιαίτερη ἔμφαση τό γεγονός ὅτι τό περιφραστικό ρῆμα θά πρέπει νά θεωρῆται καί νά μαθαίνεται σά νέα, ξεχωριστή λέξη, ἐντελῶς διάφορη ἀπό τά συστατικά της μέρη. Θἄπρεπε τέλος νά ὑπομνησθῆ, ἄν καί εἶναι αὐτονόητο, ὅτι στίς αὐτοτελεῖς παραγράφους τῶν περιφραστικῶν ρημάτων καταχωροῦνται μόνο οἱ ἰδιωματικές σημασίες τους κι' ὄχι ἐκείνη πού προκύπτει φυσιολογικά ἀπό τόν συνδυασμό τῶν ἐννοιῶν τοῦ ρήματος καί τοῦ ἐπιρρηματικοῦ μορίου. Στό περιφραστικό ρῆμα *come across*, γιά παράδειγμα, σημειώνεται ἡ ἔννοια "συναντῶ/βρίσκω τυχαίως" καί ὄχι ἡ ἔννοια "διασχίζω" πού εἶναι αὐτονόητη. Γιά τόν ἴδιο λόγο στό ρῆμα *come up* δέν δίνεται ἡ σημασία "ἀνεβαίνω" πού προκύπτει ἀβίαστα ἀπό τό *come* (ἔρχομαι) καί *up* (ἐπάνω), ἀλλά μόνον οἱ ἰδιωματικές του σημασίες.

παραδειγματικές φράσεις **Ὅπως εἶναι γνωστό, οἱ λέξεις δέν εἶναι παρά ἁπλᾶ σύμβολα** ἐννοιῶν, μιά συμβολική παράσταση τῶν πραγμάτων πού θέλομε νά ἐκφράσωμε. Εἶναι ἐπίσης κοινή πεῖρα ὅτι οἱ λέξεις δέν ἔχουν μιά μονάχα σημασία ἀλλά πολλές, πολύ περισσότερες ἀπ᾽ ὅσες μπορεῖ νά καταγράψη καί τό πληρέστερο λεξικό. Αὐτό ἔχει σά συνέπεια νά μήν μπορῆ κανείς νά πῆ τί ἀκριβῶς σημαίνει μιά λέξη ἄν δέν χρησιμοποιηθῆ σέ φράση. Μονάχα μέσα στή φράση, σάν ἀποτέλεσμα τῆς περιοριστικῆς ἐννοιολογικῆς λειτουργίας τῶν ὑπολοίπων λέξεων καί τοῦ συνολικοῦ νοήματος πού προκύπτει ἀπό ὅλες μαζί, ἡ λέξη ἀποκτᾶ πιό συγκεκριμένη σημασία. Εἶναι πολύ δύσκολο, παραδείγματος χάρη, νά πῆ κανείς μέ ἀκρίβεια καί πληρότητα τί σημαίνει ἡ λέξη "ἐκθέτω" μόνη της. Ὅταν ὅμως μπῆ σέ φράσεις, ὅπως:
"ἐκθέτω ἐμπορεύματα σέ βιτρίνα" (τά τοποθετῶ σέ κοινή θέα)
"ἐκθέτω βρέφος" (τό ἐγκαταλείπω ἀπροστάτευτο)
"ἐκθέτω τήν ὑπόληψη κάποιου" (τόν διασύρω)
"ἐκθέτω ἕνα περιστατικό" (τό περιγράφω λεπτομερῶς)
"ἐκθέτω τή ζωή μου" (τή διακινδυνεύω)
κλπ. κλπ., τότε γίνεται ἀρκετά φανερή σέ κάθε περίπτωση ἡ ἀκριβής σημασία τοῦ ρήματος "ἐκθέτω", ὅπως φαίνεται ἀπό τίς λέξεις μέσα στήν παρένθεση. Ἄν, λοιπόν, ἡ σημασιολογική αὐτή πολλαπλότητα καί σχετικότητα τῶν λέξεων μᾶς δημιουργεῖ πλῆθος προβλήματα στήν ἴδια μας τή γλῶσσα, καταλαβαίνομε πόσο τά προβλήματα αὐτά πολλαπλασιάζονται καί δυσκολεύουν ὅταν ἐπιχειρῆται ἡ ἀπόδοση τῆς σημασίας μιᾶς λέξεως ἀπό μιά ξένη γλῶσσα στή δική μας. Ἄν, π.χ., περιοριστοῦμε νά ἀποδώσωμε τό Ἀγγλικό ρῆμα *"display"* μέ τό Ἑλληνικό **"ἐκθέτω", εἶναι φανερό ὅτι δέν πετυχαίνομε πολλά πράγματα**, γιατί δέν δείχνομε ποιά ἀπό τίς τόσες σημασίες τοῦ "ἐκθέτω" πού ἀναφέραμε ἀντιστοιχεῖ στήν ἔννοια τοῦ *"display"*. Ἄν ὅμως προχωρήσωμε παραπέρα καί τό χρησιμοποιήσωμε σέ μιά φράση, ὅπως γίνεται στό παρόν λεξικό (*display goods in shop windows*, ἐκθέτω ἐμπορεύματα σέ βιτρίνα), τότε ἡ ἀκριβής σημασία τῶν ρημάτων *"display"* καί "ἐκθέτω" γίνεται ὁλοφάνερη. Ὁ μόνος τρόπος, ἑπομένως, γιά νά ὑπερνικηθοῦν, κατά τό δυνατόν, αὐτές οἱ δυσκολίες εἶναι νά προσδιοριστοῦν σημασιολογικά οἱ λέξεις μέ τή βοήθεια φράσεων, ν᾽ ἀποκτήσουν δηλαδή συγκεκριμένη ἔννοια μέσα σέ φράσεις. Ἕνα Ἀγγλοελληνικό λεξικό χωρίς παραδειγματικές φράσεις, μπορεῖ ἐνδεχομένως νά εἶναι καλό βοήθημα γιά τόν μεταφραστή, δέν βοηθάει ὅμως καθόλου ἐκεῖνον πού μαθαίνει Ἀγγλικά οὔτε καί κεῖνον πού ξέρει τή γλῶσσα γενικά ἀλλά δέν αἰσθάνεται ἀπόλυτη σιγουριά στή χρησιμοποίησή της. Ξεκινώντας ἀπό αὐτή τή διαπίστωση, παραθέτομε στό παρόν λεξικό δεκάδες χιλιάδες παραδειγματικῶν φράσεων, πού τό καθιστοῦν ἀνεκτίμητο βοήθημα στό σπουδαστή,

στό δάσκαλο καί στόν κάτοχο τῆς Ἀγγλικῆς, καί οἱ ὁποῖες ἴσως δικαιώσουν τήν ἐλπίδα τοῦ γράφοντος ὅτι τό λεξικό αὐτό θά συμβάλη στήν εὐκολώτερη καί ἀρτιώτερη ἐκμάθηση τῆς Ἀγγλικῆς γλώσσας στόν τόπο μας περισσότερο ἀπό ὁποιοδήποτε ἄλλο βοήθημα.

Οἱ παραδειγματικές φράσεις εἶναι διπλᾶ ὠφέλιμες: *α*) Καθορίζουν μέ σαφήνεια, ὅπως δείξαμε στό παραπάνω παράδειγμα, τή σημασία τῶν Ἑλληνικῶν λέξεων πού χρησιμοποιοῦνται στήν ἀπόδοση, καί ταυτόχρονα προσδιορίζουν τό σημασιολογικό περιεχόμενο τῶν ἴδιων τῶν Ἀγγλικῶν λέξεων. β) Δίνουν, ἔμμεσα, χρησιμότατες πληροφορίες γιά τή χρήση τῶν Ἀγγλικῶν λέξεων, καί μάλιστα ὄχι μόνο τῶν λημμάτων στά ὁποῖα ἀναφέρονται ἀλλά καί ὅλων τῶν ἄλλων πού χρησιμοποιοῦνται στήν ἴδια φράση. Παραδείγματα: στή φράση *of French descent*, (Γαλλικῆς καταγωγῆς, Γάλλος στήν καταγωγή), δέν μαθαίνομε μόνο μέ ἀκρίβεια τή σημασία τῆς λέξεως *descent* (πού εἶναι ἐδῶ τό λῆμμα), ἀλλά ἀκόμη κι᾿ ὅτι χρησιμοποιεῖται μέ τήν πρόθεση *of*. Κατά τόν ἴδιο τρόπο, ἀπό τή φράση: *to my great delight* (πρός μεγάλη μου χαρά), ἔχομε μιά χρήσιμη ἔνδειξη γιά τή σύνταξη τοῦ λήμματος *delight* μέ τήν πρόθεση *to*. Ἄν, τώρα, ὁ σπουδαστής συναντήση τή σύνταξη αὐτή καί μέ ἄλλες λέξεις (π.χ. *horror, astonishment, surprise*, κλπ), ἀντιλαμβάνεται ὅτι οἱ φράσεις *to my great delight/horror/surprise* εἶναι φραστικά ἰδιώματα – ἔστω κι᾿ ἄν δέν σημειώνονται πουθενά σάν τέτοια – πού τά ἔμαθε σχεδόν ἀσυναίσθητα ὅταν μάθαινε τήν παραδειγματική φράση στό λῆμμα *delight*. Γι᾿ αὐτό τό λόγο, μολονότι ἔχει ἴσως γίνει κατανοητή ἡ κεφαλαιώδης σημασία τῶν παραδειγματικῶν φράσεων, εἶναι ἀναγκαῖο νά τονισθῆ ἀκόμη μιά φορά ὅτι ὁ προχωρημένος σπουδαστής δέν θά πρέπει ποτέ νά μαθαίνη μιά καινούργια Ἀγγλική λέξη χωρίς νά μάθη ἀντίστοιχα καί μιά παραδειγματική φράση. Κι᾿ ἄν τό λεξικό του δέν τοῦ δίνει τέτοια φράση, τότε πρέπει νά μαθαίνη τή φράση ἐκείνη στήν ὁποία πρωτοσυνάντησε τή λέξη στό διάβασμά του.

Πρίν τελειώσωμε τό θέμα τῶν παραδειγματικῶν φράσεων, θά πρέπει νά σημειωθῆ ὅτι, γιά λόγους οἰκονομίας χώρου, οἱ παραδειγματικές φράσεις δέν δίνονται παρά σέ ἕνα μονάχα λῆμμα ἀπό τά περισσότερα πού ἔχουν τήν ἴδια ρίζα ἤ πού τό ἕνα εἶναι παράγωγο τοῦ ἄλλου. Στό ρῆμα *suppress*, παραδείγματος χάρη, ὕστερα ἀπό κάθε ἀριθμημένη ἀπόδοση, δίνονται ὅλες οἱ ἀναγκαῖες παραδειγματικές φράσεις, γι᾿ αὐτό στό οὐσιαστικό *suppression*, πού εἶναι παράγωγο τοῦ ρήματος *suppress*, δίνονται μόνο οἱ διάφορες σημασίες του, χωρίς φράσεις. Ὁ σπουδαστής, λοιπόν, πού θέλει νά κατανοήση πληρέστερα τήν ἔννοια καί τή χρήση τοῦ οὐσιαστικοῦ *suppression*, θά πρέπει νά ἀνατρέξη ψηλότερα στό ρῆμα *suppress* καί νά διαβάση τίς παραδειγματικές φράσεις πού παρατίθενται ἐκεῖ.

Γιά οἰκονομία χώρου, ἐπίσης, δέν δίνεται ἡ ἀπόδοση τῆς παραδειγματικῆς φράσεως στά Ἑλληνικά, ὅταν κατά τήν κρίση τοῦ γράφοντος, ἡ μετάφρασή της εἶναι πολύ εὔκολη. Στό λῆμμα "**direct** *ἐπίρ.* κατ᾿ εὐθεῖαν" δίνονται ἀμετάφραστες οἱ φράσεις: *He came direct to London. The train goes there direct*, γιατί εἶναι βέβαιο ὅτι κανείς δέν θά δυσκολευτῆ νά μεταφράση: Ἦλθαν κατ᾿ εὐθεῖαν στό Λονδῖνο. Τό τραῖνο πάει κατ᾿ εὐθεῖαν ἐκεῖ.

ἀπόδοση στά Ἑλληνικά

σημασιολογική ἀρίθμηση Μιά ἀπό τίς σοβαρότερες ἀδυναμίες σέ ὅλα σχεδόν τά ὑπάρχοντα Ἀγγλοελληνικά λεξικά εἶναι ἡ σχοινοτενής παράθεση Ἑλληνικῶν λέξεων στήν ἀπόδοση τῶν Ἀγγλικῶν, χωρίς καμιά ἐμφανῆ προσπάθεια διαφορισμοῦ ἤ ἀξιολογήσεως. Ἀνοίγοντας στήν τύχη ἕνα, ἀξιόλογο κατά τά ἄλλα, Ἀγγλοελληνικό λεξικό, μποροῦμε νά διαβάσωμε: "**order** *οὐσ.* τάξις. ἐκκλησιαστικό τάγμα. διαταγή, ἐντολή, παραγγελία. σειρά. πρόσκλησις. δελτίον εἰσόδου. θέσις. βαθμός. παράσημον." Ὁ σπουδαστής πού ἐπιχειρεῖ νά μάθη τή σημασία τῆς λέξεως *order* θά βρεθῆ σίγουρα σέ ἀμηχανία μπροστά σ' αὐτό τό γλωσσικό καρναβάλι ὅπου τά ἐκκλησιαστικά τάγματα συμφύρονται μέ τά παράσημα, καί τά δελτία εἰσόδου μέ τίς διασταυρούμενες διαταγές, κι' ἀπό τό ὁποῖο λείπει ἀπολύτως ἡ "τάξις". Χωρίς ἀμφιβολία, θά σκεφθῆ ὅτι οἱ Ἄγγλοι πρέπει νά εἶναι λιγάκι παλαβοί γιά νά ἐννοοῦν τόσα πολλά καί τόσο διαφορετικά πράγματα μέ μιά μόνο λέξη, καί θ' ἀπορήσουν πῶς καταφέρνουν καί συνεννοοῦνται μεταξύ τους. Ἐπειδή, ὅμως, ἡ λέξη *order* πράγματι ἔχει ὅλες αὐτές τίς σημασίες, τό σφάλμα δέν βρίσκεται στήν ἐπιλογή τῶν Ἑλληνικῶν λέξεων πού χρησιμοποίησε ὁ συγγραφέας τοῦ λεξικοῦ γιά τήν ἀπόδοσή τους, ἀλλά στόν τρόπο μέ τόν ὁποῖον οἱ λέξεις αὐτές ἐκσφενδονίζονται κατά τοῦ ἀνύποπτου σπουδαστῆ, χωρίς καμιά ἐπεξήγηση, καμιά παραδειγματική φράση, καμιά προσπάθεια διαφορισμοῦ. Ἀκριβῶς γιά νά μήν ἐπαναληφθῆ στό παρόν λεξικό τό ἴδιο φαινόμενο, οἱ διάφορες σημασίες τῆς κάθε Ἀγγλικῆς λέξεως ἀξιολογοῦνται, διαχωρίζονται σέ ἑνότητες καί ἀριθμοῦνται. Στήν περίπτωση δέ πού ὑπάρχει ἀνάγκη λεπτομερέστερου ἐννοιολογικοῦ διαφορισμοῦ σέ μιά ἀπό τίς ἀριθμημένες σημασίες, αὐτό γίνεται μέ τή χρησιμοποίηση τῶν γραμμάτων τῆς Ἑλληνικῆς ἀλφαβήτου. Μέ τόν τρόπο αὐτό – καί μέ τή βοήθεια, βέβαια, τῶν παραδειγματικῶν φράσεων, γιά τίς ὁποῖες ἔγινε ἤδη λόγος – καί ἡ σύγχυση ἀποφεύγεται καί ἡ σημασιολογική πολλαπλότητα τῆς λέξεως γίνεται ὁλοφάνερη καί εὐκολονόητη.

ἀρχές στήν ἀπόδοση Στήν ἀπόδοση τῆς σημασίας τῶν Ἀγγλικῶν λέξεων στά Ἑλληνικά, ἀκολουθήθηκαν οἱ ἑπόμενες ἀρχές:

α) Νά χρησιμοποιοῦνται ὅσο τό δυνατόν λιγώτερες Ἑλληνικές λέξεις στήν ἀπόδοση τῆς καθεμιᾶς σημασίας τῶν Ἀγγλικῶν λέξεων ὥστε νά μή δημιουργῆται ἄσκοπη σύγχυση στό σπουδαστή. Ἀντιλαμβανόμεθα, βέβαια, ὅτι ἔτσι δέν δίνεται ἴσως πάντα ὁλόκληρο τό σημασιολογικό φάσμα τῆς Ἀγγλικῆς λέξεως μέ τίς λεπτότερες ἐννοιολογικές της ἀποχρώσεις κι' οὔτε ὁ ἀντίστοιχος λεκτικός πλοῦτος τῆς Ἑλληνικῆς. Ὡστόσο προκρίναμε ὅτι βασικά προέχει ἡ κυριολεξία καί ἡ σαφήνεια μᾶλλον παρά ἡ λεπτολόγα διάκριση, γιά τήν ὁποία ἄλλωστε στηριχθήκαμε περισσότερο στίς παραδειγματικές φράσεις. Παράδειγμα: ἐνῶ σ' ἕνα ἄλλο λεξικό τό ρῆμα *depict* ἀποδίδεται ὡς "ἀπεικονίζω, ζωγραφίζω, περιγράφω (μέ ζωηρά χρώματα), ἀναπαριστῶ", στό παρόν λεξικό δίνεται μόνο ἡ βασική σημασία "ἀπεικονίζω" μαζί μέ δυό παραδειγματικές φράσεις πού δείχνουν, ἡ μέν πρώτη τήν κυριολεκτική, ἡ δέ δεύτερη – στήν ὁποία καί χρησιμοποιεῖται στήν ἀπόδοση τό "ζωγραφίζω" – τή μεταφορική χρήση τοῦ ρήματος *depict*.

β) Δίνονται περισσότερες λέξεις στήν ἀπόδοση μονάχα ὅταν εἶναι ἀποχρώσεις μιᾶς καί τῆς αὐτῆς ἐννοίας καί εἶναι ἀπολύτως ἀναγκαῖες γιά τήν κατανόηση τῆς σημασίας τῆς Ἀγγλικῆς λέξεως ἤ ὅταν ἡ χρήση τῆς καθεμιᾶς ἀπ' αὐτές καταλαμβάνει ἕνα τμῆμα μόνο τοῦ σημασιολογικοῦ χώρου τῆς Ἀγγλικῆς λέξεως. Στή δεύτερη αὐτή περίπτωση δίνεται κατά κανόνα καί μιά παραδειγματική φράση γιά τήν κάθε Ἑλληνική λέξη ὥστε ἡ ἐννοιολογική της ἀπόχρωση καί ἡ χρήση της νά προσδιορίζεται μέ ἀκρίβεια.

παράδειγμα

display *ρ.μ/ἀ.* ἐκθέτω, ἐπιδεικνύω, δείχνω, φανερώνω: ~ *goods in shop windows*, ἐκθέτω ἐμπορεύματα σέ βιτρίνες. ~ *one's jewellery*, ἐπιδεικνύω τά κοσμήματά μου. *He ~ed no sign of emotion*, δέν ἔδειξε ἴχνος συγκινήσεως. ~ *one's ignorance*, φανερώνω τήν ἀμάθειά μου.

γ) Ὅταν οἱ περισσότερες Ἑλληνικές λέξεις μέ τίς ὁποῖες θά μποροῦσε νά ἀποδοθῆ ἡ σημασία μιᾶς Ἀγγλικῆς λέξεως δέν ἔχουν τήν καταφανῆ σημασιολογική συγγένεια τῆς προηγουμένης παραγράφου, τότε στήν ἀπόδοση μέν χρησιμοποιεῖται μιά μονάχα λέξη, ἐφ' ὅσον καλύπτει ὅλο τό σημασιολογικό φάσμα τῆς δοσμένης Ἀγγλικῆς λέξεως, στή μετάφραση ὅμως τῶν παραδειγματικῶν φράσεων χρησιμοποιοῦνται καί οἱ ἄλλες λέξεις, σάν πιό κυριολεκτικές, εἴτε αὐτοτελῶς εἴτε ἐπεξηγηματικῶς μέσα σέ παρένθεση.

παράδειγμα

cover *ρ.μ.* ... **4**. καλύπτω: ~ *thirty miles in ten hours*, καλύπτω (διανύω) 30 μίλια σέ 10 ὧρες. ~ *one's needs/expenses*, καλύπτω (ἱκανοποιῶ) τίς ἀνάγκες μου/τά ἔξοδά μου. ~ *a war*, καλύπτω (κάνω δημοσιογραφικό ρεπορτάζ γιά) ἕναν πόλεμο. *This book doesn't ~ the subject fully*, αὐτό τό βιβλίο δέν καλύπτει (δέν ἐξαντλεῖ) τό θέμα πλήρως.

Μέ τόν τρόπο αὐτό καί οἱ ἐννοιολογικές ἀποχρώσεις τῆς λέξεως διερευνῶνται καί ὑπογραμμίζονται, καί συνάμα ἀποφεύγεται ἡ σύγχυση πού θά δημιουργοῦσαν οἱ λέξεις "διανύω, ἱκανοποιῶ, κάνω ρεπορτάζ, ἐξαντλῶ", ἄν δίνονταν ἐξυπαρχῆς καί χωρίς ἄλλη διευκρίνιση σάν ἀπόδοση τοῦ ρήματος *cover*.

δ) Ὅταν μία Ἑλληνική λέξη καλύπτη ἐντελῶς ὅλες τίς σημασίες τῆς Ἀγγλικῆς λέξεως, τότε, ἀνάλογα μέ τήν περίπτωση, εἴτε καταχωρεῖται μόνο μία φορά, εἴτε ἐπαναλαμβάνεται μέν ἀριθμημένη, ἀλλά μέ ἐπεξήγηση μέσα σέ παρένθεση τῆς εἰδικώτερης κάθε φορά σημασίας της.

παράδειγμα

lose *ρ.μ/ἀ.* **1**. χάνω (= παύω νά ἔχω)... **2**. χάνω (= δέν βρίσκω)... **3**. χάνω (= δέν προλαβαίνω, πάω ἀργά)... **4**. χάνω (= δέν κερδίζω)...

γλῶσσα στήν ἀπόδοση Ἡ ἀπόδοση τῶν λημμάτων ἔγινε στήν ἁπλῆ δημοτική, στή ζωντανή γλῶσσα πού μιλᾶμε καί γράφομε (μέ ἐξαίρεση τά τριτόκλιτα θηλυκά οὐσιαστικά πού, γιά διαφόρους λόγους, κρίθηκε σκόπιμο νά διατηρήσουν τήν κατάληξη -ις). Ἔτσι ὁ σπουδαστής ἔχει στά χέρια του ἕνα λεξικό γραμμένο σέ μιά γλῶσσα πού τήν καταλαβαίνει καί τή χαίρεται, κάτι διαφορετικό, ἐλπίζομε, ἀπό τά λεξικά πού εἶχε συνηθίσει ὥς τώρα, τά γεμᾶτα ἀκατανόητες, κωμικές ἤ ἀκόμα καί παραπλανητικές ἀποδόσεις. Στό παρόν λεξικό ὁ σπουδαστής δέν θά βρῆ, παραδείγματος χάρη, ὅτι τό ρῆμα *spade* σημαίνει "σκάπτω μέ πτύον" (ὅπως τό δίνει ἕνα σύγχρονο, καί σέ πολλά σημεῖα ἀξιόλογο, λεξικό), ἀλλά ἁπλᾶ "σκάβω μέ τσάπα/μέ φτυάρι". Ἡ διαφορά εἶναι ἀρκετά φανερή ὥστε νά μή χρειάζεται κανένα σχόλιο.

Στήν ἁπλῆ, ζωντανή γλῶσσα μας ἔγινε ἐπίσης καί ἡ ἀπόδοση τῶν ἰδιωματισμῶν καί τῶν παραδειγματικῶν φράσεων. Γιά τίς τελευταῖες θά πρέπει νά γίνη ἡ ἀκόλουθη διευκρίνιση: ἐπειδή οἱ φράσεις αὐτές ἀναφέρονται πάντα σ' ἕνα συγκεκριμένο λῆμμα μέ μιά ὡρισμένη ἀπόδοση, δέν θά ἦταν σκόπιμο ἡ ἀπόδοση τῆς παραδειγματικῆς φράσεως ν' ἀπομακρυνθῆ πολύ ἀπό τή δοσμένη ἀπόδοση τοῦ λήμματος, γιατί αὐτό θά δημιουργοῦσε κίνδυνο συγχύσεως στό σπουδαστή – αὐτός εἶναι ἄλλωστε ὁ λόγος πού μιλᾶμε γιά "ἀπόδοση" καί ὄχι γιά "μετάφραση" (δηλ. κάτι πιό δημιουργικό) τῆς παραδειγματικῆς φράσεως. Παράδειγμα: στό λῆμμα "*different*, διαφορετικός" ἡ φράση "*They are ~ in race and speech*" ἀποδίδεται μέ τή φράση "εἶναι διαφορετικοί στή φυλή καί τή γλῶσσα" καί ὄχι μέ κάποιον ἄλλο τρόπο πού θά ἦταν γλωσσικά πιό ἐπιτυχημένος (π.χ. "διαφέρουν" ἀντί "εἶναι διαφορετικοί"), ἀλλά πού θ' ἀγνοοῦσε τή δοσμένη ἀπόδοση "διαφορετικός". Κάτω ἀπό τό πρῖσμα αὐτῆς τῆς ἀνάγκης θά πρέπει νά κριθῆ ὁ τρόπος ἀποδόσεως τῶν παραδειγματικῶν φράσεων, καί ἐλπίζομε ὅτι θά ἔχομε τήν κατανόηση, καί μερικές φορές τήν ἐπιείκεια, τοῦ στοχαστικοῦ σπουδαστῆ.

γλωσσικές ἀποκλίσεις στήν ἀπόδοση

Στή γενική ἀρχή ὅτι ἡ ἀπόδοση στά Ἑλληνικά ἔγινε στήν ἁπλῆ, στρωτή δημοτική, ὑπάρχουν δυό ἐξαιρέσεις: μιά πρός τήν κατεύθυνση τῆς καθαρεύουσας καί μιά πρός τήν πλευρά τοῦ λαϊκοῦ ἰδιώματος, τῆς Ἑλληνικῆς "ἀργκό". Καί οἱ δυό αὐτές ἐξαιρέσεις ἔγιναν σκόπιμα, σέ μιά προσπάθεια νά ἀποδοθῆ μέ σαφήνεια καί ἐνάργεια ὁ ἰδιαίτερος γλωσσικός χῶρος μέσα στόν ὁποῖον λειτουργεῖ μιά λέξη, δηλ. νά δοθῆ ἡ χρηστική ἤ, σέ μιά εὐρύτερη ἔννοια, ἡ καλολογική ἀξία τῆς λέξεως. Γιατί, ἀναμφισβήτητα, ἄν δέν ξέρη κανείς τό εἰδικό καλολογικό βάρος τῆς λέξεως, δηλαδή πότε καί πῶς χρησιμοποιεῖται, ὑπάρχει κίνδυνος νά τήν χρησιμοποιήση τόσο ἀπρόσφορα ἤ ἀδόκιμα ὥστε νά γίνη καταγέλαστος. Μολονότι τό λεξικό αὐτό εἶναι γεμᾶτο ἀπό ἐπεξηγηματικές καλολογικές βραχυγραφίες – γιά τίς ὁποῖες γίνεται λόγος ἀμέσως παρακάτω – κρίναμε ὅτι θά ἔπρεπε νά χρησιμοποιηθοῦν οἱ δυνατότητες τῆς γλώσσας μας γιά νά ὑπογραμμισθῆ ἡ καλολογική ἀξία τῶν Ἀγγλικῶν λέξεων μέ τή χρησιμοποίηση Ἑλληνικῶν λέξεων ἰσοδύναμης ἤ συγγενικῆς καλολογικῆς ἀξίας, τουλάχιστον στόν εὐρύ χῶρο τῆς καθαρεύουσας, τῆς κοινῆς καθομιλουμένης καί τοῦ λαϊκοῦ ἰδιώματος.

παραδείγματα

jocose *ἐπ.* (*λόγ.*) φιλοπαίγμων.
lea *οὐσ.* ‹C› (*ποιητ.*) λειμών.
jerry *οὐσ.* ‹C› (*λαϊκ.*) καθίκι.

pull sb's leg, (*καθομ.*) κοροϊδεύω/δουλεύω κπ.
kick the bucket, (*λαϊκ.*) τινάζω τά πέταλα, τά κακαρώνω.
without let or hindrance, (*νομ.*) ἀδιακωλύτως.
I was apprised of his intentions, (*λόγ.*) ἐπληροφορήθην τάς προθέσεις του.

Ἀπό τά παραδείγματα αὐτά γίνεται φανερός ὁ σκοπός πού ἐπιδιώχθηκε μέ τή συστηματική καί συνειδητή χρησιμοποίηση τῆς καθαρεύουσας, τῆς δημοτικῆς καί τοῦ λαϊκοῦ ἰδιώματος τῆς Ἑλληνικῆς: νά δοθῆ στό σπουδαστή ἡ δυνατότητα, χωρίς κἄν νά κοιτάξη τίς καλολογικές βραχυγραφίες μέσα στίς παρενθέσεις, νά ἀντιληφθῆ, ἀπό τήν Ἑλληνική ἀπόδοση μονάχα, ὅτι οἱ λέξεις καί οἱ φράσεις τῶν παραδειγμάτων παρουσιάζουν κάποια ἰδιομορφία στή χρήση τους, ἀντίστοιχη πρός ἐκείνη τῶν Ἑλληνικῶν λέξεων πού χρησιμοποιοῦνται γιά τήν ἀπόδοσή τους. Μέ τόν τρόπο αὐτό ἐλπίζομε ὅτι ἀποφεύγεται ὁ κίνδυνος νά τίς μάθη ἄκριτα ἤ νά τίς χρησιμοποιήση ἄστοχα. Ἀντίθετα, ἄν ἡ ἀπόδοση ἦταν, ὅπως καί εἶναι σέ πολλά λεξικά, ἀπρόσεχτη καί γλωσσικά ἰσοπεδωτική (π.χ. *jocose*, ἀστεῖος, καλαμπουριτζῆς. *jerry*, δοχεῖον τῆς νυκτός, οὐροδοχεῖον. *lea*, χωράφι, λειβάδι. *kick the bucket*, ἀποθνήσκω, *without let or hindrance*, ἄνευ ἐμποδίων), δέν θά εἶχε καμία ἔνδειξη γιά τό πῶς καί πότε οἱ λέξεις καί οἱ φράσεις αὐτές χρησιμοποιοῦνται. Σέ τέτοια περίπτωση θά μποροῦσε νά πῆ ἤ νά γράψη: *'When did your dear father kick the bucket?'* μέ τήν ἀφελῆ πεποίθηση, βασιζόμενος στό Ἑλληνικό "ἀποθνήσκω", ὅτι χρησιμοποιεῖ Ἀγγλικά περιωπῆς! Γι᾿ αὐτό, ἡ καινοτομία πού εἰσάγεται μέ τή μελετημένη χρησιμοποίηση τοῦ λόγιου, τοῦ κοινοῦ καί τοῦ λαϊκοῦ ἰδιώματος τῆς Ἑλληνικῆς στήν ἀπόδοση τῶν Ἀγγλικῶν λέξεων καί παραδειγματικῶν φράσεων, ἄν καί ἐλλιπής, ἴσως, ὅπως κάθε νέα προσπάθεια, θά πρέπει νά ἐκτιμηθῆ σά σημαντική συμβολή στήν Ἑλληνική λεξικογραφία, ἔστω καί σάν πρῶτο βῆμα πρός τή σωστή κατεύθυνση. Τό στοιχεῖο αὐτό καί οἱ παραδειγματικές φράσεις ἀποτελοῦν τίς κυριότερες ἀρετές τοῦ παρόντος λεξικοῦ.

καλολογικές βραχυγραφίες

Ἐπειδή ὁ προσδιορισμός τῆς καλολογικῆς ἀξίας τῶν λέξεων ἔχει, ὅπως καταδείχτηκε, κεφαλαιώδη σημασία, καί ἐπειδή δέν ὑπάρχει ἀντικειμενικά ἡ δυνατότητα νά γίνη ὁ προσδιορισμός αὐτός μονάχα μέ τήν περιεσκεμμένη ἐπιλογή τῶν καταλλήλων Ἑλληνικῶν λέξεων, χρησιμοποιήθηκαν στό παρόν λεξικό συστηματικά ἄφθονες καλολογικές βραχυγραφίες γιά νά ἐνημερώνουν σχετικά τόν σπουδαστή σέ κάθε δυνατή περίπτωση. Μολονότι παρόμοιες βραχυγραφίες βρίσκονται στά περισσότερα λεξικά, γιά πρώτη φορά χρησιμοποιοῦνται τόσο ἐκτεταμένα, συστηματικά καί λεπτομερειακά. Καί ἐκφράζεται ἡ ἐλπίδα ὅτι ὁ σπουδαστής θά τίς προσέχη ἰδιαίτερα κάθε φορά πού τίς συναντάει, γιατί ἀποτελοῦν, κατά κάποιον τρόπο, τήν "ἐπαγγελματική ταυτότητα" τῆς λέξεως, ἀφοῦ μᾶς πληροφοροῦν σέ ποιό χῶρο λειτουργεῖ, πῶς "δουλεύει" ἡ κάθε λέξη. Ἀπό τίς πολλές βραχυγραφίες πού χρησιμοποιοῦνται – καί δίνονται ὅλες στόν πίνακα βραχυγραφιῶν – ἐκεῖνες πού χρειάζονται εἰδική ἐπισήμανση καί προσοχή εἶναι οἱ ἀκόλουθες:

α) *λόγ.* (= λόγιος, *formal*). Οἱ λέξεις πού σημειώνονται σά "λόγιες" συναντιῶνται περισσότερο σέ κείμενα πού τά χαρακτηρίζει κάποια γλωσσική ἐκζήτηση, παρά στόν προφορικό λόγο. Πρόκειται δηλαδή γιά λέξεις πού ὁ σπουδαστής πρέπει νά ξέρη τί σημαίνουν, ἀλλά πού δέν χρειάζεται νά μάθη νά τίς χρησιμοποιῆ – τουλάχιστον στήν ὁμιλία. Ἡ θέση τους εἶναι μᾶλλον στό λεξιλόγιο ἀναγνωρίσεως παρά στό ἐνεργητικό λεξιλόγιο τοῦ σπουδαστῆ, κάτι ἀντίστοιχο μέ τίς "καθαρευουσιάνικες" λέξεις τῆς Ἑλληνικῆς.

β) *καθομ.* (= καθομιλουμένη, *colloquial*). Ἔτσι σημειώνονται οἱ λέξεις καθημερινῆς χρήσεως, ἐκεῖνες πού χρησιμοποιοῦνται ἀπ᾽ὅλους τούς Ἄγγλους στήν καθημερινή ζωή χωρίς καμιά ἰδιαίτερη προσπάθεια ἤ σκέψη, αὐθόρμητα, οἰκεῖα καί φυσικά, μέ τόν ἴδιο ἀκριβῶς τρόπο πού χρησιμοποιοῦμε καί μεῖς τίς φράσεις: "Γιά ποῦ τὄβαλες;" "Παράτα με ἥσυχο!" "πῆραν τά μυαλά της ἀέρα." "πέρασε νά μᾶς δῆς κανά βραδάκι." Ἀπό τά παραδείγματα γίνεται φανερό ὅτι οἱ λέξεις αὐτές τότε μόνον "ἀκούγονται σωστά", ὅταν χρησιμοποιοῦνται μέ ἀκρίβεια, ἄνεση καί φυσικότητα.

γ) *πεπαλ.* (= πεπαλαιωμένη, *dated*). Μέ τή βραχυγραφία αὐτή σημειώνονται λέξεις πού ἀνῆκαν στήν καθομιλουμένη Ἀγγλική πρίν ἀπό μερικές δεκαετίες, ἀλλά πού δέν χρησιμοποιοῦνται πιά τό ἴδιο συχνά ὅσο παληότερα.

δ) *λαϊκ.* (= λαϊκή, *slang*). Ἡ βραχυγραφία αὐτή ἐπισημαίνει τίς λέξεις ἤ φράσεις τοῦ λαϊκοῦ ἰδιώματος, τῆς Ἀγγλικῆς "ἀργκό". Πρόκειται γιά λέξεις πού χρησιμοποιοῦνται εἴτε ἀπό ἀνθρώπους ὡρισμένου, συνήθως χαμηλοῦ, πνευματικοῦ ἐπιπέδου, ἤ ἀπό ὅλους τούς ἀνθρώπους σέ εἰδικές περιστάσεις, ἤ ἀπό ὡρισμένες ὁμάδες ἀνθρώπων (π.χ. μαθητές, ναῦτες, κλπ), [γι᾽αὐτό πολλές φορές σημειώνονται στό λεξικό καί πρόσθετες ἐνδείξεις, ὅπως "*σχολ. λαϊκ.*" (σχολική ἀργκό) ἤ "*ΗΠΑ λαϊκ.*" (Ἀμερικανική ἀργκό), ἤ "*στρατ. λαϊκ.*" (στρατιωτική ἀργκό), κλπ.] Ἡ ἀργκό εἶναι πολύ γλιστερό ἔδαφος καί ὁ ξένος σπουδαστής θἄκανε καλά νά τό ἀποφεύγη, ἐκτός ἄν εἶναι ἀπολύτως βέβαιος ὅτι ἡ *slang* λέξη ἤ φράση πού θέλει νά χρησιμοποιήση εἶναι σύγχρονη καί ὅτι ἡ περίσταση ἤ τό περιβάλλον ἐπιτρέπει τή χρησιμοποίησή της.

Πολλές ἀπό τίς ἀργκό λέξεις χρησιμοποιοῦνται κάποτε τόσο πλατιά ὥστε μέ τό πέρασμα τοῦ χρόνου περνᾶνε στό χῶρο τῆς καθομιλουμένης, σέ τρόπο πού ἡ ζωντανή, καθημερινή Ἀγγλική νά εἶναι γεμάτη ἀπό λέξεις πού κάποτε ἀνῆκαν στήν ἀργκό. Αὐτός εἶναι ἀκριβῶς καί ὁ λόγος πού ὡρισμένες λέξεις σήμερα βρίσκονται στό μεταίχμιο τῆς καθομιλουμένης καί τοῦ λαϊκοῦ ἰδιώματος κι᾽εἶναι, συνεπῶς, δύσκολη ἡ ταξινόμησή τους – ὅπως, ἀκριβῶς, εἶναι δύσκολο νά πῆ κανείς ἄν ἡ φράση "Μ᾽ἔστησε μισή ὥρα ἔξω ἀπό τό θέατρο" ἀνήκη στήν καθομιλουμένη Ἑλληνική ἤ στό λαϊκό μας ἰδίωμα. Στό παρόν λεξικό, ὁ χαρακτηρισμός μιᾶς λέξεως ὡς "*λόγ.*", "*καθομ.*", "*πεπαλ.*" ἤ "*λαϊκ.*" ἔγινε μέ βάση τίς ἐνδείξεις στό ***Oxford Advanced Learner's Dictionary of Current English*** τοῦ ***A S Hornby***.

Πέρα ἀπό τίς παραπάνω τέσσερες βασικές καλολογικές βραχυγραφίες, ὑπάρχουν καί ἄλλες στό παρόν λεξικό, ἀλλά καί εὐκολονόητες εἶναι, καί ἡ σημασία τους εἶναι σχετικά περιωρισμένη, ὥστε νά μήν ἀπαιτοῦν ἰδιαίτερη ἀνάλυση, π.χ. "*ἀπηρχ.*" (= ἀπηρχαιωμένη), "*ἀρχ.*" (= ἀρχαία ἤ ἀρχαΐζουσα), "*λογοτ.*" (= λογοτεχνία), "*ποιητ.*" (= ποιητικά), "*ἀστειολ.*" (= ἀστειολογικά), "*ὑποτιμ.*" (= ὑποτιμητικά), κλπ. κλπ. Τέλος ὑπάρχουν καί ὅλες ἐκεῖνες πού ἀναφέρονται στίς ἐπιστῆμες ἤ στούς κλάδους τους, π.χ. "*νομ.*" (= νομική), "*χημ.*" (= χημεία), "*ἰατρ.*" (= ἰατρική), κλπ.

Πρίν κλείσωμε τό θέμα αὐτό, θά ἤθελα νά δώσω μιά ἁπλῆ ἰδέα ἐκφρασμένη μέ διαφόρους τρόπους στά Ἑλληνικά ὥστε νά γίνη τέλεια κατανοητή καί ἡ διαφορά ἀπό τή μιά φραστική διατύπωση στήν ἄλλη, ἀλλά ἐπίσης καί ἡ μεγίστη σημασία πού ἔχει ἡ γνώση τοῦ χώρου μέσα στόν ὁποῖον λειτουργοῦν φυσιολογικά οἱ λέξεις:

Εὐθύς ὡς μέ εἶδε, ἀπεχώρησε (ἤ, ἀπῆλθε). (*λόγ.*)
Μόλις μέ εἶδε, ἔφυγε. (*κοινή Ἑλληνική*).
Μόλις μέ εἶδε, τὄσκασε (ἤ, πῆρε δρόμο). (*καθομ.*)
Μόλις μέ εἶδε, τήν κοπάνισε (ἤ, τὄκοψε λάσπη). (*λαϊκ.*)
Μόλις μέ εἶδε, ἔγινε μπουΐκ. (*πεπαλ.*) (Πρόκειται γιά φράση πού, στή δεκαετία τοῦ 1930, θυμᾶμαι ὅτι ἐχρησιμοποιεῖτο ἀπ' ὅλους στήν πατρίδα μου, τή Σπάρτη, ἀπ' ἀφορμή τά πρῶτα αὐτοκίνητα μάρκας *Buick* πού ἔτρεχαν "δαιμονισμένα"!)

γραμματικές, συντακτικές καί ἄλλες πληροφορίες

γραμματικά καί συντακτικά Ἐκτός ἀπό τίς συνηθισμένες ἐνδείξεις πού ὑπάρχουν σέ ὅλα τά λεξικά (π.χ. τί μέρος τοῦ λόγου εἶναι ἡ λέξη, ποιά ρήματα εἶναι ἀνώμαλα, ἄν τό ρῆμα εἶναι μεταβατικό ἤ ἀμετάβατο, κλπ), προσπαθήσαμε νά δώσωμε, σέ κάθε περίπτωση, ὅλες ἐκεῖνες τίς πληροφορίες γιά τή γραμματική καί συντακτική λειτουργία ἤ τή χρήση τῶν λέξεων πού κρίθηκαν ἀναγκαῖες γιά τήν πληρέστερη κατανόηση καί τήν ὀρθή χρησιμοποίησή τους ἀπό μέρους τῶν σπουδαστῶν.

παραδείγματα
pants *οὐσ. πληθ.*
lightning *οὐσ. (μόνον ἑν.)*
lineament *οὐσ. (συνήθ. πληθ. ἐκτός ἄν προηγῆται each ἤ every)*
resemble *ρ.μ. (χωρίς πρόθ.!)*
die *ρ.ἀ. (ἐνεργ. μετ. dying)*
dye *ρ.μ. (ἐνεργ. μετ. dyeing)*

Στίς παραπάνω περιπτώσεις, ὅπως καί σέ χιλιάδες παρόμοιες, οἱ πληροφορίες πού δίνονται εἶναι εὐκολονόητες, ὅπως π.χ. ὅτι τό οὐσιαστικό *pants* χρησιμοποιεῖται πάντα στόν πληθυντικό, τό *lightning* μόνον στόν ἑνικό, τό ρῆμα *resemble* δέν ἀκολουθεῖται ἀπό πρόθεση, ἀντίθετα ἀπ' ὅ,τι συμβαίνει μέ τό ἀντίστοιχο "μοιάζω" τῆς Ἑλληνικῆς, κλπ. κλπ.

διπλασιασμός τοῦ τελικοῦ συμφώνου Μέσα σέ παρένθεση δίνονται ὅλες οἱ περιπτώσεις διπλασιασμοῦ τοῦ τελικοῦ συμφώνου στίς ρηματικές καταλήξεις, στά παραθετικά τῶν ἐπιθετων καί στά παράγωγα.

παραδείγματα
stop *(-pp-) (δηλ. stopping, stopped)*
hot *(-ter, -test) (δηλ. hotter, hottest)*

οὐσιαστικά Σέ ὅλα τά οὐσιαστικά – καί τά παράγωγα τους – ὑπάρχουν οἱ ἐνδείξεις ‹C› καί ‹U› πού εἶναι τά ἀρχικά τῶν λέξεων *Countable* (ἀριθμήσιμο) καί *Uncountable* (μή ἀριθμήσιμο). Ἀριθμήσιμα εἶναι κυρίως τά κοινά καί τά συλλογικά (ἤ περιληπτικά) οὐσιαστικά, ἐνῶ μή ἀριθμήσιμα εἶναι τά ὑλικά καί τά ἀφηρημένα οὐσιαστικά. Οἱ ἐνδείξεις αὐτές μᾶς δίνουν ἐξαιρετικά χρήσιμες πληροφορίες, γιατί τά ἀριθμήσιμα οὐσιαστικά ‹C› μπορεῖ νά χρησιμοποιηθοῦν στόν πληθυντικό καί ἐπιδέχονται προσδιορισμό μέ τό ἀόριστο ἄρθρο, τό ἐπίθετο *many* ἤ τά ἀπόλυτα ἀριθμητικά, ἐνῶ, ἀντίθετα, τά μή ἀριθμήσιμα οὐσιαστικά ‹U› δέν ἔχουν κατά κανόνα πληθυντικό οὔτε προσδιορίζονται συνήθως μέ τό ἀόριστο ἄρθρο, τό ἐπίθετο *many* ἤ τά ἀπόλυτα ἀριθμητικά.

Ἄν σ᾽ ἕνα οὐσιαστικό ὑπάρχουν καί οἱ δυό ἐνδείξεις ‹C,U›, αὐτό σημαίνει ὅτι τό οὐσιαστικό μπορεῖ νά χρησιμοποιηθῆ σέ μιά ἀπό τίς σημασίες του σάν ἀριθμήσιμο οὐσιαστικό καί σέ μιά ἄλλη σάν μή ἀριθμήσιμο. Παράδειγμα: "**glass** *οὐσ.* ‹C,U› γυαλί, ποτήρι". Μέ τή ἔννοια "γυαλί" (ὑλικό οὐσιαστικό), ἡ λέξη *glass* εἶναι μή ἀριθμήσιμο οὐσιαστικό ‹U›, ἑπομένως ἄν θέλωμε νά περιγράψωμε ἕνα πάτωμα γεμᾶτο σπασμένα γυαλιά, θά πρέπει νά ποῦμε *"There was broken glass all over the floor"* καί ὄχι *"There were broken glasses..."*. Ἀντίθετα, μέ τήν ἔννοια "ποτήρι" (κοινό οὐσιαστικό), ἡ λέξη *glass* εἶναι ἀριθμήσιμο οὐσιαστικό ‹C› καί μποροῦμε νά ποῦμε *a glass, five glasses, many glasses,* κλπ.

ἐπίθετα Μέ τίς καταλήξεις *-er, -est* μέσα σέ παρένθεση σημειώνονται τά ἐπίθετα πού σχηματίζουν συνήθως τά παραθετικά τους μονολεκτικά μέ τίς παραπάνω καταλήξεις. Κατά συνέπεια, ἄν δέν ὑπάρχη ἡ ἔνδειξη αὐτή μετά τό ἐπίθετο, αὐτό σημαίνει ὅτι τά παραθετικά του σχηματίζονται περιφραστικά, μέ τά ἐπιρρήματα *more* καί *most.*

Ἰδιαίτερα πρέπει νά προσεχθοῦν οἱ βραχυγραφίες πού ἀναφέρονται στά ἐπίθετα, γιατί ἐκτός ἀπό τή συνηθισμένη *ἐπ.* (= ἐπίθετο), ὑπάρχουν στό παρόν λεξικό καί δύο ἄλλες πού δίνουν πολύ χρήσιμες πληροφορίες: Μέ τή βραχυγραφία *ἐπιθ.* (= ἐπίθετο, ἐπιθετικῶς) σημειώνονται οἱ λέξεις πού χρησιμοποιοῦνται μόνον ἐπιθετικῶς, δηλ. μπροστά ἀπό ἕνα οὐσιαστικό. Ἀντίθετα, μέ τίς βραχυγραφίες *κατηγ.* (= κατηγορηματικῶς) ἤ *κατηγ. ἐπ.* (= κατηγορηματικό ἐπίθετο), ἐπισημαίνονται τά ἐπίθετα πού χρησιμοποιοῦνται μόνον σάν κατηγορούμενα καί ποτέ ἐπιθετικῶς πρίν ἀπό οὐσιαστικό, π.χ. *afraid, alive,* κλπ.

προθέσεις Ἰδιαίτερη προσπάθεια καταβλήθηκε νά ἐμφανισθοῦν στό λεξικό ὅλες οἱ περιπτώσεις τῶν λέξεων πού συντάσσονται μέ ὡρισμένη πρόθεση. Αὐτό γίνεται εἴτε μέ τήν καταχώριση τῆς προθέσεως μέ μαῦρα πλάγια στοιχεῖα ἀμέσως μετά τό λῆμμα, εἴτε μέσα ἀπό τίς παραδειγματικές φράσεις, εἴτε μέσα στούς ἰδιωματισμούς. Ὁ σπουδαστής πού ἔχει βασανιστῆ μέ τό πρόβλημα ποιά πρόθεση πάει μετά ἀπό τήν α ἤ β λέξη ἤ σ᾽ ἕνα φραστικό ἰδίωμα (π.χ. ***be accused of*** ἤ ***with a crime? In my opinion*** ἤ ***to my opinion?***) θά βρῆ στό παρόν λεξικό ἕναν πολύτιμο καί ἀξιόπιστο βοηθό.

ἀντίθετες λέξεις Σέ πολλές περιπτώσεις, ἄν καί ὄχι συστηματικά, δίνεται μέσα σέ παρένθεση ἡ ἀντίθετη λέξη πρός τό λῆμμα, ὅπου αὐτό βοηθάει νά κάμη σαφέστερο τό σημασιολογικό περιεχόμενο τοῦ λήμματος.

παράδειγμα
gross *ἐπ.* ... **6**. ἀκαθάριστος, μικτός (*ἀντίθ. net*).

Ἀμερικανικές παραλλαγές Μέ τίς βραχυλογίες "*ΗΠΑ*" ἤ "*ΜΒ*" (Ἡνωμέναι Πολιτεῖαι ἤ Μεγάλη Βρεταννία) σημειώνονται οἱ περιπτώσεις στίς ὁποῖες ὑπάρχει λεξιλογική διαφορά ἤ διαφορά χρήσεως ἀνάμεσα στά Ἀμερικανικά Ἀγγλικά καί στά Ἀγγλικά τῆς Μεγάλης Βρεταννίας.

παραδείγματα
faucet *οὐσ.* ‹C› (*ΗΠΑ*) κάνουλα (*πρβλ. Μ Β tap*)
freight *οὐσ.* ‹U› μεταφορά φορτίου διά θαλάσσης (*ΗΠΑ*, καί διά ξηρᾶς)
freight train (*ΗΠΑ*) φορτηγό τραῖνο (*πρβλ. Μ Β goods train*)
fresh *ἐπ.* ...**4**. (*ΗΠΑ, καθομ.*) τολμηρός, ἐπιθετικός
ladder *οὐσ.* ‹C› (*σέ γυναικεῖες κάλτσες*) φευγᾶτος πόντος (*πρβλ. ΗΠΑ run*)

Οἱ ὀρθογραφικές ἀποκλίσεις πού ἔχουν καθιερωθῆ στά Ἀμερικανικά-Ἀγγλικά σέ σχέση μέ τ' Ἀγγλικά τῆς Μεγ. Βρεταννίας, δέν ἐμφανίζονται στό παρόν λεξικό γιά οἰκονομία χώρου, γι' αὐτό καί σημειώνομε ἐδῶ τίς κυριώτερες περιπτώσεις αὐτῶν τῶν διαφορῶν:

α) Οἱ λέξεις πού λήγουν σέ *-our* γράφονται μέ *-or* στά Ἀμερικανικά.

παραδείγματα
ΜΒ: harbour, humour, neighbour.
ΗΠΑ: harbor, humor, neighbor.

β) Οἱ λέξεις πού λήγουν σέ *-tre* γράφονται στά Ἀμερικανικά ὡς *-ter*.

παραδείγματα
ΜΒ: metre, centre, theatre.
ΗΠΑ: meter, center, theater.

γ) Πολλές ἀπό τίς λέξεις πού καταλήγουν σέ *-ence* γράφονται *-ense* στ' Ἀμερικανικά.

παραδείγματα
ΜΒ: licence, offence, pretence.
ΗΠΑ: license, offense, pretense.

δ) Πολλές ἀπό τίς λέξεις πού λήγουν σέ *-gue* γράφονται ἐπίσης μόνο μέ *-g*.

παραδείγματα
ΜΒ: catalogue, dialogue.
ΗΠΑ: catalog, dialog.

ε) Τέλος πρέπει νά σημειωθῆ ὅτι στ᾽Ἀμερικανικά δέν διπλασιάζεται τό τελικό σύμφωνο στίς λέξεις πού λήγουν σέ *-l* καθώς καί σέ ὡρισμένες ἄλλες.

παραδείγματα
ΜΒ: (level) levelled, (travel) traveller, (kidnap) kidnapped.
ΗΠΑ: (level) leveled, (travel) traveler, (kidnap) kidnaped.

ἐπεξήγηση τυπογραφικῶν συμβόλων καί σημείων

Ὅπως σέ ὅλα τά λεξικά, χρησιμοποιοῦνται καί στό παρόν ὡρισμένα σύμβολα, σημεῖα ἤ ἄλλα τυπογραφικά ἐπινοήματα ὥστε νά γίνη ἡ μεγαλύτερη δυνατή οἰκονομία χώρου καί νά περιληφθῆ ὅσο γίνεται περισσότερη ὕλη στό δοσμένο ἀριθμό σελίδων. Παρακάτω ἐξηγοῦμε τή χρήση τῶν κυριωτέρων ἀπ᾽αὐτά.

κυματιστή γραμμή (~) Ἡ κυματιστή γραμμή χρησιμοποιεῖται ἀντί τοῦ λήμματος στούς ἰδιωματισμούς, στίς παραδειγματικές φράσεις, καί στά παράγωγα. Ἔτσι, στό λῆμμα **colour**, οἱ ἰδιωματισμοί ***change ~***, ***come off with flying ~s***, καί τό παράγωγο ἐπίθετο **~ful**, θά πρέπει νά διαβαστοῦν ὡς *change colour, come off with flying colours* καί *colourful*. Στό λῆμμα **acquire** ἡ παραδειγματική φράση *~d characteristics*, πρέπει νά διαβαστῆ *acquired characteristics*. Ὅταν τό λῆμμα χρησιμοποιῆται στήν ἀρχή προτάσεως ἤ σέ παράγωγο πού γράφεται μέ κεφαλαῖο γράμμα, τότε τό πρῶτο γράμμα τοῦ λήμματος γράφεται μέ κεφαλαῖο πρίν ἀπό τήν κυματιστή γραμμή.

παραδείγματα
(λῆμμα **come**) *C~ along!* (= *Come along!*)
(λῆμμα **foreign**) *the F~ Office* (= *the Foreign Office*)

εὐθεῖα γραμμή (—) Ἡ εὐθεῖα γραμμή στό κάτω μέρος τῆς σειρᾶς σημαίνει ὅτι τό λῆμμα ἐξετάζεται μέσα στήν ἴδια παράγραφο σά διαφορετικό μέρος τοῦ λόγου.

παραδείγματα
combustible *ἐπ.* καύσιμος, εὔφλεκτος, (*μεταφ.*) εὐέξαπτος. —*οὐσ.* (*συνήθ. πληθ.*) καύσιμα.
laquer *οὐσ.* ‹U› λάκκα, βερνίκι, λοῦστρο. —*ρ.μ.* λουστράρω, βερνικώνω μέ λάκκα.

κάθετος (/) Ἡ πλαγία κάθετος μεταξύ δυό λέξεων, στούς ἰδιωματισμούς, στίς παραδειγματικές προτασεις καί ἀλλοῦ, ὑποδηλώνει τή δυνατότητα ἐναλλαγῆς τῶν λέξεων πού χωρίζονται μέ τήν κάθετο.

παραδείγματα
travel by sea/by air, ταξιδεύω διά θαλάσσης/ἀεροπορικῶς. Στήν πραγματικότητα, δηλαδή, ἔχομε δύο αὐτοτελεῖς παραδειγματικές φράσεις στ᾽Ἀγγλικά καί δύο ἀντίστοιχες στά Ἑλληνικά, ἤτοι: *travel by sea*, ταξιδεύω διά θαλάσσης, καί *travel by air*, ταξιδεύω ἀεροπορικῶς. Τό παράδειγμα αὐτό δείχνει πόσο μεγάλη οἰκονομία χώρου πετυχαίνομε μέ τήν κάθετο, γι᾽αὐτό καί χρησιμο-

ποεῖται εὐρύτατα στό παρόν λεξικό. Θά πρέπει, λοιπόν, ὁ σπουδαστής νά ἐξοικειωθῆ μέ τήν τεχνική αὐτή ὥστε νά διαβάζη σωστά τίς ἐναλλακτικές προτάσεις, καί γιά τό σκοπό αὐτό δίνομε μερικά παραδείγματα ἀκόμη:

different from/to, διαφορετικός ἀπό (δηλ. *different from* καί *different to*).

abandon one's family/a ship/all hope, ἐγκαταλείπω τήν οἰκογένειά μου/ἕνα πλοῖο/κάθε ἐλπίδα (δηλ. *abandon one's family, abandon a ship, abandon all hope*).

come in/into view, ἀντικρύζω/ἐμφανίζομαι (δηλ. *come in view*, ἀντικρύζω, *come into view*, ἐμφανίζομαι).

meet/fall in with sb's view, συμφωνῶ μέ τίς ἀπόψεις κάποιου (δηλ. *fall in with sb's view* καί *meet sb's view*). Ἀπό τό γεγονός, τώρα, ὅτι ὑπάρχει μιά μόνο πρόταση στά Ἑλληνικά εἶναι φανερό ὅτι καί οἱ δυό ἐναλλακτικές προτάσεις τῆς Ἀγγλικῆς ἀποδίδονται μέ τόν ἴδιο τρόπο στή γλῶσσα μας.

be/get ready, εἶμαι ἕτοιμος/ἑτοιμάζομαι (δηλ. *be ready*, εἶμαι ἕτοιμος, *get ready*, ἑτοιμάζομαι).

Στό λῆμμα *assemble: The pupils ~d/were ~d in the yard*, οἱ μαθητές συναθροίστηκαν στήν αὐλή (δηλ. *The pupils assembled in the yard* καί *The pupils were assembled in the yard*).

Στό λῆμμα *gear:* **~ shift/lever/stick**, μοχλός ἀλλαγῆς ταχυτήτων (δηλ. *gear shift, gear lever, gear stick*).

Στό λῆμμα *grow: The crowd/His influence grew*, τό πλῆθος/ἡ ἐπιρροή του μεγάλωνε (δηλ. *The crowd grew* καί *His influence grew*).

Στό λῆμμα *length:* ***go to great/all ~s to***, κάνω τό πᾶν γιά νά... (δηλ. *go to great lengths to* καί *go to all lengths to*).

Στό λῆμμα *lay: ~ oneself open to criticism/calumny*, ἐκθέτω τόν ἑαυτό μου σέ ἐπικρίσεις/συκοφαντίες (δηλ. *lay oneself open to criticism* καί *lay oneself open to calumny*). *~ sb under a/the necessity/obligation*, καθιστῶ ἀναγκαῖον/ἐπιβάλλω σέ κπ τήν ὑποχρέωση νά... (δηλ. *lay somebody under a–* ἤ *the–necessity* καί *lay somebody under the obligation*).

Ἰδιαίτερη μνεία πρέπει νά γίνη γιά τήν κάθετο πού χρησιμοποιεῖται στή βραχυγραφία "*ρ.μ/ὰ.*" καθώς καί στήν περίπτωση πού οἱ τύποι ἐνεργητικῆς καί μέσης φωνῆς τῆς Ἑλληνικῆς μποροῦν νά χρησιμοποιηθοῦν ἐναλλακτικά γιά τήν ἀπόδοση τῆς σημασίας τοῦ δοσμένου Ἀγγλικοῦ ρήματος.

παράδειγμα

gather *ρ.μ/ὰ.* μαζεύω/-ομαι, συναθροίζω/-ομαι. (Αὐτό πρέπει νά διαβαστῆ ὡς: ρῆμα μεταβατικό ἤ ἀμετάβατο, μαζεύω, μαζεύομαι, συναθροίζω, συναθροίζομαι).

παρένθεση ( ) Ἡ παρένθεση πού χρησιμοποιεῖται στό Ἀγγλικό κείμενο, ἰδιαίτερα στούς ἰδιωματισμούς καί τίς παραδειγματικές φράσεις, σημαίνει ὅτι οἱ λέξεις πού βρίσκονται μέσα μποροῦν νά παραλειφθοῦν χωρίς ἀλλοίωση τοῦ νοήματος, ἤ νά χρησιμοποιηθοῦν γιά νά διευρύνουν τήν ἔννοια τῆς φράσεως.

παράδειγμα

take (great/no) pleasure in sth, βρίσκω (μεγάλη/δέν βρίσκω καμιά) εὐχαρίστηση σέ κάτι (δηλ. *take pleasure in some-*

thing, take great pleasure in something, take no pleasure in something).

Ἀντίθετα, οἱ παρενθέσεις στό Ἑλληνικό κείμενο χρησιμοποιοῦνται κατά πολλούς καί διαφόρους τρόπους, κυριώτατα δέ, γιά νά δοθοῦν ἐπεξηγήσεις ἤ παραλλαγές τῶν λέξεων πού προηγοῦνται ἤ πού ἀκολουθοῦν.

παραδείγματα
knob *οὐσ.* ‹C› **1**. γρόμπος (στό δέρμα), ρόζος (δέντρου), πόμολο (πόρτας), κουμπί (ραδιοφώνου), λαβή (μπαστουνιοῦ). **2**. στρογγυλό κομμάτι (κάρβουνο, βούτυρο, κλπ).
jumpy *ἐπ.* (*γιά ἄνθρ.*) ἀναστατωμένος, νευρικός, (*γιά ὕφος*) σπασμωδικός, (*γιά τιμές*) ἀσταθής.

Ἄν ἡ παρένθεση χωρίζη ἕνα ἤ περισσότερα γράμματα μιᾶς Ἑλληνικῆς λέξεως, τοῦτο σημαίνει ὅτι ἔχομε δυό λέξεις στήν ἀπόδοση, μία ἀπό τό ἐκτός τῆς παρενθέσεως τμῆμα καί μία ἀπό τά δύο τμήματα μαζί.

παραδείγματα
definite *ἐπ.* (καθ)ωρισμένος. (δηλ. ὡρισμένος καί καθωρισμένος).
yield *ρ.μ/ἀ.* **1**. (ἀπο)δίδω, (ἀπο)φέρω. (δηλ. δίδω, ἀποδίδω, φέρω, ἀποφέρω).

Τό ἴδιο συμβαίνει στ' Ἀγγλικά στήν περίπτωση τῶν προθέσεων *(up)on* καί *in(to)* πού θά πρέπει νά διαβάζωνται ὡς *upon* ἤ *on* καί *into* ἤ *in*.

παράδειγμα
jump (up)on sb, ρίχνομαι σέ κπ. (δηλ. *jump on* ἤ *upon sb*).

ἀποσιωπητικά (...) Τά ἀποσιωπητικά στίς παραδειγματικές φράσεις χρησιμοποιοῦνται γιά νά δείξουν ὅτι ἡ πρόταση μένει μισοτελειωμένη. Ἄλλοτε τά ἀποσιωπητικά μπαίνουν καί στήν Ἀγγλική καί στήν Ἑλληνική φράση καί ἄλλοτε, γιά οἰκονομία χώρου, μόνο στήν ἀπόδοση – ἀλλά, φυσικά, θά πρέπει νά ἐννοοῦνται καί στήν Ἀγγλική φράση.

παραδείγματα
It's distasteful to me to have to say this, but..., μοῦ εἶναι δυσάρεστο πού πρέπει νά τό πῶ, ἀλλά...
While we are on the subject of money, ἐνῶ συζητᾶμε γιά λεφτά...
On the supposition that, μέ τήν (προ)ϋπόθεση ὅτι...

sb, sth, κπ, κτ Οἱ βραχυγραφίες αὐτές χρησιμοποιοῦνται εὐρύτατα στούς ἰδιωματισμούς καί στίς παραδειγματικές φράσεις ἀντί τῶν ἀντωνυμιῶν *somebody (sb), something (sth), κάποιον (κπ), κάτι (κτ)*, ὅταν χρησιμοποιοῦνται συντακτικῶς σάν ἀντικείμενα ρημάτων ἤ προθέσεων.

παραδείγματα
ask sb to dinner, προσκαλῶ κπ σέ γεῦμα (δηλ. *ask somebody to dinner*, προσκαλῶ κάποιον σέ γεῦμα).

dabble at sth, ἀσχολοῦμαι ἐρασιτεχνικά μέ κτ (δηλ. *dabble at something*, ἀσχολοῦμαι ἐρασιτεχνικά μέ κάτι).

oneself Ἡ ἀόριστη αὐτοπαθής ἀντωνυμία **oneself**, πού χρησιμοποιεῖται σέ ἰδιωματισμούς ἤ φράσεις στό λεξικό, ἔχει τήν ἔννοια ὅτι, ὅταν ἔχωμε μιά κανονική πρόταση, θά πρέπει νά χρησιμοποιῆται ἡ κατάλληλη αὐτοπαθής ἀντωνυμία ὥστε νά συμφωνῆ μέ τό ὑποκείμενο τοῦ ρήματος κατ᾽ ἀριθμό καί πρόσωπο.

παράδειγμα

bring disgrace on oneself, ἀτιμάζω τόν ἑαυτό μου, ντροπιάζομαι (Ἄν τώρα ἔχωμε ὡς ὑποκείμενα τίς ἀντωνυμίες *I, he, they*, οἱ κανονικές προτάσεις θά εἶναι: *I bring disgrace on myself, he brings disgrace on himself, they bring disgrace on themselves*).

one's, sb's Ὅ, τι εἴπαμε παραπάνω γιά τήν ἀντωνυμία *oneself* ἰσχύουν καί γιά τό ἀόριστο κτητικό ἐπίθετο **one's** καθ᾽ ὅσον ἀφορᾶ τήν ἐπιλογή τοῦ κατάλληλου κτητικοῦ ἐπιθέτου στήν κάθε περίπτωση.

παράδειγμα

bring disgrace on one's family, ντροπιάζω τήν οἰκογένειά μου (δηλ. *I bring disgrace on my family, he brings disgrace on his family, she brings disgrace on her family, we bring disgrace on our family*, κλπ.)

Ἀντίθετα, ἡ βραχυγραφία **sb's** χρησιμοποιεῖται γιά νά ὑποδηλώση κτητικό ἐπίθετο διαφορετικό ἀπό τό ὑποκείμενο τοῦ ρήματος.

παράδειγμα

jump down sb's throat, ἀπαντῶ σέ κπ/διακόπτω κπ βίαια. Ἀπό τόν ἰδιωματισμό αὐτό μποροῦμε νά ἔχωμε διάφορες προτάσεις, ὅπως: *I jumped down his throat, she jumped down my throat*, κλπ. στίς ὁποῖες πάντοτε τό κτητικό ἐπίθετο εἶναι διαφορετικοῦ προσώπου ἀπό τό ὑποκείμενο τοῦ ρήματος.

ΔΝΣ

A, a /eɪ/ **1**. τό πρῶτο γράμμα τοῦ ἀλφάβητου. **2**. (*μουσ.*) ὁ φθόγγος λά. ***A1*** /ˈeɪ ˈwʌn/, πρώτης τάξεως, ἐξαιρετικός: *an A1 dinner*, ἕνα πρώτης τάξεως δεῖπνο. *I'm feeling A1*, αἰσθάνομαι θαυμάσια.

a /ə, *ἐμφ*: eɪ/, **an** /ən, *ἐμφ*: æn/, *ἀόρ. ἄρθρ*. **1**. ἕνας, μία, ἕνα: *a man/an egg/a horse/an hour/a useful book*, (*πληθ. some/a few/several men/eggs/horses, etc*). **2**. (*γενικῶς*): *A horse is an animal*, (*πληθ. Horses are animals*). **3**. (*διανεμητικῶς*) (*μέ όριστ. ἄρθρ. στά Ἑλληνικά*): *five drachmas a kilo*, πέντε δραχμές τό κιλό. *three times a month*, τρεῖς φορές τό μῆνα. *go at sixty miles an hour*, τρέχω μέ 60 μίλια τήν ὥρα. *They went in two at a time*, μπῆκαν μέσα δύο-δύο τή φορά (ἀνά δύο). **4**. (*παραλειπόμενον στά Ἑλληνικά*): *I'm a student*, εἶμαι σπουδαστής. *I haven't got a book*, δέν ἔχω βιβλίο. *put an end to sth*, θέτω τέρμα σέ κτ. *make a fortune*, κάνω περιουσία. *sell/buy at a loss/at a profit*, πουλῶ/ἀγοράζω μέ ζημιά/μέ κέρδος. **5**. ἕνας κάποιος: *A Mrs Smith is asking to see you*, μιά κάποια Κα Σμίθ θέλει νά σᾶς δῆ. **6**. (*σέ φράσεις μετά τήν λέξιν of*) ἴδιος, ὅμοιος: *They are all of a mind/of an age/of a size*, ἔχουν ὅλοι τήν ἴδια γνώμη/τήν ἴδια ἡλικία/τό ἴδιο μέγεθος.

aback /əˈbæk/ *ἐπίρ*. πρός τά πίσω. ***be taken ~***, ξαφνιάζομαι.

aba·cus /ˈæbəkəs/ *οὐσ*. ‹C› (*πληθ. ~es* /-kəsɪz/ *ἤ -ci* /-saɪ/) ἄβαξ.

abaft /əˈbɑft/ *ἐπίρ. & πρόθ*. (*ναυτ.*) πρός τήν πρύμνη, πίσω.

aban·don /əˈbændən/ *ρ.μ*. ἐγκαταλείπω: *~ one's family/ship/all hope*, ἐγκαταλείπω τήν οἰκογένειά μου/ἕνα πλοῖο/κάθε ἐλπίδα. *~ oneself to (despair, one's passions, etc)*, ἐγκαταλείπομαι (στήν ἀπελπισία, στά πάθη μου, κλπ). —*οὐσ*. ‹U› ἀμεριμνησία, ἀναμελιά. **~ed** *ἐπ*. διεφθαρμένος, ἔκλυτος: *an ~ed woman*, μιά διεφθαρμένη. **~·ment** *οὐσ*. ‹U› ἐγκατάλειψις.

abase /əˈbeɪs/ *ρ.μ*. ***~ oneself***, ἐξευτελίζομαι, ξεπέφτω: *~ oneself so far as to do sth*, ξεπέφτω μέχρι τοῦ σημείου νά κάμω κτ. **~·ment** *οὐσ*. ‹U› ξεπεσμός, ἐξευτελισμός.

abashed /əˈbæʃd/ *ἐπ*. ζαλισμένος, πτοημένος, σά χαμένος: *be/feel ~ at sth*, εἶμαι/νοιώθω σά χαμένος μπροστά σέ κτ, πτοοῦμαι ἀπό κτ.

abate /əˈbeɪt/ *ρ.μ/ἀ*. **1**. ἐλαττώνω/-ομαι, κοπάζω, μετριάζω: *The wind/The storm/The pain ~d*, ὁ ἄνεμος/ἡ θύελλα/ὁ πόνος ἐκόπασε. **2**. (*νομ.*) καταργῶ, θέτω τέρμα εἰς. **~·ment** *οὐσ*. ‹U› ἐλάττωσις, μετριασμός.

ab·at·toir /ˈæbətwɑ(r)/ *οὐσ*. ‹C› σφαγεῖον.

ab·bess /ˈæbes/ *οὐσ*. ‹C› ἡγουμένη.

ab·bey /ˈæbɪ/ *οὐσ*. ‹C› ἀββαεῖον, μοναστήρι.

ab·bot /ˈæbət/ *οὐσ*. ‹C› ἡγούμενος.

ab·brevi·ate /əˈbrivieɪt/ *ρ.μ*. συντέμνω, συγκόπτω λέξη. **ab·brevi·ation** /əˈbriviˈeɪʃn/ *οὐσ*. ‹C,U› σύντμησις, συντομογραφία, συντετμημένη λέξις.

ab·di·cate /ˈæbdɪkeɪt/ *ρ.μ/ἀ*. παραιτοῦμαι (θρόνου, ἀξιώματος, δικαιώματος). **ab·di·ca·tion** /ˈæbdɪˈkeɪʃn/ *οὐσ*. ‹C,U› παραίτησις.

ab·do·men /ˈæbdəmən/ *οὐσ*. ‹C› κοιλιά (*καθομ. belly*).

ab·domi·nal /æbˈdomɪnl/ *ἐπ*. κοιλιακός: *~ pains*, κοιλόπονοι. *an ~ belt*, κοιλεπίδεσμος.

ab·duct /æbˈdʌkt/ *ρ.μ*. ἀπάγω. **ab·duc·tion** /æbˈdʌkʃn/ *οὐσ*. ‹C,U› ἀπαγωγή.

abed /əˈbed/ *ἐπίρ*. στό κρεββάτι, κλινήρης.

ab·er·ra·tion /ˈæbəˈreɪʃn/ *οὐσ*. ‹C,U› ἐκτροπή, διαταραχή, διάλειψις: *steal sth in a moment of ~*, κλέβω κτ σέ μιά στιγμή διαλείψεως (πνευματικῆς διαταραχῆς). ***mental ~***, παραλογισμός, (*νομ.*) σύγχυσις φρενῶν.

abet /əˈbet/ *ρ.μ*. *(-tt-)* ὑποκινῶ, ὑποβοηθῶ (δράστην παρανομίας): *~ sb in a crime*, βοηθῶ κπ σ'ἕνα ἔγκλημα. ***aid and ~ sb***, (*νομ.*) γίνομαι συνένοχος, συνεργός κάποιου.

abey·ance /əˈbeɪəns/ *οὐσ*. ‹U› ἐκκρεμότης. ***in ~***, ἐν ἐκκρεμότητι, σέ ἀχρηστία: *The question is still in ~*, τό θέμα εἶναι ἀκόμα ἐκκρεμές. ***fall/go into ~***, (*νομ.*) (*γιά νόμο, ἔθιμο, κλπ*) περιπίπτω εἰς ἀχρηστίαν.

ab·hor /əbˈhɔ(r)/ *ρ.μ*. *(-rr-)* ἀπεχθάνομαι, ἀποστρέφομαι: *~ cruelty/violence*, ἀπεχθάνομαι τή σκληρότητα/τή βία. **~·rence** /əbˈhorns/ *οὐσ*. ‹U› ἀποστροφή, ἀπέχθεια: *hold sth in ~rence*, ἔχω ἀπέχθεια γιά κτ. *His ~rence of flattery...*, ἡ ἀποστροφή του πρός τήν κολακεία... **~·rent** /-rnt/ *ἐπ*. ***~rent to sb***, ἀπεχθής, ἀποκρουστικός σέ κπ.

abide /əˈbaɪd/ *ρ.μ/ἀ*. (*ἀόρ. & π.μ. ~d (1), abode (3)* /əˈbəʊd/) **1**. ***~ by***, τηρῶ, ἐμμένω: *~ by a promise/by a decision*, τηρῶ μιά ὑπόσχεση/ἐμμένω σέ μιά ἀπόφαση. **2**. (*ἰδ. μέ can/could, σέ ἀρνητ. & ἐρωτημ. προτάσεις*) ἀνέχομαι: *I can't ~ him*, δέν μπορῶ νά τόν ἀνεχθῶ. **3**. (*ἀπηρχ.*) (*ἀόρ. & π.μ. abode*), διαμένω. **4**. (*λογοτ.*) ἀναμένω: *~ the event/~ sb's coming*, ἀναμένω τό γεγονός/τόν ἐρχομό κάποιου. **abid·ing** *ἐπ*. (*λογοτ.*) μόνιμος, διαρκής. **ˈlaw-abiding**, νομοταγής.

abil·ity /əˈbɪlətɪ/ *οὐσ*. ‹C,U› ἱκανότης, εὐφυΐα: *his ~ to do it*, ἡ ἱκανότης του νά τό κάμη. *a man of great ~/of great abilities*, ἄνθρωπος μεγάλης εὐφυΐας/μέ μεγάλες ἱκανότητες. *to the best of my ~*, ὅσο καλύτερα μπορῶ.

ab·ject /ˈæbdʒekt/ *ἐπ*. ἄθλιος, ἐπαίσχυντος: *live in ~ poverty*, ζῶ ἐν ἐσχάτῃ πενίᾳ. *~ behaviour*, ἄθλια συμπεριφορά.

ab·jure /əbˈdʒʊə(r)/ *ρ.μ*. ἀποκηρύσσω, ἀπαρνοῦμαι: *~ one's religion*, ἀπαρνοῦμαι τή θρησκεία μου. **ab·jur·ation** /ˈæbdʒʊəˈreɪʃn/ *οὐσ*. ‹C,U› ἀποκήρυξις.

ablaze /əˈbleɪz/ *κατηγ. ἐπ. & ἐπίρ*. φλεγόμενος, λάμπων: *The house was soon ~*, τό σπίτι σέ λίγο τυλίχτηκε στίς φλόγες. *His face was ~ with anger*, τό πρόσωπό του ἄστραφτε ἀπό θυμό.

able /ˈeɪbl/ *ἐπ*. **1**. ἱκανός. ***be ~ to do sth***, μπορῶ νά κάνω κτ. **2**. *(-r, -st)* ἔξυπνος, ἱκανός: *an ~ lawyer*, ἱκανός δικηγόρος. **ˌ~-bodied**, ἀρτιμελής, ἱκανός (γιά στρατ. ὑπηρεσία). **ably** /ˈeɪblɪ/ *ἐπίρ*. ἱκανῶς.

ab·lu·tion /əˈbluʃn/ *οὐσ*. (*συνήθ. πληθ.*) πλύσις, νῆψις: *perform one's ~s*, (*ἀστειολ.*) πλένομαι.

ab·ne·ga·tion /'æbnɪ`geɪʃn/ *οὐσ.* ‹U› (*συνήθ.* **self-~**) αὐταπάρνησις.

ab·nor·mal /'æb`nɔml/ *ἐπ.* ἀνώμαλος, ἀντικανονικός, διεστραμμένος. **~·ity** /'æbnɔ`mælətɪ/ *οὐσ.* ‹U› ἀνωμαλία, διαστροφή.

aboard /ə`bɔd/ *ἐπίρ.* & *πρόθ.* ἐπί τοῦ πλοίου ἤ τοῦ ἀεροπλάνου: *There were fifty persons ~*, ὑπῆρχαν πενήντα πρόσωπα ἐπί τοῦ πλοίου (ἤ ἐπί τοῦ ἀεροπλάνου). ***go ~***, ἐπιβιβάζομαι.

abode /ə`bəʊd/ *οὐσ.* ‹C› (*ἀπηρχ.* ἤ *λογοτ.*) διαμονή, κατοικία: *a place of ~*, τόπος διαμονῆς. *take up one's ~ with sb*, συγκατοικῶ μέ κπ. ***of/with no fixed ~***, (*νομ.*) ἄνευ μονίμου κατοικίας.

abol·ish /ə`bolɪʃ/ *ρ.μ.* καταργῶ: *~ slavery/war*, καταργῶ τή δουλεία/τόν πόλεμο.

abol·ition /'æbə`lɪʃn/ *οὐσ.* ‹U› κατάργησις.

abom·in·able /ə`bomɪnəbl/ *ἐπ.* ἀπαίσιος, σιχαμερός: *~ food/weather*, ἀπαίσιο φαγητό/-ος καιρός. **abom·in·ably** /-əblɪ/ *ἐπίρ.*

abom·in·ate /ə`bomɪneɪt/ *ρ.μ.* σιχαίνομαι, ἀπεχθάνομαι. **abom·in·ation** /'əbomɪ`neɪʃn/ *οὐσ.* ‹C,U› ἀπέχθεια, σιχαμάρα: *hold sth in abomination*, ἔχω σιχαμάρα γιά κτ.

abo·rig·inal /'æbə`rɪdʒnl/ *ἐπ.* & *οὐσ.* ‹C› ἰθαγενής, αὐτόχθων. ***the aborigines*** /'æbə`rɪdʒɪniz/ οἱ ἰθαγενεῖς.

abor·tion /ə`bɔʃn/ *οὐσ.* ‹C,U› ἔκτρωσις, ἔκτρωμα: *have an ~*, κάνω ἔκτρωση.

abort·ive /ə`bɔtɪv/ *ἐπ.* ἀνεπιτυχής: *an ~ coup*, ἀνεπιτυχές πραξικόπημα. **~·ly** *ἐπίρ.*

abound /ə`baʊnd/ *ρ.ἀ.* ***~ in/with***, ἀφθονῶ, βρίθω, εἶμαι γεμᾶτος ἀπό: *The lake ~s in fish*, ἡ λίμνη εἶναι γεμάτη ψάρια.

about /ə`baʊt/ *ἐπίρ.* & *πρόθ.* **1**. περίπου, γύρω, σχεδόν: *She's ~ thirty years old*, εἶναι περίπου τριάντα χρονῶν. *at ~ ten o'clock*, γύρω στίς δέκα. *We have just ~ finished*, σχεδόν τελειώσαμε. **2**. περί, γιά: *speak/talk/quarrel ~ sth*, μιλῶ/φιλονικῶ γιά κτ. ***What/How ~...?*** τί θά λέγατε γιά...; τί γνώμη ἔχετε γιά...; *What/How ~ a drink?* τί θά λέγατε γιά ἕνα ποτό; *What ~ his character?* τί γνώμη ἔχετε γιά τό χαρακτήρα του; *What ~ her?* τί συμβαίνει μ' αὐτήν; *How ~ going for a walk?* τί θά ἔλεγες γιά ἕναν περίπατο; **3**. γύρω (ἀπό): *~ the house*, κάπου στό σπίτι. *I looked ~ me*, κοίταξα γύρω μου. *somewhere ~ here*, κάπου ἐδῶ γύρω. **4**. ἐδῶ κι' ἐκεῖ, παντοῦ: *go ~ the town*, τριγυρίζω στήν πόλη. *Don't leave your books lying ~ the room!* μήν ἀφήνεις τά βιβλία σου ἐδῶ κι' ἐκεῖ στό δωμάτιο! *follow a man ~*, ἀκολουθῶ ἕναν ἄνθρωπο παντοῦ. **5**. ἐπάνω, εἰς: *There is something ~ him that I don't like*, ὑπάρχει κάτι σ' αὐτόν πού δέν μοῦ ἀρέσει. **6**. ***be ~ to do sth***, εἶμαι ἕτοιμος νά κάνω κτ: *As I was ~ to say...*, ὅπως πήγαινα νά πῶ... *We were ~ to leave*, εἴμασταν ἕτοιμοι νά φύγωμε. ***go/set ~ it***, καταπιάνομαι μέ κάτι: *Do you know how to go ~ it?* ξέρεις πῶς νά τό κάνης; ***send sb ~ his business***, στέλνω κπ στό διάβολο, διώχνω κπ. ***A~ turn!*** (*στρατ. παράγγελμα*) Μεταβολή! **'~-face** *ρ.ἀ.* κάνω μεταβολή. —*οὐσ.* ‹C› ἀντιστροφή (ἰδεῶν, ἀπόψεων): *He did a complete ~-face*, ἔκανε στροφή 180 μοιρῶν.

above /ə`bʌv/ *ἐπίρ.* & *πρόθ.* **1**. πάνω ἀπό (=ψηλότερα ἀπό, περισσότερο ἀπό): *The aeroplane was flying ~ the clouds*, τό ἀεροπλάνο πετοῦσε πάνω ἀπό τά σύννεφα. *It weighs ~ ten tons*, ζυγίζει πάνω ἀπό δέκα τόνους. *We love freedom ~ life*, ἀγαποῦμε τήν ἐλευθερία περισσότερο ἀπό τή ζωή. **2**. ὑπεράνω, ἀνώτερος ἀπό: *He's ~ suspicion*, εἶναι ὑπεράνω ὑποψίας. *He is ~ telling lies*, εἶναι ἀνίκανος νά πῆ ψέμματα. ***~ all***, πάνω ἀπ' ὅλα, κυριώτατα. ***over and ~***, ἐπιπροσθέτως. **'~`board**, τίμιος, καθαρός, χωρίς δόλο: *Everything seems (to be) ~board*, ὅλα φαίνονται τίμια καί καθαρά. ***the ~-mentioned***, ὁ ἀνωτέρω, ὁ προαναφερθείς.

ab·ra·sion /ə`breɪʒn/ *οὐσ.* ‹C,U› ξύσιμο, γδάρσιμο: *an ~ of the skin*, γδάρσιμο στό δέρμα.

ab·ras·ive /ə`breɪsɪv/ *ἐπ.* λειαντικός, (*μεταφ.*) τραχύς, δύσκολος: *an ~ voice/character*, τραχειά φωνή/δύσκολος χαρακτῆρας.

abreast /ə`brest/ *ἐπίρ.* παραπλεύρως. πλάϊ-πλάϊ: *They marched three ~*, βάδιζαν κατά τριάδες. ***be/keep ~ of the times***, συμβαδίζω μέ τήν ἐποχή μου.

abridge /ə`brɪdʒ/ *ρ.μ.* συντομεύω, περικόπτω: *an ~d edition*, μιά συντετμημένη ἔκδοσις. **~·ment, abridg·ment** *οὐσ.* ‹C,U› σύντμησις, ἐπιτομή.

abroad /ə`brɔd/ *ἐπίρ.* **1**. στό ἐξωτερικό, ἔξω: *be/go/live/travel ~*, εἶμαι/πηγαίνω/ζῶ/ταξιδεύω στό ἐξωτερικό. **2**. παντοῦ: *There's a rumour ~*, ὑπάρχει παντοῦ ἡ φήμη...

ab·ro·gate /'æbrəgeɪt/ *ρ.μ.* ἀκυρῶ, καταργῶ.

ab·ro·ga·tion /'æbrə`geɪʃn/ *οὐσ.* ‹U› κατάργησις.

abrupt /ə`brʌpt/ *ἐπ.* ἀπότομος, ξαφνικός: *~ turns in a road*, ἀπότομες στροφές σέ δρόμο. *an ~ manner*, ἀπότομος τρόπος. *an ~ mountain*, ἀπόκρημνο βουνό. **~·ly** *ἐπίρ.* **~·ness** *οὐσ.* ‹U›.

ab·scess /'æbses/ *οὐσ.* ‹C› ἀπόστημα.

ab·scond /əb`skond/ *ρ.ἀ.* τό σκάω, δραπετεύω.

ab·sence /'æbsns/ *οὐσ.* ‹C,U› ἀπουσία: *~ from school/from work*, ἀπουσία ἀπό τό σχολεῖο/ἀπό τή δουλειά. *in my ~*, ἐν ἀπουσίᾳ μου. *in definite ~ of information*, ἐλλείψει θετικῶν πληροφοριῶν. ***leave of ~***, ἄδεια (ἀπουσίας). ***~ of mind***, ἀφηρημάδα.

[1]**ab·sent** /'æbsnt/ *ἐπ.* ἀπών: *be ~ from school/from work*, ἀπουσιάζω ἀπό τό σχολεῖο/ἀπό τή δουλειά. **'~-`minded**, ἀφηρημένος, ἀπορροφημένος σέ σκέψεις. **'~-`mind·ed·ly** *ἐπίρ.* ἀφηρημένα. **'~-`minded·ness** *οὐσ.* ‹U› ἀφηρημάδα.

[2]**ab·sent** /əb`sent/ *ρ.μ.* ***~oneself (from)***, ἀπουσιάζω (ἀπό).

ab·sen·tee /'æbsn`ti/ *οὐσ.* ‹C› ἀπών, ὁ συνεχῶς ἀπουσιάζων.

ab·so·lute /'æbsəlut/ *ἐπ.* ἀπόλυτος, ἀπεριόριστος, ἀναμφισβήτητος: *~ confidence/truth*, ἀπόλυτη ἐμπιστοσύνη/ἀλήθεια. *It's an ~ fact*, εἶναι ἀναμφισβήτητο γεγονός. ***~ monarchy***, ἀπόλυτος μοναρχία. **~·ly** /'æbsə`lutlɪ/ *ἐπίρ.* **1**. ἀπολύτως. **2**. βεβαίως.

ab·sol·ution /'æbsə`luʃn/ *οὐσ.* ‹U› ἄφεσις ἁμαρτιῶν.

ab·solve /əb`zolv/ *ρ.μ.* ***~ sb (from)***, ἀπαλλάσσω, συγχωρῶ: *~ sb from blame*, ἀπαλλάσσω κπ τῆς εὐθύνης. ~ *sb from sin*, δίνω σέ κπ ἄφεση ἁμαρτιῶν.

ab·sorb /əb`zɔb/ ρ.μ. ἀπορροφῶ: *Blotting-paper ~s ink*, τό στυπόχαρτο ἀπορροφᾶ τό μελάνι. *His business ~s him*, ἡ δουλειά του τόν ἀπορροφᾶ. *He was ~ed in a book*, ἦταν ἀπορροφημένος σ'ἕνα βιβλίο. **~·ing** ἐπ. ἀπορροφητικός, συναρπαστικός: *an ~ing story*, μιά συναρπαστική ἱστορία.

ab·sorp·tion /əb`zɔpʃn/ οὐσ. ‹U› ἀπορρόφησις.

ab·stain /əb`steɪn/ ρ.ἀ. ~ ***from sth/from doing sth***, ἀπέχω: ~ *from wine/from voting*, ἀπέχω οἴνου/τῆς ψηφοφορίας. **~er** οὐσ. ‹C› ὁ ἀπέχων οἰνοπνευματωδῶν ποτῶν.

ab·stemi·ous /əb`stimɪəs/ ἐπ. ἐγκρατής, λιτός, λιτοδίαιτος: ~ *habits*, ἐγκρατεῖς συνήθειες. *an ~ meal*, ἕνα λιτό γεῦμα.

ab·sten·tion /əb`stenʃn/ οὐσ. ‹C,U› ἀποχή (στίς ἐκλογές): *Three votes for, one against and two ~s*, τρεῖς ψῆφοι ὑπέρ, μία κατά καί δύο ἀποχές. *A ~ was high in the last elections*, ἡ ἀποχή ἦταν μεγάλη στίς τελευταῖες ἐκλογές.

ab·sti·nence /`æbstɪnəns/ οὐσ. ‹U› ἀποχή, ἐγκράτεια: ~ *from food/drink/enjoyment*, ἀποχή ἀπό φαγητό/ποτό/διασκεδάσεις. ***total*** ~, τελεία ἀποχή (ἀπό οἰνοπνευματώδη).

[1]**ab·stract** /`æbstrækt/ ἐπ. ἀφηρημένος. ***an ~ noun***, (γραμμ.) ἀφηρημένο οὐσιαστικό. ~ ***art***, ἀφηρημένη τέχνη. ***in the ~***, ἀφηρημένα, θεωρητικά.

[2]**ab·stract** /əb`strækt/ ρ.μ. **1**. (λόγ.) ἀφαιρῶ, ἀποσπῶ: ~ *a wallet from sb's pocket*, ἀφαιρῶ πορτοφόλι ἀπό τήν τσέπη κάποιου. **2**. συνοψίζω: ~ *a report*, συνοψίζω μιά ἔκθεση. **~ed** ἐπ. ἀφηρημένος, ἀπορροφημένος. **~·ed·ly** ἐπίρ. ἀφηρημένα. **ab·strac·tion** /əb`strækʃn/ οὐσ. ‹C,U› ἀφαίρεσις, ἀφηρημένη ἔννοια.

ab·struse /əb`strus/ ἐπ. δυσνόητος, σκοτεινός.

ab·surd /əb`sɜd/ ἐπ. παράλογος, γελοῖος: *an ~ question*, ἀνόητη ἐρώτησις. **~·ity** /-ətɪ/ οὐσ. ‹C,U› παραλογισμός.

abun·dance /ə`bʌndəns/ οὐσ. ‹U› ἀφθονία. ***in ~***, ἐν ἀφθονίᾳ.

abun·dant /ə`bʌndənt/ ἐπ. **1**. ἄφθονος. **2**. ~ ***in***, πλούσιος: *a land ~ in minerals*, τόπος πλούσιος σέ ὀρυκτά.

[1]**abuse** /ə`bjus/ οὐσ. ‹C,U› **1**. ~ ***(of)***, κατάχρησις: *an ~ of trust*, κατάχρησις ἐμπιστοσύνης. **2**. κακομεταχείρησις, ἀδικία: *put an end to ~s*, θέτω τέρμα στίς ἀδικίες. **3**. βρισιά, ὑβρεολόγιον: *shower ~ on sb*, περιλούω κπ μέ βρισιές. **abus·ive** /ə`bjusɪv/ ἐπ. ὑβριστικός, προσβλητικός: ~ *language*, ὑβρεολόγιον, ὑβριστικές/προσβλητικές ἐκφράσεις.

[2]**abuse** /ə`bjuz/ ρ.μ. **1**. καταχρῶμαι: ~ *sb's confidence*, καταχρῶμαι τῆς ἐμπιστοσύνης κάποιου. **2**. βρίζω, κακολογῶ. **3**. (ἀπηρχ. μόνον στήν παθ. φων.) ἀπατῶ.

abut /ə`bʌt/ ρ.ἀ. *(-tt-)* ~ ***on***, συνορεύω μέ, γειτνιάζω, ἐφάπτομαι, ἀκουμπῶ/κολλῶ εἰς.

abys·mal /ə`bɪzml/ ἐπ. ἀπύθμενος: ~ *ignorance*, φοβερή ἀμάθεια.

abyss /ə`bɪs/ οὐσ. ‹C› ἄβυσσος, χάος.

aca·demic /`ækə`demɪk/ ἐπ. ἀκαδημαϊκός: *the ~ year*, τό ἀκαδημαϊκόν ἔτος. ~ *freedom*, ἀκαδημαϊκή ἐλευθερία. *an ~ discussion*, ἀκαδημαϊκή συζήτησις.

aca·dem·ician /ə`kædə`mɪʃn/ οὐσ. ‹C› ἀκαδημαϊκός.

aca·demy /ə`kædəmɪ/ οὐσ. ‹C› ἀκαδημία: *a military/a naval ~*, στρατιωτική/ναυτική ἀκαδημία. *The Royal A ~ of Arts*, ἡ Βασιλική Ἀκαδημία Καλῶν Τεχνῶν.

ac·cede /ək`sid/ ρ.ἀ. ~ ***(to)***, **1**. ἀνέρχομαι (εἰς ἀξίωμα): ~ *to the throne*, ἀνέρχομαι εἰς τόν θρόνον. **2**. προσχωρῶ, ἀποδέχομαι: ~ *to a treaty*, προσχωρῶ σέ μιά συνθήκη. ~ *to a request*, ἀποδέχομαι μιά παράκληση.

ac·cel·er·ate /ək`seləreɪt/ ρ.μ/ἀ. ἐπιταχύνω, ἐπισπεύδω. **ac·cel·er·ation** /ək`selə`reɪʃn/ οὐσ. ‹U› ἐπιτάχυνσις, ἐπίσπευσις.

ac·cel·er·ator /ək`seləreɪtə(r)/ οὐσ. ‹C› (αὐτοκ.) γκάζι: *step on the ~*, πατῶ γκάζι. *release the ~*, ἀφήνω τό γκάζι.

ac·cent /`æksnt/ οὐσ. ‹C› τόνος, προφορά: *have an American ~*, ἔχω Ἀμερικανική προφορά. *speak English with a foreign ~*, μιλῶ Ἀγγλικά μέ ξενική προφορά. ___ρ.μ. /æk`sent/ τονίζω.

ac·cen·tu·ate /ək`sentʃʊeɪt/ ρ.μ. τονίζω, ἐπιτείνω. **ac·cen·tu·ation** /ək`sentʃʊ`eɪʃn/ οὐσ. ‹U› τονισμός, ἐπίτασις.

ac·cept /ək`sept/ ρ.μ. δέχομαι, ἀποδέχομαι: ~ *an offer/a gift/an invitation/a draft*, ἀποδέχομαι προσφοράν/δῶρον/πρόσκλησιν/συναλλαγματικήν. *I ~ that you acted in good faith*, δέχομαι ὅτι ἐνήργησες καλοπίστως. **~·able** /-əbl/ ἐπ. ἀποδεκτός, εὐπρόσδεκτος: *If my proposal is ~able to you*, ἄν ἡ πρότασίς μου εἶναι ἀποδεκτή ἀπό σᾶς. **~·ance** /-əns/ οὐσ. ‹U› ἀποδοχή: *The proposal met with general ~ance*, ἡ πρότασις ἔτυχε γενικῆς ἀποδοχῆς.

ac·cess /`ækses/ οὐσ. ‹U› εἴσοδος, πλησίασμα, πρόσβασις: *easy/difficult of ~*, εὐπρόσιτος/δυσπρόσιτος. ~ ***to***, δικαίωμα/εὐκαιρία προσεγγίσεως ἤ χρησιμοποιήσεως: *have ~ to a library*, ἔχω δικαίωμα νά κάνω χρῆσιν μιᾶς βιβλιοθήκης. *have ~ to secret documents*, λαμβάνω γνῶσιν μυστικῶν ἐγγράφων. *have ~ to sb*, εἶμαι εὐπρόσδεκτος ἀπό κπ, ἔχω οἰκειότητα μέ κπ. **~·ible** /-əbl/ ἐπ. ***~ible to***, **1**. προσιτός, εὐκολοπλησίαστος, εὐπρόσιτος: *a collection ~ible to the public*, συλλογή προσιτή (ἀνοιχτή) στό κοινόν. **2**. δεκτικός, εὐεπίφορος.

ac·cess·ary, (ΗΠΑ **ac·cess·ory**) /ək`sesərɪ/ οὐσ. ‹C› (νομ.) συνεργός, συνένοχος: ~ *to a crime*, συνεργός σέ ἔγκλημα. ~ ***before the fact***, ἠθικός αὐτουργός. ~ ***after the fact***, συνεργός ἐκ τῶν ὑστέρων.

ac·ces·sion /æk`seʃn/ οὐσ. ‹C,U› **1**. ἄνοδος, προσχώρησις, εἴσοδος: *the ~ to the throne/to power*, ἡ ἄνοδος στό θρόνο/στήν ἐξουσία. ~ *to a party*, προσχώρησις σέ κόμμα. ~ *to manhood*, εἴσοδος στήν ἀνδρική ἡλικία. **2**. προσθήκη, προσαύξησις: *recent ~s to the school library*, τελευταῖες προσθῆκες στή σχολική βιβλιοθήκη.

ac·cess·ory /ək`sesərɪ/ οὐσ. ‹C› ἀξεσουάρ, ἐξάρτημα.

ac·ci·dent /`æksɪdnt/ οὐσ. ‹C,U› ἀτύχημα, δυστύχημα: *have an ~*, παθαίνω ἀτύχημα. *be killed in an ~*, σκοτώνομαι σέ δυστύχημα. ***by ~***, κατά τύχην.

ac·ci·den·tal /`æksɪ`dentl/ ἐπ. τυχαῖος: *an ~*

meeting, τυχαία συνάντησις. **~ly** /-təlɪ/ *ἐπίρ.* τυχαίως, συμπτωματικῶς.
ac·claim /ə`kleɪm/ *ρ.μ.* ἐπευφημῶ, ζητωκραυγάζω, ἀνακηρύσσω (διά βοῆς): *The crowd ~ed the winner*, τό πλῆθος ἐπευφήμησε τόν νικητή. *He was ~ed king*, ἀνεκηρύχθη διά βοῆς βασιλεύς. *—οὐσ.* ‹U› ἐπευφημία, ἐπιδοκιμασία.
ac·cla·ma·tion /`ækləˋmeɪʃn/ *οὐσ.* ‹C,U› ἐπευφημία, ζητωκραυγή: *He was elected by ~*, ἐξελέγη διά βοῆς. *The ~s of the crowd*, οἱ ζητωκραυγές τοῦ πλήθους.
ac·cli·mat·ize /ə`klaɪmətaɪz/ *ρ.μ.* ἐγκλιματίζω: *get/become ~d*, ἐγκλιματίζομαι.
ac·cliv·ity /ə`klɪvətɪ/ *οὐσ.* ‹C› ἀνηφοριά.
ac·commo·date /ə`komədeɪt/ *ρ.μ.* **1**. φιλοξενῶ, στεγάζω: *This hotel can ~ 100 persons*, αὐτό τό ξενοδοχεῖο μπορεῖ νά φιλοξενήση 100 ἄτομα. **2**. ***~ to***, προσαρμόζω: *I'll ~ my plans to yours*, θά προσαρμόσω τά σχέδιά μου στά δικά σας. **3**. χορηγῶ, ἐξυπηρετῶ, διευκολύνω: *The Bank will ~ you with a loan*, ἡ Τράπεζα θά σέ διευκολύνη μ' ἕνα δάνειο. **ac·commo·dating** *ἐπ.* βολικός, καλόβολος.
ac·commo·da·tion /ə`koməˋdeɪʃn/ *οὐσ.* ‹C,U› **1**. κατάλυμα, στέγασις: *book ~*, κλείνω δωμάτιο (σέ ξενοδοχεῖο). **2**. προσαρμογή, συμβιβασμός: *come to an ~ with sb*, ἔρχομαι σέ συμβιβασμό μέ κπ.
ac·com·pani·ment /ə`kʌmpnɪmənt/ *οὐσ.* ‹C› συνοδεία, (*μουσ.*) ἀκομπανιαμέντο.
ac·com·pany /ə`kʌmpnɪ/ *ρ.μ.* συνοδεύω: *He was accompanied by his secretary*, συνοδευόταν ἀπό τή γραμματέα του. *~ one's words with blows*, συνοδεύω τά λόγια μέ χτυπήματα. *fever accompanied with delirium*, πυρετός συνοδευόμενος ἀπό παραλήρημα.
ac·com·plice /ə`kʌmplɪs/ *οὐσ.* ‹C› συνεργός, συνένοχος: *be an ~ in a crime*, εἶμαι συνένοχος σ' ἕνα ἔγκλημα.
ac·com·plish /ə`kʌmplɪʃ/ *ρ.μ.* φέρω εἰς πέρας, κατορθώνω, πραγματοποιῶ: *~ a task/one's object*, φέρω εἰς πέρας μιά δουλειά/πραγματοποιῶ τό σκοπό μου. *He will never ~ anything*, ποτέ δέν θά καταφέρη τίποτα. **~ed** *ἐπ.* **1**. τέλειος, δόκιμος: *an ~ed dancer*, ἕνας τέλειος χορευτής. **2**. κοινωνικά μορφωμένος: *an ~ed young lady*, κορίτσι μέ κοινωνική μόρφωση. ***an ~ed fact***, τετελεσμένο γεγονός. **~·ment** *οὐσ.* ‹C,U› **1**. πραγματοποίησις, ἐκπλήρωσις: *the ~ment of a duty*, ἡ ἐκπλήρωσις ἑνός καθήκοντος. **2**. (*συνήθ. πληθ.*) προσόντα, ἱκανότητες: *Cooking and dancing were among her many ~ments*, ἡ μαγειρική καί ὁ χορός ἦσαν μεταξύ τῶν πολλῶν προσόντων της.
ac·cord /ə`kɔd/ *οὐσ.* ‹C,U› συμφωνία. ***be in/out of ~ with***, συμφωνῶ/διαφωνῶ μέ. ***of one's own ~***, μέ τή θέλησή μου, ἀπό μόνος μου. ***with one ~***, ἀπό κοινοῦ, ὁμόφωνα. *—ρ.μ.* ***~ (with)***, **1**. (*λόγ.*) συμφωνῶ, ἐναρμονίζομαι: *His behaviour does not ~ with his principles*, ἡ συμπεριφορά του δέν εἶναι σύμφωνη μέ τίς ἀρχές του. **2**. (*λόγ.*) παρέχω: *~ sb permission*, παρέχω ἄδεια σέ κπ.
ac·cord·ance /ə`kɔdns/ *οὐσ.* συμφωνία. ***in ~ with***, συμφώνως πρός.
ac·cord·ing /ə`kɔdɪŋ/ *πρόθ.* ***~ to***, σύμφωνα μέ: *~ to what he says*, σύμφωνα μέ ὅσα λέει. **~·ly** *ἐπίρ.* **1**. ἀναλόγως: *act ~ly*, ἐνεργῶ ἀναλόγως. **2**. ὅθεν, συνεπῶς.
ac·cord·ion /ə`kɔdɪən/ *οὐσ.* ‹C› ἀκκορντεόν.
ac·cost /ə`kost/ *ρ.μ.* πλησιάζω (καί μιλῶ), πλευρίζω: *I was ~ed by a stranger*, μέ πλησίασε (πλεύρισε) ἕνας ἄγνωστος.
[1]**ac·count** /ə`kaʊnt/ *οὐσ.* ‹C,U› **1**. λογαριασμός: *open a `bank/`savings ~*, ἀνοίγω λογαριασμό στήν Τράπεζα/λογαριασμό ταμιευτηρίου. *Put it down to my ~!* βάλτο στό λογαριασμό μου! ***settle one's ~ (with sb)***, κανονίζω τούς λογαριασμούς μου μέ κπ. **2**. ὄφελος. ***turn/put sth to (good) ~***, ἐπωφελοῦμαι ἀπό κτ. **3**. σημασία, ἀξία. ***of no ~***, ἄνευ σημασίας. ***take sth into ~; take ~ of sth***, λαμβάνω κτ ὑπ' ὄψιν. ***take no ~ of sth***, δέν δίνω σημασία σέ κτ. **4**. αἰτία, λόγος. ***on ~ of***, ἐξ αἰτίας. ***on no ~***, σέ καμιά περίπτωση, γιά κανένα λόγο. ***on this ~***, γι' αὐτό τό λόγο. **5**. ἔκθεσις, ἀφήγησις, περιγραφή: *the ~ of an accident*, ἡ περιγραφή ἑνός ἀτυχήματος. *give an ~ of sth*, ἀφηγοῦμαι, ἐκθέτω κτ. ***by/from all ~s***, κατά τά λεγόμενα ὅλων. ***by one's own ~***, κατά τά λεγόμενα τοῦ ἰδίου.
[2]**ac·count** /ə`kaʊnt/ *ρ.μ.* θεωρῶ: *~ sb innocent*, θεωρῶ κπ ἀθῶον. ***~ (for)***, ἐξηγῶ, λογοδοτῶ: *That ~s for his failure*, αὐτό ἐξηγεῖ τήν ἀποτυχία του. *He'll ~ to me for this*, θά λογοδοτήση σέ μένα γι' αὐτό. **~·able** /-əbl/ *ἐπ.* ὑπεύθυνος, ὑπόλογος: *A madman is not ~able for his actions*, ἕνας τρελλός δέν εἶναι ὑπεύθυνος τῶν πράξεών του.
ac·count·ancy /ə`kaʊntənsɪ/ *οὐσ.* ‹U› λογιστική.
ac·count·ant /ə`kaʊntənt/ *οὐσ.* ‹C› λογιστής. **chartered ~**, ὁρκωτός λογιστής.
ac·credit /ə`kredɪt/ *ρ.μ.* (*συνήθ. σέ παθ. φων.*) διαπιστεύω (πρεσβευτήν). **~ed 1**. διαπιστευμένος. **2**. (*γιά γνῶμες, ἀντιλήψεις, κλπ*). παραδεδεγμένος.
ac·crue /ə`kru/ *ρ.ἀ.* προκύπτω, προέρχομαι: *~d interest*, προκύπτων τόκος.
ac·cu·mu·late /ə`kjumjʊleɪt/ *ρ.μ/ἀ.* συσσωρεύω/-ομαι, μαζεύω: *He soon ~d a fortune*, σύντομα μάζεψε ὁλόκληρη περιουσία.
ac·cu·mu·la·tion /ə`kjumjʊˋleɪʃn/ *οὐσ.* ‹C,U› συσσώρευσις, σωρός: *an ~ of knowledge/money/evidence/rubbish*, συσσώρευσις γνώσεων/χρήματος/σωρός ἀποδείξεων/σκουπιδιῶν. **ac·cu·mu·la·tor** /ə`kjumjʊleɪtə(r)/ *οὐσ.* ‹C› (*φυσ.*) συσσωρευτής.
ac·cu·racy /`ækjərəsɪ/ *οὐσ.* ‹U› ἀκρίβεια, ὀρθότης.
ac·cu·rate /`ækjərət/ *ἐπ.* ἀκριβής, ὀρθός: *He's ~ in what he says*, εἶναι ἀκριβής σέ ὅ,τι λέει. *an ~ clock*, ρολόϊ ἀκριβείας. *take ~ aim*, σκοπεύω μέ ἀκρίβεια. **~·ly** *ἐπίρ.*
ac·cursed, ac·curst /ə`kɜst/ *ἐπ.* καταραμένος, μισητός, ἀπαίσιος.
ac·cuse /ə`kjuz/ *ρ.μ.* ***~ sb of sth***, κατηγορῶ κπ γιά κτ. ***the ~d***, ὁ κατηγορούμενος. **~r** *οὐσ.* ‹C› κατήγορος, μηνυτής. **ac·cu·sa·tion** /`ækjʊˋzeɪʃn/ *οὐσ.* ‹C,U› κατηγορία, (*νομ.*) τό κατηγορητήριον.
ac·cus·ative /ə`kjuzətɪv/ *οὐσ.* ‹C› (*γραμμ.*) αἰτιατική.
ac·cus·tom /ə`kʌstəm/ *ρ.μ.* (*συνήθ. σέ παθ.*

φων.) ~ **to**, συνηθίζω, ἐξοικειώνω: *You'll soon get ~ed to the noise of the train*, σύντομα θά συνηθίσης τό θόρυβο τοῦ τραίνου.

ace /eɪs/ *οὐσ.* ‹C› ἄσσος: *the ~ of hearts*, ὁ ἄσσος κούπα. ***be within an ~ of***, λίγο ἔλειψε νά: *He was within an ~ of being killed*, λίγο ἔλειψε νά σκοτωθῆ.

acerb·ity /əˋsɜbətɪ/ *οὐσ.* ‹C,U› *(λόγ.)* ὀξύτης, δριμύτης.

acety·lene /əˋsetəlin/ *οὐσ.* ‹U› ἀσετυλίνη: *an ~ lamp*, λάμπα ἀσετυλίνης.

ache /eɪk/ *οὐσ.* ‹C› πόνος: *have (a) ˋtooth~/ (an) ˋear~/aˋhead~/aˋstomach-~*, ἔχω πονόδοντο/πόνο τοῦ αὐτιοῦ/κεφαλόπονο/στομαχόπονο. —*ρ.ἀ.* **1**. πονῶ. ~ ***all over***, πονῶ σ' ὅλο μου τό κορμί. **2**. ~ ***(for)***, λαχταρῶ: *My heart ~d for her*, τή λαχταροῦσε ἡ καρδιά μου. *He ~d to be free*, λαχταροῦσε νά ἐλευθερωθῆ.

achieve /əˋtʃiv/ *ρ.μ.* ἐπιτυγχάνω, κατορθώνω: *~ one's purpose*, ἐπιτυγχάνω τό σκοπό μου. *~ distinction*, ἐπιτυγχάνω νά διακριθῶ. *He'll never ~ anything*, ποτέ δέν θά κατορθώση τίποτα. **~·ment** *οὐσ.* ‹C,U› ἐπίτευξις, ἐπίτευγμα: *the ~ment of my aims*, ἡ ἐπίτευξις τῶν σκοπῶν μου. *scientific ~ments*, ἐπιστημονικά ἐπιτεύγματα.

acid /ˋæsɪd/ *οὐσ.* ‹U› *(χημ.)* ὀξύ. —*ἐπ.* ξινός, ὀξύς. **~·ity** /əˋsɪdətɪ/ *οὐσ.* ‹U› ὀξύτης, ξινίλα.

ac·knowl·edge /əkˋnolɪdʒ/ *ρ.μ.* ἀναγνωρίζω, ὁμολογῶ, παραδέχομαι: *I ~ my signature/ having signed this letter*, ἀναγνωρίζω τήν ὑπογραφή μου/ὅτι ὑπέγραψα αὐτό τό γράμμα. *He wouldn't ~ his mistake*, ἀρνιόταν νά παραδεχθῆ τό λάθος του. *He refused to ~ defeat*, ἀρνήθηκε νά παραδεχθῆ τήν ἧττα του. *I ~ receipt of your letter*, γνωρίζω λῆψιν τῆς ἐπιστολῆς σας. **~·ment** *οὐσ.* ‹C,U› ἀναγνώρισις, παραδοχή: *in ~ment of your services/of his help*, εἰς ἀναγνώρισιν τῶν ὑπηρεσιῶν σας/ τῆς βοηθείας του.

acme /ˋækmɪ/ *οὐσ.* ‹U› ἄκρον ἄωτον, κολοφών, ἀποκορύφωμα: *attain the ~ of perfection*, ἐπιτυγχάνω τό ἄκρον ἄωτον τῆς τελειότητος.

acne /ˋæknɪ/ *οὐσ.* ‹U› ἀκμή, σπυράκια τῆς νεότητος.

aco·lyte /ˋækəlaɪt/ *οὐσ.* ‹C› **1**. παπαδοπαίδι, βοηθός ἱερέως. **2**. *(λαϊκ.)* τσιράκι.

acorn /ˋeɪkɔn/ *οὐσ.* ‹C› βελανίδι.

acous·tic /əˋkustɪk/ *ἐπ.* ἀκουστικός. **acous·tics** *οὐσ. πληθ.* ἡ ἀκουστική.

ac·quaint /əˋkweɪnt/ *ρ.μ.* ~ ***sb/oneself with***, ἐξοικειώνω/-ομαι: *~ oneself/make oneself ~ed/become ~ed with one's new duties*, ἐξοικειώνομαι μέ τά νέα μου καθήκοντα. ***be ~ed (with sb)***, γνωρίζω κπ προσωπικῶς.

ac·quaint·ance /əˋkweɪntəns/ *οὐσ.* ‹C,U› **1**. γνωριμία, ἐξοικείωσις. ***make sb's ~***, κάνω τή γνωριμία κάποιου. ***have some/a nodding ~ with sb/sth***, γνωρίζω κπ λίγο, ἔχω κάποια γνωριμία μαζί του: *have some ~ with English grammar*, ἔχω κάποια ἐξοικείωση μέ τήν Ἀγγλική γραμματική. **2.** γνώριμος, γνωστός: *have many ~s*, ἔχω πολλούς γνωστούς.

ac·qui·esce /ˋækwɪˋes/ *ρ.ἀ.* συναινῶ, συγκατατίθεμαι: *Her parents will never ~ in this marriage*, οἱ γονεῖς της δέν θά συγκατατεθοῦν ποτέ σ' αὐτό τό γάμο. **ac·qui·escence** /-sns/ *οὐσ.* ‹U› συγκατάθεσις, συναίνεσις. **ac·qui·escent** /-snt/ *ἐπ.* συγκαταβατικός, καλόβολος.

ac·quire /əˋkwaɪə(r)/ *ρ.μ.* ἀποκτῶ: *~ a habit/a taste for sth*, ἀποκτῶ μιά συνήθεια/σιγά-σιγά μοῦ ἀρέσει κτ. **~d** *ἐπ.* ἐπίκτητος: *~d characteristics*, ἐπίκτητα χαρακτηριστικά. **~·ment** *οὐσ.* ‹C,U› ἀπόκτημα, προσόν.

ac·qui·si·tion /ˈækwɪˋzɪʃn/ *οὐσ.* ‹C,U› ἀπόκτησις, ἀπόκτημα: *the ~ of knowledge*, ἡ ἀπόκτησις γνώσεων. *This is my most recent ~*, αὐτό εἶναι τό πλέον πρόσφατο ἀπόκτημά μου.

ac·quis·itive /əˋkwɪzɪtɪv/ *ἐπ.* ἁρπακτικός, πλεονέκτης, ἄπληστος.

ac·quit /əˋkwɪt/ *ρ.μ.* *(-tt-)* **1**. ~ ***sb (of sth)***, ἀπαλλάσσω, ἀθωώνω: *He was ~ted of the charge*, ἀπηλλάγη τῆς κατηγορίας. **2**. *(αὐτοπ.)* φέρομαι: *~ oneself well/like a man*, τά καταφέρνω καλά/φέρνομαι σάν ἄνδρας. **~·tal** /-tl/ *οὐσ.* ‹C,U› ἀθώωσις.

acre /ˋeɪkə(r)/ *οὐσ.* ‹C› ἄκρ (μέτρον ἐπιφανείας ἴσον πρός 4 στρέμματα περίπου). **~·age** /-rɪdʒ/ *οὐσ.* ‹U› ἐμβαδόν (σέ ἄκρ).

ac·rid /ˋækrɪd/ *ἐπ.* δριμύς, στυφός: *an ~ smell/ taste*, διαπεραστική μυρουδιά/στυφή γεύση.

ac·ri·moni·ous /ˈækrɪˋməʊnɪəs/ *ἐπ.* δηκτικός, πικρόχολος, ὀξύς: *an ~ discussion*, συζήτηση σέ ὀξύ τόνο.

ac·ri·mony /ˋækrɪmənɪ/ *οὐσ.* ‹U› πικρία, δριμύτης, βιαιότης, ὀξύτης.

ac·ro·bat /ˋækrəbæt/ *οὐσ.* ‹C› ἀκροβάτης. **~ic** /ˈækrəˋbætɪk/ *ἐπ.* ἀκροβατικός. **~·ics** *οὐσ. πληθ.* ἀκροβασία.

acrop·olis /əˋkropəlɪs/ *οὐσ.* ‹C› ἀκρόπολις. **the A~**, ἡ Ἀκρόπολις τῶν Ἀθηνῶν.

across /əˋkros/ *πρόθ. & ἐπίρ.* διά μέσου, κατά πλάτος, ἀπό τῆς μιᾶς πλευρᾶς εἰς τήν ἄλλην, στήν ἀπέναντι πλευρά, σταυρωτά: *He ran ~ the street*, διέσχισε τό δρόμο τρέχοντας. *He lives ~ the street*, μένει στήν ἀπέναντι πλευρά τοῦ δρόμου. *The river is a mile ~*, τό ποτάμι ἔχει ἕνα μίλι πλάτος. *swim ~*, κολυμπῶ ἀπέναντι. *He sat with his arms ~ his chest*, καθόταν μέ τά χέρια του σταυρωτά στό στῆθος του. (*βλ. & λ. board*).

[1]**act** /ækt/ *οὐσ.* ‹C› **1**. πρᾶξις, ἐνέργεια: *an ~ of kindness/of justice*, πρᾶξις καλωσύνης/ δικαιοσύνης. *a play in three ~s*, θεατρικό ἔργο σέ τρεῖς πράξεις. ***put on an ~***, παίζω θέατρο (=προσποιοῦμαι). ***catch sb in the (very) ~ (of doing sth)***, πιάνω κπ ἐπ' αὐτοφώρῳ. ***A~ of God***, θεομηνία, *(νομ.)* ἀνωτέρα βία. **2**. νόμος: *the Companies A~*, ὁ νόμος περί ἑταιρειῶν.

[2]**act** /ækt/ *ρ.μ/ἀ.* **1**. ἐνεργῶ: *We must ~ at once*, πρέπει νά ἐνεργήσωμε ἀμέσως. ~ ***for/ on behalf of sb***, ἐνεργῶ διά λογαριασμόν κάποιου. ~ ***(up)on***, ἐνεργῶ σύμφωνα μέ, ἐπενεργῶ: *He ~ed upon your advice*, ἐνήργησε σύμφωνα μέ τίς συμβουλές σου. *This medicine ~s on the heart*, αὐτό τό φάρμακο ἐπενεργεῖ στήν καρδιά. **2**. παίζω (σέ θέατρο): *~ a part in a play*, παίζω (ὑποδύομαι) ρόλο σέ ἔργο. ~ ***the fool***, παριστάνω τό βλάκα. **3**. λειτουργῶ: *The brakes ~ well*, τά φρένα λειτουργοῦν καλά. **~·ing** *ἐπ.* ἀναπληρωματικός: *the ~ing Manager*, ὁ ἀναπληρῶν τόν διευθυντήν. —*οὐσ.* ‹U› ἠθοποιΐα, παίξιμο.

ac·tion /ˈækʃn/ *οὐσ.* ‹C,U› **1**. ἐνέργεια, δρᾶσις: *The time for ~ has come*, ἦλθε ἡ ὥρα τῆς δράσεως. *the ~ of a medicine*, ἡ ἐνέργεια ἑνός φαρμάκου. *a man of ~*, ἄνθρωπος τῆς δράσεως. ***bring/call (sth) into ~***, κινῶ, δραστηριοποιῶ κτ. ***put/set (sth) in ~***, θέτω κτ εἰς κίνησιν, εἰς ἐνέργειαν. ***take ~***, ἐνεργῶ, δρῶ, λαμβάνω μέτρα. **2**. μάχη. ***killed in ~***, φονευθείς εἰς τήν μάχην. ***put out of ~***, θέτω ἐκτός μάχης. **3**. πρᾶξις, ἔργον: *judge a man by his ~s*, κρίνω ἕναν ἄνθρωπο ἀπό τά ἔργα του. *suit the ~ to the word*, συνοδεύω τά λόγια μέ πράξεις. ***A~s speak louder than words***, τά ἔργα μιλᾶν δυνατώτερα ἀπό τά λόγια. **4**. (*νομ.*) ἀγωγή. ***bring an ~ against sb***, κάνω ἀγωγή ἐναντίον κάποιου.

ac·tive /ˈæktɪv/ *ἐπ.* ἐνεργητικός, δραστήριος, ἐνεργός, ἀκμαῖος: *an ~ brain*, ἕνα δημιουργικό μυαλό. *lead an ~ life*, κάνω δραστήρια ζωή. *Though over 90, he is still ~*, ἄν κι' ἔχει περάσει τά 90, εἶναι ἀκόμα ἀκμαῖος. *an ~ volcano*, ἡφαίστειο ἐν ἐνεργείᾳ. ***take an ~ part in sth***, παίρνω ἐνεργό μέρος (συμμετέχω ἐνεργητικά) σέ κτ. ***on ~ service***, (*στρατ.*) ἐν ἐνεργείᾳ, ἐν ἐκστρατείᾳ. ***~ voice***, (*γραμμ.*) ἐνεργητική φωνή. **~·ly** *ἐπίρ.* δραστήρια, ἐνεργητικά.

ac·tiv·ity /ækˈtɪvətɪ/ *οὐσ.* ‹C,U› δραστηριότης, ἐνέργεια, δρᾶσις: *economic ~*, οἰκονομική δραστηριότης. *in full ~*, ἐν πλήρῃ δράσει.

ac·tor /ˈæktə(r)/ *οὐσ.* ‹C› ἠθοποιός.

ac·tress /ˈæktrəs/ *οὐσ.* ‹C› ἡ ἠθοποιός.

ac·tual /ˈæktʃʊəl/ *ἐπ.* πραγματικός, ἀληθινός: *It's an ~ fact*, εἶναι πραγματικό γεγονός. *the ~ price*, ἡ πραγματική τιμή. ***in ~ fact***, στήν πραγματικότητα. **~·ly** /-tʃəlɪ/ *ἐπίρ.* πράγματι, πραγματικά: *Do you ~ly expect me to believe it?* θέλεις πραγματικά νά τό πιστέψω; **~·ity** /ˌæktʃʊˈælətɪ/ *οὐσ.* ‹C,U› ἐπικαιρότης, πραγματικότης, (*πληθ.*) τα πραγματικά δεδομένα, οἱ ὑπάρχουσες συνθῆκες.

ac·tu·ate /ˈæktʃʊeɪt/ *ρ.μ.* (*λόγ.*) κινῶ, ὠθῶ, ἐμψυχώνω: *~d by jealousy/by love of power*, κινούμενος ἀπό ζήλεια/ἀπό ἀρχομανία.

acu·men /ˈækjʊmən/ *οὐσ.* ‹U› ὀξύνοια, εὐφυΐα: *business ~*, ἐπιχειρηματικόν δαιμόνιον.

acu·punc·ture /ˈækjʊpʌŋktʃə(r)/ *οὐσ.* ‹U› (*ἰατρ.*) βελονισμός, βελονοθεραπεία.

acute /əˈkjuːt/ *ἐπ.* ὀξύς, ἔντονος, ὀξύνους: *an ~ pain*, ἔντονος (ὀξύς) πόνος. *~ sight*, ὀξεῖα ὅρασις. *an ~ shortage*, μεγάλη ἔλλειψις. ***an ~ angle/accent***, ὀξεῖα γωνία/ἡ ὀξεῖα (ὁ τόνος).

adage /ˈædɪdʒ/ *οὐσ.* ‹C› γνωμικόν, ἀπόφθεγμα, παροιμία, ρητόν.

ada·mant /ˈædəmənt/ *ἐπ.* ἄκαμπτος, ἀνένδοτος: *On this point he's ~*, ἐπ' αὐτοῦ τοῦ σημείου εἶναι ἄκαμπτος (ἀμετάπειστος).

adapt /əˈdæpt/ *ρ.μ.* προσαρμόζω, διασκευάζω: *~ oneself to circumstances*, προσαρμόζομαι στίς περιστάσεις. *~ a novel for the radio*, διασκευάζω ἕνα μυθιστόρημα γιά τό ραδιόφωνο. *a book ~ed to the needs of beginners/for beginners*, βιβλίο προσαρμοσμένο στίς ἀνάγκες τῶν ἀρχαρίων/διασκευασμένο γιά ἀρχαρίους. **~·able** /-əbl/ *ἐπ.* προσαρμόσιμος, εὐπροσάρμοστος. **ad·apt·ation** /ˌædæpˈteɪʃn/ *οὐσ.* ‹C,U› προσαρμογή, διασκευή.

ad·apta·bil·ity /əˌdæptəˈbɪlətɪ/ *οὐσ.* ‹U› ἱκανότης προσαρμογῆς.

add /æd/ *ρ.μ.* προσθέτω, ἀθροίζω. ***~ sth in***, συμπεριλαμβάνω. ***~ to***, ἐπαυξάνω: *This ~s to my difficulties*, αὐτό μεγαλώνει τίς δυσκολίες μου. ***~ up***, προσθέτω, βρίσκω τό ἄθροισμα: *~ up a column of figures*, προσθέτω μιά στήλη ἀριθμούς. ***~ up to***, δίνω ἄθροισμα, (*καθομ.*) σημαίνω: *These figures ~ up to 36*, αὐτοί οἱ ἀριθμοί δίνουν ἄθροισμα 36. *What does all this ~ up to?* τί σημαίνουν ὅλα αὐτά;

ad·den·dum /əˈdendəm/ *οὐσ.* ‹C› (*πληθ.* *-da* /-də/) προσθήκη, συμπλήρωμα.

ad·der /ˈædə(r)/ *οὐσ.* ‹C› ὀχιά.

[1]**ad·dict** /əˈdɪkt/ *ρ.μ.* (*συνήθ. σέ παθ. φων.*) ***be ~ed to***, εἶμαι παραδομένος εἰς, κυριευμένος ἀπό: *He's ~ed to alcohol/to smoking*, εἶναι κυριευμένος ἀπό τό ποτό/ἀπό τό κάπνισμα.

[2]**ad·dict** /ˈædɪkt/ *οὐσ.* ‹C› ὁ κυριευμένος ἀπό κάποιο πάθος: *a ˈdrug-~*, τοξικομανής.

ad·di·tion /əˈdɪʃn/ *οὐσ.* ‹C,U› πρόσθεσις, προσθήκη: *They've just had an ~ to the family*, ἀπέκτησαν κι' ἄλλο μέλος στήν οἰκογένεια. ***in ~ to***, ἐπιπροσθέτως, ἐκτός ἀπό. **~al** /-ʃnl/ *ἐπ.* πρόσθετος, συμπληρωματικός.

addle /ˈædl/ *ἐπ.* & *ρ.ἀ.* (*γιά αὐγά*) κλούβιος, κλουβιαίνω. ***ˈ~-brained***, ἄμυαλος, κουφιοκεφαλάκης.

[1]**ad·dress** /əˈdres/ *ρ.μ.* **1**. ἀπευθύνω, στέλνω, γράφω τή διεύθυνση σέ φάκελλο: *~ a letter to sb*, ἀπευθύνω ἐπιστολή σέ κπ. *~ one's prayers to God*, κάνω τήν προσευχή μου στό θεό. **2**. ἀπευθύνω τό λόγο, προσφωνῶ, προσαγορεύω: *~ a meeting*, μιλῶ σέ συγκέντρωση. *~ sb as 'Colonel'*, προσαγορεύω κπ "Συνταγματάρχη". **3**. ***~ oneself to*** (*a task, etc*), ἀφοσιώνομαι σέ (μιά δουλειά, κλπ).

[2]**ad·dress** /əˈdres/ *οὐσ.* ‹C,U› **1**. διεύθυνσις: *a ˈbusiness/ˈhome ~*, διεύθυνσις γραφείου/κατοικίας. **2**. ὁμιλία, προσφώνησις: *deliver a short ~*, ἐκφωνῶ σύντομο λόγο. **3**. (*παλ.*) φιλοφρόνησις. ***pay one's ~es to a lady***, κάνω φιλοφρονήσεις σέ (κορτάρω) μιά γυναίκα. **~ee** /ˌædreˈsiː/ *οὐσ.* ‹C› παραλήπτης (ἐπιστολῆς, κλπ).

ad·duce /əˈdjuːs/ *ρ.μ.* ἐπικαλοῦμαι, προσάγω, παραθέτω: *~ reasons/proof*, ἐπικαλοῦμαι λόγους/προσάγω ἀπόδειξιν.

adept /ˈædept/ *ἐπ.* εἰδικός, πεπειραμένος. —*οὐσ.* ‹C› εἰδήμων: *be an ~ in sth/in doing sth*, εἶμαι εἰδικός σέ κτ/νά κάνω κτ.

ad·equacy /ˈædɪkwəsɪ/ *οὐσ.* ‹U› ἐπάρκεια, καταλληλότης.

ad·equate /ˈædɪkwət/ *ἐπ.* ἐπαρκής, κατάλληλος: *an ~ quantity of food*, ἐπαρκής ποσότης τροφῆς. *Is he ~ to the task?* εἶναι κατάλληλος γιά τήν ἐργασία;

ad·here /ədˈhɪə(r)/ *ρ.ἀ.* ***~ to***, **1**. προσκολλῶμαι, κολλῶ. **2**. προσχωρῶ, ἐμμένω: *~ to a party*, προσχωρῶ σέ κόμμα. *~ to one's decision*, ἐμμένω στήν ἀπόφασή μου.

ad·her·ence /ədˈhɪərəns/ *οὐσ.* ‹U› προσκόλλησις, πίστις, ἐμμονή: *~ to a plan/the rules.*

ad·her·ent /ədˈhɪərnt/ *οὐσ.* ‹C› ὀπαδός: *The proposal is gaining more and more ~s*, ἡ πρότασις κερδίζει διαρκῶς περισσότερους ὀπαδούς.

ad·he·sion /əd`hiʒn/ *οὐσ.* ‹U› προσκόλλησις, ὑποστήριξις.
ad·hes·ive /əd`hizɪv/ *ἐπ.* κολλώδης, συγκολλητικός: ~ *plaster*, λευκοπλάστης. —*οὐσ.* ‹U› κόλλα, αὐτοκόλλητο.
adieu /ə`dju/ *ἐπιφ.* ἀντίο! κατευόδιο! στό καλό!
ad hoc /'æd`hok/ (*Λατ.*) εἰδικῶς, πρός τοῦτο: *an* ~ *committee*, μιά εἰδική ἐπιτροπή.
ad·jac·ent /ə`dʒeɪsnt/ *ἐπ.* ~ ***(to)***, γειτονικός, παρακείμενος, συνεχόμενος: ~ *rooms*, συνεχόμενα δωμάτια. *be* ~ *to sth*, γειτονεύω μέ κτ.
ad·jec·tive /`ædʒektɪv/ *οὐσ.* ‹C› ἐπίθετον. **ad·jec·tival** /'ædʒek`taɪvl/ *ἐπ.* (*γραμμ.*) ἐπιθετικός.
ad·join /ə`dʒɔɪn/ *ρ.μ/ἀ.* γειτονεύω, συνέχομαι, ἐφάπτομαι: *The two houses* ~, τά δυό σπίτια ἐφάπτονται. *The church* ~*s the school*, ἡ ἐκκλησία γειτονεύει μέ τό σχολεῖο.
ad·journ /ə`dʒɜn/ *ρ.μ/ἀ.* **1**. (*γιά συνεδρίαση, κλπ*) ἀναβάλλω/-ομαι, διακόπτω/-ομαι: *The meeting* ~*ed/was* ~*ed for a week*, ἡ συνεδρίασις ἀνεβλήθη ἐπί μίαν ἑβδομάδα. **2**. (*γιά ὁμάδα ἀνθρώπων*) μεταφέρομαι, περνῶ: *We* ~*ed to the drawing-room*, περάσαμε (μεταφερθήκαμε) στό σαλόνι. ~**·ment** *οὐσ.* ‹C› ἀναβολή, διακοπή.
ad·ju·di·cate /ə`dʒudɪkeɪt/ *ρ.μ/ἀ.* (*νομ.*) κρίνω, ἐπιδικάζω, ἀποφαίνομαι, κηρύσσω: ~ *a claim for damages*, ἐπιδικάζω ἀξίωσιν ἀποζημιώσεως. ~ *(up)on a question*, ἀποφαίνομαι ἐπί τινος θέματος. ~ *sb bankrupt*, κηρύσσω κπ εἰς κατάστασιν πτωχεύσεως.
ad·ju·di·ca·tion /ə'dʒudɪ`keɪʃn/ *οὐσ.* ‹C,U› ἐπιδίκασις, ἀπόφασις.
ad·junct /`ædʒʌŋkt/ *οὐσ.* ‹C› παρεπόμενον, βοηθός, (*γραμμ.*) ἐπεξήγησις, προσδιορισμός.
ad·jure /ə`dʒʊə(r)/ *ρ.μ.* (*λόγ.*) ἐξορκίζω, ἐκλιπαρῶ: *I* ~ *you to tell the truth*, σέ ἐξορκίζω νά πῆς τήν ἀλήθεια.
ad·just /ə`dʒʌst/ *ρ.μ.* προσαρμόζω, ρυθμίζω, τακτοποιῶ: *We should* ~ *our expenditure to our income*, θά πρέπει νά προσαρμόσωμε τά ἔξοδά μας στό εἰσόδημά μας. ~ *oneself to*, προσαρμόζομαι εἰς. ~ *a telescope*, ρυθμίζω ἕνα τηλεσκόπιο. ~**·able** /-əbl/ *ἐπ.* εὐπροσάρμοστος, ρυθμιζόμενος. ~**·ment** *οὐσ.* ‹C,U› προσαρμογή, ρύθμισις.
ad·ju·tant /`ædʒʊtənt/ *οὐσ.* ‹C› (*στρατ.*) ὑπασπιστής.
ad·min·is·ter /əd`mɪnɪstə(r)/ *ρ.μ/ἀ.* **1**. διοικῶ, διαχειρίζομαι: ~ *a country*, διοικῶ μιά χώρα. **2**. δίδω, χορηγῶ, ἀπονέμω, ἐφαρμόζω: ~ *help to the poor*, δίδω βοήθεια εἰς τούς πτωχούς. ~ *justice*, ἀπονέμω δικαιοσύνην. ~ *the law*, ἐφαρμόζω τούς νόμους. ~ *a medicine*, χορηγῶ φάρμακον.
ad·min·is·tra·tion /əd'mɪnɪ`streɪʃn/ *οὐσ.* ‹C› **1**. διοίκησις, κυβέρνησις. **2**. ἀπονομή, χορήγησις, ἐφαρμογή. **ad·min·is·tra·tive** /əd`mɪnɪstrətɪv/ *ἐπ.* διοικητικός, διαχειριστικός. **ad·min·is·tra·tor** /əd`mɪnɪstreɪtə(r)/ *οὐσ.* ‹C› διαχειριστής, (*νομ.*) ἐπίτροπος, διευθυντής.
ad·mir·able /`ædmɪrəbl/ *ἐπ.* θαυμάσιος. **ad·mir·ably** /-əblɪ/ *ἐπίρ.* θαυμάσια.
ad·miral /`ædmərəl/ *οὐσ.* ‹C› ναύαρχος. ~**ty** *οὐσ.* ‹C› Ναυαρχεῖον, (*MB*) Ὑπουργεῖον Ναυτικῶν. *First Lord of the A*~*ty*, ὁ Ὑπουργός Ναυτικῶν.
ad·mir·ation /'ædmɪ`reɪʃn/ *οὐσ.* ‹U› θαυμασμός: *be filled with* ~ *for sth*, εἶμαι γεμᾶτος θαυμασμό γιά κτ. *cry out in* ~, ἀναφωνῶ μέ θαυμασμό.
ad·mire /əd`maɪə(r)/ *ρ.μ.* θαυμάζω. ~**r** *οὐσ.* ‹C› θαυμαστής. **ad·mir·ing** *ἐπ.* θαυμάζων, θαυμαστικός: *an* ~ *look*, βλέμμα γεμᾶτο θαυμασμό. *an* ~ *crowd*, πλῆθος πού θαυμάζει. **ad·mir·ing·ly** *ἐπίρ.* μέ θαυμασμό.
ad·miss·ible /əd`mɪsəbl/ *ἐπ.* ἐπιτρεπόμενος, ἐπιτρεπτός.
ad·mis·sion /əd`mɪʃn/ *οὐσ.* ‹C,U› **1**. εἴσοδος, εἰσαγωγή: *Price of* ~ *5p*, ἡ εἴσοδος 5 πέννες. *A*~ *free*, εἴσοδος δωρεάν. ~ *to the University is by examination only*, ἡ εἰσαγωγή στό Πανεπιστήμιο γίνεται μόνον κατόπιν ἐξετάσεων. ***gain*** ~ ***to***, γίνομαι δεκτός ἀπό. **2**. ὁμολογία, παραδοχή: *make an* ~ *of guilt*, προβαίνω σέ ὁμολογία ἐνοχῆς. *an* ~ *of failure*, παραδοχή ἀποτυχίας.
ad·mit /əd`mɪt/ *ρ.μ/ἀ.* *(-tt-)* **1**. ἐπιτρέπω τήν εἴσοδον: ~ *sb into a place*, ἀφήνω κπ νά μπῆ σ'ἕνα μέρος. *Windows* ~ *light and air*, τά παράθυρα ἀφήνουν νά μπῆ φῶς καί ἀέρας. *Only 50 boys are* ~*ted to this school every year*, μόνον 50 παιδιά γίνονται δεκτά σ'αὐτό τό σχολεῖο κάθε χρόνο. **2**. χωρῶ: *The theatre* ~*s only 300 people*, τό θέατρο χωράει μόνον 300 ἀνθρώπους. **3**. παραδέχομαι, ὁμολογῶ: *He* ~*ted his guilt/having stolen the money*, παραδέχτηκε τήν ἐνοχή του/ὅτι εἶχε κλέψει τά χρήματα. *It is generally* ~*ted that...*, ὁμολογεῖται γενικῶς ὅτι... ~ ***of***, (*λόγ.*) ἐπιδέχομαι: *It* ~*s of no doubt*, δέν ἐπιδέχεται (δέν χωρεῖ) ἀμφιβολία. ~**·tance** /-tns/ *οὐσ.* ‹U› εἴσοδος: *No* ~*tance except on business*, ἀπαγορεύεται ἡ εἴσοδος εἰς τούς μή ἔχοντας ἐργασίαν. ~**·ted·ly** /-tɪdlɪ/ *ἐπίρ.* ὁμολογουμένως, ἀναντιρρήτως.
ad·mon·ish /əd`monɪʃ/ *ρ.μ.* νουθετῶ, ἐπιπλήττω: *He* ~*ed them against smoking/for being late*, τούς νουθέτησε νά μήν καπνίζουν/τούς ἐπέπληξε πού ἄργησαν.
ad·mo·ni·tion /'ædmə`nɪʃn/ *οὐσ.* ‹C,U› νουθεσία, ἐπίπληξις. **ad·mo·ni·tory** /əd`monɪtrɪ/ *ἐπ.* παραινετικός, ἐπιτιμητικός.
ado /ə`du/ *οὐσ.* ‹U› φασαρία, θόρυβος: *Much* ~ *about nothing*, πολύς θόρυβος γιά τό τίποτα.
adobe /ə`dəʊbɪ/ *οὐσ.* ‹U› πλίθα: *an* ~ *house*, πλίθινο σπίτι.
ado·lescence /'ædə`lesns/ *οὐσ.* ‹U› ἐφηβική ἡλικία.
ado·lescent /'ædə`lesnt/ *οὐσ.* ‹C› ἔφηβος.
adopt /ə`dopt/ *ρ.μ.* υἱοθετῶ, ἀποδέχομαι: ~ *an orphan*, υἱοθετῶ ἕνα ὀρφανό. ~ *a view/a method/measures*, υἱοθετῶ μίαν ἄποψιν/μίαν μέθοδον/μέτρα. **adop·tion** /ə`dopʃn/ *οὐσ.* ‹C,U› υἱοθεσία, ἀποδοχή: *The country of his* ~*ion*, ἡ θετή του πατρίδα. **adop·tive** *ἐπ.* θετός: *his* ~*ive parents*, οἱ θετοί του γονεῖς.
ador·able /ə`dɔrəbl/ *ἐπ.* ἀξιολάτρευτος.
ador·ation /'ædə`reɪʃn/ *οὐσ.* ‹U› λατρεία.
adore /ə`dɔ(r)/ *ρ.μ.* λατρεύω: *I* ~ *trips abroad/travelling*, λατρεύω τά ταξίδια στό ἐξωτερικό/νά ταξιδεύω. **ador·ing** *ἐπ.* γεμᾶτος λατρεία, λατρευτικός: *adoring looks*, βλέμματα γεμᾶτα

λατρεία. **ador·ing·ly** *ἐπίρ.* μέ λατρεία: *look at sb adoringly*, κοιτάζω κπ μέ λατρεία.
adorn /əˋdɔn/ *ρ.μ.* (*λόγ.*) κοσμῶ, στολίζω. **~·ment** *οὐσ.* ‹C,U› στολισμός, στολίδι.
adrift /əˋdrɪft/ *ἐπ.* & *ἐπίρ.* ἕρμαιος (τῶν κυμάτων, τῶν περιστάσεων): *The boat was ~*, ἡ βάρκα ἦταν ἕρμαιη τῶν κυμάτων. ***turn sb ~***, πετάω κπ στό δρόμο.
adroit /əˋdrɔɪt/ *ἐπ.* (*λόγ.*) ~ (***at/in***), ἐπιδέξιος, ἔξυπνος. **~·ness** *οὐσ.* ‹U› ἐπιδεξιότης. **~·ly** *ἐπίρ.*
adu·la·tion /ˌædʒʊˋleɪʃn/ *οὐσ.* ‹U› κολακεία.
adult /ˋædʌlt/ *οὐσ.* ‹C› & *ἐπ.* ἐνῆλιξ.
adul·ter·ate /əˋdʌltəreɪt/ *ρ.μ.* νοθεύω: *~d milk*, νερωμένο γάλα. **adul·ter·ation** /əˌdʌltəˋreɪʃn/ *οὐσ.* ‹C,U› νόθευσις.
adul·terer /əˋdʌltərə(r)/ *οὐσ.* ‹C› μοιχός.
adul·ter·ess /əˋdʌltərəs/ *οὐσ.* ‹C› μοιχαλίς.
adul·tery /əˋdʌltərɪ/ *οὐσ.* ‹C,U› μοιχεία.
ad·um·brate /ˋædəmbreɪt/ *ρ.μ.* (*λόγ.*) προοιωνίζομαι, προδιαγράφω, σκιαγραφῶ.
1 **ad·vance** /ədˋvans/ *ρ.μ/ἀ.* **1**. προχωρῶ, προελαύνω: *He ~d on me*, προχώρησε κατά πάνω μου. *Our troops ~d on a wide front*, ὁ στρατός μας προήλασε ἐπί εὐρέως μετώπου. **2**. (*λόγ.*) προβάλλω, προάγω, προκαταβάλλω: *~ an argument/an excuse/an opinion*, προβάλλω ἐπιχείρημα/δικαιολογία/γνώμην. *He was ~d to the position of Manager*, προήχθη εἰς τήν θέσιν τοῦ διευθυντοῦ. *They ~d him a month's salary*, τοῦ προκατέβαλαν τόν μισθόν ἑνός μηνός.
2 **ad·vance** /ədˋvans/ *οὐσ.* ‹C,U› πρόοδος, προαγωγή, προκαταβολή: *the ~s of science*, οἱ πρόοδοι τῆς ἐπιστήμης. *Technology has made great ~s in the 20th century*, ἡ τεχνολογία ἔκαμε μεγάλες προόδους στόν 20όν αἰῶνα. *We must pay an ~ of £10*, πρέπει νά δώσωμε 10 λίρες προκαταβολή. *an ~ payment/notice/booking*, προπληρωμή/προειδοποίησις/προαγορά εἰσιτηρίων. ***in ~ (of)***, ἐκ τῶν προτέρων, προκαταβολικῶς, νωρίτερα: *send one's luggage in ~*, στέλνω τίς ἀποσκευές μου νωρίτερα. *pay/thank in ~*, προπληρώνω/εὐχαριστῶ ἐκ τῶν προτέρων. *book seats/tickets in ~*, κλείνω θέσεις/ἀγοράζω εἰσιτήρια ἀπό πρίν. *arrive in ~*, φθάνω νωρίτερα. *be in ~ of one's time*, προπορεύομαι τῆς ἐποχῆς μου. ***make ~s to sb***, κάνω (φιλικές ἤ ἐρωτικές) κρούσεις σέ κπ. **~d** *ἐπ.* προχωρημένος: *~d in years*, σέ προχωρημένη ἡλικία. *~d studies*, ἀνώτερες σπουδές. **~·ment** *οὐσ.* ‹U› προαγωγή, πρόοδος.
ad·van·tage /ədˋvantɪdʒ/ *οὐσ.* ‹C,U› **1**. πλεονέκτημα, ὑπεροχή: *the ~s of education*, τά πλεονεκτήματα τῆς μορφώσεως. ***have/gain/win an ~ over sb***, ὑπερέχω, πλεονεκτῶ κάποιου. **2**. ὄφελος, κέρδος: *I gained little ~ from it*, ἐλάχιστο κέρδος μοῦ ἀπέφερε αὐτό. ***prove/be to sb's ~***, ἀποδεικνύομαι/εἶμαι ἐπωφελής γιά κπ. ***take (full) ~ of sb/sth***, ἐκμεταλλεύομαι, ἐπωφελοῦμαι (πλήρως): *He took full ~ of his stay in London*. ***turn sth to ~***, χρησιμοποιῶ κτ ἐπωφελῶς: *He turned his stay in hospital to ~*. ***to (good/better) ~***, καλά/καλύτερα: *The painting is seen to better ~ from a distance*, ὁ πίνακας φαίνεται καλύτερα ἀπό μακρυά. ***to the ~ of***, πρός ὄφελος τοῦ...
ad·van·tageous /ˌædvənˋteɪdʒəs/ *ἐπ.* ἐπωφελής, πλεονεκτικός, χρήσιμος.
ad·vent /ˋædvent/ *οὐσ.* ‹C› **1**. ἔλευσις, ἄφιξις: *the ~ of the atomic age*, ἡ ἔλευσις τοῦ αἰῶνα τοῦ ἀτόμου. **2**. ***A~***, (*ἐκκλ.*) ἡ σαρακοστή πρό τῶν Χριστουγέννων, ἡ ἔλευσις τοῦ Χριστοῦ, ἡ Δευτέρα Παρουσία.
ad·ven·ture /ədˋventʃə(r)/ *οὐσ.* ‹C,U› περιπέτεια. **~r** *οὐσ.* ‹C› τυχοδιώκτης, ριψοκίνδυνος ἄνθρωπος.
ad·ven·tur·ous /ədˋventʃərəs/ *ἐπ.* τυχοδιωκτικός, ριψοκίνδυνος, περιπετειώδης: *an ~ voyage*, ἕνα περιπετειῶδες ταξίδι.
ad·verb /ˋædvɜb/ *οὐσ.* ‹C› ἐπίρρημα. **ad·verb·ial** /ədˋvɜbɪəl/ *ἐπ.* ἐπιρρηματικός.
ad·ver·sary /ˋædvəsərɪ/ *οὐσ.* ‹C› ἀντίπαλος.
ad·verse /ˋædvɜs/ *ἐπ.* δυσμενής, ἐνάντιος, ἀντίθετος: *~ criticism*, δυσμενής κριτική. *~ winds*, ἐνάντιοι ἄνεμοι. *This is ~ to our interests*, (*λόγ.*) αὐτό εἶναι ἀντίθετον πρός τά συμφέροντά μας.
ad·ver·sity /ədˋvɜsətɪ/ *οὐσ.* ‹C,U› ἀντιξοότης, ἀτυχία: *be brave in ~*, εἶμαι θαρραλέος στίς κακοτυχίες.
ad·ver·tise /ˋædvətaɪz/ *ρ.μ/ἀ.* διαφημίζω, γνωστοποιῶ δι' ἀγγελίας: *~ for sth*, ζητῶ κτ μέ ἀγγελία. **~r** *οὐσ.* ‹C› διαφημιστής.
ad·ver·tise·ment /ədˋvɜtɪsmənt/ *οὐσ.* ‹C› (*συγκεκ.* **ad** /æd/) διαφήμησις, ἀγγελία: *put an ~ in a newspaper*, βάζω ἀγγελία σ' ἐφημερίδα. ***classified ~s***, μικραί ἀγγελίαι.
ad·vice /ədˋvaɪs/ *οὐσ.* ‹U› συμβουλή. ***a piece of ~***, μιά συμβουλή. ***act on sb's ~***, ἐνεργῶ σύμφωνα μέ τή συμβουλή κάποιου. ***take/follow sb's ~***, παίρνω/ἀκολουθῶ τή συμβουλή κάποιου.
ad·vis·able /ədˋvaɪzəbl/ *ἐπ.* ὀρθός, ἐνδεδειγμένος. **ad·visa·bil·ity** /ədˌvaɪzəˋbɪlətɪ/ *οὐσ.* ‹U› ὀρθότης.
ad·vise /ədˋvaɪz/ *ρ.μ.* συμβουλεύω, συνιστῶ: *The doctor ~d a complete rest*, ὁ γιατρός συνέστησε τέλεια ἀνάπαυση. *~ sb on a question/against sth*, συμβουλεύω κπ σ' ἕνα θέμα/νά μήν κάνη κτ. *What do you ~ me to do?* τί μέ συμβουλεύετε νά κάμω; ***ˋwell/ˋill ~d***, συνετός/ἄφρων. **~r** *οὐσ.* ‹C› σύμβουλος: *an ~r to the Government*, σύμβουλος τῆς Κυβερνήσεως.
ad·vis·ory /ədˋvaɪzərɪ/ *ἐπ.* συμβουλευτικός: *an ~ committee*, συμβουλευτική ἐπιτροπή. *in an ~ capacity*, σέ συμβουλευτικό ρόλο, ὑπό τήν ἰδιότητα συμβούλου.
ad·vo·cacy /ˋædvəkəsɪ/ *οὐσ.* ‹U› συνηγορία, ὑπεράσπισις.
1 **ad·vo·cate** /ˋædvəkət/ *οὐσ.* ‹C› συνήγορος, ὑπερασπιστής.
2 **ad·vo·cate** /ˋædvəkeɪt/ *ρ.μ.* συνηγορῶ, ὑποστηρίζω.
adze, adz /ædz/ *οὐσ.* ‹C› σκεπάρνι.
aegis, egis /ˋidʒɪs/ *οὐσ.* ‹C› (*πληθ.* ~*es*) αἰγίς. ***under the ~ of***, ὑπό τήν αἰγίδα τοῦ.
aer·ate /ˋeəreɪt/ *ρ.μ.* ἀερίζω, γεμίζω μέ ἀέρα, σαμπανιζάρω, καθιστῶ (ὑγρό) ἀεριοῦχο.
aer·ial /ˋeərɪəl/ *οὐσ.* ‹C› κεραία. —*ἐπ.* αἰθέριος, ἐναέριος.
aerie, eyrie /ˋeərɪ/ *οὐσ.* ‹C› ἀετοφωλιά.

aero·drome /ˋeərədrəʊm/ *οὐσ.* ‹C› ἀεροδρόμιον.
aero·naut·ics /ˈeərəˋnɔtɪks/ *οὐσ.* ‹U› ἀεροναυτική.
aero·plane /ˋeərəpleɪn/ *οὐσ.* ‹C› ἀεροπλάνο.
aes·thetic /ˈisˋθetɪk/ *ἐπ.* αἰσθητικός, καλαίσθητος. ~**s** *οὐσ.*‹U› ἡ αἰσθητική.
afar /əˋfa(r)/ *ἐπίρ.* μακρυα. ***from*** ~, ἀπό μακρυά.
af·fable /ˋæfəbl/ *ἐπ.* καταδεκτικός, εὐγενικός, προσηνής: ~ *to everybody*, καταδεκτικός μέ ὅλους. *an* ~ *reply*, προσηνής ἀπάντησις. **af·fa·bil·ity** /ˈæfəˋbɪləti/ *οὐσ.* ‹U› καταδεκτικότης, προσήνεια.
af·fair /əˋfeə(r)/ *οὐσ.* ‹C› **1**. ὑπόθεσις, δουλειά: *That's my* ~, *not yours*, αὐτή εἶναι δική μου ὑπόθεσις, ὄχι δική σας. *Ministry of Foreign A* ~*s*, Ὑπουργεῖον Ἐξωτερικῶν. ***have an*** ~ ***with sb***, ἔχω σύνδεσμο (ἐρωτικό) μέ κπ. ***a ˋlove*** ~, ἐρωτοδουλειά. **2**. ὑπόθεσις, γεγονός, πρᾶγμα: *Her party was a poor* ~, τό πάρτυ της δέν ἦταν τίποτα σπουδαῖο.
[1]**af·fect** /əˋfekt/ *ρ.μ.* ἐπηρεάζω, θίγω, συγκινῶ, προσβάλλω: *The climate* ~*ed his health*, τό κλῖμα ἐπηρέασε τήν ὑγεία του. *It* ~*s me personally*, μέ θίγει (μέ ἀφορᾶ) προσωπικῶς. *He is easily* ~*ed*, συγκινεῖται εὔκολα. *His lungs were* ~*ed by cancer*, οἱ πνεύμονές του προσεβλήθησαν ἀπό καρκῖνο.
[2]**af·fect** /əˋfekt/ *ρ.μ.* προσποιοῦμαι, μοῦ ἀρέσει (νά ἐπιδεικνύω): ~ *indifference/ignorance*, κάνω τόν ἀδιάφορο/προσποιοῦμαι ἄγνοια. *I* ~ *big words*, μοῦ ἀρέσουν τά μεγάλα λόγια. ~**ed** *ἐπ.* προσποιητός, ἐπιτηδευμένος: ~*ed indifference/style*, προσποιητή ἀδιαφορία/ἐπιτηδευμένο ὕφος. **af·fec·ta·tion** /ˈæfekˋteɪʃn/ *οὐσ.* ‹C,U› προσποίησις, ἐπιτήδευσις: *an* ~*ation of interest*, προσποίησις ἐνδιαφέροντος. *Keep clear of all* ~*ation!* νά ἀποφεύγης κάθε ἐπιτήδευση!
af·fec·tion /əˋfekʃn/ *οὐσ.* ‹C,U› στοργή, ἀγάπη: *have* ~ *for/feel* ~ *towards sb*, ἔχω/αἰσθάνομαι στοργή γιά κπ. *He is held in great* ~, εἶναι πολύ ἀγαπητός. ***win sb's*** ~***(s)***, κερδίζω τήν ἀγάπη κάποιου. ~**·ate** /ʃənət/ *ἐπ.* στοργικός. ~**·ate·ly** *ἐπίρ.* στοργικά: ***Yours*** ~***ately***, Δικός σας, μέ ἀγάπη.
af·fi·da·vit /ˈæfɪˋdeɪvɪt/ *οὐσ.* ἔνορκος κατάθεσις, ἔνορκος βεβαίωσις: *swear/make/take an* ~, δίνω ἔνορκη κατάθεση.
af·fili·ate /əˋfɪlieɪt/ *ρ.μ.* εἰσδέχομαι μέλη. ***be*** ~***d (to/with)***, συνδέομαι μέ, γίνομαι/εἶμαι μέλος εἰς: *The College is* ~*d to the University*, τό Κολλέγιο εἶναι τμῆμα τοῦ Πανεπιστημίου. **af·fili·ation** /əˈfɪlɪˋeɪʃn/ *οὐσ.* ‹C› **1**. προσχώρησις, δεσμός: *political* ~*s*, πολιτικοί δεσμοί. **2**. (*νομ.*) ἀναγνώρισις τῆς πατρότητος ἐξωγάμου.
af·fin·ity /əˋfɪnəti/ *οὐσ.* ‹C,U› ~ ***(between/to/for)***, **1**. στενή σχέσις, (ὀργανική) ὁμοιότης. **2**. συγγένεια, ἀγχιστεία: *spiritual* ~, πνευματική συγγένεια. **3**. ἕλξις: *She feels a strong* ~ *to/for him*, αἰσθάνεται ἰσχυρή ἕλξη πρός αὐτόν.
af·firm /əˋfɜm/ *ρ.μ/ἀ.* βεβαιῶ, ἐπιβεβαιῶ (*ἀντίθ. deny*): ~ *sth to sb*, βεβαιῶ κτ σέ κπ. ~ *that sth is true*, ἐπιβεβαιῶ ὅτι κάτι εἶναι ἀλήθεια. ~**·ation** /ˈæfəˋmeɪʃn/ *οὐσ.* ‹C,U› βεβαίωσις, ἐπιβεβαίωσις. ~**·ative** /əˋfɜmətɪv/ *οὐσ.* & *ἐπ.* κατάφασις, καταφατικός, κατηγορηματικός (*ἀντίθ. negative*): *an* ~*ative answer*, καταφατική ἀπάντησις. *answer in the* ~*ative*, (*λόγ.*) ἀπαντῶ καταφατικῶς.
af·fix /əˋfɪks/ *ρ.μ.* ἐπισυνάπτω, προσαρτῶ, ἐπιθέτω, ἐπικολλῶ: ~ *sth to a document*, ἐπισυνάπτω κτ σ'ἕνα ἔγγραφον. ~ *a seal/a signature*, ἐπιθέτω (βάζω) σφραγίδα/ὑπογραφή. ~ *a stamp*, κολλῶ γραμματόσημο. —*οὐσ.* ‹C› /ˋæfɪks/ (*γραμμ.*) πρόσφυμα ἤ ἐπίθημα.
af·flict /əˋflɪkt/ *ρ.μ.* θλίβω, λυπῶ, βασανίζω: *feel much* ~*ed at/by the news*, λυπᾶμαι πολύ γιά τά νέα. *be* ~*ed with rheumatism*, βασανίζομαι ἀπό ρευματισμούς. **af·flic·tion** /əˋflɪkʃn/ *οὐσ.* ‹C,U› θλῖψις, πίκρα, βάσανο: *the* ~*s of old age*, τά βάσανα τῶν γηρατειῶν.
af·fluence /ˋæflʊəns/ *οὐσ.* ‹U› εὐημερία, ἀφθονία: *live in* ~, ζῶ στά πλούτη. *rise to* ~, γίνομαι πλούσιος.
af·fluent /ˋæflʊənt/ *ἐπ.* ἄφθονος, πλούσιος. ***the*** ~ ***society***, ἡ κοινωνία τῆς ἀφθονίας.
af·ford /əˋfɔd/ *ρ.μ.* **1**. (*συνήθ. μέ can, could*) διαθέτω (χρόνον ἤ χρῆμα) γιά, ἔχω τή δυνατότητα νά: *I can't* ~ *a new car*, δέν διαθέτω χρήματα γιά καινούργιο αὐτοκίνητο. *I can't* ~ *a holiday this year*, δέν ἔχω χρόνο (ἤ χρῆμα) γιά διακοπές ἐφέτος. *I can't* ~ *to displease him*, δέν μπορῶ (δέν μέ συμφέρει) νά τόν δυσαρεστήσω. **2**. (*λόγ.*) δίδω, παρέχω, προσφέρω: *The trees* ~*ed a pleasant shade*, τά δέντρα ἔδιναν εὐχάριστη σκιά. *This* ~*s me the opportunity to*..., αὐτό μοῦ δίνει τήν εὐκαιρία νά...
af·for·est /əˋforɪst/ *ρ.μ.* ἀναδασώνω. ~**·ation** /əˈforɪˋsteɪʃn/ *οὐσ.* ‹U› ἀναδάσωσις.
af·fray /əˋfreɪ/ *οὐσ.* ‹C› συμπλοκή, (δημόσιος) καυγᾶς: *be involved in an* ~, ἀνακατεύομαι σ'ἕναν καυγᾶ.
af·front /əˋfrʌnt/ *ρ.μ.* ὑβρίζω, προσβάλλω (*ἰδ. δημοσίᾳ*): *feel* ~*ed (at sth)*, αἰσθάνομαι προσβεβλημένος (ἀπό κτ). —*οὐσ.* ‹C› ὕβρις, προσβολή: *suffer an* ~, ὑφίσταμαι προσβολήν. *That was an* ~ *to my pride*, αὐτό ἦταν προσβολή γιά τήν ὑπερηφάνειά μου.
afield /əˋfild/ *ἐπίρ.* σέ ἀπόσταση: *Don't go too far* ~, μήν ἀπομακρύνεσαι πολύ.
afire /əˋfaɪə(r)/ *κατηγ. ἐπ.* καιγόμενος: *The house was* ~, τό σπίτι καιγόταν. *set sth/sb* ~, βάζω φωτιά σέ κτ/ἐρεθίζω κπ.
aflame /əˋfleɪm/ *κατηγ. ἐπ.* φλεγόμενος, λάμπων: *be* ~ *with passion*, φλέγομαι ἀπό πάθος. *The woods were* ~ *with colour*, τά δάση ἔλαμπαν ἀπό τά χρώματα.
afloat /əˋfləʊt/ *κατηγ. ἐπ.* **1**. ἐπιπλέων: *be* ~, ἐπιπλέω. *keep* ~, συγκρατοῦμαι στήν ἐπιφάνεια. **2**. κυκλοφορῶν: *There are rumours* ~, κυκλοφοροῦν διαδόσεις.
afoot /əˋfʊt/ *κατηγ. ἐπ.* **1**. προετοιμαζόμενος, γινόμενος: *There's mischief* ~, κάποια παληοδουλειά ἑτοιμάζεται. *I wish I knew what there is* ~, θἄθελα νἄξερα τί γίνεται, τί μαγειρεύεται. **2**. (*ἀπηρχ.*) πεζῇ.
afore /əˋfɔ(r)/ *ἐπίρ.* προ-: *the* ~*-said*, ὁ προειρημένος. *the* ~*-mentioned*, ὁ προαναφερθείς.
afraid /əˋfreɪd/ *κατηγ. ἐπ.* φοβισμένος, φοβούμενος: *Are you* ~ *of me?* μέ φοβᾶσαι; *I was*

~ *of waking him*, φοβόμουν μή τόν ξυπνήσω (*ἐνν.* δέν ἤθελα νά τόν ξυπνήσω). *I was ~ to wake him*, φοβόμουν νά τόν ξυπνήσω (*ἐνν.* ἤθελα νά τόν ξυπνήσω ἀλλά φοβόμουν μήπως θυμώση). **be ~**, φοβοῦμαι, δυστυχῶς: *I'm ~ I can't help you*, δυστυχῶς δέν μπορῶ νά σᾶς βοηθήσω.

afresh /əˋfreʃ/ *ἐπίρ.* ἐκ νέου, πάλι: *Let's start ~*, ἄς ἀρχίσωμε ἐκ νέου.

aft /aft/ *ἐπίρ.* πρός τήν πρύμνη.

after /ˋaftə(r)/ *πρόθ.* μετά ἀπό, ὕστερα ἀπό, πίσω ἀπό: ~ *dinner*, μετά τό δεῖπνο. ~ *two o'clock*, μετά τίς δύο. *Close the door ~ you*, κλεῖσε τήν πόρτα πίσω σου. ~ *what he has done*..., ὕστερα ἀπ' ὅ,τι ἔκαμε... **the day ~ tomorrow**, μεθαύριο. **one ~ another**, ὁ ἕνας μετά τόν ἄλλο. **time ~ time**, κατ' ἐπανάληψιν. **day ~ day; week ~ week, etc**, ἐπί πολλές συνεχεῖς ἡμέρες/ἑβδομάδες. **~ all**, παρ' ὅλα αὐτά, στό κάτω-κάτω. **be/run ~**, κυνηγῶ, ἐπιδιώκω: *The police are ~ him*, τόν κυνηγάει ἡ ἀστυνομία. *What's he ~?* τί ἐπιδιώκει; __*ἐπίρ.* ἀργότερα, μετά: *soon/shortly ~*, λίγο ἀργότερα. *two days ~*, δυό μέρες μετά. __*σύνδ.* ἀφοῦ, ὅταν: *I arrived ~ he had left*, ἔφθασα ἀφοῦ εἶχε φύγει. __*ἐπ.* κατοπινός, ἑπόμενος: *in ~ years*, στά κατοπινά χρόνια.

after·math /ˋaftəmæθ/ *οὐσ.* ‹C› ἐπακόλουθον: *the ~ of war*, τά ἐπακόλουθα (οἱ συνέπειες) τοῦ πολέμου.

after·noon /ˈaftəˋnun/ *οὐσ.* ‹C› ἀπόγευμα: *this ~*, σήμερα τό ἀπόγευμα. *in the ~*, τό ἀπόγευμα. *an ~ sleep*, ἀπογευματινός ὕπνος.

after·thought /ˋaftəθɔt/ *οὐσ.* ‹C› μεταγενεστέρα σκέψις.

after·wards /ˋaftəwədz/ *ἐπίρ.* κατόπιν, μετά ταῦτα: *I heard of it ~*, ἔμαθα γι' αὐτό κατόπιν (ἀργότερα).

again /əˋgein/ *ἐπίρ.* **1**. πάλι, ξανά: *go ~*, ξαναπηγαίνω. *write ~*, ξαναγράφω. *Say it ~*, ξαναπές το. **now and ~**, ἐνίοτε, κάπουκάπου. **~ and ~; time and ~**, κατ' ἐπανάληψιν. **(the) same ~**, ἀπό τά ἴδια (ὅταν παραγγέλνει πάλι κανείς ποτά). **be oneself ~**, συνέρχομαι, ξαναβρίσκω τόν ἑαυτό μου. **as much ~**, ἄλλο τόσο, διπλάσιο. **2**. ἐξάλλου, κι' ἔπειτα (*συνήθ.* *μέ and ἤ then*): *He may not have the money, and ~, he may not want to buy it*, μπορεῖ νά μήν ἔχη τά χρήματα, καί ἐξάλλου, μπορεῖ νά μή θέλη νά τ' ἀγοράση.

against /əˋgeinst/ *πρόθ.* **1**. κατά, ἐναντίον, ἔναντι: ~ *my will*, παρά τή θέλησή μου. *vote ~ a party*, ψηφίζω ἐναντίον ἑνός κόμματος. ~ *the current*, ἐνάντια στό ρεῦμα. *It's ~ the law*, εἶναι ἀντίθετο πρός τό νόμο. *payment ~ documents*, πληρωμή ἔναντι φορτωτικῶν ἐγγράφων. **2**. γιά, γιά περίπτωση: *take precautions ~ fire*, παίρνω μέτρα γιά περίπτωση πυρκαϊᾶς. *save money ~ a time of need*, ἀποταμιεύω χρήματα γιά ὥρα ἀνάγκης. **3**. εἰς (κοντά εἰς, ἤ στηριζόμενος εἰς): *Put the piano ~ the wall*, βάλε τό πιάνο κοντά στόν τοῖχο. *He was leaning ~ a tree*, ἀκουμποῦσε σ' ἕνα δέντρο. **4**. στό φόντο: *The trees were black ~ the morning sky*, τά δέντρα ἦσαν μαῦρα στό φόντο τοῦ πρωϊνοῦ οὐρανοῦ. **over ~**, ἀπέναντι.

agape /əˋgeip/ *κατηγ. ἐπ.* μ' ἀνοιχτό τό στόμα, χάσκοντας (*ἀπό ἔκπληξη, ἀπορία, κλπ*).

[1]**age** /eidʒ/ *οὐσ.* **1**. ‹C,U› ἡλικία: *What's his age?* τί ἡλικία ἔχει; *He's 20 years of ~*, εἶναι 20 ἐτῶν. *When I was his ~*, ὅταν εἶχα τά χρόνια του. *I have a son your ~*, ἔχω γιό τῆς ἡλικίας σου. *at his ~*, στήν ἡλικία του. **be/come of ~**, εἶμαι ἐνήλικος/ἐνηλικιώνομαι. **be under ~**, εἶμαι ἀνήλικος. **old ~**, γεράματα. **2**. ‹C› γενεά, αἰών, ἐποχή: *the ~ we live in*, ἡ ἐποχή στήν ὁποία ζοῦμε. *the golden ~*, ὁ χρυσοῦς αἰών. *the atomic ~*, ὁ αἰών τοῦ ἀτόμου. **the Middle A~s**, ὁ Μεσαίων. **3**. ‹C› (*καθομ.*) πολύς χρόνος: *We haven't seen you for ~s*, χρόνια καί καιρούς ἔχομε νά σέ δοῦμε. **ˋ~-long/ˋ~-old**, *ἐπ.* (*γιά ἔθιμα, κλπ*) αἰωνόβιος, μακροχρόνιος. **ˋ~·less** *ἐπ.* ἀγέραστος.

[2]**age** /eidʒ/ *ρ.μ/ὰ.* γερνάω: *His son's death has ~d him*, ὁ θάνατος τοῦ γιοῦ του τόν γέρασε. *He's ~ing fast*, γερνάει γρήγορα. **~·ing, aging** *ἐπ.* γηράσκων, πού γερνάει. __*οὐσ.* ‹U› γέρασμα. **aged** /ˋeidʒd/ *ἐπ.* **1**. ἡλικίας: *a boy ~d ten*, παιδί ἡλικίας δέκα ἐτῶν. **2**. (*πρό οὐσ.* /ˋeidʒid/) *an ~d man*, ἕνας ἡλικιωμένος ἄνθρωπος, ἕνας γέρος.

agency /ˋeidʒənsi/ *οὐσ.* ‹C,U› **1**. ἀντιπροσωπεία, γραφεῖον, πρακτορεῖον: *sole ~*, ἀποκλειστική ἀντιπροσωπεία. *an emˋployment ~*, γραφεῖον εὑρέσεως ἐργασίας. *an eˋstate ~*, κτηματομεσιτικόν γραφεῖον. *a ˋtravel ~*, πρακτορεῖον ταξιδίων. *a ˋnews ~*, πρακτορεῖον εἰδήσεων. **2**. δρᾶσις, ἐνέργεια, ἐπίδρασις: *the ~ of water on the rocks*, ἡ ἐπενέργεια τοῦ νεροῦ πάνω στούς βράχους. **3**. μεσολάβησις: *through/by the ~ of a friend*, μέ τήν μεσολάβηση ἑνός φίλου.

agenda /əˋdʒendə/ *οὐσ.* ‹C› (*πληθ.* *~s*) σημειωματάριον, ἡμερησία διάταξις: *the next item on the ~*, τό ἑπόμενο θέμα εἰς τήν ἡμερησίαν διάταξιν.

agent /ˋeidʒnt/ *οὐσ.* ‹C› **1**. πράκτωρ, ἀντιπρόσωπος, μεσίτης: *a secret ~*, μυστικός πράκτωρ. *the sole ~*, ἀποκλειστικός ἀντιπρόσωπος. *an estate ~*, κτηματομεσίτης. **2**. (*γραμμ.*) ποιητικόν αἴτιον. **3**. παράγων: *a chemical ~*, χημικός παράγων.

ag·gra·vate /ˋægrəveit/ *ρ.μ.* **1**. χειροτερεύω, ἐπιβαρύνω: ~ *an illness*, χειροτερεύω μιά ἀρρώστεια. *aggravating circumstances*, ἐπιβαρυντικές περιστάσεις. **2**. (*καθομ.*) ἐκνευρίζω, ἐξοργίζω: *How aggravating!* τί ἐξοργιστικό! **ag·gra·va·tion** /ˈægrəˋveiʃn/ *οὐσ.* ‹C,U› ἐπιδείνωσις, ἐκνευρισμός, ἀγανάκτησις.

ag·gre·gate /ˋægrigət/ *οὐσ.* ‹C,U› & *ἐπ.* **1**. σύνολον, ἄθροισμα, ὁμαδικός, συνολικός. **in the ~**, συνολικῶς. **2**. τσιμεντολάσπη.

ag·gres·sion /əˋgreʃn/ *οὐσ.* ‹C,U› ἐπίθεσις, ἐπιδρομή: *guilty of ~*, ἔνοχος ἐπιθέσεως.

ag·gres·sive /əˋgresiv/ *ἐπ.* ἐπιθετικός: ~ *policies/weapons*, ἐπιθετική πολιτική/-ά ὅπλα. *an ~ salesman*, δραστήριος (πιεστικός) πλασιέ. **~·ly** *ἐπίρ.* ἐπιθετικά. **~·ness** *οὐσ.* ‹U› ἐπιθετικότης.

ag·gres·sor /əˋgresə(r)/ *οὐσ.* ‹C› ἐπιδρομεύς.

ag·grieved /əˋgrivd/ *ἐπ.* θλιμμένος, πικραμένος: **be/feel (much) ~ (at/over sth)**, εἶμαι/αἰσθάνομαι (πολύ) πικραμένος (γιά κτ).

aghast /ə`gast/ *κατηγ. ἐπ.* κατάπληκτος, ἐμβρόντητος: *stand ~ at sth*, στέκω ἐμβρόντητος μπρός σέ κτ.

agile /`ædʒail/ *ἐπ.* εὐκίνητος, εὔστροφος: *an ~ man/mind*, εὐκίνητος ἄνθρωπος/εὔστροφο μυαλό. **agil·ity** /ə`dʒılətı/ *οὐσ.* ‹U› εὐκινησία, εὐστροφία.

agi·tate /`ædʒıteıt/ *ρ.μ/ἀ.* ταράσσω, ἀναταράσσω: *~ the water*, ἀναταράσσω τό νερό. *be deeply ~d about sth*, εἶμαι πολύ ταραγμένος/ἀναστατωμένος γιά κτ. ***~ for/against sth***, ἐκστρατεύω, προπαγανδίζω ὑπέρ/κατά. **agi·ta·tion** /`ædʒı`teıʃn/ *οὐσ.* ‹C,U› ἀναταραχή, ταραχή, συγκίνησις, ζύμωσις: *She was in a state of agitation*, ἦταν ἀναστατωμένη. **agi·ta·tor** /`ædʒıteıtə(r)/ *οὐσ.* ‹C› ταραχοποιός.

aglow /ə`gləʊ/ *κατηγ. ἐπ.* λάμπων, φλογερός: *The sky was ~ with the setting sun*, ὁ οὐρανός φλεγόταν ἀπό τόν ἥλιο πού ἔδυε. *His face was ~ with pleasure/excitement/health*, τό πρόσωπό του ἔλαμπε ἀπό εὐχαρίστηση/ἔξαψη/ὑγεία.

ag·nos·tic /æg`nostık/ *ἐπ. & οὐσ.* ‹C› ἀγνωστικός, ἀγνωστικιστής.

ago /ə`gəʊ/ *ἐπίρ.* (*πάντοτε μετά τήν λέξη πού προσδιορίζει*) πρό, πρίν (*μέ βάση τό παρόν*): *30 years ~*, πρό 30 ἐτῶν. *How long ~?* πρίν ἀπό πόσο καιρό; ***long ~***, πρό πολλοῦ.

agog /ə`gog/ *κατηγ. ἐπ.* ἀνυπόμονος, γεμᾶτος ἐνδιαφέρον, γεμᾶτος ἔξαψη: *He was ~ to hear the story*, ἀνυπομονοῦσε ν'ἀκούση τήν ἱστορία. *The news set the village ~*, τά νέα γέμισαν ἔξαψη τό χωριό.

ag·ony /`ægənı/ *οὐσ.* ‹C› ἀγωνία. *be in/suffer ~/agonies*, ἀγωνιῶ, βασανίζομαι. **ag·on·ized** /`ægənaizd/ *ἐπ.* ἀγωνιώδης. **ag·on·iz·ing** *ἐπ.* σπαρακτικός.

agrar·ian /ə`greərıən/ *ἐπ.* ἀγροτικός: *the ~ reform/problem*, ἡ ἀγροτική μεταρρύθμιση/τό ἀγροτικό πρόβλημα.

agree /ə`gri/ *ρ.μ.* **1**. συμφωνῶ, δέχομαι, συγκατατίθεμαι: *~ to a proposal*, συμφωνῶ (δέχομαι) μιά πρόταση. *~ with sb*, συμφωνῶ μέ κπ. *He ~d to pay*, δέχτηκε νά πληρώση. *We ~d to start early*, συμφωνήσαμε νά ξεκινήσουμε νωρίς. *We are all ~d that the terms are good*, εἴμαστε ὅλοι σύμφωνοι ὅτι οἱ ὅροι εἶναι καλοί. *Her father ~d to her marrying him*, ὁ πατέρας της συμφώνησε νά τόν παντρευτῆ. *We all ~d on the terms of payment*, συμφωνήσαμε ὅλοι στούς ὅρους πληρωμῆς. *We ~d on a visit to him/on visiting him/that we should visit him*, συμφωνήσαμε νά τόν ἐπισκεφθοῦμε. **2**. ***~ (with)***, εἶμαι σύμφωνος, ἀνταποκρίνομαι εἰς: *Your story doesn't ~ with the facts*, ἡ ἱστορία σου δέν ἀνταποκρίνεται στά γεγονότα. **3**. ***~ with***, ὠφελῶ, κάνω καλό, συμφωνῶ: *Fish doesn't ~ with me*, τό ψάρι μέ βλάπτει.

agree·able /ə`griəbl/ *ἐπ.* εὐχάριστος, σύμφωνος: *an ~ voice*, εὐχάριστη φωνή. *I am ~ to doing what you suggest/to your proposal*, εἶμαι σύμφωνος νά κάνω ὅ,τι προτείνετε/μέ τήν πρότασή σας. **agree·ably** /-əblı/ *ἐπίρ.* εὐχάριστα: *I was agreeably surprised to hear that...*, ἦταν εὐχάριστη ἔκπληξη γιά μένα μαθαίνοντας ὅτι...

agree·ment /ə`grimənt/ *οὐσ.* ‹C,U› συμφωνία: *be in ~ with sb/sth*, συμφωνῶ μέ κπ/κτ. *There is no ~ upon/about what should be done*, δέν ὑπάρχει συμφωνία γιά τό τί πρέπει νά γίνη. ***come to/arrive at/make/reach an ~ (with sb)***, καταλήγω σέ συμφωνία (μέ κπ).

ag·ri·cul·tural /`ægrı`kʌltʃərəl/ *ἐπ.* γεωργικός.

ag·ri·cul·ture /`ægrıkʌltʃə(r)/ *οὐσ.* ‹U› γεωργία.

aground /ə`graʊnd/ *ἐπίρ. & κατηγ. ἐπ.* εἰς τήν ξηράν. ***run/go ~***, (*γιά πλοῖο*) ἐξοκέλλω.

ague /`eıgju/ *οὐσ.* ‹U› θέρμη, ἑλώδης πυρετός, ρῖγος: *shake with ~*, τρέμω ἀπό τόν πυρετό.

ah, aha /a, a`ha/ *ἐπιφ.* ἅ! χαχά!

ahead /ə`hed/ *ἐπίρ. & ἐπ.* ἐμπρός, πρός τά μπρός: *go on ~*, προχωρῶ μπροστά. ***be ~ of time***, εἶμαι (φθάνω, τελειώνω) νωρίτερα. ***be/get ~ of sb***, προηγοῦμαι/προπορεύομαι ἀπό κπ. ***Full speed ~!*** πρόσω ὁλοταχῶς! ***go ~***, προοδεύω, προκόβω, προχωρῶ. ***look ~***, σκέπτομαι τό μέλλον, προνοῶ.

ahem /ə`həm/ *ἐπιφ.* χμ! γκούχ-γκούχ!

ahoy /ə`hɔı/ *ἐπιφ.* (*ναυτ.*) ἔ!

aid /eıd/ *οὐσ.* ‹C,U› βοήθεια, βοήθημα: *in ~ of sb*, εἰς βοήθειαν, πρός ἐνίσχυσιν κάποιου. *He came to my ~*, ἦλθεν εἰς βοήθειάν μου. *visual ~s*, ὀπτικά βοηθήματα. ***'first-`~***, πρῶται βοήθειαι. ***a `deaf-/`hearing-~***, ἀκουστικό βαρηκοΐας. —*ρ.μ.* βοηθῶ: *~sb to do sth*, βοηθῶ κπ νά κάνη κτ. *~ sb with money*, βοηθῶ κπ μέ χρήματα.

aid-de-camp /`eıd də `kæmp/ *οὐσ.* ‹C› ὑπασπιστής (στρατηγοῦ).

ail /eıl/ *ρ.μ/ἀ.* πονῶ, ὑποφέρω, πάσχω: *What ~s you?* τί ἔχετε (τί σᾶς πονᾶ); **~·ment** *οὐσ.* ‹C› ἀδιαθεσία, ἀρρώστεια.

[1]**aim** /eım/ *οὐσ.* ‹C,U› σκοπός: *What's your ~ in life?* ποιός εἶναι ὁ σκοπός σου στή ζωή; *He took careful ~ at the target*, σημάδεψε προσεκτικά τό στόχο.

[2]**aim** /eım/ *ρ.μ/ἀ.* ***~ (at)***, σκοπεύω, σημαδεύω, ἀποβλέπω: *He ~ed (his gun) at the lion and fired*, σημάδεψε τό λιοντάρι (μέ τό ὅπλο του) καί πυροβόλησε. *What's he aiming at?* σέ τί ἀποβλέπει (τί σκοπεύει); *~ at becoming/to become sth*, σκοπεύω νά γίνω κτ. **~·less** *ἐπ.* ἄσκοπος. **~·less·ly** *ἐπίρ.* ἄσκοπα.

ain't /eınt/ (*λαϊκ.*) *παρεφθαρμένος τύπος τῶν ρημάτων*: *am not, isn't, aren't, haven't, hasn't.*

[1]**air** /eə(r)/ *οὐσ.* ‹C,U› **1**. ἀέρας: *get some fresh ~*, παίρνω καθαρό ἀέρα. *in the open ~*, στό ὕπαιθρο. *the Air Force*, ἡ 'Αεροπορία. ***by ~***, ἀεροπορικῶς. ***clear the ~***, καθαρίζω τήν ἀτμόσφαιρα (ἀπό καπνούς, ὑποψίες, κλπ). ***in the ~***, ἀβέβαιος, σέ κυκλοφορία: *My plans are still in the ~*, τά σχέδιά μου εἶναι ἀκόμα ἀβέβαια. *There are a lot of rumours in the ~*, κυκλοφοροῦν πολλές διαδόσεις. ***be on the ~***, ὁμιλῶ ἀπό τό ραδιόφωνο: *We are on the ~ from 8 to 9 a.m. every day*, ἐκπέμπομε ἀπό τίς 8 ἕως τίς 9 π.μ. κάθε μέρα. ***go off the air***, (*γιά ραδιοφωνικό σταθμό*) παύω νά ἐκπέμπω. **2**. μελωδία, σκοπός, ἄρια. **3**. ὕφος, παρουσιαστικό, ἀέρας: *He has an ~ of importance*, ἔχει ὕφος περισπούδαστο. ***give oneself/put on ~s***, παίρνω ὕφος, κάνω τόν σπουδαῖο. ***~s and graces***, καμώματα.

[2]**air** /eə(r)/ *ρ.μ.* **1**. ἀερίζω: *~ a room*, ἀερίζω ἕνα δωμάτιο. *The blankets need to be ~ed*, τά σκεπάσματα πρέπει ν'ἀερισθοῦν. **2**. ἐπι-

δεικνύω: *He likes to ~ his knowledge*, τοῦ ἀρέσει νά ἐπιδεικνύη τίς γνώσεις του. **~·ing** *οὐσ.* ‹U› ἀερισμός μικρός περίπατος: *give sth an ~ing*, ἀερίζω κτ. *take sb/go for an ~ing*, (*πεπαλ.*) πηγαίνω βόλτα, νά πάρω ἀέρα.

air- /eə(r)/ *πρόθεμα*, ἀερο-
ˋ~·borne *ἐπ.* μεταφερόμενος δι᾽ἀέρος: *~-borne troops*, ἀεραγήματα.
ˋ~-conditioned *ἐπ.* κλιματιζόμενος.
ˋ~-conditioning, κλιματισμός.
ˋ~·craft, (*ἀμετάβλ. εἰς πληθ.*) ἀεροσκάφος.
ˋ~·craft carrier, ἀεροπλανοφόρον.
ˋ~·field, ἀεροδρόμιον (στρατιωτικό).
ˋ~ gun, ἀεροβόλο (τουφέκι).
ˋ~ hostess, ἀεροσυνοδός.
ˋ~ letter, ἀεροπορική ἐπιστολή.
ˋ~·line, ἀεροπορική ἑταιρεία.
ˋ~·liner, ἀεροπλάνο τῆς γραμμῆς.
ˋ~·mail, ἀεροπορικό ταχυδρομεῖο.
ˋ~·man, ἀεροπόρος.
ˋ~·plane, ἀεροπλάνο.
ˋ~ pocket, κενόν ἀέρος.
ˋ~·port, ἀεροδρόμιον, ἀερολιμήν.
ˋ~ raid, ἀεροπορική ἐπιδρομή.
ˋ~·ship, ἀεροσκάφος, ἀερόπλοιον.
ˋ~-strip, διάδρομος προσγειώσεως.
ˋ~·tight *ἐπ.* ἀεροστεγής.
ˋ~·way, ἀεροπορική γραμμή, ἀεροπορική ἑταιρεία.

airy /ˋeəri/ *ἐπ.* (*-ier, -iest*) **1**. εὐάερος: *an ~ room*, εὐάερο δωμάτιο. **2**. ἐλαφρός, ἀπερίσκεπτος: *in an ~ manner*, μέ ἀφροντισιά.

aisle /aɪl/ *οὐσ.* ‹C› πτέρυξ (ναοῦ), διάδρομος μεταξύ καθισμάτων (θεάτρου, τραίνου, κλπ).

ajar /əˋdʒa(r)/ *ἐπ.* μισανοιχτή (πόρτα).

akimbo /əˋkɪmbəʊ/ *ἐπίρ.* (*στή φράση*) ***with arms ~***, σέ στάση μεσολαβῆς.

akin /əˋkɪn/ *ἐπ.* ***~ (to)***, συγγενής μέ, παρόμοιος πρός: *Pity is often ~ to love*, ὁ οἶκτος συχνά συγγενεύει μέ τήν ἀγάπη.

ala·bas·ter/ˋæləbastə(r)/ *οὐσ.* ‹U› ἀλάβαστρος.

alarm /əˋlam/ *οὐσ.* ‹C,U› **1**. συναγερμός: *sound the ~*, σημαίνω συναγερμόν. ***give/raise the ~***, δίνω τό σύνθημα συναγερμοῦ. **~-clock**, ξυπνητῆρι. **2**. ἀνησυχία, ταραχή, φόβος: *take ~ at sth*, ἀνησυχῶ, ταράσσομαι μέ κτ. *He jumped up in ~*, πήδηξε πάνω ἔντρομος. —*ρ.μ.* τρομάζω, ἀνησυχῶ, ἀναστατώνω: *Don't be ~ed!* μήν τρομάζετε! *He was ~ed at the news*, ἀνησύχησε ἀπό τά νέα. **~·ing** *ἐπ.* ἀνησυχητικός: *The news is ~ing*, τά νέα εἶναι ἀνησυχητικά.

alas /əˋlæs/ *ἐπιφ.* ἀλλοίμονον, φεῦ!

al·ba·tross /ˋælbətros/ *οὐσ.* ‹C› ἄλμπατρος (θαλασσοπούλι τοῦ Εἰρηνικοῦ).

al·bum /ˋælbəm/ *οὐσ.* ‹C› λεύκωμα.

al·bu·men /ˋælbjumən/ *οὐσ.* ‹U› λεύκωμα, ἀσπράδι αὐγοῦ.

al·chemy /ˋælkəmi/ *οὐσ.* ‹U› ἀλχημεία. **al·chem·ist** /-mɪst/ *οὐσ.* ‹C› ἀλχημιστής.

al·co·hol /ˋælkəhol/ *οὐσ.* ‹U› ἀλκοόλ, οἰνόπνευμα, ἀλκοόλη: *pure ~*, καθαρό οἰνόπνευμα. **~ic** /ˌælkəˋholɪk/ *ἐπ.* & *οὐσ.* ‹C› οἰνοπνευματώδης, ἀλκοολικός.

al·cove /ˋælkəʊv/ *οὐσ.* ‹C› ἐσοχή δωματίου.

al·der·man /ˋɔldəmən/ *οὐσ.* ‹C› δημοτικός σύμβουλος.

ale /eɪl/ *οὐσ.* ‹U› εἶδος μπύρας.

alert /əˋlɜt/ *ἐπ.* ἄγρυπνος, σβέλτος: *an ~ mind*, ξύπνιο μυαλό. —*οὐσ.* ‹U› ἐπιφυλακή, συναγερμός. ***be on the ~***, εἶμαι σ᾽ἐπιφυλακή, ἐπαγρυπνῶ. —*ρ.μ.* θέτω σ᾽ἐπιφυλακή: *~ the troops/the police force*.

al·fresco/ˌælˋfreskəʊ/ *ἐπίρ.* & *ἐπ.* στό ὕπαιθρο, ὑπαίθριος: *an ~ lunch*, ὑπαίθριο γεῦμα. *lunch ~*, γευματίζω στό ὕπαιθρο.

al·ge·bra /ˋældʒəbrə/ *οὐσ.* ‹U› ἄλγεβρα. **al·ge·braic(al)** /ˌældʒɪˋbreɪɪk(l)/ *ἐπ.* ἀλγεβρικός.

alias /ˋeɪlɪəs/ *οὐσ.* ‹U› ψευδώνυμο. —*ἐπίρ.* ἤ ἄλλως, γνωστός ὡς.

alibi /ˋælɪbaɪ/ *οὐσ.* ‹C› ἄλλοθι: *have/prove an ~*, ἔχω/ἀποδεικνύω ἕνα ἄλλοθι.

alien /ˋeɪlɪən/ *οὐσ.* ‹C› (*νομ.*) ἀλλοδαπός: *The A~s' Department*, Ὑπηρεσία Ἀλλοδαπῶν. —*ἐπ.* ξένος: *Cruelty was ~ to his nature*, ἡ σκληρότης ἦταν ξένη στόν χαρακτῆρα του.

alien·ate /ˋeɪlɪəneɪt/ *ρ.μ.* **1**. ἀπαλλοτριώνω. **2**. ἀποξενώνω, ἀπομακρύνω: *His behaviour ~d many of his friends*, ἡ συμπεριφορά του ἀπεμάκρυνε πολλούς ἀπό τούς φίλους του. **alien·ation** /ˌeɪlɪəˋneɪʃn/ *οὐσ.* ‹U› ἀπαλλοτρίωσις, ἀλλοτρίωσις, ἀποξένωσις, ἀπομόνωσις.

[1]**alight** /əˋlaɪt/ *κατηγ. ἐπ.* ἀναμμένος, φλεγόμενος, λάμπων: *eyes/faces ~ with happiness*, μάτια/πρόσωπα πού λάμπουν ἀπό εὐτυχία.

[2]**alight** /əˋlaɪt/ *ρ.μ.* **1**. ἀφιππεύω, κατεβαίνω (ἀπό ἅμαξα, τραῖνο, κτλ). **2**. (*γιά πουλιά*) πέφτω καί κάθομαι (σέ δέντρο, κλπ). ***~ on***, (*λόγ.*) βρίσκω τυχαίως.

align /əˋlaɪn/ *ρ.μ.* εὐθυγραμμίζω, παρατάσσω: *They ~ed themselves with us*, εὐθυγραμμίστηκαν μαζί μας. **~·ment** *οὐσ.* ‹C,U› εὐθυγράμμισις, παράταξις: *These desks are in/out of ~ment*, αὐτά τά θρανία εἶναι/δέν εἶναι εὐθυγραμμισμένα.

alike /əˋlaɪk/ *κατηγ. ἐπ.* ὅμοιος, παρόμοιος, ἴδιος: *You're all ~!* ὅλοι τό ἴδιο εἴσαστε! —*ἐπίρ.* ὅμοια, κατά τόν ἴδιο τρόπο: *treat everybody ~*, μεταχειρίζομαι ὅλους ἴδια. *think/dress ~*, σκέπτομαι/ντύνομαι κατά τόν ἴδιο τρόπο.

ali·men·tary /ˌælɪˋmentrɪ/ *ἐπ.* τροφικός, πεπτικός. ***the ~ canal***, ὁ πεπτικός σωλήν.

ali·mony /ˋælɪmənɪ/ *οὐσ.* ‹U› (*νομ.*) διατροφή (συζύγου μετά τό διαζύγιο).

alive/əˋlaɪv/ *ἐπ.* ζωντανός, ἐν ζωῇ: *Is his father still ~?* ὁ πατέρας του ζεῖ ἀκόμη; ***be ~ and kicking***, εἶμαι γεμᾶτος ζωή. ***be ~ to sth***, ἔχω συναίσθηση, ἀντιλαμβάνομαι κτ: *I am fully ~ to the danger*, ἔχω πλήρη συναίσθηση τοῦ κινδύνου. ***keep sth ~***, διατηρῶ, συντηρῶ κτ. ***Look ~!*** κουνήσου! κάνε γρήγορα! ***~ with***, γεμᾶτος ἀπό: *The lake was ~ with fish*, ἡ λίμνη ἦταν γεμάτη ψάρια.

[1]**all** /ɔl/ *ἐπ.* **1**. ὅλος, ὅλοι: *~ my books*, ὅλα τά βιβλία μου. *~ his life*, ὅλη του ἡ ζωή. *A~ horses are animals*, ὅλα τά ἄλογα εἶναι ζῶα. **2**. (*μπροστά ἀπό ἀπόλυτα ἀριθμητικά*) καί: *A~ five men were killed*, καί οἱ πέντε ἄντρες σκοτώθηκαν. ***on ~ fours***, μέ τά τέσσερα. ***A~ Fools' Day***, πρωταπριλιά.

[2]**all** /ɔl/ *ἀντων.* **1**. ὅλος, ὅλοι: *~ of us/of you/of them*, ὅλοι μας/ὅλοι σας/ὅλοι τους. *They ~ want to go*, ὅλοι θέλουν νά πᾶνε. *They*

were ~ present, ἦταν ὅλοι παρόντες. *Take it ~!* πάρτο ὅλο! **2**. ὅλος πού, ὅλοι πού, τό μόνο πού: *This is ~ I know*, αὐτά εἶναι ὅλα πού ξέρω. *A ~ I want is a little rest*, τό μόνο πού θέλω εἶναι λίγη ξεκούραση. **3**. (*σέ ἐμπρόθετες φράσεις*): **above ~**, πάνω ἀπ' ὅλα, κυριώτατα: *Above ~ I want rest*, πάνω ἀπ' ὅλα χρειάζομαι ἀνάπαυση. **after ~**, παρ' ὅλα αὐτά: *We failed after ~*, παρ' ὅλα αὐτά ἀποτύχαμε. **at ~**, καθόλου: *Do you remember him at ~?* τόν θυμᾶσαι καθόλου; *I'm not at ~ sure*, δέν εἶμαι καθόλου βέβαιος. **not at ~**, παρακαλῶ (ἀπάντηση σέ: "εὐχαριστῶ"). **once and for ~**, μιά γιά πάντα: *I tell you once and for ~ you mustn't do this thing*, σοῦ λέω μιά γιά πάντα ὅτι δέν πρέπει νά τό κάνης αὐτό. **~ in ~; in ~**, συνολικά: *There were ten people in ~*, συνολικά ὑπῆρχαν δέκα ἄνθρωποι. **not so/as** + *ἐπ.* ἤ *ἐπίρ.* + **as ~ that**, τόσο (*ἐμφ.*): *I'm not as silly as ~ that*, δέν εἶμαι τόσο ἀνόητος. **not ~ that** + *ἐπ.* ἤ *ἐπίρ.*, (*καθομ.*) ὄχι καί τόσο: *It's not ~ that expensive*, δέν εἶναι καί τόσο ἀκριβό. **for ~**, παρά, παρόλο: *For ~ his riches he's not happy*, παρόλα τά πλούτη του δέν εἶναι εὐτυχισμένος. **It was ~ I could do not to** *(laugh, cry, etc)*, μόλις καί μετά βίας κρατήθηκα νά μή (γελάσω, κλάψω, κλπ).

³**all** /ɔl/ *ἐπίρ.* ἐντελῶς: *They were dressed ~ in black*, ἦταν ντυμένοι στά κατάμαυρα. **~ alone**, ὁλομόναχος. **~ along**, ὅλο τόν καιρό, καθ' ὅλο τό μῆκος: *I knew it ~ along*, τὄξερα ὅλο τόν καιρό (ἀπ' τήν ἀρχή). *There are trees ~ along the road*, ὑπάρχουν δέντρα καθ' ὅλο τό μῆκος τοῦ δρόμου. **~ the better/the worse** *(for him)*, τόσο τό καλύτερο/τό χειρότερο (γι' αὐτόν). **~ but**, σχεδόν: *It was ~ but empty*, ἦταν σχεδόν ἄδειο. **~ for** (*ἐμφ.*) ὑπέρ: *I'm ~ for accepting the offer*, εἶμαι ὑπέρ τῆς ἀποδοχῆς τῆς προτάσεως. **be ~ ears/eyes/smiles/attention**, εἶμαι ὅλος αὐτιά/μάτια/χαμόγελα/προσοχή. **~ in**, ἐξαντλημένος: *He was ~ in at the end of the day*, ἦταν ἐξαντλημένος στό τέλος τῆς ἡμέρας. **(go) ~ out**, (βάζω) τά δυνατά μου: *We must go ~ out to win*, πρέπει νά βάλωμε τά δυνατά μας νά νικήσωμε. *an '~-out effort*, μιά ὑπέρτατη προσπάθεια. **~ over**, παντοῦ, εἰς τέλος: *~ over Europe*, παντοῦ, σ' ὅλη τήν Εὐρώπη. *The war is ~ over*, ὁ πόλεμος τελείωσε. **~ at once; ~ of a sudden**, μονομιᾶς, ξαφνικά. **~ right**, ἐντάξει, σύμφωνοι. **~ the same**, παρ' ὅλα αὐτά, ὡστόσο: *A ~ the same I will go*, παρ' ὅλα αὐτά θά πάω. **(be) ~ the same/one to sb**, ἀδιάφορο σέ κπ: *It's ~ one to me whether you go or stay*, μοῦ εἶναι ἀδιάφορο (τό ἴδιο μοῦ κάνει) ἄν φύγης ἤ μείνης.

⁴**all** /ɔl/ *οὐσ.* ‹U› τό πᾶν: *We lost our ~ in the flood*, χάσαμε τό πᾶν στήν πλημμύρα.

al·lay /ə'lei/ *ρ.μ.* μετριάζω, καταπραΰνω, ἀνακουφίζω (πόνο, ἀνησυχία, φόβο, κλπ).

al·lege /ə'ledʒ/ *ρ.μ.* ἰσχυρίζομαι, διατείνομαι, προφασίζομαι: *~ that sb is a thief*, ἰσχυρίζομαι ὅτι κάποιος εἶναι κλέφτης. **~d**, ὑποτιθέμενος, φερόμενος ὡς: *the ~d murderer*, ὁ ὑποτιθέμενος δολοφόνος. **al·le·ga·tion** /'æli'geiʃn/ *οὐσ.* ‹C,U› ἰσχυρισμός: *make an ~*, προβάλλω ἰσχυρισμόν.

al·le·giance /ə'lidʒəns/ *οὐσ.* ‹U› πίστις, ὑποταγή (σέ Κυβέρνηση ἤ Ἄρχοντα): *take an oath of ~ to the Queen*, δίδω ὅρκον πίστεως εἰς τήν βασίλισσα. **owe ~ to**, ὀφείλω πίστη εἰς.

al·le·gori·cal /'æli'gorikl/ *ἐπ.* ἀλληγορικός.

al·le·gory /'æligəri/ *οὐσ.* ‹C› ἀλληγορία.

al·ler·gic /ə'lɜdʒik/ *ἐπ.* ἀλλεργικός: *I'm ~ to sth*, (*καθομ.*) κάτι μοῦ προκαλεῖ ἀλλεργία/ἀπέχθεια.

al·lergy /'ælədʒi/ *οὐσ.* ‹C› ἀλλεργία, ἀναφυλαξία.

al·levi·ate /ə'livieit/ *ρ.μ.* ἀνακουφίζω (πόνον).
al·levi·ation /ə'livi'eiʃn/ *οὐσ.* ‹U› ἀνακούφισις.

al·ley /'æli/ *οὐσ.* ‹C› δρομάκι (σέ πόλη), δενδροστοιχία. **a 'blind '~**, ἀδιέξοδος.

al·liance /ə'laiəns/ *οὐσ.* ‹C,U› συμμαχία, συμπεθέρεμα: *enter into an ~ with a country*, συνάπτω συμμαχία μέ μία χώρα. **in ~ (with)**, σέ συμμαχία μέ, ἀπό κοινοῦ μέ.

al·lied /ə'laid/ *βλ. ally.*

al·li·ga·tor /'æligeitə(r)/ *οὐσ.* ‹C› κροκόδειλος (Ἀμερικῆς), ἀλλιγάτωρ.

al·li·ter·ation /ə'litə'reiʃn/ *οὐσ.* ‹U› παρήχησις.

al·lo·cate /'æləkeit/ *ρ.μ.* ἐπιμερίζω, κατανέμω, ἀναθέτω: *~ a sum of money to a purpose*, διαθέτω ἕνα ποσό γιά κάποιο σκοπό. *~ duties to sb*, ἀναθέτω καθήκοντα σέ κπ. *~ duties among several persons*, κατανέμω καθήκοντα μεταξύ πολλῶν προσώπων. **al·lo·ca·tion** /'ælə'keiʃn/ *οὐσ.* ‹C,U› ἐπιμερισμός, κατανομή, ἀνάθεσις, μερίδιον: *a fair ~*, δίκαιος ἐπιμερισμός.

al·lot /ə'lot/ *ρ.μ.* *(-tt-)* ὁρίζω, παραχωρῶ, διανέμω: *within the time ~ted*, ἐντός τοῦ καθορισμένου χρόνου. *They were ~ted a house to live in*, τούς παρεχωρήθη σπίτι γιά νά κατοικήσουν. **~·ment** *οὐσ.* ‹C,U› παροχή, μερίδιον, κλῆρος (γῆς).

al·low /ə'lau/ *ρ.μ.* **1**. ἐπιτρέπω: *Please ~ me to help you*, παρακαλῶ, ἐπιτρέψατέ μου νά σᾶς βοηθήσω. *Smoking is not ~ed*, δέν ἐπιτρέπεται τό κάπνισμα. **2**. παρέχω, χορηγῶ: *His father ~s him £20 a month*, ὁ πατέρας του τοῦ χορηγεῖ 20 λίρες τό μῆνα. **3**. ἀναγνωρίζω: *The judge ~ed the claim*, ὁ δικαστής ἀνεγνώρισε τήν ἀξίωση. *We must ~ him to be/~ that he is a genius*, πρέπει νά ἀναγνωρίσωμε ὅτι εἶναι ἰδιοφυΐα. **4**. **~ for**, λαμβάνω ὑπ' ὄψιν, προνοῶ: *We'll take an hour to get there, ~ing for traffic delays*, θά κάνωμε μιά ὥρα νά φτάσωμε ἐκεῖ, λαμβάνοντας ὑπ' ὄψιν καί τίς καθυστερήσεις τῆς κυκλοφορίας. **~ of**, ἐπιδέχομαι: *The situation ~s of no delay*, ἡ κατάστασις δέν ἐπιδέχεται ἀναβολή.

al·low·ance /ə'lauəns/ *οὐσ.* ‹C› ἐπιχορήγησις, ἐπίδομα: *a monthly ~*, μηνιαία ἐπιχορήγησις. **make ~s for**, λαμβάνω ὑπ' ὄψιν, δείχνω ἐπιείκεια: *We must make ~s for his youth*, πρέπει νά λάβωμε ὑπ' ὄψιν τό νεαρόν τῆς ἡλικίας του.

al·loy /'ælɔi/ *οὐσ.* ‹C,U› κρᾶμα. —*ρ.μ.* /ə'lɔi/ ἀναμειγνύω (μέταλλα), νοθεύω, χαλῶ.

al·lude /ə'lud/ *ρ.ἀ.* **~ to**, ὑπαινίσσομαι, ἀναφέρομαι. **al·lu·sion** /ə'luʒn/ *οὐσ.* ‹C› ὑπαινιγμός, νύξις: *make an ~ to sth.*

al·lure /ə'luə(r)/ *ρ.μ.* ἑλκύω, σαγηνεύω, δελεάζω. **~·ment** *οὐσ.* ‹C,U› γοητεία, ἕλξις, θέλγητρο.

al·ly /ə`laɪ/ *ρ.μ.* συνδέω (διά συμμαχίας ἤ γάμου). ***be allied to/with***, συνδέομαι, συγγενεύω: *The English language is allied to the German language*, ἡ Ἀγγλική συγγενεύει μέ τήν Γερμανική. —*οὐσ.* ‹C› /`ælaɪ/ σύμμαχος. **al·lied** /`ælaɪd/ *ἐπ.* συμμαχικός, συγγενικός: *the allied nations*, τά σύμμαχα ἔθνη.

al·ma·nac /`ɔlmənæk/ *οὐσ.* ‹C› ἡμερολόγιον, καζαμίας.

al·mighty /ɔl`maɪtɪ/ *ἐπ.* παντοδύναμος. ***the A*~**, ὁ Παντοδύναμος (ὁ Θεός).

al·mond /`amənd/ *οὐσ.* ‹C› ἀμύγδαλο: *shelled ~s*, ξεφλουδισμένα ἀμύγδαλα. `**~-`eyed**, μέ ἀμυγδαλωτά μάτια.

al·most /`ɔlməʊst/ *ἐπίρ.* σχεδόν: *He slipped and ~ fell*, γλίστρησε καί παρ' ὀλίγο νά πέση. *I'm ~ ready*, εἶμαι σχεδόν ἕτοιμος. *~ nothing/none/never*, σχεδόν τίποτα/κανείς/ποτέ.

alms /amz/ *οὐσ.* (*ἑν. ἤ πληθ.*) ἐλεημοσύνη. ***ask/beg (an) ~ of sb***, ζητῶ ἐλεημοσύνη ἀπό κπ. `**~-house**, (*ἀπηρχ.*) πτωχοκομεῖον.

aloft /ə`lɔft/ *ἐπίρ.* ψηλά.

alone /ə`ləʊn/ *ἐπίρ.* & *κατηγ. ἐπ.* **1**. μόνος: *live/sit/go/be ~*, ζῶ/κάθομαι/πηγαίνω/εἶμαι μόνος. **2**. (*μετά ἀπό οὐσ. ἤ ἀντων.*) μόνον, μονάχα: *You ~ can help me*, ἐσύ μονάχα μπορεῖς νά μέ βοηθήσης. *John ~ can do it*, μόνον ὁ Γ. μπορεῖ νά τό κάμη. ***let ~***, πόσο μᾶλλον: *He cannot help himself, let ~ others*, δέν μπορεῖ νά βοηθήση τόν ἑαυτό του, πόσο μᾶλλον τούς ἄλλους. ***leave/let sth/sb ~***, ἀφήνω κτ/κπ ἥσυχο (δέν τ' ἀγγίζω ἤ δέν ἀνακατεύομαι μ' αὐτό): *leave me/the dog ~*, ἄσε με/ἄσε τό σκυλί ἥσυχο.

along /ə`lɔŋ/ *πρόθ.* κατά μῆκος: *~ the street*, κατά μῆκος τοῦ δρόμου. *all ~ the river*, σ' ὅλο τό μῆκος τοῦ ποταμοῦ. *Pass ~ the bus, please!* προχωρῆστε μέσα παρακαλῶ, μήν κάθεστε στήν πόρτα! —*ἐπίρ.* (*ἐπιτατ. ἤ κινήσεως*) ἐμπρός: *Come ~*, ἔλα, λοιπόν! *Get ~*, ἄντε φύγε! *Move ~ please*, προχωρῆστε παρακαλῶ, μήν ἐμποδίζετε τήν κυκλοφορία! (*βλ.* & *λ.* [3]*all*). **~·side** /ə`lɔŋ`saɪd/ *ἐπίρ.* & *πρόθ.* παραπλεύρως, πλευρισμένος.

aloof /ə`luf/ *ἐπίρ.* σέ ἀπόσταση, μακριά. ***keep/stand/hold (oneself) ~ (from)***, μένω μακριά ἀπό/κοιτάζω ἀφ' ὑψηλοῦ/ἀποφεύγω, δέν ἀνακατεύομαι. —*ἐπ.* ἐπιφυλακτικός, ἀκατάδεχτος, ψυχρός: *He's a very ~ character*, εἶναι πολύ ἐπιφυλακτικός τύπος. **~·ness** *οὐσ.* ‹U› ἐπιφυλακτικότης.

aloud /ə`laʊd/ *ἐπίρ.* δυνατά, μεγαλοφώνως: *speak/read ~*, μιλῶ δυνατά/διαβάζω μεγαλοφώνως (ὄχι ἀπό μέσα μου).

al·pha·bet /`ælfəbet/ *οὐσ.* ‹C› ἀλφάβητος. **~i·cal** /`ælfə`betɪkl/ *ἐπ.* ἀλφαβητικός: *in ~ical order*, κατ' ἀλφαβητικήν σειράν.

al·pine /`ælpaɪn/ *ἐπ.* ἀλπικός, ἄλπειος: *~ flowers*, λουλούδια τῶν Ἄλπεων.

al·ready /ɔl`redɪ/ *ἐπίρ.* ἤδη, κιόλας: *I've ~ read it*, τό ἔχω ἤδη διαβάσει. *Have you finished ~?* τέλειωσες κιόλας;

also /`ɔlsəʊ/ *ἐπίρ.* ἐπίσης, καί: *I've been to Canada; John has ~ been to Canada*, ἔχω πάει στόν Καναδᾶ, κι' ὁ Γ. ἔχει πάει στόν Καναδᾶ. ***not only ... but ~***, ὄχι μόνον... ἀλλά καί: *He not only read the book but ~ remembered what he had read*, ὄχι μόνον διάβασε τό βιβλίο ἀλλά καί θυμόταν τί εἶχε διαβάσει.

al·tar /`ɔltə(r)/ *οὐσ.* ‹C› βωμός, Ἁγία Τράπεζα: *lead a woman to the ~*, παντρεύομαι μιά γυναίκα.

al·ter /`ɔltə(r)/ *ρ.μ/ἀ.* μεταβάλλω/-ομαι, ἀλλάζω, μεταποιῶ: *The ship ~ed course*, τό πλοῖο μετέβαλε πορείαν. *That ~s the case*, αὐτό ἀλλάζει τήν ὑπόθεση. *We must have these clothes ~ed*, πρέπει νά μεταποιήσωμε αὐτά τά ροῦχα. **~·ation** /`ɔltə`reɪʃn/ *οὐσ.* ‹C,U› μεταβολή, ἀλλαγή, μετατροπή: *make ~ations to a dress*, κάνω μετατροπές σ' ἕνα φόρεμα.

al·ter·ca·tion /`ɔltə`keɪʃn/ *οὐσ.* ‹C,U› λογομαχία, καυγᾶς, φιλονικία.

[1]**al·ter·nate** /ɔl`tɜnət/ *ἐπ.* ἐναλλασσόμενος, ἀλληλοδιάδοχος: *work on ~ days*, δουλεύω μέρα παρά μέρα.

[2]**al·ter·nate** /`ɔltəneɪt/ *ρ.μ/ἀ.* ἐναλλάσσω/-ομαι: *~ kindness with severity*, ἐναλλάσσω τήν καλωσύνη μέ τήν αὐστηρότητα. `***alternating `current***, ἐναλλασσόμενο ρεῦμα. **al·ter·na·tion** /`ɔltə`neɪʃn/ *οὐσ.* ‹C,U› ἐναλλαγή, περιτροπή, ἀλληλοδιαδοχή.

al·ter·na·tive /ɔl`tɜnətɪv/ *ἐπ.* διαζευκτικός, ἐναλλακτικός. —*οὐσ.* ‹C› ἐκλογή, ἐπιλογή, ἐναλλακτική λύσις: *I had to go; there was no ~*, ἔπρεπε νά φύγω, δέν ὑπῆρχε ἄλλη λύσις. **~·ly** *ἐπίρ.* διαζευκτικῶς, ἐναλλακτικῶς.

al·though /ɔl`ðəʊ/ *βλ. though.*

al·ti·meter /`æltɪmitə(r)/ *οὐσ.* ‹C› (*ἀερ.*) ὄργανον μετρήσεως τοῦ ὑψομέτρου, ὑψόμετρον.

al·ti·tude /`æltɪtjud/ *οὐσ.* ‹C› ὕψος (πάνω ἀπό τήν ἐπιφάνεια τῆς θαλάσσης), ὑψόμετρο.

al·to·gether /`ɔltə`geðə(r)/ *ἐπίρ.* **1**. ἐντελῶς, ἀπολύτως: *It's ~ out of the question*, εἶναι ἐντελῶς ἐκτός συζητήσεως, ἀπολύτως ἀδύνατο. **2**. γενικά, συνολικά: *A~, we spent £10*, συνολικά ξοδέψαμε 10 λίρες. *The weather was bad and the trains crowded; ~, it wasn't a satisfactory excursion*, ὁ καιρός ἦταν ἄσχημος καί τά τραῖνα γεμᾶτα, γενικά, δέν ἦταν πετυχημένη ἐκδρομή.

al·tru·ism /`æltruɪzm/ *οὐσ.* ‹C,U› ἀλτρουϊσμός, αὐταπάρνησις. **al·tru·ist** /-ɪst/ *οὐσ.* ‹C› ἀλτρουϊστής. **al·tru·is·tic** /`æltru`ɪstɪk/ *ἐπ.* ἀλτρουϊστικός.

alu·min·ium /`ælju`mɪnɪəm/ *οὐσ.* ‹U› ἀλουμίνιον.

al·ways /`ɔlwɪz/ *ἐπίρ.* **1**. πάντοτε: *The sun ~ rises in the east*, ὁ ἥλιος ἀνατέλλει πάντα στήν ἀνατολή. *I'm ~ at home on Sundays*, εἶμαι πάντα σπίτι τήν Κυριακή. **2**. (*μέ συνεχεῖς χρόνους*) διαρκῶς: *She's ~ complaining about something or other*, διαρκῶς παραπονιέται γιά κάτι.

am /æm/ *βλ. be.*

amal·gam /ə`mælgəm/ *οὐσ.* ‹U› ἀμάλγαμα.

amal·ga·mate /ə`mælgəmeɪt/ *ρ.μ/ἀ.* συγχωνεύω/-ομαι (γιά ἑταιρεῖες, φυλές, κλπ). **amal·ga·ma·tion** /ə`mælgə`meɪʃn/ *οὐσ.* ‹U› συγχώνευσις.

amass /ə`mæs/ *ρ.μ.* συσσωρεύω (πλούτη).

ama·teur /`æmətə(r)/ *οὐσ.* ‹C› ἐρασιτέχνης (*ἀντίθ. professional*): *an ~ painter/photographer*, ἐρασιτέχνης ζωγράφος/φωτογράφος. **~·ish** /-rɪʃ/ *ἐπ.* ἐρασιτεχνικός, ἀτζαμίστικος.

ama·tory /`æmətərɪ/ *ἐπ.* ἐρωτικός.

amaze /ə`meɪz/ ρ.μ. καταπλήσσω: *I was ~d at the news*, ἔμεινα κατάπληκτος ἀπό τά νέα. *I was ~d to hear that...*, μέ κατάπληξη ἔμαθα ὅτι... **amaz·ing** ἐπ. καταπληκτικός. **~·ment** οὐσ. ‹U› κατάπληξις: *He looked at me in ~ment*, μέ κοίταξε μέ κατάπληξη.

am·bas·sa·dor /æm`bæsədə(r)/ οὐσ. ‹C› πρεσβευτής (θηλ. **am·bas·sa·dress** /-drəs/): *the French ~ to Greece*.

amber /`æmbə(r)/ οὐσ. ‹U› ἤλεκτρον, κεχριμπάρι. —ἐπ. κεχριμπαρένιος.

am·bi·guity /`æmbɪ`gjuətɪ/ οὐσ. ‹C,U› ἀμφιβολία, ἀσάφεια, διφορούμενη ἔννοια: *clear up an ~*, ξεκαθαρίζω μιά ἀσάφεια. **am·bigu·ous** /æm`bɪgjuəs/ ἐπ. διφορούμενος, ἀσαφής. **am·bigu·ous·ly** ἐπίρ. διφορούμενα.

am·bi·tion /æm`bɪʃn/ οὐσ. ‹C,U› φιλοδοξία: *filled with ~*, γεμᾶτος φιλοδοξία. *realize one's ~s*, πραγματοποιῶ τίς φιλοδοξίες μου.

am·bi·tious /æm`bɪʃəs/ ἐπ. φιλόδοξος. ***be ~ for sth/to do sth***, φιλοδοξῶ νά κάμω κτ.

amble /`æmbl/ ρ.ἀ. (*γιά ἄλογα ἤ ἀνθρώπους*) βαδίζω ἤρεμα, πηγαίνω μέ τήν ἡσυχία μου. —οὐσ. ‹C› ἀργό βάδισμα.

am·bro·sia /æm`brəʊzɪə/ οὐσ. ‹U› ἀμβροσία.

am·bu·lance /`æmbjʊləns/ οὐσ. ‹C› νοσοκομειακό ὄχημα.

am·bush /`æmbʊʃ/ οὐσ. ‹C,U› ἐνέδρα: *fall into an ~*, πέφτω σέ ἐνέδρα. *lay an ~*, στήνω ἐνέδρα. ***lie/wait in ~ (for sb)***, ἐνεδρεύω/παραφυλάω γιά κπ. —ρ.μ. ἐνεδρεύω.

ameli·orate /ə`mɪlɪəreɪt/ ρ.μ/ἀ. καλλιτερεύω, βελτιώνω/-ομαι. **ameli·or·ation** /ə`mɪlɪə`reɪʃn/ οὐσ. ‹U› καλλιτέρευσις, βελτίωσις.

amen /`eɪ`men, ɑ`men/ οὐσ. & ἐπίρ. ἀμήν.

amen·able /ə`minəbl/ ἐπ. ***~ (to)***, **1**. πειθήνιος, πρόθυμος (νά ἀκούση, νά καθοδηγηθῆ): *an ~ wife*, σύζυγος πού μπορεῖς νά τήν κουμαντάρης. *~ to reason/to advice*, πρόθυμος νά λογικευθῆ/νά δεχθῆ συμβουλές. **2**. ὑποκείμενος: *The case is not ~ to ordinary rules*, ἡ ὑπόθεσις δέν ὑπόκειται εἰς τούς συνήθεις κανόνες.

amend /ə`mend/ ρ.μ. **1**. διορθώνω: *He'll have to ~ his style of living*, θά πρέπει νά διορθώση τόν τρόπο ζωῆς του. **2**. τροποποιῶ (νόμο, σύμβαση, κλπ). **~·ment** οὐσ. ‹C,U› τροποποίησις.

amends /ə`mendz/ οὐσ. πληθ. ἀποζημίωσις, ἐπανόρθωσις, ἀποκατάστασις. ***make ~ (to sb) (for sth)***, ἐπανορθώνω, ἀποζημιώνω (κπ, γιά κτ).

amen·ity /ə`minətɪ/ οὐσ. ‹C› γλυκύτης, τό εὐχάριστον, χάρις: *the ~ of the climate*, ἡ γλυκύτης τοῦ κλίματος. *the amenities of town life*, οἱ χάρες τῆς ζωῆς στήν πόλη, τά πράγματα πού κάνουν εὐχάριστη τή ζωή (πχ θέατρα, βιβλιοθῆκες, μουσεῖα, κλπ).

ame·thyst /`æməθɪst/ οὐσ. ‹C› ἀμέθυστος (πολύτιμος λίθος).

amia·bil·ity /`eɪmɪə`bɪlətɪ/ οὐσ. ‹U› φιλοφροσύνη, γλυκύτης, φιλικότης.

ami·able /`eɪmɪəbl/ ἐπ. ἀξιαγάπητος, φιλόφρων, εὐγενικός, καλωσυνᾶτος: *He is a most ~ man*, εἶναι πάρα πολύ εὐγενικός (φιλόφρων) ἄνθρωπος. **ami·ably** /-əblɪ/ ἐπίρ. φιλόφρονα, εὐγενικά.

amic·able /`æmɪkəbl/ ἐπ. φιλικός: *settle a dispute in an ~ way*, ἐπιλύω μιά διαφορά μέ φιλικό τρόπο. **amic·ably** /-əblɪ/ ἐπίρ. φιλικά, εἰρηνικά.

amid /ə`mɪd/, **amidst** /ə`mɪdst/ πρόθ. ἐν μέσῳ, μεταξύ.

amiss /ə`mɪs/ ἐπίρ. & κατηγ. ἐπ. κακά, στραβά, ἐσφαλμένος: *There's nothing ~ in the engine*, ἡ μηχανή δέν ἔχει τίποτα (εἶναι χωρίς ἐλάττωμα). ***take sth ~***, παίρνω κτ στραβά, θίγομαι: *Don't take it ~ if I say...*, μή θιγῆς ἄν πῶ...

amity /`æmətɪ/ οὐσ. ‹U› φιλία (ἰδ. μεταξύ χωρῶν): *live in ~ with sb*, ζῶ ἐν φιλίᾳ μέ κπ. *a treaty of ~*, συνθήκη φιλίας.

am·meter /`æmɪtə(r)/ οὐσ. ‹C› ἀμπερόμετρο.

am·mo·nia /ə`məʊnɪə/ οὐσ. ‹U› ἀμμωνία, ἀμμωνιακόν ἅλας.

am·mu·ni·tion /`æmjʊ`nɪʃn/ οὐσ. ‹U› πολεμοφόδια, πυρομαχικά.

am·nesia /æm`nizɪə/ οὐσ. ‹U› ἀμνησία.

am·nesty /`æmnəstɪ/ οὐσ. ‹C› ἀμνηστία: *grant a general ~*, χορηγῶ γενικήν ἀμνηστίαν.

amoeba /ə`mibə/ οὐσ. ‹C› (πληθ. *~s ἤ -bae* /-bi/) ἀμοιβάδα.

amok /ə`mok/ ἐπίρ. (ἐπίσης **amuck**) ἀμόκ. ***run ~***, παθαίνω ἀμόκ, μέ πιάνει μανία νά σκοτώσω.

among /ə`mʌŋ/, **amongst** /ə`mʌŋst/ πρόθ. **1**. (*μέ οὐσ. ἤ ἀντων. πληθ. ἀριθ.*) ἀνάμεσα, μεταξύ: *sitting ~ the children*, καθισμένος ἀνάμεσα στά παιδιά. *hiding ~ the bushes*, κρυμμένος μέσα στούς θάμνους. *~ those present were...*, μεταξύ τῶν παρόντων ἦσαν... ***~ ourselves***, μεταξύ μας. **2**. (*μέ ἐπ. ὑπερθ. βαθμοῦ*) μεταξύ, ἕνας ἀπό: *The Nile is ~ the longest rivers in the world*, ὁ Νεῖλος εἶναι μεταξύ τῶν μεγαλυτέρων ποταμῶν τοῦ κόσμου (ἕνας ἀπό τούς μεγαλύτερους...)

amoral /`eɪ`morl/ ἐπ. χωρίς συνείδηση ἠθικῆς, ἀμοραλικός.

am·or·ous /`æmərəs/ ἐπ. ἐρωτευμένος, ἐρωτομανής, ἐρωτικός: *~ looks*, ἐρωτικές ματιές. *~ poetry*, ἐρωτική ποίηση.

am·or·phous /ə`mɔfəs/ ἐπ. ἄμορφος, ἀκαθόριστος.

amount /ə`maʊnt/ ρ.ἀ. ***~ to***, **1**. ἀνέρχομαι, συμποσοῦμαι: *His debts ~ to £5000*, τά χρέη του ἀνέρχονται σέ 5000 λίρες. **2**. ἰσοδυναμῶ, ἰσοῦμαι, σημαίνω: *These conditions ~ to a refusal*, οἱ ὅροι αὐτοί ἰσοδυναμοῦν μέ ἄρνηση. *It ~s to this, that...*, σημαίνει αὐτό, ὅτι... —οὐσ. ‹C› ποσόν, σύνολον: *a large ~ of money*, ἕνα μεγάλο ποσόν χρημάτων.

am·pere /`æmpeə(r)/ οὐσ. ‹C› (ἠλεκτρ.) ἀμπέρ.

am·phib·ian /æm`fɪbɪən/ οὐσ. ‹C› ἀμφίβιον. **am·phib·ious** /-ɪəs/ ἐπ. ἀμφίβιος.

am·phi·theatre /`æmfɪθɪətə(r)/ οὐσ. ‹C› ἀμφιθέατρον.

am·phora /`æmfərə/ οὐσ. ‹C› ἀμφορεύς.

ample /`æmpl/ ἐπ. (*-r, -st*) **1**. εὐρύχωρος: *a car with an ~ boot*, αὐτοκίνητο μέ εὐρύχωρο πόρτ-μπαγκάζ. **2**. ἄφθονος, ἀρκετός, μπόλικος: *We've ~ time/means*, ἔχομε ἄφθονο χρόνο/-α μέσα. *£5 will be ~ for my needs*, πέντε λίρες θά εἶναι ἀρκετές γιά τίς ἀνάγκες μου. **am·ply** /`æmplɪ/ ἐπίρ. ἄφθονα, πλουσιοπάροχα: *I was amply rewarded*, ἀμείφθηκα πλουσιοπάροχα. *He was amply supplied*, ἦταν καλά ἐφοδιασμένος.

am·pli·fi·ca·tion /ˌæmplɪfɪˋkeɪʃn/ *οὐσ.* ‹U› διεύρυνσις, ἐνίσχυσις.

am·pli·fier /ˋæmplɪfaɪə(r)/ *οὐσ.* ‹C› (*ραδιοφ.*) ἐνισχυτής, πολλαπλασιαστής.

am·plify /ˋæmplɪfaɪ/ *ρ.μ.* διευρύνω, ἐπεκτείνω, ἐνισχύω (ἠλεκτρ. ρεῦμα), ἀναπτύσσω (ἰδέαν): ~ *a story*, ἐπεκτείνομαι σέ μιά ἱστορία (τή λέω μέ περισσότερες λεπτομέρειες).

am·pu·tate /ˋæmpjʊteɪt/ *ρ.μ.* ἀποκόπτω (μέλος τοῦ σώματος), ἀκρωτηριάζω. **am·pu·ta·tion** /ˌæmpjʊˋteɪʃn/ *οὐσ.* ‹C,U› ἀκρωτηριασμός.

amuck /əˋmʌk/ *ἐπίρ. βλ. amok.*

amu·let /ˋæmjʊlət/ *οὐσ.* ‹C› φυλαχτό.

amuse /əˋmjuz/ *ρ.μ.* διασκεδάζω: *The boys ~d themselves (by) drawing caricatures*, τά παιδιά διασκέδαζαν ζωγραφίζοντας καρικατοῦρες. *We were ~d at/by his jokes*, διασκεδάσαμε μέ τ'ἀστεῖα του. *I was ~d to learn that...*, διασκέδασα μαθαίνοντας ὅτι... **amus·ing** *ἐπ.* διασκεδαστικός. **~·ment** *οὐσ.* ‹C,U› διασκέδασις, εὐθυμία, ἀναψυχή, ψυχαγωγία: *To my great ~ment*, πρός μεγάλην μου τέρψιν... *There are plenty of ~ments here: theatres, cinemas, concerts, etc*, ὑπάρχουν πολλές ψυχαγωγίες ἐδῶ - θέατρα, κλπ. ***do sth for ~ment***, κάνω κτ γιά διασκέδαση. **~ment park**, λούνα πάρκ.

an /ən, *ἐμφ*: æn/ *ἀόρ. ἄρθρ. βλ. a.*

anach·ro·nism /əˋnækrənɪzm/ *οὐσ.* ‹C› ἀναχρονισμός. **anach·ro·nis·tic** /əˌnækrəˋnɪstɪk/ *ἐπ.* ἀναχρονιστικός.

anaemia /əˋnimɪə/ *οὐσ.* ‹U› ἀναιμία. **anaemic** /əˋnimɪk/ *ἐπ.* ἀναιμικός.

an·aes·thesia /ˌænɪsˋθizɪə/ *οὐσ.* ‹U› ἀναισθησία, νάρκωσις.

an·aes·thetic /ˌænɪsˋθetɪk/ *ἐπ.* ἀναισθητικός. —*οὐσ.* ‹C› ἀναισθητικόν.

ana·gram /ˋænəgræm/ *οὐσ.* ‹C› ἀνάγραμμα, ἀναγραμματισμός.

anal·og·ous /əˋnæləgəs/ *ἐπ.* ~ ***to/with***, ἀνάλογος πρός/μέ. **~·ly** *ἐπίρ.*

anal·ogy /əˋnælədʒɪ/ *οὐσ.* ‹C,U› ~ ***(to/with sth)/(between two things)***, ἀναλογία. ***draw an ~ between***, κάνω ἀναλογία μεταξύ. ***on the ~ of***, κατ'ἀναλογίαν πρός. ***by ~***, ἀναλογικῶς.

anal·og·ous /əˋnæləgəs/ *ἐπ.* ~ ***to/with***, ἀνάλογος πρός/μέ. **~·ly** *ἐπίρ.*

ana·lyse /ˋænəlaɪz/ *ρ.μ.* ἀναλύω.

analy·sis /əˋnæləsɪs/ *οὐσ.* ‹C,U› (*πληθ. -ses* /-siz/) ἀνάλυσις.

ana·lyst /ˋænəlɪst/ *οὐσ.* ‹C› ἀναλυτής.

ana·lytic /ˌænəˋlɪtɪk/, **ana·lyti·cal** /-kl/ *ἐπ.* ἀναλυτικός. **ana·lyti·cally** /-klɪ/ *ἐπίρ.*

an·archic /əˋnɑkɪk/ *ἐπ.* ἀναρχικός.

an·arch·ism /ˋænəkɪzm/ *οὐσ.* ‹U› ἀναρχισμός (πολιτική θεωρία).

an·arch·ist /ˋænəkɪst/ *οὐσ.* ‹C› ἀναρχικός.

an·archy /ˋænəkɪ/ *οὐσ.* ‹U› ἀναρχία.

an·ath·ema /əˋnæθəmə/ *οὐσ.* ‹C,U› ἀνάθεμα, ἀφορισμός. **~·tize** /-taɪz/ *ρ.μ/ἀ.* ἀναθεματίζω, ἀφορίζω.

anat·omy /əˋnætəmɪ/ *οὐσ.* ‹U› ἀνατομία. **ana·tomi·cal** /ˌænəˋtomɪkl/ *ἐπ.* ἀνατομικός. **anat·om·ist** /əˋnætəmɪst/ *οὐσ.* ‹C› ἀνατόμος.

an·ces·tor /ˋænsɪstə(r)/ *οὐσ.* ‹C› (*θηλ.* **an·ces·tress** /-trəs/) πρόγονος: ~ *worship*, προγονολατρεία.

an·ces·tral /ænˋsestrl/ *ἐπ.* προγονικός: *his ancestral home*, τό προγονικό του σπίτι.

an·ces·try /ˋænsɪstrɪ/ *οὐσ.* ‹C,U› οἱ πρόγονοι, καταγωγή, γενηά, σόϊ.

an·chor /ˋæŋkə(r)/ *οὐσ.* ‹C› ἄγκυρα. ***let go/drop/cast the ~***, ρίχνω ἄγκυρα. ***ride/be/lie at ~***, εἶμαι ἀγκυροβολημένος. ***weigh ~***, σηκώνω ἄγκυρα. —*ρ.μ/ἀ.* ἀγκυροβολῶ, ἀράζω: ~ *off Piraeus*, ἀγκυροβολῶ στ'ἀνοιχτά τοῦ Πειραιᾶ. **~·age** /-rɪdʒ/ *οὐσ.* ‹U› ἀγκυροβόλιον, τέλη ἀγκυροβολίας.

an·chovy /ˋæntʃəʊvɪ/ *οὐσ.* ‹C› ἀντσούγια.

ancient /ˋeɪnʃnt/ *ἐπ.* ἀρχαῖος, πολύ παληός: *The A~ Greeks*, οἱ ἀρχαῖοι Ἕλληνες. *an ˋ~-looking hat*, ἕνα πολύ παληό καπέλλο.

an·cil·lary /ænˋsɪlərɪ/ *ἐπ.* βοηθητικός, ἐπικουρικός (πχ δρόμος, βιομηχανία, ὑπηρεσία).

and /ən, *ἐμφ*: ænd/ *σύνδ.* **1**. καί. **2**. (*καθομ.*) νά: *Come ~ see me*, ἔλα νά μέ δῆς.

anec·dote /ˋænɪkdəʊt/ *οὐσ.* ‹C› ἀνέκδοτον.

anem·one /əˋnemənɪ/ *οὐσ.* ‹C› ἀνεμώνη.

anew /əˋnju/ *ἐπίρ.* πάλιν, ἐκ νέου.

an·gel /ˋeɪndʒl/ *οὐσ.* ‹C› ἄγγελος: *Thanks, you're an~*, εὐχαριστῶ, εἶσαι ἕνας ἄγγελος! **~ic** /ænˋdʒelɪk/ *ἐπ.* ἀγγελικός: *an ~ic face/smile.* **~i·cally** /-klɪ/ *ἐπίρ.*

an·ger /ˋæŋgə(r)/ *οὐσ.* ‹U› θυμός: *be filled with ~ at sth*, εἶμαι γεμᾶτος θυμό γιά κτ. *speak in ~*, μιλῶ ὠργισμένα. *in a moment of ~*, σέ στιγμή θυμοῦ. —*ρ.μ.* θυμώνω, ἐξοργίζω: *He's easily ~ed*, θυμώνει εὔκολα.

[1]**angle** /ˋæŋgl/ *οὐσ.* ‹C› **1**. (*γεωμ.*) γωνία: *a right/an acute/an obtuse ~*, ὀρθή/ὀξεῖα/ἀμβλεῖα γωνία. ***at an ~***, διαγωνίως: *set one's hat at an ~*, φορῶ τό καπέλο μου στραβά. **2**. ἄποψις, σκοπιά: *look at sth from a different/from every ~*, ἐξετάζω κτ ἀπό διαφορετική σκοπιά/ἀπό κάθε ἄποψη.

[2]**angle** /ˋæŋgl/ *ρ.μ.* ψαρεύω (μέ καλάμι): ~ *for compliments*, (*μεταφ.*) ψαρεύω κομπλιμέντα. **~r** *οὐσ.* ‹C› ψαρᾶς (μέ καλάμι) (*πρβλ. fisherman*, ψαρᾶς μέ δίχτυα, κλπ).

An·gli·can /ˋæŋglɪkən/ *οὐσ.* ‹C› Ἀγγλικανός (μέλος τῆς Ἐκκλησίας τῆς Ἀγγλίας). —*ἐπ.* ἀγγλικανικός.

an·gli·cize /ˋæŋglɪsaɪz/ *ρ.μ.* ἐξαγγλίζω, ἀγγλοφέρνω.

Anglo- /ˋæŋgləʊ/ *πρῶτον συνθετικόν*, ἀγγλο-: **ˌ~ˋmania** /-ˋmeɪnɪə/ *οὐσ.* ‹U› ἀγγλομανία. **ˋ~·phil(e)** /-faɪl/ *οὐσ.* ‹C› ἀγγλόφιλος. **ˋ~·phobe** /-fəʊb/ *οὐσ.* ‹C› ἀγγλόφοβος, μισάγγλος. **ˌ~ˋpho·bia** /-ˋfəʊbɪə/ *οὐσ.* ‹U› ἀγγλοφοβία.

an·gry /æŋgrɪ/ *ἐπ.* (*-ier, -iest*) ~ ***(with sb) (at/about sth)***, **1**. θυμωμένος: *get ~ with sb*, θυμώνω μέ κπ. *He was ~ at being kept waiting*, θύμωσε πού τόν ἔκαναν νά περιμένη. *I was ~ to learn that...*, θύμωσα μαθαίνοντας ὅτι... **2**. (*γιά πληγή*) ἐρεθισμένος. **3**. (*γιά θάλασσα, οὐρανό, σύννεφα*) ὠργισμένος, ἀπειλητικός. **an·gri·ly** /ˋæŋgrəlɪ/ *ἐπίρ.* θυμωμένα.

an·guish /ˋæŋgwɪʃ/ *οὐσ.* ‹U› ἀγωνία, ἄγχος, ψυχική ὀδύνη: *be in ~*, ἀγωνιῶ, ἔχω ἀγωνία. **~ed** *ἐπ.* ἀγωνιώδης: *~ed looks*, ἀγωνιώδεις ματιές.

an·gu·lar /ˋæŋgjʊlə(r)/ *ἐπ.* **1**. (*μαθημ.*) γωνιαῖος, γωνιακός. **2**. (*γιά ἄνθρωπο*) κοκκαλιάρης, ἄγαρμπος: *an ~ face*, κοκκαλιάρικο πρόσωπο. *an ~ gait*, ἄγαρμπη περπατησιά.

ani·mal /ˋænɪml/ *οὐσ.* ‹C› ζῶον. —*ἐπ.* ζωϊκός, ζωώδης: *~ needs/desires*, ζωώδεις ἀνάγκες/ἐπιθυμίες. ***the ˋ~ kingdom***, τό ζωϊκό βασίλειο. ***~ spirits***, φυσική εὐδιαθεσία/ζωντάνια.

ani·mate /ˋænɪmeɪt/ *ρ.μ.* ζωογονῶ, ζωηρεύω, ζωντανεύω: *A smile ~d her face*, ἕνα χαμόγελο ζωντάνεψε τό πρόσωπό της. *an ~d discussion*, ζωηρή συζήτησις. ***be ~d by***, κινοῦμαι/ἐμφοροῦμαι ἀπό: *He is ~d by love of his country*, κινεῖται ἀπό ἀγάπη γιά τήν πατρίδα του. ***~d cartoon***, κινούμενα σχέδια, μίκυμάους. —*ἐπ.* /ˋænɪmət/ ἔμψυχος, ζωντανός (*ἀντιθ. inanimate*). **ani·ma·tion** /ˋænɪˋmeɪʃn/ *οὐσ.* ‹U› ζωηρότης, κέφι, ζωντάνια.

ani·mos·ity /ˋænɪˋmɒsətɪ/ *οὐσ.* ‹C,U› ἐχθρότης, ἔχθρα: *His ~ against/towards me*, ἡ ἐχθρότης του πρός ἐμένα. *The ~ between us*, ἡ ἔχθρα μεταξύ μας.

anise /ˋænɪs/ *οὐσ.* ‹C› (*βοτ.*) γλυκάνισο.

ani·seed /ˋænɪsid/ *οὐσ.* ‹U› γλυκάνισο (οἱ σπόροι): *Ouzo has an ~ flavour*, τό οὖζο ἔχει ἄρωμα γλυκάνισου.

an·nals /ˋænlz/ *οὐσ. πληθ.* χρονικό.

an·nex /əˋneks/ *ρ.μ.* προσαρτῶ: *~ a province*, προσαρτῶ μιά ἐπαρχία. —*οὐσ.* ‹C› (*ἐπίσης* **an·nexe**) /ˋæneks/ παράρτημα (κτιρίου, ἐγγράφου). **~·ation** /ˋænekˋseɪʃn/ *οὐσ.* ‹C,U› προσάρτησις.

an·ni·hi·late /əˋnaɪəleɪt/ *ρ.μ.* ἐκμηδενίζω, ἐξοντώνω: *The invasion force was ~d*, οἱ δυνάμεις εἰσβολῆς ἐξοντώθηκαν. *Supersonic jet aircraft have ~d distances*, τά ὑπερηχητικά ἀεροπλάνα ἐκμηδένισαν τίς ἀποστάσεις. **an·ni·hi·la·tion** /əˋnaɪəˋleɪʃn/ *οὐσ.* ‹U› ἐκμηδένησις, ἐξουθένωσις, ἀφανισμός.

an·ni·ver·sary /ˋænɪˋvɜsərɪ/ *οὐσ.* ‹C› ἐπέτειος: *a ˋwedding ~*, ἐπέτειος γάμου.

an·no·tate /ˋænəteɪt/ *ρ.μ.* σχολιάζω (κείμενον), προσθέτω σημειώσεις καί σχόλια: *an ~d text*, σχολιασμένο κείμενο. **an·no·ta·tion** /ˋænəˋteɪʃn/ *οὐσ.* ‹C,U› σχολιασμός, σχόλιον, σημείωσις.

an·nounce /əˋnaʊns/ *ρ.μ.* ἀγγέλω, ἀναγγέλω: *He ~d (to his friends) his engagement to Miss Smith*, ἀνήγγειλε (στούς φίλους του) τούς ἀρραβῶνες του μέ τήν δίδα Σμίθ. *The secretary ~d Mr Brown*, ἡ γραμματεύς ἀνήγγειλε τόν κ. Μπράουν. **~·ment** *οὐσ.* ‹C› ἀνακοίνωσις, ἀναγγελία: *A further ~ment will be made shortly*, νέα ἀνακοίνωσις θά γίνη σέ λίγο. *~ments of deaths/marriages/births*, ἀγγελίες θανάτων/γάμων/γεννήσεων. **~r** *οὐσ.* ‹C› (*θεατρ.*) κομπέρ, (*ραδιοφ.*) ἐκφωνητής.

annoy /əˋnɔɪ/ *ρ.μ.* ἐνοχλῶ, στενοχωρῶ, ἐκνευρίζω: *He felt/got/was ~ed with the boy for being stupid/was ~ed at the boy's stupidity*, ἐκνευρίστηκε μέ τό παιδί πού ἦταν τόσο ἀνόητο/ἐκνευρίστηκε μέ τήν ἀνοησία τοῦ παιδιοῦ. **~·ance** /-əns/ *οὐσ.* ‹C,U› ἐνόχλησις, στενοχώρια, δυσφορία: *much to my ~ance*, πρός μεγάλη μου στενοχώρια. *with a look of ~ance*, μέ ἔκφραση δυσφορίας. **~·ing** *ἐπ.* ἐνοχλητικός: *How ~ing!* τί μπελᾶς!

an·nual /ˋænjʊəl/ *ἐπ.* ἐτήσιος: *the ~ income/production/turnover*, τό ἐτήσιον εἰσόδημα/ἡ ἐτησία παραγωγή/ὁ ἐτήσιος τζίρος. **~·ly** *ἐπίρ.* ἐτησίως.

an·nu·ity /əˋnjuətɪ/ *οὐσ.* ‹C› ἐτησία πρόσοδος: *aˋlife ~*, ἰσόβιος πρόσοδος.

an·nul /əˋnʌl/ *ρ.μ.* (*-ll-*) ἀκυρώνω, καταργῶ, λύω (γάμον). **~·ment** *οὐσ.* ‹C,U› ἀκύρωσις, κατάργησις.

an·nun·ci·ation /əˋnʌnsɪˋeɪʃn/ *οὐσ.* ***the A~***, (*ἐκκλ.*) ὁ Εὐαγγελισμός.

ano·dyne /ˋænədaɪn/ *ἐπ.* (*ἰατρ.*) καταπραϋντικός. —*οὐσ.* ‹C› (*ἰατρ.*) παυσίπονον.

anoint /əˋnɔɪnt/ *ρ.μ.* χρίω, ἀλείφω (μέ λάδι): *~ sb king*, χρίω κπ βασιλέα.

anom·al·ous /əˋnɒmələs/ *ἐπ.* ἀνώμαλος. **~·ly** *ἐπίρ.* ἀνωμάλως.

anom·aly /əˋnɒməlɪ/ *οὐσ.* ‹C› ἀνωμαλία.

anon·ym·ity /ˋænəˋnɪmətɪ/ *οὐσ.* ‹U› ἀνωνυμία: *retain one's ~*, κρατῶ τήν ἀνωνυμία μου.

anony·mous /əˋnɒnɪməs/ *ἐπ.* ἀνώνυμος: *remain ~*, παραμένω ἀνώνυμος. **~·ly** *ἐπίρ.*

an·orak /ˋænəræk/ *οὐσ.* ‹C› ἀδιάβροχο σακκάκι μέ κουκούλα.

an·other /əˋnʌðə(r)/ *ἐπ.* & *ἀντων.* ἄλλος (ἕνας), (ἕνας) ἄλλος, ἀκόμη (ἕνας): *Give me ~ cup of tea*, δῶσε μου ἄλλο ἕνα (ἀκόμα ἕνα) φλυτζάνι τσάϊ. *This book is difficult, give me ~*, αὐτό τό βιβλίο εἶναι δύσκολο, δῶσε μου (ἕνα) ἄλλο. *In ~ ten years*, σέ ἄλλα δέκα χρόνια. *Science is one thing, art is ~*, ἄλλο πρᾶγμα ἡ ἐπιστήμη κι' ἄλλο ἡ τέχνη. ***one ~***, ὁ ἕνας τόν ἄλλον, ἀλλήλους: *We help one ~*, βοηθᾶμε ὁ ἕνας τόν ἄλλον (ἀλληλοβοηθούμεθα). *They looked at one ~*, ἀλληλοκοιτάχτηκαν.

[1]**answer** /ˋɑnsə(r)/ *ρ.μ/ἀ.* **1**. ἀπαντῶ: *~ a question/a letter*, ἀπαντῶ σέ μιά ἐρώτηση/σ' ἕνα γράμμα. **2**. ἀνταποκρίνομαι, πληρῶ: *~ the requirements of*, ἀνταποκρίνομαι στίς ἀνάγκες τοῦ. *~ a purpose*, πληρῶ (ἐξυπηρετῶ) ἕνα σκοπό. *~ the door/the telephone*, ἀνοίγω τήν πόρτα (ὅταν κάποιος χτυπήση)/ἀπαντῶ στό τηλέφωνο. ***~ (sb) back***, ἀντιμιλῶ. ***~ for***, ἐγγυῶμαι, εἶμαι ὑπεύθυνος, δίνω λόγο γιά κτ: *I can't ~ for his honesty*, δέν μπορῶ νά ἐγγυηθῶ γιά τήν τιμιότητά του. *I ~ for my actions*, ἀναλαμβάνω τήν εὐθύνη τῶν πράξεών μου. *You will ~ for it one day*, θά δώσης λόγο γι' αὐτό μιά μέρα. ***~ to the name of***, ἀκούω στ' ὄνομα: *The dog ~s to the name of Blot*, τό σκυλί ἀκούει στ' ὄνομα Μπλότ. ***~ to a description***, ἀνταποκρίνομαι σέ μιά περιγραφή: *He doesn't ~ to the description of the robber*, δέν ἀνταποκρίνεται στήν περιγραφή τοῦ ληστῆ. **~·able** /-əbl/ *ἐπ.* ***(be) ~able (to sb) (for sth)***, (εἶμαι) ὑπεύθυνος, ὑπόλογος (σέ κπ γιά κτ).

[2]**answer** /ˋɑnsə(r)/ *οὐσ.* ‹C› ***~ to***, ἀπάντησις: *The ~ to the question*, ἡ ἀπάντησις στήν ἐρώτηση. ***in ~ to***, εἰς ἀπάντησιν: *In ~ to your letter*, εἰς ἀπάντησιν τῆς ἐπιστολῆς σας.

ant /ænt/ *οὐσ.* ‹C› μυρμήγκι. ***ˋ~-hill***, μυρμηγκοφωλιά.

an·tag·on·ism /ænˋtægənɪzm/ *οὐσ.* ‹U› ἀνταγωνισμός, ἔντονη ἀντίθεση: *the ~ between us*, ὁ ἀνταγωνισμός μεταξύ μας. *feel a strong ~ for/toward sb*, βρίσκομαι σέ ἔντονη ἀντίθεση μέ κπ.

an·tag·on·ist /æn`tægənɪst/ *οὐσ.* ‹C› ἀνταγωνιστής. **~ic** /æn'tægə`nɪstɪk/ *ἐπ.* ***~ic to/towards***, ἀνταγωνιστικός, ἐχθρικός πρός.

an·tag·on·ize /æn`tægənaɪz/ *ρ.μ.* ἀνταγωνίζομαι, πηγαίνω κόντρα σέ κπ, προκαλῶ τήν ἐχθρότητα κάποιου: *I advise you not to ~ him*, σέ συμβουλεύω νά μήν τοῦ πηγαίνης κόντρα.

ant·arc·tic /æn`tɑktɪk/ *ἐπ.* ἀνταρκτικός. ***The A~***, ἡ Ἀνταρκτική.

ante- /æntɪ/ *πρόθεμα*, πρό: *`~-chamber/-room*, προθάλαμος.

ante·ced·ent /'æntɪ`sidnt/ *ἐπ.* ***~ to***, προηγούμενος, πρίν ἀπό.—*οὐσ.* ‹C› **1**. (*γραμμ.*) ἡγούμενον (λέξις εἰς τήν ὁποίαν ἀναφέρεται ἡ ἀναφορική ἀντωνυμία). **2**. (*πληθ.*) παρελθόν (ἑνός προσώπου), πρόγονοι, σόϊ.

ante·date /'æntɪ`deɪt/ *ρ.μ.* προχρονολογῶ.

ante·di·luv·ian /'æntɪdɪ`luvɪən/ *ἐπ.* προκατακλυσμιαῖος.

ante·lope /`æntɪləʊp/ *οὐσ.* ‹C› ἀντιλόπη.

ante mer·id·iem /'æntɪ mə`rɪdɪəm/ (*Λατ.*) (*βραχ.* **a.m.** /'eɪ `em/) πρό μεσημβρίας.

an·tenna /æn`tenə/ *οὐσ.* ‹C› (*πληθ. -nae* /-ni/) κεραία, ἀντέννα.

an·ter·ior /æn`tɪərɪə(r)/ *ἐπ.* ***~ to***, προηγούμενος (χρονικῶς ἤ τοπικῶς).

an·them /`ænθəm/ *οὐσ.* ‹C› ὕμνος. **'national `~**, ἐθνικός ὕμνος.

an·thol·ogy /æn`θɒlədʒɪ/ *οὐσ.* ‹C› ἀνθολογία.

an·thra·cite /`ænθrəsaɪt/ *οὐσ.* ‹U› ἀνθρακίτης.

an·thrax /`ænθræks/ *οὐσ.* ‹U› (*ἰατρ.*) ἄνθραξ.

an·thro·pol·ogist /'ænθrə`pɒlədʒɪst/ *οὐσ.* ‹C› ἀνθρωπολόγος.

an·thro·pol·ogy /'ænθrə`pɒlədʒɪ/ *οὐσ.* ‹U› ἀνθρωπολογία.

anti- /æntɪ/ *πρόθεμα*, ἀντι-.

anti·air·craft /'æntɪ`eəkrɑft/ *ἐπ.* ἀντιαεροπορικός.

anti·biotic /'æntɪbaɪ`ɒtɪk/ *οὐσ.* ‹C› ἀντιβιωτικόν.

an·tic /`æntɪk/ *οὐσ.* ‹C› (*συνήθ. πληθ.*) ἀστεῖο, καραγκιοζιλίκι.

anti-Chris·tian /'æntɪ `krɪstʃən/ *ἐπ.* ἀντιχριστιανικός.

an·tici·pate /æn`tɪsɪpeɪt/ *ρ.μ.* **1**. προλαμβάνω: *~ sb's wishes*, προλαμβάνω τίς ἐπιθυμίες κάποιου. **2**. προεξοφλῶ: *Don't ~ your income*, μήν προεξοφλῆς τό εἰσόδημά σου! **3**. προσδοκῶ, προβλέπω: *We don't ~ much trouble*, δέν περιμένομε (δέν προβλέπομε) πολλή φασαρία.

an·tici·pa·tion /æn'tɪsɪ`peɪʃn/ *οὐσ.* ‹U› προσδοκία, πρόβλεψις, πρόνοια: *in ~ of food shortage*, μέ τήν προοπτική ἐλλείψεως τροφίμων. ***in ~***, ἐκ τῶν προτέρων: *thank sb in ~*, εὐχαριστῶ κπ ἐκ τῶν προτέρων.

an·tici·pa·tory /æn`tɪsɪ`peɪtərɪ/ *ἐπ.* προκαταβολικός, προβλεπτικός, προληπτικός.

anti·cli·max /'æntɪ`klaɪmæks/ *οὐσ.* ‹C› ἀπότομη πτῶσις (ἀπό κάτι ὑψηλό, εὐγενές ἤ ἐνδιαφέρον σέ κάτι τετριμμένο).

anti·cyc·lone /'æntɪ`saɪkləʊn/ *οὐσ.* ‹C› ἀντικυκλών.

anti·dote /`æntɪdəʊt/ *οὐσ.* ‹C› ἀντίδοτον: *an ~ to/against/for snakebite*, ἀντίδοτο σέ δάγκωμα φιδιοῦ.

anti-freeze /`æntɪfriz/ *οὐσ.* ‹U› ἀντιψυκτικό.

an·ti·mony /`æntɪmənɪ/ *οὐσ.* ‹U› ἀντιμόνιον.

an·tipa·thy /æn`tɪpəθɪ/ *οὐσ.* ‹C,U› ἀντιπάθεια: *have/feel an ~ to/toward/against sth*, ἔχω/νοιώθω ἀντιπάθεια γιά κτ.

an·tipo·des /æn`tɪpədiz/ *οὐσ. πληθ.* ἀντίποδες.

an·tiquar·ian /'æntɪ`kweərɪən/ *οὐσ.* ‹C› *βλ. antiquary*.

an·ti·quary /`æntɪkwərɪ/ *οὐσ.* ‹C› ἀρχαιοδίφης, ἀρχαιοπώλης, ἀρχαιοσυλλέκτης.

an·ti·quated /`æntɪkweɪtɪd/ *ἐπ.* ἀπηρχαιωμένος.

an·tique /æn`tik/ *ἐπ.* ἀρχαῖος, παλαιϊκός.—*οὐσ.* ‹C› ἀρχαῖο ἀντικείμενο, ἀντίκα: *an ~ shop*, κατάστημα ἀρχαιοτήτων.

an·tiquity /æn`tɪkwətɪ/ *οὐσ.* ‹C,U› ἀρχαιότης, (*πληθ.*) ἀρχαιότητες: *Athens is a city of great ~*, ἡ Ἀθήνα εἶναι πολύ ἀρχαία πόλις. *The heroes of ~*, οἱ ἥρωες τῆς ἀρχαιότητος. *Greek and Roman antiquities*, Ἑλληνικές καί Ρωμαϊκές ἀρχαιότητες.

anti-Sem·ite /'æntɪ `simaɪt/ *οὐσ.* ‹C› ἀντισημίτης. **anti-Sem·itic** /sɪ`mɪtɪk/ *ἐπ.*

anti·sep·tic /'æntɪ`septɪk/ *ἐπ.* ἀντισηπτικός.—*οὐσ.* ‹C› ἀντισηπτικόν.

anti·so·cial /'æntɪ`səʊʃl/ *ἐπ.* ἀντικοινωνικός: *~ behaviour*, ἀντικοινωνική συμπεριφορά.

an·tith·esis /æn`tɪθəsɪs/ *οὐσ.* ‹C,U› (*πληθ. -ses* /-siz/) ἀντίθεσις. **anti·thetic(al)** /'æntɪ`θetɪk(l)/ *ἐπ.* ἀντιθετικός.

ant·ler /`æntlə(r)/ *οὐσ.* ‹C› κλαδωτό κέρατο (ἐλάφου).

an·to·nym /`æntənɪm/ *οὐσ.* ‹C› ἀντώνυμον, ἀντίθετον (*ἀντίθ. synonym*).

anus /`eɪnəs/ *οὐσ.* ‹C› (*ἀνατ.*) ἕδρα, πρωκτός.

an·vil /`ænvɪl/ *οὐσ.* ‹C› ἀμόνι.

anxiety /æŋ`zaɪətɪ/ *οὐσ.* ‹C,U› **1**. ἀνησυχία, φόβος: *cause sb great ~*, βάζω κπ σέ μεγάλη ἀνησυχία. *relieve sb's ~*, ἀνακουφίζω κπ ἀπό ἀνησυχία. *remove all anxieties*, διαλύω ὅλους τούς φόβους. **2**. ἐπιθυμία, δίψα: *his ~ to please*, ἡ ἐπιθυμία του νά εὐχαριστήση. *~ for knowledge*, δίψα γιά μάθηση.

anxious /`æŋkʃəs/ *ἐπ.* **1**. ἀνήσυχος: *I'm very ~ about her health*, ἀνησυχῶ πολύ γιά τήν ὑγεία της. *He's ~ for/about her safety/~ at her absence*, ἀνησυχεῖ γιά τήν ἀσφάλειά της/ἀπό τήν ἀπουσία της. **2**. ἀνυπόμονος, ἐπιθυμῶν ζωηρά: *I'm ~ to meet him*, ἀνυπομονῶ, θέλω πολύ νά τόν συναντήσω. *I am ~ for him to come/that he should come*, θέλω πάρα πολύ νά ἔλθη.

any /`enɪ/ *ἐπ. & ἀντων.* **1**. (*σέ ἐρωτημ. καί ἀρνητ. προτάσεις ἀντί: some*) καθόλου (*συνήθ. ἀμετάφραστο ὡς ἐπίθετο*): *Have you ~ money/friends?* ἔχεις χρήματα/φίλους; *I haven't ~ money/friends*, δέν ἔχω χρήματα/φίλους (*πρβλ. I've some money/friends.*) **2**. (*σέ καταφ. προτάσεις, ὅταν ὑπάρχη μιά ἀρνητική ἰδέα*) κανείς, καμμιά, καθόλου: *We did it without ~ difficulty*, τό κάναμε χωρίς καμμιά δυσκολία. **3**. (*τονιζόμενον, σέ καταφ. προτάσεις*) ὁποιοσδήποτε, ὁποιαδήποτε, ὁ,τιδήποτε: *Come ~ day you like*, ἔλα ὁποιαδήποτε μέρα θέλεις. *Ask ~ lawyer*, ρώτησε ὁποιοδήποτε δικηγόρο. **4**. ***in `~ case***, πάντως, ὁπωσδήποτε. ***at `~ rate***, τουλάχιστον.—*ἐπίρ.* (*σέ ἐρωτημ., ἀρνητ. καί ὑποθετικές προτάσεις*) καθόλου: *Is he ~ better today?* εἶναι καθόλου καλύτερα σήμερα; *I can't go ~ further*, δέν μπορῶ νά προχωρήσω καθόλου μακρύτερα.

any·body /ˋenɪbodɪ/, **any·one** /ˋenɪwʌn/ *οὐσ.* & *ἀντων.* **1**. (*σέ ἐρωτημ., ἀρνητ. καί ὑποθετικές προτάσεις*) κανείς (*βλ.* & *λ. somebody*): *Is there ~ at home? There isn't ~ at home.* **2**. (*σέ καταφ. προτάσεις*) οἱοσδήποτε, καθένας: *A~ will tell you so*, ὁ καθένας θά σᾶς τό πῆ αὐτό. *A~ can do it*, οἱοσδήποτε μπορεῖ νά τό κάνη. **3**. (*γιά πρόσωπο*) ἄξιος λόγου: *He will never be ~*, δέν θά γίνη ποτέ τίποτα ἀξιόλογο (δέν θά διακριθῆ). *He isn't just ˋ~*, δέν εἶναι ὅποιος-ὅποιος (δέν εἶναι τυχαῖος).

any·how /ˋenɪhaʊ/ *ἐπίρ.* **1**. μέ κανένα τρόπο: *The door was locked and I couldn't get in ~*, ἡ πόρτα ἦταν κλειδωμένη καί δέν μποροῦσα νά μπῶ μέ κανέναν τρόπο. **2**. ὅπως-ὅπως: *The work was done all ~*, ἡ δουλειά εἶχε γίνει ὅπως-ὅπως (ἀπρόσεχτα). —*σύνδ.* ὁπωσδήποτε, ἐν πάσῃ περιπτώσει: *A~, you can try*, ὁπωσδήποτε μπορεῖς νά δοκιμάσης.

any·thing /ˋenɪθɪŋ/ *ἀντων.* **1**. (*σέ ἐρωτημ. καί ἀρνητ. προτάσεις, βλ. something*) τίποτα: *Can I do ~ for you?* μπορῶ νά κάνω τίποτα γιά σᾶς; **2**. (*σέ καταφ. προτάσεις*) ὅ,τιδήποτε: *He's ~ but mad*, εἶναι ὅ,τιδήποτε ἐκτός ἀπό τρελλός. **3**. (*ἐπιτατ.*) πολύ: *It's as easy as ~*, εἶναι πάρα πολύ εὔκολο. *run like ~*, τρέχω μέ ὅλη μου τή δύναμη.

any·way /ˋenɪweɪ/ *ἐπίρ.* & *σύνδ. βλ. anyhow.*

any·where /ˋenɪweə(r)/ *ἐπίρ.* (*σέ ἐρωτημ. καί ἀρνητ. προτάσεις, βλ.* & *λ. somewhere*) πουθενά, ὁπουδήποτε: *Did you go ~?* πήγατε πουθενά; *Put the box down ~*, ἄφησε τό κουτί κάτω ὁπουδήποτε.

aorta /eɪˋɔtə/ *οὐσ.* ‹C› (*πληθ ~s*) (*ἰατρ.*) ἀορτή.

apace /əˋpeɪs/ *ἐπίρ.* (*ἀπηρχ. ἤ λογοτ.*) γρήγορα.

apart /əˋpat/ *ἐπίρ.* **1**. μακρυά (ὁ ἕνας ἀπό τόν ἄλλον): *The two houses are a mile ~*, τά δυό σπίτια ἀπέχουν μεταξύ τους ἕνα μίλι. **2**. κατά μέρος, παράμερα: *He took me ~ to speak to me alone*, μέ πῆρε παράμερα νά μοῦ μιλήση ἰδιαιτέρως. ***joking/jesting*** *~*, ἀφήνοντας τ' ἀστεῖα κατά μέρος. ***set/put sth ~***, βάζω κτ κατά μέρος, παραμερίζω κτ. **3**. χώρια, χωριστά: *get two things ~*, χωρίζω δυό πράγματα. *drive two persons ~*, χωρίζω δυό ἀνθρώπους. *~* ***from***, ἐκτός ἀπό, χώρια ἀπό.

apart·heid /əˋpatheɪt/ *οὐσ.* ‹U› πολιτική φυλετικοῦ διαχωρισμοῦ (εἰς Ν. Ἀφρικήν).

apart·ment /əˋpatmənt/ *οὐσ.* ‹C› **1**. δωμάτιο. **2**. (*πληθ.*) διαμέρισμα: *furnished ~s*, ἐπιπλωμένο διαμέρισμα. *~s to let*, ἐνοικιάζεται διαμέρισμα. *take ~s*, πιάνω διαμέρισμα.

apa·thetic /ˈæpəˋθetɪk/ *ἐπ.* ἀπαθής. **apa·theti·cally** /ˈæpəˋθetɪklɪ/ *ἐπίρ.* ἀπαθῶς.

apathy /ˋæpəθɪ/ *οὐσ.* ‹U› *~* ***towards***, ἀπάθεια, ἀδιαφορία πρός.

ape /eɪp/ *οὐσ.* ‹C› **1**. (μεγάλος) πίθηκος, μαϊμοῦ. **2**. (*καθομ.*) ἀδέξιος, χοντράνθρωπος. —*ρ.μ.* πιθηκίζω, μιμοῦμαι.

aper·ture /ˋæpətʃʊə(r)/ *οὐσ.* ‹C› ὀπή, ἄνοιγμα (*ἰδ.* γιά νά μπαίνει φῶς).

apex /ˋeɪpeks/ *οὐσ.* ‹C› **1**. κορυφή (τριγώνου, κτιρίου). **2**. κολοφών, ἀποκορύφωμα (σταδιοδρομίας, κλπ).

apha·sia /əˋfeɪzɪə/ *οὐσ.* ‹U› ἀφασία.

aphor·ism /ˋæfərɪzm/ *οὐσ.* ‹C› ἀφορισμός, ἀπόφθεγμα.

api·ar·ist /ˋeɪpɪərɪst/ *οὐσ.* ‹C› μελισσοτρόφος.

api·ary /ˋeɪpɪərɪ/ *οὐσ.* ‹C› μελισσοτροφεῖον.

api·cul·ture /ˋeɪpɪkʌltʃə(r)/ *οὐσ.* ‹U› μελισσοκομία.

apiece /əˋpis/ *ἐπίρ.* καθένας, τό κομμάτι: *They cost a penny ~*, κοστίζουν μιά πέννα τό κομμάτι.

aplomb /əˋplom/ *οὐσ.* ‹U› ψυχραιμία, ἀταραξία: *He answered with perfect ~*, ἀπάντησε μέ ἀπόλυτη ψυχραιμία.

apoca·lypse /əˋpokəlɪps/ *οὐσ.* ‹C› (*ἐκκλ.*) ἀποκάλυψις.

apo·gee /ˋæpədʒɪ/ *οὐσ.* ‹C› ἀπόγειον, ἀποκορύφωμα.

apolo·getic /əˈpoləˋdʒetɪk/ *ἐπ.* ἀπολογητικός, γεμᾶτος συγγνώμη: *He was ~ for being late*, ζήτησε συγγνώμη πού ἄργησε. *an ~ letter*, ἕνα γράμμα γεμᾶτο μεταμέλεια. **apolo·gist** /əˋpolədʒɪst/ *οὐσ.* ‹C› ἀπολογητής.

apolo·gize /əˋpolədʒaɪz/ *ρ.ἀ.* *~* ***(to sb) (for sth)***, ζητῶ συγγνώμη: *He ~d to her for being late*, τῆς ζήτησε συγγνώμη πού ἄργησε.

apol·ogy /əˋpolədʒɪ/ *οὐσ.* ‹C› (αἴτησις γιά) συγγνώμη: *offer/make an ~/one's apologies to sb*, ζητῶ συγγνώμη ἀπό κπ. *demand an ~*, ἀπαιτῶ νά μοῦ ζητήση συγγνώμη. *a letter of ~*, γράμμα μέ τό ὁποῖο ζητεῖται συγγνώμη.

apo·plexy /ˋæpəpleksɪ/ *οὐσ.* ‹U› ἀποπληξία, συμφόρησις (*συνήθ. stroke*). **apo·plec·tic** /ˈæpəˋplektɪk/ *ἐπ.* ἀποπληκτικός: *have an apoplectic fit/stroke*, παθαίνω ἀποπληξία, (*καθομ.*) μοῦ ἀνεβαίνει τό αἷμα στό κεφάλι (ἀπό θυμό).

apos·tasy /əˋpostəsɪ/ *οὐσ.* ‹U› ἀποστασία.

apos·tate /ˋæpəsteɪt/ *οὐσ.* ‹C› ἀποστάτης.

apostle /əˋposl/ *οὐσ.* ‹C› ἀπόστολος.

apos·tolic /ˈæpəˋstolɪk/ *ἐπ.* ἀποστολικός.

apos·trophe /əˋpostrəfɪ/ *οὐσ.* ‹C› (*γραμμ.*) ἀπόστροφος, (*ρητ.*) ἀποστροφή.

apoth·ecary /əˋpoθɪkərɪ/ *οὐσ.* ‹C› (*ἀπηρχ.*) φαρμακοποιός.

ap·pal /əˋpɔl/ *ρ.μ.* *(-ll-)* τρομάζω, προκαλῶ φρίκη: *an ~ling war*, ἕνας φοβερός πόλεμος. *We were ~led at the news*, τά νέα μᾶς προκάλεσαν φρίκη.

ap·par·atus /ˈæpəˋreɪtəs/ *οὐσ.* ‹C› (*πληθ. ~es*) συσκευή, μηχανισμός, σύνεργα: *a ˋheating ~*, συσκευή θερμάνσεως.

ap·parel /əˋpærl/ *οὐσ.* ‹U› (*ἀπηρχ. ἤ λογοτ.*) ἔνδυμα, ἀμφίεσις.

ap·par·ent /əˋpærnt/ *ἐπ.* φανερός, φαινομενικός: *From what you've said it's ~ that...*, ἀπ' ὅ,τι εἶπες εἶναι φανερό ὅτι... *In spite of his ~ indifference*, παρά τήν φαινομενική του ἀδιαφορία. **~·ly** *ἐπίρ.* προφανῶς, καθώς φαίνεται.

ap·par·ition /ˈæpəˋrɪʃn/ *οὐσ.* ‹C› ἐμφάνισις, ὀπτασία, φάντασμα.

ap·peal /əˋpil/ *ρ.ἀ.* **1**. (*νομ.*) ἐφεσιβάλλω: *~ against a decision*, ἐφεσιβάλλω μίαν ἀπόφασιν. **2**. κάνω ἔκκληση, προσφεύγω, ἀπευθύνομαι: *~ to sb for help*, κάνω ἔκκληση (ἀπευθύνομαι) σέ κπ γιά βοήθεια. **3**. συγκινῶ: *Modern painting doesn't ~ to me*, ἡ μοντέρνα ζωγραφική δέν μέ συγκινεῖ (δέν μοῦ ἀρέσει). —*οὐσ.* ‹C› ἔκκλησις, ἔφεσις, προσφυγή, ἕλξις: *make an ~ for help*, κάνω ἔκκληση γιά βοήθεια. *lodge an ~ with a higher court*, κάνω ἔφεση σέ ἀνώτερο δικαστήριο. *Pop music hasn't much ~ for me/has lost its ~*, ἡ μουσική πόπ δέν μέ συγκινεῖ πολύ/ἔχει χάσει τήν ἕλξη της. **~·ing** *ἐπ.* συγκινητικός, ἑλκυστικός.

ap·pear /əˋpɪə(r)/ *ρ.ἀ.* ἐμφανίζομαι, φαίνομαι, παρουσιάζομαι: *The defendant failed to ~ before the court*, ὁ κατηγορούμενος δέν ἐμφανίστηκε στό δικαστήριο. *There ~s to have been a mistake*, φαίνεται ὅτι ἔγινε λάθος. *It ~s that he is very rich/He ~s to be very rich*, φαίνεται ὅτι εἶναι πολύ πλούσιος. *When the ship ~ed*, ὅταν φάνηκε τό πλοῖο. *He said he was coming at six, but he never ~ed*, εἶπε ὅτι θά ἐρχόταν στίς ἔξη, ἀλλά δέν παρουσιάστηκε.

ap·pear·ance /əˋpɪərəns/ *οὐσ.* ‹C› ἐμφάνισις, ὄψις, παρουσίασις, φαινόμενον: *She has a slightly foreign ~*, ἔχει μιά ἐλαφρῶς ξενική ἐμφάνιση. ***judge by ~s***, κρίνω ἀπό τά φαινόμενα. ***keep up ~s***, τηρῶ τά προσχήματα. ***put in/make an ~***, κάνω τήν ἐμφάνισή μου (σέ συγκέντρωση, πάρτυ, κλπ). ***in ~***, φαινομενικά ἐξωτερικά, στήν ὄψη. ***for the sake of ~s***, γιά τόν τύπο, γιά τά μάτια τοῦ κόσμου. ***to/by/from all ~s***, καθ' ὅλα τά φαινόμενα, ὅπως φαίνεται.

ap·pease /əˋpiz/ *ρ.μ.* καταπραΰνω, κατευνάζω, ἱκανοποιῶ: *~ sb's anger/hunger/curiosity*, καταπραΰνω τό θυμό/κατευνάζω τήν πεῖνα/ἱκανοποιῶ τήν περιέργεια κάποιου. **~·ment** *οὐσ.* ‹U› κατευνασμός, ἱκανοποίησις.

ap·pel·la·tion /ˈæpəˋleɪʃn/ *οὐσ.* ‹C› (*λόγ.*) ὀνομασία, τίτλος.

ap·pend /əˋpend/ *ρ.μ.* ***~ to***, (*λόγ.*) ἐπισυνάπτω, προσαρτῶ, ἐπιθέτω: *~ a clause to a treaty*, ἐπισυνάπτω ὅρον εἰς συνθήκην. *~ a seal to a document*, ἐπιθέτω σφραγίδα εἰς ἔγγραφον. **~·age** /-ɪdʒ/ *οὐσ.* ‹C› παράρτημα, προσάρτημα, ἐξάρτημα.

ap·pen·dec·tomy /ˈæpenˋdektəmɪ/ *οὐσ.* ‹C› ἐγχείρησις σκωλικοειδίτιδος.

ap·pen·di·ci·tis /əˈpendɪˋsaɪtɪs/ *οὐσ.* ‹U› (*ἰατρ.*) σκωληκοειδῖτις.

ap·pen·dix /əˋpendɪks/ *οὐσ.* ‹C› (*πληθ. -dices* /-dɪsiz/) παράρτημα (στό τέλος βιβλίου).

ap·per·tain /ˈæpəˋteɪn/ *ρ.ἀ.* ***~ to***, (*λόγ.*) ἀνήκω, προσιδιάζω εἰς: *duties ~ing to his office*, καθήκοντα ἀνήκοντα/προσιδιάζοντα εἰς τό ἀξίωμά του.

ap·pe·tite /ˋæpətaɪt/ *οὐσ.* ‹C› ὄρεξις: *The long walk gave me a good ~*, ὁ μακρυνός περίπατος μοῦ ἄνοιξε τήν ὄρεξη. *It spoilt/took away my ~*, μοῦ χάλασε τήν ὄρεξη.

ap·pe·tizer /ˋæpətaɪzə(r)/ *οὐσ.* ‹C› ὀρεκτικόν (ἐλιές, οὖζο, κλπ). **ap·pe·tiz·ing** *ἐπ.* ὀρεκτικός: *It looks very appetizing*, φαίνεται πολύ ὀρεκτικό.

ap·plaud /əˋplɔd/ *ρ.μ/ἀ.* **1**. ἐπευφημῶ, χειροκροτῶ: *The audience ~ed the speaker*, τό ἀκροατήριο χειροκρότησε τόν ὁμιλητή. **2**. ἐπικροτῶ, ἐπιδοκιμάζω: *I ~ your decision*, ἐπικροτῶ τήν ἀπόφασή σου.

ap·plause /əˋplɔz/ *οὐσ.* ‹U› ἐπευφημία, χειροκρότημα: *He was greeted with ~*, ἔγινε δεκτός μέ ἐπευφημίες, μέ χειροκροτήματα.

apple /ˋæpl/ *οὐσ.* ‹C› μῆλο: *baked ~s*, ψητά μῆλα. ***upset the ˋ~-cart***, χαλάω τά σχέδια κάποιου. ***the ˈ~ of one's ˋeye***, (*μεταφ.*) ἡ κόρη τοῦ ὀφθαλμοῦ. ***the ~ of discord***, τό μῆλον τῆς ἔριδος. **ˈ~-ˋpie**, μηλόπιττα: ***in ˈ~-ˈpie ˋorder***, στήν ἐντέλεια, σ' ἀπόλυτη τάξη. **ˋ~-tree**, μηλιά.

ap·pli·ance /əˋplaɪəns/ *οὐσ.* ‹C› ὄργανον, ἐργαλεῖον, μέσον: *an ~ for opening tin cans*, ἕνα ἐργαλεῖο γιά τό ἄνοιγμα κονσερβῶν. *household ~s*, ἠλεκτρικά εἴδη τοῦ νοικοκυριοῦ.

ap·plic·able /ˋæplɪkəbl/ *ἐπ.* ***~ (to)***, ἐφαρμόσιμος, κατάλληλος: *Is this rule ~ to our case?* ἐφαρμόζεται αὐτός ὁ κανόνας στήν περίπτωσή μας;

ap·pli·cant /ˋæplɪkənt/ *οὐσ.* ‹C› ***~ (for)***, αἰτῶν, ὑποψήφιος: *There were ten ~s for the post*, ὑπῆρχαν δέκα ὑποψήφιοι γιά τή θέση.

ap·pli·ca·tion /ˈæplɪˋkeɪʃn/ *οὐσ.* ‹C› **1**. ***~ (to sb) (for sth)***, αἴτησις: *She made an ~ to the Manager for the post of typist*, ἔκαμε αἴτηση στό διευθυντή γιά τή θέση δακτυλογράφου. *A copy will be sent on ~ to the publishers*, ἕνα ἀντίτυπο θά σταλῆ κατόπιν αἰτήσεως πρός τούς ἐκδότες. ***ˋ~-form***, αἴτησις (τό ἔντυπον): *fill in an ~-form*, συμπληρώνω μιά αἴτηση. **2**. ἐπίθεσις, ἐφαρμογή, χρῆσις: *This oil is for external ~ only*, αὐτό τό λάδι εἶναι μόνον δι' ἐξωτερικήν χρῆσιν. *~ of ice to the forehead*, ἐπίθεσις πάγου στό μέτωπο. *the ~ of new scientific discoveries to industrial production methods*, ἡ ἐφαρμογή τῶν νέων ἐπιστημονικῶν ἀνακαλύψεων στίς μεθόδους βιομηχανικῆς παραγωγῆς. **3**. (*λόγ.*) ἐπιμέλεια, προσοχή, προσήλωσις: *If you show ~ in your studies*, ἄν δείξης ἐπιμέλεια στίς σπουδές σου. *My work demands great ~*, ἡ ἐργασία μου ἀπαιτεῖ μεγάλη προσήλωση.

ap·ply /əˋplaɪ/ *ρ.μ/ἀ.* **1**. ***~ (to sb) (for sth)***, ἀποτείνομαι, ἀπευθύνομαι: *He applied to me for a job*, ἀπευθύνθηκε σέ μένα γιά δουλειά. **2**. ἐπιθέτω, βάζω: *~ a plaster to a cut*, βάζω/ἐπιθέτω λευκοπλάστη σέ τραῦμα. *~ the brakes*, πατῶ φρένο. **3**. ἐφαρμόζω, ἰσχύω: *~ a system*, ἐφαρμόζω ἕνα σύστημα. *Does this ~ to me as well?* ἰσχύει αὐτό καί γιά μένα; ***~ oneself/one's mind/one's energies (to sth/to doing sth)***, συγκεντρώνομαι/ἀφοσιώνομαι/προσηλώνομαι σέ κτ. **ap·plied** *π.μ. & ἐπ.* ἐφηρμοσμένος: *applied mathematics*, ἐφηρμοσμένα μαθηματικά.

ap·point /əˋpɔɪnt/ *ρ.μ.* **1**. διορίζω, ὁρίζω: *They ~ed him (to be) manager*, τόν διώρισαν διευθυντή. *He was ~ed to the vacant post*, διορίστηκε στήν κενή θέση. *~ a committee*, ὁρίζω ἐπιτροπήν. *the newly-~ed manager*, ὁ νεοδιορισθείς διευθυντής. *the time ~ed for the meeting*, ὁ χρόνος ὁ ὁρισθείς διά τήν συγκέντρωσιν. **2**. καθορίζω: *We must ~ a time to meet again/for the next meeting*, πρέπει νά ὁρίσωμε χρόνο γιά νά ξανασυναντηθοῦμε/γιά τήν ἑπόμενη συνάντηση. **~·ment** *οὐσ.* ‹C› **1**. διορισμός: *His ~ment as manager*, ὁ διορισμός του ὡς διευθυντοῦ. **2**. συνάντησις, ραντεβοῦ: *meet sb by ~ment*, συναντῶ κπ κατόπιν ραντεβοῦ. ***make/fix an ~ment***, κλείνω ραντεβοῦ. ***keep/break an ~ment***, πηγαίνω εἰς/ἀθετῶ ἕνα ραντεβοῦ.

ap·por·tion /əˋpɔʃn/ *ρ.μ.* (*λόγ.*) διανέμω

(κατ' ἀναλογίαν), κατανέμω, μοιράζω: *This sum of money must be ~ed among all of you*, αὐτό τό ποσό πρέπει νά διανεμηθῆ μεταξύ ὅλων σας. *~ duties*, κατανέμω καθήκοντα.

ap·po·site /ˈæpəzɪt/ ἐπ. εὔστοχος, ταιριαστός: *an ~ remark*, εὔστοχη παρατήρηση. **ap·po·si·tion** /ˈæpəˈzɪʃn/ οὐσ. ‹U› (γραμμ.) παράθεσις.

ap·praise /əˈpreɪz/ ρ.μ. ἐκτιμῶ, ἀποτιμῶ, ὑπολογίζω: *~ the ability of a student*, ἐκτιμῶ/ὑπολογίζω τήν ἱκανότητα ἑνός σπουδαστῆ. *~ a property*, ἀποτιμῶ περιουσίαν. **ap·praisal** /əˈpreɪzl/ οὐσ. ‹C,U› ἐκτίμησις, ἀποτίμησις, ὑπολογισμός.

ap·preci·able /əˈpriʃəbl/ ἐπ. ὑπολογίσιμος, αἰσθητός: *an ~ change/difference*, αἰσθητή ἀλλαγή/διαφορά.

ap·preci·ate /əˈpriʃɪeɪt/ ρ.μ/ἀ. **1**. ἐκτιμῶ: *I greatly ~ your help*, ἐκτιμῶ μεγάλως τήν βοήθειά σας. *I fully ~ all you have done for me*, ἐκτιμῶ πλήρως ὅ,τι ἔχετε κάμει γιά μένα. *He can't ~ my poetry*, δέν μπορεῖ νά ἐκτιμήση τήν ποίησή μου. **2**. (ἐπί ἀκινήτων, χρεωγράφων, κλπ) ἀνατιμῶ/-οῦμαι: *Land has ~d greatly since 1960*, ἡ γῆ ἀνατιμήθηκε πολύ ἀπό τό 1960.

ap·preci·ation /əˈpriʃɪˈeɪʃn/ οὐσ. ‹C,U› **1**. (κριτική) ἐκτίμησις, ἀξιολόγησις: *write an ~ of a poem*, γράφω κριτική ἀξιολόγηση ἑνός ποιήματος. *He shows no ~ of good music*, δέν ἔχει ἱκανότητα νά ἐκτιμήση τήν καλή μουσική. **2**. ἀναγνώρισις: *In ~ of your help*, εἰς ἀναγνώρισιν τῆς βοηθειάς σας. **3**. ἀνατίμησις, ὑπερτίμησις.

ap·preci·ative /əˈpriʃɪətɪv/ ἐπ. ἐπαινετικός, ἐκτιμῶν: *~ words*, ἐπαινετικά λόγια. *an ~ audience*, ἀκροατήριο πού εἶναι σέ θέση νά ἐκτιμήση σωστά, εὐαίσθητο ἀκροατήριο.

ap·pre·hend /ˈæprɪˈhend/ ρ.μ. **1**. (λόγ. ἀπηρχ.) φοβοῦμαι: *Do you ~ any difficulties?* φοβεῖσθε ὅτι θά ὑπάρξουν δυσκολίαι; **2**. (νομ.) συλλαμβάνω: *~ a thief*, συλλαμβάνω κλέφτη. **3**. (ἀπηρχ.) ἀντιλαμβάνομαι: *You are, I ~, ready to go*, εἶσθε ἕτοιμος, ἀντιλαμβάνομαι, νά φύγετε.

ap·pre·hen·sion /ˈæprɪˈhenʃn/ οὐσ. ‹C,U› **1**. ἀντίληψις: *be quick/slow of ~*, εἶμαι ταχείας/βραδείας ἀντιλήψεως. **2**. (καί εἰς πληθ.) φόβος, ἀνησυχία: *filled with ~*, γεμᾶτος ἀνησυχία. *entertain/feel ~ for his safety*, τρέφω/αἰσθάνομαι φόβους γιά τήν ἀσφάλειά του. **3**. (νομ.) σύλληψις: *the ~ of a deserter*, ἡ σύλληψις λιποτάκτου.

ap·pre·hen·sive /ˈæprɪˈhensɪv/ ἐπ. ἀνήσυχος, φοβισμένος: *be ~ of failure/for his safety*, φοβοῦμαι ἀποτυχία/γιά τήν ἀσφάλειά του.

ap·pren·tice /əˈprentɪs/ οὐσ. ‹C› μαθητευόμενος. —ρ.μ. ***be ~d (to sb)***, μαθητεύω (πλησίον κάποιου). **~·ship** οὐσ. ‹C› μαθητεία: *serve one's ~ship (with sb)*, κάνω τή μαθητεία μου (κοντά σέ κπ).

ap·prise /əˈpraɪz/ ρ.μ. (λόγ.) πληροφορῶ: *I was ~d of his intentions*, ἐπληροφορήθην τάς προθέσεις του.

ap·proach /əˈprəʊtʃ/ ρ.μ/ἀ. πλησιάζω: *We're ~ing London*, πλησιάζομε στό Λονδῖνο. *He's ~ing his forties*, πλησιάζει τά σαράντα. *He is difficult to ~*, εἶναι δύσκολο νά τόν πλησιάση κανείς. —οὐσ. ‹C› **1**. προσέγγισις: *They ran away at our ~*, ἐτράπησαν εἰς φυγήν ἐπί τῇ προσεγγίσει μας. *the ~ of spring*, ὁ ἐρχομός τῆς ἀνοίξεως. ***easy/difficult of ~***, εὐπρόσιτος/δυσπρόσιτος (τόπος ἤ ἄνθρωπος). ***make ~es to sb***, προσπαθῶ νά προσεγγίσω κπ, κάνω προτάσεις, βολιδοσκοπήσεις σέ κπ (ἰδ. σέ γυναίκα). **2**. εἴσοδος, πρόσβασις, ὁδός προσεγγίσεως: *the ~es to the palace/to the town*, οἱ εἴσοδοι τοῦ παλατιοῦ/οἱ προσβάσεις τῆς πόλεως. **~·able** /-əbl/ ἐπ. προσιτός.

ap·pro·ba·tion /ˈæprəˈbeɪʃn/ οὐσ. ‹U› (λόγ.) ἐπιδοκιμασία, ἔγκρισις. ***on ~***, (ἐμπ.) ἐπί δοκιμῇ.

[1]**ap·pro·pri·ate** /əˈprəʊprɪət/ ἐπ. ***~ (for/to sth)***, κατάλληλος, ταιριαστός, ἁρμόζων: *clothes ~ for a wedding*, ροῦχα κατάλληλα γιά γάμο. *style ~ to the subject*, ὕφος ἁρμόζον στό θέμα.

[2]**ap·pro·pri·ate** /əˈprəʊprɪeɪt/ ρ.μ. **1**. οἰκειοποιοῦμαι, σφετερίζομαι: *~ sb's ideas*, σφετερίζομαι τίς ἰδέες κάποιου. **2**. θέτω κατά μέρος, διαθέτω, προβλέπω: *£20,000 has been ~d for the new school building*, 20.000 λίρες ἔχουν προβλεφθῆ γιά τό νέο σχολικό κτίριο. **ap·pro·pri·ation** /əˈprəʊprɪˈeɪʃn/ οὐσ. ‹C,U› σφετερισμός, διάθεσις, πίστωσις, κονδύλιον (προϋπολογισμοῦ).

ap·pro·val /əˈpruvl/ οὐσ. ‹U› ἐπιδοκιμασία, ἔγκρισις: *Your plans meet with/have my ~*, τά σχέδιά σου ἔχουν τήν ἔγκρισή μου. *She nodded her ~*, κούνησε τό κεφάλι ἐπιδοκιμαστικά. ***goods on ~***, ἐμπορεύματα ἐπί δοκιμῇ.

ap·prove /əˈpruv/ ρ.μ/ἀ. ***~ (of)***, ἐπιδοκιμάζω, ἐγκρίνω: *I will never ~ of her marriage to you*, ποτέ δέν θά ἐγκρίνω τό γάμο της μαζί σου. *The minutes were read and ~d*, τά πρακτικά διαβάστηκαν καί ἐγκρίθηκαν. **~d school**, ἀναμορφωτήριον.

[1]**ap·proxi·mate** /əˈproksɪmət/ ἐπ. κατά προσέγγισιν: *an ~ calculation*, ὑπολογισμός κατά προσέγγισιν. **~·ly** ἐπίρ. περίπου.

[2]**ap·proxi·mate** /əˈproksɪmeɪt/ ρ.μ/ἀ. ***~ to***, προσεγγίζω: *~ closely to the truth*, προσεγγίζω πολύ στήν ἀλήθεια. **ap·proxi·ma·tion** /əˈproksɪˈmeɪʃn/ οὐσ. ‹C› προσέγγισις.

apri·cot /ˈeɪprɪkot/ οὐσ. ‹C› βερύκοκκο.

April /ˈeɪprl/ οὐσ. Ἀπρίλιος. ***A~ fool***, πρωταπριλιάτικο κορόϊδο.

a priori /ˈeɪ ˈpraɪˈɔraɪ/ (Λατ.) ἐκ τῶν προτέρων.

apron /ˈeɪprən/ οὐσ. ‹C› ποδιά. ***tied to his mother's/his wife's ˈ~-strings***, κολλημένος στό φουστάνι τῆς μητέρας του/τῆς γυναίκας του.

apro·pos /ˈæprəˈpəʊ/ κατηγ. ἐπ. ἐπίκαιρος, εὔθετος, κατάλληλος: *His suggestion was very much ~*, ἡ πρότασίς του ἦταν πολύ ἐπίκαιρη. —ἐπίρ. ***~ of***, σχετικά μέ, μιλώντας γιά: *~ of holidays*, μιλώντας γιά διακοπές...

apt /æpt/ ἐπ. **1**. ἔξυπνος, ἱκανός: *an ~ pupil*, ἔξυπνος μαθητής. *~ at sth/at doing sth*, ἱκανός σέ κτ/νά κάνω κτ. **2**. προσφυής, ὀρθός, ἐπιτυχής: *an ~ remark*, μιά ὀρθή/ἐπιτυχής παρατήρησις. **3**. ***be ~ to do sth***, ἔχω τήν τάση νά: *He is ~ to forget*, ἔχει τήν τάση νά ξεχνᾶ, συνήθως ξεχνᾶ. **~·ly** ἐπίρ. ὀρθῶς, προσφυῶς, πολύ σωστά.

apti·tude /ˋæptıtjud/ *οὐσ.* ‹U› **~ *for***, κλίσις, ἱκανότης: *He has an ~ for foreign languages*, ἔχει κλίση στίς ξένες γλῶσσες. *He has a singular ~ for telling lies*, (*λόγ.*) ἔχει μοναδική ἱκανότητα νά λέη ψέμματα.

aquar·ium /əˋkweərıəm/ *οὐσ.* ‹C› (*πληθ.* ~*s*) ἐνυδρεῖον.

Aquar·ius /əˋkweərıəs/ *οὐσ.* (*ἀστρολ.*) Ὑδροχόος.

aquatic /əˋkwætık/ *ἐπ.* (*γιά φυτά*) ὑδρόβιος, (*γιά σπόρ*) θαλάσσιος.

aque·duct /ˋækwədʌkt/ *οὐσ.* ‹C› ὑδραγωγεῖον.

aqui·line /ˋækwəlaın/ *ἐπ.* ἀετίσιος: *an ~ nose*, ἀετίσια (γαμψή) μύτη.

ara·besque /ˌærəˋbesk/ *οὐσ.* ‹C› ἀραβούργημα.

ar·able /ˋærəbl/ *ἐπ.* ἀρόσιμος, καλλιεργήσιμος.

ar·bi·ter /ˋabıtə(r)/ *οὐσ.* ‹C› διαιτητής, ρυθμιστής, κύριος: *He was the ~ of their destinies*, ἦταν κύριος τῶν τυχῶν τους.

ar·bi·trary /ˋabıtrərı/ *ἐπ.* αὐθαίρετος, δεσποτικός (πχ ἀπόφασις, συμπεριφορά).

ar·bi·trate /ˋabıtreıt/ *ρ.μ/ἀ.* διαιτητεύω, κρίνω διαιτητικῶς. **ar·bi·tra·tor** /-tə(r)/ *οὐσ.* ‹C› διαιτητής.

ar·bi·tra·tion /ˌabıˋtreıʃn/ *οὐσ.* ‹U› διαιτησία: *settlement by ~*, ρύθμισις διά διαιτησίας. *refer a dispute to ~*, παραπέμπω μιά διαφορά σέ διαιτησία. *submit a claim for ~*, ὑποβάλλω μίαν ἀπαίτησιν εἰς διαιτησίαν.

ar·bour /ˋabə(r)/ *οὐσ.* ‹C› κληματαριά, κρεββατίνα.

arc /ak/ *οὐσ.* ‹C› τόξον (κύκλου).

ar·cade /aˋkeıd/ *οὐσ.* ‹C› στοά (*συνήθ.* μέ μαγαζιά).

[1]**arch** /atʃ/ *οὐσ.* ‹C› ἁψίς, καμάρα (γεφύρας, κλπ): *a triumphal ~*, ἁψίς τοῦ θριάμβου. —*ρ.μ/ἀ.* καμπουριάζω, κάνω ἁψίδα: *The cat ~ed its back on seeing the dog*, ἡ γάτα καμπούριασε τή ράχη της βλέποντας τό σκυλί. *The trees ~ed over the river*, τά δέντρα σχημάτιζαν ἁψίδα πάνω ἀπό τό ποτάμι. **ˋ~·way** *οὐσ.* ‹C› ἁψίς.

[2]**arch** /atʃ/ *ἐπ.* (*ἰδ. γιά γυναῖκες καί παιδιά*) τσαχπίνης, κατεργάρης, πονηρούλης: *an ~ glance/smile*, τσαχπίνικη ματιά/πονηρό χαμόγελο.

arch- /atʃ/ *πρόθεμα*, ἀρχι-.

archae·ologi·cal /ˌakıəˋlodʒıkl/ *ἐπ.* ἀρχαιολογικός.

archae·ol·ogist /ˌakıˋolədʒıst/ *οὐσ.* ‹C› ἀρχαιολόγος.

archae·ol·ogy /ˌakıˋolədʒı/ *οὐσ.* ‹U› ἀρχαιολογία.

ar·chaic /aˋkeıık/ *ἐπ.* ἀρχαϊκός. **ar·chaism** /-ızm/ *οὐσ.* ‹U› ἀρχαϊσμός.

arch·angel /ˋakeındʒl/ *οὐσ.* ‹C› ἀρχάγγελος.

arch·bishop /ˌatʃˋbıʃəp/ *οὐσ.* ‹C› ἀρχιεπίσκοπος.

arch·deacon /ˌatʃˋdikn/ *οὐσ.* ‹C› ἀρχιδιάκονος.

arch·duke /ˌatʃdjuk/ *οὐσ.* ‹C› ἀρχιδούξ.

archer /ˋatʃə(r)/ *οὐσ.* ‹C› τοξότης. **arch·ery** *οὐσ.* ‹U› τοξοβολία, τοξευτική (τέχνη).

arche·type /ˋakıtaıp/ *οὐσ.* ‹C› ἀρχέτυπον.

archi·man·drite /ˌakıˋmændraıt/ *οὐσ.* ‹C› ἀρχιμανδρίτης.

archi·pel·ago /ˌakıˋpeləgəʊ/ *οὐσ.* ‹C› (*πληθ.* ~*s*) ἀρχιπέλαγος.

archi·tect /ˋakıtekt/ *οὐσ.* ‹C› ἀρχιτέκτων.

archi·tec·tural /ˌakıˋtektʃərl/ *ἐπ.* ἀρχιτεκτονικός.

archi·tec·ture /ˋakıtektʃə(r)/ *οὐσ.* ‹U› ἀρχιτεκτονική.

ar·chives /ˋakaıvz/ *οὐσ. πληθ.* ἀρχεῖα (τό κτίριον & τά ἔγγραφα).

arc·tic /ˋaktık/ *ἐπ.* ἀρκτικός: *the ˈA~ ˋOcean/ˋCircle*, ὁ Ἀρκτικός Ὠκεανός/Κύκλος.

ar·dent /ˋadnt/ *ἐπ.* φλογερός, διακαής: *an ~ supporter*, φλογερός ὑποστηρικτής.

ar·dour /ˋadə(r)/ *οὐσ.* ‹U› (*λόγ.*) φλόγα, ἐνθουσιασμός, πάθος: *~ for sth/sb*, πάθος γιά κτ/κπ.

ar·du·ous /ˋadjʊəs/ *ἐπ.* ἐπίπονος, κοπιώδης, δυσχερής: *an ~ task*, βαρύ, ἐπίπονο ἔργο.

are, aren't /a(r), ant/ *βλ.* *be*.

area /ˋeərıə/ *οὐσ.* ‹C› **1**. ἐμβαδόν: *It's 100 square metres in ~*, ἔχει 100 τ.μ. ἐμβαδόν. **2**. ἔκτασις: *the desert ~s of N. Africa*, οἱ ἔρημες ἐκτάσεις τῆς Β. Ἀφρικῆς. **3**. (*μεταφ.*) χῶρος, περιοχή: *the ~ of finance*, ὁ χῶρος τῆς οἰκονομίας. *~s of disagreement*, περιοχές διαφωνίας.

arena /əˋrinə/ *οὐσ.* ‹C› (*πληθ.* ~*s*) **1**. παλαίστρα, ἀρένα. **2**. (*μεταφ.*) πεδίον, στίβος, κονίστρα: *the ~ of politics*, ἡ κονίστρα τῆς πολιτικῆς.

argue /ˋagju/ *ρ.μ/ἀ.* **1**. ***~ (with sb) (about/over sth)***, συζητῶ (διαφωνώντας), ἐπιχειρηματολογῶ, φιλονικῶ: *Stop arguing with me; my decision is final*, σταμάτα τή συζήτηση, ἡ ἀπόφασή μου εἶναι ὁριστική. *Why are they always arguing?* γιατί φιλονικοῦν διαρκῶς; **2**. ***~ (for/against sth)***, ὑποστηρίζω (μέ ἐπιχειρήματα), μιλῶ (ὑπέρ/κατά): *He ~s soundly*, μιλάει λογικά. *~ for or against birth control*, μιλῶ ὑπέρ ἤ κατά τοῦ ἐλέγχου τῶν γεννήσεων. *He ~s that birth control is immoral*, ὑποστηρίζει ὅτι ὁ ἔλεγχος τῶν γεννήσεων εἶναι ἀνήθικος. **3**. ***~ sb into/out of doing sth***, πείθω κπ νά κάνη/νά μήν κάνη κτ.

argu·ment /ˋagjʊmənt/ *οὐσ.* ‹C› ἐπιχείρημα, συζήτησις, λογομαχία: *have endless ~s about sth*, κάνω ἀτέλειωτες συζητήσεις γιά κτ. *engage in ~ with sb*, ἀρχίζω λογομαχία μέ κπ.

argu·men·ta·tive /ˌagjʊˋmentətıv/ *ἐπ.* ἐπιχειρηματολογικός, ἀγαπῶν τήν συζήτησιν.

arid /ˋærıd/ *ἐπ.* **1**. ἄνυδρος, ξηρός: *~ land/climate*. **2**. (*μεταφ.*) ἄνευ ἐνδιαφέροντος: *an ~ subject*. **arid·ity** /əˋrıdətı/ *οὐσ.* ‹U› ἀνυδρία.

aright /əˋraıt/ *ἐπίρ.* σωστά: *if I heard ~*, ἄν ἄκουσα καλά.

arise /əˋraız/ *ρ.ἀ. ἀνώμ.* (*ἀόρ. arose* /əˋrəʊz/, *π.μ. arisen* /əˋrızn/) **1**. ἐμφανίζομαι, παρουσιάζομαι: *A new difficulty has arisen*, μιά νέα δυσκολία παρουσιάστηκε. *Should the need ~*, ἄν παρουσιαστῆ ἀνάγκη. **2**. προκύπτω, ἀπορρέω: *obligations arising from the treaty*, ὑποχρεώσεις ἀπορρέουσαι ἐκ τῆς συνθήκης. **3**. (*ἀπηρχ.*) ἐγείρομαι.

aris·toc·racy /ˌærıˋstokrəsı/ *οὐσ.* ‹C,U› ἀριστοκρατία.

aris·to·crat /ˋærıstəkræt/ *οὐσ.* ‹C› ἀριστοκράτης. **~ic** /ˌærıstəˋkrætık/ *ἐπ.* ἀριστοκρατικός.

arith·me·tic /əˋrıθmətık/ *οὐσ.* ‹U› ἀριθμητική.

arith·meti·cal /ˌærıθˋmetıkl/ *ἐπ.* ἀριθμητικός. ***~al progression***, ἀριθμητική πρόοδος.

ark /ɑk/ *οὐσ.* ‹C› κιβωτός: *Noah's* ~, ἡ Κιβωτός τοῦ Νῶε.

[1]**arm** /ɑm/ *οὐσ.* ‹C› βραχίων, μπράτσο, χέρι (ἀπό τόν ὦμο ὥς τόν καρπό): *with folded ~s*, μέ σταυρωμένα χέρια. *She took the baby in her ~s*, πῆρε τό μωρό στήν ἀγκαλιά της. ***a babe in ~s***, μωρό (πού δέν περπατάει ἀκόμα). *(welcome sb)* ***with open ~s***, (δέχομαι κπ) μέ ἀνοιχτές ἀγκάλες. *(walk)* **ˈarm-in-ˈarm**, (περπατῶ) ἀγκαζέ. ***keep sb at ~'s length***, κρατῶ κπ σέ ἀπόσταση. ***the ~ of the law***, τό χέρι τοῦ νόμου. **ˈ~·chair**, πολυθρόνα. **ˈ~·ful** /-fl/, ἀγκαλιά (τό περιεχόμενο): *an ~ful of books/of hay*, μιά ἀγκαλιά βιβλία/χόρτο. **ˈ~-hole**, μασχάλη (ρούχου). **ˈ~-pit**, μασχάλη (ἀνθρώπου).

[2]**arm** /ɑm/ *οὐσ.* ‹C› ὅπλον (στρατ. κλάδος). —*οὐσ. πληθ.* ὅπλα, οἰκόσημον. **ˈfire-~s**, πυροβόλα ὅπλα. ***To ~s!*** στά ὅπλα! στ' ἅρματα! ***under ~s***, ὑπό τά ὅπλα. ***be up in ~s (about/over sth)***, τελῶ ἐν ἐξεγέρσει (γιά κτ). ***bear/carry ~s***, ὁπλοφορῶ. ***lay down (one's) ~s***, καταθέτω τά ὅπλα. ***take up ~s/rise up in ~s (against sb)***, παίρνω τά ὅπλα/ἐπαναστατῶ (ἐναντίον κάποιου). **ˈ~s-race**, ἀνταγωνισμός ἐξοπλισμῶν. —*ρ.μ/ἀ.* ~ ***(with)***, ἐξοπλίζω/-ομαι: *~ed with a knife/with patience*, ὁπλισμένος μέ μαχαίρι/μέ ὑπομονή. **the ~ed forces/services**, αἱ ἔνοπλοι δυνάμεις.

ar·mada /ɑˈmadə/ *οὐσ.* ‹C› *(πληθ. ~s)* ἀρμάδα.

ar·ma·ment /ˈaməmənt/ *οὐσ.* ‹C› *(συνήθ. πληθ.)* ἐξοπλισμός: *the ~s industry*, ἡ βιομηχανία ἐξοπλισμῶν.

ar·mis·tice /ˈamɪstɪs/ *οὐσ.* ‹C› ἀνακωχή.

arm·our /ˈamə(r)/ *οὐσ.* ‹U› **1**. πανοπλία: *a suit of ~*, μιά πανοπλία. **2**. θωράκισις. **3**. *(περιλ. οὐσ.)* τά τεθωρακισμένα. **~ed** *ἐπ.* τεθωρακισμένος: *an ~ed car/division*, τεθωρακισμένο ὄχημα/-η μεραρχία. **~er** *οὐσ.* ‹C› ὁπλοποιός.

army /ˈɑmɪ/ *οὐσ.* ‹C› στρατός: *be in the ~*, εἶμαι στό στρατό. *go into/join the ~*, κατατάσσομαι στό στρατό. *an ~ of workers/officials*, στρατιά ἐργατῶν/ὑπαλλήλων. **ˈ~ corps**, Σῶμα Στρατοῦ. **ˈ~ list**, Ἐπετηρίς (τοῦ στρατοῦ).

aroma /əˈrəʊmə/ *οὐσ.* ‹C› *(πληθ. ~s)* ἄρωμα, εὐωδιά: *the ~ of a cigar*, τό ἄρωμα ἑνός πούρου. **aro·matic** /ˌærəˈmætɪk/ *ἐπ.* ἀρωματικός, εὐωδιαστός.

arose /əˈrəʊz/ *ἀόρ. τοῦ ρ. arise.*

around /əˈraʊnd/ *πρόθ. & ἐπίρ.* γύρω ἀπό, περί, τριγύρω, πέριξ: *travel ~ the world*, ταξιδεύω σ' ὅλο τόν κόσμο (κάνω τό γύρο τοῦ κόσμου). *from all ~*, ἀπό παντοῦ ὁλόγυρα. *Take your arm from ~ my waist*, πάρε τό χέρι σου ἀπό τή μέση μου. *I'll be ~ if you should want me*, θά εἶμαι τριγύρω (ἐδῶ κοντά) ἄν τυχόν μέ χρειαστῇς. *He looked ~*, κοίταξε γύρω του.

arouse /əˈraʊz/ *ρ.μ.* ξυπνῶ, διεγείρω, προκαλῶ, κεντρίζω: *~ sb from his sleep*, ξυπνῶ κπ ἀπό τόν ὕπνο του. *~ suspicion*, διεγείρω ὑποψίες. *~ sb's sympathy*, προκαλῶ τή συμπάθεια κάποιου. *~ sb's jealousy*, κεντρίζω τή ζήλεια κάποιου.

ar·raign /əˈreɪn/ *ρ.μ. (νομ.)* καταγγέλλω, ἐγκαλῶ. **~·ment** *οὐσ.* ‹C› καταγγελία.

ar·range /əˈreɪndʒ/ *ρ.μ/ἀ.* **1**. τακτοποιῶ: *~ flowers/books/furniture in a room*, τακτοποιῶ λουλούδια/βιβλία/ἔπιπλα σ' ἕνα δωμάτιο. **2**. κανονίζω: *~ a meeting/a marriage*, κανονίζω μιά συνάντηση/ἕνα γάμο. *We ~d to meet/to pay*, κανονίσαμε νά συναντηθοῦμε/νά πληρώσωμε. *We ~d for John to write it*, κανονίσαμε νά τό γράψη ὁ Γ. **3**. διασκευάζω (μουσική): *a folk-song ~d by M.*, λαϊκό τραγοῦδι διασκευασμένο ἀπό τόν Μ.

ar·range·ment /əˈreɪndʒmənt/ *οὐσ.* ‹C› **1**. τακτοποίησις: *the ~ of furniture in a room*, ἡ τακτοποίησις ἐπίπλων σ' ἕνα δωμάτιο. **2**. ρύθμισις, διευθέτησις: *the ~ of our dispute*, ἡ ρύθμισις (ἡ διευθέτησις) τῆς διαφορᾶς μας. **3**. συμφωνία: *We can come to some sort of ~ over expenses*, μποροῦμε νά καταλήξωμε σέ κάποιο εἶδος συμφωνίας γιά τά ἔξοδα. *The price is a matter of ~*, ἡ τιμή εἶναι θέμα συμφωνίας. **4**. *(πληθ.)* ἑτοιμασίες: *make ~s for a journey*, κάνω ἑτοιμασίες γιά ταξίδι. **5**. *(μουσ.)* διασκευή.

ar·rant /ˈærənt/ *ἐπ.* διαβόητος, τέλειος (γιά κακό): *an ~ liar/rogue/hypocrite*, διαβόητος ψεύτης/παλιάνθρωπος/τέλειος ὑποκριτής. *~ nonsense*, καθαρή ἀνοησία.

ar·ray /əˈreɪ/ *οὐσ.* ‹C,U› **1**. τάξις, παράταξις: *in battle ~*, εἰς τάξιν μάχης. *an ~ of tools*, παράταξις ἐργαλείων. **2**. *(ποιητ.)* στολή: *in full/rich ~*, ἐν μεγάλῃ στολῇ/πλούσια ἐνδεδυμένος. —*ρ.μ.* παρατάσσω, *(ποιητ.)* ἐνδύομαι: *~ troops*, παρατάσσω στρατεύματα. *~ed like a queen*, ἐνδεδυμένη ὡς βασίλισσα.

ar·rears /əˈrɪəz/ *οὐσ. πληθ.* καθυστερούμενα: *~ of wages/of rent*, καθυστερούμενα ἡμερομίσθια/ἐνοίκια. *~ of work/of correspondence*, δουλειά/ἀλληλογραφία πού ἔχει μείνει πίσω. ***be in/fall into ~ (with sth)***, καθυστερῶ, ὀφείλω: *I'm three months in ~ with the rent*, καθυστερῶ τό ἐνοίκιον τριῶν μηνῶν.

ar·rest /əˈrest/ *ρ.μ.* **1**. συλλαμβάνω: *~ a thief*, συλλαμβάνω ἕναν κλέφτη. **2**. προσελκύω: *~ sb's attention*, προσελκύω τήν προσοχή κάποιου. **3**. ἀναχαιτίζω, σταματῶ: *~ the decay of teeth*, σταματῶ τό σάπισμα τῶν δοντιῶν. —*οὐσ.* ‹C› σύλληψις: *You're under ~*, εἶσθε ὑπό κράτησιν. ***put/place sb under ~***, θέτω κπ ὑπό κράτησιν. **~·ing** *ἐπ.* ἐντυπωσιακός, χτυπητός.

ar·ri·val /əˈraɪvl/ *οὐσ.* ‹C› ἄφιξις, ἐρχομός: *There are several new ~s at the hotel*, ἔχομε πολλές νέες ἀφίξεις στό ξενοδοχεῖο. ***on my (his, her, etc) ~***, ἐπί τῇ ἀφίξει μου (του, της, κλπ).

ar·rive /əˈraɪv/ *ρ.ἀ.* **1**. φθάνω, ἀφικνοῦμαι: *~ home/at a hotel/in a town*, φθάνω σπίτι/σέ ξενοδοχεῖο/σέ πόλη. *~ at the age of 40*, φθάνω τά 40. ***~ at a decision/conclusion***, καταλήγω σέ ἀπόφαση/σέ συμπέρασμα. **2**. πετυχαίνω, εἶμαι φτασμένος: *The high prices his paintings fetch prove that he has ~d*, οἱ ψηλές τιμές στίς ὁποῖες πωλοῦνται οἱ πίνακές του ἀποδεικνύουν ὅτι εἶναι φτασμένος.

ar·ro·gant /ˈærəgənt/ *ἐπ.* ἀλαζών, ὑπερόπτης: *speak in an ~ tone*, μιλῶ μέ ἀλαζονικό ὕφος. **ar·ro·gance** /-gəns/ *οὐσ.* ‹U› ἀλαζονία, ὑπεροψία.

ar·row /ˈærəʊ/ *οὐσ.* ‹C› βέλος: *shoot ~s*,

ρίχνω βέλη. **`~-head**, αἰχμή βέλους.

arse /as/ *οὐσ.* ‹C› (λαϊκ.) ὁ πισινός.

ar·senal /`asənl/ *οὐσ.* ‹C› ὁπλοστάσιον.

ar·senic /`asnɪk/ *οὐσ.* ‹U› (*χημ.*) ἀρσενικόν, ποντικοφάρμακο.

ar·son /`asn/ *οὐσ.* ‹U› ἐμπρησμός: *commit ~*, διαπράττω ἐμπρησμόν. *guilty of ~*, ἔνοχος ἐμπρησμοῦ.

[1]**art** /at/ *οὐσ.* ‹C,U› **1**. τέχνη: *a work of ~*, ἔργον τέχνης. *~ for ~'s sake*, ἡ τέχνη γιά τήν τέχνη. *the ~ of war*, ἡ τέχνη τοῦ πολέμου. **the black ~**, ἡ μαύρη μαγεία. **the 'fine `~s**, αἱ καλαί τέχναι. **`~ gallery**, πινακοθήκη. **`~ school**, σχολή τέχνης (ζωγραφικῆς, κλπ). **`~ student**, σπουδαστής τῆς Σχολῆς Καλῶν Τεχνῶν. **2**. πανουργία, τέχνασμα: *Though still fifteen, she knows all the ~s of a woman*, ἄν καί εἶναι ἀκόμη 15 χρονῶν, ξέρει ὅλα τά γυναικεῖα τεχνάσματα. **~·ful** /-fl/ *ἐπ.* πανοῦργος, πονηρός: *as ~ful as a monkey*, πονηρός σά μαϊμοῦ. **~·fully** /-fəlɪ/ *ἐπίρ.* **~·less** *ἐπ.* ἀθῶος, ἀπονήρευτος: *an ~less girl*, ἀπονήρευτο κορίτσι.

[2]**art** /at/ (*ἀπηρχ.*) *β! ἐν. πρόσ. τοῦ ρ. be: thou ~*, ἐσύ εἶσαι.

ar·tery /`atərɪ/ *οὐσ.* ‹C› (*κυριολ.* & *μεταφ.*) ἀρτηρία. **ar·ter·ial** /a`tɪərɪəl/ *ἐπ.* ἀρτηριακός.

ar·tesian /a`tizɪən/ *ἐπ.* ἀρτεσιανός: *an ~ well*, ἀρτεσιανό πηγάδι.

ar·thri·tis /'a`θraɪtɪs/ *οὐσ.* ‹U› ἀρθρῖτις.

ar·ti·choke /`atɪtʃəʊk/ *οὐσ.* ‹C› ἀγγινάρα.

ar·ticle /`atɪkl/ *οὐσ.* ‹C› **1**. ἄρθρον: *an ~ in a newspaper/a leading ~*, ἕνα ἄρθρο σ'ἐφημερίδα/κύριο ἄρθρο. *~ of faith*, ἄρθρον πίστεως. **2**. ἀντικείμενον, ἐμπόρευμα: *toilet ~s*, εἴδη καλωπισμοῦ (τουαλέττας). *~s of clothing*, εἴδη ρουχισμοῦ. **3**. ὅρος, ἄρθρον (σέ συμφωνητικό): *~s of association*, καταστατικόν ἑταιρείας. **4**. **the definite/indefinite ~**, τό ὁριστικόν/ἀόριστον ἄρθρον.

[1]**ar·ticu·late** /a`tɪkjʊlət/ *ἐπ.* **1**. (*γιά ὁμιλία*) εὐκρινής. **2**. (*γιά ἄνθρ.*) σαφής, ἱκανός νά ἐκφράζεται μέ σαφήνεια: *He's not very ~*, δέν μπορεῖ νά ἐκφρασθῆ καλά.

[2]**ar·ticu·late** /a`tɪkjʊleɪt/ *ρ.μ/ἀ.* **1**. ἀρθρώνω, μιλῶ εὐκρινῶς. **2**. συνδέομαι δι'ἀρθρώσεων. **ar·ticu·la·tion** /a`tɪkjʊ`leɪʃn/ *οὐσ.* ‹C,U› ἄρθρωσις: *faulty ~*, κακή ἄρθρωσις, προφορά.

ar·ti·fice /`atɪfɪs/ *οὐσ.* ‹C,U› τέχνασμα, πανουργία, δολιότης.

ar·ti·ficial /'atɪ`fɪʃl/ *ἐπ.* τεχνητός, ψεύτικος: *~ silk/light*, τεχνητό μετάξι/φῶς. *~ respiration/insemination*, τεχνητή ἀναπνοή/γονιμοποίησις. *~ flowers/tears*, ψεύτικα λουλούδια/δάκρυα. **~·ly** /-ʃəlɪ/ *ἐπίρ.* τεχνητά, ψεύτικα.

ar·til·lery /a`tɪlərɪ/ *οὐσ.* ‹U› τό πυροβολικόν. **heavy ~**, βαρύ πυροβολικό. **~ man**, πυροβολητής.

ar·ti·san /'atɪ`zæn/ *οὐσ.* ‹C› τεχνίτης, χειροτέχνης.

ar·tist /`atɪst/ *οὐσ.* ‹C› καλλιτέχνης. **ar·tis·tic** /a`tɪstɪk/ *ἐπ.* καλλιτεχνικός. **ar·tis·try** /`atɪstrɪ/ *οὐσ.* ‹U› καλλιτεχνία, γοῦστο, τέχνη.

ar·tiste /a`tist/ *οὐσ.* ‹C› ἠθοποιός, ἀρτίστα.

as /əz, *ἐμφ.* æz/ *ἐπίρ.* & *σύνδ.* **1**. (*χρον.*) καθώς, ὅταν, ἐνῶ: *~ I was going to school*, καθώς πήγαινα σχολεῖο. **2**. (*αἰτιολ.*) ἀφοῦ, ἐπειδή, μιᾶς καί: *A~ he wasn't ready, I went alone*, ἀφοῦ δέν ἦταν ἕτοιμος, πῆγα μόνος. **3**. (*συγκρ.*) τόσο … ὅσο: *He is ~ tall/He isn't ~/so tall ~ I am*, εἶναι (δέν εἶναι) τόσο ψηλός ὅσο ἐγώ. **~ far ~**, μέχρι, καθόσον: *I'll go ~ far ~ the station*, θά πάω μέχρι τό σταθμό. *~ far ~ I know*, καθόσον (ἀπ'ὅ,τι) γνωρίζω. **~ good ~**, σχεδόν: *He is ~ good ~ dead*, εἶναι σχεδόν πεθαμένος. **~/so long ~**, ἐνόσω, ὑπό τόν ὅρον ὅτι: *You'll never enter this house ~ long ~ I live*, ποτέ δέν θά μπῆς σ'αὐτό τό σπίτι ἐνόσω ζῶ. *You can do what you like ~ long ~ you make no noise*, μπορεῖς νά κάνης ὅ,τι θέλεις ὑπό τόν ὅρο ὅτι δέν θά κάνης θόρυβο. **~ much ~**; **~ many ~**, ὅσο, ὅσα: *I love him ~ much ~ you do*, τόν ἀγαπῶ ὅσο καί σύ. *Take ~ many ~ you like*, πάρε ὅσα θέλεις. **~ soon ~**, ἀμέσως μόλις: *~ soon ~ he arrived*, ἀμέσως μόλις ἔφθασε. **4**. (*ἐνδ.*) μολονότι (*συνήθ. though*), ἄν καί: *Good ~ he is* (*πρβλ. though he is good*), ἄν καί εἶναι καλός. *Much ~ I respect him*, μολονότι τόν σέβομαι πολύ. *Try ~ he would*, μολονότι προσπάθησε. **5**. (*τροπ.*) ὅπως, σάν: *Do ~ I do*, κάνε ὅπως ἐγώ. *He's dressed ~ a woman*, εἶναι ντυμένος σά γυναίκα. *They treat him ~ a servant*, τόν μεταχειρίζονται σάν ὑπηρέτη. *Several countries such ~ England, France, Germany*, πολλές χῶρες ὅπως ἡ (σάν τήν) Ἀγγλία, Γαλλία, Γερμανία. **~ if**; **~ though**, σάν νά: *He talks ~ if he knew all about it*, μιλάει σάν νά τά ξέρη ὅλα. *A~ if you didn't know!* σά νά μήν τό ξέρης! **6**. (*ἀναφ.*) πού (*μετά τίς λέξεις such/same*), ὅπως: *Such people ~ believe in God*, ἐκεῖνοι οἱ ἄνθρωποι πού πιστεύουν στό θεό. *You must show her the same respect (~) you show me*, πρέπει νά τῆς δείχνης τόν ἴδιο σεβασμό πού δείχνεις σέ μένα. *Socrates, ~ you all know, was…*, ὁ Σωκράτης, ὅπως ξέρετε ὅλοι, ἦταν… **7**. **so ~ to**, γιά νά, ὥστε νά: *He stood up so ~ to see better*, σηκώθηκε ὄρθιος γιά νά δῆ καλύτερα. **8**. **~ for**; **~ to**, καθ'ὅσον ἀφορᾶ, ὡς πρός, κι'ὅσο γιά: *A~ for you, I never want to see you here again*, κι'ὅσο γιά σένα, δέν θέλω νά σέ ξαναδῶ ἐδῶ ποτέ. *A~ to your brother*, ὡς πρός τόν ἀδελφό σου. *A~ to accepting their offer*, καθ'ὅσον ἀφορᾶ τήν ἀποδοχήν τῆς προσφορᾶς τους. **9**. **~ well**, ἐπίσης, καί: *I'll buy this ~ well*, θ'ἀγοράσω κι'αὐτό. **10**. **~ much**, ἔτσι, τό ἴδιο, αὐτό: *I thought ~ much*, τό ἴδιο σκέφτηκα κι'ἐγώ (τό σκέφτηκα αὐτό).

as·bes·tos /æs`bestəs/ *οὐσ.* ‹U› ἄσβεστος, ἀμίαντος.

as·cend /ə`send/ *ρ.μ/ἀ.* ἀνέρχομαι, ἀνεβαίνω, ἀνυψοῦμαι: *smoke/a balloon ~ing into the sky*, καπνός/ἀερόστατο πού ἀνεβαίνει στόν οὐρανό. **~ the throne**, ἀνεβαίνω εἰς τόν θρόνον (γίνομαι βασιλεύς).

as·cend·ancy, -ency /ə`sendənsɪ/ *οὐσ.* ‹U› ὑπεροχή, ἐπιρροή: *have/gain ~ over sb*, ἔχω/κερδίζω ὑπεροχή ἔναντι κάποιου.

as·cend·ant, -ent /ə`sendənt/ *οὐσ.* ‹U› (*στή φράση*) **in the ~**, εἰς τήν ἀνιοῦσαν, εἰς ἄνοδον.

as·cen·sion /ə`senʃn/ *οὐσ.* ‹C› ἄνοδος. **the A~**, ἡ Ἀνάληψις (τοῦ Χριστοῦ).

as·cent /ə`sent/ *οὐσ.* ‹C› **1**. ἄνοδος, ἀνάβασις:

make an ~ *in a balloon*, ἀνεβαίνω μέ ἀερόστατο. *The* ~ *of the mountain was easy*, ἡ ἀνάβασις τοῦ βουνοῦ ἦταν εὔκολη. **2**. ἀνηφοριά: *There's a steep* ~ *to the top*, ὑπάρχει ἀπότομη ἀνηφοριά πρός τήν κορυφή.

as·cer·tain /ˈæsəˋteɪn/ *ρ.μ.* ἐξακριβώνω: ~ *the facts*, ἐξακριβώνω τά γεγονότα. *We must* ~ *what time the train arrives*, πρέπει νά ἐξακριβώσωμε τί ὥρα φθάνει τό τραῖνο.

as·cetic /əˋsetɪk/ *ἐπ.* ἀσκητικός: *an* ~ *life*, ἀσκητική ζωή. —*οὐσ.* ‹C› ἀσκητής: *live like an* ~, ζῶ σάν ἀσκητής.

as·cribe /əˋskraɪb/ *ρ.μ.* ἀποδίδω: *He* ~*ed his failure to bad luck*, ἀπέδωσε τήν ἀποτυχία του σέ κακοτυχιά. ~ *a wrong meaning to a word*, ἀποδίδω λανθασμένη ἔννοια σέ μιά λέξη.

[1]**ash** /æʃ/ *οὐσ.* (‹U› *ἤ πληθ.*) στάχτη, τέφρα (ἀποτεφρωθέντος πτώματος): *Don't drop cigarette* ~ *on the carpet*, μή ρίχνης στάχτη τσιγάρου στό χαλί. *burn sth to* ~*es*, ἀποτεφρώνω κτ. **A**~ **Wednesday**, Καθαρή Τετάρτη. **ˋ~-bin; ˋ~-can**, (*ἰδ. ΗΠΑ*) σκουπιδοτενεκές. **ˋ~-pan**, σταχτοδοχεῖο (σόμπας). **ˋ~-tray**, σταχτοδοχεῖο.

[2]**ash** /æʃ/ *οὐσ.* ‹C› (*φυτ.*) μελία.

ashamed /əˋʃeɪmd/ *κατηγ. ἐπ.* ντροπιασμένος: *I'm* ~ *of my behaviour*, ντρέπομαι γιά τή συμπεριφορά μου. *I'm* ~ *of you*, ντρέπομαι γιά σένα (γιά ὅ,τι κάνεις). *I am* ~ *for you*, ντρέπομαι γιά λογαριασμό σου (σά νά ἤμουν ἐγώ στή θέση σου). *I'm* ~ *to tell him*, ντρέπομαι νά τοῦ τό πῶ. *I am* ~ *of telling him/that I told him*, ντρέπομαι πού τοῦ τό εἶπα.

ashen /ˋæʃn/ *ἐπ.* σταχτύς, χλωμός: *His face turned* ~ *at the news*, τό πρόσωπό του χλώμιασε ἀκούγοντας τά νέα.

ashore /əˋʃɔ(r)/ *ἐπίρ.* στήν ξηρά, στήν ἀκτή: *set/put passengers* ~, ἀποβιβάζω ἐπιβάτες. **go** ~, ἀποβιβάζομαι. **run/be driven** ~, ἐξοκέλλω, προσαράσσω.

aside /əˋsaɪd/ *ἐπίρ.* κατά μέρος, παράμερα: *We turned* ~ *from the main road*, ἀφήσαμε τόν κύριο δρόμο. **put/set sth** ~, θέτω κατά μέρος. **stand** ~, στέκομαι παράμερα, παραμερίζω. **take sb** ~, παίρνω κπ κατά μέρος. —*οὐσ.* ‹C› μονόλογος (στό θέατρο).

ask /ask/ *ρ.μ/ἀ.* **1**. παρακαλῶ, ζητῶ: *He* ~*ed me to help him*, μέ παρακάλεσε/μοῦ ζήτησε νά τόν βοηθήσω. *I know I'm* ~*ing too much of you*, ξέρω ὅτι σοῦ ζητάω πολλά. **2**. ρωτῶ: *A*~ *him his name*, ρώτησε τ' ὄνομά του. ~ *a question*, κάνω μιά ἐρώτηση. ~ *the price*, ρωτῶ τήν τιμή. **3**. προσκαλῶ: *They* ~*ed me to dinner*, μέ κάλεσαν σέ γεῦμα. *A* ~ *him in*, κάλεσέ τον μέσα, πές του νά περάση. **4**. ~ **about**, ρωτῶ γιά: *A*~ *him about my books*, ρώτησέ τον γιά τά βιβλία μου. ~ **after sb**, ρωτῶ γιά κπ (γιά τήν ὑγεία του): *Did he* ~ *after me?* ρώτησε γιά μένα (τί κάνω); ~ **for**, ζητῶ: *He* ~*ed for help*, ζήτησε βοήθεια. ~ **for trouble/for it**, (*καθομ.*) πάω γυρεύοντας (γιά φασαρία)/πάω φυρί-φυρί. **for the** ~**ing**, ἀρκεῖ νά τό ζητήσης: *It's yours for the* ~*ing*, εἶναι δικό σου, ἀρκεῖ νά τό ζητήσης.

askance /əˋskans/ *ἐπ.* λοξά: *look* ~ *at sb/sth*, κοιτάζω κπ/κτ λοξά, λοξοκοιτάζω.

askew /əˋskju/ *ἐπίρ.* & *κατηγ. ἐπ.* στραβά: *hang a picture* ~, κρεμῶ μιά εἰκόνα στραβά.

aslant /əˋslant/ *κατηγ. ἐπ.* & *πρόθ.* πλάγια, γερτά: *The rain was falling* ~, ἡ βροχή ἔπεφτε πλαγιαστά.

asleep /əˋslip/ *κατηγ. ἐπ.* κοιμισμένος (*πρβλ. πρό οὐσ. sleeping*, *πχ a sleeping child*, ἕνα κοιμισμένο παιδί): *He was fast* ~, κοιμόταν βαθιά. **fall/drop** ~, ἀποκοιμιέμαι.

as·para·gus /əˋspærəgəs/ *οὐσ.* ‹U› σπαράγγι.

as·pect /ˋæspekt/ *οὐσ.* ‹C› **1**. ὄψις, παρουσιαστικό: *a man of fierce* ~, ἄνθρωπος μέ ἄγρια ὄψη. **2**. θέα, προσανατολισμός: *a house with a southern* ~, σπίτι μέ θέα πρός τό νότο. **3**. ἄποψις, πλευρά: *examine the different* ~*s of a question*, ἐξετάζω τίς διάφορες ἀπόψεις (πλευρές) ἑνός θέματος.

as·per·ity /əˋsperətɪ/ *οὐσ.* ‹C› (*λόγ.*) τραχύτης (τρόπων), δριμύτης (κλίματος), βιαιότης (λόγου): *the asperities of winter in Alaska*, ἡ δριμύτης τοῦ χειμῶνα στήν Ἀλάσκα. *exchange asperities*, ἀνταλλάσσω βίαια λόγια, βαρειές κουβέντες.

as·per·sion /əˋspɜʃn/ *οὐσ.* ‹C› κακολογία, συκοφαντία. **cast** ~**s (up)on sb/sb's honour**, διαδίδω συκοφαντίες σέ βάρος κάποιου/σέ βάρος τῆς τιμῆς του.

as·phalt /ˋæsfælt/ *οὐσ.* ‹U› ἄσφαλτος.

as·phyxi·ate /əsˋfɪksɪeɪt/ *ρ.μ.* προκαλῶ ἀσφυξίαν (*συνήθ. suffocate*). **as·phyxi·ation** /əsˋfɪksɪˋeɪʃn/ *οὐσ.* ‹U› ἀσφυξία.

as·pir·ant /əˋspaɪərnt/ *οὐσ.* ‹C› ~ **(to/after)**, ὑποψήφιος, φιλοδοξῶν νά καταλάβη θέσιν: *an* ~ *to high office*, ὁ φιλοδοξῶν νά καταλάβη ὑψηλά ἀξιώματα.

as·pir·ation /ˈæspɪˋreɪʃn/ *οὐσ.* ‹C› ~ **(for/after sth)/(to do/be sth)**, φιλοδοξία, βλέψις: *youthful* ~*s*, νεανικές φιλοδοξίες.

as·pire /əˋspaɪə(r)/ *ρ.μ.* ~ **(to/after sth)/(to be/do sth)**, φιλοδοξῶ, ποθῶ, ἀποβλέπω σέ κτ: *He* ~*s to be an author*, φιλοδοξεῖ νά γίνη συγγραφεύς. ~ *to fame/after knowledge*, ἀποβλέπω στή δόξα/στή μόρφωση.

as·pirin /ˋæsprɪn/ *οὐσ.* ‹C,U› ἀσπιρίνη.

ass /æs/ *οὐσ.* ‹C› γάϊδαρος. (*καθομ.*) ἀνόητος ἄνθρωπος: *He's a silly* ~, εἶναι ἐντελῶς βλάκας. *Don't be an* ~, μήν εἶσαι βλάκας. **make an** ~ **of oneself**, φέρνομαι γελοῖα, γίνομαι νούμερο.

as·sail /əˋseɪl/ *ρ.μ.* (*λόγ.*) ἐπιτίθεμαι ἐναντίον: ~ *sb with insults*, ἐπιτίθεμαι ἐναντίον κάποιου μέ βρισιές. *be* ~*ed with/by doubts*, μέ καταλαμβάνουν ζωηρές ἀμφιβολίες. ~**·able** /-əbl/ *ἐπ.* εὐσπρόσβλητος. ~**·ant** /-ənt/ *οὐσ.* ‹C› (*νομ.*) ὁ ἐπιτιθέμενος.

as·sas·sin /əˋsæsɪn/ *οὐσ.* ‹C› δολοφόνος.

as·sas·sin·ate /əˋsæsɪneɪt/ *ρ.μ.* δολοφονῶ (*ἰδ. γιά πολιτικούς λόγους*): *President Kennedy was* ~*d in 1963*, ὁ Πρόεδρος Κέννεντυ ἐδολοφονήθη τό 1963. **as·sas·si·na·tion** /əˋsæsɪˋneɪʃn/ *οὐσ.* ‹C› δολοφονία.

as·sault /əˋsɔlt/ *οὐσ.* ‹C› ἔφοδος, ἐπίθεσις: *make an* ~ *on the enemy's positions*, κάνω ἐπίθεση κατά τῶν θέσεων τοῦ ἐχθροῦ. *take by* ~, καταλαμβάνω ἐξ ἐφόδου. *unprovoked* ~, ἀπρόκλητος ἐπίθεσις. *commit an indecent* ~, ἐπιτίθεμαι μέ ἀνήθικους σκοπούς. ~ **and battery**, (*νομ.*) κακοποίησις. —*ρ.μ.* κάνω ἔφοδο, ἐπιτίθεμαι.

as·sem·blage /əˋsemblɪdʒ/ *οὐσ.* ‹C,U› συνάθροισις, συναρμολόγησις.

as·semble /ə`sembl/ *ρ.μ/ἀ.* **1**. συναθροίζω/-ομαι, συγκεντρώνω/-ομαι: *The pupils ~d/ were ~d in the yard*, οἱ μαθητές συναθροίστηκαν στήν αὐλή. **2**. συναρμολογῶ, μοντάρω (μηχανή): *~ a watch*, συναρμολογῶ ρολόϊ.

as·sem·bly /ə`sembli/ *οὐσ.* ‹C› **1**. συνέλευσις: *The National A~*, ἡ Ἐθνοσυνέλευσις. *hold an ~*, συγκαλῶ συνέλευσιν. **2**. συγκέντρωσις, συνάθροισις: *an unlawful ~*, παράνομος συγκέντρωσις. *place of ~*, τόπος συγκεντρώσεως/συναθροίσεως. **3**. συναρμολόγησις. **~-line**, (*σέ ἐργοστάσιο*) τράπεζα συναρμολογήσεως, ἁλυσίδα.

as·sent /ə`sent/ *οὐσ.* ‹C› συγκατάθεσις, συναίνεσις, ἔγκρισις: *give one's ~ to a proposal*, δίνω τή συγκατάθεσή μου σέ μιά πρόταση. ***by common ~***, κατά γενικήν ἀναγνώρισιν. —*ρ.ἀ.* ~ ***to***, συναινῶ, συγκατατίθεμαι: *~ to a proposal*, ἐγκρίνω μιά πρόταση.

as·sert /ə`sɜt/ *ρ.μ.* **1**. ὑποστηρίζω, διακηρύσσω: *I ~ my innocence/that I am innocent*, ὑποστηρίζω τήν ἀθωότητά μου/ὅτι εἶμαι ἀθῶος. **2**. διεκδικῶ, ἐπιβάλλω: *~ one's rights*, διεκδικῶ τά δικαιώματά μου. ***~ oneself***, ἐπιβάλλομαι. **as·ser·tion** /ə`sɜʃn/ *οὐσ.* ‹C› ἰσχυρισμός, διεκδίκησις: *This bears out my ~ion*, αὐτό ἐπιβεβαιώνει (ἀποδεικνύει) τόν ἰσχυρισμό μου. **~·ive** /-ɪv/ *ἐπ.* κατηγορηματικός: *speak in an ~ive tone*, μιλῶ μέ κατηγορηματικό ὕφος.

as·sess /ə`ses/ *ρ.μ.* καταλογίζω, προσδιορίζω (τό ὕψος φόρου, κλπ), ἐκτιμῶ (τήν ἀξίαν), ἀξιολογῶ: *Damages were ~ed at £100*, ἡ ζημιά προσδιωρίσθη (ἐξετιμήθη) σέ 100 λίρες. *~ a situation*, ἐκτιμῶ/ἀξιολογῶ μίαν κατάστασιν. **~·ment** *οὐσ.* ‹C,U› ἐκτίμησις, προσδιορισμός, καταλογισμός (φόρου). **~or** /-sə(r)/ *οὐσ.* ‹C› ἐκτιμητής, ἐφοριακός ἐλεγκτής, (*νομ.*) πραγματογνώμων.

as·set /`æset/ *οὐσ.* ‹C› (*συνήθ. πληθ.*) **1**. περιουσιακόν στοιχεῖον, ἐνεργητικόν ἑταιρίας (*ἀντίθ. liabilities*): *real ~s*, ἀκίνητη περιουσία. **2**. κεφάλαιον, ἀτοῦ: *His knowledge of English is a great ~*, ἡ γνώση του τῆς Ἀγγλικῆς εἶναι μεγάλο ἀτοῦ. *A good teacher is a great ~ to a school*, ἕνας καλός δάσκαλος εἶναι μεγάλο κεφάλαιο γιά ἕνα σχολεῖο.

as·si·du·ity /`æsɪ`djuəti/ *οὐσ.* ‹U› ἐπιμονή, ἐπιμέλεια, προσήλωσις.

as·sidu·ous /ə`sɪdjʊəs/ *ἐπ.* ἐπίμονος, ἐπιμελής: *He is ~ in his courtship/in his duties*, εἶναι ἐπίμονος στό κόρτε του/ἐπιμελής (προσηλωμένος) στά καθήκοντά του. **~·ly** *ἐπίρ.*

as·sign /ə`saɪn/ *ρ.μ.* **1**. ἀναθέτω, δίνω: *~ homework to a class*, ἀναθέτω κατ'οἶκον ἐργασίαν σέ μιά τάξη. *This room was ~ed to me*, αὐτό τό δωμάτιο δόθηκε σέ μένα. **2**. ὁρίζω, καθορίζω, προσδιορίζω: *He ~ed three boys to clean the room*, ὥρισε τρία παιδιά νά καθαρίσουν τό δωμάτιο. *Can we ~ the day for the exams?* μποροῦμε νά ὁρίσωμε τήν ἡμέρα τῶν ἐξετάσεων; *~ the cause/the reasons of an event*, προσδιορίζω τήν αἰτία/τήν ἀφορμή ἑνός γεγονότος. **3**. (*νομ.*) ἐκχωρῶ, μεταβιβάζω: *~ shares/a right*, ἐκχωρῶ μετοχές/ἕνα δικαίωμα. **~·able** /-əbl/ *ἐπ.* ἀποδοτέος, ἐκχωρητέος. **~·ment** *οὐσ.* ‹U› ἀνάθεσις ἐργασίας, προσδιορισμός, μεταβίβασις. ‹C› ἡ ἀνατεθεῖσα ἐργασία, τό μεταβιβασθέν πρᾶγμα.

as·sig·na·tion /`æsɪg`neɪʃn/ *οὐσ.* ‹C› συνάντησις, ραντεβοῦ (*συνήθ. ἐρωτικό*).

as·simi·late /ə`sɪməleɪt/ *ρ.μ/ἀ.* ἀφομοιώνω/-ομαι: *~ knowledge/information/ideas*, ἀφομοιώνω γνώσεις/πληροφορίες/ἰδέες. *food that ~s easily*, τροφή πού ἀφομοιώνεται εὔκολα. *The USA has ~d people from many countries of the world*, αἱ ΗΠΑ ἀφομοίωσαν ἀνθρώπους ἀπό πολλές χῶρες. **as·simi·la·tion** /ə`sɪmə`leɪʃn/ *οὐσ.* ‹U› ἀφομοίωσις.

as·sist /ə`sɪst/ *ρ.μ/ἀ.* ***~ (sb) with sth/in doing sth/to do sth***, βοηθῶ: *A glass of wine ~s digestion*, ἕνα ποτήρι κρασί βοηθάει στή χώνεψη.

as·sis·tance /ə`sɪstəns/ *οὐσ.* ‹U› βοήθεια. ***be of ~ (to sb)***, βοηθῶ κπ. ***come to sb's ~***, σπεύδω εἰς βοήθειαν κάποιου. ***give/lend ~ to sb***, δίνω βοήθεια σέ κπ.

as·sis·tant /ə`sɪstənt/ *οὐσ.* ‹C› βοηθός: *~ to the manager*, βοηθός διευθυντοῦ. **`shop-~**, ὑπάλληλος μαγαζιοῦ.

as·sizes /ə`saɪzɪz/ *οὐσ. πληθ.* ὁρκωτόν δικαστήριον.

as·so·ci·ate /ə`səʊʃɪeɪt/ *ρ.μ/ἀ.* ***~ with***, **1** συσχετίζω, συνδέω: *~ one thing with another*, συσχετίζω ἕνα πρᾶγμα μ'ἕνα ἄλλο. *I always ~ summer with a small island in the Aegean*, πάντα συνδέω τό καλοκαῖρι μ'ἕνα μικρό νησί στό Αἰγαῖο. *I don't wish to ~ myself with what has been said*, δέν θέλω νά ἔχω σχέση μέ ὅ,τι ἐλέχθη. **2**. συνεταιρίζομαι: *~ with sb in an undertaking*, συνεταιρίζομαι μέ κπ σέ μιά ἐπιχείρηση. **3**. συναναστρέφομαι: *Don't ~ with foreigners*, μή συναναστρέφεσαι ξένους.

as·so·ci·ation /ə`səʊʃɪ`eɪʃn/ *οὐσ.* ‹C,U› **1**. ἑταιρεία, σύνδεσμος, ἕνωσις, ὀργάνωσις: *`Parents' A~*, Σύλλογος Γονέων. *the `Young Men's `Christian A~*, ἡ Χ.Α.Ν. *the `Automobile A~*, ἡ Λέσχη Αὐτοκινήτου (ἡ Ἀγγλική ΕΛΠΑ). **deed of ~**, ἑταιρικόν. **2**. συναναστροφή, συνειρμός: *I benefited much from my ~ with him*, ὠφελήθηκα πολύ ἀπό τή συναναστροφή μου μαζί του. *A land full of historic ~s*, χώρα γεμάτη ἱστορικές ἀναμνήσεις. ***the ~ of ideas***, ὁ συνειρμός τῶν ἰδεῶν.

as·son·ance /`æsənəns/ *οὐσ.* ‹U› (*λογοτ.*) παρήχησις.

as·sorted /ə`sɔtɪd/ *ἐπ.* **1**. ποικίλος, ἀνάμικτος: *~ chocolates*, σοκολάτες διαφόρων εἰδῶν. **2**. ταιριαστός: *an `ill-~ couple*, ἀταίριαστο ζευγάρι.

as·sort·ment /ə`sɔtmənt/ *οὐσ.* ‹C› ποικιλία, συλλογή: *This shop has a good ~ of goods*, αὐτό τό μαγαζί ἔχει μεγάλη ποικιλία εἰδῶν.

as·suage /ə`sweɪdʒ/ *ρ.μ.* καταπραΰνω, μετριάζω (πόνον, ἐπιθυμίαν, κλπ).

as·sume /ə`sjum/ *ρ.μ.* **1**. ὑποθέτω, θεωρῶ (ὡς δεδομένον): *Let's ~ that it is so*, ἄς ὑποθέσωμε ὅτι εἶναι ἔτσι. *You ~ his innocence/that he is innocent/him to be innocent*, θεωρεῖς ὡς δεδομένην τήν ἀθωότητά του/ὅτι εἶναι ἀθῶος. *Assuming this to be true*, ἄν ὑποθέσωμε/ἄν δεχθοῦμε ὅτι αὐτό εἶναι ἀλήθεια. **2**. ἀναλαμβάνω, παίρνω: *~ office/the reins of government/full responsibility*, ἀναλαμβάνω ἀξίωμα/τά ἡνία τῆς κυβερνήσεως/πλήρη τήν εὐθύνην. ~ *a new name*, παίρνω καινούργιο ὄνομα. *an ~d name*, ψεύτικο ὄνομα. **3**. προσποιοῦμαι, ὑποκρίνομαι: ~ *a look of innocence*, προσποιοῦμαι/παριστάνω τόν ἀθῶο.

as·sump·tion /əˋsʌmpʃn/ *οὐσ.* ‹C› **1**. ὑπόθεσις, προϋπόθεσις: *Your ~ is quite wrong*, ἡ ὑπόθεσίς σου εἶναι ἐντελῶς ἐσφαλμένη. *He went on the ~ that...*, πῆγε ὑποθέτοντας ὅτι/μέ τήν προϋπόθεση ὅτι... **2**. ~ *of*, ἀνάληψις: *His ~ of the presidency*, ἡ ὑπ' αὐτοῦ ἀνάληψις τῆς προεδρίας. **3**. προσποίησις: *with an ~ of indifference*, κάνοντας τόν ἀδιάφορο. **the A~**, ἡ Κοίμησις τῆς Θεοτόκου.

as·sur·ance /əˋʃuərns/ *οὐσ.* ‹C,U› **1**. (αὐτο) πεποίθησις, σιγουριά: *answer a question with ~*, ἀπαντῶ σέ μιά ἐρώτηση μέ αὐτοπεποίθηση. ***make ~ doubly sure***, γιά περισσότερη σιγουριά. **2**. διαβεβαίωσις: *He gave me a definite ~ that he would come*, μοῦ ἔδωσε κατηγορηματική διαβεβαίωση ὅτι θά ἔλθη. **3**. ἀσφάλεια: *ˋlife ~*, ἀσφάλεια ζωῆς.

as·sure /əˋʃuə(r)/ *ρ.μ.* **1**. διαβεβαιῶ: *I ~ you there is no danger*, σέ διαβεβαιῶ ὅτι δέν ὑπάρχει κίνδυνος. **2**. ἀσφαλίζω, ἐξασφαλίζω: *Nothing can ~ success*, τίποτα δέν μπορεῖ νά ἐξασφαλίση τήν ἐπιτυχία. **as·sured** *ἐπ.* σίγουρος, βέβαιος: *You may rest ~d that...*, μπορεῖτε νά εἶσθε βέβαιος ὅτι... **as·sur·ed·ly** /əˋʃuərɪdlɪ/ *ἐπίρ.* βεβαίως, σίγουρα.

astern /əˋstɜn/ *ἐπίρ.* στήν πρύμνη.

asthma /ˋæsmə/ *οὐσ.* ‹U› ἄσθμα. **~tic** /ˈæsˋmætɪk/ *ἐπ.* ἀσθματικός.

astig·ma·tism /əˋstɪgmətɪzm/ *οὐσ.* ‹U› ἀστιγματισμός. **as·tig·matic** /ˈæstɪgˋmætɪk/ *ἐπ.*

astir /əˋstɜ(r)/ *ἐπίρ.* & *κατηγ. ἐπ.* **1**. ἀνάστατος, στό πόδι: *The whole village was ~*, ὅλο τό χωριό ἦταν στό πόδι/ἀνάστατο. **2**. (*πεπαλ.*) ὄρθιος, σηκωμένος: *You are ~ early this morning*, νωρίς σηκώθηκες σήμερα τό πρωΐ.

as·ton·ish /əˋstonɪʃ/ *ρ.μ.* καταπλήσσω: *He was ~ed at the news*, ἦταν κατάπληκτος ἀπό τά νέα. *I was ~ed to see him*, ἔμεινα κατάπληκτος βλέποντάς τον. *What ~es me is that...*, ἐκεῖνο πού μοῦ κάνει κατάπληξη εἶναι ὅτι... **~·ing** *ἐπ.* ἐκπληκτικός. **~·ment** *οὐσ.* ‹U› κατάπληξις: *To my ~ment I heard him say that...*, μέ κατάπληξη τόν ἄκουσα νά λέη ὅτι... *He looked at me in ~ment*, μέ κοίταξε κατάπληκτος. *My ~ment at seeing him...*, ἡ κατάπληξίς μου καθώς τόν εἶδα...

astound /əˋstaʊnd/ *ρ.μ.* ἐκπλήσσω, ζαλίζω.

astray /əˋstreɪ/ *ἐπίρ.* & *κατηγ. ἐπ.* παραστρατημένος. ***go ~***, ξεστρατίζω, παίρνω τόν κακό δρόμο. ***lead sb ~***, ὁδηγῶ κπ στόν κακό δρόμο, ἀποπλανῶ.

astride /əˋstraɪd/ *ἐπίρ., πρόθ.* & *κατηγ. ἐπ.* ἱππαστί, καβάλλα: *sitting ~ his father's knee*, καβάλλα στό γόνατο τοῦ πατέρα του.

as·trol·ogy /əˋstrolədʒɪ/ *οὐσ.* ‹U› ἀστρολογία. **as·trol·oger** /-ədʒə(r)/ *οὐσ.* ‹C› ἀστρολόγος.

as·tro·naut /ˋæstrənɔt/ *οὐσ.* ‹C› ἀστροναύτης.

as·tron·omy /əˋstronəmɪ/ *οὐσ.* ‹U› ἀστρονομία. **as·tron·omer** *οὐσ.* ‹C› ἀστρονόμος. **as·tro·nomi·cal** /ˈæstrəˋnomɪkl/ *ἐπ.* ἀστρονομικός: *an astronomical sum*, (*καθομ.*) ἀστρονομικό ποσόν.

astute /əˋstjut/ *ἐπ.* καπάτσος, τετραπέρατος, παμπόνηρος: *an ~ businessman/lawyer*, τετραπέρατος ἐπιχειρηματίας/δικηγόρος. **~·ness** *οὐσ.* ‹U› καπατσοσύνη.

asun·der /əˋsʌndə(r)/ *ἐπίρ.* χωριστά: *drive ~*, χωρίζω βίαια. *tear ~*, σκίζω, κάνω κομμάτια.

asy·lum /əˋsaɪləm/ *οὐσ.* ‹C,U› ἄσυλον, καταφύγιον: *ask for political ~*, ζητῶ πολιτικόν ἄσυλον.

at /ət, *ἐμφ:* æt/ *πρόθ.* εἰς: **1**. (*γιά τοπικό σημεῖο*): ~ *home/school/church*, στό σπίτι/στό σχολεῖο/στήν ἐκκλησία. ~ *the office*, στό γραφεῖο. ~ *the theatre*, στό θέατρο. *He was educated ~ Oxford*, σπούδασε στήν Ὀξφόρδη (*πρβλ. He lives in Oxford*). **2**. (*γιά κατεύθυνση*): *look ~ sth*, κοιτάζω κτ. *aim ~ the target*, σκοπεύω στό στόχο. *throw a stone ~ the dog*, πετῶ πέτρα στό σκυλί. ~ *a distance*, σέ ἀπόσταση. **3**. (*γιά χρόνο καί σειρά*): ~ *two o'clock/sunset/dawn/noon*, στίς δύο ἤ ὥρα/τό ἡλιοβασίλεμα/τήν αὐγή/τό μεσημέρι. ~ *midnight*, τά μεσάνυχτα. ~ *Christmas*, τά Χριστούγεννα. ~ *the age of 20*, στήν ἡλικία τῶν 20. ~ *first*, κατά πρῶτον. ~ *last*, ἐπιτέλους. ~ *times*, μερικές φορές. **4**. (*γιά δραστηριότητα*): ~ *work/play*, στή δουλειά/στό παιχνίδι. *good ~ games*, καλός στά παιχνίδια. **5**. (*γιά κατάσταση*): ~ *peace/war*, σέ εἰρήνη/σέ πόλεμο. ~ *leisure*, στή σχόλη (τίς ἐλεύθερες ὧρες). **6**. (*γιά τρόπο*): ~ *a stroke*, μονομιᾶς. ~ *a gallop*, μέ καλπασμό. ~ *a brisk pace*, μέ γοργό βῆμα. **7**. (*γιά ἀξία, ταχύτητα, βαθμό*): ~ *10p a pound*, πρός 10 πέννες τή λίβρα. ~ *a loss/a profit*, μέ ζημιά/μέ κέρδος. ~ *full speed*, ὁλοταχῶς. **8**. (*γιά αἰτία*): *surprised ~ the news*, ἔκπληκτος ἀπό τά νέα. *indignant ~ the delay*, ἀγανακτισμένος ἀπό τήν καθυστέρηση.

ate /eɪt/ *ἀόρ. τοῦ ρ. eat*.

athe·ism /ˋeɪθɪ-ɪzm/ *οὐσ.* ‹U› ἀθεϊσμός. **athe·ist** /ˋeɪθɪ-ɪst/ *οὐσ.* ‹C› ἄθεος. **athe·is·tic** /ˈeɪθɪˋɪstɪk/ *ἐπ.* ἄθεος.

ath·lete /ˋæθlit/ *οὐσ.* ‹C› ἀθλητής. **ath·letic** /æθˋletɪk/ *ἐπ.* ἀθλητικός. **ath·let·ics** *οὐσ. πληθ.* (*μέ ρ. στόν ἑν.*) ἀθλητισμός.

at·mos·phere /ˋætməsfɪə(r)/ *οὐσ.* ‹C,U› ἀτμόσφαιρα: *an ~ of peace*, μιά ἀτμόσφαιρα εἰρήνης. **at·mos·pheric** /ˈætməsˋferɪk/ *ἐπ.* ἀτμοσφαιρικός. **~s** *οὐσ. πληθ.* ἀτμοσφαιρικά παράσιτα ραδιοφώνου.

atoll /ˋætol/ *οὐσ.* ‹C› κοραλλιογενής νῆσος.

atom /ˋætəm/ *οὐσ.* ‹C› (*φυσ. χημ.*) ἄτομον: *~s of hydrogen*, ἄτομα ὑδρογόνου. *not an ~ of truth*, οὔτε ἴχνος ἀληθείας. **atomic** /əˋtomɪk/ *ἐπ.* ἀτομικός. **~ic bomb**, ἀτομική βόμβα. **~ic energy**, ἀτομική ἐνέργεια.

atone /əˋtəʊn/ *ρ.ἀ.* ~ ***(for)***, ἐπανορθώνω, ἐξιλεώνομαι, πληρώνω (γιά σφάλμα): *How can I ~ for hurting your feelings?* πῶς μπορῶ νά ἐξιλεωθῶ πού σᾶς πλήγωσα; **~·ment** *οὐσ.* ‹U› ἐπανόρθωσις, ἐξιλέωσις.

atop /əˋtop/ *ἐπίρ.* ~ ***(of sth)***, στήν κορυφή.

atro·cious /əˋtrəʊʃəs/ *ἐπ.* **1**. φρικαλέος, φρικτός: *an ~ crime*, ἕνα φρικτό ἔγκλημα. **2**. (*καθομ.*) ἀπαίσιος: ~ *weather/an ~ dinner*, ἀπαίσιος καιρός/-ο γεῦμα. **atroc·ity** /əˋtrosətɪ/ *οὐσ.* ‹C› φρικαλεότης: *commit atrocities*, διαπράττω ὠμότητες.

atro·phy /ˈætrəfɪ/ *οὐσ.* ‹U› ἀτροφία. —*ρ.μ/ὰ.* ἀτροφῶ.

at·tach /əˈtætʃ/ *ρ.μ/ὰ.* **1**. ἐπισυνάπτω: ~ *a document to a letter*, ἐπισυνάπτω ἕνα ἔγγραφο σέ ἐπιστολή. *A ~ ed hereto please find a cheque*, (*ἐμπ. ἀλληλ.*) σᾶς ἀποστέλλομεν συνημμένως μίαν ἐπιταγήν. **2**. δένω, προσκολλῶ: ~ *labels to the luggage*, δένω ἐτικέττες στίς ἀποσκευές. ~ *oneself to a group*, προσκολλῶμαι σέ μιά ὁμάδα. **3**. προσδίδω, ἀποδίδω: *Do you ~ much importance to what he says?* ἀποδίδεις μεγάλη σημασία σέ ὅ,τι λέει; **4**. συνδέομαι, συνεπάγομαι: *the advantages ~ ing to his office*, τά πλεονεκτήματα πού συνεπάγεται (πού συνδέονται μέ) τό ἀξίωμά του. **5**. (*νομ.*) κατάσχω: *Part of his salary was ~ ed by his creditors*, τμῆμα τοῦ μισθοῦ του κατεσχέθη ἀπό τούς πιστωτές του. ***be ~ ed to***, (*α*) εἶμαι ἀφοσιωμένος σέ: *I am deeply ~ ed to her*, τῆς εἶμαι πολύ ἀφοσιωμένος, τήν ἀγαπῶ πολύ. (*β*) εἶμαι ἀποσπασμένος (προσωρινῶς): *an official ~ ed to another department*, ὑπάλληλος ἀποσπασμένος σέ ἄλλη ὑπηρεσία. **~·ment** *οὐσ.* ‹C› **1**. προσκόλλησις, ἀγάπη. **2**. κατάσχεσις. **3**. ἐξάρτημα.

at·taché /əˈtæʃeɪ/ *οὐσ.* ‹C› ἀκόλουθος (Πρεσβείας): *the military/naval/press* ~, ὁ στρατιωτικός/ναυτικός ἀκόλουθος/ὁ ἀκόλουθος τύπου. **~ case** /əˈtæʃɪ keɪs/, χαρτοφύλακας.

at·tack /əˈtæk/ *οὐσ.* ‹C› **1**. ἐπίθεσις: *an ~ on the enemy*, ἐπίθεσις κατά τοῦ ἐχθροῦ. *a strong ~ (up)on/against the Government's policy*, μιά βίαιη ἐπίθεσις κατά τῆς πολιτικῆς τῆς Κυβερνήσεως. ***A ~ is the best form of defence***, ἡ ἐπίθεσις εἶναι ἡ καλύτερη ἄμυνα. **2**. κρίσις: *an ~ of fever*, κρίσις πυρετοῦ. *a ˈheart ~*, καρδιακή κρίσις. *a ˈliver ~*, ἠπατική κρίσις. —*ρ.μ.* (*χωρίς πρόθ.*) ἐπιτίθεμαι ἐναντίον, προσβάλλω: ~ *the enemy/a proposal*, ἐπιτίθεμαι ἐναντίον τοῦ ἐχθροῦ/ μιᾶς προτάσεως. *a disease that ~ s children*, ἀρρώστεια πού προσβάλλει τά παιδιά. **~er** *οὐσ.* ‹C› ὁ ἐπιτιθέμενος.

at·tain /əˈteɪn/ *ρ.μ/ὰ.* (*λόγ.*) **1**. ἐπιτυγχάνω, καταφέρνω, πραγματοποιῶ: ~ *one's object*, ἐπιτυγχάνω (καταφέρνω) τό σκοπό μου. ~ *one's hopes*, πραγματοποιῶ τίς ἐλπίδες μου. **2**. ***~ to***, φθάνω, ἀποκτῶ: ~ *to perfection*, φθάνω σέ τελειότητα. ~ *to power/prosperity*, ἀποκτῶ δύναμη/εὐημερία. **~·able** /-əbl/ *ἐπ.* ἐφικτός. **~·ment** *οὐσ.* ‹C› **1**. ἐπίτευξις: *for the ~ ment of his purpose*, διά τήν ἐπίτευξιν τοῦ σκοποῦ του. *easy/difficult/impossible of ~ ment*, εὔκολο/δύσκολο/ἀδύνατο νά ἐπιτευχθῆ. **2**. (*πληθ.*) γνώσεις, ἐπιτεύγματα: *His linguistic ~ ments*, τά γλωσσικά του ἐπιτεύγματα.

at·tempt /əˈtempt/ *ρ.μ.* ἐπιχειρῶ, δοκιμάζω, ἀποπειρῶμαι, προσπαθῶ: *He ~ ed to escape but failed*, ἀποπειράθηκε νά δραπετεύση ἀλλά ἀπέτυχε. ~ *impossibilities*, ἐπιχειρῶ τά ἀκατόρθωτα. *be accused of ~ ed murder*, κατηγοροῦμαι γιά ἀπόπειρα φόνου. —*οὐσ.* ‹C› ἀπόπειρα, προσπάθεια: *make an ~ on sb's life*, κάνω ἀπόπειρα κατά τῆς ζωῆς κάποιου. *give up an ~*, ἐγκαταλείπω μιά προσπάθεια. ***an ~ at sth***, ἀνεπιτυχής ἀπόπειρα σέ κτ. ***an ~ to do sth/at doing sth***, ἀπόπειρα νά κάνω κτ.

at·tend /əˈtend/ *ρ.μ/ὰ* **1**. ***~ to***, προσέχω, ἀσχολοῦμαι μέ: ~ *to one's business/studies*, προσέχω (κοιτάζω) τή δουλειά μου/τίς σπουδές μου. *You are not ~ ing, John!* Γιάννη, δέν προσέχεις! ~ *to customers*, ἀσχολοῦμαι μέ (ἐξυπηρετῶ) τούς πελάτες. *Are you being ~ ed to?* (*σέ μαγαζί*) σᾶς ἐξυπηρετοῦν; **2**. φροντίζω, περιποιοῦμαι: *Which doctor is ~ ing you?* ποιός γιατρός σέ φροντίζει (σέ κουράρει); *She has two servants ~ ing (up)on her*, ἔχει δυό ὑπηρέτες νά τήν περιποιοῦνται. **3**. παρακολουθῶ, πηγαίνω: ~ *school/church*, πηγαίνω στό σχολεῖο/στήν ἐκκλησία. ~ *a lecture/a meeting*, παρακολουθῶ διάλεξη/παρίσταμαι σέ συγκέντρωση. *Which class do you ~?* τί τάξη παρακολουθεῖς; **4**. (*λόγ.*) συνοδεύω: *A plan ~ ed by great difficulties*, σχέδιο συνοδευόμενο ἀπό μεγάλες δυσκολίες.

at·ten·dance /əˈtendəns/ *οὐσ.* ‹C,U› παρακολούθησις, παρουσία (σέ τάξη, συγκέντρωση): *Is ~ at school compulsory?* εἶναι ἡ παρακολούθησις στό σχολεῖο ὑποχρεωτική; *A ~ at church has dropped*, ὁ ἀριθμός τῶν ἐκκλησιαζομένων ἔχει μειωθεῖ. ***be in ~ on sb***, περιποιοῦμαι, ὑπηρετῶ κπ.

at·ten·dant /əˈtendənt/ *οὐσ.* ‹C› ἀκόλουθος, ὑπηρέτης, φύλακας: *The king and his ~ s*, ὁ βασιλεύς καί οἱ ἀκόλουθοί του. *a muˈseum ~*, φύλακας μουσείου. —*ἐπ.* (*λόγ.*) συνεπακόλουθος: *old age and its ~ evils*, τό γῆρας καί τά συνεπακόλουθα κακά του.

at·ten·tion /əˈtenʃn/ *οὐσ.* ‹C,U› **1**. προσοχή: *pay ~ to sb/sth*, προσέχω κπ/κτ. ***A ~!*** (*στρατ. παράγγελμα*) προσοχή! ***call/draw sb's ~ to sth***, ἐπισύρω τήν προσοχή κάποιου σέ κτ. ***stand at ~***, στέκομαι προσοχή. **2**. (*συνήθ. πληθ.*) περιποίησις, φροντίδα, φιλοφρονήσεις: *A car requires daily ~*, ἕνα αὐτοκίνητο χρειάζεται καθημερινή φροντίδα. ***pay one's ~ s to a lady***, (*πεπαλ.*) κορτάρω μιά γυναίκα.

at·ten·tive /əˈtentɪv/ *ἐπ.* ***~ (to)***, προσεχτικός, ἐπιμελής, περιποιητικός: ~ *to one's studies*, ἐπιμελής στίς σπουδές μου. ~ *to one's guests*, περιποιητικός στούς καλεσμένους μου. **~·ly** *ἐπίρ.* προσεχτικά: *listen ~ ly*, ἀκούω προσεχτικά.

at·test /əˈtest/ *ρ.μ/ὰ.* **1**. ἀποδεικνύω καθαρά: *His ability was ~ ed by his rapid promotion*, ἡ ἱκανότης του ἀπεδείχθη ἀπό τήν ταχεῖα προαγωγή του. **2**. ἐπικυρῶ, πιστοποιῶ: ~ *a signature*, ἐπικυρῶ τό γνήσιον ὑπογραφῆς. **3**. καταθέτω ἐνόρκως: *I've said nothing that I am not ready to ~*, δέν εἶπα τίποτα πού νά μήν εἶμαι ἕτοιμος νά καταθέσω ἐνόρκως. **4**. ***~ to***, μαρτυρῶ: *facts ~ ing to his strength of will*, γεγονότα μαρτυροῦντα τή δύναμη τῆς θελήσεώς του.

at·tic /ˈætɪk/ *οὐσ.* ‹C› σοφίτα.

at·tire /əˈtaɪə(r)/ *ρ.μ/ὰ.* (*λογοτ.*) ἐνδύω/-ομαι: *~ d in white*, ἐνδεδυμένη στά λευκά. —*οὐσ.* ‹U› ἐνδυμασία, ἀμφίεσις.

at·ti·tude /ˈætɪtjud/ *οὐσ.* ‹C› στάσις: *a friendly ~*, φιλική στάσις. *an ~ of hostility*, ἐχθρική στάσις. *Your ~ towards me*, ἡ στάσις σου ἀπέναντί μου. *maintain a firm ~*, κρατῶ σταθερή στάση. *in a threatening ~*, σέ ἀπειλητική στάση/ἀπειλητικά. ***strike an ~***, παίρνω πόζα.

at·tor·ney /ə`tɜnɪ/ *οὐσ.* ‹C› πληρεξούσιος. **letter/warrant of ~**, πληρεξούσιο (ἔγγραφον). **power of ~**, πληρεξουσιότης. **District ~**, (*ΗΠΑ*) εἰσαγγελεύς. **A~ General**, (*ΗΠΑ*) Γενικός Εἰσαγγελεύς, Ὑπουργός Δικαιοσύνης.

at·tract /ə`trækt/ *ρ.μ.* **1**. ἕλκω: *A magnet ~s steel*, ὁ μαγνήτης ἕλκει τό ἀτσάλι. **2**. ἑλκύω, προσελκύω: *Bright colours ~ children*, τά ζωηρά χρώματα ἑλκύουν τά παιδιά. *He shouted to ~ attention*, φώναξε γιά νά προσελκύση τήν προσοχή, γιά νά τόν προσέξουν. *I feel ~ed to her*, αἰσθάνομαι ἕλξη/συμπάθεια πρός αὐτήν.

at·trac·tion /ə`trækʃn/ *οὐσ.* ‹C,U› **1**. ἕλξις: *I can't resist the ~ of the sea*, δέν μπορῶ ν'ἀντισταθῶ στήν ἕλξη τῆς θάλασσας. *The cinema has little ~ for me*, τό σινεμά δέν μέ ἑλκύει πολύ. **2**. (*πληθ.*) θέλγητρα: *physical ~s*, σωματικά θέλγητρα. *the ~s of a big city*, τά θέλγητρα μιᾶς μεγάλης πόλεως.

at·trac·tive /ə`træktɪv/ *ἐπ.* ἑλκυστικός: *an ~ girl/price/offer*, ἑλκυστική κοπέλλα/τιμή/προσφορά. **~·ly** *ἐπίρ.*

[1]**at·tri·bute** /ə`trɪbjut/ *ρ.μ.* ***~ to***, ἀποδίδω: *He ~d his success to hard work*, ἀπέδωσε τήν ἐπιτυχία του στή σκληρή δουλειά. *This comedy is ~ed to Aristophanes*, αὐτή ἡ κωμωδία ἀποδίδεται στόν Ἀριστοφάνη. **attributive adjective**, ἐπίθετον προσδιορίζον οὐσιαστικόν, προτασσόμενον οὐσιαστικοῦ (*ἀντίθ. predicative*). **at·tri·bu·table** /-əbl/ *ἐπ.* ἀποδοτέος.

[2]**at·tri·bute** /`ætrɪbjut/ *οὐσ.* ‹C› ἰδιότης, χαρακτηριστικόν γνώρισμα: *Speech is an ~ of man*, ὁ λόγος εἶναι χαρακτηριστικόν τοῦ ἀνθρώπου.

at·tri·tion /ə`trɪʃn/ *οὐσ.* ‹U› τριβή, φθορά: *a war of ~*, πόλεμος φθορᾶς.

at·tuned /ə`tjund/ *ἐπ.* ***~ to***, ἐναρμονισμένος, ταιριαστός, γυμνασμένος: *a policy ~ to popular feeling*, πολιτική ἐναρμονισμένη πρός τό λαϊκόν αἴσθημα. *an ear ~ to every sound*, αὐτί γυμνασμένο νά πιάνη ὅλους τούς ἤχους.

au·ber·gine /`əʊbeʒin/ *οὐσ.* ‹C› μελιτζάνα.

au·burn /`ɔbən/ *ἐπ.* (*γιά μαλλιά*) πυρόξανθος.

auc·tion /`ɔkʃn/ *οὐσ.* ‹C› πλειστηριασμός, δημοπρασία: *sell by ~*, πωλῶ διά δημοπρασίας. *put sth up to/for ~*, βγάζω κτ σέ πλειστηριασμό. __*ρ.μ.* ***~ (sth off)***, ἐκπλειστηριάζω, βγάζω κτ στό σφυρί.

au·da·cious /ɔ`deɪʃəs/ *ἐπ.* **1**. τολμηρός, παράτολμος. **2**. θρασύς.

au·dac·ity /ɔ`dæsətɪ/ *οὐσ.* ‹U› τόλμη, θρασύτης.

aud·ible /`ɔdəbl/ *ἐπ.* ἀκουστός, ἀκουόμενος: *scarcely ~*, μόλις ἀκουόμενος. **aud·ibly** /-əblɪ/ *ἐπίρ.* εὐδιάκριτα.

audi·ence /`ɔdɪəns/ *οὐσ.* ‹C› **1**. ἀκροατήριον, κοινόν: *The ~ listened spellbound*, τό ἀκροατήριο ἄκουγε μαγεμένο. *A novelist and his ~*, ἕνας μυθιστοριογράφος καί τό κοινόν του. **2**. (*λόγ.*) ἀκρόασις: *The Pope granted him an ~*, ὁ Πάπας τοῦ παρεχώρησε ἀκρόασιν. *He was received in ~ by the king*, ἐγένετο δεκτός εἰς ἀκρόασιν παρά τοῦ βασιλέως.

au·dit /`ɔdɪt/ *οὐσ.* ‹C› ἔλεγχος (λογιστικός). __*ρ.μ.* ἐλέγχω (λογιστικά βιβλία). **~or** /-tə(r)/ *οὐσ.* ‹C› **1**. ὁρκωτός λογιστής. **2**. ἀκροατής.

audi·tion /ɔ`dɪʃn/ *οὐσ.* ‹C› **1**. ἀκοή. **2**. δοκιμαστική ἀκρόασις (τραγουδιστοῦ, ἠθοποιοῦ, κλπ).

audi·tor·ium /`ɔdɪ`tɔrɪəm/ *οὐσ.* ‹C› αἴθουσα (συναυλιῶν, θεάτρου, διαλέξεων).

audi·tory /`ɔdɪtrɪ/ *ἐπ.* ἀκουστικός: *~ ability/the ~ organ*, ἀκουστική ἱκανότης/τό ὄργανον ἀκοῆς.

aught /ɔt/ *οὐσ.* ‹U› (*λογοτ.*) τίποτα: *for ~ I know/care*, ἀπ'ὅ, τι ξέρω/καθ'ὅσον μέ ἀφορᾶ.

aug·ment /ɔg`ment/ *ρ.μ/ἀ.* αὐξάνω, ἐπαυξάνω: *~ one's income by doing overtime*, αὐξάνω τό εἰσόδημά μου κάνοντας ὑπερωρίες. **~·a·tion** /`ɔgmen`teɪʃn/ *οὐσ.* ‹C,U› αὔξησις, προσαύξησις.

au·gur /`ɔgə(r)/ *ρ.μ/ἀ.* προοιωνίζομαι, προλέγω: *~ well/ill (for sb or sth)*, προλέγω καλό/κακό (γιά κπ ἤ κτ).

au·gury /`ɔgjʊrɪ/ *οὐσ.* ‹C,U› οἰωνός.

au·gust /ɔ`gʌst/ *ἐπ.* σεπτός, μεγαλοπρεπής.

Au·gust /`ɔgəst/ *οὐσ.* Αὔγουστος.

aunt /ɑnt/ *οὐσ.* ‹C› θεία. **~ie**, **~y**, θείτσα.

au pair /`əʊ `peə(r)/ *ἐπ.* & *οὐσ.* ‹C› (οἰκιακή) βοηθός (*στή ΜΒ*, ξένες σπουδάστριες πού βοηθοῦν μιά οἰκογένεια ἔναντι τροφῆς καί κατοικίας).

aura /`ɔrə/ *οὐσ.* ‹C› φωτοστέφανος, ἀτμόσφαιρα: *an ~ of holiness about sb*, ἀτμόσφαιρα ἁγιότητος γύρω ἀπό κπ.

aur·ora /ɔ`rɔrə/ *οὐσ.* ‹C› (*πληθ.* *~s*) Αὐγή (θεά). **~ borealis**, Βόρειον Σέλας.

aus·pices /`ɔspɪsɪz/ *οὐσ.* *πληθ.* **1**. οἰωνοί: *under favourable ~*, ὑπό καλούς οἰωνούς. **2**. αἰγίς. ***under the ~ of***, ὑπό τήν αἰγίδα τοῦ...

aus·picious /ɔ`spɪʃəs/ *ἐπ.* εὐοίωνος.

aus·tere /ɔ`stɪə(r)/ *ἐπ.* **1**. αὐστηρός (στό ἦθος). **2**. λιτός, ἁπλός: *lead an ~ life*, ζῶ λιτά, ἀσκητικά. **aus·ter·ity** /ɔ`sterətɪ/ *οὐσ.* ‹U› λιτότης, αὐστηρότης.

auth·en·tic /ɔ`θentɪk/ *ἐπ.* αὐθεντικός, γνήσιος (πχ ὑπογραφή, εἴδηση). **auth·en·tic·ity** /`ɔθən`tɪsətɪ/ *οὐσ.* ‹U› αὐθεντικότης, γνησιότης.

author /`ɔθə(r)/ *οὐσ.* ‹C› ὁ συγγραφεύς. **~·ess** /-əs/ *οὐσ.* ‹C› ἡ συγγραφεύς. **~·ship** *οὐσ.* ‹U› **1**. πατρότης (βιβλίου). **2**. συγγραφή, συγγραφικόν ἐπάγγελμα.

auth·ori·tar·ian /ɔ`θɒrɪ`teərɪən/ *ἐπ.* ἀπολυταρχικός: *an ~ regime*, ἀπολυταρχικόν καθεστώς. __*οὐσ.* ‹C› ὀπαδός τοῦ ἀπολυταρχισμοῦ.

auth·ori·ta·tive /ɔ`θɒrɪtətɪv/ *ἐπ.* **1**. ἐπιτακτικός: *in an ~ manner*, μέ ἐπιτακτικό τρόπο. **2**. ἔγκυρος: *an ~ source*, ἔγκυρος πηγή. **3**. ἀξιόπιστος: *~ information*, ἀξιόπιστες πληροφορίες.

auth·or·ity /ɔ`θɒrətɪ/ *οὐσ.* ‹C,U› **1**. ἐξουσία, δικαιοδοσία: *have/exercise ~ over sb*, ἔχω/ἀσκῶ ἐξουσία πάνω σέ κπ. *be under sb's ~*, εἶμαι ὑπό τήν ἐξουσίαν κάποιου. ***have ~ (for sth/to do sth)***, ἔχω δικαιοδοσία γιά κτ/νά κάνω κτ. **2**. (*συνήθ. πληθ.*) ἀρχή, διοικητική ὑπηρεσία: *the Military/City/Municipal Authorities*, οἱ στρατιωτικές/Δημοτικές/Κοινοτικές Ἀρχές. **3**. αὐθεντία, πηγή: *He's an ~ on linguistics*, εἶναι αὐθεντία στή γλωσσολογία. *I have it on good ~*, τό ἔχω (τό γνωρίζω) ἀπό καλή πηγή.

auth·or·ize /ˈɔθəraɪz/ *ρ.μ* ἐξουσιοδοτῶ, ἐγκρίνω: *~ sb to do sth*, ἐξουσιοδοτῶ κπ νά κάνη κτ. *I'm not ~d to do so*, δέν εἶμαι ἁρμόδιος/ἐξουσιοδοτημένος νά τό κάνω. *The payment has not been ~d*, ἡ πληρωμή δέν ἔχει ἐγκριθῆ. **'A~d Version**, ἡ ἐγκεκριμένη μετάφρασις τῆς Βίβλου (εἰς τήν Ἀγγλικήν). **auth·ori·za·tion** /ˈɔθəraɪˈzeɪʃn/ *οὐσ.* ‹U› ἐξουσιοδότησις, ἔγκρισις, ἐντολή. *an authorization in writing*, γραπτή ἐξουσιοδότησις.

auto·bi·ogra·phy /ˈɔtəbaɪˈogrəfɪ/ *οὐσ.* ‹C› αὐτοβιογραφία. **auto·bio·graphic** /ˈɔtəbaɪəˈgræfɪk/, **-graphical** /-ɪkl/ *ἐπ.* αὐτοβιογραφικός.

au·toc·racy /ɔˈtokrəsɪ/ *οὐσ.* ‹C,U› ἀπολυταρχία.

auto·crat /ˈɔtəkræt/ *οὐσ.* ‹C› ἀπόλυτος ἄρχων, Μονάρχης. **~ic** /ˈɔtəˈkrætɪk/ *ἐπ.* ἀπολυταρχικός.

auto·graph /ˈɔtəgraf/ *οὐσ.* ‹C› αὐτόγραφον. —*ρ.μ.* δίνω αὐτόγραφον.

auto·matic /ˈɔtəˈmætɪk/ *ἐπ.* αὐτόματος. —*οὐσ.* ‹C› αὐτόματο (πιστόλι). **~·ally** /-klɪ/ *ἐπίρ.* αὐτομάτως.

auto·ma·tion /ˈɔtəˈmeɪʃn/ *οὐσ.* ‹U› αὐτοματισμός (στήν παραγωγή).

au·toma·ton /ɔˈtomətən/ *οὐσ.* ‹C› (γιά πρόσωπα) αὐτόματο, ρομπότ.

auto·mo·bile /ˈɔtəməbil/ *οὐσ.* ‹C› (*ἰδ. ΗΠΑ*) αὐτοκίνητον.

au·ton·omous /ɔˈtonəməs/ *ἐπ.* αὐτόνομος.

au·ton·omy /ɔˈtonəmɪ/ *οὐσ.* ‹U› αὐτονομία.

au·topsy /ˈɔtopsɪ/ *οὐσ.* ‹C› αὐτοψία.

au·tumn /ˈɔtəm/ *οὐσ.* ‹C› φθινόπωρον, φθινοπωρινός: *in (the) early/late ~*, στίς ἀρχές/στά τέλη τοῦ φθινοπώρου.

aux·ili·ary /ɔgˈzɪlɪərɪ/ *ἐπ.* βοηθητικός.

avail /əˈveɪl/ *ρ.μ/ὰ.* (*λόγ.*) ὠφελῶ, βοηθῶ: *Money doesn't ~ in the desert*, τά χρήματα δέν ὠφελοῦν στήν ἔρημο. ***~ oneself of***, ἐπωφελοῦμαι ἀπό: *We must ~ ourselves of this opportunity*, πρέπει νά ἐπωφεληθοῦμε ἀπ' αὐτή τήν εὐκαιρία. —*οὐσ.* ‹U› ὄφελος, χρησιμότης. ***of no/little ~***, δέν ὠφελεῖ/ἐλάχιστα ὠφελεῖ: *His intervention was of no ~*, ἡ ἐπέμβασίς του δέν ὠφέλησε (δέν ἔφερε ἀποτέλεσμα). **~·able** /-əbl/ *ἐπ.* διαθέσιμος: *~able funds*, διαθέσιμα κεφάλαια. *Are there any tickets ~able?* ὑπάρχουν διαθέσιμα εἰσιτήρια;

av·a·lanche /ˈævəlanʃ/ *οὐσ.* ‹C› χιονοστιβάδα: *an ~ of letters/questions*, (*μεταφ.*) βροχή ἐπιστολῶν/ἐρωτήσεων.

avant-garde /ˈævɔ̃ˈgad/ *οὐσ.* ‹U› προφυλακή, πρωτοπορία.

av·ar·ice /ˈævərɪs/ *οὐσ.* ‹U› φιλαργυρία.

av·ar·icious /ˈævəˈrɪʃəs/ *ἐπ.* φιλάργυρος.

avenge /əˈvendʒ/ *ρ.μ* ἐκδικοῦμαι γιά: *~ an insult*, ἐκδικοῦμαι γιά μιά προσβολή. *He ~d his father's death (up)on the murderer*, ἐκδικήθηκε τό φονηᾶ γιά τό θάνατο τοῦ πατέρα του. ***~ oneself on sb for sth***, παίρνω ἐκδίκηση ἀπό κπ γιά κτ.

av·enue /ˈævənju/ *οὐσ.* ‹C› λεωφόρος.

aver /əˈvɜ(r)/ *ρ.μ.* (*-rr-*) (*ἀπηρχ.*) διαβεβαιῶ.

av·er·age /ˈævərɪdʒ/ *οὐσ.* ‹C› μέσος ὅρος. ***above/below ~***, ἄνω/κάτω τοῦ μέσου ὅρου. ***on (an/the) ~***, κατά μέσον ὅρον. —*ἐπ.* μέσος, μέτριος: *the ~ age/temperature*, ἡ μέση ἡλικία/θερμοκρασία. —*ρ.μ/ὰ.* ἀναλογῶ, κάνω κατά μέσον ὅρον: *I ~ ten hours of work every day*, ἐργάζομαι (κάνω) κατά μέσον ὅρον δέκα ὧρες τήν ἡμέρα.

averse /əˈvɜs/ *ἐπ.* ἐνάντιος. ***be ~ to/from sth/doing sth***, ἀντιτίθεμαι, ἀπεχθάνομαι: *He's ~ to hard work/to working hard*, ἀπεχθάνεται τή σκληρή δουλειά. **aver·sion** /əˈvɜʃn/ *οὐσ.* ‹C› ἀποστροφή, ἀπέχθεια, ἀντιπάθεια: *have/feel an aversion to sth/to doing sth*, ἀπεχθάνομαι κτ/νά κάνω κτ. *He took an aversion to me*, μέ ἀντιπάθησε.

avert /əˈvɜt/ *ρ.μ.* **1**. ***~ from***, ἀποστρέφω (τό βλέμμα, τή σκέψη) ἀπό κτ. **2**. ἀποτρέπω (κίνδυνον), διαλύω (ὑποψίες), ἀποσοβῶ (δυστύχημα).

avi·ation /ˈeɪvɪˈeɪʃn/ *οὐσ.* ‹U› ἀεροπορία: *civil ~*, πολιτική ἀεροπορία.

avi·ator /ˈeɪvɪeɪtə(r)/ *οὐσ.* ‹C› ἀεροπόρος.

avid /ˈævɪd/ *ἐπ.* ***~ for***, ἄπληστος, ἀχόρταγος: *~ for fame/for applause*, ἀχόρταγος γιά φήμη/γιά χειροκροτήματα. **~·ity** /əˈvɪdətɪ/ *οὐσ.* ‹U› ἀπληστία. **~·ly** *ἐπίρ.* ἀχόρταγα, διακαῶς.

avoid /əˈvɔɪd/ *ρ.μ.* ἀποφεύγω: *~ danger/an accident/a person*, ἀποφεύγω τόν κίνδυνο/ἕνα ἀτύχημα/ἕναν ἄνθρωπο. *~ meeting/seeing sb*, ἀποφεύγω νά συναντήσω/νά δῶ κπ. **~·able** /-əbl/ *ἐπ.* ἀποφευκτός. **~·ance** /-əns/ *οὐσ.* ‹U› ἀποφυγή: *~ance of bad companions/of taxation*, ἀποφυγή κακῶν συναναστροφῶν/φορολογίας.

avow /əˈvaʊ/ *ρ.μ.* ἀναγνωρίζω, ὁμολογῶ: *~ a fault*, ἀναγνωρίζω ἕνα σφάλμα. *He ~ed himself Christian*, ὁμολόγησε ὅτι ἦταν χριστιανός. **~al** /-əl/ *οὐσ.* ‹C,U› ὁμολογία: *make an ~al*, προβαίνω σέ ὁμολογία, ὁμολογῶ. **~·ed·ly** /-ɪdlɪ/ *ἐπίρ.* ὁμολογουμένως.

await /əˈweɪt/ *ρ.μ.* περιμένω, ἀναμένω: *Let's ~ events/his instructions*, ἄς περιμένωμε τήν ἐξέλιξη τῶν γεγονότων/τίς οδηγίες του. *Death ~s all men*, ὁ θάνατος περιμένει ὅλους τούς ἀνθρώπους.

awake /əˈweɪk/ *ρ.ὰ.* ἀνώμ. (*ἀόρ. awoke* /əˈwəʊk/, *π.μ. awoke, ~d*) **1**. ξυπνῶ: *He awoke to find himself famous*, ξύπνησε διάσημος (ἀπό τή μιά μέρα στήν ἄλλη). **2**. ***~ to***, ἀντιλαμβάνομαι: *You must ~ to the fact that...*, πρέπει νά ἀντιληφθῆς τό γεγονός ὅτι... *He awoke to the danger when...*, ἀντελήφθη τόν κίνδυνο ὅταν... —*κατηγ. ἐπ.* ξύπνιος: *Is he asleep or ~?* εἶναι κοιμισμένος ἤ ξύπνιος; ***be ~ to***, ἀντιλαμβάνομαι, ἔχω ἐπίγνωση: *He's ~ to his own interests*, ἀντιλαμβάνεται ποιό εἶναι τό συμφέρον του.

awaken /əˈweɪkən/ *ρ.μ/ὰ.* (*προτιμᾶται τοῦ ρ. awake ὅταν χρησιμοποιεῖται ὡς ρ.μ. μεταφορικῶς*) ξυπνῶ: *~ sb to a sense of his responsibility*, κάνω κπ νά ἀντιληφθῆ ὅτι ἔχει εὐθύνη. **~·ing** *οὐσ.* ‹U› ἀφύπνισις.

award /əˈwɔd/ *ρ.μ.* ἀπονέμω, ἐπιδικάζω: *He was ~ed the Nobel Prize*, τοῦ ἀπενεμήθη τό Βραβεῖον Νόμπελ. *The judge ~ed her £100 as damages*, ὁ δικαστής τῆς ἐπεδίκασε 100 λίρες ὡς ἀποζημίωσιν. —*οὐσ.* ‹C› βραβεῖον, ἐπιδίκασις, ἐπιχορήγησις (σπουδαστοῦ).

aware /ə`weə(r)/ *κατηγ. ἐπ.* ἐνήμερος. ***be ~ (of/that)***, ἀντιλαμβάνομαι. *Are you ~ of the danger/that you are risking your life?* ἀντιλαμβάνεσθε τόν κίνδυνο/ὅτι διακινδυνεύετε τή ζωή σας; *You aren't ~ (of) how deeply you have hurt me*, δέν ἀντιλαμβάνεσαι, δέν ἔχεις συναίσθηση πόσο βαθειά μέ πλήγωσες. **~·ness** *οὐσ.* ‹U› ἀντίληψις, συναίσθησις.

away /ə`weı/ *ἐπίρ.* **1**. μακρυά: *far ~*, πέρα μακρυά, μακρυά ἀπό δῶ. *The sea is two miles ~*, ἡ θάλασσα ἀπέχει δύο μίλια. *He is ~*, λείπει. *Don't look ~!* μήν κοιτᾶς ἀλλοῦ! *He galloped ~*, ἔφυγε καλπάζοντας. **2**. (*σέ φράσεις μέ τήν πρόθ. with*): *A~ with it!* πάρτο ἀπό δῶ! *A~ with you!* φύγετε! δρόμο! *A~ with care!* ἔξω οἱ ἔγνοιες! **3**. *μέ τήν ἔννοια "συνεχῶς"*: *He was laughing/muttering/grumbling ~ all afternoon*, γελοῦσε/μουρμούριζε/γκρίνιαζε συνεχῶς ὅλο τό ἀπόγευμα. **4**. (*γιά νά δείξῃ "βαθμιαία μείωση ἤ ἐξαφάνιση"*): *The water boiled ~*, τό νερό σώθηκε βράζοντας. *The sound of music died ~*, ὁ ἦχος τῆς μουσικῆς ἔσβυσε σιγά-σιγά. **5**. ***far and ~; out and ~***, ἀσυγκρίτως, ἀσυζητητί: *This is far and ~ the best*, εἶναι ἀσυζητητί τό καλύτερο. ***right/straight ~***, ἀμέσως.

awe /ɔ/ *οὐσ.* ‹U› & *ρ.μ.* δέος, προκαλῶ δέος: *a feeling of ~*, αἴσθημα δέους. *They were ~d into silence*, ἐσιώπησαν μέ δέος (ἔντρομοι). **`~some** /-səm/, **`~-inspiring** *ἐπ.* πού προκαλεῖ δέος.

aw·ful /`ɔfl/ *ἐπ.* φοβερός, τρομερός: *an ~ death/nuisance*, φοβερός θάνατος/μπελᾶς. *What ~ weather!* τί ἀπαίσιος καιρός!

aw·fully /`ɔflı/ *ἐπίρ.* φοβερά, πάρα πολύ: *I'm ~ sorry*, λυπᾶμαι πάρα πολύ.

awhile /ə`waıl/ *ἐπίρ.* (γιά) λίγο: *stay ~*, μεῖνε λίγο.

awk·ward /`ɔkwəd/ *ἐπ.* **1**. ἄβολος, ὄχι εὔχρηστος ἤ κατάλληλος: *an ~ time*, ἄβολη (ἀκατάλληλη) ὥρα. *an ~ tool*, δύσχρηστο ἐργαλεῖο. **2**. ἀδέξιος, ἀνεπιτήδιος, ἄχαρος: *He is ~ with his hands*, εἶναι ἀδέξιος στά χέρια. ***an ~ customer***, ζόρικος τύπος. **3**. στενόχωρος, ἀμήχανος: *an ~ silence/pause*, στενόχωρη (γεμάτη ἀμηχανία) σιωπή/παύση. **~·ly** *ἐπίρ.* ἀδέξια, ἀμήχανα.

awl /ɔl/ *οὐσ.* ‹C› σουβλί (τοῦ τσαγκάρη).

awn·ing /`ɔnıŋ/ *οὐσ.* ‹C› τέντα (καταστήματος, ὀχήματος, κλπ).

awoke /ə`wəuk/ *ἀόρ. τοῦ ρ. awake.*

awry /ə`raı/ *ἐπ.* στραβά: *Our plans have gone ~*, τά σχέδιά μας στράβωσαν.

axe /æks/ *οὐσ.* ‹C› (*πληθ.* *~s* /`æksız/) τσεκούρι. ***have an ~ to grind***, (*μεταφ.*) ἔχω προσωπικό συμφέρον σέ κτ.

axiom /`æksıəm/ *οὐσ.* ‹C› |(*μαθημ.* & *φιλοσ.*) ἀξίωμα. **~atic** /'æksıə`mætık/ *ἐπ.* προφανής, ἀναμφισβήτητος.

axis /`æksıs/ *οὐσ.* ‹C› (*πληθ.* *axes* /`æksiz/) ἄξων: *The earth turns on its ~*, ἡ γῆ στρέφεται περί τόν ἄξονά της.

axle /`æksl/ *οὐσ.* ‹C› ἄξων τροχοῦ.

ay, aye /aı/ *ἐπιφ.* ναί! *the '~s' and the 'nos'*, τά "ναί" καί τά "ὄχι" (σέ μιά ψηφοφορία).

azure /`æʒə(r)/ *ἐπ.* & *οὐσ.* ‹U› γαλανός, (χρῶμα) κυανοῦν, γαλάζιο: *an ~ sky*, γαλανός οὐρανός.

B b

B, b /bi/ (*πληθ.* *b's* /biz/) **1**. τό δεύτερο γράμμα τοῦ ἀλφάβητου. **2**. (*μουσ.*) ἡ νότα σί.

baa /ba/ *ρ.ἀ.* & *οὐσ.* ‹C› βελάζω, βέλασμα.

babble /`bæbl/ *ρ.μ/ἀ.* **1**. φλυαρῶ (σά μωρό). **2**. (*γιά ρυάκι*) κελαρύζω. **3**. ξεφουρνίζω: *~ (out) nonsense/a secret*, ξεφουρνίζω ἀνοησίες/ἕνα μυστικό. —*οὐσ.* ‹U› φλυαρία, βουή (συγκεχυμένες ὁμιλίες), κελάρυσμα. **~r** *οὐσ.* ‹C› φλύαρος, ἀκριτόμυθος.

babe /beıb/ *οὐσ.* ‹C› **1**. (*λογοτ.*) νήπιο. **2**. (*λαϊκ. ΗΠΑ*) μωρό, μπεμπέκα (νέα γυναίκα).

babel /`beıbl/ *οὐσ.* ‹U› βαβέλ, χάβρα: *The Tower of B~*, ὁ Πύργος τῆς Βαβέλ. *What a ~!* τί χάβρα!

ba·bcon /bə`bun/ *οὐσ.* ‹C› μεγάλος πίθηκος.

baby /`beıbı/ *οὐσ.* ‹C› μωρό, νήπιο: *a '~ `boy*, μπέμπης. *a '~ `girl*, μπέμπα. ***(be left) holding/carrying the ~***, μοῦ τή φορτώνουν (μιά ἄχαρη δουλειά). **`~-sit** *ρ.ἀ.* φυλάω νήπια. **`~ sitter**, φύλαξ νηπίων. **`~-sitting**, φύλαξις νηπίων. **`~·hood** /-hud/ *οὐσ.* ‹U› νηπιακή ἡλικία. **~·ish** *ἐπ.* νηπιώδης, μωρουδίστικος: *~ish behaviour*.

bac·cha·nal /`bækənæl/ *ἐπ.* βακχικός. —*οὐσ.* ‹C› μέθυσος, ὀργιαστής, βακχικόν ὄργιον.

bach·elor /`bætʃələ(r)/ *οὐσ.* ‹C› ἀνύπαντρος ἄνδρας (*θηλ. spinster*): *an old ~*, γεροντοπαλλήκαρο. *B~ of Arts/Science* (**B A** καί **B Sc**), πτυχιοῦχος θεωρητικῶν/θετικῶν ἐπιστημῶν.

ba·cil·lus /bə`sıləs/ *οὐσ.* ‹C› (*πληθ.* *-cilli* /-`sılaı/) βάκιλλος.

[1]**back** /bæk/ *οὐσ.* ‹C› πλάτη, ράχη, τό πίσω μέρος: *lie/fall on one's ~*, ξαπλώνω/πέφτω ἀνάσκελα. *at the ~ of the house*, στό πίσω μέρος τοῦ σπιτιοῦ. *sit in the ~ of a car*, κάθομαι πίσω σέ αὐτοκίνητο. *the ~ of a chair/hand*, ἡ πλάτη τῆς καρέκλας/ἡ ράχη τοῦ χεριοῦ. ***be glad to see the ~ of sb***, χαίρομαι νά δῶ κπ νά φεύγῃ. ***be with/have one's ~ to the wall***, εἶμαι στριμωγμένος, σέ δύσκολη θέση. ***break the ~ of sth***, τελειώνω τό μεγαλύτερο μέρος (πχ μιᾶς δουλειᾶς). ***break sb's ~***, πεθαίνω κπ στή δουλειά. ***get off sb's ~***, παύω νά εἶμαι βάρος σέ κπ. ***have sb at one's ~***, ἔχω τίς πλάτες κάποιου: *He has father at his ~*, ἔχει τίς πλάτες τοῦ πατέρα. ***put/get sb's ~ up***, θυμώνω, τσαντίζω κπ. ***put one's ~ into sth***, πέφτω μέ τά μοῦτρα (σέ μιά δουλειά). ***turn one's ~ on sb***, γυρίζω τήν πλάτη σέ

κπ. ***behind sb's ~***, πίσω ἀπό τήν πλάτη κάποιου, πίσω του.

[2]**back** /bæk/ *ἐπίρ.* πίσω: *Stand ~!* κάνετε πίσω! *Is he ~?* γύρισε; *Put it ~ on the shelf*, ξαναβάλε το στό ράφι! *hit ~*, ἀνταποδίδω χτύπημα. ***answer ~***, ἀντιμιλῶ. ***go ~ on one's word***, ἀνακαλῶ, παίρνω πίσω τό λόγο μου. ***have/get one's own ~ on sb***, ἐκδικοῦμαι κπ.

[3]**back** /bæk/ *ρ.μ/ἀ.* **1**. κάνω ὄπισθεν: *He ~ed out of the garage*, βγῆκε ἀπό τό γκαράζι μέ τήν ὄπισθεν. **2**. βρίσκομαι πίσω ἀπό: *Our house ~s theirs*, τό σπίτι μας είναι πίσω ἀπό τό δικό τους. **3**. ὑποστηρίζω: *~ a friend in a quarrel*, ὑποστηρίζω φίλο σέ φιλονικία. *~ a horse*, στοιχηματίζω (ποντάρω) σ'ἕνα ἄλογο. *~ a plan/sb up*, ὑποστηρίζω ἕνα σχέδιο/κπ μέ κάθε τρόπο. ***~ down*** *(from a claim, etc)*, ἐγκαταλείπω (ἀξίωση, κλπ), ὑποχωρῶ. ***~ out*** *(of)*, ἀθετῶ, ὑπαναχωρῶ: *He promised to help and then ~ed out*, ὑποσχέθηκε νά βοηθήση κι'ἔπειτα ὑπαναχώρησε. **~er** *οὐσ.* ‹C› ὑποστηρικτής, παίκτης (στόν ἱππόδρομο). **~·ing** *οὐσ.* ‹U› ὑποστήριξις.

[4]**back** /bæk/ *κατηγ. ἐπ. καί ὡς a! συνθετικό λέξεων* **`~·ache**, ὀσφυαλγία, πόνος στή μέση. **`~·bite** *ρ.μ.* κακολογῶ κπ πίσω του. **`~·bone**, ἡ σπονδυλική στήλη. ***to the ~-bone***, ὡς τό κόκκαλο: *He's British to the ~bone*. **`~-breaking** *ἐπ.* ἐξαντλητικός (ἐργασία, κλπ). **'~·`date (to)** *ρ.μ.* ἀνατρέχω, ἔχω ἀναδρομική ἰσχύ (ἀπό). **'~·`fire** *ρ.ἀ.* ἐκρήγνυμαι πρόωρα, *(μεταφ.)* ἔχω ἀπροσδόκητο ἤ ἀνεπιθύμητο ἀποτέλεσμα. **`~-ground**, βάθος (εἰκόνος ἤ σκηνῆς), φόντο: *In the ~ground you can see...*, στό βάθος μπορεῖτε νά δῆτε... *against a dark ~ground*, σέ σκοτεινό φόντο. *the ~ ground of a question*, ἡ προϊστορία (οἱ λεπτομέρειες) ἑνός ζητήματος. **'~-`hand(ed)** *ἐπ.* ἀνάποδος: *a ~hand blow*, μιά ἀνάποδη (καρπαζιά). **`~·lash**, ἀντίδρασις. **`~·log**, σωρός καθυστερημένης δουλειᾶς. **'~·`number**, παληό τεῦχος (περιοδικοῦ), ὀπισθοδρομικός ἄνθρωπος. **`~·pay/taxes**, καθυστερούμενοι μισθοί/φόροι. **'~-'seat `driver**, ἐπιβάτης αὐτοκινήτου πού ἐπιμένει νά συμβουλεύη τόν ὁδηγό. **'~-`stairs**, σκάλα ὑπηρεσίας. **`~·street**, φτωχός συνοικιακός δρόμος. **`~·water**, λιμνάζοντα νερά.

back·gam·mon /`bækgæmən/ *οὐσ.* ‹U› τάβλι.

back·ward /`bækwəd/ *ἐπ.* **1**. πρός τά πίσω: *a ~ glance/movement*, ματιά/κίνησις πρός τά πίσω. **2**. καθυστερημένος, βραδύς, νωθρός: *a ~ country/boy*, καθυστερημένη χώρα/-ο παιδί. **~s** *ἐπίρ.* πρός τά πίσω: *look/walk ~s*, κοιτάζω/περπατῶ πρός τά πίσω. ***know sth ~s***, ξέρω κτ ἀπέξω κι'ἀνακατωτά.

bacon /`beikən/ *οὐσ.* ‹U› καπνιστό χοιρινό, μπέϊκον. ***save one's ~***, *(καθομ.)* σώζω τό τομάρι μου, τή γλυτώνω.

bac·ter·ium /bæk`tiəriəm/ *οὐσ.* ‹C› *(πληθ. -ria /-riə/)* βακτηρίδιον, μικρόβιον. **bac·teri·ol·ogist** /bæk'tiəri`olədʒist/ *οὐσ.* ‹C› μικροβιολόγος. **bac·teri·ol·ogy** /bæk'tiəri`olədʒi/ *οὐσ* ‹U› μικροβιολογία.

bad /bæd/ *ἐπ.* *(worse /wɜs/, worst /wɜst/)* κακός, ἄσχημος, δυσάρεστος: *a ~ tooth*, ἕνα χαλασμένο δόντι. *a ~ blunder/mistake*, ἄσχημη γκάφα/-ο λάθος. *~ news*, δυσάρεστα νέα. ***be ~ for***, κάνω κακό, βλάπτω: *Smoking is ~ for the health*, τό κάπνισμα κάνει κακό στήν ὑγεία. ***be in a ~ way***, εἶμαι ἄρρωστος, σέ δύσκολη θέση. ***feel ~***, νοιώθω ἄσχημα, δέν νοιώθω καλά. ***act in ~ faith***, ἐνεργῶ ἀνέντιμα. ***be a ~ egg/lot/hat***, *(πεπαλ. λαϊκ.)* εἶμαι χαμένο κορμί. ***go ~***, *(γιά τρόφιμα)* χαλῶ. ***go from ~ to worse***, πηγαίνω ἀπ'τό κακό στό χειρότερο. ***call sb ~ names***, βρίζω κπ. ***not ~; not so ~; not half so ~***, ἀρκετά καλός. ***with ~ grace***, μέ ἀπροθυμία. ***a ~ shot***, λανθασμένη εἰκασία. **~·ly** *ἐπίρ.* ἄσχημα, πάρα πολύ: *treat sb ~ly*, μεταχειρίζομαι κπ ἄσχημα. *I want it ~ly*, τό θέλω πάρα πολύ. ***~ly off***, σέ κακή οἰκονομική κατάσταση. ***~ly made***, κακοφτιαγμένος. *—οὐσ.* ‹U› τό κακό: ***take the ~ with the good***, καί τά καλά καί τά κακά δεχούμενα. ***go to the ~***, παίρνω τόν κακό δρόμο.

bade /beid/ *ἀόρ. τοῦ ρ. bid.*

badge /bædʒ/ *οὐσ.* ‹C› σῆμα, διακριτικόν γνώρισμα, σύμβολον: *a policeman's ~*, σῆμα ἀστυνομικοῦ. *Chains are a ~ of slavery*, οἱ ἁλυσίδες εἶναι σύμβολο τῆς σκλαβιᾶς.

badger /`bædʒə(r)/ *οὐσ.* ‹C› ἀσβός. *—ρ.μ.* ἐνοχλῶ, σκοτίζω: *~ sb with questions*, σκοτίζω κπ μέ ἐρωτήσεις. ***~ sb into doing sth***, ἀναγκάζω κπ (μέ συνεχεῖς ὀχλήσεις) νά κάνη κτ.

baffle /`bæfl/ *ρ.μ.* **1**. φέρω εἰς ἀμηχανίαν: *This question ~d me*, αὐτή ἡ ἐρώτηση μ'ἔφερε σέ ἀμηχανία. **2**. ἐμποδίζω, ματαιώνω: *~ the enemy's plans*, ματαιώνω τά σχέδια τοῦ ἐχθροῦ.

bag /bæg/ *οὐσ.* ‹C› τσάντα, σάκκος, σακκούλα. *a 'paper `~*, χαρτοσακκούλα. ***a ~ of bones***, πετσί καί κόκκαλο. ***be in the ~***, *(καθομ.)* ἔχω κτ στήν τσέπη, στά σίγουρα: *The election is in the ~*, ἔχομε τήν ἐκλογή στήν τσέπη, τήν ἔχομε σίγουρη. ***have ~s under one's eyes***, *(καθομ.)* ἔχω σακκοῦλες κάτω ἀπό τά μάτια. ***let the cat out of the ~***, μοῦ ξεφεύγει ἕνα μυστικό. ***pack one's ~s***, ἑτοιμάζω τίς ἀποσκευές μου. **~·man** /-mən/, *(καθομ.)* πλασιέ. **~·pipes**, γκάϊδα. *—ρ.μ. (-gg-)* **1**. βάζω σέ σακκί: *~ up wheat*, βάζω στάρι σέ σακκιά. **2**. *(καθομ.)* βουτάω, ἁρπάζω: *Who has ~ged my matches?* ποιός βούτηξε τά σπίρτα μου; *~ the best seats*, ἁρπάζω (καταλαμβάνω) τίς καλύτερες θέσεις. **3**. σακκουλιάζω: *trousers that ~ at the knees*, παντελόνι πού κάνει σακκοῦλες στά γόνατα. **~gy** /`bægi/ *ἐπ. (-gier, -giest) (γιά ροῦχα, δέρμα)* σακκουλιασμένος.

bag·gage /`bægidʒ/ *οὐσ.* ‹U› **1**. ἀποσκευές: *My ~ is here*, οἱ ἀποσκευές μου εἶναι ἐδῶ. **2**. *(καθομ.)* κατεργάρα, τσαχπίνα: *You little ~!* τσαχπινούλα!

[1]**bail** /beil/ *οὐσ.* ‹U› χρηματική ἐγγύησις γιά προσωρινή ἀποφυλάκιση: *be out on ~*, βγαίνω μέ ἐγγύηση. *A judge may grant/refuse ~*, ἕνας δικαστής μπορεῖ νά χορηγήση/νά ἀρνηθῆ προσωρινήν ἀποφυλάκισιν ἐπί ἐγγυήσει. ***go/put in/stand ~ for sb***, καταθέτω ἐγγύηση γιά κπ. *—ρ.μ.* ***~ sb out***,

βγάζω κπ μέ ἐγγύηση.

[2]**bail** /beɪl/ ρ.μ. βγάζω νερά ἀπό βάρκα: ~ *the boat out*; ~ *water out*.

bail·iff /ˋbeɪlɪf/ οὐσ. ‹C› δικαστικός κλητήρας, ἐπιστάτης κτήματος.

bait /beɪt/ οὐσ. ‹C› (*κυριολ.* & *μεταφ.*) δόλωμα: *The fish took/swallowed/rose to the* ~, τό ψάρι ἔχαψε τό δόλωμα. —*ρ.μ.* **1**. δολώνω: ~ *a hook*, δολώνω ἀγκίστρι. **2**. παρενοχλῶ, βασανίζω: ~ *a chained animal*, βασανίζω δεμένο ζῶο. **3**. ταΐζω (ἄλογο).

baize /beɪz/ οὐσ. ‹U› τσόχα.

bake /beɪk/ ρ.μ/ἀ. ψήνω/-ομαι: ~ *bread/cakes*, ψήνω ψωμί/γλυκά. *ground* ~*d by the sun*, ἔδαφος ψημένο (ξεραμένο) ἀπό τόν ἥλιο. ***half-*~*d***, μισοψημένος, (*καθομ.*) χαζός: *half-*~*d ideas*, χαζές ἰδέες. *a half-*~*d prophet*, προφήτης τῆς κακιᾶς ὥρας. **~r** *οὐσ.* ‹C› ἀρτοποιός, φούρναρης. ***a ~r's dozen***, δεκατρία. **bak·ery** /ˋbeɪkərɪ/ οὐσ. ‹C› ἀρτοποιεῖον.

bal·ance /ˋbæləns/ οὐσ. ‹C› **1**. ζυγαριά, πλάστιγγα: *a spring* ~, ζυγαριά μ' ἐλατήριο, κανταράκι. ***be/hang in the ~***, εἶμαι ἀβέβαιος: *His fate is in the* ~, ἡ τύχη του εἶναι ἀβεβαία. **2**. ἰσορροπία: ***keep/lose one's ~***, διατηρῶ/χάνω τήν ἰσορροπία μου. ***throw sb off (his) ~***, κάνω κπ νά χάση τήν ἰσορροπία του. **3**. ἰσοζύγιον, ἰσολογισμός. ***~ of payments***, ἰσοζύγιον (ἐξωτερικῶν) πληρωμῶν. ***~ of trade***, ἐμπορικόν ἰσοζύγιον. ***strike a ~***, ἐπιτυγχάνω μιά ἐξισορρόπιση. ***on ~***, ἐν συνόλῳ, λαμβάνοντες ὑπ' ὄψιν καθετί. **ˋ~-sheet**, φύλλον ἰσολογισμοῦ. **4**. ὑπόλοιπον: ~ *due*, χρεωστικόν ὑπόλοιπον. —*ρ.μ/ἀ.* **1**. ζυγίζω, (*μεταφ.*) σταθμίζω. **2**. ἰσορροπῶ: ~ *(oneself) on one foot*, ἰσορροπῶ στό ἕνα πόδι. **3**. ἰσοσκελίζω/-ομαι: ~ *the budget*, ἰσοσκελίζω τόν προϋπολογισμό.

bal·cony /ˋbælkənɪ/ οὐσ. ‹C› μπαλκόνι, (*σέ θέατρο*) ἐξώστης.

bald /bɔld/ ἐπ. *(-er, -est)* **1**. φαλακρός: **ˋ~-head**; **ˋ~-pate**, φαλάκρα. **2**. (*μεταφ.*) γυμνός, ξηρός: *a* ~ *statement of facts*, μιά ξηρά ἀφήγησις τῶν γεγονότων. **~·ly** *ἐπίρ.* ἁπλᾶ, ξηρά. **~·ness** *οὐσ.* ‹U› φαλακρότης.

bal·der·dash /ˋbɔldədæʃ/ οὐσ. ‹U› ἀνοησίες, τρίχες.

bale /beɪl/ οὐσ. ‹C› μπάλλα (μέ βαμβάκι, μαλλί, κλπ): *goods in* ~*s*, ἐμπορεύματα σέ μπάλλες. —*ρ.μ.* **~ out**, ρίχνομαι, πέφτω μέ ἀλεξίπτωτο.

balk /bɔk/ ρ.μ/ἀ. **1**. ματαιώνω, χαλῶ (τά σχέδια κάποιου). **2**. ἐμποδίζω, κόβω τό δρόμο σέ κπ. **3**. ~ ***(at)***, κωλώνω, δειλιάζω: *The horse* ~*ed at the high hedge*, τό ἄλογο κώλωσε μπροστά στόν ψηλό φράχτη. *He* ~*ed at the expense*, δείλιασε μπροστά στά ἔξοδα.

ball /bɔl/ οὐσ. ‹C› **1**. μπάλλα: *a ˋsnow*~, χιονόμπαλλα. *a ˋmeat*~, κεφτές. *a* ~ *of string*, κουβάρι σπάγγος. *a ˋcannon-*~, ὀβίδα. ***have the ~ at one's feet***, μοῦ προσφέρεται ἡ εὐκαιρία. ***The ~ is with you/in your court***, εἶναι ἡ σειρά σου (νά κάνης μιά κίνηση, νά μιλήσης). ***keep the ~ rolling***, συντηρῶ τή συζήτηση ἤ τό παιχνίδι. ***start/set the ~ rolling***, κάνω ἀρχή, δίνω τήν πρώτη ὤθηση. **ˈ~-ˋbearing**, ρουλεμάν. **ˋ~-pen**; **ˈ~point-ˋpen**, στυλό διαρκείας. **2**. χορός, μπάλλος: *a ˋ~-dress*, φόρεμα χοροῦ.

bal·lad /ˋbæləd/ οὐσ. ‹C› μπαλλάντα.

bal·last /ˋbæləst/ οὐσ. ‹U› (*ναυτ.*) ἕρμα, σαβούρα, (*μεταφ.*) σταθερότης, ψυχική ἰσορροπία.

bal·ler·ina /ˈbæləˋrinə/ οὐσ. ‹C› μπαλλαρίνα.

bal·let /ˋbæleɪ/ οὐσ. ‹C,U› μπαλλέτο.

bal·lis·tic /bəˋlɪstɪk/ ἐπ. βλητικός: *intercontinental* ~ *missiles*, διηπειρωτικοί πύραυλοι.

bal·loon /bəˋlun/ οὐσ. ‹C› ἀερόστατο, μπαλλόνι.

bal·lot /ˋbælət/ οὐσ. ‹C› **1**. σφαιρίδιον, ψηφοδέλτιον. **2**. μυστική ψηφοφορία: *take a* ~, κάνω ψηφοφορία. **ˋ~-box**, ψηφοδόχος, κάλπη. —*ρ.ἀ.* ψηφίζω.

bally·hoo /ˈbælɪˋhu/ οὐσ. ‹U› **1**. θορυβώδης διαφήμισις, προπαγάνδα. **2**. σαματᾶς, σάλος.

balm /bam/ οὐσ. ‹U› (*κυριολ.* & *μεταφ.*) βάλσαμο. —*ρ.μ.* βαλσαμώνω. **~y** *ἐπ.* *(-ier, -iest)* **1**. (*γιά ἀέρα*) μυρωμένος, γλυκός. **2**. πραΰντικός.

bal·us·ter /ˋbæləstə(r)/ οὐσ. ‹C› κάγκελο (σκάλας).

bal·us·trade /ˈbæləˋstreɪd/ οὐσ. ‹C› κιγκλίδωμα (σκάλας).

bam·boo /ˈbæmˋbu/ οὐσ. ‹C,U› μπαμποῦ (ἰνδικό καλάμι).

bam·boozle /bæmˋbuzl/ ρ.μ. (*καθομ.*) ἀπατῶ, ξεγελῶ, τή σκάω σέ κπ: *You can't* ~ *me*, δέν μπορεῖς νά μοῦ τή σκάσης ἐμένα!

ban /bæn/ οὐσ. ‹C› ἀπαγόρευσις: *under a* ~, ὑπό ἀπαγόρευσιν. —*ρ.μ.* *(-nn-)* ἀπαγορεύω: ~ *a book*, ἀπαγορεύω τήν κυκλοφορία ἑνός βιβλίου.

banal /bəˋnal/ ἐπ. κοινός, χυδαῖος. **~·ity** /bəˋnælətɪ/ οὐσ. ‹U› κοινοτοπία, χυδαιότης.

ba·nana /bəˋnanə/ οὐσ. ‹C› μπανάνα.

band /bænd/ οὐσ. ‹C› **1**. στεφάνι (βαρελιοῦ), κορδέλλα (καπέλλου), λωρίς, ταινία, περιβραχιόνιο. **2**. συμμορία, παρέα: *a* ~ *of robbers/revellers*, συμμορία ληστῶν/παρέα γλεντζέδων. **3**. ὀρχήστρα: *a ˋdance-*~, ὀρχήστρα χοροῦ. **ˋ~·master**, ἀρχιμουσικός. **ˋ~·stand** /-stænd/, ὑπαίθρια ἐξέδρα ὀρχήστρας. **ˋ~·wagon**, ἅρμα μουσικῶν. ***jump on the ~wagon***, ἀκολουθῶ τό ρεῦμα, πάω μέ τούς νικητές. —*ρ.μ.* συνασπίζομαι: *They* ~*ed together to protest*, ἑνώθηκαν γιά νά διαμαρτυρηθοῦν.

ban·dage /ˋbændɪdʒ/ οὐσ. ‹C› ἐπίδεσμος. —*ρ.μ.* ἐπιδένω (πληγή).

ban·dit /ˋbændɪt/ οὐσ. ‹C› ληστής.

bandy /ˋbændɪ/ ρ.μ. ἀνταλλάσσω (λόγια, ἀστεῖα, πειράγματα, κλπ), διαδίδω (ἱστορίες). ***have one's name bandied about***, μέ συζητᾶνε, μέ κουτσομπολεύουν. —*ἐπ.* (*γιά πόδια*) στραβός: ~*-legged*, στραβοκάνης.

bane /beɪn/ οὐσ. ‹U› **1**. (*ὡς β! συνθ.*) δηλητήριο, φαρμάκι: *ˋrat's-*~, ποντικοφάρμακο. **2**. (*λογοτ.*) ὄλεθρος, καταστροφή: *Drink was the* ~ *of his life*, τό ποτό ἦταν ἡ καταστροφή του. **~·ful** /-fl/ ἐπ. ὀλέθριος: ~*ful influence*, ὀλέθρια ἐπιρροή. **~·fully** /-fəlɪ/ *ἐπίρ.*

bang /bæŋ/ οὐσ. ‹C› βίαιο χτύπημα, χτύπος, μπάμ!: *a* ~ *on the head*, χτύπημα στό κεφάλι. *shut the door with a* ~, κλείνω τήν πόρτα μέ κρότο. ***go off with a ~***, ἔχω μεγάλη ἐπιτυχία (γιά παράσταση, πάρτυ, κλπ). —*ρ.μ/ά.* **1**. χτυπῶ: ~ *on/at the door*, χτυπῶ δυνατά τήν πόρτα. ~ *one's fist on the table*, χτυπῶ τή γροθιά μου στό τραπέζι. **2**. σκάω, ἐκπυρσοκροτῶ, κάνω κτ μέ θόρυβο: *The fireworks ~ed*, τά πυροτεχνήματα ἔσκαζαν μέ θόρυβο.

bangle /ˋbæŋgl/ *οὐσ.* ‹C› βραχιόλι.

ban·ish /ˋbænɪʃ/ *ρ.μ.* ~ ***(from)***, **1**. ἐξορίζω: ~ *sb from a country*. **2**. διώχνω: ~ *an idea from one's head*, διώχνω (βγάζω) μιά ἰδέα ἀπό τό κεφάλι μου. **~·ment** *οὐσ.* ‹U› ἐξορία: *go into ~ment*, πάω ἐξορία.

ban·is·ters /ˋbænɪstəz/ *οὐσ. πληθ.* κάγκελα (σκάλας).

[1]**bank** /bæŋk/ *οὐσ.* ‹C› **1**. ὄχθη ποταμοῦ, ἀνάχωμα, ἀκτή. **2**. ὄγκος, στρῶμα (νεφῶν, χιονιοῦ, ὁμίχλης). —*ρ.μ/ά.* ~ ***up***, μαζεύομαι/φτιάχνω σωρό: *The snow ~ed up*, τό χιόνι μαζεύτηκε σωρό. ~ *up a fire*, σκεπάζω φωτιά μέ στάχτη (γιά νά σιγοκαίη).

[2]**bank** /bæŋk/ *οὐσ.* ‹C› **1**. (*ἐμπ.*) τράπεζα: *have money in the ~*, ἔχω λεφτά στήν τράπεζα. *a ˋ~ clerk*, τραπεζιτικός ὑπάλληλος. ˋ**~ ˋholiday**, ἀργία: *Easter Monday is a ~ holiday*, ἡ Δευτέρα τοῦ Πάσχα εἶναι ἀργία. ˋ**~·note**, τραπεζογραμμάτιο. ˋ**~-rate**, προεξοφλητικός τόκος. **2**. (*στή χαρτοπαιξία*) μπάνκα. —*ρ.μ/ά.* **1**. καταθέτω (σέ τράπεζα): ~ *with sb*, ἔχω κπ ὡς τραπεζίτην. **2**. ***~ on sb or sth***, ποντάρω, στηρίζω τίς ἐλπίδες μου σέ: *I'm ~ing on your help*, ὑπολογίζω (ποντάρω) στή βοήθειά σου. **~er** *οὐσ.* ‹C› τραπεζίτης.

bank·rupt /ˋbæŋkrʌpt/ *οὐσ.* ‹C› & *ἐπ.* (*ἐμπ.*) πτωχεύσας: ***go ~***, πτωχεύω. ~ ***in/of***, ἐντελῶς ἐστερημένος: *a government ~ of/in ideas*, κυβέρνησις ἐστερημένη ἰδεῶν.

bank·ruptcy /ˋbæŋkrəpsɪ/ *οὐσ.* ‹C,U› πτώχευσις.

ban·ner /ˋbænə(r)/ *οὐσ.* ‹C› λάβαρο, σημαία, πλακάτ: *the ~ of freedom*, τό λάβαρο τῆς ἐλευθερίας. ***~ headline***, πηχυαῖος τίτλος σέ ἐφημερίδα.

banns /bænz/ *οὐσ. πληθ.* ἀγγελία μέλλοντος γάμου στήν ἐκκλησία: *call/publish/put up one's ~*, ἀναγγέλλω τό γάμο μου. ***forbid the ~***, ἀντιτίθεμαι στήν τέλεση γάμου.

ban·quet /ˋbæŋkwɪt/ *οὐσ.* ‹C› συμπόσιον, μεγαλοπρεπές γεῦμα.

ban·tam /ˋbæntəm/ *οὐσ.* ‹C› κόκκορας (νανοειδής).

ban·ter /ˋbæntə(r)/ *οὐσ.* ‹U› ἀστεϊσμός, χαριτολόγημα. —*ρ.μ/ά.* πειράζω, κάνω ἀστεῖα, χαριτολογῶ.

bap·tism /ˋbæptɪzm/ *οὐσ.* ‹U› (*κυριολ.* & *μεταφ.*) βάπτισμα: *a soldier's ~ of fire*, τό βάπτισμα πυρός ἑνός στρατιώτη. **~al** /bæpˋtɪzml/ *ἐπ.* βαπτιστικός.

bap·tize /bæpˋtaɪz/ *ρ.μ.* βαπτίζω.

[1]**bar** /bɑ(r)/ *οὐσ.* ‹C› **1**. ράβδος, κάγκελο, ἀμπάρα, πλάκα: *an iron ~*, λοστός. *behind prison ~s*, πίσω ἀπό τῆς φυλακῆς τά σίδερα. *fasten a gate with a ~*, κλείνω πόρτα μέ ἀμπάρα. *a ~ of soap/chocolate/gold*, πλάκα σαπούνι/σοκολάτα/ράβδος χρυσοῦ. **2**. ἐμπόδιο, φραγμός: *a ~ to economic development*, ἐμπόδιο (φραγμός) στήν οἰκονομική ἀνάπτυξη. *be/set a ~ against sth*, εἶμαι ἐμπόδιο/θέτω φραγμό σέ κτ. **3**. ἑδώλιο. ***the prisoner at the ~***, ὁ κατηγορούμενος. **4**. δικηγορικόν ἐπάγγελμα/-ό σῶμα/-ός σύλλογος. ***be called to the ~***, γίνομαι/διορίζομαι δικηγόρος. **the B~ Council**, τό Συμβούλιον Δικηγορικοῦ Συλλόγου. **5**. μπάρ. ˋ**~·man/maid**, σερβιτόρος/-α σέ μπάρ. **6**. (*μουσ.*) μέτρον, μπάρα.

[2]**bar** /bɑ(r)/ *ρ.μ.* *(-rr-)* **1**. ἀμπαρώνω, κλείνω. ~ *a door/the way*, ἀμπαρώνω πόρτα/κλείνω τό δρόμο. **2**. ἀπαγορεύω, ἀποκλείω: ~ *smoking in the classroom*, ἀπαγορεύω τό κάπνισμα στήν τάξη. ~ *sb from a competition*, ἀποκλείω κπ ἀπό ἕναν διαγωνισμό. **~·ring** *πρόθ.* ἐξαιρέσει, ἐκτός: *We'll arrive at noon, ~ing accidents*, θά φθάσωμε τό μεσημέρι, ἐκτός ἀτυχήματος. ~ ***none***, μηδενός ἐξαιρουμένου. ~ ***one***, ἐξαιρέσει ἑνός.

barb /bɑb/ *οὐσ.* ‹C› ἀκίς, ἀγκίδι (ἄγκιστρου, βέλους, κλπ). **~ed wire**, ἀγκαθωτό σύρμα, συρματόπλεγμα.

bar·bar·ian /bɑˋbeərɪən/ *οὐσ.* ‹C› βάρβαρος. **bar·baric** /bɑˋbærɪk/ *ἐπ.* βαρβαρικός. **bar·bar·ism** /ˋbɑbərɪzm/ *οὐσ.* ‹U› βαρβαρισμός. **bar·bar·ity** /bɑˋbærətɪ/ *οὐσ.* ‹C,U› βαρβαρότης, σκληρότης. **bar·bar·ous** /ˋbɑbərəs/ *ἐπ.* βάρβαρος, σκληρός.

bar·be·cue /ˋbɑbɪkju/ *οὐσ.* ‹C› **1**. ψησταριά. **2**. ψητό στή σοῦβλα. **3**. πανηγύρι (στό ὕπαιθρο μέ ψητά).

bar·ber /ˋbɑbə(r)/ *οὐσ.* ‹C› κουρέας. **~'s shop**, κουρεῖον.

bard /bɑd/ *οὐσ.* ‹C› βάρδος, ποιητής.

[1]**bare** /beə(r)/ *ἐπ.* *(-r, -st)* **1**. γυμνός, ἀπογυμνωμένος: ~ *to the waist*, γυμνός ὥς τή μέση. ~ *trees/mountains*, γυμνά δέντρα/βουνά. *a ~ room/a room ~ of furniture*, γυμνό δωμάτιο/δωμάτιο γυμνό ἀπό ἔπιπλα. ***lay ~***, ἀποκαλύπτω. ˋ**~·faced** *ἐπ.* ἀδιάντροπος, ξετσίπωτος: *It's ~faced robbery*, εἶναι καθαρή ληστεία. ˋ**~·back** *ἐπίρ.* (*γιά ἄλογο*) ξεσέλλωτος: *ride ~back*, καβαλλῶ ἄλογο χωρίς σέλλα. ˋ**~·foot; ˈ~·ˋfooted** *ἐπίρ./ἐπ.* ξυπόλητος: *go/walk ~foot*, γυρίζω ξυπόλητος. *~footed children*, ξυπόλητα παιδιά. ˈ**~·ˋheaded**, ξεσκούφωτος. ˈ**~·ˋlegged**, ξεκάλτσωτος. **2**. ἐλάχιστος, μόλις: *a ~ majority*, ἐλαχίστη πλειοψηφία. *earn a ~ living*, μόλις κερδίζω τά πρός τό ζῆν. *I shudder at the ~ idea of it*, τρέμω καί μόνον πού τό σκέπτομαι. **~·ly** *ἐπίρ.* μόλις, σχεδόν καθόλου, ἐλάχιστα: *I ~ly know him*, ἐλάχιστα τόν γνωρίζω. *He's ~ly thirty*, εἶναι μόλις 30 ἐτῶν.

[2]**bare** /beə(r)/ *ρ.μ.* γυμνώνω, ἀποκαλύπτω. ***~ one's head***, βγάζω τό καπέλλο. ***~ one's heart***, ἀνοίγω τήν καρδιά μου. ***~ one's teeth***, δείχνω τά δόντια μου (ἀπειλητικά).

[1]**bar·gain** /ˋbɑgɪn/ *οὐσ.* ‹C› **1**. συμφωνία (ἀγοραπωλησίας), παζάρι, παζάρεμα: *It's a ~*, σύμφωνοι! *A ~ is a ~*, ἡ συμφωνία εἶναι συμφωνία (πρέπει νά τηρῆται). ***drive a hard ~***, κάνω ἄγριο παζάρι. ***make/strike a ~ (with sb) (over sth)***, κλείνω συμφωνία μέ κπ γιά κτ. ***a good/bad ~***, καλή/κακή δουλειά. ***into the ~***, ἐπιπλέον: *He's stupid into the ~*, ἐπιπλέον εἶναι καί βλάκας! **2**. εὐκαιρία: *a ~ price*, τιμή εὐκαιρίας. *It's a real ~*, εἶναι πραγματική εὐκαιρία (πολύ φτηνό).

[2]**bar·gain** /ˋbɑgɪn/ *ρ.μ/ά.* **1**. ***~ with sb***

*(**about/over sth**)*, παζαρεύω μέ κπ γιά κτ. *It's more than I ~ed for*, (*καθομ.*) δέν τό περίμενα (*ἐνν.* νά τά βρῶ τόσο σκοῦρα). **2.** συμφωνῶ, θέτω ὅρον: *The men ~ed that they should not have to do overtime*, οἱ ἐργάτες ἔθεσαν ὡς ὅρον νά μήν κάνουν ὑπερωρίες. ~ ***away***, ξεπουλῶ: ~ *away one's freedom*, ξεπουλῶ τήν ἐλευθερία μου.

barge /badʒ/ *οὐσ.* ‹C› φορτηγίς, μαούνα. —*ρ.ἀ.* ~ ***into/against (sb or sth)***, πέφτω ἐπάνω σέ κπ ἤ σέ κτ. ~ ***in/into***, μπαίνω ἀπρόσκλητος, διακόπτω: ~ *into a conversation*, χώνομαι σέ μιά συζήτηση.

bar·gee /baˋdʒi/ *οὐσ.* ‹C› μαουνιέρης, βαρκάρης. ***swear like a ~***, βρίζω σάν καρροτσιέρης.

bari·tone /ˋbærɪtəun/ *οὐσ.* ‹C› βαρύτονος.

¹**bark** /bak/ *οὐσ.* ‹U› φλούδα, φλοιός. —*ρ.μ.* ξεφλουδίζω.

²**bark** /bak/ *οὐσ.* ‹C› γαύγισμα. ***His ~ is worse than his bite***, περισσότερο γαυγίζει παρά δαγκώνει. —*ρ.μ/ἀ.* γαυγίζω, (*μεταφ.*) μιλῶ μέ ξερό τόνο: *The dog ~s at strangers*, ὁ σκύλος γαυγίζει τούς ξένους. ~ *out an order*, δίνω διαταγή μέ ξερό τόνο. ~ ***at the moon***, κυνηγῶ τά ἀδύνατα. ~ ***up the wrong tree***, τά βάζω ἄδικα μέ κπ.

bar·ley /ˋbalɪ/ *οὐσ.* ‹U› κριθάρι. ˋ**~-sugar**, καραμέλλα, κάντιο.

barm /bam/ *οὐσ.* ‹U› προζύμι, μαγιά.

barmy /ˋbamɪ/ *ἐπ.* *(-ier, -iest)* (*καθομ.*) παλαβός.

barn /ban/ *οὐσ.* ‹C› (σιτ)αποθήκη.

bar·nacle /ˋbanəkl/ *οὐσ.* ‹C› στρειδι, πεταλίδα, (*μεταφ.*) κολλητσίδα, τσιμπούρι.

ba·rom·eter /bəˋromɪtə(r)/ *οὐσ.* ‹C› βαρόμετρον. **baro·met·ric** /ˈbærəˋmetrɪk/ *ἐπ.* βαρομετρικός.

baron /ˋbærən/ *οὐσ.* ‹C› βαρῶνος, μεγιστάν: *ˋoil ~s*, μεγιστᾶνες τοῦ πετρελαίου. **~·ess** /-nes/ *οὐσ.* ‹C› βαρώνη. **~et** /-nɪt/ *οὐσ.* ‹C› βαρωνέτος (τίτλος εὐγενείας μεταξύ ἱππότου καί βαρώνου). **bar·ony** *οὐσ.* ‹C› βαρωνεία.

ba·roque /bəˋrok/ *ἐπ.* & *οὐσ.* ‹U› (*τεχνοτροπία*) μπαρόκ.

bar·rack /ˋbærək/ *οὐσ.* ‹C› (*συνήθ. πληθ.*) στρατώνας. —*ρ.μ/ἀ.* γιουχαΐζω (πχ σέ γήπεδο).

bar·rage /ˋbæraʒ/ *οὐσ.* ‹C› φράγμα (σέ ποτάμι), φράγμα πυρός.

bar·rel /ˋbærəl/ *οὐσ.* ‹C› **1.** βαρέλι. **2.** κάννη ὅπλου. ***double-~led*** *ἐπ.* δίκαννος. **3.** θήκη μελάνης (σέ στυλό). ˋ**~-organ**, λατέρνα.

bar·ren /ˋbærən/ *ἐπ.* στεῖρος, ἄγονος, ἄκαρπος: *a ~ woman/animal/mind*, στεῖρα γυναίκα/-ο ζῶο/μυαλό. ~ *soil/earth*, ἄγονο χῶμα/-η γῆ. *a ~ tree/effort/attempt*, ἄκαρπο δέντρο/-η προσπάθεια/ἀπόπειρα. ~ ***of***, χωρίς: *a mind ~ of ideas*, μυαλό χωρίς ἰδέες.

bar·ri·cade /ˋbærɪkeɪd/ *οὐσ.* ‹C› ὁδόφραγμα. —*ρ.μ/ἀ.* στήνω/κλείνω μέ οδοφράγματα, ὀχυρώνω: *They ~d themselves in the Law School*, ὀχυρώθηκαν (κλείστηκαν) μέσα στή Νομική Σχολή.

bar·rier /ˋbærɪə(r)/ *οὐσ.* ‹C› φράγμα, ἐμπόδιο: *a ~ against the wind*, φράγμα κατά τοῦ ἀνέμου. *a ˋticket ~*, πόρτα ἐλέγχου εἰσιτηρίων. *a ~ to progress*, ἐμπόδιο στήν πρόοδο.

bar·ring /ˋbarɪŋ/ *πρόθ.* *βλ.* ²*bar*.

bar·ris·ter /ˋbærɪstə(r)/ *οὐσ.* ‹C› δικηγόρος.

bar·row /ˋbærəu/ *οὐσ.* ‹C› **1.** χειράμαξα, καρροτσάκι. **2.** τύμβος, ἀνάχωμα.

bar·ter /ˋbatə(r)/ *οὐσ.* ‹U› ἀνταλλαγή, τράμπα. —*ρ.μ.* ~ ***away***, ξεπουλῶ: ~ *away one's rights*, ξεπουλῶ (ἀνταλλάσσω) τά δικαιώματά μου. ~ ***for***, ἀνταλλάσσω: ~ *wheat for machinery*, ἀνταλλάσσω σιτηρά μέ μηχανήματα.

¹**base** /beɪs/ *οὐσ.* ‹C› (*πληθ.* *~s* /ˋbeɪsɪz/) βάσις, βάθρον, θεμέλιον: *an air/a naval ~*, ἀεροπορική/ναυτική βάσις. *the ~ of a pillar*, βάθρον κολώνας. **~·less** *ἐπ.* ἀβάσιμος: *~less fears*, ἀβάσιμοι φόβοι. **~·ment** *οὐσ.* ‹C› ὑπόγειον (οἰκοδομῆς). —*ρ.μ.* ~ ***(up)on***, βασίζω: *I ~ my hopes/my opinion on...*, βασίζω τίς ἐλπίδες μου/τή γνώμη μου σέ...

²**base** /beɪs/ *ἐπ.* ταπεινός, χυδαῖος, πρόστυχος: ~ *motives*, ταπεινά ἐλατήρια. ~ *pleasures*, χυδαῖες ἀπολαύσεις. ~ *thoughts*, πρόστυχες σκέψεις. ~ **metals**, εὐτελῆ μέταλλα. **~-ness** *οὐσ.* ‹U› χυδαιότης, προστυχιά.

bases /ˋbeɪsiz/ *πληθ.* *τῶν λέξ.* ¹*base, basis.*

bash /bæʃ/ *οὐσ.* ‹C› (*καθομ.*) βίαιο χτύπημα: *give sb a ~ on the nose*, δίνω σέ κπ γροθιά στή μύτη. —*ρ.μ.* χτυπῶ δυνατά: ~ *sb on the head*, χτυπῶ κπ δυνατά στό κεφάλι. *B~ in the lid*, δῶσ' του μιά νά πάη μέσα τό καπάκι!

bash·ful /ˋbæʃfl/ *ἐπ.* ντροπαλός. **~ly** *ἐπίρ.*

basic /ˋbeɪsɪk/ *ἐπ.* βασικός, θεμελιώδης: ~ *pay*, βασικός μισθός. *the ~ processes of arithmetic*, οἱ ἁπλές ἀριθμητικές πράξεις. **ba·si·cally** /-klɪ/ *ἐπίρ.* βασικά, κατά βάσιν.

basil /ˋbæzl/ *οὐσ.* ‹U› (*φυτ.*) βασιλικός.

basin /ˋbeɪsn/ *οὐσ.* ‹C› **1.** λεκάνη, δεξαμενή, στέρνα: *a ˋwash-~*, νιπτήρας. **2.** κοιλάδα: *the Thames ~*, ἡ κοιλάδα τοῦ Τάμεση.

basis /ˋbeɪsɪs/ *οὐσ.* ‹C› (*πληθ.* *bases* /ˋbeɪsiz/) βάσις: *the ~ of morality*, ἡ βάσις τῆς ἠθικῆς. *on a solid/firm ~*, ἐπί σταθερᾶς βάσεως. *on the ~ of last year's results*, ἐπί τῇ βάσει τῶν ἀποτελεσμάτων τοῦ περασμένου χρόνου.

bask /bask/ *ρ.ἀ.* λιάζομαι, ζεσταίνομαι στόν ἥλιο: ~ *in the garden*, λιάζομαι στόν κῆπο. ~ *in sb's favour*, ἀπολαμβάνω τήν εὔνοια κάποιου.

bas·ket /ˋbaskɪt/ *οὐσ.* ‹C› καλάθι: *a ˋshopping ~*, καλάθι γιά ψώνια. *a ˈwasteˋpaper ~*, κάλαθος ἀχρήστων. ˋ**~-ball**, καλαθοσφαίρισις.

bas-re·lief /ˈbæs rɪˋlif/ *οὐσ.* ‹U› ἀνάγλυφον.

bass /beɪs/ *οὐσ.* ‹C,U› & *ἐπ.* μπάσσος, βαθύφωνος.

bas·soon /bəˋsun/ *οὐσ.* ‹C› (*μουσ.*) φαγκότο.

bas·tard /ˋbastəd/ *ἐπ.* & *οὐσ.* ‹C› νόθος, μπάσταρδος (καί ὡς βρισιά).

bas·tion /ˋbæstɪən/ *οὐσ.* ‹C› ἔπαλξις, προμαχών.

bat /bæt/ *οὐσ.* ‹C› **1.** ρόπαλον (τοῦ κρίκετ). **2.** νυχτερίδα. ***as blind as a ~***, θεόστραβος.

batch /bætʃ/ *οὐσ.* ‹C› φουρνιά (ψωμιοῦ), (*μεταφ.*) ὁμάδα, στίβα: *a ~ of prisoners/of letters*, μιά φουρνιά κρατουμένοι/μιά στίβα γράμματα.

bated /ˋbeɪtɪd/ *ἐπ.* χαμηλωμένος: *speak with ~*

breath, μιλῶ ψιθυριστά, μέ κομμένη ἀνάσα.

bath /baθ/ *οὐσ.* ‹C› (*πληθ.* ~*s* /baðz/) λουτρό, μπάνιο: *have/take a hot/cold* ~, κάνω ζεστό/κρύο μπάνιο. *a Turkish* ~, θερμόλουτρο, χαμάμ(ι). (*πληθ.*) λουτρά: *public* ~*s*, δημόσια λουτρά. **`~·robe/towel**, ρόμπα/πετσέτα τοῦ μπάνιου. **`~·room**, δωμάτιο λουτροῦ, μπάνιο. **`~·tub**, μπανιέρα. —*ρ.μ/ἀ.* μπανιάρω, κάνω μπάνιο: ~ *the baby.*

bathe /beɪð/ *ρ.μ/ἀ.* λούω/-ομαι (σέ ποτάμι ἤ θάλασσα): ~ *one's eyes*, ρίχνω κολλύριο στά μάτια. ~*d in tears/sweat/sunshine*, λουσμένος στά δάκρυα/στόν ἱδρῶτα/στό φῶς τοῦ ἥλιου. —*οὐσ.* ‹C› λουτρό, μπάνιο: *go for a* ~, πάω γιά μπάνιο. **~r** /`beɪðə(r)/ *οὐσ.* ‹C› ὁ λουόμενος.

bath·ing /`beɪðɪŋ/ *οὐσ.* ‹U› μπάνιο: *He's fond of* ~, ἀγαπάει τό μπάνιο. *`sun-*~, ἡλιόλουτρο. **`~-cap**, σκοῦφος τοῦ μπάνιου. **`~-costume**, γυναικεῖο μαγιό. **`~-drawers/-dress/-suit**, (*πεπαλ.*) μαγιό, (*ἐν χρήσει: swimming-trunks*).

bathos /`beɪθɒs/ *οὐσ.* ‹U› (*ρητ.*) ἀπότομη πτῶσις ὕφους, ἀπό τό σοβαρόν στό γελοῖον.

bat·man /`bætmən/ *οὐσ.* ‹C› ὀρντινάντσα ἀξιωματικοῦ.

baton /`bætɒ̃/ *οὐσ.* ‹C› γκλόμπ (ἀστυνομικοῦ), ῥάβδος (στρατάρχου), μπαγκέττα (ἀρχιμουσικοῦ): *The police made a* ~ *charge*, ἡ ἀστυνομία ἔκανε ἐπίθεση μέ γκλόμπς.

bat·tal·ion /bə`tælɪən/ *οὐσ.* ‹C› (*στρατ.*) τάγμα.

bat·ten /`bætn/ *ρ.ἀ.* ~ ***(up)on***, παχαίνω, πλουτίζω (σέ βάρος κάποιου).

[1]**bat·ter** /`bætə(r)/ *οὐσ.* ‹U› κουρκούτι, ζύμη (γιά τηγάνισμα).

[2]**bat·ter** /`bætə(r)/ *ρ.μ.* χτυπῶ δυνατά, στραπατσάρω: ~ *a door down*, γκρεμίζω μιά πόρτα μέ χτυπήματα. *a ship* ~*ed to pieces by the waves*, πλοῖο πού τὄκαναν κομμάτια τά κύματα. *a* ~*ed old car/hat*, στραπατσαρισμένο παληό αὐτοκίνητο/καπέλλο.

bat·tery /`bætrɪ/ *οὐσ.* ‹C› μπαταρία, (*στρατ.*) πυροβολαρχία.

battle /`bætl/ *οὐσ.* ‹C› μάχη, ἀγώνας: *die in* ~, πεθαίνω στή μάχη. *the* ~ *of life*, ὁ ἀγώνας τῆς ζωῆς. *A good beginning is half the* ~, ἡ ἀρχή εἶναι τό ἥμισυ τοῦ παντός. ***a pitched*** ~, μάχη ἐκ τοῦ συστάδην. ***a*** **`~ `*royal***, γενική συμπλοκή. ***join*** ~ ***with sb***, δίδω μάχη μέ κπ. —*ρ.μ/ἀ.* ~ ***(with/against)***, ἀγωνίζομαι, μάχομαι, παλεύω: ~ *with the waves/against adversity*, παλεύω μέ τά κύματα/μέ τήν κακοτυχιά. **`~-axe**, (*πολεμικός*) πέλεκυς, (*καθομ.*) δεσποτική γυναίκα. **`~-cruiser**, καταδρομικόν μάχης. **`~ cry**, πολεμική ἰαχή. **`~ dress**, στολή ἐκστρατείας. **`~·field/ground**, πεδίον μάχης. **`~-ship**, θωρηκτόν. **`~ song**, θούριον.

battle·ment /`bætlmənt/ *οὐσ.* ‹C› (*συνήθ. πληθ.*) ἔπαλξις, παραπέτο.

batty /`bætɪ/ *ἐπ.* (*-ier, -iest*) (*λαϊκ.*) παλαβός.

bauble /`bɔbl/ *οὐσ.* ‹C› μπιχλιμπίδι.

baulk /bɔk/ *ρ.μ/ἀ.* *βλ.* *balk.*

baux·ite /`bɔksaɪt/ *οὐσ.* ‹U› βωξίτης.

bawdy /`bɔdɪ/ *ἐπ.* (*-ier, -iest*) αἰσχρός, βωμολόχος: ~ *talk/stories*, αἰσχρολογία/αἰσχρές ἱστορίες.

bawl /bɔl/ *ρ.μ/ἀ.* κραυγάζω, σκούζω: ~ *out abuse*, βρίζω κραυγαλέα, ξερνάω βρισιές.

[1]**bay** /beɪ/ *οὐσ.* ‹C› ὅρμος, κόλπος.

[2]**bay** /beɪ/ *οὐσ.* ‹C› (*φυτ.*) δάφνη.

[3]**bay** /beɪ/ *οὐσ.* ‹C› κοίλωμα τοίχου, προεξοχή. *a* ' ~ *`window*, παράθυρο σέ προεξοχή τοίχου μέ τρεῖς τζαμωτές πλευρές.

[4]**bay** /beɪ/ *οὐσ.* ‹C› γαύγισμα (κυνηγετικοῦ σκύλου). ***at*** ~, (*γιά κυνηγημένο ζῶο*) στριμωγμένος, σέ δύσκολη θέση. ***hold sb at*** ~, κρατῶ (ἐχθρό) σέ ἀπόσταση. ***bring sb to*** ~, στριμώχνω, ἀναγκάζω κπ νά δώση μάχη. —*ρ.ἀ.* γαυγίζω.

[5]**bay** /beɪ/ *οὐσ.* ‹C› (*ἄλογο*) κοκκίνης.

bay·onet /`beɪənɪt/ *οὐσ.* ‹C› (ξιφο)λόγχη. —*ρ.μ.* λογχίζω, τρυπῶ μέ ξιφολόγχη.

ba·zaar /bə`zɑ(r)/ *οὐσ.* ‹C› **1**. παζάρι (τῆς ἀνατολῆς). **2**. φιλανθρωπική ἀγορά. **3**. μεγάλο κατάστημα νεωτερισμῶν.

be /bi/ *ἀπαρέμφ. τοῦ ρ.* εἶμαι, ὑπάρχω, ζῶ, γίνομαι (*ἐνεστ.* **am** /*μετά ἀπό 'I'*: m, *ἄλλως* əm, *ἐμφ:* æm/, **is** /z *ἀλλά* s *μετά ἀπό:* p, t, k, f, θ, *ἐμφ:* ɪz/, **are** /ə(r), *ἐμφ:* ɑ(r)/. *ἀόρ.* **was** /wəz, *ἐμφ:* wɒz/, **were** /wə(r)/, *ἐμφ:* wɜ(r)/. *συνηρημέν.* **I'm** /aɪm/, **he's** /hiz/, **she's** /ʃiz/, **it's** /ɪts/, **we're** /wɪə(r)/, **you're** /jʊə(r)/, **they're** /ðeə(r)/. *ἀρνητ.* **isn't** /`ɪznt/, **aren't** /ɑnt/, **wasn't** /`wɒznt/, **weren't** /wɜnt/. *ἐνεργ. μετ.* **being** /`biɪŋ/, *παθ. μετ.* **been** /bin/): *to* ~ *or not to* ~, νά ζῆ κανείς ἤ νά μή ζῆ. *When is the wedding to* ~*?* πότε εἶναι νά γίνη ὁ γάμος; *B*~ *quiet!* κάθισε ἥσυχα! *B*~ *careful!* πρόσεχε! *Don't* ~ *stupid!* μήν εἶσαι ἀνόητος! *Have you ever been to Tokyo?* ἔχετε πάει ποτέ στό Τόκιο; *He wants to* ~ *a teacher*, θέλει νά γίνη δάσκαλος. *I am to inform you...*, πρέπει νά σᾶς πληροφορήσω... *If he were to know...*, ἄν ἐπρόκειτο νά μάθη... *He was never to see her again*, δέν ἐπέπρωτο νά τήν ξαναδῆ. ***the*** + '*οὐσ.* + ***to-`be***, ὁ μέλλων, ἡ μέλλουσα: *the bride to-be*, ἡ μέλλουσα νύφη. ***`would-be*** *ἐπ.* ὑποψήφιος, πού φιλοδοξεῖ νά γίνη: *a would-*~ *teacher*, ἕνας πού φιλοδοξεῖ νά γίνη δάσκαλος. ***have been and***, (*λαϊκ. ἤ ἀστειολ.*) πῆγα καί: *Who's been and told him so?* ποιός πῆγε καί τοῦ τό εἶπε; *You've been and bought a hat!* πῆγες κι' ἀγόρασες καπέλλο! ***for the time being***, ἐπί τοῦ παρόντος.

be- /bɪ/ *πρόθεμα* **1**. παντοῦ: *besmear*, πασαλείφω, ἀλείφω παντοῦ. **2**. (*τρέπει τό ἀμετ. ρ. εἰς μεταβ.*): *bemoan one's fate*, κλαίω τήν τύχη μου. **3**. σκεπασμένος μέ: *bejewelled*, γεμᾶτος μέ κοσμήματα. **4**. (*ἐπιτατικῶς, δι' ἔμφασιν*): *belabour*, σπάζω στό ξύλο.

beach /bitʃ/ *οὐσ.* ‹C› ἀκτή, παραλία, πλάζ: *a shingly/sandy* ~, παραλία μέ χαλίκια/μέ ἄμμο. **`~·head**, (*στρατ.*) προγεφύρωμα.

bea·con /`bikən/ *οὐσ.* ‹C› φάρος.

bead /bid/ *οὐσ.* ‹C› **1**. χάνδρα: *a string of* ~*s*, κολλιέ, κομπολόϊ. **2**. σταγόνα: ~*s of sweat*, σταγόνες ἱδρῶτα. **~y** *ἐπ.* (*-ier, -iest*) σά χάντρα, μικρός, στρογγυλός καί λαμπερός: ~*y eyes.*

beak /bik/ *οὐσ.* ‹C› ράμφος, ἔμβολο, δικαστής.

beaker /`bikə(r)/ *οὐσ.* ‹C› γυάλινο κύπελλο.

beam /bim/ *οὐσ.* ‹C› **1**. δοκός, μαδέρι. **2**. μπράτσο ζυγαριᾶς. **3**. πλάτος (πλοίου). ***on her*** **`~-`*ends***, (*γιά πλοῖο*) πλαγιασμένο, σχεδόν μπαταρισμένο. ***be on one's*** **`~-**

ends, εἶμαι ἀπένταρος. **broad in the ~**, (ἄνθρωπος) φαρδύς καί παχύς. **4**. ἀκτίς (ἡλίου, φωτός): *a ~ of delight*, λάμψις ἱκανοποιήσεως. **be on/off the ~**, ἀκολουθῶ σωστό/στραβό δρόμο. __ρ.μ. ἀκτινοβολῶ, λάμπω: *Her face ~ed*, τό πρόσωπό της ἔλαμψε. *He ~ed on us*, μᾶς κοίταζε ἀκτινοβολώντας. *She ~ed with health/satisfaction*, ἔλαμπε ἀπό ὑγεία/ἱκανοποίηση.

bean /bin/ *οὐσ.* ‹C› **1**. κουκί, φασόλι, κόκκος. **2**. **be without/not have a ~**, (*λαϊκ.*) δέν ἔχω πεντάρα. **full of ~s**, γεμᾶτος κέφι καί ζωή. **spill the ~s**, ξερνάω ἕνα μυστικό.

[1]**bear** /beə(r)/ *οὐσ.* ‹C› **1**. ἄρκτος, ἀρκούδα. **the Great/Little B~**, (*ἀστρ.*) ἡ Μεγάλη/Μικρή Ἄρκτος. **2**. χοντράνθρωπος. **3**. (*χρημ.*) ἄνθρωπος πού παίζει μέ τά κάτω. **`~·skin**, ψηλός γούνινος σκοῦφος (τῆς ἀνακτορικῆς φρουρᾶς).

[2]**bear** /beə(r)/ *ρ.μ/ἀ. ἀνώμ.* (*ἀόρ. bore* /bɔ(r)/, *π.μ. borne* /bɔn/) **1**. φέρω, μεταφέρω: *~ the marks/traces of blows/wounds/punishment*, φέρω τά σημάδια/τά ἴχνη κτυπημάτων/τραυμάτων/τιμωρίας. *The document ~s your signature*, τό ἔγγραφο φέρει τήν ὑπογραφή σου. *~ arms/a heavy load*, φέρω ὅπλα/μεταφέρω βαρύ φορτίο. **~ oneself**, φέρομαι: *He ~s himself like a soldier/with dignity*, ἔχει παράστημα στρατιώτη/φέρεται μέ ἀξιοπρέπεια. **2**. κρατῶ, ἔχω, βαστάζω: *~ a grudge against sb*, κρατῶ κακία σέ κπ. *~ sb love/hatred/malice*, ἔχω ἀγάπη/μῖσος/μνησικακία γιά κπ. *The ice is too thin to ~ us*, ὁ πάγος εἶναι λεπτός καί δέν μπορεῖ νά μᾶς βαστάξη. *Who will ~ the expense/the responsibility?* ποιόν θά βαρύνουν τά ἔξοδα/ποιός θά ἔχει τήν εὐθύνη; **~ in mind**, θυμᾶμαι, ἔχω κατά νοῦν: *You should always ~ it in mind*, πρέπει νά τό ἔχης πάντα κατά νοῦν. **~ witness to sth**, μαρτυρῶ, ἀποδεικνύω: *This ~s witness to his courage*, αὐτό μαρτυρεῖ (ἀποδεικνύει) τό θάρρος του. **3**. ὑποφέρω, ἀνέχομαι, ἀντέχω: *I can't ~ pain/that man*, δέν μπορῶ νά ὑποφέρω τόν πόνο/νά ἀνεχθῶ αὐτόν τόν ἄνθρωπο. *I can't ~ to be/being laughed at*, δέν ἀνέχομαι νά μέ κοροϊδεύουν. **4**. γεννῶ: *She has borne him four children*, τοῦ γέννησε τέσσερα παιδιά. (*συγκρ. He was born in 1940*, γεννήθηκε τό 1940.) **5**. στρίβω: *When you get to the top ~ (to the) right*, ὅταν φθάσης στήν κορυφή, στρῖψε δεξιά. **6**. (*μέ ἐπιρ. καί προθέσεις*):

bear away, παίρνω: *He'll ~ away most of the prizes*, θά πάρη τά περισσότερα βραβεῖα.

bear down, καταβάλλω, συντρίβω: *~ down the enemy/all resistance*, συντρίβω τόν ἐχθρό/κάθε ἀντίσταση.

(be) borne in on sb, γίνομαι ἀντιληπτός, φανερός: *It was gradually borne in on me that...*, σιγά-σιγά μοῦ ἔγινε φανερό (ἀντελήφθηκα) ὅτι..

bear (sth/sb) out, ἐπιβεβαιώνω: *~ out a statement*, ἐπιβεβαιώνω μιά δήλωση. *John will ~ me out*, ὁ Γ. θά ἐπιβεβαιώση τά λεγόμενά μου.

bear up (against/under sth), ἀντιμετωπίζω μέ θάρρος, κρατῶ καλά: *He bore up well against all misfortunes*, ἀντιμετώπισε καλά ὅλες τίς ἀτυχίες. *B~ up!* κουράγιο!

bear (up)on, ἔχω σχέση: *How does this ~ (up)on our case?* τί σχέση ἔχει αὐτό μέ τήν περίπτωσή μας; **bring influence/pressure to ~ (up)on sb or sth**, ἐξασκῶ ἐπιρροή/πίεση πάνω σέ κπ ἤ κτ.

bear·able /`beərəbl/ *ἐπ.* ὑποφερτός, ἀνεκτός.

beard /bɪəd/ *οὐσ.* ‹C› **1**. γένι, μούσι. **2**. ἄγανο (σταχιοῦ). **~ed** *ἐπ.* γενειοφόρος. **~·less** *ἐπ.* ἀγένειος. __ρ.μ. ἀντιμετωπίζω, ἀψηφῶ. **~ the lion in his den**, (*μεταφ.*) ἀντιμετωπίζω κπ μέσα στή φωλιά του.

bearer /`beərə(r)/ *οὐσ.* ‹C› **1**. κομιστής: *the ~ of a cheque/of a letter*, ὁ κομιστής ἐπιταγῆς/ἐπιστολῆς. *~ of good news*, κομιστής καλῶν εἰδήσεων. **2**. νεκροπομπός.

bear·ing /`beərɪŋ/ *οὐσ.* ‹C,U› **1**. παράστημα, παρουσιαστικό: *a man of soldierly/noble ~*, ἄνθρωπος μέ στρατιωτικό παράστημα/μέ εὐγενικό παρουσιαστικό. **2**. σχέσις, ἄποψις: *What he said had no ~ on the subject*, ὅ,τι εἶπε δέν εἶχε σχέση μέ τό θέμα. *examine a question in all its ~s*, ἐξετάζω ἕνα θέμα ἀπό ὅλες τίς ἀπόψεις του. **3**. ἀντοχή: *His conduct is beyond all ~*, ἡ διαγωγή του εἶναι ἐντελῶς ἀνυπόφορη. **4**. κατεύθυνσις, (*πληθ.*) προσανατολισμός. **find/lose one's ~s**, βρίσκω/χάνω τόν προσανατολισμό μου. **5**. ρουλεμάν. **6**. τεκνοποιΐα, καρποφορία.

beast /bist/ *οὐσ.* ‹C› ζῶον, κτῆνος: *a wild ~*, ἄγριο ζῶον. *a ~ of burden*, ὑποζύγιον. *live/behave like a ~*, ζῶ/συμπεριφέρομαι σάν κτῆνος. *Isn't he a ~!* τί κτῆνος! **~·ly** *ἐπ.* κτηνώδης, ἄθλιος: *~ly behaviour*, κτηνώδης συμπεριφορά. *~ly weather*, ἄθλιος καιρός.

[1]**beat** /bit/ *ρ.μ/ἀ. ἀνώμ.* (*ἀόρ.* ~, *π.μ.* ~*en* /`bitn/) **1**. χτυπῶ: *~ a carpet*, χτυπῶ (τινάζω) ἕνα χαλί. *We heard the drums ~ing*, ἀκούσαμε τά τύμπανα νά χτυπᾶνε. *The rain was ~ing against the windows*, ἡ βροχή χτυποῦσε πάνω στά παράθυρα. *~ eggs*, χτυπῶ αὐγά. *The bird was ~ing its wings*, τό πουλί χτυποῦσε τά φτερά του. *My heart ~ wildly/with joy*, ἡ καρδιά μου χτυποῦσε τρελλά/ἀπό χαρά. **be dead ~**, εἶμαι πεθαμένος στήν κούραση. **~ about the bush**, γυρίζω γύρω-γύρω ἀπό ἕνα θέμα, εἶμαι ὅλο περιστροφές. **~ a retreat**, σημαίνω ὑποχώρησιν. **~ time**, (*μουσ.*) κρατῶ χρόνο. **go off/keep to the ~en track**, ἀποφεύγω/ἀκολουθῶ τήν πεπατημένην. **~ it**, (*λαϊκ.*) στρίβω, τό κόβω λάσπη. **2**. δέρνω (*συνήθ.* μέ ραβδί): *He was ~en until he was black and blue*, τόν ἔδειραν ὥσπου ἔγινε κατάμαυρος (τόν ἔκαναν μαῦρο στό ξύλο). *give sb a good ~ing*, δίνω γερό ξύλο σέ κπ. **~ one's brains**, βασανίζω τό μυαλό μου. **3**. νικῶ, κερδίζω: *~ sb at chess*, νικῶ κπ στό σκάκι. *~ the record*, καταρρίπτω τό ρεκόρ. **4**. (*μέ ἐπιρ. καί προθέσεις*):

beat down, *(α)* ρίχνω χτυπώντας (*ὅπως ἡ βροχή τά σπαρτά*). *(β)* κατεβάζω τήν τιμή.

beat off, ἀποκρούω (ἐπίθεση).

beat out, σβύνω χτυπώντας (πχ φωτιά).

beat up, χτυπῶ πολύ (πχ ἄνθρωπο, κρέμα, κλπ): *He was badly ~en up*, τόν σαπίσανε στό ξύλο.

[2]**beat** /bit/ *οὐσ.* ‹C› **1**. χτύπος: *a `heart ~*, καρδιοχτύπι. **2**. (*μουσ.*) χρόνος, μέτρον. **3**. δρόμος, περιπολία (ἀστυφύλακος): *He's on his*

~, κάνει τήν περιπολία του. ***be off/out of one's ~***, δέν εἶμαι στά νερά μου, δέν εἶμαι ἁρμόδιος.

bea·ter /ˋbitə(r)/ *οὐσ.* ‹C› χτυπητήρι (αὐγῶν, χαλιῶν, κλπ).

be·ati·tude /bɪˋætɪtjud/ *οὐσ.* ‹U› μακαριότης: *His B~*, ἡ Αὐτοῦ Μακαριότης.

beau /bəʊ/ *οὐσ.* ‹C› (*πληϑ.* ~*x* /bəʊz/) θαυμαστής (γυναικός), δανδῆς.

beau·te·ous /ˋbjutɪəs/ *ἐπ.* (*ποιητ.*) περικαλλής.

beau·ti·ful /ˋbjutəfl/ *ἐπ.* ὡραῖος, ὄμορφος. **~ly** /-flɪ/ *ἐπίρ.*

beau·tify /ˋbjutɪfaɪ/ *ρ.μ.* ἐξωραΐζω.

beauty /ˋbjutɪ/ *οὐσ.* ‹C,U› ὀμορφιά, ὡραιότης, καλλονή: *She's a ~*, εἶναι καλλονή. *find new beauties in a poem/in a picture*, βρίσκω καινούργιες ὀμορφιές σ'ἕνα ποίημα/σ'ἕναν πίνακα. **ˋ~-parlour/-salon**, ἰνστιτοῦτον καλλονῆς. **ˋ~ queen**, βασίλισσα ὀμορφιᾶς. **ˋ~-spot**, ἐληά (στό πρόσωπο).

bea·ver /ˋbivə(r)/ *οὐσ.* ‹C› (*ζωολ.*) κάστωρ.

be·calmed /bɪˋkamd/ *ἐπ.* (*λογοτ.*) (γιά πλοῖο) ἀκινητοποιημένο λόγῳ νηνεμίας.

be·came /bɪˋkeɪm/ *ἀόρ. τοῦ ρ. become.*

be·cause /bɪˋkoz/ *σύνδ.* ἐπειδή, διότι. ***~ of***, ἐξ αἰτίας: *~ of the weather; ~ of you.*

beck /bek/ *οὐσ.* νεῦμα, νόημα. ***be at sb's ~ and call***, κάνω ὅ,τι θέλει κπ, τόν ὑπακούω τυφλά. ***have sb at one's ~ and call***, κάνω κπ ὅ,τι θέλω.

beckon /ˋbekən/ *ρ.μ/ἀ.* γνέφω, κάνω νόημα: *He ~ed (to) me to follow*, μοῦ ἔγνεψε νά ἀκολουθήσω. *He ~ed me in*, μοῦ ἔκανε νόημα νά μπῶ.

be·come /bɪˋkʌm/ *ρ.μ/ἀ. ἀνώμ.* (*ἀόρ. became* /-ˋkeɪm/, *π.μ.* ~) **1.** γίνομαι: *~ a doctor*, γίνομαι γιατρός. *It has ~ a rule to...*, ἔχει γίνει κανόνας νά... *It's becoming easier*, γίνεται εὐκολώτερο. **2.** ***~ of***, ἀπογίνομαι: *What will ~ of us if you die?* τί θ'ἀπογίνωμε ἄν πεθάνης; *What has ~ of John?* τί ἀπόγινε ὁ Γ.; **3.** ταιριάζω: *Her new hat ~s her*, τό νέο της καπέλλο τῆς πάει. *Such language doesn't ~ a man of your education*, τέτοια γλῶσσα δέν ταιριάζει σέ ἄνθρωπο μέ τή δική σου μόρφωση. **be·com·ing** *ἐπ.* ταιριαστός.

bed /bed/ *οὐσ.* ‹C› **1.** κρεββάτι: *a single/double ~*, μονό/διπλό κρεββάτι. *go to ~*, πάω γιά ὕπνο. *put the children to ~*, βάζω τά παιδιά νά κοιμηθοῦν. ***~ and board***, τροφή καί κατοικία. ***get out of ~ on the wrong side***, ξυπνῶ κακόκεφος. ***make the ~***, στρώνω τό κρεββάτι. ***As you make your ~ so you must lie on it***, (*παροιμ.*) ὅπως ἔστρωσες ἔτσι θά πλαγιάσης. ***take/keep to one's ~***, κρεββατώνομαι. **ˋ~-clothes**, κλινοσκεπάσματα. **ˋ~-fellow**, ὁμόκλινος, σύντροφος. **ˋ~·pan**, οὐροδοχεῖον, πάπια. **ˋ~·ridden**, κατάκοιτος. **ˋ~·room**, ὑπνοδωμάτιο. **ˋ~·sitter**, δωμάτιο ὅπου ζεῖ καί κοιμᾶται κανείς. **ˋ~·stead**, σκελετός κρεββατιοῦ. **2.** κοίτη (ποταμοῦ), πυθμήν (θαλάσσης). **3.** βάσις. **4.** παρτέρι (λουλουδιῶν). —*ρ.μ. (-dd-)* φυτεύω, στερεώνω, μπήγω: *The bullet ~ded itself in the wall*, ἡ σφαῖρα καρφώθηκε στόν τοῖχο.

be·daubed /bɪˋdɔbd/ *κατηγ. ἐπ.* (*λογ.*) πασαλειμμένος: *~ with ink/paint.*

bed·ding /ˋbedɪŋ/ *οὐσ.* ‹U› στρωσίδια.

be·decked /bɪˋdekt/ *κατηγ. ἐπ.* στολισμένος: *~ with flowers/flags*, στολισμένος μέ λουλούδια/σημαῖες.

be·devil /bɪˋdevl/ *ρ.μ.* (*-ll-*) (*συνήϑ. παϑ. φων.*) μπερδεύω, περιπλέκω: *The issue is ~led by his refusal*, τό θέμα μπερδεύεται ἀπό τήν ἄρνησή του.

bed·lam /ˋbedləm/ *οὐσ.* ‹U› τρελλοκομεῖο: *When our teacher was called away the classroom was a regular ~*, ὅταν ὁ δάσκαλος βγῆκε ἡ τάξις ἔγινε σωστό τρελλοκομεῖο.

Be·douin /ˋbedʊɪn/ *οὐσ.* ‹C› βεδουῖνος.

be·drag·gled /bɪˋdrægld/ *κατηγ. ἐπ.* (*γιά ροῦχα*) καταλασπωμένος.

bee /bi/ *οὐσ.* ‹C› μέλισσα. ***have a ~ in one's bonnet***, ἔχω μιά λόξα, μιά ἔμμονη ἰδέα. ***make a ˋ~-line for***, τραβῶ κατ'εὐθεῖαν γιά. **ˋ~·hive** /ˋbihaɪv/ *οὐσ.* ‹C› κυψέλη.

beech /bitʃ/ *οὐσ.* ‹C,U› (*φυτ.*) ὀξυά.

beef /bif/ *οὐσ.* ‹U› βωδινό κρέας. **ˋ~·steak**, φιλέτο, μπιφτέκι. **~ tea**, ζωμός κρέατος (γιά ἀρρώστους). **~y** *ἐπ.* (*-ier, -iest*) ρωμαλέος, γεροδεμένος.

been /bin/ *π.μ. τοῦ ρ. be.*

beer /bɪə(r)/ *οὐσ.* ‹U› μπύρα. ***small ~***, ἀσήμαντος: *He thinks no small ~ of himself*, νομίζει ὅτι εἶναι σπουδαῖος.

bees·wax /ˋbizwæks/ *οὐσ.* ‹U› κερήθρα, παρκετίνη.

beet /bit/ *οὐσ.* ‹C,U› τεῦτλον, παντζάρι: *sugar ~*, ζαχαρότευτλο.

beetle /ˋbitl/ *οὐσ.* ‹C› (*ζωολ.*) σκαθάρι. —*ρ.μ.* προεξέχω: *beetling cliffs/eyebrows*, βράχια/φρύδια πού προεξέχουν.

be·fall /bɪˋfɔl/ *ρ.μ/ἀ. ἀνώμ.* (*ἀόρ. befell* /-ˋfel/, *π.μ.* ~*en* /-ən/) συμβαίνω, τυχαίνω (σέ κπ): *What has ~en him?* τί τοῦ συνέβη, τί τοῦ ἔτυχε;

be·fit /bɪˋfɪt/ *ρ.μ.* (*-tt-*) (*μόνον εἰς τό γ! πρόσ. ἑν.*) ἁρμόζω: *It doesn't ~ a man*, δέν ἁρμόζει σ'ἕναν ἄνδρα... **~·ting** *ἐπ.* ἁρμόζων.

be·fore /bɪˋfɔ(r)/ *ἐπίρ.* **1.** (*τοπ.*) μπροστά, ἐμπρός: *They have gone on ~*, προχώρησαν μπροστά (πρίν ἀπό μᾶς). **2.** (*χρον.*) πρίν, προηγουμένως, πρωτύτερα: *We've met ~*, ἔχομε ξανασυναντηθῆ (ἔχομε γνωρισθῆ προηγουμένως). ***the day ~***, τήν προτεραίαν. —*πρόϑ.* (*τοπ. & χρον.*) μπροστά, πρίν: *ladies ~ gentlemen*, προηγοῦνται οἱ κυρίες. *~ my eyes*, μπροστά στά μάτια μου. *He was brought ~ the judge*, τόν ἔφεραν μπροστά στό δικαστή. ***the day ~ yesterday***, προχθές. ***the year ~ last***, πρόπερσυ. ***B~ Christ***, (*βραχυλ.* **B C**), πρό Χριστοῦ (π.Χ.). ***~ long***, σέ λίγο. ***carry all ~ me***, πετυχαίνω σέ κάθετι πού δοκιμάζω. —*σύνδ.* πρίν, πρίν νά: *I'll see him ~ he leaves*, θά τόν δῶ πρίν φύγη. *I saw him ~ he left*, τόν εἶδα πρίν φύγη. *It will be five years ~ we meet again*, θά περάσουν πέντε χρόνια πρίν νά (ὥσπου νά) ξανασυναντηθοῦμε.

be·fore·hand /bɪˋfɔhænd/ *ἐπίρ. & κατηγ. ἐπ.* ἐκ τῶν προτέρων, προκαταβολικῶς: *You ought to have told me ~*, ἔπρεπε νά μοῦ τό πῆτε ἐκ τῶν προτέρων. ***be ~ with sth***, κάνω κτ πιό πρίν (ἀπό τήν ὥρα πού πρέπει νά γίνη):

She's always ~ with her rent, πάντα προπληρώνει τό ἐνοίκιό της.

be·foul /bɪˋfaʊl/ *ρ.μ.* (*λόγ.*) λερώνω, μολύνω (τό ὄνομα, τήν τιμή κάποιου).

be·friend /bɪˋfrend/ *ρ.μ.* ὑποστηρίζω, βοηθῶ, προστατεύω (*ἰδ.* νέους).

beg /beg/ *ρ.μ/ἀ.* (*-gg-*) **1**. ἐκλιπαρῶ, ζητῶ, παρακαλῶ: *~ a favour of sb*, ἐκλιπαρῶ χάρη ἀπό κπ. *~ for mercy*, ζητῶ ἔλεος. *He ~ged me to forgive him*, μέ παρεκάλεσε νά τόν συγχωρήσω. *I ~ to differ/to observe*, νά μοῦ ἐπιτρέψετε νά διαφωνήσω/νά παρατηρήσω. **2**. ζητιανεύω, ἐπαιτῶ: *He ~s (for) his bread*, ζητιανεύει γιά νά ζήση. *He goes about ~ging*, γυρίζει καί ζητιανεύει. ***beg the question***, θεωρῶ ὡς ἀποδεδειγμένον τό ἀποδεικτέον. ***I ~ your pardon***, *(α)* μέ συγχωρεῖτε. *(β)* τί εἴπατε παρακαλῶ;

be·get /bɪˋget/ *ρ.μ.* *ἀνώμ.* (*ἀόρ.* *begot* /-ˋgot/, *ἀπηρχ.* *begat* /-ˋgæt/, *π.μ.* *begotten* /-ˋgotn/) (*-tt-*) γεννῶ, προκαλῶ: *Abraham begat Isaac*, ὁ Ἀβραάμ ἐγέννησε τόν Ἰσαάκ. *War ~s misery and ruin*, ὁ πόλεμος γεννάει (προκαλεῖ) δυστυχίες καί καταστροφές. **~·ter** *οὐσ.* ‹C› ὁ γεννήτωρ.

beg·gar /ˋbegə(r)/ *οὐσ.* ‹C› **1**. ζητιάνος, διακονιάρης: *a ~-woman*, ζητιάνα. ***B~s can't be choosers***, ὅποιος ζητιανεύει δέν διαλέγει. **2**. (*λαϊκ.*) ἄνθρωπος, τύπος: *You lucky ~!* τυχεράκια! —*ρ.μ.* καταστρέφω, κάνω κπ νά ζητιανεύη: *You'll ~ your family if you go on like that*, θά καταστρέψης τήν οἰκογένειά σου ἄν συνεχίσης ἔτσι. ***~ description***, εἶναι ἀνώτερο κάθε περιγραφῆς, εἶναι καταπληκτικό: *The scenery ~ed description*, τό τοπεῖο ἦταν ἀνώτερο κάθε περιγραφῆς. ***ˋ~-my-ˋneighbour***, (*χαρτοπ. παιχν.*) κοῦπες. **~·ly** *ἐπ.* ἄθλιος, φτωχός, ἀξιοθρήνητος: *a ~ly salary*, ἄθλιος μισθός.

be·gin /bɪˋgɪn/ *ρ.μ/ἀ.* *ἀνώμ.* (*ἀόρ.* *began* /-ˋgæn/, *π.μ.* *begun* /-ˋgʌn/) (*-nn-*) ἀρχίζω: *We ~ work at seven*, ἀρχίζομε δουλειά στίς ἑπτά. *Work ~s at seven*, ἡ δουλειά ἀρχίζει στίς ἑπτά. *We began to work/working at seven*, ἀρχίσαμε νά δουλεύωμε στίς ἑπτά. *He began (on) another bottle*, ἄρχισε (νά πίνη) κι᾿ ἄλλο μπουκάλι. ***~ at***, ἀρχίζω ἀπό: *We'll ~ at page 30*, θά ἀρχίσωμε ἀπό τή σελίδα 30. ***to ~ with***, ἐν πρώτοις, κατά πρῶτον λόγον: *I can't give him the position; to ~ with, he's too young; secondly...*, δέν μπορῶ νά τοῦ δώσω τή θέση. Ἐν πρώτοις, εἶναι πολύ νέος, ἐκ δευτέρου... **~·ner** *οὐσ.* ‹C› ἀρχάριος. **~·ning** *οὐσ.* ‹C,U› ἀρχή: *make a good ~ning*, κάνω καλή ἀρχή. *from the ~ning*, ἐξαρχῆς. *from ~ning to end*, ἀπό τήν ἀρχή ὥς τό τέλος.

be·gone /bɪˋgon/ (*μόνον στήν προστακτική*) (*λογοτ.*) ἄπαγε.

be·got, be·got·ten *ἀόρ.* & *π.μ.* *τοῦ ρ.* *beget*.

be·grimed /bɪˋgraɪmd/ *κατηγ.* *ἐπ.* μουτζουρωμένος, βρώμικος.

be·grudge /bɪˋgrʌdʒ/ *βλ.* *grudge*.

be·guile /bɪˋgaɪl/ *ρ.μ.* ἐξαπατῶ, ξεγελῶ, διασκεδάζω: *The serpent ~d me*, ὁ ὄφις μέ ἠπάτησε. *~ sb with promises*, ἐξαπατῶ κπ μέ ὑποσχέσεις. *~ sb into doing sth*, καταφέρνω κπ νά κάνη κτ. *~ time*, σκοτώνω (περνῶ) τήν ὥρα μου. *~ one's hunger*, ξεγελῶ τήν πεῖνα μου. *We ~d the children with fairy tales*, διασκεδάσαμε τά παιδιά μέ παραμύθια.

be·gun /bɪˋgʌn/ *π.μ.* *τοῦ ρ.* *begin*.

be·half /bɪˋhaf/ *οὐσ.* ***on ~ of***, ἐκ μέρους, ἐπ᾿ ὀνόματι: *on ~ of my colleagues*, ἐκ μέρους τῶν συναδέλφων μου. ***on my/your/John's ~***, γιά μένα/γιά σένα/γιά τό Γ.: *Don't be uneasy on my ~*, μήν ἀνησυχῆς γιά μένα.

be·have /bɪˋheɪv/ *ρ.ἀ.* συμπεριφέρομαι, φέρομαι: *~ well/badly to/towards sb*, φέρομαι καλά/ἄσχημα σέ κπ. *a ˋwell-~d/ˋbadly-~d boy*, παιδί μέ καλή/κακή συμπεριφορά.

be·hav·iour /bɪˋheɪvɪə(r)/ *οὐσ.* ‹U› συμπεριφορά, φέρσιμο, διαγωγή: *win a prize for good ~*, παίρνω βραβεῖο γιά καλή διαγωγή. ***be on one's best ~***, εἶμαι πολύ προσεκτικός (στή συμπεριφορά μου). ***put sb on his best ~***, συνιστῶ σέ κπ νά εἶναι προσεκτικός, νά φέρεται καλά.

be·head /bɪˋhed/ *ρ.μ.* ἀποκεφαλίζω.

be·held /bɪˋheld/ *ἀόρ.* & *π.μ.* *τοῦ ρ.* *behold*.

be·hest /bɪˋhest/ *οὐσ.* ‹C› (*ἀπηρχ.*) ἐντολή, διαταγή. ***at the ~ of; at sb's ~***, κατά διαταγήν τοῦ...

be·hind /bɪˋhaɪnd/ *πρόθ.* πίσω (ἀπό): *~ the house*, πίσω ἀπό τό σπίτι. *Come ~ me*, ἔλα πίσω μου. *She's ~ the other girls*, ἔχει μείνει πίσω ἀπό τ᾿ ἄλλα κορίτσια. *He left a large fortune ~ him*, ἄφησε μεγάλη περιουσία πίσω του. —*ἐπίρ.* ὄπισθεν, πίσω: *He was a long way ~*, ἦταν πολύ πίσω. ***fall/lag ~***, μένω πίσω, βραδυπορῶ: *He was tired and fell ~*, ἦταν κουρασμένος κι᾿ ἔμεινε πίσω. ***be ~ with/in sth***, ἔχω μείνει πίσω σέ κτ: *I'm ~ with my work/studies*, ἔχω μείνει πίσω στή δουλειά μου/στίς σπουδές μου. ***stay/remain ~***, μένω πίσω (ὅταν οἱ ἄλλοι ἔχουν φύγει). —*οὐσ.* ‹C› ὀπίσθια, πισινός: *He kicked the boy's ~*, ἔδωσε κλωτσιά στά πισινά τοῦ παιδιοῦ.

be·hind·hand /bɪˋhaɪndhænd/ *κατηγ.* *ἐπ.* καθυστερημένος: *be ~ with the rent/in one's work*, ἔχω καθυστερήσει τό νοίκι/τή δουλειά μου.

be·hold /bɪˋhəʊld/ *ρ.μ.* *ἀνώμ.* (*ἀόρ.* & *π.μ.* *beheld* /-ˋheld/) (*λογοτ.*) βλέπω, παρατηρῶ.

be·holden /bɪˋhəʊldn/ *κατηγ.* *ἐπ.* (*λογοτ.*) ὑπόχρεως, εὐγνώμων: *I am much ~ to you for your help*, σᾶς εἶμαι πολύ ὑποχρεωμένος γιά τή βοήθειά σας.

beige /beɪʒ/ *ἐπ.* μπέζ.

be·ing /ˋbiɪŋ/ *οὐσ.* ‹C,U› ὄν: *the Supreme B~*, τό Ὑπέρτατο Ὄν (ὁ Θεός). *We are all human ~s*, εἴμεθα ὅλοι ἀνθρώπινα ὄντα. ***come into ~***, ἀρχίζω νά ὑπάρχω, δημιουργοῦμαι, γίνομαι: *We don't know when or how the world came into ~*, δέν ξέρομε πότε ἤ πῶς ἔγινε ὁ κόσμος.

be·la·bour /bɪˋleɪbə(r)/ *ρ.μ.* ξυλοφορτώνω.

be·lated /bɪˋleɪtɪd/ *ἐπ.* ἀργοπορημένος, νυχτωμένος: *My ~ apologies*, σᾶς ζητῶ συγγνώμη καθυστερημένα. *~ travellers*, νυχτωμένοι ταξιδιῶτες.

be·lay /bɪˋleɪ/ *ρ.μ.* (*ναυτ.*) δένω (παλαμάρι).

belch /beltʃ/ *οὐσ.* ‹C› ρέψιμο. —*ρ.μ/ἀ.* ρεύομαι, βγάζω, ξερνῶ: *~ out smoke/flames*, βγάζω (ξερνῶ) καπνό/φλόγες.

be·leaguer /bɪˋliɡə(r)/ *ρ.μ.* πολιορκῶ.

bel·fry /ˋbelfrɪ/ *οὐσ.* ‹C› καμπαναριό.

be·lie /bɪˋlaɪ/ *ρ.μ.* (*λόγ.*) διαψεύδω, κρύβω, δέν ἀνταποκρίνομαι εἰς: *He ~d all our hopes*, διέψευσε ὅλες τίς ἐλπίδες μας. *His cheerful appearance ~d his feelings*, ἡ χαρούμενη ὄψη του ἔκρυβε (δέν ἀνταποκρινόταν εἰς) τά αἰσθήματά του.

be·lief /bɪˋlif/ *οὐσ.* ‹C,U› πίστη, πεποίθηση, γνώμη, δοξασία: *~ in God*, πίστη στό Θεό. *It is my ~ that...*, εἶναι ἡ πεποίθησή μου (πιστεύω) ὅτι... *the ~s of the church*, τά δόγματα τῆς ἐκκλησίας. ***to the best of my ~***, κατά τήν εἰλικρινῆ μου γνώμη.

be·lieve /bɪˋliv/ *ρ.μ/ἀ.* **1**. πιστεύω: *I don't ~ a word of it*, δέν πιστεύω οὔτε λέξη ἀπ' αὐτά. *I could scarcely ~ my eyes/ears*, δέν μποροῦσα νά πιστέψω τά μάτια μου/τ' αὐτιά μου. *I ~ so*, ἔτσι πιστεύω. *I ~ not*, δέν τό πιστεύω. *I ~ him to be alive*, πιστεύω ὅτι ζῇ. *He ~d himself unfairly treated*, πίστευε ὅτι τόν ἀδίκησαν. *B~ me!* πίστεψέ με! σέ διαβεβαιῶ! **2**. ***~ in***, πιστεύω (ἔχω πίστη, ἐμπιστοσύνη): *I ~ in God/in you*, πιστεύω στό Θεό/σέ σένα. ***make ~***, κάνω πώς, προσποιοῦμαι: *The boys made ~ that they were soldiers*, τά παιδιά ἔκαναν (προσποιούνταν) ὅτι ἦταν στρατιῶτες. **ˋmake-~**, ψέματα: *Don't be frightened! It's all make-~*, μή φοβᾶσαι, εἶναι ψέματα (στ' ἀστεῖα). **~r** *οὐσ.* ‹C› ὁ πιστός. **be·liev·able** /-əbl/ *ἐπ.* πιστευτός.

be·little /bɪˋlɪtl/ *ρ.μ.* μειώνω, ὑποτιμῶ: *He tried to ~ my success*, προσπάθησε νά μειώση τήν ἐπιτυχία μου. *Don't ~ yourself*, μήν ὑποτιμᾶς (μειώνης) τόν ἑαυτό σου!

bell /bel/ *οὐσ.* ‹C› καμπάνα, κουδούνι: *a church ~*, καμπάνα ἐκκλησίας. *an electric ~*, ἠλεκτρικό κουδούνι. *ring the ~*, χτυπῶ τήν καμπάνα/τό κουδούνι. ***as sound as a ~***, πολύ γερός. ***ring a ~***, (*μεταφ.*) κάτι μοῦ θυμίζει: *His name rings a ~ but I can't place him*, κάτι μοῦ θυμίζει τό ὄνομά του ἀλλά δέν μπορῶ νά θυμηθῶ ποιός εἶναι. **ˋ~-ringer**, κωδωνοκρούστης. **ˋ~-bottomed** *(trousers)*, (παντελόνι) καμπάνα.

bel·li·cose /ˋbelɪkəʊs/ *ἐπ.* φιλοπόλεμος, πολεμοχαρής.

bel·liger·ent /bəˋlɪdʒərənt/ *ἐπ.* & *οὐσ.* ‹C› ἐμπόλεμος.

bel·low /ˋbeləʊ/ *ρ.μ/ἀ.* μουγκρίζω, μουγκανίζω (σάν βόδι), οὐρλιάζω: *They ~ed out a song*, γκάριζαν ἕνα τραγοῦδι. *He ~ed when the dentist...*, οὔρλιαξε ὅταν ὁ ὀδοντογιατρός... —*οὐσ.* ‹C› μούγκρισμα, μουγκάνισμα.

bel·lows /ˋbeləʊz/ *οὐσ. πληθ.* φυσητήρι, φυσερό: *a pair of ~*, ἕνα φυσερό.

belly /ˋbelɪ/ *οὐσ.* ‹C› κοιλιά: *big-bellied*, κοιλαρᾶς. —*ρ.μ.* φουσκώνω (*ἰδ.* γιά πανιά βάρκας).

be·long /bɪˋlɒŋ/ *ρ.ἀ.* **1**. ***~ to***, ἀνήκω: *It ~s to me*, ἀνήκει σέ μένα. *Which party do you ~ to?* σέ ποιό κόμμα ἀνήκετε; **2**. μένω, ζῶ, εἶναι ἡ θέση μου: *Do you ~ here?* μένετε (εἶσθε κάτοικος) ἐδῶ; *This chair doesn't ~ here*, αὐτή ἡ καρέκλα δέν ἀνήκει ἐδῶ (δέν εἶναι ἐδῶ ἡ θέση της). **~·ings** *οὐσ. πληθ.* τά ὑπάρχοντα.

be·loved /bɪˋlʌvd/ *κατηγ. ἐπ.* ἀγαπώμενος: *~ by all*, ἀγαπώμενος ἀπό ὅλους. —*ἐπ.* & *οὐσ.* ‹C› /bɪˋlʌvɪd/ ἀγαπημένος: *his ~ wife*, ἡ ἀγαπημένη του σύζυγος. *flowers for my ~*, ἄνθη γιά τήν ἀγαπημένη μου.

be·low /bɪˋləʊ/ *ἐπίρ.* κάτω, κάτωθεν, ἀπό κάτω, κατωτέρω: *From the hilltop we could see the sea ~*, ἀπό τήν κορυφή τοῦ λόφου βλέπαμε τή θάλασσα κάτω. *We heard voices from ~*, ἀκούσαμε φωνές ἀπό κάτω. *See ~*, ἴδε κατωτέρω. *the people in the rooms ~*, οἱ κάτω μας. —*πρόθ.* κάτω ἀπό, χαμηλότερα ἀπό: *~ the knees*, κάτω ἀπό τά γόνατα. *~ zero*, κάτω τοῦ μηδενός. *~ (the) average*, κάτω ἀπό τόν μέσο ὅρο. *It's ~ my dignity*, εἶναι κατώτερον τῆς ἀξιοπρέπειάς μου.

belt /belt/ *οὐσ.* ‹C› ζώνη, λουρίδα, ἱμάντας: *tighten/loosen one's ~*, σφίγγω/ξεσφίγγω τή λουρίδα μου. ***hit below the ~***, χτυπῶ ὕπουλα/ἄτιμα. ***the green ~***, ἡ πράσινη ζώνη (γύρω ἀπό μιά πόλη). —*ρ.μ.* δέρνω: *The mother ~ed her little boy*, ἡ μητέρα ἔδειρε τό παιδί της. ***~ up***, (*λαϊκ.*) τό βουλώνω.

be·moan /bɪˋməʊn/ *ρ.μ.* (*λογοτ.*) θρηνῶ: *~ one's fate/the loss of one's money*, θρηνῶ τήν τύχη μου/τήν ἀπώλεια τῶν χρημάτων μου.

bench /bentʃ/ *οὐσ.* ‹C› **1**. πάγκος, ἕδρα, κάθισμα: *a judge's ~*, ἕδρα δικαστοῦ. **the back ~es**, πίσω καθίσματα (γιά τούς ὑπόλοιπους βουλευτές). **the cross ~es**, καθίσματα γιά τούς ἀνεξάρτητους βουλευτές. **the front ~es**, μπροστινά καθίσματα στή Βουλή τῶν Κοινοτήτων (γιά τά μέλη τῆς Κυβερνήσεως καί τῆς «σκιώδους Κυβερνήσεως» τῆς ἀντιπολιτεύσεως). **the B~**, τό Δικαστικόν Σῶμα, ἡ δικαστική ἐξουσία. **2**. πάγκος (τσαγκάρη, ξυλουργοῦ, κλπ).

bend /bend/ *ρ.μ/ἀ.* *ἀνώμ.* (*ἀόρ.* & *π.μ.* **bent** /bent/) **1**. κάμπτω, λυγίζω, γέρνω, σκύβω: *~ an iron rod*, λυγίζω μιά σιδερένια ράβδο. *Can you ~ down and touch your toes without ~ing your knees?* μπορεῖς νά σκύψης καί ν' ἀγγίξης τά δάκτυλα τῶν ποδιῶν σου χωρίς νά λυγίσης τά γόνατα; *The branches were ~ing down with the weight of the fruit*, τά δέντρα ἔγερναν ἀπό τό βάρος τῶν καρπῶν. **2**. κατευθύνω: *~ one's steps homeward*, τραβάω γιά τό σπίτι. *~ one's mind to one's studies*, προσηλώνω τό μυαλό μου στίς σπουδές μου. **3**. κάνω στροφή, στρίβω: *The road/The river ~s to the right here*, ὁ δρόμος/τό ποτάμι στρίβει δεξιά ἐδῶ. **4**. ὑποκύπτω: *~ to sb's will*, ὑποκύπτω στή θέληση κάποιου. ***be bent on***, εἶμαι ἀποφασισμένος νά: *He's bent on getting rich quickly*, εἶναι ἀποφασισμένος νά πλουτίση γρήγορα. —*οὐσ.* ‹C› στροφή, καμπή (δρόμου, κλπ): *go round a ~ at full speed*, παίρνω μιά στροφή μέ μεγάλη ταχύτητα. ***round the ~***, (*λαϊκ.*) μουρλός.

be·neath /bɪˋniθ/ *ἐπίρ.* & *πρόθ.* **1**. (*λογοτ.*) κάτωθεν. **2**. κατώτερος, ἀνάξιος: *It's ~ my notice*, εἶναι ἀνάξιον τῆς προσοχῆς μου.

bene·dic·tion /ˈbenɪˋdɪkʃn/ *οὐσ.* ‹C› εὐλογία, εὐχαριστία (=προσευχή πρίν ἀπό φαγητό).

bene·fac·tion /ˈbenɪˋfækʃn/ *οὐσ.* ‹C,U› (*λόγ.*) εὐεργεσία, δωρεά.

bene·fac·tor /ˋbenɪfæktə(r)/ *οὐσ.* ‹C› ὁ εὐεργέτης (*θηλ.* **bene·fac·tress** /-fæktrəs/).

be·nefi·cence /bɪˋnefɪsns/ *οὐσ.* ‹U› ἀγαθοεργία, φιλανθρωπία, εὐεργεσία.

be·nefi·cent /bɪˋnefɪsnt/ *ἐπ.* ἀγαθοποιός, ἀγαθοεργός.

bene·ficial /ˈbenɪˋfɪʃl/ *ἐπ.* ὠφέλιμος, εὐεργετικός: *Fresh air is ~ to the health*, ὁ καθαρός ἀέρας εἶναι ὠφέλιμος στήν ὑγεία.

bene·fici·ary /ˈbenɪˋfɪʃərɪ/ *ἐπ.* & *οὐσ.* ‹C› δικαιοῦχος, δωρεοδόχος.

bene·fit /ˋbenɪfɪt/ *οὐσ.* ‹C,U› **1.** ὄφελος, πλεονέκτημα, κέρδος: *The book wasn't of much ~ to me*, τό βιβλίο δέν μέ ὠφέλησε πολύ. *The ~s of good education*, τά πλεονεκτήματα μιᾶς καλῆς μορφώσεως. *for the ~ of sb/for sb's ~*, πρός χάριν (ὑπέρ) κάποιου: *It was done for your ~/for the ~ of the poor*, ἔγινε γιά χάρη σου/ὑπέρ τῶν πτωχῶν. *share in the ~s of*, συμμετέχω εἰς τά κέρδη (ὀφέλη) τοῦ... ***give sb the ~ of the doubt***, ἀπαλλάσσω κπ λόγῳ ἀμφιβολιῶν. **~ performance/concert**, παράσταση/συναυλία ὑπέρ φιλανθρωπικοῦ σκοποῦ ἤ προσώπου. **2.** ἐπίδομα: *unemployment/sickness ~*, ἐπίδομα ἀνεργίας/ἀσθενείας. __*ρ.μ/ά.* ὠφελῶ: *The sea air will ~ you*, ὁ θαλασσινός ἀέρας θά σᾶς ὠφελήση. ***~ (from/by)***, ὠφελοῦμαι: *You will ~ by a holiday*, θά ὠφεληθῆτε ἀπό τίς διακοπές.

be·nev·ol·ence /bɪˋnevələns/ *οὐσ.* ‹U› καλωσύνη, φιλανθρωπία.

be·nev·ol·ent /bɪˋnevələnt/ *ἐπ.* *~ towards/to sb*, καλοκάγαθος, φιλάνθρωπος, ἀγαθοεργός: *a ~ smile*, καλωσυνᾶτο χαμόγελο. *a ~ society*, φιλανθρωπικός σύλλογος.

be·nighted /bɪˋnaɪtɪd/ *ἐπ.* (*ἀπηρχ.*) νυχτωμένος, βυθισμένος στό σκότος τῆς ἀμαθείας.

be·nign /bɪˋnaɪn/ *ἐπ.* **1.** (*λογοτ.*) καλοκάγαθος, γλυκός, ἤπιος: *a ~ climate*, ἤπιο κλῖμα. **2.** (*ἰατρ.*) καλοήθης: *a ~ tumour*, καλοήθης ὄγκος.

bent /bent/ *ἀόρ.* & *π.μ.* *τοῦ ρ. bend.* __*οὐσ.* ‹C› κλίσις, ἔφεσις: *follow one's ~*, ἀκολουθῶ τήν κλίση μου. *She has a ~ for music*, ἔχει κλίση στή μουσική.

be·numbed /bɪˋnʌmd/ *κατηγ. ἐπ.* (*λόγ.*) μουδιασμένος: *fingers ~ with cold*, δάχτυλα μουδιασμένα ἀπό τό κρύο.

be·queath /bɪˋkwið/ *ρ.μ.* κληροδοτῶ.

be·quest /bɪˋkwest/ *οὐσ.* ‹C› κληροδότημα.

be·rate /bɪˋreɪt/ *ρ.μ.* ἐπιπλήττω.

be·reave /bɪˋriv/ *ρ.μ.* *ἀνώμ.* (*ἀόρ.* & *π.μ. bereft* /-ˋreft/ *στό* 1. *καί ~d στό* 2.) **1.** στερῶ: *bereft of hope*, ἄνευ (ἐστερημένος) ἐλπίδος. *Indignation bereft him of speech*, ἀπό τήν ἀγανάκτηση δέν μποροῦσε νά μιλήση. **2.** ἀπορφανίζω: *An accident ~d him of his father*, ἕνα ἀτύχημα τοῦ στέρησε (τοῦ πῆρε) τόν πατέρα. **the ~d**, οἱ τεθλιμμένοι. **~·ment** *οὐσ.* ‹C› ἀπώλεια (ἐκ θανάτου): *We all sympathize with you in your ~ment*, σᾶς συμπονᾶμε ὅλοι γιά τήν ἀπώλειά σας.

beret /ˋbereɪ/ *οὐσ.* ‹C› μπερές.

berry /ˋberɪ/ *οὐσ.* ‹C› μοῦρον. **ˋstraw~**, φράουλα.

ber·serk /bəˋsɜk/ *κατηγ. ἐπ.* ἔξω φρενῶν, μανιακός. ***be/go/send sb ~***, εἶμαι/γίνομαι/κάνω κπ ἔξω φρενῶν.

berth /bɜθ/ *οὐσ.* ‹C› **1.** κουκέττα (πλοίου, τραίνου). **2.** ἀγκυροβόλιον. ***give a wide ~ to***, ἀποφεύγω κπ, περνῶ μακρυά. **3.** (*καθομ.*) θέσις, ἐργασία: *find a snug ~*, βρίσκω ὄμορφη δουλειά. __*ρ.μ/ά.* **1.** τακτοποιῶ σέ κουκέττα. **2.** ἀγκυροβολῶ.

be·seech /bɪˋsitʃ/ *ρ.μ.* *ἀνώμ.* (*ἀόρ.* & *π.μ. besought* /-ˋsɔt/) (*ἀπηρχ.* ἤ *λογοτ.*) ἐκλιπαρῶ, ἱκετεύω: *~ sb for mercy/~ sb to be merciful*, ἱκετεύω οἶκτο ἀπό κπ/νά φανῆ σπλαχνικός. **~·ing** *ἐπ.* ἱκετευτικός (τόνος, φωνή, ματιά).

be·set /bɪˋset/ *ρ.μ.* *ἀνώμ.* (*ἀόρ.* & *π.μ.* ~) (*-tt-*) **1.** περιβάλλω, περιστοιχίζω, πολιορκῶ: *the temptations ~ting young people*, οἱ πειρασμοί πού περιστοιχίζουν (πολιορκοῦν) τούς νέους. *a problem ~ with difficulties*, πρόβλημα γεμᾶτο δυσκολίες. **2.** βασανίζω: *~ by doubts/by hunger*, βασανιζόμενος ἀπό ἀμφιβολίες/πεῖνα.

be·side /bɪˋsaɪd/ *πρόθ.* **1.** πλάϊ: *Sit ~ me*, κάθισε πλάϊ μου. **2.** σέ σύγκριση μέ: *She is quite tall ~ her brother*, εἶναι πολύ ψηλή σέ σύγκριση μέ τόν ἀδελφό της. **3.** ἐκτός. ***~ oneself***, ἐκτός ἑαυτοῦ: *He was ~ himself with joy/indignation*, ἦταν ἐκτός ἑαυτοῦ ἀπό χαρά/ἀγανάκτηση. ***~ the point/the mark/the question***, ἐκτός θέματος.

be·sides /bɪˋsaɪdz/ *πρόθ.* ἐκτός ἀπό, ἐπιπροσθέτως πρός: *We have two other bicycles ~ this*, ἔχομε κι' ἄλλα δυό ποδήλατα ἐκτός ἀπ' αὐτό. __*ἐπίρ.* ἐπιπλέον, καί ἐκτός αὐτοῦ: *I don't like it; ~ it's too expensive*, δέν μοῦ ἀρέσει, ἐπιπλέον εἶναι καί πολύ ἀκριβό.

be·siege /bɪˋsidʒ/ *ρ.μ.* πολιορκῶ: *Troy was ~d by the Greeks for ten years*, ἡ Τροία ἐπολιορκεῖτο ἀπό τούς Ἕλληνες δέκα χρόνια. *The teacher was ~d with questions from his pupils*, οἱ μαθητές ἐπολιόρκησαν τό δάσκαλό τους μέ ἐρωτήσεις.

be·smear /bɪˋsmɪə(r)/ *ρ.μ.* ***~ with***, πασαλείφω.

be·smirch /bɪˋsmɜtʃ/ *ρ.μ.* λερώνω, κηλιδώνω (*πχ* ὑπόληψη).

be·sot·ted /bɪˋsotɪd/ *κατηγ. ἐπ.* ἀποβλακωμένος: *~ with drink/drugs/love*, ἀποβλακωμένος ἀπό τό πιοτό/τά ναρκωτικά/τόν ἔρωτα.

be·sought /bɪˋsɔt/ *ἀόρ.* & *π.μ.* *τοῦ ρ. beseech.*

be·speak /bɪˋspik/ *ρ.μ.* *ἀνώμ.* (*ἀόρ. bespoke* /-ˋspəʊk/, *π.μ. bespoke* ἤ *bespoken*) (*λογοτ.*) μαρτυρῶ, ἀποδεικνύω: *His polite manners ~ the gentleman*, οἱ εὐγενικοί του τρόποι ἀποδεικνύουν ὅτι εἶναι κύριος.

best /best/ *ἐπ.* & *ἐπίρ.* (*ὑπερθ. τῶν λέξ. good, well*), ὁ καλύτερος, κάλλιστα: *We are the ~ of friends*, εἴμαστε οἱ καλύτεροι φίλοι. *Do as you think ~*, κάνε ὅπως νομίζεις καλύτερα. ***(do sth) all for the ~***, (κάνω κτ) γιά καλό: *It's all for the ~*, γίνεται γιά καλό. ***in one's (Sunday) ~***, μέ τά γιορτινά μου. ***the ~ part of sth***, τό μεγαλύτερο μέρος, σχεδόν ὅλο: *He spent the ~ part of £10*, ξόδεψε σχεδόν 10 λίρες. ***the ~ of it is that...***, τό ἀστεῖο τοῦ πράγματος εἶναι ὅτι... ***at ~***, στήν καλύτερη περίπτωση. ***be at his/her/its ~***, σέ φόρμα, στό φόρτε του, στίς ὀμορφιές του: *Dickens is at his ~ when he writes...*, ὁ Ντίκενς εἶναι στό φόρτε του ὅταν γράφει... ***do one's ~/the ~ one can***, κάνω τό καλύτερο πού μπορῶ. ***(even) at the ~ of times***, κάτω κι' ἀπό τίς πιό εὐνοϊκές συνθῆκες. ***get the ~ of an argument/of a***

bargain, βγαίνω κερδισμένος ἀπό μιά συζήτηση/μιά συμφωνία. ***make the ~ of a bad job/situation***, κάνω τό κατά δύναμιν, ἀντιμετωπίζω μέ θάρρος μιά δυσκολία. ***to the ~ of one's ability/power***, ὅσο καλύτερα μπορῶ. ***to the ~ of my knowledge/belief/recollection***, ἀπ' ὅ,τι ξέρω/πιστεύω/θυμᾶμαι. ~ **man**, κουμπάρος (σέ γάμο).

bes·tial /ˈbestɪəl/ *ἐπ.* ζωώδης, κτηνώδης. ~**·ity** /ˌbestɪˈælətɪ/ *οὐσ.* ‹C,U› κτηνωδία.

be·stir /bɪˈstɜ(r)/ *ρ.μ.* *(-rr-)* ~ ***oneself***, *(λόγ.)* κινοῦμαι, δραστηριοποιοῦμαι.

be·stow /bɪˈstəʊ/ *ρ.μ.* δίδω, ἀπονέμω, ἐπιδαψιλεύω: ~ *one's affection on sb*, δίδω τήν ἀγάπη μου σέ κπ. ~ *a title*, ἀπονέμω τίτλον. ~ *an honour/praise/favours on sb*, ἐπιδαψιλεύω τιμές/ἔπαινον/εὔνοιαν σέ κπ.

be·stride /bɪˈstraɪd/ *ρ.μ.* ἀνώμ. (*ἀόρ. bestrode* /-ˈstrəʊd/, *π.μ. bestridden* /-ˈstrɪdn/) κάθομαι καβαλλικευτά, στέκομαι μέ τά πόδια ἀνοιχτά: ~ *a horse/a chair*, κάθομαι καβαλλικευτά σ' ἕνα ἄλογο/σέ μιά καρέκλα. ~ *a ditch*, στέκομαι μέ τά πόδια ἀνοιχτα πάνω ἀπό χαντάκι.

bet /bet/ *ρ.μ/ἀ.* ἀνώμ. (*ἀόρ.* & *π.μ.* ~, *ἐνίοτε* ~*ted*)*(-tt-)* στοιχηματίζω, βάζω στοίχημα: ~ *on a horse*, στοιχηματίζω σ' ἕνα ἄλογο. *I ~ you ten to one that...*, σοῦ βάζω στοίχημα δέκα πρός ἕνα ὅτι... ***I ~/You ~***, *(καθομ.)* εἶμαι βέβαιος/νά εἶσαι βέβαιος. —*οὐσ.* ‹C› στοίχημα: *make/win/lose/accept a ~*, βάζω/κερδίζω/χάνω/δέχομαι στοίχημα.

be·tide /bɪˈtaɪd/ *(λογοτ.)* *(μόνο στή φράση)*: ***woe ~ you!*** κακό νά σ' εὕρη!

be·times /bɪˈtaɪmz/ *ἐπίρ.* *(λογοτ.)* ἐνωρίς.

be·tray /bɪˈtreɪ/ *ρ.μ.* προδίδω, φανερώνω: ~ *one's principles/a friend/a secret/one's country*, προδίδω τίς ἀρχές μου/ἕνα φίλο/ἕνα μυστικό/τή χώρα μου. *His action ~s a corrupt mind*, ἡ πράξη του προδίδει (φανερώνει) διεφθαρμένη ψυχή. ~**al** /-ˈtreɪəl/ *οὐσ.* ‹C› προδοσία. ~**er** *οὐσ.* ‹C› προδότης.

be·troth /bɪˈtrəʊð/ *ρ.μ.* *(συνήθ. παθ. φων.)* ~ ***to***, ἀρραβωνιάζω: *She was ~ed to a banker*, ἦταν ἀρραβωνιασμένη μ' ἕναν τραπεζίτη. ~**ed** *οὐσ.* ‹C› μνηστήρ, μνηστή. ~**al** /-əl/ *οὐσ.* ‹C› ἀρραβώνας.

bet·ter /ˈbetə(r)/ *ἐπ.* & *ἐπίρ.* (*συγκρ. τῶν good, well*), καλύτερος, καλύτερα: *He's a ~ man than me*, εἶναι καλύτερος ἀπό μένα. *He's ~ today*, εἶναι καλύτερα σήμερα. *They've seen ~ days*, γνώρισαν καλύτερες μέρες. *a turn for the ~*, τροπή πρός τό καλύτερο. ***(do sth) against one's ~ judgement***, κάνω κτ παρά τίς ἐπιφυλάξεις μου. ***his ~ half***, ἡ γυναίκα του, τό ἕτερόν του ἥμισυ. ***no ~ than***, ὄχι καλύτερος ἀπό, ἴδιος: *He's no ~ than a beggar*, εἶναι ἴδιος ζητιᾶνος. ***be ~ off***, εὐημερῶ, εἶμαι σέ καλύτερη οἰκονομική κατάσταση: *be ~ off without sth*, εἶμαι καλύτερα (πιό ἥσυχος) χωρίς κτ. ***know ~***, *(α)* ἔχω ἀρκετή φρόνηση (ὥστε νά μήν κάνω κτ): *You ought to know ~ than to lend him any money*, ἔπρεπε νά ἔχης ἀρκετή φρόνηση ὥστε νά μήν τόν δανείσης. *(β)* δέν πιστεύω, ἔχω ἀντίθετη γνώμη: *He says he is happy but I know ~*, λέει ὅτι εἶναι εὐτυχισμένος ἀλλά ἐγώ δέν τόν πιστεύω. ***think ~ of sth/of doing sth***, τό ξανασκέφτομαι (κι' ἀποφασίζω νά μήν κάνω κτ). ***had ~***, θἄταν καλύτερα νά: *I'd ~ go now*, θἄταν καλύτερα νά φύγω τώρα. *You'd ~ have told me yesterday*, καλύτερα νά μοῦ τό εἶχες πεῖ χθές. —*οὐσ.* ‹C› ***one's ~s***, οἱ καλύτεροι, οἱ ἀνώτεροι κάποιου. ***get the ~ of sb/sth***, ὑπερισχύω: *Her shyness got the ~ of her*, ὑπερίσχυσε ἡ συστολή της. —*ρ.μ.* βελτιώνω: ~ *the conditions of work*, βελτιώνω τίς συνθῆκες ἐργασίας. ~ *oneself*, βελτιώνομαι. ~**·ment** *οὐσ.* ‹U› βελτίωσις.

be·tween /bɪˈtwin/ *ἐπίρ.* μεταξύ, ἀνάμεσα. ***far ~***, σέ ἀραιά διαστήματα. ***few and far ~***, πολύ σπάνια: *In these parts hotels are few and far ~*, σ' αὐτά τά μέρη τά ξενοδοχεῖα εἶναι σπάνια. ***in ~***, ἐνδιαμέσως. —*πρόθ.* μεταξύ *(συνήθ.* δύο). ***~ you and me; ~ ourselves***, μεταξύ μας, ἐμπιστευτικῶς. ***There is no love lost ~ them***, ἀντιπαθοῦν ὁ ἕνας τόν ἄλλον. ***There's nothing to choose ~ them***, δέν ὑπάρχει διαφορά μεταξύ τους, εἶναι ἴδιοι.

be·twixt /bɪˈtwɪkst/ *πρόθ.* *(λογοτ.)* μεταξύ.

bev·er·age /ˈbevərɪdʒ/ *οὐσ.* ‹C› ποτόν, ρόφημα.

bevy /ˈbevɪ/ *οὐσ.* ‹C› μάζωξη, παρέα (γυναικῶν), σμῆνος (πουλιῶν).

be·wail /bɪˈweɪl/ *ρ.μ.* *(λόγ.)* θρηνολογῶ, κλαίω: ~ *one's lot*, κλαίω τή μοίρα μου.

be·ware /bɪˈweə(r)/ *ρ.μ/ἀ.* *(μόνον εἰς τήν προστακτ.* & *τό ἀπαρέμφ.)* φυλάγομαι ἀπό, προσέχω: *B~ of the dog!* Φυλαχθῆτε ἀπό τό σκυλί! Προσοχή, σκύλος!

be·wil·der /bɪˈwɪldə(r)/ *ρ.μ.* συγχίζω, φέρω εἰς ἀμηχανίαν, ζαλίζω: *He looked quite ~ed by the crowds and the lights*, φαινόταν ὁλότελα ζαλισμένος ἀπό τά πλήθη καί τά φῶτα. ~**·ment** *οὐσ.* ‹U› σύγχυσις, ταραχή, ἀμηχανία: *He looked at me in ~ment*, μέ κοίταξε μέ ἀμηχανία.

be·witch /bɪˈwɪtʃ/ *ρ.μ.* μαγεύω, γοητεύω: *She ~ed all her guests with her dance*, μάγεψε ὅλους τούς καλεσμένους μέ τό χορό της. *He's ~ed*, τοῦ ἔχουν κάνει μάγια! ~**·ing** *ἐπ.* σαγηνευτικός. ~**·ing·ly** *ἐπίρ.*

be·yond /bɪˈjond/ *πρόθ.* *(τοπ.* & *χρον.)* πέραν, πέρα ἀπό: ~ *the village/the ocean/Sunday*, πέρα ἀπό τό χωριό/τόν ὠκεανό/πέραν τῆς Κυριακῆς. *It's ~ me/my understanding*, εἶναι ἀνώτερο τῶν δυνάμεών μου, δέν τό καταλαβαίνω. *That's going ~ a joke*, τό ἀστεῖο παράγινε, αὐτό ξεπερνάει τά ὅρια τοῦ ἀστείου. *He has nothing ~ his pension*, δέν ἔχει τίποτα πέρα (ἐκτός) ἀπό τή σύνταξή του. ***~ belief***, ἀπίστευτο. ***~ doubt***, ἀναμφισβήτητος.

bi- /baɪ/ *πρόθεμα* δι-, δισ-. **bi·an·nual** *ἐπ.* ἑξαμηνιαῖος, δίς τοῦ ἔτους.

bias /ˈbaɪəs/ *οὐσ.* ‹C,U› προκατάληψις: *without ~*, ἀμερόληπτος, χωρίς προκατάληψη. *have a ~ towards/against sb*, ἔχω προκατάληψη ὑπέρ/ἐναντίον κάποιου. —*ρ.μ.* *(-ss- ἤ -s-)* προδιαθέτω, προκαταλαμβάνω: *You are ~ed against me*, εἶσαι προκατειλημμένος ἐναντίον μου.

bib /bɪb/ *οὐσ.* ‹C› σαλιάρα (μωροῦ), μποῦστος ποδιᾶς.

Bible /ˈbaɪbl/ *οὐσ.* ‹C› ἡ Βίβλος, ἡ Ἁγία

Γραφή. **bib·li·cal** /ˈbɪblɪkl/ ἐπ. βιβλικός.
bib·li·ogra·phy /ˈbɪblɪˈɒgrəfɪ/ οὐσ. ‹C› βιβλιογραφία.
bi·cen·ten·ary /ˈbaɪˈsenˈtiːnərɪ/ ἐπ. & οὐσ. ‹C› δισεκατονταετής, δισεκατονταετηρίς.
bi·ceps /ˈbaɪseps/ οὐσ. (ἀμετάβλ. στόν πληθ.) μύες στό μπράτσο (κοιν. ποντίκι).
bicker /ˈbɪkə(r)/ ρ.μ. ~ *(with sb) (over/about sth)*, καυγαδίζω, διαπληκτίζομαι (γιά κάτι ἀσήμαντο).
bi·cycle /ˈbaɪsɪkl/ οὐσ. ‹C› ποδήλατο. —ρ.ἀ. κάνω ποδήλατο.
[1]**bid** /bɪd/ οὐσ. ‹C› προσφορά, χτύπημα (σέ πλειστηριασμό, στό μπρίτζ): *make a higher ~/raise the ~*, κάνω ὑψηλότερη προσφορά, πλειοδοτῶ. *the last ~*, ἡ τελευταία προσφορά. *make a ~ for freedom/for popular support*, προσπαθῶ νά ἀποκτήσω τήν ἐλευθερία μου/λαϊκή ὑποστήριξη. —ρ.μ/ἀ. (ἀόρ. & π.μ. ~) *(-dd-)* προσφέρω (σέ δημοπρασία): *~ £5 for sth*, προσφέρω (χτυπῶ) 5 λίρες γιά κτ. **~·der** οὐσ. ‹C› πλειοδότης.
[2]**bid** /bɪd/ ρ.μ. ἀνώμ. (ἀόρ. *bade* /bæd/, π.μ. *~den* /-ən/) *(-dd-)* (ἀπηρχ.) λέγω, διατάσσω: *~ sb good morning/farewell*, λέω καλημέρα/ἀποχαιρετῶ κπ. *Soldiers must do as they are ~den*, οἱ στρατιῶτες πρέπει νά κάνουν ὅ,τι τούς διατάσσουν. **~·ding** οὐσ. ‹U› διαταγή: *be at/do sb's ~ding*, εἶμαι εἰς/ἐκτελῶ τίς διαταγές κάποιου. **~dable** ἐπ. ὑπάκουος.
bide /baɪd/ ρ.μ. (ἀπηρχ.) (μόνο στή φράση): *~ one's time*, περιμένω τήν εὐκαιρία.
bidet /ˈbiːdeɪ/ οὐσ. ‹C› μπιντές.
bi·en·nial /baɪˈenɪəl/ ἐπ. διετής. —οὐσ. ‹C› διετές φυτόν.
bier /bɪə(r)/ οὐσ. ‹C› νεκροφόρα, νεκροτράπεζα.
bi·fur·cate /ˈbaɪfəkeɪt/ ἐπ. (λόγ.) διχαλωτός. ρ.μ/ἀ. διακλαδώνω/-ομαι.
big /bɪg/ ἐπ. *(-ger, -gest)* (ἀντίθ. *little*), μεγάλος: *a ~ man/liar*, μεγαλόσωμος ἄνδρας/μεγάλος ψεύτης. *a ~ boy/tree*, μεγάλο παιδί/δέντρο. *the four ~ powers*, οἱ τέσσερες μεγάλες δυνάμεις. ***get/grow too ~ for one's boots***, (καθομ.) παίρνω ψηλά τόν ἀμανέ, γίνομαι φαντασμένος. ***have ~ ideas***, εἶμαι φιλόδοξος. ***talk ~***, κομπορρημονῶ. **ˈ~-wig**, (λαϊκ.) μεγαλόσχημος, σπουδαῖο πρόσωπο.
big·amy /ˈbɪgəmɪ/ οὐσ. ‹U› διγαμία. **big·am·ist** /-mɪst/ οὐσ. ‹C› ὁ δίγαμος. **big·am·ous** /-məs/ ἐπ. δίγαμος.
bight /baɪt/ οὐσ. ‹C› **1**. κουλούρα (σκοινιοῦ). **2**. κόλπος, ὅρμος (πλατύς κι' ἀνοιχτός).
bigot /ˈbɪgət/ οὐσ. ‹C› φανατικός, μισαλλόδοξος. **~·ted** ἐπ. φανατικός, φανατισμένος. **~ry** /-trɪ/ οὐσ. ‹U› φανατισμός, μισαλλοδοξία.
bike /baɪk/ οὐσ. ‹C› (καθομ.) ποδήλατο.
bi·lat·eral /ˈbaɪˈlætərl/ ἐπ. διμερής, δίπλευρος: *a ~ agreement*, διμερής συμφωνία.
bile /baɪl/ οὐσ. ‹U› χολή, κακοκεφιά.
bilge /bɪldʒ/ οὐσ. ‹U› **1**. σεντίνα, βρωμιές καί νερά στό ἀμπάρι πλοίου (ἐπίσης *ˈ~-water*). **2**. (λαϊκ.) ἀνοησίες.
bi·lin·gual /ˈbaɪˈlɪŋgwl/ ἐπ. & οὐσ. ‹C› δίγλωσσος.
bil·ious /ˈbɪlɪəs/ ἐπ. χολερικός, (μεταφ.) πικρόχολος, στριμμένος.
bilk /bɪlk/ ρ.μ. ~ ***sb (out) of***, (πεπαλ.) ἐξαπατῶ, τό σκάω καί δέν πληρώνω.
[1]**bill** /bɪl/ οὐσ. ‹C› ράμφος. —ρ.μ. (γιά περιστέρια), χαϊδεύω μέ τό ράμφος. ~ ***and coo***, ἀνταλλάσσω χαϊδολογήματα καί γλυκόλογα.
[2]**bill** /bɪl/ οὐσ. ‹C› (ἐπίσης ˈ~·*hook*) κλαδευτήρι.
[3]**bill** /bɪl/ οὐσ. **1**. λογαριασμός (φαγητοῦ, ἠλεκτρικοῦ, τηλεφώνου, κλπ). ***foot the ~***, (δέχομαι καί) πληρώνω τό λογαριασμό. **2**. πρόγραμμα (θεάτρου, συναυλίας, κλπ): *a theatre ~*, πρόγραμμα θεάτρου. **~ *of fare***, κατάλογος φαγητῶν, μενοῦ. **3**. ἀφίσα: *stick ~s*, κολλῶ ἀφίσες. **4**. (*ΗΠΑ*) χαρτονόμισμα. **5**. νομοσχέδιο. **6**. **~ of sale**, πωλητήριον. **B~ of Exchange**, συναλλαγματική. **~ of lading**, φορτωτική. **~s receivable/payable**, γραμμάτια εἰσπρακτέα/πληρωτέα. **~ of entry**, διασάφησις εἰσαγωγῆς. —ρ.μ. **1**. ἀναγγέλλω πρόγραμμα. **2**. χρεώνω, στέλνω λογαριασμό: *~ a client*, χρεώνω πελάτη.
bil·let /ˈbɪlɪt/ οὐσ. ‹C› **1**. κατάλυμα, καταυλισμός: *The troops are in ~*, οἱ στρατιῶτες εἶναι καταυλισμένοι (σέ σπίτια). **2**. θέσις, δουλειά: *a cushy ~*, ἄνετη δουλειά. —ρ.μ. ~ *(**on**)* στρατωνίζω: *Soldiers were ~ed on all the villagers/the town*, στρατιῶτες στρατωνίστηκαν σ' ὅλα τά σπίτια τοῦ χωριοῦ/τῆς πόλης.
bil·li·ards /ˈbɪlɪədz/ οὐσ. ‹U› μπιλλιάρδο: *have a game of/play ~*, παίζω μιά παρτίδα μπιλλιάρδο.
bil·lion /ˈbɪlɪən/ οὐσ. ‹C› (*ΜΒ*) τρισεκατομμύριον, (*ΗΠΑ*) δισεκατομμύριον.
bil·low /ˈbɪləʊ/ οὐσ. ‹C› (λογοτ.) μεγάλο κῦμα. —ρ.ἀ. κινοῦμαι κυματοειδῶς: *The flames ~ed over the prairie*, οἱ φλόγες ἁπλώνονταν σάν κύματα στό λειβάδι. **~y** ἐπ. *(-ier, -iest)* κυματοειδής.
billy-goat /ˈbɪlɪ gəʊt/ οὐσ. ‹C› τράγος.
bin /bɪn/ οὐσ. ‹C› μεγάλο δοχεῖο (συνήθ. μέ καπάκι). **ˈdust~**, ντενεκές τῶν σκουπιδιῶν.
bind /baɪnd/ ρ.μ/ἀ. ἀνώμ. (ἀόρ. & π.μ. *bound* /baʊnd/) **1**. δένω: *~ a book*, δένω ἕνα βιβλίο. *~ up a wound*, δένω πληγή. *~ sb hand and foot*, δένω κπ χειροπόδαρα. *The ground is ˈfrost-bound*, τό ἔδαφος εἶναι (σκληρό) σάν πέτρα ἀπό τήν παγωνιά. **2**. δεσμεύω, ὑποχρεώνω κπ νά κάνω κτ: *~ sb to pay a debt*, δεσμεύω κπ νά πληρώση ἕνα χρέος. *~ sb to secrecy*, δεσμεύω κπ νά κρατήση κτ μυστικό. *~ oneself to do sth*, ἀναλαμβάνω τήν ὑποχρέωση νά κάμω κτ.
bind·ing /ˈbaɪndɪŋ/ οὐσ. ‹C› δέσιμο (ἰδ. βιβλίου). —ἐπ. δεσμευτικός: *a ~ agreement*, δεσμευτική συμφωνία.
bingo /ˈbɪŋgəʊ/ οὐσ. ‹U› λοταρία.
bin·ocu·lars /bɪˈnɒkjʊləz/ οὐσ. πληθ. διόπτρες, κιάλια.
bio·chem·is·try /ˈbaɪəʊˈkemɪstrɪ/ οὐσ. ‹U› βιοχημεία.
bi·ogra·pher /baɪˈɒgrəfə(r)/ οὐσ. ‹C› βιογράφος.
bio·graphic, -cal /ˈbaɪəˈgræfɪk(l)/ ἐπ. βιογραφικός.
bi·ogra·phy /baɪˈɒgrəfɪ/ οὐσ. ‹C› βιογραφία.
bio·logi·cal /ˈbaɪəˈlɒdʒɪkl/ ἐπ. βιολογικός.
bi·ol·ogist /baɪˈɒlədʒɪst/ οὐσ. ‹C› βιολόγος.
bi·ol·ogy /baɪˈɒlədʒɪ/ οὐσ. ‹U› βιολογία.
bi·ped /ˈbaɪped/ οὐσ. ‹C› δίποδον ζῶον.

bi·plane /ˈbaɪpleɪn/ *ούσ.* ‹C› διπλάνον.
birch /bɜtʃ/ *ούσ.* ‹C,U› **1**. (*φυτ.*) σημύδα. **2**. (*ἐπίσης* ˈ**~-rod**) βέργα (ραβδισμοῦ). —*ρ.μ.* χτυπῶ μέ βέργα, δέρνω.
bird /bɜd/ *ούσ.* ‹C› **1**. πουλί. ***A ~ in the hand is worth two in the bush***, (*παροιμ.*) κάλλιο πέντε καί στό χέρι παρά δέκα καί καρτέρει. ***kill two ~s with one stone***, (*παροιμ.*) μ'ἕνα σμπάρο δυό τρυγόνια. ***give sb/get the ~***, γιουχαΐζω κπ/γιουχαΐζομαι. ***a ˈ~'s-eye-view***, πανοραμική ἄποψις. **2**. (*καθομ.*) ἄνθρωπος, τύπος: *He's a queer/rum ~*, εἶναι περίεργος τύπος. *a cunning old ~*, παμπόνηρος ἄνθρωπος. ˈ**gaol-~**, τρόφιμος τῶν φυλακῶν.
birth /bɜθ/ *ούσ.* ‹C› γέννησις: *The boy weighed seven pounds at ~*, τό παιδί ζύγιζε ἑπτά λίβρες κατά τήν γέννηση. *from (his) ~*, ἀπό γεννησιμιοῦ (του), ἐκ γενετῆς. ***give ~ to***, γεννῶ. ***by ~***, κατά τήν καταγωγή: *He's Italian by ~*, εἶναι Ἰταλός στήν καταγωγή. ˈ**~-control**, ἔλεγχος τῶν γεννήσεων. ˈ**~·day**, γενέθλια. ˈ**~-place**, τόπος γεννήσεως, γενέτειρα, (*μεταφ.*) κοιτίς, λίκνον: *Greece is the ~-place of democracy*, ἡ Ἑλλάδα εἶναι ἡ κοιτίδα τῆς Δημοκρατίας. ˈ**~·rate**, ρυθμός (ποσοστόν) γεννήσεων. ˈ**~·right**, πρωτοτόκια, ἀναφαίρετο δικαίωμα.
bis·cuit /ˈbɪskɪt/ *ούσ.* ‹C› μπισκότο.
bi·sect /baɪˈsekt/ *ρ.μ.* διχοτομῶ. **bi·sec·tion** /-ˈsekʃn/ *ούσ.* ‹C› διχοτόμησις.
bi·sex·ual /baɪˈsekʃʊəl/ *ἐπ.* ἑρμαφρόδιτος, ἑλκυόμενος καί ἀπό τά δύο φύλα.
bishop /ˈbɪʃəp/ *ούσ.* ‹C› **1**. ἐπίσκοπος. **2**. (*στό σκάκι*) ἀξιωματικός. **~·ric** /-rɪk/ *ούσ.* ‹C› ἐπισκοπή (περιφέρεια ἤ ἀξίωμα ἐπισκόπου).
bi·son /ˈbaɪsn/ *ούσ.* ‹C› (*ζωολ.*) βίσων, βούβαλος.
[1]**bit** /bɪt/ *ούσ.* ‹C› **1**. τρυπάνι. **2**. χαβιά χαλινοῦ. ***take the ~ between one's teeth***, (*γιά ἄλογο*) ἀφηνιάζω, (*γιά ἀνθρ.*) παραφέρομαι.
[2]**bit** /bɪt/ *ούσ.* ‹C› **1**. κομματάκι: *~s of paper/bread/cheese*, κομματάκια χαρτί/ψωμί/τυρί. ***pull/cut/tear sth to ~s***, κάνω κτ κομματάκια, κομματιάζω. **2**. λίγο, λιγάκι: *a ~ tired*, λίγο κουρασμένος. *Wait a ~*, περίμενε λίγο! *a ~ better/worse/more*, λίγο καλύτερα/χειρότερα/περισσότερο. *a ~ of news/advice/luck*, μιά εἴδηση/συμβουλή/λίγη τύχη. *It is every ~ as good*, εἶναι ἐξίσου καλό. ***a ~ of a***, λιγάκι: *He's a ~ of a liar*, εἶναι λιγάκι ψεύτης. ˈ***~ by*** ˈ***~***, λίγο-λίγο, σιγά-σιγά. ***not a ~***, καθόλου: *I don't care a bit*, δέν μέ νοιάζει καθόλου. ***not a ~ of it***, (*ἐμφατικῶς*) καθόλου, τίποτα: *You'd think he'd be sorry, but not a ~ of it*, θά νόμιζε κανείς ὅτι μετάνοιωσε, ἀλλά τίποτα αὐτός!
[3]**bit** /bɪt/ *ἀόρ. τοῦ ρ. bite.*
bitch /bɪtʃ/ *ούσ.* ‹C› **1**. σκύλα, λύκαινα. **2**. (*καθομ.*) παληοθήλυκο. —*ρ.μ.* (*καθομ.*) γκρινιάζω, παραπονοῦμαι.
[1]**bite** /baɪt/ *ρ.μ/ἀ. ἀνώμ.* (*ἀόρ. bit* /bɪt/, *π.μ. bitten* /ˈbɪtn/) **1**. δαγκώνω: *The dog bit the boy in the leg*, ὁ σκύλος δάγκωσε τό παιδί στό πόδι. ***~ at sth***, προσπαθῶ ν'ἀρπάξω κτ μέ τά δόντια. ***~ off***, ἀποκόπτω μέ τά δόντια: *~ off more than one can chew*, ἐπιχειρῶ κτ πού εἶναι πάνω ἀπό τίς δυνάμεις μου. ***Once bitten twice shy***, (*παροιμ.*) ὅποιος κάηκε στό χυλό φυσάει καί τό γιαούρτι. ***the biter bitten***, ἐκεῖνος πού ἔσκαβε τό λάκκο τ'ἀλλουνοῦ ἔπεσε μέσα. ***~ the dust***, τρώω χῶμα (δηλ. μέ ρίχνουν κάτω ἤ σκοτώνομαι). **2**. (*γιά ψάρια, κουνούπια, ψύλλους, κλπ*) τσιμπῶ: *The fish wouldn't ~*, τά ψάρια δέν τσιμποῦσαν. *His face was badly bitten by mosquitoes*, τό πρόσωπό του ἦταν κατατσιμπημένο ἀπό κουνούπια. **3**. καίω, πιάνω, τρώω, μαγκώνω: *The cold wind bit my face*, ὁ κρύος ἀέρας ἔκοβε τό πρόσωπό μου. *Strong acids ~ into metals*, τά δυνατά ὀξέα τρῶνε τά μέταλλα. *The file/The screw ~s well*, ἡ λίμα/ἡ βίδα πιάνει καλά. *The flowers were bitten by the frost*, τά λουλούδια ἦταν καμμένα ἀπό τήν παγωνιά. ˈ**frost-bitten** *ἐπ.* πού ἔχει πάθει κρυοπαγήματα. **bit·ing** *ἐπ.* τσουχτερός, δηκτικός, δριμύς: *biting winds/words*, τσουχτεροί ἄνεμοι/-ά λόγια.
[2]**bite** /baɪt/ *ούσ.* ‹C› δάγκωμα, τσίμπημα, μπουκιά: *eat sth at one ~*, κάνω κτ μιά μπουκιά. *insect ~s*, τσιμπήματα ἐντόμων. *I haven't had a ~ since morning*, δέν ἔχω βάλει μπουκιά στό στόμα μου ἀπό τό πρωΐ.
bit·ten /ˈbɪtn/ *π.μ. τοῦ ρ. bite.*
bit·ter /ˈbɪtə(r)/ *ἐπ.* **1**. πικρός: *It's a ~ disappointment*, εἶναι πικρή ἀπαγοήτευση. ***It's a ~ pill to swallow***, εἶναι πικρό χάπι. **2**. παγερός, δριμύς, ἄσπονδος: *a ~ wind*, παγερός ἄνεμος. *a ~ cold*, δριμύ ψύχος. *a ~ enemy*, ἄσπονδος ἐχθρός. *~ hatred*, ἄσβεστον μῖσος. **~·ly** *ἐπίρ.* πικρά, δριμέως: *It was ~ly cold*, ἔκανε φοβερό κρύο. —*ούσ.* ‹U› **1**. τό πικρό. ***take the ~ with the sweet***, καί τά καλά καί τά κακά δεχούμενα. **2**. ἐλαφριά μπύρα: *a pint of ~*, ἕνα μεγάλο ποτήρι ἐλαφριά. **~s** *ούσ. πληθ.* πικρά ἀρωματικά λικέρ. **~·ness** *ούσ.* ‹U› πικράδα, πικρία, ἔχθρα, δριμύτης.
bitu·men /ˈbɪtʃʊmən/ *ούσ.* ‹U› πίσσα, πισσάσφαλτος.
biv·ouac /ˈbɪvʊæk/ *ούσ.* ‹C› (*στρατ.*) καταυλισμός (πρόχειρος).
bi·zarre /bɪˈzɑ(r)/*ἐπ.* παράξενος, ἀλλόκοτος.
blab /blæb/ *ρ.μ.* (*-bb-*) φλυαρῶ, κάνω ἀκριτομύθιες.
black /blæk/ *ἐπ.* (*-er, -est*) **1**. μαῦρος. ***be ~ and blue***, εἶμαι κατάμαυρος (ἀπό ξύλο). ***be in sb's ~ books***, εἶμαι στά μαῦρα κατάστιχα κάποιου. ***be ~ in the face***, γίνομαι κατακόκκινος (ἀπό θυμό ἤ μεγάλη προσπάθεια). ***look ~ at sb; give sb a ~ look***, κοιτάζω κπ ἄγρια. ***a ~ eye***, μαυρισμένο μάτι. ***the ~ sheep of the family***, ὁ ἀχαΐρευτος (ὁ ἄσωτος υἱός) τῆς οἰκογενείας. ***in ~ and white***, γραπτῶς. **2**. (*ὡς α! συνθετ. διαφόρων λέξεων*): **~ art**, μαύρη μαγεία. ˈ**~·ball** *ρ.μ.* καταψηφίζω, μαυρίζω. ˈ**~-beetle**, κατσαρίδα. ˈ**~·berry** /ˈblækbərɪ/, βατόμουρο. ˈ**~·bird**, κοτσύφι. ˈ**~·board**, πίνακας. ˈ**~·cur·rant**, μαύρη σταφίδα. ˈ**~·guard** /ˈblægəd/, παληάνθρωπος, μασκαρᾶς. ˈ**~·leg**, ἀπεργοσπάστης. ˈ**~·list** *ούσ.* ‹C› μαυροπίνακας. —*ρ.μ.* βάζω κπ στό μαυροπίνακα. ˈ**~·mail** *ούσ.* ‹U› ἐκβιασμός. —*ρ.μ.* ἐκβιάζω. ˈ**~·mailer**, ἐκβιαστής. **~ Maria** /məˈraɪə/, κλούβα (τῆς ἀστυνομίας). ˈ**~**

`**market**, μαύρη ἀγορά. '~ '**marke`teer** /'makı'tıə(r)/, μαυραγορίτης. '~ `**mass**, λειτουργία τοῦ Σατανᾶ. `~·**out** *οὐσ.* ‹C› συσκότισις, προσωρινή ἀπώλεια μνήμης ἤ αἰσθήσεων. —*ρ.μ.* συσκοτίζω, χάνω προσωρινά τίς αἰσθήσεις ἤ τή μνήμη μου. `**B**~·**shirt**, μελανοχίτων. `~·**smith**, σιδηρουργός, γύφτος. —*οὐσ.* ‹C,U› μαῦρος (νέγρος), μουντζούρα, (χρῶμα) μαῦρο: *She was dressed in* ~, ἦταν ντυμένη στά μαῦρα.

blacken /`blækən/ *ρ.μ/ἀ.* μαυρίζω, λερώνω (τήν ὑπόληψη κάποιου).

blad·der /`blædə(r)/ *οὐσ.* ‹C› **1**. κύστις. **2**. σαμπρέλλα (μπάλλας ποδοσφαίρου).

blade /bleıd/ *οὐσ.* ‹C› **1**. φύλλο (χλόης): *not a ~ of grass*, οὔτε ἕνα φύλλο χλόης. **2**. λεπίδα: *a `razor ~*, ξυριστική λεπίδα. *a pocket-knife with two ~s*, σουγιᾶς μέ δυό λεπίδες. **3**. ξῖφος.

blame /bleım/ *ρ.μ.* ~ ***sb (for sth)***; ~ ***sth on sb***, μέμφομαι, κατηγορῶ, ἀποδίδω εὐθύνη: *He ~d his teacher for his failure*, κατηγόρησε τό δάσκαλό του γιά τήν ἀποτυχία του. *He ~d his failure on his teacher*, ἀπέδωσε τήν ἀποτυχία του στό δάσκαλό του. *Who is to ~/to be ~d for the fire?* ποιός φταίει γιά τή φωτιά; —*οὐσ.* ‹U› εὐθύνη, φταίξιμο, ψόγος, μομφή. ***bear/take the ~ (for sth)***, φέρω/παίρνω τήν εὐθύνη γιά κτ. ***put/lay the ~ on sb (for sth)***, ρίχνω τό φταίξιμο σέ κπ γιά κτ. ~·**less** *ἐπ.* ἄψογος, ἀνεύθυνος: *I am ~less in this matter*. ~·**worthy** /-wɜðı/ *ἐπ.* ἀξιόμεμπτος.

blanch /blantʃ/ *ρ.μ/ἀ.* ἀσπρίζω, χλωμιάζω: *~ almonds*, ξεφλουδίζω ἀμύγδαλα.

bland /blænd/ *ἐπ.* *(-er, -est)* **1**. (*γιά τρόπο, χαμόγελο, κλπ*) πρᾶος, μελιστάλαχτος. **2**. (*γιά ποτό, τροφή, ἀέρα*) ἤπιος, γλυκύς. ~·**ly** *ἐπίρ.* ἥμερα, γλυκά. ~·**ness** *οὐσ.* ‹U› πραότης, γλυκύτης.

bland·ish·ments /`blændıʃmənts/ *οὐσ. πληθ.* γαλιφιές, κολακεῖες, καλοπιάσματα.

blank /blæŋk/ *ἐπ.* **1**. ἀνέκφραστος: *a ~ face*, ἀνέκφραστο πρόσωπο. **2**. κενός, λευκός, ἄγραφος: *a ~ sheet of paper*, λευκό (ἀχαράκωτο) φύλλο χαρτιοῦ. **a ~ cartridge**, ἄσφαιρο φυσίγγι. **a ~ cheque**, *(α)* ἀνοιχτή ἐπιταγή (χωρίς ποσόν). *(β)* (*μεταφ.*) ἐξουσιοδότησις ἐν λευκῷ: *give sb a ~ cheque*, δίδω σέ κπ ἐξουσιοδότησιν ἐν λευκῷ. ~ **verse**, στῖχος χωρίς ὁμοιοκαταληξία. ~ **wall**, τυφλός τοῖχος (χωρίς παράθυρα πόρτες). ***come up against a ~ wall***, καταλήγω σέ ἀδιέξοδο. —*οὐσ.* ‹C› **1**. κενόν: *fill in the ~s*, συμπληρώνω τά κενά. *His mind/memory was a complete ~*, τό μυαλό του/ἡ μνήμη του ἦταν ἕνα τέλειο κενό. *Her death left a big ~ in his life*, ὁ θάνατός της ἄφησε μεγάλο κενό στή ζωή του. **2**. λαχνός πού δέν κερδίζει: *draw a ~*, ἀποτυγχάνω, δοκιμάζω μιά ἀπογοήτευση.

blan·ket /`blæŋkıt/ *οὐσ.* ‹C› κουβέρτα, σκέπασμα, (*μεταφ.*) στρῶμα: *a ~ of snow*, στρῶμα χιονιοῦ. ***a 'wet `~***, κρύος, κατσούφης ἄνθρωπος πού χαλάει τό κέφι τῆς παρέας. —*ἐπ.* γενικός. —*ρ.μ.* ***be ~ed with***, σκεπασμένος μέ: *The valley was ~ed with fog*, ἡ κοιλάδα ἦταν σκεπασμένη μέ ὁμίχλη.

blare /bleə(r)/ *οὐσ.* ‹U› σάλπισμα, δυνατός ἦχος. —*ρ.μ/ἀ.* σαλπίζω, φωνάζω, ἀντηχῶ: *The trumpets ~d forth*, ἀντήχησαν οἱ σάλπιγγες.

blarney /`blanı/ *οὐσ.* ‹U› κολακεῖες, κόλπα: *Not so much of your ~!* ἄσε τά κόλπα σου!

blas·pheme /blæs`fim/ *ρ.μ/ἀ.* βλαστημῶ. ~**r** *οὐσ.* ‹C› βλάστημος. **blas·phem·ous** /`blæsfəməs/ *ἐπ.* βλάστημος. **blas·phemy** /`blæsfəmı/ *οὐσ.* ‹C,U› βλασφημία.

blast /blast/ *οὐσ.* ‹C› **1**. δυνατή πνοή, ριπή (ἀνέμου), ρεῦμα (ἀέρος): *A ~ of hot air/An icy ~ came into the room*, μιά πνοή ζεστοῦ ἀέρα/μιά παγωμένη πνοή μπῆκε στό δωμάτιο. ***at full ~***, (*καθομ.*) ἐν πλήρει δράσει. ***in/out of ~***, ἐν λειτουργίᾳ/μή λειτουργῶν. `~-**furnace**, ὑψικάμινος. **2**. φουρνέλλο. **3**. σφύριγμα, σάλπισμα. —*ρ.μ.* **1**. ἀνατινάσσω (μέ ἐκρηκτικές ὕλες): *Danger! B~ing in progress!* Κίνδυνος! Φουρνέλλο! **2**. ἠχῶ, ἀντηχῶ. **3**. καίω (φυτά), συντρίβω (ἐλπίδες): *~ed by frost/by lightning*, καμμένος ἀπό τήν παγωνιά/ἀπό κεραυνό. **4**. (*λαϊκ.*) ἀκούω τόν ἐξάψαλμο: *get a ~ing from sb*. —*ἐπιφ.* *B~ you/it!* νά σέ/τό πάρη ὁ διάβολος! ~**ed** *ἐπ.* ἀναθεματισμένος.

bla·tant /`bleıtnt/ *ἐπ.* κραυγαλέος, χυδαῖος, κατάφωρος: *~ injustice*, κραυγαλέα ἀδικία. ~·**ly** *ἐπίρ.* καταφώρως.

[1]**blaze** /bleız/ *οὐσ.* ‹C› φλόγα, λαμπάδιασμα, ἀνάφλεξις: *The logs burst into a ~*, τά κούτσουρα λαμπάδιασαν. *The whole of Europe was in a ~*, ὅλη ἡ Εὐρώπη καιγόταν (στόν πόλεμο). **2**. φωτιά, πυρκαγιά: *It took them an hour to put the ~ out*, ἔκαμαν μιά ὥρα νά σβύσουν τή φωτιά. **3**. λάμψις, ζωηρό φῶς: *The street was in a ~ of lights*, ὁ δρόμος ἔλαμπε ἀπό τά φῶτα. *in the ~ of publicity*, στή λάμψη τῆς δημοσιότητος. **4**. ἔκρηξις: *a ~ of anger*, ἔκρηξις θυμοῦ. **5**. (*πληθ.*) κόλασις: *Go to ~s*, ἄϊ στό διάολο. ***What the ~s***, τί διάολο, τί ὀργή! ***like ~s***, σά δαιμονισμένος: *work like ~s*, δουλεύω μέ μανία.

[2]**blaze** /bleız/ *ρ.μ/ἀ.* **1**. φλέγομαι: *A fire was blazing on the hearth*, μιά φωτιά ἔκαιγε μέ φλόγες στό τζάκι. *He was blazing with anger/indignation*, φλεγόταν ἀπό θυμό/ἀγανάκτηση. **2**. λάμπω, ἀστράφτω: *The garden was blazing with colour*, ὁ κῆπος ἔλαμπε στά χρώματα. ***~ away***, πυροβολῶ (ρίχνω) συνέχεια: *They ~d away at the enemy*. ***~ down***, (*ἐπί ἡλίου*) φλογίζω, λούζω μέ φῶς. ***~ up***, (*κυριολ. & μεταφ.*) παίρνω φωτιά, ἀναφλέγομαι.

[3]**blaze** /bleız/ *ρ.μ.* χαράζω τή φλούδα δέντρου. ***~ a trail***, σημαδεύω δρόμο (χαράζοντας τά δέντρα), (*μεταφ.*) ἀνοίγω δρόμο. —*οὐσ.* ‹C› χαράκι, σημάδι.

bla·zer /`bleızə(r)/ *οὐσ.* ‹C› σπόρ σακάκκι (μέ τά χρώματα συλλόγου).

bla·zon /`bleızn/ *ρ.μ.* διαλαλῶ, διακηρύσσω. —*οὐσ.* ‹C› οἰκόσημο.

bleach /blitʃ/ *ρ.μ.* λευκαίνω, ἀποχρωματίζω: *bones ~ing in the desert*, κόκκαλα πού ἀσπρίζουν στήν ἔρημο.

bleak /blik/ *ἐπ.* *(-er, -est)* **1**. ἀνεμοδαρμένος, γυμνός (λόφος, μέρος). **2**. κρύος, σκοτεινός (καιρός). **3**. (*μεταφ.*) ζοφερός: *~ future/prospects*, ζοφερό μέλλον/-ή προοπτική.

bleary /`blıərı/ *ἐπ.* θαμπός. '~-`**eyed**, μέ τσιμπλιασμένα, θολά μάτια: *He got out of bed* *all* ~*-eyed*.

bleat /blit/ *οὐσ.* ‹C› βέλασμα (προβάτου ἤ γίδας). —*ρ.μ/ὰ.* βελάζω.

bleed /blid/ *ρ.μ/ὰ. ἀνώμ.* (*ἀόρ.* & *π.μ. bled* /bled/) **1**. αἱμορροῶ, ματώνω: *His nose is* ~*ing*, ἡ μύτη του τρέχει αἷμα. *He bled to death*, πέθανε ἀπό αἱμορραγία. *My heart* ~*s for them/at this thought*, ἡ καρδιά μου ματώνει γι' αὐτούς/σ' αὐτή τή σκέψη. **2**. αἱμάσσω, κάνω ἀφαίμαξη: *The doctor bled him in the arm*, ὁ γιατρός τοῦ ἔκανε ἀφαίμαξη στό μπράτσο. *The blackmailers bled him for £500*, οἱ ἐκβιαστές τοῦ ἔκαναν ἀφαίμαξη 500 λίρες.

bleep /blip/ *οὐσ.* ‹C› σῆμα (ἀσυρμάτου, κλπ). —*ρ.ὰ.* ἐκπέμπω σήματα.

blem·ish /ˋblemɪʃ/ *οὐσ.* ‹C› κηλίδα, (*γιά χαρακτῆρα*) ψεγάδι: *without* ~, ἄψογος, ἀψεγάδιαστος. —*ρ.μ.* κηλιδώνω, ἀμαυρώνω.

blench /blentʃ/ *ρ.ὰ.* ὀπισθοχωρῶ φοβισμένος, ὠχριῶ.

blend /blend/ *οὐσ.* ‹C› χαρμάνι (καπνοῦ, καφέ, τσαγιοῦ, οὐΐσκυ), μῖγμα. —*ρ.μ/ὰ.* (*ἀόρ.* & *π.μ.* ~*ed* ἤ *blent* /blent/) **1**. ἀναμιγνύω/-ομαι: *Oil and water do not* ~, τό λάδι καί τό νερό δέν ἀναμιγνύονται. **2**. ταιριάζω, συνδυάζομαι: *These two colours/voices* ~ *well*, αὐτά τά δυό χρώματα/οἱ δυό φωνές συνδυάζονται καλά (πᾶνε καλά μαζί).

blent /blent/ (*λογοτ.*) *π.μ. τοῦ ρ. blend.*

bless /bles/ *ρ.μ. ἀνώμ.* (*ἀόρ.* & *π.μ.* ~*ed, blest* /blest/) **1**. εὐλογῶ: *The priest* ~*ed the crops/the boys*, ὁ παππᾶς εὐλόγησε τά σπαρτά/τά παιδιά. *He was* ~*ed with good health*, ὁ θεός τοῦ ἔδωσε καλή ὑγεία. *God* ~ *you!* ὁ θεός νά σ' εὐλογῆ! **2**. *ἐπιφ. ἐκπλήξεως*: *B*~ *me! B*~ *my soul!* Θεέ μου! γιά κοίτα! *I'm blest if I know!* νά μέ πάρη ἡ ὀργή ἄν ξέρω! *B*~ *you!* (*ὅταν φταρνίζεται κανείς*) γειά σου! γείτσες! ~**ed** /ˋblesɪd/ *ἐπ.* **1**. εὐλογημένος, ὅσιος, μακάριος: *B*~*ed are the merciful*, μακάριοι οἱ ἐλεήμονες. **2**. (*λαϊκ.*) καταραμένος, ἀναθεματισμένος: *I've broken the whole* ~*ed lot*, τἄσπασα ὅλα τ' ἀναθεματισμένα. ~**·ing** *οὐσ.* ‹C› εὐχαριστία (προσευχή πρίν ἀπό τό φαγητό), εὐλογία, παρηγοριά: *It's a* ~*ing to know he won't suffer*, εἶναι παρηγοριά νά ξέρω ὅτι δέν θά ὑποφέρη. ***a ~ing in disguise***, μασκαρεμένη τύχη, κρυμμένη εὐλογία (γιά κτ πού φαίνεται κακό ἀλλά εἶναι στήν οὐσία καλό).

blew /blu/ *ἀόρ. τοῦ ρ. blow.*

blight /blaɪt/ *οὐσ.* ‹C,U› καπνιά (ἀσθένεια φυτῶν), (*μεταφ.*) σαράκι, πλῆγμα: *a* ~ *upon one's hopes/plans*, πλῆγμα στίς ἐλπίδες/στά σχέδιά μου. —*ρ.μ* καίω, μαραίνω (φυτά), πλήττω: *His hopes were* ~*ed*, οἱ ἐλπίδες του μαράθηκαν. *His life was* ~*ed by constant illness*, ἡ ζωή του ἐπλήγη ἀπό συνεχεῖς ἀρρώστειες. ~**er** *οὐσ.* ‹C› (*λαϊκ.*) τύπος, ἄνθρωπος (ἐνοχλητικός): *the lucky* ~*er!* ὁ τυχεράκιας!

[1]**blind** /blaɪnd/ *ἐπ.* τυφλός: *He's* ~ *in the right eye*, εἶναι τυφλός ὑπό τό δεξί μάτι. ~ *hatred*, τυφλό μῖσος. *the* ~ *forces of nature*, οἱ τυφλές δυνάμεις τῆς φύσεως. *She is* ~ *to her son's faults*, δέν βλέπει τά ἐλαττώματα τοῦ γυιοῦ της. ***turn a ~ eye to sth***, κάνω τό στραβό, κάνω πώς δέν βλέπω κτ. ***as ~ as a bat***, θεόστραβος. ˈ~ˈ**man's** ˋ**buff**, τυφλόμυγα (παιχνίδι). (*βλ.* & *λ. alley*). —*ρ.μ.* τυφλώνω: *He was* ~*ed in the war*, τυφλώθηκε στόν πόλεμο. ~*ing lights*, ἐκτυφλωτικά φῶτα.

[2]**blind** /blaɪnd/ *οὐσ.* ‹C› στόρ (παραθύρου), (*μεταφ.*) προπέτασμα.

blind·fold /ˋblaɪndfəʊld/ *ρ.μ.* δένω τά μάτια (μέ ὕφασμα). —*ἐπ.* & *ἐπίρ.* μέ δεμένα μάτια, στά τυφλά: *I can do it* ~, μπορῶ νά τό κάνω μέ κλειστά τά μάτια.

blink /blɪŋk/ *ρ.μ/ὰ.* **1**. παίζω (ἀνοιγοκλείνω) τά βλέφαρα: ~ *away a tear*, διώχνω ἕνα δάκρυ παίζοντας τά βλέφαρα. ***~ the fact that***, ἀγνοῶ (κλείνω τά μάτια εἰς) τό γεγονός (ὅτι): *There is no* ~*ing the fact that*..., δέν μποροῦμε νά ἀγνοήσωμε τό γεγονός ὅτι... **2**. ἀναβοσβύνω, τρεμοπαίζω: *lights* ~*ing in the distance*, φῶτα πού τρεμοσβύνουν μακρυά.

blink·ers /ˋblɪŋkəz/ *οὐσ. πληθ.* παρωπίδες.

bliss /blɪs/ *οὐσ.* ‹U› εὐδαιμονία. ~**·ful** /-fʊl/ *ἐπ.* εὐδαίμων. ~**·fully** /-fəlɪ/ *ἐπίρ.* μακαρίως.

blis·ter /ˋblɪstə(r)/ *οὐσ.* ‹C› φουσκάλα. —*ρ.μ/ὰ.* φουσκαλιάζω: ~*ed hands/tongue*, χέρια/γλῶσσα μέ φουσκάλες (ἀπό δουλειά ἤ κάψιμο).

blith·er·ing /ˋblɪðərɪŋ/ *ἐπ.* (*περιφρ.*) τέλειος: *a* ~ *idiot*, τέλειος βλάκας.

blitz /blɪts/ *οὐσ.* ‹C› ἀστραπιαία ἐπίθεσις (*ἰδ.* ἀεροπορική). —*ρ.μ.* καταστρέφω (μέ ἐπίθεση-ἀστραπή).

bliz·zard /ˋblɪzəd/ *οὐσ.* ‹C› χιονοθύελλα.

bloated /ˋbləʊtɪd/ *ἐπ.* φουσκωμένος, πρησμένος: ~ *with pride*, φουσκωμένος ἀπό περηφάνεια. *a* ~ *face*, πρησμένο πρόσωπο.

bloater /ˋbləʊtə(r)/ *οὐσ.* ‹C› καπνιστή ρέγγα.

blob /blob/ *οὐσ.* ‹C› στάξιμο: *a* ~ *of ink/paint/wax*, στάξιμο ἀπό μελάνι/μπογιά/κερί.

bloc /blok/ *οὐσ.* ‹C› ὁμάδα, συνασπισμός.

[1]**block** /blok/ *οὐσ.* ‹C› **1**. (μεγάλο) κομμάτι: *a* ~ *of marble/ice/stone*, κομμάτι μάρμαρο/πάγος/πέτρα. *a* ~ *of wood*, κούτσουρο. ***a chip off the old ~***, ἴδιος μέ τόν πατέρα του (ἀπό τό ἴδιο σόϊ). ***be sent/go to the ~***, ἀποκεφαλίζομαι (μέ πέλεκυ). ~ **letters**, κεφαλαῖα γράμματα. **2**. οἰκοδομικό τετράγωνο: *just round the* ~, μόλις στρίψεις τό τετράγωνο. ˈ~ **of** ˋ**flats**, πολυκατοικία. **3**. φράξιμο (σέ σωλήνα, δρόμο, κλπ): *a* ˋ*traffic* ~ (*ἐπίσης traffic jam*), κυκλοφοριακή συμφόρηση. *a* ˋ*road* ~, μπλόκο, ἔλεγχος. **4**. τροχαλία. **5**. (*τυπογρ.*) κλισέ.

[2]**block** /blok/ *ρ.μ.* φράσσω, μπλοκάρω, παρεμποδίζω: ~ *up the entrance to a cave*, φράσσω τήν εἴσοδο σπηλιᾶς. *All the roads were* ~*ed by snow*, ὅλοι οἱ δρόμοι ἦταν κλεισμένοι ἀπό τό χιόνι. ~ *sb's plans*, παρεμποδίζω (ματαιώνω) τά σχέδια κάποιου. *a* ~*ed account*, δεσμευμένος λογαριασμός. ~ ***in/out***, σκιαγραφῶ. ~**·age** /-ɪdʒ/ *οὐσ.* ‹C› ἀπόφραξις.

block·ade /bloˋkeɪd/ *οὐσ.* ‹C› (*στρατ.*, *ναυτ.*) ἀποκλεισμός. ***raise the ~***, αἴρω τόν ἀποκλεισμό. ***run the ~***, διασπῶ τόν ἀποκλεισμό. —*ρ.μ.* κάνω ἀποκλεισμό, ἀποκλείω.

block·head /ˋblokhed/ *οὐσ.* ‹C› χοντροκέφαλος, μπουμπούνας.

block·house /ˋblokhaʊs/ *οὐσ.* ‹C› (*στρατ.*) ὀχυρόν.

bloke /bləʊk/ *οὐσ.* ‹C› (*λαϊκ.*) τύπος, ἄνθρωπος.

blonde /blond/ *οὐσ.* ‹C› & *ἐπ.* ξανθός, ξανθιά.

blood /blʌd/ *οὐσ.* ‹U› αἷμα: *He shed his ~ for us*, ἔχυσε τό αἷμα του γιά μᾶς. ***B~ is thicker than water***, (*παροιμ.*) τό αἷμα νερό δέν γίνεται. ***His ~ was up; It made his ~ boil***, τοῦ ἀνέβηκε τό αἷμα στό κεφάλι, θύμωσε. ***His ~ ran cold; It made his ~ run cold***, πάγωσε τό αἷμα του/ἔκανε τό αἷμα του νά παγώση. ***my own flesh and ~***, οἱ (ἐξ αἵματος) συγγενεῖς μου. ***infuse new ~ (into sth)***, βάζω καινούργιο αἷμα σέ κτ (ἐπιχείρηση, κόμμα, κλπ). ***let ~ (from sb)***, παίρνω αἷμα, κάνω ἀφαίμαξη σέ κπ. ***(kill sb) in cold ~***, (σκοτώνω) ἐν ψυχρῷ. ***make bad ~ between people***, προκαλῶ ἀντιπάθεια (ἔχθρα) μεταξύ ἀνθρώπων. ***It runs in his ~***, τὄχει στό αἷμα του. **'~ bank**, τράπεζα αἵματος. **'~-bath**, λουτρό αἵματος. **~ brother**, ἀδερφοποιτός. **'~-curdling** *ἐπ.* τρομαχτικός, πού παγώνει τό αἷμα: *a ~-curdling story/sight*. **'~-donor**, αἱμοδότης. **'~-group/type**, ὁμάς αἵματος. **'~·hound**, κυνηγετικός σκύλος. **'~-letting**, ἀφαίμαξις. **'~-money**, ἀμοιβή ἐγκλήματος. **'~ pressure**, πίεσις (τῆς κυκλοφορίας τοῦ αἵματος): *high/low ~ pressure*, ὑπέρτασις/ὑπότασις. **'~·shed**, αἱματοχυσία. **~-shot (eyes)**, κατακόκκινα (μάτια). **'~·stained** *ἐπ.* ματοβαμμένος. **'~·sucker**, βδέλλα, ἐκμεταλλευτής. **'~·thirsty** *ἐπ.* αἱμοδιψής, αἱμοβόρος. **'~-transfusion**, μετάγγισις αἵματος. **'~-vessel**, αἱμοφόρον ἀγγεῖον. **~·less** *ἐπ.* ἀναίμακτος, ἀναιμικός, ἄτονος: *a ~less victory*, ἀναίμακτος νίκη.

bloody /'blʌdɪ/ *ἐπ.* *(-ier, -iest)* **1.** ματωμένος, αἱματηρός: *a ~ nose/fight*, ματωμένη μύτη/αἱματηρός καυγᾶς. **2.** (*λαϊκ. ἐπιτατικόν*) βρωμο-, παληο-: *a ~ liar*, παληοψεύτης. *~ good*, πολύ καλό. **'~-'minded** *ἐπ.* (*λαϊκ.*) δύστροπος, τζαναμπέτης.

bloom /blum/ *οὐσ.* ‹C› **1.** ἄνθος, λουλούδι: *burst into ~*, ἀνθίζω. **2.** ἄνθησις: *roses in ~*, ἀνθισμένα τριαντάφυλλα. *in the ~ of youth*, στό ἄνθος τῆς νιότης. ***in (full) ~***, ὁλάνθιστος. **3.** χνοῦδι (σέ φροῦτα). ***take the ~ off sth***, κάνω κτ νά χάση τή φρεσκάδα του. —*ρ.ἀ.* (*γιά λουλούδια*) ἀνθίζω. **~·ing** *ἐπ.* **1.** ἀνθισμένος, ἀνθίζων. **2.** (*καθομ.*) ἐπιτατικῶς ἀντί τοῦ *bloody*: *It's a ~ing lie*, εἶναι καθαρό ψέμα. *You ~ing idiot!* βλάκα μέ πατέντα!

bloom·ers /'bluməz/ *οὐσ. πληθ.* φουφούλα γυμναστικῆς.

blos·som /'blosəm/ *οὐσ.* ‹C,U› ἄνθος (δέντρων): *'orange ~*, ἄνθη πορτοκαλιᾶς. *cherry-trees in ~*, ἀνθισμένες κερασιές. —*ρ.ἀ.* ἀνθίζω. ***~ (out)***, γίνομαι, ἐξελίσσομαι: *He ~ed out as a first-rate athlete*, ἔγινε (ἐξελίχθη σέ) πρώτης τάξεως ἀθλητής.

blot /blot/ *οὐσ.* ‹C› λεκές, κηλίδα (*ἰδ.* ἀπό μελάνι): *a ~ on one's honour/character*, κηλίδα στήν τιμή/στόν χαρακτῆρα κάποιου. —*ρ.μ.* *(-tt-)* **1.** λεκιάζω, κηλιδώνω, μουντζουρώνω. ***~ one's copybook***, (*καθομ.*) κηλιδώνω τό μητρῷο μου. **2.** στυπώνω, στεγνώνω. **'~ting-paper**, στυπόχαρτο. ***~ out***, σβήνω, κρύβω, ἐξολοθρεύω: *~ out a race*, ξεκληρίζω (ἐξολοθρεύω) μιά φυλή. *The mist ~ted out the view*, ἡ ὁμίχλη ἔκρυβε τή θέα. *~ out a word*, σβήνω μιά λέξη.

blotch /blotʃ/ *οὐσ.* ‹C› πανάδα (στό δέρμα), κηλίδα (μελανιοῦ).

blouse /blaʊz/ *οὐσ.* ‹C› μπλούζα, μπλουζάκι.

[1]**blow** /bləʊ/ *ρ.μ/ἀ.* *ἀνώμ.* (*ἀόρ.* *blew* /blu/, *π.μ.* *~n* /bləʊn/ *ἐκτός ἀπό τό 4*). **1.** φυσῶ: *It's ~ing hard*, φυσάει δυνατά. *~ bubbles*, φυσῶ (κάνω) φυσαλλίδες. *~ (on) one's fingers/food*, φυσῶ τά δάχτυλά μου/τό φαΐ μου. *~ (up) a fire*, φυσῶ μιά φωτιά. *~ sb a kiss*, στέλνω σέ κπ ἕνα φιλί. *~ one's nose*, φυσῶ τή μύτη μου. *~ a whistle/a bugle*, σφυρίζω μέ σφυρίχτρα/παίζω σάλπιγγα. ***~ hot and cold***, (*μεταφ.*) ἀμφιταλαντεύομαι. ***~ one's top***, (*λαϊκ.*) ἐκρήγνυμαι, ξεσπῶ σέ φωνές. **2.** καίω/-ομαι: *The fuse has blown*, ἡ ἀσφάλεια κάηκε. **3.** ξεφυσῶ, ἀναπνέω λαχανιαστά: *He came in ~ing hard*, μπῆκε ξεφυσώντας δυνατά. **4.** *ἐπιφ. ἐκπλήξεως*: *Well, I'm ~ed*, ὄχι δά! **5.** (*μέ ἐπιρ.* & *προθέσεις*):

blow away, διώχνω, παίρνω (φυσώντας): *The wind blew away the clouds*, ὁ ἄνεμος ἔδιωξε τά σύννεφα.

blow down, ρίχνω (φυσώντας): *The wind blew down several trees*, ὁ ἀέρας ἔρριξε ἀρκετά δέντρα.

blow in, εἰσέρχομαι θορυβωδῶς: *The door opened and John blew in*, ἡ πόρτα ἄνοιξε καί μπῆκε ὁ Γ. ὅλο φούρια.

blow off, παίρνω (φυσώντας): *The wind blew my hat off; My hat blew off*, ὁ ἀέρας μοῦ πῆρε τό καπέλλο. ***~ off steam***, ξεθυμαίνω, ξεσπάω, ξεσκάω.

blow out, σβήνω (φυσώντας), κοπάζω: *B~ out the candle!* σβῆσε τό κερί! *The candle blew out*, τό κερί ἔσβησε. *The gale blew itself out*, ἡ ἀνεμοθύελλα ξεθύμανε. ***~ out one's brains***, τινάζω τά μυαλά μου στόν ἀέρα.

blow over, *(α)* ἀνατρέπω: *We were nearly blown over*, παρ' ὀλίγο νά ἀνατραποῦμε ἀπό τόν ἀέρα. *(β)* ξεθυμαίνω: *The storm/The scandal will soon ~ over*, ἡ θύελλα/τό σκάνδαλο θά ξεθυμάνη σύντομα.

blow up, *(α)* ἐκρήγνυμαι: *The barrel of gunpowder blew up*, τό βαρέλι μέ τήν μπαρούτη ἐξερράγη. *(β)* κατσαδιάζω: *The teacher blew him up for being late*, ὁ δάσκαλος τόν κατσάδιασε πού ἄργησε. *give sb/get a good ~ing-up*, δίνω/τρώω γερή κατσάδα. *(γ)* ἀνατινάσσω: *~ up a bridge*, ἀνατινάσσω ἕνα γεφύρι. *(δ)* φουσκώνω, παραφουσκώνω: *~ up a tyre*, φουσκώνω ἕνα λάστιχο. *His abilities were blown up by the newspapers*, οἱ ἐφημερίδες παραφούσκωσαν τίς ἱκανότητές του. **'~-up** *οὐσ.* ‹C› φωτογραφία σέ μεγέθυνση.

[2]**blow** /bləʊ/ *οὐσ.* ‹C› φύσημα: *Give your nose a good ~*, φύσα καλά τή μύτη σου. ***have/go for a ~***, πάω νά πάρω ἀέρα.

[3]**blow** /bləʊ/ *οὐσ.* ‹C› χτύπημα: *kill three flies at one/at a single ~*, σκοτώνω τρεῖς μυῖγες μ' ἕνα χτύπημα. *B~s fell thick and fast*, οἱ γροθιές ἔπεφταν βροχή. *His wife's death was a great ~ to him*, ὁ θάνατος τῆς γυναίκας του ἦταν μεγάλο χτύπημα γι' αὐτόν. ***come to/exchange ~s***, πιάνομαι στά χέρια/ἀνταλλάσσω χτυπήματα. ***without striking a ~***, ἀμαχητί.

blower /'bləʊə(r)/ *οὐσ.* ‹C› φυσερό, (*λαϊκ.*)

τηλέφωνο.

blown /bləʊn/ **1**. *π.μ. τοῦ ρ.* [1]*blow*. **2**. *ἐπ.* (*γιά λουλούδια*) ἀνοιγμένος: *`new-~ roses*, τριαντάφυλλα πού μόλις ἔχουν ἀνοίξει.

blub·ber /`blʌbə(r)/ *ρ.μ.* κλαψουρίζω. —*οὐσ.* ‹U› ἰχθυέλαιον (*ἰδ.* φάλαινας).

bludgeon /`blʌdʒən/ *οὐσ.* ‹C› ρόπαλο. —*ρ.μ.* χτυπῶ μέ ρόπαλο.

blue /blu/ *ἐπ.* (*-r, -st*) γαλάζιος, γαλανός, μπλέ: *dark/light ~*, σκοῦρο/ἀνοιχτό γαλάζιο. *His face was ~ with cold*, τό πρόσωπό του εἶχε μελανιάσει ἀπό τό κρύο. ***once in a ~ moon***, στή χάση καί στή φέξη. **`~ `blooded**, γαλαζοαίματος. **~ film/joke**, αἰσχρό φίλμ/ἀστεῖο. **~ ribbon**, κυανῆ ταινία ὡς ἀνωτάτη διάκρισις). —*οὐσ.* ‹C,U› τό γαλάζιο, (*ποιητ.*) ἡ θάλασσα, ὁ οὐρανός. ***(appear/come) out of the ~***, (ἐμφανίζομαι) ἀπροσδόκητα, σάν κομήτης. ***a bolt from the ~***, κεραυνός ἐν αἰθρίᾳ, σάν κομήτης. ***a true ~***, πιστός ὀπαδός. ***the ~s***, μελαγχολία, (*χορός, τραγούδι*) μπλούζ. **`~·bell**, (*βοτ.*) καμπανούλα. **`~·bottle**, κρεατόμυιγα. **`~-print** *οὐσ.* ‹C› προσχέδιο. — *ρ.μ.* προσχεδιάζω. **`~·stocking**, γυναίκα διανοουμένη.

blu·ish /`bluɪʃ/ *ἐπ.* γαλαζωπός.

[1]**bluff** /blʌf/ *ἐπ.* **1**. (*γιά ἀκτή, χαράδρα, βράχια*) ἀπότομος, κρεμαστός. **2**. (*γιά πρόσωπα*) ντόμπρος, τραχύς ἀλλά καλόκαρδος.

[2]**bluff** /blʌf/ *οὐσ.* ‹C› μπλόφα. ***call sb's ~***, βλέπω τήν μπλόφα, ἀψηφῶ τίς ἀπειλές. —*ρ.μ/ὰ.* μπλοφάρω: *~ one's way out of sth*, ξεφεύγω μπλοφάροντας. **~er** *οὐσ.* ‹C› ὁ μπλοφατζῆς.

blun·der /`blʌndə(r)/ *οὐσ.* ‹C› γκάφα. —*ρ.μ/ὰ.* κάνω γκάφες: *~ sth out*, λέω κτ ἀπερίσκεπτα. *~ into/against sth*, συγκρούομαι, πέφτω πάνω σέ κτ σά στραβός. **~er** *οὐσ.* ‹C› γκαφατζῆς.

blunt /blʌnt/ *ἐπ.* (*-er, -est*) **1**. (*γιά μαχαίρι, κλπ*) ἀμβλύς, στομωμένος. **2**. (*γιά ἄνθρ.*) ἀπότομος, μονοκόμματος. —*ρ.μ.* ἀμβλύνω, στομώνω: *~ sb's anger*, ἀμβλύνω (μετριάζω) τό θυμό κάποιου. **~·ly** *ἐπίρ.* ἀπότομα, καθαρά, χωρίς περιστροφές.

blur /blɜ(r)/ *οὐσ.* ‹C› **1**. μουτζαλιά (μελανιοῦ), λεκές. **2**. θαμπάδα, θολούρα, βούρκωμα: *The print was so small that I could see only a ~*, τά στοιχεῖα ἦταν τόσο μικρά ὥστε τό μόνο πού ἔβλεπα ἦταν μιά θολούρα. *a ~ of tears*, βούρκωμα ἀπό δάκρυα. —*ρ.μ/ὰ.* (*-rr-*) μουτζαλώνω, θαμπώνω, θολώνω: *Tears ~red her eyes*, δάκρυα θόλωσαν τά μάτια της. *The rain ~red the windows of our car*, ἡ βροχή θάμπωσε τά τζάμια τοῦ αὐτοκινήτου μας.

blurb /blɜb/ *οὐσ.* ‹C› διαφήμισις βιβλίου στό ἐξώφυλλο.

blurt /blɜt/ *ρ.μ.* ***~ sth out***, βγάζω κτ στή φόρα, ξεφουρνίζω, λέω κτ ἀπερίσκεπτα.

blush /blʌʃ/ *ρ.ὰ.* κοκκινίζω: *~ with shame/for you/at the thought of*, κοκκινίζω ἀπό ντροπή/γιά λογαριασμό σου/στή σκέψη νά. —*οὐσ.* ‹C› κοκκίνισμα: ***put sb to the ~***, κάνω κπ νά κοκκινίση. **~·ing** *ἐπ.* ντροπαλός.

blus·ter /`blʌstə(r)/ *ρ.μ/ὰ.* (*γιά κύματα, ἀέρα, θύελλα*) μαίνομαι, (*γιά ἄνθρ.*) φωνάζω (ἀπειλητικά, φανφαρόνικα): *~ out threats*, πετῶ ἀπειλές. —*οὐσ.* ‹U› βουή, μανία, παλληκαρισμοί. **~y** *ἐπ.* θυελλώδης, βίαιος.

boa /`bəʊə/ *οὐσ.* ‹C› (*ζωολ.*) βόας: *a `~-constrictor*, βόας συσφιγκτήρ.

boar /bɔ(r)/ *οὐσ.* ‹C› χοῖρος (ἀρσενικός), κάπρος: *a wild ~*, ἀγριόχοιρος.

[1]**board** /bɔd/ *οὐσ.* ‹C› **1**. σανίδι: *a `bread ~*, σανίδα ὅπου κόβομε ψωμί. *a `chess ~*, σκακιέρα. *a `floor-~*, σανίδα πατώματος. *a `notice ~*, πίνακας ἀνακοινώσεων. ***be/go on ~***, εἶμαι/ἐπιβιβάζομαι σέ πλοῖο ἤ ἀεροπλάνο. ***go by the ~***, πέφτω στή θάλασσα, (*γιά σχέδια, κλπ*) ἀποτυγχάνω. **2**. τραπέζι (χαρτοπαιξίας). ***above ~***, τίμια, καθαρά, μέ ἀνοιχτά χαρτιά. ***across-the-~*** *ἐπ.* γενικός: *an across-the-~ wage increase*, γενική αὔξησις μισθῶν. ***sweep the `~***, καθαρίζω τό τραπέζι, τά κερδίζω ὅλα. **3**. συμβούλιο, ἐπιτροπή: *the B~ of Directors*, τό Διοικητικόν Συμβούλιον. *a Selection B~*, ἐπιτροπή ἐπιλογῆς. *the B~ of Trade*, τό Ὑπουργεῖον Ἐμποριου. *School B~*, Σχολική Ἐπιτροπή. **`~·room**, αἴθουσα Διοικητικοῦ Συμβουλίου. **4**. τροφή: *~ and lodging*, τροφή καί κατοικία. *full/half ~*, πλήρης/ντεμί πανσιόν. *free ~*, δωρεάν τροφή. **5**. ***the ~s***, τό θέατρο, τό παλκοσένικο. **6**. χαρτόνι (βιβλιοδεσίας).

[2]**board** /bɔd/ *ρ.μ/ὰ.* **1**. σανιδώνω, σκεπάζω ἤ κλείνω μέ σανίδες: *~ up a window*, κλείνω ἕνα παράθυρο μέ σανίδες. **2**. παρέχω τροφή, τρέφομαι: *He ~s with his aunt/at his aunt's*, τρώει στή θεία του. *~ out*, τρώγω ἔξω. *They make a living by ~ing students*, κερδίζουν τά πρός τό ζῆν παρέχοντας τροφή σέ φοιτητές. **`~ing house**, πανσιόν. **`~ing school**, οἰκοτροφεῖον. **3**. ἐπιβιβάζομαι: *~ a ship/an aeroplane*, ἐπιβιβάζομαι σέ πλοῖο/σέ ἀεροπλάνο. **`~·ing-card**, δελτίον ἐπιβιβάσεως. **~er** *οὐσ.* ‹C› οἰκότροφος.

boast /bəʊst/ *οὐσ.* ‹C› κομπασμός, καυχησιολογία, παινεψιά: *He's the ~ of the town*, εἶναι τό καμάρι τῆς πόλεως. *It's my ~ that...*, ὑπερηφανεύομαι ὅτι... —*ρ.μ/ὰ.* **1**. καυχῶμαι, ὑπερηφανεύομαι, κομπορρημονῶ: *~ of/about sth*, καυχῶμαι γιά κτ. **2**. ὑπερηφανεύομαι ὅτι ἔχω: *Our school ~s a large library*, τό σχολεῖο μας ὑπερηφανεύεται ὅτι ἔχει μεγάλη βιβλιοθήκη. **~·ful** /-fʊl/ *ἐπ.* καυχησιάρης, κομπαστικός. **~·fully** /-fəlɪ/ *ἐπίρ.* **~er** *οὐσ.* ‹C› καυχησιάρης.

boat /bəʊt/ *οὐσ.* ‹C› πλοῖον, βάρκα: *go by ~/in a ~*, ταξιδεύω μέ πλοῖο. *a `life-~*, ναυαγοσωστική λέμβος. *a `motor ~*, βενζινάκατος. *a `rowing ~*, βάρκα μέ κουπιά. *a `sailing ~*, ἱστιοφόρον. ***We are all in the same ~***, εἴμαστε ὅλοι στό ἴδιο τσουβάλι (στήν ἴδια δύσκολη θέση). ***burn one's ~s***, κλείνω μόνος μου κάθε ὁδό ὑποχωρήσεως. ***miss the ~***, χάνω τό λεωφορεῖο (*δηλ.* τήν εὐκαιρία). **`~-hook**, σταλίκι, κοντάρι. **`~-house**, λεμβοστάσιο. **`~·man** /-mən/, βαρκάρης. **`~-race**, λεμβοδρομία. **`~-train**, τραῖνο πού ἔχει ἀνταπόκριση μέ πλοῖο τῆς γραμμῆς. —*ρ.ὰ.* πηγαίνω μέ βάρκα ἤ πλοιάριο (*συνήθ.* γιά ψυχαγωγία). ***go ~ing***, κάνω βαρκάδα.

boat·swain /`bəʊsn/ *οὐσ.* ‹C› ναύκληρος, λοστρόμος.

[1]**bob** /bɒb/ *ρ.μ/ὰ.* (*-bb-*) ἀνεβοκατεβαίνω, τινάσσομαι ἀπότομα: *The cork ~bed on the*

water, ὁ φελλός ἀνεβοκατέβαινε στό νερό. *That man* ~*s up like a cork!* σά νἄχη σούστα αὐτός ὁ ἄνθρωπος! *This question often* ~*s up*, αὐτό τό θέμα ἔρχεται συχνά στήν ἐπιφάνεια.
[2]**bob** /bob/ *ρ.μ. (-bb-) (γιά γυναῖκες)* κόβω τά μαλλιά κοντά: *She wears/has her hair* ~*bed*, ἔχει τά μαλλιά της κομμένα κοντά.
[3]**bob** /bob/ *οὐσ.* ‹C› *(λαϊκ., ἀμετάβλ. στόν πληθ.)* σελλίνι.
bob·bin /ˋbobɪn/ *οὐσ.* ‹C› κουβαρίστρα, καρούλι, μασούρι.
bob·bish /ˋbobɪʃ/ *ἐπ. (καθομ.)* ζωηρός, καλά: *look/feel pretty* ~, φαίνομαι/νοιώθω μιά χαρά.
bobby /ˋbobɪ/ *οὐσ.* ‹C› *(καθομ.)* ἀστυφύλακας.
bob·tail /ˋbobteɪl/ *οὐσ.* ‹C› κοντή οὐρά, ἀλογοουρά. ***the rag-tag and*** **~**, ἡ σάρα καί ἡ μάρα.
bode /bəʊd/ *ρ.μ/ἀ. (λόγ.)* προμηνύω, προοιωνίζομαι: *It* ~*s no good*, δέν προμηνύει τίποτε καλό. *It* ~*s ill/well for his future*, εἶναι κακός/καλός οἰωνός γιά τό μέλλον του.
bod·ice /ˋbodɪs/ *οὐσ.* ‹C› μποῦστος, κορσάζ.
bod·ily /ˋbodəlɪ/ *ἐπ.* σωματικός: ~ *wants*, σωματικές ἀνάγκες. —*ἐπίρ.* ὁμαδικῶς: *they resigned* ~, παρητήθησαν ὁμαδικῶς.
body /ˋbodɪ/ *οὐσ.* ‹C› **1**. σῶμα: *the human* ~, τό ἀνθρώπινο σῶμα. ***belong to sb*** **~** ***and soul***, ἀνήκω σέ κπ ψυχῇ τε καί σώματι. ***keep*** **~** ***and soul together***, μόλις κατορθώνω νά ζῶ. **2**. σῶμα, ὑλικό ἀντικείμενο, κύριο μέρος: *a foreign* ~, ξένον σῶμα. *a heavenly* ~, οὐράνιον σῶμα. *the* ~ *of a car*, ἡ καροσερί αὐτοκινήτου. **3**. σῶμα (νεκροῦ), πτῶμα: *His* ~ *was sent back home for burial*, τό πτῶμα του στάλθηκε πίσω στήν πατρίδα γιά ταφή. **4**. σῶμα, ἐπιτροπή, ὁμάδα: *the legislative* ~, τό νομοθετικόν σῶμα. *the* ~ *politic*, οἱ πολίτες ἑνός κράτους (στό σύνολό τους). *an examining* ~, ἐξεταστική ἐπιτροπή. ***in a*** **~**, ἐν σώματι, σάν ἕνας ἄνθρωπος. **5**. ὄγκος, μᾶζα, ποσότητα: *a large* ~ *of proof/water*, μεγάλος ὄγκος ἀποδείξεων/μεγάλη ποσότητα νεροῦ. **6**. πρόσωπο, ἄνθρωπος: *He is a nice old* ~, εἶναι καλός γέρος. **ˋ~·guard**, σωματοφύλακας.
bog /bog/ *οὐσ.* ‹C› ἕλος, βάλτος, βοῦρκος. —*ρ.μ. (-gg-) (συνήθ. εἰς παθ. φων. κυριολ. & μεταφ.)* κολλῶ. ***get*** **~*ged down***, κολλῶ σέ βάλτο, βαλτώνω. **~gy** /ˋbogɪ/ *ἐπ. (-ier, -iest)* βαλτώδης, ἑλώδης.
boggle /ˋbogl/ *ρ.ἀ.* ~ ***at sth***, δειλιάζω, διστάζω.
bo·gus /ˋbəʊgəs/ *ἐπ.* ψεύτικος, κίβδηλος: *a* ~ *company*, ἑταιρεία-φάντασμα, ἀνύπαρκτη ἑταιρεία.
bogy, bogey /ˋbəʊgɪ/ *οὐσ.* ‹C› μπαμπούλας: *the* ~ *of communism*.
bo·he·mian /bəʊˋhimɪən/ *οὐσ.* ‹C› & *ἐπ.* τσιγγάνος, τσιγγάνικος.
[1]**boil** /bɔɪl/ *οὐσ.* ‹C› καλόγερος, λουθουνάρι.
[2]**boil** /bɔɪl/ *ρ.μ/ἀ.* βράζω, κοχλάζω: *When water* ~*s it changes into steam*, ὅταν τό νερό βράση γίνεται ἀτμός. *hard/soft* ~*ed eggs*, σφιχτά/μελᾶτα αὐγά. ~*ing waves*, μανιασμένα κύματα. ~ *(over) with indignation*, βράζω ἀπό ἀγανάκτηση. **~*ing hot***, πολύ ζεστός, χουχλαστός: *It's* ~*ing hot today*, κάνει φοβερή ζέστη σήμερα. **ˋ~*ing point***, σημεῖον βρασμοῦ. ***keep the pot*** **~*ing***, ἐξασφαλίζω τό φαΐ τοῦ σπιτιοῦ. **~** ***away***, *(α)* συνεχίζω νά βράζω. *(β)* βράζω ὥσπου ἐξατμίζομαι. **~** ***down***, συμπυκνῶ/-οῦμαι: *It all* ~*s down to this*, ἡ οὐσία τοῦ πράγματος εἶναι αὐτή. **~** ***over***, ξεχειλίζω, χύνομαι: *The milk has* ~*ed over*, τό γάλα χύθηκε (βράζοντας). —*οὐσ.* βρασμός, βράση. ***be on the*** **~**, βράζω. ***bring sth to the*** **~**, κάνω κτ νά βράση. ***come to the*** **~**, ἀρχίζω νά βράζω, παίρνω βράση. ***go off the*** **~**, κόβεται ἡ βράση, παύω νά βράζω.
boiler /ˋbɔɪlə(r)/ *οὐσ.* ‹C› λέβης, καζάνι.
bois·ter·ous /ˋbɔɪstərəs/ *ἐπ.* **1**. ἄγριος, βίαιος: ~ *weather/a* ~ *wind*. **2**. θορυβώδης, ὁρμητικός, εὔθυμος: *a* ~ *man*. **~·ly** *ἐπίρ.*
bold /bəʊld/ *ἐπ. (-er, -est)* **1**. τολμηρός, θαρραλέος: *as* ~ *as a lion*, ἄφοβος σά λιοντάρι. ***be/make so*** **~** ***as to do sth***, παίρνω τό θάρρος (ἀποτολμῶ) νά κάνω κτ. **2**. θρασύς, ἀναιδής. ***as*** **~** ***as brass***, τελείως ξεδιάντροπος. **3**. ἔντονος, κοφτός, καθαρόγραμμος: *the* ~ *outline of a tree*, τό ἔντονο (καθαρό) περίγραμμα ἑνός δέντρου. **~ type**, μαῦρα γράμματα. **~·ly** *ἐπίρ.* τολμηρά. **~·ness** *οὐσ.* ‹U› τόλμη.
bol·ster /ˋbəʊlstə(r)/ *οὐσ.* ‹C› μαξιλάρα (μακρύ καί στρογγυλό μαξιλάρι). —*ρ.μ.* **~** ***(up)***, (ὑπο)στηρίζω *(συνήθ.* κτ πού δέν τ' ἀξίζει).
[1]**bolt** /bəʊlt/ *οὐσ.* ‹C› **1**. ἀστραπή, κεραυνός: *a ˋthunder-*~, κεραυνός. **2**. βέλος. ***shoot one's (last)*** **~**, ρίχνω τό τελευταῖο μου βέλος, κάνω τήν τελευταία προσπάθεια. **3**. *(μηχ.)* μπουλόνι. **4**. σύρτης, μάνδαλος. —*ρ.μ/ἀ.* μανταλώνω, κλείνω: ~ *the door;* ~ *sb in/out*, κλείνω κπ μέσα/ἔξω. *The door* ~*s on the inside*, ἡ πόρτα κλείνει ἀπό μέσα.
[2]**bolt** /bəʊlt/ *ρ.μ/ἀ.* **1**. ὁρμῶ, τό σκάω, ἀφηνιάζω: *The burglar* ~*ed through the window*, ὁ διαρρήκτης ὥρμησε (τὄσκασε) ἀπό τό παράθυρο. *The horse* ~*ed*, τό ἄλογο ἀφήνιασε. ***make a*** **~** ***for it***, τό σκάω, τό βάζω στά πόδια. **2**. τρώω γρήγορα, χάφτω: *Don't* ~ *your food*, μή χάφτης τό φαΐ σου!
[3]**bolt** /bəʊlt/ *ἐπίρ. (μόνον στή φράση)* **~** ***upright***, στητός, ὀλόϊσιος.
bomb /bom/ *οὐσ.* ‹C› βόμβα: *an atomic/a ˋtime* ~, μιά ἀτομική/μιά ὡρολογιακή βόμβα. **ˋ~·shell** *οὐσ.* ‹C› **1**. ὀβίδα. **2**. *(μεταφ.)* βόμβα, (ξαφνική, δυσάρεστη ἔκπληξη). **~er** *οὐσ.* ‹C› βομβαρδιστικό ἀεροπλάνο. —*ρ.μ.* βομβαρδίζω.
bom·bard /bomˋbad/ *ρ.μ.* βομβαρδίζω (μέ πυροβόλα): ~ *a town*, βομβαρδίζω μιά πόλη. ~ *sb with questions*, *(μεταφ.)* βομβαρδίζω κπ μέ ἐρωτήσεις. **~·ment** *οὐσ.* ‹C,U› βομβαρδισμός.
bom·bast /ˋbombæst/ *οὐσ.* ‹U› στόμφος, μεγαλοστομία. **~ic** /bomˋbæstɪk/ *ἐπ.* στομφώδης, πομπώδης.
bona fide /ˋbəʊnə ˋfaɪdɪ/ *ἐπ.* & *ἐπίρ.* καλῆς πίστεως, καλόπιστος: *a* ~ *buyer*.
bon·anza /bəˋnænzə/ *οὐσ.* ‹C› *(πληθ.* ~*s)* πλούσια φλέβα (χρυσοῦ, πετραλαίου), μεγάλη τύχη. —*ἐπ.* πλούσιος: *a* ~ *year*, πλούσια, καλή χρονιά.
bon·bon /ˋbonbon/ *οὐσ.* ‹C› καραμέλλα.
bond /bond/ *οὐσ.* ‹C› **1**. γραμμάτιον. ***His***

word is as good as his ~, ὁ λόγος του εἶναι συμβόλαιο. **2.** ὁμολογία, χρεώγραφον: **`government** ~, κρατικό χρεώγραφο. **`premium** ~, λαχειοφόρος ὁμολογία. **3.** δεσμός: *the* ~*s of friendship*, οἱ δεσμοί τῆς φιλίας. *the* ~*s of slavery*, τά δεσμά τῆς δουλείας. *burst one's* ~*s*, σπάζω τά δεσμά (κερδίζω τήν ἐλευθερία μου). **4.** ἀποθήκη τελωνείου. ***goods in*** ~, ἐμπορεύματα εἰς τό τελωνεῖον. ***take goods out of*** ~, ἐκτελωνίζω ἐμπορεύματα. ~***ed goods/a*** ~***ed warehouse***, ἀτελώνιστα ἐμπορεύματα/ἀποθήκη τελωνείου.

bond·age /ˋbondɪdʒ/ *οὐσ.* ‹U› δουλεία, σκλαβιά: *human* ~, ἀνθρώπινη δουλεία. *be in* ~ *to sb*, εἶμαι ὑποδουλωμένος σέ κπ.

bone /bəʊn/ *οὐσ.* ‹C,U› κόκκαλο: *He is all skin and* ~, εἶναι πετσί καί κόκκαλο. *buttons made of* ~, κουμπιά ἀπό κόκκαλο. *She's broken a* ~, ἔσπασε ἕνα κόκκαλο. ***frozen to the*** ~, παγωμένος ὥς τό κόκκαλο. ***a*** ~ ***of contention***, τό μῆλο τῆς ἔριδος. ***have a*** ~ ***to pick with sb***, ἔχω παράπονο (μιά διαφορά νά λύσω) μέ κπ. ***feel in one's*** ~***s that***..., εἶμαι ἀπολύτως βέβαιος ὅτι... ***make no*** ~***s about doing sth***, δέν διστάζω νά κάνω κτ. **ˊ~ ˋdry** *ἐπ.* κατάξερος. **ˊ~-ˋlazy/-ˋidle** *ἐπ.* φοβερός τεμπέλης. **ˋ~·shaker**, (*καθομ.*) σακαράκα (αὐτοκίνητο πού κουνάει πολύ). —*ρ.μ.* ξεκοκκαλίζω (ψάρι, κοτόπουλο).

bon·fire /ˋbonfaɪə(r)/ *οὐσ.* ‹C› φωτιά (γιά γιορτή ἤ γιά κάψιμο ξερῶν φύλλων).

bon·net /ˋbonɪt/ *οὐσ.* ‹C› **1.** σκούφια, γυναικεῖο καπέλλο, σκουφίτσα (μωροῦ). **2.** καπό αὐτοκινήτου.

bonny, bonnie /ˋbonɪ/ *ἐπ.* ὄμορφος, γεμᾶτος ὑγεία, γερός: *a* ~ *baby*, ἕνα μωρό ὅλο ὑγεία.

bo·nus /ˋbəʊnəs/ *οὐσ.* ‹C› (*πληθ.* ~*es*) (ἐτήσιον) δῶρον (πέραν τοῦ μισθοῦ), ἐπίδομα: *Christmas* ~, δῶρον τῶν Χριστουγέννων.

bony /ˋbəʊnɪ/ *ἐπ.* (*-ier, -iest*) κοκκαλιάρης.

boo(h) /bu/ *ἐπιφ.* *ἀποδοκιμασίας ἤ ἐκφοβισμοῦ*: οὔ! γιούχα! μπάμ! ***He can't say*** ~ ***to a goose***, εἶναι πολύ δειλός. —*ρ.μ/ἀ.* γιουχαΐζω, ἀποδοκιμάζω: *The speaker was* ~*ed*, ὁ ὁμιλητής γιουχαΐστηκε.

booby /ˋbubɪ/ *οὐσ.* ‹C› μποῦφος, βλάκας. **ˋ~-prize**, βραβεῖο πού δίνεται γιά κοροϊδία στόν τελευταῖο μαθητή ἤ διαγωνιζόμενο. **ˋ~-trap**, παγίδα, κυσκαρίκα, (*στρατ.*) ναρκοπαγίδα.

book /bʊk/ *οὐσ.* ‹C› βιβλίο: *an order* ~, βιβλίο παραγγελιῶν. ***be in sb's good/bad*** ~***s***, ἔχω/δέν ἔχω τήν εὔνοια κάποιου. ***bring sb to*** ~ ***(for sth)***, ζητῶ ἐξηγήσεις ἀπό κπ (γιά κτ). **ˋ~·binder**, βιβλιοδέτης. **ˋ~·binding**, βιβλιοδεσία. **ˋ~·case**, βιβλιοθήκη (τό ἔπιπλο). **ˋ~-keeper**, λογιστής. **ˋ~-keeping**, λογιστική **ˋ~·maker**, πράκτωρ στοιχημάτων στόν ἱπποδρομο. **ˋ~·seller**, βιβλιοπώλης. **ˋ~ stall**, κιόσκι μέ βιβλία. **ˋ~·store**, βιβλιοπωλεῖον. **ˋ~·worm**, βιβλιοφάγος. —*ρ.μ.* **1.** ἐγγράφω, σημειώνω στά βιβλία. **2.** κλείνω (δωμάτιο ἤ θέση): *Have you* ~*ed accommodation?* ἔχετε κλείσει δωμάτια; *Can I* ~ *seats for today's performance?* μπορῶ νά κλείσω θέσεις γιά τή σημερινή παράσταση; *(fully)* ~*ed up*, ὅλες οἱ θέσεις εἶναι κλεισμένες. **ˋ~ing clerk/office**, ἐκδότης/ἐκδοτήριον εἰσιτηρίων. **~·ish** /ˋbʊkɪʃ/ *ἐπ.* μελετηρός, σχολαστικός. **~·let** /ˋbʊklət/ *οὐσ.* ‹C› βιβλιάριον.

bookie /ˋbʊkɪ/ *οὐσ.* ‹C› (*καθομ.*) *βλ.* *bookmaker*.

[1]**boom** /bum/ *οὐσ.* ‹C› **1.** λιμενόφραγμα. **2.** βουή, μουγκρητό: *the* ~ *of the sea/of guns*, ἡ βουή τῆς θάλασσας/τό μουγκρητό τῶν κανονιῶν. —*ρ.μ/ἀ.* **1.** (*γιά ἄνεμο, κανόνια, κλπ*) μουγκρίζω. **2.** (*ἐμπ.*) ρεκλαμάρω. ~ ***out***, λέω μέ βαθειά μπουμπουνιστή φωνή.

[2]**boom** /bum/ *οὐσ.* ‹C› (οἰκονομική) ἄνθησις. —*ρ.ἀ.* ἀκμάζω, γνωρίζω δόξες: *Trade is* ~*ing*, τό ἐμπόριο ἀκμάζει.

boom·er·ang /ˋbuməræŋ/ *οὐσ.* ‹C› μπούμερανγκ, (*μεταφ.*) πρᾶξις στρεφομένη τελικῶς κατά τοῦ δράστου.

boon /bun/ *οὐσ.* ‹C› **1.** πλεονέκτημα, ὄφελος, εὐλογία: *Parks are a* ~ *to people in big cities*, τά πάρκα εἶναι εὐλογία γιά τούς κατοίκους τῶν μεγάλων πόλεων. **2.** χάρις: *ask a* ~ *of sb*, ζητῶ μιά χάρη ἀπό κπ. —*ἐπ.* εὔθυμος, εὐχάριστος. ***a*** ~ ***companion***, εὔθυμη συντροφιά, εὐχάριστος φίλος.

boor /bʊə(r)/ *οὐσ.* ‹C› ἀγροῖκος ἄνθρωπος, χωριάτης, βλάχος. **~·ish** /-ɪʃ/ *ἐπ.* ἄξεστος. **~·ish·ness** *οὐσ.* ‹U› χωριατιά.

boost /bust/ *οὐσ.* ‹C› προώθησις, ἐνίσχυσις, ὑποστήριξις: *give sb/sth a* ~, ὑποστηρίζω, προωθῶ κπ/κτ. —*ρ.μ.* ἐνισχύω, προωθῶ: *It* ~*ed my morale*, μοῦ ἀνέβασε τό ἠθικό. ~ *sb into a position*, προωθῶ κπ (τόν βοηθῶ) νά πάρη μιά θέση.

[1]**boot** /but/ *οὐσ.* ‹C› **1.** μπότα, ἀρβύλα, παπούτσι: *high* ~*s*, μπότες ὥς τό γόνατο. ***die with one's*** ~***s on; die in one's*** ~***s***, πεθαίνω ὄρθιος (δουλεύοντας). ***give sb/get the*** ~, (*λαϊκ.*) δίνω σέ κπ/παίρνω τά παπούτσια στό χέρι, ἀπολύω/-ομαι. ***lick sb's*** ~***s***, (*λαϊκ.*) γλύφω τά πόδια κάποιου. ***The*** ~ ***is on the other foot***, συμβαίνει ἀκριβῶς τό ἀντίθετο **ˋ~·lace** *οὐσ.* ‹C› κορδόνι μπότας. **2.** πορτμπαγκάζ αὐτοκινήτου (*ΗΠΑ* = *trunk*). —*ρ.μ.* κλωτσῶ: *He was* ~*ed out of the house*, τόν πέταξαν ἔξω μέ τίς κλωτσιές.

[2]**boot** /but/ *οὐσ.* (*μόνον στή φράση*) ***to*** ~, ἐπιπλέον.

boo·tee /ˋbuti/ *οὐσ.* ‹C› **1.** (γυναικεῖο) μποττίνι. **2.** πλεχτό παπουτσάκι μωροῦ.

booth /buð/ *οὐσ.* ‹C› **1.** παράγκα, πάγκος (σέ λαϊκή ἀγορά). **2.** καμπίνα, θάλαμος: *a ˋlistening* ~, καμπίνα ἀκροάσεως δίσκων (σέ μαγαζί) *aˋpolling* ~, θάλαμος ψηφοφορίας. *a ˋtelephone* ~, τηλεφωνικός θάλαμος.

boot·leg·ger /ˋbutlegə(r)/ *οὐσ.* ‹C› λαθρέμπορος οἰνοπνευματωδῶν.

booty /ˋbutɪ/ *οὐσ.* ‹U› λάφυρον, λεία: *share the* ~, μοιράζω τά λάφυρα.

booze /buz/ *ρ.μ.* (*καθομ.*) μεθοκοπῶ. —*οὐσ.* ‹U› μεθοκόπημα. ***have a*** **ˋ~*(-up); go on the*** ~, τά κοπανάω, τό ρίχνω ἔξω. **~r** *οὐσ.* ‹C› μπέκρος, μπάρ.

bor·der /ˋbɔdə(r)/ *οὐσ.* ‹C› **1.** ἄκρον, χεῖλος, μπορντούρα: *the* ~ *of a lake*, τό ἄκρον μιᾶς λίμνης. *a lace* ~, μπορντούρα ἀπό ντατέλλα. **2.** σύνορον, μεθόριος: *escape over the* ~, δραπετεύω στό ἐξωτερικό (περνάω τά σύνορα). *a ~ town*, παραμεθόριος πόλις. *~ incidents*, συνοριακά ἐπεισόδια. **`~·land**, παραμεθόριος περιοχή. **~·line**, διαχωριστική γραμμή, ὅριον: *a ~line case*, μιά ἀκραία, ἀμφισβητούμενη περίπτωσις. —*ρ.μ/ἀ.* συνορεύω, περιβάλλω: *My land ~s on yours*, τό χωράφι μου συνορεύει μέ τό δικό σας. *The countries that ~ the Mediterranean*, οἱ χῶρες πού περιβάλλουν τή Μεσόγειο. ***~ (up)on***, ἰσοδυναμῶ, προσεγγίζω: *Your proposal ~s (up)on the absurd*, ἡ πρότασή σου προσεγγίζει τό παράλογο.

[1]**bore** /bɔ(r)/ *ρ.μ.* τρυπῶ (μέ τρυπάνι), διανοίγω: *~ a hole/a well/a tunnel*, ἀνοίγω τρύπα/πηγάδι/τοῦννελ. —*οὐσ.* ‹C› τρύπα, διαμέτρημα (ὅπλου).

[2]**bore** /bɔ(r)/ *οὐσ.* ‹C› πληκτικός ἄνθρωπος: *What a ~ he is!* τί πληκτικός ἄνθρωπος πού εἶναι! **`~·dom** /-dəm/ *οὐσ.* ‹U› πλῆξις. —*ρ.μ.* κάνω κπ νά πλήξη, φέρω πλήξη σέ κπ: *be/get ~d*, πλήττω. *She ~s me*, μέ κάνει καί πλήττω. ***~ sb to death/to tears/stiff***, προκαλῶ θανάσιμη πλήξη σέ κπ. **bor·ing** *ἐπ.* πληκτικός: *a boring film/lecture/man.*

[3]**bore** /bɔ(r)/ *ἀόρ. τοῦ ρ.* [2]*bear.*

born /bɔn/ *π.μ. τοῦ ρ.* [2]*bear.* —*ἐπ.* γεννημένος: *He's a ~ poet*, εἶναι γεννημένος ποιητής.

bor·ough /ˈbʌrə/ *οὐσ.* ‹C› δῆμος, διοικητικό διαμέρισμα.

bor·row /ˈborəʊ/ *ρ.μ/ἀ.* δανείζομαι: *~ money/ideas from sb*, δανείζομαι χρήματα/ἰδέες ἀπό κπ. *in ~ed clothes*, μέ ξένα (δανεικά) ροῦχα.

bor·stal /ˈbɔstl/ *οὐσ.* ‹C› ~ **(institution)**, ἀναμορφωτήριον.

bosh /boʃ/ *οὐσ.* ‹U› & *ἐπιφ.* ἀνοησίες.

bosom /ˈbʊzəm/ *οὐσ.* ‹C› (*ἀπηρχ.*) στῆθος, (*μεταφ.*) κόρφος, κόλπος, καρδιά: *in the ~ of his family/of the Church*, εἰς τούς κόλπους τῆς οἰκογενείας του/τῆς Ἐκκλησίας. *a ~ friend*, ἐπιστήθιος φίλος.

boss /bos/ *οὐσ.* ‹C› (*καθομ.*) ἀφεντικό, προϊστάμενος: *Who's the ~ here?* ποιός εἶναι τ' ἀφεντικό ἐδῶ; —*ρ.μ.* διευθύνω: *He wants to ~ the show*, θέλει νά τά διευθύνη ὅλα. ***~ sb about/around***, διατάσσω συνεχῶς κπ. **~y** *ἐπ.* (*-ier, -iest*) αὐταρχικός.

bot·an·ical /bəˈtænɪkl/ *ἐπ.* βοτανικός.

bot·an·ist /ˈbotənɪst/ *οὐσ.* ‹C› βοτανολόγος.

bot·any /ˈbotənɪ/ *οὐσ.* ‹U› βοτανική.

botch /botʃ/ *ρ.μ.* ***~ sth (up)***, φτιάχνω τσαπατσούλικα καί ἀδέξια, κακοφτιάχνω, κουτσομπαλώνω: *a ~ed piece of work*, τσαπατσούλικη δουλειά. —*οὐσ.* ‹C› ἔκτρωμα, κακότεχνη δουλειά. ***make a ~ of sth***, κακοφτιάχνω, χαλῶ κτ.

both /bəʊθ/ *ἐπ.* & *ἀντων.* καί οἱ δύο (*προηγεῖται τοῦ ἄρθρου, τῶν δεικτ. καί κτητ. ἐπιθέτων*): *~ books/the books/these books/his books*, καί τά δύο βιβλία, κλπ. *~ of us/you/them*, καί οἱ δυό μας/σας/τους. *We are ~ Greeks/We ~ speak Greek*, εἴμαστε καί οἱ δυό Ἕλληνες/κι' οἱ δυό μιλᾶμε Ἑλληνικά. ***You can't have it ~ ways***, δέν μπορεῖς νά ἔχης καί τήν πίττα ἀκέρηα καί τό σκύλο χορτάτο. —*ἐπίρ.* ***~ ... and***, καί ... καί: *He's ~ good and honest*, εἶναι καί καλός καί τίμιος. *He can ~ write and speak English*, μπορεῖ καί νά γράψη καί νά μιλήση Ἀγγλικά.

bother /ˈboðə(r)/ *ρ.μ/ἀ.* ἐνοχλῶ/-οῦμαι, σκοτίζω/-ομαι: *Don't ~ me with foolish questions*, μή μέ σκοτίζης μέ ἀνόητες ἐρωτήσεις! ***~ oneself/one's head about sth***, σκοτίζομαι γιά κτ: *Don't ~ your head about it*, μή σκοτίζεσαι γι' αὐτό! *Don't ~ about washing up/~ to wash up*, μή μπῆς στόν κόπο νά πλύνης τά πιάτα. —*ἐπιφ.* *Oh ~ (it)!* νά (τό) πάρη ἡ ὀργή! —*οὐσ.* ‹U,C› φασαρία, ἐνόχλησις, μπελᾶς: *Did you have much ~ (in) finding the house?* δυσκολευτήκατε πολύ (εἴχατε φασαρία) νά βρῆτε τό σπίτι; *Don't put yourself to any ~*, μήν ἐνοχλεῖσθε! *What a ~!* τί μπελᾶς! **~·some** /-səm/ *ἐπ.* ἐνοχλητικός.

bottle /ˈbotl/ *οὐσ.* ‹C› μπουκάλι: *He's too fond of the ~*, τό τσούζει. **`~·neck**, **1**. λαιμός μπουκάλας. **2**. στένεμα δρόμου, συμφόρησις (κυκλοφορίας). **3**. δυσχέρεια (παραγωγῆς). —*ρ.μ.* ἐμφιαλώνω. ***~ up (one's feelings)***, (*μεταφ.*) συγκρατῶ, καταπνίγω τά αἰσθήματά μου.

bot·tom /ˈbotəm/ *οὐσ.* ‹C› **1**. τό κάτω μέρος (τό χαμηλότερο ἤ τό πιό μακρυνό): *at the ~ of the page/of the garden*, στό κάτω μέρος τῆς σελίδος/στό βάθος τοῦ κήπου. **2**. πυθμήν, βυθός, πάτος, ὀπίσθια: *the ~ of a well/of the sea*, ὁ πυθμήν ἑνός πηγαδιοῦ/τῆς θάλασσας. *at the ~ of the class*, στόν πάτο τῆς τάξεως. *The chair needs a new ~*, ἡ καρέκλα θέλει καινούργιο πάτο. *She smacked the child's ~*, ἔδειρε τό παιδί στά ὀπίσθια. ***at ~***, κατά βάθος: *He's a good man at ~*, εἶναι καλός κατά βάθος. ***be at the ~ of sth***, εἶμαι πίσω ἀπό κτ, ὑποκινητής σέ κτ. ***from the ~ of one's heart***, ἀπό τό βάθος τῆς καρδιᾶς μου. ***knock the ~ out of an argument***, ἀνατρέπω (συντρίβω) ἕνα ἐπιχείρημα. ***get to the ~ of sth***, ἐξετάζω κτ κατά βάθος, βρίσκω τήν ἄκρη σέ κτ. ***touch ~***, (*στή θάλασσα*) πατώνω. ***B~s up!*** ἄσπρο πάτο! (ἀδειᾶστε τά ποτήρια!) **~·less** *ἐπ.* ἀπύθμενος.

bou·doir /ˈbudwa(r)/ *οὐσ.* ‹C› μπουντουάρ.

bough /baʊ/ *οὐσ.* ‹C› κλάδος (πού ἀρχίζει ἀπό τόν κορμό δέντρου).

bought /bɔt/ *ἀόρ.* & *π.μ. τοῦ ρ. buy.*

boul·der /ˈbəʊldə(r)/ *οὐσ.* ‹C› ὀγκόλιθος, βότσαλο, κροκάλη.

boul·evard /ˈbuləva/ *οὐσ.* ‹C› λεωφόρος.

bounce /baʊns/ *ρ.μ/ἀ.* **1**. ἀναπηδῶ, χοροπηδῶ: *A rubber ball ~s*, μιά λαστιχένια μπάλλα ἀναπηδᾶ. *~ a ball*, παίζω (μέ τό χέρι) μιά μπάλλα. *The boy was bouncing (up and down) on the bed*, τό παιδί χοροπηδοῦσε στό κρεββάτι. **2**. ὁρμῶ (μέ θόρυβο ἤ θυμό): *~ out of a chair*, πετάγομαι ἀπό μιά καρέκλα. *He ~d out of the room*, βγῆκε ὁρμητικά ἀπό τό δωμάτιο. *The old car ~d along the road*, τό παληό αὐτοκίνητο προχωροῦσε μέ τραντάγματα στό δρόμο. **3**. κομπάζω. **4**. (*γιά ἐπιταγή*) (*καθομ.*) δέν πληρώνομαι. —*οὐσ.* ‹C› ἀναπήδημα. **bounc·ing** *ἐπ.* γερός, γεμᾶτος ζωή: *a bouncing girl*, κοπελλάρα.

[1]**bound** /baʊnd/ *οὐσ.* ‹C› ὅριον: *There are no ~s to his ambition; His ambition knows no ~s*, ἡ φιλοδοξία του δέν ἔχει ὅρια. *within the ~s of reason*, ἐντός τῶν ὁρίων τῆς λογικῆς. *set no ~s to*, δέν θέτω ὅρια σέ. ***out of ~s***,

ἀπαγορευμένος: *This area is out of ~s to all*, ἀπαγορεύεται ἡ εἴσοδος σέ ὅλους σ' αὐτή τήν περιοχή. **~·less** *ἐπ.* ἀπεριόριστος: *~less ambition*, ἀπέραντη φιλοδοξία.

[2]**bound** /baʊnd/ *οὐσ.* ‹C› πήδημα, σκίρτημα, ἅλμα: *at a ~*, μ' ἕνα πήδημα. ***by leaps and ~s***, ἁλματωδῶς. —*ρ.ἀ.* πηδῶ, σκιρτῶ: *The dog came ~ing to meet me*, ὁ σκύλος ἦρθε πηδώντας νά μέ ὑποδεχθῆ. *His heart ~ed with joy*, ἡ καρδιά του σκιρτοῦσε ἀπό χαρά.

[3]**bound** /baʊnd/ *ἐπ.* κατευθυνόμενος, προοριζόμενος: *a ship ~ for Egypt*, πλοῖον κατευθυνόμενον πρός Αἴγυπτον. *Where are you ~ for?* ποῦ πηγαίνετε;

[4]**bound** /baʊnd/ *ἀόρ.* & *π.μ.* *τοῦ ρ.* *bind*. ***be ~ to***, εἶναι βέβαιον ὅτι, εἶμαι ὑποχρεωμένος νά: *He is ~ to win*, εἶναι βέβαιον ὅτι θά κερδίση. *They're ~ to sell it*, εἶναι ὑποχρεωμένοι νά τό πουλήσουν. ***~ up in***, ἀπορροφημένος εἰς, ἀπασχολημένος: *He's ~ up in his work*, εἶναι ἀπορροφημένος στή δουλειά του. ***~ up with***, συνδεδεμένος μέ: *Your happiness is ~ up with her life*, ἡ εὐτυχία σου εἶναι συνδεδεμένη μέ τή ζωή της.

bound·ary /ˈbaʊndrɪ/ *οὐσ.* ‹C› ὅριον, σύνορο.

boun·den /ˈbaʊndən/ *ἐπ.* (*μόνο στή φράση*) ***my ~ duty***, ἐπιτακτικό καθῆκον μου.

boun·der /ˈbaʊndə(r)/ *οὐσ.* ‹C› (*πεπαλ. καθομ.*) φανφαρόνος, φαφλατᾶς.

bounty /ˈbaʊntɪ/ *οὐσ.* ‹C,U› **1**. γενναιοδωρία, δῶρον. **2**. ἐπίδομα, πριμοδότησις. **boun·te·ous** /-ɪəs/, **boun·ti·ful** /-fl/ *ἐπ.* γενναιόδωρος, ἄφθονος.

bou·quet /bʊˈkeɪ/ *οὐσ.* ‹C› ἀνθοδέσμη, μπουκέτο.

bour·geois /ˈbʊəʒwa/ *οὐσ.* ‹C› & *ἐπ.* ἀστός, ἀστικός.

bour·geoisie /ˈbʊəʒwaˈzi/ *οὐσ.* ***the ~***, ἡ ἀστική τάξις.

bout /baʊt/ *οὐσ.* ‹C› **1**. ἀγών: *a ˈwrestling ~*, ἀγών πάλης. **2**. (*γιά ἀρρώστεια*) προσβολή, κρίσις: *a ~ of influenza*, προσβολή γρίππης. *a ˈcoughing ~*, κρίσις βήχα, ἀκατάσχετος βήχας. **3**. **ˈdrinking ~**, μεθύσι, μεθοκόπημα.

[1]**bow** /bəʊ/ *οὐσ.* ‹C› **1**. τόξον, δοξάρι (βιολιοῦ): *draw the ~*, ρίχνω μέ τόξο. ***draw the long ~***, λέω ὑπερβολές. ***have two strings to one's ~***, ἔχω καί δεύτερη διέξοδο, ἔχω πισινή. **~·man** *οὐσ.* ‹C› τοξότης. **2**. φιόγκος: *tie one's shoe-laces in a ~*, δένω τά κορδόνια μου φιόγκο. **~ tie**, παπιγιόν. —*ἐπ.* κυρτός (πρός τά ἔξω): **~ legs/legged**, στραβά πόδια/στραβοπόδης.

[2]**bow** /baʊ/ *ρ.μ/ἀ.* **1**. γέρνω, κλίνω (τό κεφάλι), ὑποκλίνομαι: *He ~ed his head in prayer*, ἔγυρε τό κεφάλι προσευχόμενος. *He ~ed to her*, τῆς ἔκανε ὑπόκλιση. *~ one's assent*, νεύω καταφατικῶς. *~ to the inevitable*, ὑποτάσσομαι στό μοιραῖο. ***~ sb in/out***, συνοδεύω κπ μέσα/ἔξω μέ βαθειές ὑποκλίσεις. ***~ to sb's opinion***, ὑποκλίνομαι στή γνώμη κάποιου, τή δέχομαι. ***have a ~ing acquaintance with sb***, γνωρίζω ἐλαφρῶς κπ. **2**. (*συνήθ. σέ παθ. φων.*) σκύβω, γέρνω, κάμπτω: *be ~ed with age*, εἶμαι κυρτωμένος ἀπό τήν ἡλικία. *The trees were ~ed down with the weight of the snow*, τά δέντρα ἔγερναν ἀπό τό βάρος τοῦ χιονιοῦ. —*οὐσ.* ‹C› κλίσις, ὑπόκλισις: *make a low ~*, κάνω βαθειά ὑπόκλιση.

[3]**bow** /baʊ/ *οὐσ.* ‹C› πλώρη (πλοίου).

bowel /ˈbaʊəl/ *οὐσ.* ‹C› (*συνήθ. πληθ.*) σπλάχνον, ἔντερον: *~ complaint*, ἐντερική ἀνωμαλία. *in the ~s of the earth*, στά σπλάχνα (στά ἔγκατα) τῆς γῆς.

bower /ˈbaʊə(r)/ *οὐσ.* ‹C› κληματαριά, κληματίνα, (*λογοτ.*) μπουντουάρ (κυρίας).

[1]**bowl** /bəʊl/ *οὐσ.* ‹C› κύπελλο, κούπα, μπώλ: *a ~ of sugar*, ἕνα κύπελλο ζάχαρη. *a ˈsugar-~*, κύπελλο γιά ζάχαρη.

[2]**bowl** /bəʊl/ *ρ.μ/ἀ.* κυλῶ, κυλίομαι: *Our car ~ed along over the smooth road*, τό αὐτοκίνητό μας κυλοῦσε πάνω στό λεῖο δρόμο. ***~ sb over***, κατανικῶ, καταπλήσσω, ρίχνω κάτω: *Her cheek ~ed me over*, τό θράσος της μέ κατέπληξε, μέ ἄφησε ἄναυδο.

[3]**bowl** /bəʊl/ *οὐσ.* ‹C› μπάλλα, σφαῖρα.

[1]**box** /bɒks/ *οὐσ.* ‹C› **1**. κουτί: *a ~ of cigars*, ἕνα κουτί ποῦρα. *a ˈletter-~*, γραμματοκιβώτιον. **2**. θεωρεῖον (θεάτρου). **ˈ~-office**, ταμεῖον θεάτρου. **3**. (*σέ Ἀγγλ. δικαστήρια*) ἕδρανον μάρτυρος. **4**. χώρισμα σταύλου. **5**. θυρίς: *POB ~*, Ταχυδρομική Θυρίς. **6**. σκοπιά (φρουροῦ), σπιτάκι (π.χ. κλειδούχου). —*ρ.μ.* ***~ sb/sth up***, περιορίζω σέ μικρό χῶρο.

[2]**box** /bɒks/ *ρ.μ/ἀ.* πυγμαχῶ: *ˈ~ing gloves*, γάντια πυγμαχίας. *a ˈ~ing match*, πυγμαχικός ἀγών. ***~ sb's ears***, μπατσίζω κπ. **ˈB~ing Day**, ἡ δεύτερη ἡμέρα τῶν Χριστουγέννων. **ˈ~·ing** *οὐσ.* ‹U› πυγμαχία. **~er** *οὐσ.* ‹C› πυγμάχος.

boy /bɔɪ/ *οὐσ.* ‹C› παιδί, ἀγόρι, γυιός: **ˈ~·friend**, φίλος (κοριτσιοῦ). **ˈ~·hood** /-hʊd/ *οὐσ.* ‹U› παιδική ἡλικία. **ˈ~·ish** /-ɪʃ/ *ἐπ.* παιδικός, παιδιάστικος, νεανικός.

boy·cott /ˈbɔɪkɒt/ *οὐσ.* ‹C› ἀποκλεισμός, μποϋκοτάζ. —*ρ.μ.* μποϋκοτάρω.

bra /bra/ *οὐσ.* ‹C› *βλ.* *brassiere*.

[1]**brace** /breɪs/ *οὐσ.* ‹C› **1**. στύλωμα, πρέσσα. **2**. **ˈ~ and ˈbit**, τρυπάνι. **3**. (*ἀμετάβλητο στόν πληθ.*) ζευγάρι: *two ~ of partridge*, δυό ζευγάρια πέρδικες. **4**. (*πληθ.*) τιράντες.

[2]**brace** /breɪs/ *ρ.μ/ἀ.* **1**. ὑποστηρίζω, στερεώνω, τονώνω: *~ a wall*, στερεώνω τοῖχο. *~ oneself up to do sth*, ἑτοιμάζομαι, παίρνω στάση ἤ δύναμη νά κάνω κτ. **brac·ing** *ἐπ.* τονωτικός: *a bracing walk/climate*, περίπατος/κλῖμα πού τονώνει.

brace·let /ˈbreɪslət/ *οὐσ.* ‹C› βραχιόλι.

bracken /ˈbrækən/ *οὐσ.* ‹U› (*φυτ.*) φτέρη.

bracket /ˈbrækɪt/ *οὐσ.* ‹C› **1**. γωνιά (γιά στήριγμα): *an electric ~*, ἀπλίκα. **2**. ἀγκύλη, παρένθεσις: *the words in ~s*, οἱ λέξεις ἐντός παρενθέσεως. **3**. ὁμάδα, κατηγορία: *top income ~*, ἡ ἀνωτάτη κατηγορία εἰσοδήματος. —*ρ.μ.* βάζω σέ παρένθεση, συνδέω: *Their names were ~ed together at the top of the list*, τά ὀνόματά τους ἦταν μαζί ἐπικεφαλῆς τοῦ καταλόγου.

brack·ish /ˈbrækɪʃ/ *ἐπ.* ὑφάλμυρος, γλυφός.

brag /bræg/ *ρ.μ/ἀ.* *(-gg-)* ***~ (of/about sth)***, κομπάζω, καυχιέμαι.

brag·gart /ˈbrægət/ *οὐσ.* ‹C› καυχησιάρης.

braid /breɪd/ *οὐσ.* ‹C,U› **1**. πλεξίδα (μαλλιῶν): *She wears her hair in ~s*, ἔχει τά μαλλιά της

πλεξίδες. **2.** σειρήτι, γαλόνι, κορδόνι: *a uniform covered with gold ~*, στολή μέ χρυσᾶ σειρήτια.
braille /breɪl/ *οὐσ.* ‹U› ἀνάγλυφος γραφή γιά τυφλούς.
brain /breɪn/ *οὐσ.* ‹C› μυαλό, ἐγκέφαλος: *He's the ~ of the Government*, εἶναι ὁ ἐγκέφαλος τῆς κυβερνήσεως. *Use your ~s!* βάλε τό μυαλό σου νά δουλέψη! ***have sth on the ~***, ἔχω ἔμμονη ἰδέα, ἔχω κτ διαρκῶς στό νοῦ. ***pick sb's ~(s)***, ἀντιγράφω τίς ἰδέες κάποιου. ***rack one's ~(s)***, βασανίζω τό μυαλό μου. ***tax one's ~***, κουράζω τό μυαλό μου, ἐξαντλοῦμαι πνευματικά. **`~-fag**, πνευματική ὑπερκόπωση: *He's suffering from ~-fag.* **`~ fever**, ἐγκεφαλικός πυρετός, παραλήρημα. **`~-storm**, ὑστερική κρίσις. **`~-teaser**, αἴνιγμα, σπαζοκεφαλιά. **`B~s Trust**, 'Ομάς 'Εγκεφάλων. **`~-washing**, πλύσις ἐγκεφάλου. **`~-wave**, (*καθομ.*) ἔμπνευσις, εὕρημα. **~·less** *ἐπ.* ἄμυαλος. **~y** *ἐπ.* *(-ier, -iest)* ἔξυπνος, (μέ) γερό μυαλό.
braise /breɪz/ *ρ.μ.* ψήνω (κρέας) στήν κατσαρόλα.
brake /breɪk/ *οὐσ.* ‹C› φρένο, τροχοπέδη: *put on/apply the ~s*, πατῶ φρένο, φρενάρω. *act as a ~ (up)on (progress, initiative, etc)*, γίνομαι τροχοπέδη (στήν πρόοδο, πρωτοβουλία, κλπ). *—ρ.μ/ἀ.* φρενάρω.
bramble /`bræmbl/ *οὐσ.* ‹C› βάτος.
bran /bræn/ *οὐσ.* ‹U› πίτουρο.
branch /brantʃ/ *οὐσ.* ‹C› **1.** κλαδί, κλάδος. **2.** παρακλάδι, διακλάδωσις: *road/railway ~*, διακλάδωσις δρόμου/σιδηροδρόμου. **3.** ὑποκατάστημα, παράρτημα. *—ρ.ἀ.* ***~ off/away***, (*γιά δρόμο*) διακλαδίζομαι, (*γιά τραῖνο, αὐτοκίνητο, κλπ*) ἀφήνω τόν κύριο δρόμο καί μπαίνω σέ μικρότερον. ***~ out***, ἐπεκτείνομαι ἐπιχειρηματικῶς.
brand /brænd/ *οὐσ.* ‹C› **1.** δαυλί, (*ποιητ.*) πυρσός. **2.** ἀποτύπωμα μέ πυρακτωμένο σίδερο, στίγμα. **3.** μάρκα (ἐμπορεύματος): *a new ~ of cigarettes*, καινούργια μάρκα τσιγάρα. **'~-`new** *ἐπ.* ὁλοκαίνουργος. *—ρ.μ.* μαρκάρω μέ πυρακτωμένο σίδερο, (*μεταφ.*) στιγματίζω: *~ cattle*, μαρκάρω ζῶα. *He was ~ed as a coward*, στιγματίστηκε σά δειλός. *a ~ed criminal*, στιγματισμένος κακοῦργος. *~ sth on sb's memory*, ἀποτυπώνω κτ βαθειά στή μνήμη κάποιου.
bran·dish /`brændɪʃ/ *ρ.μ.* κραδαίνω (σπαθί).
brandy /`brændɪ/ *οὐσ.* ‹C,U› κονιάκ.
brash /bræʃ/ *ἐπ.* **1.** αὐθάδης, ἀναιδής. **2.** βιαστικός, ἀπερίσκεπτος.
brass /bras/ *οὐσ.* ‹U› **1.** ὀρείχαλκος, μπροῦτζος: *~ foundry*, χυτήριον ὀρειχάλκου. *~ buttons*, μπρούτζινα κουμπιά. *~ plate*, ταμπέλλα (σέ πόρτα). ***get down to ~ tacks***, μπαίνω στά οὐσιώδη (ἑνός θέματος). **2.** χαλκώματα (μπρούτζινα οἰκιακά σκεύη): *clean the ~*, καθαρίζω τά χαλκώματα. **the ~**, τά χάλκινα ὄργανα ὀρχήστρας. **~ band**, μπάντα (ὀρχήστρα). **3. top ~**, (*καθομ.*) ἀνώτατοι ἀξιωματικοί, γαλονάδες. **~ hat**, (*στρατ. λαϊκ.*) γαλονᾶς. **4.** (*καθομ.*) ἀναίδεια. **~y** *ἐπ.* ἀναιδής, ξεδιάντροπος.
bras·sard /`bræsad/ *οὐσ.* ‹C› περιβραχιόνιο.
bras·siere /`bræzɪə(r)/ *οὐσ* ‹C› (*συνήθ. εἰς πληθ. βραχυνόμενον εἰς bra* /bra/), στηθόδεσμος, σουτιέν.
brat /bræt/ *οὐσ.* ‹C› (*ὑποτιμ.*) παιδί, κουτσούβελο.
bra·vado /brə`vadəʊ/ *οὐσ.* ‹C,U› παλληκαρισμός, νταηλίκι.
brave /breɪv/ *ἐπ.* *(-r, -st)* **1.** γενναῖος, θαρραλέος: *as ~ as a lion*, γενναῖος σά λιοντάρι. **2.** (*ἀπηρχ.*) λαμπρός, ἔξοχος: *The ~ new world*, ὁ θαυμαστός καινούργιος κόσμος. *—ρ.μ.* ἀντιμετωπίζω θαρραλέα, ἀψηφῶ: *~ death/the storm*, ἀψηφῶ τό θάνατο/τή θύελλα.
brav·ery /`breɪvərɪ/ *οὐσ.* ‹U› γενναιότης.
bravo /'bra`vəʊ/ *ἐπιφ.* εὖγε!
brawl /brɔl/ *οὐσ.* ‹C› συμπλοκή, καυγᾶς: *a drunken ~*, καυγᾶς μεθυσμένων. *—ρ.ἀ.* **1.** συμπλέκομαι. **2.** (*γιά ρυάκι*) κελαρύζω.
brawn /brɔn/ *οὐσ.* ‹U› **1.** μῦς, μυϊκή δύναμις. **2.** πηχτή (χοιρινή). **~y** *ἐπ.* *(-ier, -iest)* μυώδης, γεροδεμένος.
bray /breɪ/ *ρ.ἀ.* (*γιά γάϊδαρο*) γκαρίζω. *—οὐσ.* ‹C› γκάρισμα.
brazen /`breɪzn/ *ἐπ.* **1.** μπρούτζινος. **2.** (*συχνά `~-faced*) ξεδιάντροπος. *—ρ.μ.* (*μόνον στή φράση*) ***~ it out***, ἀντιμετωπίζω κτ μέ ἀναίδεια.
braz·ier /`breɪzɪə(r)/ *οὐσ.* ‹C› φουφού, μαγκάλι.
breach /britʃ/ *οὐσ.* ‹C› **1.** ρῆγμα, ἄνοιγμα: *a ~ in a hedge*, ἄνοιγμα σέ φράχτη. **2.** διατάραξις, παραβίασις, ἀθέτησις: *a ~ of the peace*, διατάραξις τῆς κοινῆς ἡσυχίας. *a ~ of discipline*, παραβίασις τῆς πειθαρχίας. *a ~ of promise/faith*, ἀθέτησις ὑποσχέσεως/πίστεως. *—ρ.μ.* ἀνοίγω ρῆγμα, κάνω ἄνοιγμα.
bread /bred/ *οὐσ.* ‹U› ψωμί, ἄρτος: *a slice of ~*, φέτα ψωμί. *a loaf of ~*, καρβέλι. *earn one's (daily) ~*, κερδίζω τό ψωμί μου. ***Cast your ~ upon the water***, (*παροιμ.*) κάνε τό καλό καί ρίχτο στό γιαλό. ***know which side one's ~ is buttered***, ξέρω ποῦ βρίσκεται τό συμφέρον μου. ***take the ~ out of sb's mouth***, παίρνω τό ψωμί ἀπό τό στόμα κάποιου, τοῦ ἀφαιρῶ τά πρός τό ζῆν. **`~·crumb**, ψίχουλο. **`~·line**, οὐρά γιά ψωμί: *be on the ~line*, (*μεταφ.*) εἶμαι πάμπτωχος. **`~·winner**, τό στήριγμα τῆς οἰκογενείας.
breadth /`bretθ/ *οὐσ.* ‹U› πλάτος: *ten feet in ~*, δέκα πόδια πλάτος. **~·ways, ~·wise** *ἐπίρ.* κατά πλάτος.
[1]**break** /breɪk/ *ρ.μ/ἀ.* ἀνώμ. (*ἀόρ.* *broke* /brəʊk/, *π.μ.* *broken* /`brəʊkən/) **1.** σπάζω, τσακίζω, ραγίζω: *~ a window/a branch/sb's nose*, σπάζω ἕνα παράθυρο/κλαδί/τή μύτη κάποιου. *The waves were ~ing on/over/against the rocks*, τά κύματα ἔσπαζαν πάνω στούς βράχους. *~ sb's spirit/will*, τσακίζω τό ἠθικό/τή θέληση κάποιου. *The news broke her heart*, τά νέα τῆς ράγισαν τήν καρδιά. **2.** (*μέ διάφορα οὐσ.*) *(α)* σπάζω: *~ a record*, σπάζω (καταρρίπτω) ρεκόρ. *~ a strike*, σπάζω ἀπεργία. ***~ the ice***, (*μεταφ.*) σπάζω τόν πάγο. *(β)* ἀναγγέλλω: *~ the (bad) news to sb*, ἀναγγέλλω τά (ἄσχημα) νέα σέ κπ μέ μαλακό τρόπο. *(γ)* διακόπτω, ἀνακόπτω: *~ a journey/the silence*, διακόπτω ἕνα ταξίδι/τή σιωπή. *The bushes broke his fall*, οἱ θάμνοι ἀνέκοψαν τήν πτώση του. *(δ)* παραβαίνω, ἀθετῶ: *~ the law/an agreement*, παραβαίνω τό νόμο/μιά συμφωνία. *~ a*

promise/an appointment, ἀθετῶ μιά ὑπόσχεση/σπάω ἕνα ραντεβοῦ. 3. ~ **even**, ἔρχομαι μία ἤ ἄλλη (χωρίς κέρδος ἤ ζημιά). ~ **loose**, λύνομαι: *The dog/All hell has broken loose*, τό σκυλί λύθηκε/ἔγινε κόλαση. ~ **sth open**, ἀνοίγω κτ σπάζοντάς το. ~ **sb/oneself of a habit**, κόβω κπ/κόβω ὁ ἴδιος ἀπό μιά συνήθεια. 4. (*μέ ἐπιρ. & προθέσεις*):

break away, ξεκόβω, δραπετεύω, ἀποχωρῶ: *Two sheep broke away*, δυό πρόβατα ξέκοψαν (ἀπό τό κοπάδι). *Can't you ~ away from old habits?* δέν μπορεῖς νά ξεκόψης ἀπό τίς παληές συνήθειες; *Three prisoners broke away*, τρεῖς φυλακισμένοι δραπέτευσαν. *Ten Labour MPs broke away*, δέκα 'Εργατικοί Βουλευταί ἀπεχώρησαν (ἀπό τό κόμμα).

break down, *(α)* χαλῶ, διακόπτομαι: *The car broke down*, τό αὐτοκίνητο χάλασε. *The negotiations have broken down*, οἱ διαπραγματεύσεις διεκόπησαν. *(β)* κλονίζομαι, καταρρέω: *His health broke down from overwork*, ἡ ὑγεία του κλονίστηκε ἀπό ὑπερκόπωση. *She broke down when she heard the news of his death*, κατέρρευσε ὅταν ἄκουσε τά νέα τοῦ θανάτου του. *(γ)* συντρίβω, γκρεμίζω/-ομαι: ~ *down all resistance/a door*, συντρίβω κάθε ἀντίσταση/γκρεμίζω μιά πόρτα. *The bridge broke down*, ἡ γέφυρα γκρεμίστηκε. *(δ)* ἀναλύω (λογαριασμό, χημικῶς, κλπ).

break in(to), *(α)* κάνω διάρρηξη, παραβιάζω, εἰσορμῶ: *The burglars broke in (into my office) while I was away*, οἱ κλέφτες ἔκαναν διάρρηξη (στό γραφεῖο μου) ἐνῶ ἔλειπα. *(β)* ξεσπῶ, ἀρχίζω ξαφνικά: *She broke into a loud laugh*, ξέσπασε σέ δυνατό γέλιο. *They broke into a gallop*, ἄρχισαν ξαφνικά νά καλπάζουν. *(γ)* δαμάζω, ἐκγυμνάζω: ~ *a horse/sb in*, δαμάζω ἄλογο/ἀσκῶ, ἐκγυμνάζω κπ. ~ **into pieces**, θρυμματίζω, κάνω κομμάτια. ~ **in (up)on**, ἐπεμβαίνω: *Please don't ~ in on our conversation*, παρακαλῶ μήν ἐπεμβαίνετε στή συζήτησή μας.

break off, *(α)* ἀποσπῶ, κόβω (πχ κλαδί). *(β)* διακόπτω, σταματῶ ἀπότομα: *He broke off the engagement*, διέλυσε τόν ἀρραβῶνα. *He broke off in the middle of his speech*, σταμάτησε ἀπότομα στή μέση τῆς ὁμιλίας του.

break out, *(α)* (*γιά φωτιά, πόλεμο, ἐπιδημία*) ξεσπῶ: *When the war broke out...*, ὅταν ξέσπασε ὁ πόλεμος... *(β)* δραπετεύω (ἀπό φυλακή). ~ **out in**, βγάζω, γεμίζω ξαφνικά (σπυριά, κλπ).

break through, διασπῶ, ἀνοίγω δρόμο, περνῶ μέσα ἀπό: *We broke through the enemy defences*, διασπάσαμε τήν ἀμυντική γραμμή τοῦ ἐχθροῦ. *He broke through the crowd*, ἄνοιξε δρόμο μέσα ἀπό τό πλῆθος.

break up, *(α)* διαλύω/-ομαι: *The police broke up the crowd*, ἡ ἀστυνομία διέλυσε τό πλῆθος. *The meeting broke up in confusion*, ἡ συγκέντρωσις διελύθη ἐν μέσῳ συγχύσεως. ~ *up an old ship*, διαλύω ἕνα παληό πλοῖο. *(β)* χωρίζω, τεμαχίζω: ~ *up a word into syllables*, χωρίζω μιά λέξη σέ συλλαβές. *(γ)* ἐξασθενῶ, χάνω τίς δυνάμεις μου (σωματικές ἤ πνευματικές): *He's over ninety and he's ~ing up*, εἶναι πάνω ἀπό 90 καί ἔχει ἀρχίσει νά τά χάνη (ἤ νά καταρρέη).

break with, θέτω τέρμα εἰς (φιλίαν, συνήθειες, κλπ): ~ *with an old friend*, τσακώνομαι μ' ἕναν παληό φίλο.

²**break** /breɪk/ *οὐσ.* ‹C› ρῆξις, σπάσιμο, ρωγμή, ἀλλαγή, διακοπή, διάλειμμα: *a ~ in the conversation*, διακοπή στή συζήτηση. *an hour's ~ for lunch*, μιά ὥρα διακοπή γιά φαγητό. *without a ~*, χωρίς διακοπή, ἀσταμάτητα. *the long ~*, τό μεγάλο διάλειμμα (στό σχολεῖο). *the ~ of day; 'day~*, ἡ χαραυγή. *a ~ in the weather*, ἀλλαγή καιροῦ. **give sb a ~**, (*καθομ.*) δίνω σέ κπ μιά εὐκαιρία (νά ἀρχίση ἀπό τήν ἀρχή ἤ νά ἐπανορθώση λάθος). **a bad/lucky ~**, ἀτυχία/τύχη.

break·able /'breɪkəbl/ *ἐπ.* εὔθραυστος.

break·age /'breɪkɪdʒ/ *οὐσ.* ‹C› σπάσιμο, θραῦσις, θλάσις: *pay for ~s*, πληρώνω τά σπασμένα (γυαλικά).

break·down /'breɪkdaʊn/ *οὐσ.* ‹C› 1. βλάβη (σέ μηχανές): *The car had a ~*, τό αὐτοκίνητο ἔπαθε βλάβη. 2. κατάρρευσις, ἐξάντλησις: *She had a nervous ~*, ἔπαθε νευρική κατάπτωση. 3. ἀνάλυσις. 4. ἀποτυχία, διακοπή.

breaker /'breɪkə(r)/ *οὐσ.* ‹C› μεγάλο κῦμα.

break·fast /'brekfəst/ *οὐσ.* ‹C,U› πρόγευμα. *What time do you have ~?* τί ὥρα παίρνετε πρόγευμα; —*ρ.ἀ.* προγευματίζω.

break-in /'breɪk ɪn/ *οὐσ.* ‹C› διάρρηξις: *There was a ~ at the bank*, ἔγινε διάρρηξη στήν Τράπεζα.

break·neck /'breɪknek/ *ἐπ.* (*γιά ταχύτητα*) ἰλιγγιώδης, ἐπικίνδυνος: *go at (a) ~ speed*, τρέχω μέ ἰλιγγιώδη ταχύτητα.

break·through /'breɪkθru/ *οὐσ.* ‹C› 1. (*στρατ.*) ρῆγμα (πχ στίς γραμμές τοῦ ἐχθροῦ). 2. ἀποφασιστικό βῆμα, ἐντυπωσιακή ἀνακάλυψις: *The invention of the transistor was a major ~ in the technology of communications*, ἡ ἐφεύρεσις τοῦ τρανζίστορ ἦταν ἕνα ἀποφασιστικό βῆμα στήν τεχνολογία τῶν τηλεπικοινωνιῶν.

break-up /'breɪk ʌp/ *οὐσ.* ‹C,U› διάλυσις (ἀρραβῶνα, κλπ), ἀλλαγή (πρός τό χειρότερο).

break·water /'breɪkwɔtə(r)/ *οὐσ.* ‹C› κυματοθραύστης.

breast /brest/ *οὐσ.* ‹C› 1. μαστός: *child at ~*, θηλάζον βρέφος, βυζανιάρικο. 2. στῆθος, ἀγκαλιά: *press sb to one's ~*, σφίγγω κπ στήν ἀγκαλιά μου. *a ~ pocket*, τσέπη τοῦ στήθους. *a double-/single-~ed coat*, σταυρωτό/μονόπετο σακκάκι. '**~-'deep/-'high**, βαθύς/ψηλός ὥς τό στῆθος. '**~-plate**, πανοπλία θώρακος. '**~work**, πρόχωμα. 3. καρδιά, αἰσθήματα: *a troubled ~*, ταραγμένη καρδιά. **make a clean ~ of it**, τά λέω ὅλα, ὁμολογῶ τά πάντα. —*ρ.μ.* παλεύω, ἀντιμετωπίζω: ~ *the waves/the storm*, παλεύω μέ τά κύματα/ἀντιμετωπίζω τή θύελλα.

breath /breθ/ *οὐσ.* ‹C› ἀναπνοή, πνοή: *draw a deep ~*, παίρνω βαθειά ἀναπνοή. *not a ~ of wind*, οὔτε ἡ ἐλάχιστη πνοή ἀνέμου. **(be) out of ~**, (εἶμαι) λαχανιασμένος. **catch one's ~**, μοῦ κόβεται ἡ ἀνάσα, μένω ἄναυδος. **lose one's ~**, λαχανιάζω, ἀσθμαίνω. **speak/say sth under/below one's ~**, μιλῶ/λέω κτ ψιθυριστά. **take sb's ~**

away, ξαφνιάζω, καταπλήσσω κπ. **`~-taking** *ἐπ.* συναρπαστικός, καταπληκτικός. ***waste one's ~***, χάνω τά λόγια μου, ματαιοπονῶ. **~·less** *ἐπ.* **1**. λαχανιασμένος. **2**. μέ κομμένη τήν ἀνάσα, ἀγωνιώδης: *They listened with ~less attention*, ἄκουγαν μέ τεταμένη προσοχή.

breathe /brið/ *ρ.μ/ἀ.* **1**. ἀναπνέω, φυσῶ: *~ in/out*, εἰσπνέω/ἐκπνέω. *He's still breathing*, ἀκόμη ἀνασαίνει (ζῆ). *~ on one's fingers*, φυσῶ (χουχουλίζω) τά δάκτυλά μου. *~ courage/a new life into sth*, ἐμφυσῶ θάρρος/καινούργια ζωή σέ κτ. **2**. λέγω: *Don't ~ a word about it*, μή βγάλης λέξη γι' αὐτό! **`breathing-space**, ἀνάπαυλα. **breather** *οὐσ.* ‹C› ἀνάσα, μικρή ἀνάπαυση: *let me have a ~r*, ἄσε με νά πάρω μιάν ἀνάσα.

bred /bred/ *ἀόρ. & π.μ. τοῦ ρ. breed.*

breeches /ˋbritʃɪz/ *οὐσ. πληθ.* ἀνδρική κυλόττα. *ˋriding-~*, κυλόττα ἱππασίας. ***She wears the ~***, σέρνει τόν ἄνδρα της ἀπό τή μύτη.

breed /brid/ *ρ.μ/ἀ. ἀνώμ.* (*ἀόρ. & π.μ. bred* /bred/) **1**. γεννῶ, ἀναπαράγω, πολλαπλασιάζομαι: *Rabbits ~ quickly*, τά κουνέλια πολλαπλασιάζονται γρήγορα. **2**. τρέφω: *~ horses/cattle*, τρέφω ἄλογα/βόδια. **3**. ἀνατρέφω, μορφώνω: *He is an Englishman born and bred*, εἶναι γέννημα καί θρέμμα Ἄγγλος. *a well-bred boy*, ἕνα καλοαναθρεμμένο παιδί. **4**. προκαλῶ, φέρνω: *War ~s misery and want*, ὁ πόλεμος φέρνει δυστυχία καί ἀνέχεια. *__οὐσ.* ‹C› ράτσα ζώων: *a good ~ of cattle*, καλή ράτσα βοδιῶν. **~er** *οὐσ.* ‹C› ζωοτρόφος, κτηνοτρόφος. **~·ing** *οὐσ.* ‹U› ἀνατροφή, συμπεριφορά: *a man of good ~ing*, ἄνθρωπος μέ καλή ἀνατροφή.

breeze /briz/ *οὐσ.* ‹C› αὔρα, ἀεράκι: *a land/sea ~*, ἀπόγειος/πελαγία αὔρα.

breezy /ˋbrizɪ/ *ἐπ. (-ier, -iest)* **1**. μέ ἀεράκι, δροσερός: *a ~ morning*, πρωϊνό μέ ἀεράκι. **2**. (*γιά ἄνθρ.*) χαρωπός, κεφᾶτος, ἀλλέγρος.

breth·ren /ˋbreðrən/ *οὐσ. πληθ.* (*ἀπηρχ.*) ἀδελφοί (ἐν Χριστῷ, κλπ).

bre·vi·ary /ˋbriviərɪ/ *οὐσ.* ‹C› (*ἐκκλ.*) ὡρολόγιον, σύνοψις.

brev·ity /ˋbrevətɪ/ *οὐσ.* ‹U› βραχύτης (ζωῆς), βραχυλογία: *B~ is the soul of wit*, τό λακωνίζειν ἐστί φιλοσοφεῖν.

brew /bru/ *ρ.μ/ἀ.* **1**. παρασκευάζω (μπύρα), βράζω (τσάϊ). **2**. (*μεταφ.*) προμηνύομαι: *There is trouble/a storm ~ing*, προμηνύεται καυγᾶς/καταιγίδα. **3**. προετοιμάζω, μηχανεύομαι: *~ mischief*, μηχανεύομαι κακά. *__οὐσ.* ‹C› ζύμωσις, ποτόν, ρόφημα. **~er** *οὐσ.* ‹C› ζυθοποιός. **~·ery** /ˋbruərɪ/ *οὐσ.* ‹C› ζυθοποιεῖον.

briar /ˋbraɪə(r)/ *οὐσ.* ‹C› **1**. βάτος, βατομουριά. **2**. πίπα ἀπό βατομουριά. **3**. *βλ. brier.*

bribe /braɪb/ *ρ.μ.* δωροδοκῶ: *They ~d him into silence*, τόν δωροδόκησαν γιά νά σωπήση. *__οὐσ.* ‹C› δῶρον: *offer/accept ~s*, προσφέρω/δέχομαι δῶρα. **bri·bery** /-bərɪ/ *οὐσ.* ‹U› δωροδοκία, δωροληψία.

bric-a-brac /ˋbrɪk ə bræk/ *οὐσ.* ‹U› παληά ἀντικείμενα, κειμήλια, μπιμπελό.

brick /brɪk/ *οὐσ.* ‹C,U› **1**. τοῦβλο: *a house made of red ~(s)*. ***drop a ~***, λέγω ἤ κάνω μιά ἀδιακρισία, κάνω γκάφα. **2**. (*καθομ.*) λεβέντης, 'ἐν τάξει' ἄνθρωπος: *You're a ~!* εἶσαι λεβεντιά! **`~-field**, τουβλάδικο. **`~-kiln**, καμίνι τούβλων. *__ρ.μ.* ***~ up***, κλείνω μέ τοῦβλα: *~ up a window*.

bride /braɪd/ *οὐσ.* ‹C› νύφη. **bri·dal** /ˋbraɪdl/ *ἐπ.* γαμήλιος, νυφικός. **~·groom** /-grʊm/ *οὐσ.* ‹C› γαμπρός. **~s·maid** *οὐσ.* ‹C› ἡ παράνυμφος.

bridge /brɪdʒ/ *οὐσ.* ‹C› **1**. γεφύρι, γέφυρα (πλοίου). **2**. ράχη (μύτης). **3**. μπρίτζ (παιχνίδι). **~·head** *οὐσ.* ‹C› (*στρατ.*) προγεφύρωμα. *__ρ.μ.* γεφυρώνω, (*μεταφ.*) ὑπερνικῶ: *~ a gap*, γεφυρώνω χάσμα. *~ over difficulties*, ὑπερνικῶ δυσκολίες.

bridle /ˋbraɪdl/ *οὐσ.* ‹C› χαλινός, χαλινάρι. *__ρ.μ/ἀ.* **1**. χαλινώνω (ἄλογο). **2**. (*μεταφ.*) χαλιναγωγῶ, συγκρατῶ: *~ one's temper/passions*, συγκρατῶ τό θυμό μου/χαλιναγωγῶ τά πάθη μου. **3**. κορδώνω τό κεφάλι (ἀπό θυμό, περιφρόνηση, περηφάνεια).

[1]**brief** /brif/ *ἐπ. (-er, -est)* βραχύς, σύντομος: *I'll be ~*, θά εἶμαι σύντομος. *news in ~*, εἰδήσεις ἐν συντομίᾳ. **~·ly** *ἐπίρ.* ἐν συντομίᾳ.

[2]**brief** /brif/ *οὐσ.* ‹C› **1**. σύνοψις, περίληψις, δικογραφία. ***hold a ~/no ~ for sb***, ὑπερασπίζομαι/δέν θέλω νά ὑπερασπισθῶ κπ. **2**. (*καί* **`~·ing**) ὁδηγίες πρός ἀξιωματικούς πρό τῆς μάχης. **3**. (*ἐμπ.*) ὁδηγίες. **`~·case**, χαρτοφύλακας. *__ρ.μ.* **1**. διορίζω (ἀναθέτω ὑπόθεση σέ) δικηγόρο. **2**. ἐνημερώνω (δίνω ὁδηγίες σέ) ἀξιωματικούς, κλπ.

briefs /brifs/ *οὐσ. πληθ.* κυλόττα, σλίπ.

brier /ˋbraɪə(r)/ *οὐσ.* ‹C› ρείκι, ἀγριοτριανταφυλλιά.

bri·gade /brɪˋgeɪd/ *οὐσ.* ‹C› **1**. (*στρατ.*) ταξιαρχία. **2**. Σῶμα. **the ˋfire ~**, τό Πυροσβεστικόν Σῶμα.

Briga·dier /ˋbrɪgəˋdɪə(r)/ *οὐσ.* ‹C› ταξίαρχος.

brig·and /ˋbrɪgənd/ *οὐσ.* ‹C› ληστής.

bright /braɪt/ *ἐπ. (-er, -est)* **1**. λαμπερός, φωτεινός. **2**. ζωηρός, χαρωπός: *a ~ face/smile*, χαρούμενο πρόσωπο/ζωηρό χαμόγελο. **3**. ἔξυπνος: *He's a ~ boy*, εἶναι ἔξυπνο παιδί. **~·ly** *ἐπίρ.* ζωηρά. **~·ness** *οὐσ.* ‹U› λάμψις, εὐφυΐα, ζωηρότης.

brighten /ˋbraɪtən/ *ρ.μ/ἀ.* λάμπω, φαιδρύνω, ζωηρεύω: *His face ~ed up*, τό πρόσωπό του ἔλαμψε (φωτίστηκε).

bril·li·ance /ˋbrɪlɪəns/ *οὐσ.* ‹U› λαμπρότης, λάμψις, εὐφυΐα.

bril·li·ant /ˋbrɪlɪənt/ *ἐπ.* πολύ φωτεινός, λαμπρός, ἐκτυφλωτικός, εὐφυέστατος: *~ illumination*, ἐκτυφλωτικός φωτισμός. *a ~ scientist*, λαμπρός ἐπιστήμων.

brim /brɪm/ *οὐσ.* ‹C› χεῖλος, γύρος (ποτηριοῦ, καπέλλου, κλπ): *full to the ~*, ξέχειλος, γεμᾶτος ὥς ἐπάνω. *__ρ.μ. (-mm-)* ξεχειλίζω: *~ over with happiness*, ξεχειλίζω ἀπό εὐτυχία. *broad-~med hat*, πλατύγυρο καπέλλο. **~·ful** /ˋbrɪmˋfʊl/ *ἐπ.* γεμᾶτος, ξέχειλος: *He's ~ful of new ideas*, εἶναι γεμᾶτος νέες ἰδέες.

brim·stone /ˋbrɪmstən/ *οὐσ.* ‹U› (*παλ.*) θειάφι (*ἐν χρήσει sulphur*).

brine /braɪn/ *οὐσ.* ‹U› ἅλμη, ἅρμη. **briny** /ˋbraɪnɪ/ *ἐπ. (-ier, -iest)* ἁλμυρός, γλυφός.

bring /brɪŋ/ *ρ.μ. ἀνώμ.* (*ἀόρ. & π.μ. brought* /brɔt/) **1**. φέρω, ἀποφέρω: *B~ the chair in*, φέρε τήν καρέκλα μέσα. *I'll ~ it tomorrow*, θά τό φέρω αὔριο. *His writings ~ him £500 a year*, τά γραφτά του τοῦ ἀποφέρουν 500 λίρες τό χρόνο. *The news brought tears to her eyes*, τά νέα τῆς ἔφεραν δάκρυα στά μάτια. **2**. καταφέρνω, κάνω: *They couldn't ~ themselves to believe it*, δέν μποροῦσαν νά κάνουν τόν ἑαυτό τους νά τό πιστέψη. **3**. (*σέ ἰδιωματ. φράσεις*): *~ an action against sb*, κάνω ἀγωγή ἐναντίον κάποιου. *~ sb luck/ill luck*, φέρνω τύχη/γρουσουζιά σέ κπ. *~ to sb's notice*, θέτω ὑπ' ὄψιν κάποιου. *~ pressure to bear on sb*, ἀσκῶ πίεση πάνω σέ κπ. *~ to mind/to light*, φέρνω στό νοῦ/στό φῶς. *~ sth to an end*, θέτω τέρμα σέ κτ. *~ to pass*, προκαλῶ, προξενῶ. *~ sb into line*, κάνω κπ νά συμμορφωθῆ. *~ sb to his senses*, κάνω κπ νά λογικευθῆ, τόν φέρνω στά σύγκαλά του. *~ sth home to sb*, κάνω κπ νά ἀντιληφθῆ κτ. *~ sth to sb's knowledge/attention*, φέρω κτ εἰς γνῶσιν κάποιου/ἐφιστῶ τήν προσοχήν κάποιου σέ κτ. **4**. (*μέ ἐπιρ. & προθέσεις*):

bring about, προκαλῶ, ἐπιφέρω: *~ about a war/sb's ruin/a reform*, προκαλῶ πόλεμο/τήν καταστροφή κάποιου/ἐπιφέρω μεταρρύθμιση.

bring back, ξαναφέρνω: *Your letter brought back many memories*, τό γράμμα σας μοῦ ξανάφερε πολλές ἀναμνήσεις. *You can't ~ her back to life*, δέν μπορεῖτε νά τήν ξαναφέρετε στή ζωή.

bring down, ρίχνω, κατεβάζω, ἀνατρέπω: *~ down an enemy aircraft/the price of sth*, ρίχνω ἕνα ἐχθρικό ἀεροπλάνο/τήν τιμή ἑνός πράγματος. *~ down a tyranny/a government*, ἀνατρέπω μιά τυραννία/μιά κυβέρνηση. (*βλ. & λ. house*).

bring forth, παράγω, γεννῶ.

bring forward, θέτω (θέμα πρός συζήτησιν), ἐπισπεύδω, (*λογιστ.*) μεταφέρω ποσόν: *The matter was brought forward at the last meeting*, τό θέμα ἐτέθη εἰς τήν τελευταίαν συνεδρίασιν. *The meeting was brought forward ten days*, ἡ συνέλευσις ἐπεσπεύθη κατά δέκα ἡμέρες. *Brought forward*, (*λογιστ.*) ἐκ μεταφορᾶς.

bring in, (*γιά χρήματα*) ἀποφέρω: *His investment ~s him in 8%*, ἡ ἐπένδυσίς του τοῦ ἀποφέρει 8%.

bring off, φέρω εἰς πέρας: *It was a difficult task but we brought it off*, ἦταν δύσκολη δουλειά ἀλλά τή φέραμε εἰς πέρας.

bring on, προκαλῶ, ἐπιφέρω: *He worked out in the rain and this brought on a bad cold*, δούλευε ἔξω στή βροχή καί αὐτό τοῦ προκάλεσε ἄσχημο κρύο.

bring out, φανερώνω, ἀποκαλύπτω, δημοσιεύω: *~ out the inner meaning of a poem*, ἀποκαλύπτω τό βαθύτερο νόημα ἑνός ποιήματος. *~ out a new book*, δημοσιεύω ἕνα καινούργιο βιβλίο.

bring over (to), προσηλυτίζω, πείθω, παρασύρω (εἰς μίαν ἄποψιν, κλπ).

bring round, συνεφέρνω (ἀπό λιποθυμία), φέρω εἰς, μεταπείθω: *She fainted but was soon brought round*, λιποθύμησε ἀλλά γρήγορα τήν συνεφέραμε. *He brought the conversation round to football*, ἔφερε τή συζήτηση στό ποδόσφαιρο. *I brought him round to my opinion*, τόν μετέπεισα, τόν ἔφερα στά νερά μου.

bring to, συνεφέρνω, σταματῶ: *They brought her to*, τήν συνέφεραν. *The ship (was) brought to*, τό πλοῖο σταμάτησε, (ἀκινητοποιήθηκε).

bring together, συγκεντρώνω, φέρω εἰς ἐπαφήν: *~ together all the necessary documents*, συγκεντρώνω ὅλα τά ἀναγκαῖα ἔγγραφα. *Chance brought us together*, ἡ τύχη μᾶς ἔφερε σ' ἐπαφή.

bring under, ὑποτάσσω: *The rebels were soon brought under*, οἱ ἀντάρτες σύντομα ὑπετάχθησαν.

bring up, ἀνατρέφω, κάνω ἐμετό, θέτω/φέρω (πρός συζήτησιν): *well-brought up children*, καλοαναθρεμμένα παιδιά. *~ up one's dinner*, κάνω ἐμετό τό φαγητό μου. *He always ~s up his age*, πάντα φέρνει στή συζήτηση τήν ἡλικία του. *~* ***up the rear***, ἔρχομαι τελευταῖος (στή γραμμή).

brink /brɪŋk/ *οὐσ.* ‹C› χεῖλος, ἄκρη (γκρεμοῦ, κλπ): *on the ~ of war/of ruin/of the grave*, στό χεῖλος τοῦ πολέμου/τῆς καταστροφῆς/τοῦ τάφου. **~·man·ship** /-mənʃɪp/ *οὐσ.* ‹U› παρακεκινδυνευμένη πολιτική.

brisk /brɪsk/ *ἐπ.* (*-er, -est*) ζωηρός, γρήγορος: *a ~ walk/walker*, ζωηρός (γρήγορος) περίπατος/περιπατητής. *The market/The demand is ~*, ἡ ἀγορά/ἡ ζήτησις εἶναι ζωηρή.

bristle /ˈbrɪsl/ *οὐσ.* ‹C,U› γουρουνότριχα. —*ρ.ἀ.* (*γιά τρίχες*) σηκώνομαι, (*μεταφ.*) ἐξαγριώνομαι: *The dog was angry and ~d up/and its hair ~d up*, τό σκυλί ἀγρίεψε καί σηκώθηκε ἡ τρίχα του. *a problem bristling with difficulties*, πρόβλημα γεμᾶτο δυσκολίες.

Brit·ish /ˈbrɪtɪʃ/ *ἐπ.* βρεταννικός: *the B~*, οἱ Βρεταννοί. **~er** *οὐσ.* ‹C› Βρεταννός.

brittle /ˈbrɪtl/ *ἐπ.* εὔθραυστος.

broach /brəʊtʃ/ *ρ.μ.* ἀνοίγω (βαρέλι), (*μεταφ.*) ἀνοίγω συζήτηση: *~ a subject*, θίγω ἕνα θέμα.

broad /brɔd/ *ἐπ.* (*-er, -est*) **1**. φαρδύς, πλατύς: *Rivers get ~er as they get near the sea*, τά ποτάμια γίνονται πλατύτερα καθώς πλησιάζουν τή θάλασσα. *a table six feet ~*, τραπέζι ἕξη πόδια φαρδύ. **2**. φιλελεύθερος, ὄχι στενόμυαλος: *a man of ~ views*, ἄνθρωπος μέ φιλελεύθερες ἀπόψεις. **~-minded** *ἐπ.* ἀνεκτικός, εὐρύνους, προοδευτικός. **3**. πλήρης, γενικός: *in ~ outline*, σέ γενικές γραμμές. ***in ~ daylight***, μέρα μεσημέρι. **4**. σαφής, ἔντονος: *a ~ accent*, ἔντονη προφορά. ***a ~ hint***, σαφής ὑπαινιγμός. **~en** /ˈbrɔdn/ *ρ.μ/ἀ.* πλαταίνω, διευρύνω/-ομαι. **~·ly** *ἐπίρ.* πλατιά, γενικά: *~ly speaking*, μιλώντας γενικά.

broad·cast /ˈbrɔdkast/ *ρ.μ/ἀ.* ἀνώμ. (*ἀόρ. & π.μ. broadcast*) ἐκπέμπω ραδιοφωνικῶς: *~ the news/a speech*, μεταδίδω (ραδιοφωνικῶς) τά νέα/μιά ὁμιλία. —*οὐσ.* ‹C› ἐκπομπή. *news ~*, ἐκπομπή (δελτίον) εἰδήσεων. **~·ing** *ἐπ.* ραδιοφωνικός: *the BBC (the British B~ing Corporation)*, τό Μπί-Μπί-Σί, τό Βρεταννικό Ἵδρυμα Ραδιοφωνίας.

broad·side /ˈbrɔdsaɪd/ *οὐσ.* ‹C› πλευρά πλοίου, ὁμοβροντία. ***~ on (to)***, μέ τήν πλευρά.

bro·cade /brəˈkeɪd/ *οὐσ.* ‹C,U› χρυσοποίκιλτο

ὕφασμα, μπροκάρ.
bro·chure /ˋbrəʊʃʊə(r)/ *οὐσ.* ‹C› φυλλάδιον, μπροσούρα.
broil /brɔɪl/ *ρ.μ/ὰ.* ψήνω/-ομαι στή σχάρα, (*μεταφ.*) ζεσταίνομαι πολύ: *a ~ing day*, πολύ ζεστή ἡμέρα. *sit ~ing in the sun*, ξεροψήνομαι στόν ἥλιο. —*οὐσ.* ‹C› (*πεπαλ.*) καυγᾶς.
broke /brəʊk/ *ἀόρ. τοῦ ρ. break.* —*ἐπ.* (*λαϊκ.*) ἀπένταρος: *I am stony/flat ~*, δέν ἔχω δεκάρα τσακιστή.
bro·ken /ˋbrəʊkən/ *π.μ. τοῦ ρ. break.* —*ἐπ.* τσακισμένος, διαλυμένος: *a ~ marriage/home*, διαλυμένος γάμος/-ο σπίτι. *in ~ English*, μέ σπασμένα Ἀγγλικά.
bro·ker /ˋbrəʊkə(r)/ *οὐσ.* ‹C› μεσίτης, χρηματιστής. **~·age** /-rɪdʒ/ *οὐσ.* ‹U› μεσιτικά, μεσιτικαί ἐργασίαι.
brolly /ˋbrɒlɪ/ *οὐσ.* ‹C› (*καθομ.*) ὀμπρέλλα.
bro·mide /ˋbrəʊmaɪd/ *οὐσ.* ‹U› βρωμιοῦχον ἅλας.
bron·chi /ˋbrɒŋkaɪ/ *οὐσ. πληθ.* βρόγχοι. **bron·chial** /ˋbrɒŋkɪəl/ *ἐπ.* βρογχικός: *bronchial asthma.* **bron·chi·tis** /brɒŋˋkaɪtɪs/ *οὐσ.* ‹U› βρογχῖτις.
bronze /brɒnz/ *οὐσ.* ‹C,U› & *ἐπ.* μπροῦτζος, μπρούτζινο ἄγαλμα, μπρούτζινος. **the ˋB~ Age**, ἡ χαλκίνη ἐποχή.
brooch /brəʊtʃ/ *οὐσ.* ‹C› πόρπη, καρφίτσα λαιμοῦ.
brood /bruːd/ *οὐσ.* ‹C› κλωσσόπουλα, κουτσούβελα. **ˋ~-hen**, κλῶσσα. —*ρ.ὰ.* **1.** ἐπωάζω, κλωσσῶ. **2.** *~ (on/over) sth*, συλλογίζομαι μελαγχολικά: *~ over/on one's misfortunes*, συλλογίζομαι τίς ἀτυχίες μου. **~y** *ἐπ.* (*-ier, -iest*) ἐπωάζων, (*γιά ἄνθρ.*) σκεφτικός, μελαγχολικός.
[1]**brook** /brʊk/ *οὐσ.* ‹C› ρυάκι.
[2]**brook** /brʊk/ *ρ.μ.* (*συνήθ. ἀρνητ.*) ἀνέχομαι, ἐπιδέχομαι: *I'll ~ no interference*, δέν θ' ἀνεχθῶ παρέμβαση. *The matter ~s no delay*, τό θέμα δέν ἐπιδέχεται ἀναβολή.
broom /bruːm/ *οὐσ.* ‹C› σκούπα, ἀφάνα. ***A new ~ sweeps clean***, (*παροιμ.*) καινούργιο κοσκινάκι μου καί ποῦ νά σέ κρεμάσω. **ˋ~-stick**, σκουπόξυλο.
broth /brɒθ/ *οὐσ.* ‹U› ζωμός κρέατος.
brother /ˋbrʌðə(r)/ *οὐσ.* ‹C› ἀδελφός. **~-in-law** /ˋbrʌðər ɪn lɔː/ *οὐσ.* ‹C› (*πληθ. ~s-in-law*), γυναικάδελφος (γαμπρός, κουνιάδος). **~-hood** /-hʊd/ *οὐσ.* ‹U› ἀδελφότης, ἀδελφοσύνη. **~·ly** *ἐπ.* ἀδελφικός.
brought /brɔːt/ *ἀόρ. & π.μ. τοῦ ρ. bring.*
brow /braʊ/ *οὐσ.* ‹C› **1.** φρύδι (*ἐπίσης* **ˋeye·~**): *knit one's ~s*, συνοφρυοῦμαι. **2.** κορυφή, ἄκρη: *the ~ of a hill*, ἡ κορυφή ἑνός λόφου.
brow·beat /ˋbraʊbiːt/ *ρ.μ. ἀνώμ.* (*ἀόρ. ~, π.μ. ~en*) ἀποπαίρνω, τρομάζω κπ μέ φωνές: *~ sb into doing sth*, ἀναγκάζω κπ μέ φωνές νά κάνη κτ.
brown /braʊn/ *ἐπ.* (*-er, -est*) & *οὐσ.* ‹C,U› σκοῦρος, καφετής, καστανός: *~ bread*, μαῦρο ψωμί. ***in a ~ study***, σέ βαθειές σκέψεις, συλλογισμένος.
browse /braʊz/ *ρ.μ.* **1.** βόσκω: *cattle browsing in a field*, βόδια πού βόσκουν σέ χωράφι. **2.** (*μεταφ.*) διαβάζω στά πεταχτά, ξεφυλλίζω: *~ among books in a library*, ρίχνω ματιές στά βιβλία μιᾶς βιβλιοθήκης. —*οὐσ.* ‹C,U› βόσκημα, βοσκή.
bruise /bruːz/ *οὐσ.* ‹C› μώλωψ, μελανιά: *a face covered with ~s*, πρόσωπο γεμᾶτο μελανιές. —*ρ.μ/ὰ.* μελανιάζω, μωλωπίζω: *~ one's leg*, χτυπῶ (μελανιάζω) τό πόδι μου. *~ easily*, μελανιάζω εὔκολα.
bru·nette /bruːˋnet/ *οὐσ.* ‹C› καστανή, μελαχροινή γυναίκα.
brunt /brʌnt/ *οὐσ.* ‹C› ὁρμή, κύριον βάρος: *bear the ~ of an attack*, ἀντιμετωπίζω τήν ὁρμή (φέρω τό κύριο βάρος) μιᾶς ἐπιθέσεως.
brush /brʌʃ/ *οὐσ.* ‹C› **1.** βούρτσα, βούρτσισμα: *aˋtooth~*, ὀδοντόβουρτσα. *He gave his clothes a good ~*, ἔδωσε ἕνα γερό βούρτσισμα στά ροῦχα του. **2.** ἁψιμαχία, σύγκρουσις: *after the first ~*, μετά τήν πρώτη ἁψιμαχία. —*ρ.μ/ὰ.* βουρτσίζω: *~ one's hair*, βουρτσίζω τά μαλλιά μου. *~ one's teeth*, πλένω τά δόντια μου. ***~ by/past/against sb/sth***, προσπερνῶ ἀγγίζοντας/σκουντώντας. ***~ sth away/off***, διώχνω (μέ βούρτσισμα). ***~ sb/sth aside***, παραμερίζω, δέν δίνω σημασία σέ (δυσκολίες, ἀντιρρήσεις, κλπ). ***~ up***, φρεσκάρω (γνώσεις, ἐμφάνιση, κλπ): *I must ~ up my French*, πρέπει νά φρεσκάρω τά Γαλλικά μου.
brush·wood /ˋbrʌʃwʊd/ *οὐσ.* ‹U› χαμόκλαδα, θάμνοι.
brusque /brʊsk/ *ἐπ.* (*γιά τρόπους*) ἀπότομος, τραχύς, βάναυσος.
bru·tal /ˋbruːtl/ *ἐπ.* κτηνώδης, σκληρός. **~ity** /bruːˋtælətɪ/ *οὐσ.* ‹C,U› κτηνωδία. **ˋ~ize** /-aɪz/ *ρ.μ.* ἀποκτηνώνω. **ˋ~ly** /-təlɪ/ *ἐπίρ.*
brute /bruːt/ *οὐσ.* ‹C› κτῆνος, ζῶον: *What a ~!* τί κτῆνος! —*ἐπ.* ζωώδης: *~ strength*, ζωώδης δύναμις. **brutish** /ˋbruːtɪʃ/ *ἐπ.* ζωώδης, κτηνώδης.
bubble /ˋbʌbl/ *οὐσ.* ‹C› **1.** φουσκάλα, φυσαλλίδα: *ˋsoap ~s*, σαπουνόφουσκες. **2.** (*μεταφ.*) χίμαιρα, ψευδαίσθησις. —*ρ.ὰ.* ἀναδίνω φυσαλλίδες, κοχλάζω. ***~ over***, ξεχειλίζω, χύνομαι (φουσκώνοντας, ἀφρίζοντας): *~ over with life/high spirits*, ξεχειλίζω ἀπό ζωή/κέφι.
buc·ca·neer /ˋbʌkəˋnɪə(r)/ *οὐσ.* ‹C› πειρατής, κουρσάρος.
[1]**buck** /bʌk/ *οὐσ.* ‹C› **1.** (ἀρσενικό) ἐλάφι, κουνέλι, λαγός (*πρβλ. doe*). **2.** (*λαϊκ. ΗΠΑ*) δολλάριο.
[2]**buck** /bʌk/ *ρ.ὰ.* (*γιά ἄλογο*) πηδῶ ψηλά μέ τή ράχη ἀνορθωμένη (γιά νά ρίξω τόν καβαλλάρη), ἀνατινάσσομαι. ***~ up***, (*καθομ.*) ἐμψυχώνω, δίνω κουράγιο.
bucket /ˋbʌkɪt/ *οὐσ.* ‹C› κάδος, κουβᾶς. **~ful** /-fʊl/ *οὐσ.* ‹C› κουβαδιά.
buckle /ˋbʌkl/ *οὐσ.* ‹C› ἀγκράφα, κρίκος (ζώνης). —*ρ.μ/ὰ.* **1.** κουμπώνω (ζώνη), στερεώνω. **2.** (*γιά μέταλλα*) σκεβρώνω, λυγίζω ***~ (down) to** (work, a task, etc)*, καταπιάνομαι, ἀρχίζω μέ ζῆλο (μιά δουλειά).
buck·ler /ˋbʌklə(r)/ *οὐσ.* ‹C› μικρή στρογγυλή ἀσπίδα, σκουτάρι.
buck·skin /ˋbʌkskɪn/ *οὐσ.* ‹U› δέρμα καστόρι.
bu·colic /bjuːˋkɒlɪk/ *ἐπ.* βουκολικός.
bud /bʌd/ *οὐσ.* ‹C› μπουμπούκι, μάτι (φυτοῦ): *The trees/flowers are in ~*, τά δέντρα/τά λουλούδια εἶναι μπουμπουκιασμένα. ***nip** (a plot, etc) **in the ~***, πνίγω (συνωμοσία, κλπ) ἐν τῇ γεννέσει της. —*ρ.ὰ.* (*-dd-*) μπουμπουκιάζω, πρωτοεμφανίζομαι: *a ~ding*

lawyer, νέος δικηγόρος (στά πρῶτα του βήματα).
budge /bʌdʒ/ ρ.μ/ἀ. (συνήθ. ἀρνητ.) μετατοπίζω/-ομαι, σαλεύω: *I can't ~ it*, δέν μπορῶ νά τό κουνήσω. *I tried to persuade him but he wouldn't ~*, προσπάθησα νά τόν πείσω ἀλλά ἦταν ἀμετάπειστος. *Don't ~ an inch!* μήν κάνης βῆμα!
budget /ˋbʌdʒɪt/ οὐσ. ‹C› προϋπολογισμός: *open the ~*, παρουσιάζω (στή Βουλή γιά συζήτηση) τόν κρατικό προϋπολογισμό. —ρ.ἀ. προϋπολογίζω, κάνω προϋπολογισμό: *~ for the next year*, κάνω προϋπολογισμό γιά τόν ἑπόμενο χρόνο.
buff /bʌf/ οὐσ. ‹U› **1**. δέρμα βουβάλου. **2**. μουντό κίτρινο (χρῶμα). **3**. γυμνό δέρμα. ***stripped to the ~***, ὁλόγυμνος, τσίτσιδος.
buf·falo /ˋbʌfələʊ/ οὐσ. ‹C› (ἀμετάβλ. εἰς πληθ.) βουβάλι.
buf·fer /ˋbʌfə(r)/ οὐσ. ‹C› προφυλακτήρ (ἰδ. σέ ἀτμομηχανή). **~ state**, μικρό οὐδέτερο κράτος μεταξύ ἀντιμαχομένων μεγάλων κρατῶν.
[1]**buf·fet** /ˋbʌfɪt/ οὐσ. ‹C› κόλαφος, χαστούκι, μπάτσος. —ρ.μ. χαστουκίζω, χτυπῶ, παλεύω: *~ed by the waves/the wind/by misfortunes*, πληττόμενος ἀπό τά κύματα/τόν ἄνεμο/τίς ἀτυχίες.
[2]**buf·fet** /ˋbʊfeɪ/ οὐσ. ‹C› μπουφές, κυλικεῖον.
buf·foon /bəˋfun/ οὐσ. ‹C› παληάτσος, γελωτοποιός, κλόουν. **~·ery** /-ərɪ/ οὐσ. ‹U› καραγκιοζιλίκια, βωμολοχίες.
bug /bʌg/ οὐσ. ‹C› **1**. κοριός, (ΗΠΑ) ζωΰφιο. **2**. κρυμμένο μικρόφωνο. —ρ.μ. (-gg-) κρύβω μικρόφωνο κάπου, κατασκοπεύω.
bug·bear /ˋbʌgbeə(r)/ οὐσ. ‹C› μπαμπούλας, σκιάχτρο, φόβητρο: *the ~ of inflation*, τό σκιάχτρο τοῦ πληθωρισμοῦ.
buggy /ˋbʌgɪ/ οὐσ. ‹C› ἁμαξάκι (μέ ἕνα ἄλογο).
bugle /bjugl/ οὐσ. ‹C› σάλπιγγα. **~r** οὐσ. ‹C› σαλπιγκτής.
build /bɪld/ ρ.μ/ἀ. ἀνώμ. (ἀόρ. & π.μ. *built* /bɪlt/) οἰκοδομῶ, χτίζω, κατασκευάζω, ναυπηγῶ: *~ a house/a railway/a ship*. *built of*, χτισμένος μέ (ἀπό). *built-in*, ἐντοιχισμένος (πχ ντουλάπα). *newly-built*, νεόκτιστος. ***~ up***, δυναμώνω, δημιουργῶ, πυκνώνω: *~ up one's health/a business*, δυναμώνω τήν ὑγεία μου/δημιουργῶ βαθμηδόν ἐπιχείρηση. *Traffic is ~ing up*, ἡ κυκλοφορία πυκνώνει. **ˋ~-up** οὐσ. ‹C› συγκέντρωσις, διαφήμησις. *built-up areas*, οἰκοδομημένες περιοχές, συνοικισμοί. ***~ (up)on***, χτίζω πάνω σέ, στηρίζω/-ομαι: *~ too many hopes (up)on sb's promises*, στηρίζω ὑπερβολικές ἐλπίδες στίς ὑποσχέσεις κάποιου. ***~ upon the sand***, χτίζω στήν ἄμμο. —οὐσ. ‹U› (γιά ἄνθρ.) κορμοστασιά, διάπλασις: *a man of powerful ~*, γεροδεμένος ἄνθρωπος. *recognise a man by his ~*, ἀναγνωρίζω κπ ἀπό τό παράστημά του. **~·ing** οὐσ. **1**. ‹U› οἰκοδόμησις. **2**. ‹C› κτίριον: *public ~ings*, δημόσια κτίρια. *the ~ing craze*, οἰκοδομικός ὀργασμός, μανία οἰκοδομική.
bulb /bʌlb/ οὐσ. ‹C› **1**. βολβός. **2**. λαμπτήρ, λάμπα. **~·ous** /-əs/ ἐπ. βολβώδης.
bulge /ˋbʌldʒ/ ρ.μ/ἀ. φουσκώνω, ἐξογκοῦμαι, παραγεμίζω: *a sack bulging with cabbages*, σακκί παραγεμισμένο μέ λάχανα. *bulging pockets*, παραγεμισμένες τσέπες. *bulging eyes*, πεταχτά μάτια. —οὐσ. ‹C› **1**. ἐξόγκωμα, φούσκωμα. **2**. (στατ.) προσωρινή διόγκωσις.
bulk /bʌlk/ οὐσ. ‹U› **1**. ὄγκος, μεγάλη ποσότης. ***in ~***, χονδρικῶς, χῦμα: *sell/buy in ~*, πωλῶ/ἀγοράζω χονδρικῶς. **2**. τό κύριον μέρος: *the ~ of our army*, τό κύριον μέρος (ὁ κύριος ὄγκος) τοῦ στρατοῦ μας. —ρ.ἀ. ***~ large***, φαίνομαι μεγάλος ἤ σπουδαῖος. **~y** ἐπ. *(-ier, -iest)* ὀγκώδης.
[1]**bull** /bʊl/ οὐσ. ‹C› **1**. ταῦρος: *a man with a neck like a ~*, ἄνθρωπος μέ λαιμό ταύρου. ***like a ~ in a china shop***, σάν ταῦρος σέ ὑαλοπωλεῖον. ***take the ~ by the horns***, ἐνεργῶ ἀποφασιστικά, κεραυνοβόλα. ***bull's eye***, τό κέντρον τοῦ στόχου: *hit the bull's eye*, πετυχαίνω διάνα. **2**. ἀρσενικός ἐλέφας, ἀρσενική φάλαινα ἤ φώκηα. **3**. (χρηματ.) κερδοσκόπος πού παίζει μέ τά πάνω, ὑψωτικός. **ˋ~·fight**, ταυρομαχία. **ˋ~·fighter**, ταυρομάχος. **ˋ~·ring**, ἀρένα ταυρομαχίας. **ˈ~-ˋheaded** ἐπ. πεισματάρης, ξεροκέφαλος.
[2]**bull** /bʊl/ οὐσ. ‹C› βούλλα: *a Papal ~*, Παπική βούλλα.
[3]**bull** /bʊl/ οὐσ. ‹U› γκάφα, ἀφέλεια, σαχλαμάρα.
bull·doze /ˋbʊldəʊz/ ρ.μ. **1**. ἰσοπεδώνω μέ μπουλντόζα. **2**. ἐξαναγκάζω, ἐκφοβίζω: *~ sb into doing sth*. **~r** οὐσ. ‹C› μπουλντόζα.
bul·let /ˋbʊlɪt/ οὐσ. ‹C› σφαῖρα. **ˋ~-proof** ἐπ. ἀλεξίσφαιρος.
bul·letin /ˋbʊlətɪn/ οὐσ. ‹C› δελτίον, ἀνακοινωθέν: *a ˋnews ~*, δελτίον εἰδήσεων.
bul·lion /ˋbʊlɪən/ οὐσ. ‹U› χρυσός (ἤ ἄργυρος) σέ ράβδους.
bul·lock /ˋbʊlək/ οὐσ. ‹C› εὐνουχισμένος ταῦρος.
bully /ˋbʊlɪ/ οὐσ. ‹C› νταῆς, φωνακλᾶς, τύραννος. —ρ.μ. ἀπειλῶ, ἐκφοβίζω, ἐξαναγκάζω: ***~ sb into doing sth***, ἐξαναγκάζω (μέ ἀπειλές) κπ νά κάνη κτ.
bul·rush /ˋbʊlrʌʃ/ οὐσ. ‹C› βοῦρλο.
bul·wark /ˋbʊlwək/ οὐσ. ‹C› **1**. προπύργιον, πρόχωμα: *England is the ~ of liberty*, ἡ Ἀγγλία εἶναι τό προπύργιον τῆς ἐλευθερίας. **2**. κουπαστή (σέ πλοῖο).
bum /bʌm/ οὐσ. ‹C› **1**. (καθομ.) ὀπίσθια, πισινός. **2**. (λαϊκ.) ἀλήτης. —ἐπ. τιποτένιος. —ρ.ἀ. (-mm-) ἀλητεύω.
bumble-bee /ˋbʌmbl bi/ οὐσ. ‹C› ἀγριομέλισσα, μπούμπουρας.
bump /bʌmp/ οὐσ. ‹C› **1**. χτύπημα, τράνταγμα. **2**. ἐξόγκωμα, πρήξιμο (ἀπό χτύπημα), καρούμπαλο. —ρ.μ/ἀ. χτυπῶ, προσκρούω, προχωρῶ μέ τραντάγματα: *~ one's head against sth*, χτυπῶ τό κεφάλι μου σέ κτ. *~ along a bad road*, προχωρῶ μέ τραντάγματα σ'ἕναν ἄσχημο δρόμο. ***~ into sb***, πέφτω πάνω σέ κπ. **~y** ἐπ. *(-ier, -iest)* γεμᾶτος ἐξογκώματα, ἀνώμαλος: *a ~y road/ride/flight*, ἀνώμαλος δρόμος/-ο ταξίδι/-ος πτῆσις.
bum·per /ˋbʌmpə(r)/ οὐσ. ‹C› **1**. (γιά σοδειά) πλούσιος, ἄφθονος. **2**. προφυλακτήρας (αὐτοκινήτου, τραίνου): *the front/rear ~*, ἐμπρόσθιος/ὀπίσθιος προφυλακτήρας.
bump·kin /ˋbʌmpkɪn/ οὐσ. ‹C› ἄξεστος χωριάτης, βλάχος.
bump·tious /ˋbʌmpʃəs/ ἐπ. φανταστικός,

ψηλομύτης.

bun /bʌn/ *οὐσ.* ‹C› **1**. τσουρέκι, κουλουράκι. **2**. (*γιά μαλλιά*) κότσος: *have one's hair in a ~*, ἔχω τά μαλλιά μου κότσο.

bunch /bʌntʃ/ *οὐσ.* ‹C› τσαμπί, δρμαθός, μπουκέτο, μάτσο: *a ~ of grapes*, τσαμπί σταφύλια. *a ~ of keys*, δρμαθός κλειδιά. *a ~ of flowers*, μπουκέτο λουλούδια. __*ρ.μ/ὰ.* δένω, κάνω μάτσο, στριμώχνομαι: *Don't ~ up*, μή στριμώχνεστε ὅλοι μαζί.

bundle /bʌndl/ *οὐσ.* ‹C› δέμα, μπόγος, δεμάτι, δέσμη, σωρός: *a ~ of old clothes*, μπόγος παληόρουχα. *a ~ of sticks*, δεμάτι ξύλα. *a ~ of books*, δέμα βιβλία. *a ~ of banknotes*, δέσμη χαρτονομίσματα. __*ρ.μ/ὰ.* **1**. δένω, τυλίγω, τσουβαλιάζω, μαζεύω (χωρίς τάξη): *~ everything into a drawer*, τά χώνω ὅλα σ'ἕνα συρτάρι. **2**. πηγαίνω ἤ στέλνω κπ βιαστικά: *~ the children off to school*, διώχνω τά παιδιά γιά τό σχολεῖο. *~ sb into a car*, χώνω κπ (σπρώχνοντας) σέ αὐτοκίνητο.

bung /bʌŋ/ *οὐσ.* ‹C› τάπα, πῶμα. __*ρ.μ.* ταπώνω, βουλώνω: *~ed up nose/drains*, βουλωμένη, φραγμένη μύτη/-ος σωλήνας ἀποχετεύσεως.

bun·ga·low /ˈbʌŋgələʊ/ *οὐσ.* ‹C› μονόροφο ἐξοχικό σπιτάκι, μπάγκαλοου.

bungle /ˈbʌŋgl/ *ρ.μ/ὰ.* κακοφτιάχνω, κατασκευάζω ἄτεχνα. __*οὐσ.* ‹C› ἀδέξια δουλειά, χοντροκοπιά. **~r** *οὐσ.* ‹C› τσαπατσούλης, ἀδέξιος τεχνίτης.

bun·ion /ˈbʌnɪən/ *οὐσ.* ‹C› (*καθομ.*) κάλος.

bunk /bʌŋk/ *οὐσ.* ‹C› κουκέτα (σέ πλοῖο ἤ τραῖνο). __*ρ.ὰ.* & *οὐσ.* ‹C› (*λαϊκ.*) τό σκάω. ***do a ~***, φεύγω, στρίβω, τήν κοπανάω.

bunker /ˈbʌŋkə(r)/ *οὐσ.* ‹C› **1**. καρβουναποθήκη (πλοίου). **2**. ἀμμώδης κοιλότης (σέ γήπεδο γκόλφ). **3**. ἀμπρί, καταφύγιον (σέ ὀχυρωματικά ἔργα). __*ρ.μ.* ἀνεφοδιάζω πλοῖο. ***be ~ed***, (*πεπαλ.*, *μεταφ.*) ἔχω δυσκολίες.

bun·kum /ˈbʌŋkəm/ *οὐσ.* ‹U› (*πεπαλ.*, *καθομ.*) ἀερολογίες: *That's all ~!* εἶναι ὅλα λόγια τοῦ ἀέρα!

bunny /ˈbʌnɪ/ *οὐσ.* ‹C› λαγουδάκι.

bun·ting /ˈbʌntɪŋ/ *οὐσ.* ‹U› **1**. ὕφασμα γιά σημαῖες. **2**. σημαῖες, σημαιοστολισμός.

buoy /bɔɪ/ *οὐσ.* ‹C› σημαδούρα. __*ρ.μ/ὰ.* τοποθετῶ σημαδοῦρες. ***~ up***, συγκρατῶ στήν ἐπιφάνεια, (*μεταφ.*) ἐνισχύω, κρατῶ ψηλά (τό ἠθικό). **~·ancy** /-ənsɪ/ *οὐσ.* ‹U› **1**. πλευστότης. **2**. αἰσιοδοξία, ζωντάνια, ζωηρότης. **~·ant** /ˈbɔɪənt/ *ἐπ.* **1**. ἐπιπλέων. **2**. (*γιά ἄνθρ.*) ζωηρός, κεφᾶτος, ἀλλέγρος: *with a ~ant step*, μέ ζωηρό βῆμα.

bur, burr /bɜ(r)/ *οὐσ.* ‹C› (*κυριολ.* & *μεταφ.*) κολλητσίδα.

burble /ˈbɜbl/ *ρ.ὰ.* μουρμουρίζω, κελαρύζω.

bur·den /ˈbɜdn/ *οὐσ.* ‹C› βάρος, φόρτωμα, φορτίο: *the ~ of years/of taxation*, τό βάρος τῶν ἐτῶν/τῆς φορολογίας. ***be a ~ to sb***, εἶμαι φόρτωμα (βάρος) σέ κπ. ***~ of proof***, (*νομ.*) βάρος ἀποδείξεως. ***beast of ~***, ὑποζύγιον. __*ρ.μ.* φορτώνω, ἐπιβαρύνω: *~ one's memory with useless facts*, φορτώνω τή μνήμη μέ ἄχρηστα γεγονότα. *estate ~ed with debt*, κληρονομία βεβαρυμένη μέ χρέη. **ˋ~·some** /-səm/ *ἐπ.* ἐπαχθής.

bureau /ˈbjʊərəʊ/ *οὐσ.* ‹C› (*πληθ.* *~x* /-rəʊz/) **1**. γραφεῖον: *Information/Tourist B~*, Γραφεῖον Πληροφοριῶν/Τουρισμοῦ. **2**. γραφεῖον (τό ἔπιπλο).

bureauc·racy /bjʊəˈrokrəsɪ/ *οὐσ.* ‹C,U› γραφειοκρατία.

bureau·crat /ˈbjʊərəkræt/ *οὐσ.* ‹C› γραφειοκράτης. **~ic** /ˈbjʊərəˈkrætɪk/ *ἐπ.* γραφειοκρατικός. **~i·cally** /-ɪklɪ/ *ἐπίρ.*

bur·geon /ˈbɜdʒən/ *ρ.ὰ.* (*ποιητ.*) μπουμπουκιάζω.

bur·glar /ˈbɜglə(r)/ *οὐσ.* ‹C› διαρρήκτης, λωποδύτης. **~y** /ˈbɜglərɪ/ *οὐσ.* ‹C,U› διάρρηξις.

burgle /ˈbɜgl/ *ρ.μ.* κάνω διάρρηξη.

burial /ˈberɪəl/ *οὐσ.* ‹C› ταφή. **ˋ~-ground**, νεκροταφεῖον. **B~ Service**, νεκρώσιμος ἀκολουθία.

burke /bɜk/ *ρ.ὰ.* ἀποφεύγω.

bur·lap /ˈbɜlæp/ *οὐσ.* ‹U› λινάτσα.

bur·lesque /bɜˈlesk/ *ρ.μ/ὰ.* παρωδῶ, διακωμῳδῶ. __*οὐσ.* ‹U› παρωδία, διακωμῴδησις. __*ἐπ.* γελοῖος.

burly /ˈbɜlɪ/ *ἐπ.* (*-ier, -iest*) εὔσωμος, γεροδεμένος.

burn /bɜn/ *ρ.μ/ὰ.* *ἀνώμ.* (*ἀόρ.* & *π.μ.* *~t* /bɜnt/, *ἐνίοτε*: *~ed*) **1**. καίω, καίγομαι: *~ gas/coal/oil*, καίω γκάζι/κάρβουνο/πετρέλαιο. *The boy was badly ~t about the face*, τό παιδί κάηκε ἄσχημα στό πρόσωπο. *The whole village was ~ing*, ὅλο τό χωριό καιγόταν. *My throat is ~ing*, μέ καίει ὁ λαιμός μου. **2**. (*μεταφ.*) καίγομαι, φλέγομαι: *~ with desire*, φλέγομαι ἀπό ἐπιθυμία. *I ~ to do sth*, φλέγομαι νά κάνω κτ. ***~ away***, καίω (συνεχῶς), καίγομαι, καταστρέφομαι. ***~ up/down***, ἀναφλέγομαι, καίω ἐντελῶς: *The house was ~t down*, τό σπίτι κάηκε ἐντελῶς. ***~ out***, σβύνω (καιόμενος): *The candle ~t out*, τό κερί κάηκε (κι'ἔσβυσε). ***~ sth to ashes***, ἀποτεφρώνω κτ. ***~ the candle at both ends***, ἐργάζομαι ἤ διασκεδάζω πολύ ἔντονα. __*οὐσ.* ‹C› κάψιμο, ἔγκαυμα: *He died from the ~s he received in the fire*, πέθανε ἀπό τά ἐγκαύματα πού ἔπαθε στήν πυρκαγιά. **~·ing** *ἐπ.* καιόμενος, φλέγων, ἔντονος: *a ~ing question/desire*, φλέγον ζήτημα/ἔντονη ἐπιθυμία.

burn·ish /ˈbɜnɪʃ/ *ρ.μ.* γυαλίζω, λειαίνω (μέταλλα).

burr /bɜ(r)/ *οὐσ.* ‹C› **1**. *βλ.* *bur*. **2**. ἔντονη προφορά (*συνήθ.* τοῦ *'r'*).

bur·row /ˈbʌrəʊ/ *ρ.μ/ὰ.* τρυπώνω, ἀνοίγω λαγούμι. __*οὐσ.* ‹C› τρύπα, φωλιά στή γῆ (κουνελιοῦ, κλπ).

bur·sar /ˈbɜsə(r)/ *οὐσ.* ‹C› **1**. ταμίας (κολλεγίου). **2**. ὑπότροφος.

burst /ˈbɜst/ *ρ.μ/ὰ.* *ἀνώμ.* (*ἀόρ.* & *π.μ.* ~) **1**. ἐκρήγνυμαι, σκάω, σπάζω: *The bomb/The boiler/The bubble ~*, ἡ βόμβα/τό καζάνι/ἡ φυσαλλίδα ἔσκασε. *My heart was ready to ~*, ἡ καρδιά μου πήγαινε νά σπάση. *He ate till he almost ~*, ἔφαγε μέχρι σκασμοῦ. **2**. ξεχειλίζω: *be ~ing with health/joy*, ξεχειλίζω ἀπό ὑγεία/ἀπό χαρά. *I was ~ing to tell him so*, ἔσκαγα ἀπό ἐπιθυμία νά τοῦ τό πῶ. *a sack ~ing with corn*, σακκί γεμᾶτο στάρι. **3**. (*μέ διάφορες προθέσεις*): *~ out laughing/into laughter/into tears*, ξεσπῶ σέ γέλια/σέ κλάματα. *~ into/out of a room*, ὁρμῶ μέσα σ'ἕνα/ἔξω ἀπό ἕνα δωμάτιο. *The horses ~ into a gallop*, τ' ἄλογα ἄρχισαν νά καλπάζουν. *He ~ through the crowd*, ὥρμησε μέσα ἀπό τό πλῆθος. *The truth ~ upon me*, ξαφνικά εἶδα τήν ἀλήθεια. —*οὐσ.* ‹C› ἔκρηξις, ξέσπασμα: *the ~ of a shell*, ἡ ἔκρηξις μιᾶς ὀβίδος. *a ~ of laughter*, μιά ἔκρηξις γέλιου, ἕνα τρανταχτό γέλιο. *a ~ of energy*, ἕνα ξέσπασμα δραστηριότητος.

bury /ˋberɪ/ *ρ.μ.* **1**. θάβω: *~ sb alive*, θάβω κπ ζωντανό. **2**. κρύβω, σκεπάζω, χώνω: *half-buried under the dead leaves/under the snow*, μισοχωμένος κάτω ἀπό τά ξερά φύλλα/κάτω ἀπό τό χιόνι. *He buried his face in his hands*, ἔχωσε τό πρόσωπό του στά χέρια του. *~ oneself in the country*, θάβομαι (ἀπομονώνομαι) στήν ἐξοχή. *buried in thought/in one's books*, βυθισμένος σέ σκέψεις/στά βιβλία του.

bus /bʌs/ *οὐσ.* ‹C› (*πληθ.* *~es* /ˋbʌsɪz/) λεωφορεῖον. *go by ~*, πάω μέ λεωφορεῖο. ***miss the ~***, χάνω τό λεωφορεῖο, (*μεταφ.*) χάνω τήν εὐκαιρία. **ˋ~ stop**, στάσις λεωφορείου. —*ρ.μ.* μεταφέρω διά λεωφορείου (*ἰδ.* παιδιά στό σχολεῖο).

bush /bʊʃ/ *οὐσ.* ‹C,U› **1**. θάμνος. **2**. **the ~**, ἡ ζούγκλα, οἱ ἐρημιές στήν Ἀφρική ἤ Αὐστραλία. **~y** *ἐπ.* *(-ier, -iest)* θαμνώδης, δασύς, πυκνός: *~y eyebrows/beard/hair*, πυκνά φρύδια/γένια/μαλλιά.

bushel /ˋbʊʃl/ *οὐσ.* ‹C› μποῦσελ (μέτρον χωρητικότητος δημητριακῶν ἴσον πρός 8 γαλλόνια), μόδιον.

busier, busiest, busily *βλ.* *busy*.

busi·ness /ˋbɪznəs/ *οὐσ.* ‹C,U› **1**. ἐπιχείρησις, δουλειά, ἐμπόριον: *be in ~*, κάνω ἐμπόριο. *go to London on ~*, πηγαίνω στό Λονδίνο γιά δουλειές. *How's ~?* πῶς πᾶνε οἱ δουλειές; *~ is slow*, οἱ δουλειές ἔχουν κόψει. *I mean ~*, μιλῶ σοβαρά, δέν ἀστειεύομαι. ***do ~ with sb***, κάνω δουλειές, ἔχω συναλλαγές μέ κπ. ***get down to ~***, ἀρχίζω δουλειά. ***send sb about his ~***, διώχνω κπ, στέλνω κπ στό διάβολο. **ˋshow-~**, θεατρικές ἐπιχειρήσεις. **big ~**, μεγάλες ἐπιχειρήσεις. **2**. δουλειά, καθῆκον, ἔργον: *It is a teacher's ~ to teach*, δουλειά τοῦ δασκάλου εἶναι νά διδάσκη. *It's none of your ~*, δέν εἶναι δική σου δουλειά. *Mind your own ~*, κοίτα τή δουλειά σου, μήν ἀνακατεύεσαι! *It's my ~ to warn you*, εἶναι καθῆκον μου νά σέ προειδοποιήσω. *It's a dirty ~*, εἶναι βρωμοδουλειά. **ˋ~-like** *ἐπ.* πρακτικός, σοβαρός, ψυχρός. **ˋ~·man** /-mən/ *οὐσ.* ‹C› ἐπιχειρηματίας.

¹**bust** /bʌst/ *οὐσ.* ‹C› προτομή, μποῦστος, στῆθος.

²**bust** /bʌst/ *ρ.μ/ἀ.* (*λαϊκ.* *ἀντί τοῦ burst*) ***go ~***, χρεωκοπῶ: *The business went ~*, ἡ ἐπιχείρηση φαλίρησε. **ˋ~-up**, (*λαϊκ.*) καυγᾶς.

bustle /ˋbʌsl/ *ρ.μ/ἀ.* πηγαινοέρχομαι βιαστικά, εἶμαι ὅλο φούρια: *They ~d in and out*, μπαινόβγαιναν μέ φούρια. —*οὐσ.* ‹C› κίνησις, φούρια, φασαρία: *the ~ in the streets*, ἡ φασαρία (ὁ θόρυβος καί ἡ κίνησις) τῶν δρόμων. *The school was in a ~*, τό σχολεῖο ἦταν σέ κίνηση, ἄνω-κάτω.

busy /ˋbɪzɪ/ *ἐπ.* *(-ier, -iest)* **1**. ἀπασχολημένος, πολυάσχολος. ***~ at/over/with sth***, ἀπασχολημένος σέ κτ. ***be ~ doing sth***, εἶμαι ἀπασχολημένος νά κάνω κτ. **2**. γεμᾶτος δραστηριότητα/κίνηση/δουλειά: *a ~ day*, μέρα γεμάτη δουλειά. *a ~ street*, δρόμος γεμάτος κίνηση. **busi·ly** *ἐπίρ.* δραστήρια. —*ρ.μ.* ἀσχολοῦμαι: *~ oneself with/about sth*, ἀσχολοῦμαι μέ κτ. **~·body**, πολυπράγμων, ἀνακατωσούρης.

but /bət, *ἐμφ:* bʌt/ *σύνδ.* **1**. ἀλλά, μά: *He is hardworking, ~ not clever*, εἶναι ἐπιμελής ἀλλά ὄχι ἔξυπνος. *B~ I tell you I saw him!* μά σᾶς λέω τόν εἶδα! **2**. πού νά μή, χωρίς: *Hardly a day passes ~ I think of her*, δέν περνάει σχεδόν ἡμέρα πού νά μή (χωρίς νά) τήν σκεφθῶ. **3**. (*λόγ.* *μέ cannot, could not*) παρά νά, νά μή: *I cannot ~ admire your courage*, δέν μπορῶ νά μή θαυμάσω τό θάρρος σας. *I could not ~ go*, δέν μποροῦσα (νά κάνω ἀλλοιῶς) παρά νά πάω. —*ἐπίρ.* μόνον, δέν ... παρά μόνον: *We can ~ try*, μποροῦμε μόνο νά δοκιμάσωμε. *He is ~ a boy*, εἶναι μόνο παιδί (δέν εἶναι παρά μόνο παιδί). —*πρόθ.* ἐκτός, ἐκτός ἀπό: *They are all wrong ~ you!* ἔχουν ὅλοι ἄδικο ἐκτός ἀπό σένα! *Who ~ he could do this?* ποιός ἄλλος ἐκτός ἀπ' αὐτόν θά τὄκανε; ***The last ~ one***, ὁ προτελευταῖος. ***~ then***, ἀλλ' ὅμως. ***~ for***, ἄν δέν ἦταν, χωρίς: *B~ for him they would have killed me*, ἄν δέν ἦταν αὐτός θά μέ σκότωναν. *We should have enjoyed the journey ~ for the rain*, θά ἀπολαμβάναμε-τό ταξίδι ἄν δέν ἦταν ἡ βροχή. ***~ that***, ἄν δέν τύχαινε νά: *He would have helped us ~ that he had no money on him*, θά μᾶς βοηθοῦσε ἄν δέν τύχαινε νά μήν ἔχη χρήματα μαζί του. —*ἀναφ. ἀντων.* (*λόγ.*) ὁ ὁποῖος νά μή: *There was nobody present ~ laughed*, δέν ἦταν κανείς παρών ὁ ὁποῖος νά μή γέλασε.

butch /bʊtʃ/ *οὐσ.* ‹C› & *ἐπ.* ἀντρογυναίκα, γυναίκα πού ἀντροφέρνει.

butcher /ˋbʊtʃə(r)/ *οὐσ.* ‹C› χασάπης, κρεοπώλης: *at the ~'s*, στό κρεοπωλεῖο. —*ρ.μ.* σφάζω, (κατα)κρεουργῶ **~y** *οὐσ.* ‹U› ἐπάγγελμα τοῦ κρεοπώλη, σφαγή, μακελλειό.

but·ler /ˋbʌtlə(r)/ *οὐσ.* ‹C› ἀρχιϋπηρέτης, μπάτλερ.

¹**butt** /bʌt/ *οὐσ.* ‹C› ὑποκόπανος, ἄκρη, ἀποτσίγαρο, βαρέλι.

²**butt** /bʌt/ *οὐσ.* ‹C› **1**. (*πληθ.*) πεδίον βολῆς. **2**. στόχος, περίγελως: *He's the ~ of the whole town*, εἶναι ὁ στόχος (ὁ περίγελως) ὅλης τῆς πόλεως.

³**butt** /bʌt/ *ρ.μ/ἀ.* χτυπῶ μέ τό κεφάλι, κουτουλῶ (ὅπως ἡ γίδα). ***~ in***, (*καθομ.*) ἀνακατεύομαι (σέ συζήτηση ἤ συντροφιά).

but·ter /ˋbʌtə(r)/ *οὐσ.* ‹U› βούτυρο. **ˋ~milk**, βουτυρόγαλο. **vegetable ~**, φυτίνη. —*ρ.μ.* βουτυρώνω, ἀλείφω μέ βούτυρο. ***~ sb up***, κολακεύω κπ.

but·ter·fly /ˋbʌtəflaɪ/ *οὐσ.* ‹C› πεταλούδα.

but·tock /ˋbʌtək/ *οὐσ.* ‹C› γλουτός, (*πληθ.*) τά ὀπίσθια.

but·ton /ˋbʌtn/ *οὐσ.* ‹C› κουμπί. **ˋ~·hole** *οὐσ.* ‹C› κουμπότρυπα, κομβιοδόχη. —*ρ.μ.* κουμπώνω. ***ˋ~ed-ˋup*** *ἐπ.* κουμπωμένος, ἐπιφυλακτικός.

but·tress /ˋbʌtrəs/ *οὐσ.* ‹C› ἀντέρεισμα, ἀντιτείχισμα, στήριγμα. —*ρ.μ.* ***~ (up)***, στηρίζω στηλώνω (πχ οἰκοδομή, θεσμούς, κλπ).

buxom /ˈbʌksəm/ *ἐπ.* (*γιά γυναίκα*) ὅμορφη, στρουμπουλή, γεροδεμένη.
buy /baɪ/ *ρ.μ/ἀ. ἀνώμ.* (*ἀόρ.* & *π.μ.* *bought* /bɔt/) ἀγοράζω: *I'll ~ you one; I'll ~ one for you*, θά σοῦ ἀγοράσω ἕνα. *I bought it for £2*, τό ἀγόρασα δύο λίρες. *~ on credit/for cash*, ἀγοράζω ἐπί πιστώσει/τοῖς μετρητοῖς. **~ sth for a song**, ἀγοράζω κτ σχεδόν τζάμπα. **~ off**, ἐξαγοράζω, ξεφορτώνομαι κπ πληρώνοντάς τον. **~ out**, ἀποζημιώνω (συνεταῖρον), ἐξαγοράζω τό μερίδιόν του. **~ over**, ἐξαγοράζω, δωροδοκῶ. **~ up**, ἀγοράζω (ὅλες τίς διαθέσιμες ποσότητες). __*οὐσ.* ‹C› ἀγορά: *It's a good ~*, καλή ἀγορά, εὐκαιρία. **~er** *οὐσ.* ‹C› ἀγοραστής.
buzz /bʌz/ *οὐσ.* ‹C› βόμβος (μέλισσας, ἀεροπλάνου). __*ρ.μ/ἀ.* **1**. βομβῶ. **2**. **~ about/around**, στριφογυρίζω. **~ off**, (*λαϊκ.*) φεύγω, στρίβω, σπάω. **~er** *οὐσ.* ‹C› βομβητής.
[1]**by** /baɪ/ *ἐπίρ.* κοντά, πλάϊ: *There was nobody ~*, δέν ὑπῆρχε κανείς κοντά. *go/run/hurry ~*, προσπερνῶ (τρέχοντας/βιαστικά). **put sth ~**, βάζω κτ κατά μέρος (στήν μπάντα). **~ and ~**, ἀργότερα, πιό ὕστερα. **~ the ~(e); ~ the way**, παρεμπιπτόντως. **~ and large**, γενικῶς, ἐν συνόλῳ. **~ far**, ἀσυζητητί.
[2]**by** /baɪ/ *πρόθ.* **1**. κοντά, πλάϊ: *~ the sea/the river*, πλάϊ στή θάλασσα/στό ποτάμι. *Sit ~ me*, κάθησε κοντά μου! *Keep it ~ you*, ἔχε το κοντά σου, πρόχειρο. **~ oneself**, μόνος. **go ~ sb/sth**, προσπερνῶ κπ/κτ. **stand ~ sb**, ὑποστηρίζω κπ. **2**. διά μέσου, μέσῳ: *We came ~ the fields*, ἤλθαμε μέσ' ἀπό τά χωράφια. *We went to London ~ Paris*, πήγαμε στό Λονδίνο μέσῳ Παρισίων. **3**. κατά τήν διάρκεια: *~ night/~ day/~ moonlight*, τήν νύχτα/τήν ἡμέρα/μέ τό φεγγαρόφωτο. **4**. ὥς, ἕως (ὄχι ἀργότερα ἀπό): *~ tomorrow/~ noon/~ now/~ then*, ὥς αὔριο/ὥς τό μεσημέρι/ἕως τώρα/ἕως τότε. *~ the time you get there*, ὥσπου νά (δταν) φθάσης ἐκεῖ. **5**. (*σέ μονάδες μετρήσεως*) μέ: *payment ~ the day/the month/the year*, πληρωμή μέ τήν ἡμέρα/μέ τόν μῆνα/μέ τό χρόνο. *buy ~ the dozen/the kilo/the ton*, ἀγοράζω μέ τήν ντουζίνα/μέ τό κιλό/μέ τόν τόννο. **6**. (*ποιητικό αἴτιο*) μέ, ἀπό: *The streets are lit ~ electricity*, οἱ δρόμοι φωτίζονται μέ ἠλεκτρισμό. *He was killed ~ a soldier*, σκοτώθηκε ἀπό ἕνα στρατιώτη. **7**. (*γιά τρόπο μεταφορᾶς*) μέ: *~ bus/train/sea/air*, μέ λεωφορεῖο/μέ τραῖνο/διά θαλάσσης/ἀεροπορικῶς. **8**. (*μέ μέλη τοῦ σώματος*) ἀπό: *take sb ~ the hand/the hair*, πιάνω κπ ἀπό τό χέρι/ἀπό τά μαλλιά. **9**. (σύμφωνα) μέ: *~ your leave*, μέ τήν ἄδειά σας. *~ the terms of the treaty*, σύμφωνα μέ τούς ὅρους τῆς συνθήκης. *B~ my watch, it is six o'clock*, μέ τό ρολόϊ μου εἶναι ἕξη ἡ ὥρα. **10**. κατά: *The bullet missed me ~ two inches*, ἡ σφαῖρα ἀστόχησε κατά δύο ἴντσες. **11**. (*σέ ὅρκο*) εἰς: *I swear ~ God/my honour*, ὁρκίζομαι στό Θεό/στήν τιμή μου. **12**. (*σέ φράσεις*): **~ accident/mistake**, τυχαίως/κατά λάθος. **~ chance/good fortune**, κατά τύχη/κατά καλή τύχη. **learn ~ heart**, μαθαίνω κτ ἀπέξω, ἀπομνημονεύω. **~ name**, κατ' ὄνομα. **one ~ one**, ἕνας-ἕνας. **~ reputation**, ἐκ φήμης, ἐξ ἀκοῆς. **~ sight**, ἐξ ὄψεως.
bye-bye /ˈbaɪ ˈbaɪ/ *ἐπιφ.* ἀντίο, γειά χαρά.
by-elec·tion /ˈbaɪ ɪlekʃn/ *οὐσ.* ‹C› ἐπαναληπτική ἐκλογή.
by-gone /ˈbaɪ gon/ *ἐπ.* περασμένος: *in ~ days*, τόν παληό καιρό. **let ~s be ~s**, περασμένα-ξεχασμένα.
by-pass /ˈbaɪ pas/ *οὐσ.* ‹C› παρακαμπτήριος ὁδός. __*ρ.μ.* παρακάμπτω (πόλη, ἐρώτηση).
by·path /ˈbaɪ paθ/ *οὐσ.* ‹C› παραδρομάκι.
by-prod·uct /ˈbaɪ prodʌkt/ *οὐσ.* ‹C› ὑποπροϊόν.
byre /ˈbaɪə(r)/ *οὐσ.* ‹C› σταῦλος (ἀγελάδων).
by-road /ˈbaɪ rəud/ *οὐσ.* ‹C› βοηθητική ὁδός.
by·stan·der /ˈbaɪ stændə(r)/ *οὐσ.* ‹C› παριστάμενος, παρατυχών θεατής.
byword /ˈbaɪwɜd/ *οὐσ.* ‹C› ἀπόφθεγμα, ρητόν: *It has become a ~*, ἔχει μείνει παροιμιώδης.

C c

C, c /si/ **1**. τό 3ο γράμμα τοῦ ἀλφάβητου. **2**. (*μουσ.*) ντό.
cab /kæb/ *οὐσ.* ‹C› **1**. ἅμαξα, ταξί. **ˈ~·man**, ἁμαξᾶς. **ˈ~-rank/ˈ~-stand**, σταθμός ταξί. **2**. χώρισμα μηχανοδηγοῦ ἤ ὁδηγοῦ λεωφορείου, φορτηγοῦ, κλπ.
ca·bal /kəˈbæl/ *οὐσ.* ‹C› (*πολ.*) μηχανορραφία, κλίκα. __*ρ.μ.* μηχανορραφῶ.
cab·aret /ˈkæbəreɪ/ *οὐσ.* ‹C› καμπαρέ.
cab·bage /ˈkæbɪdʒ/ *οὐσ.* ‹C› λάχανο.
cabby /ˈkæbɪ/ *οὐσ.* ‹C› (*καθομ.*) ἁμαξᾶς, ταξιτζῆς.
cabin /ˈkæbɪn/ *οὐσ.* ‹C› καμπίνα, καλύβα: *Uncle Tom's ~*, ἡ Καλύβα τοῦ Μπάρμπα-Θωμᾶ. **ˈ~-boy**, καμαρότος. **ˈ~ class**, β! θέσις (σέ ὑπερωκεάνειο).
cabi·net /ˈkæbɪnət/ *οὐσ.* ‹C› **1**. ντουλάπι, κομό: *a ˈfiling ~*, ἀρχειοθήκη. *a ˈmedicine ~*, ντουλάπι φαρμακείου (στό σπίτι). *a ˈchina ~*, βιτρίνα γιά γυαλικά (στό σπίτι). **ˈ~-maker**, ἐπιπλοποιός. **2**. **the C~**, τό στενό Ὑπουργικό Συμβούλιο.
cable /ˈkeɪbl/ *οὐσ.* ‹C› **1**. καλώδιο, παλαμάρι. **ˈ~-car/-railway**, τελεφερίκ. **ˈ~('s)-length**, 1/10 τοῦ ναυτικοῦ μιλίου, 100 ὀργυιές. **2**. (*ἐπίσης* **ˈ~·gram**, /-græm/) τηλεγράφημα: *~ address*, τηλεγραφική διεύθυνσις. __*ρ.μ/ἀ.* τηλεγραφῶ.
ca·cao /kəˈka-ʊ/ *οὐσ.* ‹U› κακάο. **~-bean**, κόκκος κακάου.
cache /kæʃ/ *οὐσ.* ‹C› κρύπτη (τροφίμων, ὅπλων). __*ρ.μ.* ἀποκρύπτω.

cackle /ˈkækl/ *οὐσ.* ‹C,U› **1.** κακάρισμα (κόττας). **2.** γέλιο, φλυαρία. __*ρ.ἀ.* κακαρίζω, γελῶ, φλυαρῶ.

cac·tus /ˈkæktəs/ *οὐσ.* ‹C› (*πληθ.* ~*es ἤ cacti* /-taɪ/) κάκτος.

cad /kæd/ *οὐσ.* ‹C› παληάνθρωπος.

ca·da·ver /kəˈdeɪvə(r)/ *οὐσ.* ‹C› πτῶμα. **~·ous** /kəˈdævərəs/ *ἐπ.* πτωματώδης, κατάχλωμος.

cad·dish /ˈkædɪʃ/ *ἐπ.* παληανθρωπίστικος, πρόστυχος: ~ *tricks*, πρόστυχα κόλπα.

caddy /ˈkædɪ/ *οὐσ.* ‹C› κουτί τσαγιοῦ.

ca·dence /ˈkeɪdəns/ *οὐσ.* ‹C› (*μουσ., ποίησ.*) ρυθμός, κυματισμός.

ca·det /kəˈdet/ *οὐσ.* ‹C› **1.** μαθητής στρατιωτικῆς σχολῆς (εὔελπις, δόκιμος, ἴκαρος). **2.** ὑστερότοκος.

cadge /kædʒ/ *ρ.μ/ἀ.* ζητιανεύω: ~ *a meal*, ζητιανεύω φαΐ. **~r** *οὐσ.* ‹C› διακονιάρης, τρακαδόρος.

cadre /ˈkadə(r)/ *οὐσ.* ‹C› (*στρατ.*) στέλεχος.

Caesar /ˈsizə(r)/ *οὐσ.* ‹C› Καῖσαρ. **~ian** /sɪˈzeərɪən/ *ἐπ.* καισαρικός. **~ian section/birth**, καισαρική τομή/γέννα.

café /ˈkæfeɪ/ *οὐσ.* ‹C› καφενεῖον, καφεστιατόριον.

cafe·teria /ˈkæfɪˈtɪərɪə/ *οὐσ.* ‹C› καφετηρία, ἑστιατόριον αὐτοεξυπηρετήσεως.

caf·fein /ˈkæfin/ *οὐσ.* ‹U› καφεΐνη.

cage /keɪdʒ/ *οὐσ.* ‹C› κλουβί. __*ρ.μ.* βάζω σέ κλουβί, φυλακίζω.

cagey /ˈkeɪdʒɪ/ *ἐπ.* (*καθομ.*) κρυψίνους, φιλύποπτος.

Cain /keɪn/ *κ.ὄ.* Κάϊν.

ca·ique /kaˈik/ *οὐσ.* ‹C› καΐκι.

cairn /keən/ *οὐσ.* ‹C› **1.** σωρός πέτρες (*ἰδ.* σάν ὁρόσημο). **2.** τύμβος (ἀπό πέτρες).

ca·jole /kəˈdʒəul/ *ρ.μ.* καλοπιάνω, τουμπάρω. ***~ sb (into/out of doing sth)***, πείθω κπ μέ γαλιφιές ἤ ἀπάτη νά κάμη/νά μήν κάμη κτ. **ca·jol·ery** *οὐσ.* ‹U› καλόπιασμα, γαλιφιές, μαλαγανιές.

cake /keɪk/ *οὐσ.* ‹C,U› γλύκισμα, κέκ, πίττα: *a ~ of soap*, μιά πλάκα σαπούνι. ***You can't have your ~ and eat it***, (*παροιμ.*) δέν μπορεῖς νά ἔχεις τήν πίττα σωστή καί τό σκύλο χορτᾶτο. ***take the ~***, (*καθομ.*) εἶμαι σπουδαῖος, ἀνυπέρβλητος. ***It sells like hot ~s***, πουλιέται σά νερό (ἔχει μεγάλη ζήτηση). __*ρ.ἀ.* πήζω, κάνω κόρα: *shoes ~d with mud*, παπούτσια πηγμένα στή λάσπη.

ca·lam·ity /kəˈlæmətɪ/ *οὐσ.* ‹C› πανωλεθρία, συμφορά, ὄλεθρος. **ca·lami·tous** /kəˈlæmɪtəs/ *ἐπ.* ὀλέθριος, καταστρεπτικός.

cal·cine /ˈkælsɪn/ *ρ.μ.* ἀποτεφρῶ, ἀσβεστοποιῶ, καίω.

cal·cium /ˈkælsɪəm/ *οὐσ.* ‹U› (*χημ.*) ἀσβέστιον.

cal·cu·late /ˈkælkjʊleɪt/ *ρ.μ/ἀ.* **1.** ὑπολογίζω, λογαριάζω: ~ *the cost of sth*, ὑπολογίζω τό κόστος. ***a ~d insult***, ἐσκεμμένη ὕβρις. **ˈcalculating machine** (*ἤ* **cal·cu·la·tor** /-tə(r)/) ὑπολογιστική μηχανή. ***be ~d to***, ἀποσκοπῶ, προορίζομαι: *The news was ~d to shock them*, ἡ εἴδηση ἀποσκοποῦσε νά τούς συγκλονίση. **2.** ~ ***(up)on***, βασίζομαι: *We can't ~ (up)on having fine weather*, δέν μποροῦμε νά βασιζώμεθα ὅτι θά ἔχωμε καλό καιρό. **cal·cu·lat·ing** *ἐπ.* ὑπολογιστικός, ὑπολογιστής, πανοῦργος.

cal·cu·la·tion /ˈkælkjʊˈleɪʃn/ *οὐσ.* ‹C,U› ὑπολογισμός, λογαριασμός: *I'm out in my ~s*, πέφτω ἔξω στούς ὑπολογισμούς μου. ***make/upset one's ~s***, κάνω/ἀνατρέπω τούς ὑπολογισμούς μου.

cal·en·dar /ˈkælɪndə(r)/ *οὐσ.* ‹C› ἡμερολόγιον, καζαμίας.

calf /kaf/ *οὐσ.* ‹C› (*πληθ. calves* /kavz/) **1.** μοσχάρι: *the fatted ~*, ὁ μόσχος ὁ σιτευτός. **ˈ~-love**, παιδιακίσιος ἔρωτας. **ˈ~skin**, βακέτα. **2.** κνήμη, γάμπα (τό πίσω μέρος. *πρβλ.* *shin*).

cal·ibre /ˈkælɪbə(r)/ *οὐσ.* ‹C› **1.** διαμέτρημα (ὅπλου). **2.** (*μεταφ.*) ἱκανότης, ἀξία: *a man of great ~*, ἄνθρωπος μεγάλης ἀξίας.

cal·ico /ˈkælɪkəu/ *οὐσ.* ‹U› ὕφασμα κάμποτ, τσίτι, ντρίλλι.

ca·liph /ˈkeɪlɪf/ *οὐσ.* ‹C› χαλίφης. **~·ate** /-eɪt/ *οὐσ.* ‹C› χαλιφᾶτον.

[1]**call** /kɔl/ *οὐσ.* ‹C,U› **1.** κραυγή, φωνή: *a ~ for help*, κραυγή βοηθείας. *the ~ of duty/of conscience/of nature*, ἡ φωνή τοῦ καθήκοντος/τῆς συνειδήσεως/τῆς φύσεως. ***be within ~***, εἶμαι σέ ἀπόσταση φωνῆς (ὥστε νά μποροῦν νά μέ φωνάξουν). **2.** κλῆσις: *a ˈtelephone ~*, τηλεφωνική κλῆσις. *I'll give you a ~*, θά σοῦ κάνω τηλεφώνημα. *a local/trunk ~*, ἀστική/ὑπεραστική κλῆσις. **ˈroll-~**, ὀνομαστικό προσκλητήριο. **ˈ~-girl**, κώλ-γκέρλ. **3.** σύντομη ἐπίσκεψις: *I have several ~s to make/to return*, ἔχω νά κάμω/νά ἀνταποδώσω πολλές ἐπισκέψεις. ***pay a ~ on sb***, κάνω ἐπίσκεψη σέ κπ. **port of ~**, λιμήν προσεγγίσεως. **4.** αἴτησις, ζήτησις (χρημάτων): ***loan payable on/at ~***, δάνειον πληρωτέον εἰς πρώτην ζήτησιν. **5.** ‹U› λόγος, αἰτία: *There's no ~ for you to worry*, δέν ὑπάρχει λόγος νά ἀνησυχῆς. **6.** (σέ χαρτοπαίγνιο) ἀγορά, σειρά: *Whose ~ is it?* ποιός ἔχει σειρά νά μιλήση; **7.** ‹U› ἕλξις: *feel the ~ of the sea*, νοιώθω τήν ἕλξη τῆς θάλασσας.

[2]**call** /kɔl/ *ρ.μ/ἀ.* **1.** καλῶ, φωνάζω: *I heard somebody ~ing*, ἄκουσα κάποιον νά φωνάζη. *She ~ed to her father for help*, ζήτησε βοήθεια ἀπό τόν πατέρα της. *Please ~ a doctor/~ me at six*, παρακαλῶ φωνάξτε ἕνα γιατρό/ξυπνῆστε με στίς ἔξη. **2.** ~ ***(on sb/at a place)***, ἐπισκέπτομαι κπ/περνῶ ἀπό κάπου: *Has anybody ~ed?* πέρασε κανείς; *I ~ed on my lawyer/at his office*, ἐπισκέφθηκα τόν δικηγόρο μου/πέρασα ἀπό τό γραφεῖο του. **3.** καλῶ, ὀνομάζω: *We ~ him Dick*, τόν λέμε Ντίκ. *He ~ed me a brute*, μέ εἶπε κτῆνος. ***~ sb names***, βρίζω κπ. ***~ sth one's own***, τό λέω δικό μου: *I have nothing to ~ my own*, δέν ἔχω τίποτα πού νά μπορῶ νά τό πῶ δικό μου. ***~ into being***, δημιουργῶ. **4.** θεωρῶ: *Do you ~ English an easy language?* θεωρεῖς τ' Ἀγγλικά εὔκολη γλῶσσα; *I ~ it a shame*, τό θεωρῶ αἶσχος. **5.** (*σέ φράσεις*): ***~ attention to sth***, ἐφιστῶ τήν προσοχή σέ κτ. ***~ a halt to sth***, ζητῶ νά σταματήση κτ, θέτω τέρμα σέ κτ. ***~ a meeting***, κάνω συγκέντρωση, καλῶ εἰς συνεδρίασιν. ***~ sth in question***, θέτω κτ ὑπό ἀμφισβήτησιν. ***~ sb to order***, ἀνακαλῶ κπ εἰς τήν τάξιν. ***~ a strike***, κηρύσσω ἀπεργία. (*βλ. & λ. account, bar*). **6.** (*μέ ἐπιρ. καί προθέσεις*):

call away, καλῶ ἔξω (μακρυά): *He was ~ed away on business*, ὑποχρεώθηκε νά ἀπουσιάση γιά δουλειές.
call for, ἀπαιτῶ: *The occasion ~s for prompt action*, ἡ περίστασις ἀπαιτεῖ ταχεῖαν ἐνέργειαν.
call sth forth, *(α)* προκαλῶ: *His behaviour ~ed forth numerous protests*, ἡ συμπεριφορά του προεκάλεσε πολυάριθμες διαμαρτυρίες. *(β)* ἐπιστρατεύω, χρησιμοποιῶ: *You'll have to ~ forth all your energy*, θά πρέπει νά ἐπιστρατεύσετε ὅλη σας τή δραστηριότητα.
call sth in, ζητῶ τήν ἐπιστροφήν: *The librarian ~ed in all books*, ὁ βιβλιοθηκάριος ζήτησε νά ἐπιστραφοῦν ὅλα τά βιβλία.
call sth off, ἀνακαλῶ, ματαιώνω: *The strike/The meeting was ~ed off*, ἡ ἀπεργία/ἡ συγκέντρωσις ματαιώθηκε.
call out, καλῶ ἔξω (γιά ἐπέμβαση, ἀπεργία, κλπ): *The army was ~ed out*, ὁ στρατός ἐκλήθη νά ἐπέμβη.
call over, φωνάζω κατάλογο.
call up, τηλεφωνῶ, ἀνακαλῶ στό νοῦ, καλῶ πρός κατάταξιν: *I'll ~ you up tomorrow*, θά σοῦ τηλεφωνήσω αὔριο. *It ~ed up scenes of my childhood*, μοὔφερε στό νοῦ σκηνές τῆς παιδικῆς μου ζωῆς. *If war breaks out, we'll be ~ed up at once*, ἄν γίνη πόλεμος, θά κληθοῦμε πρός κατάταξιν ἀμέσως.
call (up)on, καλῶ, προσκαλῶ: *The police ~ed upon the crowd to disperse*, ἡ ἀστυνομία κάλεσε τό πλῆθος νά διαλυθῆ.

cal·ler /ˋkɔlə(r)/ *οὐσ.* ‹C› ἐπισκέπτης.
cal·li·gra·phy /kəˋlɪgrəfɪ/ *οὐσ.* ‹U› καλλιγραφία.
cal·ling /ˋkɔlɪŋ/ *οὐσ.* ‹C› ἐπάγγελμα, κλῆσις.
cal·li·pers /ˋkælɪpəz/ *οὐσ. πληθ.* διαβήτης μετρήσεως τῆς διαμέτρου.
cal·lous /ˋkæləs/ *ἐπ.* (*γιά δέρμα*) σκληρός, ροζιασμένος, (*γιά ἄνθρ.*) ἀναίσθητος, πωρωμένος.
cal·low /ˋkæləʊ/ *ἐπ.* ἄπειρος, πρωτόβγαλτος: *a ~ youth*, ἄπειρος νέος. **~·ness** *οὐσ.* ἀπειρία.
cal·lus /ˋkæləs/ *οὐσ.* ‹C› (*πληθ.* ~*es*) κάλος.
calm /kam/ *ἐπ.* (*-er, -est*) ἤρεμος, ἥσυχος, γαλήνιος: *a ~ day/sea*, ἥσυχη μέρα/γαλήνια θάλασσα. —*οὐσ.* ‹U› γαλήνη. —*ρ.μ.* γαληνεύω, ἠρεμῶ: *The sea ~ed down*, ἡ θάλασσα γαλήνεψε. *C~ yourself!* ἠρεμῆστε! **~·ly** *ἐπίρ.* ἤρεμα. **~·ness** *οὐσ.* ‹U› γαλήνη, ἀταραξία.
cal·orie /ˋkælərɪ/ *οὐσ.* ‹C› (*φυσ.*) θερμίς.
ca·lum·ni·ate /kəˋlʌmnɪeɪt/ *ρ.μ.* (*λόγ.*) συκοφαντῶ, διαβάλλω.
cal·umny /ˋkæləmnɪ/ *οὐσ.* ‹C› συκοφαντία, διαβολή.
ca·lyx /ˋkeɪlɪks/ *οὐσ.* ‹C› (*πληθ.* ~*es* ἤ *calyces* /-lɪsiz/) (*φυτ.*) κάλυξ.
cam·ber /ˋkæmbə(r)/ *οὐσ.* ‹C› ἐλαφρά κυρτότης, καμπυλότης. —*ρ.μ/ἀ.* κυρτώνω, κυρτοῦμαι, δίδω κλίση.
cam·bric /ˋkæmbrɪk/ *οὐσ.* ‹U› λινή βατίστα. —*ἐπ.* λινός.
came /keɪm/ *ἀόρ. τοῦ ρ. come.*
camel /ˋkæml/ *οὐσ.* ‹C› καμήλα.
ca·mel·lia /kəˋmilɪə/ *οὐσ.* ‹C› (*φυτ.*) καμέλια.
cameo /ˋkæmɪəʊ/ *οὐσ.* ‹C› (*πληθ.* ~*s*) καμέα, ἀνάγλυφη πέτρα δαχτυλιδιοῦ.
cam·era /ˋkæmərə/ *οὐσ.* ‹C› **1**. φωτογραφική μηχανή. **ˋfilm/ˋmovie ~**, κινηματογραφική μηχανή. **2**. ***in ~***, (*νομ.*) κεκλεισμένων τῶν θυρῶν.
cami·sole /ˋkæmɪsəʊl/ *οὐσ.* ‹C› κασ-κορσέ.
camo·mile /ˋkæməmaɪl/ *οὐσ.* ‹U› χαμομήλι.
cam·ou·flage /ˋkæməflaʒ/ *οὐσ.* ‹U› καμουφλάζ. —*ρ.μ.* καμουφλάρω.
camp /kæmp/ *οὐσ.* ‹C› **1**. κατασκήνωσις: *pitch (a) ~*, κατασκηνώνω. *strike/break up ~*, διαλύω τήν κατασκήνωση, τά μαζεύω καί φεύγω. *be in ~*, εἶμαι σέ κατασκήνωση. **ˈ~-ˋbed**, κρεββάτι ἐκστρατείας (πτυσσόμενο). **ˈ~-ˋchair**, πτυσσόμενο κάθισμα. **2**. στρατόπεδον: *We're in the same ~*, εἴμαστε στό ἴδιο στρατόπεδο (στήν ἴδια παράταξη). —*ρ.ἀ.* κατασκηνώνω, στρατοπεδεύω: *They ~ed out in the woods*, κατασκήνωσαν στό δάσος. ***go ~ing***, περνῶ τίς διακοπές σέ σκηνή.
cam·paign /kæmˋpeɪn/ *οὐσ.* ‹C› ἐκστρατεία: *the desert ~*, ἡ ἐκστρατεία τῆς ἐρήμου. *an eˋlection/ˋadvertising ~*, προεκλογική/διαφημιστική ἐκστρατεία. —*ρ.ἀ.* ἐκστρατεύω, ἀγωνίζομαι, κάνω καμπάνια.
cam·phor /ˋkæmfə(r)/ *οὐσ.* ‹U› καμφορά.
cam·pus /ˋkæmpəs/ *οὐσ.* ‹C› (*πληθ.* ~*es*) περιοχή κολλεγίου ἤ Πανεπιστημίου, πανεπιστημιούπολις.
cam·shaft /ˋkæmʃaft/ *οὐσ.* ‹C› ἐκκεντροφόρος ἄξων.
[1]**can** /kæn/ *οὐσ.* ‹C› τενεκές, δοχεῖο, μπιτόνι, κουτί (κονσέρβας): *a ˋwatering ~*, ποτιστήρι. —*ρ.μ.* (*-nn-*) κονσερβοποιῶ: *~ned fruit*, φροῦτα κονσέρβα. **~·nery** /ˋkænərɪ/ *οὐσ.* ‹C› κονσερβοποιεῖον.
[2]**can** /kən, *ἐμφ.* kæn/ *ρ. βοηθ.* (*ἀρν. cannot* /ˋkænət/ *καί συντετμ. can't* /kant/, *ἀόρ. could* /kʊd/) δύναμαι, μπορῶ (*μέ τίς ἀκόλουθες διακρίσεις*): **1**. (*ὑποδηλοῖ ἱκανότητα. Στήν περίπτωση αὐτή, ἡ ἔννοια τοῦ can στούς ἄλλους χρόνους ἀποδίδεται μέ τή ρηματική φράση to be able, π.χ. I haven't been able to see him yet*, δέν μπόρεσα ἀκόμη νά τόν ἰδῶ): *Can you speak English?* μπορεῖτε νά μιλῆστε Ἀγγλικά; **2**. (*ὑποδηλοῖ ἄδειαν*): *Can I go out?* μπορῶ (ἔχω τήν ἄδειά σας) νά πάω ἔξω; **3**. (*ὑποδηλοῖ πιθανότητα ἤ δυνατότητα*): *That can't be true!* δέν μπορεῖ (δέν εἶναι δυνατόν) νά εἶναι ἀλήθεια αὐτό! **4**. (*ὑποδηλοῖ δικαίωμα*): *We can't go into that private garden*, δέν μποροῦμε (δέν ἔχομε τό δικαίωμα) νά μποῦμε σ' αὐτό τόν ἰδιωτικό κῆπο. **5**. (*ὅταν τό can/could τονίζεται ἰσχυρῶς σέ ἐρωτήσεις ὑποδηλοῖ ἀπορίαν, θαυμασμό, κατάπληξιν, κλπ*): *What ˋcan that possibly be?* μά τί μπορεῖ νά εἶναι αὐτό; **6**. (*μέ τά ρήματα αἰσθήσεως ὑποδηλοῖ κατάστασιν ἐν τῷ γίγνεσθαι*): *I can see an aeroplane in the sky*, βλέπω (ἐννοεῖται:αὐτή τή στιγμή) ἕνα ἀεροπλάνο στόν οὐρανό. **7**. (*μέ τό ρ. to be ὑποδηλοῖ ὅτι τό ὑποκείμενο "μερικές φορές εἶναι..."*): *He can be very rude*, μερικές φορές εἶναι πολύ ἀγενής.
ca·nal /kəˋnæl/ *οὐσ.* ‹C› διῶρυξ, κανάλι, (*φυσιολ.*) σωλήν: *the Suez Canal*, ἡ Διῶρυξ τοῦ Σουέζ. *the alimentary ~*, πεπτικός σωλήν. **~·ize** /ˋkænəlaɪz/ *ρ.μ.* διοχετεύω (ποταμόν), κατευθύνω (δραστηριότητες, προσπάθειες).
ca·nary /kəˋneərɪ/ *οὐσ.* ‹C› καναρίνι.

can·cel /ˈkænsəl/ *ρ.μ.* *(-ll-)* διαγράφω, ἀκυρώνω, ματαιώνω: ~ *a debt*, διαγράφω χρέος. ~ *an order*, ἀκυρώνω παραγγελία. ~ *a flight/a meeting*, ματαιώνω πτήση/συνάντηση. **~·la·tion** /ˈkænsəlˈeɪʃn/ *οὐσ.* ‹C,U› διαγραφή, ἀκύρωσις, ματαίωσις.

can·cer /ˈkænsə(r)/ *οὐσ.* ‹U› καρκίνος: *ˈlung* ~, καρκίνος τῶν πνευμόνων. ~ *of the throat*, καρκίνος τοῦ λάρυγγος. **~·ous** /-əs/ *ἐπ.* καρκινωματώδης, καρκινώδης.

can·did /ˈkændɪd/ *ἐπ.* εἰλικρινής, ἀμερόληπτος, εὐθύς: *I'll be quite* ~ *with you*, θά εἶμαι ἀπολύτως εἰλικρινής μαζί σας.

can·di·date /ˈkændɪdət/ *οὐσ.* ‹C› ὑποψήφιος, διαγωνιζόμενος: *There are 50* ~*s for the post*, ὑπάρχουν 50 ὑποψήφιοι γιά τή θέση. *He offered himself as a* ~ *for the position*, ἔβαλε ὑποψηφιότητα γιά τή θέση.

can·di·da·ture /ˈkændɪdətʃə(r)/ *οὐσ.* ‹U› ὑποψηφιότης.

candle /ˈkændl/ *οὐσ.* ‹C› κερί, λαμπάδα: *blow out/light a* ~, σβύνω/ἀνάβω κερί. ***burn the ~ at both ends***, ἐργάζομαι ἐντατικά, κατασπαταλῶ τίς δυνάμεις μου. ***He can't (isn't fit to) hold a ~ to you***, δέν βγαίνει μπροστά σου (εἶναι πολύ κατώτερός σου). ***The game is not worth the ~***, περισσότερη ἡ φασαρία παρά τό καλό του. **ˈ~·light**, φῶς κεριῶν: *read by* ~*light*, διαβάζω στό φῶς κεριῶν. **ˈ~-power**, ἰσχύς σέ κεριά. **ˈ~-stick**, κηροπήγιον.

can·dour /ˈkændə(r)/ *οὐσ.* ‹U› εἰλικρίνεια, εὐθύτης, ἀμεροληψία.

candy /ˈkændɪ/ *οὐσ.* ‹C,U› κάντιο, (*ΗΠΑ*) καραμέλα, κουφέτο (*πρβλ.* *MB = sweets*). —*ρ.μ.* ζαχαρώνω, γκλασάρω (φροῦτα): *candied lemon peel*, λεμόνι (φλούδα) δεμένο γλυκό. *candied words*, γλυκά (κολακευτικά) λόγια.

cane /keɪn/ *οὐσ.* ‹C,U› **1**. καλάμι: *a chair with a* ~ *seat*, καρέκλα μέ πλεχτό πάτο. **ˈsugar ~**, ζαχαροκάλαμο. **2**. μπαστούνι, ραβδί. ***get the ~***, τρώω ξύλο, τίς ἁρπάζω. —*ρ.μ.* ραβδίζω, χτυπῶ (μέ βέργα).

ca·nine /ˈkeɪnaɪn/ *ἐπ.* κυνοειδής, σκυλήσιος: **ˈ~ tooth**, κυνόδους.

can·is·ter /ˈkænɪstə(r)/ *οὐσ.* ‹C› (μεταλλικό) κουτί (γιά τσάϊ, καφέ, κλπ).

can·ker /ˈkæŋkə(r)/ *οὐσ.* ‹U› ἕλκος, πληγή, σαράκι, καρκίνωμα (σέ δέντρα, στό στόμα, στ' αὐτιά ζώων). —*ρ.μ.* κατατρώγω: ~*ed wood*, σαρακοφαγωμένο ξύλο. *a* ~*ed heart*, πληγωμένη καρδιά. **~·ous** /-əs/ *ἐπ.* γαγγραινώδης.

can·na·bis /ˈkænəbɪs/ *οὐσ.* ‹U› ἰνδική κάνναβις, χασίς.

can·ni·bal /ˈkænɪbl/ *οὐσ.* ‹C› ἀνθρωποφάγος, καννίβαλος. **~·ism** /-ɪzm/ *οὐσ.* ‹U› ἀνθρωποφαγία, καννιβαλισμός.

can·non /ˈkænən/ *οὐσ.* ‹C› κανόνι, πυροβόλο. **ˈ~-ball**, μπάλλα κανονιοῦ. **ˈ~-fodder**, (*λαϊκ.*) κρέας γιά τά κανόνια. **~·ade** /ˈkænəˈneɪd/ *οὐσ.* ‹C› κανονιοβολισμός, κανονίδι.

canny /ˈkænɪ/ *ἐπ.* προσεκτικός, ἐπιφυλακτικός, πονηρός: *a* ~ *player*, προσεχτικός παίχτης.

ca·noe /kəˈnu/ *οὐσ.* ‹C› κανό, μονόξυλο. —*ρ.ἀ.* κωπηλατῶ: *go* ~*ing*, κάνω κανό.

canon /ˈkænən/ *οὐσ.* ‹C› **1**. κανών: *the holy* ~*s*, (*ἐκκλ.*) οἱ ἱεροί κανόνες. ~ *law*, κανονικόν δίκαιον. *the* ~*s of good conduct*, οἱ κανόνες (ὁ κῶδιξ) τῆς καλῆς συμπεριφορᾶς. **2**. ἐφημέριος μητροπολιτικοῦ ναοῦ. **3**. ἁγιολόγιον.

ca·noni·cal /kəˈnonɪkl/ *ἐπ.* κανονικός.

canon·ize /ˈkænənaɪz/ *ρ.μ.* ἁγιοποιῶ, ἀνακηρύσσω ἅγιον, καθιερῶ. **canon·iz·ation** /ˈkænənaɪˈzeɪʃn/ *οὐσ.* ‹C,U› ἁγιοποίησις.

can·opy /ˈkænəpɪ/ *οὐσ.* ‹C› θόλος, σκιάς (θρόνου, κρεββατιοῦ): *the* ~ *of the heavens*, ὁ θόλος τοῦ οὐρανοῦ. *a* ~ *of leaves*, σκιάς φύλλων (σέ δάσος).

[1]**cant** /kænt/ *οὐσ.* ‹U› **1**. ψευδολογίες, ὑποκρισίες, ψευτοευσέβεια: *This is all* ~, αὐτά εἶναι ὅλα φαρισαϊσμοί. **2**. ἀργκό, μάγκικα.

[2]**cant** /kænt/ *οὐσ.* ‹C› κλίσις, ἐπικλινής ἐπιφάνεια. —*ρ.μ/ἀ.* γέρνω.

can't /kant/ = *cannot*, *βλ.* [2]*can*.

can·tank·er·ous /kænˈtæŋkərəs/ *ἐπ.* δύστροπος, καυγατζῆς, γκρινιάρης.

can·tata /kænˈtatə/ *οὐσ.* ‹C› (*πληθ.* ~*s*) (*μουσ.*) καντάτα.

can·teen /kænˈtin/ *οὐσ.* ‹C› **1**. καντίνα. **2**. (*στρατ.*) καραβάνα, παγούρι.

can·ter /ˈkæntə(r)/ *ρ.μ/ἀ.* καλπάζω ἐλαφρά. —*οὐσ.* ‹C› ἐλαφρός καλπασμός.

can·ti·lever /ˈkæntɪlivə(r)/ *οὐσ.* ‹C› ὑποστήριγμα (μπαλκονιοῦ, γεφύρας).

canto /ˈkæntəʊ/ *οὐσ.* ‹C› (*πληθ.* ~*s*) ᾆσμα, ραψωδία.

can·ton /ˈkænton/ *οὐσ.* ‹C› καντόνι.

can·vas /ˈkænvəs/ *οὐσ.* ‹C,U› **1**. καραβόπανο, λινάτσα, κανναβάτσο. **2**. (*ζωγρ.*) καμβᾶς, μουσαμᾶς. **3**. πανί πλοίου. ***under ~***, σέ σκηνές, (*γιά πλοῖο*) μέ ἀνοιχτά πανιά.

can·vass /ˈkænvəs/ *ρ.μ/ἀ.* **1**. γυρίζω γιά (ψήφους, παραγγελίες, συνδρομές, κλπ), ψηφοθηρῶ: ~ *a district for votes/for a parliamentary candidate*, γυρίζω σέ μιά περιοχή πρός ἄγραν ψήφων/ψηφοθηρῶ ὑπέρ ἑνός ὑποψηφίου βουλευτοῦ. **2**. συζητῶ, ἐρευνῶ. —*οὐσ.* ‹C› ψηφοθηρία, ἀναζήτησις πελατῶν.

can·yon /ˈkænjən/ *οὐσ.* ‹C› φαράγγι, βαθειά χαράδρα.

cap /kæp/ *οὐσ.* ‹C› **1**. σκοῦφος, κασκέτο, τραγιάσκα, πηλίκιο. ***~ in hand***, ταπεινά, ἐκλιπαρῶν. ***If the ~ fits, wear it***, ὅποιος ἔχει τή μύγα, μυγιάζεται. ***set one's ~ at sb***, κάνω τά γλυκά μάτια σέ κπ, προσπαθῶ νά τόν κατακτήσω. **2**. πῶμα, τάπα, κάλυμμα. —*ρ.μ.* *(-pp-)* **1**. πωματίζω. **2**. ὑπερβάλλω, ξεπερνῶ, ἐπιστέφω: *That* ~*s all!* αὐτό τά ξεπερνᾶ ὅλα! *To* ~ *it all...*, καί σά μήν ἔφθανε αὐτό...

ca·pa·bil·ity /ˈkeɪpəˈbɪlətɪ/ *οὐσ.* ‹U› **1**. ἱκανότης, ἐπιδεξιότης: ~ *of doing sth/to do sth*. **2**. (*πληθ.*) δυνατότητες: *He has great capabilities*, ἔχει μεγάλες δυνατότητες.

ca·pable /ˈkeɪpəbl/ *ἐπ.* **1**. ἱκανός, ἄξιος: *a very* ~ *teacher/doctor/driver*, πολύ ἱκανός δάσκαλος/γιατρός/ὁδηγός. ***~ of***, ἱκανός γιά, ἄξιος νά: *He's* ~ *of any crime/of neglecting his duty*, εἶναι ἱκανός γιά κάθε ἔγκλημα/ἄξιος νά παραμελήση τό καθῆκον του. **2**. (ἐπι)δεκτικός: *The situation is* ~ *of improvement*, ἡ κατάστασις εἶναι δεκτική βελτιώσεως.

ca·pa·cious /kəˋpeɪʃəs/ ἐπ. (λόγ.) εὐρύχωρος, ἀπέραντος: *a ~ pocket/memory*, εὐρύχωρη τσέπη/ἀπέραντη μνήμη.

ca·pac·ity /kəˋpæsətɪ/ οὐσ. ‹U› **1**. χωρητικότης: *The theatre has a seating ~ of 500*, τό θέατρο χωράει (νά καθίσουν) 500. *filled to ~*, ἀσφυκτικά γεμᾶτος. **2**. ἱκανότης, πνευματική ἀντίληψις: *~ for happiness/for doing sth*, ἱκανότητα γιά εὐτυχία/νά κάνω κτ. *Is this book within the ~ of children?* εἶναι αὐτό τό βιβλίο προσιτό σέ παιδιά (μποροῦν νά τό καταλάβουν); **3**. ἰδιότης: *In my ~ as a teacher...*, ὑπό τήν ἰδιότητά μου ὡς δάσκαλος... *act in one's official ~*, ἐνεργῶ ὑπό τήν ἐπίσημον ἰδιότητά μου.

cape /keɪp/ οὐσ. ‹C› **1**. ἀκρωτήριον: *The Cape of Good Hope*, τό Ἀκρωτήριον τῆς Καλῆς Ἐλπίδος. **2**. κάπα, πελερίνα, μπέρτα.

ca·per /ˋkeɪpə(r)/ οὐσ. ‹C› (λογοτ.) **1**. κάπαρη. **2**. χοροπήδημα, σκίρτημα. ***cut ~s***, (πεπαλ.) χοροπηδῶ, κάνω ὅ,τι μοῦ καπνίσει, κάνω καραγκιοζιλίκια. —ρ.ἀ. χοροπηδῶ.

cap·il·lary /kəˋpɪlərɪ/ ἐπ. τριχοειδής: *~ vessels*, τριχοειδῆ ἀγγεῖα.

capi·tal /ˋkæpɪtl/ οὐσ. ‹C› & ἐπ. **1**. πρωτεύουσα: *Paris is the ~ of France*, τό Παρίσι εἶναι ἡ πρωτεύουσα τῆς Γαλλίας. **2**. κεφαλαῖος: *a ~ letter*, κεφαλαῖο γράμμα. **3**. κεφάλαιον, κεφαλαιουχικός: *fixed/nominal ~*, πάγιον/ὀνομαστικόν κεφάλαιον. *~ goods*, κεφαλαιουχικά ἀγαθά. ***make ~ of sth***, ἐκμεταλλεύομαι (ἐπωφελοῦμαι ἀπό) κτ. **4**. κεφαλικός. ***~ punishment***, κεφαλική ποινή (ποινή θανάτου). **5**. ἔξοχος: *What a ~ idea!* τί ἔξοχη ἰδέα!

capi·tal·ism /ˋkæpɪtəlɪzm/ οὐσ. ‹U› καπιταλισμός.

capi·tal·ist /ˋkæpɪtəlɪst/ οὐσ. ‹C› κεφαλαιοκράτης. **~·ic** /ˈkæpɪtəˋlɪstɪk/ ἐπ. κεφαλαιοκρατικός.

capi·tal·ize /ˋkæpɪtəlaɪz/ ρ.μ. **1**. κεφαλαιοποιῶ. **2**. γράφω μέ κεφαλαῖα γράμματα. **3**. ***~ on sth***, ἐκμεταλλεύομαι, ἐπωφελοῦμαι ἀπό κτ: *He ~d on their errors*, ἐκμεταλλεύθηκε τά σφάλματά τους.

ca·pitu·late /kəˋpɪtʃʊleɪt/ ρ.ἀ. συνθηκολογῶ, παραδίδομαι ὑπό ὅρους. **ca·pitu·la·tion** /kəˈpɪtʃʊˋleɪʃn/ οὐσ. ‹U› συνθηκολόγησις.

ca·pon /ˋkeɪpən/ οὐσ. ‹C› καπόνι.

ca·price /kəˋpris/ οὐσ. ‹C› καπρίτσιο.

ca·pri·cious /kəˋprɪʃəs/ ἐπ. ἰδιότροπος, ἄστατος: *a ~ girl/wind*, ἰδιότροπο κορίτσι/ἄστατος ἄνεμος.

cap·size /kæpˋsaɪz/ ρ.μ/ἀ. (γιά βάρκα) ἀνατρέπω/-ομαι.

cap·sule /ˋkæpsjul/ οὐσ. ‹C› κάψουλα.

cap·tain /ˋkæptɪn/ οὐσ. ‹C› **1**. ἀρχηγός, καπετάνιος: *the ~ of a team*, ὁ ἀρχηγός μιᾶς ὁμάδος. **2**. λοχαγός. **3**. πλοίαρχος. —ρ.μ. ἡγοῦμαι, ἀρχηγεύω.

cap·tion /ˋkæpʃn/ οὐσ. ‹C› **1**. ἐπικεφαλίδα. **2**. λεζάντα (σέ φωτογραφία). **3**. ὑπότιτλος (σέ φίλμ).

cap·tious /ˋkæpʃəs/ ἐπ. (λόγ.) δύστροπος, στριμμένος. **~·ly** ἐπίρ.

cap·ti·vate /ˋkæptɪveɪt/ ρ.μ. σαγηνεύω, αἰχμαλωτίζω: *He was ~d by Helen/with her charms*, τόν σαγήνευσε ἡ Ἑλένη/αἰχμαλωτίστηκε ἀπό τή γοητεία της.

cap·tive /ˋkæptɪv/ οὐσ. ‹C› & ἐπ. αἰχμάλωτος, δέσμιος, δεσμώτης. ***be taken/be held ~***, συλλαμβάνομαι/κρατοῦμαι αἰχμάλωτος.

cap·tiv·ity /kæpˋtɪvətɪ/ οὐσ. ‹U› αἰχμαλωσία: *die in ~*, πεθαίνω στήν αἰχμαλωσία.

cap·tor /ˋkæptə(r)/ οὐσ. ‹C› ὁ αἰχμαλωτίζων.

cap·ture /ˋkæptʃə(r)/ οὐσ. **1**. ‹U› σύλληψις: *the ~ of a thief*, ἡ σύλληψις ἑνός κλέφτη. **2**. ‹C› λεία. —ρ.μ. συλλαμβάνω, κατακτῶ, αἰχμαλωτίζω: *Our army ~d 500 of the enemy*, ὁ στρατός μας συνέλαβε 500 ἐχθρούς. *He ~d most of the prizes*, κατέκτησε τά περισσότερα βραβεῖα. *~ sb's attention*, προσελκύω τήν προσοχή κάποιου.

car /kɑ(r)/ οὐσ. ‹C› **1**. αὐτοκίνητο. **2**. βαγόνι: *a ˋsleeping-/ˋdining-~*, βαγκόν-λί/βαγκόν-ρεστωράν.

ca·rafe /kəˋræf/ οὐσ. ‹C› καράφα.

cara·mel /ˋkærəml/ οὐσ. ‹C,U› καραμέλα.

cara·pace /ˋkærəpeɪs/ οὐσ. ‹C› καύκαλο (χελώνας).

carat /ˋkærət/ οὐσ. ‹C› καράτιον.

cara·van /ˋkærəvæn/ οὐσ. ‹C› **1**. καραβάνι. **2**. τροχόσπιτο.

car·bine /ˋkɑbaɪn/ οὐσ. ἀραβίδα, καραμπίνα.

car·bolic acid /kɑˈbɒlɪk ˋæsɪd/ οὐσ. ‹U› φαινικόν ὀξύ.

car·bon /ˋkɑbən/ οὐσ. ‹U› (χημ.) ἄνθραξ: **ˈ~ ˈdiˋoxide/ˈmonˋoxide**, διοξείδιον/μονοξείδιον τοῦ ἄνθρακος. **ˋ~ paper**, καρμπόν. **~ic ˋacid**, ἀνθρακικόν ὀξύ. **~·ize** /-aɪz/ ρ.μ. ἀπανθρακώνω.

car·buncle /ˋkɑbʌŋkl/ οὐσ. ‹C› **1**. ρουμπίνι. **2**. (ἰατρ.) ἄνθραξ, δοθιήν.

car·bu·ret·tor /ˈkɑbjʊˋretə(r)/ οὐσ. ‹C› καρμπυρατέρ (αὐτοκινήτου).

car·cass, car·case /ˋkɑkəs/ οὐσ. ‹C› πτῶμα, κουφάρι, ψοφίμι, (γιά κτίριο, πλοῖο, κλπ) σκελετός.

[1]**card** /kɑd/ οὐσ. ‹C› **1**. κάρτα: *a ˋpost~*, ταχυδρομική κάρτα, καρτ-ποστάλ. *a ˋChristmas ~*, Χριστουγεννιάτικη κάρτα. *a ˋvisiting-~*, ἐπισκεπτήριο. *iˋdentity ~*, ταυτότης. **2**. παιγνιόχαρτο: *playing ~s: spades, clubs, diamonds, hearts*, τραπουλόχαρτα: μπαστούνια, σπαθιά, καρά, κοῦπες. ***have a ~ up one's sleeve***, ἔχω ἀκόμα ἕνα ἀτοῦ κρυμμένο, ἔχω μυστικό σχέδιο ὡς ἐφεδρεία. ***put one's ~s on the table***, παίζω μ' ἀνοιχτά χαρτιά. ***play one's last ~***, παίζω τό τελευταῖο μου χαρτί. **ˋ~-sharper**, χαρτοκλέφτης.

[2]**card** /kɑd/ οὐσ. ‹C› λανάρι. —ρ.μ. λαναρίζω.

card·board /ˋkɑdbɔd/ οὐσ. ‹U› χαρτόνι.

car·di·gan /ˋkɑdɪgən/ οὐσ. ‹C› πλεκτή μάλλινη ζακέτα (μέ κουμπιά).

car·di·nal /ˋkɑdnl/ ἐπ. κύριος, πρωτεύων: *the ~ virtues*, οἱ κύριες ἀρετές. **~ numbers**, ἀπόλυτα ἀριθμητικά. *the four ~ points*, τά 4 σημεῖα τοῦ ὁρίζοντος. —οὐσ. ‹C› (ἐκκλ.) καρδινάλιος.

[1]**care** /keə(r)/ οὐσ. **1**. ‹U› προσοχή: *do sth with ~*, κάνω κτ μέ προσοχή. ***take ~***, προσέχω: *Take ~ over your work*, πρόσεχε τή δουλειά σου. *Take ~ not to break it/that you don't break it*, πρόσεχε νά μή τό σπάσης. **2**. ‹U› φροντίδα, ἐπιμέλεια: *I will leave the child in your ~*, θ' ἀφήσω τό παιδί στή φροντίδα σου. ***take***

~ ***of sb/sth***, φροντίζω κπ/κτ. *Take ~ of yourself*, πρόσεχε τόν ἑαυτό σου! *Who will take ~ of the children?* ποιός θά φροντίση τά παιδιά; ~ ***of (c/o)***, μερίμνη τοῦ (σέ διευθύνσεις ἐπιστολῶν). `~·**taker**, ἐπιστάτης (σχολείου, πύργου, κλπ): *a ~taker government*, ὑπηρεσιακή κυβέρνησις. **3**. ‹C› φροντίδα, σκοτούρα, ἔγνοια: *be full of ~s*, εἶμαι γεμᾶτος φροντίδες (ἔγνοιες). `~·**free** *ἐπ.* ξέγνοιαστος, ἀνέμελος. `~·**worn** *ἐπ.* περίφροντις, γεμᾶτος σκοτοῦρες.

[2]**care** /keə(r)/ *ρ.ἀ.* **1**. ~ ***(about)***, ἐνδιαφέρομαι (γιά), μέ νοιάζει: *That's all he ~s about*, αὐτό εἶναι τό μόνο πού τόν ἐνδιαφέρει. *I don't ~ what he says/where he goes/who he is*, δέν μέ νοιάζει τί λέει/ποῦ πάει/ποιός εἶναι. *I couldn't ~ less*, μοῦ εἶναι τελείως ἀδιάφορο. *I don't ~ a damn/a fig/a hang*, δέν μοῦ καίγεται καρφί, δέν δίνω δεκάρα. **2**. ~ ***for***, *(α)* φροντίζω: *Who will ~ for my children if I die?* ποιός θά φροντίση τά παιδιά μου ἄν πεθάνω; *The State must ~ for the old and the sick*, τό κράτος πρέπει νά φροντίζη τούς γέρους καί τούς ἄρρωστους. *(β)* μοῦ ἀρέσει, θέλω: *I don't ~ for pop music*, δέν μοῦ ἀρέσει ἡ μουσική πόπ. *Would you ~ for a drink?* θά θέλατε ἕνα ποτό; **3**. (*μόνον σέ ἐρωτ. καί ἀρνητ. προτάσεις*) ἐπιθυμῶ, θέλω: *I don't ~ to be seen in his company*, δέν ἐπιθυμῶ νά μέ δοῦν παρέα του. *Would you ~ to come with us?* θά θέλατε νά ἔλθετε μαζί μας;

ca·reer /kə`rɪə(r)/ *οὐσ.* **1**. ‹C› σταδιοδρομία, καριέρα, ἐπάγγελμα: *choose a ~*, διαλέγω καριέρα. *All ~s should be open to women*, ὅλα τά ἐπαγγέλματα πρέπει νά εἶναι ἀνοιχτά γιά τίς γυναῖκες. **2**. ‹U› δρόμος, τρέξιμο: *in full ~*, ὁλοταχῶς. *stop sb in mid ~*, σταματῶ κπ, τοῦ κόβω τό δρόμο. —*ρ.ἀ.* ~ ***about/along/past/through etc***, τρέχω, ὁρμῶ.

care·ful /`keəfl/ *ἐπ.* προσεχτικός: *a ~ driver*, προσεχτικός ὁδηγός. *Be ~ with your work/of your health/about the size/what you say*, πρόσεχε τή δουλειά σου/τήν ὑγεία σου/τό μέγεθος/τί λές. ~**ly** *ἐπίρ.*

care·less /`keələs/ *ἐπ.* ἀπρόσεχτος, ἀπερίσκεπτος, ἀμελής: *a ~ driver/mistake*, ἀπρόσεχτος ὁδηγός/λάθος ἀπροσεξίας. *He is ~ of his reputation*, δέν προσέχει τήν ὑπόληψή του. ~·**ly** *ἐπίρ.* ·**ness** *οὐσ.* ‹U›.

ca·ress /kə`res/ *οὐσ.* ‹C› χάδι. —*ρ.μ.* χαϊδεύω. ~·**ing** *ἐπ.* χαϊδευτικός. ~·**ing·ly** *ἐπίρ.* χαϊδευτικά.

car·go /`kagəu/ *οὐσ.* ‹C› (*πληθ.* ~*es*) φορτίον (πλοίου): *a ~ ship*, φορτηγό πλοῖο.

cari·ca·ture /'kærɪkə`tʃuə(r)/ *οὐσ.* ‹C› καρικατούρα, γελοιογραφία. —*ρ.μ.* γελοιογραφῶ.

car·ies /`keərɪz/ *οὐσ.* ‹U› τερηδών.

car·mine /`kamaɪn/ *ἐπ.* ἄλικος, κατακόκκινος: ~ *lips*, κατακόκκινα χείλη.

car·nage /`kanɪdʒ/ *οὐσ.* ‹U› σφαγή, μακελλειό.

car·nal /`kanl/ *ἐπ.* σαρκικός: ~ *desires*, σαρκικές ἐπιθυμίες.

car·na·tion /ka`neɪʃn/ *οὐσ.* ‹C› γαρούφαλλο. —*ἐπ.* γαρουφαλλί.

car·ni·val /`kanɪvl/ *οὐσ.* ‹C› καρναβάλι, ἀποκρηά, πανηγύρι.

car·ni·vore /`kanɪvɔ(r)/ *οὐσ.* ‹C› σαρκοφάγον ζῶον. **car·ni·vor·ous** /ka`nɪvərəs/ *ἐπ.* σαρκοφάγος.

carol /`kærl/ *οὐσ.* ‹C› χαρούμενο τραγούδι. *Christmas ~s*, κάλαντα. —*ρ.ἀ.* τραγουδῶ χαρούμενα.

ca·rouse /kə`rauz/ *ρ.ἀ.* ξεφαντώνω, μεθοκοπῶ. **ca·rousal** /kə`rauzl/ *οὐσ.* ‹C› ξεφάντωμα, κρασοπότι, γλέντι.

[1]**carp** /kap/ *οὐσ.* ‹C› κυπρῖνος (ψάρι).

[2]**carp** /kap/ *ρ.μ.* ~ ***(at)***, γκρινιάζω, ἀποπαίρνω, ἐπικρίνω: *She is always ~ing at her husband*, ὅλο γκρινιάζει τόν ἄνδρα της.

car·pen·ter /`kapəntə(r)/ *οὐσ.* ‹C› ξυλουργός, μαραγκός.

car·pen·try /`kapəntrɪ/ *οὐσ.* ‹U› ξυλουργική.

car·pet /`kapɪt/ *οὐσ.* ‹C› χαλί, τάπης. ***on the ~***, ἐπί τάπητος, ὑπό ἐξέτασιν, (*καθομ.*) στό σκαμνί, κατσαδιασμένος. ***sweep sth under the ~***, κρύβω, κουκουλώνω κτ. `~-**slippers**, παντόφλες ἀπό μάλλινο ὕφασμα. —*ρ.μ.* σκεπάζω μέ χαλί, κατσαδιάζω.

car·riage /`kærɪdʒ/ *οὐσ.* **1**. ‹U› μεταφορά, μεταφορικά. ~ ***free/paid***, ἐλεύθερον μεταφορικῶν/κόμιστρα καταβληθέντα. ~ ***forward***, μεταφορικά πληρωτέα κατά τήν παραλαβήν. **2**. ‹C› ὄχημα, ἁμάξι, βαγόνι: `~·**way**, ἁμαξιτή ὁδός, κατάστρωμα ὁδοῦ: '**dual** `~**way**, ὁδός διπλῆς κατευθύνσεως χωρισμένη στό μέσον. **3**. ‹U› παράστημα: *She has a graceful ~*, ἔχει ὡραῖο παράστημα.

car·rier /`kærɪə(r)/ *οὐσ.* ‹C› **1**. μεταφορεύς, φορεύς (μικροβίων). **2**. σχάρα ἀποσκευῶν. **3**. μεταφορικόν ὄχημα. '~-`**bag**, τσάντα γιά ψώνια. `~-**pigeon**, ταχυδρομικό περιστέρι. `**aircraft**-~, ἀεροπλανοφόρο.

car·rion /`kærɪən/ *οὐσ.* ‹U› ψοφίμι.

car·rot /`kærət/ *οὐσ.* ‹C› καρότο: *the stick and the ~*, (*μεταφ.*) ἀπειλές καί καλοπιάσματα.

carry /`kærɪ/ *ρ.μ/ἀ.* **1**. μεταφέρω, βαστῶ: ~ *a box*, μεταφέρω κουτί. *This bus can ~ 70 people*, αὐτό τό λεωφορεῖο μπορεῖ νά μεταφέρη 70 ἀνθρώπους. ~ *a baby*, βαστῶ μωρό. *He ran off as fast as his legs could ~ him*, ἔτρεξε ὅσο βαστοῦσαν τά πόδια του. *The pillars ~ the weight of the roof*, οἱ κολῶνες βαστοῦν τό βάρος τῆς σκεπῆς. **2**. φέρω, ἔχω: *Do you always ~ an umbrella/much money with you?* φέρεις (ἔχεις) πάντοτε ὀμπρέλλα/πολλά χρήματα μαζί σου; *His word/promise carries weight*, ὁ λόγος του/ἡ ὑπόσχεσίς του ἔχει βάρος. *The loan carries 4% interest*, τό δάνειο φέρει τόκο 4%. ~ *a joke/modesty too far*, τό παρακάνω σ' ἕνα ἀστεῖο/στή μετριοφροσύνη. **3**. καταλαμβάνω ἐξ ἐφόδου, κατακτῶ, νικῶ: *Our soldiers carried the enemy's positions*, οἱ στρατιῶτες μας κατέλαβαν τίς ἐχθρικές θέσεις. *He carried his audience with him*, κατέκτησε τό ἀκροατήριό του. ~ ***the day***, νικῶ. ~ ***everything before one***, τά σαρώνω ὅλα, νικῶ κατά κράτος. ~ ***one's point***, ἐπιβάλλω τήν ἄποψή μου. **4**. φέρομαι, κρατῶ (τό κεφάλι, τό κορμί μου): *He carries himself like a soldier*, ἔχει στρατιωτικό παράστημα. **5**. (*γιά φωνή, βλῆμα, κλπ*) φθάνω: *His voice carries well*, ἔχει δυνατή φωνή (δηλ. ἡ φωνή του φθάνει σέ ἀπόσταση). *The shot carried 200 metres*, ἡ σφαῖρα ἔφθασε (πῆγε) 200 μέτρα. **6**. (*μέ ἐπιρ. καί προθέσεις*):

carry away, (*συνήθ. εἰς παθ. φων.*) παρα-

σύρω, ἐνθουσιάζω: *He was carried away by his enthusiasm*, παρασύρθηκε ἀπό τόν ἐνθουσιασμό του.
carry back, ξαναφέρνω: *This song carried me back to my schooldays*, αὐτό τό τραγούδι μέ ξανάφερε στά σχολικά μου χρόνια.
carry forward, προωθῶ, (*λογιστ.*) μεταφέρω: *~ an item forward*, μεταφέρω κονδύλιον. *carried forward*, εἰς μεταφοράν.
carry off, κερδίζω, παίρνω, ἀπάγω: *He carried off all the prizes*, κέρδισε ὅλα τά βραβεῖα. *They carried off the bride*, ἀπήγαγαν τή νύφη. ***~ it off (well)***, τά βγάζω πέρα, τά καταφέρνω.
carry on, *(α)* συνεχίζω: *~ on a business/a conversation*, συνεχίζω μιά ἐπιχείρηση/μιά συζήτηση. *C~ on with your work!* συνέχισε τή δουλειά σου! *(β)* μιλῶ ἀσταμάτητα, ὅλο γκρινιάζω, σαχλαμαρίζω: *How she carries on!* δέν σταματάει ἡ γλῶσσα της! ὅλο γκρίνια εἶναι! *(γ)* φέρομαι περίεργα: *Did you notice how they were ~ing on?* πρόσεξες τό φέρσιμό τους; **'~-ings-'on** *οὐσ. πληθ.* περίεργα φερσίματα, καμώματα. ***~ on (an affair) with sb***, ἐρωτοτροπῶ, τἄχω μέ κπ: *She's ~ing on with the milkman*, τἄχει μέ τό γαλατᾶ.
carry out, ἐκτελῶ, πραγματοποιῶ: *~ out an order/a threat*, ἐκτελῶ μιάν ἐντολή/πραγματοποιῶ μιάν ἀπειλή.
carry through, τά βγάζω πέρα, φέρω εἰς πέρας, ἀποπερατῶ: *His courage will ~ him through*, τό θάρρος του θά τόν βοηθήση νά τά βγάλη πέρα. *~ through a difficult task*, φέρω εἰς πέρας μιά δύσκολη δουλειά.
cart /kat/ *οὐσ.* ‹C› κάρρο, καρροτσάκι: *a 'hand-~*, δίτροχο καρροτσάκι. ***be in the ~***, (*λαϊκ.*) εἶμαι σέ δύσκολη θέση. ***put the ~ before the horse***, κάνω κτ ἐντελῶς ἀνάποδα. ***turn '~-wheels***, κάνω τοῦμπες (πλαγιαστά). **'~-load**, καρροτσιά, φορτίον κάρρου. *a ~-load of manure/of troubles*, μιά καρροτσιά φουσκί/ἕνα σωρό σκοτοῦρες. **'~-track/-road**, καρρόδρομος. __*ρ.μ.* κουβαλῶ. **'~·age** /-ɪdʒ/ *οὐσ.* ‹U› ἀγώγι. **~er** *οὐσ.* ‹C› καρροτσιέρης.
car·tel /ka'tel/ *οὐσ.* ‹C› καρτέλ, μονοπωλιακός συνασπισμός.
car·ti·lage /'katlɪdʒ/ *οὐσ.* ‹C,U› χόνδρος (ἀρθρώσεων).
car·togra·phy /ka'tografɪ/ *οὐσ.* ‹U› χαρτογραφία. **car·togra·pher** /-fə(r)/ *οὐσ.* ‹C› χαρτογράφος.
car·ton /'katn/ *οὐσ.* ‹C› χαρτόκουτο, λεπτό χαρτόνι.
car·toon /ka'tun/ *οὐσ.* ‹C› σκίτσο, γελοιογραφία, κινούμενα σχέδια, (*κινηματογ.*) μίκυ-μάους. **~·ist** /-ɪst/ *οὐσ.* ‹C› σκιτσογράφος, γελοιογράφος.
car·tridge /'ka-trɪdʒ/ *οὐσ.* ‹C› **1**. φυσίγγι: *a blank ~*, ἄσφαιρο φυσίγγι. **'~-belt**, φυσιγγιοθήκη, παλάσκα. **2**. κεφαλή (τοῦ πικάπ).
carve /kav/ *ρ.μ/ά.* **1**. χαράζω, σκαλίζω (σέ ξύλο ἤ μάρμαρο): *~ one's name on a tree*, χαράζω τὄνομά μου σέ δέντρο. *~ a statue out of wood*, σκαλίζω ἄγαλμα ἀπό ξύλο. **2**. κόβω, τεμαχίζω: *~ a chicken/~ up a country*, τεμαχίζω κοτόπουλο/διαμελίζω μιά χώρα. **car·ving** *οὐσ.* ‹C› σκάλισμα, ἀνάγλυφος παράστασις. **'carving-knife**, μαχαίρι κρέατος. **~r** *οὐσ.* ‹C› μαχαίρι κρέατος, ξυλογλύπτης.
cary·atid /'kærɪ'ætɪd/ *οὐσ.* ‹C› καρυάτις.
cas·cade /kæ'skeɪd/ *οὐσ.* ‹C› μικρός καταρράκτης, ὑδατόπτωσις.
[1]**case** /keɪs/ *οὐσ.* ‹C› **1**. περίπτωσις, θέμα, ζήτημα: *It's a clear ~ of cheating*, εἶναι καθαρή περίπτωσις ἀπάτης. *That's the ~*, αὐτό εἶναι τό ζήτημα. *If that's the ~*, ἄν ἔχουν ἔτσι τά πράγματα (ἄν συμβαίνη αὐτό). ***the ~ in point***, ἡ προκείμενη περίπτωσις. ***in this/that ~***, σ' αὐτή τήν περίπτωση, ἐν τοιαύτῃ περιπτώσει. ***in 'any ~***, ἐν πάσῃ περιπτώσει. ***in no ~***, ἐν οὐδεμιᾷ περιπτώσει. ***in ~ of***, σέ περίπτωση: *In ~ of an accident...*, σέ περίπτωση ἀτυχήματος. ***just in ~***, καλοῦ-κακοῦ: *It may rain; take an umbrella with you just in ~*, μπορεῖ νά βρέξη, πάρε τήν ὀμπρέλλα μαζί σου καλοῦ-κακοῦ. ***in ~***, σέ περίπτωση, ἄν: *In ~ you don't find him there...*, σέ περίπτωση πού δέν τόν βρῇς ἐκεῖ... **2**. (*ἰατρ.*) περιστατικόν, κροῦσμα: *several ~s of cholera*, πολλά κρούσματα χολέρας. **'~-book**, (*ἰατρ.*) βιβλίον ἱστορικῶν. **'~-'history**, (*ἰατρ.*) ἱστορικόν ἀσθενοῦς. **3**. (*νομ.*) ὑπόθεσις: *a divorce ~*, ὑπόθεσις διαζυγίου. *make out one's ~*, κερδίζω τήν ὑπόθεση, ἀποδεικνύω ὅτι ἔχω δίκηο. *The ~ will come before the court after a month*, ἡ ὑπόθεσις θά ἐκδικασθῆ μετά ἕνα μῆνα. ***make out a ~ (for)***, δίνω ἐπιχειρήματα ὑπέρ. **'~-law**, νομολογία. **4**. (*γραμμ.*) πτῶσις: *the nominative/accusative ~*, ὀνομαστική/αἰτιατική πτῶσις.
[2]**case** /keɪs/ *οὐσ.* ‹C› **1**. κασόνι, κουτί. **2**. θήκη: *a glass ~*, γυάλινη θήκη. *a spectacles ~*, θήκη γυαλιῶν. *a 'pillow-~*, μαξιλαροθήκη. **3**. (*τυπογρ.*) κάσα στοιχείων: *upper/lower ~*, κεφαλαῖα/πεζά γράμματα.
case·ment /'keɪsmənt/ *οὐσ.* ‹C› (δίφυλλο) παράθυρο.
cash /kæʃ/ *οὐσ.* ‹U› μετρητά, ρευστό χρῆμα: *be out of ~*, δέν ἔχω μετρητά. ***pay ~ down***, πληρώνω τοῖς μετρητοῖς. ***~ on delivery (C.O.D.)***, (*ἐμπορ.*) ἐξόφλησις ἐπί τῇ παραδόσει, ἐπί ἀντικαταβολῇ. **'~ desk**, ταμεῖον (σέ μαγαζί). **'~ price**, τιμή τοῖς μετρητοῖς. **'~ register**, μηχανή ταμείου. __*ρ.μ/ά.* **1**. ἐξαργυρώνω: *Can you ~ this cheque for me/~ me a cheque?* μπορεῖτε νά μοῦ ἐξαργυρώσετε αὐτήν τήν ἐπιταγή; **2**. ***~ in on***, ἐπωφελοῦμαι ἀπό: *They ~ed in on shortages by putting up prices*, ἐπωφελήθησαν ἀπό τίς ἐλλείψεις καί ἀνέβασαν τίς τιμές.
cash·ier /kæ'ʃɪə(r)/ *οὐσ.* ‹C› ταμίας. __*ρ.μ.* (*στρατ.*) ἀποτάσσω.
cash·mere /'kæʃmɪə(r)/ *οὐσ.* ‹U› κασμήρι.
cas·ing /'keɪsɪŋ/ *οὐσ.* ‹C› ἐπένδυσις, περιτύλιγμα: *copper wire with a ~ of rubber*, χάλκινο σύρμα μέ ἐπένδυση ἐλαστικοῦ.
ca·sino /kə'sinəʊ/ *οὐσ.* ‹C› (*πληθ.* *~s*) καζίνο.
cask /kask/ *οὐσ.* ‹C› βαρέλι.
cas·ket /'kaskɪt/ *οὐσ.* ‹C› κασετίνα, (ΗΠΑ) φέρετρο, κάσα.
casque /kæsk/ *οὐσ.* ‹C› (*ἀπηρχ.*) κράνος.
cas·ser·ole /'kæsərəʊl/ *οὐσ.* ‹C› κατσαρόλα, τσουκάλι, νταβᾶς.
cas·sock /'kæsək/ *οὐσ.* ‹C› ράσο.

cast /kɑst/ *ρ.μ/ὰ. ἀνώμ.* (*ἀόρ.* & *π.μ. cast*) **1**. ρίχνω, πετῶ: *He ~ his net into the water*, ἔρριξε τό δίχτυ του στό νερό. *Snakes ~ their skins*, τά φίδια ρίχνουν (ἀλλάζουν) τό δέρμα τους. *~ a vote*, ρίχνω ψῆφο. *~ one's eye over sth*, κοιτάζω, ἐξετάζω κτ. *~ a glance at sth*, ρίχνω μιά ματιά σέ κτ. *~ a shadow/a new light on sth*, ρίχνω σκιά/καινούργιο φῶς σέ κτ. ***The die is ~***, ὁ κύβος ἐρρίφθη. ***~ lots***, ρίχνω κλήρους. ***~ in one's lot with sb***, συνταυτίζω τήν τύχη μου μέ κπ. ***~ sth in sb's teeth***, πετῶ κτ (μιά παληά πράξη) στά μοῦτρα κπ. **2**. χύνω (μέταλλο): *a statue ~ in bronze*, ἄγαλμα χυμένο σέ μπροῦτζο. *They're ~ in the same mould*, εἶναι ἀπό τό ἴδιο καλούπι (εἶναι ὅμοιοι). **ˈ~ iron**, χυτοσίδηρος, μαντέμι. **3**. μοιράζω ρόλους (στό θέατρο): *He was ~ for the part of Hamlet*, τοῦ ἔδωσαν τό ρόλο τοῦ Ἄμλετ. **4**. ***~ aside/away***, πετῶ κτ (ὡς ἄχρηστο). ***be ~ down***, εἶμαι ἀποθαρρυμένος, σέ κατάθλιψη. ***~ off***, πετῶ, ἀποπλέω: *ˈ~-off ˈclothes*, πεταμένα ροῦχα. ***~ up***, ἀθροίζω (*συνήθ. add up* ἤ *tot up*). __*οὐσ.* ‹C› **1**. ρίξιμο: *a ~ of the dice*, ζαριά, ριξιά στά ζάρια. **2**. μήτρα, καλούπι: *His leg was in a plaster ~*, τό πόδι του ἦταν στό γύψο. **3**. διανομή (ρόλων). **4**. ἰδιάζον χαρακτηριστικόν: *~ of mind/of features*, νοοτροπία/φυσιογνωμία.

cas·ta·nets /ˌkæstəˈnets/ *οὐσ πληθ.* καστανιέτες.

cast·away /ˈkɑstəweɪ/ *οὐσ.* ‹C› ναυαγός.

cas·ti·gate /ˈkæstɪgeɪt/ *ρ.μ.* μαστιγώνω, ἐπικρίνω δριμύτατα. **cas·ti·ga·tion** /ˌkæstɪˈgeɪʃn/ *οὐσ.* ‹U› μαστίγωμα, ἐπίκρισις.

castle /ˈkɑsl/ *οὐσ.* ‹C› κάστρο, πύργος. ***~s in the air/in Spain***, φαντασιοπληξίες, ὄνειρα θερινῆς νυκτός. __*ρ.ὰ.* (*στό σκάκι*) κάνω ροκέ.

cas·tor /ˈkɑstə(r)/ *οὐσ.* ‹C› **1**. ρόδα, καρούλι (πολυθρόνας). **2**. (*ζωολ.*) κάστωρ. **3**. δοχεῖο μέ τρύπες (γιά ἁλάτι, πιπέρι, κλπ). **ˈ~ ˈoil**, ρετσινόλαδο. **ˈ~ sugar**, ζάχαρη ἄχνη.

cas·trate /kæˈstreɪt/ *ρ.μ.* εὐνουχίζω.

cas·ual /ˈkæʒuəl/ *ἐπ.* **1**. τυχαῖος: *a ~ meeting/glance*, τυχαία συνάντησις/ματιά. **2**. ἀνέμελος: *She's a very ~ person*, δέν σκοτίζεται μέ τίποτε, δέν τῆς καίγεται καρφί. *give a ~ answer*, ἀπαντῶ ἀνέμελα/ἀπερίσκεπτα. *clothes for ~ wear*, πρόχειρα ροῦχα, σπόρ ροῦχα. *a ~ labourer*, ἔκτακτος ἐργάτης, μεροκαματιάρης. **~·ly** *ἐπίρ.* τυχαῖα, ἀδιάφορα, ἀνέμελα.

casu·alty /ˈkæʒuəltɪ/ *οὐσ.* ‹C› ἀτύχημα, θῦμα, (*στρατ.*) ἀπώλεια: *There were no casualties*, δέν σημειώθηκαν θύματα. **~ list**, κατάλογος ἀπωλειῶν (νεκρῶν καί τραυματιῶν). **ˈ~ ward**, θάλαμος ἀτυχημάτων (σέ νοσοκομεῖο).

casus belli /ˈkeɪsəs ˈbelaɪ/ (*Λατ.*) αἰτία πολέμου.

cat /kæt/ *οὐσ.* ‹C› γάτα: *a wild ~*, αἴλουρος, (*μεταφ.*) ἀγριόγατα. ***be like a ~ on hot bricks***, κάθομαι σ' ἀναμμένα κάρβουνα. ***wait for the ~ to jump*** ἤ ***see which way the ~ jumps***, καιροσκοπῶ, περιμένω νά δῶ κατά ποῦ φυσάει ὁ ἄνεμος, κρατάω πισινή. ***a ˈcat-and-ˈdog life***, (τά πᾶνε) σάν τό σκύλο μέ τή γάτα. ***ˈcat-o'-ˈnine tails***, μαστίγιο (μέ ἐννέα λουριά). ***not room to swing a ~ in***, δέν ἔχει χῶρο νά σταθῆς, στενό μέρος. **ˈ~-call** *οὐσ.* ‹C› οὔρλιασμα, γιουχάϊσμα. *ρ.μ.* γιουχαΐζω. **ˈ~-nap/-sleep**, ὑπνᾶκος (σέ καρέκλα). **ˈ~'s ˈcradle**, πριονάκι (παιδικό παιχνίδι μέ σκοινί στά δάχτυλα). **ˈ~'s eye**, πισινό φῶς (σέ ὄχημα), φωτεινό καρφί σέ δρόμο (γιά τή νύχτα). **ˈ~'s paw**, ὄργανο: *be sb's ~'s paw*, εἶμαι ὄργανο κάποιου. *make a ~'s paw of sb*, κάνω κπ ὄργανό μου. **ˈ~-walk**, στενός διάδρομος μεταξύ μηχανημάτων, σωρῶν ἀντικειμένων, κλπ, στενό πεζοδρόμιο κατά μῆκος γεφύρας.

cata·clysm /ˈkætəklɪzm/ *οὐσ.* ‹C› κατακλυσμός.

cata·combs /ˈkætəkəumz/ *οὐσ. πληθ.* κατακόμβη.

cata·falque /ˈkætəfælk/ *οὐσ.* ‹C› βάθρον ἐντός ναοῦ ὅπου ἐναποτίθεται ἡ σορός ἐξέχοντος ἀνδρός.

cata·logue (*ΗΠΑ* **cata·log**) /ˈkætəlog/ *οὐσ.* ‹C› κατάλογος. __*ρ.μ.* συντάσσω κατάλογον, καταγράφω.

cata·lyst /ˈkætəlɪst/ *οὐσ.* ‹C› (*χημ.*) καταλύτης. **cata·lytic** /ˌkætəˈlɪtɪk/ *ἐπ.* καταλυτικός.

cata·pult /ˈkætəpʌlt/ *οὐσ.* ‹C› **1**. σφενδόνη. **2**. καταπέλτης. __*ρ.μ.* ἐκτοξεύω, ἐκτινάσσω.

cata·ract /ˈkætərækt/ *οὐσ.* ‹C› καταρράκτης (ποταμοῦ ἤ ματιοῦ).

ca·tarrh /kəˈtɑ(r)/ *οὐσ.* ‹U› καταρροή, συνάχι.

ca·tas·trophe /kəˈtæstrəfɪ/ *οὐσ.* ‹C› καταστροφή. **ca·ta·strophic** /ˌkætəˈstrofɪk/ *ἐπ.* καταστρεπτικός.

[1]**catch** /kætʃ/ *ρ.μ/ὰ. ἀνώμ.* (*ἀόρ.* & *π.μ. caught* /kɔt/) **1**. πιάνω, συλλαμβάνω: *~ a ball/thief/fish/mouse in a trap*, πιάνω μιά μπάλλα/ἕναν κλέφτη/ψάρια/ποντικό σέ παγίδα. *I caught him stealing jam*, τόν ἔπιασα νά κλέβη γλυκό. *Let me ~ you at it again!* νά σέ ξαναπιάσω νά κάνης αὐτό καί τά λέμε! ***~ sb in the act***, πιάνω κπ ἐπ' αὐτοφώρῳ. ***~ sb napping***, πιάνω κπ στόν ὕπνο. ***~ sb out***, ἀνακαλύπτω κπ (πού ἔχει κάμη κτ), πιάνω κπ νά λέη ψέμματα. **2**. προλαμβάνω, προφθάνω: *~ a train/the bus/the post*, προλαμβάνω τραῖνο/λεωφορεῖο/τό ταχυδρομεῖο. ***~ sb up; ~ up with sb***, προφθάνω κπ: *Go on in front, I'll soon ~ you up/~ up with you*, πήγαινε μπροστά, θά σέ προφθάσω σέ λίγο. *I must work hard to ~ up with the rest of the class*, πρέπει νά δουλέψω πολύ γιά νά προλάβω τήν ὑπόλοιπη τάξη. **3**. πιάνω, πιάνομαι: *The nail caught her dress*, τό καρφί ἔπιασε τό φόρεμά της. *Her dress caught on a nail*, τό φόρεμά της πιάστηκε σ' ἕνα καρφί. *We were caught in a fog*, μᾶς ἔπιασε (πέσαμε σέ) ὁμίχλη. *The new fashion has caught on*, ἡ νέα μόδα ἔπιασε. **4**. πιάνω, ἀντιλαμβάνομαι, ἁρπάζω: *I didn't ~ the end of the sentence*, δέν ἔπιασα (δέν ἄκουσα) τό τέλος τῆς προτάσεως. *I don't quite ~ the idea*, δέν ἀντιλαμβάνομαι ἐντελῶς τήν ἰδέα σας. *~ one in the eye*, ἁρπάζω μία (γροθιά) στό μάτι. *You'll ~ it!* θά τίς ἁρπάξης! θά βρῆς τόν μπελᾶ σου! *He will ~ at any opportunity of making money*, ἁρπάζει κάθε εὐκαιρία νά κάνη χρήματα. *~ a disease*, πιάνω (κολλάω) ἀρρώστεια. *Yawning is ~ing*,

τό χασμουρητό εἶναι κολλητικό (μεταδοτικό). ~ **sb's attention/fancy**, τραβῶ τήν προσοχή/χτυπῶ στό μάτι κάποιου. ~ **one's breath**, μοῦ πιάνεται ἡ ἀναπνοή (ἀπό ἔκπληξη, θαυμασμό, κλπ). ~ **cold**, κρυολογῶ. ~ **sb's eye**, καταφέρνω κπ νά κοιτάξη πρός τό μέρος μου. ~ **fire**, πιάνω (ἁρπάζω) φωτιά. ~ **hold of sb**, ἀδράχνω κπ. ~ **sight/ a glimpse of sb or sth**, παίρνει τό μάτι μου κπ ἤ κτ. `~·**word** *οὐσ.* ‹C› σύνθημα.

[2]**catch** /kætʃ/ *οὐσ.* ‹C› **1**. πιάσιμο. **2**. παγίδα: *There's a ~ in it*, κρύβει κάποια παγίδα, κάποιο λάκκο ἔχει ἡ φάβα. *a ~ question*, μιά ἐρώτησις-παγίδα. **3**. (*μουσ.*) κωμικό τραγούδι γιά πολλές φωνές πού μπαίνουν διαδοχικά.

cat·echism /ˋkætıkızm/ *οὐσ.* ‹C› κατήχησις.

cat·echize /ˋkætıkaız/ *ρ.μ.* κατηχῶ.

cat·egoric, cat·egori·cal /ˈkætəˋgorık(l)/ *ἐπ.* κατηγορηματικός, ρητός, (*λογική*) κατηγορικός.

cat·egory /ˋkætəgrı/ *οὐσ.* ‹C› κατηγορία, τάξις.

ca·ter /ˋkeıtə(r)/ *ρ.μ.* ~ **for**, φροντίζω, τροφοδοτῶ: *Parties ~ed for*, ἀναλαμβάνομε τήν τροφοδοσία δεξιώσεων. ~ *for (to) all tastes*, φροντίζω γιά (ἱκανοποιῶ) ὅλα τά γοῦστα. ~**er** *οὐσ.* ‹C› τροφοδότης, προμηθευτής, ἑστιάτωρ.

cat·er·pil·lar /ˋkætəpılə(r)/ *οὐσ.* ‹C› **1**. κάμπια. **2**. ἑρπύστρια.

cat·er·waul /ˋkætəwɔl/ *ρ.ἀ.* (*γιά γάτα*) σκούζω. __*οὐσ.* ‹C› σκούξιμο.

ca·the·dral /kəˋθidrl/ *οὐσ.* ‹C› καθεδρικός ναός, μητρόπολις.

cath·ode /ˋkæθəʊd/ *οὐσ.* ‹C› (*ἠλεκτρ.*) κάθοδος.

cath·olic /ˋkæθlık/ *ἐπ.* καθολικός, γενικός, φιλελεύθερος: *a man with ~ interests*, ἄνθρωπος μέ πλατιά ἐνδιαφέροντα. __*οὐσ.* ‹C› (*ἐκκλ.*) Καθολικός. **Ca·tholi·cism** /kəˋθoləsızm/ *οὐσ.* ‹U› Καθολικισμός.

cattle /ˋkætl/ *οὐσ.* *πληθ.* βοοειδῆ, κτήνη, ζωντανά: ~ *breeding*, κτηνοτροφία. *twenty head of ~*, εἴκοσι κεφάλια ζῶα.

catty /ˋkætı/, **cat·tish** /ˋkætıʃ/ *ἐπ.* (*καθομ.*) μοχθηρός, ὕπουλος.

cau·cus /ˋkɔkəs/ *οὐσ.* ‹C› (*πληθ.* ~*es*) κομματική διοίκησις/ἐπιτροπή.

caught /kɔt/ *ἀόρ.* & *π.μ.* *τοῦ ρ. catch.*

caul·dron /ˋkɔldrən/ *οὐσ.* ‹C› καζάνι, κακκάβι.

cauli·flower /ˋkolıflaʊə(r)/ *οὐσ.* ‹C,U› κουνουπίδι.

causal /ˋkɔzl/ *ἐπ.* αἰτιώδης, (*γραμμ.*) αἰτιολογικός. ~·**ity** /kɔˋzæləti/ *οὐσ.* ‹U› αἰτιώδης συνάφεια.

cau·sa·tion /kɔˋzeıʃn/ *οὐσ.* ‹U› αἰτιότης.

cau·sa·tive /ˋkɔzətıv/ *ἐπ.* τῆς αἰτίας, αἰτιολογικός.

cause /kɔz/ *οὐσ.* ‹C› **1**. αἰτία: *the ~ of the fire/of the war*, ἡ αἰτία τῆς πυρκαϊᾶς/τοῦ πολέμου. **2**. λόγος: *There is no ~ for alarm*, δέν ὑπάρχει λόγος ἀνησυχίας. *Don't stay away without good ~*, μή λείψετε χωρίς σοβαρό λόγο. **3**. σκοπός, ἀγώνας, ὑπόθεσις: *fight for a good ~/in the ~ of justice*, παλεύω γιά ἕνα καλό σκοπό/γιά χάρη τῆς δικαιοσύνης. **make common ~ with sb**, συμμαχῶ, συντάσσομαι μέ κπ. __*ρ.μ.* προξενῶ, γίνομαι αἴτιος, προκαλῶ: *What ~d this accident/his death?* τί προκάλεσε αὐτό τό δυστύχημα/τό θάνατο του;

cause·way /ˋkɔzweı/ *οὐσ.* ‹C› ἀνυψωμένος δρόμος (μέσα σέ ἕλη, κλπ).

caus·tic /ˋkɔstık/ *ἐπ.* καυστικός, δριμύς: ~ *soda*, καυστική σόδα. ~ *comments/a ~ manner*, καυστικά σχόλια/-ός τρόπος. **caus·ti·cally** /-klı/ *ἐπίρ.* καυστικά.

cau·ter·ize /ˋkɔtəraız/ *ρ.μ.* (*ἰατρ.*) καυτηριάζω (πληγή).

cau·tion /ˋkɔʃn/ *οὐσ.* ‹U› **1**. προσοχή, σύνεσις: *We must set about it with great ~*, πρέπει νά ἐνεργήσωμε μέ μεγάλη προσοχή. *C~! Road works ahead!* Προσοχή! Ἔργα ἐπί τῆς ὁδοῦ. **2**. προειδοποίησις: *A sign with "DANGER" on it as a ~*, σῆμα μέ τήν λέξη ΚΙΝΔΥΝΟΣ ὡς προειδοποίηση. *inflict punishment on sb as a ~ to others*, ἐπιβάλλω ποινή σέ κπ σάν προειδοποίηση γιά τούς ἄλλους. **3**. (*γιά ἄνθρ.*) (*λαϊκ.*) τύπος, νούμερο: *He is a ~*, εἶναι ἀστεῖος τύπος. __*ρ.μ.* προειδοποιῶ, καθιστῶ προσεκτικόν: *I ~ed him against being late/ not to be late*, τόν προειδοποίησα νά μήν ἀργήση. ~·**ary** /-nrı/ *ἐπ.* προειδοποιητικός.

cau·tious /ˋkɔʃəs/ *ἐπ.* προσεκτικός, ἐπιφυλακτικός: *a ~ man/game*, προσεκτικός ἄνθρωπος/συγκρατημένο παιχνίδι. ~·**ly** *ἐπίρ.*

cav·al·cade /ˋkævlˋkeıd/ *οὐσ.* ‹C› ἔφιππος παρέλασις, ἔφιππος πομπή.

cava·lier /ˋkævəˋlıə(r)/ *οὐσ.* ‹C› ἱππότης.

cav·alry /ˋkævlrı/ *οὐσ.* (*ἑνικός ἤ πληθ.*) ἱππικόν: ~ *officer*, ἀξιωματικός τοῦ ἱππικοῦ.

cave /keıv/ *οὐσ.* ‹C› σπήλαιο, σπηλιά: `~·**man** /-mæn/ σπηλαιάνθρωπος. __*ρ.μ/ἀ.* ~ **in**, καταρρέω, ὑποχωρῶ: *The roof of the tunnel ~d in*, ἡ ὀροφή τοῦ τοῦνελ ὑπεχώρησε.

ca·veat /ˋkeıvıæt/ *οὐσ.* ‹C› (*νομ.*) ἀνακοπή: *put in/enter a ~ (against)*, κάνω ἀνακοπή (κατά).

cav·ern /ˋkævən/ *οὐσ.* ‹C› (*λόγ.*) σπήλαιον. `~·**ous** /-əs/ *ἐπ.* σπηλαιώδης.

cavil /ˋkævl/ *ρ.ἀ.* (*-ll-*) ~ (**at**), λεπτολογῶ, μεμψιμοιρῶ, ἐπικρίνω.

cav·ity /ˋkævətı/ *οὐσ.* ‹C› κοιλότης, τρῦπα, κουφάλα: *a ~ in a tooth*, κουφάλα σέ δόντι.

ca·vort /kəˋvɔt/ *ρ.ἀ.* (*καθομ.*) χοροπηδῶ (σάν πουλάρι).

caw /kɔ/ *ρ.ἀ.* κρώζω (σάν κόρακας). __*οὐσ.* ‹C› κρώξιμο.

cay·enne /keıˋen/ *οὐσ.* ‹U› κοκκινοπίπερο.

cease /sis/ *ρ.μ/ἀ.* παύω, σταματῶ: *He ~d (from) working*, ἔπαυσε νά ἐργάζεται. *The German Empire ~d to exist in 1918*, ἡ Γερμ. Αὐτοκρατορία ἔπαυσε νά ὑπάρχη στά 1918. **without ~**, χωρίς διακοπή, ἀσταμάτητα. ˈ~-ˋ**fire**, κατάπαυσις πυρός, ἀνακωχή: *The ~-fire must be observed*, ἡ ἀνακωχή πρέπει νά τηρηθῆ. ~·**less** *ἐπ.* ἀκατάπαυστος. ~-**less·ly** *ἐπίρ.* ἀδιάκοπα.

cedar /ˋsidə(r)/ *οὐσ.* ‹C,U› κέδρος.

cede /sid/ *ρ.μ.* ~ **to**, ἐκχωρῶ, παραχωρῶ (γῆν, δικαιώματα, κλπ).

ceil·ing /ˋsilıŋ/ *οὐσ.* ‹C› **1**. ταβάνι. **2**. ἀνώτατο ὕψος: *credit ~*, ἀνώτατο πιστωτικό ὅριο. *price ~s*, ἀνώτατες τιμές.

cel·ebrate /ˋseləbreıt/ *ρ.μ.* **1**. ἑορτάζω, πανηγυρίζω: ~ *Christmas/one's birthday/victory*, ἑορτάζω τά Χριστούγεννα/τά γενέθλιά μου/ πανηγυρίζω νίκην. **2**. ἱερουργῶ: ~ *Mass*, τελῶ Θεῖαν Λειτουργίαν. **3**. ὑμνῶ, δοξολογῶ.

~d ἐπ. φημισμένος, διάσημος, ὀνομαστός: *a ~d painter*, διάσημος ζωγράφος. *a country ~d for its climate*, χώρα φημισμένη γιά τό κλῖμα της. **cel·ebra·tion** /ˈseləˈbreɪʃn/ οὐσ. ‹C,U› ἑορτασμός.

ce·leb·rity /sɪˈlebrətɪ/ οὐσ. **1**. ‹C› διασημότης, προσωπικότης: *All the celebrities of the London theatre*, ὅλες οἱ διασημότητες τοῦ Λονδρέζικου θεάτρου. **2**. ‹U› φήμη.

ce·ler·ity /sɪˈlerətɪ/ οὐσ. ‹U› ταχύτης, γρηγοράδα.

cel·ery /ˈselərɪ/ οὐσ. ‹U› σέλινο.

ce·les·tial /sɪˈlestɪəl/ ἐπ. οὐράνιος, θεῖος: *~ bodies*, οὐράνια σώματα.

celi·bacy /ˈselɪbəsɪ/ οὐσ. ‹U› ἀγαμία: *the ~ of the clergy*, ἡ ἀγαμία τοῦ κλήρου.

celi·bate /ˈselɪbət/ ἐπ. & οὐσ. ‹C› ἄγαμος (ἰδ. κληρικός).

cell /sel/ οὐσ. ‹C› **1**. κελλί (φυλακῆς, μοναστηριοῦ). **2**. (ἠλεκτρ.) στοιχεῖον (πχ μπαταρίας). **3**. (βιολ.) κύτταρον. **4**. (πολ.) πυρήνας: *set up ~s in a trade-union*, ὀργανώνω πυρῆνες σ' ἕνα σωματεῖο.

cel·lar /ˈselə(r)/ οὐσ. ‹C› κελλάρι, κάβα, ὑπόγειο.

cello /ˈtʃeləʊ/ οὐσ. ‹C› (πληθ. *~s*) βιολοντσέλλο.

cel·lo·phane /ˈseləfeɪn/ οὐσ. ‹U› σελοφάν.

cel·lu·lar /ˈseljʊlə(r)/ ἐπ. κυτταρικός, κυτταρώδης, πορώδης.

cel·lu·loid /ˈseljʊlɔɪd/ οὐσ. ‹U› ζελατίνη.

cel·lu·lose /ˈseljʊləʊs/ οὐσ. ‹U› κυτταρίνη.

ce·ment /sɪˈment/ οὐσ. ‹U› τσιμέντο. —ρ.μ. τσιμεντάρω, (μεταφ.) στερεώνω, δυναμώνω: *~ a friendship*. **~-mixer**, μπετονιέρα.

cem·etery /ˈsemətrɪ/ οὐσ. ‹C› νεκροταφεῖο, κοιμητήρι.

ceno·taph /ˈsenətaf/ οὐσ. ‹C› κενοτάφιο.

cen·ser /ˈsensə(r)/ οὐσ. ‹C› θυμιατήρι, λιβανιστήρι.

cen·sor /ˈsensə(r)/ οὐσ. ‹C› λογοκριτής. —ρ.μ. λογοκρίνω. **~·ship** οὐσ. ‹U› λογοκρισία. **cen·sori·ous** /senˈsɔrɪəs/ ἐπ. αὐστηρός, ἐπιτιμητικός.

cen·sure /ˈsenʃə(r)/ ρ.μ. ἐπικρίνω, ψέγω: *~ sb for being lazy*, ἐπικρίνω κπ γιά τεμπελιά. —οὐσ. ‹C› ἐπίκρισις, μομφή: *pass a vote of ~ on the Government*, ψηφίζω πρότασιν μομφῆς κατά τῆς Κυβερνήσεως.

cen·sus /ˈsensəs/ οὐσ. ‹C› ἀπογραφή (πληθυσμοῦ).

cent /sent/ οὐσ. ‹C› σέντ (1/100 τοῦ δολλαρίου). ***per ~***, τοῖς ἑκατόν. ***one hundred per ~***, ἑκατό τοῖς ἑκατό, τελείως.

cen·taur /ˈsentɔ(r)/ οὐσ. ‹C› (μυθ.) κένταυρος.

cen·ten·arian /ˈsentəˈneərɪən/ οὐσ. ‹C› & ἐπ. ἑκατοντούτης, ἑκατοχρονίτης, αἰωνόβιος.

cen·ten·ary /senˈtinərɪ/ οὐσ. ‹C› ἑκατονταετηρίς. **cen·ten·nial** /senˈtenɪəl/ ἐπ. ἑκατονταετής.

cen·ti·grade /ˈsentɪgreɪd/ οὐσ. ‹U› & ἐπ. ἑκατοντάβαθμον (θερμόμετρον Κελσίου).

cen·ti·gram(me) /ˈsentɪgræm/ οὐσ. ‹C› ἑκατοστόγραμμον, 1/100 γραμμαρίου.

cen·time /ˈsontim/ οὐσ. ‹C› τό 1/100 τοῦ γαλλικοῦ φράγκου.

cen·ti·metre /ˈsentɪmitə(r)/ οὐσ. ‹C› ἑκατοστόμετρον, πόντος.

cen·ti·pede /ˈsentɪpid/ οὐσ. ‹C› σαρανταποδαρούσα.

cen·tral /ˈsentrl/ ἐπ. κεντρικός: *the ~ idea of the play*, ἡ κεντρική ἰδέα τοῦ ἔργου. **ˈ~ ˈheating**, κεντρική θέρμανσις.

cen·tral·ize /ˈsentrəlaɪz/ ρ.μ. συγκεντρώνω. **cen·tral·iz·ation** /ˈsentrəlaɪˈzeɪʃn/ οὐσ. ‹U› συγκέντρωσις, συγκεντρωτισμός.

centre /ˈsentə(r)/ οὐσ. ‹C› κέντρον: *the ~ of London/of a circle/of gravity*, τό κέντρον τοῦ Λονδίνου/ἑνός κύκλου/τοῦ βάρους. **a ˈ~-piece**, καρρέ τραπεζιοῦ, ροζέτα ταβανιοῦ. —ρ.μ. κεντράρω, συγκεντρώνω/-ομαι. *All my thoughts ~ (up)on/are ~d (up)on your future*, ὅλες μου οἱ σκέψεις συγκεντρώνονται πάνω στό μέλλον σου.

cen·tri·fu·gal /senˈtrɪfjʊgl/ ἐπ. φυγόκεντρος: *~ force*, φυγόκεντρος δύναμις.

cen·trip·etal /senˈtrɪpɪtl/ ἐπ. κεντρομόλος.

cen·tur·ion /senˈtʃʊərɪən/ οὐσ. ‹C› ἑκατόνταρχος.

cen·tury /ˈsentʃərɪ/ οὐσ. ‹C› αἰῶνας.

ce·ramic /sɪˈræmɪk/ ἐπ. κεραμικός. **~s**, οὐσ. πληθ. (μέ ρ. ἑν.) κεραμική, εἴδη κεραμικῆς.

cer·eal /ˈsɪərɪəl/ ἐπ. & οὐσ. ‹C› (συνήθ. πληθ.) δημητριακά, σιτηρά.

cer·ebral /ˈserəbrl/ ἐπ. ἐγκεφαλικός: *a ~ hemorrhage*, ἐγκεφαλική αἱμορραγία.

cer·emo·nial /ˈserəˈməʊnɪəl/ ἐπ. ἐθιμοτυπικός, ἐπίσημος: *~ dress*, ἐπίσημον (τελετουργικόν) ἔνδυμα. —οὐσ. ‹C› τό τυπικόν (θρησκείας, κλπ).

cer·emo·ni·ous /ˈserəˈməʊnɪəs/ ἐπ. τυπικός, λεπτολόγος, ἐπίσημος, ὅλο τσιριμόνιες. **~·ly** ἐπίρ. ἐπισήμως, μέ ὅλους τούς τύπους.

cer·emony /ˈserəmənɪ/ οὐσ. ‹C› **1**. τελετή: *Master of Ceremonies*, τελετάρχης. **2**. ἐθιμοτυπία, ἐπισημότης, τύποι: *There's no need for ~ between friends*, οἱ τύποι δέν χρειάζονται μεταξύ φίλων. ***stand on ~***, κρατῶ τούς τύπους.

cer·tain /ˈsɜtn/ ἐπ. **1**. βέβαιος: *Are you ~ of/about it?* εἶσαι βέβαιος γι' αὐτό; *It's ~ that he will come/He's ~ to come*, εἶναι βέβαιον ὅτι θά ἔλθη. ***for ~***, μετά βεβαιότητος, στά σίγουρα: *I know for ~*, γνωρίζω μετά βεβαιότητος. *I can't say for ~*, δέν μπορῶ νά πῶ στά σίγουρα. ***make ~***, βεβαιώνομαι: *Before you go out, make ~ that the door is locked*, πρίν φύγης βεβαιώσου ὅτι ἡ πόρτα εἶναι κλειδωμένη. **2**. ἀσφαλής, σίγουρος: *There's no ~ cure for this disease*, δέν ὑπάρχει ἀσφαλής θεραπεία γι' αὐτή τήν ἀρρώστεια. *He faced ~ death*, ἀντιμετώπισε σίγουρο θάνατο. **3**. κάποιος, κάτι, ὡρισμένος: *There are ~ things that...*, ὑπάρχουν ὡρισμένα πράγματα πού... *a woman of a ~ age*, γυναίκα μιᾶς κάποιας ἡλικίας. **~·ly** ἐπίρ. βεβαίως, ἀσφαλῶς, σίγουρα. **~·ty** οὐσ. ‹C,U› βεβαιότης, σιγουρια: *I can't say with any ~ty what I'll do next*, δέν μπορῶ νά πῶ μέ σιγουριά τί θά κάνω μετά. *There is no ~ty of success*, δέν ὑπάρχει βεβαιότης ἐπιτυχίας. ***for a ~ty***, μετά βεβαιότητος, πέραν πάσης ἀμφιβολίας.

cer·tifi·cate /səˈtɪfɪkət/ οὐσ. ‹C› βεβαίωσις, πιστοποιητικόν: *a ˈbirth/ˈmarriage/ˈhealth ~*, πιστοποιητικόν γεννήσεως/γάμου/ὑγείας. ~

of origin, (ἐμπ.) πιστοποιητικόν προελεύσεως. **~d** /-keitid/ ἐπ. διπλωματοῦχος, ἀναγνωρισμένος: *a ~d teacher of English*.

cer·tify /ˋsɜtɪfaɪ/ ρ.μ/ἀ. **1**. βεβαιῶ, πιστοποιῶ: *~ sb's death*, πιστοποιῶ τό θάνατο κάποιου. *I ~ to his character*, ἐγγυῶμαι γιά τό χαρακτῆρα του. *a certified copy*, κεκυρωμένον ἀντίγραφον. **2**. κηρύσσω κπ φρενοβλαβῆ.

cer·ti·tude /ˋsɜtɪtjud/ οὐσ. ‹U› (λόγ.) βεβαιότης.

ces·sa·tion /seˋseɪʃn/ οὐσ. ‹U› κατάπαυσις. *the ~ of hostilities*, ἡ κατάπαυσις τῶν ἐχθροπραξιῶν.

ces·sion /ˋseʃn/ οὐσ. ‹U› ἐκχώρησις.

cess·pit /ˋsespɪt/, **cess·pool** /ˋsespul/ οὐσ. ‹C› βόθρος.

chafe /tʃeɪf/ ρ.μ/ἀ. **1**. τρίβω, ζεσταίνω (διά τριβῆς). **2**. ἐρεθίζω/-ομαι (διά τριβῆς), συγκαίω/-ομαι: *A stiff collar may ~ your neck*, ἕνα σκληρό κολλάρο μπορεῖ νά σοῦ ἐρεθίσῃ τό λαιμό. *Her skin ~s easily*, τό δέρμα της ἐρεθίζεται εὔκολα. **3**. *~ **at/under***, ἐκνευρίζομαι, ἐρεθίζομαι: *~ at the delay*, ἐκνευρίζομαι ἀπό τήν καθυστέρηση. *I ~ under restraints*, οἱ περιορισμοί μέ ἐρεθίζουν, δέν τούς ἀνέχομαι.

chaff /tʃaf/ οὐσ. ‹U› **1**. ἄχυρο, φλοιός σταριοῦ. **2**. πείραγμα, ἀστεῖο. —ρ.μ. πειράζω (καλοδιάθετα): *~ sb about sth*, πειράζω κπ γιά κτ.

chag·rin /ˋʃægrɪn/ οὐσ. ‹U› (λόγ.) πικρία, ἀπογοήτευσις: *Much to his ~, he failed*, πρός μεγάλην του ἀπογοήτευσιν, ἀπέτυχε. —ρ.μ. (συνήθ. σέ παθ. φων.) πικραίνομαι, αἰσθάνομαι ἀπογοήτευσιν: *be/feel ~ed at/by sth*, πικραίνομαι/αἰσθάνομαι πικρίαν διά/ἀπό κτ.

chain /tʃeɪn/ οὐσ. ‹C› ἁλυσίδα, καδένα, (πληθ.) δεσμά: *keep a dog on the ~*, κρατῶ ἕνα σκυλί ἁλυσοδεμένο. *a ˋwatch ~*, καδένα ρολογιοῦ. *a mountain ~*, ὀροσειρά. *the ~ of events*, σειρά γεγονότων. ***in ~s***, ἁλυσοδεμένος. **ˋ~ reaction**, ἁλυσιδωτή ἀντίδρασις. **ˋ~-smoker**, ἕνας πού καπνίζει τό ἕνα τσιγάρο ὕστερα ἀπό τ' ἄλλο, σά φουγάρο. **ˋ~-stores**, ἁλυσίδα μαγαζιῶν. —ρ.μ. ἁλυσοδένω: *~ up a dog*.

chair /tʃeə(r)/ οὐσ. ‹C› **1**. καρέκλα: *Will you take a ~?* παρακαλῶ καθῆστε. **2**. ἕδρα: *the C~ of Physics*, ἡ ἕδρα τῆς Φυσικῆς (σέ Πανεπιστήμιο). ***be in/take the ~** (at a meeting)*, προεδρεύω (σέ μιά συνεδρίαση). —ρ.μ. **1**. φέρω εἰς τούς ὤμους: *The astronauts were ~ed by the crowd*, τό πλῆθος σήκωσε τούς ἀστροναῦτες στούς ὤμους (στά χέρια). **2**. προεδρεύω: ***~ a meeting***, προεδρεύω σέ μιά συγκέντρωση. **~·man** /-mən/ οὐσ. ‹C› (γιά ἄνδρα ἤ γυναίκα) πρόεδρος.

chaise /ʃeɪz/ οὐσ. ‹C› τετράτροχο ἁμαξάκι.

chalet /ˋʃæleɪ/ οὐσ. ‹C› σαλέ, ξύλινο σπιτάκι (στήν Ἑλβετία).

chal·ice /ˋtʃælɪs/ οὐσ. ‹C› δισκοπότηρο.

chalk /tʃɔk/ οὐσ. ‹C,U› κιμωλία: *a piece of ~*, μιά κιμωλία. ***not by a ˋlong ~***, καθόλου. ***as like as ~ to cheese***, ἐντελῶς ἀνόμοιος. —ρ.μ. γράφω μέ κιμωλία, σημειώνω.

chal·lenge /ˋtʃæləndʒ/ οὐσ. ‹C› **1**. πρόκλησις (σέ ἀγῶνα, μονομαχία, κλπ): *issue/accept a ~*, ἀπευθύνω/ἀποδέχομαι πρόκληση. **2**. κλῆσις σκοποῦ (δηλ. *Tίς εἶ;*) —ρ.μ. προκαλῶ, ἀμφισβητῶ: *~ sb to a duel/to a fight*, προκαλῶ κπ σέ μονομαχία/σέ ἀγῶνα. *I ~ your right to punish him*, ἀμφισβητῶ τό δικαίωμά σου νά τόν τιμωρῆς.

cham·ber /ˋtʃeɪmbə(r)/ οὐσ. ‹C› **1**. (ἀπηρχ.) δῶμα, αἴθουσα, δωμάτιο. **ˋ~·maid**, καμαριέρα. **ˋ~ music**, μουσική δωματίου. **ˋ~-pot**, δοχεῖον νυκτός. **2**. Βουλή, Ἐπιμελητήριον: *The Upper/Lower C~*, ἡ Ἄνω/ἡ Κάτω Βουλή. *the ˋC~ of ˋCommerce/of ˋTrade*, τό Ἐμπορικόν/τό Ἐπαγγελματικόν Ἐπιμελητήριον. **3**. θαλάμη (ὅπλου).

cham·ber·lain /ˋtʃeɪmbəlɪn/ οὐσ. ‹C› ἀρχιθαλαμηπόλος.

cha·meleon /kəˋmiliən/ οὐσ. ‹C› χαμαιλέων.

cham·ois /ˋʃæmwa/ οὐσ. ‹C› ἀγριοκάτσικο, αἴγαγρος. **ˋ~-leather** /ˋʃæmɪ/ οὐσ. ‹U› δέρμα σαμουά.

[1]**champ** /tʃæmp/ ρ.μ/ἀ. **1**. (γιά ἄλογο) μασῶ θορυβωδῶς, δαγκώνω τό χαλινάρι. **2**. (μεταφ.) ἀνυπομονῶ, δέν κρατιέμαι: *~ with rage*, λυσσάω ἀπό τό κακό μου. *The boys were ~ing to start*, τά παιδιά δέν ἔβλεπαν τήν ὥρα νά ξεκινήσουν.

[2]**champ** /tʃæmp/ οὐσ. ‹C› (λαϊκ.) βλ. *champion*.

cham·pagne /ʃæmˋpeɪn/ οὐσ. ‹U› σαμπάνια.

cham·pion /ˋtʃæmpɪən/ οὐσ. ‹C› **1**. πρωταθλητής: *a ˋboxing/ˋtennis ~*, πρωταθλητής τῆς πυγμαχίας/τοῦ τέννις. **2**. ὑπερασπιστής, πρόμαχος: *a ~ of women's rights/of free speech*, ὑπερασπιστής τῶν δικαιωμάτων τῆς γυναίκας/τοῦ ἐλευθέρου λόγου. **~·ship** /-ʃɪp/ οὐσ. ‹C› πρωτάθλημα. —ἐπ. & ἐπίρ. (καθομ.) θαυμάσιος, θαυμάσια: *That's ~*. —ρ.μ. προασπίζω, ὑπερασπίζομαι, ὑπεραμύνομαι.

[1]**chance** /tʃans/ οὐσ. ‹C,U› **1**. τύχη, σύμπτωσις: *leave nothing to ~*, δέν ἀφήνω τίποτα στήν τύχη. *a game of ~*, τυχερό παιχνίδι. *a ~ meeting*, τυχαία συνάντησις. ***by ~***, κατά τύχη: *by a lucky/happy ~*, κατ' εὐτυχῆ σύμπτωσιν. **2**. πιθανότης: *We've no ~ of winning*, δέν ἔχομε πιθανότητα νά κερδίσωμε. *The ~s are 100 to 1 against you*, οἱ πιθανότητες εἶναι 100 πρός 1 ἐναντίον σου. ***stand a (good/fair) ~ (of)***, ἔχω (πολλές/καλές) πιθανότητες (νά). ***on the (off) ~ of (doing sth)***, μέ τήν ἀπίθανη ἐλπίδα νά (κάμω κτ), μήπως καί: *I went there on the off ~ of meeting him*, πῆγα ἐκεῖ μήπως καί τόν συναντήσω. **3**. εὐκαιρία: *This is my last ~*, αὐτή εἶναι ἡ τελευταία μου εὐκαιρία. **the ˋmain ˋ~**, ἡ καλή, εὐκαιρία κέρδους: *He always has an eye to the main ~*, κυνηγάει διαρκῶς τήν καλή. ***take one's ~***, τό παίζω κορώναγράμματα, τό ριψοκινδυνεύω. ***take ~s***, διακινδυνεύω: *I'm taking no ~s with him*, δέν θέλω νά διακινδυνεύσω μ' αὐτόν.

[2]**chance** /tʃans/ ρ.μ/ἀ. **1**. τυχαίνει νά, συμβαίνει νά: *It ~d that I was out/I ~d to be out*, ἔτυχε νά εἶμαι ἔξω. ***~ (up)on sb or sth***, βρίσκω, συναντῶ τυχαίως κπ ἤ κτ. **2**. διακινδυνεύω: *I'll ~ it*, θά τό διακινδυνεύσω. ***~ one's arm***, (καθομ.) δοκιμάζω τήν τύχη μου.

chan·cel /ˋtʃansl/ οὐσ. ‹C› ἱερόν (ναοῦ).

chan·cel·lor /ˋtʃansələ(r)/ οὐσ. ‹C› Καγκελλάριος, Πρύτανις Πανεπιστημίου. *the C~ of the Exchequer*, ὁ Ὑπουργός τῶν Οἰκονομικῶν. *the Lord C~ of England/the Lord High C~*, ὁ Λόρδος Καγκελλάριος (Ὑπουργός τῆς Δικαιοσύνης καί Πρόεδρος τῆς Βουλῆς τῶν Λόρδων).

chan·cery /ˈtʃɑnsərɪ/ *οὐσ.* ‹C› **1**. τμῆμα τοῦ Ἀνωτάτου Δικαστηρίου. **2**. Δημόσιον Ἀρχεῖον.

chancy /ˈtʃɑnsɪ/ *ἐπ.* *(-ier, -iest)* (*καθομ.*) παρακεκινδυνευμένος, ἀβέβαιος.

chan·de·lier /ˈʃændəˈlɪə(r)/ *οὐσ.* ‹C› πολυέλαιος, πολύφωτον.

chan·dler /ˈtʃɑndlə(r)/ *οὐσ.* ‹C› κηροποιός, ψιλικατζῆς. *a ship's ~*, προμηθευτής πλοίου.

[1]**change** /tʃeɪndʒ/ *ρ.μ/ἀ.* **1**. ἀλλάζω: *I must ~ these trousers*, πρέπει ν' ἀλλάξω αὐτό τό παντελόνι. *I must go home and ~ into another suit*, πρέπει νά πάω σπίτι ν' ἀλλάξω κοστούμι. *He has ~d his address*, ἔχει ἀλλάξει διεύθυνση. **~ trains/hands**, ἀλλάζω τραῖνο/χέρια: *This car has ~d hands ten times*. **~ for the better/for the worse**, ἀλλάζω πρός τό καλύτερο/πρός τό χειρότερο. **~ up/down**, (*αὐτοκ.*) βάζω μεγαλύτερη/μικρότερη ταχύτητα. **2**. **~ (for)**, ἀνταλλάσσω: *Shall we ~ seats?* ἀλλάζομε καθίσματα; *He ~d his old car for a new scooter*, ἀντήλλαξε τό παληό του αὐτοκίνητο μ' ἕνα καινούργιο σκοῦτερ. **3**. (*γιά χρήματα*) χαλῶ, κάνω ψιλά: *Can you ~ a five-pound note?* μπορεῖτε νά μοῦ χαλάσετε ἕνα πεντόλιρο; **4**. **~ (from ... into)**, μεταβάλλω/-ομαι (ἀπό ... εἰς): *When water boils it ~s from liquid into gas*, ὅταν τό νερό βράζη μεταβάλλεται ἀπό ὑγρό σέ ἀέριο. **~ one's mind/nature/tune**, ἀλλάζω γνώμη/χαρακτῆρα/ὕφος. **~·able** /-əbl/ *ἐπ.* εὐμετάβλητος (πχ καιρός, ἄνθρωπος).

[2]**change** /tʃeɪndʒ/ *οὐσ.* **1**. ‹C› ἀλλαγή, ἀλλαξιά (ροῦχα): *a welcome ~*, μιά εὐπρόσδεκτη ἀλλαγή. *a ~ in the weather*, ἀλλαγή καιροῦ. *Take a ~ of clothes with you*, πάρε μιά ἀλλαξιά ροῦχα μαζί σου. **a ~ of air/of climate**, ἀλλαγή ἀέρος/κλίματος. **for a ~**, γιά ἀλλαγή. **2**. ‹U› λιανά, ψιλά, ρέστα: *Can you give me ~ for a pound note?* μπορεῖτε νά μοῦ δώσετε λιανά γιά μιά λίρα; *I've no small ~ with me*, δέν ἔχω ψιλά μαζί μου. **keep the ~**, κρατῶ τά ρέστα. **get no ~ out of sb**, (*καθομ.*) δέν βγάζω τίποτα (βοήθεια, πληροφορίες, κλπ) ἀπό κπ. **ˈ~·less** *ἐπ.* ἀμετάβλητος.

chan·nel /ˈtʃænl/ *οὐσ.* ‹C› **1**. πορθμός: *The English C~*, ὁ Πορθμός τῆς Μάγχης. **2**. κοίτη (ποταμοῦ), κανάλι. **3**. ὁδός, διέξοδος: *through the ordinary ~s of diplomacy*, διά τῆς συνήθους διπλωματικῆς ὁδοῦ. *open up new ~s for trade*, ἀνοίγω νέους δρόμους (διεξόδους) γιά τό ἐμπόριο. *—ρ.μ.* *(-ll-)* διοχετεύω.

chant /tʃɑnt/ *οὐσ.* ‹C› ψαλμωδία, μέλος: *Gregorian ~*, Γρηγοριανόν μέλος. *—ρ.μ/ἀ.* ψάλλω.

chaos /ˈkeɪɒs/ *οὐσ.* ‹U› χάος: *The room was in a state of ~*, τό δωμάτιο ἦταν σέ χαώδη κατάσταση. **cha·otic** /keɪˈɒtɪk/ *ἐπ.* χαώδης: *The situation is chaotic*, ἡ κατάστασις εἶναι χαώδης. **cha·oti·cally** /keɪˈɒtɪklɪ/ *ἐπίρ.*

[1]**chap** /tʃæp/ *ρ.μ/ἀ.* *(-pp-)* (*γιά δέρμα*) σκάζω: *My hands are ~ped by the cold*, τά χέρια μου εἶναι σκασμένα ἀπό τό κρύο.

[2]**chap** /tʃæp/ *οὐσ.* ‹C› (*καθομ.*) ἄνθρωπος, τύπος, φίλος: *He's a nice ~*, εἶναι καλός τύπος.

chapel /ˈtʃæpl/ *οὐσ.* ‹C› παρεκκλήσιον.

chap·eron /ˈʃæpərəʊn/ *οὐσ.* ‹C› ἡ συνοδός νεάνιδος. *—ρ.μ.* συνοδεύω.

chap·lain /ˈtʃæplɪn/ *οὐσ.* ‹C› ἐφημέριος: *an army ~*, στρατιωτικός ἱερεύς.

chap·let /ˈtʃæplət/ *οὐσ.* ‹C› **1**. στεφάνι, γιρλάντα. **2**. κομπολόϊ προσευχῆς.

chap·ter /ˈtʃæptə(r)/ *οὐσ.* ‹C› **1**. κεφάλαιο (βιβλίου). **give ~ and verse**, ἀναφέρω κεφάλαιο καί παράγραφο (δίδω ἀκριβῆ παραπομπή). **a ~ of accidents**, σειρά ἀτυχημάτων. **2**. σύνοδος κληρικῶν.

[1]**char** /tʃɑ(r)/ *ρ.μ/ἀ.* *(-rr-)* καίω, καρβουνιάζω, μαυρίζω: *a piece of ~red wood*, ἕνα μισοκαμένο δαυλί.

[2]**char** /tʃɑ(r)/ *ρ.ἀ.* *(-rr-)* ξενοδουλεύω (σέ γραφεῖα, σπίτια, κλπ): *go (out) ~ring*, πάω παραδουλεύτρα. **ˈ~·(woman)** *οὐσ.* ‹C› παραδουλεύτρα.

char·ac·ter /ˈkærɪktə(r)/ *οὐσ.* ‹C,U› **1**. χαρακτήρας: *a woman of strong ~*, γυναίκα μέ δυνατό χαρακτῆρα, μέ δυνατή προσωπικότητα. *He's a man of ~*, εἶναι ἄνθρωπος μέ χαρακτῆρα. *He lacks ~*, στερεῖται χαρακτῆρος (θελήσεως). *the ~ of a country*, ὁ χαρακτήρας μιᾶς χώρας. **in/out of ~**, σύμφωνος/ἀταίριαστος μέ τό χαρακτῆρα (κάποιου). **2**. εἶδος: *books of this ~*, βιβλία αὐτοῦ τοῦ εἴδους. **3**. ἥρως (μυθιστορήματος): *the ~s in Dickens' novels*, οἱ ἥρωες στά μυθιστορήματα τοῦ Ντίκενς. **4**. (ἰδιόρρυθμος) τύπος: *He is quite a ~*, εἶναι τύπος! **5**. φήμη, ὑπόληψις. *a man of bad ~*, ἄνθρωπος μέ κακή φήμη. **6**. γράμμα, χαρακτήρ: *Latin ~s*, Λατινικοί χαρακτῆρες (γράμματα). **~·is·tic** /ˈkærɪktəˈrɪstɪk/ *ἐπ.* & *οὐσ.* ‹C› χαρακτηριστικός, χαρακτηριστικόν γνώρισμα: *It's ~istic of John to do so*, εἶναι ἴδιον (χαρακτηριστικόν) τοῦ Γ νά κάνη αὐτό. *the ~istics of a people*, τά χαρακτηριστικά ἑνός λαοῦ. **ˈ~ˈis·ti·cally** /-klɪ/ *ἐπίρ.* **~·ize** /ˈkærɪktəraɪz/ *ρ.μ.* χαρακτηρίζω: *His work is ~ized by attention to detail*, τό ἔργο του χαρακτηρίζεται ἀπό προσοχή στίς λεπτομέρειες.

cha·rade /ʃəˈrɑd/ *οὐσ.* ‹C› γρῖφος (παιχνίδι κοινωνικῆς συναναστροφῆς).

char·coal /ˈtʃɑkəʊl/ *οὐσ.* ‹U› ξυλοκάρβουνο. (*ζωγρ.*) κάρβουνο.

[1]**charge** /tʃɑdʒ/ *οὐσ.* ‹C› **1**. κατηγορία, μήνυσις: *He was arrested on a ~ of theft*, συνελήφθη μέ τήν κατηγορία κλοπῆς. **bring a ~ against sb**, κάνω μήνυση σέ κπ. **face a ~ (of sth)**, ἀντιμετωπίζω τήν κατηγορία/κατηγοροῦμαι γιά κτ. **2**. ἐπίθεσις, ἔφοδος: *a bayonet/a baton ~*, ἐπίθεσις μέ ξιφολόγχη/μέ κλόμπ. **3**. ἐπιβάρυνσις, δαπάνη: *free of ~*, ἄνευ ἐπιβαρύνσεως, δωρεάν. *hotel ~s*, τιμές ξενοδοχείων. *at a small ~*, ἔναντι μικρᾶς δαπάνης. **4**. ‹U› ἐπιμέλεια, φροντίδα, φύλαξις, ἐποπτεία, εὐθύνη. **be in ~ (of sth/sb)**, εἶμαι ὑπεύθυνος (γιά κτ/κπ), ἔχω τήν ἐποπτεία/τή φροντίδα: *Who is in ~ of this shop?* ποιός εἶναι ὁ ὑπεύθυνος σ' αὐτό τό μαγαζί;

The baby was in Mary's ~, τό μωρό ἦταν ὑπό τήν φροντίδα τῆς Μαίρης. ***give sb in ~***, παραδίδω κπ στήν ἀστυνομία. ***lay sth to sb's ~***, ἐπιρρίπτω τήν εὐθύνη γιά κτ σέ κπ, κατηγορῶ κπ γιά κτ. ***take sb in ~***, συλλαμβάνω κπ. ***take ~ (of sth/sb)***, ἀναλαμβάνω τήν εὐθύνη/τήν ὑπευθυνότητα γιά κτ. **5**. πρόσωπο ἤ πρᾶγμα ὑπό τήν φροντίδα κάποιου, καθῆκον: *Mary took her young ~s for a walk*, ἡ Μαίρη ἔβγαλε περίπατο τά παιδιά πού εἶχε ὑπό τήν φροντίδα της. **6**. γόμωσις, γέμισμα (ὅπλου), φόρτισις (μπαταρίας). **7**. σύστασις (δικαστοῦ πρός τούς ἐνόρκους).

[2]**charge** /tʃadʒ/ *ρ.μ/ἀ.* **1**. ~ ***sb (with sth)***, κατηγορῶ κπ (γιά κτ): *He was ~d with murder/with stealing the money*, κατηγορήθηκε γιά φόνο/ὅτι ἔκλεψε τά χρήματα. **2**. ἐπιτίθεμαι, ἐφορμῶ, χυμάω: *Our soldiers ~d the enemy*, οἱ στρατιῶτες μας ἐπετέθησαν κατά τοῦ ἐχθροῦ. *The lion ~d at me*, τό λιοντάρι χύμηξε ἐπάνω μου. **3**. ἐπιβαρύνω, χρεώνω: *C~ it to my account*, χρέωσέ το (βάλτο) στό λογαριασμό μου. *How much do you ~ for mending a pair of shoes?* πόσο χρεώνετε (παίρνετε) γιά νά διορθώσετε ἕνα ζευγάρι παπούτσια; **4**. γεμίζω (ὅπλο), φορτίζω (μπαταρία). **5**. ἀναθέτω, ἐπιφορτίζω: *He was ~d with an important mission*, τοῦ ἀνετέθη μιά σημαντική ἀποστολή. **6**. ἐντέλλομαι, παραγγέλλω. **~·able** /-əbl/ *ἐπ.* κατηγορητέος, ἐπιβαρύνων, ἐπιβαρυνόμενος (μέ φόρον), καταλογιστέος. **~r** *οὐσ.* ‹C› (*ἀπηρχ.*) ἄτι, ἄλογο ἀξιωματικοῦ.

chargé d'affaires /ˈʃaʒeɪ dæˋfeə(r)/ *οὐσ.* ‹C› (*πληθ. chargés d'affaires*) ἐπιτετραμμένος (πρεσβείας).

char·iot /ˋtʃærɪət/ *οὐσ.* ‹C› ἅρμα. **char·io·teer** /ˈtʃærɪəˋtɪə(r)/ *οὐσ.* ‹C› ἡνίοχος, ἁρματηλάτης.

char·ity /ˋtʃærətɪ/ *οὐσ.* **1**. ‹U› φιλανθρωπία, ἐλεημοσύνη: *live on ~*, ζῶ μέ ἐλεημοσύνες. *Sister of C~*, Ἀδελφή τοῦ ἐλέους. ***C~ begins at home***, (*παροιμ.*) μή χύνης τό νερό ὅταν διψᾶ ἡ αὐλή σου. **2**. ‹U› συμπόνοια, ἐπιείκεια: *judge other people with ~*, κρίνω τούς ἄλλους μέ ἐπιείκεια. **3**. ‹C› φιλανθρωπικόν ἔργον, ἵδρυμα: *He left all his money to charities*, ἄφησε ὅλα του τά χρήματα σέ φιλανθρωπικά ἱδρύματα. **chari·table** /ˋtʃærɪtəbl/ *ἐπ.* φιλάνθρωπος, σπλαχνικός, συμπονετικός. **chari·tably** *ἐπίρ.*

char·la·tan /ˋʃalətən/ *οὐσ.* ‹C› τσαρλατάνος, ἀγύρτης.

charm /tʃam/ *οὐσ.* ‹C› **1**. γοητεία, χάρις, θέλγητρον: *a woman's ~s*, τά θέλγητρα μιᾶς γυναίκας. *He fell a victim to her ~s*, ἔπεσε θῦμα τῆς γοητείας της. **2**. μάγια, φυλακτό, γούρι: *be under a ~*, μοῦ ἔχουν κάμει μάγια. *break a ~*, λύνω τά μάγια. *a ~ against evil spirits*, φυλαχτό ἐναντίον τῶν κακῶν πνευμάτων. *a ~ to bring good luck*, γούρι γιά νά φέρη τύχη. —*ρ.μ/ἀ.* γοητεύω, μαγεύω, θέλγω: *music that ~s the ear*, μουσική πού θέλγει τό αὐτί. *We were ~ed by the scenery*, τό τοπεῖο μᾶς μάγεψε. **~·ing** *ἐπ.* γοητευτικός. **~·ing·ly** *ἐπίρ.* **~er** *οὐσ.* ‹C› γόης, γόησσα, μάγος. **ˋsnake-~er**, γητευτής φιδιῶν.

chart /tʃat/ *οὐσ.* ‹C› **1**. (*ναυτ.*) χάρτης. **2**. πίναξ, διάγραμμα: *a ˋtemperature ~*, διάγραμμα πυρετοῦ. —*ρ.μ.* χαρτογραφῶ, παριστῶ γραφικῶς.

char·ter /ˋtʃatə(r)/ *οὐσ.* ‹C› **1**. καταστατικός χάρτης. **2**. ναύλωσις (πλοίου, ἀεροπλάνου). —*ρ.μ.* παρέχω χάρτην, παραχωρῶ προνόμιον, ναυλώνω. ˈ**~ed acˋcountant**, ὁρκωτός λογιστής. ˋ**~-party**, ναυλοσύμφωνον.

chary /ˋtʃeərɪ/ *ἐπ.* (*-ier, -iest*) **1**. ~ ***of***, προσεκτικός, ἐπιφυλακτικός: *be ~ of catching cold*, προσέχω μήν ἁρπάξω κρύο. *He's ~ of going out*, διστάζει νά πάη ἔξω. **2**. φειδωλός: *~ of praise*, φειδωλός σέ ἐπαίνους.

[1]**chase** /tʃeɪs/ *οὐσ.* ‹C› **1**. κυνηγητό, καταδίωξις: *After a long ~ we caught the thief*, ὕστερα ἀπό πολύ κυνηγητό πιάσαμε τόν κλέφτη. ***give ~ (to sb)***, καταδιώκω, κυνηγῶ κπ. ***go on a ˈwild ˋgoose ~***, κυνηγῶ τό ἀκατόρθωτο. **2**. **the ~**, τό κυνήγι (τό σπόρ), ἡ θήρα. —*ρ.μ.* **1**. κυνηγῶ, καταδιώκω: *C~ the dog out of the garden!* κυνήγησε τό σκύλο ἀπό τόν κῆπο! *~ a thief*, κυνηγῶ κλέφτη. **2**. ὁρμῶ, τρέχω (πίσω ἀπό κπ): *The children ~d off after the procession*, τά παιδιά ἔτρεξαν πίσω ἀπό τήν παρέλαση.

[2]**chase** /tʃeɪs/ *ρ.μ.* σκαλίζω (σέ ἀσῆμι ἤ χρυσό): *~d silver*, σκαλιστό ἀσῆμι.

chasm /ˋkæzm/ *οὐσ.* ‹C› χάσμα.

chas·sis /ˋʃæsɪ/ *οὐσ.* ‹C› (*ἀμετάβλ. εἰς πληθ.*) σασί, ἁμάξωμα.

chaste /tʃeɪst/ *ἐπ.* **1**. ἁγνός. **2**. ἁπλός, ἀπέριττος (γοῦστο, στύλ, κλπ).

chas·ten /ˋtʃeɪsn/ *ρ.μ.* **1**. τιμωρῶ, κολάζω, φρονηματίζω (διά ποινῆς). **2**. ἐξαγνίζω.

chas·tise /tʃæˋstaɪz/ *ρ.μ.* τιμωρῶ (μέ σωματική ποινή). **~·ment** *οὐσ.* ‹U› τιμωρία.

chas·tity /ˋtʃæstətɪ/ *οὐσ.* ‹U› ἁγνότης, λιτότης: *a ~ belt*, ζώνη ἁγνότητος.

chat /tʃæt/ *οὐσ.* ‹C› φιλική συζήτηση, κουβέντα: *have a ~ with sb.* —*ρ.μ/ἀ.* (*-tt-*) κουβεντιάζω, συζητῶ: *They were ~ting away in the corner*, ψιλοκουβέντιαζαν πολλή ὥρα στή γωνία. ~ ***sb up***, (*καθομ.*) καταφέρνω (μέ τά λόγια): *How to ~ up a girl!* πῶς νά καταφέρης (νά ρίξης) μιά κοπέλλα! **~ty** *ἐπ.* (*-ier, -iest*) ὁμιλητικός, φλύαρος.

châ·teau /ˋʃætəʊ/ *οὐσ.* ‹C› (*πληθ. ~x* /-təʊz/) πύργος (στή Γαλλία).

chat·tel /ˋtʃætl/ *οὐσ.* ‹C› (*συνήθ. πληθ.*) κινητή περιουσία.

chat·ter /ˋtʃætə(r)/ *ρ.ἀ.* **1**. φλυαρῶ, φαφλατίζω. **2**. (*γιά πουλιά*) τερετίζω. **3**. (*γιά δόντια*) χτυπῶ. —*οὐσ.* ‹U› φλυαρία, τερέτισμα, χτύπημα. ˋ**~·box**, πολυλογᾶς, φαφλατᾶς.

chauf·feur /ˋʃəʊfə(r)/ *οὐσ.* ‹C› σωφέρ (ἔμμισθος ὁδηγός ἰδιωτικοῦ αὐτοκινήτου).

chau·vin·ism /ˋʃəʊvɪnɪzm/ *οὐσ.* ‹U› σωβινισμός, ἄκρατος ἐθνικισμός. **chau·vin·ist** /-ɪst/ *οὐσ.* ‹C› σωβινιστής. **chau·vin·is·tic** /ˈʃəʊvɪnˋɪstɪk/ *ἐπ.* σωβινιστικός.

cheap /tʃip/ *ἐπ.* (*-er, -est*) **1**. φτηνός: *buy/sell sth ~*, ἀγοράζω/πουλῶ κτ φτηνά. ***on the ~***, (*καθομ.*) φτηνά. **2**. φτηνός, ἀνειλικρινής: *~ flattery/emotion*, φτηνή κολακεία/συγκίνηση. ***feel ~***, (*καθομ.*) νοιώθω ντροπή, αἰσθάνομαι ἀδιαθεσία. ***hold sth ~***, δέν δίνω μεγάλη ἀξία σέ κτ, περιφρονῶ κτ. ***make oneself ~***, ξεπέφτω, ἐξευτελίζομαι. **~en** /-ən/ *ρ.μ.* φτηναίνω. **~·ly** *ἐπίρ.* φτηνά. **~·ness** *οὐσ.* ‹U› φτήνια.

cheat /tʃit/ *ρ.μ/ἀ.* ἐξαπατῶ, κλέβω (στά χαρτιά), ἀντιγράφω (σέ ἐξετάσεις): ~ *an old man/at cards/in an examination*, ἐξαπατῶ ἕνα γέρο/κλέβω στά χαρτιά/ἀντιγράφω σέ ἐξετάσεις. *He ~ed me out of £10*, μοῦ πῆρε μέ ἀπάτη 10 λίρες. *—οὐσ.* ‹C› ἀπατεών.

[1]**check** /tʃek/ *ρ.μ/ἀ.* **1**. ἐλέγχω, τσεκάρω, κάνω παραβολή: ~ *a bill/the figures*, τσεκάρω λογαριασμό/ἀριθμούς. ~ ***sth up***, τσεκάρω, ἐπαληθεύω κτ. ~ ***up on sb/sth***, ἐρευνῶ σχετικά μέ κπ/κτ. **2**. συγκρατῶ, ἀναχαιτίζω, σταματῶ: ~ *one's tears*, συγκρατῶ τά δάκρυά μου. ~ *the enemy's advance*, ἀναχαιτίζω τήν προέλαση τοῦ ἐχθροῦ. ~ *inflation*, σταματῶ τόν πληθωρισμό. **3**. ἐπιπλήττω, συγκρατῶ κπ. **4**. (*στό σκάκι*) κάνω ρουά. **5**. ~ ***in***, ὑπογράφω στό ξενοδοχεῖο κατά τήν ἄφιξη, τσεκάρω ἀποσκευές καί εἰσιτήριο σέ ἀεροδρόμιο πρό τῆς ἀναχωρήσεως. ~ ***out***, πληρώνω τό λογαριασμό σέ ξενοδοχεῖο καί ἀναχωρῶ. **6**. (*ΗΠΑ*) παίρνω μάρκα (γιά ἀποσκευές ἤ ἀπό γκαρνταρόμπα).

[2]**check** /tʃek/ *οὐσ.* ‹C› **1**. ἔλεγχος, ἐμπόδιο, ἀναχαίτισις: *We are keeping/holding the enemy in ~*, ἔχομε θέσει τόν ἐχθρό ὑπό ἔλεγχο, τόν ἔχομε ἀναχαιτίσει. *Keep a ~ on your temper*, νά ἐλέγχεις τό θυμό σου. *put a ~ on production*, περιορίζω τήν παραγωγή. *act as a ~ on sb or sth*, συγκρατῶ κπ ἤ κτ. **`~·up**, τσεκάπ, γενική ἐξέτασις ὑγείας. **2**. (στό σκάκι) ρουά, σάχ: *The king is in ~*, ὁ βασιληᾶς ἀπειλεῖται. **`~·mate** *οὐσ.* ‹C› & *ρ.μ.* (*σκάκι*) μάτ, κάνω μάτ. **3**. καρρώ: *a ~ tablecloth*, καρρώ τραπεζομάντηλο.

cheek /tʃik/ *οὐσ.* **1**. ‹C› μάγουλο: *dance ~ to ~*, χορεύω μάγουλο μέ μάγουλο. ***say sth with one's tongue in one's ~***, ἄλλα λέω κι' ἄλλα ἐννοῶ, μιλῶ διφορούμενα. ***~ by jowl***, πλάι-πλάι. **`~-bone**, μῆλο (παρειᾶς). **2**. ‹U› ἀναίδεια, θράσος: *She had the ~ to tell me so*, εἶχε τό θράσος νά μοῦ τό πῆ. *—ρ.μ.* αὐθαδιάζω, βγάζω γλῶσσα σέ κπ: *Stop ~ing your mother!* πᾶψε νά αὐθαδιάζης στή μητέρα σου! **~y** *ἐπ.* *(-ier, -iest)* ἀναιδής, θρασύς. **~·ily** *ἐπίρ.* ἀναιδῶς, μέ θρασύτητα.

[1]**cheer** /tʃɪə(r)/ *ρ.μ/ἀ.* **1**. χαροποιῶ, κάνω κέφι, δίνω χαρά, δίνω κουράγιο, ἐνθαρρύνω: *Your visit has ~ed up the sick man*, ἡ ἐπίσκεψίς σας ἔδωσε χαρά στόν ἄρρωστο. *He ~ed up at once when she came in*, ἄλλαξε ἀμέσως τό κέφι του ὅταν αὐτή μπῆκε μέσα. *C~ up, old boy!* κουράγιο, φίλε! γέλασε λίγο! **2**. ἐπευφημῶ, ζητωκραυγάζω: *The crowds ~ed loudly/~ed their football team*, τά πλήθη ζητωκραύγασαν δυνατά/ἐπευφημοῦσαν τήν ὁμάδα τους. **~·ing** *οὐσ.* ‹U› ἐπευφημίες. *—ἐπ.* ἐνθαρρυντικός: *~ing news*, ἐνθαρρυντικά νέα.

[2]**cheer** /tʃɪə(r)/ *οὐσ.* **1**. ‹U› εὐθυμία, διάθεσις, κέφι, ἐνθάρρυνσις: *words of ~*, ἐνθαρρυντικά λόγια. *C~s!* ἐβίβα! στήν ὑγειά σας! **2**. ‹U› **good ~**, καλό φαγητό καί πιοτό. **3**. ‹C› ἐπευφημία, ζητωκραυγή: *give three ~s for sb*, ζητωκραυγάζω, ἐπευφημῶ κπ. **`~-leader**, ἀρχηγός κλάκας. **~·less** *ἐπ.* ἄκεφος, ζοφερός. **~y** *ἐπ.* *(-ier, -iest)* χαρωπός, ζωηρός, ἐγκάρδιος: *a ~y smile*.

cheer·ful /`tʃɪəfl/ *ἐπ.* κεφᾶτος, χαρούμενος: *a ~ful man/room*, κεφᾶτος ἄνθρωπος/χαρούμενο δωμάτιο.

cheerio /'tʃɪərɪ`əʊ/ (*ἐπιφ.*) **1**. ἀντίο, γειά-χαρά. **2**. (*πεπαλ.*) ἐβίβα.

cheese /tʃiz/ *οὐσ.* ‹C,U› τυρί. **`~-paring** *οὐσ.* ‹U› & *ἐπ.* ὑπερβολική οἰκονομία, ὑπερβολικά οἰκονόμος, τσιγγούνης.

cheetah /`tʃitə/ *οὐσ.* ‹C› (*ζωολ.*) κυναίλουρος.

chef /ʃef/ *οὐσ.* ‹C› ἀρχιμάγειρος, σέφ.

chemi·cal /`kemɪkl/ *ἐπ.* χημικός: ~ *warfare*, χημικός πόλεμος. *—οὐσ.* ‹C› (*συνήθ. πληθ.*) χημική οὐσία.

chem·ist /`kemɪst/ *οὐσ.* ‹C› χημικός, φαρμακοποιός: *at the ~'s (shop)*, στό φαρμακεῖο.

chem·is·try /`kemɪstrɪ/ *οὐσ.* ‹U› χημεία: *organic/inorganic/applied ~*, ὀργανική/ἀνόργανος/ἐφηρμοσμένη χημεία.

cheque /tʃek/ *οὐσ.* ‹C› ἐπιταγή: *write out/cash a ~*, ἐκδίδω/ἐξαργυρώνω ἐπιταγή. *pay by ~*, πληρώνω μέ ἐπιταγή. **a crossed/a dud ~**, δίγραμμος/ἀκάλυπτος ἐπιταγή. **`~-book**, βιβλίον (μπλόκ) ἐπιταγῶν.

chequered /`tʃekəd/ *ἐπ.* **1**. καρρωτός, πιτσιλωτός: *a lawn ~ with sunlight and shade*, πρασιά μέ σχέδια φωτός καί σκιᾶς. **2**. περιπετειώδης, πολυτάραχος: *a ~ career*, πολυτάραχη σταδιοδρομία.

cher·ish /`tʃerɪʃ/ *ρ.μ.* **1**. ἀγαπῶ, περιποιοῦμαι. **2**. τρέφω (ἐνδομύχως), ἔχω, διατηρῶ: ~ *the hope/the illusion that...*, τρέφω τήν ἐλπίδα/ἔχω τήν ψευδαίσθηση ὅτι...

cherry /`tʃerɪ/ *οὐσ.* ‹C› κεράσι. *a `~-tree*, κερασιά.

cher·ub /`tʃerəb/ *οὐσ.* ‹C› χερουβείμ, ἀγγελούδι. **cheru·bic** /tʃɪ`rubɪk/ *ἐπ.* χερουβικός, ἀγγελικός: *a ~ic face*.

chess /tʃes/ *οὐσ.* ‹U› σκάκι. **`~-board**, σκακιέρα.

chest /tʃest/ *οὐσ.* ‹C› **1**. κιβώτιο, κασσέλα, μπαοῦλο. **'~ of `drawers**, σιφονιέρα, κομμό. **2**. στέρνο, στῆθος. ***get sth off one's ~***, ξαλαφρώνω τήν καρδιά μου, λέω κάτι πού μέ βασανίζει.

chest·nut /`tʃesnʌt/ *οὐσ.* ‹C› **1**. κάστανο. *a `~-tree*, καστανιά. **2**. (*καθομ.*) χιλιοειπωμένο ἀνέκδοτο.

chev·ron /`ʃevrən/ *οὐσ.* ‹C› σειρήτι, γαλόνι ὑπαξιωματικοῦ (σέ σχῆμα V).

chew /tʃu/ *ρ.μ/ἀ.* μασῶ. **`~ing-gum**, τσίκλα. ~ ***sth over/~on sth***, (*καθομ.*) συλλογίζομαι, στριφογυρίζω κτ στό νοῦ.

chic /ʃik/ *ἐπ.* κομψός, σίκ.

chi·can·ery /ʃɪ`keɪnərɪ/ *οὐσ.* ‹U› στρεψοδικία, δικολαβισμός.

chick /tʃɪk/ *οὐσ.* ‹C› κοτοπουλάκι, νεοσσός, πιτσιρίκα. **`~·pea**, ρεβίθι: *roasted ~peas*, στραγάλια.

chicken /`tʃɪkɪn/ *οὐσ.* ‹C› κοτόπουλο: *She's no ~*, δέν εἶναι μπεμπέκα πιά. ***Don't count your ~s before they are hatched***, μήν κάνης πρόωρα λογαριασμούς, (*παροιμ.*) ἄπιαστα πουλιά χίλια στόν παρᾶ. **'~-`hearted** *ἐπ.* δειλός. **`~·pox**, ἀνεμοβλογιά.

chic·ory /`tʃɪkərɪ/ *οὐσ.* ‹U› **1**. (*βοτ.*) ραδίκι,

ἀντίδι. **2**. κιχόριον.

chide /tʃaɪd/ *ρ.μ/ἀ.* *ἀνώμ.* (*ἀόρ.* & *π.μ.* ~*d ἤ chid* /tʃɪd/). ~ ***sb (for)***, μαλλώνω, κάνω παράπονα.

chief /tʃif/ *οὐσ.* ‹C› (*πληθ.* ~*s*) ἀρχηγός, ἀφεντικό: *C~ of Staff*, ἐπιτελάρχης. *Com`mander-in-`C~*, ἀρχιστράτηγος. —*ἐπ.* κύριος, πρωτεύων, πρῶτος: *the ~ reason*, ὁ κύριος λόγος. *the C~ Justice*, ὁ Ἀρχιδικαστής. **~·ly** *ἐπ.* κυρίως.

chief·tain /`tʃiftən/ *οὐσ.* ‹C› ὁπλαρχηγός, ἀρχηγός φυλῆς.

chif·fon /`ʃɪfon/ *οὐσ.* ‹U› τοῦλι.

chil·blain /`tʃɪlbleɪn/ *οὐσ.* ‹C› χιονίστρα.

child /tʃaɪld/ *οὐσ.* ‹C› (*πληθ.* *children* /`tʃɪldrn/) παιδί: *I've known him from a ~*, τόν ξέρω ἀπό παιδί. *He's a problem ~*, εἶναι δύσκολο παιδί. ***be with ~***, εἶμαι ἔγκυος. **~'s-play**, κάτι πολύ εὔκολο, παιχνιδάκι. **`~·birth** *οὐσ.* ‹U› τοκετός, γέννα. **`~-bearing** *οὐσ.* ‹U› τεκνοποιΐα: *She is past ~-bearing*, εἶναι πολύ μεγάλη γιά νά κάνη παιδιά. **`~·like** *ἐπ.* παιδικός, ἀθῶος. **`~·ish** *ἐπ.* παιδικός, παιδαριώδης. **`~·hood** /-hʊd/ *οὐσ.* ‹U› παιδική ἡλικία: *second ~hood*, ξεμωράματα. **`~·less** *ἐπ.* ἄτεκνος.

chili /`tʃɪlɪ/ *οὐσ.* ‹C› ξερή κόκκινη πιπεριά.

chill /tʃɪl/ *οὐσ.* ‹C› **1**. ψύχρα, κρυάδα: *There's a ~ in the air today*, ὑπάρχει μιά ψύχρα στήν ἀτμόσφαιρα σήμερα. *take the ~ off sth*, χλιαίνω κτ, τοῦ κόβω τήν κρυάδα. **2**. σύγκρυο, ρῖγος, κρυολόγημα: *catch a ~*, κρυολογῶ. —*ἐπ.* ψυχρός, παγερός: *a ~ breeze/welcome*, ψυχρό ἀεράκι/-ή ὑποδοχή. —*ρ.μ/ἀ.* παγώνω: *~ed wine/to the bone/with fear*, παγωμένο κρασί/-ος ὥς τό κόκκαλο/ἀπό φόβο. **~y** *ἐπ.* *(-ier, -iest)* ψυχρός: *a ~y room/welcome*, ψυχρό δωμάτιο/-ή ὑποδοχή. *~y politeness*, ψυχρή εὐγένεια. *I feel ~y*, νοιώθω ψύχρα, κρυώνω. *It's rather ~y today*, κάνει λίγη ψύχρα σήμερα.

chime /tʃaɪm/ *οὐσ.* ‹C› κωδωνοκρουσία, χτύπος (καμπάνας ἤ ρολογιοῦ). —*ρ.μ/ἀ.* (γιά καμπάνα, ρολόϊ) χτυπῶ: *The church clock ~d eleven*, τό ρολόϊ τῆς ἐκκλησίας χτύπησε ἕντεκα. ***~ in***, παρεμβαίνω σέ συζήτηση (συμφωνώντας). ***~ (in) with***, συμφωνῶ, ταιριάζω: *Your plans ~ in with mine*, τά σχέδιά σου συμφωνοῦν μέ τά δικά μου.

chim·era /kaɪ`mɪərə/ *οὐσ.* ‹C› χίμαιρα, οὐτοπία.

chim·ney /`tʃɪmnɪ/ *οὐσ.* ‹C› **1**. καπνοδόχος, καμινάδα. **2**. γυαλί λάμπας. **`~-breast**, τζάκι (ἤ προεξοχή). **`~ corner**, παραγκώνι. **`~-piece**, περβάζι τζακιοῦ. **`~-stack**, συγκρότημα καπνοδόχων. **`~-sweep(er)**, καπνοδοχοκαθαριστής.

chim·pan·zee /'tʃɪmpæn`zi/ *οὐσ.* ‹C› χιμπαντζῆς.

chin /tʃɪn/ *οὐσ.* ‹C› πηγούνι. ***keep one's `~ up*** (*καθομ.*) δείχνω θάρρος καί ἀποφασιστικότητα. **`~-wagging**, (*καθομ.*) φλυαρία, κουβεντολόϊ.

china /`tʃaɪnə/ *οὐσ.* ‹U› πορσελάνη, εἴδη πορσελάνης. **`~ shop**, κατάστημα γυαλικῶν. **`~·ware** ἀντικείμενα ἀπό πορσελάνη.

[1]**chink** /tʃɪŋk/ *οὐσ.* ‹C› ρωγμή (σέ τοῖχο), χαραμάδα.

[2]**chink** /tʃɪŋk/ *οὐσ.* ‹C› ἦχος (μετάλλου, ποτηριοῦ): *I heard the ~ of coins/glasses*, ἄκουσα τό κουδούνισμα νομισμάτων/τό τσούγκρισμα ποτηριῶν. —*ρ.μ/ἀ.* κουδουνίζω, τσουγκρίζω.

chintz /tʃɪnts/ *οὐσ.* ‹U› ἐμπριμέ, κρετόν: *~ curtains*, κλαρωτές κουρτίνες.

chip /tʃɪp/ *οὐσ.* ‹C› **1**. πελεκούδι (ξύλου), ρίνισμα (σιδήρου). ***a ~ off the old block***, (*γιά γυιό*) ἴδιος/φτυστός ὁ πατέρας του. ***have a ~ on one's shoulder***, ἔχω τό ζουνάρι μου λυτό (γιά καυγᾶ), ψοφάω γιά καυγᾶ. **2**. λεπτή φέτα, τσίπ: *potato ~s*. **3**. θραῦσμα, θρύμμα. **4**. (*χαρτοπ.*) μάρκα, τσίπ. ***(when) the ~s are down***, (ὅταν) τά πράγματα φτάνουν σέ κρίσιμο σημεῖο. —*ρ.μ/ἀ.* *(-pp-)* πελεκῶ (ξύλο), κόβω κομματάκια (πχ πατάτες), χτυπῶ (καί κόβω ἕνα κομματάκι): *~ the edge of a plate*, σπάζω τήν ἄκρη ἑνός πιάτου. *a ~ped cup*, τσουγκρισμένο (χτυπημένο) φλυτζάνι. **`~·pings** *οὐσ.* *πληθ.* ἀποκόμματα (πέτρας, μαρμάρου, κλπ). ***~ in***, παρεμβαίνω σέ συζήτηση, συνεισφέρω (χρήματα). ***~ off***, (*γιά σμάλτο ἤ χρῶμα*) ξεφλουδίζω.

chi·rop·odist /kɪ`ropədɪst/ *οὐσ.* ‹C› πεντικιουρίστας. **chi·rop·ody** /-dɪ/ *οὐσ.* ‹U› ἡ χειροπρακτική.

chiro·prac·tor /`kaɪərəʊpræktə(r)/ *οὐσ.* ‹C› χειροπράκτωρ.

chirp /tʃɜp/ *οὐσ.* ‹C› τιτίβισμα: *the ~ of sparrows/cicadas*, τό τιτίβισμα σπουργιτιῶν/τζιτζικιῶν. —*ρ.μ/ἀ.* τιτιβίζω. **~y** *ἐπ.* *(-ier, -iest)* ζωηρός, εὔθυμος.

chir·rup /`tʃɪrəp/ *οὐσ.* ‹C› τερετισμός. —*ρ.μ/ἀ.* τερετίζω.

chisel /`tʃɪzl/ *οὐσ.* ‹C› σμίλη, σκαρπέλλο. —*ρ.μ.* *(-ll-)* σμιλεύω: *~led features*, ἔντονα (σμιλευτά) χαρακτηριστικά.

chit /tʃɪt/ *οὐσ.* ‹C› (*συνήθ. ὑποτιμ.*) παιδαρέλι, κοριτσόπουλο.

chit-chat /`tʃɪt tʃæt/ *οὐσ.* ‹U› κουβεντούλα, ψιλοκουβέντα.

chiv·alry /`ʃɪvlrɪ/ *οὐσ.* ‹U› ἱπποτισμός, εὐγένεια, μεγαλοψυχία. **chiv·al·rous** /-rəs/ *ἐπ.* ἱπποτικός.

chlor·ine /`klɔrin/ *οὐσ.* ‹U› (*χημ.*) χλώριον, χλωρίνη.

chloro·form /`klorəfɔm/ *οὐσ.* ‹U› χλωροφόρμιον. —*ρ.μ.* χλωροφορμίζω, ναρκώνω.

chock /tʃok/ *οὐσ.* ‹C› τάκος, στύλωμα. —*ρ.μ.* τακώνω (πόρτα), παραγεμίζω: *a room ~ed up with furniture*, δωμάτιο γεμᾶτο (παραγεμισμένο) μέ ἔπιπλα. **'~-`full** /-`fʊl/ *ἐπ.* παραγεμισμένος, ξέχειλος, ἀσφυκτικά γεμᾶτος.

choc·olate /`tʃoklət/ *οὐσ.* ‹C,U› σοκολάτα: *a bar of ~*, πλάκα σοκολάτα. *a box of ~s*, κουτί σοκολατάκια. —*ἐπ.* σοκολατύς, σοκολατένιος.

choice /tʃɔɪs/ *οὐσ.* ‹C› **1**. ἐκλογή, ἐπιλογή, προτίμησις: *make a wise ~*, κάνω φρόνιμη ἐκλογή. *Be careful in your ~*, προσέξτε τήν ἐκλογή σας. *Take your ~*, πάρτε ὅ,τι θέλετε. *I have no ~*, δέν ἔχω περιθώρια ἐκλογῆς, δέν μπορῶ νά κάμω ἀλλοιῶς. *do sth of one's own ~*, κάνω κτ ἑκουσίως, ἐπειδή μοῦ ἀρέσει. ***for ~***, κατά/ἀπό προτίμηση: *I don't live here for ~*, δέν μένω ἐδῶ ἀπό προτίμηση (ἐπειδή μοῦ ἀρέσει). **2**. ποικιλία: *a large ~ of books*. __ἐπ. ἐκλεκτός: *~ fruit*, ἐκλεκτά φροῦτα.

choir /ˋkwaɪə(r)/ *οὐσ*. ‹C› χορωδία, χορός.

choke /tʃəʊk/ *ρ.μ/ὰ*. **1**. ἀσφυκτιῶ, πνίγω/ -ομαι: *The smoke ~d me*, μέ ἔπνιξε ὁ καπνός. *He ~d over his food/with anger*, πνίγηκε ἀπό τό φαΐ/ἀπό θυμό. *The garden is ~d with weeds*, ὁ κῆπος εἶναι πνιγμένος στ' ἀγριόχορτα. **2**. *~* ***up***, φράσσω/-ομαι, βουλώνω: *The chimney/The drain ~d up with dirt*, ἡ καμινάδα/ὁ νεροχύτης ἔφραξε ἀπό τή βρώμα. **3**. *~* ***sth back/down***, καταπνίγω (δάκρυα, ἀγανάκτηση, θυμό). __*οὐσ*. ‹C› ἐμφράκτης (τοῦ καρμπυρατέρ, *κοιν*. ἀέρας): *pull out the ~*, ἀνοίγω τόν ἀέρα.

chol·era /ˋkolərə/ *οὐσ*. ‹U› χολέρα.

choose /tʃuz/ *ρ.μ/ὰ. ἀνώμ. (ἀόρ. chose* /tʃəʊz/, *π.μ. chosen* /ˋtʃəʊzn/) **1**. διαλέγω: *~ a book/one's friends/a new hat*, διαλέγω ἕνα βιβλίο/τούς φίλους μου/καινούργιο καπέλλο. *There's nothing/little/not much to ~ between them*, δέν ὑπάρχει μεγάλη διαφορά ἀνάμεσά τους, εἶναι περίπου τό ἴδιο. **2**. μοῦ ἀρέσει, προτιμῶ: *Do as you ~*, κάνε ὅπως σοῦ ἀρέσει. *He chose to stay at home*, προτίμησε νά μείνει σπίτι. ***cannot ~ but***, δέν μπορῶ νά κάνω ἀλλοιῶς παρά νά: *He cannot ~ but obey*, δέν μπορεῖ παρά νά πειθαρχήση. ***the chosen people***, ὁ περιούσιος (ἐκλεκτός) λαός. **choos(e)y** /ˋtʃuzɪ/ *ἐπ. (καθομ.)* ἐκλεκτικός, δύσκολος: *Don't be too choosey!* μήν κάνεις τόν πολύ δύσκολο!

[1]**chop** /tʃop/ *ρ.μ/ὰ. (-pp-)* κόβω, πελεκῶ: *~ wood/~ up meat*, κόβω ξύλα/κομματιάζω κρέας. *~ a branch off a tree*, ἀποκόπτω κλαδί ἀπό δέντρο. *~ a tree down*, κόβω δέντρο (μέ τσεκούρι). __*οὐσ*. ‹C,U› **1**. χτύπημα, τσεκουριά. **2**. μπριτζόλα, κοτολέττα. **3**. (*καθομ.*) ἀπόλυσις. ***get the ~***, ἀπολύομαι, παίρνω δρόμο. **~·per** *οὐσ*. ‹C› **1**. μπαλντᾶς. **2**. (*καθομ.*) ἑλικόπτερο.

[2]**chop** /tʃop/ *ρ.ὰ. (-pp-)* ἀλλάζω: *He's always ~ping and changing*, διαρκῶς ἀλλάζει γνώμη, εἶναι ἀνεμοδούρα. **~py** *ἐπ. (-ier, -iest)* κυματώδης (θάλασσα), ἀσταθής (ἄνεμος).

chop·sticks /ˋtʃopstɪks/ *οὐσ. πληθ*. ξυλαράκια (ἀντί γιά πηρούνια, στήν Κίνα).

choral /ˋkɔrl/ *ἐπ*. χορωδιακός: *a ~ service/symphony*, λειτουργία/συμφωνία μέ χορωδία.

chord /kɔd/ *οὐσ*. ‹C› **1**. χορδή: *touch the right ~*, θίγω τήν εὐαίσθητη χορδή. *vocal ~s* (ἤ *cords*), φωνητικές χορδές. **2**. συγχορδία.

chore /tʃɔ(r)/ *οὐσ*. ‹C› ἀγγαρεία, βαρετή δουλειά: *the daily ~s*, οἱ καθημερινές δουλειές (τοῦ νοικοκυριοῦ).

chor·eogra·phy /ˈkorɪˋogrəfɪ/ *οὐσ*. ‹U› χορογραφία. **chor·eogra·pher** /-fə(r)/ *οὐσ*. ‹C› χορογράφος.

chor·is·ter /ˋkorɪstə(r)/ *οὐσ*. ‹C› κορίστας, μέλος χορωδίας.

chorus /ˋkɔrəs/ *οὐσ*. ‹C› **1**. χορός, χορωδία: *sing in ~*, τραγουδῶ ἐν χορῷ (ὁμαδικά). *a ~ of praise*, ὁμαδικός ἔπαινος, συναυλία ἐπαίνων. *the ~ in an ancient tragedy*, ὁ χορός ἀρχαίας τραγωδίας. **2**. ρεφραίν.

chose /tʃəʊz/, **chosen** /ˋtʃəʊzn/ *ἀόρ. & π.μ. τοῦ ρ. choose*.

Christ /kraɪst/ *οὐσ*. Χριστός.

chris·ten /ˋkrɪsn/ *ρ.μ*. βαπτίζω: *The child was ~ed Mary*, τό μωρό τό βαφτίσανε Μαίρη. **~·ing** *οὐσ*. ‹C,U› βαφτίσια, βάπτισμα. **C~-dom** /-dəm/ *οὐσ*. Χριστιανοσύνη.

Chris·tian /ˋkrɪstʃən/ *οὐσ*. ‹C› χριστιανός. *ἐπ*. χριστιανικός. ˋ**~ name**, μικρό ὄνομα, βαφτιστικό. **Chris·ti·an·ity** /ˈkrɪstɪˋænətɪ/ *οὐσ*. χριστιανισμός.

Christ·mas /ˋkrɪsməs/ *οὐσ*. ‹C› & *ἐπ*. Χριστούγεννα, Χριστουγεννιάτικος: *at ~*, τά Χριστούγεννα (κατά τήν περίοδο τῶν Χριστουγέννων). *on ~ Day*, τήν ἡμέρα τῶν Χριστουγέννων. **a ˋ~ tree/card**, χριστουγεννιάτικο δέντρο/-η κάρτα. ˈ**Father** ˋ**~**, ὁ Ἁγιοβασίλης.

chro·matic /krəˋmætɪk/ *ἐπ*. χρωματικός: *the ~ scale*, (*μουσ*.) χρωματική κλῖμαξ. *~ printing*, πολυχρωμία.

chro·mium /ˋkrəʊmɪəm/ *οὐσ*. ‹U› χρώμιον.

chro·mo·some /ˋkrəʊməsəʊm/ *οὐσ*. ‹C› (*βιολ*.) χρωμόσωμα, χρωματόσωμα.

chronic /ˋkronɪk/ *ἐπ*. χρόνιος (ἀρρώστεια, κλπ). **chroni·cally** /-klɪ/ *ἐπίρ*. χρονίως.

chron·icle /ˋkronɪkl/ *οὐσ*. ‹C› χρονικόν. __*ρ.μ*. ἐξιστορῶ, καταγράφω (γεγονότα). **~r** *οὐσ*. ‹C› χρονικογράφος.

chrono·logi·cal /ˈkronəˋlodʒɪkl/ *ἐπ*. χρονολογικός: *in ~ order*, σέ χρονολογική σειρά. **~ly** /-klɪ/ *ἐπίρ*. χρονολογικῶς.

chron·ol·ogy /krəˋnolədʒɪ/ *οὐσ*. ‹C,U› χρονολόγησις.

chron·ometer /krəˋnomɪtə(r)/ *οὐσ*. ‹C› χρονόμετρον.

chrysa·lis /ˋkrɪsəlɪs/ *οὐσ*. ‹C› (*πληθ*. *~es*) χρυσαλλίς.

chry·san·the·mum /krɪˋsænθəməm/ *οὐσ*. ‹C› χρυσάνθεμον.

chubby /ˋtʃʌbɪ/ *ἐπ. (-ier, -iest)* παχουλός, στρουμπουλός: *~ cheeks/boy*, φουσκωτά μάγουλα/παχουλό παιδί.

chuck /tʃʌk/ *ρ.μ*. (*καθομ*.) **1**. πετῶ: *~ out a drunken man*, πετάω ἔξω ἕναν μεθυσμένον. **2**. *~* ***up***, παρατάω (μέ ἀηδία): *~ up one's job*, παρατάω τή δουλειά μου. ***C~ it!*** (*λαϊκ*.) κόφτο! πᾶψε! **3**. χαϊδεύω (*ἰδ. στή φρ*.): *~ sb under the chin*, χαϊδεύω κπ στό πηγούνι.

chuckle /ˋtʃʌkl/ *ρ.ὰ*. γελῶ ἀπό μέσα μου (μέ τά χείλη κλειστά), καγχάζω. __*οὐσ*. ‹C› ἄθόρυβο γέλιο.

chug /tʃʌg/ *οὐσ*. ‹U› ξεφύσημα, θόρυβος (μηχανῆς), τσάφ-τσούφ. __*ρ.ὰ. (-gg-) (γιά μηχανή)* ξεφυσῶ: *The motor-boat ~ged along*, ἡ βενζινάκατος προχωροῦσε ξεφυσώντας.

chum /tʃʌm/ *οὐσ*. ‹C› στενός φίλος, φιλαράκος, παληόφιλος. __*ρ.μ. (-mm-)* ***~ up with sb***, πιάνω φιλίες μέ κπ. **~my** *ἐπ. (-ier, -iest)* φιλικός: *be ~my with sb*, ἔχω φιλίες μέ κπ, εἴμαστε παληόφιλοι.

chump /tʃʌmp/ *οὐσ*. ‹C› **1**. (*λαϊκ*.) βλάκας, μπούφος. **2**. κούτσουρο. **3**. (*λαϊκ*.) νιονιό, κεφάλι: *He's off his ~*, τοὔστριψε.

chunk /tʃʌŋk/ *οὐσ*. ‹C› μεγάλο κομμάτι, κομμάτα (ψωμί, τυρί, κρέας, κλπ).

church /tʃɜtʃ/ *οὐσ*. ‹C› ἐκκλησία, ναός: *the Orthodox C~*, ἡ Ὀρθόδοξος Ἐκκλησία. *go to/be at ~*, πάω/εἶμαι στήν ἐκκλησία. ***enter the C~***, γίνομαι κληρικός. ˋ**~·goer**,

/-gəʊə(r)/, ὁ τακτικῶς ἐκκλησιαζόμενος. '~-`**warden**, ἐπίτροπος ναοῦ. `~-**yard**, νεκροταφεῖο.

churl·ish /`tʃ3lɪʃ/ *ἐπ.* ἀγροῖκος, στριμμένος.

churn /tʃ3n/ *οὐσ.* ‹C› καρδάρα. —*ρ.μ/ἀ.* δέρνω γάλα (γιά νά βγάλω βούτυρο), στριφογυρίζω (ἰδέα στό μυαλό), ἀναταράσσω.

chute /ʃut/ *οὐσ.* ‹C› **1**. τσουλήθρα. **2**. ὑδατόπτωσις. **3**. (*καθομ.*) ἀλεξίπτωτο.

cic·ada /sɪ`kadə/ *οὐσ.* ‹C› τζιτζίκι.

cica·trice /`sɪkətrɪs/ *οὐσ.* ‹C› οὐλή.

cider /`saɪdə(r)/ *οὐσ.* ‹C› μηλίτης (οἶνος). **a** `~-**press**, πιεστήριον μήλων.

cigar /sɪ`gɑ(r)/ *οὐσ.* ‹C› ποῦρο.

ciga·rette /'sɪgə`ret/ *οὐσ.* ‹C› τσιγάρο. ~-**case**, ταμπακιέρα. ~-**end**, γόπα. ~-**holder**, πίπα.

cin·der /`sɪndə(r)/ *οὐσ.* ‹C› θράκα, μισοκαμένο ξύλο ἤ κάρβουνο: *The cake was burnt to a* ~, τό κέκ ἔγινε κάρβουνο.

Cin·de·rella /'sɪndə`relə/ *οὐσ.* Σταχτοπούτα.

cine- /`sɪnɪ/ *πρόθεμα* κινηματογραφικός. `~-**camera**, κινηματογραφική μηχανή. `~-**projector**, κινηματογρ. μηχανή προβολῆς.

cin·ema /`sɪnəmə/ *οὐσ.* ‹C› κινηματογράφος.

cin·na·mon /`sɪnəmən/ *οὐσ.* ‹U› κανέλλα.

cipher, cypher /`saɪfə(r)/ *οὐσ.* ‹C› **1**. (*μαθημ.*) μηδέν, ἀριθμός (1–9). **2**. (*μεταφ. γιά ἄνθρωπο*) μηδενικό, νούλα. **3**. κρυπτογραφία, κρυπτογράφησις: *a* ~ *key*, κρυπτογραφική κλεῖδα: *write sth in* ~, γράφω κτ κρυπτογραφικά. —*ρ.μ/ἀ.* **1**. κρυπτογραφῶ. **2**. (*καθομ.*) λογαριάζω (μέ ἀριθμούς), λύνω πρόβλημα ἀριθμητικῆς.

circa /`s3kə/ *πρόθ.* περίπου, γύρω: *He died* ~ *450 B.C.*, πέθανε γύρω στά 450 π.Χ.

circle /`s3kl/ *οὐσ.* ‹C› **1**. κύκλος: *stand in a* ~, στεκόμαστε, σχηματίζομε κύκλο. ***come full*** ~, διαγράφω κύκλο, ξαναγυρίζω στό σημεῖον ἐκκινήσεως. ***a 'vicious*** `~, φαῦλος κύκλος. **2**. ἐξώστης (θεάτρου): *the dress/upper* ~, πρῶτος/δεύτερος ἐξώστης. **3**. κύκλος, συντροφιά: *a* ~ *of friends*, κύκλος φίλων. *move in fashionable/in business* ~*s*, κινοῦμαι σέ ἀριστοκρατικούς/σέ ἐπιχειρηματικούς κύκλους. —*ρ.μ/ἀ.* διαγράφω κύκλο, κάνω τό γῦρο: *The plane* ~*d over the town*, τό ἀεροπλάνο διέγραφε κύκλους πάνω ἀπό τήν πόλη. *Drake* ~*d the world*, ὁ Ντρέϊκ ἔκανε τό γῦρο τοῦ κόσμου.

circ·let /`s3klət/ *οὐσ.* ‹C› διάδημα.

cir·cuit /`s3kɪt/ *οὐσ.* ‹C› **1**. περίμετρος: *The* ~ *of the city walls is two miles long*, ἡ περίμετρος τῶν τειχῶν τῆς πόλεως ἔχει δύο μίλια μῆκος. *make a* ~ *of the town*, κάνω τό γῦρο τῆς πόλεως. **2**. περιφέρεια, περιοχή (ἐφετείου, ἐπισκόπου): *go on* ~, (γιά δικαστές, θιάσους) κάνω περιοδεία. **3**. (*ἠλεκτρ.*) κύκλωμα. ***closed*** ~, κλειστό κύκλωμα. ***short*** ~, βραχυκύκλωμα.

cir·cu·itous /s3`kuɪtəs/ *ἐπ.* **1**. πλάγιος. **2**. (*γιά δρόμο*) πού κάνει μεγάλο γῦρο: ~ *means/a* ~ *route*, πλάγια μέσα/δρόμος γύρω-γύρω.

cir·cu·lar /`s3kjʊlə(r)/ *ἐπ.* κυκλικός, στρογγυλός: *a* ~ *building/road*, στρογγυλό οἰκοδόμημα/περιφερειακός δρόμος. —*οὐσ.* ‹C› ἐγκύκλιος.

cir·cu·late /`s3kjʊleɪt/ *ρ.μ/ἀ.* κυκλοφορῶ: *Blood* ~*s through the body*, τό αἷμα κυκλοφορεῖ στό σῶμα. *Bad news* ~*s quickly*, τά ἄσχημα νέα κυκλοφοροῦν γρήγορα. ~ *false news*, διαδίδω ψεύτικες εἰδήσεις. **a circulating library**, δανειστική βιβλιοθήκη (γιά συνδρομητές).

cir·cu·la·tion /'s3kjʊ`leɪʃn/ *οὐσ.* ‹C,U› κυκλοφορία (αἵματος, ὀχημάτων, ἐφημερίδων, χρήματος, κλπ): *have a good/bad* ~, ἔχω καλή/κακή κυκλοφορία. *be in/put into* ~, εἶμαι/θέτω σέ κυκλοφορία. *be withdrawn from* ~, ἀποσύρομαι τῆς κυκλοφορίας.

cir·cum·cise /`s3kəmsaɪz/ *ρ.μ.* περιτέμνω. **cir·cum·ci·sion** /'s3kəm`sɪʒn/ *οὐσ.* ‹C,U› περιτομή.

cir·cum·fer·ence /sə`kʌmfərns/ *οὐσ.* ‹C› περιφέρεια (κύκλου).

cir·cum·flex /`s3kəmfleks/ *οὐσ.* ‹C› περισπωμένη.

cir·cum·lo·cu·tion /'s3kəmlə`kjuʃn/ *οὐσ.* ‹C, U› περίφρασις.

cir·cum·navi·gate /'s3kəm`nævɪgeɪt/ *ρ.μ.* περιπλέω. **cir·cum·navi·ga·tion** /'s3kəm'nævɪ`geɪʃn/ *οὐσ.* ‹C› περίπλους.

cir·cum·scribe /`s3kəmskraɪb/ *ρ.μ.* (*γεωμ.*) περιγράφω, καθορίζω τά ὅρια, περιορίζω. **cir·cum·scrip·tion** /'s3kəm`skrɪpʃn/ *οὐσ.* ‹C, U› περιγραφή, περιορισμός, περίγραμμα.

cir·cum·spect /`s3kəmspekt/ *ἐπ.* προσεκτικός, ἐπιφυλακτικός, μετρημένος. ~·**ly** *ἐπίρ.* **cir·cum·spec·tion** /'s3kəm`spekʃn/ *οὐσ.* ‹U› περίσκεψις, προσοχή, φρόνησις.

cir·cum·stance /`s3kəmstæns/ *οὐσ.* **1**. (*συνήθ. πληθ.*) περίπτωσις, περιστατικό, περίστασις: *extenuating* ~*s*, ἐλαφρυντικά περιστατικά/περιστάσεις. *He was the victim of* ~*s*, ἦταν θῦμα τῶν περιστάσεων. ***in/under the*** ~***s***, ὑπ' αὐτάς τά συνθήκας, σ' αὐτήν τήν περίπτωση. ***in/under no*** ~***s***, σέ καμιά περίπτωση. **2**. ‹C› γεγονός, λεπτομέρεια: *omit an important* ~, παραλείπω μιά σημαντική λεπτομέρεια. **3**. (*πληθ.*) (οἰκονομική) κατάστασις: *He is in easy/straitened* ~*s*, εἶναι σέ καλή/δυσχερῆ οἰκονομική θέση. **4**. (*ἑν.*) ἐπισημότης, λαμπρότης, χλιδή: *with pomp and* ~, μετά πάσης λαμπρότητος.

cir·cum·stan·tial /'s3kəm`stænʃl/ *ἐπ.* **1**. λεπτομερής, ἐμπεριστατωμένος: *a* ~ *account of an event*, λεπτομερής περιγραφή ἑνός γεγονότος. **2**. συμπερασματικός, ἔμμεσος: ~ *evidence*, ἔμμεσος (βάσει τεκμηρίων) ἀπόδειξις. ~·**ly** *ἐπίρ.* κατά συμπερασμόν.

cir·cum·vent /'s3kəm`vent/ *ρ.μ.* καταστρατηγῶ (νόμον), ματαιώνω (σχέδια), ὑπερφαλαγγίζω, κατατροπώνω. **cir·cum·ven·tion** /-`venʃn/ *οὐσ.* ‹C,U› καταστρατήγησις, ματαίωσις.

cir·cus /`s3kəs/ *οὐσ.* ‹C› **1**. τσίρκο: *a travelling* ~, περιοδεῦον τσίρκο. **2**. στρογγυλή πλατεῖα πρός τήν ὁποίαν συγκλίνουν πολλοί δρόμοι.

cir·rho·sis /sɪ`rəʊsɪs/ *οὐσ.* ‹U› κίρρωσις (ἥπατος).

cis·tern /`sɪstən/ *οὐσ.* ‹C› δεξαμενή, ντεπόζιτο.

cita·del /`sɪtədl/ *οὐσ.* ‹C› ἀκρόπολις, κάστρο.

cite /saɪt/ *ρ.μ.* **1**. παραθέτω (γνώμην, ἀπόσπασμα), παραπέμπω (σέ σύγγραμμα): ~ *several opinions*, παραθέτω πολλές γνῶμες (ἄλλων). **2**. κλητεύω (μάρτυρα). **3**. (*στρατ.*) μνημονεύω κπ εὐφήμως εἰς ἀνακοινωθέν. **ci·ta·tion** /saɪˋteɪʃn/ *οὐσ.* ‹C,U› παραπομπή, εὔφημος μνεία.

citi·zen /ˋsɪtɪzn/ *οὐσ.* ‹C› πολίτης, κάτοικος: *a ~ of the world*, πολίτης τοῦ κόσμου. *my fellow ~s*, οἱ συμπολῖτες μου. **~·ship** /-ʃɪp/ *οὐσ.* ‹U› δικαιώματα καί καθήκοντα τοῦ πολίτη, ἰθαγένεια, ὑπηκοότης.

cit·ron /ˋsɪtrən/ *οὐσ.* ‹C› κίτρον.

cit·rus /ˋsɪtrəs/ *οὐσ.* (*φυτ.*) ἐσπεριδοειδές: *~ crops*, ἐσοδεία ἐσπεριδοειδῶν.

city /ˋsɪtɪ/ *οὐσ.* ‹C› ἄστυ, μεγαλούπολις. **the C~**, τό Σίτυ (τό οἰκονομικό καί ἐμπορικό κέντρο τοῦ Λονδίνου).

civic /ˋsɪvɪk/ *ἐπ.* ἀστικός, πολιτικός: *~ rights*, πολιτικά δικαιώματα. *the ~ centre*, τό Διοικητικόν κέντρον (πόλεως). *~ guard*, πολιτοφυλακή. **civ·ics** (*σχολ.*) ἀγωγή τοῦ πολίτου.

civil /ˋsɪvl/ *ἐπ.* **1**. πολιτικός, ἀστικός: *ˈ~ ˋrights/ˋmarriage/ˋengiˋneer*, πολιτικά δικαιώματα/-ός γάμος/-ός μηχανικός. **ˈ~ ˋlaw**, ἀστικόν δίκαιον. **ˈ~ ˋwar**, ἐμφύλιος πόλεμος. **2**. δημόσιος. **ˈ~ deˋfence**, παθητική ἀεράμυνα. **ˈ~ ˋservant**, δημόσιος ὑπάλληλος. **the ˈC~ ˋService**, αἱ Δημόσιαι Ὑπηρεσίαι **3**. εὐγενικός: *a ~ answer*, εὐγενική ἀπάντησις. *Can't you be ~?* δέν μπορεῖς νά εἶσαι εὐγενικός; **~·ity**/sɪˋvɪlətɪ/ *οὐσ.* ‹U› εὐγένεια.

ci·vil·ian /sɪˋvɪlɪən/ *οὐσ.* ‹C› πολίτης, ἰδιώτης (ὄχι στρατιωτικός). —*ἐπ.* πολιτικός: *in ~ clothes*, μέ πολιτικά (ροῦχα). *in ~ life*, στήν πολιτική του ζωή, ὡς πολίτης.

civi·li·za·tion /ˈsɪvəlaɪˋzeɪʃn/ *οὐσ.* ‹C,U› πολιτισμός: *ancient ~s*, ἀρχαῖοι πολιτισμοί.

civi·lize /ˋsɪvəlaɪz/ *ρ.μ.* ἐκπολιτίζω: *~d*, πολιτισμένος.

clack /klæk/ *οὐσ.* ‹C› ξηρός κρότος, κτύπος. —*ρ.μ.* κτυπῶ: *~ing typewriters/tongues*, γραφομηχανές/γλῶσσες πού χτυπᾶνε (πού δουλεύουν).

clad /klæd/ *π.μ.* *τοῦ ρ.* *clothe*, ντυμένος: *ˋsnow-~ mountains*, χιονόσκεπα βουνά.

[1]**claim** /kleɪm/ *οὐσ.* ‹C› **1**. ἀξίωσις, ἀπαίτησις: *put in/make a ~ for sth*, ἐγείρω ἀξίωση γιά κτ. ***lay ~ to sth***, διεκδικῶ. **2**. δικαίωμα: *I have no ~s on you/on your friendship*, δέν ἔχω δικαιώματα ἐπάνω σου/στή φιλία σου. **~·ant** /-ənt/ *οὐσ.* ‹C› διεκδικητής, (*νομ.*) ἐνάγων.

[2]**claim** /kleɪm/ *ρ.μ.* **1**. ἀπαιτῶ, διεκδικῶ, ἔχω ἀξίωσιν: *~ sth from sb*, διεκδικῶ κτ ἀπό κπ. *I ~ the right to do it*, διεκδικῶ τό δικαίωμα νά τό κάμω. *I ~ the protection of the law*, ἀπαιτῶ τήν προστασία τοῦ νόμου. ***~ damages***, διεκδικῶ ἀποζημίωση. **2**. ἰσχυρίζομαι (ὅτι εἶμαι, ὅτι ἔχω, κλπ): *He ~s to be an expert*, ἰσχυρίζεται ὅτι εἶναι εἰδικός. *He has a virtue that few of us can ~*, ἔχει μιά ἀρετή πού λίγοι ἀπό μᾶς μποροῦν νά ἰσχυριστοῦν ὅτι ἔχουν.

clair·voy·ant /kleəˋvɔɪənt/ *οὐσ.* ‹C› προικισμένος μέ μαντική ἱκανότητα. **clair·voy·ance** /-əns/ *οὐσ.* ‹U› μαντική ἱκανότης.

clam /klæm/ *οὐσ.* ‹C› μύδι. —*ρ.ἀ.* *(-mm-)* ***~ up***, (*λαϊκ.*) σιωπῶ, σφαλίζω τό στόμα.

clam·ber /ˋklæmbə(r)/ *ρ.ἀ.* σκαρφαλώνω (μέ δυσκολία): *~ over a wall.*

clammy /ˋklæmɪ/ *ἐπ.* *(-ier, -iest)* ὑγρός, κολλώδης, γλοιώδης, κρύος: *hands ~ with sweat*, χέρια ὑγρά (πού κολλᾶνε) ἀπό τόν ἱδρῶτα.

clam·our /ˋklæmə(r)/ *οὐσ.* ‹C,U› ὀχλοβοή, φωνασκίες, (κατα)κραυγή, βουή: *His action raised a general ~*, ἡ πρᾶξις του προκάλεσε γενική κατακραυγή. *There was a ~ for his resignation*, ὅλοι ζητοῦσαν τήν παραίτησή του. —*ρ.μ/ἀ.* κραυγάζω, φωνασκῶ, οὐρλιάζω: *~ for war/against high taxation*, φωνάζω γιά πόλεμο/κραυγάζω ἐναντίον τῆς ὑψηλῆς φορολογίας. **clam·or·ous** /ˋklæmərəs/ *ἐπ.*

clamp /klæmp/ *οὐσ.* ‹C› συσφιγκτήρ, μέγγενη, κολλάρο (σωλῆνος). —*ρ.μ/ἀ.* σφίγγω. ***~ down (on)***, (*καθομ.*) ἀσκῶ πίεση (γιά νά σταματήσω κτ): *They ~ed down on the news*, ἔπνιξαν τήν εἴδηση.

clan /klæn/ *οὐσ.* ‹C› πατριά, σόϊ, φυλή. **~·nish** *ἐπ.* ἀφοσιωμένος στό σόϊ.

clan·des·tine /klænˋdestɪn/ *ἐπ.* κρυφός, μυστικός: *a ~ marriage*, μυστικός γάμος.

clang /klæŋ/ *οὐσ.* ‹C› κλαγγή, κρότος (*πχ* τοῦ σφυριοῦ στό ἀμόνι), κουδούνισμα (*πχ* πυροσβεστικῆς ἀντλίας). —*ρ.μ/ἀ.* κροτῶ, ἀντηχῶ, κουδουνίζω. **~·our** /-ə(r)/ *οὐσ.* ‹U› κλαγγές, κουδουνίσματα.

clank /klæŋk/ *οὐσ.* ‹C› χτύπος, κρότος (*πχ* ἁλυσίδων, σπαθιῶν, κλπ). —*ρ.μ/ἀ.* κροτῶ, χτυπῶ.

clap /klæp/ *ρ.μ/ἀ.* *(-pp-)* **1**. χτυπῶ, χειροκροτῶ: *~ one's hands/~ sb on the back*, χτυπῶ τά χέρια/κπ στήν πλάτη (φιλικά). *Everybody ~ped and cheered*, ὅλοι χειροκρότησαν καί ζητωκραύγασαν. **2**. χώνω: *~ sb into prison*, χώνω κπ φυλακή. ***~ eyes on sb***, βλέπω κπ, παίρνει τό μάτι μου κπ (*συνήθ. ἀρνητ.*): *I haven't ~ped eyes on him since 1960.* —*οὐσ.* ‹C› (δυνατός) ἦχος: *the ~ of thunder*, ὁ ἦχος τοῦ κεραυνοῦ, ἡ βροντή. **~·ping** *οὐσ.* ‹U› χειροκροτήματα. **~·per** *οὐσ.* ‹C› γλωσσίδι καμπάνας.

clap·trap /ˋklæptræp/ *οὐσ.* ‹U› φουσκωμένα λόγια (γιά ἐπίδειξη, γιά φιγούρα), ἀνοησίες.

claret /ˋklærət/ *οὐσ.* ‹U› κόκκινο κρασί Μπορντώ.

clar·ify /ˋklærɪfaɪ/ *ρ.μ/ἀ.* **1**. διϋλίζω/-ομαι, λαμπικάρω. **2**. διευκρινίζω, ἀποσαφηνίζω, ξεκαθαρίζω. **clari·fi·ca·tion** /ˈklærɪfɪˋkeɪʃn/ *οὐσ.* ‹U› λαμπικάρισμα, διευκρίνισις.

clari·net /ˈklærɪˋnet/ *οὐσ.* ‹C› κλαρῖνο, κλαρινέττο.

clar·ion /ˋklærɪən/ *οὐσ.* ‹C› σάλπισμα. —*ἐπ.* καμπανιστός, ἐγερτήριος: *a ~ voice*, καμπανιστή φωνή. *a ~ call*, ἐγερτήριον σάλπισμα.

clar·ity /ˋklærətɪ/ *οὐσ.* ‹U› διαύγεια (σκέψεως, κλπ), καθαρότης.

clash /klæʃ/ *οὐσ.* ‹C› **1**. κρότος (μεταλλικῶν ἀντικειμένων), κλαγγή: *the ~ of swords/of cymbals*, κλαγγή σπαθιῶν/κρότος κυμβάλων. **2**. σύγκρουσις, ἀντίθεσις (χρωμάτων): *There were serious ~es with the police*, ἔγιναν σοβαρές συγκρούσεις μέ τήν ἀστυνομία. *a ~ of views/of colours*, σύγκρουσις ἀπόψεων/ἀντίθεσις χρωμάτων. —*ρ.μ/ἀ.* **1**. κροτῶ, χτυπῶ: *Their swords ~ed*, τά σπαθιά τους χτυποῦσαν. **2**. συγκρούομαι, διαφωνῶ: *The two armies ~ed* *outside the capital*, οί δύο στρατοί συγκρούσθηκαν ἔξω ἀπό τήν πρωτεύουσα. *I ~ed with him*, συγκρούσθηκα/διάφώνησα μαζί του. *These colours ~*, αὐτά τά χρώματα δέν πᾶνε μαζί. **3**. συμπίπτω χρονικῶς: *It's a pity the two concerts ~, I'd like to go to both*, κρῖμα πού οί δυό συναυλίες συμπίπτουν, θἄθελα νά πάω καί στίς δυό.

clasp /klasp/ *οὐσ.* ‹C› **1**. πόρπη, ἀγκράφα, καρφίτσα: *a diamond ~*, διαμαντένια καρφίτσα. **2**. πιάσιμο, σφίξιμο, ἀγκάλιασμα, χειραψία. —*ρ.μ/ἀ*. **1**. κουμπώνω (καρφίτσα, κλπ). **2**. σφίγγω, ἀγκαλιάζω: *They ~ed hands/were ~ed in each other's arms*, ἔσφιξαν τά χέρια/σφίχτηκαν στήν ἀγκαλιά ὁ ἕνας τοῦ ἄλλου. *with hands ~ed in prayer*, μέ χέρια ἑνωμένα (δεμένα) σέ προσευχή.

class /klas/ *οὐσ.* ‹C› **1**. τάξις, κλάσις, κατηγορία: *the social ~es: the upper, middle, lower ~*, κοινωνικές τάξεις: ἀνωτέρα, μεσαία, κατωτέρα τάξις. *a first-~ player/ticket*, πρώτης τάξεως παίκτης/εἰσιτήριον πρώτης θέσεως. **`~-conscious** *ἐπ.* ἔχων ταξικήν συνείδησιν. **`~-list**, πίναξ ἀποτελεσμάτων (σέ πανεπιστημιακές ἐξετάσεις) κατά σειράν ἐπιτυχίας. **`~-mate/-fellow**, συμμαθητής. **`~·room**, αἴθουσα διδασκαλίας. **~ struggle/warfare**, ταξικός ἀγώνας/πόλεμος. **`~·less** *ἐπ.* ἀταξικός. —*ρ.μ.* ταξινομῶ, κατατάσσω.

clas·sic /`klæsɪk/ *ἐπ.* & *οὐσ.* ‹C› κλασσικός. *~ art*, κλασσική τέχνη. *modern ~s*, σύγχρονοι κλασσικοί (συγγραφεῖς ἤ ἔργα).

clas·si·cal /`klæsɪkl/ *ἐπ.* κλασσικός: *~ music/studies*, κλασσική μουσική/-ές σπουδές.

clas·sify /`klæsɪfaɪ/ *ρ.μ.* ταξινομῶ, κατατάσσω: *books classified by subjects*, βιβλία ταξινομημένα κατά θέματα. *classified advertisements*, μικρές ἀγγελίες (σέ ἐφημερίδα). **clas·si·fi·ca·tion** /'klæsɪfɪ`keɪʃn/ *οὐσ.* ‹C,U› ταξινόμησις, κατάταξις.

clat·ter /`klætə(r)/ *οὐσ.* ‹U› κρότος, θόρυβος, ποδοβολητό, θορυβώδης ὁμιλία ἤ γέλιο: *the ~ of machinery/of cutlery*, ὁ κρότος μηχανημάτων/ὁ θόρυβος ἀπό μαχαιροπήρουνα. *the ~ of a horse's hoofs on a stony road*, τό ποδοβολητό ἀλόγου σέ πετρώδη δρόμο. *The boys stopped their ~ when the teacher entered*, τά παιδιά σταμάτησαν τήν ὀχλοβοή ὅταν μπῆκε ὁ δάσκαλος. —*ρ.μ/ἀ*. κροτῶ, θορυβῶ: *The glassware ~ed on the shelves*, κουδουνίζανε τά γυαλικά στά ράφια. *Don't ~ your knives and forks*, μή χτυπᾶτε τά μαχαίρια καί τά πηρούνια σας.

clause /klɔz/ *οὐσ.* ‹C› **1**. ὅρος, ἄρθρον (συνθήκης), ρήτρα (συμβολαίου). **2**. (*συντακτ.*) πρότασις: *the main/subordinate ~*, κυρία/δευτερεύουσα πρότασις.

claus·tro·pho·bia /'klostrə`fəʊbɪə/ *οὐσ.* ‹U› (*ἰατρ.*) κλειστοφοβία.

clavi·chord /`klævɪkɔd/ *οὐσ.* ‹C› κλειδοκύμβαλον.

claw /klɔ/ *οὐσ.* ‹C› νύχι (γάτας, ἀετοῦ, κλπ), δαγκάνα (κάβουρα): *show one's ~s*, δείχνω τά νύχια μου, παίρνω ἐπιθετική στάση. —*ρ.μ.* ἁρπάζω (μέ τά νύχια), γρατσουνίζω.

clay /kleɪ/ *οὐσ.* ‹U› πηλός, ἄργιλος. —*ἐπ.* πήλινος: *a ~ pipe*, πήλινο τσιμπούκι.

[1]**clean** /klin/ *ἐπ.* (*-er, -est*) καθαρός, ἁγνός, παστρικός: *~ hands/air/water/people*, καθαρά χέρια/-ός ἀέρας/-ό νερό/-οί ἄνθρωποι. *Keep the classroom ~*, διατηρῆτε τήν τάξη καθαρή! *Put on a ~ shirt*, φόρεσε καθαρό πουκάμισο! *have a ~ record*, ἔχω καθαρό μητρῶο. *lead a ~ life*, κάνω ἁγνή ζωή. ***come ~***, ὁμολογῶ, τά λέω ὅλα. —*ἐπίρ.* ἐντελῶς: *I ~ forgot about it*, τό ξέχασα ἐντελῶς. *The bullet went ~ through his shoulder*, ἡ σφαῖρα πέρασε τόν ὦμο του πέρα ὡς πέρα. **'~-`cut**, μέ ἔντονο περίγραμμα, καθαρόγραμμος: *~-cut features*, ἔντονα χαρακτηριστικά. **'~-`shaven**, χωρίς γένια, καλοξυρισμένος.

[2]**clean** /klin/ *ρ.μ/ἀ*. καθαρίζω: *C~ your nails/your shoes*, καθάρισε τά νύχια σου/τά παπούτσια σου! *I must have this suit ~ed*, πρέπει νά δώσω νά μοῦ καθαρίσουν αὐτό τό κοστούμι. ***~ sth out***, καθαρίζω τό ἐσωτερικό (πχ τό τζάκι ἀπό τίς στάχτες). ***~ sb out***, μαδῶ: *I was ~ed out at the casino*, μέ μάδησαν (μοῦ τά πῆραν ὅλα) στό καζίνο. ***~ sth up***, (ξε)καθαρίζω, τακτοποιῶ, συγυρίζω: *~ up a city*, ξεκαθαρίζω μιά πόλη (ἀπό τό ἔγκλημα ἤ τή διαφθορά). *We must always ~ up after a picnic*, πρέπει πάντα νά καθαρίζωμε ὕστερα ἀπό ἕνα πικνίκ. **`~-up**, ἐκκαθάρισις. **~er** *οὐσ.* ‹C› καθαριστής: *a `window-~er*, καθαριστής παραθυριῶν. **~-ing** *οὐσ.* ‹U› καθάρισμα. **~·ly** *ἐπίρ.* καθαρά.

clean·ly /`klenlɪ/ *ἐπ.* (*-ier, -iest*) (καθ'ἕξιν) καθαρός: *Cats are ~ animals*. **clean·li·ness** *οὐσ.* ‹U› καθαριότης.

cleanse /klenz/ *ρ.μ.* καθαρίζω, ἀποκαθαίρω, ἐξαγνίζω: *~ the heart of/from sin*, καθαρίζω τήν καρδιά ἀπό τήν ἁμαρτία.

[1]**clear** /klɪə(r)/ *ἐπ.* (*-er, -est*) **1**. καθαρός, διαυγής, σαφής: *a ~ conscience/voice/day*, καθαρή συνείδηση/φωνή/μέρα. *the ~ water of the stream*, τό λαγαρό νερό τοῦ ρυακιοῦ. *a ~ sky*, ξάστερος/φωτεινός οὐρανός. *~ glass*, διάφανο γυαλί. *a ~ majority*, καθαρή/ἀπόλυτη πλειοψηφία. *It was ~ that...*, ἦταν ὁλοφάνερο ὅτι... *make oneself/one's meaning ~*, γίνομαι σαφής/κάνω τό νόημά μου σαφές. **'~-`headed**, νηφάλιος, μέ καθαρή σκέψη. **'~-`sighted**, ὀξυδερκής, πού βλέπει καθαρά. **2**. ἀπαλλαγμένος, ἐλεύθερος: *Is the road ~?* εἶναι ὁ δρόμος ἐλεύθερος; *~ of snow/of suspicion/of debt*, ἀπαλλαγμένος ἀπό χιόνι/ἀπό ὑποψία/ἀπό χρέη. ***The coast is ~***, τό πεδίον εἶναι ἐλεύθερο, δέν ὑπάρχει κίνδυνος. ***"All ~!"*** λῆξις συναγερμοῦ. **3**. ὁλόκληρος, πλήρης: *for three ~ days*, τρεῖς ὁλόκληρες ἡμέρες. **4**. ξεκάθαρος, βέβαιος: *I'm not quite ~ on this point/as to what you want me to do*, δέν εἶμαι ἀπολύτως βέβαιος σ'αὐτό τό σημεῖο/ὅσον ἀφορᾶ τό τί θέλετε νά κάμω. —*ἐπίρ.* **1**. καθαρά. **'~-`cut**, καθαρόγραμμος, εὐδιάκριτος. **2**. ἐντελῶς: *The prisoner got ~ away*, ὁ φυλακισμένος διέφυγε ἐντελῶς. **3**. μακρυά (χωρίς νά ἀγγίζω): *Stand ~ of the gates!* μακρυά ἀπό τίς πόρτες (μήν ἀγγίζετε τί πόρτες)! ***keep/stay ~ of***, ἀποφεύγω: *keep ~ of John/of debt*, νά ἀποφεύγης τό Γ./τά χρέη. **~·ness** *οὐσ.* ‹U› καθαρότης, διαύγεια, σαφήνεια. **~·ly** *ἐπίρ.* καθαρά, ὁλοφάνερα, σαφῶς: *speak/see ~ly*, μιλῶ/βλέπω καθαρά.

You must ~ly understand that..., πρέπει νά καταλάβετε ὁλοκάθαρα ὅτι...

[2]**clear** /klɪə(r)/ *ρ.μ/ἀ.* **1**. καθαρίζω: ~ *the streets of snow*, καθαρίζω τούς δρόμους ἀπό τό χιόνι. ~ *the table*, καθαρίζω τό τραπέζι, σηκώνω τά πιάτα. *I ~ £50 a week*, καθαρίζω (μετά τίς κρατήσεις) 50 λίρες τήν ἑβδομάδα. ~ *a piece of land*, καθαρίζω (ξεχερσώνω) ἕνα κομμάτι γῆς. ~ ***the decks***, ἑτοιμάζομαι πρός μάχην/πρός δρᾶσιν. ~ ***one's throat***, ξεροβήχω. **2**. ἐλευθερώνω, ἀδειάζω: ~ *a property of debt*, ἐλευθερώνω περιουσία ἀπό χρέη. ~ *goods through the customs*, ἐκτελωνίζω ἐμπορεύματα. **3**. ἀπαλλάσω, ἀθωώνω: *He was ~ed of the charge/of all suspicion*, ἀπηλλάγη τῆς κατηγορίας/πάσης ὑποψίας. **4**. (*μέ προθ.* & *ἐπιρ*):

clear away, παίρνω, φεύγω: ~ *away the dishes*, παίρνω τά πιάτα (σηκώνω τό τραπέζι). *The clouds ~ed away*, τό σύννεφα ἔφυγαν.

clear off, ἐξοφλῶ (χρέος), ξεκαθαρίζω (συσσωρευμένη δουλειά), φεύγω, στρίβω: *We don't want beggars here. C~ off!* δέν θέλομε ζητιάνους ἐδῶ, στρίβε!

clear out, καθαρίζω, ἀδειάζω, φεύγω: ~ *out a room/a drawer*, ἀδειάζω δωμάτιο/συρτάρι. *The police are after you; you'd better ~ out*, ἡ ἀστυνομία ψάχνει νά σέ βρῆ, καλύτερα νά τό σκάσης.

clear up, καθαρίζω, τακτοποιῶ, λύνω: *The weather/The sky is ~ing up*, ὁ καιρός/ὁ οὐρανός καθαρίζει. *C~ up your desk*, τακτοποίησε τό γραφεῖο σου! ~ *up a difficulty/a problem*, λύνω μιά δυσκολία/ἕνα πρόβλημα.

clear·ance /ˋklɪərns/ *οὐσ.* ‹U› καθάρισμα, ξεχέρσωμα, ἐκτελωνισμός, ἐκποίησις, διάκενον, ἄδεια ἀπόπλου: *a ~ sale*, γενικό ξεπούλημα.

clear·ing /ˋklɪərɪŋ/ *οὐσ.* ‹C› ξέφωτο (δάσους), (*ἐμπ.*) κλήριγκ, συμψηφισμός.

cleav·age /ˋklivɪdʒ/ *οὐσ.* ‹C› **1**. σχίσιμο. **2**. χώρισμα τοῦ στήθους γυναίκας.

cleave /kliv/ *ρ.μ/ἀ.* ἀνώμ. (*ἀόρ. clove* /kləʊv/ *ἤ cleft* /kleft/, *π.μ. cleft ἤ cloven* /ˋkləʊvn/) σχίζω, ἀνοίγω: ~ *wood/~ sb's head open with a sword*, σχίζω ξύλα/ἀνοίγω τό κεφάλι κάποιου μέ σπαθί. ~ *one's way through the crowd/a path through the jungle*, ἀνοίγω δρόμο μέσα ἀπό τό πλῆθος/μέσα στή ζούγκλα. ***be in a cleft stick***, εἶμαι σέ ἀδιέξοδο. ˈ**cloven ˋhoof**, σχιστή ὁπλή (ζώου ἤ τοῦ διαβόλου).

clef /klef/ *οὐσ.* ‹C› (*μουσ.*) κλειδί.

[1]**cleft** /kleft/ *ἀόρ.* & *π.μ. τοῦ ρ. cleave.*

[2]**cleft** /kleft/ *οὐσ.* ‹C› ρωγμή, σχισμή (σέ ἔδαφος).

clema·tis /ˋklәmәtɪs/ *οὐσ.* ‹U› ἀγράμπελη.

clem·ency /ˋklemәnsɪ/ *οὐσ.* ‹U› ἐπιείκεια, καλωσύνη (καιροῦ).

clem·ent /ˋklemәnt/ *ἐπ.* ἐπιεικής, (*γιά καιρό*) ἤπιος.

clench /klentʃ/ *ρ.μ.* **1**. σφίγγω: ~ *one's fists/teeth*, σφίγγω τίς γροθιές μου/τά δόντια μου. *a ˋ~ed-fist salute*, χαιρετισμός μέ ὑψωμένη γροθιά. ~ *sth in/with one's hands*, σφίγγω κτ στά/μέ τά χέρια μου. **2**. *βλ. clinch.*

clergy /ˋklɜdʒɪ/ *οὐσ.* (*μέ ρ. στόν πληθ.*) κλῆρος. **ˋ~·man** /-mәn/ *οὐσ.* ‹C› κληρικός.

cleric /ˋklerɪk/ *οὐσ.* ‹C› κληρικός.

cleri·cal /ˋklerɪkl/ *ἐπ.* **1**. κληρικός, ἱερατικός: ~ *dress*. **2**. ὑπαλληλικός, γραφικός: ~ *work*, ὑπαλληλική ἐργασία. *a ~ error*, γραφικόν λάθος.

clerk /klak/ *οὐσ.* ‹C› **1**. ὑπάλληλος, γραφιᾶς. **2**. γραμματεύς: *Town C~/C~ of the court*, Γραμματεύς τοῦ Δήμου/τοῦ Δικαστηρίου.

clever /ˋklevә(r)/ *ἐπ.* (*-er, -est*) ἔξυπνος: *a ~ man/answer/excuse*, ἔξυπνος ἄνθρωπος/-η ἀπάντησις/δικαιολογία. *He's ~ at arithmetic/at making excuses*, εἶναι ἔξυπνος στήν ἀριθμητική/στό νά βρίσκη δικαιολογίες. **~-ness** *οὐσ.* ‹U› ἐξυπνάδα. **~·ly** *ἐπίρ.*

click /klɪk/ *οὐσ.* ‹C› σύντομος ξηρός κρότος, κλίκ, πλατάγισμα τῆς γλώσσας. —*ρ.ἀ.* **1**. ἠχῶ, χτυπῶ: ~ *one's heels/one's tongue*, χτυπῶ τά τακούνια (κατά τόν χαιρετισμόν)/πλαταγίζω τή γλῶσσα. **2**. (*λαϊκ.*) (*γιά ἄντρα καί γυναίκα*) ταιριάζω/πιάνω φιλίες μέ τήν πρώτη.

cli·ent /ˋklaɪәnt/ *οὐσ.* ‹C› πελάτης (δικηγόρου, κλπ).

cli·en·tele /ˈkliәnˋtel/ *οὐσ.* (*μέ ρ. ἑν. ἤ πληθ.*) πελατεία.

cliff /klɪf/ *οὐσ.* ‹C› βράχος, γκρεμός.

cli·mac·teric /klaɪˋmæktәrɪk/ *οὐσ.* ‹C› κλιμακτήριος, κρίσιμος περίοδος.

cli·mac·tic /ˈklaɪˋmæktɪk/ *ἐπ.* (βαθμιαίως) ἀποκορυφούμενος, καθιστάμενος κρίσιμος.

cli·mate /ˋklaɪmɪt/ *οὐσ.* ‹C› κλῖμα: *the ~ of Greece; the political ~*, πολιτικόν κλῖμα.

cli·mat·ic /ˈklaɪˋmætɪk/ *ἐπ.* κλιματικός, κλιματολογικός: ~ *change/conditions*, κλιματολογική ἀλλαγή/-ές συνθῆκες.

cli·max /ˋklaɪmæks/ *οὐσ.* ‹C› ἀνώτατο σημεῖον, ἀποκορύφωμα, βαθμιαία ἀποκορύφωσις, ὀργασμός: *The play reaches a ~*, τό ἔργο φθάνει στό κατακόρυφο (στό πιό κρίσιμο σημεῖο).

climb /klaɪm/ *ρ.μ/ἀ.* ἀνεβαίνω, ἀναρριχῶμαι, σκαρφαλώνω: ~ *(up) a tree/a mountain/over a wall*, ἀνεβαίνω σ' ἕνα δέντρο/σ' ἕνα βουνό/πάνω ἀπό ἕναν τοῖχο. ~ ***down***, κατεβαίνω, ἀλλάζω ὕφος (ἀναγνωρίζοντας ὅτι εἶχα ἄδικο), ὑποχωρῶ. —*οὐσ.* ‹C› ἀναρρίχησις, ἀνάβασις, ἀνήφορος. **~er** *οὐσ.* ‹C› ὀρειβάτης, ἀρριβίστας, ἀναρριχητικό φυτό. **~·ing** *οὐσ.* ‹U› ὀρειβασία, ἀνάβασις.

clinch /klɪntʃ/ *ρ.μ/ἀ.* **1**. γυρίζω καρφί. **2**. (*πυγμ.*) ἀγκαλιάζομαι, πιάνομαι σῶμα μέ σῶμα. **3**. ρυθμίζω ὁριστικά: *That ~es the argument*, αὐτό λύνει ὁριστικά τή διαφορά.

cling /klɪŋ/ *ρ.ἀ.* ἀνώμ. (*ἀόρ.* & *π.μ. clung* /klʌŋ/) ~ ***to/together***, προσκολλῶμαι, ἁρπάζομαι ἀπό, κολλῶ: ~ *to one's possessions/a hope/one's principles*, προσκολλῶμαι στήν περιουσία μου/σέ μιά ἐλπίδα/στίς ἀρχές μου. *The boy clung to his mother's skirt*, τό παιδί ἁρπάχτηκε ἀπό τή φούστα τῆς μάννας του. *They clung together*, κόλλησαν ὁ ἕνας πάνω στόν ἄλλον (σφιχταγκαλιάστηκαν).

clinic /ˋklɪnɪk/ *οὐσ.* ‹C› κλινική. **clini·cal** /-kl/ *ἐπ.* κλινικός.

clink /klɪŋk/ *ρ.μ/ἀ.* κουδουνίζω, τσουγκρίζω, χτυπῶ: ~ *coins/glasses*, κουδουνίζω νομίσματα/τσουγκρίζω ποτήρια. —*οὐσ.* ‹C› (*λαϊκ.*) φυλακή, ψειροῦ: *go to/be in ~*, πάω/εἶμαι φυλακή.

[1]**clip** /klɪp/ *οὐσ.* ‹C› συνδετήρας. *—ρ.μ. (-pp-)* συνδέω, σφίγγω: *~ papers together*, καρφιτσώνω/συνδέω χαρτιά (μέ συνδετήρα).

[2]**clip** /klɪp/ *ρ.μ.* **1**. κουρεύω (πρόβατο, φράχτη, κλπ). **2**. ψαλιδίζω, κόβω: *~ a bird's/sb's wings*, ψαλιδίζω τά φτερά πουλιοῦ/(*μεταφ.*) κόβω τά φτερά κάποιου. *~ an article out of a newspaper*, κόβω ἄρθρο ἀπό ἐφημερίδα. **3**. τρυπῶ (εἰσιτήριο). **4**. (*λαϊκ.*) χτυπῶ, δίνω μπουνιά: *~ sb on the jaw*, δίνω μιά στό σαγόνι κάποιου. *—οὐσ.* ‹C› κούρεμα, ψαλίδισμα, χτύπημα. **~·pings** *οὐσ. πληθ.* ἀποκόμματα.

clip·pers /ˈklɪpəz/ *οὐσ. πληθ.* μηχανή κοπῆς (μαλλιῶν, κλπ): *ˈhair-~s*, μηχανή κουρέματος. *ˈnail-~s*, νυχοκόπτης.

clique /klik/ *οὐσ.* ‹C› κλίκα.

cloak /kləʊk/ *οὐσ.* ‹C› μανδύας, πέπλος: *under the ~ of darkness*, ὑπό τόν πέπλον τοῦ σκότους. **ˈ~·room** *οὐσ.* ‹C› γκαρνταρόμπα, τουαλέτα (σέ θέατρο, κλπ). *—ρ.μ.* καλύπτω, συγκαλύπτω, ἀποκρύπτω.

clob·ber /ˈklobə(r)/ *ρ.μ.* (*λαϊκ.*) χτυπῶ, κοπανάω: *~ the taxpayer*, κοπανάω τόν φορολογούμενο.

clock /klok/ *οὐσ.* ‹C› ρολόϊ τοίχου ἤ ἐπιτραπέζιο: *an aˈlarm-~*, ξυπνητήρι. ***put the ˈ~ back***, (*κυριολ. & μεταφ.*) γυρίζω πίσω τό ρολόϊ. ***work against the ~***, δουλεύω γρήγορα γιά νά προλάβω νά τελειώσω σέ μιά ὡρισμένη ὥρα. ***round the ~***, ὅλο τό εἰκοσιτετράωρο. **ˈ~-watcher**, βιαστικός ἐργάτης (πού ὅλο κοιτάζει τήν ὥρα νά σχολάση). **ˈ~·wise**, δεξιόστροφος, κινούμενος δεξιά. **ˈanti-ˈ~wise**, ἀριστερόστροφος. **ˈ~-work**, μηχανισμός: *~work toys*, κουρδιστά παιχνίδια. *like ~work*, σά ρολόϊ, στήν ἐντέλεια. *—ρ.ἀ.* ***~ in/out; ~ on/off***, (γιά ἐργάτες) σημειώνω τόν χρόνον προσελεύσεως/ἀποχωρήσεως, ἔρχομαι/φεύγω (ἀπό τή δουλειά μου).

clod /klod/ *οὐσ.* ‹C› σβῶλος χῶμα, (*καθομ.*) μπουμπούνας. **ˈ~·hopper**, χωριάτης.

[1]**clog** /klog/ *οὐσ.* ‹C› πεδούκλι (ἀλόγου), τσόκαρο: *a ˈ~-dance*, χορός μέ τσόκαρα.

[2]**clog** /klog/ *ρ.μ/ἀ. (-gg-)* πεδουκλώνω, φράσσω, βουλώνω, παραγεμίζω: *pipes ~ged with dirt*, σωλῆνες φραγμένοι ἀπό βρωμιές. *~ one's memory with useless facts*, παραφορτώνω τή μνήμη μου μέ ἄχρηστα πράγματα.

clois·ter /ˈklɔɪstə(r)/ *οὐσ.* ‹C› μοναστήρι, περιστύλιον μονῆς. *—ρ.μ/ἀ.* κλείνω/-ομαι σέ μοναστήρι, μονάζω.

[1]**close** /kləʊs/ *ἐπ. (-r, -st)* **1**. κοντινός, ἐγγύς, πλησίον: *~ combat*, μάχη ἐκ τοῦ συστάδην. ***a ~ thing/call***, παρ' ὀλίγον καταστροφή/δυστύχημα. ***I had/It was a ~ shave***, γλύτωσα παρά τρίχα. ***~ at hand***, κοντά. ***~ to/by***, πολύ κοντά. ***~ (up)on***, σχεδόν: *He's ~ on sixty*, εἶναι σχεδόν 60 χρονῶν. **2**. πυκνός, σφιχτός, χωρίς κενά: *~ writing*, πυκνό γράψιμο. *in ~ order*, εἰς πυκνήν τάξιν. *a ~ argument*, ἕνα σφιχτοδεμένο ἐπιχείρημα. **3**. στενός: *~ friends/resemblance/siege*, στενοί φίλοι/μεγάλη ὁμοιότης/στενή πολιορκία. ***keep a ~ watch on sb***, παρακολουθῶ κπ στενά. **4**. σφιχτός, φιλάργυρος: *a ~/~-fisted old man*, ἕνας γερο-τσιγγούνης. **5**. αὐστηρός: *in ~ confinement*, σέ αὐστηρή ἀπομόνωση. **6**. πνιγηρός: *a ~ atmosphere*, πνιγηρή ἀτμόσφαιρα. **7**. κλειστός: *a ~ vowel*, κλειστό φωνῆεν. **8**. προσεκτικός, τεταμένος: *~ examination/consideration/attention*, προσεκτική ἐξέτασις/μελέτη/τεταμένη προσοχή. **9**. σχεδόν ἰσόπαλος: *a ~ contest/competition*, ἕνας σχεδόν ἰσόπαλος ἀγώνας/διαγωνισμός. **10**. κρυμμένος, κρυφός: *keep/lie ~ for a while*, μένω κρυμμένος γιά λίγο. *keep it ~*, κράτησέ το μυστικό. *—ἐπίρ.* κοντά: *Follow ~ behind me*, ἀκολούθησε κοντά πίσω μου! ***sail ~ to the wind***, πλέω ἐνάντια στόν ἄνεμο, (*μεταφ.*) εἶμαι στό μεταίχμιο τοῦ νόμου (σχεδόν τόν παραβαίνω). **ˈ~-ˈcut/-ˈcropped**, (γιά μαλλιά, χλόη, κλπ) κοντοκομμένος. **ˈ~-ˈset**, κοντά τό ἕνα στό ἄλλο: *~-set eyes/teeth*, μάτια/δόντια κοντά-κοντά. **~·ly** *ἐπίρ.* προσεκτικά, στενά, πολύ: *guard/listen ~ly*, φρουρῶ στενά/ἀκούω προσεκτικά. *She ~ly resembles her mother*, μοιάζει πολύ τῆς μητέρας της. **~·ness** *οὐσ.* ‹U› ἐγγύτης, στενότης, πυκνότης, πνιγηρότης, ὁμοιότης.

[2]**close** /kləʊz/ *ρ.μ/ἀ.* **1**. κλείνω: *~ one's eyes/the door/a book/a shop*, κλείνω τά μάτια/τήν πόρτα/ἕνα βιβλίο/μαγαζί. *This is a late/an early ~ing day*, σήμερα τά μαγαζιά κλείνουν ἀργά/νωρίς. ***a ~d book***, (*μεταφ.*) θέμα γιά τό ὁποῖο ἔχω πλήρη ἄγνοια. **2**. κλείνω, περατώνω, πυκνώνω: *~ a deal*, κλείνω μιά συμφωνία. *He declared the discussion ~d*, ἐκήρυξε τήν συζήτησιν περαιωθεῖσαν. *~ the ranks*, πυκνώνω τίς γραμμές. **3**. ***~ down***, κλείνω, παύω νά λειτουργῶ: *The shop/The station has ~d down*, τό μαγαζί/ὁ σταθμός ἔκλεισε. ***~ in (up)on***, τυλίγω, περικυκλώνω: *The night/The enemy ~d in upon us*, ἡ νύχτα μᾶς τύλιξε/ὁ ἐχθρός μᾶς κύκλωσε. ***~ with***, πλησιάζω, δέχομαι: *~ with the enemy*, πλησιάζω τόν ἐχθρό. *~ with an offer*, δέχομαι μιά προσφορά.

[3]**close** /kləʊz/ *οὐσ.* (*μόνον ἑν.*) κλείσιμο, τέλος: *at the ~ of the day/of the 17th century*, στό τέλος τῆς ἡμέρας/τοῦ 17ου αἰῶνος. *draw/bring sth to a ~*, φθάνω στό τέλος/τερματίζω κτ.

closet /ˈklozɪt/ *οὐσ.* ‹C› θάλαμος, καμαράκι: *a ˈwater-~*, τουαλέττα. *—ρ.μ.* ***be ~ed with sb/together***, συσκέπτομαι μέ κπ/συζητᾶμε ἰδιαιτέρως.

clo·sure /ˈkləʊʒə(r)/ *οὐσ.* ‹C› τερματισμός (συνεδριάσεως, κλπ), κλείσιμο.

clot /klot/ *οὐσ.* ‹C› **1**. θρόμβος (αἵματος), σβῶλος. **2**. (*λαϊκ.*) ἠλίθιος. *—ρ.ἀ. (-tt-)* σβωλιάζω: *~ted blood/hair*, πηγμένο αἷμα/κολλημένα μαλλιά (ἀπό λάσπη, αἷμα, κλπ).

cloth /kloθ/ *οὐσ.* ‹C,U› ὕφασμα, πανί: *a piece of ~*, κομμάτι ὕφασμα. *a book with a ~ binding*, πανόδετο βιβλίο. *a ˈdish-~*, πανί γιά τά πιάτα. *a ˈfloor-~*, πατσαβούρα γιά τό πάτωμα.

clothe /kləʊð/ *ρ.μ.* ντύνω: *warmly ~d*, ζεστά ντυμένος. *~ one's family*, ντύνω τήν οἰκογένειά μου. *feelings ~d in suitable language*, αἰσθήματα ἐκφρασμένα μέ κατάλληλα λόγια.

clothes /kləʊðz/ *οὐσ. πληθ.* ροῦχα: *a ˈ~-brush*, βούρτσα ρούχων. **ˈbed-~**, κλινοσκεπάσματα. **ˈ~-line**, σκοινί γιά ἅπλωμα ρούχων. **ˈ~-peg**, μανταλάκι.

clothing /ˋkləʊðɪŋ/ *οὐσ.* ‹U› ρουχισμός: *an article of ~*, ἕνα ροῦχο.

cloud /klaʊd/ *οὐσ.* ‹C› σύννεφο: *black ~s*, μαῦρα σύννεφα. ˋ**~-burst**, ξαφνική καταιγίδα, νεροποντή. *~s of dust/of insects*, σύννεφα σκόνης/ἐντόμων. *the ~s of war*, τά νέφη τοῦ πολέμου. *drop from the ~s*, πέφτω ἀπό τά σύννεφα, ἀπό τόν οὐρανό. ***Every ~ has a silver lining***, (*παροιμ.*) οὐδέν κακόν ἀμιγές καλοῦ. ***be/have one's head in the ~s***, ζῶ στά σύννεφα. ***be under a ~***, εἶμαι ὑπό δυσμένειαν, ὑπό τό βάρος ὑποψίας. **~y** *ἐπ.* *(-ier, -iest)* συννεφιασμένος. **~·less** *ἐπ.* ἀνέφελος. —*ρ.μ/ἀ.* συννεφιάζω, βουρκώνω, θαμπώνω: *The sky/Her face ~ed over*, ὁ οὐρανός/τό πρόσωπό της συννέφιασε. *eyes ~ed with tears*, μάτια βουρκωμένα ἀπό δάκρυα.

clout /klaʊt/ *οὐσ.* ‹C› (*καθομ.*) **1**. φάπα, καρπαζιά. **2**. πατσαβούρα. —*ρ.μ.* καρπαζώνω.

1 **clove** /kləʊv/ *οὐσ.* ‹C› **1**. γαρύφαλλο (μπαχαρικό). **2**. σκελίδα (σκόρδου, κλπ).

2 **clove** /kləʊv/, **cloven** /kləʊvn/ *ἀόρ.* & *π.μ.* *τοῦ ρ. cleave.*

clover /ˋkləʊvə(r)/ *οὐσ.* ‹U› τριφύλλι. ***be/live in ~***, ζῶ σά μπέης, μέσα στή χλιδή.

clown /klaʊn/ *οὐσ.* ‹C› κλόουν, παληάτσος, ἄξεστος ἄνθρωπος. —*ρ.ἀ.* κάνω τόν παληάτσο. **~·ish** *ἐπ.* καραγκιοζίστικος, ἀγροῖκος, γελοῖος.

cloy /klɔɪ/ *ρ.μ/ἀ.* μπουχτίζω, παραχορταίνω: *~ with rich food/with pleasures*, χορταίνω (μπουχτίζω) ἀπό λιπαρά φαγητά/ἀπό ἡδονές.

1 **club** /klʌb/ *οὐσ.* ‹C› ρόπαλο, μπαστούνι (γκόλφ). —*ρ.μ.* *(-bb-)* χτυπῶ μέ ρόπαλο: *He was ~bed to death*, τόν σκότωσαν χτυπώντας τον μέ ρόπαλα.

2 **club** /klʌb/ *οὐσ.* ‹C› **1**. λέσχη. **2**. (*χαρτοπ.*) σπαθί: *the ace of ~s*, ὁ ἄσσος σπαθί. —*ρ.ἀ.* *(-bb-)* συνεργάζομαι, συνεισφέρω: *They ~bed together to buy a bicycle*, ἔκαναν ρεφενέ ν' ἀγοράσουν ἕνα ποδήλατο.

cluck /klʌk/ *οὐσ.* ‹C› κακάρισμα κόττας. —*ρ.ἀ.* κακαρίζω (φωνάζω τά κοτόπουλα).

clue /klu/ *οὐσ.* ‹C› νῆμα, ἴχνος, ἔνδειξις: *get/find a ~ to a mystery*, κρατῶ/βρίσκω τό νῆμα σ' ἕνα μυστήριο. *I haven't a ~*, δέν ἔχω τήν παραμικρή ἰδέα.

clump /klʌmp/ *οὐσ.* ‹C› συστάς δέντρων, θάμνων, κλπ. —*ρ.ἀ.* περπατῶ βαρειά.

clumsy /ˋklʌmzɪ/ *ἐπ.* *(-ier, -iest)* **1**. ἀδέξιος, ἀτζαμῆς, ἄτσαλος. **2**. βαρύς, ἄκομψος, ἄχαρος: *~ boots/praise*, χοντροπάπουτσα/ἀδέξιος ἔπαινος. ˋ**clum·sily** /-əlɪ/ *ἐπίρ.* ἀδέξια. ˋ**clum·si·ness** *οὐσ.* ‹U› ἀδεξιότης.

clung /klʌŋ/ *ἀόρ.* & *π.μ.* *τοῦ ρ. cling.*

clus·ter /ˋklʌstə(r)/ *οὐσ.* ‹C› μάτσο (λουλούδια), τσαμπί (σταφύλι), συστάς (δέντρων), κλαδί (μπανάνας), τούφα (μαλλιά), σύμπλεγμα (συμφώνων), σμῆνος (μελισσῶν), συγκρότημα (σπιτιῶν). ὁμάδα (ἀνθρώπων). —*ρ.ἀ.* ***~ (a)round***, συγκεντρώνομαι σέ ὁμάδα.

1 **clutch** /klʌtʃ/ *ρ.μ/ἀ.* ***~ (at)***, πιάνω, ἁρπάζω, σφίγγω: *~ at a rope*, ἁρπάζω ἕνα σχοινί. *He ~ed the money in his hand*, ἔσφιξε τά χρήματα στό χέρι του. ***A drowning man will ~ at a straw***, (*παροιμ.*) ὁ πνιγμένος ἀπό τά μαλλιά του πιάνεται. —*οὐσ.* ‹C› **1**. ντεμπραγιάζ, συμπλέκτης: *put the ~ in/out*, πατάω/ἀφήνω τό ἀμπραγιάζ. **2**. (*συνήθ. πληθ.*) νύχια, ἐξουσία: *be in/fall into/escape from sb's ~es*, εἶμαι εἰς/πέφτω εἰς/ξεφεύγω ἀπό τά νύχια κάποιου. **3**. ἅρπαγμα, λαβή, πιάσιμο: *make a ~ at sth*, προσπαθῶ νά πιάσω κτ.

2 **clutch** /klʌtʃ/ *οὐσ.* ‹C› αὐγά ἐκκολάψεως, ἐκκολαφθέντα κοτόπουλα.

clut·ter /ˋklʌtə(r)/ *ρ.μ.* ***~ (up)***, φορτώνω, σωριάζω (ἀκατάστατα): *~ up a desk with papers*, φορτώνω ἕνα γραφεῖο μέ χαρτιά. *a room ~ed up with furniture*, δωμάτιο φορτωμένο μέ ἔπιπλα. —*οὐσ.* (*συνήθ. ἑν.*) σωρός, ἀκαταστασία: *The room was in a ~*, τό δωμάτιο ἦταν ἄνω-κάτω.

co- /kəʊ/ *πρόθεμα* συν-: *ˈcoˋordinate/ˈcoˋoperate*, συντονίζω/συνεργάζομαι.

1 **coach** /kəʊtʃ/ *οὐσ.* ‹C› ἅμαξα, βαγόνι, πούλμαν. **~·man** /-mən/ ἁμαξᾶς.

2 **coach** /kəʊtʃ/ *οὐσ.* ‹C› προγυμναστής, προπονητής. —*ρ.μ.* προγυμνάζω: *~ students/a football team.*

co·agu·late /ˈkəʊˋægjʊleɪt/ *ρ.μ/ἀ.* πήζω. **co·agu·la·tion** /ˈkəʊˈægjʊˋleɪʃn/ *οὐσ.* ‹U› πήξιμο.

coal /kəʊl/ *οὐσ.* ‹C,U› κάρβουνο, γαιάνθραξ: *live ~s*, ἀναμμένα κάρβουνα. ***carry ~s to Newcastle***, κομίζω γλαῦκα εἰς Ἀθήνας, πάω σταφύλια στ' ἀμπέλι. ***heap ~s of fire on sb's head***, προκαλῶ τύψεις σέ κπ ἀνταποδίδων καλόν ἀντί κακοῦ. **~-black**, κατάμαυρος. ˋ**~field**, ἀνθρακοφόρος περιοχή. ˋ**~-gas**, ἀνθρακαέριον. ˋ**~-mine/-pit**, ἀνθρακωρυχεῖον. ˋ**~-scuttle**, ἀνθρακοδοχεῖον. ˋ**~-tar**, ἀνθρακόπισσα. —*ρ.μ/ἀ.* (*γιά πλοῖο*) ἀνθρακεύω/-ομαι.

co·alesce /ˈkəʊəˋles/ *ρ.ἀ.* ἑνώνομαι, συνασπίζομαι.

co·ali·tion /ˈkəʊəˋlɪʃn/ *οὐσ.* ‹C,U› συνασπισμός: *a ~ government*, Κυβέρνησις συνασπισμοῦ.

coarse /kɔs/ *ἐπ.* *(-r, -st)* **1**. τραχύς, χοντρός: *~ cloth/surface/sand*, χοντρό ὕφασμα/τραχειά ἐπιφάνεια/χοντρή ἄμμος. **2**. ἀγροῖκος, ἄξεστος, χυδαῖος, πρόστυχος: *~ language/manners*, χυδαία γλῶσσα/ἄξεστοι τρόποι. **~-ness** *οὐσ.* ‹U› τραχύτης, χυδαιότης, χοντροκοπιά. **~·ly** *ἐπίρ.*

coast /kəʊst/ *οὐσ.* ‹C› ἀκτή, παραλία, ἀκρογιαλιά. (*βλ.* & *λ.* [1]*clear*). —*ρ.μ/ἀ.* παραπλέω, κατηφορίζω ἐλεύθερα (μέ ποδήλατο). ˋ**~-guard**, ἀκτοφυλακή, ἀκτοφύλαξ. ˋ**~-line**, ἀκτές, παραλία. **~al** /-tl/ *ἐπ.* παραλιακός, παράκτιος: *~al navigation*, ἀκτοπλοΐα.

coat /kəʊt/ *οὐσ.* ‹C› **1**. παλτό, πανωφόρι, ζακέτα (γυναικεία), σακκάκι. ***turn one's ~***, ἀλλάζω γνώμη/κόμμα. ***cut one's ~ according to one's cloth***, ἁπλώνω τά πόδια μου ὅσο φτάνει τό πάπλωμά μου. **ˈ~ of ˋarms**, οἰκόσημο, θυρεός. **ˈ~ of ˋmail**, θώραξ πανοπλίας. **2**. τρίχωμα (ζώου). **3**. ἐπίστρωμα, ἐπάλειψις, χέρι (χρώματος, σοβᾶ, κλπ). —*ρ.μ.* ἐπιστρώνω, ἐπικαλύπτω: *furniture ~ed with dust*, ἔπιπλα σκεπασμένα μέ στρῶμα σκόνης. *ˋsugar-~ed pills*, σακχαρόπηκτα. **~-ing** *οὐσ.* ‹C,U› στρῶμα (χρώματος, κλπ).

coax /kəʊks/ *ρ.μ.* καλοπιάνω, καταφέρνω (μέ χάδια ἤ γλυκόλογα): *~ a child to do/into* *doing sth*, καλοπιάνω ἕνα παιδί νά κάνη κτ. ~ *a fire to burn*, καταφέρνω σιγά-σιγά νά ἀνάψη μιά φωτιά. **~·ing** *οὐσ.* ‹U› καλοπιάσματα. **`~·ing·ly** *ἐπίρ.*

cob /kob/ *οὐσ.* ‹C› **1**. ἀρσενικός κύκνος. **2**. μικρόσωμο ἄλογο ἱππασίας. **3**. καλαμπόκι.

co·balt /`kəubolt/ *οὐσ.* ‹U› (*χημ.*) κοβάλτιον.

cobble /`kobl/ *οὐσ.* ‹C› κροκάλη, βότσαλο (γιά λιθόστρωτο): *a ~d street*, καλντερίμι. __*ρ.μ.* μπαλώνω (παπούτσια), λιθοστρώνω.

cob·bler /`koblə(r)/ *οὐσ.* ‹C› μπαλωματής.

co·bra /`kəubrə/ *οὐσ.* ‹C› κόμπρα.

cob·web /`kobweb/ *οὐσ.* ‹C› ἱστός ἀράχνης.

co·caine /kəu`kein/ *οὐσ.* ‹U› κοκαΐνη.

[1]**cock** /kok/ *οὐσ.* κόκκορας, ἀρσενικό (ἄλλων πουλιῶν). **'~-a-'doodle-'doo**, κουκουρίκου! ***a '~-and-'bull story***, ἀνόητη φανταστική ἱστορία, μπαρούφα. ***~ of the walk/school***, (*μεταφ.*) ὁ κόκκορας (ὁ νταῆς) τῆς γειτονιᾶς/ τοῦ σχολείου. ***live like fighting-~s***, ἔχω καί τοῦ πουλιοῦ τό γάλα. **'~-a-`hoop** *ἐπ.* & *ἐπίρ.* κορδωμένος σάν πετεινός, ἔξαλλος, θριαμβευτικά. **`~-crow**, ξημέρωμα, λάλημα πετεινοῦ. **`~-fighting**, κοκκορομαχία.

[2]**cock** /kok/ *οὐσ.* ‹C› **1**. κάνουλα. **2**. κωνική θημωνιά. **3**. κόκκορας ὅπλου. ***at half/full ~***, μέ μισοσηκωμένο/μέ σηκωμένο τόν κόκκορα.

[3]**cock** /kok/ *ρ.μ.* **1**. στηλώνω, σηκώνω (τ' αὐτιά): *The horse ~ed its ears/stopped with its ears ~ed*, τό ἄλογο στήλωσε τ' αὐτιά του/ σταμάτησε μέ τ' αὐτιά του στηλωμένα. **2**. κλείνω (τό μάτι), σηκώνω (τά φρύδια): *He ~ed his eye at me*, μοῦκλεισε τό μάτι. **a '~ed `hat**, τρίκωχο καπέλλο. **3**. σηκώνω τόν κόκκορα (ὅπλου).

cock·ade /ko`keid/ *οὐσ.* ‹C› κονκάρδα (σέ καπέλλο).

cock·erel /`kokrl/ *οὐσ.* ‹C› κοκκοράκι.

cockle /`kokl/ *οὐσ.* ‹C› **1**. στρεῖδι, κυδώνι (θαλασσινό). **2**. βαρκούλα.

cock·ney /`kokni/ *οὐσ.* ‹C› γνήσιος Λονδρέζος: *a ~ accent*, κόκνυ (λαϊκή προφορά τοῦ Λονδίνου).

cock·pit /`kokpit/ *οὐσ.* ‹C› **1**. στῖβος κοκκορομαχιῶν. **2**. πεδίον μαχῶν. **3**. καμπίνα (πιλότου).

cock·roach /`kokrəutʃ/ *οὐσ.* ‹C› κατσαρίδα.

cocks·comb /`kokskəum/ *οὐσ.* ‹C› λειρί (πετεινοῦ).

cock·sure /'kok`ʃuə(r)/ *ἐπ.* ***~ of/about***, ὑπερβέβαιος, γεμᾶτος αὐτοπεποίθηση.

cock·tail /`kokteil/ *οὐσ.* ‹C› κοκτέϊλ.

cocky /`koki/ *ἐπ.* (*-ier, -iest*) (*καθομ.*) ξιππασμένος, ἀναιδής.

cocoa /`kəukəu/ *οὐσ.* ‹U› κακάο.

coco·nut /`kəukənʌt/ *οὐσ.* ‹C,U› καρύδα.

co·coon /kə`kun/ *οὐσ.* ‹C› κουκούλι, βόμβυξ.

coco-palm /`kəukəu pam/ *οὐσ.* ‹C› κοκοφοίνιξ.

cod /kod/ *οὐσ.* ‹C› (*πληθ.* ~) μουρούνα, μπακαλιάρος. **'~ liver `oil**, μουρουνόλαδο. __*ρ.μ/ὰ.* (*καθομ.*) κοροϊδεύω, δουλεύω κπ., πιάνω κορόϊδο.

coddle /`kodl/ *ρ.μ.* παραχαϊδεύω, κάνω ὅλα τά χατήρια: ~ *a child*.

code /kəud/ *οὐσ.* ‹C› κῶδιξ: *moral ~*, ἠθικός κῶδιξ. ***in ~***, κρυπτογραφικῶς. **the Highway C~**, Κῶδιξ Ὁδικῆς Κυκλοφορίας. **Morse ~**, Κῶδιξ Μόρς. __*ρ.μ.* κρυπτογραφῶ.

co·di·cil /`kəudisil/ *οὐσ.* ‹C› κωδίκελλος (διαθήκης).

co·di·fy /`kəudifai/ *ρ.μ.* κωδικοποιῶ. **codi·fi·ca·tion** /'kəudifi`keiʃn/ *οὐσ.* ‹U› κωδικοποίησις.

co-edu·ca·tion /'kəu 'edʒu`keiʃn/ *οὐσ.* ‹U› μικτή ἐκπαίδευσις.

coef·fi·cient /'kəui`fiʃnt/ *οὐσ.* ‹C› (*μαθ.*) συντελεστής.

co·erce /'kəu`3s/ *ρ.μ.* ***~ sb (into doing sth)***, ἐξαναγκάζω, πειθαναγκάζω κπ νά κάνη κτ. **co·er·cion** /'kəu`3ʃn/ *οὐσ.* ‹U› ἐξαναγκασμός, πίεσις: *employ means of coercion*, χρησιμοποιῶ μέσα ἐξαναγκασμοῦ. *do sth under coercion*, κάνω κτ ὑπό πίεσιν. **co·er·cive** /'kəu`3siv/ *ἐπ.* (κατ)αναγκαστικός, πιεστικός.

co·eval /'kəu`ivl/ *ἐπ.* συνομήλικος, σύγχρονος, ταυτόχρονος.

co·exist /'kəuig`zist/ *ρ.ὰ.* ~ ***(with)***, συνυπάρχω. **co·exis·tence** /'kəuig`zistəns/ *οὐσ.* ‹U› συνύπαρξις: *peaceful coexistence*, εἰρηνική συνύπαρξις.

cof·fee /`kofi/ *οὐσ.* ‹C,U› καφές: *black/white ~*, γαλλικός καφές/καφές μέ γάλα. **`~ bar**, μικρό καφενεῖο. **`~ beans/berries**, κόκκοι καφέ. **`~ cup**, φλυτζάνι τοῦ καφέ. **`~-house**, καφενεῖο. **`~ pot**, καφετιέρα, μπρίκι. **`~-stall**, κινητή καντίνα.

cof·fer /`kofə(r)/ *οὐσ.* ‹C› χρηματοκιβώτιο, ταμεῖο, (*πληθ.*) θησαυροφυλάκιο.

cof·fin /`kofin/ *οὐσ.* ‹C› φέρετρο. ***drive a nail into sb's ~***, συμβάλλω στό θάνατο ἤ τήν καταστροφή κάποιου.

cog /kog/ *οὐσ.* ‹C› δόντι (τροχοῦ). ***be a ~ in the machine***, (*μεταφ.*) εἶμαι ὁ τελευταῖος τροχός τῆς ἁμάξης. **`~·wheel** *οὐσ.* ‹C› ὀδοντωτός τροχός.

co·gency /`kəudʒənsi/ *οὐσ.* ‹U› πειστικότης, δύναμις (ἐπιχειρήματος).

co·gent /`kəudʒənt/ *ἐπ.* πειστικός, ἀκαταμάχητος, ἀδιάσειστος: *a ~ argument*, ἀκαταμάχητο ἐπιχείρημα.

cogi·tate /`kodʒiteit/ *ρ.μ/ὰ.* συλλογίζομαι, σκέπτομαι βαθειά, σχεδιάζω: ~ *upon sth*, συλλογίζομαι κτ. ~ *mischief against sb*, σχεδιάζω κακό γιά κπ. **cogi·ta·tion** /'kodʒi`teiʃn/ *οὐσ.* ‹U› συλλογισμός, διαλογισμός, (*πληθ.*) σκέψεις.

cognac /`konjæk/ *οὐσ.* ‹U› κονιάκ.

cog·nate /`kogneit/ *ἐπ.* ~ ***(with)***, συγγενικός, ὁμοειδής (πρός): ~ *words*, λέξεις ἀπό τήν ἴδια ρίζα. ~ *object*, (*γραμμ.*) σύστοιχο ἀντικείμενο.

cog·ni·zance /`kognizns/ *οὐσ.* ‹U› **1**. (*νομ.*) γνῶσις: ***take ~ of***, λαμβάνω ἐπισήμως γνῶσιν. **2**. δικαιοδοσία, ἁρμοδιότης: *It falls within/goes beyond my ~*, ἐμπίπτει εἰς/ ἐξέρχεται ἀπό τήν δικαιοδοσία μου. **cog·ni·zant** /-znt/ *ἐπ.* ***~ of***, γνώστης, (τελῶν) ἐν γνώσει.

cog·no·men /`kognəumən/ *οὐσ.* ‹C› ἐπώνυμον, παρατσούκλι.

co·habit /'kəu`hæbit/ *ρ.ὰ.* συζῶ, συμβιῶ (ἄνευ γάμου). **co·habi·ta·tion** /'kəu'hæbi`teiʃn/ *οὐσ.* ‹U› (παράνομος) συμβίωσις.

co·here /'kəu`hiə(r)/ *ρ.ὰ.* ἔχω (διατηρῶ)

συνοχήν/συνέπειαν, (γιά ἐπιχείρημα) στέκω. **co·her·ence** /-rns/ *οὐσ.* ‹U› συνοχή, συνέπεια, είρμός. **co·her·ent** /-rnt/ *ἐπ.* συνδεδεμένος, κατανοητός, ἔχων συνοχήν/είρμόν: *coherent arguments*, ἐπιχειρήματα μέ είρμό. **co·her·ent·ly** *ἐπίρ.*

co·he·sion /ˈkəʊˋhiʒn/ *οὐσ.* ‹U› συνεκτικότης, συνοχή, λογικός είρμός, ἀλληλουχία. **co·he·sive** /ˈkəʊˋhisɪv/ *ἐπ.* συνεκτικός.

coil /kɔɪl/ *ρ.μ/ἀ.* περιελίσσω/-ομαι, τυλίγω: *~ a rope*, τυλίγω σχοινί. *The snake ~ed (itself) round the tree/~ed itself up*, τό φίδι τυλίχτηκε γύρω ἀπό τό δέντρο/κουλουριάστηκε. —*οὐσ.* ‹C› κουλούρα (σχοινιοῦ, σύρματος, κλπ).

coin /kɔɪn/ *οὐσ.* ‹C,U› νόμισμα, κέρμα: *gold and silver ~s*, χρυσᾶ καί ἀργυρᾶ νομίσματα. ***pay sb back in the same ~***, ἀνταποδίδω σέ κπ τά ἴδια. —*ρ.μ.* κόβω (νομίσματα), πλάθω (νέα λέξη). ***be ~ing money***, (*καθομ.*) μαζεύω λεφτά μέ τό τσουβάλι. **~·age** /-ɪdʒ/ *οὐσ.* ‹C,U› νομισματοκοπή, νεολογισμός, νομισματικόν σύστημα (χώρας).

co·in·cide /ˈkəʊɪnˋsaɪd/ *ρ.ἀ.* συμπίπτω: *events/interests that ~*, γεγονότα/συμφέροντα πού συμπίπτουν. *My tastes/opinions never ~ with yours*, τά γοῦστα μου/οἱ γνῶμες μου δέν συμπίπτουν ποτέ μέ τά δικά σου.

co·in·ci·dence /ˈkəʊˋɪnsɪdəns/ *οὐσ.* ‹C,U› σύμπτωσις: *What a strange ~!* τί περίεργη σύμπτωσις! *by a curious ~*, κατά περίεργον σύμπτωσιν. **co·in·ci·dent** /-dənt/ *ἐπ.* συμπίπτων. **co·in·ci·den·tal** /ˈkəʊˈɪnsɪˋdentl/ *ἐπ.* συμπτωματικός.

coke /kəʊk/ *οὐσ.* **1**. ‹U› κώκ. **2**. ‹C› (*καθομ.*) κόκα-κόλα.

col /kol/ *οὐσ.* ‹C› αὐχένας (βουνοῦ), διάσελο.

col·an·der, cul·len·der /ˋkʌləndə(r)/ *οὐσ.* ‹C› τρυπητό, σουρωτήρι.

[1]**cold** /kəʊld/ *ἐπ.* (*-er, -est*) ψυχρός, κρύος: *feel/be ~*, κρυώνω. *hot and ~ water*, ζεστό καί κρύο νερό. *a ~ woman*, ψυχρή γυναίκα. *leave one ~*, ἀφήνω κπ ἀσυγκίνητο. ***give sb the ~ shoulder***, φέρνομαι ψυχρά σέ κπ. ***have ~ feet***, εἶμαι ἀπρόθυμος, διστάζω (νά κάμω κτ), φοβᾶμαι. ***throw ~ water on sth***, ἀποθαρρύνω κπ, τοῦ κόβω τή φόρα. **~ comfort**, μαύρη παρηγοριά. **ˈ~ ˋwar**, ψυχρός πόλεμος. **ˈ~-ˋblooded**, (*ζωολ.*) ψυχρόαιμος, (*μεταφ.*) ἀναίσθητος, ἀδίστακτος, σκληρός: *in a ~-blooded way*, χωρίς δισταγμό ἤ οἶκτο. *a ~-blooded murder*, ἔγκλημα ἐν ψυχρῷ. **~-hearted** *ἐπ.* σκληρός. **~·ness** *οὐσ.* ‹U› ψύχρα, ψυχρότης. **~·ly** *ἐπίρ.* ψυχρά.

[2]**cold** /kəʊld/ *οὐσ.* **1**. ‹U› κρύο: *shiver with ~*, τρέμω ἀπό τό κρύο. ***(be left) out in the ~***, μένω στά κρύα τοῦ λουτροῦ, μέ ἀγνοοῦν, μέ παραμελοῦν. **2**. ‹C› συνάχι, κρυολόγημα: *have/catch a ~*, ἔχω συνάχι/ἁρπάζω κρύο.

colic /ˋkolɪk/ *οὐσ.* ‹U› (*ἰατρ.*) κωλικός, κωλικόπονος.

col·lab·or·ate /kəˋlæbəreɪt/ *ρ.ἀ.* ~ ***with sb (on sth/in doing sth)***, συνεργάζομαι μέ κπ σέ κτ. **col·lab·or·ator** /-tə(r)/ *οὐσ.* ‹C› συνεργάτης. **col·lab·or·ation** /kəˈlæbəˋreɪʃn/ *οὐσ.* ‹U› συνεργασία.

col·lapse /kəˋlæps/ *οὐσ.* ‹C› κατάρρευσις: *the ~ of a building/of plans/of hopes*, ἡ κατάρρευσις ἑνός κτιρίου/σχεδίων/ἐλπίδων. *suffer a nervous ~*, παθαίνω νευρική κατάπτωση. —*ρ.ἀ.* καταρρέω, σωριάζομαι: *The roof/The tent/His health ~d*, ἡ σκεπή/ἡ σκηνή/ἡ ὑγεία του κατέρρευσε. *He ~d on the floor/into a chair*, σωριάστηκε στό πάτωμα/σέ μιά καρέκλα. **col·lap·sible** /-əbl/ *ἐπ.* (*γιά καρέκλα, τραπέζι, βάρκα*) πτυσσόμενος.

col·lar /ˋkolə(r)/ *οὐσ.* ‹C› γιακᾶς, κολλάρο, λαιμαριά, δακτύλιος (συνδετήρ): *a stiff/soft ~*, σκληρό/μαλακό κολλάρο. *seize sb by the ~*, βουτάω κπ ἀπό τό γιακᾶ. *the ~ of a dog/of a horse*, ἡ λαιμαριά σκύλου/ἀλόγου. **ˋ~ stud**, κουμπί τοῦ κολλάρου. **ˋ~·bone**, (*ἀνατ.*) κλείς τοῦ ὤμου. —*ρ.μ.* (*καθομ.*) βουτάω: *~ a thief/sb's pen*, βουτάω κλέφτη/τό στυλό κάποιου.

col·late /kəˋleɪt/ *ρ.μ.* (ἀντι)παραβάλλω (κείμενα).

col·lat·eral /kəˋlætərl/ *ἐπ.* παράλληλος, ἔμμεσος, συμπληρωματικός, βοηθητικός, (*γιά συγγενεῖς*) πλάγιος: *~ road/security/evidence*, παράλληλος δρόμος/ἐπιβοηθητική ἐγγύησις/ἔμμεσος ἀπόδειξις.

col·la·tion /kəˋleɪʃn/ *οὐσ.* ‹C› (*λόγ.*) κολατσιό.

col·league /ˋkolig/ *οὐσ.* ‹C› συνάδελφος.

col·lect /kəˋlekt/ *ρ.μ/ἀ.* **1**. συλλέγω, μαζεύω/-ομαι, συγκεντρώνω/-ομαι, εἰσπράττω, κάνω συλλογή, κάνω ἔρανο: *~ money/taxes/rubbish/old books/stamps*, μαζεύω χρήματα/φόρους/σκουπίδια/παληά βιβλία/γραμματόσημα. *A crowd soon ~ed*, σέ λίγο μαζεύτηκε πλῆθος. ***~ one's ideas/oneself***, συγκεντρώνομαι, συνέρχομαι, ἠρεμῶ (ὕστερα ἀπό ταραχή). **2**. περνῶ καί παίρνω: *~ the children from school*, παίρνω τά παιδιά ἀπό τό σχολεῖο. **~or** /-tə(r)/ *οὐσ.* ‹C› συλλέκτης, εἰσπράκτωρ: *a ˋstamp-~; a ˋtax-~; a ˋticket-~*. **~ed** *ἐπ.* συγκεντρωμένος, ψύχραιμος. **~ed·ly** *ἐπίρ.*

col·lec·tion /kəˋlekʃn/ *οὐσ.* ‹C› συλλογή, σωρός, ἔρανος: *a ˋstamp ~*, συλλογή γραμματοσήμων. *a ~ of rubbish*, σωρός σκουπιδιῶν. ***take up/make a ~***, κάνω ἔρανο.

col·lec·tive /kəˋlektɪv/ *ἐπ.* συλλογικός: *~ leadership/ownership/security*, συλλογική ἡγεσία/ἰδιοκτησία/ἀσφάλεια. **a ~ noun**, (*γραμμ.*) περιληπτικόν οὐσιαστικόν. **col·lec·tiv·ism** /-ɪzm/ *οὐσ.* ‹U› κολλεκτιβισμός.

col·lege /ˋkolɪdʒ/ *οὐσ.* ‹C› **1**. κολλέγιον: *go to/be at ~*, πάω στό κολλέγιο. **2**. σύλλογος, σῶμα (ἐπιστημόνων, κλπ). *the C~ of Surgeons/of Cardinals*, ἡ Χειρουργική Ἑταιρία/τό Κολλέγιον τῶν Καρδιναλίων. *electoral ~*, σῶμα ἐκλεκτόρων. **col·le·giate** /kəˋlidʒɪət/ *ἐπ.* κολλεγιακός: *~ life*.

col·lide /kəˋlaɪd/ *ρ.ἀ.* ~ ***(with)***, συγκρούομαι: *The lorry ~d with a bus*, τό φορτηγό συγκρούστηκε μέ ἕνα λεωφορεῖο.

col·lier /ˋkolɪə(r)/ *οὐσ.* ‹C› ἀνθρακωρύχος, ἀνθρακοφόρον πλοῖον. **~y** *οὐσ.* ‹C› ἀνθρακωρυχεῖον.

col·li·sion /kəˋlɪʒn/ *οὐσ.* ‹C,U› σύγκρουσις: *a head-on ~*, μετωπική σύγκρουσις. ***be/find oneself in ~ with***, εὑρίσκομαι σέ σύγκρουση/ἀντιμέτωπος μέ. ***come into ~***, συγκρούομαι.

col·lo·ca·tion /ˈkoləˋkeɪʃn/ *οὐσ.* ‹C,U› ἰδιωματική φράσις, συνδυασμός λέξεων.

col·lo·quial /kəˋləʊkwɪəl/ *ἐπ.* τῆς καθομιλου-

μένης, τῆς καθημερινῆς γλώσσας. **~ly** *ἐπίρ.*
col·loquy /ˋkoləkwɪ/ *οὐσ.* ‹C› (*λόγ.*) συνομιλία, διάλογος.
col·lu·sion /kəˋluʒn/ *οὐσ.* ‹U› συμπαιγνία, (κρυφή) συνενόησις: *be/act in ~ with sb*, εἶμαι/ἐνεργῶ συνενοημένος μέ κπ.
colly·wobbles /ˋkolɪwoblz/ *οὐσ. πληθ.* (*καθομ.*) **1**. κόψιμο στό στομάχι. **2**. ἐλαφρός φόβος, τρεμούλα.
co·lon /ˋkəʊlən/ *οὐσ.* ‹C› **1**. (*γραμμ.*) δύο τελεῖες (ἄνω καί κάτω). **2**. (*ἀνατ.*) κόλον.
co·lonel /ˋkɜnl/ *οὐσ.* ‹C› συνταγματάρχης.
co·lo·nial /kəˋləʊnɪəl/ *ἐπ.* ἀποικιακός: *a ~ empire*, ἀποικιακή αὐτοκρατορία. **~·ism** /-ɪzm/ *οὐσ.* ‹U› ἀποικιοκρατία. **~·ist** /-ɪst/ *οὐσ.* ‹C› & *ἐπ.* ἀποικιοκράτης, ἀποικιοκρατικός.
co·lon·ist /ˋkolənɪst/ *οὐσ.* ‹C› ἄποικος.
col·on·ize /ˋkolənaɪz/ *ρ.μ.* ἀποικίζω. **col·on·iz·ation** /ˌkolənaɪˋzeɪʃn/ *οὐσ.* ‹U› ἀποικισμός.
col·on·nade /ˌkoləˋneɪd/ *οὐσ.* ‹C› περιστύλιον, κιονοστοιχία.
col·ony /ˋkolənɪ/ *οὐσ.* ‹C› ἀποικία, παροικία.
co·los·sal /kəˋlosl/ *ἐπ.* κολοσσιαῖος.
co·los·sus /kəˋlosəs/ *οὐσ.* ‹C› κολοσσός.
[1]**col·our** /ˋkʌlə(r)/ *οὐσ.* ‹C,U› **1**. χρῶμα. ***be/look/feel off ~***, εἶμαι/φαίνομαι/αἰσθάνομαι κατηφής, ἀδιάθετος. ***change ~***, ἀλλάζω χρῶμα (γίνομαι χλωμός ἤ κόκκινος). ***give/lend ~ to sth***, κάνω κτ νά φαίνεται πιθανό. ***give a false ~ to sth***, δίνω ψεύτικη εἰκόνα. ***local ~***, τοπικό χρῶμα. ***see sth in its true ~s***, βλέπω κτ ὅπως πραγματικά εἶναι. **ˋ~-blind**, πάσχων ἀπό ἀχρωματοψία. **2**. χρῶμα, μπογιά: *water/oil ~s*, νερομπογιές/λαδομπογιές. *paint sth in bright/in dark ~s*, περιγράφω κτ αἰσιόδοξα/ἀπαισιόδοξα. **3**. (*πάντοτε πληθ.*) χρώματα (συλλόγου), σημαία. ***come off with flying ~s***, σημειώνω μεγάλη ἐπιτυχία σέ κτ. ***join the ~s***, κατατάσσομαι στό στρατό. ***lower one's ~s***, παραδίδομαι. ***sail under false ~s***, πλέω ὑπό ψευδῆ σημαία, παρουσιάζομαι ἄλλο ἀπ' ὅ-τι εἶμαι. ***show one's true ~s***, δείχνω ποιός πραγματικά εἶμαι. ***stick to one's ~s***, μένω πιστός στίς ἀρχές μου, στό κόμμα μου. **ˋ~-bar** *οὐσ.* φυλετικός διαχωρισμός. **~·ful** /-fl/ *ἐπ.* γραφικός, ζωντανός, γεμᾶτος χρῶμα, ἔντονος. **~·less** *ἐπ.* ἄχρωμος, ἄτονος.
[2]**col·our** /ˋkʌlə(r)/ *ρ.μ/ἀ.* **1**. χρωματίζω, βάφω, παίρνω χρῶμα, κοκκινίζω: *~ a wall green*, βάφω πράσινο ἕναν τοῖχο. *The leaves have begun to ~*, τά φύλλα ἔχουν ἀρχίσει νά παίρνουν χρῶμα. *She is so shy that she ~s when you speak to her*, εἶναι τόσο ντροπαλή πού κοκκινίζει ὅταν τῆς μιλᾶς. **2**. χρωματίζω, γαρνίρω, ὑπερβάλλω: *News is often ~ed*, τά νέα εἶναι συχνά γαρνιρισμένα. *Travellers' tales are often ~ed*, οἱ ἀφηγήσεις τῶν ταξιδιωτῶν εἶναι συχνά γεμᾶτες ὑπερβολές. **~ed** *ἐπ.* ἔγχρωμος (νέγρος), χρωματισμένος. **·ing** *οὐσ.* ‹U› χρωματισμός: *~ing matter*, χρωστική οὐσία (σέ τρόφιμα).
colt /kəʊlt/ *οὐσ.* ‹C› πουλάρι.
col·umn /ˋkoləm/ *οὐσ.* ‹C› **1**. κολώνα: *the ~s of the Parthenon*, οἱ κολῶνες τοῦ Παρθενώνα. **2**. στήλη: *a ~ of smoke*, στήλη καπνοῦ. *a ˋnewspaper ~*, στήλη ἐφημερίδος. **3**. φάλαγξ: *march in two ~s*, βαδίζω σέ δύο φάλαγγες. ***the fifth ~***, ἡ πέμπτη φάλαγξ. **~·ist** /-nɪst/ *οὐσ.* ‹C› (*ΗΠΑ*) ἀρθρογράφος, σχολιαστής ἐφημερίδος.
coma /ˋkəʊmə/ *οὐσ.* ‹C› (*ἰατρ.*) κῶμα, λήθαργος. ***go into a ~***, πέφτω σέ κῶμα. **~·tose** /-təʊz/ *ἐπ.* κωματώδης.
comb /kəʊm/ *οὐσ.* ‹C› **1**. χτένι, τσατσάρα, λανάρα. **2**. λειρί. **3**. κορυφή κύματος. **4**. κηρήθρα. ―*ρ.μ.* χτενίζω, ξυστρίζω, ξαίνω: *~ one's hair/a horse/wool*, χτενίζω τά μαλλιά μου/ξυστρίζω ἄλογο/ξαίνω μαλλιά. *~ a city to find a murderer*, χτενίζω μιά πόλη γιά νά βρῶ ἕναν δολοφόνο. *~ out a government department*, ἐκκαθαρίζω μιά κυβερνητική ὑπηρεσία.
com·bat /ˋkombæt/ *οὐσ.* ‹C› μάχη, ἀγώνας: *mortal ~*, ἀγώνας μέχρι θανάτου. **single ~**, μονομαχία. ―*ρ.μ/ἀ.* μάχομαι, πολεμῶ, ἀγωνίζομαι: *~ injustice*, πολεμῶ τήν ἀδικία. *a ship ~ing with the waves*, πλοῖο πού ἀγωνίζεται μέ τά κύματα. **~·ant** /ˋkombətənt/ *οὐσ.* ‹C› & *ἐπ.* μαχητής, πολεμιστής, μάχιμος. **non-~ant**, μή μάχιμος, ἄμαχος. **~·ive** /ˋkombətɪv/ *ἐπ.* μαχητικός, ἐπιθετικός, ἐριστικός. **~·ive·ly** *ἐπίρ.* μαχητικά, ἐπιθετικά.
com·bi·na·tion /ˌkombɪˋneɪʃn/ *οὐσ.* **1**. ‹U› συνδυασμός, ἕνωσις: *~ of sounds/of circumstances/of two elements*, συνδυασμός ἤχων/συνδρομή περιστάσεων/ἕνωσις δύο στοιχείων. *enter into ~ with*, ἑνώνομαι μέ, συμπράττω μέ. ***in ~ with***, σέ συνδυασμό μέ, ἀπό κοινοῦ μέ. **~-lock**, κλειδαριά πού ἀνοίγει μέ συνδυασμό. **2**. ‹C› μοτοσυκλέττα μέ καλάθι. **3**. (*πληθ.*) κομπιναιζόν.
[1]**com·bine** /kəmˋbaɪn/ *ρ.μ/ἀ.* συνδυάζω/-ομαι, ἑνώνω/-ομαι: *~ work with pleasure*, συνδυάζω τή δουλειά μέ τήν εὐχαρίστηση. *Everything ~d against me*, ὅλα ἑνώθηκαν ἐναντίον μου, μοῦ ἦλθαν ὅλα ἀνάποδα. *~d operations/exercises*, συνδυασμένες ἐπιχειρήσεις/ἀσκήσεις.
[2]**com·bine** /ˋkombaɪn/ *οὐσ.* ‹C› **1**. συνδικᾶτο, κοινοπραξία, καρτέλ. **2**. θεριστική-ἁλωνιστική μηχανή.
com·bust·ible /kəmˋbʌstəbl/ *ἐπ.* καύσιμος, εὔφλεκτος, (*μεταφ.*) εὐέξαπτος. ―*οὐσ.* (*συνήθ. πληθ.*) καύσιμα.
com·bus·tion /kəmˋbʌstʃən/ *οὐσ.* ‹U› καῦσις, ἀνάφλεξις: *an internal ~ engine*, μηχανή ἐσωτερικῆς καύσεως. **spontaneous ~**, αὐτόματος ἀνάφλεξις.
come /kʌm/ *ρ.ἀ.* ἀνώμ. (*ἀόρ. came* /keɪm/, *π.μ. come*) **1**. ἔρχομαι: *C~ here!* ἔλα ἐδῶ! *~ into/out of a room*, μπαίνω εἰς/βγαίνω ἀπό ἕνα δωμάτιο. *He came to me/towards me*, ἦλθε κοντά μου/πρός τό μέρος μου. ***~ what may***, ὅ,τι καί νά γίνῃ: *I'll leave tomorrow, ~ what may*, θά φύγω αὔριο, ὅ,τι καί νά γίνῃ. **2**. ***~ to***, φθάνω, ἔρχομαι, ἀνέρχομαι: *His debts ~ to £500*, τά χρέη του ἀνέρχονται σέ 500 λίρες. *They came to a river*, ἔφθασαν σ' ἕνα ποτάμι. *When it ~s to paying/to helping me*, ὅταν πρόκειται νά πληρώσῃ/νά μέ βοηθήσῃ... *What you say ~s to this*, αὐτό πού λές σημαίνει τό ἑξῆς. *If it ~s to that*, ἄν τά πράγματα φθάσουν ἐκεῖ. *The idea came to me*, μοῦ ἦρθε ἡ ἰδέα. *No harm will come to you*, δέν θά σέ βρῇ κανένα κακό. *The house came to him on his*

father's death, κληρονόμησε τό σπίτι ὅταν πέθανε ὁ πατέρας του. *His name will come to me in a minute*, θά θυμηθῶ (θά μοῦρθη) τ' ὄνομά του σ' ἕνα λεπτό. ~ **to nothing**, ἀποτυγχάνω: *All his plans came to nothing*, ὅλα του τά σχέδια ἀπέτυχαν. **3**. ~ **to** + *οὐσιαστικό*, καταλήγω, φθάνω: ~ *to an agreement*, καταλήγω σέ συμφωνία. ~ *to blows*, ἔρχομαι στά χέρια, τσακώνομαι. ~ *to a decision*, καταλήγω σέ ἀπόφαση. ~ *to an end*, φθάνω στό τέλος, τελειώνω. ~ *to grief*, χρεωκοπῶ, παθαίνω ἀτύχημα. ~ *to a halt/to a standstill*, σταματῶ. ~ *to one's knowledge*, ἔρχεται εἰς γνῶσιν μου, μαθαίνω. ~ *to light*, ἔρχομαι εἰς φῶς. ~ *to one's notice/attention*, ὑποπίπτει στήν ἀντίληψή μου. ~ *to one's senses/to oneself*, ἔρχομαι στά λογικά μου/συνέρχομαι. ~ *to terms (with)*, συμβιβάζομαι. **4**. ~ **into** + *οὐσιαστικό*, ἔρχομαι, καταλήγω: ~ *into blossom/bud/flower/leaf*, βγάζω ἄνθη/μπουμπούκια/λουλούδια/φύλλα. ~ *into contact (with)*, ἔρχομαι σέ ἐπαφή. ~ *into money*, κληρονομῶ χρήματα. ~ *into operation*, τίθεμαι ἐν ἰσχύι, ἀρχίζω νά λειτουργῶ. ~ *into one's own*, παίρνω ὅ,τι μοῦ ἀνήκει. ~ *into power*, ἀνέρχομαι στήν ἐξουσία. ~ *into view/into sight*, ἐμφανίζομαι. **5**. ~ **to** + *ἀπαρέμφατον*: (α) καταλήγω νά: *I have ~ to believe that...*, κατέληξα νά πιστεύω ὅτι... *When I came to know him better*, ὅταν τελικά τόν γνώρισα καλύτερα. (β) (*συνήθ. μέ how, ἰδ. σέ ἐρωτήσεις*) τυχαίνει νά: *How did you ~ to hear of it?* πῶς ἔτυχε νά τό μάθης; *Now that I ~ to think of it*, τώρα πού τό σκέφτομαι. **6**. γίνομαι, ἔρχομαι (σέ μιά ὡρισμένη κατάσταση): *It ~s easy with practice*, γίνεται εὔκολο μέ τήν ἐξάσκηση. *It ~s cheaper if you buy it by the dozen*, ἔρχεται φτηνότερα ἄν τ' ἀγοράσης μέ τή ντουζίνα. *Your dream will ~ true*, τό ὄνειρό σου θά βγῆ ἀληθινό. *My shoelaces came undone*, τά κορδόνια μου λύθηκαν. *The stamp came unstuck*, τό γραμματόσημο ξεκόλλησε. **7**. κάνω, παριστάνω: *Don't ~ the bully/the artful over me*, μήν παριστάνης τόν νταῆ/τόν ἔξυπνο σέ μένα. **8**. μελλοντικός, πού θά ἔλθη: *in years to ~*, σέ μελλοντικά χρόνια. *the life to ~*, ἡ μελλοντική ζωή. *books to ~*, βιβλία ὑπό ἔκδοσιν. **9**. προσεχής, ἐρχόμενος: *She will be 21 ~ May*, θά γίνη 21 ἐτῶν τόν ἐρχόμενο Μάη. **10**. (*μέ ἐπιρ. & προθέσεις*):

come about, συμβαίνω: *It came about in this way*, συνέβη ὡς ἑξῆς.

come across, βρίσκω, συναντῶ τυχαίως, (*γιά σκέψη*) περνῶ: *I came across an old friend*, συνάντησα τυχαίως ἕναν παληό φίλο. *The thought came across my mind that...*, μοῦ πέρασε ἀπό τό νοῦ ἡ σκέψη ὅτι...

come along, (α) (*στήν προστ.*) ἐμπρός! κάνε γρήγορα! (β) προχωρῶ, προοδεύω, πάω (καλά): *The garden is coming along quite nicely*, ὁ κῆπος πάει πολύ καλά. (γ) παρουσιάζομαι: *When the right opportunity ~s along*, ὅταν παρουσιαστῆ ἡ κατάλληλη εὐκαιρία. (δ) συνοδεύω: *C~ along with me!* ἔλα μαζί μου.

come apart, διαλύομαι, γίνομαι κομμάτια: *The teapot just came apart in my hands*, τό τσαγερό διαλύθηκε στά χέρια μου.

come at, φθάνω, ἐπιτίθεμαι: ~ *at the truth*, φθάνω στήν ἀλήθεια. *He came at me with a stick*, μοῦ ἐπετέθη μ' ἕνα ραβδί.

come away, φεύγω, ξεκολλῶ: *He came away from school*, ἔφυγε ἀπό τό σχολεῖο. *The light switch came away from the wall*, ὁ διακόπτης ξεκόλλησε ἀπό τόν τοῖχο.

come back, ἐπανέρχομαι, ἀνταπαντῶ: *Will miniskirts ~ back?* θά ξαναγυρίσουν οἱ μίνι φοῦστες; *He came back at the speaker*, ἀνταπάντησε στόν ὁμιλητή. **ˋ~-back**, ἐπιστροφή (στήν ἐξουσία, δημοτικότητα, κλπ), εὔστοχη ἀνταπάντηση.

come by, ἀποκτῶ, βρίσκω: *How did he ~ by all that money?* ποῦ βρῆκε ὅλα αὐτά τά χρήματα; *money honestly ~ by*, χρήματα τιμίως ἀποκτηθέντα.

come down, (ξε)πέφτω, (*καθομ.*) δίνω (χρήματα): *The rain came down in bucketfuls*, ἡ βροχή ἔπεφτε μέ τό τουλούμι. *The roof/The price came down*, ἡ σκεπή/ἡ τιμή ἔπεσε. *He came down handsomely*, ἔπεσε ὡραῖα (πλήρωσε καλά). ~ *down in the world*, ξεπέφτω κοινωνικῶς. ~ **down to**, (α) φθάνω ἕως: *Her hair ~s down to her waist*, τά μαλλιά της φθάνουν ὥς τή μέση της. *Legends that have ~ down to us*, θρῦλοι πού ἔφθασαν ὥς ἐμᾶς. *He has ~ down to begging*, ἔφθασε στό σημεῖο νά ζητιανεύη. (β) συνοψίζομαι, σημαίνω: *Your argument ~s down to this*, τό ἐπιχείρημά σου συνοψίζεται στό ἑξῆς. ~ **down on sb**, (*καθομ.*) κατσαδιάζω. ~ **down on sb for sth**, ἀπαιτῶ ἀπό κπ νά πληρώση κτ. **ˋ~-down** *οὐσ.* ‹C› ξεπεσμός.

come forward, παρουσιάζομαι, προσφέρομαι (ἐθελοντικῶς): *No-one came forward as a candidate*, κανείς δέν παρουσιάστηκε ὡς ὑποψήφιος.

come from, κατάγομαι, προέρχομαι: *Where do you ~ from?* ἀπό ποῦ κατάγεσθε;

come in, (*γιά παλίρροια*) ἀνεβαίνω, (*γιά μόδα*) ἐμφανίζομαι, (*γιά χρήματα*) εἰσρέω, (*πολιτ.*) ἐκλέγομαι, συμμετέχω: *Where do I come in?* ποιά εἶναι ἡ δική μου συμμετοχή/ἡ θέση μου; ~ **in handy/useful**, ἐξυπηρετῶ, φαίνομαι χρήσιμος. *Don't throw it away; it may ~ in handy one day*, μήν τό πετᾶς, μπορεῖ νά σοῦ φανῆ χρήσιμο μιά μέρα. ~ **in for**, παίρνω (μερίδιο, κληρονομιά), ὑφίσταμαι (πχ κριτική). ~ **in on**, λαμβάνω μέρος: *Do you want to ~ in on the project?* θέλης νά λάβης μέρος στή δουλειά;

come into, μπαίνω, κληρονομῶ.

come of, προέρχομαι, προκύπτω: *She ~s of a good family*, προέρχεται ἀπό καλή οἰκογένεια. *No good will ~ of it/of waiting*, τίποτα καλό δέν θά προκύψη (δέν θά βγῆ) ἀπ' αὐτό/ἀπό τήν ἀναμονή.

come off, (α) ξεκολλῶ, βγαίνω: *A button has ~ off my shirt*, κόπηκε ἕνα κουμπί ἀπό τό πουκάμισό μου. *This lipstick doesn't ~ off*, αὐτό τό κραγιόν δέν βγαίνει. (β) πέφτω, κατεβαίνω: *He came off the bicycle/the wall*, ἔπεσε ἀπό τό ποδήλατο/κατέβηκε ἀπό τόν τοῖχο. (γ) πραγματοποιοῦμαι, γίνομαι: *Did the marriage ~ off?* ἔγινε ὁ γάμος; (δ) πετυχαίνω: *The experiment didn't ~ off*, τό πείραμα δέν πέτυχε. ~ **off well/badly**, (*γιά πρόσωπα*) τά πηγαίνω καλά/ἄσχημα: *Who came off best?*

ποιός κέρδισε; **C~ off it!** (*προστ.*) ἄστα αὐτά! κόφτο!

come on, *(α)* (*προστ.*) ἐμπρός! ἔλα! ἄντε τώρα! *(β)* ἀκολουθῶ: *Go ahead, I'll ~ on later*, προχώρα μπροστά, θά ἀκολουθήσω ἀργότερα. *(γ)* ἀναπτύσσομαι: *The garden/The baby is coming on well*, ὁ κῆπος/τό μωρό ἀναπτύσσεται καλά. *(δ)* φθάνω, πέφτω, ἀρχίζω: *Autumn is coming on*, τό φθινόπωρο φθάνει. *Night/Darkness came on*, ἡ νύχτα/τό σκοτάδι ἔπεσε. *The rain came on worse than before*, ἡ βροχή ἄρχισε χειρότερα ἀπό πρίν. *I feel a cold coming on*, νοιώθω ὅτι θά μέ πιάση τό συνάχι. *(ε)* ἔρχομαι (πρός συζήτησιν, κλπ): *The case is coming on tomorrow*, ἡ ὑπόθεσις ἔρχεται (πρός ἐκδίκασιν) αὔριο.

come out, βγαίνω, ἀπεργῶ: *If the truth ~s out*, ἄν βγῆ (ἀποκαλυφθῆ) ἡ ἀλήθεια. *~ out well in a photograph*, βγαίνω καλά σέ μιά φωτογραφία. *~ out first/last*, βγαίνω πρῶτος/τελευταῖος (σέ ἐξετάσεις). *His new book ~s out next month*, τό νέο του βιβλίο βγαίνει τόν ἄλλο μῆνα. *The car workers have ~ out again*, οἱ ἐργάτες αὐτοκινήτων ἀπήργησαν πάλι. *These ink stains won't ~ out*, αὐτοί οἱ λεκέδες ἀπό μελάνι δέν βγαίνουν. *I can't make this equation ~ out*, δέν μπορῶ νά βγάλω (νά λύσω) αὐτήν τήν ἐξίσωση. **~ out with**, λέγω, ξεστομίζω: *~ out with a string of oaths*, ξεστομίζω βλαστήμιες. *C~ out with it!* ἔλα, πές το!

come over, πιάνω, πηγαίνω, ἔρχομαι (ἀπό μακρυά): *What has ~ over you?* τί σ' ἔπιασε; *I came over dizzy/funny*, μ' ἔπιασε ζαλάδα/ἀδιαθέτησα. *~ over to sb's side*, πηγαίνω μέ τό μέρος κάποιου.

come round, *(α)* συνέρχομαι (ἀπό λιποθυμία, ἀπό θυμό): *She'll soon ~ round*, θά συνέλθη σέ λίγο. *(β)* ἐπισκέπτομαι, περνῶ: *I'll ~ round to see you one day*, θά περάσω νά σέ δῶ καμιά μέρα. *(γ)* προσχωρῶ, μεταπείθομαι: *He'll never ~ round to our view*, ποτέ δέν θά προσχωρήση στήν ἄποψή μας.

come through, περνῶ, γλυτώνω, φθάνω: *He has ~ through two wars*, ἔχει περάσει (γλυτώσει) δύο πολέμους. *~ through an illness*, γλυτώνω ἀπό μιά ἀρρώστεια. *A message has just ~ through*, μόλις ἔφθασε ἕνα μήνυμα (μέσῳ τῶν τηλεπικοινωνιῶν).

come to, συνέρχομαι (ἀπό λιποθυμία), συμποσοῦμαι, ἀνέρχομαι.

come under, ἐμπίπτω, ὑπάγομαι, ὑποπίπτω: *What category does this ~ under?* σέ ποιά κατηγορία ἐμπίπτει/ὑπάγεται αὐτό; *~ under sb's influence*, πέφτω στήν ἐπιρροή κάποιου. *~ under sb's notice*, ὑποπίπτω στήν ἀντίληψη κάποιου.

come up, ἔρχομαι (πρός συζήτησιν, ἐκδίκασιν, κλπ), ἐμφανίζομαι: *This question hasn't ~ up yet*, αὐτό τό θέμα δέν ἐθίγη ἀκόμα. *Your case ~s up next week*, ἡ ὑπόθεσίς σας ἐκδικάζεται τήν ἐρχομένη ἑβδομάδα. *If a vacancy ~s up...*, ἄν παρουσιαστῆ κενή θέσις. **~ up to**, *(α)* πλησιάζω, φθάνω: *He came up to me and said*, μέ πλησίασε καί εἶπε. *The water came up to my waist*, τό νερό ἔφθανε ὥς τή μέση μου. *(β)* ἀνταποκρίνομαι: *Your work hasn't ~ up to expectations*, ἡ δουλειά σου δέν ἀνταποκρίθηκε στίς προσδοκίες μας. **~ up against**, συναντῶ, ἀντιμετωπίζω: *If you ~ up against any difficulties...*, ἄν συναντήσης τίποτα δυσκολίες. **~ up with**, ἔχω, βρίσκω (λύση, ἀπάντηση, κλπ), προφταίνω: *He always ~s up with bright ideas*, ἔχει πάντα λαμπρές ἰδέες.

come upon, κυριεύω, ἀξιῶ, συναντῶ (βρίσκω) τυχαίως: *Fear came upon us*, μᾶς κυρίεψε φόβος. *I came upon him in the park*, τόν συνήντησα τυχαῖα στό πάρκο.

com·edian /kə`midiən/ *οὐσ.* ‹C› κωμικός.

com·edy /`komədɪ/ *οὐσ.* ‹C,U› κωμωδία.

come·ly /`kʌmlɪ/ *ἐπ.* (*γιά πρόσωπα*) νόστιμος, χαριτωμένος. **come·li·ness** *οὐσ.* ‹U› χάρις, κομψότης.

comer /`kʌmə(r)/ *οὐσ.* ‹C› (*σέ σύνθ. λέξ.*) ὁ ἐρχόμενος, ὁ ἀφιχθείς: *the late-/new-~s*, οἱ καθυστερημένοι/οἱ καινουργοφερμένοι.

com·est·ible /kə`mestəbl/ *οὐσ.* ‹C› (*συνήθ. πληθ.*) (*λόγ.*) φαγώσιμα.

comet /`komɪt/ *οὐσ.* ‹C› κομήτης.

com·fort /`kʌmfət/ *οὐσ.* ‹C,U› **1**. ἄνεσις, κομφόρ: *live in ~*, ζῶ μέ μεγάλη ἄνεση. *The hotel had all modern ~s*, τό ξενοδοχεῖο εἶχε ὅλες τίς σύγχρονες ἀνέσεις. **2**. παρηγοριά, ἀνακούφισις, κουράγιο: *a few words of ~*, λίγα λόγια παρηγοριᾶς. *I take ~ at the thought that...*, ἀνακουφίζομαι/παρηγοροῦμαι μέ τή σκέψη ὅτι... *Your letters have been a great ~ to me*, τά γράμματά σου ἦταν μεγάλη παρηγοριά γιά μένα. **cold ~**, μαύρη παρηγοριά. __*ρ.μ.* παρηγορῶ, ἀνακουφίζω, ἐνθαρρύνω. **~er** *οὐσ.* ‹C› παρηγορητής, κασκόλ, πιπίλα (μωροῦ).

com·fort·able /`kʌmftəbl/ *ἐπ.* ἄνετος: *a ~ chair/life*, ἄνετη καρέκλα/ζωή. *feel/be ~*, νοιώθω/εἶμαι ἄνετα. **com·fort·ably** /-əblɪ/ *ἐπίρ.* ἀνέτως: *They are comfortably off*, ἔχουν οἰκονομική ἄνεση.

comic /`komɪk/ *ἐπ.* κωμικός: *a ~ song/opera*. __*οὐσ.* ‹C› **1**. κωμικός. **2**. (*πληθ.*) ἱστοριοῦλες σέ εἰκόνες, κόμικς.

comi·cal /`komɪkl/ *ἐπ.* ἀστεῖος: *a ~ hat*.

com·ing /`kʌmɪŋ/ *οὐσ.* ‹C› **1**. ἔλευσις: *the Second C~*, ἡ Δευτέρα Παρουσία. **2**. (*πληθ.*) **~s and goings**, πήγαινε-ἔλα. __*ἐπ.* (ἀν)-ερχόμενος: *the ~ years*, τό χρόνια πού ἔρχονται. *an up-and-~ politician*, ἀνερχόμενος πολιτικός, πολιτικός μέ μέλλον.

comma /`komə/ *οὐσ.* ‹C› κόμμα (σημεῖον στίξεως). **in'verted `~s**, εἰσαγωγικά.

[1]**com·mand** /kə`mand/ *ρ.μ./ἀ.* **1**. διατάσσω: *He did as he was ~ed*, ἔκαμε ὅπως τόν διέταξαν. **2**. διοικῶ: *Who ~s the army?* ποιός διοικεῖ τό στρατό; **3**. συγκρατῶ, ἐλέγχω: *~ one's temper/passions*, συγκρατῶ τό θυμό μου/τά πάθη μου. **4**. διαθέτω: *He ~s great sums of money*, διαθέτει μεγάλα χρηματικά ποσά. **5**. ἐμπνέω, ἐπιβάλλω, προκαλῶ: *~ sb's respect*, ἐμπνέω τό σεβασμό σέ κπ. *~ sb's admiration/attention*, προκαλῶ τό θαυμασμό/τήν προσοχή κάποιου. **6**. δεσπόζω, ὑπέρκειμαι (τοποθεσίας): *The fort ~s the entrance to the valley*, τό φρούριο δεσπόζει τῆς εἰσόδου στήν κοιλάδα. *The hill ~s a fine view*, ὁ λόφος παρέχει (ἀπό τό λόφο ἔχει κανείς) μιά θαυμάσια θέα.

[2]**com·mand** /kə`mand/ *οὐσ.* ‹C› **1.** διαταγή, ἐντολή, διοίκησις: *His ~s were quickly obeyed*, ὑπήκουσαν ἀμέσως στίς διαταγές του. *be in ~ of an army*, ἔχω τήν διοίκηση ἑνός στρατοῦ. ***at/by the ~ of***, κατ' ἐντολήν τοῦ. ***be under the ~ of***, εἶμαι ὑπό τάς διαταγάς τοῦ. ***be at sb's ~***, εἶμαι στίς διαταγές κάποιου. **2.** γνῶσις, κατοχή, κυριαρχία: *He has a good ~ of the English language*, ἔχει καλή γνώση τῆς 'Αγγλικῆς, τήν κατέχει καλά. **3.** διάθεσις: *He offered me all the money at his ~*, μοῦ προσέφερε ὅλα τά χρήματα (πού εἶχε) στή διάθεσή του.

com·man·dant /'komən`dænt/ *οὐσ.* ‹C› διοικητής, φρούραρχος.

com·man·deer /'komən`dıə(r)/ *ρ.μ.* ἐπιτάσσω (κατάσχω γιά στρατιωτική χρήση).

com·man·der /kə`mandə(r)/ *οὐσ.* ‹C› διοικητής, ἀρχηγός: *C~-in-chief*, ἀρχιστράτηγος. *Wing-C~*, πτέραρχος. *the ~ of an expedition*, ὁ ἀρχηγός μιᾶς ἀποστολῆς.

com·mand·ment /kə`mandmənt/ *οὐσ.* ‹C› ἐντολή: *the Ten C~s*, οἱ Δέκα 'Εντολές.

com·mando /kə`mandəʊ/ *οὐσ.* ‹C› (*πληθ.* *~s*) σῶμα καταδρομῶν, καταδρομεύς.

com·mem·or·ate /kə`meməreıt/ *ρ.μ.* τιμῶ (τή μνήμη κάποιου), ἑορτάζω: *At Christmas we ~ Christ's birth*, τά Χριστούγεννα ἑορτάζομε τήν γέννηση τοῦ Χριστοῦ. *a monument to ~ our victory*, μνημεῖον εἰς ἀνάμνησιν τῆς νίκης μας. **com·mem·or·ation** /kə'memə`reıʃn/ *οὐσ.* ‹C,U› ἑορτασμός, μνημόσυνον. ***in ~ of***, εἰς ἀνάμνησιν, εἰς μνήμην τοῦ. **com·mem·or·ative** /kə`memərətıv/ *ἐπ.* ἀναμνηστικός: *~ stamps*.

com·mence /kə`mens/ *ρ.μ/ἀ.* (*λόγ.*) ἀρχίζω. **~·ment** *οὐσ.* ‹C› ἔναρξις.

com·mend /kə`mend/ *ρ.μ.* **1.** ἐπαινῶ: *~ sb upon his good manners/to his employers*, ἐπαινῶ κπ γιά τούς καλούς του τρόπους/στούς ἐργοδότες του. **2.** ***~ sth to***, ἐμπιστεύομαι, ἀναθέτω: *~ one's soul to God*, ἐμπιστεύομαι τήν ψυχή μου στό θεό. **3.** (*αὐτοπ.*) κάνω καλή ἐντύπωση, ἐπιδοκιμάζω: *This book does not ~ itself to me*, δέν ἐπιδοκιμάζω (δέν μοῦ ἀρέσει) αὐτό τό βιβλίο. **~·able** /-əbl/ *ἐπ.* ἀξιέπαινος. **com·men·da·tion** /'komən`deıʃn/ *οὐσ.* ‹U› ἔπαινος, σύστασις, ἐπιδοκιμασία.

com·men·sur·able /kə`menʃʊrəbl/ *ἐπ.* ***~ (with/to)***, (*λόγ.*) σύμμετρος.

com·men·sur·ate /kə`menʃʊrət/ *ἐπ.* ***~ (with/to)***, (*λόγ.*) ἀνάλογος πρός: *Was the pay ~ with the work you did?* ἦταν ἡ πληρωμή ἀνάλογη μέ τή δουλειά πού ἔκανες;

com·ment /`koment/ *οὐσ.* ‹C› σχόλιον. ***make ~s on sth***, κάνω σχόλια σέ κτ, σχολιάζω κτ. —*ρ.ἀ.* ***~ (up)on***, σχολιάζω: *Everybody ~ed (up)on her absence*, ὅλοι σχολίασαν τήν ἀπουσία της.

com·men·tary /`koməntrı/ *οὐσ.* ‹C› ἑρμηνευτικά σχόλια. ***'running `~***, ραδιορεπορτάζ, περιγραφή μέ συνεχῆ σχόλια.

com·men·ta·tor /`koməntei tə(r)/ *οὐσ.* ‹C› σχολιαστής.

com·merce /`komɜs/ *οὐσ.* ‹U› ἐμπόριον.

com·mer·cial /kə`mɜʃl/ *ἐπ.* ἐμπορικός: *a ~ school*, ἐμπορική σχολή. *a ~ traveller*, πλασιέ. —*οὐσ.* ‹C› (*στό ράδιο ἤ τήν τηλεόραση*) ἐμπορική διαφήμησις. **~·ly** *ἐπίρ.* ἐμπορικῶς.

com·mer·cial·ize /kə`mɜʃəlaız/ *ρ.μ.* μεταβάλλω κτ σέ ἐπιχείρηση, ἐμπορεύομαι: *~ sport*, κάνω τόν ἀθλητισμό ἐπιχείρηση.

com·mingle /kə`mıŋgl/ *ρ.μ/ἀ.* ἀναμιγνύω/-ομαι, συμφύρομαι.

com·miser·ate /kə`mızəreıt/ *ρ.μ/ἀ.* ***~ (with sb)***, συμπάσχω (μέ κπ), συμπονῶ, (συλ)-λυποῦμαι: *~ with a friend on his misfortunes*, συμπονῶ ἕναν φίλο γιά τίς ἀτυχίες του. **com·miser·ation** /kə'mızə`reıʃn/ *οὐσ.* ‹U› ***~ (for sb)***, συμπόνοια.

com·mis·sar /'komı`sɑ(r)/ *οὐσ.* ‹C› κομμισάριος, λαϊκός ἐπίτροπος.

com·mis·sar·iat /'komı`sɑrıət/ *οὐσ.* ‹C› (*παλαιότ.*) ἐπιμελητεία (στρατοῦ), ἐπιτροπᾶτον.

com·mis·sion /kə`mıʃn/ *οὐσ.* ‹C,U› **1.** ἐντολή: *carry out a ~*, ἐκτελῶ ἐντολήν. **2.** διάπραξις: *the ~ of a murder*, διάπραξις δολοφονίας. **3.** προμήθεια: *I receive a 10% ~ on all sales*, παίρνω προμήθεια 10% ἐφ' ὅλων τῶν πωλήσεων. **4.** (*στρατ.*) ὀνομασία (ἀξιωματικοῦ), διορισμός: *get/resign one's ~*, ὀνομάζομαι ἀξιωματικός/παραιτοῦμαι ἀπό ἀξιωματικός. **non-commissioned officer (NCO)**, ὑπαξιωματικός. **5.** ἐπιτροπή: *the Atomic Energy C~*, ἡ 'Επιτροπή 'Ατομικῆς 'Ενεργείας. *a Royal C~*, ἐξεταστική ἐπιτροπή (τῆς Βουλῆς). **6.** (*ναυτ.*) ἐξοπλισμός: *warship in/out of ~*, πολεμικόν πλοῖον ἐν ἐνεργείᾳ/παρωπλισμένον. —*ρ.μ.* παραγγέλλω, ἐπιφορτίζω, ἀναθέτω: *~ an artist to paint a portrait*, παραγγέλλω σέ ζωγράφο νά φτιάξη ἕνα πορτραῖτο. *~ sb to buy sth*, ἐπιφορτίζω κπ νά ἀγοράση κτ. **~er** *οὐσ.* ‹C› μέλος ἐπιτροπῆς, ἐντεταλμένος, ἀνώτερος ὑπάλληλος: *High C~er*, Ὕπατος 'Αρμοστής. *Police C~er*, Διευθυντής τῆς 'Αστυνομίας. *the C~ers of Inland Revenue*, οἱ ἐφοριακοί.

com·mis·sion·aire /kə'mıʃə`neə(r)/ *οὐσ.* ‹C› θυρωρός (μέ στολή).

com·mit /kə`mıt/ *ρ.μ.* (*-tt-*) **1.** διαπράττω, κάνω: *~ a crime/suicide/a blunder*, διαπράττω ἔγκλημα/αὐτοκτονῶ/κάνω γκάφα. **2.** παραδίδω: *~ a manuscript to the flames*, παραδίδω χειρόγραφο στίς φλόγες. *~ sth to writing/to paper*, διατυπώνω κτ γραπτῶς/βάζω κτ στό χαρτί. *~ sb to trial*, παραπέμπω κπ σέ δίκη. ***~ sb to prison***, φυλακίζω κπ. ***~ (sth) to memory***, ἀπομνημονεύω. **3.** ***~ oneself (to)***, δεσμεύομαι, ἀναλαμβάνω, παίρνω θέση: *He has ~ted himself to help us*, ἔχει ἀναλάβει νά μᾶς βοηθήση. *I wouldn't like to ~ myself*, δέν θά ἤθελα νά δεσμευθῶ, νά πάρω θέση. *without ~ting myself*, χωρίς δέσμευση, χωρίς ὑποχρέωση. **~·ment** *οὐσ.* ‹C› δέσμευσις, ὑποχρέωσις (νά κάμω ἤ νά πληρώσω κτ).

com·mit·tee /kə`mıtı/ *οὐσ.* ‹C› ἐπιτροπή: *attend a ~ meeting*, παρευρίσκομαι σέ συνεδρίαση μιᾶς ἐπιτροπῆς. ***sit on a ~***, εἶμαι μέλος ἐπιτροπῆς.

com·mode /kə`məʊd/ *οὐσ.* ‹C› κομό.

com·modi·ous /kə`məʊdıəs/ *ἐπ.* (*λόγ.*) εὐρύχωρος: *a ~ house*.

com·mod·ity /kə`modətı/ *οὐσ.* ‹C› εἶδος, προϊόν, ἐμπόρευμα: *household commodities*, οἰκιακά εἴδη.

com·mo·dore /ˈkomədɔ(r)/ *οὐσ.* ‹C› διοικητής ναυτικῆς μοίρας, ἀρχιπλοίαρχος.

com·mon /ˈkomən/ *ἐπ.* *(-er, -est)* **1**. κοινός: *We have ~ interests*, ἔχομε κοινά συμφέροντα/ ἐνδιαφέροντα. **ˈ~ ˈground**, κοινά σημεῖα, ἔδαφος συνεννοήσεως. **ˈ~ ˈknowledge**, κοινό μυστικό: *This is ~ knowledge among teachers*, εἶναι κοινό μυστικό μεταξύ τῶν δασκάλων. **ˈ~ ˈlaw**, ἄγραφον (ἐθιμικόν) δίκαιον. **the ˈC~ ˈMarket**, ἡ Κοινή ᾿Αγορά. **ˈ~-room**, γραφεῖον καθηγητῶν. **2**. κοινός, συνηθισμένος: *a ~ experience*, συνηθισμένη ἐμπειρία. *Pine-trees are ~ in Europe*, τά πεῦκα εἶναι συνηθισμένα στήν Εὐρώπη. *the ˈ~ ˈman/ˈpeople*, ὁ κοινός (μέσος) ἄνθρωπος/ὁ λαός. **ˈ~ ˈsense**, κοινός νοῦς. **3**. χυδαῖος, πρόστυχος: *~ manners/expressions*, χυδαῖοι τρόποι/ πρόστυχες ἐκφράσεις. **~·ly** *ἐπίρ.* συνήθως, χυδαῖα, κακόγουστα: *That very ~ly happens*, αὐτό συμβαίνει συνηθέστατα. *Thomas, ~ly called Tom*, ὁ Θωμᾶς, πού συνήθως τόν λέμε Τόμ,... *~ly dressed*, ντυμένος κακόγουστα.

[2]**com·mon** /ˈkomən/ *οὐσ.* **1**. ‹C› βοσκότοπος, κοινόχρηστος ὑπαίθριος χῶρος: *the village ~*. **2**. (*νομ.*) δουλεία: *right of ~*, δικαίωμα δουλείας. **3**. τό σύνηθες, κοινόν. ***have in ~***, ἔχω ἀπό κοινοῦ: *They have nothing in ~*, δέν ἔχουν τίποτα κοινό. ***in ~***, ἀπό κοινοῦ: *In ~ with many people I prefer classical music to pop*, ἀπό κοινοῦ μέ πολλούς ἀνθρώπους (ὅπως πολλοί ἄλλοι), προτιμῶ τήν κλασσική μουσική ἀπό τήν πόπ. ***out of the ~***, ἀσυνήθης. **4**. (*πληθ.*) ἁπλός λαός, ἀστοί. **the House of C~s**, ἡ Βουλή τῶν Κοινοτήτων.

com·moner /ˈkomənə(r)/ *οὐσ.* ‹C› ἀστός (ὄχι εὐγενής), κοινός θνητός.

com·mon·place /ˈkomənpleɪs/ *ἐπ.* κοινός, τετριμμένος, ἀσήμαντος. —*οὐσ.* ‹C› κοινοτοπία: *conversation full of mere ~s*, συζήτησις γεμάτη κοινοτοπίες. *Air travel is now a ~*, τά ἀεροπορικά ταξίδια εἶναι τώρα ρουτίνα.

com·mon·wealth /ˈkomənwelθ/ *οὐσ.* ‹C› κράτος, κοινοπολιτεία.

com·mo·tion /kəˈməʊʃn/ *οὐσ.* ‹C› ἀναταραχή, φασαρία, ἀναστάτωσις: *in a state of ~*, ἀναστατωμένος. *world ~*, παγκόσμια ἀναταραχή. *make a great ~ about nothing*, κάνω μεγάλη φασαρία γιά τό τίποτε.

com·mu·nal /ˈkomjʊnl/ *ἐπ.* κοινοτικός, κοινόχρηστος.

[1]**com·mune** /kəˈmjun/ *ρ.ἀ.* (ἐπι)κοινωνῶ, βρίσκομαι σέ στενή ψυχική ἐπαφή: *~ with nature/one's friends/God*, ἐπικοινωνῶ μέ τή φύση/τούς φίλους μου/τό Θεό.

[2]**com·mune** /ˈkomjun/ *οὐσ.* ‹C› κοινότης, κοινόβιο.

com·muni·cant /kəˈmjunɪkənt/ *οὐσ.* ‹C› πληροφοριοδότης, ὁ μεταλαμβάνων τακτικά.

com·muni·cate /kəˈmjunɪkeɪt/ *ρ.μ/ἀ.* **1**. ***~ sth (to)***, μεταδίδω, μεταβιβάζω: *~ news/information/heat/an illness to*, μεταδίδω νέα/ πληροφορίες/θερμότητα/ἀρρώστεια σέ. **2**. ***~ (with)***, ἐπικοινωνῶ, συνεννοοῦμαι: *These two rooms ~ with one another*, αὐτά τά δύο δωμάτια ἐπικοινωνοῦν μεταξύ τους. *We can ~ with him by telephone*, μποροῦμε νά ἐπικοινωνήσωμε μαζί του μέ τηλέφωνο. *Children cannot always ~ with their parents*, τά παιδιά δέν μποροῦν πάντα νά συνεννοηθοῦν μέ τούς γονεῖς τους.

com·muni·ca·tion /kəˈmjunɪˈkeɪʃn/ *οὐσ.* ‹C,U› **1**. ἐπικοινωνία: *means of ~*, μέσα ἐπικοινωνίας. *All ~ with Egypt has stopped*, κάθε ἐπικοινωνία μέ τήν Αἴγυπτο διεκόπη. **2**. συνεννόησις: *I must get into ~ with him on this subject*, πρέπει νά ἔλθω σέ συνεννόηση μαζί του ἐπ' αὐτοῦ τοῦ θέματος. **3**. μετάδοσις: *the ~ of diseases*, ἡ μετάδοσις ἀσθενειῶν. **4**. πληροφορία, μήνυμα, εἴδησις: *This ~ is confidential*, αὐτή ἡ πληροφορία εἶναι ἐμπιστευτική.

com·muni·cat·ive /kəˈmjunɪkətɪv/ *ἐπ.* ὁμιλητικός, διαχυτικός.

com·mu·nion /kəˈmjunɪən/ *οὐσ.* **1**. ‹U› σχέσις, ἐπικοινωνία, ἐπαφή. **2**. ‹C› θρησκευτική κοινότης. **3**. ‹U› κοινωνία. **(Holy) C~**, Θεία Κοινωνία, Μετάληψις. *go to C~*, πάω νά μεταλάβω, μεταλαβαίνω.

com·mu·ni·qué /kəˈmjunɪkeɪ/ *οὐσ.* ‹C› ἀνακοινωθέν.

com·mu·nism /ˈkomjʊnɪzm/ *οὐσ.* ‹U› κομμουνισμός. **com·mu·nist** /ˈkomjʊnɪst/ *οὐσ.* ‹C› & *ἐπ.* κομμουνιστής, κομμουνιστικός.

com·mun·ity /kəˈmjunətɪ/ *οὐσ.* ‹C› κοινότης, παροικία, ὁλότης, ταυτότης: *The Greek ~ in London*, ἡ ῾Ελληνική παροικία στό Λονδῖνο. *work for the good of the ~*, ἐργάζομαι γιά τό καλό τῆς ὁλότητος. *~ of race/religion/ideas*, ταυτότης φυλῆς/θρησκείας/ἰδεῶν. **~ singing**, ὁμαδικό τραγούδι.

com·mute /kəˈmjut/ *ρ.μ/ἀ.* **1**. ἐναλλάσσω (ἕνα εἶδος πληρωμῆς μέ ἄλλο), ἀνταλλάσσω: *~ an annuity into/for a lump sum*, ἐναλλάσσω ἰσοβίαν πρόσοδον μέ ἐφ' ἅπαξ ποσόν. **2**. μετατρέπω (ποινήν): *~ a death sentence to one of life imprisonment*, μετατρέπω θανατικήν ποινήν εἰς ἰσόβιον κάθειρξιν. **3**. ταξιδεύω καθημερινῶς μέ τή συγκοινωνία στή δουλειά μου (ἀπό προάστειο στό κέντρο): *He ~s to London*, πηγαινοέρχεται στό Λονδῖνο. **com·mu·ta·tion** /ˈkomjʊˈteɪʃn/ *οὐσ.* ‹C,U› μετατροπή, ἐναλλαγή. **com·mu·ter** /kəˈmjutə(r)/ *οὐσ.* ‹C› πρόσωπο πού πηγαινοέρχεται καθημερινῶς στή δουλειά του μέ συγκοινωνία (συνήθ. ἀρκετά μακρυά).

[1]**com·pact** /ˈkompækt/ *οὐσ.* ‹C› **1**. σύμβασις, συμφωνία, συμβόλαιον. **2**. πουδριέρα.

[2]**com·pact** /kəmˈpækt/ *ἐπ.* συμπαγής, πυκνός, σφιχτοδεμένος (*πχ* στύλ).

com·pan·ion /kəmˈpænɪən/ *οὐσ.* ‹C› φίλος, σύντροφος, συνοδός, ταίρι, ὁδηγός (ἐγχειρίδιον, βοήθημα): *He is an excellent ~*, εἶναι θαυμάσιος σύντροφος/φίλος. *~s in arms*, σύντροφος ἐν ὅπλοις. *an old lady's ~*, ἡ συνοδός μιᾶς γηραιᾶς κυρίας. *the ~ to a glove*, τό ταίρι ἑνός γαντιοῦ. *the Gardener's C~*, ὁ ῾Οδηγός τοῦ Κηπουροῦ, ᾿Εγχειρίδιον Κηπουρικῆς. **~·able** /-əbl/ *ἐπ.* κοινωνικός, γλυκομίλητος. **~·ship** *οὐσ.* ‹C,U› συντροφιά, φιλία, παρέα: *enjoy sb's ~ship*, χαίρομαι τήν παρέα κάποιου. *a ~ship of many years*, φιλία πολλῶν ἐτῶν.

com·pany /ˈkʌmpənɪ/ *οὐσ.* ‹C› **1**. λόχος. **2**. ἑταιρεία. **3**. θίασος. **4**. ‹U› συντροφιά, παρέα: *I was glad of his ~ on the journey*, χάρηκα πού τόν εἶχα παρέα στό ταξίδι. *We are* *expecting* ~, περιμένωμε παρέα. *Don't keep/ get into bad* ~, μήν κάνης κακές παρέες! *He keeps his own* ~, δέν κάνει παρέα μέ κανέναν. *You may know a man by the* ~ *he keeps*, πές μου ποιοί εἶναι οἱ φίλοι σου νά σοῦ πῶ ποιός εἶσαι. *He is good/poor* ~, εἶναι καλός/κακός γιά παρέα. **for** ~, γιά παρέα. **in** ~ **(with)**, παρέα: *He came in* ~ *with his sister*, ἦλθε παρέα μέ τήν ἀδελφή του. **keep (sb)** ~, κρατῶ συντροφιά σέ κπ. **keep** ~ **with sb**, κάνω παρέα μέ κπ. **part** ~ **(with)**, χωρίζω, κόβω σχέσεις (μέ κπ).

com·para·tive /kəm`pærətɪv/ *ἐπ.* συγκριτικός, σχετικός: ~ *law*, συγκριτικόν δίκαιον. *They live in* ~ *comfort*, ζοῦν σέ σχετική ἄνεση.

com·pare /kəm`peə(r)/ *ρ.μ/ὰ.* συγκρίνω/-ομαι, παραβάλλω. ~ **with**, συγκρίνω μέ: *He cannot* ~ *with Shakespeare*, δέν συγκρίνεται μέ τόν Σαίξπηρ. ~ **to**, παραβάλλω, παρομοιάζω: *Poets have* ~*d sleep to death*, οἱ ποιητές ἔχουν παρομοιάσει τόν ὕπνο μέ τό θάνατο. **as** ~**d with/to**, σέ σύγκριση μέ, ἐν συγκρίσει πρός. —*οὐσ.* ‹U› σύγκρισις (*μόνον στίς φράσεις*): *It's beyond/past/without* ~, εἶναι ἀσύγκριτος.

com·par·able /`komprəbl/ *ἐπ.* συγκρίσιμος, ἀνάλογος, παρεμφερής, ἐφάμιλλος: *There's nothing comparable to this*, τίποτα δέν μπορεῖ νά συγκριθῆ (δέν εἶναι ἐφάμιλλο) μ' αὐτό.

com·pari·son /kəm`pærɪsn/ *οὐσ.* ‹C,U› σύγκρισις: *There's no* ~ *between them*, δέν ὑπάρχει καμιά σύγκριση μεταξύ τους. **by/in** ~ **(with)**, συγκριτικά, σέ σύγκριση μέ: *It costs more but it's cheap by/in* ~, κοστίζει περισσότερο ἀλλά συγκριτικά εἶναι φτηνότερο. *It is cheap in* ~ *with this one*, εἶναι φτηνό σέ σύγκριση μ' αὐτό ἐδῶ.

com·part·ment /kəm`patmənt/ *οὐσ.* ‹C› διαμέρισμα, βαγόνι: *a watertight* ~, στεγανό διαμέρισμα. *a first-class* ~, βαγόνι πρώτης θέσεως.

com·pass /`kʌmpəs/ *οὐσ.* ‹C› **1**. πυξίδα: *the points of the* ~, τά σημεῖα τοῦ ὁρίζοντα. **2**. (*μεταφ.*) ὅρια, ἔκτασις: *beyond the* ~ *of the human mind*, πέρα ἀπό τά ὅρια τοῦ ἀνθρώπινου νοῦ. *in a small* ~, εἰς περιωρισμένην ἔκτασιν (κλίμακα). **3**. (*πάντοτε πληθ.*) **(a pair of)** ~**es**, (ἕνας) διαβήτης. *Where are my* ~*es?* ποῦ εἶναι ὁ διαβήτης μου;

com·passion /kəm`pæʃn/ *οὐσ.* ‹U› οἶκτος, συμπόνια, συμπάθεια: *arouse* ~, προκαλῶ οἶκτο. *have/take* ~ *on sb*, συμπονῶ κπ. *be filled with* ~ *for sb*, εἶμαι γεμᾶτος συμπόνια γιά κπ. *look at sb in/with* ~, βλέπω κπ μέ συμπόνια. *do sth out of* ~, κάνω κτ ἀπό οἶκτο. ~**·ate** /-ət/ *ἐπ.* σπλαχνικός, συμπονετικός.

com·pat·ible /kəm`pætəbl/ *ἐπ.* σύμφωνος, πού συμβιβάζεται: *pleasure* ~ *with duty*, εὐχαρίστηση πού συμβιβάζεται μέ τό καθῆκον.

com·pa·triot /kəm`pætrɪət/ *οὐσ.* ‹C› συμπατριώτης.

com·pel /kəm`pel/ *ρ.μ.* (*-ll-*) **1**. ὑποχρεώνω, ἀναγκάζω: *His conscience* ~*led him to confess*, ἡ συνείδησή του τόν ἀνάγκασε νά ὁμολογήση. *He was* ~*led by illness to resign*, ἀναγκάστηκε ἀπό ἀρρώστεια νά παραιτηθῆ. **2**. ἐπιβάλλω, ἀποσπῶ: *Can they* ~ *obedience from us?* μποροῦν νά μᾶς ἐπιβάλλουν νά τούς ὑπακούσωμε;

com·pen·di·ous /kəm`pendɪəs/ *ἐπ.* (*λόγ.*) συνοπτικός, ἐπίτομος.

com·pen·dium /kəm`pendɪəm/ *οὐσ.* ‹C› (*πληθ.* ~*s*) (*λόγ.*) σύνοψις, ἐπιτομή.

com·pen·sate /`kompənseɪt/ *ρ.μ/ὰ.* **1**. ἀποζημιώνω: ~ *a worker for injuries suffered at work*, ἀποζημιώνω ἐργάτη γιά ἐργατικό ἀτύχημα. **2**. ~ **for**, ἀντισταθμίζω, ἰσοφαρίζω, ἀναπληρώνω: *Nothing can* ~ *for the loss of one's health*, τίποτα δέν μπορεῖ ν' ἀντισταθμίση τήν ἀπώλεια τῆς ὑγείας. **com·pen·sa·tory** /kəm`pensətərɪ/ *ἐπ.* ἀντισταθμιστικός, ἐπανορθωτικός.

com·pen·sa·tion /'kompən`seɪʃn/ *οὐσ.* ‹C,U› ἀποζημίωσις, ἐπανόρθωσις, ἀναπλήρωσις: *He received £500 in/by way of* ~, ἔλαβε 500 λίρες ὡς ἀποζημίωση.

com·pete /kəm`pit/ *ρ.ὰ.* διαγωνίζομαι, συναγωνίζομαι: ~ *with others in an examination/ for a prize*, διαγωνίζομαι μέ ἄλλους σέ ἐξετάσεις/γιά ἕνα βραβεῖο. ~ *with other countries in trade*, συναγωνίζομαι μέ ἄλλες χῶρες στό ἐμπόριο.

com·pet·ence /`kompɪtəns/ *οὐσ.* ‹U› **1**. εἰσόδημα: *have a small* ~, ἔχω ἕνα μικρό εἰσόδημα. **2**. ἁρμοδιότης, ἱκανότης: *His* ~ *in handling/ to handle money is doubtful*, ἡ ἱκανότης του νά διαχειρίζεται χρήματα εἶναι ἀμφίβολος. *It is within/beyond the* ~ *of this court*, εὑρίσκεται ἐντός/ἐκτός τῆς ἁρμοδιότητος αὐτοῦ τοῦ δικαστηρίου.

com·pet·ent /`kompɪtənt/ *ἐπ.* **1**. ἱκανός: *Is he* ~ *in his work/* ~ *as a teacher/* ~ *to teach French?* εἶναι ἱκανός στή δουλειά του/σά δάσκαλος/νά διδάξη Γαλλικά; **2**. ἁρμόδιος: *I'm not* ~ *to judge*, δέν εἶμαι ἁρμόδιος νά κρίνω. **3**. ἐπαρκής: *Has he a* ~ *knowledge of French?* ἔχει ἐπαρκεῖς γνώσεις Γαλλικῶν;

com·pe·ti·tion /'kompə`tɪʃn/ *οὐσ.* **1**. ‹U› συναγωνισμός, ἀνταγωνισμός, ἅμιλλα: *There was keen* ~ *for the post*, ὑπῆρχε μεγάλος συναγωνισμός γιά τή θέση. *throw a post open to* ~, προκηρύσσω διαγωνισμό γιά τήν κατάληψη θέσεως. *trade* ~, ἐμπορικός ἀνταγωνισμός. **2**. ‹C› ἀγῶνας, συνάντησις (ἀθλητική): *chess* ~*s*, ἀγῶνες σκακιοῦ. **com·peti·tive** /kəm`petətɪv/ *ἐπ.* ἀνταγωνιστικός, συναγωνιστικός: ~ *prices*.

com·peti·tor /kəm`petɪtə(r)/ *οὐσ.* ‹C› ἀνταγωνιστής.

com·pile /kəm`paɪl/ *ρ.μ.* συντάσσω (κατάλογον, λεξικόν, κλπ), συλλέγω (ὑλικόν διά βιβλίον). ~**r** *οὐσ.* ‹C› συντάκτης. **com·pi·la·tion** /'komprɪ`leɪʃn/ *οὐσ.* ‹C,U› συλλογή, σύνταξις.

com·pla·cence /kəm`pleɪsns/, **com·pla·cency** /kəm`pleɪsnsɪ/ *οὐσ.* ‹U› αὐταρέσκεια, αὐτοϊκανοποίησις: *be full of* ~.

com·pla·cent /kəm`pleɪsnt/ *ἐπ.* αὐτάρεσκος, ἱκανοποιημένος (ἀπό τόν ἑαυτό του): *with a* ~ *smile/air*, μέ χαμόγελο/ὕφος αὐταρέσκειας. ~**·ly** *ἐπίρ.* αὐτάρεσκα.

com·plain /kəm`pleɪn/ *ρ.ὰ.* ~ **(to sb) (about/of sth)**, παραπονοῦμαι (σέ κπ γιά κτ). ~**·ant** /-ənt/ *οὐσ.* ‹C› (*νομ.*) ἐνάγων.

com·plaint /kəm`pleɪnt/ *οὐσ.* ‹C,U› **1**. παράπονον: *make a* ~, κάνω παράπονο. *be full of* ~*s*, εἶμαι γεμᾶτος παράπονα. *You have no* *cause/grounds for* ~, δέν ἔχετε λόγους νά παραπονεῖσθε. **2**. (*νομ.*) μήνυσις, καταγγελία: *lodge a* ~ *against sb*, κάνω μήνυση ἐναντίον κάποιου. **3**. ἀσθένεια, πάθησις: *a heart/liver* ~, πάθησις τῆς καρδιᾶς/τοῦ ἥπατος. *childish* ~*s*, παιδικές ἀρρώστειες.

com·plais·ance /kəm`pleɪzns/ *οὐσ.* ‹U› εὐγένεια, ὑποχρεωτικότης, ἀβροφροσύνη: *do sth out of* ~, κάνω κτ ἀπό ἀβροφροσύνη (ἀπό διάθεση νά εὐχαριστήσω τούς ἄλλους). **com·plais·ant** /-znt/ *ἐπ.* εὐγενικός, πρόθυμος, ὑποχρεωτικός: *a* ~ *friend*.

com·ple·ment /`komplɪmənt/ *οὐσ.* ‹C› συμπλήρωμα. —*ρ.μ.* συμπληρώνω. **com·ple·men·tary** /'kompl∂`mentrɪ/ *ἐπ.* συμπληρωματικός: *These two books are* ~ *to one another*, αὐτά τά δυό βιβλία συμπληρώνουν τό ἕνα τ' ἄλλο.

com·plete /kəm`plit/ *ἐπ.* **1**. πλήρης, τέλειος: *The* ~ *works of Dickens*, τά Ἅπαντα τοῦ Ντίκενς. *a* ~ *success/surprise*, πλήρης ἐπιτυχία/τελεία ἔκπληξις. *He's a* ~ *stranger to me*, μοῦ εἶναι τελείως ἄγνωστος. **2**. ὁλοκληρωμένος, τελειωμένος: *My report is not yet* ~, ἡ ἔκθεσίς μου δέν ἔχει τελειώσει (ὁλοκληρωθεῖ) ἀκόμα. ~**·ly** *ἐπίρ.* τελείως. ~**·ness** *οὐσ.* ‹U› πληρότης. —*ρ.μ.* τελειώνω, ὁλοκληρώνω: *This will* ~ *my happiness*, αὐτό θά ὁλοκληρώση τήν εὐτυχία μου.

com·ple·tion /kəm`pliʃn/ *οὐσ.* ‹U› συμπλήρωσις, ἀποπεράτωσις, ὁλοκλήρωσις.

com·plex /`kompleks/ *ἐπ.* περίπλοκος, σύνθετος: *a* ~ *argument/situation*, περίπλοκο ἐπιχείρημα/-η κατάστασις. *a* ~ *sentence*, (*γραμμ.*) ἐπηυξημένη πρότασις. —*οὐσ.* ‹C› σύμπλεγμα, συγκρότημα, κόμπλεξ: *an inferiority* ~, σύμπλεγμα κατωτερότητος. ~**·ity** /kəm`pleksətɪ/ *οὐσ.* ‹C,U› περιπλοκή, (τό) πολυσύνθετον (καταστάσεως, προβλήματος, κλπ).

com·plexion /kəm`plekʃn/ *οὐσ.* ‹C› **1**. χροιά, χρῶμα (δέρματος ἤ προσώπου): *have a dark/fair* ~, ἔχω σκοῦρο/ξανθό χρῶμα (εἶμαι μελαχροινός/ξανθός). **2**. ὄψις: *If this is so, his conduct wears another* ~, ἄν συμβαίνη αὐτό, ἡ συμπεριφορά του παίρνει ἄλλη ὄψη. ***put a new/bad/good*** ~ ***on sth***, δίνω νέα/ἄσχημη/καλή ὄψη σέ κτ: *This puts a new* ~ *on the matter*, αὐτό δίνει νέα ὄψη στό ζήτημα.

com·pli·ance /kəm`plaɪəns/ *οὐσ.* ‹U› **1**. συμμόρφωσις: *in* ~ *with your wishes*, συμμορφούμενος μέ (συμφώνως πρός) τίς ἐπιθυμίες σας. **2**. (*ὑποτιμ.*) ἐνδοτικότης, ὑποταγή: *show* ~, δείχνω ὑποχωρητικότητα, ὑποτάσσομαι. **com·pli·ant** /-ənt/ *ἐπ.* ὑποχωρητικός, μαλακός, δουλοπρεπής.

com·pli·cate /`komplɪkeɪt/ *ρ.μ.* περιπλέκω, μπερδεύω: *That* ~*s matters*, αὐτό μπερδεύει τά πράγματα. ~**d** *ἐπ.* μπερδεμένος, περίπλοκος: *a* ~*d machine/question*.

com·pli·ca·tion /'komplɪ`keɪʃn/ *οὐσ.* ‹C› περιπλοκή, μπέρδεμα: *if no* ~*s set in*, ἄν δέν ἐμφανισθοῦν περιπλοκές. *There were further* ~*s*, ὑπῆρχαν κι' ἄλλες περιπλοκές, ἔγιναν κι' ἄλλα μπερδέματα.

com·plic·ity /kəm`plɪsətɪ/ *οὐσ.* ‹U› ~ ***in***, συνενοχή (σέ ἔγκλημα, κλπ).

com·pli·ment /`komplɪmənt/ *οὐσ.* ‹C› **1**. φιλοφρόνησις, κομπλιμέντο: *pay sb a* ~ ; *pay a* ~ *to sb on sth*, κάνω κομπλιμέντο σέ κπ γιά κτ. **2**. χαιρετίσματα, εὐχές: *My* ~*s to your wife*, χαιρετισμούς στή γυναίκα σου. —*ρ.μ.* /`komplɪment/ ~ ***sb (on sth)***, συγχαίρω, ἐπαινῶ κπ γιά κτ.

com·pli·men·tary /'komplɪ`mentrɪ/ *ἐπ.* φιλοφρονητικός, κολακευτικός, ἐγκωμιαστικός: ~ *words/remarks*, κολακευτικά λόγια/-ές παρατηρήσεις (ἐγκώμια, παινέματα). *a* ~ *copy of a book*, δωρεάν ἀντίτυπον (προσφερόμενον τιμῆς ἕνεκεν, ὡς ἐκδήλωσις φιλοφροσύνης).

com·ply /kəm`plaɪ/ *ρ.ἀ.* ~ ***(with)***, συμμορφοῦμαι: *He refused to* ~ *with the rules*, ἀρνήθηκε νά συμμορφωθῆ μέ τόν κανονισμό.

com·po·nent /kəm`pəʊnənt/ *ἐπ.* συστατικός. *the* ~ *parts*, τά συστατικά μέρη. —*οὐσ.* ‹C› τό συστατικόν μέρος, ἐξάρτημα: *the* ~*s of a camera*, τά ἐξαρτήματα μιᾶς φωτογραφικῆς μηχανῆς.

com·port /kəm`pɔt/ *ρ.μ/ἀ.* **1**. (*λόγ.*) ~ ***with***, ταιριάζω, συμβιβάζομαι: *This would not* ~ *with his office*, αὐτό δέν θά ταίριαζε μέ τό ἀξίωμά του. **2**. ~ ***oneself***, φέρομαι: *He* ~*s himself with dignity*, φέρεται μέ ἀξιοπρέπεια. ~**·ment** *οὐσ.* ‹U› συμπεριφορά.

com·pose /kəm`pəʊz/ *ρ.μ.* **1**. συγκροτῶ, ἀπαρτίζω, συνθέτω: *The parts that* ~ *the whole*, τά μέρη πού συγκροτοῦν τό ὅλον. ***be*** ~***d of***, ἀποτελοῦμαι ἀπό: *Water is* ~*d of oxygen and hydrogen*, τό νερό ἀποτελεῖται ἀπό ὀξυγόνο καί ὑδρογόνο. *Our party was* ~*d of young people*, ἡ ὁμάδα μας ἀπετελεῖτο ἀπό νέους. **2**. γράφω, συντάσσω, συνθέτω: ~ *a poem/a speech/a symphony/a song*. **3**. (*τυπογρ.*) στοιχειοθετῶ. **4**. συγκεντρώνω, ἠρεμῶ: ~ *one's thoughts*, συγκεντρώνω τίς σκέψεις μου. *She* ~*d herself to answer the letter*, συγκεντρώθηκε γιά ν' ἀπαντήση στό γράμμα. *C*~ *yourself!* ἠρεμῆστε! **5**. διευθετῶ, ρυθμίζω: ~ *a dispute*, ρυθμίζω μιά διαφορά. ~**d** *ἐπ.* ἤρεμος, ἀτάραχος. ~**dly** *ἐπίρ.* ἤρεμα.

com·poser /kəm`pəʊzə(r)/ *οὐσ.* ‹C› συνθέτης (μουσικῆς).

com·pos·ite /`kompəzɪt/ *ἐπ.* σύνθετος, μικτός.

com·po·si·tion /'kompə`zɪʃn/ *οὐσ.* **1**. ‹U› στοιχειοθεσία. **2**. ‹C,U› σύνθεσις, ἔκθεσις: *He played a piano sonata of his own* ~, ἔπαιξε μιά σονάτα γιά πιάνο δικῆς του συνθέσεως. *Write a* ~ *on one of the following subjects*, γράψετε μιά ἔκθεση σ' ἕνα ἀπό τά ἀκόλουθα θέματα. **3**. ‹U› σύστασις, συγκρότησις, ψυχοσύνθεσις: *the* ~ *of the soil*, ἡ σύστασις τοῦ ἐδάφους. *He has a touch of madness in his* ~, ἔχει μιά δόση τρέλλας στήν ψυχοσύνθεσή του.

com·posi·tor /kəm`pozɪtə(r)/ *οὐσ.* ‹C› στοιχειοθέτης.

com·post /`kompost/ *οὐσ.* ‹U› φουσκί, κοπρόχωμα. —*ρ.μ.* φουσκίζω.

com·po·sure /kəm`pəʊʒə(r)/ *οὐσ.* ‹U› ψυχραιμία, ἀταραξία, ἠρεμία, αὐτοκυριαρχία: *behave with great* ~, φέρομαι μέ μεγάλη ψυχραιμία, πολύ ἤρεμα. *regain one's* ~, ξαναβρίσκω τήν αὐτοκυριαρχία μου.

com·pote /`kompəʊt/ *οὐσ.* ‹C,U› κομπόστα.

[1]**com·pound** /`kompaʊnd/ *ἐπ.* σύνθετος: *a* ~ *word/sentence/*~ *interest*, σύνθετος λέξις/

πρότασις/τόκος (ἀνατοκισμός) —*οὐσ.* ‹C› **1**. σύνθετον σῶμα, (*χημ.*) ἕνωσις, μῖγμα. **2**. περίβολος, περίφρακτος χῶρος. **3**. στρατόπεδο αἰχμαλώτων πολέμου.

2 **com·pound** /kəm`paʊnd/ *ρ.μ/ἀ.* **1**. ἀναμιγνύω, παρασκευάζω (διά μίξεως): ~ *a medicine*, παρασκευάζω ἕνα φάρμακο. **2**. συμβιβάζω/-ομαι: *He ~ed with his creditors*, συμβιβάστηκε μέ τούς πιστωτές του. **3**. ἐπαυξάνω, καθιστῶ βαρύτερον (πταῖσμα): *This ~s the offence*, αὐτό ἐπαυξάνει τό πταῖσμα.

com·pre·hend /ˈkɒmprɪ`hend/ *ρ.μ.* **1**. κατανοῶ. **2**. περιλαμβάνω.

com·pre·hen·sion /ˈkɒmprɪ`henʃn/ *οὐσ.* **1**. ‹U› κατανόησις: *It's above/beyond my ~*, αὐτό μοῦ εἶναι ἀκατανόητο. **2**. ‹C› ἔννοια, σημασία: *words of wide ~*, λέξεις μέ εὐρύτατη ἔννοια. **com·pre·hen·sible** /-ˈhensəbl/ *ἐπ.* (κατα)νοητός, σαφής.

com·pre·hen·sive /ˈkɒmprɪ`hensɪv/ *ἐπ.* περιεκτικός, εὐρύς: *a ~ term*, περιεκτικός ὅρος. *a man with a ~ mind*, ἄνθρωπος μέ εὐρύ νοῦ. —*οὐσ.* ‹C› ~ (**school**), γυμνάσιο γενικῆς μορφώσεως ὅπου μποροῦν νά φοιτήσουν ὅλα τά παιδιά μιᾶς περιφερείας ἀνεξαρτήτως ἱκανότητος.

1 **com·press** /kəm`pres/ *ρ.μ.* συμπιέζω (ἀέρα), συμπυκνώνω (νοήματα). **~ion** /kəm`preʃn/ *οὐσ.* ‹U› συμπίεσις, συμπύκνωσις.

2 **com·press** /`kɒmpres/ *οὐσ.* ‹C› κομπρέσσα: *a cold/hot ~*.

com·prise /kəm`praɪz/ *ρ.μ.* περιλαμβάνω: *The committee ~s men of widely different views*, ἡ ἐπιτροπή περιλαμβάνει ἀνθρώπους μέ πολύ διαφορετικές ἀπόψεις.

com·pro·mise /`kɒmprəmaɪz/ *οὐσ.* ‹C,U› συμβιβασμός: *arrive at/effect a ~*, φθάνω σέ/κάνω συμβιβασμό. —*ρ.μ/ἀ.* **1**. συμβιβάζω/-ομαι: ~ *with one's conscience*, συμβιβάζομαι μέ τή συνείδησή μου. **2**. ἐκθέτω, διακινδυνεύω: ~ *oneself/one's reputation*, ἐκτίθεμαι/ἐκθέτω τήν ὑπόληψή μου. *The position of our army was ~d by the general's stupidity*, ἡ θέσις τοῦ στρατοῦ μας κινδύνεψε ἀπό τήν βλακεία τοῦ στρατηγοῦ.

com·pul·sion /kəm`pʌlʃn/ *οὐσ.* ‹U› ἐξαναγκασμός, πίεσις, ζόρι (*ψυχ.*) καταπιεστική παρόρμησις. ***under ~***, ὑπό πίεσιν, μέ τό ζόρι.

com·pul·sive /kəm`pʌlsɪv/ *ἐπ.* τυραννικός, (κατα)πιεστικός, παθολογικός: *a ~ eater/liar*, παθολογικός φαγᾶς/ψεύτης.

com·pul·sory /kəm`pʌlsərɪ/ *ἐπ.* ὑποχρεωτικός: *Military service/Primary education is ~*, ἡ στρατιωτική θητεία/ἡ στοιχειώδης ἐκπαίδευσις εἶναι ὑποχρεωτική.

com·punc·tion /kəm`pʌŋkʃn/ *οὐσ.* ‹U› ἐνδοιασμός, τύψις: *without the slightest ~*, χωρίς τόν παραμικρό ἐνδοιασμό/χωρίς καμιά τύψη. *be seized with ~*, καταλαμβάνομαι ἀπό τύψεις.

com·pu·ta·tion /ˈkɒmpjʊ`teɪʃn/ *οὐσ.* ‹C,U› ὑπολογισμός: *at the lowest ~*, μέ τόν μετριότερο ὑπολογισμό. *His wealth is beyond ~*, τά πλούτη του εἶναι ἀνυπολόγιστα.

com·pute /kəm`pjut/ *ρ.μ/ἀ.* ὑπολογίζω, λογαριάζω: *He ~d his losses at £500*, ὑπολόγισε τίς ζημιές του σέ 500 λίρες.

com·pu·ter /kəm`pjutə(r)/ *οὐσ.* ‹C› ὑπολογιστής, ἠλεκτρονικός ἐγκέφαλος.

com·rade /`kɒmreɪd/ *οὐσ.* ‹C› σύντροφος: *~s in arms/in exile*, σύντροφοι ἐν ὅπλοις/στήν ἐξορία. **~·ly** *ἐπ.* συντροφικός. **~·ship** *οὐσ.* ‹U› συντροφικότης.

1 **con** /kɒn/ *ρ.μ.* (*-nn-*) ~ (***over***), μελετῶ, μαθαίνω ἀπ' ἔξω, ἀποστηθίζω.

2 **con** /kɒn/ *ἐπίρ.* ***pro and ~***, ὑπέρ καί κατά: *argue pro and ~ for hours*, συζητῶ ὑπέρ καί κατά ἐπί ὧρες. —*οὐσ.* ***the pros and ~s***, τά ὑπέρ καί τά κατά.

con·cave /`kɒŋkeɪv/ *ἐπ.* κοῖλος: *a ~ mirror*, κοῖλος καθρέφτης. **con·cav·ity** /ˈkɒn`kævətɪ/ *οὐσ.* ‹C,U› κοιλότης.

con·ceal /kən`sil/ *ρ.μ.* κρύβω, ἀποκρύπτω: ~ *sth from sb*, κρύβω κτ ἀπό κπ. ~ *a fact*, ἀποκρύπτω ἕνα γεγονός. **~·ment** *οὐσ.* ‹U› ἀπόκρυψις: *stay in ~ment until the danger has passed*, μένω κρυμμένος ἕως ὅτου περάση ὁ κίνδυνος.

con·cede /kən`sid/ *ρ.μ.* **1**. παραχωρῶ: *We won't ~ any of our territory*, δέν θά παραχωρήσωμε κανένα τμῆμα τοῦ ἐδάφους μας. ~ *points to an opponent*, χαρίζω πόντους σ' ἕναν ἀντίπαλο. **2**. ἀναγνωρίζω, παραδέχομαι: *I ~ that I was wrong*, ἀναγνωρίζω ὅτι εἶχα ἄδικο. *He ~d defeat*, παραδέχτηκε τήν ἧττα του.

con·ceit /kən`sit/ *οὐσ.* ‹U› **1**. ἔπαρσις, ἀλαζονία: *He is full of ~*, εἶναι γεμᾶτος ἔπαρση. **2**. κρίσις. ***in one's own ~***, μέ τή δική μου κρίση. **3**. εὐφυολόγημα. **~ed** *ἐπ.* ἐπηρμένος, ἀλαζονικός. **~·ed·ly** *ἐπίρ.* ἀλαζονικά.

con·ceive /kən`siv/ *ρ.μ/ἀ.* **1**. διανοοῦμαι, φαντάζομαι, συλλαμβάνω (μιά ἰδέα): *Who first ~d the idea of flying?* ποιός ἦταν ὁ πρῶτος πού συνέλαβε τήν ἰδέα τῆς πτήσεως; *I can't ~ how/why you did it*, δέν μπορῶ νά διανοηθῶ πῶς/γιατί τό ἔκανες. **2**. (*γιά γυναίκα*) συλλαμβάνω (παιδί). **con·ceiv·able** /-əbl/ *ἐπ.* (κατα)νοητός: *It is hardly conceivable (to me) that...*, μοῦ εἶναι σχεδόν ἀκατανόητο ὅτι...

con·cen·trate /`kɒnsntreɪt/ *ρ.μ/ἀ.* **1**. συγκεντρώνω/-ομαι: ~ *troops*, συγκεντρώνω στρατεύματα. *You should ~ on your work*, πρέπει νά συγκεντρωθῆς στή δουλειά σου. **2**. συμπυκνώνω (τροφές). **~d** *ἐπ.* συγκεντρωμένος, ἔντονος, συγκεντρωτικός, συμπυκνωμένος: *~d hate*, ἔντονο μῖσος. *~d fire*, συγκεντρωτικόν πῦρ. *~d food*, συμπυκνωμένη τροφή.

con·cen·tra·tion /ˈkɒnsn`treɪʃn/ *οὐσ.* ‹C,U› συγκέντρωσις: *a ~ of enemy troops*, συγκέντρωσις ἐχθρικῶν στρατευμάτων. *This task requires great ~*, αὐτή ἡ δουλειά ἀπαιτεῖ μεγάλη συγκέντρωση (προσοχῆς). *a child with little power of ~*, παιδί μέ μικρή ἱκανότητα αὐτοσυγκεντρώσεως. ~ **camp**, στρατόπεδο συγκεντρώσεως.

con·cept /`kɒnsept/ *οὐσ.* ‹C› (*φιλοσ.*) ἔννοια, γενική ἰδέα.

con·cep·tion /kən`sepʃn/ *οὐσ.* ‹C,U› **1**. σύλληψις (ἰδέας, παιδιοῦ): *the immaculate ~*, ἡ ἄμωμος σύλληψις (τῆς Παναγίας). **2**. ἰδέα, ἀντίληψις: *He has great powers of ~*, ἔχει ὀξεῖα ἀντίληψη/γόνιμο νοῦ. *I've no ~ of what you mean*, δέν ἔχω ἰδέα τί θέλεις νά πῆς.

have a clear ~ of sth, ἔχω καθαρή ἰδέα (σαφῆ ἀντίληψη) γιά κτ.

con·cern /kən`s3n/ *ρ.μ.* **1**. ἀφορῶ, ἐνδιαφέρω, ἔχω σχέση: *This doesn't ~ you*, αὐτό δέν σᾶς ἀφορᾶ (δέν σᾶς ἐνδιαφέρει). *He's ~ed in the crime*, ἔχει σχέση (ἀνάμιξη) μέ τό ἔγκλημα. ***as ~s***, ὅσον ἀφορᾶ, ὅσο γιά, σχετικά μέ. ***so/as far as I'm ~ed***, καθ' ὅσον ἀφορᾶ ἐμένα, ἀπό μέρους μου. ***~ oneself with/in/about sth***, ἀσχολοῦμαι μέ κτ, ἐνδιαφέρομαι γιά κτ: *Don't ~ yourself with my affairs*, μήν ἀσχολεῖσαι μέ τίς ὑποθέσεις μου. **2**. (*συνήθ. σέ παθ. φων.*) ἀνησυχῶ: *Don't be ~ed about me*, μήν ἀνησυχῆς γιά μένα. *We are all ~ed for/about her health*, ἀνησυχοῦμε ὅλοι γιά τήν ὑγεία της. **~·ing** *πρόθ.* σχετικά μέ, γιά.

con·cern /kən`s3n/ *οὐσ.* **1**. ‹C› σχέσις, δουλειά: *It's no ~ of mine*, δέν εἶναι δική μου δουλειά (δέν μέ ἀφορᾶ). *What ~ is it of yours?* ἐσένα τί σ' ἐνδιαφέρει; **2**. ‹C› ἐπιχείρησις. ***a paying/a going ~***, ἐπικερδής/λειτουργοῦσα ἐπιχείρησις. **3**. ‹C› μερίδιον, συμφέρον: *I have no ~ in this business*, δέν ἔχω μερίδιο στή δουλειά. **4**. ‹U› ἀνησυχία, φροντίδα: *There is no cause for ~*, δέν ὑπάρχει λόγος ἀνησυχίας. *We were filled with ~*, ἤμαστε γεμᾶτοι ἀνησυχία. *You're my only ~*, εἶσαι ἡ μόνη μου φροντίδα. **~ed** *ἐπ.* ἀνήσυχος: *with a ~ed look*, μέ ἀνήσυχη ματιά. *look ~ed*, φαίνομαι ἀνήσυχος.

con·cert /`konsət/ *οὐσ.* ‹C› **1**. συναυλία. **`~-hall**, αἴθουσα συναυλιῶν. ***at '~ `pitch***, σέ μεγάλη φόρμα. **2**. συνεννόησις, συμφωνία: *act in ~ with sb*, ἐνεργῶ ἀπό συμφώνου (ἀπό κοινοῦ) μέ κπ.

con·cert·ed /kən`s3tɪd/ *ἐπ.* συντονισμένος, συμπεφωνημένος: *a ~ attack*, συντονισμένη ἐπίθεση. *take ~ action*, ἀναλαμβάνω συμπεφωνημένην δρᾶσιν, ἐνεργοῦμε ἀπό κοινοῦ/συντονισμένα.

con·cer·tina /'konsə`tinə/ *οὐσ.* ‹C› (*πληθ. ~s*) κοντσερτίνα, εἶδος ἀκορντεόν.

con·certo /kən`tʃ3təʊ/ *οὐσ.* ‹C› (*πληθ. ~s*) κοντσέρτο.

con·cession /kən`seʃn/ *οὐσ.* ‹C,U› **1**. παραχώρησις, ἐκχώρησις: *as a ~ to public opinion*, σάν παραχώρηση στήν κοινή γνώμη. *an act of ~*, παραχωρητήριον. **2**. δικαίωμα (ἐκμεταλλεύσεως): *oil ~s*, δικαιώματα ἀντλήσεως πετρελαίου. **~·aire** /kən'seʃn`eə(r)/ *οὐσ.* ‹C› ἀνάδοχος (ἐκχωρητηρίου). **con·ces·sive** /kən`sesɪv/ *ἐπ.* ἐνδοτικός, παραχωρητικός.

conch /kontʃ/ *οὐσ.* ‹C› κοχύλι.

con·cili·ate /kən`sɪlieɪt/ *ρ.μ.* συμφιλιώνω, κατευνάζω. **con·cili·ation** /kən'sɪlɪ`eɪʃn/ *οὐσ.* ‹U› συμφιλίωσις, κατευνασμός, συμβιβασμός. **con·cili·atory** /kən`sɪlɪətrɪ/ *ἐπ.* συμβιβαστικός, διαλλακτικός: *a conciliatory gesture*, συμφιλιωτική χειρονομία.

con·cise /kən`saɪs/ *ἐπ.* περιεκτικός, συνοπτικός, μεστός, λακωνικός. **~·ly** *ἐπίρ.* **~·ness** *οὐσ.* ‹U› συνοπτικότης.

con·clave /`koŋkleɪv/ *οὐσ.* ‹C› σύσκεψις, συμβούλιον (κεκλεισμένων τῶν θυρῶν), κονκλάβιον: ***sit in ~***, συνεδριάζω ἐν ὁλομελίᾳ μυστικῶς.

con·clude /kən`klud/ *ρ.μ/ὰ.* **1**. περαίνω, τελειώνω, τερματίζω/-ομαι: *~ a speech/a lecture*, περαίνω ὁμιλία/διάλεξη. *He ~d by saying that...*, τελείωσε λέγοντας ὅτι... *The meeting ~d at midnight*, ἡ συνεδρίασις ἐτερματίσθη τά μεσάνυχτα. **2**. συμπεραίνω, καταλήγω, ἀποφασίζω: *From this, I ~ that...*, ἐξ αὐτοῦ συμπεραίνω ὅτι... **3**. συνάπτω: *~ a treaty*, συνάπτω συνθήκη.

con·clu·sion /kən`kluʒn/ *οὐσ.* ‹C› **1**. τέλος, λῆξις, τέρμα: *at the ~ of his speech*, εἰς τό τέλος τῆς ὁμιλίας του... *bring a meeting to a speedy ~*, τερματίζω ταχέως μίαν συνεδρίασιν. ***in ~***, ἐν κατακλεῖδι, τελικά. **2**. συμπέρασμα, κατάληξις, ἀποτέλεσμα: *come to/arrive at/reach a ~*, καταλήγω σέ συμπέρασμα. ***a foregone ~***, προεξοφλημένο ἀποτέλεσμα, κατάληξις προβλεπομένη μετά βεβαιότητος. **3**. σύναψις: *the ~ of the peace treaty*, ἡ σύναψις τῆς συνθήκης εἰρήνης. **4**. ***try ~s with sb***, ἀναμετριέμαι μέ κπ.

con·clus·ive /kən`klusɪv/ *ἐπ.* ἀδιαμφισβήτητος, τελειωτικός, πειστικός: *~ evidence/proof*, ἀδιαμφισβήτητος μαρτυρία/πειστική ἀπόδειξις. **~·ly** *ἐπίρ.* τελειωτικά.

con·coct /kən`kokt/ *ρ.μ.* **1**. παρασκευάζω (δι' ἀναμίξεως): *~ a new kind of soup*, παρασκευάζω νέο εἶδος σούπας. **2**. ἐπινοῶ, μηχανεύομαι, σκαρώνω: *~ a lie/a charge/a story*, ἐπινοῶ ψέμα/κατηγορία/ἱστορία. **con·coc·tion** /kən`kokʃn/ *οὐσ.* ‹C,U› παρασκεύασμα, ἀφέψημα, ἐπινόησις, σκευωρία.

con·cord /`koŋkɔd/ *οὐσ.* ‹C,U› ὁμόνοια, συμφωνία, ἁρμονία: *live in ~ (with)*, ζῶ ἐν ὁμονοίᾳ. **~·ance** /-dns/ *οὐσ.* ‹C,U› συμφωνία. ἀλφαβητικόν εὑρετήριον. **~·ant** /-dnt/ *ἐπ.* σύμφωνος, ἁρμονικός.

con·course /`koŋkɔs/ *οὐσ.* ‹C› **1**. συρροή, συνάθροισις: *an unforeseen ~ of circumstances*, ἀπρόβλεπτος συρροή περιστατικῶν. **2**. (*ΗΠΑ*) αἴθουσα σιδηροδρ. σταθμοῦ.

con·crete /`koŋkrit/ *ἐπ.* συγκεκριμένος: *~ evidence/proof/a ~ proposal*, συγκεκριμένη μαρτυρία/ἀπόδειξις/πρότασις. —*οὐσ.* ‹U› μπετόν. **reinforced ~**, μπετόν ἀρμέ.

con·cu·bine /`koŋkjʊbaɪn/ *οὐσ.* ‹C› παλλακίς.

con·cur /kən`k3(r)/ *ρ.ὰ.* (*-rr-*) **1**. ***~ (with sb) (in sth)***, συμφωνῶ: *I ~ with the speaker in condemning what has been done*, συμφωνῶ μέ τόν ὁμιλητή εἰς τήν καταδίκην τῶν ὅσων συνέβησαν. **2**. συμπίπτω, συμβάλλω: *Everything ~red to create the impression that...*, ὅλα συνέπεσαν ὥστε νά δημιουργηθῆ ἡ ἐντύπωσις ὅτι... **~·rence** /-`kʌrns/ *οὐσ.* ‹C,U› συμφωνία, σύμπτωσις. **~·rent** /-`kʌrnt/ *ἐπ.* σύμφωνος, συμπίπτων, ταυτόχρονος, συντρέχων. **~·rent·ly** *ἐπίρ.*

con·cussion /kən`kʌʃn/ *οὐσ.* ‹C,U› διάσεισις (ἐγκεφαλική).

con·demn /kən`dem/ *ρ.μ.* καταδικάζω: *Everyone ~ed his behaviour*, ὅλοι καταδίκασαν/ἀποδοκίμασαν τή συμπεριφορά του. *He was ~ed to death*, καταδικάστηκε σέ θάνατο. *the ~ed cell*, κελλί μελλοθανάτων. *The doctor had ~ed him*, ὁ γιατρός τόν εἶχε καταδικάσει. **con·dem·na·tion** /'kondem`neɪʃn/ *οὐσ.* ‹U› καταδίκη.

con·dense /kən`dens/ *ρ.μ/ὰ.* συμπυκνώνω, συνοψίζω: *to ~ milk/~d milk*, συμπυκνώνω γάλα/γάλα συμπυκνωμένο. *~ gas*, ὑγροποιῶ ἀέριον. ~ *a chapter*, συνοψίζω ἕνα κεφάλαιον. **~r** *οὐσ.* ‹C› συμπυκνωτής, ψυκτήρ, συγκεντρωτικός φακός.

con·de·scend /ˈkondɪˋsend/ *ρ.ἀ.* καταδέχομαι: *He never ~ed to speak to us*, οὔτε κἄν καταδέχτηκε νά μᾶς μιλήση. *I will never ~ to take bribes*, ποτέ δέ θά καταδεχτῶ νά δωροδοκηθῶ. *I don't like to be ~ed to*, δέν μ' ἀρέσει νά μέ μεταχειρίζονται μέ συγκατάβαση. **~·ing** *ἐπ.* συγκαταβατικός, καταδεχτικός. **~·ing·ly** *ἐπίρ.* συγκαταβατικά. **con·de·scen·sion** /ˈkondɪˋsenʃn/ *οὐσ.* ‹U› συγκατάβασις, καταδεκτικότης.

con·di·ment /ˋkondɪmənt/ *οὐσ.* ‹C,U› καρύκευμα, ἄρτυμα.

[1]**con·di·tion** /kənˋdɪʃn/ *οὐσ.* **1.** ‹C› ὅρος, προϋπόθεσις: *~s of sale*, ὅροι πωλήσεως. *He made it a ~ that...*, τὄβαλε σάν ὅρο ὅτι... *On what ~ could you accept?* ὑπό ποίους ὅρους θά δεχόσουν; ***on ~ that***, ὑπό τόν ὅρον (ὑπό τήν προϋπόθεσιν) ὅτι. ***on this/that ~***, ὑπ' αὐτόν τόν ὅρον. ***on no ~***, σέ καμιά περίπτωση. **2.** ‹U› κατάστασις, θέσις: *the ~ of my health*, ἡ κατάστασις τῆς ὑγείας μου. *I'm in no ~ to travel*, δέν εἶμαι σέ θέση νά ταξιδέψω. ***in good/bad ~***, σέ καλή/κακή κατάσταση. ***be in/out of ~***, εἶμαι σέ φόρμα/εἶμαι ντεφορμέ. *persons of all ~s*, ἄνθρωποι κάθε (κοινωνικῆς) θέσεως. **3.** (*πληθ.*) περιστάσεις, συνθῆκες: *weather ~s*, καιρικές συνθῆκες. *under these ~s*, κάτω ἀπ' αὐτές τίς συνθῆκες. *under favourable/unfavourable ~s*, κάτω ἀπό εὐνοϊκές/δυσμενεῖς συνθῆκες.

[2]**con·di·tion** /kənˋdɪʃn/ *ρ.μ.* **1.** διέπω, καθορίζω, ἐξαρτῶ: *Man's life is ~ed by natural laws*, ἡ ζωή τοῦ ἀνθρώπου διέπεται ἀπό φυσικούς νόμους. *My expenditure is ~ed by my income*, τά ἔξοδά μου καθορίζονται (ἐξαρτῶνται) ἀπό τό εἰσόδημά μου. **2.** φέρω (σέ ὡρισμένη κατάσταση), ἐθίζω: *an ˋair-~ed room*, κλιματιζόμενο δωμάτιο. *ˋill-/ˋwell-~ed*, σέ ἄσχημη/σέ καλή κατάσταση. **~ed reflex**, ἐξηρτημένον/ἐπίκτητον ἀνακλαστικόν.

con·di·tional /kənˋdɪʃnl/ *ἐπ.* ~ ***(on)***, ἐξαρτώμενος ἀπό ὅρους, τελῶν ὑπό αἵρεσιν, (*γραμμ.*) ὑποθετικός: *My promise to help you is ~ on your good behaviour*, ἡ ὑπόσχεσίς μου νά σέ βοηθήσω ἰσχύει ὑπό τόν ὅρον καλῆς διαγωγῆς ἐκ μέρους σου. **~ly** *ἐπίρ.* ὑπό ὅρους.

con·dole /kənˋdəʊl/ *ρ.ἀ.* ~ ***with sb (on sth)***, συλλυποῦμαι κπ γιά κτ.

con·dol·ence /kənˋdəʊləns/ *οὐσ.* (*συνήθ. πληθ.*) συλλυπητήρια: *Please accept my ~s*.

con·do·min·ium /ˈkondəˋmɪnɪəm/ *οὐσ.* ‹C› συγκυριαρχία.

con·done /kənˋdəʊn/ *ρ.μ.* **1.** συγχωρῶ, παραβλέπω (*ἰδ.* ἀπιστίαν συζύγου). **2.** ἀντισταθμίζω: *His good qualities ~ his many shortcomings*, οἱ καλές του πλευρές ἀντισταθμίζουν τά πολλά του ἐλαττώματα.

con·duce /kənˋdjus/ *ρ.ἀ.* ~ ***to/towards***, (*λόγ.*) συμβάλλω, συντελῶ: *Does temperance ~ to good health?* συμβάλλει ἡ ἐγκράτεια στήν καλήν ὑγείαν; **con·duc·ive** /-ˋdjusɪv/ *ἐπ.* συμβάλλων, συντελῶν: *virtues conducive to success*, ἀρεταί συμβάλλουσαι εἰς τήν ἐπιτυχίαν.

[1]**con·duct** /ˋkondʌkt/ *οὐσ.* ‹U› **1.** διαγωγή, συμπεριφορά: *a good ~ prize*, βραβεῖον καλῆς διαγωγῆς. *rules of ~*, κανόνες συμπεριφορᾶς. **2.** διεύθυνσις, διεξαγωγή: *Nobody was satisfied with the ~ of the war*, κανείς δέν ἦταν ἱκανοποιημένος ἀπό τήν διεύθυνση (τόν τρόπο διεξαγωγῆς) τοῦ πολέμου.

[2]**con·duct** /kənˋdʌkt/ *ρ.μ/ἀ.* **1.** ὁδηγῶ: *The secretary ~ed me in/out/to the door*, ἡ γραμματεύς μέ ὡδήγησε μέσα/ἔξω/στήν πόρτα. *He ~ed the visitors round the museum*, ὡδήγησε (ξενάγησε) τούς ἐπισκέπτες μέσα στό μουσεῖο. *~ed tours*, ἐκδρομές μέ ὁδηγό καί πρόγραμμα. **2.** διευθύνω, διεξάγω: *~ a meeting*, διευθύνω μιά συνεδρίαση. *~ negotiations*, διεξάγω διαπραγματεύσεις. **3.** *~ oneself*, συμπεριφέρομαι. **4.** (*φυσ.*) εἶμαι ἀγωγός, ἄγω: *Copper ~s electricity well*, ὁ χαλκός εἶναι καλός ἀγωγός τοῦ ἠλεκτρισμοῦ. **con·duc·tion** /kənˋdʌkʃn/, **con·duc·tiv·ity** /ˈkondʌkˋtɪvətɪ/, *οὐσ.* ‹U› ἀγωγιμότης.

con·duc·tor /kənˋdʌktə(r)/ *οὐσ.* ‹C› **1.** μαέστρος. **2.** εἰσπράκτωρ λεωφορείου. **3.** ἀγωγός (θερμότητος, κλπ). **con·duc·tress** /-trəs/ *οὐσ.* ‹C› γυναίκα εἰσπράκτωρ.

con·duit /ˋkondɪt/ *οὐσ.* ‹C› ἀγωγός, σωλήν, σωλήνωσις, ὀχετός, ὑπόγειος διάβασις.

cone /kəʊn/ *οὐσ.* ‹C› **1.** κῶνος. **2.** κουκουνάρι. **3.** χωνάκι (παγωτό). **conic(al)** /ˋkonɪk(l)/ *ἐπ.* κωνικός.

con·fabu·late /kənˋfæbjʊleɪt/ *ρ.ἀ.* (*λόγ.*) συνομιλῶ. **con·fabu·la·tion** /kənˈfæbjʊˋleɪʃn/ *οὐσ.* ‹C› (*λόγ.*) συνομιλία.

con·fec·tion /kənˋfekʃn/ *οὐσ.* ‹C,U› (*λόγ.*) ζαχαρωτό, παρασκεύασμα. **~er** *οὐσ.* ‹C› ζαχαροπλάστης. **~·ery** /-ˋfekʃnrɪ/ *οὐσ.* ‹C› ζαχαροπλαστεῖον, ‹U› γλυκίσματα.

con·fed·er·acy /kənˋfedrəsɪ/ *οὐσ.* ‹C› ὁμοσπονδία.

con·fed·er·ate /kənˋfedərət/ *ἐπ.* ὁμόσπονδος (*πχ* κράτος). — *οὐσ.* ‹C› συνεργός, συνένοχος. *ρ.μ/ἀ.* /kənˋfedəreɪt/ συνασπίζω/-ομαι, συμμαχῶ. **con·fed·er·ation** /kənˈfedəˋreɪʃn/ *οὐσ.* ‹C,U› συνομοσπονδία.

con·fer /kənˋfɜ(r)/ *ρ.μ/ἀ.* *(-rr-)* **1.** ἀπονέμω, παρέχω: *~ a title/a reward on sb*, ἀπονέμω τίτλο/ἀμοιβή σέ κπ. *~ a benefit/a favour on sb*, παρέχω πλεονέκτημα/εὔνοια σέ κπ. **2.** ~ ***(with sb) (on/about sth)***, συσκέπτομαι, διασκέπτομαι: *~ with one's lawyer*, συσκέπτομαι μέ τό δικηγόρο μου.

con·fer·ence /ˋkonfrns/ *οὐσ.* ‹C,U› διάσκεψις, σύσκεψις: *a ˋpress ~*, διάσκεψις τύπου. *The Director is in ~*, ὁ Διευθυντής ἔχει σύσκεψη.

con·fess /kənˋfes/ *ρ.μ/ἀ.* **1.** ὁμολογῶ, παραδέχομαι: *He ~ed that he had stolen the money*, ὡμολόγησε ὅτι εἶχε κλέψει τά χρήματα. *She ~ed herself (to be) guilty*, ὡμολόγησε ὅτι ἦταν ἔνοχη. *She ~ed to (having) a dread of mice*, παραδέχτηκε ὅτι ἔτρεμε τά ποντίκια. **2.** ἐξομολογῶ/-οῦμαι: *The priest ~ed him*, ὁ ἱερεύς τόν ἐξομολόγησε. *He ~ed to the priest*, ἐξομολογήθηκε στόν παπᾶ. **~·ed·ly** /-ɪdlɪ/ *ἐπίρ.* ὁμολογουμένως, κατ' ἰδίαν ὁμολογίαν. **~or** /-sə(r)/ *οὐσ.* ‹C› ἐξομολόγος, πνευματικός.

con·fession /kənˋfeʃn/ *οὐσ.* ‹C,U› **1.** ὁμολογία: *He made a full ~*, ἔκανε πλήρη ὁμολογίαν, τά ὡμολόγησε ὅλα. *on his own* ~, σύμφωνα μέ τήν ὁμολογία του. *a* ~ *of faith*, ὁμολογία πίστεως. 2. ἐξομολόγησις: *She goes to* ~ *regularly*, πάει στήν ἐξομολόγηση (ἐξομολογεῖται) τακτικά. **~al** /-ˈfeʃnl/ *οὐσ.* ‹C› ἐξομολογητήριον.

con·fetti /kənˈfetɪ/ *οὐσ.* ‹U› χαρτοπόλεμος, κομφετί.

con·fide /kənˈfaɪd/ *ρ.μ/ἀ.* **1.** ~ ***sth to sb***, ἐμπιστεύομαι, ἀναθέτω: ~ *a secret to a friend*, ἐμπιστεύομαι μυστικό σ'ἕνα φίλο. *He* ~*ed to me that...*, μοῦ ἐμπιστεύθηκε ὅτι... *He* ~*ed the execution of his plans to John*, ἐμπιστεύθηκε (ἀνέθεσε) τήν ἐκτέλεση τῶν σχεδίων του στό Γ. **2.** ~ ***in***, ἐκμυστηρεύομαι, ἔχω ἐμπιστοσύνη, βασίζομαι: *Can I* ~ *in his honesty?* μπορῶ νά βασιστῶ στήν τιμιότητά του; **con·fi·dant** /ˈkonfɪˈdænt/ *οὐσ.* ‹C› μυστικοσύμβουλος.

con·fi·dence /ˈkonfɪdəns/ *οὐσ.* **1.** ‹U› ἐχεμύθεια, ἐμπιστοσύνη: *in* ~, ἐμπιστευτικά. ***in strict*** ~, ὑπό αὐστηράν ἐχεμύθειαν. *put little/no/complete* ~ *in sb*, ἐμπιστεύομαι κπ λίγο/καθόλου/ἀπολύτως. *motion of no* ~, πρότασις μομφῆς (στή Βουλή). *justify sb's* ~, δικαιώνω τήν ἐμπιστοσύνη κάποιου. ***have/lose*** ~ ***in sb***, ἔχω/χάνω τήν ἐμπιστοσύνη μου σέ κπ. ***take sb into one's*** ~, ἐκμυστηρεύομαι τά μυστικά μου σέ κπ. **vote of** ~, ψῆφος ἐμπιστοσύνης. **2.** ‹C› μυστικό, ἐκμυστήρευσις: *exchange* ~*s with sb*, ἀνταλλάσσω μυστικά (ἐκμυστηρεύσεις) μέ κπ. **3.** ‹U› σιγουριά, αὐτοπεποίθησις: *answer with* ~, ἀπαντῶ μέ σιγουριά.

con·fi·dent /ˈkonfɪdənt/ *ἐπ.* ~ *(**of/that**)*, βέβαιος, σίγουρος, πεπεισμένος: *I feel* ~ *of passing this examination*, νοιώθω βέβαιος ὅτι θά περάσω αὐτές τίς ἐξετάσεις. *a* ~ *smile*, χαμόγελο γεμᾶτο αὐτοπεποίθηση. **~·ly** *ἐπίρ.* μέ βεβαιότητα, μέ σιγουριά.

con·fi·den·tial /ˈkonfɪˈdenʃl/ *ἐπ.* ἐμπιστευτικός: ~ *information*, ἐμπιστευτικές πληροφορίες. *a* ~ *post/secretary*, ἐμπιστευτική θέσις/γραμματεύς ἐμπιστοσύνης. **~ly** /-ʃəlɪ/ *ἐπίρ.* ἐμπιστευτικῶς.

con·figur·ation /kənˈfɪgjʊˈreɪʃn/ *οὐσ.* ‹C› διαμόρφωσις (*πχ* ἐδάφους).

con·fine /kənˈfaɪn/ *ρ.μ.* **1.** ~ ***to***, περιορίζω: *Please* ~ *your remarks/*~ *yourself to the subject*, παρακαλῶ περιορίστε τίς παρατηρήσεις σας/περιοριστῆτε στό θέμα. **2.** ἐγκλείω, φυλακίζω, κλείνω: ~ *a bird in a cage*, κλείνω ἕνα πουλί σέ κλουβί. *He is* ~*d to the house by illness*, εἶναι κλεισμένος στό σπίτι ἀπό ἀρρώστεια. ***be*** ~***d***, (*γιά γυναίκα*) εἶμαι ἑτοιμόγεννη/λεχώνα. **~d** *ἐπ.* (*γιά χῶρο*) περιορισμένος. **~·ment** *οὐσ.* **1.** ‹U› φυλάκισις: *three months'* ~, φυλάκισις τριῶν μηνῶν. *in solitary* ~, εἰς ἀπομόνωσιν. **2.** ‹U› περιορισμός. **3.** ‹C› τοκετός, λοχεία.

con·fines /ˈkonfaɪnz/ *οὐσ. πληθ.* ὅρια: *within the* ~*s of the town/of human knowledge*, ἐντός τῶν ὁρίων τῆς πόλεως/τῶν ἀνθρωπίνων γνώσεων.

con·firm /kənˈfɜm/ *ρ.μ.* **1.** (ἐπι)βεβαιῶ: ~ *an order/a report/one's suspicions*, ἐπιβεβαιῶ παραγγελίαν/εἴδησιν/τίς ὑποψίες μου. **2.** ἐπικυρῶ, ἐγκρίνω: ~ *a treaty/an appointment*, ἐπικυρῶ συνθήκην/ἐγκρίνω διορισμόν. **3.** (*ἐκκλ.*) χρίω. ***be*** ~***ed***, χρίομαι, λαμβάνω τό χρῖσμα. **~ed** *ἐπ.* ἀδιόρθωτος, ἔμμονος, ἀμετάπειστος, ἀθεράπευτος, ριζωμένος: *a* ~*ed drunkard*, ἀδιόρθωτος μπεκρῆς. *a* ~*ed bachelor*, γεροντοπαλλήκαρο ἐκ πεποιθήσεως.

con·fir·ma·tion /ˈkonfəˈmeɪʃn/ *οὐσ.* ‹C,U› ἐπιβεβαίωσις, ἐπικύρωσις, χρῖσμα.

con·fis·cate /ˈkonfɪskeɪt/ *ρ.μ.* δημεύω, κατάσχω: ~ *cigarettes smuggled into the country*, κατάσχω τσιγάρα εἰσαχθέντα λαθραίως στή χώρα. **con·fis·ca·tion** /ˈkonfɪˈskeɪʃn/ *οὐσ.* ‹C,U› δήμευσις, κατάσχεσις: *confiscation of obscene books*, κατάσχεσις ἀσέμνων βιβλίων.

con·fla·gra·tion /ˈkonfləˈgreɪʃn/ *οὐσ.* ‹C› (*κυριολ.* & *μεταφ.*) μεγάλη πυρκαγιά.

1**con·flict** /ˈkonflɪkt/ *οὐσ.* ‹C,U› **1.** διαμάχη, ἀγών: *a long-drawn-out* ~ *between employers and workers*, μιά παρατεταμένη διαμάχη μεταξύ ἐργοδοτῶν καί ἐργατῶν. **2.** σύγκρουσις, ἀντίθεσις: *a* ~ *of opinion/ideas/interests*, σύγκρουσις γνωμῶν/ἰδεῶν/συμφερόντων. *the* ~ *between duty and desire*, ἡ σύγκρουσις μεταξύ καθήκοντος καί ἐπιθυμίας. *His statement is in* ~ *with other evidence*, ἡ δήλωσή του εἶναι ἀντίθετη πρός τίς ἄλλες ἀποδείξεις.

2**con·flict** /kənˈflɪkt/ *ρ.ἀ.* ~ *(**with**)*, συγκρούομαι: *Your interests* ~ *with mine*, τά συμφέροντά σου συγκρούονται μέ τά δικά μου. **~·ing** *ἐπ.* (ἀλληλο)συγκρουόμενος, ἀντιφατικός: ~*ing views/passions/evidence*, ἀλληλοσυγκρουόμενες ἀπόψεις/-α πάθη/ἀντιφατικές ἀποδείξεις.

con·flu·ence /ˈkonflʊəns/ *οὐσ.* ‹C,U› συμβολή (ποταμῶν, δρόμων). **con·flu·ent** /ˈkonflʊənt/ *ἐπ.* συμβάλλων. —*οὐσ.* παραπόταμος.

con·form /kənˈfɔm/ *ρ.μ/ἀ.* ~ *(**to**)*, προσαρμόζω/-ομαι, συμμορφώνομαι: ~ *one's life to certain principles*, προσαρμόζω τή ζωή μου σέ ὡρισμένες ἀρχές. ~ *to the rules/to the fashion/to sb's wishes*, συμμορφώνομαι μέ τόν κανονισμό/μέ τή μόδα/μέ τίς ἐπιθυμίες κάποιου. **~·ist** /-ɪst/ *οὐσ.* ‹C› κομφορμιστής, μέλος τῆς Ἀγγλικανικῆς Ἐκκλησίας. **~·ity** /-ətɪ/ *οὐσ.* ‹U› συμμόρφωσις, συμφωνία: ~*ity to fashion*, συμμόρφωσις μέ τή μόδα. *in* ~*ity with your instructions/request*, συμφώνως πρός τάς ὁδηγίας σας/πρός τήν παράκλησίν σας.

con·for·ma·tion /ˈkonfɔˈmeɪʃn/ *οὐσ.* ‹C› διαμόρφωσις (ἐδάφους), διάπλασις (σώματος), διάρθρωσις.

con·found /kənˈfaʊnd/ *ρ.μ.* **1.** ταράσσω, ἀναστατώνω, φέρω εἰς ἀμηχανίαν ἤ σύγχυσιν: *His behaviour* ~*ed her*, τό φέρσιμό του τήν ἀναστάτωσε. **2.** συγχέω, μπερδεύω: *Don't* ~ *the means with the ends*, μή συγχέης τά μέσα μέ τό σκοπό. **3.** (*πεπαλ.*) κατατροπώνω, ἀνατρέπω (σχέδια). **4.** (*ἐπιφ. γιά νά δείξη θυμό ἤ ἐνόχληση*): *C*~ *it!/C*~ *him!* νά πάρη ἡ ὀργή!/νά τόν πάρη ἡ ὀργή! **~ed** *ἐπ.* βρωμο-, διαβολο-: *He's a* ~*ed nuisance*, εἶναι βρωμομπελᾶς! **~·ed·ly** *ἐπίρ.* τρομερά, πολύ: *It's* ~*edly hot*, κάνει διαβολεμένη ζέστη.

con·front /kənˈfrʌnt/ *ρ.μ.* ἀντιμετωπίζω, φέρω ἀντιμετώπους: ~ *a danger/difficulties*, ἀντιμετωπίζω κίνδυνο/δυσκολίες. *When he was* ~*ed with the evidence/with his accusers...*,

ὅταν τόν ἔφεραν ἀντιμέτωπο μέ τίς ἀποδείξεις/ σέ ἀντιπαράσταση μέ τούς κατηγόρους του...
con·fron·ta·tion /ˈkonfrʌnˈteɪʃn/ *οὐσ.* ‹C,U› ἀντιμετώπισις, ἀντιπαράστασις, ἀναμέτρησις: *the ~ between Israel and the Arab world*, ἡ ἀναμέτρησις μεταξύ τοῦ Ἰσραήλ καί τοῦ Ἀραβικοῦ κόσμου.
con·fuse /kənˈfjuz/ *ρ.μ.* συγχέω, μπερδεύω, σαστίζω: *~ dates/accounts/one thing with another*, συγχέω (μπερδεύω) ἡμερομηνίες/λογαριασμούς/ἕνα πρᾶγμα μ' ἕνα ἄλλο. *I was/I got ~d*, μπερδεύτηκα, σάστισα.
con·fu·sion /kənˈfjuʒn/ *οὐσ.* ‹C,U› σύγχυσις, μπέρδεμα, σαστιμάρα, ἀνακάτωμα: *Everything was in ~*, ὅλα ἦταν μπερδεμένα, ἄνω-κάτω. ***throw everything into ~***, προκαλῶ γενική σύγχιση.
con·fute /kənˈfjut/ *ρ.μ.* (*λόγ.*) ἀνασκευάζω, ἀντικρούω: *~ an argument/a person*, ἀνασκευάζω ἕνα ἐπιχείρημα/ἀντικρούω κπ. **con·fu·ta·tion** /ˈkonfjʊˈteɪʃn/ *οὐσ.* ‹U› ἀνασκευή, ἀντίκρουσις.
con·geal /kənˈdʒil/ *ρ.μ/ὰ.* πήζω, παγώνω: *His blood was ~ed*, τό αἷμα του πάγωσε (ἀπό φόβο).
con·gen·ial /kənˈdʒiniəl/ *ἐπ.* εὐχάριστος, ταιριαστός, ὅμοιος (στό χαρακτῆρα ἤ τά γοῦστα): *~ surroundings/a ~ climate*, εὐχάριστο περιβάλλον/κλῖμα. *~ employment*, ταιριαστή ἀπασχόλησις (σύμφωνη μέ τό χαρακτῆρα του). *~ tastes*, ὅμοια γοῦστα. **~ly** *ἐπίρ.* ταιριαστά, εὐχάριστα.
con·geni·tal /kənˈdʒenɪtl/ *ἐπ.* ἐκ γενετῆς: *a ~ idiot*, ἠλίθιος ἐκ γενετῆς.
con·gested /kənˈdʒestɪd/ *ἐπ.* κατάμεστος, ὑπερπλήρης: *streets ~ with traffic*, δρόμοι μέ κυκλοφοριακή συμφόρηση. *~ areas*, πυκνοκατοικημένες περιοχές.
con·ges·tion /kənˈdʒestʃən/ *οὐσ.* ‹U› συμφόρησις, ὑπεραιμία: *~ of the lungs*, πνευμονική συμφόρησις. *traffic ~*, κυκλοφοριακή συμφόρησις.
con·glom·er·ate /kənˈglomərəɪt/ *ρ.μ/ὰ.* γίνομαι μιά μᾶζα, συσσωρεύω/-ομαι. **con·glom·er·ation** /kənˈgloməˈreɪʃn/ *οὐσ.* ‹C,U› συσσώρευσις, μᾶζα.
con·gratu·late /kənˈgrætʃʊleɪt/ *ρ.μ.* ***~ sb (up)on sth***, συγχαίρω κπ γιά κτ: *May I ~ you on your success/marriage*, ἐπιτρέψτε μου νά σᾶς συγχαρῶ γιά τήν ἐπιτυχία σας/γιά τό γάμο σας. *He ~d himself on his escape*, θεώρησε τόν ἑαυτό του τυχερό πού ξέφυγε. **con·gratu·la·tory** /kənˈgrætʃʊˈleɪtərɪ/ *ἐπ.* συγχαρητήριος: *a congratulatory letter/telegram*, συγχαρητήριο γράμμα/τηλεγράφημα.
con·gratu·la·tion /kənˈgrætʃʊˈleɪʃn/ *οὐσ.* ‹C› (*συνήθ. πληθ.*) συγχαρητήρια: *offer a friend ~s on his success*, δίνω συγχαρητήρια σέ ἕνα φίλο γιά τήν ἐπιτυχία του.
con·gre·gate /ˈkoŋgrɪgeɪt/ *ρ.μ/ὰ.* συναθροίζω/-ομαι. **con·gre·ga·tion** /ˈkoŋgrɪˈgeɪʃn/ *οὐσ.* ‹C› συνάθροισις, ἐκκλησίασμα.
con·gress /ˈkoŋgres/ *οὐσ.* ‹C› **1**. συνέδριο (πολιτικό, ἐπιστημονικό). **2**. Κογκρέσσο. **ˋ~-man**, μέλος τοῦ Κογκρέσσου. **~ional** /kənˈgreʃnl/ *ἐπ.* τοῦ Κογκρέσσου.
coni·fer /ˈkonɪfə(r)/ *οὐσ.* ‹C› κωνοφόρον (δέντρο). **~·ous** /kəˈnɪfərəs/ *ἐπ.* κωνοφόρος.
con·jec·ture /kənˈdʒektʃə(r)/ *οὐσ.* ‹C,U› εἰκασία, συμπερασμός, ὑπόθεσις: *put forward a ~*, διατυπώνω μιά εἰκασία/μιά ὑπόθεση. *—ρ.μ/ὰ.* εἰκάζω, συμπεραίνω, ὑποθέτω: *It was just as I ~d*, ἦταν ἀκριβῶς ὅπως ὑπέθεσα. **con·jec·tural** /-tʃərl/ *ἐπ.* συμπερασματικός, ὑποθετικός.
con·ju·gal /ˈkondʒʊgl/ *ἐπ.* συζυγικός: *~ rights*, συζυγικά δικαιώματα.
con·ju·gate /ˈkondʒʊgeɪt/ *ρ.μ/ὰ.* κλίνω (ρῆμα). **con·ju·ga·tion** /ˈkondʒʊˈgeɪʃn/ *οὐσ.* ‹C,U› κλίσις, συζυγία.
con·junc·tion /kənˈdʒʌŋkʃn/ *οὐσ.* **1**. ‹C› (*γραμμ.*) σύνδεσμος. **2**. ‹U› σύνδεσις, σύζευξις: *the ~ of skill and imagination*, ἡ σύζευξις ἐπιδεξιότητος καί φαντασίας. ***in ~ with***, ἀπό κοινοῦ, σύμφωνα μέ κτ. **3**. ‹C› συνδρομή, σύμπτωσις: *an unusual ~ of circumstances*, μιά ἀσυνήθης συνδρομή περιστάσεων. **con·junc·tive** /-tɪv/ *ἐπ.* συνδετικός. *—οὐσ.* ‹C› συνδετική λέξις.
con·junc·ture /kənˈdʒʌŋktʃə(r)/ *οὐσ.* ‹C› δύσκολη περίστασις, συγκυρία.
con·jure /ˈkʌndʒə(r)/ *ρ.μ/ὰ.* **1**. κάνω κτ ταχυδακτυλουργικῶς (ὡς διά μαγείας): *~ a rabbit out of a hat*, βγάζω (ταχυδακτυλουργικά) ἕνα κουνέλι ἀπό ἕνα καπέλλο. **2**. ***~ up***, φέρω ὡς διά μαγείας, ἐπικαλοῦμαι, πλάθω, ἀναπολῶ: *~ up the spirits of the dead*, ἐπικαλοῦμαι τά πνεύματα τῶν νεκρῶν. *~ up memories/visions of the past*, ἀναπολῶ (φέρω εἰς τόν νοῦν) ἀναμνήσεις/ὁράματα τοῦ παρελθόντος. **3**. (*λόγ.*) ἐξορκίζω. **~r**, **con·juror** /ˈkʌndʒərə(r)/ *οὐσ.* ‹C› ταχυδακτυλουργός, θαυματοποιός.
con·nect /kəˈnekt/ *ρ.μ/ὰ.* συνδέω/-ομαι: *a train that ~s up ten towns*, τραῖνο πού συνδέει δέκα πόλεις. *He's ~ed with us by marriage*, συνδέεται μαζί μας διά γάμου. *He is well ~ed*, ἀνήκει σέ καλή οἰκογένεια. *The two trains ~ at Dover*, τά δύο τραῖνα συνδέονται (ἔχουν ἀνταπόκριση) στό Ντόβερ.
con·nec·tion, con·nexion /kəˈnekʃn/ *οὐσ.* ‹C› **1**. σύνδεσις, ἀνταπόκρισις (τραίνων): *a telephone ~*, τηλεφωνική σύνδεσις. *The train was late and I missed my ~*, τό τραῖνο καθυστέρησε κι' ἔχασα τήν ἀνταπόκριση. **2**. σχέσις, συγγένεια, συγγενής: *There's no ~ between the two ideas*, δέν ὑπάρχει καμιά σχέσις ἀνάμεσα στίς δυό ἰδέες. *He is no ~ of mine*, δέν εἶναι συγγενής μου. ***in this ~***, σέ σχέση μέ αὐτό. ***in ~ with***, σχετικά μέ, σέ σχέση μέ. **3**. (*ἐκκλ.*) θρησκευτική κοινότης, ἐκκλησία. **4**. (*ἐμπ.*) πελατεία: *She has good ~s*, ἔχει καλή πελατεία. **con·nec·tive** /kəˈnektɪv/ *ἐπ.* συνδετικός.
con·nive /kəˈnaɪv/ *ρ.ὰ.* ***~ at***, ἀνέχομαι, συνεργῶ (δι' ἀνοχῆς): *~ at an escape/at a crime*, συνεργῶ σέ μιά δραπέτευση/σ' ἕνα ἔγκλημα. **con·niv·ance** /-əns/ *οὐσ.* ‹U› συνενοχή, συνεννόησις: *with the connivance of/in connivance with*, μέ τήν συνενοχή τοῦ/ἐν συνεννοήσει μέ.
con·nois·seur /ˈkonəˈsɜ(r)/ *οὐσ.* ‹C› εἰδήμων, γνώστης, τεχνοκρίτης.
con·note /kəˈnəʊt/ *ρ.μ.* (*γιά λέξεις*) ὑποδηλῶ, σημαίνω (πέραν τῆς κυρίας ἐννοίας). **con·no·ta·tion** /ˈkonəˈteɪʃn/ *οὐσ.* ‹C› συνεκδοχή,

ἔννοια, ὑποδήλωσις.

con·nu·bial /kə`njubɪəl/ ἐπ. συζυγικός: ~ *happiness*, συζυγική εὐτυχία.

con·quer /`koŋkə(r)/ ρ.μ. **1**. κατακτῶ: ~ *a country*. **2**. ὑποτάσσω, νικῶ, ὑπερνικῶ: ~ *an enemy/one's passions*, ὑποτάσσω ἐχθρόν/νικῶ τά πάθη μου. ~ *difficulties/one's shyness*, ὑπερνικῶ δυσκολίες/τή δειλία μου. **~or** /`koŋkərə(r)/ οὐσ. ‹C› κατακτητής.

con·quest /`koŋkwest/ οὐσ. ‹C,U› κατάκτησις.

con·san·guin·ity /'konsæŋ`gwɪnətɪ/ οὐσ. ‹U› (*λόγ.*) συγγένεια ἐξ αἵματος.

con·science /`konʃəns/ οὐσ. ‹C,U› συνείδησις: *have a clear/guilty* ~, ἔχω καθαρή/ἔνοχη συνείδηση. ***have no*** **~**, δέν ἔχω συνείδηση, εἶμαι ἀσυνείδητος. ***have sth on one's*** **~**, ἔχω κάτι βάρος στή συνείδηση. ***a matter of*** **~**, θέμα συνειδήσεως. ***in all*** **~** ***; upon my*** **~**, βεβαιότατα, μέ τό χέρι στήν καρδιά: *I cannot in all* ~ *claim that...*, βεβαιότατα δέν μπορῶ νά ἰσχυρισθῶ ὅτι... *Can you upon your* ~ *say that...?* μπορεῖς μέ τό χέρι στήν καρδιά νά πῆς ὅτι...; **`~-smitten** /-smɪtn/ γεμᾶτος τύψεις.

con·scien·tious /'konʃɪ`enʃəs/ ἐπ. εὐσυνείδητος (ἐργάτης, ἐργασία). ***a*** **~** ***objector***, ὁ ἀρνούμενος νά πολεμήση ἐκ λόγων συνειδήσεως. **~·ly** ἐπίρ. εὐσυνειδήτως.

con·scious /`konʃəs/ ἐπ. **1**. συναισθανόμενος, γνωρίζων, ἔχων ἐπίγνωσιν, ἔχων τάς αἰσθήσεις μου: *I'm* ~ *of my guilt*, συναισθάνομαι τήν ἐνοχήν μου. *They were* ~ *of being watched*, ἔνοιωθαν ὅτι τούς παρακολουθοῦσαν. *The old man was* ~ *to the last*, ὁ γέρος εἶχε τίς αἰσθήσεις του μέχρι τέλους. **2**. ἐνσυνείδητος, συνειδητός: *speak with* ~ *superiority*, ὁμιλῶ μέ συνειδητή ὑπεροχή.

con·scious·ness /`konʃəsnəs/ οὐσ. ‹U› συναίσθησις, ἐπίγνωσις, αἴσθησις, συνείδησις: *act in full* ~ *of the consequences*, ἐνεργῶ μέ πλήρη ἐπίγνωση τῶν συνεπειῶν. *lose/regain* ~, χάνω/ξαναβρίσκω τίς αἰσθήσεις μου. *He represents the moral* ~ *of the party*, ἀντιπροσωπεύει τήν συνείδηση τοῦ κόμματος.

con·script /kən`skrɪpt/ ρ.μ. ~ ***(into)***, στρατολογῶ, ἐπιστρατεύω. —οὐσ. /`konskrɪpt/ ‹C› κληρωτός. **con·scrip·tion** /kən`skrɪpʃn/ οὐσ. ‹U› στρατολογία, ἐπίταξις.

con·se·crate /`konsɪkreɪt/ ρ.μ. ἀφιερώνω, καθαγιάζω, ἐγκαινιάζω (ναόν), χειροτονῶ: ~ *one's life to the relief of suffering*, ἀφιερώνω τή ζωή μου στήν ἀνακούφιση τῶν πασχόντων. *He was* ~*d Bishop*, ἐχειροτονήθη ἐπίσκοπος. **con·se·cra·tion** /'konsɪ`kreɪʃn/ οὐσ. ‹C,U› καθαγίασις, ἐγκαίνια (ναοῦ), χειροτονία.

con·secu·tive /kən`sekjʊtɪv/ ἐπ. συνεχής, συναπτός: *on three* ~ *days*, ἐπί τρεῖς συναπτάς ἡμέρας, τρεῖς μέρες συνέχεια. **~·ly** ἐπίρ. διαδοχικά, συνέχεια.

con·sen·sus /kən`sensəs/ οὐσ. ‹C› (*πληθ.* ~*es*) ὁμοφωνία, κοινή συναίνεσις: ~ *politics*, πολιτική τυγχάνουσα γενικῆς ἐπιδοκιμασίας.

con·sent /kən`sent/ ρ.ἀ. ~ ***(to)***, συγκατατίθεμαι, συναινῶ, συμφωνῶ: *Ann's father will never* ~ *to this marriage/to her marrying a foreigner*, ὁ πατέρας τῆς Ἄννας ποτέ δέν θά συναινέση σ' αὐτό τό γάμο/νά παντρευτῆ ἕναν ξένο. ~ *to a proposal*, συμφωνῶ σέ μιά πρόταση. —οὐσ. ‹C› συγκατάθεσις, συναίνεσις, συμφωνία: *give/refuse one's* ~, δίδω/ ἀρνοῦμαι τή συγκατάθεσή μου. *obtain sb's* ~, ἐπιτυγχάνω τή συγκατάθεση κάποιου. *by general* ~, κατά γενικήν συμφωνίαν. *by mutual* ~, (*γιά διαζύγιο*) κοινῇ συναινέσει. ***with one*** **~**, ὁμοφώνως. **age of ~**, ἐνηλικιότης (πρός γάμον).

con·se·quence /`konsɪkwəns/ οὐσ. ‹C› **1**. ἐπακόλουθον, συνέπεια: *put up with/face the* ~*s*, ὑφίσταμαι/ἀντιμετωπίζω τίς συνέπειες. ***in*** **~** ***(of)***, συνεπείᾳ (τοῦ), ὡς ἀποτέλεσμα. ***Hang the*** **~*s***, (*λαϊκ.*) ἀδιαφορῶ γιά τίς συνέπειες. **2**. σημασία, σπουδαιότης: *It's of no* ~, δέν ἔχει σημασία. *Is it of any/much* ~? ἔχει καμιά/ἔχει μεγάλη σημασία; *a man of* ~, προσωπικότης.

con·se·quent /`konsɪkwənt/ ἐπ. (*λόγ.*) ἀπορρέων, προκύπτων: *The rise in prices* ~ *upon the failure of the crops*, ἡ ἄνοδος τῶν τιμῶν ἡ ἀπορρέουσα ἀπό τήν κακήν ἐσοδεία... **~·ly** ἐπίρ. συνεπῶς, ἄρα, ἑπομένως.

con·se·quen·tial /'konsɪ`kwenʃl/ ἐπ. ἐπακόλουθος, ὀφειλόμενος, (*γιά πρόσ.*) πομπώδης, σπουδαιοφανής, ξιππασμένος.

con·ser·va·tion /'konsə`veɪʃn/ οὐσ. ‹U› συντήρησις, διατήρησις, προστασία: *the* ~ *of forests/of the environment*, ἡ προστασία τῶν δασῶν/τοῦ περιβάλλοντος.

con·serva·tism /kən`sɜvətɪzm/ οὐσ. ‹U› συντηρητισμός.

con·serva·tive /kən`sɜvətɪv/ οὐσ. ‹C› & ἐπ. συντηρητικός: *the C~ Party*, τό Συντηρητικό Κόμμα. *a* ~ *estimate*, ἕνας συντηρητικός ὑπολογισμός.

con·serva·toire /kən`sɜvətwa(r)/ οὐσ. ‹C› ᾠδεῖον.

con·serva·tory /kən`sɜvətrɪ/ οὐσ. ‹C› **1**. θερμοκήπιον. **2**. ᾠδεῖον, δραματική σχολή.

con·serve /kən`sɜv/ ρ.μ. συντηρῶ, διατηρῶ, διαφυλάσσω, προστατεύω: ~ *one's energies/ health*, διαφυλάσσω τίς δυνάμεις μου/προστατεύω τήν ὑγεία μου. —οὐσ. ‹C› (*συνήθ. πληθ.*) γλυκά τοῦ κουταλιοῦ.

con·sider /kən`sɪdə(r)/ ρ.μ/ἀ. **1**. μελετῶ, ἐξετάζω, σκέπτομαι: *I'll* ~ *your suggestion*, θά μελετήσω τήν πρότασή σου. *I'm* ~*ing going to Canada*, σκέφτομαι νά πάω στόν Καναδᾶ. ***one's*** **~*ed opinion***, γνώμη γενομένη μετά ὥριμον σκέψιν: *It's my* ~*ed opinion that you should resign*, ἡ γνώμη μου, μετά ὥριμον σκέψιν, εἶναι νά παραιτηθῆς. **2**. θεωρῶ: *I* ~ *him (to be) an honest person*, τόν θεωρῶ τίμιον ἄνθρωπο. *He* ~*s himself very important*, θεωρεῖ τόν ἑαυτό του πολύ σπουδαῖο. **3**. λαμβάνω ὑπ' ὄψιν: *We must* ~ *his youth/the feelings of other people*, πρέπει νά λάβωμε ὑπ' ὄψιν τήν ἡλικία του/τά αἰσθήματα τῶν ἄλλων. ***all things*** **~*ed***, λαμβάνοντες ὅλα ὑπ' ὄψιν, ἐν τελευταίᾳ ἀναλύσει.

con·sider·able /kən`sɪdrəbl/ ἐπ. σημαντικός: *a* ~ *income/distance*, σημαντικό εἰσόδημα/-ή ἀπόστασις. **~·ably** ἐπίρ. πολύ, μεγάλως.

con·sider·ate /kən`sɪdərət/ ἐπ. διακριτικός, ἁβρός, εὐγενικός: *It was very* ~ *of you to remember my birthday*, ἦταν πολύ εὐγενικό ἐκ μέρους σας νά θυμηθῆτε τά γενέθλιά μου.

con·sider·ation /kən'sɪdə`reɪʃn/ οὐσ. **1**. ‹U›

μελέτη, ἐξέτασις: *The proposals are still under* ~, οἱ προτάσεις τελοῦν ἀκόμη ὑπό μελέτην. *I'll give the matter my careful/my sympathetic* ~, θά ἐξετάσω τό ζήτημα προσεκτικά/εὐνοϊκά. ***take sth into*** ~, λαμβάνω κτ ὑπ' ὄψιν. ***leave sth out of*** ~, παραλείπω νά λάβω κτ ὑπ' ὄψιν. ***in*** ~ ***of; out of*** ~ ***for***, λαμβάνοντες ὑπ' ὄψιν, λόγῳ. ***on no*** ~, σέ καμιά περίπτωση, ἐπ' οὐδενί λόγῳ. **2**. ‹C› ζήτημα (πού πρέπει νά ληφθῆ ὑπ' ὄψιν), παράγων: *Money is always the first* ~, τά χρήματα εἶναι πάντα τό πρῶτο ζήτημα. *Time is an important* ~ *in this case*, ὁ χρόνος εἶναι σπουδαῖος παράγων σ' αὐτή τήν περίπτωση. **3**. ‹C› ἀμοιβή, πληρωμή: *He will do it for a small* ~, θά τό κάμη ἔναντι μικρᾶς ἀμοιβῆς. **4**. ‹U› ἀβρότης, λεπτότης, σεβασμός (στά αἰσθήματα τοῦ ἄλλου).

con·sider·ing /kən`sɪdərɪŋ/ *πρόθ.* ἀναλόγως, λαμβανομένου ὑπ' ὄψιν: *C~ his age, he has done very well*, λαμβανομένης ὑπ' ὄψιν τῆς ἡλικίας του, τά κατάφερε πολύ καλά.

con·sign /kən`saɪn/ *ρ.μ.* **1**. στέλνω (ἐμπορεύματα): *The goods have been* ~*ed by rail*, τά ἐμπορεύματα ἐστάλησαν σιδηροδρομικῶς. **2**. παραδίδω, ἐμπιστεύομαι: ~ *one's soul to God*, ἐμπιστεύομαι τήν ψυχή μου στό Θεό. **~ee** /'konsaɪn`i/ *οὐσ.* ‹C› παραλήπτης. **~er**, **~or** /-ə(r)/ *οὐσ.* ‹C› ἀποστολεύς. **~·ment** *οὐσ.* ‹C,U› ἀποστολή, ἀποστελλόμενα ἐμπορεύματα. ***on*** ***~ment***, ἐπί παρακαταθήκη.

con·sist /kən`sɪst/ *ρ.ἀ.* **1**. ~ ***of***, ἀποτελοῦμαι ἀπό: *The committee* ~*s of ten members*, ἡ ἐπιτροπή ἀποτελεῖται ἀπό δέκα μέλη. **2**. ~ ***in***, συνίσταμαι, ἔγκειμαι εἰς: *True happiness* ~*s in doing one's duty*, ἡ ἀληθινή εὐτυχία ἔγκειται στό νά κάνη κανείς τό καθῆκον του.

con·sist·ence /kən`sɪstəns/, **con·sist·ency** /kən`sɪstənsɪ/ *οὐσ.* ‹C,U› **1**. συνέπεια, ἀλληλουχία, σταθερότης: *His actions lack* ~, οἱ πράξεις του στεροῦνται συνεπείας. **2**. πυκνότης, σταθερότης, συνοχή (ὑγρῶν καί στερεῶν σωμάτων).

con·sist·ent /kən`sɪstənt/ *ἐπ.* **1**. συνεπής, σταθερός: *a* ~ *friend*. **2**. ~ ***(with)***, σύμφωνος μέ: *Your theory is not* ~ *with the facts*, ἡ θεωρία σου δέν εἶναι σύμφωνη μέ τά γεγονότα. **~·ly** *ἐπίρ.* μέ συνέπεια.

con·sole /kən`səʊl/ *ρ.μ.* παρηγορῶ: ~ *sb for a loss*, παρηγορῶ κπ γιά μιά ἀπώλεια. ~ *oneself with the thought that...*, παρηγοροῦμαι μέ τή σκέψη ὅτι... **con·so·la·tion** /'konsə`leɪʃn/ *οὐσ.* ‹U› παρηγοριά: *words/a letter of consolation*. **con·sola·tory** /kən`solətrɪ/ *ἐπ.* παρηγορητικός.

con·soli·date /kən`solɪdeɪt/ *ρ.μ/ἀ.* **1**. σταθεροποιῶ/-οῦμαι: ~ *one's position/influence*, σταθεροποιῶ τή θέση μου/τήν ἐπιρροή μου. **2**. ἑνοποιῶ, συνενώνω: ~ *debts/companies/banks*, ἑνοποιῶ χρέη/συνενώνω ἑταιρεῖες/τράπεζες. **~d annuities** (*καθομ.* **consols**), πάγια κρατικά χρεώγραφα. **con·soli·da·tion** /kən'solɪ`deɪʃn/ *οὐσ.* ‹C,U› σταθεροποίησις, παγίωσις, ἑνοποίησις (χρεῶν).

con·son·ant /`konsənənt/ *οὐσ.* ‹C› σύμφωνον. —*ἐπ.* σύμφωνος, ἁρμονικός, εὐχάριστος: *actions* ~ *with his beliefs*, πράξεις σύμφωνοι πρός τάς ἀρχάς του.

[1]**con·sort** /`konsɔt/ *οὐσ.* ‹C› σύζυγος (ἡγεμόνος): *the prince* ~, ὁ σύζυγος τῆς βασίλισσας.

[2]**con·sort** /kən`sɔt/ *ρ.ἀ.* ~ ***with***, **1**. συναγελάζομαι, συναναστρέφομαι: ~ *with criminals/with one's equals*, συναγελάζομαι μέ ἐγκληματίες/συναναστρέφομαι τούς ὁμοίους μου. **2**. συμφωνῶ, ἐναρμονίζομαι: *His practice does not* ~ *with his preaching*, τά ἔργα του δέν συμφωνοῦν μέ τά κηρύγματά του.

con·spicu·ous /kən`spɪkjʊəs/ *ἐπ.* **1**. περίβλεπτος, καταφανής, ἐμφανής: *in a* ~ *position*, εἰς ἐμφανῆ θέσιν. *He was* ~ *by his absence*, ἔλαμψε διά τῆς ἀπουσίας του. ***make oneself*** ~, γίνομαι ἀντικείμενο προσοχῆς (λόγῳ ἀσυνήθους συμπεριφορᾶς). **2**. εὐδιάκριτος: *Traffic signs should be* ~, τά σήματα τῆς τροχαίας πρέπει νά εἶναι εὐδιάκριτα. **3**. ἐξέχων, διακεκριμένος, σημαντικός: *play a* ~ *part*, παίζω σημαντικό ρόλο. **~·ly** *ἐπίρ.* ἐμφανῶς, καταφανῶς.

con·spir·acy /kən`spɪrəsɪ/ *οὐσ.* ‹C,U› συνωμοσία: *a* ~ *of silence*, συνωμοσία σιωπῆς. *a* ~ *to overthrow the Government*, συνωμοσία πρός ἀνατροπήν τῆς Κυβερνήσεως. **con·spira·tor** /-`spɪrətə(r)/ *οὐσ.* ‹C› συνωμότης. **con·spira·tor·ial** /kən'spɪrə`tɔrɪəl/ *ἐπ.* συνωμοτικός: *with a conspiratorial air*, μέ ὕφος συνωμοτικό.

con·spire /kən`spaɪə(r)/ *ρ.μ/ἀ.* συνωμοτῶ: ~ *against the Government*, συνωμοτῶ κατά τῆς Κυβερνήσεως. *Everything* ~*d to keep him late*, ὅλα συνωμότησαν γιά νά τόν κάνουν ν' ἀργήση.

con·stable /`kʌnstəbl/ *οὐσ.* ‹C› **1**. ἀστυνομικός, ἀστυφύλαξ, χωροφύλαξ: *Chief C~*, Διοικητής τῆς Ἀστυνομίας. **2**. (*ἱστ.*) κοντόσταυλος, Διοικητής Βασιλικοῦ φρουρίου. **con·stabu·lary** /kən`stæbjʊlərɪ/ *οὐσ.* ‹C› ἀστυνομία, χωροφυλακή.

con·stancy /`konstənsɪ/ *οὐσ.* ‹U› σταθερότης (χαρακτῆρος, φίλου, κλπ).

con·stant /`konstənt/ *ἐπ.* **1**. ἀδιάκοπος, συνεχής: ~ *complaints*, συνεχῆ παράπονα. **2**. σταθερός, πιστός: *a* ~ *friend*. **~·ly** *ἐπίρ.* συνεχῶς, σταθερῶς.

con·stel·la·tion /'konstə`leɪʃn/ *οὐσ.* ‹C› ἀστερισμός.

con·ster·na·tion /'konstə`neɪʃn/ *οὐσ.* ‹U› κατάπληξις καί φόβος, ταραχή: *filled with* ~, γεμᾶτος κατάπληξη καί φόβο, καταθορυβημένος. *They looked at him in* ~, τόν κοίταξαν καταταραγμένοι.

con·sti·pate /`konstɪpeɪt/ *ρ.μ.* προκαλῶ δυσκοιλιότητα: *I find onions constipating*, βρίσκω ὅτι τά κρεμμύδια μοῦ προκαλοῦν δυσκοιλιότητα. **~d** *ἐπ.* δυσκοίλιος. **con·sti·pa·tion** /'konstɪ`peɪʃn/ *οὐσ.* δυσκοιλιότης.

con·stitu·ency /kən`stɪtʃʊənsɪ/ *οὐσ.* ‹C› ἐκλογική περιφέρεια, ψηφοφόροι (ἐκλογικῆς περιφερείας).

con·stitu·ent /kən`stɪtʃʊənt/ *ἐπ.* **1**. συστατικός: *a* ~ *part of modern life*, ἕνα συστατικό μέρος τῆς σύγχρονης ζωῆς. **2**. συντακτικός: *a* ~ *assembly*, συντακτική συνέλευσις. —*οὐσ.* ‹C› ἐκλογεύς, ψηφοφόρος, συστατικόν μέρος.

con·sti·tute /`konstɪtjut/ *ρ.μ.* **1**. διορίζω: *They* ~*d him chief adviser*, τόν διώρισαν πρῶτο σύμβουλο. *He* ~*d himself a judge of* *my conduct*, αὐτοδιορίστηκε κριτής τῆς διαγωγῆς μου. **2**. συνιστῶ, ἀποτελῶ: *These actions ~ an offence*, αὐτές οἱ πράξεις συνιστοῦν ἀδίκημα. *Twelve months ~ a year*, δώδεκα μῆνες ἀποτελοῦν (ἀπαρτίζουν) ἕνα ἔτος. **3**. συγκροτῶ: *~ a committee*, συγκροτῶ ἐπιτροπήν. *He is so ~d that...*, εἶναι ἔτσι φτιαγμένος ὥστε...

con·sti·tu·tion /ˈkonstɪˋtjuʃn/ *οὐσ.* ‹C› **1**. καταστατικός χάρτης, σύνταγμα. **2**. κρᾶσις, ἰδιοσυστασία, κατασκευή, σύστασις: *have a good/strong/an iron ~*, ἔχω καλή/δυνατή/σιδερένια κράση. *the ~ of one's mind and character*, ἡ ἰδιοσυστασία τοῦ μυαλοῦ καί τοῦ χαρακτῆρα μου.

con·sti·tu·tional /ˈkonstɪˋtjuʃnl/ *ἐπ.* συνταγματικός, ἰδιοσυστατικός: *a ~ ruler*, συνταγματικός ἄρχων. *a ~ weakness*, μιά ἔμφυτη ἀδυναμία. __*οὐσ.* ‹C› (*καθομ.*) περιπατάκος (γιά λόγους ὑγείας): *go for a ~*, πάω περιπατάκο. **~·ly** *ἐπίρ.* ἐξ ἰδιοσυγκρασίας, συνταγματικῶς.

con·strain /kənˋstreɪn/ *ρ.μ.* ἐξαναγκάζω: *I find myself/I feel ~ed to write to you*, εὑρίσκομαι στήν ἀνάγκη νά σᾶς γράψω. **~ed**, βεβιασμένος, ἀφύσικος: *a ~ed smile/manner*, βεβιασμένο χαμόγελο/ἀφύσικος τρόπος.

con·straint /kənˋstreɪnt/ *οὐσ.* ‹C,U› **1**. ἀνάγκη, ἐξαναγκασμός: *write/act under ~*, γράφω/ἐνεργῶ κάτω ἀπό ἀνάγκη (ἀπό πίεση). *speak/write without ~*, ὁμιλῶ/γράφω ἐλεύθερα. **2**. συστολή, ἀμηχανία, μούδιασμα: *show/feel ~ in sb's presence*, δείχνω/νοιώθω συστολή μπροστά σέ κπ. **3**. περιορισμός: *put sb under ~*, θέτω κπ ὑπό περιορισμόν (πχ φρενοβλαβῆ).

con·strict /kənˋstrɪkt/ *ρ.μ.* (συ)σφίγγω, στενεύω, περιορίζω: *~ a vein/one's muscles*, σφίγγω μιά φλέβα/τούς μῦς. *a ~ed outlook*, περιωρισμένη ἀντίληψις. *I feel ~ed by the rules*, νοιώθω νά μέ συμπιέζη ὁ κανονισμός. **con·stric·tion** /-ˋstrɪkʃn/ *οὐσ.* ‹C,U› σφίξιμο, (*ἰατρ.*) στένωσις (ἀρτηρίας). **~or** /-tə(r)/ *οὐσ.* ‹C› συσφιγκτήρ: *a ˋboa-~or*, βόας ὁ συσφιγκτήρ.

con·struct /kənˋstrʌkt/ *ρ.μ.* κατασκευάζω, φτιάχνω, χτίζω: *~ a factory/~ aircraft*, κατασκευάζω ἐργοστάσιο/ἀεροπλάνα. *~ a sentence/a theory*, φτιάχνω πρόταση/θεωρία. *a ˋwell-~ed novel/play*, ἕνα καλοφτιαγμένο (καλοδεμένο) μυθιστόρημα/θεατρικό ἔργο. **~or** /-tə(r)/ *οὐσ.* ‹C› κατασκευαστής.

con·struc·tion /kənˋstrʌkʃn/ *οὐσ.* **1**. ‹U› κατασκευή: *the ~ of new roads*, ἡ κατασκευή νέων δρόμων. *The railway is still under ~/in the course of ~*, ἡ σιδηροδρομική γραμμή εἶναι ἀκόμη ὑπό κατασκευήν. **2**. ‹C› κτίριο, κατασκεύασμα: *a huge ~ of reinforced concrete*, ἕνα πελώριο κτίριο ἀπό μπετόν ἀρμέ. **3**. ‹C› (*γραμμ.*) δομή, σύνταξις. **4**. ‹C› ἑρμηνεία, ἔννοια: *put a wrong ~ on sb's actions/words*, δίδω κακή ἑρμηνεία στίς πράξεις/στά λόγια κάποιου (τά παρεξηγῶ).

con·struc·tive /kənˋstrʌktɪv/ *ἐπ.* ἐποικοδομητικός, δημιουργικός: *~ criticism/proposals*, ἐποικοδομητική κριτική/-ές προτάσεις. *a ~ mind*, δημιουργικό μυαλό. **~·ly** *ἐπίρ.*

con·strue /kənˋstru/ *ρ.μ.* **1**. ἑρμηνεύω: *~ a passage from Homer*, ἑρμηνεύω Ὁμηρικόν χωρίον. *His words were wrongly ~d*, τά λόγια του παρερμηνεύθησαν. **2**. ἀναλύω (πρότασιν) συντακτικῶς.

con·sub·stan·tial /ˈkonsəbˋstænʃl/ *ἐπ.* ὁμοούσιος: *the Son is ~ with the Father*, ὁ Υἱός εἶναι ὁμοούσιος τῷ Πατρί.

con·sul /ˋkonsl/ *οὐσ.* ‹C› Πρόξενος, (Ρωμαῖος) ὕπατος: *C~ General*, Γενικός Πρόξενος.

con·su·lar /ˋkonsjʊlə(r)/ *ἐπ.* προξενικός.

con·su·late /ˋkonsjʊlət/ *οὐσ.* ‹C› προξενεῖον.

con·sult /kənˋsʌlt/ *ρ.μ.* **1**. συμβουλεύομαι: *~ one's lawyer/a map/a dictionary*, συμβουλεύομαι τόν δικηγόρο μου/ἕναν χάρτη/ἕνα λεξικό. **2**. λαμβάνω ὑπ' ὄψιν: *We must ~ his feelings*, πρέπει νά λάβωμε ὑπ' ὄψιν τά αἰσθήματά του. **3**. ***~ with***, συσκέπτομαι μέ κπ, συζητῶ (ἕνα θέμα) μέ κπ. **~·ant** /-ənt/ *οὐσ.* ‹C› σύμβουλος, ἐμπειρογνώμων.

con·sul·ta·tion /ˈkonslˋteɪʃn/ *οὐσ.* ‹U,C› σύσκεψις, διαβούλευσις, συμβούλιον: *The doctors held a ~*, οἱ γιατροί ἔκαναν συμβούλιο. *After long ~s*, ὕστερα ἀπό μακρές διαβουλεύσεις (ἀνταλλαγές ἀπόψεων)...

con·sume /kənˋsjum/ *ρ.μ/ἀ.* **1**. καταναλίσκω: *We ~ meat/beer/oil*, καταναλίσκομε κρέας/μπύρα/πετρέλαιο. **2**. ξοδεύω, σπαταλῶ: *~ one's life/time in doing sth*, ἀναλίσκω (ξοδεύω) τή ζωή μου/τό χρόνο μου κάνοντας κτ. *He ~d his fortune in gambling*, σπατάλησε τήν περιουσία του στά χαρτιά. **3**. καταβροχθίζω, βασανίζω, κατατρώγω: *The fire soon ~d the wooden huts*, ἡ φωτιά κατεβρόχθισε σέ λίγη ὥρα τά ξύλινα σπιτάκια. *He was ~d with envy/hatred/thirst*, τόν κατέτρωγε ἡ ζήλεια/τό μῖσος/τόν βασάνιζε ἡ δίψα. *ˋtime-consuming work*, δουλειά πού τρώει πολύ χρόνο. **4**. ***~ away***, φθίνω, λυώνω: *He was ~d away by tuberculosis*, τόν ἔλυωσε ἡ φυματίωσις. **~r** *οὐσ.* ‹C› καταναλωτής.

[1]**con·sum·mate** /kənˋsʌmət/ *ἐπ.* τέλειος: *~ skill*, τέλεια δεξιοτεχνία. *a ~ liar/hypocrite*, τέλειος ψεύτης/ὑποκριτής.

[2]**con·sum·mate** /ˋkonsəmeɪt/ *ρ.μ.* ὁλοκληρώνω: *Her happiness was ~d when she gave birth to a child*, ἡ εὐτυχία της ὁλοκληρώθηκε ὅταν γέννησε παιδί. *~ a marriage*, ὁλοκληρώνω τό γάμο (διά τῆς συνουσίας).

con·sum·ma·tion /ˈkonsəˋmeɪʃn/ *οὐσ.* ‹C,U› ὁλοκλήρωσις, ἐκπλήρωσις: *the ~ of a life's work/of a marriage/of one's ambitions*, ἡ ὁλοκλήρωσις τοῦ ἔργου μιᾶς ζωῆς/ἑνός γάμου/ἡ ἐκπλήρωσις τῶν φιλοδοξιῶν ἑνός.

con·sump·tion /kənˋsʌmpʃn/ *οὐσ.* ‹U› **1**. κατανάλωσις: *The ~ of beer went down/went up*, ἡ κατανάλωσις τῆς μπύρας ἔπεσε/ἀνέβηκε. **2**. φθίσις, φυματίωσις. **con·sump·tive** /-ˋsʌmptɪv/ *οὐσ.* ‹C› & *ἐπ.* φυματικός, φθισικός.

con·tact /ˋkontækt/ *οὐσ.* **1**. ‹U› ἐπαφή. ***be in/out of ~ with sb***, εὑρίσκομαι σέ ἐπαφή/ἔχω χάσει τήν ἐπαφή μου μέ κπ. ***come/bring into ~***, ἔρχομαι/φέρνω σέ ἐπαφή: *I'll come/I'll bring you into ~ with him*, θά ἔλθω/θά σέ φέρω σέ ἐπαφή μαζί του. ***make ~ (with sb)***, παίρνω ἐπαφή (ὕστερα ἀπό προσπάθειες): *I finally made ~ with him in Paris*, τελικά πῆρα ἐπαφή μαζί του στό Παρίσι. ***make/break ~***, (*ἠλεκτρ.*) κάνω/

διακόπτω ἐπαφή (ρεύματος). ~ **lens**, φακός ἐπαφῆς. **2**. ‹C› ἐπαφή, γνωριμία: *He made many useful social ~s in London*, εἶχε πολλές χρήσιμες κοινωνικές ἐπαφές στό Λονδῖνο, ἔκαμε πολλές γνωριμιές. —*ρ.μ.* ἔρχομαι σέ ἐπαφή μέ: *How can I ~ him?* πῶς μπορῶ νά ἔλθω σ᾽ ἐπαφή μαζί του;

con·tagion /kən`teɪdʒən/ *οὐσ.* ‹C,U› **1**. μετάδοσις (ἀσθενείας, φόβου, κλπ), μόλυνσις. **2**. μεταδοτική ἀρρώστεια.

con·tagious /kən`teɪdʒəs/ *ἐπ.* μεταδοτικός, μολυσματικός, κολλητικός: *Scarlet fever/Yawning is ~*, ἡ ὀστρακιά εἶναι μεταδοτική/τό χασμουρητό εἶναι κολλητικό. ~ *fear/enthusiasm/laughter*, μεταδοτικός φόβος/ἐνθουσιασμός/γέλιο.

con·tain /kən`teɪn/ *ρ.μ.* **1**. περιέχω, περικλείω, περιλαμβάνω: *Whisky ~s alcohol*, τό οὐΐσκυ περιέχει οἰνόπνευμα. *All the land ~ed within these boundaries*, ὅλη ἡ γῆ ἡ περικλειομένη ἐντός αὐτῶν τῶν ὁρίων. *This atlas ~s forty maps*, αὐτός ὁ ἄτλας περιλαμβάνει (ἔχει) σαράντα χάρτες. **2**. χωρῶ: *How much does this bottle ~?* πόσο χωράει αὐτό τό μπουκάλι; **3**. συγκρατῶ, ἀναχαιτίζω: *I couldn't ~ my enthusiasm/admiration*, δέν μποροῦσα νά συγκρατήσω τόν ἐνθουσιασμό μου/τό θαυμασμό μου. *She couldn't ~ herself for joy*, δέν κρατιόταν ἀπό τή χαρά της. *The enemy/The cholera has been ~ed*, ὁ ἐχθρός/ἡ ἐπιδημία χολέρας ἀναχαιτίσθηκε. **4**. διαιροῦμαι διά: *Fifteen ~s five and three*, τό 15 διαιρεῖται διά τοῦ 5 καί τοῦ 3. **~er** *οὐσ.* ‹C› δοχεῖον, κιβώτιον. **~·ment** *οὐσ.* ‹U› ἀνάσχεσις: *a policy of ~ment*, πολιτική ἀνασχέσεως/συγκρατήσεως.

con·tami·nate /kən`tæmɪneɪt/ *ρ.μ.* μιαίνω, μολύνω (μέ ἀρρώστεια, ἀκαθαρσίες, ἰδέες, κλπ). **con·tami·na·tion** /kən'tæmɪ`neɪʃn/ *οὐσ.* ‹C,U› μόλυνσις, μίασμα.

con·tem·plate /`kontəmpleɪt/ *ρ.μ.* **1**. κοιτάζω, ἀτενίζω, μελετῶ, ἀναπολῶ: *She ~d her face/herself in the mirror*, μελετοῦσε τό πρόσωπό της/κοιταζόταν στόν καθρέφτη. ~ *one's past life*, ἀναπολῶ τήν περασμένη μου ζωή. **2**. σκέπτομαι, σχεδιάζω: *She's contemplating a visit to London/staying with us*, σχεδιάζει μιά ἐπίσκεψη στό Λονδῖνο/σκέπτεται νά μείνη μαζί μας. **3**. περιμένω, προβλέπω: *I don't ~ any opposition from him*, δέν περιμένω (δέν θεωρῶ πιθανή) καμιά ἀντίδραση ἐκ μέρους του.

con·tem·pla·tion /'kontəm`pleɪʃn/ *οὐσ.* ‹U› διαλογισμός, ἐνατένισις, ἀναπόλησις, πρόβλεψις: *He sat there deep in ~*, καθόταν ἐκεῖ ἀπορροφημένος σέ βαθειά συλλογή. *in ~ of an attack*, ἐν ἀναμονῇ (ἐπί τῇ προόψει) ἐπιθέσεως. **con·tem·pla·tive** /kən`templətɪv/ *ἐπ.* στοχαστικός, βυθισμένος σέ θρησκευτική ἐνατένιση, παραδομένος σέ σκέψεις: *be in a ~ mood*, εἶμαι σέ στοχαστική διάθεση.

con·tem·por·aneous /kən'tempə`reɪnɪəs/ *ἐπ.* ταυτόχρονος: ~ *events*. **~·ly** *ἐπίρ.*

con·tem·por·ary /kən`tempərɪ/ *ἐπ.* & *οὐσ.* ‹C› **1**. σύγχρονος: *Churchill was ~ with Roosevelt*, ὁ Τσῶρτσιλ ἦταν σύγχρονος μέ τόν Ρούσβελτ. *They were contemporaries at college*, ἦταν σύγχρονοι στό κολλέγιο. **2**. σύγχρονος (τῆς ἐποχῆς μας), μοντέρνος: ~ *art/life/writers*, σύγχρονη τέχνη/ζωή/μοντέρνοι συγγραφεῖς.

con·tempt /kən`tempt/ *οὐσ.* ‹U› περιφρόνησις: *We feel ~ for liars*, νοιώθουμε περιφρόνηση γιά τούς ψεῦτες. *show ~ for sb*, δείχνω περιφρόνηση σέ κπ. *treat sb with ~*, φέρομαι σέ κπ μέ περιφρόνηση. *in ~ of danger/of all rules*, περιφρονώντας τόν κίνδυνο/στό πεῖσμα ὅλων τῶν κανόνων. *He showed his ~ of death*, ἔδειξε τήν περιφρόνησή του στό θάνατο. ***fall into ~***, περιπίπτω σέ ἀνυποληψία, περιφρονοῦμαι. ***hold sb in ~***, περιφρονῶ κπ. ***~ of court***, ἀσέβεια πρός τό δικαστήριο. **~·ible** /-əbl/ *ἐπ.* ἄξιος περιφρονήσεως, ποταπός. **~u·ous** /-`temptʃʊəs/ *ἐπ.* περιφρονητικός. **~u·ous·ly** *ἐπίρ.* περιφρονητικά.

con·tend /kən`tend/ *ρ.μ./ἀ.* **1**. ***~ with/against/for***, ἀγωνίζομαι, παλεύω, (ἀντι)μάχομαι: ~ *with difficulties*, ἀγωνίζομαι ἐναντίον δυσκολιῶν, παλεύω μέ δυσκολίες. ~ *for a prize*, συναγωνίζομαι (παλεύω) γιά ἕνα βραβεῖο. *~ing passions*, ἀντιμαχόμενα πάθη. **2**. ἰσχυρίζομαι, διατείνομαι, ὑποστηρίζω: *I ~ that ...*, διατείνομαι ὅτι ... **~er** *οὐσ.* ‹C› ἀντίπαλος, ἀνταγωνιστής.

[1]**con·tent** /kən`tent/ *ἐπ. κατηγ.* **1**. ***~ with***, ἱκανοποιημένος, εὐχαριστημένος: *Are you ~ with your salary?* εἶσαι ἱκανοποιημένος ἀπό τό μισθό σου; *She's ~ with very little*, ἱκανοποιεῖται μέ τό ἐλάχιστο, ἀρκεῖται σέ πολύ λίγα. **2**. ***(be) ~ to do sth***, ἀρκοῦμαι, μοῦ φθάνει, εἶμαι πρόθυμος νά: *I'm ~ to be with you*, μοῦ φθάνει νά εἶμαι μαζί σου. —*οὐσ.* ‹U› ἱκανοποίησις, εὐχαρίστησις. ***to one's heart's ~***, μέ τήν ψυχή μου, ὅσο θέλω: *He drank to his heart's ~*, ἤπιε μέ τήν ψυχή του. —*ρ.μ.* ***~ (with)***, εὐχαριστῶ, ἱκανοποιῶ: *There is no ~ing some people!* μερικοί ἄνθρωποι δέν ἱκανοποιοῦνται μέ τίποτα! ***~ oneself***, ἀρκοῦμαι: *We must ~ ourselves with what we have*, πρέπει νά ἀρκεσθοῦμε σ᾽ αὐτό πού ἔχομε. **~ed** *ἐπ.* εὐχαριστημένος, ἱκανοποιημένος: *a ~ed smile/look*, ἱκανοποιημένο χαμόγελο/-η ματιά. **~·ed·ly** *ἐπίρ.* εὐχαριστημένα. **~·ment** *οὐσ.* ‹U› ἱκανοποίησις.

[2]**con·tent** /`kontent/ *οὐσ.* **1**. ‹U› περιεχόμενον (ἐν ἀντιθέσει πρός τήν μορφήν): *the ~ of a book/of a speech*, τό περιεχόμενον ἑνός βιβλίου/λόγου. **2**. (*πληθ.*) περιεχόμενα: *the ~s of a room/drawer*, τά περιεχόμενα ἑνός δωματίου/ἑνός συρταριοῦ. *a table of ~s*, πίναξ περιεχομένων (βιβλίου). *the ~s of a bottle*, τό περιεχόμενον ἑνός μπουκαλιοῦ.

con·ten·tion /kən`tenʃn/ *οὐσ.* ‹C,U› διαμάχη, καυγᾶς, ἰσχυρισμός: *This is no time for ~*, δέν εἶναι ὥρα γιά καυγᾶ. *My ~ is that ...*, ὁ ἰσχυρισμός μου (ἐκεῖνο πού διατείνομαι) εἶναι ὅτι ... (*βλ.* & *λ. bone*).

con·ten·tious /kən`tenʃəs/ (*γιά πρόσ.*) φιλόνικος, (*γιά ὅρους*) διαμφισβητούμενος.

con·test /kən`test/ *ρ.μ./ἀ.* **1**. (δι)αμφισβητῶ: *I ~ your right to be here*, σοῦ ἀμφισβητῶ τό δικαίωμα νά εἶσαι ἐδῶ. ~ *a statement/a point*, διαμφισβητῶ μιά δήλωση/μιά ἄποψη. **2**. ἀγωνίζομαι, διεκδικῶ, παλεύω γιά: *The enemy*

~*ed every inch of the ground*, ὁ ἐχθρός ἀγωνίστηκε γιά κάθε σπιθαμή ἐδάφους. ~ *a seat in Parliament*, διεκδικῶ βουλευτική ἕδρα. —*οὐσ.* /ˈkontest/ ἀγών, πάλη, συναγωνισμός: *a speed* ~, ἀγών ταχύτητος. *a keen* ~ *for a prize*, μεγάλος συναγωνισμός γιά ἕνα βραβεῖο. ~**·ant** /kənˋtestənt/ *οὐσ.* ‹C› ἀνταγωνιστής, ἀντίπαλος, ἀντίδικος.

con·text /ˋkontekst/ *οὐσ.* ‹C,U› **1**. συμφραζόμενα: *guess the meaning of a word from the* ~, μαντεύω τήν ἔννοια μιᾶς λέξεως ἀπό τά συμφραζόμενα. ***out of*** ~, ἀποσπασματικά, ἐκτός κειμένου. **2**. γενικό πλαίσιο (σύνολο περιστάσεων ἑνός γεγονότος): *in this* ~, μέσα σ᾽ αὐτό τό πλαίσιο. **con·tex·tual** /kənˋtekstʃʊəl/ *ἐπ.* (*γιά ἑρμηνεία, κλπ*) κατά τά συμφραζόμενα.

con·ti·guity /ˈkontiˋgjuəti/ *οὐσ.* ‹U› (*λόγ.*) γειτνίασις.

con·tigu·ous /kənˋtigʊəs/ *ἐπ.* ~ (***to***), (*λόγ.*) συνεχόμενος (μέ), παρακείμενος: ~ *rooms/houses/gardens*. ~**·ly** *ἐπίρ.*

con·ti·nence /ˋkontinəns/ *οὐσ.* ‹U› ἐγκράτεια. **con·ti·nent** /-nənt/ *ἐπ.* ἐγκρατής.

con·ti·nent /ˋkontinənt/ *οὐσ.* ‹C› ἤπειρος: *the C*~, ἡ ἠπειρωτική Εὐρώπη. **con·ti·nen·tal** /ˈkontiˋnentl/ *ἐπ.* ἠπειρωτικός, Εὐρωπαϊκός. —*οὐσ.* ‹C› Εὐρωπαῖος.

con·tin·gency /kənˋtindʒənsi/ *οὐσ.* ‹C,U› (*συνήθ. πληθ.*) ἐνδεχόμενον, ἀπρόοπτον: *be prepared for all contingencies*, εἶμαι προετοιμασμένος γιά ὅλα τά ἐνδεχόμενα. *in case of* ~, σέ περίπτωση ἀπροόπτου. ~ *plans*, σχέδια ἐκτάκτου ἀνάγκης.

con·tin·gent /kənˋtindʒənt/ *ἐπ.* **1**. τυχαῖος, ἔκτακτος, ἀπρόοπτος, ἀμφίβολος: ~ *expenses*, ἔκτακτα/ἀπρόοπτα ἔξοδα. **2**. ἐξηρτημένος, ἐξαρτώμενος: ***be*** ~ ***(up)on sth***, ἐξαρτῶμαι ἀπό κτ. —*οὐσ.* ‹C› τμῆμα (στρατοῦ, ναυτικοῦ, ὁμάδος).

con·tin·ual /kənˋtinjʊəl/ *ἐπ.* συνεχής (χωρίς διακοπή ἤ μέ μικρές μόνον διακοπές): ~ *rain/complaints*, συνεχής βροχή/-ῆ παράπονα. ~**ly** /-jʊli/ *ἐπίρ.* συνεχῶς.

con·tin·uance /kənˋtinjʊəns/ *οὐσ.* ‹U› διάρκεια, συνέχισις: *of short/long* ~, βραχείας/μακρᾶς διαρκείας. *the* ~ *of inflation/of prosperity*, ἡ συνέχισις τοῦ πληθωρισμοῦ/τῆς εὐημερίας.

con·tinu·ation /kənˈtinjʊˋeiʃn/ *οὐσ.* ‹C,U› ἐξακολούθησις, συνέχεια (ἱστορίας).

con·tinue /kənˋtinju/ *ρ.μ/ἀ.* συνεχίζω/-ομαι: *He'll* ~ *at school for another year*, θά συνεχίση στό σχολεῖο ἕνα χρόνο ἀκόμη. *The road* ~*s*, ὁ δρόμος συνεχίζεται. *The weather* ~*d wet*, ὁ καιρός συνεχίστηκε βροχερός. *He* ~*d to live with his parents*, συνέχισε νά ζῆ μέ τούς γονεῖς του. *Will you* ~ *working?* θά συνεχίσης νά δουλεύης; *The story will be* ~*d in next month's issue*, ἡ ἱστορία θά συνεχισθῆ στό τεῦχος τοῦ ἑπομένου μηνός. *She* ~*s in weak health*, συνεχίζει νά εἶναι ἄρρωστη.

con·ti·nu·ity /ˈkontiˋnjuəti/ *οὐσ.* ‹U› συνέχεια, συνοχή: *the* ~ *of a series/of a tradition*, ἡ συνέχεια μιᾶς σειρᾶς/μιᾶς παραδόσεως. *There is no* ~ *in your story*, δέν ὑπάρχει συνοχή στήν ἱστορία σου.

con·tinu·ous /kənˋtinjʊəs/ *ἐπ.* συνεχής, ἀδιάκοπος: ~ *performance*, συνεχής παράστασις (σέ σινεμά). *a* ~ *succession of visits*, ἀδιάκοπη σειρά ἐπισκέψεων. ~**·ly** *ἐπίρ.* συνεχῶς, ἀδιάκοπα.

con·tort /kənˋtɔt/ *ρ.μ.* συστρέφω, συσπῶ, παραμορφώνω, διαστρέφω: *a face* ~*ed with pain*, πρόσωπο συσπασμένο ἀπό τόν πόνο.

con·tor·tion /kənˋtɔʃn/ *οὐσ.* ‹C,U› σύσπασις, (δια)στρέβλωσις. ~**·ist** /-ist/ *οὐσ.* ‹C› ἀκροβάτης πού συστρέφει τό σῶμα του, ἄνθρωπος-φίδι.

con·tour /ˋkontʊə(r)/ *οὐσ.* ‹C› περίγραμμα: *the* ~ *of a mountain*, τό περίγραμμα ἑνός βουνοῦ. ~ *lines*, ἰσοϋψεῖς καμπύλες. *a* ~ *map*, ὑψομετρικός χάρτης.

contra- /ˋkontrə/ *πρόθεμα*, ἀντί-

contra·band /ˋkontrəbænd/ *οὐσ.* ‹U› λαθρεμπόριον: ~ *of war*, λαθρεμπόριον πολέμου. ~ *goods*, λαθραῖα ἐμπορεύματα.

contra·cep·tion /ˈkontrəˋsepʃn/ *οὐσ.* ‹U› πρόληψις ἐγκυμοσύνης. **contra·cep·tive** /-ˋseptiv/ *ἐπ.* ἀντισυλληπτικός: ~ *pills*, ἀντισυλληπτικά χάπια. —*οὐσ.* ‹C› προφυλακτικόν.

[1]**con·tract** /ˋkontrækt/ *οὐσ.* ‹C› συμβόλαιον, σύμβασις, συμφωνητικόν: *the Social C*~, τό Κοινωνικόν Συμβόλαιον. *sign a* ~, ὑπογράφω συμβόλαιον. *work on* ~, ἐργάζομαι ἐπί συμβάσει. *bind oneself by* ~, δεσμεύομαι συμβατικῶς. *a breach of* ~, ἀθέτησις συμβάσεως. *conditions of* ~, ὅροι συμβάσεως. *by private* ~, δι᾽ ἰδιωτικοῦ συμφωνητικοῦ. ***enter into/make a*** ~ ***(with sb/for sth)***, συμβάλλομαι (μέ κπ/γιά κτ).

[2]**con·tract** /kənˋtrækt/ *ρ.μ/ἀ.* **1**. συνάπτω: ~ *a marriage/debts/an alliance*, συνάπτω γάμον/χρέη/συμμαχίαν. **2**. κολλῶ: ~ *an illness/bad habits*, κολλῶ ἀρρώστεια/κακές συνήθειες. **3**. ἀναλαμβάνω (συμβατικῶς): *I* ~ *to build a bridge*, ἀναλαμβάνω νά φτιάξω ἕνα γεφύρι. ~ ***out of sth***, ἀποδεσμεύομαι ἀπό συμβατικήν ὑποχρέωσιν. ~**or** *οὐσ.* ‹C› ἐργολάβος, ἐργολήπτης, ἀνάδοχος (δημοσίων ἔργων).

[3]**con·tract** /kənˋtrækt/ *ρ.μ/ἀ.* **1**. συστέλλω/-ομαι, (*γραμμ.*) συναιρῶ/-οῦμαι: *Metals* ~ *as they become cool*, τά μέταλλα συστέλλονται ὅταν ψύχονται. *'Do not' is* ~*ed to 'don't'*, τό *'do not'* συναιρεῖται εἰς *'don't'*. **2**. μαζεύω, ζαρώνω, σφίγγω, στενεύω: ~ *the brows*, μαζεύω τά φρύδια. ~ *the forehead*, ζαρώνω τό μέτωπο. ~ *the muscles*, σφίγγω τούς μῦς. *The valley* ~*s higher up*, ἡ κοιλάδα στενεύει ψηλότερα. **con·trac·tion** /kənˋtrækʃn/ *οὐσ.* ‹C,U› συστολή, σύσπασις, συναίρεσις, στένεμα, συνηρημένη λέξις.

con·tra·dict /ˈkontrəˋdikt/ *ρ.μ.* **1**. ἀντιλέγω, ἀντιμιλῶ, διαψεύδω: ~ *a statement*, διαψεύδω μιά δήλωση. *Don't* ~ *your mother!* μήν ἀντιμιλᾶς στή μητέρα σου! **2**. ἀντιφάσκω: *The reports* ~ *each other*, οἱ ἀναφορές ἀντιφάσκουν μεταξύ τους.

contra·dic·tion /ˈkontrəˋdikʃn/ *οὐσ.* ‹C,U› **1**. διάψευσις, ἀντιλογία: *give a flat* ~ *to a statement*, κάνω κατηγορηματική διάψευση σέ μιά δήλωση. *a spirit of* ~, πνεῦμα ἀντιλογίας. **2**. ἀντίφασις: *What you are saying now is in* ~ *of what you said yesterday*, ὅ,τι λές τώρα βρίσκεται σέ ἀντίφαση μέ ὅ,τι εἶπες χθές. ***a ~ in terms***, ἐξ ὁρισμοῦ ἀντίφασις, ἀντιφατική πρότασις (*πχ* "γενναιόδωρος τσιγκούνης"). **con·tra·dic·tory** /ˌkontrəˈdɪktərɪ/ *ἐπ.* ἀντιφατικός.

con·tralto /kənˈtræltəʊ/ *οὐσ.* ‹C› (*πληθ.* ~*s*) (γυναίκα) βαθύφωνος, κοντράλτο.

con·trap·tion /kənˈtræpʃn/ *οὐσ.* ‹C› (*καθομ.*) παράξενο μηχάνημα, μαραφέτι.

contra·pun·tal /ˌkontrəˈpʌntl/ *ἐπ.* (*μουσ.*) ἀντιστικτικός.

contra·riety /ˌkontrəˈraɪətɪ/ *οὐσ.* ‹C,U› ἀντίθεσις, ἐναντιότης.

con·trari·wise /kənˈtreərɪwaɪz/ *ἐπίρ.* ἀντιθέτως, τοὐναντίον.

con·trary /ˈkontrərɪ/ *ἐπ.* **1**. ἀντίθετος: ~ *terms*, ἀντίθετοι ὅροι. ***~ to***, ἀντιθέτως πρός: *act ~ to rules/to one's interests*, ἐνεργῶ ἀντίθετα πρός τόν κανονισμό/πρός τά συμφέροντά μου. *The result was ~ to expectations*, τό ἀποτέλεσμα ἦταν ἀντίθετο πρός τίς προσδοκίες μας. **2**. ἐνάντιος: ~ *winds*. **3**. /kənˈtreərɪ/ (*καθομ.*) πεισματάρης. —*οὐσ.* ‹C› (τό) ἀντίθετον: *What's the ~ of 'hot'?* ποιό εἶναι τό ἀντίθετο τοῦ "θερμός"; ***on the ~***, ἀπεναντίας, τοὐναντίον. ***to the ~***, ἀντιθέτως, περί τοῦ ἀντιθέτου, περί τοῦ ἐναντίου: *I'll continue to believe it until I get proof to the ~*, θά συνεχίσω νά τό πιστεύω ἕως ὅτου ἔχω ἀποδείξεις περί τοῦ ἀντιθέτου. *I'll come on Monday unless you write me to the ~*, θά ἔλθω τή Δευτέρα ἐκτός ἄν μοῦ γράψης ἀντιθέτως (περί τοῦ ἐναντίου). ***by contraries***, ἀνάποδα: *Dreams go by contraries*, τά ὄνειρα βγαίνουν ἀνάποδα. *Many things in life go by contraries*, πολλά πράγματα στή ζωή ἔρχονται ἀνάποδα.

1 **con·trast** /kənˈtrast/ *ρ.μ/ἀ.* **1**. συγκρίνω, ἀντιπαραθέτω, ἀντιπαραβάλλω: ~ *one thing with/and another*, συγκρίνω (παραβάλλω) ἕνα πρᾶγμα μέ ἕνα ἄλλο. **2**. διαφέρω πολύ, εὑρίσκομαι εἰς/δημιουργῶ ἀντίθεσιν: *His actions ~ sharply with his promises*, οἱ πράξεις του εὑρίσκονται σέ μεγάλη ἀντίθεση πρός τίς ὑποσχέσεις του.

2 **con·trast** /ˈkontrast/ *οὐσ.* ‹C,U› ἀντιπαραβολή, διαφορά, ἀντίθεσις: *The ~ between the two brothers is remarkable*, ἡ ἀντίθεσις μεταξύ τῶν δύο ἀδελφῶν εἶναι μεγάλη. *His white hair was in sharp ~ to/with his dark skin*, τ' ἄσπρα του μαλλιά βρίσκονταν σέ ἔντονη ἀντίθεση πρός τό μελαχρινό του δέρμα. ***by ~ with***, κατ' ἀντίθεσιν πρός.

contra·vene /ˌkontrəˈvin/ *ρ.μ.* **1**. παραβαίνω (τόν νόμο). **2**. ἀντικρούω, ἀμφισβητῶ (*πχ* ἰσχυρισμόν). **3**. συγκρούομαι: *laws that ~ the first principles of equity*, νόμοι οἱ ὁποῖοι παραβιάζουν (συγκρούονται μέ) τίς βασικές ἀρχές τῆς δικαιοσύνης.

con·tra·ven·tion /ˌkontrəˈvenʃn/ *οὐσ.* ‹C,U› παράβασις: *in ~ of the rules*, κατά παράβασιν τῶν κανόνων.

contre·temps /ˈkontrətɒ̃/ *οὐσ.* ‹C› (*πληθ.* ~) ἀναποδιά.

con·trib·ute /kənˈtrɪbjut/ *ρ.μ/ἀ.* **1**. συνεισφέρω: ~ *clothing for the refugees/to the Red Cross*, συνεισφέρω ροῦχα γιά τούς πρόσφυγες/στόν Ἐρυθρό Σταυρό. **2**. συντελῶ, συμβάλλω: *Drink ~d to his ruin*, τό πιοτό συνέβαλε στήν καταστροφή του. **3**. γράφω/συνεργάζομαι σέ ἐφημερίδα: ~ *poems to a magazine*, δημοσιεύω ποιήματα σέ περιοδικό. **con·tribu·tor** /-tə(r)/ *οὐσ.* ‹C› ὁ συνεισφέρων, συνεργάτης (ἐφημερίδος). **con·tribu·tory** /kənˈtrɪbjʊtrɪ/ *ἐπ.* συμβάλλων.

con·tri·bu·tion /ˌkontrɪˈbjuʃn/ *οὐσ.* ‹C,U› **1**. συμβολή, (συν)εισφορά: ~*s to the relief fund*, (συν)εισφοραί στό ταμεῖον ἀρωγῆς. **2**. (*δημοσιογ.*) συνεργασία, ἄρθρον: *We are short of ~s for the May issue*, μᾶς λείπουν συνεργασίες γιά τό τεῦχος τοῦ Μαΐου. **3**. ἀναγκαστική εἰσφορά (γιά στρατό κατοχῆς): *The whole country has been laid under ~*, ὅλη ἡ χώρα ὑποχρεώθηκε νά συνεισφέρη. *lay one's friends under ~*, χαρατσώνω τούς φίλους μου.

con·trite /ˈkontraɪt/ *ἐπ.* συντετριμμένος, μεταμελημένος: *a ~ heart*. **con·tri·tion** /kənˈtrɪʃn/ *οὐσ.* ‹U› συντριβή, μετάνοια, μεταμέλεια.

con·triv·ance /kənˈtraɪvəns/ *οὐσ.* ‹U› **1**. ἐπινόησις, ἐφευρετικότης: *beyond human ~*, ἀνώτερον τῆς ἀνθρωπίνης ἐφευρετικότητος. **2**. ‹C› τέχνασμα, σύστημα, κόλπο. **3**. ‹C› συσκευή, μηχάνημα, μαραφέτι: *a ~ to record telephone conversations*, συσκευή καταγραφῆς τηλεφωνικῶν συνομιλιῶν.

con·trive /kənˈtraɪv/ *ρ.μ/ἀ.* **1**. ἐπινοῶ, σκαρώνω, μηχανεύομαι: ~ *a means of escape from prison*, μηχανεύομαι τρόπο δραπετεύσεως ἀπό τή φυλακή. **2**. καταφέρνω: *I ~d to warn him in time*, κατάφερα νά τόν εἰδοποιήσω ἐγκαίρως. *She finds it difficult to ~ now that prices are rising every month*, τό βρίσκει δύσκολο νά τά καταφέρη τώρα πού οἱ τιμές ἀνεβαίνουν κάθε μῆνα. *Can you ~ to be here early?* μπορεῖς νά τά καταφέρης νά βρίσκεσαι ἐδῶ νωρίς;

con·trol /kənˈtrəʊl/ *οὐσ.* ‹C,U› **1**. ἔλεγχος, ἐπιβολή, ἐξουσία: *have ~ over a province*, ἔχω ἐξουσία πάνω σέ μιά ἐπαρχία. *She has no ~ over the children*, δέν ἔχει ἐπιβολή στά παιδιά. ***be in ~ of***, διευθύνω. ***be/get/bring under ~***, εἶμαι/θέτω ὑπό ἔλεγχον. ***be/get out of ~***, ἀποχαλινοῦμαι. ***keep ~ of/over***, ἐλέγχω, ἐξουσιάζω. **ˈbirth/ˈtraffic ~**, ἔλεγχος γεννήσεων/κυκλοφορίας. **2**. ρύθμισις, διακόπτης, κουμπί ρυθμίσεως, (*πληθ.*) ὄργανα, σύστημα ἐλέγχου ἤ χειρισμοῦ (*π.χ.* σέ ἀεροπλάνο): *tone ~*, τονορρύθμισις, κουμπί τοῦ τόνου. *remote ~*, τηλερρύθμισις. —*ρ.μ. (-ll-)* ἐλέγχω, ἐξουσιάζω, ρυθμίζω, ἐπαληθεύω. **~·ler** *οὐσ.* ‹C› ἐλεγκτής, διαχειριστής, διευθυντής (τμήματος μεγάλου ὀργανισμοῦ).

con·tro·ver·sial /ˌkontrəˈvɜʃl/ *ἐπ.* ἐπίμαχος, ἀμφιλεγόμενος, προκαλῶν ἀμφισβητήσεις/συζητήσεις: *a ~ speech*, ἐπίμαχος ὁμιλία.

con·tro·versy /ˈkontrəvɜsɪ, kənˈtrovəsɪ/ *οὐσ.* ‹C,U› πολεμική, διαμάχη, συζήτησις: *engage in (a) ~ with sb on/about sth*, ἐμπλέκομαι σέ μακρά συζήτηση μέ κπ γιά κτ. *a question that has given rise to much ~*, ζήτημα πού προκάλεσε πολλές συζητήσεις (σφοδρή πολεμική/διαμάχη). *facts beyond ~*, ἀναμφισβήτητα γεγονότα.

con·tro·vert /ˈkontrəvɜt/ *ρ.μ.* ἀντικρούω, ἀμφισβητῶ.

con·tu·ma·cious /ˈkontjʊˋmeɪʃəs/ *ἐπ.* (*λόγ.*) ἀνυπότακτος, ἀπειθής. **~·ly** *ἐπίρ.*

con·tu·macy /ˋkontjʊməsɪ/ *οὐσ.* ‹C,U› (*λόγ.*) ἀπείθεια.

con·tume·ly /ˋkontjumlɪ/ *οὐσ.* ‹C,U› (*λόγ.*) χλεύη, ὕβρις.

con·tu·sion /kənˋtjuʒn/ *οὐσ.* ‹C› μώλωψ, μωλωπισμός.

co·nun·drum /kəˋnʌndrəm/ *οὐσ.* ‹C› αἴνιγμα, γρῖφος.

con·va·lesce /ˈkonvəˋles/ *ρ.ἀ.* ἀναρρωνύω. **con·va·les·cence** /-ˋlesns/ *οὐσ.* ‹U› ἀνάρρωσις. **con·va·les·cent** /-ˋlesnt/ *ἐπ.* & *οὐσ.* ‹C› ἀναρρωνύων.

con·vene /kənˋvin/ *ρ.μ/ἀ.* συγκαλῶ/-οῦμαι, συνέρχομαι: ~ *a meeting*, συγκαλῶ συνέλευσιν. *Parliament ~d*, ἡ Βουλή συνῆλθε.

con·veni·ence /kənˋviniəns/ *οὐσ.* ‹C,U› **1**. εὐκολία, ἄνεσις (βολή): *It's a great ~ to have a doctor next door*, εἶναι μεγάλη εὐκολία νἄχης γιατρό πλάϊ στό σπίτι σου. ***at one's own ~***, μέ τήν ἄνεσή μου, χωρίς βιασύνη. ***at one's earliest ~***, μέ τήν πρώτη εὐκαιρία, μόλις μοῦ δοθῇ καιρός. ***for ~***, γιά εὐκολία ἄνεση, χάριν εὐκολίας. ***flags of ~***, σημαῖες εὐκολίας. ***make a ~ of sb***, κάνω κατάχρηση τῆς καλωσύνης κάποιου, τόν ἐκμεταλλεύομαι. ***marriage of ~***, γάμος συμφέροντος (ἀπό οἰκονομ. ὑπολογισμό). **2**. (*συνήϑ. πληϑ.*) εὐκολίες, ἀνέσεις, χρήσιμες συσκευές: *a house with all modern ~s*, σπίτι μέ ὅλες τίς σύγχρονες ἀνέσεις. ***public ~s***, δημόσια ἀποχωρητήρια.

con·veni·ent /kənˋviniənt/ *ἐπ.* κατάλληλος, βολικός: *This is a ~ tool for the job*, εἶναι κατάλληλο ἐργαλεῖο γιά τή δουλειά. *I'll come at once, if it's ~ to you*, ϑά ἔλϑω ἀμέσως ἄν σᾶς βολεύῃ. **~·ly** *ἐπίρ.* βολικά.

con·vent /ˋkonvənt/ *οὐσ.* ‹C› γυναικεία μονή.

con·ven·tion /kənˋvenʃn/ *οὐσ.* **1**. ‹C› συνέλευσις, συνέδριον: *the Republican Party C~*, τό Συνέδριον τοῦ Ρεπουμπλικανικοῦ Κόμματος. **2**. ‹C› σύμβασις: *the Geneva C~s*, αἱ Συμβάσεις τῆς Γενεύης. **3**. ‹C,U› (κοινωνική) συμβατικότης, τύπος: *It's silly to be a slave to ~/to social ~s*, εἶναι ἀνόητο νά εἶναι κανείς δοῦλος τῶν τύπων.

con·ven·tional /kənˋvenʃnl/ *ἐπ.* **1**. συμβατικός, ἐϑιμοτυπικός: *a ~ greeting*, συμβατικός χαιρετισμός. **2**. συνηϑισμένος, παραδοσιακός, κλασσικός: ~ *designs/weapons*, συνηϑισμένα (κλασσικά) σχέδια/συμβατικά ὅπλα. **~·ity** /kənˈvenʃnˋælətɪ/ *οὐσ.* ‹U› τυπικότης, συμβατικότης, (*πληϑ.*) τύποι.

con·verge /kənˋvɜdʒ/ *ρ.μ/ἀ.* συγκλίνω: *armies converging on the capital*, στρατοί συγκλίνοντες πρός τήν πρωτεύουσα. *converging views*, συγκλίνουσες (προσεγγίζουσες) ἀπόψεις. **con·ver·gence** *οὐσ.* ‹U› **con·ver·gent** *ἐπ.*

con·ver·sant /kənˋvɜsnt/ *ἐπ.* ~ ***with***, γνώστης: *He is ~ with all the rules*, ξέρει ὅλους τούς κανόνες.

con·ver·sa·tion /ˈkonvəˋseɪʃn/ *οὐσ.* ‹C,U› συνομιλία, συζήτησις: *hold a ~ with sb*, ἔχω συζήτηση μέ κπ. *carry on/change the ~*, συνεχίζω/ἀλλάζω τήν κουβέντα. *take part/join in the ~*, λαμβάνω μέρος στή συζήτηση. *enter/fall into ~ with sb*, ἀρχίζω/πιάνω συζήτηση μέ κπ. *I saw him in ~ with a girl*, τόν εἶδα νά κουβεντιάζῃ μ' ἕνα κορίτσι. ***make ~***, μιλᾶμε γιά νά γίνεται κουβέντα. **~al** /-ˋseɪʃnl/ *ἐπ.* ὁμιλητικός, καϑομιλούμενος.

[1]**con·verse** /kənˋvɜs/ *ρ.ἀ.* (*λόγ.*) ~ (***with sb/about sth***), συνδιαλέγομαι.

[2]**con·verse** /ˋkonvɜs/ *οὐσ.* ‹U› (τό) ἀντίστροφον. —*ἐπ.* ἀντίστροφος. **~·ly** *ἐπίρ.* ἀντιστρόφως.

con·ver·sion /kənˋvɜʃn/ *οὐσ.* ‹U,C› **1**. προσηλυτισμός: ~ *to Christianity*, προσηλυτισμός στό Χριστιανισμό. **2**. μετατροπή: ~ *of forest land into arable land*, μετατροπή δασωδῶν ἐκτάσεων σέ καλλιεργήσιμη γῆ. ~ *of pounds into dollars*, μετατροπή λιρῶν σέ δολλάρια. **3**. σφετερισμός: ~ *of public funds to one's own use*, σφετερισμός δημοσίου χρήματος.

[1]**con·vert** /ˋkonvɜt/ *οὐσ.* ‹C› προσήλυτος: *the new ~s*, οἱ νεοφώτιστοι.

[2]**con·vert** /kənˋvɜt/ *ρ.μ.* **1**. προσηλυτίζω: ~ *sb to Christianity/to socialism*, προσηλυτίζω κπ στόν Χριστιανισμό/στό σοσιαλισμό. **2**. μετατρέπω: ~ *rags into paper/pounds into francs*, μετατρέπω κουρέλια σέ χαρτί/λίρες σέ φράγκα. **3**. σφετερίζομαι: ~ *club funds to one's own use*, σφετερίζομαι χρήματα τῆς λέσχης. **~·ible** /-əbl/ *ἐπ.* μετατρέψιμος. —*οὐσ.* ‹C› (*ἰδ. ΗΠΑ*) ἀνοιχτό σπόρ αὐτοκίνητο. **~i·bil·ity** /kənˈvɜtəˋbɪlətɪ/ *οὐσ.* ‹U› μετατρεψιμότης.

con·vex /ˋkonveks/ *ἐπ.* κυρτός: ~ *lens*, κυρτός φακός.

con·vey /kənˋveɪ/ *ρ.μ.* **1**. μεταφέρω, μεταβιβάζω: *pipes ~ing hot water*, σωλῆνες πού μεταφέρουν ζεστό νερό. *trains ~ing passengers and goods*, τραῖνα πού μεταφέρουν ἐπιβάτες καί ἐμπορεύματα. *I ~ed the message to her*, τῆς μετεβίβασα τό μήνυμα. **2**. ἀποδίδω, δίδω: *Words fail to ~ my meaning*, οἱ λέξεις ἀδυνατοῦν νά ἀποδώσουν τό νόημά μου. *This picture will ~ to you some idea of the beauty of the scenery*, αὐτή ἡ εἰκόνα ϑά σᾶς δώσῃ μιά ἰδέα τῆς ὀμορφιᾶς τοῦ τοπείου. **3**. (*νομ.*) ἐκχωρῶ, μεταβιβάζω: *The land was ~ed to his brother*, ἡ γῆ μετεβιβάσϑη στόν ἀδελφό του. **~er**, **~or** /-ˋveɪə(r)/ *οὐσ.* ‹C› μεταφορεύς. **~·ance** /-əns/ *οὐσ.* ‹C,U› **1**. μεταφορά, μετάδοσις, διαβίβασις, (*νομ.*) μεταβίβασις. **2**. ὄχημα, ἅμαξα.

[1]**con·vict** /ˋkonvɪkt/ *οὐσ.* ‹C› κατάδικος.

[2]**con·vict** /kənˋvɪkt/ *ρ.μ.* ~ ***sb of sth***, καταδικάζω κπ γιά κτ: *He was ~ed of murder*, καταδικάστηκε γιά φόνο.

con·vic·tion /kənˋvɪkʃn/ *οὐσ.* ‹C,U› **1**. καταδίκη: *The ~ of the accused man surprised us*, ἡ καταδίκη τοῦ κατηγορουμένου μᾶς ἐξέπληξε. *There were five acquittals and two ~s*, ὑπῆρξαν πέντε ἀϑωώσεις καί δύο καταδίκες. **2**. πεποίϑησις, πίστις: *It is my ~ that*, εἶναι πεποίϑησίς μου ὅτι... *I speak in full ~ that...*, ὁμιλῶ ἐν πλήρει πεποιϑήσει (εἶμαι ἀπολύτως πεπεισμένος) ὅτι... ***act up to one's ~s***, ἐνεργῶ σύμφωνα μέ τίς πεποιϑήσεις μου. ***be open to ~***, εἶμαι πρόϑυμος νά πεισϑῶ. ***(not) carry much ~***, (δέν) εἶμαι πολύ πειστικός: *Your argument doesn't carry much ~*, τό ἐπιχείρημά σου δέν εἶναι πολύ πειστικό.

con·vince /kənˋvɪns/ *ρ.μ.* ~ (***sb of sth/***

that), πείθω κπ γιά κτ/ὅτι: *I am ~d of his honesty/that he is honest*, εἶμαι πεπεισμένος γιά τήν τιμιότητά του/ὅτι εἶναι τίμιος. **con·vinc·ing** *ἐπ.* πειστικός. **con·vin·cing·ly** *ἐπίρ.* πειστικά.

con·viv·ial /kən`vɪvɪəl/ *ἐπ.* εὔθυμος, εὐχάριστος, γλεντζές: *~ companions/evenings*, φίλοι τοῦ γλεντιοῦ/βραδυές γλεντιοῦ. **~·ity** /kən'vɪvɪ`ælətɪ/ *οὐσ.* ‹C,U› κέφι, γλέντι.

con·vo·ca·tion /'konvə`keɪʃn/ *οὐσ.* ‹C,U› σύγκλησις, σύνοδος (ἀξιωματούχων τῆς ἐκκλησίας ἤ Πανεπιστημίου).

con·voke /kən`vəʊk/ *ρ.μ.* συγκαλῶ: *~ Parliament*, συγκαλῶ τήν Βουλήν.

con·voy /`konvɔɪ/ *ρ.μ.* (*στρατ.*) συνοδεύω: *The troopships were ~ed by...*, τά μεταγωγικά πλοῖα συνοδεύοντο ἀπό... —*οὐσ.* ‹C› **1**. συνοδεία: *ship under ~*, πλοῖον ὑπό συνοδείαν. **2**. νηοπομπή, ἐφοδιοπομπή, φάλαγξ (ὀχημάτων): *The ~ was attacked by submarines*, ἡ νηοπομπή ὑπέστη ἐπίθεσιν ἀπό ὑποβρύχια.

con·vulse /kən`vʌls/ *ρ.μ.* **1**. συνταράσσω, συγκλονίζω: *a country ~d by civil war/by earthquakes*, χώρα πού συγκλονίζεται ἀπό ἐμφύλιο πόλεμο/ἀπό σεισμούς. **2**. συσπῶ, προκαλῶ συσπάσεις/σπασμούς: *be ~d with laughter*, λύνομαι στά γέλια. *a face ~d with anger*, πρόσωπο συσπασμένο (παραμορφωμένο) ἀπό θυμό.

con·vul·sion /kən`vʌlʃn/ *οὐσ.* ‹C› **1**. σπασμός: *The child's ~s filled us with fear*, οἱ σπασμοί τοῦ παιδιοῦ μᾶς γέμισαν φόβο. *The story was so funny that we were all in ~s*, ἡ ἱστορία ἦταν τόσο ἀστεία πού λυθήκαμε ὅλοι μας στά γέλια. **2**. ἀναστάτωσις, ἀναταραχή: *political/civil ~s*, πολιτικές ἀναστατώσεις/ἐσωτερικές ταραχές. **con·vul·sive** /-`vʌlsɪv/ *ἐπ.* σπασμωδικός: *~ movements*.

coo /ku/ *οὐσ.* ‹C› κουκούρισμα (περιστεριοῦ). —*ρ.μ/ὰ.* (*ἀόρ. & π.μ.* ~*ed* /kud/) κουκουρίζω, μουρμουρίζω ἁπαλά. ***bill and ~***, χαϊδολογιέμαι (σάν τά πιτσουνάκια).

cook /kʊk/ *ρ.μ/ὰ.* **1**. μαγειρεύω, ψήνω, τηγανίζω: *~ meat/apples/fish*. **2**. μαγειρεύω, σκαρώνω, πλαστογραφῶ: *~ up a yarn*, σκαρώνω παραμύθι. *~ the accounts*, μαγειρεύω (πλαστογραφῶ) τούς λογαριασμούς. **a `~-house**, μαγειρεῖον. **a `~-book**, βιβλίο μαγειρικῆς. —*οὐσ.* ‹C› μάγειρος, μαγείρισσα. ***Too many ~s spoil the broth***, (*παροιμ.*) ὅπου λαλοῦν πολλοί κοκκόροι ἀργεῖ νά ξημερώση.

cooker /`kʊkə(r)/ *οὐσ.* ‹C› κουζίνα (ἡ συσκευή): *an electric/a gas ~*, ἠλεκτρική κουζίνα/κουζίνα γκαζιοῦ.

cook·ery /`kʊkərɪ/ *οὐσ.* ‹U› μαγειρική. **a `~-book**, ὁδηγός μαγειρικῆς.

[1]**cool** /kul/ *ἐπ.* (*-er, -est*) **1**. δροσερός: *a ~ room/a ~ dress/~ weather*, δροσερό δωμάτιο/φόρεμα/-ός καιρός. *It's ~ under the trees*, εἶναι δροσερά κάτω ἀπό τά δέντρα. *Your soup will get ~*, ἡ σούπα σου θά κρυώση. **2**. ψύχραιμος, ἤρεμος, ἀτάραχος: ***remain ~; keep a ~ head***, παραμένω ψύχραιμος. ***as ~ as a cucumber***, ἐντελῶς ἀτάραχος. ***Keep ~!*** διατηρῆστε τήν ψυχραιμία σας! ἠρεμῆστε! **3**. ψυχρός: *give sb a ~ reception*, κάνω ψυχρή ὑποδοχή σέ κπ. **4**. ἀναιδής, θρασύς: *He's a ~ customer*, εἶναι θρασύς τύπος. *~ behaviour*, θρασεῖα συμπεριφορά. **5**. (*γιά ἀριθμούς*) ὁλόκληρος, στρογγυλός: *I walked a ~ thirty miles in a day!* περπάτησα 30 ὁλόκληρα μίλια σέ μιά μέρα! *It cost me a ~ thousand pounds!* μοῦ κόστισε χίλιες στρογγυλές λίρες! —*οὐσ.* ‹U› **1**. (*συνήθ. μέ ὁριστ. ἄρθρ.*) δροσιά, ψυχρούλα: *in the ~ of the evening*, στή βραδυνή δροσιά. **2**. (*καθομ.*) ψυχραιμία: *Keep your ~!* διατήρησε τήν ψυχραιμία σου! **~·ly** *ἐπίρ.* ψυχρά. **~·ness** *οὐσ.* ‹U› ψύχρα, ψυχρότης, ψυχραιμία.

[2]**cool** /kul/ *ρ.μ/ὰ.* **1**. δροσίζω, κρυώνω: *The rain has ~ed the air*, ἡ βροχή δρόσισε τόν ἀέρα. *Put the wine in the fridge to ~*, βάλε τό κρασί στό ψυγεῖο νά κρυώση. **2**. περνῶ, πέφτω: *His enthusiasm/anger has not ~ed yet*, ὁ ἐνθουσιασμός του/ὁ θυμός του δέν ἔπεσε ἀκόμα. ***~ down/off***, (*μεταφ.*) κρυώνω: *His friendship/love has ~ed down*, ἡ φιλία του/ἡ ἀγάπη του κρύωσε. ***a '~ing `off period***, ὑποχρεωτική ἀναστολή ἀπεργίας. ***~ one's heels***, περιμένω: *Let him ~ his heels for a while in the outer office*, ἄστον νά περιμένη λίγο στόν προθάλαμο. **~er** /`kulə(r)/ *οὐσ.* ‹C› **1**. δοχεῖον ψύξεως. **2**. (*λαϊκ.*) φρέσκο, φυλακή.

coolie /`kulɪ/ *οὐσ.* ‹C› χαμάλης.

coop /kup/ *οὐσ.* ‹C› κοτέτσι, κλουβί (γιά κοτόπουλα), (*λαϊκ.*) φυλακή. —*ρ.μ.* ***~ up (in)***, περιορίζω, φυλακίζω: *I feel ~ed up in here*, νοιώθω σά φυλακισμένος ἐδῶ μέσα.

cooper /`kupə(r)/ *οὐσ.* ‹C› βαρελᾶς.

co-op·er·ate /kəʊ `opəreɪt/ *ρ.ὰ.* συνεργάζομαι, συμπράττω, συμβάλλω: *~ with sb in raising money*, συνεργάζομαι μέ κπ στήν συλλογή χρημάτων. *Everything ~d to make our holiday a success*, ὅλα συνέβαλαν γιά νά πετύχουν οἱ διακοπές μας.

co-op·er·ation /kəʊ 'opə`reɪʃn/ *οὐσ.* ‹U› συνεργασία, συμβολή: *in ~ with*, σέ συνεργασία μέ.

co-op·er·ative /kəʊ `opərətɪv/ *ἐπ.* συνεργατικός, συνεργάσιμος: *a ~ society*, συνεταιρισμός. *He wasn't very ~*, δέν ἔδειξε πολλή διάθεση συνεργασίας. —*οὐσ.* ‹C› πρατήριον συνεταιρισμοῦ, κοπερατίβα, συνεργατική, συνεταιρισμός: *agricultural ~s*, γεωργικοί συνεταιρισμοί.

co-opt /kəʊ `opt/ *ρ.μ.* εἰσδέχομαι μέλη (διά τῆς ψήφου τῶν ἤδη ὑπαρχόντων μελῶν).

[1]**co·or·di·nate** /'kəʊ `ɔdnət/ *ἐπ.* ἰσότιμος, ἰσόβαθμος, (*γραμμ.*) συμπλεκτικός. —*οὐσ.* ‹C› ὁμότιμος, (*μαθ.*) συντεταγμένη.

[2]**co·or·di·nate** /'kəʊ `ɔdəneɪt/ *ρ.μ.* συντονίζω: *~ one's movements*, συντονίζω τίς κινήσεις μου. **co·or·di·na·tion** /'kəʊ 'ɔdn`eɪʃn/ *οὐσ.* ‹U› συντονισμός: *the Ministry of Co-ordination*, Ὑπουργεῖον Συντονισμοῦ. **co·or·di·na·tor** /-tə(r)/ *οὐσ.* ‹C› συντονιστής.

cop /kop/ *οὐσ.* ‹C› (*λαϊκ.*) μπάτσος, ἀστυφύλαξ. —*ρ.μ.* (*-pp-*) (*λαϊκ.*) τρώω κατσάδα ἤ ξύλο, βρίσκω τό μπελᾶ μου: *You'll ~ it!* θά βρῆς τόν μπελᾶ σου! θά τίς ἁρπάξης!

cope /kəʊp/ *ρ.ὰ.* ***~ (with)***, ἀντιμετωπίζω, τά βγάζω πέρα: *I can't ~ alone/~ with all these difficulties*, δέν μπορῶ νά τά βγάλω πέρα

μόνος/μ᾽ὅλες αὐτές τίς δυσκολίες.
cop·ing /ˋkəυpɪŋ/ *οὐσ.* ‹U› σαμάρι τοίχου. μαρκίζα. ˋ**~-stone**, (*μεταφ.*) ἐπιστέγασμα (τῆς ζωῆς, τοῦ ἔργου ἑνός).
copi·ous /ˋkəυpɪəs/ *ἐπ.* ἄφθονος, (*γιά συγγραφέα*) πολυγράφος: ~ *supplies/tears*, ἄφθονα ἐφόδια/δάκρυα. **~·ly** *ἐπίρ.* ἀφθόνως.
cop·per /ˋkɒpə(r)/ *οὐσ.* ‹C,U› & *ἐπ.* **1**. χαλκός, χάλκινος: *made of* ~, κατασκευασμένος ἀπό χαλκό. ~ *wire/coin*, χάλκινο σύρμα/νόμισμα. **2**. χάλκινο νόμισμα, δεκάρα. **3**. χάλκινο καζάνι. ˋ**~·plate**, χαλκογραφική πλάξ, χαλκογραφία. *~plate writing*, καλλιγραφία. ˋ**~·smith**, χαλκωματᾶς.
cop·per /ˋkɒpə(r)/ *οὐσ.* ‹C› (*λαϊκ.*) μπάτσος, ἀστυνομικός.
cop·pice /ˋkɒpɪs/, **copse** /kɒps/ *οὐσ.* ‹C› λόχμη, δασύλλιον.
copu·late /ˋkɒpjυleɪt/ *ρ.ἀ.* συνουσιάζομαι. **copu·la·tion** /ˌkɒpjυˋleɪʃn/ *οὐσ.* ‹C,U› συνουσία.
copy /ˋkɒpɪ/ *οὐσ.* ‹C,U› **1**. ἀντίγραφον: *This painting is only a* ~, αὐτός ὁ πίνακας εἶναι ἀντίγραφο. *I'll make three carbon copies of the letter*, θά κάνω τρία ἀντίγραφα τῆς ἐπιστολῆς. *a rough* ~, πρόχειρο σχεδίασμα. *a fair* ~, καθαρό ἀντίγραφο. ˋ**~-book**, τετράδιο. **2**. ἀντίτυπο: *This book sold only 100 copies*, ἀπ᾽αὐτό τό βιβλίο πουλήθηκαν μόνον 100 ἀντίτυπα. **3**. (*τυπογρ.*) ὕλη (πρός στοιχειοθεσίαν): *The printers are out of* ~, οἱ τυπογράφοι ἔχουν μείνει χωρίς ὕλη. *The fall of the Cabinet will make good* ~, ἡ πτῶσις τῆς Κυβερνήσεως θά εἶναι σπουδαῖο ὑλικό (γιά τίς ἐφημερίδες).
copy /ˋkɒpɪ/ *ρ.μ.* **1**. ἀντιγράφω: ~ *passages out of a book*, ἀντιγράφω κομμάτια ἀπό ἕνα βιβλίο. ~ *out a letter*, ἀντιγράφω ἕνα γράμμα ὁλόκληρο. ~ *sth down (from the blackboard)*, ἀντιγράφω κτ (ἀπό τόν πίνακα). *He was punished for ~ing in the exams*, τιμωρήθηκε γιατί ἀντέγραφε στίς ἐξετάσεις. **2**. μιμοῦμαι: *Try to* ~ *him*, προσπάθησε νά τόν μιμηθῆς. **~·ist** /ˋkɒpɪɪst/ *οὐσ.* ‹C› ἀντιγραφεύς, ἀπομιμητής.
copy·right /ˋkɒpɪraɪt/ *οὐσ.* ‹U› δικαίωμα πνευματικῆς ἰδιοκτησίας, κοπυράϊτ.
co·quetry /ˋkəυkɪtrɪ/ *οὐσ.* ‹U› κοκεταρία.
co·quette /kəυˋket/ *οὐσ.* ‹C› φιλάρεσκη γυναίκα, κοκέτα. —*ρ.ἀ.* *(-tt-)* φλερτάρω, χαριεντίζομαι. **co·quet·tish** /kəυˋketɪʃ/ *ἐπ.* φιλάρεσκος.
coral /ˋkɒrl/ *οὐσ.* ‹C,U› κοράλλι: ~ *island/reef*, κοραλλιογενής νῆσος/ὕφαλος. —*ἐπ.* κοραλλένιος, κόκκινος: ~ *lips*.
cord /kɔd/ *οὐσ.* **1**. ‹C,U› σχοινί, χονδρός σπάγγος. **2**. ‹C› χορδή: *vocal ~s*, φωνητικές χορδές. *the spinal* ~, ὁ νωτιαῖος μυελός. *the umbilical* ~, ὁ ὀμφάλιος λῶρος. —*ρ.μ.* δένω μέ σκοινί. **~·age** /-ɪdʒ/ *οὐσ.* ‹U› τά σχοινιά.
cor·dial /ˋkɔdɪəl/ *ἐπ.* **1**. ἐγκάρδιος, θερμός: *a* ~ *smile/welcome/handshake*, ἐγκάρδιο χαμόγελο/-α ὑποδοχή/θερμή χειραψία. **2**. ἔντονος: ~ *dislike*, ἔντονη ἀποστροφή. **3**. (*γιά τροφή, ποτό, φάρμακο*) τονωτικός. —*οὐσ.* ‹U,C› καρδιοτονωτικόν. **~·ity** /ˌkɔdɪˋæləti/ *οὐσ.* ‹U, C› ἐγκαρδιότης, φιλοφρόνησις: *an exchange of cordialities*, ἀνταλλαγή φιλοφρονήσεων. **~ly** *ἐπίρ.* ἐγκάρδια.
cor·don /ˋkɔdn/ *οὐσ.* ‹C› **1**. ζώνη: *a* ~ *of police*, ζώνη ἀπό ἀστυνομικούς. *a sanitary* ~, ὑγειονομική ζώνη. **2**. κορδόνι, σειρήτι. —*ρ.μ.* ~ ***off***, ἀποκλείω (δρόμο, πλῆθος, κλπ, διά ζώνης ἀστυνομικῶν): *The crowd/The area was ~ed off by the police*, ζώνη ἀστυνομικῶν ἀπέκλεισε τό πλῆθος/τήν περιοχή.
cor·don bleu /ˌkɔdɔ̃ ˋblɜ/ *οὐσ.* ‹C› κυανῆ ταινία (ἀνωτάτη διάκρισις σέ μάγειρο ἤ ἑστιατόριο).
cor·du·roy /ˋkɔdərɔɪ/ *οὐσ.* **1**. ‹U› βελοῦδο κοτλέ. **2**. ‹C› (*πληθ.* *βραχυλ.* **cords**) κοτλέ παντελόνι.
core /kɔ(r)/ *οὐσ.* ‹C› **1**. πυρήν (φρούτου). ***the hard*** **~**, ὁ σκληρός πυρήνας (κόμματος, κλπ). **2**. (*μεταφ.*) καρδιά, κέντρο: *get to the* ~ *of a matter*, φθάνω στήν καρδιά ἑνός ζητήματος. ***to the*** **~**, ὥς τό κόκκαλο: *He is Greek to the* ~, εἶναι Ἕλληνας ὥς τό κόκκαλο. *rotten to the* ~, διεφθαρμένος ὥς τό κόκκαλο.
cork /kɔk/ *οὐσ.* ‹C,U› φελλός, πῶμα: *draw/pull out the* ~, βγάζω τό φελλό, ξεβουλώνω. ˋ**~-screw**, ἀνοιχτήρι, τιρμπουσόν. —*ρ.μ.* ~ ***(up)***, βουλώνω (μπουκάλι), καταπνίγω (τά αἰσθήματά μου).
[1]**corn** /kɔn/ *οὐσ.* ‹C,U› **1**. δημητριακά. **2**. (*εἰς ΜΒ*) σιτάρι, (*εἰς ΗΠΑ*) καλαμπόκι, (*εἰς Σκωτίαν*) βρώμη: *a* ˋ*~-field*, σιταροχώραφο. ˋ**~-cob**, λουμπούκι καλαμποκιοῦ. ˋ**~·flour**, καλαμποκάλευρο. **3**. σπειρί, κόκκος.
[2]**corn** /kɔn/ *οὐσ.* ‹C› κάλος. ***tread on sb's ~s***, (*μεταφ.*) πατῶ κπ στόν κάλο.
[3]**corn** /kɔn/ *ρ.μ.* παστώνω (κρέας): *~ed beef*, βωδινό σέ κονσέρβα.
cor·ner /ˋkɔnə(r)/ *οὐσ.* ‹C› γωνία: *stand at a street corner*, στέκομαι σέ γωνία τοῦ δρόμου. *sit in the* ~ *of a room*, κάθομαι στή γωνία τοῦ δωματίου. *a shop situated on/at the corner*, μαγαζί πού βρίσκεται στή γωνία. *a* ~ *shop/seat*, γωνιακό μαγαζί/κάθισμα. ***just round the*** **~**, μόλις στρίψης τή γωνία. ***to the four ~s of the earth***, στίς τέσσερες ἄκρες τῆς γῆς. ***be in a tight*** **~**, εἶμαι στριμωγμένος, σέ δύσκολη θέση. ***cut off a*** **~**, κόβω δρόμο, πάω περικοπά. ***cut ~s***, (*μεταφ.*) καταστρατηγῶ τόν κανονισμό, ἁπλοποιῶ τή διαδικασία (γιά νά κάμω κάτι γρήγορα). ***drive sb into a*** **~**, στριμώχνω κπ, τόν κολλάω στόν τοῖχο. ***(look at sb) out of the ~ of one's eye***, (κοιτάζω κπ) μέ τήν ἄκρη τοῦ ματιοῦ μου. ***make a ~ in sth***, (*ἐμπ.*) μονοπωλῶ κτ (συγκεντρώνοντας ὅλες τίς ὑπάρχουσες ποσότητες). ***turn the*** **~**, ὑπερνικῶ μιά κρίση, ξεπερνῶ τό πιό δύσκολο σημεῖο, καβατζάρω. ˋ**~·stone**, ἀκρογωνιαῖος λίθος: *Hard work was the ~stone of his success*, τό θεμέλιο τῆς ἐπιτυχίας του ἦταν ἡ σκληρή δουλειά. ˋ**~-kick**, (*ποδόσφ.*) κόρνερ. —*ρ.μ/ἀ.* **1**. στριμώχνω σέ γωνία, φέρω σέ δύσκολη θέση: *The escaped prisoner was ~ed at last*, ὁ δραπέτης στριμώχτηκε τελικά. **2**. μονοπωλῶ. **3**. (*αὐτοκ.*) στρίβω, παίρνω στροφή. **~ed**, μέ γωνίες: *a* ˋ*three-~ed hat*, τρίκωχο καπέλλο.
corn·flower /ˋkɔnflaυə(r)/ *οὐσ.* ‹C› κύανος,

μπλουέ, ἀγριολούλουδο.
cor·nice /ˈkɔnɪs/ *οὐσ.* ‹C› (*ἀρχιτ.*) κορνίζα.
cor·nu·co·pia /ˈkɔnjʊˈkəʊpɪə/ *οὐσ.* ‹C› (*πληθ.* ~*s*) τό κέρας τῆς Ἀμαλθείας, ἀφθονία.
co·rol·lary /kəˈrɒlərɪ/ *οὐσ.* ‹C› πόρισμα, φυσική συνέπεια, ἀπόρροια.
co·rona /kəˈrəʊnə/ *οὐσ.* ‹C› (*πληθ.* ~*s*) (*ἀστρον.*) στεφάνη, στέμμα: *solar* ~, ἡλιακόν στέμμα.
cor·on·ary /ˈkɒrənrɪ/ *ἐπ.* στεφανιαῖος: ~ *artery*, στεφανιαία ἀρτηρία. ~ *thrombosis*, θρόμβωσις τῆς στεφανιαίας.
cor·on·ation /ˈkɒrəˈneɪʃn/ *οὐσ.* ‹C› στέψις (βασιλέως).
cor·oner /ˈkɒrənə(r)/ *οὐσ.* ‹C› δικαστής ἐρευνῶν τά αἴτια αἰφνιδίου θανάτου προσώπων: ~*'s inquest*, ἀνάκρισις (γιά φόνο).
cor·onet /ˈkɒrənet/ *οὐσ.* ‹C› μικρόν στέμμα (εὐγενοῦς), διάδημα (γυναικός), γιρλάντα.
cor·poral /ˈkɔprl/ *ἐπ.* σωματικός: ~ *punishment*, σωματική τιμωρία. —*οὐσ.* ‹C› δεκανεύς, (*ναυτ.*) δίοπος.
cor·por·ate /ˈkɔpərət/ *ἐπ.* **1**. σωματειακός, συντεχνιακός, (συν)εταιρικός: ~ *property*, περιουσία σωματείου. **2**. συλλογικός, ὁμαδικός: ~ *responsibility/action*, συλλογική εὐθύνη/δρᾶσις.
cor·por·ation /ˈkɔpəˈreɪʃn/ *οὐσ.* ‹C› **1**. Δημοτικόν Συμβούλιον. **2**. Νομικόν Πρόσωπον. **3**. σωματεῖον. **4**. (*λαϊκ.*) κοιλάρα, μπάκα.
cor·por·eal /kɔˈpɔrɪəl/ *ἐπ.* σωματικός, ὑλικός: ~ *needs*, ὑλικαί ἀνάγκαι.
corps /kɔ(r)/ *οὐσ.* ‹C› (*πληθ.* ~ /kɔz/) σῶμα: *the 3rd army* ~, τό τρίτο σῶμα στρατοῦ. *the officers'* ~, τό σῶμα τῶν ἀξιωματικῶν. **the diplomatic** ~, τό Διπλωματικόν Σῶμα.
corpse /kɔps/ *οὐσ.* ‹C› πτῶμα.
cor·pu·lence /ˈkɔpjʊləns/ *οὐσ.* ‹U› (*λόγ.*) παχυσαρκία. **cor·pu·lent** /-lənt/ *ἐπ.* (*λόγ.*) παχύσαρκος.
cor·pus /ˈkɔpəs/ *οὐσ.* ‹C› (*πληθ.* *corpora* /ˈkɔpərə/), συλλογή, κῶδιξ, σῶμα (π.χ. ἐγκλήματος).
cor·puscle /ˈkɔpʌsl/ *οὐσ.* ‹C› αἱμοσφαίριον, σωμάτιον.
cor·ral /kəˈrɑl/ *οὐσ.* ‹C› μαντρί (ζώων). —*ρ.μ.* (*-ll-*) μαντρώνω.
cor·rect /kəˈrekt/ *ἐπ.* ὀρθός, ἀκριβής, ἄψογος: *a* ~ *answer*, ὀρθή ἀπάντησις. *the* ~ *time*, ἡ ἀκριβής ὥρα. ~ *conduct*, ἄψογος συμπεριφορά. **~·ly** *ἐπίρ.* σωστά. **~·ness** *οὐσ.* ‹U› ἀκρίβεια, ὀρθότης. —*ρ.μ.* **1**. διορθώνω: ~ *one's pronunciation/watch*, διορθώνω τήν προφορά μου/τό ρολόϊ μου. **2**. σωφρονίζω, τιμωρῶ: ~ *a child for disobedience*, τιμωρῶ ἕνα παιδί γιά ἀνυπακοή.
cor·rec·tion /kəˈrekʃn/ *οὐσ.* ‹C,U› διόρθωσις, τιμωρία, σωφρονισμός. **cor·rec·tive** /-ˈrektɪv/ *ἐπ.* ἐπανορθωτικός, σωφρονιστικός.
cor·re·late /ˈkɒrəleɪt/ *ρ.μ/ἀ.* συσχετίζω/-ομαι, συγγενεύω. **cor·re·la·tion** /ˈkɒrəˈleɪʃn/ *οὐσ.* ‹C,U› συσχετισμός, συσχέτισις.
cor·re·spond /ˈkɒrɪˈspɒnd/ *ρ.ἀ.* **1**. ~ *(**with**)*, συμφωνῶ, ταιριάζω, ἀνταποκρίνομαι: *His actions do not* ~ *with his words*, οἱ πράξεις του δέν συμφωνοῦν μέ τά λόγια του. *This house exactly* ~*s with my needs*, αὐτό τό σπίτι ἀνταποκρίνεται ἀκριβῶς στίς ἀνάγκες μου. **2**. ~ ***to***, ἀντιστοιχῶ, εἶμαι ἀνάλογος: *His expenses do not* ~ *to his income*, τά ἔξοδά του δέν εἶναι ἀντίστοιχα πρός τό εἰσόδημά του. **3**. ἀλληλογραφῶ. **~·ing** *ἐπ.* ἀντίστοιχος *the* ~*ing period last year*, ἡ ἀντίστοιχος περίοδος πέρισυ. **~·ing·ly** *ἐπίρ.* ἀντιστοίχως
cor·re·spon·dence /ˈkɒrɪˈspɒndəns/ *οὐσ.* ‹C U› **1**. ἀντιστοιχία, σχέσις: *the* ~ *between cause and effect*, ἡ σχέσις μεταξύ αἰτίας καί ἀποτελέσματος. **2**. ἀλληλογραφία: *be in* ~ *with sb*, ἀλληλογραφῶ μέ κπ. **a** ~ **course**, σπουδαί δι᾽ ἀλληλογραφίας.
cor·re·spon·dent /ˈkɒrɪˈspɒndənt/ *οὐσ.* ‹C› **1**. ἐπιστολογράφος. **2**. ἀνταποκριτής: *a ˈwar* ~, πολεμικός ἀνταποκριτής (ἐφημερίδος). **3**. (*ἐμπορ.*) ἀντιπρόσωπος.
cor·ri·dor /ˈkɒrɪdɔ(r)/ *οὐσ.* ‹C› διάδρομος.
cor·rob·or·ate /kəˈrɒbəreɪt/ *ρ.μ.* ἐπιβεβαιῶ, ἐπιρρωννύω, ἐνισχύω: ~ *sb in his statement*, ἐπιρρωννύω κπ εἰς ὅ,τι ἐδήλωσε. *facts that* ~ *a statement*, γεγονότα ἐπιβεβαιοῦντα (ἐνισχύοντα) μίαν δήλωσιν.
cor·rob·or·ation /kəˈrɒbəˈreɪʃn/ *οὐσ.* ‹U› ἐπιβεβαίωσις, ἐπίρρωσις: *in* ~ *of*, εἰς ἐπίρρωσιν... **cor·rob·or·at·ive** /kəˈrɒbərətɪv/ *ἐπ* ἐπιβεβαιωτικός, ἐνισχυντικός.
cor·rode /kəˈrəʊd/ *ρ.μ/ἀ.* διαβιβρώσκω/-ομαι, ὀξειδώνω/-ομαι, τρώγω/-ομαι: *Rust* ~*s iron*, ἡ σκουριά τρώει τό σίδερο. *Iron* ~*s easily*, τό σίδερο σκουριάζει εὔκολα.
cor·ro·sion /kəˈrəʊʒn/ *οὐσ.* ‹U› διάβρωσις.
cor·ro·sive /kəˈrəʊsɪv/ *οὐσ.* ‹C› & *ἐπ.* διαβρωτικός, διαβρωτική οὐσία.
cor·ru·gate /ˈkɒrəgeɪt/ *ρ.μ/ἀ.* αὐλακώνω, ζαρώνω: ~ *the forehead*, ζαρώνω τό μέτωπο. **~d** *ἐπ.* αὐλακωτός, κυματοειδής: ~*d iron*, αὐλακωτός τσίγκος. ~*d cardboard*, χαρτόνι γκοφρέ.
cor·rupt /kəˈrʌpt/ *ἐπ.* **1**. διεφθαρμένος, ἀργυρώνητος, φαῦλος: *a* ~ *administration/press*, διεφθαρμένη διοίκησις/-ος τύπος. ~ *practices*, βρωμοδουλειές, λοβιτοῦρες, δωροδοκίες. **2**. μολυσμένος: ~ *air/blood*. **3**. (*γιά γλῶσσα*) παρεφθαρμένος, (*γιά κείμενα*) ἀλλοιωμένος. —*ρ.μ/ἀ.* διαφθείρω/-ομαι, δωροδοκῶ: ~ *the young/the electorate*, διαφθείρω τούς νέους/τούς ψηφοφόρους. **~·ible** /-əbl/ *ἐπ.* πού μπορεῖ νά διαφθαρῆ, ἐξαγοραζόμενος.
cor·rup·tion /kəˈrʌpʃn/ *οὐσ.* ‹U› φθορά, διαφθορά, παραφθορά, δωροδοκία, ἀλλοίωσις: *the* ~ *of the body after death*, ἡ φθορά τοῦ σώματος μετά θάνατον. *the* ~ *of the press*, ἡ διαφθορά τοῦ τύπου. *the* ~ *of a language*, ἡ παραφθορά μιᾶς γλώσσας.
cor·sage /kɔˈsɑʒ/ *οὐσ.* ‹C› κορσάζ, στῆθος (φορέματος), μποῦστος.
cor·sair /ˈkɔseə(r)/ *οὐσ.* ‹C› κουρσάρος.
cor·set /ˈkɔsɪt/ *οὐσ.* ‹C› κορσές.
cor·tège /kɔˈteɪʒ/ *οὐσ.* ‹C› συνοδεία (ὑψηλοῦ προσώπου), πομπή (*ἰδ.* νεκρώσιμη).
cor·vette /kɔˈvet/ *οὐσ.* ‹C› (*ναυτ.*) κορβέττα, ταχύ πλοῖον.
cos·metic /kɒzˈmetɪk/ *οὐσ.* ‹C› καλλυντικόν.
cos·mic /ˈkɒzmɪk/ *ἐπ.* κοσμικός: ~ *rays*, κοσμικές ἀκτῖνες.
cos·mo·naut /ˈkɒzmənɔt/ *οὐσ.* ‹C› κοσμοναύτης.
cos·mo·poli·tan /ˈkɒzməˈpɒlɪtən/ *ἐπ.* κοσμο-

πολίτικος. —*οὐσ.* ‹C› κοσμοπολίτης.

cos·mos /ˈkozmos/ *οὐσ.* **the ~**, ὁ κόσμος, τό σύμπαν.

cost /kost/ *ρ.ὰ. ἀνώμ.* (*ἀόρ.* & *π.μ.* ~) **1**. κοστίζω: *The house ~ him £8000*, τό σπίτι τοῦ κόστισε 8000 λίρες. *It ~s me £300 a year to run the car*, ἡ λειτουργία τοῦ αὐτοκινήτου μοῦ κοστίζει 300 λίρες τό χρόνο. *It may ~ you your life*, μπορεῖ νά σοῦ κοστίση τή ζωή. *Your conduct has ~ me many sleepless nights*, ἡ διαγωγή σου μοῦ ἔχει κοστίσει πολλές νύχτες ἀγρύπνιας. **2**. κοστολογῶ (*ἀόρ.* & *π.μ.* ~*ed*): ~ *a new article*, κοστολογῶ ἕνα νέο προϊόν. **~·ing** *οὐσ.* ‹C› κοστολόγησις.

cost /kost/ *οὐσ.* **1**. ‹C,U› ἔξοδο, δαπάνη, κόστος: *the ~ of living*, τό κόστος τῆς ζωῆς. *living ~s*, δαπάναι διαβιώσεως. *sell sth at ~*, πουλῶ κτ στό κόστος. ***at all ~s***, πάση θυσίᾳ. ***at the ~ of***, εἰς βάρος, μέ θυσία: *He saved her from drowning but at the ~ of his own life*, τήν ἔσωσε ἀπό πνιγμό ἀλλά μέ θυσία τῆς δικῆς του ζωῆς. ***to one's ~***, ἐκ (πικρᾶς) πείρας, σέ βάρος μου: *as I know to my ~*, ὅπως ξέρω ἐκ πείρας. ***~ price***, τιμή κόστους, τιμή χονδρικῆς πωλήσεως. **2**. (*πληθ.*) δικαστικά ἔξοδα.

cos·ter·mon·ger /ˈkostəmʌŋgə(r)/ *οὐσ.* ‹C› πλανόδιος μανάβης.

cost·ly /ˈkostlɪ/ *ἐπ.* (*-ier, -iest*) ἀκριβός, δαπανηρός: ~ *jewels*, ἀκριβά κοσμήματα. *a ~ mistake*, λάθος πού πληρώνεται ἀκριβά.

cos·tume /ˈkostʃum/ *οὐσ.* ‹C,U› **1**. στολή, ἐνδυμασία: *national ~s*, ἐθνικές ἐνδυμασίες. **2**. ταγιέρ.

cosy /ˈkəʊzɪ/ *ἐπ.* (*-ier, -iest*) ἄνετος, ζεστός: *a ~ little room*, ζεστό δωματιάκι.

cot /kot/ *οὐσ.* ‹C› **1**. κρεββατάκι (μωροῦ), κουκέτα. **2**. καλύβα, σπιτάκι.

cote /kəʊt/ *οὐσ.* ‹C› καλύβι: *a ˋdove-~*, περιστεριώνας. *a ˋsheep-~*, μαντρί.

co·terie /ˈkəʊtərɪ/ *οὐσ.* ‹C› κύκλος, συντροφιά, παρέα: *a literary ~*, φιλολογικός κύκλος.

cot·tage /ˈkotɪdʒ/ *οὐσ.* ‹C› καλύβα, ἐξοχικό σπίτι. ***~ industry***, οἰκοτεχνία.

cot·ton /ˈkotn/ *οὐσ.* ‹C,U› βαμβάκι: ~ *thread/cloth*, βαμβακερό νῆμα/ὕφασμα. *sewing ~*, βαμβακερή κλωστή. **ˋ~-cake**, βαμβακόπιττα (τροφή ζώων). **ˈ~ seed ˋoil**, σπορέλαιο. **ˈ~-ˋwool**, βαμβάκι τοῦ φαρμακείου. —*ρ.ὰ.* ***~ on (to)***, (*λαϊκ.*) μπαίνω (καταλαβαίνω), μ᾿ ἀρέσει.

couch /kaʊtʃ/ *οὐσ.* ‹C› ντιβάνι, καναπές, (*ποιητ.*) κλίνη. —*ρ.μ/ὰ.* **1**. (*λόγ.*) διατυπώνω, ἐκφράζω, συντάσσω: *The reply was ~ed in insolent terms*, ἡ ἀπάντησις ἦτο διατυπωμένη εἰς ἀναιδές ὕφος. **2**. ζαρώνω, μαζεύομαι (γιά νά κρυφτῶ ἤ νά πηδήξω).

cough /kof/ *οὐσ.* ‹C› βῆχας: *have a bad ~*, ἔχω ἄσχημο βῆχα. *ˋ~-drops/-lozenges*, σταγόνες/παστίλιες γιά τό βῆχα. —*ρ.μ/ὰ.* βήχω. ***~ up***, φτύνω (βήχοντας), (*λαϊκ.*) ξερνῶ (δίνω ἤ λέω κτ): *C~ it up!* ξέραστο!

could /kʊd/ *ἀόρ. τοῦ ρ. can.*

couldst /kʊdst/ *παλαιός τύπος τοῦ could.*

coun·cil /ˈkaʊnsl/ *οὐσ.* ‹C› συμβούλιον: *a Town-~*, Δημοτικό Συμβούλιο. *C~ of State*, Συμβούλιον Ἐπικρατείας. *a ~ of war*, πολεμικό συμβούλιο. **~·lor** /-lə(r)/ *οὐσ.* ‹C› σύμβουλος.

coun·sel /ˈkaʊnsl/ *οὐσ.* **1**. ‹U› συμβουλή, γνώμη, ὁρμήνεια, διαβούλευσις, σύσκεψις. ***hold/take ~ with sb***, συμβουλεύομαι κπ. ***take ~ together***, συσκεπτόμεθα. ***keep one's own ~***, κρατῶ μυστικά τά σχέδια, τίς προθέσεις μου. *a ~ of perfection*, τέλεια (ἀλλά ἀνέφικτη) συμβουλή. **2**. ‹C› (*ἀμετάβλ. στόν πληθ.*) συνήγορος: *C~ for the defence*, συνήγορος ὑπερασπίσεως. —*ρ.μ.* (*-ll-*) συμβουλεύω: ~ *an early start/patience*, συμβουλεύω πρωϊνή ἐκκίνηση/ὑπομονή. *Would you ~ our giving up/~ us to give up the plan?* θά μᾶς συμβουλεύατε νά ἐγκαταλείψωμε τό σχέδιο; **~·lor** /-lə(r)/ *οὐσ.* ‹C› σύμβουλος, (*ΗΠΑ*) δικηγόρος.

[1]**count** /kaʊnt/ *ρ.μ/ὰ.* **1**. μετρῶ, λογαριάζω, ὑπολογίζω: ~ *up to ten*, μετρῶ ὥς τό δέκα. ~ *one's change/the votes*, μετρῶ τά ρέστα μου/τίς ψήφους. *There are ten of us, not ~ing the children*, εἴμαστε δέκα, χωρίς νά λογαριάσωμε τά παιδιά. *Every minute ~s*, κάθε λεπτό μετράει, ἔχει ἀξία. **2**. θεωρῶ: *I ~ it an honour to serve you*, τό θεωρῶ τιμή μου νά σᾶς ὑπηρετήσω. *We must ~ him as dead*, πρέπει νά τόν θεωρήσωμε νεκρό. *I ~ myself fortunate in being here*, θεωρῶ τόν ἑαυτό μου τυχερό πού εἶμαι ἐδῶ. *I ~ you among my friends*, σέ θεωρῶ φίλο μου. ***~ for nothing/little***, δέν λογαριάζεται/ἔχει μικρή ἀξία: *Knowledge without common sense ~s for little/for nothing*, γνώσεις χωρίς φρονιμάδα ἔχουν λίγη ἀξία/δέν ἔχουν καμιά ἀξία. **3**. (*μέ ἐπιρ.* & *προθέσεις*):

count down, μετρῶ ἀνάποδα. **ˋ~-down** *οὐσ.* ‹C› ἀντίστροφος μέτρησις.

count in, λογαριάζω, συνυπολογίζω: *If you're going for a drink, you can ~ me in*, ἄν πᾶτε γιά ποτό, λογαριᾶστε καί μένα.

count on/upon, βασίζομαι: *Can I ~ on you for help?* μπορῶ νά βασιστῶ στή βοήθειά σου;

count out, μετρῶ ἕνα-ἕνα, ἀποκλείω, δέν συμπεριλαμβάνω: *The old woman ~ed out ten pence, and...*, ἡ γρηά μέτρησε δέκα πέννες, μία-μία, καί.... *The referee ~ed him out in the first round*, ὁ διαιτητής τόν ἀπέκλεισε στόν πρῶτο γύρο (ἀφοῦ μέτρησε ὥς τό δέκα). *If you are going to the pub, ~ me out*, ἄν πᾶτε στήν ταβέρνα, μή μέ λογαριάζετε.

count up, ἀθροίζω.

[2]**count** /kaʊnt/ *οὐσ.* **1**. ‹C› μέτρημα, ἀρίθμησις, λογαριασμός. ***keep/lose ~ of***, κρατάω/χάνω τό λογαριασμό: *I've bought so many new books this year that I've lost ~ of them.* ***take the ~, be out for the ~***, (*πυγμ.*) χάνω, μένω κάτω ὥς τό δέκα. **2**. ‹U› σημασία: *take no/little ~ of what people say*, μή δίνης σημασία/λίγη σημασία νά δίνης σ᾿ ὅ,τι λέει ὁ κόσμος. **3**. ‹C› (*νομ.*) κεφάλαιον κατηγορίας: *He was found guilty on all four ~s*, εὑρέθη ἔνοχος καί στά τέσσερα κεφάλαια τῆς κατηγορίας.

[3]**count** /kaʊnt/ *οὐσ.* ‹C› κόμης (*στήν Εὐρώπη. Στήν ΜΒ, βλ. earl*).

coun·ten·ance /ˈkaʊntɪnəns/ *οὐσ.* **1**. ‹C› ὄψις, ἔκφρασις: *a man with a fierce ~*, ἄνθρωπος μέ ἄγρια ὄψη. *change one's ~*, ἀλλάζω ἔκφραση (ἀπό συγκίνηση). ***keep***

***one's* ~**, διατηρῶ τήν σοβαρότητά μου, καταφέρνω νά μή γελάσω. ***put/stare sb out of* ~**, κάνω κπ νά κατεβάση τά μάτια, τόν φέρνω σέ ἀμηχανία (κοιτάζοντάς τον κατάματα). **2**. ‹U› ὑποστήριξις, ἐνθάρρυνσις, ἐπιδοκιμασία: *give ~ to a person/a plan*, παρέχω ὑποστήριξη σέ κπ/ ἐπιδοκιμάζω ἕνα σχέδιο. —*ρ.μ.* (*λόγ.*) ὑποστηρίζω, ἐπιδοκιμάζω: *I can never ~ a fraud/a war of aggression*, μοῦ εἶναι ἀδύνατο νά ἐπιδοκιμάσω μιάν ἀπάτη/ ἕναν ἐπιθετικό πόλεμο.

[1]**coun·ter** /ˈkaʊntə(r)/ *οὐσ.* ‹C› **1**. πάγκος (σέ μαγαζί), γκισές (σέ τράπεζα). ***sell under the* ~**, πουλάω στά κρυφά, παρανόμως. **2**. (*σέ παιχνίδι*) φίσα, μάρκα. **3**. μετρητής: *a ˈrevoˌlution-~*, στροφόμετρο.

[2]**coun·ter** /ˈkaʊntə(r)/ *ἐπίρ.* **~ *to***, ἐνάντια, ἀντίθετα: *act ~ to sb's wishes*, ἐνεργῶ ἀντίθετα πρός τίς ἐπιθυμίες κάποιου. *It runs/goes ~ to my inclinations*, εἶναι ἀντίθετο πρός τή διάθεσή μου. —*ρ.μ/ὰ.* ἀντιδρῶ, ἀντικρούω, ἀντεπιτίθεμαι: *~ a proposal/an attack*, κάνω ἀντιπρόταση/ἀντεπίθεση. *The champion ~ed with the right*, ὁ πρωταθλητής (τοῦ μπόξ) ἀντεπετέθη μέ τό δεξί.

coun·ter- /ˈkaʊntə(r)/ *πρόθεμα*, ἀντί-: *ˈ~-proˌductive*, ἀντιπαραγωγικός. *ˈ~-ˌespionage*, ἀντικατασκοπεία.

coun·ter·act /ˈkaʊntəˈrækt/ *ρ.μ.* ἀντιδρῶ, ἐξουδετερώνω (σχέδιον, ἐπιρροήν). **coun·ter·ac·tion** /-ˈækʃn/ *οὐσ.* ‹C,U› ἀντίδρασις.

coun·ter-at·tack /ˈkaʊntər ətæk/ *οὐσ.* ‹C› ἀντεπίθεσις. —*ρ.μ/ὰ.* ἀντεπιτίθεμαι.

coun·ter·bal·ance /ˈkaʊntəbæləns/ *οὐσ.* ‹C› ἀντίβαρον, ἀντιστάθμισμα, ἐξισορρόπησις. —*ρ.μ.* ἀντισταθμίζω, ἰσοφαρίζω.

coun·ter·blast /ˈkaʊntəblast/ *οὐσ.* ‹C› βιαία ἀντίδρασις/ἀνταπάντησις.

coun·ter·claim /ˈkaʊntəkleɪm/ *οὐσ.* ‹C› ἀνταπαίτησις.

coun·ter·feit /ˈkaʊntəfɪt/ *οὐσ.* ‹C› & *ἐπ.* κίβδηλος, πλαστός, ψεύτικος: *~ money*, κίβδηλα χρήματα. *~ grief/feelings*, ψεύτικη λύπη/κίβδηλα αἰσθήματα. —*ρ.μ.* παραχαράσσω, πλαστογραφῶ, ὑποκρίνομαι. **~er** *οὐσ.* ‹C› παραχαράκτης.

coun·ter·foil /ˈkaʊntəfɔɪl/ *οὐσ.* ‹C› στέλεχος (διπλοτύπου ἀποδείξεως).

coun·ter-in·tel·li·gence /ˈkaʊntər ɪnˈtelɪdʒəns/ *οὐσ.* ‹U› ἀντικατασκοπεία.

coun·ter·mand /ˈkaʊntəˈmand/ *ρ.μ.* ἀνακαλῶ, ἀκυρώνω (παραγγελία, διαταγή).

coun·ter-offer /ˈkaʊntər ofə(r)/ *οὐσ.* ‹C› ἀντιπροσφορά.

coun·ter·pane /ˈkaʊntəpeɪn/ *οὐσ.* ‹C› κάλυμμα κρεββατιοῦ.

coun·ter·part /ˈkaʊntəpat/ *οὐσ.* ‹C› πανομοιότυπο, ἀντίγραφο, ταίρι, σωσίας.

coun·ter·point /ˈkaʊntəpɔɪnt/ *οὐσ.* ‹C,U› (*μουσ.*) ἀντίστιξις.

coun·ter·poise /ˈkaʊntəpɔɪz/ *ρ.μ.* ἐξισορροπῶ, ἰσοφαρίζω. —*οὐσ.* ‹C,U› **1**. ἰσορροπία. **2**. ἀντίβαρον, ἀντιστάθμισμα.

coun·ter-rev·ol·ution /ˈkaʊntə ˈrevəˈluʃn/ *οὐσ.* ‹C› ἀντεπανάστασις. **~·ary** /-ˈluʃənərɪ/ *ἐπ.* ἀντεπαναστατικός. —*οὐσ.* ‹C› ἀντεπαναστάτης.

coun·ter·sign /ˈkaʊntəsaɪn/ *οὐσ.* ‹C› παρασύνθημα: *'Advance and give the ~!'* -Προχώρει εἰς τό παρασύνθημα! —*ρ.μ.* προσυπογράφω, ἐπικυρώνω (δι' ὑπογραφῆς).

count·ess /ˈkaʊntɪs/ *οὐσ.* ‹C› κόμησσα.

count·less /ˈkaʊntləs/ *ἐπ.* ἀναρίθμητος.

coun·try /ˈkʌntrɪ/ *οὐσ.* ‹C› **1**. χώρα, λαός: *Greece is a ~*, ἡ Ἑλλάδα εἶναι μιά χώρα. *Does the ~ want war?* θέλει ἡ χώρα (ὁ λαός) πόλεμο; ***go to the* ~**, προσφεύγω εἰς τόν λαόν (δι' ἐκλογῶν). **2**. πατρίδα: *return to one's own ~*, ξαναγυρίζω στήν πατρίδα μου. **3**. (*στόν ἑνικ. μέ ὁριστ. ἄρθρ.*) ἐξοχή, ὕπαιθρος: *live/spend a day in the ~*, ζῶ/περνῶ μιά μέρα στήν ἐξοχή. *a girl from the ~; a ~ girl*, κορίτσι ἀπό τήν ἐπαρχία/χωριατοπούλα. **4**. (*ὡς ἐπίθ.*) ἐξοχικός, ἀγροτικός, χωριάτικος: *~ folk/people*, χωριάτες. *ˈ~-ˈhouse*, ἐξοχικό σπίτι. *ˈ~-ˈseat*, ἀρχοντικό (γαιοκτήμονος). *~ life*, ἀγροτική ζωή, ζωή στό ὕπαιθρο. *~ dances*, λαϊκοί χοροί. **~·man** *οὐσ.* ‹C› συμπατριώτης, χωριάτης. **~·side** /-saɪd/ *οὐσ.* ‹U› (περιοχή, περιοχές στήν) ὕπαιθρο: *The ~side is lovely in spring*, ἡ ἐξοχή (ἡ ὕπαιθρος) εἶναι πανέμορφη τήν ἄνοιξη.

county /ˈkaʊntɪ/ *οὐσ.* ‹C› κομητεία: *a ~ town/seat*, πρωτεύουσα κομητείας. *a ~ court*, εἶδος εἰρηνοδικείου.

coup /ku/ *οὐσ.* ‹C› (*πληθ.* *~s* /kuz/) πραξικόπημα, χτύπημα: *bring off a ~*, κάνω πραξικόπημα. **~ de grâce** /ˈku də ˈgras/ χαριστική βολή.

couple /ˈkʌpl/ *οὐσ.* ‹C› ζευγάρι: *married ~s*, παντρεμένα ζευγάρια. *Ten ~s took the floor*, δέκα ζευγάρια σηκώθηκαν νά χορέψουν. *a ~ of days/drinks*, κανά δυό μέρες/ποτά. —*ρ.μ/ὰ.* (*γιά ζῶα*) ζευγαρώνω, συνδέω, ἑνώνω: *~ two railway coaches*, συνδέω δυό βαγόνια.

coup·let /ˈkʌplət/ *οὐσ.* ‹C› δίστιχο.

coup·ling /ˈkʌplɪŋ/ *οὐσ.* ‹C,U› ἕνωσις, σύνδεσις, ζευγάρωμα, κομπλάρισμα.

cou·pon /ˈkupən/ *οὐσ.* ‹C› κουπόνι, δελτίον, ἀπόκομμα: *a petrol/bread ~*, δελτίον βενζίνης/ἄρτου.

cour·age /ˈkʌrɪdʒ/ *οὐσ.* ‹U› θάρρος: *My ~ failed me*, μοῦ ἔλλειψε τό θάρρος, τό θάρρος μ' ἐγκατέλειψε. *Keep up your ~!* μή χάνης τό θάρρος σου! *lose ~*, χάνω τό θάρρος μου. *put ~ into sb*, δίνω θάρρος σέ κπ, ἐγκαρδιώνω κπ. ***have the* ~ *of one's convictions***, ἔχω τό θάρρος τῆς γνώμης μου. ***take/pluck up/muster up/summon up* ~**, παίρνω θάρρος. ***take one's* ~ *in both hands***, συγκεντρώνω ὅλο μου τό θάρρος.

cour·age·ous /kəˈreɪdʒəs/ *ἐπ.* θαρραλέος, γενναῖος, ἄτρομος. **~·ly** *ἐπίρ.* θαρραλέα.

cour·gette /kʊəˈʒet/ *οὐσ.* ‹C› φρέσκο κολοκυθάκι.

cour·ier /ˈkʊrɪə(r)/ *οὐσ.* ‹C› **1**. ἀγγελιοφόρος. **2**. συνοδός ὁμάδας τουριστῶν.

[1]**course** /kɔs/ *οὐσ.* **1**. ‹U› πορεία, διαδρομή, ροῦς, πέρασμα: *the ~ of events*, ἡ πορεία τῶν γεγονότων. *the ~ of life*, ἡ διαδρομή τῆς ζωῆς. *the ~ of a river*, ὁ ροῦς ἑνός ποταμοῦ. *the ~ of time*, τό πέρασμα τοῦ χρόνου. ***in due* ~**, ἐν καιρῷ τῷ δέοντι, στήν ὥρα του, μέ τόν καιρό. ***in the* ~ *of***, κατά τήν διάρκεια: *in the ~ of a conversation/of events*, κατά τήν διάρκεια συζη-

τήσεως/γεγονότων. *in the ~ of time*, τελικά, μέ τό πέρασμα τοῦ χρόνου. *in the ~ of nature/in the ordinary ~ of things*, μέ τήν φυσική/συνήθη πορεία τῶν πραγμάτων. **2**. ‹C› πορεία, ρότα, κατεύθυνσις, δρόμος: *be on the right ~*, ἀκολουθῶ σωστή πορεία. *The storm blew the ship off ~*, ἡ θύελλα ἀνάγκασε τό πλοῖο νά παρεκκλίνη τῆς πορείας του. *Our ~ was due north*, εἴχαμε κατεύθυνση πρός βορρᾶν. *The ~ of the argument suddenly changed*, ἡ κατεύθυνσις τῆς συζητήσεως ξαφνικά ἄλλαξε. ***run/take its/(their, etc) ~***, ἐξελίσσεται φυσικά, ἀκολουθεῖ τό δρόμο του: *The disease/The law must run its ~*, ἡ ἀρρώστεια/ὁ νόμος θά τραβήξη τό δρόμο του. *Let matters take/run their ~*, ἄφησε τά πράγματα νά ἐξελιχθοῦν φυσικά. ***(as) a matter of ~***, (σάν) κάτι φυσικό: *Some people take my help as a matter of ~*, μερικοί θεωροῦν τή βοήθειά μου σάν κάτι φυσικό. *It's a matter of ~ that...*, εἶναι φυσικό (αὐτονόητο) ὅτι... ***of ~***, φυσικά, βεβαίως. **3**. ‹C› γήπεδο (γκόλφ). **4**. ‹C› σειρά (μαθημάτων, διαλέξεων, κλπ). **5**. ‹C› φαγητό: *the main ~*, τό κύριο φαγητό. *a five-~ dinner*, γεῦμα μέ πέντε φαγητά.

[2]**course** /kɔs/ *ρ.μ/ἀ.* **1**. κυνηγῶ (*ἰδ.* λαγούς). **2**. τρέχω: *The blood ~d through his veins*, τό αἷμα ἔτρεχε στίς φλέβες του. *Tears ~d down her cheeks*, δάκρυα ἔτρεχαν στά μάγουλά της.

[1]**court** /kɔt/ *οὐσ.* ‹C,U› **1**. δικαστήριον: *a ~ of law/of justice; a `law-~*, δικαστήριον. *a police ~*, πταισματοδικεῖον. *a criminal ~*, ποινικόν δικαστήριον. *a civil ~*, πολιτικόν δικαστήριον. *a ~ of appeal*, ἐφετεῖον. *the Supreme C~*, τό Ἀνώτατον Δικαστήριον, ὁ Ἄρειος Πάγος. *The judge ordered the ~ to be cleared*, ὁ δικαστής διέταξε τήν ἐκκένωσιν τῆς αἰθούσης. ***be brought to ~***, προσάγομαι εἰς τό δικαστήριον. ***settle a case out of ~***, λύω ὑπόθεσιν ἐξωδίκως. ***be ruled/put out of ~; put oneself out of ~***, χάνω τό δικαίωμα προσφυγῆς εἰς τό δικαστήριον. **2**. Αὐλή, ἀνάκτορον: *be presented at ~*, μέ παρουσιάζουν εἰς τήν Αὐλήν. '~ `*circular*, ἀνακοινωθέν τῆς Αὐλῆς. **3**. γήπεδον. **4**. (*ἐπίσης:* `**~·yard**) αὐλή, προαύλιον. **5**. πολυκατοικία, μέγαρον. **6**. (*γιά δρόμο*) πάροδος, ἀδιέξοδον. **7**. (*λόγ.*) κόρτε: *pay ~ to a woman*, πολιορκῶ μιά γυναίκα.

[2]**court** /kɔt/ *ρ.μ/ἀ.* **1**. ἐρωτοτροπῶ, κορτάρω: *~ a girl for a year*, κορτάρω ἕνα κορίτσι ἐπί ἕνα χρόνο. *There were several ~ing couples in the park*, ὑπῆρχαν ἀρκετά ζευγαράκια στό πάρκο. **2**. ἐπιζητῶ, ἐπιδιώκω, προκαλῶ: *~ applause/sb's favour*, ἐπιζητῶ χειροκροτήματα/τήν εὔνοια κάποιου. *~ disaster/danger*, πάω γυρεύοντας νά καταστραφῶ/προκαλῶ τόν κίνδυνο.

cour·teous /`kɜtɪəs/ *ἐπ.* εὐγενικός, ἁβρός. **~·ly** *ἐπίρ.* εὐγενικά.

court·esan /ˌkɔtɪ`zæn/ *οὐσ.* ‹C› ἑταίρα, κοκότα.

cour·tesy /`kɜtəsɪ/ *οὐσ.* ‹C,U› εὐγένεια, ἁβρότης: *as a matter of ~*, ἀπό ἁβρότητα, τιμῆς ἕνεκεν. ***by ~ of***, μέ τήν ἄδειαν τοῦ, κατ' εὐγενῆ παραχώρησιν τοῦ.

court·ier /`kɔtɪə(r)/ *οὐσ.* ‹C› αὐλικός.

court·ly /`kɔtlɪ/ *ἐπ.* *(-ier, -iest)* εὐγενικός, ἀριστοκρατικός.

court-mar·tial /ˈkɔt `maʃl/ *οὐσ.* ‹C› (*πληθ. courts-martial*) στρατοδικεῖον. —*ρ.μ.* περνῶ κπ στρατοδικεῖο.

court·ship /`kɔtʃɪp/ *οὐσ.* ‹C,U› ἐρωτοτροπία, κόρτε: *after a year's ~*, ὕστερα ἀπό φλέρτ (πολιορκία) ἑνός χρόνου.

cousin /`kʌzn/ *οὐσ.* ‹C› ἐξάδελφος, ἐξαδέλφη.

cove /kəʊv/ *οὐσ.* ‹C› ὁρμίσκος, λιμανάκι.

cov·en·ant /`kʌvənənt/ *οὐσ.* ‹C› συμβόλαιον, σύμφωνον, (*Ἁγ. Γραφή*) Διαθήκη. —*ρ.μ/ἀ.* συνομολογῶ, συμβάλλομαι.

Cov·entry /`kovəntrɪ/ *οὐσ.* Κόβεντρυ (πόλις τῆς Ἀγγλίας). ***send sb to C~***, ἐξοστρακίζω κπ, ἀρνοῦμαι κάθε σχέση μαζί του, τοῦ κόβω τήν καλημέρα.

[1]**cover** /`kʌvə(r)/ *ρ.μ.* **1**. σκεπάζω: *Snow ~ed the ground*, τό χιόνι σκέπασε τό ἔδαφος. *C~ your knees!* σκέπασε τά γόνατά σου! ***~ in***, γεμίζω, παραχώνω: *~ in a grave*, σκεπάζω τάφο (μέ χῶμα). ***~ over***, σκεπάζω, κλείνω (μέ κάλυμμα): *~ over a well/a hole*, σκεπάζω πηγάδι/κλείνω τρῦπα. ***~ up***, συγκαλύπτω, κουκουλώνω, τυλίγω: *~ up one's tracks/mistakes*, (συγ)καλύπτω τά ἴχνη μου/τά λάθη μου. *C~ yourself up well*, τυλίξου καλά. **2**. καλύπτω, κρύβω: *She laughed to ~ her nervousness*, γέλασε γιά νά κρύψη τήν ταραχή της. *He ~ed his face with his hands*, ἔκρυψε τό πρόσωπό του μέ τά χέρια του. **3**. σκεπάζω, γεμίζω: *The trees were ~ed with blossom/fruit*, τά δέντρα ἦταν γεμάτα ἄνθη/καρπό. *~ed with shame/confusion/mud*, γεμᾶτος ντροπή/ταραχή/λάσπες. **4**. καλύπτω, προστατεύω, σημαδεύω: *~ thirty miles in ten hours*, καλύπτω (διανύω) τριάντα μίλια σέ δέκα ὧρες. *~ one's needs/expenses*, καλύπτω (ἱκανοποιῶ) τίς ἀνάγκες μου/τά ἔξοδά μου. *journalists ~ing the war in Vietnam*, δημοσιογράφοι πού καλύπτουν (κάνουν ρεπορτάζ γιά) τόν πόλεμο στό Βιετνάμ. *This book doesn't ~ the subject fully*, αὐτό τό βιβλίο δέν καλύπτει (δέν ἐξαντλεῖ) τό θέμα πλήρως. *He ~ed her from the man's blows with his body*, τήν προστάτευσε ἀπό τά χτυπήματα τοῦ ἄνδρα μέ τό σῶμα του. *~ sb with a gun*, σημαδεύω κπ μέ ὅπλο. **~·ing** *οὐσ.* ‹C,U› κάλυμμα. —*ἐπ.* συνοδευτικός: *a ~ing letter*, συνοδευτική ἐπιστολή (ὡς ἐπεξήγησις στελλομένου ἀντικειμένου).

[2]**cover** /`kʌvə(r)/ *οὐσ.* ‹C› **1**. κάλυμμα, σκέπασμα, ἐξώφυλλο (βιβλίου): *the ~ of a chair/of a pan*, τό κάλυμμα καρέκλας/τό σκέπασμα κατσαρόλας. *read a book from ~ to ~*, διαβάζω βιβλίο ἀπό τήν ἀρχή ὥς τό τέλος. `**~ girl**, φωτομοντέλο ἐξωφύλλων περιοδικῶν. ***(send sth) under separate ~***, (στέλνω κτ) ἐντός ἰδιαιτέρου φακέλλου. ***under ~ of***, ὑπό τό πρόσχημα, ὑπό τό προσωπεῖον: *under ~ of friendship/religion/patriotism*, ὑπό τό πρόσχημα τῆς φιλίας/τῆς θρησκείας/τοῦ πατριωτισμοῦ. **2**. στέγη, καταφύγιον: *give sb ~*, δίνω στέγη (καταφύγιο) σέ κπ. ***break ~***, βγαίνω ἀπό τό κρυσφήγετό μου, ξετρυπώνω. ***take ~***, προφυλάσσομαι, κρύβομαι: *take ~ from an explosion/from enemy fire*, προφυλάσσομαι (ἀναζητῶ κατα-

φύγιον) ἀπό ἔκρηξη/ἀπό ἐχθρικά πυρά. **3**. κάλυψις: *air* ~, (*στρατ.*) ἀεροπορική κάλυψις. *full* ~, (*ἐμπ.*) πλήρης κάλυψις (ἀσφαλίσεως). **4**. κουβέρ: ~*s were laid for six*, τό τραπέζι ἦταν στρωμένο γιά ἔξη (εἶχε ἔξη κουβέρ).

cover·age /ˈkʌvərɪdʒ/ *οὐσ.* ‹U› (*δημοσιογρ.*) κάλυψις: *TV* ~ *of the electoral campaign*, τηλεοπτική κάλυψις τῆς προεκλογικῆς ἐκστρατείας. *news* ~, εἰδησεογραφία.

cover·let /ˈkʌvələt/ *οὐσ.* ‹C› κλινοσκέπασμα, κουβέρτα.

covert /ˈkʌvət/ *ἐπ.* συγκεκαλυμμένος, κρυφός: *a* ~ *threat/enemy/glance*, συγκεκαλυμμένη ἀπειλή/κρυφός ἐχθρός/-ή ματιά. **~·ly** *ἐπίρ.*

covet /ˈkʌvɪt/ *ρ.μ.* ἐποφθαλμιῶ, ὀρέγομαι, λιμπίζομαι: ~ *another man's wife*, ὀρέγομαι τήν γυναίκα ἄλλου. *a* ~*ed post*, περιζήτητος θέσις. **~·ous** /-təs/ *ἐπ.* ἄπληστος, ἐποφθαλμιῶν: ~*ous eyes/glances*, ἄπληστα μάτια/ματιές γεμᾶτες ἐπιθυμία. *be* ~*ous of another man's property*, ἐποφθαλμιῶ τήν περιουσία ἄλλου. **~·ous·ly** *ἐπίρ.* **~·ous·ness** *οὐσ.* ‹U›

covey /ˈkʌvɪ/ *οὐσ.* ‹C› (*πληθ.* ~*s*) κοπάδι (*ἰδ.* πέρδικες).

[1]**cow** /kaʊ/ *οὐσ.* ‹C› **1**. ἀγελάδα. **2**. τό θηλυκό διαφόρων ζώων (ἐλέφαντος, κλπ). **ˈ~-boy**, γελαδοβοσκός, καουμπόϋ. **ˈ~·hand**, **ˈ~·herd**, γελαδάρης. **ˈ~·hide**, δέρμα ἀγελάδος, βακέττα. **ˈ~·house**, **ˈ~·shed**, σταῦλος ἀγελάδων. **3**. (*ὑβριστ.*) γυναίκα.

[2]**cow** /kaʊ/ *ρ.μ.* ἐκφοβίζω, πτοῶ, τρομοκρατῶ: *He* ~*ed his wife into blind obedience*, τρομοκράτησε τή γυναίκα του καί τήν ἔκαμε νά ὑπακούη τυφλά. *The boy had a* ~*ed look*, τό παιδί ἔδειχνε τρομοκρατημένο.

cow·ard /ˈkaʊəd/ *οὐσ.* ‹C› δειλός, ἄνανδρος: *He's a* ~, εἶναι δειλός. **~·ly** *ἐπ.* **1**. δειλός. **2**. ἄνανδρος, ἄτιμος: *a* ~*ly lie*/~ *behaviour*, ἄτιμο ψέμα/ἄνανδρο φέρσιμο. **~·ice** /-dɪs/ *οὐσ.* ‹U› δειλία, ἀνανδρία.

cower /ˈkaʊə(r)/ *ρ.ἀ.* ζαρώνω, μαζεύομαι (ἀπό φόβο, κρύο, ντροπή): *The dog* ~*ed under the table*, ὁ σκύλος ζάρωσε κάτω ἀπό τό τραπέζι.

cowl /kaʊl/ *οὐσ.* ‹C› κουκούλα (καλογήρου), καπέλλο (καπνοδόχου): ***The*** ~ ***doesn't make the monk***, (*παροιμ.*) τό ράσο δέν κάνει τόν παπᾶ.

cow·slip /ˈkaʊslɪp/ *οὐσ.* ‹C› (*βοτ.*) πασχαλίτσα.

cox /koks/, **cox·swain** /ˈkoksn/ *οὐσ.* ‹C› πηδαλιοῦχος, λέμβαρχος.

cox·comb /ˈkokskəʊm/ *οὐσ.* ‹C› δανδῆς, λιμοκοντόρος, μορφονιός.

coy /kɔɪ/ *ἐπ.* *(-er, -est)* (*γιά κορίτσι*) σεμνός, ντροπαλός, (*καθομ.*) μιξοπάρθενος. **~·ly** *ἐπίρ.* ντροπαλά. **~·ness** *οὐσ.* ‹U›.

crab /kræb/ *οὐσ.* ‹C› **1**. κάβουρας. **2**. (**ˈ~-apple**) ξινόμηλο.

crab·bed /ˈkræbɪd/ *ἐπ.* (*γιά πρόσωπο, κείμενο*) στρυφνός, στριμμένος, γκρινιάρης.

[1]**crack** /kræk/ *οὐσ.* ‹C› **1**. ράγισμα, ρωγμή, χαραμάδα, σκάσιμο (δέρματος, ξύλου, κλπ): *a cup with* ~*s*, φλυτζάνι μέ ραγίσματα. ~*s in the ice*, ρωγμές στόν πάγο. **2**. ξηρός ἀπότομος κρότος: *the* ~ *of a whip*, ἡ στράκα ἑνός μαστιγίου. *the* ~ *of a pistol shot*, ὁ ξηρός κρότος ἑνός πυροβολισμοῦ. **3**. χτύπος, χτύπημα (πού ἀκούγεται): *give sb a* ~ *on the head*, δίνω χτύπημα (φάπα) στό κεφάλι. **4**. (*λαϊκ.*) καρφί (ἔξυπνη σαρκαστική παρατήρησις ἤ ἀπάντησις), ἀπόπειρα, δοκιμή. ***have a*** ~ ***at sth***, δοκιμάζω (νά κάμω) κτ. **5**. (*λαϊκ.*) ἄσσος: *He's a* ~ *shot*, εἶναι ἄσσος σκοπευτής. **6**. **ˈ~-brained**, τρελλός, παλαβός: ~*-brained schemes*, παλαβά σχέδια.

[2]**crack** /kræk/ *ρ.μ/ἀ.* **1**. ραγίζω, σκάζω, σπάζω: *He* ~*ed the cup/his skull*, ράγισε τό φλυτζάνι/τό κεφάλι του. ~ *walnuts*, σπάζω καρύδια. **2**. κροταλίζω, τρίζω, κροτῶ: ~ *a whip/the joints of one's fingers*, κροταλίζω μαστίγιο/τρίζω τά δάχτυλά μου. ~ ***down on sb/sth***, παίρνω μέτρα ἐναντίον κάποιου. ~ ***up***, καταρρέω (ἀπό γηρατειά, κλπ), διαλύομαι: *His father is* ~*ing up*. ~ ***sth/sb up***, ἐκθειάζω: *He's not so clever as he is* ~*ed up to be*, δέν εἶναι τόσο ἔξυπνος ὅσο τόν ἐκθειάζουν. ~ ***a bottle***, ἀδειάζω (κοπανάω) ἕνα μπουκάλι. ~ ***a joke***, λέω ἀστεῖα, κάνω καλαμπούρια.

cracker /ˈkrækə(r)/ *οὐσ.* ‹C› **1**. μπισκότο. **2**. βαρελότο. **3**. **ˈnut-~s**, καρυοθραύστης.

crackle /ˈkrækl/ *ρ.ἀ.* (*γιά φωτιά ἤ περπάτημα σέ παγωμένο χιόνι*) τριζοβολῶ, κροταλίζω: *The fire was crackling in the hearth*, ἡ φωτιά τριζοβολοῦσε στό τζάκι. —*οὐσ.* ‹U› τριζοβόλημα, κροτάλισμα: *The distant* ~ *of machine-gun fire*, τό μακρυνό κροτάλισμα τῶν πολυβόλων.

crack·pot /ˈkrækpot/ *οὐσ.* ‹C› (*καθομ.*) λοξός, παλαβός, ἐκκεντρικός.

cradle /ˈkreɪdl/ *οὐσ.* ‹C› κούνια, λίκνο, κοιτίς: *from the* ~ *to the grave*, ἀπό τήν κούνια ὥς τόν τάφο. *Greece is the* ~ *of Democracy*, ἡ Ἑλλάδα εἶναι τό λίκνο τῆς Δημοκρατίας. —*ρ.μ.* λικνίζω, κουνῶ (μωρό).

craft /kraft/ *οὐσ.* **1**. ‹C› τέχνη, χειροτεχνία: *learn a* ~, μαθαίνω μιά τέχνη. *He is a master of his* ~, εἶναι μάστορας στή δουλειά του, ξέρει καλά τήν τέχνη του. **ˈhandi·~**, ἡ χειροτεχνία. **ˈneedle·~**, τό κέντημα. **ˈstage·~**, ἡ θεατρική τέχνη. **ˈwood·~**, ξυλοτεχνία. **ˈ~s·man**, τεχνίτης, μάστορας. **ˈ~s·man·ship**, μαστοριά. **2**. (*ἀμετάβλ. στόν πληθ.*) σκάφος: *The harbour was full of* ~ *of all kinds*, τό λιμάνι ἦταν γεμᾶτο σκάφη παντός εἴδους. **ˈair~**, ἀεροσκάφος. **ˈspace-~**, διαστημόπλοιο. **3**. ‹U› πονηριά, κατεργαριά: *This man is full of* ~, αὐτός ὁ ἄνθρωπος εἶναι ὅλο πονηριά. *take sth by* ~, παίρνω κτ μέ κατεργαριά. **~y** *ἐπ.* *(-ier, -iest)* πονηρός, πανοῦργος, κατεργάρης: *a* ~*y politician*, πονηρός πολιτικός. *as* ~*y as a fox*, πονηρός σάν ἀλεποῦ. **~i·ness** *οὐσ.* ‹U› πονηράδα, πανουργία. **~·ily** /-əlɪ/ *ἐπίρ.* πονηρά, μέ πανουργία.

crag /kræg/ *οὐσ.* ‹C› γκρεμός, κατσάβραχο. **~ged** /ˈkrægɪd/ (*ποιητ.*), **~gy** *(-ier, -iest)* *ἐπ.* βραχώδης, ἀπόκρημνος, γεμᾶτος κατσάβραχα.

cram /kræm/ *ρ.μ/ἀ.* *(-mm-)* **1**. ~ ***into/with***, χώνω, γεμίζω, παραγεμίζω: *He* ~*med all the sweets/the papers into his pockets*, ἔχωσε ὅλες τίς καραμέλες/τά χαρτιά στίς τσέπες του. *He* ~*med his pockets with sweets/papers*, (παρα)γέμισε τίς τσέπες του μέ καραμέλες/μέ χαρτιά. *We all* ~*med into the car*, στριμωχτήκαμε ὅλοι μέσα στό αὐτοκίνητο. *The theatre was ~med*, τό θέατρο ἦταν κατάμεστο. **2**. προγυμνάζω ἐντατικά, γεμίζω τό κεφάλι: *~ pupils with Latin/for an examination*. **~·mer** *οὐσ.* ‹C› προγυμναστής, φροντιστής.

[1]**cramp** /kræmp/ *οὐσ.* ‹U› κράμπα, νευροκαβαλλίκεμα: *be seized with ~*, παθαίνω κράμπα. *writer's ~*, κράμπα τῶν συγγραφέων (στά δάχτυλα).

[2]**cramp** /kræmp/ *οὐσ.* ‹C› τσιγγέλι, μέγγενη, γάντζος.

[3]**cramp** /kræmp/ *ρ.μ.* **1**. μουδιάζω, προκαλῶ κράμπα. **2**. περιορίζω, στριμώχνω, ἐμποδίζω, δυσκολεύω (τίς κινήσεις): *All these difficulties ~ed his progress*, ὅλες αὐτές οἱ δυσκολίες ἐμπόδισαν τήν πρόοδό του. *We are ~ed for room here*, μᾶς λείπει ὁ χῶρος (εἴμαστε στριμωγμένοι) ἐδῶ. *~ed handwriting*, πυκνό, δυσανάγνωστο γράψιμο. **3**. σφίγγω, στερεώνω.

crane /kreɪn/ *οὐσ.* ‹C› **1**. (*ὀρνιθ.*) πελαργός, λελέκι. **2**. γερανός. —*ρ.μ/ὰ.* τεντώνω (τό λαιμό): *He ~d forward/~d his neck to see*, τέντωσε τό λαιμό του μπροστά γιά νά δῆ.

cran·ial /ˋkreɪnɪəl/ *ἐπ.* κρανιακός.

cran·ium /ˋkreɪnɪəm/ *οὐσ.* ‹C› (*πληθ. ~s*) κρανίον.

[1]**crank** /kræŋk/ *οὐσ.* ‹C› στρόφαλος, μανιβέλλα. —*ρ.μ.* βάζω ἐμπρός (μηχανή) μέ μανιβέλλα.

[2]**crank** /kræŋk/ *οὐσ.* ‹C› (ἄνθρωπος) μανιακός, ἐκκεντρικός: *He is a fresh air ~*, ἔχει λόξα (εἶναι μανιακός) μέ τόν καθαρό ἀέρα, νἄχη τά παράθυρα ἀνοιχτά. **~y** *ἐπ.* *(-ier, -iest)* **1**. ἰδιόρρυθμος, ἐκκεντρικός. **2**. ξεχαρβαλωμένος.

cranny /ˋkrænɪ/ *οὐσ.* ‹C› σχισμή, ρωγμή (πχ σέ τοῖχο). **cran·nied** *ἐπ.* γεμᾶτος ρωγμές.

crape /kreɪp/ *οὐσ.* ‹U› κρέπι.

[1]**crash** /kræʃ/ *οὐσ.* ‹C› **1**. βρόντος, πάταγος (λόγῳ πτώσεως): *The tree fell with a ~*, τό δέντρο ἔπεσε μέ πάταγο. **2**. δυστύχημα, σύγκρουσις (αὐτοκιν.), πτῶσις (ἀεροπλάνου): *He was killed in an air ~*, σκοτώθηκε σέ ἕνα ἀεροπορικό δυστύχημα. **ˋ~-helmet** *οὐσ.* ‹C› κράνος (μοτοσυκλεττιστοῦ). **ˋ~-land** *ρ.μ/ὰ.* προσγειώνομαι ἀναγκαστικά. **ˋ~-landing** *οὐσ.* ‹C› ἀναγκαστική προσγείωσις. **ˋ~ programme/course**, ὑπερεντατικό πρόγραμμα/-ά μαθήματα. **3**. (οἰκονομική) κατάρρευσις, κράχ: *The great ~ in 1929*, τό μεγάλο κράχ τοῦ 1929.

[2]**crash** /kræʃ/ *ρ.μ/ὰ.* συντρίβω/-ομαι, καταρρέω, χρεωκοπῶ, βροντῶ: *The aircraft ~ed*, τό ἀεροπλάνο ἔπεσε καί συνετρίβη. *The bus ~ed into a tree*, τό λεωφορεῖο χτύπησε σ' ἕνα δέντρο καί συνετρίβη. *The roof ~ed in*, ἡ σκεπή κατέρρευσε μέ πάταγο. *His great financial scheme ~ed*, τό μεγάλο του οἰκονομικό σχέδιο χρεωκόπησε. *~ through sth*, περνῶ μέσα ἀπό κάτι μέ πάταγο.

crass /kræs/ *ἐπ.* χονδροειδής, ἀπύθμενος: *~ ignorance/stupidity*, ἀπύθμενη ἀμάθεια/ἀνοησία.

crate /kreɪt/ *οὐσ.* ‹C› **1**. καφάσι. **2**. (*λαϊκ.*) (*γιά αὐτοκ. ἤ ἀεροπλ.*) σακαράκα. —*ρ.μ.* βάζω σέ καφάσια.

cra·ter /ˋkreɪtə(r)/ *οὐσ.* ‹C› κρατήρ (ἡφαιστείου ἤ ἀπό βόμβα).

cra·vat /krəˋvæt/ *οὐσ.* ‹C› λαιμοδέτης.

crave /kreɪv/ *ρ.μ/ὰ.* ἐκλιπαρῶ, ποθῶ, λαχταρῶ: *~ (for) mercy/(for) a drink*, ἐκλιπαρῶ ἔλεος/λαχταρῶ ἕνα ποτό. **crav·ing** *οὐσ.* ‹C› πόθος, λαχτάρα: *have a craving for sth*, λαχταρῶ κτ.

cra·ven /ˋkreɪvn/ *ἐπ.* & *οὐσ.* ‹C› δειλός, ἄνανδρος.

crawl /krɔl/ *ρ.ὰ.* **1**. ἕρπω, μπουσουλάω, σέρνομαι: *~ in/out*, μπαίνω/βγαίνω μπουσουλώντας, ἕρποντας. *~ to sb* (*μεταφ.*) σέρνομαι (ταπεινώνομαι) μπροστά σέ κπ. **2**. προχωρῶ ἀργά: *The train ~ed up the hillside*, τό τραῖνο ἀνέβαινε ἀργά τό λόφο. **3**. βρίθω, εἶμαι γεμᾶτος: *~ing with ants/lice*, γεμᾶτος μυρμήγκια/ψεῖρες. **4**. ἀνατριχιάζω: *The sight of a snake makes my flesh ~*, ἡ θέα ἑνός φιδιοῦ μοῦ φέρνει ἀνατριχίλα στό κορμί. —*οὐσ.* ‹C› **1**. σύρσιμο, ἀργή πορεία: *go at a ~*, πηγαίνω βῆμα σημειωτόν. **2**. κρόουλ (κολύμπι). **3**. βόλτα, γύρος. ***(go on a) ˋpub ~***, παίρνω βόλτα τίς ταβέρνες. **~er** *οὐσ.* ‹C› ἑρπετό, δουλοπρεπής, (*πληθ.*) φόρμα μωροῦ.

cray·fish /ˋkreɪfɪʃ/ *οὐσ.* ‹C› (*ἀμετάβλ. εἰς πληθ.*) καραβίδα (τοῦ γλυκοῦ νεροῦ).

crayon /ˋkreɪən/ *οὐσ.* ‹C› κραγιόνι, παστέλ, κάρβουνο (ζωγραφικῆς). —*ρ.μ.* σκιτσάρω μέ κραγιόνι.

craze /kreɪz/ *οὐσ.* ‹C› μανία, τρέλλα: *the ~ for pop music*, ἡ τρέλλα γιά τήν μουσική πόπ. —*ρ.μ.* (*συνήθ. εἰς παθ. μετ.*) τρελλαίνω: *a half-~d prophet*, ἕνας μισότρελλος προφήτης.

crazy /ˋkreɪzɪ/ *ἐπ.* *(-ier, -iest)* **1**. τρελλός: *He's ~ about football*, κάνει σάν τρελλός γιά τό ποδόσφαιρο. *I'm ~ about you!* εἶμαι τρελλός γιά σένα! *You were ~ to lend him all that money*, ἦταν τρέλλα νά τοῦ δανείσης τόσα χρήματα. **2**. (*γιά κτίρια*) ἑτοιμόρροπος.

creak /krik/ *ρ.ὰ.* (*γιά πόρτα, πάτωμα, κλπ*) τρίζω. —*οὐσ.* ‹C› τρίξιμο. **~y** *ἐπ.* *(-ier, -iest)* πού τρίζει, τριζᾶτος: *~y stairs*. **~·ily** *ἐπίρ.*

cream /krim/ *οὐσ.* ‹U› **1**. κρέμα, καϊμάκι: *ˋface-/ˋcold-~*, κρέμα προσώπου/νυκτός. **2**. (*μεταφ.*) ἀφρόκρεμα, ἀνθός: *the ~ of society*. **3**. κρέμ (χρῶμα). **~y** *ἐπ.* *(-ier, -iest)* σάν κρέμα, ὅλο κρέμα. **~·ery** /-ərɪ/ *οὐσ.* ‹C› **1**. γαλακτοπωλεῖον. **2**. βουτυροποιεῖον, τυροκομεῖον.

crease /kris/ *οὐσ.* ‹C› ζάρα, πτυχή, τσάκιση παντελονιοῦ: *~-resistant cloth*, ὕφασμα πού δέν ζαρώνει. —*ρ.μ/ὰ.* ζαρώνω: *This material ~s easily*, αὐτό τό ὕφασμα ζαρώνει εὔκολα. *well-~d trousers*, παντελόνι μέ καλή τσάκιση.

create /krɪˋeɪt/ *ρ.μ.* δημιουργῶ: *God ~d the world*, ὁ Θεός δημιούργησε τόν κόσμο. *Dickens ~d many wonderful characters*, ὁ Ντίκενς δημιούργησε πολλούς θαυμάσιους τύπους. *His behaviour ~d a bad impression*, τό φέρσιμό του δημιούργησε (ἔκανε) κακή ἐντύπωση.

cre·ation /krɪˋeɪʃn/ *οὐσ.* ‹U› **1**. δημιουργία: *the ~ of the world/of an empire/of social unrest*, ἡ δημιουργία τοῦ κόσμου/μιᾶς αὐτοκρατορίας/κοινωνικῆς ἀναταραχῆς. **2**. ‹C› κρεασιόν (μόδας).

cre·ative /krɪˋeɪtɪv/ *ἐπ.* δημιουργός, δημιουργικός: *useful and ~ work*, χρήσιμη καί

δημιουργική δουλειά. **~·ly** *ἐπίρ.*
cre·ator /krɪˋeɪtə(r)/ *οὐσ.* ‹C› δημιουργός. **the C~**, ὁ Πλάστης, ὁ Θεός.
crea·ture /ˋkritʃə(r)/ *οὐσ.* ‹C› πλάσμα, δημιούργημα, τσιράκι: *dumb ~s*, τά ζῶα. *She's a lovely ~*, εἶναι ὡραῖο πλάσμα. *~s of one's imagination*, δημιουργήματα τῆς φαντασίας. *They are all mere ~s of the dictator*, εἶναι ὅλοι τους τσιράκια (ὄργανα) καθαρά τοῦ δικτάτορα.
crèche /ˋkreɪʃ/ *οὐσ.* ‹C› **1**. (*MB*) βρεφικός σταθμός. **2**. (*ΗΠΑ*) φάτνη (Χριστουγέννων).
cre·dence /ˋkridns/ *οὐσ.* ‹U› (*λόγ.*) πίστις. ***give/attach ~ to sth***, δίδω πίστιν σέ κτ (*πχ* σέ διαδόσεις, κλπ). ***letter of ~***, συστατική ἐπιστολή.
cre·den·tials /krɪˋdenʃlz/ *οὐσ. πληθ.* **1**. διαπιστευτήρια. **2**. χαρτιά, πιστοποιητικά.
cred·ible /ˋkredəbl/ *ἐπ.* ἀξιόπιστος, πιστευτός: *It's hardly ~ that...*, δύσκολο νά πιστέψη κανείς ὅτι... **cred·ibly** *ἐπίρ.* ἀξιόπιστα. **credi·bil·ity** /ˈkredəˋbɪlətɪ/ *οὐσ.* ‹U› ἀξιοπιστία: *the credibility gap*, ἡ ἀναξιοπιστία, ἡ ἔλλειψη ἐμπιστοσύνης (πρός κπ).
[1]**credit** /ˋkredɪt/ *οὐσ.* **1**. ‹U› (*ἐμπορ.*) πίστωσις: *No ~ is given at this shop*, δέν δίδεται πίστωσις. ***buy/sell on ~***, ἀγοράζω/πουλῶ ἐπί πιστώσει. **a ˋ~ account/card**, πιστωτικός λογαριασμός/-ή κάρτα. **a ˋ~ note/balance**, πιστωτικόν σημείωμα/ὑπόλοιπον. **a ˈletter of ˋ~**, πιστωτική (ἐγγυητική) ἐπιστολή. **ˋ~ squeeze**, περιορισμός τῶν πιστώσεων. **2**. ‹U› πίστις, πεποίθησις. ***give sb ~ for***, ἀναγνωρίζω, πιστεύω, θεωρῶ κπ: *He is cleverer than I gave him ~ for*, εἶναι πιό ἔξυπνος ἀπ'ὅ,τι τόν πίστευα. *I gave him ~ for being more sensible*, τόν θεωροῦσα πιό λογικόν. ***lend ~ to sth***, ἐπιβεβαιώνω, ἐνισχύω: *This lends ~ to the rumour that...*, αὐτό ἐπιβεβαιώνει τήν φήμην ὅτι... **3**. ‹U› τιμή. ***take ~ for sth***, οἰκειοποιοῦμαι/διεκδικῶ τήν τιμή, καυχιέμαι γιά κτ. ***do sb ~; do ~ to sb***, τιμῶ: *This work does you ~*, αὐτή ἡ δουλειά σέ τιμάει. *Her success does ~ to her teacher*, ἡ ἐπιτυχία της τιμάει τόν δάσκαλό της. ***be to sb's ~; reflect ~ on sb***, εἶναι πρός τιμήν κάποιου: *Her success is greatly to the ~ of her teacher/reflects great ~ on her teacher*, ἡ ἐπιτυχία της εἶναι πρός μεγάλη τιμή τοῦ δασκάλου της.
[2]**credit** /ˋkredɪt/ *ρ.μ.* **1**. πιστώνω: *~ £10 to a customer/~ a customer with £10*, πιστώνω ἕναν πελάτη δέκα λίρες. **2**. πιστεύω ὅτι κπ ἔχει: *I ~ed him with more sense*, πίστευα ὅτι ἔχει περισσότερο μυαλό. **~·able** /-əbl/ *ἐπ.* ἀξιέπαινος. **~·ably** *ἐπίρ.* ἀξιέπαινα. **~or** /-tə(r)/ *οὐσ.* ‹C› πιστωτής.
credu·lous /ˋkredjʊləs/ *ἐπ.* εὔπιστος. **~·ly** *ἐπίρ.* μωρόπιστα. **cre·dul·ity** /krəˋdjulətɪ/ *οὐσ.* ‹U› εὐπιστία.
creed /krid/ *οὐσ.* ‹C› δόγμα, τό πιστεύω ἑνός, θρήσκευμα. **the C~**, τό Σύμβολον τῆς Πίστεως.
creek /krik/ *οὐσ.* ‹C› (*MB*) ὁρμίσκος, (*ΗΠΑ*) ποταμάκι.
creep /krip/ *ρ.ἀ. ἀνώμ.* (*ἀόρ. & π.μ. crept* /krept/) **1**. ἕρπω, γλιστρῶ (περπατῶ ἀθόρυβα ἤ κρυφά): *The cat crept towards the bird*, ἡ γάτα σύρθηκε πρός τό πουλί. *The burglar crept into the room*, ὁ διαρρήκτης γλίστρησε μέσα στό δωμάτιο. **2**. (*γιά φυτά*) ἁπλώνομαι, προχωρῶ σιγά-σιγά, εἰσχωρῶ ἀνεπαισθήτως: *The ivy crept over the walls of the ruined castle*, ὁ κισσός ἁπλώθηκε σιγά-σιγά πάνω στούς τοίχους τοῦ ἐρειπωμένου πύργου. *A feeling of drowsiness crept over him*, ἕνα αἴσθημα ὑπνηλίας τόν κατέλαβε σιγά-σιγά. *Old age ~s upon one unawares*, τά γερατειά προχωροῦν σιγά-σιγά πάνω μας χωρίς νά τό καταλαβαίνωμε. **3**. ἀνατριχιάζω: *It made my flesh ~*, μοῦφερε ἀνατριχίλα στό κορμί. —*οὐσ.* ‹C› **1**. σύρσιμο. **2**. (*λαϊκ.*) σπιοῦνος. **3**. ***give sb the ~s***, (*καθομ.*) φέρνω ἀνατριχίλα/ρῖγος σέ κπ.
creeper /ˋkripə(r)/ *οὐσ.* ‹C› ἑρπετό (ζῶο) ἀναρριχητικό φυτό.
creepy /ˋkripɪ/ *ἐπ.* (*-ier, -iest*) ἀνατριχιαστικός: *Ghost stories make me ~*, οἱ ἱστορίες φαντασμάτων μοῦ φέρνουν ἀνατριχίλα.
cre·mate /krɪˋmeɪt/ *ρ.μ.* καίω (νεκρόν).
cre·ma·tion /krɪˋmeɪʃn/ *οὐσ.* ‹C,U› ἀποτέφρωσις (νεκροῦ).
cre·ma·tor·ium /ˈkreməˋtɔrɪəm/, **cre·ma·tory** /ˋkremətərɪ/ *οὐσ.* ‹C› κρεματόριον.
Cre·ole /ˋkriəʊl/ *οὐσ. & ἐπ.* κρεολός, μιγάς.
creo·sote /ˋkrɪəsəʊt/ *οὐσ.* ‹U› κρεοζῶτο.
crêpe /kreɪp/ *οὐσ.* ‹U› κρέπ: *~ rubber soles*, σόλες ἀπό κρέπ.
crept /krept/ *ἀόρ. & π.μ. τοῦ ρ. creep.*
cres·cendo /krɪˋʃendəʊ/ *οὐσ.* ‹C› (*πληθ. ~s*) (*μουσ.*) κρεσέντο,. ἀνιοῦσα ἔντασις.
cres·cent /ˋkresnt/ *οὐσ.* ‹C› μισοφέγγαρο. —*ἐπ.* αὐξανόμενος: *a ~ moon*, φεγγάρι στή γέμισή του.
cress /kres/ *οὐσ.* ‹U› (*βοτ.*) κάρδαμο.
crest /krest/ *οὐσ.* ‹C› **1**. λειρί, λοφίο (πουλιοῦ, περικεφαλαίας). **ˋ~-fallen**, ἀπογοητευμένος, μέ πεσμένα φτερά. **2**. οἰκόσημο. **3**. κορυφή, κορυφογραμμή: *the ~ of a hill*, κορφοβούνι. ***on the ~ of the wave***, (*μεταφ.*) στό ἀποκορύφωμα (τῆς ἐπιτυχίας).
cretin /ˋkretɪn/ *οὐσ.* ‹C› ἠλίθιος.
cre·vasse /krɪˋvæs/ *οὐσ.* ‹C› βαθειά ρωγμή (σέ πάγο).
cre·vice /ˋkrevɪs/ *οὐσ.* ‹C› σχισμή, ρωγμή (σέ βράχο, τοῖχο, κλπ).
crew /kru/ *οὐσ.* ‹C› πλήρωμα (πλοίου, ἀεροπλάνου). **ˋground-~**, πλήρωμα ἐδάφους.
[1]**crib** /krɪb/ *οὐσ.* ‹C› **1**. παχνί (ζώων), (*MB*) φάτνη (Χριστουγέννων). **2**. λίκνο, κούνια (μωροῦ). **3**. (*ΗΠΑ*) κασέλα (γιά καλαμπόκι). —*ρ.μ.* (*-bb-*) περιορίζω, κλείνω (σέ στενό χῶρο).
[2]**crib** /krɪb/ *οὐσ.* ‹C› **1**. (*σχολ.*) μετάφραση, τυφλοσούρτης. **2**. ἀντιγραφή, λογοκλοπή. —*ρ.μ.* (*-bb-*) ἀντιγράφω, κλέβω (ἀπό τά γραπτά ἄλλου).
crick /krɪk/ *οὐσ.* ‹C› νευροκαβαλίκεμα: *a ~ in the neck*, στραβολαίμιασμα. *a ~ in the back*, ὀσφυαλγία, πόνος στή μέση. —*ρ.μ.* *~ one's neck/back*, στραβολαιμιάζω, ξεγοφιάζομαι.
cricket /ˋkrɪkɪt/ *οὐσ.* **1**. ‹C› τριζόνι, γρύλλος. **2**. ‹U› κρίκετ (τό παιχνίδι). ***That's not ~***, (*λαϊκ.*) αὐτό δέν εἶναι ἐν τάξει, δέν εἶναι τίμιο.

crier /ˋkraɪə(r)/ *οὐσ.* ‹C› τελάλης: *a ˈcourt-ˋ~*, κλητήρ δικαστηρίου. *the town ~*, ὁ τελάλης τοῦ χωριοῦ.

crime /kraɪm/ *οὐσ.* ‹C,U› **1**. ἔγκλημα: *commit a ~*, διαπράττω ἔγκλημα. **2**. (*στρατ.*) παράπτωμα. ˋ**~-sheet**, ποινολόγιον.

crimi·nal /ˋkrɪmɪnl/ *ἐπ.* **1**. ἐγκληματικός: *~ behaviour/act*, ἐγκληματική συμπεριφορά/πρᾶξις. **2**. ποινικός. **~ ˋlaw/ˋcode**, ποινικόν δίκαιον/-ός κῶδιξ. —*οὐσ.* ‹C› ἐγκληματίας.

crimi·nol·ogy /ˌkrɪmɪˋnolədʒɪ/ *οὐσ.* ‹U› ἐγκληματολογία.

crimp /krɪmp/ *ρ.μ.* κατσαρώνω (μαλλιά), πλισσάρω (ὕφασμα).

crim·son /ˋkrɪmzn/ *ἐπ.* βυσσινύς. —*οὐσ.* ‹U› βυσσινύ (χρῶμα). ***turn ~***, γίνομαι κατακόκκινος.

cringe /krɪndʒ/ *ρ.ὰ.* **1**. ζαρώνω, μαζεύομαι (ἀπό φόβο): *The dog ~d under the table*, ὁ σκύλος μαζεύτηκε κάτω ἀπό τό τραπέζι. **2**. φέρομαι δουλοπρεπῶς: *~ to/before one's boss*, φέρνομαι μέ δουλοπρέπεια στ' ἀφεντικό μου.

crinkle /ˋkrɪŋkl/ *οὐσ.* ‹C› λεπτή πτυχή, ζάρωμα. —*ρ.μ/ὰ.* πτύσσω, ζαρώνω, τσαλακώνω: *~d paper*, χαρτί κρέπ (κυματοειδές), στρατσόχαρτο. **crin·kly** /ˋkrɪŋklɪ/ *ἐπ.* (*-ier, -iest*) κατσαρός, σγουρός, πτυχωτός.

crino·line /ˋkrɪnəlɪn/ *οὐσ.* ‹C› κρινολῖνο.

cripple /ˋkrɪpl/ *οὐσ.* ‹C› ἀνάπηρος, σακάτης. —*ρ.μ.* σακατεύω: *~d soldiers*, ἀνάπηροι στρατιῶτες. *~d with rheumatism/by lack of money*, σακατεμένος ἀπό ρευματισμούς/ἀπό ἔλλειψη χρημάτων.

cri·sis /ˋkraɪsɪs/ *οὐσ.* ‹C› (*πληθ. crises* /ˋkraɪsiz/) κρίσις: *a cabinet/a financial ~*, κυβερνητική/οἰκονομική κρίσις. *Things have come to/have reached a ~*, ἡ κατάσταση ἔφθασε σέ κρίσιμο σημεῖο. *pass through a ~*, περνῶ κρίση.

crisp /krɪsp/ *ἐπ.* (*-er, -est*) **1**. τραγανός, τριζᾶτος: *~ toast/biscuits*, τραγανή φρυγανιά/-ά μπισκότα. *The snow was ~ underfoot*, τό χιόνι ἔτριζε κάτω ἀπό τά πόδια μας. **2**. τσουχτερός, κρύος: *~ air/weather*. **3**. ζωηρός, κοφτός, ἀποφασιστικός: *a ~ style/manner*. **4**. σγουρός: *~ hair*. **~·ly** *ἐπίρ.* **~·ness** *οὐσ.* ‹U› θρυπτικότης, σγουράδα, δριμύτης, ζωηρότης. (**potato**) ˋ**~s**, τσίπς (σέ σακκούλα).

criss·cross /ˋkrɪsˋkros/ *ἐπ.* σταυρωτός, δικτυωτός: *a ~ design/pattern*, σταυρωτό σχέδιο. —*ἐπίρ.* σταυρωτά, δικτυωτά. —*ρ.μ/ὰ.* τέμνω σταυροειδῶς.

cri·ter·ion /kraɪˋtɪərɪən/ *οὐσ.* ‹C› (*πληθ. ~ria* /-rɪə/) κριτήριον.

critic /ˋkrɪtɪk/ *οὐσ.* ‹C› **1**. κριτικός: *a drama/an art/a music ~*, κριτικός θεάτρου/τέχνης/μουσικοκριτικός. **2**. αὐστηρός κριτής, ἐπικριτής.

criti·cal /ˋkrɪtɪkl/ *ἐπ.* **1**. κρίσιμος: *This is a ~ time/moment in our history*, εἶναι μιά κρίσιμη ἐποχή/στιγμή στήν ἱστορία μας. *His condition is ~*, ἡ κατάστασή του εἶναι κρίσιμη. **2**. κριτικός: *~ opinions on art/on literature*, κριτικές ἀπόψεις γιά τήν τέχνη/γιά τή λογοτεχνία. **3**. (ἐπι)κριτικός: *look on sth with a ~ eye*, κοιτάζω κτ μέ μάτι (ἐπι)κριτικό. *~ remarks/comments*, παρατηρήσεις/ἐπικρίσεις. **~ly** /-klɪ/ *ἐπίρ.* κρίσιμα, (ἐπι)κριτικά.

criti·cism /ˋkrɪtɪsɪzm/ *οὐσ.* ‹C,U› **1**. κριτική. **2**. ἐπίκρισις: *She hates ~*, δέν τῆς ἀρέσει νά τῆς κάνουν κριτική.

criti·cize /ˋkrɪtɪsaɪz/ *ρ.μ/ὰ.* κριτικάρω, κρίνω, ἐπικρίνω: *~ sb's work*, κριτικάρω τή δουλειά κάποιου. *~ sb for doing sth*, ἐπικρίνω κπ γιά κτ πού κάνει, τόν σχολιάζω δυσμενῶς.

croak /krəʊk/ *ρ.μ/ὰ.* **1**. κοάζω, κρώζω: *A frog/A raven ~s*, ὁ βάτραχος κοάζει/τό κοράκι κρώζει. **2**. (*γιά ἀνθρώπους*) κρώζω, γκρινιάζω, προλέγω συμφορές. **3**. (*λαϊκ.*) τά τινάζω (πεθαίνω).

cro·chet /ˋkrəʊʃeɪ/ *ρ.μ/ὰ.* πλέκω μέ κροσέ. —*οὐσ.* ‹U› κροσέ.

[1]**crock** /krok/ *οὐσ.* ‹C› σταμνί, τσουκάλι, σπασμένο πήλινο κομμάτι. **~·ery** /ˋkrokərɪ/ *οὐσ.* ‹U› τά πήλινα σκεύη.

[2]**crock** /krok/ *οὐσ.* ‹C› (*καθομ.*) σαράβαλο, ἐρείπιο (*ἄνθρ., αὐτοκ., ἄλογο*).

croco·dile /ˋkrokədaɪl/ *οὐσ.* ‹C› κροκόδειλος: ˋ**~ tears**, κροκοδείλια δάκρυα.

cro·cus /ˋkrəʊkəs/ *οὐσ.* ‹C› (*πληθ. ~es*) κρόκος, ζαφορά.

croft /kroft/ *οὐσ.* ‹C› μικρό ἀγρόκτημα. **~er** *οὐσ.* ‹C› κολλῆγος, μικροκαλλιεργητής.

crony /ˋkrəʊnɪ/ *οὐσ.* ‹C› παληόφιλος.

crook /krʊk/ *οὐσ.* ‹C› **1**. (*καθομ.*) ἀπατεώνας. **2**. γκλίτσα. **3**. ἄγκιστρο, τσιγγέλι. **4**. καμπή (δρόμου, ποταμοῦ). —*ρ.μ/ὰ.* λυγίζω.

crooked /ˋkrʊkɪd/ *ἐπ.* **1**. καμπουριασμένος, καμπουρωτός: *a ~ nose*. **2**. ἀγκυλωτός, στριφτός, ὄχι ἴσιος: *a ~ stick/road*. **3**. διεστραμμένος, ἀνέντιμος: *by ~ means*, μέ ἀνέντιμα μέσα. **~·ly** *ἐπίρ.* ἀνέντιμα.

croon /krun/ *ρ.μ/ὰ.* σιγοτραγουδῶ, μουρμουρίζω: *~ a tune/a baby to sleep*, μουρμουρίζω ἕνα σκοπό/νανουρίζω ἕνα μωρό.

[1]**crop** /krop/ *οὐσ.* ‹C› **1**. γκούσα (πουλιοῦ) (*βλ & λ. neck*). **2**. λαβή (μαστιγίου). **3**. κοντό κούρεμα.

[2]**crop** /krop/ *οὐσ.* ‹C› **1**. ἐσοδεία, καλλιέργεια: *the potato ~/a ~ of wheat/a second ~*, ἐσοδεία πατάτας/σταριοῦ/δεύτερη σοδειά. *The land here is in/under ~*, ἡ γῆ ἐδῶ καλλιεργεῖται. **2**. (*πληθ.*) σπαρτά: *The rain will help the ~s*, ἡ βροχή θά ὠφελήση τά σπαρτά. **3**. πλῆθος, σωρός: *a ~ of questions/of lies*, ἕνα σωρό ἐρωτήσεις/ψέματα.

[3]**crop** /krop/ *ρ.μ/ὰ.* (*-pp-*) **1**. (*γιά ζῶα*) βόσκω, κορφολογῶ. **2**. κοντοκόβω (μαλλιά, οὐρά ἤ αὐτί ζώου): *hair ~ped close*, μαλλιά κοντοκομμένα. **3**. καλλιεργῶ, ἀποδίδω (σοδειά): *~ a piece of land with wheat*, καλλιεργῶ ἕνα χωράφι μέ στάρι. *The beans ~ped well this year*, τά φασόλια πῆγαν καλά φέτος. **4**. ***~ up***, ἀνακύπτω, ἀναφύομαι, ξεφυτρώνω (ἐμφανίζομαι ξαφνικά): *All sorts of difficulties ~ped up*, ξεφύτρωσαν κάθε εἴδους δυσκολίες. *When the subject ~ped up…*, ὅταν ἀνέκυψε τό θέμα…

crop·per /ˋkropə(r)/ *οὐσ.* ‹C› **1**. κουρευτής. **2**. (*μέ ἐπ.*) φυτό πού ἀποδίδει. **3**. ***come a ~***, (*καθομ.*) τρώω τά μοῦτρα μου, πέφτω (ἀπό ποδήλατο), ἀποτυχαίνω (σέ ἐξετάσεις).

cro·quet /ˋkrəʊkeɪ/ *οὐσ.* ‹U› κροκέ (παιχνίδι).

cro·quette /krəʊˋket/ *οὐσ.* ‹C› κροκέττα.

cro·sier, cro·zier /ˋkrəʊzɪə(r)/ *οὐσ.* ‹C› πατερίτσα (ἐπισκόπου).

1 **cross** /kros/ *οὐσ.* ‹C› **1**. σταυρός: *make the sign of the* ~, κάνω τό σημεῖον τοῦ σταυροῦ. ***take up/bear one's*** ~, σηκώνω τό σταυρό τοῦ μαρτυρίου μου. **the Red C**~, ὁ Ἐρυθρός Σταυρός. ***(cut) on the*** ~, (κόβω) διαγωνίως. **2**. διασταύρωσις: *A mule is a* ~ *between a horse and an ass*, τό μουλάρι εἶναι διασταύρωσις ἀλόγου καί γαϊδάρου.

2 **cross** /kros/ *ἐπ.* **1**. (*καθομ.*) κακόκεφος, θυμωμένος: *He looks very* ~ *today*, φαίνεται νά εἶναι πολύ στίς κακές του σήμερα. *Don't be* ~ *with the child for being late*, μή θυμώσεις μέ τό παιδί πού ἄργησε. *I've never heard a* ~ *word from his lips*, ποτέ δέν ἄκουσα θυμωμένη λέξη ἀπό τό στόμα του. **2**. (*γιά ἄνεμο*) ἐνάντιος. **3**. διασταυρούμενος, διαγώνιος, τέμνων. ~**·ly** *ἐπίρ.* θυμωμένα. ~**ness** *οὐσ.* ‹U› δυσθυμία.

3 **cross** /kros/ *ρ.μ/ὰ.* **1**. διασχίζω, περνῶ: ~ *a road/a bridge/the sea/the Sahara*, διασχίζω ἕνα δρόμο/μιά γέφυρα/τή θάλασσα/τή Σαχάρα. ~ ***one's mind***, (*γιά ἰδέες, κλπ*) περνῶ ἀπό τό νοῦ: *The idea has just* ~*ed my mind*, μόλις μοῦ πέρασε ἀπό τό νοῦ ἡ ἰδέα. ~ ***over***, περνῶ ἀπέναντι. **2**. (δια)σταυρώνω/-ομαι: ~ *one's legs/arms*, σταυρώνω τά πόδια/τά χέρια. *We* ~*ed each other on the way*, διασταυρωθήκαμε στό δρόμο. *Our letters* ~*ed in the post*, τά γράμματά μας διασταυρώθηκαν στό ταχυδρομεῖο. ~ ***sb's path***, συναντῶ κπ, βρίσκομαι στό δρόμο κάποιου: *I hope I'll never* ~ *that man's path again*, ἐλπίζω νά μήν ξαναβρῶ μπροστά μου αὐτόν τόν ἄνθρωπο. ~ ***one's heart***, ὁρκίζομαι (ὅτι δέν λέω ψέματα). ~ ***oneself***, κάνω τό σταυρό μου. ~ ***swords with sb***, (*κυριολ. & μεταφ.*) διασταυρώνω τό ξίφος μου μέ κπ. ~ ***sb's palm with silver***, σταυρώνω (ἀσημώνω) τό χέρι κάποιου (*συνήθ.* τσιγγάνας). ***keep one's fingers*** ~***d***, σταυρώνω τά δάκτυλα (γιά νά μή συμβῆ κακό). **a '**~**ed `cheque**, δίγραμμος ἐπιταγή. **3**. ἐμποδίζω, πάω κόντρα, παρεμβάλλω ἐμπόδια (σέ σχέδια, ἐπιθυμίες, κλπ): *He* ~*es me in everything*, μοῦ πάει κόντρα σέ ὅλα. *He has been* ~*ed in love*, ὁ ἔρωτάς του σκόνταψε, βρῆκε ἐμπόδια. **4**. διασταυρώνω ράτσες. **5**. ~ ***out***; ~ ***off***, διαγράφω: *Several words have been* ~*ed out*, πολλές λέξεις ἔχουν διαγραφεῖ. *I* ~*ed his name off the list*, διέγραψα τ' ὄνομά του ἀπό τόν κατάλογο.

cross·bar /`krosba(r)/ *οὐσ.* ‹C› ὁριζόντια δοκός (στό ποδόσφαιρο).

cross·beam /`krosbim/ *οὐσ.* ‹C› τραβέρσα, ἐγκάρσια δοκός.

cross·ben·cher /`krosbentʃə(r)/ *οὐσ.* ‹C› ἀνεξάρτητος βουλευτής.

cross·bow /`krosbəʊ/ *οὐσ.* ‹C› τόξον.

cross·breed /`krosbrid/ *οὐσ.* ‹C› διασταύρωσις, ὑβρίδιον, μιγάς.

cross-check /'kros `tʃek/ *ρ.μ/ὰ.* διασταυρώνω, τσεκάρω. —*οὐσ.* ‹C› τσεκάρισμα.

cross·coun·try /'kros`kʌntrɪ/ *ἐπ. & ἐπίρ.* διά μέσου τῶν ἀγρῶν: *a* ~ *race*, ἀνώμαλος δρόμος.

cross-ex·am·ine /'kros ɪg`zæmɪn/ *ρ.μ* ἀνακρίνω μάρτυρα τοῦ ἀντιδίκου, ἐξετάζω κατ' ἀντιπαράστασιν. **cross-ex·ami·na·tion** /'kros ɪg'zæmɪ`neɪʃn/ *οὐσ.* ‹C› ἀνάκρισις, ἐξέτασις κατ' ἀντιπαράστασιν.

cross·eyed /`krosaɪd/ *ἐπ.* ἀλλοίθωρος.

cross-fer·ti·lize /'kros `fɜtəlaɪz/ *ρ.μ.* διασταυρώνω (φυτά). **cross-fer·ti·li·z·ation** /'kros 'fɜtəlaɪ`zeɪʃn/ *οὐσ.* ‹U› διασταύρωσις.

cross·fire /`krosfaɪə(r)/ *οὐσ.* ‹U› (*στρατ.*) διασταυρούμενα πυρά.

cross-grained /'kros `greɪnd/ *ἐπ.* (*γιά ξύλο*) μέ ἀκανόνιστα νερά. (*γιά ἄνθρ.*) στραβόξυλο, διεστραμμένος.

cross·ing /`krosɪŋ/ *οὐσ.* ‹C› διάβασις, διάπλους, διασταύρωσις: *a `street/pedestrian* ~, διάβασις πεζῶν. *This is my first Channel* ~, εἶναι ὁ πρῶτος διάπλους τῆς Μάγχης πού κάνω. **'level `**~, ἰσόπεδος διάβασις.

cross-leg·ged /'kros `legd/ *ἐπίρ.* σταυροπόδι: *sit* ~, κάθομαι σταυροπόδι.

cross-pur·poses /'kros `pɜpəsɪz/ *οὐσ. πληθ.* παρεξήγησις, ἀντίθετες ἐπιδιώξεις. ***be at*** ~, ὑπάρχει παρεξήγησις, ἄλλα ζητάει ὁ ἕνας κι' ἄλλα ὁ ἄλλος, ἔχομε ἀντίθετες ἐπιδιώξεις.

cross-ques·tion /'kros `kwestʃən/ *ρ.μ.* ἀνακρίνω, ἐξετάζω κατ' ἀντιπαράστασιν.

cross-ref·er·ence /'kros `refrns/ *οὐσ.* ‹C› παραπομπή.

cross·road /`krosrəʊd/ *οὐσ.* ‹C› **1**. πάροδος. **2**. (*πληθ. μέ τό ρ. στόν ἑνικ.*) σταυροδρόμι: *We came to a* ~*s*, φθάσαμε σ' ἕνα σταυροδρόμι. ***at the*** ~***s***, σέ καμπή, σέ κρίσιμο σημεῖο, σέ ὥρα κρισίμων ἀποφάσεων.

cross-sec·tion /'kros `sekʃn/ *οὐσ.* ‹C› τομή, ἀντιπροσωπευτικόν τμῆμα/δεῖγμα: *a* ~ *of the electors*, ἀντιπροσωπευτικό δεῖγμα τῶν ἐκλογέων.

cross-stitch /`kros stɪtʃ/ *οὐσ.* ‹C› σταυροβελονιά.

cross-talk /`kros tɔk/ *οὐσ.* ‹U› (*καθομ.*) λογομαχία, στιχομυθία, ἀντεγκλήσεις.

cross-wise /`kroswaɪz/ *ἐπίρ.* διαγωνίως, σταυροειδῶς.

cross·word /`kroswɜd/ *οὐσ.* ‹C› (*ἐπίσης* `~ **puzzle**) σταυρόλεξο.

crotch /krotʃ/ *οὐσ.* ‹C› **1**. διχάλα (δέντρου). **2**. καβάλος.

crotchet /`krotʃɪt/ *οὐσ.* ‹C› (*μουσ.*) τέταρτον τόνου.

crouch /kraʊtʃ/ *ρ.ὰ.* ζαρώνω, μαζεύομαι (ἀπό φόβο), συσπειροῦμαι (γιά πήδημα).

croup /krup/ *οὐσ.* ‹U› **1**. κοκκύτης. **2**. καπούλια (ζώου).

crou·pier /`krupɪeɪ/ *οὐσ.* ‹C› γκρουπιέρης.

1 **crow** /krəʊ/ *οὐσ.* ‹C› κουρούνα, κοράκι, (*πληθ.*) τά κορακοειδῆ πουλιά. ***as the `~ flies***, κατ' εὐθεῖαν γραμμή. **`~'s-feet** *οὐσ. πληθ.* δίκτυ ρυτίδων στίς ἔξω ἄκρες τῶν ματιῶν.

2 **crow** /krəʊ/ *ρ.ὰ.* **1**. (*γιά κόκκορα*) λαλῶ. **2**. (*γιά μωρό*) ξεφωνίζω χαρούμενα. **3**. ~ ***(over)***, θριαμβολογῶ, κομπάζω.

crow·bar /`krəʊba(r)/ *οὐσ.* ‹C› λοστός.

1 **crowd** /kraʊd/ *οὐσ.* ‹C› **1**. πλῆθος: *He pushed his way through the* ~, ἄνοιξε δρόμο σπρώχνοντας μέσα ἀπό τό πλῆθος. *a* ~ *of books and papers*, ἕνας σωρός βιβλία καί ἐφημερίδες. **2**. (*καθομ.*) κύκλος, παρέα, κλίκα: *They stick to their own little* ~, μένουν

κλεισμένοι στήν παρέα τους/στόν κύκλο τους.

²**crowd** /kraud/ ρ.μ/ἀ. **1**. στριμώχνω/-ομαι, συνωστίζομαι, συνωθοῦμαι, στοιβάζω: *Don't ~ all together*, μή στριμώχνεσθε ὅλοι μαζί. *They ~ed round the teacher*, μαζεύτηκαν γύρω ἀπό τό δάσκαλο. *She ~ed the room with furniture*, στοίβαξε τό δωμάτιο μέ ἔπιπλα. *Memories ~ed in on me*, μέ πλημμύρησαν οἱ ἀναμνήσεις. *The room was ~ed with people*, τό δωμάτιο ἦταν γεμᾶτο ἀνθρώπους. **2**. (καθομ.) πιέζω, φορτσάρω, ζορίζω: *Don't ~ me; give me time to think!* μή μέ πιέζης, δῶσε μου καιρό νά σκεφτῶ. **~ed** ἐπ. γεμᾶτος, φίσκα, πολυάνθρωπος: *a ~ed room/street/city/train/bus.*

¹**crown** /kraun/ οὐσ. ‹C› **1**. στέμμα: *wear the ~*, βασιλεύω. **~ prince**, διάδοχος τοῦ θρόνου. **~ witness**, μάρτυς κατηγορίας (σέ ποινική δίκη). **2**. στεφάνι: *a martyr's ~*, τό στεφάνι τοῦ μαρτυρίου. **3**. κορώνα (τό νόμισμα): *half a ~, a half ~*, (ἕως τό 1971) μισή κορώνα (2 σελλίνια 6 πέννες). **4**. κορυφή (κεφαλιοῦ, καπέλλου), (μεταφ.) ἀποκορύφωμα, ἐπιστέγασμα: *the ~ of one's labours*, τό ἐπιστέγασμα τῶν μόχθων μου.

²**crown** /kraun/ ρ.μ. **1**. στέφω, στεφανώνω: *They ~ed him king*, τόν ἔστεψαν βασιλέα. *His efforts were ~ed with success*, οἱ προσπάθειές του ἐστέφθησαν ὑπό ἐπιτυχίας. *~ed with roses*, στεφανωμένος μέ ρόδα. *The hill is ~ed with a wood*, ὁ λόφος ἔχει στήν κορφή του ἕνα δασύλλιο. **2**. ἀποκορυφώνω. ***to ~ (it) all***, εἰς ἐπιστέγασμα ὅλων, κοντά σ' ὅλα αὐτά. **3**. βάζω κορώνα (σέ δόντι). **~-ing** ἐπ. ἀνώτατος, κορυφαῖος, ὑπέρτατος: *That was the ~ing touch to the evening's entertainment*, αὐτό ἦταν ἡ κορυφαία ἐκδήλωσις (τό ἀποκορύφωμα) τῆς βραδυᾶς.

cro·zier /ˈkrəuziə(r)/ οὐσ. ‹C› *βλ. crosier.*

cru·cial /ˈkruʃl/ ἐπ. κρίσιμος, ἀποφασιστικός: *the ~ test/question*, ἡ κρίσιμη δοκιμασία/τό -ο ἐρώτημα. *at the ~ moment*, στήν κρίσιμη στιγμή. **~ly** ἐπίρ. κρίσιμα.

cru·cible /ˈkrusəbl/ οὐσ. ‹C› χωνευτήρι (μετάλλων), (μεταφ.) δοκιμασία.

cru·ci·fix /ˈkrusɪfɪks/ οὐσ. ‹C› ὁ ἐσταυρωμένος (σταυρός μέ τόν Ἰησοῦ ἐπάνω).

cru·ci·fixion /ˌkrusɪˈfɪkʃn/ οὐσ. ‹C,U› σταύρωσις. **the C~**, ἡ Σταύρωσις (τοῦ Χριστοῦ).

cru·ci·form /ˈkrusɪfɔm/ ἐπ. σταυροειδής.

cru·cify /ˈkrusɪfaɪ/ ρ.μ. σταυρώνω.

crude /krud/ ἐπ. *(-r, -st)* **1**. ἀκατέργαστος: *~ oil/sugar*, ἀργό πετρέλαιο/ἀνεπεξέργαστη ζάχαρη. **2**. ἄξεστος, τραχύς, ἀγροῖκος: *~ manners.* **3**. (γιά χρῶμα, φῶς) ἔντονος, φανταχτερός. **4**. χοντροκομμένος, κακόγουστος, χονδροειδής: *~ methods/ideas/opinions.* **5**. ὠμός, βάναυσος: *~ facts*, ὠμά γεγονότα. **crud·ity** /ˈkrudətɪ/ οὐσ. ‹C,U› χοντροκοπιά, τό ἀκατέργαστον.

cruel /kruəl/ ἐπ. σκληρός, ἄσπλαχνος, ἀπάνθρωπος: *a ~ master*, σκληρό ἀφεντικό. *be ~ to sb/to animals*, εἶμαι σκληρός σέ κπ/στά ζῶα. *a ~ blow/punishment*, σκληρό χτύπημα/ἀπάνθρωπη τιμωρία. **~·ly** ἐπίρ. σκληρά. **~ty** /ˈkruəltɪ/ οὐσ. ‹C,U› σκληρότης.

cruet /ˈkruɪt/ οὐσ. ‹C› λαδιέρα, ξυδιέρα. **ˈ~-stand**, λαδοξυδιέρα.

cruise /kruz/ ρ.ἀ. κάνω κρουαζιέρα, (γιά πλοῖο) περιπολῶ, (γιά ταξί) πάω σιγά ἀναζητώντας πελάτες. —οὐσ. ‹C› κρουαζιέρα: *go on/for a ~*, πάω κρουαζιέρα. **~r** οὐσ. ‹C› (ναυτ.) **1**. καταδρομικόν. **2**. **ˈcabin-~r**, θαλαμηγός, γιώτ.

crumb /krʌm/ οὐσ. ‹C,U› ψίχουλο: *sweep up the ~s*, μαζεύω τά ψίχουλα. (μεταφ.) *a few ~s of information*, λίγα ψιχία πληροφοριῶν.

crumble /ˈkrʌmbl/ ρ.μ/ἀ. θρυμματίζω, τρίβω/-ομαι, γκρεμίζομαι, καταρρέω: *~ one's bread*, τρίβω (κάνω ψίχουλα) τό ψωμί μου. *hopes that ~d to dust*, ἐλπίδες πού ἔγιναν σκόνη. *crumbling walls*, γκρεμισμένοι τοῖχοι. *empires that have ~d*, αὐτοκρατορίες πού κατέρρευσαν. **crum·bly** ἐπ. *(-ier, -iest)* εὔθρυπτος.

crum·pet /ˈkrumpɪt/ οὐσ. ‹C› τηγανίτα.

crumple /ˈkrʌmpl/ ρ.μ/ἀ. **1**. ζαρώνω, τσαλακώνω: *~ one's clothes/a piece of paper.* **2**. ***~ up***, συντρίβω/-ομαι, στραπατσάρομαι, κάνω/γίνομαι κουβάρι: *~ up an army*, συντρίβω ἕνα στρατό. *The car was ~d up*, τό αὐτοκίνητο εἶχε γίνει φυσαρμόνικα.

crunch /krʌntʃ/ ρ.μ/ἀ. **1**. τραγανίζω: *The dog was ~ing a bone*, ὁ σκύλος τραγάνιζε ἕνα κόκκαλο. **2**. τρίζω, κάνω κτ νά τρίζῃ: *The frozen snow ~ed under our feet*, τό παγωμένο χιόνι ἔτριζε κάτω ἀπό τά πόδια μας. —οὐσ. ‹U› τραγάνισμα, τρίξιμο. ***When it comes to the ~***, (καθομ.) ὅταν ἔρχεται ἡ κρίσιμη στιγμή.

cru·sade /kruˈseɪd/ οὐσ. ‹C› σταυροφορία. **~r** οὐσ. ‹C› σταυροφόρος.

¹**crush** /krʌʃ/ ρ.μ/ἀ. **1**. συνθλίβω, κάνω/γίνομαι λιῶμα: *~ grapes/a fly*, συνθλίβω σταφύλια/κάνω λιῶμα μιά μυῖγα. *The driver was ~ed to death*, ὁ ὁδηγός ἔγινε λιῶμα. ***~ out***, στίβω, βγάζω στίβοντας: *~ out the juice from oranges*, στίβω τό χυμό ἀπό πορτοκάλια. ***~ up***, κονιορτοποιῶ, κάνω σκόνη. **2**. τσαλακώνω (ροῦχα). **3**. ἐξουθενώνω, τσακίζω, συντρίβω: *She ~ed him with a look*, τόν ἐξουθένωσε μέ μιά ματιά. *~ an enemy*, συντρίβω ἕναν ἐχθρό. *Our hopes have been ~ed*, οἱ ἐλπίδες μας συνετρίβησαν. *She was ~ed by the news*, τά νέα τήν τσάκισαν. **4**. ***~ in/into/through/past***, στριμώχνομαι, προχωρῶ σπρώχνοντας: *They all tried to ~ into the front seats*, προσπάθησαν ὅλοι νά στριμωχθοῦν στά μπροστινά καθίσματα. *We can't ~ any more people into the hall*, δέν μποροῦμε νά στριμώξωμε κι' ἄλλο κόσμο στήν αἴθουσα. **~·ing** ἐπ. συντριπτικός: *a ~ing defeat*, συντριπτική ἧττα. **~·ing·ly** ἐπίρ. ἐξουθενωτικά.

²**crush** /krʌʃ/ οὐσ. ‹C› **1**. στριμωξίδι, σπρώξιμο, συνωστισμός: *There was a frightful ~ at the gates*, ὑπῆρχε φοβερό στριμωξίδι στήν πύλη. **2**. χυμός φρούτων. **3**. σύνθλιψις, συντριβή, τσάκισμα. **4**. ***have a ~ on sb***, (λαϊκ.) εἶμαι τσιμπημένος/ξελογιασμένος μέ κπ.

crust /krʌst/ οὐσ. ‹C› **1**. κρούστα, κόρα, πέτσα, φλοιός, στρῶμα: *the ~ of bread*, ἡ κόρα τοῦ ψωμιοῦ. *not a ~ of bread*, οὔτε ξεροκόμματο. *the ~ of a wound*, ἡ πέτσα μιᾶς πληγῆς. *the earth's* ~, ὁ φλοιός τῆς γῆς. *a thin* ~ *of ice*, ἕνα λεπτό στρῶμα πάγου. 2. κατακάθια (σέ μπουκάλι κρασί). —ρ.μ/ὰ. ~ **over**, κάνω κρούστα: *The snow* ~*ed over during the night*, τό χιόνι πάγωσε (ἔκανε κρούστα) στή διάρκεια τῆς νύχτας. ~**y** ἐπ. (*-ier, -iest*) (γιά ψωμί. κλπ) κρουστιασμένος, (γιά ἄνθρωπ.) στριμμένος, εὐέξαπτος.

crutch /krʌtʃ/ οὐσ. ‹C› 1. δεκανίκι, ὑποστήριγμα, (μεταφ.) βοήθεια: *go about on* ~*es*, γυρίζω μέ δεκανίκια. 2. καβάλος.

crux /krʌks/ οὐσ. ‹C› (πληθ. ~*es*) κόμπος, κεντρικό σημεῖο (προβλήματος, δυσκολίας, κλπ): *This is the* ~ *of the matter*, αὐτός εἶναι ὁ κόμπος τοῦ προβλήματος.

[1]**cry** /kraɪ/ ρ.μ/ὰ. ἀνώμ. (ἀόρ. & π.μ. cried /kraɪd/) 1. κλαίω: *She was* ~*ing over her misfortunes*, ἔκλαιγε γιά τά βάσανά της. ~ *for joy*, κλαίω ἀπό χαρά. ~ **one's `eyes/ `heart out**, κλαίω μέ πικρά δάκρυα. ~ **oneself to sleep**, ἀποκοιμιέμαι ἀπό τό κλάμα. **give sb sth to** ~ **for/about**, τιμωρῶ κπ πού κλαίει χωρίς λόγο, τόν κάνω νά κλάψη ἀληθινά. 2. φωνάζω: ~ *with pain*, φωνάζω ἀπό τόν πόνο. ~ **for**, ζητῶ, ἀπαιτῶ: ~ *for help/mercy*, ζητῶ βοήθεια/ἔλεος. *an evil that cries for remedy*, κακό πού ἀπαιτεῖ θεραπεία. ~ **for the moon**, ζητῶ τά ἀδύνατα. 3. διαλαλῶ: ~ *one's wares*, διαλαλῶ τά ἐμπορεύματά μου. ~ **sth down/up**, μειώνω/ἐκθειάζω κτ. ~ **off**, ἀποσύρομαι (ἀπό σχέδιο), ἀνακαλῶ, παραιτοῦμαι: *He cried off at the last moment*, ἀποσύρθηκε τήν τελευταία στιγμή. ~ *off a deal/a bargain*, ἀνακαλῶ (παραιτοῦμαι ἀπό) μιά συμφωνία. ~**·ing** ἐπίθ. κραυγαλέος, κατάφωρος, κατεπείγων: *a* ~*ing need/evil*, κατεπείγουσα ἀνάγκη/κοινωνικό κακό πού ἀπαιτεῖ ἄμεση θεραπεία.

[2]**cry** /kraɪ/ οὐσ. ‹C› 1. κλάμα: *Let her have her* ~ *out*, ἄστην νά κλάψη νά ξαλαφρώση. **a `~-baby**, κλαψούρης. 2. κραυγή, φωνή, σύνθημα: *a* ~ *for help/of pain/of triumph*, κραυγή βοηθείας/πόνου/θριάμβου. *a battle/ war* ~, πολεμική κραυγή. **a far/long** ~, κάτι πολύ διαφορετικό (ὑπάρχει μεγάλη διαφορά/ἀπόστασις): *Being a junior clerk is a far* ~ *from being one of the Directors*, τό νά εἶσαι κατώτερος ὑπάλληλος εἶναι κάτι πολύ διαφορετικό ἀπό τοῦ νά εἶσαι ἕνας ἀπό τούς διευθυντάς. **in full** ~, (γιά κυνηγόσκυλα) γαυγίζοντας ὅλα μαζί, (μεταφ.) μέ γενική κατακραυγή. (βλ. & λ. *hue*).

crypt /krɪpt/ οὐσ. ‹C› κρύπτη (σέ ἐκκλησία).

cryp·tic /`krɪptɪk/ ἐπ. δυσνόητος, ἀπόκρυφος, αἰνιγματικός: *a* ~ *remark/silence*, αἰνιγματική παρατήρηση/σιωπή.

crys·tal /`krɪstl/ οὐσ. ‹C,U› & ἐπ. κρύσταλλο, κρυστάλλινος. **`~-gazing** οὐσ. ‹U› κρυσταλλομαντεία. ~**·line** /`krɪstəlaɪn/ ἐπ. κρυστάλλινος. ~**·lize** /`krɪstəlaɪz/ ρ.μ/ὰ. (ἀπο)κρυσταλλώνω/-ομαι: *His vague ideas* ~*d into a definite plan*, οἱ ἀόριστες ἰδέες του ἀπεκρυσταλλώθησαν σ' ἕνα συγκεκριμένο σχέδιο.

cub /kʌb/ οὐσ. ‹C› νεογνόν (λύκου, λιονταριοῦ, ἀλεποῦς, ἀρκούδας, κλπ): *a lion* ~, λιονταράκι. *a bear* ~, ἀρκουδάκι.

cube /kjub/ οὐσ. ‹C› κῦβος: ~ *root*, (μαθημ.) κυβική ρίζα. *ice* ~*s*, παγάκια. **cu·bic** /`kjubɪk/ ἐπ. κυβικός: *cubic metres/centimetres*, κυβικά μέτρα/ἑκατοστόμετρα.

cu·bicle /`kjubɪkl/ οὐσ. ‹C› θαλαμίσκος, κοιτωνίσκος, χώρισμα.

cub·ism /`kjub-ɪzm/ οὐσ. ‹U› κυβισμός (τεχνοτροπία).

cuck·old /`kʌkəʊld/ οὐσ. ‹C› κερατᾶς. —ρ.μ. κερατώνω.

cuckoo /`kʊku/ οὐσ. ‹C› κοῦκος.

cu·cum·ber /`kjukʌmbə(r)/ οὐσ. ‹C› ἀγγούρι. (βλ. & λ. [1]*cool*).

cud /kʌd/ οὐσ. ‹U› ἀναμασημένη τροφή (πχ ἀγελάδος). **chew the** ~, (μεταφ.) ἀναλογίζομαι, (ξανα)σκέπτομαι.

cuddle /`kʌdl/ ρ.μ/ὰ. 1. ἀγκαλιάζω τρυφερά, κρατάω ἀγκαλιά: *The little girl likes cuddling her doll*, τό κοριτσάκι ἀγαπάει νά κρατάη ἀγκαλιά τήν κούκλα της. 2. ~ **up (to/ together)**, μαζεύομαι κοντά (ξαπλωμένος): *The children* ~*d up (together) under the blankets*, τά παιδιά μαζεύτηκαν κοντά-κοντά κάτω ἀπό τίς κουβέρτες. *She* ~*d up to him to get warm*, μαζεύτηκε κοντά του γιά νά ζεσταθῆ.

cud·gel /`kʌdʒl/ οὐσ. ‹C› ρόπαλο. **take up the** ~**s for sb/sth**, ξεσπαθώνω γιά κπ/κτ. —ρ.μ. (*-ll-*) χτυπῶ (μέ ρόπαλο). ~ **one's brains**, σπάζω τό κεφάλι μου, βασανίζω τό μυαλό μου (γιά νά θυμηθῶ νά βρῶ κτ).

cue /kju/ οὐσ. ‹C› 1. σύνθημα (γιά νά μιλήση κάποιος). 2. νύξις, ὑπαινιγμός, ὑπόδειξις. **take one's** ~ **from sb**, κάνω ὅ,τι κάνει κπ ἄλλος, ἀκολουθῶ τό παράδειγμά του. 3. στέκα (μπιλλιάρδου).

cuff /kʌf/ οὐσ. ‹C› 1. μανικέτι, μανσέτα, (ΗΠΑ) ρεβέρ. **`~-links**, μανικετόκουμπα. **play it off the** ~, (καθομ.) τά βγάζω πέρα ἀπροετοίμαστος. 2. (πληθ. καθομ.) χειροπέδες. 3. ἐλαφρός μπάτσος. —ρ.μ. μπατσίζω.

cuir·ass /kwɪ`ræs/ οὐσ. ‹C› θώραξ (πανοπλίας).

cui·sine /kwɪ`zin/ οὐσ. ‹U› κουζίνα (τρόπος μαγειρεύματος): *French* ~, Γαλλική κουζίνα.

cul-de-sac /`kʌl də sæk/ οὐσ. ‹C› ἀδιέξοδος (δρόμος), (μεταφ.) ἀδιέξοδον.

cu·li·nary /`kʌlɪnərɪ/ ἐπ. μαγειρικός: *a* ~ *triumph*.

cull /kʌl/ ρ.μ. δρέπω, ἐκλέγω: *extracts* ~*ed from the best authors*, ἀποσπάσματα ἀπανθισμένα ἀπό τούς καλύτερους συγγραφεῖς.

cul·mi·nate /`kʌlmɪneɪt/ ρ.ὰ. ~ **in**, ἀποκορυφώνομαι, μεσουρανῶ. **cul·mi·na·tion** /`kʌlmɪ`neɪʃn/ οὐσ. ‹C› ἀποκορύφωμα, μεσουράνημα: *the culmination of his career*, τό ἀποκορύφωμα τῆς σταδιοδρομίας του.

culp·able /`kʌlpəbl/ ἐπ. (νομ.) ἔνοχος, ἐπίμεμπτος, ἀξιόποινος: *hold sb* ~, θεωρῶ κπ ἔνοχον. **culp·ably** ἐπίρ.

cul·prit /`kʌlprɪt/ οὐσ. ‹C› ἔνοχος, φταίχτης.

cult /kʌlt/ οὐσ. ‹C› (ἐκκλ.) λατρεία, (καθομ.) τρέλλα, μόδα: *personality* ~, προσωπολατρεία.

cul·ti·vate /`kʌltɪveɪt/ ρ.μ. καλλιεργῶ: ~ *land/one's mind/sb's friendship*, καλλιεργῶ τή γῆ/τό μυαλό μου/τή φιλία κάποιου. ~**d** ἐπ. καλλιεργημένος (πχ ἄνθρωπος, γῆ). **cul·ti·va·tor** /-tə(r)/ οὐσ. ‹C› καλλιεργητής, καλ-

λιεργητική μηχανή.
cul·ti·va·tion /ˌkʌltɪˈveɪʃn/ *οὐσ.* ‹U› καλλιέργεια: *land under* ~, καλλιεργούμενη γῆ. *bring land into* ~, καλλιεργῶ, ξεχερσώνω, ἀξιοποιῶ γῆ. *allow land to go out of* ~, ἀφήνω γῆ νά χερσώση.
cul·ture /ˈkʌltʃə(r)/ *οὐσ.* ‹C,U› **1**. ἀγωγή, καλλιέργεια, παιδεία, πολιτισμός, κουλτούρα: *physical* ~, φυσική ἀγωγή. *a man of great* ~, ἄνθρωπος μέ μεγάλη καλλιέργεια. *Universities should be centres of* ~, τά Πανεπιστήμια πρέπει νά εἶναι κέντρα παιδείας. *The Greek/The Chinese* ~, ὁ ἑλληνικός/ὁ Κινεζικός πολιτισμός. **2**. καλλιέργεια (βακίλλων, μαργαριταριῶν, μεταξοσκωλήκων, κλπ). **~d** *ἐπ.* ραφινᾶτος, καλλιεργημένος, μορφωμένος: **~d pearls**, καλλιεργούμενα μαργαριτάρια. **cul·tural** /ˈkʌltʃərl/ *ἐπ.* πολιτιστικός: *the cultural revolution*, ἡ πολιτιστική ἐπανάστασις.
cul·vert /ˈkʌlvət/ *οὐσ.* ‹C› ἀγωγός, ὀχετός.
cum·ber /ˈkʌmbə(r)/ *ρ.μ.* (παρ)εμποδίζω, βαραίνω, φορτώνω: ~ *sb/oneself with parcels*, φορτώνω κπ/φορτώνομαι μέ δέματα. **~some** /-səm/, **cumbrous** /ˈkʌmbrəs/ *ἐπ.* βαρύς, δυσμετακίνητος, μπελαλίδικος.
cu·mu·lat·ive /ˈkjumjʊlətɪv/ *ἐπ.* συσσωρευτικός, ἀθροιστικός: *The ~ effect is...*, τό ἀθροιστικό (τό συνολικό) ἀποτέλεσμα εἶναι...
cunei·form /ˈkjunɪɪfɔm/ *ἐπ.* σφηνοειδής (γραφή).
cun·ning /ˈkʌnɪŋ/ *ἐπ.* **1**. πανοῦργος, πολυμήχανος, πονηρός: *a ~ old fox*, μιά πονηρή γρηά ἀλεπού. **2**. (*ΗΠΑ*) ἑλκυστικός, ὡραῖος: *a ~ smile*. __*οὐσ.* ‹U› πανουργία, καπατσοσύνη, κατεργαριά: *a man full of* ~.
[1]**cup** /kʌp/ *οὐσ.* ‹C› φλυτζάνι, κούπα: *a ˈtea~*, φλυτζάνι τοῦ τσαγιοῦ. *a ~ of tea*, ἕνα φλυτζάνι τσάϊ. ***in his ~s***, μεθυσμένος. ***not my ~ of tea***, (*καθομ.*) δέν εἶναι κάτι πού μοῦ ἀρέσει/ταιριάζει, δέν κάνει γιά μένα. **ˈ~-bearer** *οὐσ.* ‹C› οἰνοχόος. **ˈ~-ˈfinal**, (*ποδόσφ.*) τελικά κυπέλλου. **~·ful** /-fʊl/ *οὐσ.* ‹C› φλυτζανιά.
[2]**cup** /kʌp/ *ρ.μ.* (*-pp-*) **1**. βάζω βεντοῦζες. **2**. κάνω τά χέρια μου χούφτα, χουφτιάζω.
cup·ping /ˈkʌpɪŋ/ *οὐσ.* ‹U› βεντούζα. **ˈ~-glass**, ποτήρι βεντούζας.
cup·board /ˈkʌbəd/ *οὐσ.* ‹C› ντουλάπα. **ˈ~-love**, ἀγάπη ἀπό συμφέρον.
Cu·pid /ˈkjupɪd/ *οὐσ.* (ὁ θεός) Ἔρως.
cu·pid·ity /kjuˈpɪdətɪ/ *οὐσ.* ‹U› ἀπληστία.
cu·pola /ˈkjupələ/ *οὐσ.* ‹C› (*πληθ.* ~*s*) θόλος, τροῦλλος.
cur /kɜ(r)/ *οὐσ.* ‹C› κοπρόσκυλο, (*ὑβριστ. γιά ἄνθρ.*) κοπρίτης.
cur·able /ˈkjʊərəbl/ *ἐπ.* θεραπεύσιμος.
cur·acy /ˈkjʊərəsɪ/ *οὐσ.* ‹C,U› ὑπεφημερία.
cur·ate /ˈkjʊərət/ *οὐσ.* ‹C› βοηθός ἱερέως, ὑπεφημέριος.
cu·ra·tive /ˈkjʊərətɪv/ *ἐπ.* θεραπευτικός.
cu·ra·tor /kjʊˈreɪtə(r)/ *οὐσ.* ‹C› ἔφορος (μουσείου).
curb /kɜb/ *οὐσ.* ‹C› **1**. (*κυριολ. & μεταφ.*) χαλινός: *put a ~ on one's anger/passions*, βάζω χαλινάρι στό θυμό μου/στά πάθη μου. **2**. *βλ. kerb*. __*ρ.μ.* χαλιναγωγῶ, συγκρατῶ: ~ *one's impatience*, συγκρατῶ τήν ἀνυπομονησία μου. ~ *inflation*, συγκρατῶ τόν πληθωρισμό.
curd /kɜd/ *οὐσ.* ‹C› σβῶλος (πηγμένου γάλακτος).
curdle /ˈkɜdl/ *ρ.μ/ἀ.* (*γιά γάλα*) σβωλιάζω, πήζω, (*γιά αἷμα*) παγώνω: *His blood ~d at the sight*, τό αἷμα του πάγωσε ἀπό τό θέαμα.
[1]**cure** /kjʊə(r)/ *ρ.μ/ἀ.* **1**. ~ ***(sb of sth)***; ~ ***sth***, θεραπεύω, γιατρεύω: ~ *a man of a disease*, θεραπεύω κπ ἀπό μιά ἀρρώστεια. ~ *an illness/a social evil*, θεραπεύω μιά ἀρρώστεια/ἕνα κοινωνικό κακό. ***What can't be ~d must be endured***, (*παροιμ.*) ὅ,τι δέν γιατρεύεται πρέπει νά ὑπομονεύεται. **ˈ~-all**, πανάκεια. **2**. ἁλατίζω, παστώνω, καπνίζω (κρέας, ψάρι, κλπ), ἐπεξεργάζομαι (δέρμα).
[2]**cure** /kjʊə(r)/ *οὐσ.* ‹C› **1**. θεραπεία, γιατρειά, κούρα: *There is no ~ for cancer as yet*, δέν ὑπάρχει θεραπεία τοῦ καρκίνου ἀκόμα. *His ~ took him six weeks*, ἡ κούρα του (ἡ θεραπεία του) κράτησε ἕξη ἑβδομάδες. **2**. (*ἐκκλ.*) ἐφημερία.
cur·few /ˈkɜfju/ *οὐσ.* ‹C› **1**. ἀπαγόρευσις τῆς κυκλοφορίας: *impose a ~ on a town*, ἐπιβάλλω διακοπήν τῆς κυκλοφορίας. *lift/end the* ~, αἴρω τήν ἀπαγόρευση κυκλοφορίας. **2**. (*ἀπηρχ.*) κωδωνοκρουσία γιά συσκότιση.
curio /ˈkjʊərɪəʊ/ *οὐσ.* ‹C› (*πληθ.* ~*s*) μπιμπελό, ἀντίκα, σπάνιο ἤ περίεργο κομψοτέχνημα: *go ˈ~-hunting*, γυρίζω τά παλαιοπωλεῖα γιά παληά μπιμπελό.
curi·os·ity /ˌkjʊərɪˈɒsətɪ/ *οὐσ.* ‹C,U› **1**. περιέργεια: *be dying of/be burning with ~ about sth/to know sth*, πεθαίνω ἀπό περιέργεια γιά κτ/νά μάθω κτ. ***out of ~; from ~***, ἀπό περιέργεια. **2**. περίεργο ἤ σπάνιο ἀντικείμενο: *old curiosities*, ἀντίκες. ~ ***shop***, κατάστημα πού πουλάει ἀντίκες. ***old ~ shop***, παλαιοπωλεῖον.
curi·ous /ˈkjʊərɪəs/ *ἐπ.* **1**. περίεργος: *I'm ~ to know what he said*, εἶμαι περίεργος νά μάθω τί εἶπε. **2**. ἀδιάκριτος: *Hide it where ~ eyes won't see it*, κρύψτο ἐκεῖ ὅπου δέν θά τό δοῦν ἀδιάκριτα μάτια. **3**. παράξενος: *There was a ~ silence*, ἔγινε παράξενη σιωπή. *a ˈ~-looking little man*, ἕνας παράξενος ἀνθρωπάκος. **~·ly** *ἐπίρ.* περιέργως.
[1]**curl** /kɜl/ *οὐσ.* **1**. ‹C› μπούκλα, βόστρυχος: *hair falling in ~s over the shoulders*, μαλλιά πού πέφτουν σέ μποῦκλες πάνω στούς ὤμους. **2**. ‹C› τολύπη: *a ~ of smoke rising from a cigarette*, μιά τολύπη καπνοῦ πού βγαίνει ἀπό τσιγάρο. **3**. ‹C› σούφρωμα: *a ~ of the lips*, σούφρωμα τῶν χειλιῶν, μορφασμός περιφρονήσεως. **4**. ‹U› κατσάρωμα (μαλλιῶν): *How do you keep your hair in ~?* πῶς διατηρεῖς τά μαλλιά σου κατσαρωμένα; **~y** *ἐπ.* (*-ier, -iest*) σγουρός, κατσαρός.
[2]**curl** /kɜl/ *ρ.μ/ἀ.* **1**. κατσαρώνω, σγουραίνω: *She has ~ed her hair*, κατσάρωσε τά μαλλιά της. *Does her hair ~ naturally?* εἶναι τά μαλλιά της σγουρά ἀπό φυσικοῦ τους; **2**. σουφρώνω, στραβώνω: ~ *one's lips*, στραβώνω τό στόμα (περιφρονητικά). **3**. ὑψώνομαι σπειροειδῶς: *The smoke ~ed upwards*, ὁ καπνός ὑψώθηκε σέ τολύπες (σπειροειδῶς). ~ ***up***, κουλουριάζομαι, σωριάζω/-ομαι κάτω:

We ~ed up with laughter, πέσαμε χάμω ἀπό τά γέλια. *The stone hit him on the head and he ~ed up at once*, ἡ πέτρα τόν χτύπησε στό κεφάλι καί σωριάστηκε ἀμέσως κάτω. **`~ing tongs/irons**, ψαλίδι κατσαρώματος. **`~ing pins**, μπικουτί.

cur·mud·geon /kɜ`mʌdʒən/ *οὐσ.* ‹C› (*καθομ.*) στραβόξυλο, μίζερος ἄνθρωπος.

cur·rant /`kʌrənt/ *οὐσ.* ‹C› κορινθιακή σταφίδα.

cur·rency /`kʌrənsı/ *οὐσ.* **1**. ‹U› κυκλοφορία, τρέχουσα χρῆσις, πέραση. ***give ~ to a rumour***, θέτω σέ κυκλοφορία (διαδίδω) μιά φήμη. ***gain ~***, διαδίδομαι. **2**. ‹C,U› (*πληθ. -cies*) νόμισμα (χώρας), συνάλλαγμα: *payable in ~*, πληρωτέος εἰς (τό ἰσχῦον) νόμισμα. *foreign ~*, ξένο συνάλλαγμα. *~ committee*, νομισματική ἐπιτροπή.

[1]**cur·rent** /`kʌrənt/ *ἐπ.* **1**. κυκλοφορῶν, ἰσχύων, παραδεδεγμένος, ἐν χρήσει: *~ money*, κυκλοφοροῦν χρῆμα. *~ beliefs*, παραδεδεγμένες ἀντιλήψεις. *~ words*, λέξεις ἐν χρήσει. **2**. τρέχων (τωρινός, παρών, τελευταῖος): *~ prices/expenses*, τρέχουσες τιμές/δαπάνες. *the ~ issue of a magazine*, τό τρέχον (τό τελευταῖο) τεῦχος ἑνός περιοδικοῦ. **a ~ account**, τρέχων λογαριασμός. **~ events**, ἐπίκαιρα γεγονότα, τρέχοντα συμβάντα. **~·ly** *ἐπίρ.* γενικῶς, σήμερον, προσφάτως, ὑπό τάς παρούσας συνθήκας.

[2]**cur·rent** /`kʌrənt/ *οὐσ.* ‹C› **1**. ρεῦμα (ἀέρος, νεροῦ, ἠλεκτρισμοῦ): *a cold ~ of air*, ἕνα κρύο ρεῦμα ἀέρος. *The swimmer was swept away by the ~ and was drowned*, ὁ κολυμβητής παρασύρθηκε ἀπό τό ρεῦμα καί πνίγηκε. ***drift with the ~***, πηγαίνω μέ τό ρεῦμα, ὅπου φυσάει ὁ ἄνεμος. ***go against the ~***, πάω ἀντίθετα πρός τό ρεῦμα. **direct/alternating ~**, συνεχές/ἐναλλασσόμενον ρεῦμα. **2**. ροῦς, ροή, πορεία, ἐξέλιξις: *the ~ of events*, ἡ πορεία τῶν γεγονότων. *Nothing disturbs the peaceful ~ of his life*, τίποτα δέν ταράσσει τόν εἰρηνικό ροῦ τῆς ζωῆς του.

cur·ricu·lum /kə`rıkjʊləm/ *οὐσ.* ‹C› (*πληθ. ~s, -la* /-lə/) πρόγραμμα (μαθημάτων), διδασκομένη ὕλη. **~vitae** /`vıtaı/ βιογραφικόν σημείωμα.

curry /`kʌrı/ *οὐσ.* ‹C,U› κάρι (ἰνδικό φαγητό). —*ρ.μ.* ξυστρίζω (ἄλογο). ***~ favour (with sb)***, προσπαθῶ ν' ἀποκτήσω τήν εὔνοια κάποιου (μέ κολακεῖες, κλπ).

[1]**curse** /kɜs/ *οὐσ.* ‹C› **1**. κατάρα, ἀνάθεμα: *A ~ on the day I met you!* καταραμένη νά εἶναι ἡ μέρα (ἀνάθεμα τήν ἡμέρα) πού σ' ἀντάμωσα! ***C~s come home to roost***, (*παροιμ.*) οἱ κατάρες γυρίζουν σέ κεῖνον πού τίς λέει. ***call down ~s upon sb***, καταριέμαι κπ. ***be under a ~***, εἶμαι καταραμένος. ***lay sb under a ~***, καταριέμαι κπ νά ὑποφέρη. **2**. βλαστήμια: *utter a ~*, ξεστομίζω μιά βλαστήμια. **3**. πληγή, συμφορά, μπελᾶς: *Gambling is a ~*, ἡ χαρτοπαιξία εἶναι πληγή/συμφορά. *Flies are a ~ in summer here*, οἱ μυῖγες εἶναι πληγή τό καλοκαίρι ἐδῶ. **the ~**, (*καθομ.*) περίοδος (γυναικός).

[2]**curse** /kɜs/ *ρ.μ./ἀ.* καταριέμαι, βλαστημῶ, βρίζω: *~ sb/at sb*, καταριέμαι/βρίζω κπ. ***be ~d with***, μέ καταράστηκε ὁ θεός νά ἔχω: *I am ~d with idle daughters/a violent temper*, μέ καταράστηκε ὁ θεός νά ἔχω τεμπέλες θυγατέρες/βίαιο χαρακτῆρα. **cursed** /kɜst, `kɜsıd/ *ἐπ.* καταραμένος, (*ἐπιτατικῶς*) βρωμο-, παληο-: *This country is ~d*, αὐτή ἡ χώρα εἶναι καταραμένη. *It's a ~d nuisance*, εἶναι βρωμομπελᾶς. **~d·ly** *ἐπίρ.* ἀναθεματισμένα.

cur·sive /`kɜsıv/ *ἐπ.* ρέων, συνεχής: *~ handwriting*, συνεχής γραφή (μέ τά γράμματα ἑνωμένα).

cur·sory /`kɜsərı/ *ἐπ.* γρήγορος, βιαστικός, ἐπιτροχάδην, ἐπιπόλαιος: *a ~ glance/inspection/reading*, γρήγορη ματιά/βιαστική ἐπιθεώρηση/ἐπιπόλαιο διάβασμα. **cur·sor·ily** /`kɜsrılı/ *ἐπίρ.* γρήγορα, βιαστικά, ἐπιπόλαια.

curt /kɜt/ *ἐπ.* ξερός, ἀπότομος, κοφτός: *a ~ answer/way of speaking*, κοφτή ἀπάντηση/ἀπότομος τρόπος ὁμιλίας.

cur·tail /kɜ`teıl/ *ρ.μ.* περικόπτω: *~ a speech/one's holidays/sb's allowance*, περικόπτω ἕνα λόγο/τίς διακοπές μου/τό ἐπίδομα κάποιου. **~·ment** *οὐσ.* ‹C,U› περικοπή.

cur·tain /`kɜtn/ *οὐσ.* ‹C› **1**. κουρτίνα: *draw the ~s*, κλείνω τίς κουρτίνες. ***draw a ~ over sth***, ἀποσιωπῶ, συγκαλύπτω κτ. ***lift the ~ on sth***, σηκώνω τήν αὐλαία σέ κτ, ἀποκαλύπτω κτ. **2**. αὐλαία (θεάτρου): *The ~ rises/falls*, ἡ αὐλαία ἀνοίγει/κλείνει. **`~-call**, ἀνάκλησις (ἠθοποιοῦ) ἐπί σκηνῆς. **3**. παραπέτασμα: *a ~ of fire/of mist*, παραπέτασμα πυρός/ὁμίχλης. —*ρ.μ.* καλύπτω μέ κουρτίνα: *We have enough material to ~ all the windows*, ἔχομε ἀρκετό ὕφασμα νά βάλωμε κουρτίνες σ' ὅλα τά παράθυρα. ***~ off***, χωρίζω μέ κουρτίνα: *We must ~ off this part of the room*, πρέπει νά χωρίσωμε μέ κουρτίνα αὐτό τό τμῆμα τοῦ δωματίου.

curt·sey, curt·sy /`kɜtsı/ *οὐσ.* ‹C› ὑπόκλισις (γυναικός) μέ κάμψη τοῦ γόνατος, ρεβεράντσα: *make/drop a ~*, κάνω ὑπόκλιση. —*ρ.ἀ.* ὑποκλίνομαι.

cur·va·ture /`kɜvətʃə(r)/ *οὐσ.* ‹U› κυρτότης, καμπυλότης, σφαιρικότης: *The ~ of the earth's surface*.

curve /kɜv/ *οὐσ.* ‹C› καμπύλη, καμπή, στροφή: *a ~ in the road*, στροφή στό δρόμο. *take/go round ~s at high speed*, παίρνω στροφές μέ μεγάλη ταχύτητα. —*ρ.μ./ἀ.* κυρτώνω, κάμπτω/-ομαι, καμπυλοῦμαι: *The river ~s round the town*, ὁ ποταμός κάνει στροφή γύρω ἀπό τήν πόλη.

cushion /`kʊʃn/ *οὐσ.* ‹C› μαξιλάρι (γιά κάθισμα), μαξιλαράκι (γιά καρφίτσες, κλπ), στρῶμα (ἀέρος). —*ρ.μ.* βάζω μαξιλαράκια, (*μεταφ.*) προστατεύω.

cushy /`kʊʃı/ *ἐπ.* (*-ier, -iest*) (*λαϊκ.*) ἀναπαυτική καί καλοπληρωμένη (δουλειά): *get a ~ job*, βρίσκω ραχατιλήδικη δουλειά.

cuss /kʌs/ *οὐσ.* ‹C› **1**. (*λαϊκ.*) κατάρα. ***not give/care a ~***, δέν δίνω πεντάρα. ***not worth a tinker's ~***, δέν ἀξίζει πεντάρα. **2**. ἄνθρωπος, τύπος: *He's a queer ~*, εἶναι περίεργος τύπος.

cus·sed /`kʌsıd/ *ἐπ.* (*καθομ.*) διεστραμμένος, πεισματάρης.

cus·tard /`kʌstəd/ *οὐσ.* ‹C,U› κρέμα (μέ γάλα καί αὐγά): *caramel ~*, κρέμα καραμέλ.

cus·tod·ian /kə`stəʊdıən/ *οὐσ.* ‹C› ἐπιστάτης,

φύλακας, φρουρός (φυλακῶν).
cus·tody /ˈkʌstədɪ/ *οὐσ.* ‹U› **1**. ἐπιμέλεια, φύλαξις: *A father has the ~ of his children*, ὁ πατέρας ἔχει τήν ἐπιμέλεια τῶν παιδιῶν του. *When her parents died she was placed in the ~ of her aunt*, ὅταν πέθαναν οἱ γονεῖς της ἐτέθη ὑπό τήν ἐπιμέλεια τῆς θείας της. *You should leave your jewellery in safe ~*, πρέπει ν᾽ἀφήσης τά κοσμήματά σου σέ ἀσφαλῆ φύλαξη. **2**. κράτησις, προφυλάκισις. ***be in ~***, εἶμαι προφυλακισμένος. ***give sb into ~***, παραδίδω κπ στήν ἀστυνομία. ***take sb in ~***, θέτω ὑπό κράτησιν/συλλαμβάνω κπ.
cus·tom /ˈkʌstəm/ *οὐσ.* **1**. ‹C,U› ἔθιμον, συνήθεια: *according to ~*, κατ᾽ἔθιμον, ὅπως συνηθίζεται. *It has become a ~ that...*, ἔχει γίνει πιά συνήθεια νά... *Social ~s vary in different countries*, τά κοινωνικά ἔθιμα ποικίλλουν ἀπό χώρα σέ χώρα. **2**. ‹U› πελατεία, ὑποστήριξις πελάτου: *You will lose all your ~ if...*, θά χάσης ὅλη τήν πελατεία σου ἄν... *We hope to have your ~*, ἐλπίζομε νά εἶσθε πελάτης μας, νά ἔχωμε τήν ὑποστήριξή σας. **3**. (*πληθ.*) δασμός, τελωνεῖον: *get through the C~s*, περνῶ τό τελωνεῖο. *the C~s formalities*, οἱ τελωνειακές διατυπώσεις. *C~s officials*, τελωνειακοί ὑπάλληλοι. **ˈ~ house**, τελωνεῖον. **ˈ~s union**, τελωνειακή ἕνωσις. **4**. (*μόνον ἐπιθ.*) ἐπί παραγγελίᾳ. **ˈ~-ˈbuilt**, **ˈ~-ˈmade**, κατασκευασθέν ἐπί παραγγελίᾳ.
cus·tom·ary /ˈkʌstəmərɪ/ *ἐπ.* συνήθης, συνηθισμένος: *The ~ speeches were made*, βγῆκαν οἱ συνηθισμένοι λόγοι. *It is ~ to...*, εἶναι σύνηθες νά... **cus·tom·ar·ily** /ˈkʌstəmrəlɪ/ *ἐπίρ.* συνήθως, κατ᾽ἔθιμον.
cus·tomer /ˈkʌstəmə(r)/ *οὐσ.* ‹C› **1**. πελάτης. **2**. (*καθομ.*) ἄνθρωπος, τύπος: *He's a queer/an awkward ~*, εἶναι περίεργος/ζόρικος τύπος.
¹**cut** /kʌt/ *ρ.μ/ἀ. ἀνώμ. (-tt-) (ἀόρ. & π.μ. ~)* **1**. κόβω, χαράσσω: *He ~ his face/himself while shaving*, ἔκοψε τό πρόσωπό του/κόπηκε ἐνῶ ξυριζόταν. *You must have your hair ~*, πρέπει νά κόψης τά μαλλιά σου. *I'll ~ the evening class*, θά κόψω (θά σταματήσω) τή βραδυνή τάξη. *They'll ~ a new road/a tunnel*, θά κόψουν καινούργιο δρόμο/θ᾽ἀνοίξουν τοῦνελ. *This knife doesn't ~ well*, αὐτό τό μαχαίρι δέν κόβει καλά. *Two scenes were ~ by the censor*, δυό σκηνές κόπηκαν ἀπό τή λογοκρισία. *~ prices/one's salary by half*, κόβω τίς τιμές/τό μισθό κάποιου στή μέση. *They ~ his name on the tombstone*, χάραξαν τ᾽ὄνομά του στήν ταφόπετρα. **2**. (*μέ οὐσιαστικά*): ***~ the cards/the pack***, κόβω τά χαρτιά/τήν τράπουλα. ***~ one's coat according to one's cloth***, (*παροιμ.*) ἁπλώνω τά πόδια μου ὅσο φτάνει τό πάπλωμά μου. ***~ a dash***, κάνω ἐπίδειξη, ἐντυπωσιάζω. ***~ a poor figure***, κάνω μέτρια ἐντύπωση. (*βλ. & λ. corner*). ***~ the ground from under sb/sb's feet***, τινάζω κπ στόν ἀέρα (σέ συζήτηση), τόν ἀφήνω χωρίς ἐπιχειρήματα. ***~ no ice with sb***, δέν ἱδρώνει τ᾽αὐτί κάποιου, δέν ἔχει πέραση σέ κπ. ***~ one's losses***, περιορίζω τή ζημιά. ***~ a tooth***, βγάζω καινούργιο δόντι. ***~ one's teeth on sth***, παίρνω τήν πρώτη πεῖρα μιᾶς δουλειᾶς. ***~ both ways***, εἶναι δίκοπο μαχαίρι. **3**. (*μέ ἐπίθετα*): ***~ sb dead***, προσποιοῦμαι ὅτι δέν γνωρίζω κπ, τόν ἀγνοῶ τελείως. ***~ sb/sth free***, ἐλευθερώνω κπ/κτ (κόβοντας τά δεσμά). ***~ sb/sth loose***, λύνω (κόβοντας): *He ~ the boat loose*, ἀμόλησε τή βάρκα κόβοντας τό σχοινί. *He ~ himself loose from his family*, ξέκοψε ἀπό τήν οἰκογένειά του. ***~ sth open***, ἀνοίγω κτ (κόβοντας). ***~ sth/sb short***, συντομεύω κτ/κόβω τήν κουβέντα κάποιου: *to ~ a long story short*, μέ λίγα λόγια, γιά νά μήν πολυλογῶ. **4**. ***~ it fine***, (*καθομ.*) μόλις πού προλαβαίνω, προφθάνω τσίμα-τσίμα. ***~ and dried***, (*γιά γνῶμες, ἰδέες, κλπ*) στερεότυπος, προκαθωρισμένος, ἀποκρυσταλλωμένος. ***~ and run***, (*καθομ.*) τό κόβω λάσπη. **5**. (*μέ ἐπιρ. & προθέσεις*):
cut across sth, *(α)* διασχίζω διαγωνίως: *~ across a field*. *(β)* ἀντιβαίνω: *This ~s across my principles*, αὐτό ἀντιβαίνει τίς ἀρχές μου.
cut at sb/sth, χτυπῶ, καταφέρω χτύπημα.
cut sth away, ἀποκόπτω.
cut sth back, κλαδεύω, περικόπτω (*πχ* παραγωγήν). **ˈ~back** *οὐσ.* μείωσις, περικοπή.
cut sth/sb down, *(α)* κόβω, ρίχνω κάτω (μέ χτύπημα), θερίζω (ἐχθρούς): *~ down a tree/an opponent*, *(β)* περιορίζω, ἐλαττώνω: *~ down prices/smoking/expenses*, μειώνω τιμές/περιορίζω τό κάπνισμα/τά ἔξοδα. ***~ down on***, περιορίζω τήν κατανάλωση: *~ down on beer/cigarettes*. ***~ sb down to size***, περιορίζω κάποιον στά πραγματικά του μέτρα, τοῦ δείχνω ὅτι δέν εἶναι τόσο σπουδαῖος ὅσο φαντάζεται.
cut in/into, μπαίνω στή μέση, βάζω μέσα (σέ ἐπιχείρηση), παρεμβαίνω, κόβω: *~ into sb's conversation*, παρεμβαίνω στήν κουβέντα κάποιου. *If you contribute £500 we'll ~ you in*, ἄν συνεισφέρης 500 λίρες θά σέ βάλωμε μέσα. *Accidents are often caused by drivers who ~ in*, συχνά προκαλοῦνται δυστυχήματα ἀπό ὁδηγούς πού μπαίνουν ἀπότομα σέ ἄλλη λωρίδα κυκλοφορίας. *~ in half/two/three, etc*, κόβω στή μέση/στά δύο/στά τρία, κλπ. *~ into halves/quarters/pieces*, κόβω σέ μισά/τέταρτα/κομμάτια.
cut off, (ἀπο)κόπτω, διακόπτω, ἀπομονώνω: *The machine ~ off his fingers*, ἡ μηχανή τοὔκοψε τά δάχτυλα. *~ off the electricity supply*, διακόπτω τήν παροχή ρεύματος. *~ off sb's allowance*, διακόπτω τήν ἐπιχορήγηση κάποιου. *We were ~ off while talking on the telephone*, μᾶς ἔκοψαν ἐνῶ μιλούσαμε στό τηλέφωνο. *Towns ~ off by floods/by snow*, πόλεις ἀπομονωμένες ἀπό τίς πλημμύρες/ἀπό τό χιόνι. ***~ sb off with a shilling***, ἀποκληρώνω κπ.
cut out, κόβω, παραλείπω: *~ out pictures from a book*, κόβω εἰκόνες ἀπό ἕνα βιβλίο. *~ out the details*, παραλείπω τίς λεπτομέρειες. *~ out luxuries/smoking/unnecessary expenses*, κόβω τίς πολυτέλειες/τό κάπνισμα/τίς περιττές δαπάνες. *~ a rival out*, ἐκτοπίζω, παραμερίζω ἕναν ἀντίπαλο. ***be ~ out for***, εἶμαι πλασμένος γιά: *He is ~ out for a teacher*, εἶναι κομμένος (γεννημένος) γιά δάσκαλος. ***C~ it out!*** κόφτο! σταματῆστε τούς καυγάδες!

cut sb to the heart/to the quick, καίω, προκαλῶ πόνο σέ κπ: *Her ingratitude* ~ *me to the heart*, ἡ ἀχαριστία της μ' ἔκαψε. ***cut up***, *(α)* (κατα)κομματιάζω, πετσοκόβω: ~ *up the meat/the enemy forces*, κομματιάζω τό κρέας/διαλύω τίς δυνάμεις τοῦ ἐχθροῦ. *(β)* κρίνω δυσμενέστατα: *His latest novel was* ~ *up by the reviewers*, τό τελευταῖο του μυθιστόρημα ἐπεκρίθη ἀπό τούς κριτικούς. *(γ)* συντρίβομαι, ἀναστατώνομαι: *She was* ~ *up by the news of her son's death*, τήν συνέτριψε (τήν τσάκισε) ἡ εἴδηση γιά τό θάνατο τοῦ γυιοῦ της. ~ ***up well***, ἀξίζω πολλά: *The turkey* ~ *up well*, ἡ γαλοπούλα ἄξιζε πολλά (ἦταν καλή). *The old man* ~ *up well*, ὁ γέρος ἄξιζε πολλά (ἄφησε μεγάλη κληρονομιά). ~ ***up rough***, *(λαϊκ.)* εἶμαι ἐπιθετικός, κάνω φασαρία, ἀγριεύω.

2 **cut** /kʌt/ *οὐσ.* ‹C› **1**. κόψιμο, χτύπημα (μέ μαχαίρι, σπαθί, μαστίγιο), τραῦμα (ἀπό χτύπημα): *I don't like the* ~ *of your hair/dress*, δέν μ' ἀρέσει τό κόψιμο τῶν μαλλιῶν σου/τοῦ φορέματός σου. *His face was full of* ~*s*, τό πρόσωπό του ἦταν γεμᾶτο κοψίματα. *a deep* ~ *in the leg*, βαθύ τραῦμα στό πόδι. ***a*** ~ ***at sb***, μπηχτή ἐναντίον κάποιου: *That remark was a* ~ *at me*, αὐτή ἡ παρατήρηση ἦταν μπηχτή γιά μένα. ~ ***and thrust***, ἀνταλλαγή χτυπημάτων ἤ ἐπιχειρημάτων. **2**. μείωσις, ἐλάττωσις, περικοπή: *a* ~ *in salaries/prices/production/a film*, μείωσις μισθῶν/τιμῶν/παραγωγῆς/περικοπή σέ φίλμ. **3**. κοψίδι: *a nice* ~ *of beef*. **4**. ***a `short*** ~, συντομώτερος δρόμος. ***a*** ~ ***above***, *(καθομ.)* ἀνώτερος, ἕνα σκαλί παραπάνω ἀπό: *She is a* ~ *above the other girls in the office*, εἶναι ἕνα σκαλί παραπάνω ἀπό τά ἄλλα κορίτσια τοῦ γραφείου.

cute /kjut/ *ἐπ.* *(-r, -st)* **1**. ξύπνιος, ἀτσίδας, ἔξυπνος. **2**. *(ΗΠΑ)* ἑλκυστικός, χαριτωμένος. ~**·ly** *ἐπίρ.* **·ness** *οὐσ.* ‹U›.

cu·ticle /`kjutɪkl/ *οὐσ.* ‹C› νεκρό δέρμα (ἰδ. στή βάση τῶν νυχιῶν).

cut·lass /`kʌtləs/ *οὐσ.* ‹C› ναυτικό σπαθί, κυνηγετική μάχαιρα.

cut·ler /`kʌtlə(r)/ *οὐσ.* ‹C› μαχαιροποιός. ~**y** *οὐσ.* ‹U› μαχαιροπήρουνα.

cut·let /`kʌtlət/ *οὐσ.* ‹C› κοτολέττα, παϊδάκι.

cut-rate /'kʌt`reɪt/ *ἐπίθ.* μειωμένος.

cut·ter /`kʌtə(r)/ *οὐσ.* ‹C› **1**. κόπτης, κοπίδι. **2**. κόττερο, λέμβος (πολεμικοῦ πλοίου).

cut-throat /`kʌtθrəʊt/ *οὐσ.* ‹C› φονιᾶς, μαχαιροβγάλτης. —*ἐπ.* φονικός, ἐξοντωτικός, ἀνηλεής: ~ *competition*, ἐξοντωτικός συναγωνισμός.

cut·ting /`kʌtɪŋ/ *ἐπ.* *(γιά λόγια, παρατηρήσεις, κλπ)* καυστικός, σαρκαστικός. —*οὐσ.* ‹C› **1**. ἀπόκομμα: *press* ~*s*, ἀποκόμματα ἀπό ἐφημερίδες. **2**. τομή, τάφρος (γιά δρόμο ἤ κανάλι). **3**. ντεκουπάζ (σέ φίλμ).

cuttle·fish /`kʌtlfɪʃ/ *οὐσ.* ‹C› *(ἀμετάβλ. εἰς πληθ.)* *(ἰχθ.)* σουπιά.

cy·an·ide /`saɪənaɪd/ *οὐσ.* ‹U› *(χημ.)* κυανοῦχον ἅλας.

cy·ber·net·ics /'saɪbə`netɪks/ *οὐσ.* ‹U› κυβερνητική.

cyc·la·men /`sɪkləmən/ *οὐσ.* ‹C› κυκλάμινο.

cycle /`saɪkl/ *οὐσ.* ‹C› **1**. κύκλος: *the* ~ *of the seasons*, ὁ κύκλος τῶν ἐποχῶν. *a `song* ~, κύκλος τραγουδιῶν. **2**. ποδήλατο, μοτοσυκλέττα. —*ρ.ἀ.* κάνω ποδήλατο.

cyc·lic /`sɪklɪk/, **cyc·li·cal** /-kl/ *ἐπ.* κυκλικός.

cyc·list /`saɪklɪst/ *οὐσ.* ‹C› ποδηλατιστής.

cyc·lone /`saɪkləʊn/ *οὐσ.* ‹C› κυκλών.

cyc·lo·pae·dia /'saɪklə`pidɪə/ *οὐσ.* ‹C› ἐγκυκλοπαίδεια.

Cyc·lops /`saɪklops/ *οὐσ.* Κύκλωψ. **Cyc·lop·ean** /saɪ`kləʊpɪən/ *ἐπ.* κυκλώπειος.

cyc·lo·style /`saɪkləʊstaɪl/ *οὐσ.* ‹C› πολύγραφος. —*ρ.μ.* πολυγραφῶ.

cyc·lo·tron /`saɪkləʊtron/ *οὐσ.* ‹C› κυκλοτρόνιον.

cyg·net /`sɪgnɪt/ *οὐσ.* ‹C› μικρός κύκνος.

cyl·in·der /`sɪlɪndə(r)/ *οὐσ.* ‹C› κύλινδρος: *a six-* ~ *engine*, ἑξακύλινδρος μηχανή. ***(working) on all*** ~ ***s***, *(καθομ.)* (δουλεύω) στό φούλ, μέ ὅλη τήν ἔνταση. **cy·lin·dri·cal** /sɪ`lɪndrɪkl/ *ἐπ.* κυλινδρικός.

cym·bal /`sɪmbl/ *οὐσ.* ‹C› κύμβαλον.

cynic /`sɪnɪk/ *οὐσ.* ‹C› κυνικός. **cyni·cism** /`sɪnɪsɪzm/ *οὐσ.* ‹U› κυνισμός.

cyni·cal /`sɪnɪkl/ *ἐπ.* κυνικός. ~**·ly** *ἐπίρ.* κυνικῶς.

cy·no·sure /`sɪnəzjʊə(r)/ *οὐσ.* ‹C› ἐπίκεντρον προσοχῆς.

cy·pher /`saɪfə(r)/ *βλ.* *cipher*.

cy·press /`saɪprəs/ *οὐσ.* ‹C,U› κυπαρίσσι.

cyst /sɪst/ *οὐσ.* ‹C› κύστις.

czar /zɑ(r)/, **czarina** /zɑ`rinə/ *οὐσ.* ‹C› *(πρβλ. tsar, tsarina)* τσάρος, τσαρίνα.

D d

D, d /di/ **1**. τό 4ο γράμμα τοῦ ἀλφάβητου. **2**. *(μουσ.)* ρέ. **'d** *σύντμ. τῶν ρ. had, would: I'd, we'd*, κλπ.

1 **dab** /dæb/ *ρ.μ/ἀ.* *(-bb-)* ἐγγίζω, ἐπαλείφω, κτυπῶ ἐλαφρά: ~ *one's eyes with a handkerchief*, ἐγγίζω (σκουπίζω) τά μάτια μου μέ μαντήλι. ~ *paint on a picture*, βάζω χρῶμα σέ πίνακα (μέ ἐλαφρές πινελιές). *She was* ~*bing (at) her cheeks with a powder-puff*, πουδράριζε τά μάγουλά της (μέ ἐλαφρά χτυπήματα τοῦ πομπόν). —*οὐσ.* ‹C› ἐλαφρό κτύπημα, ἐπάλειψις, σταγόνα (μπογιᾶς, μελανιοῦ, κλπ).

2 **dab** /dæb/ *οὐσ.* ‹C› *(καθομ.)* μάστορας, δεξιοτέχνης: *He's a* ~ *(hand) at tennis*.

dabble /`dæbl/ *ρ.μ/ἀ.* **1**. πλατσουρίζω, παίζω μέ τό νερό, πιτσιλίζω. **2**. ~ ***at/in sth***, ἀσχολοῦμαι ἐρασιτεχνικά μέ κτ (πχ πολιτική, τέχνη, κλπ), ἀνακατεύομαι. **~r** /ˋdæblə(r)/ *οὐσ.* ‹C› ἐρασιτέχνης.

dad, daddy /dæd, ˋdædɪ/ *οὐσ.* ‹C› μπαμπᾶς.

ˈ**daddy-ˋlong·legs**, *οὐσ.* ‹C› (*ἐντομ.*) ἀλογατάκι, (*ΗΠΑ*) τιπούλη (μικρόσωμη ἀράχνη μέ μακρυά πόδια).

daf·fo·dil /ˋdæfədɪl/ *οὐσ.* ‹C› ἀσφόδελος.

daft /dɑft/ *ἐπ.* *(-er, -est)* (*καθομ.*) ἄμυαλος, παλαβός.

dag·ger /ˋdægə(r)/ *οὐσ.* ‹C› **1**. στιλέττο, ἐγχειρίδιο. ***be at ~s drawn (with sb)***, εἶμαι στά μαχαίρια μέ κπ. ***look ~s at sb***, κεραυνοβολῶ κπ μέ τό βλέμμα. **2**. σημεῖον παραπομπῆς (†).

dah·lia /ˋdeɪlɪə/ *οὐσ.* ‹C› ντάλια.

daily /ˋdeɪlɪ/ *ἐπ.* καθημερινός, ἡμερήσιος: *~ visits*, καθημερινές ἐπισκέψεις. *our ~ bread*, ὁ ἄρτος ἡμῶν ὁ ἐπιούσιος. __*ἐπίρ.* καθημερινά: *visit sb ~*. __*οὐσ.* ‹C› **1**. καθημερινή ἐφημερίδα. **2**. καθημερινή παραδουλεύτρα.

dain·tily /ˋdeɪntɪlɪ/ *ἐπίρ.* ντελικᾶτα, κομψά: *~ dressed*, κομψοντυμένος.

dain·ti·ness /ˋdeɪntɪnɪs/ *οὐσ.* ‹U› λεπτότης, κομψότης.

dainty /ˋdeɪntɪ/ *οὐσ.* ‹C› (*συνήθ. πληθ.*) λιχουδιά, μεζές. __*ἐπ.* *(-ier, -iest)* **1**. (*γιά φαγητό*) νόστιμος. **2**. λεπτοκαμωμένος, ντελικᾶτος: *a ~ young lady*, μιά λεπτοκαμωμένη δεσποινίς. *~ flowers/vases*, ντελικᾶτα λουλούδια/βάζα. **3**. ἐκλεκτικός (στό φαΐ): *She's ~ about her food*, εἶναι ἐκλεκτική στό φαΐ της. *My cat is a ~ feeder*, ἡ γάτα μου εἶναι ἐκλεκτική (δύσκολη) στό φαΐ της.

dairy /ˋdeərɪ/ *οὐσ.* ‹C› γαλακτοπωλεῖον, γαλακτοκομεῖον. ˋ**~-farm**, βουστάσιον. ˋ**~-maid**, ἐργάτρια σέ βουστάσιο. ˋ**~-man**, γαλακτοπώλης, γαλακτοκόμος.

dais /ˋdeɪɪs/ *οὐσ.* ‹C› (*πληθ. ~es*) ἐξέδρα.

daisy /ˋdeɪzɪ/ *οὐσ.* ‹C› μαργαρίτα. ***push up the daisies***, (*καθομ.*) εἶμαι στά θυμαράκια (*δηλ.* στόν τάφο).

dale /deɪl/ *οὐσ.* ‹C› (*ποιητ.*) κοιλάδα, λαγκάδι.

dal·li·ance /ˋdælɪəns/ *οὐσ.* ‹U› (*πεπαλ. λόγ.*) **1**. παιδιαρίσματα. **2**. χαριεντισμός, ἐρωτικά παιχνιδίσματα. **3**. χασομέρι.

dally /ˋdælɪ/ *ρ.ἀ.* (*πεπαλ.*) **1**. *~* ***(with)***, παίζω, χαριεντίζομαι, ἐρωτοτροπῶ: *~ with an idea/a proposal/a woman's affections*, παίζω μέ μιά ἰδέα/μέ μιά πρόταση/μέ τήν ἀγάπη μιᾶς γυναίκας. **2**. *~* ***(over)***, χρονοτριβῶ, χασομερῶ: *Don't ~ over your work*, μή χασομερᾶς στή δουλειά σου.

[1]**dam** /dæm/ *οὐσ.* ‹C› φράγμα, ὑδατοφράκτης: *The Marathon D~*, τό φράγμα (ἡ λίμνη) τοῦ Μαραθῶνος. __*ρ.μ.* *(-mm-)* *~* ***(up)***, φράσσω, κατασκευάζω φράγμα, (*μεταφ.*) συγκρατῶ, θέτω φραγμόν: *~ up one's feelings/sb's eloquence*, συγκρατῶ τά αἰσθήματά μου/θέτω φραγμόν εἰς τήν εὐγλωττία κάποιου.

[2]**dam** /dæm/ *οὐσ.* ‹C› μητέρα ζώου.

dam·age /ˋdæmɪdʒ/ *οὐσ.* **1**. ‹U› ζημιά, βλάβη: *do/suffer ~*, κάνω/ὑφίσταμαι ζημιά. *The storm did great ~ to the crops*, ἡ θύελλα ἔκανε μεγάλη ζημιά στίς καλλιέργειες. ***What's the ~?*** (*καθομ.*) πόσο κάνει ἡ ζημιά (*δηλ.* τί ὀφείλω); **2**. (*πληθ. νομ.*) ἀποζημίωσις. ***claim ~s***, ζητῶ ἀποζημίωση: *a plaintiff claiming ~s*, πολιτικός ἐνάγων, πολιτική ἀγωγή. ***sue sb for ~s***, ἐγείρω ἀγωγή ἀποζημιώσεως κατά τινος. __*ρ.μ.* ζημιώνω, προκαλῶ ζημιά, χαλῶ, καταστρέφω: *The hail has ~d the crops*, τό χαλάζι ἔκανε ζημιά στά σπαρτά. *~d goods*, χαλασμένα ἐμπορεύματα.

dam·ask /ˋdæməsk/ *οὐσ.* ‹U› δαμασκηνό (ὕφασμα ἤ ἀτσάλι).

dame /deɪm/ *οὐσ.* ‹C› **1**. (*ἀπηρχ.*) γυναίκα, κυρία. **2**. δέσποινα (τίτλος εὐγενείας γυναικός ἀντίστοιχος πρός ἐκεῖνον τοῦ ἱππότου). **3**. (*ΗΠΑ, λαϊκ.*) κυρά.

damn /dæm/ *ρ.μ.* **1**. στέλνω στήν κόλαση, καταδικάζω, ἐπικρίνω δριμύτατα: *The play was ~ed by the critics*, τό ἔργο καταδικάστηκε (ἐπικρίθηκε) ἀπό τούς κριτικούς. **2**. (*ἰδ. ἐπιφωνηματικῶς*) διαβολοστέλνω: *D~ it!* νά πάρη ὁ διάβολος! ἀνάθεμά το! *I'll be ~ed if I'll go!* νά μέ πάρη ὁ διάβολος ἄν πάω! __*οὐσ.* ‹U› (*καθομ.*) πεντάρα, δεκάρα: *I don't give a ~*, δέν δίνω δεκάρα! σκοτίστηκα! *It's not worth a ~*, δέν ἀξίζει πεντάρα.

dam·nable /ˋdæmnəbl/ *ἐπ.* καταδικαστέος, (*καθομ.*) ἀπαίσιος: *~ weather*.

dam·na·tion /dæmˋneɪʃn/ *οὐσ.* ‹U› καταδίκη: *eternal ~*, καταδίκη σέ αἰώνια τιμωρία. *May ~ take you!* νά σέ πάρη ὁ διάβολος! **dam·na·tory** /ˋdæmnətərɪ/ *ἐπ.* καταδικαστικός, ἐπικριτικός.

damned /dæmd/ *ἐπ.* **1**. κολασμένος: *the ~*, οἱ κολασμένοι. **2**. (*καθομ. ἐπιτατ.*) διαβολο-, ἀπαίσιος, καταραμένος: *You ~ fool!* καταραμένε βλάκα! ἠλίθιε μέ περικεφαλαία! __*ἐπίρ.* (*καθομ.*) τρομερά: *It was ~ funny/cold*, ἦταν τρομερά ἀστεῖο/ἔκανε διαβολεμένο κρύο.

[1]**damp** /dæmp/ *ἐπ.* *(-er, -est)* ὑγρός: *~ clothes/sheets*, ὑγρά ροῦχα/σεντόνια. __*οὐσ.* ‹U› **1**. ὑγρασία: *Don't stay outside in the ~*, μήν κάθεσαι ἔξω στήν ὑγρασία! **2**. ἀποθάρρυνσις, κατήφεια. ***cast/strike a ~ over***, ἀποθαρρύνω, χαλῶ τό κέφι/τήν ἀτμόσφαιρα: *Her bad mood cast a ~ over the company*, ἡ κακή της διάθεση χάλασε τό κέφι τῆς παρέας. **3**. δηλητηριώδη ἀέρια ὀρυχείου. **~·ish** *ἐπ.* ὑγρούτσικος, νοτερός. **~·ly** *ἐπίρ.* **~·ness** *οὐσ.* ‹U› ὑγρασία.

[2]**damp** /dæmp/ *ρ.μ/ἀ.* **1**. (*ἐπίσης ~en*) ἀποθαρρύνω, κόβω (τόν ἐνθουσιασμό, κλπ): *Nothing could ~en his spirits/his enthusiasm*, τίποτα δέν ἦταν ἱκανό νά τοῦ κόψη τό κέφι/τόν ἐνθουσιασμό. **2**. ὑγραίνω: *~ clothes before ironing them*, ὑγραίνω τά ροῦχα πρίν τά σιδερώσω. **3**. *~* ***down***, κόβω/ἐλαττώνω (φωτιά). *~* ***off*** (*γιά φυτά*) σαπίζω (ἀπό τό πολύ νερό). **~er** *οὐσ.* ‹C› **1**. καπνοσύρτης (σέ σόμπα). **2**. σουρντίνα (μουσικοῦ ὀργάνου). **3**. (*καθομ.*) ψυχρολουσία (*δηλ.* πρόσωπο ἤ γεγονός πού σκορπάει ἀποθάρρυνση ἤ χαλᾶ τό κέφι): *He put a ~er on our plans*, μᾶς ἔκοψε τόν ἐνθουσιασμό γιά τά σχέδιά μας.

dam·sel /ˋdæmzl/ *οὐσ.* ‹C› (*ἀπηρχ.*) κόρη, νέα.

dam·son /ˋdæmzn/ *οὐσ.* ‹C› & *ἐπ.* ἀγριοδαμάσκηνο, κορόμηλο, δαμασκηνί (χρῶμα).

[1]**dance** /dɑns/ *οὐσ.* ‹C› χορός: *give a ~*, δίνω χορό (χοροεσπερίδα). *join the ~*, μπαίνω στό χορό. ***lead sb a (pretty) ~***, (*μεταφ.*) χορεύω κπ στό ταψί. ˋ**~-band/-orchestra**, ὀρχήστρα χοροῦ. ˋ**~-hall**, αἴθουσα χοροῦ.

[2]**dance** /dans/ *ρ.μ/ὰ.* χορεύω, χοροπηδῶ: ~ *a waltz*, χορεύω βάλς. *Is the polka ~d nowadays?* χορεύεται σήμερα ἡ πόλκα; *The boat was dancing on the waves*, ἡ βάρκα χοροπηδοῦσε στά κύματα. ~ ***attendance (up)on sb***, ξεροσταλιάζω γύρω ἀπό κπ, εἶμαι ὅλο περιποίηση καί φροντίδα. ~ ***for joy***, χοροπηδῶ ἀπό χαρά. **~r** *οὐσ.* ‹C› χορευτής, χορεύτρια. **dan·cing** *οὐσ.* ‹U› χορός: *`dancing-master*, χοροδιδάσκαλος. *`dancing-shoes*, παπούτσια τοῦ χοροῦ.

dan·de·lion /`dændılaıən/ *οὐσ.* ‹C› (*βοτ.*) πικραλίδα.

dan·der /`dændə(r)/ *οὐσ.* ‹U› (*πεπαλ. καθομ. μόνο στίς φρ.*): ***get one's ~ up***, θυμώνω, ὀργίζομαι. ***get sb's ~ up***, θυμώνω, ἐξοργίζω κπ.

dan·druff /`dændrʌf/ *οὐσ.* ‹U› πιτυρίδα.

dandy /`dændı/ *οὐσ.* ‹C› δανδῆς, κομψευόμενος. **dan·di·fied** /`dændıfaıd/ *ἐπ.* φιλάρεσκος, ἐξεζητημένος: *a dandified appearance*, ἐξεζητημένη ἐμφάνισις.

dan·ger /`deındʒə(r)/ *οὐσ.* ‹C,U› κίνδυνος: *There's no ~ of war/fire*, δέν ὑπάρχει κίνδυνος πολέμου/πυρκαγιᾶς. *That man is a ~ to society*, αὐτός ὁ ἄνθρωπος εἶναι κίνδυνος γιά τήν κοινωνία. *public ~*, δημόσιος κίνδυνος. *There's no ~ of Mary getting fat*, δέν ὑπάρχει κίνδυνος νά παχύνη ἡ Μαίρη. *run/avert the ~ of...*, διατρέχω/ἀποτρέπω τόν κίνδυνο νά... ***in ~ (of)***, σέ κίνδυνο: *His life was in ~*, ἡ ζωή του ἦταν σέ κίνδυνο, κινδύνευε ἡ ζωή του. *He was in ~ of losing his life*, κινδύνευε νά χάση τή ζωή του. ***out of ~***, ἐκτός κινδύνου. **`~ money**, ἐπίδομα ἐπικίνδυνης ἐργασίας.

dan·ger·ous /`deındʒərəs/ *ἐπ.* ἐπικίνδυνος. **~·ly** *ἐπίρ.*

dangle /`dæŋgl/ *ρ.μ/ὰ.* κουνῶ, κουνιέμαι, αἰωροῦμαι: ~ *a bunch of keys*, κουνῶ μιά ἁρμαθιά κλειδιά. *sit on a desk dangling one's legs*, κάθομαι στό γραφεῖο καί κουνάω τά πόδια. ~ *bright prospects before a man*, προσπαθῶ νά δελεάσω κπ μέ μεγάλες ὑποσχέσεις. ~ ***round/about/after sb***, τριγυρίζω κπ, βρίσκομαι πάντα γύρω του (μέ τήν ἐλπίδα νά κερδίσω κτ): *She likes to keep her admirers dangling*, τῆς ἀρέσει νά εἶναι τριγυρισμένη ἀπό τούς θαυμαστές της.

dank /dæŋk/ *ἐπ.* *(-er, -est)* (ἀνθυγιεινά) ὑγρός: *a ~ and dark cell*, ἕνα ὑγρό καί σκοτεινό κελλί.

daphne /`dæfnı/ *οὐσ.* ‹C› δάφνη.

dap·per /`dæpə(r)/ *ἐπ.* (*ἰδ. γιά μικρόσωμο ἄντρα*) σβέλτος, κομψός, τσαχπίνης.

dap·pled /`dæpld/ *ἐπ.* παρδαλός, πιτσιλωτός, διάστικτος (μέ βοῦλες, χρώματα, φῶς, σύννεφα): *a ~ horse/deer*, ἄλογο/ἐλάφι μέ βοῦλες. *a ~ sky*, οὐρανός διάστικτος ἀπό συννεφάκια.

dare /deə(r)/ *ρ.μ/ὰ.* *ὁμαλ.* & *ἀνώμ.* **1**. (*ὡς βοηθητ. ἤ κανονικό ρῆμα*) τολμῶ: *How ~ you speak to me like that!* πῶς τολμᾶς νά μοῦ μιλᾶς ἔτσι; *Don't (you) ~ do that again!* μήν τολμήσης νά τό ξανακάμης! *He ~d not go/didn't ~ (to) go*, δέν τόλμησε νά πάη. **2**. ἀντιμετωπίζω, ἀψηφῶ: *He will ~ any danger*, ἀψηφάει κάθε κίνδυνο. **3**. προκαλῶ: *I ~ you to say that again!* σέ προκαλῶ νά τό ξαναπῆς αὐτό! *Go on, hit me, I ~ you!* ἐμπρός, λοιπόν, χτύπα με, σέ προκαλῶ! **4**. (*ἀνώμ.*) ***I ~ say***, ὑποθέτω, μᾶλλον: *I ~ say he'll come later*. μᾶλλον θά ἔλθη ἀργότερα. **`~-devil** *οὐσ.* ‹C› & *ἐπ.* ἀλόγιστα ριψοκίνδυνος, παλαβός. —*οὐσ.* ‹C› πρόκληση. ***do sth for a ~***, κάνω κτ γιατί μέ προκάλεσαν.

dar·ing /`deərıŋ/ *οὐσ.* ‹U› τόλμη, ἀποκοτιά. —*ἐπ.* τολμηρός, παράτολμος, θρασύς: *a ~ robbery*, θρασεῖα ληστεία.

[1]**dark** /dak/ *οὐσ.* ‹U› σκοτάδι, (*μεταφ.*) ἄγνοια: *be afraid of the ~*, φοβᾶμαι τό σκοτάδι. *leave sb alone in the ~*, ἀφήνω κπ μόνο του στό σκοτάδι. ***before/after ~***, πρίν/ἀφοῦ σκοτεινιάση. ***keep sb in the ~***, κρατῶ κπ στό σκοτάδι/σέ ἄγνοια: *We were completely in the ~ about it*, εἴχαμε πλήρη ἄγνοια γι' αὐτό.

[2]**dark** /dak/ *ἐπ.* *(-er, -est)* **1**. σκοτεινός: *a ~ corner/night*, μιά σκοτεινή γωνιά/νύχτα. *It's ~/pitch ~*, εἶναι σκοτάδι/βαθύ σκοτάδι, πίσσα. *It's getting ~*, σκοτεινιάζει. *Don't look on the ~ side of things*, μήν βλέπης τά πράγματα ἀπό τή σκοτεινή τους πλευρά, μήν τά βλέπης ὅλα μαῦρα. ***the D~ Ages***, ὁ Μεσαίων. ***a ~ horse***, ἐπίφοβος ἀντίπαλος (μέ ἄγνωστες δυνατότητες). ***a ~ secret***, βαθύ μυστικό. ***keep it ~***, κράτα το μυστικό. **2**. σκοῦρος, μελαχροινός, μελαψός: *a ~ complexion*, μελαχροινό χρῶμα (προσώπου). *~ eyes/hair*, σκοῦρα μάτια/μαλλιά. *a ~ suit*, σκοῦρο κοστούμι. *the D~ Continent*, ἡ μαύρη ἤπειρος. *~ green/blue*, βαθύ (σκοῦρο) πράσινο/γαλάζιο. **~·ly** *ἐπίρ.* σκοτεινά, ἀπειλητικά. **~en** *ρ.μ/ὰ.* σκοτεινιάζω. **~·ness** *οὐσ.* ‹U› σκότος, σκοτάδι.

dar·ling /`dalıŋ/ *οὐσ.* ‹C› **1**. ἀγαπημένος: *My ~!* ἀγάπη μου! **2**. (*καθομ.*) ὡραιότατος, χαριτωμένος: *a ~ little cottage*, ἕνα ὡραιότατο σπιτάκι.

darn /dan/ *ρ.μ/ὰ.* μαντάρω (κάλτσες, ροῦχα). —*οὐσ.* ‹C› **1**. μαντάρισμα. **2**. (*λαϊκ.*) παραφθορά τοῦ ρήμ. *damn(2)*.

[1]**dart** /dat/ *οὐσ.* ‹C› **1**. βέλος, σαΐτα, (*πληθ.*) παιχνίδι μέ βέλη. **2**. κεντρί (μέλισσας, κλπ). **3**. ἐξόρμησις, ἀπότομο τρέξιμο. ***make a ~***, ὁρμῶ/χυμάω ἀπότομα, ξεπετάγομαι.

[2]**dart** /dat/ *ρ.μ/ὰ.* ρίχνω, ἐξακοντίζω, ὁρμῶ, ξεπετάγομαι: *She ~ed an angry look at him*, τοῦριξε μιά θυμωμένη ματιά. *The snake ~ed out its tongue*, τό φίδι τίναξε ἔξω τή γλῶσσα του. *She ~ed across the street/into the shop*, χύμηξε νά διασχίση τό δρόμο/ὥρμησε μέσα στό μαγαζί.

[1]**dash** /dæʃ/ *οὐσ.* **1**. (*συνήθ. ἑνικ. μέ ὁριστ. ἄρθρ.*) παφλασμός: *the ~ of oars*, ὁ παφλασμός τῶν κουπιῶν. *the ~ of the waves on the rocks*, τό σπάσιμο τῶν κυμάτων πάνω στούς βράχους. **2**. ‹C› ἔφοδος, ἐξόρμησις, τρέξιμο: *make a ~ at the enemy*, κάνω ἔφοδο κατά τοῦ ἐχθροῦ. *make a ~ for shelter*, ὁρμῶ νά βρῶ καταφύγιο. *make a ~ for freedom*, κάνω τολμηρή ἀπόπειρα νά ἀνακτήσω τήν ἐλευθερία μου. **3**. πρέζα, στάλα (*δηλ.* πολύ λίγο): *a ~ of salt/brandy/blue*, μιά πρέζα ἁλάτι/μιά στάλα κονιάκ/λιγουλάκι μπλέ. **4**. ‹U› μπρίο, σφρῖγος, ὁρμητικότης: *troops full*

of ~, στρατεύματα γεμᾶτα ὁρμή/μαχητικότητα. ***cut a*** ~, κάνω μεγάλη ἐντύπωση (μέ τήν ἐμφάνιση ἤ τό φέρσιμό μου). **5**. παῦλα. **6**. (*ἀθλητ.*) κούρσα: *the* 100 *metres* ~, ἡ κούρσα τῶν 100 μέτρων. **ˋ~·board** ταμπλώ αὐτοκινήτου.

[2]**dash** /dæʃ/ *ρ.μ/ἀ.* **1**. ἐκσφενδονίζω/-ομαι, τινάζομαι, πετῶ (μέ ὁρμή), χτυπῶ (μέ σφοδρότητα), ὁρμῶ: *The boat was* ~*ed against the rocks*, ἡ βάρκα ἐκσφενδονίστηκε πάνω στά βράχια. *The huge waves* ~*ed over the rocks*, τά πελώρια κύματα τινάζονταν (χτυποῦσαν) πάνω στούς βράχους. *He* ~*ed his broken sword down and picked up another*, πέταξε κάτω τό σπασμένο του ξίφος καί πῆρε ἕνα ἄλλο. *He* ~*ed up the stairs*, ὥρμησε πάνω στή σκάλα. ~ ***sth off***, γράφω ἤ σχεδιάζω γρήγορα: *I must* ~ *off a few letters before I go out*, πρέπει νά ξεπετάξω (νά γράψω γρήγορα) μερικά γράμματα πρίν βγῶ. **2**. καταστρέφω, τσακίζω (τό θάρρος, τίς ἐλπίδες, τό κέφι): *He saw his hopes* ~*ed*, εἶδε τίς ἐλπίδες του νά διαλύονται. **3**. (*καθομ. ἀντί τοῦ damn*) διαβολοστέλνω: *D*~ *it!* νά πάρη ἡ ὀργή! **~·ing** *ἐπ.* ὁρμητικός, γεμάτος ζωντάνια, ἐντυπωσιακός, τολμηρός: *a* ~*ing cavalry charge*, ὁρμητική ἐπέλασις ἱππικοῦ.

das·tard /ˋdæstəd/ *οὐσ.* ‹C› (*ἀπηρχ.*) ἄνανδρος, θρασύδειλος. **~·ly** *ἐπ.* ἄνανδρος, ποταπός.

data /ˋdeɪtə/ *οὐσ. πληθ.* στοιχεῖα, δεδομένα: *We haven't sufficient* ~, δέν ἔχομε ἐπαρκῆ στοιχεῖα.

[1]**date** /deɪt/ *οὐσ.* ‹C› **1**. ἡμερομηνία, χρονολογία: ~ *of birth*, ἡμερομηνία γεννήσεως. *What's the* ~ *today?* πόσο ἔχει ὁ μήνας σήμερα; **2**. ἐποχή: *ruins of Roman* ~, ἐρείπια τῆς Ρωμαϊκῆς ἐποχῆς. **3**. (*σέ φράσεις*): ***to*** ~, μέχρι τώρα, μέχρι σήμερα, μέχρι ἐδῶ. ***(be/go) out of*** ~, (εἶμαι/γίνομαι) ἀπηρχαιωμένος, ντεμοντέ. ***be/bring up to*** ~, εἶμαι ἐνημερωμένος/ἐνημερώνω. **out-of-**~ *ἐπ.* παληός, ἀπηρχαιωμένος, ξεπερασμένος. **up-to-**~ *ἐπ.* σύγχρονος, ἐκσυχρονισμένος, ἐνημερωμένος. **4**. (*καθομ.*) ραντεβοῦ: *have a* ~ *with sb*, ἔχω ραντεβοῦ μέ κπ. **5**. (*καθομ.*) φίλος, φιλενάδα (πού βγαίνει κανείς ραντεβοῦ).

[2]**date** /deɪt/ *ρ.μ/ἀ.* **1**. χρονολογῶ/-οῦμαι: *Don't forget to* ~ *your letters*, μήν ξεχνᾶς νά βάζης τήν ἡμερομηνία στά γράμματά σου. *This castle* ~*s back to/from the 14th century*, αὐτό τό κάστρο χρονολογεῖται ἀπό τόν 14ον αἰῶνα. **2**. ἀρχίζω νά παληώνω: *This textbook is beginning to* ~, αὐτό τό σχολικό βιβλίο ἀρχίζει νά παληώνη, νά γερνάη. **3**. κλείνω ραντεβοῦ: ~ *a girl*, βγάζω ραντεβοῦ μιά κοπέλλα. **~d** *ἐπ.* παληός, ντεμοντέ.

[3]**date** /deɪt/ *οὐσ.* ‹C› χουρμάς.

dat·ive /ˋdeɪtɪv/ *οὐσ.* ‹C› δοτική (πτῶσις).

daub /dɔb/ *ρ.μ/ἀ.* **1**. (ἐπι)χρίω, ἀλείφω: ~ *plaster on a wall*, σουβατίζω ἕναν τοῖχο. **2**. πασαλείβω: ~ *a picture*, πασαλείβω (ζωγραφίζω ἄτεχνα) ἕναν πίνακα. ~ *cream all over one's face*, πασαλείβω μέ κρέμα τό πρόσωπό μου. *trousers* ~*ed with paint*, παντελόνι πιτσιλισμένο (πασαλειμένο) μέ μπογιές. —*οὐσ.* ‹C,U› σουβᾶς, ἐπίχρισμα, πασάλειμμα, μουντζούρα (κακοφτιαγμένος πίνακας). **~er** *οὐσ.* ‹C› ἄτεχνος ζωγράφος.

daugh·ter /ˋdɔtə(r)/ *οὐσ.* ‹C› θυγατέρα, κόρη. **ˋ~-in-law** /ˋdɔtr ɪn lɔ/ (*πληθ.* ~*s-in-law*) νύφη. **~·ly** *ἐπ.* θυγατρικός: ~*ly affection*, ἀγάπη θυγατέρας.

daunt /dɔnt/ *ρ.μ.* ἀποθαρρύνω, πτοῶ, τρομάζω: *He's never* ~*ed*, ποτέ δέν ἀποθαρρύνεται, δέν τρομάζει. **~·less** *ἐπ.* ἀτρόμητος, ἀπτόητος. **~·ly** *ἐπίρ.* ἀπτοήτως.

dau·phin /ˋdɔfɪn/ *οὐσ.* ‹C› Δελφῖνος.

dav·en·port /ˋdævnpɔt/ *οὐσ.* ‹C› **1**. (πτυσσόμενο) γραφεῖο. **2**. (*ΗΠΑ*) καναπές.

davit /ˋdævɪt/ *οὐσ.* ‹C› (*ναυτ.*) ἐπωτίς, καπόνι.

dawdle /ˋdɔdl/ *ρ.μ/ἀ.* χαζεύω, τεμπελιάζω: *Stop dawdling and do something!* πάψε νά τεμπελιάζης καί κάνε κάτι! ~ *away one's time*, περνῶ τόν καιρό μου χαζεύοντας. **~r** *οὐσ.* ‹C› χασομέρης, τεμπέλης.

[1]**dawn** /dɔn/ *οὐσ.* ‹C› αὐγή, χαραυγή: *It's almost* ~, σχεδόν ξημέρωσε. *from* ~ *till dark*, ἀπό τά χαράματα ὥς τή νύχτα. *the* ~ *of civilization*, ἡ αὐγή τοῦ πολιτισμοῦ. ***at*** ~, τήν αὐγή, τά χαράματα.

[2]**dawn** /dɔn/ *ρ.ἀ.* χαράζω, ὑποφώσκω: *The day was just* ~*ing*, μόλις χάραζε (ἔπαιρνε) ἡ μέρα. *The truth began to* ~ *on him*, ἄρχισε νά ἀντιλαμβάνεται τήν ἀλήθεια. *At length it* ~*ed on me that*..., τελικά κατάλαβα ὅτι...

day /deɪ/ *οὐσ.* ‹C› ἡμέρα: *What* ~ *of the week is it?* τί ἡμέρα τῆς ἑβδομάδος ἔχομε; *work by* ~*/by the* ~, δουλεύω τήν ἡμέρα/μέ τήν ἡμέρα. *before* ~, πρίν πάρει ἡ μέρα. *the* ˈ~ *after tòmorrow*, μεθαύριο. *the* ˈ~ *before* ˋ*yesterday*, προχθές. *this* ˈ~ ˋ*week*/ˋ*fortnight*, σά σήμερα ὀκτώ/δεκαπέντε. *take a* ~ *off*, παίρνω μιά μέρα ἄδεια. *The* ~ *will be ours*, θά νικήσωμε. *He's sixty if he's a* ~, εἶναι 60 χρονῶν στά γεμάτα. ~ ***after*** ~, κάθε μέρα, (*δηλ.* συνεχῶς, *ἰδ.* γιά κτ πληκτικό). ***every other*** ~, μέρα παρά μέρα. ~ ***in***, ~ ***out***, συνεχῶς. ***from*** ~ ***to*** ~, ἀπό μέρα σέ μέρα. ***one*** ~, κάποτε, μιά μέρα (στό παρελθόν ἤ τό μέλλον). ***one fine*** ~, μιάν ὡραία πρωΐα. ***some*** ~, κάποια μέρα (στό μέλλον). ***the other*** ~, τίς προάλλες. ***one of these*** ~***s***, μιά ἀπ' αὐτές τίς μέρες. ***all*** ~ ***long***, ὅλη τήν ἡμέρα. ***to a*** ~ ***; to the*** ~, ἀκριβῶς: *two years ago to the* ~, πρίν ἀπό δύο χρόνια ἀκριβῶς. ***in these/those*** ~***s***, στόν καιρό μας/ἐκεῖνο τόν καιρό. ***(in) her/his etc day***, στόν καιρό της/του κλπ: *She was a beauty in her* ~, ἦταν καλλονή στόν καιρό της. *Colonialism has had its* ~, πέρασε ἡ ἐποχή τῆς ἀποικιοκρατίας. ***be all in the*** ~***'s work***, τμῆμα τῆς καθημερινῆς ἐργασίας. ***call it a*** ~, σταματῶ (τή δουλειά γιά σήμερα). ***carry/lose the*** ~, νικῶ/ἡττῶμαι. **ˋMay Day**, Πρωτομαγιά. **New Year's Day**, Πρωτοχρονιά. **ˋ~-boy/-girl**, ἐξωτερικός μαθητής (ὄχι οἰκότροφος). **ˋ~-boarder**, ἡμισύσσιτος μαθητής. **ˋ~·break**, χαράματα. **ˋ~-dream** *οὐσ.* ‹C› & *ρ.ἀ.* ὀνειροπόλημα, ὀνειροπολῶ, κάνω ἀπραγματοποίητα ὄνειρα. **ˋ~-labourer**, ἡμερομίσθιος ἐργάτης. **ˋ~·light**, τό φῶς τῆς ἡμέρας, ἡ αὐγή. ***begin to see*** ~***light***, ἀρχίζω νά βλέπω φῶς (φθάνω στό τέλος μιᾶς δύσκολης περιόδου). **ˋ~ nursery**, παιδικός σταθμός. **ˋ~**

shift, βάρδια τῆς ἡμέρας. `~·**time**, διάρκεια τῆς ἡμέρας.

daze /deɪz/ *ρ.μ.* ζαλίζω, καταπλήσσω, ἀποσβολώνω: *The blow ~d him*, τό χτύπημα τόν ζάλισε. *I'm ~d by what happened*, εἶμαι κατάπληκτος (τἄχω χαμένα) μέ ὅ,τι συνέβη. __*οὐσ.* (*συνήθ. ἑν.*) (παρα)ζάλη, σάστισμα. ***be in a ~***, εἶμαι σαστισμένος. **dazed·ly** /ˈdeɪzɪdlɪ/ *ἐπίρ.* σαστισμένα.

dazzle /ˈdæzl/ *ρ.μ.* θαμπώνω, τυφλώνω: *~d by bright lights*, θαμπωμένος ἀπό ζωηρά φῶτα. *a dazzling light*, ἐκτυφλωτικό φῶς.

dea·con /ˈdikən/ *οὐσ.* ‹C› διάκονος, διάκος.

dead /ded/ *ἐπ.* **1**. νεκρός (πεθαμένος, ἄψυχος, μή λειτουργῶν): *Her father is ~*, ὁ πατέρας της εἶναι πεθαμένος, ἔχει πεθάνει. *~ matter/languages*, νεκρή ὕλη/-ές γλῶσσες. *The telephone went ~*, τό τηλέφωνο ἔπαψε νά λειτουργῆ. ***~ to***, ἀδιάφορος, χωρίς: *He's ~ to all feelings of shame*, εἶναι χωρίς αἴσθημα ντροπῆς. ***~ to the world***, (*μεταφ.*) βαθιά κοιμισμένος. ***be at/come to/reach a ~ end***, εἶμαι/φθάνω σέ ἀδιέξοδο. ***drop ~***, πέφτω νεκρός. ***wait for a ~ man's shoes***, περιμένω νά πεθάνη κπ νά τοῦ πάρω τή θέση. **the ~**, οἱ νεκροί. `**~ letter**, ἀνεπίδοτος ἤ ἀζήτητος ἐπιστολή, (*μεταφ.*) νεκρόν γράμμα: *a regulation that has become a ~ letter*, κανονισμός πού ἔχει γίνει νεκρόν γράμμα (πού δέν τηρεῖται). **~ march**, πένθιμο ἐμβατήριο. **2**. ξερός, μαραμένος: *~ leaves*, ξερά φύλλα. *~ flowers*, μαραμένα λουλούδια. **3**. μουδιασμένος: *~ fingers*, μουδιασμένα δάχτυλα. **4**. σβυσμένος: *a ~ fire/match*, σβυσμένη φωτιά/καμμένο σπίρτο. **5**. ὑπόκωφος: *a ~ sound*. **6**. ἀπόλυτος: *a ~ silence*, ἀπόλυτος, νεκρική σιγή. *go into/be in a ~ faint*, χάνω/ἔχω χάσει τελείως τίς αἰσθήσεις μου. *come to a ~ stop*, σταματῶ ἐντελῶς/ἀπότομα. ***a ~ heat***, ἰσοπαλία (σέ ἱπποδρομία, ἀγῶνα δρόμου, κλπ). ***a ~ loss***, τέλεια/καθαρή ζημιά, (*γιά ἄνθρ.*) ἐντελῶς ἄχρηστος. ***a ~ shot***, βολή διάνα, τέλειος σκοπευτής. ***a ~ sleep***, βαθύς ὕπνος. ***be ~ against sb***, εἶμαι ἀποφασιστικά ἐναντίον κάποιου. ***make a ~ set at sb***, κάνω ἀποφασιστική ἐπίθεση ἐναντίον κάποιου. `**~·line**, προθεσμία, χρονικό ὅριο: *set a ~line*, βάζω προθεσμία/διορία. *meet a ~line*, τελειώνω κτ ἐμπροθέσμως. `**~·pan**, ἀνέκφραστος: *a ~pan face*. __*ἐπίρ.* τελείως, ἀπολύτως: *~ slow*, πολύ βραδύς, πολύ ἀργά. *~ beat/tired/exhausted*, ψόφιος στήν κούραση, τελείως ἐξαντλημένος. *~ certain/sure*, ἀπολύτως βέβαιος. *be ~ right*, ἔχω ἀπόλυτο δίκηο. __*οὐσ.* ‹U› (*μόνον στή φράση*): *in the ~ of night/winter*, στήν καρδιά τῆς νύχτας/τοῦ χειμῶνα.

deaden /ˈdedn/ *ρ.μ.* (ἀπο)νεκρώνω, κόβω (ἐξασθενίζω): *~ the pain*, νεκρώνω τόν πόνο. *walls that ~ street noises*, τοῖχοι πού κόβουν τούς θορύβους τοῦ δρόμου. *~ the force of a blow*, κόβω τή δύναμη ἑνός χτυπήματος.

dead·lock /ˈdedlok/ *οὐσ.* ‹C,U› ἀδιέξοδον: *be at/come to/reach (total) ~*, εἶμαι/καταλήγω σέ (τέλειο) ἀδιέξοδο.

deadly /ˈdedlɪ/ *ἐπ.* *(-ier, -iest)* **1**. θανάσιμος, φονικός: *~ enemies*, θανάσιμοι ἐχθροί. *a ~ paleness*, θανάσιμη χλωμάδα. *~ weapons/poison*, φονικά ὅπλα/-ό δηλητήριο. ***the seven ~ sins***, τά ἑπτά θανάσιμα ἁμαρτήματα. **2**. (*καθομ.*) ἀδυσώπητος, ἀμείλικτος: *~ determination*, ἀμείλικτη ἀποφασιστικότης. __*ἐπίρ.* θανάσιμα: *~ pale*, θανάσιμα ὠχρός.

deaf /def/ *ἐπ.* *(-er, -est)* **1**. κουφός: *~ in one ear*, κουφός ἀπό τὄνα αὐτί. *become ~*, κουφαίνομαι. *~ and dumb*, κωφάλαλος. `**~-aid**, ἀκουστικό βαρηκοΐας. `**~ `mute**, κωφάλαλος. **2**. κωφεύων, ἀδιάφορος: *turn a ~ ear to a request*, κωφεύω (μένω ἀδιάφορος) σέ μιά παράκληση. *be ~ to all advice/entreaty*, κωφεύω σέ κάθε συμβουλή/ἱκεσία. **~·ness** *οὐσ.* ‹U› κουφαμάρα. **~en** /ˈdefn/ *ρ.μ.* (ξε)κουφαίνω: *We were almost ~ened by the explosion*, κόντεψε νά μᾶς ξεκουφάνη ἡ ἔκρηξη. *~ening cheers*, ἐκκωφαντικές ἐπευφημίες.

[1]**deal** /dil/ *ἐπ.* πεύκινος ἤ ἐλάτινος: *~ furniture/tables*.

[2]**deal** /dil/ *οὐσ.* ‹U› ποσότης. ***a (good/great) ~ (of)***, πολύς: *a good/great ~ of money/time/trouble*, πολλά χρήματα/πολύς χρόνος/πολλή φασαρία. __*ἐπίρ.* πολύ: *He's a good ~ better*, εἶναι πολύ καλύτερα. *They see each other a great ~*, βλέπονται πολύ συχνά.

[3]**deal** /dil/ *ρ.μ./ἀ.* ἀνώμ. (*ἀόρ. & π.μ. dealt* /delt/) **1**. μοιράζω: *~ alms/the cards*, μοιράζω ἐλεημοσύνη/τά χαρτιά. *He was ~t four aces*, πῆρε (στό μοίρασμα) τέσσερους ἄσσους. *The money must be ~t out fairly*, τά λεφτά πρέπει νά μοιραστοῦν δίκαια. *~ out justice*, ἀπονέμω δικαιοσύνη. **2**. καταφέρω: *~ sb a blow/a blow at sb*, καταφέρω (δίνω) χτύπημα σέ κπ. **3**. ***~ in***, ἐμπορεύομαι εἰς: *They ~ in carpets*, κάνουν ἐμπόριο χαλιῶν. ***~ with sb/at a place***, συναλλάσσομαι μέ κπ/εἶμαι πελάτης σ'ἕνα μαγαζί: *Do you ~ with Smith?* ἔχεις συναλλαγές μέ τόν Σμίθ; **4**. ***~ with sb/sth***, *(α)* ἔχω σχέσεις/δοσοληψίες μέ κπ, ἔχω νά κάμω μέ κπ/κτ: *He's easy/difficult to ~ with*, εἶναι βολικός/δύσκολος ἄνθρωπος. *(β)* φέρομαι, ἀντιμετωπίζω: *I don't know how to ~ with her*, δέν ξέρω πῶς νά τῆς φερθῶ, πῶς νά τήν μεταχειριστῶ. *How would you ~ with an armed robber?* πῶς θά ἀντιμετώπιζες ἕναν ἔνοπλο ληστή; ***~ well/badly by sb***, (*συνήθ. στήν παθ. φων.*) φέρομαι καλά/κακά σέ κπ: *She has been badly ~t by*, τῆς φέρθηκαν ἄσχημα (τήν ἀδίκησαν). *(γ)* ἀσχολοῦμαι, πραγματεύομαι: *We must ~ with this problem now*, πρέπει ν'ἀσχοληθοῦμε μ'αὐτό τό πρόβλημα τώρα. *a book ~ing with education*, βιβλίο πού ἀσχολεῖται μέ τήν ἐκπαίδευση.

[4]**deal** /dil/ *οὐσ.* ‹C› **1**. μοιρασιά (στά χαρτιά): *It's your ~*, εἶναι ἡ σειρά σου νά μοιράσης. **2**. (*πολιτικό καί κοινωνικό*) πρόγραμμα: *the New D~*, τό Νέο Πρόγραμμα (τοῦ Ροῦσβελτ). **3**. συμφωνία, ὑπόθεσις, δουλειά: *OK, it's a ~!* λοιπόν, εἴμαστε σύμφωνοι! ***do a ~ with sb***, κλείνω μιά συμφωνία (μιά δουλειά) μέ κπ. **4**. φέρσιμο, μεταχείρισις. ***give sb a fair/square ~***, φέρομαι δίκαια/τίμια σέ κπ.

dealer /ˈdilə(r)/ *οὐσ.* ‹C› **1**. ἔμπορος: *a `horse-/a `car-~*, ἔμπορος ἀλόγων/αὐτοκινήτων. *a ~ in stolen goods*, κλεπταποδόχος. **2**. αὐτός πού μοιράζει χαρτιά.

dealing /ˋdiliŋ/ *οὐσ.* ‹C› **1**. μοιρασιά. **2**. συμπεριφορά πρός τρίτους. **3**. (*πληθ.*) δοσοληψίες, σχέσεις: *I have no ~s with him*, δέν ἔχω δοσοληψίες μαζί του.
dealt /delt/ *ἀόρ. & π. μ. τοῦ ρ. deal.*
dean /din/ *οὐσ.* ‹C› **1**. ἀρχιμανδρίτης. **2**. κοσμήτωρ (Πανεπιστ. σχολῆς). **3**. πρύτανις (διπλωμ. σώματος). **~·ery**/ˋdinərι/ *οὐσ.* ‹C› ἀξίωμα ἀρχιμανδρίτου, κοσμητεία, πρυτανεία.
dear /dιə(r)/ *ἐπ. (-er, -est)* ἀγαπητός, ἀκριβός, προσφιλής: *He is ~ to me*, μοῦ εἶναι προσφιλής. *D~ Mr. Smith, D~ Sir, etc*, ἀγαπητέ κ. Σμίθ, ἀγαπητέ κύριε. ***hold sb/sth ~***, (*λόγ.*) μοῦ εἶναι προσφιλής, ἀγαπῶ κπ/κτ. ***become/get ~***, ἀκριβαίνω, ἀνατιμῶμαι. —*ἐπίρ.* ἀκριβά (σέ μεγάλη τιμή): *He buys cheap and sells ~*, ἀγοράζει φτηνά καί πουλάει ἀκριβά. —*οὐσ.* ‹C› ἀγαπητός: *Yes, ~!* ναί, ἀγαπητέ μου, χρυσῆ/χρυσό μου, ἀγάπη μου! *Isn't your child a ~!* τί ἀγγελούδι πού εἶναι τό παιδί σας! *Drink your milk, there's a ~!* πιές τό γάλα σου, ἔλα τό καλό μου τό παιδί! —*ἐπιφών. ἐκπλήξεως, φόβου, ἀπορίας: Oh ~!* ὤ, λαλά! *D~ me!* ὤ, θεέ μου! **~·ly** *ἐπίρ.* ἀκριβά, πολύ: *Victory was ~ly won*, ἡ νίκη κερδήθηκε ἀκριβά. *I love you ~ly*, σ' ἀγαπῶ πολύ. *I would ~ly love to see him again*, πολύ θά τὄθελα νά τόν ξαναδῶ. **~·ness** *οὐσ.* ‹U› ἀκρίβεια, στοργή.
dearth /dɜθ/ *οὐσ.* ‹U› ἔλλειψις, σπάνις: *a ~ of food/honest men*, ἔλλειψις τροφίμων/ἐντίμων ἀνθρώπων.
deary, dearie /ˋdιərι/ *οὐσ.* ‹C› (*καθομ.*) χρυσούλι μου.
death /deθ/ *οὐσ.* ‹C,U› θάνατος, χάρος: *at his ~*, κατά τόν θάνατό του. *On his father's ~ he came back to Greece*, μέ τό θάνατο τοῦ πατέρα του ξαναγύρισε στήν Ἑλλάδα. *faithful unto ~*, πιστός μέχρι θανάτου. *meet ~ calmly*, ἀντιμετωπίζω τό θάνατο ψύχραιμα. ***at ~'s door***, στά πρόθυρα τοῦ θανάτου, σέ ἔσχατο κίνδυνο. ***be the ~ of sb***, στέλνω κπ στόν τάφο: *You'll be the ~ of me*, θά μέ στείλης στόν τάφο. ***be sick to ~ of sb/sth***, εἶμαι ἀηδιασμένος ἀπό κπ/κτ. ***bore sb to ~***, φέρνω θανάσιμη πλήξη σέ κπ. ***catch one's ~ of cold***, ἁρπάζω κρύο καί πεθαίνω. ***drink oneself to ~***, πεθαίνω ἀπό τό πιοτό. ***look ~ in the face***, βλέπω τό χάρο μέ τά μάτια μου. ***sentence sb to ~***, καταδικάζω κπ σέ θάνατο. ***snatch sb from the jaws of ~***, γλυτώνω κπ ἀπό τοῦ χάρου τά δόντια. ***stone sb to ~***, φονεύω κπ διά λιθοβολισμοῦ. ***put sb to ~***, θανατώνω, ἐκτελῶ κπ. **ˋ~-bed** *οὐσ.* ‹C› νεκρική κλίνη. *ἐπ.* ἐπιθανάτιος. **ˋ~-blow**, θανατηφόρο κτύπημα, (*μεταφ.*) θανάσιμο πλῆγμα. **ˋ~-duties**, φόροι κληρονομίας. **ˋ~'s head**, νεκροκεφαλή. **ˋ~-mask**, νεκρική μάσκα, ἐκμαγεῖο προσώπου νεκροῦ. **ˋ~-rate**, θνησιμότης. **ˋ~ rattle**, ρόγχος τοῦ θανάτου, ψυχομαχητό. **ˋ~-trap**, παγίδα θανάτου. **ˋ~-warrant**, διαταγή ἐκτελέσεως (θανατικῆς ποινῆς), (*μεταφ.*) θανατική καταδίκη. **~·less** *ἐπ.* ἀθάνατος, ἄφθαρτος: *~less glory*, ἄφθαρτη δόξα. **~·like** *ἐπ.* νεκρικός: *a ~like silence*, νεκρική σιγή. **~·ly** *ἐπ.* μακάβριος, νεκρικός: *a ~ly stillness*, νεκρική ἡσυχία. —*ἐπίρ.* θανάσιμα: *~ly pale*, θανάσιμα ὠχρός.
dé·bâcle /deιˋbakl/ *οὐσ.* ‹C› ξαφνική καταστροφή, κατάρρευσις, πανωλεθρία, διάλυσις (στρατοῦ).
de·bar /dιˋba(r)/ *ρ.μ. (-rr-)* ***~ sb from sth/ from doing sth***, ἀποκλείω κπ ἀπό κτ/ ἀπαγορεύω σέ κπ νά κάνη κτ: *~ sb from voting at elections*, ἀποκλείω (ἀπαγορεύω σέ) κπ νά ψηφίση στίς ἐκλογές.
de·bark·ation /ˈdibaˋkeιʃn/ *οὐσ.* ‹C,U› ἀποβίβασις.
de·base /dιˋbeιs/ *ρ.μ.* ἐξευτελίζω, ὑποτιμῶ (νόμισμα): *I will not ~ myself so far as to...*, δέν θά ξεπέσω (ἐξευτελιστῶ) τόσο ὥστε νά... **~·ment** *οὐσ.* ‹U› ὑποτίμησις, ἐξευτελισμός.
de·bat·able /dιˋbeιtəbl/ *ἐπ.* συζητήσιμος, ἀμφισβητήσιμος.
de·bate /dιˋbeιt/ *οὐσ.* ‹C› δημοσία συζήτησις: *after much/a long ~*, μετά μακράν συζήτησιν. *the question under ~*, τό ὑπό συζήτησιν θέμα. *open the ~*, ἀνοίγω τήν συζήτησιν. —*ρ.μ/ἀ.* συζητῶ: *~ (upon) a question/about sth*, συζητῶ ἕνα θέμα/γιά κτ. **~r** *οὐσ.* ‹C› συζητητής.
de·bauch /dιˋbɔtʃ/ *οὐσ.* ‹C› ἀκολασία, ὄργιον, κραιπάλη: *have a ~/a drunken ~*, ὀργιάζω, μεθοκοπῶ. —*ρ.μ.* (*πεπαλ.*) ἐκμαυλίζω, διαφθείρω, ξελογιάζω: *~ a woman.* **~ee** /dιˋbɔˋtʃi/ *οὐσ.* ‹C› ἀκόλαστος ἄνθρωπος. **~·ery** /-ərι/ *οὐσ.* ‹U› ἔκλυσις, παραλυσία, (*πληθ.*) ἀκολασίες.
de·ben·ture /dιˋbentʃə(r)/ *οὐσ.* ‹C› (*ἐμπ.*) ὁμολογία.
de·bili·tate /dιˋbιlιteιt/ *ρ.μ.* ἐξασθενίζω, καταβάλλω, ἐξουθενῶ: *a debilitating climate*, ἀνθυγιεινό κλῖμα (πού καταβάλλει τόν ὀργανισμό).
de·bil·ity /dιˋbιlətι/ *οὐσ.* ‹U› ἐξασθένησις, ἀτονία, ἀδυναμία: *She's suffering from general ~*, ὑποφέρει ἀπό γενική ἐξασθένηση τοῦ ὀργανισμοῦ.
debit /ˋdebιt/ *οὐσ.* ‹C› (*λογιστ.*) δοῦναι, χρέωσις: *~ account/balance*, χρεωστικός λογαριασμός/-όν ὑπόλοιπον. —*ρ.μ.* χρεώνω: *~ sb's account with £5/~ £5 against sb's account*, χρεώνω τό λογαριασμό κάποιου μέ 5 λίρες. *To whom shall I ~ this sum?* σέ ποιόν θά χρεώσω αὐτό τό ποσόν;
deb·on·air /ˈdebəˋneə(r)/ *ἐπ.* εὔθυμος, ἀνέμελος.
de·bouch /dιˋbaʊtʃ/ *ρ.μ/ἀ.* ξεχύνω/-ομαι.
dé·bris /ˋdeιbri/ *οὐσ.* ‹U› συντρίμματα, μπάζα, ἐρείπια: *search among the ~ after an explosion*, ψάχνω μέσα στά χαλάσματα ὕστερα ἀπό μιά ἔκρηξη.
debt /det/ *οὐσ.* ‹C,U› χρέος: *pay one's ~s*, πληρώνω τά χρέη μου. *a ~ of honour*, χρέος τιμῆς. ***be in/out of ~***, εἶμαι χρεωμένος/ἔχω ξεχρεωθεῖ. ***get into/out of ~***, χρεώνομαι/ξεχρεώνομαι. **~or** /-ə(r)/ *οὐσ.* ‹C› ὀφειλέτης.
de·bunk /diˋbʌŋk/ *ρ.μ.* (*καθομ.*) ξεμασκαρεύω, ἀπομυθοποιῶ.
dé·but /ˋdeιbju/ *οὐσ.* ‹C› πρώτη ἐμφάνισις, ντεμποῦτο: *make one's ~*, ντεμπουτάρω.
dé·bu·tante /ˋdebjʊtant/ *οὐσ.* ‹C› δεσποινίς πού κάνει τήν πρώτη κοινωνική της ἐμφά-

νιση, ντεμπυτάντ.

dec·ade /ˋdekeɪd/ οὐσ. ‹C› δεκαετία.

deca·dence /ˋdekədəns/ οὐσ. ‹U› παρακμή, κατάπτωσις.

deca·dent /ˋdekədənt/ ἐπ. & οὐσ. ‹C› παρηκμασμένος, διεφθαρμένος.

deca·logue /ˋdekəlog/ οὐσ. ‹C› δεκάλογος.

de·camp /dɪˋkæmp/ ρ.ἀ. διαλύω στρατόπεδο, φεύγω βιαστικά/κρυφά, τό σκάω, τά μαζεύω καί φεύγω.

de·cant /dɪˋkænt/ ρ.μ. ἀδειάζω ὑγρό (ἀπό δοχεῖο σέ δοχεῖο). **~er** οὐσ. ‹C› καράφα.

de·capi·tate /dɪˋkæpɪteɪt/ ρ.μ. ἀποκεφαλίζω, καρατομῶ. **de·capi·ta·tion** /dɪˈkæpɪˋteɪʃn/ οὐσ. ‹C,U› ἀποκεφαλισμός.

de·car·bon·ize /ˈdiˋkabənaɪz/ ρ.μ. ξεκαρβουνιάζω (μηχανή).

de·cay /dɪˋkeɪ/ οὐσ. ‹U› παρακμή, φθορά, ἀποσύνθεσις, σάπισμα: *dental* ~, σάπισμα τῶν δοντιῶν. *The house is in* ~, τό σπίτι εἶναι ἐρειπωμένο, ἔχει γίνει σαράβαλο. ***fall into*** ~, καταρρέω, πέφτω σέ παρακμή. —ρ.ἀ. φθίνω, παρακμάζω, σαραβαλιάζομαι, σαπίζω: *Our powers* ~ *in old age*, οἱ δυνάμεις μας φθίνουν μέ τά γηρατειά. *What caused the Roman Empire to* ~? τί προκάλεσε τήν παρακμή τῆς Ρωμ. αὐτοκρατορίας;

de·cease /dɪˋsis/ οὐσ. ‹C,U› (*νομ.*) θάνατος. —ρ.ἀ. ἀποθνήσκω. **the ~d**, ὁ ἀποθανών, οἱ θανόντες.

de·ceit /dɪˋsit/ οὐσ. ‹C,U› ἀπάτη, ψεῦδος, δόλος: *She's incapable of* ~, εἶναι ἀνίκανη νά διαπράξη ἀπάτην/νά πῆ ψέματα. **~·ful** /dɪˋsitfl/ ἐπ. ἀπατηλός, δόλιος: *~ful behaviour/people*, δόλιος συμπεριφορά/-οι ἄνθρωποι. *~ful words*, ἀπατηλά λόγια. **~·fully** /-fəlɪ/ ἐπίρ. δολίως. **~·ful·ness** οὐσ. ‹U› δολιότης.

de·ceive /dɪˋsiv/ ρ.μ. ἀπατῶ, ξεγελῶ: ~ *oneself*, αὐταπατῶμαι. *I was ~d into the belief/into believing that...*, ξεγελάστηκα καί πίστεψα ὅτι... *I have been ~d in you*, ξεγελάστηκα σέ σένα, ἀπογοητεύτηκα ἀπό σένα. **~r** οὐσ. ‹C› ὁ ἐξαπατῶν, ἀπατεών.

de·cel·er·ate /ˈdiˋseləreɪt/ ρ.μ/ἀ. ἐπιβραδύνω, κόβω ταχύτητα.

De·cem·ber /dɪˋsembə(r)/ οὐσ. Δεκέμβριος.

de·cency /ˋdisnsɪ/ οὐσ. ‹C,U› εὐπρέπεια, κοσμιότης, σεμνότης, (*πληθ.*) καλοί τρόποι: *I can't in all* ~ *refuse*, ἡ εὐπρέπεια δέν μοῦ ἐπιτρέπει νά ἀρνηθῶ. *We must observe the decencies*, πρέπει νά κρατᾶμε τούς καλούς τρόπους.

de·cent /ˋdisnt/ ἐπ. **1**. εὐπρεπής: *Put on some* ~ *clothes!* φόρεσε κανά ροῦχο τῆς προκοπῆς! **2**. κόσμιος, σεμνός: ~ *language/behaviour*, καθωσπρέπει γλῶσσα/συμπεριφορά. **3**. (*καθομ.*) ἀρκετά καλός: *a* ~ *dinner/fellow*, ἀρκετά καλό φαΐ/πρόσωπο. **~·ly** ἐπίρ. εὐπρεπῶς, κοσμίως, ἱκανοποιητικῶς: *behave ~ly*, φέρομαι εὐπρεπῶς. *~ly dressed*, ντυμένος καθώς πρέπει. *He's doing ~ly*, προχωράει ἱκανοποιητικά, πάει ἀρκετά καλά.

de·cen·tra·lize /ˈdiˋsentrəlaɪz/ ρ.μ. ἀποκεντρώνω. **de·cen·tra·liz·ation** /ˈdiˈsentrəlaɪˋzeɪʃn/ οὐσ. ‹U› ἀποκέντρωσις.

de·cep·tion /dɪˋsepʃn/ οὐσ. ‹C,U› ἀπάτη, τέχνασμα, κατεργαριά, ἐξαπάτησις: *a gross* ~, χονδροειδής ἀπάτη. *practise* ~ *on the public*, ἐξαπατῶ τό κοινόν.

de·cep·tive /dɪˋseptɪv/ ἐπ. ἀπατηλός: *Appearances are often* ~, τά φαινόμενα συχνά ἀπατοῦν. **~·ly** ἐπίρ. ἀπατηλά: *~ly easy*, φαινομενικά μόνον εὔκολο.

de·cide /dɪˋsaɪd/ ρ.μ/ἀ. **1**. κρίνω, ἀποφασίζω, ἀποφαίνομαι: ~ *for/in favour of sb*, ἀποφαίνομαι ὑπέρ τινος. ~ *against*, ἀποφαίνομαι ἐναντίον κάποιου. ~ *sb's fate*, κρίνω τήν τύχη κάποιου. **2**. ἀποφασίζω, προκρίνω, καθορίζω: *He ~d not to go*, ἀποφάσισε νά μήν πάη. *They ~d that I should stay at home*, ἀποφάσισαν νά μείνω στό σπίτι. *In the end she ~d on the green hat*, τελικά προέκρινε τό πράσινο καπέλλο. ~ *on the day/the course of action*, καθορίζω τήν ἡμέρα/τόν τρόπο ἐνεργείας. **3**. πείθω, κάνω κπ νά ἀποφασίση: *What ~d you to give up your job?* τί σέ ἔκανε ν' ἀποφασίσης ν' ἀφήσης τή δουλειά σου; **~d** ἐπ. ἀναμφισβήτητος, ξεκάθαρος, ἀποφασισμένος: *a ~d difference*, μιά ἀναμφισβήτητη διαφορά. *a man of ~d opinions*, ἄνθρωπος μέ ξεκαθαρισμένες ἀπόψεις. *He's quite ~d about it*, εἶναι ἀποφασισμένος γι' αὐτό. **~d·ly** ἐπίρ. ἀποφασιστικά, ἀναμφισβήτητα: *He's ~dly better.*

de·cidu·ous /dɪˋsɪdʒʊəs/ ἐπ. (*γιά δέντρα*) φυλλοβόλος.

deci·mal /ˋdesɪml/ ἐπ. δεκαδικός: *the* ~ *system*, τό δεκαδικό σύστημα. *the* ~ *point*, ὑποδιαστολή.

deci·mate /ˋdesɪmeɪt/ ρ.μ. ἀποδεκατίζω: *a population ~d by disease*, πληθυσμός ἀποδεκατισμένος ἀπό ἀρρώστειες.

de·cipher /dɪˋsaɪfə(r)/ ρ.μ. ἀποκρυπτογραφῶ, (*μεταφ.*) βγάζω νόημα ἀπό.

de·ci·sion /dɪˋsɪʒn/ οὐσ. ‹C,U› ἀπόφασις, κρίσις: *give a* ~ *on sth*, ἐκφέρω κρίσιν, ἀποφαίνομαι γιά κτ. ***come to/arrive at/reach a*** ~, καταλήγω σέ ἀπόφαση. ***make/take a*** ~, παίρνω ἀπόφαση.

de·cis·ive /dɪˋsaɪsɪv/ ἐπ. ἀποφασιστικός, κατηγορηματικός: *a* ~ *battle/answer*, ἀποφασιστική μάχη/κατηγορηματική ἀπάντησις. **~·ly** ἐπίρ.

[1]**deck** /dek/ οὐσ. ‹C› κατάστρωμα, ὄροφος (λεωφορείου): *the top* ~ *of a bus*, ὁ ἄνω ὄροφος λεωφορείου. **double-ˋ~er**, διώροφο λεωφορεῖο. **ˋ~-chair**, ξαπλώστρα, σαιζλόγκ. **ˋ~ hand**, μοῦτσος. **ˋ~ passenger**, ἐπιβάτης καταστρώματος. (*βλ.* & *λ.* [2]*clear*).

[2]**deck** /dek/ ρ.μ. ~ ***(with/out in)***, διακοσμῶ, στολίζω: *streets ~ed with flags*, δρόμοι διακοσμημένοι μέ σημαῖες. *They were ~ed out in their Sunday best*, ἦταν στολισμένοι μέ τά κυριακάτικά τους.

de·claim /dɪˋkleɪm/ ρ.μ/ἀ. ἀγορεύω, ρητορεύω, μιλῶ/ἀπαγγέλω μέ στόμφο. ~ ***against***, καταφέρομαι ἐναντίον. **dec·la·ma·tion** /ˈdekləˋmeɪʃn/ οὐσ. ‹C,U› ἀγόρευσις, στομφώδης ὁμιλία/ἀπαγγελία. **de·clama·tory** /dɪˋklæmətərɪ/ ἐπ. στομφώδης.

dec·lar·ation /ˈdekləˋreɪʃn/ οὐσ. ‹C,U› δήλωσις, κήρυξις, διακήρυξις: *a* ~ *of income*, δήλωσις εἰσοδήματος. *a* ~ *of war*, κήρυξις πολέμου. *the D~ of Independence*, ἡ Διακήρυξις τῆς Ἀνεξαρτησίας.

de·clare /dɪˋkleə(r)/ *ρ.μ/ἀ.* **1**. δηλώνω (στό τελωνεῖο): *Have you anything to ~?* ἔχετε τίποτα νά δηλώσετε; **2**. κηρύσσω/-ομαι: *~ a meeting closed*, κηρύσσω μίαν συνεδρίασιν λήξασαν. *~* ***war (on/against)***, κηρύσσω πόλεμον (ἐναντίον). *~* ***for/against***, κηρύσσομαι ὑπέρ/ἐναντίον. **3**. διακηρύσσω: *He ~d himself innocent*, διεκήρυξε ὅτι εἶναι ἀθῶος.

de·class·ifi·ca·tion /ˈdiˈklæsɪfɪˋkeɪʃn/ *οὐσ.* ‹U› ἀποχαρακτηρισμός.

de·class·ify /ˈdiˈklæsɪfaɪ/ *ρ.μ.* ἀποχαρακτηρίζω, μετατάσσω εἰς τήν κατηγορίαν τῶν μή ἀπορρήτων.

de·clen·sion /dɪˋklenʃn/ *οὐσ.* ‹C,U› (*γραμμ.*) κλίσις.

de·cli·na·tion /ˈdeklɪˋneɪʃn/ *οὐσ.* ‹C› ἀπόκλισις.

de·cline /dɪˋklaɪn/ *ρ.μ/ἀ.* **1**. ἀποποιοῦμαι, ἀρνοῦμαι: *~ an invitation*, ἀρνοῦμαι μιά πρόσκληση. *He ~d to answer*, ἀρνήθηκε ν' ἀπαντήση. **2**. παρακμάζω, μειοῦμαι, βαίνω πρός τήν δύσιν μου, ἐξασθενίζω: *an empire that has ~d*, αὐτοκρατορία πού ἔχει παρακμάσει. *We all wish prices would ~*, ὅλοι θά θέλαμε νά μειωθοῦν (πέσουν) οἱ τιμές. *a declining birthrate*, μειούμενο ποσοστό γεννήσεων. *in his declining years*, στά γηρατειά του. **3**. (*γιά τόν ἥλιο*) δύω. **4**. (*γραμμ.*) κλίνω.

de·cline /dɪˋklaɪn/ *οὐσ.* ‹C› παρακμή, μείωσις, πτῶσις, ἐξασθένησις: *the ~ of the Roman Empire*, ἡ παρακμή τῆς Ρωμαϊκῆς Αὐτοκρατορίας. *a ~ in prices/prosperity*, πτῶσις στίς τιμές/στήν εὐημερία. ***on the ~***, εἰς παρακμήν, εἰς πτῶσιν. ***fall into a ~***, ἐξασθενίζω, φθίνω, (*ἰατρ.*) πάσχω ἀπό φυματίωση.

de·cliv·ity /dɪˋklɪvətɪ/ *οὐσ.* ‹C› (*λόγ.*) κατηφοριά.

de·clutch /ˈdiˋklʌtʃ/ *ρ.μ.* ντεμπραγιάρω.

de·code /ˈdiˋkəʊd/ *ρ.μ.* ἀποκρυπτογραφῶ.

dé·colleté /deɪˋkolteɪ/ *ἐπ.* ντεκολτέ, ἔξωμος.

de·com·pose /ˈdikəmˋpəʊz/ *ρ.μ/ἀ.* **1**. ἀναλύω (στά συστατικά του μέρη): *A prism ~s light*, ἕνα πρῖσμα ἀναλύει τό φῶς (σέ χρώματα). **2**. ἀποσυνθέτω, ἀποσυντίθεμαι, σαπίζω: *Dead leaves soon ~*, τά ξερά φύλλα γρήγορα σαπίζουν. **de·com·po·si·tion** /ˈdiˈkompəˋzɪʃn/ *οὐσ.* ‹U› ἀποσύνθεσις.

de·com·press /ˈdikəmˋpres/ *ρ.μ.* ἀποσυμπιέζω, μειώνω τήν πίεση.

de·con·tami·nate /ˈdikənˋtæmɪneɪt/ *ρ.μ.* ἀπολυμαίνω. **de·con·tami·na·tion** /ˈdikənˈtæmɪˋneɪʃn/ *οὐσ.* ‹U› ἀπολύμανσις.

dé·cor /ˋdeɪkɔ(r)/ *οὐσ.* ‹C› (*συνήθ. ἑν.*) διάκοσμος, ντεκόρ.

dec·or·ate /ˋdekəreɪt/ *ρ.μ.* **1**. διακοσμῶ, βάφω (τοίχους): *~ a street with flags/a room with pictures*, διακοσμῶ ἕνα δρόμο μέ σημαῖες/ἕνα δωμάτιο μέ πίνακες. **2**. παρασημοφορῶ: *~ a soldier for bravery*, παρασημοφορῶ στρατιώτη γιά ἀνδραγαθία.

dec·ora·tion /ˈdekəˋreɪʃn/ *οὐσ.* ‹C,U› διακόσμησις, παρασημοφορία.

dec·or·ative /ˋdekrətɪv/ *ἐπ.* διακοσμητικός.

dec·or·ator /ˋdekəreɪtə(r)/ *οὐσ.* ‹C› διακοσμητής.

de·cor·ous /ˋdekərəs/ *ἐπ.* εὐπρεπής, κόσμιος. **~·ly** *ἐπίρ.* κοσμίως.

de·corum /dɪˋkɔrəm/ *οὐσ.* ‹U› εὐπρέπεια, κοσμιότης, (*πληθ.*) τρόποι, εὐγένειες: *a breach of ~*, ἀπρέπεια, χοντροκοπιά. *have a sense of ~*, εἶμαι εὐπρεπής.

de·coy /ˋdikɔɪ/ *οὐσ.* ‹C› δέλεαρ, κράχτης, δόλωμα. —*ρ.μ.* /dɪˋkɔɪ/ παρασύρω (μέ δόλωμα).

de·crease /dɪˋkris/ *ρ.μ/ἀ.* μειώνω/-ομαι, ἐλαττώνω/-ομαι: *The population in some villages has ~d by half*, ὁ πληθυσμός σέ μερικά χωριά ἔχει μειωθεῖ κατά τό ἥμισυ. —*οὐσ.* ‹C,U› /ˋdikris/ μείωσις, ἐλάττωσις: *a ~ in imports*, μείωσις τῶν εἰσαγωγῶν. ***on the ~***, εἰς τήν κατιοῦσαν, σέ πτώση: *Is crime on the ~?* παρουσιάζει μείωση ἡ ἐγκληματικότης;

de·cree /dɪˋkri/ *οὐσ.* ‹C› **1**. διάταγμα, ψήφισμα: *issue a ~*, ἐκδίδω διάταγμα. **2**. (*νομ.*) ἀπόφασις: *a ~ of divorce/in bankruptcy*, ἀπόφασις διαζυγίου/κήρυξις πτωχεύσεως. —*ρ.μ/ἀ.* θεσπίζω, ὁρίζω, ἐκδίδω διάταγμα: *Fate ~d that...*, ἡ μοῖρα ὥρισε νά...

de·crepit /dɪˋkrepɪt/ *ἐπ.* (*γιά ἄνθρ.*) ὑπέργηρος, (*γιά πράγμ.*) σαραβαλιασμένος, ἑτοιμόρροπος. **de·crepi·tude** /dɪˋkrepɪtjud/ *οὐσ.* ‹U› ἔσχατον γῆρας, σαραβάλιασμα.

de·cry /dɪˋkraɪ/ *ρ.μ.* ἐπικρίνω, διαβάλλω, κατηγορῶ.

dedi·cate /ˋdedɪkeɪt/ *ρ.μ.* **1**. ἀφιερώνω: *He ~d his life to the poor*, ἀφιέρωσε τή ζωή του στούς φτωχούς. *~ a book to sb*, ἀφιερώνω ἕνα βιβλίο σέ κπ. **2**. ἐγκαινιάζω: *~ a church*, **dedi·ca·tion** /ˈdedɪˋkeɪʃn/ *οὐσ.* ‹C,U› ἀφιέρωσις, (*ἐκκλ.*) ἐγκαίνια.

de·duce /dɪˋdjus/ *ρ.μ.* συνάγω, συμπεραίνω: *~ sth from a fact*, συνάγω/συμπεραίνω κτ ἀπό ἕνα γεγονός.

de·duct /dɪˋdʌkt/ *ρ.μ.* ἀφαιρῶ, κρατῶ (ποσόν), ἐκπίπτω: *~ 5% from the wages*, ἀφαιρῶ 5% ἀπό τό ἡμερομίσθιο. **~·ible** /-əbl/ *ἐπ.* ἀφαιρέσιμος.

de·duc·tion /dɪˋdʌkʃn/ *οὐσ.* ‹C,U› **1**. ἀφαίρεσις, κράτησις (ποσοῦ), ἔκπτωσις. **2**. συμπέρασμα, ἐπαγωγή. **de·duct·ive** /dɪˋdʌktɪv/ *ἐπ.* ἐπαγωγικός, συμπερασματικός.

deed /did/ ‹C› **1**. πρᾶξις, ἔργον: *good/bad ~s*, καλές/κακές πράξεις. *D~s are better than words*, τά ἔργα εἶναι καλύτερα ἀπό τά λόγια. **2**. ἆθλος, ἀνδραγάθημα. **3**. συμβόλαιον, τίτλος, ἔγγραφον: *draw up a ~*, συντάσσω συμβόλαιον.

deem /dim/ *ρ.μ.* (*λόγ.*) θεωρῶ: *I ~ it an honour to serve you*, τό θεωρῶ τιμή μου νά σᾶς ὑπηρετήσω. *I ~ it necessary to...*, τό θεωρῶ ἀναγκαῖον νά...

[1]**deep** /dip/ *ἐπ.* *(-er, -est)* βαθύς: *a ~ well/wound*, βαθύ πηγάδι/τραῦμα. *a ~ emotion/voice/note*, βαθειά συγκίνηση/φωνή/νότα. *~ green*, βαθύ πράσινο. *a ~ sleep*, βαθύς ὕπνος. *a ~ secret/mystery*, βαθύ μυστικό/μυστήριο. *a ~ sigh*, βαθύς ἀναστεναγμός. *He's a ~ one*, εἶναι βαθύς (= πονηρός, ὕπουλος, σκοτεινός). *~ in debt*, βουτηγμένος στά χρέη. *~ in love*, τρελλά ἐρωτευμένος. *~ in thought*, σέ βαθειά σκέψη. *be ~ in a book*, εἶμαι ἀπορροφημένος σ' ἕνα βιβλίο. *The river is 6 feet ~*, ὁ ποταμός ἔχει 6 πόδια βάθος. *be ankle-~ in mud*, εἶμαι βουτηγμέ-

νος στή λάσπη ὥς τόν ἀστράγαλο. *The river gets ~ here*, τό ποτάμι βαθαίνει ἐδῶ. ***in ~ water(s)***, σέ μεγάλες δυσκολίες, σέ μπελάδες. **~en** /ˈdipən/ *ρ.μ/ὰ.* βαθαίνω, ἐντείνω. **~·ly** *ἐπίρ.* βαθειά: *be ~ly touched*, εἶμαι βαθειά συγκινημένος. *I felt her death ~ly*, ἔνοιωσα βαθειά τό θάνατό της. **~·ness** *οὐσ.* ‹U› βάθος, ἔντασις.

2 **deep** /dip/ *ἐπίρ.* βαθειά: *~ in his heart*, βαθειά στήν καρδιά του. *with his hands ~ in his pockets*, μέ τά χέρια βαθειά μέσα στίς τσέπες του. *~ into the night*, βαθειά μέσα στή νύχτα. *breathe ~*, ἀναπνέω βαθειά. ***Still waters run ~***, (*παροιμ.*) τό σιγανό ποτάμι νά φοβᾶσαι. **ˈ~-ˈfreeze** *ρ.μ.* καταψύχω: *~-frozen fish*, κατεψυγμένα ψάρια. __*οὐσ.* ‹C› κατάψυξις (θάλαμος ψυγείου). **ˈ~-ˈlaid**, (*γιά σχέδια, συνωμοσία*) καλά σχεδιασμένος, καλά ὀργανωμένος. **ˈ~-ˈrooted/-ˈseated**, (*γιά συνήθεια, κλπ*) βαθειά ριζωμένος.

3 **deep** /dip/ *οὐσ.* ‹U› **the ~**, (*ποιητ.*) ἡ θάλασσα.

deer /dɪə(r)/ *οὐσ.* ‹C› (*ἀμετάβλ. στόν πληθ.*) ἐλάφι, ζαρκάδι. **ˈ~·skin**, καστόρι, καστόρινος. **ˈ~-stalker**, κυνηγός ἐλαφιῶν, κυνηγετικό καπέλλο. **ˈ~-stalking**, κυνῆγι ἐλαφιῶν.

de-esca·late /ˈdi ˈeskəleɪt/ *ρ.μ.* ἀποκλιμακώνω, μειώνω (βομβαρδισμούς, κλπ). **de-esca·la·tion** /di ˈeskəˈleɪʃn/ *οὐσ.* ‹U›.

de·face /dɪˈfeɪs/ *ρ.μ.* παραμορφώνω, καταστρέφω (τήν ὄψη): *~ a picture/a statue/a stamp*. **~·ment** *οὐσ.* ‹C,U› παραμόρφωσις, μουντζούρα.

de facto /ˈdeɪ ˈfæktəʊ/ *ἐπ. & ἐπίρ.* οὐσιαστικός, ντεφάκτο.

de·fal·ca·tion /ˈdifælˈkeɪʃn/ *οὐσ.* ‹C,U› (*νομ.*) κατάχρησις (χρημάτων), σφετερισμός.

de·fame /dɪˈfeɪm/ *ρ.μ.* δυσφημῶ, συκοφαντῶ, κακολογῶ. **defa·ma·tion** /ˈdefəˈmeɪʃn/ *οὐσ.* ‹U› δυσφήμησις. **de·fama·tory** /dɪˈfæmətrɪ/ *ἐπ.* δυσφημηστικός.

de·fault /dɪˈfɔlt/ *οὐσ.* ‹U› ἀθέτησις (ὑποχρεώσεως), ἀπουσία, (*νομ.*) ἐρημοδικία, ἀμέλεια: *win a case/a game by ~*, κερδίζω ὑπόθεση/ἀγῶνα λόγῳ μή ἐμφανίσεως τοῦ ἀντιπάλου. *judgement by ~*, (*νομ.*) ἐρήμην ἀπόφασις. ***in ~ of***, ἐλλείψει. __*ρ.ὰ.* ἐρημοδικῶ, ἀθετῶ, εἶμαι ἀφερέγγυος. **~er** *οὐσ.* ‹C› **1**. (*νομ.*) ἐρημοδικῶν, ἀφερέγγυος. **2**. (*στρατ.*) ἔνοχος παραπτώματος.

1 **de·feat** /dɪˈfit/ *οὐσ.* ‹C,U› **1**. ἧττα: *suffer a ~*, ὑφίσταμαι ἧτταν. **2**. διάψευσις (ἐλπίδων), ματαίωσις (σχεδίου). **~·ism** /-ɪzm/ *οὐσ.* ‹U› ἡττοπάθεια. **~·ist** /-ɪst/ *οὐσ.* ‹C› ἡττοπαθής.

2 **de·feat** /dɪˈfit/ *ρ.μ.* **1**. νικῶ: *~ a team at football*, νικῶ μιά ὁμάδα στό ποδόσφαιρο. ***be ~ed***, ἡττῶμαι, νικιέμαι: *The Government was ~ed in Parliament*, ἡ Κυβέρνησις ἡττήθη (καταψηφίσθη) στή Βουλή. **2**. διαψεύδω, ματαιώνω, ἀνατρέπω: *His hopes/plans were ~ed*, οἱ ἐλπίδες του διεψεύσθησαν/τά σχέδιά του ματαιώθηκαν.

1 **de·fect** /ˈdifekt/ *οὐσ.* ‹C› ἐλάττωμα, ἀτέλεια, ἔλλειψις: *a physical ~*, σωματικό ἐλάττωμα. *the ~s in a system of education*, οἱ ἀτέλειες (οἱ ἐλλείψεις) ἑνός ἐκπαιδευτικοῦ συστήματος.

2 **de·fect** /dɪˈfekt/ *ρ.ὰ.* λιποτακτῶ, ἀποσκιρτῶ, αὐτομολῶ, ἀποστατῶ (ἀπό κόμμα, κλπ): *He ~ed to the West*, αὐτομόλησε στή Δύση.

de·fec·tion /dɪˈfekʃn/ *οὐσ.* ‹C,U› λιποταξία, ἀποσκίρτησις, αὐτομολία.

de·fec·tive /dɪˈfektɪv/ *ἐπ.* ἐλαττωματικός: *~ goods/pronunciation*, ἐλαττωματικά ἐμπορεύματα/-ή προφορά. ***mentally ~***, διανοητικά ἀνώμαλος/καθυστερημένος. **~ verb**, ἐλλειπτικό ρῆμα.

de·fec·tor /dɪˈfektə(r)/ *οὐσ.* ‹C› λιποτάκτης, ἀποστάτης, ἀποσκιρτήσας.

de·fence /dɪˈfens/ *οὐσ.* ‹C,U› **1**. ἄμυνα: *national ~*, ἐθνική ἄμυνα. *weapons of offence and ~*, ἐπιθετικά καί ἀμυντικά ὅπλα. *put up a stubborn ~*, ἀντιτάσσω σθεναράν ἄμυναν. **2**. ἀμυντικόν ἔργον, προστασία: *coastal ~s*, παράκτια ἀμυντικά ἔργα. *a ~ against cold*, προστασία κατά τοῦ κρύου. **3**. (*νομ.*) ὑπεράσπισις: *counsel/witness for the ~*, συνήγορος/μάρτυς ὑπερασπίσεως. ***in ~ of***, ὑπερασπιζόμενος, ὑπεραμυνόμενος: *We'll fight in ~ of our country*, θά πολεμήσωμε ὑπερασπιζόμενοι τήν πατρίδα μας. **~·less** *ἐπ.* ἀνυπεράσπιστος. **~·less·ly** *ἐπίρ.*

de·fend /dɪˈfend/ *ρ.μ.* *~ (**against/from**)*, ὑπερασπίζω, προστατεύω, συνηγορῶ ὑπέρ: *~ one's country against enemies*, ὑπερασπίζω τή χώρα μου ἐναντίον τῶν ἐχθρῶν. *~ sb from harm*, προστατεύω κπ ἀπό κακό. *~ a claim/one's ideas*, συνηγορῶ ὑπέρ μιᾶς ἀξιώσεως/ὑπερασπίζομαι τίς ἰδέες μου. **~·ant** /-ənt/ *οὐσ.* ‹C› (*νομ.*) ὁ ἐναγόμενος. **~er** *οὐσ.* ‹C› ὁ ὑπερασπιστής.

de·fens·ive /dɪˈfensɪv/ *ἐπ.* ἀμυντικός: *~ weapons/war*, ἀμυντικά ὅπλα/-ός πόλεμος. ***be/act on the ~***, εὑρίσκομαι/ἐνεργῶ ἐν ἀμύνῃ.

1 **de·fer** /dɪˈfɜ(r)/ *ρ.μ.* *(-rr-)* ἀναβάλλω, καθυστερῶ: *~ one's departure for a week*, ἀναβάλλω τήν ἀναχώρησή μου γιά μιά ἑβδομάδα. *~ making a decision*, ἀναβάλλω τήν λῆψιν ἀποφάσεως. *~ sb on medical grounds*, (*στρατ.*) δίδω ἀναβολή σέ κπ γιά λόγους ὑγείας. *~red payment*, προθεσμιακή πληρωμή (σέ δόσεις). *a ~red annuity*, πρόσοδος ὑπό αἵρεσιν. **~·ment** *οὐσ.* ‹C› ἀναβολή.

2 **de·fer** /dɪˈfɜ(r)/ *ρ.ὰ.* *(-rr-)* ***~ to***, ὑποχωρῶ, ὑποκύπτω, σέβομαι: *~ to one's elders/to sb's opinions*, ὑποχωρῶ πρό τῶν μεγαλυτέρων/σέβομαι τίς γνῶμες κάποιου.

def·er·ence /ˈdefrəns/ *οὐσ.* ‹U› ὑποχώρησις, σεβασμός: *treat sb with ~*, φέρομαι σέ κπ μέ σεβασμό. *show ~ to a judge*, δείχνω σεβασμό σ'ἕνα δικαστή. ***in ~ to***, ἀπό σεβασμό πρός: *in ~ to your age/office*, ἀπό σεβασμό πρός τήν ἡλικία σας/πρός τό ἀξίωμά σας.

def·er·en·tial /ˈdefəˈrenʃl/ *ἐπ.* πλήρης σεβασμοῦ: *a ~ attitude*, στάσις γεμάτη σεβασμό. **~ly** /-ʃəlɪ/ *ἐπίρ.* μετά σεβασμοῦ.

de·fi·ance /dɪˈfaɪəns/ *οὐσ.* ‹U› πρόκλησις, περιφρόνησις. ***in ~ of***, περιφρονώντας, ἀψηφώντας, παρά: *do sth in ~ of the law/of orders*, κάνω κτ ἀψηφώντας τόν νόμο/τίς διαταγές. ***bid ~ to sb***, προκαλῶ κπ σέ μάχη/σέ ἀγῶνα. ***set sth at ~***, δείχνω περιφρόνηση σέ κτ, ἀψηφῶ κτ: *If you set the law/public opinion at ~, you'll get into trouble*, ἄν ἀψηφήσης τό νόμο/τήν κοινή γνώμη, θά βρεθῆς μπερδεμένος.

de·fi·ant /dɪˈfaɪənt/ *ἐπ.* προκλητικός, ἀψηφῶν: *a ~ look*. **~·ly** *ἐπίρ.* προκλητικά.

de·fi·ciency /dɪ`fɪʃnsɪ/ *οὐσ.* ‹C,U› **1**. ἔλλειψις: *suffering from a ~ of food/vitamins*, ὑποφέρων ἀπό ἔλλειψιν τροφῆς/βιταμινῶν. *~ **disease***, ἀβιταμίνωσις. **2**. ἔλλειμμα (χρηματικόν). **3**. ἀτέλεια, ἐλάττωμα. ***mental** ~*, διανοητική καθυστέρησις.

de·fi·cient /dɪ`fɪʃnt/ *ἐπ.* ἐλλιπής, ἀτελής, καθυστερημένος: *be ~ in courage*, μοῦ λείπει τό θάρρος. ***mentally** ~*, διανοητικά καθυστερημένος.

defi·cit /`defəsɪt/ *οὐσ.* ‹C› ἔλλειμμα (προϋπολογισμοῦ, κλπ): *a budget that shows a ~*, προϋπολογισμός πού ἐμφανίζει ἔλλειμμα. *make up a ~*, καλύπτω ἕνα ἔλλειμμα.

[1]**de·file** /dɪ`faɪl/ *ρ.μ.* μολύνω, ρυπαίνω, βεβηλώνω: *rivers ~d by waste from factories*, ποτάμια μολυσμένα ἀπό τά ἀπόβλητα ἐργοστασίων. *~ a sacred place*, βεβηλώνω ἱερόν τόπον. **~·ment** *οὐσ.* ‹U› μόλυνσις, βεβήλωσις.

[2]**de·file** /`difaɪl/ *οὐσ.* ‹C› στενωπός, αὐχήν (βουνοῦ). *__ρ.ἀ.* παρελαύνω, βαδίζω εἰς φάλαγγα κατ' ἄνδρα.

de·fine /dɪ`faɪn/ *ρ.μ.* ὁρίζω, καθορίζω, προσδιορίζω: *~ a word*, ὁρίζω μιά λέξη, δίδω τόν ὁρισμόν λέξεως. *~ one's position/duties*, καθορίζω τή θέση μου/τά καθήκοντά μου. *The mountain was clearly ~d against the blue sky*, τό βουνό διαγραφόταν καθαρά στό γαλανό οὐρανό. **de·fin·able** /-əbl/ *ἐπ.* πού μπορεῖ νά προσδιοριστῆ.

defi·nite /`defənɪt/ *ἐπ.* (καθ)ωρισμένος, σαφής, ὁριστικός: *at a ~ time*, εἰς καθωρισμένον χρόνον. *a ~ answer*, σαφής, κατηγορηματική ἀπάντησις. *a ~ order*, ὁριστική παραγγελία. **the** `**~**`**article**, (*γραμμ.*) τό ὁριστικόν ἄρθρον. **~·ly** /`defnətlɪ/ *ἐπίρ.* ρητά, ὁριστικά, (*καθομ.*) βεβαίως, ναί.

defi·ni·tion /ˌdefə`nɪʃn/ *οὐσ.* ‹C,U› **1**. ὁρισμός: *give the ~ of a word*, δίδω τόν ὁρισμό λέξεως. **2**. σαφήνεια, καθαρότης (εἰκόνος, λήψεως, κλπ).

de·fini·tive /dɪ`fɪnətɪv/ *ἐπ.* ὁριστικός, τελειωτικός: *a ~ answer/edition*, μιά τελειωτική ἀπάντησις/ἔκδοσις.

de·flate /dɪ`fleɪt/ *ρ.μ.* **1**. ξεφουσκώνω: *~ a tyre/a balloon/a pompous politician*, ξεφουσκώνω ἕνα λάστιχο/ἕνα μπαλλόνι/ἕναν φαντασμένο πολιτικό. **2**. περιορίζω τήν κυκλοφορία (χρήματος), ἀκολουθῶ ἀντιπληθωριστική πολιτική. **de·fla·tion** /dɪ`fleɪʃn/ *οὐσ.* ‹U› **1**. ξεφούσκωμα. **2**. ἀντιπληθωρισμός. **de·fla·tion·ary** /ˌdi`fleɪʃnrɪ/ *ἐπ.* ἀντιπληθωριστικός: *deflationary measures*.

de·flect /dɪ`flekt/ *ρ.μ/ἀ.* ἐκτρέπω/-ομαι, ἀποστρακίζομαι, ἀποκλίνω: *The bullet struck the wall and was ~ed from its course*, ἡ σφαῖρα χτύπησε τόν τοῖχο καί ἀποστρακίσθηκε. **de·flec·tion** /dɪ`flekʃn/ *οὐσ.* ‹C,U› ἐκτροπή, ἀπόκλισις.

de·flower /dɪ`flaʊə(r)/ *ρ.μ.* (*ἀπηρχ.*) διακορεύω, καταστρέφω.

de·foli·ate /ˌdi`fəʊlɪeɪt/ *ρ.μ.* ἀποφυλλῶ, καταστρέφω τά φύλλα: *a forest ~d by chemical means*, δάσος ἀποφυλλωμένον διά χημικῶν μέσων.

de·for·est /ˌdɪ`forɪst/ *ρ.μ.* ἀποψιλῶ (περιοχήν), ἀποδασώνω.

de·form /dɪ`fɔm/ *ρ.μ.* παραμορφώνω: *~ed feet*, παραμορφωμένα πόδια. **~·ity** /-ətɪ/ *οὐσ.* ‹C,U› παραμόρφωσις, δυσμορφία, διαστροφή.

de·fraud /dɪ`frɔd/ *ρ.μ.* *~ (**of**)*, παίρνω μέ ἀπάτη, κλέβω, ἀφαιρῶ δολίως: *~ an author of his royalties*, κλέβω τά ἔσοδα ἐκ συγγραφικῶν δικαιωμάτων ἑνός συγγραφέως.

de·fray /dɪ`freɪ/ *ρ.μ.* καταβάλλω, πληρώνω, καλύπτω: *~ sb's expenses*, καταβάλλω τά ἔξοδα κάποιου. *~ the cost of sth*, καλύπτω τήν δαπάνη ἑνός πράγματος. **~al** /-`freɪəl/, **~·ment** *οὐσ.* ‹C,U› πληρωμή, καταβολή.

de·frock /ˌdi`frok/ *βλ. unfrock*.

de·frost /ˌdi`frost/ *ρ.μ.* κάνω ἀπόψυξη (σέ ψυγεῖο), ξεπαγώνω (κρέας, κλπ).

deft /deft/ *ἐπ.* ἐπιδέξιος (*ἰδ.* στά δάχτυλα). **~·ly** *ἐπίρ.* ἐπιδέξια. **~·ness** *οὐσ.* ‹U› ἐπιδεξιότης.

de·funct /dɪ`fʌŋkt/ *ἐπ.* νεκρός (π.χ. νόμος). *ἐπ.* & *οὐσ.* ‹C› (*γιά ἄνθρ.*) μακαρίτης.

de·fuse /ˌdi`fjuz/ *ρ.μ.* ἐξουδετερώνω, ἀφοπλίζω (μή ἐκραγεῖσαν βόμβαν), (*μεταφ.*) καθιστῶ ἀκίνδυνον.

defy /dɪ`faɪ/ *ρ.μ.* **1**. προκαλῶ: *I ~ you to prove it*, σέ προκαλῶ νά τό ἀποδείξης. **2**. ἀψηφῶ: *~ one's superiors/the law*, ἀψηφῶ τούς ἀνωτέρους μου/τό νόμο. **3**. ἀνθίσταμαι, δέν ἐπιδέχομαι: *The door defied all attempts to open it*, ἡ πόρτα ἀντιστάθηκε σ' ὅλες τίς ἀπόπειρες νά τήν ἀνοίξουν. *problems that ~ solution*, προβλήματα πού δέν ἐπιδέχονται λύσιν. *~ description*, εἶμαι ἀνώτερος πάσης περιγραφῆς. *goods that ~ competition*, ἐμπορεύματα ἐκτός συναγωνισμοῦ.

[1]**de·gen·er·ate** /dɪ`dʒenəreɪt/ *ρ.ἀ.* *~ **into***, ἐκφυλίζομαι, καταντῶ: *thrift that ~s into avarice*, οἰκονομία πού καταντάει τσιγγουνιά.

[2]**de·gen·er·ate** /dɪ`dʒenərət/ *ἐπ.* ἐκφυλισμένος.

de·gen·er·ation /dɪˌdʒenə`reɪʃn/ *οὐσ.* ‹U› ἐκφυλισμός.

de·gra·da·tion /ˌdegrə`deɪʃn/ *οὐσ.* ‹U› ξεπεσμός, ὑποβιβασμός, ἀποκτήνωσις, ἀθλιότης: *live in ~*, ζῶ μέσα στήν ἀθλιότητα.

de·grade /dɪ`greɪd/ *ρ.μ.* ὑποβιβάζω, ἐξευτελίζω: *~ oneself by cheating*, ἐξευτελίζομαι (ξεπέφτω) μετερχόμενος ἀπάτες. *~ a man to the level of beasts*, ὑποβιβάζω ἕναν ἄνθρωπο στό ἐπίπεδο τῶν ζώων.

de·gree /dɪ`gri/ *οὐσ.* ‹C› **1**. μοῖρα (κύκλου), βαθμός (θερμοκρασίας): *an angle of 90 ~s* (90°), γωνία 90 μοιρῶν. *Water freezes at 32 ~s Fahrenheit*, τό νερό παγώνει στούς 32 βαθμούς Φαρενάϊτ. **2**. βαθμός: *not in the slightest ~*, ἐπ' οὐδενί λόγῳ, καθόλου. *To what ~ are you interested in me?* μέχρι ποίου βαθμοῦ ἐνδιαφέρεσθε γιά μένα; ***by ~s***, βαθμηδόν, σιγά-σιγά. ***to a** ~*, (*καθομ.*) στόν ὑπέρτατο βαθμό: *He's scrupulous to a ~*, εἶναι τρομερά εὐσυνείδητος. ***to some** ~*, μέχρις ἑνός ὡρισμένου βαθμοῦ. **first/third ~** *ἐπ.* πρώτου/τρίτου βαθμοῦ: *first ~ burns*, ἐγκαύματα πρώτου βαθμοῦ. *a third ~ examination*, ἀνάκρισις τρίτου βαθμοῦ (μέ βασανιστήρια). **3**. πτυχίον: *take one's ~*, παίρνω τό πτυχίο μου. **4**. κοινωνική θέσις: *persons of high/low ~*, πρόσωπα ὑψηλῆς/χαμηλῆς κοινωνικῆς θέσεως. **5**. (*γραμμ.*)

βαθμός συγκρίσεως.
de·hu·man·ize /ˈdiˋhjumənaɪz/ ρ.μ. ἀποκτηνώνω, στερῶ κπ τοῦ ἀνθρωπισμοῦ του.
de·hy·drate /ˈdiˋhaɪdreɪt/ ρ.μ. ἀφυδατώνω.
de·ifi·ca·tion /ˈdiɪfɪˋkeɪʃn/ οὐσ. ‹U› θεοποίησις.
de·ify /ˋdiɪfaɪ/ ρ.μ. θεοποιῶ.
deign /deɪn/ ρ.ἀ. καταδέχομαι: *without ~ing to look at me*, χωρίς νά καταδεχθῆ νά μέ κοιτάξη. *He did not ~ to answer me*, ἀπηξίωσε νά μοῦ ἀπαντήση.
de·ity /ˋdeɪətɪ/ οὐσ. ‹C,U› θεότης: *Roman deities*, Ρωμαϊκές θεότητες, θεοί τῆς Ρώμης.
de·ject·ed /dɪˋdʒektɪd/ ἐπ. κατηφής, ἀποθαρρυμένος: *become ~*, ἀποθαρρύνομαι, ἀποκαρδιώνομαι. *look ~*, φαίνομαι κατηφής/θλιμμένος. **~·ly** ἐπίρ. ἀποθαρρυμένα, θλιμμένα.
de·jec·tion /dɪˋdʒekʃn/ οὐσ. ‹U› κατήφεια, ἀποθάρρυνσις: *He left in ~*, ἔφυγε ἀποθαρρυμένος.
de jure /ˈdeɪ ˋdʒʊərɪ/ ἐπ. & ἐπίρ. ντέ γιοῦρε (δικαιωματικῶς, νομίμως).
de·lay /dɪˋleɪ/ ρ.μ/ἀ. **1**. ἀναβάλλω: *~ one's departure*, ἀναβάλλω τήν ἀναχώρησή μου. **2**. ἐπιβραδύνω, χρονοτριβῶ, καθυστερῶ: *The train was ~ed two hours*, τό τραῖνο καθυστέρησε δύο ὧρες. *I was ~ed by the traffic*, μέ καθυστέρησε ἡ κυκλοφορία. *a ~ed-action bomb*, βραδυφλεγής βόμβα. __οὐσ. ‹C,U› χρονοτριβή, καθυστέρησις, ἀναβολή: *without ~*, χωρίς καθυστέρηση. *after a ~ of two hours*, μέ καθυστέρηση δύο ὡρῶν. *after several ~s*, ὕστερα ἀπό πολλές ἀναβολές.
de·lec·table /dɪˋlektəbl/ ἐπ. ἀπολαυστικός, τερπνός.
de·lec·ta·tion /ˈdilekˋteɪʃn/ οὐσ. ‹U› ἀπόλαυσις, τέρψις.
[1]**del·egate** /ˋdelɪgət/ οὐσ. ‹C› ἀντιπρόσωπος, ἀπεσταλμένος.
[2]**del·egate** /ˋdelɪgeɪt/ ρ.μ. ἐξουσιοδοτῶ, ἀναθέτω, ἀποστέλλω ὡς ἀντιπρόσωπον: *~ sb to do sth*, ἐξουσιοδοτῶ κπ νά κάνη κτ. *~ powers to sb*, ἀναθέτω ἐξουσίες/μεταβιβάζω ἁρμοδιότητες σέ κπ. **del·ega·tion** /ˈdelɪˋgeɪʃn/ οὐσ. ‹C,U› ἀποστολή, ἀντιπροσωπεία, ἐξουσιοδότησις, μεταβίβασις.
de·lete /dɪˋlit/ ρ.μ. διαγράφω, ἀφαιρῶ, ἀπαλείφω, σβύνω (λέξεις). **de·le·tion** /dɪˋliʃn/ οὐσ. ‹C,U› διαγραφή, σβύσιμο, ἀπάλειψις.
del·eteri·ous /ˈdelɪˋtɪərɪəs/ ἐπ. ἐπιβλαβής (στό σῶμα ἤ στό νοῦ).
[1]**de·lib·er·ate** /dɪˋlɪbərət/ ἐπ. **1**. ἐσκεμμένος, σκόπιμος, προμελετημένος: *a ~ lie/insult*, σκόπιμο ψέμα/-η προσβολή. **2**. βραδύς, προσεχτικός: *with ~ steps*, μέ ἀργά, προσεχτικά βήματα. **~·ly** ἐπ. ἐκ προθέσεως, σκόπιμα, προσεκτικά.
[2]**de·lib·er·ate** /dɪˋlɪbəreɪt/ ρ.μ/ἀ. μελετῶ, σκέπτομαι προσεκτικά, συζητῶ: *They are still deliberating over/(up)on the question*, ἀκόμη μελετοῦν (συζητοῦν) τό θέμα.
de·lib·er·ation /dɪˈlɪbəˋreɪʃn/ οὐσ. ‹C,U› (λόγ.) **1**. μελέτη: *after careful ~*, μετά προσεκτικήν μελέτην. **2**. συζήτησις, διαβούλευσις: *after two hours' ~*, μετά δίωρον συζήτησιν... *What was the result of your ~(s)?* ποιό ἦταν τό ἀποτέλεσμα τῶν συζητήσεών σας; **3**. περίσκεψις, προσοχή: *act with ~*, ἐνεργῶ μετά περισκέψεως/μέ προσοχή. **de·lib·er·ative** /dɪˋlɪbərətɪv/ ἐπ. συμβουλευτικός: *a ~ committee*, συμβουλευτική ἐπιτροπή.
deli·cacy /ˋdelɪkəsɪ/ οὐσ. **1**. ‹U› λεπτότης, εὐγένεια, εὐαισθησία: *He has no sense of ~*, δέν ἔχει λεπτότητα/τάκτ. *the ~ of her features*, ἡ λεπτότης/ἡ εὐγένεια τῶν χαρακτηριστικῶν της. *The violinist played with great ~*, ὁ βιολιστής ἔπαιζε μέ μεγάλη εὐαισθησία. **2**. ‹U› εὐαισθησία, ἀδυναμία: *The girl's ~ has always worried them*, ἡ ἀδυναμία τοῦ κοριτσιοῦ τούς στενοχωροῦσε πάντα. **3**. ‹C› λιχουδιά: *all the delicacies of the season*, ὅλες οἱ λιχουδιές τῆς ἐποχῆς.
deli·cate /ˋdelɪkət/ ἐπ. λεπτός, ἁπαλός, εὐαίσθητος, εὐπαθής, ντελικάτος: *a ~ question/situation/operation*, λεπτό θέμα/-ή κατάστασις/δύσκολη ἐγχείρησις. *~ pink*, ἁπαλό ρόζ. *~ instruments*, λεπτά ὄργανα (ἀκριβείας). *The pianist has a ~ touch*, ὁ πιανίστας παίζει ἁπαλά, μέ εὐαισθησία. *a ~ sense of smell*, ὀξεία/λεπτή ὄσφρησις. *a ~ flavour*, λεπτό ἄρωμα. *~ skin*, ντελικάτο δέρμα. *~ health*, λεπτή/εὐπαθής ὑγεία. **~·ly** ἐπίρ. λεπτά, ἁπαλά.
deli·ca·tes·sen /ˈdelɪkəˋtesn/ οὐσ. ‹C,U› **1**. βιομηχανικῶς συσκευασμένα φαγητά. **2**. μαγαζί πού πουλάει τέτοια φαγητά.
de·li·cious /dɪˋlɪʃəs/ ἐπ. νοστιμώτατος, ὑπέροχος: *a ~ cake/joke*, νοστιμώτατο κέϊκ/ἀστεῖο. **~·ly** ἐπίρ.
[1]**de·light** /dɪˋlaɪt/ οὐσ. ‹C,U› ἀπόλαυσις, μεγάλη εὐχαρίστησις, χαρά: *It's a ~ to hear him talk*, εἶναι ἀπόλαυση νά τόν ἀκούη κανείς νά μιλάη. *To my great ~ I was allowed to...*, πρός μεγάλη μου χαρά μοῦ ἐπετράπη νά... *the ~s of music/of life in the country*, οἱ χαρές τῆς μουσικῆς/τῆς ζωῆς στήν ἐξοχή. ***take ~ in***, ἀπολαμβάνω, χαίρομαι, βρίσκω εὐχαρίστηση νά: *You take ~ in teasing me*, βρίσκετε εὐχαρίστηση νά μέ πειράζετε. **~·ful** ἐπ. γοητευτικός, πολύ εὐχάριστος. **~·fully** ἐπίρ.
[2]**de·light** /dɪˋlaɪt/ ρ.μ/ἀ. **1**. θέλγω, γοητεύω: *It ~s the eye/the ear*. **2**. (παθ. φων.) χαίρομαι, εὐχαριστοῦμαι, εἶμαι γοητευμένος: *I was ~ed to hear...*, εὐχαριστήθηκα πολύ μαθαίνοντας... **3**. ***~ in doing/to do sth***, ἡδονίζομαι, βρίσκω εὐχαρίστηση νά κάνω κτ: *He ~s in teasing me/to prove me wrong*, βρίσκει εὐχαρίστηση νά μέ πειράζη/νά ἀποδείχνη ὅτι ἔχω ἄδικο.
de·limit /ˈdiˋlɪmɪt/ ρ.μ. καθορίζω τά ὅρια, ὁροθετῶ.
de·lin·eate /dɪˋlɪnɪeɪt/ ρ.μ. διαγράφω, σκιαγραφῶ, περιγράφω, σκιτσάρω: *mountains clearly ~d on the horizon*, βουνά πού διαγράφονται καθαρά στόν ὁρίζοντα. **de·lin·ea·tion** /dɪˈlɪnɪˋeɪʃn/ οὐσ. ‹C,U› περιγραφή, σκιαγράφησις.
de·lin·quency /dɪˋlɪŋkwənsɪ/ οὐσ. ‹C,U› ἐγκληματικότης, παράπτωμα: *juvenile ~*, παιδική ἐγκληματικότης.
de·lin·quent /dɪˋlɪŋkwənt/ οὐσ. ‹C› ἐγκληματίας, παραβάτης.
de·liri·ous /dɪˋlɪrɪəs/ ἐπ. παραληρῶν, ἔξαλλος: *The children were ~ with joy*, τά παιδιά

παραληροῦσαν ἀπό χαρά. ~**·ly** *ἐπίρ.*
de·lir·ium /dɪˋlɪrɪəm/ *οὐσ.* ‹U› παραλήρημα: ˈ~ ˋ**tremens**, τρομῶδες παραλήρημα (τῶν ἀλκοολικῶν).
de·liver /dɪˋlɪvə(r)/ *ρ.μ.* **1**. (παρα)δίδω: ~ *letters/parcels*, παραδίδω (διανέμω) γράμματα/δέματα. ~ *a message*, παραδίδω (διαβιβάζω) ἕνα μήνυμα. ~ *a lecture/a sermon*, δίδω (κάνω) διάλεξη/κήρυγμα. ~ *a blow*, δίδω (καταφέρω) ἕνα κτύπημα. ~ ***up/over (to)***, παραδίδω εἰς: ~ *up stolen goods/a fortress*, παραδίδω κλοπιμαῖα/ἕνα φρούριο. **2**. ~ ***from***, (ἀπ)ελευθερώνω, σώζω: *D~ us from evil!* ῥῦσαι ἡμᾶς ἀπό τοῦ πονηροῦ! ~ *sb from death/his enemies*, σώζω κπ ἀπό τό θάνατο/ἀπό τούς ἐχθρούς του. ***be ~ed of a child***, γεννῶ παιδί. ~**·ance** /-əns/ *οὐσ.* ‹U› ἀπελευθέρωσις, σωτηρία, ἔκφρασις (γνώμης). ~**er** *οὐσ.* ‹C› λυτρωτής, διανομεύς.
de·liv·ery /dɪˋlɪvərɪ/ *οὐσ.* ‹C,U› **1**. παράδοσις, διανομή (ἐπιστολῶν, κλπ): *prompt* ~, ἄμεσος παράδοσις. *His letter came by (the) first* ~, τό γράμμα του ἦλθε μέ τήν πρώτη διανομή. ***on*** ~, ἅμα τῇ παραδόσει: *goods payable on* ~, ἐμπορεύματα πληρωτέα ἐπί τῇ παραδόσει. ˋ~ **note**, δελτίον παραδόσεως. **2**. ἀπαγγελία, τρόπος ὁμιλίας: *His sermon was good, but his ~ was poor*, τό κήρυγμα ἦταν καλό ἀλλά ὁ τρόπος τῆς ὁμιλίας του ἦταν ἄσχημος. **3**. τοκετός.
dell /del/ *οὐσ.* ‹C› (*ποιητ.*) κοιλάδα, λαγκάδι.
de·louse /ˈdiˋlaʊs/ *ρ.μ.* ξεψειριάζω.
delta /ˋdeltə/ *οὐσ.* ‹C› (*πληθ.* ~*s*) δέλτα: *the Nile D~*, τό Δέλτα τοῦ Νείλου.
de·lude /dɪˋlud/ *ρ.μ.* ~ ***sb (with sth/into doing sth)***, ἐξαπατῶ, ξεγελῶ: ~ *the public*, ἐξαπατῶ τό κοινόν. ~ *sb with promises*, ξεγελῶ κπ μέ ὑποσχέσεις. ~ *sb/oneself into believing that...*, κάνω κπ νά πιστέψῃ/αὐταπατῶμαι πιστεύοντας ὅτι... ~ *oneself with false hopes*, αὐταπατῶμαι/βαυκαλίζομαι μέ ψεύτικες ἐλπίδες.
del·uge /ˋdeljudʒ/ *οὐσ.* ‹C› κατακλυσμός: *After me the ~!* ὕστερα ἀπό μένα ὁ κατακλυσμός! *a ~ of questions/protests*, κατακλυσμός (βροχή) ἐρωτήσεων/διαμαρτυριῶν. __*ρ.μ.* κατακλύζω: *He was ~d with questions/letters*, τόν ἔπνιξαν στίς ἐρωτήσεις/στά γράμματα.
de·lusion /dɪˋluʒn/ *οὐσ.* ‹C,U› ἀπάτη, πλάνη, αὐταπάτη, παραίσθησις: *be under a* ~, ἔχω αὐταπάτες. *suffer from ~s*, ἔχω (πάσχω ἀπό) παραισθήσεις.
de·lus·ive /dɪˋlusɪv/ *ἐπ.* ἀπατηλός, ψεύτικος. ~**·ly** *ἐπίρ.*
de luxe /dɪ ˋlʌks/ *ἐπ.* πολυτελής, λούξ.
delve /delv/ *ρ.μ./ἀ.* **1**. (*ἀπηρχ.*) σκάβω. **2**. ~ ***into***, ψάχνω, ἐρευνῶ, σκαλίζω, ἀναδιφῶ: ~ *into one's pockets*, ψάχνω στίς τσέπες μου. ~ *into the past*, ἀναδιφῶ τό παρελθόν.
de·mag·net·ize /ˈdiˋmægnɪtaɪz/ *ρ.μ.* ἀπομαγνητίζω.
dema·gogic /ˈdeməˋgodʒɪk/ *ἐπ.* δημαγωγικός.
dema·gogue /ˋdeməgog/ *οὐσ.* ‹C› δημαγωγός.
dema·gogy /ˋdeməgodʒɪ/ *οὐσ.* ‹U› δημαγωγία.
[1]**de·mand** /dɪˋmand/ *οὐσ.* ‹C,U› ~ ***(for)***, **1**. ἀπαίτησις, ἀξίωσις, αἴτημα: *moderate/excessive ~s*, μετριοπαθεῖς/ὑπερβολικές ἀπαιτήσεις. *satisfy the workers' ~s for higher wages*, ἱκανοποιῶ τά αἰτήματα τῶν ἐργατῶν γιά μεγαλύτερα μεροκάματα. *make great ~s on sb's time/good nature*, κάνω κατάχρηση τοῦ χρόνου/τῆς καλωσύνης κάποιου. *There have been ~s for the Prime Minister to resign/that the P.M. should resign*, διετυπώθησαν ἀξιώσεις νά παραιτηθῇ ὁ Πρωθυπουργός. ***on*** ~, ἐπί τῇ ἐμφανίσει, εἰς πρώτην ζήτησιν: *a cheque payable on* ~, ἐπιταγή πληρωτέα ἐπί τῇ ἐμφανίσει. **2**. (*ἐμπ.*) ζήτησις: *the law of supply and* ~, ὁ νόμος προσφορᾶς καί ζητήσεως. *There's a great ~ for oil*, ὑπάρχει μεγάλη ζήτησις πετρελαίου. *be in great/little* ~, ζητιέμαι πολύ/λίγο.
[2]**de·mand** /dɪˋmand/ *ρ.μ.* **1**. ρωτῶ, ἀξιῶ νά μάθω: *The policeman ~ed my name*, ὁ ἀστυφύλακας μέ ρώτησε τό ὄνομά μου. **2**. ἀξιῶ, ζητῶ: *I ~ an apology*, ἀξιῶ νά μοῦ ζητήση συγγνώμη. *He ~s to know everything*, ζητάει (ἔχει τήν ἀξίωση) νά τά ξέρη ὅλα. *He ~ed that the money should be paid back at once*, ἀξίωσε νά ἐπιστραφοῦν τά χρήματα ἀμέσως. **3**. ἀπαιτῶ, χρειάζομαι: *This sort of work ~s great patience*, αὐτοῦ τοῦ εἴδους ἡ δουλειά ἀπαιτεῖ (χρειάζεται) μεγάλη ὑπομονή.
de·mar·cate /ˋdimakeɪt/ *ρ.μ.* ὁροθετῶ, διαχωρίζω.
de·mar·ca·tion /ˈdimaˋkeɪʃn/ *οὐσ.* ‹U› ὁροθεσία, διαχωρισμός: *a ~ line*, διαχωριστική (ὁροθετική) γραμμή.
de·mean /dɪˋmin/ *ρ.μ.* ~ ***oneself***, ξεπέφτω: *I won't ~ myself so far as to borrow from him*, δέν θά ξεπέσω μέχρι τοῦ σημείου νά δανειστῶ ἀπ' αὐτόν. ~**·our** /-ə(r)/ *οὐσ.* ‹U› συμπεριφορά.
de·mented /dɪˋmentɪd/ *ἐπ.* τρελλός, (*καθομ.*) ἀλαλιασμένος (ἀπό ἀνησυχία): *a poor ~ creature*, ἕνας δυστυχισμένος τρελλός. *She was running about like one* ~, ἔτρεχε ἐδῶ κι' ἐκεῖ σάν παλαβή.
de·merit /ˈdiˋmerɪt/ *οὐσ.* ‹C› ἀπαξία, ἐλάττωμα, μειονέκτημα: *the merits and ~s of a plan*, τά ὑπέρ καί τά κατά ἑνός σχεδίου.
demi·god /ˋdemɪgod/ *οὐσ.* ‹C› ἡμίθεος.
demi·john /ˋdemɪdʒon/ *οὐσ.* ‹C› νταμιζάνα.
de·mili·tar·ized /ˈdiˋmɪlɪtəraɪzd/ *ἐπ.* ἀποστρατιωτικοποιημένος: *a ~ zone*.
demi·monde /ˈdemɪˋmõd/ *οὐσ.* ‹C› ὁ ἡμίκοσμος.
de·mise /dɪˋmaɪz/ *οὐσ.* ‹C› (*νομ.*) θάνατος.
demo /ˋdeməʊ/ *οὐσ.* ‹C› (*καθομ.*) διαδήλωσις.
de·mob /dɪˋmob/ *οὐσ.* ‹C› & *ρ.μ.* (*καθομ.*) ἀποστράτευσις, ἀποστρατεύω.
de·mo·bil·iz·ation /dɪˈməʊbɪlaɪˋzeɪʃn/ *οὐσ.* ‹U› ἀποστράτευσις.
de·mo·bil·ize /ˈdiˋməʊbɪlaɪz/ *ρ.μ.* ἀποστρατεύω.
de·moc·racy /dɪˋmokrəsɪ/ *οὐσ.* ‹C,U› δημοκρατία.
demo·crat /ˋdeməkræt/ *οὐσ.* ‹C› δημοκράτης.
demo·cratic /ˈdeməˋkrætɪk/ *ἐπ.* δημοκρατικός. ~**ally** *ἐπίρ.*
de·moc·ra·tize /dɪˋmokrətaɪz/ *ρ.μ.* ἐκδημοκρατίζω. **de·moc·ra·tiz·ation** /dɪˈmokrətaɪˋzeɪʃn/ *οὐσ.* ‹U› ἐκδημοκρατισμός.

de·mog·raphy /dɪˋmogrəfɪ/ *οὐσ.* ‹U› δημογραφία. **demo·graphic** /ˈdeməˋgræfɪk/ *ἐπ.* δημογραφικός.
de·mol·ish /dɪˋmolɪʃ/ *ρ.μ.* κατεδαφίζω (κτίριο), συντρίβω (ἐπιχείρημα).
demo·li·tion /ˈdeməˋlɪʃn/ *οὐσ.* ‹U› κατεδάφισις.
de·mon /ˋdimən/ *οὐσ.* ‹C› δαίμων, δαιμόνιο, σατανᾶς: *the ~ of jealousy*, ὁ δαίμονας τῆς ζήλειας. *He's a ~ for work*, εἶναι σατανᾶς στή δουλειά (*δηλ.* δουλεύει πολύ). **de·moni·acal** /ˈdeməˋnaɪəkl/ *ἐπ.* δαιμονικός, δαιμονισμένος.
de·mon·strable /dɪˋmonstrəbl/ *ἐπ.* ἀποδείξιμος, εὐαπόδεικτος. **de·mon·strably** *ἐπίρ.*
dem·on·strate /ˋdemənstreɪt/ *ρ.μ/ἀ.* **1**. ἀποδεικνύω: *How can we ~ that the earth is round?* πῶς μποροῦμε ν' ἀποδείξωμε ὅτι ἡ γῆ εἶναι στρογγυλή; **2**. περιγράφω, ἐπιδεικνύω, κάνω ἐπίδειξη: *~ a new washing-machine*, κάνω ἐπίδειξη ἑνός νέου πλυντηρίου. **3**. διαδηλώνω, κάνω διαδήλωση: *~ through the streets/against the Government*, διαδηλώνω στούς δρόμους/ἐναντίον τῆς κυβερνήσεως.
dem·on·stra·tion /ˈdemənˋstreɪʃn/ *οὐσ.* ‹C,U› **1**. πρακτικόν μάθημα, ἐπίδειξις: *a practical ~*, πρακτική ἐπίδειξις. **2**. διαδήλωσις: *the workers' ~s*, οἱ ἐργατικές διαδηλώσεις. **3**. ἐκδήλωσις: *~s of love*, ἐκδηλώσεις ἀγάπης.
de·mon·stra·tive /dɪˋmonstrətɪv/ *ἐπ.* **1**. (ἀπο)δεικτικός: *action ~ of a generous character*, πρᾶξις ἀποδεικνύουσα γενναιόφρονα χαρακτῆρα. **~ pronoun**, (*γραμμ.*) δεικτική ἀντωνυμία. **2**. ἐκδηλωτικός, διαχυτικός: *Some children are more ~ than others*, μερικά παιδιά εἶναι πιό ἐκδηλωτικά ἀπό ἄλλα.
dem·on·stra·tor /ˋdemənstreɪtə(r)/ *οὐσ.* ‹C› **1**. διαδηλωτής. **2**. ὁ κάμνων ἐπίδειξιν (συσκευῶν, μεθόδων, κλπ).
de·moral·ize /dɪˋmorəlaɪz/ *ρ.μ.* **1**. διαφθείρω, ἐξαχρειώνω: *be ~d by bad companions*, διαφθείρομαι ἀπό κακές παρέες. *Drugs have a demoralizing effect*, τά ναρκωτικά ἐξαχρειώνουν. **2**. ἀποθαρρύνω, σπάω τό ἠθικό: *The army was ~d*, ὁ στρατός εἶχε χάσει τό ἠθικό του. **de·moral·iz·ation** /dɪˈmorəlaɪˋzeɪʃn/ *οὐσ.* ‹U› ἐξαχρείωσις, κατάπτωσις τοῦ ἠθικοῦ, ἀποθάρρυνσις.
de·mote /ˈdiˋməʊt/ *ρ.μ.* ὑποβιβάζω.
de·motic /dɪˋmotɪk/ *ἐπ.* δημοτικός, λαϊκός: *~ Greek*, ἡ δημοτική (γλῶσσα).
de·mur /dɪˋmɜ(r)/ *ρ.ἀ.* *(-rr-)* ~ ***at/to***, (*λόγ.*) ἀντιτίθεμαι, ἔχω ἐνδοιασμούς ἤ ἀντιρρήσεις εἰς: *~ to a demand*, ἀντιτίθεμαι σέ μιά ἀπαίτηση. *~ at working on Sundays*, ἔχω ἀντιρρήσεις (δέν συμφωνῶ) νά δουλεύω τήν Κυριακή. —*οὐσ.* ‹U› δισταγμός, ἐνδοιασμός, ἐναντίωσις: *without ~*, ἄνευ δισταγμοῦ, ἀνενδοιάστως.
de·mure /dɪˋmjʊə(r)/ *ἐπ.* **1**. σεμνός, σοβαρός: *a ~ young lady*, μιά σεμνή/σοβαρή νέα. **2**. (*ἰδ. γιά κορίτσι*) χαμηλοβλεποῦσα, ψευτοσεμνότυφος: *a ~ smile*, χαμόγελο φραγκοπαναγιᾶς. **~·ly** *ἐπίρ.* **~·ness** *οὐσ.* ‹U›.
den /den/ *οὐσ.* ‹C› **1**. φωλιά (ἀγρίου ζώου): *a lion's ~*. **2**. κρησφύγετο, λημέρι, ἄντρο: *a ~ of thieves; an ˋopium ~*, τεκές, χασισοποτεῖον. **3**. καμαρούλα (γιά μελέτη).

de·nation·al·ize /ˈdiˋnæʃnəlaɪz/ *ρ.μ.* ἀπεθνικοποιῶ, καταργῶ τήν ἐθνικοποίηση. **de·nation·al·iz·ation** /ˈdiˈnæʃnəlaɪˋzeɪʃn/ *οὐσ.* ‹U› κατάργησις ἐθνικοποιήσεως.
de·nial /dɪˋnaɪəl/ *οὐσ.* ‹C,U› ἄρνησις, διάψευσις: *~ of a request for help*, ἄρνησις παρακλήσεως γιά βοήθεια. *~ of a rumour*, διάψευσις φήμης.
deni·grate /ˋdenɪgreɪt/ *ρ.μ.* δυσφημῶ, κακολογῶ. **deni·gra·tion** /ˈdenɪˋgreɪʃn/ *οὐσ.* ‹U› δυσφήμησις.
deni·zen /ˋdenɪzn/ *οὐσ.* ‹C› κάτοικος.
de·nomi·nate /dɪˋnomɪneɪt/ *ρ.μ.* (ἐπ)ονομάζω.
de·nomi·na·tion /dɪˈnomɪˋneɪʃn/ *οὐσ.* ‹C› **1**. ὀνομασία. **2**. δόγμα, θρήσκευμα, αἵρεσις: *the Protestant ~s*, οἱ αἱρέσεις τῶν Διαμαρτυρομένων. **3**. ἀξία, μονάς (βάρους, μήκους, κλπ): *reduce fractions to the same ~*, ἀνάγω κλάσματα εἰς τόν αὐτόν παρονομαστήν.
de·nomi·na·tor /dɪˋnomɪneɪtə(r)/ *οὐσ.* ‹C› παρονομαστής. **common ~**, κοινός παρονομαστής.
de·note /dɪˋnəʊt/ *ρ.μ.* ἐμφαίνω, δηλῶ, δείχνω: *In Algebra the sign x ~s an unknown quantity*, στήν Ἄλγεβρα τό σύμβολον Χ ἐμφαίνει ἄγνωστο ἀριθμό.
dé·noue·ment /ˈdeɪˋnumõ/ *οὐσ.* ‹C› λύσις (σέ θεατρικό ἔργο ἤ μυθιστόρημα).
de·nounce /dɪˋnaʊns/ *ρ.μ.* καταγγέλω: *~ a treaty/sb as a traitor*, καταγγέλλω μιά συνθήκη/κπ ὡς προδότη.
dense /dens/ *ἐπ.* *(-r, -st)* **1**. πυκνός: *a ~ fog/crowd/forest*, πυκνή ὁμίχλη/-ό πλῆθος/δάσος. **2**. κουτός: *He's a little ~*, εἶναι λίγο ἀργόστροφος. **~·ly** *ἐπίρ.* πυκνά: *a ~ly populated country*, μιά πυκνοκατοικημένη χώρα.
den·sity /ˋdensətɪ/ *οὐσ.* ‹C,U› πυκνότης, βραδύνοια: *air ~*, πυκνότης ἀέρος.
dent /dent/ *οὐσ.* ‹C› καβούλα, χτύπημα, βαθούλωμα, δόντι (σέ μαχαίρι), (*καθομ.*) στραπατσάρισμα: *a ~ in one's pride/car*, στραπατσάρισμα τῆς περηφάνειας μου/τοῦ αὐτοκινήτου μου. *make a ~ in one's fortune*, βάζω δόντι εἰς (σπαταλῶ πολλήν ἀπό) τήν περιουσία μου. —*ρ.μ/ἀ.* βαθουλώνω, καβουλιάζω: *a badly ~ed car*, ἕνα αὐτοκίνητο ὅλο καβοῦλες.
den·tal /ˋdentl/ *ἐπ.* ὀδοντικός: *a ~ surgeon*, χειροῦργος ὀδοντίατρος.
den·tist /ˋdentɪst/ *οὐσ.* ‹C› ὀδοντίατρος. **~ry** *οὐσ.* ‹U› ὀδοντιατρική.
den·ture /ˋdentʃə(r)/ *οὐσ.* ‹C› ὀδοντοστοιχία, μασέλα (τεχνητή).
de·nude /dɪˋnjud/ *ρ.μ.* ~ ***of***, (*λόγ.*) ἀπογυμνώνω: *trees ~d of leaves*, δέντρα γυμνά ἀπό φύλλα.
de·nun·ci·ation /dɪˈnʌnsɪˋeɪʃn/ *οὐσ.* ‹C,U› καταγγελία: *a public ~*, δημόσια καταγγελία.
deny /dɪˋnaɪ/ *ρ.μ.* ἀρνοῦμαι, ἀπαρνοῦμαι: *He denied the charge/stealing the money*, ἀρνήθηκε τήν κατηγορία/ὅτι ἔκλεψε τά χρήματα. *There's no ~ing the fact that…*, δέν μπορεῖ νά ἀρνηθῇ κανείς τό γεγονός ὅτι… *Peter denied Christ*, ὁ Πέτρος ἀπαρνήθηκε τό Χριστό. *He denies himself/his family nothing*, δέν ἀρνεῖται τίποτα στόν ἑαυτό του/στήν οἰκογένειά του. *She was angry at being denied admittance*,

θύμωσε πού τῆς ἀρνήθηκαν τήν εἴσοδο.

de·odor·ant /ˈdiˋəudərənt/ *οὐσ.* ‹C› ἀποσμητικόν.

de·odor·ize /ˈdiˋəudəraız/ *ρ.μ.* ἀφαιρῶ τήν ὀσμή, ἐξουδετερώνω τήν κακοσμία.

de·part /dıˋpɑt/ *ρ.ἀ.* ~ ***(from)***, **1**. ἀναχωρῶ: *The train ~s from Athens at 3 p.m.*, τό τραῖνο ἀναχωρεῖ ἐξ Ἀθηνῶν στίς 3 μ.μ. ~ *(from) this life*, (*πεπαλ.*) φεύγω ἀπό τή ζωή, πεθαίνω. **2**. ἀπομακρύνομαι, παρεκκλίνω: ~ *from the truth/a rule/a custom/a subject*, ἀπομακρύνομαι ἀπό τήν ἀλήθεια/ἀπό ἕναν κανόνα/ἕνα ἔθιμο/ἕνα θέμα. **~ed** *ἐπ.* περασμένος, χαμένος, πεθαμένος: *the ~ed glory*, περασμένα μεγαλεῖα. **the ~ed**, ὁ ἀποθανών, οἱ ἀποθανόντες.

de·part·ment /dıˋpɑtmənt/ *οὐσ.* ‹C› **1**. τμῆμα, ὑπηρεσία, κλάδος: *the head of (the) ~*, ὁ τμηματάρχης. *the men's clothing ~*, τό τμῆμα ἀνδρικῶν ρούχων. **ˋ~-store**, μεγάλο κατάστημα (μέ πολλά τμήματα). **2**. Ὑπουργεῖον: *the D~ of Education*, τό Ὑπουργεῖον Παιδείας. *the ˋState D~*, (*ΗΠΑ*) τό Ὑπουργεῖον Ἐξωτερικῶν. **3**. (*στή Γαλλία*) νομός. **~al** /ˈdipɑtˋmentl/ *ἐπ.* κλαδικός.

de·par·ture /dıˋpɑtʃə(r)/ *οὐσ.* ‹C,U› ἀναχώρησις, ἐκκίνησις, (*μεταφ.*) ξεκίνημα, ἀπομάκρυνσις, παρέκκλισις: *arrivals and ~s*, ἀφίξεις καί ἀναχωρήσεις. *put off one's ~*, ἀναβάλλω τήν ἀναχώρησίν μου. *This marks a new ~ in physics*, αὐτό ἀνοίγει νέους δρόμους στή φυσική. *a ~ from the truth*, μιά ἀπομάκρυνσις ἀπό τήν ἀλήθεια.

de·pend /dıˋpend/ *ρ.ἀ.* ~ ***on/upon***, **1**. ἐξαρτῶμαι ἀπό: *The success of our picnic ~s on the weather*, ἡ ἐπιτυχία τῆς ἐκδρομῆς μας ἐξαρτᾶται ἀπό τόν καιρό. *Who does it ~ on?* ἀπό ποιόν ἐξαρτᾶται αὐτό; ***It all/That ~s***, (αὐτό) ἐξαρτᾶται. **2**. βασίζομαι: *Can I ~ upon him?* μπορῶ νά βασίζομαι σ'αὐτόν; ~ ***(up)on it***, (στήν ἀρχή ἤ τό τέλος προτάσεως) νά εἶσαι βέβαιος γι'αὐτό, σίγουρα: *He will refuse to help, you can ~ (up)on it*, θ'ἀρνηθῆ νά βοηθήση, νά εἶσαι βέβαιος γι'αὐτό. **~·able** /-əbl/ *ἐπ.* ἀξιόπιστος, ἄξιος ἐμπιστοσύνης.

de·pend·ant (*καί* **-ent**) /dıˋpendənt/ *οὐσ.* ‹C› προστατευόμενον μέλος οἰκογενείας, συντηρούμενος, ὑπηρέτης.

de·pend·ence /dıˋpendəns/ *οὐσ.* ‹U› ~ ***on/upon***, ἐξάρτησις, ἐμπιστοσύνη: *We must end our ~ upon foreign aid*, πρέπει νά σταματήσωμε τήν ἐξάρτησή μας ἀπό τήν ξένη βοήθεια. *He's not a man you can put much ~ on*, δέν εἶναι ἄνθρωπος πού μπορεῖς νά τοῦ ἔχης μεγάλη ἐμπιστοσύνη.

de·pend·ency /dıˋpendənsı/ *οὐσ.* ‹C› ὑπό ἐξάρτησιν περιοχή, κτῆσις.

de·pend·ent /dıˋpendənt/ *ἐπ.* ἐξαρτώμενος: ***be ~ on/upon***, ἐξαρτῶμαι ἀπό: *Promotion is ~ (up)on your success*, ἡ προαγωγή ἐξαρτᾶται ἀπό τήν ἐπιτυχία σου.

de·pict /dıˋpıkt/ *ρ.μ.* ἀπεικονίζω: *biblical scenes ~ed in tapestry*, βιβλικές σκηνές ἀπεικονιζόμενες σέ τάπητες. *The terror was ~ed on his face*, ὁ τρόμος ἦταν ζωγραφισμένος στό πρόσωπό του. **de·pic·tion** /dıˋpıkʃn/ *οὐσ.* ‹U› ἀπεικόνισις.

de·plete /dıˋplit/ *ρ.μ.* (*λόγ.*) ἀδειάζω, ἐξαντλῶ, μειώνω: ~ *a lake of fish*, ἀδειάζω μιά λίμνη ἀπό τά ψάρια της. *~d supplies*, μειωμένα ἤ ἐξαντλημένα ἀποθέματα.

de·ple·tion /dıˋpliʃn/ *οὐσ.* ‹U› ἐξάντλησις (ἀποθεμάτων), μείωσις.

de·plore /dıˋplɔ(r)/ *ρ.μ.* θρηνῶ, ἐλεεινολογῶ: ~ *one's fate/sb's conduct*, θρηνῶ, κλαίω τή μοίρα μου/ἐλεεινολογῶ τό φέρσιμο κάποιου. **de·plor·able** /-əbl/ *ἐπ.* ἀξιοθρήνητος, οἰκτρός, θλιβερός: *deplorable conduct*, ἀξιοθρήνητη συμπεριφορά. *a deplorable mistake*, οἰκτρό λάθος. **de·plor·ably** /-əblı/ *ἐπίρ.* ἐλεεινά, ἀξιοθρήνητα.

de·ploy /dıˋplɔı/ *ρ.μ/ἀ.* (*στρατ.*) ἀναπτύσσω, παρατάσσω/-ομαι (στρατεύματα, πλοῖα, κλπ). **~·ment** *οὐσ.* ‹U› ἀνάπτυξις, παράταξις.

de·popu·late /ˈdiˋpopjuleıt/ *ρ.μ.* ἐρημώνω, ἐλαττώνω τόν πληθυσμό: *a country ~d by war*, χώρα ἐρημωμένη ἀπό τόν πόλεμο. *~d villages*, χωριά ἔρημα ἀπό κατοίκους. **de·popu·la·tion** /ˈdiˈpopjuˋleıʃn/ *οὐσ.* ‹U› ἐρήμωσις, μείωσις τοῦ πληθυσμοῦ.

[1]**de·port** /dıˋpɔt/ *ρ.μ.* ἀπελαύνω, ἐκτοπίζω: *The spy was imprisoned for two years and then ~ed*, ὁ κατάσκοπος φυλακίστηκε δυό χρόνια καί ἔπειτα ἀπελάθη. *In the old days criminals in England were ~ed to Australia*, τόν παληό καιρό οἱ κακοῦργοι στήν Ἀγγλία ἐξετοπίζοντο στήν Αὐστραλία. **~·ation** /ˈdipɔˋteıʃn/ *οὐσ.* ‹C,U› ἀπέλασις, ἐκτόπισις. **~ee** /ˈdipɔˋti/ *οὐσ.* ‹C› ἀπελαθείς, ἐκτοπισθείς.

[2]**de·port** /dıˋpɔt/ *ρ.μ.* ~ ***oneself***, (*λόγ.*) φέρομαι: *He ~ed himself with dignity*, φέρθηκε μέ ἀξιοπρέπεια. **~·ment** *οὐσ.* ‹U› συμπεριφορά: *lessons in ~*, μαθήματα καλῆς συμπεριφορᾶς.

de·pose /dıˋpəuz/ *ρ.μ/ἀ.* **1**. ἐκθρονίζω. **2**. (*λογ.*) ~ ***to/that***, καταθέτω ἐνόρκως, βεβαιῶ: *I ~ to having seen him...*, καταθέτω (βεβαιῶ) ὅτι τόν εἶδα.

[1]**de·posit** /dıˋpozıt/ *οὐσ.* ‹C› **1**. κατάθεσις (χρημάτων): *a ~ account*, κατάθεσις ὑπό προθεσμίαν. **2**. παρακατάθεσις. **3**. ἐγγύησις, προκαταβολή. ***leave/pay/make a ~***, δίνω ἐγγύηση (ἤ προκαταβολή). **4**. ἐναπόθεσις, ἵζημα, στρῶμα, κοίτασμα: *A thick ~ of mud covered the fields after the floods went down*, ἕνα παχύ στρῶμα λάσπης κάλυπτε τά χωράφια ὅταν οἱ πλημμύρες ὑπεχώρησαν. *New ~s of tin have been found in Bolivia*, νέα κοιτάσματα κασσιτέρου βρέθηκαν στή Βολιβία.

[2]**de·posit** /dıˋpozıt/ *ρ.μ.* **1**. (ἀπο)θέτω, βάζω: *He ~ed the books on the desk*, ἔβαλε (ἄφησε) τά βιβλία στό γραφεῖο. *Some insects ~ their eggs in the ground*, μερικά ἔντομα ἀποθέτουν τά αὐγά τους μέσα στό ἔδαφος. **2**. (παρα)καταθέτω, παραδίδω πρός φύλαξιν: ~ *money in a bank*, καταθέτω χρήματα στήν τράπεζα. ~ *documents with a lawyer*, καταθέτω ἔγγραφα σέ δικηγόρο. **3**. δίδω ἐγγύηση, προκαταβολή: ~ *a quarter of the price of a house*, δίδω ὡς προκαταβολήν τό τέταρτο τῆς ἀξίας ἑνός σπιτιοῦ. **4**. ἐναποθέτω: *The Nile ~s a layer of mud on the land*, ὁ Νεῖλος ἐναποθέτει ἕνα στρῶμα λάσπης στή γῆ.

de·posi·tion /ˈdepəˋzıʃn/ *οὐσ.* ‹C,U› ἐκθρόνισις, ἔνορκος κατάθεσις, ἐναπόθεσις.

de·posi·tor /dıˋpozıtə(r)/ *οὐσ.* ‹C› (παρα)κατα-

θέτης. **~y** /-trɪ/ *οὐσ.* ‹C› ἀποθήκη, χῶρος φυλάξεως.
de·pot /ˋdepəʊ/ *οὐσ.* ‹C› **1**. (*στρατ.*) ἀποθήκη (ἐφοδίων), ἔμπεδον. **2**. (*ΗΠΑ*) σταθμός (τραίνων ἤ λεωφορείων).
de·prave /dɪˋpreɪv/ *ρ.μ.* ἐξαχρειώνω, διαφθείρω. **~d** *ἐπ.* διεφθαρμένος, ἀχρεῖος. **de·prav·ity** /dɪˋprævətɪ/ *οὐσ.* ‹C,U› διαφθορά, φαυλότης.
de·pre·cate /ˋdeprəkeɪt/ *ρ.μ.* (*λόγ.*) ἀποδοκιμάζω, κατακρίνω: *All hasty action is to be ~d*, πᾶσα ἐσπευσμένη ἐνέργεια δέον νά ἀποδοκιμασθῇ. **de·pre·ca·tion** /ˋdeprəˋkeɪʃn/ *οὐσ.* ‹U› ἀποδοκιμασία.
de·pre·ci·ate /dɪˋpriʃɪeɪt/ *ρ.μ/ἀ.* ὑποτιμῶ/-οῦμαι, μειώνω: *Shares in this company have ~d*, οἱ μετοχές αὐτῆς τῆς ἑταιρίας ὑπετιμήθησαν. *Don't ~ his efforts to help*, μήν ὑποτιμᾶς (μή μειώνης) τίς προσπάθειές του νά βοηθήση. **de·pre·ci·ation** /dɪˋpriʃɪˋeɪʃn/ *οὐσ.* ‹U› ὑποτίμησις. **de·pre·cia·tory** /dɪˋpriʃɪətərɪ/ *ἐπ.* ὑποτιμητικός.
dep·re·da·tion /ˋdeprəˋdeɪʃn/ *οὐσ.* ‹C,U› (*λόγ.*, *συνήθ. πληθ.*) λεηλασία, διαρπαγή.
de·press /dɪˋpres/ *ρ.μ.* **1**. (κατα)πιέζω: *~ the keys of a piano/a pedal*, πιέζω τά πλῆκτρα πιάνου/πατῶ ἕνα πεντάλ. **2**. προξενῶ κατάθλιψη, μελαγχολῶ: *Wet weather always ~es me*, ὁ βροχερός καιρός μοῦ φέρνει πάντα κατάθλιψη. *The papers are full of ~ing stories*, οἱ ἐφημερίδες εἶναι γεμᾶτες καταθλιπτικά νέα. *She's easily ~ed*, ἀποθαρρύνεται (τήν πιάνει κατάθλιψη) εὔκολα. **3**. προκαλῶ (οἰκονομική) ὕφεση: *Business is ~ed*, οἱ δουλειές εἶναι σέ ὕφεση. **~ed area**, περιοχή πού διέρχεται οἰκονομική κρίση.
de·pres·sion /dɪˋpreʃn/ *οὐσ.* ‹C,U› **1**. κατάθλιψις, μελαγχολία: *She killed herself during a fit of ~*, αὐτοκτόνησε σέ μιά κρίση καταθλίψεως. **2**. κοιλότης, βαθούλωμα, λεκάνη (ἐδάφους): *He hid in a slight ~*, κρύφτηκε σέ μιά μικρή κοιλότητα. **3**. ὕφεσις (οἰκονομική καί ἀτμοσφαιρική): *We are going through a ~*, περνᾶμε οἰκον. κρίση. *There is a ~ over Greece*, ὑπάρχει βαρομετρική ὕφεσις πάνω ἀπό τήν Ἑλλάδα.
de·prive /dɪˋpraɪv/ *ρ.μ.* **~ *sb of sth***, ἀποστερῶ: *He was ~d of his eyesight*, στερήθηκε τό φῶς του. **de·pri·va·tion** /ˋdeprɪˋveɪʃn/ *οὐσ.* ‹C,U› στέρησις: *deprivation of one's rights as a citizen*, στέρησις τῶν πολιτικῶν δικαιωμάτων.
depth /depθ/ *οὐσ.* ‹C,U› βάθος: *at a ~ of 30 fathoms*, σέ βάθος 30 ὀργυιές. *The snow was three feet in ~*, τό χιόνι εἶχε τρία πόδια βάθος. *~ of thought/feeling*, βάθος σκέψεως/αἰσθήματος. *in the ~s of winter*, στήν καρδιά τοῦ χειμῶνα. *in the ~s of despair*, σέ μαύρη ἀπελπισία. ***in ~***, σέ βάθος: *study sth in ~*, μελετῶ κτ σέ βάθος. ***be/get out of one's ~***, δέν πατώνω, (*μεταφ.*) χάνω τά νερά μου: *When they start talking politics, I'm out of my ~*, ὅταν ἀρχίζουν νά κουβεντιάζουν πολιτικά, χάνω τά νερά μου. **ˋ~-charge**, βόμβα βυθοῦ.
depu·ta·tion /ˋdepjʊˋteɪʃn/ *οὐσ.* ‹C› ἀντιπροσωπεία, ἐπιτροπή: *A ~ of students visited the Prime Minister*, μιά ἀντιπροσωπεία φοιτητῶν ἐπεσκέφθη τόν Πρωθυπουργό.
de·pute /dɪˋpjut/ *ρ.μ.* **~ *sth to sb/sb to do sth***. **1**. μεταβιβάζω (ἁρμοδιότητες σέ κπ). **2**. ἐξουσιοδοτῶ (κπ νά κάνη κτ).
depu·tize /ˋdepjʊtaɪz/ *ρ.ἀ.* **~ *for sb***, ἐνεργῶ ὡς ἐκπρόσωπος κάποιου, ἀντιπροσωπεύω, ἀναπληρῶ κπ.
deputy /ˋdepjʊtɪ/ *οὐσ.* ‹C› **1**. ἐκπρόσωπος, πληρεξούσιος, ἀναπληρωτής: *D~ Prime Minister*, Ἀντιπρόεδρος τῆς Κυβερνήσεως. *act as (a) ~ for sb*, ἐνεργῶ ὡς ἐκπρόσωπος κάποιου, τόν ἀναπληρῶ. **2**. βουλευτής.
de·rail /dɪˋreɪl/ *ρ.μ.* ἐκτροχιάζω: *The train was ~ed*, τό τραῖνο ἐξετροχιάσθη. **~·ment** *οὐσ.* ‹C,U› ἐκτροχίασις.
de·range /dɪˋreɪndʒ/ *ρ.μ.* διαταράσσω (τήν λειτουργία, τόν νοῦ): *He's mentally ~ed*, πάσχει ἀπό διατάραξη φρενῶν, εἶναι φρενοβλαβής. **~·ment** *οὐσ.* ‹C,U› διαταραχή, παραφροσύνη.
der·el·ict /ˋderəlɪkt/ *ἐπ.* ἐγκαταλελειμένος, ἑτοιμόρροπος, ἔρημος: *a ~ house/ship*. **der·el·ic·tion** /ˋderəˋlɪkʃn/ *οὐσ.* ‹C,U› **1**. ἐγκατάλειψις, ἐρήμωσις. **2**. παραμέλησις, παράλειψις (καθήκοντος).
de·ride /dɪˋraɪd/ *ρ.μ.* χλευάζω, περιγελῶ, εἰρωνεύομαι: *They ~d his efforts as childish*, περιγελοῦσαν τίς προσπάθειές του ὡς παιδαριώδεις.
de·ri·sion /dɪˋrɪʒn/ *οὐσ.* ‹U› χλευασμός, περίγελως: *hold sb/sth in ~*, χλευάζω κπ/κτ. *make sb/become an object of ~*, κάνω κπ/γίνομαι ἀντικείμενον χλευασμοῦ.
de·ris·ive /dɪˋraɪsɪv/ *ἐπ.* **1**. χλευαστικός, εἰρωνικός: *~ laughter*, εἰρωνικό γέλιο. **2**. γελοῖος, ἄξιος χλευασμοῦ: *a ~ offer*, γελοία προσφορά.
de·ris·ory /dɪˋraɪzərɪ/ *βλ.* *derisive*.
deri·va·tion /ˋderɪˋveɪʃn/ *οὐσ.* ‹C,U› παραγωγή, καταγωγή: *the ~ of words*, ἐτυμολογία λέξεων.
deriva·tive /dɪˋrɪvətɪv/ *οὐσ.* ‹C› παράγωγον (λέξις, οὐσία, κλπ).
de·rive /dɪˋraɪv/ *ρ.μ/ἀ.* παίρνω, ἀντλῶ, βρίσκω, προέρχομαι: *I ~ great pleasure from reading/your company*, βρίσκω μεγάλη εὐχαρίστηση στό διάβασμα/στή συντροφιά σας. *income ~d from an investment*, εἰσόδημα προερχόμενο ἀπό μίαν ἐπένδυσιν. *Many English words are ~d from/~ from Latin*, πολλές Ἀγγλικές λέξεις προέρχονται ἀπό τά Λατινικά.
der·ma·tol·ogy /ˋdɜməˋtolədʒɪ/ *οὐσ.* ‹U› δερματολογία. **der·ma·tol·ogist** /ˋdɜməˋtolədʒɪst/ *οὐσ.* ‹C› δερματολόγος.
de·ro·gate /ˋderəgeɪt/ *ρ.μ.* **~ *from***, (*λόγ.*) μειώνω, θίγω, ξεπέφτω: *~ from one's dignity/position*, μειώνω τήν ἀξιοπρέπειά μου/ξεπέφτω ἀπό τή θέση μου. **de·ro·ga·tion** /ˋderəˋgeɪʃn/ *οὐσ.* ‹U› ἐκπεσμός, μείωση, προσβολή.
de·roga·tory /dɪˋrogətrɪ/ *ἐπ.* μειωτικός, ὑποτιμητικός, ὑβριστικός: *remarks ~ to one's reputation*, παρατηρήσεις μειωτικές τῆς ὑπολήψεώς μου.
der·rick /ˋderɪk/ *οὐσ.* ‹C› **1**. μεγάλος γερανός (λιμανιοῦ ἤ δομικῶν κατασκευῶν). **2**. **ˋoil ~**, πύργος γεωτρήσεως.
der·vish /ˋdɜvɪʃ/ *οὐσ.* ‹C› δερβίσης.
de·sali·nize /ˋdiˋsælɪnaɪz/ *ρ.μ.* ἀφαλατώνω.

de·salin·iz·ation /ˈdiˈsælɪnaɪˋzeɪʃn/ *οὐσ.* ‹U› ἀφαλάτωσις.

de·scend /dɪˋsend/ *ρ.μ/ὰ.* **1**. (*λόγ.*) κατέρχομαι, κατεβαίνω: *The road ~ed steeply*, ὁ δρόμος κατέβαινε (ἔπεφτε) ἀπότομα. *The balloon ~ed in Crete*, τό ἀερόστατον κατῆλθεν εἰς τήν Κρήτην. *He ~ed the stairs*, κατέβηκε τή σκάλα. **2**. ***be ~ed from***, κατάγομαι ἀπό: *We are all ~ed from Adam*, καταγόμεθα ὅλοι ἀπό τόν Ἀδάμ. **3**. περιέρχομαι (ἐκ κληρονομίας): *The house has ~ed to me from my grandfather*, τό σπίτι περιῆλθε σέ μένα ἀπό τόν παπποῦ μου. **4**. ***~ (up)on***, ἐπιτίθεμαι, ἐπιπίπτω: *The bandits ~ed upon the defenceless town*, οἱ ληστές ἔπεσαν πάνω στήν ἀνυπεράσπιστη πόλη. **5**. ***~ to***, κατέρχομαι, ξεπέφτω: *I would never ~ to fraud/cheating*, ποτέ δέν θά ξέπεφτα ὡς τό σημεῖο νά διαπράξω ἀπάτη. **~·ant** /-ənt/ *οὐσ.* ‹C› ἀπόγονος.

de·scent /dɪˋsent/ *οὐσ.* ‹C› **1**. κάθοδος, κατηφοριά, κλίσις: *The ~ of the mountain took two hours*, ἡ κάθοδος (τό κατέβασμα) τοῦ βουνοῦ πῆρε δύο ὧρες. *It's a steep ~*, εἶναι ἀπότομη κλίσις (κατηφοριά). **2**. καταγωγή: *of French ~*, Γαλλικῆς καταγωγῆς. **3**. ***~ (up)on***, ἐπίθεσις, ἐπιδρομή: *The pirates made several ~s upon the coastal towns*, οἱ πειρατές ἔκαναν πολλές ἐπιδρομές ἐναντίον τῶν παραλιακῶν πόλεων. **4**. μεταβίβασις (διά κληρονομίας).

de·scribe /dɪˋskraɪb/ *ρ.μ.* **1**. περιγράφω: *Can you ~ it to/for me?* μπορεῖτε νά μοῦ τό περιγράψετε; **2**. ***~ as***, περιγράφω ὡς, χαρακτηρίζω: *My decision was ~d as arbitrary*, ἡ ἀπόφασίς μου χαρακτηρίστηκε αὐθαίρετη.

de·scrip·tion/dɪˋskrɪpʃn/ *οὐσ.* ‹C,U› **1**. περιγραφή: *Give me a ~ of the thief*, κάνε μου μιά περιγραφή τοῦ κλέφτη. *Its beauty was beyond ~*, ἡ ὀμορφιά του ἦταν ἀνώτερη κάθε περιγραφῆς. **2**. εἶδος, τύπος: *boats of every ~*, πλοῖα παντός εἴδους.

de·scrip·tive /dɪˋskrɪptɪv/ *ἐπ.* περιγραφικός: *his ~ power*, ἡ περιγραφική του δύναμις. *~ passages*, περιγραφικά κομμάτια (σέ βιβλίο).

de·scry /dɪˋskraɪ/ *ρ.μ.* (*λόγ.*) διακρίνω (μακρυά).

des·ecrate /ˋdesəkreɪt/ *ρ.μ.* βεβηλώνω (ἐκκλησία, εἰκόνα, τάφο). **des·ecra·tion** /ˈdesəˋkreɪʃn/ *οὐσ.* ‹U› βεβήλωσις.

[1]**de·sert** /dɪˋzɜt/ *ρ.μ/ὰ.* **1**. ἐγκαταλείπω: *He ~ed his family*, ἐγκατέλειψε τήν οἰκογένειά του. *His wife/His courage ~ed him*, ἡ γυναίκα του/τό θάρρος του τόν ἐγκατέλειψε. *The house seemed ~ed*, τό σπίτι φαινόταν ἐγκαταλελειμένο (ἔρημο). **2**. λιποτακτῶ: *The regiment ~ed in a body*, τό σύνταγμα λιποτάκτησε ἐν σώματι. **~er** *οὐσ.* ‹C› λιποτάκτης. **de·ser·tion** /dɪˋzɜʃn/ *οὐσ.* ‹C,U› λιποταξία.

[2]**de·sert** /ˋdezət/ *οὐσ.* ‹C,U› ἔρημος: *the Sahara D~*, ἡ Ἔρημος Σαχάρα. —*ἐπ.* ἄγονος, ἀκατοίκητος: *the ~ areas of North Africa*, οἱ ἄγονες περιοχές τῆς Β. Ἀφρικῆς. *a ~ island*, ἀκατοίκητο (ἔρημο) νησί.

de·serts /dɪˋzɜts/ *οὐσ. πληθ.* ὅ,τι ἀξίζει σέ κπ, δίκαιη τιμωρία ἤ ἀμοιβή: *meet with /get one's ~*, ἔχω τήν τύχη πού μοῦ ἀξίζει, παίρνω ὅ,τι μοῦ ἀξίζει. ***according to one's ~s***, κατ' ἀξίαν: *be rewarded/punished according to one's ~*, ἀμείβομαι/τιμωροῦμαι κατ' ἀξίαν.

de·serve /dɪˋzɜv/ *ρ.μ/ὰ.* ἀξίζω, δικαιοῦμαι: *Good work ~s good pay*, ἡ καλή ἐργασία ἀξίζει καλή πληρωμή. *He ~s punishment/to be sent to prison*, τοῦ ἀξίζει τιμωρία/νά πάη φυλακή. **de·serv·ed·ly** /-ɪdlɪ/ *ἐπίρ.* δικαίως: *He was ~dly punished*, ἐτιμωρήθη δικαίως.

de·serv·ing /dɪˋzɜvɪŋ/ *ἐπ.* ἄξιος, πού ἀξίζει: *give money to a ~ cause*, δίδω χρήματα σέ ὑπόθεση πού τό ἀξίζει. *He is ~ of sympathy*, (*λόγ.*) εἶναι ἄξιος συμπόνοιας.

des·ic·cate /ˋdesɪkeɪt/ *ρ.μ.* ξεραίνω, ἀφυδατώνω: *~d figs*, ξερά σῦκα.

[1]**de·sign** /dɪˋzaɪn/ *οὐσ.* ‹C,U› **1**. σχέδιο: *an ancient vase with ~s on it*, ἀρχαῖο βάζο μέ σχέδια πάνω του. **2**. σχέδιο, γραμμή: *The new hospital is large but poor in ~*, τό νέο νοσοκομεῖο εἶναι μεγάλο ἀλλά κακοσχεδιασμένο. *a car of modern ~*, αὐτοκίνητο μέ μοντέρνα γραμμή. *I like the ~ of your furniture/house*, μ' ἀρέσει ἡ γραμμή τῶν ἐπίπλων σου/τό σχέδιο τοῦ σπιτιοῦ σου. **3**. σχέδιο, σκοπός, πρόθεσις, βλέψις: *What's your ~?* (*λόγ.*) ποιό εἶναι τό σχέδιό σου (τί σκοπεύεις νά κάμης); ***by ~***, σκοπίμως, ἐκ προθέσεως, μέ σχέδιο: *Was the world made by accident or by ~?* ἔγινε ὁ κόσμος τυχαῖα ἤ μέ σχέδιο; ***have ~s on/against***, ἐποφθαλμιῶ, ἔχω βλέψεις, βυσσοδομῶ: *He has ~s on my daughter/my money*, ἔχει βλέψεις στήν κόρη μου/ἐποφθαλμιᾶ τά χρήματά μου. *He has ~s against my life*, βυσσοδομεῖ κατά τῆς ζωῆς μου.

[2]**de·sign** /dɪˋzaɪn/ *ρ.μ/ὰ.* **1**. σχεδιάζω: *~ a dress/a garden*. **2**. ἐκπονῶ σχέδια, ἐργάζομαι ὡς σχεδιαστής. **3**. ***~ for***, προορίζω: *This book is ~ed for those wishing to travel abroad*, αὐτό τό βιβλίο προορίζεται γιά κείνους πού θέλουν νά ταξιδέψουν στό ἐξωτερικό. **~-ed·ly** /-ɪdlɪ/ *ἐπίρ.* σκοπίμως.

des·ig·nate /ˋdezɪgneɪt/ *ἐπ.* (*μετά ἀπό οὐσ.*) ἐκλεγείς, διορισθείς (ἀλλά μή ἀναλαβών καθήκοντα ἀκόμη): *the President ~*, ὁ ἐκλεγείς Πρόεδρος. —*ρ.μ.* **1**. καθορίζω (ὅρια). **2**. ὁρίζω, διορίζω, προορίζω, ὀνομάζω: *He ~d Smith as his successor*, ὥρισε τόν Σμίθ ὡς διάδοχόν του. **des·ig·na·tion** /ˈdezɪgˋneɪʃn/ *οὐσ.* ‹C,U› διορισμός, ὀνομασία, περιγραφή.

de·signer /dɪˋzaɪnə(r)/ *οὐσ.* ‹C› σχεδιαστής: *a ˋdress ~*, ἐνδυματολόγος. *a ˋfurniture ~*, σχεδιαστής ἐπίπλων. *a ˋstage ~*, σκηνογράφος.

de·sign·ing /dɪˋzaɪnɪŋ/ *ἐπ.* ραδιουργός, δολοπλόκος. —*οὐσ.* ‹U› σχέδιο (ἡ τέχνη ἐκπονήσεως σχεδίων), σχεδίασμα.

de·sir·able /dɪˋzaɪərəbl/ *ἐπ.* ἐπιθυμητός, σκόπιμος, εὐκταῖος, ἑλκυστικός: *It is most ~ for me to know if...*, (*λόγ.*) εἶναι εὐκταῖον (ἐπιθυμῶ πολύ) νά μάθω ἐάν... *This ~ property to be sold or let*, αὐτό τό ἑλκυστικό σπίτι πωλεῖται ἤ ἐνοικιάζεται. **de·sir·abil·ity** /dɪˈzaɪərəˋbɪlətɪ/ *οὐσ.* ‹U› τό εὐκταῖον, τό ἐπιθυμητόν.

[1]**de·sire** /dɪˋzaɪə(r)/ *οὐσ.* ‹C,U› ἐπιθυμία, λαχτά-

ρα, (σαρκικός) πόθος: *I have no ~ for wealth/ to become rich*, δέν ἔχω ἐπιθυμία γιά πλούτη/ νά γίνω πλούσιος. *I hope you'll get all your heart's ~s*, ἐλπίζω ν' ἀποκτήσετε ὅ,τι ἐπιθυμεῖ ἡ καρδιά σας. *It was my father's ~ that I should study law*, ἦταν ἐπιθυμία τοῦ πατέρα μου νά σπουδάσω Νομικά. *at the ~ of His Majesty*, κατ' ἐπιθυμίαν (κατά παράκλησιν) τῆς Αὐτοῦ Μεγαλειότητος.

[2]**de·sire** /dɪˋzaɪə(r)/ *ρ.μ.* (*λόγ.*) **1**. ἐπιθυμῶ, λαχταρῶ, ποθῶ: *We all ~ happiness and health*, ὅλοι λαχταρᾶμε εὐτυχία καί ὑγεία. *The food was all that could be desired*, ἡ τροφή ἦταν πολύ ἱκανοποιητική (ὅ,τι μποροῦσε νά ἐπιθυμήση κανείς). *I ~ you to wait here*, ἐπιθυμῶ νά περιμένετε ἐδῶ. **2**. ζητῶ: *He ~d an envelope and some letter paper*, ζήτησε (ἐξέφρασε τήν ἐπιθυμία νά ἔχη) ἕνα φάκελλο καί χαρτί ἀλληλογραφίας.

de·sir·ous /dɪˋzaɪərəs/ *ἐπ.* (*λόγ.*) ἐπιθυμῶν: *~ of peace/~ to do sth*, ἐπιθυμῶν τήν εἰρήνη/νά κάμη κτ.

de·sist /dɪˋzɪst/ *ρ.ἀ.* ~ ***(from)***, (*λόγ.*) ἀπέχω, παύω, παραιτοῦμαι: *~ from interfering*, ἀπέχω πάσης ἀναμίξεως.

desk /desk/ *οὐσ.* ‹C› γραφεῖον (τό ἔπιπλον), θρανίο. **ˋpay-~**, ταμεῖον.

[1]**deso·late** /ˋdesələt/ *ἐπ.* **1**. ἔρημος, ἐρημωμένος, ἀκατοίκητος: *a ~, wind-swept stretch of land*, μιά ἔρημη, ἀνεμοδαρμένη ἔκταση. **2**. ἔρημος (δυστυχισμένος, μόνος), ἀπελπισμένος: *a ~ life*, ἔρημη ζωή. *a ~ cry*, ἀπελπισμένη κραυγή. **~·ly** *ἐπίρ.*

[2]**deso·late** /ˋdesəleɪt/ *ρ.μ.* ἐρημώνω, φέρνω σέ ἀπόγνωση: *The civil war ~d Spain*, ὁ ἐμφύλιος πόλεμος ἐρήμωσε τήν Ἰσπανία. **deso·la·tion** /ˈdesəˋleɪʃn/ *οὐσ.* ‹U› ἐρήμωσις, μοναξιά, ἀπόγνωσις: *be in a state of ~*, εἶμαι σέ κατάσταση ἀπογνώσεως/ἐρημώσεως.

[1]**des·pair** /dɪˋspeə(r)/ *οὐσ.* ‹U› ἀπελπισία, ἀπόγνωσις: *be filled with ~*, γεμίζω (καταλαμβάνομαι ἀπό) ἀπελπισία. *give up an attempt in ~* ἐγκαταλείπω μιά προσπάθεια ἀπελπισμένος. *give way to/abandon oneself to ~*, παραδίδομαι στήν ἀπελπισία. ***be the ~ of sb***, φέρω κπ σέ ἀπόγνωση: *This boy is the ~ of all his teachers*, αὐτό τό παιδί ἔχει φέρει σέ ἀπόγνωση ὅλους τούς δασκάλους του. ***drive sb to ~***, φέρνω κπ σέ ἀπόγνωση.

[2]**des·pair** /dɪˋspeə(r)/ *ρ.ἀ.* ~ ***of***, ἀπελπίζομαι, ἔχω ἀπελπιστεῖ: *~ of the future*, ἀπελπίζομαι γιά τό μέλλον. *He ~s of success/ of ever succeeding*, ἔχει ἀπελπιστεῖ ὅτι θά ἐπιτύχη. *His life was ~ed of*, δέν εἶχαν πιά ἐλπίδες γιά τή ζωή του. **~·ing** *ἐπ.* ἀπελπισμένος: *in a ~ing tone*, μέ φωνή ἀπελπισίας. **~·ing·ly** *ἐπίρ.* ἀπελπισμένα.

des·patch /dɪˋspætʃ/ *ρ.μ.* & *οὐσ.* *βλ.* *dispatch.*

des·per·ado /ˈdespəˋrɑdəʊ/ *οὐσ.* ‹C› (*πληθ.* *~s*) κακοῦργος, τοῦ σκοινιοῦ καί τοῦ παλουκιοῦ.

des·per·ate /ˋdesprət/ *ἐπ.* **1**. ἀπελπισμένος, ἄπελπις, ἀπεγνωσμένος: *a ~ effort*, ἀπελπισμένη προσπάθεια. *~ resistance/conflict*, ἀπεγνωσμένη ἀντίστασις/-ος ἀγώνας. **2**. ἐπικίνδυνος, ἱκανός γιά ὅλα: *a ~ criminal*, ἐγκληματίας ἱκανός γιά ὅλα. *The prisoners became ~ in their attempt to escape*, οἱ φυλακισμένοι ἔγιναν ἐπικίνδυνοι (ἀπό ἀπελπισία) στήν προσπάθειά τους νά δραπετεύσουν. **3**. ἀπελπιστικός: *The state of the country is ~*, ἡ κατάστασις τῆς χώρας εἶναι ἀπελπιστική. **4**. τῆς ἀπελπισίας, χωρίς ἐλπίδα ἐπιτυχίας: *a ~ remedy*, φάρμακο τῆς ἀπελπισίας. **~·ly** *ἐπίρ.* ἀπελπισμένα, ἀπεγνωσμένα, πολύ: *fight ~ly*, ἀγωνίζομαι ἀπεγνωσμένα. *~ly wounded/in love/frightened*, θανάσιμα τραυματισμένος/τρελλά ἐρωτευμένος/ τρομερά φοβισμένος.

des·per·ation /ˈdespəˋreɪʃn/ *οὐσ.* ‹U› ἀπόγνωσις, ἀπελπισία. ***in ~***, ἐν ἀπογνώσει. ***drive sb to ~***, (*καθομ.*) φέρνω κπ σέ ἀπόγνωση, τόν φέρνω στά ἄκρα.

des·pic·able /dɪˋspɪkəbl/ *ἐπ.* ποταπός, ἄξιος περιφρονήσεως: *~ behaviour*, ποταπή διαγωγή. **des·pic·ably** *ἐπίρ.* ἀξιοκαταφρόνητα.

des·pise /dɪˋspaɪz/ *ρ.μ.* περιφρονῶ: *Workers ~ strike-breakers*, οἱ ἐργάτες περιφρονοῦν τούς ἀπεργοσπάστες. *Such a salary is not to be ~d*, ἕνας τέτοιος μισθός δέν εἶναι γιά περιφρόνηση.

des·pite /dɪˋspaɪt/ *πρόθ.* παρά, ἀνεξάρτητα ἀπό, σέ πεῖσμα: *~ bad weather*, παρά τόν ἄσχημο καιρό. *~ what he says*, ἀνεξάρτητα ἀπ' ὅ,τι λέει. ***in ~ of***, (*ἀπηρχ.*) παρά.

de·spoil /dɪˋspɔɪl/ *ρ.μ.* ***~ sb (of sth)***, (*λόγ.*) ἀπογυμνώνω κπ ἀπό κτ, ληστεύω, λεηλατῶ.

de·spon·dency /dɪˋspɒndənsɪ/ *οὐσ.* ‹U› ἀποθάρρυνσις, δείλιασμα, μελαγχολία: *fall into ~*, πέφτω σέ μελαγχολία, χάνω τό κουράγιο μου.

de·spon·dent /dɪˋspɒndənt/ *ἐπ.* μελαγχολικός, ἀποθαρρυμένος: *become/feel ~*, ἀποθαρρύνομαι/μελαγχολῶ. **~·ly** *ἐπίρ.* ἀποθαρρυμένα, μελαγχολικά.

des·pot /ˋdespɒt/ *οὐσ.* ‹C› τύραννος, δεσπότης. **~ic** /dɪˋspɒtɪk/ *ἐπ.* τυραννικός. **~·ism** /ˋdespətɪzm/ *οὐσ.* ‹C,U› τυραννία.

des·sert /dɪˋzɜt/ *οὐσ.* ‹C› ἐπιδόρπιον. **~-spoon**, κουταλάκι τοῦ γλυκοῦ.

des·ti·na·tion /ˈdestɪˋneɪʃn/ *οὐσ.* ‹C› προορισμός: *reach one's ~*, φθάνω στόν προορισμό μου.

des·tine /ˋdestɪn/ *ρ.μ.* ~ ***(for)***, (*συνήθ.* *εἰς παθ. φων.*) προορίζω, εἶναι μοιραῖον νά: *He was ~d from birth for the army*, ἀπό τήν ὥρα πού γεννήθηκε ἦταν προορισμένος γιά τό στρατό. *They were ~d never to meet again*, ἦταν μοιραῖο νά μήν ξανασυναντηθοῦν. *His hopes were ~d to be realized*, ἐπέπρωτο νά πραγματοποιηθοῦν οἱ ἐλπίδες του.

des·tiny /ˋdestɪnɪ/ *οὐσ.* ‹C,U› μοῖρα, τύχη, πεπρωμένον: *It was his ~ to die in a foreign land*, ἦταν ἡ μοῖρα του νά πεθάνη στά ξένα.

des·ti·tute /ˋdestɪtjut/ *ἐπ.* **1**. ἄπορος, πάμπτωχος: *He's utterly ~*, εἶναι τελείως ἄπορος. **2**. ἐστερημένος: *~ of common sense*, χωρίς τήν κοινή λογική. ***be ~ of***, στεροῦμαι: *officials who are ~ of ordinary human feelings*, ὑπάλληλοι πού στεροῦνται τήν συνήθη ἀνθρωπιά.

des·ti·tu·tion /ˈdestɪˋtjuʃn/ *οὐσ.* ‹U› ἀπορία, ἔνδεια: *He was reduced to ~*, περιῆλθε εἰς ἔνδειαν, ἔγινε πάμπτωχος.

de·stroy /dɪˋstrɔɪ/ *ρ.μ.* **1**. καταστρέφω: *The forest was ~ed by fire*, τό δάσος καταστράφηκε ἀπό πυρκαγιά. *All his hopes were ~ed*, ὅλες οἱ ἐλπίδες του καταστράφηκαν (χάθηκαν). **2**. ἐξολοθρεύω, ἐξοντώνω, φονεύω (ζῶον): *~ a mad dog*, σκοτώνω ἕνα λυσσασμένο σκυλί. **~er** *οὐσ.* ‹C› **1**. καταστροφεύς. **2**. ἀντιτορπιλλικόν.

de·struc·tible /dɪˋstrʌktəbl/ *ἐπ.* καταστρέψιμος, φθαρτός.

de·struc·tion /dɪˋstrʌkʃn/ *οὐσ.* ‹U› καταστροφή: *the ~ of a town by an earthquake*, ἡ καταστροφή μιᾶς πόλεως ἀπό σεισμό. *Gambling was his ~*, τό παιχνίδι ἦταν ἡ καταστροφή του.

de·struc·tive /dɪˋstrʌktɪv/ *ἐπ.* καταστρεπτικός: *a ~ fire*, καταστρεπτική πυρκαγιά. *~ criticism*, ἐξοντωτική κριτική. *a ~ child*, παιδί πού ἔχει μανία καταστροφῆς. **~·ly** *ἐπίρ.*

de·sue·tude /ˋdeswɪtjud/ *οὐσ.* ‹U› (*λόγ.*) ἀχρησία. ***fall into ~***, (*γιά ἔθιμα, λέξεις, νόμους, κλπ*) περιπίπτω εἰς ἀχρησίαν.

des·ul·tory /ˋdesltərɪ/ *ἐπ.* μή συστηματικός, ἀσύνδετος, ἀκατάστατος: *~ reading*, ἀκατάστατο διάβασμα. *a ~ speech*, ἀσύνδετη ὁμιλία, χωρίς εἱρμό.

de·tach /dɪˋtætʃ/ *ρ.μ.* **1**. ἀποσπῶ: *~ a coach from a train/a leaf from a branch*, ἀποσπῶ βαγόνι ἀπό τραῖνο/φύλλο ἀπό κλαδί. **2**. (*στρατ.*) στέλνω (σέ εἰδική ἀποστολή): *Ten men were ~ed to guard the bridge*, δέκα ἄνδρες ἀπεσπάσθησαν (ἐστάλησαν) γιά τήν φύλαξη τῆς γέφυρας. **~ed** *ἐπ.* **1**. ἀμερόληπτος, ἀπροκατάληπτος: *take a ~ed view of sth*, βλέπω κτ ἀπροκατάληπτα. **2**. (*γιά σπίτι*) ἐλεύθερο, πού δέν ἀκουμπάει σέ ἄλλα. **3**. ξεκομμένος, ἀπομονωμένος: *live ~ed from the world*, ζῶ ξεκομμένος ἀπό τόν κόσμο. **~·able** /-əbl/ *ἐπ.* ἀφαιρούμενος, κινητός: *a ~able cover*, κινητό κάλυμμα.

de·tach·ment /dɪˋtætʃmənt/ *οὐσ.* ‹C,U› **1**. ἀπόσπασις, ἀποσύνδεσις. **2**. ἀδιαφορία: *answer with an air of ~*, ἀπαντῶ μέ ἀδιάφορο ὕφος. **3**. ἀμεροληψία, ἀντικειμενικότης. **4**. (*στρατ.*) ἀπόσπασμα, ὁμάς: ***be on ~***, εἶμαι ἀποσπασμένος.

de·tail /ˋditeɪl/ *οὐσ.* ‹C,U› **1**. λεπτομέρεια: *important/minor ~s*, σημαντικές/ἀσήμαντες λεπτομέρειες. ***in ~***, λεπτομερῶς: *explain sth in ~*, ἐξηγῶ κτ λεπτομερῶς/διεξοδικῶς. ***go/enter into ~s***, μπαίνω σέ λεπτομέρειες. **2**. (*στρατ.*) ὁμάς, ἀπόσπασμα.

ˈde·tail /ˋditeɪl/ *ρ.μ.* **1**. περιγράφω λεπτομερῶς: *a ~ed description*, μιά λεπτομερής περιγραφή. *The characteristics of the machine are fully ~ed in our brochure*, τά χαρακτηριστικά τῆς μηχανῆς περιγράφονται λεπτομερῶς στό φυλλάδιό μας. **2**. (*στρατ.*) ὁρίζω, στέλνω σέ εἰδική ἀποστολή: *Three soldiers were ~ed to guard the bridge*, τρεῖς στρατιῶτες ὁρίστηκαν νά φυλᾶνε τή γέφυρα.

de·tain /dɪˋteɪn/ *ρ.μ.* κρατῶ, ἐμποδίζω κπ νά φύγη, καθυστερῶ: *The police ~ed several suspects*, ἡ ἀστυνομία κράτησε ἀρκετούς ὑπόπτους. *I was ~ed in the office by unexpected callers*, καθυστέρησα στό γραφεῖο ἀπό ἀπροσδόκητους ἐπισκέπτες. *This question need not ~ us long*, αὐτό τό θέμα δέν εἶναι ἀνάγκη νά μᾶς ἀπασχολήση πολύ. **~ee** /ˈditeɪˋni/ *οὐσ.* ‹C› κρατούμενος: *political ~ees*, πολιτικοί κρατούμενοι.

de·tect /dɪˋtekt/ *ρ.μ.* ἀνακαλύπτω, διακρίνω, ἀνιχνεύω: *~ a fault in the engine/a mistake*, ἀνακαλύπτω ἐλάττωμα στή μηχανή/ἕνα λάθος. *I ~ no sign of oil leak*, δέν διακρίνω ἴχνος διαρροῆς λαδιῶν. **~·able** /-əbl/ *ἐπ.* πού μπορεῖ νά ἀνακαλυφθῆ. **de·tec·tor** /-tə(r)/ *οὐσ.* ‹C› ἀνιχνευτής, ἀνιχνευτική συσκευή.

de·tec·tion /dɪˋtekʃn/ *οὐσ.* ‹U› ἀνακάλυψις, ἀνίχνευσις: *the ~ of a crime*, ἡ ἀνίχνευσις ἑνός ἐγκλήματος. *He tried to escape ~ by disguising himself as a monk*, προσπάθησε νά διαφύγη τήν ἀναγνώριση μεταμφιαζόμενος σέ καλόγηρο.

de·tec·tive /dɪˋtektɪv/ *οὐσ.* ‹C› ντέτεκτιβ. **~ story/novel**, ἀστυνομική ἱστορία/-ό μυθιστόρημα.

dé·tente /deɪˋtɑnt/ *οὐσ.* ‹U› ὕφεσις, χαλάρωσις τῆς ἐντάσεως (μεταξύ κρατῶν).

de·ten·tion /dɪˋtenʃn/ *οὐσ.* ‹U› κράτησις: *~ by the police/at school*, κράτησις ὑπό τῆς ἀστυνομίας/εἰς τό σχολεῖο (γιά τιμωρία).

de·ter /dɪˋtɜ(r)/ *ρ.μ.* (*-rr-*) *~* ***(from)***, ἀποτρέπω, ἐμποδίζω: *Failure didn't ~ him from trying again*, ἡ ἀποτυχία δέν τόν ἐμπόδισε (δέν τόν ἀπέτρεψε) νά ξαναδοκιμάση. *Nothing will ~ him*, τίποτα δέν τόν σταματάει.

de·ter·gent /dɪˋtɜdʒənt/ *οὐσ.* ‹,CU› ἀπορρυπαντικόν.

de·ter·io·rate /dɪˋtɪərɪəreɪt/ *ρ.μ/ἀ.* χειροτερεύω: *His work has ~d.*

de·ter·mi·nant /dɪˋtɜmɪnənt/ *ἐπ.* προσδιοριστικός, καθοριστικός, εἰδοποιός. __*οὐσ.* ‹C› αἴτιον, εἰδοποιός διαφορά.

de·ter·mi·nate /dɪˋtɜmɪnət/ *ἐπ.* ὡρισμένος, συγκεκριμένος, καθωρισμένος.

de·ter·mi·na·tion /dɪˈtɜmɪˋneɪʃn/ *οὐσ.* ‹U› **1**. προσδιορισμός, καθορισμός: *~ of compensation/penalty*, προσδιορισμός ἀποζημιώσεως/ποινῆς. *~ of a date*, καθορισμός ἡμερομηνίας. *the ~ of the meaning of a word*, ὁ καθορισμός τῆς ἐννοίας μιᾶς λέξεως... **2**. ἀποφασιστικότης: *his ~ to learn English*, ἡ ἀποφασιστικότητά του νά μάθη Ἀγγλικά. *with an air of ~*, μέ ὕφος ἀποφασιστικό.

de·ter·mi·na·tive /dɪˋtɜmɪnətɪv/ *ἐπ.* καθοριστικός, προσδιοριστικός: *an incident ~ of his career*, ἐπεισόδιο πού καθώρισε (ἔκρινε) τήν καριέρα του.

de·ter·mine /dɪˋtɜmɪn/ *ρ.μ/ἀ.* **1**. καθορίζω: *~ a date for a meeting*, καθορίζω ἡμερομηνία γιά μιά συγκέντρωση. *Heredity and environment ~ a man's character*, ἡ κληρονομικότης καί τό περιβάλλον καθορίζουν τόν χαρακτῆρα ἑνός ἀνθρώπου. **2**. προσδιορίζω, ὑπολογίζω: *~ the speed of light*, προσδιορίζω/ὑπολογίζω τήν ταχύτητα τοῦ φωτός. **3**. ***~ to do sth; ~ (up)on sth***, ἀποφασίζω: *He ~d to learn/on learning English*, ἀποφάσισε νά μάθη Ἀγγλικά. *He ~d upon a new bicycle*, ἀποφάσισε ν' ἀγοράση καινούργιο ποδήλατο. **4**. πείθω: *What ~d you to accept his offer?* τί σέ ἔπεισε νά δεχθῆς τήν προσφορά του; *The news ~d him against further delay*, τά νέα τόν ἔπεισαν ὅτι δέν ἔπρεπε νά καθυστερήση ἄλλο. ~**d** ἐπ. ἀποφασισμένος, ἀποφασιστικός, καθοριστικός: *I'm more ~d than ever*, εἶμαι πιό ἀποφασισμένος ἀπό ποτέ ἄλλοτε.

de·ter·rent /dɪˋterənt/ οὐσ. ‹C› προληπτικόν: *Do you think that the H-bomb is a ~?* πιστεύετε ὅτι ἡ ὑδρογονική βόμβα εἶναι προληπτικόν (ἑνός πολέμου); —ἐπ. προληπτικός, ἀνασχετικός.

de·test /dɪˋtest/ ρ.μ. σιχαίνομαι, ἀντιπαθῶ: *~ dogs/having to get up early*, σιχαίνομαι τά σκυλιά/νά εἶμαι ὑποχρεωμένος νά σηκώνομαι νωρίς. **~·able** /-əbl/ ἐπ. σιχαμερός, ἀντιπαθητικός. **~·ably** /-əblɪ/ ἐπίρ. **de·tes·ta·tion** /ˈditeˋsteɪʃn/ οὐσ. ‹C,U› (λόγ.) ἀπέχθεια, ἀποστροφή, βδέλυγμα: *hold sth in ~ation*, ἀπεχθάνομαι κτ. *He's the ~ation of the class*, εἶναι τό βδέλυγμα τῆς τάξεως.

de·throne /dɪˋθrəʊn/ ρ.μ. ἐκθρονίζω. **~·ment** οὐσ. ‹U› ἐκθρονισμός.

det·on·ate /ˋdetəneɪt/ ρ.μ/ἀ. πυροκροτῶ, ἐκπυρσοκροτῶ, ἐκρήγνυμαι: *~ a bomb*, προκαλῶ τήν ἔκρηξη μιᾶς βόμβας. **det·on·ation** /ˈdetəˋneɪʃn/ οὐσ. ‹C,U› ἔκρηξις, πυροκρότησις, ἐκπυρσοκρότησις.

det·on·ator /ˋdetəneɪtə(r)/ οὐσ. ‹C› πυροκροτητής, καψούλι.

de·tour /ˋditʊə(r)/ οὐσ. ‹C› γύρος, παράκαμψις, λοξοδρόμησις, παρακαμπτήριος ὁδός: ***make a ~***, κάνω ἕναν γύρο, πηγαίνω γύρω-γύρω. —ρ.μ. παρακάμπτω, ἀλλάζω δρομολόγιο.

de·tract /dɪˋtrækt/ ρ.ἀ. *~* ***from***, ἀφαιρῶ ἀπό, μειώνω: *This ~s nothing from its value*, αὐτό δέν μειώνει καθόλου τήν ἀξία του. **de·trac·tion** /dɪˋtrækʃn/ ‹C,U› οὐσ. μείωσις, δυσφήμησις. **de·trac·tor** /-tə(r)/ οὐσ. ‹C› δυσφημιστής.

det·ri·ment /ˋdetrɪmənt/ οὐσ. ‹U› βλάβη, ζημία: *He works long hours to the ~ of his health*, δουλεύει πολλές ὧρες ἐπί ζημίᾳ (πρός βλάβην) τῆς ὑγείας του. *I know nothing to his ~*, δέν ξέρω τίποτα εἰς βάρος του. **~al** /ˈdetrɪˋmentl/ ἐπ. ἐπιβλαβής, ἐπιζήμιος: *activities ~al to our interests*, ἐνέργειες ἐπιβλαβεῖς στά συμφέροντά μας.

de·tri·tus /dɪˋtraɪtəs/ οὐσ. ‹U› τρίμματα (βράχου, κλπ).

deuce /djus/ οὐσ. **1.** ‹C› τό διπλό (στά χαρτιά). **2.** ‹U› (ἐπιφωνημ.) διάβολος: *What the ~ do you mean?* τί διάβολο θέλεις νά πῆς; **deuced·ly** /ˋdjusɪdlɪ/ ἐπίρ. (πεπαλ.) πολύ, διαβολεμένα: *~dly uncomfortable/clever*, πολύ ἄβολος/διαβολεμένα ἔξυπνος.

de·value /ˈdiˋvælju/ ρ.μ. ὑποτιμῶ (νόμισμα): *The dollar has been ~d again*, τό δολλάριο ὑπετιμήθη πάλι. **de·valu·ation** /ˈdiˈvæljʊˋeɪʃn/ οὐσ. ‹C,U› ὑποτίμησις.

dev·as·tate /ˋdevəsteɪt/ ρ.μ. ἐρημώνω, ρημάζω, καταστρέφω: *towns ~d by fire/floods/war*, πόλεις κατεστραμμένες ἀπό πυρκαγιά/πλημμύρες/πόλεμο. **dev·as·ta·tion** /ˈdevəˋsteɪʃn/ οὐσ. ‹U› ἐρήμωσις, καταστροφή.

de·velop /dɪˋveləp/ ρ.μ/ἀ. **1.** ἀναπτύσσω/-ομαι: *We must ~ the natural resources of our country*, πρέπει νά ἀναπτύξωμε τούς φυσικούς πόρους τῆς χώρας μας. *A chicken ~s in the egg*, τό κοτόπουλο ἀναπτύσσεται μέσα στό αὐγό. *It ~ed into a large town*, ἀναπτύχθηκε σέ μεγάλη πόλη. *~ heat/an attack/one's body/one's mind*, ἀναπτύσσω θερμότητα/μιάν ἐπίθεση/τό σῶμα μου/τό μυαλό μου. **~ing country**, ἀναπτυσσομένη χώρα. **2.** ἐμφανίζω/-ομαι: *~ a film*, ἐμφανίζω ἕνα φίλμ. *He ~ed a cough*, ἐνεφάνισε βῆχα. *Symptoms of consumption ~ed*, ἐκδηλώθηκαν συμπτώματα φυματιώσεως. **3.** ἀξιοποιῶ περιοχή (χτίζοντας ξενοδοχεῖα, κλπ): *We must ~ this small island*, πρέπει νά ἀξιοποιήσωμε αὐτό τό νησάκι.

de·vel·op·ment /dɪˋveləpmənt/ οὐσ. ‹C,U› **1.** ἀνάπτυξις: *the ~ of a business*, ἡ ἀνάπτυξις (ἐπέκτασις) μιᾶς ἐπιχειρήσεως. **2.** ἐμφάνισις: *the ~ of a film*. **3.** ἀξιοποίησις: *This area is ripe for ~*, αὐτή ἡ περιοχή εἶναι ὥριμη γιά ἀξιοποίηση. **4.** ἐξέλιξις: *the latest ~s in foreign affairs*, οἱ τελευταῖες ἐξελίξεις στή διεθνῆ πολιτική. *We must await further ~s*, πρέπει νά ἀναμένωμε κι᾽ ἄλλες ἐξελίξεις.

de·vi·ate /ˋdivieɪt/ ρ.ἀ. *~* ***from***, παρεκκλίνω, ἐκτρέπομαι: *~ from the truth/one's duty*, παρεκκλίνω ἀπό τήν ἀλήθεια/ἐκτρέπομαι ἀπό τό καθῆκον μου.

de·vi·ation /ˈdiviˋeɪʃn/ οὐσ. ‹C,U› παρέκκλισις, ἀπόκλισις: *political ~s*, πολιτικές παρεκκλίσεις. *~ from the rules*, παρέκκλισις ἀπό τόν κανονισμό.

de·vice /dɪˋvaɪs/ οὐσ. ‹C› **1.** ἐπινόησις, τέχνασμα, κόλπο: *a ~ to put the police off the scent*, τέχνασμα γιά νά χάση ἡ ἀστυνομία τά ἴχνη. ***leave sb to his own ~s***, ἀφήνω κπ νά κάνη ὅ,τι τοῦ καπνίσει. **2.** μηχανισμός, συσκευή, ἐφεύρεση: *a nuclear ~*, πυρηνική συσκευή. *a ~ for catching flies*, μιά ἐφεύρεση γιά νά πιάνονται οἱ μυῖγες. **3.** ἔμβλημα: *a banner with a strange ~*, σημαία μέ παράξενο ἔμβλημα.

¹**devil** /ˋdevl/ οὐσ. ‹C› **1.** διάβολος, σατανᾶς: *What the ~ do you want?* τί διάβολο θέλεις; *He was working/running like the ~*, δούλευε/ἔτρεχε διαβολεμένα (πάρα πολύ). *I had the ~ of a time*, πέρασα καλά/κακά (ἀναλόγως μέ τό κείμενο). ***between the ~ and the deep (blue) sea***, μεταξύ σφύρας καί ἄκμονος, μπρός γκρεμός καί πίσω ρέμα. ***give the ~ his due***, εἶμαι δίκαιος (ἀκόμη καί στό διάβολο). ***go to the ~***, πάω κατά διαβόλου, (προστ.) πήγαινε στό διάβολο! ***play the ~ with sb***, καταστρέφω, χαντακώνω κπ. ***poor ~***, φουκαρᾶς, ὑπάλληλος πού δουλεύει σκληρά καί τόν κακομεταχειρίζονται. **ˈ~-mayˋcare** ἐπ. ἀπερίσκεπτος, ἀσυλλόγιστος. **2.** βοηθός, μαθητευόμενος: *a printer's ~*, μαθητευόμενος τυπογράφος. **~·ish** /-ɪʃ/ ἐπ. σατανικός: *a ~ish plot*, σατανική συνωμοσία. —ἐπίρ. (καθομ.) πολύ: *~ish clever*, πολύ (διαβολεμένα) ἔξυπνος.

²**devil** /ˋdevl/ ρ.μ/ἀ. (-ll-) **1.** πιπερώνω, παραψήνω (φαγητό): *~led kidneys*, πιπερωμένα ψητά νεφρά. **2.** *~* ***for sb***, εἶμαι βοηθός κάποιου (συνήθ. δικηγόρου). **~·ment** /ˋdevlmənt/, **~·ry** /ˋdevlrɪ/ οὐσ. ‹C,U› **1.** διαβολιά: *She is up to some ~ry or other*, κάποια διαβολιά σκαρώνει πάλι. **2.** ζωντάνια: *She is full of ~ment*, εἶναι ὅλο ζωντάνια, ὅλο κέφι.

de·vi·ous /ˋdiviəs/ ἐπ. πλάγιος, λοξός: *get rich by ~ ways*, γίνομαι πλούσιος μέ πλάγια (ὄχι καθαρά) μέσα. *take a ~ route*, λοξοδρο-

μῶ. ~·**ly** *ἐπίρ.* πλαγίως. ~·**ness** *οὐσ.* ‹U› δολιότης.
de·vise /dɪˋvaɪz/ *ρ.μ.* **1**. ἐπινοῶ, μηχανεύομαι: ~ *a good plan*, ἐπινοῶ ἕνα καλό σχέδιο. **2**. (*νομ.*) κληροδοτῶ.
de·vi·tal·ize /ˈdiˋvaɪtəlaɪz/ *ρ.μ.* ἀποδυναμώνω, ἀπονεκρώνω.
de·void /dɪˋvɔɪd/ *ἐπ.* ~ ***of***, χωρίς, ἐστερημένος: ~ *of sense/shame*, χωρίς μυαλό/ντροπή.
de·vo·lu·tion /ˈdivəˋluʃn/ *οὐσ.* ‹U› μεταβίβασις (ἐξουσιῶν), ἀποκέντρωσις.
de·volve /dɪˋvolv/ *ρ.μ/ἀ.* ~ ***(up)on/to***, μεταβιβάζω/-ομαι (καθήκοντα, ἁρμοδιότητες, δουλειά, κλπ) πέφτω ἐπάνω εἰς: ~ *a duty upon a member of the staff*, μεταβιβάζω ἕνα καθῆκον σέ μέλος τοῦ προσωπικοῦ. *All the responsibility* ~*d on me*, ὅλη ἡ εὐθύνη ἔπεσε ἐπάνω μου.
de·vote /dɪˋvəʊt/ *ρ.μ.* ἀφιερώνω, ἀφοσιώνω: *He* ~*d his life to the poor*, ἀφιέρωσε τή ζωή του στούς φτωχούς. *He* ~*d himself to his work*, ἀφοσιώθηκε στό ἔργο του. ~**d** *ἐπ.* ἀφοσιωμένος: *a* ~*d friend*. ~**d·ly** *ἐπίρ.*
devo·tee /ˈdevəˋti/ *οὐσ.* ‹C› λάτρης, θιασώτης: *a* ~ *of music/sport*, λάτρης τῆς μουσικῆς/τῶν σπόρ.
de·vo·tion /dɪˋvəʊʃn/ *οὐσ.* **1**. ‹U› ἀφοσίωσις, λατρεία: *his* ~ *to duty*, ἡ ἀφοσίωσίς του στό καθῆκον, *a mother's* ~ *for her children*, ἡ λατρεία μιᾶς μητέρας γιά τά παιδιά της. **2**. (*πληθ.*) προσευχή: *The priest was at his* ~*s*, ὁ παπᾶς ἔλεγε τήν προσευχή του. ~**al** /-ʃnl/ *ἐπ.* λατρευτικός.
de·vour /dɪˋvaʊə(r)/ *ρ.μ.* (*λόγ.*) καταβροχθίζω: ~ *one's dinner/a novel*, καταβροχθίζω τό φαγητό μου/ἕνα μυθιστόρημα. *be* ~*ed by curiosity/jealousy/anxiety*, μέ τρώει ἡ περιέργεια/ἡ ζήλεια/ἡ ἀγωνία.
de·vout /dɪˋvaʊt/ *ἐπ.* **1**. εὐσεβής, θρῆσκος: *a* ~ *old lady*, μιά θρήσκα γριά. **2**. ἔνθερμος, διακαής, εἰλικρινής: *a* ~ *supporter*, θερμός ὑποστηρικτής. ~ *wishes for your success*, εἰλικρινεῖς εὐχές γιά τήν ἐπιτυχία σου. ~·**ly** *ἐπίρ.* διακαῶς. ~·**ness** *οὐσ.* ‹U› εὐσέβεια, εἰλικρίνεια.
dew /dju/ *οὐσ.* ‹U› δρόσος, δροσιά: *The grass was wet with* ~, ἡ χλόη ἦταν νωπή ἀπό τή δροσιά. ˋ~ **drop**, δροσοσταλίδα. ~**y** *ἐπ.* (*-ier, -iest*) δροσολουσμένος.
dew·lap /ˈdjulæp/ *οὐσ.* ‹C› προγούλι.
dex·ter·ity /ˈdekˋsterətɪ/ *οὐσ.* ‹U› ἐπιδεξιότης.
dex·ter·ous, dex·trous /ˈdekstrəs/ *ἐπ.* ἐπιδέξιος (στά χέρια). ~·**ly** *ἐπίρ.* ἐπιδέξια.
dia·betes /ˈdaɪəˋbitiz/ *οὐσ.* ‹U› (*ἰατρ.*) διαβήτης, ζάχαρο.
dia·betic /ˈdaɪəˋbetɪk/ *ἐπ.* & *οὐσ.* ‹C› διαβητικός.
dia·bolic, dia·bol·ical /ˈdaɪəˋbolɪk(l)/ *ἐπ.* διαβολικός, σατανικός. **dia·boli·cally** /-klɪ/ *ἐπίρ.*
dia·dem /ˋdaɪədem/ *οὐσ.* ‹C› διάδημα.
di·aer·esis /daɪˋerəsɪs/ *οὐσ.* ‹C› (*πληθ. -reses* /ˌerəsiz/) (*τυπογρ.*) διαλυτικά σημεῖα.
di·ag·nose /ˈdaɪəgˋnəʊz/ *ρ.μ.* (*ἰατρ.*) κάνω διάγνωση.
di·ag·no·sis /ˈdaɪəgˋnəʊsɪs/ *οὐσ.* ‹C,U› (*πληθ. -noses* /-ˋnəʊsiz/) διάγνωσις. **di·ag·nos·tic** /-ˋnostɪk/ *ἐπ.* διαγνωστικός.
di·ag·onal /daɪˋægənl/ *οὐσ.* ‹C› & *ἐπ.* διαγώνιος. ~**ly** /-nəlɪ/ *ἐπίρ.*
dia·gram /ˋdaɪəgræm/ *οὐσ.* ‹C› διάγραμμα, σχηματική παράστασις.
dial /ˋdaɪəl/ *οὐσ.* ‹C› καντράν, ταμπλώ (τηλεφώνου, ραδιοφώνου, ρολογιοῦ). —*ρ.μ.* (*-ll-*) παίρνω ἀριθμό (τηλεφώνου). ˋ~**ling code**, κωδικός ἀριθμός: *The* ~*ling code for Athens is 021.*
dia·lect /ˋdaɪəlekt/ *οὐσ.* ‹C,U› διάλεκτος.
dia·lec·tic /ˈdaɪəˋlektɪk/ *οὐσ.* ‹C› (*ἐπίσης εἰς πληθ. μέ τό ρ. στόν ἑν.*) διαλεκτική. ~**al** /-kl/ *ἐπ.* διαλεκτικός: ~**al materialism**, διαλεκτικός ὑλισμός.
dia·logue /ˋdaɪəlog/ *οὐσ.* ‹C,U› διάλογος: *in* ~, σέ μορφή διαλόγου.
di·am·eter /daɪˋæmɪtə(r)/ *οὐσ.* ‹C› διάμετρος.
dia·metri·cally /ˈdaɪəˋmetrɪklɪ/ *ἐπίρ.* ἐκ διαμέτρου, διαμετρικά: ~ *opposed views*, διαμετρικά ἀντίθετες ἀπόψεις.
dia·mond /ˋdaɪəmənd/ *οὐσ.* ‹C› **1**. διαμάντι: *a ring with a* ~ *in it*, δαχτυλίδι μέ διαμάντι. ~ **wedding**, ἀδαμάντινοι γάμοι (ἡ 60ή ἐπέτειος). **rough** ~, ἀκατέργαστο διαμάντι, (*μεταφ.*) ἄξεστος ἄνθρωπος μέ χρυσῆ καρδιά. **2**. καρρό (τῆς τράπουλας). **3**. ρόμβος.
dia·per /ˋdaɪpə(r)/ *οὐσ.* ‹C› **1**. λινό μέ ρομβοειδῆ σχήματα. **2**. (*ΗΠΑ*) πάνα (μωροῦ).
di·apha·nous /daɪˋæfənəs/ *ἐπ.* διάφανος.
dia·phragm /ˋdaɪəfræm/ *οὐσ.* ‹C› διάφραγμα.
dia·rist /ˋdaɪərɪst/ *οὐσ.* ‹C› συγγραφεύς ἡμερολογίου, χρονικογράφος.
di·ar·rhoea /ˈdaɪəˋrɪə/ *οὐσ.* ‹U› διάρροια.
diary /ˋdaɪərɪ/ *οὐσ.* ‹C› ἡμερολόγιον: *keep a* ~, κρατῶ ἡμερολόγιο.
dia·tribe /ˋdaɪətraɪb/ *οὐσ.* ‹C› ~ ***against***, λίβελλος, δριμεῖα ἐπίθεσις.
dice /daɪs/ *οὐσ. πληθ.* (*τοῦ οὐσ. die*) ζάρια. —*ρ.μ/ἀ.* **1**. παίζω. ~ ***with death***, (*καθομ.*) παίζω μέ τό θάνατο. **2**. κόβω (σέ σχῆμα κύβου).
dicey /ˋdaɪsɪ/ *ἐπ.* (*καθομ.*) παρακεκινδυνευμένος.
di·chot·omy /daɪˋkotəmɪ/ *οὐσ.* ‹C› διχοτόμησις.
dick·ens /ˋdɪkɪnz/ *οὐσ.* (*καθομ.*) ἀντί τῆς λέξεως *devil*: ***the*** ~, *Where/Why the* ~ *did he go?* ποῦ/γιατί στό διάβολο πῆγε;
dic·tate /dɪkˋteɪt/ *ρ.μ/ἀ.* **1**. ὑπαγορεύω: ~ *a letter to a secretary. The teacher* ~*d a few lines to the class.* **2**. ὑπαγορεύω, διατάσσω: ~ *terms to a defeated enemy*, ὑπαγορεύω ὅρους σέ ἡττηθέντα ἐχθρό. *I won't be* ~*d to*, δέν ἀνέχομαι νά μέ διατάσσουν. —*οὐσ.* ‹C› (*συνήθ. πληθ.*) /ˋdɪkteɪt/ ὑπαγορεύσεις, προσταγές: *the* ~*s of common sense*, οἱ προσταγές τῆς λογικῆς. *Follow the* ~*s of your conscience*, ἀκολούθησε τίς ὑπαγορεύσεις τῆς συνειδήσεώς σου.
dic·ta·tion /dɪkˋteɪʃn/ *οὐσ.* ‹C,U› ὑπαγόρευσις: *at the teacher's* ~, καθ' ὑπαγόρευσιν τοῦ δασκάλου.
dic·ta·tor /ˈdɪkˋteɪtə(r)/ *οὐσ.* ‹C› δικτάτωρ. ~·**ship** /-ʃɪp/ ‹C,U› δικτατορία.
dic·ta·tor·ial /ˈdɪktəˋtɔrɪəl/ *ἐπ.* δικτατορικός: *assume* ~ *powers*, ἀναλαμβάνω δικτατορικές ἐξουσίες.

dic·tion /ˋdıkʃn/ *οὐσ.* ‹U› **1**. ὕφος λόγου, ἄρθρωσις. **2**. λεκτικόν, ἐκλογή καί χρῆσις λέξεων: *poetic* ~, ποιητικές ἐκφράσεις.

dic·tion·ary /ˋdıkʃnrı/ *οὐσ.* ‹C› λεξικόν.

dic·tum /ˋdıktəm/ *οὐσ.* ‹C› (*πληϑ.* ~*s*, *-ta* /-tə/) ρῆσις, ρητόν, ἀπόφϑεγμα.

did /dıd/ *ἀόρ. τοῦ ρ. do.*

di·dac·tic /daıˋdæktık/ *ἐπ.* διδακτικός: ~ *style/poetry*, διδακτικό (δασκαλίστικο) ὕφος/ διδακτική ποίησις. ~**ally** /-klı/ *ἐπίρ.* συμβουλευτικά.

diddle /ˋdıdl/ *ρ.μ.* (*καϑομ.*) ἐξαπατῶ, ξεγελῶ: ~ ***sb out of sth***, παίρνω μέ ἀπάτη κτ ἀπό κπ.

[1]**die** /daı/ *οὐσ.* ‹C› **1**. (*πληϑ. dice* /daıs/) ζάρι, κῦβος. ***The ~ is cast***, ὁ κῦβος ἐρρίφϑη! **2**. (*πληϑ. dies* /-daız/) μήτρα, καλούπι, σφραγίδα (νομίσματος). ˋ**~-cast** *ἐπ.* χυμένος σέ καλούπι: *~-cast toys.*

[2]**die** /daı/ *ρ.ἀ.* (*ἐνεργ. μετ. dying*) **1**. πεϑαίνω: ~ *of an illness/of hunger/of grief*, πεϑαίνω ἀπό ἀρρώστεια/ἀπό πεῖνα/ἀπό λύπη. ~ *by violence*, βρίσκω βίαιο ϑάνατο. ~ *by one's own hand*, αὐτοκτονῶ. ~ *from a wound/ for one's country/in battle*, πεϑαίνω ἀπό ἕνα τραῦμα/γιά τή χώρα μου/στή μάχη. ~ *happy/ rich/poor/a beggar*, πεϑαίνω εὐτυχισμένος/ πλούσιος/φτωχός/ζητιάνος. *His fame will never* ~, ἡ φήμη του ποτέ δέν ϑά πεϑάνη. ***be dying for sth/to do sth***, πεϑαίνω γιά κτ/καίγομαι νά κάνω κτ: *I'm dying for a cigarette*, πεϑαίνω γιά τσιγάρο. *He's dying to know where I went*, καίγεται νά μάϑη ποῦ πῆγα. ~ ***game***, πεϑαίνω λεβέντικα. ~ ***hard***, πεϑαίνω δύσκολα: *Old habits die hard*, οἱ παληές συνήϑειες δέν φεύγουν εὔκολα. ˋ**~-hard** *οὐσ.* ‹C› συντηρητικός, ἀντιδραστικός, ἀδιάλλακτος: *the ~-hards of a party*, οἱ ἀδιάλλακτοι ἑνός κόμματος. ~ ***in one's bed***, πεϑαίνω ἀπό φυσικό ϑάνατο. ~ ***in harness***, πεϑαίνω δουλεύοντας. ~ ***with one's boots on***, πεϑαίνω ἐν πλήρει δράσει. **2**. (*μέ ἐπιρ. & προϑέσεις*):

die away, ἐξασϑενίζω, σβύνω σιγά-σιγά: *The breeze/The noise ~d away*, ἡ αὔρα ἔπεσε/ὁ ϑόρυβος ἔσβυσε.

die down, πέφτω, κοπάζω, ξεϑυμαίνω: *The fire/The storm/His anger ~d down*, ἡ φωτιά ἔπεσε, ἔσβυσε/ἡ ϑύελλα/ὁ ϑυμός του κόπασε.

die off, πεϑαίνω ἕνας-ἕνας: *The leaves of the plant are dying off*, τά φύλλα τοῦ φυτοῦ μαραίνονται ἕνα-ἕνα.

die out, σβύνω, ἐξαφανίζομαι σιγά-σιγά: *Many old customs are gradually dying out*, πολλά παληά ἔϑιμα ἐξαφανίζονται σιγά-σιγά.

[1]**diet** /ˋdaıət/ *οὐσ.* ‹C› **1**. διαιτολόγιο, τροφή: *the Japanese ~ of rice and fish*, τό γιαπωνέζικο διαιτολόγιο μέ ρύζι καί ψάρια. *Too rich a ~ is not good for you*, οἱ πλούσιες (λιπαρές) τροφές δέν σοῦ κάνουν καλό. **2**. δίαιτα: ***be on a*** ~, εἶμαι σέ (κάνω) δίαιτα. ***put sb on a*** ~, βάζω κπ σέ δίαιτα. —*ρ.μ/ἀ.* ὑποβάλλω σέ δίαιτα, κάνω δίαιτα: *She's still ~ing*, ἀκόμη κάνει δίαιτα. **~·ary** /-tərı/ *ἐπ.* διαιτητικός: *~ary rules*, διαιτητικοί κανόνες **~et·ics** /ˌdaıəˋtetıks/ *οὐσ. πληϑ.* (*μέ τό ρ. στόν ἑν.*) διαιτητική. **~i·cian** /ˌdaıəˋtıʃn/ *οὐσ.* ‹C› διαιτολόγος,

[2]**diet** /ˋdaıət/ *οὐσ.* ‹C› Δίαιτα (=Σύνοδος Βουλή).

dif·fer /ˋdıfə(r)/ *ρ.ἀ.* **1**. διαφέρω: *Tastes ~ widely*, τά γοῦστα διαφέρουν πολύ. *English ~s from French in several ways*, τά Ἀγγλικά διαφέρουν ἀπό τά Γαλλικά ποικιλοτρόπως. **2**. ~ ***from sb*** (***about/on sth***), διαφωνῶ ἔχω διαφορετική γνώμη ἀπό κπ πάνω σέ κτ: *I'm sorry to ~ from you about/on/upon that question*, λυποῦμαι πού διαφωνῶ μαζί σου σ' αὐτό τό ϑέμα. ***We agree to*** ~, δέν πρόκειται νά συμφωνήσωμε ποτέ (τό μόνο πού συμφωνοῦμε εἶναι νά διαφωνοῦμε).

dif·fer·ence /ˋdıfrns/ *οὐσ.* ‹C,U› διαφορά: *the ~ between summer and winter*, ἡ διαφορά μεταξύ καλοκαιριοῦ καί χειμῶνα. *I can't see much ~ in them*, δέν βλέπω πολύ διαφορά μεταξύ τους. *Why can't you settle your ~s*, γιατί δέν λύνετε τίς διαφορές σας; ***make a ~ between***, κάνω διακρίσεις μεταξύ: *You shouldn't make a ~ between your children*, δέν πρέπει νά κάνετε διακρίσεις στά παιδιά σας. ***make a/some/no/not much/a great deal of*** ~, ἔχω/ἔχω κάποια/δέν ἔχω καϑόλου/ἔχω πολύ σημασία: *It makes no ~ whether he comes or not*, δέν ἔχει καμιά σημασία ἄν ἔλϑη ἤ ὄχι.

dif·fer·ent /ˋdıfrnt/ *ἐπ.* διαφορετικός: *They are ~ in race and in speech*, εἶναι διαφορετικοί στή φυλή καί τή γλῶσσα. *I felt/I was a ~ man after that*, ἔνοιωϑα/ἤμουν ἄλλος ἄνϑρωπος ὕστερα ἀπ' αὐτό. *They are made in ~ colours*, γίνονται σέ διαφορετικά χρώματα. *three ~ times*, τρεῖς διαφορετικές φορές. ~ ***from/to*** (*ὅταν ἡ πρόϑεσις ἕπεται ἀμέσως*). ~ ***than*** (*ὅταν ἡ πρόϑεσις εἶναι ἀπομακρυσμένη*): *Life today is ~ from life 50 years ago*, ἡ ζωή σήμερα εἶναι διαφορετική ἀπό τή ζωή πρό πενῆντα ἐτῶν. *How ~ life today is than what it was 50 years ago!* πόσο διαφορετική εἶναι σήμερα ἡ ζωή ἀπό τή ζωή πρό πενῆντα ἐτῶν!

dif·fer·en·tial /ˌdıfəˋrenʃl/ *ἐπ.* διαφορικός: ~ *tariffs*, διαφορικοί δασμοί. —*οὐσ.* ‹C› **1**. (*αὐτοκ.*) διαφορικόν. **2**. διαφορά: *time/wage ~*, διαφορά χρόνου/μισϑῶν.

dif·fer·en·ti·ate /ˌdıfəˋrenʃıeıt/ *ρ.μ.* διαφορίζω, διαφοροποιῶ, ξεχωρίζω: *Reason ~s man from the other animals*, τό λογικόν διαφορίζει (ξεχωρίζει) τόν ἄνϑρωπο ἀπό τά ἄλλα ζῶα. *It's wrong to ~ between pupils*, εἶναι λάϑος νά κάνη κανείς διακρίσεις μεταξύ τῶν μαϑητῶν (νά ξεχωρίζη τούς μαϑητές). **dif·fer·en·ti·ation** /ˌdıfəˌrenʃıˋeıʃn/ *οὐσ.* ‹C,U› διαφορισμός, διάκρισις.

dif·fi·cult /ˋdıfıklt/ *ἐπ.* δύσκολος: *a ~ problem/language/man*, δύσκολο πρόβλημα/ -η γλῶσσα/-ος ἄνϑρωπος. *I find it ~ to believe you*, τό βρίσκω δύσκολο νά σέ πιστέψω.

dif·fi·culty /ˋdıfıkltı/ *οὐσ.* ‹C,U› δυσκολία: *Did you have any ~ in getting here?* εἴχατε δυσκολία νά φϑάσετε ἐδῶ; *be in financial difficulties*, εἶμαι σέ οἰκονομικές δυσκολίες. ***with*** ~, δύσκολα. ***get over/overcome a*** ~, ὑπερνικῶ μιά δυσκολία. ***raise/make many difficulties***, παρεμβάλλω ἐμπόδια/ φέρνω πολλές δυσκολίες.

dif·fi·dence /ˈdɪfɪdəns/ *οὐσ.* ‹U› ἀτολμία, διστακτικότης, ντροπαλωσύνη.
dif·fi·dent /ˈdɪfɪdənt/ *ἐπ.* ἄτολμος, διστακτικός, χωρίς αὐτοπεποίθηση, ντροπαλός: *be ~ in doing sth*, διστάζω νά κάμω κτ. *in a ~ manner*, μέ διστακτικό τρόπο. **~·ly** *ἐπίρ.* διστακτικά, ντροπαλά.
dif·fract /dɪˈfrækt/ *ρ.μ.* διαθλῶ (φῶς). **dif·frac·tion** /dɪˈfrækʃn/ *οὐσ.* ‹U› διάθλασις.
dif·fuse /dɪˈfjuz/ *ρ.μ/ὰ.* **1**. διαχέω: *~ light/heat*. **2**. διαδίδω/-ομαι, ἐξαπλώνω: *~ learning/news/a rumour*, διαδίδω παντοῦ τή μόρφωση/τά νέα/μιά φήμη. **3**. (*φυσ.*) ἀναμιγνύω/-ομαι (διά διαχύσεως). **dif·fu·sion** /dɪˈfjuʒn/ *οὐσ.* ‹U› διάχυσις, διάδοσις, ἐξάπλωσις.
dif·fuse /dɪˈfjus/ *ἐπ.* **1**. διάχυτος: *~ light*, διάχυτο φῶς. **2**. σχοινοτενής, ἀπεραντολόγος, φλύαρος: *a ~ style/writer*, φλύαρο στύλ/-ος συγγραφεύς.
dig /dɪg/ *ρ.μ/ὰ.* ἀνώμ. (*ἀόρ. & π.μ.* dug /dʌg/) *(-gg-)* **1**. σκάβω: *~ the ground/in the garden*, σκάβω τό ἔδαφος/στόν κῆπο. *~ (up) potatoes/a well/a grave*, σκάβω (ξεχώνω) πατάτες/πηγάδι/τάφο. **2**. (*μέ ἐπιρ. & προθέσεις*):
dig in/into, χώνω: *~ a fork into a potato*, χώνω πηρούνι σέ πατάτα. *~ one's spurs into a horse*, χώνω τά σπηρούνια μου σ' ἕνα ἄλογο. ***~ in/into food***, σερβίρομαι, παίρνω: *D~ into the pie!* πάρε πίττα! *The food's here, ~ in!* νά τό φαΐ, πήδα μέσα! ***~ oneself in***, περιχαρακώνομαι, (*μεταφ.*) χώνομαι, κολλῶ γερά (σέ θέση, κλπ). ***~ sb in the ribs***, σκουντῶ κπ στά πλευρά (μέ τό δάχτυλο).
dig out, ξεχώνω, ἀνακαλύπτω, ξετρυπώνω: *~ out the truth/a criminal*, ἀνακαλύπτω τήν ἀλήθεια/ἕναν ἐγκληματία.
dig up, ξεθάβω, φέρω στήν ἐπιφάνεια, ἀνασκάπτω: *~ up a statue/an old scandal*, ξεθάβω ἕνα ἄγαλμα/ἕνα παληό σκάνδαλο. *~ up the earth*, ἀνασκάπτω τό χῶμα.
dig /dɪg/ *οὐσ.* ‹C› **1**. (*καθομ.*) σκουντιά, μπηχτή: *a ~ in the ribs*, μιά σκουντιά στά πλευρά. *That was a ~ at me*, αὐτό ἦταν μπηχτή (σπόντα) γιά μένα. **2**. (*ἀρχαιολ.*) ἀνασκαφή, χῶρος ἀνασκαφῶν. **3**. (*MB πληθ.*) (νοικιασμένο) δωμάτιο: *Are you living at home or in ~s?* μένετε σπίτι σας ἤ κρατᾶτε δωμάτιο;
di·gest /ˈdaɪdʒest/ *οὐσ.* ‹C› περίληψις, σύνοψις: *a ~ of the week's news*, περίληψις/ἀνασκόπησις τῶν (κυριωτέρων) εἰδήσεων τῆς ἑβδομάδος.
di·gest /daɪˈdʒest/ *ρ.μ/ὰ.* χωνεύω/-ομαι, ἀφομοιώνω: *Some foods ~/are ~ed better than others*, μερικές τροφές χωνεύονται καλύτερα ἀπό ἄλλες. *~ facts/information/an insult*, ἀφομοιώνω γεγονότα/πληροφορίες/χωνεύω μιά προσβολή. **di·ges·tion** /daɪˈdʒestʃn/ *οὐσ.* ‹U› χώνεψη, πέψις, ἀφομοίωσις: *food that is difficult of ~ion*, τροφή πού εἶναι δυσκολοχώνευτη. *have a good/poor ~ion*, ἔχω καλή/κακή πέψη. **di·ges·tive** /daɪˈdʒestɪv/ *ἐπ.* πεπτικός: *~ive troubles/the ~ive system*, πεπτικές διαταραχές/τό πεπτικό σύστημα.
dig·ger /ˈdɪgə(r)/ *οὐσ.* ‹C› σκαφτιᾶς, ἀνασκαφεύς: *a ˋgold-~*, χρυσωρύχος.
dig·ging /ˈdɪgɪŋ/ *οὐσ.* ‹C,U› σκάψιμο, ἀνασκαφή.
digit /ˈdɪdʒɪt/ *οὐσ.* ‹C› **1**. δάκτυλο (χεριοῦ ἤ ποδιοῦ). **2**. ψηφίο (0 ἕως 9): *The number 372 contains three ~s*. **~al** /-tl/ *ἐπ.* δακτυλικός, ψηφιακός: *a ~al computer*, ψηφιακός (ἠλεκτρονικός) ὑπολογιστής.
dig·nify /ˈdɪgnɪfaɪ/ *ρ.μ.* τιμῶ, προσδίδω ἀξίαν, ἐξευγενίζω: *~ a small collection of books by calling it a library*, δίνω ἀξία σέ μιά μικρή συλλογή βιβλίων ὀνομάζοντάς την βιβλιοθήκη. **dig·ni·fied** /ˈdɪgnɪfaɪd/ *ἐπ.* ἀξιοπρεπής, ἐπιβλητικός.
dig·ni·tary /ˈdɪgnɪtrɪ/ *οὐσ.* ‹C› ἀξιωματοῦχος: *church dignitaries*, ἀξιωματοῦχοι τῆς ἐκκλησίας, ἱεράρχες.
dig·nity /ˈdɪgnətɪ/ *οὐσ.* **1**. ‹U› ἀξιοπρέπεια, ἐπιβλητικότης: *the ~ of labour*, ἡ ἀξιοπρέπεια τῆς ἐργασίας. *lose one's ~*, χάνω τήν ἀξιοπρέπειά μου. ***beneath one's ~***, κατώτερον τῆς ἀξιοπρέπειάς μου. ***stand (up)on one's ~***, ἀπαιτῶ σεβασμό, ὑπερασπίζομαι τήν ἀξιοπρέπειά μου. **2**. ‹C› τίτλος, ἀξίωμα: *The Queen conferred the ~ of a peerage on him*, ἡ Βασίλισσα τοῦ ἀπένειμε τίτλον εὐπατρίδου.
di·gress /daɪˈgres/ *ρ.ὰ.* ~ ***(from)***, ἀπομακρύνομαι, παρεκβαίνω, ξεφεύγω (ἀπό θέμα, μιλώντας ἤ γράφοντας). **di·gression** /daɪˈgreʃn/ *οὐσ.* ‹C,U› παρέκβασις: *engage/lose oneself in a ~*, κάνω/χάνομαι σέ μιά παρέκβαση.
dike, dyke /daɪk/ *οὐσ.* ‹C› **1**. χαντάκι. **2**. ἀνάχωμα, πρόχωμα, φράγμα.
dil·api·dated /dɪˈlæpɪdeɪtɪd/ *ἐπ.* σαραβαλιασμένος: *a ~ old house/chair/car*. **dil·api·da·tion** /dɪˈlæpɪˈdeɪʃn/ *οὐσ.* ‹U› σαραβάλιασμα, ξεχαρβάλωμα, ἐρείπωσις.
di·late /daɪˈleɪt/ *ρ.μ/ὰ.* διαστέλλω/-ομαι, ἀνοίγω, πλαταίνω: *The pupils of a cat's eyes ~ in darkness*, οἱ κόρες τῶν ματιῶν μιᾶς γάτας διαστέλλονται στό σκοτάδι. *The horse ~d its nostrils*, τό ἄλογο ἄνοιξε τά ρουθούνια του. *~ upon a subject*, (*λόγ.*) ἐπεκτείνομαι σ' ἕνα θέμα. **di·la·tion** /daɪˈleɪʃn/ *οὐσ.* ‹C,U› διαστολή, πλάτυνσις.
di·la·tory /ˈdɪlətrɪ/ *ἐπ.* ἀναβλητικός, ἀργός.
di·lemma /daɪˈlemə/ *οὐσ.* ‹C› (*πληθ.* ~s) δίλημμα: ***be/place sb in a ~***, εἶμαι/φέρνω κπ σέ δίλημμα.
dil·et·tante /ˈdɪlɪˈtæntɪ/ *οὐσ.* ‹C› (*πληθ. -ti* /-tɪ/) ἐρασιτέχνης, ντιλετάντης.
dili·gence /ˈdɪlɪdʒəns/ *οὐσ.* **1**. ‹U› ἐπιμέλεια, προσοχή, ἐργατικότης. **2**. ‹C› (*ἀπηρχ.*) δημοσία ἅμαξα.
dili·gent /ˈdɪlɪdʒənt/ *ἐπ.* ἐπιμελής, ἐργατικός. **~·ly** *ἐπίρ.* ἐπιμελῶς.
dilly-dally /ˈdɪlɪ ˈdælɪ/ *ρ.ὰ.* χασομερῶ, διστάζω, χάνω τόν καιρό μου ἀναποφάσιστος.
di·lute /daɪˈljut/ *ρ.μ.* ἀραιώνω (ὑγρό), νερώνω: *~ wine with water*, ἀραιώνω τό κρασί μέ νερό. __*ἐπ.* ἀραιωμένος, διαλυμένος, (γιά χρῶμα) ἀπαλώτερος. **di·lu·tion** /daɪˈljuʃn/ *οὐσ.* ‹C,U› διάλυσις, ἀραίωμα, διάλυμα.
dim /dɪm/ *ἐπ.* *(-mer, -mest)* **1**. ἀμυδρός, θαμπός, συγκεχυμένος: *the ~ light of a candle*, τό ἀμυδρό φῶς ἑνός κεριοῦ. *~ memories*, θαμπές, συγκεχυμένες ἀναμνήσεις. **2**. θολός: *eyes ~ with tears*, μάτια θολά ἀπό δάκρυα. *His eyesight is getting ~*, τό φῶς του ἀδυνα-

τίζει. ***take a ~ view of sth***, (*καθομ.*) βλέπω κτ μέ ἀπαισιοδοξία ἤ ἀποδοκιμασία. **3**. (*καθομ.*) ἀργόστροφος, κουτός. —*ρ.μ/ἀ.* (*-mm-*) θολώνω, γίνομαι ἀμυδρός, θαμπώνω: *eyes ~med by tears*, μάτια θολωμένα ἀπό τά δάκρυα. **~·ly** *ἐπίρ.* ἀμυδρά, θολά. **~·ness** *οὐσ.* ‹U› θολούρα, ἀμυδρότης, θαμπάδα.

dime /daɪm/ *οὐσ.* ‹C› (*ΗΠΑ*) νόμισμα τῶν 10 σέντς.

di·men·sion /daɪˋmenʃn/ *οὐσ.* ‹C› **1**. διάστασις: *What are the ~s of the room?* ποιές εἶναι οἱ διαστάσεις τοῦ δωματίου; **2**. (*πληθ.*) μέγεθος: *the ~s of the problem*, τό μέγεθος τοῦ προβλήματος. *a building of huge ~s*, πελώριο κτίριο. **~al** /-ʃnl/ *ἐπ.* *three-~al, four-~al*, τρισδιάστατος, τετραδιάστατος.

dim·in·ish /dɪˋmɪnɪʃ/ *ρ.μ/ἀ.* μειώνω, μειοῦμαι, λιγοστεύω, ἐλαττώνω/-ομαι: *Food supplies have ~ed*, τά ἀποθέματα τροφίμων ἔχουν λιγοστέψει. *a currency that has ~ed in value*, νόμισμα τοῦ ὁποίου ἡ ἀξία ἔχει μειωθεῖ.

dim·in·ution /ˈdɪmɪˋnjuʃn/ *οὐσ.* ‹C,U› μείωσις, ἐλάττωσις: *a small ~ in taxes*, μικρά μείωσις τῶν φόρων.

dim·inu·tive /dɪˋmɪnjʊtɪv/ *ἐπ.* μικροσκοπικός, μικροκαμωμένος. —*οὐσ.* ‹C› (*γραμμ.*) ὑποκοριστικόν.

dimple /ˋdɪmpl/ *οὐσ.* ‹C› λακκάκι (στά μάγουλα ἤ σ᾿ ἐπιφάνεια νεροῦ). —*ρ.μ/ἀ.* σχηματίζω λακκάκια.

din /dɪn/ *οὐσ.* ‹U› θόρυβος, φασαρία, σαματᾶς, βουητό: *the ~ of battle*, τό βουητό τῆς μάχης. ***kick up/make a ~***, κάνω σαματᾶ/χαλῶ τόν κόσμο. —*ρ.μ/ἀ.* (*-nn-*) ξεκουφαίνω, ἀντηχῶ: *The cries of those tortured still ~ned in his ears*, οἱ φωνές τῶν βασανιζομένων ἀντηχοῦσαν ἀκόμη στ᾿ αὐτιά του. ***~ sth into sb***, ἐπαναλαμβάνω ἐπιμόνως, λέω καί ξαναλέω, ζαλίζω τ᾿ αὐτιά.

dine /daɪn/ *ρ.μ/ἀ.* **1**. γευματίζω, τρώγω. ***~ off sth***, γευματίζω μέ: *~ off roast beef*, γευματίζω μέ ψητό βωδινό. ***~ out***, τρώγω ἔξω. **2**. προσφέρω γεῦμα σέ κπ: *The great author was wined and ~d wherever he went*, ἔδιναν γεύματα γιά τό μέγάλο συγγραφέα ὅπου κι ἄν πήγαινε. **ˋdin·ing-car**, βαγκόν ρεστωράν. **ˋdin·ing-room**, τραπεζαρία (αἴθουσα). **ˋdin·ing-table**, τραπεζαρία (ἔπιπλο).

diner /ˋdaɪnə(r)/ *οὐσ.* ‹C› **1**. γευματίζων. **2**. τραπεζαρία τραίνου.

din·ghy, din·gey /ˋdɪŋgɪ/ *οὐσ.* ‹C› (*πληθ. -ghies, -geys*) (λαστιχένια) βάρκα.

dingle /ˋdɪŋgl/ *οὐσ.* ‹C› δασώδης χαράδρα, λαγκάδα.

dingy /ˋdɪndʒɪ/ *ἐπ.* (*-ier, -iest*) ἄθλιος, σκοτεινός, μουντός, βρώμικος, μαυρισμένος, ξεθωριασμένος: *a ~ hotel room*, ἄθλιο (σκοτεινό, βρώμικο) δωμάτιο ξενοδοχείου. *~ green*, μουντό πράσινο. *~ industrial towns*, μαυρισμένες βιομηχανικές πόλεις. **ding·ily** /ˋdɪndʒəlɪ/ *ἐπίρ.* σκοτεινά, βρώμικα. **dingi·ness** /ˋdɪndʒɪnəs/ *οὐσ.* ‹U› μαυρίλα, βρωμιά.

dinky /ˋdɪŋkɪ/ *ἐπ.* (*-ier, -iest*) (*καθομ.*) χαριτωμένος: *a ~ little hat*, χαριτωμένο καπελλάκι.

din·ner /ˋdɪnə(r)/ *οὐσ.* ‹C› γεῦμα, δεῖπνον: *It's time for ~; It's ~-time*, ὥρα γιά φαγητό! ***ask sb to ~***, προσκαλῶ κπ σέ γεῦμα. ***be at ~***, εἶμαι στό φαΐ, τρώω. ***have ~***, γευματίζω, δειπνῶ: *What time do you have ~?* τί ὥρα γευματίζετε (δειπνᾶτε); ***have sb to ~***, κάνω τό τραπέζι σέ κπ. **~-jacket**, σμόκιν. **ˋ~-service/-set**, σερβίτσιο φαγητοῦ.

dino·saur /ˋdaɪnəsɔ(r)/ *οὐσ.* ‹C› δεινόσαυρος.

dint /dɪnt/ *οὐσ.* **1**. ‹C› *βλ. dent*. **2**. ***by ~ of***, μέσῳ, χάρις εἰς, διά: *He succeeded by ~ of hard work*, ἐπέτυχε διά τῆς σκληρῆς ἐργασίας.

dio·cese /ˋdaɪəsɪs/ *οὐσ.* ‹C› (*πληθ. -ceses* /-sizɪz/) ἐπισκοπή.

di·ox·ide /ˈdaɪˋɔksaɪd/ *οὐσ.* ‹C› (*χημ.*) διοξείδιον: *carbon ~*, διοξείδιον τοῦ ἄνθρακος.

[1]**dip** /dɪp/ *ρ.μ/ἀ.* (*-pp-*) **1**. βυθίζω/-ομαι, ἐμβαπτίζω, βουτῶ: *The sun ~ped below the horizon*, ὁ ἥλιος βυθίστηκε στόν ὁρίζοντα. *The birds rose and ~ped in the air*, τά πουλιά ὑψώνονταν καί βουτοῦσαν στόν ἀέρα. *~ one's pen into the ink*, βυθίζω, βουτῶ τήν πέννα μου στό μελάνι. *~ candles/a garment*, βουτῶ κεριά/ἕνα ροῦχο (γιά νά τό βάψω). *~ into the sea*, βουτῶ στή θάλασσα. ***~ into a book/an author***, διαβάζω στά πεταχτά βιβλίο/συγγραφέα. ***~ into one's purse***, (*μεταφ.*) βάζω τό χέρι στήν τσέπη (ξοδεύω). **2**. χαμηλώνω, γέρνω: *~ the headlights of a car*, χαμηλώνω τά μεγάλα φῶτα αὐτοκινήτου. *~ a flag*, χαμηλώνω (ὑποστέλλω) σημαίαν (εἰς χαιρετισμόν). *The land ~s gently to the south*, ἡ γῆ χαμηλώνει σιγά-σιγά (κατηφορίζει) πρός τό νοτιά.

[2]**dip** /dɪp/ *οὐσ.* ‹C› **1**. βουτιά (στή θάλασσα), μπανάκι: ***go for/have/take a ~***, (*καθομ.*) πάω γιά/κάνω μιά γρήγορη βουτιά. **2**. κλίσις, κατηφοριά: *a ~ in the road*, κλίσις τοῦ δρόμου. **3**. ὑποστολή (σημαίας): *The flag was at the ~*, ἡ σημαία ἦταν σέ ὑποστολή.

diph·theria /dɪfˋθɪərɪə/ *οὐσ.* ‹U› (*ἰατρ.*) διφθερῖτις.

diph·thong /ˋdɪfθɔŋ/ *οὐσ.* ‹C› δίφθογγος.

di·ploma /dɪˋpləʊmə/ *οὐσ.* ‹C› (*πληθ. ~s*) δίπλωμα.

di·plo·macy /dɪˋpləʊməsɪ/ *οὐσ.* ‹U› διπλωματία.

diplo·mat /ˋdɪpləmæt/ *οὐσ.* ‹C› διπλωμάτης, διπλωματικός ὑπάλληλος.

diplo·matic /ˈdɪpləˋmætɪk/ *ἐπ.* διπλωματικός: *the ~ service*, ἡ διπλωματική ὑπηρεσία. *the ~ corps*, τό Διπλωματικόν Σῶμα. *a ~ answer*, διπλωματική ἀπάντησις. *be ~ in dealing with people*, εἶμαι διπλωματικός στίς σχέσεις μου μέ τούς ἀνθρώπους. **~ally** /-klɪ/ *ἐπίρ.*

di·plo·ma·tist /dɪˋpləʊmətɪst/ *οὐσ.* ‹C› **1**. διπλωμάτης. **2**. εὔστροφος/εὐφυής ἄνθρωπος (*ἰδ.* στίς σχέσεις του μέ τούς ἄλλους).

dip·per /ˋdɪpə(r)/ *οὐσ.* ‹C› **1**. κουτάλα μέ μακρύ χέρι. **2**. (*ΗΠΑ*) (*ἀστρον.*) Ἄρκτος: **The Big/Little D~**, ἡ Μεγάλη/Μικρά Ἄρκτος.

dip·so·ma·nia /ˈdɪpsəˋmeɪnɪə/ *οὐσ.* ‹U› διψομανία. **dip·so·ma·niac** /-nɪæk/ *οὐσ.* ‹C› διψομανής.

dip·tych /ˋdɪptɪk/ *οὐσ.* ‹C› δίπτυχο.

dire /ˋdaɪə(r)/ *ἐπ.* (*-r, -st*) τρομερός, ἔσχατος, ἀπόλυτος: *~ news*, τρομερά νέα. *~ poverty*, ἔσχατη (μαύρη) φτώχεια. *be in ~ need of* *help*, ἔχω ἀπόλυτη ἀνάγκη βοηθείας. ~ *necessity*, σκληρή ἀνάγκη.

[1]**di·rect** /dɪˋrekt/ *ἐπ.* **1**. εὐθύς, ἄμεσος: *a ~ line*, εὐθεῖα γραμμή. ~ *action/taxation*, ἄμεσος δρᾶσις/φορολογία. *a ~ descendant/result*, κατ᾽ εὐθεῖαν ἀπόγονος/ἀποτέλεσμα. **~ current**, συνεχές ρεῦμα. **~ speech/object**, (*γραμμ.*) εὐθύς λόγος/ἄμεσο ἀντικείμενο. **2**. ἀκριβής, εἰλικρινής, ντόμπρος, κατηγορηματικός: *the ~ contrary*, τό ἀκριβῶς ἀντίθετον. *He has a ~ way of speaking*, ἔχει ἕναν ντόμπρο τρόπο νά μιλάη. *give a ~ answer*, δίνω κατηγορηματική ἀπάντηση. —*ἐπίρ.* κατ᾽ εὐθεῖαν: *He came ~ to London; The train goes there ~*. **~·ness** *οὐσ.* ‹U› εὐθύτης, ντομπροσύνη.

[2]**di·rect** /dɪˋrekt/ *ρ.μ/ἀ.* **1**. ἀπευθύνω (ἐπιστολή): *All letters should be ~ed to our new address*, ὅλα τά γράμματα πρέπει νά ἀπευθύνωνται στή νέα μας διεύθυνση. **2**. κατευθύνω, στρέφω: *Can you ~ me to the Post Office?* μπορεῖτε νά μοῦ πῆτε πῶς θά πάω στό Ταχυδρομεῖο; ~ *one's attention/efforts to sth*, κατευθύνω (στρέφω) τήν προσοχή μου/τίς προσπάθειές μου σέ κτ. *My remarks were not ~ed at you*, οἱ παρατηρήσεις μου δέν ἐστρέφοντο ἐναντίον σας. **3**. διοικῶ, διευθύνω: ~ *a company/a group of workmen/an orchestra*, διοικῶ μιά ἑταιρία/διευθύνω ὁμάδα ἐργατῶν/ὀρχήστρα. ~ *a film*, σκηνοθετῶ ἕνα φίλμ. **4**. ἐπιτάσσω, διατάσσω: *Do as duty ~s*, κάνετε ὅ,τι ἐπιτάσσει τό καθῆκον. *The general ~ed an advance to be made/that an advance should be made*, ὁ στρατηγός διέταξε νά γίνη προέλασις.

di·rec·tion /dɪˋrekʃn/ *οὐσ.* ‹C,U› **1**. διεύθυνσις. ***under the ~ of***, ὑπό τήν διεύθυνσιν τοῦ. **2**. κατεύθυνσις: *The crowd scattered in all ~s*, τό πλῆθος διασκορπίστηκε πρός ὅλες τίς κατευθύνσεις. ***in the ~ of***, πρός: *go in the ~ of Athens*, πηγαίνω πρός (μέ κατεύθυνση τήν) Ἀθήνα. **sense of ~**, ἱκανότης προσανατολισμοῦ: *have a good/poor sense of ~*, ἔχω μεγάλη/μικρή ἱκανότητα προσανατολισμοῦ. **~-finder**, ραδιογωνιόμετρον. **3**. (*συνήθ. πληθ.*) ὁδηγίες: *He gave me full ~s about how to get there*, μοῦ ἔδωσε λεπτομερεῖς ὁδηγίες γιά τό πῶς νά πάω ἐκεῖ. **4**. σκηνοθεσία (ἔργου).

di·rec·tive /dɪˋrektɪv/ *οὐσ.* ‹C› ἐντολή, ὁδηγία, ντιρεκτίβα.

di·rect·ly /dɪˋrektlɪ/ *ἐπίρ.* κατ᾽ εὐθεῖαν, ἀμέσως: *He was looking ~ at us*, κοίταζε κατ᾽ εὐθεῖαν πρός ἐμᾶς. *I'll be there ~*, θά ἔλθω ἀμέσως. —*σύνδ.* εὐθύς ὡς, ἀμέσως μόλις: *D~ I had said it, I knew...*, ἀμέσως μόλις τό εἶπα, κατάλαβα...

di·rec·tor /dɪˋrektə(r)/ *οὐσ.* ‹C› **1**. διευθυντής: *The Board of D~s*, τό Διοικητικόν Συμβούλιον. **2**. σκηνοθέτης (κινηματογράφου). **~·ate** /-ət/ *οὐσ.* ‹C› διευθυντήριον, διεύθυνσις, Διοικητικόν Συμβούλιον. **~·ship** /-ʃɪp/ *οὐσ.* ‹C› διεύθυνσις, θέσις διευθυντοῦ.

di·rec·tory /dɪˋrektrɪ/ *οὐσ.* ‹C› τηλεφωνικός κατάλογος.

dire·ful /ˋdaɪəfl/ *ἐπ.* (*λόγ.*) τρομερός, φρικτός.

dirge /dɜdʒ/ *οὐσ.* ‹C› μοιρολόϊ.

dirk /dɜk/ *οὐσ.* ‹C› στιλέττο, ξιφίδιον (δοκίμων).

dirt /dɜt/ *οὐσ.* ‹U› **1**. λέρα, βρώμα, ἀκαθαρσία (σκόνη, λάσπη, κλπ): *His clothes were covered with ~*, τά ροῦχα του ἦταν γεμᾶτα βρώμα. *How can I get the ~ off the walls?* πῶς μπορῶ νά βγάλω τή λέρα ἀπό τούς τοίχους; ***as cheap/common as ~***, χυδαῖος, παρακατιανός, πρόστυχος. ***fling/throw ~ at sb***, πετάω λάσπη σέ κπ, τόν δυσφημῶ. ***treat sb like ~***, μεταχειρίζομαι κπ σά σκουπίδι. **2**. σκόνη, χῶμα: *a ~ road*, χωματόδρομος. **ˈ~-ˋcheap**, πάμφθηνος. **3**. βρωμιά, αἰσχρολογία, βωμολοχία.

[1]**dirty** /ˋdɜtɪ/ *ἐπ.* (*-ier, -iest*) ἀκάθαρτος, λερωμένος, βρώμικος: ~ *hands*, ἀκάθαρτα χέρια. ~ *clothes*, λερωμένα ροῦχα. ~ *work*, βρώμικη δουλειά. ~ *weather/business*, βρωμόκαιρος/βρωμοδουλειά. ~ *words/stories*, πρόστυχες λέξεις/σόκιν ἱστορίες. ***give sb a ~ look***, ἀγριοκοιτάζω κπ, τοῦ ρίχνω ἄγρια ματιά. ***play a ~ trick on sb***, σκαρώνω βρωμοδουλειά σέ κπ.

[2]**dirty** /ˋdɜtɪ/ *ρ.μ/ἀ.* λερώνω: *Don't ~ your new dress!* μή λερώσης τό καινούργιο σου φόρεμα! *White gloves ~ easily*, τά ἄσπρα γάντια λερώνουν εὔκολα.

dis- /dɪs/ *στερητικόν πρόθεμα πού σημαίνει* "τό ἀντίθετο ἀπό".

dis·abil·ity /ˈdɪsəˋbɪlətɪ/ *οὐσ.* ‹C,U› ἀνικανότης, ἀναπηρία: *He has a ~ pension*, ἔχει σύνταξη ἀναπηρίας.

dis·able /dɪsˋeɪbl/ *ρ.μ.* καθιστῶ ἀνίκανον/ἀνάπηρον, ἀχρηστεύω: *~d ex-servicemen*, ἀνάπηροι πολέμου. **~·ment** *οὐσ.* ‹U› ἀναπηρία.

dis·abuse /ˈdɪsəˋbjuz/ *ρ.μ.* ~ ***(sb of sth)***, (*λόγ.*) ἐλευθερώνω ἀπό πλάνην, διαλύω τίς αὐταπάτες σέ κπ: ~ *a man of silly prejudices*, ἐλευθερώνω ἕναν ἄνθρωπο ἀπό ἀνόητες προλήψεις.

dis·ad·van·tage /ˈdɪsədˋvɑntɪdʒ/ *οὐσ.* ‹C,U› **1**. μειονέκτημα: *It is no ~ to be poor*, δέν εἶναι μειονέκτημα νά εἶσαι φτωχός. ***put sb/take sb/be at a ~***, θέτω κπ/βρίσκω κπ/εἶμαι σέ μειονεκτική θέση. ***be seen/show oneself at a ~***, ἐμφανίζομαι ὑπό δυσμενεῖς συνθήκας. **2**. ζημία: *sell at a ~*, πουλῶ μέ ζημιά. *rumours to his ~*, διαδόσεις ἐπιζήμιες γι᾽ αὐτόν. **~ous** /ˈdɪsˈædvənˋteɪdʒəs/ *ἐπ.* μειονεκτικός, ἐπιζήμιος. **~ous·ly** *ἐπίρ.* ἐπιζημίως.

dis·af·fec·ted /ˈdɪsəˋfektɪd/ *ἐπ.* ~ ***(to/towards)***, (*λόγ.*) δυσαρεστημένος, μή νομιμόφρων: *The army was ~ to the government*, ὁ στρατός ἦταν δυσαρεστημένος μέ τήν κυβέρνηση. **dis·af·fec·tion** /ˈdɪsəˋfekʃn/ *οὐσ.* ‹U› πολιτική δυσαρέσκεια, ἀπιστία.

dis·agree /ˈdɪsəˋgri/ *ρ.μ.* ~ ***with sb/sth***, **1**. διαφωνῶ: *I'm sorry to ~ with you/with what you say*, λυποῦμαι πού διαφωνῶ μαζί σου/μέ ὅ,τι λές. **2**. δέν ταιριάζω, χαλῶ (πειράζω τόν ὀργανισμό): *The climate ~s with him*, δέν τόν σηκώνει τό κλῖμα. *The salmon ~d with me*, ὁ σολωμός μέ χάλασε. **~·able** /-əbl/ *ἐπ.* δυσάρεστος, ἀντιπαθητικός, ἐνοχλητικός: *~able weather*, δυσάρεστος καιρός. *a ~able man*, ἀντιπαθητικός ἄνθρωπος. **~·ably** /-əblɪ/ *ἐπίρ.* δυσάρεστα.

dis·agree·ment /ˌdɪsəˈgrimənt/ *οὐσ.* ‹C,U› διαφωνία, διαφορά, μάλωμα: *be in ~ with sb*, διαφωνῶ μέ κπ. *~s between husbands and wives*, διαφωνίες, καυγαδάκια μεταξύ συζύγων.

dis·al·low /ˌdɪsəˈlaʊ/ *ρ.μ.* ἀπορρίπτω (ἀξίωσιν), ἀπαγορεύω.

dis·ap·pear /ˌdɪsəˈpɪə(r)/ *ρ.ἀ.* ἐξαφανίζομαι: *He ~ed from (our) sight*, χάθηκε ἀπό τά μάτια μας. **~·ance** /-rns/ *οὐσ.* ‹C,U› ἐξαφάνισις.

dis·ap·point /ˌdɪsəˈpɔɪnt/ *ρ.μ.* ἀπογοητεύω, διαψεύδω: *I'm sorry to ~ you/your expectations*, λυπᾶμαι πού σᾶς ἀπογοήτευσα/πού διέψευσα τίς προσδοκίες σας. **~ed** *ἐπ.* ἀπογοητευμένος: *We were ~ed at not finding/not to find him at home*, ἀπογοητευτήκαμε πού δέν τόν βρήκαμε στό σπίτι. **~·ing** *ἐπ.* ἀπογοητευτικός: *The news has been ~ing*, τά νέα ἦταν ἀπογοητευτικά.

dis·ap·point·ment /ˌdɪsəˈpɔɪntmənt/ *οὐσ.* ‹C,U› ἀπογοήτευσις: *To my great ~ she didn't come*, πρός μεγάλη μου ἀπογοήτευση, δέν ἦλθε. *suffer many ~s in love*, δοκιμάζω πολλές ἀπογοητεύσεις στόν ἔρωτα.

dis·ap·pro·ba·tion /ˌdɪsˌæprəˈbeɪʃn/ *οὐσ.* ‹U› (*λόγ.*) ἀποδοκιμασία.

dis·ap·proval /ˌdɪsəˈpruvl/ *οὐσ.* ‹U› ἀποδοκιμασία: *shake one's head in ~*, κουνάω τό κεφάλι ἀποδοκιμαστικά.

dis·ap·prove /ˌdɪsəˈpruv/ *ρ.μ/ἀ.* ~ **(of)**, ἀποδοκιμάζω: *Her parents ~d of her marriage*, οἱ γονεῖς της ἀποδοκίμασαν τό γάμο της. *Do you ~ of men wearing jewellery?* ἀποδοκιμάζεις τό νά φορᾶνε κοσμήματα οἱ ἄνδρες; **dis·ap·prov·ing·ly** /-ɪŋlɪ/ *ἐπίρ.* ἀποδοκιμαστικά: *look at sb disapprovingly*, κοιτάω κπ ἀποδοκιμαστικά.

dis·arm /dɪsˈɑm/ *ρ.μ/ἀ.* ἀφοπλίζω/-ομαι: *The rebels were captured and ~ed*, οἱ στασιαστές συνελήφθησαν καί ἀφοπλίστηκαν. *It's difficult to persuade the Great Powers to ~*, εἶναι δύσκολο νά πείσης τίς Μεγάλες Δυνάμεις νά ἀφοπλιστοῦν. *I was angry, but her smiles ~ed me*, ἤμουν θυμωμένος ἀλλά τά χαμόγελά της μέ ἀφώπλισαν.

dis·arma·ment /dɪsˈɑməmənt/ *οὐσ.* ‹U› ἀφοπλισμός: *a ~ conference*, διάσκεψις ἀφοπλισμοῦ.

dis·ar·range /ˌdɪsəˈreɪndʒ/ *ρ.μ.* ἀναστατώνω, ἀνακατώνω, ἀνατρέπω: *~ sb's plans/hair*, ἀνατρέπω τά σχέδια/ἀνακατώνω τά μαλλιά κάποιου.

dis·ar·ray /ˌdɪsəˈreɪ/ *οὐσ.* ‹U› σύγχυσις, ἀταξία: *The troops were in ~*, τά στρατεύματα ἦταν σέ πλήρη σύγχυση. —*ρ.μ.* ἀναστατώνω, φέρνω σύγχυση.

dis·as·so·ci·ate /ˌdɪsəˈsəʊʃɪeɪt/ *βλ. dissociate.*

dis·as·ter /dɪˈzɑstə(r)/ *οὐσ.* ‹C,U› καταστροφή, συμφορά, θεομηνία. ~ **area**, πληγεῖσα περιοχή.

dis·as·trous /dɪˈzɑstrəs/ *ἐπ.* καταστρεπτικός, ὀλέθριος: *~ floods; a ~ policy*, καταστρεπτικές πλημμύρες/-ή πολιτική. **~·ly** *ἐπίρ.*

dis·avow /ˌdɪsəˈvaʊ/ *ρ.μ.* ἀποκηρύσσω, ἀπαρνοῦμαι: *~ a child/one's share in a plot*, ἀποκηρύσσω τέκνον/τή συμμετοχή μου σέ συνωμοσία. **~al** /-ˈvaʊəl/ *οὐσ.* ‹C› ἀποκήρυξις, ἀπάρνησις.

dis·band /dɪsˈbænd/ *ρ.μ/ἀ.* (*γιά στρατό*) διαλύω/-ομαι, ἀποστρατεύομαι: *The army (was) ~ed when the war ended*, ὁ στρατός διαλύθηκε ὅταν τελείωσε ὁ πόλεμος. **~·ment** *οὐσ.* ‹C,U› διάλυσις, ἀποστράτευσις.

dis·be·lief /ˌdɪsbɪˈlif/ *οὐσ.* ‹U› δυσπιστία.

dis·be·lieve /ˌdɪsbɪˈliv/ *ρ.μ/ἀ.* δυσπιστῶ, ἀρνοῦμαι νά πιστέψω: *I neither believe nor ~*, οὔτε πιστεύω οὔτε δέν πιστεύω. *~ in sb/sth*, δέν πιστεύω κπ/κτ.

dis·bur·den /dɪsˈbɜdn/ *ρ.μ.* (*λόγ.*) ξεφορτώνω, ἀνακουφίζω (ἀπό βάρος).

dis·burse /dɪsˈbɜs/ *ρ.μ/ἀ.* δαπανῶ, πληρώνω. **~·ment** *οὐσ.* ‹C,U› πληρωμή.

disc, disk /dɪsk/ *οὐσ.* ‹C› δίσκος: *the sun's ~*, ὁ ἡλιακός δίσκος. *suffer from a slipped ~*, ὑποφέρω ἀπό δισκοπάθεια. **ˈ~ brake**, δισκόφρενο.

dis·card /dɪˈskɑd/ *ρ.μ.* πετῶ, παραμερίζω, ξεσκαρτάρω: *~ an old hat*, πετῶ ἕνα παληό καπέλλο. *~ one's winter clothing*, παραμερίζω (πετῶ ἀπό πάνω μου) τά χειμωνιάτικα ροῦχα. *~ a card*, ξεσκαρτάρω ἕνα χαρτί. *~ old beliefs*, ἀπαρνοῦμαι παλαιές πεποιθήσεις. —*οὐσ.* ‹C› /ˈdɪskɑd/ σκάρτο (χαρτί).

dis·cern /dɪˈsɜn/ *ρ.μ.* διακρίνω: *~ the figure of a man in the dark/a distant object*, διακρίνω μιά ἀνθρώπινη φιγούρα στό σκοτάδι/ἕνα μακρινό ἀντικείμενο. *~ the truth/a difference*, διακρίνω τήν ἀλήθεια/μιά διαφορά. **~·ing** *ἐπ.* διορατικός, ὀξυδερκής. **~-ible** /-əbl/ *ἐπ.* εὐδιάκριτος, ὁρατός. **~·ment** *οὐσ.* ‹U› **1**. διάκρισις, ξεχώρισμα. **2**. κρίσις, ὀξυδέρκεια, διορατικότης.

dis·charge /dɪˈstʃɑdʒ/ *ρ.μ/ἀ.* **1**. ξεφορτώνω: *~ a ship*, ξεφορτώνω πλοῖο. *clouds discharging electricity*, σύννεφα πού ἐκφορτώνουν ἠλεκτρισμό. **2**. ἐκβάλλω, βγάζω, ἐκρέω: *The Nile ~s itself into the Mediterranean*, ὁ Νεῖλος ἐκβάλλει στή Μεσόγειο. *The wound is still discharging pus*, ἡ πληγή ἀκόμη βγάζει πῦον (πυορροεῖ). **3**. ἀδειάζω (ὅπλο), ἐκπυρσοκροτῶ: *~ a gun.* **4**. ἀπολύω, ἀπαλλάσσω, ἀφήνω κπ νά φύγη: *The cashier was ~d for being dishonest*, ὁ ταμίας ἀπελύθη δι' ἔλλειψιν τιμιότητος. *The accused man was found not guilty and (was) ~d*, ὁ κατηγορούμενος δέν εὑρέθη ἔνοχος καί ἀπηλλάγη. *~ a patient from hospital*, δίνω ἐξιτήριο σέ ἀσθενῆ ἀπό νοσοκομεῖο. *He was ~d from the army*, ἀπελύθη ἀπό τό στρατό. **5**. ἐκπληρῶ, ἐξοφλῶ: *~ a duty/a debt*, ἐκπληρῶ καθῆκον/ἐξοφλῶ χρέος. —*οὐσ.* ‹C,U› **1**. ἐκφόρτωσις. **2**. ἐκροή. **3**. ἐκπυρσοκρότησις. **4**. ἀπαλλαγή, ἀπόλυσις. **5**. ἐκπλήρωσις, ἐξόφλησις.

dis·ciple /dɪˈsaɪpl/ *οὐσ.* ‹C› ὀπαδός, μαθητής: *Christ's ~s*, οἱ μαθητές τοῦ Χριστοῦ.

dis·ci·plin·ar·ian /ˌdɪsəplɪˈneərɪən/ *οὐσ.* ‹C› τηρητής τῆς πειθαρχίας: *He's a good/poor/strict ~*, εἶναι καλός/κακός/αὐστηρός τηρητής τῆς πειθαρχίας.

dis·ci·plin·ary /ˈdɪsəˈplɪnərɪ/ *ἐπ.* πειθαρχικός: *take ~ measures*, λαμβάνω πειθαρχικά μέτρα.

dis·ci·pline /ˈdɪsəplɪn/ *οὐσ.* ‹C,U› **1**. πειθαρχία: *school/military ~*, σχολική/στρατιωτική πειθαρχία. *keep/enforce/maintain (strict) ~*, κρατῶ/ἐπιβάλλω/ἔχω (αὐστηρή) πειθαρχία.

undermine/destroy the ~ *of troops*, ὑπονομεύω/καταστρέφω τήν πειθαρχία τοῦ στρατοῦ. **2**. ἐπιστημονικός κλάδος, τομεύς γνώσεων: *Linguistics is a new* ~, ἡ γλωσσολογία εἶναι νέος ἐπιστημονικός κλάδος. **3**. (πειθαρχική) ποινή. —*ρ.μ.* πειθαρχῶ, διαπαιδαγωγῶ, τιμωρῶ: ~ *badly behaved children*, πειθαρχῶ παιδιά πού ἔχουν κακή συμπεριφορά.

dis·claim /dɪˋskleɪm/ *ρ.μ.* **1**. παραιτοῦμαι (δικαιώματος). **2**. ἀρνοῦμαι, ἀποποιοῦμαι, ἀποκρούω: ~ *responsibility for sth*, ἀποκρούω (ἀρνοῦμαι) τήν εὐθύνη γιά κτ. ~ *all knowledge of an incident*, ἀρνοῦμαι κάθε γνώση ἑνός γεγονότος. **~er** *οὐσ.* ‹C› παραίτησις (ἀπό δικαιώματος), ἀποκήρυξις, ἄρνησις: *issue/send sb a* ~*er*, ἐκδίδω/ἀποστέλλω σέ κπ δήλωσιν παραιτήσεως.

dis·close /dɪˋskləʊz/ *ρ.μ.* ἀποκαλύπτω, φανερώνω: ~ *a secret/sb's name and address*, ἀποκαλύπτω μυστικό/τό ὄνομα καί τή διεύθυνση κάποιου. **dis·clos·ure** /dɪˋskləʊʒə(r)/ *οὐσ.* ‹C,U› ἀποκάλυψις.

dis·col·our /dɪˋskʌlə(r)/ *ρ.μ/ἀ.* ξεβάφω, ξεθωριάζω: *walls* ~*ed by damp*, τοῖχοι ξεβαμμένοι ἀπό τήν ὑγρασία. *materials that* ~ *in strong sunlight*, ὑφάσματα πού ξεθωριάζουν στόν δυνατό ἥλιο. **~·ation** /dɪˈskʌləˋreɪʃn/ *οὐσ.* ‹C,U› ἀποχρωματισμός, ξέβαμμα, ξεθώριασμα.

dis·com·fit /dɪˋskʌmfɪt/ *ρ.μ.* φέρω σέ ἀμηχανία, ζαλίζω, σαστίζω. **~·ure** /-fɪtʃə(r)/ *οὐσ.* ‹U› ἀμηχανία, σάστισμα.

dis·com·fort /dɪˋskʌmfət/ *οὐσ.* ‹C,U› ἀνησυχία, ταλαιπωρία: *suffer* ~*s*, ὑφίσταμαι ταλαιπωρίες.

dis·com·mode /ˈdɪskəˋməʊd/ *ρ.μ.* (*λόγ.*) ἐνοχλῶ.

dis·com·pose /ˈdɪskəmˋpəʊz/ *ρ.μ.* (*λόγ.*) ταράσσω, συγχίζω: *Don't let their objections* ~ *you*, μή συγχισθῇς ἀπό τίς ἀντιρρήσεις τους. **dis·com·po·sure** /-ˋpəʊʒə(r)/ *οὐσ.* ‹U› ταραχή, σύγχυσις.

dis·con·cert /ˈdɪskənˋsɜt/ *ρ.μ.* **1**. ἀνατρέπω (τά σχέδια κάποιου). **2**. ταράσσω, ἐνοχλῶ, φέρνω σέ ἀμηχανία, ἀναστατώνω: *He's not easily* ~*ed*, δέν ταράσσεται (δέν συγχίζεται) εὔκολα. *I was* ~*ed to discover that...*, ἀναστατώθηκα ἀνακαλύπτοντας ὅτι...

dis·con·nect /ˈdɪskəˋnekt/ *ρ.μ.* ἀποσυνδέω: ~ *the TV set/the battery*, ἀποσυνδέω τήν τηλεόραση/τήν μπαταρία. **~ed** *ἐπ.* ἀποσυνδεδεμένος, ξεκομμένος, (*γιά λόγο, ὕφος, κλπ*) ἀσύνδετος, ξεκάρφωτος, ἀσυνάρτητος. **dis·con·nec·tion** /-ˋnekʃn/ *οὐσ.* ‹C,U› ἀποσύνδεσις.

dis·con·so·late /dɪˋskonsələt/ *ἐπ.* ἀπαρηγόρητος, ἀπελπισμένος. **~·ly** *ἐπίρ.* ἀπαρηγόρητα.

dis·con·tent /ˈdɪskənˋtent/ *οὐσ.* ‹C,U› δυσαρέσκεια, δυσφορία, παράπονο: *There was general* ~ *among the people*, ὑπῆρχε γενική δυσαρέσκεια (δυσφορία) μεταξύ τοῦ λαοῦ. **~ed** *ἐπ.* δυσαρεστημένος: *be* ~*ed with one's job*, εἶμαι δυσαρεστημένος μέ τή δουλειά μου. **~·ed·ly** /-ɪdlɪ/ *ἐπίρ.*

dis·con·tinu·ance /ˈdɪskənˋtɪnjʊəns/ *οὐσ.* ‹U› διακοπή, παῦσις.

dis·con·tinue /ˈdɪskənˋtɪnju/ *ρ.μ/ἀ.* διακόπτω, παύω, σταματῶ, τερματίζω: *You must* ~ *paying these weekly visits*, πρέπει νά πάψετε νά κάνετε αὐτές τίς ἑβδομαδιαῖες ἐπισκέψεις. ~ *a subscription*, διακόπτω μιά συνδρομή (σέ ἔντυπο).

dis·con·tinu·ous /ˈdɪskənˋtɪnjʊəs/ *ἐπ.* διακεκομμένος.

dis·cord /ˋdɪskɔd/ *οὐσ.* ‹C,U› **1**. διχόνοια, ἔρις, ἀσυμφωνία, διάστασις, σύγκρουσις: *bring* ~ *into a family*, σπέρνω τή διχόνοια σέ μιά οἰκογένεια. (*βλ.* & *λ. apple*). **2**. κακοφωνία, παραφωνία. **~·ant** /dɪˋskɔdnt/ *ἐπ.* **1**. διϊστάμενος: ~ *views/opinions*, διϊστάμενες ἀπόψεις/γνῶμες. **2**. παράφωνος, φάλτσος. **~·ant·ly** *ἐπίρ.* φάλτσα.

[1]**dis·count** /ˋdɪskaʊnt/ *οὐσ.* ‹C› ἔκπτωσις, προεξόφλησις, ὑφαίρεσις: *sell at a* ~, πωλῶ μέ ἔκπτωση. *We give/allow 10%* ~ *for cash*, δίδομε/παρέχομε ἔκπτωσιν 10% διά πληρωμήν τοῖς μετρητοῖς. *bank* ~, τραπεζιτική προεξόφλησις. ***at a*** **~**, χωρίς πέραση: *goods at a* ~, ἐμπορεύματα πού δέν ἔχουν πέραση, δέν ζητιοῦνται. *Politeness is at a* ~ *nowadays*, (*μεταφ.*) ἡ εὐγένεια δέν ἔχει πέραση (δέν ἐκτιμᾶται) στόν καιρό μας.

[2]**dis·count** /dɪˋskaʊnt/ *ρ.μ.* **1**. προεξοφλῶ (συναλλαγματικήν), ὑφαιρῶ. **2**. ἀπορρίπτω κτ (ὡς ἀναληθές ἤ ἀνακριβές), δέν πιστεύω: *We must* ~ *a great deal of what appears in the daily press*, πρέπει νά ἀπορρίπτωμε (νά μήν πιστεύωμε) πολλά ἀπ' ὅσα γράφει ὁ ἡμερήσιος τύπος.

dis·coun·ten·ance /dɪˋskaʊntɪnəns/ *ρ.μ.* (*λόγ.*) ἀποδοκιμάζω, ἀποθαρρύνω (σχέδιον, κλπ).

dis·cour·age /dɪˋskʌrɪdʒ/ *ρ.μ.* **1**. ἀποθαρρύνω: *Don't let one failure* ~ *you*, μήν ἀφήσης μιά ἀποτυχία νά σέ ἀποθαρρύνη! *Don't be/get* ~*d*, μή χάνης τό θάρρος σου! **2**. **~ *sb (from doing sth)***, ἀποτρέπω/ἐμποδίζω κπ νά κάνη κτ: *We tried to* ~ *him from climbing the mountain alone*, προσπαθήσαμε νά τόν ἀποτρέψωμε ν' ἀνεβῇ τό βουνό μόνος. **~·ment** /-mənt/ *οὐσ.* ‹C,U› ἀποθάρρυνσις.

dis·course /ˋdɪskɔs/ *οὐσ.* **1**. ‹C› (*λόγ.*) λόγος, ὁμιλία, πραγματεία, κήρυγμα, διάλεξις. **2**. ‹U› (*ἀπηρχ.*) συνομιλία. —*ρ.ἀ.* /dɪˋskɔs/ ~ ***(up)-on***, (*λόγ.*) ὁμιλῶ, κάνω διάλεξη/κήρυγμα: ~ *on the immortality of the soul*, ὁμιλῶ περί τῆς ἀθανασίας τῆς ψυχῆς.

dis·cour·teous /dɪˋskɜtɪəs/ *ἐπ.* ἀγενής: *It was* ~ *of him to say so*, ἦταν ἀγενές ἐκ μέρους του νά πῇ κάτι τέτοιο. **~·ly** *ἐπίρ.*

dis·cour·tesy /dɪˋskɜtəsɪ/ *οὐσ.* ‹C,U› ἀγένεια, ἀπρέπεια.

dis·cover /dɪˋskʌvə(r)/ *ρ.μ.* ἀνακαλύπτω: *Columbus* ~*ed America*, ὁ Κολόμβος ἀνακάλυψε τήν Ἀμερική. ~ *the cause of an illness/an island/the truth*, ἀνακαλύπτω τήν αἰτία μιᾶς ἀρρώστειας/ἕνα νησί/τήν ἀλήθεια. **~er** /-vərə(r)/ *οὐσ.* ‹C› εὑρέτης, ὁ ἀνακαλύψας.

dis·cov·ery /dɪˋskʌvərɪ/ *οὐσ.* ‹C,U› ἀνακάλυψις: *the new scientific discoveries*, οἱ νέες ἐπιστημονικές ἀνακαλύψεις. *a voyage of* ~, ἐξερευνητικός πλοῦς.

[1]**dis·credit** /dɪˋskredɪt/ *ρ.μ.* **1**. δυσπιστῶ εἰς, ἀμφισβητῶ: ~ *sb's evidence*, ἀμφισβητῶ

(δυσπιστῶ εἰς) τήν μαρτυρίαν κάποιου. **2**. δυσφημῶ, ντροπιάζω, κηλιδώνω: *His foolish behaviour will ~ him with the public*, ἡ ἀνόητη συμπεριφορά του θά τόν δυσφημήση στό κοινόν. *You have ~ed our family*, ντρόπιασες τήν οἰκογένειά μας. **3**. ἀναιρῶ (ἀποδεικνύω ψευδῆ, ἀφαιρῶ τό κύρος): *His theories were ~ed by scientists*, οἱ θεωρίες του ἀνηρέθησαν ὑπό τῶν ἐπιστημόνων. *a ~ed theory*, μιά ἀνυπόληπτη θεωρία.

[2]**dis·credit** /dɪ`skredɪt/ *οὐσ.* ‹U› **1**. ἀμφιβολία, ἀμφισβήτησις: *throw ~ (up)on a statement*, θέτω ὑπό ἀμφισβήτησιν μιά δήλωση. **2**. ἀνυποληψία, ὄνειδος, ντροπή: *bring ~ on oneself; fall into ~*, χάνω τήν ὑπόληψή μου, ἐξευτελίζομαι. **~·able** /-əbl/ *ἐπ*. ἐξευτελιστικός, ἐπονείδιστος: *~ able behaviour*, ἐπονείδιστη συμπεριφορά. **~·ably** /-əblɪ/ *ἐπίρ*.

dis·creet /dɪ`skrit/ *ἐπ*. διακριτικός, ἐχέμυθος, φρόνιμος, ἐπιφυλακτικός: *a ~ smile*, διακριτικό χαμόγελο. *He's a very ~ person*, εἶναι πολύ ἐχέμυθος ἄνθρωπος. *a ~ young man*, ἕνας φρόνιμος νέος. *maintain a ~ silence*, τηρῶ ἐπιφυλακτική σιωπή. **~·ly** *ἐπίρ*.

dis·crep·ancy /dɪ`skrepənsɪ/ *οὐσ.* ‹C,U› διαφορά, ἀσυμφωνία: *There is some ~ between the two accounts*, ὑπάρχει κάποια διαφορά μεταξύ τῶν δύο ἀφηγήσεων. *several discrepancies*, ἀρκετές διαφορές (ἀντιφάσεις).

dis·cre·tion /dɪ`skreʃn/ *οὐσ.* ‹U› **1**. σύνεσις, κρίσις, φρόνησις, περίσκεψις: *show ~ in choosing one's friends*, δείχνω κρίση (σύνεση) στήν ἐκλογή τῶν φίλων μου. ***years/the age of ~***, τά χρόνια/ἡ ἡλικία τῆς φρονήσεως (τῆς λογικῆς). ***D~ is the better part of valour***, (*παροιμ.*) ἡ φρόνησις εἶναι ἡ πεμπτουσία τοῦ θάρρους (*συνήθ. εἰρωνικά γιά κπ. πού διστάζει νά ἐκτεθῆ σέ κίνδυνο*). **2**. κρίσις, ἐλευθερία (βουλήσεως ἤ ἐνεργείας), διάκρισις, διακριτική εὐχέρεια: *Use your ~*, χρησιμοποίησε τήν κρίση σου. *You have full ~ to act*, ἔχετε πλήρη ἐλευθερίαν ἐνεργείας. *It's within your ~ to go or not*, εἶσθε ἐλεύθερος νά πᾶτε ἤ ὄχι. *at your ~*, ὅπως θέλετε, ὅπως κρίνετε σωστό, κατά τήν κρίση σας. *It's left to the ~ of the judge*, ἐναπόκειται εἰς τήν (διά)κρισιν τοῦ δικαστοῦ. **~·ary** /-ʃnrɪ/ *ἐπ*. διακριτικός: *~ary powers*, διακριτική ἐξουσία/εὐχέρεια.

dis·crimi·nate /dɪ`skrɪmɪneɪt/ *ρ.μ/ἀ*. **1**. διακρίνω, ξεχωρίζω: *~ one thing from another/between two things*, διακρίνω (ξεχωρίζω) ἕνα πρᾶγμα ἀπό ἕνα ἄλλο/μεταξύ δύο πραγμάτων. **2**. μεροληπτῶ, κάνω διακρίσεις: *~ in favour of sb/against sb*, κάνω διακρίσεις ὑπέρ/εἰς βάρος κάποιου.

dis·crimi·nat·ing /dɪ`skrɪmɪneɪtɪŋ/ *ἐπ*. **1**. ὀξυδερκής, ἱκανός νά κρίνη/νά κάνη λεπτές διακρίσεις: *have a ~ ear*, ἔχω αὐτί πού κρίνει σωστά. *a ~ taste in literature*, ἐκλεκτικό γοῦστο στή φιλολογία. **2**. διαφορικός: *~ tariffs*, διαφορικά δασμολόγια.

dis·crimi·na·tion /dɪ`skrɪmɪ`neɪʃn/ *οὐσ.* ‹U› **1**. διάκρισις. **2**. κρίσις, ὀρθοφροσύνη: *a man of ~*, ἄνθρωπος μέ κρίση. **3**. μεροληψία: *~ against coloured workers*, μεροληψία (διάκρισις) εἰς βάρος τῶν ἐγχρώμων ἐργατῶν.

dis·crimi·na·tory /dɪ`skrɪmɪnətrɪ/ *ἐπ*. μεροληπτικός: *~ legislation*, νομοθεσία πού κάνει διακρίσεις.

dis·cur·sive /dɪ`skɜsɪv/ *ἐπ*. ἀσυνάρτητος, πού πηδᾶ ἀπό τό ἕνα θέμα στό ἄλλο. **~·ly** *ἐπίρ*. ἀσυνάρτητα. **~·ness** *οὐσ.* ‹U› ἀσυναρτησία.

dis·cus /`dɪskəs/ *οὐσ.* ‹C› (*ἀθλ.*) δίσκος: *the ~ throw*, ἡ δισκοβολία.

dis·cuss /dɪ`skʌs/ *ρ.μ.* ***~ sth (with sb)***, συζητῶ (γιά): *We ~ed our holidays*, συζητήσαμε γιά τίς διακοπές μας. *I ~ed with them what to do/where to go/how to travel*, συζήτησα μαζί τους τί νά κάνωμε/ποῦ νά πᾶμε/πῶς νά ταξιδέψωμε.

dis·cus·sion /dɪ`skʌʃn/ *οὐσ.* ‹C,U› ***~ (about/on sth)***, συζήτησις: *We had a long ~ about it*, εἴχαμε μακρά συζήτηση γι᾽ αὐτό. *after much ~*, μετά πολλήν συζήτησιν. *The matter came up for ~*, τό ζήτημα ἦλθε πρός συζήτησιν. ***under ~***, ὑπό συζήτησιν.

dis·dain /dɪs`deɪn/ *ρ.μ.* περιφρονῶ, ἀπαξιῶ: *He ~s flattery*, περιφρονεῖ τήν κολακεία. *She ~ed to answer*, ἀπηξίωσε (δέν καταδέχτηκε) νά ἀπαντήση. —*οὐσ.* ‹U› περιφρόνησις: *treat sb with ~*, μεταχειρίζομαι κπ μέ περιφρόνηση. **~·ful** /-fl/ *ἐπ*. περιφρονητικός: *a ~ look*, περιφρονητική ματιά. **~·fully** /-fəlɪ/ *ἐπίρ*.

dis·ease /dɪ`ziz/ *οὐσ.* ‹C,U› ἀσθένεια, νόσος: *~s of the mind*, ψυχικά νοσήματα. *~s of plants*, ἀσθένειες φυτῶν. **~d** *ἐπ*. ἄρρωστος, πάσχων, νοσῶν: *~d in body and mind*, ἄρρωστος στό σῶμα καί στό μυαλό. *~d vines*, κλήματα προσβεβλημένα ἀπό ἀσθένεια.

dis·em·bark /`dɪsɪm`bɑk/ *ρ.μ/ἀ*. ἀποβιβάζω/-ομαι, ξεμπαρκάρω. **~a·tion** /`dɪs`embɑ`keɪʃn/ *οὐσ.* ‹C,U› ξεμπαρκάρισμα.

dis·em·bar·rass /`dɪsɪm`bærəs/ *ρ.μ.* ***~ sb/oneself (of)***, (*λόγ.*) ξεμπλέκω, ἀπαλλάσσω/-ομαι (ἀπό ἀμηχανίαν, βάρος, εὐθύνην, ὑποχρέωσιν, κλπ).

dis·em·bod·ied /`dɪsɪm`bodɪd/ *ἐπ*. ἀσώματος, ἄϋλος: *~ spirits*, ἄϋλα πνεύματα.

dis·em·bowel /`dɪsɪm`baʊl/ *ρ.μ.* (*-ll-*) ξεκοιλιάζω.

dis·em·broil /`dɪsɪm`brɔɪl/ *ρ.μ.* (*λόγ.*) διαχωρίζω, διευθετῶ, ἐξομαλύνω, ξεμπλέκω.

dis·en·chan·ted /`dɪsɪn`tʃɑntɪd/ *ἐπ*. ἀπογοητευμένος, χωρίς αὐταπάτες: *He's quite ~ with the Tories*, εἶναι ἐντελῶς ἀπογοητευμένος ἀπό τούς Συντηρητικούς. **dis·en·chant·ment** *οὐσ.* ‹C,U› ἀπογοήτευσις.

dis·en·cum·ber /`dɪsɪn`kʌmbə(r)/ *ρ.μ.* (*λόγ.*) ξαλαφρώνω, ἀπελευθερῶ: *~ed of his heavy armour*, ξαλαφρωμένος ἀπό τή βαρειά του πανοπλία.

dis·en·gage /`dɪsɪn`geɪdʒ/ *ρ.μ/ἀ*. ἀπαγκιστρώνω/-ομαι, ἀποδεσμεύω/-ομαι, ἀποσυνδέω/-ομαι: *If the US does not ~ soon from S.E. Asia...*, ἄν οἱ ΗΠΑ δέν ἀπαγκιστρωθοῦν ἀπό τήν Ν.Α. Ἀσία σύντομα... **~d** *ἐπ*. ἐλεύθερος, εὔκαιρος: *if the Manager is ~d*, ἄν ὁ διευθυντής εἶναι ἐλεύθερος... **~·ment** *οὐσ.* ‹C,U› ἀπαγκίστρωσις, ἀπεμπλοκή, ἀποσύνδεσις, ἀπαλλαγή.

dis·en·tangle /`dɪsɪn`tæŋgl/ *ρ.μ/ἀ*. ***~ (from)***, ξεμπερδεύω/-ομαι: *~ truth from falsehood*, ξεμπερδεύω τήν ἀλήθεια ἀπό τό ψέμα. *This skein of wool won't ~*, αὐτό τό κουβάρι δέν ξεμπερδεύεται. **~·ment** *οὐσ.* ‹C,U› ξεμπέρδεμα.

dis·equi·lib·rium /ˈdɪsˈikwɪˋlɪbrɪəm/ *οὐσ.* ‹U› (*λόγ.*) ἔλλειψις ἰσορροπίας, ἀστάθεια.

dis·fa·vour /ˈdɪsˋfeɪvə(r)/ *οὐσ.* ‹U› δυσμένεια: *be in/fall into* ~, εἶμαι/πέφτω σέ δυσμένεια. *incur sb's* ~, ἐπισύρω (πέφτω εἰς) τήν δυσμένειαν κάποιου. —*ρ.μ.* ἀποδοκιμάζω, βλέπω δυσμενῶς.

dis·fig·ure /dɪsˋfɪgə(r)/ *ρ.μ.* παραμορφώνω, ἀσχημίζω: *a face* ~*d by a broken nose/an ugly scar*, πρόσωπο παραμορφωμένο ἀπό μιά σπασμένη μύτη/ἀπό μιά ἄσχημη οὐλή. *beautiful scenery* ~*d by ugly advertising signs*, ὄμορφα τοπεῖα πού τά ἀσχημίζουν ἀπαίσιες διαφημήσεις. **~·ment** *οὐσ.* ‹C,U› παραμόρφωσις.

dis·fran·chise /dɪsˋfræntʃaɪz/ *ρ.μ.* ἀποστερῶ κπ τῶν πολιτικῶν του δικαιωμάτων, στερῶ περιοχήν βουλευτικῆς ἐκπροσωπήσεως.

dis·gorge /dɪsˋgɔdʒ/ *ρ.μ.* (*κυριολ.* & *μεταφ.*) ξερνῶ: *I'll make him* ~ *what he has stolen*, θά τόν κάνω νά ξεράση (νά ἐπιστρέψη) ὅ,τι ἔκλεψε. ~ *one's food*, βγάζω τό φαΐ μου. *trains disgorging crowds of tourists.*

1**dis·grace** /dɪsˋgreɪs/ *οὐσ.* **1**. ‹U› δυσμένεια: *fall into/be in* ~ *with sb*, πέφτω/εἶμαι στή δυσμένεια κάποιου. **2**. ‹U› ἀτίμωσις, ντροπή: *bring* ~ *on oneself/on one's family*, ἀτιμάζομαι/ἀτιμάζω, ντροπιάζω τήν οἰκογένειά μου. **3**. ***a*** ~, ὄνειδος, ντροπή: *The slums are a* ~ *to the town authorities*, οἱ φτωχογειτονιές εἶναι ντροπή γιά τή Δημοτική Ἀρχή. *He's a* ~ *to our school*, εἶναι ντροπή γιά τό σχολεῖο μας. **~·ful** /-fl/ *ἐπ.* ἐπαίσχυντος, ἐπονείδιστος: *It is* ~*ful that he should be allowed to...*, εἶναι ντροπή νά τοῦ ἐπιτρέπεται νά... ~*ful conduct*, ἐπαίσχυντη διαγωγή. **~·fully** /-fəlɪ/ *ἐπίρ.* ἀτιμωτικά, ἐπονείδιστα.

2**dis·grace** /dɪsˋgreɪs/ *ρ.μ.* **1**. ἀτιμάζω, ντροπιάζω: ~ *the family name*, ἀτιμάζω τό ὄνομα τῆς οἰκογένειάς μας. **2**. (*συνήθ. εἰς παθ. φων.*) θέτω ὑπό δυσμένειαν.

dis·gruntled /dɪsˋgrʌntld/ *ἐπ.* ~ (***with sb/at sth***), δυσαρεστημένος, θυμωμένος.

1**dis·guise** /dɪsˋgaɪz/ *ρ.μ.* **1**. μεταμφιέζω, παραποιῶ, ἀλλάζω: ~ *oneself as a monk*, μεταμφιέζομαι σέ καλόγερο. *He* ~*d his looks but he could not* ~ *his voice*, ἄλλαξε τήν ἐμφάνισή του ἀλλά δέν μπόρεσε ν' ἀλλάξη τή φωνή του. **2**. συγκαλύπτω, (ἀπο)κρύπτω: ~ *the truth/one's sorrow*, συγκαλύπτω τήν ἀλήθεια/κρύβω τή λύπη μου. *There is no disguising the fact that...*, δέν μπορεῖ ν' ἀποκρυβῆ τό γεγονός ὅτι...

2**dis·guise** /dɪsˋgaɪz/ *οὐσ.* ‹C,U› **1**. μεταμφίεσις: *He grew a moustache as a* ~, ἄφησε μουστάκι γιά νά μή τόν γνωρίζουν. ***in*** ~, μεταμφιεσμένος, μασκαρεμένος: *He went among the enemy in* ~, μπῆκε στό ἐχθρικό στρατόπεδο μεταμφιεσμένος. *in the* ~ *of a woman*, μεταμφιεσμένος σέ γυναίκα. **2**. προσωπεῖον, μάσκα, ἀπόκρυψις: *under the* ~ *of charity*, ὑπό τό προσωπεῖον τῆς φιλανθρωπίας. *throw off all* ~, πετῶ τή μάσκα. *She made no* ~ *of her feelings*, δέν ἀπέκρυψε τά αἰσθήματά της.

1**dis·gust** /dɪsˋgʌst/ *ρ.μ.* ἀηδιάζω, προκαλῶ ἀηδίαν: *His behaviour* ~*ed me*, ἡ συμπεριφορά του μέ ἀηδίασε. *We were* ~*ed at/by the sight*, ἀηδιάσαμε ἀπό τό θέαμα. **~·ed·ly** /-ɪdlɪ/ *ἐπίρ.* ἀηδιασμένα: *He looked* ~*edly at the dirty room.* **~·ing** *ἐπ.* ἀηδιαστικός: ~*ing behaviour*, ἀηδιαστικό φέρσιμο. **~·ing·ly** *ἐπίρ.* ἀηδιαστικά: *He's* ~*ingly mean*, εἶναι ἀηδιαστικά τσιγκούνης.

2**dis·gust** /dɪsˋgʌst/ *οὐσ.* ‹U› ~ (***at sth/with sb***), ἀηδία: *his* ~ *at the Government's policy*, ἡ ἀηδία του γιά τήν κυβερνητική πολιτική. *his* ~ *with the Tories*, ἡ ἀηδία του γιά τούς Συντηρητικούς. ***in*** ~, ἀηδιασμένος: *He left in* ~, ἔφυγε ἀηδιασμένος.

1**dish** /dɪʃ/ *οὐσ.* ‹C› **1**. πιάτο: *wash (up) the* ~*es*, πλένω τά πιάτα. ˋ**~·washer**, πλυντήριο πιάτων. **2**. φαγητό: *My favourite* ~ *is grilled chicken*, τό ἀγαπημένο μου φαγητό εἶναι ψητό κοτόπουλο.

2**dish** /dɪʃ/ *ρ.μ.* **1**. ~ ***sth up***, (*κυριολ.* & *μεταφ.*) σερβίρω: ~ *up the dinner*, σερβίρω (φέρνω στό τραπέζι) τό φαγητό. ~ *up the usual arguments in a new form*, σερβίρω τά συνηθισμένα ἐπιχειρήματα σέ νέα μορφή. **2**. ~ ***sth out***, μοιράζω: ~ *out punishments*, μοιράζω τιμωρίες. **3**. (*καθομ.*) ξετινάζω, καταστρέφω: ~ *one's opponents*, ξετινάζω τούς ἀντιπάλους μου. *The scandal* ~*ed his hopes of being re-elected*, τό σκάνδαλο κατέστρεψε τίς ἐλπίδες του νά ἐπανεκλεγῆ.

dis·hear·ten /dɪsˋhatn/ *ρ.μ.* ἀποθαρρύνω, ἀποκαρδιώνω: *I was* ~*ed by the news*, τά νέα μέ ἀποκαρδίωσαν.

di·shevel·led /dɪˋʃevld/ *ἐπ.* ἀναμαλλιασμένος, ἀτημέλητος, (*γιά μαλλιά*) ἀνακατωμένος, (*γιά ροῦχα*) τσαλακωμένος.

dis·hon·est /dɪsˋɒnɪst/ *ἐπ.* ἀνέντιμος, κακοήθης, δόλιος. **~·ly** *ἐπίρ.* ἀνέντιμα, δολίως.

dis·hon·esty /dɪsˋɒnɪstɪ/ *οὐσ.* ‹C,U› ἀτιμία, κακοήθεια.

dis·hon·our /dɪsˋɒnə(r)/ *οὐσ.* ‹U› ἀτίμωσις, ντροπή, αἶσχος: *bring* ~ *on one's family*, ἀτιμάζω τήν οἰκογένειά μου. *He was a* ~ *to his regiment*, ἦταν ντροπή γιά τό σύνταγμά του. —*ρ.μ.* **1**. ἀτιμάζω, ντροπιάζω. **2**. (*γιά Τράπεζα*) ἀρνοῦμαι τήν πληρωμή (ἐπιταγῆς, κλπ). **~·able** /-əbl/ *ἐπ.* ἀχρεῖος, ἄτιμος, ἀτιμωτικός, αἰσχρός. **~·ably** /-əblɪ/ *ἐπίρ.* ἄτιμα, ἀτιμωτικά.

dis·il·lu·sion /ˈdɪsɪˋluʒn/ *ρ.μ.* βγάζω ἀπό αὐταπάτη, ἀνοίγω τά μάτια, ἀπογοητεύω: *I was soon* ~*d*, βγῆκα ἀπό τήν αὐταπάτη (ἀπογοητεύθηκα) γρήγορα. —*οὐσ.* ‹U› ἀπογοήτευσις. **~ed** *ἐπ.* ἀπογοητευμένος, χωρίς ψευδαισθήσεις. **~·ment** *οὐσ.* ‹U› ἀπογοήτευσις, χάσιμο ψευδαισθήσεων.

dis·in·cli·na·tion /ˈdɪsˈɪnklɪˋneɪʃn/ *οὐσ.* ‹U› ***a*** ~ (***for sth/to do sth***), ἀπροθυμία, ἀντιπάθεια, ἀποστροφή: *have a strong* ~ *for work*, ἔχω μεγάλη ἀποστροφή στή δουλειά.

dis·in·clined /ˈdɪsɪnˋklaɪnd/ *ἐπ.* ~ ***for sth/to do sth***, ἀπρόθυμος, χωρίς διάθεση: *He was* ~ *to help me*, ἦταν ἀπρόθυμος νά μέ βοηθήση. *He felt* ~ *for work*, δέν ἔνοιωθε διάθεση γιά δουλειά.

dis·in·fect /ˈdɪsɪnˋfekt/ *ρ.μ.* ἀπολυμαίνω. **dis·in·fec·tion** /-ˋfekʃn/ *οὐσ.* ‹U› ἀπολύμανσις.

dis·in·fec·tant /ˈdɪsɪnˋfektənt/ *ἐπ.* ἀπολυμαντικός. —*οὐσ.* ‹C,U› ἀπολυμαντικόν.

dis·in·genu·ous /ˈdɪsɪnˈdʒenjʊəs/ *ἐπ.* ἀνειλικρινής, διπρόσωπος, ὕπουλος. **~·ly** *ἐπίρ.* ὕπουλα.

dis·in·herit /ˈdɪsɪnˈherɪt/ *ρ.μ.* ἀποκληρώνω. **~ance** /-təns/ *οὐσ.* ‹U› ἀποκλήρωσις.

dis·in·te·grate /dɪsˈɪntɪgreɪt/ *ρ.μ/ἀ.* θρυμματίζω/-ομαι, ἀποσυνθέτω, ἀποσυντίθεμαι, διαλύομαι: *rocks ~d by frost and rain*, βράχια πού τά ἔχει ἀποσυνθέσει ἡ παγωνιά καί ἡ βροχή. *The new state was ~d by civil war*, τό καινούργιο κράτος διαλύθηκε ἀπό τόν ἐμφύλιο πόλεμο. **dis·in·te·gra·tion** /dɪsˈɪntɪˈgreɪʃn/ *οὐσ.* ‹U› ἀποσύνθεσις, διάλυσις.

dis·in·ter /ˈdɪsɪnˈtɜ(r)/ *ρ.μ.* *(-rr-)* ξεθάβω (πχ νεκρόν).

dis·in·ter·ested /dɪsˈɪntrəstɪd/ *ἐπ.* ἀφιλοκερδής, ἀνυστερόβουλος, ἀνιδιοτελής: *His action was not altogether ~*, ἡ πρᾶξις του δέν ἦταν τελείως ἀνιδιοτελής. **~·ly** *ἐπίρ.* ἀνιδιοτελῶς. **~·ness** *οὐσ.* ‹U› ἀνιδιοτέλεια.

dis·joint /ˈdɪsˈdʒɔɪnt/ *ρ.μ.* κομματιάζω, διαμελίζω: *~ a chicken.* **~ed** *ἐπ.* (γιά ὕφος, ὁμιλία, γραπτό λόγο) ἀσυνάρτητος, ἀσύνδετος. **~ed·ly** *ἐπίρ.*

dis·junc·tive /dɪsˈdʒʌŋktɪv/ *ἐπ.* *(γραμμ.)* διαζευκτικός: *~ conjunctions*, διαζευκτικοί σύνδεσμοι.

disk /dɪsk/ *οὐσ.* ‹C› *βλ. disc.*

dis·like /dɪsˈlaɪk/ *ρ.μ.* ἀντιπαθῶ, σιχαίνομαι, δέν μοῦ ἀρέσει: *I ~ getting up early/being disturbed*, δέν μοῦ ἀρέσει νά σηκώνομαι νωρίς/νά μέ ἐνοχλοῦν. *If you behave like that, you'll get yourself ~d*, ἄν φέρεσαι ἔτσι θά γίνης ἀντιπαθητικός. —*οὐσ.* ‹C› ἀποστροφή, ἀπέχθεια: *have a strong ~ for /of cats*, ἔχω μεγάλη ἀπέχθεια στίς γάτες. ***take a ~ to sb***, μοῦ δημιουργεῖται ἀντιπάθεια γιά κπ. ***likes and ~s*** /ˈdɪslaɪks/, προτιμήσεις: *We all have our likes and ~s*, ὅλοι ἔχομε τίς προτιμήσεις μας.

dis·lo·cate /ˈdɪsləkeɪt/ *ρ.μ.* **1**. ἐξαρθρώνω: *~ one's shoulder*, βγάζω τόν ὦμο μου. **2**. παραλύω: *Traffic was ~d by the heavy fall of snow*, ἡ κυκλοφορία παρέλυσε ἀπό τίς μεγάλες χιονοπτώσεις. **dis·lo·ca·tion** /ˈdɪsləˈkeɪʃn/ *οὐσ.* ‹C,U› ἐξάρθρωσις, ξεχαρβάλωμα.

dis·lodge /dɪsˈlodʒ/ *ρ.μ.* ἐκτοπίζω, ἐκδιώκω, ξεκολλῶ, βγάζω: *~ a stone from a wall*, βγάζω μιά πέτρα ἀπό ἕναν τοῖχο. *~ the enemy from their positions*, ἐκτοπίζω τόν ἐχθρό ἀπό τίς θέσεις του. **~·ment** *οὐσ.* ‹C,U› ἐκτόπισις, ἐκδίωξις, βγάλσιμο.

dis·loyal /dɪsˈlɔɪəl/ *ἐπ.* ~ ***(to sb)***, ἄπιστος, μή νομιμόφρων, δόλιος. **~ly** /-ˈlɔɪəlɪ/ *ἐπίρ.* **~·ty** /-ˈlɔɪəltɪ/ *οὐσ.* ‹C,U› ἀπιστία, δολιότης.

dis·mal /ˈdɪzml/ *ἐπ.* σκυθρωπός, μελαγχολικός, ζοφερός: *a ~ face/voice*, σκυθρωπό πρόσωπο/θλιβερή φωνή. *~ weather*, μελαγχολικός καιρός. **~·ly** *ἐπίρ.*

dis·mantle /dɪsˈmæntl/ *ρ.μ.* ἀπογυμνώνω (σπίτι), διαλύω (πλοῖο), λύνω (μηχανή).

dis·may /dɪsˈmeɪ/ *οὐσ.* ‹U› τρόμος, καταπτόησις, ἀγωνία, κατάπληξις (φόβος καί ἀνησυχία): *The news filled/struck them with ~*, τά νέα τούς γέμισαν τρόμο/τούς κατεπτόησαν. *He looked at me in (blank) ~*, μέ κοίταξε μέ ἀγωνία (καταπτοημένος). *an exclamation of ~*, μιά κραυγή ἀγωνίας. —*ρ.μ.* καταταράσσω, πτοῶ: *We were ~ed at the news*, τά νέα μᾶς κατετάραξαν, μᾶς κατεπτόησαν.

dis·mem·ber /dɪsˈmembə(r)/ *ρ.μ.* διαμελίζω (σῶμα, κράτος, κλπ). **~·ment** *οὐσ.* ‹U› διαμελισμός: *the ~ment of the Austrian Empire*, ὁ διαμελισμός τῆς Αὐστριακῆς Αὐτοκρατορίας.

dis·miss /dɪsˈmɪs/ *ρ.μ.* **1**. διώχνω, ἀποπέμπω, ἀπολύω: *~ a servant*, ἀπολύω ἕναν ὑπηρέτη. *be ~ed (from) the service*, *(στρατ.)* ἀποτάσσομαι. **2**. ἀπορρίπτω, διώχνω (ἀπό τό νοῦ): *~ all thoughts of revenge*, ἀπορρίπτω (διώχνω) κάθε σκέψη ἐκδικήσεως. **3**. ἀπολύω, ἐπιτρέπω σέ κπ νά φύγη: *The teacher ~ed the class when the bell rang*, ὁ δάσκαλος ἀπέλυσε τήν τάξη ὅταν χτύπησε τό κουδοῦνι. ***D~!*** τούς ζυγούς λύσατε! **~al** /-ˈmɪsl/ *οὐσ.* ‹C› ἀπόλυσις, ἀπόρριψις, διώξιμο, ἀπόταξις.

dis·mount /ˈdɪsˈmaʊnt/ *ρ.μ/ἀ.* **1**. κατεβαίνω (ἀπό ἄλογο ἤ ποδήλατο): *He ~ed from his horse/bicycle*, ξεπέζεψε ἀπό τό ἄλογό του/κατέβηκε ἀπό τό ποδήλατό του. **2**. ρίχνω (ἀπό ἄλογο): *He ~ed his opponent*, ἔρριξε τόν ἀντίπαλό του. **3**. λύνω, ξεμοντάρω (ὅπλο, μηχανή).

dis·obedi·ence /ˈdɪsəˈbiːdɪəns/ *οὐσ.* ‹U› ἀνυπακοή, ἀπειθαρχία: *an act of ~*, πρᾶξις ἀνυπακοῆς. *~ to orders*, ἀνυπακοή στίς διαταγές. **dis·obedi·ent** /-ɪənt/ *ἐπ.* ἀνυπάκουος, ἀπείθαρχος. **~·ly** *ἐπίρ.*

dis·obey /ˈdɪsəˈbeɪ/ *ρ.μ.* παρακούω (κπ), παραβαίνω (διαταγήν).

dis·oblige /ˈdɪsəˈblaɪdʒ/ *ρ.μ.* *(λόγ.)* δυσαρεστῶ, δέν ἐξυπηρετῶ: *I'm sorry to ~ you, but last time I lent you money you didn't repay me*, λυποῦμαι πού σᾶς δυσαρεστῶ, ἀλλά τήν τελευταία φορά πού σᾶς δάνεισα χρήματα δέν μοῦ τά ἐπιστρέψατε.

dis·or·der /dɪsˈɔːdə(r)/ *οὐσ.* ‹C,U› **1**. ἀταξία, ἀκαταστασία: *The enemy retreated in ~*, ὁ ἐχθρός ὑπεχώρησε ἐν ἀταξίᾳ. *The room was in great ~*, τό δωμάτιο ἦταν σέ μεγάλη ἀκαταστασία. **2**. *(συνήθ. πληθ.)* ταραχές: *Violent ~s have broken out*, ξέσπασαν βίαιες ταραχές. **3**. διαταραχή: *a ~ of the digestive system*, μιά διαταραχή τοῦ πεπτικοῦ συστήματος. *suffer from (a) mental ~*, ἔχει πάθει τό μυαλό μου, εἶμαι ψυχοπαθής. —*ρ.μ.* (δια)ταράσσω: *a ~ed mind*, ταραγμένος νοῦς.

dis·or·der·ly /dɪsˈɔːdəlɪ/ *ἐπ.* **1**. ἀκατάστατος: *a ~ room/desk.* **2**. ἄτακτος, ἀτίθασος, ταραχοποιός: *~ crowds*, ἄτακτα πλήθη. *~ behaviour*, ἀτίθασος συμπεριφορά. ***~ conduct***, διατάραξις τῆς κοινῆς ἡσυχίας. ***keep a ~ house***, διατηρῶ οἶκον ἀνοχῆς ἤ χαρτοπαιξίας.

dis·or·gan·ize /ˈdɪsˈɔːgənaɪz/ *ρ.μ.* ἀποδιοργανώνω, ἀναστατώνω, παραλύω: *The train services were ~d by fog*, οἱ σιδηροδρομικές συγκοινωνίες παρέλυσαν ἐξ αἰτίας τῆς ὁμίχλης. *become ~d*, ἀποδιοργανώνομαι. **dis·or·gan·iz·ation** /ˈdɪsˈɔːgənaɪˈzeɪʃn/ *οὐσ.* ‹U› ἀποδιοργάνωσις.

dis·orien·tate /dɪsˈɔːrɪənteɪt/ *ρ.μ.* *(κυριολ. & μεταφ.)* ἀποπροσανατολίζω.

dis·own /dɪsˈəʊn/ *ρ.μ.* ἀποκηρύσσω, ἀπαρνοῦμαι: *~ one's signature*, ἀρνοῦμαι τήν ὑπογραφή μου. ~ *one's son*, ἀποκηρύσσω τό γυιό μου.

dis·par·age /dɪˋspærɪdʒ/ *ρ.μ.* δυσφημῶ, διασύρω, κακολογῶ, μιλῶ ὑποτιμητικά (γιά κπ ἤ κτ). **dis·par·ag·ing** *ἐπ.* μειωτικός, δυσφημιστικός, ὑποτιμητικός. **dis·par·ag·ing·ly** *ἐπίρ.* **~·ment** *οὐσ.* ‹U› διασυρμός, δυσφήμησις: *without ~ment to you*, χωρίς νά θέλω νά σᾶς θίξω/νά σᾶς μειώσω.

dis·par·ate /ˋdɪspərət/ *ἐπ.* ἀνόμοιος. —*οὐσ. πληθ.* τά ἄσχετα.

dis·par·ity /dɪˋspærətɪ/ *οὐσ.* ‹C,U› διαφορά, ἀνομοιότης: *a great ~ in age/position/intelligence*, μεγάλη διαφορά στήν ἡλικία/θέση/ἐξυπνάδα. *the disparities in the accounts of an accident*, οἱ διαφορές στίς ἀφηγήσεις ἑνός ἀτυχήματος.

dis·pas·sion·ate /dɪˋspæʃənət/ *ἐπ.* ψύχραιμος, ἀμερόληπτος: *take a ~ view of things*, κρίνω τά πράγματα ἀμερόληπτα/ψύχραιμα. **~·ly** *ἐπίρ.*

[1]**dis·patch, des·patch** /dɪˋspætʃ/ *ρ.μ.* **1**. (ἐξ)αποστέλλω: ~ *a letter/a telegram/goods*. **2**. τελειώνω (δουλειά, φαγητό) στά γρήγορα, ξεμπερδεύω: *He ~ed all the remaining business and left for home*, ξεμπέρδεψε ὅλες τίς δουλειές πού ὑπολείπονταν κι' ἔφυγε γιά τό σπίτι. **3**. ἀποτελειώνω, ἐκτελῶ: ~ *a wounded animal*, ἀποτελειώνω τραυματισμένο ζῶο. *The executioner quickly ~ed the condemned man*, ὁ δήμιος ἐξετέλεσε γρήγορα τόν κατάδικο.

[2]**dis·patch, des·patch** /dɪˋspætʃ/ *οὐσ.* ‹C,U› **1**. ἀποστολή, διεκπεραίωσις: *Hurry up the ~ of these telegrams*, ἐπισπεύσατε τήν ἀποστολή αὐτῶν τῶν τηλεγραφημάτων. **2**. ἐκτέλεσις, θανάτωσις. **3**. ταχύτης, σπουδή: *with all possible ~*, μέ κάθε δυνατή ταχύτητα. **4**. ἀναφορά, τηλεγράφημα: *A newspaper receives ~es from all parts of the world*, μιά ἐφημερίδα παίρνει τηλεγραφήματα (ἀνταποκρίσεις) ἀπ' ὅλα τά μέρη τοῦ κόσμου. *The soldier was mentioned in ~es*, ἔγινε μνεία τοῦ στρατιώτη σέ ἀναφορές.

dis·pel /dɪˋspel/ *ρ.μ.* *(-ll-)* (δια)σκορπίζω, διώχνω: ~ *clouds/fears/doubts*, σκορπίζω τά σύννεφα/τούς φόβους/τίς ἀμφιβολίες.

dis·pens·able /dɪˋspensəbl/ *ἐπ.* περιττός.

dis·pens·ary /dɪˋspensərɪ/ *οὐσ.* ‹C› φαρμακευτικόν ἐργαστήριον, φαρμακεῖο (σέ νοσοκομεῖο).

dis·pen·sa·tion /ˈdɪspenˋseɪʃn/ *οὐσ.* ‹C,U› **1**. ἀπονομή: ~ *of justice*, ἀπονομή τῆς δικαιοσύνης. **2**. διανομή: ~ *of food to the poor*, διανομή τροφῆς στούς φτωχούς. **3**. θέλημα (Θεοῦ): *It was a ~ of Providence*, ἦταν θέλημα τῆς Θείας Προνοίας. **4**. ἀπαλλαγή: *grant ~ from fasting*, παρέχω ἄφεσιν νηστείας (ἀπαλλαγή ἀπό τή νηστεία). **5**. (*θρησκ.*) νόμος, σύστημα κανόνων: *the Mosaic ~*, ὁ Μωσαϊκός Νόμος.

dis·pense /dɪˋspens/ *ρ.μ/ἀ.* **1**. ἀπονέμω: ~ *justice*, ἀπονέμω δικαιοσύνην. **2**. διανέμω, μοιράζω: ~ *alms*, μοιράζω ἐλεημοσύνη. ~ *one's favours to people*, μοιράζω τήν εὔνοιά μου σέ ἀνθρώπους. **3**. ἐξαιρῶ, ἀπαλλάσσω: ~ *sb from doing sth*. **4**. ἐκτελῶ συνταγή, παρασκευάζω φάρμακο: ~ *a prescription*, ἐκτελῶ συνταγή. **5**. ~ ***with***, *(α)* κάνω χωρίς: *I'm not well enough to ~ with the doctor's services*, δέν εἶμαι ἀρκετά καλά ὥστε νά κάνω χωρίς τίς ὑπηρεσίες τοῦ γιατροῦ. *(β)* καταργῶ, καθιστῶ κτ περιττό: *The new machinery ~s with hand-labour*, τά καινούργια μηχανήματα καταργοῦν τήν χειρωνακτική ἐργασία. **~r** *οὐσ.* ‹C› **1**. φαρμακοποιός (παρασκευαστής φαρμάκων). **2**. δοχεῖον: *a ~r for liquid soap*, δοχεῖο γιά ρευστό σαπούνι.

dis·per·sal /dɪˋspɜsl/ *οὐσ.* ‹U› διασκορπισμός.

dis·perse /dɪˋspɜs/ *ρ.μ/ἀ.* (δια)σκορπίζω/-ομαι: *The police ~d the crowd*, ἡ ἀστυνομία σκόρπισε τό πλῆθος. *The students ~d when the police charged*, οἱ φοιτητές διασκορπίσθηκαν ὅταν ἐπετέθη ἡ ἀστυνομία. **dis·per·sion** /dɪˋspɜʃn/ *οὐσ.* ‹U› διασκόρπισις (*ἰδ.* φωτός). **the D~**, ἡ Διασπορά (τῶν Ἰουδαίων).

dis·pir·ited /dɪˋspɪrɪtɪd/ *ἐπ.* ἀποθαρρυμένος: *look ~*, φαίνομαι ἀποθαρρυμένος.

dis·place /dɪˋspleɪs/ *ρ.μ.* **1**. (*λόγ.*) μετατοπίζω. **2**. ἐκτοπίζω: *weight of water ~d by a body*, βάρος ὕδατος ἐκτοπισθέντος ὑπό σώματος. **3**. ἀντικαθιστῶ, παίρνω τή θέση: *Tom has ~d Harry in Mary's affections*, ὁ Τόμ ἀντικατέστησε τό Χάρυ στήν καρδιά τῆς Μαίρης. **~d person**, πρόσφυγας.

dis·place·ment /dɪˋspleɪsmənt/ *οὐσ.* ‹U› **1**. μετατόπισις, ἀντικατάστασις. **2**. ἐκτόπισμα: *a ship of 10 000 tons ~*, πλοῖον ἐκτοπίσματος 10.000 τόννων.

[1]**dis·play** /dɪˋspleɪ/ *ρ.μ/ἀ.* ἐκθέτω, ἐπιδεικνύω, δείχνω, φανερώνω: ~ *goods in shop windows*, ἐκθέτω ἐμπορεύματα σέ βιτρῖνες. *She ~ed her fine jewellery*, ἔκανε ἐπίδειξη τῶν ὡραίων της κοσμημάτων. *He ~ed no sign of emotion*, δέν ἔδειξε ἴχνος συγκινήσεως. ~ *one's ignorance*, φανερώνω τήν ἀμάθειά μου.

[2]**dis·play** /dɪˋspleɪ/ *οὐσ.* ‹C,U› ἐπίδειξις: *a ˋfashion ~*, ἐπίδειξις μόδας. *make a ~ of wealth/one's knowledge*, κάνω ἐπίδειξη πλούτου/τῶν γνώσεών μου.

dis·please /dɪˋspliz/ *ρ.μ.* δυσαρεστῶ: ~ *one's friends*, δυσαρεστῶ τούς φίλους μου. *be ~d with sb/at sb's conduct*, εἶμαι δυσαρεστημένος μέ κάποιον/μέ τή συμπεριφορά του. **dis·pleas·ing** *ἐπ.* δυσάρεστος.

dis·pleas·ure /dɪˋsplezə(r)/ *οὐσ.* ‹U› δυσαρέσκεια: *He incurred his father's ~*, ἐπέσυρε (προκάλεσε) τή δυσαρέσκεια τοῦ πατέρα του.

dis·po·sal /dɪˋspəʊzl/ *οὐσ.* ‹U› **1**. διάθεσις, διάταξις, διεξαγωγή: *the ~ of one's property*, ἡ διάθεσις περιουσίας μου. *the ~ of rubbish*, ἡ διάθεσις τῶν σκουπιδιῶν. *a ˋbomb-~ squad*, μονάς ἐξουδετερώσεως βομβῶν. *the ~ of troops*, ἡ διάταξις τῶν στρατευμάτων. *the ~ of business affairs*, ἡ διεξαγωγή ἐμπορικῶν ὑποθέσεων. ***at your ~***, στή διάθεσή σας: *I am/My library is at your ~*, εἶμαι/ἡ βιβλιοθήκη μου εἶναι στή διάθεσή σας. **2**. ἔλεγχος, ἐξουσία διαθέσεως: *In time of war the government has entire ~ of all material resources*, ἐν καιρῷ πολέμου ἡ Κυβέρνησις ἔχει πλήρη ἔλεγχο τῶν ὑλικῶν πόρων.

dis·pose /dɪˋspəʊz/ *ρ.μ/ἀ.* **1**. ~ ***of***, διαθέτω, ξεφορτώνομαι: ~ *of a piece of land*, διαθέτω (πουλῶ) ἕνα κομμάτι γῆ. ~ *of rubbish*, ξεφορτώνομαι τά σκουπίδια. *The dictator ~d of all his opponents*, ὁ δικτάτωρ ξεφορτώθηκε (φυλακίζοντας ἤ σκοτώνοντας) ὅλους τούς ἀντιπάλους τους. **2**. παρατάσσω, ρυθμίζω, κανονίζω: ~ *troops/ships*, παρατάσσω στρατεύματα/πλοῖα. ***Man proposes, God ~s***, (*παροιμ.*) ἄλλαι μέν βουλαί ἀνθρώπων, ἄλλα δέ Θεός κελεύει. **3**. (*λόγ.*) (προ)διαθέτω: *The news ~s me to believe that*..., ἡ εἴδησις μέ προδιαθέτει νά πιστέψω ὅτι... *I am/I feel ~d to believe you*, εἶμαι/νοιώθω διατεθειμένος νά σέ πιστέψω. ***be well/ill ~d (towards sb)***, εἶμαι εὐνοϊκά/ἄσχημα διατεθειμένος ἀπέναντι σέ κπ.

dis·po·si·tion /ˈdɪspəˋzɪʃn/ *οὐσ.* ‹C› **1**. διάταξις, διαρρύθμισις: *the ~ of troops*, ἡ διάταξις στρατευμάτων. *the ~ of furniture*, ἡ διαρρύθμισις ἐπίπλων. **2**. (προ)διάθεσις, χαρακτήρ: *a man with a cheerful ~*, ἄνθρωπος μέ χαρούμενη διάθεση. *a ~ to jealousy*, προδιάθεση (τάση) γιά ζήλεια. **3**. ἐξουσία (διαθέσεως): *God has the supreme ~ of all things*, ὁ Θεός ἔχει τήν ὑπέρτατη ἐξουσία σ' ὅλα τά πράγματα.

dis·pos·sess /ˈdɪspəˋzes/ *ρ.μ.* ***~ sb of sth***, (*λόγ.*) ἀποστερῶ, ἀφαιρῶ (ἰδιοκτησίαν), ἐκβάλλω: *The nobles were ~ed of their property after the Revolution*, οἱ εὐγενεῖς ἐστερήθησαν τῆς περιουσίας των μετά τήν Ἐπανάστασιν.

dis·proof /dɪˋspruf/ *οὐσ.* ‹C,U› ἀνασκευή.

dis·pro·por·tion /ˈdɪsprəˋpɔʃn/ *οὐσ.* ‹U› δυσαναλογία: ~ *in age/in education*, μεγάλη διαφορά ἡλικίας/μορφώσεως. **~·ate** /-ʃnət/ *ἐπ.* ***~ to***, δυσανάλογος: *pay that is ~ate to the work done*, πληρωμή πού εἶναι δυσανάλογος πρός τήν γενομένην ἐργασίαν. **~·ate·ly** *ἐπίρ.* δυσανάλογα.

dis·prove /ˈdɪˋspruv/ *ρ.μ.* ἀνασκευάζω: ~ *a theory/an argument*, ἀνασκευάζω μιά θεωρία/ἕνα ἐπιχείρημα.

dis·put·able /dɪˋspjutəbl/ *ἐπ.* ἀμφίβολος, συζητήσιμος.

dis·pu·tant /dɪˋspjutənt/ *οὐσ.* ‹C› καυγατζῆς, ἀντιρρησίας.

dis·pu·ta·tion /ˈdɪspjʊˋteɪʃn/ *οὐσ.* ‹C,U› φιλονικία, λογομαχία.

dis·pu·ta·tious /ˈdɪspjʊˋteɪʃəs/ *ἐπ.* φίλερις, φιλόνικος. **~·ly** *ἐπίρ.*

[1]**dis·pute** /dɪˋspjut/ *οὐσ.* **1**. ‹U› συζήτησις, φιλονικία, ἀμφισβήτησις: *the matter in ~*, τό διαφιλονικούμενον θέμα. ***beyond/past (all) ~***, πέραν πάσης ἀμφισβητήσεως, ἀναμφισβήτητος. ***without ~***, χωρίς συζήτηση. **2**. ‹C› διαφορά, διαμάχη: *settle a ~*, λύω διαφορά. *religious ~s*, θρησκευτικές διαμάχες.

[2]**dis·pute** /dɪˋspjut/ *ρ.μ/ἀ.* **1**. συζητῶ, λογομαχῶ: ~ *with/against sb*. **2**. (δι)αμφισβητῶ: *The election result was ~d*, τό ἀποτέλεσμα τῆς ἐκλογῆς ἀμφισβητήθηκε. ~ *a will/a statement/a decision*, ἀμφισβητῶ τό ἔγκυρον διαθήκης/τό ἀληθές δηλώσεως/τό ὀρθόν μιᾶς ἀποφάσεως. **3**. διεκδικῶ, ἀμφισβητῶ: *Our team ~d the victory until the last minute of the game*, ἡ ὁμάδα μας διεκδίκησε τή νίκη ὥς τό τελευταῖο λεπτό τοῦ ἀγῶνος. ~ *an advance by the enemy*, ἀμφισβητῶ (ἀντιστέκομαι εἰς) τήν προέλαση τοῦ ἐχθροῦ.

dis·quali·fi·ca·tion /dɪˋskwolɪfɪˋkeɪʃn/ *οὐσ.* ‹C,U› ἀνικανότης, ἀκαταλληλότης, ἔκπτωσις, ἀποκλεισμός.

dis·qual·ify /dɪˋskwolɪfaɪ/ *ρ.μ.* ***~ sb (for sth/from doing sth)***, καθιστῶ ἀνίκανον, ἀποκλείω, ἀφαιρῶ τήν ἄδεια (*π.χ.* ὁδηγήσεως): *His weak eyesight will ~ him for military service*, ἡ ἀσθενής ὅρασίς του θά τόν κάνη ἀνίκανο γιά στρατιωτική ὑπηρεσία.

dis·quiet /dɪˋskwaɪət/ *οὐσ.* ‹U› ἀνησυχία: *The President's speech caused considerable ~ in some capitals*, ὁ λόγος τοῦ Προέδρου προκάλεσε σημαντική ἀνησυχία σέ μερικές πρωτεύουσες. —*ρ.μ.* (*λόγ.*) ἀνησυχῶ, ταράσσω: *be ~ed by apprehensions of illness*, ταράσσομαι ἀπό φόβους ἀρρώστειας. **~·ing** *ἐπ.* ἀνησυχητικός: *~ing news*. **~·ing·ly** *ἐπίρ.*

dis·quiet·ude /dɪˋskwaɪətjud/ *οὐσ.* ‹U› (*λόγ.*) ἀνησυχία, ἀναβρασμός, ἀναταραχή.

dis·qui·si·tion /ˈdɪskwɪˋzɪʃn/ *οὐσ.* ‹C› (*λόγ.*) ~ *on sth*, πραγματεία, διατριβή.

dis·re·gard /ˈdɪsrɪˋgad/ *οὐσ.* ‹U› ἀδιαφορία, περιφρόνησις: ~ *of the law*, ἀδιαφορία πρός τόν νόμο. ~ *for one's parents*, περιφρόνησις πρός τούς γονεῖς. —*ρ.μ.* περιφρονῶ, ἀγνοῶ, δέν λαμβάνω ὑπ' ὄψιν: ~ *a warning/sb's advice*, περιφρονῶ (ἀγνοῶ) προειδοποίησιν/τίς συμβουλές κάποιου.

dis·re·pair /ˈdɪsrɪˋpeə(r)/ *οὐσ.* ‹U› ἐρείπωσις, ρήμαγμα: *fall into ~*, ἐρειπώνομαι, ρημάζω. *be in bad ~*, εἶμαι πολύ ἐρειπωμένος.

dis·repu·table /dɪsˋrepjʊtəbl/ *ἐπ.* **1**. κακόφημος: *a ~ house/bar*, κακόφημο σπίτι/μπάρ. **2**. ἀνυπόληπτος: *a ~-looking fellow*, ἄνθρωπος μέ ἀνυπόληπτη ἐμφάνιση. **3**. ἄθλιος (φθαρμένος, βρώμικος): *a ~ old hat*, ἕνα ἄθλιο παληό καπέλλο. ***~ to***, δυσφημηστικός, ἀτιμωτικός: *incidents ~ to his character as a priest*, περιστατικά πού τόν δυσφημοῦν (τόν ἀτιμάζουν) ὡς ἱερέα. **dis·repu·tably** /-təblɪ/ *ἐπίρ.*

dis·re·pute /ˈdɪsrɪˋpjut/ *οὐσ.* ‹U› ἀνυποληψία, κακό ὄνομα: *The hotel has fallen into ~*, τό ξενοδοχεῖο ἔχει βγάλει κακό ὄνομα.

dis·re·spect /ˈdɪsrɪˋspekt/ *οὐσ.* ‹U› ἔλλειψις σεβασμοῦ, ἀγένεια, ἀναίδεια: *treat sb with ~*, μεταχειρίζομαι κπ μέ ἀγένεια. *show ~ for sb*, δείχνω ἔλλειψη σεβασμοῦ σέ κπ. **~·ful** /-fl/ *ἐπ.* ἀσεβής, ἀναιδής: *be ~ful to sb*, φέρομαι σέ κπ μέ ἀσέβεια. **~·fully** /-fəlɪ/ *ἐπίρ.* ἀσεβῶς, μέ ἀναίδεια.

dis·robe /ˈdɪsˋrəʊb/ *ρ.μ/ἀ.* ἐκδύω/-ομαι.

dis·rupt /ˈdɪsˋrʌpt/ *ρ.μ.* διασπῶ, ἀναστατώνω, ἐξαρθρώνω, διαλύω, διαμελίζω: ~ *a party/a coalition*, διασπῶ ἕνα κόμμα/ἕναν συνασπισμό. ~ *the communications of a district*, ἀναστατώνω/ἐξαρθρώνω τίς συγκοινωνίες μιᾶς περιοχῆς. ~ *a service*, διαλύω (ἀποδιοργανώνω) μιά ὑπηρεσία. ~ *a state*, διαμελίζω ἕνα κράτος. **dis·rup·tion** /-ˋrʌpʃn/ *οὐσ.* ‹U› διάλυσις, διάσπασις, ἀποσύνθεσις, ἐξάρθρωσις, διαμελισμός. **dis·rup·tive** /-ˋrʌptɪv/ *ἐπ.* διασπαστικός, διαλυτικός: *~ive forces*, διασπαστικές δυνάμεις.

dis·sat·is·fac·tion /ˈdɪˋsætɪsˋfækʃn/ *οὐσ.* ‹U› ***~ (with sb or sth/at an event)***, δυσαρέσκεια.

dis·sat·isfy /dɪˋsætɪsfaɪ/ *ρ.μ.* δυσαρεστῶ, δέν ἱκανοποιῶ: *I am dissatisfied with you*, δέν

εἶμαι ἱκανοποιημένος ἀπό σένα. *be dissatisfied with one's salary/at not getting a better salary*, εἶμαι δυσαρεστημένος μέ τό μισθό μου/πού δέν παίρνω καλύτερο μισθό.
dis·sect /dɪˋsekt/ *ρ.μ.* (*κυριολ.* & *μεταφ.*) ἀνατέμνω: *~ an animal/a theory*. **dis·sec·tion** /-ˋsekʃn/ *οὐσ.* ‹C,U› ἀνατομή (πτώματος), λεπτομερής ἐξέτασις/ἀνάλυσις.
dis·semble /dɪˋsembl/ *ρ.μ/ἀ.* (*λόγ.*) ἀποκρύπτω, ὑποκρίνομαι: *~ one's emotions*, ἀποκρύπτω τά αἰσθήματά μου. **~r** /-blə(r)/ ‹C› ὑποκριτής.
dis·semi·nate /dɪˋsemineɪt/ *ρ.μ.* διασπείρω (φῆμες), διαδίδω (ἰδέες). **dis·semi·na·tion** /dɪˈsemɪˋneɪʃn/ *οὐσ.* ‹U› διασπορά, διάδοσις.
dis·sen·sion /dɪˋsenʃn/ *οὐσ.* ‹C,U› διάστασις, διχόνοια: *sow ~*, σπέρνω τή διχόνοια.
dis·sent /dɪˋsent/ *οὐσ.* ‹U› **1**. διαφωνία, διχογνωμία: *express strong ~*, ἐκφράζω ἔντονη διαφωνία. **2**. (*ἐκκλ.*) σχῖσμα. —*ρ.ἀ.* **~ from**, διαφωνῶ, διΐσταμαι: *I ~ strongly from what has just been said*, διαφωνῶ ἐντόνως πρός ὅ,τι μόλις ἐλέχθη. **~er** *οὐσ.* ‹C› διαφωνῶν, σχισματικός, ἑτερόδοξος.
dis·ser·ta·tion /ˈdɪsəˋteɪʃn/ *οὐσ.* ‹C› διατριβή, πραγματεία: *a ~ on/upon/concerning Man*, πραγματεία περί τοῦ ˋΑνθρώπου.
dis·ser·vice /dɪˋsɜvɪs/ *οὐσ.* ‹U› κακή ὑπηρεσία, ζημιά: *do sb a ~*, προσφέρω κακή ὑπηρεσία σέ κπ.
dis·si·dence /ˋdɪsɪdəns/ *οὐσ.* ‹U› διαφωνία.
dis·si·dent /ˋdɪsɪdənt/ *οὐσ.* ‹C› & *ἐπ.* διαφωνῶν, ἑτερόδοξος.
dis·simi·lar /dɪˋsɪmɪlə(r)/ *ἐπ.* ~ *(from/to)*, ἀνόμοιος, διαφορετικός: *~ tastes*, ἀνόμοια γοῦστα. **~·ity** /ˈdɪˈsɪmɪˋlærətɪ/ *οὐσ.* ‹C,U› ἀνομοιότης, διαφορά.
dis·simu·late /dɪˋsɪmjʊleɪt/ *ρ.μ/ἀ.* (*λόγ.*) ἀποκρύπτω, ὑποκρίνομαι: *~ ignorance*, ὑποκρίνομαι ἄγνοιαν. **dis·simu·la·tion** /dɪˈsɪmjʊˋleɪʃn/ *οὐσ.* ‹U› ἀπόκρυψις, προσποίησις.
dis·si·pate /ˋdɪsɪpeɪt/ *ρ.μ/ἀ.* **1**. διασκορπίζω, διώχνω, διαλύω: *~ fear/doubt/ignorance*, διώχνω (διαλύω) τό φόβο/τήν ἀμφιβολία/τήν ἀμάθεια. **2**. σπαταλῶ: *~ one's time/money/efforts*, σπαταλῶ τό χρόνο μου/τά χρήματά μου/τίς προσπάθειές μου. **3**. ἀσωτεύω, γλεντῶ: *lead a ~d life*, ζῶ ἔκλυτη ζωή. *fall into ~d ways*, τό ρίχνω στήν παραλυσία/στά γλέντια. **dis·si·pa·tion** /ˈdɪsɪˋpeɪʃn/ *οὐσ.* ‹U› διάλυσις, σπατάλη, ἀσωτεία: *a life of dissipation*, ζωή ἀσωτείας.
dis·so·ci·ate /dɪˋsəʊʃɪeɪt/ *ρ.μ.* **~ from**, διαχωρίζω, ἀποσπῶ, ἀποχωρίζω: *I wish to ~ myself from what has just been said*, ἐπιθυμῶ νά διαχωρίσω τή θέση μου ἀπό ὅ,τι μόλις ἐλέχθη. *It's difficult to ~ a man from his position*, εἶναι δύσκολο νά ἀποχωρίσης τόν ἄνθρωπο ἀπό τή θέση του. **dis·so·ci·ation** /dɪˈsəʊʃɪˋeɪʃn/ *οὐσ.* ‹U› (δια)χωρισμός, ἀπόσπασις, διάσπασις.
dis·sol·uble /dɪˋsoljʊbl/ *ἐπ.* διαλυτός, εὐδιάλυτος.
dis·so·lute /ˋdɪsəlut/ *ἐπ.* ἔκλυτος, ἀκόλαστος: *lead a ~ life*, κάνω ἀκόλαστη ζωή. **~·ly** *ἐπίρ.* ἄσωτα.
dis·sol·ution /ˈdɪsəˋluʃn/ *οὐσ.* ‹C,U› λύσις (γάμου), διάλυσις (Βουλῆς, ἑταιρείας, κλπ).
dis·solve /dɪˋzolv/ *ρ.μ/ἀ.* **1**. διαλύω/-ομαι: *Water ~s salt*, τό νερό διαλύει τό ἁλάτι. *Salt ~s in water*, τό ἁλάτι διαλύεται στό νερό. *~ a company/a marriage/Parliament*, διαλύω μιά ἑταιρεία/ἕνα γάμο/τή Βουλή. **2**. ἐξαφανίζομαι, ἀναλύομαι: *The view ~d in mist*, ἡ θέα ἐξαφανίστηκε μές στήν ὁμίχλη. *She ~d into tears*, ἀναλύθηκε σέ δάκρυα. ***~ into thin air***, (*μεταφ.*) γίνομαι καπνός.
dis·son·ance /ˋdɪsənəns/ *οὐσ.* ‹C,U› παραφωνία, κακοφωνία. **dis·son·ant** /ˋdɪsənənt/ *ἐπ.* παράφωνος, διαφωνῶν.
dis·suade /dɪˋsweɪd/ *ρ.μ.* **~ sb (from)**, μεταπείθω, ἀποτρέπω: *I ~d him from buying it*, τόν ἔπεισα νά μήν τό ἀγοράση. **dis·sua·sion** /dɪˋsweɪʒn/ *οὐσ.* ‹U› ἀποτροπή, μετάπεισις.
dis·taff /ˋdɪstaf/ *οὐσ.* ‹C› ρόκα. ***on the ˋ~ side***, ἀπό τή μητρική πλευρά.
dis·tance /ˋdɪstəns/ *οὐσ.* ‹C,U› **1**. ἀπόστασις: *at this ~*, σ' αὐτήν τήν ἀπόσταση. *from a ~*, ἀπό μακρυά. *in the ~*, πέρα μακρυά, στό βάθος. *within walking ~*, σέ μικρή ἀπόσταση (πού μπορεῖς νά πᾶς μέ τά πόδια). *within speaking ~*, σέ ἀπόσταση φωνῆς. ***keep sb at a ~***, κρατῶ κπ σέ ἀπόσταση. ***keep one's ~***, κρατῶ ἀπόσταση, κρατῶ τή θέση μου. **ˈlong-ˈ~ ˋcall**, ὑπεραστικό τηλεφώνημα. **2**. διάστημα: *a ~ of fifty years*, διάστημα πενήντα ἐτῶν. —*ρ.μ.* (*συνήθ.* **out-~**) ἀφήνω πίσω: *The black horse soon (out)~d all the others*, τό μαῦρο ἄλογο σύντομα ἄφησε πίσω ὅλα τά ἄλλα.
dis·tant /ˋdɪstənt/ *ἐπ.* **1**. μακρυνός: *a ~ village/cousin/resemblance*, μακρυνό χωριό/-ός ἐξάδελφος/-ή ὁμοιότης. **2**. (*γιά συμπεριφορά*) ψυχρός, ἐπιφυλακτικός: *a ~ smile*, ἕνα ψυχρό χαμόγελο. **~·ly** *ἐπίρ.* μακρινά.
dis·taste /dɪˋsteɪst/ *οὐσ.* ‹U› ~ *(for)*, ἀντιπάθεια, ἀποστροφή: *have a ~ for hard work*, ἀποστρέφομαι τήν πολλή δουλειά. **~·ful** /-fl/ *ἐπ.* δυσάρεστος, ἀντιπαθής: *It is ~ful to me to have to say this, but...*, μοῦ εἶναι δυσάρεστο πού πρέπει νά τό πῶ, ἀλλά... **~·fully** /-fəlɪ/ *ἐπίρ.*
dis·tem·per /dɪˋstempə(r)/ *οὐσ.* ‹U› τέμπερα, ἀσβέστωμα. —*ρ.μ.* ζωγραφίζω μέ τέμπερα, ἀσβεστώνω.
dis·tend /dɪˋstend/ *ρ.μ/ἀ.* διαστέλλω, φουσκώνω (φλέβα, στομάχι, κλπ).
dis·til /dɪˋstɪl/ *ρ.μ/ἀ.* *(-ll-)* διυλίζω (ἀπο)στάζω. **~·la·tion** /ˈdɪstɪˋleɪʃn/ *οὐσ.* ‹C,U› ἀπόσταξις, ἀπόσταγμα. **~·ler** /dɪˋstɪlə(r)/ *οὐσ.* ‹C› ποτοποιός. **~·lery** /-lərɪ/ *οὐσ.* ‹C› ποτοποιεῖον, διυλιστήριον.
dis·tinct /dɪˋstɪŋkt/ *ἐπ.* **1**. εὐδιάκριτος, καθαρός, ξεκάθαρος (ρητός): *a ~ difference*, μιά εὐδιάκριτη διαφορά. *a ~ pronunciation*, καθαρή προφορά. *a ~ order*, ρητή διαταγή. **2**. ἔντονος, αἰσθητός, σαφής: *a ~ preference*, ἔντονη προτίμησις. *a ~ improvement*, σαφής (αἰσθητή) βελτίωσις. **3**. ξεχωριστός, διαφορετικός: *Hares and rabbits are ~ animals*, οἱ λαγοί καί τά κουνέλια εἶναι διαφορετικά ζῶα. *town life as ~ from country life*, ἡ ζωή τῆς πόλεως σέ ἀντίθεση μέ τή ζωή τῆς ὑπαίθρου. **~·ly** *ἐπίρ.* καθαρά: *speak/remember ~ly*.

dis·tinc·tion /dɪˋstɪŋkʃn/ *οὐσ.* ‹C,U› **1**. διάκρισις: *make a ~ between two persons*, κάνω διάκριση μεταξύ δύο προσώπων. ***without ~***, ἀδιακρίτως. ***a ~ without a difference***, ἀνύπαρκτη διαφορά, ψιλολόγημα. **2**. διαφορά: *The ~ between prose and poetry is obvious*, ἡ διαφορά μεταξύ πεζοῦ λόγου καί ποιήσεως εἶναι ὁλοφάνερη. **3**. περιωπή, ὑπεροχή, ἀνωτερότης: *a man of ~*, ἄνθρωπος περιωπῆς. *a writer of ~*, διακεκριμένος συγγραφεύς. **4**. τιμητική διάκρισις (τίτλος, παράσημο): *academic ~s*, ἀκαδημαϊκοί τίτλοι. *win ~s for bravery*, κερδίζω παράσημα ἀνδρείας.

dis·tinc·tive /dɪˋstɪŋktɪv/ *ἐπ.* **1**. διακριτικός: *~ badges*, διακριτικές κονκάρδες. **2**. χαρακτηριστικός: *~ features*, χαρακτηριστικά γνωρίσματα. **~·ly** *ἐπίρ.* καθαρά.

dis·tin·guish /dɪˋstɪŋgwɪʃ/ *ρ.μ/ἀ.* διακρίνω, ξεχωρίζω: *~ sth in the distance*, διακρίνω κτ μακρυά. *Speech ~es man from animals*, ὁ λόγος ξεχωρίζει τόν ἄνθρωπο ἀπό τά ζῶα. ***~ oneself***, διακρίνομαι: *He ~ed himself in the war*, διεκρίθη στόν πόλεμο. **~·able** /-əbl/ *ἐπ.* διακρινόμενος, εὐδιάκριτος: *hardly ~able*, μόλις διακρινόμενος, δυσδιάκριτος. **~ed** *ἐπ.* **1**. διακεκριμένος, διαπρεπής, λαμπρός: *a ~ed writer/actor/career*, διακεκριμένος συγγραφεύς/ἠθοποιός/λαμπρή καριέρα. **2**. ἀρχοντικός: *look ~ed*, ἔχω ἀριστοκρατική, ἀρχοντική ἐμφάνιση.

dis·tort /dɪˋstɔt/ *ρ.μ/ἀ.* **1**. συσπῶ, παραμορφώνω: *a face ~ed with pain*, πρόσωπο παραμορφωμένο (συσπασμένο) ἀπό τόν πόνο. **2**. παραποιῶ, διαστρέφω, διαστρεβλώνω: *~ the meaning of a word*, παραποιῶ (διαστρέφω) τό νόημα μιᾶς λέξεως. *~ sb's words/motives*, διαστρεβλώνω τά λόγια/τά κίνητρα κάποιου.

dis·tor·tion /dɪˋstɔʃn / *οὐσ.* ‹C,U› παραμόρφωσις, παραποίησις, διαστροφή.

dis·tract /dɪˋstrækt/ *ρ.μ.* ἀποσπῶ, περισπῶ: *The children's voices ~ me from my reading*, οἱ φωνές τῶν παιδιῶν μέ περισποῦν ἀπό τό διάβασμά μου. *We must do something to ~ her mind from her sorrow*, πρέπει νά κάνωμε κάτι νά τῆς ἀποσπάσωμε τό μυαλό ἀπό τόν πόνο της. *~ sb's attention*, περισπῶ τήν προσοχή κάποιου. **~ed** *ἐπ.* τρελλός, ἀναστατωμένος, σαστισμένος: *~ed with love/grief*, τρελλός ἀπό ἀγάπη/ἀπό θλίψη. *~ed between love and duty*, σαστισμένος (παλεύοντας) μεταξύ ἔρωτος καί καθήκοντος. **~·ed·ly** *ἐπίρ.*

dis·trac·tion /dɪˋstrækʃn/ *οὐσ.* ‹C,U› **1**. περισπασμός, ἀπόσπασις τῆς προσοχῆς, ἀναστάτωσις: *Noise is a ~ when you are trying to read*, ὁ θόρυβος εἶναι ἐνοχλητικός (σοῦ ἀποσπᾶ τήν προσοχή) ὅταν προσπαθῆς νά μελετήσης. **2**. ψυχαγωγία, ἀναψυχή, διασκέδασις: *There are not many ~s in a small village*, δέν ὑπάρχουν πολλές διασκεδάσεις σ' ἕνα μικρό χωριό. **3**. παραζάλη, τρέλλα: *He loves her to ~*, τήν ἀγαπᾶ μέχρι τρέλλας. ***drive sb to ~***, τρελλαίνω κπ.

dis·traught /dɪˋstrɔt/ *ἐπ.* τρελλός, ἀλλόφρων, καταταραγμένος: *~ with worry/grief*, τρελλός ἀπό ἀνησυχία/ἀπό θλίψη.

[1]**dis·tress** /dɪˋstres/ *οὐσ.* ‹U› **1**. καταπόνησις, ἐξάντλησις: *show signs of ~*, παρουσιάζω συμπτώματα ἐξαντλήσεως. **2**. θλίψη, πόνος, ἀγωνία: *His wild behaviour was a great ~ to his mother*, ἡ ἔξαλλη συμπεριφορά του ἦταν αἰτία μεγάλης ἀγωνίας γιά τή μητέρα του. **3**. φτώχεια, δυστυχία: *be in ~*, ἔχω μεγάλη φτώχεια. *relieve ~ among the poor*, ἀνακουφίζω τή δυστυχία τῶν φτωχῶν. *companions in ~*, σύντροφοι στή δυστυχία. **4**. κίνδυνος, δύσκολη θέσις: *a ship in ~*, πλοῖον ἐν κινδύνῳ. *a ~ signal/light*, σῆμα/φῶς κινδύνου.

[2]**dis·tress** /dɪˋstres/ *ρ.μ.* θλίβω, λυπῶ, βασανίζω, ταλαιπωρῶ: *I am ~ed to hear...*, θλίβομαι πού μαθαίνω... *look ~ed*, φαίνομαι θλιμμένος/καταπονημένος. *Don't ~ yourself*, μή βασανίζεσαι, μήν ἀγωνιᾶς! **~ed areas**, περιοχαί πληγεῖσαι ἀπό οἰκονομικήν κρίσιν. **~·ing** *ἐπ.* θλιβερός, ὀδυνηρός, καταθλιπτικός, βασανιστικός. **~·ing·ly** *ἐπίρ.*

dis·tri·bute /dɪˋstrɪbjut/ *ρ.μ.* **1**. διανέμω, μοιράζω: *~ presents/money to the class*, μοιράζω δῶρα/χρήματα στήν τάξη. **2**. ἁπλώνω, διασκορπίζω: *~ manure over a field*, σκορπίζω (ἁπλώνω) κοπριά σ' ἕνα χωράφι. **3**. (*τυπογρ.*) ***~ type***, διαλύω ἕνα κομμάτι. **dis·tri·bu·tive** /dɪˋstrɪbjʊtɪv/ *ἐπ.* διανεμητικός, ἐπιμεριστικός.

dis·tri·bu·tion /ˈdɪstrɪˋbjuʃn/ *οὐσ.* ‹C,U› διανομή, μοιρασιά, κατανομή, ἅπλωμα, σκόρπισμα: *the ~ of profits*, ἡ διανομή κερδῶν. *the ~ of wealth*, ἡ κατανομή τοῦ πλούτου. *the ~ of prizes at a school*, τό μοίρασμα τῶν βραβείων σ' ἕνα σχολεῖο.

dis·tri·bu·tor /dɪˋstrɪbjutə(r)/ *οὐσ.* ‹C› διανομεύς, (*ἐμπ.*) ἀποκλειστικός ἀντιπρόσωπος.

dis·trict /ˋdɪstrɪkt/ *οὐσ.* ‹C› **1**. περιοχή, περιφέρεια: *mountainous/agricultural ~s*, ὀρεινές/γεωργικές περιφέρειες. *rural/urban ~s*, ἀγροτικές/ἀστικές περιοχές. **2**. συνοικία, τομεύς (πόλεως): *postal ~s*, ταχυδρομικοί τομεῖς.

dis·trust /dɪˋstrʌst/ *οὐσ.* ‹U› δυσπιστία, ὑποψία: *look at sb with ~*, κοιτάζω κπ μέ δυσπιστία. *have a ~ of foreigners*, ἔχω δυσπιστία πρός (δέν ἐμπιστεύομαι) τούς ξένους. —*ρ.μ.* δυσπιστῶ πρός, δέν πιστεύω: *He would ~ his own friends*, δυσπιστεῖ στούς ἴδιους του τούς φίλους. *He ~ed his own eyes*, δέν πίστευε τά ἴδια του τά μάτια. **~·ful** /-fl/ *ἐπ.* δύσπιστος, καχύποπτος. **~·fully** /-fəlɪ/ *ἐπίρ.*

dis·turb /dɪˋstɜb/ *ρ.μ.* ταράσσω, ἐνοχλῶ, ἀναστατώνω, ἀνακατεύω: *~ the surface of a lake*, ταράσσω τήν ἐπιφάνεια μιᾶς λίμνης. *~ sb's sleep*, ἐνοχλῶ τόν ὕπνο κάποιου. *~ sb's plans/papers*, ἀναστατώνω τά σχέδια/ἀνακατεύω τά χαρτιά κάποιου. *Please don't ~ yourself*, παρακαλῶ, μήν ἐνοχλεῖσθε! *I was ~ed to hear of your illness/by the news of your illness*, ἀναστατώθηκα μαθαίνοντας γιά τήν ἀρρώστεια σου/ἀπό τά νέα τῆς ἀρρώστειας σου. ***~ the peace***, (*νομ.*) διαταράσσω τήν δημοσίαν τάξιν. **~·ance** /-əns/ *οὐσ.* ‹C,U› διατάραξις, θόρυβος, (ἀνα)ταραχή: *political ~ances*, πολιτικές ταραχές.

dis·unite /ˈdɪsjʊˋnaɪt/ *ρ.μ/ἀ.* διαιρῶ, χωρίζω, διασπῶ (οἰκογένειαν, κλπ). **dis·un·ity** /dɪsˋjunətɪ/ *οὐσ.* ‹U› διαίρεση, διχόνοια.

dis·use /dɪsˋjus/ *οὐσ.* ‹U› ἀχρησία, ἀχρηστία: *fall into ~*, (γιά λέξεις, νόμους, κλπ) περιπίπτω εἰς ἀχρηστίαν. **~d** /ˈjuzd/ ἐπ. μή χρησιμοποιούμενος: *a ~d well/room*, ἐγκαταλελειμένο πηγάδι/δωμάτιο.

ditch /dɪtʃ/ *οὐσ.* ‹C› χαντάκι, αὐλάκι: *an irrigation ~*, ἀρδευτικό αὐλάκι. ***as dull as ˋ~-water***, πολύ ἀνιαρός. —*ρ.μ/ἀ.* **1**. ρίχνω σέ χαντάκι: *The drunken man ~ed his car*, ὁ μεθυσμένος ἔρριξε τό αὐτοκίνητό του σέ χαντάκι. **2**. προσθαλασσώνω (ἀεροπλάνο) ἀναγκαστικῶς. **3**. (*καθομ.*) σχολάω, διώχνω: *She ~ed her boyfriend*, σχόλασε τό φίλο της.

ditto /ˋdɪtəʊ/ *οὐσ.* ‹C› (*πληθ. -tos* /-təʊz/) τό ἴδιο, ὡσαύτως.

ditty /ˋdɪtɪ/ *οὐσ.* ‹C› τραγουδάκι, ποιηματάκι.

di·van /dɪˋvæn/ *οὐσ.* ‹C› ντιβάνι.

[1]**dive** /daɪv/ *οὐσ.* ‹C› **1**. κατάδυσις, βουτιά: *a vertical ~*, κάθετος ἐφόρμησις. **ˋ~-bomber**, βομβαρδιστικόν καθέτου ἐφορμήσεως. **2**. ὑπόγεια ταβέρνα, κουτούκι. **3**. καταγώγιον: *an opium-smoking ~*, τεκές.

[2]**dive** /daɪv/ *ρ.ἀ.* **1**. καταδύομαι, κάνω βουτιά: *He ~d from the bridge and rescued the child*, ἔκανε βουτιά ἀπό τό γεφύρι καί γλύτωσε τό παιδί. *The submarine ~d*, τό ὑποβρύχιο κατεδύθη. *~ for pearls*, κάνω βουτιά γιά μαργαριτάρια. **2**. βουτῶ: *The rabbit ~d into its hole*, τό κουνέλι βούτηξε (χώθηκε) στήν τρύπα του. *He ~d into his pocket and pulled out some coins*, βούτηξε τό χέρι στήν τσέπη του κι' ἔβγαλε μερικά νομίσματα. **ˋ~-bomb** *ρ.μ/ἀ.* βομβαρδίζω διά καθέτου ἐφορμήσεως. **ˋdiving-bell**, καταδυτικός κώδων. **ˋdiving-board**, ἐξέδρα καταδύσεων. **diver** *οὐσ.* ‹C› δύτης.

di·verge /daɪˋvɜdʒ/ *ρ.ἀ.* ***~ (from)***, ἀποκλίνω, ἀπομακρύνομαι: *~ from the beaten track*, βγαίνω ἀπό τήν πεπατημένη.

di·ver·gence /daɪˋvɜdʒəns/, **di·ver·gency** /daɪˋvɜdʒənsɪ/ *οὐσ.* ‹C,U› ἀπόκλισις, διάστασις: *divergence of views*, διάστασις ἀπόψεων.

di·ver·gent /daɪˋvɜdʒənt/ *ἐπ.* ἀποκλίνων, διϊστάμενος: *We have ~ views on certain points*, οἱ ἀπόψεις μας διΐστανται (δέν συμπίπτουν) σέ ὡρισμένα σημεῖα.

di·verse /daɪˋvɜs/ *ἐπ.* ποικίλος, διαφορετικός: *The wild life in Africa is extremely ~*, ὑπάρχει μεγάλη ποικιλία ἀγρίων ζώων στήν 'Αφρική. *We have ~ interests*, ἔχομε διαφορετικά (ἀνόμοια) ἐνδιαφέροντα. **~·ly** *ἐπίρ.* ποικιλοτρόπως.

di·ver·sify /ˈdaɪˋvɜsɪfaɪ/ *ρ.μ.* ποικίλλω, παραλλάσσω, διαφοροποιῶ, χαρίζω ποικιλία σέ κτ.

di·ver·sion /daɪˋvɜʃn/ *οὐσ.* ‹C› **1**. παροχέτευσις (χειμάρρου, κυκλοφορίας), ἀλλαγή κατευθύνσεως, παρακαμπτήριος (ὁδός). **2**. διασκέδασις, ψυχαγωγία, παιχνίδι: *Chess and billiards are his favourite ~s*, τό σκάκι καί τό μπιλλιάρδο εἶναι τ' ἀγαπημένα του παιχνίδια. **3**. (*στρατ.*) ἀντιπερισπασμός, παραπλανητική ἐνέργεια: *make/create a ~*, κάνω ἀντιπερισπασμό. **~·ary** /-ʃnrɪ/ *ἐπ.* γιά ἀντιπερισπασμό: *a ~ary raid*, ἐπιδρομή ἀντιπερισπασμοῦ.

di·ver·sity /ˈdaɪˋvɜsətɪ/ *οὐσ.* ‹U› ποικιλία.

di·vert /ˈdaɪˋvɜt/ *ρ.μ.* **1**. παροχετεύω, ἐκτρέπω, ἀλλάζω (τήν πορεία): *~ water from a river into the fields*, παροχετεύω νερό ἀπό ἕνα ποτάμι στά χωράφια. *~ the course of a river*, ἀλλάζω τόν ροῦν ἑνός ποταμοῦ. *~ traffic*, ἀλλάζω τήν κατεύθυνση τῆς κυκλοφορίας. **2**. ἀποσπῶ/περισπῶ τήν προσοχή, ψυχαγωγῶ, διασκεδάζω: *She's easily ~ed*, διασκεδάζει εὔκολα. *How can we ~ her thoughts from her father's death?* πῶς μποροῦμε νά ἀποσπάσωμε τίς σκέψεις της ἀπό τό θάνατο τοῦ πατέρα της;

di·vest /daɪˋvest/ *ρ.μ.* ***~ of***, (*λόγ.*) **1**. ἐκδύω: *~ a king of his robes*. **2**. στερῶ, ἀπογυμνώνω: *~ an official of all authority*, ἀπογυμνώνω ἀξιωματοῦχο ἀπό κάθε ἐξουσία. **3**. ***~ oneself of***, ἀπεκδύομαι, ἀπαλλάσσομαι: *I ~ myself of all responsibility*, ἀπεκδύομαι πάσης εὐθύνης. *I can't ~ myself of the idea*, δέν μπορῶ ν' ἀπαλλαγῶ ἀπό τήν ἰδέα.

di·vide /dɪˋvaɪd/ *ρ.μ/ἀ.* **1**. διαιρῶ/-οῦμαι: *~ 30 by 6*, διαιρῶ τό 30 μέ τό 6. *12 ~s by 3*, τό 12 διαιρεῖται μέ τό 3. **2**. μοιράζω, χωρίζω: *~ in two/into many parts*, μοιράζω στά δυό/σέ πολλά μέρη. *We ~d the money equally*, μοιράσαμε τά χρήματα ἴσια. *the mountains that ~ Greece from Bulgaria*, τά βουνά πού χωρίζουν τήν 'Ελλάδα ἀπό τή Βουλγαρία. **3**. διαιρῶ, διχάζω: *Opinions are ~d on this question*, οἱ γνῶμες εἶναι διχασμένες σ' αὐτό τό θέμα. *He's ~d between hatred and love*, εἶναι διχασμένος μεταξύ μίσους καί ἀγάπης. **4**. (*γιά τή Βουλή τῶν Κοινοτήτων*) ψηφίζω: *After a long debate, the House ~d*, μετά μακράν συζήτησιν ἡ Βουλή ἐψήφισε. —*οὐσ.* ‹C› χώρισμα, γραμμή διαιρέσεως τῶν ὑδάτων.

divi·dend /ˋdɪvɪdend/ *οὐσ.* ‹C› **1**. (*μαθ.*) ὁ διαιρετέος. **2**. (*οἰκον.*) μέρισμα: *interim ~*, προσωρινόν μέρισμα. **~-warrant**, ἔνταλμα πληρωμῆς μερίσματος.

di·vid·ers /dɪˋvaɪdəz/ *οὐσ. πληθ.* διαβήτης (διά μετρήσεις).

divi·na·tion /ˈdɪvɪˋneɪʃn/ *οὐσ.* ‹C,U› μαντεία, προφητεία.

[1]**di·vine** /dɪˋvaɪn/ *ἐπ.* **1**. θεῖος, θεϊκός: *rule by ~ right*, κυβερνῶ ἐλέῳ Θεοῦ. *D~ Service*, θεία λειτουργία. **2**. (*καθομ.*) θεῖος, ὑπέροχος: *You look ~ in this dress*, εἶσαι ὑπέροχη μ' αὐτό τό φόρεμα. —*οὐσ.* ‹C› θεολόγος. **~·ly** *ἐπίρ.*

[2]**di·vine** /dɪˋvaɪn/ *ρ.μ/ἀ.* μαντεύω: *~ sb's intentions*, μαντεύω τίς προθέσεις κάποιου. *~ what the future has in store*, προμαντεύω τί ἐπιφυλάσσει τό μέλλον. **~r** *οὐσ.* ‹C› μάντης, ραβδοσκόπος. **di·vin·ing** *οὐσ.* ‹U› μαντεία, μαντική: *divining-rod*, μαγική ράβδος, ράβδος ραβδοσκόπου.

di·vin·ity /dɪˋvɪnətɪ/ *οὐσ.* ‹C,U› **1**. θειότης, θεία φύσις, θεότης. **2**. θεολογία: *the ~ school*, ἡ θεολογική σχολή. *a doctor of ~*, (*συντομ.* **DD**) Διδάκτωρ Θεολογίας.

di·vis·ible /dɪˋvɪzəbl/ *ἐπ.* διαιρετός.

di·vi·sion /dɪˋvɪʒn/ *οὐσ.* ‹C,U› **1**. διαίρεσις, καταμερισμός, μοιρασιά: *a problem in ~*, πρόβλημα διαιρέσεως. *the ~ of labour*, ὁ καταμερισμός (ἡ κατανομή) τῆς ἐργασίας. *Is that a fair ~ of the money?* εἶναι αὐτή δίκαιη μοιρασιά τῶν χρημάτων; **2**. ὅριον, διαχωριστική γραμμή: *A river forms the ~ between the two counties*, ἕνας ποταμός ἀποτελεῖ τή διαχωριστική γραμμή μεταξύ τῶν δύο κομητειῶν. **3**. τμῆμα, βαθμίς: *the export*

~ *of a business firm*, τό τμῆμα ἐξαγωγῶν μιᾶς ἐμπορικῆς ἑταιρείας. *He has a position in the second ~ of the civil service*, ἔχει θέσιν εἰς τήν β! βαθμίδα τῆς Δημοσίας Ὑπηρεσίας. **4**. (*στρατ.*) μεραρχία. **5**. διχασμός, διχόνοια: *stir up ~s in a country*, ὑποκινῶ διχόνοιες σέ μιά χώρα. **6**. (*γιά τή Βουλή*) ψηφοφορία: *without a ~*, χωρίς ψηφοφορία.

div·isor /dɪˋvaɪzə(r)/ *οὐσ.* ‹C› διαιρέτης.

di·vorce /dɪˋvɔs/ *οὐσ.* ‹C,U› διαζύγιον: *sue for a ~; start ~ proceedings*, κάνω ἀγωγή διαζυγίου. *obtain a ~*, παίρνω διαζύγιο. *the ~ between religion and science*, (*μεταφ.*) τό διαζύγιο (ἡ διάστασις) μεταξύ θρησκείας καί ἐπιστήμης. —*ρ.μ.* χωρίζω, διαζευγνύω: *He ~d his wife*, χώρισε τή γυναίκα του. *She was ~d from him in 1960*, πῆρε διαζύγιο ἀπ᾿ αὐτόν στά 1960. **di·vor·cee** /ˋdɪvɔˋsi/ *οὐσ.* ‹C› διαζευγμένος, χωρισμένος.

di·vulge /daɪˋvʌldʒ/ *ρ.μ.* **~ to**, κοινολογῶ, ἀποκαλύπτω (μυστικό). **di·vul·gence** /-dʒəns/ *οὐσ.* ‹C,U› κοινολόγησις, ἀποκάλυψις.

dixie /ˋdɪksɪ/ *οὐσ.* ‹C› καραβάνα, καζάνι.

dizzy /ˋdɪzɪ/ *ἐπ.* (*-ier, -iest*). **1**. ζαλισμένος, ἰλιγγιῶν: *I feel ~*, νοιώθω ζαλάδα. *My head is ~*, τό κεφάλι μου γυρίζει. **2**. ἰλιγγιώδης: *a ~ height*, ἰλιγγιῶδες ὕψος. **diz·zi·ness** *οὐσ.* ‹U› ζαλάδα.

[1]**do** /də, *ἐμφ*: du/ *ρ. βοηθ.* (*γ! ἑνικ. ἐνεστ. does* /dəz, *ἐμφ*: dʌz/, *ἀόρ. did* /dɪd/, *ἀρνητ. don't* /dəʊnt/, *doesn't* /ˋdʌznt/, *didn't* /ˋdɪdnt/) **1**. Χρησιμοποιεῖται διά τόν σχηματισμόν ἐρωτήσεων καί ἀρνήσεων μέ ὅλα τά ρήματα πλήν τῶν ἐλλειπτικῶν: *D~ you smoke?* καπνίζετε; *Does she smoke?* καπνίζει; *Did they go?* πῆγαν; *We don't go*, δέν πᾶμε. *He doesn't go*, δέν πάει. *He didn't go*, δέν πῆγε. **2**. Σέ περιπτώσεις ἐμφατικῆς συντάξεως: *Not only did he go...*, ὄχι μόνον πῆγε... *So well does he speak English that...*, τόσο καλά μιλάει ᾿Αγγλικά ὥστε... *D~ come in!* μά περᾶστε! *That's what he ˋdid say*, νά τί πράγματι εἶπε. **3**. Σέ περιπτώσεις ἀποφυγῆς τῆς ἐπαναλήψεως: *'Who said so?' 'I did.'* -Ποιός τό εἶπε; -᾿Εγώ (τό εἶπα). *You speak English better than John does*, μιλᾶτε ᾿Αγγλικά καλύτερα ἀπ᾿ ὅ,τι (μιλάει) ὁ Γιάννης. **4**. Στίς ἐρωτηματικές φράσεις: *He lives in Athens, doesn't he?* ζεῖ στήν ᾿Αθήνα, ἔ; (δέν εἶναι ἔτσι;)

[2]**do** /du/ *ρ.μ/ἀ. ἀνώμ.* (*ἀόρ. did* /dɪd/, *π.μ. done* /dʌn/) (*διά προφοράν βλ. ἀνωτέρω* [1]*do*) **1**. κάνω, πράττω: *What can I ~ for you?* τί μπορῶ νά κάνω γιά σᾶς; *What does he ~ for a living?* τί κάνει γιά νά κερδίσει τά πρός τό ζῆν; *You would ~ well to take his advice*, θἄκανες καλά ν᾿ἀκολουθήσης τή συμβουλή του. ***(It's) easier said than done***, εἶναι πιό εὔκολο νά τό πῆς παρά νά τό κάμης. ***How ~ you ~?*** (*σέ συστάσεις*) χαίρω πολύ! ***No sooner said than done***, ἀμ᾿ἔπος ἀμ᾿ἔργον. ***Well begun is half done***, ἡ ἀρχή εἶναι τό ἥμισυ τοῦ παντός. ***Well done!*** Μπράβο! ***What is done can't be undone***, ὅ,τι γίνεται δέν ξεγίνεται. ***When in Rome ~ as the Romans ~***, στή Ρώμη κάνε ὅπως οἱ Ρωμαῖοι. **2**. (*μέ διάφορα οὐσιαστικά*): *~ one's duty/one's military service*, κάνω τό καθῆκον μου/τή θητεία μου. *~ one's lessons/law at college*, μελετῶ τά μαθήματά μου/σπουδάζω νομικά στό κολλέγιο. *~ English/Latin/Physics at school*, κάνω ᾿Αγγλικά/Λατινικά/Φυσική στό σχολεῖο. *~ an exercise/one's homework*, κάνω μιά ἄσκηση/τήν κατ᾿οἶκον ἐργασία μου. *~ good/harm*, κάνω καλό/κακό. *~ a sum/a problem*, λύνω ἕνα πρόβλημα. *~ wonders*, κάνω θαύματα. *~ a translation*, κάνω μιά μετάφραση. *~ sb a favour/a service*, κάνω μιά χάρη/προσφέρω ὑπηρεσία σέ κπ. **3**. ψήνω, μαγειρεύω (κρέας): *This meat is well done/underdone/overdone/done to a turn*, αὐτό τό κρέας εἶναι καλοψημένο/λίγο ἄψητο/παραψημένο/ψημένο τέλεια. **4**. (*μέ διάφορες ἔννοιες, ὅπως φαίνεται στίς **παρακάτω, ἰδιωματικές, κατά τό πλεῖστον**, προτάσεις*): *It doesn't ~ to be so good*, δέν κάνει νά εἶναι κανείς τόσο καλός. *I could ~ with a glass of wine*, θἄθελα (θά μοῦ ἄρεσε) ἕνα ποτῆρι κρασί. *A woman's work is never done*, ποτέ δέν τελειώνουν οἱ δουλειές γιά μιά γυναίκα. *I've done talking – I'm going to act*, τά λόγια τέλειωσαν – τώρα θά δράσω. *That will ~!* ἀρκεῖ! φθάνει! *He came out to see what was ~ing*, βγῆκε νά δῆ τί γινόταν. *Nothing ~ing!* δέ γίνεται τίποτα! *He has done well in the exams*, πῆγε καλά στίς ἐξετάσεις. *My car does 30 miles to the gallon*, τό αὐτοκίνητό μου καίει τό γαλόνι στά 30 μίλλια. *We did the journey in five days*, κάναμε τό ταξίδι σέ πέντε μέρες. *Some Americans think they can ~ England in a week*, μερικοί ᾿Αμερικανοί νομίζουν πώς μποροῦν νά δοῦν (νά γυρίσουν) τήν ᾿Αγγλία σέ μιά βδομάδα. *I did Venice last year*, εἶδα τή Βενετία (*δηλ.* τ᾿ἀξιοθεατά της) πέρισυ. *He does Hamlet/the host well*, παίζει ὡραῖα τόν Ἄμλετ/τόν οἰκοδεσπότη. *I think you are trying to ~ me*, νομίζω ὅτι προσπαθεῖς νά μέ γελάσης (νά μοῦ τή σκάσης). *She was done out of her money*, τή γέλασαν καί τῆς πῆραν τά λεφτά. ***~ (for)***, εἶμαι κατάλληλος, βολεύω: *These shoes won't ~ for climbing*, αὐτά τά παπούτσια δέν εἶναι κατάλληλα (δέν κάνουν) γιά ὀρειβασία. ***~ sb/oneself well***, (*καθομ.*) φροντίζω κπ/τόν ἑαυτό μου καλά, βολεύω καλά: *They ~ you well at the Rex Hotel*, σέ φροντίζουν καλά στό ξενοδοχεῖο "Ρέξ". *He does himself well*, προσέχει (φροντίζει) πολύ τόν ἑαυτό του. *This room will ~ me quite well*, αὐτό τό δωμάτιο μέ βολεύει πολύ καλά. ***have to ~ with***, ἔχω σχέση μέ: *I have nothing to ~ with it*, δέν ἔχω καμιά σχέση μ᾿αὐτό. ***make sth ~; make ~ (with sth)***, κάνω κτ νά ἐπαρκέση, βολεύομαι μέ κτ: *Can you make £5 ~?* μπορεῖς νά βολευτῆς μέ 5 λίρες; **5**. (*μέ ἐπιρ. καί προθέσεις*):

do away with, καταργῶ, ξεκάνω: *This department was done away with years ago*, αὐτό τό τμῆμα καταργήθηκε πρίν ἀπό χρόνια. *~ away with an old dog*, ξεκάνω ἕνα γέρικο σκυλί.

do well/badly by sb, μεταχειρίζομαι κπ καλά/ἄσχημα: *You should always ~ well by your staff*, πρέπει πάντα νά μεταχειρίζεσαι καλά τό προσωπικό σου. *He says he was hard done by*, λέει ὅτι ἀδικήθηκε. ***D~ as you***

would be done by, (*παροιμ.*) ὅ σύ μισεῖς ἑτέρῳ μή ποιήσεις.
do sb down, ἐξαπατῶ, κοροϊδεύω, κακολογῶ κπ.
do for*(α)* κρατῶ τό νοικοκυριό γιά κπ: *Who has been ~ing for him since his wife's death?* ποιός τοῦ κρατάει τό σπίτι ἀπό τότε πού πέθανε ἡ γυναίκα του; *(β)* (*συνήθ. εἰς παθ. φων.*) καταστρέφω, ξεκάνω: *These shoes are done for*, αὐτά τά παπούτσια ἔχουν ξεκάμει. *If he doesn't pay, I'm done for*, ἄν δέν πληρώση, χάθηκα.
do sb in, (*λαϊκ.*) ξεπαστρέβω, καθαρίζω, εἶμαι ἐξαντλημένος: *He was done in by a gang of smugglers*, τόν καθάρισε μιά συμμορία λαθρέμποροι. *I feel absolutely done in*, νοιώθω ἐντελῶς ἐξαντλημένος/τσακισμένος.
do sth out, καθαρίζω, σκουπίζω: *This room needs ~ing out*, αὐτό τό δωμάτιο θέλει καθάρισμα.
do over, ξαναβάφω, ἀνακαινίζω: *The dining room needs ~ing over*, ἡ τραπεζαρία θέλει ἀνακαίνιση.
do sth up, *(α)* φρεσκάρω, ἀνακαινίζω: *The house needs ~ing up*, τό σπίτι θέλει φρεσκάρισμα, ἀνακαίνιση. *(β)* δένω, κουμπώνω: *D~ up these books for me*, κάντε μου δέμα αὐτά τά βιβλία. *D~ up your trousers*, κούμπωσε τό παντελόνι σου. *This dress does up at the back*, αὐτό τό φόρεμα κουμπώνει στήν πλάτη.
do with, *(α)* ἀνέχομαι, κάνω μέ: *I can't ~ with him and his insolence*, δέν μπορῶ νά ἀνεχθῶ αὐτόν καί τήν ἀναίδειά του. *(β)* θέλω, χρειάζομαι: *I could ~ with a cup of tea*, θἄθελα (θά μοῦ ἄρεσε) ἕνα φλυτζάνι τσάϊ. *You could ~ with a shave*, θέλεις (χρειάζεσαι) ξύρισμα. *(γ)* περνῶ: *What did you ~ with yourselves on Sunday?* πῶς περάσατε (τί κάματε) τήν Κυριακή:
do without, κάνω χωρίς: *I'll have to ~ without a holiday this year*, θά πρέπει νά κάνω χωρίς διακοπές φέτος.

[3]**do** /du/ *οὐσ.* ‹C› (*πληθ.* ~*s* /duz/) **1**. (*λαϊκ.*) κόλπο, ἀπάτη. **2**. (*καθομ.*) πάρτυ, ἑσπερίδα: *We're going to a big ~ this evening*, θά πᾶμε σ' ἕνα μεγάλο πάρτυ ἀπόψε.

[4]**do** /ˋdɪtəʊ/ *οὐσ.* (*βραχυλ. γιά*) *ditto*.

dob·bin /ˋdobɪn/ *οὐσ.* ‹C› (*καθομ.*) ψαρῆς (χαϊδευτικό ὄνομα γι' ἄλογο φάρμας).

do·cile /ˋdəʊsaɪl/ *ἐπ.* πειθήνιος, ὑπάκουος: *a ~ child/horse*. **do·cil·ity** /dəʊˋsɪlətɪ/ *οὐσ.* ‹U› εὐπείθεια, ὑπακοή, πραότης.

[1]**dock** /dok/ *οὐσ.* ‹C› προκυμαία (ἐκφορτώσεως), ἀποβάθρα, δεξαμενή (ἐπισκευῆς): *be in ~*, εἶμαι σέ δεξαμενή. **ˋ~-dues**, τέλη δεξαμενισμοῦ. **ˋ~-yard**, ναυπηγεῖον, ναύσταθμος. **ˋdry/ˋgraving ~**, δεξαμενή καθαρισμοῦ ὑφάλων. **ˋfloating ~**, πλωτή δεξαμενή. **docker**, λιμενεργάτης. —*ρ.μ/ἀ.* **1**. (*γιά πλοῖο*) βάζω/μπαίνω σέ δεξαμενή. **2**. (*γιά διαστημόπλοιο*) συνδέομαι στό διάστημα.

[2]**dock** /dok/ *οὐσ.* ‹C› ἑδώλιον κατηγορουμένου.

[3]**dock** /dok/ *ρ.μ.* κοντοκόβω (οὐρά ζώου), (*καθομ.*) περικόπτω, κουτσουρεύω (μισθούς, ἀμοιβή, κλπ): *~ a workman's wages; have one's salary ~ed*, μοῦ κουτσουρεύουν τό μισθό.

docket /ˋdokɪt/ *οὐσ.* ‹C› περίληψις, ἐτικέττα (σέ δέμα), κατάστασις: *wages ~*, μισθοδοτική κατάστασις.

doc·tor /ˋdoktə(r)/ *οὐσ.* ‹C› **1**. διδάκτωρ. **2**. γιατρός. —*ρ.μ.* **1**. (*καθομ.*) κουράρω, θεραπεύω: *~ a child/a cold*. **2**. παραποιῶ (λογαριασμούς), νοθεύω (τρόφιμα), νερώνω (κρασί). **3**. εὐνουχίζω (γάτο). **~·ate** /-rət/ *οὐσ.* ‹C› διδακτορία.

doc·tri·naire /ˈdoktrɪˋneə(r)/ *οὐσ.* ‹C› & *ἐπ.* δογματικός, θεωρητικός.

doc·tri·nal /ˈdokˋtraɪnl/ *ἐπ.* θεωρητικός.

doc·trine /ˋdoktrɪn/ *οὐσ.* ‹C,U› δόγμα, θεωρία: *It's a matter of ~*, εἶναι θέμα δόγματος.

docu·ment /ˋdokjʊmənt/ *οὐσ.* ‹C› ἔγγραφον, ντοκουμέντο, τεκμήριον: *~s of title*, τίτλοι κυριότητος. —*ρ.μ.* τεκμηριώνω, ντοκουμεντάρω: *His case is well ~ed*, ἡ ὑπόθεσίς του εἶναι καλά τεκμηριωμένη. **~a·tion** /ˈdokjʊmenˋteɪʃn/ *οὐσ.* ‹U› τεκμηρίωσις, ὑποστήριξις δι' ἐγγράφων.

docu·men·tary /ˈdokjʊˋmentrɪ/ *ἐπ.* ἐπίσημος, ἔγγραφος, τεκμηριωμένος: *~ proof*, ἀπόδειξις προκύπτουσα ἐξ ἐγγράφων. —*οὐσ.* ‹C› *~ (film)*, ντοκυμανταίρ.

dod·der /ˋdodə(r)/ *ρ.ἀ.* (*καθομ.*) παραπαίω, τρεκλίζω (σάν ἀπό γερατιά).

[1]**dodge** /dodʒ/ *οὐσ.* ‹C› **1**. κίνηση, πήδημα (στό πλάϊ, πρός ἀποφυγήν κινδύνου). **2**. (*καθομ.*) πονηριά, κόλπο: *He's up to all the ~s*, ξέρει ὅλες τίς πονηριές, ὅλα τά κόλπα. **3**. (*καθομ.*) ἔξυπνο σχέδιο, τέχνασμα.

[2]**dodge** /dodʒ/ *ρ.μ/ἀ.* **1**. παραμερίζω, πηδῶ στό πλάϊ, ἀποφεύγω: *~ behind a tree*, πηδῶ (κρύβομαι) πίσω ἀπό ἕνα δέντρο. *~ the traffic/a blow*, ἀποφεύγω τήν κυκλοφορία/ἕνα χτύπημα. **2**. ξεφεύγω, ξεγλιστρῶ ἀπό, παρακάμπτω: *~ military service*, ἀποφεύγω τή θητεία. *~ a question*, παρακάμπτω μιά ἐρώτηση. *Don't ~ the issue!* μήν προσπαθεῖς νά ξεφύγης, μήν ἀποφεύγεις τό θέμα! **~r** *οὐσ.* ‹C› κατεργάρης, ἀπατεών.

dod·gem /ˋdodʒəm/ *οὐσ.* ‹C› αὐτοκινητάκι σέ λούνα-πάρκ.

dodgy /ˋdodʒɪ/ *ἐπ.* (*-ier, -iest*) (*καθομ.*) κατεργάρικος, πονηρός, παρακινδυνευμένος, ζόρικος.

doe /dəʊ/ *οὐσ.* ‹C› ἐλαφίνα, κουνέλα, λαγίνα. **ˋ~ skin**, καστόρι, καστόρινος.

does /dʌz/ *βλ.* [1]*do*, [2]*do*.

doff /dof/ *ρ.μ.* (*ἀπηρχ.*) βγάζω (ροῦχα).

[1]**dog** /dog/ *οὐσ.* ‹C› **1**. σκύλος, (*χιουμορ., μέ ἐπίθ., γιά ἄνθρωπο*) τύπος: *He's a sly/lucky ~*, εἶναι πονηρός/τυχερός τύπος, τυχεράκιας. **2**. (*σέ ἰδιωμ. φράσεις*): ***a ~ in the manger***, σκύλος στό παχνί (ἄνθρωπος πού δέν ἀφήνει ἄλλους νά χαροῦν κάτι πού στόν ἴδιον εἶναι ἄχρηστο). ***Every ~ has his day***, ἔρχεται ἡ ὥρα τοῦ καθενός, ὁ τροχός γυρίζει. ***be (the) top ~/(the) ˋunder~***, εἶμαι τ' ἀφεντικό/ὁ ὑφιστάμενος (τό ἀδύνατο μέρος). ***die like a ~; die a ~'s death***, πεθαίνω σά σκυλί. ***give a ~ a bad name and hang him***, (*παροιμ.*) καλύτερα νά σοῦ βγῆ τό μάτι παρά τ' ὄνομα. ***give/throw sth to the ~s***, πετάω κτ στά σκυλιά (σάν ἄχρηστο ἤ γιά νά σωθῶ). ***go to the ~s***, πάω κατά διαβόλου, καταστρέφομαι. ***help a lame ~ over a stile***,

βοηθῶ κπ σέ δύσκολη ὥρα. **lead a ~'s life**, ζῶ σκυλίσια ζωή. **lead sb a ~'s life**, κάνω μαρτυρική τή ζωή σέ κπ. **let sleeping ~s lie**, (*παροιμ.*) μή θίγετε τά κακῶς κείμενα, μήν πᾶς γυρεύοντας μπελάδες. **not stand (even) a ~'s chance**, δέν ἔχω τήν ἐλαχίστη πιθανότητα (νίκης, ἐπιβιώσεως, ἐπιτυχίας, κλπ). **`~-cart**, δίτροχο ἁμαξάκι, μόνιππο. **`~-days**, κυνικά καύματα. **`~-eared** *ἐπ.* (*γιά βιβλίο*) μέ τίς γωνιές τῶν φύλλων τσακισμένες. **`~-fight**, σκυλοκαυγᾶς. **`~-fish**, σκυλόψαρο. **'~-`tired**, πεθαμένος στήν κούραση.

[2]**dog** /dog/ *ρ.μ.* *(-gg-)* ἀκολουθῶ κατά πόδας: *~ a thief*, παρακολουθῶ κατά πόδας ἕναν κλέφτη. *be ~ged by misfortune*, (*μεταφ.*) μέ κυνηγάει συνεχῶς κακοτυχία. **~·ged** /`dogɪd/ *ἐπ.* πεισματάρης.

doggy, doggie /`dogɪ/ *οὐσ.* ‹C› σκυλάκι.

dogma /`dogmə/ *οὐσ.* ‹C,U› δόγμα.

dog·matic /dog`mætɪk/ *ἐπ.* δογματικός. **~-ally** /-klɪ/ *ἐπίρ.* δογματικά.

dog·ma·tism /`dogmətɪzm/ *οὐσ.* ‹U› δογματισμός.

dog·ma·tize /`dogmətaɪz/ *ρ.μ/ά.* δογματίζω, ἀποφαίνομαι κατηγορηματικῶς.

doily /`dɔɪlɪ/ *οὐσ.* ‹C› πετσετάκι.

do·ings /`duɪŋz/ *οὐσ. πληθ.* (*καθομ.*) κατορθώματα, καμώματα: *Tell me about your ~ in London*, πές μου τά κατορθώματά σου (τί ἔκανες) στό Λονδῖνο.

dol·drums /`doldrəmz/ *οὐσ. πληθ.* **be in the ~**, (*μεταφ.*) εἶμαι μελαγχολικός, στίς κακές μου.

dole /dəʊl/ *οὐσ.* ‹C› **1**. βοήθημα, ἐλεημοσύνη. **2**. ἐπίδομα (ἀνεργίας). **be on the ~**, (*καθομ.*) εἶμαι στό ταμεῖο ἀνεργίας. __*ρ.μ.* **~ out**, μοιράζω (ἐλεημοσύνες).

dole·ful /`dəʊlfl/ *ἐπ.* θλιβερός, πονεμένος, πένθιμος: *a ~ expression*. **~ly** /-fəlɪ/ *ἐπίρ.*

doll /dol/ *οὐσ.* ‹C› κούκλα. __*ρ.μ/ά.* ντύνω/-ομαι σάν κούκλα: *She was all ~ed up for the party*, ἦταν στολισμένη σάν κούκλα γιά τό πάρτυ.

dol·lar /`dolə(r)/ *οὐσ.* ‹C› δολλάριον.

dol·lop /`doləp/ *οὐσ.* ‹C› (*καθομ.*) σβῶλος, κομμάτι: *a ~ of butter/cream*, ἕνα κομματάκι βούτυρο/κρέμα.

dolly /`dolɪ/ *οὐσ.* ‹C› **1**. κουκλίτσα. **2**. καροτσάκι (*ἰδ.* κινηματογρ. μηχανῆς λήψεως).

dol·our·ous /`dolərəs/ *ἐπ.* (*λόγ.*) θλιβερός, πονεμένος, ὀδυνηρός, ἐπώδυνος.

dol·phin /`dolfɪn/ *οὐσ.* ‹C› δελφίνι.

dolt /dəʊlt/ *οὐσ.* ‹C› βλάκας, μποῦφος.

do·main /dəʊ`meɪn/ *οὐσ.* ‹C› **1**. κτήματα, γαῖες, ἰδιοκτησία (ἄρχοντος). **2**. ἐπικράτεια, χῶρος (ἁρμοδιότητος): *This belongs to the ~ of astronomy*, αὐτό ἀνήκει στό χῶρο τῆς ἀστρονομίας.

dome /dəʊm/ *οὐσ.* ‹C› **1**. θόλος, τροῦλλος. **2**. (*ποιητ.*) μέγαρον. **~d** *ἐπ.* θολωτός: *a ~d forehead*, θολωτό μέτωπο.

do·mes·tic /də`mestɪk/ *ἐπ.* **1**. οἰκιακός, οἰκογενειακός, τοῦ σπιτιοῦ: *enter ~ service*, πάω ὑπηρέτρια. *~ duties*, δουλειές τοῦ νοικοκυριοῦ. *~ quarrels*, οἰκογενειακοί καυγάδες. **2**. ἐγχώριος, ντόπιος, ἐσωτερικός: *~ commerce*, τό ἐσωτερικό ἐμπόριο. *the ~ market*, ἡ ντόπια ἀγορά. *foreign and ~ news*, ἐξωτερικές καί ἐσωτερικές εἰδήσεις. **3**. (*γιά ζῶα*) κατοικίδιος. __*οὐσ.* ‹C› ὑπηρέτης. **~ally** /-klɪ/ *ἐπίρ.*

do·mes·ti·cate /də`mestɪkeɪt/ *ρ.μ.* ἐξημερώνω (ζῶον), συνηθίζω κπ στή σπιτική ζωή. **~d** *ἐπ.* κατοικίδιος, συνηθισμένος στή ζωή καί τίς δουλειές τοῦ σπιτιοῦ: *a ~d animal*, κατοικίδιο ζῶον. *She's not at all ~d*, δέν τῆς ἀρέσει καθόλου τό νοικοκυριό/τό σπίτι. *He's quite ~d*, ἔχει γίνει τέλειος σπιτόγατος.

do·mes·ti·ca·tion /də'mestɪ`keɪʃn/ *οὐσ.* ‹U› ἐξημέρωσις.

do·mes·tic·ity /'dome`stɪsətɪ/ *οὐσ.* ‹U› σπιτική, οἰκογενειακή ζωή.

domi·cile /`domɪsaɪl/ *οὐσ.* ‹C› (*λόγ.*) διαμονή, κατοικία.

domi·nance /`domɪnəns/ *οὐσ.* ‹U› ὑπεροχή, κυριαρχία, κατίσχυσις, ἐπικράτησις.

domi·nant /`domɪnənt/ *ἐπ.* **1**. ὑπερισχύων, κυριώτερος, ἐπικρατέστερος: *the ~ partner in a business*, ὁ κύριος ἑταῖρος σέ μιά ἐπιχείρηση. **2**. (*γιά ὕψη*) δεσπόζων: *a ~ cliff*. __*οὐσ.* (*μουσ.*) ἡ δεσπόζουσα (ἡ 5η νότα τῆς κλίμακος).

domi·nate /`domɪneɪt/ *ρ.μ/ά.* **1**. ὑπερέχω, ἐπικρατῶ, κυριαρχῶ: *The strong usually ~ (over) the weak*, οἱ δυνατοί συνήθως ἐπικρατοῦν ἐπί τῶν ἀδυνάτων. *~ one's passions*, κυριαρχῶ στά πάθη μου. *a heart ~d by hatred*, καρδιά κατεχομένη ἀπό μῖσος. **2**. (*γιά ὕψη*) ὑπέρκειμαι, δεσπόζω (περιοχῆς): *The mountain ~s the valley*, τό βουνό δεσπόζει τῆς κοιλάδος. **domi·na·tion** /'domɪ`neɪʃn/ *οὐσ.* ‹U› κυριαρχία: *the foreign/Turkish ~*, ἡ ξενοκρατία/ἡ Τουρκοκρατία.

domi·neer /'domɪ`nɪə(r)/ *ρ.ά.* *~ **(over)***, κυβερνῶ αὐταρχικά, (κατα)δυναστεύω, τυραννῶ: *Big boys sometimes ~ over their small sisters*, τά μεγάλα παιδιά ἐνίοτε δυναστεύουν τίς μικρότερες ἀδελφές τους. **~·ing** *ἐπ.* αὐταρχικός, τυραννικός.

do·min·ion /də`mɪnɪən/ *οὐσ.* ‹C,U› **1**. ἐξουσία, κυριαρχία. **2**. ἐπικράτεια. **3**. (*συνήθ. πληθ.*) κτήσεις: *the British D~s*, οἱ Βρεταννικές Κτήσεις.

dom·ino /`domɪnəʊ/ *οὐσ.* ‹C› (*πληθ. ~es ἤ ~s*) **1**. ντόμινο (μεταμφιεσμένου). **2**. (*πληθ. μέ τό ρ. συνήθ. ἑν.*) ντόμινο (τό παιχνίδι).

[1]**don** /don/ *οὐσ.* ‹C› **1**. ὑφηγητής (στήν Ὀξφόρδη καί τό Καῖμπριτζ). **2**. Δόν (Ἰσπανικός τίτλος). **~·nish** /`donɪʃ/ *ἐπ.* σχολαστικός.

[2]**don** /don/ *ρ.μ* *(-nn-)* (*ἀπηρχ.*) φορῶ (ροῦχα).

do·nate /'dəʊ`neɪt/ *ρ.μ.* δωρίζω, δίδω, χαρίζω: *~ money to a charity*, προσφέρω χρήματα γιά φιλανθρωπικό σκοπό. **do·na·tion** /dəʊ`neɪʃn/ *οὐσ.* ‹C,U› προσφορά, δωρεά: *donations to the Red Cross*, δωρεές στόν Ἐρυθρό Σταυρό.

done /dʌn/ *π.μ.* *τοῦ ρ.* [2]*do*.

don·key /`doŋkɪ/ *οὐσ.* ‹C› (*πληθ.* *~s*) γάϊδαρος. **`~ work**, ρουτίνα, μονότονη δουλειά, ἀγγαρεία.

do·nor /`dəʊnə(r)/ *οὐσ.* ‹C› δωρητής: *a `blood-~*, αἱμοδότης.

doodle /`dudl/ *ρ.ά.* (*καθομ.*) τραβῶ γραμμές/σχεδιάζω ἀφηρημένα. __*οὐσ.* ‹C› σκαρίφημα, ἄσκοπο σχέδιο.

doom /dum/ *οὐσ.* (*συνήθ. ἑν.*) μοῖρα, θάνατος, καταστροφή: *send a man to his* ~, στέλνω ἕναν ἄνθρωπο στό θάνατό του. *go to one's* ~, πηγαίνω στήν καταστροφή μου. **D~s·day** /ˋdumzdeɪ/ ἡ Ἡμέρα τῆς Κρίσεως: *from now until D~sday*, μέχρι Δευτέρας Παρουσίας. ___*ρ.μ.* καταδικάζω κπ: ~*ed to die young*, καταδικασμένος νά πεθάνη νέος. *poems ~ed to oblivion*, ποιήματα καταδικασμένα νά λησμονηθοῦν.

door /dɔ(r)/ *οὐσ.* ‹C› πόρτα: *the back/front* ~, ἡ πίσω/μπροστινή πόρτα. ***as dead as a ~-nail***, ὁλότελα πεθαμένος. ***deaf as a (~-) post***, θεόκουφος. ***at death's*** ~, στά πρόθυρα τοῦ θανάτου. ***next*** ~, πλάϊ, δίπλα: *They live next* ~ *(to us)*, μένουν πλάϊ (μας). ***out of ~s***, στό ὕπαιθρο, ἔξω. ***answer the*** ~, ἀνοίγω τήν πόρτα, κοιτάζω ποιός χτυπάει. ***lay sth at sb's*** ~, ρίχνω τήν εὐθύνη γιά κτ σέ κπ. ***show sb the*** ~, δείχνω τήν πόρτα σέ κπ (τόν διώχνω). **ˋ~·bell**, κουδοῦνι πόρτας. **ˋ~-handle/-knob**, πόμολο. **ˋ~-keeper**, θυρωρός. **ˋ~·man**, θυρωρός μέ στολή (σέ λέσχη, κλπ). **ˋ~-mat**, χαλάκι πόρτας. **ˋ~·step**, κατῶφλι. **ˋ~·way**, τό ἄνοιγμα τῆς πόρτας.

dope /dəʊp/ *οὐσ.* ‹U› **1**. βερνίκι. **2**. ναρκωτικό. **3**. (*λαϊκ.*) μυστική πληροφορία (σέ ἱπποδρομίες). ___*ρ.μ.* **1**. βάφω. **2**. ντοπάρω, δίνω/παίρνω ναρκωτικά. **dop(e)y** /ˋdəʊpɪ/ *ἐπ.* (*λαϊκ.*), ντοπαρισμένος, μαστουρωμένος, ἀποχαυνωμένος.

Doric /ˋdɒrɪk/ *ἐπ.* δωρικός: ~ *order*, δωρικός ρυθμός.

dor·mant /ˋdɔmənt/ *ἐπ.* κοιμώμενος, λανθάνων, κρυφός: *a* ~ *volcano*, σβυσμένο ἡφαίστειο. ~ *passions*, κρυφά πάθη.

dor·mer /ˋdɔmə(r)/ *οὐσ.* ‹C› (*συνήθ.* ˋ~*-window*) φεγγίτης.

dor·mi·tory /ˋdɔmətrɪ/ *οὐσ.* ‹C› κοιτών, θάλαμος ὕπνου.

dor·mouse /ˋdɔmaʊs/ *οὐσ.* ‹C› (*πληθ. dormice* /-maɪs/) τυφλοπόντικας, ἀσπάλαξ.

dor·sal /ˋdɔsl/ *ἐπ.* ραχιαῖος, τῆς ράχης: ~ *nerves*.

dos·age /ˋdəʊsɪdʒ/ *οὐσ.* ‹U› ποσολογία, καθορισμός δόσεως (φαρμάκου).

dose /dəʊs/ *οὐσ.* ‹C› δόσις (φαρμάκου). ___*ρ.μ.* δίνω δόσιν.

dos·sier /ˋdɒsɪeɪ/ *οὐσ.* ‹C› ντοσσιέ, φάκελλος.

dot /dɒt/ *οὐσ.* ‹C› τελεία, στιγμή, κουκίδα: *We watched the ship until it was a mere* ~ *on the horizon*, παρακολουθήσαμε τό πλοῖο ὥσπου ἔγινε μιά κουκίδα στόν ὁρίζοντα. ***on the*** ~, (*καθομ.*) τήν ἀκριβῆ στιγμή: *He arrived on the* ~, ἔφθασε ἀκριβῶς στήν ὥρα. ___*ρ.μ.* (*-tt-*) βάζω στιγμή, διαστίζω: *The fields were ~ted (about) with flowers*, τά χωράφια ἦταν διάσπαρτα μέ λουλούδια. *a ~ted line*, γραμμή πουαντιγιέ. ***~ the i's and cross the t's***, (*μεταφ.*) λεπτολογῶ, κάνω κάτι μέ πολλή προσοχή καί τάξη. ***sign on the ~ted line***, (*μεταφ.*) κάνω κτ πρόθυμα, χωρίς δισταγμό.

do·tage /ˋdəʊtɪdʒ/ *οὐσ.* ‹U› (γεροντικά) ξεμωράματα: *He's in his* ~, ἔχει ξεμωραθεῖ.

do·tard /ˋdəʊtəd/ *οὐσ.* ‹C› ξεμωραμένος γέρος, ξεκουτιάρης.

dote /dəʊt/ *ρ.μ.* ~ ***on/upon***, λατρεύω, εἶμαι ξεμωραμένος μέ: *He ~s on his grandson*, εἶναι ξεμωραμένος μέ τόν ἔγγονό του. *He's a doting father*, εἶναι χαζομπαμπᾶς.

dotty /ˋdɒtɪ/ *ἐπ.* *(-ier, -iest)* (*καθομ.*) παλαβός.

[1]**double** /ˋdʌbl/ *ἐπ.* διπλός: *a* ~ *bed/whisky/chin*, διπλό κρεββάτι/οὐΐσκυ/πηγοῦνι. ___*ἐπίρ.* διπλά: *It may cost you* ~, μπορεῖ νά σοῦ κοστίση διπλά. *see* ~, τά βλέπω διπλά.

[2]**double** /ˋdʌbl/ *οὐσ.* ‹C› **1**. διπλό, διπλάσιο: *Ten is the* ~ *of five*, τό δέκα εἶναι τό διπλάσιο τοῦ πέντε. ~ ***or quits***, (σέ παιχνίδι) διπλό ἤ πάτσι. **2**. σωσίας: *She's the* ~ *of her sister*, εἶναι ὁ σωσίας τῆς ἀδελφῆς της. **3**. ***at the*** ~, τροχάδην: *They came back at the* ~, γύρισαν πίσω τροχάδην. **4**. (*στό τέννις*) ἀγών ἀνά ζεύγη: ***mixed ~s***, μικτός ἀγών (μέ ἕναν ἄνδρα καί μιά γυναίκα σέ κάθε πλευρά). **5**. ἀπότομη στροφή.

[3]**double** /ˋdʌbl/ *ρ.μ/ἀ.* **1**. διπλασιάζω: ~ *one's income/salary*, διπλασιάζω τό εἰσόδημά μου/τό μισθό μου. **2**. διπλώνω/-ομαι στά δυό: *D~ the shawl and put it round your shoulders*, δίπλωσε τό σάλι καί ρίχτο στούς ὤμους σου. ~ *one's fists*, σφίγγω τίς γροθιές μου. **3**. ~ ***up***, διπλώνομαι στά δυό, κουλουριάζομαι: *The blow/pain ~d him up*, τό χτύπημα/ὁ πόνος τόν ἔκανε νά διπλωθῆ στά δυό. *He ~d up with laughter*, κουλουριάστηκε ἀπό τά γέλια. **4**. ~ ***back***, κάνω μεταβολή (καταδιωκόμενος). **5**. τρέχω τροχάδην. **6**. περιπλέω (ἀκρωτήριον). **7**. (*θεατρ.*) παίζω δύο ρόλους στό ἴδιο ἔργο. **8**. (*σέ σύνθετες λέξεις*): **ˈ~-ˋbarrelled** *(gun)* *ἐπ.* δίκανο (ὅπλο). **ˈ~-ˋbreasted** *(coat, waistcoat)* *ἐπ.* σταυρωτό (σακκάκι, γιλέκο). **ˈ~-ˋcheck** *ρ.μ.* ἐπανελέγχω. ___*οὐσ.* ‹C› ἐπανέλεγχος. **ˈ~-ˋcross** *ρ.μ.* (*καθομ.*) προδίδω, ἀπατῶ, τή σκάω σέ κπ (σέ συμπαιγνία μέ τόν ἀντίπαλο). **ˈ~-ˋdealer**, διπρόσωπος ἄνθρωπος. **ˈ~-ˋdealing** *οὐσ.* ‹U› & *ἐπ.* δι(πλο)προσωπία, δόλιος, ὕπουλος. **ˈ~-ˋdecker**, διώροφο (λεωφορεῖο). **ˈ~-ˋedged** *(knife, compliment)* *ἐπ.* δίκοπο (μαχαίρι, κομπλιμέντο). **ˈ~-ˋentry**, (*λογιστ.*) διπλογραφία. **ˋ~-faced** *ἐπ.* διπρόσωπος, ὑποκριτής. **ˈ~-ˋquick** *ἐπ.* & *ἐπίρ.* πολύ γρήγορα, τροχάδην. **ˋ~-talk**, διφορούμενη κουβέντα.

doub·let /ˋdʌblət/ *οὐσ.* ‹C› (*ἀπηρχ.*) ἐφαρμοστό χιτώνιο (ἀνδρικό).

doub·ly /ˋdʌblɪ/ *ἐπίρ.* διπλά: *be* ~ *careful/sure*, εἶμαι διπλά προσεκτικός/βέβαιος.

[1]**doubt** /daʊt/ *οὐσ.* ‹C,U› ἀμφιβολία: *I have no* ~ *of your ability*, δέν ἔχω καμιά ἀμφιβολία γιά τήν ἱκανότητά σου. *There's not much* ~ *about his guilt*, δέν ὑπάρχουν πολλές ἀμφιβολίες γιά τήν ἐνοχή του. *There's no room for* ~, δέν χωρεῖ ἀμφιβολία. *There's no* ~ *about it*, δέν ὑπάρχει καμιά ἀμφιβολία γι' αὐτό. *entertain ~s about sth*, ἔχω ἀμφιβολίες γιά κτ. *raise ~s*, προκαλῶ ἀμφιβολίες. ***beyond/past (all)*** ~, πέραν πάσης ἀμφιβολίας. ***in*** ~, σέ περίπτωση ἀμφιβολίας: *When in* ~ *about the meaning of a word...*, σέ περίπτωση ἀμφιβολίας γιά τήν ἔννοια μιᾶς λέξεως... ***no*** ~, σίγουρα. ***without (a)*** ~, ἀναμφιβόλως. ***cast/throw ~ upon sth***, θέτω κτ

ὑπό ἀμφισβήτησιν. (*βλ.* & *λ.* *benefit*).

[2]**doubt** /daʊt/ *ρ.μ/ἀ.* ἀμφιβάλλω, ἀμφισβητῶ: *I don't ~ that he will come*, δέν ἀμφιβάλλω ὅτι θά ἔλθη. *Do you ~ my word?* ἀμφισβητεῖς τό λόγο μου;

doubt·ful /ˋdaʊtfl/ *ἐπ.* **1**. ἀμφίβολος: *It's ~ if he'll come*, εἶναι ἀμφίβολο ἄν θά ἔλθη. *I'm/I feel ~ about what we must do*, ἔχω ἀμφιβολίες γιά τό τί πρέπει νά κάνωμε. *Are you ~ of success?* ἀμφιβάλλεις γιά τήν ἐπιτυχία; **2**. ὕποπτος: *He's a ~ character*, εἶναι ὕποπτος τύπος. **~ly** /-fəlɪ/ *ἐπίρ.* μέ ἀμφιβολία.

doubt·less /ˋdaʊtləs/ *ἐπίρ.* ἀναμφιβόλως, (*καθομ.*) πιθανότατα.

douche /duʃ/ *οὐσ.* ‹C› ντούς, (*ἰατρ.*) πλύσις, κλύσμα.

dough /dəʊ/ *οὐσ.* ‹U› ζύμη, ζυμάρι, (*λαϊκ.*) παραδάκι, χρῆμα. **ˋ~·nut**, τηγανίτα, λουκουμᾶς. **~y** *ἐπ.* προζυμᾶτος, πλαδαρός.

doughty /ˋdaʊtɪ/ *ἐπ.* *(-tier, -tiest)* (*ἀπηρχ.*) ἀνδρεῖος.

dour /dʊə(r)/ *ἐπ.* αὐστηρός, πεισματικός: *~ looks/silence*, αὐστηρή ὄψις/πεισματική σιωπή.

dove /dʌv/ *οὐσ.* ‹C› περιστέρι: *the ~ of peace*, τό περιστέρι τῆς εἰρήνης. **ˋ~·cote** /-kət/ περιστεριώνας.

dove·tail /ˋdʌvteɪl/ *οὐσ.* ‹C› ψαλλιδωτή σύνδεσις. __*ρ.μ/ἀ.* συνδέω ψαλλιδωτά, (*καθομ.*) ταιριάζω: *My plans ~ed with his*, τά σχέδιά μου ταιριάξανε μέ τά δικά του.

dowa·ger /ˋdaʊədʒə(r)/ *οὐσ.* ‹C› **1**. χήρα (μέ τίτλο ἤ περιουσία): *the Queen ~*, ἡ βασιλομήτωρ. **2**. (*καθομ.*) ἀρχόντισσα.

dowdy /ˋdaʊdɪ/ *ἐπ.* *(-ier, -iest)* (*γιά ροῦχα*) ἄκομψος, (*γιά ἄνθρ.*) κακοντυμένος. **dow·di·ly** *ἐπίρ.*

[1]**down** /daʊn/ *οὐσ.* ‹U› χνοῦδι (πουλιοῦ, φρούτων).

[2]**down** /daʊn/ *ἐπίρ.* **1**. χάμω, κάτω: *go/come ~*, κατεβαίνω. *be ~ with flu*, εἶμαι κάτω (στό κρεββάτι) μέ ἰνφλουέντζα. *She's not ~ yet*, δέν κατέβηκε (δέν ἑτοιμάστηκε) ἀκόμη. *He has been sent ~*, τόν ἀπέβαλαν (ἀπό τό Πανεπιστήμιο). *The sea is ~*, ἡ θάλασσα ἔχει πέσει. *That story won't go ~*, αὐτή ἡ ἱστορία δέν γίνεται πιστευτή. *The history of Europe ~ to 1914*, ἡ ἱστορία τῆς Εὐρώπης ἀπό παληά ἕως τό 1914. **2**. *σέ φράσεις:* ***D~ with...!*** κάτω: *D~ with grammar!* κάτω ἡ γραμματική! ***(walk) up and ~***, (περπατῶ) πάνω-κάτω. ***ˈmoney ˋ~; ˈcash ˋ~; a ~ payment***, τοῖς μετρητοῖς. ***ˈ~-to-ˋearth*** *ἐπ.* προσγειωμένος. ***be ˈ~ and ˋout***, εἶμαι μπατίρης (ἄνεργος καί ἀπένταρος). **(the) ~-and-outs**, τά ναυάγια τῆς ζωῆς. ***be ~ in the dumps***, (*καθομ.*) εἶμαι ἄκεφος, μελαγχολικός. ***be ~ in the mouth***, (*καθομ.*) εἶμαι ἀγέλαστος, θλιμμένος. ***be ~ on sb***, τά ἔχω μέ κπ (τοῦ εἶμαι θυμωμένος). ***be ~ on one's luck***, (*καθομ.*) ἔχω ἀτυχία. ***come ~ in the world***, ξεπέφτω κοινωνικά. ***come ~ on sb***, ἐπιπλήττω, κατσαδιάζω κπ. ***get ~ to work/business***, ἀρχίζω δουλειά/μιλῶ στά σοβαρά.

[3]**down** /daʊn/ *πρόθ.* κάτω: *go ~ a street/hill*, κατεβαίνω ἕνα δρόμο/ἕνα λόφο. *Tears ran ~ her face*, δάκρυα ἔτρεχαν στό πρόσωπό της. *Oxford is farther ~ the river*, ἡ Ὀξφόρδη εἶναι χαμηλώτερα (πιό κάτω) στό ποτάμι.

[4]**down** /daʊn/ *ρ.μ.* ρίχνω κάτω, κατεβάζω: *~ an enemy plane*, ρίχνω ἐχθρικό ἀεροπλάνο. *~ a glass of beer*, κατεβάζω (πίνω) ἕνα ποτῆρι μπύρα. ***~ tools***, ἀφήνω κάτω τά ἐργαλεῖα, ἀπεργῶ. __*οὐσ.* (*μόνον στή φράση*): ***ups and ~s***, σκαμπανεβάσματα: *the ups and ~s of life*.

down·cast /ˋdaʊnkast/ *ἐπ.* κατηφής, ἀποθαρρυμένος, (*γιά μάτια*) χαμηλωμένα.

down·fall /ˋdaʊnfɔl/ *οὐσ.* ‹C› **1**. μπόρα, καταιγίδα. **2**. (*μεταφ.*) πτῶσις, καταστροφή: *His ~ was caused by gambling*, ἡ χαρτοπαιξία ἦταν ἡ αἰτία τῆς καταστροφῆς του.

down·grade /ˈdaʊnˋgreɪd/ *ρ.μ.* ὑποβιβάζω.

down·hearted /ˈdaʊnˋhatɪd/ *ἐπ.* κακόκεφος, ἀποθαρρυμένος, ἀποκαρδιωμένος.

down·hill /ˈdaʊnˋhɪl/ *ἐπίρ.* πρός τά κάτω. ***go ~***, κατηφορίζω, (*μεταφ.*) ἔχω πάρει τήν κάτω βόλτα (σέ ὑγεία, κλπ).

down·pour /ˋdaʊnpɔ(r)/ *οὐσ.* ‹C› ἀσταμάτητη μπόρα, νεροποντή: *be caught in a ~*, μέ πιάνει μπόρα.

down·right /ˋdaʊnraɪt/ *ἐπ.* **1**. εὐθύς, ἔντιμος, εἰλικρινής: *He's a ~ man*, εἶναι ντόμπρος ἄνθρωπος. **2**. τέλειος, πλήρης, ὁλοφάνερος, καθαρός: *It's a ~ lie*, εἶναι καθαρό ψέμα. *It's ~ nonsense*, εἶναι σκέτη ἀνοησία. __*ἐπίρ.* τελείως, ἀπολύτως, κατηγορηματικά: *He was ~ rude*, ἦταν ἀπολύτως ἀγενής. *He refused ~*, ἀρνήθηκε κατηγορηματικά.

downs /daʊnz/ *οὐσ.* (*πληθ.*) ἄδενδροι λοφώδεις ἐκτάσεις.

down·stairs /ˈdaʊnˋsteəz/ *ἐπίρ.* στό κάτω πάτωμα: *Our neighbours ~ are very noisy*, οἱ γείτονές μας τοῦ κάτω πατώματος κάνουν πολλή φασαρία. __*ἐπ.* (*συνήθ.* *χωρίς s*): *the ~(s) rooms*, τά κάτω δωμάτια, τά δωμάτια τοῦ κάτω πατώματος.

down·town /ˋdaʊntaʊn/ *ἐπίρ.* & *ἐπ.* στό κέντρο τῆς πόλεως: *go ~*, πηγαίνω πρός τό κέντρο. *a ~ theatre*, κεντρικό θέατρο.

down·trod·den /ˈdaʊnˋtrodn/ *ἐπ.* τσαλαπατημένος, (*μεταφ.*) καταπιεζόμενος.

down·ward /ˋdaʊnwəd/ *ἐπ.* κατηφορικός, πρός τά κάτω: *a ~ path*, κατηφορικό μονοπάτι. *prices with a ~ tendency*, τιμές μέ τάση πρός τά κάτω.

down·wards /ˋdaʊnwədz/ *ἐπίρ.* πρός τά κάτω: *The monkey was hanging head ~ from the tree*, ὁ πίθηκος κρεμόταν μέ τό κεφάλι πρός τά κάτω ἀπό τό δέντρο.

downy /ˋdaʊnɪ/ *ἐπ.* *(-ier, -iest)* χνουδᾶτος.

dowry /ˋdaʊərɪ/ *οὐσ.* ‹C› προῖκα.

doze /dəʊz/ *οὐσ.* ‹C› ἐλαφρός ὕπνος, ὑπνᾶκος. __*ρ.ἀ.* λαγοκοιμᾶμαι, γλαρώνω, τόν παίρνω: *He ~d off during the sermon*, τόν πῆρε λίγο κατά τήν διάρκεια τοῦ κηρύγματος.

dozen /ˋdʌzn/ *οὐσ.* ‹C› ντουζίνα, δωδεκάδα. ***talk nineteen to the ~***, φλυαρῶ ἀσταμάτητα. ***~s of***, ἕνα σωρό: *~s of times*.

drab /dræb/ *ἐπ.* **1**. γκριζόμαυρος. **2**. (*καθομ.*) πληκτικός, μονότονος: *a ~ life*. **~·ly** *ἐπίρ.*

drachma /ˋdrækmə/ *οὐσ.* ‹C› δραχμή.

dra·co·nian /drəˋkəʊnɪən/ *ἐπ.* δρακόντειος: *~ laws*, δρακόντειοι νόμοι.

[1]**draft** /draft/ *οὐσ.* ‹C› **1**. προσχέδιον: *a ~ for*

a speech/machine/bill, προσχέδιον ὁμιλίας/μηχανῆς/νόμου. **2**. (*ἐμπ.*) συναλλαγματική, τραβηκτική. **3**. (*στρατ.*) ἀπόσπασμα (κληρωτῶν), (*ΗΠΑ*) στράτευσις. ˋ~ **card**, κάρτα στρατεύσεως. ˋ~ **dodger**, ἀνυπότακτος.

²**draft** /draft/ *ρ.μ.* **1**. κάνω τό προσχέδιο, σχεδιάζω: ~ *a letter*, σχεδιάζω ἕνα γράμμα. **2**. τοποθετῶ (σέ ἀπόσπασμα), (*ΗΠΑ*) καλῶ στό στρατό: *be ~ed into the army*, πηγαίνω στρατιώτης, στρατεύομαι. **~·ee** /ˈdraˋfti/ *οὐσ.* ‹C› κληρωτός.

drafts·man /ˋdraftsmən/ *οὐσ.* ‹C› σχεδιαστής.

drafty /ˋdraftɪ/ *ἐπ. βλ. draughty.*

¹**drag** /dræg/ *οὐσ.* ‹C,U› **1**. σβάρνα. **2**. (*ἀπηρχ.*) ἅμαξα (μέ 4 ἄλογα). **3**. ἐμπόδιο, φόρτωμα: *His wife has been a ~ on him all his life*, ἡ γυναίκα του τοῦ ἦταν φόρτωμα ὅλη του τή ζωή. *She's a ~ on the class*, εἶναι ἐμπόδιο στήν τάξη. **4**. (*λαϊκ.*) ρουφηξιά (καπνοῦ): *Let me have a ~*, δῶσε μου μιά ρουφηξιά. ˋ**~-net**, **1**. ἀνεμότρατα, δίχτυ. **2**. (*λαϊκ.*) μπλόκος (τῆς ἀστυνομίας).

²**drag** /dræg/ *ρ.μ/ἀ.* *(-gg-)* **1**. σύρω, σέρνω: ~ *a heavy box into the house*, σέρνω ἕνα βαρύ κιβώτιο μέσα στό σπίτι. *He was ~ged out of his hiding place*, τόν ἔσυραν ἔξω ἀπό τήν κρυψώνα του. ~ ***sb into sth***, τραβῶ κπ μέ τό ζόρι: *He hates parties; we had to ~ him into going*, σιχαίνεται τά πάρτυ, χρειάστηκε νά τόν τραβήξωμε μέ τό ζόρι γιά νά ἔλθη. **2**. προχωρῶ σιγά, κινοῦμαι ἀργά, σέρνομαι: *Time seemed to ~*, ὁ χρόνος φαινόταν νά σέρνεται. *He could scarcely ~ himself along*, μόλις πού μποροῦσε νά προχωρῆ σερνάμενος. *The play ~ged on*, τό ἔργο παρατραβοῦσε, γινόταν ἀνιαρό. ~ ***one's feet***, σέρνω τά πόδια, καρκινοβατῶ (σκόπιμα): *We suspect the Government of ~ging their feet*, ὑποψιαζόμαστε ὅτι ἡ Κυβέρνηση καρκινοβατεῖ σκόπιμα. ~ ***up a child***, (*καθομ.*) ἀνατρέφω ἕνα παιδί ὅπως-ὅπως, χωρίς προσοχή. **3**. ψάχνω (τόν πυθμένα ποταμοῦ ἤ θάλασσας μέ δίχτυ, κλπ): *They ~ged the river for the missing child*, ἔψαξαν τό ποτάμι γιά τό χαμένο παιδί.

drago·man /ˋdrægəmən/ *οὐσ.* ‹C› (*πληθ.* ~*s*) διερμηνεύς, δραγουμᾶνος.

dragon /ˋdrægən/ *οὐσ.* ‹C› δράκων, δράκος: *a ~ of virtue*, κέρβερος τῆς ἠθικῆς.

dra·goon /drəˋgun/ *οὐσ.* ‹C› δραγόνος. —*ρ.μ.* **1**. ~ ***sb into doing sth***, ἀναγκάζω κπ νά κάνη κτ. **2**. καταδυναστεύω.

¹**drain** /dreɪn/ *οὐσ.* ‹C› **1**. ὀχετός, αὐλάκι, σωληνάκι, κανάλι, (*πληθ.*) ἀποχέτευσις: *There's something wrong with the ~s*, κάτι ἔχει πάθει τό σύστημα ἀποχετεύσεως. ˋ**~·pipe**, σωλήνας ἀποχετεύσεως. **2**. (*μεταφ.*) ἀφαίμαξις: *Military expenditure has been a great ~ on the country's resources*, οἱ στρατιωτικές δαπάνες ἦταν μεγάλη ἀφαίμαξη στήν οἰκονομία τῆς χώρας. **3**. (*καθομ.*) γουλιά: *Don't drink it all; leave me a ~!* μήν τό πίνης ὅλο, ἄσε μου μιά γουλιά!

²**drain** /dreɪn/ *ρ.μ/ἀ.* **1**. ~ ***(away/off)***, ἀποχετεύω: *trenches to ~ the water away/off*, τάφροι γιά τήν ἀποχέτευση τοῦ νεροῦ. **2**. (ἀπο)στραγγίζω, ἀποξηραίνω: *These swamps ought to be ~ed*, αὐτά τά ἕλη θά ἔπρεπε νά ἀποξηρανθοῦν. *Put the dishes on the board to ~*, βάλε τά πιάτα στό σανίδι νά στραγγίξουν. **3**. (*μεταφ.*) κάνω/παθαίνω ἀφαίμαξη, ἐξαντλῶ/-οῦμαι: *The country was ~ed of its wealth by the war*, ἡ χώρα ἔπαθε ἀφαίμαξη τοῦ πλούτου της ἀπό τόν πόλεμο. *His life was slowly ~ing away*, ἡ ζωή του ἔσβυνε σιγά-σιγά. **4**. πίνω, στραγγίζω, ἀδειάζω: ~ *a glass of beer.*

drain·age /ˋdreɪnɪdʒ/ *οὐσ.* ‹U› ἀποχέτευσις, ἀποστράγγισις, ὕδατα ὑπονόμου.

drake /dreɪk/ *οὐσ.* ‹C› ἀρσενική πάπια.

dram /dræm/ *οὐσ.* ‹C› **1**. δράμι (1/16 τῆς οὐγγιᾶς). **2**. (*καθομ.*) γουλιά, στάλα (ποτοῦ): *He's fond of a ~*, τό τσούζει, τοῦ ἀρέσει ἕνα ποτηράκι.

drama /ˋdramə/ *οὐσ.* ‹C,U› **1**. δρᾶμα. **2**. θεατρικό ἔργο, θέατρο: *Are you interested in (the) ~?* σᾶς ἐνδιαφέρει τό θέατρο; *a ~ critic*, θεατρικός κριτικός. *a* ˋ~ *school*, δραματική σχολή.

dra·matic /drəˋmætɪk/ *ἐπ.* **1**. δραματικός, συνταρακτικός: ~ *changes*, δραματικές ἀλλαγές. **2**. μελοδραματικός, θεατρινίστικος. **3**. θεατρικός: ~ *performances*, θεατρικές παραστάσεις. **~·ally** /-klɪ/ *ἐπίρ.* μελοδραματικά.

dra·mat·ics /drəˋmætɪks/ *οὐσ. πληθ.* (*συνήθ. μέ ρ. ἑν.*) **1**. ἡ θεατρική τέχνη, τό θέατρο. ***amateur*** ~, ἐρασιτεχνικό θέατρο. **2**. (*γιά ὕφος, ὁμιλία*) μελοδραματισμοί.

dra·matis per·sonae /ˈdræmətɪs pəˋsəʊnaɪ/ *οὐσ. πληθ.* (*Λατ.*) Πρόσωπα τοῦ Ἔργου.

drama·tist /ˋdræmətɪst/ *οὐσ.* ‹C› θεατρικός συγγραφεύς, δραματουργός.

drama·tize /ˋdræmətaɪz/ *ρ.μ.* **1**. δραματοποιῶ (κατάστασιν). **2**. διασκευάζω (πχ μυθιστόρημα) γιά τό θέατρο. **drama·tiz·ation** /ˈdræmətaɪˋzeɪʃn/ *οὐσ.* ‹C,U› δραματοποίησις, διασκευή.

drank /dræŋk/ *ἀόρ. τοῦ ρ. drink.*

drape /dreɪp/ *ρ.μ.* **1**. ~ ***round/over***, κρεμῶ, βάζω, ἁπλώνω (ὕφασμα): ~ *curtains over a window*, κρεμῶ κουρτίνες σ' ἕνα παράθυρο. ~ *a flag over a coffin*, ἁπλώνω σημαία σέ φέρετρο. **2**. ~ ***with/in***, ἐπενδύω, στολίζω: *walls ~d with flags*, τοῖχοι στολισμένοι μέ σημαῖες. *a church ~d in black*, ἐκκλησία στολισμένη στά μαῦρα. **3**. κρεμῶ χαλαρά: *He ~d his legs over the arms of his chair*, κρέμασε τά πόδια του πάνω ἀπό τά μπράτσα τῆς πολυθρόνας του. —*οὐσ.* ‹C› (*ΗΠΑ*) κουρτίνα.

drap·er /ˋdreɪpə(r)/ *οὐσ.* ‹C› ὑφασματέμπορος: *a ~'s shop*, ὑφασματοπωλεῖον. **~y** /-pərɪ/ *οὐσ.* ‹C,U› **1**. ὑφασματεμπόριον. **2**. (*συλλογ.*) ὑφάσματα. **3**. ὕφασμα γιά κουρτίνες, πτύχωσις (φορέματος ἤ κουρτίνας).

dras·tic /ˋdræstɪk/ *ἐπ.* δραστικός: ~ *action*, δραστική ἐνέργεια. **~ally** /-klɪ/ *ἐπίρ.* δραστικά.

drat /dræt/ *ρ.μ.* *(-tt-)* (*μόνον εἰς τό γ! ἑν. ἀντί τοῦ damn*): *D~ it all!* νά τό πάρη ὁ διάβολος! *D~ that boy!* στήν ὀργή αὐτό τό παληόπαιδο!

draught (*ΗΠΑ*, **draft**) /draft/ *οὐσ.* ‹C,U› **1**. ρεῦμα ἀέρος, τράβηγμα (τζακιοῦ): *Don't sit in the ~*, μήν κάθεσαι στό ρεῦμα. *There's not enough ~ up the chimney*, ἡ καμινάδα (τό τζάκι) δέν τραβάει καλά. **2**. ἕλξις, τράβηγμα: *beasts of ~*, ζῶα πού χρησιμοποιοῦνται γιά νά τραβᾶνε. **3**. τραβηξιά, διχτυά: *That was a good* ~, ἦταν καλή διχτυά (πιάστηκε πολύ ψάρι). **4**. ρουφηξιά, γουλιά: *at a* ~, μονορρούφι. **5**. (*γιά ποτό*) χῦμα, πιάσιμο (ἀπό βαρέλι): *beer on* ~ ; ~ *beer*, μπύρα χῦμα, μέ τό ποτήρι. **6**. βύθισμα (σκάφους): *a ship with a* ~ *of 10 feet*, πλοῖο μέ βύθισμα 10 ποδῶν. **7**. (*παιχνίδι*) ντάμα. **~s·man** /ˈdraftsmən/ *οὐσ.* ‹C› **1**. σχεδιαστής. **2**. πούλι (τῆς ντάμας). **~y** *ἐπ.* (*-ier, -iest*) (*δωμάτιο, δρόμος, κλπ*) μέ πολλά ρεύματα: *a* ~*y room*.

[1]**draw** /drɔ/ *οὐσ.* ‹C› **1**. κλήρωσις: *When does the* ~ *take place?* πότε θά γίνη ἡ κλήρωσις; **2**. ἰσοπαλία: *The game ended in a* ~, ὁ ἀγώνας τελείωσε μέ ἰσοπαλία. **3**. τράβηγμα (ὅπλου): *He's quick/slow on the* ~, εἶναι γρήγορος/ἀργός στό πιστόλι. **4**. κτ ἤ κπ πού τραβᾶ κόσμο, πού ἔχει ἐπιτυχία, (*καθομ.*) κράχτης: *The new play is a great* ~, τό καινούργιο ἔργο τραβᾶ πολύ κόσμο, ἔχει μεγάλη ἐπιτυχία. *Mr A is always a great* ~ *at political meetings*, ὁ κ. Α. εἶναι μεγάλος κράχτης (τραβάει πάντα πολύ κόσμο) στίς πολιτικές συγκεντρώσεις.

[2]**draw** /drɔ/ *ρ.μ/ἀ. ἀνώμ.* (*ἀόρ. drew* /dru/, *π.μ.* ~*n* /drɔn/) **1**. σύρω, τραβῶ: *a coach* ~*n by two horses*, ἅμαξα συρομένη ἀπό δύο ἄλογα. ~ *the curtains*, τραβῶ τίς κουρτίνες. ~ *the sword*, σύρω τό ξίφος, κηρύσσω τόν πόλεμο. ~ *water from a well*, βγάζω νερό ἀπό πηγάδι. *a face* ~*n with pain*, πρόσωπο τραβηγμένο ἀπό τόν πόνο. ~ *money from the Bank/information from sb*, τραβῶ χρήματα ἀπό τήν Τράπεζα/πληροφορίες ἀπό κπ. *The day drew to its close*, ἡ ἡμέρα πλησίαζε στό τέλος της. ~ ***sb aside***, τραβῶ κπ παράμερα. ~ ***sb's attention to sth***, ἐφιστῶ τήν προσοχή κάποιου σέ κτ. ~ ***a deep breath***, παίρνω βαθειά ἀναπνοή. ~ ***a cheque (on a bank, etc.)***, ἐκδίδω ἐπιταγήν (ἐπί τραπέζης, κλπ). ~ ***a chicken***, καθαρίζω κοτόπουλο (πρίν τό μαγειρέψω). ~ ***a cork***, τραβῶ/βγάζω ἕνα φελλό. ~ ***a distinction/parallel/comparison (between)***, κάνω διάκριση/παραλληλισμό/σύγκριση (μεταξύ). ~ ***a gun***, τραβῶ ὅπλο. ~ ***the line (at)***, θέτω ἕνα ὅριο, πατῶ πόδι: *This noise can't be allowed; we must* ~ *the line somewhere*, αὐτός ὁ θόρυβος δέν μπορεῖ νά συνεχίζεται, πρέπει νά μπῆ κάποιο ὅριο! ~ ***lots***, τραβῶ κλῆρο. ~ ***tears/applause***, προκαλῶ δάκρυα/ἐπευφημίες. ~ ***sb's teeth***, ξεδοντιάζω κπ. **2**. σκιτσάρω, σχεδιάζω: ~ *a cat/map*, σκιτσάρω μιά γάτα/ἕνα χάρτη. **3**. ἔρχομαι ἰσοπαλία: ~ *a football match*, φέρνω ἰσοπαλία ἕνα μάτς. **4**. (*γιά πλοῖο*) ἔχω βύθισμα: *The ship* ~*s 20 feet of water*, τό πλοῖο ἔχει βύθισμα 20 ποδῶν. **5**. (*μέ ἐπιρ. & προθέσεις*):

draw away, παρασύρω, ἀπομακρύνομαι: ~ *away from a competitor*, ἀπομακρύνομαι (προηγοῦμαι) ἀπό ἕναν ἀντίπαλο.

draw back, ὀπισθοχωρῶ, σύρω πίσω: *He drew back to the wall*, ὀπισθοχώρησε πρός τόν τοῖχο. ~ *back from a proposal*, διστάζω νά δεχθῶ μιά πρόταση.

draw down, τραβῶ κάτω, κατεβάζω: ~ *down one's hat over one's eyes*, χώνω τό καπέλλο ὥς τά μάτια.

draw in, μπάζω μέσα, (*γιά τήν ἡμέρα*) τελειώνω, μικραίνω: *The day is* ~*ing in*, ἡ μέρα τελειώνει. *The days are* ~*ing in in autumn*, οἱ μέρες μικραίνουν τό φθινόπωρο.

draw off, βγάζω (γάντια), (*γιά στρατό*) συμπτύσσομαι: *The enemy drew off*, ὁ ἐχθρός συνεπτύχθη. ~ *off blood*, παίρνω αἷμα.

draw on, (*α*) φορῶ (γάντια). (*β*) παρασύρω: *His promises drew me on*, οἱ ὑποσχέσεις του μέ παρέσυραν. *Her indifference drew him on all the more*, ἡ ἀδιαφορία της (ἀντί νά τόν ἀπωθῆ) τόν τραβοῦσε πιό πολύ. (*γ*) προχωρῶ, πλησιάζω: *The ship drew on*, τό πλοῖο προχώρησε. *Evening was* ~*ing on*, ἡ νύχτα πλησίαζε. (*δ*) ἀντλῶ, χρησιμοποιῶ: ~ *on one's reserves*, ἀντλῶ ἀπό τά ἀποθέματά μου. ~ *on one's savings*, χρησιμοποιῶ (τραβῶ) τίς οἰκονομίες μου. (*ε*) τραβῶ ὅπλο ἐναντίον (κάποιου).

draw out, (*α*) ἀποσύρω (*πχ* χρήματα). (*β*) παρατείνω, τραβῶ κτ σέ μάκρος: *He has* ~*n out the subject into three volumes*, παρατράβηξε τό θέμα κι' ἔφτιαξε τρεῖς τόμους. *a long-*~*n-out discussion/controversy*, μιά παρατεταμένη συζήτηση/διαμάχη. (*γ*) μεγαλώνω: *After Christmas the days begin to* ~ *out*, μετά τά Χριστούγεννα οἱ μέρες ἀρχίζουν νά μεγαλώνουν. (*δ*) κάνω κπ νά μιλήση, νά ἐκδηλωθῆ: *I started talking politics, but he refused to be* ~*n out*, ἄρχισα νά συζητῶ πολιτικά ἀλλά αὐτός ἀρνήθηκε νά ἐκδηλωθῆ. *He's very interesting, if you can* ~ *him out*, εἶναι πολύ ἐνδιαφέρων, ἄν μπορέσης νά τόν κάμης νά μιλήση.

draw up, (*α*) ἀνασηκώνομαι, τεντώνομαι, ἰσιώνω τό κορμί μου (ἰδ. σέ ἔνδειξη θυμοῦ): *He drew himself up*, ἀνασηκώθηκε, τεντώθηκε. (*β*) παρατάσσω: *chairs and tables/troops* ~*n up along the road*, καρέκλες καί τραπέζια/στρατεύματα παρατεταγμένα κατά μῆκος τοῦ δρόμου. (*γ*) συντάσσω, καταρτίζω: ~ *up a document*, συντάσσω ἕνα ἔγγραφο. ~ *up an itinerary*, καταρτίζω ἕνα δρομολόγιο. (*δ*) (*γιά ὄχημα*) σταματῶ: *The car drew up outside the theatre*, τό αὐτοκίνητο σταμάτησε ἔξω ἀπό τό θέατρο.

draw·back /ˈdrɔbæk/ *οὐσ.* ‹C› μειονέκτημα: *There's a* ~ *to this car – it consumes too much petrol*, ἔχει ἕνα μειονέκτημα αὐτό τό αὐτοκίνητο – καίει πολύ βενζίνη.

draw·bridge /ˈdrɔbrɪdʒ/ *οὐσ.* ‹C› κρεμαστή γέφυρα.

drawer /drɔ(r)/ *οὐσ.* **1**. ‹C› συρτάρι. ˈ**chest of** ˋ**~s**, κομμό, σιφονιέρα. **2**. (*πληθ.*) σώβρακο.

draw·ing /ˈdrɔ-ɪŋ/ *οὐσ.* ‹C,U› σχέδιο, ἰχνογραφία: ***out of*** ~, κακοσχεδιασμένος. ˋ**~-board**, τράπεζα σχεδιάσεως. ˋ**~-pin**, πινέζα. ˋ**~-room**, σαλόνι.

drawl /drɔl/ *οὐσ.* ‹U› συρτή, λιγωμένη φωνή. __*ρ.ἀ.* μιλῶ μέ λιγωμένη φωνή, μιλῶ προσποιητά/μακρόσυρτα: *Don't* ~ *(out) your words*, μή σέρνης τά λόγια σου.

dray /dreɪ/ *οὐσ.* ‹C› κάρρο (χωρίς πλευρές).

dread /dred/ *οὐσ.* ‹U› φόβος, τρόμος: *He lives in constant* ~ *of poverty*, ζεῖ μέ τόν συνεχῆ φόβο τῆς φτώχειας. ***have a /be in*** ~ ***of***, φοβᾶμαι, τρέμω: *He's in ~ of his father*, τρέμει τόν πατέρα του. *Cats have a ~ of water*, οἱ γάτες φοβοῦνται τό νερό. —ρ.μ/ὰ. τρέμω, φοβοῦμαι: *I ~ his visit*, τρέμω τήν ἐπίσκεψή του. *I ~ having to visit him*, τρέμω μέ τήν ἰδέα ὅτι πρέπει νά τόν ἐπισκεφθῶ. **~·ful** /-fl/ ἐπ. τρομερός, φοβερός: *a ~ful disaster/story; What ~ful weather!* **~·fully** /-fəlɪ/ ἐπίρ. τρομερά, φοβερά.

dread·nought /ˋdrednɔt/ οὐσ. ‹C› (πολ. ναυτ.) εἶδος θωρηκτοῦ.

[1]**dream** /drim/ οὐσ. ‹C› ὄνειρο: *have a ~ (about sth)*, βλέπω ὄνειρο (γιά κτ). *awake from a ~*, ξυπνῶ ἀπό ὄνειρο. *Sweet ~s!* ὄνειρα γλυκά! *My holiday was a perfect ~*, οἱ διακοπές μου ἦταν ἀληθινό ὄνειρο. *My ~s came true*, τά ὄνειρά μου πραγματοποιήθηκαν. ***the man/girl of one's ~s***, ὁ ἄνδρας/τό κορίτσι τῶν ὀνείρων μου. ***live/go about in a ~***, ζῶ/κινοῦμαι σά σέ ὄνειρο. ***see sth in a ~***, βλέπω κτ στ' ὄνειρό μου, στόν ὕπνο μου. **ˋ~·land**, **ˋ~·world**, ἡ χώρα (ὁ κόσμος) τῶν ὀνείρων. **ˋ~·like** ἐπ. ὀνειρώδης, σάν ὄνειρο.

[2]**dream** /drim/ ρ.μ/ὰ. ὁμαλ. & ἀνώμ. (ἀόρ. & π.μ. *~ed* ἤ *~t* /dremt/) *~* ***(about/of)***, ὀνειρεύομαι: *He often ~s about/of home*, συχνά ὀνειρεύεται τήν πατρίδα. *I ~t that I was a bird*, ὀνειρεύτηκα ὅτι ἤμουν πουλί. *I wouldn't ~ of doing such a thing*, ποτέ δέν θά μοῦ περνοῦσε ἡ ἰδέα νά κάμω τέτοιο πρᾶγμα. *~ away one's time*, περνῶ τόν καιρό μου ὀνειροπολώντας. *~* ***sth up***, φαντάζομαι, σκαρώνω κτ. **~er** οὐσ. ‹C› ὀνειροπαρμένος. **~y** ἐπ. *(-ier, -iest)* **1**. ὀνειροπόλος, φαντασιόπληκτος: *~y eyes*, ὀνειροπόλα μάτια. **2**. ἀόριστος, θολός: *a ~y recollection of what happened*, μιά θολή ἀνάμνηση τοῦ τί συνέβη. **~ily** ἐπίρ.

dreary /ˋdrɪərɪ/ ἐπ. *(-ier, -iest)* **1**. μελαγχολικός, πληκτικός, μονότονος: *~ weather*, μελαγχολικός καιρός. *~ work*, μονότονη, ἀνιαρή δουλειά. *a ~ landscape*, μονότονο τοπεῖο. **2**. σκοτεινός, ζοφερός: *a ~ outlook*, σκοτεινή προοπτική.

[1]**dredge** /dredʒ/ οὐσ. ‹C› **1**. βυθοκόρος. **2**. γκαγκάβα. —ρ.μ/ὰ. *~* ***(up/for)***, καθαρίζω, μαζεύω μέ βυθοκόρο: *~ up mud*, καθαρίζω τή λάσπη. *~ for oysters*, μαζεύω στρείδια μέ γκαγκάβα.

[2]**dredge** /dredʒ/ ρ.μ. πασπαλίζω: *~ meat with flour/sugar over a cake*, ἀλείφω κρέας μέ ἀλεῦρι/πασπαλίζω κέκ μέ ζάχαρη.

dregs /dregz/ οὐσ. πληθ. μούργα, κατακάθια: *coffee ~*, κατακάθια καφέ. *the ~ of society*, (μεταφ.) τά κατακάθια τῆς κοινωνίας. ***drink/drain sth to the ~***, πίνω κτ μέχρι τρυγός.

drench /drentʃ/ ρ.μ. μουσκεύω, (κατα)βρέχω: *flowers ~ed with dew*, λουλούδια λουσμένα στή δροσιά. ***~ed to the skin***, βρεγμένος ὥς τό κόκκαλο.

[1]**dress** /dres/ οὐσ. ‹C,U› φόρεμα, ἔνδυμα, ντύσιμο: *a woman's ~*, γυναικεῖο φόρεμα. *Men don't pay much attention to ~*, οἱ ἄντρες δέν προσέχουν πολύ τό ντύσιμο. ***in ˈfull ˋ~***, μέ ἐπίσημον ἔνδυμα, ἐν πλήρει στολῇ. **ˋ~ circle**, (θέατρ.) πρῶτος ἐξώστης. **ˋ~ coat**, φράκο. **ˋ~·maker**, μοδίστρα. **ˋ~ rehearsal**, (θέατρ.) γενική πρόβα (μέ κοστούμια). **ˋevening ~**, βραδυνό ἔνδυμα/φόρεμα.

[2]**dress** /dres/ ρ.μ/ὰ. **1**. ντύνω/-ομαι: *~ a doll/the children*, ντύνω μιά κούκλα/τά παιδιά. *It takes me ten minutes to ~*, κάνω δέκα λεπτά νά ντυθῶ. ***be ~ed in***, φορῶ, εἶμαι ντυμένος μέ: *be ~ed in white/in the height of fashion*, φορῶ ἄσπρα/εἶμαι ντυμένος μέ τήν τελευταία λέξη τῆς μόδας. *~* ***up***, ντύνομαι τά καλά μου, μεταμφιέζω/-ομαι: *Why are you ~ed up?* γιατί φορᾶς τά καλά σου; *The children ~ed up as pirates*, τά παιδιά ντυθήκανε πειρατές. **2**. ἑτοιμάζω (κτ πρός χρῆσιν), φτιάχνω: *~ leather*, κατεργάζομαι δέρμα. *~ a salad*, φτιάνω σαλάτα (βάζω λάδι, ξύδι, κλπ). *~ a chicken*, καθαρίζω κοτόπουλο (γιά μαγείρεμα). *~ a wound*, ἐπιδένω πληγή. *~ a shop-window*, φτιάχνω (στολίζω) μιά βιτρίνα. *~ a Christmas tree/the streets with flags*, στολίζω Χριστουγεννιάτικο δέντρο/τούς δρόμους μέ σημαῖες. **3**. χτενίζω, βουρτσίζω: *~ one's hair*, χτενίζω, (λόγ.) φτιάχνω τά μαλλιά μου. *~ down a horse*, ξυστρίζω (βουρτσίζω) ἄλογο. *~* ***sb down***, ἐπιπλήττω, κατσαδιάζω κπ. **ˈ~ing-ˋdown**, κατσάδα: *I'll give him a good ~ing-down*, θά τοῦ δώσω μιά γερή κατσάδα. **4**. εὐθυγραμμίζω, ζυγῶ: *~ the ranks*, (στρατ.) διορθώνω τήν ζύγισιν.

dresser /ˋdresə(r)/ οὐσ. ‹C› **1**. βοηθός χειρούργου. **2**. βοηθός ἠθοποιοῦ (πού τόν ντύνει). **3**. μπουφές τῆς κουζίνας. **4**. (ΗΠΑ) τουαλέττα (ἔπιπλον).

dress·ing /ˋdresɪŋ/ οὐσ. ‹C,U› **1**. ντύσιμο. **ˋ~-case**, τσάντα, νεσεσαίρ. **ˋ~-gown**, ρόμπα, ρόμπ-ντέ-σάμπρ. **ˋ~-table**, τουαλέττα (ἔπιπλον). **2**. ἑτοίμασμα, καθάρισμα, στόλισμα, χτένισμα, ἐπίδεσις. **3**. καρύκευμα, σάλτσα. **4**. κόλλα, κολλάρισμα.

dressy /ˋdresɪ/ ἐπ. *(-ier, -iest)* (καθομ.) (γιά ἄνθρ.) φιλάρεσκος, κοκέτης στό ντύσιμο, (γιά ροῦχα) κομψός, σίκ, μοντέρνος.

drew /dru/ ἀόρ. τοῦ ρ. *draw*.

dribble /ˋdrɪbl/ ρ.μ/ὰ. **1**. στάζω, βγάζω σάλια: *Babies often ~ on their bibs*, τά μωρά συχνά βγάζουν σάλια πάνω στίς σαλιάρες τους. **2**. (ποδόσφ.) κάνω τρίπλες.

drier /ˋdraɪə(r)/ ἐπ. & οὐσ. βλ. [1]*dry* & *dryer*.

[1]**drift** /drɪft/ οὐσ. **1**. ‹U› κίνησις, κατεύθυνσις, ταχύτης (ρεύματος): *the ~ of the current*, ἡ κατεύθυνσις τοῦ ρεύματος. *the ~ of the tide*, ἡ κίνησις/ταχύτης τῆς παλίρροιας. **2**. ‹U› κατεύθυνσις, ἐξέλιξις, πορεία: *the ~ towards war*, ἡ πορεία (ἡ ὀλίσθησις) πρός τόν πόλεμο. **ˋ~·age** /-ɪdʒ/ οὐσ. ‹U› (ναυτ.) παρέκκλισις ἀπό τῆς κανονικῆς πορείας. **3**. ‹U› γενική ἔννοια, νόημα: *get the ~ of an argument*, πιάνω τό νόημα ἑνός ἐπιχειρήματος. *I caught the ~ of what he said*, ἔπιασα τή γενική ἔννοια τῶν ὅσων εἶπε. **4**. ‹C› σωρός (πραγμάτων παρασυρθέντων ἀπό τόν ἀέρα): *a ˋsnow ~*, χιονοστιβάδα. *a ~ of clouds/dead leaves/sand*, σωρός σύννεφα/ξερά φύλλα/ἄμμος. **ˋ~-ice/-wood**, πάγος/ξύλο πού ἐπιπλέει (παρασυρμένο ἀπό τά κύματα). **5**. ‹U› παθητική, μοιρολατρική ἀναμονή: *Is the Government's policy one of ~?* εἶναι ἡ πολιτική τῆς Κυβερνήσεως παθητική ἀναμονή;

[2]**drift** /drɪft/ *ρ.μ/ἀ.* παρασύρω/-ομαι, κινοῦμαι (παρασυρμένος ἀπό ρεῦμα ἀέρος ἤ νεροῦ), φέρομαι: *The boat ~ed out to sea,* ἡ βάρκα παρασύρθηκε στ' ἀνοιχτά. *clouds ~ing across the sky,* σύννεφα πού ταξιδεύουν στόν οὐρανό. *sweet smells ~ing into a room,* μυρουδιές πού ἔρχονται μέ τόν ἀέρα μέσα σ' ἕνα δωμάτιο. *She ~s from one job to another,* γυρίζει ἀπό δουλειά σέ δουλειά. *old friends ~ing apart,* παληοί φίλοι πού ξεμακραίνουν σιγά-σιγά. *The country is ~ing towards bankruptcy,* ἡ χώρα ὀλισθαίνει (τραβάει) πρός τή χρεωκοπία. *~ into pessimism,* πέφτω σιγά-σιγά στήν ἀπαισιοδοξία. *let things ~,* ἀφήνω τά πράγματα νά τραβήξουν τό δρόμο τους. *The snow had ~ed along the road,* τό χιόνι εἶχε μαζευτεῖ σέ σωρούς κατά μῆκος τοῦ δρόμου.

[1]**drill** /drɪl/ *οὐσ.* ‹C› τρυπάνι. —*ρ.μ/ἀ.* τρυπῶ (μέ τρυπάνι): *~ a tooth/hole in a wall,* τρυπῶ ἕνα δόντι/ἀνοίγω τρύπα σέ τοῖχο.

[2]**drill** /drɪl/ *οὐσ.* ‹C,U› ἄσκησις, γύμνασμα, γυμνάσια: *The soldiers were at ~,* οἱ στρατιῶτες ἦταν σέ γυμνάσια. *pronunciation ~s,* ἀσκήσεις προφορᾶς. —*ρ.μ/ἀ.* γυμνάζω, ἐκπαιδεύω, ἀσκῶ/-οῦμαι: *a well-~ed crew,* καλοεκπαιδευμένο πλήρωμα.

[3]**drill** /drɪl/ *οὐσ.* ‹U› (ὕφασμα) ντρίλι.

[4]**drill** /drɪl/ ‹C› αὐλάκι, γραμμή: *sow the grain in ~s,* κάνω γραμμική σιτοκαλλιέργεια. —*ρ.μ.* σπέρνω σέ αὐλάκια.

drily /ˈdraɪlɪ/ *ἐπίρ.* στεγνά, ξερά: *answer ~,* ἀπαντῶ ξερά.

[1]**drink** /drɪŋk/ *οὐσ.* ‹C,U› ποτό: *food and ~,* τροφή καί ποτό. *What about a ~?* τί θἄλεγες γιά ἕνα ποτό; *alcoholic/soft ~s,* οἰνοπνευματώδη ποτά/ἀναψυκτικά. ***be in ~/under the influence of ~***, εἶμαι πιωμένος: *He's a good husband except when he's in ~,* εἶναι καλός σύζυγος ἐκτός ὅταν πίνη. ***drive sb to ~***, σπρώχνω κπ στό πιοτό, κάνω κπ μπεκρῆ. ***stand sb a ~***, κερνῶ κπ. ***take to ~***, τό ρίχνω στό πιοτό.

[2]**drink** /drɪŋk/ *ρ.μ/ἀ.* *ἀνώμ.* (*ἀόρ.* *drank* /dræŋk/, *π.μ.* *drunk* /drʌŋk/) **1**. πίνω: *~ water/tea/beer,* πίνω νερό/τσάϊ/μπύρα. *He ~s too much,* παραπίνει. *He ~s like a fish,* (*καθομ.*) πίνει σά σφουγγάρι, πίνει πολύ. *He'll ~ himself to death,* θά πεθάνη ἀπό τό πιοτό. ***~ sth down/up/off***, πίνω κτ ἐντελῶς: *D~ it up!* πιέ το ὅλο! ***~ sth in***, (*μεταφ.*) ρουφῶ, πίνω: *The class drank in every word their teacher said,* ἡ τάξις ρουφοῦσε κάθε λέξη πού ἔλεγε ὁ δάσκαλος. ***~ to***, πίνω εἰς ὑγείαν τοῦ: *~ to sb's health/success,* πίνω εἰς ὑγείαν κάποιου/στήν ἐπιτυχία κάποιου. **2**. (ἀπορ)-ροφῶ: *The parched soil drank (in) the rain,* τό καψαλιασμένο χῶμα ρούφηξε τή βροχή. **~·able** /-əbl/ *ἐπ.* πόσιμος: *Is this water ~able?* εἶναι πόσιμο (πίνεται) αὐτό τό νερό; **~er** *οὐσ.* ‹C› πότης: *He's a heavy ~er,* εἶναι μεγάλος πότης. **~·ing** *οὐσ.* ‹U› πιόσιμο, πιοτό: *He's too fond of ~ing,* τοῦ ἀρέσει πολύ τό πιοτό. **ˈ~ing-bout**, κρασοκατάνυξις. **ˈ~ing-fountain**, δημόσια βρύση. **ˈ~ing-song**, τραγούδι τοῦ κρασιοῦ. **ˈ~ing-water**, πόσιμο νερό.

drip /drɪp/ *ρ.μ/ἀ.* (*-pp-*) στάζω: *The tap is ~ping,* ἡ βρύση στάζει. *Sweat was ~ping from his face,* ὁ ἱδρώτας ἔσταζε ἀπό τό πρόσωπό του. *He was ~ping sweat,* ἔσταζε ἱδρῶτα. **ˈ~ping ˈwet**, μούσκεμα: *He came in ~ping wet.* **ˈ~-ˈdry**, (*ὕφασμα*) πού δέν θέλει στίψιμο ἤ σίδερο. **~·ping** *οὐσ.* **1**. (*πληθ.*) στάξιμο, σταγόνα. **2**. ‹U› λίπος ψητοῦ.

[1]**drive** /draɪv/ *οὐσ.* ‹C,U› **1**. διαδρομή, βόλτα (μέ αὐτοκίνητο): *The village is an hour's ~ away,* τό χωριό εἶναι μιά ὥρα διαδρομή ἀπό δῶ. ***go for a ~/take sb for a ~***, κάνω/πηγαίνω κπ βόλτα μέ τ' αὐτοκίνητο. **2**. (*αὐτοκ.*) κίνησις: *left-hand/front-wheel ~,* αὐτοκίνητο μέ τό τιμόνι ἀριστερά/μέ τήν κίνηση μπροστά. **3**. (*τέννις, κρίκετ, γκόλφ*) χτύπημα. **4**. δυναμισμός, δραστηριότητα, τόλμη, ἐνεργητικότητα: *He's full of ~,* εἶναι γεμᾶτος δυναμισμό. *a man with ~ and initiative,* ἄνθρωπος μέ τόλμη καί πρωτοβουλία. **5**. ἐκστρατεία, καμπάνια: *They'll make a ~ to raise money,* θά κάνουν καμπάνια νά μαζέψουν χρήματα. *the ˈexport ~,* ἡ ἐκστρατεία αὐξήσεως τῶν ἐξαγωγῶν.

[2]**drive** /draɪv/ *ρ.μ/ἀ.* *ἀνώμ.* (*ἀόρ.* *drove* /drəʊv/, *π.μ.* *~n* /ˈdrɪvn/) **1**. ὁδηγῶ: *~ cattle to market,* ὁδηγῶ ζῶα στό παζάρι. *~ the enemy out of a position,* ἐκδιώκω τόν ἐχθρό ἀπό μιά θέση. *~ a taxi/lorry,* ὁδηγῶ ταξί/φορτηγό. *I'll ~ you to the station,* θά σέ πάω στό σταθμό (μέ τ' αὐτοκίνητο). *Shall we ~ to church or walk?* θά πᾶμε στήν ἐκκλησία μέ τ' αὐτοκίνητο ἤ μέ τά πόδια; ***~ sb into a corner***, στριμώχνω κπ, τόν φέρνω σέ δύσκολη θέση. **ˈdriving lessons/test/licence**, μαθήματα/ἐξετάσεις/ἄδεια ὁδηγήσεως. **ˈ~-in** *οὐσ.* ‹C› & *ἐπ.* ὑπαίθριο σινεμά, ἑστιατόριο, κλπ. ὅπου ἐξυπηρετεῖται κανείς χωρίς νά βγῆ ἀπό τό αὐτοκίνητο: *a ~-in bank.* **2**. (*συνήθ. σέ παθ. φων.*) κινῶ: *machinery ~n by steam/electricity,* μηχανές κινούμενες μέ ἀτμό/μέ ἠλεκτρισμό. **3**. ἐξωθῶ, σπρώχνω, ἀναγκάζω: *~ sb to despair,* σπρώχνω κπ στήν ἀπελπισία. *He was ~n by hunger to steal,* ἡ πεῖνα τόν ἐξώθησε νά κλέψη. ***~ sb mad***, τρελλαίνω κπ. **4**. ρίχνω, πετῶ: *The gale drove the ship onto the rocks,* ἡ θύελλα ἔρριξε τό πλοῖο στά βράχια. *The wind drove the rain against the window-panes,* ὁ ἀέρας ἔρριχνε τή βροχή βίαια πάνω στά τζάμια. **5**. πέφτω ὁρμητικά, τρέχω: *The ship drove on the rocks,* τό πλοῖο ἔπεσε στά βράχια. *The rain was driving in our faces,* ἡ βροχή ἔπεφτε δαρτή στά πρόσωπά μας. *The clouds drove across the sky,* τά σύννεφα ἔτρεχαν στόν οὐρανό. **6**. φορτώνω κπ μέ δουλειά, ζορίζω: *Don't ~ the workers too hard,* μήν παραζορίζης τούς ἐργάτες. *He was hard ~n,* τόν εἶχαν ζορίσει πολύ. ***~ away at** (one's work)*, δουλεύω σκληρά: *He ~s away at his dictionary,* ἔχει πέσει μέ τά μοῦτρα στό λεξικό του (στό γράψιμο τοῦ λεξικοῦ). **7**. χτυπῶ (*συνήθ.* μπάλλα): *~ a ball out of the court,* βγάζω τή μπάλλα ἔξω ἀπό τό γήπεδο. ***let ~ at sb***, καταφέρνω χτύπημα, δίνω μιά σέ κπ: *He let ~ at me with his left,* μοῦδωσε μιά μέ τ' ἀριστερό του. **8**. τρυπῶ, ἀνοίγω: *~ a tunnel,* ἀνοίγω σήραγγα. **9**. ἀναβάλλω: *Don't ~ it to the last minute,* μήν τ' ἀφήνης γιά τήν τελευταία στιγμή. **10**. (*μέ ἐπιρ.* &

προθέσεις):

drive at, ἐννοῶ, σκοπεύω: *What are you ~ing at?* τί ἐννοεῖς; ποῦ τό πᾶς:

drive away/off, φεύγω, διώχνω: *He got into his car and drove away/off*, μπῆκε στ' αὐτοκίνητό του κι' ἔφυγε. ~ *a dog away*, διώχνω ἕνα σκυλί.

drive back, ἀπωθῶ, ἐπιστρέφω: ~ *back the enemy*, ἀπωθῶ τόν ἐχθρό. *He drove back home*, ἐπέστρεψε σπίτι μέ τ' αὐτοκίνητο.

drive in/into, μπήγω, χώνω: ~ *a nail into the wall*, μπήγω ἕνα καρφί στόν τοῖχο. *I can't* ~ *it into his head*, δέν μπορῶ νά τοῦ τό χώσω στό κεφάλι.

drive on, συνεχίζω τό δρόμο μου (μέ αὐτοκίνητο).

drive out, διώχνω, ἐκδιώκω, ἐκβάλλω: ~ *the enemy out of a town*, βγάζω τόν ἐχθρό ἀπό μιά πόλη.

drive through, (δια)τρυπῶ, διασχίζω (μέ αὐτοκίνητο): ~ *one's sword through sb's body*, διατρυπῶ τό σῶμα κάποιου μέ τό σπαθί μου. ~ *through a town*, διασχίζω μιά πόλη.

drive up, πλησιάζω (μέ τ' αὐτοκίνητο).

dri·vel /ˈdrɪvl/ *ρ.μ.* *(-ll-)* σαλιαρίζω, λέω ἀνοησίες: *What's he* ~*ling about?* τί τσαμπουνάει; *He's still* ~*ling on*, ἀκόμη συνεχίζει τίς ἀνοησίες του. __*οὐσ.* ‹U› ἀνοησίες. **~·ler** /ˈdrɪvələ(r)/ *οὐσ.* ‹C› μωρολόγος, φλύαρος.

dri·ven /ˈdrɪvn/ *π.μ. τοῦ ρ. drive.*

dri·ver /ˈdraɪvə(r)/ *οὐσ.* ‹C› ὁδηγός: *a ˈtaxi-/ˈbus-*~ ; *a ˈmule-*~, ἡμιονηγός, ἀγωγιάτης.

drizzle /ˈdrɪzl/ *οὐσ.* ‹U› ψιλή βροχή, ψιχάλα. __*ρ.ἀ.* ψιλοβρέχω, ψιχαλίζω: *It* ~*d all day*, ψιλόβρεχε ὅλη τήν ἡμέρα. **driz·zly** /ˈdrɪzlɪ/ *ἐπ.* βροχερός, ὁμιχλώδης: *drizzly weather*, βροχερός καιρός.

droll /drəʊl/ *ἐπ.* (*πεπαλ.*) ἀστεῖος, γελοῖος, κωμικός: *a* ~ *appearance*, κωμική ἐμφάνιση. **~·ery** /-ərɪ/ *οὐσ.* ‹C,U› ἀστειολογία, ἀστεῖο, ἀστειότης.

drom·edary /ˈdrʌmədərɪ/ *οὐσ.* ‹C› δρομάς (καμήλα).

drone /drəʊn/ *οὐσ.* ‹C,U› **1**. (*κυριολ.* & *μεταφ.*) κηφήνας. **2**. βόμβος, βουητό: *the* ~ *of an aeroplane*, ὁ βόμβος ἀεροπλάνου. **3**. μονότονη ὁμιλία: *the parson's* ~, τό μονότονο μουρμουρητό τοῦ παπᾶ. __*ρ.μ/ἀ.* βομβῶ, μουρμουρίζω ἤ τραγουδῶ μονότονα: *The parson* ~*d out the psalm*, ὁ παπᾶς εἶπε τόν ψαλμό μέ μονότονη φωνή.

drool /drul/ *ρ.ἀ.* ~ ***(over)***, σαλιαρίζω, ἀνοηταίνω, γλυκοσαλιάζω.

droop /drup/ *ρ.μ/ἀ.* γέρνω, χαμηλώνω, μαραίνομαι: *Her head* ~*ed sadly*, τό κεφάλι της ἔγειρε θλιμμένα. *The flowers were* ~*ing for want of water*, τά λουλούδια ἔγερναν μαραμένα ἀπό ἔλλειψη νεροῦ. *His spirits* ~*ed*, μελαγχόλησε, ἔχασε τό κέφι του. __*οὐσ.* ‹C› σκύψιμο, γέρσιμο, μαρασμός, ἀτονία.

drop /drop/ *οὐσ.* ‹C› **1**. σταγόνα, στάλα. *ˈrain-*~*s*, σταγόνες βροχῆς. *ˈeye-/ˈear-*~*s*, σταγόνες γιά τά μάτια/γιά τά αὐτιά. *He had a* ~ *too much*, παράπιε λίγο. *to the last* ~, μέχρι τελευταίας σταγόνας. ***in ~s; ~ by ~***, στάλα-στάλα. ***(only) a ~ in the bucket/ocean***, σταγόνα στόν ὠκεανό. **2**. παστίλια, καραμέλλα: *peppermint* ~*s*, παστίλιες μέντας. **3**. ἀπότομη πτῶσις: *a* ~ *in prices*, πτῶσις τῶν τιμῶν. *a* ~ *in the temperature*, πτῶσις τῆς θερμοκρασίας. ***at the ~ of a hat***, στό πί καί φί, ἀμέσως. **4**. γκρεμός, ὕψος, ἀπόστασις (ἀπό τό ἔδαφος, ἀπό τή θάλασσα): *There was a* ~ *of 10 metres from the top of the cliff to the water*, ὑπῆρχε ἕνας γκρεμός 10 μέτρων ἀπό τήν κορυφή τοῦ βράχου ὥς τό νερό. **5**. καταπακτή. **ˈ~-curtain**, αὐλαία (πού πέφτει).

[2]**drop** /drop/ *ρ.μ/ἀ.* *(-pp-)* **1**. στάζω. **2**. πέφτω, ἀφήνω κτ νά πέση: *It was so quiet you could hear a pin* ~, ἦταν τόσο ἥσυχα πού καρφίτσα νἄπεφτε θά τήν ἄκουγες. *The glass* ~*ped out of her hands*, τό ποτήρι ἔπεσε ἀπό τά χέρια της. *She* ~*ped the glass*, τῆς ἔπεσε τό ποτήρι. *Don't* ~ *the baby*, μή σοῦ πέση τό μωρό! ***~ anchor***, ρίχνω ἄγκυρα. ***~ a stitch***, μοῦ φεύγει ἕνας πόντος. **3**. πέφτω, χαμηλώνω: *The wind/The temperature/His voice* ~*ped*, ὁ ἀέρας/ἡ θερμοκρασία/ἡ φωνή του ἔπεσε. *He* ~*ped (on)to his knees*, ἔπεσε στά γόνατα. *She* ~*ped into a chair*, ἔπεσε (σωριάστηκε) σέ μιά καρέκλα. **4**. ρίχνω: *Supplies were* ~*ped by parachute*, ρίχτηκαν ἐφόδια μέ ἀλεξίπτωτο. ~ *shells into a town*, ρίχνω βλήματα σέ μιά πόλη. ~ *a bird/an enemy plane*, ρίχνω ἕνα πουλί/ἕνα ἐχθρικό ἀεροπλάνο. ***~ a hint***, πετῶ ἕναν ὑπαινιγμό. ***~ sb a line/postcard***, γράφω σέ κπ δυό λόγια/μιά κάρτα. (*βλ.* & *λ. brick*) **5**. παραλείπω: *She* ~*s her h's*, παραλείπει (τρώει) τά *h*. *The relative pronoun is often* ~*ped*, ἡ ἀναφορική ἀντωνυμία συχνά παραλείπεται. **6**. ἀφήνω, κατεβάζω (ἀπό αὐτοκίνητο): *Where shall I* ~ *you?* ποῦ θέλεις νά σ' ἀφήσω (νά σέ κατεβάσω); *D*~ *me at the station*, ἄφησέ με στό σταθμό. **7**. ἀφήνω, κόβω, σταματῶ: ~ *a bad habit*, κόβω μιά κακή συνήθεια. *He's* ~*ped all his friends*, ἔκοψε ὅλους τούς φίλους του. ~ *a subject*, ἀφήνω (παύω νά μιλῶ γιά) ἕνα θέμα. *We can't agree, let's* ~ *it*, δέν μποροῦμε νά συμφωνήσωμε, ἄς κόψωμε τή συζήτηση. *The correspondence* ~*ped*, ἡ ἀλληλογραφία σταμάτησε. **8**. (*μέ ἐπιρ* & *προθέσεις*):

drop across sb/sth, συναντῶ ἤ βρίσκω τυχαίως κπ/κτ.

drop away, λιγοστεύω: *His friends* ~*ped away one by one*, οἱ φίλοι του λιγόστευαν ἕνας-ἕνας.

drop back/behind, ξεμένω πίσω: *The two lovers* ~*ped back/behind the party*, οἱ δυό ἐρωτευμένοι ἔμειναν πίσω/πίσω ἀπό τή συντροφιά.

drop in (on sb); drop by, περνῶ (νά δῶ κπ), κάνω φιλική ἐπίσκεψη: *I wish he wouldn't* ~ *in on me so often*, καλύτερα νά μή μέ ἐπισκεπτόταν τόσο συχνά. *Some friends* ~*ped in to tea/*~*ped by to see me*, κάτι φίλοι πέρασαν γιά τσάϊ/πέρασαν νά μέ δοῦν.

drop off, *(α)* λιγοστεύω: *The doctor's practice* ~*ped off*, ἡ πελατεία τοῦ γιατροῦ λιγόστεψε. *(β)* ἀποκοιμιέμαι: *He* ~*ped off during the sermon*, ἀποκοιμήθηκε στή διάρκεια τοῦ κηρύγματος.

drop out, *(α)* ἀποσύρομαι (ἀπό διαγωνισμό): *Two of the runners ~ped out*, δύο ἀπό τούς δρομεῖς ἀπεσύρθησαν. *(β)* ἐγκαταλείπω (σχέδιον, σχέσεις, κλπ), δέν συμμετέχω: *~ out of a company*, κόβω μιά παρέα, παύω νά πηγαίνω μαζί τους. **`~-out** *οὐσ.* ‹C› *(α)* ὁ ἐγκαταλείπων (σπουδές, κλπ): *Many University ~-outs take to drugs*, πολλοί ἀπό τούς φοιτητές πού ἐγκαταλείπουν τίς σπουδές τους τό ρίχνουν στά ναρκωτικά. *(β)* διαρροή: *The ~-out rate in a foreign language school is usually high*, τό ποσοστόν διαρροῆς στά σχολεῖα ξένων γλωσσῶν εἶναι συνήθως ὑψηλό.
drop through, ἀποτυγχάνω, δέν καταλήγω πουθενά: *His pet project has ~ped through*, τό ἀγαπημένο του σχέδιο δέν κατέληξε πουθενά.

drop·pings /ˋdropɪŋz/ *οὐσ. πληθ.* κουτσουλιές (πουλιῶν), σταγόνες κεριοῦ.

dropsy /ˋdropsɪ/ *οὐσ.* ‹U› (*ἰατρ.*) ὑδρωπικία. **drop·si·cal** /ˋdropsɪkl/ *ἐπ.* ὑδρωπικός.

dross /ˋdros/ *οὐσ.* ‹U› ἀκάθαρτος ἀφρός (λυωμένου μετάλλου), (*μεταφ.*) σκύβαλα. ἀπορρίμματα. **~y** *ἐπ.* *(-ier, -iest)* γιά πέταμα, ἄχρηστος.

drought /draʊt/ *οὐσ.* ‹C,U› ξηρασία, ἀναβροχιά.

[1]**drove** /drəʊv/ *ἀόρ. τοῦ ρ. drive.*

[2]**drove** /drəʊv/ *οὐσ.* ‹C› κοπάδι, ὁμάδα, πλῆθος (ἐν κινήσει): *~s of cattle*, κοπάδια ζῶα. *~s of tourists/visitors*, πλήθη τουριστῶν/ἐπισκεπτῶν. **~r** *οὐσ.* ‹C› γελαδάρης, ζωέμπορος.

drown /draʊn/ *ρ.μ/ἀ.* **1**. πνίγω/-ομαι: *He ~ed the kittens*, ἔπνιξε τά γατιά. *He ~ed while swimming*, πνίγηκε ἐνῶ κολυμποῦσε. *He fell overboard and was ~ed*, ἔπεσε ἀπό τό πλοῖο καί πνίγηκε. **2**. (*γιά ἦχο*) καταπνίγω, σκεπάζω: *The noise in the street ~ed his voice*, ὁ θόρυβος τοῦ δρόμου σκέπασε (ἔπνιξε) τή φωνή του. **3**. (*μεταφ.*) πνίγω, πλημμυρίζω: *a face ~ed in tears*, πρόσωπο πνιγμένο στά δάκρυα. **4**. ***be ~ed out***, ἐγκαταλείπω ἕναν τόπο λόγῳ πλημμυρῶν.

drowse /draʊz/ *ρ.μ/ἀ.* μισοκοιμᾶμαι: *~ away a hot afternoon*, περνῶ ἕνα ζεστό ἀπόγευμα μισοκοιμισμένος. __*οὐσ.* ‹U› ὕπνος, ὑπνηλία: *in a ~*, σέ κατάσταση ὑπνηλίας.

drowsy /ˋdraʊzɪ/ *ἐπ.* *(-ier, -iest)* νυσταγμένος, μισοκοιμισμένος, νυσταλέος, ἀποκοιμιστικός. **drows·ily** /ˋdraʊzəlɪ/ *ἐπίρ.* νυσταγμένα. **drow·si·ness** *οὐσ.* ‹U› νύστα, ὑπνηλία.

drub /drʌb/ *ρ.μ.* *(-bb-)* δέρνω, ξυλοφορτώνω: *give sb a good/sound ~bing*, δίνω ἕνα γερό ξύλο σέ κπ. *~ sth into sb*, βάζω κτ μέ τό ζόρι στό κεφάλι κάποιου.

drudge /drʌdʒ/ *ρ.ἀ.* δουλεύω σκληρά: *~ away one's best years*, περνῶ τό καλύτερά μου χρόνια δουλεύοντας σά σκλάβος. *~ and slave*, δουλεύω σά σκλάβος. __*οὐσ.* ‹C› σκλάβος (στή δουλειά). **~ry** /ˋdrʌdʒərɪ/ *οὐσ.* ‹U› ἀγγαρεία, σκλαβιά, μόχθος.

drug /drʌg/ *οὐσ.* ‹C› **1**. φάρμακο. **`~·store** *οὐσ.* ‹C› (*ΗΠΑ*) συνδυασμός φαρμακείου, ἑστιατορίου καί καταστήματος. **2**. ναρκωτικό: *a `~ addict*, τοξικομανής. *a `~ peddlar*, ἔμπορος ναρκωτικῶν. **3**. ***a ~ on the market***, ἐμπόρευμα πού δέν ἔχει ζήτηση. __*ρ.μ.* *(-gg-)* δίνω ἤ βάζω ναρκωτικό: *They ~ged the caretaker*, ἔδωσαν ναρκωτικό στό φύλακα. *They ~ged his wine and robbed the bank*, ἔβαλαν ναρκωτικό στό κρασί του καί λήστεψαν τήν Τράπεζα. **~·gist** /ˋdrʌgɪst/ *οὐσ.* ‹C› φαρμακοποιός.

[1]**drum** /drʌm/ *οὐσ.* ‹C› **1**. τύμπανο (αὐτιοῦ), τούμπανο, ταμποῦρλο. **`~·fire**, καταιγιστικό πῦρ. **`~·head court-martial**, ἔκτακτο στρατοδικεῖο ἐν καιρῷ ἐκστρατείας. **'~-`major**, (*στρατ.*) ἀρχιτυμπανιστής. **`~·stick**, τυμπανόξυλο, τό κάτω μέρος ἀπό μπούτι κοτόπουλου ἤ γαλοπούλας. **2**. βαρέλι (πίσας, λαδιοῦ, κλπ), ἀνέμη (γιά περιτύλιξη καλωδίου, σύρματος, κλπ).

[2]**drum** /drʌm/ *ρ.μ/ἀ.* *(-mm-)* **1**. χτυπῶ τό τύμπανο. **2**. παίζω ταμποῦρλο (μέ τά δάχτυλα ἤ τά πόδια): *~ on the table with one's fingers; ~ the floor with one's feet*. **3**. ***~ up***, μαζεύω, συγκεντρώνω (ὑποστηρικτές, βοήθεια, κλπ). **4**. ***~ sth into sb/into sb's head***, χώνω κτ στό κεφάλι κάποιου μέ συνεχεῖς ἐπαναλήψεις. **~·mer** *οὐσ.* ‹C› τυμπανιστής.

drunk /drʌŋk/ **1**. *π.μ. τοῦ ρ. drink*. **2**. (*κατηγ. ἐπ.*) μεθυσμένος: *He was ~*, ἦταν μεθυσμένος. ***dead/blind ~***, τύφλα στό μεθύσι. ***get ~ (on)***, μεθῶ (μέ): *get ~ on brandy/ouzo*, μεθῶ μέ κονιάκ/μέ οὖζο. ***~ with joy***, μεθυσμένος ἀπό χαρά. **~·ard** /-əd/ *οὐσ.* ‹C› μέθυσος, μπεκρῆς.

drun·ken /ˋdrʌŋkən/ *ἐπίθ.* (*πάντα πρό οὐσ.*) μεθυσμένος, μέθυσος: *a ~ and dissolute man*, ἕνας μέθυσος καί ἄσωτος. *~ frolics*, μεθυσμένα καμώματα. **~·ness** *οὐσ.* ‹U› μεθύσι.

[1]**dry** /draɪ/ *ἐπ.* *(drier, driest)* στεγνός, ξηρός, ξερός: *~ clothes/wood*, στεγνά ροῦχα/ξύλα. *~ weather/a ~ climate*, ξηρός καιρός/-ό κλῖμα. *a ~ well*, στερεμένο πηγάδι. *a ~ cow*, στέρφα (χωρίς γάλα) ἀγελάδα. *~ bread/toast*, ξερό ψωμί/-ή φρυγανιά (χωρίς βούτυρο). *~ wine*, μπροῦσκο κρασί. *a ~ lecture/subject*, ἀνιαρή διάλεξη/ξερό (ἀνιαρό) θέμα. *~ humour/sarcasm*, ἥσυχο χιοῦμορ/ψυχρός σαρκασμός. *a ~ smile/laugh*, εἰρωνικό χαμόγελο/ξερό γέλιο. *~ facts*, ἁπλᾶ, ξερά γεγονότα. *a ~ cough*, ξερός βήχας. *a ~ wall*, ξερότοιχος, ξερολιθιά. *a ~ country*, χώρα ὅπου ἰσχύει ἡ ποτοαπαγόρευσις. *~ work*, δουλειά πού φέρνει δίψα. *pump a well ~*, ἀδειάζω πηγάδι (ἀντλώντας ὅλο τό νερό). ***'~ as a `bone; 'bone-`~***, κατάστεγνος, κατάξερος. ***feel ~***, νοιώθω δίψα. ***run ~***, (*γιά πηγάδι, κλπ*) ξεραίνομαι, στερεύω. **'~-`clean** *ρ.μ.* καθαρίζω στεγνά. **'~-`cleaning**, στεγνό καθάρισμα. **'~-`cleaner's**, στεγνοκαθαριστήριον. **'~ `goods**, (*ΗΠΑ*) νεωτερισμοί, ὑφάσματα. **'~ `nurse**, ντατά μωροῦ (πού δέν τό θηλάζει). **'~ `rot**, σαράκι (ξύλου). **`~-shod** *ἐπ.* & *ἐπίρ.* μέ στεγνά πόδια. **~·ness** *οὐσ.* ‹U› ξηρότης, στέγνα.

[2]**dry** /draɪ/ *ρ.μ/ἀ.* ξεραίνω, στεγνώνω, σκουπίζω: *wind that dries the skin*, ἄνεμος πού ξεραίνει τό δέρμα. *~ one's clothes*, στεγνώνω τά ροῦχα μου. *~ one's hands with a towel*,

σκουπίζω τά χέρια μου μέ πετσέτα. ~ *away one's tears*, σκουπίζω τά δάκρυά μου. *dried eggs/milk*, αὐγά/γάλα σκόνη. ~ ***up***, στεγνώνω ἐντελῶς, στερεύω: *All the wells have dried up*, ὅλα τά πηγάδια στέρεψαν. *His imagination seems to have dried up*, ἡ φαντασία του φαίνεται νά ἔχη στερέψει. ***D~ up!*** (*λαϊκ.*) βούλωστο! κόφτο!

dryer, drier /ˋdraɪə(r)/ *οὐσ.* ‹C› **1**. στεγνωτήριον: *an electric ˋhair-~*, σεσουάρ. **2**. στεγνωτικό (σέ μπογιά).

dryad /ˋdraɪəd/ *οὐσ.* ‹C› (*μυθ.*) δρυάς, νύμφη (τοῦ δάσους).

dual /ˋdjuəl/ *ἐπ.* διπλός, διχασμένος: *a ˈ~ ˋcarriageway*, (*ΗΠΑ, divided highway*) ἐθνική ὁδός χωρισμένη στή μέση σ' ὅλο τό μῆκος της. *a ˈ~ ˈpersonality*, διπλῆ, διχασμένη προσωπικότητα.

dub /dʌb/ *ρ.μ.* *(-bb-)* **1**. ἀναγορεύω (ἱππότην). **2**. ἐπονομάζω, κολλῶ παρατσούκλι, βγάζω: *They ~bed him 'Fatty'*, τόν ἔβγαλαν "Χοντρούλη".

du·bi·ous /ˋdjubɪəs/ *ἐπ.* ~ ***(of/about/as to)***, ἀμφίβολος, ἀβέβαιος: *a ~ compliment/result*, ἀμφίβολο κομπλιμέντο/ἀποτέλεσμα. *He's a ~ character*, εἶναι ὕποπτος τύπος. *I feel ~ of his honesty*, ἀμφιβάλλω γιά τήν τιμιότητά του. *I feel ~ about/as to what to do next*, δέν εἶμαι βέβαιος γιά τό τί πρέπει νά κάμω ἐν συνεχείᾳ.

du·cal /ˋdjukl/ *ἐπ.* δουκικός.

ducat /ˋdʌkət/ *οὐσ.* ‹C› δουκᾶτον (νόμισμα).

duch·ess /ˋdʌtʃɪs/ *οὐσ.* ‹C› δούκισσα.

duchy /ˋdʌtʃɪ/ *οὐσ.* ‹C› δουκᾶτον (ἡ περιοχή).

[1]**duck** /dʌk/ *οὐσ.* ‹C› (*συχνά ἀμετάβλ. εἰς τόν πληθ. ὡς περιληπτ. οὐσ.*) πάπια. ***ˈlame ˋ~***, (*μεταφ.*) ἑτοιμόρροπη ἐπιχείρηση, ἀπόκληρος τῆς ζωῆς. ***(take to sth) like a ~ to water***, (παίρνω κτ) πολύ εὔκολα, φυσικά: *He takes to Latin like a ~ to water*, παίρνει πολύ εὔκολα τά λατινικά. ***like water off a ~'s back***, (γιά ἐπιτίμηση, κλπ) χωρίς ἀποτέλεσμα, ἀπαρατήρητος. ***~s and drakes***, παιχνίδι στό ὁποῖο πέτρες ἐκσφενδονίζονται στήν ἐπιφάνεια τῆς θαλάσσης καί ἀναπηδοῦν. ***play ~s and drakes with*** *(one's money, life, etc)*, σπαταλῶ, ξοδεύω ἄσκοπα (τά χρήματά μου, τή ζωή μου, κλπ). **ˋ~·ling** *οὐσ.* ‹C› μικρό παπί.

[2]**duck** /dʌk/ *ρ.μ/ἀ.* **1**. σκύβω γρήγορα (γιά ν' ἀποφύγω κτύπημα): *He ~ed his head.* **2**. βουτῶ κπ στό νερό, κάνω βουτιά: *If you ~ me again I'll get angry*, ἄν μέ ξαναβουτήξης θά θυμώσω. **~·ing** *οὐσ.* ‹C› μπάνιο (ἀκούσιο): *give sb a ~ing*, ρίχνω κπ στό νερό. *get a ~ing*, γίνομαι παπί (μούσκεμα).

duct /dʌkt/ *οὐσ.* ‹C› ἀγωγός, σωλήνας, (*ἰατρ.*) πόρος: *an ˋair-~*, ἐξαεριστήρας (πχ σέ ἀεροπλάνο).

duc·tile /ˋdʌktaɪl/ *ἐπ.* (*γιά ἄνθρ. ἤ μέταλλα*) εὔπλαστος, μαλακός.

dud /dʌd/ *ἐπ.* & *οὐσ.* ‹C› (*λαϊκ.*) ἄχρηστος: *a ~ shell*, μή ἐκραγεῖσα ὀβίδα. *He's a ~*, εἶναι ἄχρηστος, δέν ἀξίζει πεντάρα.

dudg·eon /ˋdʌdʒən/ *οὐσ.* ‹U› ***in high ~***, ἐξαγριωμένος, φουρκισμένος: *He went off in high ~*, ἔφυγε φουρκισμένος.

[1]**due** /dju/ *ἐπ.* **1**. ὀφειλόμενος, πληρωτέος, ἀπαιτητός: *The rent is ~ tomorrow*, τό ἐνοίκιο πρέπει νά πληρωθῆ αὔριο. *the wages ~ to him*, τά μεροκάματα πού τοῦ ὀφείλονται. **2**. πρέπων, δέων: *with all ~ care*, μέ ὅλη τή δέουσα προσοχή. *after ~ consideration*, μετά προσεκτικήν μελέτην, κατόπιν ὡρίμου σκέψεως. *receipt in ~ form*, κανονική ἀπόδειξις. **3**. ἀναμενόμενος: *The train is ~ at seven*, τό τραῖνο ἀναμένεται στίς ἑπτά. *He's ~ to speak/arrive tomorrow*, ἀναμένεται νά μιλήση/νά φθάση αὔριο. **4**. ~ ***to***, ὀφειλόμενος εἰς: *The accident was ~ to carelessness*, τό ἀτύχημα ὀφείλετο σέ ἀπροσεξία. __*ἐπίρ.* κατ' εὐθεῖαν: ~ *east/north/south/west*, κατ' εὐθεῖαν πρός ἀνατολάς, κλπ.

[2]**due** /dju/ *οὐσ.* **1**. ‹U› ὀφειλόμενον, ἀνῆκον, δικαιούμενον. ***give sb his ~***, δίνω σέ κπ ὅ,τι τοῦ ἀνήκει, ὅ,τι δικαιοῦται. (*βλ.* & *λ. devil*) **2**. (*πληθ.*) τέλη: *port ~s*, λιμενικά τέλη.

duel /ˋdjuəl/ *οὐσ.* ‹C› μονομαχία. __*ρ.ἀ.* *(-ll-)* μονομαχῶ. **~·list** /ˋdjuəlɪst/ *οὐσ.* ‹C› μονομάχος.

duet /djuˋet/ *οὐσ.* ‹C› ντουέτο.

duf·fel, duffle /ˋdʌfl/ *οὐσ.* ‹C,U› χοντρό μάλλινο ὕφασμα, καμηλό.

dug /dʌg/ *ἀόρ.* & *π.μ. τοῦ ρ. dig.*

dug-out /ˋdʌg aʊt/ *οὐσ.* ‹C› **1**. ἀμπρί. **2**. πιρόγα.

duke /djuk/ *οὐσ.* ‹C› δούξ, δούκας. **~·dom** /-dəm/ *οὐσ.* ‹C› ἀξίωμα δουκός, δουκᾶτον.

dull /dʌl/ *ἐπ.* *(-er, -est)* **1**. μουντός: *a ~ sound*, μουντός, ὑπόκωφος ἦχος. *a ~ sky/mirror/pain/day/colour*, μουντός οὐρανός/καθρέφτης/πόνος/-ή ἡμέρα/-ό χρῶμα. **2**. ἀμβλύς: *a ~ knife*, στομωμένο μαχαῖρι. ***be ~ of hearing***, δέν ἀκούω καλά, βαρυακούω. **3**. πληκτικός, ἀνιαρός: *a ~ film/book/life*, πληκτικό φίλμ/βιβλίο/-ή ζωή. **4**. κουτός: *a ~ boy/pupil*, κουτό παιδί/-ός μαθητής. __*ρ.μ/ἀ.* ἀμβλύνω: ~ *the edge of a knife/a pain*, ἀμβλύνω μαχαῖρι/πόνον. **~·ness** *οὐσ.* ‹U› ἀμβλύνοια, νωθρότης, ἀνιαρότης. **~y** /ˋdʌllɪ/ *ἐπίρ.*

duly /ˋdjulɪ/ *ἐπίρ.* δεόντως.

dumb /dʌm/ *ἐπ.* *(-er, -est)* **1**. μουγγός, βωβός: ~ *from birth*, μουγγός ἐκ γενετῆς. **2**. ἄφωνος, ἄλαλος: *remain ~*, μένω ἄφωνος. ~ ***show***, παντομίμα. ***ˈstrike ˋ~***, κάνω κπ νά χάση τή μιλιά του: *He was struck ~ with horror*, ἔμεινε ἄλαλος ἀπό φρίκη. **~·ness** *οὐσ.* ‹U› μουγγαμάρα.

dumb-bell /ˋdʌmbel/ *οὐσ.* (*συνήθ. πληθ.*) ἀλτῆρες.

dumb·found /dʌmˋfaʊnd/ *ρ.μ.* καταπλήσσω, ἀποσβολώνω. **~ed** *ἐπ.* ἐμβρόντητος, ἄναυδος.

dummy /ˋdʌmɪ/ *οὐσ.* ‹C› **1**. κούκλα (ράφτη). **2**. πιπίλα (μωροῦ). **3**. (*θέατρ.*) βωβό πρόσωπο. **4**. (*ἐπιθ.*) ψεύτικος: *a ~ gun*, ψεύτικο ὅπλο. ***ˈ~ ˋrun***, δοκιμή.

dump /dʌmp/ *οὐσ.* ‹C› **1**. σκουπιδότοπος. **2**. (*λαϊκ.*) βρωμότοπος, βρωμοπόλις. **3**. ἀποθήκη (*συνήθ. στρατ. εἰδῶν*): *an ˈammuˋnition ~*, ἀποθήκη πυρομαχικῶν. __*ρ.μ.* **1**. ρίχνω, πετῶ, ξεφορτώνω (μέ γδοῦπο): ~ *rubbish*, πετῶ σκουπίδια. **2**. πουλῶ φτηνά (σέ ξένη ἀγορά): ~ *goods on a foreign market*, πουλῶ ἐμπορεύματα σέ ξένη ἀγορά κάτω τοῦ κόστους.

ˋ~**er**; ˋ~ **truck**, ἀνατρεπόμενο φορτηγό.

dump·ling /ˋdʌmplɪŋ/ *οὐσ.* ‹C› κομμάτι ζύμης βρασμένο μέ κρέας ἤ ψημμένο στό φοῦρνο (μέ φροῦτο στή μέση).

dumps /dʌmps/ *οὐσ. πληθ.* ἀκεφιές. ***be down in the*** **~**, (*καθομ.*) εἶμαι ἄκεφος, εἶμαι στίς μαῦρες μου.

dun /dʌn/ *ἐπ.* σκοῦρος, γκριζόμαυρος.

dunce /dʌns/ *οὐσ.* ‹C› χοντροκέφαλος, τοῦβλο, κούτσουρο (στά γράμματα).

dune /djun/ *οὐσ.* ‹C› ἀμμόλοφος.

dung /dʌŋ/ *οὐσ.* ‹U› κοπριά. ˋ**~·hill**, σωρός κοπριᾶς.

dun·ga·rees /ˈdʌŋgəˋriz/ *οὐσ. πληθ.* φόρμα (ἐργάτη).

dun·geon /ˋdʌndʒən/ *οὐσ.* ‹C› μπουντρούμι.

dupe /djup/ *οὐσ.* ‹C› κορόϊδο, θῦμα. —*ρ.μ.* κοροϊδεύω, ἐξαπατῶ.

du·plex /ˋdjupleks/ *ἐπ.* διπλός: *a ~ apartment*, (*ΗΠΑ*) διαμέρισμα μέ δωμάτια σέ δύο ὀρόφους πού ἐπικοινωνοῦν μέ ἐσωτερική σκάλα.

[1]**du·pli·cate** /ˋdjuplɪkeɪt/ *ρ.μ.* ἀντιγράφω, διπλασιάζω: *~ a letter*, κάνω ἀντίγραφα γράμματος. **du·pli·ca·tion** /ˈdjuplɪˋkeɪʃn/ *οὐσ.* ‹U› πολυγράφησις, ἀντίγραφον. **du·pli·ca·tor** /-tə(r)/ *οὐσ.* ‹C› πολύγραφος.

[2]**du·pli·cate** /ˋdjuplɪkət/ *οὐσ.* ‹C,U› ἀντίγραφον: ***in*** **~**, εἰς διπλοῦν. —*ἐπ.* διπλός, πανομοιότυπος, σωσίας.

du·plic·ity /djuˋplɪsətɪ/ *οὐσ.* ‹U› διπλοπροσωπία.

dur·able /ˋdjʊərəbl/ *ἐπ.* ἀνθεκτικός. —*οὐσ.* (*συνήθ. πληθ.*) διαρκῆ ἀγαθά. **dura·bil·ity** /ˈdjʊərəˋbɪlətɪ/ *οὐσ.* ‹U› ἀντοχή, στερεότης, σταθερότης.

dur·ation /djʊˋreɪʃn/ *οὐσ.* ‹U› διάρκεια: *for the ~ of the war*, καθ᾽ ὅλην τήν διάρκειαν τοῦ πολέμου. *of short ~*, μικρᾶς διαρκείας.

dur·ess(e) /djʊˋres/ *οὐσ.* ‹U› ἀπειλή, βία, φυλάκισις: *act under ~*, ἐνεργῶ ὑπό πίεσιν, ὑπό καταναγκασμόν.

dur·ing /ˋdjʊərɪŋ/ *πρόθ.* κατά τήν διάρκειαν: *~ the war/my absence*, κατά τήν διάρκειαν τοῦ πολέμου/τῆς ἀπουσίας μου.

dusk /dʌsk/ *οὐσ.* ‹U› λυκόφως, σούρουπο: *at ~*, μέ τό σούρουπο. **~y** *ἐπ.* (*-ier, -iest*) σκοτεινός, ἀμυδρός.

[1]**dust** /dʌst/ *οὐσ.* ‹U› **1**. σκόνη: *When it rains ~ turns into mud*, ὅταν βρέχει ἡ σκόνη γίνεται λάσπη. ***bite/lick the*** **~**, τρώω χῶμα (πέφτω κάτω νικημένος ἤ νεκρός). ***shake the ~ off one's feet***, ρίχνω μαύρη πέτρα πίσω μου. ***throw ~ in a person's eyes***, ρίχνω στάχτη στά μάτια κάποιου. ˋ**~-jacket/-wrapper**, κουβερτούρα (βιβλίου). **2**. φασαρία: ***kick up/raise/make a*** **~**, (*λαϊκ*) κάνω φασαρία, δημιουργῶ ἐπεισόδιο, χαλῶ τόν κόσμο. **3**. σκουπίδια. ˋ**~-cart**, αὐτοκίνητο τῶν σκουπιδιῶν. ˋ**~·man** /-mən/, ὁδοκαθαριστής, σκουπιδιάρης. ˋ**~·pan**, φαράσι. **4**. τέφρα (νεκρῶν).

[2]**dust** /dʌst/ *ρ.μ.* **1**. ξεσκονίζω: *~ the furniture*, ξεσκονίζω τά ἔπιπλα. ***~ sb's jacket***, σπάζω κπ στό ξύλο. ˋ**~-up**, (*καθομ.*) καυγᾶς, συμπλοκή. **2**. πασπαλίζω, πουδράρω: *~ sugar on to a cake*, πασπαλίζω ζάχαρη σέ κέκ. **~er** *οὐσ.* ‹C› ξεσκονόπανο, ξεσκονιστήρι.

dusty /ˋdʌstɪ/ *ἐπ.* (*-ier, -iest*) σκονισμένος: *become ~*, σκονίζομαι.

Dutch /dʌtʃ/ *ἐπ.* **1**. ὀλλανδικός: *~ cheese*. **2**. (*καθομ.*) (*στίς φράσεις*): ***~ courage***, παλληκαριά τοῦ μεθυσμένου, ψευτονταηλίκι. ***~ treat***, ρεφενές. ***go ~ (with sb)***, μοιράζομαι τά ἔξοδα (μέ κπ), πάω ρεφενέ. ***talk to sb like a ~ uncle***, μιλῶ αὐστηρά/τά ψέλνω σέ κπ. ˋ**~man** /-mən/ *οὐσ.* ‹C› Ὀλλανδός.

duti·able /ˋdjutɪəbl/ *ἐπ.* ὑποκείμενος εἰς δασμόν: *~ goods*.

duti·ful /ˋdjutɪfl/ *ἐπ.* εὐπειθής, ὑπάκουος: *a ~ son*. **~ly** /-fəlɪ/ *ἐπίρ.* ὑπάκουα.

duty /ˋdjutɪ/ *οὐσ.* ‹C,U› **1**. καθῆκον: *When ~ calls...*, ὅταν καλεῖ τό καθῆκον... *He has a strong sense of ~*, ἔχει ἔντονη συναίσθηση τοῦ καθήκοντος. ***(as) in ~ bound***, ὡς ἀπαιτεῖ τό καθῆκον. ***be on/off ~***, ἔχω/δέν ἔχω ὑπηρεσία. ***do one's ~***, κάνω τό καθῆκον μου. ***do ~ for***, χρησιμοποιοῦμαι ἀντί, χρησιμεύω γιά: *This box will do ~ for a table*, αὐτό τό κασόνι θά χρησιμεύση γιά τραπέζι. **2**. δασμός: *custom duties*, τελωνειακοί δασμοί. ˈ**~-ˋfree**, ἀδασμολόγητος.

dwarf /dwɔf/ *οὐσ.* ‹C› (*πληθ. ~s*) νάνος. —*ρ.μ.* **1**. κατσιάζω (φυτό, κλπ). **2**. κάνω κτ νά φαίνεται μικρό: *The skyscraper ~ed the houses around*, ὁ οὐρανοξύστης ἔκανε τά γύρω σπίτια νά φαίνονται σά νάνοι.

dwell /dwel/ *ρ.ἀ. ἀνώμ.* (*ἀόρ. ~ed, π.μ. dwelt /dwelt/*) **1**. **~ *in/at***, κατοικῶ. **2**. **~ *(up)on***, (παρα)μένω ἐπί μακρόν: *let one's thoughts ~ on sth*, ἀφήνω τίς σκέψεις μου ἐπί μακρόν σέ κτ. *She dwelt too much upon her past*, ἐπέμεινε (μίλησε ἤ ἔγραψε) πολύ στό παρελθόν της. **~er** *οὐσ.* ‹C› (*ὡς β! συνθετ.*) κάτοικος: ˋ*town-~ers*, κάτοικοι πόλεων. ˋ*cave-~ers*, κάτοικοι σπηλαίων. **~·ing** *οὐσ.* ‹C› κατοικία.

dwindle /ˋdwɪndl/ *ρ.ἀ.* μικραίνω σιγά-σιγά, φθίνω.

[1]**dye** /daɪ/ *ρ.μ/ἀ.* (*ἐνεργ. μετ. dyeing*) βάφω: *~ a white dress blue*, βάφω μπλέ ἕνα ἄσπρο φόρεμα. *have a dress ~d*, δίνω φόρεμα γιά βάψιμο. *This material ~s easily*, αὐτό τό ὕφασμα βάφει εὔκολα. *Deep blushes ~d her cheeks*, τά μάγουλά της ἔγιναν κατακόκκινα.

[2]**dye** /daɪ/ *οὐσ.* ‹C,U› χρῶμα, βαφή: *a fast ~*, γερό χρῶμα (πού δέν ξεβάφει). ***a villain/scoundrel of the deepest ~***, (*μεταφ.*) μασκαρᾶς, παληάνθρωπος μέ περικεφαλαία. ˋ**~-stuff**, βαφή. **dyer** *οὐσ.* ‹C› βαφεύς.

dy·ing /ˋdaɪɪŋ/ *ἐνεργ. μετ. τοῦ ρ. die.*

dyke /daɪk/ *οὐσ.* ‹C› *βλ. dike.*

dy·namic /daɪˋnæmɪk/ *ἐπ.* δυναμικός. —**~s** *οὐσ. πληθ.* (*μέ τό ρ. στόν ἑν.*) ἡ δυναμική. **~·ally** /-klɪ/ *ἐπίρ.*

dy·na·mism /ˋdaɪnəmɪzm/ *οὐσ.* ‹U› δυναμισμός.

dy·na·mite /ˋdaɪnəmaɪt/ *οὐσ.* ‹U› δυναμῖτις. —*ρ.μ.* ἀνατινάσσω μέ δυναμίτιδα.

dy·namo /ˋdaɪnəməʊ/ *οὐσ.* ‹C› (*πληθ. ~s /-məʊz/*) δυναμό, γεννήτρια.

dyn·asty /ˋdɪnəstɪ/ *οὐσ.* ‹C› δυναστεία.

dys·en·tery /ˋdɪsntrɪ/ *οὐσ.* ‹U› δυσεντερία.

dys·pep·sia /dɪsˋpepsɪə/ *οὐσ.* ‹U› δυσπεψία. **dys·pep·tic** /dɪsˋpeptɪk/ *ἐπ.* & *οὐσ.* ‹C› δυσπεπτικός.

E, e /i/ **1**. τό 5ο γράμμα τοῦ ἀλφάβητου. **2**. (*μουσ.*) μί.

each /itʃ/ *ἐπ.* κάθε, καθένας (γιά δύο ἤ περισσοτέρους): *on ~ side of the bed*, σέ κάθε πλευρά τοῦ κρεββατιοῦ. *~ one of us*, καθένας μας. __*ἀντων.* καθένας, ἕκαστος: *~ of them/of the boys*, καθένας τους/καθένα ἀπό τά παιδιά. *We ~ earn a pound/We earn a pound ~*, κερδίζομε ὁ καθένας μας μιά λίρα. ***~ other***, ὁ ἕνας τόν ἄλλον, ἀλλήλους: *We must help ~ other*, πρέπει νά βοηθᾶμε ὁ ἕνας τόν ἄλλον. *They see ~ other on the beach every day*, βλέπονται στήν πλάζ κάθε μέρα. *They looked at ~ other*, ἀλληλοκοιτάχτηκαν.

eager /ˈigə(r)/ *ἐπ.* ποθῶν, διψασμένος, ἐνθουσιώδης, πρόθυμος, ἀνυπόμονος: *~ for knowledge*, διψασμένος γιά γνώσεις. ***be ~ for sth/to do sth***, ἀνυπομονῶ, λαχταρῶ κτ/νά κάνω κτ: *He was ~ to start*, ἀνυπομονοῦσε νά ξεκινήση. ***~ beaver***, (*καθομ.*) ὑπερενθουσιώδης δουλευτής, ἐργαζόμενος μέ ὑπερβάλλοντα ζῆλο. **~·ly** *ἐπίρ.* μέ λαχτάρα, ἀνυπόμονα. **~·ness** *οὐσ.* ‹U› ζῆλος, ἀνυπομονησία, λαχτάρα.

eagle /ˈigl/ *οὐσ.* ‹C› ἀετός. **ˈ~-ˈeyed** *ἐπ.* μέ ἀετίσιο βλέμμα. **eag·let** /ˈiglət/ *οὐσ.* ‹C› ἀετόπουλο.

[1]**ear** /ɪə(r)/ *οὐσ.* ‹C› αὐτί, οὖς: *a smile from ~ to ~*, πλατύ χαμόγελο. ***be all ~s***, εἶμαι ὅλος αὐτιά. ***come to one's ~s***, φτάνει στ' αὐτιά μου. ***feel one's ~s burning***, μέ πιάνει λόξυγγας (ἐπειδή μιλᾶνε γιά μένα). ***fall on deaf ~s***, ἀγνοοῦμαι, δέν λαμβάνομαι ὑπ' ὄψιν: *My advice fell on deaf ~s*, οἱ συμβουλές μου ἀγνοήθηκαν. ***go in at one ~ and out (at) the other***, ἀπό τὄνα αὐτί μπαίνω κι'ἀπό τἄλλο βγαίνω. ***give one's ~s (for sth/to do sth)***, δίνω τήν ψυχή μου, κάνω κάθε θυσία: *I'd give my ~s to know the truth*, θἄδινα ὅ,τιδήποτε νά μάθω τήν ἀλήθεια. ***have a good ~ for music***, ἔχω μουσικό αὐτί. ***have a word in sb's ~***, λέω κτ ἐμπιστευτικά σέ κπ. ***have/win sb's ~***, ἔχω/ἀποκτῶ ἐπιρροή σέ κπ, μέ προσέχει σ'ὅ,τι λέω: *I have the Prime Minister's ~*, ὁ Πρωθυπουργός μέ ἀκούει προσεχτικά σ' ὅ,τι πῶ. ***prick up one's ~s***, τεντώνω τ' αὐτιά. ***set people by the ~s***, σπέρνω διχόνοια (ζιζάνια) μεταξύ ἀνθρώπων. ***turn a deaf/a sympathetic ~ to** (a request)*, ἀρνοῦμαι νά ἱκανοποιήσω/ἀκούω μέ συμπάθεια (μιά παράκληση). ***wet behind the ~s***, ἀφελής. ***about one's ~s***, ἐπάνω μου, ἐναντίον μου: *He brought a storm/He had everyone about his ~s*, προκάλεσε θύελλα ἐναντίον του/πέσαν ὅλοι ἐπάνω του. ***by ~***, μέ τ' αὐτί, χωρίς νά διαβάσω (μουσική). ***up to one's ~s in work***, πνιγμένος στή δουλειά. **ˈ~·ache**, ὠταλγία, πόνος τοῦ αὐτιοῦ. **ˈ~·drop**, σκουλαρίκι μέ κρεμαστό κόσμημα. **ˈ~-drum**, τύμπανον αὐτιοῦ. **ˈ~·mark** *οὐσ.* σημάδι (σέ αὐτί ζώων, πρός ἀναγνώρισιν). __*ρ.μ.* **1**. σημαδεύω. **2**. βάζω κατά μέρος, προορίζω: *~mark a sum for research*, βάζω κατά μέρος ἕνα ποσόν γιά ἔρευνες. **ˈ~·piece**, ἀκουστικό (τηλεφώνου). **ˈ~·phones**, ἀκουστικά (ραδιοτηλεγραφητοῦ). **ˈ~·ring**, σκουλαρίκι. **ˈ~·shot**, ἀπόστασις ἀκοῆς: *We are within/out of ~shot*, εἴμαστε/δέν εἴμαστε σέ ἀπόσταση ἀκοῆς. **ˈ~-trumpet**, ἀκουστικόν κέρας (γιά βαρήκοους). **ˈ~-wax**, κυψελίς, κερήθρα τοῦ αὐτιοῦ.

[2]**ear** /ɪə(r)/ *οὐσ.* ‹C› στάχυ: *corn in the ~*, σταχυασμένο στάρι.

earl /ɜl/ *οὐσ.* ‹C› (*θηλ.* *countess*) κόμης. **ˈ~·dom** /-dəm/ *οὐσ.* ‹C› κομητεία.

early /ˈɜlɪ/ *ἐπ.* *(-ier, -iest)* & *ἐπίρ.* νωρίς, πρώϊμος, πρωϊνός, πρόωρος: *have an ~ breakfast/start*, παίρνω πρόγευμα/ξεκινῶ νωρίς. *in ~ spring*, στίς ἀρχές τῆς ἀνοίξεως. *in the ~ 19th century*, στίς ἀρχές τοῦ 19ου αἰῶνα. *keep ~ hours*, κοιμᾶμαι καί σηκώνομαι νωρίς. *at your earliest convenience*, ὅσο πιό σύντομα μπορεῖτε, εἰς πρώτην εὐκαιρίαν. *~ fruit*, πρώϊμα φροῦτα. *an ~ spring*, πρώϊμη ἄνοιξη. *an ~ death*, πρόωρος θάνατος. *too ~*, πάρα πολύ νωρίς. ***The ~ bird catches the worm***, (*παροιμ.*) ὁ δουλευτής πού ξυπνάει νωρίς πάει μπροστά. ***earlier on***, ἐνωρίτερον, ἀρχικῶς.

earn /ɜn/ *ρ.μ.* **1**. κερδίζω: *~ £2000 a year/one's daily bread*, κερδίζω 2000 λίρες τό χρόνο/τό ψωμί μου. ***~ one's living***, κερδίζω τά πρός τό ζῆν. **2**. κερδίζω, κατακτῶ: *His achievements ~ed him respect and admiration*, μέ τά ἐπιτεύγματά του κέρδισε (κατέκτησε) τό σεβασμό καί τό θαυμασμό ὅλων. **~·ings** *οὐσ.* *πληθ.* κέρδη, εἰσόδημα.

[1]**earn·est** /ˈɜnɪst/ *ἐπ.* **1**. σοβαρός: *an ~ worker*, ἕνας σοβαρός (εὐσυνείδητος) ἐργάτης. **2**. ἔνθερμος: *an ~ request*, θερμή παράκλησις. **3**. διακαής: *an ~ desire*, διακαής ἐπιθυμία. __*οὐσ.* ‹U› ***in ~***, στά σοβαρά, γιά καλά: *Are you in ~?* στά σοβαρά τό λές (τό λές ἀλήθεια); *It's raining in real ~*, βρέχει γιά καλά. **~·ly** *ἐπίρ.* σοβαρά, διακαῶς. **~·ness** *οὐσ.* ‹U› σοβαρότης, ζῆλος.

[2]**earn·est** /ˈɜnɪst/ *οὐσ.* ‹C› **1**. (*ἐπίσης: ˈ~-money*) προκαταβολή, καπάρο. **2**. δεῖγμα: *As an ~ of my talent/of my good intentions...*, σά δεῖγμα τοῦ ταλέντου μου/τῶν καλῶν μου προθέσεων...

earth /ɜθ/ *οὐσ.* **1**. ‹U› γῆ, κόσμος: *The ~ goes round the sun*, ἡ γῆ γυρίζει γύρω ἀπό τόν ἥλιο. *the greatest poet on ~*, ὁ μεγαλύτερος ποιητής τοῦ κόσμου. ***move heaven and ~***, κινῶ γῆ καί οὐρανό. ***come back/down to ~***, προσγειώνομαι, παύω νά ὀνειροπολῶ. ***on ~***, στήν ὀργή, στό διάβολο, κλπ: *How on ~ do you know?* πῶς διάβολο τό ξέρεις; *Where on ~ did you go?* ποῦ στήν ὀργή πῆγες; *Why on ~ did you sell it?* τί σ' ἔπιασε καί τό πούλησες; **2**. ‹U› χῶμα, ἔδαφος: *fill a pit with ~*, γεμίζω ἕνα λάκκο μέ χῶμα. **ˈ~-closet**, πρωτόγονο ἀποχωρητήριο. **ˈ~·work**, ἀνάχωμα, πρόχωμα. **ˈ~-worm**, σκουλήκι, σκουληκαντέρα. **3**. ‹C› τρύπα (ἀλεποῦς, ἀσβοῦ, κλπ): *stop an ~*, βουλώνω μιά τρύπα. ***run to ~***, (*γιά ἀλεποῦ*) χώνομαι στή φωληά μου, τρυπώνω. ***run sth/sb to ~***, ξετρυπώνω κτ/κπ. **4**.

‹C› (*ἠλεκτρ.*) γῆ, (προσ)γείωσις. —*ρ.μ.* ~ ***up***, σκεπάζω μέ χῶμα. **~y** *ἐπ.* *(-ier, -iest)* **1**. τῆς γῆς, τοῦ χώματος: *an ~y smell*, μυρουδιά τῆς γῆς. **2**. ἄξεστος, τραχύς.

earthen /ˈɜθn/ *ἐπ.* χωματένιος: *an ~ floor/jar*, χωματένιο δάπεδο/κιοῦπι. **ˋ~·ware** /-weə(r)/ *οὐσ.* ‹U› πήλινα σκεύη. —*ἐπ.* πήλινος.

earth·ly /ˋɜθlɪ/ *ἐπ.* **1**. ἐπίγειος: *~ possessions*, ἐπίγεια ἀγαθά. **2**. (*καθομ.*) ἀπολύτως: *no ~ chance/use*, καμιά ἀπολύτως πιθανότητα/χρησιμότητα.

earth·quake /ˋɜθkweɪk/ *οὐσ.* ‹C› σεισμός.

ear·wig /ˋɪəwɪg/ *οὐσ.* ‹C› (*ἐντομ.*) ψαλλίδα.

[1]**ease** /iz/ *οὐσ.* ‹U› ἄνεσις, ἀνάπαυσις, εὐκολία, ἡσυχία: *a life of ~*, ἄνετη ζωή. *take one's ~*, παύω νά δουλεύω ἤ νά ἀνησυχῶ. *with ~*, μέ εὐκολία, ἀνέτως. ***set sb's mind at ~***, καθησυχάζω κπ. ***Stand at ~!*** (*στρατ. παράγγελμα*) ἡμιανάπαυσις! ***feel at ~***, νοιώθω ἄνετα. ***feel ill at ~***, δέν νοιώθω ἄνετα.

[2]**ease** /iz/ *ρ.μ/ὰ.* **1**. μετριάζω, ἀνακουφίζω, ξαλαφρώνω: *~ down the speed of a boat*, μετριάζω τήν ταχύτητα πλοίου. *E~ off a bit!* (*γιά ταχύτητα*) κόψε λίγο! *~ sb's anxiety*, μετριάζω τήν ἀνησυχία κάποιου. *~ sb of his pain/burden*, ἀνακουφίζω κπ ἀπό τόν πόνο του/τόν ξαλαφρώνω ἀπό τό βάρος του. **2**. ξεσφίγγω, χαλαρώνω: *~ the belt*, ξεσφίγγω τή λουρίδα. *the easing of tension between our countries*, ἡ χαλάρωσις τῆς ἐντάσεως μεταξύ τῶν χωρῶν μας. *The situation has ~d off*, ἡ κατάστασις παρουσιάζει ὕφεση.

easel /ˋizl/ *οὐσ.* ‹C› καβαλέτο (ζωγράφου).

east /ist/ *οὐσ.* ‹U› ἀνατολή: *to the ~*, πρός ἀνατολάς. *the Near/the Middle/the Far E~*, ἡ Ἐγγύς/ἡ Μέση/ἡ Ἄπω Ἀνατολή. —*ἐπ.* ἀνατολικός: *an ~ wind*, ἀνατολικός ἄνεμος. **the ˈE~ ˋEnd**, τό ἀνατολικό Λονδῖνο. —*ἐπίρ.* ἀνατολικά: *travel/face ~*, ταξιδεύω/βλέπω ἀνατολικά. **ˋ~·bound**, (*γιά τραῖνο*) κατευθυνόμενο ἀνατολικά. **ˋ~·ward(s)**, *ἐπ.* & *ἐπίρ.* πρός ἀνατολάς.

Easter /ˋistə(r)/ *οὐσ.* ‹C› Πάσχα, Λαμπρή: *at ~*, τή Λαμπρή. *an ~ egg*, πασχαλινό αὐγό. *the ~ holidays*, οἱ πασχαλινές διακοπές. **ˋ~ week**, ἑβδομάς τῆς Διακαινησίμου.

east·er·ly /ˋistəlɪ/ *ἐπ.* & *ἐπίρ.* ἀνατολικός, ἐξ ἀνατολῶν, πρός ἀνατολάς, ἀνατολικῶς.

east·ern /ˋistən/ *ἐπ.* ἀνατολικός, τῆς Ἀνατολῆς: *~ religions*, θρησκεῖες τῆς Ἀνατολῆς. *the E~ Church*, ἡ Ἀνατολική (ἡ Ὀρθόδοξος) Ἐκκλησία. *the E~ Hemisphere*, τό Ἀνατολικόν Ἡμισφαίριον.

easy /ˋizɪ/ *ἐπ.* *(-ier, -iest)* **1**. εὔκολος: *an ~ job/book*, εὔκολη δουλειά/-ο βιβλίο. ***~ of access***, εὐπρόσιτος. ***on ~ terms***, μέ εὐκολίες πληρωμῆς. **2**. ἄνετος: *an ~ life/chair*, ἄνετη ζωή/ἀναπαυτική πολυθρόνα. ***be in ~ circumstances***, εἶμαι εὐκατάστατος, εὐπορῶ. **ˈ~ ˋgoing** *ἐπ.* (*γιά ἄνθρ.*) βολικός, ξένοιαστος, ἀνέμελος. —*ἐπίρ.* ἤσυχα, σιγάσιγά: *Go ~ on the brandy!* σιγά (μέ οἰκονομία) τό κονιάκ! ***Stand ~!*** (*στρατ. παράγγελμα*) ἀνάπαυσις! ***Take it ~!*** μέ τό μαλακό! **eas·ily** /ˋizəlɪ/ *ἐπίρ.* **1**. εὔκολα. **2**. ἀναμφιβόλως: *It's easily his best novel*, χωρίς συζήτηση εἶναι τό καλύτερό του μυθιστόρημα. **3**. ἐνδεχομένως: *That may easily be the case*, μπορεῖ ἐνδεχομένως νά συμβαίνει αὐτό.

eat /it/ *ρ.μ/ὰ.* (*ἀόρ.* *ate* /eɪt/, *π.μ.* *~en* /ˋitn/) **1**. τρώγω: *We should ~ to live, not live to ~*, πρέπει νά τρῶμε γιά νά ζοῦμε, ὄχι νά ζοῦμε γιά νά τρῶμε. *~ up one's food*, τελειώνω (ἀποτρώω) τό φαΐ μου. ***~ one's heart out***, ὑποφέρω σιωπηλά. ***~ one's words***, καταπίνω (παίρνω πίσω) τά λόγια μου. **2**. κατατρώγω: *He's ~en up with pride/jealousy*, τόν κατατρώει ἡ περηφάνεια/ἡ ζήλεια. **~·able** /-əbl/ *ἐπ.* φαγώσιμος. —*οὐσ.* (*συνήθ. πληθ.*) τροφές, φαγώσιμα. **~er** *οὐσ.* ‹C› φαγᾶς: *a big/a poor ~er*, μεγάλος φαγᾶς/λιγόφαγος.

eau-de-vie /ˈəʊ də ˋvi/ *οὐσ.* ‹C,U› ρακί, μπράντυ.

eaves /ˋivz/ *οὐσ. πληθ.* γεῖσον στέγης, μαρκίζα. **ˋ~·drop** *ρ.ὰ.* κρυφακούω. **ˋ~·dropper** *οὐσ.* ‹C› ὠτακουστής.

ebb /eb/ *ρ.ὰ.* **1**. (*γιά παλίρροια*) ὑποχωρῶ, τραβιέμαι. **2**. (*μεταφ.*) λιγοστεύω, ἐξασθενίζω: *His fortune is beginning to ~*, ἡ περιουσία του ἀρχίζει νά λιγοστεύη. *Daylight/His life was rapidly ~ing away*, τό φῶς/ἡ ζωή του ἔσβυνε γρήγορα. —*οὐσ.* ‹C› **1**. ἄμπωτις: *the ~ and flow*, ἡ ἄμπωτις καί ἡ παλίρροια. **2**. ὑποχώρησις, πτῶσις, παρακμή. ***on the ~***, σέ κάμψη, σέ πτώση: *His popularity is on the ~*, ἡ δημοτικότης του εἶναι σέ πτώση. ***at a low ~***, πεσμένος, χαμηλά: *His business is at a low ~*, οἱ δουλειές του εἶναι πεσμένες.

ebony /ˋebənɪ/ *οὐσ.* ‹U› ἔβενος. *ἐπ.* ἐβένινος.

ebul·lient /ɪˋbʌlɪənt/ *ἐπ.* ἐκδηλωτικός, ζωηρός, ἐνθουσιώδης. **ebul·lience** /ɪˋbʌlɪəns/ *οὐσ.* ‹U› ἔκρηξις, κοχλασμός, ἐνθουσιασμός, ζωντάνια.

ec·cen·tric /ɪkˋsentrɪk/ *ἐπ.* & *οὐσ.* ‹C› **1**. ἐκκεντρικός. **2**. (*μηχ.*) ἔκκεντρον. **~·ity** /ˈeksənˋtrɪsətɪ/ *οὐσ.* ‹C,U› ἐκκεντρικότης.

ec·clesi·as·tic /ɪˈklizɪˋæstɪk/ *οὐσ.* ‹C› κληρικός. **~al** /-kl/ *ἐπ.* ἐκκλησιαστικός.

echo /ˋekəʊ/ *οὐσ.* ‹C› (*πληθ.* *~es*) ἠχώ, ἀντίλαλος. **ˋ~·sounder** *οὐσ.* ‹C› ἠχοβολίς. —*ρ.μ/ὰ.* ἀντηχῶ, ἀπηχῶ, ἐπαναλαμβάνω: *The valley ~ed as he sang/~ed with his song*, ἡ κοιλάδα ἀντηχοῦσε καθώς τραγουδοῦσε/ἀπό τό τραγοῦδι του. *The shot ~ed through the woods*, ὁ πυροβολισμός ἀντήχησε μέσα στό δάσος. *They ~ed every word of their leader*, ἐπαναλάμβαναν κάθε λέξη τοῦ ἀρχηγοῦ τους.

ec·lec·tic /ɪˋklektɪk/ *ἐπ.* ἐκλεκτικός. **ec·lec·ti·cism** /-tɪsɪzm/ *οὐσ.* ‹U› ἐκλεκτισμός.

eclipse /ɪˋklɪps/ *οὐσ.* ‹C› ἔκλειψις: *a lunar/solar ~*, ἔκλειψις σελήνης/ἡλίου. *a total/partial ~*, ὁλική/μερική ἔκλειψις. *suffer an ~* (*γιά φήμη, κλπ*) παθαίνω ἔκλειψη. —*ρ.μ.* (ἐπι)σκιάζω: *She ~d every other woman at the ball*, ἐπεσκίασε κάθε γυναίκα στό χορό.

ecol·ogy /ɪˋkolədʒɪ/ *οὐσ.* ‹U› (*βιολ.*) οἰκολογία. **eco·logi·cal** /ˈikəˋlodʒɪkl/ *ἐπ.* οἰκολογικός.

econ·omic /ˈikəˋnomɪk/ *ἐπ.* **1**. οἰκονομικός: *~ policy/geography*, οἰκονομική πολιτική/γεωγραφία. **2**. ἐπικερδής. **~al** /-kl/ *ἐπ.* φειδωλός, οἰκονόμος: *be ~al of one's time*, εἶμαι φειδωλός στό χρόνο μου. *an ~al car*, οἰκονομικό αὐτοκίνητο (πού καταναλώνει λίγη βενζίνη).

econ·om·ics /ˈikəˈnomɪks/ *οὐσ. πληϑ.* (*μέ ρ. ἑν.*) ἡ οἰκονομική (ἐπιστήμη). **econ·om·ist** /ɪˈkonəmɪst/ *οὐσ.* ‹C› οἰκονομολόγος, οἰκονόμος.

econ·om·ize /ɪˈkonəmaɪz/ *ρ.μ/ὰ.* κάνω οἰκονομίες: ~ *on fuel and light*, κάνω οἰκονομίες στά καύσιμα καί στό φῶς. *We must* ~ *in all possible ways*, πρέπει νά κάνωμε οἰκονομία μέ κάθε δυνατό τρόπο.

econ·omy /ɪˈkonəmɪ/ *οὐσ.* ‹C,U› οἰκονομία: *I practise* ~, κάνω οἰκονομία. *It's an* ~ *to buy good quality goods*, εἶναι οἰκονομία νά ἀγοράζη κανείς πράγματα καλῆς ποιότητος. *political* ~, πολιτική οἰκονομία. *the* ~ *of Greece*, ἡ οἰκονομία τῆς Ἑλλάδος. ˈ~ ***class***, τουριστική θέσις (σέ ἀεροπλάνο).

ec·stasy /ˈekstəsɪ/ *οὐσ.* ‹C,U› ἔκστασις: *be in an* ~, εἶμαι σέ κατάσταση ἐκστάσεως. ***go/be thrown into ecstasies over sth***, πέφτω σέ ἔκσταση γιά κτ.

ec·static /ɪkˈstætɪk/ *ἐπ.* ἐκστατικός. **ec·stati·cally** /-klɪ/ *ἐπίρ.* ἐκστατικά.

ecu·meni·cal /ˈikjʊˈmenɪkl/ *ἐπ.* οἰκουμενικός: *the E~ Council*, Οἰκουμενική Σύνοδος. *the* ~ *movement*, κίνησις ὑπέρ τῆς ἑνώσεως τῶν Ἐκκλησιῶν.

ec·zema /ˈeksɪmə/ *οὐσ.* ‹U› ἔκζεμα.

eddy /ˈedɪ/ *οὐσ.* ‹C› δίνη, στρόβιλος (καπνοῦ, νεροῦ, σκόνης, κλπ). __*ρ.ὰ.* στροβιλίζομαι.

Eden /ˈidn/ *οὐσ.* Ἐδέμ.

edge /edʒ/ *οὐσ.* ‹C› **1**. κόψη: *a knife with a sharp* ~, μαχαίρι μέ κοφτερή κόψη. ***be on*** ~, εἶμαι σέ ἔξαψη, ἐκνευρισμένος, μέ τεντωμένα νεῦρα. ***give sb the*** ~ ***of one's tongue***, κατσαδιάζω κπ ἄγρια. ***have the*** ~ ***on sb***, (*καϑομ.*) εἶμαι σέ πλεονεκτική θέση ἔναντι κάποιου. ***set sb's teeth on*** ~, φέρνω ἀνατριχίλα: *Sour grapes set my teeth on* ~, τ' ἄγουρα σταφύλια μοῦ φέρνουν ἀνατριχίλα. ***take the*** ~ ***off sth***, μετριάζω, κόβω (πχ τήν ὄρεξη). **2**. χεῖλος, ἄκρη, παρυφή: *the* ~ *of a well*, τό χεῖλος πηγαδιοῦ. *the* ~ *of a table*, ἡ ἄκρη ἑνός τραπεζιοῦ. *the* ~ *of a forest*, ἡ παρυφή ἑνός δάσους. **edgy** /ˈedʒɪ/ *ἐπ.* *(-ier, -iest)* εὐερέθιστος, εὐέξαπτος.

edge /edʒ/ *ρ.μ/ὰ.* **1**. ἀκονίζω. **2**. πλαισιώνω (δρόμο), ρελιάζω (φόρεμα): *a road* ~*d with poplars/grass*, δρόμος πλαισιωμένος ἀπό λεῦκες/μέ χορτάρι στίς ἄκρες. **3**. προχωρῶ σιγά: ~ *oneself/one's way through a crowd*, χώνομαι/ἀνοίγω δρόμο σιγά-σιγά σ' ἕνα πλῆθος.

edge·ways /ˈedʒweɪz/, **edge·wise** /ˈedʒwaɪz/ *ἐπίρ.* πλάγια, μέ τήν κόψη. ***not get a word in*** ~, δέν προλαβαίνω νά πῶ λέξη (γιατί μιλάει συνεχῶς κάποιος πολυλογᾶς).

edg·ing /ˈedʒɪŋ/ *οὐσ.* ‹U› ρέλι, μπορντούρα, πατούρα: *an* ~ *of lace*, μπορντούρα ἀπό ντατέλλα.

ed·ible /ˈedəbl/ *ἐπ.* φαγώσιμος. __*οὐσ. πληϑ.* φαγώσιμα.

edict /ˈidɪkt/ *οὐσ.* ‹C› διάταγμα.

edi·fi·ca·tion /ˈedɪfɪˈkeɪʃn/ *οὐσ.* ‹U› (ἠθική) διάπλασις, διαπαιδαγώγησις, βελτίωσις.

edi·fice /ˈedɪfɪs/ *οὐσ.* ‹C› οἰκοδόμημα.

edify /ˈedɪfaɪ/ *ρ.μ.* διαπλάθω, ἐξυψώνω (ἠθικῶς καί πνευματικῶς): ~*ing books*, ἠθοπλαστικά βιβλία.

edit /ˈedɪt/ *ρ.μ.* ἐκδίδω (περιοδικά, ἐφημερίδες), ἐπιμελοῦμαι μιά ἔκδοση.

edi·tion /ɪˈdɪʃn/ *οὐσ.* ‹C› ἔκδοσις: *a revised/an enlarged* ~, ἀναθεωρημένη/ἐπηυξημένη ἔκδοσις.

edi·tor /ˈedɪtə(r)/ *οὐσ.* ‹C› ἐκδότης, ἐπιμελητής ἐκδόσεως, συντάκτης: *the ˈsports* ~, ὁ ἀθλητικός συντάκτης. ˈ~**-in-ˈchief**, ἀρχισυντάκτης.

edi·tor·ial /ˈedɪˈtɔrɪəl/ *ἐπ.* ἐκδοτικός. __*οὐσ.* ‹C› κύριον ἄρθρον (ἐφημερίδος).

edu·cate /ˈedʒʊkeɪt/ *ρ.μ.* μορφώνω, διδάσκω, ἐκπαιδεύω: *He was* ~*d in England*, σπούδασε στήν Ἀγγλία. **edu·ca·tor** /-tə(r)/ *οὐσ.* ‹C› παιδαγωγός, ἐκπαιδευτής.

edu·ca·tion /ˈedʒʊˈkeɪʃn/ *οὐσ.* ‹U› παιδεία, ἐκπαίδευσις, μόρφωσις: *free/compulsory* ~, δωρεάν/ὑποχρεωτική παιδεία. ~**al** /-ˈkeɪʃnl/ *ἐπ.* ἐκπαιδευτικός. ~**·ist** /-ˈkeɪʃənɪst/, ~**al·ist** /-ˈkeɪʃənlɪst/ *οὐσ.* ‹C› ἐκπαιδευτικός, παιδαγωγός.

eel /il/ *οὐσ.* ‹C› χέλι: *as slippery as an* ~, γλιστερός σά χέλι.

eerie, eery /ˈɪərɪ/ *ἐπ.* μυστηριώδης, ἀπόκοσμος, ἀλλόκοτος, τρομαχτικός: *an* ~ *silence*, μιά ἀλλόκοτη σιωπή (πού προκαλεῖ ἐνστικτώδη φόβο).

ef·face /ɪˈfeɪs/ *ρ.μ.* σβύνω, ἐξαλείφω: ~ *unpleasant memories*, σβύνω δυσάρεστες ἀναμνήσεις. *half-*~*d inscriptions*, μισοσβυσμένες ἐπιγραφές. ~ ***oneself***, μένω παράμερα, ἀποτραβιέμαι, περνῶ ἀπαρατήρητος. ~**·ment** *οὐσ.* ‹U› ἐξάλειψις.

ef·fect /ɪˈfekt/ *οὐσ.* ‹C,U› **1**. ἐνέργεια, ἀποτέλεσμα, συνέπεια, ἐπίδρασις, ἐπιρροή: *The medicine had no* ~, τό φάρμακο δέν ἔφερε ἐνέργεια. *the* ~*s of war*, τά ἀποτελέσματα/οἱ συνέπειες τοῦ πολέμου. *have no* ~ *on sb*, δέν ἔχω καμιά ἐπίδραση, καμιά ἐπιρροή σέ κπ. ***of no*** ~, ἄνευ ἀποτελέσματος. ***to no*** ~, εἰς μάτην. ***in*** ~, *(α)* πραγματικά, οὐσιαστικά. *(β)* ἐν ἰσχύϊ: *The rule is still in* ~, ὁ κανονισμός εἶναι ἀκόμα ἐν ἰσχύϊ. ***bring/carry/put sth into*** ~, θέτω κτ ἐν ἰσχύϊ. ***come into*** ~, τίθεμαι ἐν ἰσχύϊ. ***give*** ~ ***to***, ἐφαρμόζω, ἐκτελῶ (πχ διάταγμα). ***take*** ~, φέρνω ἀποτέλεσμα, ἀρχίζω νά ἰσχύω. **2**. ἐντύπωσις, ἐφφέ: *sound* ~*s*, ἠχητικά ἐφφέ. ***(do sth) for*** ~, (κάνω κτ) γιά λόγους ἐντυπώσεως, γιά ἐφφέ. **3**. ἔννοια, νόημα, περιεχόμενον: *words to that* ~, λέξεις μέ αὐτή τήν ἔννοια. *to the same* ~, μέ τό ἴδιο νόημα (περιεχόμενο). *I received a letter to the* ~ *that..*, ἔλαβα ἕνα γράμμα μέ τήν πληροφορία ὅτι... ***to this*** ~, ὑπ' αὐτήν τήν ἔννοιαν, πρός τοῦτο. **4**. (*πληϑ.*) εἴδη, ὑπάρχοντα: *personal* ~*s*, προσωπικά εἴδη. *movable* ~*s*, κινητά πράγματα. ***no*** ~***s***, (*τραπεζ.*) "δέν ὑπάρχει κάλυμμα." __*ρ.μ.* πραγματοποιῶ, ἐπιτυγχάνω, ἐνεργῶ, ἐπιφέρω: ~ *one's purpose*, πραγματοποιῶ (ἐπιτυγχάνω) τό σκοπό μου. ~ *a payment*, ἐνεργῶ πληρωμήν. ~ *improvements*, ἐπιφέρω βελτιώσεις.

ef·fec·tive /ɪˈfektɪv/ *ἐπ.* **1**. δραστικός, ἀποτελεσματικός: ~ *measures*, δραστικά μέτρα. **2**. ἐντυπωσιακός, χτυπητός, πετυχημένος: *an* ~ *contrast*, χτυπητή ἀντίθεσις. ~ *decoration*, ἐντυπωσιακή, πετυχημένη διακόσμησις. **3**.

πραγματικός, ἐνεργός, οὐσιαστικός, μάχιμος: *the ~ membership*, ὁ πραγματικός ἀριθμός τῶν μελῶν, τά ἐνεργά μέλη. *~ troops*, μάχιμοι στρατιῶτες, ἕτοιμοι δι' ἐνεργόν ὑπηρεσίαν. **~·ly** *ἐπίρ.* ἀποτελεσματικά, πραγματικά. **~·ness** *οὐσ.* ‹C› ἀποτελεσματικότης.

ef·fec·tual /ɪˈfektʃʊəl/ *ἐπ.* (*ὄχι γιά ἀνθρ.*) τελεσφόρος, ἀποτελεσματικός: *an ~ remedy/punishment*, ἀποτελεσματικό φάρμακο/-ή τιμωρία. **~ly** *ἐπίρ.*

ef·fec·tu·ate /ɪˈfektʃʊeɪt/ *ρ.μ.* πραγματοποιῶ, ἐπιφέρω.

ef·femi·nate /ɪˈfemɪnət/ *ἐπ.* θηλυπρεπής. **ef·femi·nacy** /ɪˈfemɪnəsɪ/ *οὐσ.* ‹U› θηλυπρέπεια, μαλθακότης.

ef·fer·vesce /ˈefəˈves/ *ρ.ἀ.* βράζω, ὑφίσταμαι ζύμωσιν, (*μεταφ.*) εἶμαι γεμᾶτος χαρά καί ἔξαψη. **ef·fer·ves·cence** /-ˈvesns/ *οὐσ.* ‹U› ζύμωσις, ἔξαψις. **ef·fer·ves·cent** /-ˈvesnt/ *ἐπ.* βράζων, ζωηρός, ἀσυγκράτητος.

ef·fete /eˈfit/ *ἐπ.* ἐξαντλημένος, παρηκμασμένος, γερασμένος: *~ civilizations/empires*, παρηκμασμένοι πολιτισμοί/-ες αὐτοκρατορίες.

ef·fi·ca·cious /ˈefɪˈkeɪʃəs/ *ἐπ.* (*ὄχι γιά ἀνθρ.*) ἀποτελεσματικός, δραστικός: *an ~ cure*, ἀποτελεσματική θεραπεία. **ef·fi·cacy** /ˈefɪkəsɪ/ *οὐσ.* ‹U› ἀποτελεσματικότης, δραστικότης.

ef·fi·cient /ɪˈfɪʃnt/ *ἐπ.* **1**. ἱκανός, δραστήριος: *an ~ secretary*. **2**. ἀποτελεσματικός, ἀποδοτικός: *an ~ method of teaching*, ἀποδοτική μέθοδος διδασκαλίας. **~·ly** *ἐπίρ.* ἀποδοτικά, ἱκανά. **ef·fi·ciency** /ɪˈfɪʃnsɪ/ *οὐσ.* ‹U› ἀποδοτικότης, ἱκανότης.

ef·figy /ˈefɪdʒɪ/ *οὐσ.* ‹C› ὁμοίωμα: *burn a person in ~*, καίω τό ὁμοίωμα κάποιου.

ef·flor·es·cence /ˈefləˈresns/ *οὐσ.* ‹U› ἄνθησις, ἀνθοφορία. **ef·flor·es·cent** /-snt/ *ἐπ.* ἀνθισμένος.

ef·fort /ˈefət/ *οὐσ.* ‹C,U› προσπάθεια: *His ~s at clearing up the mystery failed*, οἱ προσπάθειές του νά διαλευκάνη τό μυστήριο ἀπέτυχαν. ***make an ~***, κάνω προσπάθεια. **~·less** *ἐπ.* χωρίς προσπάθεια, εὔκολος, ἄκοπος, ἀβίαστος.

ef·front·ery /ɪˈfrʌntərɪ/ *οὐσ.* ‹C,U› αὐθάδεια, ἀναίδεια, ἰταμότης, ἀδιαντροπιά.

ef·fu·sion /ɪˈfjuʒn/ *οὐσ.* ‹C,U› **1**. ἔκχυσις, ἐκροή. **2**. ἔξαρσις: *poetical ~s*, ποιητικές ἐξάρσεις. *~s in love letters*, ἐξάρσεις σέ ἐρωτικά γράμματα.

ef·fu·sive /ɪˈfjusɪv/ *ἐπ.* διαχυτικός, ἐκδηλωτικός: *~ compliments*, διαχυτικά, ἀτέλειωτα κομπλιμέντα. *be ~ in one's gratitude*, ἀναλύομαι σέ ἐκφράσεις εὐγνωμοσύνης. **~·ly** *ἐπίρ.* διαχυτικά. **~·ness** *οὐσ.* ‹U› διαχυτικότης.

[1]**egg** /eg/ *οὐσ.* ‹C› αὐγό: *fried ~s*, τηγανιτά αὐγά. *hard-boiled ~s*, σφιχτά αὐγά. *soft-boiled ~s*, μελᾶτα αὐγά. ***a bad ~***, (*καθομ.*) παλιάνθρωπος, ἄχρηστος ἄνθρωπος. ***in the ~***, ὑπό ἐκκόλαψιν, σέ ἐμβρυώδη κατάσταση. ***put all one's ~s in one basket***, τά παίζω ὅλα γιά ὅλα. ***teach one's grandmother to suck ~s***, (*παροιμ.*) ἔλα παπποῦ νά σοῦ δείξω τ' ἀμπέλια σου. ***as sure as ~s is ~s***, (*καθομ.*) χωρίς ἀμφιβολία, ὅπως σέ βλέπω καί μέ βλέπεις. **ˈ~-cup**, ἡ αὐγουλιέρα. **ˈ~-head**, (*λαϊκ.*) διανοούμενος, καλαμαρᾶς. **ˈ~-plant**, μελιτζάνα. **ˈ~-shell**, τσόφλι αὐγοῦ.

[2]**egg** /eg/ *ρ.μ.* ***~ sb on***, (*καθομ.*) παρακινῶ, παροτρύνω κπ.

ego /ˈegəʊ/ *οὐσ.* ‹C› τό ἐγώ. **~·cen·tric** /ˈegəʊˈsentrɪk/ *ἐπ.* ἐγωκεντρικός, ἐγωπαθής.

ego·ism /ˈegəʊɪzm/ *οὐσ.* ‹U› ἐγωϊσμός, φιλαυτία, ἐγωπάθεια, ἰδιοτέλεια. **ego·ist** /-ɪst/ *οὐσ.* ‹C› ἐγωϊστής. **ego·istic(al)** /ˈegəʊˈɪstɪk(l)/ *ἐπ.* ἐγωϊστικός.

ego·tism /ˈegətɪzm/ *οὐσ.* ‹U› περιαυτολογία, ἔπαρσις, ἐγωϊσμός. **ego·tist** /-tɪst/ *οὐσ.* ‹C› περιαυτολόγος, ἐγωϊστής. **ego·tis·tic** /ˈegəʊˈtɪstɪk/ *ἐπ.* περιαυτολόγος, ἐγωϊστικός, ἐπηρμένος.

egress /ˈigres/ *οὐσ.* ‹C,U› ἔξοδος.

eider·down /ˈaɪdədaʊn/ *οὐσ.* ‹C› πουπουλένιο πάπλωμα.

eight /eɪt/ *ἐπ.* & *οὐσ.* ‹C› ὀκτώ. ***have one over the ~***, (*λαϊκ.*) πίνω ἕνα παραπάνω. **eighth** /eɪtθ/ *ἐπ.* & *οὐσ.* ‹C› ὄγδοος. **~·een** /eɪˈtin/ *ἐπ.* & *οὐσ.* ‹C› δεκαοκτώ. **~·eenth** /eɪˈtinθ/ *ἐπ.* & *οὐσ.* ‹C› δέκατος ὄγδοος. **~y** /ˈeɪtɪ/ *ἐπ.* & *οὐσ.* ‹C› ὀγδόντα. **·ieth** /ˈeɪtɪəθ/ *ἐπ.* & *οὐσ.* ‹C› ὀγδοηκοστός.

either /ˈaɪðə(r)/ *ἐπ.* & *ἀντων.* **1**. καθένας (ἀπό τούς δυό), εἴτε ὁ ἕνας εἴτε ὁ ἄλλος: *E~ of them/E~ boy can do it*, καθένας τους/καθένας ἀπό τά δυό παιδιά μπορεῖ νά τό κάνη. **2**. καί ὁ ἕνας καί ὁ ἄλλος: *There are trees on ~ side of the street*, ὑπάρχουν δέντρα καί στή μιά καί στήν ἄλλη πλευρά τοῦ δρόμου. —*ἐπίρ.* & *σύνδ.* ***not... ~***, οὔτε: *I haven't read it and my wife hasn't read it ~*, δέν τὄχω διαβάσει κι' οὔτε ἡ γυναίκα μου τὄχει διαβάσει. ***~ ... or***, εἴτε... εἴτε, ἤ...ἤ: *He's ~ mad or drunk*, εἶναι ἤ τρελλός ἤ μεθυσμένος.

ejacu·late /ɪˈdʒækjʊleɪt/ *ρ.μ/ἀ.* **1**. ἀναφωνῶ. **2**. ἐκτοξεύω (ὑγρό), ἐκσπερματίζω. **ejacu·la·tion** /ɪˈdʒækjʊˈleɪʃn/ *οὐσ.* ‹C,U› ἀναφώνησις, ἐκσπερμάτωσις.

eject /ɪˈdʒekt/ *ρ.μ/ἀ.* **1**. ἐκδιώκω, κάνω ἔξωση: *You'll be ~ed if you don't pay your rent*, θά σοῦ κάνουν ἔξωση ἄν δέν πληρώσης τό ἐνοίκιό σου. **2**. ἐκτοξεύω, ἐκτινάσσω/-ομαι: *Lava ~ed from the volcano*, λάβα ἐκτοξεύτηκε ἀπό τό ἡφαίστειο. *The pilot was ~ed when the plane...*, ὁ πιλότος ἐκτινάχθηκε (μέ ἀλεξίπτωτο) ὅταν τό ἀεροπλάνο.. **ejec·tion** /ɪˈdʒekʃn/ *οὐσ.* ‹C› ἐκτίναξις, ἐκτόξευσις, ἐκδίωξις, ἔξωσις.

ejec·tor /ɪˈdʒektə(r)/ *οὐσ.* ‹C› ἐξωστήρ, σύστημα ἐκτινάξεως. **~-seat**, ἐκτινασσόμενο κάθισμα πιλότου.

eke /ik/ *ρ.μ.* ***~ out***, συμπληρώνω: *~ out one's income by doing overtime*, συμπληρώνω τό εἰσόδημά μου κάνοντας ὑπερωρίες.

elab·or·ate /ɪˈlæbrət/ *ἐπ.* λεπτομερής, περίτεχνος, περίπλοκος: *~ plans*, λεπτομερή σχέδια. *~ designs*, περίτεχνα σχέδια. *an ~ argument*, περίπλοκο ἐπιχείρημα. —*ρ.μ* /ɪˈlæbəreɪt/ ἀναπτύσσω, ἐπεξεργάζομαι, περιγράφω λεπτομερῶς: *Please ~ your proposals a little*, παρακαλῶ, ἀναπτύξετε τίς προτάσεις σας λίγο λεπτομερέστερα. **~·ly** *ἐπίρ.* λεπτομερῶς, ἐπιμελημένα, περίτεχνα. **elab·or·ation** /ɪˈlæbəˈreɪʃn/ *οὐσ.* ‹C,U› ἐπε ξεργασία, ἀνάπτυξις, τελειοποίησις, λεπτομέρεια.

elapse /ɪˋlæps/ *ρ.ἀ.* (*γιά χρόνο*) περνῶ, παρέρχομαι: *Ten years ~d*, πέρασαν δέκα χρόνια.

elas·tic /ɪˋlæstɪk/ *ἐπ.* ἐλαστικός: *~ braces/rules*, ἐλαστικές τιράντες/-οί κανόνες. —*οὐσ.* ‹U› λάστιχο: *a piece of ~*, κομμάτι λάστιχο. **~·ity** /ˈelæˋstɪsətɪ/ *οὐσ.* ‹U› ἐλαστικότης: *the ~ity of demand*, ἡ ἐλαστικότης τῆς ζητήσεως.

elate /ɪˋleɪt/ *ρ.μ.* (*συνήθ. εἰς παθ. φων.*) συναρπάζω, γεμίζω κπ χαρά: *He was ~d at the news/by his success*, τά νέα/ἡ ἐπιτυχία του τόν γέμισαν χαρά. **ela·tion** /ɪˋleɪʃn/ *οὐσ.* ‹U› χαρά, ἔξαρσις, ἀγαλλίασις: *filled with elation*, γεμᾶτος ἀγαλλίαση.

el·bow /ˋelbəʊ/ *οὐσ.* ‹C› ἀγκώνας. ***be at sb's ~***, εἶμαι πλάϊ σέ κπ. ***out at the ~s***, (*γιά ροῦχο*) τρύπιο στούς ἀγκῶνες, (*γιά ἄνθρ.*) κουρελῆς. **ˋ~-grease**, σκληρή δουλειά, γερό γυάλισμα. **ˋ~-room**, εὐρυχωρία, ἐλευθερία κινήσεως: *Give me a little ~-room*, μή μέ στριμώχνης. —*ρ.μ.* σπρώχνω μέ τούς ἀγκῶνες: *~ one's way through a crowd*, ἀνοίγω δρόμο σέ πλῆθος σπρώχνοντας μέ τούς ἀγκῶνες.

el·der /ˋeldə(r)/ *ἐπ.* (*πρό οὐσ., κυρίως μεταξύ στενῶν συγγενῶν*) **1**. πρεσβύτερος, μεγαλύτερος (μεταξύ δύο): *My ~ brother is in Africa.* **2**. ***ˈ~ ˋstatesman***, παλαίμαχος πολιτικός. —*οὐσ.* ‹C› **1**. (*πληθ.*) οἱ πρεσβύτεροι, οἱ μεγαλύτεροι: *You should obey your ~s!* πρέπει νά ὑπακούετε τούς μεγαλυτέρους σας! **2**. (*μεταξύ δύο*) ὁ μεγαλύτερος: *He's my ~ by two years*, εἶναι μεγαλύτερός μου κατά δύο χρόνια.

el·der·ly /ˋeldəlɪ/ *ἐπ.* γηραλέος, ἡλικιωμένος: *an ~ gentleman.*

el·dest /ˋeldɪst/ *ἐπ.* & *οὐσ.* πρωτότοκος, μεγαλύτερος (*μεταξύ περισσοτέρων τῶν δύο*) : *my ~ son/brother.*

[1]**elect** /ɪˋlekt/ *ἐπ.* **1**. μέλλων (ἐκλεγείς ἀλλά μή ἀναλαβών καθήκοντα ἀκόμα): *the Bishop ~*, ὁ μέλλων ἐπίσκοπος. **2**. *the ~*, οἱ ἐκλεκτοί.

[2]**elect** /ɪˋlekt/ *ρ.μ.* **1**. ἐκλέγω: *~ a president; ~ sb to be chairman; ~ sb to the Academy.* **2**. διαλέγω, ἐπιλέγω, ἀποφασίζω: *He had ~ed to be a lawyer*, εἶχε διαλέξει νά γίνη δικηγόρος.

elec·tion /ɪˋlekʃn/ *οὐσ.* ‹C› ἐκλογή: *~ results*, ἐκλογικά ἀποτελέσματα. **ˋby-~**, ἀναπληρωματική ἐκλογή. **ˈgeneral ˋ~**, γενικές (βουλευτικές) ἐκλογές. **~·eer·ing** /-ʃnˋɪərɪŋ/ *οὐσ.* ‹U› προεκλογική προπαγάνδα, ψηφοθηρία.

elec·tive /ɪˋlektɪv/ *ἐπ.* **1**. ἐκλογικός, πού μπορεῖ νά ἐκλέγη: *an ~ assembly*, ἐκλογική συνέλευσις. **2**. αἱρετός: *an ~ office*, αἱρετόν ἀξίωμα. **3**. (*ΗΠΑ*) προαιρετικός: *an ~ subject*, προαιρετικό μάθημα.

elec·tor /ɪˋlektə(r)/ *οὐσ.* ‹C› ἐκλογεύς. **~al** /ɪˋlektərl/ *ἐπ.* ἐκλογικός: *~al registers*, ἐκλογικοί κατάλογοι. **~·ate** /ɪˋlektrət/ *οὐσ.* ‹C› τό ἐκλογικόν σῶμα.

elec·tric /ɪˋlektrɪk/ *ἐπ.* ἠλεκτρικός: *an ~ current/light/iron*, ἠλεκτρικό ρεῦμα/φῶς/σίδερο. *an ~ guitar/shock*, ἠλεκτρική κιθάρα/ἠλεκτροπληξία. *the ~ chair*, ἡ ἠλεκτρική καρέκλα.

elec·tri·cal /ɪˋlektrɪkl/ *ἐπ.* **1**. ἠλεκτρολογικός: *~ engineer*, ἠλεκτρολόγος μηχανικός. **2**. (*μεταφ.*) ἠλεκτρισμένος, συγκλονιστικός. **~ly** /-klɪ/ *ἐπίρ.* ἠλεκτρικῶς, δι' ἠλεκτρισμοῦ: *~ly heated/driven*, θερμαινόμενος/κινούμενος δι' ἠλεκτρισμοῦ.

elec·tri·cian /ɪˈlekˋtrɪʃn/ *οὐσ.* ‹C› ἠλεκτροτεχνίτης, ἠλεκτρολόγος.

elec·tric·ity /ɪˈlekˋtrɪsətɪ/ *οὐσ.* ‹U› ἠλεκτρισμός.

elec·trify /ɪˋlektrɪfaɪ/ *ρ.μ.* **1**. ἐξηλεκτρίζω: *~ a railway/a village.* **2**. (*κυριολ.* & *μεταφ.*) ἠλεκτρίζω: *~ an audience*, ἠλεκτρίζω ἕνα ἀκροατήριο. **elec·tri·fi·ca·tion** /ɪˈlektrɪfɪˋkeɪʃn/ *οὐσ.* ‹U› ἐξηλεκτρισμός, ἠλέκτρισις.

elec·tro- /ɪˋlektrəʊ-/ *ὡς α! συνθετικόν:* ἠλεκτρο-: **ˈ~-ˋcardiogram** /-ˋkadɪəʊgræm/ ἠλεκτροκαρδιογράφημα. **ˈ~-ˋcardiograph** /-ˋkadɪəʊgraf/ ἠλεκτροκαρδιογράφος. **ˈ~ˋchemistry**, ἠλεκτροχημεία. **ˈ~ˋmagnet**, ἠλεκτρομαγνήτης. **ˈ~ˋplate** *ρ.μ.* γαλβανίζω. —*οὐσ.* ‹C› ἐπάργυρα σκεύη.

elec·tro·cute /ɪˋlektrəkjut/ *ρ.μ.* θανατώνω δι' ἠλεκτροπληξίας. **elec·tro·cu·tion** /ɪˈlektrəˋkjuʃn/ *οὐσ.* ‹C,U› θάνατος δι' ἠλεκτροπληξίας.

elec·trode /ɪˋlektrəʊd/ *οὐσ.* ‹C› ἠλεκτρόδιον.

elec·tron /ɪˋlektron/ *οὐσ.* ‹C› ἠλεκτρόνιον. **~ic** /ɪˈlekˋtronɪk/ *ἐπ.* ἠλεκτρονικός: *~ic music/an ~ic microscope*, ἠλεκτρονική μουσική/-ό μικροσκόπιο. **~ics** *οὐσ. πληθ.* (*μέ ρ. ἑν.*) ἠλεκτρονική.

el·egant /ˋelɪgənt/ *ἐπ.* **1**. κομψός, καλαίσθητος: *an ~ young man*, κομψός νέος. **2**. ἐκλεπτυσμένος: *~ manners*, λεπτοί τρόποι. **~·ly** *ἐπίρ.* κομψά, καλαίσθητα. **el·egance** /-əns/ *οὐσ.* ‹U› κομψότης, χάρις, καλαισθησία.

el·egiac /ˈelɪˋdʒaɪək/ *ἐπ.* ἐλεγειακός, πένθιμος, θρηνητικός.

el·egy /ˋelədʒɪ/ *οὐσ.* ‹C› ἐλεγεῖον.

ele·ment /ˋeləmənt/ *οὐσ.* ‹C› **1**. στοιχεῖον: *the four ~s*, τά τέσσερα στοιχεῖα (γῆ, νερό, φωτιά, ἀέρας). *the ~s of geometry*, τά στοιχεῖα (οἱ βασικές ἀρχές) τῆς γεωμετρίας. *There's an ~ of truth in his story*, ὑπάρχει ἕνα στοιχεῖο (μιά δόση) ἀλήθειας στήν ἱστορία του. *Justice is an important ~ in good government*, ἡ δικαιοσύνη εἶναι σημαντικό στοιχεῖο τῆς καλῆς διακυβερνήσεως. ***be in/out of one's ~***, εἶμαι μέσα στό/ἔξω ἀπό τό στοιχεῖο μου: *I'm in my ~ when taking part in a political debate*, εἶμαι στό στοιχεῖο μου ὅταν παίρνω μέρος σέ πολιτική συζήτηση. ***the ~s***, τά στοιχεῖα τῆς φύσεως: *exposed to the fury of the ~s*, ἐκτεθειμένος στή μανία τῶν στοιχείων τῆς φύσεως. **2**. (*ἐκκλ.*) ***the E~s***, τά στοιχεῖα τῆς Θείας Εὐχαριστίας (ἄρτος καί οἶνος). **3**. (*ἠλεκτρ.*) ἀντίστασις (*π.χ.* σέ συσκευή). **~al** /ˈeləˋmentl/ *ἐπ.* τρομαχτικός, τῶν στοιχείων τῆς φύσεως: *~ fury*, μανία τῶν στοιχείων.

ele·men·tary /ˈeləˋmentrɪ/ *ἐπ.* στοιχειώδης: *~ education/arithmetic*, στοιχειώδης ἐκπαίδευσις/ἀριθμητική.

ele·phant /ˋeləfnt/ *οὐσ.* ‹C› ἐλέφας. ***a ˈwhite ˋ~***, δαπανηρό καί ἄχρηστο ἀπόκτημα. **~ine** /ˈeləˋfæntaɪn/ *ἐπ.* ἐλεφάντινος, ἐλεφαντώδης: *an ~ine memory*, μνήμη ἐλέφαντος.

el·ev·ate /ˋeləveɪt/ *ρ.μ.* (ἀν)υψώνω, ἐξυψώνω

(ἠθικά ἤ πνευματικά), ἀναβιβάζω (κπ εἰς ἀξίωμα): ~ *the voice*, ὑψώνω τή φωνή. *an* ~*d railway*, ἐναέριος σιδηρόδρομος. *an elevating book*, βιβλίο πού ἐξυψώνει τό νοῦ.

el·eva·tion /ˈelə`veɪʃn/ *οὐσ.* ‹C,U› **1**. ἀνύψωσις. **2**. εὐγένεια, ἀνωτερότης, ἔξαρσις: ~ *of language/style/thought*, εὐγένεια γλώσσας/ὕφους/σκέψεως. **3**. ὕψος, ὕψωμα: *an* ~ *of 100 feet above sea level*, ὕψος 100 ποδῶν ὑπεράνω τῆς ἐπιφανείας τῆς θαλάσσης. *an* ~ *of 200 metres*, ὕψωμα 200 μέτρων. **4**. (*ἀρχιτ.*) τομή, πρόσοψις (κτιρίου): *sectional* ~, κάθετος τομή. **5**. (*στρατ.*) σκόπευσις καθ' ὕψος: *the angle of* ~, γωνία βολῆς.

el·eva·tor /`eləveɪtə(r)/ *οὐσ.* ‹C› ἀνελκυστήρ, ἀνυψωτήρ, σιλό, (*ΗΠΑ*) ἀσανσέρ.

eleven /ɪ`levn/ *ἐπ.* & *οὐσ.* ‹C› ἕντεκα. **elev·enth** /ɪ`levnθ/ *ἐπ.* & *οὐσ.* ‹C› ἑνδέκατος: *at the eleventh hour*, τήν ἑνδεκάτην ὥραν. ~**ses** /ɪ`levnzɪz/ *οὐσ. πληθ.* μεζές καί ποτό γύρω στίς ἕντεκα τό πρωΐ, κολατσιό.

elf /elf/ *οὐσ.* ‹C› (*πληθ. elves* /`elvz/) ξωτικό, ἀγερικό, (*μεταφ.*) διαβολάκι, ζιζάνιο. ~**in** /`elfɪn/ *ἐπ.* ξωτικός, τῶν ξωτικῶν: ~*in laughter*, ξωτικό γέλιο. ~**·ish** /`elfɪʃ/ σκανταλιάρης, ζαβολιάρικος, ἄτακτος.

elicit /ɪ`lɪsɪt/ *ρ.μ.* ἀποσπῶ, ἐκμαιεύω: ~ *a reply/the truth*, ἀποσπῶ μιά ἀπάντηση/ἐκμαιεύω τήν ἀλήθεια.

elide /ɪ`laɪd/ *ρ.μ.* (*γραμμ.*) παραλείπω φωνῆεν στήν προφορά.

eli·gible /`elɪdʒəbl/ *ἐπ.* ἐκλόγιμος, δικαιούμενος, κατάλληλος: *I'm not* ~, δέν δικαιοῦμαι νά θέσω ὑποψηφιότητα. ~ *for a pension/for promotion*, δικαιούμενος συντάξεως/προαγωγῆς. ~ *for membership*, κατάλληλος (δυνάμενος) νά γίνη μέλος. *an* ~ *young man*, ὑποψήφιος γαμπρός. **el·igi·bil·ity** /ˈelɪdʒə`bɪlətɪ/ *οὐσ.* ‹U› ἐκλογιμότης, καταλληλότης.

elim·in·ate /ɪ`lɪmɪneɪt/ *ρ.μ.* ἐξαλείφω, ἀφαιρῶ, ἀποκλείω, ἀποβάλλω: ~ *all slang words from an essay*, ἀφαιρῶ (ἀπαλείφω) ὅλες τίς χυδαῖες λέξεις ἀπό μιά ἔκθεση. ~ *all possibility of error*, ἀποκλείω (ἐξαλείφω) κάθε δυνατότητα λάθους. ~ *an obstacle/a political opponent*, ἐξαλείφω (βγάζω ἀπό τή μέση) ἕνα ἐμπόδιο/ἕναν πολιτικό ἀντίπαλο. ~ *waste matter from the body*, ἀποβάλλω ἄχρηστη ὕλη ἀπό τό σῶμα. **elim·in·ation** /ɪˈlɪmɪ`neɪʃn/ *οὐσ.* ‹U› ἐξάλειψις, ἀποβολή.

eli·sion /ɪ`lɪʒn/ *οὐσ.* ‹C,U› (*γραμμ.*) ἔκθλιψις.

élite /eɪ`lit/ *οὐσ.* ‹C› οἱ ἐκλεκτοί, ἡ ἀφρόκρεμα.

elixir /ɪ`lɪksə(r)/ *οὐσ.* ‹C› ἐλιξήριον.

Eliza·bethan /ɪˈlɪzə`biθn/ *ἐπ.* & *οὐσ.* ‹C› Ἐλισαβετιανός.

ell /el/ *οὐσ.* ‹C› παλαιόν μέτρον μήκους (1.2 μ. περίπου).

el·lip·tic /ɪ`lɪptɪk/, **el·lip·ti·cal** /ɪ`lɪptɪkl/ *ἐπ.* ἐλλειπτικός.

elm /elm/ *οὐσ.* ‹C,U› φτελιά.

elo·cu·tion /ˈelə`kjuʃn/ *οὐσ.* ‹U› ἀπαγγελία, ἄρθρωσις, τρόπος ὁμιλίας. ~**ist** /-ʃənɪst/ *οὐσ.* ‹C› καθηγητής ἀπαγγελίας/ὀρθοφωνίας.

elon·gate /`iloŋgeɪt/ *ρ.μ/ὰ.* ἐπιμηκύνω, προεκτείνω/-ομαι. **elon·ga·tion** /ˈiloŋ`geɪʃn/ *οὐσ.* ‹U› ἐπιμήκυνσις.

elope /ɪ`ləʊp/ *ρ.ὰ.* ~ ***(with)***, (*γιά γυναίκα*) ἀπάγομαι ἑκουσίως. ~**·ment** *οὐσ.* ‹C,U› ἀπαγωγή.

elo·quence /`eləkwəns/ *οὐσ.* ‹U› εὐγλωττία.

elo·quent /-ənt/ *ἐπ.* εὔγλωττος.

else /els/ *ἐπίρ.* ἄλλος, ἀλλοῦ, ἀλλοιῶς: *Who/Where/How* ~*?* ποιός ἄλλος/ποῦ ἀλλοῦ/πῶς ἀλλοιῶς; ***or*** ~, εἰδάλλως: *Drink it now or* ~ *it'll get cold*, πιές το τώρα εἰδάλλως θά κρυώση.

else·where /`els`weə(r)/ *ἐπίρ.* κάπου ἀλλοῦ.

elu·ci·date /ɪ`lusɪdeɪt/ *ρ.μ.* διευκρινίζω, διασαφηνίζω, φωτίζω: ~ *a problem/a difficulty*, φωτίζω ἕνα πρόβλημα/μιά δυσκολία. **elu·ci·da·tion** /ɪˈlusɪ`deɪʃn/ *οὐσ.* ‹C,U› διευκρίνησις, διασάφησις, ἐπεξήγησις.

elude /ɪ`lud/ *ρ.μ.* ἀποφεύγω, ξεφεύγω, διαφεύγω: ~ *one's enemies/observation*, ξεφεύγω ἀπό τούς ἐχθρούς μου/διαφεύγω τῆς προσοχῆς.

elu·sive /ɪ`lusɪv/ *ἐπ.* **1**. ἀσύλληπτος, ἄπιαστος: *an* ~ *criminal*. **2**. δύσκολος (νά τό θυμηθῆς ἤ νά τό καταλάβης), ἀδιόρατος, φευγαλέος, ἀκαθόριστος: ~ *words*, δυσκολοθύμητες λέξεις. *an* ~ *reply*, ἀκαθόριστη ἀπάντησις.

elves /`elvz/ *οὐσ. πληθ.* τοῦ *elf*.

em·aci·ated /ɪ`meɪsɪeɪtɪd/ *ἐπ.* ἀδυνατισμένος, κάτισχνος: ~ *by long illness*. **em·aci·ation** /ɪˈmeɪsɪ`eɪʃn/ *οὐσ.* ‹U› ἀδυνάτισμα, ἀπίσχνανσις.

ema·nate /`eməneɪt/ *ρ.ὰ.* ~ ***from***, προέρχομαι, ἀπορρέω, ἐκπηγάζω. **ema·na·tion** /ˈemə`neɪʃn/ *οὐσ.* ‹C,U› προέλευσις, ἀπορροή.

eman·ci·pate /ɪ`mænsɪpeɪt/ *ρ.μ.* χειραφετῶ, ἀπελευθερώνω: *an* ~*d young woman*, μιά χειραφετημένη κοπέλλα. ~ *a slave*, ἐλευθερώνω δοῦλο. **eman·ci·pa·tion** /ɪˈmænsɪ`peɪʃn/ *οὐσ.* ‹U› χειραφέτησις, ἀπελευθέρωσις.

emas·cu·late /ɪ`mæskjʊleɪt/ *ρ.μ.* εὐνουχίζω, ἀποδυναμώνω. **emas·cu·la·tion** /ɪˈmæskjʊ`leɪʃn/ *οὐσ.* ‹U› εὐνουχισμός, ἀποδυνάμωσις.

em·balm /ɪm`bam/ *ρ.μ.* βαλσαμώνω, ἀρωματίζω, ταριχεύω. ~**·ment** *οὐσ.* ‹C,U› βαλσάμωμα.

em·bank·ment /ɪm`bæŋkmənt/ *οὐσ.* ‹C› ἀνάχωμα, μουράγιο, μῶλος.

em·bargo /ɪm`bagəʊ/ *οὐσ.* ‹C› (*πληθ.* ~*es*) ἀπαγόρευσις (ἐμπορίου, κινήσεως πλοίων, κλπ): *a `gold/an `arms* ~, ἀπαγόρευσις ἀγοραπωλησίας χρυσοῦ/ὅπλων. ***place/lay sth under an ~ ; put an ~ on sth***, θέτω κτ ὑπό ἀπαγόρευσιν. ***lift/raise/remove an ~ from sth***, αἴρω τήν ἀπαγόρευσιν ἀπό κτ. —*ρ.μ.* (*ἀόρ.* & *π.μ.* ~*ed*) ἀπαγορεύω τήν κίνησιν πλοίων, κατάσχω (πλοῖον).

em·bark /ɪm`bak/ *ρ.μ/ὰ.* **1**. ἐπιβιβάζω/-ομαι, μπαρκάρω, παραλαμβάνω: *They* ~*ed for Malta*, μπάρκαραν γιά τή Μάλτα. *The ship* ~*ed passengers and cargo*, τό πλοῖο πῆρε ἐπιβάτες καί φορτίο. **2**. ~ ***(up)on***, ἀρχίζω, ἐπιχειρῶ: *He* ~*ed on a new business undertaking*, ἄρχισε (ἔβαλε μπροστά) μιά νέα ἐμπορική ἐπιχείρηση. *She* ~*ed upon a long explanation about how...*, ἄρχισε (ἐπιχείρησε) μιά μακριά ἐξήγηση γιά τό πῶς... **em·bar·ka·tion** /ˈemba`keɪʃn/ *οὐσ.* ‹U› ἐπιβίβασις, μπαρκάρισμα.

em·bar·rass /ɪm`bærəs/ *ρ.μ.* **1**. φέρνω σέ ἀμηχανία/σέ δύσκολη θέση, ἐνοχλῶ: ~*ing questions*, ἐνοχλητικές ἐρωτήσεις. **2**. παρεμποδίζω, δυσχεραίνω τήν κίνηση: *He was*

~*ed by his heavy coat and couldn't swim*, ἐμποδιζόταν ἀπό τό βαρύ του παλτό νά κολυμπήση. **~·ing·ly** *ἐπίρ.* ἀμήχανα, στενόχωρα. **~·ment** *οὐσ.* ‹C,U› ἀμηχανία, δυσχέρεια: *financial ~ments*, οἰκονομικές δυσχέρειες.

em·bassy /ˈembəsɪ/ *οὐσ.* ‹C› πρεσβεία: *~ officials*, ὑπάλληλοι πρεσβείας.

em·bed /ɪmˈbed/ *ρ.μ.* *(-dd-)* *(συνήθ. εἰς παθ. φων.)* ***~ded in***, σφηνωμένος, χωμένος βαθειά: *facts ~ded in one's memory*, γεγονότα σφηνωμένα (χαραγμένα) βαθειά στή μνήμη. *stones ~ded in rock*, πέτρες μπηγμένες σέ βράχο.

em·bel·lish /ɪmˈbelɪʃ/ *ρ.μ.* γαρνίρω, στολίζω, ἐξωραΐζω: *~ a story*, γαρνίρω (διανθίζω) μιά ἱστορία. *~ a dress with lace and ribbon*, στολίζω φόρεμα μέ νταντέλλες καί κορδέλλες. **~·ment** *οὐσ.* ‹C,U› στόλισμα, στολίδι.

em·ber /ˈembə(r)/ *οὐσ.* ‹C› *(συνήθ. πληθ.)* χόβολη, θράκα, κάρβουνο.

em·bezzle /ɪmˈbezl/ *ρ.μ.* καταχρῶμαι (χρήματα), σφετερίζομαι. **~·ment** *οὐσ.* ‹C,U› κατάχρησις.

em·bit·ter /ɪmˈbɪtə(r)/ *ρ.μ.* πικραίνω: *I feel ~ed by his attitude*, νοιώθω πικραμένος ἀπό τή στάση του. *~ed by repeated failures*, φαρμακωμένος ἀπό συνεχεῖς ἀποτυχίες.

em·bla·zon /ɪmˈbleɪzn/ *ρ.μ.* **1**. στολίζω μέ οἰκόσημο. **2**. ἐξυμνῶ, ἐκθειάζω.

em·blem /ˈembləm/ *οὐσ.* ‹C› ἔμβλημα, σύμβολον: *The dove is the ~ of peace*, ἡ περιστερά εἶναι τό σύμβολο τῆς εἰρήνης.

em·bodi·ment /ɪmˈbodɪmənt/ *οὐσ.* ‹C,U› ἐνσάρκωσις, προσωποποίησις: *She is the very ~ of kindness*, εἶναι ἡ καλωσύνη προσωποποιημένη.

em·body /ɪmˈbodɪ/ *ρ.μ.* **1**. ἐνσωματώνω, ἐκφράζω: *~ one's ideas in a speech*, ἐνσωματώνω τίς ἰδέες μου σ' ἕνα λόγο. **2**. ἐνσωματώνω, περικλείω: *The new constitution will ~ all democratic principles*, τό νέο σύνταγμα θά περικλείη ὅλες τίς δημοκρατικές ἀρχές. **3**. ἐνσαρκώνω: *an embodied spirit*, ἐνσαρκωμένο πνεῦμα.

em·bol·den /ɪmˈbəʊldn/ *ρ.μ.* ἐνθαρρύνω: *Their kindness ~ed me to ask them for help*, ἡ καλωσύνη τους μέ ἐνεθάρρυνε (μοῦ ἔδωσε τό θάρρος) νά τούς ζητήσω βοήθεια.

em·bon·point /ˈombɔ̃ˈpwæ̃/ *οὐσ.* ‹U› *(Γαλλ.)* πάχος, εὐσαρκία.

em·bosom /ɪmˈbʊzm/ *ρ.μ.* *(ποιητ.)* *(συνήθ. εἰς παθ. φων.)* φωληάζω, τριγυρίζω: *a house ~ed in trees*, σπίτι φωλησμένο ἀνάμεσα στά δέντρα. *a village ~ed with hills*, χωριό τριγυρισμένο ἀπό λόφους.

em·boss /ɪmˈbos/ *ρ.μ.* ἀποτυπώνω ἐν ἀναγλύφῳ: *~ed printing*, ἀνάγλυφος ἐκτύπωσις.

em·brace /ɪmˈbreɪs/ *ρ.μ/ὰ.* **1**. ἀγκαλιάζω/-ομαι: *~ a child*, ἀγκαλιάζω ἕνα παιδί. *They ~ed*, ἀγκαλιάστηκαν. **2**. ἐπωφελοῦμαι, ἁρπάζω: *~ an opportunity/an offer*, ἁρπάζω μιά εὐκαιρία/μιά προσφορά. **3**. περιλαμβάνω: *an estate that ~s many villages*, τσιφλίκι πού περιλαμβάνει πολλά χωριά. __*οὐσ.* ‹C› ἀγκάλιασμα: *He held her to him in a warm ~*, τήν ἔσφιξε πάνω του σ' ἕνα θερμό ἀγκάλιασμα.

em·bra·sure /ɪmˈbreɪʒə(r)/ *οὐσ.* ‹C› **1**. πολεμίστρα. **2**. ἄνοιγμα τοίχου (πού πλαταίνει πρός τά ἔξω).

em·bro·ca·tion /ˈembrəˈkeɪʃn/ *οὐσ.* ‹U› φάρμακο (γιά ἐντριβές).

em·broider /ɪmˈbrɔɪdə(r)/ *ρ.μ.* **1**. κεντῶ: *~ one's initials on a handkerchief*, κεντῶ τ' ἀρχικά μου σέ μαντῆλι. **2**. *(μεταφ.)* γαρνίρω: *~ a story*, διανθίζω μιά ἱστορία. **~y** /-dərɪ/ *οὐσ.* ‹U› κέντημα: *What delicate ~y*, τί λεπτό κέντημα!

em·broil /ɪmˈbrɔɪl/ *ρ.μ.* ***~ sb/oneself in***, μπλέκω: *I don't want to become ~ed in their quarrels*, δέν θέλω νά μπλέξω στούς καυγάδες τους.

em·bryo /ˈembrɪəʊ/ *οὐσ.* ‹C› *(πληθ. ~s)* ἔμβρυον: ***in ~***, σέ ἐμβρυώδη κατάσταση: *Our plans are still in ~*, τά σχέδια μας εἶναι ἀκόμα σέ ἐμβρυώδη κατάσταση. **em·bry·onic** /ˈembrɪˈonɪk/ *ἐπ.* ἐμβρυακός, ἐμβρυώδης, ὑποτυπώδης.

emend /ɪˈmend/ *ρ.μ.* ἐπιφέρω διορθώσεις (σέ κείμενο), ἀπαλείφω λάθη. **emen·da·tion** /ˈimenˈdeɪʃn/ *οὐσ.* ‹C,U› διόρθωσις, βελτίωσις.

em·er·ald /ˈemərld/ *οὐσ.* ‹C,U› σμαράγδι. __*ἐπ.* σμαραγδένιος.

emerge /ɪˈmɜdʒ/ *ρ.ὰ.* **1**. ἀναδύομαι, προβάλλω: *The submarine ~d off the island*, τό ὑποβρύχιο ἀνεδύθη στ' ἀνοιχτά τοῦ νησιοῦ. *The moon ~d from behind the clouds*, τό φεγγάρι ξεπρόβαλε πίσω ἀπό τά σύννεφα. **2**. ἔρχομαι εἰς φῶς, ἀνακύπτω: *New ideas/New facts ~d during the talks*, νέες ἰδέες ἐμφανίστηκαν/νέα γεγονότα ἦλθαν σέ φῶς (ἀνέκυψαν) κατά τήν διάρκεια τῶν συζητήσεων. **emerg·ence** /-dʒəns/ *οὐσ.* ‹U› ἀνάδυσις, ἐμφάνισις, ἀποκάλυψις.

emerg·ency /ɪˈmɜdʒənsɪ/ *οὐσ.* ‹C› ἔκτακτος ἀνάγκη: *be ready for every ~*, εἶμαι ἕτοιμος γιά κάθε ἀνάγκη. *to be used only in an ~*, νά χρησιμοποιηθῆ μόνον σέ ἔκτακτη ἀνάγκη. *an ~ exit*, ἔξοδος κινδύνου.

emerg·ent /ɪˈmɜdʒənt/ *ἐπ.* ἀναδυόμενος, ἀνερχόμενος: *the ~ countries of Africa*, οἱ νέες χῶρες τῆς Ἀφρικῆς.

em·eri·tus /ɪˈmerɪtəs/ *ἐπ.* ἐπίτιμος: *~ professor*, ἐπίτιμος καθηγητής (Πανεπιστημίου).

em·ery /ˈemərɪ/ *οὐσ.* ‹U› σμύρις: *~ paper/cloth*, σμυριδόχαρτο/σμυριδόπανο.

em·etic /ɪˈmetɪk/ *οὐσ.* ‹C› ἐμετικόν.

emi·grate /ˈemɪgreɪt/ *ρ.ὰ.* μεταναστεύω, ἀποδημῶ: *~ from Greece to Australia.* **emi·grant** /ˈemɪgrənt/ *οὐσ.* ‹C› μετανάστης. **emi·gra·tion** /ˈemɪˈgreɪʃn/ *οὐσ.* ‹U› μετανάστευσις, ἀποδημία.

émi·gré /ˈemɪgreɪ/ *οὐσ.* ‹C› ἐμιγκρές, πρόσφυγας.

emi·nence /ˈemɪnəns/ *οὐσ.* ‹C,U› **1**. περιωπή, διασημότης: *rise to/reach ~ as a doctor*, γίνομαι διάσημος σά γιατρός. **2**. ὕψωμα (ἐδάφους). **3**. *(τίτλος γιά καρδινάλιο)* ἐξοχότης: *His E~*, ἡ Αὐτοῦ Ἐξοχότης.

emi·nent /ˈemɪnənt/ *ἐπ.* **1**. διαπρεπής: *an ~ doctor*, διαπρεπής γιατρός. *He's ~ as a composer*, εἶναι διάσημος σά συνθέτης. *She is ~ for her virtues*, εἶναι πασίγνωστη γιά τίς ἀρετές της. **2**. ἐξαιρετικός: *a man of ~ goodness*, ἄνθρωπος ἐξαιρετικῆς καλωσύνης. **~·ly** *ἐπίρ.* ἐξαιρετικῶς, κατ' ἐξοχήν, στόν ὑπέρτατο βαθμό.

emir /e`mɪə(r)/ *οὐσ.* ‹C› ἐμίρης. **~·ate** /e`mɪəreɪt/ *οὐσ.* ‹C› ἐμιρᾶτον.

em·is·sary /`emɪsərɪ/ *οὐσ.* ‹C› ἀπεσταλμένος, ἀγγελιοφόρος.

em·is·sion /ɪ`mɪʃn/ *οὐσ.* ‹C,U› ἐκπομπή (φωτός, θερμότητος, ὀσμῆς).

emit /ɪ`mɪt/ *ρ.μ.* *(-tt-)* ἐκπέμπω, ἀναδίνω (φῶς, θερμότητα, ὀσμή), ἐκβάλλω (κραυγή): *A volcano ~s smoke and ashes*, ἕνα ἡφαίστειο ἐκπέμπει καπνούς καί στάχτες.

emolu·ment /ɪ`moljʊmənt/ *οὐσ.* ‹C› *(συνήθ. πληθ.)* ἀπολαυαί, μισθός: *the ~s of an M.P.*, οἱ ἀπολαυές ἑνός Βουλευτοῦ, ἡ βουλευτική ἀποζημίωσις.

emo·tion /ɪ`məʊʃn/ *οὐσ.* ‹C,U› **1**. συγκίνησις: *remember sth with deep ~*, θυμᾶμαι κτ μέ βαθειά συγκίνηση. **2**. αἴσθημα, συναίσθημα, πάθος: *He appeals to our ~s rather than to our reason*, ἀπευθύνεται στά αἰσθήματά μας (στό συναίσθημα) μᾶλλον παρά στή λογική μας. **~al** /-ʃnl/ *ἐπ.* συναισθηματικός, συγκινητικός, εὐκολοσυγκίνητος, γεμᾶτος πάθος: *~al music*, συναισθηματική μουσική. *an ~al appeal*, συγκινητική ἔκκλησις. *an ~al woman*, εὐκολοσυγκίνητη γυναίκα. *an ~al actor*, ἠθοποιός πού παίζει μέ (ὑπερβολικό) πάθος. **~·less** *ἐπ.* χωρίς αἴσθημα, ἀσυγκίνητος, ἀναίσθητος.

emo·tive /ɪ`məʊtɪv/ *ἐπ.* ὑποβλητικός, συγκινησιακός: *~ language/music/poetry*, ὑποβλητική γλῶσσα/μουσική/ποίηση.

em·peror /`empərə(r)/ *οὐσ.* ‹C› αὐτοκράτωρ.

em·pha·sis /`emfəsɪs/ *οὐσ.* ‹C,U› *(πληθ. -es* /-iz/*)* ἔμφασις: *put/lay special ~ on sth*, τονίζω ἰδιαιτέρως κτ. *ask with ~*, ἐρωτῶ ἐπιμόνως. **em·pha·size** /`emfəsaɪz/ *ρ.μ.* τονίζω: *He emphasized the importance of regular attendance*, τόνισε τή σημασία τῆς τακτικῆς παρακολουθήσεως.

em·phatic /ɪm`fætɪk/ *ἐπ.* **1**. ἐμφατικός: *~ words*. **2**. κατηγορηματικός: *an ~ refusal*, κατηγορηματική ἄρνησις. **em·phati·cally** /-klɪ/ *ἐπίρ.* ἐμφατικῶς, ἐντόνως, μετ' ἐμφάσεως.

em·pire /`empaɪə(r)/ *οὐσ.* ‹C› αὐτοκρατορία.

em·piric(al) /em`pɪrɪk(l)/ *ἐπ.* ἐμπειρικός: *~al knowledge*, ἐμπειρικές γνώσεις.

em·place·ment /ɪm`pleɪsmənt/ *οὐσ.* ‹C› πυροβολεῖον.

em·ploy /ɪm`plɔɪ/ *ρ.μ.* **1**. ἀπασχολῶ, προσλαμβάνω: *~ 100 workmen*, ἀπασχολῶ 100 ἐργάτες. *He's ~ed in a bank*, δουλεύει σέ μιά Τράπεζα. *~ new staff*, προσλαμβάνω νέο προσωπικό. **2**. χρησιμοποιῶ: *~ one's time wisely*, χρησιμοποιῶ τό χρόνο μου μέ φρόνηση. *~ torture to extract confessions*, χρησιμοποιῶ βασανιστήρια γιά ν' ἀποσπάσω ὁμολογίες. __*οὐσ.* ***be in the ~ of***, εἶμαι στήν ὑπηρεσίαν τοῦ, δουλεύω γιά. **~er** *οὐσ.* ‹C› ἐργοδότης. **~ee** /'ɪmplɔɪ`i/ *οὐσ.* ‹C› ἐργαζόμενος, ὑπάλληλος.

em·ploy·ment /ɪm`plɔɪmənt/ *οὐσ.* ‹U› ἀπασχόλησις, ἐργασία: *find/give ~*, βρίσκω/δίνω ἐργασία. *be thrown out of ~*, μέ πετᾶνε ἀπό τή δουλειά. ***be in ~***, ἔχω δουλειά. ***be out of ~***, εἶμαι ἄνεργος. **~agency**, ἰδιωτικό γραφεῖο εὑρέσεως ἐργασίας. **~ exchange**, κυβερνητικό γραφεῖο εὑρέσεως ἐργασίας.

em·por·ium /ɪm`pɔrɪəm/ *οὐσ.* ‹C› *(πληθ. ~s)* ἐμπορικόν κέντρον, μεγάλο κατάστημα.

em·power /ɪm`paʊə(r)/ *ρ.μ.* ἐξουσιοδοτῶ: *~ sb to do sth.*

em·press /`emprəs/ *οὐσ.* ‹C› αὐτοκράτειρα.

1**empty** /`emptɪ/ *ἐπ.* ἄδειος, κενός: *an ~ glass*, ἄδειο ποτήρι. *~ promises*, κενές ὑποσχέσεις. *words ~ of meaning*, λέξεις χωρίς νόημα. **'~-`handed** *ἐπ.* μέ ἄδεια χέρια. **'~-`headed** *ἐπ.* κουφιοκέφαλος, ἀνόητος. __*οὐσ.* *πληθ.* κενά (κιβώτια, φιάλες, κλπ). **emp·ti·ness** *οὐσ.* ‹U› (τό) κενόν, κενότης.

2**empty** /`emptɪ/ *ρ.μ/ἀ.* ἀδειάζω: *E~ your glasses!* ἀδειᾶστε τά ποτήρια σας! *~ out a drawer*, ἀδειάζω ἕνα συρτάρι. *The streets soon emptied*, οἱ δρόμοι σέ λίγο ἄδειασαν. *The Rhone empties into the Mediterranean*, ὁ Ροδανός ἐκβάλλει εἰς τήν Μεσόγειον.

emu·late /`emjʊleɪt/ *ρ.μ.* ἁμιλλῶμαι, μιμοῦμαι: *They ~ each other*, ἁμιλλῶνται μεταξύ τους.

emu·la·tion /'emjʊ`leɪʃn/ *οὐσ.* ‹U› ἅμιλλα: *in a spirit of ~*, μέ πνεῦμα ἁμίλλας. *in ~ of each other*, ἁμιλλώμενοι μεταξύ τους.

emu·lous /`emjʊləs/ *ἐπ.* *(λόγ.)* ἁμιλλώμενος, ἐπιζητῶν: *~ of all rivals*, ἁμιλλώμενος ὅλους τούς ἀνταγωνιστάς του. *~ of honours/fame*, ἐπιζητῶν τιμάς/δόξαν.

emul·sion /ɪ`mʌlʃn/ *οὐσ.* ‹C,U› γαλάκτωμα.

en·able /ɪ`neɪbl/ *ρ.μ.* δίνω τή δυνατότητα, καθιστῶ ἱκανόν, ἐπιτρέπω: *This legacy ~d me to continue my studies*, αὐτό τό κληροδότημα μοῦ ἐπέτρεψε νά συνεχίσω τίς σπουδές μου.

en·act /ɪ`nækt/ *ρ.μ.* **1**. θεσπίζω, ὁρίζω: *as by law ~ed*, ὡς ὁρίζεται ὑπό τοῦ νόμου. **2**. ἀναπαριστῶ, παίζω (θέατρο): *~ the life of Galileo*, ἀναπαριστῶ τή ζωή τοῦ Γαλιλαίου. **3**. λαμβάνω χώραν: *While these were being ~ed*, ἐνῶ συνέβαιναν αὐτά... **~·ment** *οὐσ.* ‹C,U› **1**. θέσπισις. **2**. διάταγμα, θέσπισμα, νομοθετική πρᾶξις. **3**. ἀναπαράστασις.

en·amel /ɪ`næml/ *οὐσ.* ‹U› **1**. σμάλτο. **2**. βερνίκι, ἐμαγίτης. **~·ware**, σκεύη ἐμαγιέ. __*ρ.μ.* σμαλτώνω, βάφω μέ βερνίκι.

en·amoured /ɪ`naməd/ *ἐπ.* *(λόγ.)* ἐρωτευμένος. ***be ~ of sb/sth***, εἶμαι ἐρωτευμένος μέ κπ/ξετρελλαμένος μέ κτ.

en·camp /ɪn`kæmp/ *ρ.μ/ἀ.* κατασκηνώνω, στρατοπεδεύω. **~·ment** *οὐσ.* ‹C› κατασκήνωσις, στρατόπεδον.

en·case /ɪn`keɪs/ *ρ.μ.* βάζω σέ θήκη, ἐγκλείω: *a knight ~d in armour*, ἱππότης κλεισμένος σέ πανοπλία.

en·chant /ɪn`tʃant/ *ρ.μ.* γοητεύω, θέλγω, μαγεύω: *She was ~ed with/by the flowers you sent her*, γοητεύτηκε ἀπό τά λουλούδια πού τῆς ἔστειλες. *the ~ed palace*, τό μαγεμένο παλάτι. **~er** *οὐσ.* ‹C› γόης, μάγος. **~·ress** /-trəs/ *οὐσ.* ‹C› γόησσα, μάγισσα. **~·ment** *οὐσ.* ‹U› γοητεία, μαγεία: *the ~ ment of moonlight.*

en·circle /ɪn`s3kl/ *ρ.μ.* περιβάλλω, περικυκλώνω: *a lake ~d by trees*, λίμνη περιβαλλομένη ἀπό δέντρα. *a town ~d by the enemy*, πόλις περικυκλωμένη ἀπό τόν ἐχθρό. **~·ment** *οὐσ.* ‹U› περικύκλωσις.

en·close /ɪn`kləʊz/ *ρ.μ.* **1**. περικλείω, περιβάλλω, περιφράσσω: *a garden ~d by/with a high wall*, κῆπος περικλειόμενος (περιβαλλόμενος) ἀπό ψηλό τοῖχο. *~ common land*, περιφράσσω δημόσια γῆ. **2**. ἐσωκλείω: *~ a cheque in a letter*, ἐσωκλείω ἐπιταγή σέ γράμμα. *E~d please find...*, (*ἐμπ.*) Ἐσωκλείστως σᾶς ἀποστέλλω...

en·clos·ure /ɪn`kləʊʒə(r)/ *οὐσ.* ‹C,U› **1**. περίφραξις, φράχτης, περίβολος, περιφραγμένος χῶρος. **2**. ἐσώκλειστον, συνημμένον (ἔγγραφον).

en·com·pass /ɪn`kʌmpəs/ *ρ.μ.* περιβάλλω, περικλείω, περιστοιχίζω: *all the land ~ed by these hills*, ὅλη ἡ γῆ πού κλείνεται μέσα σ' αὐτούς τούς λόφους.

en·core /`ɒŋkɔ(r)/ *ἐπίφ.* (*στό θέατρο*) μπίς! __*ρ.μ.* μπιζάρω. __*οὐσ.* ‹C› μπιζάρισμα: *He had two ~s*, τόν μπιζάρισαν δυό φορές. *The pianist gave two ~s*, ὁ πιανίστας ἔπαιξε δύο κομμάτια ἐκτός προγράμματος (κατόπιν ἀπαιτήσεως τοῦ κοινοῦ).

en·coun·ter /ɪn`kaʊntə(r)/ *ρ.μ.* **1**. ἀντιμετωπίζω (κίνδυνο, δυσκολία, κλπ). **2**. συναντῶ ἀπροσδόκητα. __*οὐσ.* ‹C› ἀπροσδόκητη συνάντηση, συμπλοκή: *a brief ~*, σύντομη συνάντηση. *an ~ with the enemy*, συμπλοκή μέ τόν ἐχθρό.

en·cour·age /ɪn`kʌrɪdʒ/ *ρ.μ.* ***~ sb in sth/to do sth***, ἐνθαρρύνω, ὑποβοηθῶ, παρακινῶ: *~ sb to work harder*, παρακινῶ κπ νά δουλέψη περισσότερο. *~ a boy in his studies*, ἐνθαρρύνω ἕνα παιδί στίς σπουδές του. **~·ment** *οὐσ.* ‹C,U› ἐνθάρρυνσις: *cries of ~ment*, ἐνθαρρυντικές κραυγές. *His praise was a great ~ment to me*, ὁ ἔπαινός του ἦταν μεγάλη ἐνθάρρυνση γιά μένα.

en·croach /ɪn`krəʊtʃ/ *ρ.ἀ.* ***~ (up)on*** **1**. καταπατῶ: *~ (up)on sb's land*, καταπατῶ τά χτήματα κάποιου. **2**. τρώγω, σπαταλῶ: *~ (up)on sb's time*, τρώγω τό χρόνο κάποιου. **3**. προσβάλλω: *~ (up)on sb's rights*, προσβάλλω τά δικαιώματα κάποιου. **4**. καταχρῶμαι: *~ (up)on sb's kindness*, καταχρῶμαι τῆς καλωσύνης κάποιου. **~·ment** *οὐσ.* ‹C,U› καταπάτησις, σπατάλη, προσβολή, σφετερισμός, κατάχρησις.

en·crusted /ɪn`krʌstɪd/ *ἐπ.* καλυμμένος μέ κρούστα, ἐπιστρωμένος: *a crown ~ with jewels*, στέμμα σκεπασμένο μέ πολύτιμες πέτρες.

en·cum·ber /ɪn`kʌmbə(r)/ *ρ.μ.* (ἐπι)βαρύνω, (παρα)φορτώνω, παρεμποδίζω: *an estate ~ed with mortgages*, περιουσία βαρυνομένη μέ ὑποθῆκες. *be ~ed with parcels*, εἶμαι φορτωμένος δέματα. *a room ~ed with old furniture*, δωμάτιο παραφορτωμένο μέ παληά ἔπιπλα. **en·cum·brance** /-brəns/ *οὐσ.* ‹C› ἐμπόδιο, βάρος: *She is an encumbrance to her family*, εἶναι βάρος στήν οἰκογένειά της.

en·cy·clo·pedia (*ἐπίσης:* **-paedia**) /ɪn'saɪklə`pidɪə/ *οὐσ.* ‹C› ἐγκυκλοπαίδεια. **en·cy·clo·pedic, -paedic** /-`pidɪk/ *ἐπ.* ἐγκυκλοπαιδικός.

[1]**end** /end/ *οὐσ.* ‹C› **1**. τέρμα, ἄκρη, τέλος: *the ~ of the stick*, ἡ ἄκρη τοῦ ῥάβδιοῦ. *the ~s of the earth*, ἡ ἄκρη τοῦ κόσμου. *at the ~ of the street*, στό τέλος (τέρμα) τοῦ δρόμου. ***be at an ~***, εἶμαι στό τέλος: *The war was at an ~*, ὁ πόλεμος εἶχε τελειώσει. *I was at the ~ of my patience*, ἡ ὑπομονή μου εἶχε ἐξαντληθῆ. ***begin at the wrong ~***, ἀρχίζω ἀνάποδα. ***come to an ~***, τερματίζομαι: *When the meeting came to an ~*, ὅταν τέλειωσε ἡ συνεδρίασις. ***draw to an ~***, πλησιάζω στό τέλος: *As the year drew to its ~*, καθώς ὁ χρόνος πλησίαζε στό τέλος του. ***get hold of the wrong ~ of the stick***, (*μεταφ.*) ἀντιλαμβάνομαι κτ στραβά, παρανοῶ κτ ἐντελῶς. ***keep one's ~ up***, δέν τά βάζω κάτω. ***make an ~ of sth, put an ~ to sth***, τελειώνω, θέτω τέρμα σέ κτ. ***make (both) ~s meet***, τά φέρνω βόλτα (οἰκονομικῶς). ***(meet) ~ on***, (ἔρχομαι) μύτη μέ μύτη: *The two ships collided ~ on*, τά δυό πλοῖα συγκρούστηκαν μύτη μέ μύτη. ***~ to ~***, κοντά-κοντά, κολλητά: *Arrange the tables ~ to ~*, βάλε τά τραπέζια κολλητά. ***at a loose ~***, ἄεργος, χωρίς ἀπασχόληση. ***in the ~***, τελικά. ***on ~***, *(α)* ὄρθιος: *Put the box on ~*, βάλε τό κουτί ὄρθιο. *His hair stood on ~*, σηκώθηκε ἡ τρίχα του. *(β)* συνεχῶς: *He spoke for three hours on ~*, μιλοῦσε τρεῖς ὧρες συνέχεια. ***no ~ of***, πάρα πολύ: *He thinks no ~ of himself*, ἔχει πολύ μεγάλη ἰδέα γιά τόν ἑαυτό του. **2**. ἀπομεινάρι: *cigarette ~s/candle ~s*, γόπες, ἀποτσίγαρα/ἀποκέρια. **3**. τέλος, θάνατος: *He's nearing his ~*, πλησιάζει στό τέλος του (στό θάνατό του). **4**. σκοπός: *gain/win/achieve one's ~s*, πετυχαίνω τούς σκοπούς μου. ***an ~ in itself***, αὐτοσκοπός. ***to no ~***, εἰς μάτην. ***to this ~***, γι' αὐτό τό σκοπό. ***to the ~ that***, μέ τό σκοπό νά. ***The ~ justifies the means***, ὁ σκοπός ἁγιάζει τά μέσα.

[2]**end** /end/ *ρ.μ/ἀ.* τελειώνω: *The road/The story ~s here*, ὁ δρόμος/ἡ ἱστορία τελειώνει ἐδῶ. ***~ in***, καταλήγω εἰς: *The scheme ~ed in failure*, τό σχέδιο κατέληξε σέ ἀποτυχία. ***~ sth off***, ἀποτελειώνω: *He ~ed off his speech with a funny story*, ἀποτέλειωσε τό λόγο του μέ μιά ἀστεία ἱστορία. ***~ up***, τελειώνω, καταλήγω: *If you go on like that you'll ~ up in prison*, ἄν συνεχίσης ἔτσι θά καταλήξης στή φυλακή. **~·ing** *οὐσ.* ‹C› τέλος (ἱστορίας), κατάληξις (λέξεως). **~·less** *ἐπ.* ἀτέλειωτος. **~·less·ly** *ἐπίρ.* ἀτέλειωτα.

en·dan·ger /ɪn`deɪndʒə(r)/ *ρ.μ.* διακινδυνεύω, ἐκθέτω σέ κίνδυνο: *~ one's chances of success*, διακινδυνεύω τίς πιθανότητες ἐπιτυχίας.

en·dear /ɪn`dɪə(r)/ *ρ.μ.* καθιστῶ προσφιλῆ: *He has ~ed himself to everyone*, ἔγινε ἀγαπητός σέ ὅλους. *an ~ing smile*, ἕνα γλυκό (ἑλκυστικό) χαμόγελο. **~·ment** *οὐσ.* ‹C,U› τρυφερότητα, χάδι, γλυκόλογο.

en·deav·our /ɪn`devə(r)/ *οὐσ.* ‹C› προσπάθεια: *I'll make every ~ to help*, θά κάνω ὅ,τι μπορῶ νά βοηθήσω. __*ρ.ἀ.* προσπαθῶ, πασχίζω, ἀγωνίζομαι: *~ to please sb*, προσπαθῶ νά εὐχαριστήσω κπ.

en·demic /ɪn`demɪk/ *ἐπ.* (*γιά ἀσθένεια*) ἐνδημικός.

en·dorse /ɪn`dɔs/ *ρ.μ.* **1**. ὀπισθογραφῶ: *~ a cheque*. **2**. ἐπιδοκιμάζω, προσυπογράφω, ἐγκρίνω: *I ~ all you have done*, ἐγκρίνω ὅσα κάνατε. **~·ment** *οὐσ.* ‹C,U› ὀπισθογράφησις, ἔγκρισις.

en·dow /ɪnˈdaʊ/ *ρ.μ.* προικίζω, κάνω δωρεά εἰς (σχολεῖον, νοσοκομεῖον, κλπ): *~ a bed in a hospital*, δωρίζω ἕνα κρεββάτι σέ νοσοκομεῖο. ***be ~ed with***, εἶμαι προικισμένος μέ: *She is ~ed with great beauty*, εἶναι προικισμένη μέ μεγάλη ὀμορφιά. **~·ment** *οὐσ.* ‹C,U› **1**. δωρεά, κληροδότημα. **2**. χάρισμα, τάλαντο: *natural ~ments*, φυσικά χαρίσματα.

en·dued /ɪnˈdjud/ *ἐπ.* προικισμένος. ***be ~ with** (all virtues/good qualities)*, εἶμαι προικισμένος (μέ κάθε ἀρετή/προτέρημα).

en·dur·ance /ɪnˈdjʊərns/ *οὐσ.* ‹U› ἀντοχή, ὑπομονή, καρτερία: *have great powers of ~*, ἔχω μεγάλη ἀντοχή. *come to the end of one's ~*, φθάνω στό τέρμα τῆς ἀντοχῆς μου. ***past/beyond ~***, ἀνυπόφορος, ἀβάσταχτος. **ˋ~ test**, δοκιμή ἀντοχῆς.

en·dure /ɪnˈdjʊə(r)/ *ρ.μ/ἀ.* **1**. ὑποφέρω, ἀντέχω: *I can't ~ toothache*, δέν ἀντέχω τόν πονόδοντο. *I can't ~ that woman*, δέν μπορῶ νά ὑποφέρω αὐτή τή γυναίκα. *I can't ~ seeing/to see animals killed*, δέν ἀντέχω νά βλέπω νά σκοτώνουν ζῶα. **2**. κρατῶ, διαρκῶ: *as long as my life ~s*, ὅσο διαρκεῖ ἡ ζωή μου. *fame that will ~ for ever*, δόξα πού θά κρατήση γιά πάντα. **en·dur·ing** /ɪnˈdjʊrɪŋ/ *ἐπ.* διαρκής, μόνιμος, σταθερός: *an enduring peace*, μόνιμος εἰρήνη.

en·ema /ˋenəmə/ *οὐσ.* ‹C› κλύσμα.

en·emy /ˋenəmɪ/ *οὐσ.* ‹C› ἐχθρός: *He has many enemies*, ἔχει πολλούς ἐχθρούς. *He's an ~ to progress*, εἶναι ἐχθρός τῆς προόδου. *The ~ were forced to retreat*, ὁ ἐχθρός ἀναγκάστηκε νά ὑποχωρήση. *Laziness is his chief ~*, ἡ τεμπελιά εἶναι ὁ κυριώτερος ἐχθρός του. ***make an ~ of sb***, κάνω κπ ἐχθρό: *Don't make an ~ of him*, μήν τόν κάνης ἐχθρό σου! —*ἐπ.* ἐχθρικός: *~ forces*, ἐχθρικές δυνάμεις.

en·ergy /ˋenədʒɪ/ *οὐσ.* ‹C,U› **1**. ἐνεργητικότης, δύναμις, δραστηριότης: *He's full of ~*, εἶναι γεμᾶτος ἐνεργητικότητα. *I even lacked the ~ to go upstairs*, δέν εἶχα τή δύναμη οὔτε ν' ἀνέβω. *devote/apply all one's energies to a task*, ἀφιερώνω ὅλες μου τίς δυνάμεις (ὅλη μου τή δραστηριότητα) σέ μιά δουλειά. **2**. ἐνέργεια: *electric/atomic ~*, ἠλεκτρική/ἀτομική ἐνέργεια. **en·er·getic** /ˈenəˋdʒetɪk/ *ἐπ.* δραστήριος, ἐνεργητικός. **en·er·geti·cally** /-klɪ/ *ἐπίρ.* δραστήρια.

en·er·vate /ˋenəveɪt/ *ρ.μ.* ἀποχαυνώνω, φέρνω ἐξάντληση: *an enervating climate*, ἀποχαυνωτικό κλῖμα.

en·feeble /enˋfibl/ *ρ.μ.* ἐξασθενίζω, ἀδυνατίζω.

en·fold /enˋfəʊld/ *ρ.μ.* τυλίγω, σφίγγω: *~ sb in one's arms*, σφίγγω κπ στήν ἀγκαλιά μου.

en·force /ɪnˋfɔs/ *ρ.μ.* **1**. ἐπιβάλλω: *~ a law/obedience/silence/one's will on sb*, ἐπιβάλλω ἕνα νόμο/ὑπακοή/σιωπή/τή θέλησή μου σέ κπ. **2**. ἐνισχύω: *~ an argument/a claim*, ἐνισχύω ἐπιχείρημα/ὑποστηρίζω ἀξίωση. **~·able** /-əbl/ *ἐπ.* ἐκτελεστός. **~·ment** *οὐσ.* ‹U› ἐφαρμογή, ἐκτέλεσις: *the strict ~ment of a new law*, ἡ αὐστηρά ἐφαρμογή ἑνός νέου νόμου.

en·fran·chise /enˋfræntʃaɪz/ *ρ.μ.* χειραφετῶ, παρέχω πολιτικά δικαιώματα, ἀπελευθερώνω (δούλους): *In Great Britain women were ~d in 1918*, στή Μ. Βρεταννία οἱ γυναῖκες ἀπέκτησαν δικαίωμα ψήφου στά 1918. **~·ment** *οὐσ.* ‹U› πολιτική χειραφέτησις.

en·gage /ɪnˋgeɪdʒ/ *ρ.μ/ἀ.* **1**. προσλαμβάνω: *~ a typist/sb as a guide*, προσλαμβάνω δακτυλογράφο/κπ ὡς ὁδηγό. **2**. ἀναλαμβάνω τήν εὐθύνη, ὑπόσχομαι, ἐγγυῶμαι: *I ~ to do sth*, ἀναλαμβάνω νά κάνω κτ. *I can't ~ that he'll come*, δέν μπορῶ νά ἐγγυηθῶ ὅτι θά ἔλθη. *This is more than I can ~ for*, αὐτό εἶναι παραπάνω ἀπ' ὅ,τι μπορῶ νά ἐγγυηθῶ. **3**. *~ (in)*, (ἀπ)ασχολοῦμαι: *~ in politics/in business*, ἀσχολοῦμαι μέ τήν πολιτική/μέ ἐπιχειρήσεις. *He's ~d in writing a novel*, εἶναι ἀπασχολημένος μέ τήν συγγραφή ἑνός μυθιστορήματος. *Nothing can ~ his attention for long*, τίποτα δέν μπορεῖ νά κρατήση τήν προσοχή του ἐπί πολύ. *The line/The number is ~d*, (*τηλεφ.*) ἡ γραμμή εἶναι κατειλημμένη/ὁ ἀριθμός μιλάει. *The manager is ~d*, ὁ διευθυντής εἶναι ἀπασχολημένος. *The seat is ~d*, αὐτό τό κάθισμα εἶναι πιασμένο (ἀγκαζέ). **4**. ***be ~d (to)***, ἀρραβωνιάζομαι: *She is ~d to Peter*, εἶναι ἀρραβωνιασμένη μέ τόν Πέτρο. **5**. συμπλέκομαι, ἀρχίζω μάχη: *~ the enemy*, συμπλέκομαι μέ τόν ἐχθρό. *Our orders are to ~ at once*, οἱ διαταγές μας εἶναι ν' ἀρχίσωμε ἀμέσως μάχη. **6**. βάζω ταχύτητα (ἀμπραγιάζ): *~ the first gear*, βάζω πρώτη. **en·gag·ing** *ἐπ.* θελκτικός, εὐχάριστος: *an engaging smile/manner*, θελκτικό χαμόγελο/-ός τρόπος.

en·gage·ment /ɪnˋgeɪdʒmənt/ *οὐσ.* ‹C› **1**. ὑποχρέωσις, ὑπόσχεσις: *meet one's ~s*, ἐκπληρῶ τίς ὑποχρεώσεις μου. **2**. ἀρραβώνας: *They broke off their ~*, διέλυσαν τόν ἀρραβῶνα τους. *an ˋ~ ring*, δακτυλίδι ἀρραβώνων. **3**. δέσμευσις, ραντεβοῦ: *I have previous ~s*, ἔχω ἄλλες δεσμεύσεις πού προηγοῦνται. *I've got several ~s today*, ἔχω πολλά ραντεβοῦ σήμερα. **4**. συμπλοκή, μάχη.

en·gen·der /ɪnˋdʒendə(r)/ *ρ.μ.* γεννῶ, προκαλῶ: *Crime is often ~ed by poverty*, τό ἔγκλημα συχνά γεννιέται ἀπό τή φτώχεια.

en·gine /ˋendʒɪn/ *οὐσ.* ‹C› μηχανή: *a ˋsteam ~*, ἀτμομηχανή. **ˋ~-driver**, μηχανοδηγός.

en·gin·eer /ˈendʒɪˋnɪə(r)/ *οὐσ.* ‹C› **1**. μηχανικός: *civil/electrical ~*, πολιτικός/ἠλεκτρολόγος μηχανικός. *the chief ~ of a ship*, ὁ πρῶτος μηχανικός πλοίου. **2**. **the E~s**, (*στρατ.*) τό Μηχανικόν Σῶμα. —*ρ.μ/ἀ.* **1**. κατασκευάζω (ὡς μηχανικός). **2**. (*καθομ.*) ὀργανώνω, μηχανεύομαι: *~ a plot*, ὀργανώνω συνομωσίαν. **~·ing** *οὐσ.* ‹U› ἡ μηχανική.

Eng·lish /ˋɪŋglɪʃ/ *οὐσ.* τά Ἀγγλικά: *in plain ~*, σέ ἁπλᾶ, καθαρά Ἀγγλικά. *the King's ~*, τά Ἀγγλικά τῶν μορφωμένων. ***the E~***, οἱ Ἄγγλοι. —*ἐπ.* Ἀγγλικός: *an ˋ~man/ˋ~woman/ˋ~ boy*, Ἄγγλος/Ἀγγλίδα/Ἐγγλεζάκι.

en·graft /ɪnˋgraft/ *ρ.μ.* **1**. ἐμβολιάζω: *~ into/(up)on a tree*, μπολιάζω σέ δέντρο. **2**. (*μεταφ.*) ἐμφυτεύω: *~ sound principles in sb's mind/character*, ἐμφυτεύω ὑγιεῖς ἀρχές στό νοῦ/

στό χαρακτῆρα κάποιου.

en·grave /ɪn`greɪv/ ρ.μ. χαράσσω: ~ *(up)on wood/marble/one's memory*, χαράσσω πάνω σέ ξύλο/σέ μάρμαρο/στή μνήμη μου. **~r** οὐσ. ‹C› χαράκτης. **en·grav·ing** /ɪn`greɪvɪŋ/ οὐσ. ‹C,U› χαρακτική, γκραβοῦρα: *a wood engraving*, ξυλογραφία.

en·gross /ɪn`grəʊs/ ρ.μ. (*συνήϑ. εἰς παϑ. φων.*) ἀπορροφῶ: *be ~ed in one's work*, εἶμαι ἀπορροφημένος στή δουλειά μου. *an ~ing story*, μιά συναρπαστική ἱστορία.

en·gulf /ɪn`gʌlf/ ρ.μ. καταβροχϑίζω, καταποντίζω: *a boat ~ed in the sea/waves*, πλοῖο πού καταποντίζεται στή ϑάλασσα/στά κύματα.

en·hance /ɪn`hans/ ρ.μ. ἐπαυξάνω: ~ *the value/the beauty of sth*, ἐπαυξάνω τήν ἀξία/τήν ὀμορφιά ἑνός πράγματος.

en·igma /ɪ`nɪgmə/ οὐσ. ‹C› (*πληϑ. ~s*) αἴνιγμα. **~tic** /'enɪg`mætɪk/ ἐπ. αἰνιγματικός.

en·join /en`dʒɔɪn/ ρ.μ. ἐντέλλομαι, διατάσσω, ἐπιβάλλω, συνιστῶ: ~ *sb to do sth*, διατάσσω κπ νά κάνη κτ. ~ *silence/obedience*, ἐπιβάλλω σιωπή/ὑπακοή. ~ *prudence*, συνιστῶ φρόνησιν.

en·joy /en`dʒɔɪ/ ρ.μ. ἀπολαμβάνω, χαίρω (ἔχω), χαίρομαι πολύ: ~ *one's dinner/sb's company*, ἀπολαμβάνω τό γεῦμα μου/τή συντροφιά κάποιου. ~ *good health/a good income*, ἔχω καλή ὑγεία/καλό εἰσόδημα. *I've ~ed talking to you*, πολύ χάρηκα τήν κουβέντα μαζί σου. **~ *oneself***, διασκεδάζω, περνῶ καλά: *Did you ~ yourself at the party?* πέρασες καλά στό πάρτυ; **~·able** /-əbl/ ἐπ. εὐχάριστος: *an ~able holiday*, εὐχάριστες διακοπές.

en·joy·ment /en`dʒɔɪmənt/ οὐσ. ‹C,U› ἀπόλαυσις, διασκέδασις: *think only of/live for ~*, σκέπτομαι μόνο/ζῶ γιά τίς ἀπολαύσεις. *be in the ~ of good health*, χαίρω ἄκρας ὑγείας.

en·large /ɪn`ladʒ/ ρ.μ/ἀ. **1**. μεγεθύνω, μεγαλώνω: ~ *a photograph/a house*, μεγεθύνω μιά φωτογραφία/μεγαλώνω ἕνα σπίτι. *an ~d edition*, ἐπηυξημένη ἔκδοσις (βιβλίου). **2**. ~ ***(up)on***, ἐπεκτείνομαι (γραπτῶς ἤ προφορικῶς): *I need not ~ (up)on this matter*, δέν εἶναι ἀνάγκη νά ἐπεκταϑῶ ἐπ' αὐτοῦ τοῦ ζητήματος. **~·ment** οὐσ. ‹C,U› μεγέϑυνσις, ἐπαύξησις, ἐπέκτασις.

en·lighten /ɪn`laɪtn/ ρ.μ. διαφωτίζω: *Can you ~ me on this subject?* μπορεῖτε νά μέ διαφωτίσετε ἐπ' αὐτοῦ τοῦ ϑέματος; **~ed** ἐπ. φωτισμένος, ἐνήμερος: *in these ~ed days*, σ' αὐτή τήν ἐποχή τῶν φώτων. *an ~ed teacher*, φωτισμένος δάσκαλος. **~·ment** οὐσ. ‹U› διαφωτισμός, διαφώτισις: *the age of ~ment*, ἡ ἐποχή τοῦ διαφωτισμοῦ. *work for the ~ment of the people*, ἐργάζομαι γιά τή διαφώτιση τοῦ λαοῦ. **the E~ment**, ὁ Διαφωτισμός (τοῦ 18ου αἰῶνος). **~·ing** ἐπ. διαφωτιστικός.

en·list /ɪn`lɪst/ ρ.μ/ἀ. **1**. (*στρατ.*) κατατάσσομαι: ~ *in the army/~ as a volunteer*, κατατάσσομαι στρατιώτης/πάω ἐϑελοντής. **2**. στρατολογῶ, ἐξασφαλίζω: ~ *recruits/supporters*, στρατολογῶ κληρωτούς/ὑποστηρικτές. ~ *sb's help*, ἐξασφαλίζω τή βοήϑεια κάποιου. **~·ment** οὐσ. ‹C,U› στρατολογία, κατάταξις, ὑπόστηριξις.

en·liven /ɪn`laɪvn/ ρ.μ. ζωντανεύω, ζωηρεύω, ἀναζωογονῶ: ~ *a discussion/a party/business*, ζωηρεύω μιά συζήτηση/ζωντανεύω ἕνα πάρτυ/ἀναζωογονῶ μιά ἐπιχείρηση.

en masse /'õ `mæs/ ἐπίρ. ὁμαδικά, μαζικά.

en·mesh /ɪn`meʃ/ ρ.μ. τυλίγω σέ δίχτυα, μπερδεύω, μπλέκω.

en·mity /`enmɪtɪ/ οὐσ. ‹U› ἐχϑρότης: *be at ~ with one's neighbours*, ἔχω ἐχϑρότητα (εἶμαι σέ ἐχϑρικές σχέσεις) μέ τούς γειτόνους μου.

en·noble /ɪ`nəʊbl/ ρ.μ. **1**. ἀπονέμω τίτλον εὐγενείας. **2**. ἐξευγενίζω (τό ἦϑος, χαρακτῆρα, κλπ).

en·nui /on`wi/ οὐσ. ‹U› πλῆξις, ἀνία.

enorm·ity /ɪ`nɔmətɪ/ οὐσ. **1**. ‹U› (πελώριο) μέγεϑος: *the ~ of the problem/of his wickedness*, τό μέγεϑος τοῦ προβλήματος/τῆς παληανϑρωπιᾶς του. **2**. ‹C› κακούργημα: *the enormities committed by the Nazis*, τά κακουργήματα πού διεπράχϑησαν ἀπό τούς Ναζί.

enor·mous /ɪ`nɔməs/ ἐπ. πελώριος, τεράστιος: *an ~ sum of money*, πελώριο χρηματικό ποσόν. *an ~ success*, μιά τεράστια ἐπιτυχία. **~·ly** ἐπίρ. τεράστια, πάρα πολύ: *The town has changed ~ly in the last few years*, ἡ πόλις ἔχει ἀλλάξει τρομερά τά τελευταῖα λίγα χρόνια.

enough /ɪ`nʌf/ ἐπ. ἀρκετός: *Have you money ~ (ἤ ~ money) to buy it?* ἔχετε ἀρκετά χρήματα νά τ' ἀγοράσετε; ***have ~ of sth***, ἔχω βαρεϑῆ κτ, δέν ἀνέχομαι κτ: *I've had ~ of this*, φτάνει πιά, τό βαρέϑηκα. *I've had ~ of your cheek*, δέν ἀνέχομαι πιά τήν ἀναίδειά σου. __ἐπίρ. (*ἀκολουϑεῖ τήν προσδιοριζομένην λέξιν*) ἀρκετά: *Is he well ~ to go back to work?* εἶναι ἀρκετά καλά γιά νά γυρίση στή δουλειά; *strangely/curiously/oddly ~*, ἀρκετά περιέργως... ***sure ~***, πράγματι, ἀσφαλῶς.

en·quire /ɪn`kwaɪə(r)/ ρ.μ/ἀ., **en·quiry** /ɪn`kwaɪərɪ/ οὐσ. ‹C,U› *βλ. inquire, inquiry*.

en·rage /en`reɪdʒ/ ρ.μ. ἐξαγριώνω, ἐξοργίζω: *It ~s me to see...*, μ' ἐξαγριώνει νά βλέπω... *I was ~d at/by his stupidity*, ἔγινα ἔξω φρενῶν μέ τή βλακεία του.

en·rap·ture /en`ræptʃə(r)/ ρ.μ. γοητεύω, μαγεύω, ξετρελλαίνω: *be ~d with sth*, εἶμαι ξετρελλαμένος μέ κτ.

en·rich /en`rɪtʃ/ ρ.μ. **1**. πλουτίζω: ~ *oneself dishonestly*, πλουτίζω ἀνέντιμα. **2**. ἐμπλουτίζω, βελτιώνω: ~ *the mind with knowledge*, βελτιώνω τό μυαλό μέ γνώσεις. ~ *the soil with manure*, ἐμπλουτίζω τό χῶμα μέ λίπασμα. **~·ment** οὐσ. ‹C,U› (ἐμ)πλουτισμός.

en·rol(l) /en`rəʊl/ ρ.μ/ἀ. ἐγγράφω/-ομαι: ~ *new students/sb as a member of a club*, ἐγγράφω νέους μαϑητάς/κπ σά μέλος μιᾶς λέσχης. ~ *in an evening class*, ἐγγράφομαι σέ βραδυνή τάξη. **~·ment** οὐσ. ‹C,U› ἐγγραφή, σύνολον ἐγγραφῶν.

en route /'õ `rut/ ἐπίρ. ~ ***to***, καϑ' ὁδόν πρός. ~ ***from***, κατά τήν ἐπιστροφή ἀπό.

en·sconce /ɪn`skons/ ρ.μ. ~ ***oneself***, τρυπώνω, βολεύομαι (σέ ϑέση).

en·semble /õ`sõbl/ οὐσ. ‹C› **1**. σύνολον. **2**. μικρή ὀρχήστρα. **3**. ἀνσάμπλ (σύνολο ἐνδυμάτων).

en·shrine /en`ʃraɪn/ *ρ.μ.* (*λόγ.*) ~ ***(in)***, φυλάσσω εὐλαβικῶς: *the casket that ~s the relics*, ἡ λάρναξ ἡ φυλάττουσα τά λείψανα. *memories ~d in the heart*, ἀναμνήσεις πού φυλάσσονται εὐλαβικά στήν καρδιά.
en·shroud /en`ʃraʊd/ *ρ.μ.* σαβανώνω, τυλίγω/σκεπάζω (μέ πέπλο): *hills ~ed in mist*, λόφοι τυλιγμένοι στήν ὁμίχλη.
en·sign /`ensaɪn/ *οὐσ.* ‹C› **1**. (*ναυτ.*) σημαία. **2**. σύμβολον, διακριτικόν γνώρισμα. **3**. σημαιοφόρος (ναυτικοῦ).
en·slave /en`sleɪv/ *ρ.μ.* σκλαβώνω. **~·ment** *οὐσ.* ‹U› ὑποδούλωσις.
en·snare /en`sneə(r)/ *ρ.μ.* παγιδεύω.
en·sue /en`sju/ *ρ.ἀ.* ~ ***(from)***, ἐπακολουθῶ, προκύπτω: *the trouble that ~d from this misunderstanding*, ἡ φασαρία πού προέκυψε ἀπό αὐτή τήν παρανόηση. *in the ensuing years*, κατά τά μετέπειτα ἔτη.
en·sure /ɪn`ʃʊə(r)/ *ρ.μ/ἀ.* **1**. ἐγγυῶμαι: *I can't ~ that he will come*, δέν μπορῶ νά ἐγγυηθῶ ὅτι θά ἔλθη. **2**. ~ ***(against sth)***, ἀσφαλίζω/-ομαι (ἐναντίον). **3**. ἐξασφαλίζω: *~ sb a good post*, ἐξασφαλίζω σέ κπ μιά καλή θέση.
en·tail /en`teɪl/ *ρ.μ.* **1**. συνεπάγομαι: *Your plans ~ great expense*, τά σχέδιά σου συνεπάγονται μεγάλες δαπάνες. **2**. ~ ***an estate on sb***, (*νομ.*) κληροδοτῶ περιουσία σέ κπ ὑπό τόν ὅρον τοῦ ἀναπαλλοτριώτου. __*οὐσ.* ‹C› κληροδότημα.
en·tangle /en`tæŋgl/ *ρ.μ.* μπλέκω, μπερδεύω: *get ~d in the bushes*, μπλέκω στούς θάμνους. *be ~d with money-lenders*, μπλέκω (μπερδεύομαι) μέ τοκογλύφους. **~·ment** *οὐσ.* ‹C,U› **1**. μπλέξιμο, μπέρδεμα: *emotional ~ments*, συναισθηματικά μπλεξίματα. **2**. (*πληθ.*) συρματοπλέγματα.
en·ter /`entə(r)/ *ρ.μ/ἀ.* **1**. (*χωρίς πρόθ.*) εἰσέρχομαι, μπαίνω: ~ *a room/a college/a profession*, μπαίνω σ' ἕνα δωμάτιο/σ' ἕνα κολλέγιο/σ' ἕνα ἐπάγγελμα. ~ *a club/the Church*, γίνομαι μέλος σέ λέσχη/κληρικός. **2**. ~ ***into sth (with sb)***, ἀρχίζω κτ μέ κπ: ~ *into negotiations*, ἀρχίζω διαπραγματεύσεις. ~ *into a conversation with sb*, πιάνω κουβέντα μέ κπ. **3**. ~ ***into sth***, *(α)* μπαίνω: *This has never ~ed into my calculations*, αὐτό δέν εἶχε ποτέ μπεῖ στούς ὑπολογισμούς μου. ~ *into details*, μπαίνω σέ λεπτομέρειες. *(β)* συμμερίζομαι: ~ *into sb's feelings*, συμμερίζομαι τά αἰσθήματα κάποιου. **4**. ~ ***(up)on***, ἀρχίζω: ~ *upon a new career/one's duties/the 60th year of one's life*, ἀρχίζω μιά καινούργια σταδιοδρομία/τά καθήκοντά μου/τό 60όν ἔτος τῆς ζωῆς μου. **5**. ~ ***(sb) (for)***, ἐγγράφω, καταχωρῶ, δηλώνω συμμετοχή: ~ *up an item in an account-book*, καταχωρῶ κονδύλιον εἰς λογιστικόν βιβλίον. ~ *a horse for a race*, δηλώνω ἕνα ἄλογο γιά μιά ἱπποδρομία. ~ *oneself (one's name) for an examination*, δηλώνω συμμετοχή σέ ἐξετάσεις.
en·ter·prise /`entəpraɪz/ *οὐσ.* **1**. ‹U› ἐπιχείρησις: *private/free ~*, ἰδιωτική/ἐλευθέρα ἐπιχείρησις. **2**. ‹U› τόλμη: *a spirit of ~*, ἐπιχειρηματικόν, τολμηρόν πνεῦμα. *He's a man of great ~*, εἶναι ἄνθρωπος μέ μεγάλη τόλμη. **en·ter·pris·ing** *ἐπ.* τολμηρός.
en·ter·tain /'entə`teɪn/ *ρ.μ.* **1**. δέχομαι, περιποιοῦμαι, φιλοξενῶ: ~ *friends to dinner*, δέχομαι (δεξιοῦμαι) φίλους σέ δεῖπνο. *They ~ a great deal*, δέχονται πολύ (δίνουν πολλά γεύματα, πάρτυ, κλπ). *We were splendidly ~ed*, μᾶς περιποιήθηκαν περίφημα. **2**. διασκεδάζω: *We were all ~ed by his tricks*, διασκεδάσαμε ὅλοι μέ τά κόλπα του. **3**. ἔχω, διατηρῶ, μελετῶ: ~ *ideas about sth*, ἔχω ἰδέες γιά κτ. ~ *doubts/hopes*, διατηρῶ ἀμφιβολίες/ἐλπίδες. ~ *a proposal*, μελετῶ (σκέπτομαι) μιά πρόταση. **~·ing** *ἐπ.* διασκεδαστικός. **~·ment** *οὐσ.* ‹C,U› περιποίησις, διασκέδασις, ψυχαγωγία. **~er** *οὐσ.* ‹C› ὁ προσφέρων ψυχαγωγίαν, ἀρτίστας.
en·thral /en`θrɔl/ *ρ.μ.* *(-ll-)* σκλαβώνω, γοητεύω, συναρπάζω: *~led by her beauty*, σκλαβωμένος ἀπό τήν ὀμορφιά της. *be ~led by a play*, μέ συναρπάζει ἕνα ἔργο. **~·ling** *ἐπ.* συναρπαστικός, σαγηνευτικός.
en·throne /en`θrəʊn/ *ρ.μ.* ἐνθρονίζω. **~·ment** *οὐσ.* ‹U› ἐνθρόνισις.
en·thuse /en`θjuz/ *ρ.ἀ.* ~ ***over sth***, (*καθομ.*) ἐνθουσιάζομαι μέ κτ, παθαίνομαι.
en·thu·si·asm /ɪn`θjuzɪæzm/ *οὐσ.* ‹U› ἐνθουσιασμός: *arouse ~ in sb*, διεγείρω ἐνθουσιασμό σέ κπ. *move sb to ~*, ἐνθουσιάζω κπ. *feel no ~ for/about sth*, δέν νοιώθω ἐνθουσιασμό γιά κτ. **en·thu·si·ast** /-ɪæst/ *οὐσ.* ‹C› λάτρης, θιασώτης, μανιακός: *a `sports enthusiast*, λάτρης τῶν σπόρ. *He's an enthusiast for/about politics*, ἔχει μανία μέ τήν πολιτική.
en·thu·si·as·tic /ɪn'θjuzɪ`æstɪk/ *ἐπ.* ἐνθουσιώδης: *an ~ welcome*, ἐνθουσιώδης ὑποδοχή. ~ *admirers*, ἐνθουσιώδεις θαυμαστές. *become ~ over sth*, μέ πιάνει ἐνθουσιασμός γιά κτ. **~ally** /-klɪ/ *ἐπίρ.* ἐνθουσιωδῶς.
en·tice /en`taɪs/ *ρ.μ.* παρασύρω, ξελογιάζω: ~ *sb into doing sth/to do sth wrong*, παρασύρω κπ νά κάνη κτ/κακό. ~ *a man from his duty*, παρασύρω κπ ἀπό τό καθῆκον του. ~ *a young girl away from home*, ξελογιάζω ἕνα κορίτσι, τό παρασύρω νά φύγη ἀπό τό σπίτι του. **~·ment** *οὐσ.* ‹C,U› ἀποπλάνησις, ξελόγιασμα, πειρασμός.
en·tire /en`taɪə(r)/ *ἐπ.* ὁλοσχερής, ὁλόκληρος, ὅλος: *the ~ day/population*, ὅλη τήν ἡμέρα/ὅλος ὁ πληθυσμός. **~·ly** *ἐπίρ.* ἐξ ὁλοκλήρου: *~ly unnecessary*, ἐξ ὁλοκλήρου περιττός. **~·ty** *οὐσ.* ‹C,U› ὁλότης: *examine a question in its ~ty*, ἐξετάζω ἕνα θέμα στό σύνολό του, στήν ὁλότητά του.
en·title /en`taɪtl/ *ρ.μ.* **1**. τιτλοφορῶ: *a book ~d 'Zorba the Greek'*, βιβλίο τιτλοφορούμενο "ὁ Ζορμπᾶς". **2**. ~ ***sb to sth/to do sth***, δίνω σέ κπ δικαίωμα πάνω σέ κτ/τό δικαίωμα νά κάνη κτ. *This ~s me to believe...*, αὐτό μοῦ δίνει τό δικαίωμα νά πιστεύω... ***be ~d to***, δικαιοῦμαι: *I'm ~d to some rest/to have a rest*, δικαιοῦμαι λίγη ἀνάπαυση/νά ἀναπαυθῶ.
en·tity /`entətɪ/ *οὐσ.* ‹C,U› ὀντότης.
en·tomb /en`tum/ *ρ.μ.* ἐνταφιάζω.
en·to·mol·ogy /'entə`mɒlədʒɪ/ *οὐσ.* ‹U› ἐντομολογία. **en·to·mol·ogist** /-dʒɪst/ *οὐσ.* ‹C› ἐντομολόγος.
en·tour·age /'ɒntʊ`rɑʒ/ *οὐσ.* ‹C› ἀκολουθία, συνοδεία, κύκλος, περιβάλλον.

entr'acte /`ɔ̃trækt/ οὐσ. ‹C› (θέατρ.) διάλειμμα (μεταξύ πράξεων).
en·trails /`entreɪlz/ οὐσ. πληθ. ἐντόσθια (ζώου), σωθικά.
[1]**en·trance** /`entrns/ οὐσ. ‹C,U› εἴσοδος: *the front/back* ~, μπροστινή/πίσω εἴσοδος. *refuse* ~ *to sb*, ἀρνοῦμαι τήν εἴσοδο σέ κπ. *the University* ~ *examination*, οἱ εἰσαγωγικές ἐξετάσεις στό Πανεπιστήμιο. *make one's* ~, κάνω τήν εἴσοδό μου, εἰσέρχομαι. **`~-fee/`~-money**, δικαίωμα εἰσόδου.
[2]**en·trance** /en`trans/ ρ.μ. ἐκστασιάζω, μαγεύω, μεθῶ: ~*d with the music/at the sight*, μαγεμένος ἀπό τή μουσική/ἀπό τό θέαμα.
en·trant /`entrnt/ οὐσ. ‹C› εἰσερχόμενος, ὑποψήφιος: *an* ~ *to a profession*, ἀρχάριος σ'ἕνα ἐπάγγελμα. *an* ~ *for a competition*, ὑποψήφιος σέ διαγωνισμό.
en·trap /en`træp/ ρ.μ. (*-pp-*) παγιδεύω.
en·treat /en`trit/ ρ.μ. ἱκετεύω, ἐκλιπαρῶ: ~ *sb to show mercy*, ἱκετεύω κπ νά δείξη ἔλεος. ~ *a favour of sb*, ἐκλιπαρῶ μιά χάρη ἀπό κπ. *Stop it, I* ~ *you!* πάψε πιά, σέ ἱκετεύω! **~·ing·ly** ἐπίρ. ἱκετευτικά.
en·treaty /en`tritɪ/ οὐσ. ‹C,U› ἱκεσία, παράκλησις: *with a look of* ~, μέ ἱκετευτικό βλέμμα. *deaf to all my entreaties*, κουφός (ἀδιάφορος) σ'ὅλες μου τίς παρακλήσεις.
en·trench /en`trentʃ/ ρ.μ. περιχαρακώνω: *The enemy was strongly* ~*ed on the river bank*, ὁ ἐχθρός ἦταν γερά περιχαρακωμένος (ὀχυρωμένος) στήν ὄχθη τοῦ ποταμοῦ. *customs* ~*ed by tradition*, ἔθιμα καθιερωμένα ἀπό τήν παράδοση. ~ ***oneself***, ὀχυρώνομαι, ταμπουρώνομαι, (μεταφ.) ἑδραιώνομαι. **~-ment** οὐσ. ‹C,U› χαράκωμα.
entre·sol /`ɔ̃trəsol/ οὐσ. ‹C› ἡμιόροφος.
en·trust /en`trʌst/ ρ.μ. **1**. ~ ***sb with sth***, ἀναθέτω κτ σέ κπ: ~ *sb with a task*, ἀναθέτω μιά δουλειά σέ κπ. **2**. ~ ***sth to sb***, ἐμπιστεύομαι κτ σέ κπ: *Can you* ~ *this task to me?* μπορεῖτε νά μοῦ ἐμπιστευθῆτε αὐτή τή δουλειά;
en·try /`entrɪ/ οὐσ. ‹C› **1**. εἴσοδος: *make a triumphal* ~, κάνω θριαμβευτική εἴσοδο. *No* ~! 'Απαγορεύεται ἡ εἴσοδος! **2**. (λογιστ.) ἐγγραφή, καταχώρησις: *make an* ~ *of a transaction*, κάνω ἐγγραφή μιᾶς συναλλαγῆς. *by single/double* ~, δι'ἁπλογραφίας/διά διπλογραφίας. **3**. λῆμμα (λεξικοῦ). **4**. συμμετοχή (σέ ἀγῶνα): *There are fifty entries for the Marathon race*, ἔχουν δηλώσει 50 συμμετοχή στόν Μαραθώνιο Δρόμο.
en·twine /en`twaɪn/ ρ.μ. (γιά κλαδιά, δάκτυλα κλπ.) πλέκω/-ομαι, τυλίγω/-ομαι: *He* ~*d his arms round her waist*, τύλιξε τά χέρια του γύρω ἀπό τή μέση της.
enu·mer·ate /ɪ`njuməreɪt/ ρ.μ. ἀπαριθμῶ (τούς λόγους, τά αἴτια, κλπ). **enu·mera·tion** /ɪ`njumə`reɪʃn/ οὐσ. ‹C,U› ἀπαρίθμησις, κατάλογος.
enun·ci·ate /ɪ`nʌnsɪeɪt/ ρ.μ/ἀ. **1**. προφέρω: ~ *clearly*. **2**. διατυπώνω καθαρά, ἐξαγγέλω (πχ θεωρίαν). **enun·ci·ation** /ɪ`nʌnsɪ`eɪʃn/ οὐσ. ‹C,U› προφορά, διατύπωσις.
en·velop /en`veləp/ ρ.μ. ~ ***(in)***, (κυριολ. & μεταφ.) τυλίγω, περιβάλλω: *hills* ~*ed in mist*, λόφοι τυλιγμένοι στήν ὁμίχλη. *His arrival is* ~*ed in mystery*, ἡ ἄφιξή του περιβάλλεται ἀπό μυστήριο. **~·ment** οὐσ. ‹U› περιτύλιξις, περίβλημα.
en·vel·ope /`envələʊp/ οὐσ. ‹C› φάκελλος.
en·venom /en`venəm/ ρ.μ. δηλητηριάζω (ὅπλο, τήν ἀτμόσφαιρα, συζητήσεις, κλπ).
en·vi·able /`envɪəbl/ ἐπ. ἐπίζηλος, ἀξιοζήλευτος: *an* ~ *position/woman*, ἐπίζηλη θέσις/ἀξιοζήλευτη γυναίκα.
en·vi·ous /`envɪəs/ ἐπ. ~ ***(of)***, ζηλόφθονος, φθονερός, ζηλιάρικος: *be* ~ *of sb's success*, φθονῶ τήν ἐπιτυχία κάποιου. *an* ~ *look*, ζηλόφθονη ματιά. **~·ly** ἐπίρ. φθονερά.
en·viron /en`vaɪərn/ ρ.μ. (λόγ.) περιβάλλω: *a town* ~*ed by/with hills*, πόλις περιβαλλομένη ὑπό λόφων.
en·viron·ment /en`vaɪərnmənt/ οὐσ. (μόνον εἰς ἑν.) περιβάλλον: *home/social/natural* ~, οἰκογενειακό/κοινωνικό/φυσικό περιβάλλον. **~al** /en'vaɪərn`mentl/ ἐπ. τοῦ περιβάλλοντος.
en·virons /en`vaɪərənz/ οὐσ. πληθ. τά πέριξ, τά περίχωρα: *Paris and its* ~.
en·vis·age /en`vɪzɪdʒ/ ρ.μ. **1**. ἀντιμετωπίζω (κίνδυνον, κατάστασιν, κλπ). **2**. ὁραματίζομαι, φαντάζομαι: *I can't* ~ *him doing such a thing*, δέν μπορῶ νά τόν φανταστῶ νά κάνη τέτοιο πρᾶγμα.
en·voy /`envɔɪ/ οὐσ. ‹C› ἀπεσταλμένος, διπλωματικός πληρεξούσιος.
[1]**envy** /`envɪ/ οὐσ. ‹U› ~ ***at sth/of sb*** **1**. φθόνος, ζήλεια: *excite sb's* ~, προκαλῶ τό φθόνο κάποιου. *He was filled with* ~ *at my success*, γέμισε ζήλεια γιά τήν ἐπιτυχία μου. ***out of*** ~, ἀπό ζήλεια. **2**. τό ἀντικείμενον ζήλειας: *His new car is the* ~ *of all his friends*, ὅλοι οἱ φίλοι του ζηλεύουν τό νέο του αὐτοκίνητο.
[2]**envy** /`envɪ/ ρ.μ. ζηλεύω: *I* ~ *you*, σέ ζηλεύω. *I* ~ *him his house*, τόν ζηλεύω γιά τό σπίτι του.
en·zyme /`enzaɪm/ οὐσ. ‹C› ἔνζυμον.
ep·aulet /`epəlet/ οὐσ. ‹C› ἐπωμίδα.
ephem·eral /ɪ`femərl/ ἐπ. ἐφήμερος.
epic /`epɪk/ οὐσ. ‹C› & ἐπ. ἔπος, ἐπικός.
epi·cure /`epɪkjʊə(r)/ οὐσ. ‹C› καλοφαγᾶς, φιλήδονος. **epi·cur·ean** /'epɪkjʊ`rɪən/ ἐπ. ἐπικούρειος.
epi·demic /'epɪ`demɪk/ οὐσ. ‹C› ἐπιδημία: *a `flu* ~, ἐπιδημία γρίππης. —ἐπ. ἐπιδημικός.
epi·gram /`epɪgræm/ οὐσ. ‹C› ἐπίγραμμα. **~·matic** /'epɪgrə`mætɪk/ ἐπ. ἐπιγραμματικός.
epi·lepsy /`epɪlepsɪ/ οὐσ. ‹U› ἐπιληψία. **epi·lep·tic** /'epɪ`leptɪk/ οὐσ. ‹C› & ἐπ. ἐπιληπτικός: *an epileptic fit*, κρίσις ἐπιληψίας.
epi·logue /`epɪlog/ οὐσ. ‹C› ἐπίλογος.
Epiph·any /ɪ`pɪfənɪ/ οὐσ. τά 'Επιφάνεια, Θεοφάνεια.
epi·sode /`epɪsəʊd/ οὐσ. ‹C› ἐπεισόδιον (διηγήματος, θεατρ. ἔργου). **epi·sodic** /'epɪ`sodɪk/ ἐπ. ἐπεισοδιακός, ἀποσπασματικός, ἀσήμαντος.
epistle /ɪ`pɪsl/ οὐσ. ‹C› (ἀστειολ.) ἐπιστολή. **the E~s**, αἱ ἐπιστολαί (τῶν 'Αποστόλων).
epi·taph /`epɪtaf/ οὐσ. ‹C› ἐπιτάφιος ἐπιγραφή.
epi·thet /`epɪθet/ οὐσ. ‹C› ἐπίθετον.
epit·ome /ɪ`pɪtəmɪ/ οὐσ. ‹C› ἐπιτομή. **epit·om·ize** /ɪ`pɪtəmaɪz/ ρ.μ. συνοψίζω, ἀποτελῶ μικρογραφία, ἐκπροσωπῶ: *He* ~*s all the*

virtues and all the faults of the Greek people, ἀποτελεῖ μικρογραφία ὅλων τῶν ἀρετῶν καί ὅλων τῶν ἐλαττωμάτων τοῦ Ἑλληνικοῦ λαοῦ.

epoch /ˈipok/ *οὐσ.* ‹C› ἐποχή. ***make/mark an*** ~, ἀφήνω/σημειώνω ἐποχήν. **ˋ~-making** *ἐπ.* κοσμοϊστορικός, συγκλονιστικός: *an ~-making discovery*, μιά ἀνακάλυψη πού ἄφησε ἐποχή.

Epsom salts /ˈepsəm ˋsɔlts/ *οὐσ. πληθ.* καθαρτικόν ἅλας.

equable /ˋekwəbl/ *ἐπ.* ὁμοιόμορφος, ὁμαλός, σταθερός: *an ~ climate/pulse*, σταθερό κλῖμα/κανονικός σφυγμός.

equal /ˋikwl/ *ἐπ.* **1**. ἴσος, ἴδιος: *They are of ~ height*, ἔχουν τό ἴδιο ὕψος. *They are ~ in ability*, εἶναι τῆς αὐτῆς ἱκανότητος. *£1 is ~ to 70 drs*, μιά λίρα ἰσοῦται μέ 70 δραχ. *~ pay for ~ work*, ἴση πληρωμή γιά ἴση δουλειά. *fight on ~ terms with sb*, ἀγωνίζομαι ἐπί ἴσοις ὅροις μέ κπ. ***get ~ with sb***, ἐκδικοῦμαι κπ, παίρνω τό αἷμα μου πίσω. **2**. ***be ~ to***, εἶμαι ἀντάξιος/ἱκανός/σέ θέση: *He was ~ to the occasion*, ἦταν ἀντάξιος τῶν περιστάσεων. *I was not ~ to receiving visitors*, δέν ἤμουν σέ θέση νά δεχθῶ ἐπισκέπτες. __ *οὐσ.* ‹C› ἴσος, ὅμοιος, ὁμότιμος: *He is not my ~ in strength*, δέν εἶναι ὅμοιός μου (ἴσος μέ μένα) στή δύναμη, δέν μέ φθάνει στή δύναμη. *Mix with your ~s, not your inferiors*, νά συναναστρέφεσαι τούς ὁμοίους σου, ὄχι τούς κατωτέρους σου. __*ρ.μ.* ἰσοῦμαι, εἶμαι ἴσος/ὅμοιος: *He ~s me in strength*, εἶναι ἴσος μέ μένα στή δύναμη. **~·ly** /ˋikwəlɪ/ *ἐπίρ.* ἴσα, ἐξ ἴσου: *share sth ~ly*, μοιράζω κτ ἴσα. *He's ~ly responsible*, εἶναι ἐξ ἴσου ὑπεύθυνος. **~·ity** /ɪˋkwolətɪ/ *οὐσ.* ‹U› ἰσότης. **~·ize** /ˋikwəlaiz/ *ρ.μ.* ἐξισώνω, (*ποδόσφ., κλπ*) ἰσοφαρίζω. **~·iz·ation** /ˈikwəlaɪˋzeɪʃn/ *οὐσ.* ‹U› ἐξίσωσις, ἰσοφάρισμα.

equa·nim·ity /ˈekwəˋnɪmətɪ/ *οὐσ.* ‹U› (ψυχική) γαλήνη, ἀταραξία: *disturb sb's ~*, ταράσσω τήν ψυχική γαλήνη κάποιου.

equate /ɪˋkweɪt/ *ρ.μ.* ~ ***(with)***, ἐξισώνω (μέ), ἐξομοιώνω. **equa·tion** /ɪˋkweɪʒn/ *οὐσ.* ‹C› (*μαθ.*) ἐξίσωσις.

equa·tor /ɪˋkweɪtə(r)/ *οὐσ.* ‹C› ἰσημερινός. **~·ial** /ˈekwəˋtɔrɪəl/ *ἐπ.* ἰσημερινός: *~ial Africa*.

eques·trian /ɪˋkwestrɪən/ *ἐπ.* ἱππικός, ἔφιππος: *~ skill*, ἱππική δεινότης. *an ~ statue*, ἄγαλμα ἱππέως. __*οὐσ.* ‹C› ἱππεύς (*ἰδ.* σέ τσίρκο).

equi·lat·eral /ˈikwɪˋlætrl/ *ἐπ.* ἰσόπλευρος: *an ~ triangle*, ἰσόπλευρον τρίγωνον.

equi·lib·rium /ˈikwɪˋlɪbrɪəm/ *οὐσ.* ‹U› ἰσορροπία: *maintain/lose one's ~*, κρατῶ/χάνω τήν ἰσορροπία μου.

equine /ˋekwaɪn/ *ἐπ.* ἀλογίσιος.

equi·nox /ˋikwɪnoks/ *οὐσ.* ‹C› (*πληθ.* *~es*) ἰσημερία.

equip /ɪˋkwɪp/ *ρ.μ.* (*-pp-*) ἐφοδιάζω: *~ a ship for a voyage*, ἐφοδιάζω πλοῖο γιά ταξίδι. *~ oneself with a diving outfit*, ἐφοδιάζομαι μέ συσκευή καταδύσεως. **~·ment** *οὐσ.* ‹U› ἐφοδιασμός, ἐφόδια, ἐξοπλισμός: *a factory with modern ~ment*, ἐργοστάσιο μέ σύγχρονο ἐξοπλισμό.

equi·poise /ˋekwɪpɔɪz/ *οὐσ.* ‹C,U› ἰσορροπία, ἀντιστάθμισμα, ἀντίβαρον.

equi·table /ˋekwɪtəbl/ *ἐπ.* δίκαιος, σύμφωνος πρός τάς γενικάς ἀρχάς τοῦ δικαίου.

equity /ˋekwətɪ/ *οὐσ.* **1**. ‹U› (*νομ.*) ἐπιείκεια, δικαιοσύνη. **2**. (*πληθ.*) κοινές μετοχές.

equiv·al·ent /ɪˋkwɪvələnt/ *ἐπ.* ἰσοδύναμος, ἰσότιμος, ἀντίστοιχος: *Is £5 ~ to 40 French francs?* εἶναι πέντε λίρες ἰσότιμες πρός σαράντα Γαλλικά φράγκα; __*οὐσ.* ‹C› (τό) ἰσοδύναμον, ἀντίστοιχον: *What's the ~ of the English verb 'look' in Greek?* ποιό εἶναι τό ἀντίστοιχο τοῦ ἀγγλικοῦ ρήματος *'look'* στά Ἑλληνικά;

equi·vo·cal /ɪˋkwɪvəkl/ *ἐπ.* **1**. διφορούμενος: *an ~ reply*, διφορούμενη ἀπάντηση. **2**. ἀμφίβολος: *an ~ success*, ἀμφίβολος ἐπιτυχία. *of ~ honesty*, ἀμφιβόλου ἐντιμότητος.

era /ˋɪərə/ *οὐσ.* ‹C› (*πληθ.* *~s*) περίοδος, ἐποχή: *the Christian ~*.

eradi·cate /ɪˋrædɪkeɪt/ *ρ.μ.* ξερριζώνω: *~ plants/crime*, ξερριζώνω φυτά/τό ἔγκλημα. **eradi·ca·tion** /ɪˈrædɪˋkeɪʃn/ *οὐσ.* ‹U› ξερρίζωμα.

erase /ɪˋreɪz/ *ρ.μ.* ἐξαλείφω, σβύνω: *~ a word*. **~r** *οὐσ.* ‹C› γομολάστιχα. **era·sure** /ɪˋreɪʒə(r)/ *οὐσ.* ‹C,U› σβύσιμο, ξύσιμο.

ere /ɪə(r)/ *ἐπίρ.* & *πρόθ.* (*ἀρχ.* & *ποιητ.*) πρό, πρίν.

[1]**erect** /ɪˋrekt/ *ἐπ.* ὄρθιος, στητός, ὀρθός: *hold a banner ~*, κρατῶ μιά σημαία ὄρθια. *stand ~*, στέκομαι στητός, εὐθυτενής.

[2]**erect** /ɪˋrekt/ *ρ.μ.* στήνω, ἀνεγείρω, (ἀν)ορθώνω, ἀνυψώνω: *~ a tent/a monument*, στήνω σκηνή/ἀνεγείρω μνημεῖο. **erec·tion** /ɪˋrekʃn/ *οὐσ.* ‹C,U› ἀνέγερσις, ἀνύψωσις, οἰκοδόμημα, στῦσις.

ermine /ˋɜmɪn/ *οὐσ.* ‹C,U› ἑρμίνα.

erode /ɪˋrəʊd/ *ρ.μ.* διαβιβρώσκω, κατατρώγω: *rocks ~d by the sea*, βράχια φαγωμένα ἀπό τή θάλασσα. **ero·sion** /ɪˋrəʊʒn/ *οὐσ.* ‹C,U› διάβρωσις: *soil erosion*, διάβρωσις τοῦ ἐδάφους. **ero·sive** /ɪˋrəʊsɪv/ *ἐπ.* διαβρωτικός: *an erosive influence*, διαβρωτική ἐπιρροή.

erotic /ɪˋrotɪk/ *ἐπ.* ἐρωτικός. **eroti·cism** /ɪˋrotɪsɪzm/ *οὐσ.* ‹U› ἐρωτισμός.

err /ɜ(r)/ *ρ.ἀ.* σφάλλω, πλανῶμαι: *To ~ is human, to forgive is divine*, τό σφάλλειν ἀνθρώπινον, τό συγχωρεῖν θεῖον.

er·rand /ˋerənd/ *οὐσ.* ‹C› θέλημα: *run ~s for sb*, κάνω θελήματα γιά κπ. ***on an*** ~, σέ θέλημα: *send sb/go on an ~*, στέλνω κπ/πάω σέ θέλημα. ***a fool's*** ~, τζάμπα κόπος, ἄσκοπα τρεχάματα. **ˋ~-boy**, μικρός γιά θελήματα.

er·rant /ˋerənt/ *ἐπ.* πλανώμενος, ἁμαρτήσας, σφάλλων: *an ~ husband*, ἄπιστος σύζυγος. **ˈknight-ˋ~**, περιπλανώμενος ἱππότης.

er·ratic /ɪˋrætɪk/ *ἐπ.* **1**. (*γιά ἄνθρ.*) ἐκκεντρικός, ἀλλοπρόσαλλος, ἀσταθής. **2**. (*γιά πράγμ.*) ἄτακτος, ἀκανόνιστος: *~ life/visits*, ἄτακτη ζωή/ἀκανόνιστες ἐπισκέψεις. **~·ally** /-klɪ/ *ἐπίρ.* ἄτακτα, ἀκανόνιστα, ἀλλοπρόσαλλα.

er·ra·tum /eˋratəm/ *οὐσ.* ‹C› (*πληθ.* *errata* /-tə/) παρόραμα, λάθος.

er·ron·eous /ɪˋrəʊnɪəs/ *ἐπ.* λανθασμένος, σφαλερός.

er·ror /ˋerə(r)/ *οὐσ.* ‹C,U› λάθος, σφάλμα: *spelling ~s*, ὀρθογραφικά λάθη. *an ~ of* *judgement*, ἐσφαλμένη κρίσις. *fall into* ~, πέφτω σέ σφάλμα. *be in* ~, σφάλλω, πλανῶμαι. ***do sth in*** ~, κάνω κτ κατά λάθος.

eru·dite /ˈerʊdaɪt/ *ἐπ.* (*λόγ.*) πολυμαθής, σοφός. **eru·di·tion** /ˈerʊˋdɪʃn/ *οὐσ.* ‹U› πολυμάθεια.

erupt /ɪˋrʌpt/ *ρ.ἀ.* (*γιά ἡφαίστειο*) ἐκρήγνυμαι, (*μεταφ.*) ξεσπῶ. **erup·tion** /ɪˋrʌpʃn/ *οὐσ.* ‹C,U› ἔκρηξις (ἡφαιστείου), ξέσπασμα (πολέμου, κλπ).

es·ca·late /ˋeskəleɪt/ *ρ.μ/ἀ.* ἐντείνω, κλιμακώνω (*πχ* πόλεμον). **es·ca·la·tion** /ˈeskəˋleɪʃn/ *οὐσ.* ‹U› ἔντασις, κλιμάκωσις.

es·ca·la·tor /ˋeskəleɪtə(r)/ *οὐσ.* ‹C› κυλιόμενη σκάλα.

es·ca·pade /ˈeskəˋpeɪd/ *οὐσ.* ‹C› παρεκτροπή, τρέλλα, ἀταξία, ζαβολιά.

¹**es·cape** /ɪˋskeɪp/ *οὐσ.* ‹C,U› **1**. δραπέτευσις: ~ *from prison*. **2**. διαφυγή: *an* ~ *of gas*, διαφυγή (διαρροή) ἀερίου. **3**. διάσωσις: *a miraculous* ~, διάσωσις ὡς ἐκ θαύματος. ***have a narrow*** ~, τή γλυτώνω παρά τρίχα. **a ˋfire-**~, κλῖμαξ πυρκαγιᾶς, σκάλα ἀσφαλείας. **4**. φυγή (ἀπό τήν πραγματικότητα): *He uses reading as a means of* ~, χρησιμοποιεῖ τό διάβασμα σά μέσο φυγῆς. **es·cap·ism** /-ɪzm/ *οὐσ.* ‹U› τάσις φυγῆς. **es·cap·ist** /-ɪst/ *οὐσ.* ‹C› ὁ ἔχων τάσιν φυγῆς.

²**es·cape** /ɪˋskeɪp/ *ρ.μ/ἀ.* **1**. δραπετεύω: ~ *from prison*. **2**. διαφεύγω, διαρρέω: *Is the gas/the water escaping somewhere?* ὑπάρχει διαρροή γκαζιοῦ/νεροῦ πουθενά; *His name* ~*s me for the moment*, τό ὄνομά του μοῦ διαφεύγει αὐτή τή στιγμή. **3**. ξεφεύγω: *You were lucky to* ~ *punishment/being punished*, ἦσουν τυχερός πού γλύτωσες τήν τιμωρία.

es·carp·ment /ɪˋskapmənt/ *οὐσ.* ‹C› γκρεμός.

es·cha·tol·ogy /ˈeskəˋtolədʒɪ/ *οὐσ.* ‹U› (*θεολ.*) ἐσχατολογία.

es·chew /ɪˋstʃu/ *ρ.μ.* (*λόγ.*) ἀπέχω: ~ *alcohol*, ἀπέχω τῶν οἰνοπνευματωδῶν.

¹**es·cort** /esˋkɔt/ *ρ.μ.* συνοδεύω: ~ *a convoy of merchant ships*, συνοδεύω νηοπομπή ἐμπορικῶν πλοίων. ~ *a young girl home*, συνοδεύω μιά κοπέλλα σπίτι της.

²**es·cort** /ˋeskɔt/ *οὐσ.* ‹C› συνοδεία, συνοδός: *under police* ~, ὑπό ἀστυνομικήν συνοδείαν. *an* ~ *of ten destroyers*, συνοδεία δέκα ἀντιτορπιλλικῶν. *Mary's* ~ *to the ball*, ὁ συνοδός τῆς Μαίρης στό χορό.

es·cutch·eon /ɪˋskʌtʃən/ *οὐσ.* ‹C› θυρεός, ἀσπίδα μέ οἰκόσημο: *a blot on one's* ~, κηλῖδα στήν ὑπόληψή μου.

esopha·gus /ɪˋsofəgəs/ *οὐσ.* ‹C› (*πληθ.* ~*es*) οἰσοφάγος.

eso·teric /ˈesəˋterɪk/ *ἐπ.* ἀπόκρυφος, μόνον γιά μεμυημένους.

es·pecial /ɪˋspeʃl/ *ἐπ.* εἰδικός, ἰδιαίτερος: *of* ~ *interest*, εἰδικοῦ ἐνδιαφέροντος. ***in*** ~, πάνω ἀπ' ὅλα, κυρίως. ~**·ly** *ἐπίρ.* ἰδιαιτέρως, κυριώτατα.

es·pion·age /ˋespɪənaʒ/ *οὐσ.* ‹U› κατασκοπεία.

es·plan·ade /ˋespləneɪd/ *οὐσ.* ‹C› παραλιακός δρόμος ἤ πλατεῖα (γιά περίπατο).

es·pouse /ɪˋspaʊz/ *ρ.μ.* **1**. ἀσπάζομαι, υἱοθετῶ (ἰδέαν, θεωρίαν, κλπ). **2**. (*ἀπηρχ.*) νυμφεύομαι. **es·pousal** /-zl/ *οὐσ.* **1**. ‹U› υἱοθέτησις (ἰδέας, κλπ). **2**. ‹C› (*ἀπηρχ.*) μνηστεία, γάμος.

es·prit de corps /eˈspri də ˋkɔ(r)/ *οὐσ.* ‹U› συναδελφική/ἐπαγγελματική ἀλληλεγγύη.

espy /ɪˋspaɪ/ *ρ.μ.* διακρίνω, ἐπισημαίνω, ξεχωρίζω ἀπό μακρυά.

es·quire /ɪˋskwaɪə(r)/ *οὐσ.* ‹C› (*βραχ.* **Esq.**) Ἀξιότιμος Κύριος (μπαίνει μετά τό ἐπώνυμο σέ διευθύνσεις ἐπιστολῶν).

es·say /ɪˋseɪ/ *ρ.μ/ἀ.* δοκιμάζω, ἀποπειρῶμαι. —*οὐσ.* ‹C› /ˋeseɪ/ δοκίμιον, ἔκθεσις, δοκιμή. ~**·ist** /-ɪst/ *οὐσ.* ‹C› δοκιμιογράφος.

es·sence /ˋesns/ *οὐσ.* ‹C› **1**. οὐσία, πρωτεῦον, βασικό χαρακτηριστικό, πεμπτουσία: *Money is the* ~ *of business*, τό χρῆμα εἶναι ἡ οὐσία τῶν ἐπιχειρήσεων. *What you say is the* ~ *of nonsense*, αὐτό πού λές εἶναι ἡ πεμπτουσία τῆς ἀνοησίας. **2**. ἀπόσταγμα, ἐσάνς.

es·sen·tial /ɪˋsenʃl/ *ἐπ.* **1**. ἀπαραίτητος: *Is wealth* ~ *to happiness?* εἶναι ὁ πλοῦτος ἀπαραίτητος γιά τήν εὐτυχία; **2**. οὐσιώδης: *It's an* ~ *part*, εἶναι οὐσιῶδες τμῆμα. —*οὐσ.* ‹C› (*συνήθ. πληθ.*) οὐσία, οὐσιῶδες στοιχεῖον: *the* ~*s of English grammar*, τά οὐσιώδη τῆς Ἀγγλικῆς Γραμματικῆς. ~**ly** /-ʃəlɪ/ *ἐπίρ.* βασικά, κατά βάσιν.

es·tab·lish /ɪˋstæblɪʃ/ *ρ.μ.* **1**. ἱδρύω: ~ *a new state/a business/a company*, ἱδρύω νέον κράτος/μιά ἐπιχείρηση/συνιστῶ μιά ἑταιρία. **2**. ἐγκαθιστῶ: *We are now comfortably* ~*ed in our new house*, εἴμαστε τώρα ἄνετα ἐγκατεστημένοι στό νέο σπίτι μας. **3**. ἀποδεικνύω, στηρίζω, καθιερώνω, ἐπιβάλλω: ~ *one's innocence/a claim*, ἀποδεικνύω τήν ἀθωότητά μου/στηρίζω μίαν ἀξίωσιν. ~ *one's reputation/a theory*, ἐπιβάλλω τή φήμη μου/μιά θεωρία. ~*ed facts/customs*, ἀποδεδειγμένα γεγονότα/καθιερωμένα ἔθιμα. **4**. ἀνακηρύσσω (ἐκκλησίαν) ὡς ἐπίσημον ἐκκλησίαν τοῦ κράτους.

es·tab·lish·ment /ɪˋstæblɪʃmənt/ *οὐσ.* ‹C,U› **1**. ἵδρυσις. **2**. ἐγκατάστασις. **3**. ἵδρυμα, οἶκος: *a charitable* ~, φιλανθρωπικόν ἵδρυμα. *a business* ~, ἐμπορικός οἶκος. **4**. **the E**~, τό κατεστημένον: *belong to the E*~, ἀνήκω εἰς τό κατεστημένον.

es·tate /ɪˋsteɪt/ *οὐσ.* ‹C› **1**. κτῆμα, περιουσία: *He owns large* ~*s in Wales*, ἔχει μεγάλα κτήματα στήν Οὐαλλία. **ˋreal** ~, ἀκίνητος περιουσία. **ˋpersonal** ~, κινητή περιουσία, προσωπικά εἴδη. **ˋ**~ **agent**, κτηματομεσίτης. **ˋhousing** ~, συνοικισμός. **2**. περιουσιακά στοιχεῖα (*ἰδ.* ἀποθανόντος), κληρονομιά: *wind up an* ~, ἐκκαθαρίζω κληρονομίαν. **3**. τάξις: *the three* ~*s of the realm*, οἱ τρεῖς τάξεις τοῦ βασιλείου. **4**. (*ἀπηρχ.*) κατάστασις: *reach man's* ~, φθάνω τήν ἀνδρική ἡλικία, γίνομαι ἄνδρας. **5**. **ˋ**~ **car**, αὐτοκίνητο στέϊσονβάγκον.

es·teem /ɪˋstim/ *ρ.μ.* **1**. ἐκτιμῶ, ὑπολήπτομαι: *He is highly* ~*ed*, ἐκτιμᾶται μεγάλως. **2**. θεωρῶ: *I'll* ~ *it a favour if…*, θά τό θεωρήσω μεγάλη χάρη ἄν… —*οὐσ.* ‹U› ἐκτίμησις, ὑπόληψις: *hold sb in great/high* ~, ἔχω κπ σέ μεγάλη ὑπόληψη. *rise/fall in sb's* ~, ἀνεβαίνω/πέφτω στήν ἐκτίμηση κάποιου.

es·tim·able /ˋestɪməbl/ *ἐπ.* εὐϋπόληπτος, ἀξιότιμος.

[1]**es·tim·ate** /ˈestɪmət/ *οὐσ.* ‹C› **1**. ἐκτίμησις, ὑπολογισμός, λογαριασμός: *a rough* ~, ἕνας πρόχειρος ὑπολογισμός. *form a correct* ~ *of sth*, σχηματίζω ἀκριβῆ ἀντίληψη γιά κτ, ἐκτιμῶ κτ ὀρθῶς. **2**. προϋπολογισμός (δαπανῶν): *The contractor has exceeded his* ~, ὁ ἐργολάβος ὑπερέβη τόν προϋπολογισμό του.

[2]**es·tim·ate** /ˈestɪmeɪt/ *ρ.μ.* ὑπολογίζω, λογαριάζω, προϋπολογίζω: ~ *the cost of a building*, (προ)ὑπολογίζω τό κόστος ἑνός κτιρίου. *We* ~ *that it will take a year to finish it*, λογαριάζομε ὅτι θά χρειαστῆ ἕνας χρόνος νά τελειώση.

es·ti·ma·tion /ˈestɪˈmeɪʃn/ *οὐσ.* ‹C,U› κρίσις, ἐκτίμησις: *in my* ~, κατά τήν κρίσιν μου.

es·trange /ɪˈstreɪndʒ/ *ρ.μ.* ἀπομακρύνω, ἀποξενώνω: *His behaviour has* ~*d all his friends*/ ~*d him from his friends*, ἡ συμπεριφορά του ἀπεμάκρυνε ὅλους τούς φίλους του/τόν ἀποξένωσε ἀπό τούς φίλους του. *He's* ~*d from his wife*, ζεῖ χώρια ἀπό (τά χάλασε μέ) τή γυναίκα του. ~**·ment** *οὐσ.* ‹C,U› ρῆξις, μάλωμα, ἀποξένωσις: *cause* ~*ment between two friends*, προκαλῶ ρήξη μεταξύ δύο φίλων.

es·tu·ary /ˈestʃʊərɪ/ *οὐσ.* ‹C› ἐκβολή (ποταμοῦ).

et cet·era /ɪt ˈsetrə/ (*Λατ.*) καί τά λοιπά (*συντετμ.* **etc**).

etch /etʃ/ *ρ.μ./ἀ.* χαράσσω (μέ ὀξύ). ~**·ing** *οὐσ.* ‹C,U› χαλκογραφία, χαρακτική. ~**er** *οὐσ.* ‹C› χαράκτης.

eter·nal /ɪˈtɜnl/ *ἐπ.* **1**. αἰώνιος: ~ *life*, αἰώνια ζωή. *the E*~ *City*, ἡ αἰωνία πόλις (ἡ Ρώμη). **2**. ἀκατάπαυστος: *Stop this* ~ *chatter!* σταμάτησε αὐτή τήν ἀκατάπαυστη φλυαρία! ~**·ly** /-nəlɪ/ *ἐπίρ.* αἰωνίως, συνεχῶς.

etern·ity /ɪˈtɜnətɪ/ *οὐσ.* ‹C,U› αἰωνιότης, αἰώνια ζωή: *send sb to* ~, στέλνω κπ στάς αἰωνίους μονάς. *It seemed an* ~ *before he came back*, φάνηκε αἰώνας ὥσπου νά ξαναγυρίση.

ether /ˈiθə(r)/ *οὐσ.* ‹U› αἰθέρας. ~**·eal** /ɪˈθɪərɪəl/ *ἐπ.* αἰθέριος: ~*eal beauty/music*.

ethic /ˈeθɪk/ *οὐσ.* ‹C› ἠθικός κῶδιξ. ~**al** /-kl/ *ἐπ.* ἠθικός: *an* ~*al basis for education*, μία ἠθική βάσις διά τήν παιδείαν.

eth·ics /ˈeθɪks/ *οὐσ.* **1**. (*μέ τό ρ. εἰς ἑν.*) ἠθική: *E*~ *is a branch of philosophy*, ἡ ἠθική εἶναι κλάδος τῆς φιλοσοφίας. **2**. (*μέ τό ρ. εἰς πληθ.*) ἠθικός κῶδιξ, δεοντολογία (ἐπαγγελματική, κλπ). ἠθική πλευρά: *The* ~ *of his decision are doubtful*, ἡ ἠθική πλευρά τῆς ἀποφάσεώς του εἶναι ἀμφίβολος.

eth·nic /ˈeθnɪk/, **eth·ni·cal** /ˈeθnɪkl/ *ἐπ.* ἐθνικός, ἐθνολογικός.

eth·nogra·phy /eθˈnogrəfɪ/ *οὐσ.* ‹U› ἐθνογραφία. **eth·nogra·phic** /ˈeθnəˈgræfɪk/ *ἐπ.* ἐθνογραφικός.

eth·nol·ogy /eθˈnolədʒɪ/ *οὐσ.* ‹U› ἐθνολογία. **eth·nol·ogist** /-dʒɪst/ *οὐσ.* ‹C› ἐθνολόγος. **eth·nol·ogi·cal** /ˈeθnəˈlodʒɪkl/ *ἐπ.* ἐθνολογικός.

ethos /ˈiθos/ *οὐσ.* ‹U› ἦθος, πολιτισμός.

eti·quette /ˈetɪket/ *οὐσ.* ‹U› ἐθιμοτυπία, πρωτόκολλο, κανόνες συμπεριφορᾶς: *medical/legal* ~, κανόνες τοῦ ἰατρικοῦ/τοῦ δικηγορικοῦ ἐπαγγέλματος.

ety·mol·ogy /ˈetɪˈmolədʒɪ/ *οὐσ.* ‹C› ἐτυμολογία. **ety·mo·logi·cal** /ˈetɪməˈlodʒɪkl/ *ἐπ.* ἐτυμολογικός.

euca·lyp·tus /ˈjukəˈlɪptəs/ *οὐσ.* ‹C,U› εὐκάλυπτος.

Eu·char·ist /ˈjukərɪst/ *οὐσ.* ***the E*~**, ἡ Θεία Εὐχαριστία, ἡ Θεία Μετάληψις.

eu·gen·ics /juˈdʒenɪks/ *οὐσ. πληθ.* (*μέ τό ρ. εἰς ἑν.*) εὐγονική, εὐγονισμός.

eu·logy /ˈjulədʒɪ/ *οὐσ.* ‹C› ἐγκώμιον. **eu·logis·tic** /ˈjuləˈdʒɪstɪk/ *ἐπ.* ἐγκωμιαστικός. **eu·lo·gize** /ˈjulədʒaɪz/ *ρ.μ.* (*λόγ.*) ἐγκωμιάζω.

eu·nuch /ˈjunək/ *οὐσ.* ‹C› εὐνοῦχος.

eu·phem·ism /ˈjufəmɪzm/ *οὐσ.* ‹C› εὐφημισμός. **eu·phem·is·tic** /ˈjufəˈmɪstɪk/ *ἐπ.* εὐφημιστικός. **eu·phem·is·ti·cally** /ˈjufəˈmɪstɪklɪ/ *ἐπίρ.* εὐφημιστικῶς, κατ' εὐφημισμόν.

eu·phony /ˈjufənɪ/ *οὐσ.* ‹C,U› εὐφωνία: *for the sake of* ~, χάριν εὐφωνίας.

eu·phoria /juˈfɔrɪə/ *οὐσ.* ‹U› (ψυχική) εὐφορία.

Eur·asia /jʊəˈreɪʒə/ *οὐσ.* Εὐρασία. ~**n** /-ˈreɪʒn/ *οὐσ.* ‹C› & *ἐπ.* Εὐρασιάτης.

eu·reka /jʊˈrikə/ *ἐπιφ.* εὕρηκα!

Euro·dollar /ˈjʊərəʊdolə(r)/ *οὐσ.* ‹C› εὐρωδολλάριον.

eu·tha·nasia /ˈjuθəˈneɪzɪə/ *οὐσ.* ‹U› εὐθανασία.

evacu·ate /ɪˈvækjʊeɪt/ *ρ.μ.* ἐκκενώνω, μεταφέρω (ἀπό ἐπικίνδυνη περιοχή): ~ *a town/a fort*, ἐκκενώνω μιά πόλη/ἕνα φρούριο. *The children were* ~*d to the country*, τά παιδιά μεταφέρθησαν στήν ἐπαρχία. **evacu·ation** /ɪˈvækjʊˈeɪʃn/ *οὐσ.* ‹C,U› ἐκκένωσις. **evacuee** /ɪˈvækjuˈi/ *οὐσ.* ‹C› πρόσφυγας (λόγῳ ἐκκενώσεως περιοχῆς).

evade /ɪˈveɪd/ *ρ.μ.* ἀποφεύγω, ξεφεύγω, διαφεύγω: ~ *a blow/a question/military service*, ἀποφεύγω χτύπημα/ἐρώτηση/τή στρατ. θητεία. ~ *paying tax*, ἀποφεύγω νά πληρώσω φόρο. ~ *one's enemies*, ξεφεύγω ἀπό τούς ἐχθρούς μου. ~ *arrest*, διαφεύγω τήν σύλληψιν.

evalu·ate /ɪˈvæljʊeɪt/ *ρ.μ.* ἐκτιμῶ, ὑπολογίζω (τήν ἀξία, ζημία, κλπ). **evalu·ation** /ɪˈvæljʊˈeɪʃn/ *οὐσ.* ‹U› ἐκτίμησις, ὑπολογισμός.

evan·es·cent /ˈivəˈnesnt/ *ἐπ.* ἐφήμερος, παροδικός, φευγαλέος: ~ *political triumphs*, ἐφήμεροι πολιτικοί θρίαμβοι.

evan·gelic /ˈivænˈdʒelɪk/, **evan·geli·cal** /ˈivænˈdʒelɪkl/ *ἐπ.* εὐαγγελικός. **evan·gel·ist** /ɪˈvændʒəlɪst/ *οὐσ.* ‹C› εὐαγγελιστής, πλανόδιος ἱεροκήρυξ.

evap·or·ate /ɪˈvæpəreɪt/ *ρ.μ./ἀ.* ἐξατμίζω/-ομαι, (*μεταφ.*) ἐξανεμίζομαι: *Heat* ~*s water*, ἡ θερμότης ἐξατμίζει τό νερό. *The water soon* ~*d*, τό νερό σύντομα ἐξατμίστηκε. *His hopes* ~*d*, οἱ ἐλπίδες του χάθηκαν (ἐξανεμίστηκαν). ~**d milk**, συμπυκνωμένο γάλα, ἐβαπορέ. **evap·or·ation** /ɪˈvæpəˈreɪʃn/ *οὐσ.* ‹U› ἐξάτμισις.

eva·sion /ɪˈveɪʒn/ *οὐσ.* ‹C,U› ἀποφυγή, ὑπεκφυγή: *His answers to my questions were all* ~*s*, οἱ ἀπαντήσεις του στίς ἐρωτήσεις μου ἦταν ὅλες ὑπεκφυγές. ***tax*** ~, φοροδιαφυγή.

eva·sive /ɪˈveɪsɪv/ *ἐπ.* διφορούμενος, ἀσαφής, ἀκαθόριστος: *an* ~ *answer*, μιά διφορούμενη ἀπάντηση, μιά ὑπεκφυγή. *an ~ personality*, μιά ἀκαθόριστη προσωπικότητα, πού δέν μπορεῖς νά τή συλλάβης. *take ~ action*, κάνω ἐλιγμό διαφυγῆς.

Eve /iv/ *οὐσ.* Εὔα.

eve /iv/ *οὐσ.* ‹C› παραμονή: *Christmas E~*, παραμονή Χριστουγέννων. *We are on the ~ of great events*, εἴμαστε στίς παραμονές μεγάλων γεγονότων.

[1]**even** /ˈivn/ *ἐπ.* **1**. ὁμαλός, ἐπίπεδος: *an ~ surface*, ὁμαλή ἐπιφάνεια. **2**. κανονικός, ὁμαλός, ὁμοιόμορφος: *~ development*, κανονική, ὁμοιόμορφη ἀνάπτυξη. *~ breathing/pace*, κανονική ἀναπνοή/σταθερό βῆμα. **3**. ἴσος: *We are ~ in strength*, εἴμαστε ἴσοι στή δύναμη. *Our scores are now ~*, ἔχομε τό ἴδιο σκόρ τώρα. ***~ odds***, ἴσες/ἴδιες πιθανότητες. ***be/get ~ with sb***, ἀνταποδίδω τά ἴσα σέ κπ: *Now we are ~*, τώρα εἴμαστε πάτσι. *I'll get ~ with him*, θά τόν ἐκδικηθῶ. ***break ~***, (*καθομ.*) ἔρχομαι μία ή ἄλλη, δέν ἔχω οὔτε κέρδος οὔτε ζημιά. ˈ**~-ˋhanded**, ἀμερόληπτος, δίκαιος. ˈ**~-ˋtempered**, ἤρεμος. **4**. (*γιά ἀριθμούς*) ζυγός. __*ρ.μ.* ~ (**up**), ἐξισώνω. **~·ly** *ἐπίρ.* ὁμαλά. **~·ness** *οὐσ.* ‹U› ὁμαλότης.

[2]**even** /ˈivn/ *ἐπίρ.* **1**. ἀκόμη καί: *It was cold there ~ in July*, ἔκανε κρύο ἐκεῖ ἀκόμη καί τόν Ἰούλιο. ***~ as***, τή στιγμή ἀκριβῶς πού. ***~ if/though***, ἀκόμη κι᾽ ἄν. ***~ now/then***, ἀκόμη καί τώρα/καί τότε. ***~ so***, ἀκόμη κι᾽ ἔτσι, ἀλλά κι᾽ ἔτσι. **2**. (*μέ ἄρνηση*) οὔτε κἄν: *He can't ~ boil an egg*, δέν μπορεῖ οὔτε (κἄν) ἕνα αὐγό νά βράση. **3**. (*μέ συγκριτικό*) ἀκόμη: *You know ~ less about it than I do*, ξέρεις γι᾽ αὐτό ἀκόμη πιό λίγα κι᾽ ἀπό μένα.

[3]**even** /ˈivn/ *οὐσ.* ‹C› (*ποιητ.*) (*καί* ˋ**~·tide**) ἑσπέρα. ˋ**~-song**, ἑσπερινός.

even·ing /ˈivnɪŋ/ *οὐσ.* ‹C› βράδυ: *this ~*, ἀπόψε. *yesterday/tomorrow ~*, χθές/αὔριο βράδυ. *on Sunday ~*, τήν Κυριακή τό βράδυ. *in the ~*, τό βράδυ. ˋ**~ dress**, βραδυνό ἔνδυμα. **~ paper**, ἀπογευματινή ἐφημερίδα. **~ ˋprayer**, ἑσπερινός. **the ~ star**, ὁ ἀποσπερίτης.

event /ɪˋvent/ *οὐσ.* ‹C› **1**. γεγονός: *the chief ~s of this year*, τά κυριότερα γεγονότα τοῦ φετεινοῦ χρόνου. ***in the usual/normal/natural course of ~s***, κατά τήν συνήθη/φυσική πορεία τῶν γεγονότων. **2**. περίπτωσις: *in the ~ of his death*, εἰς περίπτωσιν θανάτου του. ***in that ~***, σέ τέτοια περίπτωση. ***in either ~***, εἴτε στή μιά εἴτε στήν ἄλλη περίπτωση. ***in any ~***, ὅ,τι κι᾽ ἄν συμβῆ. ***at all ~s***, ἐν πάσῃ περιπτώσει. **3**. ἄθλημα, ἀγών: *field ~s*, ἀγῶνες στίβου (πλήν τῶν δρόμων). *Which ~s have you entered for?* σέ ποιούς ἀγῶνες λαμβάνεις μέρος; **~·ful** /-fl/ *ἐπ.* ταραχώδης, περιπετειώδης, γεμᾶτος γεγονότα: *an ~ful day/life*, μιά ἡμέρα γεμάτη γεγονότα/μιά περιπετειώδης ζωή.

even·tual /ɪˋventʃʊəl/ *ἐπ.* τελικός, ἐνδεχόμενος: *the ~ downfall of the government*, ἡ τελική πτῶσις τῆς κυβερνήσεως. **~ly** /-tʃʊlɪ/ *ἐπίρ.* τελικά. **~·ity** /ɪˈventʃʊˋælətɪ/ *οὐσ.* ‹C› πιθανότης, ἐνδεχόμενον: *the ~ity of a new war*, τό ἐνδεχόμενον ἑνός νέου πολέμου.

ever /ˋevə(r)/ *ἐπίρ.* **1**. (*κυρίως σέ ἐρωτημ. & ἀρνητ. προτάσεις ἤ προτάσεις ἀμφιβολίας καί ὑποθετικές*) ποτέ, καμιά φορά: *Have you ~ met him?* τόν ἔχεις ποτέ συναντήσει; *Nothing ~ happens here*, τίποτε δέν συμβαίνει ποτέ ἐδῶ. *hardly/seldom ~*, σχεδόν ποτέ. *If I ~ catch you doing this*, ἄν σέ πιάσω ποτέ νά κάνης αὐτό... **2**. (*μετά ἀπό παραθετικά*) ποτέ: *better than ~*, καλύτερος ἀπό ποτέ. *The worst mistake you've ~ made*, τό χειρότερο λάθος πού ἔκανες ποτέ. **3**. συνεχῶς, πάντοτε. ***for ~***, γιά πάντα. ***~ since***, ἔκτοτε, διαρκῶς ἀπό τότε (πού). ***~ after***, συνεχῶς μετά: *They lived happily ~ after*, κι᾽ ἔζησαν καλά κι᾽ ἐμεῖς καλύτερα. ***Yours ~***, Πάντα δικός σου (σέ φιλικό γράμμα). **4**. (*ἐπιτατικόν*): τόσο πολύ, στήν ὀργή: *He's ~ so rich/~ such a rich man that...*, εἶναι τόσο πλούσιος ὥστε... *Thank you ~ so much*, εὐχαριστῶ πάρα πολύ. *When/Where/Why/How ~ did you go?* πότε/ποῦ/γιατί/πῶς στήν ὀργή πῆγες;

ever·green /ˋevəgrin/ *οὐσ.* ‹C› ἀειθαλές (δέντρο). __*ἐπ.* ἀειθαλής.

ever·last·ing /ˈevəˋlastɪŋ/ *ἐπ.* αἰώνιος, ἄφθαρτος, παντοτινός: *~ glory/fame*, ἄφθαρτη δόξα.

ever·more /ˈevəˋmɔ(r)/ *ἐπίρ.* πάντοτε, πάντα: *for ~*, γιά πάντα.

every /ˋevrɪ/ *ἐπ.* **1**. κάθε, ἕκαστος: *~ day/week*, κάθε μέρα/βδομάδα. *I enjoyed ~ minute of my holiday*, ἀπόλαυσα κάθε λεπτό τῶν διακοπῶν μου. *I have ~ reason to believe it*, ἔχω κάθε λόγο νά τό πιστεύω. *~ ten minutes*, κάθε δέκα λεπτά. ***~ other day***, μέρα παρά μέρα. ***~ now and then/now and again***, κάθε τόσο, πότε-πότε. **2**. (*μετά ἀπό κτητικά ἐπίθετα*) κάθε: *His ~ movement was watched*, ἡ κάθε του κίνηση παρηκολουθεῖτο. *He tries to meet her ~ wish*, προσπαθεῖ νά ἱκανοποιήση κάθε της ἐπιθυμία. **3**. (*σέ φράσεις*): ***~ bit***, ἐντελῶς, ἀκριβῶς: *This is ~ bit as good as that*, αὐτό εἶναι ἀκριβῶς τόσο καλό ὅσο καί κεῖνο. ***~ time***, πάντοτε, κάθε φορά: *E~ time I need him, he's out*, κάθε φορά πού τόν χρειάζομαι, λείπει. ***~ one of us/you/them***, καθένας μας/σας/τους. ***in ~ way***, ἀπό κάθε ἄποψη, μέ κάθε τρόπο.

every·body /ˋevrɪbodɪ/, ˋ**~·one** /ˋevrɪwʌn/ *ἀντων.* καθένας.

every·day /ˋevrɪdeɪ/ *ἐπ.* συνήθης, καθημερινός: *~ clothes/events*, καθημερινά ροῦχα/γεγονότα.

every·thing /ˋevrɪθɪŋ/ *ἀντων.* κάθε τί, ὅλα.

every·where /ˋevrɪweə(r)/ *ἐπίρ.* παντοῦ.

evict /ɪˋvɪkt/ *ρ.μ.* ἐκδιώκω, κάνω ἔξωση: *He was ~ed for not paying his rent*, τοῦ ἔκαναν ἔξωση γιατί δέν πλήρωνε τό νοῖκι του. *an ~ed tenant*, ἐξωσθείς ἐνοικιαστής. **evic·tion** /ɪˋvɪkʃn/ *οὐσ.* ‹C,U› ἔξωσις.

evi·dence /ˋevɪdəns/ *οὐσ.* **1**. ‹U› ἀπόδειξις, μαρτυρική κατάθεσις, μαρτυρία: *produce ~ in support of a claim/of a statement*, φέρω ἀποδείξεις πρός ὑποστήριξιν ἀξιώσεως/ἰσχυρισμοῦ. *We cannot condemn him on such slight ~*, δέν μποροῦμε νά τόν καταδικάσωμε μέ τόσο λίγες ἀποδείξεις. *give ~ in a law court*, καταθέτω ὡς μάρτυς σέ δικαστήριο. ***bear ~ of***, φέρω ἴχνη: *The ship bore ~ of the severity of the storm*, τό πλοῖο ἔφερε ἴχνη τῆς βιαιότητος τῆς θυέλλης. **be in ~**, εἶμαι ἐμφανής, θεατός: *She likes to be very much in ~*, τῆς ἀρέσει νά προβάλλεται. *Her sister was nowhere in ~*, ἡ ἀδελφή της δέν φάνηκε πουθενά. **turn Queen's/King's/State's ~**, γίνομαι μάρτυς κατηγορίας κατά τῶν συνενόχων μου. 2. (*πληθ.*) ἴχνη: *There were ~s of overheating*, ὑπῆρχαν ἴχνη ὑπερθερμάνσεως. —*ρ.μ.* ἀποδεικνύω: *His answer ~d a guilty conscience*, ἡ ἀπάντησίς του ἀπεδείκνυε ἔνοχη συνείδηση.

evi·dent /ˈevɪdənt/ *ἐπ.* προφανής, ὁλοφάνετος, ἔκδηλος: *It's ~ to all of us that...*, εἶναι προφανές σέ ὅλους μας ὅτι... *He looked at his children with ~ pride*, κοίταζε τά παιδιά του μέ ὁλοφάνερη (ἔκδηλη) περηφάνεια. **~·ly** *ἐπίρ.* προφανῶς, καταφανῶς, ἔκδηλα.

evil /ˈivl/ *ἐπ.* κακός, ἁμαρτωλός: *~ men/thoughts*, κακοί ἄνθρωποι/-ές σκέψεις. *lead an ~ life*, κάνω ἁμαρτωλή ζωή. *the E~ One*, ὁ Σατανᾶς. *in an ~ hour*, σέ κακιά ὥρα. *fall on ~ days*, πέφτω σέ κακές μέρες, σέ ἄσχημους καιρούς. **~ eye**, κακό μάτι. **~ tongue**, φαρμακερή γλῶσσα. **ˈ~-ˈminded**, κακόβουλος. —*οὐσ.* ‹C,U› κακόν: *the spirit of ~*, τό πνεῦμα τοῦ κακοῦ. *War is a terrible ~*, ὁ πόλεμος εἶναι τρομερό κακό. **the lesser of two ~s**, τό μή χεῖρον βέλτιστον. **return good for ~**, ἀνταποδίδω καλόν ἀντί κακοῦ. **ˈ~-doer**, κακοποιός.

evince /ɪˈvɪns/ *ρ.μ.* (*λόγ.*) ἀποδεικνύω (ὅτι ἔχω), ἐκδηλώνω: *~ curiosity/intelligence*, δείχνω (ἐκδηλώνω) περιέργεια/ἀντίληψη.

evoca·tive /ɪˈvokətɪv/ *ἐπ.* ὑποβλητικός: *~ words/poetry*, ὑποβλητικές λέξεις/-ή ποίηση.

evoke /ɪˈvəʊk/ *ρ.μ.* προκαλῶ, ἀνακαλῶ (ξαναφέρνω), ζωντανεύω, ἐπικαλοῦμαι: *~ admiration/surprise/a smile*, προκαλῶ θαυμασμό/ἔκπληξη/χαμόγελο. *It ~d memories of the past*, ξανάφερνε (ζωντάνευε) ἀναμνήσεις ἀπό τό παρελθόν. *~ a spirit from the other world*, ἐπικαλοῦμαι ἕνα πνεῦμα ἀπό τόν ἄλλο κόσμο. **evo·ca·tion** /ˈivəʊˈkeɪʃn/ *οὐσ.* ‹C,U› ἐπίκλησις, πρόκλησις, ζωντάνεμα.

evol·ution /ˈivəˈluʃn/ *οὐσ.* 1. ‹U› ἀνέλιξις, ἐξέλιξις: *I prefer ~ to revolution*, προτιμῶ τήν ἐξέλιξη ἀπό τήν ἐπανάσταση. *the theory of ~*, ἡ θεωρία τῆς ἐξελίξεως. 2. ‹C› ἑλιγμός, κίνησις (βάσει σχεδίου): *~s of troops/of dancers*, ἑλιγμοί στρατευμάτων/φιγοῦρες χορευτῶν. **~·ary** /-nrɪ/ *ἐπ.* ἐξελικτικός.

evolve /ɪˈvolv/ *ρ.μ/ἀ.* ἀναπτύσσω/-ομαι, ἐκτυλίσσω/-ομαι, ἐξελίσσομαι: *~ a new theory*, ἀναπτύσσω μιά νέα θεωρία. *The British constitution ~d*, τό Βρεττανικόν σύνταγμα ἐξελίχθη σιγά-σιγά. *Everything ~s from it*, ὅλα ἀνάγονται σ' αὐτό, ὅλα προῆλθον ἀπ' αὐτό διά βαθμιαίας ἐξελίξεως.

ewe /ju/ *οὐσ.* ‹C› προβατίνα.

ewer /ˈjuə(r)/ *οὐσ.* ‹C› κανάτα.

ex- /eks/ *πρόθεμα*, τέως: *the ex-king*, ὁ τέως βασιλεύς.

ex·acer·bate /ɪgˈzæsəbeɪt/ *ρ.μ.* ἐρεθίζω (κάποιον), ἐπιδεινώνω (πόνο, ἀρρώστεια).

[1]**ex·act** /ɪgˈzækt/ *ἐπ.* 1. ἀκριβής: *~ words/directions*, ἀκριβῆ λόγια/ἀκριβεῖς ὁδηγίες. *To be more ~*, γιά νά εἶμαι ἀκριβέστερος... 2. πιστός, μεθοδικός, αὐστηρός: *~ sciences*, θετικές ἐπιστῆμες. **~·ly** *ἐπίρ.* ἀκριβῶς: *That's ~ly what I want*, αὐτό εἶναι ἀκριβῶς πού θέλω. **~·ness, ~i·tude** /-tɪtjud/ *οὐσ.* ‹U› ἀκρίβεια.

[2]**ex·act** /ɪgˈzækt/ *ρ.μ.* ἀπαιτῶ, ἀποσπῶ ἀπαιτητικῶς, ἀξιῶ: *~ payment from a debtor*, ἀποσπῶ πληρωμήν ἀπό χρεωφειλέτην. *~ respect/obedience*, ἀπαιτῶ σεβασμό/ὑπακοή. *work that ~s great attention*, δουλειά πού ἀπαιτεῖ μεγάλη προσοχή. **~·ing** *ἐπ.* ἀπαιτητικός, αὐστηρός, δύσκολος: *an ~ing master*, ἀπαιτητικό ἀφεντικό. *an ~ing piece of work*, μιά δύσκολη (ἐπίπονη) δουλειά. **ex·ac·tion** /ɪgˈzækʃn/ *οὐσ.* ‹C,U› ὑπερβολική ἀξίωσις, ἀπόσπασις (χρημάτων), βαρύς φόρος.

ex·ag·ger·ate /ɪgˈzædʒəreɪt/ *ρ.μ/ἀ.* ὑπερβάλλω, μεγαλοποιῶ: *~ difficulties*, μεγαλοποιῶ τίς δυσκολίες. *He has an ~d sense of his own importance*, ἔχει ὑπερβολική ἰδέα γιά τόν ἑαυτό του. **ex·ag·ger·ation** /ɪgˈzædʒəˈreɪʃn/ *οὐσ.* ‹C,U› ὑπερβολή: *a story full of exaggerations*, ἱστορία γεμάτη ὑπερβολές.

ex·alt /ɪgˈzɔlt/ *ρ.μ.* ἐξυψώνω, ἀνεβάζω, ἐξυμνῶ: *~ sb to the skies*, ἀνεβάζω κπ στά οὐράνια. *an ~ed position/personage*, ὑψηλή θέσις/προσωπικότης. **~a·tion** /ɪgˈzɔlˈteɪʃn/ *οὐσ.* ‹U› ἐξύψωσις, ἔξαρσις, ἀνάτασις, ἔκστασις.

exam /ɪgˈzæm/ *οὐσ.* ‹C› *βλ. examination.*

ex·am·in·ation /ɪgˈzæmɪˈneɪʃn/ *οὐσ.* ‹C,U› ἐξέτασις, διαγώνισμα, ἀνάκρισις: *On ~, it was found to be false*, ὕστερα ἀπό ἐξέταση, βρέθηκε ὅτι εἶναι πλαστό. *The prisoner is still under ~*, ὁ κρατούμενος ἀκόμα ἀνακρίνεται. *an ~ of one's eyes/of an account*, ἐξέτασις τῶν ματιῶν/ἑνός λογαριασμοῦ. *an ~ in physics*, ἐξέτασις στή φυσική. *a written/oral ~*, γραπτή/προφορική ἐξέτασις. *an entrance ~*, εἰσαγωγικές ἐξετάσεις. *pass an ~*, περνῶ τίς ἐξετάσεις. *fail (in) an ~*, ἀποτυγχάνω στίς ἐξετάσεις. **sit/enter for an ~**, δίνω ἐξετάσεις.

ex·am·ine /ɪgˈzæmɪn/ *ρ.μ.* ἐξετάζω: *have one's eyes/teeth ~d*, ἐξετάζω τά μάτια μου/τά δόντια μου. *She needs to have her head ~d*, (*καθομ.*) πρέπει νά τήν δῆ γιατρός (*δηλ.* εἶναι τρελλή). *~ pupils in French*, ἐξετάζω μαθητές στά Γαλλικά. *~ a witness in a court of law*, ἐξετάζω μάρτυρα στό δικαστήριο. **~r** *οὐσ.* ‹C› ἐξεταστής.

ex·ample /ɪgˈzampl/ *οὐσ.* ‹C› παράδειγμα: *give several ~s*, δίνω διάφορα παραδείγματα. *follow sb's ~*, ἀκολουθῶ τό παράδειγμα κάποιου. *Let this be an ~ to you*, αὐτό νά σοῦ γίνη μάθημα. **for ~**, παραδείγματος χάριν. **by way of ~**, σάν (γιά) παράδειγμα. **make an ~ of sb**, τιμωρῶ κπ πρός παραδειγματισμόν. **set an ~ to sb**; **set sb a good ~**, δίνω τό (καλό) παράδειγμα σέ κπ.

ex·as·per·ate /ɪgˈzaspəreɪt/ *ρ.μ.* ἐξερεθίζω, ἐξοργίζω, ἐκνευρίζω: *That noise ~s me*, αὐτός ὁ θόρυβος μοῦ δίνει στά νεῦρα. *~d by/at his stupidity*, ἐξωργισμένος ἀπό τή βλακεία του. *It is exasperating to miss a train by half a minute*, εἶναι ἐκνευριστικό νά χάνης τό τραῖνο γιά μισό λεπτό.

ex·as·per·ation /ɪgˈzaspəˈreɪʃn/ *οὐσ.* ‹U›

ἐκνευρισμός, ἐξαγρίωσις, ἀπόγνωσις: *drive sb to* ~, φέρνω κπ σέ ἀπόγνωση, τόν κάνω ἔξω φρενῶν. *'Stop it!' he cried out in* ~, Πάψε πιά! φώναξε ἔξω φρενῶν.

ex·ca·vate /ˈekskəveɪt/ *ρ.μ.* ἀνασκάπτω, ἐνεργῶ ἀνασκαφές, φέρω σέ φῶς: ~ *a buried city*, φέρω εἰς φῶς μιά θαμμένη πόλη. **ex·ca·va·tion** /ˌekskəˈveɪʃn/ *οὐσ.* ‹C,U› ἀνασκαφή. **ex·ca·va·tor** /ˈekskəveɪtə(r)/ *οὐσ.* ‹C› ἐκσκαφεύς.

ex·ceed /ekˈsid/ *ρ.μ.* ὑπερβαίνω, ξεπερνῶ: ~ *all expectations*, ὑπερβαίνω κάθε προσδοκία. *London* ~*s Paris in size and population*, τό Λονδῖνο ξεπερνᾶ τό Παρίσι σέ ἔκταση καί πληθυσμό. ~ *the speed limit/sb's instructions*, ὑπερβαίνω τό ὅριο ταχύτητος/τίς ὁδηγίες κάποιου. **~·ing·ly** *ἐπίρ.* ὑπερβολικά, πάρα πολύ: *an* ~*ingly difficult problem*, ἕνα πάρα πολύ δύσκολο πρόβλημα.

ex·cel /ekˈsel/ *ρ.μ/ὰ.* *(-ll-)* ~ ***in/at***, **1.** διαπρέπω, διακρίνομαι: *Our school* ~*s in/at sport*, τό σχολεῖο μας διαπρέπει στά σπόρ. ~ *in courage/as an orator*, διακρίνομαι γιά τό θάρρος μου/διαπρέπω σά ρήτορας. **2.** ὑπερέχω, ὑπερτερῶ: *He* ~*s all of us in/at tennis*, ὑπερέχει ὅλων μας στό τέννις.

ex·cel·lence /ˈeksələns/ *οὐσ.* ‹C,U› ἀξία, ὑπεροχή, ἀρετή, λαμπρή ἐπίδοσις: *a prize for* ~ *in French*, βραβεῖο γιά λαμπρή ἐπίδοση στά Γαλλικά. *recognize sb's many* ~*s*, ἀναγνωρίζω τίς πολλές ἀρετές κάποιου.

Ex·cel·lency /ˈeksələnsɪ/ *οὐσ.* ‹C› *(τίτλος)* Ἐξοχότης: *Your E*~, ἡ Ἐξοχότης σας.

ex·cel·lent /ˈeksələnt/ *ἐπ.* ἔξοχος, θαυμάσιος.

1 **ex·cept** /ekˈsept/ *πρόθ.* ἐκτός, ἐκτός ἀπό: *every day* ~ *Sunday*, κάθε μέρα ἐκτός Κυριακῆς. *Nobody was late* ~ *me*, κανένας δέν ἄργησε ἐκτός ἀπό μένα. (*συγκρ. Five others were late besides me*, πέντε ἄλλοι ἄργησαν ἐκτός ἀπό μένα). ~ ***for***, ἐκτός ἀπό (*ὅταν συγκρίνομε ἀνόμοια στοιχεῖα*): *Your essay is good* ~ *for the spelling*, ἡ ἔκθεσή σου εἶναι καλή (σέ ὅλα τά σημεῖα) ἐκτός ἀπό τήν ὀρθογραφία. (*συγκρ. All the essays were good* ~ *John's*, ὅλες οἱ ἐκθέσεις ἦταν καλές ἐκτός ἀπό τοῦ Γ.) ~ ***that***, ἐκτός τοῦ ὅτι: *I know nothing about him* ~ *that he is rich*, δέν ξέρω τίποτα γι' αὐτόν ἐκτός τοῦ ὅτι εἶναι πλούσιος.

2 **ex·cept** /ekˈsept/ *ρ.μ.* ἐξαιρῶ: *I* ~ *nobody*, δέν ἐξαιρῶ κανέναν. ***present company*** ~***ed***, ἐξαιρουμένων τῶν παρόντων. **~·ing** *πρόθ & σύνδ.* (*μετά τίς λέξεις not, always, without*) ἐξαιρέσει: *without/not* ~*ing my sister*, μή ἐξαιρουμένης τῆς ἀδελφῆς μου.

ex·cep·tion /ekˈsepʃn/ *οὐσ.* ‹C› **1.** ἐξαίρεσις: *The* ~ *proves the rule*, ἡ ἐξαίρεσις ἐπιβεβαιώνει τόν κανόνα. *without* ~, χωρίς ἐξαίρεση, ἀνεξαιρέτως. ***an*** ~ ***to the rule***, ἐξαίρεσις τοῦ κανόνος. ***make an*** ~, κάνω ἐξαίρεση. **2.** ἀντίρρησις. ***take*** ~ ***to***, ἀντιτίθεμαι, διαμαρτύρομαι, θίγομαι: *He took* ~ *to my remarks*, ἐθίγη ἀπό τίς παρατηρήσεις μου. **~·able** /-əbl/ *ἐπ.* κατακριτέος, ἐπιλήψιμος: *I find nothing* ~*able in this*, δέν βρίσκω τίποτα ἐπιλήψιμο σ' αὐτό. **~al** /-ʃnl/ *ἐπ.* ἀσυνήθης, ἐξαιρετικός: ~*al weather*, ἀσυνήθης καιρός. *a man of* ~*al abilities*, ἄνθρωπος μέ ἐξαιρετικές ἱκανότητες. **~·ally** /-ʃnəlɪ/ *ἐπίρ.* ἐξαιρετικά: *an* ~*ally clever boy*.

ex·cerpt /ˈeksɜpt/ *οὐσ.* ‹C› ἀπόσπασμα, περικοπή, ἀνάτυπον.

ex·cess /ekˈses/ *οὐσ.* ‹C› **1.** ὑπερβολή, περίσσεια: *an* ~ *of enthusiasm*, ὑπερβολικός ἐνθουσιασμός. ***in*** ~ ***of***, περισσότερο ἀπό, παραπάνω ἀπό. ***to*** ~, καθ' ὑπερβολήν, ὑπερβολικά: *He is generous to* ~, εἶναι ὑπερβολικά γενναιόδωρος. *eat/drink to* ~, τρώγω/πίνω ὑπερβολικά. **2.** (*πληθ.*) ὑπερβολές, ἀγριότητες, ὄργια: *commit* ~*es*, διαπράττω ἀγριότητες (ἤ ὄργια). **3.** /ˈekses/ (*ἐπιθετικῶς*) ὑπερβολικός, καθ' ὑπέρβασιν, πρόσθετος, συμπληρωματικός: ~ *luggage*, ὑπέρβασις ἀποσκευῶν (βάρος πάνω ἀπό τό κανονικό). ~ *fare/postage*, πρόσθετο (συμπληρωματικό) εἰσιτήριο/ταχυδρομικό τέλος. **~·ive** /ekˈsesɪv/ *ἐπ.* ὑπερβολικός, ὑπέρμετρος: ~*ive drinking*, ὑπερβολική οἰνοποσία. **~·ive·ly** *ἐπίρ.* ὑπερβολικά, πάρα πολύ: ~*ively rich*, φοβερά πλούσιος.

1 **ex·change** /eksˈtʃeɪndʒ/ *οὐσ.* ‹C,U› **1.** ἀνταλλαγή: *an* ~ *of views/prisoners/goods*, ἀνταλλαγή ἀπόψεων/αἰχμαλώτων/ἐμπορευμάτων. ***in*** ~ ***(for sth)***, εἰς ἀντάλλαγμα (ἑνός πράγματος). **2.** συνάλλαγμα: *foreign* ~, ξένο συνάλλαγμα. *ˈE*~ *Control*, ἔλεγχος συναλλάγματος. *the rate of* ~, τιμή συναλλάγματος. **bill of** ~, συναλλαγματική. **3.** χρηματιστήριον: *the ˈCotton E*~*/the ˈStock E*~, τό Χρηματιστήριον Βάμβακος/Ἀξιῶν. **4.** κέντρο: *a ˈtelephone* ~, τηλεφωνικό κέντρο. *ˈLocal/ˈTrunk* ~, Ἀστικό/Ὑπεραστικό κέντρο. **ˈlabour** ~, Γραφεῖον Εὑρέσεως Ἐργασίας.

2 **ex·change** /eksˈtʃeɪndʒ/ *ρ.μ/ὰ.* ἀνταλλάσσω: ~ *greetings/glances/views/prisoners/seats*, ἀνταλλάσσω χαιρετισμό/ματιές/ἀπόψεις/αἰχμαλώτους/καθίσματα. ~ ***sth for sth***, ἀνταλλάσω κτ μέ κτ. ~ ***blows/words with sb***, ἀνταλλάσσω χτυπήματα/λόγια μέ κπ, τσακώνομαι. **~·able** /-əbl/ *ἐπ.* ἀνταλλάξιμος.

ex·chequer /eksˈtʃekə(r)/ *οὐσ.* ‹C› Θησαυροφυλάκιον, Ὑπουργεῖον Οἰκονομικῶν, οἰκονομικά: *the Chancellor of the E*~, Ὑπουργός τῶν Οἰκονομικῶν.

1 **ex·cise** /ˈeksaɪz/ *οὐσ.* ‹U› ἔμμεσος φόρος: *the* ~ *duty on beer/tobacco*, ὁ φόρος (καταναλώσεως) ἐπί τῆς μπύρας/ἐπί τοῦ καπνοῦ. *ˈ*~ *duties*, φόροι καταναλώσεως. *ˈ*~*man*, *ˈE*~ *Officer*, εἰσπράκτωρ ἐμμέσων φόρων. *ˈE*~ *Office*, Διεύθυνσις Ἐμμέσων Φόρων.

2 **ex·cise** /ekˈsaɪz/ *ρ.μ.* (*λόγ.*) ἐκτέμνω, ἀποκόπτω (ὄργανον σώματος, χωρίον βιβλίου, κλπ). **ex·ci·sion** /ekˈsɪʒn/ *οὐσ.* ‹C,U› ἐκτομή, περικοπή.

ex·cite /ekˈsaɪt/ *ρ.μ.* **1.** ἐξάπτω, συγκινῶ, συναρπάζω: *Don't* ~ *yourself!* μήν ἐξάπτεσαι! *We were* ~*d by the news of the victory*, τά νέα τῆς νίκης μᾶς συνεπῆραν. *It's nothing to get* ~*d about*, δέν συντρέχει λόγος νά συγκινῆσαι, νά ἀναστατώνεσαι. **2.** προκαλῶ, ὑποκινῶ, διεγείρω: ~ *envy/admiration/love in sb*, προκαλῶ ζήλεια/θαυμασμό/ἀγάπη σέ κπ. ~ *the people to rebellion*, ὑποκινῶ τό λαό σέ ἀνταρσία. **3.** ἐρεθίζω: *drugs that* ~ *the nerves*, φάρμακα πού ἐρεθίζουν τά νεῦρα.

ex·cit·able /-əbl/ *ἐπ.* εὐέξαπτος, εὐερέθιστος, εὐκολοσυγκίνητος. **ex·cit·ed·ly** *ἐπίρ.* μέ ἔξαψη, συγκινημένα. **ex·cit·ing** *ἐπ.* συναρπαστικός.

ex·cite·ment /ek`saɪtmənt/ *οὐσ.* ‹C,U› ἔξαψις, ὑπερδιέγερσις, συγκίνησις: *cause great* ~, προκαλῶ μεγάλη ἔξαψη (συγκίνηση, ἀναταραχή). *jump about in* ~, χοροπηδῶ ἀπό ὑπερδιέγερση. *What's all this* ~ *about?* γιατί ὅλη αὐτή ἡ ἀναστάτωση, αὐτή ἡ συγκίνηση;

ex·claim /ek`skleɪm/ *ρ.μ/ἀ.* ἀναφωνῶ. **ex·cla·ma·tion** /'ekslə`meɪʃn/ *οὐσ.* ‹C› ἀναφώνησις: *an exclamation mark*, θαυμαστικόν. **ex·clama·tory** /ek`sklæmətrɪ/ *ἐπ.* ἐπιφωνηματικός.

ex·clude /ek`sklud/ *ρ.μ.* ἀποκλείω: ~ *sb from a post*, ἀποκλείω κπ ἀπό μιά θέση. ~ *all possibility of error*, ἀποκλείω κάθε δυνατότητα λάθους. **ex·clu·sion** /ek`skluʒn/ *οὐσ.* ‹C,U› ἀποκλεισμός: *His exclusion from the school team*, ὁ ἀποκλεισμός του ἀπό τή σχολική ὁμάδα... ***to the exclusion of***, ὥστε ν' ἀποκλεισθῆ, ἀποκλείοντας.

ex·clu·sive /ek`sklusɪv/ *ἐπ.* **1.** ἀποκλειστικός: ~ *rights/privileges*, ἀποκλειστικά δικαιώματα/προνόμια. *an* ~ *interview/agency*, ἀποκλειστική συνέντευξη/ἀντιπροσωπεία. **2.** ἐκλεκτικός, κλειστός: *He's very* ~, εἶναι πολύ ἐκλεκτικός (στίς σχέσεις του). *He moves in* ~ *social circles*, κινεῖται σέ κλειστούς κοινωνικούς κύκλους. **3.** (γιά μαγαζί, πωλούμενα εἴδη, κλπ) ἐκλεκτός. **4.** ~ ***of***, ἐξαιρουμένου: *price of dinner* ~ *of wine*, τιμή γεύματος ἐξαιρουμένου τοῦ κρασιοῦ. **~·ly** *ἐπίρ.* ἀποκλειστικά.

ex·com·muni·cate /'ekskə`mjunɪkeɪt/ *ρ.μ.* ἀφορίζω. **ex·com·muni·ca·tion** /'ekskə'mjunɪ`keɪʃn/ *οὐσ.* ‹C,U› ἀφορισμός.

ex·cre·ment /`ekskrəmənt/ *οὐσ.* ‹U› περίττωμα.

ex·cres·cence /ek`skresns/ *οὐσ.* ‹C› ἔκφυμα, ὄγκος, παθολογικό σάρκωμα (σέ δέρμα ἤ σέ φλοιό), (*μεταφ.*) ἐξάμβλωμα.

ex·crete /ek`skrit/ *ρ.μ.* ἐκκρίνω, ἀποβάλλω. **ex·cre·tion** /ek`skriʃn/ *οὐσ.* ‹U› ἀπέκκρισις, ἔκκριμα.

ex·cru·cia·ting /ek`skruʃɪeɪtɪŋ/ *ἐπ.* βασανιστικός, ἀνυπόφορος: *an* ~ *pain*, φριχτός πόνος. **~·ly** *ἐπίρ.* ἀνυπόφορα.

ex·cul·pate /`ekskʌlpeɪt/ *ρ.μ.* (*λόγ.*) ἀθωώνω, ἀπαλλάσσω: ~ *sb from a charge*, ἀπαλλάσσω κπ ἀπό μιά κατηγορία.

ex·cur·sion /ɪk`skɜʃn/ *οὐσ.* ‹C› ἐκδρομή: *go on/make an* ~, πάω/κάνω ἐκδρομή. **~·ist** /-ɪst/ *οὐσ.* ‹C› ἐκδρομεύς.

[1]**ex·cuse** /ɪk`skjus/ *οὐσ.* ‹C› δικαιολογία, πρόφασις, συγγνώμη: *a poor/lame* ~, φτηνή δικαιολογία. *make* ~*s for doing sth*, βρίσκω δικαιολογίες (προφάσεις) γιά κτ πού κάνω. *offer an* ~, δίνω μιά δικαιολογία. *Give them my* ~*s*, ζήτησέ τους συγγνώμη ἐκ μέρους μου. ***without*** ~, ἀδικαιολόγητα. ***in*** ~ ***of***, γιά δικαιολογία: *He pleaded ignorance of the law in* ~ *of his conduct*, ἰσχυρίσθηκε ἄγνοια τοῦ νόμου γιά νά δικαιολογήση τή συμπεριφορά του.

[2]**ex·cuse** /ɪk`skjuz/ *ρ.μ.* **1.** συγχωρῶ, δικαιολογῶ: *E*~ *my being late/E*~ *me for being late*, μέ συγχωρεῖτε πού ἄργησα. *Nothing can* ~ *such conduct*, τίποτα δέν μπορεῖ νά δικαιολογήση μιά τέτοια συμπεριφορά. ***E*~ *me***, μέ συγχωρεῖτε. **2.** ~ ***from***, ἀπαλλάσσω τῆς ὑποχρεώσεως: *He was* ~*d from coming to the meeting*, τόν ἀπαλλάξαμε τῆς ὑποχρεώσεως νά ἔλθη στή συνεδρίαση. **ex·cus·able** /-əbl/ *ἐπ.* συγχωρητέος: *an excusable mistake*, λάθος πού συγχωρεῖται.

ex·ecrable /`eksɪkrəbl/ *ἐπ.* ἀπαίσιος, φριχτός, βδελυρός: ~ *weather/manners*, ἀπαίσιος καιρός/τρόπος.

ex·ecrate /`eksɪkreɪt/ *ρ.μ.* ἀπεχθάνομαι, βδελύσσομαι.

ex·ecra·tion /'eksɪ`kreɪʃn/ *οὐσ.* ‹U› ἀπέχθεια, βδελυγμία.

ex·ecute /`eksɪkjut/ *ρ.μ.* **1.** ἐκτελῶ: ~ *an order/a will/a murderer/a piece of music*, ἐκτελῶ μιά διαταγή/μιά διαθήκη/ἕνα δολοφόνο/ἕνα μουσικό κομμάτι. **2.** (ἐπι)κυρώνω: ~ *a document*, (ἐπι)κυρώνω ἔγγραφον. **ex·ecu·tant** /ɪg`zekjʊtənt/ *οὐσ.* ‹C› ἐκτελεστής (σχεδίου, μουσικῆς, κλπ).

ex·ecu·tion /'eksɪ`kjuʃn/ *οὐσ.* ‹C,U› **1.** ἐκτέλεσις: *in the* ~ *of my duties*, κατά τήν ἐκτέλεσιν τῶν καθηκόντων μου. *the* ~ *of a will/of a piece of music*, ἡ ἐκτέλεσις διαθήκης/μουσικοῦ κομματιοῦ. ***put/carry sth into*** ~, ἐκτελῶ κτ, θέτω κτ εἰς ἐφαρμογήν. **2.** (*γιά ὅπλα*) καταστροφή, σφαγή: *The artillery did great* ~, τό πυροβολικό ἔκανε μεγάλη σφαγή. **3.** ἐκτέλεσις, θανάτωσις: ~ *by hanging*, ἐκτέλεσις δι' ἀπαγχονισμοῦ. **~er** *οὐσ.* ‹C› δήμιος.

ex·ecu·tive /ɪg`zekjʊtɪv/ *ἐπ.* ἐκτελεστικός: *have* ~ *powers*, ἔχω ἐκτελεστικές ἐξουσίες. ~ *ability/duties*, διευθυντική ἱκανότητα /-ά καθήκοντα. __*οὐσ.* ‹C› **1.** ***the E*~**, ἡ ἐκτελεστική ἐξουσία. **2.** διευθυντής (ὑπηρεσίας, ἐπιχειρήσεως), ἀνώτερος ὑπάλληλος. **3.** πρόσωπο πού ἔχει ἐκτελεστική ἐξουσία.

ex·ecu·tor /ɪg`zekjʊtə(r)/ *οὐσ.* ‹C› ἐκτελεστής (διαθήκης). **ex·ecu·trix** /-trɪks/ *οὐσ.* ‹C› ἐκτελέστρια.

ex·emp·lary /ɪg`zemplərɪ/ *ἐπ.* ὑποδειγματικός, παραδειγματικός: ~ *conduct*, ὑποδειγματική συμπεριφορά. ~ *punishment*, παραδειγματική τιμωρία.

ex·emp·lify /ɪg`zemplɪfaɪ/ *ρ.μ.* ἐξηγῶ μέ παραδείγματα, ἀποτελῶ (χρησιμεύω ὡς) παράδειγμα.

ex·empt /ɪg`zempt/ *ρ.μ.* ~ ***(from)***, ἀπαλλάσσω, ἐξαιρῶ: *These goods are* ~*ed from duty*, αὐτά τά ἐμπορεύματα ἀπαλλάσσονται δασμοῦ. *be* ~*ed from military service*, ἀπαλλάσσομαι τῆς στρατιωτικῆς θητείας. __*ἐπ.* ἀπηλλαγμένος: ~ *from tax*, ἀπηλλαγμένος φόρου. **ex·emp·tion** /ɪg`zempʃn/ *οὐσ.* ‹C,U› ἀπαλλαγή, ἐξαίρεσις.

[1]**ex·er·cise** /`eksəsaɪz/ *οὐσ.* ‹C,U› **1.** ἄσκησις, ἐνάσκησις: *in the* ~ *of my duties*, κατά τήν ἄσκησιν (ἐνάσκησιν) τῶν καθηκόντων μου. *Walking is good* ~, ἡ πεζοπορία εἶναι καλή ἄσκησις. *military* ~*s*, στρατιωτικές ἀσκήσεις. ***take/do*** ~***s***, κάνω ἀσκήσεις, γυμναστική. **2.** ἄσκησις, καταβολή: *the* ~ *of patience/imagination*, ἡ χρησιμοποίησις τῆς ὑπομονῆς/φαντασίας. **3.** (*πληθ. ΗΠΑ*) τελετή, γιορτή (σχολική): *opening* ~*s*, γιορτή γιά

τήν ἔναρξη τοῦ σχολικοῦ ἔτους.

[2]**ex·er·cise** /ˋeksəsaɪz/ *ρ.μ/ὰ.* **1**. ἀσκῶ, ἀσκοῦμαι, γυμνάζω/-ομαι: ~ *one's rights/influence*, ἐξασκῶ τά δικαιώματά μου/ἀσκῶ ἐπιρροήν. *You don't ~ enough*, δέν ἀσκεῖσαι (γυμνάζεσαι) ἀρκετά. ~ *a horse*, γυμνάζω ἕνα ἄλογο. ~ *oneself in fencing*, ἀσκοῦμαι στήν ξιφομαχία. **2**. καταβάλλω, χρησιμοποιῶ: *You must ~ all your patience*, πρέπει νά χρησιμοποιήσης ὅλη σου τήν ὑπομονή. **3**. (*συνήθ. παθ. φων.*) ἀπασχολῶ, βασανίζω (τό νοῦ), ἀνησυχῶ: *I'm ~d over his health/about the future*, ἀνησυχῶ γιά τήν ὑγεία του/γιά τό μέλλον.

ex·ert /ɪgˋzɜt/ *ρ.μ.* **1**. χρησιμοποιῶ, ἀσκῶ: *I ~ all my strength/influence to do sth*, χρησιμοποιῶ ὅλη μου τή δύναμη/τήν ἐπιρροή νά κάνω κτ. ~ *pressure on sb*, ἀσκῶ πίεση σέ κπ. **2**. ~ ***oneself***, καταβάλλω προσπάθειες, ἀγωνίζομαι: *He ~ed himself to finish on time*, κατέβαλε προσπάθειες νά τελειώση ἐγκαίρως. *He ~ed himself on your behalf*, ἀγωνίστηκε γιά χάρη σου.

ex·er·tion /ɪgˋzɜʃn/ *οὐσ.* ‹C,U› **1**. ἄσκησις, χρῆσις, χρησιμοποίησις: ~ *of authority/influence*, ἄσκησις ἐξουσίας/ἐπιρροῆς. *by skilful ~ of his strength*, μέ ἐπιδέξια χρησιμοποίηση τῆς δύναμής του. **2**. σθεναρά προσπάθεια, κόπος: *for all his ~s*, παρ' ὅλες του τίς προσπάθειες. *I'm unequal to the ~s of travelling*, δέν εἶμαι σέ θέση νά ὑποβληθῶ στούς κόπους τοῦ ταξιδιοῦ.

ex·eunt /ˋegzɪənt/ *ρ.* (*Λατ.*) ἐξέρχονται (σέ σκηνικές ὁδηγίες στό θέατρο).

ex·hale /eksˋheɪl/ *ρ.μ/ὰ.* ἐκπνέω, ἀποπνέω, ἀναδίδω/-ομαι, βγάζω: ~ *air from the lungs*, βγάζω ἀέρα ἀπό τά πνευμόνια. **ex·ha·la·tion** /ˈekshəˋleɪʃn/ *οὐσ.* ‹C,U› ἐκπνοή, ἀπόπνοια, ἀναθυμίασις, ὀσμή.

ex·haust /ɪgˋzɔst/ *οὐσ.* ‹C› ἐξάτμισις, ἐξαγωγή (ἀερίων, ἀτμοῦ). ~ **gas**, καυσαέριον. ˋ~-**pipe**, ἐξάτμισις (αὐτοκινήτου). —*ρ.μ.* ἐξαντλῶ, ἀδειάζω: ~ *one's patience/strength/a well/a subject*, ἐξαντλῶ τήν ὑπομονή μου/τή δύναμή μου/ ἕνα πηγάδι/ἕνα θέμα. *I feel ~ed*, νοιώθω ἐξαντλημένος.

ex·haus·tion /ɪgˋzɔstʃən/ *οὐσ.* ‹U› ἐξάντλησις: *We were in a state of complete ~*, εἴμαστε σέ κατάσταση πλήρους ἐξαντλήσεως.

ex·haus·tive /ɪgˋzɔstɪv/ *ἐπ.* ἐξαντλητικός, πλήρης: *an ~ enquiry*, ἐξαντλητική ἔρευνα.

[1]**ex·hibit** /ɪgˋzɪbɪt/ *οὐσ.* ‹C› **1**. ἔκθεμα: *Don't touch the ~s!* μήν ἀγγίζετε τά ἐκθέματα! **2**. (*νομ.*) τεκμήριον, πειστήριον.

[2]**ex·hibit** /ɪgˋzɪbɪt/ *ρ.μ.* **1**. ἐκθέτω: ~ *paintings in a gallery*, ἐκθέτω πίνακες σέ γκαλερί. ~ *flowers at a flower show*, ἐκθέτω ἄνθη σέ ἀνθοκομική ἔκθεση. **2**. ἐπιδεικνύω: ~ *great intelligence*, ἐπιδεικνύω μεγάλη εὐφυΐα. ~**or** /-tə(r)/ *οὐσ.* ‹C› ἐκθέτης.

ex·hibi·tion /ˈeksɪˋbɪʃn/ *οὐσ.* ‹C› **1**. ἔκθεσις, ἐπίδειξις: *a painting ~*, ἔκθεσις ζωγραφικῆς. *He made an ~ of his knowledge*, ἔκανε ἐπίδειξη τῶν γνώσεών του. ***make an ~ of oneself***, γίνομαι θέαμα, γελοιοποιοῦμαι. **2**. σχολική ὑποτροφία. ~**er** *οὐσ.* ‹C› ὑπότροφος. ~·**ism** /-ɪzm/ *οὐσ.* ‹U› (*ψυχ.*) ἐπιδειξιμανία. ~·**ist** /-ɪst/ *οὐσ.* ‹C› ἐπιδειξιμανής.

ex·hil·arate /ɪgˋzɪləreɪt/ *ρ.μ.* (*συνήθ. παθ. φων.*) χαροποιῶ, ζωντανεύω: *He was ~d to find himself among his old friends*, ἦταν γεμᾶτος χαρά πού ξαναβρέθηκε ἀνάμεσα στούς παληούς του φίλους. *exhilarating news*, εὐχάριστα νέα. **ex·hil·ara·tion** /ɪgˈzɪləˋreɪʃn/ *οὐσ.* ‹U› χαρά, κέφι, εὐθυμία.

ex·hort /ɪgˋzɔt/ *ρ.μ.* (*λόγ.*) ~ ***sb to sth/to do sth***, προτρέπω, παροτρύνω: ~ *sb to work harder*, παροτρύνω κπ νά δουλέψη περισσότερο. ~ *one's listeners to good deeds*, προτρέπω τούς ἀκροατές μου σέ καλά ἔργα.

ex·hor·ta·tion /ˈeksɔˋteɪʃn/ *οὐσ.* ‹C,U› προτροπή, παρότρυνσις.

ex·hume /ɪgˋzjum/ *ρ.μ.* ἐκθάπτω, ξεθάβω (πτῶμα, πρός ἐξέτασιν). **ex·hu·ma·tion** /ˈeksjʊˋmeɪʃn/ *οὐσ.* ‹C,U› ἐκταφή.

exi·gency /ˋeksɪdʒənsɪ/ *οὐσ.* ‹C› κρίσιμος κατάστασις, κρίσις, ἐπείγουσα ἀνάγκη: *in this ~*, σ' αὐτή τήν κρίση. **exi·gent** /-dʒənt/ *ἐπ.* ἐπείγων, πιεστικός, ἀπαιτητικός.

exile /ˋegzaɪl/ *οὐσ.* ‹C,U› **1**. ἐξορία: *be/live in ~*, εἶμαι/ζῶ σέ ἐξορία. *go/be sent into ~*, πηγαίνω/στέλνομαι ἐξορία. **2**. ἐξόριστος. —*ρ.μ.* ἐξορίζω.

ex·ist /ɪgˋzɪst/ *ρ.ὰ.* **1**. ὑπάρχω: *Does life ~ on Mars?* ὑπάρχει ζωή στόν Ἄρη; *The idea ~s only in your mind*, ἡ ἰδέα ὑπάρχει μόνο στό μυαλό σου. **2**. ζῶ: *We can't ~ without water*, δέν μποροῦμε νά ζήσωμε χωρίς νερό. *She ~s on very little*, ζεῖ μέ πολύ λίγα. ~·**ence** /-əns/ *οὐσ.* ‹C,U› ὕπαρξις, ζωή: *I don't believe in the ~ence of ghosts*, δέν πιστεύω στήν ὕπαρξη φαντασμάτων. *lead a happy ~ence*, ἔχω εὐτυχισμένη ζωή. ***come into ~ence***, γεννιέμαι, ἀρχίζω νά ὑπάρχω. ~·**ent** /-ənt/ *ἐπ.* ὑπάρχων.

ex·is·ten·tial·ism /ˈegzɪˋstenʃəlɪzm/ *οὐσ.* ‹U› ὑπαρξισμός. **ex·is·ten·tial·ist** /-ɪst/ *οὐσ.* ‹C› ὑπαρξιστής.

exit /ˋeksɪt/ *οὐσ.* ‹C› **1**. (*θεατρ.*) ἔξοδος (ἠθοποιοῦ): *make one's ~*, ἐξέρχομαι, φεύγω. **2**. ἔξοδος (πόρτα): *emergency ~*, ἔξοδος κινδύνου. —*ρ.ὰ.* ἐξέρχομαι (ὁδηγία σέ θεατρ. ἔργο): ~ *Macbeth*, ἐξέρχεται ὁ Μάκβεθ.

exo·dus /ˋeksədəs/ *οὐσ.* (*μόνον στόν ἑν.*) ἔξοδος (πλήθους, λαοῦ): *the ~ of the Israelites from Egypt*, ἡ ἔξοδος τῶν Ἰσραηλιτῶν ἀπό τήν Αἴγυπτο. *the ~ of people to the sea in summer*, ἡ ἔξοδος τοῦ κόσμου στή θάλασσα τό καλοκαίρι.

ex·of·ficio /ˈeks əˋfɪʃɪəʊ/ (*Λατ.*) αὐτοδικαίως, αὐτεπαγγέλτως, ὡς ἐκ τῆς θέσεώς του.

ex·oner·ate /ɪgˋzɒnəreɪt/ *ρ.μ.* ἀπαλλάσσω, ἀθωώνω: ~ *sb from all responsibility*, ἀπαλλάσσω κπ ἀπό κάθε εὐθύνη.

ex·or·bi·tant /ɪgˋzɔbɪtənt/ *ἐπ.* ὑπερβολικός, ὑπέρογκος, ἐξωφρενικός: *an ~ price/bill*, ἐξωφρενική τιμή/ὑπέρογκος λογαριασμός.

ex·or·cize /ˋeksɔsaɪz/ *ρ.μ.* ἐξορκίζω: ~ *an evil spirit from/out of sb*, ἐξορκίζω (διώχνω) τό πονηρόν πνεῦμα ἀπό κπ. **ex·or·cist** /-sɪst/ *οὐσ.* ‹C› ἐξορκιστής,

ex·otic /ɪgˋzɒtɪk/ *ἐπ.* ἐξωτικός: ~ *birds/plants*.

ex·pand /ɪkˋspænd/ *ρ.μ/ὰ.* **1**. διαστέλλω/-ομαι: *Metals ~ when heated*, τά μέταλλα διαστέλλονται ὅταν θερμανθοῦν. **2**. ἁπλώνω/

-ομαι, ἐπεκτείνω/-ομαι, φουσκώνω: *The river ~s and forms a lake*, ὁ ποταμός ἁπλώνεται καί σχηματίζει λίμνη. *Our foreign trade has ~ed lately*, τό ἐξωτερικό μας ἐμπόριο ἔχει ἐπεκταθῆ τελευταίως. *His heart ~ed with joy*, ἡ καρδιά του φούσκωσε ἀπό χαρά. **3**. ἀνοίγω, γίνομαι διαχυτικός καί καλοδιάθετος: *The petals of many flowers ~ in the sunshine*, τά πέταλα πολλῶν λουλουδιῶν ἀνοίγουν στόν ἥλιο. *His face ~ed in a smile of welcome*, τό πρόσωπό του ἄνοιξε σ' ἕνα χαμόγελο καλωσορίσματος. *When he has had a couple of whiskies, he ~s*, ὅταν πιῆ κανά δυό ποτηράκια οὐΐσκυ, γίνεται διαχυτικός.

ex·panse /ɪkˈspæns/ *οὐσ.* ‹C› ἔκτασις: *a vast ~ of desert*, μιά ἀπέραντη ἔκταση ἐρήμου. *the blue ~ of the sky*, ἡ γαλάζια ἀπεραντωσύνη τ' οὐρανοῦ.

ex·pan·sion /ɪkˈspænʃn/ *οὐσ.* ‹U› ἐπέκτασις, διαστολή, διόγκωσις: *~ of territory*, ἐδαφική ἐπέκτασις (μιᾶς χώρας). *the ~ of metals*, ἡ διαστολή τῶν μετάλλων. *the ~ of a currency*, ἡ διόγκωσις τοῦ κυκλοφοροῦντος νομίσματος.

ex·pan·sive /ɪkˈspænsɪv/ *ἐπ.* διασταλτικός, ἐπεκτατικός, διαχυτικός: *an ~ policy*, ἐπεκτατική πολιτική. *an ~ man*, διαχυτικός ἄνθρωπος.

ex·pati·ate /ekˈspeɪʃɪeɪt/ *ρ.ἀ.* ~ ***(up)on***, (*λόγ.*) μακρηγορῶ, ἀπεραντολογῶ.

ex·patri·ate /ekˈspætrɪeɪt/ *ρ.μ.* ~ ***oneself***, ἐκπατρίζομαι. __*οὐσ.* ‹C› /ekˈspætrɪət/ ἐκπατρισμένος. **ex·patri·ation** /ekˈspætrɪˈeɪʃn/ *οὐσ.* ‹U› ἐκπατρισμός.

ex·pect /ɪkˈspekt/ *ρ.μ.* **1**. περιμένω, προσδοκῶ: *We ~ed you yesterday*, σέ περιμέναμε χθές. *We're ~ing more of you*, περιμένομε πιό πολλά ἀπό σένα. *Am I ~ed to do overtime?* πρέπει (θέλετε) νά κάνω ὑπερωρίες; ***be ~ing***, εἶμαι σέ ἐνδιαφέρουσα: *She's ~ing*, περιμένει μωρό. **2**. ἐλπίζω: *I ~ to be back at noon*, ἐλπίζω νά ἐπιστρέψω τό μεσημέρι. **3**. φαντάζομαι, πιστεύω, ὑποθέτω: *'Will he need help?' 'I ~ not'/'I don't ~ so'*, -Θά χρειαστῆ βοήθεια; -Φαντάζομαι ὄχι. *I ~ so*, ἔτσι ὑποθέτω, φαντάζομαι ναί. **~·ancy** /-ənsɪ/ *οὐσ.* ‹U› προσδοκία, ἀδημονία: *with an air of ~ancy*, μέ ὕφος ἀδημονίας. ***life ~ancy***, πιθανή διάρκεια ζωῆς. **~·ant** /-tənt/ *ἐπ.* ἀναμένων, ὑποψήφιος: *an ~ant mother*, ὑποψήφια μητέρα, ἔγγυος γυναίκα. *an ~ant heir*, ὑποψήφιος κληρονόμος. **~·ant·ly** *ἐπίρ.* μέ ἀδημονία.

ex·pec·ta·tion /ˈekspekˈteɪʃn/ *οὐσ.* ‹C,U› **1**. προσδοκία, ἐλπίδα, ἀναμονή, πρόβλεψις. ***in ~ of***, μέ τήν ἐλπίδα (τήν προσδοκία) ὅτι, ἐν ἀναμονῇ. ***contrary to ~ (s)***, ἀντίθετα ἀπ' ὅ,τι ἀνεμένετο. ***beyond all ~***, πέραν πάσης προσδοκίας. ***fall short of/not come up to ~s***, δέν ἀνταποκρίνομαι στίς προσδοκίες. ***~ of life***, πιθανή διάρκεια ζωῆς. **2**. (*πληθ.*) κληρονομικές προσδοκίες.

ex·pec·tor·ate /ekˈspektəreɪt/ *ρ.μ/ἀ.* ἀποχρέμπτομαι, φτύνω, βγάζω φλέγματα. **ex·pec·tor·ant** /-rənt/ *οὐσ.* ‹C› (*φαρμ.*) ἀποχρεμπτικόν.

ex·pedi·ent /ekˈspiːdɪənt/ *ἐπ.* σκόπιμος, πρόσφορος: *~ measures*, σκόπιμα, πρόσφορα μέτρα. __*οὐσ.* ‹C› τρόπος, μέθοδος: *seek some ~ to do sth*, ἀναζητῶ τρόπον νά κάνω κτ.

ex·pedi·ence /-əns/, **ex·pedi·ency** /-ənsɪ/ *οὐσ.* ‹U› σκοπιμότης, συμφεροντολογία: *on grounds of expediency*, γιά λόγους σκοπιμότητος. *act from expediency*, ἐνεργῶ ἀπό σκοπιμότητα.

ex·pedite /ˈekspɪdaɪt/ *ρ.μ.* ἐπισπεύδω, ἐπιταχύνω, ἀποστέλλω.

ex·pedi·tion /ˈekspɪˈdɪʃn/ *οὐσ.* ‹C› **1**. ἀποστολή, ἐκστρατεία: *go/send sb on an ~*, πάω/στέλνω κπ σέ ἀποστολή. *an ~ to the Antarctic*, ἐξερευνητική ἀποστολή στήν Ἀνταρκτική. **2**. σπουδή, ταχύτης. **~·ary** /-ʃnrɪ/ *ἐπ.* ἐκστρατευτικός: *an ~ary force*, ἐκστρατευτικόν σῶμα.

ex·pedi·tious /ˈekspɪˈdɪʃəs/ *ἐπ.* ταχύς, σβέλτος, (*γιά διαδικασία*) συνοπτικός.

ex·pel /ekˈspel/ *ρ.μ.* (*-ll-*) ἐκδιώκω, ἀποβάλλω, ἀπελαύνω (ἀλλοδαπόν): *~ the enemy from a town*, ἐκδιώκω (βγάζω) τόν ἐχθρό ἀπό μιά πόλη. *~ a pupil from school*, ἀποβάλλω μαθητή ἀπό τό σχολεῖο.

ex·pend /ekˈspend/ *ρ.μ.* ~ ***(up)on/in***, ξοδεύω, ἀναλίσκω: *They ~ed all their capital on equipment*, ξόδεψαν ὅλο τους τό κεφάλαιο γιά μηχανήματα. *~ money, time and care in doing sth*, ξοδεύω χρόνο, χρῆμα καί φροντίδα σέ κτ πού κάνω. *They have ~ed all their ammunition*, ἀνάλωσαν (ἐξάντλησαν) ὅλα τά πυρομαχικά τους. **~·able** /-əbl/ *ἐπ.* ἀναλώσιμος, δυνάμενος νά θυσιασθῆ. **~i·ture** /ekˈspendɪtʃə(r)/ *οὐσ.* ‹U› ἀνάλωσις, δαπάνη, ἔξοδο: *the ~iture of money on armaments*, ἡ ἀνάλωσις χρημάτων γιά ἐξοπλισμούς. *capital ~iture*, κεφαλαιουχική δαπάνη. *E~iture should be limited to what is essential*, τά ἔξοδα πρέπει νά περιορισθοῦν σέ ὅ,τι εἶναι οὐσιῶδες.

ex·pense /ekˈspens/ *οὐσ.* ‹C,U› δαπάνη, ἔξοδο: *travelling ~s*, ἔξοδα ταξιδίου. ***spare no ~***, δέν φείδομαι δαπάνης. ***at the public ~***, μέ δημόσια δαπάνη. ***at the ~ of***, εἰς βάρος, δαπάναις: *He got the first prize but only at the ~ of his health*, πῆρε τό πρῶτο βραβεῖο, ἀλλά σέ βάρος τῆς ὑγείας του. ***at his/her/my ~***, εἰς βάρος του/της/μου, κλπ: *We had a good laugh at his ~*, γελάσαμε πολύ σέ βάρος του. ***put sb/go to the ~ of***, βάζω κπ/μπαίνω στά ἔξοδα νά: *I don't want to put you to the ~ of buying it for me*, δέν θέλω νά σέ βάλω στά ἔξοδα νά μοῦ τό ἀγοράσης.

ex·pens·ive /ekˈspensɪv/ *ἐπ.* ἀκριβός, δαπανηρός: *an ~ car*. **~·ly** *ἐπίρ.* ἀκριβά.

ex·peri·ence /ekˈspɪərɪəns/ *οὐσ.* **1**. ‹U› πεῖρα: *We all learn by ~*, ὅλοι μαθαίνομε ἀπό τήν πεῖρα μας, ἡ πεῖρα μᾶς διδάσκει ὅλους. *a man of great ~*, ἄνθρωπος μέ μεγάλη πεῖρα. *girls with ~ of office work*, κορίτσια μέ πεῖρα σέ δουλειά γραφείου. **2**. ‹C› δοκιμασία, ἐμπειρία, βίωμα, περιπέτεια: *go through a painful ~*, περνῶ μιά ὀδυνηρή δοκιμασία. *pleasant and unpleasant ~s*, εὐχάριστα καί δυσάρεστα βιώματα. *an unpleasant ~*, μιά δυσάρεστη περιπέτεια. __*ρ.μ.* δοκιμάζω: *~ pleasure/pain/difficulties*, δοκιμάζω εὐχαρίστηση/πόνο/δυσκολίες. **~d** *ἐπ.* πεπειραμένος: *an ~d teacher; ~d in climbing*.

ex·peri·ment /ek'sperımənt/ *οὐσ.* ‹C› πείραμα: *perform/carry out an ~ in chemistry*, κάνω πείραμα στή χημεία. ***by ~***, πειραματικῶς: *prove by ~*, ἀποδεικνύω πειραματικῶς. —*ρ.ἀ.* πειραματίζομαι: *~ with new methods/upon dogs*, πειραματίζομαι μέ νέες μεθόδους/πάνω σέ σκυλιά. **ex·peri·men·ta·tion** /ek'sperımən'teıʃn/ *οὐσ.* ‹U› πειραματισμός.

ex·peri·men·tal /ek'sperı'mentl/ *ἐπ.* πειραματικός, ἐμπειρικός. **~ly** /-təlı/ *ἐπίρ.* πειραματικά, ἐμπειρικά, δοκιμαστικά.

ex·pert /'ekspзt/ *οὐσ.* ‹C› ἐμπειρογνώμων, εἰδικός: *an ~ in economics*, εἰδικός στά οἰκονομικά. *consult an ~*, συμβουλεύομαι ἕναν εἰδικό. —*ἐπ.* ἔμπειρος, ἱκανός, εἰδικός: *get ~ advice*, συμβουλεύομαι εἰδικόν. ***be ~ in/at sth***, εἶμαι εἰδικός (ἔμπειρος, ἱκανός) σέ κάτι. **~·ly** *ἐπίρ.* ἐπιδέξια. **~·ness** *οὐσ.* ‹U› δεξιοσύνη, πεῖρα.

ex·per·tise /'ekspə'tiz/ *οὐσ.* ‹U› **1**. πραγματογνωμοσύνη. **2**. πεῖρα, εἰδικότης, γνῶσις, ἐπιδεξιότης.

ex·pi·ate /'ekspıeıt/ *ρ.μ.* πληρώνω γιά, ἐξιλεώνομαι γιά: *~a crime/sin by trying to help the poor*, πληρώνω γιά ἕνα ἔγκλημα/ἐξιλεώνομαι γιά τίς ἁμαρτίες μου προσπαθώντας νά βοηθήσω τούς φτωχούς. **ex·pi·ation** /'ekspı'eıʃn/ *οὐσ.* ‹U› ἐξιλέωσις.

ex·pire /ek'spaıə(r)/ *ρ.ἀ.* ἐκπνέω, λήγω: *He ~d at dawn*, ἐξέπνευσε τήν αὐγή. *My driving licence ~s next month*, ἡ ἄδειά μου ὁδηγήσεως λήγει τόν ἑπόμενο μῆνα. **ex·pir·ation** /'ekspı'reıʃn/, **expiry** /ek'spaıərı/ *οὐσ.* ‹U› ἐκπνοή, λῆξις.

ex·plain /ek'spleın/ *ρ.μ.* *~ (**to sb**)*, ἐξηγῶ: *E~ this problem to me*, ἐξηγῆστε μου αὐτό τό πρόβλημα. *Please ~ yourself*, παρακαλῶ, ἐξηγηθῆτε. *That ~s his absence*, αὐτό ἐξηγεῖ τήν ἀπουσία του. ***~ sth away***, δίδω ἱκανοποιητικές ἐξηγήσεις γιά κτ, προσπαθῶ νά δικαιολογήσω κτ.

ex·pla·na·tion /'eksplə'neıʃn/ *οὐσ.* ‹C,U› ἐξήγησις: *the ~ of a mystery*, ἡ ἐξήγησις ἑνός μυστηρίου. *say sth by way of ~*, λέγω κτ σάν ἐξήγηση. **ex·plana·tory** /ek'splænətrı/ *ἐπ.* ἐπεξηγηματικός, ἑρμηνευτικός.

ex·ple·tive /ek'splitıv/ *οὐσ.* ‹C› βλαστήμια, ἐπιφώνημα.

ex·plic·able /ek'splıkəbl/ *ἐπ.* εὐεξήγητος.

ex·plic·ate /'eksplıkeıt/ *ρ.μ.* (*λόγ.*) ἀναπτύσσω, ἀναλύω, ἑρμηνεύω.

ex·plicit /ek'splısıt/ *ἐπ.* ρητός, σαφής, κατηγορηματικός: *be ~ about sth*, εἶμαι κατηγορηματικός γιά κτ. *an ~ order*, ρητή ἐντολή. **~·ly** *ἐπίρ.* σαφῶς, κατηγορηματικά. **~·ness** *οὐσ.* ‹U›, σαφήνεια, κατηγορηματικότης.

ex·plode /ek'spləud/ *ρ.μ/ἀ.* **1**. σκάω, ἐκρήγνυμαι: *~ a bomb*, σκάζω μιά βόμβα. *The bomb ~d*, ἡ βόμβα ἐξερράγη. *When the boiler ~d*, ὅταν τό καζάνι ἔσκασε... **2**. ξεσπῶ: *His anger ~d*, ξέσπασε ὁ θυμός του. *He ~d with rage/jealousy*, εἶχε ἕνα ξέσπασμα ὀργῆς/ζήλειας. **3**. καταρρίπτω (θεωρίαν).

[1]**ex·ploit** /'eksplɔıt/ *οὐσ.* ‹C› κατόρθωμα, ἆθλος, ἀνδραγάθημα.

[2]**ex·ploit** /ek'splɔıt/ *ρ.μ.* ἐκμεταλλεύομαι: *~ a mine/a forest/a people*, ἐκμεταλλεύομαι ἕνα ὀρυχεῖο/ἕνα δάσος/ἕναν λαό. **ex·ploi·ta·tion** /'eksplɔı'teıʃn/ *οὐσ.* ‹U› ἐκμετάλλευσις: *the exploitation of man by man*, ἡ ἐκμετάλλευσις ἀνθρώπου ἀπό ἄνθρωπο.

ex·plo·ra·tion /'eksplə'reıʃn/ *οὐσ.* ‹C,U› ἐξερεύνησις.

ex·plo·ra·tory /ek'splɔrətrı/ *ἐπ.* ἐξερευνητικός, διερευνητικός.

ex·plore /ek'splɔ(r)/ *ρ.μ.* ἐξερευνῶ, διερευνῶ: *~ a new country/a problem*, ἐξερευνῶ μιά νέα χώρα/διερευνῶ ἕνα πρόβλημα. **~r** *οὐσ.* ‹C› ἐξερευνητής.

ex·plo·sion /ek'spləuʒn/ *οὐσ.* ‹C› ἔκρηξις, ξέσπασμα: *an ~ of gunpowder*, ἔκρηξις πυρίτιδος. *a bomb ~*, ἔκρηξις βόμβας. *the population ~*, ἡ πληθυσμιακή ἔκρηξις. *an ~ of anger/laughter*, ξέσπασμα θυμοῦ/γέλιου.

ex·plos·ive /ek'spləusıv/ *ἐπ.* ἐκρηκτικός: *an ~ temper/issue*, ἐκρηκτικός χαρακτῆρας/-ό πρόβλημα. —*οὐσ.* ‹C,U› ἐκρηκτική ὕλη: *Dynamite is an ~*, ἡ δυναμῖτις εἶναι ἐκρηκτική ὕλη.

expo /'ekspəu/ *οὐσ.* ‹C› Διεθνής Ἔκθεσις.

ex·po·nent /ek'spəunənt/ *οὐσ.* ‹C› **1**. ἑρμηνευτής, ὑπέρμαχος, ὑποστηρικτής (θεωρίας, κλπ). **2**. ἀντιπροσωπευτικός τύπος/-ή περίπτωσις. **3**. (*μαθ.*) ἐκθέτης.

[1]**ex·port** /'ekspɔt/ *οὐσ.* ‹C› ἐξαγωγή: *a ban on the ~ of gold*, ἀπαγόρευσις τῆς ἐξαγωγῆς χρυσοῦ. *Last year's ~s exceeded imports by 20%*, πέρυσι οἱ ἐξαγωγές ξεπέρασαν τίς εἰσαγωγές κατά 20%. —*ἐπ.* ἐξαγωγικός: *the ~ trade*, τό ἐξαγωγικό ἐμπόριο.

[2]**ex·port** /ek'spɔt/ *ρ.μ.* ἐξάγω (ἐμπορεύματα). **~er** *οὐσ.* ‹C› ἐξαγωγεύς. **~ation** /'ekspɔ'teıʃn/ *οὐσ.* ‹U› ἐξαγωγή.

ex·pose /ek'spəuz/ *ρ.μ.* **1**. ἐκθέτω: *~ a newborn baby*, ἐκθέτω νεογέννητο. *~ oneself to danger*, ἐκτίθεμαι σέ κίνδυνο. *~ goods in a shop window*, ἐκθέτω ἐμπορεύματα σέ βιτρίνα. **2**. ξεσκεπάζω, ἀποκαλύπτω: *~ a plot/a plan/a liar*, ἀποκαλύπτω μιά συνωμοσία/ἕνα σχέδιο/ἕναν ψεύτη. **3**. ἐκθέτω (στό φῶς) φίλμ: *I ~d two plates*, τράβηξα δυό πόζες (φωτογραφίες). **~d** *ἐπ.* ἐκτεθειμένος, ἀκάλυπτος, ἔκθετος.

ex·posé /ek'spəuzeı/ *οὐσ.* ‹C› ἔκθεσις, ἀναφορά, σύνοψις.

ex·po·si·tion /'ekspə'zıʃn/ *οὐσ.* ‹C,U› ἔκθεσις, ἀνάπτυξις, ἐξήγησις, ἀνάλυσις: *He attempted an ~ of his theory*, ἐπεχείρησε μίαν ἀνάλυσιν (ἀνάπτυξιν) τῆς θεωρίας του. *an industrial ~*, βιομηχανική ἔκθεσις.

ex·postu·late /ek'spostʃuleıt/ *ρ.μ.* *~ (**with sb**) (**on/about sth**)*, διαμαρτύρομαι, κάνω διάβημα, κάνω παραστάσεις (σέ κπ γιά κτ). **ex·postu·la·tion** /ek'spostʃu'leıʃn/ *οὐσ.* ‹C, U› διαμαρτυρία: *My expostulations had no result*, οἱ διαμαρτυρίες μου δέν εἶχαν κανένα ἀποτέλεσμα.

ex·po·sure /ek'spəuʒə(r)/ *οὐσ.* ‹C,U› **1**. ἔκθεσις, ἀποκάλυψις, (*φωτογ.*) πόζα: *die of ~ (to cold, etc)*, πεθαίνω ἀπό ἔκθεση τοῦ σώματος (στό κρύο, κλπ). *the ~ of a plot*, ἡ ἀποκάλυψις μιᾶς συνωμοσίας. *How many ~s have you made?* πόσες πόζες τράβηξες; **2**. (*ἀρχιτ.*) προσανατολισμός (κτιρίου): *a house with a southern ~*, σπίτι μέ θέα στό νοτιά.

ex·pound /ek'spaund/ *ρ.μ.* **1**. ἐξηγῶ, ἑρμηνεύω: ~ *the Scriptures*, ἑρμηνεύω τάς Γραφάς. **2**. ἐκθέτω, ἀναπτύσσω: ~ *one's views/a theory*, ἐκθέτω τίς ἀπόψεις μου/ἀναπτύσσω μιά θεωρία.

[1]**ex·press** /ek'spres/ *ἐπ*. **1**. σαφής, ρητός: *an* ~ *command/wish*, ρητή διαταγή/ἐπιθυμία. **2**. (*γιά ὁμοιότητα*) πιστός: *He's the* ~ *image of his father*, εἶναι πιστή εἰκόνα τοῦ πατέρα του. **3**. ταχύς, ἐπείγων: *an* ~ *train*, ταχεῖα. *an* ~ *letter*, ἐξπρές (ἐπεῖγον) γράμμα. —*οὐσ*. ‹C› (*γιά τραῖνο*) ταχεῖα. —*ἐπίρ*. ταχέως, ἐξπρές: *send a parcel* ~, στέλνω ἕνα δέμα ἐξπρές. ~**·ly** *ἐπίρ*. **1**. ρητῶς: *You were* ~*ly forbidden to touch it*, σᾶς εἶχε ἀπαγορευθῆ ρητῶς νά τό ἀγγίξετε. **2**. εἰδικῶς, ἐπίτηδες: *He said so* ~*ly to provoke me*, τό εἶπε αὐτό ἐπίτηδες γιά νά μέ προκαλέση.

[2]**ex·press** /ek'spres/ *ρ.μ*. **1**. ἐκφράζω: ~ *joy/gratitude/sorrow*, ἐκφράζω χαρά/εὐγνωμοσύνη/λύπη. ~ ***oneself***, ἐκφράζομαι: *He cannot* ~ *himself in English*, δέν μπορεῖ νά ἐκφραστῆ στ'Ἀγγλικά. **2**. στέλνω ἐξπρές: *If the letter is urgent, you'd better* ~ *it*, ἄν τό γράμμα εἶναι ἐπεῖγον, καλύτερα νά τό στείλης ἐξπρές. **3**. ἐκθλίβω, βγάζω: ~ *juice from/out of oranges*, βγάζω χυμό ἀπό πορτοκάλια.

ex·pres·sion /ek'spreʃn/ *οὐσ*. ‹C,U› ἔκφρασις: *give* ~ *to one's gratitude*, δίνω ἔκφραση στήν (ἐκφράζω τήν) εὐγνωμοσύνη μου. *an* ~ *of discontent/scorn*, μιά ἔκφραση δυσαρέσκειας/χλευασμοῦ. *sing/play with* ~, τραγουδῶ/παίζω μέ ἔκφραση, μέ χρῶμα. *a slang* ~, λαϊκή ἔκφρασις, φράσις τῆς ἀργκό. ***find*** ~ ***in***, ἐκδηλώνομαι μέ: *Her feelings at last found* ~ *in tears*, τελικά τά αἰσθήματά της ἐκδηλώθηκαν μέ δάκρυα. ***beyond/past*** ~, ἀπερίγραπτος: *The scenery was beautiful beyond* ~, τό τοπεῖο ἦταν ἀπερίγραπτα ὡραῖο. ~**·less** *ἐπ*. ἀνέκφραστος: *an* ~*less voice/face*, ἀνέκφραστη φωνή/-ο πρόσωπο. ~**·ism** /-ɪzm/ *οὐσ*. ‹U› (*ζωγρ*.) ἐξπρεσιονισμός. ~**·ist** /-ɪst/ *οὐσ*. ‹C› ἐξπρεσιονιστής.

ex·pres·sive /ek'spresɪv/ *ἐπ*. ἐκφραστικός: *an* ~ *smile/face*, ἐκφραστικό χαμόγελο/πρόσωπο. ~ ***of***, πού ἐκφράζει: *looks* ~ *of despair*, ματιές πού ἐκφράζουν ἀπελπισία. *a cry* ~ *of pain*, κραυγή πού δείχνει πόνο. ~**·ly** *ἐπίρ*. ἐκφραστικά. ~**·ness** *οὐσ*. ‹U› ἐκφραστικότης.

ex·pro·pri·ate /eks'prəʊprɪeɪt/ *ρ.μ*. ~ ***(from)***, ἀπαλλοτριῶ. **ex·pro·pri·ation** /eks'prəʊprɪ'eɪʃn/ *οὐσ*. ‹U› ἀπαλλοτρίωσις.

ex·pul·sion /ek'spʌlʃn/ *οὐσ*. ‹U› ~ ***(from)***, ἀποβολή (μαθητοῦ), ἀπέλασις (ἀλλοδαποῦ), ἔξωσις, ἐκδίωξις.

ex·punge /ek'spʌndʒ/ *ρ.μ*. (*λόγ*.) ~ ***(from)***, ἀπαλείφω, σβύνω (λέξη), παραλείπω (ἀπόσπασμα βιβλίου).

ex·pur·gate /'ekspəgeɪt/ *ρ.μ*. ἀποκαθαίρω βιβλίο (ἀφαιρώντας ἠθικῶς ἐπιλήψιμα κομμάτια): *an* ~*d edition*, περι(κε)κομένη (κεκαθαρμένη) ἔκδοσις. **ex·pur·ga·tion** /'ekspə'geɪʃn/ *οὐσ*. ‹C,U› ἀποκάθαρσις.

ex·quis·ite /ek'skwɪzɪt/ *ἐπ*. **1**. ἐξαίσιος, τέλειος, ἔξοχος: ~ *workmanship/beauty*, τέλεια ἐργασία/ἐξαίσια ὀμορφιά. **2**. ὀξύς, ἔντονος: ~ *pain/pleasure*, ὀξύς πόνος/ἔντονη ἡδονή. **3**. λεπτός, ἐξαιρετικός: ~ *sensibility*, ἐξαιρετική εὐαισθησία. ~**·ly** *ἐπίρ*. τέλεια, ἔξοχα, ἐξαίσια.

ex-ser·vice·man /'eks'sɜvɪsmən/ *οὐσ*. ‹C› παλαιός πολεμιστής.

ex·tant /'ek'stænt/ *ἐπ*. ὑπάρχων, σωζόμενος: *the oldest* ~ *manuscript*, τό ἀρχαιότερο σωζόμενο χειρόγραφο.

ex·tem·por·aneous(ly) /ek'stempə'reɪnɪəs(lɪ)/ *ἐπ*. & *ἐπίρ*. *βλ*. *extempore*.

ex·tem·por·ary /ek'stempərərɪ/ *ἐπ*. *βλ*. *extempore*.

ex·tem·pore /ek'stempərɪ/ *ἐπ*. & *ἐπίρ*. πρόχειρος, αὐτοσχέδιος, ἐκ τοῦ προχείρου: *an* ~ *speech*, αὐτοσχέδιος λόγος. *speak* ~, μιλῶ ἐκ τοῦ προχείρου, αὐτοσχεδιάζω.

ex·tend /ek'stend/ *ρ.μ/ἀ*. **1**. ἐπεκτείνω: ~ *a wall/a railway/the city boundaries*, ἐπεκτείνω ἕναν τοῖχο/μιά σιδηροδρομική γραμμή/τά ὅρια πόλεως. **2**. παρατείνω: ~ *a visit/a soldier's leave/credit*, παρατείνω μιά ἐπίσκεψη/τήν ἄδεια στρατιώτη/τήν πίστωση. **3**. ἁπλώνω, τείνω: ~ *one's hand to sb*, τείνω τό χέρι σέ κπ. **4**. παρέχω: ~ *hospitality/help to the poor*, παρέχω φιλοξενία/βοήθεια στούς φτωχούς. **5**. κάνω: ~ *an invitation/a warm welcome to sb*, κάνω πρόσκληση/θερμή ὑποδοχή σέ κπ. **6**. ἁπλώνομαι, ἐκτείνομαι, φθάνω, προχωρῶ: *My garden* ~*s as far as the river*, ὁ κῆπος μου ἁπλώνεται (ἐκτείνεται, φθάνει) ὥς τό ποτάμι. **7**. (*συνήθ. εἰς παθ. φων*.) ζορίζω τίς δυνάμεις μου, καταπονῶ στό ἔπακρον.

ex·ten·sion /ek'stenʃn/ *οὐσ*. ‹C,U› **1**. ἐπέκτασις: *the* ~ *of French influence in Africa*, ἡ ἐπέκτασις τῆς Γαλλικῆς ἐπιρροῆς στήν Ἀφρική. *build an* ~ *to a hospital*, κάνω ἐπέκταση ἑνός νοσοκομείου. **2**. παράτασις: *an* ~ *of one's leave/holiday*, παράτασις τῆς ἀδείας/τῶν διακοπῶν μου. *get an* ~ *of time*, παίρνω παράταση προθεσμίας. **3**. (*τηλέφ*.) ἐσωτερική γραμμή: *Tel. No 875654*, ~ *10*, τηλ. 875654, ἐσωτερικό 10.

ex·ten·sive /ek'stensɪv/ *ἐπ*. ἐκτεταμένος: *an* ~ *view/knowledge of a subject*, ἐκτεταμένη θέα/γνῶσις ἑνός θέματος. ~ *repairs/inquiries/damage*, ἐκτεταμένες ἐπισκευές/ἔρευνες/ζημιές. ~**·ly** *ἐπίρ*. ἐκτεταμένα, πολύ.

ex·tent /ek'stent/ *οὐσ*. ‹U› **1**. ἔκτασις: *the* ~ *of his knowledge/of the damage*, ἡ ἔκτασις τῶν γνώσεών του/τῶν ζημιῶν. *We could see the full* ~ *of the park*, βλέπαμε τό πάρκο σ'ὅλη του τήν ἔκταση. *It's six miles in* ~, ἔχει ἔκταση ἕξη μίλια. **2**. σημεῖο, βαθμός: *to some/a certain* ~, μέχρι ἑνός σημείου, ἐν μέρει. *to a large* ~, ὥς ἕνα μεγάλο βαθμό. *to what* ~? μέχρι ποίου βαθμοῦ; *to such an* ~ *that*, σέ τέτοιο βαθμό ὥστε...

ex·tenu·ate /ek'stenjʊeɪt/ *ρ.μ*. μετριάζω, ἐλαφρύνω, δικαιολογῶ κάπως: *Nothing can* ~ *his base conduct*, τίποτα δέν μπορεῖ νά δικαιολογήση τήν ἄθλια συμπεριφορά του. *extenuating circumstances*, ἐλαφρυντικαί περιστάσεις. **ex·tenu·ation** /ek'stenjʊ'eɪʃn/ *οὐσ*. ‹C,U› ἐλάφρυνσις (εὐθύνης, ἐγκλήματος, κλπ), ἐλαφρυντικόν: *He pleaded poverty in extenuation of the theft*, ἐπεκαλέσθη τή φτώχεια ὡς ἐλαφρυντικόν διά τήν κλοπήν.

ex·ter·ior /ek'stɪərɪə(r)/ *ἐπ*. & *οὐσ*. ‹C› ἐξωτερικός, ἐξωτερικόν: *the* ~ *surface of a building*, ἡ ἐξωτερική ἐπιφάνεια ἑνός κτιρίου. *a man with a rough* ~, ἄνθρωπος μέ τραχύ ἐξωτερικό (παρουσιαστικό).

ex·ter·mi·nate /ekˋstɜmɪneɪt/ *ρ.μ.* ἐξολοθρεύω, ἐξοντώνω, ξεκληρίζω: ~ *a race/rats/insects*, ἐξολοθρεύω μιά φυλή/ἀρουραίους/ἔντομα. **ex·ter·mi·na·tion** /ekˈstɜmɪˋneɪʃn/ *οὐσ.* ‹U› ἐξολόθρευσις, ξεκλήρισμα: *the extermination of the Jews*, τό ξεκλήρισμα τῶν Ἑβραίων.

ex·ter·nal /ekˋstɜnl/ *ἐπ.* ἐξωτερικός: *alcohol for* ~ *use only*, οἰνόπνευμα δι' ἐξωτερικήν χρῆσιν μόνον. *an* ~ *examination*, ἐξωτερικές ἐξετάσεις. __*οὐσ.* (*συνήθ. πληθ.*) ἡ ἐξωτερική ὄψις, τό παρουσιαστικό, ἡ ἐμφάνισις: *the* ~*s of religion*, οἱ λατρευτικοί τύποι τῆς θρησκείας. *judge people by* ~*s*, κρίνω τούς ἀνθρώπους ἀπό τά φαινόμενα (ἀπό τήν ἐμφάνιση). ~**ly** *ἐπίρ.* ἐξωτερικά.

ex·tinct /ekˋstɪŋkt/ *ἐπ.* (*γιά φωτιά, ἡφαίστειο, αἴσθημα*) σβυσμένος, (*γιά φυλή*) ἐκλείψας, πού δέν ὑπάρχει πλέον: *an* ~ *volcano*, μή ἐνεργόν ἡφαίστειον. *an* ~ *species*, ἐκλεῖψαν εἶδος (ζώων ἤ φυτῶν). ***become*** ~, ἐκλείπω, σβύνω. **ex·tinc·tion** /ekˋstɪŋkʃn/ *οὐσ.* ‹U› σβύσιμο, ἐξαφάνισις: *a race threatened by* ~*ion*, φυλή πού ἀπειλεῖται μέ ἐξαφάνιση.

ex·tin·guish /ekˋstɪŋgwɪʃ/ *ρ.μ.* σβύνω (φωτιά, αἴσθημα, ἐλπίδες), ἐξαλείφω (χρέος), ἐξολοθρεύω (φυλή). ~**er** *οὐσ.* ‹C› πυροσβεστήρ.

ex·tir·pate /ˋekstəpeɪt/ *ρ.μ.* ξερριζώνω, ἐξολοθρεύω: ~ *social evils*, ξερριζώνω κοινωνικές πληγές.

ex·tol /ekˋstəʊl/ *ρ.μ.* (*-ll-*) ἐκθειάζω, ἐξυμνῶ: ~ *sb to the skies*, ἀνεβάζω κπ στά οὐράνια. ~ *sb's merits/sb as a hero*, ἐκθειάζω τίς ἀρετές κάποιου/ἐξυμνῶ κπ σάν ἥρωα.

ex·tort /ekˋstɔt/ *ρ.μ.* ~ ***(from)***, ἀποσπῶ, ἐκβιάζω: ~ *money from sb*, ἀποσπῶ (ἐκβιαστικά) χρήματα ἀπό κπ. ~ *a confession by using torture*, ἀποσπῶ ὁμολογία χρησιμοποιώντας βασανιστήρια. **ex·tor·tion** /ekˋstɔʃn/ *οὐσ.* ‹U› ἀπόσπασις, ἐκβιασμός. **ex·tor·tion·ate** /ekˋstɔʃənət/ *ἐπ.* ἐκβιαστικός, (*γιά τιμές*) ὑπέρογκος, ληστρικός.

ex·tra /ˋekstrə/ *ἐπ.* πρόσθετος, συμπληρωματικός, ἔκτακτος: ~ *pay for* ~ *work*, πρόσθετη ἀμοιβή γιά πρόσθετη δουλειά. *without* ~ *charge*, χωρίς πρόσθετη ἐπιβάρυνση. *The company put on* ~ *buses*, ἡ ἑταιρία ἔβαλε ἔκτακτα λεωφορεῖα. __*ἐπίρ.* ἰδιαιτέρως, ἔξτρα: *an* ~ *strong box*, ἕνα ἰδιαιτέρως ἀνθεκτικό κουτί. *I'll pay* ~, θά πληρώσω ἔξτρα (ἰδιαιτέρως). __*οὐσ.* ‹C› πρόσθετον, ἐξτρά, ἰδιαιτέρα δαπάνη.

[1]**extract** /ekˋstrækt/ *ρ.μ.* ~ ***(from)***, **1**. ἐκθλίβω, βγάζω: ~ *oil from olives*, βγάζω λάδι ἀπό ἐληές. **2**. ἀποσπῶ, βγάζω: ~ *a cork from a bottle*, βγάζω φελλό ἀπό ἕνα μπουκάλι. *have a tooth* ~*ed*, βγάζω ἕνα δόντι. ~ *money/information from sb*, ἀποσπῶ χρήματα/πληροφορίες ἀπό κπ. ~ *passages from a book*, παίρνω κομμάτια ἀπό ἕνα βιβλίο. **ex·trac·tion** /ekˋstrækʃn/ *οὐσ.* ‹U› **1**. ἀπόσπασις, ἔκθλιψις, ἐξαγωγή: *the* ~*ion of a tooth*. **2**. καταγωγή: *Is he of French* ~*ion?* εἶναι γαλλικῆς καταγωγῆς;

[2]**ex·tract** /ˋekstrækt/ *οὐσ.* ‹C,U› **1**. ἀπόσταγμα, ἐκχύλισμα: *malt* ~, ἐκχύλισμα βύνης. *meat* ~, (συμπυκνωμένος) ζωμός κρέατος. **2**. ἀπόσπασμα: *long* ~*s from a poem*, μεγάλα ἀποσπάσματα ἀπό ἕνα ποίημα.

ex·tra·dite /ˋekstrədaɪt/ *ρ.μ.* ἐκδίδω (ἐγκληματίαν), ἐπιτυγχάνω τήν ἔκδοσή του. **extra·di·tion** /ˈekstrəˋdɪʃn/ *οὐσ.* ‹U› ἔκδοσις.

extra·ju·dicial /ˈekstrədʒuˋdɪʃl/ *ἐπ.* ἐξώδικος.

extra·mari·tal /ˈekstrəˋmærɪtl/ *ἐπ.* ἐξωσυζυγικός: ~ *relations*, ἐξωσυζυγικές σχέσεις.

extra·mural /ˈekstrəˋmjʊərl/ *ἐπ.* **1**. ἐκτός τῶν τειχῶν. **2**. ἐκτός τοῦ Πανεπιστημίου: ~ *studies/students*, σπουδές/σπουδαστές μακράν τοῦ Πανεπιστημίου.

ex·traneous /ekˋstreɪnɪəs/ *ἐπ.* ξένος, ἄσχετος: ~ *considerations*, σκέψεις ἄσχετοι μέ τό ζήτημα. ~ *influence*, ξένη ἐπιρροή.

extra·ordi·nary /ekˋstrɔdnrɪ/ *ἐπ.* **1**. ἀσυνήθης, ἔκτακτος: ~ *weather*, ἀσυνήθης, παράξενος καιρός. *call an* ~ *meeting*, καλῶ ἔκτακτον συνεδρίασιν. **2**. ἐξαιρετικός, ἐκπληκτικός: *a man of* ~ *ability*, ἄνθρωπος ἐξαιρετικῆς ἱκανότητος. *His capacity for drink is* ~, ἡ ἀντοχή του στό πιοτό εἶναι ἐκπληκτική. **extra·ordi·nar·ily** /-dənərlɪ/ *ἐπίρ.* περίεργα, ἔκτακτα, ἐξαιρετικά.

extra·sen·sory /ˈekstrəˋsensərɪ/ *ἐπ.* ὑπεραισθητός. ~ **perception** (*βραχ.* **ESP**) τηλεπάθεια καί διόρασις.

extra·ter·ri·torial /ˈekstrəˈterɪˋtɔrɪəl/ *ἐπ.* τῆς ἑτεροδικίας: ~ *privileges*, προνόμια ἑτεροδικίας.

ex·trava·gant /ekˋstrævəgənt/ *ἐπ.* **1**. σπάταλος, πολυδάπανος: ~ *habits/tastes*, σπάταλες συνήθειες/ἀκριβά γοῦστα. **2**. ὑπερβολικός, παράλογος: ~ *praise/behaviour*, ὑπερβολικός ἔπαινος/παράλογο φέρσιμο. ~**ly** *ἐπίρ.* σπάταλα, ἐξωφρενικά. **ex·trava·gance** /-gəns/ *οὐσ.* ‹C,U› **1**. σπατάλη. **2**. ὑπερβολή, παραλογισμός, ἐξωφρενισμός.

ex·treme /ekˋstrim/ *οὐσ.* ‹C› ἄκρον, ἔπακρον: *go from one* ~ *to the other*, πηγαίνω ἀπό τό ἕνα ἄκρον στό ἄλλο. ***in the*** ~, εἰς τό ἔπακρον: *It was annoying in the* ~, ἦταν στό ἔπακρο (πάρα πολύ) ἐνοχλητικό. ***go/be driven to*** ~***s***, φθάνω/ὁδηγοῦμαι στά ἄκρα. __*ἐπ.* ἄκρος, ἀκραῖος, ὑπερβολικός, ἔσχατος: *the* ~ *left*, ἡ ἄκρα ἀριστερά. ~ *patience/kindness*, ὑπερβολική ὑπομονή/καλωσύνη. *the* ~ *penalty*, ἡ ἐσχάτη τῶν ποινῶν. ~ *danger/necessity*, ἔσχατος κίνδυνος/-η ἀνάγκη. *hold* ~ *opinions*, ἔχω ἀκραῖες ἀντιλήψεις. *be in* ~ *pain*, πονῶ φοβερά. ~**ly** *ἐπίρ.* ὑπερβολικά, πάρα πολύ: *You've been* ~*ly kind to her*, ὑπῆρξες πάρα πολύ καλός μαζί της. **ex·trem·ist** /-ɪst/ *οὐσ.* ‹C› ἐξτρεμιστής, ἄνθρωπος τῶν ἄκρων.

ex·trem·ity /ekˋstremətɪ/ *οὐσ.* ‹C› **1**. ἄκρον, ἀκραῖον σημεῖον: *the extremities*, τά ἄκρα (χέρια καί πόδια). **2**. ἀκρότης: *be guilty of extremities*, εἶμαι ἔνοχος ἀκροτήτων. **3**. (ἐσχάτη) φτώχεια, δυστυχία: *How can we help them in their* ~? πῶς μποροῦμε νά τούς βοηθήσωμε στή δυστυχία τους;

ex·tri·cate /ˋekstrɪkeɪt/ *ρ.μ.* ξεμπερδεύω, ξεμπλέκω, βγάζω: ~ *sb from a difficulty*, ξεμπερδεύω (βγάζω) κπ ἀπό μιά δυσκολία. **ex·tri·ca·tion** /ˈektrəˋkeɪʃn/ *οὐσ.* ‹U› ξεμπέρ-

δεμα, ἀπαλλαγή.
ex·trin·sic /ek`strɪnsɪk/ ἐπ. ξένος, ἄσχετος, ἐξωγενής: *questions* ~ *to the subject*, ζητήματα ἄσχετα πρός τό θέμα. **~ally** /-klɪ/ ἐπίρ. ἀσχέτως.
ex·tro·vert /`ekstrəvɜt/ ἐπ. & οὐσ. ‹C› ἐξωστρεφής, ἐκδηλωτικός.
ex·uber·ant /ɪg`zjubərənt/ ἐπ. **1**. ὑπερεκχειλίζων, διαχυτικός, πληθωρικός: *in* ~ *spirits*, σέ πληθωρική διάθεση. **2**. πλούσιος, ὀργιώδης: ~ *vegetation*, ὀργιώδης βλάστησις. **~·ly** ἐπίρ. πληθωρικά. **ex·uber·ance** /-rəns/ οὐσ. ‹U› πληθωρικότης (κεφιοῦ, διαθέσεως, ἰδεῶν), ὄργιον (βλαστήσεως).
ex·ude /ɪg`zjud/ ρ.μ/ἀ. ἐκχύνομαι, ἐκκρίνω/-ομαι: *Sweat* ~*s through the pores*, ὁ ἱδρώτας ἐκχύνεται μέσα ἀπό τούς πόρους.
ex·ult /ɪg`zʌlt/ ρ.ἀ. ἀγάλλομαι, θριαμβολογῶ, πανηγυρίζω: ~ *at/in a success*, ἀγάλλομαι (πανηγυρίζω) γιά μιά ἐπιτυχία. ~ *over a defeated rival*, θριαμβολογῶ σέ βάρος ἡττηθέντος ἀντιπάλου. **~·ant** /-tənt/ ἐπ. θριαμβευτικός, ἔξαλλος (ἀπό χαρά). **~a·tion** /`egzʌl`teɪʃn/ οὐσ. ‹U› ἀγαλλίασις, θριαμβολογία, ἔξαλλος πανηγυρισμός.
[1]**eye** /aɪ/ οὐσ. ‹C› **1**. μάτι, ὀφθαλμός: *We see with our* ~*s; the* ~ *of a needle/of a potato*, τό μάτι μιᾶς βελόνας/μιᾶς πατάτας. ***an* ~ *for an* ~**, ὀφθαλμόν ἀντί ὀφθαλμοῦ. ***E~s right/left!*** (στρατ. παράγγελμα) Κεφαλή δεξιά/ἀριστερά! ***in the* ~ *of the law***, στά μάτια τοῦ νόμου. ***in my/his/her* ~*s***, κατά τήν κρίση μου/του/της. ***under/before one's very* ~*s***, μπροστά στά ἴδια μου τά μάτια. ***up to the* ~*s in work***, πνιγμένος στή δουλειά. ***with an* ~ *to***, μέ τό σκοπό, μέ τήν ἐλπίδα νά. ***give sb a black* ~**, μαυρίζω τό μάτι κάποιου. ***keep an* ~ *on sb***, παρακολουθῶ, προσέχω κπ. ***make* ~*s at sb***, κάνω τά γλυκά μάτια σέ κπ. ***Mind your* ~!** (καθομ.) Πρόσεχε! ***open sb's* ~*s***, ἀνοίγω τά μάτια κάποιου. ***see* ~ *to* ~ *with sb***, συμφωνῶ ἀπολύτως μέ κπ. ***see sth with half an* ~**, βλέπω κτ μέ κλειστά μάτια. ***set/clap* ~*s on sb***, βλέπω κπ: *I hope I'll never set* ~*s on you again*, ἐλπίζω νά μή σέ ξαναδῶ στά μάτια μου. ***never take one's* ~*s off sth***, δέν ξεκολλῶ τά μάτια ἀπό κτ. **2**. (σύνθετα): **`blue-eyed**, γαλανομάτης. **a `one-eyed man**, ἕνας μονόφθαλμος. **`~·ball**, βολβός ματιοῦ: ***~ball to ~ball***, πρόσωπο μέ πρόσωπο. **`~·brow**, φρύδι: *raise one's* ~*brows*, σηκώνω τά φρύδια, ἀποδοκιμάζω. **`~·ful** /-fl/, καλή ματιά: *get an* ~*ful*, ρίχνω καλή ματιά, βλέπω καλά καί ἀρκετή ὥρα. **`~·lash**, βλεφαρίδα, τσίνορο. **`~·less** ἐπ. ἀόμματος. **`~·lid**, βλέφαρο. **`~-opener**, ἀποκάλυψις, ἔκπληξις. **`~·shot**, πεδίον ὁράσεως: *beyond/out of/within* ~*shot*, πέραν/ἐκτός/ἐντός τοῦ πεδίου ὁράσεως. **`~·sight**, ὅρασις: *have good/poor* ~*sight*, ἔχω καλή/κακή ὅραση. **`~·sore**, πρᾶγμα πού πληγώνει μέ τήν ἀσχήμια του: *That block of flats near the Acropolis is an* ~*sore*, αὐτή ἡ πολυκατοικία κοντά στήν Ἀκρόπολη εἶναι φοβερή ἀσχήμια. **`~-strain**, ὑπερκόπωση τῶν ματιῶν. **`~-tooth**, κυνόδους, φρονιμίτης: *cut one's* ~*-teeth*, βγάζω τούς φρονιμίτες, βάζω μυαλό. **`~·wash**, κολλύριον, (μεταφ.) στάχτη στά μάτια. **`~-witness**, αὐτόπτης μάρτυς.
[2]**eye** /aɪ/ ρ.μ. κοιτάζω: *He* ~*d me with suspicion/jealousy*, μέ κοίταζε μέ ὑποψία/μέ ζήλεια.
eye·let /`aɪlət/ οὐσ. ‹C› σιδεροθηλειά (σέ ὕφασμα, πανί πλοίου, κλπ γιά νά δένεται τό σκοινί).

F f

F, f /ef/ τό 6ο γράμμα τοῦ ἀλφάβητου. (μουσ.) φά.
fa /fa/ οὐσ. (μουσ.) φά.
Fabian /`feɪbɪən/ ἐπ. & οὐσ. ‹C› φαβιανός: *a* ~ *policy*, πολιτική φθορᾶς.
fable /`feɪbl/ οὐσ. ‹C,U› μῦθος, παραμύθι: *Aesop's* ~*s*, οἱ μῦθοι τοῦ Αἰσώπου. *sort out fact from* ~, ξεχωρίζω τό πραγματικό ἀπό τό φανταστικό. **~d** ἐπ. μυθικός, θρυλικός.
fab·ric /`fæbrɪk/ οὐσ. ‹C,U› **1**. ὕφασμα, πανί: *woollen/silk* ~*s*, μάλλινα/μεταξωτά ὑφάσματα. ~ *gloves*, πάνινα γάντια. **2**. οἰκοδόμημα, δομή, διάρθρωσις, ὕφανσις, δέσιμο: *the whole* ~ *of society*, ὁλόκληρο τό κοινωνικό οἰκοδόμημα. *the* ~ *of a novel*, ἡ πλοκή, τό δέσιμο ἑνός μυθιστορήματος.
fab·ri·cate /`fæbrɪkeɪt/ ρ.μ. **1**. κατασκευάζω (ἐμπορεύματα). **2**. σκαρώνω, χαλκεύω (ἱστορία, ψευτιές), πλαστογραφῶ: ~ *an accusation*, σκαρώνω (χαλκεύω) μιά κατηγορία. ~ *a will*, φτιάχνω μιά ψεύτικη διαθήκη. **fab·ri·ca·tion** /`fæbrɪ`keɪʃn/ οὐσ. ‹C,U› κατασκευή, ἐπινόησις, πλαστογραφία.
fabu·lous /`fæbjʊləs/ ἐπ. **1**. μυθικός: ~ *heroes*. **2**. ἀμύθητος, μυθώδης: ~ *riches*. **3**. (καθομ.) θαυμάσιος, ἀπίθανος, ὑπέροχος: *We had a* ~ *time*, περάσαμε θαυμάσια. **~·ly** ἐπίρ. μυθωδῶς, ἀφάνταστα: *He's* ~*ly rich*, εἶναι ἀφάνταστα πλούσιος.
fa·çade /fə`sad/ οὐσ. ‹C› πρόσοψις, (μεταφ.) ἐξωτερική ἐμφάνισις, προσωπεῖον: *under a* ~ *of respectability*, ὑπό τό προσωπεῖον (τήν ἐξωτερική ἐμφάνιση) εὐυπόληπτου ἀνθρώπου.
[1]**face** /feɪs/ οὐσ. ‹C› **1**. πρόσωπον: *He fell on his* ~, ἔπεσε μπρούμυτα. *strike sb on the* ~, χτυπῶ κπ στό πρόσωπο. ***be unable to look sb in the* ~**, ντρέπομαι (δέν ἔχω μοῦτρα) νά κοιτάξω κπ. ***~ to ~ with sb***, πρόσωπο μέ πρόσωπο (ἀντιμέτωπος) μέ κπ: *When I came/was brought* ~ *to* ~ *with her...*, ὅταν ἦλθα/μέ

ἔφεραν πρόσωπο μέ πρόσωπο μαζί της... ***fly in the ~ of sth***, ἀψηφῶ κτ ἀνοιχτά, παραβιάζω κτ. ***in (one's) ~***, κατά μέτωπο, στά ἴσια, φανερά: *The sun was shining in our ~s*, ὁ ἥλιος ἔλαμπε ἴσια μπροστά μας. *She'll only laugh in your ~*, θά σέ κοροϊδέψη στά ἴσια, στά φανερά. ***in (the) ~ of***, *(α)* ἐν ὄψει: *in the ~ of such difficulties*, ἐν ὄψει τέτοιων δυσκολιῶν. *(β)* παρά: *He succeeded in ~ of great danger*, πέτυχε παρά τούς μεγάλους κινδύνους. ***look sb in the ~***, κοιτάζω κπ κατάματα, ἀντιμετωπίζω κπ κατά πρόσωπο. ***set one's ~ against sth***, ἀντιτίθεμαι ἀπολύτως σέ κτ. ***show one's ~***, ἐμφανίζομαι: *He won't show his ~ here again*, δέν θά ξαναπατήση ἐδῶ! ***to one's ~***, κατάμουτρα, κατά πρόσωπο: *I'll tell him so to his ~*, θά τοῦ τό πῶ κατάμουτρα. **`~-ache**, νευραλγία τοῦ προσώπου. **`~-card**, φιγούρα (στήν τράπουλα). **`~-cloth**, μικρό προσόψιο. **`~-cream**, κρέμα προσώπου. **`~-lift(ing)**, αἰσθητική ἐγχείρηση. **`~-powder**, πούδρα προσώπου. **2**. ὄψις, πλευρά, ἐπιφάνεια: *the ~ of a clock*, ἡ ὄψις (τό καντράν) ἑνός ρολογιοῦ. *A diamond has many ~s*, ἕνα διαμάντι ἔχει πολλές πλευρές. *the north ~ of a mountain*, ἡ βορεινή πλευρά ἑνός βουνοῦ. *the ~ of the earth*, ἡ ἐπιφάνεια τῆς γῆς. **`~ value**, ὀνομαστική ἀξία. *take sth at (its) ~ value*, *(καθομ.)* παίρνω κτ τοῖς μετρητοῖς, βασίζομαι στήν ἐμφάνιση. **3**. ἔκφρασις, φυσιογνωμία: *with a sad/smiling ~*, μέ μιά θλιμμένη/χαμογελαστή ἔκφραση. *He's a good judge of ~s*, καταλαβαίνει ἀπό φυσιογνωμίες. ***keep a straight ~***, κρατιέμαι νά μή γελάσω, διατηρῶ τή σοβαρότητά μου. ***make ~s at sb***, κάνω γκριμάτσες/μορφασμούς σέ κπ. ***put on/wear a long ~***, στραβομουτσουνιάζω, κατεβάζω τά μοῦτρα. **4**. *(στίς φράσεις)*: ***have the ~ to (do sth)***, ἔχω τήν ἀναίδεια (νά κάνω κτ). ***lose ~***, ταπεινώνομαι, ντροπιάζομαι, ρεζιλεύομαι. ***save one's ~***, διασώζω τό γόητρό μου, σώζω τά προσχήματα. ***put a new ~ on sth***, δίνω ἄλλη ὄψη σέ κτ. ***on the ~ of it***, ἐκ πρώτης ὄψεως, κατά τά φαινόμενα. ***put a good/bold ~ on sth***, διατηρῶ τήν ψυχραιμία μου/κάνω τήν ἀνάγκη φιλοτιμία. **5**. *(τυπογρ.)* μέγεθος ἤ εἶδος τυπογραφικῶν στοιχείων: *bold-~ type*, μαῦρα στοιχεῖα. **~·less** *ἐπ.* ἀπρόσωπος, ἄγνωστος στό πολύ κοινό.

[2]**face** /feɪs/ *ρ.μ/ἀ.* **1**. ἀντικρύζω, κοιτάζω κατά πρόσωπο, εἶμαι ἀπέναντι: *Turn round and ~ me*, γύρισε καί κοίταξέ με κατά πρόσωπο! *Who's the man facing us?* ποιός εἶναι ὁ ἄνθρωπος ἀπέναντί μας; *The window ~s the street*, τό παράθυρο βλέπει στό δρόμο. *How does your house ~?* πρός τά ποῦ βλέπει τό σπίτι σας; ***About ~!*** *(ΗΠΑ)* μεταβολή! ***Right/Left ~!*** *(ΗΠΑ)* κλίνατε ἐπί δεξιά/ἐπ' ἀριστερά! *(συγκρ. ΜΒ: About/Right/Left turn!)* **2**. ἀντιμετωπίζω θαρραλέα, παραδέχομαι: *~ the enemy; ~ dangers*, ἀντιμετωπίζω τόν ἐχθρό/κινδύνους. *the problem that ~s us*, τό πρόβλημα πού ἀντιμετωπίζομε. ***~ it out***, δέν ὑποχωρῶ, δέν τά βάζω κάτω. ***~ the music***, ἀντιμετωπίζω τήν μπόρα, ὑφίσταμαι καρτερικά τίς συνέπειες τῶν πράξεών μου. ***~ up to sth***, ἀναγνωρίζω, παραδέχομαι εὐθαρσῶς κτ: *We must ~ up to the fact that we are no longer young*, πρέπει νά παραδεχθοῦμε τό γεγονός ὅτι δέν εἴμαστε πιά νέοι. ***let's ~ it***, πρέπει νά τό παραδεχθοῦμε: *Let's ~ it, we're getting old*, πρέπει νά τό παραδεχθοῦμε ὅτι γερνᾶμε (κακά τά ψέματα, γερνᾶμε!). **3**. ἐπικαλύπτω, σκεπάζω: *~ a wall with concrete*, ἐπικαλύπτω ἕναν τοῖχο μέ τσιμέντο. **~r** *οὐσ.* ‹C› *(ΜΒ, καθομ.)* παλούκι (ἀπροσδόκητη δυσκολία): *Well, that's a ~r, isn't it?* ὡραῖο παλούκι αὐτό, ἔ;

facet /ˈfæsɪt/ *οὐσ.* ‹C› ἕδρα (διαμαντιοῦ), ὄψις (προβλήματος): *The problem has many ~s*, τό πρόβλημα ἔχει πολλές ὄψεις (πλευρές).

fa·ceti·ous /fəˈsiʃəs/ *ἐπ.* εὐτράπελος, κωμικός, ἀστεῖος, φιλοπαίγμων: *a ~ remark/grimace*, ἀστεία παρατήρησις/κωμική γκριμάτσα. *a ~ young man*, φιλοπαίγμων νεαρός, καλαμπουρτζής. **~·ly** *ἐπίρ.* εὐτράπελα, ἀστεῖα. **~·ness** *οὐσ.* ‹U›.

fa·cial /ˈfeɪʃl/ *ἐπ.* τοῦ προσώπου: *a ~ expression/massage*, ἔκφρασις/μασάζ τοῦ προσώπου.

fa·cile /ˈfæsaɪl/ *ἐπ.* **1**. *(ὑποτιμ.)* εὔκολος, εὐχερής (ἀλλά χωρίς πολύ περιεχόμενο), ἱκανός (νά κάνη κτ μέ εὐχέρεια): *a ~ victory*, εὔκολη νίκη (ἀλλά χωρίς μεγάλη ἀξία). *have a ~ pen/tongue*, γράφω/μιλῶ μέ εὐχέρεια (ἀλλά πρόχειρα). *a ~ liar*, ἄσσος στά ψέματα! **2**. βολικός, καλοδιάθετος: *a girl with a ~ nature*, κορίτσι μέ βολικό χαρακτῆρα.

fa·cili·tate /fəˈsɪləteɪt/ *ρ.μ.* διευκολύνω: *~ sb's work/the exchanges between two countries*, διευκολύνω τή δουλειά κάποιου/τίς ἀνταλλαγές μεταξύ δύο χωρῶν.

fa·cil·ity /fəˈsɪlətɪ/ *οὐσ.* ‹C,U› εὐκολία, ἄνεσις: *have ~ in learning languages*, ἔχω εὐκολία στήν ἐκμάθηση γλωσσῶν. *play the piano/write with ~*, παίζω πιάνο/γράφω μέ ἄνεση. *facilities for travel/for study*, εὐκολίες (μέσα) γιά ταξίδι/γιά μελέτη (γιά σπουδές).

fac·ing /ˈfeɪsɪŋ/ *οὐσ.* ‹C,U› **1**. ἐπίστρωσις, ἐπένδυσις *(πχ* τοίχου). **2**. ρεβέρ, γιακᾶς, μανσέτες (ἀπό ἄλλο ὕφασμα).

fac·sim·ile /fækˈsɪməlɪ/ *οὐσ.* ‹C› πανομοιότυπον, πιστό ἀντίγραφο: *reproduce in ~*, ἀναπαράγω πανομοιοτύπως, πιστά.

fact /fækt/ *οὐσ.* ‹C,U› **1**. γεγονός, πραγματικότης: *The ~ is that...*, τό γεγονός εἶναι ὅτι... *~ and fiction*, πραγματικότης καί φαντασία. ***an accomplished ~***, τετελεσμένον γεγονός. ***know sth for a ~***, γνωρίζω κτ ὡς γεγονός, ξέρω ὅτι εἶναι ἀλήθεια. ***The ~ of the matter is ...***, ἡ πραγματικότης (ἡ ἀλήθεια) εἶναι... ***in ~; as a matter of ~; in point of ~***, στήν πραγματικότητα, γιά νά ποῦμε τήν ἀλήθεια, πραγματικά. **2**. *(νομ.)* πρᾶξις, ἀδίκημα: *accessary before/after the ~*, συνεργός πρίν/μετά τήν πρᾶξιν. **`~-finding** *ἐπ.* διερευνητικός: *a ~-finding commission*, ἐξεταστική τῶν πραγμάτων ἐπιτροπή.

fac·tion /ˈfækʃn/ *οὐσ.* **1**. ‹C› κλίκα, φατρία: *The party split into petty ~s*, τό κόμμα χωρίστηκε σέ μικροκλίκες. **2**. ‹U› διαμάχη, φαγωμάρα: *There's ~ between the two wings of the party*, ὑπάρχει φαγωμάρα ἀνάμεσα στίς δυό πτέρυγες τοῦ κόμματος. **fac·tious**

/ˈfækʃəs/ ἐπ. φατριαστικός.

fac·ti·tious /fækˈtɪʃəs/ ἐπ. τεχνητός, πλασματικός, ψεύτικος: *a ~ demand for goods*, τεχνητή ζήτηση ἀγαθῶν. *~ enthusiasm*, ἐπίπλαστος (ψεύτικος) ἐνθουσιασμός.

fac·tor /ˈfæktə(r)/ οὐσ. ‹C› **1**. παράγων, συντελεστής, (*μαθ.*) διαιρέτης: *one of the ~s of happiness*, ἕνας ἀπό τούς παράγοντες τῆς εὐτυχίας. *the human ~*, ὁ ἀνθρώπινος παράγων. *an unknown ~*, ἄγνωστος παράγων. *the common ~*, ὁ κοινός συντελεστής. **2**. (*ἐμπ.*) πράκτωρ, ἀντιπρόσωπος, (*Σκωτ.*) διαχειριστής κτήματος.

fac·tory /ˈfæktərɪ/ οὐσ. ‹C› ἐργοστάσιο: *a ~ girl/hand*, ἐργάτρια/ἐργάτης. *~ workers/owner*, βιομηχανικοί ἐργάτες/ἐργοστασιάρχης.

fac·tual /ˈfæktʃʊəl/ ἐπ. πραγματικός, ἀναφερόμενος σέ γεγονότα, τεκμηριωμένος.

fac·ulty /ˈfækltɪ/ οὐσ. ‹C› **1**. ἱκανότης, δύναμις: *the mental faculties*, οἱ πνευματικές δυνάμεις. *the ~ of speech*, ἡ ἱκανότης τοῦ ὁμιλεῖν, ἡ ὁμιλία. *have a great ~ for learning languages*, ἔχω μεγάλη ἱκανότητα νά μαθαίνω γλῶσσες. *He was in possession of all his faculties to the end*, εἶχε ὅλες του τίς δυνάμεις μέχρι τέλους. **2**. (Πανεπιστημιακή) Σχολή: *the F~ of Law*, ἡ Νομική Σχολή.

fad /fæd/ οὐσ. ‹C› μανία, (πρόσκαιρος) ἐνθουσιασμός γιά κτ: *a passing ~*, περαστική μανία, συρμός. **~dy** /ˈfædɪ/ ἐπ. *(-ier, -iest)* ἰδιότροπος, πού ἔχει λόξα μέ κτ: *He's ~dy about his food*, εἶναι ἰδιότροπος στό φαΐ του.

fade /feɪd/ ρ.μ/ά. **1**. μαραίνομαι: *Flowers soon ~ when cut*, τά λουλούδια μαραίνονται γρήγορα ὅταν κοποῦν. **2**. ξεθωριάζω, ξεβάφω: *material that doesn't ~*, ὕφασμα πού δέν ξεθωριάζει. *guaranteed not to ~*, ἐγγυημένος ἀναλλοίωτος χρωματισμός. **3**. ἐξασθενίζω σιγά-σιγά, σβήνω: *She's fading away*, ἐξασθενίζει σιγά-σιγά, ὅσο πάει καί σβήνει. *Daylight/The sound of music ~d away*, τό φῶς τῆς μέρας/ὁ ἦχος τῆς μουσικῆς ἔσβησε σιγά-σιγά. *His hopes/impressions ~d*, οἱ ἐλπίδες του/οἱ ἐντυπώσεις του ἔσβησαν. **~ out/in**, (*γιά εἰκόνα στόν κινηματ. ἤ γιά ἦχο στό ραδιόφ.*) σβήνω/δυναμώνω σιγά-σιγά.

[1]**fag** /fæg/ οὐσ. ‹C› **1**. ἀγγαρεία, κουραστική δουλειά: *What a ~!* τί ἀγγαρεία! *It's too much (of a) ~*, εἶναι μεγάλη ἀγγαρεία. **2**. (*σχολ.*) "μικρός" πού ὑπηρετεῖ "μεγάλον". **3**. (*λαϊκ.*) τσιγάρο. **ˈ~-end**, (*λαϊκ.*) γόπα, ἀπομεινάρι, ρετάλι.

[2]**fag** /fæg/ ρ.μ/ά. *(-gg-)* **1**. μοχθῶ, βασανίζομαι: *~ (away) at sth/at doing sth*, βασανίζομαι μέ κτ/κάνοντας κτ. **2**. κουράζω, ἐξαντλῶ: *Doesn't that sort of work ~ you out?* δέν σέ κουράζει αὐτή ἡ δουλειά; *He looks ~ged out*, φαίνεται ξεθεωμένος, κατάκοπος. **3**. (*σχολ.*) ὑπηρετῶ (μεγαλύτερο μαθητή).

fag·got /ˈfægət/ οὐσ. ‹C› **1**. δεμάτι (ξύλα). **2**. (*μαγειρ.*) σουτζουκάκι. **3**. (*λαϊκ.*) ὁμοφυλόφιλος.

[1]**fail** /feɪl/ οὐσ. (*μόνο στή φράση*): **without ~**, δίχως ἄλλο: *I'll be there at noon without ~*.

[2]**fail** /feɪl/ ρ.μ/ά. **1**. ἀποτυγχάνω: *He ~ed in history*, ἀπέτυχε στήν ἱστορία. *Our plans/attempts ~ed*, τά σχέδιά μας/οἱ προσπάθειές μας ἀπέτυχαν. **2**. ἀπορρίπτω (μαθητή): *He ~ed half the class*, ἀπέρριψε τή μισή τάξη. **3**. χρεωκοπῶ: *Several banks ~ed in 1929*, πολλές τράπεζες χρεωκόπησαν στά 1929. **4**. ἐξασθενίζω: *His eyesight is ~ing*, ἡ ὅρασίς του ἀδυνατίζει. *Daylight was ~ing*, τό φῶς λιγόστευε (ἡ νύχτα ἔπεφτε). **5**. παραλείπω, (*ἀκολουθούμενον ἀπό ἄλλο ἀπαρέμφατον ἰσοδυναμεῖ μέ ἄρνηση*) δέν: *I ~ed to mention it*, παρέλειψα νά τό ἀναφέρω. *If you ~ to come/pay,...* ἄν δέν ἔλθης/ἄν δέν πληρώσης... **6**. ἐγκαταλείπω (εἶμαι ἀνεπαρκής), ἀπογοητεύω (προδίδω τίς ἐλπίδες ἤ τήν ἐμπιστοσύνη κάποιου): *His heart ~ed him*, τό θάρρος του τόν ἐγκατέλειψε. *His memory/strength ~ed him*, ἡ μνήμη του/οἱ δυνάμεις του τόν ἐγκατέλειψαν. *I will never ~ you*, ποτέ δέν θά σέ ἀπογοητεύσω (δέν θά προδώσω τίς προσδοκίες σου). *Words ~ me to...*, δέν βρίσκω λόγια νά... **7**. χαλῶ: *The crops ~ed*, τά σπαρτά χάλασαν. *The water supply ~ed*, τό νερό κόπηκε. *The engine ~ed*, ἡ μηχανή χάλασε, σταμάτησε. **8**. **~ in**, στεροῦμαι, μοῦ λείπει: *He ~s in intelligence*, στερεῖται εὐφυΐας.

[1]**fail·ing** /ˈfeɪlɪŋ/ οὐσ. ‹C› ἀδυναμία, ἐλάττωμα: *We all have our little ~s*, ὅλοι ἔχομε τίς μικροαδυναμίες μας.

[2]**fail·ing** /ˈfeɪlɪŋ/ πρόθ. ἐλλείψει, ἄν δέν ὑπάρχη: *~ an answer*, ἐλλείψει ἀπαντήσεως, ἄν δέν ὑπάρξη ἀπάντησις. *~ an agreement*, ἄν δέν ὑπάρξη συμφωνία. *~ this*, ἄν δέν γίνη αὐτό, διαφορετικά.

fail·ure /ˈfeɪljə(r)/ οὐσ. ‹C,U› **1**. ἀποτυχία: *The experiment proved/was a ~*, τό πείραμα ἀποδείχτηκε/ἦταν μιά ἀποτυχία. *end in ~*, καταλήγω σέ ἀποτυχία. *~ of crops*, ἀποτυχία τῆς σοδειᾶς. *He is a ~ as a teacher*, εἶναι ἀποτυχία σά δάσκαλος. *I'm a ~*, εἶμαι ἀποτυχημένος. **2**. ἀνεπάρκεια, μή λειτουργία, διακοπή: *ˈheart-~*, συγκοπή. *ˈengine-~*, σταμάτημα μηχανῆς. *ˈcurrent ~*, διακοπή ρεύματος. **3**. παράλειψις: *His ~ to help us...*, ἡ παράλειψή του νά μᾶς βοηθήση... *~ to keep a promise/to pay a bill*, παράλειψις τηρήσεως ὑποσχέσεως/πληρωμῆς συναλλαγματικῆς. **4**. χρεωκοπία: *several bank ~s*, πολλές χρεωκοπίες τραπεζῶν.

fain /feɪn/ ἐπίρ. (*ποιητ., μετά τό ρ.* would) προθύμως, μετά χαρᾶς: *I would ~ have stayed at home*, εὐχαρίστως θά ἔμενα στό σπίτι.

[1]**faint** /feɪnt/ ἐπ. *(-er, -est)* **1**. ἀμυδρός: *a ~ hope/smile*, ἀμυδρή ἐλπίδα/-ό χαμόγελο. *~ traces*, ἀμυδρά ἴχνη. *I haven't the ~est idea*, δέν ἔχω τήν παραμικρή ἰδέα. **2**. ἀδύνατος: *in a ~ voice*, μέ ἀδύνατη φωνή. *a ~ sound/smell*, ἀδύνατος (ἐλαφρός) ἦχος/-η μυρουδιά. *~ praise*, χλιαρός ἔπαινος. **3**. ἐξασθενημένος, ἐξαντλημένος: *grow/become ~*, ἐξασθενῶ. *~ with cold and hunger*, ἐξαντλημένος ἀπό τό κρύο καί τήν πεῖνα. **4**. ζαλισμένος, λιγωμένος, ἕτοιμος νά λιποθυμήση: *feel ~*, ἔχω ζαλάδα, μοῦρχεται λιποθυμία, ἔχω μεγάλη ἀτονία. **5**. ἀσθενής: *make a ~ attempt*, κάνω μιά ἀσθενῆ ἀπόπειρα. **6**. δειλός, ἄτολμος. ***F~ heart never won fair lady*** (*παροιμ.*) οἱ δειλοί δέν ἔχουν ἐπιτυχία στόν ἔρωτα. **ˈ~-ˈhearted** ἐπ. φοβιτσιάρης, λιγόψυχος. **~·ly** ἐπίρ. ἀμυδρά,

ἀνεπαίσθητα, ἄτολμα. **~·ness** *οὐσ.* ‹U›.

[2]**faint** /feɪnt/ *ρ.ἀ.* **1**. λιποθυμῶ: *He ~ed from hunger*, λιποθύμησε ἀπό τήν πεῖνα. ***be ~ing***, μοῦρχεται λιποθυμία. **2**. ἐξασθενῶ, σβήνω: *The sounds ~ed away*, οἱ ἦχοι ἔσβησαν. —*οὐσ.* ‹C› λιποθυμία: *go off in a ~*, λιποθυμῶ.

[1]**fair** /feə(r)/ *ἐπ.* *(-er, -est)* **1**. δίκαιος, σωστός, τίμιος: *have a ~ share*, παίρνω δίκαιο μερίδιο. *a ~ fight*, τίμιος ἀγώνας. *It's only ~ to say that...*, εἶναι σωστό νά ποῦμε ὅτι... ***give sb a ~ hearing***, δίνω σέ κπ τήν εὐκαιρία νά ὑπερασπίση τόν ἑαυτό του. **'~-'minded**, ἀκριβοδίκαιος, ἀμερόληπτος. (*βλ.* & *λ.* [1]*play*). **2**. μέτριος, καλούτσικος: *a ~ chance of success*, μιά ἀρκετά καλή πιθανότητα ἐπιτυχίας. *His knowledge of French is ~*, ξέρει Γαλλικά καλούτσικα. **3**. αἴθριος, οὔριος: *~ weather/winds*, αἴθριος καιρός/οὔριοι ἄνεμοι. **a '~-weather 'friend**, φίλος μόνο στήν εὐτυχία. **4**. ὡραῖος: *the ~ sex*, τό ὡραῖο φύλο. *put sb off with ~ words/promises*, ρίχνω κπ μέ ὡραῖα λόγια/μέ ὡραῖες ὑποσχέσεις. **5**. καθαρός: *make a ~ copy of a letter*, ἀντιγράφω ἕνα γράμμα καθαρά. **6**. ξανθός: *a '~-haired girl*, μιά ξανθιά κοπέλλα. *a ~ complexion*, ξανθό χρῶμα προσώπου. **~·ness** *οὐσ.* ‹U› δικαιοσύνη, ἀμεροληψία, τιμιότης: *in all ~ness*, μέ κάθε ἐντιμότητα, γιά νά μιλᾶμε τίμια... *in ~ness to him*, γιά νἄμαστε δίκαιοι ἀπέναντί του...

[2]**fair** /feə(r)/ *ἐπίρ.* **1**. τίμια, σωστά: *play ~*, παίζω τίμια. ***~ enough***, (*καθομ.*) ἐν τάξει! σύμφωνοι! πολύ σωστά! **2**. καθαρά: *write/copy sth out ~*, γράφω/ἀντιγράφω κτ καθαρά. **3**. ***~ and square***, ἀκριβῶς, ἴσια: *strike sb ~ and square on the chin*, χτυπῶ κπ ἴσια στό πηγούνι. **4**. (*ἀπηρχ.*) εὐγενικά: *speak sb ~*, μιλῶ εὐγενικά. *a ~-spoken young man*, ἕνας εὐγενικός νέος.

[3]**fair** /feə(r)/ *οὐσ.* ‹C› **1**. ἐμποροπανήγυρις: *the local ~*, ἡ τοπική ἐμποροπανήγυρις. **~-ground**, ὑπαίθριος χῶρος πανηγύρεως. **2**. ἔκθεσις: *a world ~*, παγκόσμια ἔκθεσις. *the International F~ of Salonica*, ἡ Διεθνής Ἔκθεσις Θεσσαλονίκης. **3**. φιλανθρωπική ἀγορά.

fair·ly /'feəlɪ/ *ἐπίρ.* **1**. τίμια, δίκαια, σωστά: *treat sb ~*, μεταχειρίζομαι κπ τίμια, ἀμερόληπτα. *come by sth ~*, ἀποκτῶ κτ τίμια. **2**. ἐντελῶς, τελείως: *We were ~ caught in the trap*, πιαστήκαμε στήν παγίδα γιά καλά. **3**. ἀρκετά: *~ good/well*, ἀρκετά καλός/καλά. *~ easy/large*, ἀρκετά εὔκολος/μεγάλος.

fair·way /'feəweɪ/ *οὐσ.* ‹C› πλωτή δίοδος.

fairy /'feərɪ/ *οὐσ.* ‹C› **1**. νεράϊδα. **2**. (*λαϊκ.*) ὁμοφυλόφιλος. —*ἐπ.* παραμυθένιος. **a ~ lamp/light**, διακοσμητικό ἔγχρωμο λαμπιόνι. **'~-land**, νεραϊδότοπος, τόπος παραμυθένιας ὀμορφιᾶς, χώρα τῶν θαυμάτων. **~-like**, αἰθέριος, νεραϊδόμορφος. **'~-tale**, παραμύθι.

faith /feɪθ/ *οὐσ.* ‹C,U› **1**. πίστις, ἐμπιστοσύνη: *have/put one's ~ in God*, ἐναποθέτω τήν πίστη μου στό Θεό. *the Christian ~*, ἡ χριστιανική πίστις. *lose ~ in sb*, χάνω τήν πίστη μου σέ κπ. **2**. λόγος (τιμῆς), ὑπόσχεσις. ***give/pledge one's ~ to sb***, δίνω τό λόγο μου σέ κπ. ***keep/break ~ with sb***, κρατῶ/παραβαίνω τό λόγο μου πρός κπ. ***in good/bad ~***, καλοπίστως/κακοπίστως, δολίως.

faith·ful /'feɪθfl/ *ἐπ.* πιστός: *a ~ friend*, πιστός φίλος. *a ~ copy/description*, πιστό ἀντίγραφο/-ή περιγραφή. *~ to one's promise*, πιστός στήν ὑπόσχεσή μου. *~ in word and deed*, πιστός μέ λόγια καί μέ ἔργα. ***the ~***, οἱ πιστοί. **~ly** *ἐπίρ.* πιστῶς. ***Yours ~ly***, (*ἐμπ. ἀλληλογ.*) Μετά τιμῆς, Ὑμέτερος. **~·ness** *οὐσ.* ‹U› πίστις, ἐντιμότης, πιστότης (ἀφηγήσεως, κλπ).

faith·less /'feɪθləs/ *ἐπ.* ἄπιστος, δόλιος. **~·ly** *ἐπίρ.* δολίως. **~·ness** *οὐσ.* ‹U›, δολιότης.

fake /feɪk/ *οὐσ.* ‹C› ἀπομίμησις, ἀντιγραφή, ψεύτικο (πρόσ. ἤ πρᾶγμα): *It isn't genuine, it's a ~*, δέν εἶναι γνήσιο, εἶναι ἀπομίμησις. —*ρ.μ.* ***~ (up)***, ἀπομιμοῦμαι, παραποιῶ, πλαστογραφῶ, ἐπινοῶ: *~ a painting*, κάνω ἀπομίμηση πίνακος. *~ (up) a story*, ἐπινοῶ, φτιάχνω μιά ψεύτικη ἱστορία.

fakir /'feɪkɪə(r)/ *οὐσ.* ‹C› φακίρης.

fal·con /'fɔlkən/ *οὐσ.* ‹C› γεράκι.

[1]**fall** /fɔl/ *οὐσ.* ‹C› **1**. πέσιμο, πτῶσις: *have a ~ from a horse*, πέφτω ἀπό ἄλογο. *a ~ in prices/in temperature*, πτῶσις τιμῶν/θερμοκρασίας. ***the F~ of man***, ἡ πτῶσις τοῦ ἀνθρώπου, τό προπατορικόν ἁμάρτημα. **2**. (*ΗΠΑ*) φθινόπωρο. **3**. (*πληθ.*) καταρράχτης: *the Niagara F~s*.

[2]**fall** /fɔl/ *ρ.μ/ἀ.* *ἀνώμ.* (*ἀόρ. fell* /fel/, *π.μ. fallen* /'fɔlən/) **1**. πέφτω: *The leaves ~ in autumn*, τά φύλλα πέφτουν τό φθινόπωρο. *The rain was ~ing steadily*, ἡ βροχή ἔπεφτε ἀσταμάτητα. *He fell full length*, ἔπεσε φαρδύς-πλατύς. *He fell in battle*, ἔπεσε στή μάχη. *He fell into the trap*, ἔπεσε στήν παγίδα. *All the expenses/the blame/the responsibility fell on me*, ὅλα τά ἔξοδα/τό φταίξιμο/ἡ εὐθύνη ἔπεσε ἐπάνω μου. *It fell to my lot to...* μοὔλαχε ὁ κλῆρος νά... *Christmas Day ~s on a Thursday this year*, τά Χριστούγεννα πέφτουν Πέμπτη ἐφέτος. *Not a word fell from his lips*, οὔτε μιά λέξη δέν βγῆκε ἀπό τά χείλη του. *The ground ~s towards the river*, τό ἔδαφος πέφτει (κατηφορίζει) πρός τό ποτάμι. *The Government/The capital has fallen*, ἡ Κυβέρνησις/ἡ πρωτεύουσα ἔπεσε. *The temperature is ~ing*, ἡ θερμοκρασία πέφτει. *The wind fell*, ὁ ἄνεμος ἔπεσε. *a ~ing star*, διάττων ἀστήρ. ***the ~en***, οἱ πεσόντες (στόν πόλεμο). **2**. πέφτω, γίνομαι: *~ into disgrace*, πέφτω σέ δυσμένεια. *~ into poverty*, πέφτω σέ φτώχεια, φτωχαίνω. ***~ asleep***, ἀποκοιμιέμαι. ***~ due***, λήγω, γίνομαι ἀπαιτητός: *The rent ~s due tomorrow*, τό νοῖκι πρέπει νά πληρωθῆ αὔριο. ***~ ill***, πέφτω ἄρρωστος, ἀρρωσταίνω. ***~ silent***, παύω νά μιλῶ, σωπαίνω. ***~ in/out of love with sb***, ἐρωτεύομαι/παύω νά εἶμαι ἐρωτευμένος μέ κπ. **3**. (*σέ φράσεις*): ***~ on one's feet***, στέκομαι τυχερός, μοὔρχονται δεξιά. ***~ flat***, ἀποτυγχάνω, ἀστοχῶ: *The scheme fell flat*, τό σχέδιο ἀπέτυχε. ***~ over oneself***, σκοντάφτω καί πέφτω (ἀπό βιασύνη ἤ ἀδεξιότητα). (*καθομ.*) τρέχω πατεῖς με πατῶ σε: *Publishers fell over themselves (ἤ over each other) for his new book*, οἱ ἐκδότες ἔτρεχαν πατεῖς με πατῶ σε γιά (συναγωνίζονταν ποιός νά ἐξασφαλίση)

τό νέο του βιβλίο. ~ ***short***, πέφτω κοντά (γιά κτ ριπτόμενο). ~ ***short of***, ὑπολείπομαι, εἶμαι κατώτερος: *Your work fell short of my expectations*, ἡ δουλειά σου ἦταν κατώτερη τῶν προσδοκιῶν μου. **4**. (*μέ ἐπιρ. & προϑ.*): ***fall about (laughing/with laughter)***, λύνομαι (στά γέλια): *They fell about when the teacher slipped on the banana skin*, λύϑηκαν στά γέλια ὅταν ὁ δάσκαλος γλίστρησε στή μπανανόφλουδα.

fall among, πέφτω σέ: *I fell among thieves*, ἔπεσα σέ κλέφτες.

fall away, (α) ἀποσκιρτῶ: *His supporters began to ~ away*, οἱ ὀπαδοί του ἄρχισαν νά ἀποσκιρτοῦν. *(β)* παραμερίζομαι, ἐξαφανίζομαι: *In this crisis, all prejudices fell away*, σ' αὐτήν τήν κρίση, ὅλες οἱ προκαταλήψεις παραμερίστηκαν.

fall back, ὑποχωρῶ, ὀπισϑοχωρῶ: *The enemy fell back*, ὁ ἐχϑρός ὀπισϑοχώρησε. ~ ***back on***, καταφεύγω, προσφεύγω (γιά βοήϑεια): *It's always useful to have somebody to ~ back on*, εἶναι πάντα χρήσιμο νά ἔχης κάποιον στόν ὁποῖον νά μπορῆς νά προσφύγης (σέ ὥρα ἀνάγκης).

fall behind (with), βραδυπορῶ, καϑυστερῶ, μένω πίσω: ~ *behind with one's correspondence*, μένω πίσω στήν ἀλληλογραφία μου. *Don't ~ behind with your rent*, μήν καϑυστερεῖς τό ἐνοίκιό σου!

fall down, (*καϑομ.*) ἀποτυγχάνω: *He fell down in maths*, τήν ἔφαγε στά μαϑηματικά.

fall for, ἐρωτεύομαι, μοῦ ἀρέσει: *He ~s for every pretty face he sees*, ἐρωτεύεται κάϑε ὀμορφούλα πού βλέπει. *He fell for my suggestion*, τοῦ ἄρεσε ἡ πρότασή μου.

fall in, καταρρέω, συντάσσω/-ομαι, λήγω: *The roof fell in*, ἡ σκεπή κατέρρευσε. *F~ in!* (*στρατ.*) σύνταξις! *His lease ~s in next month*, ἡ μίσϑωσίς του λήγει τόν ἄλλο μῆνα.

fall in with, συναντῶ τυχαῖα, συμφωνῶ: *I fell in with a boxer on the train*, γνωρίστηκα μ' ἕνα μποξέρ στό τραῖνο. *He fell in with my views*, συμφώνησε μέ τίς ἀπόψεις μου.

fall into, διαιροῦμαι: *The subject ~s into four divisions*, τό ϑέμα διαιρεῖται σέ 4 τμήματα. ~ ***into line (with)***, ἀποδέχομαι (τήν ἄποψη ἤ τρόπο ἐνεργείας), συμφωνῶ: *He argued for hours but in the end he fell into line with us*, ἔφερε ἀντιρρήσεις ἐπί ὧρες, ἀλλά τελικά συμφώνησε (εὐϑυγραμμίστηκε) μαζί μας.

fall off, μειώνομαι, λιγοστεύω: *Our profits have ~en off*, τά κέρδη μας μειώϑηκαν. *Attendance at church ~s off in summer*, οἱ ἐκκλησιαζόμενοι λιγοστεύουν τό καλοκαίρι.

fall on, ἐπιτίϑεμαι ἐναντίον: *They fell on him*, τοῦ ρίχτηκαν, πέσαν πάνω του.

fall out, (*στρατ.*) λύω τούς ζυγούς, συμβαίνω, διακόπτω (τά μαϑήματα): *F~ out!* τούς ζυγούς λύσατε! *Everything fell out as we had hoped*, ὅλα συνέβησαν ὅπως τό ἐλπίζαμε. *Five more pupils fell out this month*, κι' ἄλλοι πέντε μαϑητές διέκοψαν αὐτό τό μῆνα. **`~-out** *οὐσ.* ‹U› ραδιενεργός σκόνη στήν ἀτμόσφαιρα μετά ἀπό πυρηνική ἔκρηξη, διαρροή: *The `~-out rate is high*, τό ποσοστό διαρροῆς εἶναι ὑψηλό. ~ ***out (with sb)*** τά χαλάω, μαλώνω μέ κπ: *The two friends fell out over a trifling matter*, οἱ δυό φίλοι τά χάλασαν γιά τό τίποτα.

fall through, ἀποτυγχάνω, δέν καταλήγω πουϑενά: *His plans fell through*, τά σχέδια του ἀπέτυχαν.

fall to, ρίχνομαι (στόν ἐχϑρό, στό φαΐ): *They fell to with a good appetite*, ρίχτηκαν στό φαΐ μέ πολλή ὄρεξη. ~ ***to*** + *γερούνδιον*, ἀρχίζω νά: *I fell to wondering...*, ἄρχισα νά διερωτῶμαι...

fall under, ἐμπίπτω, ὑπάγομαι, ταξινομοῦμαι.

fal·lacy /ˈfæləsɪ/ *οὐσ.* ‹C,U› σόφισμα, πλάνη: *an argument based on ~*, ἐπιχείρημα σέ ἐσφαλμένη βάση, βασιζόμενο σέ σόφισμα. *a current ~*, μία εὐρύτατα διαδεδομένη πλάνη. **fa·la·cious** /fəˈleɪʃəs/ *ἐπ.* ἀπατηλός, ἐσφαλμένος.

fal·len /ˈfɔlən/ *π.μ. τοῦ ρ. fall.*

fal·lible /ˈfæləbl/ *ἐπ.* ὑποκείμενος σέ σφάλματα: *We're all ~*, ὅλοι κάνομε λάϑη (κανείς δέν εἶναι ἀλάϑητος).

fal·low /ˈfæləʊ/ *ἐπ.* & *οὐσ.* ‹U› χέρσος, ἀκαλλιέργητος, σέ ἀγρανάπαυση: *~ land*, χέρσα γῆ. *let a field lie ~*, ἀφήνω ἕνα χωράφι χέρσο, νά ἀναπαυϑῆ.

false /fɔls/ *ἐπ. (-r, -st)* **1**. ψεύτικος, ἀναληϑής, λαϑεμένος: *~ news; a ~ alarm*, ψεύτικη εἴδηση/-ος συναγερμός. *a ~ idea*, λαϑεμένη ἰδέα. *a ~ note*, φάλτσο νότα. *~ modesty/pride*, ψευτοσεμνότητα/ψευτοπερηφάνεια. ***make a ~ start***, ξεκινῶ στραβά, (*ἀϑλ.*) κάνω ἄκυρη ἐκκίνηση. ***take a ˈ~ ˋstep***, στραβοπατῶ, σκοντάφτω, (*μεταφ.*) κάνω γκάφα (στό φέρσιμο). **2**. ψεύτικος, πλαστός, τεχνητός: *~ money/coins*, πλαστά χρήματα/κίβδηλα νομίσματα. *~ hair/teeth*, τεχνητά μαλλιά/ψεύτικα δόντια. **3**. ψεύτης, ἄπιστος, δολερός: *a ~ friend*, ἄπιστος φίλος. *He is ~ through and through*, εἶναι ψεύτης (ἄπιστος) ὥς τό κόκκαλο. ***be ~ to one's word***, δέν τηρῶ τό λόγο μου. ***give ~ witness***, ψευδομαρτυρῶ. ***sail under ~ colours*** (*γιά πλοῖο*) πλέω μέ ψεύτικη σημαία, (*γιά ἄνϑρ.*) παρουσιάζομαι διαφορετικός ἀπ' ὅ,τι εἶμαι. —*ἐπίρ.* (*μόνο στή φράση*) ***play sb ~***, προδίδω, ἀπατῶ κπ: *My memory never plays me ~*, ἡ μνήμη μου δέν μέ ἀπατᾶ ποτέ. **~·ly** *ἐπίρ.* ψευδῶς, ἀναληϑῶς. **~·ness** *οὐσ.* ‹U› δολιότης, πλαστότης, ἀπάτη.

false·hood /ˈfɔlshʊd/ *οὐσ.* ‹C,U› (*λόγ.*) ψέμα, ψεῦδος: *tell a ~*, λέω ψέμα. *utter ~s*, ψευδολογῶ.

fal·setto /fɔlˈsetəʊ/ *οὐσ.* ‹C› (*πληϑ. ~s*) & *ἐπ.* (*μουσ.*) φαλσέτο: *laugh in a high ~*, γελῶ μέ ψιλή φωνή.

fals·ify /ˈfɔlsɪfaɪ/ *ρ.μ.* πλαστογραφῶ, παραποιῶ, διαστρεβλώνω: *~ records/accounts*, πλαστογραφῶ τά ἀρχεῖα/τούς λογαριασμούς. *~ a story/an issue*, παραποιῶ μιά ἱστορία/διαστρεβλώνω ἕνα ζήτημα. **fal·si·fi·ca·tion** /ˈfɔlsɪfɪˋkeɪʃn/ *οὐσ.* ‹C,U› παραποίησις, διαστρέβλωσις.

fals·ity /ˈfɔlsətɪ/ *οὐσ.* ‹C,U› ψευτιά, ἀνακρίβεια, δολιότης.

fal·ter /ˈfɔltə(r)/ *ρ.μ/ἀ.* **1**. παραπαίω, τρεκλίζω, ταλαντεύομαι, διστάζω: *Once he made up his mind, he never ~ed*, ἀπό τή στιγμή πού πῆρε τήν ἀπόφαση δέν ταλαντεύτηκε (δέν δίστασε) πλέον. **2**. κομπιάζω, (*γιά φωνή*) τρέμω: *He ~ed in his speech*, κόμπιαζε στό λόγο του. *His voice ~ed*, ἡ φωνή του ἔτρεμε. **3**. ψελλίζω, τραυλίζω: *He ~ed out a few words*, τραύλισε μερικές λέξεις. **~·ing** *ἐπ.* διστακτικός. **~·ing·ly** *ἐπίρ.* διστακτικά.

fame /feɪm/ *οὐσ.* ‹U› φήμη: *win ~*, ἀποκτῶ φήμη. *~d for sth*, ὀνομαστός, φημισμένος γιά κτ.

fam·il·iar /fə`mɪlɪə(r)/ *ἐπ.* **1**. οἰκεῖος, γνωστός, γνώριμος: *~ surroundings*, οἰκεῖον περιβάλλον. *a ~ voice*, γνωστή φωνή. ***be ~ with***, γνωρίζω: *I am not ~ with his poetry*, δέν ξέρω τήν ποίησή του. ***be ~ to***, εἶμαι γνωστός εἰς: *His poetry isn't ~ to me*, ἡ ποίησή του δέν μοῦ εἶναι γνωστή. ***make sb/oneself ~ with sth***, ἐξοικειώνω κπ/ἐξοικειώνομαι μέ κτ. **2**. στενός, φιλικός: *be on ~ terms with sb*, ἔχω στενές σχέσεις μέ κπ. *Don't be too ~ with him*, μήν ἔχης μεγάλη οἰκειότητα μαζί του. __*οὐσ.* ‹C› φίλος, γνώριμος. **~·ly** *ἐπίρ.* μέ οἰκειότητα.

fam·ili·ar·ity /fə`mɪlɪ`ærətɪ/ *οὐσ.* ‹C,U› οἰκειότης, ἐξοικείωσις, γνῶσις: *treat sb with great ~*, φέρνομαι σέ κπ μέ μεγάλη οἰκειότητα. *~ with a subject*, ἐξοικείωσις μέ ἕνα θέμα, γνῶσις ἑνός θέματος. ***F~ breeds contempt***, (*παροιμ.*) ἡ μεγάλη οἰκειότητα γεννᾶ περιφρόνηση (δέν σέ σέβονται ὅταν τούς δίνης ἀέρα).

fam·il·iar·ize /fə`mɪlɪəraɪz/ *ρ.μ.* ἐξοικειώνω, κάνω κτ γνωστό: *~ oneself with the rules of the game*, ἐξοικειώνομαι μέ τούς κανόνες τοῦ παιχνιδιοῦ.

fam·ily /`fæməlɪ/ *οὐσ.* ‹C› **1**. οἰκογένεια: *Have you any ~?* ἔχετε οἰκογένεια; *He's one of the ~ now*, εἶναι τοῦ σπιτιοῦ, μέλος τῆς οἰκογένειας τώρα. *a large ~*, μεγάλη, πολυμελής οἰκογένεια. *a ~ of languages/plants*, οἰκογένεια γλωσσῶν/φυτῶν. **2**. (*ἐπιθετ.*) οἰκογενειακός: *a ~ name/doctor/tree*, οἰκογενειακό ὄνομα, ἐπώνυμο/-ός γιατρός/-ό δέντρο. **'~ `planning**, οἰκογενειακός προγραμματισμός (γιά τόν ἔλεγχο τῶν γεννήσεων). ***in the ~ way***, (*λαϊκ*) γκαστρωμένη.

fam·ine /`fæmɪn/ *οὐσ.* **1**. ‹U› λιμός: *die of ~*, πεθαίνω ἀπό πεῖνα. **2**. ‹C› ἔλλειψις, σπάνις: *water ~*, λειψυδρία. *~ prices*, ὑψηλές τιμές (λόγω ἐλλείψεως).

fam·ish /`fæmɪʃ/ *ρ.μ/ἀ.* λιμοκτονῶ: *I'm ~ed* (*καθομ.*) πεθαίνω τῆς πείνας. *The children looked ~ed*, τά παιδιά ἦταν πετσί καί κόκκαλο, ἔδειχναν νά λιμοκτονοῦν.

fam·ous /`feɪməs/ *ἐπ.* φημισμένος, διάσημος, περίφημος: *a ~ author*, διάσημος συγγραφεύς. *a country ~ for its climate*, χώρα φημισμένη γιά τό κλῖμα της. **~·ly** *ἐπίρ.* περίφημα.

[1]**fan** /fæn/ *οὐσ.* ‹C› βεντάλια, ἀνεμιστήρας, (*αὐτοκ.*) βεντιλατέρ. **`~ belt**, λουρί τοῦ βεντιλατέρ. **`~·light**, ἡμικυκλικός φεγγίτης πάνω ἀπό πόρτα. __*ρ.μ/ἀ.* (*-nn-*) **1**. ἀνεμίζω, κάνω ἀέρα, φυσῶ, ἀναρριπίζω, δροσίζω: *~ oneself*, κάνω ἀέρα. *~ the fire*, φυσῶ τή φωτιά. *The breeze ~ned our faces*, ἡ αὔρα δρόσιζε τά πρόσωπά μας. ***~ the flame***, ἀναρριπίζω τίς φλόγες, (*μεταφ.*) ρίχνω λάδι στή φωτιά. **2**. ***~ out***, ἁπλώνω/-ομαι σέ σχῆμα βεντάλιας.

[2]**fan** /fæn/ *οὐσ.* ‹C› φανατικός ὀπαδός, θαυμαστής, λάτρης: *football ~s*, φανατικοί φίλοι τοῦ ποδοσφαίρου. **`~ mail**, γράμματα ἀπό τούς θαυμαστές.

fa·natic /fə`nætɪk/ *οὐσ.* ‹C› φανατικός. __*ἐπ.* (*ἐπίσης:* **fa·nati·cal** /-kl/) φανατικός. **~ally** /-klɪ/ *ἐπίρ.* **fa·nati·cism** /fə`nætɪsɪzm/ *οὐσ.* ‹U› φανατισμός.

fan·cier /`fænsɪə(r)/ *οὐσ.* ‹C› εἰδήμων: *a `dog ~*, κυνοτρόφος. *a `rose ~*, καλλιεργητής τριαντάφυλλων.

fan·ci·ful /`fænsɪfl/ *ἐπ.* (*γιά ἄνθρ.*) φαντασιόπληκτος, ἰδιότροπος, (*γιά πράγμ.*) παράδοξος, φανταστικός. **~ly** *ἐπίρ.*

[1]**fancy** /`fænsɪ/ *οὐσ.* **1**. ‹U› φαντασία: *have a lively ~*, ἔχω ζωηρή φαντασία. **2**. ‹C› φαντασίωσις, (ἀστήρικτη) γνώμη: *It's only a ~*, εἶναι ἀποκύημα τῆς φαντασίας. *I have a ~ that she won't come*, ἔχω μιά ἰδέα ὅτι δέν θά ἔλθη. **3**|. ‹C› ἰδιοτροπία, καπρίτσιο, φαντασιοπληξία: *He has strange fancies*, ἔχει περίεργα καπρίτσια. ***a passing ~***, περαστική ἰδιοτροπία. **4**. ‹C› συμπάθεια, προτίμησις, γοῦστο: *I have a ~ for some wine with my dinner*, μοῦ ἀρέσει λίγο κρασί στό φαγητό μου. *It's not to my ~*,. δέν εἶναι τοῦ γούστου μου, δέν μοῦ ἀρέσει. ***take a ~ to***, συμπαθῶ: *They took a ~ to him*, τόν συμπάθησαν. ***take/catch the ~ of***, ἀρέσω: *The new play took the ~ of the public*, τό νέο ἔργο ἄρεσε στό κοινό. *I saw it in a shop window and it caught my ~*, τό εἶδα σέ μιά βιτρίνα καί μοῦ χτύπησε στό μάτι. **'~-`free**, μέ τήν καρδιά ἐλεύθερη, αἰσθηματικῶς ἀδέσμευτος.

[2]**fancy** /`fænsɪ/ *ἐπ.* φανταχτερός, φανταιζί, φανταστικός: *~ bread*, ψωμί πολυτελείας. *~ cakes*, γλυκίσματα μέ κρέμα. *~ dress*, ἀποκρηάτικα, φανταχτερά ροῦχα. *a ~-dress ball*, χορός μεταμφιεσμένων. *~ dogs*, σκυλιά ράτσας, πολυτελείας. *~ goods*, εἴδη μόδας. *a ~ price*, φανταστική, ὑπερβολική τιμή. **`~ work**, ἐργόχειρο, κέντημα.

[3]**fancy** /`fænsɪ/ *ρ.μ.* (*ἀόρ.* & *π.μ.* *-cied*) **1**. φαντάζομαι: *I can't ~ her as a teacher/~ her teaching*, δέν μπορῶ νά τήν φανταστῶ δασκάλα/νά διδάσκη. *Just ~! F~ that now!* γιά φαντάσου! **2**. ἔχω τήν ἐντύπωση, φαντάζομαι: *I ~ she won't come*, φαντάζομαι ὅτι δέν θά ἔλθη. *I fancied I heard footsteps behind me*, μοῦ φάνηκε ὅτι ἄκουσα βήματα πίσω μου. ***~ oneself***, φαντάζομαι ὅτι εἶμαι, θεωρῶ τόν ἑαυτό μου: *He fancies himself as an orator*, φαντάζεται ὅτι εἶναι ρήτορας. **3**. μοῦ ἀρέσει: *What do you ~ for dinner?* τί σοῦ ἀρέσει νά φᾶς; *Do you ~ that girl?* σοῦ ἀρέσει αὐτή ἡ κοπέλλα;

fan·fare /`fænfeə(r)/ *οὐσ.* ‹C› σαλπίσματα.

fang /fæŋ/ *οὐσ.* ‹C› δόντι (σκύλου, λύκου, κλπ), φαρμακερό δόντι (φιδιοῦ).

fan·light /`fænlaɪt/ *οὐσ.* ‹C› *βλ.* [1]*fan*.

fan·tasia /`fæntə`zɪə/ *οὐσ.* ‹C› (*πληθ.* *~s*) (*μουσ.*) φαντασία.

fan·tas·tic /fæn`tæstɪk/ *ἐπ.* ἀλλόκοτος, ἐξωφρενικός, (*λαϊκ.*) ἔξοχος, ἀπίθανος: *~ dreams/ideas*, ἀλλόκοτα ὄνειρα/-ες ἰδέες. *~ plans/prices*, ἐξωφρενικά σχέδια/-ές τιμές. *She's a ~ girl*, εἶναι ἀπίθανο κορίτσι. **fan·tas·ti·cally** /-klɪ/ *ἐπίρ.* ἀπίθανα: *He's*

~*ally rich*, εἶναι ἀπίθανα πλούσιος.

fan·tasy /ˈfæntəsɪ/ *οὐσ.* ‹C,U› **1**. φαντασία, φαντασίωσις, παραίσθησις, ἀποκύημα: *a night of fantasies*, νύχτα γεμάτη φαντασιώσεις. **2**. (*μουσ.*) φαντασία.

[1]**far** /fɑ(r)/ *ἐπ.* (*παραθετικά: farther, farthest, further, furthest*) **1**. μακρυνός: *a ~ country*, μιά μακρυνή χώρα. *the F~ East*, ἡ "Απω 'Ανατολή. (*βλ.* & *λ.* [2]*cry*). **2**. ἀπώτερος, ὁ πλέον ἀπομακρυσμένος: *at the ~ end of the street*, στήν ἄλλη ἄκρη τοῦ δρόμου.

[2]**far** /fɑ(r)/ *ἐπίρ.* (*παραθετικά: farther, farthest, further, furthest*) **1**. μακρυά: *Did you go ~? We didn't go ~*. (*πρβλ. στήν κατάφαση: We went a long way*). ~ *away/off*, πολύ μακρυά. *as ~ back as 1829*, ἀπό τό 1829 ἤδη. ***~ from***, κάθε ἄλλο παρά, ὄχι μόνο δέν: *His work is ~ from good*, ἡ δουλειά του εἶναι κάθε ἄλλο παρά καλή. *F~ from admiring him, I dislike him intensely*, ὄχι μόνον δέν τόν θαυμάζω, ἀλλά καί τόν σιχαίνομαι φοβερά. ***be ~ from***, πόρρω ἀπέχω ἀπό. ***go ~***, *(α)* τραβῶ μπροστά (στή ζωή): *He's clever and will go ~*, εἶναι ἔξυπνος καί θά πάη μπροστά. *(β)* (*γιά χρήματα*) ἀγοράζω πράγματα: *A pound won't go ~ nowadays*, μέ μιά λίρα δέν ἀγοράζεις πολλά πράγματα σήμερα. ***go/carry sth too ~***, παρατραβῶ κτ: *Don't carry the joke too ~*, μήν τό παρατραβᾶς τό ἀστεῖο. ***go ~ to/towards doing sth***, βοηθῶ ἀρκετά, συντελῶ πολύ: *This will go ~ towards making up our losses*, αὐτό θά βοηθήση ἀρκετά γιά νά καλύψωμε τή ζημιά μας. ***few and ~ between***, σποραδικοί, σπάνιοι. ***~ and near/wide***, παντοῦ: *They searched ~ and wide*, ἔψαξαν παντοῦ. ***so ~***, μέχρις ἐδῶ: *So ~, so good*, ὥς ἐδῶ καλά. ***as/so ~ as***, ἕως, τόσο μακρυά ὅσο, ἀπ'ὅ,τι, μέχρι τοῦ σημείου νά: *They went as ~ as the station*, πῆγαν ὥς τό σταθμό. *We didn't go so ~ as you*, δέν πήγαμε τόσο μακρυά ὅσο ἐσύ. *as ~ as I know*, ἀπ'ὅ,τι ξέρω. *He went so ~ as to claim...*, ἔφθασε μέχρι τοῦ σημείου νά ἰσχυρισθῆ... **2**. πολύ: ~ *better*, πολύ καλύτερα. ***~ and away***, κατά πολύ, ἀσυζητητί: *He's ~ and away the best actor I've seen*, χωρίς συζήτηση εἶναι ὁ καλύτερος ἠθοποιος πού ἔχω δῆ. **3**. **ˈ~-away** *ἐπ.* μακρυνός, ἀπλανής: *a ~-away country*, μακρυνή χώρα. *a ~-away look*, χαμένο, ὀνειροπόλο βλέμμα. **ˈ~-ˈfamed** *ἐπ.* διάσημος, πασίγνωστος. **ˈ~-ˈfetched** *ἐπ.* (*γιά παράδειγμα, ἐπιχείρημα, κλπ*) παρατραβηγμένος, τραβηγμένος ἀπό τά μαλλιά. **ˈ~-ˈflung** *ἐπ.* (*ρητ.*) ἀπέραντος, ἀχανής, μεγάλης ὁλκῆς. **~ gone**, προχωρημένος (σέ ἀρρώστεια, μεθύσι, κλπ). **ˈ~-ˈoff** *ἐπ.*. μακρυνός. **ˈ~-ˈreaching** *ἐπ.* μεγάλης, ἀνυπολόγιστης σημασίας: *~-reaching reforms*, μεταρρυθμίσεις μεγάλης σημασίας. **ˈ~-ˈsighted** *ἐπ.* πρεσβύωψ, προνοητικός, διορατικός.

[3]**far** /fɑ(r)/ *οὐσ.* ‹U› ἀπόστασις, μακρυά: *Do you come from ~?* ἔρχεστε ἀπό μακρυά; ***by ~***, κατά πολύ: *This is better by ~*, αὐτό εἶναι κατά πολύ καλύτερο.

farce /fɑs/ *οὐσ.* ‹C,U› φάρσα: *The trial was a ~*, ἡ δίκη ἦταν φάρσα.

far·ci·cal /ˈfɑsɪkl/ *ἐπ.* γελοῖος. **~ly** *ἐπίρ.*

[1]**fare** /feə(r)/ *οὐσ.* ‹C› **1**. εἰσιτήριο, ναῦλος: *What's the ~ to Sparta?* πόσο ἔχει τό εἰσιτήριο γιά τή Σπάρτη; *All ~s, please!* τά εἰσιτήριά σας παρακαλῶ! **2**. κούρσα (= ἐπιβάτης ταξί): *The taxi-driver had only six ~s all day*, ὁ ταξιτζῆς εἶχε μόνο ἕξη κοῦρσες ὅλη τή μέρα.

[2]**fare** /feə(r)/ *οὐσ.* ‹U› φαγητό: *good/homely ~*, καλό/σπιτικό φαΐ. **ˈbill of ˈ~**, μενού, κατάλογος φαγητῶν.

[3]**fare** /feə(r)/ *ρ.ἀ.* περνῶ, τά πηγαίνω: *How did you ~ in London?* πῶς πέρασες στό Λονδίνο; ***~ well/ill***, τά πηγαίνω καλά/ἄσχημα. *It has ~d well with him*, τά πῆγε καλά, ἦταν τυχερός. ***You may go farther and ~ worse***, (*παροιμ.*) "μή χειρότερα" νά λές (*δηλ.* μήν παραπονιέσαι γιατί ὑπάρχουν καί χειρότερα).

fare·well /ˈfeəˈwel/ *ἐπιφ.* ἀντίο, κατευόδιο! ~ *to holidays!* ἀντίο διακοπές, πᾶνε οἱ διακοπές! —*οὐσ.* ‹C› ἀποχαιρετισμός: *make one's ~s*, ἀποχαιρετῶ. —*ἐπ.* ἀποχαιρετιστήριος: *a ~ party*.

fari·na·ceous /ˈfærɪˈneɪʃəs/ *ἐπ.* ἀμυλώδης, ἀλευρώδης (τροφή).

farm /fɑm/ *οὐσ.* ‹C› ἀγρόκτημα, κτῆμα, φάρμα: *work on a ~*, δουλεύω σέ φάρμα. **ˈ~·hand**, ἐργάτης γῆς. **ˈ~·house**, **ˈ~·stead** /-sted/, ἀγροικία. **ˈ~·yard**, αὐλή ἀγροικίας. —*ρ.μ/ἀ.* καλλιεργῶ (κτῆμα), τρέφω ζῶα. ***~ out***, ὑπενοικιάζω, ἐκμισθώνω (κτῆμα, τήν συλλογή φόρων, κλπ). **~er** *οὐσ.* ‹C› ἀγρότης.

far·rago /fəˈrɑgəʊ/ *οὐσ.* ‹C› (*πληθ. ~s ἤ ~es*) κυκεών, συνονθύλευμα: *a ~ of nonsense/useless knowledge*, συνονθύλευμα ἀνοησιῶν/ἄχρηστων γνώσεων.

far·rier /ˈfærɪə(r)/ *οὐσ.* ‹C› πεταλωτής.

fart /fɑt/ *οὐσ.* ‹C› & *ρ.ἀ.* (*λαϊκ.*) πορδή, πορδίζω.

far·ther /ˈfɑðə(r)/, **far·thest** /ˈfɑðɪst/ *ἐπ.* & *ἐπίρ.* (*συγκρ.* & *ὑπερθ.* *τοῦ far*) (ὁ) πιό μακρυνός, πιό μακρυά: *on the farther bank of the river*, στήν ἀπέναντι ὄχθη τοῦ ποταμοῦ. ***at the farthest***, τό πολύ-πολύ: *It's five miles away at the farthest*, ἀπέχει τό πολύ πέντε μίλια.

far·thing /ˈfɑðɪŋ/ *οὐσ.* ‹C› φαρδίνι. ***It doesn't matter/I don't care a ~***, δέν ἔχει καμιά σημασία/δέν δίνω δεκάρα.

fas·ci·nate /ˈfæsɪneɪt/ *ρ.μ.* γοητεύω, συναρπάζω, μαγεύω. **fas·ci·nat·ing** /ˈfæsɪneɪtɪŋ/ *ἐπ.* γοητευτικός, συναρπαστικός. **fas·ci·nat·ing·ly** *ἐπίρ.* **fas·ci·na·tion** /ˈfæsɪˈneɪʃn/ *οὐσ.* ‹C,U› γοητεία: *have a ~ for sb*, ἀσκῶ γοητεία πάνω σέ κπ.

Fas·cism /ˈfæʃɪzm/ *οὐσ.* ‹U› φασισμός.

Fas·cist /ˈfæʃɪst/ *ἐπ.* φασιστικός. —*οὐσ.* ‹C› φασίστας.

fashion /ˈfæʃn/ *οὐσ.* ‹C,U› **1**. τρόπος: *behave/walk in a strange ~*, φέρομαι/περπατῶ μέ παράξενο τρόπο. *(in the) French ~*, ἀλά Γαλλικά. *do sth army ~*, κάνω κτ στρατιωτικά. ***after/in a ~***, κατά κάποιον τρόπο, κάπως, μέτρια: *He can speak English, after a ~*, μιλάει Ἀγγλικά κατά κάποιον τρόπο. ***after the ~ of***, μέ τόν τρόπο, τήν μέθοδο τοῦ: *a novel after the ~ of Dickens*, μυθιστόρημα στό στύλ τοῦ Ντίκενς. **2**. μόδα: *dressed in the latest ~*, ντυμένος μέ τήν τελευταία λέξη τῆς μόδας. ***be all the ~***, εἶναι πολύ τῆς μόδας. ***come into/go out of ~***, γίνομαι τῆς μόδας/

ντεμοντέ. ***follow/be in the ~***, ἀκολουθῶ/ εἶμαι μέσα στή μόδα. ***set the ~***, λανσάρω τή μόδα. ***a man/a woman of ~***, ἄντρας/ γυναίκα τῆς ὑψηλῆς κοινωνίας. ***people of ~***, ὁ καλός κόσμος, ἡ ὑψηλή κοινωνία. —*ρ.μ.* πλάθω, διαμορφώνω: ~ *a lump of clay into a jug*, φτιάχνω μιά κανάτα ἀπό ἕνα κομμάτι πηλό. **~·able** /-əbl/ *ἐπ.* μοντέρνος, τῆς μόδας: *a ~able style/hotel*, μοντέρνο στύλ/ ξενοδοχεῖο. **~·ably** /-əblɪ/ *ἐπίρ.* μοντέρνα.

[1]**fast** /fɑst/ *ἐπ.* **1**. στερεός, σταθερός, σφιχτός, γερός: *The boat is ~*, ἡ βάρκα εἶναι δεμένη. *The post is ~ in the ground*, τό παλούκι εἶναι μπηγμένο στό ἔδαφος. ***make sth ~***, σιγουρεύω, στερεώνω: *He made the boat/windows ~*, στερέωσε τή βάρκα/τά παράθυρα. ***take (a) ~ hold of sth***, πιάνω κτ γερά: *He took (a) ~ hold of the rope*, ἔπιασε γερά τό σκοινί. ***hard and ~ rules***, ἄκαμπτοι, ἀπαράβατοι κανόνες. **2**. πιστός: ~ *friends/friendship*. **3**. ἀνεξίτηλος: ~ *colours*. —*ἐπίρ.* στερεά, σφιχτά, γερά: *hold ~ to sth*, κρατῶ γερά κτ. ***~ asleep***, βαθειά κοιμισμένος. ***stand ~***, κρατῶ γερά, δέν ὑποχωρῶ. ***stick ~***, μένω ἀκλόνητος, μένω κολλημένος. ***play ~ and loose with***, διαρκῶς ἀλλάζω στάση, συμπεριφέρομαι ἀνεύθυνα, παίζω: *play ~ and loose with a girl's affections*, παίζω μέ τά αἰσθήματα ἑνός κοριτσιοῦ.

[2]**fast** /fɑst/ *ἐπ.* *(-er, -est)* **1**. γρήγορος, ταχύς: *a ~ train/car/horse*. **2**. (*πεπαλ.*) ἄσωτος: *a ~ life/woman*. **3**. (*γιά ρολόϊ*) μπροστά: *My watch is ten minutes ~*, τό ρολόϊ μου πάει 5′ μπροστά. —*ἐπίρ.* **1**. γρήγορα: *run ~*, τρέξε γρήγορα! *Don't speak so ~!* μή μιλᾶς τόσο γρήγορα! *It was raining/snowing ~*, ἔβρεχε δυνατά/ἔπεφτε πυκνό χιόνι. *Bad news travels ~*, τά ἄσχημα νέα μαθαίνονται γρήγορα. **2**. ἔντονα, ἄσωτα. **3**. (*πεπαλ.*) ἐγγύς, πλησίον.

[3]**fast** /fɑst/ *οὐσ.* ‹C› νηστεία: *a ~ of ten days*, δεκαήμερος νηστεία. *break one's ~*, διακόπτω τή νηστεία. **ˋ~-day**, ἡμέρα νηστείας. —*ρ.ἀ.* νηστεύω: *days devoted to ~ing and penitence*, ἡμέρες ἀφιερωμένες σέ νηστεία καί μετάνοια.

fasten /ˋfɑsn/ *ρ.μ/ἀ.* **1**. στερεώνω, μπήγω, σφίγγω, δένω, κλείνω: ~ *a door*, στερεώνω πόρτα. ~ *a pole*, μπήγω παλούκι. ~ *a belt*, δένω μιά ζώνη. *The door won't ~*, ἡ πόρτα δέν κλείνει. *This dress ~s down the back*, αὐτό τό φόρεμα κλείνει (κουμπώνει) πίσω. **2**. ~ ***(up)on***, καρφώνω, ἐπιρρίπτω, κολλῶ: *He ~ed his eyes on me*, κάρφωσε τά μάτια του πάνω μου. ~ *a crime/the responsibility on sb*, ἐπιρρίπτω (φορτώνω) ἕνα ἔγκλημα/τήν εὐθύνη σέ κπ. *He ~ed upon the idea*, κόλλησε στήν ἰδέα. **~er** *οὐσ.* ‹C› συνδετήρ, μάνδαλος, κόπιτσα: *a zip-~er*, φερμουάρ.

fas·tid·ious /fəˋstɪdɪəs/ *ἐπ.* δύσκολος, ἰδιότροπος, σχολαστικός, δυσκολοευχάριστος: *be ~ about one's dress/food*, εἶμαι πολύ δύσκολος (σχολαστικός) στά ροῦχα μου/στό φαγητό μου. **~·ly** *ἐπίρ.* σχολαστικά.

fast·ness /ˋfɑstnəs/ *οὐσ.* ‹C,U› **1**. ταμπούρι, λημέρι, κάστρο. **2**. σταθερότης, τό ἀνεξίτηλον: *We guarantee the ~ of these dyes*, ἐγγυώμεθα τό ἀνεξίτηλον αὐτῶν τῶν βαφῶν.

[1]**fat** /fæt/ *ἐπ.* *(-ter, -test)* παχύς: ~ *meat/land*, παχύ κρέας/παχειά γῆ. *a ~ wallet*, παχύ (γεμᾶτο) πορτοφόλι. ***a ~ lot***, (*εἰρων.*) πολύ: *A ~ lot you care!* πολύ πού σέ νοιάζει! **ˋ~-head** *οὐσ.* ‹C› χοντροκέφαλος, μπουμπούνας. **~·tish** *ἐπ.* παχούτσικος. **~·ness** *οὐσ.* ‹U› πάχος.

[2]**fat** /fæt/ *οὐσ.* ‹C,U› λῖπος: *Give me red meat, please; I don't like ~*, δῶστε μου ἄπαχο κρέας, παρακαλῶ, δέν μοῦ ἀρέσει τό λῖπος. ***chew the ~***, συνεχῶς γκρινιάζω, ἀναμασῶ παλαιά παράπονα. ***live on the ~ of the land***, περνῶ ζωή καί κότα, ἔχω τοῦ πουλιοῦ τό γάλα. ***The ~'s in the fire***, θά γίνη τώρα τοῦ κουτρούλη ὁ γάμος! —*ρ.μ.* *(-tt-)* παχαίνω: ***kill the ~ted calf***, θυσιάζω τόν μόσχον τόν σιτευτόν.

fa·tal /ˋfeɪtl/ *ἐπ.* **1**. θανατηφόρος: ~ *injuries; a ~ accident*, θανατηφόρα τραύματα/-ο ἀτύχημα. **2**. μοιραῖος, ὀλέθριος: *a ~ day/ mistake*, μοιραία ἡμέρα/-ο λάθος. **~·ly** *ἐπίρ.* θανάσιμα, μοιραῖα. **~·ism** /-ɪzm/ *οὐσ.* ‹U› μοιρολατρεία. **~·ist** /-ɪst/ *οὐσ.* ‹C› μοιρολάτρης. **~·is·tic** /ˈfeɪtəˋlɪstɪk/ *ἐπ.* μοιρολατρικός.

fa·tal·ity /fəˋtælətɪ/ *οὐσ.* ‹C,U› **1**. συμφορά (πλημμύρα, σεισμός, κλπ). **2**. θάνατος, θανατηφόρο ἀτύχημα: *bathing fatalities*, κολυμβητικά ἀτυχήματα, θάνατοι στό μπάνιο. **3**. τό μοιραῖον.

fate /feɪt/ *οὐσ.* **1**. ‹U› μοίρα: *F~ decided otherwise*, ἡ μοίρα ἀποφάσισε ἀλλοιώτικα. ***as sure as ~***, ἀπολύτως βέβαιος. **the F~s**, οἱ μοῖρες. **2**. ‹C› τύχη: *He was left/abandoned to his ~*, τόν ἄφησαν/τόν ἐγκατέλειψαν στήν τύχη του. *His ~ was already decided/sealed*, ἡ τύχη του εἶχε ἤδη κριθῆ. **3**. (*ἑν.*) θάνατος. ***go to/meet one's ~***, βαδίζω πρός τό θάνατο/σκοτώνομαι, πεθαίνω. —*ρ.μ.* ***be ~d to/that***, εἶναι μοιραῖο νά: *He was ~d to die young*, ἦταν πεπρωμένο νά πεθάνη νέος. *It was ~d that he should fail*, ἦταν μοιραῖο νά ἀποτύχη.

fate·ful /ˋfeɪtfl/ *ἐπ.* **1**. μοιραῖος, κρίσιμος: *a ~ day/decision*, κρίσιμη ἡμέρα/μοιραία ἀπόφαση. **2**. προφητικός. **~ly** *ἐπίρ.* μοιραῖα.

fa·ther /ˋfɑðə(r)/ *οὐσ.* ‹C› πατέρας, πρόγονος: *be like a ~ to sb*, εἶμαι σάν (στέκομαι) πατέρας σέ κπ. *our ~s*, οἱ πρόγονοί μας. *relations on my ~'s side*, συγγενεῖς ἀπό τόν πατέρα μου. *the F~s of the Church*, οἱ πατέρες τῆς ἐκκλησίας. *The F~ of English poetry*, ὁ πατέρας τῆς Ἀγγλικῆς ποίησης. ***The child is ~ to the man***, (*παροιμ.*) ἀπό παιδί φαίνεται κανείς τί θά γίνη μεγάλος. ***Like ~ like son***, (*παροιμ.*) τό μῆλο κάτω ἀπό τή μηλιά θά πέση. **ˋ~ figure**, πατρική μορφή, πατρικό σύμβολο. **ˋ~-in-law** /ˋfɑðr ɪn lɔ/ *οὐσ.* ‹C› (*πληθ.* *~s-in-law*) πεθερός. **ˋ~·hood** /-hʊd/ *οὐσ.* ‹U› πατρότης. **ˋ~·land** *οὐσ.* ‹C› (*MB συνήθ.* *mother country*) πατρική γῆ, πατρίδα. **ˋ~·less** *ἐπ.* ὀρφανός ἀπό πατέρα. **ˋ~·ly** *ἐπ.* πατρικός: *in a ~ly way*, πατρικά. —*ρ.μ.* γεννῶ (σχέδιο, ἰδέα), ἀναγνωρίζω/ ἀποδίδω τήν πατρότητα (βιβλίου, παιδιοῦ): *Don't ~ this article on me*, μή μοῦ ἀποδίδεις τήν πατρότητα αὐτοῦ τοῦ ἄρθρου.

fathom /ˋfæðəm/ *οὐσ.* ‹C› (*ναυτ.*) ὀργυιά (= 6 πόδια ἤ 1,82 μ.) —*ρ.μ.* (*κυριολ.* & *μεταφ.*) βυθομετρῶ, ἐμβαθύνω, κατανοῶ: *I can't ~ his* *meaning*, δέν μπορῶ νά καταλάβω τί ἐννοεῖ. **~·less** *ἐπ.* ἀπύθμενος.

fa·tigue /fə`tig/ *οὐσ.* **1**. ‹U› κούρασις: *drop with* ~, πέφτω κάτω ἀπό τήν κούραση. **2**. ‹U› κόπωσις (μετάλλων). **3**. ‹C› (*στρατ.*) ἀγγαρεία: ***be on*** ~, εἶμαι ἀγγαρεία. **`~-party**, ὁμάδα ἀγγαρείας. __*ρ.μ.* κουράζω: *feel ~d*, νοιώθω κουρασμένος. **fa·tigu·ing** *ἐπ.* κοπιαστικός.

fat·ten /`fætn/ *ρ.μ/ὰ.* παχαίνω. **~·ing** /`fætənɪŋ/ *ἐπ.* παχυντικός. __*οὐσ.* ‹U› πάχυνσις.

fatty /`fætɪ/ *ἐπ.* (*-ier, -iest*) παχύς, λιπαρός. __*οὐσ.* ‹C› (*εἰρων.*) μπουλοῦκος.

fatu·ous /`fætʃʊəs/ *ἐπ.* ἀνόητος, βλακώδης: *a ~ smile*, βλακῶδες χαμόγελο. **~·ly** *ἐπίρ.* βλακωδῶς. **fa·tu·ity** /fə`tjuətɪ/ *οὐσ.* ‹C,U› ἀνοησία, χαζομάρα.

fau·cet /`fɔsɪt/ *οὐσ.* ‹C› (*ΗΠΑ*) κάνουλα (*πρβλ.ΜΒ tap*).

fault /fɔlt/ *οὐσ.* ‹C› ἐλάττωμα, σφάλμα, φταίξιμο: *in spite of all her ~s*, παρ' ὅλα της τά ἐλαττώματα. *Whose ~ is it?* ποιός φταίει; *It's your own ~*, ἐσύ ὁ ἴδιος φταῖς. *The ~ lies with you, not with me*, τό φταίξιμο εἶναι δικό σου, ὄχι δικό μου. ***at*** ~, ἐν ἀδίκῳ, ἐν ἀμηχανίᾳ: *My memory is at ~*, ἡ μνήμη μου μέ ἀπατᾷ. ***to a*** ~, μέχρι ὑπερβολῆς: *He is generous to a ~*, εἶναι περισσότερο ἀπ' ὅ,τι πρέπει γενναιόδωρος. ***find ~ with***, κατηγορῶ, παραπονοῦμαι, γκρινιάζω: *He's always finding ~ with me*, διαρκῶς μέ γκρινιάζει, ὅλα μου στραβά τά βρίσκει. **`~-finder** *οὐσ.* ‹C› γκρινιάρης, μεμψίμοιρος. **`~-finding** *οὐσ.* ‹U› γκρίνια, μεμψιμοιρία. **~·less** *ἐπ.* ἄψογος. **~y** *ἐπ.* ἐλαττωματικός. **~·ily**, *ἐπίρ.* ἐλαττωματικά.

faun /fɔn/ *οὐσ.* ‹C› (*μυθ.*) φαῦνος.

fauna /`fɔnə/ *οὐσ.* ‹U› πανίς.

[1]**fa·vour** /`feɪvə(r)/ *οὐσ.* **1**. ‹U› εὔνοια, συμπάθεια: *win sb's ~*, κερδίζω τήν εὔνοια, τή συμπάθεια κάποιου. *look on a plan with ~*, βλέπω ἕνα σχέδιο εὐνοϊκά. *obtain a position by ~, not by merit*, παίρνω μιά θέση λόγῳ εὐνοίας, ὄχι λόγῳ ἀξίας. ***be out of ~ with sb***, εἶμαι στή δυσμένεια κάποιου. ***find/lose ~ with sb/in sb's eyes***, κερδίζω τήν εὔνοια/πέφτω στή δυσμένεια κάποιου. ***stand high in sb's ~, be in ~ with sb***, ἔχω τήν εὔνοια κάποιου. ***without fear or ~***, χωρίς φόβο ἤ πάθος. ***in ~ (of)***, ὑπέρ: *be in ~ of a proposal*, εἶμαι ὑπέρ μιᾶς προτάσεως. *This is in our ~*, αὐτό εἶναι ὑπέρ ἡμῶν. **2**. ‹C› χάρη, χατίρι. ***ask a ~ of sb***, ζητῶ μιά χάρη ἀπό κπ. ***do sb a ~***, κάνω μιά χάρη σέ κπ. **3**. ‹C› κονκάρδα.

[2]**fa·vour** /`feɪvə(r)/ *ρ.μ.* **1**. εὐνοῶ: *Fortune ~s the brave*, ἡ τύχη εὐνοεῖ τούς τολμηρούς. *The weather ~ed our voyage*, ὁ καιρός εὐνόησε τό ταξίδι μας. *most ~ed nation clause*, ρήτρα τοῦ μᾶλλον εὐνοουμένου κράτους. **2**. δείχνω προτίμηση σέ, μεροληπτῶ ὑπέρ: *~ a pupil*. **3**. εἶμαι ὑπέρ, μοῦ ἀρέσει, διάκειμαι εὐνοϊκά ὑπέρ: *~ a plan/a proposal/an idea*. **4**. ***~ sb with sth***, χαρίζω, τιμῶ κπ μέ κτ: *~ sb with a smile*, χαρίζω ἕνα χαμόγελο σέ κπ. *If we are ~ed with an order/with your company*, ἐάν μᾶς τιμήσετε μέ μιά παραγγελία/μέ τή συντροφιά σας... **5**. μοιάζω: *He ~s his father*, μοιάζει περισσότερο τοῦ πατέρα του.

fa·vour·able /`feɪvərəbl/ *ἐπ.* εὐνοϊκός: *~ winds/terms*, εὐνοϊκοί ἄνεμοι/ὅροι. ***be ~ to sth***, εὐνοῶ κτ, εἶμαι ὑπέρ: *be ~ to a plan/an idea*. **fa·vour·ably** /-əblɪ/ *ἐπίρ.* εὐνοϊκά: *look favourably on sb*, βλέπω κπ μέ συμπάθεια.

fa·vour·ite /`feɪvərɪt/ *οὐσ.* ‹C› & *ἐπ.* εὐνοούμενος, προτιμώμενος: *He is a ~ with his uncle/his uncle's ~*, εἶναι ὁ εὐνοούμενος τοῦ θείου του. *My ~ author/book*, ὁ ἀγαπημένος μου συγγραφεύς/τό -ο μου βιβλίο. **fa·vour·it·ism** /-ɪzm/ *οὐσ.* ‹U› εὐνοιοκρατία.

fawn /fɔn/ *οὐσ.* ‹C› ἐλαφάκι. __*ἐπ.* φαιοκίτρινος. __*ρ.ὰ.* ***~ (on)***, **1**. (*γιά σκυλί*) κάνω χαρές, δείχνω ἀγάπη (πηδώντας, κουνώντας τήν οὐρά). **2**. (*γιά ἄνθρ.*) κολακεύω δουλοπρεπῶς, γλείφω, καλοπιάνω: *~ on a rich relative*, κολακεύω ἕναν πλούσιο συγγενῆ.

[1]**fear** /fɪə(r)/ *οὐσ.* ‹C,U› φόβος: *wild with ~*, τρελλός ἀπό φόβο. *obey sb from ~*, ὑπακούω κπ ἀπό φόβο. *be unable to speak for ~*, δέν μπορῶ νά μιλήσω ἀπό φόβο. *A sudden ~ came over him*, τόν ἔπιασε ξαφνικός φόβος. *be overcome with/by ~*, παραλύω ἀπό τό φόβο. *He is/stands in ~ of his life*, φοβᾶται γιά τή ζωή του. ***No ~!*** (*καθομ.*) ἀσφαλῶς ὄχι! δέν ὑπάρχει φόβος. *There's no ~ of meeting him*, δέν ὑπάρχει φόβος νά τόν συναντήσωμε. ***for ~ of***, μήπως, ἀπό φόβο μήπως: *for ~ of being seen/of losing it*, ἀπό φόβο μήν τόν δοῦν/μήπως τό χάση. ***for ~ (that)/(lest)***, μήπως καί, ἀπό φόβο μήπως, γιά νά μή: *I daren't speak for fear (that) he may hear/lest he should hear*, δέν τολμῶ νά μιλήσω ἀπό φόβο μήπως ἀκούση. **~·ful** /-fl/ *ἐπ.* **1**. φοβερός: *a ~ful accident*, φοβερό δυστύχημα. **2**. φοβισμένος: *I was ~ful of waking him/~ful that/lest he should wake up*, φοβόμουν μήπως τόν ξυπνήσω/μήπως ξυπνήση. **~·fully** /-fəlɪ/ *ἐπίρ.* φοβερά, φοβισμένα. **~·less** *ἐπ.* ἄφοβος, ἀτρόμητος: *be ~less of danger/of the consequences*, δέν μέ τρομάζει ὁ κίνδυνος/οἱ συνέπειες. **~·less·ly** *ἐπίρ.* ἄφοβα. **~·some** /`fɪəsm/ *ἐπ.* (*συνήθ. ἀστειολ.*) τρομαχτικός: *a ~some apparition*, μιά τρομαχτική ἐμφάνιση, ἕνα φάντασμα.

[2]**fear** /fɪə(r)/ *ρ.μ/ὰ.* φοβᾶμαι: *I ~ death/to speak*, φοβᾶμαι τό θάνατο/νά μιλήσω. *I ~ for his life*, φοβᾶμαι γιά τή ζωή του. ***Never ~!*** μή φοβᾶσαι! μήν ἀνησυχῆς! ***I ~ not/so***, (*σέ ἀπαντήσεις*) φοβᾶμαι πώς ὄχι/ναί.

feas·ible /`fizəbl/ *ἐπ.* **1**. ἐφικτός, δυνατός: *Is another revolution ~?* μπορεῖ νά γίνη κι' ἄλλη ἐπανάστασις; **2**. (*καθομ.*) ἀληθοφανής, πιθανός: *His story sounds ~*, ἡ ἱστορία του φαίνεται πιθανή (ἔχει ἀληθοφάνεια). **feasi·bil·ity** /`fizə`bɪlətɪ/ *οὐσ.* ‹U› ἐφικτόν, κατορθωτόν.

feast /fist/ *οὐσ.* ‹C› **1**. γιορτή. **2**. πανδαισία, τσιμπούσι, συμπόσιο, εὐωχία: *a ~ of reason*, πνευματική εὐωχία. **a `~-day**, ἑορτή, πανήγυρις. __*ρ.μ/ὰ.* εὐωχοῦμαι, κάνω πλούσιο τραπέζι: *~ all evening/one's friends*, τρώγω καί πίνω ὅλο τό βράδυ/κάνω τσιμπούσι σέ φίλους. *~ one's eyes upon sth*, ἀπολαμβάνω κτ μέ τά μάτια.

feat /fit/ *οὐσ.* ‹C› κατόρθωμα: *a ~ of engineering*, ἆθλος τῆς μηχανικῆς.

feather /ˈfeðə(r)/ *οὐσ.* ‹C› φτερό, πούπουλο. ***as light as a*** ~, ἐλαφρός σάν πούπουλο. ***Birds of a*** ~ ***flock together***, (*παροιμ.*) ὅποιος μοιάζει συμπεθεριάζει. ***a*** ~ ***in one's cap***, καμάρι, καύχημα, τίτλος τιμῆς (κάτι γιά τό ὁποῖο μπορεῖ κανείς νά καμαρώνη). ˈ~-ˈ**bed** *οὐσ.* ‹C› πουπουλένιο στρῶμα. —*ρ.μ.* (*-dd-*) νταντεύω, ἔχω στά πούπουλα, (*οἰκον.*) ἐπιδοτῶ, προστατεύω: *~-bed the farmers.* ˈ~-ˈ**brained** *ἐπ.* ἐλαφρόμυαλος. ˈ~-**weight** *οὐσ.* ‹C› (*πυγμ.*) ἐλαφρῶν βαρῶν. ~**y** *ἐπ.* ἐλαφρός καί ἁπαλός: *~y snow*, πουπουλᾶτο χιόνι. —*ρ.μ.* στολίζω μέ φτερά. ~ ***one's nest***, πλουτίζω, κάνω τή μπάζα μου.

fea·ture /ˈfitʃə(r)/ *οὐσ.* ‹C› **1**. χαρακτηριστικό, γνώρισμα: *a man of handsome ~s*, ἄντρας μέ ὡραῖα χαρακτηριστικά. *the main ~s of a country*, τά κύρια χαρακτηριστικά μιᾶς χώρας. **2**. φίλμ (μεγάλου μήκους). *a two-~ programme*, πρόγραμμα μέ δύο ἔργα. **3**. ἐντυπωσιακή παρουσίασις (σέ ἐφημερίδα): *a paper that makes a ~ of sport*, ἐφημερίδα πού τονίζει τά ἀθλητικά. ~·**less** *ἐπ.* χωρίς τίποτα τό ἰδιαίτερο. —*ρ.μ.* παρουσιάζω, ἐμφανίζω ἐντυπωσιακά: *a film that ~s a new actress*, φίλμ πού παρουσιάζει μιά καινούργια ἠθοποιό.

feb·rile /ˈfibraɪl/ *ἐπ.* πυρετώδης, πυρετικός.

Feb·ru·ary /ˈfebrʊərɪ/ *οὐσ.* Φεβρουάριος.

feck·less /ˈfekləs/ *ἐπ.* ἄσκοπος, ἀνίκανος.

fec·und /ˈfikənd/ *ἐπ.* γόνιμος. **fec·und·ity** /fɪˈkʌndətɪ/ *οὐσ.* ‹U› γονιμότης.

fed /fed/ *ἀόρ.* & *π.μ.* *τοῦ ρ. feed.*

fed·eral /ˈfedrl/ *ἐπ.* ὁμοσπονδιακός: *the ~ police/government; ~ laws*, ὁμοσπονδιακή ἀστυνομία/κυβέρνησις/νόμοι. *the F~ Bureau of Investigation (F.B.I.)*, τό Ὁμοσπονδιακόν Γραφεῖον Ἐρευνῶν (ἔφ μπί ἄϊ).

fed·er·ate /ˈfedəreɪt/ *ρ.μ/ἀ.* ἑνώνω/-ομαι σέ ὁμοσπονδία. **fed·er·ation** /ˌfedəˈreɪʃn/ *οὐσ.* ‹C› ὁμοσπονδία.

fee /fi/ *οὐσ.* ‹C,U› ἀμοιβή (γιατροῦ, δικηγόρου, κλπ), ἀντίτιμον: *a teacher's ~*, δίδακτρα. *examination ~s*, ἐξέταστρα. *an admission ~*, ἀντίτιμον εἰσόδου.

feeble /ˈfibl/ *ἐπ.* (*-r, -st*) ἀδύναμος, ἀσθενικός: *a ~ old man*, ἕνας ἀδύναμος γέρος. *a ~ cry/argument/pulse*, ἀδύνατη κραυγή/ἀσθενές ἐπιχείρημα/ἀδύνατος σφυγμός. ˈ~-ˈ**minded** *ἐπ.* διανοητικά ἀνεπαρκής. **feebly** *ἐπίρ.* ἀδύναμα, διστακτικά, ἀσθενικά. ~·**ness** *οὐσ.* ‹U› ἀδυναμία.

[1]**feed** /fid/ *ρ.μ/ἀ.* ἀνώμ. (*ἀόρ.* & *π.μ. fed* /fed/) **1**. ταΐζω: *~ the chickens/dogs*, ταΐζω τά κοτόπουλα/τά σκυλιά. **2**. δίνω (ὡς τροφή): *~ oats to a horse/meat to a dog*, δίνω βρώμη σέ ἄλογο/κρέας σέ σκυλί. **3**. τροφοδοτῶ: *The lake is fed by two rivers*, ἡ λίμνη τροφοδοτεῖται ἀπό δυό ποτάμια. **4**. ~ ***on***, τρέφομαι μέ: *Sheep ~ on grass*, τά πρόβατα τρέφονται μέ χορτάρι. **5**. ~ ***up***, κάνω ὑπερτροφία: *He needs ~ing up*, ἔχει ἀνάγκη ὑπερτροφίας. ***be fed up (with)***, (*λαϊκ.*) ἔχω μπουχτίσει, ἔχω βαρεθεῖ: *I'm fed up with him/with his grumbling*, τόν μπούχτισα/βαρέθηκα τήν γκρίνια του. ˈ~**ing-bottle**, μπιμπερό. ~**er** *οὐσ.* ‹C› **1**. θήλαστρο, μπιμπερό. **2**. παραπόταμος. **3**. δευτερεύουσα γραμμή (σιδηροδρομική ἤ ἀεροπορική). **4**. τροφοδότης. **5**. φαγᾶς.

[2]**feed** /fid/ *οὐσ.* ‹C,U› **1**. (*ἰδ. γιά ζῶα*) τροφή, τάϊσμα, βοσκή: *We stopped to let the horse have a ~*, σταματήσαμε γιά νά βοσκήση λίγο τό ἄλογο. *Where's the ~ for the hens?* ποῦ εἶναι ἡ τροφή γιά τίς κόττες; **2**. τροφοδότησις, μηχανισμός τροφοδοτήσεως. ˈ~·**back** *οὐσ.* ‹U› ἀνατροφοδότησις, (*καθομ.*) πληροφορίες (γιά ἕνα προϊόν).

[1]**feel** /fil/ *οὐσ.* ‹U› **1**. ἁφή: *rough/smooth to the ~*, τραχύς/ἁπαλός στήν ἁφή. ***by the*** ~, διά τῆς ἁφῆς, ἀπό τήν ἁφή: *You can tell it's silk by the ~*, μπορεῖς νά ξεχωρίσης ὅτι εἶναι μετάξι ἀπό τήν ἁφή. **2**. αἴσθησις (πού προκαλεῖται ἀπό τό ἄγγιγμα ἤ τό πιάσιμο): *the ~ of the rope round my neck*, ἡ αἴσθησις τοῦ σχοινιοῦ γύρω στό λαιμό μου. **3**. ἄγγιγμα: *Let me have a ~*, ἄσε με νά τ' ἀγγίξω.

[2]**feel** /fil/ *ρ.μ/ἀ.* ἀνώμ. (*ἀόρ.* & *π.μ. felt* /felt/) **1**. αἰσθάνομαι, νοιώθω: *How are you ~ing?* πῶς αἰσθάνεσθε; *~ sad/happy*, νοιώθω λυπημένος/εὐτυχισμένος. *~ cold/hungry*, κρυώνω/πεινῶ. *I don't ~ quite myself today*, δέν νοιώθω ἐντελῶς στά καλά μου σήμερα. *The dead cannot ~*, οἱ νεκροί δέν αἰσθάνονται. *I felt cheated*, ἔνοιωθα ὅτι μέ εἶχαν ἀπατήσει. *I ~ bound to go*, αἰσθάνομαι ὑποχρεωμένος νά πάω. *She felt the insult keenly*, ἔνοιωσε βαθειά τήν προσβολή. *I don't ~ the heat at all*, δέν νοιώθω τή ζέστη (δέν μέ πειράζει ἡ ζέστη) καθόλου. *Don't you ~ the beauty of this landscape?* δέν νοιώθεις τήν ὀμορφιά αὐτοῦ τοῦ τοπείου; *Did you ~ the earthquake?* αἰσθάνθηκες τό σεισμό; *He felt his heart beating wildly*, ἔνοιωσε τήν καρδιά του νά χτυπάη τρελλά. *I felt something crawling up my back*, ἔνοιωσα κάτι νά περπατάη στήν πλάτη μου. ~ ***for sb***, λυπᾶμαι κπ: *I ~ for you*, σέ λυπᾶμαι, σέ συμμερίζομαι. ~ ***with sb***, συμπονῶ κπ: *I ~ with you in your sorrow*, νοιώθω τόν πόνο σου, σέ συμπονῶ. ~ ***like***, (*καθομ.*) ἔχω διάθεση γιά: *Do you ~ like swimming/a glass of beer?* ἔχεις διάθεση γιά κολύμπι/γιά ἕνα ποτῆρι μπύρα; *We'll go for a walk if you ~ like it*, θά πᾶμε περίπατο ἄν ἔχης διάθεση. ~ ***equal/up to***, αἰσθάνομαι ἱκανός: *I don't ~ equal to the task/~ up to a long walk*, δέν νοιώθω ἱκανός γιά τή δουλειά/γιά μακρυνό περίπατο. **2**. πιστεύω, ἔχω τήν ἰδέα/τή γνώμη: *I ~ you are right*, πιστεύω ὅτι ἔχεις δίκηο. *I felt it to be/that it was a mistake*, εἶχα τή γνώμη ὅτι ἦταν λάθος. **3**. εἶμαι, δίνω τήν αἴσθηση (μέσω τῆς ἁφῆς): *Your hands ~ cold*, τά χέρια σου εἶναι παγωμένα. **4**. ἀγγίζω, ψαύω, ψηλαφῶ: *He felt his face*, ἔψαυσε/ψηλάφησε τό πρόσωπό του. *The blind can often recognize objects by ~ing them*, οἱ τυφλοί συχνά ἀναγνωρίζουν τά ἀντικείμενα ἀγγίζοντάς τα (διά τῆς ἁφῆς). ~ ***sb's pulse***, ἐξετάζω τό σφυγμό κάποιου: *Let me ~ your pulse*, γιά νά δῶ τό σφυγμό σου! ~ ***one's way***, προχωρῶ ψαχουλευτά, ἐνεργῶ ἐπιφυλακτικά: *He felt his way across the dark room*, διέσχισε τό σκοτεινό δωμάτιο ψαχουλευτά. *They are ~ing their way towards an agreement*, πᾶνε σιγά-σιγά γιά συμφωνία/ψάχνουν νά βροῦν τρόπο συμφωνίας. ~ ***(for)***, ψάχνω νά βρῶ (μέσω τῆς ἁφῆς): *He was ~ing about in the dark for*

the switch, ἔψαχνε στό σκοτάδι νά βρῆ τό διακόπτη. *He felt in his pocket for a coin*, ἔψαξε στήν τσέπη του νά βρῆ ἕνα νόμισμα. **5**. ~ ***sb out***, βολιδοσκοπῶ: *I'll* ~ *out the members of the committee*, θά βολιδοσκοπήσω τά μέλη τῆς ἐπιτροπῆς.

feeler /ˋfiːlə(r)/ *οὐσ.* ‹C› **1**. κεραία (ἐντόμου). **2**. βολιδοσκόπησις. ***put out*** ~***s***, κάνω βολιδοσκοπήσεις, πετῶ σπόντες.

feel·ing /ˋfiːlɪŋ/ *οὐσ.* ‹C,U› **1**. αἴσθησις: *I have no* ~ *in my legs*, δέν νοιώθω τά πόδια μου. **2**. αἴσθημα: *a* ~ *of gratitude/happiness*, ἕνα αἴσθημα εὐγνωμοσύνης/εὐτυχίας, *a* ~ *of hunger/safety*, αἴσθημα πείνας/ἀσφαλείας. *He has no* ~*s*, εἶναι ἄκαρδος/σκληρός/ἀναίσθητος. *a man of* ~, εὐαίσθητος ἄνθρωπος. ***hurt sb's*** ~***s***, πληγώνω, θίγω κπ. ***hard*** ~***s***, μνησικακία: *No hard* ~*s, I hope*, ἐλπίζω νά μή μοῦ κρατήσης κακία! ***with*** ~, μέ αἴσθημα, μέ πάθος: *speak with* ~, μιλῶ μέ πάθος/θέρμη. *play the piano with* ~, παίζω πιάνο μέ αἴσθημα. ***good*** ~, συμπάθεια, φιλική διάθεσις. ***ill/bad*** ~, ἐχθρότης. **3**. ἀντίληψις, γνώμη, ἀντίδρασις: *There's a general* ~ *that*..., ὑπάρχει γενική ἀντίληψις ὅτι... *His speech aroused strong* ~*(s) on all sides*, ὁ λόγος προκάλεσε ἔντονες ἀντιδράσεις παντοῦ. *Public* ~ *ran high*, τά πνεύματα τοῦ κόσμου ἦταν ἐξημμένα, ἡ κοινή γνώμη ἦταν ἐρεθισμένη.

feet /fiːt/ *οὐσ. πληθ. τοῦ foot.*

feign /feɪn/ *ρ.μ.* **1**. προσποιοῦμαι, προφασίζομαι: ~ *illness/that one is mad*, κάνω τόν ἄρρωστο/ὅτι εἶμαι τρελλός. **2**. ἐπινοῶ, σοφίζομαι: ~ *an excuse*, ἐπινοῶ μιά δικαιολογία.

feint /feɪnt/ *οὐσ.* ‹C› **1**. προσποίησις: *make a* ~ *of going*, κάνω πώς θά φύγω. **2**. (*στρατ.*) ἀντιπερισπασμός, ψευδεπίθεσις. —*ρ.ἀ.* κάνω ψευδεπίθεση.

fel·ici·tate /fəˋlɪsɪteɪt/ *ρ.μ.* (*λόγ.*) ~ ***sb on sth***, συγχαίρω. **fel·ici·ta·tions** /fəˈlɪsɪˋteɪʃnz/ *οὐσ. πληθ.* συγχαρητήρια.

fel·ici·tous /fəˋlɪsɪtəs/ *ἐπ.* (*γιά λέξεις, ἐκφράσεις*) εὔστοχος, καλοδιαλεγμένος. ~**·ly** *ἐπίρ.* εὐστόχως.

fel·ic·ity /fəˋlɪsətɪ/ *οὐσ.* ‹C,U› **1**. εὐδαιμονία. **2**. εὐστοχία, κομψότης ὕφους, εὔστοχη φράσις: *express oneself with* ~, ἐκφράζομαι ὄμορφα.

fe·line /ˋfiːlaɪn/ *ἐπ.* αἰλουροειδής: *walk with* ~ *grace*, περπατῶ μέ χάρη αἴλουρου.

[1]**fell** /fel/ *ἀόρ. τοῦ ρ. fall.*

[2]**fell** /fel/ *οὐσ.* ‹C› **1**. τομάρι (ζώου). **2**. ἄγονος λόφος.

[3]**fell** /fel/ *ρ.μ.* **1**. ρίχνω κάτω, σωριάζω: *He* ~*ed his enemy with a single blow*, ἔρριξε κάτω τόν ἐχθρό του μ' ἕνα χτύπημα. **2**. κόβω (δέντρα): ~ *a tree with an axe*, κόβω δέντρο μέ τσεκούρι. —*ἐπ.* (*ποιητ.*) τρομερός, ἄγριος: *with a* ~ *blow*, μ' ἕνα τρομερό χτύπημα.

fel·lah /ˋfelə/ *οὐσ.* ‹C› (*πληθ.* ~*in ἤ* ~*een* /ˈfeləˋhiːn/) φελλάχος.

fel·low /ˋfeləʊ/ *οὐσ.* ‹C› **1**. (*καθομ.*) ἄνθρωπος: *He's a good* ~, εἶναι καλός ἄνθρωπος. *Poor* ~*!* ὁ φουκαρᾶς! *A* ~ *must eat*, πρέπει κανείς καί νά φάη. **2**. τύπος: *He's a queer* ~, εἶναι περίεργος τύπος. *Tell that* ~ *to go away*, πές σ' αὐτόν τόν τύπο νά φύγη. *A good-for-nothing* ~, ἕνας ἀχαΐρευτος, ἕνας ἀπρόκοφτος. **3**. (*πληθ.*) σύντροφος, φίλος, συνάδελφος: *school* ~*s*, συμμαθητές. ~*s in misfortune*, σύντροφοι στή δυστυχία. **4**. (*ἐπιθετικῶς*) συν-, συμ-: ˈ~-ˋ**citizen**, συμπολίτης. ˈ~-ˋ**countryman**, συμπατριώτης. ˈ~-ˋ**feeling**, σύμπνοια, συμπόνοια. ˈ~-ˋ**man**, ˈ~-ˋ**being**, συνάνθρωπος. ˈ~-ˋ**student**, συμφοιτητής. ˈ~-ˋ**heir**, συγκληρονόμος. ˈ~-ˋ**traveller**, συνταξιδιώτης, συνοδοιπόρος. **5**. ταῖρι: *Here's one of my gloves, but where's its* ~*?* νά τό ἕνα μου γάντι, ἀλλά ποῦ εἶναι τό ταῖρι του; **6**. μέλος, ἑταῖρος (Ἀκαδημίας), (*περίπου*) ὑφηγητής (κολλεγίου).

fel·low·ship /ˋfeləʊʃɪp/ *οὐσ.* **1**. ‹U› συντροφιά, συναδελφότης, φιλικότης: ~ *in misfortune*, συντροφιά στή δυστυχία. **2**. ‹C,U› ἀδελφότης, ἕνωσις, συμμετοχή. **3**. ‹C› ὑφηγεσία (σέ κολλέγιο).

fel·ony /ˋfelənɪ/ *οὐσ.* ‹C,U› (*νομ.*) κακούργημα (*πρβλ. misdemeanour*, πταῖσμα). **felon** /ˋfelən/ *οὐσ.* ‹C› ἐγκληματίας, κακοῦργος. **fel·oni·ous** /fɪˋləʊnɪəs/ *ἐπ.* ἐγκληματικός.

[1]**felt** /felt/ *ἀόρ. & π.μ. τοῦ ρ. feel.*

[2]**felt** /felt/ *οὐσ.* ‹U› τσόχα, πίλημα: ~ *slippers*, τσόχινες παντοῦφλες.

fe·male /ˋfiːmeɪl/ *οὐσ.* ‹C› **1**. τό θῆλυ (ζώου). **2**. (*ὑποτιμ.*) γυναίκα, θηλυκό. —*ἐπ.* θηλυκός, γυναικεῖος: *a* ~ *student*, φοιτήτρια. *male and* ~ *candidates*, ὑποψήφιοι ἀμφοτέρων τῶν φύλων.

fem·in·ine /ˋfemənɪn/ *ἐπ.* **1**. γυναικεῖος (*ἀντίθ. masculine*): ~ *curiosity/a* ~ *nature*, γυναικεία περιέργεια/φύσις. ~ *pursuits/occupations*, γυναικεῖες ἀσχολίες. **2**. (*γραμμ.*) θηλυκός. **fem·in·in·ity** /ˈfeməˋnɪnətɪ/ *οὐσ.* ‹U› θηλυκότης.

fem·in·ism /ˋfemɪnɪzm/ *οὐσ.* ‹U› φεμινισμός. **fem·in·ist** /-ɪst/ *οὐσ.* ‹C› φεμινιστής, φεμινίστρια.

fen /fen/ *οὐσ.* ‹C› ἕλος, βάλτος.

[1]**fence** /fens/ *οὐσ.* ‹C› φράχτης. ***sit/be on the*** ~, (*μεταφ.*) μένω οὐδέτερος, καιροσκοπῶ. ***come down on the right side of the*** ~, πηγαίνω μέ τό μέρος τοῦ νικητοῦ. —*ρ.μ.* φράσσω: ~ *a field with barbed wire*, φράσσω ἕνα χωράφι μέ ἀγκαθωτό σύρμα.

[2]**fence** /fens/ *ρ.ἀ.* ξιφομαχῶ, (*μεταφ.*) ὑπεκφεύγω: ~ *with a question*, ἀποφεύγω μιά ἐρώτηση, στρίβω τήν κουβέντα. ~**r** *οὐσ.* ‹C› ξιφομάχος. **fenc·ing** /ˋfensɪŋ/ *οὐσ.* ‹U› ξιφομαχία.

[3]**fence** /fens/ *οὐσ.* ‹C› κλεπταποδόχος, στέκι κλεπταποδόχου.

fend /fend/ *ρ.μ/ἀ.* **1**. ~ ***off***, ἀποκρούω, ἀποφεύγω: ~ *off a blow*, ἀποκρούω ἕνα χτύπημα. **2**. ~ ***for oneself***, συντηροῦμαι, τά βγάζω πέρα μόνος: *When his father died John had to* ~ *for himself*, ὅταν ὁ πατέρας του πέθανε, ὁ Γ. χρειάστηκε νά τά βγάλη πέρα μόνος του.

fen·der /ˋfendə(r)/ *οὐσ.* ‹C› προφυλακτήρ (σέ τράμ, κλπ), κιγκλίδωμα (σέ τζάκι), στρωμάτσο (σέ πλοῖο), (*ΗΠΑ*) φτερό αὐτοκινήτου.

fen·nel /ˋfenl/ *οὐσ.* ‹U› (*φυτ.*) μάραθος.

fer·ment /ˋfɜːment/ *οὐσ.* ‹C› φύραμα, μαγιά, ἔνζυμον, (*μεταφ.*) ἀναβρασμός, σάλος. ***in a*** ~, (*μεταφ.*) σέ ἀναβρασμό: *The whole town was in a* ~, ὅλη ἡ πόλη ἦταν σέ ἀναβρασμό. —*ρ.μ/ἀ.* /fəˋment/ **1**. βράζω, προκαλῶ/παθαίνω ζύμωση: *When wine ~s*, ὅταν τό κρασί βράζη... **2**. (*μεταφ.*) προκαλῶ/εὑρίσκομαι σέ ἀναβρασμό. **fer·men·ta·tion** /ˈfɜmenˈteɪʃn/ *οὐσ.* ‹U› ζύμωσις, (ἀνα)βρασμός, ἔξαψις.

fern /fɜn/ *οὐσ.* ‹C› (*φυτ.*) φτέρη.

fer·oci·ous /fəˈrəʊʃəs/ *ἐπ.* ἄγριος, θηριώδης, σκληρός: *a ~ look*. **~·ly** *ἐπίρ.* ἄγρια: *look ~ly at sb*, ἀγριοκοιτάζω κπ. **fer·oc·ity** /fəˈrosətɪ/ *οὐσ.* ‹C,U› ἀγριάδα, θηριωδία.

fer·ret /ˈferɪt/ *οὐσ.* ‹C› νυφίτσα, κουνάβι. __*ρ.μ/ἀ.* **1**. **~ *out***, ξετρυπώνω: *~ out a secret*, ξετρυπώνω ἕνα μυστικό. **2**. **~ *about (for sth)***, ψάχνω, σκαλίζω: *~ about among old papers for a document*, ψάχνω ἀνάμεσα σέ παληά χαρτιά νά βρῶ ἕνα ἔγγραφο.

fer·ro·con·crete /ˈferəʊˈkoŋkrit/ *οὐσ.* ‹U› μπετόν ἀρμέ.

fer·rous /ˈferəs/ *ἐπ.* σιδηροῦχος.

fer·rule /ˈferul/ *οὐσ.* ‹C› μεταλλικός δακτύλιος, στεφάνη, κρίκος (μπαστουνιοῦ, κλπ).

ferry /ˈferɪ/ *οὐσ.* ‹C› πέρασμα, πόρος, πορθμεῖον, φερυμπώτ. __*ρ.μ/ἀ.* διαπεραιώνω/-οῦμαι: *~ people across a river*, περνάω ἀνθρώπους στήν ἀπέναντι ὄχθη τοῦ ποταμοῦ. **ˋ~-boat**, φερυμπώτ. **ˋ~-man**, πορθμεύς.

fer·tile /ˈfɜtaɪl/ *ἐπ.* εὔφορος, γόνιμος: *~ fields/soil*, εὔφορα χωράφια/γόνιμη γῆ. *a ~ imagination*, γόνιμη φαντασία. *You are ~ in excuses*, ἀπό δικαιολογίες πιά ἐσύ, ἄλλο τίποτα! **fer·til·ity** /fəˈtɪlətɪ/ *οὐσ.* ‹U› γονιμότης, εὐφορία.

fer·til·ize /ˈfɜtɪlaɪz/ *ρ.μ.* **1**. γονιμοποιῶ: *~ flowers*. **2**. λιπαίνω: *~ the soil with manure*, λιπαίνω τό ἔδαφος μέ κοπριά. **~r** *οὐσ.* ‹C,U› λίπασμα. **fer·ti·liz·ation** /ˈfɜtɪlaɪˈzeɪʃn/ *οὐσ.* ‹U› γονιμοποίησις, λίπανσις.

fer·ule /ˈferul/ *οὐσ.* ‹C› χάρακας, βέργα.

fer·vent /ˈfɜvənt/ *ἐπ.* **1**. διάπυρος. **2**. (*μεταφ.*) διακαής, ἔνθερμος, φλογερός: *a ~ admirer/wish*, ἔνθερμος θαυμαστής/διακαής ἐπιθυμία. *~ love/hatred*, φλογερή ἀγάπη/ἄσπονδο μῖσος. **~·ly** *ἐπίρ.* φλογερά, διακαῶς.

fer·vid /ˈfɜvɪd/ *ἐπ.* θερμός, διακαής, φλογερός: *a ~ prayer/orator*, θερμή προσευχή/φλογερός ρήτωρ. **~·ly** *ἐπίρ.* φλογερά, διακαῶς.

fer·vour /ˈfɜvə(r)/ *οὐσ.* ‹U› θέρμη, ζέσις, πάθος.

fes·tal /ˈfestl/ *ἐπ.* ἑορταστικός: *~ music*.

fes·ter /ˈfestə(r)/ *ρ.ἀ.* **1**. (*γιά πληγή*) πυορροῶ, κακοφορμίζω. **2**. (*γιά ὀργή, κλπ*) ὑποβόσκω, κρυφοκαίω: *The insult ~ed in his mind*, ἡ προσβολή ὑπέβοσκε στό μυαλό του, φαρμάκωνε τό νοῦ του.

fes·ti·val /ˈfestɪvl/ *οὐσ.* ‹C› ἑορτή, πανηγύρι, φεστιβάλ: *the ˋwine ~*, ἡ γιορτή τοῦ κρασιοῦ. __*ἐπ.* γιορταστικός, χαρούμενος.

fes·tive /ˈfestɪv/ *ἐπ.* γιορταστικός, χαρμόσυνος: *a ~ occasion*, γιορτή. *the ~ season*, ἡ περίοδος τῶν ἑορτῶν. *the ~ board*, ἑορταστικό τραπέζι. *a ~ atmosphere*, γιορταστική/χαρούμενη ἀτμόσφαιρα. **fes·tiv·ity** /feˈstɪvətɪ/ *οὐσ.* ‹C,U› γλέντι, πανήγυρις, γιορτή, (*πληθ.*) ἑορταστικές ἐκδηλώσεις.

fes·toon /feˈstun/ *οὐσ.* ‹C› φεστόνι, γιρλάντα. __*ρ.μ.* στολίζω μέ γιρλάντες.

fetch /fetʃ/ *ρ.μ/ἀ.* **1**. (πηγαίνω καί) φέρνω: *F~ a doctor at once*, πήγαινε νά φέρης γιατρό ἀμέσως! *F~ me a chair*, πιάσε μου μιά καρέκλα! **~ *and carry***, κάνω τόν ὑπηρέτη, κάνω θελήματα: *He expects his son to ~ and carry for him all day*, θέλει τό γυιό του νά τοῦ κάνη τόν ὑπηρέτη ὅλη τήν ἡμέρα. **2**. προκαλῶ: *~ tears to the eyes*, φέρνω δάκρυα στά μάτια. **3**. πιάνω (τιμή): *My old car won't ~ much*, τό παληό μου αὐτοκίνητο δέν θά πιάση πολλά. **4**. (*καθομ.*) δίνω, καταφέρω: *~ sb a blow/sb a box on the ears*, δίνω γροθιά/σκαμπίλι σέ κπ. **~ing**, *ἐπ.* (*πεπαλ. καθομ.*) γοητευτικός, θαυμάσιος.

fête /feɪt/ *οὐσ.* ‹C› ὑπαίθριος γιορτή: *the village ~*, τό πανηγύρι τοῦ χωριοῦ. __*ρ.μ.* γιορτάζω, τιμῶ: *The astronauts were ~d wherever they went*, ὅπου καί νά πήγαιναν οἱ ἀστροναῦτες, τούς ἔκαναν γιορτές.

fetid /ˈfetɪd/ *ἐπ.* δύσοσμος.

fetish, fetich /ˈfetɪʃ/ *οὐσ.* ‹C› φετίχ.

fet·ter /ˈfetə(r)/ *οὐσ.* ‹C› πεδούκλι (ζώου), (*πληθ.*) δεσμά, ἁλυσσίδες: *a man in ~s*, δεσμώτης. *burst one's ~s*, σπάζω τίς ἁλυσσίδες, ἐλευθερώνομαι.

fettle /ˈfetl/ *οὐσ.* (*μόνο στίς φράσεις*): ***in fine/good ~***, σέ καλή κατάσταση, σέ κέφια, σέ φόρμα.

fe·tus /ˈfitəs/ *οὐσ.* ‹C› *βλ. foetus*.

feud /fjud/ *οὐσ.* ‹C› ἔχθρα, βεντέττα.

feu·dal /ˈfjudl/ *ἐπ.* φεουδαρχικός: *the ~ barons*, οἱ φεουδάρχες. **~·ism** /-ɪzm/ *οὐσ.* ‹U› φεουδαρχία, φεουδαλισμός.

fe·ver /ˈfivə(r)/ *οὐσ.* ‹U› (*κυριολ.* & *μεταφ.*) πυρετός: *have a high ~*, ἔχω ὑψηλό πυρετό. *yellow/typhoid ~*, κίτρινος/τυφοειδής πυρετός. *in a ~ of impatience*, σέ πυρετό ἀνυπομονησίας. ***at/to ˋ~ pitch***, σέ παροξυσμό, σέ μεγάλη ἔξαψη: *The crowd was at ~ pitch*, τό πλῆθος βρισκόταν σέ παροξυσμό. **~ed** *ἐπ.* πυρέσσων: *a ~ed imagination*, πυρέσσουσα (ἐξημμένη) φαντασία. **~·ish** /-ɪʃ/ *ἐπ.* πυρετικός, πυρετώδης, ἀνθυγιεινός: *a ~ish condition*, ἐμπύρετος κατάστασις. *~ish dreams*, πυρετικά ὄνειρα. *~ish swamps*, ἀνθυγιεινά ἕλη. **~·ish·ly** /-ɪʃlɪ/ *ἐπίρ.* πυρετωδῶς, πυρετικά.

few /fju/ *ἐπ.* (*-er, -est*) & *ἀντων.* λίγοι (*ἀντίθ. many*): *F~ people live to be a hundred*, λίγοι ἄνθρωποι φτάνουν τά ἑκατό. ***a ~***, μερικοί: *go away for a ~ days*, φεύγω γιά μερικές μέρες. ***some ~; a good ~; quite a ~; not a ~***, κάμποσοι, ἀρκετοί, οὐκ ὀλίγοι: *He has a good ~/quite a ~ enemies*, ἔχει κάμποσους ἐχθρούς.

fez /fez/ *οὐσ.* ‹C› φέσι.

fi·ancé, fi·ancée /fɪˈõseɪ/ *οὐσ.* ‹C› ἀρραβωνιαστικός, ἀρραβωνιαστικιά.

fi·asco /fɪˈæskəʊ/ *οὐσ.* ‹C› (*πληθ. ~s*) φιάσκο: *The concert was a ~*, ἡ συναυλία ἦταν φιάσκο.

fib /fɪb/ *οὐσ.* ‹C› (*καθομ.*) ψέμα, παραμύθι: *That's a ~*, αὐτά εἶναι παραμύθια. **~·ber** *οὐσ.* ‹C› ψεύτης.

fibre /ˈfaɪbə(r)/ *οὐσ.* **1**. ‹C› ἶνα, φίμπερ: *Every ~ of his being revolted*, ὅλο του τό εἶναι ἐπαναστατοῦσε. **2**. ‹U› ὑφή, δομή, (*καθομ.*) χαρακτήρας: *material of coarse ~*, χοντρό ὕφασμα. *our moral ~*, ἡ ἠθική μας ὑπόστασις. **ˋ~-glass**, ὑαλοβάμβαξ. **fi·brous** /ˈfaɪbrəs/ *ἐπ.* ἰνώδης.

fickle /ˈfɪkl/ ἐπ. εὐμετάβλητος, ἄστατος: *a ~ lover/~ weather*, ἄστατος ἐραστής/καιρός. *~ fortune*, ἡ ἄστατη τύχη. **~·ness** οὐσ. ‹U› ἀστάθεια.
fic·tion /ˈfɪkʃn/ οὐσ. **1**. ‹C› ἀποκύημα/πλάσμα τῆς φαντασίας. ***a legal ~***, (νομ.) πλάσμα δικαίου. **2**. ‹U› μυθιστορήματα, μυθιστοριογραφία: *I prefer history to ~*, προτιμῶ τήν ἱστορία ἀπό τά μυθιστορήματα. ˈ**science**ˋ**~**, μυθιστορήματα ἐπιστημονικῆς φαντασίας.
fic·ti·tious /fɪkˋtɪʃəs/ ἐπ. φανταστικός, πλασματικός, εἰκονικός: *a ~ account*, φανταστική περιγραφή. *~ assets*, (ἐμπ.) εἰκονικόν ἐνεργητικόν.
fiddle /ˈfɪdl/ οὐσ. ‹C› βιολί. ***be fit as a ~***, εἶμαι περδίκι, θαυμάσια στήν ὑγεία μου. ***play second ~ to sb***, παίζω δευτερεύοντα ρόλο κοντά σέ κπ. ˋ**~-stick** οὐσ. ‹C› δοξάρι, (πληθ.) ἀνοησίες! κουραφέξαλα! —ρ.μ. **1**. παίζω βιολί. **2**. παίζω (στά δάχτυλα) ἀφηρημένα: *He was fiddling about with a piece of string*, ἔπαιζε μ᾽ ἕνα κομμάτι σπάγγο. **~r** οὐσ. ‹C› βιολιτζῆς. **fid·dling** /ˈfɪdlɪŋ/ ἐπ. ἀσήμαντος: *fiddling little jobs*, ἀσήμαντες μικροδουλίτσες.
fi·del·ity /fɪˋdelətɪ/ οὐσ. ‹U› **1**. πίστις, ἀφοσίωσις: *~ to one's principles/religion/leaders/wife*, πίστις στίς ἀρχές μου/στή θρησκεία μου/στούς ἡγέτες μου/στή γυναίκα μου. **2**. ἀκρίβεια, πιστότης: *translate with great ~*, μεταφράζω πολύ πιστά. *a high ~ record*, δίσκος ὑψηλῆς πιστότητος.
fidget /ˈfɪdʒɪt/ ρ.μ/ἀ. κινοῦμαι συνεχῶς νευρικά, νευριάζω: *Stop ~ing!* κάθησε ἥσυχος! πᾶψε νά κουνιέσαι διαρκῶς! *Stop ~ing with your knife and fork!* πᾶψε νά παίζης μέ τό μαχαίρι καί τό πηρούνι σου! *Hurry up! Your father's beginning to ~*, κάνε γρήγορα, ὁ πατέρας ἄρχισε νά νευριάζη. —οὐσ. ‹C› **1**. νευρόσπαστο: *What a ~ you are!* **2**. (πληθ.) ἀνησυχία, ἐκνευρισμός: *have the ~s*, εἶμαι ὅλο ἀνησυχία, δέ μέ χωράει ὁ τόπος. *It gives me the ~s*, μέ ἐκνευρίζει, μοῦ φέρνει ἐκνευρισμό. **~y** ἐπ. *(-ier, -iest)* ἀνήσυχος, ἀεικίνητος, νευρικός: *a ~y child*.
fie /faɪ/ ἐπιφ. (ἀστειολ.) *F~ on you!* ντροπή σου!
field /fild/ οὐσ. ‹C› **1**. ἀγρός, χωράφι: *work in the ~s*, δουλεύω στά χωράφια. *a ~ of wheat*, χωράφι μέ στάρι. **2**. γήπεδο, πεδίον: *a ˋfootball ~*, γήπεδο ποδοσφαίρου. *a ˋlanding ~*, πεδίον προσγειώσεως. ˋ**~ events**, ἀγῶνες στίβου (πλήν τῶν δρόμων). ˋ**~ glasses**, διόπτρες, κυάλια. ˋ**~ sports**, κυνήγι καί ψάρεμα. **3**. περιοχή: *an ˋoil-~*, πετρελαιοφόρος περιοχή. *a ˋcoal-~*, ἀνθρακοφόρος περιοχή. **4**. (μεταφ.) πεδίον, σφαίρα, τομεύς, χῶρος (ἐπιστήμης ἤ τέχνης): *the ~ of politics/science/art*, ὁ χῶρος τῆς πολιτικῆς/τῆς ἐπιστήμης/τῆς τέχνης. *This is outside my ~*, αὐτό δέν εἶναι στή σφαίρα μου. *a magnetic ~*, μαγνητικόν πεδίον. ˋ**~ work**, ἐπιτόπιος ἐργασία. **5**. (στρατ.) πεδίον (μάχης): *take the ~*, ἐκστρατεύω, ἀρχίζω ἐχθροπραξίες. *hold the ~*, κρατῶ τίς θέσεις μου. ˋ**~ artillery**, πεδινό πυροβολικό. ˋ**~ day**, ἡμέρα γυμνασίων, (μεταφ.) μεγάλη ἡμέρα. ˋ**~ gun**, πεδινό πυροβόλο. ˋ**~-hospital**, πρόχειρο νοσοκομεῖο (ἐκστρατείας). ˈ**F~** ˋ**Marshal**, στρατάρχης. ˋ**~·work**, ὀχυρό. **6**. ὁμάδα (κυνηγῶν, ἀθλητῶν, κλπ). —ρ.μ/ἀ. **1**. πιάνω ἤ σταματῶ τήν μπάλλα. **2**. κατεβάζω στό γήπεδο (ὁμάδα ποδοσφαίρου, κλπ).
fiend /find/ οὐσ. ‹C› σατανᾶς. **~·ish** /-ɪʃ/ ἐπ. σατανικός, σκληρός. **~·ish·ly** ἐπίρ. σατανικά: *He is ~ishly clever*, εἶναι διαβολεμένα ἔξυπνος.
fierce /fɪəs/ ἐπ. *(-r, -st)* ἄγριος, σφοδρός, δυνατός: *a ~ dog/wind*, ἄγριος σκύλος/σφοδρός ἄνεμος. *~ hatred/cold*, ἄγριο μῖσος/δυνατό κρύο. *look ~*, ἔχω ἄγρια ὄψη. **~·ly** ἐπίρ. ἄγρια. **~·ness** οὐσ. ‹U› ἀγριότης, βιαιότης, σφοδρότης.
fiery /ˈfaɪərɪ/ ἐπ. *(-ier, -iest)* φλογερός, πύρινος, παράφορος: *~ eyes*, φλογερά μάτια, πού πετᾶν φωτιές. *a ~ speech/sky*, πύρινος λόγος/φλογισμένος οὐρανός. *~ passions*, παράφορα πάθη. *have a ~ temper*, ἔχω παράφορο (εὐέξαπτο) χαρακτῆρα.
fi·esta /fɪˋestə/ οὐσ. ‹C› (πληθ. *~s*) γιορτή.
fife /faɪf/ οὐσ. ‹C› φλογέρα.
fif·teen /ˈfɪfˋtin/ ἐπ. & οὐσ. ‹C› δεκαπέντε. **fif·teenth** /-ˋtinθ/ ἐπ. & οὐσ. ‹C› δέκατος πέμπτος.
fifth /fɪfθ/ ἐπ. & οὐσ. ‹C› πέμπτος. **the** ˈ**~** ˋ**column**, ἡ πέμπτη φάλαγξ.
fifty /ˈfɪftɪ/ ἐπ. & οὐσ. ‹C› πενῆντα. ***go ~-~ with sb***, πάω μισά-μισά μέ κπ. ***a ~-~ chance***, πιθανότης πενῆντα τοῖς ἑκατό. **fif·tieth** /ˈfɪftɪəθ/ ἐπ. & οὐσ. ‹C› πεντηκοστός.
fig /fɪg/ οὐσ. ‹C› σῦκο. ˋ*~-tree*, συκιά. ˋ*~-leaf*, φύλλον συκῆς. ***not care/not give a ~ (for sth)***, δέν δίνω φράγκο (γιά κτ).
[1]**fight** /faɪt/ οὐσ. **1**. ‹C› μάχη, ἀγώνας: *the ~ against poverty*, ὁ ἀγώνας κατά τῆς φτώχειας. ***put up a good/poor ~***, ἀγωνίζομαι παληκαρίσια/δέν παλεύω μέ καρδιά. **2**. ‹U› ἀγωνιστικότης, μαχητική διάθεσις: *He had no ~ left in him*, δέν τοῦ ἀπέμεινε μαχητική διάθεσις. *The news took all the ~ out of them*, τά νέα τούς ἔκοψαν κάθε μαχητική διάθεση, τούς παρέλυσαν. ***show ~***, δείχνω διάθεση γιά καυγᾶ.
[2]**fight** /faɪt/ ρ.μ/ἀ. ἀνώμ. (ἀόρ. & π.μ. *fought* /fɔt/) ἀγωνίζομαι, μάχομαι, (κατα)πολεμῶ, μαλλώνω, τσακώνομαι: *We'll ~ for our freedom*, θ᾽ ἀγωνισθοῦμε γιά τήν ἐλευθερία μας. *The dogs were ~ing over a bone*, τά σκυλιά μάλλωναν γιά ἕνα κόκκαλο. *I'll ~ him!* θά τόν πολεμήσω! *~ a battle/a duel*, δίνω μάχη/μονομαχῶ. ***~ to a finish***, ἀγωνίζομαι μέχρι τέλους. ***~ it out***, λύνω μιά διαφορά μέ ἀγῶνα. ***~ shy of***, ἀποφεύγω, δέν ἀνακατεύομαι. ***~ sth down***, ὑπερνικῶ: *~ down a feeling of repugnance*, ὑπερνικῶ ἕνα αἴσθημα ἀποστροφῆς. ***~ off***, καταπολεμῶ: *~ off a cold with aspirins*, πολεμῶ ἕνα κρυολόγημα μέ ἀσπιρίνες. ***~ one's way forward***, προχωρῶ μαχόμενος. **~er** οὐσ. ‹C› **1**. μαχητής. **2**. καταδιωκτικό ἀεροπλάνο. **~·ing** οὐσ. ‹U› μάχη: *ˋstreet-~ing*, ὁδομαχίες. —ἐπ. μαχητικός: *~ing spirit*, μαχητικό πνεῦμα. ***a ~ing chance***, πιθανότητα ἐπιτυχίας ἄν καταβληθῆ μεγάλη προσπάθεια.
fig·ment /ˈfɪgmənt/ οὐσ. ‹C› πλάσμα: *a ~ of the imagination*, πλάσμα τῆς φαντασίας.

figu·rat·ive /ˋfigjʊrətɪv/ *ἐπ.* (*γιά ἔννοια*) μεταφορικός.

[1]**fig·ure** /ˋfigə(r)/ *οὐσ.* ‹C› **1**. ἀριθμός, ψηφίον: *a double* ~, διψήφιος ἀριθμός. *an income of six* ~*s*, εἰσόδημα ἑξαψηφίου ἀριθμοῦ. *buy sth at a high/low* ~, ἀγοράζω κτ ἀκριβά/φτηνά. **2**. (*πληϑ.*) ἀριθμητική: *He's good at* ~*s*, εἶναι καλός στήν ἀριθμητική. **3**. σχῆμα, φιγούρα, διάγραμμα: *geometrical* ~*s*, γεωμετρικά σχήματα. **4**. μορφή, σιλουέτα, φιγούρα, σῶμα: *He's one of the greatest* ~*s in Greek history*, εἶναι μιά ἀπό τίς μεγαλύτερες μορφές τῆς Ἑλληνικῆς ἱστορίας. *I saw a* ~ *approaching*, εἶδα μιά σιλουέτα νά πλησιάζη. *She's dieting to keep her* ~, κάνει δίαιτα γιά νά διατηρήση τή σιλουέτα της. ***cut a fine/poor/sorry*** ~, κάνω καλή/κακή/ϑλιβερή ἐντύπωση. ***a*** ~ ***of speech***, σχῆμα λόγου. ˋ~**-head** *οὐσ.* ‹C› **1**. φιγούρα σκαλισμένη στήν πλώρη πλοίου. **2**. διακοσμητικό πρόσωπο (χωρίς πραγματική ἐξουσία).

[2]**fig·ure** /ˋfigə(r)/ *ρ.μ/ὰ.* **1**. φαντάζομαι, λογαριάζω: *I* ~ *it will take three years*, φαντάζομαι, (λογαριάζω) ὅτι ϑά χρειαστῆ τρία χρόνια. ~ ***to oneself***, πλάϑω μέ τό νοῦ μου. **2**. ἐμφανίζομαι, φιγουράρω: *His name* ~*s on the list*, τ' ὄνομά του ἐμφανίζεται στόν κατάλογο. **3**. ~ ***sth/sb out***, ὑπολογίζω, καταλαβαίνω: *Can you* ~ *out the cost?* μπορεῖς νά ὑπολογίσης τή δαπάνη; *I can't* ~ *that man out*, δέν μπορῶ νά καταλάβω αὐτόν τόν ἄνϑρωπο. ~ ***on sth***, (*ΗΠΑ*) ὑπολογίζω σέ κτ: *They* ~*d on your arriving early*, ὑπολόγιζαν ὅτι ϑά φϑάσης νωρίς. ~**d** *ἐπ.* στολισμένος μέ σχέδια: ~*d glass*, τζάμι μέ σχέδια.

fila·ment /ˋfɪləmənt/ *οὐσ.* ‹C› λεπτό νῆμα (*πχ.* λαμπτῆρος).

fil·bert /ˋfɪlbət/ *οὐσ.* ‹C› φουντούκι.

filch /fɪltʃ/ *ρ.μ.* κλέβω, ξαφρίζω, σουφρώνω.

[1]**file** /faɪl/ *οὐσ.* ‹C› λίμα. __*ρ.μ.* λιμάρω: ~ *one's fingernails*, λιμάρω τά νύχια μου.

[2]**file** /faɪl/ *οὐσ.* ‹C› φάκελλος, ντοσιέ. __*ρ.μ.* **1**. ἀρχειοϑετῶ, ταξινομῶ: *a ˋfiling clerk*, ὑπάλληλος στό πρωτόκολλο/στό ἀρχεῖο. **2**. ὑποβάλλω, καταϑέτω: ~ *an application*, ὑποβάλλω αἴτησιν.

[3]**file** /faɪl/ *οὐσ.* ‹C› φάλαγγα, γραμμή, σειρά: *in single* ~, ἐφ' ἑνός ζυγοῦ. ***the rank and*** ~, (*στρατ.*) οἱ ἁπλοῖ στρατιῶτες, (*σέ κόμμα*) τά ἁπλᾶ μέλη. __*ρ.ὰ.* βαδίζω σέ φάλαγγα: *The men* ~*d in/out*, οἱ ἄνδρες μπῆκαν/βγῆκαν ὁ ἕνας πίσω ἀπό τόν ἄλλον.

fil·ial /ˋfɪlɪəl/ *ἐπ.* υἱικός, ϑυγατρικός: ~ *duty/affection*, υἱικό καϑῆκον/-ή ἀγάπη.

fili·bus·ter /ˋfɪlɪbʌstə(r)/ *οὐσ.* ‹C› (*ΗΠΑ*) κωλυσιεργός βουλευτής. __*ρ.ὰ.* κωλυσιεργῶ (στό Κογκρέσσο).

fili·gree /ˋfɪlɪgri/ *οὐσ.* ‹U› κόσμημα ἀπό νῆμα χρυσοῦ ἤ ἀργύρου, φιλιγκράν: ~ *ear-rings*, (*περίπου*) γιαννιώτικα σκουλαρίκια.

[1]**fill** /fɪl/ *οὐσ.* **1**. ‹U› χόρτασμα, κορεσμός: *eat/drink one's* ~, χορταίνω φαΐ/πιοτό. ***have one's*** ~ ***of sth***, (*καϑομ.*) χορταίνω ἀπό κτ. **2**. ‹C› γιόμισμα: *a* ~ *of tobacco*, καπνός ἀρκετός γιά μιά πίπα.

[2]**fill** /fɪl/ *ρ.μ/ὰ.* **1**. ~ ***(with)***, γεμίζω: *Tears* ~*ed her eyes*, δάκρυα γέμισαν τά μάτια της. *He was* ~*ed with admiration*, ἦταν γεμᾶτος ϑαυμασμό. *have a tooth* ~*ed*, σφραγίζω ἕνα δόντι. ~ ***in***, συμπληρώνω: ~ *in an application*, συμπληρώνω μιά αἴτηση. ~ ***out***, φουσκώνω, γεμίζω, παχαίνω: *Her cheeks began to* ~ *out*, τά μάγουλά της ἄρχισαν νά γεμίζουν. ~ ***up***, γεμίζω ἐντελῶς: ~ *up the tank with petrol*, γεμίζω τό ντεπόζιτο μέ βενζίνη. ˋ~**·ing station**, (*ΗΠΑ*) πρατήριο βενζίνης. **2**. (ἐκ)-πληρώνω: *The vacancies have already been* ~*ed*, οἱ κενές ϑέσεις ἐπληρώϑησαν ἤδη. *He* ~*s the office satisfactorily*, ἐκπληρώνει τά καϑήκοντά του ἱκανοποιητικά. ~ ***the bill***, (*καϑομ.*) εἶμαι ὅ,τι πρέπει, ἱκανοποιῶ πλήρως: *These new machines really* ~ *the bill*, αὐτά τά νέα μηχανήματα εἶναι ἀπολύτως ἱκανοποιητικά/ὅ,τι πρέπει. **3**. ἐκτελῶ: ~ *a prescription*, ἐκτελῶ συνταγήν.

fil·let /ˋfɪlɪt/ *οὐσ.* ‹C› **1**. κορδέλλα. **2**. φιλέττο.

fil·lip /ˋfɪlɪp/ *οὐσ.* ‹C› **1**. κτύπημα (μέ τίναγμα τοῦ δακτύλου). **2**. κέντρισμα, τόνωσις, ὤϑησις: *give a* ~ *to memory/ambition/business*, κεντρίζω τή μνήμη/τή φιλοδοξία/τονώνω τό ἐμπόριο.

filly /ˋfɪlɪ/ *οὐσ.* ‹C› φοραδίτσα (*πρβλ. colt*).

film /fɪlm/ *οὐσ.* ‹C,U› **1**. φίλμ (κινηματογρ. ἤ φωτογρ.). **2**. λεπτή μεμβράνη, λεπτό στρῶμα: *a* ~ *of oil on water*, μεμβράνη λαδιοῦ πάνω σέ νερό. *a* ~ *of dust/mist*, στρῶμα σκόνης/λεπτή ὁμίχλη. ~**y** *ἐπ.* (*-ier, -iest*) **1**. λεπτός, σά μεμβράνη: ~*y clouds*. **2**. ϑαμπός. __*ρ.μ/ὰ.* **1**. κινηματογραφῶ, βγαίνω σέ φίλμ: *She* ~*s well*, ἔχει φωτογένεια. **2**. καλύπτω/-ομαι μέ ἐλαφρό στρῶμα (μέ λεπτή μεμβράνη).

fil·ter /ˋfɪltə(r)/ *οὐσ.* ‹C› φίλτρο: ~*-tipped cigarettes*, τσιγάρα μέ φίλτρο. __*ρ.μ/ὰ.* φιλτράρω, (*μεταφ.*) περνῶ σιγά-σιγά, διαρρέω: *New ideas* ~*ed into people's minds*, νέες ἰδέες εἰσχωροῦσαν σιγά-σιγά στά μυαλά τῶν ἀνϑρώπων. *The news of the defeat* ~*ed through*, τά νέα τῆς ἥττας διέρρευσαν, μαϑεύτηκαν σιγά-σιγά.

filth /fɪlθ/ *οὐσ.* ‹U› βρωμιά, ἀκαϑαρσία, αἰσχρότης. ~**y** *ἐπ.* (*-ier, -iest*) βρώμικος, αἰσχρός: *a* ~*y novel*, αἰσχρό μυϑιστόρημα.

fin /fɪn/ *οὐσ.* ‹C› πτερύγιον (ψαριοῦ).

final /ˋfaɪnl/ *ἐπ.* τελικός, τελευταῖος: *a* ~ *decision*, τελική ἀπόφασις. ~ *preparations*, τελευταῖες προετοιμασίες. __*οὐσ.* ‹C› (*συνήϑ. πληϑ.*) τά τελικά: *the tennis* ~*s*, τελικοί ἀγῶνες τέννις. *the Cup F*~, τά τελικά κυπέλλου. ***take one's*** ~***s***, δίνω τά τελικά, τίς τελευταῖες ἐξετάσεις. ~**·ist** /-ɪst/ *οὐσ.* ‹C› ὁ μετέχων σέ τελικούς ἀγῶνες. ~**·ly** /-nəlɪ/ *ἐπίρ.* τελικά, ὁριστικά: *settle a matter* ~*ly*, ρυϑμίζω ἕνα ϑέμα ὁριστικά.

fi·nale /fɪˋnalɪ/ *οὐσ.* ‹C› (*μουσ.*) φινάλε.

fi·nal·ity /faɪˋnælətɪ/ *οὐσ.* ‹U› ὁριστικότης, κατηγορηματικότης, τό τελεσίδικον: *speak with an air of* ~, μιλῶ μέ τόνο κατηγορηματικό.

fi·nal·ize /ˋfaɪnəlaɪz/ *ρ.μ.* ὁριστικοποιῶ (*πχ* προτάσεις, σχέδια, κλπ).

fi·nance /ˋfaɪnæns/ *οὐσ.* **1**. ‹U› δημοσιονομία, δημόσια οἰκονομικά: *an expert in* ~, εἰδικός στά δημοσιονομικά ϑέματα, δημοσιονόμος. *The Minister of F*~, ὁ Ὑπουργός τῶν Οἰκονομικῶν. **2**. (*πληϑ.*) οἰκονομική κατάστασις, τά οἰκονομικά: *Are the country's* ~*s good?*

εἶναι τά οἰκονομικά τῆς χώρας καλά; __ρ.μ. χρηματοδοτῶ: ~ *a project/a programme*, χρηματοδοτῶ ἕνα σχέδιο/πρόγραμμα.

fi·nan·cial /ˈfaɪˋnænʃl/ *ἐπ.* χρηματικός, οἰκονομικός: *be in ~ difficulties*, ἔχω χρηματικές δυσκολίες. *the ~ year*, τό οἰκονομικόν ἔτος. **~ly** /-ʃəlɪ/ *ἐπίρ.* χρηματικά, οἰκονομικά.

fi·nan·cier /faɪˋnænsɪə(r)/ *οὐσ.* ‹C› κεφαλαιοῦχος, χρηματοδότης, οἰκονομολόγος, δημοσιονόμος.

[1]**find** /faɪnd/ *οὐσ.* ‹C› ἀνακάλυψις, εὕρημα: *I made a great ~ in a secondhand bookshop yesterday*, ἔκανα μιά μεγάλη ἀνακάλυψη σ' ἕνα παλαιοβιβλιοπωλεῖο χθές. **~er** *οὐσ.* ‹C› **1**. εὑρέτης: *Lost, a gold ring: ~er will be rewarded*, ἀπωλέσθη χρυσό δακτυλίδι: ὁ εὑρέτης ἀμοιφθήσεται. **2**. (*φωτογρ.*) **ˋview-~er**, σκόπευτρον, βιζέρ. **~·ing** *οὐσ.* ‹C› (*συνήθ. πληθ.*) διαπίστωσις, πόρισμα: *the ~ings of the Commission*, οἱ διαπιστώσεις, τά πορίσματα τῆς ἐξεταστικῆς Ἐπιτροπῆς.

[2]**find** /faɪnd/ *ρ.μ. ἀνώμ.* (*ἀόρ & π.μ. found* /faʊnd/) βρίσκω: *Help me to ~ my tie*, βοήθησέ με νά βρῶ τή γραββάτα μου. ~ *a solution/an answer/a cure/one's way*, βρίσκω μιά λύση/μιά ἀπάντηση/μιά θεραπεία/τό δρόμο μου. ~ *time/courage to do sth*, βρίσκω τό χρόνο/τό κουράγιο νά κάνω κτ. *They found him dead/sleeping on the floor*, τόν βρῆκαν πεθαμένο/νά κοιμᾶται στό πάτωμα. *I ~ my new job boring*, βρίσκω τήν καινούργια μου δουλειά πληκτική. *You must take me as you ~ me*, πρέπει νά μέ δεχθῆς ὅπως εἶμαι. *I ~ it difficult to understand him/I ~ him difficult to understand*, τό βρίσκω (μοῦ εἶναι) δύσκολο νά τόν καταλάβω. *One doesn't ~ much vegetation in this area*, δέν βρίσκει κανείς (δέν ὑπάρχει) πολλή βλάστηση σ' αὐτή τήν περιοχή. *The jury found him guilty*, οἱ ἔνορκοι τόν βρῆκαν ἔνοχο. ***~ favour with sb***, κερδίζω τήν εὔνοια κάποιου, γίνομαι εὐμενῶς δεκτός. ***~ one's feet***, (*γιά μωρό*) ἀρχίζω νά περπατῶ, (*μεταφ.*) ἀποκτῶ αὐτοπεποίθηση, γίνομαι ἀνεξάρτητος. ***~ it in one's heart to do sth***, (*ἐρωτημ. & ἀρνητ. μέ can/could*) μοῦ βαστάει ἡ καρδιά νά κάνω κτ: *I can't ~ it in my heart to dismiss him*, δέν μοῦ βαστάει ἡ καρδιά νά τόν ἀπολύσω. ***~ one's voice/tongue***, βρίσκω τή μιλιά μου. ***~ oneself***, βρίσκομαι, αἰσθάνομαι: *He found himself before his father*, βρέθηκε μπροστά στόν πατέρα του. *How do you ~ yourself this morning?* πῶς αἰσθάνεσθε σήμερα τό πρωΐ; ***~ for sb***, (*νομ.*) ἀποφαίνομαι ὑπέρ: *The court found for the defendant*, τό δικαστήριον ἀπεφάνθη ὑπέρ τοῦ ἐναγομένου. ***~ sb in/out***, βρίσκω κπ στό σπίτι/νά λείπη. ***~ out***, βρίσκω, ἀνακαλύπτω, μαθαίνω: *We must ~ out when the train starts*, πρέπει νά μάθωμε πότε φεύγει τό τραῖνο. *F~ out where I've hidden it*, βρές ποῦ τό ἔκρυψα! ***~ sb out***, ἀνακαλύπτω, πιάνω κπ νά κάνη κτ κακό ἤ λάθος: *He was found out sticking pins in the teacher's chair*, τόν ἔπιασαν νά βάζη καρφίτσες στήν καρέκλα τοῦ δασκάλου. ***all found***, καί ὅλα τά ἔξοδα: *Wanted, a good cook, £50 a month and all found*, ζητεῖται καλός μάγειρος, μηνιαῖος μισθός 50 λίρες καί ὅλα τά ἔξοδα (τροφή, κατοικία, κλπ).

[1]**fine** /faɪn/ *οὐσ.* ‹C› πρόστιμο. __ρ.μ. ἐπιβάλλω πρόστιμο: ~ *sb for an offence*, ἐπιβάλλω πρόστιμο σέ κπ γιά μιά παράβαση. ~ *sb £10*, καταδικάζω κπ σέ πρόστιμο 10 λιρῶν.

[2]**fine** /faɪn/ *ἐπ.* (*-r, -st*) **1**. (*γιά καιρό*) καλός: *if the weather's ~*, ἄν ὁ καιρός εἶναι καλός. *It rained all morning, but turned ~ later*, ἔβρεχε ὅλο τό πρωΐ, ἀλλά ἀργότερα ἔφτιαξε ὁ καιρός. (*βλ. & λ. day*). **2**. ἔξοχος, περίφημος, ὡραῖος: *a ~ view*, ἔξοχη θέα. ~ *clothes*, πολύ ὄμορφα ροῦχα. *have a ~ time*, περνῶ περίφημα. *I'm feeling ~*, αἰσθάνομαι περίφημα. *That's a ~ excuse!* (*εἰρων.*) ὡραία δικαιολογία! **the ˈ~ ˋarts**, οἱ καλές τέχνες. **3**. (*γιά μέταλλα*) καθαρός: ~ *gold/silver*. **4**. λεπτός: ~ *silk*, λεπτό, φίνο μετάξι. *a pencil with a ~ point*, μολύβι μέ λεπτή μύτη. ~ *tastes*, λεπτά γοῦστα. *a ~ distinction*, μιά λεπτή διαφορά. ***not to put too ~ a point on it***, γιά νά τά ποῦμε σταρᾶτα, χωρίς περιστροφές. **5**. ψιλός: ~ *sand/dust*, ψιλή ἄμμος/σκόνη. **6**. ὀξύς: *His hearing is very ~*, ἡ ἀκοή του εἶναι ὀξυτάτη. **7**. εὐγενικός: ~ *feelings*, ὡραῖα, εὐγενικά αἰσθήματα. **8**. κομψός, ραφινάτος: *a ~ lady*, κομψή, ραφινάτη κυρία. **9**. ἐξεζητημένος, ὑπερβολικός: *call things by ~ names*, δίνω ἐξεζητημένες ὀνομασίες (σέ πράγματα). **~·ly** *ἐπίρ.* **1**. ὡραῖα, λαμπρά: *~ly dressed*, λαμπρά ντυμένος. **2**. λεπτά, ψιλά: *carrots ~ly chopped up*, ψιλοκομμένα καρότα.

[3]**fine** /faɪn/ *ἐπίρ.* λεπτά, περίφημα, ὡραῖα: *That suits me ~*, αὐτό μέ βολεύει περίφημα. ˈ~-ˋ*cut*, ψιλικομμένος. ˈ~-ˋ*drawn*, λεπτεπίλεπτος. ˈ~-ˋ*spoken*, γαλίφης. ˈ~-ˋ*spun*, ψιλοδουλεμένος.

fin·ery /ˋfaɪnərɪ/ *οὐσ.* ‹U› στολίδια, τά καλά (ροῦχα).

fi·nesse /fɪˋnes/ *οὐσ.* ‹U› φινέτσα, λεπτότης, πανουργία.

fin·ger /ˋfɪŋgə(r)/ *οὐσ.* ‹C› δάχτυλο (χεριοῦ) (*πρβλ. toe*): *We have five ~s on each hand*, ἔχομε πέντε δάχτυλα σέ κάθε χέρι. ***His ~s are all thumbs***, εἶναι πολύ ἀδέξιος, τά χέρια του εἶναι κούτσουρα. ***burn one's ~s***, (*μεταφ.*) καίγομαι, τήν παθαίνω (ἀπό ἀπερισκεψία). ***lay a ~ on sb***, ἁπλώνω χέρι σέ κπ, τόν ἀγγίζω: *I forbid you to lay a ~ on the boy*, σοῦ ἀπαγορεύω ν' ἀγγίξης τό παιδί. ***lay/put one's ~ on***, θέτω τόν δάκτυλον (ἐπί τόν τύπον τῶν ἥλων). ***not lift a ~ (to help sb)***, δέν κουνάω τό δαχτυλάκι μου (νά βοηθήσω κπ). ***twist sb round one's (little) ~***, παίζω κπ στά δάχτυλα, τόν κάνω ὅ,τι θέλω. (*βλ. & λ.* [3]*cross, pie*). **ˋ~·board**, τάσι βιολιοῦ, κλαβιέ πιάνου. **ˋ~-mark**, δαχτυλιά. **ˋ~·nail**, νύχι δακτύλου. **ˋ~-post**, ὁδοδείκτης. **ˋ~-print**, δακτυλικόν ἀποτύπωμα. **ˋ~·stall**, (*ἰατρ.*) δακτυλήθρα. **ˋ~·tip**, ἡ ἄκρη τοῦ δακτύλου: ***have sth at one's ~tips***, παίζω κτ στά δάχτυλα, τό ξέρω ἀπ' ἔξω κι' ἀνακατωτά. __ρ.μ. ψηλαφῶ, ἐγγίζω, πασπατεύω, γυρίζω κτ μέσ' στά δάχτυλα: ~ *a piece of cloth/one's tie*, πασπατεύω ἕνα ὕφασμα/παίζω τή γραββάτα μου μέ τά δάχτυλα.

fin·icky /ˋfɪnɪkɪ/ *ἐπ.* λεπτολόγος, σχολαστικός (στήν τροφή, στό ντύσιμο, κλπ).

[1]**fin·ish** /ˋfɪnɪʃ/ *οὐσ.* ‹U› (*μόνον ἑν.*) **1**. τελευταία

φάσις, φίνις: *the ~ of the race*, ἡ τελευταία φάσις τῆς κούρσας. ***be in at the ~***, βλέπω τό τέλος, εἶμαι στήν τελευταία φάση (πχ ἀγῶνος). ***a fight to the ~***, ἀγώνας μέχρι τέλους. **2**. φινίρισμα (ὑφάσματος), λεπτότης (ἐργασίας).

[2]**fin·ish** /ˋfɪnɪʃ/ *ρ.μ/ἀ.* **1**. τελειώνω: *~ one's work/a book*, τελειώνω τή δουλειά μου/ἕνα βιβλίο. *The school year ~s next week*, τό σχολικό ἔτος τελειώνει τήν ἄλλη ἑβδομάδα. *~ eating/reading/dressing*, τελειώνω τό φαΐ/τό διάβασμα/τό ντύσιμο. **2**. ἀποτελειώνω, τσακίζω, συντρίβω: *This last misfortune ~ed him*, αὐτή ἡ τελευταία ἀτυχία τόν ἀποτελείωσε, τόν συνέτριψε. *He's ~ed*, εἶναι ξοφλημένος! *That work ~ed me*, μέ ἀπόκαμε (μέ τσάκισε) αὐτή ἡ δουλειά. **3**. ***~ with sb/sth***, τελειώνω, ξεμπερδεύω: *I haven't ~ed with you/with the garden yet*, δέν ξεμπέρδεψα ἀκόμα μαζί σου/μέ τόν κῆπο. ***~ sth off/up***, τρώγω ἐντελῶς, καθαρίζω: *F~ up your soup*, τέλειωσε τή σούπα σου! *We ~ed up everything on the table*, καθαρίσαμε (φάγαμε) ὅ,τι ὑπῆρχε στό τραπέζι. ***~ sb off***, (*λαϊκ.*) σκοτώνω, ξεκάνω κπ: *That fever nearly ~ed him off*, λίγο ἔλειψε νά τόν ξεκάνη αὐτός ὁ πυρετός. ***to ~ up with***, γιά κλείσιμο, γιά ἐπιστέγασμα. **4**. καταλήγω: *He ~ed by admitting that...*, κατέληξε ὁμολογώντας (στό τέλος ὁμολόγησε) ὅτι... **5**. ὁλοκληρώνω, ἀποπερατώνω: *give a picture/a composition a few ~ing touches*, κάνω τό τελικό ρετουσάρισμα σ' ἕναν πίνακα/δίνω τό τελικό χτένισμα σέ μιά ἔκθεση. **ˋ~ing school**, σχολεῖο γενικῆς μορφώσεως (γιά πλουσιοκόριτσα).

fi·nite /ˋfaɪnaɪt/ *ἐπ.* **1**. πεπερασμένος, περιωρισμένος, ἔχων ὅρια: *Human understanding is ~*, ὁ ἀνθρώπινος νοῦς ἔχει τά ὅριά του. **2**. (*γραμμ.*) **ˈ~ ˋverb**, ρῆμα ὡρισμένου ἀριθμοῦ καί προσώπου.

fi·ord, fj·ord /fɪˋɔd/ *οὐσ.* ‹C› φιόρδ.

fir /fɜ(r)/ *οὐσ.* ‹C› ἔλατο. **ˋ~-cone**, κουκουνάρι.

[1]**fire** /ˋfaɪə(r)/ *οὐσ.* ‹C,U› **1**. φωτιά, πυρκαγιά: *a wood/an electric ~*, φωτιά μέ ξύλα/ἠλεκτρική θερμάστρα. ***There is no smoke without ~***, (*παροιμ.*) δέν ὑπάρχει καπνός χωρίς φωτιά. ***add fuel to the ~***, ρίχνω λάδι στή φωτιά. ***be on ~***, καίγομαι: *In a few minutes the whole house was on ~*, σέ λίγα λεπτά ὅλο τό σπίτι καιγόταν. ***lay a ~***, ἑτοιμάζω φωτιά. ***make a ~***, φτιάχνω, ἀνάβω φωτιά. ***make up a ~***, δυναμώνω μιά φωτιά. ***play with ~***, παίζω μέ τή φωτιά. ***set sth on ~; set ~ to sth***, βάζω φωτιά σέ κτ, πυρπολῶ κτ. ***not/never set the Thames on ~***, δέν διακρίνομαι. ***take/catch ~***, πιάνω/ἁρπάζω φωτιά. ***with/by ~ and sword***, διά πυρός καί σιδήρου. **2**. (*στρατ.*) πῦρ. ***between two ~s***, μεταξύ δύο πυρῶν. ***be under ~***, βάλλομαι. ***open/cease ~***, ἀρχίζω/παύω πῦρ. **running ~**, (*στρατ.*) καταιγιστικόν πῦρ, (*μεταφ.*) καταιγισμός ἐρωτήσεων, ἐπικρίσεων, κλπ. (*βλ.* & *λ.* [2]*hang*, [1]*water*) **3**. (*μεταφ.*) φλόγα, ἐνθουσιασμός: *eyes full of ~*, μάτια γεμᾶτα φλόγα. *His speech lacked ~*, ὁ λόγος του δέν εἶχε φλόγα, ἐνθουσιασμό. **4**. (*ὡς α! συνϑ.*) **ˋ~-alarm**, σειρήνα πυρκαγιᾶς. **ˋ~·arm**, (*συνήϑ. πληϑ.*) πυροβόλον ὅπλον. **ˋ~-bomb**, ἐμπρηστική βόμβα. **ˋ~·brand**, δαυλί, (*μεταφ.*) ἐμπρηστής, ταραχοποιός. **ˋ~·break**, (*σέ δάσος*) ἀποψιλωμένη ζώνη προστασίας κατά πυρκαγιᾶς. **ˋ~·brick**, πυρίμαχο τοῦβλο. **ˋ~-brigade**, πυροσβεστική ὑπηρεσία. **ˋ~-cracker**, τρακατρούκα. **ˋ~·dog**, πυροστιά. **ˋ~-eater**, καυγατζῆς. **ˋ~-engine**, πυροσβεστική ἀντλία. **ˋ~-escape**, σκάλα τῆς πυροσβεστικῆς, ἔξοδος κινδύνου σέ περίπτωση πυρκαγιᾶς. **ˋ~-extinguisher**, πυροσβεστήρ. **ˋ~·fly**, πυγολαμπίδα. **ˋ~·guard**, κιγκλίδωμα τζακιοῦ. **ˋ~-hose**, μάνικα, σωλήνας πυροσβεστικῆς ἀντλίας. **ˋ~-irons**, σιδερικά τζακιοῦ (τσιμπίδα, μασιά, κλπ). **ˋ~·light**, ἡ λάμψη, τό φῶς τῆς φωτιᾶς: *read by the ~light*, διαβάζω μέ τό φῶς τῆς φωτιᾶς. **ˋ~·lighter**, προσάναμμα. **ˋ~·man**, πυροσβέστης, θερμαστής. **ˋ~·place**, τζάκι, φωτογωνιά. **ˋ~ plug**, πυροσβεστικός κρουνός. **ˋ~-power**, (*στρατ.*) δύναμις πυρός. **ˋ~-proof**, πυρίμαχος, ἀλεξίπυρος, ἄκαυστος. **ˋ~-raising**, ἐμπρησμός. **ˋ~·side**, παραγώνι: *sit by/at the ~side*, κάθομαι στό παραγώνι. **ˋ~ station**, πυροσβεστικός σταθμός. **ˋ~-walking/-walker**, πυροβασία/πυροβάτης. **ˋ~-water**, (*καϑομ.*) σπίρτο (οὐΐσκυ, τζίν, ροῦμι). **ˋ~·wood**, καυσόξυλα. **ˋ~·work**, πυροτέχνημα. **ˋ~-worship**, πυρολατρεία.

[2]**fire** /ˋfaɪə(r)/ *ρ.μ/ἀ.* **1**. πυρπολῶ, βάζω/πιάνω φωτιά: *~ a haystack*, βάζω φωτιά σέ θημωνιά. **2**. ψήνω: *~ bricks*, ψήνω τοῦβλα. **3**. φλογίζω, ἐνθουσιάζω: *Enthusiasm ~d all hearts*, ὁ ἐνθουσιασμός φλόγιζε ὅλες τίς καρδιές. *He ~d them with promises*, τούς ἐνθουσίασε μέ ὑποσχέσεις. ***~ up***, φουντώνω, ἀνάβω (ἀπό θυμό): *She ~s up at the least thing*, φουντώνει μέ τό παραμικρό. **4**. ἐκπυρσοκροτῶ, πυροβολῶ, ρίχνω: *His revolver failed to ~*, τό πιστόλι του δέν ἐκπυρσοκρότησε. *He ordered his men to ~*, διέταξε τούς ἄνδρες του νά πυροβολήσουν. *without firing a shot*, χωρίς νά ρίξη τουφεκιά, ἀμαχητί. *~ a salute*, χαιρετῶ διά κανονιοβολισμοῦ. ***~ at/into/on/upon***, βάλλω, πυροβολῶ ἐναντίον: *The police ~d into the crowd*, ἡ ἀστυνομία πυροβόλησε κατά τοῦ πλήθους. ***~ away***, *(α)* πυροβολῶ συνέχεια, σπαταλῶ τά πυρομαχικά: *They ~d away at the enemy*, πυροβολοῦσαν ἀσταμάτητα τόν ἐχθρό. *They ~d away all their ammunition*, σπατάλησαν ὅλα τά πυρομαχικά τους. *(β)* (*μεταφ.*) ἀρχίζω (ἀπανωτές ἐρωτήσεις): *I'm ready to answer all your questions; ~ away!* εἶμαι ἕτοιμος ν' ἀπαντήσω σ' ὅλες σου τίς ἐρωτήσεις, ἐμπρός, ρώτησε ὅ,τι θέλεις. **ˋfiring-line**, (*στρατ.*) πρώτη γραμμή πυρός. **ˋfiring-party**, ἀπόσπασμα τιμητικῶν βολῶν. **ˋfiring-squad**, ἐκτελεστικόν ἀπόσπασμα. **5**. (*καϑομ.*) ἀπολύω: *I'll ~ my secretary*, θ' ἀπολύσω τή γραμματέα μου. *You're ~d!* ἀπολύεσαι!

fir·kin /ˋfɜkɪn/ *οὐσ.* ‹C› βαρελάκι (9 γαλλονιῶν).

[1]**firm** /fɜm/ *ἐπ.* *(-er, -est)* **1**. σφιχτός, στερεός, γερός: *~ flesh*, σφιχτή σάρκα. *take a ~ hold of sth*, πιάνω κτ σφιχτά, γερά. **2**. στέρεος: *~ ground*, στέρεο ἔδαφος. *as ~ as a rock*, στέρεος σά βράχος. **3**. σταθερός: *speak in a ~ voice*, μιλῶ μέ σταθερή φωνή. *walk with*

~ *steps*, περπατῶ μέ σταθερά βήματα. *be ~ of/in purpose*, εἶμαι σταθερός στό σκοπό μου. **4**. αὐστηρός: *be ~ with the children*, εἶμαι αὐστηρός στά παιδιά. **5**. ἀκλόνητος, ἀμετακίνητος: *be ~ in one's faith/beliefs*, εἶμαι ἀκλόνητος στήν πίστη μου/στίς πεποιθήσεις μου. —ἐπίρ. σταθερά, γερά: *stand ~*, μένω σταθερός. *hold ~*, κρατῶ γερά. —ρ.μ/ἀ. σταθεροποιῶ/-οῦμαι, στερεώνω. **~·ly** ἐπίρ. σταθερά: *I ~ly believe that*..., πιστεύω ἀπολύτως, εἶμαι τελείως πεπεισμένος ὅτι... **~·ness** οὐσ. ‹U› σταθερότης, αὐστηρότης.

[2]**firm** /fɜm/ οὐσ. ‹C› ἑταιρία, ἐμπορικός οἶκος, φίρμα.

fir·ma·ment /ˈfɜməmənt/ οὐσ. **the ~**, στερέωμα, οὐράνιος θόλος.

[1]**first** /fɜst/ ἐπ. **1**. πρῶτος: *He was the ~ boy to come*, ἦταν τό πρῶτο παιδί πού ἦλθε. *King George the F~*, ὁ βασιλεύς Γεώργιος Α! **at the ~ opportunity**, σέ πρώτη εὐκαιρία. **in the ~ place**, ἐν πρώτοις, κατά πρῶτον. **at ~ sight**, ἐκ πρώτης ὄψεως, κεραυνοβόλος: *At ~ sight the problem seemed easy*, ἐκ πρώτης ὄψεως τό πρόβλημα φαινόταν εὔκολο. *love at ~ sight*, κεραυνοβόλος ἔρως. *(the)* **~ thing**, τό πρῶτο πρᾶγμα (πού θά κάνω), τό πρωτοπρῶτο. **2**. **ˈ~ ˋaid**, οἱ πρῶτες βοήθειες. **ˈ~ ˋclass** οὐσ. ‹U› πρώτη θέσις. —ἐπ. πρώτης κατηγορίας/θέσεως: *a ~-class hotel/passenger*, ξενοδοχεῖο α! κατηγορίας/ἐπιβάτης α! θέσεως. **ˈ~ ˋgear**, πρώτη (ταχύτης). **ˈ~-ˋhand** ἐπ. & ἐπίρ. ἀπό πρῶτο χέρι: *~-hand information; learn sth ~-hand*, πληροφορίες/μαθαίνω κτ ἀπό πρῶτο χέρι. **ˋ~ name**, βαφτιστικό ὄνομα: *be on ~ name terms with sb*, μιλῶ σέ κπ μέ τό μικρό του ὄνομα. **ˈ~ ˋnight**, (θεατρ.) πρεμιέρα. **ˈ~-ˋrate** ἐπ. & ἐπίρ. πρώτης τάξεως, περίφημα: *~-rate acting*, πρώτης τάξεως ἠθοποιΐα. *We're getting along ~-rate together*, τά πᾶμε περίφημα μαζί. **~·ly** ἐπίρ. κατά πρῶτον, ἐν πρώτοις.

[2]**first** /fɜst/ ἐπίρ. **1**. πρῶτα, πρίν, πρωτίστως: *Women and children ~*, πρῶτα οἱ γυναῖκες καί τά παιδιά. *Ladies ~*, οἱ κυρίες προηγοῦνται. *come/arrive ~*, ἔρχομαι/φθάνω πρῶτος. *I must finish this work ~*, πρέπει νά τελειώσω πρῶτα αὐτή τή δουλειά. *When I ~ saw him*..., ὅταν τόν πρωτοεῖδα, ὅταν τόν εἶδα γιά πρώτη φορά... **~ of all**; **~ and foremost**, πρῶτα ἀπ' ὅλα, πρῶτα-πρῶτα. **F~ come, ~ served**, ἄν εἶσαι καί παπᾶς μέ τήν ἀράδα σου θά πᾶς. **ˋ~·born** οὐσ. ‹C› & ἐπ. πρωτότοκος. **2**. καλύτερα, μᾶλλον, προτιμώτερο: *I'll die ~*, καλύτερα νά πεθάνω (ἐνν. παρά νά κάνω αὐτό).

[3]**first** /fɜst/ οὐσ. ‹C,U› **1**. πρῶτος: *He was the ~ to arrive*, ἦταν ὁ πρῶτος πού ἦλθε. *get a ~ in classics*, παίρνω "λίαν καλῶς", ἔρχομαι στήν πρώτη σειρά, στίς κλασσικές σπουδές. **2**. ἀρχή. **at ~**, κατ' ἀρχήν, στήν ἀρχή. **from ~ to last**, ἀπ' ἀρχῆς μέχρι τέλους. **from the ~**, ἀπό τήν ἀρχή, ἀπό τήν πρώτη στιγμή.

firth /fɜθ/ οὐσ. ‹C› ἐσοχή θαλάσσης, φιόρδ, ἐκβολή (ποταμοῦ).

fis·cal /ˈfiskl/ ἐπ. δημοσιονομικός, οἰκονομικός: *the ~ year*, τό οἰκονομικόν ἔτος.

[1]**fish** /fiʃ/ οὐσ. ‹C› (πληθ. ~ ἤ ~es) **1**. ψάρι: *catch a ~/two ~(es)/a lot of ~*, πιάνω ἕνα ψάρι/δύο ψάρια/μπόλικο ψάρι. *freshwater ~*, ψάρι τοῦ γλυκοῦ νεροῦ. **be like a ~ out of water**, εἶμαι σάν ψάρι ἔξω ἀπ' τό νερό, ἔχω χάσει τά νερά μου. **a pretty kettle of ~**, ἀνακάτωμα, μπλέξιμο. **have other ~ to fry**, ἔχω ἄλλες σκουτοῦρες, ἄλλους μπελάδες στό μυαλό μου. **There's as good ~ in the sea as ever came out of it**, (παροιμ.) δέ χάθηκε ὁ κόσμος (δηλ. δέν πειράζει πού χάθηκε μιά εὐκαιρία, θἄρθουν ἄλλες). **2**. (λαϊκ.) ἄνθρωπος, τύπος: *He's a queer ~*, εἶναι ἰδιόρρυθμος τύπος. **3**. **ˋ~·ball**, **ˋ~·cake**, ψαροκεφτές, κροκέττα ἀπό ψάρι. **ˋ~·bone**, ψαροκόκκαλο. **ˋ~-knife**, μαχαίρι τοῦ ψαριοῦ. **ˋ~·monger**, ψαροπώλης, ψαρᾶς. **ˋ~·wife**, ψαροπώλις (ἰδ. σέ λαϊκές ἀγορές). **~y** ἐπ. *(-ier, -iest)* **1**. τοῦ ψαριοῦ: *a ~y smell/taste*, μυρουδιά/γεῦσις ψαριοῦ. **2**. ὕποπτος: *a ~y story/business; ~ behaviour*, ὕποπτη ἱστορία/ἐπιχείρησις/συμπεριφορά. *There's something ~y about it/him*, ὑπάρχει κτ ὕποπτο σ' αὐτό/σ' αὐτόν.

[2]**fish** /fiʃ/ ρ.μ/ἀ. ἁλιεύω, ψαρεύω: *go ~ing*, πάω γιά ψάρεμα. *~ in the sea/~ a river*, ψαρεύω στή θάλασσα/σέ ποτάμι. **~ in troubled waters**, ψαρεύω σέ θολά νερά. **~ for information/compliments**, ψαρεύω (ἐπιζητῶ) πληροφορίες/κομπλιμέντα. **~ out** *(of)*; **~ up**, ἀνασύρω, βγάζω: *~ out a coin from one's pocket*, βγάζω ἕνα νόμισμα ἀπό τήν τσέπη μου. *~ up a dead cat out of a canal*, βγάζω μιά ψόφια γάτα ἀπό ἕνα κανάλι. *~ secrets out of sb*, ψαρεύω μυστικά ἀπό κπ. **~·ing** οὐσ. ‹U› ψάρεμα. **ˋ~ing boat**, ψαρόβαρκα. **ˋ~ing-line**, πετονιά. **ˋing-rod**, καλάμι ψαρέματος. **ˋ~ing-tackle**, τά σύνεργα ψαρικῆς. **~er** οὐσ. ‹C› (ἀπηρχ.) ψαρᾶς.

fish·er·man /ˈfiʃəmən/ οὐσ. ‹C› (ἐπαγγελματίας) ψαρᾶς. (πρβλ. *angler*).

fish·ery /ˈfiʃəri/ οὐσ. ‹C› τόπος ἁλιείας, ψαρότοπος.

fission /ˈfiʃn/ οὐσ. ‹U› (φυσ.) διάσπασις τοῦ ἀτόμου: *nuclear ~*, πυρηνική διάσπασις.

fis·sure /ˈfiʃə(r)/ οὐσ. ‹C› ρωγμή, σχισμή, χαραμάδα.

fist /fist/ οὐσ. ‹C› γροθιά: *He struck me with his ~*, μέ χτύπησε μέ τή γροθιά του. *He shook his ~ at me*, μέ ἀπείλησε κουνώντας τή γροθιά του. **~i·cuffs** /ˈfistɪkʌfs/ οὐσ. πληθ. γροθιές, γρονθοκοπήματα.

fis·tula /ˈfistʃʊlə/ οὐσ. ‹C› (πληθ. *~s*) (ἰατρ.) συρίγγιον.

[1]**fit** /fit/ ἐπ. *(-ter, -test)* **1**. κατάλληλος, ἄξιος, ἐνδεδειγμένος: *~ to eat/to drink*, κατάλληλος γιά φάγωμα/γιά πιόσιμο. *a dinner ~ for a king*, γεῦμα ἄξιο γιά βασιλῆ. *He's not ~ for the position*, δέν εἶναι ἐνδεδειγμένος γιά τή θέση. **2**. ὀρθός, σωστός, πρέπων: *It is not ~ that you should go*, δέν εἶναι πρέπον νά πᾶς. *Do as you think ~*, κάμε ὅ,τι θεωρεῖς σωστό. **3**. ὑγιής, ἱκανός, σέ φόρμα: *do exercises to keep ~*, κάνω ἀσκήσεις γιά νά διατηρηθῶ ὑγιής, σέ φόρμα. *He is not ~ for work/to travel yet*, δέν εἶναι ἱκανός γιά δουλειά/νά ταξιδέψη ἀκόμα. **4**. (καθομ. ὡς ἐπίρ.) ἕτοιμος, πού κοντεύω νά: *They went on working till they were ~ to drop*, συνέχισαν νά δουλεύουν ὥσπου κόντευαν νά πέσουν κάτω. *He was laughing ~ to burst*, γελοῦσε τόσο πού κόντευε

νά σκάση. **~·ly** *ἐπίρ.* δεόντως, καταλλήλως. **~·ness** *οὐσ.* ‹U› καταλληλότης, ἱκανότης, ὑγεία.

[2]**fit** /fɪt/ *ρ.μ/ὰ.* *(-tt-)* **1**. (*γιά μέγεθος, σχῆμα, κλπ*) ταιριάζω, πηγαίνω, (προσ)αρμόζω: *Do these shoes ~ you well?* σοῦρχονται καλά αὐτά τά παπούτσια; *The key doesn't ~ the lock*, τό κλειδί δέν πάει (δέν ταιριάζει) στήν κλειδαριά. *make the punishment ~ the crime*, προσαρμόζω τήν ποινή πρός τό ἀδίκημα. **2**. προβάρω: *have a new suit ~ted*, προβάρω ἕνα καινούργιο κοστούμι. **3**. τοποθετῶ, βάζω: *~ a new lock on a door*, βάζω καινούργια κλειδαριά σέ μιά πόρτα. **4**. συναρμολογῶ: *~ parts together/a machine*, συναρμολογῶ τεμάχια/μιά μηχανή. **5**. (προ)γυμνάζω, προετοιμάζω: *~ oneself for a post*, προετοιμάζομαι γιά μιά θέση. **6**. ***~ in (with)***, συνταιριάζω: *I must ~ my holidays in with yours*, πρέπει νά συνταιριάξω τίς διακοπές μου μέ τίς δικές σου. ***~ sb/sth out***, ἐφοδιάζω: *~ out a ship for a long voyage*, ἐφοδιάζω πλοῖο γιά μακρυνό ταξίδι. *~ out a party for a climb*, ἐφοδιάζω μιά ὁμάδα γιά ὀρειβασία. ***~ sb/sth up***, ἐξοπλίζω (μέ τά χρειώδη): *~ up a new hotel*, ἐξοπλίζω ἕνα καινούργιο ξενοδοχεῖο. —*οὐσ.* ‹U› ἐφαρμογή: *These shoes are a perfect ~*, αὐτά τά παπούτσια ἔχουν τέλεια ἐφαρμογή, μοῦρχονται κουτί. *The coat is a tight ~*, τό σακκάκι εἶναι στενό.

[3]**fit** /fɪt/ *οὐσ.* ‹C› **1**. παροξυσμός, κρίσις, σπασμοί: *a ~ of coughing*, παροξυσμός βήχα. *a `fainting ~*, λιποθυμία. *fall down in a ~*, πέφτω ξερός, μέ σπασμούς. ***give sb a ~***, (*καθομ.*) κάνω κπ νά πάθη κρίση, τόν κάνω ἔξω φρενῶν. ***have a ~***, (*καθομ.*) παθαίνω νευρική κρίση: *She almost had a ~ when she saw the bill*, παρ' ὀλίγον νά πάθη νευρική κρίση (νά τῆς ἔρθη κόλπος) ὅταν εἶδε τό λογαριασμό. **2**. ἔκρηξις, ξέσπασμα: *a ~ of energy/enthusiasm/anger/jealousy*, ἔκρηξις δραστηριότητος/ξέσπασμα ἐνθουσιασμοῦ/θυμοῦ/ζήλειας. ***by/in ~s and starts***, κατά περιόδους, ἀκανόνιστα, σπασμωδικά: *work by ~s and starts*, δουλεύω ἀκανόνιστα, κατά τά κέφια μου. ***go into ~s of laughter***, μέ πιάνουν νευρικά γέλια. **3**. (*παλ.*) διάθεσις, οἶστρος, κέφι: *When the ~ was on him, he would go into his study and work*, ὅταν εἶχε διάθεση (ὅταν τοῦ ἐρχόταν τό κέφι), πήγαινε στό γραφεῖο του καί δούλευε. **~·ful** /-fl/ *ἐπ.* ἄστατος, ἀκανόνιστος, εὐμετάβολος: *a ~ful breeze*, ἄστατο ἀεράκι. **~·fully** /-fəlɪ/ *ἐπίρ.* ἄστατα.

fit·ment /`fɪtmənt/ *οὐσ.* ‹C› ἐξάρτημα, ἔπιπλο: *kitchen ~s*, ἐξαρτήματα τῆς κουζίνας (νεροχύτης, ντουλάπια, κλπ).

fit·ter /`fɪtə(r)/ *οὐσ.* ‹C› ἐφαρμοστής, μονταδόρος, ράφτης.

fit·ting /`fɪtɪŋ/ *ἐπ.* πρέπων, ἁρμόζων, ταιριαστός: *a ~ reply*, πρέπουσα ἀπάντησις. —*οὐσ.* ‹C› **1**. πρόβα: *go to the tailor's for a ~*. **2**. (*συνήθ. πληθ.*) ἐξαρτήματα, ἐπίπλωσις: *gas and electric light ~s*, ἐγκαταστάσεις γκαζιοῦ καί ἠλεκτρικοῦ. *office ~s*, ἐπίπλωσις γραφείου.

five /faɪv/ *ἐπ.* & *οὐσ.* ‹C› πέντε: *a ~-day week*, ἑβδομάδα πέντε (ἐργασίμων) ἡμερῶν. ***`~-fold***, *ἐπ.* & *ἐπίρ.* πενταπλάσιος/-σίως. **~r** *οὐσ.* ‹C› (*καθομ.*) πεντόλιρο.

[1]**fix** /fɪks/ *ρ.μ/ὰ.* **1**. στερεώνω, μπήγω, καρφώνω: *~ a shelf to a wall*, στερεώνω, βάζω ἕνα ράφι σέ τοῖχο. *~ sth in one's mind*, ἀποτυπώνω, καρφώνω κτ στό νοῦ μου. *~ sb with an angry stare*, καρφώνω κπ μέ ἄγρια ματιά, ἀγριοκοιτάζω κπ. ***F~ bayonets!*** ἐφ' ὅπλου λόγχη! **2**. ***~ on***, καρφώνω, προσηλώνω: *~ one's eyes/attention/affections on sb*, καρφώνω τά μάτια μου/προσηλώνω τήν προσοχή μου/δίνω τήν ἀγάπη μου σέ κπ. **3**. προσελκύω: *The sight ~ed his attention*, τό θέαμα προσείλκυσε τήν προσοχή του. **4**. (καθ)ορίζω: *~ a date for a meeting; ~ the rent/prices*, καθορίζω ἡμερομηνία γιά μιά συνάντηση/τό ἐνοίκιο/τιμές. *On the day ~ed*, τήν ὡρισμένη ἡμέρα. **5**. ***~ sb up (with)***, βολεύω, τακτοποιῶ: *~ a friend up with a job*, τακτοποιῶ ἕνα φίλο σέ δουλειά. *~ sb up for the night*, τακτοποιῶ κπ γιά τή νύχτα. **6**. ***~ (up)on***, παίρνω ἀπόφαση γιά κτ, διαλέγω: *They've ~ed upon a villa in Glyphada*, διάλεξαν μιά βίλλα στή Γλυφάδα. **7**. φτιάχνω (=ἑτοιμάζω, διορθώνω): *~ one's hair/a watch/a drink/a salad*, φτιάχνω τά μαλλιά μου/ἕνα ρολόϊ/ἕνα ποτό/μιά σαλάτα. **8**. (*λαϊκ.*) κανονίζω: *~ a judge*, κανονίζω ἕνα δικαστή (τόν δωροδοκῶ). *I'll ~ him*, θά τόν κανονίσω (θά τόν ἐκδικηθῶ).

[2]**fix** /fɪks/ *οὐσ.* ‹C› **1**. δύσκολη θέσις, μπλέξιμο. ***be in a ~***, εἶμαι σέ δύσκολη θέση, ἔχω μπελάδες: *Now we're in a nice ~!* ὡραῖα τήν πάθαμε! ***get into a ~***, ἔρχομαι σέ δύσκολη θέση, μπλέκω. ***get out of a ~***, ξεμπλέκω. **2**. στῖγμα (προσανατολισμοῦ). **3**. (*λαϊκ.*) ἔνεσις (ναρκωτικοῦ).

fix·ation /fɪk`seɪʃn/ *οὐσ.* ‹C› στερέωμα, φιξάρισμα, (*ψυχολ.*) προσήλωσις, καθήλωσις, ἔμμονη ἰδέα.

fixa·tive /`fɪksətɪv/ *οὐσ.* ‹C› στερεωτική οὐσία: *hair ~*, λάκα μαλλιῶν.

fixed /fɪkst/ *ἐπ.* **1**. ἀκίνητος: *a ~ star*, ἀπλανής ἀστήρ. **2**. πάγιος, μόνιμος: *~ costs*, πάγια ἔξοδα. **3**. ἀμετάβλητος: *~ prices*, ὡρισμένες τιμές. **4**. ἔμμονος: *a ~ idea*, ἔμμονος ἰδέα. **5**. σταθερός: *a ~ window*. **~·ly** /`fɪksɪdlɪ/ *ἐπίρ.* ἐπίμονα, σταθερά: *look ~ly at sb*, κοιτάζω ἐπίμονα κπ.

fix·ture /`fɪkstʃə(r)/ *οὐσ.* ‹C› **1**. (*συνήθ. πληθ.*) ἐντοιχισμένο ἔπιπλο ἤ προσάρτημα ἀκινήτου. **2**. (*καθομ.*) ἀναπόσπαστο ἐξάρτημα: *Professor Smith seems to be a ~ in the college*, ὁ Καθηγητής Σμίθ φαίνεται νά ἔχη ριζώσει στό κολλέγιο. **3**. (ἡμέρα γιά) ἀθλητική συνάντηση: *racing ~s*, ἡμέρες ἱπποδρομιῶν.

fizz /fɪz/ *ρ.ὰ.* σφυρίζω, τσιρίζω, (*πχ* σόδα ἤ γκάζι). —*οὐσ.* ‹U› σφύριγμα, τσίριγμα, (*καθομ.*) σαμπάνια. **~y** *ἐπ.* *(-ier, -iest)* μέ ἀνθρακικό: *~y drinks*, ἀνθρακοῦχα ποτά.

fizzle /`fɪzl/ *ρ.ὰ.* σφυρίζω ἀδύνατα, τσιρίζω. ***~ out***, ξεθυμαίνω, σβήνω, ἀποτυχαίνω.

flab·ber·gast /`flæbəgast/ *ρ.μ.* (*καθομ.*) καταπλήσσω, ἀφήνω ἐμβρόντητον: *I was ~ed at the news*, ἔμεινα ἐμβρόντητος μαθαίνοντας τά νέα.

flabby /`flæbɪ/ *ἐπ.* *(-ier, -iest)* πλαδαρός, χαλαρός, ἀδύνατος: *~ cheeks/muscles*, πλαδαρά μάγουλα/χαλαροί μῦες. *a ~ will/character*, ἀδύνατη θέληση/ἀδύνατος χαρακτήρας. **flab·bi·ness** *οὐσ.* ‹U› πλαδαρότης, χαλαρότης, ἀδυναμία.

flac·cid /ˋflæksɪd/ *ἐπ.* πλαδαρός, χαλαρός. **~·ity** /flækˋsɪdətɪ/ *οὐσ.* ‹U› πλαδαρότης.

[1]**flag** /flæg/ *οὐσ.* ‹C› σημαία: *deck a house/a street with ~s*, σημαιοστολίζω σπίτι/δρόμο. **~ of convenience**, σημαία εὐκαιρίας. ***lower/strike one's ~***, ὑποστέλλω τή σημαία μου, (*μεταφ.*) παραδίδομαι. **ˋ~-captain**, κυβερνήτης ναυαρχίδος. **ˋ~-day**, ἡμέρα δημοσίου ἐράνου, (*ΗΠΑ*) ἡ 14η Ἰουνίου. **ˋ~ officer**, ὑποναύαρχος. **ˋ~pole**; **ˋ~staff**, κοντάρι σημαίας. **ˋ~·ship**, ναυαρχίς. —*ρ.μ.* *(-gg-)* **1**. σημαιοστολίζω (σπίτια, δρόμους, πλοῖα, κλπ). **2**. μεταδίδω σήματα (μέ σημαῖες): *~ down a train*, σταματῶ τραῖνο (μέ κόκκινη σημαία).

[2]**flag** /flæg/ *ρ.ἀ.* *(-gg-)* (*γιά φυτά*) μαραίνομαι, γέρνω χαλαρά, (*μεταφ.*) ἐξασθενίζω, μειώνομαι, πέφτω: *His interest in my work was ~ging*, τό ἐνδιαφέρον του γιά τή δουλειά μου ἄρχισε νά μειώνεται. *His enthusiasm never ~ged*, ὁ ἐνθουσιασμός του δέν ἔπεφτε, ἔμενε ἀμείωτος.

[3]**flag** /flæg/ *οὐσ.* ‹C› (*ἐπίσης ˋ~·stone*) πλάκα (πεζοδρομίου, κλπ): *a yard floored with ~s*, αὐλή στρωμένη μέ πλάκες.

[4]**flag** /flæg/ *οὐσ.* ‹C› (*φυτ.*) ἴρις.

flagel·late /ˋflædʒɪleɪt/ *ρ.μ.* μαστιγώνω. **flagel·la·tion** /ˈflædʒɪˋleɪʃn/ *οὐσ.* ‹C,U› μαστίγωσις.

flagon /ˋflægən/ *οὐσ.* ‹C› καράφα, νταμιζάνα.

fla·grant /ˋfleɪgrənt/ *ἐπ.* κατάφωρος, σκανδαλώδης: *a ~ injustice/case*, κατάφωρος ἀδικία/σκανδαλώδης περίπτωσις. **~·ly** *ἐπίρ.* καταφώρως.

flail /fleɪl/ *οὐσ.* ‹C› κόπανος. —*ρ.μ.* χτυπῶ.

flair /fleə(r)/ *οὐσ.* ‹C,U› ἐνστικτώδης ἱκανότης, φυσική κλίσις, διαίσθησις: *He has a ~ for languages/for bargains*, ἔχει κλίση στίς γλῶσσες/μυρίζεται τίς εὐκαιρίες.

flak /flæk/ *οὐσ.* ‹C› ἀντιαεροπορικόν (πῦρ ἤ πυροβόλον).

flake /fleɪk/ *οὐσ.* ‹C› νιφάδα, λεπτή φλούδα, λέπι: *ˋsnow~s*, νιφάδες χιονιοῦ. *~s of rust*, φλοῦδες σκουριᾶς. *The paint is coming off in ~s*, ἡ μπογιά βγαίνει κομμάτια. —*ρ.ἀ.* *~* ***(off)***, ξεφλουδίζομαι: *The paint ~s off*, ἡ μπογιά ξεφλουδίζει. **flaky** *ἐπ.* *(-ier, -iest)* πού ἀποτελεῖται ἀπό λεπτές φλοῦδες, λεπιοειδής: *flaky pastry*, πάστα σφολιάτα.

flam·beau /ˋflæmbəʊ/ *οὐσ.* ‹C› (*πληθ.* *~x ἤ ~s* /-bəʊz/) πυρσός.

flam·boy·ant /flæmˋbɔɪənt/ *ἐπ.* φανταχτερός, πολυστολισμένος, (*γιά ἄνθρ.*) ἐπιδεικτικός. **~·ly** *ἐπίρ.* **flam·boy·ance** /-əns/ *οὐσ.* ‹U›.

[1]**flame** /fleɪm/ *οὐσ.* ‹C,U› **1**. φλόγα: *The house was in ~s*, τό σπίτι καιγόταν μέ φλόγες. *a ~ of anger/indignation/enthusiasm*, φλόγα θυμοῦ/ἀγανακτήσεως/ἐνθουσιασμοῦ. **ˋ~-thrower**, (*στρατ.*) φλογοβόλον. **2**. (*καθομ.*) ἀγάπη, φιλενάδα, ἀμόρε: *She's an old ~ of mine*, εἶναι παληό μου ἀμόρε.

[2]**flame** /fleɪm/ *ρ.ἀ.* φλέγομαι, βγάζω φλόγες, φλογίζομαι, ἀνάβω: *The fire ~d up*, ἡ φωτιά πέταξε φλόγες, φούντωσε. *hillsides flaming with the colours of autumn*, πλαγιές πού φλογίζονται ἀπό τά χρώματα τοῦ φθινοπώρου. *His face ~d with anger*, τό πρόσωπό του ἄναψε ἀπό θυμό. **flam·ing** *ἐπ.* **1**. φλεγόμενος, καυτός: *a flaming sun*, καυτός ἥλιος. **2**. (*λαϊκ.*) διαβολο-, ἀναθεματισμένος.

flan /flæn/ *οὐσ.* ‹C› τάρτα φρούτων.

flange /flændʒ/ *οὐσ.* ‹C› φλάντζα, κολλάρο, πατούρα.

flank /flæŋk/ *οὐσ.* ‹C› **1**. λαγόνα (ζώου ἤ ἀνθρώπου). **2**. πλαγιά, (*στρατ.*) πλευρόν: *attack the left ~*, ἐπιτίθεμαι στό ἀριστερό πλευρό. *a ~ attack*, πλευρική ἐπίθεσις. —*ρ.μ.* **1**. βρίσκομαι στά πλευρά: *We were ~ed by mountains*, εἴχαμε βουνά καί στά δυό πλευρά μας. **2**. πλευροκοπῶ.

flan·nel /ˋflænl/ *οὐσ.* **1**. ‹U› φανέλλα: *~ trousers/shirts*, παντελόνι/πουκάμισα ἀπό φανέλλα. **2**. (*πληθ.*) φανελλένιο παντελόνι. **3**. ‹C› φανελλένια πετσετούλα: *a ˋface-~*, πετσετούλα τοῦ προσώπου.

[1]**flap** /flæp/ *οὐσ.* ‹C› **1**. φτεροκόπημα, πλατάγισμα, κυμάτισμα (σημαιῶν, κλπ). **2**. καπάκι (τσέπης), φύλλο (τραπεζιοῦ), (*ἀερ.*) πτερύγιον καμπυλότητος. **3**. ***be in/get into a ~***, (*λαϊκ.*) τά χάνω, παθαίνω τράκ, πανικοβάλλομαι: *See you don't get into a ~ when the examiner...*, κοίτα μήν τά χάσης ὅταν ὁ ἐξεταστής...

[2]**flap** /flæp/ *ρ.μ./ἀ.* *(-pp-)* **1**. χτυπῶ ἐλαφρά: *~ the flies away/off*, κυνηγῶ τίς μυῖγες. **2**. φτεροκοπῶ: *An eagle came ~ping over the rocks*, ἕνας ἀετός ἦρθε φτεροκοπώντας πάνω ἀπ' τά βράχια. *The bird ~ped its wings*, τό πουλί χτύπησε τίς φτεροῦγες του. **3**. πλαταγίζω, ἀνεμίζω, κυματίζω: *The wind ~ped the sails*, ὁ ἀέρας πλατάγιζε τά πανιά. *flags/curtains ~ping*, σημαῖες πού κυματίζουν/κουρτίνες πού ἀνεμίζουν. **4**. (*λαϊκ*) πανικοβάλλομαι, τά χάνω, παθαίνω τράκ.

flap·jack /ˋflæpdʒæk/ *οὐσ.* ‹C› τηγανίτα, κρέπα.

flap·per /ˋflæpə(r)/ *οὐσ.* ‹C› **1**. μυιγοσκοτώστρα. **2**. πτερύγιον ψαριοῦ. **3**. (*λαϊκ. πεπαλ.*) κοριτσόπουλο.

flare /fleə(r)/ *οὐσ.* **1**. ‹U› λάμψις, ἀναλαμπή: *the ~ of torches*, ἡ λάμψη τῶν πυρσῶν. **2**. ‹C› φωτοβολίδα. —*ρ.ἀ.* **1**. τρεμολάμπω, φεγγοβολῶ: *The candle began to ~*, τό κερί ἄρχισε νά τρεμολάμπη. **2**. ***~ up***, (*κυριολ. & μεταφ.*) φουντώνω: *She ~s up at the least thing*, φουντώνει μέ τό παραμικρό. *Fighting ~d up again*, οἱ μάχες φούντωσαν πάλι. **ˋ~-up** *οὐσ.* ‹C› φούντωμα, ἔκρηξις ὀργῆς.

[1]**flash** /flæʃ/ *οὐσ.* ‹C› **1**. ἀστραπή, ἀναλαμπή, σπινθηροβόλημα: *a ~ from a gun*, λάμψις πυροβόλου. *a ~ of lightning*, μιά ἀστραπή. *a ~ of genius/hope*, σπίθα μεγαλοφυΐας/ἐλπίδας. *a ~ of inspiration*, ἀστραπιαία ἔμπνευσις. *a ~ of wit*, εὐφυολόγημα. ***in a ~***, στή στιγμή, ἀστραπιαῖα: *It all happened in a ~*, ἔγιναν ὅλα ἀστραπιαῖα. ***a ~ in the pan***, (*μεταφ.*) φούρια πού πέρασε, σαπουνόφουσκα. **ˋ~·bulb**, λάμπα τοῦ φλάς. **ˋ~·light** ἠλεκτρικός φακός, (*φωτογρ.*) φλάς, (*γιά φάρο*) ἀναλαμπή. **2**. διακριτικόν σῆμα (σέ ἐπωμίδα). **3**. εἴδησις. **4**. (*ἐπιθ.*) (*καθομ.*) φανταχτερός, λουσάτος: *a ~ sports car*, λουσάτο σπόρ αὐτοκίνητο.

[2]**flash** /flæʃ/ *ρ.μ./ἀ.* **1**. λάμπω, ἀστράφτω: *Her eyes ~ed with anger*, τά μάτια της ἄστραφταν

ἀπό θυμό. **2**. περνῶ σάν ἀστραπή: *The idea ~ed through/into his mind*, ἡ ἰδέα πέρασε σάν ἀστραπή ἀπό τό μυαλό του. *The train ~ed past*, τό τραῖνο προσπέρασε σάν ἀστραπή. **3**. ρίχνω, πετῶ, μεταδίδω: *~ a light in sb's eyes*, ρίχνω φῶς στά μάτια κάποιου. *~ sb a glance*, ρίχνω (ἀστραπιαῖα) ματιά σέ κπ. *Her eyes ~ed fire/defiance*, τά μάτια της πετοῦσαν σπίθες/ἦταν ὅλο πρόκληση. *~ a signal/news*, μεταδίδω σινιάλο/εἰδήσεις (μέ ράδιο, TV, κλπ).

flashy /ˈflæʃɪ/ *ἐπ. (-ier, -iest)* φανταχτερός, χτυπητός, λουσάτος: *~ jewels/clothes/colours*, φανταχτερά κοσμήματα/ροῦχα/χτυπητά χρώματα. **flash·ily** /ˈflæʃəlɪ/ *ἐπίρ.* φανταχτερά.

flask /flɑsk/ *οὐσ.* ‹C› παγούρι, φλάσκα, φιάλη.

[1]**flat** /flæt/ *οὐσ.* ‹C› διαμέρισμα: *ˈ~-dwellers*, ἄνθρωποι πού μένουν σέ διαμερίσματα. ***block of ~s***, πολυκατοικία. **ˈ~·let** /-lət/ διαμερισματάκι, γκαρσονιέρα. **ˈself-conˈtained ˈ~**, ἀνεξάρτητο διαμέρισμα.

[2]**flat** /flæt/ *ἐπ. (-ter, -test)* **1**. ἐπίπεδος, οριζόντιος, ὁμαλός, στρωτός, πλακέ (σάν πλάκα): *The earth used to be thought to be ~*, ἡ γῆ ἐθεωρεῖτο ἐπίπεδη. *a ~ tyre*, ξεφούσκωτο λάστιχο. **ˈ~-ˈfooted**, *ἐπ.* πλατυπόδης, *(μεταφ.)* κατηγορηματικός: *a ~-footed refusal*, κατηγορηματική ἄρνησις. **ˈ~ ˈspin**, *(ἀερ.)* ἐπίπεδος περιδίνησις, *(μεταφ.)* σύγχυσις, πανικός, ταραχή. **2**. φαρδύς-πλατύς, ξαπλωμένος: *fall ~ on one's face/back*, πέφτω μπρούμητα/ἀνάσκελα. *The earthquake laid the city ~*, ὁ σεισμός ἰσοπέδωσε τήν πόλη. *knock sb ~*, ξαπλώνω κπ κάτω μ᾽ ἕνα χτύπημα. **3**. ἀνούσιος, μονότονος, πληκτικός, ἄτονος: *The soup tastes ~*, ἡ σούπα ἔχει ἀνούσια γεύση. *The beer is ~*, ἡ μπύρα εἶναι ξεθυμασμένη. *Life seemed ~*, ἡ ζωή φαινόταν μονότονη. *The conversation was rather ~*, ἡ συζήτηση ἦταν μᾶλλον πληκτική. *in a ~ voice*, μέ ἄτονη (ἄχρωμη) φωνή. **4**. *(μουσ.)* ὕφεσις, μπεμόλ *(πρβλ. sharp)*: *a ~ note*, νότα μέ ὕφεση. **5**. ρηχός: *~ dishes/pans*, ρηχά πιάτα/-ές κατσαρόλες. **6**. ἀπερίφραστος, κατηγορηματικός, καθαρός: *a ~ refusal*, κατηγορηματική ἄρνηση. *That's ~ nonsense*, εἶναι καθαρή ἀνοησία. **7**. ἑνιαῖος: *a ~ rate of pay*, ἑνιαῖον μισθολόγιον. *a ~ price*, ἑνιαία τιμή. **8**. *(γιά χρώματα)* ὁμοιόμορφος, χωρίς ἀποχρώσεις. **9**. *(γιά μπαταρία)* ἄδειος. *—ἐπίρ.* **1**. παράφωνα: *sing ~*, τραγουδῶ παράφωνα. **2**. κατηγορηματικά, εὐθέως, ὀρθά-κοφτά: *refuse ~*, ἀρνοῦμαι κατηγορηματικά. *He told me ~ that...*, μοῦ εἶπε ὀρθά-κοφτά ὅτι... *He went ~ against my orders*, παραβίασε εὐθέως τίς ἐντολές μου. **3**. ***~ out***, *(καθομ.)* *(α)* μέ ὅλη τή δύναμη: *He was working/running ~ out*, δούλευε/ἔτρεχε μ᾽ ὅλη του τή δύναμη. *(β)* ἐξαντλημένος: *I'm ~ out*, εἶμαι ψόφιος στήν κούραση. **4**. ***~ broke***, *(καθομ.)* ἐντελῶς ἀπένταρος. **~·ly** *ἐπίρ.* ἀπερίφραστα, κατηγορηματικά: *He ~ly refused to help me*, ἀρνήθηκε κατηγορηματικά νά μέ βοηθήση. **~·ness** *οὐσ.* ‹U›.

[3]**flat** /flæt/ *οὐσ.* ‹C› **1**. τό πλατύ μέρος (ἑνός πράγματος): *the ~ of the hand/of a sword*, ἡ παλάμη/ἡ ἐπίπεδη πλευρά ξίφους. **2**. πεδιάδα, κάμπος. **3**. ὕφεσις. **4**. σκασμένο λάστιχο. **5**. *(θέατρ.)* κινητό σκηνικό (σέ πλαίσιο).

flat·ten /ˈflætn/ *ρ.μ/ἀ.* ἰσιώνω, ἰσοπεδώνω: *~ (out) a piece of metal*, ἰσιώνω ἕνα κομμάτι μέταλλο. *~ oneself against a wall*, κολλῶ σ᾽ ἕναν τοῖχο. *a field of wheat ~ed by a storm*, σταροχώραφο ἰσοπεδωμένο ἀπό θύελλα.

flat·ter /ˈflætə(r)/ *ρ.μ.* κολακεύω: *~ one's boss*, κολακεύω τ᾽ ἀφεντικό μου. *This photograph ~s you*, αὐτή ἡ φωτογραφία σέ κολακεύει. *I feel greatly ~ed by your invitation*, αἰσθάνομαι πολύ κολακευμένος ἀπό τήν πρόσκλησή σας. ***~oneself that***, κολακεύομαι νά πιστεύω ὅτι: *He ~ed himself that he knew French*, κολακευόταν νά πιστεύη ὅτι ξέρει Γαλλικά. **~er** *οὐσ.* ‹C› κόλακας. **~y** *οὐσ.* ‹C,U› κολακεία. **~·ing** *ἐπ.* κολακευτικός: *speak in ~ing terms of sb*, μιλῶ κολακευτικά γιά κπ.

flatu·lence /ˈflætʃʊləns/ *οὐσ.* ‹U› φούσκωμα, ἀέρια στό στομάχι.

flaunt /flɔnt/ *ρ.μ/ἀ.* **1**. κυματίζω περήφανα: *flags ~ing in the breeze*, σημαῖες πού κυματίζουν περήφανα στόν ἀέρα. **2**. ἐπιδεικνύω (μέ αὐταρέσκεια): *~ oneself*, καμαρώνω, ἐπιδεικνύομαι. *~ one's riches/knowledge*, ἐπιδεικνύω τά πλούτη μου/τίς γνώσεις μου.

fla·vour /ˈfleɪvə(r)/ *οὐσ.* ‹C,U› γεύση, οὐσία, ἄρωμα: *When you have a cold, food has no ~*, ὅταν εἶσαι κρυωμένος, ἡ τροφή δέν ἔχει γεύση. *ice-cream with a strawberry ~*, παγωτό μέ ἄρωμα φράουλας. *—ρ.μ.* ἀρωματίζω, καρυκεύω: *~ a sauce with garlic*, καρυκεύω μιά σάλτσα μέ σκόρδο. **~·ing** *οὐσ.* ‹C,U› καρύκευμα, μυρωδικό.

flaw /flɔ/ *οὐσ.* ‹C› ἐλάττωμα, ψεγάδι, ἀτέλεια: *~s in a jewel/an argument/sb's character*, ἐλαττώματα σ᾽ ἕνα κόσμημα/σ᾽ ἕνα ἐπιχείρημα/ψεγάδια στό χαρακτῆρα κάποιου. **~·less** *ἐπ.* ἄψογος. **~·less·ly** *ἐπίρ.* ἄψογα.

flax /flæks/ *οὐσ.* ‹U› λινάρι. **~en** /ˈflæksn/ *ἐπ.* λινός, *(γιά μαλλιά)* κατάξανθος.

flay /fleɪ/ *ρ.μ.* **1**. γδέρνω: *He was ~ed alive*, τόν ἔγδαραν ζωντανό. **2**. *(μεταφ.)* ἐπικρίνω αὐστηρά, ξετινάζω.

flea /fli/ *οὐσ.* ‹C› ψύλλος. ***(go off/send sb off with) a ~ in one's ear***, (φεύγω/διώχνω κπ μέ) γερή κατσάδα. **ˈ~-bite**, δάγκωμα ψύλλου, *(μεταφ.)* μικρή ἐνόχλησις. **ˈ~ market**, *(καθομ.)* ὑπαίθρια παληατζίδικα (ὅπως στό Μοναστηράκι τίς Κυριακές). **ˈ~·pit**, *(καθομ.)* ἀχούρι, τρώγλη (πχ σινεμά, θέατρο).

fleck /flek/ *οὐσ.* ‹C› στίγμα, κηλίδα, μόριον: *~s of colour on a bird's wings*, στίγματα στά φτερά πουλιοῦ. *~s of sunlight on the ground under a tree*, κηλίδες φωτός στό ἔδαφος κάτω ἀπό ἕνα δέντρο. *a ~ of dust*, μόριον σκόνης. *—ρ.μ.* διαποικίλλω, διαστίζω: *a sky ~ed with clouds*, οὐρανός διάστικτος ἀπό συννεφάκια.

fled /fled/ *ἀόρ. & π.μ. τοῦ ρ. flee.*

fledged /fledʒd/ *ἐπ.* *(γιά πουλί)* μέ ὅλα του τά φτερά. **ˈfully-ˈ~**, *ἐπ.* κανονικός, τέλειος: *a fully-~ lawyer/engineer*, κανονικός δικηγόρος (ὄχι ἀσκούμενος)/μηχανικός. **fledg(e)·ling** /ˈfledʒlɪŋ/ *οὐσ.* ‹C› ξεπεταρούδι.

flee /fli/ *ρ.μ/ἀ. ἀνώμ. (ἀόρ. & π.μ. fled /fled/)* φεύγω, τρέπομαι εἰς φυγήν, τό σκάω: *The enemy fled in disorder*, ὁ ἐχθρός ἐτράπη εἰς ἄτακτον φυγήν. *~ the country*, τό σκάω ἀπό τή χώρα. *The clouds fled before the wind*, τά σύννεφα σκόρπισαν ἀπό τόν ἄνεμο.

fleece /flis/ *οὐσ.* ‹C,U› δέρας, τομάρι, προβιά, ἀρνίσιο μαλλί: *the Golden F~*, τό χρυσόμαλλον δέρας. *a coat lined with ~*, παλτό φοδραρισμένο μέ προβιά. —*ρ.μ.* (*καθομ.*) γδέρνω, μαδῶ: *He was ~d at the casino*, τόν μάδησαν στό καζίνο. **fleecy** /`flisɪ/ *ἐπ.* (*-ier, -iest*) χνουδᾶτος, ἀφρᾶτος, σέ τουλοῦπες: *a fleecy coat*, χνουδᾶτο παλτό. *fleecy clouds*, ἁπαλά/ἀφρᾶτα σύννεφα.

fleet /flit/ *οὐσ.* ‹C› στόλος. —*ἐπ.* (*λογοτ.*) ταχύς: *~ of foot; ~-footed*, ταχύπους. **~·ing** *ἐπ.* φευγαλέος, ἐφήμερος: *a ~ing glance*, φευγαλέα ματιά. *~ing happiness*, ἐφήμερη εὐτυχία. **~·ing·ly** *ἐπίρ.*

Fleet Street /`flit strit/ *οὐσ.* ὁδός τοῦ Λονδίνου ὅπου εἶναι τά γραφεῖα τῶν ἐφημερίδων, (*συνεκδ.*) ὁ τύπος τοῦ Λονδίνου.

flesh /fleʃ/ *οὐσ.* ‹U› σάρκα: *`~-eating animals*, σαρκοβόρα ζῶα. *the desires/sins of the ~*, σαρκικές ἐπιθυμίες/ἁμαρτίες. ***~ and blood***, ἡ ἀνθρώπινη φύση. ***in the ~***, ζωντανός, μέ σάρκα καί ὀστᾶ: *It was him in the ~*, ἦταν αὐτός, μέ σάρκα καί ὀστᾶ. ***one's own ~ and blood***, τό ἴδιο μου τό αἷμα, οἱ στενοί συγγενεῖς μου. ***go the way of all ~***, πεθαίνω. ***make sb's ~ creep***, κόβω τή χολή κάποιου, τόν τρομάζω (*ἰδ.* μέ τό φόβο τοῦ ὑπερφυσικοῦ). ***put on/lose ~***, παχαίνω/ἀδυνατίζω. ***The spirit is willing but the ~ is weak***, τό μέν πνεῦμα πρόθυμον ἡ δέ σάρξ ἀσθενής. **`~-wound** *οὐσ.* ‹C› ἐπιπόλαιο τραῦμα. **~·ly** *ἐπ.* σαρκικός, αἰσθησιακός. **~y** *ἐπ.* (*-ier, -iest*) σαρκώδης, παχύς.

flew /flu/ *ἀόρ. τοῦ ρ. fly.*

flex /fleks/ *οὐσ.* ‹C,U› (*ἠλεκτρ.*) καλώδιο (μονωμένου σύρματος). —*ρ.μ.* κάμπτω, λυγίζω: *~ one's legs/muscles*, λυγίζω τά γόνατα/σφίγγω τούς μῦς. **~·ible** /-əbl/ *ἐπ.* εὔκαμπτος, εὐλύγιστος, (*γιά ἄνθρ.*) εὐπροσάρμοστος, ἐλαστικός. **~i·bil·ity** /ˌfleksə`bɪlətɪ/ *οὐσ.* ‹U› εὐλυγισία.

flib·ber·ti·gib·bet /ˌflɪbətɪ`dʒɪbɪt/ *οὐσ.* ‹C› (*καθομ.*) φαφλατᾶς, κουτσομπόλης, ἐλαφρόμυαλος.

flick /flɪk/ *οὐσ.* ‹C› γρήγορο ἐλαφρό χτύπημα, τίναγμα. **the ~s**, (*λαϊκ.*) σινεμά: *go to the ~s*, πάω σινεμά. **`~-knife**, σουγιᾶς μ' ἐλατήριο. —*ρ.μ.* χτυπῶ/ἐγγίζω ἐλαφρά: *She ~ed him in the face with her glove*, τόν χτύπησε ἐλαφρά στό πρόσωπο μέ τό γάντι της. *~ a horse with a whip*, χτυπῶ ἐλαφρά ἄλογο μέ τήν ἄκρη τοῦ μαστιγίου. *~ a knife open*, ἀνοίγω σουγιά (πατώντας τό ἐλατήριο). ***~ sth off/away***, τινάζω μ' ἐλαφρό χτύπημα (*ἰδ.* τῶν δακτύλων): *She ~ed the crumbs off the tablecloth*, τίναξε τά ψίχουλα ἀπό τό τραπεζομάντηλο.

flicker /`flɪkə(r)/ *οὐσ.* ‹C› (*συνήθ. ἑν.*) **1**. τρεμόσβημα, ἀναλαμπή: *a ~ of hope*, ἀναλαμπή ἐλπίδας. **2**. τρεμοπαίξιμο: *with a ~ of the eyelids*, μ' ἕνα παίξιμο τῶν βλεφάρων. —*ρ.ἀ.* **1**. τρεμοσβήνω, τρεμολάμπω: *The candle ~ed in her hand*, τό κερί τρεμόσβηνε στό χέρι της. *A faint hope still ~ed in her breast*, μιά ἀμυδρή ἐλπίδα τρεμόλαμπε ἀκόμα μέσα της. **2**. πάλλω, τρεμοπαίζω: *Her eyelids ~ed*, τά βλέφαρά της τρεμόπαιζαν. *shadows/leaves ~ing*, σκιές/φύλλα πού τρεμοπαίζουν, πού κινοῦνται πέρα-δῶθε.

[1]**flight** /flaɪt/ *οὐσ.* ‹C,U› **1**. πέταγμα, πτῆσις: *the ~ of birds*, τό πέταγμα τῶν πουλιῶν. *a non-stop ~ from Paris to New York*, συνεχής πτῆσις ἀπό τό Παρίσι στή Ν. Ὑόρκη. *a test ~*, δοκιμαστική πτῆσις. *Did you have a good ~?* κάνατε καλό (ἀεροπορικό) ταξίδι; *a ~ of the imagination/a ~ of ambition*, πέταγμα τῆς φαντασίας/τῆς φιλοδοξίας. *the ~ of time*, τό πέταγμα (πέρασμα) τοῦ χρόνου. ***in ~***, ἐν πτήσει. **2**. σμῆνος: *a ~ of birds/arrows/aeroplanes*, σμῆνος ἀπό πουλιά/βέλη/ἀεροπλάνα. ***be in the first ~***, (*καθομ.*) εἶμαι στούς πρώτους, μεταξύ τῶν καλυτέρων. **3**. σειρά σκαλοπατιῶν (ἀνάμεσα σέ δυό πλατύσκαλα).

[2]**flight** /flaɪt/ *οὐσ.* ‹C,U› φυγή: *a ~ of capital*, φυγή κεφαλαίων (σέ ἄλλη χώρα). *seek safety in ~*, ζητῶ τή σωτηρία στή φυγή. ***put sb to ~***, τρέπω κπ εἰς φυγήν. ***take (to) ~***, τρέπομαι εἰς φυγήν, τό βάζω στά πόδια.

flighty /`flaɪtɪ/ *ἐπ.* (*-ier, -iest*) (*γιά γυναίκα*) ἄστατος, ἐπιπόλαιος.

flimsy /`flɪmzɪ/ *ἐπ.* (*-ier, -iest*) (*γιά πράγμ.*) λεπτός, εὔθραυστος, (*μεταφ.*) ἀδύνατος, πρόχειρος, ἀσθενής: *a ~ argument/excuse*, ἀδύνατο ἐπιχείρημα/πρόχειρη δικαιολογία. *~ evidence*, ἀσθενεῖς ἀποδείξεις. —*οὐσ.* ‹C› λεπτό φύλλο χαρτιοῦ. **flims·ily** /-əlɪ/ *ἐπίρ.* ἀδύνατα. **flim·si·ness** *οὐσ.* ‹U› λεπτότης, ἀδυναμία.

flinch /flɪntʃ/ *ρ.ἀ.* δειλιάζω, ὀπισθοχωρῶ, μορφάζω (ἀπό πόνο): *~ from an unpleasant duty*, δειλιάζω (ὀπισθοχωρῶ) μπροστά σ' ἕνα δυσάρεστο καθῆκον. *He had a tooth pulled out without ~ing*, ἔβγαλε ἕνα δόντι χωρίς οὔτε ἕνα μορφασμό.

fling /flɪŋ/ *ρ.μ/ἀ.* *ἀνώμ.* (*ἀόρ. & π.μ. flung* /flʌŋ/) **1**. ἐκσφενδονίζω, ρίχνω, πετῶ, τινάζω: *~ a stone/one's hat up*, πετῶ μιά πέτρα/τό καπέλλο μου ψηλά. *~ abuse/a scornful look at sb*, πετῶ βρισιές/ρίχνω χλευαστική ματιά σέ κπ. *~ sth in sb's teeth*, πετῶ κτ κατά πρόσωπο (*ἰδ.* μομφή), τοῦ κοπανάω κτ. *He flung his arms up*, τίναξε τά χέρια του ψηλά. *She flung the windows wide open*, τίναξε τά παράθυρα ὀρθάνοιχτα. *He flung his clothes on*, φόρεσε βιαστικά τά ροῦχα του. *be flung into prison*, ρίχνομαι σέ φυλακή. *~ oneself into a chair/into sb's arms*, ρίχνομαι σέ μιά καρέκλα/στήν ἀγκαλιά κάποιου. *~ caution to the winds*, παραμερίζω κάθε λογική, ἐνεργῶ ἐντελῶς ἀπερίσκεπτα. **2**. ὁρμῶ: *He flung out of the room*, ὥρμησε ἔξω ἀπό τό δωμάτιο. *He flung off*, ἔφυγε μέ φούρια. —*οὐσ.* ‹C› ἐκσφενδόνισις, Σκωτσέζικος χορός, ἀπόπειρα. ***have a ~ at sth***, κάνω μιά ἀπόπειρα, δοκιμάζω νά κάνω κτ. ***have one's ~***, τό ρίχνω ἔξω, ξεφαντώνω.

flint /flɪnt/ *οὐσ.* ‹C,U› πυρόλιθος, τσακμακόπετρα. **`~-lock**, καρυοφύλλι (ὅπλο). **~y** (*-ier, -iest*) *ἐπ.* (*καθομ.*) σκληρός.

flip /flɪp/ *οὐσ.* ‹C› ἐλαφρό χτύπημα, τίναγμα. ***the `~ side***, (*καθομ.*) ἡ ἀνάποδη, ἡ β! ὄψη (δίσκου γραμμοφώνου). —*ρ.μ/ἀ.* (*-pp-*) χτυπῶ ἐλαφρά (μέ τά δάχτυλα), τινάζω/-ομαι, ρίχνω ἀπότομα: ~ *the ash off one's cigarette*, τινάζω τή στάχτη ἀπό τό τσιγάρο μου. ~ *a coin down on the counter*, ρίχνω (πετῶ) ἕνα νόμισμα στόν πάγκο.

flip·pant /ˈflɪpənt/ *ἐπ.* ἐπιπόλαιος, ἐλαφρός, ἀναιδής: *a* ~ *answer/remark*, ἐπιπόλαιη ἀπάντηση/παρατήρηση. **~·ly** *ἐπίρ.* ἐπιπόλαια. **flip·pancy** /-ənsɪ/ *οὐσ.* ‹C,U› ἐπιπολαιότης, ἐλαφρότης.

flip·per /ˈflɪpə(r)/ *οὐσ.* ‹C› **1**. πτερύγιον (ψαριοῦ). **2**. βατραχοπέδιλο.

flirt /flɜt/ *οὐσ.* ‹C› φλέρτ. —*ρ.ἀ.* φλερτάρω, ἐρωτοτροπῶ: ~ *with a girl*, φλερτάρω ἕνα κορίτσι. ~ *with the idea of going abroad*, ἐρωτοτροπῶ μέ τήν ἰδέα νά πάω στό ἐξωτερικό. **~a·tion** /flɜˈteɪʃn/ *οὐσ.* ‹C,U› φλερτάρισμα: *carry on a* ~*ation*, ἐρωτοτροπῶ. **~a·tious** /flɜˈteɪʃəs/ *ἐπ.* (*γιά ἄνδρα*) ἐρωτύλος, (*γιά γυναίκα*) φιλάρεσκη, κοκέττα.

flit /flɪt/ *ρ.ἀ.* (*-tt-*) **1**. φτερουγίζω, πετῶ ἀνάλαφρα, περνῶ φευγαλέα: *bats* ~*ting about in the dusk*, νυχτερίδες πού φτερουγίζουν στό λυκόφως. *bees* ~*ting from flower to flower*, μέλισσες πού πετᾶνε ἀπό λουλοῦδι σέ λουλοῦδι. *A smile* ~*ted across his face*, ἕνα χαμόγελο πέρασε φευγαλέα ἀπό τό πρόσωπό του. *Memories/Fancies* ~*ted through his mind*, ἀναμνήσεις/ἰδέες περνοῦσαν ἀπό τό νοῦ του. **2**. μετακομίζω συνεχῶς. —*οὐσ.* ‹C› μετακόμισις (*ἰδ.* στά κρυφά). ***do a (moonlight)*** ~, ξεκουβαλῶ νυχτιάτικα, σκάω κανόνι.

float /fləʊt/ *οὐσ.* ‹C› **1**. πλωτήρ, φλοτέρ, φελλός (σέ πετονιά ἤ δίχτυ). **2**. ἀποκριάτικο ἅρμα. **3**. ἐπιπλέον ἀντικείμενον. —*ρ.μ/ἀ.* **1**. πλέω, ἐπιπλέω: *Wood* ~*s on water*, τό ξύλο ἐπιπλέει στό νερό. *dust* ~*ing in the air*, σκόνη πού πλέει στόν ἀέρα. **2**. κινῶ (στήν ἐπιφάνεια νεροῦ): *There wasn't enough water to* ~ *the ship*, τό νερό δέν ἦταν ἀρκετά βαθύ γιά νά κινήσωμε τό πλοῖο. **3**. (*ἐμπ.*) ξεκινῶ (μιά ἐπιχείρηση): ~ *a loan*, ἐκδίδω δάνειον. **4**. ἐπιτρέπω τή διακύμανση (ἑνός νομίσματος): ~ *the pound/the dollar*. **~·ing** *ἐπ.* κυμαινόμενος, ἐπιπλέων, πλωτός, αἰωρούμενος: *the* ~*ing population/vote*, ὁ κυμαινόμενος πληθυσμός/οἱ ~οι ψηφοφόροι. ~*ing capital*, κεφάλαια κινήσεως. *a* ~*ing bridge*, πλωτή γέφυρα. ~*ing particles of dust*, αἰωρούμενα μόρια σκόνης. **~a·tion** /fləʊˈteɪʃn/ *οὐσ.* ‹C,U› ἵδρυσις (ἐπιχειρήσεως).

[1]**flock** /flok/ *οὐσ.* ‹C› **1**. κοπάδι: *a* ~ *of sheep/of wild duck*, κοπάδι πρόβατα/ἀγριόπαπιες. **2**. ὁμάδα ἀνθρώπων, πλῆθος: *Visitors came in* ~*s to see the new bridge*, οἱ ἐπισκέπτες ἔρχονταν κατά ὁμάδες (μπουλούκια) νά δοῦν τή νέα γέφυρα. **3**. ποίμνιον: *a priest and his* ~, ἕνας ἱερεύς καί τό ποίμνιόν του. —*ρ.ἀ.* συγκεντρώνομαι, μαζεύομαι, συρρέω: *They* ~*ed round their teacher*, μαζεύτηκαν γύρω ἀπό τό δάσκαλό τους. *People* ~*ed to hear him*, οἱ ἄνθρωποι συνέρρεαν γιά νά τόν ἀκούσουν.

[2]**flock** /flok/ *οὐσ.* **1**. ‹C› τούφα (μαλλιῶν). **2**. (*πληθ.*) μπαμπάκι ἤ μαλλί (γιά στρῶμα).

flog /flog/ *ρ.μ.* (*-gg-*) ραβδίζω, μαστιγώνω. ***~ a dead horse***, ματαιοπονῶ. **~·ging** *οὐσ.* ‹C,U› μαστίγωσις, τιμωρία (μέ βέργα), ξύλο: *give sb a good* ~*ging*, δίνω ἕνα γερό ξύλο σέ κπ.

[1]**flood** /flʌd/ *οὐσ.* ‹C› **1**. πλημμύρα, κατακλυσμός: *The rainstorms caused new* ~*s*, οἱ καταιγίδες προκάλεσαν νέες πλημμύρες. *The river is in* ~, τό ποτάμι ἔχει πλημμυρίσει. *the* ~ *victims*, οἱ πλημμυροπαθεῖς. **The F~, Noah's F~**, ὁ Κατακλυσμός (τοῦ Νῶε). **2**. (*μεταφ.*) χείμαρρος, ποταμός: *a* ~ *of tears/abuse/letters*, ποταμός δακρύων/χείμαρρος ὕβρεων/ἐπιστολῶν. *a* ~ *of light*, φωτοπλημμύρα. **3**. (*ἐπίσης* **ˈ~-tide**) πλημμυρίς: *ebb and* ~, ἄμπωτις καί πλημμυρίς. **ˈ~-gate**, θύρα ὑδατοφράκτου: *open the* ~*-gates of one's passions*, ἀφήνω ἐλεύθερα τά αἰσθήματά μου, ἀφήνω νά ξεχυθοῦν τά πάθη μου. **ˈ~·light** *ρ.μ.* ἀνώμ. (*ἀόρ.* & *π.μ.* *-lit* /-lɪt/) φωταγωγῶ: *The Parthenon was* ~*lit*, ὁ Παρθενών ἦταν φωταγωγημένος. **~·lights** *οὐσ.* *πληθ.* φῶς προβολέων, (*μεταφ.*) προβολεῖς.

[2]**flood** /flʌd/ *ρ.μ/ἀ.* πλημμυρίζω, κατακλύζω: *The meadows were* ~*ed*, τά λειβάδια εἶχαν πλημμυρίσει. *The stage was* ~*ed with light*, ἡ σκηνή πλημμύρισε φῶς. *We have been* ~*ed with requests for help*, κατακλυστήκαμε ἀπό αἰτήσεις βοηθείας.

[1]**floor** /flɔ(r)/ *οὐσ.* ‹C› **1**. πάτωμα, δάπεδον: *sit on the* ~, κάθομαι στό πάτωμα. *a bare* ~, γυμνό πάτωμα. ***wipe the ~ with sb***, κάνω κπ σκόνη (σέ ἀγῶνα, συζήτηση, κλπ). **ˈ~-board**, σανίδα. **ˈ~cloth**, πατσαβούρα. **ˈ~ show**, (*σέ καμπαρέ*) νούμερα τῆς πίστας. **2**. πάτωμα, ὄροφος: *the ground* ~, τό ἰσόγειον. **3**. πυθμένας, (θάλασσας, λίμνης, κλπ). **4**. ἡ κυρίως αἴθουσα (ὅπου κάθονται τά μέλη τῆς Βουλῆς, κλπ). ***take the ~***, λαμβάνω τόν λόγον (σέ συγκέντρωση ἤ στή Βουλή). **5**. (*γιά τιμές*) κατώτατον ὅριον (*ἀντίθ.* *ceiling*). **~·ing** *οὐσ.* ‹U› ἐπίστρωσις δαπέδου.

[2]**floor** /flɔ(r)/ *ρ.μ.* **1**. βάζω πάτωμα (σέ δωμάτιο). **2**. ρίχνω κάτω (ἀντίπαλον). **3**. (*καθομ.*) φέρω σέ ἀμηχανία, σαστίζω: *I was* ~*ed by two of the questions*, τήν πάτησα σέ δυό ἐρωτήσεις.

flop /flop/ *ρ.μ/ἀ.* (*-pp-*) **1**. τινάζομαι, κινοῦμαι/πέφτω/ρίχνω (βαριά/ἀδέξια ἤ μέ γδοῦπο): *The fish were* ~*ping about in the bottom of the boat*, τά ψάρια τινάζονταν (χτυπιόνταν) στόν πάτο τῆς βάρκας. *He* ~*ped down on his knees and begged for mercy*, σωριάστηκε (ἔπεσε ἀπότομα) στά γόνατα καί ζήτησε ἔλεος. *He* ~*ped down a sack of flour*, ἔρριξε κάτω μέ γδοῦπο ἕνα σακκί ἀλεῦρι. **2**. (*λαϊκ.*) (*γιά ἔργο, βιβλίο, κλπ*) ἀποτυχαίνω: *The play* ~*ped*, τό ἔργο ἦταν ἀποτυχία. —*οὐσ.* ‹C› γδοῦπος, παταγώδης ἀποτυχία: *Her party was a big* ~, ἡ δεξίωσή της ἦταν φιάσκο. —*ἐπίρ.* μέ παφλασμό: *fall* ~ *into the water*, πέφτω μέ παφλασμό στό νερό. **~py** *ἐπ.* (*-ier, -iest*) χαλαρός.

flora /ˈflɔrə/ *οὐσ.* ‹C,U› χλωρίς: *the* ~ *and fauna of a country*, ἡ χλωρίς καί ἡ πανίς μιᾶς χώρας.

floral /ˈflɔrl/ *ἐπ.* λουλουδένιος, λουλουδάτος.

flori·cul·ture /ˈflɔrɪkʌltʃə(r)/ *οὐσ.* ‹U› ἀνθοκομία.

florid /ˈflorɪd/ *ἐπ.* **1**. (*γιά στύλ*) διανθισμένος, πολυποίκιλτος, φορτωμένος στολίδια. **2**. (*γιά ἄνθρ.*) ροδαλός, ροδοκόκκινος.

florin /ˈflorɪn/ *οὐσ.* ‹C› **1**. νόμισμα 2 σελλινίων (τώρα 10 πεννῶν). **2**. φλορίνι.

flor·ist /ˈflorɪst/ *οὐσ.* ‹C› ἀνθοκόμος, ἀνθοπώλης.
floss /flos/ *οὐσ.* ‹U› ἀκατέργαστο φτηνό μετάξι, κουκουλάρικο, μεταξωτή κλωστή (γιά κέντημα).
flo·tilla /fləˈtɪlə/ *οὐσ.* ‹C› (*πληθ.* ~*s*) στολίσκος.
flot·sam /ˈflotsəm/ *οὐσ.* ‹U› (*νομ.*) ἐπιπλέοντα ὑπολείμματα ναυαγίου. ~ ***and jetsam***, (*μεταφ.*) ναυάγια.
flounce /flaʊns/ *ρ.ἀ.* κινοῦμαι νευρικά ἤ ἀπότομα, τινάζομαι, πετάγομαι: ~ *about/out of a room*, τριγυρίζω νευρικά σ' ἕνα δωμάτιο/πετάγομαι ἔξω ἀπό ἕνα δωμάτιο. —*οὐσ.* ‹C› **1**. τίναγμα, νευρική κίνηση. **2**. φραμπαλᾶς, βολάν.
floun·der /ˈflaʊndə(r)/ *ρ.ἀ.* παραδέρνω, παραπαίω: ~ *about in the water/in deep snow*, παραδέρνω μέσα στό νερό/σέ βαθύ χιόνι. ~ *through a speech/a translation*, παραπαίω σ' ἕνα λόγο/σέ μιά μετάφραση.
flour /ˈflaʊə(r)/ *οὐσ.* ‹U› ἀλεύρι. —*ρ.μ.* ἀλευρώνω. **~y** *ἐπ.* ἀλευρωτός.
flour·ish /ˈflʌrɪʃ/ *ρ.μ/ἀ.* **1**. προκόβω, ἀνθῶ, ἀκμάζω, εὐημερῶ: *This plant doesn't* ~ *in sandy soil*, αὐτό τό φυτό δέν προκόβει σέ ἀμμῶδες ἔδαφος. *Trade is* ~*ing*, τό ἐμπόριο ἀνθεῖ. *Socrates* ~*ed about 400 B.C.*, ὁ Σωκράτης ἤκμασε γύρω στά 400 π.Χ. **2**. κραδαίνω, σείω: ~ *one's sword/stick*, κραδαίνω τό ξῖφος μου/τό μπαστοῦνι μου. —*οὐσ.* ‹C› **1**. (*γιά ὑπογραφή*) τζίφρα, στόλισμα (γράμματος). **2**. (*μουσ.*) φανφάρα, σάλπισμα, προανάκρουσμα. **3**. κραδασμός (ξίφους). **4**. πλατειά, φιγουράτη χειρονομία: *take off one's hat with a* ~, βγάζω τό καπέλλο μου μέ μιά μεγαλόπρεπη, φιγουράτη χειρονομία.
flout /flaʊt/ *ρ.μ.* ἐμπαίζω, ἀψηφῶ: ~ *sb's wishes/advice*, ἐμπαίζω (ἀψηφῶ) τίς ἐπιθυμίες/τίς συμβουλές κάποιου.
flow /fləʊ/ *ρ.ἀ.* (*ἀόρ.* & *π.μ.* ~*ed*) **1**. ρέω, κυλῶ: *Tears* ~*ed from her eyes*, δάκρυα κυλοῦσαν ἀπό τά μάτια της. *Rivers* ~ *into the sea*, οἱ ποταμοί ἐκβάλλουν στή θάλασσα. ~ ***from***, ἀπορρέω, ἐκπηγάζω, προέχομαι. **2**. πέφτω, χύνομαι: *Her hair* ~*ed down her back*, τά μαλλιά της χύνονταν στήν πλάτη της. **3**. (*γιά παλίρροια*) ἀνεβαίνω. —*οὐσ.* ‹U› ροή, ροῦς, ἄνοδος (παλιρροίας), (*μεταφ.*) χείμαρρος: *The tide is on the* ~, ἡ παλίρροια ἀνεβαίνει. *a* ~ *of angry words*, χείμαρρος ὠργισμένων λέξεων.
flower /ˈflaʊə(r)/ *οὐσ.* ‹C› **1**. λουλοῦδι: *a bunch of* ~*s*, μπουκέτο λουλούδια. *wild* ~*s*, ἀγριολούλουδα. ***in*** ~, ἀνθισμένος: *The garden is in* ~, ὁ κῆπος εἶναι ἀνθισμένος. **ˈ~-bed**, παρτέρι, βραγιά. **ˈ~ garden**, ἀνθόκηπος. **ˈ~-girl**, ἀνθοπῶλις. **ˈ~·pot**, γλάστρα. **ˈ~ show**, ἀνθοκομική ἔκθεσις. **2**. (*μεταφ.*) (*μόνον εἰς τόν ἑν.*) ἄνθος. **3**. ***~s of speech***, ρητορικά διανθίσματα. —*ρ.ἀ.* ἀνθίζω: ~*ing bushes*, θάμνοι πού βγάζουν λουλούδια. **~ed** *ἐπ.* λουλουδᾶτος (πχ ὕφασμα). **~y** *ἐπ.* (*-ier, -iest*) **1**. ἀνθοστόλιστος, λουλουδιασμένος: ~*y fields*. **2**. (γιά ὕφος) περίτεχνος, περίκομψος, γεμᾶτος σχήματα λόγου.
flown /fləʊn/ *π.μ.* τοῦ *ρ. fly*.
flu /flu/ *συντομογρ.* τῆς *λέξ. influenza*.
fluc·tu·ate /ˈflʌktʃʊeɪt/ *ρ.ἀ.* κυμαίνομαι, ταλαντεύομαι: *Prices* ~, οἱ τιμές κυμαίνονται, ἀνεβοκατεβαίνουν. ~ *between hope and despair*, ταλαντεύομαι μεταξύ ἐλπίδος καί ἀπελπισίας. **fluc·tu·ation** /ˌflʌtʃʊˈeɪʃn/ *οὐσ.* ‹C,U› διακύμανσις (πχ τιμῶν συναλλάγματος, θερμοκρασίας, κλπ), ταλάντευσις.
flue /flu/ *οὐσ.* ‹C› μπουρί (καπνοδόχου), σωλήνας.
flu·ent /ˈfluənt/ *ἐπ.* εὐφραδής, ἄνετος, ρέων, ἀβίαστος: *a* ~ *speaker*, καλός ὁμιλητής, πού ἔχει εὐφράδεια. *speak* ~ *English*, μιλῶ ἄνετα Ἀγγλικά. **~·ly** *ἐπίρ.* εὐχερῶς, ἄνετα. **fluency** /ˈfluənsɪ/ *οὐσ.* ‹U› εὐχέρεια (λόγου), εὐφράδεια.
fluff /flʌf/ *οὐσ.* **1**. ‹U› χνούδι: *a bit of* ~. ἕνα χνουδάκι. **2**. ‹C› (*μεταφ.*) ἀποτυχημένη ἀπόπειρα. —*ρ.μ.* **1**. ~ ***(out)***, φουσκώνω κτ (τινάζοντάς το), κάνω κτ ἀφράτο: ~ *out a pillow*, φουσκώνω ἕνα μαξιλάρι. *The bird* ~*ed (out) its feathers*, τό πουλί φούσκωσε τά φτερά του. **2**. (*μεταφ.*) κάνω λάθη (σέ παιχνίδι, σέ θεατρικό ρόλο, κλπ). **~y** *ἐπ.* (*ier, -iest*) χνουδωτός, ἀφράτος.
fluid /ˈfluɪd/ *ἐπ.* ρευστός, (*μεταφ.*) ρέων, ἀσταθής, εὐμετάβλητος: *be in a* ~ *state*, εἶμαι σέ ρευστή κατάσταση, σέ συνεχῆ μεταβολή. ~ *plans/opinions*, μεταβαλλόμενα σχέδια/γνῶμες. —*οὐσ.* ‹C,U› ρευστή οὐσία, ὑγρόν: *ˈbrake* ~, ὑγρά φρένων. **flu·id·ity** /fluˈɪdətɪ/ *οὐσ.* ‹U› ρευστότης.
fluke /fluk/ *οὐσ.* ‹C› ἀπροσδόκητη τύχη: *win by a* ~, κερδίζω κατά τύχη.
flume /flum/ *οὐσ.* ‹C› μυλαύλακο, (ξεσκέπαστος) ἀγωγός νεροῦ.
flum·mox /ˈflʌməks/ *ρ.μ.* (*καθομ.*) ζαλίζω, σαστίζω, μπερδεύω: *He's not easily* ~*ed*, δέν τά χάνει εὔκολα.
flung /flʌŋ/ *ἀόρ.* & *π.μ.* τοῦ *ρ. fling*.
flun·key, flunky /ˈflʌŋkɪ/ *οὐσ.* ‹C› (*ὑποτιμ.*) λακές (ὑπηρέτης μέ λιβρέα).
flu·or·es·cent /flʊəˈresnt/ *ἐπ.* φθορίζων: *a* ~ *lamp*, λάμπα φθορισμοῦ. ~ *light*, φθορίζων φῶς. **flu·or·es·cence** /-ˈresns/ *οὐσ.* ‹U› φθορισμός.
flu·or·ine /ˈflʊərin/ *οὐσ.* ‹U› (*χημ.*) φθόριον.
flurry /ˈflʌrɪ/ *οὐσ.* ‹C› **1**. ξαφνική ριπή, μπουρίνι (ἀνέμου, βροχῆς, χιονιοῦ). **2**. (*μεταφ.*) ἀναστάτωσις, ἀναμπαμπούλα, ταραχή: *in a* ~, ἀναστατωμένος, σαστισμένος. —*ρ.μ.* σαστίζω, ἀναστατώνω: *Don't get flurried!* μήν ἀναστατώνεσαι, μή σαστίζεις!
[1]**flush** /flʌʃ/ *ἐπ.* ~ ***(with)*** **1**. (*γιά ἐπιφάνεια*) ἐπίπεδος, ἰσόπεδος, μή προεξέχων: *doors* ~ *with the walls*, πόρτες στήν ἴδια ἐπιφάνεια μέ τούς τοίχους. **2**. (*ἐπ. κατηγ.*) ξέχειλος, γεμᾶτος: *He's* ~ *with money*, εἶναι γεμᾶτος χρήματα.
[2]**flush** /flʌʃ/ *οὐσ.* ‹C,U› (*χαρτοπ.*) χρῶμα: **a ˈroyal** ~, φλός ρουαγιάλ, κέντα χρῶμα.
[3]**flush** /flʌʃ/ *οὐσ.* ‹C,U› **1**. ὁρμητική καί αἰφνίδια ροή νεροῦ, (*μεταφ.*) χείμαρρος, πλημμύρα: *a* ~ *of orders*, χείμαρρος διαταγῶν. **2**. ξάναμμα, κοκκίνισμα (τοῦ προσώπου). **3**. ἔξαψις, φούντωμα, ξάναμμα: *in the first* ~ *of victory*, μέσα στή μέθη (στήν πρώτη ἔξαψη) τῆς νίκης. **4**. φούντωμα, ἀκμή, ἄνθισμα: *the first* ~ *of spring*, τό πρῶτο φούντωμα τῆς ἄνοιξης. *in the*

first ~ of youth, στό πρωτάνθισμα τῆς νιότης. *be in the full ~ of health*, λάμπω ἀπό ὑγεία.

[4]**flush** /flʌʃ/ *ρ.μ/ἀ.* **1**. κοκκινίζω, βάφω, γίνομαι κατακόκκινος: *Shame ~ed her cheeks*, ἡ ντροπή ἔβαψε (κοκκίνησε) τά μάγουλά της. *She ~ed (up) when the stranger spoke to her*, ἔγινε κατακόκκινη (ἀναψοκοκκίνησε) ὅταν τῆς μίλησε ὁ ἄγνωστος. *She ~ed crimson with anger/indignation*, ἔγινε σάν παντζάρι ἀπό τό θυμό/ἀπό τήν ἀγανάκτηση. **2**. λάμπω: *They were ~ed with joy/health*, ἔλαμπαν ἀπό χαρά/ἀπό ὑγεία. **3**. (*γιά νερό*) ἀναβλύζω ὁρμητικά, ρέω κρουνηδόν. **4**. καθαρίζω (μέ ἄφθονο νερό): *~ out the drains/the pan*, καθαρίζω τούς σωλῆνες ἀποχετεύσεως/τή λεκάνη (τραβώντας τό καζανάκι).

[5]**flush** /flʌʃ/ *ρ.μ/ἀ.* (*γιά πουλιά*) ξεπετάω, ξεπετιέμαι: *~ a partridge*, ξεπετάω μιά πέρδικα. ***~ from/out of***, ξεπετάω, ἀναγκάζω κπ νά βγῆ (ἀπό κρυψώνα).

flus·ter /ˋflʌstə(r)/ *ρ.μ.* ἀναστατώνω, ἐκνευρίζω, ταράσσω: *Don't get ~ed!* μήν ἀναστατώνεσαι, μήν ἐκνευρίζεσαι! __*οὐσ.* ‹C› ἐκνευρισμός, ταραχή: *She was all in a ~*, ἦταν ἄνω-κάτω (ταραγμένη, ἐκνευρισμένη).

flute /flut/ *οὐσ.* ‹C› **1**. φλάουτο, φλογέρα. **2**. (σέ κολώνα) αὐλάκωσις, ράβδωσις: *~d columns*, κολῶνες μέ ραβδώσεις. **flut·ing** *οὐσ.* ‹U› ράβδωσις, διακοσμητικοί αὔλακες.

flut·ter /ˋflʌtə(r)/ *ρ.μ/ἀ.* **1**. φτεροκοπῶ, φτερουγίζω, χτυπῶ ἀκανόνιστα: *The wounded bird ~ed to the ground*, τό πληγωμένο πουλί ἔπεσε φτεροκοπώντας στό ἔδαφος. *The bird ~ed its wings in the cage*, τό πουλί χτυποῦσε τά φτερά του στό κλουβί. *At the sound of his voice my heart ~ed*, ἀκούγοντας τή φωνή του ἡ καρδιά μου φτερούγισε. **2**. κυματίζω, ἀνεμίζω: *curtains ~ing in the breeze*, κουρτίνες πού ἀνεμίζουν στό ἀεράκι. **3**. κινοῦμαι νευρικά: *She ~ed nervously about the room*, τριγύριζε νευρικά στό δωμάτιο. __*οὐσ.* ‹C,U› **1**. φτεροκόπημα, κυματισμός, ἀνέμισμα. **2**. (*στόν ἑν. καί μέ ἀόρ. ἄρθρ.*) ἀναστάτωσις, ἔξαψις, ἐκνευρισμός: *be all in a ~*, εἶμαι ἄνω-κάτω, κάθομαι στά καρφιά. *put sb in a ~*, ἀναστατώνω κπ. *cause/make a ~*, προκαλῶ ἀναστάτωση. **3**. τρεμούλιασμα, παραμόρφωσις ἤχου (σέ ταινία, κασέτα ἤ δίσκο): *a ~ of fear*, τρεμούλισμα φόβου. **4**. ***have a ~***, (*καθομ.*) παίζω μικροποσά, δοκιμάζω τήν τύχη μου: *I'll go to the races to have a ~*, θά πάω στίς κοῦρσες νά δοκιμάσω τήν τύχη μου.

flu·vial /ˋfluvɪəl/ *ἐπ.* ποταμίσιος.

flux /flʌks/ *οὐσ.* ‹C,U› ροή, ρευστότης: *be in a state of ~*, εἶμαι σέ ρευστή κατάσταση, σέ συνεχῆ μεταβολή.

[1]**fly** /flaɪ/ *οὐσ.* ‹C› μυίγα. ***a ~ in the ointment***, μικροαναποδιά, μικροδυσκολία. ***There are no flies on him***, (*λαϊκ.*) δέν χάφτει μυῖγες, δέν πιάνεται κορόϊδο. **ˋ~-paper**, (χαρτί) μυιγοπαγίδα. **ˋ~·weight**, (*πυγμ.*) πυγμάχος κατηγορίας μυίγας.

[2]**fly** /flaɪ/ *ρ.μ/ἀ. ἀνώμ.* (*ἀόρ. flew* /flu/, *π.μ. flown* /fləʊn/) **1**. πετῶ, ταξιδεύω/μεταφέρω μέ ἀεροπλάνο: *Birds ~*, τά πουλιά πετοῦν. *~ from Athens to London*, ταξιδεύω ἀεροπορικῶς ἀπό τήν Ἀθήνα στό Λονδίνο. *Thousands of people were flown to Rhodes at Easter*, χιλιάδες ἄνθρωποι μετεφέρθησαν ἀεροπορικῶς στή Ρόδο τό Πάσχα. ***The bird is/has flown***, (*καθομ.*) τό πουλάκι πέταξε/ἔκανε φτερά! ***~ high***, ἔχω μεγάλες φιλοδοξίες, σκοπεύω ψηλά. **2**. ὁρμῶ, σπεύδω, κάνω κτ γρήγορα/ὁρμητικά: *The children flew to meet him*, τά παιδιά ὥρμησαν νά τόν συναντήσουν. *He paid us a flying visit*, μᾶς ἔκανε μιά ἀστραπιαία ἐπίσκεψη. *How time flies!* πόσο γρήγορα περνάει ὁ καιρός! **3**. πετῶ, ἀνυψώνω: *~ a kite/a flag*, πετῶ ἀετό/ἀνυψώνω σημαία. **4**. ***~ at sb***, ὁρμῶ ἐναντίον κάποιου. ***~ in the face of***, πηγαίνω κόντρα σέ: *You're flying in the face of Providence*, πᾶς κόντρα στή Θεία Πρόνοια. *Your story flies in the face of all the evidence*, ἡ ἱστορία σου εἶναι ἀντίθετη πρός ὅλες τίς ἀποδείξεις. ***~ into a rage/passion/temper***, γίνομαι ἔξω φρενῶν. ***make the feathers/the fur ~***, κάνω φασαρία/καυγᾶ. ***make the money ~***, πετῶ, σπαταλῶ τά λεφτά μου. ***send sb/sth flying***, ἐκσφενδονίζω, πετῶ κπ/κτ: *He sent the dishes ~ing out of the window*, πέταξε τά πιάτα ἀπό τό παράθυρο. (*βλ.* & *λ.* *handle*, [1]*let*). **5**. φεύγω, τό σκάω: *~ the country*, τό σκάω ἀπό μιά χώρα.

[3]**fly** /flaɪ/ *οὐσ.* ‹C› **1**. (*ἀπηρχ.*) μόνιππον. **2**. τό μπροστινό ἄνοιγμα παντελονιοῦ: *John, your ~ is undone!* Γ., τό παντελόνι σου εἶναι ξεκούμπωτο! **3**. πόρτα ἀπό ὕφασμα (σέ τέντα). **4**. ἄκρη σημαίας. **5**. καπάκι (πού σκεπάζει φερμουάρ ἤ κουμπότρυπες).

[4]**fly** /flaɪ/ *ἐπ.* (*λαϊκ.*) ἀτσίδας.

flyer, flier /ˋflaɪə(r)/ *οὐσ.* ‹C› **1**. ἀεροπόρος. **2**. (πρᾶγμα) ἱπτάμενον.

fly·ing /ˋflaɪɪŋ/ *οὐσ.* ‹U› πτῆσις. __*ἐπ.* ἱπτάμενος. **ˋ~ boat**, ὑδροπλάνο, ἀεράκατος. **ˈ~-ˋbomb**, ἱπταμένη βόμβα. **ˈ~-ˋbuttress**, ἀντέρεισμα τοίχου ἤ θόλου. **ˋ~ club**, ἀερολέσχη. **ˋ~ field**, ἀεροδρόμιον. **ˋ~-fish**, χελιδονόψαρο. **ˋF~ Officer**, ὑποσμηναγός. **ˈ~ ˋsaucer**, ἱπτάμενος δίσκος. (*βλ.* & *λ.* [1]*colour*).

fly·leaf /ˋflaɪlif/ (*πληθ. -leaves* /livz/) *οὐσ.* ‹C› λευκό φύλλο στήν ἀρχή ἤ τό τέλος βιβλίου.

fly·over /ˋflaɪəʊvə(r)/ *οὐσ.* ‹C› (*ΗΠΑ =overpass*) γέφυρα ἀνισοπέδου διασταυρώσεως.

fly·past /ˋflaɪpast/ *οὐσ.* ‹C› πτῆσις ἐπιδείξεως.

foal /fəʊl/ *οὐσ.* ‹C› πουλάρι: *a mare in/with ~*, ἔγκυος φοράδα.

foam /fəʊm/ *οὐσ.* ‹U› **1**. ἀφρός. **2**. (*ἐπίσης* **ˈ~-ˋrubber**) ἀφρολέξ. __*ρ.ἀ.* ἀφρίζω: *~ with rage*, ἀφρίζω ἀπό θυμό. *~ing waves/beer*, ἀφρισμένα κύματα/μπύρα μέ ἀφρό. ***~ at the mouth***, βγάζω ἀφρούς ἀπό τό στόμα. **~y** *ἐπ. (-ier, iest)* ἀφρώδης, ἀφρισμένος.

fob /fob/ *ρ.μ.* (*-bb-*) ***~ sth off on sb***, πασσάρω, φορτώνω κτ εὐτελές σέ κπ. ***~ sb off with sth***, κοροϊδεύω, ξεφορτώνομαι κπ μέ κτ: *He ~bed me off with promises*, μέ ξεφορτώθηκε μέ ὑποσχέσεις.

fo·cal /ˋfəʊkl/ *ἐπ.* ἑστιακός: *the ~ length/distance of a lens*, ἡ ἑστιακή ἀπόστασις ἑνός φακοῦ.

fo·cus /ˋfəʊkəs/ *οὐσ.* ‹C› (*πληθ. ~es ἤ foci* /ˋfəʊsaɪ/) **1**. ἑστία (φακοῦ): *The image is in/out of ~*, ἡ εἰκόνα εἶναι καθαρή/θαμπή. *bring sth into ~*, ρυθμίζω τό φακό ὥστε νά δίνη καθαρή εἰκόνα. **2**. κέντρον, ἐπίκεντρον ἑστία: *the ~ of attention*, τό κέντρον τῆς προσοχῆς. *the ~ of a storm/disease*, ἡ ἑστία θυέλλης/νόσου. —*ρ.μ/ὰ.* (*-s-* ἤ *-ss-*) **1**. ρυθμίζω (κιάλια, φωτογρ. μηχανή). **2**. ~ ***on***, συγκεντρώνω: ~ *the sun's rays on sth with a burning-glass*, συγκεντρώνω τίς ἀκτίνες τοῦ ἡλίου σέ κτ μέ ἕνα φακό. ~ *one's attention/thoughts/efforts on a problem*, συγκεντρώνω τήν προσοχή μου/τίς σκέψεις μου/τίς προσπάθειές μου σ' ἕνα πρόβλημα.

fod·der /ˈfodə(r)/ *οὐσ.* ‹U› σανός. ***ˈcannon ~***, βορά τῶν κανονιῶν.

foe /fəʊ/ *οὐσ.* ‹C› (*ποιητ.*) ἐχθρός: *friend and ~*, φίλοι καί ἐχθροί.

foe·tus, fe·tus /ˈfitəs/ *οὐσ.* ‹C› (*πληθ.* ~*es*) ἔμβρυον.

fog /fog/ *οὐσ.* ‹C,U› ὁμίχλη, καταχνιά: *thick ~*, πυκνή ὁμίχλη. ***in a ~***, σαστισμένος: *I'm in a ~*, τἄχω χαμένα. **ˈ~·bank**, πυκνή ὁμίχλη στή θάλασσα. **ˈ~·bound** *ἐπ.* ἀκινητοποιημένος λόγῳ ὁμίχλης. **ˈ~·lamp/lights**, λάμπα/φῶτα ὁμίχλης (σέ αὐτοκ.) **~gy** *ἐπ.* (*-ier, -iest*) **1**. ὁμιχλώδης: ~*gy weather*. **2**. θολός, συγκεχυμένος: *have only a ~gy idea about sth*, ἔχω συγκεχυμένη ἰδέα γιά κτ. —*ρ.μ.* (*-gg-*) **1**. καλύπτω μέ ὁμίχλη. **2**. θολώνω, φέρνω σέ ἀμηχανία: *I'm a bit ~ged*, τἄχω λίγο χαμένα, εἶμαι σέ ἀμηχανία.

fogey /ˈfəʊgɪ/ *οὐσ.* ‹C› (*συνήθ. an old ~*) ἄνθρωπος μέ σκουριασμένες ἰδέες, ἀρτηριοσκληρωμένος.

foible /ˈfɔɪbl/ *οὐσ.* ‹C› ἀδυναμία, ἰδιορρυθμία: *Every man has his ~*, ὁ καθένας ἔχει τή λόξα του.

[1]**foil** /fɔɪl/ *οὐσ.* **1**. ‹U› φύλλον, ἔλασμα (μετάλλου), χρυσόχαρτο. **2**. ‹C› ἀντίθεσις: *A plain old woman serves as a ~ to a beautiful young woman*, μιά ἄσχημη γρηά ὑπογραμμίζει (ὡς ἐκ τῆς ἀντιθέσεως) τήν ὀμορφιά μιᾶς νέας.

[2]**foil** /fɔɪl/ *οὐσ.* ‹C› ξίφος ξιφασκίας.

[3]**foil** /fɔɪl/ *ρ.μ.* προκαλῶ ἀποτυχία (στά σχέδια κάποιου), ἀνατρέπω, ματαιώνω: *We ~ed his plans*, ματαιώσαμε τά σχέδιά του. *We ~ed him*, τοῦ ἀνατρέψαμε τά σχέδια, τοῦ τή φέραμε. *He was ~ed in his attempt to deceive us*, ἀπέτυχε στήν προσπάθειά του νά μᾶς ἐξαπατήση.

foist /fɔɪst/ *ρ.μ.* ~ ***sth (off) on sb***, πασσάρω, φορτώνω κτ σέ κπ: ~ *a bad coin off on sb*, φορτώνω σέ κπ ἕνα κίβδηλο νόμισμα.

[1]**fold** /fəʊld/ *ρ.μ/ὰ.* **1**. διπλώνω, πτύσσω/-ομαι: ~ *a letter/~ up a newspaper*, διπλώνω ἕνα γράμμα/μιά ἐφημερίδα. *The window shutters ~ back*, τά παντζούρια διπλώνουν πρός τά πίσω. **2**. πτύσσω: *a ~ing chair/boat/bed*, πτυσσόμενη καρέκλα/βάρκα/-ο κρεββάτι. **3**. τυλίγω: ~ *sth up in paper*, τυλίγω κτ σέ χαρτί. *hills ~ed in mist*, λόφοι τυλιγμένοι στήν ὁμίχλη. ~ ***sb in one's arms***, κλείνω κπ στήν ἀγκαλιά μου. ~ ***one's arms***, σταυρώνω τά μπράτσα μου. ~ ***(up)***, (*μεταφ.*) κλείνω τό μαγαζί, βαράω διάλυση: *The business finally ~ed (up) last week*, ἡ ἐπιχείρηση τελικά ἔκλεισε τήν περασμένη ἑβδομάδα. **4**. (*μαγειρ.*) ἀνακατεύω (πχ ζύμη, κέϊκ). —*οὐσ.* ‹C› πτυχή, πιέτα, δίπλα, πτύχωσις (ἐδάφους): *the ~s of a curtain*, οἱ πτυχές μιᾶς κουρτίνας. *flat ~s*, πλισές. **~er** *οὐσ.* ‹C› **1**. ντοσιέ, κλασέρ. **2**. διαφημιστικόν φυλλάδιον.

[2]**fold** /fəʊld/ *οὐσ.* ‹C› στάνη, μαντρί: *return to the ~*, ξαναγυρίζω στό μαντρί, (*μεταφ.*) ἐπιστρέφω εἰς τούς κόλπους τῆς Ἐκκλησίας, τοῦ κόμματος, κλπ.

fo·li·age /ˈfəʊlɪɪdʒ/ *οὐσ.* ‹U› φύλλωμα.

fo·lio /ˈfəʊlɪəʊ/ *οὐσ.* ‹C› (*πληθ.* ~*s*) **1**. μέγα σχῆμα (βιβλίου). **2**. (*ἐμπ.*) διπλῆ σελίδα καθολικοῦ (χρέωσις-πίστωσις). **3**. (*τυπογρ.*) ἀριθμός σελίδος βιβλίου.

folk /fəʊk/ *οὐσ.* **1**. (*ἑν. μέ ρ. εἰς πληθ.*) ἄνθρωποι: *ˈcountry ~*, χωριάτες. *ˈtowns~*, ἀστοί, κάτοικοι πόλεως. *Some ~ are never satisfied*, μερικοί ἄνθρωποι δέν εἶναι ποτέ εὐχαριστημένοι. **2**. (*ὡς ἐπίθ.*) δημώδης, λαϊκός, παραδοσιακός. **ˈ~-dance**, λαϊκός χορός. **ˈ~·lore** *οὐσ.* ‹U› λαϊκές παραδόσεις, λαογραφία. **ˈ~ music/song**, λαϊκή μουσική/-ό τραγούδι. **ˈ~·tale**, παραμύθι. **3**. (*πληθ.*) συγγενεῖς: *My old ~s at home*, οἱ γέροι μου στήν πατρίδα.

folksy /ˈfəʊksɪ/ *ἐπ.* (*καθομ.*) ἁπλός, ἀνεπιτήδευτος, φιλικός, κοινωνικός.

fol·low /ˈfoləʊ/ *ρ.μ/ὰ.* **1**. ἀκολουθῶ: *Go on, I'll ~ you*, πήγαινε καί θά σέ ἀκολουθήσω. *Monday ~s Sunday*, ἡ Δευτέρα ἀκολουθεῖ τήν Κυριακή. *F~ this road until you get to the station*, ἀκολούθησε αὐτό τό δρόμο μέχρι νά φτάσης στό σταθμό. ~ *a trade/a profession*, ἀκολουθῶ ἕνα ἐπάγγελμα. ~ *the sea/the law*, γίνομαι ναυτικός/δικηγόρος. ~ *the fashion/sb's advice/instructions*, ἀκολουθῶ τή μόδα/τίς συμβουλές/τίς ὁδηγίες κάποιου. ***as ~s***, ὡς ἀκολούθως, ὡς ἑξῆς. ~ ***suit***, κάνω τά ἴδια (μέ κπ ἄλλον), μιμοῦμαι. **2**. παρακολουθῶ, ἀντιλαμβάνομαι: ~ *sb closely*, παρακολουθῶ κπ ἀπό κοντά. *Do you ~ my argument?* παρακολουθεῖς τό συλλογισμό μου; *I don't quite ~ you*, δέν ἀντιλαμβάνομαι ἀκριβῶς τί θέλετε νά πῆτε. **3**. ἕπομαι, σημαίνω, προκύπτω: *Because I say nothing it doesn't ~ that I see nothing*, ἐπειδή δέν λέω τίποτα δέν ἕπεται (δέν σημαίνει) ὅτι δέν βλέπω καί τίποτα. *It ~s from what you say that...*, ἀπ' ὅ,τι λέτε προκύπτει ὅτι... **4**. ~ ***on***, ἀκολουθῶ (μετά πάροδον χρόνου): *We set out at six and he ~ed on after an hour*, ξεκινήσαμε στίς ἕξη κι' αὐτός ἀκολούθησε ὕστερα ἀπό μιά ὥρα. ~ ***sth up***, δίνω συνέχεια σέ κτ, ἐκμεταλλεύομαι: ~ *up a victory/a success*, ἐκμεταλλεύομαι μιά νίκη/μιά ἐπιτυχία. **ˈ~-up**, συνέχισις, (*ἐμπ.*) δεύτερη ἐπιστολή/ἐγκύκλιος/ἐπίσκεψις, κλπ μετά τήν πρώτη. ~ ***sth out***, συνεχίζω κτ μέχρι τέλους: *Now that we have started we've got to ~ it out*, μιᾶς κι' ἀρχίσαμε πρέπει νά συνεχίσωμε μέχρι τέλους. **~er** *οὐσ.* ‹C› ὀπαδός, ἀκόλουθος, διώκτης.

fol·low·ing /ˈfoləʊɪŋ/ *ἐπ. & ἀντων.* ἑπόμενος, ἀκόλουθος, ἑξῆς: *on the ~ day*, τήν ἑπομένη. *in the ~ month/year*, τόν ἑπόμενο μῆνα/χρόνο. *the ~ books/things/articles*, τά ἀκόλουθα βιβλία/πράγματα/εἴδη. *Among the things stolen are the ~*, μεταξύ τῶν κλαπέντων πραγμάτων εἶναι τά ἑξῆς. *The ~ are invited*, ἔχουν προσκληθῆ οἱ ἑξῆς. —*οὐσ.* ‹U› ἀκολουθία, ὀπαδοί: *This politician has a large ~*, αὐτός ὁ πολιτικός ἔχει πολλούς ὀπαδούς. —*πρόθ.* ἐν συνεχείᾳ, κατόπιν: ~ *your letter*, ἐν συνεχείᾳ τῆς ἐπιστολῆς σας. ~ *your instructions*, κατόπιν τῶν ὁδηγιῶν σας.

folly /ˈfolɪ/ *οὐσ.* ‹C,U› ἀνοησία, ἀφροσύνη, παραλογισμός, τρέλλα.

fo·ment /fəʊˈment/ *ρ.μ.* **1**. βάζω ζεστά ἐπιθέματα. **2**. ὑποδαυλίζω: ~ *trouble/disobedience/rebellion*, ὑποδαυλίζω ταραχές/ἀνυπακοή/ἀνταρσία. **~a·tion** /ˈfəʊmenˈteɪʃn/ *οὐσ.* ‹C,U› **1**. θερμόλουσις. **2**. ὑποδαύλισις.

fond /fond/ *ἐπ.* *(-er, -est)* **1**. ***be ~ of***, ἀγαπῶ, μοῦ ἀρέσει πολύ: *I'm ~ of music/of reading*, μοῦ ἀρέσει ἡ μουσική/τό διάβασμα. **2**. στοργικός, τρυφερός: *a ~ mother; ~ looks*. **3**. ξετρελλαμένος: *a young wife with a ~ husband*, νέα γυναίκα μέ ἄντρα πού εἶναι ξετρελλαμένος μαζί της. **4**. διακαής, κρυφός (γιατί εἶναι ἀπίθανο νά πραγματοποιηθῆ): *my ~est wish/ambition*, ἡ πιό διακαής μου ἐπιθυμία/φιλοδοξία. *entertain ~ hopes*, ἔχω κρυφές ἐλπίδες, εὐσεβεῖς πόθους. **~·ly** *ἐπίρ.* **~·ness** *οὐσ.* ‹U›.

fondle /ˈfondl/ *ρ.μ.* χαϊδεύω: ~ *a baby/a doll/a kitten*.

font /font/ *οὐσ.* ‹C› **1**. κολυμπήθρα. **2**. (*τυπογρ.*) οἰκογένεια στοιχείων.

food /fud/ *οὐσ.* ‹C,U› **1**. τροφή, φαΐ: ~ *and clothing*, τροφή καί ντύσιμο. *give sb ~*, δίνω φαΐ σέ κπ. *frozen ~s*, κατεψυγμένα τρόφιμα. *packaged ~s*, συσκευασμένα τρόφιμα. ~ *value*, θρεπτική ἀξία. **ˈ~-stuff** *οὐσ.* ‹C,U› εἶδος διατροφῆς, τρόφιμα. **2**. (*μεταφ.*) ἀφορμή: *give sb ~ for thought*, δίνω σέ κπ ἀφορμή γιά σκέψεις, προκαλῶ σκέψεις σέ κπ.

fool /ful/ *οὐσ.* ‹C› **1**. ἀνόητος, ἠλίθιος, βλάκας: *I was ~ enough to believe you*, ἤμουν ἀρκετά ἀνόητος ὥστε νά σέ πιστέψω. *He'll be a ~ as long as he lives*, βλάκας γεννήθηκε καί βλάκας θά πεθάνη. *Any ~ knows that*, αὐτό τό ξέρουνε κι' οἱ βλάκες. ***be a ~ for one's pains***, παιδεύομαι τζάμπα (χωρίς ἀμοιβή ἤ ἀναγνώριση). ***be/live in a ~'s paradise***, εἶμαι/ζῶ στά σύννεφα. ***make a ~ of sb***, γελοιοποιῶ κπ, τόν πιάνω κορόϊδο. ***make a ~ of oneself***, γελοιοποιοῦμαι, γίνομαι γελοῖος. ***play the ~***, κάνω τόν παληάτσο, σαχλαμαρίζω. (*βλ.* & *λ.* *April*, *errand*). **2**. γελωτοποιός. —*ρ.μ/ἀ.* **1**. κάνω ἀνοησίες, φέρομαι σάν ἀνόητος, παίζω: *Stop ~ing with that gun!* πᾶψε νά παίζης (ἄσε τίς ἀνοησίες) μ' αὐτό τό ὅπλο! *Don't ~ your time away*, μήν χάνης τόν καιρό σου ἀνόητα. *Stop ~ing about and do your work*, ἄσε τά χαζολογήματα καί κάνε τή δουλειά σου! **2**. ξεγελῶ, ἐξαπατῶ, κοροϊδεύω: *You can't ~ me*, δέν μπορεῖς νά μοῦ τή σκάσης ἐμένα. *He ~ed her out of her money*, τήν κορόϊδεψε καί τῆς πῆρε τά λεφτά.

fool·ery /ˈfulərɪ/ *οὐσ.* ‹U› ἀνοησία, (*πληθ.*) κουταμάρες.

fool·hardy /ˈfulhadɪ/ *ἐπ.* ἀπερίσκεπτος, παράτολμος. **fool·hardi·ness** *οὐσ.* ‹U› ἀποκοτιά.

fool·ish /ˈfulɪʃ/ *ἐπ.* ἀνόητος: *It was ~ of me to go*, ἦταν ἀνόητο ἐκ μέρους μου νά πάω. *It would be ~ for us to quarrel*, θά ἦταν ἀνόητο νά μαλλώσουμε. **~·ly** *ἐπίρ.* ἀνόητα. **~·ness** *οὐσ.* ‹U› ἀνοησία.

fools·cap /ˈfulskæp/ *οὐσ.* ‹U› μέγεθος χάρτου γραφῆς 17×13½ ἴντσες.

[1]**foot** /fʊt/ *οὐσ.* ‹C› (*πληθ.* *feet* /fit/) **1**. πόδι (ἀπό τόν ἀστράγαλο καί κάτω): *He rose to his feet*, σηκώθηκε ὄρθιος. ***on ~***, (α) πεζῆ, μέ τά πόδια: *go on ~*. (β) σέ κίνηση, ἐν δράσει, ἐν ἐξελίξει: *A project is on ~*, ἕνα σχέδιο εἶναι ἐν ἐξελίξει. ***be on one's feet***, *(α)* εἶμαι ὄρθιος, εἶμαι στό πόδι: *She's on her feet all day*, εἶναι στό πόδι ὅλη τήν ἡμέρα. *He was ill but now he is on his feet again*, ἦταν ἄρρωστος ἀλλά τώρα εἶναι στό πόδι πάλι. *(β)* σηκώνομαι: *The Minister was on his feet at once to answer*, ὁ Ὑπουργός σηκώθηκε ἀμέσως νά ἀπαντήση. ***have one ~ in the grave***, εἶμαι ὁ μισός στόν τάφο. ***keep one's feet***, στέκομαι ὄρθιος, δέν πέφτω. ***put one's ~ down***, (*καθομ.*) πατάω πόδι, ἐπιβάλλω τή θέλησή μου. ***put one's ~ in it***, (*καθομ.*) κάνω γκάφα, τά κάνω θάλασσα. ***put one's feet up***, ἁπλώνω τά πόδια μου, ξεκουράζομαι. ***put one's best ~ forward***, βάζω τά δυνατά μου, περπατῶ/δουλεύω ὅσο πιό γρήγορα μπορῶ. ***run sb off his feet***, ξεποδαριάζω κπ. ***set sb on his (sth on its) feet***, βοηθῶ κπ (κτ) νά ὀρθοποδήση. ***(never) set ~ in a place again***, (δέν) ξαναπατάω σέ ἕνα μέρος. ***set sth on ~***, ξεκινάω κτ (ἕνα σχέδιο, μιά δουλειά, μιά ἐπιχείρηση). ***spring/jump to one's feet***, τινάζομαι/πηδῶ ὄρθιος. ***sweep sb off his feet***, κάνω κπ νά παραληρῆ ἀπό ἐνθουσιασμό. (*βλ.* & *λ.* [2]*fall*, [2]*find*, [1]*hand*). **2**. βῆμα, περπατησιά: *light/swift of ~*, μέ ἐλαφρό/γρήγορο βῆμα. **3**. τό κάτω μέρος (*ἀντίθ.* *top*): *the ~ of a page/wall/ladder/mountain*, τό κάτω μέρος μιᾶς σελίδος/ἡ ρίζα τοίχου/ἡ βάση σκάλας/οἱ πρόποδες βουνοῦ. **4**. ἄκρη (*ἀντίθ.* *head*): *the ~ of a bed*, ἡ ἄκρη τοῦ κρεββατιοῦ. **5**. πόδι (μονάς μήκους= 30,48 ἑκατοστ.): *He's six ~ two*, εἶναι ἔξη πόδια δυό ἴντσες. **6**. (*μετρική*) πόδι. **7**. πεζικό: ~ *and horse*, πεζικό καί ἱππικό. *the Fourth Regiment of F~*, τό 4ο Σύνταγμα Πεζικοῦ. **8**. (*ὡς α! συνθ.*): **ˈ~-and-ˈmouth disease**, (*κτην.*) ἀφθώδης πυρετός. **ˈ~·ball**, μπάλλα, ποδόσφαιρο. **ˈ~-bath**, ποδόλουτρο. **ˈ~·bridge**, γέφυρα γιά πεζούς. **ˈ~·fall**, ἦχος βήματος, περπατησιά. **ˈ~·hills**, λόφοι στούς πρόποδες βουνοῦ. **ˈ~·hold**, (*σέ ἀναρρίχηση*) πάτημα, στήριγμα ποδιοῦ, (*μεταφ.*) σταθερή θέσις, βάσις, πάτημα. **ˈ~·lights**, τά φῶτα τῆς ράμπας. **ˈ~·loose (and fancy-free)**, (*γιά ἄνθρωπο*) χωρίς σκοτοῦρες ἤ εὐθῦνες (καί συναισθηματικά ἀδέσμευτος). **ˈ~·man**, ὑπηρέτης, λακές. **ˈ~·mark/ˈ~·print**, πατημασιά, ἴχνος ποδιοῦ. **ˈ~·note**, ὑποσημείωσις. **ˈ~·path**, μονοπάτι. **ˈ~-pound**, (μονάς ἔργου) ποδόλιτρον. **ˈ~-race**, ἀγών δρόμου **ˈ~ rule**, ρίγα (ἑνός ποδός). **ˈ~-slogger**, (*καθομ.*) πεζοπόρος. **ˈ~-slogging**, πεζοπορία. **ˈ~·sore**, μέ πονεμένα ἤ πληγωμένα πόδια (ἀπό περπάτημα), ξεποδαριασμένος. **ˈ~·step**, βῆμα, ἀχνάρι: *follow in sb's ~steps*, ἀκολουθῶ τά βήματα (στ' ἀχνάρια) κάποιου. **ˈ~·stool**, σκαμνάκι γιά τά πόδια. **ˈ~·sure**, σταθερός στό βῆμα. **ˈ~·wear**, εἴδη ὑποδήσεως.

[2]**foot** /fʊt/ *ρ.μ/ἀ.* (*καθομ.*) ~ ***the bill***, πληρώνω τό λογαριασμό. ~ ***it***, πηγαίνω μέ τά πόδια:

We missed the last bus, so we had to ~ *it*, χάσαμε τό τελευταῖο λεωφορεῖο, κι' ἔτσι ἀναγκαστήκαμε νά πᾶμε μέ τά πόδια. **~ed**, (*ὡς β! συνθ.*) μέ πόδια: *'wet-~ed*, μέ βρεγμένα πόδια. *'sure-~ed*, μέ σίγουρο πόδι. *'bare-~ed*, ξυπόλυτος. *'flat-~ed*, πλατυπόδης.

foot·age /'fʊtɪdʒ/ *οὐσ.* ‹U› μῆκος (σέ πόδια).

footer /'fʊtə(r)/ *οὐσ.* **1**. ‹U› (*καθομ.*) ποδόσφαιρο. **2**. (*β! συνθ.*) ποδῶν: *a 'six-'~*, ἄνθρωπος ἕξη ποδῶν (ὕψους).

foot·ing /'fʊtɪŋ/ *οὐσ.* ‹U› **1**. πάτημα: *He lost his ~ and fell*, σκόνταψε κι' ἔπεσε. **2**. ἔρεισμα, σχέσεις: *get a ~ in society*, ἀποκτῶ ἔρεισμα (γίνομαι δεκτός) στήν κοινωνία. *be on a good/friendly ~ with sb*, ἔχω καλές/φιλικές σχέσεις μέ κπ. **3**. κατάστασις: *on a war/peace ~*, σέ κατάσταση πολέμου/εἰρήνης.

footle /'futl/ *ρ.μ/ὰ.* (*καθομ.*) χαζολογάω: ~ *away one's time*, σπαταλῶ τό χρόνο μου ἀνόητα. **foot·ling** /'futlɪŋ/ *ἐπ.* ἀσήμαντος: *footling little jobs*, χαζοδουλιές.

fop /fop/ *οὐσ.* ‹C› δανδῆς, λιμοκοντόρος. **~·pish** /-ɪʃ/ *ἐπ.* κομψευόμενος.

[1]**for** /fə(r), *ἐμφ*: fɔ(r)/ *πρόθ.* **1**. γιά (*χρησιμοποιεῖται γιά νά δείξη: κατεύθυνση, προορισμό, κτήση, σκοπό, χρήση, κλίση, καταλληλότητα, αἰτία, σχέση, ἀνταλλαγή, διάρκεια*): *We made ~ home*, τραβήξαμε γιά τό σπίτι. *the train ~ Dover*, τό τραῖνο γιά τό Ντόβερ. *He was destined ~ something great*, ἦταν προορισμένος γιά κάτι μεγάλο. *This book is ~ you*, αὐτό τό βιβλίο εἶναι γιά σένα. *He ran ~ his life*, ἔτρεξε γιά νά σώση τή ζωή του. *I read ~ pleasure*, διαβάζω γιά εὐχαρίστηση. *a mill ~ grinding coffee*, ἕνας μύλος γιά ν' ἀλέθουμε καφέ. *They were sold ~ slaves*, πουλήθηκαν γιά σκλάβοι. *He has an aptitude ~ foreign languages*, ἔχει κλίση γιά τίς ξένες γλῶσσες. *You're the very man ~ the job*, εἶσαι ἀκριβῶς ὁ ἄνθρωπος πού χρειάζεται γιά τή δουλειά. *He was sent to prison ~ stealing money*, πῆγε φυλακή γιατί ἔκλεψε τά χρήματα. *This country is famous ~ its scenery*, αὐτή ἡ χώρα εἶναι φημισμένη γιά τά τοπεῖα της. *She is tall ~ her age*, εἶναι ψηλή γιά τήν ἡλικία της. *He sold his house ~ £5000*, πούλησε τό σπίτι του γιά 5000 λίρες. *I'll be away ~ a couple of days*, θά λείψω γιά κανά δυό μέρες. **~ *life***, ἐφ' ὅρου ζωῆς. **~ *good***, γιά πάντα. ***once and ~ all***, μιά γιά πάντα. **~ *oneself***, ὁ ἴδιος: *You should go and see it ~ yourself*, πρέπει νά πᾶς νά τό δῆς ὁ ἴδιος. ***I ~ one***, ἐγώ τουλάχιστον: *I ~ one can't believe it*, ἐγώ τουλάχιστον δέν μπορῶ νά τό πιστέψω. **~ *the present***, ἐπί τοῦ παρόντος. **~ *the time being***, γιά τήν ὥρα. ***It is not ~ you (him, etc) to***, δέν εἶναι δική σου δουλειά: *It's not ~ you to tell me what to do*, δέν εἶναι δική σου δουλειά νά μοῦ πῆς τί νά κάνω. **~ *ever***, γιά πάντα. ***but ~; were it not ~***, χωρίς, ἄν δέν ἦταν: *But ~ him/Were it not ~ him, they would have killed me*, ἄν δέν ἦταν αὐτός θά μέ σκότωναν. **2**. ὑπέρ: *Are you ~ or against my proposal?* εἶσαι ὑπέρ ἤ ἐναντίον τῆς προτάσεώς μου; **3**. παρά: *F~ all his wealth, he is unhappy*, παρ' ὅλα τά πλούτη του, εἶναι δυστυχισμένος. **~ *all that***, παρ' ὅλα αὐτά. **4**. ἀπό: *He couldn't speak ~ laughing*, δέν μποροῦσε νά μιλήση ἀπό τά γέλια. *She danced/cried ~ joy*, χόρευε/ἔκλαιγε ἀπό χαρά. **~ *fear of***, ἀπό φόβο (μήπως): *~ fear of discovery*, ἀπό φόβο μήπως ἀνακαλυφθῆ. **~ *want of***, ἀπό ἔλλειψη. **~ *all I know***, ἀπ' ὅ,τι ξέρω. **~ *my part***, ἀπό μέρους μου. **5**. πρός: *Don't translate word ~ word*, μή μεταφράζης λέξη πρός λέξη. ***what ~***, πρός τί, γιατί: *What's all this shouting ~?* πρός τί ὅλες αὐτές οἱ φωνές; *What did you do that ~?* γιατί τὄκανες αὐτό; **6**. ὡς: *They chose him ~ their leader*, τόν ἐξέλεξαν ὡς ἀρχηγό τους. **~ *certain***, ὡς βέβαιον: *I can't hold it ~ certain that*..., δέν μπορῶ νά τό θεωρήσω ὡς βέβαιον ὅτι... **7**. (*ἀμετάφραστο στά Ἑλληνικά. Χρησιμοποιεῖται γιά νά εἰσάγη τό ὑποκείμενον ἀπαρεμφάτου ἐπί ἑτεροπροσωπίας*): *It's impossible ~ John to have said such a thing*, εἶναι ἀδύνατο νά εἶπε ὁ Γ. τέτοιο πρᾶγμα. *It's impossible ~ there to be a quarrel between us*, εἶναι ἀδύνατο νά ὑπάρξη φιλονικία μεταξύ μας. *Their hope was ~ John to marry a wealthy girl*, ἡ ἐλπίδα τους ἦταν νά παντρευτῆ ὁ Γ. ἕνα πλούσιο κορίτσι. *This box is too heavy ~ John to lift*, αὐτό τό κουτί εἶναι πάρα πολύ βαρύ γιά νά τό σηκώση ὁ Γ. *It's time ~ them to go to bed*, εἶναι ὥρα νά πᾶνε γιά ὕπνο. *There's no need ~ anyone to know*, δέν ὑπάρχει ἀνάγκη νά μάθη κανείς τίποτα. *There's nothing more ridiculous than ~ an old man to marry a young girl*, δέν ὑπάρχει τίποτα πιό γελοῖο ἀπό τοῦ νά παντρευτῆ ἕνας γέρος ἕνα κοριτσάκι. *I'd have given anything ~ this not to have happened*, θἄδινα τό πᾶν γιά νά μή συμβῆ αὐτό. *F~ production to be increased, we must all work hard*, γιά νά αὐξηθῆ ἡ παραγωγή, πρέπει ὅλοι νά δουλέψουμε σκληρά.

[2]**for** /fə(r), *ἐμφ*: fɔ(r)/ *σύνδ.* (*σπάνιος εἰς καθομ. Ἀγγλικήν*) διότι: *I asked her to stay to tea, ~ I had something to tell her*, τῆς εἶπα νά μείνη γιά τσάϊ, διότι εἶχα κάτι νά τῆς πῶ.

for·age /'forɪdʒ/ *οὐσ.* ‹U› τροφή (ζώων), χορτονομή. __*ρ.μ.* ψάχνω γιά τροφή.

for·as·much as /'fɔrəz'mʌtʃ əz/ *σύνδ.* (*νομ.*) δοθέντος ὅτι.

foray /'foreɪ/ *οὐσ.* ‹C› ἐπιδρομή (*ἰδ.* πρός λεηλασίαν): *go on/make a ~*, πηγαίνω/κάνω ἐπιδρομή. __*ρ.ὰ.* διαρπάζω.

for·bad, for·bade /fə'bæd/ *ἀόρ. τοῦ ρ. forbid.*

[1]**for·bear** /fə'beə(r)/ *ρ.μ/ὰ.* *ἀνώμ.* (*ἀόρ. -bore* /-'bɔ(r)/, *π.μ. -borne* /-'bɔn/) ἀποφεύγω, ἀπέχω, κάνω ὑπομονή: *I ~ to go into details*, ἀποφεύγω νά εἰσέλθω σέ λεπτομέρειες. *I cannot ~ from going into details*, δέν μπορῶ ν' ἀποφύγω νά εἰσέλθω σέ λεπτομέρειες. *We begged him to ~*, τόν παρακαλέσαμε νά κάνη ὑπομονή. **~·ance** /-əns/ *οὐσ.* ‹U› ἀνεκτικότης, ὑπομονή, αὐτοκυριαρχία: *show ~ance towards sb*, δείχνω ἀνεκτικότητα σέ κπ.

[2]**for·bear** /'fɔbeə(r)/ *οὐσ.* ‹C› (*συνήθ. πληθ.*) πρόγονος.

for·bid /fə'bɪd/ *ρ.μ.* *ἀνώμ.* (*ἀόρ. -bad(e)* /-'bæd/, *π.μ. -bidden* /-'bɪdn/) ἀπαγορεύω: *I ~ you to leave*, σοῦ ἀπαγορεύω νά φύγης. *~ a marriage*, ἀπαγορεύω ἕνα γάμο. *Students are ~den the use of the duplicator*, ἀπαγορεύεται εἰς τούς σπουδαστάς ἡ χρῆσις τοῦ πολυγράφου. ***God ~ that***..., θεός φυλάξοι, ὁ θεός νά μή δώση νά... **~den fruit**, ἀπηγορευμένος καρπός. **~·ding** *ἐπ.* βλοσυρός, ἀπωθητικός, ἀποκρουστικός, αὐστηρός, ἀντιπαθητικός, ἀπειλητικός: *a ~ding appearance*, βλοσυρή ἐμφάνιση. *a ~ding sky*, ἀπειλητικός οὐρανός. **~·ding·ly** *ἐπίρ.* αὐστηρά, ἀπειλητικά.

for·bore /fə`bɔ(r)/, **for·borne** /fə`bɔn/ *ἀόρ., π.μ. τοῦ ρ. forbear.*

[1]**force** /fɔs/ *οὐσ.* **1**. ‹C,U› δύναμις: *the ~ of a blow/an explosion*, ἡ δύναμις ἑνός κτυπήματος/μιᾶς ἐκρήξεως. *~ of character*, δύναμις χαρακτῆρος. *the ~s of nature*, οἱ δυνάμεις τῆς φύσεως. *The former party leader is a spent ~ now*, ὁ πρώην ἀρχηγός τοῦ κόμματος δέν ἔχει καμιά δύναμη (ἐπιρροή) τώρα. ***by ~ of***, δυνάμει: *by sheer ~ of will*, μέ τήν δύναμη τῆς θελήσεως καί μόνον. **2**. ‹U› βία, πίεσις, ζόρι: *Owing to ~ of circumstances*, ὑπό τήν πίεσιν τῶν περιστάσεων... ***by ~***, διά τῆς βίας, μέ τό ζόρι. **3**. ‹C› (*στρατ.*) δύναμις: *the armed ~s*, οἱ ἔνοπλες δυνάμεις. *the police ~*, ἡ ἀστυνομική δύναμις. *attack in great ~*, ἐπιτίθεμαι μέ μεγάλες δυνάμεις. ***join ~s (with)***, δρῶ ἀπό κοινοῦ (μέ). **4**. ‹U› (*νομ.*) ἰσχύς: *put a law into ~*, θέτω νόμον ἐν ἰσχύϊ. ***be in ~***, εἶμαι ἐν ἰσχύϊ. ***come into ~***, τίθεμαι ἐν ἰσχύϊ.

[2]**force** /fɔs/ *ρ.μ.* ἐξαναγκάζω, (παρα)βιάζω, ἀποσπῶ, ζορίζω: *~ sb to do/into doing sth*, ἐξαναγκάζω κπ νά κάνη κτ. *~ one's way in/out/through*, μπαίνω/βγαίνω/περνῶ διά τῆς βίας, μέ τό ζόρι. *~ a door*, παραβιάζω μιά πόρτα. *~ an engine*, ζορίζω, φορτσάρω μιά μηχανή. *~ a confession from sb*, ἀποσπῶ ὁμολογία ἀπό κπ. *~ sth upon sb*, ἐπιβάλλω κτ σέ κπ (μέ τό ζόρι). *~ a smile*, χαμογελῶ βεβιασμένα. *a ~d laugh*, βεβιασμένο γέλιο. ***~ sb's hand***, πειθαναγκάζω, στριμώχνω κπ (νά κάμη κτ πρίν πάρη μόνος του ἀπόφαση). **'~-land** *ρ.μ/ἀ.* προσγειοῦμαι ἀναγκαστικά. **'~d 'landing**, ἀναγκαστική προσγείωσις. **'~d `march**, σύντονος, ἀναγκαστική πορεία.

force·ful /`fɔsfl/ *ἐπ.* ρωμαλέος, νευρώδης, δυνατός: *a ~ speaker/style of writing/argument*, ρωμαλέος ὁμιλητής/νευρῶδες ὕφος/δυνατό ἐπιχείρημα. **~ly** /-fəlı/ *ἐπίρ.* **~·ness** *οὐσ.* ‹U› ρωμαλεότης, δύναμις.

force majeure /'fɔs mæ`ʒɜ(r)/ *οὐσ.* ‹U› (*νομ.*) ἀνωτέρα βία.

force·meat /`fɔsmit/ *οὐσ.* ‹U› κιμᾶς (γιά γέμιση).

for·ceps /`fɔseps/ *οὐσ. πληθ.* (*ἰατρ.*) λαβίδα.

forc·ible /`fɔsəbl/ *ἐπ.* **1**. βίαιος: *a ~ entry into a building*, βιαία εἴσοδος σέ κτίριο. **2**. πειστικός: *a ~ man/argument.* **forc·ibly** /-əblı/ *ἐπίρ.* βιαίως, μέ τό ζόρι.

ford /fɔd/ *οὐσ.* ‹C› πέρασμα, πόρος (σέ ποτάμι). —*ρ.μ.* περνῶ (ποτάμι) μέ τά πόδια. **~·able** /-əbl/ *ἐπ.* διαβατός.

fore /fɔ(r)/ *ἐπ.* μπροστινός (*ἀντίθ. back*): *in the ~ part of the train/boat*, στό μπροστινό μέρος τοῦ τραίνου/τοῦ πλοίου. —*οὐσ.* ‹U› τό μπροστινό μέρος, (*ναυτ.*) πλώρη. ***to the ~***, στό προσκήνιο, παρών, διαθέσιμος: *This man/theory has come to the ~ again*, αὐτός ὁ ἄνθρωπος/αὐτή ἡ θεωρία ἦλθε πάλι στό προσκήνιο. *He is always to the ~ in a fight*, εἶναι πάντα παρών (μπροστά) στούς καυγάδες. *He has money to the ~*, ἔχει διαθέσιμα χρήματα. ***~ and aft***, κατά μῆκος τοῦ πλοίου, πλώρη-πρύμνη. —*ἐπίρ.* μπροστά. —*πρόθεμα*, προ-: *~see*, προβλέπω.

fore·arm /`fɔram/ *οὐσ.* ‹C› πῆχυς (τοῦ βραχίονος). —*ρ.μ.* /'fɔ`ram/ ἐξοπλίζω ἐκ τῶν προτέρων.

fore·bode /fɔ`bəud/ *ρ.μ.* (*λόγ.*) προαγγέλω, προαισθάνομαι: *These clouds ~ a storm*, αὐτά τά σύννεφα προαγγέλουν θύελλα. *I ~ disaster*, προαισθάνομαι συμφορά. **fore·bod·ing** *οὐσ.* ‹C,U› προαίσθημα.

fore·cast /`fɔkast/ *ρ.μ.* (*ἀόρ. & π.μ. ~ ἤ ~ed*) προβλέπω, προλέγω: *~ the weather/the future*, προβλέπω τόν καιρό/προλέγω τό μέλλον. —*οὐσ.* ‹C› πρόβλεψις: *a weather ~*, πρόβλεψις καιροῦ.

fore·castle, fo'c'sle /`fəuksl/ *οὐσ.* ‹C› (*ναυτ.*) θάλαμοι πλώρης (γιά τό πλήρωμα), πρόστεγον.

fore·close /fɔ`kləuz/ *ρ.μ/ἀ.* (*νομ.*) προβαίνω εἰς κατάσχεσιν (ἐνυποθήκου). **fore·clos·ure** /-`kləuʒə(r)/ *οὐσ.* ‹C,U› κατάσχεσις.

fore·court /`fɔkɔt/ *οὐσ.* ‹C› προαύλιον.

fore·doom /'fɔ`dum/ *ρ.μ.* (*συνήθ. παθ. φων.*) προκαταδικάζω: *an attempt ~ed to failure*, ἀπόπειρα προκαταδικασμένη εἰς ἀποτυχίαν.

fore·fathers /`fɔfaðəz/ *οὐσ. πληθ.* πρόγονοι.

fore·fin·ger /`fɔfıŋgə(r)/ *οὐσ.* ‹C› δείκτης (δάχτυλο).

fore·foot /`fɔfut/ *οὐσ.* ‹C› μπροστινό πόδι (ζώου).

fore·front /`fɔfrʌnt/ *οὐσ.* ‹U› ἡ πρώτη γραμμή: *in the ~ of the battle*, στήν πρώτη γραμμή τῆς μάχης.

fore·go /fɔ`gəu/ *ρ.μ/ἀ. ἀνώμ.* (*ἀόρ. -went* /-`went/, *π.μ. -gone* /-`gon/) (*ἀπηρχ.*) προηγοῦμαι. **~·ing** *ἐπ.* προηγούμενος, προαναφερθείς. **fore·gone** /`fɔgon/ *ἐπ.* προκαθορισμένος. (*βλ. & λ. conclusion*).

fore·ground /`fɔgraund/ *οὐσ.* ‹C› (*ζωγρ., φωτογρ.*) πρῶτο πλάνο, (*καθομ.*) προσκήνιο: *keep oneself/be in the ~*, μένω/εἶμαι στό προσκήνιο, στήν πρώτη γραμμή.

fore·head /`forıd/ *οὐσ.* ‹C› μέτωπο, κούτελο.

foreign /`forən/ *ἐπ.* **1**. ξένος, ἀλλοδαπός: *~ languages/countries*, ξένες γλῶσσες/χῶρες. *~ visitors*, ἀλλοδαποί ἐπισκέπτες. *a ~ body in the eye*, ξένο σῶμα στό μάτι (πχ σκόνη). **2**. ἐξωτερικός: *~ trade/debt*, ἐξωτερικό ἐμπόριο/χρέος. *the `F~ Office*, Ὑπουργεῖον Ἐξωτερικῶν. ***~ to***, ξένος, ἄγνωστος εἰς: *Lying is ~ to his nature*, τό ψέμα εἶναι ξένο στό χαρακτῆρα του, τοῦ εἶναι ἄγνωστο. **~er** *οὐσ.* ‹C› ἀλλοδαπός, ξένος.

fore·knowl·edge /'fɔ`nolıdʒ/ *οὐσ.* ‹U› γνῶσις ἐκ τῶν προτέρων.

fore·leg /`fɔleg/ *οὐσ.* ‹C› μπροστινό πόδι (ζώου).

fore·lock /`fɔlok/ *οὐσ.* ‹C› τσουλούφι, ἀφέλεια (μαλλιῶν). ***by the ~***, ἀπό τά μαλλιά: *take time/an opportunity by the ~*, ἁρπάζω τήν εὐκαιρία ἀπό τά μαλλιά.

fore·man /`fɔmən/ *οὐσ.* ‹C› **1**. (*νομ.*) προϊστάμενος τῶν ἐνόρκων. **2**. ἀρχιεργάτης, ἐργοδηγός.

fore·mast /`fɔmast/ *οὐσ.* ‹C› (*ναυτ.*) πρωραῖος ἱστός.

fore·most /ˋfɔməʊst/ ἐπ. πρῶτος (στή σειρά), πρώτιστος: *the ~ painter in this period*, ὁ πρῶτος ζωγράφος αὐτῆς τῆς περιόδου. *in the ~ rank*, στήν πρώτη-πρώτη σειρά. __*ἐπίρ.* ***first and ~***, πρῶτον καί κύριον, πρῶτα-πρῶτα.

fore·name /ˋfɔneɪm/ *οὐσ.* ‹C› (βαφτιστικό) ὄνομα.

fore·noon /ˋfɔnun/ *οὐσ.* ‹C› πρωΐ (ἀπό τήν ἀνατολή ὥς τό μεσημέρι).

for·en·sic /fəˋrensɪk/ *ἐπ.* δικανικός, δικαστικός: *~ skill*, δικανική δεινότης. *~ medicine*, ἰατροδικαστική.

fore·or·dain /ˈfɔrɔˋdeɪn/ *ρ.μ.* προκαθορίζω, προορίζω.

fore·run·ner /ˋfɔrʌnə(r)/ *οὐσ.* ‹C› **1**. προάγγελος: *swallows, the ~s of spring*, τά χελιδόνια, οἱ προάγγελοι τῆς ἄνοιξης. **2**. πρόδρομος: *the ~s of science*, οἱ πρόδρομοι τῆς ἐπιστήμης.

fore·see /fɔˋsi/ *ρ.μ. ἀνώμ.* (*ἀόρ. -saw* /ˋsɔ/, *π.μ. -seen* /ˋsin/) προβλέπω: *I ~ trouble/what will happen*, προβλέπω φασαρία/τί θά συμβῆ. **~·able** /-əbl/ *ἐπ.* δυνάμενος νά προβλεφθῆ: *in the ~able future*, εἰς τό ἐγγύς μέλλον, ὅσο μπορεῖ νά προβλέψη κανείς.

fore·shadow /fɔˋʃædəʊ/ *ρ.μ.* προμηνύω, προδιαγράφω.

fore·sight /ˋfɔsaɪt/ *οὐσ.* ‹U› πρόβλεψις, προνοητικότης: *have ~*, εἶμαι προβλεπτικός, προνοητικός.

for·est /ˋforɪst/ *οὐσ.* ‹C,U› δάσος: *~ animals/fires*, ζῶα τοῦ δάσους/πυρκαγιές σέ δάση. *a ~ of masts*, (*μεταφ.*) δάσος ἀπό κατάρτια. **~er** *οὐσ.* ‹C› δασοφύλακας. **~ry** *οὐσ.* ‹U› δασοκομία.

fore·stall /fɔˋstɔl/ *ρ.μ.* προλαμβάνω, ματαιώνω: *~ a competitor/a plot/sb's plans*, προλαμβάνω ἕναν ἀνταγωνιστή/μιά συνομωσία/τά σχέδια κάποιου.

fore·taste /ˋfɔteɪst/ *οὐσ.* ‹C› πρώτη γεῦσις, προκαταρτική ἐμπειρία: *I had a ~ of what was to come*, εἶχα μιά πρώτη γεύση αὐτοῦ πού ἐπρόκειτο νά ἐπακολουθήση.

fore·tell /fɔˋtel/ *ρ.μ. ἀνώμ.* (*ἀόρ & π.μ. -told* /ˋtəʊld/) προλέγω: *~ sb's future*.

fore·thought /ˋfɔθɔt/ *οὐσ.* ‹U› προμελέτη, πρόνοια, προνοητικότης.

fore·told /fɔˋtəʊld/ *ἀόρ. & π.μ. τοῦ ρ. foretell.*

for·ever /fəˋrevə(r)/ *ἐπίρ.* διαρκῶς, αἰωνίως, συνεχῶς: *He's ~ complaining*, διαρκῶς παραπονεῖται.

fore·woman /ˋfɔwʊmən/ *οὐσ.* ‹C› ἐπιστάτρια, ἀρχιεργάτρια.

fore·word /ˋfɔwɜd/ *οὐσ.* ‹C› πρόλογος.

for·feit /ˋfɔfɪt/ *ρ.μ.* χάνω (σά συνέπεια πράξεώς μου): *~ one's health/sb's good opinion*, χάνω τήν ὑγεία μου/τήν ἐκτίμηση κάποιου. __*οὐσ.* ‹C› (*μεταφ.*) τίμημα. **~·ure** /-tʃə(r)/ *οὐσ.* ‹U› στέρησις, ἀφαίρεσις (διά κατασχέσεως): *~ure of sb's driving licence/property*, ἀφαίρεσις τῆς ἀδείας ὁδηγήσεως/τῆς περιουσίας κάποιου.

for(e)·gather /fɔˋgæðə(r)/ *ρ.ἀ.* συναθροίζομαι.

for·gave /fəˋgeɪv/ *ἀόρ. τοῦ ρ. forgive.*

[1]**forge** /fɔdʒ/ *οὐσ.* ‹C› σιδηρουργεῖον.

[2]**forge** /fɔdʒ/ *ρ.μ.* **1**. σφυρηλατῶ: *~ a horseshoe*, σφυρηλατῶ, φτιάχνω ἕνα πέταλο. *Their friendship was ~d in battle*, ἡ φιλία τους σφυρηλατήθηκε στή μάχη. **2**. πλαστογραφῶ, παραχαράσσω: *~ a signature/a document*, πλαστογραφῶ μιά ὑπογραφή/ἕνα ἔγγραφο. *~ banknotes*, παραχαράσσω χαρτονομίσματα. **~r** *οὐσ.* ‹C› πλαστογράφος, παραχαράκτης. **~ry** /ˋfɔdʒərɪ/ *οὐσ.* ‹C,U› πλαστογραφία, παραχάραξις, πλαστό/κίβδηλο πρᾶγμα.

[3]**forge** /fɔdʒ/ *ρ.ἀ.* ***~ ahead***, (*καθομ.*) προηγοῦμαι (τῶν ἀντιπάλων μου), προχωρῶ σταθερά.

for·get /fəˋget/ *ρ.μ/ἀ. ἀνώμ.* (*ἀόρ. -got* /-ˋgot/, *π.μ. -gotten* /-ˋgotn/) ξεχνῶ, λησμονῶ: *F~ it!* ξέχασέ το, μήν τό σκέφτεσαι! *I forgot all about it*, τό ξέχασα ἐντελῶς. *Don't ~ me*, μή μέ ξεχάσης! *Forgive and ~*, συχώρα καί ξέχνα. *Don't ~ to post my letters*, μήν ξεχάσης νά ταχυδρομήσης τά γράμματά μου. ***~ oneself***, ἀποξεχνιέμαι, συμπεριφέρομαι ἀπρεπῶς, παραμελῶ τόν ἑαυτό μου ἤ τά συμφέροντά μου. **~·ful** /-fl/ *ἐπ.* ἐπιλήσμων, ξεχασιάρης: *be ~ful of one's duty*, εἶμαι ἐπιλήσμων τοῦ καθήκοντός μου. *Old people are sometimes ~ful*, οἱ γέροι ξεχνᾶνε κάπου-κάπου. **~·fully** /-fəlɪ/ *ἐπίρ.* **~·ful·ness** *οὐσ.* ‹U› λησμοσύνη.

for·give /fəˋgɪv/ *ρ.μ/ἀ. ἀνώμ.* (*ἀόρ. -gave* /ˋgeɪv/, *π.μ. -given* /ˋgɪvn/) **1**. ***~ sb for doing sth***, συγχωρῶ: *I ~ you for lying to me*, σέ συγχωρῶ πού μοῦ εἶπες ψέματα. *I ~ you your lies*, σοῦ συγχωρῶ τά ψέματά σου. *F~ us our trespasses*, ἄφες ἡμῖν τά ὀφειλήματα ἡμῶν. **2**. χαρίζω (χρέος): *Will you ~ me that old debt?* θά μοῦ χαρίσης ἐκεῖνο τό παληό χρέος; **for·giv·able** /-əbl/ *ἐπ.* συγχωρητέος. **for·giv·ing** *ἐπ.* ἐπιεικής, ἀνεξίκακος, πού συγχωρεῖ εὔκολα: *He has a forgiving nature*, ἔχει ἀνεξίκακο χαρακτῆρα. **for·giv·ing·ly** *ἐπίρ.* ἀνεξίκακα. **~·ness** *οὐσ.* ‹U› συχώρεση, ἀνεξικακία: *beg ~ness of sb; ask for ~ness*, ζητῶ συχώρεση ἀπό κπ.

for·go /fɔˋgəʊ/ *ρ.μ. ἀνώμ.* (*ἀόρ. -went* /-ˋwent/, *π.μ. -gone* /-ˋgon/) παραιτοῦμαι, ἀπέχω: *~ one's rights*, παραιτοῦμαι τῶν δικαιωμάτων μου. *~ pleasures in order to study hard*, παραιτοῦμαι τῶν διασκεδάσεων γιά νά μελετήσω. *I cannot ~ mentioning it*, δέν μπορῶ νά μήν τό ἀναφέρω.

for·got /fəˋgot/, **for·got·ten** /fəˋgotn/ *ἀόρ., π.μ. τοῦ ρ. forget.*

fork /fɔk/ *οὐσ.* ‹C› **1**. πηρούνι. **2**. δικράνα, τσουγκράνα. **3**. διακλάδωσις (δρόμου, δέντρου). **4**. διχάλα. **5**. καβάλος (παντελονιοῦ). *a ˋ~ lunch/supper*, γεῦμα/δεῖπνο ὅπου οἱ καλεσμένοι αὐτοσερβίρονται ἀπό μπουφέ. **ˋ~·ful** /-fʊl/ *οὐσ.* ‹C› πηρουνιά. __*ρ.μ/ἀ.* **1**. λιχνίζω (ἄχυρο), σκαλίζω (μέ τσουγκράνα). **2**. διακλαδίζομαι, στρίβω (σέ διακλάδωση): *The road ~s*, ὁ δρόμος διακλαδίζεται. *We ~ed to the right at the church*, στρίψαμε δεξιά στήν ἐκκλησία. **3**. ***~ sth out; ~ up/out***, (*καθομ.*) πληρώνω (ξηλώνομαι): *I've got to ~ out a lot in taxes this year*, πρέπει νά πληρώσω πολλά σέ φόρους φέτος. **~ed** *ἐπ.* διχαλωτός: *a bird's ~ed tail*, διχαλωτή οὐρά πουλιοῦ. *the ~ed tongue of a snake*, ἡ διχαλωτή γλῶσσα φιδιοῦ.

for·lorn /fəˋlɔn/ *ἐπ.* (*ποιητ.*) ἐγκαταλελειμένος,

ἔρημος, δυστυχής. ***a ~ hope***, ἀπεγνωσμένη/ ἄπελπις προσπάθεια. **~·ly** *ἐπίρ.*

[1]**form** /fɔm/ *οὐσ.* **1**. ‹C,U› μορφή, σχῆμα, φιγούρα: *take ~*, λαμβάνω σχῆμα/μορφή, διαμορφώνομαι. *The devil appeared before him in the ~ of a dog*, ὁ σατανᾶς φανερώθηκε μπροστά του μέ τήν μορφή σκύλου. *A dark ~ could be seen in the distance*, μιά σκοτεινή φιγούρα φάνηκε μακρυά. **2**. ‹C,U› φόρμα, μορφή, εἶδος, τρόπος: *the question of ~ and subject-matter in art*, τό πρόβλημα μορφῆς καί περιεχομένου στήν τέχνη. *a composition in sonata ~*, μιά σύνθεση σέ μορφή σονάτας. *~s of government*, μορφές (εἴδη) διακυβερνήσεως. *~s of worship*, μορφές (τρόποι) λατρείας. **3**. ‹C,U› τύπος, συμπεριφορά: *The indefinite article has two ~s*, τό ἀόριστον ἄρθρον ἔχει δύο τύπους. ***do sth for ~'s sake/as a matter of ~***, κάνω κτ γιά τόν τύπο. *It's a mere matter of ~*, εἶναι καθαρά τυπικό ζήτημα, καθαρός τύπος. ***good/bad ~***, καλή/κακή συμπεριφορά (εὐγένεια/ἀγένεια): *It's good ~ to stand up when a lady...*, ἡ καλή συμπεριφορά (ἡ εὐγένεια) ἀπαιτεῖ νά σηκωθῇς ὅταν μιά κυρία... *It's bad ~ to...*, εἶναι ἀγένεια (ἀπρέπεια) νά... **4**. ‹U› (*γιά ἀθλητές*) φόρμα, (*γιά ἄνθρ.*) διάθεσις: *be in (great) ~*, εἶμαι σέ (μεγάλη) φόρμα. *be out of ~*, δέν εἶμαι σέ φόρμα, δέν ἔχω διάθεση. **5**. ‹C› φόρμα, ἔντυπον: *application/telegraph ~s*, ἔντυπα αἰτήσεων/τηλεγραφημάτων. **6**. ‹C› θρανίο, πάγκος (χωρίς πλάτη). **7**. ‹C› (*MB σχολ.*) τάξις (*πρβλ ΗΠΑ=grade*): *the first/sixth ~*, πρώτη/ἕκτη τάξις. *a 'sixth-former*, μαθητής τῆς ἕκτης τάξεως.

[2]**form** /fɔm/ *ρ.μ/ὰ.* **1**. σχηματίζω/-ομαι: *~ an opinion/a government*, σχηματίζω γνώμη/κυβέρνηση. *The idea ~ed in his mind*, ἡ ἰδέα σχηματίστηκε στό μυαλό του. *Ice ~ed on the lake*, σχηματίστηκε πάγος πάνω στή λίμνη. **2**. διαμορφώνω, διαπλάθω: *~ a child's character/mind*, διαπλάθω τό χαρακτῆρα/τό μυαλό ἑνός παιδιοῦ. **3**. σχηματίζω, συγκροτῶ, ἀποτελῶ: *~ fours/into line*, σχηματίζω τετράδες/μπαίνω στή γραμμή. *They ~ed themselves into a committee*, συγκρότησαν οἱ ἴδιοι μιά ἐπιτροπή. *This lecture ~s part of a course*, αὐτή ἡ διάλεξη ἀποτελεῖ μέρος μιᾶς σειρᾶς... **4**. φτιάχνω, καταρτίζω, δημιουργῶ: *~ new words*, φτιάχνω καινούργιες λέξεις. *~ a class for beginners*, φτιάχνω τάξη ἀρχαρίων. *~ a plan*, καταρτίζω ἕνα σχέδιο. *~ good habits*, δημιουργῶ καλές συνήθειες.

for·mal /'fɔml/ *ἐπ.* **1**. ἐπίσημος, ἐθιμοτυπικός: *~ dress*, ἐπίσημον ἔνδυμα. *a ~ order*, ἐπίσημη διαταγή. *a ~ call on the Ambassador*, ἐθιμοτυπική ἐπίσκεψις στόν Πρέσβυ. *make a ~ bow*, κάνω μιά ὑπόκλιση μέ ὅλους τούς τύπους. **2**. κανονικός, συμμετρικός: *a ~ receipt*, κανονική (ὄχι πρόχειρη) ἀπόδειξη. *a ~ contract*, κανονικό συμβόλαιο (μέ ὅλους τούς τύπους). *~ gardens*, κῆπος μέ συμμετρικά σχέδια. **3**. τυπικός: *a ~ resemblance*, τυπική (ἐξωτερική) ὁμοιότης. *~ grammar*, τυπική γραμματική. *He's always very ~*, εἶναι πάντα πολύ τυπικός (προσεχτικός στούς τύπους). **~·ism** /-ɪzm/ *οὐσ.* ‹U› φορμαλισμός, τυποκρατία. **~·ly** /-məlɪ/ *ἐπίρ.* τυπικῶς, ἐπισήμως, πανηγυρικῶς.

for·mal·ity /fɔ'mælətɪ/ *οὐσ.* **1**. ‹U› ἐπισημότης, τυπικότης, ἐθιμοτυπία: *There was too much ~ at their party*, ὑπῆρχε πολλή ἐπισημότης στό πάρτυ τους. *be received with great/with frozen ~*, γίνομαι δεκτός μέ μεγάλη ἐπισημότητα/μέ ψυχρή τυπικότητα. **2**. ‹C› (*συνήθ. πληθ.*) διατυπώσεις, τύποι: *legal/customs formalities*, νομοτυπικές/τελωνειακές διατυπώσεις. ***a mere ~***, καθαρά τύπος, ἁπλῆ διατύπωσις.

for·mat /'fɔmæt/ *οὐσ.* ‹C› σχῆμα (βιβλίου).

for·ma·tion /fɔ'meɪʃn/ *οὐσ.* ‹C,U› **1**. σχηματισμός, δημιουργία, διαμόρφωσις: *the ~ of ideas in the mind*, ὁ σχηματισμός ἰδεῶν στό νοῦ. *the ~ of character*, ἡ διαμόρφωσις τοῦ χαρακτῆρα. **2**. (*στρατ.*) σχηματισμός, τάξις, διάταξις: *troops in battle ~*, στρατιῶτες σέ σχηματισμό/εἰς τάξιν μάχης.

for·ma·tive /'fɔmətɪv/ *ἐπ.* διαπλαστικός, διαμορφωτικός: *~ influences*, διαμορφωτικές (καθοριστικές) ἐπιρροές. *the ~ years of a child's life*, τά χρόνια ὅπου διαπλάθεται ὁ χαρακτῆρας ἑνός παιδιοῦ.

for·mer /'fɔmə(r)/ *ἐπ.* **1**. παλαιός, προηγούμενος, παλαιότερος, τέως, πρώην: *in ~ times*, σέ παλαιότερους καιρούς. *She's a mere shadow of her ~ self*, δέν εἶναι παρά ἡ σκιά τοῦ παληοῦ της ἑαυτοῦ. *the ~ President*, ὁ τέως Πρόεδρος. *my ~ students*, οἱ πρώην μαθητές μου. **2**. *ἐπ. & ἀντων.* ὁ πρῶτος (ἐκ τῶν δύο) (*ἀντίθ. latter*): *I prefer the ~ alternative to the latter*, προτιμῶ τήν πρώτη λύση ἀπό τή δεύτερη. ***the ~ ...the latter***, ὁ μέν...ὁ δέ. **~·ly** *ἐπίρ.* ἄλλοτε, παληότερα, πρίν.

for·mi·dable /'fɔmɪdəbl/ *ἐπ.* τρομερός: *a man with a ~ appearance*, ἄνθρωπος μέ τρομερή ὄψη. *~ obstacles; a ~ adversary*, τρομερά ἐμπόδια/-ός ἀντίπαλος. **for·mi·dably** /-əblɪ/ *ἐπίρ.* τρομερά.

for·mula /'fɔmjʊlə/ *οὐσ.* ‹C› (*πληθ. ~s, σέ ἐπιστ. ὅρους -lae* /-li/) **1**. διατύπωσις, φόρμουλα, τύπος, (φραστικό) κλισέ. **2**. (*μαθ. χημ.*) τύπος, (*ἰατρ.*) συνταγή.

for·mu·late /'fɔmjʊleɪt/ *ρ.μ.* διατυπώνω: *~ one's thoughts/a theory*, διατυπώνω τίς σκέψεις μου/μιά θεωρία. **for·mu·la·tion** /'fɔmjʊ'leɪʃn/ *οὐσ.* ‹C,U› διατύπωσις.

for·ni·cate /fɔnɪkeɪt/ *ρ.ὰ.* (*ἐπί ἀγάμων καί μοιχῶν*) συνουσιάζομαι. **for·ni·ca·tion** /'fɔnɪ'keɪʃn/ *οὐσ.* ‹U› συνουσία.

for·sake /fə'seɪk/ *ρ.μ. ἀνώμ.* (*ἀόρ. -sook* /-'sʊk/, *π.μ. -saken* /-'seɪkən/) ἐγκαταλείπω: *~ one's family*, ἐγκαταλείπω τήν οἰκογένειά μου. *His friends forsook him when he became poor*, οἱ φίλοι του τόν ἐγκατέλειψαν ὅταν φτώχυνε.

for·sooth /fə'suθ/ *ἐπίρ.* (*ἀπηρχ.*) ἀληθῶς, τῷ ὄντι.

for(e)·swear /fɔ'sweə(r)/ *ρ.μ. ἀνώμ.* (*ἀόρ. -swore* /-'swɔ(r)/, *π.μ. -sworn*/-'swɔn/) (*λογ.*) ἀπαρνοῦμαι, κόβω: *~ bad habits/smoking*, κόβω κακές συνήθειες/τό κάπνισμα. ***~ oneself***, γίνομαι ἐπίορκος.

fort /fɔt/ *οὐσ.* ‹C› φρούριο, κάστρο.

forte /'fɔteɪ/ *οὐσ.* ‹U› φόρτε: *Maths is not my ~*, τά μαθηματικά δέν εἶναι τό φόρτε μου.

forth /fɔθ/ *ἐπίρ.* **1**. ἔξω. **2**. ἐμπρός: *from this day ~*, ἀπό τώρα καί μπρός. *and so ~*, καί οὕτω καθεξῆς. **back and ~**, πέρα-δῶθε, πάνω-κάτω.

forth·com·ing /fɔθˋkʌmɪŋ/ *ἐπ.* **1**. ὑπό ἔκδοσιν, προσεχής: *a list of ~ books*, κατάλογος ἐκδοθησομένων βιβλίων. **2**. (*καθομ.*) πρόθυμος, ἐξυπηρετικός: *The girl at the reception desk was not very ~*, ἡ κοπέλλα τῆς ρεσεψιόν δέν ἦταν πολύ ἐξυπηρετική. **3**. **be ~**, ἐμφανίζομαι, εὑρίσκομαι, δίδομαι: *The money we hoped for was not ~*, τά χρήματα πού ἐλπίζαμε δέν βρέθηκαν, δέν δόθηκαν.

forth·right /ˋfɔθraɪt/ *ἐπ.* εὐθύς, εἰλικρινής, ντόμπρος.

forth·with /fɔθˋwɪθ/ *ἐπίρ.* παρευθύς, πάραυτα.

for·ti·eth /ˋfɔtɪəθ/ *ἐπ.* & *οὐσ.* ‹C› τεσσαρακοστός.

for·tify /ˋfɔtɪfaɪ/ *ρ.μ.* ὀχυρώνω, τονώνω, ἐνισχύω: *~ a town; a fortified city*, ὀχυρωμένη πόλις. *~ oneself against the cold*, ὁπλίζομαι κατά τοῦ κρύου, (*λαϊκ.*) τραβῶ ἕνα ποτηράκι. **for·ti·fi·ca·tion** /ˌfɔtɪfɪˋkeɪʃn/ *οὐσ.* ‹C,U› ὀχύρωσις, ὀχύρωμα, (*πληθ.*) ὀχυρωματικά ἔργα.

for·ti·tude /ˋfɔtɪtjud/ *οὐσ.* ‹U› καρτερία, σθένος.

fort·night /ˋfɔtnaɪt/ *οὐσ.* ‹C› δεκαπενθήμερο: *a ~ tomorrow*, σάν αὔριο δεκαπέντε. *a ~ ago yesterday*, σά χθές δεκαπέντε. **~·ly** *ἐπ.* & *ἐπίρ.* δεκαπενθήμερος, ἀνά δεκαπενθήμερον: *a ~ly review*, δεκαπενθήμερος ἐπιθεώρησις.

for·tress /ˋfɔtrəs/ *οὐσ.* ‹C› φρούριο.

for·tu·itous /fɔˋtjuɪtəs/ *ἐπ.* τυχαῖος, ἀπρόοπτος: *a ~ meeting*, τυχαία συνάντησις. **~·ly** *ἐπίρ.* κατά τύχην.

for·tu·nate /ˋfɔtʃənət/ *ἐπ.* τυχερός: *I was ~ in life/in my choice/in my teacher*, ἤμουν τυχερός στή ζωή μου/στήν ἐκλογή μου/μέ τό δάσκαλο πού βρῆκα. *That's ~ for you*, εἶσαι τυχερός, ἔχεις τύχη. *I was ~ to escape being injured*, εἶχα τύχη πού γλύτωσα χωρίς νά τραυματισθῶ. **~·ly** *ἐπίρ.* εὐτυχῶς: *~ly for everybody*, εὐτυχῶς γιά ὅλους.

for·tune /ˋfɔtʃun/ *οὐσ.* ‹C,U› **1**. μοίρα, τύχη: *F~ favours the brave*, ἡ τύχη εὐνοεῖ τούς τολμηρούς. *I had the good ~ to...*, εἶχα τήν (καλή) τύχη νά... ***by good ~***, κατά καλή τύχη. ***have ~ on one's side***, ἔχω τήν τύχη μέ τό μέρος μου. ***the ~(s) of war***, ἡ τύχη τῶν ὅπλων. ***try one's ~***, δοκιμάζω τήν τύχη μου. ***tell sb his ~***, λέω σέ κπ τήν τύχη του. **ˋ~-teller**, μάντισσα, χαρτορρίχτρα. **2**. περιουσία, πλούτη, ἀγαθά: *a man of ~*, πλούσιος ἄνθρωπος. *She spent a small ~ on clothes*, ξόδεψε ὁλόκληρη περιουσία γιά ροῦχα. *seek one's ~ in another country*, ἀναζητῶ τήν τύχη μου σέ ἄλλη χώρα. ***come into a ~***, κληρονομῶ περιουσία. ***make a ~***, κάνω περιουσία. **3**. προίκα: *Her face is her ~*, τό πρόσωπό της (ἡ ὀμορφιά της) εἶναι ἡ προίκα της. ***marry a ~***, παντρεύομαι γιά προίκα. **ˋ~ hunter**, προικοθήρας, τυχοδιώκτης.

forty /ˋfɔtɪ/ *ἐπ.* & *οὐσ.* ‹C› σαράντα.

forum /ˋfɔrəm/ *οὐσ.* ‹C› (*πληθ.* *~s*) ἀγορά (Ρωμαϊκή), τόπος δημοσίας συζητήσεως.

[1]**forward** /ˋfɔwəd/ *ἐπ.* **1**. μπροστινός, πρός τά μπρός, (*ἀντίθ.* *backward*): *the ~ ranks of a column of troops*, οἱ μπροστινές σειρές μιᾶς στρατιωτικῆς φάλαγγος. *a ~ march/movement*, πορεία/κίνησις πρός τά μπρός. **2**. προκαταβολικός, προχωρημένος: *~ planning*, προκαταβολικά σχέδια (γιά τό μέλλον). *I'm well ~ with my work*, εἶμαι πολύ προχωρημένος στή δουλειά μου. **3**. πρώϊμος, πρόωρος: *a ~ spring*, πρώϊμη ἄνοιξη. *a ~ plant/boy*, φυτό/παιδί μέ πρόωρη ἀνάπτυξη. **4**. πρόθυμος, προπέτης: *~ to help*, πρόθυμος νά βοηθήσω. *a ~ young man*, προπετής νεαρός. **5**. προοδευτικός, προχωρημένος: *~ opinions*, προοδευτικές ἀντιλήψεις. **6**. (*ἐμπ.*) ἐπί προθεσμίᾳ: *~ prices/deals*, τιμές/πράξεις ἐπί προθεσμίᾳ. __ *οὐσ.* ‹C› (*ποδόσφ.*) κυνηγός.

[2]**for·ward** /ˋfɔwəd/ *ρ.μ.* **1**. προωθῶ, προάγω: *~ sb's plans*, προωθῶ τά σχέδια κάποιου. **2**. διαβιβάζω: *Please ~ my letters to this address*, παρακαλῶ διαβιβᾶστε τά γράμματά μου σ' αὐτή τή διεύθυνση. **3**. ἀποστέλλω: *~ goods/a new catalogue*, ἀποστέλλω ἐμπορεύματα/ἕναν καινούργιο κατάλογο. **ˋ~ing agent**, πράκτωρ μεταφορῶν. **ˋ~ing instructions**, ὁδηγίες ἀποστολῆς.

[3]**for·ward(s)** /ˋfɔwəd(z)/ *ἐπίρ.* πρός τά μπρός, ἐμπρός. **1**. (*τοπικῶς*): *rush ~*, ὁρμῶ μπροστά. *step/go ~*, προχωρῶ. ***come ~***, παρουσιάζομαι, προθυμοποιοῦμαι: *The captain asked for volunteers but none came ~*, ὁ λοχαγός ζήτησε ἐθελοντές ἀλλά δέν παρουσιάστηκε κανείς. ***backward(s) and ~***, πέρα-δῶθε, μπρός-πίσω. **2**. (*χρονικῶς*): *from this day ~*, ἀπό δῶ καί μπρός, ἀπό τοῦδε καί στό ἑξῆς.

fosse /fos/ *οὐσ.* ‹C› τάφρος.

fos·sil /ˋfosl/ *οὐσ.* ‹C› **1**. ἀπολίθωμα: *hunt for ~s*, ψάχνω γιά ἀπολιθώματα. *~ bones*, (*ἐπιθετ.*) ἀπολιθωμένα κόκκαλα. **2**. (*μεταφ.*) ἀπολιθωμένος/ὀπισθοδρομικός ἄνθρωπος: *Isn't Professor B. an old ~!* τί μουχλιασμένο μυαλό εἶναι ὁ καθηγητής Β.! **~·ize** /-əlaɪz/ *ρ.μ./ἀ.* ἀπολιθώνω/-ομαι. **~·iz·ation** /ˌfosəlaɪˋzeɪʃn/ *οὐσ.* ‹U› ἀπολίθωσις.

fos·ter /ˋfostə(r)/ *ρ.μ.* **1**. ἀνατρέφω: *~ a child*, ἀνατρέφω (ξένο) παιδί. **2**. περιθάλπω: *~ the sick*, περιθάλπω τούς ἄρρωστους. **3**. τρέφω: *~ a desire for revenge*, τρέφω ἐκδικητικές διαθέσεις. **4**. ἐνθαρρύνω, ὑποθάλπω: *~ sb's musical ability/vanity*, ἐνθαρρύνω τίς μουσικές ἱκανότητες/ὑποθάλπω τή ματαιοδοξία ἑνός. **5**. καλλιεργῶ: *~ friendship between peoples*, καλλιεργῶ τή φιλία μεταξύ λαῶν. **6**. ὑποδαυλίζω: *~ a rebellion*, ὑποδαυλίζω μιά ἀνταρσία. **7**. (*ἐπιθετικῶς*) θετός: **ˋ~-brother/-sister**, ὁμογάλακτος, θετός ἀδελφός/-ή ἀδελφή. **ˋ~-child**, θετόν τέκνον. **ˋ~-parents/-father/-mother**, θετοί γονεῖς/-ός πατέρας/-ή μητέρα, τροφός.

fought /fɔt/ *ἀόρ.* & *π.μ.* τοῦ *ρ.* *fight*.

[1]**foul** /faʊl/ *ἐπ.* **1**. βρώμικος, ἀκάθαρτος: *a ~ prison cell*, βρώμικο κελλί φυλακῆς. *~ water*, βρώμικο νερό. **2**. ἀηδιαστικός: *a ~ taste/smell*, ἀηδιαστική γεύση/μυρουδιά. **3**. βρωμερός, ἄθλιος: *~ weather*, βρωμόκαιρος. **4**. πρόστυχος, αἰσχρός: *~ words/lies*, πρόστυχα λόγια/αἰσχρά ψέματα. **ˌ~-ˋspoken/-ˋmouthed**, αἰσχρολόγος, βρωμόστομος. **5**. τρομερός, ἀπαίσιος: *I have a ~ cold*, ἔχω πάρει τρομερό κρύο. **6**. ἀχρεῖος, κακοήθης,

ἀνέντιμος. ***by fair means or*** ~, μέ ἔντιμα ἤ ἀνέντιμα μέσα, μέ κάθε τρόπο. '~ '**play**, ἀντικανονικό παιχνίδι, ἐγκληματική ἐνέργεια. **7**. μπερδεμένος: *a ~ rope*, μπερδεμένο σκοινί. **8**. βουλωμένος: *The chimney is ~*, ἡ καπνοδόχος εἶναι βουλωμένη. **9**. ***fall ~ of***, (*γιά πλοῖο*) συγκρούομαι, (*μεταφ.*) ἔρχομαι σέ σύγκρουση: *fall ~ of the law*, παραβαίνω τό νόμο. —*οὐσ.* ‹C› (*ποδόσφ.*) φάουλ. **~ly** *ἐπίρ.* **~·ness** *οὐσ.* ‹U› βρωμιά, αἰσχρότης.

2**foul** /faʊl/ *ρ.μ/ἀ.* **1**. βρωμίζω, λερώνω: *~ one's reputation/hands*, λερώνω τ' ὄνομά μου/τά χέρια μου. **2**. μολύνω: *~ the air with smoke*. **3**. βουλώνω: *~ a chimney/a drain*. **4**. μπερδεύω: *~ a rope*. **5**. συγκρούομαι. **6**. κάνω φάουλ.

1**found** /faʊnd/ *ἀόρ. & π.μ. τοῦ ρ. find.*

2**found** /faʊnd/ *ρ.μ.* **1**. ἱδρύω, χτίζω, θεμελιώνω: *~ a new city/a colony*, ἱδρύω καινούργια πόλη/ἀποικία. *~ a new school*, θεμελιώνω ἕνα καινούργιο σχολεῖο. **2**. ~ ***sth on***, στηρίζω: *opinions ~ed on facts*, γνῶμες στηριζόμενες σέ γεγονότα. **~er** *οὐσ.* ‹C› ἱδρυτής. **~·ress** *οὐσ.* ‹C› ἱδρύτρια.

foun·da·tion /faʊn'deɪʃn/ *οὐσ.* ‹C,U› **1**. ἵδρυσις, θεμελίωσις: *the ~ of a colony/school/church*. **2**. ἵδρυμα: *the Ford F~*, τό Ἵδρυμα Φόρντ. **3**. (*συνήθ. πληθ.*) θεμέλιο: *The house shook to its ~s*, τό σπίτι σείστηκε ἀπό τά θεμέλια. *the ~s of religion*, τά θεμέλια τῆς θρησκείας. *lay the ~s of one's career*, βάζω τά θεμέλια τῆς σταδιοδρομίας μου. '~ **garment**, κορσές. '~-**stone**, θεμέλιος λίθος.

foun·der /'faʊndə(r)/ *ρ.μ/ἀ.* **1**. (*γιά πλοῖο*) βουλιάζω. **2**. (*γιά ἄλογο*) σκοντάφτω (*ἰδ.* σέ λάσπη), σωριάζομαι (ἀπό κούραση), καταπονῶ (ἄλογο).

found·ling /'faʊndlɪŋ/ *οὐσ.* ‹C› ἔκθετον (βρέφος). '~ **hospital**, βρεφοκομεῖον.

foun·dry /'faʊndrɪ/ *οὐσ.* ‹C› χυτήριον.

fount /faʊnt/ *οὐσ.* ‹C› **1**. (*ποιητ.*) πηγή: *a ~ of knowledge*, πηγή γνώσεων. **2**. (*τυπογρ.*) οἰκογένεια στοιχείων.

foun·tain /'faʊntɪn/ *οὐσ.* ‹C› κρήνη, βρύση, συντριβάνι. '**drinking-**~, δημόσια βρύση. '~-**head**, κεφαλάρι, νερομάνα. '~-**pen**, στυλογράφος.

four /fɔ(r)/ *ἐπ. & οὐσ.* ‹C› τέσσερα: *the ~ corners of the earth*, οἱ τέσσερες ἄκρες τῆς γῆς. *scatter sth to the ~ winds*, σκορπάω κτ στούς τέσσερες ἀνέμους. *a coach and ~*, ἅμαξα μέ τέσσερα ἄλογα. ***a sequence of*** ~, (*χαρτοπ.*) τετάρτη. ~ ***of a kind***, (*πόκερ*) καρρέ. ***on all ~s***, μέ τά τέσσερα: *crawl on all ~s*, σέρνομαι μέ τά τέσσερα. '~·**fold** *ἐπ.* τετραπλάσιος, *ἐπίρ.* τετραπλασίως. '~-**letter** '**word**, αἰσχρή λέξις. '~-**part** *ἐπ.* (*μουσ.*) τετράφωνος. '~-**ply**, (*γιά σκοινί*) τετράκλωνος. '~-'**poster**, κρεββάτι μέ τέσσερες γωνιακές κολῶνες. '~-**score** *ἐπ.* ὀγδόντα. '~·**some** /-səm/ *οὐσ.* ‹C› παιχνίδι μεταξύ δυό ζευγαριῶν: *a mixed ~some*, μέ ἕναν ἄντρα καί μιά γυναίκα στό κάθε ζευγάρι. **~·teen** /'fɔ'tin/ *ἐπ. & οὐσ.* ‹C› δεκατέσσερα. **~·teenth** /'fɔ'tinθ/ *ἐπ. & οὐσ.* ‹C› δέκατος τέταρτος. **fourth** /fɔθ/ *ἐπ. & οὐσ.* ‹C› τέταρτος. **fourth·ly** *ἐπίρ.* τέταρτον, κατά τέταρτον λόγον.

fowl /faʊl/ *οὐσ.* ‹C,U› **1**. (*ἀπηρχ.*) πτηνόν: *the ~s of the air*, τά πτηνά τοῦ οὐρανοῦ. **2**. (*συλλογ.*) πουλιά: *'wild-~*, ἀγριοπούλια. *'water-~*, πουλιά τοῦ νεροῦ. **3**. πουλερικό: *keep ~s*, τρέφω πουλερικά. '~-**run**, κοτέτσι. —*ρ.μ.* κυνηγῶ πουλιά: *go ~ing*, πάω γιά πουλιά. '~**ing-piece**, κυνηγετικό ὅπλο. **~er** *οὐσ.* ‹C› κυνηγός πουλιῶν.

1**fox** /fɔks/ *οὐσ.* ‹C› (*θηλ. vixen* /'vɪksn/) ἀλεποῦ. '~·**hole**, ἀλεπότρυπα, (*στρατ.*) ἀμπρί. '~-**hound**, κυνηγετικό σκυλί. **~y** *ἐπ. (-ier, -iest)* πονηρός, πανοῦργος.

2**fox** /fɔks/ *ρ.μ.* ξεγελῶ, φέρνω σέ ἀμηχανία: *He was completely ~ed*, τά εἶχε τελείως χαμένα.

foyer /'fɔɪ-eɪ/ *οὐσ.* ‹C› φουαγιέ.

fra·cas /'frækɑ/ *οὐσ.* ‹C› (*ἀμετάβλ. στόν πληθ.*) φασαρία, καυγᾶς.

frac·tion /'frækʃn/ *οὐσ.* ‹C› κλάσμα. **~al** /-ʃnl/ *ἐπ.* κλασματικός.

frac·tious /'frækʃəs/ *ἐπ.* (*γιά γέρους ἤ παιδιά*) δύστροπος, νευρικός, στριμμένος. **~·ly** *ἐπίρ.* **~·ness** *οὐσ.* ‹U› δυστροπία.

frac·ture /'fræktʃə(r)/ *οὐσ.* ‹C,U› (*ἰατρ.*) κάταγμα, θλάσις. —*ρ.μ/ἀ.* σπάζω: *~ one's leg*, σπάζω τό πόδι μου. *bones that ~ easily*, κόκκαλα πού σπάζουν εὔκολα.

frag·ile /'frædʒaɪl/ *ἐπ.* εὔθραυστος: *~ china/health/happiness*, εὔθραυστη πορσελάνη/ὑγεία/εὐτυχία. **fra·gil·ity** /frə'dʒɪlətɪ/ *οὐσ.* ‹U› τό εὔθραυστον, εὐπάθεια.

frag·ment /'frægmənt/ *οὐσ.* ‹C› τεμάχιον, κομμάτι, θραῦσμα: *He smashed the vase to ~s*, ἔκανε τό βάζο κομμάτια. *try to put the ~s together*, προσπαθῶ νά κολλήσω τά κομμάτια. *~s of conversation*, ἀποσπάσματα συνομιλίας. —*ρ.ἀ.* /'fræg'ment/ κομματιάζομαι, θρυμματίζομαι. **~·ed** *ἐπ.* θρυμματισμένος, διασπασμένος: *a ~ed party*, κόμμα διασπασμένο (σέ ὁμαδοῦλες). **frag·men·tary** /-trɪ/ *ἐπ.* ἀποσπασματικός: *a fragmentary report*, ἀποσπασματική, λειψή ἔκθεση. **frag·men·ta·tion** /'frægmən'teɪʃn/ *οὐσ.* ‹U› θρυμματισμός, κατάτμησις, διάσπασις.

fra·grant /'freɪgrənt/ *ἐπ.* εὐωδιαστός, γλυκός: *~ flowers/memories*, εὐωδιαστά λουλούδια/γλυκιές ἀναμνήσεις. **fra·grance** /-əns/ *οὐσ.* ‹C,U› εὐωδιά.

frail /freɪl/ *ἐπ. (-er, -est)* ἀσθενικός, λεπτός, ἀδύνατος, εὔθραυστος: *a ~ boy*, λεπτό, ἀσθενικό παιδί. *a ~ support*, ἀσθενής ὑποστήριξις. *~ happiness*, εὔθραυστη εὐτυχία. **~ty** /'freɪltɪ/ *οὐσ.* ‹C,U› **1**. ἀσθενικότης, εὐπάθεια: *the ~ty of human life/happiness*, τό εὔθραυστον τῆς ἀνθρώπινης ζωῆς/εὐτυχίας. **2**. ἐλάττωμα, ἀδυναμία: *He loved her in spite of her little frailties*, τήν ἀγαποῦσε παρά τά μικρά της ἐλαττώματα.

1**frame** /freɪm/ *οὐσ.* ‹C› **1**. σκελετός (κτιρίου, γυαλιῶν, κλπ). **2**. πλαίσιον, κορνίζα (φωτογραφίας), κάσα (παραθύρου). **3**. σῶμα, κορμί: *a girl with a slender ~*, κορίτσι μέ λεπτό σῶμα. *Sobs shook her ~*, λυγμοί τάραζαν τό κορμί της. **4**. ~ ***of mind***, ψυχική διάθεσις: *be in a cheerful/bad ~ of mind*, εἶμαι σέ χαρούμενη/ἄσχημη ψυχική διάθεση. *I'm in no ~ of mind to see him*, δέν εἶμαι σέ διάθεση νά τόν δῶ. **5**. (*συνήθ*. `**~·work**) ὀργάνωσις, δομή: *the ~ of society*, ἡ ὀργάνωσις τῆς κοινωνίας. `**~·work** *οὐσ*. ‹C› **1**. σκελετός: *a bridge with a steel ~work*, γέφυρα μέ ἀτσάλινο σκελετό. **2**. ὀργάνωσις, δομή: *the ~work of government*, τό σύστημα διακυβερνήσεως.

²**frame** /freɪm/ *ρ.μ/ὰ*. **1**. φτιάχνω (σκαρώνω, σχηματίζω, καταστρώνω, σχεδιάζω, διατυπώνω): *~ a theory*, σκαρώνω μιά θεωρία. *~ a plan*, καταστρώνω σχέδιο. *~ a speech*, σχεδιάζω μιά ὁμιλία. *~ a sentence*, διατυπώνω, φτιάχνω μιά πρόταση. *He is not ~d for a life of hardship*, δέν εἶναι φτιαγμένος γιά σκληρή ζωή. **2**. ἐξελίσσομαι: *Our plans ~ badly*, τά σχέδιά μας ἐξελίσσονται ἄσχημα, δέν πᾶνε καλά. **3**. πλαισιώνω, κορνιζάρω: *~ a photograph*. **4**. (*λαϊκ*.) σκηνοθετῶ (κατηγορία), κάνω σκευωρία: *The accused man said he had been ~d*, ὁ κατηγορούμενος εἶπε ὅτι ἦταν θῦμα σκευωρίας. `**~-up** *οὐσ*. ‹C› σκευωρία, μηχανορραφία, πλεκτάνη.

franc /fræŋk/ *οὐσ*. ‹C› φράγκο.

fran·chise /ˈfræntʃaɪz/ *οὐσ*. ‹C› δικαίωμα ψήφου, προνόμιο.

Franco- /ˈfræŋkəʊ/ *ὡς α! συνθ*. Γαλλο-: *the `~-German war*, ὁ Γαλλο-Γερμανικός πόλεμος. `**~phile** *οὐσ*. ‹C› Γαλλόφιλος.

¹**frank** /fræŋk/ *ἐπ*. *(-er, -est)* εἰλικρινής: *be quite ~ with sb about sth*, εἶμαι ἀπολύτως εἰλικρινής μέ κπ γιά κτ. *Well, to be quite ~*, λοιπόν, γιά νά εἶμαι ἀπολύτως εἰλικρινής... *a ~ look/smile/face*, βλέμμα/χαμόγελο/πρόσωπο γεμᾶτο εἰλικρίνεια. **~·ly** *ἐπίρ*. εἰλικρινῶς. **~·ness** *οὐσ*. ‹U› εἰλικρίνεια.

²**frank** /fræŋk/ *ρ.μ*. **1**. ἀπαλλάσσω τῶν ταχυδρομικῶν τελῶν. **2**. γραμματοσημαίνω μηχανικῶς. `**~ing machine**, μηχανή γραμματοσημάνσεως.

frank·fur·ter /ˈfræŋkfɜtə(r)/ *οὐσ*. ‹C› λουκάνικο Φρανκφούρτης.

frank·in·cense /ˈfræŋkɪnsens/ *οὐσ*. ‹U› λιβάνι.

fran·tic /ˈfræntɪk/ *ἐπ*. **1**. ἔξαλλος: *~ joy*, ἔξαλλη χαρά. *~ with joy*, ἔξαλλος, τρελλός ἀπό χαρά. **2**. φρενιτιώδης: *~ applause*, φρενιτιώδη χειροκροτήματα. **3**. μανιώδης: *~ efforts*, μανιώδεις προσπάθειες. ***drive sb ~***, κάνω κπ ἔξω φρενῶν. **fran·ti·cally** /-klɪ/ *ἐπίρ*. μανιωδῶς, ἔξαλλα.

fra·ter·nal /frəˈtɜnl/ *ἐπ*. ἀδελφικός: *~ love*. **~ly** /-nəlɪ/ *ἐπίρ*.

fra·tern·ity /frəˈtɜnətɪ/ *οὐσ*. ‹C,U› ἀδελφοσύνη, ἀδελφότης, (*ΗΠΑ*) φοιτητική ὀργάνωσις.

frat·er·nize /ˈfrætənaɪz/ *ρ.ὰ*. συναδελφώνομαι (*ἰδ*. ἔχω φιλικές ἤ σεξουαλικές σχέσεις μέ ἄτομα ἐχθρικοῦ κράτους). **frat·er·niz·ation** /ˈfrætənaɪˈzeɪʃn/ *οὐσ*. ‹U› συναδέλφωσις.

frat·ri·cide /ˈfrætrɪsaɪd/ *οὐσ*. ‹C,U› ἀδελφοκτονία.

fraud /frɔd/ *οὐσ*. **1**. ‹U› ἀπάτη, δόλος. ***by ~***, διά δόλου: *get sth by ~*, παίρνω κτ μέ ἀπάτη. **2**. ‹C› ἀπατεών, ἀπάτη, κοροϊδία: *He's a ~*, εἶναι ἀπατεώνας. *The match was a complete ~*, τό μάτς ἦταν καθαρή ἀπάτη/κοροϊδία.

fraudu·lent /ˈfrɔdjʊlənt/ *ἐπ*. ἀπατηλός, δόλιος, ἀθέμιτος. **~·ly** *ἐπίρ*. δολίως.

fraught /frɔt/ *κατηγ.ἐπ*. κατάφορτος, γεμᾶτος: *an expedition ~ with danger*, ἀποστολή γεμάτη κινδύνους.

¹**fray** /freɪ/ *οὐσ*. ‹C› (*λογοτ*.) συμπλοκή, σύρραξις.

²**fray** /freɪ/ *ρ.μ/ὰ*. **1**. ξεφτίζω, τρίβομαι: *a ~ed collar*, τριμμένος, ξεφτισμένος γιακᾶς. **2**. (*μεταφ*.) ἐρεθίζω: *Tempers became ~ed*, τά πνεύματα ὀξύνθηκαν πολύ.

freak /frik/ *οὐσ*. ‹C› **1**. καπρίτσιο, λόξα: *the ~s of fashion/of fortune*, τά καπρίτσια τῆς μόδας/τῆς τύχης. **2**. τέρας. **a ˈ~ of ˈnature**, τέρας τῆς φύσεως (*πχ* ζῶο μέ δυό κεφάλια). **~·ish** /-ɪʃ/ *ἐπ*. ἀφύσικος, τερατώδης: *~ish behaviour*, ἀφύσικη, ἀλλόκοτη συμπεριφορά. **~·ish·ly** *ἐπίρ*.

freckle /ˈfrekl/ *οὐσ*. ‹C› φακίδα (τοῦ δέρματος). —*ρ.μ/ὰ*. γεμίζω/προκαλῶ φακίδες: *~d skin/a ~d face*, δέρμα/πρόσωπο γεμᾶτο φακίδες.

¹**free** /fri/ *ἐπ*. *(-r, -st)* **1**. ἐλεύθερος: *slaves and ~ citizens*, δοῦλοι καί ἐλεύθεροι πολῖτες. *a ~ State/people*, ἐλεύθερο κράτος/-ος λαός. *ˈF~ ˈChurch*, ἐλευθέρα (μή ἐλεγχομένη ὑπό τοῦ κράτους) Ἐκκλησία. *Leave one end of the rope ~*, ἄφησε ἐλεύθερη τή μιά ἄκρη τοῦ σκοινιοῦ. *be ~ to do sth*, εἶμαι ἐλεύθερος νά κάνω κτ. `**~·born** *ἐπ*. (*ἀπηρχ*.) ἐλεύθερος ἐκ γενετῆς. ˈ**~ ˈenterprise**, ἐλευθέρα ἐπιχείρησις. ˈ**~-and-ˈeasy** *ἐπ*. ἀνέμελος, φιλικός, χωρίς ἐπισημότητες ἤ τύπους: *a ~-and-easy life*, μποέμικη ζωή. `**~-for-all** *οὐσ*. ‹C› γενικός καυγᾶς, γενική συζήτηση: *In no time it was a ~-for-all*, ὥσπου νά πῆς κίμινο ἡ συζήτηση/ὁ καυγᾶς γενικεύτηκε. `**~hand** *ἐπ*. (*γιά σχέδιο*) ἐλεύθερος: *a ~hand sketch*, ἐλεύθερο σκίτσο. ˈ**~-ˈhanded** *ἐπ*. γενναιόδωρος, ἀνοιχτοχέρης. `**~·hold** *οὐσ*. ‹C› (*νομ*.) κτῆμα ἀνῆκον κατά κυριότητα σέ κπ. `**~·holder**, κύριος, ἰδιοκτήτης. ˈ**~ ˈkick**, χτύπημα πέναλτυ. ˈ**~ ˈlabour**, ἐλεύθερος ἐργάτης (= *(α)* ὄχι συνδικαλισμένος, *(β)* ὄχι δοῦλος). `**~·lance** /-lans/ *οὐσ*. ‹C› **1**. μισθοφόρος. **2**. ἀνεξάρτητος δημοσιογράφος (πού δέν ἀνήκει σέ ὡρισμένη ἐφημερίδα). —*ρ.ὰ*. δημοσιογραφῶ μέ τό κομμάτι. ˈ**~-ˈliver**, γλεντζές, καλοπερασάκιας. ˈ**~-ˈliving** *ἐπ*. γλεντζέδικος. ˈ**~ ˈlove**, ἐλεύθερος ἔρως. `**~·man**, ἐλεύθερος (ὄχι δοῦλος ἤ δουλοπάροικος), ἐπίτιμος δημότης. `**~ port**, ἐλεύθερος λιμήν. ˈ**~ ˈspeech**, ἐλεύθερος λόγος, ἐλευθερία τοῦ λόγου. ˈ**~-ˈspoken** *ἐπ*. εἰλικρινής, ντόμπρος. ˈ**~-ˈthinker**, ἐλευθερόφρων. ˈ**~-ˈtrade**, ἐλεύθερον ἐμπόριον, ἐλευθερία ἐμπορίου. `**~ translation**, ἐλεύθερη μετάφραση. ˈ**~ ˈverse**, ἐλεύθερος στίχος. ˈ**~-ˈwheel** *ρ.ὰ*. (*γιά ποδήλατο*) πηγαίνω χωρίς νά χρησιμοποιῶ πεντάλ, ρολάρω. ˈ**~ ˈwill**, ἐλευθέρα θέλησις, ἐλευθερία τῆς βουλήσεως: *of one's own ~ will*, ἑκουσίως. **2**. ***~ from***, ἐλεύθερος, ἀπαλλαγμένος: *~ from errors/anxiety*, ἀπαλλαγμένος ἀπό λάθη/ἀνησυχία. ***~ of***, ἔξω ἀπό, ἐλεύθερος ἀπό, χωρίς: *When the ship was ~ of the harbour*, ὅταν τό πλοῖο βρέθηκε ἔξω ἀπό τό λιμάνι. *At last I am ~ of her*, ἐπιτέλους εἶμαι ἐλεύθερος ἀπ' αὐτήν, τήν ξεφορτώθηκα. *~ of tax*, χωρίς φόρο, ἀφορολόγητος. ˈ**~ ˈagent**, ἔχων ἐλευθερίαν βουλήσεως/δράσεως: *Man is a ~ agent*. **3**. δωρεάν: *~ tickets*, εἰσιτήρια ἐλευθέρας (εἰσόδου). *a ~ copy*, δωρεάν ἀντίτυπον. *give sth away ~*, χαρίζω κτ. ***(get sth) for ~***,

(παίρνω κτ) τζάμπα, δωρεάν. '~ `**pass**, δωρεάν ταξίδι. **F.O.B.** ('~ **on** `**board**) (*ἐμπόρευμα*) ἐλεύθερον ἐπί τοῦ πλοίου. **4**. ἐλεύθερος, μή ἀπησχολημένος, μή κατειλημμένος (*ἀντίθ. engaged*): *Is this seat* ~? εἶναι ἐλεύθερο αὐτό τό κάθισμα; *I'm usually* ~ *in the morning*, εἶμαι συνήθως ἐλεύθερος τά πρωϊνά. ***have one's hands*** ~, ἔχω τά χέρια μου ἐλεύθερα. ***give sb/have a*** ~ ***hand***, δίνω σέ κπ/ἔχω ἀπόλυτη ἐλευθερία δράσεως. **5**. γενναιόδωρος, σπάταλος: *He is* ~ *with his money/his advice*, σκορπάει τά λεφτά του/ εἶναι σπάταλος σέ συμβουλές. **6**. πολύ ἐλεύθερος (ἀθυρόστομος, τολμηρός): *He is somewhat* ~ *in his conversation*, εἶναι λιγάκι ἀθυρόστομος στήν κουβέντα του. ***make*** ~ ***with sb/sth***, βάζω χέρι σέ κτ (σάν εἶναι δικό μου): *He made very* ~ *with my whisky*, ἔβαλε ἄγριο χέρι στό οὐΐσκυ μου. *He makes rather too* ~ *with the waitresses/the wives of his friends*, παραβάζει χέρι στίς σερβιτόρες/ παραρίχνεται στίς γυναῖκες τῶν φίλων του. ***make sb*** ~ ***of sth***, θέτω κτ στή διάθεση κάποιου.

[2]**free** /fri/ *ρ.μ.* (*ἀόρ. & π.μ.* ~*d* /frid/) ἐλευθερώνω: ~ *a prisoner/a country*, ἐλευθερώνω ἕναν κρατούμενον/μιά χώρα. ~ *oneself from debt*, ἐλευθερώνομαι ἀπό τά χρέη. **freedman** /`fridmən/ *οὐσ.* ‹C› ἀπελεύθερος.

free·booter /`fributə(r)/ *οὐσ.* ‹C› πειρατής.

free·dom /`fridəm/ *οὐσ.* ‹C,U› ἐλευθερία, ἀπαλλαγή, γενναιοδωρία: ~ *of the press/of the seas*, ἡ ἐλευθερία τοῦ τύπου/τῶν θαλασσῶν. *speak with* ~, μιλῶ ἐλεύθερα. *give sb* ~ *to do as he pleases*, δίνω σέ κπ ἐλευθερία νά κάνη ὅ,τι τοῦ ἀρέσει. *give sb the* ~ *of one's house/library*, θέτω τό σπίτι μου/τή βιβλιοθήκη μου στή διάθεση κάποιου. ***give sb/ receive the*** ~ ***of a town/city***, ἀνακηρύσσω κπ/ἀνακηρύσσομαι ἐπίτιμος δημότης μιᾶς πόλεως.

free·mason /`frimeısn/ *οὐσ.* ‹C› τέκτων, μασόνος. ~**ry** *οὐσ.* ‹U› τεκτονισμός, μασονία.

freeze /friz/ *ρ.μ/ἀ. ἀνώμ.* (*ἀόρ. froze* /frəuz/, *π.μ. frozen* /`frəuzn/) **1**. (*ἀπρόσ.*) *It* ~*s; It's freezing*, κάνει παγωνιά. **2**. (*γιά ὑγρά*) παγώνω, πήζω: *Water* ~*s at 32° F*, τό νερό παγώνει στούς 32 βαθμούς Φαρενάϊτ. *The lake froze over*, ἡ λίμνη σκεπάστηκε μέ πάγο. *frozen roads*, παγωμένοι δρόμοι (σκεπασμένοι μέ πάγο). `**freezing-point**, σημεῖον πήξεως. **3**. παγώνω, κρυώνω: *I'm freezing*, παγώνω, κρυώνω πολύ. ~ ***to death***, ξεπαγιάζω: *I'm frozen to death*, εἶμαι ξεπαγιασμένος. *The two climbers froze to death*, οἱ δύο ὀρειβάτες πέθαναν ἀπό τό κρύο,|ξεπάγιασαν. **4**. παγώνω, καθηλώνω, μαρμαρώνω: *The smile froze on his lips*, τό χαμόγελο πάγωσε στά χείλη του. *He froze when he saw her at the door*, πάγωσε ὅταν τήν εἶδε στήν πόρτα. ~ ***one's blood; make one's blood*** ~, παγώνει τό αἷμα (ἀπό φόβο): *The sight froze my blood/made my blood* ~, τό θέαμα μοῦ πάγωσε τό αἷμα, μέ παρέλυσε. **5**. καταψύχω: *frozen meat/food*, κατεψυγμένο κρέας/-ες τροφές. **6**. παγώνω, ἀκινητοποιῶ, δεσμεύω, καθηλώνω: *frozen credits/assets*, παγωμένες πιστώσεις/-α κεφάλαια. ~ *wages/prices*, καθηλώνω τούς μισθούς/τίς τιμές. **7**. ~ ***sb out***, (*λαϊκ.*) ἐκτοπίζω (ἀντίπαλο), ἐξοστρακίζω κοινωνικά (δείχνοντας ψυχρότητα). ~ ***on to sth***, (*λαϊκ.*) κολλῶ πάνω σέ κτ, (*μεταφ.*) βουτάω κτ μέ τά δυό μου χέρια. —*οὐσ.* ‹C› **1**. παγωνιά. **2**. καθήλωσις: *a `wage* ~, καθήλωσις μισθῶν καί ἡμερομισθίων. **3**. ψῦξις. '**deep-**`~, κατάψυξις. **freezer** *οὐσ.* ‹C› **1**. παγωτιέρα. **2**. ψυκτικός θάλαμος.

freight /`freıt/ *οὐσ.* ‹U› **1**. ναύλωσις, μεταφορά φορτίου διά θαλάσσης (*ΗΠΑ: καί διά ξηρᾶς*). **2**. ναῦλος. **3**. φορτίον: ~ *train*, (*ΗΠΑ*) φορτηγό τραῖνο (*πρβλ. ΜΒ: goods train*). —*ρ.μ.* ναυλώνω, φορτώνω (πλοῖο): *a ship* ~*ed with fruit*, πλοῖο φορτωμένο φροῦτα. ~**er** *οὐσ.* ‹C› φορτηγό (πλοῖο ἤ ἀεροπλάνο).

French /`frentʃ/ *ἐπ.* γαλλικός, ἡ γαλλική γλῶσσα. '~ `**window**, μπαλκονόπορτα. '~ `**letter**, (*λαϊκ.*) προφυλακτικόν, καπότα. ***take*** ~ ***leave***, τό σκάω ἀλά γαλλικά. —*οὐσ.* ***the*** ~, οἱ Γάλλοι. ~**·man**/~**·woman**, *οὐσ.* ‹C› Γάλλος/Γαλλίδα.

fren·etic /frə`netık/ *ἐπ.* ἔξαλλος, ἀλλόφρων.

frenzy /`frenzı/ *οὐσ.* ‹U› φρενῖτις, τρέλλα, παραλήρημα: *in a* ~ *of enthusiasm/despair/ joy*, σέ μιά φρενίτιδα ἐνθουσιασμοῦ/τρέλλα ἀπελπισίας/παραλήρημα χαρᾶς. **fren·zied** *ἐπ.* φρενήρης, ἔξαλλος, ἀλλόφρων. **fren·zied·ly** *ἐπίρ.*

fre·quency /`frikwənsı/ *οὐσ.* ‹C,U› συχνότης.

[1]**fre·quent** /`frikwənt/ *ἐπ.* συχνός, ταχτικός, διαδεδομένος, συνηθισμένος: *He's a* ~ *visitor*, εἶναι ταχτικός ἐπισκέπτης. ~ *visits*, συχνές ἐπισκέψεις. *It's a very* ~ *practice*, εἶναι πολύ διαδεδομένη συνήθεια. *This is a* ~ *mistake*, εἶναι συνηθισμένο λάθος. ~**·ly**, *ἐπίρ.* συχνά.

[2]**fre·quent** /fri`kwent/ *ρ.μ.* συχνάζω εἰς: *He no longer* ~*s bars*, δέν συχνάζει πιά σέ μπάρ. *a café* ~*ed by artists*, καφενεῖο ὅπου συχνάζουν καλλιτέχνες.

fresco /`freskəu/ *οὐσ.* ‹C,U› (*πληθ.* ~*s ἤ* ~*es*) τοιχογραφία.

fresh /freʃ/ *ἐπ.* (*-er, -est*) **1**. φρέσκος: ~ *flowers/fruit/eggs*, φρέσκα λουλούδια/φροῦτα/αὐγά. ~ *butter/milk/meat*, φρέσκο βούτυρο/γάλα/κρέας. ~ *water*, γλυκό (ὄχι ἁλμυρό) νερό. `~**·water** *ἐπ.* τοῦ γλυκοῦ νεροῦ: ~ *water fish*, ψάρια τοῦ γλυκοῦ νεροῦ. **2**. δροσερός, ζωηρόχρωμος: *a* ~ *breeze*, δροσερή αὔρα. *go out for some* ~ *air*, πάω ἔξω γιά λίγο δροσερό ἀέρα. *in the* ~ *air*, στό ὕπαιθρο, στόν καθαρό ἀέρα. ~ *colours*, ζωηρά χρώματα. *a* ~ *complexion*, δροσερό χρῶμα προσώπου. **3**. νέος, καινούργιος: ~ *news/ideas/light*, καινούργιες εἰδήσεις/νέες ἰδέες/καινούργιο φῶς. *a man* ~ *from the country*, ἄνθρωπος καινουργοφερμένος ἀπό τήν ἐξοχή, ἀπό τό χωριό. *a boy* ~ *from school*, παιδί πού μόλις τέλειωσε τό σχολεῖο. ***break*** ~ ***ground***, (*μεταφ.*) ἀνοίγω καινούργιους δρόμους. `~**·man** *οὐσ.* ‹C› πρωτοετής φοιτητής. **4**. (*ΗΠΑ καθομ.*) ὑπερβολικά οἰκεῖος, τολμηρός, ἐπιθετικός: *Tell him not to be so* ~ *with my sister*, πές του νά μήν εἶναι τόσο τολμηρός μέ τήν ἀδελφή μου. **5**. ἀκμαῖος, ξεκούραστος: *You'll feel quite* ~ *after a siesta*, θά νοιώσης πολύ ξεκούραστος ὕστερα ἀπό τό μεσημεριανό ὕπνο. —*ἐπίρ.*

(ὡς α! συνθ.) φρεσκο-: ~-*caught fish*, φρεσκοπιασμένα ψάρια. ~-*painted doors*, φρεσκοβαμμένες πόρτες. **~·ly** ἐπίρ. (*μόνον πρό παθ. μετ.*) φρεσκο-: ~*ly gathered peaches*, φρεσκοκομμένα ροδάκινα. **~en** /ˋfreʃn/ ρ.μ/ὰ. φρεσκάρω, δροσίζω. **~·ness** οὐσ. ‹U› φρεσκάδα, δροσιά.

[1]**fret** /fret/ ρ.μ/ὰ. (*-tt-*) **1**. στενοχωρῶ/-οῦμαι, ἐκνευρίζομαι, δυσφορῶ: *Don't ~ over trifles*, μή στενοχωριέσαι/μήν ἐκνευρίζεσαι γιά τό τίποτα. *What are you ~ting about?* τί ἔχεις κι' εἶσαι νευριασμένη; *She'll ~ herself to death one of these days*, θά σκάση ἀπό τό κακό της/θά πεθάνη ἀπό τή στενοχώρια της καμιά ὥρα. *Babies often ~ in hot weather*, τά πιάνει συχνά στενοχώρια τά μωρά ὅταν κάνη ζέστη. **2**. (κατα)τρώγω, ξεφτίζω: *a horse ~ting its bit*, ἄλογο πού μασάει τό χαλινάρι του. ~*ted rope*, ξεφτισμένο, φαγωμένο σκοινί. *rocks ~ted by the river*, βράχια φαγωμένα ἀπό τό ποτάμι. **~·ful** /-fl/ ἐπ. εὐέξαπτος, νευριασμένος, γκρινιάρης. **~·fully** /-fəlɪ/ ἐπίρ. νευριασμένα, μέ δυσφορία.

[2]**fret** /fret/ ρ.μ. (*-tt-*) σκαλίζω ξύλο (μέ σχέδια), διακοσμῶ μέ ξυλόγλυπτα. **ˋ~·saw**, πριονάκι (ξυλογλυπτικῆς). **ˋ~·work**, σκάλισμα σέ ξύλο, ξυλογλυπτική, ξυλόγλυπτα.

[3]**fret** /fret/ οὐσ. ‹C› δακτυλοθέσιον (κιθάρας).

fri·able /ˋfraɪəbl/ ἐπ. εὔθρυπτος.

friar /ˋfraɪə(r)/ οὐσ. ‹C› καλόγερος μοναχικοῦ τάγματος.

fri·cas·see /ˈfrɪkəˋsi/ οὐσ. ‹C,U› (*μαγειρ.*) φρικασέ.

fric·tion /ˋfrɪkʃn/ οὐσ. **1**. ‹U› τριβή, τρίψιμο. **2**. ‹C,U› (*καθομ.*) διένεξις, προστριβή: *political ~ between two countries*, πολιτικές προστριβές μεταξύ δύο χωρῶν. *There's often ~ between parents and children*, ὑπάρχει συχνά προστριβή μεταξύ γονέων καί τέκνων.

Fri·day /ˋfraɪdɪ/ οὐσ. Παρασκευή. **Good F~**, Μεγάλη Παρασκευή. **ˈman ˋ~**, πιστός ὑπηρέτης.

fridge /frɪdʒ/ οὐσ. ‹C› (*καθομ.*) ψυγεῖον.

friend /frend/ οὐσ. ‹C› φίλος, φίλη: *He's no ~ of mine*, δέν εἶναι φίλος μου. *He's always been a good ~ to me*, μοῦ στάθηκε πάντα καλός φίλος. *Let's part ~s*, ἄς χωρίσουμε φιλικά. ***make ~s with sb***, πιάνω φιλίες μέ κπ. ***make ~s again***, τά ξαναφτιάχνω, συμφιλιώνομαι μέ κπ. ***A ~ in need is a ~ indeed***, (*παροιμ.*) ὁ καλός ὁ φίλος στήν ἀνάγκη φαίνεται. **ˋboy·~**, φίλος (κοριτσιοῦ). **ˋgirl·~**, φιλενάδα. **F~s**, οἱ Κουάκεροι. **~·less** ἐπ. μόνος, χωρίς φίλους. **~·less·ness** οὐσ. ‹U›. μοναξιά.

friend·ly /ˋfrendlɪ/ ἐπ. (*-ier, -iest*) φιλικός: *a ~ smile/game/reception*, φιλικό χαμόγελο/παιχνίδι/-ή ὑποδοχή. *be ~ to a cause*, διάκειμαι φιλικά σέ κάποιο σκοπό. *in a ~ way*, φιλικά. ***become/be ~ with sb***, γίνομαι/εἶμαι φίλος μέ κπ. ***be on ~ terms with sb***, ἔχω φιλικές σχέσεις μέ κπ. **F~ Society**, Ἀλληλοβοηθητική Ἑταιρία. **friend·li·ness** οὐσ. ‹U› φιλικότης.

friend·ship /ˋfrendʃɪp/ οὐσ. ‹C,U› φιλία: *live in ~*, ζῶ φιλικά. *an old ~*, μιά παληά φιλία. *do sth out of ~*, κάνω κτ ἀπό φιλία.

frieze /friz/ οὐσ. ‹C› (ἀρχιτ.) διάζωμα, ζωφόρος, κορνίζα, μπορντούρα.

frig·ate /ˋfrɪgət/ οὐσ. ‹C› (*ναυτ.*) φρεγάτα.

fright /fraɪt/ οὐσ. **1**. ‹C,U› τρομάρα, φόβος: *be seized with/take ~*, μέ πιάνει τρόμος, τρομάζω. ***get/have/give sb a ~***, παίρνω/δίνω σέ κπ τρομάρα. **2**. ‹C› (*καθομ.*) σκιάχτρο: *She looked a ~ in that hat*, ἔμοιαζε σά σκιάχτρο μέ κεῖνο τό καπέλλο.

frighten /ˋfraɪtn/ ρ.μ. (κατα)τρομάζω, φοβίζω: *Don't ~ the child*, μήν τρομάζεις τό παιδί. *She was nearly ~ed out of her life/out of her wits*, κόντεψε νά πεθάνη/νά τρελλαθῆ ἀπό τό φόβο της. ***~ sb off/away***, τρέπω κπ σέ φυγή (τρομάζοντάς τον): *The burglar was ~ed away*, ὁ διαρρήκτης τρόμαξε κι' ἔφυγε. ***~ sb into/out of doing sth***, ἐκφοβίζω κπ γιά νά κάμη/νά μήν κάμη κτ. **~ed** ἐπ. (*καθομ.*) φοβισμένος: *be ~ed of sb/sth*, φοβᾶμαι κπ/κτ. *be ~ed at the idea of*, τρέμω στήν ἰδέα ὅτι... **~·ing** ἐπ. τρομαχτικός.

fright·ful /ˋfraɪtfl/ ἐπ. τρομερός, φοβερός: *a ~ accident*, τρομερό δυστύχημα. *I have a ~ headache*, ἔχω φοβερό πονοκέφαλο. **~ly** ἐπίρ. τρομερά, (*καθομ.*) πάρα πολύ: *I'm ~ly sorry*, λυπᾶμαι πάρα πολύ.

frigid /ˋfrɪdʒɪd/ ἐπ. παγερός, ψυχρός: *a ~ climate*, ψυχρό κλῖμα. *~ weather*, ψυχρός καιρός. *a ~ welcome/manner*, παγερή ὑποδοχή/ψυχρός τρόπος. *a ~ woman*, (*φυσιολ.*) ψυχρή γυναίκα. **the ~ zones**, (*γεωγρ.*) οἱ κατεψυγμένες ζῶνες. **~·ity** /frɪˋdʒɪdətɪ/ οὐσ. ‹U› ψυχρότης, παγερότης. **~·ly** ἐπίρ.

frill /frɪl/ οὐσ. ‹C› **1**. πλισσές, μπορντούρα, βολλάν (σέ φόρεμα). **2**. (*πληθ.*) μπιχλιμπίδια, περιττά στολίδια (σέ ὁμιλία ἤ γράψιμο). **3**. (*πληθ.*) καμώματα, νάζια. **~ed** ἐπ. πλισσαρισμένος, μέ βολλάν: *a ~ed skirt*. **~y** ἐπ. (*-ier, -iest*) πολυστολισμένος, (*καθομ.*) ὅλο μπιχλιμπίδια.

fringe /frɪndʒ/ οὐσ. ‹C› **1**. κρόσσι. **2**. παρυφή, ἄκρη, περιθώριον: *on the ~(s) of the forest/of a town/of society*, στίς παρυφές τοῦ δάσους/στίς ἄκρες μιᾶς πόλεως/στό περιθώριο τῆς κοινωνίας. **ˋ~ benefits**, πρόσθετοι παροχαί (σέ ἐργαζόμενον). **ˋ~ group**, ἀκραία, ἀνορθόδοξη ὁμάδα (στό περιθώριο ἑνός κόμματος, κλπ). **3**. φράντζα, ἀφέλεια (μαλλιῶν). —ρ.μ. γαρνίρω μέ κρόσσι, πλαισιώνω: *a roadside ~d with trees*, δρόμος μέ δενδροστοιχίες στίς ἄκρες του.

frip·pery /ˋfrɪpərɪ/ οὐσ. ‹C,U› περιττό στολίδι (ἰδ. σέ φόρεμα), (*πληθ.*) μπιχλιμπίδια.

frisk /frɪsk/ ρ.μ/ὰ. **1**. σκιρτῶ, χοροπηδῶ. **2**. ψάχνω κπ, τοῦ κάνω σωματική ἔρευνα (γιά ὅπλα). **~y** ἐπ. (*-ier, -iest*) ζωηρός, παιχνιδιάρης: *as ~y as a kitten*, παιχνιδιάρης σά γατάκι.

frit·ter /ˋfrɪtə(r)/ οὐσ. ‹C› τηγανίτα, σβίγγος. —ρ.μ. ***~ away***, κατακερματίζω, (*μεταφ.*) διασπαθίζω, κατασπαταλῶ: *~ away one's time/energy/money*, κατασπαταλῶ τόν καιρό μου/τή δραστηριότητά μου/τά χρήματά μου.

friv·ol·ous /ˋfrɪvələs/ ἐπ. ἐπιπόλαιος, ἐλαφρόμυαλος: *~ behaviour*, ἐπιπόλαιο φέρσιμο. *a ~ young girl*, ἐλαφρόμυαλο κορίτσι. **~·ly** ἐπίρ. ἐπιπόλαια, ἀνόητα. **friv·ol·ity** /frɪˋvɒlətɪ/ οὐσ. ‹C,U› ἐλαφρότης, ἐπιπολαιότης.

frizz /friz/ ρ.μ. κατσαρώνω, κάνω μπουκλίτσες

(μαλλιά). **~y** ἐπ. *(-ier, -iest)* σγουρός.

frizzle /ˈfrɪzl/ ρ.μ/ἀ. **1**. κατσαρώνω, κάνω μπουκλίτσες (μαλλιά). **2**. ξεροτηγανίζω, τσιτσιρίζω: *bacon frizzling in the pan*, μπέϊκον πού τσιτσιρίζει στό τηγάνι.

fro /frəʊ/ ἐπίρ. (*μόνον στή φρ.*) ***to and ~***, πέρα-δῶθε, πάνω-κάτω: *walk to and ~*.

frock /frok/ οὐσ. ‹C› **1**. φόρεμα, φουστάνι (γυναίκας, παιδιοῦ). **2**. ράσο (καλογήρου). **3**. ˈ**~-ˋcoat**, (ἀπηρχ.) ρεντιγκότα.

frog /frog/ οὐσ. ‹C› βάτραχος. ˋ**~·man**, βατραχάνθρωπος. ˋ**~·march** ρ.μ. (γιά τέσσερες ἀνθρώπους) κουβαλῶ (κρατούμενο, μεθυσμένο, κλπ) μπρούμητα, κρατώντας καθένας ἕνα πόδι ἤ χέρι.

frolic /ˈfrolɪk/ ρ.ἀ. (ἀόρ. & π.μ. *-icked*) παιχνιδίζω, κάνω τρέλλες. —οὐσ. ‹C› γλέντι, παιχνιδίσματα, τρέλλα, ζαβολιά. **~·some** /-səm/ ἐπ. παιχνιδιάρης, σκανταλιάρης, ζωηρός, χαρούμενος.

from /frəm, ἐμφ: from/ πρόθ. ἀπό: *Where are you ~?* ἀπό ποῦ εἶσαι; *Cheese is made ~ milk*, τό τυρί γίνεται ἀπό γάλα (πρβλ : *Tables are made of wood*). *~ necessity/a sense of duty*, ἀπό ἀνάγκη/ἀπό αἴσθημα καθήκοντος. *~ what I hear*, ἀπ' ὅ,τι ἀκούω. *~ beginning to end*, ἀπό τήν ἀρχή ὥς τό τέλος. *~ morning till night*, ἀπό τό πρωΐ ὥς τό βράδυ. *~ here to the station*, ἀπό δῶ ὥς τό σταθμό. *seen ~ above/below*, ὅταν τό δῆ κανείς ἀπό ψηλά/ἀπό χαμηλά. *He was looking at me ~ above/under his spectacles*, μέ κοίταζε πάνω/κάτω ἀπό τά γυαλιά του. ***far ~***, μακράν ἀπό τοῦ νά, ὄχι μόνον δέν: *Far ~ blaming you*, ὄχι μόνο δέν σέ κατηγορῶ... ˈ***far*** ˋ***~ it***, καθόλου, ἀπεναντίας.

front /frʌnt/ οὐσ. ‹C› (*συνήθ. ἑν. μέ ὁριστ. ἄρθρ., ἤ ἐπιθετ.*) **1**. πρόσοψις, φάτσα, μπροστινός: *the ~ of a house*, ἡ φάτσα ἑνός σπιτιοῦ. *the east/west ~ of the Palace*, ἡ ἀνατολική/δυτική πρόσοψις τοῦ Παλατιοῦ. *the ~ door/seat/garden/room*, μπροστινή πόρτα/-ό κάθισμα/-ός κῆπος/-ό δωμάτιο. **2**. μπροστινό μέρος, πρῶτες σειρές: *sit in the ~ of a car/of the class/of the theatre*, κάθομαι μπροστά στό αὐτοκίνητο/στά πρῶτα θρανία τῆς τάξεως/στίς πρῶτες σειρές τοῦ θεάτρου (*πρβλ. in ~ of*). ***in ~*** ἐπίρ. μπροστά: *go in ~*, πηγαίνω μπροστά/πρῶτος. ***in ~ of*** πρόθ. μπροστά ἀπό: *stand in ~ of the car/of the class*, στέκομαι μπροστά *ἀπό* ἕνα αὐτοκίνητο/*ἀπό* τήν τάξη. ***come to the ~***, (*μεταφ.*) ἔρχομαι στήν πρώτη σειρά, γίνομαι γνωστός. **3**. (*στρατ.*) μέτωπον: *go/be sent to the ~*, πάω/στέλνομαι στό μέτωπο. ***on all ~s***, (*μεταφ.*) σ' ὅλα τά μέτωπα. **4**. (*μεταφ.*) βιτρίνα, μέτωπο: *a ˋ~ man*, ἄνθρωπος-βιτρίνα (πού κρύβει ἄλλους πίσω του). *a ˋ~ organization*, μετωπική ὀργάνωσις. *the National Liberation F~*, τό Ἐθνικό Ἀπελευθερωτικό Μέτωπο. **5**. (*σέ παραλιακή πόλη*) παραλία: *a house on the ~*, σπίτι στήν παραλία. *take a walk along the (sea) ~*, κάνω βόλτα στήν παραλία. **6**. (*ποιητ.*) πρόσωπο, μέτωπο, (*ἐνδυμ.*) στῆθος πουκαμισιοῦ, (*μετεωρ.*) μέτωπον. **7**. ‹U› ἀναίδεια, τόλμη: ***have the ~ to do sth***, ἔχω τήν τόλμη (τήν ἀναίδεια) νά κάνω κτ. ***put on/show/present a bold ~***, ἀντιδρῶ μέ ἀναίδεια, ζητάω καί ρέστα. —ρ.μ/ἀ. βλέπω, ἔχω πρόσοψη πρός: *a hotel ~ing the sea/north/upon a lake*, ξενοδοχεῖο μέ πρόσοψη στή θάλασσα/στό βορρηᾶ/σέ λίμνη.

front·age /ˈfrʌntɪdʒ/ οὐσ. ‹C› πρόσοψις: *a building with ~s on two streets*, κτίριο μέ προσόψεις σέ δυό δρόμους.

fron·tal /ˈfrʌntl/ ἐπ. μετωπικός: *a ~ attack*, ἐπίθεσις κατά μέτωπον.

fron·tier /ˈfrʌntɪə(r)/ οὐσ. ‹C› σύνορο, μεθόριος (*μεταξύ δύο χωρῶν, ἤ στίς ΗΠΑ μεταξύ κατοικημένων καί παρθένων ἐδαφῶν*): *a town on the ~*, πόλις στά σύνορα. *~ districts*, παραμεθόριες περιοχές. *~ disputes/incidents*, συνοριακές διαφορές/-ά ἐπεισόδια.

front·is·piece /ˈfrʌntɪspis/ οὐσ. ‹C› προμετωπίς, εἰκόνα ἀπέναντι ἀπό τήν πρώτη σελίδα βιβλίου.

[1]**frost** /frost/ οὐσ. **1**. ‹C,U› παγετός, παγωνιά: *ten degrees of ~*, δέκα βαθμοί ψύχους (ὑπό τό μηδέν). *early/late ~s*, φθινοπωρινές/ἀνοιξιάτικες παγωνιές. **Jack F~**, ὁ Γερο-Χειμώνας. ˋ**~-bite**, κρυοπάγημα. ˋ**~-bitten** ἐπ. κρυοπαγημένος, (*γιά φυτά*) καμένος ἀπό τήν παγωνιά. ˋ**~-bound** ἐπ. (*γιά ἔδαφος*) σκληρός (ἀπό πάγο): *The ground was ~bound.* **2**. ‹U› πάχνη, τσάφι: *covered with white/hoar ~*, σκεπασμένος μέ τσάφι.

[2]**frost** /frost/ ρ.μ/ἀ. **1**. σκεπάζω/-ομαι μέ πάχνη: *~ed window-panes*, τζάμια σκεπασμένα μέ πάχνη. *The windscreen ~ed over during the night*, τό παρμπρίζ σκεπάστηκε μέ πάγο τή νύχτα. **2**. καίω (φυτά) ἀπό τή παγωνιά. **3**. πασπαλίζω (κέϊκ) μέ ἄχνη ζάχαρη. **4**. θαμπώνω (γυαλί).

frosty /ˈfrostɪ/ ἐπ. *(-ier, -iest)* **1**. ψυχρός, παγωμένος: *~ weather; a ~ morning*. **2**. (*μεταφ.*) ψυχρός, παγερός: *a ~ smile/welcome*, παγερό χαμόγελο/ψυχρή ὑποδοχή. **frost·ily** /-əlɪ/ ἐπίρ. ψυχρά, παγερά.

froth /froθ/ οὐσ. ‹U› **1**. ἀφρός (σαπουνιοῦ, μπύρας, κλπ). **2**. (*μεταφ.*) ἀνοησίες, κούφια λόγια, σαπουνόφουσκες. —ρ.ἀ. ἀφρίζω: *~ at the mouth*, βγάζω ἀφρούς ἀπό τό στόμα. **~y** ἐπ. *(-ier, -iest)* ἀφρώδης, ἀφρισμένος, (*γιά ὁμιλία*) κοῦφος, κενός: *~y beer/conversation.*

frown /fraʊn/ ρ.ἀ. συνοφρυοῦμαι, κατσουφιάζω: *~ at sb*, κοιτάζω κπ συνοφρυωμένος, στραβοκοιτάζω κπ. ***~ (up)on sth***, ἀποδοκιμάζω κτ: *~ on gambling/a suggestion*, ἀποδοκιμάζω τή χαρτοπαιξία/μιά πρόταση. —οὐσ. ‹C› συνοφρύωσις, κατσούφιασμα, στραβοκοίταγμα: *with a ~*, ζαρώνοντας τά φρύδια.

frowsty /ˈfraʊstɪ/ ἐπ. *(-ier, -iest)* πνιγηρός, πού μυρίζει κλεισούρα/μούχλα: *a ~ room.*

frowzy /ˈfraʊzɪ/ ἐπ. *(-ier, -iest)* **1**. βλ. *frowsty*. **2**. βρώμικος, ἀτημέλητος, παραμελημένος.

froze /frəʊz/, **frozen** /ˈfrəʊzn/ ἀόρ., π.μ. τοῦ ρ. *freeze*.

fru·gal /ˈfrugl/ ἐπ. λιτός, (*γιά ἄνθρ.*) λιτοδίαιτος, οἰκονόμος: *a ~ meal*, λιτό γεῦμα. *a ~ housekeeper*, οἰκονόμα νοικοκυρά. *be ~ of one's time and money*, χρησιμοποιῶ μέ οἰκονομία τό χρόνο μου καί τά λεφτά μου. **~ly** /-gəlɪ/ ἐπίρ. μέ λιτότητα, μέ οἰκονομία. **~·ity** /fruˋgælətɪ/ οὐσ. ‹C,U› οἰκονομία, λιτότης.

fruit /frut/ οὐσ. **1**. ‹U› φροῦτο, (*περιλ.*) φροῦτα: *apples, peaches, dates and other* ~, μῆλα, ροδάκινα, χουρμάδες καί ἄλλα φροῦτα. *Do you eat much* ~*?* τρῶτε πολλά φροῦτα; *dried/stewed* ~, ξηροί καρποί/φροῦτα κομπόστα. *pick* ~, μαζεύω φροῦτα. **`~-cake**, κέϊκ μέ φροῦτα. **'~ `salad**, φρουτοσαλάτα. **2**. ‹C› καρπός: *the* ~*s of the earth/study/industry/peace*, οἱ καρποί τῆς γῆς/τῆς μελέτης/τῆς ἐπιμέλειας/τῆς εἰρήνης. ***bear*** ~, καρποφορῶ, ἀποδίδω καρπούς. **~·ful** /-fl/ ἐπ. καρποφόρος, γόνιμος. **~·less** ἐπ. ἄκαρπος, ἄγονος: ~*less efforts*, ἄκαρπες προσπάθειες. **~y** ἐπ. *(-ier, -iest)* **1**. πού ἔχει γεύση φρούτου. **2**. (*καθομ.*) πικάντικος, σκαμπρόζικος: *a* ~*y novel*, σκαμπρόζικο μυθιστόρημα. **3**. (*καθομ.*) ζεστός: *a* ~*y voice*, ζεστή (γλυκειά καί ἁπαλή) φωνή. —*ρ.ἀ.* καρπίζω: *These trees* ~ *well*, αὐτά τά δέντρα δίνουν πολύ καρπό.

fru·ition /fru`ɪʃn/ οὐσ. ‹U› πραγματοποίησις, ἐκπλήρωσις (σχεδίων, ἐλπίδων): *plans that come to* ~, σχέδια πού πραγματοποιοῦνται, πού καρποφοροῦν. *aims brought to* ~, σκοποί πού ἐκπληρώθηκαν.

frus·trate /frʌ`streɪt/ *ρ.μ.* ἐμποδίζω, ἐξουδετερώνω, ματαιώνω: ~ *an enemy in his plans*, ἐμποδίζω ἕναν ἐχθρό νά πραγματοποιήση τά σχέδιά του. ~ *sb's plans*, ματαιώνω τά σχέδια κάποιου. ***be*** ~***d in sth***, δοκιμάζω ἀπογοήτευση/ἀποτυχία σέ κτ. **frus·trat·ing** ἐπ. ἀπογοητευτικός, ἐξοργιστικός. **frus·trat·ing·ly** ἐπίρ.

frus·tra·tion /frʌ`streɪʃn/ οὐσ. ‹C,U› **1**. ματαίωσις (σχεδίου), διάψευσις (ἐλπίδων). **2**. ἀπογοήτευσις, ἀποτυχία: *She was embittered by numerous* ~*s*, ἦταν φαρμακωμένη ἀπό ἕνα σωρό ἀπογοητεύσεις/ἀποτυχίες.

[1]**fry** /fraɪ/ *ρ.μ/ἀ.* τηγανίζω: *fried eggs*, τηγανιτά αὐγά. **`~ing-pan**, τηγάνι. ***out of the*** ~***ing-pan into the fire***, (*παροιμ.*) ἀπό τό κακό στό χειρότερο. **fryer, frier** /`fraɪə(r)/ οὐσ. ‹C› κοτόπουλο γιά ψήσιμο.

[2]**fry** /fraɪ/ οὐσ. ‹C› (*ἀμετάβλ. στόν πληθ.*) ψαράκια, μαρίδα, γαῦρος. ***small*** ~, (*μεταφ.*) παιδαρέλια, ἀνθρωπάκια.

fuchsia /`fjuʃə/ οὐσ. ‹C,U› (*φυτ.*) φούξια.

fuddle /`fʌdl/ *ρ.μ.* ἀποχαυνώνω, ἀποβλακώνω (*ἰδ.* μέ τό ποτό): *He* ~*d himself/his brain with gin*, ἀποβλακώθηκε μέ τό τζίν. *in a* ~*d state*, σέ κατάσταση ἀποβλακώσεως/ἀποχαυνώσεως.

fuddy-duddy /`fʌdɪ dʌdɪ/ οὐσ. ‹C› (*καθομ.*) γεροσχολαστικός ἄνθρωπος τῆς παληᾶς σχολῆς.

fuel /`fjuəl/ οὐσ. ‹U› καύσιμη ὕλη. ***add*** ~ ***to the flames***, (*μεταφ.*) ρίχνω λάδι στή φωτιά. **`~ tank**, (*αὐτοκ.*) ντεπόζιτο βενζίνης. —*ρ.μ/ἀ.* *(-ll)* παίρνω/ἐφοδιάζομαι μέ καύσιμα, ἀνθρακεύω: *a `*~*ling station*, πρατήριον καυσίμων.

fug /fʌg/ οὐσ. ‹C› (*καθομ.*) κλειστή, ἀποπνιχτική ἀτμόσφαιρα: *What a* ~*!* τί μούχλα! **~gy** ἐπ. *(-ier, -iest)* (*γιά δωμάτιο*) πνιγηρός, πού μυρίζει μούχλα, κλεισούρα.

fugi·tive /`fjudʒətɪv/ οὐσ. ‹C› & ἐπ. **1**. φυγάς, δραπέτης: *a* ~ *from justice*, φυγόδικος. *a* ~ *slave*, σκλάβος πού ἔχει δραπετεύσει. **2**. πρόσκαιρος, ἐφήμερος.

fugue /fjug/ οὐσ. ‹C› (*μουσ.*) φούγκα.

ful·crum /`fʌlkrəm/ οὐσ. ‹C› ὑπομόχλιον.

ful·fil /fʊl`fɪl/ *ρ.μ.* *(-ll-)* **1**. ἐκπληρῶ: ~ *one's duties/promises*, ἐκπληρῶ τά καθήκοντά μου/τίς ὑποσχέσεις μου. **2**. ἐκτελῶ: ~ *a command*, ἐκτελῶ μιά διαταγή. **3**. πραγματοποιῶ: ~ *one's hopes/ambition/plans*, πραγματοποιῶ τίς ἐλπίδες μου/τήν φιλοδοξία μου/τά σχέδιά μου. **~·ment** οὐσ. ‹C,U› ἐκπλήρωσις.

full /fʊl/ ἐπ. *(-er, -est)* **1**. ~ ***(of)***, γεμᾶτος: ~ *of money/vitality/ideas/hope*, γεμᾶτος χρήματα/ζωτικότητα/ἰδέες/ἐλπίδες. *ask for* ~*er information*, ζητῶ περισσότερες πληροφορίες. *He's* ~ *of himself*, εἶναι γεμᾶτος ἐγωϊσμό. *He's* ~ *of his own importance*, ἔχει μεγάλη ἰδέα γιά τόν ἑαυτό του. *She was* ~ *of the news*, ἀνυπομονοῦσε νά πῆ τά νέα. ~ ***up***, ὑπερπλήρης: *I can't eat any more; I'm* ~ *(up)*, δέν μπορῶ νά φάω ἄλλο, εἶμαι γεμᾶτος. **2**. παχουλός, γεμᾶτος: *a* ~ *figure*, παχουλό σῶμα. *She's* ~ *in the face*, εἶναι γεμάτη στό πρόσωπο. ~ *lips*, παχειά χείλη. **3**. (*γιά ροῦχα*): φαρδύς, μπουφάν: ~ *trousers; a* ~ *skirt*. **4**. πλήρης, ὁλόκληρος: *wait a* ~ *hour*, περιμένω μιά ὁλόκληρη ὥρα. *a* ~ *meal*, πλῆρες γεῦμα. ~ *pay*, πλήρεις ἀποδοχές. *pay (the)* ~ *fare*, πληρώνω ὁλόκληρο εἰσιτήριο. **5**. (*σέ φράσεις καί σύνθετες λέξεις*): ***in*** ~, πλήρως: *write one's name in* ~, γράφω ὁλόκληρο τό ὄνομά μου. *pay a debt in* ~, ἐξοφλῶ πλήρως ἕνα χρέος. ***in*** ~ ***career***, ἐν πλήρη δράσει, ὁλοταχῶς. ***at*** ~ ***speed***, ὁλοταχῶς. ***to the*** ~, στόν ὑπέρτατο βαθμό, πάρα πολύ: *We enjoyed ourselves to the* ~, διασκεδάσαμε πάρα πολύ. **`~-back**, (*ποδόσφ.*) ὀπισθοφύλαξ. **'~-`blooded** ἐπ. καθαρόαιμος, ρωμαλέος, ἀρρενωπός. **'~-`blown**, (*γιά λουλούδια, & μεταφ.*) σέ πλήρη ἄνθηση. **'~ `dress**, ἐπίσημο ἔνδυμα, μεγάλη στολή. **'~ `face**, ἀνφάς: *a* ~*-face portrait*. **'~(y)-`grown** ἐπ. ὥριμος, πλήρως ἀναπτυγμένος. **'~ `house**, *(α)* (*στό πόκερ*) φούλ. *(β)* (*στό θέατρο*) γεμάτη αἴθουσα. **'~-`length**, (*γιά πορτραῖτο*) ὁλόσωμος. **'~ `moon**, πανσέληνος. **`~-page** ἐπ. ὁλοσέλιδος: *a* ~*-page advertisement*, ὁλοσέλιδη διαφήμιση. **'~ `stop**, τελεία. ***come to a*** ~ ***stop***, σταματῶ τελείως. **'~-`scale** ἐπ. (*γιά σχέδια*) σέ πλήρη κλίμακα, σέ φυσικό μέγεθος. **`~-time** ἐπ. & ἐπίρ. τακτικός, τακτικά (*ἀντίθ.* *part-time*): *It's a* ~*-time job*, εἶναι τακτική δουλειά (*δηλ.* πλήρους ἀπασχολήσεως). *a* ~*-time worker*, τακτικός ἐργάτης. *He works* ~*-time*, ἔχει τακτική ἐργασία, πλήρη ἀπασχόληση, δουλεύει ὅλο του τό χρόνο. **~y** /`fʊlɪ/ ἐπίρ. τελείως, πλήρως: ~*y satisfied/rewarded*, τελείως ἱκανοποιημένος/πλήρως ἀμειφθείς. *It will take* ~*y two hours*, θά πάρη δυό ὁλόκληρες ὧρες. **'~ly-`fashioned**, (*γιά ροῦχα*) τελείως ἐφαρμοστός. **~·ness** οὐσ. ‹U› πληρότης: *have a feeling of* ~*ness*, ἔχω αἴσθημα πληρότητος. ***in the*** ~***ness of time***, μέ τό πλήρωμα τοῦ χρόνου.

ful·mi·nate /`fʌlmɪneɪt/ *ρ.ἀ.* ~ ***(against)***, ἐπιτίθεμαι βίαια, ἐξαπολύω μύδρους: ~ *against the morals of the younger generation*, κεραυνοβολῶ τά ἤθη τῆς νέας γενεᾶς. **ful·mi·na·tion** /`fʌlmɪ`neɪʃn/ οὐσ. ‹C,U› διαμαρτυρία, βιαία ἐπίθεσις, κατηγορία.

ful·some /ˈfʊlsəm/ *ἐπ.* ὑπερβολικός (μέχρι ἀηδίας), κακόγουστος, ἐμετικός: ~ *compliments/praise/flattery*, ὑπερβολικά κοπλιμέντα/παινέματα/ἐμετική κολακεία.

fumble /ˈfʌmbl/ *ρ.μ/ἀ.* **1**. ψαχουλεύω: ~ *in one's pockets for sth*, ψαχουλεύω στίς τσέπες μου νά βρῶ κτ. ~ *at a lock/in the dark*, ψαχουλεύω μιά κλειδαριά/στό σκοτάδι. **2**. πιάνω/χειρίζομαι ἀδέξια. ~**r** *οὐσ.* ‹C› ἀτζαμῆς.

fume /fjum/ *οὐσ.* ‹C› **1**. καπνός, ἀναθυμίασις: *air thick with the* ~*s of cigars*, ἀέρας γεμᾶτος καπνούς πούρων. *petrol* ~*s*, καυσαέρια. **2**. (*λογοτ.*) ὀργή, ἔξαψις. __*ρ.μ/ἀ.* **1**. βγάζω καπνούς. **2**. καπνίζω ξύλο: ~*d oak*, δρύϊνο ξύλο μέ πάτινα. **3**. ~ ***(at)***, ἐξοργίζομαι, γίνομαι ἔξω φρενῶν: ~ *at sb's incompetence*, ἐξοργίζομαι μέ τήν ἀνικανότητα κάποιου.

fu·mi·gate /ˈfjumɪgeɪt/ *ρ.μ.* ἀπολυμαίνω (μέ καπνό), θειαφίζω (φυτά).

fun /fʌn/ *οὐσ.* ‹U› διασκέδασις, εὐχαρίστησις, ἀστεῖο, κέφι: *We had great* ~ *at the seaside*, διασκεδάσαμε πολύ στήν ἀκρογιαλιά. *It was great* ~, ἦταν πολύ διασκεδαστικό, σπάσαμε πλάκα. *There's no* ~ *in waiting*, δέν εἶναι εὐχάριστο νά περιμένη κανείς. *I don't see the* ~ *of it*, δέ βλέπω ποῦ εἶναι τό ἀστεῖο. *Your new friend is great* ~, ὁ νέος σου φίλος εἶναι ὡραῖος τύπος (πολύ διασκεδαστικός/εὐχάριστος). *He is full of* ~, εἶναι ὅλο κέφι. ***in/for*** ~, στ' ἀστεῖα, γιά πλάκα. ***make*** ~ ***of sb; poke*** ~ ***at sb***, κοροϊδεύω, περιπαίζω κπ. ~ ***and games***, (*καθομ.*) τρικούβερτο γλέντι.

func·tion /ˈfʌŋkʃn/ *οὐσ.* ‹C› **1**. λειτουργία, ἀποστολή: *the* ~ *of the heart*, ἡ λειτουργία τῆς καρδιᾶς. *the* ~ *of education*, ἡ ἀποστολή τῆς παιδείας. **2**. λειτούργημα, καθῆκον: *the* ~*s of a judge*, τά καθήκοντα ἑνός δικαστοῦ. *It is part of my* ~*s to*..., περιλαμβάνεται στά καθήκοντά μου τό νά... **3**. (δημοσία) τελετή ἑορτή, δεξίωσις: *attend a* ~, παρίσταμαι εἰς μίαν τελετήν/δεξίωσιν. __*ρ.ἀ.* λειτουργῶ: *The telephone is not* ~*ing*, τό τηλέφωνο δέν λειτουργεῖ. ~**al** /-ʃənl/ *ἐπ.* λειτουργικός: *a* ~*al disorder*, λειτουργική διαταραχή. ~*al architecture*, ἀρχιτεκτονική πού ὑπηρετεῖ πρακτικούς σκοπούς. ~**·al·ism** /-ɪzm/ *οὐσ.* ‹U› (*ἀρχιτ.*) θεωρία τῆς λειτουργικότητος.

func·tion·ary /ˈfʌŋkʃnrɪ/ *οὐσ.* ‹C› (*συχνά ὑποτιμ.*) ἀξιωματοῦχος.

fund /fʌnd/ *οὐσ.* ‹C› **1**. ἀπόθεμα: *a* ~ *of humour/of amusing stories*, ἀπόθεμα χιοῦμορ/διασκεδαστικῶν ἱστοριῶν. **2**. ταμεῖον: *a relief* ~, ταμεῖον ἀρωγῆς. **3**. (*πληθ.*) χρήματα, κεφάλαιον: *the* ~*s of a company*, τό ἑταιρικόν κεφάλαιον. *the (public)* ~*s*, δημόσια χρεώγραφα. *have £5000 in* ~*s*, ἔχω 5000 λίρες σέ χρεώγραφα. '***no*** ~***s***', (*τραπεζ.*) "δέν ὑπάρχει κάλυμμα" (*γιά ἐπιταγή*). __*ρ.μ.* παγιοποιῶ (δημόσιον χρέος), ἀγοράζω ὁμολογίες.

fun·da·men·tal /ˌfʌndəˈmentl/ *ἐπ.* ~ ***(to)***, θεμελιώδης, βασικός, κεφαλαιώδης: *a* ~ *question*, θεμελιῶδες ζήτημα. ~ *principles*, βασικές ἀρχές. *a condition of* ~ *importance*, ὅρος κεφαλαιώδους σημασίας. __*οὐσ.* ‹C› (*συνήθ. πληθ.*) βασική ἀρχή, θεμελιῶδες στοιχεῖον: *the* ~*s of mathematics*, οἱ βασικές ἀρχές τῶν μαθηματικῶν. ~**ly** /-təlɪ/ *ἐπίρ.* βασικά, οὐσιαστικά, κατά βάσιν.

fu·neral /ˈfjunrəl/ *οὐσ.* ‹C› κηδεία, (*ἐπιθετ.*) νεκρώσιμος, νεκρικός: *a* ˈ~ *service*, νεκρώσιμος ἀκολουθία. *a* ˈ~ *procession*, νεκρική πομπή. *a* ˈ~ *march*, πένθιμο ἐμβατήριο. *a* ˈ~ *pyre/pile*, νεκρική πυρά.

fu·ner·eal /fjuˈnɪərɪəl/ *ἐπ.* πένθιμος, σκυθρωπός: *a* ~ *expression/face*.

fun·gus /ˈfʌŋgəs/ *οὐσ.* ‹C› (*πληθ. -gi* /-gaɪ/) μύκης. **fun·gous** /ˈfʌŋgəs/ *ἐπ.* μυκητοειδής.

fu·nicu·lar /fjuˈnɪkjʊlə(r)/ *ἐπ*: ~ *railway*, ἐναέριος σιδηρόδρομος, τελεφερίκ.

funk /fʌŋk/ *οὐσ.* **1**. ‹C› (*καθομ.*) τρομάρα, φόβος, τράκ: *be in a* ~, τρέμω ἀπό τό φόβο μου. **2**. ‹C› φοβιτσιάρης. __*ρ.μ/ἀ.* φοβᾶμαι, τό βάζω στά πόδια.

fun·nel /ˈfʌnl/ *οὐσ.* ‹C› **1**. χωνί. **2**. φουγάρο (πλοίου).

funny /ˈfʌnɪ/ *ἐπ.* *(-ier, -iest)* **1**. ἀστεῖος, διασκεδαστικός: ~ *stories*, ἀστεῖες ἱστορίες. *It was too* ~ *for words*, ἦταν ἀπερίγραπτα ἀστεῖο, ἦταν νά πεθαίνης στά γέλια. *The* ~ *thing about it is that*..., τό ἀστεῖο τῆς ὑποθέσεως εἶναι ὅτι... *He's trying to be* ~, θέλει νά κάνη πνεῦμα, νά κάνη τόν ἔξυπνο. **2**. (*καθομ.*) περίεργος, παράξενος: *There's something* ~ *about the affair*, ἡ ὑπόθεσις εἶναι λίγο περίεργη, λίγο ὕποπτη. *This butter tastes* ~, αὐτό τό βούτυρο ἔχει περίεργη γεύση. **fun·nily** /-əlɪ/ *ἐπίρ.* ἀστεῖα, περίεργα: ***funnily enough***, περιέργως, παραδόξως.

fur /fɜ(r)/ *οὐσ.* **1**. ‹U› τρίχωμα (ζώου). ~ ***and feather***, ζῶα (μέ τρίχωμα) καί πουλιά. (*βλ. & λ.* [2]*fly*). **2**. ‹C› γούνα: *a fine fox* ~, ὡραία γούνα ἀλεποῦς. *a* ~ *coat*, γούνινο παλτό. *a* ~*-lined coat*, παλτό φοδραρισμένο μέ γούνα. **3**. ‹U› ἐπίστρωμα (σέ γλῶσσα ἀρρώστου), πουρί. __*ρ.μ/ἀ.* σκεπάζω/-ομαι μέ πουρί: *a* ~*red tongue/kettle*, ἄσπρη γλῶσσα/πουριασμένη κατσαρόλα. ~**ry** /ˈfɜrɪ/ *ἐπ.* *(-ier, -iest)* γούνινος, σάν γούνα, πουριασμένος.

fur·bish /ˈfɜbɪʃ/ *ρ.μ.* ξεσκουριάζω, γυαλίζω (μεταλλικό ἀντικείμενο).

furi·ous /ˈfjʊərɪəs/ *ἐπ.* μανιασμένος, λυσσώδης, βίαιος: *I was* ~ *with him/at what he had done*, ἤμουν ἔξω φρενῶν μαζί του/γιά ὅ,τι εἶχε κάμει. *a* ~ *struggle/wind/storm*, λυσσώδης ἀγών/βίαιος ἄνεμος/μανιασμένη θύελλα. *run at a* ~ *pace*, τρέχω δαιμονισμένα. *The fun was fast and* ~, γινόταν τρικούβερτο γλέντι. ~**·ly** *ἐπίρ.* μανιωδῶς.

furl /fɜl/ *ρ.μ/ἀ.* (*γιά πανιά, σημαία, ὀμπρέλλα, κλπ*) διπλώνω/-ομαι.

fur·long /ˈfɜlɒŋ/ *οὐσ.* ‹C› φέρλον (μονάς μήκους = 1/8 τοῦ μιλίου, 201 μ.).

fur·lough /ˈfɜləʊ/ *οὐσ.* ‹C,U› ἄδεια (ἀπουσίας): *go/be on* ~, φεύγω μέ/εἶμαι σέ ἄδεια.

fur·nace /ˈfɜnɪs/ *οὐσ.* ‹C› κλίβανος, φοῦρνος, κάμινος.

fur·nish /ˈfɜnɪʃ/ *ρ.μ.* **1**. προμηθεύω, ἐφοδιάζω: ~ *money to sb*, προμηθεύω χρήματα σέ κπ. ~ *sb with information*, ἐφοδιάζω κπ μέ πληροφορίες. **2**. ἐπιπλώνω: ~ *a room/an office*. *a* ~*ed flat*, ἐπιπλωμένο διαμέρισμα. ~**·ings** *οὐσ. πληθ.* ἐπίπλωσις, ἔπιπλα.

fur·ni·ture /ˈfɜnɪtʃə(r)/ *οὐσ.* ‹U› (*μόνον στόν ἑν.*) ἔπιπλα: *All the* ~ *is new*, ὅλα τά ἔπιπλα εἶναι καινούργια.

fur·ore /fjʊˈrɔ(r)ɪ/ *οὐσ.* ‹C› ἔξαλλος ἐνθουσια-

σμός, παραλήρημα, φρενῖτις: *The new play created a ~*, τό νέο ἔργο ἔγινε δεκτό μέ ἔξαλλο ἐνθουσιασμό.
fur·rier /ˋfʌrɪə(r)/ *οὐσ.* ‹C› γουναρᾶς.
fur·row /ˋfʌrəʊ/ *οὐσ.* ‹C› **1**. αὐλάκι, ἀλετριά. **2**. βαθειά ρυτίδα. __*ρ.μ.* αὐλακώνω, ρυτιδώνω: *a forehead ~ed by anxiety/old age*, μέτωπο αὐλακωμένο ἀπό τήν ἀγωνία/ἀπό τά γηρατειά.
fur·ther /ˋfɜðə(r)/ *ἐπ.* & *ἐπίρ.* **1**. μακρύτερα: *I can't go any ~*, δέν μπορῶ νά προχωρήσω ἄλλο. **2**. περαιτέρω, πρόσθετος, περισσότερος: *Go no ~ into the matter!* μήν προχωρῇς περαιτέρω στό θέμα! *for ~ information*, γιά περισσότερες πληροφορίες... *until ~ notice*, μέχρι νεωτέρας εἰδοποιήσεως. *without ~ loss of time*, χωρίς ἄλλη χρονοτριβή. **3**. (*ἐπίσης* **~more**): κι' ἀκόμη, ἐπιπλέον. __*ρ.μ.* προάγω, ἐξυπηρετῶ: *~ one's interests/the cause of peace*, ἐξυπηρετῶ τά συμφέροντά μου/προάγω τήν ὑπόθεση τῆς εἰρήνης. **ˋ~·ance** /-rns/ *οὐσ.* ‹U› προαγωγή, ἐξυπηρέτησις: *in ~ance of our aims*, πρός ἐξυπηρέτησιν τῶν σκοπῶν μας. *for the ~ance of national interests*, διά τήν προαγωγήν τῶν ἐθνικῶν συμφερόντων. **ˈ~·ˋmore** /-ˋmɔ(r)/ *ἐπίρ.* ἐπιπλέον, ἐπιπροσθέτως. **ˋ~·most** /-məʊst/ *ἐπ.* ὁ πιό μακρυνός.
fur·thest /ˋfɜðɪst/ *ἐπ.* & *ἐπίρ.* *βλ.* *farthest*.
fur·tive /ˋfɜtɪv/ *ἐπ.* κρυφός, μυστικός, κρυψίνους, λαθραῖος: *a ~ glance*, κρυφή ματιά. *in a ~ manner*, μέ λαθραῖο τρόπο, στά κλεφτά. *be ~ in one's movements*, κρατῶ μυστικές τίς κινήσεις μου. **~·ly** *ἐπίρ.* κρυφά, λαθραῖα: *watch sb ~ly*, κρυφοκοιτάζω κπ.
fury /ˋfjʊərɪ/ *οὐσ.* ‹C,U› **1**. μανία, λύσσα, παραφορά: *the ~ of the elements*, ἡ μανία τῶν στοιχείων τῆς φύσεως. *in the ~ of battle*, μέσα στή φωτιά (στή λύσσα) τῆς μάχης. *She was in one of her furies*, ἦταν σέ μιά ἀπό τίς κακές της ὧρες. ***fly into a ~***, γίνομαι ἔξω φρενῶν/πῦρ καί μανία. ***work like ~***, δουλεύω μέ μανία. **2**. στρίγγλα, μέγαιρα: *Isn't she a ~!* τί στρίγγλα πού εἶναι! ***the Furies***, οἱ Ἐρινύες.
furze /fɜz/ *οὐσ.* ‹U› (*βοτ.*) ράχος (ἀγκαθωτός θάμνος μέ κίτρινα ἄνθη).
fuse /fjuz/ *οὐσ.* ‹C› θρυαλλίς, φιτίλι, (*ἠλεκτρ.*) ἀσφάλεια. *a ˋ~ box*, πίνακας/κιβώτιο μέ ἀσφάλειες. __*ρ.μ/ὰ.* λυώνω, κολλῶ διά τήξεως, συγχωνεύω/-ομαι: *The light has ~d*, κάηκε ἡ ἀσφάλεια.
fu·sel·age /ˋfjuzəlaʒ/ *οὐσ.* ‹C› (*ἀερ.*) ἄτρακτος.
fu·sil·ier /ˈfjuzəˋlɪə(r)/ *οὐσ.* ‹C› (*στρατ.*) τυφεκιοφόρος.
fus·il·lade /ˈfjuzɪˋleɪd/ *οὐσ.* ‹C› τουφεκίδι.
fu·sion /ˋfjuʒn/ *οὐσ.* ‹C,U› τῆξις, συγχώνευσις: *the ~ of the two parties/races*, ἡ συγχώνευσις τῶν δύο κομμάτων/φυλῶν.
fuss /fʌs/ *οὐσ.* ‹U› φασαρία: *make a ~ about trifles*, κάνω φασαρία γιά τό τίποτα. *What's all this ~ about?* πρός τί ὅλο αὐτό τό κακό; **ˋ~-pot** *οὐσ.* ‹C› (*καθομ.*) γκρινιάρης, φασαρίας. ***make a ~ of sb***, πολυχαϊδεύω κπ, εἶμαι ὅλο περιποίηση: *He likes to be made a ~ of*, τοῦ ἀρέσει νά τόν ἔχουν ὤπα-ὤπα. __*ρ.μ/ὰ.* κάνω φασαρία, κάνω τόν πολυάσχολο, πηγαινοέρχομαι: *She ~ed about, unable to hide her impatience*, πηγαινοερχόταν, μή μπορώντας νά κρύψη τήν ἀνυπομονησία της. *Don't ~ over the children so much*, μήν κάνης τόση φασαρία γιά τά παιδιά! **~y** *ἐπ.* *(-ier, -iest)* **1**. (*γιά ἄνθρ.*) ἀνακατωσούρης, φασαρίας: *She's very ~y*, ὅλο ζητήματα δημιουργεῖ. **2**. (*γιά ροῦχα*) ἐξεζητημένος.
fus·tian /ˋfʌstɪən/ *οὐσ.* ‹U› **1**. χοντρό βαμβακερό ὕφασμα, κοτλέ. **2**. στόμφος, (*ἐπιθετ.*) στομφώδης, κοῦφος, εὐτελής.
fusty /ˋfʌstɪ/ *ἐπ.* *(-ier, -iest)* μπαγιάτικος, μουχλιασμένος, πού μυρίζει κλεισούρα: *a ~ old professor*, γερο-καθηγητής μέ μουχλιασμένες ἰδέες.
fu·tile /ˋfjutaɪl/ *ἐπ.* **1**. φροῦδος, μάταιος: *a ~ attempt*, μάταιη προσπάθεια. *~ hopes*, φροῦδες ἐλπίδες. **2**. (*γιά ἄνθρ.*) ἀσήμαντος, ἐλαφρόμυαλος. **fu·til·ity** /fjuˋtɪlətɪ/ *οὐσ.* ‹C,U› **1**. ματαιότης, (τό) μάταιον: *When he realized the futility of his efforts*, ὅταν ἀντελήφθη τό μάταιον τῶν προσπάθειῶν του... **2**. παιδαριωδία, χαζομάρα.
fu·ture /ˋfjutʃə(r)/ *οὐσ.* ‹C› & *ἐπ.* **1**. μέλλον, μέλλων, μελλοντικός: *in the near/distant ~*, στό ἐγγύς/ἀπώτερο μέλλον. *provide for the ~*, φροντίζω (προνοῶ) γιά τό μέλλον. *I've given up my job; there was no ~ in it*, παράτησα τή δουλειά μου, δέν εἶχε μέλλον. *ruin one's ~*, καταστρέφω τό μέλλον μου. *settle the ~ of one's children*, ἐξασφαλίζω τό μέλλον τῶν παιδιῶν μου. *my ~ wife*, ἡ μέλλουσα συζυγός μου. *the ~ life*, ἡ μέλλουσα ζωή. ***in ~***, στό μέλλον, ἀπό δῶ καί μπρός. ***the ~ tense***, (*γραμμ.*) ὁ μέλλων. **2**. (*πληθ.*) πωλήσεις/φορτώσεις/πράξεις ἐπί προθεσμίᾳ.
fu·tur·ism /ˋfjutʃərɪzm/ *οὐσ.* ‹U› φουτουρισμός.
fu·tur·ity /fjuˋtjʊərətɪ/ *οὐσ.* ‹C,U› μέλλον, μελλοντικότης.
fuzz /fʌz/ *οὐσ.* ‹U› **1**. χνοῦδι. **2**. φουντωτά ἤ σγουρά μαλλιά. **3**.(*λαϊκ.*) μπάτσος, ἀστυνομία. **~y** /ˋfʌzɪ/ *ἐπ.* *(-ier, -iest)* χνουδᾶτος, ξεφτισμένος, θαμπός, φλοῦ.

G g

G, g /dʒi/ **1**. τό 7ο γράμμα τοῦ ἀλφάβητου. **2**. (*μουσ.*) σόλ.
gab /gæb/ *οὐσ.* ‹U› (*καθομ.*) πολυλογία. ***have the gift of the ~***, ἔχω εὐφράδεια/τό χάρισμα τοῦ λόγου.
gab·ar·dine /ˈgæbəˋdin/ *οὐσ.* ‹U› (ὕφασμα) γκαμπαρτίνα.
gabble /ˋgæbl/ *ρ.μ/ὰ.* φλυαρῶ, μιλῶ γρήγορα καί μπερδεμένα: *The little girl ~d her prayers and jumped into bed*, τό κοριτσάκι εἶπε τήν προσευχή του γρήγορα-γρήγορα καί πήδηξε στό κρεββάτι. __*οὐσ.* ‹U› φλυαρία, κουβεντολόϊ.
gab·er·dine /ˈgæbəˋdin/ *οὐσ.* **1**. ‹U› *βλ.*

gabardine. **2.** ‹C› (*ἀπηρχ.*) χιτώνας.

gable /ˋgeɪbl/ *οὐσ.* ‹C› ἀέτωμα. **~d** /ˋgeɪbld/ *ἐπ.* μέ ἀετώματα: *~d windows.*

[1]**gad** /gæd/ *ρ.ἀ.* *(-dd-)* **~ *about***, (*καθομ.*) εἶμαι διαρκῶς στό σεργιάνι, περνῶ τόν καιρό μου σέ διασκεδάσεις. ˋ**~·about**, σουλατσαδόρος, ἀργόσχολος, (*γιά γυναίκα*) τριγυρίστρα.

[2]**gad** /gæd/ *ἐπιφ.* *ἐκπλήξεως* (*ἐπίσης* **By** ˋ**~**!) μά τήν πίστη μου!

gad·fly /ˋgædflaɪ/ *οὐσ.* ‹C› ἀλογόμυγα.

gad·get /ˋgædʒɪt/ *οὐσ.* ‹C› (*καθομ.*) μηχανική ἐπινόησις, μαραφέτι: *a new ~ for opening tins*, ἕνα καινούργιο μαραφέτι γιά τό ἄνοιγμα κονσερβῶν. **~ry** *οὐσ.* ‹U› (*συλλογ.*) μαραφέτια, σύνεργα.

Gael /geɪl/ *οὐσ.* ‹C› Κέλτης. **~ic** /ˋgeɪlɪk/ *ἐπ.* & *οὐσ.* ‹C,U› κελτικός, κελτική γλῶσσα.

gaff /gæf/ *οὐσ.* ‹C› καμάκι, γάντζος. ***blow the ~***, (*λαϊκ.*) φανερώνω τό μυστικό, τά ξερνάω ὅλα.

gaffe /gæf/ *οὐσ.* ‹C› γκάφα.

gaf·fer /ˋgæfə(r)/ *οὐσ.* ‹C› (*καθομ.*) **1.** γέρος, μπάρμπα-. **2.** ἐπιστάτης, ἀφεντικό.

gag /gæg/ *οὐσ.* ‹C› **1.** φίμωτρο. **2.** καλαμπούρι, αὐτοσχεδιασμός (ἠθοποιοῦ), χοντρό ἀστεῖο (κωμικοῦ). __*ρ.μ/ἀ.* *(-gg-)* **1.** φιμώνω: *~ the press*, φιμώνω τόν τύπο. **2.** (*γιά ἠθοποιό*) αὐτοσχεδιάζω.

gaga /ˋgaga/ *ἐπ.* (*λαϊκ.*) ξεμωραμένος.

gage /geɪdʒ/ *οὐσ.* ‹C› **1.** (*ἀπηρχ.*) ἐνέχυρο. **2.** (*ἀπηρχ.*) γάντι: *throw down the ~*, ρίχνω τό γάντι, προκαλῶ σέ ἀγῶνα. **3.** *βλ. gauge.* __*ρ.μ.* ἐνεχυριάζω.

gaggle /ˋgægl/ *οὐσ.* ‹C› **1.** κοπάδι (χῆνες). **2.** (*ἀστειολ.*) παρέα (φλύαρων γυναικῶν ἤ κοριτσιῶν).

gai·ety /ˋgeɪətɪ/ *οὐσ.* **1.** ‹U› εὐθυμία, κέφι, χαρούμενος τόνος. **2.** (*πληθ.*) διασκεδάσεις, γλέντια, γιορτές: *the gaieties of the Christmas season*, οἱ Χριστουγεννιάτικες διασκεδάσεις.

gaily /ˋgeɪlɪ/ *ἐπίρ.* εὔθυμα.

[1]**gain** /geɪn/ *οὐσ.* ‹C,U› **1.** κέρδος: *the love of ~*, ἡ ἀγάπη τοῦ κέρδους. ***No ~s without pains***, (*παροιμ.*) τά καλά κόποις κτῶνται. ***ill-gotten ~s***, διαβολομαζώματα. **2.** αὔξησις, προσθήκη: *a ~ in weight*, αὔξησις βάρους. *a ~ to knowledge*, κέρδος, κατάκτησις τῆς ἐπιστήμης. **~·ful** /-fl/ *ἐπ.* ἐπικερδής. **~·fully** /-fəlɪ/ *ἐπίρ.*

[2]**gain** /geɪn/ *ρ.μ/ἀ.* **1.** κερδίζω, ἀποκτῶ: *~ money/experience*, κερδίζω χρήματα/πεῖρα. *~ 5 lbs/in weight*, παίρνω 5 λίμπρες/βάρος. *~ strength*, παίρνω δυνάμεις (ὕστερα ἀπό ἀρρώστεια). *What ~ed him such a reputation?* γιατί ἔβγαλε τέτοιο ὄνομα; ***~ time/ground***, κερδίζω χρόνο/ἔδαφος. ***~ the upper hand***, βγαίνω νικητής. **2.** (*γιά ρολόϊ*) πάω μπροστά: *This clock neither ~s nor loses*, αὐτό τό ρολόϊ οὔτε πάει μπροστά οὔτε χάνει. **3.** ***~ (up)on***, *(α)* πλησιάζω: *He ~ed on the other runners*, πλησίασε τούς ἄλλους δρομεῖς. *(β)* ἀφήνω πίσω: *The thief ~ed on his pursuers*, ὁ κλέφτης ἄφησε πίσω του τούς διῶκτες του. **4.** φθάνω (μέ προσπάθεια): *~ the top of a mountain*, φθάνω στήν κορυφή βουνοῦ. *The swimmer ~ed the shore*, ὁ κολυμβητής ἔφθασε στήν ἀκτή. **~·ings** *οὐσ.* *πληθ.* κέρδη, ὀφέλη.

gain·say /ˈgeɪnˋseɪ/ *ρ.μ.* (*ἀόρ.* & *π.μ.* *-said* /-ˋsed/) (*ἰδ.* *ἐρωτημ.* & *ἀρνητ.*) ἀρνοῦμαι, ἀμφισβητῶ: *There's no ~ing his honesty*, δέν μπορεῖ ν'ἀρνηθῆ κανείς τήν τιμιότητά του.

gait /geɪt/ *οὐσ.* ‹U› βάδισμα, περπατησιά: *an awkward/a graceful ~*, ἄχαρη/λυγερή περπατησιά.

gai·ter /ˋgeɪtə(r)/ *οὐσ.* ‹C› γκέττα.

gal /gæl/ *οὐσ.* ‹C› (*ἀστειολ.*) κορίτσι.

gala /ˋgalə/ *οὐσ.* ‹C› (*πληθ.* *~s*) ἑορτή, γκαλά, (*ἐπιθετ.*) ἑορταστικός, ἐπίσημος: *a ~ performance*, ἑορταστική παράστασις. *in ~ dress*, μέ ἐπίσημον ἔνδυμα.

gal·axy /ˋgæləksɪ/ *οὐσ.* ‹C› γαλαξίας, (*κυριολ.* & *μεταφ.*) ἀστερισμός: *a ~ of beautiful women*, ἀστερισμός ὡραίων γυναικῶν.

gale /geɪl/ *οὐσ.* ‹C› **1.** σφοδρός ἄνεμος, θύελλα: *It's blowing a ~*, φυσάει ἀνεμοθύελλα. *a ~ warning*, (*μετεωρ.*) ἀναγγελία θυέλλης. **2.** ἔκρηξις: *~s of laughter*, ἐκρήξεις γέλιου, θορυβώδη γέλια.

[1]**gall** /gɔl/ *οὐσ.* ‹U› **1.** χολή. ˋ**~ bladder**, χοληδόχος κύστις. ˋ**~·stone**, χολόλιθος. **2.** (*μεταφ.*) χολή, κακία: *a pen dipped in ~*, πέννα βουτηγμένη στή χολή (στό φαρμάκι). **3.** (*καθομ.*) θράσος, ἀναίδεια: *Of all the ~!* τί θράσος!

[2]**gall** /gɔl/ *οὐσ.* ‹C› πληγή ἀπό τρίψιμο ἤ γδάρσιμο. __*ρ.μ.* (*κυριολ.* & *μεταφ.*) πληγώνω, ταπεινώνω: *~ sb with a remark*, πληγώνω κπ μέ μιά παρατήρηση. *It was ~ing to me to have to ask for a loan*, μοῦ ἦταν ταπεινωτικό νά ζητήσω δανεικά.

gal·lant /ˋgælənt/ *ἐπ.* **1.** γενναῖος, ἀνδρεῖος, ἡρωϊκός: *a ~ deed*, ἀνδραγάθημα. *the ~ people of Vietnam*, ὁ ἡρωϊκός λαός τοῦ Βιετνάμ. **2.** ὡραῖος, ὑπερήφανος, μεγαλοπρεπής: *a ~-looking ship*, ἕνα μεγαλόπρεπο πλοῖο. **3.** (*ἐπίσης* /gəˋlænt/) περιποιητικός (στίς γυναῖκες): *He's always very ~*, εἶναι πάντα γαλάντης στίς κυρίες (πολύ περιποιητικός). __*οὐσ.* ‹C› /gəˋlænt/ δανδῆς, γυναικάκιας. **~·ly** *ἐπίρ.* γενναῖα, ὑπερήφανα, εὐγενικά. **~ry** *οὐσ.* **1.** ‹U› γενναιότης, ἁβροφροσύνη. **2.** (*πληθ.*) γλυκόλογα, εὐγένειες (σέ γυναίκα).

gal·leon /ˋgælɪən/ *οὐσ.* ‹C› (*ναυτ.*) γαλιόνι.

gal·lery /ˋgælərɪ/ *οὐσ.* ‹C› **1.** πινακοθήκη, γκαλλερί. **2.** (*θέατρ.*) ἐξώστης, γαλαρία. ***play to the ~***, δημαγωγῶ, ἀπευθύνομαι στά γοῦστα τῶν μαζῶν. **3.** θεωρεῖον (στή Βουλή). **4.** στοά (σέ ὀρυχεῖο). **5.** διάδρομος. **6.** στενόμακρη αἴθουσα.

gal·ley /ˋgælɪ/ *οὐσ.* ‹C› (*πληθ.* *~s*) **1.** (*ἀπηρχ.*) γαλέρα, κάτεργον: *be sent to the ~s*, στέλνομαι στά κάτεργα. ˋ**~-slave**, κατάδικος κωπηλάτης. **2.** κουζίνα πλοίου. **3.** (*τυπογρ.*) σελιδοθέτης. ˋ**~-proof**, ἀσελιδοποίητο δοκίμιο.

Gal·lic /ˋgælɪk/ *ἐπ.* γαλατικός, γαλλικός. **~·ism** /ˋgælɪsɪzm/ *οὐσ.* ‹C› γαλλισμός.

gal·lon /ˋgælən/ *οὐσ.* ‹C› γαλλόνι (*ΜΒ* 4,54 λίτρα, *ΗΠΑ* 3,78 λίτρα).

gal·lop /ˋgæləp/ *οὐσ.* ‹C,U› καλπασμός: *at a ~*, μέ καλπασμό, καλπάζοντας. *at full ~*, μέ γρήγορο καλπασμό. __*ρ.μ/ἀ.* καλπάζω: *He ~ed across the field*, διέσχισε τό χωράφι καλπάζοντας. *~ through a book/a lecture*, περνῶ βιβλίο/κάνω διάλεξη ἐπιτροχάδην.

~ *ing consumption*, καλπάζουσα φυματίωσις.
gal·lows /ˋgæləʊz/ *οὐσ. πληθ.* (*συνήθ. μέ ρ. εἰς ἑν.*) ἀγχόνη, κρεμάλα: *send sb to the* ~, στέλνω κπ στήν κρεμάλα. ***end up on the*** ~, καταλήγω στήν κρεμάλα. ˋ**~-bird** *οὐσ.* ‹C› ἄνθρωπος τοῦ σκοινιοῦ καί τοῦ παλουκιοῦ.
ga·lore /gəˋlɔ(r)/ *ἐπίρ.* ἐν ἀφθονίᾳ: *There was beef and beer* ~, ὑπῆρχε ἄφθονο (μπόλικο) κρέας καί μπύρα.
ga·loshes /gəˋlɒʃɪz/ *οὐσ. πληθ.* γαλότσες.
gal·van·ism /ˋgælvənɪzm/ *οὐσ.* ‹U› γαλβανισμός. **gal·vanic** /gælˋvænɪk/ *ἐπ.* γαλβανικός, (*μεταφ.*) ἀπότομος καί βεβιασμένος, σπασμωδικός: *a galvanic smile*.
gal·van·ize /ˋgælvənaɪz/ *ρ.μ.* (*κυριολ. & μεταφ.*) γαλβανίζω.
gam·bit /ˋgæmbɪt/ *οὐσ.* ‹C› (σκάκι) ἀρχική κίνησις, ἄνοιγμα, (*μεταφ.*) πρῶτο βῆμα.
gamble /ˋgæmbl/ *ρ.μ/ἀ.* **1**. (χαρτο)παίζω: *He lost his money gambling at cards/on the Stock Exchange*, ἔχασε τά χρήματά του παίζοντας χαρτιά/στό χρηματιστήριο. **2**. ριψοκινδυνεύω, ρισκάρω: *I* ~*d on his not seeing me*, τό ρίσκαρα ὅτι δέν θά μ' ἔβλεπε. **3**. ***~ sth away***, χάνω παίζοντας: *He* ~*d away all his fortune*, ἔχασε στό παιχνίδι ὅλη του τήν περιουσία. __*οὐσ.* ‹C› τυχερό παιχνίδι, ρισκάρισμα: *It's all a* ~, εἶναι καθαρά ζήτημα τύχης, εἶναι κορώνα-γράμματα. **gam·bler** *οὐσ.*‹C› (χαρτο)παίχτης. **gamb·ling** *οὐσ.* ‹U› χαρτοπαιξία, τζόγος. ˋ*gambling-den/-house* (*παλαιότ.*) χαρτοπαικτική τρώγλη/λέσχη.
gam·bol /ˋgæmbl/ *οὐσ.*‹C› (*συνήθ. πληθ.*) χοροπήδημα. __*ρ.ἀ.* (*-ll-*) (*γιά παιδιά, ἀρνιά, κλπ*) χοροπηδῶ.
[1]**game** /geɪm/ *οὐσ.* ‹C› **1**. παιχνίδι: *play a good/poor* ~, παίζω καλά/ἄσχημα. *play a rough/dangerous* ~, παίζω σκληρό/ἐπικίνδυνο παιχνίδι. ***It's all in the*** ~, ὅλα εἶναι μέσα στό παιχνίδι (*μεταφ.* μέσα στή δουλειά, στή ζωή, στήν τύχη). ***be off one's*** ~, δέν εἶμαι σέ φόρμα. ***have the ~ in one's hands***, ἔχω τό παιχνίδι στό χέρι, τό ἔχω σίγουρο. ***play the*** ~, παίζω κανονικά/σύμφωνα μέ τούς κανόνες. **2**. (*πληθ.*) ἀγῶνες: *the Olympic G*~*s*, οἱ 'Ολυμπιακοί ἀγῶνες. **3**. παρτίδα, σκόρ: *win a* ~, κερδίζω μιά παρτίδα. *The* ~ *is two all*, τό σκόρ εἶναι δύο-δύο. ~ *all*, (εἴμαστε) ἕνα-ἕνα. **4**. παιχνίδι, σκοπός, σχέδιο, κόλπο: *What's his* ~*?* ποῦ τό πάει (ποιός εἶναι ὁ σκοπός του); *You are playing his* ~, παίζεις τό παιχνίδι του. *He's playing a deep* ~, ἔχει σκοτεινά σχέδια. ***The ~ is up***, τό παιχνίδι χάθηκε, τά σχέδιά σου (μου, του, κλπ) ἀποκαλύφθηκαν. ***None of your little ~s!*** ἄσε τά κόλπα! ἀλλοῦ αὐτά! ***beat sb at his own*** ~, νικῶ κπ μέ τά ἴδια του τά ὅπλα. ˈ***give the*** ˋ***~ away***, χαλῶ τή δουλειά, προδίδω τά σχέδια. ***make ~ of sb***, γελοιοποιῶ, ἐμπαίζω κπ.
[2]**game** /geɪm/ *οὐσ.* ‹U› θήραμα, κυνήγι. **big** ~, χοντρό κυνήγι, ἄγρια ζῶα: *a big* ~ *hunter*, κυνηγός ἀγρίων θηρίων. **fair** ~, ἐπιτρεπόμενο κυνήγι, (*μεταφ.*) εὔκολος στόχος, θῦμα: *He's fair* ~ *for thieves*, πέφτει εὔκολα θῦμα στους κλέφτες. ˋ**~ bag**, σακκίδιον κυνηγοῦ. ˋ**~keeper**, θηροφύλακας. ˋ**~-licence**, ἄδεια κυνηγίου. **gamy** /ˋgeɪmɪ/ *ἐπ.* πού ἔχει τή μυρουδιά καί γεύση σιτεμένου κυνηγιοῦ.
[3]**game** /geɪm/ *ἐπ.* **1**. γενναῖος: *die* ~, πεθαίνω παλληκαρίσια. **2**. ***~ for sth; ~ to do sth***, ἕτοιμος, πρόθυμος: *He's* ~ *for anything*, εἶναι ἕτοιμος γιά ὅλα. *Are you* ~ *for a 10-mile walk?* ἔχεις κουράγιο νά περπατήσωμε δέκα μίλια;
[4]**game** /geɪm/ *ρ.μ/ἀ.* χαρτοπαίζω. ˋ**gaming-rooms**, χαρτοπαικτική λέσχη (*συνήθ.* μέ ἄδεια λειτουργίας).
[5]**game** /geɪm/ *ἐπ.* κουτσός, κουλός: *a* ~ *leg/arm*, κουτσό πόδι/κουλό χέρι.
gam·mon /ˋgæmən/ *οὐσ.* ‹C,U› **1**. χοιρομέρι. **2**. (*πεπαλ.*) ἀνοησίες, ἀγυρτεία.
gammy /ˋgæmɪ/ *ἐπ.* (*-ier, -iest*) (*καθομ.*) *βλ.* [5]*game*.
gamp /gæmp/ *οὐσ* ‹C› (*ἀστειολ. πεπαλ.*) μεγάλη ὀμπρέλλα.
gamut /ˋgæmət/ *οὐσ.* (*μόνον ἑν.*) (*μουσ. & μεταφ.*) κλῖμαξ, γκάμμα: *the whole* ~ *of feeling*, ὅλη ἡ κλῖμαξ (ὅλες οἱ βαθμίδες) τῶν συναισθημάτων.
gan·der /ˋgændə(r)/ *οὐσ.* ‹C› ἀρσενική χήνα.
gang /gæŋ/ *οὐσ.* ‹C› **1**. ὁμάδα (ἐργατῶν, κρατουμένων, σκλάβων). **~er** /ˋgæŋə(r)/ *οὐσ.* ‹C› ἐπιστάτης. **2**. συμμορία, σπεῖρα. **3**. (*καθομ.*) συμμορία, παρέα: *The whole* ~ *was there*, ὅλη ἡ συμμορία (ἡ παρέα) ἦταν ἐκεῖ. *the old* ~, ἡ παληοπαρέα. __*ρ.ἀ.* ***~ up***, συνασπίζομαι, ἐνεργῶ ἀπό κοινοῦ: *They* ~*ed up on/against me*, συνασπίστηκαν ἐναντίον μου, τά ἔβαλαν ὅλοι μαζί μου.
gan·gling /ˋgæŋglɪŋ/ *ἐπ.* (*γιά ἄνθρ.*) ψηλόλιγνος, ψηλολέλεκας.
gan·glion /ˋgæŋglɪən/ *οὐσ.* ‹C› (*πληθ.* ~*s ἤ -lia* /-lɪə/) γάγγλιον, (*μεταφ.*) κέντρον (δραστηριότητος, κλπ).
gang·plank /ˋgæŋplæŋk/ *οὐσ.* ‹C› μαδέρισκάλα (πλοίου).
gan·grene /ˋgæŋgrin/ *οὐσ.* ‹U› γάγγραινα: *G*~ *set in and his leg had to be amputated*, ἔπαθε γάγγραινα καί χρειάστηκε νά τοῦ κόψουν τό πόδι. __*ρ.μ/ἀ.* γαγγραινιάζω. **gan·gren·ous** /ˋgæŋgrɪnəs/ *ἐπ.* γαγγραινώδης.
gang·ster /ˋgæŋstə(r)/ *οὐσ.* ‹C› γκάγκστερ.
gang·way /ˋgæŋweɪ/ *οὐσ.* ‹C› **1**. (*ναυτ.*) πλευρική πόρτα, κινητή σκάλα (σέ πλοῖο). **2**. διάδρομος (σέ θέατρο, λεωφορεῖο, πλῆθος, κλπ): *G*~, *please!* ἀνοίξτε δρόμο, παρακαλῶ!
gan·try /ˋgæntrɪ/ *οὐσ.* ‹C› ἀτσάλινος σκελετός (γερανοῦ, σηματοδότου, κλπ).
gaol, jail /dʒeɪl/ *οὐσ.* ‹C› φυλακή: *spend years in* ~, περνῶ χρόνια στή φυλακή. *be sent to* ~, μέ βάζουν φυλακή. ˋ**~-bird**, τρόφιμος τῶν φυλακῶν. **gaoler, jailer, jailor** /-ə(r)/ *οὐσ.* ‹C› δεσμοφύλακας.
gap /gæp/ *οὐσ.* ‹C› **1**. ἄνοιγμα, ρωγμή: *The sheep got out through a* ~ *in the hedge*, τά πρόβατα βγῆκαν ἀπό ἕνα ἄνοιγμα (μιά τρύπα) στό φράχτη. *a* ~ *in the wall*, ρωγμή στόν τοῖχο. **2**. κενόν, χάσμα: *fill in the* ~*s in one's education*, συμπληρώνω τά κενά στή μόρφωσή μου. *There is a wide* ~ *between our views*, ὑπάρχει μεγάλο χάσμα μεταξύ τῶν ἀπόψεών μας. ***fill/stop a*** ~, κλείνω ἕνα ἄνοιγμα, συμπληρώνω ἕνα κενό. ˈ**crediˋbility** ~, ἔλλειψις ἐμπιστοσύνης, ἀναξιοπιστία. ˈ**geneˋration** ~, χάσμα μεταξύ τῶν γενεῶν. **3**.

χαράδρα, φαράγγι.

gape /geɪp/ *ρ.ἀ.* ~ ***(at)***, **1**. κοιτάζω μ' ἀνοιχτό στόμα, χάσκω, χασμουριέμαι: ~ *at a shop window*, κοιτάζω μιά βιτρίνα μέ ἀνοιχτό τό στόμα. **2**. χαίνω: *a gaping chasm/wound*, χαῖνον χάσμα/τραῦμα. —*οὐσ.* ‹C› χασμουρητό, κοίταγμα μέ ἀνοιχτό στόμα, χάζεμα. **the ~s**, ἀκατάσχετο χασμουρητό.

garage /`gæraʒ/ *οὐσ.* ‹C› γκαράζ, σταθμός αὐτοκινήτων. —*ρ.μ.* βάζω σέ γκαράζ.

garb /gab/ *οὐσ.* ‹U› ἔνδυμα: *in clerical* ~, μέ παπαδίστικα. **~ed** *ἐπ.* ντυμένος: *~ed all in black*, ντυμένος στά μαῦρα.

gar·bage /`gabɪdʒ/ *οὐσ.* ‹U› ἀπορρίμματα, σκουπίδια.`**~-can**, (*ΗΠΑ*)σκουπιδοντενεκές.

garble /`gabl/ *ρ.μ.* διαστρέφω, διαστρεβλώνω (*ἰδ.* μέ σκόπιμη ἐπιλογή): *a ~d report of a speech*, διαστρεβλωμένη ἀπόδοση μιᾶς ὁμιλίας.

gar·den /`gadn/ *οὐσ.* ‹C› **1**. κῆπος: *a kitchen* ~, λαχανόκηπος. *a market* ~, περιβόλι. ***lead sb up the ~ path***, (*καθομ.*) ἐξαπατῶ, παραπλανῶ κπ. '**~ `city**, κηπούπολις. `**~ party**, δεξίωσις σέ κῆπο. **2**. (*πληθ.*) πάρκο, δημόσιος κῆπος. —*ρ.ἀ.* ἀσχολοῦμαι μέ τήν κηπουρική. **~er** *οὐσ.* ‹C› κηπουρός. **~·ing** *οὐσ.* ‹U› κηπουρική: *Do you like ~ing?* σᾶς ἀρέσει ἡ κηπουρική;

gar·denia /ga`dinɪə/ *οὐσ.* ‹C› (*πληθ.* *~s*) γαρδένια.

gar·gan·tuan /ga`gæntʃʊən/ *ἐπ.* τεράστιος, γιγάντιος.

gargle /`gagl/ *οὐσ.* ‹C› γαργάρα. —*ρ.ἀ.* κάνω γαργάρα.

gar·goyle /`gagɔɪl/ *οὐσ.* ‹C› (*ἀρχιτ.*) τερατόμορφο στόμιο ὑδρορρόης.

gar·ish /`geərɪʃ/ *ἐπ.* (*γιά ροῦχα*) φανταχτερός, κακόγουστος, (*γιά φῶς*) πολύ δυνατός.

gar·land /`galənd/ *οὐσ.* ‹C› στεφάνι, γιρλάντα. —*ρ.μ.* στεφανώνω, διακοσμῶ μέ γιρλάντα.

gar·lic /`galɪk/ *οὐσ.* ‹U› σκόρδο: *He smells of* ~, μυρίζει σκόρδο. *a clove of* ~, σκελίδα σκόρδο.

gar·ment /`gamənt/ *οὐσ.* ‹C› ροῦχο, ἔνδυμα.

gar·ner /`ganə(r)/ *οὐσ.* ‹C› (*ποιητ.* & *μεταφ.*) σιταποθήκη. —*ρ.μ.* ~ ***(in/up)***, ἀποθηκεύω, συγκεντρώνω.

gar·nish /`ganɪʃ/ *οὐσ.* ‹C,U› γαρνιτούρα. —*ρ.μ.* γαρνίρω: *fish ~ed with slices of lemon*, ψάρι γαρνιρισμένο μέ φέτες λεμόνι.

gar·ret /`gærət/ *οὐσ.* ‹C› σοφίτα.

gar·ri·son /`gærɪsn/ *οὐσ.* ‹C› (*στρατ.*) φρουρά (πόλεως, φρουρίου): *a ~ town*, πόλις μέ μόνιμη φρουρά. —*ρ.μ.* ἐγκαθιστῶ φρουρά: *The Romans ~ed all the forts along the border*, οἱ Ρωμαῖοι ἐγκατέστησαν φρουρές σ' ὅλα τά ὀχυρά κατά μῆκος τῶν συνόρων.

gar(r)·otte /gə`rot/ *ρ.μ.* στραγγαλίζω (μέ βρόχο). —*οὐσ.* ‹C,U› θανάτωσις διά στραγγαλισμοῦ, βρόχος, στραγγάλη.

gar·ru·lous /`gærələs/ *ἐπ.* φλύαρος. **~·ly** *ἐπίρ.* φλύαρα. **gar·ru·lity** /gə`ruləti/ *οὐσ.* ‹U› φλυαρία, πολυλογία, λογοδιάρροια.

gar·ter /`gatə(r)/ *οὐσ.* ‹C› καλτσοδέτα. **the G~**, τό παράσημον τῆς περικνημῖδος.

gas /gæs/ *οὐσ.* ‹C,U› (*πληθ.* *~es*) **1**. ἀέριον: *Hydrogen and oxygen are ~es*, τό ὑδρογόνο καί τό ὀξυγόνο εἶναι ἀέρια. *poisonous* ~, δηλητηριῶδες ἀέριον, ἀσφυξιογόνον. **2**. γκάζι, φωταέριον: *turn on/off the* ~, ἀνοίγω/κλείνω τό γκάζι. *cook sth by* ~, μαγειρεύω μέ γκάζι. **3**. (*ΗΠΑ*) βενζίνη. ***step on the*** ~, πατῶ γκάζι. `**~-engine**, βενζινομηχανή. `**~-station**, πρατήριον βενζίνης. **4**. (*καθομ.*) ἀερολογίες, μπoῦρδες. **5**. (*ὡς α! συνθ.*): `**~-bag**, ἀσκός ἀερίου, (*μεταφ. καθομ.*) ἀερολόγος, καυχησιάρης ἄνθρωπος, φαφλατᾶς. `**~ chamber**, θάλαμος ἀερίων. `**~ cooker**, κουζίνα γκαζιοῦ. `**~ fire**, θερμάστρα γκαζιοῦ. `**~-fitter**, ὑδραυλικός (γιά γκάζι). `**~-fittings** *οὐσ. πληθ.* ἐγκαταστάσεις/εἴδη γκαζιοῦ. `**~-helmet**, ἀντιασφυξιογόνος μάσκα (σέ ἀνθρακωρυχεῖα, κλπ). `**~-holder**, *βλ.* *gasometer*. `**~·light**, ἀεριόφως, φῶς τοῦ γκαζιοῦ. `**~-mask**, ἀντιασφυξιογόνος μάσκα. `**~-meter**, μετρητής τοῦ γκαζιοῦ. `**~-oven**, φοῦρνος τοῦ γκαζιοῦ, θάλαμος ἀερίων. `**~-stove**, *βλ.* *~-cooker*. `**~ tar**, ἀνθρακόπισσα. `**~-works** *οὐσ. πληθ.* (*μέ ρ. εἰς ἑν.*) ἐργοστάσιον φωταερίου. —*ρ.μ/ἀ.* *(-ss-)* **1**. δηλητηριάζω/προσβάλλω μέ ἀέρια: *Our troops were ~sed*, τά στρατεύματά μας ὑπέστησαν ἐπίθεσιν δι' ἀσφυξιογόνων. **2**. (*καθομ.*) φλυαρῶ ἀκατάπαυστα, μέ πιάνει λίμα.

gas·eous /`gæsɪəs/ *ἐπ.* ἀεριώδης.

gash /gæʃ/ *οὐσ.* ‹C› βαθειά πληγή, χαῖνον τραῦμα. —*ρ.μ.* κόβω βαθειά.

gas·ify /`gæsɪfaɪ/ *ρ.μ/ἀ.* ἀεριοποιῶ/-οῦμαι. **gasi·fi·ca·tion** /'gæsɪfɪ`keɪʃn/ *οὐσ.* ‹U› ἀεριοποίησις.

gas·ket /`gæskɪt/ *οὐσ.* ‹C› φλάντζα, τσιμούχα.

gaso·line (*καί* **-lene**) /`gæsəlin/ *οὐσ.* ‹U› (*ΗΠΑ*) βενζίνη.

gas·ometer /gə`somɪtə(r)/ *οὐσ.* ‹C› δεξαμενή φωταερίου, γκαζόμετρο.

gasp /gasp/ *ρ.μ/ἀ.* ἀσθμαίνω, ἀγκομαχῶ, μοῦ κόβεται ἡ ἀναπνοή: *~ing for breath*, λαχανιασμένος, πού προσπαθεῖ ν' ἀναπνεύση. *~ing with rage/surprise*, μέ τήν ἀνάσα κομμένη ἀπό λύσσα/ἀπό ἔκπληξη. ~ ***(out)***, μιλῶ μέ κομμένη, σβυσμένη φωνή: *He ~ed out a few words*, ἔβγαλε λίγες λέξεις μέ κομμένη ἀνάσα. —*οὐσ.* ‹C› ἀγκομαχητό, πιάσιμο τῆς ἀναπνοῆς, ἄναρθρη κραυγή. ***be at one's last*** ~, πνέω τά λοίσθια.

gassy /`gæsɪ/ *ἐπ.* *(-ier, -iest)* ἀεριοῦχος, (*καθομ.*) φλύαρος, κοῦφος, περιαυτολόγος.

gas·tric /`gæstrɪk/ *ἐπ.* γαστρικός: ~ *juices*, γαστρικά ὑγρά. *a ~ ulcer*, γαστρικόν ἕλκος. **gas·tri·tis** /gæ`straɪtɪs/ *οὐσ.* ‹U› γαστρῖτις.

gas·tron·omy /gæ`stronəmɪ/ *οὐσ.* ‹U› γαστρονομία. **gas·tron·omic** /'gæstrə`nomɪk/ *ἐπ.* γαστρονομικός.

gate /geɪt/ *οὐσ.* ‹C› **1**. πύλη (πόλεως, σταδίου, φρουρίου, κλπ): *the ~(s) of heaven/hell*, ἡ πύλη τοῦ οὐρανοῦ/τῆς κολάσεως. **2**. αὐλόπορτα: *the garden* ~, ἡ πόρτα τοῦ κήπου. `**~·crash** *ρ.μ.* μπαίνω ἀπρόσκλητος ἤ χωρίς εἰσιτήριο. `**~·crasher**, ἀπρόσκλητος ἐπισκέπτης, τζαμπατζῆς. `**~-house**, σπιτάκι θυρωροῦ, φρουραρχεῖον πύλης. `**~-keeper**, πορτιέρης, φύλακας (πύλης, σιδηροδρ. διασταυρώσεως, κλπ). `**~-money**, εἰσπράξεις (ἀπό εἰσιτήρια ἀγώνων, κλπ). `**~-post**, παραστάς, κολώνα πόρτας. ***between you (and) me and the ~-post***, ἀπολύτως μεταξύ μας (ἐμπιστευτικά). `~-**legged table**, τραπέζι μέ πτυσσόμενα πόδια καί φύλλα. `~·**way**, πύλη, εἴσοδος: *the ~way to fame*, (*μεταφ.*) ἡ πύλη πρός τήν δόξαν. **3**. ὑδροφράκτης. **4**. ἀφετηρία (σέ ἱπποδρομίες). —*ρ.μ.* (*στήν Ὀξφόρδη καί τό Καΐμπριτζ*) θέτω φοιτητή ὑπό περιορισμό.

gâ·teau /`gætəʊ/ *οὐσ.* ‹C› (*πληθ.* *~x ἤ ~s* /-təʊz/) γλύκισμα.

gather /`gæðə(r)/ *ρ.μ/ὰ.* **1**. μαζεύω/-ομαι, συναθροίζω/-ομαι: *The clouds are ~ing, it's going to rain*, μαζεύονται σύννεφα, θά βρέξη. *He ~ed a crowd round him*, μάζεψε ἕνα πλῆθος τριγύρω του. *A crowd soon ~ed round them*, γρήγορα μαζεύτηκε πλῆθος γύρω τους. ***be ~ed to one's fathers***, (*λογ.* *ἤ ρητ.*) ἐκμετρῶ τό ζῆν (πεθαίνω). **2**. συλλέγω, μαζεύω, συγκεντρώνω/-ομαι: *~ flowers/information/impressions*, μαζεύω λουλούδια/συλλέγω πληροφορίες/ἐντυπώσεις. *~ one's books together*, συμμαζεύω τά βιβλία μου. ***~ speed***, ἀναπτύσσω ταχύτητα: *The train ~ed speed*, τό τραῖνο ἀνέπτυξε ταχύτητα. **3**. σουρώνω, μαζεύω, σφίγγω: *~ a skirt at the waist*, μαζεύω, σουρώνω μιά φούστα στή μέση. **4**. (*γιά ἀπόστημα*) μαζεύω πύον, ὡριμάζω. **5**. συνάγω, συμπεραίνω: *What did you ~ from his statement?* τί συμπέρασμα ἔβγαλες ἀπό τή δήλωσή του; *I ~, from what you say, that...*, ἀπ'ὅ,τι λέτε συμπεραίνω ὅτι... **~·ing** *οὐσ.* ‹C› συγκέντρωσις, ἀπόστημα.

gauche /gəʊʃ/ *ἐπ.* (κοινωνικά) ἀδέξιος, χωρίς τάκτ. **gauch·erie** /`gəʊʃərɪ/ *οὐσ.* ‹U› ἀδεξιότης.

gaudy /`gɔdɪ/ *ἐπ.* (*-ier, -iest*) φανταχτερός, κακόγουστος, χτυπητός: *~ decoration/jewels*, φανταχτερή διακόσμηση/χτυπητά κοσμήματα.

gauge /geɪdʒ/ *οὐσ.* ‹C› **1**. μέτρον: *take the ~ of sb's character*, μετρῶ, ζυγίζω τό χαρακτῆρα κάποιου. **2**. μετρητής, ὄργανον μετρήσεως: *a `rain ~*, βροχόμετρον. *a `pressure ~*, μανόμετρον. **3**. πλάτος σιδηροδρομικῆς γραμμῆς, ἀπόστασις τροχῶν τραίνου. **4**. διάμετρος, πάχος (καλωδίου, σφαίρας, μετάλλου, κλπ). —*ρ.μ.* μετρῶ ἐπακριβῶς, (*καθομ.*) ζυγιάζω, ἐκτιμῶ: *~ the diameter of wire/the rainfall/the strength of the wind*, μετρῶ τή διάμετρο σύρματος/τή βροχόπτωση/τή δύναμη τοῦ ἀνέμου. *~ sb's character*, ζυγιάζω τόν χαρακτῆρα κάποιου.

Gaul /gɔl/ *οὐσ.* ‹C› Γαλατία, Γαλάτης.

gaunt /gɔnt/ *ἐπ.* (*-er, -est*) **1**. κάτισχνος, ἀποστεωμένος: *a ~ face*, κάτισχνο πρόσωπο. **2**. (*γιά μέρος*) ἄγριος, γυμνός, ἔρημος: *a ~ hillside*, μιά ἄγρια γυμνή πλαγιά.

[1]**gaunt·let** /`gɔntlət/ *οὐσ.* ‹C› **1**. (*ἀπηρχ.*) σιδηρόπλεκτο χειρόκτι, γάντι. ***throw down the ~***, πετάω τό γάντι, προκαλῶ σέ ἀγῶνα. ***pick up/take up the ~***, δέχομαι τήν πρόκληση. **2**. (χοντρό) γάντι (ξιφομάχου, μοτοσυκλετιστοῦ).

[2]**gaunt·let** /`gɔntlət/ *οὐσ.* ‹C› (*μόνο στή φρ.*) ***run the ~***, περνῶ (γιά τιμωρία) ἀνάμεσα σέ δυό γραμμές στρατιωτῶν πού μέ ραβδίζουν, (*μεταφ.*) ὑφίσταμαι συνεχῆ ἐπίθεση, βάλλομαι πανταχόθεν.

gauze /gɔz/ *οὐσ.* ‹U› γάζα. **gauzy** *ἐπ.* (*-ier, -iest*) διαφανής ἀραχνοΰφαντος.

gave /geɪv/ *ἀόρ. τοῦ ρ. give*.

gavel /`gævl/ *οὐσ.* ‹C› σφυρί (προέδρου δικαστηρίου ἤ σέ πλειστηριασμό).

ga·votte /gə`vɔt/ *οὐσ.* ‹C› (*μουσ.*) γκαβόττα.

gawk /gɔk/ *οὐσ.* ‹C› κρεμανταλᾶς, μπουνταλᾶς. **~y** *ἐπ.* (*-ier, -iest*) ἀδέξιος, ἀσουλούπωτος, ντροπαλός. **~i·ness** *οὐσ.* ‹U› ἀδεξιότης, ντροπαλοσύνη.

gawp /gɔp/ *ρ.ὰ.* ***~ (at sb)***, χάσκω, κοιτάζω σά χαζός: *What are they all ~ing at?* τί κοιτάζουν ὅλοι σά χαζοί;

gay /geɪ/ *ἐπ.* (*-er, -est*) **1**. εὔθυμος, χαρούμενος, ζωηρός: *~ voices/laughter/colours/streets*, χαρούμενες φωνές/-α γέλια/χρώματα/-οι δρόμοι. **2**. ἔκλυτος: *lead a ~ life*, κάνω ἔκλυτη ζωή. **3**. (*καθομ.*) ὁμοφυλόφιλος. **gaily** /`geɪlɪ/ *ἐπίρ.* εὔθυμα, χαρούμενα, ζωηρά. **~-ness** *οὐσ.* ‹U› εὐθυμία, ζωηρότης.

gaze /geɪz/ *οὐσ.* (*μόνον εἰς ἑν.*) ἀτενές βλέμμα, ματιά: *with a bewildered ~*, μ'ἕνα βλέμμα ἀμηχανίας. —*ρ.ὰ.* ***~ (at)***, κοιτάζω ἐπίμονα, καρφώνω τά μάτια: *What are you gazing at?* τί κοιτάζεις ἐπίμονα; ***~ (up)on***, (*λόγ.*) ἀτενίζω, βλέπω: *She was the most beautiful woman I had ever ~d upon*, ἦταν ἡ ὡραιότερη γυναίκα πού εἶχα δεῖ ποτέ μου.

ga·zelle /gə`zel/ *οὐσ.* ‹C› γκαζέλλα, εἶδος ἀντιλόπης.

ga·zette /gə`zet/ *οὐσ.* ‹C› Ἐφημερίς (τῆς Κυβερνήσεως). —*ρ.μ.* δημοσιεύω εἰς τήν Ἐφημερίδα (τῆς Κυβερνήσεως).

ga·zet·teer /`gæzə`tɪə(r)/ *οὐσ.* ‹C› γεωγραφικόν λεξικόν.

gear /gɪə(r)/ *οὐσ.* **1**. ‹C› γρανάζι, μηχανισμός γραναζιῶν, (*σέ αὐτοκ.*) ταχύτης: *engage the first ~*, βάζω πρώτη. *change ~/into second ~*, ἀλλάζω ταχύτητα/βάζω δεύτερη. ***top/bottom ~***, ἡ μεγαλύτερη/μικρότερη ταχύτητα. ***in ~***, συνδεδεμένος, ἐν λειτουργίᾳ. ***out of ~***, ἀποσυνδεδεμένος, ξεχαρβαλωμένος: *throw sth out of ~*, ἀποδιοργανώνω κτ. `**~-box/-case**, κιβώτιον ταχυτήτων. `**~ shift/lever/stick**, μοχλός ἀλλαγῆς ταχυτήτων. **2**. ‹C› μηχανισμός, σύστημα: *the `steering-~ of a ship*, τό σύστημα πηδαλιουχήσεως πλοίου. *the `landing-~ of an aircraft*, τό σύστημα προσγειώσεως ἀεροπλάνου. **3**. ‹U› ἐργαλεῖα, σύνεργα, ἐφόδια, εἴδη: *`hunting-~*, εἴδη κυνηγίου. —*ρ.μ/ὰ.* **1**. ***~ up/down***, αὐξάνω/κόβω ταχύτητα. **2**. ***~ to***, προσαρμόζω: *The country's economy must be ~ed to wartime requirements*, ἡ οἰκονομία τῆς χώρας πρέπει νά προσαρμοσθῆ στίς ἀπαιτήσεις τοῦ πολέμου.

gee /dʒi/ (*ἐπίσης* **gee-up** /`dʒi `ʌp/) *ἐπιφ.* **1**. (*σέ ἄλογο*) ντέ! **gee-gee** /`dʒi dʒi/ (*στή γλῶσσα τῶν παιδιῶν*) ντεντέ (ἄλογο). **2**. *ἐπιφ.* (*ἐκπλήξεως ἤ θαυμασμοῦ*) Χριστούλη μου!

geese /gis/ *οὐσ. πληθ.* τοῦ *goose*.

geezer /`gizə(r)/ *οὐσ.* ‹C› (*λαϊκ.*) γεροπαράξενος.

geisha /`geɪʃə/ *οὐσ.* ‹C› γκέϊσα.

gel /dʒel/ *ρ.ὰ.* (*-ll-*) (*καθομ.*) ἐπιτυγχάνω, πιάνω: *That new idea has really ~led*, αὐτή ἡ νέα ἰδέα πραγματικά ἔπιασε.

gela·tin(e) /`dʒelətɪn/ *οὐσ.* ‹U› ζελατίνη. **gel·ati·nous** /dʒɪ`lætɪnəs/ *ἐπ.* ζελατινώδης.

geld /geld/ *ρ.μ.* μουνουχίζω.

gem /dʒem/ *οὐσ.* ‹C› **1**. πολύτιμος λίθος, πετράδι. **2**. (*μεταφ.*) κόσμημα, καμάρι, στολίδι: *the ~ of my collection*, τό στολίδι (τό καμάρι) τῆς συλλογῆς μου. *He's a ~ of a husband/child*, εἶναι χρυσός ἄντρας/χρυσό παιδί. —*ρ.μ. (-mm-)* στολίζω μέ πετράδια.

Gem·ini /ˈdʒemɪnaɪ/ *οὐσ.* ‹C› (*ἀστρολ.*) Δίδυμοι.

gen·darme /ˈʒondam/ *οὐσ.* ‹C› χωροφύλακας.

gen·der /ˈdʒendə(r)/ *οὐσ.* ‹C› (*γραμμ.*) γένος.

gene /dʒin/ *οὐσ.* ‹C› (*βιολ.*) γονίδιον.

gen·eal·ogy /ˌdʒiniˈælədʒɪ/ *οὐσ.* ‹C,U› γενεαλογία. **genea·logi·cal** /ˌdʒiniəˈlodʒɪkl/ *ἐπ.* γενεαλογικός: *a genealogical tree*.

gen·era /ˈdʒenərə/ *οὐσ. πληθ. τοῦ genus*.

gen·eral /ˈdʒenrl/ *οὐσ.* ‹C› στρατηγός. —*ἐπ.* **1**. γενικός, καθολικός: *a matter of ~ interest*, θέμα γενικοῦ ἐνδιαφέροντος. *a ~ meeting/strike*, γενική συνέλευσις/ἀπεργία. *The cold weather has been ~*, ὁ κρύος καιρός ὑπῆρξε γενικός (*δηλ.* παντοῦ). ***in ~; as a ~ rule***, γενικῶς, ὡς ἐπί τό πλεῖστον. **ˈ~ ˋelection**, γενικές βουλευτικές ἐκλογές. **ˈ~ ˋknowledge**, γενικές γνώσεις. **ˈ~ ˋpractitioner**, γιατρός παθολόγος. **ˈ~ ˋstaff**, (*στρατ.*) γενικόν ἐπιτελεῖον. **inˈspector-ˋ~**, γενικός ἐπιθεωρητής. **ˈpostmaster ˋ~**, Γενικός Διευθυντής τῶν ΤΤΤ. **2**. γενικός, ἀόριστος: *have a ~ idea of sth*, ἔχω μιά γενική (ἀόριστη) ἰδέα γιά κτ. *give the ~ outline of a plan*, δίνω τίς γενικές γραμμές ἑνός σχεδίου. ***in ~ terms***, σέ γενικές γραμμές. **~ly** /ˈdʒenrəlɪ/ *ἐπίρ.* γενικῶς: *I ~ly get up early*, γενικῶς σηκώνομαι νωρίς. *His suggestion was ~ly welcomed*, ἡ πρότασή του ἔγινε γενικῶς εὐπρόσδεκτη. ***~ly speaking***, μιλώντας γενικά.

gen·er·al·is·simo /ˌdʒenrəˈlɪsɪməʊ/ *οὐσ.* ‹C› (*πληθ.* ~*s*) ἀρχιστράτηγος.

gen·er·al·ity /ˌdʒenəˈrælətɪ/ *οὐσ.* **1**. ‹C› γενικότης: *He confined himself to generalities*, περιορίστηκε σέ γενικότητες. **2**. ***the ~ of***, ἡ πλειονότης: *The ~ of schoolboys are lazy*, ἡ πλειονότης τῶν μαθητῶν εἶναι τεμπέληδες. **3**. ‹U› ἔκτασις, ἐφαρμογή: *a rule of great ~*, κανόνας εὐρείας ἐφαρμογῆς.

gen·er·al·ize /ˈdʒenrəlaɪz/ *ρ.μ./ἀ.* γενικεύω: *~ from an individual case*, γενικεύω ἀπό μιά ἀτομική περίπτωση. *~ a conclusion/the use of a new invention*, γενικεύω ἕνα συμπέρασμα/τή χρήση μιᾶς νέας ἐφευρέσεως. **gen·er·al·iz·ation** /ˌdʒenrəlaɪˈzeɪʃn/ *οὐσ.* ‹C,U› γενίκευσις: *a hasty/sweeping generalization*, βιαστική/ὑπερβολική γενίκευσις.

gen·er·ate /ˈdʒenəreɪt/ *ρ.μ.* παράγω, γεννῶ, προκαλῶ: *~ heat/electricity*, παράγω θερμότητα/ἠλεκτρισμό. *hatred ~d by racial prejudices*, μῖσος προκαλούμενο ἀπό φυλετικές προκαταλήψεις.

gen·er·ation /ˌdʒenəˈreɪʃn/ *οὐσ.* **1**. ‹U› παραγωγή: *the ~ of heat/electricity*. **2**. ‹C› γενεά, γενιά: *the present ~*, ἡ παροῦσα γενεά. *three ~s*, τρεῖς γενεές (παπποῦς, παιδιά, ἐγγόνια).

gen·er·at·ive /ˈdʒenərətɪv/ *ἐπ.* γεννητικός, γενεσιουργός.

gen·er·ator /ˈdʒenəreɪtə(r)/ *οὐσ.* ‹C› γεννήτρια.

gen·eric /dʒɪˈnerɪk/ *ἐπ.* γενικός, τοῦ γένους. **gen·eri·cally** /-klɪ/ *ἐπίρ.* γενικά.

gen·er·os·ity /ˌdʒenəˈrosətɪ/ *οὐσ.* ‹C,U› γενναιοδωρία, μεγαλοψυχία: *his many generosities*, οἱ πολλές του γενναιοδωρίες. *show ~ to a defeated enemy*, δείχνω μεγαλοψυχία σέ νικημένο ἐχθρό.

gen·er·ous /ˈdʒenrəs/ *ἐπ.* **1**. γενναιόδωρος, μεγαλόψυχος, γενναιόφρων: *be ~ with one's money/in giving help*, δίνω γενναιόδωρα χρήματα/βοήθεια. *It was ~ of him*, ἦταν γενναιόδωρο ἐκ μέρους του. *He has a ~ nature*, ἔχει μεγαλόψυχο (γενναιόφρονα) χαρακτῆρα. **2**. πλούσιος, ἄφθονος: *a ~ helping*, πλούσια μερίδα.

gen·esis /ˈdʒenəsɪs/ *οὐσ.* ‹C› (*πληθ. geneses* /-siz/) γένεσις.

gen·etic /dʒɪˈnetɪk/ *ἐπ.* γενετικός. —*οὐσ. πληθ.* (*μέ ρ. ἑν.*) γενετική (ἡ ἐπιστήμη).

ge·nial /ˈdʒiniəl/ *ἐπ.* **1**. εὐχάριστος, φιλικός, καλοδιάθετος, πρόσχαρος: *under the ~ influence of good wine*, κάτω ἀπό τήν εὐχάριστη ἐπίδραση καλοῦ κρασιοῦ. *a ~ old man*, καλοδιάθετος γέρος. *~ smiles*, καλωσυνᾶτα χαμόγελα. **2**. ἤπιος, γλυκός, εὔκρατος: *a ~ climate*. **~ly** *ἐπίρ.* εὐχάριστα, πρόσχαρα, ἤπια. **~·ity** /ˌdʒiniˈælətɪ/ *οὐσ.* ‹C,U› ἠπιότης, ἐγκαρδιότης, καλοκεφιά.

ge·nie /ˈdʒinɪ/ *οὐσ.* ‹C› (*πληθ. ~s ἤ genii* /ˈdʒiniaɪ/) τζίν, στοιχειό.

geni·tal /ˈdʒenɪtl/ *ἐπ.* γεννητικός. —*οὐσ. πληθ.* γεννητικά ὄργανα.

geni·tive /ˈdʒenətɪv/ *οὐσ.* ‹C› (*γραμμ.*) γενική (πτῶσις).

gen·ius /ˈdʒiniəs/ *οὐσ.* ‹C,U› (*πληθ.* ~*es*) **1**. διάνοια, μεγαλοφυΐα: *Einstein was a mathematical ~*, ὁ Ἀϊνστάϊν ἦταν μαθηματική διάνοια. *men of ~*, μεγαλοφυεῖς ἄνδρες. ***a ~ for***, τάλαντον, ἰδιοφυΐα: *He has a ~ for languages/for making friends*, εἶναι ἰδιοφυΐα στίς γλῶσσες/στό νά πιάνη φιλίες. **2**. (*στόν ἑν. μέ ὁριστ. ἄρθρ.*) πνεῦμα, δαιμόνιον, ἰδιοφυής δύναμις: *the French ~*, τό Γαλλικόν δαιμόνιον. *the ~ of the British Constitution*, ἡ ἰδιοφυής δύναμις τοῦ Βρεταννικοῦ Συντάγματος. ***one's good/evil ~***, ὁ καλός/κακός μου δαίμονας. **3**. (*πληθ. genii* /ˈdʒiniaɪ/) δαιμόνιο, στοιχειό.

geno·cide /ˈdʒenəsaɪd/ *οὐσ.* ‹U› γενοκτονία.

genre /ʒɔ̃r/ *οὐσ.* ‹C› στύλ, ρυθμός (στήν τέχνη).

gent /dʒent/ *οὐσ.* ‹C› (*συντομογρ. τοῦ gentleman*) κύριος. **gents** *οὐσ. πληθ.* (*μέ ρ. ἑν.*) (*MB καθομ.*) τουαλέττα ἀνδρῶν.

gen·teel /dʒenˈtil/ *ἐπ.* (*σήμερα εἰρων.*) εὐγενικός, κομψός, ἀρχοντικός, ψευτοαριστοκρατικός: *live in ~ poverty*, ζῶ σέ ἀρχοντική φτώχεια (προσπαθώντας νά σώσω τά προσχήματα).

gen·tile /ˈdʒentaɪl/ *ἐπ.* & *οὐσ.* ‹C› ὁ μή Ἰουδαῖος.

gen·til·ity /dʒenˈtɪlətɪ/ *οὐσ.* ‹U› εὐγένεια, ἀρχοντιά, ψευτοαριστοκρατικότης: *shabby ~*, θλιβερή ἀρχοντιά.

gentle /ˈdʒentl/ *ἐπ. (-r, -st)* **1**. πρᾶος, ἁπαλός, φιλικός: *a ~ nature*, πρᾶος χαρακτήρας. *a ~ voice*, ἁπαλή φωνή. *~ manners*, φιλικοί τρόποι. **2**. ἐλαφρός, ὁμαλός, ἤπιος: *a ~ breeze/tap/slope*, ἐλαφρό ἀεράκι/χτύπημα/ὁμαλή πλαγιά. **3**. εὐγενής, ἀριστοκρατικός:

of ~ *birth*, ἀριστοκρατικῆς καταγωγῆς. '~-**folk**, εὐγενεῖς, ὁ καλός κόσμος. ~·**ness** *οὐσ.* ‹U› εὐγένεια, πραότης.
gentle·man /ˈdʒentlmən/ *οὐσ.* ‹C› **1**. καλοαναθρεμένος εὐγενικός ἄνθρωπος, κύριος, τζέντλεμαν: *He's a true* ~, εἶναι πραγματικός τζέντλεμαν. **2**. κύριος: *Ladies and Gentlemen!* Κυρίες καί Κύριοι! *Who's the* ~ *in the corner?* ποιός εἶναι ὁ κύριος στή γωνία; ***a*** *'~'s* ***agreement***, συμφωνία κυρίων. **3**. (*πεπαλ.*) ἄρχοντας, εἰσοδηματίας: *He does nothing for a living; he's a* ~, δέν δουλεύει γιά νά ζήση, εἶναι ἄρχοντας. **4**. εὐγενής. '~-**at-ˈarms**, (*ἀπηρχ.*) ἀξιωματικός τῆς βασιλικῆς φρουρᾶς. ~·**ly** *ἐπ.* εὐγενικός, ἀρχοντικός, καθώς πρέπει: ~*ly bearing/appearance*, ἀρχοντικό παράστημα/παρουσιαστικό. *It would have been more* ~*ly to say nothing*, θά ἦταν πιό εὐγενικό νά μήν εἶχε λεχθῆ τίποτα.
gentle·woman /ˈdʒentlwʊmən/ *οὐσ.* ‹C› εὐγενής κυρία, γυναίκα ἀπό καλή οἰκογένεια.
gent·ly /ˈdʒentlɪ/ *ἐπίρ.* μαλακά, ἐλαφρά, προσεχτικά: *speak* ~, μιλῶ μαλακά, σιγανά. *The road slopes* ~, ὁ δρόμος κατηφορίζει ἐλαφρά. *Hold it* ~*!* κράτησέ το προσεχτικά!
gen·try /ˈdʒentrɪ/ *οὐσ.* (*μέ ὁριστ. ἄρθρ.*) **1**. ἡ κατώτερη ἀριστοκρατία. *the landed* ~, ἡ ἀριστοκρατία τῶν γαιοκτημόνων. **2**. (*εἰρων.*) ἄνθρωποι, κύριοι.
genu·flect /ˈdʒenjʊflekt/ *ρ.ἀ.* γονατίζω, κλίνω τό γόνυ. **genu·flec·tion, genu·flexion** /ˈdʒenjʊˈflekʃn/ *οὐσ.* ‹C› γονυκλισία.
genu·ine /ˈdʒenjʊɪn/ *ἐπ.* γνήσιος, αὐθεντικός: *a* ~ *signature/pearl/picture*, γνήσια ὑπογραφή/-ο μαργαριτάρι/-ος πίνακας.
ge·nus /ˈdʒinəs/ *οὐσ.* ‹C› (*πληθ. genera* /ˈdʒenərə/) γένος, τάξις, ὁμάδα.
geo- /ˈdʒɪəʊ/ *πρόθεμα* γεω-: **geo·cen·tric** /ˈdʒɪəʊˈsentrɪk/ *ἐπ.* γεωκεντρικός. **geo·phys·ics** /ˈdʒɪəʊˈfɪzɪks/ *οὐσ. πληθ.* (*μέ ρ. ἑν.*) γεωφυσική. **geo·poli·tics** /ˈdʒɪəʊˈpɒlɪtɪks/ *οὐσ. πληθ.* (*μέ ρ. ἑν.*) γεωπολιτική.
ge·ogra·phy /dʒɪˈɒgrəfɪ/ *οὐσ.* ‹U› γεωγραφία. **ge·ogra·pher** *οὐσ.* ‹C› γεωγράφος. **geo·graphi·cal** /ˈdʒɪəˈgræfɪkl/ *ἐπ.* γεωγραφικός. **geo·graphi·cally** /-klɪ/ *ἐπίρ.*
ge·ol·ogy /dʒɪˈɒlədʒɪ/ *οὐσ.* ‹U› γεωλογία. **ge·olo·gist** /-dʒɪst/ *οὐσ.* ‹C› γεωλόγος. **geo·logic, geo·logi·cal** /ˈdʒɪəˈlɒdʒɪk(l)/ *ἐπ.* γεωλογικός. **ge·ologi·cally** /-klɪ/ *ἐπίρ.*
ge·ometry /dʒɪˈɒmətrɪ/ *οὐσ.* ‹U› γεωμετρία. **geo·met·ric, geo·metri·cal** /ˈdʒɪəˈmetrɪk(l)/ *ἐπ.* γεωμετρικός: *geometrical patterns/progression*, γεωμετρικά σχέδια/-ή πρόοδος.
geor·gette /dʒɔˈdʒet/ *οὐσ.* ‹U› ζωρζέττα (ὕφασμα).
ger·anium /dʒəˈreɪnɪəm/ *οὐσ.* ‹C› (*πληθ.* ~*s*) (*φυτ.*) πελαργόνι, γεράνι.
geri·atrics /ˈdʒerɪˈætrɪks/ *οὐσ. πληθ.* (*μέ ρ. ἑν.*) γηριατρική.
germ /dʒɜm/ *οὐσ.* ‹C› **1**. σπέρμα: *the* ~ *of an idea*, τό σπέρμα (ἡ γέννηση) μιᾶς ἰδέας. **2**. μικρόβιον, βάκιλλος: ~ *warfare*, μικροβιολογικός πόλεμος.
Ger·man /ˈdʒɜmən/ *οὐσ.* ‹C› Γερμανός, ‹U› ἡ Γερμανική γλῶσσα. __*ἐπ.* γερμανικός. ~**ic** /dʒəˈmænɪk/ *ἐπ.* γερμανικός (γιά ὁμάδα γλωσσῶν).
ger·mane /dʒəˈmeɪn/ *ἐπ.* ~ ***(to)***, σχετικός, συναφής, σχετιζόμενος μέ.
ger·mi·cide /ˈdʒɜmɪsaɪd/ *οὐσ.* ‹C,U› βακτηριοκτόνον.
ger·mi·nate /ˈdʒɜmɪneɪt/ *ρ.μ/ἀ.* βλαστάνω, φυτρώνω, γεννῶ: *The idea* ~*d in the mind of a poet*, ἡ ἰδέα γεννήθηκε στό μυαλό ἑνός ποιητῆ. **ger·mi·na·tion** /ˈdʒɜmɪˈneɪʃn/ *οὐσ.* ‹U› βλάστησις, φύτρωμα, ἐκκόλαψις.
ger·on·tol·ogy /ˈdʒerɒnˈtɒlədʒɪ/ *οὐσ.* ‹U› γεροντολογία.
gerry·man·der /ˈdʒerɪˈmændə(r)/ *ρ.μ.* ~ *the constituencies*, χωρίζω αὐθαίρετα τίς ἐκλογικές περιφέρειες γιά νά εὐνοηθῆ ἕνα κόμμα.
ger·und /ˈdʒerənd/ *οὐσ.* ‹C› γερούνδιον.
ges·ta·tion /dʒeˈsteɪʃn/ *οὐσ.* ‹C,U› κυοφορία.
ges·ticu·late /dʒɪˈstɪkjʊleɪt/ *ρ.ἀ.* χειρονομῶ. **ges·ticu·la·tion** /dʒɪˈstɪkjʊˈleɪʃn/ *οὐσ.* ‹C,U› χειρονομία.
ges·ture /ˈdʒestʃə(r)/ *οὐσ.* ‹C› (*κυριολ.* & *μεταφ.*) χειρονομία: *a* ~ *of refusal*, χειρονομία ἀρνήσεως. *make a friendly/generous* ~ *to sb*, κάνω μιά φιλική/μιά γενναιόδωρη χειρονομία σέ κπ. __*ρ.ἀ.* χειρονομῶ.
get /get/ *ρ.μ/ἀ.* *ἀνώμ.* (*ἀόρ.* & *π.μ. got* /gɒt/) **1**. ***get*** + *ἐπ. ἤ ἐπίρ. ἤ π.μ.*, γίνομαι (*κατά κανόνα μεταφράζεται μέ ρῆμα βάσει τῆς ἐννοίας τοῦ ἐπ., ἐπίρ. ἤ παθ. μετοχῆς*): ~ *well*, γίνομαι καλά. ~ *better*, καλυτερεύω. ~ *old*, μεγαλώνω. ~ *deep*, βαθαίνω. ~ *narrow*, στενεύω. ~ *ready*, ἑτοιμάζομαι. ~ *cold/hot*, κρυώνω/ζεσταίνομαι. ~ *dark*, σκοτεινιάζω. ~ *tired*, κουράζομαι. ~ *drunk*, μεθῶ. ~ *used to sth*, συνηθίζω κτ. ~ *married*, παντρεύομαι. **2**. ***get*** + *ἀντικείμενον* + *ἐπ. ἤ παθ. μετοχή*, κάνω, προκαλῶ ἤ παθαίνω κτ (*καί ἐδῶ μεταφράζεται μέ ρῆμα βάσει τῆς ἐννοίας τοῦ ἐπιθ. ἤ τῆς παθ. μετοχῆς*): ~ *the breakfast/the children ready*, ἑτοιμάζω τό πρόγευμα/τά παιδιά. ~ *the lunch cooked*, μαγειρεύω τό μεσημεριανό. *We must* ~ *this tree cut down*, πρέπει νά κόψωμε (νά βάλωμε κπ νά κόψη) αὐτό τό δέντρο. *He got his arm broken in a fight*, ἔσπασε τό χέρι του σ'ἕναν καυγᾶ. **3**. ***get*** + *ἐνεργ. μετοχή*, ἀρχίζω: *When these women* ~ *talking, they go on for hours*, ὅταν αὐτές οἱ γυναῖκες ἀρχίζουν τήν κουβέντα, συνεχίζουν ἐπί ὧρες. *G*~ *going!* ἄρχισε! ξεκίνα! **4**. ***get*** + *ἀντικείμενον* + *ἐνεργ. μετοχή*, κάνω, ἀρχίζω, ξεκινῶ: *It isn't hard to* ~ *them talking; the problem is to stop them*, δέν εἶναι δύσκολο νά τίς κάνης ν'ἀρχίσουν τήν κουβέντα, τό πρόβλημα εἶναι νά τίς σταματήσης. *Can you* ~ *this old car going again?* μπορεῖς νά ξαναβάλης μπρός αὐτό τό παληό αὐτοκίνητο; **5**. ***get*** + *ἀπαρέμφατον*, καταλήγω νά: *They soon got to be friends*, σύντομα κατέληξαν νά γίνουν φίλοι. *When you* ~ *to know him better, you'll like him*, ὅταν σιγά-σιγά τόν γνωρίσης καλύτερα, θά σοῦ ἀρέση. **6**. ***get*** + *ἀντικείμενον* + *ἀπαρέμφατον*, καταφέρνω, πείθω, βάζω κπ νά κάνη κτ: *I can't* ~ *the radio to work*, δέν μπορῶ νά καταφέρω νά δουλέψη τό ραδιόφωνο. *You'll never* ~ *him to talk*, ποτέ δέν θά τόν καταφέρης (πείσης) νά μιλήση. *I got a man to cut down that tree*, ἔβαλα κάποιον νά κόψη ἐκεῖνο τό δέντρο. **7**. ***get*** + *ἀντικείμενον*,

παίρνω, βρίσκω, πιάνω, (*γιά χτύπημα ἤ τιμωρία*) τρώω, κερδίζω: ~ *a telegram/a letter/leave*, παίρνω τηλεγράφημα/γράμμα/ἄδεια. ~ *time to do sth*, βρίσκω χρόνο νά κάνω κτ. *Where did you* ~ *that hat?* ποῦ βρῆκες αὐτό τό καπέλλο; ~ *an illness*, πιάνω (κολλῶ) μιά ἀρρώστεια. *I've got you there!* σ' ἔπιασα ἐδῶ! ἐδῶ τήν ἔπαθες! *G*~ *me a chair!* πιάσε (φέρε μου) μιά καρέκλα. *Can you* ~ *London on your transistor?* μπορεῖς νά πιάσης τό Λονδῖνο στό τρανζίστορ σου; *He got it on the head/in the leg*, τήν ἔφαγε στό κεφάλι/στό πόδι. *He got six months' imprisonment*, ἔφαγε ἔξη μῆνες φυλακή. *How does he* ~ *his living?* πῶς κερδίζει τά πρός τό ζῆν; **~ told off**, μοῦ τά ψέλνουν, μέ μαλλώνουν. **~ it**, βρίσκω τόν μπελᾶ μου, (*λαϊκ.*) καταλαβαίνω, μπαίνω. **8. get** (+ *ἀντικείμενον*) + *τοπικ. ἐπίρ. ἤ τοπικ. πρόθεσιν* (περιγράφει "*κίνησιν ἀπό ἤ πρός ἕνα σημεῖον*", *συνήθως μέ τήν ἔννοια καταβολῆς κάποιας προσπάθειας. Ἡ ἀπόδοσις στά Ἑλληνικά ἐξαρτᾶται ἀπό τό τοπικόν ἐπίρ. ἤ τήν τοπικήν πρόθ. ὅπως φαίνεται στά παραδείγματα*): ~ *about*, τριγυρίζω. ~ *across*, διασχίζω. ~ *away*, φεύγω. ~ *out/sth out*, βγαίνω/βγάζω κτ ἔξω. ~ *in/sth in*, μπαίνω/βάζω κτ μέσα. ~ *back*, ἐπιστρέφω. ~ *on/off a bus*, ἀνεβαίνω/κατεβαίνω ἀπό λεωφορεῖο. ~ *up*, ἀνεβαίνω, σηκώνομαι. ~ *over a wall*, περνῶ πάνω ἀπό ἕναν τοῖχο. ~ *down/sth down*, κατεβαίνω/κατεβάζω κτ. ~ *home/to the station*, φθάνω σπίτι/στό σταθμό. ~ *through*, περνῶ διά μέσου. **~ somewhere/anywhere/nowhere**, (δέν) καταφέρνω, ἐπιτυγχάνω: *You'll* ~ *nowhere by such methods*, δέν θά καταφέρης τίποτα μέ τέτοιες μεθόδους. **~ there**, (*καθομ.*) ἐπιτυγχάνω, καταφέρνω κτ, φέρω εἰς πέρας. **9**. καταλαβαίνω: *I don't* ~ *you*, δέν σέ καταλαβαίνω. *You've got it wrong*, τό κατάλαβες λάθος. *I didn't* ~ *his name*, δέν κατάλαβα (δέν ἔπιασα) τ' ὄνομά του. **10. have/had got**, ἔχω/εἶχα: *I've got a new car*, ἔχω καινούργιο αὐτοκίνητο. **have/had got to**, πρέπει/ἔπρεπε νά: *We've got to see him*, πρέπει νά τόν δοῦμε. **11**. (*μέ ἐπιρ. & προθέσεις*):

get about, κυκλοφορῶ: *He's* ~*ting about again after his accident*, κυκλοφορεῖ πάλι ὕστερα ἀπό τό ἀτύχημά του. *The news of the defeat soon got about*, τά νέα τῆς ἥττας κυκλοφόρησαν (διαδόθηκαν) σύντομα.

get above oneself, τό παίρνω ἐπάνω μου, παίρνω ψηλά τόν ἀμανέ, παίρνουν τά μυαλά μου ἀέρα.

get (sth) across (to sb), (*καθομ.*) γίνομαι κατανοητός, κάνω κτ κατανοητό: *My meaning didn't* ~ *across*, ἡ ἔννοιά μου δέν ἔγινε κατανοητή. *He couldn't* ~ *his British jokes across to his American audience*, δέν μπόρεσε νά κάνη τούς Ἀμερικανούς ἀκροατές του νά καταλάβουν τά Βρεταννικά ἀστεῖα του.

get ahead (of sb), ξεπερνῶ: *He got ahead of all the other boys in the class*, ξεπέρασε ὅλα τ' ἄλλα παιδιά στήν τάξη.

get along (with), τά πάω (καλά), προχωρῶ: *How are you* ~*ting along (with your French/with them)?* πῶς τά πᾶς (μέ τά Γαλλικά σου/μαζί τους); *G*~ *along with you!* (*καθομ.*) φύγε! δρόμο! (ἤ) κόφτο! ἄστα αὐτά, δέν σέ πιστεύω!

get at sb/sth, φθάνω, πλησιάζω κπ/κτ, πειράζω: *The jam was on the top shelf and the children couldn't* ~ *at it*, τό γλυκό ἦταν στό πάνω ράφι καί τά παιδιά δέν μποροῦσαν νά τό φθάσουν. *We must* ~ *at the truth*, πρέπει νά φθάσωμε ὥς τήν ἀλήθεια. ~ *at a witness*, πλησιάζω (δωροδοκῶ) ἕναν μάρτυρα. *He's not easy to* ~ *at*, δέν πλησιάζεται εὔκολα. *He's always* ~*ting at his wife*, διαρκῶς πειράζει (εἰρωνεύεται) τή γυναίκα του. *What are you* ~*ting at?* ποῦ τό πᾶς; τί θέλεις νά πῆς;

get away, δραπετεύω, ξεφεύγω: *Two of the prisoners got away*, δυό ἀπό τούς φυλακισμένους δραπέτευσαν. *There's no* ~*ting away from this man*, ἀδύνατο νά ξεφύγη (γλυτώση) κανείς ἀπ' αὐτόν τόν ἄνθρωπο. **ˋ~-away**, δραπέτευσις: *make one's* ~*-away*, δραπετεύω. **~ away with sth**, τό σκάω μέ κτ, τή γλυτώνω (χωρίς τιμωρία): *He got away with all the money*, τὄσκασε μέ ὅλα τά χρήματα. *If I cheated in the exams, do you think I might* ~ *away with it?* ἄν ἀντέγραφα στίς ἐξετάσεις, πιστεύεις ὅτι θά τή γλύτωνα (θά κατάφερνα νά μή μέ πιάσουν); *G*~ *away with you!* στρίβε! ἀλλοῦ αὐτά! κόφτο!

get back, ἐπιστρέφω. **~ back at sb/one's own back on sb**, ἐκδικοῦμαι κπ/παίρνω τό αἷμα μου πίσω.

get by, περνῶ, τά βγάζω πέρα, ζῶ: *How can he* ~ *by on such low wages/* ~ *by without me?* πῶς μπορεῖ νά τά βγάλη πέρα μέ τόσο χαμηλό μεροκάματο/νά ζήση χωρίς ἐμένα;

get down to sth, στρώνομαι, ἔρχομαι σέ κτ: *Let's* ~ *down to work now*, ἄς στρωθοῦμε στή δουλειά τώρα. *Let's* ~ *down to the facts*, ἄς ἔλθωμε στά γεγονότα. **~ sb down**, καταθλίβω: *Don't let this wretched weather* ~ *you down*, μήν ἀφήνης αὐτόν τόν παληόκαιρο νά σοῦ φέρη κατάθλιψη. **~ sth down**, καταπίνω, σημειώνω: *I can't* ~ *this medicine down*, δέν μπορῶ νά καταπιῶ αὐτό τό φάρμακο. *Did you* ~ *his telephone number down?* σημείωσες τόν ἀριθμό τοῦ τηλεφώνου του; (*βλ. & λ. brass*).

get home (to sb), (*μεταφ.*) πετυχαίνω τό στόχο μου, γίνομαι πλήρως κατανοητός: *Your remark about them got home*, κατάλαβαν καλά τί ἔννοια εἶχε ἡ παρατήρησή σου.

get in, φθάνω, ἐκλέγομαι: *The train got in five minutes early*, τό τραῖνο ἔφθασε πέντε λεπτά νωρίτερα. *He failed to* ~ *in*, δέν μπόρεσε νά ἐκλεγῆ. **~ sb in**, φέρνω, φωνάζω κπ: *We must* ~ *someone in to repair the T.V.*, πρέπει νά φέρωμε (νά φωνάξωμε) κάποιον νά διορθώση τήν τηλεόραση. **~ sth in**, μαζεύω, εἰσπράττω, ἐναποθηκεύω: ~ *in the harvest*, μαζεύω τή σοδειά. ~ *in debts/taxes*, εἰσπράττω χρέη/φόρους. ~ *in coal for the winter*, ἐναποθηκεύω κάρβουνο γιά τό χειμῶνα. (*βλ. & λ. blow, edgeways, [1]eye, [1]hand*).

get into, φορῶ, μπαίνω, ἀποκτῶ, μαθαίνω: *I can't* ~ *into these shoes, they're too small*, δέν μπορῶ νά φορέσω αὐτά τά παπούτσια, εἶναι πολύ μικρά. ~ *into trouble/a rage*, μπαίνω σέ μπελᾶ/γίνομαι ἔξω φρενῶν. ~ *into bad habits/bad company*, ἀποκτῶ κακές συνήθειες/

παρέες. ~ *into the way of doing sth*, μαθαίνω τόν τρόπο νά κάνω κτ. ~ ***it into one's head (that...)***, πείθομαι ἀπολύτως (ὅτι...), χωνεύω κτ. ~ ***a girl into trouble***, (*καθομ.*) καθιστῶ ἔγκυο μιά κοπέλλα.
get off, *(α)* βγάζω: ~ *off a ring/one's gloves*, βγάζω ἕνα δαχτυλίδι/τά γάντια μου. *(β)* ξεκινῶ: *We got off immediately after breakfast*, ξεκινήσαμε ἀμέσως μετά τό πρόγευμα. *(γ)* στέλνω: ~ *off some letters/* ~ *a boy off to school*, στέλνω μερικά γράμματα/ἕνα παιδί στό σχολεῖο. *(δ)* ἀποστηθίζω: *I must* ~ *this poem off (by heart)*, πρέπει ν'ἀποστηθίσω αὐτό τό ποίημα. *(ε)* ξεφεύγω, γλυτώνω (τιμωρία): *He got off with only a fine*, τή γλύτωσε μόνο μ' ἕνα πρόστιμο. *A clever lawyer might be able to* ~ *you off*, ἕνας ἔξυπνος δικηγόρος θά μποροῦσε ἴσως νά σέ γλυτώση. *(στ')* ἀφιππεύω, κατεβαίνω (ἀπό ὄχημα): ~ *off a horse/train*, κατεβαίνω ἀπό ἄλογο/τραῖνο. ~ ***off lightly/cheaply***, τή γλυτώνω φτηνά. ~ ***sb off to sleep***, ἀποκοιμίζω κπ. ~ ***off with sb***, (*καθομ.*) γνωρίζομαι τυχαῖα, τά μπλέκω μέ κπ: *She got off with her boss*, τἄμπλεξε μέ τ' ἀφεντικό της. ***tell sb where to*** ~ ***off***, (*καθομ.*) βάζω κπ στή θέση του.
get on, *(α)* ἀνεβαίνω: ~ *on a horse/a train*, ἀνεβαίνω σ' ἄλογο/σέ τραῖνο. *He'll* ~ *on in life*, θά τραβήξη μπροστά στή ζωή. *(β)* προχωρῶ: *Time is* ~*ting on*, ἡ ὥρα περνάει. ~ *on with one's work*, συνεχίζω τή δουλειά μου. *(γ)* τά πάω (καλά): *They* ~ *on well together*, τά πᾶνε καλά μαζί. *How are you* ~*ting on with him?* πῶς τά πᾶς μαζί του; ~ ***on one's feet***, σηκώνομαι ὄρθιος, (*μεταφ.*) ὀρθοποδῶ. ~ ***on to sb***, ἔρχομαι σ' ἐπαφή, παίρνω μυρουδιά κπ: *If you aren't satisfied with the hotel service,* ~ *on to the manager*, ἐάν δέν εἶσθε ἱκανοποιημένος ἀπό τήν ὑπηρεσία τοῦ ξενοδοχείου, νά ἔλθετε σ' ἐπαφή μέ τόν διευθυντή. *He's a cheat, but people are beginning to* ~ *on to him*, εἶναι ἀπατεώνας, ἀλλά ὁ κόσμος ἀρχίζει νά τόν παίρνει μυρουδιά. ***be*** ~***ting on for***, πλησιάζω: *It's* ~*ting on for midnight*, πλησιάζουν μεσάνυχτα. *He's* ~*ting on for 70*, πλησιάζει τά 70. (*βλ.* & *λ. nerve*).
get out, *(α)* μαθεύομαι: *If the news* ~*s out there'll be trouble*, ἄν μαθευτοῦν τά νέα, θά γίνη φασαρία. *(β)* βγάζω: *He managed to* ~ *out a few words of apology*, κατάφερε νά βγάλη λίγες λέξεις συγγνώμης. *(γ)* ἀποσπῶ: ~ *money/a confession out of sb*, ἀποσπῶ χρήματα/μιά ὁμολογία ἀπό κπ. *(δ)* ξεφεύγω: *I wish I could* ~ *out of this duty/of going to that wedding*, θἄθελα νά ξεφύγω ἀπ' αὐτό τό καθῆκον/νά μποροῦσα νά μήν πάω σ' αὐτό τό γάμο. ~ *out of bad habits*, ξεφεύγω (ξεκόβω) ἀπό κακές συνήθειες.
get over, *(α)* (*καθομ.*) ξεχνῶ: *He never got over her*, ποτέ δέν μπόρεσε νά τήν ξεχάση. *(β)* συνέρχομαι: *I can't* ~ *over his rudeness*, δέν μπορῶ νά συνέλθω ἀπό (νά χωνέψω) τήν ἀγένειά του. *(γ)* ὑπερνικῶ: *She can't* ~ *over her shyness*, δέν μπορεῖ νά ὑπερνικήση τή δειλία της. ~ ***sth over***, τελειώνω (κτ ἐνοχλητικό), κάνω κτ κατανοητό.
get round sb/sth, καταφέρνω κπ, παρακάμπτω κτ: *She knows how to* ~ *round him*, ξέρει πῶς νά τόν καταφέρνη, πῶς νά τόν φέρνη βόλτα. *We must find a way of* ~*ting round this clause*, πρέπει νά βροῦμε τρόπο νά παρακάμψωμε αὐτόν τόν ὅρο. ~ ***round to (doing) sth***, καταφέρνω ν' ἀσχοληθῶ μέ κτ: *I'm busy now but I hope to* ~ *round to your case next week*, εἶμαι ἀπασχολημένος τώρα, ἀλλά ἐλπίζω νά μπορέσω ν' ἀσχοληθῶ μέ τήν περίπτωσή σου τήν ἄλλη ἑβδομάδα.
get through, *(α)* τελειώνω: ~ *through one's money/work*, τελειώνω τά χρήματά μου/τή δουλειά μου. *(β)* φθάνω, (στό τηλέφωνο) συνδέομαι: *Your message has just got through*, τό μήνυμά σου μόλις ἔφθασε στά χέρια μου. *I rang him up several times but couldn't* ~ *through*, τηλεφώνησα πολλές φορές ἀλλά δέν μπόρεσα νά συνδεθῶ. *(γ)* περνῶ: ~ *through an examination*, περνῶ τίς ἐξετάσεις. *I'll* ~ *you through*, θά σέ βοηθήσω νά περάσης.
get together, συγκεντρώνω/-ομαι, συναθροίζω: ~ *together one's books/an army*, μαζεύω τά βιβλία μου/συναθροίζω στρατεύματα. *Let's* ~ *together one evening*, ἄς συγκεντρωθοῦμε (ἄς βρεθοῦμε μαζί) κανά βράδυ. **ˋ~-together**, κοινωνική συναναστροφή, φιλική συγκέντρωσις. ~ ***oneself together***, (*καθομ.*) ἐπιβάλλομαι στόν ἑαυτό μου.
get under, ὑποτάσσω, θέτω ὑπό ἔλεγχον: *They soon got the fire/the revolt under*, σύντομα ἔθεσαν τό πῦρ/τήν ἀνταρσία ὑπό ἔλεγχον.
get up, σηκώνω/-ομαι: ~ *the children up*, σηκώνω τά παιδιά. ~ *up early/to ask a question*, σηκώνομαι νωρίς/νά ὑποβάλλω ἐρώτηση. *The wind/The sea is* ~*ting up*, σηκώνεται ἀέρας/φουσκώνει ἡ θάλασσα. ~ ***sb/oneself up***, στολίζω/-ομαι, ντύνω/-ομαι: *She was beautifully got up*, ἦταν πολύ ὄμορφα ντυμένη (στολισμένη). *She was got up like a film star*, ἦταν στολισμένη σάν ἀστέρας τοῦ κινηματογράφου. *He got the boy/himself up as a sailor*, ἔντυσε τό παιδί ναύτη/ντύθηκε ναύτης. ~ ***sth up***, ὀργανώνω, μελετῶ, προσέχω (τήν ἐμφάνιση): ~ *up a party/a dramatic performance*, ὀργανώνω ἕνα πάρτυ/μιά θεατρική παράσταση. *What subjects do you have to* ~ *up for the exam?* τί μαθήματα πρέπει νά μελετήσης γιά τίς ἐξετάσεις; *Please have these shirts got up well*, παρακαλῶ προσέξετε αὐτά τά πουκάμισα (*δηλ.* νά πλυθοῦν καί νά σιδερωθοῦν καλά). *This book is well got up*, αὐτό τό βιβλίο εἶναι πολύ προσεγμένο στήν ἐμφάνιση. **ˋ~-up**, ἐμφάνιση, στύλ. ~ ***up to sth***, φθάνω, σκαρώνω: ~ *up to page 72*, φθάνω στή σελίδα 72. *What will they* ~ *up to next?* τί θά σκαρώσουν πάλι;
get sb with child, ἀφήνω ἔγκυον.

gey·ser /gizə(r)/ *οὐσ.* ‹C› **1**. θερμοπίδαξ. **2**. θερμοσίφων.

ghast·ly /ˋgastlı/ *ἐπ.* *(-ier, -iest)* **1**. κάτωχρος, σάν πεθαμένος: *look* ~, μοιάζω σάν πεθαμένος, εἶμαι κάτωχρος. ~ *paleness*, νεκρική ὠχρότης. *a* ~ *smile*, ἀχνό (βεβιασμένο) χαμόγελο. **2**. φριχτός, τρομερός: *a* ~ *accident*, τρομερό δυστύχημα. **3**. ἀπαίσιος: *a* ~ *dinner*.

gher·kin /ˋg3kın/ *οὐσ.* ‹C› ἀγγουράκι: *pickled*

~*s*, ἀγγουράκια τουρσί.

ghetto /ˋgetəʊ/ *οὐσ.* ‹C› (*πληθ.* ~*s*) γκέττο.

ghost /gəʊst/ *οὐσ.* ‹C› **1**. φάντασμα: *He looked as if he had seen a* ~, ἔμοιαζε σά νἆχε δεῖ φάντασμα. *I like* ~ *stories*, μοῦ ἀρέσουν οἱ ἱστορίες γιά φαντάσματα. **2**. πνεῦμα: *He gave up the* ~, (*ἀπηρχ.*) παρέδωσε τό πνεῦμα. **The Holy G**~, τό Ἅγιον Πνεῦμα. **3**. σκιά, (*ἐπιθετ.*) σκιώδης: *He's the* ~ *of his former self*, εἶναι ἡ σκιά τοῦ παληοῦ του ἑαυτοῦ. ***not have the* ~ *of a chance***, δέν ἔχω τήν παραμικρή πιθανότητα. ˋ~ **town**, πολιτεία-φάντασμα. ˋ~**-writer**, συγγραφεύς-φάντασμα (πού τά ἔργα του ἐμφανίζει ἄλλος σά δικά του).

ghost·ly /ˋgəʊstlɪ/ *ἐπ.* **1**. σά φάντασμα, ἀχνός, ἄϋλος: *vague shapes, looking* ~ *in the dark*, ἀκαθόριστα σχήματα πού ἔμοιαζαν σάν φαντάσματα στό σκοτάδι. **2**. πνευματικός: ~ *comfort*, πνευματική παρηγορία.

ghoul /gul/ *οὐσ.* ‹C› **1**. λάμια, δαίμονας πού τρώει πτώματα. **2**. ἄνθρωπος μέ νοσηρά μακάβρια γοῦστα. ~**·ish** /-ɪʃ/ *ἐπ.* μακάβριος.

gi·ant /ˋdʒaɪənt/ *οὐσ.* ‹C› γίγαντας, (*ἐπιθετ.*) γιγαντιαῖος: *a* ~ *cabbage*, γιγαντιαῖο λάχανο. ˋ~**-like** *ἐπ.* γιγάντιος. ~**·ess** /ˈdʒaɪənˋtes/ *οὐσ.* ‹C› γιγάντισσα.

gib·ber /ˋdʒɪbə(r)/ *ρ.ἀ.* **1**. βγάζω ἄναρθρες κραυγές (σάν πίθηκος). **2**. μιλῶ γρήγορα καί ἀκατάληπτα, λέω ἀσυναρτησίες. ~**·ish** /-ɪʃ/ *οὐσ.* ‹U› ἀσυναρτησίες, ἄναρθρες κραυγές.

gib·bet /ˋdʒɪbɪt/ *οὐσ.* ‹C› ἀγχόνη, κρεμάλα. —*ρ.μ.* **1**. ἀπαγχονίζω. **2**. στηλιτεύω, στιγματίζω δημοσίως.

gib·bon /ˋgɪbən/ *οὐσ.* ‹C› (*ζωολ.*) γίββων.

gib·bous /ˋdʒɪbəs/ *ἐπ.* **1**. (*γιά φεγγάρι*) μισόγιομο. **2**. κυρτός, καμπούρης.

gibe, jibe /dʒaɪb/ *ρ.ἀ.* ~ (***at***), σαρκάζω, εἰρωνεύομαι, περιγελῶ: ~ *at a boy's mistakes*, εἰρωνεύομαι τά λάθη ἑνός παιδιοῦ. **gib·ing·ly** /ˋdʒaɪbɪŋlɪ/ *ἐπίρ.* περιπαιχτικά.

gib·lets /ˋdʒɪbləts/ *οὐσ. πληθ.* (*μαγειρ.*) συκωτάκια πουλιῶν.

giddy /ˋgɪdɪ/ *ἐπ.* (*-ier, -iest*) **1**. ζαλισμένος, ἰλιγγιῶν: *I feel* ~, ἔχω ζαλάδα, ὅλα γυρίζουν. **2**. ἰλιγγιώδης: ~ *heights*, ἰλιγγιώδη ὕψη. **3**. ἐπιπόλαιος, ἐλαφρός, ἄμυαλος: *She's a* ~ *young thing*, εἶναι μιά ἐλαφρόμυαλη κοπελίτσα. (*βλ.* & *λ. goat*). **gid·dily** /-əlɪ/ *ἐπίρ.* ἰλιγγιωδῶς, ἀπερίσκεπτα. **gid·di·ness** *οὐσ.* ‹U› ἴλιγγος, ζάλη: *have fits of giddiness*, ὑποφέρω ἀπό ζαλάδες.

gift /gɪft/ *οὐσ.* ‹C,U› **1**. δωρεά, δῶρον: *make a* ~ *of sth*, δωρίζω κτ. ~*s to charities*, δωρεές σέ φιλανθρωπικά σωματεῖα. ~ *vouchers/coupons*, κουπόνια δώρων. **2**. ταλέντο, χάρισμα: *have a* ~ *for languages*, ἔχω ταλέντο στίς γλῶσσες. *a woman of many* ~*s*, γυναίκα μέ πολλά χαρίσματα. **3**. ἀποκλειστική δικαιοδοσία: *The living is in the* ~ *of the squire*, ἡ ἐνορία εἶναι στά χέρια τοῦ τοπικοῦ ἄρχοντα (*δηλ.* αὐτός μπορεῖ νά τήν διαθέση). —*ρ.μ.* δίνω, χαρίζω. ~**ed** *ἐπ.* προικισμένος, ταλαντοῦχος: *a* ~*ed pianist*.

gig /gɪg/ *οὐσ.* ‹C› **1**. δίτροχο μόνιππο. **2**. λέμβος πλοίου.

gi·gan·tic /dʒaɪˋgæntɪk/ *ἐπ.* γιγαντιαῖος, γιγάντιος.

giggle /ˋgɪgl/ *ρ.ἀ.* χαχανίζω. —*οὐσ.* ‹C› χάχανο, νευρικό γέλιο: *the* ~*s of schoolgirls*, τά χάχανα μαθητριῶν.

gig·olo /ˋʒɪgələʊ/ *οὐσ.* ‹C› (*πληθ.* ~*s*) ζιγκολό.

gild /gɪld/ *ρ.μ.* (ἐπι)χρυσώνω: ~ *a picture-frame*, ἐπιχρυσώνω μιά κορνίζα πίνακος. ~ ***the lily***, χαλῶ τή φυσική ὀμορφιά ἑνός πράγματος μέ κακόγουστα στολίδια. ~ ***the pill***, χρυσώνω τό χάπι. ~**ed youth**, χρυσῆ νεολαία. ~**er** *οὐσ.* ‹C› ἐπιχρυσωτής. ~**·ing** *οὐσ.* ‹U› χρυσαλοιφή, ἐπιχρύσωσις.

[1]**gill** /gɪl/ *οὐσ.* ‹C› (*συνήθ. πληθ.*) βράγχιον ψαριοῦ.

[2]**gill** /dʒɪl/ *οὐσ.* ‹C› μέτρον ὑγρῶν (περίπου 1/8 τοῦ λίτρου).

gilt /gɪlt/ *οὐσ.* ‹U› ἐπιχρύσωσις, χρυσαλοιφή, (*μεταφ.*) λοῦστρο. ***take the* ~ *off the gingerbread***, (*παροιμ.*) καταστρέφω ὅλη τή γοητεία, παίρνω ὅλη τή γλύκα. ~**-edged stocks/securities**, (*χρημ.*) μετοχές/χρεώγραφα ἀπολύτου ἀσφαλείας.

gim·crack /ˋgɪmkræk/ *ἐπ.* εὐτελής καί φανταχτερός: ~ *ornaments*, μπιχλιμπίδια.

gim·let /ˋgɪmlət/ *οὐσ.* ‹C› τρυπάνι (τοῦ χεριοῦ).

gim·mick /ˋgɪmɪk/ *οὐσ.* ‹C› κόλπο, τέχνασμα (γιά διαφήμιση).

gin /dʒɪn/ *οὐσ.* ‹C,U› **1**. τζίν (ποτό). **2**. παγίδα (γιά ζῶα). **3**. ἐκκοκκιστική μηχανή βάμβακος. —*ρ.μ.* (*-nn-*) ἐκκοκκίζω βαμβάκι, παγιδεύω (ζῶα).

gin·ger /ˋdʒɪndʒə(r)/ *οὐσ.* ‹U› **1**. πιπερόρριζα. **2**. ζωντάνια, δραστηριότης: *put some* ~ *into sth*, βάζω ζωντάνια (κέφι) σέ κτ. *a* ˋ~ *group*, ὁμάδα δραστηρίων μελῶν (*πχ.* κόμματος). **3**. (*ἐπιθετ.*) πυρρόξανθος: ~ *hair*. **4**. ˈ~ ˋ**beer**/ˋ**ale**, τζιτζιμπύρα (ἀεριοῦχο ἀναψυκτικό). ˋ~**-bread**, μελόψωμο. —*ρ.μ.* ~ (***up***), ζωηρεύω, ζωντανεύω, δραστηριοποιῶ.

gin·ger·ly /ˋdʒɪndʒəlɪ/ *ἐπ.* & *ἐπίρ.* προσεχτικά, μέ τό μαλακό: *set about sth* ~, κάνω κτ πολύ προσεχτικά.

ging·ham /ˋgɪŋəm/ *οὐσ.* ‹U› ριγωτό ἤ καρρό βαμβακερό ἤ λινό ὕφασμα.

gipsy, gypsy /ˋdʒɪpsɪ/ *οὐσ.* ‹C› **1**. τσιγγάνος, (*ἐπιθετ.*) τσιγγάνικος. **2**. (*λαϊκ.*) ζαβολιάρικο κορίτσι, μελανούρι.

gi·raffe /dʒɪˋrɑf/ *οὐσ.* ‹C› καμηλοπάρδαλις.

gird /g3d/ *ρ.μ.* (*ἀόρ.* & *π.μ.* ~*ed* ἤ *girt* /g3t/) (*ποιητ.*) **1**. ~ ***on***, ζώνομαι: ~ *on one's sword*, ζώνομαι τό σπαθί μου. **2**. ~ ***up***, ἀνασκουμπώνω: ~ *up one's clothes/robe*. ~ ***up one's loins***, ἑτοιμάζομαι πρός δρᾶσιν, ἀνασκουμπώνομαι. **3**. περιβάλλω, περικλείω: *a* ˋ*sea-girt isle*, νησί ζωσμένο ἀπό θάλασσα.

gir·der /ˋg3də(r)/ *οὐσ.* ‹C› ἀτσάλινο δοκάρι, σκελετός (γεφύρας, κλπ).

[1]**girdle** /ˋg3dl/ *οὐσ.* ‹C› **1**. ζουνάρι. **2**. ζώνη: *a* ~ *of green fields round a town*, μιά ζώνη πράσινα χωράφια γύρω ἀπό μιά πόλη. —*ρ.μ.* ~ ***about/around/with***, περιζώνω, περιβάλλω: *a lake* ~*d with trees*, λίμνη ζωσμένη ἀπό δέντρα.

[2]**girdle** /ˋg3dl/ *οὐσ.* ‹C› (*Σκωτ.*) στρογγυλό ταψί γιά γλυκά.

girl /g3l/ *οὐσ.* ‹C› **1**. κορίτσι: *a* ~*s' school*, σχολεῖο θηλέων. *a* ˋ*school*~, μαθήτρια. **2**. ὑπηρέτρια. **3**. ἐργάτρια, ὑπάλληλος: ˋ*factory* ~*s*, ἐργάτριες. ˋ*shop* ~*s*, πωλήτριες. ˋ*office*

~*s*, ὑπάλληλοι σέ γραφεῖα. **4**. (ἡ `~**friend**) φιλενάδα: *my* ~, τό κορίτσι μου. **5**. '*G*~ `*Guide*, ὁδηγός, προσκοπίνα. `~·**hood** /-hʊd/ *οὐσ.* ‹U› κοριτσίστικη ἡλικία. ~·**ish** /-ɪʃ/ *ἐπ.* κοριτσίστικος: ~*ish games/behaviour/laughter*, κοριτσίστικα παιχνίδια/φερσίματα/γέλια. ~·**ish·ly** *ἐπίρ.*

girt /gɜt/ *ἀόρ. & π.μ. τοῦ ρ. gird.*

girth /gɜθ/ *οὐσ.* ‹C,U› **1**. ἴγγλα (ἀλόγου, κλπ). **2**. περιφέρεια: *a tree 10 metres in* ~, δέντρο μέ περιφέρεια 10 μ.

gist /dʒɪst/ *οὐσ.* (*ἑν. μέ ὁριστ. ἄρθρ.*) οὐσία, ἔννοια, νόημα: *This is the* ~ *of what he said*, αὐτή εἶναι ἡ οὐσία τῶν ὅσων εἶπε.

[1]**give** /gɪv/ *ρ.μ/ἀ. ἀνώμ.* (*ἀόρ. gave* /geɪv/, *π.μ. given* /`gɪvn/) **1**. δίνω, παραδίνω: *The sun* ~*s us warmth and light*, ὁ ἥλιος μᾶς δίνει ζεστασιά καί φῶς. *I gave him £5 for his old bicycle*, τοῦ ἔδωσα πέντε λίρες γιά τό παληό του ποδήλατο. *I'd* ~ *anything to know where he is*, θἄδινα ὅ,τιδήποτε γιά νά μάθω ποῦ εἶναι. ~ *sb a good example*, δίνω τό καλό παράδειγμα σέ κπ. *You've given me your cold*, μοῦδωσες τό κρύο σου. *He gave his life to the cause of peace*, ἔδωσε τή ζωή του στήν ὑπόθεση τῆς εἰρήνης. *G*~ *me five minutes to do it*, δῶσε μου πέντε λεπτά νά τό κάμω. ~ ***sb much/little/no trouble***, δίνω μεγάλη/λίγη/καθόλου φασαρία σέ κπ. **2**. ὑποχωρῶ: *The branch gave but did not break*, τό κλαδί ὑποχώρησε ἀλλά δέν ἔσπασε. *The frost is beginning to* ~, ἡ παγωνιά ἀρχίζει νά ὑποχωρῆ. **3**. ***give*** + *οὐσ.* βγάζω, δίνω (*ἡ συνήθ. ἀποδίδεται μέ ρῆμα, μέ βάση τήν ἔννοια τοῦ οὐσ.*): ~ *a sigh*, βγάζω ἀναστεναγμό, ἀναστενάζω. ~ *a kick*, δίνω κλωτσιά, κλωτσῶ. ~ *a laugh/groan/yell/push*, γελῶ/βογγάω/οὐρλιάζω/σπρώχνω. ~ *three cheers*, ζητωκραυγάζω τρεῖς φορές. (*βλ. & λ. birth*, [1]*chase*, [1]*cry*, *currency*, [1]*ear*, *evidence*, [1]*ground*, [1]*place*, [1]*rise*). **4**. (*σέ φράσεις*): ~ ***or take***, πάνω ἤ κάτω: *He must be 80 years old*, ~ *or take a couple of years*, πρέπει νά εἶναι 80 χρονῶν, δυό χρόνια πάνω ἤ κάτω. ***I'll*** ~ ***you that***, σ' αὐτό ἔχεις δίκηο, ἐδῶ σέ παραδέχομαι. ~ ***sb to understand that***..., δίνω σέ κπ νά καταλάβη ὅτι: *I was* ~*n to understand that*..., ἔμεινα μέ τήν ἐντύπωση ὅτι... ~ ***it to him/her/them***, (*καθομ.*) τόν/τήν/τούς κατσαδιάζω, τιμωρῶ. ~ ***sb what for/a piece of one's mind***, (*καθομ.*) κατσαδιάζω, τιμωρῶ κπ: *I gave him what for*, τόν κανόνισα ὅπως τοῦ ἄξιζε. *I gave her a piece of my mind*, τῆς τἄψαλα ἀπό τήν καλή. **given**, δεδομένος, ὡρισμένος: *under the* ~*n conditions*, ὑπό τάς δεδομένας συνθήκας. *at a* ~*n time and place*, εἰς ὡρισμένον χρόνον καί τόπον. *G*~*n good health, I'll finish the work in six months*, ἄν ὑπάρχη ὑγεία, θά τελειώσω τή δουλειά σέ ἔξη μῆνες. ***be*** ~***n to (doing) sth***, ρέπω, ἔχω τάση πρός: *He's* ~*n to boasting/lying*, ἔχει τάση νά καυχιέται/νά λέη ψέματα. ~ ***way (to)***, ὑποχωρῶ, ἐνδίδω, καταλαμβάνομαι ἀπό, παρασύρομαι, κάνω τόπο: *Our troops had to* ~ *way*, τά στρατεύματά μας χρειάστηκε νά ὑποχωρήσουν. *Don't* ~ *way to him/to his demands*, μήν ἐνδίδης σ' αὐτόν/στίς ἀξιώσεις του. *We mustn't* ~ *way to despair*, δέν πρέπει νά καταληφθοῦμε ἀπό ἀπελπισία. *Don't* ~ *way to your anger/to tears*, μήν παρασύρεσαι ἀπό τό θυμό σου/μή βάζης τά κλάματα. ~ *way to a car*, δίνω προτεραιότητα σ' ἕνα αὐτοκίνητο. *Sorrow gave way to smiles*, ἡ λύπη παρεχώρησε τή θέση της σέ χαμόγελα. **5**. (*μέ ἐπιρ. & προθέσεις*):

give away, *(α)* συνοδεύω (τή νύφη), προδίδω: *His accent gave him away*, ἡ προφορά του τόν πρόδωσε. ~ *away a secret*, ἀπολύπτω ἕνα μυστικό. *(β)* μοιράζω: *The Mayor gave away the prizes*, ὁ Δήμαρχος μοίρασε τά βραβεῖα. *(γ)* χαρίζω: *He gave away all his possessions/his money*, χάρισε ὅλα του τά ὑπάρχοντα/τά χρήματα. *(δ)* θυσιάζω, χάνω: *You've given away your best chance*, θυσίασες (ἔχασες) τήν καλύτερη εὐκαιρία σου. `~-**away**, δῶρο, χάρισμα, κατάδοσις, ἀποκάλυψις: ~*-aways for the passengers*, δῶρα γιά τούς ἐπιβάτες.

give back, ἐπιστρέφω, ἀποδίδω: ~ *money back*, ἐπιστρέφω χρήματα. ~ *sb back his liberty*, ἀποδίδω σέ κπ τήν ἐλευθερία του.

give in, παραδίδω/-ομαι, ὑποκύπτω: *G*~ *in your papers now*, παραδῶστε τώρα τίς κόλλες σας! ~ *in one's name*, δίνω τὄνομά μου, ἐγγράφομαι. *The rebels were forced to* ~ *in*, οἱ στασιαστές ἀναγκάστηκαν νά παραδοθοῦν. ~ *in to sb/to sb's views*, ὑποκύπτω σέ κπ/στίς ἀπόψεις κάποιου.

give off, ἐκπέμπω, ἀναδίνω (μυρουδιά, καπνό, κλπ).

give on (to)/~ ***upon***, βλέπω: *The windows* ~ *on to the courtyard*, τά παράθυρα βλέπουν στήν αὐλή.

give out, *(α)* ἐξαντλοῦμαι: *Our food supplies began to* ~ *out*, τ' ἀποθέματά μας σέ τρόφιμα ἄρχισαν νά ἐξαντλοῦνται. *His strength/patience gave out*, ἡ δύναμή του/ἡ ὑπομονή του ἐξαντλήθηκε. *(β)* διανέμω: ~ *out books/food*, διανέμω βιβλία/τρόφιμα. *(γ)* ἐμφανίζω, ἀποκαλύπτω: *He gave himself out to be an expert*, ἐνεφανίσθη ὡς εἰδικός. *(δ)* γνωστοποιῶ: *It was* ~*n out that he was dead*, ἐγνώσθη (ἀνηγγέλθη) ὅτι ἦταν νεκρός.

give over, *(α)* (*λαϊκ.*) σταματῶ: *Please, do* ~ *over crying!* σέ παρακαλῶ, πᾶψε πιά νά κλαῖς! κόψε τά κλάματα! *(β)* παραδίδω: ~ *sb over to the police*, παραδίδω κπ στήν ἀστυνομία. ***be*** ~***n over to***, εἶμαι παραδομένος, ἀφιερωμένος σέ κτ: *He is* ~*n over to despair/to evil courses*, ἔχει παραδοθῆ στήν ἀπελπισία/ἔχει πάρει τόν κακό δρόμο. *The time after supper was* ~*n over to study*, ὁ χρόνος μετά τό δεῖπνο ἦταν ἀφιερωμένος στή μελέτη.

give up, *(α)* ἐγκαταλείπω, παραιτοῦμαι, σταματῶ: *I can't find the answer; I* ~ *up!* δέν μπορῶ νά βρῶ τήν ἀπάντηση, ἐγκαταλείπω (παραιτοῦμαι)! ~ *up an attempt*, ἐγκαταλείπω μιά προσπάθεια. ~ *up smoking*, σταματῶ τό κάπνισμα. *(β)* ξεγράφω: *His teachers/The doctors have* ~*n him up*, οἱ δάσκαλοί του/οἱ γιατροί τόν ἔχουν ξεγράψει. *We had* ~*n him up for lost*, τόν θεωρούσαμε χαμένον. *(γ)* παραδίδω: ~ *up a fortress*, παραδίδω ἕνα φρούριο. ~ *up a thief*/~ *oneself up to the police*, παραδίδω ἕναν κλέφτη/παραδίδομαι στήν ἀστυνομία.

[2]**give** /gɪv/ *οὐσ.* ‹U› ἐλαστικότης: *There's no ~ in John/in a stone floor*, ὁ Γ./τό πέτρινο πάτωμα δέν ἔχει ἐλαστικότητα. ***~ and take***, συμβιβασμός, ἀμοιβαῖες ὑποχωρήσεις: *There must be ~ and take if the negotiations are to succeed*, πρέπει νά ὑπάρξουν ἀμοιβαῖες ὑποχωρήσεις ἄν πρόκειται νά πετύχουν οἱ διαπραγματεύσεις.

given /ˋgɪvn/ *π.μ. τοῦ ρ. give.*

giver /ˋgɪvə(r)/ *οὐσ.* ‹C› δότης, δωρητής: *He's a generous ~*, δίνει γενναιόδωρα.

giz·zard /ˋgɪzəd/ *οὐσ.* ‹C› γκούσια, πρόλοβος (πουλιοῦ), (*μεταφ.*) στομάχι: *It sticks in my ~*, μοῦ κάθεται στό στομάχι (τό σιχαίνομαι).

gla·cial /ˋgleɪʃl/ *ἐπ.* παγετώδης, (*μεταφ.*) παγερός: *the ~ era*, ἡ ἐποχή τῶν παγετώνων. *a ~ smile/manner*, παγερό χαμόγελο/-ός τρόπος.

gla·cier /ˋglæsɪə(r)/ *οὐσ.* ‹C› παγετών.

glad /glæd/ *ἐπ. (-der, -dest)* **1**. (*μόνον κατηγ.*) εὐχαριστημένος: *be/look/feel ~ about sth*, εἶμαι/δείχνω/νοιώθω εὐχαριστημένος γιά κτ. *I'm ~ of your success*, χαίρομαι γιά τήν ἐπιτυχία σου. *I'll be ~ to come*, θά χαρῶ νά ἔλθω. **2**. εὐχάριστος: *~ news*, εὐχάριστα νέα. ***give sb the ~ eye***, (*λαϊκ.*) κάνω τά γλυκά μάτια σέ κπ. ˋ**~ rags**, (*λαϊκ.*) τά καλά, τά γιορτινά. **~·den** /ˋglædn/ *ρ.μ.* χαροποιῶ. **~·ly** *ἐπίρ.* εὐχαρίστως. **~·ness** *οὐσ.* ‹U› χαρά, εὐχαρίστησις. **~·some** /-səm/ *ἐπ.* (*ποιητ.*) εὐφρόσυνος.

glade /gleɪd/ *οὐσ.* ‹C› ξέφωτο (σέ δάσος).

gladi·ator /ˋglædɪeɪtə(r)/ *οὐσ.* ‹C› μονομάχος (στήν ἀρχαία Ρώμη).

gladi·olus /ˌglædɪˋəʊləs/ *οὐσ.* ‹C› (*πληθ. -li* /-laɪ/, *~es*) γλαδίολος.

glam·our /ˋglæmə(r)/ *οὐσ.* ‹U› **1**. γοητεία, μαγεία: *the ~ of moonlight*, ἡ μαγεία τοῦ φεγγαρόφωτος. **2**. θέλγητρον, αἴγλη: *the false ~ of war*, ἡ ψεύτικη αἴγλη τοῦ πολέμου. **~·ous** /-əs/ *ἐπ.* γεμᾶτος λάμψη/αἴγλη, σχεδόν μυθικός, σαγηνευτικός: *~ous film stars*, κινηματογραφικοί ἀστέρες γεμᾶτοι αἴγλη καί λάμψη. **~·ize** /-aɪz/ *ρ.μ.* τυλίγω μέ αἴγλη/μέ γοητεία.

glance /ˋglans/ *οὐσ.* ‹C› **1**. βλέμμα, ματιά: *She gave me a loving/saucy ~*, μοῦρριξε μιά ματιά ὅλο ἀγάπη/ἀναίδεια. ***take a ~ at sth***, ρίχνω μιά ματιά σέ κτ. ***at a ~***, μέ μιά ματιά, μέ τήν πρώτη, ἀμέσως. **2**. λάμψις: *a ~ of swords in the sunlight*, λάμψις σπαθιῶν στό ἡλιοφῶς. —*ρ.μ/ὰ.* **1**. ***~ at/over/round/through***, κοιτάζω γρήγορα, ρίχνω μιά ματιά: *~ at the clock; ~ over/through a letter*, ρίχνω μιά ματιά σ' ἕνα γράμμα. **2**. ***~ off***, ἀποστρακίζομαι, γλιστρῶ. **3**. ἀστράφτω, λάμπω: *Their helmets ~ed in the sunlight*, τά κράνη τους ἄστραφταν στό φῶς τοῦ ἥλιου.

gland /glænd/ *οὐσ.* ‹C› ἀδένας: *a snake's poisonous ~s*, οἱ ἰοβόλοι ἀδένες φιδιοῦ. **~u·lar** /ˋglændjʊlə(r)/ *ἐπ.* ἀδενικός, ἀδενώδης: *~ular fever*, ἀδενοπάθεια.

[1]**glare** /gleə(r)/ *οὐσ.* ‹C,U› **1**. δυσάρεστα ἔντονο φῶς, λάμψις: *the ~ of the sun on the water*, ἡ λάμψις τοῦ ἥλιου πάνω στό νερό. *in the full ~ of publicity*, στό ἐκφλωτικό φῶς τῆς δημοσιότητος. **2**. ἄγρια, ἐπίμονη ματιά: *look at sb with a ~*, κοιτάζω κπ ἀγριωπά.

[2]**glare** /gleə(r)/ *ρ.μ/ὰ.* **1**. λάμπω (μέ δυσάρεστη ἔνταση): *The tropic sun ~d down on us all the day*, ὁ τροπικός ἥλιος ἔλαμπε ἀμείλικτα πάνω μας ὅλη τήν ἡμέρα. **2**. ἀγριοκοιτάζω: *They stood glaring at each other*, στάθηκαν ἀγριοκοιτάζοντας ὁ ἕνας τόν ἄλλον. *He ~d defiance/hate at me*, μοῦριξε μιά ἄγρια ματιά ὅλο πρόκληση/ὅλο μῖσος. **glar·ing** *ἐπ.* **1**. ἐκτυφλωτικός: *glaring headlights*, ἐκτυφλωτικά φῶτα (αὐτοκινήτου). **2**. ἄγριος, θυμωμένος: *glaring eyes*, ἀγριωπά μάτια. **3**. ἐξόφθαλμος, ὁλοφάνερος, χονδροειδής: *a glaring lie/error/blunder*, ὁλοφάνερο ψέμα/λάθος/χονδροειδής γκάφα. **4**. χτυπητός, ἔντονος: *glaring colours*, ἔντονα χρώματα.

glass /glas/ *οὐσ.* ‹C,U› **1**. γυαλί, (*ἐπιθετ.*) γυάλινος: *made of ~*, φτιαγμένος ἀπό γυαλί. *a man with a ~ eye*, ἄνθρωπος μέ γυάλινο μάτι. **2**. ποτήρι: *a ~ of wine/a wine~*, ἕνα ποτήρι κρασί/τοῦ κρασιοῦ. *have a ~ too much*, πίνω ἕνα ποτήρι παραπάνω, τά κοπανάω. **3**. καθρέφτης, τηλεσκόπιο, φακός, βαρόμετρο, (*πληθ.*) γυαλιά, κιάλια. ˋ**~-blower**, ὑαλουργός. ˋ**~-cutter**, ὑαλοκόπτης. ˋ**~·house**, θερμοκήπιο, (*λαϊκ.*) πειθαρχεῖο. ˋ**~-paper**, γυαλόχαρτο. ˋ**~·ware**, γυαλικά. ˋ**~-wool**, ὑαλοβάμβαξ. ˋ**~·works**, ὑαλουργεῖον. **~·ful** /-fʊl/ *οὐσ.* ‹C› ποτηριά. **~y** *ἐπ. (-ier, -iest)* σά γυαλί, ἀνέκφραστος: *the ~y sea*, ἡ ἀκύμαντη θάλασσα. *~y eyes*, ἀνέκφραστα μάτια. —*ρ.μ.* ***~ in***, κλείνω μέ γυαλί.

glau·coma /glɔˋkəʊmə/ *οὐσ.* ‹U› (*ἰατρ.*) γλαύκωμα.

glau·cous /ˋglɔkəs/ *ἐπ.* γλαυκός.

glaze /gleɪz/ *ρ.μ/ὰ.* **1**. *~ (in)*, βάζω τζάμια, τζαμώνω: *~ in a window/a verandah*. **2**. γκλασάρω, σατινάρω (χαρτί), βερνικώνω: *~d paper*, γυαλιστερό χαρτί. **3**. γίνομαι σά γυαλί: *His eyes were ~d in death*, ὁ θάνατος εἶχε κάμει τά μάτια του σά γυάλινα. —*οὐσ.* ‹C,U› βερνίκι, λοῦστρο, σμάλτο.

glaz·ier /ˋgleɪzɪə(r)/ *οὐσ.* ‹C› τζαμᾶς.

gleam /glim/ *οὐσ.* ‹C› **1**. ἀναλαμπή: *the ~ of a distant lighthouse*, ἡ ἀναλαμπή ἑνός μακρυνοῦ φάρου. **2**. λάμψις, ἀνταύγεια, μαρμαρυγή: *the ~ of a lake*, ἡ μαρμαρυγή μιᾶς λίμνης. *a man with a dangerous ~ in his eye*, ἄνθρωπος μ' ἐπικίνδυνη λάμψη στά μάτια του. **3**. ἀχτίδα: *a ~ of hope*, μιά ἀχτίδα ἐλπίδας. *the first ~s of the morning sun*, οἱ πρῶτες ἀχτίδες τοῦ πρωϊνοῦ ἥλιου. *a ~ of humour*, μιά ἀχτίδα χιοῦμορ. —*ρ.ὰ.* λάμπω: *a cat's eyes ~ing in the darkness*, τά μάτια γάτας πού λάμπουν στό σκοτάδι.

glean /glin/ *ρ.μ.* (*κυριολ.* & *μεταφ.*) σταχυολογῶ: *~ a field/~ information*, μαζεύω στάχυα σ' ἕνα χωράφι/πληροφορίες. **~er** *οὐσ.* ‹C› σταχυολόγος. **~·ings** *οὐσ. πληθ.* σταχυολογήματα.

glee /gli/ *οὐσ.* **1**. ‹U› χαρά, ἀγαλλίασις (θριάμβου): *shout with ~*, φωνάζω ἀπό χαρά. **2**. ‹C› πολυφωνικό τραγοῦδι. **~·ful** /-fl/ *ἐπ.* περιχαρής. **~·fully** /-fəlɪ/ *ἐπίρ.* περιχαρῶς.

glen /glen/ *οὐσ.* ‹C› στενή κοιλάδα, λαγκάδα.

glib /glɪb/ *ἐπ. (-ber, -best)* εὔστροφος, ἑτοιμόλογος, καλός (ἀλλά ἀνειλικρινής) ὁμιληστής: *a ~ talker*, λογᾶς. *He's ~ in finding excuses*, εἶναι μαέστρος στό νά βρίσκη δικαιολογίες. *have a ~ tongue*, μιλῶ ἄνετα, λέω πολλά λόγια. *~ excuses*, εὔκολες δικαιολογίες. **~·ly** *ἐπίρ.* εὔκολα, εὔγλωττα. **~·ness** *οὐσ.* ‹U› εὐκολία, εὐγλωττία.

glide /glaɪd/ *ρ.ἀ.* γλιστρῶ, κυλῶ ἀθόρυβα: *The ghost ~d out of the room*, τό φάντασμα γλίστρησε ἔξω ἀπό τό δωμάτιο. *A boat ~d past*, μιά βάρκα πέρασε πλάϊ μας ἀθόρυβα. *__οὐσ.* ‹C› γλίστρημα. **~r** *οὐσ.* ‹C› ἀνεμοπλάνο. **glid·ing** *οὐσ.* ‹U› ἀνεμοπλοΐα (σπόρ).

glim·mer /ˋglɪmə(r)/ *οὐσ.* ‹C› ἀναλαμπή, ἀχτίδα, ἀμυδρό φῶς: *the ~ of candlelight*, τό τρεμάμενο φῶς ἑνός κεριοῦ. *a ~ of hope*, ἀχτίδα ἐλπίδας. *not the least ~ of intelligence*, οὔτε ἡ παραμικρή ἀναλαμπή ἐξυπνάδας. *the first ~ of dawn*, τό πρῶτο φέγγισμα τῆς αὐγῆς. *__ρ.ἀ.* τρεμολάμπω, θαμποφέγγω.

glimpse /glɪmps/ *οὐσ.* ‹C› γρήγορη ματιά, στιγμιαία ἐμφάνισις: *get/catch a ~ of sth*, παίρνει τό μάτι μου κτ στά γρήγορα. *__ρ.μ.* βλέπω φευγαλέα, παίρνει τό μάτι μου.

glint /glɪnt/ *οὐσ.* ‹C› ἀνταύγεια, λάμψις, ἀστραπή, ἀχτίδα: *~s of gold in her hair*, χρυσές ἀνταύγειες στά μαλλιά της. *__ρ.ἀ.* σπιθίζω, ἀστράφτω, λάμπω: *Anger ~ed in his eyes*, ὁ θυμός ἔλαμπε στά μάτια του, ἄστραψαν τά μάτια του ἀπό θυμό.

glis·sade /glɪˋsad/ *ρ.ἀ.* (*ὀρειβ.*) γλιστρῶ. *__οὐσ.* ‹C› γλίστρημα, τσουλήθρα.

glis·ten /ˋglɪsn/ *ρ.ἀ.* λαμποκοπῶ, γυαλίζω: *eyes ~ing with tears*, μάτια πού λαμποκοπᾶνε ἀπό δάκρυα. *dew-drops ~ing in the sunlight*, δροσοσταλίδες πού λάμπουν στό φῶς.

glit·ter /ˋglɪtə(r)/ *ρ.ἀ.* λάμπω, σπινθηροβολῶ, ἀκτινοβολῶ, ἀστράφτω: *stars ~ing in the frosty sky*, ἀστέρια πού σπινθηροβολοῦν στόν παγωμένο οὐρανό. *~ing jewels*, κοσμήματα πού ἀκτινοβολοῦν. ***All that ~s is not gold***, (*παροιμ.*) δέν εἶναι χρυσός κάθε τι πού λάμπει. *__οὐσ.* ‹U› λάμψις, λαμποκόπημα, ἀστραποβόλημα.

gloam·ing /ˋgləʊmɪŋ/ *οὐσ.* (*ἐν. μέ ὁριστ. ἄρθρ.*) τό σούρουπο.

gloat /gləʊt/ *ρ.ἀ.* ~ ***(over sth)***, κοιτάζω (μέ κρυφή ἱκανοποίηση), καμαρώνω ἐγωϊστικά, χαίρομαι (μέ κακεντρέχεια): *~ over one's wealth*, καμαρώνω ἐγωϊστικά τά πλούτη μου. *a miser ~ing over his gold*, τσιγγούνης πού καμαρώνει τό χρυσάφι του. *~ over the ruin of a rival*, χαίρομαι γιά τήν καταστροφή ἑνός ἀντιπάλου. **~ing** *ἐπ.* χαιρέκακος.

glo·bal /ˋgləʊbl/ *ἐπ.* παγκόσμιος, συνολικός, ὁλικός.

globe /gləʊb/ *οὐσ.* ‹C› **1**. σφαῖρα, ὑδρόγειος: *go round the ~*, κάνω τό γύρο τοῦ κόσμου. **2**. γλόμπος, γυάλα. ˋ~ **trotter**, κοσμογυριστής.

glob·ule /ˋglobjul/ *οὐσ.* ‹C› σφαιρίδιον, σταγονίδιον: *blood ~s*, αἱμοσφαίρια. **globu·lar** /ˋglobjʊlə(r)/ *ἐπ.* σφαιροειδής, σφαιρικός.

gloom /glum/ *οὐσ.* (‹U› *ἤ ἐν.*) **1**. σκοτεινιά. **2**. κατήφεια, θλῖψις, μελαγχολία, κακοκεφιά: *The news cast a ~ over the village*, τά νέα ἐλύπησαν ὅλο τό χωριό. *There is ~ in the City*, ἡ ἀτμόσφαιρα στό Σίτυ εἶναι βαρειά. **~y** *ἐπ.* *(-ier, -iest)* **1**. σκοτεινός. **2**. μελαγχολικός, σκυθρωπός, ἀπαισιόδοξος: *take a ~y view of things*, τά βλέπω ὅλα μαῦρα. *feel ~y about the future*, νοιώθω ἀπαισιόδοξος γιά τό μέλλον. **~·ily** /-əlɪ/ *ἐπίρ.* σκοτεινά, μελαγχολικά, ἀπαισιόδοξα.

glor·ify /ˋglɔrɪfaɪ/ *ρ.μ.* **1**. δοξάζω, ἐξυμνῶ. **2**. ἐξωραΐζω. **glori·fi·ca·tion** /ˌglɔrɪfɪˋkeɪʃn/ *οὐσ.* ‹U› δοξολογία, πανηγυρισμός, ἐξωραϊσμός.

glori·ous /ˋglɔrɪəs/ *ἐπ.* **1**. ἔξοχος, ὑπέροχος: *a ~ sunset/view*, ἔξοχο ἡλιοβασίλεμα/ὑπέροχη θέα. **2**. ἔνδοξος, λαμπρός, δοξασμένος: *a ~ victory*, λαμπρή νίκη. **3**. θαυμάσιος: *have a ~ time*, περνῶ θαυμάσια. **4**. (*εἰρων.*) ὡραῖος, σπουδαῖος: *What a ~ mess!* ὡραῖο ἀνακάτωμα! **~·ly** *ἐπίρ.* περίφημα, ἔνδοξα.

glory /ˋglɔrɪ/ *οὐσ.* ‹C,U› **1**. δόξα: *G~ to God in the highest*, Δόξα ἐν ὑψίστοις Θεῷ. *cover oneself with ~*, σκεπάζομαι ἀπό δόξα, γίνομαι ἔνδοξος. **2**. λαμπρότης, ὀμορφιά, μεγαλοπρέπεια: *the ~ of a sunset*, ἡ ἔξοχη ὀμορφιά ἑνός ἡλιοβασιλέματος. **3**. καμάρι, μεγαλεῖον: *The ~ that was Greece*, τό μεγαλεῖον τῆς ἀρχαίας Ἑλλάδος. **4**. φωτοστέφανος: *the saints in ~*, οἱ ὅσιοι. **5**. (*καθομ.*) θάνατος. ***send sb/go to ~***, στέλνω κπ/πηγαίνω εἰς τάς αἰωνίους μονάς. ˋ~**-hole**, δωμάτιο ἤ συρτάρι γεμᾶτο ἑτερόκλιτα πράγματα. *__ρ.ἀ.* ~ ***in***, ὑπερηφανεύομαι, καμαρώνω, χαίρομαι: *~ in one's strength/in working for a good cause*, καμαρώνω γιά τή δύναμή μου/χαίρομαι πού δουλεύω γιά καλό σκοπό.

[1]**gloss** /glos/ *οὐσ.* ‹U› **1**. λοῦστρο, γυαλάδα, στιλπνότης: *take the ~ off sth*, ἀφαιρῶ τή γυαλάδα ἀπό κτ. ˋ~ **(paint)**, λοῦστρο (βερνίκι). **2**. ἐπίφασις: *a ~ of legality*, ἐπίφασις νομιμότητος. *__ρ.μ.* ~ ***over***, στιλβώνω, γυαλίζω, (*μεταφ.*) συγκαλύπτω, ἀποκρύπτω: *~ over sb's faults*, συγκαλύπτω τά ἐλαττώματα κάποιου, τά ἐμφανίζω σάν ἀσήμαντα. **~y** *ἐπ.* *(-ier, -iest)* στιλπνός, γυαλιστερός: *~y paper*, χαρτί γκλασέ. *a ~y periodical*, περιοδικό πολυτελοῦς ἐμφανίσεως. **~·ily** /-əlɪ/ *ἐπίρ.*

[2]**gloss** /glos/ *οὐσ.* ‹C› σχόλιον, ἑρμηνεία. *__ρ.μ.* σχολιάζω. **~·ary** /-ərɪ/ *οὐσ.* ‹C› γλωσσάριον, λεξιλόγιον.

glot·tal /ˋglotl/ *ἐπ.* γλωττιδικός: *a ~ stop*, γλωττιδικός ἦχος.

glot·tis /ˋglotɪs/ *οὐσ.* ‹C› (*ἀνατ.*) γλωττίς.

glove /glʌv/ *οὐσ.* ‹C› γάντι: *a pair of ~s*, ἕνα ζευγάρι γάντια. ***fit like a ~***, ἐφαρμόζω τέλεια, μοῦρχεται κουτί. ***be hand in ~ (with sb)***, ἔχω στενές σχέσεις (μέ κπ). ˋ~**-locker/-compartment**, ντουλαπάκι στό ταμπλό αὐτοκινήτου.

glow /gləʊ/ *ρ.ἀ.* **1**. πυρακτοῦμαι, καίω (χωρίς φλόγα): *~ing metal/embers*, πυρακτωμένο μέταλλο/ἀναμμένα κάρβουνα. **2**. λάμπω, ἀστράφτω, ἀκτινοβολῶ: *a face ~ing with enthusiasm/health/pride*, πρόσωπο πού λάμπει ἀπό ἐνθουσιασμό/ὑγεία/περηφάνεια. *__οὐσ.* ‹C› πυράκτωσις, ξάναμμα, λάμψις, (*μεταφ.*) φλόγα: *cheeks with the ~ of health on them*, μάγουλα μέ τή λάμψη τῆς ὑγείας πάνω τους. *be (all) in a ~ after a hot bath*, εἶμαι κατακόκκινος (ξαναμμένος) ὕστερα ἀπό ἕνα ζεστό μπάνιο. *the ~ of the setting sun* οἱ φλόγες τοῦ ἡλιοβασιλέματος. *the ~ of youth/enthusiasm*, ἡ φλόγα τῆς νιότης/τοῦ ἐνθουσιασμοῦ. **`~-worm**, πυγολαμπίδα. **~·ing** *ἐπ.* πυρακτωμένος, ξαναμμένος, ρόδινος, φλογισμένος, ἐνθουσιώδης: *a ~ing sunset/~-ing eyes*, πυρακτωμένο (κατακόκκινο) ἡλιοβασίλεμα/μάτια πού λάμπουν. *a ~ing sky/~ing cheeks*, φλογισμένος οὐρανός/ρόδινα μάγουλα. *a ~ing description*, ἐνθουσιώδης περιγραφή. *in ~ing colours*, μέ ρόδινα (λαμπερά) χρώματα. **~·ing·ly** *ἐπίρ.*

glower /`glaυə(r)/ *ρ.ἀ.* ~ ***at***, ἀγριοκοιτάζω. **~·ing·ly** *ἐπίρ.* ἀγριωπά.

glu·cose /`glukəυs/ *οὐσ.* ‹U› γλυκόζη.

glue /glu/ *οὐσ.* ‹U› κόλλα, ψαρόκολλα. __*ρ.μ.* (*ἀόρ. & π.μ. ~d, ἐνεργ. μετ. gluing*) (συγ)κολλῶ: *~ two pieces of wood together*, κολλῶ δυό ξύλα. *His eye/ear was ~d to the keyhole*, τό μάτι του/τ' αὐτί του ἦταν κολλημένο στήν κλειδαρότρυπα. *remain ~d to one's mother*, μένω κολλημένος στή μητέρα μου. **gluey** /`glui/ *ἐπ.* κολλώδης.

glum /glʌm/ *ἐπ.* (*-mer, -mest*) σκυθρωπός, κατηφής, μελαγχολικός.

glut /glʌt/ *ρ.μ.* (*-tt-*) ~ (***with***), **1**. πλημμυρίζω: *~ the market with fruit*, πλημμυρίζω τήν ἀγορά μέ φροῦτα. **2**. χορταίνω, παραγεμίζω: *~ one's appetite*, χορταίνω τήν ὄρεξή μου. *~ oneself with rich food*, παρατρώω λιπαρές τροφές. *~ted with pleasure*, χορτασμένος ἀπό ἡδονές. __*οὐσ.* ‹C› κορεσμός, ὑπεραφθονία, πληθώρα: *a ~ of apples in the market*, ὑπεραφθονία μήλων στήν ἀγορά.

glu·ti·nous /`glutɪnəs/ *ἐπ.* κολλώδης.

glut·ton /`glʌtn/ *οὐσ.* ‹C› κοιλιόδουλος, φαγᾶς, (*μεταφ.*) ἀχόρταγος: *He's a ~ for work*, δέν χορταίνει δουλειά, εἶναι σκυλί στή δουλειά. **~·ous** /-əs/ *ἐπ.* λαίμαργος, ἀχόρταγος. **~·ous·ly** *ἐπίρ.* λαίμαργα. **~y** *οὐσ.* ‹U› λαιμαργία.

gly·cer·ine /`glɪsərin/ *οὐσ.* ‹U› γλυκερίνη.

G-man /`dʒi mæn/ *οὐσ.* ‹C› (*ΗΠΑ, καθομ.*) ἀστυνομικός, πράκτωρ τοῦ F.B.I.

gnarled /nald/ *ἐπ.* (*γιά κορμό δέντρου*) κυρτός καί ροζιάρικος, (*γιά χέρια*) χοντρός, κακοτράχαλος, ροζιασμένος: *~ tree-trunks/hands/fingers*.

gnash /næʃ/ *ρ.μ/ἀ.* τρίζω (τά δόντια): *wailing and ~ing of teeth*, ὀδυρμός καί τριγμός ὀδόντων.

gnat /næt/ *οὐσ.* ‹C› σκνίπα, κουνούπι. ***strain at a ~***, διϋλίζω τόν κώνωπα.

gnaw /nɔ/ *ρ.μ/ἀ.* **1**. ~ (***at***), τραγανίζω, ροκανίζω (κατα)τρώγω: *The dog was ~ing (at) a bone*, ὁ σκύλος ροκάνιζε ἕνα κόκκαλο. *He was ~ing his fingernails with impatience*, ἔτρωγε τά νύχια του ἀπό ἀνυπομονησία. **2**. βασανίζω: *~ed by hunger/remorse*, βασανιζόμενος ἀπό πεῖνα/ἀπό τύψεις. **~·ing** *οὐσ.* ‹C› ροκάνισμα, σουβλιά, νυγμός, πόνος: *the ~ings of hunger*, οἱ σουβλιές τῆς πείνας. *with a ~ing at his heart*, μέ πόνο στήν καρδιά του. __*ἐπ.* βασανιστικός: *a ~ing pain*.

gnome /nəυm/ *οὐσ.* ‹C› στοιχειό, καλικάντζαρος.

[1]**go** /gəυ/ *ρ.ἀ. ἀνώμ.* (*γ! ἑν. προσ. ἐνεστ. goes* /gəυz/, *ἀόρ. went* /went/, *π.μ. gone* /gon/) **1**. πηγαίνω: *~ abroad/to London/into the country*, πάω στό ἐξωτερικό/στό Λονδῖνο/στήν ἐξοχή. *~ to school/church/hospital/prison/bed*. (*πρβλ. ~ to the hospital/the school, κλπ.*) πάω σχολεῖο/ἐκκλησιάζομαι/μπαίνω σέ νοσοκομεῖο/πάω φυλακή/πάω γιά ὕπνο. *~ on foot/on horseback*, πάω μέ τά πόδια/ἔφιππος. *~ by train/by boat/by air/by bus*, πάω μέ τραῖνο/μέ πλοῖο/ἀεροπορικῶς/μέ λεωφορεῖο. *~ shopping/fishing/swimming/climbing/walking*, πάω γιά ψώνια/γιά ψάρεμα/κολύμπι/ὀρειβασία/πεζοπορία (*πρβλ. ~ for a walk/a swim*, πάω γιά ἕναν περίπατο, κλπ). *~ on a journey/a trip*, πάω ταξίδι. *~ at 60 miles an hour*, πηγαίνω (τρέχω) μέ 60 μίλια τήν ὥρα. *~ at a high/low speed*, πηγαίνω μέ μεγάλη/μικρή ταχύτητα. *~ at full speed*, πάω ὁλοταχῶς. ***come and ~***, πηγαινοέρχομαι, ἔρχομαι καί παρέρχομαι. **comings and ~ings**, πήγαινε-ἔλα. **2**. πηγαίνω, φεύγω: *I must be ~ing now*, πρέπει νά φεύγω τώρα. *They came at noon and went by midnight*, ἦρθαν τό μεσημέρι κι' ἔφυγαν τά μεσάνυχτα. **3**. πηγαίνω, τοποθετοῦμαι: *Where will the piano ~?* ποῦ θά πάη (θά τοποθετηθῆ) τό πιάνο; **4**. πηγαίνω, χωράω: *My clothes won't ~ into this small suitcase*, τά ροῦχα μου δέν χωρᾶνε σ' αὐτή τή μικρή βαλίτσα. *How many times does 6 ~ into 24? It ~es four*, πόσες φορές χωράει τό 6 στό 24; -τέσσερες. **5**. πηγαίνω, δίδομαι: *The first prize went to John*, τό πρῶτο βραβεῖο πῆγε (ἐδόθη) στό Γ. **6**. πηγαίνω, κληρονομοῦμαι: *The house will ~ to my son when I die*, τό σπίτι θά πάη στό (θά κληρονομηθῆ ἀπό τό) γυιό μου ὅταν πεθάνω. **7**. γίνομαι: *He went purple with anger*, ἔγινε κατακόκκινος ἀπό θυμό. *~ blind/mad/broke*, τυφλώνομαι/τρελλαίνομαι/μένω ἀπένταρος. *Fish soon ~es bad in hot weather*, τό ψάρι χαλάει γρήγορα μέ τή ζέστη. *England went socialist*, ἡ 'Αγγλία ἔγινε σοσιαλιστική. **8**. πηγαίνω, δουλεύω, λειτουργῶ: *Is your watch ~ing?* δουλεύει τό ρολόϊ σου; *Her tongue was ~ing nineteen to the dozen*, ἡ γλῶσσα της πήγαινε ροδάνι. *This machine ~es by electricity*, αὐτή ἡ μηχανή δουλεύει μέ ἠλεκτρισμό. *I've been ~ing hard (at it) all day and I'm exhausted*, δούλεψα σκληρά ὅλη τήν ἡμέρα καί εἶμαι ἐξαντλημένος. **9**. ζῶ, γυρίζω, εἶμαι: *The natives ~ naked*, οἱ ντόπιοι γυρίζουν γυμνοί. *They often ~ hungry*, συχνά εἶναι πεινασμένοι. *He went in fear of his life*, ζοῦσε μέ φόβο (φοβόταν) γιά τή ζωή του. *You'd better ~ armed while in the jungle*, καλύτερα νά εἶσαι ὡπλισμένος στή ζούγκλα. **10**. πηγαίνω, ἐξελίσσομαι: *If all ~es well*, ἄν πᾶνε (ἐξελιχθοῦν) ὅλα καλά... *Things went better than had been expected*, τά πράγματα πῆγαν καλύτερα ἀπ' ὅ,τι περιμέναμε. *How's work ~ing?* πῶς πάει ἡ δουλειά; ***How ~es it?*** (*καθομ.*) πῶς τά πᾶτε; πῶς πάει; **11**. φθάνω, ἐκτείνομαι: *The estate ~es down to the river*, τό κτῆμα φτάνει ὥς τό ποτάμι. *The mountains ~ from east to west*, τά βουνά ἐκτείνονται ἀπό ἀνατολικά πρός τά δυτικά. **12**. πωλοῦμαι: *The house went cheap*, τό σπίτι πουλήθηκε φτηνά. *The bike went to John for £20*, τό ποδήλατο πουλήθηκε στόν Γ. γιά 20 λίρες. ***Going! Going! Gone!***

(σέ δημοπρασίες) Ένα! Δύο! **Κατεκυρώθη!** **13**. πηγαίνω, ξοδεύομαι: *Most of his money ~es on books*, τά περισσότερα χρήματά του πάνε (ξοδεύονται) σέ βιβλία. *How much of your money ~es on clothing/in rent?* πόσα ἀπό τά λεφτά σου πᾶνε γιά ροῦχα/στό νοῖκι; **14**. ἐξασθενίζω: *My sight/strength is ~ing*, ἡ ὅρασίς μου/ἡ δύναμίς μου ἐξασθενίζει. **15**. φεύγω (=ἐγκαταλείπομαι, ἀπολύομαι, πωλοῦμαι): *Latin must ~*, τά Λατινικά πρέπει νά φύγουν (ἀπό τό πρόγραμμα). *The gardener must ~*, ὁ κηπουρός πρέπει νά ἀπολυθῆ. *The second car must ~*, τό δεύτερο αὐτοκίνητο πρέπει νά πουληθῆ. **16**. πεθαίνω: *He has gone, poor fellow!* πέθανε, ὁ καημένος! ***dead and gone***, πεθαμένος καί θαμένος. **17**. πηγαίνω, ἀποβαίνω: *The case went against him*, ἡ δίκη ἀπέβη ἐναντίον του. *How did the elections ~?* πῶς πῆγαν οἱ ἐκλογές; **18**. χρεωκοπῶ, χάνομαι, ἐξαφανίζομαι: *The bank may ~ any day*, ἡ Τράπεζα μπορεῖ νά χρεωκοπήση ἀπό στιγμή σέ στιγμή. *The mast went in the storm*, τό κατάρτι χάθηκε στή θύελλα. *All hope is gone/has gone*, χάθηκε κάθε ἐλπίδα. *My hat has gone!* πάει τό καπέλλο μου (ἐξαφανίστηκε)! **19**. πηγαίνω, λέω, ἔχω: *I'm not sure how the tune ~es*, δέν εἶμαι βέβαιος πῶς πάει ὁ σκοπός. *The story ~es that...*, λέγεται ὅτι... **20**. προχωρῶ, προοδεύω: *Differences between them ~ deep*, οἱ διαφορές μεταξύ τους προχωρᾶνε βαθιά. *He will ~ far in life*, θά πάη μπροστά στή ζωή. *Need I ~ any further?* εἶναι ἀνάγκη νά προχωρήσω περισσότερο; **21**. (*ἀκολουθούμενο ἀπό 'and' καί ῥῆμα*) πάω καί κάνω κτ: *G~ and shut the door!* ἄντε κλεῖσε τήν πόρτα! *He went and got married*, πῆγε καί παντρεύτηκε. ***Now you've been and gone and done it!*** (*λαϊκ.*) ὡραῖα τά κατάφερες! πῆγες καί τἄκανες μούσκεμα. **22**. χτυπῶ: *The bell's ~ing*, τό κουδοῦνι χτυπάει. *Has the bell gone?* χτύπησε τό κουδοῦνι; **23**. (*γιά χρόνο*) περνῶ: *Midnight went and still no sign of him*, πέρασαν τά μεσάνυχτα κι' αὐτός πουθενά νά φανῆ. *How ~es the time?* (*λαϊκ.*) τί ὥρα εἶναι; **24**. ***be ~ing to do sth***, πρόκειται νά κάμω κτ: *I'm ~ing to see him tomorrow*, πρόκειται (σκοπεύω, ἔχω ἀποφασίσει, ἔχομε κανονίσει) νά τόν δῶ αὔριο. *We are ~ing to have a storm*, πρόκειται (εἶναι πιθανόν) νά ἔχωμε θύελλα. **25**. *σέ ἰδιωματικές φράσεις*: ***~ a long way***, διαρκῶ πολύ: *She can make a little money ~ a long way*, μπορεῖ νά περάση πολύ καιρό μέ λίγα χρήματα. *A little of his company ~es a long way*, (*καθομ.*) ἡ συντροφιά του κουράζει εὔκολα, σύντομα γίνεται βαρετός. ***~ a long way towards doing sth***, συμβάλλω πολύ σέ κτ: *The Prime Minister's statement went a long way towards reassuring the nation*, ἡ δήλωσις τοῦ Πρωθυπουργοῦ συνέβαλε πολύ εἰς τό νά καθησυχάση τό ἔθνος. ***~ (very) far***, κρατῶ πολύ: *A pound doesn't ~ far nowadays*, μιά λίρα δέν κρατάει πολύ σήμερα. ***~ too far***, παρατραβάω κτ, τό παρακάνω: *You've gone too far this time*, τό παράκανες αὐτή τή φορά. *That's ~ing too far*, αὐτό παρατραβάει. ***~ as/so far as to do sth***, φθάνω μέχρι τοῦ σημείου νά: *I won't ~ as far as to say he's dishonest*, δέν θά φθάσω μέχρι τοῦ σημείου νά πῶ ὅτι εἶναι παλιάνθρωπος. ***as far as it ~es***, μέχρις ἑνός σημείου: *The report is accurate as far as it ~es*, ἡ ἔκθεσις εἶναι ἀκριβής μέχρι ἑνός σημείου/σέ ὅσα λέει (ἀλλά παραλείπει πολλά). ***~ to great lengths/trouble/pains to do sth***, καταβάλλω μεγάλη προσπάθεια νά: *He went to great trouble to make our stay comfortable*, κατέβαλε μεγάλη προσπάθεια νά κάνη τήν παραμονή μας ἄνετη. ***~ unpunished***, μένω ἀτιμώρητος. ***~ easy (with sb/sth)***, πηγαίνω κπ/κτ μέ τό μαλακό, σιγά-σιγά: *G~ easy with her!* πήγαινέ την μέ τό μαλακό! *G~ easy with/on the butter!* σιγά-σιγά τό βούτυρο! ***~ slow***, ἐπιβραδύνω. ***be ~ing strong***, κρατιέμαι καλά: *He's ninety but still ~ing strong*, εἶναι 90 χρονῶν ἀλλά κρατιέται ἀκόμα καλά! ***as men/things, etc ~***, ὅπως εἶναι οἱ ἄνθρωποι/τά πράγματα, κλπ, σήμερα: *£15 for a pair of shoes isn't bad as things ~ today*, 15 λίρες γιά ἕνα ζευγάρι παπούτσια δέν εἶναι ἄσχημα μέ τίς σημερινές τιμές. *He's a good worker as workers ~ nowadays*, εἶναι καλός ἐργάτης, μέ τά μέτρα τῶν σημερινῶν ἐργατῶν. ***~ it***, (*καθομ.*) τό ρίχνω ἔξω, ξοδεύω, γλεντῶ: *He's ~ing it!* τόν ἔπιασαν τά μεράκια/τά χουβαρδαλίκια. ***~ it alone***, ἐνεργῶ μόνος: *If you don't like the idea I'll ~ it alone*, ἄν δέν σᾶς ἀρέσει ἡ ἰδέα, θά τραβήξω μπροστά μόνος μου. (*βλ. & λ. abeyance, bad, block, coma, country, [1]dog, fashion, law, liquidation, [1]market, [1]piece, [1]pot, [2]rack, retirement, sea, seed, [1]sleep, stage, stake, street, war*). **26**. (*μέ ἐπιρ. & προθέσεις*):

go about, τριγυρίζω, κυκλοφορῶ, διαδίδομαι: *He's ~ing about with a French girl now*, τώρα γυρίζει μέ μιά Γαλλιδούλα. *A story/A rumour is ~ing about that...*, κυκλοφορεῖ μιά ἱστορία/μιά διάδοση ὅτι... ***~ about sth***, χειρίζομαι, ἀσχολοῦμαι μέ κτ: *How shall we ~ about this problem?* πῶς θά χειριστοῦμε αὐτό τό πρόβλημα; *G~ about your business!* κοίτα τή δουλειά σου!

go after sb/sth, κυνηγῶ, ἐπιδιώκω: *~ after a girl/a job*, κυνηγῶ μιά κοπέλλα/μιά δουλειά.

go against, πηγαίνω κόντρα, ἀντιβαίνω, ἀποβαίνω εἰς βάρος: *~ against one's father*, πάω κόντρα στόν πατέρα μου. *This ~es against my principles*, αὐτό ἀντιβαίνει στίς ἀρχές μου. *The war is ~ing against us*, ὁ πόλεμος ἐξελίσσεται σέ βάρος μας.

go ahead, προχωρῶ. ˋ**~-ahead**, ἄδεια: *give sb the ~-ahead*, δίνω σέ κπ τήν ἄδεια νά προχωρήση.

go along, προχωρῶ, συνοδεύω, συμφωνῶ: *You'll find it easier as you ~ along*, θά τό βρίσκης εὐκολώτερο καθώς θά προχωρῆς. *I'll ~ along with you as far as the station*, θά σέ συνοδεύσω ὥς τό σταθμό. *I can't ~ along with you on that point*, δέν μπορῶ νά συμφωνήσω μαζί σου σ' αὐτό τό σημεῖο. *G~ along with you!* ἀλλοῦ αὐτά! ἄσε τά κόλπα! κόφτο!

go at sb/sth, ἐπιτίθεμαι, ρίχνομαι, καταπιάνομαι: *They went at each other furiously*, ρίχτηκαν ὁ ἕνας στόν ἄλλον μέ μανία. *They were ~ing at the job for all they were worth*, εἶχαν ριχτῆ μέ τά μοῦτρα στή δουλειά.

go away with sb/sth, τό σκάω μέ κπ/κτ.
go back, ξαναγυρίζω, ἀνατρέχω, ἀθετῶ, ἀνακαλῶ: *His family ~es back to the 14th century*, ἡ οἰκογένειά του ἀνατρέχει στόν 14ον αἰῶνα. ~ *back on one's word/confession*, ἀθετῶ τό λόγο μου/ἀνακαλῶ τήν ὁμολογία μου.
go before, προηγοῦμαι: *Pride ~es before a fall*, ἡ ἀλαζονεία προηγεῖται τῆς πτώσεως.
go behind sb's back, λέω ἤ κάνω κτ πίσω ἀπό τήν πλάτη κάποιου.
go beyond, ὑπερβαίνω: ~ *beyond sb's instructions*, ἐνεργῶ καθ' ὑπέρβασιν τῶν ὁδηγιῶν κάποιου.
go by, *(α)* περνῶ: *Time went by slowly*, ἡ ὥρα περνοῦσε ἀργά. *Don't let this chance ~ by*, μήν ἀφήσης νά ξεφύγη (νά χαθῆ) αὐτή ἡ εὐκαιρία. *(β)* καθοδηγοῦμαι, ἔχω σά γνώμονα: *I'll ~ by what my solicitor says*, θά κάνω ὅ,τι μοῦ πῆ ὁ δικηγόρος μου. *This is a good rule to ~ by*, αὐτός ὁ κανόνας εἶναι καλός νά τόν ἔχη κανείς σά γνώμονα. *(γ)* κρίνω: *It's not wise to ~ by appearances*, δέν εἶναι φρόνιμο νά κρίνη κανείς ἀπό τά φαινόμενα. *I ~ by what I hear*, κρίνω ἀπ' ὅ,τι ἀκούω. ***~ by/ under the name of***, ὀνομάζομαι, ἀκούω εἰς τό ὄνομα. ***give sb the ~-by***, ἀγνοῶ κπ, κάνω πώς δέν τόν βλέπω.
go down, *(α)* (*γιά ἥλιο*) δύω, *(β)* (*γιά πλοῖο*) βουλιάζω, *(γ)* πέφτω: *The sea/wind/temperature/price/curtain went down*, ἡ θάλασσα/ὁ ἀέρας/ἡ θερμοκρασία/ἡ τιμή/ἡ αὐλαία ἔπεσε. *He went down on his knees*, ἔπεσε στά γόνατα (γονατιστός). *He went down with flu*, ἔπεσε κάτω μέ γρίππη. *(δ)* ἀποφοιτῶ, φεύγω γιά διακοπές (ἀπό Πανεπιστήμιο). *(ε)* μένω: *He'll ~ down in history as a great statesman*, θά μείνη στήν ἱστορία σάν μεγάλος πολιτικός. *(στ')* φθάνω: *This 'History of Europe' ~es down to 1914*, αὐτή ἡ "Ἱστορία τῆς Εὐρώπης" φθάνει ὥς τό 1914. *(ζ)* καταπίνω: *This pill won't ~ down*, αὐτό τό χάπι δέν πάει κάτω, δέν μπορῶ νά τό καταπιῶ. ***~ down with sb***, πιάνω, ἔχω ἐπιτυχία: *This won't ~ down with me*, αὐτά δέν πιάνουν σέ μένα, δέν τά καταπίνω ἐγώ αὐτά. *The play went down well/ like a bomb with provincial audiences*, τό ἔργο εἶχε μεγάλη ἐπιτυχία/ἔκανε "μπάμ" στίς ἐπαρχίες. *The new teacher doesn't ~ down well with his pupils*, ὁ νέος δάσκαλος δέν ἔχει ἐπιτυχία μέ τούς μαθητές του. ***~ down before sb***, ὑποκύπτω σέ κπ.
go for, *(α)* πάω νά φέρω: *Shall I ~ for a doctor?* νά πάω νά φέρω γιατρό; *(β)* ρίχνομαι ἐναντίον: *The dog went for the postman*, ὁ σκύλος ρίχτηκε στόν ταχυδρόμο. *G~ for him!* ἀπάνω του! *(γ)* ἰσχύω γιά: *What I've said about Smith ~es for you, too*, ὅ,τι εἶπα γιά τόν Σμίθ ἰσχύει καί γιά σένα.
go forth, (*λόγ.*) ἐκδίδομαι, δημοσιεύομαι.
go forward, προχωρῶ, προοδεύω: *The work is ~ing forward well*, ἡ δουλειά προχωρεῖ καλά.
go in for sth, συμμετέχω, ἀσχολοῦμαι, ἐπιδίδομαι: ~ *in for an examination*, συμμετέχω σέ ἐξετάσεις. ~ *in for stamp-collecting/ for politics/for sport*, ἐπιδίδομαι στή συλλογή γραμματοσήμων/ἀσχολοῦμαι μέ τήν πολιτική/μέ τά σπόρ.
go into, *(α)* εἰσέρχομαι, μπαίνω: ~ *into business*, μπαίνω στό ἐμπόριο. ~ *into society*, μπαίνω στήν καλή κοινωνία. ~ *into the Army/the Church/Parliament*, εἰσέρχομαι στό στρατό/στήν Ἐκκλησία/στή Βουλή. ~ *into details*, μπαίνω σέ λεπτομέρειες. ***~ into mourning***, ντύνομαι στά μαῦρα, φορῶ πένθος. *(β)* ἐξετάζω: ~ *deeply into a question*, ἐξετάζω ἕνα θέμα σέ βάθος. *This problem will need a lot of ~ing into*, αὐτό τό πρόβλημα θά χρειαστῆ μεγάλη ἐξέταση. *(γ)* ξεσπῶ: ~ *into fits of laughter/hysterics*, ξεσπῶ σέ ἀκράτητα γέλια/σέ ὑστερισμούς.
go off, *(α)* ἐκπυρσοκροτῶ: *The pistol went off by accident*, τό πιστόλι πῆρε φωτιά τυχαῖα. *(β)* (*γιά τροφές*) χαλῶ: *Meat/Milk/Fish ~es off quickly in hot weather*, τό κρέας/τό γάλα/τό ψάρι χαλάει γρήγορα μέ τή ζέστη. *(γ)* χάνω τίς αἰσθήσεις μου, ἀποκοιμιέμαι: *She went off into a faint*, λιποθύμισε. *Hasn't the baby gone off yet?* δέν ἀποκοιμήθηκε ἀκόμα τό μωρό; *(δ)* πωλοῦμαι: *The goods went off quickly*, τά ἐμπορεύματα πουλήθηκαν γρήγορα. *(ε)* φεύγω, τό σκάω: *Hamlet ~es off*, (*θέατρ.*) φεύγει ὁ Ἄμλετ. *He went off with my wife*, τὄσκασε μέ τή γυναίκα μου. *(στ')* παύω ν' ἀγαπῶ: *She's gone off Peter*, ἔπαψε νά τήν ἐνδιαφέρει ὁ Π. *I've gone off beer*, δέν μ' ἀρέσει πιά ἡ μπύρα. *(ζ)* πάω, ἐξελίσσομαι: *How did the meeting ~ off?* πῶς πῆγε ἡ συνεδρίασις; *The party went off well*, τό πάρτυ πῆγε καλά.
go on, *(α)* (*γιά χρόνο*) περνῶ: *As the months went on*, καθώς περνοῦσαν οἱ μῆνες. *(β)* ἐξακολουθῶ (*ἰδ.* ἄπρεπη συμπεριφορά): *If you ~ on like this, you'll be expelled*, ἄν ἐξακολουθήσης ἔτσι, θά ἀποβληθῆς. *(γ)* συμβαίνω: *What's ~ing on here?* τί συμβαίνει (τί γίνεται) ἐδῶ; *(δ)* στηρίζομαι: *What evidence have we got to ~ on?* τί ἀποδείξεις ἔχομε νά στηριχθοῦμε; *(ε)* ***~ on at sb***, ἀποπαίρνω, κατσαδιάζω, γκρινιάζω: *She ~es on at her husband terribly*, γκρινιάζει φοβερά τόν ἄντρα της. *(στ')* ***be ~ing on for***, πλησιάζω: *She's ~ing on for 30*, πλησιάζει τά 30. *(ζ)* ***be gone on sb***, (*λαϊκ.*) κάνω σάν τρελλός γιά κπ: *He's gone on Mary*, κάνει σάν τρελλός γιά τή Μ. *(η)* ***~ on about sth***, μιλῶ διαρκῶς γιά κτ: *I wish you'd stop ~ing on about my faults*, σέ παρακαλῶ πᾶψε νά μιλᾶς διαρκῶς γιά τά ἐλαττώματά μου. *(θ)* ***~ on (with sth/doing sth)***, συνεχίζω νά κάνω κτ: *G~ on with your work!* συνέχισε τή δουλειά σου! *G~ on reading!* συνέχισε τό διάβασμα! ***~ on to sth/to do sth***, ἐν συνεχείᾳ: *He went on to say that...*, ἐν συνεχείᾳ εἶπε ὅτι... *G~ on (with you)!* (*καθομ.*) ἀλλοῦ αὐτά! ἄσε τίς βλακεῖες! ***~ings-on***, συμβάντα, καμώματα: *What strange ~ings-on!* τί περίεργα συμβάντα/ καμώματα!
go out, *(α)* βγαίνω: *She was dressed to ~ out*, ἦταν ντυμένη γιά ἔξω. *She ~es out a great deal*, βγαίνει πολύ (εἶναι πολύ κοσμική). *How long has Mary been ~ing out with him?* (*καθομ.*) πόσον καιρό βγαίνει ἡ Μ. μαζί του; *(β)* σβύνω: *The fire/The lights went out*, ἡ φωτιά ἔσβυσε/τά φῶτα ἔσβυσαν. *(γ)* παύω νά

εἶμαι τῆς μόδας: *Have mini-skirts gone out?* *(δ)* ἐγκαταλείπω τήν ἐξουσία: *the party that has gone out*, τό κόμμα πού ἔφυγε ἀπό τήν ἀρχή. *(ε)* *(πεπαλ.)* ξενοδουλεύω: *She went out as a governess*, πῆγε γκουβερνάντα. *(στ')* ἀπεργῶ: *We shouldn't ~ out unless*..., δέν πρέπει ν' ἀπεργήσουμε ἐκτός ἐάν... *(ζ)* *(γιά ἔτος)* τελειώνω: *The year went out gloomily*, ὁ χρόνος τέλειωσε καταθλιπτικά. *(η)* συμπαθῶ, λυπᾶμαι κπ: *My heart ~es out to them*, ἔχουν ὅλη μου τή συμπάθεια. ***go out of print***, *(γιά βιβλίο)* ἐξαντλοῦμαι.

go over, *(α)* *(καθομ.)* κάνω ἐντύπωση: *Peter didn't ~ over well with her parents at the party*, ὁ Π. δέν ἔκανε καλή ἐντύπωση στούς γονεῖς της στό πάρτυ. *(β)* ἐξετάζω, ξανακοιτάζω, ἀνασκοπῶ, ξαναπερνῶ: *We must ~ over the accounts carefully*, πρέπει νά ἐξετάσωμε τούς λογαριασμούς προσεχτικά. *I'd like to ~ over the house before deciding to buy it*, θἄθελα νά ξανακοιτάξω τό σπίτι πρίν ἀποφασίσω νά τ' ἀγοράσω. *He went over the events of the week*, ἀνασκόπησε τά γεγονότα τῆς ἑβδομάδος. *Let's ~ over the first chapter once again*, ἄς ξαναπεράσωμε τό πρῶτο κεφάλαιο ἄλλη μιά φορά. **'~ing-'over** *οὐσ.* ‹C› *(πληθ. ~ings-over)* ξανακοίταγμα, ἐξέτασις. *(γ)* μεταπηδῶ, ἀλλάζω προτιμήσεις: *He's gone over to the conservatives*, μεταπήδησε στούς συντηρητικούς. *~ over to another brand of cigarettes*, ἀλλάζω μάρκα τσιγάρα.

go round *(α)* ἐπαρκῶ γιά ὅλους: *There isn't enough whisky to ~ round*, δέν ὑπάρχει ἀρκετό οὐΐσκυ γιά ὅλους. *(β)* πάω γύρω: *The main road was flooded and we had to ~ round*, ὁ κύριος δρόμος ἦταν πλημμυρισμένος καί χρειάστηκε νά πᾶμε γύρω. *(γ)* ἐπισκέπτομαι, περνῶ νά δῶ κπ: *We went round to my mother's/ to see my mother*, περάσαμε ἀπό τή μητέρα μου/νά δοῦμε τή μητέρα μου. ***~ round the bend***, *(καθομ.)* γίνομαι ἔξω φρενῶν, λυσσιάζω, τρελλαίνομαι.

go through *(α)* περνῶ: *The bullet went clean through the door*, ἡ σφαῖρα πέρασε ἐντελῶς τήν πόρτα. *The plan must ~ through the Town Council*, τό σχέδιο πρέπει νά περάση ἀπό τό Δημοτικό Συμβούλιο. *The Bill/The deal didn't ~ through*, τό Νομοσχέδιο δέν πέρασε/ἡ συμφωνία δέν κλείστηκε. *(β)* ἐξετάζω λεπτομερῶς, διεκπεραιώνω, ἐλέγχω: *~ through one's correspondence/an account*, διεκπεραιώνω τήν ἀλληλογραφία μου/ἐξετάζω ἕνα λογαριασμό. *(γ)* ἐρευνῶ: *The policeman went through her pockets*, ὁ ἀστυφύλακας ἔψαξε τίς τσέπες της. *(δ)* ἐκτελῶ, παίζω: *~ through a little comedy*, παίζω μιά μικρή κωμωδία. *(ε)* τραβῶ, ὑποφέρω: *If only you knew what I've gone through with her!* νἄξερες μονάχα τί τράβηξα μαζί της. *(στ')* ξοδεύω: *He's gone through a fortune/all his money*, ξόδεψε (ἔφαγε) ὁλόκληρη περιουσία/ὅλα του τά λεφτά. *(ζ)* *(γιά βιβλίο)* πουλῶ: *This book has gone through ten editions*, αὐτό τό βιβλίο ἔχει πουλήσει (ἔχει βγεῖ σέ) δέκα ἐκδόσεις. ***~ through with sth***, φθάνω κτ ὥς τό τέλος: *I'm determined to ~ through with the marriage*, εἶμαι ἀποφασισμένος νά πραγματοποιήσω τό γάμο.

go to/towards sth, κάνω, συγκροτῶ, συμβάλλω: *What qualities ~ to the making of a statesman?* ποιές ἀρετές κάνουν τόν πολιτικό; *This money will ~ towards your education*, αὐτά τά χρήματα θά συμβάλλουν στίς (θά χρησιμοποιηθοῦν γιά τίς) σπουδές σου.

go under, βουλιάζω, χρεωκοπῶ: *The firm will ~ under unless business improves*, ἡ ἑταιρία θά χρεωκοπήση ἄν δέν καλυτερέψουν οἱ δουλειές.

go up, *(α)* ἀνέρχομαι, ἀνεβαίνω: *Prices are ~ing up*, οἱ τιμές ἀνεβαίνουν. *~ up to town*, ἀνεβαίνω στήν πόλη *(ἰδ.* στό Λονδῖνο). *(β)* ὑψώνομαι, ἀνεγείρομαι: *New blocks of flats are ~ing up all over Athens*, καινούργιες πολυκατοικίες ἀνεγείρονται σ' ὅλη τήν 'Αθήνα. *(γ)* ἀνατινάσσομαι, ἀναφλέγομαι: *The bridge went up with a roar*, ἡ γέφυρα ἀνατινάχθηκε μέ πάταγο. *The building went up in flames*, τό χτίριο τυλίχτηκε στίς φλόγες. *(δ)* μπαίνω (σέ Πανεπιστήμιο).

go with, *(α)* συνοδεύω, συμβαδίζω: *I'll ~ with you*, θά σέ συνοδεύσω. *~ with a girl*, συνοδεύω μιά κοπέλλα. *We must ~ with the times*, πρέπει νά συμβαδίζωμε μέ τήν ἐποχή μας. *(β)* συμφωνῶ: *I can't ~ with you on that*, δέν μπορῶ νά συμφωνήσω μαζί σου σ' αὐτό. *(γ)* ταιριάζω: *The new curtains ~ well with the carpets*, οἱ καινούργιες κουρτίνες πᾶνε (ταιριάζουν) μέ τά χαλιά.

go without, κάνω χωρίς (κάτι), παραιτοῦμαι (ἀπό κάτι): *~ without food/a holiday*, μένω νηστικός/παραιτοῦμαι ἀπό τίς διακοπές μου. ***It ~es without saying that***..., εἶναι αὐτονόητο ὅτι...

[2]**go** /gəʊ/ *οὐσ.* ‹C,U› *(πληθ. goes* /gəʊz/) *(καθομ.)* **1**. δραστηριότης, ἐνεργητικότης, ἐνθουσιασμός: *He's full of ~ ; He has plenty of ~*, εἶναι γεμᾶτος δραστηριότητα. **2**. προσπάθεια, ἀπόπειρα: *have a ~ at sth*, κάνω μιά ἀπόπειρα. *have another ~*, ξαναδοκιμάζω. ***at one ~***, μέ μιᾶς, μέ τήν πρώτη: *He blew out all the candles at one ~*, ἔσβυσε ὅλα τά κεριά μέ τήν πρώτη. **3**. ***be on the ~***, εἶμαι διαρκῶς σέ κίνηση, στό πόδι: *She's been on the ~ all day*, εἶναι στό πόδι ὅλη τήν ἡμέρα. **4**. *(πεπαλ.)* ***be all the ~***, εἶμαι πολύ τῆς μόδας: *Garden parties are all the ~ this year*, τά γκάρντενπάρτυ εἶναι πολύ τῆς μόδας φέτος. **5**. ***no ~***, *(σέ σπόρ, κλπ)* λανθασμένη ἐκκίνηση, ἀδύνατο: *It's no ~ to ask/asking for a rise now*, εἶναι ἀδύνατο νά ζητήσης αὔξηση τώρα. *Is it a ~?* σύμφωνοι; *No ~!* δέν γίνεται!

goad /gəʊd/ *οὐσ.* ‹C› βουκέντρα, *(μεταφ.)* κίνητρον. —*ρ.μ.* ***~ sb on; ~ sb into doing sth***, κεντρίζω, παρακινῶ: *He was ~ed by hunger into stealing*, ἡ πεῖνα τόν ἔσπρωξε νά κλέψη. *~ sb into a fury*, ἐξαγριώνω κπ.

goal /gəʊl/ *οὐσ.* ‹C› **1**. σκοπός: *my ~ in life*, ὁ σκοπός τῆς ζωῆς μου. **2**. *(ποδόσφ.)* τέρμα, γκόλ: *score/kick a ~*, βάζω γκόλ. *win by three ~s to one*, κερδίζω 3–1. **'~·keeper**, τερματοφύλακας.

goat /gəʊt/ *οὐσ.* ‹C› γίδα. *'she-~/'nanny-~*, κατσίκα. *'he-~/'billy-~*, τράγος. ***get sb's ~***, *(λαϊκ.)* τσαντίζω κπ. ***play/act the giddy ~***, παριστάνω τόν τρελλό. ***separate the sheep from the ~s***, χωρίζω τά πρόβατα ἀπό τά γίδια, τούς καλούς ἀπό τούς κακούς. **`~-herd**, τσοπάνης, γιδοβοσκός. **`~·skin**, κατσικοτόμαρο, πέτσινο σακκάκι.

goat·ee /gəʊ`ti/ *οὐσ.* ‹C› μυτερό ὑπογένειο (σάν τοῦ τράγου), γενάκι, μοῦσι.

gob·bet /`gobɪt/ *οὐσ.* ‹C› κομμάτι, κοψίδι (κρέας).

[1]**gobble** /`gobl/ *ρ.μ/ὰ.* ~ ***(up)***, καταβροχθίζω, χάφτω, τρώω λαίμαργα.

[2]**gobble** /`gobl/ *ρ.ὰ.* (*γιά γάλο*) γλουγλουκίζω. __*οὐσ.* ‹C› γλουγλούκισμα.

go-between /`gəʊ bɪtwin/ *οὐσ.* ‹C› μεσάζων, μεσολαβητής.

gob·let /`goblət/ *οὐσ.* ‹C› κύπελλο (ποτῆρι μέ πόδι).

gob·lin /`goblɪn/ *οὐσ.* ‹C› καλικάντζαρος, διαβολάκι, τελώνιο.

go-cart /`gəʊ kat/ *οὐσ.* ‹C› **1**. καροτσάκι μωροῦ. **2**. χειράμαξο.

god /god/ *οὐσ.* ‹C› **1**. θεός: *the ~ of war/love*, ὁ θεός τοῦ πολέμου/τοῦ ἔρωτα. *a feast/sight for the ~s*, πανδαισία/θέαμα ἀντάξιο τῶν θεῶν. *He thinks he's a (little) tin ~*, νομίζει τόν ἑαυτό του θεό. ***make a ~ of sb/sth***, θεοποιῶ κπ/κτ: *He's made a ~ of his belly*, ἔχει θεοποιήσει τήν κοιλιά του. **the ~s**, (*θέατρ.*) γαλαρία, ἐξώστης. **2**. Θεός: ***G~ willing***, Θεοῦ θέλοντος. ***G~ knows***, Κύριος οἶδε, δέν ξέρω, μάρτυς μου ὁ Θεός: *G~ knows what he will do now*, Κύριος οἶδε (δέν ξέρω) τί θά κάμη τώρα. *G~ knows how much I loved you!* μάρτυς μου ὁ Θεός πόσο σ' ἀγάπησα. ***In G~'s name***, γιά τ' ὄνομα τοῦ Θεοῦ! ***Thank G~!*** δόξα τῷ Θεῷ **3**. (*ὡς α! συνθετ.*) **`~·child**, βαφτιστικός. **`~-daughter**, ἀναδεξιμιά. **`~·father**, νουνός. **`~·fearing** *ἐπ.* θεοφοβούμενος. **`~·forsaken** *ἐπ.* ἐγκαταλελειμένος ἀπό τό θεό, ἄθλιος: *a ~forsaken place*, καταραμένος τόπος. **`~·mother**, νουνά. ***fairy ~mother***, καλή νεράϊδα, εὐεργέτρια. **`~·parents**, νουνοί. **`~·send**, θεόπεμπτη τύχη, λαχεῖο, κελεποῦρι. **`~·son**, ἀναδεξιμιός. **'~·`speed**, κατευόδιο: *wish/bid sb ~speed*, εὔχομαι κατευόδιο σέ κπ.

god·dess /`godɪs/ *οὐσ.* ‹C› θεά: *Diana, the ~ of hunting*, ἡ Ἄρτεμις, ἡ θεά τοῦ κυνηγίου.

god·head /`godhed/ *οὐσ.* ‹U› θεότης.

god·less /`godləs/ *ἐπ.* ἄθεος, ἀσεβής. **~·ness** *οὐσ.* ‹U› ἀθεΐα, ἀσέβεια.

god·like /`godlaɪk/ *ἐπ.* θεῖος, θεϊκός, ἰσόθεος.

god·ly /`godlɪ/ *ἐπ.* (*-ier, -iest*) θεοσεβής, θρῆσκος, ἅγιος: *lead a ~ life*, κάνω ζωή ἁγίου. **god·li·ness** *οὐσ.* ‹U› θεοσέβεια, ἁγιωσύνη.

go-get·ter /`gəʊ `getə(r)/ *οὐσ.* ‹C› (*καθομ.*) δυναμικός ἄνθρωπος, καταφερτζῆς.

goggle /`gogl/ *ρ.ὰ.* ~ ***at***, γουρλώνω τά μάτια: *He ~d at her in surprise*, τήν κοίταζε μέ μάτια γουρλωμένα ἀπό ἔκπληξη. **`~-eyed** *ἐπ.* γουρλομάτης.

goggles /`goglz/ *οὐσ. πληθ.* χοντρά γυαλιά (μοτοσυκλεττιστοῦ, δύτη, κλπ).

go·ing /`gəʊɪŋ/ *οὐσ.* **1**. ‹U› δρόμος, πορεία: *The ~ is hard over this mountain*, ὁ δρόμος εἶναι δύσκολος πάνω ἀπ' αὐτό τό βουνό. **2**. ‹U› ταχύτης: *For a car like this, 60 miles an hour is good ~*, γιά ἕνα τέτοιο αὐτοκίνητο 60 μίλια τήν ὥρα εἶναι καλή ταχύτης. **3**. (*πληθ.*) ***comings and ~s***, πήγαινε-ἔλα, σούρτα-φέρτα. __*ἐπ.* **1**. ὑπάρχων, διαθέσιμος: *one of the best doctors ~*, ἕνας ἀπό τούς καλύτερους γιατρούς πού ὑπάρχουν. **2**. ἐν λειτουργία: *a ~ concern*, ἐπιχείρησις ἐν λειτουργία, πού πάει καλά.

goitre /`gɔɪtə(r)/ *οὐσ.* ‹C› (*ἰατρ.*) βρογχοκήλη.

gold /gəʊld/ *οὐσ.* ‹U› **1**. χρυσός, χρυσό νόμισμα: *£500 in ~*, 500 λίρες σέ χρυσό. *a ~ watch*, χρυσό ρολόϊ. *the ~ standard*, (*οἰκον.*) ὁ χρυσοῦς κανών. **2**. (*μεταφ.*) χρυσός: *a heart/voice of ~*, χρυσῆ καρδιά/φωνή. **3**. χρυσαφί (χρῶμα): *the ~ of leaves in autumn*, τό χρυσαφί τῶν φύλλων τό φθινόπωρο. **`~-bearing** *ἐπ.* χρυσοφόρος (πχ ἔδαφος). **`~-digger**, χρυσοθήρας. **`~-dust**, χρυσόσκονη. **`~-field**, χρυσοφόρος περιοχή. **`~-finch**, καρδερίνα, σπίνος. **`~·fish**, χρυσόψαρο. **'~-`foil**; **'~-`leaf**, φύλλο χρυσοῦ. **`~·mine**, χρυσωρυχεῖον. **'~-`plate**, χρυσᾶ σκεύη. **'~-`plated** *ἐπ.* ἐπιχρυσωμένος. **`~-rush**, χρυσοθηρία, ἐξόρμησις χρυσοθηρῶν. **`~-smith**, χρυσοχόος.

golden /`gəʊldn/ *ἐπ.* χρυσοῦς, χρυσαφένιος: *worship the ~ calf*, λατρεύω τόν χρυσοῦν μόσχον. *~ hair*, χρυσαφένια μαλλιά. *a ~ opportunity*, χρυσῆ εὐκαιρία. *a ~ wedding*, 50ή ἐπέτειος γάμου. **the '~ `age**, ὁ χρυσοῦς αἰών (τοῦ Περικλέους). **the G~ Fleece**, τό Χρυσόμαλλον Δέρας. **the '~ `mean**, τό χρυσοῦν μέσον, τό ὀρθόν μέτρον. **the '~ `rule**, ὁ χρυσός κανόνας.

golf /golf/ *οὐσ.* ‹U› γκόλφ. __*ρ.ὰ.* παίζω γκόλφ. **`~-links**; **`~-course**, γήπεδο τοῦ γκόλφ. **~er** *οὐσ.* ‹C› παίκτης γκόλφ.

gol·li·wog /`golɪwog/ *οὐσ.* ‹C› κούκλα ἀραπίνα.

golly /`golɪ/ *ἐπιφ.* ἐκπλήξεως (*πεπαλ.*) διάβολε! τί λές! πώ, πώ!

go·loshes /gə`loʃɪz/ *οὐσ. πληθ. βλ. galoshes.*

gon·dola /`gondələ/ *οὐσ.* ‹C› (*πληθ. ~s*) γόνδολα.

gon·do·lier /'gondə`lɪə(r)/ *οὐσ.* ‹C› γονδολιέρης.

gone /gon/ *π.μ. τοῦ ρ. go.* ***be ~***, εἶμαι ἔγκυος, ἄρρωστος, φευγᾶτος: *She's six months ~*, εἶναι ἕξη μηνῶν (ἔγκυος). *He's far ~*, εἶναι πολύ ἄρρωστος, (*καθομ.*) τοὔχει στρίψει. *Be ~!* δρόμο! στρίβε!

goner /`gonə(r)/ *οὐσ.* ‹C› (*λαϊκ.*) ξοφλημένος, κατεστραμμένος ἄνθρωπος.

gong /goŋ/ *οὐσ.* ‹C› γκόγκ, καμπάνα, κουδούνι.

gon·or·rhea (*καί* **-rhoea**) /'gonə`rɪə/ *οὐσ.* ‹U› (*ἰατρ.*) βλενόρροια.

[1]**good** /gʊd/ *ἐπ.* (*better, best*) **1**. καλός (= κατάλληλος, ἱκανός, εὐγενικός, εὐχάριστος, πρόσφορος, ἐπωφελής, ἔγκυρος, κλπ): *a woman of ~ family*, γυναίκα καλῆς οἰκογενείας. *water ~ to drink*, νερό (κατάλληλο) γιά πιόσιμο. *a ~ businessman/doctor/teacher*, καλός ἐπιχειρηματίας/γιατρός/δάσκαλος. *It's ~ to be home again*, εἶναι ὡραῖα νά ξαναβρίσκεται κανείς σπίτι του. *It was ~ of him to help them*, ἦταν εὐγενικό ἀπό μέρους του νά τούς βοηθήση. *How ~ of you!* εἶσθε πολύ καλός! μεγάλη ἡ καλωσύνη σας! *Will you be ~ enough/be so ~ as to post this letter for me?* θά ἔχετε τήν καλωσύνη νά μοῦ ταχυδρομῆστε

αὐτό τό γράμμα; *find a ~ excuse*, βρίσκω καλή δικαιολογία. *give sb a ~ beating/scolding*, δίνω γερό ξύλο/γερή κατσάδα σέ κπ. *He was in ~ spirits*, ἦταν σέ καλή διάθεση. *The news is ~ today*, τά νέα εἶναι καλά σήμερα. *My car is ~ for another five years*, τό αὐτοκίνητό μου θά κρατήση πέντε χρόνια ἀκόμα. *Are you ~ for a five-mile walk?* ἀντέχεις νά περπατήσωμε 5 μίλια; *The return ticket is ~ for one month*, τό εἰσιτήριο ἐπιστροφῆς ἰσχύει γιά ἕνα μῆνα. *G~ morning/evening/night*, καλημέρα/καλησπέρα/καληνύχτα. *G~!* ὡραῖα! περίφημα! *That's a ~'un* /gʊdn/ (*καθομ.*) καλό εἶναι αὐτό! (= ὡραῖο ἀνέκδοτο, ὡραία ἱστορία). *My ~ man/sir/friend*, (*εἰρωνικά, προστατευτικά ἤ ἀγανακτισμένα*) καλέ μου ἄνθρωπε/κύριε/φίλε. *How's your ~ man?/the ~ lady?* (*εὐγενικά ἤ ἀφ' ὑψηλοῦ*) πῶς εἶναι ὁ σύζυγός σας/ἡ κυρία σας; *G~ heavens/God/gracious!* (*ἐπιφ.*) Θεέ μου! ὄχι δά! ***be ~ at sth***, εἶμαι καλός σέ κτ: *He's ~ at languages/at telling stories*, εἶναι καλός στίς γλῶσσες/στό νά λέη ἱστορίες. ***be ~ for***, κάνω καλό εἰς: *Milk is ~ for children*, τό γάλα κάνει καλό στά παιδιά. *Exercise is ~ for the health*, ἡ γυμναστική κάνει καλό στήν ὑγεία. ***be ~ to sb***, εἶμαι καλός μέ κπ: *She has been a ~ wife to him*, τοῦ στάθηκε καλή σύζυγος. **2**. πολύς, ἀρκετός: *earn ~ money*, κερδίζω πολλά, ἔχω μεγάλο μισθό. *He's come a ~ way*, ἦλθε ἀπό μακρυά. ***a ~ many/few***, πολλοί: *a ~ many/few people*, ἕνα σωρό ἄνθρωποι. **3**. ὁλόκληρος: *I waited for a ~ hour*, περίμενα μιά ὁλόκληρη ὥρα. *It's a ~ three miles to the station*, εἶναι τρία ὁλόκληρα μίλια ὥς τό σταθμό. **4**. (*σέ ἰδιωματικές φράσεις*): ***as ~ as***, σχεδόν, στήν οὐσία: *He as ~ as said I was a liar*, σχεδόν εἶπε ὅτι εἶμαι ψεύτης. *It's as ~ as new*, εἶναι σχεδόν καινούργιο. *The matter is as ~ as settled*, τό θέμα ἔχει οὐσιαστικά ρυθμισθῆ. ***in ~ time***, ἐγκαίρως: *start/arrive/leave in ~ time*, ξεκινῶ/φθάνω/φεύγω ἐγκαίρως. ***all in ~ time***, πάνω στήν ὥρα, μέ τήν ὥρα του, μέ τόν καιρό του. ***It's a ~ thing (that)***, καλά πού, εὐτυχῶς πού: *It's a ~ thing (that) nobody saw you*, καλά πού δέν σέ εἶδαν. ***have a ~ mind (to do sth)***, ἔτσι μοῦρχεται νά: *I've a ~ mind to give him a good beating*, ἔτσι μοῦρχεται νά τοῦ δώσω ἕνα γερό ξύλο. ***have a ~ night***, κοιμᾶμαι καλά. ***have a ~ time***, περνῶ καλά, διασκεδάζω: *Did you have a ~ time at the party?* περάσατε καλά στό πάρτυ; **a `~-time girl**, (*καθομ.*) κορίτσι πού σκέφτεται μόνο τίς διασκεδάσεις. ***make ~***, προκόβω: *He went to Canada where he soon made ~*, πῆγε στόν Καναδᾶ ὅπου σύντομα πρόκοψε. ***make sth ~***, ἀποζημιώνω, πραγματοποιῶ, ἀποδεικνύω ἀποκαθιστῶ: *Who will make the theft ~ to me?* ποιός θά μέ ἀποζημιώση γιά τήν κλοπή; *He made ~ his escape*, πραγματοποίησε (ἔφερεν εἰς πέρας) τή δραπέτευσή του. *The plaster will have to be made ~ before you paint it*, θά πρέπει νά διορθωθῆ ὁ σουβᾶς πρίν τόν βάψης. *make ~ one's claim*, ἀποδεικνύω μιά ἀξίωσή μου. ***put in/say a ~ word for sb***, λέω καλό λόγο γιά κπ. ***throw ~ money after bad***, χάνω κι' ἄλλα χρήματα προσπαθώντας νά πάρω πίσω τά χαμένα. **5**. (*ὡς α! συνθετ.*) '**~-`fellowship**, συναδελφικότης. `**~-for-nothing**; `**~-for-naught**, *ἐπ.* & *οὐσ.* ‹C› ἄχρηστος, ἀκαμάτης, ἀλήτης. '**~ `humour**, καλή διάθεσις. '**~-`humoured**, καλοδιάθετος, καλόκεφος. '**~ `looks**, ὀμορφιά. '**~-`looking**, ὄμορφος. '**~-`natured**, καλόκαρδος, ἀγαθός, μειλίχιος, πρᾶος. '**~-`neighbourliness**, σχέσεις καλῆς γειτονίας. '**~ `sense**, ὀρθή κρίση, πρακτικός νοῦς. '**~-`tempered**, πρᾶος, ἤρεμος, καλοδιάθετος.

[2]**good** /gʊd/ *οὐσ.* ‹U› **1**. καλόν: *return ~ for evil*, ἀνταποδίδω καλόν ἀντί κακοῦ. *That's for your own ~* εἶναι γιά καλό σου. ***do (sb) ~***, κάνω καλό (σέ κπ): *Eat more fruit; it will do you ~*, νά τρῶς περισσότερα φροῦτα, θά σοῦ κάνη καλό. *Much ~ may it do you!* (*εἰρων.*) πολύ πού θά σέ ὠφελήση! ***(do sth) for the ~ of***, (κάνω κτ) γιά τό καλό τοῦ: *work for the ~ of the country*, δουλεύω γιά τό καλό τῆς χώρας. ***be up to no ~***, σκαρώνω παληοδουλειά, δέν πάω γιά καλό. ***What's the ~ of (doing sth)?*** τί ὠφελεῖ νά (κάνης κτ); ***It's no/not much/not any ~ (doing sth)***, δέν ὠφελεῖ νά (κάνης κτ): *It's no ~ (my) talking to him*, δέν ὠφελεῖ νά τοῦ μιλήσω. **2**. ***for ~ (and all)***, γιά πάντα: *I'm leaving Greece for ~*, φεύγω γιά πάντα ἀπό τήν Ἑλλάδα. **3**. ***to the ~***, ἔχω καθαρό κέρδος: *We were £500 to the ~*, εἴχαμε 500 λίρες καθαρό κέρδος. **4**. (*πληθ., ἀλλά ποτέ μέ ἀριθμητικά*) ἀγαθά, ἐμπορεύματα: *leather ~s*, δερμάτινα εἴδη. *Half the ~s were damaged*, τά μισά ἐμπορεύματα ἦταν κατεστραμμένα. ***deliver the ~s***, παραδίδω τά ἐμπορεύματα, (*λαϊκ.*) ἐκπληρῶ τίς ὑποχρεώσεις μου. ***~s and chattels***, (*νομ.*) προσωπικά ὑπάρχοντα, κινητά πράγματα. ***a piece of ~s***, (*καθομ.*) κορίτσι: *She's a saucy little piece of ~s*, εἶναι μιά τσαχπίνα! `**~s train**, φορτηγό τραῖνο.

good-bye /'gʊd`baɪ/ *ἐπιφ.* ἀντίο: *say ~ to sb*, λέω ἀντίο σέ κπ.

good·ish /`gʊdɪʃ/ *ἐπ.* μεγαλούτσικος, κάμποσος: *It's a ~ step from here*, εἶναι ἀρκετά μακρυά ἀπό δῶ.

good·ly /`gʊdlɪ/ *ἐπ. (-ier, -iest)* (*λόγ.*) **1**. εὐειδής, ὡραῖος. **2**. εὐμεγέθης, σημαντικός, μεγάλος: *a ~ sum of money*, σημαντικό χρηματικό ποσόν. *a ~ heritage*, μεγάλη κληρονομιά.

good·ness /`gʊdnəs/ *οὐσ.* ‹U› **1**. (*λογ.*) καλωσύνη, ἀρετή: *Have the ~ to step in*, εὐαρεστηθῆτε νά περάσετε μέσα. **2**. οὐσία: *Don't boil all the ~ out of the meat!* μήν παραβράζης τό κρέας καί χάσει ὅλη του τήν οὐσία. **3**. ἀντί τῆς λέξεως *God*: *G~ gracious! My ~! G~ me! For ~' sake!* Γιά τ' ὄνομα τοῦ Θεοῦ! Θεέ μου! ***G~ knows***, ὁ Θεός ξέρει, μάρτυς μου ὁ Θεός: *G~ knows I've tried hard*, μάρτυς μου ὁ Θεός πώς ἔκανα ὅ,τι μποροῦσα.

good·will /'gʊd`wɪl/ *οὐσ.* ‹U› **1**. καλή διάθεσις, φιλικότης: *a policy of ~ in international relations*, μιά πολιτική φιλίας (καλῆς θελήσεως) στίς διεθνεῖς σχέσεις. **2**. (*ἐμπ.*) πελατεία, ἀέρας: *The ~ is to be sold with the business*, μαζί μέ τήν ἐπιχείρηση θά πουληθῆ κι' ὁ ἀέρας.

goody /ˋgʊdɪ/ *οὐσ.* ‹C› (*καθομ.*) καραμέλα, γλύκισμα.

goody-goody /ˋgʊdɪ gʊdɪ/ *ἐπ.* & *οὐσ.* ‹C› (ἕνας) πού παριστάνει τόν εὐσεβῆ ἤ τόν σεμνό: *He's/She's a* ~, εἶναι θεομπαίχτης/σιγανοπαπαδιά.

goofy /ˋgufɪ/ *ἐπ.* *(-ier, -iest)* (*λαϊκ.*) ἀνόητος, χαζός, μποῦφος.

goose /gus/ *οὐσ.* ‹C› (*πληθ.* *geese* /gis/) **1**. χήνα. ***cook sb's*** **~**, θέτω τέρμα στίς ἐλπίδες κάποιου. ***kill the ~ that lays the golden eggs***, (*παροιμ.*) σφάζω τή χήνα πού γεννάει τά χρυσᾶ αὐγά (θυσιάζω μελλοντικά κέρδη στίς ἀνάγκες τοῦ παρόντος). ***be unable to say 'boo' to a*** **~**, εἶμαι πολύ δειλός. **ˋ~-flesh**, ἀνατριχίλα (ἀπό κρύο, φόβο, κλπ). **ˋ~-step**, (*στρατ.*) βῆμα χήνας. **2**. (*καθομ.*) κουτορνίθι: *You silly* ~*!* χαζοπουλάδα!

goose·berry /ˋgʊzbrɪ/ *οὐσ.* ‹C› φραγκοστάφυλο. ***play*** **~**, (*λαϊκ.*) κάνω χαλάστρα μέ τήν παρουσία μου, κρατάω φανάρι.

Gor·dian /ˋgɔdɪən/ *ἐπ.* γόρδιος: *cut the* ~ *knot*, κόβω τό γόρδιο δεσμό.

gore /gɔ(r)/ *οὐσ.* ‹C› (*λογοτ.*) πηχτό αἷμα. —*ρ.μ.* τρυπῶ (μέ τά κέρατα), ξεκοιλιάζω: *The bull* ~*d him to death*, ὁ ταῦρος τόν σκότωσε τρυπώντας τον μέ τά κέρατά του.

gorge /gɔdʒ/ *οὐσ.* ‹C› **1**. φαράγγι, λαγκάδα. **2**. λαρύγγι, (*μεταφ.*) στομάχι: *His* ~ *rose at the sight*, τοῦ ἦρθε ἐμετός (ἀηδίασε) ἀπό τό θέαμα. *The sight made his* ~ *rise*, τό θέαμα τοὔφερε ἐμετό. —*ρ.μ/ἀ.* **~ *(oneself) on/with sth***, τρώω λαίμαργα, πρήζομαι στό φαΐ: *He* ~*d on rich food*, πρήστηκε ἀπό τά λίπη (λιπαρές τροφές). *He* ~*d himself with meat*, τήν ἔκαμε ταράτσα μέ (χόρτασε) κρέας. —*οὐσ.* ‹C› φαγοπότι, παραχόρτασμα.

gorg·eous /ˋgɔdʒəs/ *ἐπ.* λαμπρός, ὑπέροχος, ἔξοχος: *a* ~ *sunset*, λαμπρό ἡλιοβασίλεμα. ~ *weather*, ὑπέροχος καιρός. **~·ly** *ἐπίρ.* ὑπέροχα.

Gor·gon /ˋgɔgən/ *οὐσ.* ‹C› γοργόνα.

gor·illa /gəˋrɪlə/ *οὐσ.* ‹C› (*πληθ.* ~*s*) γορίλλας.

gor·man·dize /ˋgɔməndaɪz/ *ρ.ἀ.* τρώγω λαίμαργα, περιδρομιάζω.

gorse /gɔs/ *οὐσ.* ‹U› (*βοτ.*) ράχος ὁ Εὐρωπαϊκός, σπαλάθρι.

gory /ˋgɔrɪ/ *ἐπ.* *(-ier, -iest)* αἱματοβαμμένος, γεμᾶτος αἵματα.

gosh /gɒʃ/ *ἐπιφ.* (*λαϊκ.*) νά πάρη ἡ εὐχή! Θεέ μου!

gos·ling /ˋgɒzlɪŋ/ *οὐσ.* ‹C› χηνάκι.

gos·pel /ˋgɒspl/ *οὐσ.* ‹C› **1**. **G~**, Εὐαγγέλιο: *preach the G*~, κηρύττω τό εὐαγγέλιο. *The G*~ *according to St John*, τό κατά Ἰωάννην Εὐαγγέλιον. **ˈG~ ˋoath**, ὅρκος στό Εὐαγγέλιο. **2**. εὐαγγέλιο, κάτι στό ὁποῖο πιστεύει κανείς τυφλά: *the* ~ *of fresh air and exercise*, τό εὐαγγέλιο τοῦ καθαροῦ ἀέρα καί τῆς γυμναστικῆς. **It's G~ truth**, εἶναι εὐαγγέλιο.

gos·sa·mer /ˋgɒsəmə(r)/ *οὐσ.* ‹C,U› ἱστός ἀράχνης, λεπτότατο τοῦλι, (*ἐπιθετ.*) ἀραχνοΰφαντος: *a* ~ *veil*, ἀραχνοΰφαντο πέπλο.

gos·sip /ˋgɒsɪp/ *οὐσ.* **1**. ‹U› κουτσομπολιό: *Don't believe all the* ~ *you hear*, μή πιστεύεις ὅλα τά κουτσομπολιά πού ἀκοῦς. *She's too fond of* ~, τῆς ἀρέσει πολύ τό κουτσομπολιό. **2**. ‹U› (*δημοσιογρ.*) *the ˋ*~ *column*, κοσμικές εἰδήσεις. *a ˋ*~ *writer*, κοσμικογράφος. **3**. ‹C› κουβεντούλα, κουβεντολόϊ: *have a good* ~ *with a neighbour over the garden fence*, τά λέω μ' ἕνα γείτονα πάνω ἀπό τό φράχτη τοῦ κήπου. **4**. ‹C› κουτσομπόλης: *She's an old* ~, εἶναι γρηακουτσομπόλα. —*ρ.ἀ.* *(-pp-)* **~ *about sb/sth***, κουτσομπολεύω. **~ *with sb***, πιάνω κουβεντολόϊ μέ κπ.

got /gɒt/ *ἀόρ.* & *π.μ.* *τοῦ ρ. get*.

Goth /gɒθ/ *οὐσ.* ‹C› Γότθος, βάνδαλος. **~ic** /ˋgɒθɪk/ *ἐπ.* γοτθικός: ~*ic architecture*, γοτθική ἀρχιτεκτονική.

gotten /ˋgɒtən/ (*ΗΠΑ*) *π.μ.* *τοῦ ρ. get*. ***ill-~ gains***, διαβολομαζώματα.

gouge /gaʊdʒ/ *οὐσ.* ‹C› σκαρπέλο. —*ρ.μ.* **~ *(out)***, ἀνοίγω (αὐλάκι) μέ σκαρπέλο, ἐξορύσσω, βγάζω: ~ *out sb's eye with one's thumb*, βγάζω τό μάτι κάποιου μέ τό δάχτυλό μου.

gou·lash /ˋgulæʃ/ *οὐσ.* ‹C,U› γκούλας (πικάντικο στιφάδο).

gourd /gʊəd/ *οὐσ.* ‹C› νεροκολόκυθο, φλασκί.

gour·mand /ˋgʊəmənd/ *οὐσ.* ‹C› (καλο)φαγᾶς.

gour·met /ˋgʊəmeɪ/ *οὐσ.* ‹C› καλοφαγᾶς, γνώστης τοῦ καλοῦ φαγητοῦ καί ποτοῦ.

gout /gaʊt/ *οὐσ.* ‹U› (*ἰατρ.*) ἀρθρῖτις. **~y** *ἐπ.* ἀρθριτικός.

gov·ern /ˋgʌvn/ *ρ.μ/ἀ.* **1**. κυβερνῶ: *The king reigns but does not* ~, ὁ βασιλεύς βασιλεύει ἀλλά δέν κυβερνᾶ. **2**. ἐξουσιάζω, συγκρατῶ: ~ *one's temper/passions*, συγκρατῶ τό θυμό μου/ἐξουσιάζω τά πάθη μου. **3**. διέπω: *the laws that* ~ *chemical reactions*, οἱ νόμοι πού διέπουν τίς χημικές ἀντιδράσεις. **4**. (*συνήθ. εἰς παθ. φων.*) ἐπηρεάζω, κατευθύνω: *We should not be* ~*ed by the opinions of others*, δέν θἄπρεπε νά ἐπηρεαζόμεθα ἀπό τίς γνῶμες τῶν ἄλλων. *Our policy should be* ~*ed by justice*, ἡ πολιτική μας πρέπει νά κατευθύνεται ἀπό τή δικαιοσύνη. **5**. (*γραμμ.*) συντάσσομαι μέ: *This verb* ~*s the accusative*, αὐτό τό ρῆμα συντάσσεται μέ αἰτιατική. **~·ing** *ἐπ.* διευθύνων, διοικῶν, κυβερνῶν: *the* ~*ing body of a school*, τό διοικητικόν συμβούλιον ἑνός σχολείου, ἡ σχολική ἐφορία. *the* ~*ing classes*, οἱ κυρίαρχες τάξεις, αὐτές πού κυβερνοῦν. *the* ~*ing ideas of a plan*, οἱ κατευθυντήριες ἰδέες ἑνός σχεδίου.

gov·ern·ance /ˋgʌvnəns/ *οὐσ.* ‹C,U› (*ἀπηρχ.*) διοίκησις, ἐξουσία.

gov·ern·ess /ˋgʌvənɪs/ *οὐσ.* ‹C› γκουβερνάντα, νταντά.

gov·ern·ment /ˋgʌvənmənt/ *οὐσ.* **1**. ‹U› (δια)κυβέρνησις: *form of* ~, μορφή διακυβερνήσεως, καθεστώς. *local* ~, αὐτοδιοίκησις. **2**. ‹C› κυβέρνησις: *He was called to form a* ~, ἐκλήθη νά σχηματίση κυβέρνηση. **ˈG~ ˋHouse**, κυβερνεῖον. **G~ securities**, κρατικά χρεώγραφα. **~al** /ˈgʌvnˋmentl/ *ἐπ.*

gov·ernor /ˋgʌvənə(r)/ *οὐσ.* ‹C› **1**. κυβερνήτης, διοικητής (τραπέζης, κλπ): *the G*~ *of New York State*, ὁ Κυβερνήτης τῆς Πολιτείας τῆς Νέας Ὑόρκης. **ˈG~ ˋGeneral**, Γενικός Διοικητής. **2**. μέλος Διοικητικοῦ Συμβουλίου, Ἐφορίας σχολείου, κλπ. **3**. (*καθομ.*) ἀφεντικό, ὁ γέρος (ὁ πατέρας). **4**. (*τεχν.*) αὐτόματος ρυθμιστής.

gown /gaʊn/ *οὐσ.* ‹C› **1**. φόρεμα, ἐσθήτα: *a `night ~*, νυχτικό. *a `dressing ~*, πενιουάρ, ρόμπ-ντε-σάμπρ. **2**. τήβεννος. **~ed** *ἐπ.* ντυμένος: *beautifully ~ed women*, ὁμορφοντυμένες γυναῖκες.

grab /græb/ *ρ.μ/ὰ.* *(-bb-)* ~ *(**at**)*, βουτάω, ἁρπάζω: *The dog ~bed the bone and ran off with it*, ὁ σκύλος βούτηξε τό κόκκαλο καί τὄσκασε. *He ~bed at the opportunity of going abroad*, ἅρπαξε τήν εὐκαιρία νά πάη στό ἐξωτερικό. *__οὐσ.* ‹C› **1**. ἅρπαγμα, βουτιά: *make a ~ at sth*, κάνω βουτιά ν' ἁρπάξω κτ. **2**. ἁρπάγη. **~·ber** *οὐσ.* ‹C› ἅρπαγας.

grace /greɪs/ *οὐσ.* ‹C,U› **1**. χάρις, θέλγητρον, γοητεία: *dance with ~*, χορεύω μέ χάρη. **2**. ἄνεσις τρόπων, εὐπρέπεια, εὐγένεια: *He had the ~ to apologize*, εἶχε τήν εὐπρέπεια (τήν εὐγένεια) νά ζητήση συγγνώμη. ***airs and ~s***, (ἐξεζητημένο & ἀνόητο) ὕφος, καμώματα, ἐπιτηδευμένοι τρόποι. ***do sth with a good/bad ~***, κάνω κτ πρόθυμα/ἀπρόθυμα. **3**. εὔνοια, προθεσμία κατά χάριν. ***an act of ~***, χατήρι, χάρη, ἀπονομή χάριτος, ἐπιείκεια. ***be in sb's good ~s***, ἔχω τήν εὔνοια, τή συμπάθεια κάποιου. ***fall out of ~ with sb***, χάνω τήν εὔνοια/τή συμπάθεια κάποιου. ***days of ~***, νόμιμος προθεσμία κατά χάριν (*πχ* ἐπί συναλλαγματικῶν). ***give sb a week's ~***, δίδω μία ἑβδομάδα προθεσμία κατά χάριν. **4**. ἔλεος, θεία χάρις: *By God's ~*, θείᾳ χάριτι. **year of ~**, σωτήριον ἔτος. **5**. εὐχαριστία (προσευχή πρό ἤ μετά τό φαγητό): *say (a) ~*. **6**. (γιά δούκα ἤ δούκισσα) Ὑψηλότης, (γιά ἀρχιεπίσκοπο) Μακαριώτατος: *His/Her G~*, ἡ Αὐτοῦ/Αὐτῆς Ὑψηλότης. *Your G~*, Μακαριώτατε. **7**. **the G~s**, οἱ (τρεῖς) Χάριτες. *__ρ.μ.* τιμῶ, κοσμῶ: *The Queen ~d the meeting with her presence*, ἡ Βασίλισσα ἐτίμησε τήν συγκέντρωση διά τῆς παρουσίας της. *Her character is ~d with every virtue*, ὁ χαρακτήρας της κοσμεῖται μέ ὅλες τίς ἀρετές.

grace·ful /`greɪsfl/ *ἐπ.* χαριτωμένος, κομψός, εὐγενικός: *a ~ dancer*, χορευτής ὅλο χάρι. *a ~ letter of thanks*, εὐγενικό εὐχαριστήριο γράμμα. **~ly** *ἐπίρ.* εὐγενικά, μέ χάρι.

grace·less /`greɪsləs/ *ἐπ.* ἀπρεπής, ἀγενής, ἄχαρος: *~ behaviour*, ἄπρεπο φέρσιμο. **~·ly** *ἐπίρ.*

gra·cious /`greɪʃəs/ *ἐπ.* **1**. (*γιά ἄνθρ.*) προσηνής, καλός, εὐγενικός, εὐχάριστος: *It was ~ of her to come*, ἦταν εὐγενικό ἀπό μέρους της νά ἔλθη. *He was the most ~ of hosts*, ἦταν ὁ πιό εὐχάριστος οἰκοδεσπότης. **2**. (*γιά τό Θεό*) φιλεύσπλαχνος, ἐλεήμων. **3**. *ἐπιφ. ἐκπλήξεως: Good ~! G~ goodness! G~ me!* Χριστέ καί Κύριε! μή χειρότερα! **~·ly** *ἐπίρ.* εὐγενικά, πρόσχαρα. **~·ness** *οὐσ.* ‹U› καλωσύνη, χάρις, εὐσπλαχνία.

gra·da·tion /greɪ`deɪʃn/ *οὐσ.* ‹C,U› διαβάθμισις, κλιμάκωσις, βαθμιαία μετάβασις, βαθμίδα.

[1]**grade** /greɪd/ *οὐσ.* ‹C› **1**. κλάσις, κατηγορία: *top ~ quality*, ἀνωτάτης ποιότητος. *It's ~ A*, εἶναι πρώτης τάξεως, στήν πρώτη κατηγορία. **2**. (*σχολ.*) βαθμός, βαθμίδα: *get a good ~*, παίρνω καλό βαθμό. *The rank of major is one ~ higher than that of captain*, ὁ βαθμός τοῦ ταγματάρχη εἶναι ἕνα σκαλοπάτι παραπάνω ἀπό τοῦ λοχαγοῦ. *have a high ~ of intelligence*, ἔχω ὑψηλόν βαθμόν εὐφυΐας. ***make the ~***, (*σχολ.*) περνάω τή βάση. **3**. (*ΗΠΑ, σχολ.*) τάξις: *An elementary school in the USA has eight ~s*, τό Δημοτικό σχολεῖο στίς ΗΠΑ ἔχει ὀκτώ τάξεις. **4**. (*ΗΠΑ*) κλίσις (ἐδάφους) (*πρβλ. MB gradient*). ***on the `up/`down ~***, σέ ἄνοδο/σέ πτώση: *Business is on the up ~*, οἱ δουλειές εἶναι σέ ἄνοδο.

[2]**grade** /greɪd/ *ρ.μ.* **1**. ταξινομῶ: *~d by size*, ταξινομημένα κατά μέγεθος. **2**. ἰσοπεδώνω (ἔδαφος). **3**. ~ *(**up**)*, διασταυρώνω (ζῶα) μέ καλύτερη ράτσα.

gradi·ent /`greɪdɪənt/ *οὐσ.* ‹C› κλίσις (ἐδάφους), βαθμός κλίσεως: *a steep ~*, ἀπότομη κλίσις.

grad·ual /`grædʒʊəl/ *ἐπ.* βαθμιαῖος: *a ~ increase in the cost of living*, βαθμιαία αὔξησις στό κόστος ζωῆς. **~ly** /-dʒʊlɪ/ *ἐπίρ.* βαθμηδόν.

[1]**grad·uate** /`grædʒʊət/ *οὐσ.* ‹C› **1**. (*MB*) πτυχιοῦχος Πανεπιστημίου: *post-~ studies*, μεταπτυχιακές σπουδές. **2**. (*ΗΠΑ*) ἀπόφοιτος, πτυχιοῦχος: *a high school ~*, ἀπόφοιτος γυμνασίου.

[2]**grad·uate** /`grædʒʊeɪt/ *ρ.μ/ὰ.* **1**. βαθμολογῶ: *a ruler ~d in inches*, χάρακας βαθμολογημένος σέ ἴντσες. **2**. διαβαθμίζω, κλιμακώνω: *~d taxation*, κλιμακωτή/προοδευτική φορολογία. **3**. ἀποφοιτῶ (*στήν MB ἀπό Πανεπιστήμιο, στίς ΗΠΑ ἀπό ὁποιοδήποτε σχολεῖο*): *He ~d from Oxford/~d in law*, πῆρε πτυχίο ἀπό τήν Ὀξφόρδη/στά νομικά. **4**. (*ΗΠΑ*) δίνω πτυχίον: *Our University ~d 300 students last year*, τό Πανεπιστήμιό μας ἔδωσε πτυχία σέ 300 σπουδαστές πέρυσι. **gradu·ation** /ˌgrædʒʊ`eɪʃn/ *οὐσ.* ‹C,U› ἀποφοίτησις, κλιμάκωσις, διαβάθμισις, (*ΗΠΑ*) τελετή ἀπονομῆς πτυχίων.

graf·fito /grə`fiːtəʊ/ *οὐσ.* ‹C› (*συνήθ. πληθ. -ti* /-tiː/) (*συνήθ.* χυδαία) φράσις ἤ παράστασις (γραμμένη ἤ χαραγμένη σέ τοῖχο).

[1]**graft** /grɑːft/ *οὐσ.* ‹C› (*δενδρ.*) μπόλι, κεντρί, (*ἰατρ.*) μόσχευμα. *__ρ.μ.* μπολιάζω, κεντρώνω, μεταμοσχεύω: *~ one variety on/upon/in/into another*, κεντρώνω μιά ποικιλία σέ ἄλλη. *~ new skin*, μεταμοσχεύω νέο δέρμα.

[2]**graft** /grɑːft/ *οὐσ.* ‹C,U› δωροδοκία, ἐξαγορά, λοβιτοῦρα. *__ρ.ὰ.* κάνω λοβιτοῦρες, δωροδοκῶ/-οῦμαι.

grail /greɪl/ *οὐσ.* ‹C› (*συνήθ.* **the Holy G~**), τό Ἅγιον Ποτήριον (τοῦ Μυστικοῦ Δείπνου).

grain /greɪn/ *οὐσ.* ‹C,U› **1**. (*περιλ. ἑν.*) δημητριακά, γεννήματα: *~ imports*, εἰσαγωγές δημητριακῶν. *a cargo of ~*, φορτίο δημητριακῶν. **2**. σπυρί: *a few ~s of rice*, λίγα σπυριά ρύζι. **3**. (*κυριολ. & μεταφ.*) κόκκος, ψῆγμα: *~s of sand/salt/gold*, κόκκοι ἄμμου/ἁλατιοῦ/ψήγματα χρυσοῦ. *a boy without a ~ of sense*, παιδί χωρίς κόκκο λογικῆς, χωρίς κουκούτσι μυαλό. **4**. ἐλαχίστη μονάς βάρους (=0.065 γραμ.) **5**. νερά (τοῦ ξύλου), ὑφή. ***be/go against the ~***, εἶναι ἀντίθετο πρός τή φύση μου, πρός τό χαρακτῆρα μου.

gram(me) /græm/ *οὐσ.* ‹C› γραμμάριον.

gram·mar /`græmə(r)/ *οὐσ.* ‹U› γραμματική.

`~**-school**, (*MB*) σχολεῖον ἀκαδημαϊκῆς μορφώσεως (περίπου σάν τό Ἑλλην. λύκειο).

gram·mati·cal /grə`mætɪkl/ *ἐπ.* γραμματικός: ~ *errors/terms*, γραμματικά λάθη/-οί ὅροι.

gramo·phone /`græməfəʊn/ *οὐσ.* ‹C› (*ΗΠΑ phonograph*) γραμμόφωνον (*ἐν χρήσει*: *record-player*).

gram·pus /`græmpəs/ *οὐσ.* ‹C› (*πληθ.* ~*es*) **1**. μεγάλο δελφίνι. **2**. (*καθομ.*) ἀσθματικός ἄνθρωπος.

gran·ary /`grænərɪ/ *οὐσ.* ‹C› σιταποθήκη, σιτοβολών: *Thessaly is the ~ of Greece*.

grand /grænd/ *ἐπ.* (*-er, -est*) **1**. (*σέ τίτλους*) Μέγας: *G~ Vizier/Duke*, Μέγας Βεζύρης/Μέγας Δούξ. **2**. μέγας, κύριος, ἐπίσημος: *the ~ question*, τό μέγα, τό κύριον θέμα. *the ~ staircase/entrance*, ἡ ἐπίσημη σκάλα/εἴσοδος. *the G~ Army/Armada*, ἡ Μεγάλη Στρατιά/Ἀρμάδα. `**~stand**, (*σέ γήπεδο*) ἡ μεγάλη ἐξέδρα, ἡ ἐξέδρα τῶν ἐπισήμων. **the 'G~ `Tour**, (*παλαιότ.*) τό μεγάλο ταξίδι (στίς κυριώτερες πόλεις τῆς Εὐρώπης). **3**. πλήρης, γενικός, συνολικός: *a ~ orchestra*, πλήρης ὀρχήστρα. *~ opera*, μελόδραμα. *the ~ total*, τό γενικόν σύνολον. *the ~ result of our efforts*, τό τελικό ἀποτέλεσμα τῶν προσπαθειῶν μας. **4**. μεγαλοπρεπής, λαμπρός, ἐπιβλητικός, ἀρχοντικός: *a ~ view*, μεγαλοπρεπής θέα. *~ clothes*, λαμπρά ροῦχα. *a ~ old lady*, μεγάλη κυρία, ἀρχόντισσα. *live in ~ style*, ζῶ ἀρχοντικά. *put on a ~ air*, παίρνω ἐπιβλητικό ὕφος. **5**. (*καθομ.*) περίφημος, ἔξοχος, σπουδαῖος: *We had a ~ time*, περάσαμε περίφημα. *What ~ weather!* τί ἔξοχος καιρός! *Lincoln had a ~ character*, ὁ Λ. εἶχε σπουδαῖο/ἔξοχο χαρακτῆρα. **6**. (*ὡς α! συνθετ.*): `**~·child**, ἐγγόνι. `**~·daughter**, ἐγγονή. `**~·father**, παπποῦς. `**~·mother**, γιαγιά. `**~·nephew**, μικρανηψιός. `**~·niece**, μικρανηψιά. `**~·parent**, παπποῦς ἤ γιαγιά. `**~·son**, ἔγγονος.

gran·dad, grand-dad /`grændæd/ *οὐσ.* ‹C› (*καθομ.*) παππούλης.

gran·dee /'græn`di/ *οὐσ.* ‹C› (*Ἰσπανός ἤ Πορτογάλος*) ἄρχοντας, εὐγενής.

gran·deur /`grændʒə(r)/ *οὐσ.* ‹U› μεγαλεῖον.

gran·dilo·quent /græn`dɪləkwənt/ *ἐπ.* μεγαλόστομος, στομφώδης. **gran·dilo·quence** /-əns/ *οὐσ.* ‹U› μεγαλορρημοσύνη.

gran·di·ose /`grændɪəʊz/ *ἐπ.* ἐπιβλητικός, μεγαλοπρεπής, πομπώδης, μεγαλεπήβολος: ~ *plans*, μεγαλεπήβολα σχέδια.

grand·ma /`grænma/ *οὐσ.* ‹C› (*καθομ.*) γιαγιά.

grand·pa /`grænpa/ *οὐσ.* ‹C› (*καθομ.*) παπποῦς.

grand·sire /`grændsaɪə(r)/ *οὐσ.* ‹C› παπποῦς, προπάτωρ.

grange /greɪndʒ/ *οὐσ.* ‹C› ἀγροικία.

gran·ite /`grænɪt/ *οὐσ.* ‹U› γρανίτης.

granny, gran·nie /`grænɪ/ *οὐσ.* ‹C› (*καθομ.*) γιαγιά.

grant /grant/ *ρ.μ.* **1**. δίδω, παρέχω, ἀπονέμω, χορηγῶ, παραχωρῶ: ~ *permission*, δίδω, παρέχω ἄδειαν. ~ *sb a pension*, ἀπονέμω, χορηγῶ σύνταξη σέ κπ. ~ *independence to a colony*, παραχωρῶ ἀνεξαρτησία σέ ἀποικία. **2**. ἱκανοποιῶ: ~ *a favour*, κάνω μιά χάρη. ~ *a request*, ἱκανοποιῶ μιά παράκληση. **3**. (παρα)δέχομαι, ἀναγνωρίζω: *I ~ his honesty/that he is honest*, παραδέχομαι τήν τιμιότητά του/ἀναγνωρίζω ὅτι εἶναι τίμιος. ~*ing this to be true*, ἄν δεχθοῦμε ὅτι αὐτό εἶναι ἀλήθεια. *I ~ you that*, αὐτό σᾶς τό ἀναγνωρίζω, τό δέχομαι. ***G~ed!*** σύμφωνοι! ***~ed that...***, δοθέντος ὅτι... ***take sth for ~ed***, θεωρῶ κτ ὡς δεδομένον. —*οὐσ.* ‹C› ἐπιχορήγησις, ἐπίδομα (*ἰδ.* πρός σπουδαστές), παραχώρησις (γῆς): *make a ~ to sb*, δίνω ἐπίδομα σέ κπ. ~*-aided schools/students*, ἐπιχορηγούμενα σχολεῖα/ἐπιδοτούμενοι σπουδαστές.

granu·lar /`grænjʊlə(r)/ *ἐπ.* σπυρωτός.

granu·late /`grænjʊleɪt/ *ρ.μ/ἀ.* κάνω κτ σπυρωτό, κοκκοποιῶ. **~d sugar**, σπυρωτή ζάχαρη.

gran·ule /`grænjul/ *οὐσ.* ‹C› κόκκος.

grape /greɪp/ *οὐσ.* ‹C› ρῶγα, σταφύλι: *a bunch of ~s*, τσαμπί σταφύλια. *gather ~s*, τρυγῶ σταφύλια. ~*-gathering*, τρυγητός. ***sour ~s***, ὄμφακες εἰσίν. `**~-sugar**, σταφυλοσάκχαρον. `**~·vine**, (*α*) κλῆμα. (*β*) (*καθομ.*) "ἀρβύλα" (διάδοσις εἰδήσεων): *I heard on the ~-vine that Mary is to be promoted*, ἡ ἀρβύλα λέει (κυκλοφόρησε ἡ διάδοση) ὅτι ἡ Μ. θά πάρη προαγωγή.

grape·fruit /`greɪpfrut/ *οὐσ.* ‹C› γκρέϊπ-φρουτ, ἀγριόφραππα.

graph /graf/ *οὐσ.* ‹C› διάγραμμα, γραφική παράστασις. `**~ paper**, χαρτί μέ τετραγωνίδια.

graphic /`græfɪk/ *ἐπ.* **1**. γραφικός, διά διαγραμμάτων ἤ σχεδίων: *the ~ arts*, γραφικαί τέχναι. *a ~ artist*, γραφίστας. **2**. παραστατικός, ζωντανός: *a ~ account of a battle*, παραστατική περιγραφή μάχης. —*οὐσ. πληθ.* γράμματα, σχεδιαγράμματα. **graphi·cally** /-klɪ/ *ἐπίρ.* γραφικά, παραστατικά.

graph·ite /`græfaɪt/ *οὐσ.* ‹U› γραφίτης.

grap·nel /`græpnl/ *οὐσ.* ‹C› ἁρπάγη, τσιγκέλι, γάντζος, ἀγκουρέτο.

grapple /`græpl/ *ρ.ἀ.* ~ ***with***, πιάνομαι, ἔρχομαι στά χέρια, παλεύω: *The wrestlers ~d together*, οἱ παλαιστές ἁρπάχτηκαν. ~ *with a problem*, καταπιάνομαι (παλεύω) μ'ἕνα πρόβλημα.

grasp /grasp/ *ρ.μ/ἀ.* **1**. πιάνω, σφίγγω: ~ *sb's hand/sb's arm/a rope*, σφίγγω τό χέρι/τό μπράτσο κάποιου/πιάνω σφιχτά ἕνα σκοινί. **2**. (*μεταφ.*) συλλαμβάνω, καταλαβαίνω, ἀντιλαμβάνομαι: ~ *the meaning of an argument*, συλλαμβάνω τό νόημα ἑνός ἐπιχειρήματος. *a theory difficult to ~*, θεωρία πού εἶναι δύσκολο νά συλλάβη κανείς. **3**. ~ ***at***, δράττομαι, προσπαθῶ ν'ἁρπάξω: ~ *at an opportunity*, δράττομαι μιᾶς εὐκαιρίας. *Don't ~ at too much*, μήν προσπαθῇς νά ἁρπάξῃς πολλά. —*οὐσ.* ‹U› λαβή, σφιχτή χειραψία, γνῶσις, κατανόησις: *be in the ~ of an enemy*, εἶμαι στά χέρια ἐχθροῦ. *lose one's ~*, μοῦ ξεφεύγει κάτι. *have a thorough ~ of a problem*, ἔχω πλήρη γνώση ἑνός προβλήματος. *a problem within/beyond one's ~*, πρόβλημα πού μπορῶ/πού δέν μπορῶ νά τό καταλάβω. **~·ing** *ἐπ.* ἁρπακτικός, πλεονέκτης, ἄπληστος.

grass /gras/ *οὐσ.* ‹C,U› **1**. χλόη, χορτάρι, γκαζόν: *Don't walk on the ~; Keep off the ~*, μήν πατᾶτε τή χλόη. ***not let the ~ grow under one's feet***, (*μεταφ.*) δέν χάνω καιρό, κάνω κτ γρήγορα. **2**. βοσκή: *The cattle are* *at* ~, τά ζῶα εἶναι στή βοσκή. *send/put/turn animals out to* ~, στέλνω/πάω/βγάζω τά ζῶα στή βοσκή. `~-**land** /-lænd/ *οὐσ.* ‹C,U› βοσκότοπος, λιβάδι. '~·`**roots** *οὐσ. πληθ.* (*συνήθ. ἐπιθετ.*) ἁπλός λαός, λαϊκός: *We mustn't neglect the* ~*roots*, δέν πρέπει νά παραμελήσωμε τόν ἁπλό λαό, τά ἁπλᾶ μέλη μας. *a* ~*roots movement/rebellion*, λαϊκό κίνημα/-ή ἀνταρσία. '~ `**widow**, γυναίκα τῆς ὁποίας ὁ ἄνδρας λείπει ἤ τήν ἔχει ἐγκαταλείψει. ~**y** *ἐπ. (-ier, -iest)* χλοερός.

grass·hop·per /`grɑshɒpə(r)/ *οὐσ.* ‹C› ἀκρίδα.

[1]**grate** /greɪt/ *οὐσ.* ‹C› σχάρα (σέ τζάκι).

[2]**grate** /greɪt/ *ρ.μ/ἀ.* **1**. τρίβω: ~*d cheese*, τριμμένο τυρί. **2**. ~ ***on***, τρίζω, (*μεταφ.*) πειράζω, ἐνοχλῶ: *The gate* ~*s on its hinges*, ἡ ἐξώπορτα τρίζει στίς κλάπες της. *Her bad manners* ~*d on everyone*, ὁ κακός της τρόπος ἐνώχλησε ὅλους. *a word that* ~*s on the ear*, κακόηχη λέξις (πού ἐνοχλεῖ τό αὐτί). **grater** *οὐσ.* ‹C› τρίφτης: *a `cheese-grater*. **grat·ing** *ἐπ.* ἐνοχλητικός, κακόηχος. **grat·ing·ly** *ἐπίρ.*

grate·ful /`greɪtfl/ *ἐπ.* **1**. εὐγνώμων: *I'm* ~ *to you for your help*, σᾶς εἶμαι εὐγνώμων γιά τή βοήθειά σας. **2**. (*λογοτ.*) εὐχάριστος: *a* ~ *shade*, εὐχάριστη σκιά. ~**ly** /-fəlɪ/ *ἐπίρ.* εὐγνωμόνως.

grati·fi·ca·tion /'grætɪfɪ`keɪʃn/ *οὐσ.* ‹C,U› ἱκανοποίησις, εὐχαρίστησις, χαρά: *I have the* ~ *of knowing that I have done my duty*, ἔχω τήν ἱκανοποίηση νά ξέρω ὅτι ἔκαμα τό καθῆκον μου.

grat·ify /`grætɪfaɪ/ *ρ.μ.* **1**. δίνω χαρά, εὐχαριστῶ: *We were all gratified with/at your success/to learn that you had been successful*, εὐχαριστηθήκαμε ὅλοι μέ τήν ἐπιτυχία σου/μαθαίνοντας ὅτι εἶχες πετύχει. **2**. ἱκανοποιῶ: ~ *sb's whims/his fancies for sth/his thirst for knowledge*, ἱκανοποιῶ τίς ἰδιοτροπίες κάποιου/τό κέφι του γιά κτ/τή δίψα του γιά μάθηση. ~·**ing** *ἐπ.* εὐχάριστος, πού προκαλεῖ ἱκανοποίηση.

grat·ing /`greɪtɪŋ/ *οὐσ.* ‹C› κιγκλίδωμα, δικτυωτό, καφάσι (σέ παράθυρο).

gra·tis /`grætɪs/ *ἐπ.* & *ἐπίρ.* δωρεάν, τζάμπα, χάρισμα: *We were admitted* ~, μᾶς ἔβαλαν μέσα τζάμπα.

grati·tude /`grætɪtjud/ *οὐσ.* ‹U› εὐγνωμοσύνη.

gra·tu·itous /grə`tjuɪtəs/ *ἐπ.* **1**. δωρεάν: ~ *service/information/help/advice*, δωρεάν ἐξυπηρέτησις/πληροφορίες/βοήθεια/συμβουλές. **2**. ἄνευ αἰτίας, ἀδικαιολόγητος, περιττός: *a* ~ *insult*, προσβολή χωρίς λόγο, ἀδικαιολόγητη. *a* ~ *lie*, περιττό ψέμα. ~·**ly** *ἐπίρ.* δωρεάν, χωρίς λόγο.

gra·tu·ity /grə`tjuətɪ/ *οὐσ.* ‹C› **1**. φιλοδώρημα. **2**. τό ἐφ'ἅπαξ (ἀποχωροῦντος ὑπαλλήλου ἤ ἀποστρατευομένου).

[1]**grave** /greɪv/ *ἐπ. (-r, -st)* σοβαρός, βαρύς: *look* ~, ἔχω βαρύ ὕφος. *The situation is* ~, ἡ κατάστασις εἶναι σοβαρή. *make a* ~ *mistake*, κάνω σοβαρό λάθος. ~·**ly** *ἐπίρ.* σοβαρά, βαριά: ~*ly wounded*, βαριά τραυματισμένος.

[2]**grave** /greɪv/ *οὐσ.* ‹C› τάφος. `~-**clothes** *οὐσ. πληθ.* νεκροσάβανα. `~·**stone**, ταφόπετρα. `~·**yard**, νεκροταφεῖον.

[3]**grave** /grɑv/ *οὐσ.* ‹C› (καί '~ `**accent**) βαρεῖα.

[4]**grave** /greɪv/ *ρ.μ. ἀνώμ.* (*π.μ. graven* /`greɪvn/) σκαλίζω, χαράσσω (ἐπιγραφή, κλπ): ~*n on my memory*, (*λογοτ.*) χαραγμένο στή μνήμη μου.

gravel /`grævl/ *οὐσ.* ‹U› χαλίκι: *a load of* ~, ἕνα φορτίο χαλίκι. *a* ~ *path*, μονοπάτι στρωμένο μέ χαλίκι. —*ρ.μ.* (*-ll-*) στρώνω μέ χαλίκι: ~ *a road*, χαλικοστρώνω δρόμο. ~*led paths*, χαλικοστρωμένα δρομάκια.

gravi·tate /`grævɪteɪt/ *ρ.ἀ.* ~ ***to/towards***, ἕλκομαι πρός: *Country people seem to* ~ *towards the cities*, οἱ χωριάτες φαίνονται νά ἕλκονται πρός τίς πόλεις. **gravi·ta·tion** /'grævɪ`teɪʃn/ *οὐσ.* ‹U› ἕλξις, βαρύτης: *the gravitation of the earth*, ἡ ἕλξις τῆς γῆς, ἡ βαρύτης.

grav·ity /`grævətɪ/ *οὐσ.* ‹U› **1**. ἕλξις, βαρύτης: *the* ~ *of the earth*, ἡ ἕλξις τῆς γῆς, ἡ βαρύτης. **2**. βάρος: *centre of* ~, κέντρον τοῦ βάρους. '**specific** `~ εἰδικόν βάρος. **3**. σοβαρότης: *the* ~ *of the international situation*, ἡ σοβαρότης τῆς διεθνοῦς καταστάσεως.

gra·vure /grə`vjʊə(r)/ *οὐσ.* ‹U› γκραβούρα.

gravy /`greɪvɪ/ *οὐσ.* ‹U› **1**. σάλτσα (ἀπό ζωμό κρέατος). `~-**boat**, σαλτσιέρα. **2**. (*λαϊκ.*) εὔκολο κέρδος.

gray /greɪ/ *ἐπ., οὐσ.* ‹C,U› & *ρ.μ/ἀ. βλ. grey.*

[1]**graze** /greɪz/ *ρ.μ/ἀ.* βόσκω: *cattle grazing in the field*, ζῶα πού βόσκουν στό χωράφι. *He's out grazing the sheep*, ἔχει πάει νά βοσκήση τά πρόβατα. ~ *a field*, βοσκίζω ἕνα χωράφι. `**grazing-land**, λιβάδι, βοσκοτόπι. **graz·ier** /`greɪzɪə(r)/ *οὐσ.* ‹C› κτηνοτρόφος.

[2]**graze** /greɪz/ *ρ.μ/ἀ.* **1**. ξεγδέρνω, ξύνω: *The bullet only* ~*d his shoulder*, ἡ σφαῖρα μόνο πού τόν ἔξυσε (τόν ἔγδαρε) στόν ὦμο. **2**. ~ ***against/along/past/by***, ἐγγίζω (προσ)περνώντας, περνῶ ξυστά. —*οὐσ.* ‹C› γδάρσιμο.

grease /gris/ *οὐσ.* ‹U› λίπος, γράσσο, λιπαντικόν. `~-**gun**, γρασσαδόρος. —*ρ.μ.* γρασσάρω: ~ ***sb's palm***, λαδώνω, δωροδοκῶ κπ.

greasy /`grisɪ/ *ἐπ. (-ier, -iest)* **1**. λιπαρός, λιγδιασμένος: ~ *hands/clothes*, λιγδιασμένα χέρια/ροῦχα. **2**. ὀλισθηρός: *a* ~ *road*. **greas·ily** *ἐπίρ.*

great /greɪt/ *ἐπ. (-er, -est)* **1**. μέγας, μεγάλος: *Alexander the G*~, ὁ Μέγας Ἀλέξανδρος. *G*~ *Britain*, ἡ Μεγάλη Βρεταννία. *the G*~ *Powers*, οἱ μεγάλες δυνάμεις. *G*~*er London*, τό μεῖζον Λονδῖνον. ~ *men*, μεγάλοι ἄνδρες. *We are* ~ *friends*, εἴμαστε στενοί φίλοι. *He's a* ~ *scoundrel*, εἶναι μεγάλος παλιάνθρωπος. *He's a* ~ *eater/reader of newspapers*, εἶναι μεγάλος φαγᾶς/ἀναγνώστης ἐφημερίδων. *He's a* ~ *landowner*, εἶναι μεγάλος γαιοκτήμων. ***take*** ~ ***care of sth***, φροντίζω κτ πολύ. **2**. *a* ~ *deal*, πολύ. *a* ~ *number*, πολλοί. *a* ~ *while ago*, πρίν ἀπό πολύ καιρό. *the* ~ *majority*, ἡ μεγίστη πλειοψηφία. **3**. θαυμάσιος: *We had a* ~ *time in Paris*, περάσαμε θαυμάσια στό Παρίσι. *It would be* ~ *if we could meet again*, θἄταν θαυμάσιο ἄν μπορούσαμε νά ξανασυναντηθοῦμε. **4**. ~ ***at***, ἐπιδέξιος, ἐπιτήδειος: *He's* ~ *at fixing up things*, εἶναι ἐπιτήδειος (τά καταφέρνει καλά) στά διορθώματα. ~ ***on***, σπουδαῖος, μέ πολλές γνώσεις: *He's* ~ *on grammar*, εἶναι σπουδαῖος στή γραμματική. **5**. (*πρό* ἄλλου ἐπιθέτου, γιά νά δείξῃ ἔκπληξη, ἀγανάκτηση, περιφρόνηση, κλπ): *See what a ~ big fish I've caught!* κοίτα τί πελώριο ψάρι ἔπιασα! *Take your ~ big head out of my light*, πάρε τήν κεφάλα σου ἀπό τό φῶς μου! **6**. ˋ**~-coat**, βαρύ παλτό, πανωφόρι. ˈ**~-ˋgrandfather**/**-ˋgrandmother**, προπάππους/προμάμμη. ˈ**~-ˋgrandchildren**, δισέγγονα. **~-ly** *ἐπίρ.* μεγάλως, πολύ: *I was ~ly amused to see him*, διασκέδασα πολύ βλέποντάς τον... **~·ness** *οὐσ.* ‹U› μέγεθος, μεγαλεῖον.

greaves /grivz/ *οὐσ. πληθ.* περικνημῖδες.

Gre·cian /ˋgriʃn/ *ἐπ.* (*γιά ἀρχιτεκτονική, κλπ*) Ἑλληνικός: *~ features*, ἑλληνική κατατομή.

greed /grid/ *οὐσ.* ‹U› ἀπληστία, λαιμαργία. **~y** *ἐπ.* (*-ier, -iest*) λαίμαργος, ἄπληστος, διψασμένος γιά: *look at sth with ~y eyes*, κοιτάζω κτ μέ λαίμαργα μάτια. *He's ~y for gain/honours*, εἶναι ἄπληστος γιά τό κέρδος/διψασμένος γιά τιμές. **~·ily** /-əlɪ/ *ἐπίρ.* ἄπληστα, λαίμαργα. **~i·ness** *οὐσ.* ‹U› ἀπληστία.

Greek /grik/ *οὐσ.* ‹C› Ἕλληνας, ‹U› ἡ Ἑλληνική γλῶσσα. ***It's ~ to me***, εἶναι Κινέζικα γιά μένα. —*ἐπ.* Ἑλληνικός.

[1]**green** /grin/ *ἐπ.* (*-er, -est*) **1**. πράσινος: *~ leaves/fields*, πράσινα φύλλα/χωράφια. ˈ**~ ˋbelt**, ἡ πράσινη ζώνη (γύρω ἀπό πόλη). ***a ~ Christmas***, χριστούγεννα μέ γλυκό καιρό. ***give sb/get the ~ light***, δίνω σέ κπ/παίρνω τήν ἄδεια νά γίνη κτ. ***~ with envy***; ˈ**~-ˋeyed**, πράσινος ἀπό ζήλεια. **2**. ἄγουρος: *~ apples/figs*, ἄγουρα μῆλα/σῦκα. **3**. ἄπειρος, ἄμαθος, πρωτάρης, ἀφελής: *He's still ~ at his job*, εἶναι ἀκόμα ἄμαθος στή δουλειά του. *I'm not so ~ as to believe that*, δέν εἶμαι τόσο ἀφελής ὥστε νά πιστέψω τέτοιο πρᾶγμα. **4**. θαλερός: *~ old age*, θαλερά γεράματα. **5**. ***have ˈ~ ˋfingers***, (*καθομ.*) εἶμαι χρυσοχέρης στήν κηπουρική. **6**. (*ὡς α! συνθετ.*) ˋ**~·fly**, μελίγκρα (τό ἔντομον ἀφίς). ˋ**~·gage** /-geɪdʒ/, πράσινο δαμάσκηνο. ˋ**~·grocer**, μανάβης. ˋ**~·grocery**, μαναβική. ˋ**~·horn**, (*καθομ.*) ἀτζαμῆς, πρωτάρης, χαζούλης. ˋ**~·house**, θερμοκήπιον. ˋ**~ room**, καμαρίνι ἠθοποιῶν. ˋ**~-stuffs**, λαχανικά. ˋ**~·sward**, πελούζα, γρασίδι. ˋ**~·wood**, φυλλωτό δάσος.

[2]**green** /grin/ *οὐσ.* ‹C,U› **1**. τό πράσινο: *dressed in ~*, ντυμένη στά πράσινα. **2**. (*πληθ.*) λαχανικά. **3**. γήπεδο μέ γρασίδι. **4**. **the village ~**, ἡ πλατεῖα τοῦ χωριοῦ.

green·ery /ˋgrinərɪ/ *οὐσ.* ‹U› πρασινάδα, φύλλωμα, βλάστησις.

green·ish /ˋgrinɪʃ/ *ἐπ.* πρασινωπός.

Green·wich /ˋgrenɪtʃ/ *οὐσ.* Γκρήνουϊτς (προάστειο τοῦ Λονδίνου). ˈ**G.M.ˋT.** (*Greenwich Mean Time*), (μέση) ὥρα Γκρήνουϊτς.

greet /grit/ *ρ.μ.* **1**. χαιρετῶ, χαιρετίζω: *~ sb with a smile*, χαιρετίζω κπ μ' ἕνα χαμόγελο. **2**. (*μεταφ.*) ὑποδέχομαι: *I was ~ed with a shower of stones/oaths*, μέ ὑποδέχτηκαν μέ βροχή ἀπό πέτρες/βρισιές. *The songs/The view that ~ed us...*, τά τραγούδια πού ἀκούσαμε/ἡ θέα πού εἴδαμε... **~·ing** *οὐσ.* ‹C› χαιρετισμός: *a ˋ~ings telegram*, εὐχετήριο τηλεγράφημα. *~ings*, χαιρετίσματα.

greg·ari·ous /grɪˋgeərɪəs/ *ἐπ.* ἀγελαῖος, κοινωνικός: *~ animals*, ζῶα πού ζοῦν σέ ἀγέλες. *the ~ instinct*, τό ἔνστικτο τῆς ἀγέλης. *Man is a ~ animal*, ὁ ἄνθρωπος εἶναι ζῶον κοινωνικόν. **~·ly** *ἐπίρ.* ἀγεληδόν.

Greg·or·ian /grɪˋgɔrɪən/ *ἐπ.* γρηγοριανός: *~ chant/calendar*, γρηγοριανόν μέλος/ἡμερολόγιον.

grem·lin /ˋgremlɪn/ *οὐσ.* ‹C› (φανταστικό) ζαβολιάρικο διαβολάκι πού θεωρεῖται ὅτι παρενοχλεῖ τίς πτήσεις ἀεροπλάνων.

gre·nade /grɪˋneɪd/ *οὐσ.* ‹C› χειροβομβίδα.

grena·dier /ˈgrenəˋdɪə(r)/ *οὐσ.* ‹C› γρεναδιέρος.

grew /gru/ *ἀόρ. τοῦ ρ. grow*.

grey, gray /greɪ/ *ἐπ.* (*-er, -est*) γκρίζος: *a ~ sky*, γκρίζος οὐρανός. *His hair has turned ~*, τά μαλλιά του ἔγιναν γκρίζα. ˋ**~ beard**, γέρος. ˋ**~-headed**, γκριζομάλλης, παληός στήν ὑπηρεσία. ˋ**~ matter**, φαιά οὐσία. —*οὐσ.* ‹C,U› γκρίζο χρῶμα: *dressed in ~*, ντυμένος στά γκρί. —*ρ.μ/ἀ.* γκριζαίνω, σκουραίνω.

grey·hound /ˋgreɪhaʊnd/ *οὐσ.* ‹C› λαγωνικό.

grey·ish /ˋgreɪɪʃ/ *ἐπ.* γκριζωπός.

grid /grɪd/ *οὐσ.* ‹C› **1**. ἠλεκτρικόν δίκτυον. **2**. δικτυωτόν ἀριθμημένων τετραγώνων σέ χάρτη. **3**. δικτυωτόν, πλέγμα, κιγκλίδωμα. **4**. σχάρα.

griddle /ˋgrɪdl/ *οὐσ.* ‹C› ταψί γιά ψήσιμο γλυκῶν.

grid·iron /ˋgrɪdaɪən/ *οὐσ.* ‹C› κινητή σχάρα.

grief /grif/ *οὐσ.* ‹C,U› πόνος, βαθειά θλίψη, στενοχώρια: *die of ~*, πεθαίνω ἀπό λύπη. *mad with ~*, τρελλός ἀπό πόνο/ἀπό λύπη. ***bring sb to ~***, προκαλῶ συμφορά/δυσκολίες/βάσανα σέ κπ. ***come to ~***, παθαίνω ἀτύχημα, μέ βρίσκουν στενοχώριες/οἰκονομικές δυσκολίες.

griev·ance /ˋgrivns/ *οὐσ.* ‹C› παράπονο: *The workers have serious ~s against the Management*, οἱ ἐργάτες ἔχουν σοβαρά παράπονα κατά τῆς Διευθύνσεως.

grieve /griv/ *ρ.μ/ἀ.* **1**. θλίβω, πικραίνω: *~ one's parents*, πικραίνω τούς γονεῖς μου. **2**. θλίβομαι, στενοχωροῦμαι, θρηνῶ: *I ~ about his misfortunes/at the bad news*, θλίβομαι γιά τίς ἀτυχίες του/γιά τ' ἄσχημα νέα. *~ for the dead/over sb's death*, θρηνῶ τούς νεκρούς/τό θάνατο κάποιου.

griev·ous /ˋgrivəs/ *ἐπ.* **1**. θλιβερός, ὀδυνηρός: *a ~ mistake/loss*, θλιβερό λάθος/ὀδυνηρή ἀπώλεια. **2**. σοβαρός: *~ pain*, σοβαρός πόνος. **~·ly** *ἐπίρ.* ὀδυνηρά, σοβαρά.

grif·fin /ˋgrɪfɪn/ (*καί* **grif·fon, gry·phon** /ˋgrɪfən/) *οὐσ.* ‹C› (*μυθ.*) γρυπαετός.

grill /grɪl/ *οὐσ.* ‹C› **1**. σχάρα. **2**. ψητό τῆς σχάρας: *a mixed ~*, πιάτο μέ διάφορα εἴδη ψητοῦ. **3**. (*καί* ˋ**~-room**) αἴθουσα ξενοδοχείου ἤ ἑστιατόριο ὅπου σερβίρονται μόνον ψητά, ψησταριά. —*ρ.μ/ἀ.* ψήνω/-ομαι, ἀνακρίνω ἐξαντλητικά: *lie ~ing in the sun*, ψήνομαι ξαπλωμένος στόν ἥλιο. *He was ~ed by the police*, ἡ ἀστυνομία τόν ἀνέκρινε ἐξαντλητικά.

grille /grɪl/ *οὐσ.* ‹C› κιγκλίδωμα, καφασωτό, γρίλλιες.

grim /grɪm/ *ἐπ.* (*-mer, -mest*) σκληρός, ἄγριος, βλοσυρός, αὐστηρός, μακάβριος: *the ~ necessity/truth*, ἡ σκληρή ἀνάγκη/ἀλήθεια.

a ~ struggle, ἀνελέητος ἀγώνας. *a ~ smile/landscape*, βλοσυρό χαμόγελο/ἄγριο τοπεῖο. *look ~*, ἔχω βλοσυρή (αὐστηρή) ὄψη. *a ~ joke/story*, μακάβριο ἀστεῖο/-α ἱστορία. **~·ly** *ἐπίρ.* ἄγρια, σκληρά, βλοσυρά. **~·ness** *οὐσ.* ‹U› σκληρότης, βλοσυρότης, ἀγριότης.

gri·mace /grɪˋmeɪs/ *οὐσ.* ‹C› γκριμάτσα, μορφασμός: *make ~s*. *__ρ.ὰ.* μορφάζω.

grime /graɪm/ *οὐσ.* ‹U› λίγδα, λέρα μουντζούρα, καπνιά: *A motor-mechanic's hands are always covered with ~*, τά χέρια ἑνός μηχανικοῦ αὐτοκινήτων εἶναι πάντα γεμᾶτα μουντζούρα. *__ρ.μ.* λιγδιάζω, λερώνω, μουντζουρώνω. **grimy** /ˋgraɪmɪ/ *ἐπ. (-ier, -iest)* λιγδιασμένος, λερωμένος, μουντζουρωμένος: *grimy hands/windows/roofs*.

grin /grɪn/ *οὐσ.* ‹C› μορφασμός (πού ἀποκαλύπτει τά δόντια), σαρκαστικό ἤ πλατύ χαμόγελο: *break into a broad ~*, σκάω πλατύ χαμόγελο. *a tigerish ~*, χαμόγελο τίγρης. *__ρ.μ/ὰ. (-nn-)* μορφάζω, χαμογελῶ (φανερώνοντας τά δόντια): *~ning with delight*, χαμογελώντας ἀπό εὐχαρίστηση. *~ from ear to ear*, χαμογελῶ πλατιά. ***~ and bear it***, ὑπομένω κτ μέ στωϊκότητα.

grind /graɪnd/ *ρ.μ/ὰ. ἀνώμ.* (*ἀόρ.* & *π.μ.* *ground* /graʊnd/) **1**. ἀλέθω/-ομαι, τρίβω: *~ coffee/wheat*, ἀλέθω καφέ/σιτάρι. *This wheat ~s well*, αὐτό τό σιτάρι ἀλέθεται καλά. *~ pepper/sth to dust*, τρίβω πιπέρι/κτ καί τό κάνω σκόνη. **2**. (*συνήϑ. εἰς παϑ. φων.*) καταπιέζω, λυώνω, συνθλίβω: *people who are ground (down) by tyranny/taxation/poverty*, ἄνθρωποι πού τούς καταπιέζει ἡ τυραννία/τούς συνθλίβει ἡ φορολογία/τούς λυώνει ἡ φτώχεια. **3**. τροχίζω, ἀκονίζω, λειαίνω: *~ a knife/lens*, τροχίζω μαχαίρι/λειαίνω φακό. (*βλ.* & *λ. axe*). **4**. (*γιά τροχούς, δόντια, κλπ*) τρίζω, στριγγλίζω: *~ one's teeth*, τρίζω τά δόντια. *A cart came ~ing past*, ἕνα κάρρο πέρασε τρίζοντας. ***~ to a halt***, σταματῶ σιγά-σιγά μέ τριγμούς: *The lorry ground to a halt*, τό φορτηγό σταμάτησε σιγά-σιγά τρίζοντας. *The strikes brought industry ~ing to a halt*, οἱ ἀπεργίες παρέλυσαν σιγά-σιγά τή βιομηχανία. **5**. περιστρέφω, γυρίζω: *~ a coffee-mill/a barrel-organ*, γυρίζω ἕνα μύλο τοῦ καφέ/παίζω λατέρνα. *~ one's heel into the ground*, μπήγω στριφτά τή φτέρνα μου στό χῶμα. ***~ out***, παράγω ἀργά καί μέ δυσκολία: *~ out some verses/a tune*, φτιάχνω μερικούς στίχους/παίζω μιά μελωδία (μέ δυσκολία). **6**. δουλεύω ἤ μελετῶ ἐντατικά: *~ away at one's studies*, πέφτω μέ τά μοῦτρα στή μελέτη. *__οὐσ.* ‹C› (*καϑομ.*) μόχθος, σκληρή καί μονότονη δουλειά: *the examination ~*, ἡ ἄχαρη δουλειά προετοιμασίας γιά ἐξετάσεις.

grinder /ˋgraɪndə(r)/ *οὐσ.* ‹C› **1**. τραπεζίτης (δόντι). **2**. μύλος: *a ˋcoffee-~*. **3**. (*ὡς β! συνϑετ.*) *a ˋknife-~*, τροχιστής. *an ˋorgan-~*, λατερνατζῆς.

grind·stone /ˋgraɪndstəʊn/ *οὐσ.* ‹C› ἀκόνι (τροχός). ***keep sb's nose to the ~***, ἀναγκάζω κπ νά δουλεύη συνεχῶς, τοῦ βγάζω τό λάδι στή δουλειά.

grip /grɪp/ *ρ.μ/ὰ. (-pp-)* **1**. σφίγγω, πιάνω, μαγγώνω: *He ~ped my arm*, μοῦ ἔσφιξε τό μπράτσο. *The brakes failed to ~*, τά φρένα δέν ἔπιασαν. *Fear ~ped him*, τόν ἔπιασε φόβος. **2**. αἰχμαλωτίζω (τό ἐνδιαφέρον), συναρπάζω: *The speaker ~ped the attention of his audience*, ὁ ὁμιλητής συνήρπασε τό ἀκροατήριό του. *a ~ping story of love and hate*, μιά συναρπαστική ἱστορία ἀγάπης καί μίσους. *__οὐσ.* ‹C› **1**. σφίξιμο, πιάσιμο, ἐπιβολή, κατανόησις: *keep a tight ~ on sth*, κρατῶ κτ σφιχτά. *The ~ of the wheels on the road is poor*, οἱ τροχοί δέν πιάνουν καλά στό δρόμο. *have a good ~ of a problem/~ on an audience*, ἔχω τέλεια κατανόηση ἑνός προβλήματος/ἀσκῶ μεγάλη ἐπιβολή σ'ἕνα ἀκροατήριο. *take a ~ on a rope*, πιάνομαι γερά σ'ἕνα σκοινί. ***be in the ~ of sb/sth*** κπ/κτ μέ σφίγγει, μέ κρατάει αἰχμάλωτο: *be in the ~ of fear*, μέ κατέχει φόβος. ***come/get to ~s with***, ἔρχομαι στά χέρια, ἐπιτίθεμαι, ἀφοσιώνομαι: *get to ~s with a problem*, καταπιάνομαι ζεστά μ'ἕνα πρόβλημα. ***let go one's ~ of sth***, ἀμολάω κτ, παύω νά τό σφίγγω. ***take a ~ on oneself***, (*καϑομ.*) παύω νά τεμπελιάζω ἤ νά μήν προσέχω, παύω νά χαζολογῶ. **2**. λαβή. **3**. (*καί* **ˋ~-sack**) (*ΗΠΑ*) ταξιδιωτικός σάκκος.

gripes /graɪps/ *οὐσ. πληϑ.* (*καϑομ. μέ ὁριστ. ἄρϑρ.*) κολικοί πόνοι.

grippe /grip/ *οὐσ.* (*μέ ὁριστ. ἄρϑρ.*) γρίππη.

gris·ly /ˋgrɪzlɪ/ *ἐπ. (-ier, -iest)* φρικιαστικός, μακάβριος.

grist /grɪst/ *οὐσ.* ‹U› σιτάρι γιά ἄλεσμα. ***It's all ~ to the mill/All is ~ that comes to his mill***, (*παροιμ.*) ὠφελεῖται ἀπ'ὅλα, βγάζει κι'ἀπό τή μυῖγα ξύγγι.

gristle /ˋgrɪsl/ *οὐσ.* ‹U› χόνδρος, τραγανό (κρέατος).

grit /grɪt/ *οὐσ.* ‹U› **1**. (*περιλ. ἑν.*) χοντρή ἄμμος, πετραδάκια, ἀμμοχάλικο: *I've got some ~/a bit of ~ in my shoe*, ἔχω πετραδάκια/ἕνα πετραδάκι στό παπούτσι μου. *spread ~ on icy roads*, ἁπλώνω ἀμμοχάλικο σέ παγωμένους δρόμους. **2**. θάρρος, τόλμη. ἀντοχή: *He's got plenty of ~*, τό λέει ἡ καρδιά του. *__ρ.μ. (-tt-)* ***~ one's teeth***, σφίγγω τά δόντια/τά σαγόνια. **~ty** *ἐπ. (-ier, -iest)* ἀμμώδης, χαλικώδης: *This spinach tastes ~ty*, σά νά τρῶς ἄμμο εἶναι αὐτό τό σπανάκι.

grizzle /ˋgrɪzl/ *ρ.ὰ.* (*καϑομ., γιά παιδιά*) κλαψουρίζω.

griz·zled /ˋgrɪzld/ *ἐπ.* γκρίζος, γκριζομάλλης.

grizz·ly /ˋgrɪzlɪ/ *οὐσ.* ‹C› (*καί* ~ **bear**) φαιά ἄρκτος.

groan /grəʊn/ *ρ.μ/ὰ.* **1**. βογγῶ, στενάζω: *~ with pain/despair*, βογγῶ ἀπό πόνο/ἀπό ἀπελπισία. *The people ~ed under the harsh dictatorship*, ὁ λαός στέναζε κάτω ἀπό τή σκληρή δικτατορία. **2**. τρίζω: *The ship ~ed during the storm*, τό πλοῖο ἔτριζε στή διάρκεια τῆς τρικυμίας. *The table ~ed with food*, τό τραπέζι ἔτριζε κάτω ἀπό τό βάρος τῶν φαγητῶν. **3**. λέω μέ στεναγμούς: *~ out a sad story*, λέω στενάζοντας μιά θλιβερή ἱστορία. **4**. γιουχαΐζω (μέ μουρμουρητά): *~ down a speaker*, γιουχαΐζω ἕναν ὁμιλητή. *__οὐσ.* ‹C› βογγητό, στεναγμός, γιουχάϊσμα: *give a ~*, βγάζω βογγητό/στεναγμό.

groat /grəʊt/ *οὐσ.* ‹C› (*ἀπηρχ.*) ἀσημένιο νόμισμα 4 πεννῶν: ***not care a ~***, δέν δίνω δεκάρα.

groats /grəʊts/ *οὐσ. πληθ.* πλιγούρι.

gro·cer /ˋgrəʊsə(r)/ *οὐσ.* ‹C› μπακάλης: *a ~'s shop*, παντοπωλεῖον, μπακάλικο. **~y** *οὐσ.* **1**. ‹U› μπακαλική. **2**. (*πληθ.*) εἴδη μπακαλικῆς.

grog /grog/ *οὐσ.* ‹U› γκρόγκ (ροῦμι, οὐΐσκυ, κλπ μέ νερό).

groggy /ˋgrogɪ/ *ἐπ.* (*-ier, -iest*) ἑτοιμόρροπος, κλονιζόμενος, ἀσταθής, ἀδύνατος: *The legs of this chair look rather ~*, τά πόδια αὐτῆς τῆς καρέκλας δέν φαίνονται νά στέκουν καί πολύ καλά. *feel a bit ~*, νοιώθω λίγο ἀδύνατος, δέν μέ κρατᾶν τά πόδια (ὕστερα ἀπό ἀρρώστεια).

groin /grɔɪn/ *οὐσ.* ‹C› **1**. (*ἀνατ.*) βουβών, ἀχαμνά: *a kick in the ~*, μιά κλωτσιά στ' ἀχαμνά. **2**. (*ἀρχιτ.*) σημεῖον τομῆς θόλων, κόψις.

groom /grum/ *οὐσ.* ‹C› **1**. ἱπποκόμος. **2**. γαμπρός. __*ρ.μ.* **1**. περιποιοῦμαι (ἄλογο). **2**. (*καθομ.*) προετοιμάζω κπ (γιά καριέρα): *He's ~ed for politics*, τόν ἑτοιμάζουν γιά τήν πολιτική. **3**. (*κυρίως στήν παθ. μετ.*) περιποιημένος (γιά ροῦχα, μαλλιά, κλπ): *well/badly ~ed*, καλοπεριποιημένος/ἀτημέλητος.

groove /gruv/ *οὐσ.* ‹C› **1**. ράβδωσις, αὐλακιά, πατούρα. **2**. (*μεταφ.*) ρουτίνα. ***get into a ~***, πέφτω στή ρουτίνα. ***be stuck in a ~***, ἔχω κολλήσει στή ρουτίνα. ***be in the ~***, (*πεπαλ., λαϊκ.*) εἶμαι σέ διάθεση (γιά κτ). __*ρ.μ.* αὐλακώνω.

groovy /ˋgruvɪ/ *ἐπ.* (*-ier, -iest*) (*λαϊκ.*) (*ἰδ. γιά νέους*) μοντέρνος, τῆς μόδας: *~ clothes*, μοντέρνα ροῦχα.

grope /grəʊp/ *ρ.μ/ἀ.* ψηλαφῶ: *~ one's way/about in the dark*, προχωρῶ ψηλαφητά/στό σκοτάδι. *~ (about) (for/after sth)*, ψάχνω γιά κτ ψηλαφητά, ἀναζητῶ διστακτικά. **grop·ing·ly** *ἐπίρ.* ψηλαφητά.

[1]**gross** /grəʊs/ *οὐσ.* ‹C› (*ἀμετάβλ. στόν πληθ.*) γρόσσα (12 δωδεκάδες = 144): *two ~ handkerchiefs*, δυό γρόσσες (288) μαντήλια. **great ~**, δώδεκα γρόσσες (1728).

[2]**gross** /grəʊs/ *ἐπ.* **1**. (*γιά ἄνθρ.*) ἀποκρουστικά χοντρός. **2**. χυδαῖος, πρόστυχος, αἰσχρός: *~ language/jests*, χυδαία γλῶσσα/πρόστυχα ἀστεῖα. *~ pleasures*, χυδαῖες ἀπολαύσεις. **3**. χονδροειδής, κατάφωρος, ἀσυγχώρητος: *~ mistakes/ignorance*, χονδροειδῆ λάθη/παχυλή ἀμάθεια. *~ injustice*, κατάφωρη ἀδικία. *~ negligence*, ἀσυγχώρητη ἀμέλεια. **4**. οργιώδης: *the ~ vegetation of tropical forests*, ἡ ὀργιώδης βλάστησις τῶν τροπικῶν δασῶν. **5**. λιπαρός: *~ food*, λιπαρές τροφές. *a ~ feeder*, φαγᾶς, πού τοῦ ἀρέσουν τά λίπη. **6**. ἀκαθάριστος, μικτός (*ἀντίθ. net*): *~ profit*, ἀκαθάριστο κέρδος. *~ weight*, μικτό βάρος. **7**. ***in (the) ~***, χονδρικά, συνολικά. __*ρ.μ.* ἀποφέρω: *His last film ~ed 10 million pounds*, ἡ τελευταία του ταινία ἀπέφερε ἀκαθάριστα 10 ἑκατομ. λίρες. **~·ly** *ἐπίρ.* χονδροειδῶς, κατάφωρα: *be ~ly mistaken/insulted*, ἀπατῶμαι/βρίζομαι χονδροειδῶς.

gro·tesque /grəʊˋtesk/ *ἐπ.* **1**. ἀλλόκοτος, γελοῖος: *a ~ appearance*, ἀλλόκοτη ἐμφάνιση. *~ manners*, γελοῖοι τρόποι. **2**. (*καλλιτεχν.*) γκροτέσκ. __*οὐσ.* ‹C› τερατομορφία, γκροτέσκ. **~·ly** *ἐπίρ.* ἀλλόκοτα. **~·ness** *οὐσ.* ‹U› (τό) ἀλλόκοτον.

grot·to /ˋgrotəʊ/ *οὐσ.* ‹C› (*πληθ. ~es ἤ ~s*) σπηλιά (*ἰδ.* τεχνητή σέ κῆπο).

grouch /graʊtʃ/ *ρ.ἀ.* (*καθομ.*) γκρινιάζω. __*οὐσ.* ‹C› κατσούφης, γκρινιάρης. ‹U› κακοκεφιά, γκρίνια. **~y** *ἐπ.* κατσούφης, κακόκεφος.

[1]**ground** /graʊnd/ *οὐσ.* **1**. ‹U› ἔδαφος: *be on firm ~*, πατῶ σέ στέρεο ἔδαφος. *lie on the ~*, εἶμαι ξαπλωμένος στό ἔδαφος. *fall to the ~*, πέφτω καταγῆς. ***above/below ~***, ζωντανός/πεθαμένος. ***down to the ~***, (*καθομ.*) στήν ἐντέλεια: *That suits me down to the ~*, αὐτό μέ βολεύει περίφημα. ***forbidden ~***, ἀπαγορευμένο θέμα. ***break fresh ~***, (*α*) καλλιεργῶ παρθένο ἔδαφος. (*β*) ἀνοίγω νέο δρόμο (σέ ἐπιστήμη, τεχνολογία, κλπ), καινοτομῶ. ***cover much ~***, (*γιά ταξίδι*) καλύπτω μεγάλη ἀπόσταση, (*γιά ἔκθεση, διάλεξη, κλπ*) καλύπτω πολύ χῶρο/πολλά θέματα. ***fall/be dashed to the ~***, ἀποτυγχάνω, ναυαγῶ: *Our plans fell/Our hopes were dashed to the ~*, τά σχέδιά μας/οἱ ἐλπίδες μας ναυάγησαν. ***gain ~***, κερδίζω/κατακτῶ ἔδαφος: *His proposal is gaining ~*, ἡ πρότασή του κατακτᾶ ἔδαφος. ***get off the ~***, (*γιά ἀεροπλάνο*) ἀπογειοῦμαι, (*γιά σχέδια*) μπαίνω στό στάδιο πραγματοποιήσεως. ***give/lose ~***, ὑποχωρῶ/χάνω ἔδαφος. ***hold/stand/keep one's ~***, ἐμμένω στίς θέσεις μου/στά ἐπιχειρήματά μου. ***shift one's ~***, μετατοπίζω τό θέμα, ἀλλάζω θέση. **2**. ‹C› γήπεδο, χῶρος, περιοχή: *a ˋplay~*, γήπεδο, αὐλή σχολείου. *a ˋfootball ~*, ποδοσφαιρικό γήπεδο. *a 'recreˋation ~*, λούναπάρκ. *ˋhunting/ˋfishing ~s*, περιοχή γιά κυνήγι/γιά ψάρεμα. **3**. (*πληθ.*) περίβολος: *the ~s of Buckingham Palace*, ὁ περίβολος τῶν Ἀνακτόρων τοῦ Μπάκινγχαμ. **4**. ‹U› πυθμήν: *touch ~*, ἀγγίζω πυθμένα, πατώνω. **5**. (*πληθ.*) κατακάθια: *ˋcoffee ~s*, κατακάθια τοῦ καφέ. **6**. (*πληθ. ἤ ἑν.*) λόγος, αἰτία, βάσις: *~s for divorce*, λόγοι διαζυγίου. *On what ~s do you suspect him?* γιά ποιό λόγο τόν ὑποψιάζεσαι; *on legal/personal ~s*, γιά νομικούς/προσωπικούς λόγους. *He was rejected on medical ~s*, ἀπερρίφθη γιά λόγους ὑγείας. *He's excused on the ~s of youth*, συγχωρεῖται γιά τό λόγο ὅτι εἶναι νέος. *There are no ~s for anxiety*, δέν ὑπάρχει λόγος ἀνησυχίας. *I have good ~s for suspecting him*, ἔχω σοβαρούς λόγους νά τόν ὑποψιάζομαι. *They don't give much ~/many ~s for complaint*, δέν δίνουν πολλές ἀφορμές γιά παράπονα. ***on the ~ that***, ἐπί τῷ λόγῳ ὅτι. **7**. ‹C› φόντο: *a design of pink roses on a white ~*, σχέδια μέ ρόζ τριαντάφυλλα σέ ἄσπρο φόντο. **8**. (*ὡς α! συνθετ.*): **ˋ~-bait**, δόλωμα βυθοῦ. **ˋ~-fish**, ψάρια τοῦ βυθοῦ. **'~ ˋfloor**, ἰσόγειον. ***be/get in on the ~ floor***, (*καθομ.*) ἀγοράζω μετοχές στήν ἀρχική τιμή τῆς ἐκδόσεώς τους, ἐξασφαλίζω προνομιοῦχο θέσιν. **ˋ~·nut**, ἀράπικο φυστίκι. **ˋ~-plan**, κάτοψις κτιρίου, γενικόν διάγραμμα. **ˋ~-rent**, ἐνοίκιον οἰκοπέδου. **ˋ~-sheet**, μουσαμᾶς ἐδάφους (πχ σέ σκηνή στό ὕπαιθρο). **ˋ~ staff/crew**, προσωπικόν/πλήρωμα ἐδάφους. **ˋ~ swell**, φουσκοθαλασσιά. **ˋ~-work**, (*μεταφ.*) θεμέλιον, βάσις.

[2]**ground** /graʊnd/ *ρ.μ/ἀ.* **1**. (*γιά πλοῖο*) προσαράσσω, (*γιά ἀεροπλάνο*) καθηλώνω ἐπί τοῦ

ἐδάφους: *The ship ~ed in shallow waters*, τό πλοῖο προσάραξε στά ρηχά. *All aircraft at London Airport were ~ed by fog yesterday*, ὅλα τά ἀεροσκάφη στό 'Αεροδρόμιο τοῦ Λονδίνου καθηλώθησαν ἐπί τοῦ ἐδάφους χθές ἐξ αἰτίας τῆς ὁμίχλης. **2**. ***G~ arms!*** (*στρατ.*) Παρά πόδα, ἄρμ! **3**. ***~ on***, βασίζω, θεμελιώνω: *~ one's argument on facts*, βασίζω τό ἐπιχείρημά μου σέ γεγονότα. *a well-~ed theory*, καλά θεμελιωμένη θεωρία. **4**. ***~ sb in sth***, δίνω καλές βάσεις: *He's well ~ed in grammar*, ἔχει καλές βάσεις στή γραμματική. *He ~ed his pupils in arithmetic*, ἔδωσε καλές βάσεις στούς μαθητές του στήν ἀριθμητική. **5**. (*ἠλεκτρ.*) γειώνω (ρεῦμα). **~·ing** *οὐσ.* ‹U› θεμελίωσις, γείωσις, προσάραξις, βάσις: *have a good ~ing in grammar*, ἔχω καλές βάσεις στή γραμματική.

³**ground** /graʊnd/ **1**. *ἀόρ.* & *π.μ. τοῦ ρ. grind.* **2**. ἀλεσμένος, τριμμένος: *~ pepper*, τριμμένο πιπέρι.

ground·less /ˋgraʊndləs/ *ἐπ.* ἀβάσιμος: *~ rumours/anxieties/fears*, ἀβάσιμες διαδόσεις/ἀνησυχίες/-οι φόβοι.

group /grup/ *οὐσ.* ‹C› ὁμάδα, παρέα: *a ~ of girls/trees/houses*, ὁμάδα κοριτσιῶν/δέντρων/σπιτιῶν. *They walk about in ~s*, περπατοῦν παρέες-παρέες. **ˋage ~**, ὁμάδα ἡλικιῶν (*πχ* 9–12) **G~ Captain**, (*ἀεροπ.*) σμήναρχος. __*ρ.μ/ὰ.* συγκεντρώνω/-ομαι σέ ὁμάδες: *The children ~ed (themselves) round their teacher*, τά παιδιά μαζεύτηκαν γύρω ἀπό τό δάσκαλό τους.

¹**grouse** /graʊs/ *οὐσ.* ‹C› (*ἀμετάβλ. εἰς πληθ.*) ἀγριόγαλος.

²**grouse** /graʊs/ *ρ.ὰ.* (*καθομ.*) παραπονοῦμαι, γκρινιάζω. __*οὐσ.* ‹C› παράπονο.

grove /grəʊv/ *οὐσ.* ‹C› ἄλσος, σύδεντρο: *an ˋorange ~*, πορτοκαλεώνας.

grovel /ˋgrovl/ *ρ.ὰ.* (*-ll-*) ἕρπω, σέρνομαι, ταπεινώνομαι: *~ at the feet of a conqueror*, σέρνομαι μπροστά στά πόδια νικητοῦ. **~·ling** *ἐπ.* χαμερπής.

grow /grəʊ/ *ρ.μ/ὰ.* (*ἀόρ. grew* /gru/, *π.μ. grown* /grəʊn/) **1**. φυτρώνω, εὐδοκιμῶ, μεγαλώνω, αὐξάνομαι: *Plants ~ from seeds*, τά φυτά φυτρώνουν ἀπό σπόρους. *Palm-trees do not ~ in cold climates*, οἱ φοίνικες δέν εὐδοκιμοῦν σέ ψυχρά κλίματα. *How quickly he's ~ing!* πόσο γρήγορα μεγαλώνει! *He has ~n into a fine young man*, ἔγινε ὡραῖος νέος. *let one's hair ~*, ἀφήνω τά μαλλιά μου νά μεγαλώσουν/νά μακρύνουν. *The crowd/His influence grew*, τό πλῆθος/ἡ ἐπιρροή του μεγάλωνε. **2**. ***~ out of***, (*α*) παραμεγαλώνω: *He has ~n out of his clothes*, μεγάλωσε τόσο πού δέν τοῦ κάνουν τά ροῦχα του. (*β*) διορθώνομαι, ἀλλάζω μέ τήν ἡλικία: *He is mischievous but he'll ~ out of it*, εἶναι ζαβολιάρης ἀλλά θά διορθωθῆ μέ τήν ἡλικία. *As a boy I used to collect stamps but I've ~n out of it*, ὅταν ἤμουν παιδί ἔκανα συλλογή γραμματοσήμων ἀλλά μοῦ πέρασε μεγαλώνοντας. (*γ*) προέρχομαι: *All his misery has ~n out of his violent temper*, ὅλη του ἡ δυστυχία προῆλθε ἀπό τό βίαιο χαρακτῆρα του. **3**. ***~ up***, (*α*) μεγαλώνω, ὡριμάζω, ἀνδρώνομαι, γίνομαι μεγάλος: *What will you be when you ~ up?* τί θά γίνης ὅταν μεγαλώσης; **'grown-ˋups** *οὐσ. πληθ.* οἱ μεγάλοι (σέ ἀντίθεση μέ τά παιδιά). (*β*) ἀναπτύσσομαι. *A warm friendship grew up between them*, μιά θερμή φιλία ἀνεπτύχθη μεταξύ τους. **~ing-pains** *οὐσ. πληθ.* πόνοι (ἤ *μεταφ.* δυσκολίες) πού προέρχονται ἀπό τήν ἀνάπτυξη. **4**. ***~ (up)on***, (*α*) δυναμώνω (μέ τήν πάροδο τοῦ χρόνου): *Smoking is a habit that ~s on you*, τό κάπνισμα εἶναι μιά συνήθεια πού σέ κυριεύει/πού δυναμώνει μέ τό πέρασμα τοῦ χρόνου. (*β*) ἀρέσω διαρκῶς περισσότερο: *His music/His poetry ~s on me*, ἡ μουσική του/ἡ ποίησή του μοῦ ἀρέσει ὅλο καί περισσότερο. **5**. (*ἀκολουθούμενο ἀπό ἐπ. ἤ μετ.*) γίνομαι: *~ tall*, ψηλώνω. *~ older*, γερνάω. *~ rarer*, γίνομαι σπανιώτερος. *~ less*, λιγοστεύω. *~ dark*, σκοτεινιάζω. *~ excited*, ἐξάπτομαι. *~ fat*, παχαίνω. *~ thin*, ἀδυνατίζω. *~ smaller*, μικραίνω. *How tall you've ~n!* πόσο ψήλωσες! **6**. (*ἀκολουθούμενον ἀπό ἀπαρέμφ.*) καταλήγω, γίνομαι σιγά-σιγά: *I've ~n to believe that...*, κατέληξα νά πιστεύω ὅτι... *He grew to be more obedient*, σιγά-σιγά ἔγινε πιό ὑπάκουος. **7**. καλλιεργῶ: *~ roses*, καλλιεργῶ τριαντάφυλλα. *~ a beard*, ἀφήνω γένια. **~er** *οὐσ.* ‹C› καλλιεργητής.

growl /graʊl/ *ρ.μ/ὰ.* **1**. γρυλλίζω, μουγκρίζω (ἀπειλητικά καί ὑπόκωφα): *The dog ~ed at me*, ὁ σκύλος γρύλλισε ὅταν μέ εἶδε. *We heard thunder ~ing in the distance*, ἀκούσαμε τόν κεραυνό νά μουγκρίζη ὑπόκωφα στό βάθος. **2**. ***~ (out)***, λέω γρυλλίζοντας: *He ~ed (out) an answer*, ἔδωσε μιά ἀπάντηση μέσα ἀπό τά δόντια. __*οὐσ.* ‹C› γρύλλισμα, μούγκρισμα, μουρμούρα.

grown /grəʊn/ *π.μ. τοῦ ρ. grow.*

growth /grəʊθ/ *οὐσ.* ‹C,U› **1**. ἀνάπτυξις: *the rapid ~ of our economy*, ἡ ταχεῖα ἀνάπτυξις τῆς οἰκονομίας μας. *reach/attain full ~*, φθάνω σέ πλήρη ἀνάπτυξη, ἀναπτύσσομαι τελείως. **2**. (*γιά φροῦτα, κλπ*) προέλευσις, καλλιέργεια, παραγωγή: *apples of foreign ~*, μῆλα ξενικῆς προελεύσεως (παραγωγῆς). **3**. τούφα, φύτρωμα: *a thick ~ of weeds*, πυκνά ἀγριόχορτα, πυκνή τούφα ἀπό ἀγριόχορτα. *a three-days' ~ of beard*, γένια τριῶν ἡμερῶν. **4**. (*ἰατρ.*) ὄγκος, νεόπλασμα.

groyne /grɔɪn/ *οὐσ.* ‹C› ξύλινος κυματοθραύστης, φράγμα.

¹**grub** /grʌb/ *οὐσ.* **1**. ‹C› κάμπια. **2**. ‹U› (*λαϊκ.*) ἡ μάσα, τό φαΐ.

²**grub** /grʌb/ *ρ.μ/ὰ.* (*-bb-*) σκαλίζω, ψαχουλεύω (σκαλίζοντας τό χῶμα): *~ up weeds*, σκαλίζω (καί βγάζω) τ' ἀγριόχορτα. *The pigs were ~bing about among the bushes*, τά γουρούνια ἔψαχναν (σκαλίζοντας μέ τό ρύγχος τους) ἀνάμεσα στούς θάμνους.

grubby /ˋgrʌbɪ/ *ἐπ.* (*-ier, -iest*) βρώμικος, ἄπλυτος, σκουληκιασμένος.

grudge /grʌdʒ/ *ρ.μ.* δέν εἶμαι πρόθυμος/μέ πειράζει (νά δώσω ἤ νά παραδεχθῶ κτ), τσιγγουνεύομαι: *I ~ paying £1 for a bottle of wine that isn't worth 50p*, μέ πειράζει νά πληρώσω μιά λίρα γιά ἕνα μπουκάλι κρασί πού δέν ἀξίζει 50 πέννες. *He ~d me even the food I ate*, τόν πείραζε (μοῦ τσιγγουνευόταν) ἀκόμα καί τό φαΐ πού ἔτρωγα. *You seem to*

~ *me my success*, φαίνεται νά σέ πειράζει ἡ ἐπιτυχία μου. —*οὐσ.* ‹C› (μνησι)κακία, ἔχθρα: *I bear him no* ~, δέν τοῦ κρατῶ κακία. ***have a ~ against sb***, μνησικακῶ ἐναντίον κάποιου, τοῦ κρατῶ κακία. **grudg·ing** *ἐπ.* ἀπρόθυμος. **grudg·ing·ly** *ἐπίρ.* ἀπρόθυμα, μέ τό ζόρι: *raise sb's salary grudgingly*, δίνω σέ κπ αὔξηση μισθοῦ μέ τό ζόρι (χωρίς προθυμία).

gruel /ˋgruəl/ *οὐσ.* ‹U› χυλός. ***have/get one's ~***, (*πεπαλ., καθομ.*) τίς τρώω (νικιέμαι ἤ τιμωροῦμαι). **~·ling** *ἐπ.* κουραστικός, ἐξαντλητικός, σκληρός: *a ~ling race*, σκληρή (ξεθεωτική) κούρσα.

grue·some /ˋgrusəm/ *ἐπ.* ἀπαίσιος, ἀνατριχιαστικός, μακάβριος: *a ~ story*. **~·ly** *ἐπίρ.* **~·ness** *οὐσ.* ‹U›.

gruff /grʌf/ *ἐπ.* (*-er, -est*) τραχύς, ἀπότομος: *in a ~ voice/manner*, μέ τραχειά φωνή/μέ ἀπότομο τρόπο.

grumble /ˋgrʌmbl/ *ρ.μ/ἀ.* **1.** ~ ***(at/about/over sth)***, γκρινιάζω, μουρμουρίζω, μεμψιμοιρῶ (γιά κτ): *He's always grumbling*, διαρκῶς μουρμουρίζει, γκρινιάζει. *He ~d over the food/at the wages offered to him*, γκρίνιαζε γιά τό φαΐ/γιά τό μεροκάματο πού τοῦ δίνανε. **2.** ~ ***(out)***, λέω γρυλλίζοντας/μέσα ἀπό τά δόντια: ~ *out a reply*, δίνω μιά ἀπάντηση μέσ' ἀπό τά δόντια. **3.** (*γιά κεραυνό*) μπουμπουνίζω ὑπόκωφα. —*οὐσ.* ‹C› γκρίνια, παράπονο, μουρμούρα. *obey without a* ~, ὑπακούω χωρίς γκρίνια/μουρμούρα. **~r** *οὐσ.* ‹C› γκρινιάρης.

grumpy /ˋgrʌmpɪ/ *ἐπ.* (*-ier, -iest*) κακόκεφος, στριφνός, κατσούφικος.

grunt /grʌnt/ *ρ.μ/ἀ.* (*γιά γουρούνι, ἤ μεταφ. γιά ἄνθρ.*) γρυλλίζω: ~ *(out) one's consent*, δίνω τή συγκατάθεσή μου γρυλλίζοντας. —*οὐσ.* ‹C› γρύλλισμα.

guar·an·tee /ˈgærənˋti/ *οὐσ.* ‹C› ἐγγύησις, ἐγγυητής: *a year's* ~, ἐγγύησις ἑνός ἔτους. *I offer my house as a* ~, δίνω τό σπίτι μου γιά ἐγγύηση. *be ~ for sb*, μπαίνω ἐγγυητής γιά κπ. *Blue skies are not always a ~ of fine weather*, ἡ ξαστεριά δέν εἶναι πάντα ἐγγύησις καλοῦ καιροῦ. —*ρ.μ.* ~ *sb's debts/to pay his debts/that his debts will be paid/the payment of his debts*, ἐγγυῶμαι γιά τά χρέη κάποιου/νά πληρώσω τά χρέη του/ὅτι τά χρέη του θά πληρωθοῦν/γιά τήν πληρωμή τῶν χρεῶν του. *I can't ~ your success*, δέν μπορῶ νά ἐγγυηθῶ ὅτι θά ἐπιτύχης.

guar·an·tor /ˈgærənˋtɔ(r)/ *οὐσ.* ‹C› (*νομ.*) ἐγγυητής.

guar·an·ty /ˋgærəntɪ/ *οὐσ.* ‹C› (*νομ.*) ἐγγύησις.

[1]**guard** /gad/ *οὐσ.* ‹C,U› **1.** προφύλαξις, ἄμυνα, ἐπαγρύπνησις: *be on ~ (duty)*, εἶμαι σκοπός. *keep* ~, φυλάω σκοπός. *the soldier on ~ at the gate*, ὁ σκοπός τῆς πύλης. ***be on one's ~***, ἔχω τό νοῦ μου, ἐπαγρυπνῶ: *Be on your ~ against pickpockets*, νἄχετε τό νοῦ σας στούς πορτοφολάδες! ***be off one's ~***, εἶμαι ἀμέριμνος, ἀπροετοίμαστος: *He struck me while I was off my* ~, μέ χτύπησε ἐνῶ ἤμουν ἀμέριμνος, δέν πρόσεχα, δέν εἶχα τό νοῦ μου. ***catch sb/be caught off one's ~***, πιάνω κπ/πιάνομαι στόν ὕπνο. ***throw sb off his ~***, ξεγελῶ, ἀποκοιμίζω κπ. **2.** φρουρός, φρουρά. ***change/relieve ~***, ἀλλάζω/ἀντικαθιστῶ τή φρουρά. ***mount ~***, ἀναλαμβάνω φρουρά. ***stand ~***, μπαίνω/εἶμαι φρουρός. **3.** (*πληθ.*) φρουρά: *The Royal Horse G~s*, ἡ Ἔφιππος Βασιλική Φρουρά. *a G~s officer*, ἀξιωματικός τῆς φρουρᾶς. **~sman**, μέλος τῆς ἀνακτορικῆς φρουρᾶς, (*ΗΠΑ*) ἐθνοφρουρός. **4.** φρουρά, συνοδεία: *inspect the ~ of honour*, ἐπιθεωρῶ τήν τιμητική φρουρά. *Home G~*, πολιτοφυλακή. ***under ~***, ὑπό φρούρησιν, ὑπό συνοδείαν. **5.** δεσμοφύλακας. **6.** προφυλακτήρ. **7.** ὑπεύθυνος τραίνου. **ˋ~-boat**, (*πολεμ. ναυτ.*) φυλακίς. **ˋ~·house**; **ˋ~·room**, φυλάκιο, πειθαρχεῖο. **ˋ~·rail**, κάγκελα σκάλας, προστατευτικό κιγκλίδωμα.

[2]**guard** /gad/ *ρ.μ/ἀ.* **1.** φρουρῶ, προστατεύω, προσέχω: ~ *a camp/prisoners*, φρουρῶ ἕνα στρατόπεδο/κρατουμένους. ~ *one's life/reputation*, προστατεύω τή ζωή μου/τήν ὑπόληψή μου. ~ *one's tongue/words*, προσέχω τά λόγια μου. **2.** ***~ against***, φυλάγομαι ἀπό: ~ *against disease/thieves*, φυλάγομαι ἀπό ἀρρώστεια/κλέφτες. **~ed** *ἐπ.* ἐπιφυλακτικός, συγκρατημένος, προσεχτικός: *a ~ed answer*, ἐπιφυλακτική ἀπάντηση. *be ~ed in what one says*, εἶμαι συγκρατημένος σ' ὅ,τι λέω. **~·ed·ly** *ἐπίρ.*

guard·ian /ˋgadɪən/ *οὐσ.* ‹C› φύλακας, κηδεμών: *my ˈ~ ˋangel*, ὁ φύλαξ ἄγγελός μου. **~·ship** /-ʃɪp/ *οὐσ.* ‹U› κηδεμονία.

gudg·eon /ˋgʌdʒən/ *οὐσ.* ‹C› γωβιός (ψάρι).

guer·(r)illa /gəˋrɪlə/ *οὐσ.* ‹C› (*πληθ.* ~*s*) **1.** (*συνήθ. ~ war*) ἀνταρτοπόλεμος. **2.** ἀντάρτης: *urban ~s*, ἀντάρτες τῶν πόλεων.

guess /ges/ *ρ.μ/ἀ.* **1.** μαντεύω, εἰκάζω: ~ *right/wrong*, μαντεύω σωστά/λάθος. ~ *(at) sb's age*, μαντεύω τήν ἡλικία κάποιου. *I'd ~ his age at 50/~ him to be 50/~ that he is 50*, θἄλεγα ὅτι εἶναι 50 χρονῶν. **2.** (*ΗΠΑ*) νομίζω, φαντάζομαι: *I ~ it's going to rain/he won't come*, νομίζω ὅτι θά βρέξη/ὅτι δέν θἄρθη. —*οὐσ.* ‹C› εἰκασία: *make/have a ~ (at sth)*, ἀποτολμῶ μιά εἰκασία (γιά κτ). ***It's anybody's ~***, κανένας δέν μπορεῖ νά εἶναι βέβαιος (γιά κτ), εἶναι ἐντελῶς ἀβέβαιον. ***at a ~***, στά κουτουρού, πρόχειρα: *At a ~ I'd say there were 50 people present*, πρόχειρα θἄλεγα ὅτι ἦταν 50 ἄνθρωποι παρόντες. ***by ~***, κατ' εἰκασίαν, μέ τό μυαλό, μέ τή φαντασία. **ˋ~-work** *οὐσ.* ‹U› εἰκασία, ὑπολογισμός, ὑπόθεσις: *It's all pure ~-work*, εἶναι ὅλα καθαρή εἰκασία (ὑποθέσεις).

guest /gest/ *οὐσ.* ‹C› φιλοξενούμενος, προσκεκλημένος, ξένος, μουσαφίρης: *We're expecting ~s to dinner*, περιμένουμε ξένους γιά φαγητό. **ˋ~·room**, δωμάτιο τῶν ξένων. **ˋ~-house**, πανσιόν. **ˈpaying ˋ~**, οἰκότροφος.

guf·faw /gəˋfɔ/ *οὐσ.* ‹C› καγχασμός, χάχανο. —*ρ.ἀ.* καγχάζω.

guid·ance /ˋgaɪdns/ *οὐσ.* ‹U› καθοδήγησις: *This is for your ~*, αὐτό εἶναι πρός ἐνημέρωσίν σας. *I owe much to his ~*, ὀφείλω πολλά στήν καθοδήγησή του/στίς συμβουλές του.

guide /gaɪd/ *οὐσ.* ‹C› **1.** ὁδηγός, ξεναγός: *a mountain ~*, ὁδηγός ὀρειβατῶν. *a museum ~*, ξεναγός μουσείου. *I have reason as my ~*, ἔχω τή λογική ὡς ὁδηγό. **ˋ~-lines** *οὐσ. πληθ.* ὁδηγίες, κατευθυντήριες γραμμές. **2.** (*καί*

`**~book**) ὁδηγός (βιβλίον). **3**. '**Girl** `**G~**, ὁδηγός, προσκοπίνα. __*ρ.μ.* ὁδηγῶ, ξεναγῶ, καθοδηγῶ: ~ *sb in/out, etc*, ὁδηγῶ κπ μέσα/ἔξω, κλπ. *Man should be ~ed by reason not by instinct*, ὁ ἄνθρωπος πρέπει νά καθοδηγῆται ἀπό τή λογική, ὄχι ἀπό τό ἔνστικτο. '**~d** `**missile**, κατευθυνόμενον βλῆμα.

guild /gɪld/ *οὐσ.* ‹C› συντεχνία. '**G~**`**hall**, γραφεῖα συντεχνίας, (στό Λονδῖνο) τό Δημαρχεῖον.

guilder /`gɪldə(r)/ *οὐσ.* ‹C› ἀργυροῦν 'Ολλανδικόν νόμισμα, φιορίνι.

guile /gaɪl/ *οὐσ.* ‹U› δόλος, πονηριά, ἀπάτη: *a man full of ~*, ἄνθρωπος γεμᾶτος πονηριά. *get sth by ~*, ἐπιτυγχάνω κτ μέ δόλο/μέ ἀπάτη. **~·less** *ἐπ.* ἄδολος, ἀπονήρευτος. **~·ful** /-fl/ *ἐπ.* δόλιος, πανοῦργος.

guil·lo·tine /`gɪlətin/ *οὐσ.* ‹C› λαιμητόμος, χαρτοκοπτική μηχανή. __*ρ.μ.* καρατομῶ.

guilt /gɪlt/ *οὐσ.* ‹U› ἐνοχή: *His ~ is in doubt*, ὑπάρχουν ἀμφιβολίες γιά τήν ἐνοχή του. **~·less** *ἐπ.* ἀθῶος: *He's ~less of the crime*, εἶναι ἀθῶος ἀπό τό ἔγκλημα. **~y** *ἐπ.* *(-ier, -iest)* ἔνοχος: *plead ~y to a crime*, ὁμολογῶ ὅτι εἶμαι ἔνοχος ἑνός ἐγκλήματος. *be ~y of a crime*, εἶμαι ἔνοχος ἐγκλήματος. *a ~y conscience*, ἔνοχη συνείδηση. *look ~y*, φαίνομαι ἔνοχος. **~·ily** /-əlɪ/ *ἐπίρ.* ἔνοχα. **~i·ness** *οὐσ.* ‹U› ἐνοχή.

guinea /`gɪnɪ/ *οὐσ.* ‹C› *(πεπαλ.)* γκινέα (χρημ. μονάς 21 σελλινίων).

guinea-fowl /`gɪnɪ faʊl/ *οὐσ.* ‹C› φραγκόκοττα.

guinea-pig /`gɪnɪ pɪg/ *οὐσ.* ‹C› ἰνδικόν χοιρίδιον, *(μεταφ.)* πειραματόζωον.

guise /gaɪz/ *οὐσ.* ‹C› **1**. *(ἀπηρχ.)* ἀμφίεσις: *in the ~ of a monk*, ντυμένος σάν καλόγερος. **2**. ἐμφάνισις, προσωπεῖον, πρόσχημα. ***in/under the ~ of***, μέ τή μάσκα, μέ τό πρόσχημα: *under the ~ of friendship*, μέ τή μάσκα τῆς φιλίας, προσποιούμενος τόν φίλο.

guitar /gɪ`ta(r)/ *οὐσ.* ‹C› κιθάρα.

gulf /gʌlf/ *οὐσ.* ‹C› **1**. κόλπος: *the G~ of Mexico*, ὁ Κόλπος τοῦ Μεξικοῦ. *the G~ Stream*, τό ρεῦμα τοῦ Κόλπου. **2**. χάσμα, βάραθρον, ἄβυσσος: *a ~ between our views*, χάσμα μεταξύ τῶν ἀπόψεών μας.

[1]**gull** /gʌl/ *οὐσ.* ‹C› γλάρος.

[2]**gull** /gʌl/ *ρ.μ.* ἐξαπατῶ: *~ sb out of his money*, ἐξαπατῶ κπ καί τοῦ παίρνω τά λεφτά. __*οὐσ.* ‹C› κορόϊδο. **~·ible** /-əbl/ *ἐπ.* μωρόπιστος, ἀφελής. **~i·bil·ity** /'gʌlə`bɪlətɪ/ *οὐσ.* ‹U› μωροπιστία, ἀφέλεια.

gul·let /`gʌlɪt/ *οὐσ.* ‹C› οἰσοφάγος, λαιμός.

gully /`gʌlɪ/ *οὐσ.* ‹C› χαντάκι, ρεματιά, ὑπόνομος.

gulp /gʌlp/ *ρ.μ/ἀ.* **1**. ~ ***(down)***, καταπίνω, χάφτω, πίνω μονορρούφι: *~ down a cup of tea/one's tears*, ρουφῶ στά γρήγορα ἕνα φλυτζάνι τσάϊ/καταπίνω τά δάκρυά μου. **2**. κομπιάζω, καταπίνω μέ δυσκολία. __*οὐσ.* ‹C› ρουφηξιά, μπουκιά: ***at one ~***, μονορρούφι.

[1]**gum** /gʌm/ *οὐσ.* ‹C› *(συνήθ. πληθ.)* οὖλον. `**~·boil** /`gʌmbɔɪl/ *οὐσ.* ‹C› ἀπόστημα τῶν οὔλων.

[2]**gum** /gʌm/ *οὐσ.* **1**. ‹U› κόμμι, κόλλα, μαστίχα: `*chewing-~*, τσίκλα. **2**. ‹C› *(καί* `*~-tree)* κομμεόδενδρον, εἶδος εὐκαλύπτου. ***up a ~-tree***, *(λαϊκ.)* σέ δυσκολίες, στριμωγμένος. `**~ boots**, ψηλές γαλότσες. __*ρ.μ.* *(-mm-)* κολλῶ, γομμάρω. **~my** *ἐπ.* *(-ier, -iest)* κολλώδης.

gump·tion /`gʌmpʃn/ *οὐσ.* ‹U› *(καθομ.)* μυαλό, ἐξυπνάδα, καπατσοσύνη, κρίσις: *He's got plenty of ~*, κόβει τό μυαλό του, εἶναι ἀτσίδας. *He has no ~*, δέν κόβει τό μυαλό του.

gun /gʌn/ *οὐσ.* ‹C› **1**. ὅπλο, πυροβόλο, κανόνι. ***blow great ~s***, *(γιά ἄνεμο)* φυσῶ δυνατά, μαίνομαι. ***stick to one's ~s***, κρατῶ τίς θέσεις μου, ἀμύνομαι σθεναρῶς. ***a big ~***, *(καθομ.)* μεγάλη προσωπικότητα. **2**. κυνηγός: *a party of six ~s*, ὁμάδα ἕξη κυνηγῶν. **3**. *(ὡς α! συνθετικό)*: `**~-boat**, κανονιοφόρος: *~-boat diplomacy*, διπλωματία μέ ἀπειλές βίας. `**~-carriage**, κιλλίβας (πυροβόλου). `**~·fire**, πῦρ, πυροβολισμοί, κανονιοβολισμοί. `**~·man**, κακοποιός, ἄνθρωπος τοῦ πιστολιοῦ, γκάγκστερ. `**~-metal**, μπροῦτζος, ὀρείχαλκος πυροβόλων. `**~·powder**, μπαρούτι. `**~·room**, *(σέ πλοῖο)* αἴθουσα δοκίμων. `**~-running**, λαθρεμπόριο ὅπλων. `**~-runner**, λαθρέμπορος ὅπλων. `**~·shot**, βεληνεκές ὅπλου: ***within/out of ~shot***, ἐντός/ἐκτός βολῆς τυφεκίου. `**~·smith**, ὁπλουργός. __*ρ.μ.* *(-nn)* ~ ***sb (down)***, σκοτώνω κπ μέ ὅπλο.

gun·ner /`gʌnə(r)/ *οὐσ.* ‹C› πυροβολητής.

gun·wale /`gʌnl/ *οὐσ.* ‹C› κουπαστή.

gurgle /`gɜgl/ *οὐσ.* ‹C,U› κελάρισμα, γουργούρισμα: *~s of laughter*, κακαριστά γέλια. __*ρ.ἀ.* κελαρύζω, γουργουρίζω: *The baby was gurgling happily*, τό μωρό γουργούριζε εὐτυχισμένο.

guru /`gʊru/ *οὐσ.* ‹C› 'Ινδός ἀσκητής.

gush /gʌʃ/ *ρ.ἀ.* **1**. ἀναβλύζω, ξεχύνομαι, ἀναπηδῶ: *oil ~ing from a new well*, πετρέλαιο πού ἀναβλύζει ὁρμητικά ἀπό νέο φρέαρ. *Blood was ~ing out*, τό αἷμα ἔτρεχε ποτάμι. **2**. μιλῶ μέ ἐνθουσιασμό, ἀναλύομαι σέ ἐκδηλώσεις: *The young mother was ~ing over her baby*, ἡ νεαρή μητέρα εἶχε ἀναλυθῆ σέ ἐκδηλώσεις (μιλοῦσε μ' ἐνθουσιασμό) γιά τό μωρό της. __*οὐσ.* ‹C› ξέσπασμα, ἀνάβρυσμα, ἔκρηξις, διαχυτικότης: *a ~ of anger/enthusiasm/oil*, ξέσπασμα θυμοῦ/ἔκρηξις ἐνθουσιασμοῦ/ἀνάβρυσμα πετρελαίου. **~·ing** *ἐπ.* διαχυτικός: *~ing compliments*. **~·ing·ly** *ἐπίρ.* διαχυτικά.

gus·set /`gʌsɪt/ *οὐσ.* ‹C› τσόντα.

gust /gʌst/ *οὐσ.* ‹C› μπουρίνι, ριπή (ἀνέμου, βροχῆς, χαλαζιοῦ, κλπ). **~y** *ἐπ.* *(-ier, -iest)* θυελλώδης.

gus·ta·tion /gʌ`steɪʃn/ *οὐσ.* ‹U› γεῦσις.

gus·to /`gʌstəʊ/ *οὐσ.* ‹U› ἀπόλαυσις, γοῦστο, κέφι: *do sth with ~*, κάνω κτ μέ κέφι.

gut /gʌt/ *οὐσ.* **1**. *(πληθ.)* ἔντερα, σπλάχνα: *stick a bayonet into sb's ~s*, καρφώνω μιά ξιφολόγχη στήν κοιλιά κάποιου. *I hate his ~s*, *(λαϊκ.)* τόν σιχαίνομαι ἀπό τά βάθη τῆς ψυχῆς μου. **2**. *(πληθ.)* οὐσία, περιεχόμενον: *His speech had no ~s in it*, ὁ λόγος του δέν εἶχε οὐσία. *The real ~s of his speech is...*, ἡ οὐσία τῆς ὁμιλίας του εἶναι... **3**. *(πληθ.)* θάρρος, κότσια: *He's got plenty of ~s*, ἔχει θάρρος, τό λέει ἡ καρδιά του, εἶναι παλληκάρι. **4**. ‹C› χορδή βιολιοῦ. __*ρ.μ.* *(-tt-)* **1**.

ξεντερίζω. **2**. καταστρέφω τό ἐσωτερικό (κτιρίου): *The building was ~ted by fire*, ἡ φωτιά ἄφησε μόνο τούς τέσσερες τοίχους τοῦ κτιρίου. **~·less** *ἐπ.* ψοφοδεής, νερόβραστος.

gut·ta-percha /ˈgʌtə ˋpɜtʃə/ *οὐσ.* ‹U› γουτταπέρκα.

gut·ter /ˋgʌtə(r)/ *οὐσ.* ‹C› **1**. λούκι, ὑδρορρόη (στέγης). **2**. χαντάκι, ρεῖθρον (δρόμου). **3**. (*μεταφ.*) δρόμος, βοῦρκος, λάσπη: *take sb out of the ~*, βγάζω κπ ἀπό τό βοῦρκο/ἀπό τή λάσπη. *be brought up in the ~*, μεγαλώνω στούς δρόμους. ***the ~ press***, σκανδαλοθηρικές ἐφημερίδες. **ˋ~·snipe**, χαμίνι, ἀλητᾶκος. __*ρ.ἀ.* (*γιά κερί*) στάζω.

gut·tural /ˋgʌtərl/ *ἐπ.* λαρυγγικός. __*οὐσ.* ‹C› (*φωνητ.*) λαρυγγόφωνον.

guv·nor /ˋgʌvnə(r)/ *οὐσ.* ‹C› (*λαϊκ.*) ἀφεντικό.

guy /gaɪ/ *οὐσ.* ‹C› **1**. ἀνδρείκελο, σκιάχτρο, καραγκιόζης. **2**. (*λαϊκ.*) τύπος, ὑποκείμενο: *a tough ~*, σκληρός ἄντρας. __*ρ.μ.* (*ἀόρ.* & *π.μ.* *~ed*) περιγελῶ, κοροϊδεύω.

guzzle /ˋgʌzl/ *ρ.μ/ἀ.* (*καθομ.*) τρώγω ἤ πίνω λαίμαργα, περιδρομιάζω: *He's always guzzling*, ὅλο φαΐ καί πιοτό εἶναι. **~r** /-zlə(r)/ *οὐσ.* ‹C› φαγᾶς, λαίμαργος.

gym /dʒɪm/ *οὐσ.* ‹C› *συντομ. τῆς λέξ. gymnastics: ˋ~-shoes/-mistress*, παπούτσια/καθηγήτρια γυμναστικῆς.

gym·na·sium /dʒɪmˋneɪzɪəm/ *οὐσ.* ‹C› (*πληθ.* *~s*) γυμναστήριον, γυμνάσιον.

gym·nast /ˋdʒɪmnæst/ *οὐσ.* ‹C› γυμναστής.

gym·nas·tics /dʒɪmˋnæstɪks/ *οὐσ. πληθ.* (*μέ ρ. ἑν.*) γυμναστική: *do ~*, κάνω γυμναστική. *go in for ~*, ἀσχολοῦμαι μέ τή γυμναστική.

gynae·col·ogy /ˈgaɪnɪˋkɒlədʒɪ/ *οὐσ.* ‹U› γυναικολογία. **gynae·colo·gist** /-dʒɪst/ *οὐσ.* ‹C› γυναικολόγος. **gynae·co·logi·cal** /ˈgaɪnɪkəˋlɒdʒɪkl/ *ἐπ.* γυναικολογικός.

gyp·sum /ˋdʒɪpsəm/ *οὐσ.* ‹U› γύψος.

gyp·sy /ˋdʒɪpsɪ/ *οὐσ.* ‹C› *βλ. gipsy*.

gy·rate /ˈdʒaɪəˋreɪt/ *ρ.ἀ.* περιστρέφομαι. **gy·ra·tion** /-ˋreɪʃn/ *οὐσ.* ‹C,U› περιστροφή, περιστροφική κίνησις.

gyro /ˋdʒaɪrəʊ/, **gyro·scope** /ˋdʒaɪərəskəʊp/ *οὐσ.* ‹C› γυροσκόπιον.

H h

H, h /eɪtʃ/ (*πληθ. H's, h's* /ˋeɪtʃɪz/) τό 8ο γράμμα τοῦ ἀλφάβητου. ***drop one's h's***, δέν προφέρω τόν ἦχο /h/.

ha /hɑ/ *ἐπιφ. χαρᾶς, ἐκπλήξεως, ὑποψίας:* χά! χά!

ha·beas cor·pus /ˈheɪbɪəs ˋkɔpəs/ *οὐσ.* (*Λατ., νομ.*) χάμπεας κόρπους, προστασία τῶν πολιτῶν κατά τῆς παρανόμου κρατήσεως.

hab·er·dasher /ˋhæbədæʃə(r)/ *οὐσ.* ‹C› ἔμπορος ψιλικῶν. **~y** *οὐσ.* ‹C,U› ψιλικά.

ha·bili·ments /həˋbɪlɪmənts/ *οὐσ. πληθ.* (*χιουμορ.*) ροῦχα.

habit /ˋhæbɪt/ *οὐσ.* ‹C,U› **1**. συνήθεια: *the ~ of smoking*, ἡ συνήθεια τοῦ καπνίσματος. ***be in/fall into the ~ of doing sth***, ἔχω/ἀποκτῶ τή συνήθεια νά κάνω κτ. ***fall/get into bad ~s***, ἀποκτῶ κακές συνήθειες. ***get sb into the ~ of***, συνηθίζω κπ νά... ***get out of a ~***, κόβω μιά συνήθεια. ***make a ~ of***, τό παίρνω συνήθεια νά... ***(do sth/act) from force of ~***, (κάνω κτ/ἐνεργῶ) ἀπό συνήθεια. **2**. (*ἀπηρχ.*) ἰδιοσυγκρασία. **3**. ἔνδυμα (καλογήρου ἤ ἱππασίας γιά γυναίκα).

hab·it·able /ˋhæbɪtəbl/ *ἐπ.* κατοικήσιμος (*ἀντίθ. uninhabitable*): *The old house is no longer ~*, τό παληό σπίτι δέν εἶναι πλέον κατοικήσιμο.

habi·tat /ˋhæbɪtæt/ *οὐσ.* ‹C› φυσικόν περιβάλλον (φυτῶν ἤ ζώων).

habi·ta·tion /ˈhæbɪˋteɪʃn/ *οὐσ.* ‹C,U› κατοίκησις, (*λογοτ.*) κατοικία: *The house is not fit for ~*, τό σπίτι δέν εἶναι κατάλληλο γιά κατοίκηση.

ha·bit·ual /həˋbɪtʃʊəl/ *ἐπ.* **1**. συνήθης, συνηθισμένος: *my ~ time/seat*, ἡ συνηθισμένη μου ὥρα/τό -ο μου κάθισμα. **2**. καθ' ἕξιν: *He's a ~ liar/drunkard*, εἶναι καθ' ἕξιν ψεύτης/μέθυσος. **~ly** /-tʃʊlɪ/ *ἐπίρ.* τακτικά, ἀπό συνήθεια.

ha·bitu·ate /həˋbɪtʃʊeɪt/ *ρ.μ.* ***~ sb/oneself to (doing) sth***, συνηθίζω, ἐξοικειώνω/-ομαι: *You'll soon ~ yourself to our climate/getting up early*, σύντομα θά συνηθίσης τό κλῖμα μας/νά σηκώνεσαι πρωΐ.

ha·bitué /həˋbɪtʃʊeɪ/ *οὐσ.* ‹C› θαμών.

haci·enda /ˈhæsɪˋendə/ *οὐσ.* ‹C› (*πληθ.* *~s*) ἀγρόκτημα, ράντσο (στήν Λατιν. Ἀμερική).

[1]**hack** /hæk/ *ρ.μ/ἀ.* πελεκῶ, πετσοκόβω: *~ sth to pieces*, κάνω κτ κομμάτια. **a ~ing cough**, ξερόβηχας. **ˋ~·saw**, σιδηροπρίονο.

[2]**hack** /hæk/ *οὐσ.* ‹C› **1**. ἄλογο πού νοικιάζεται. **2**. συγγραφεύς μέ τό μεροκάματο, φυλλαδιογράφος: *a publisher's ~*, ἔμμισθος συγγραφεύς ἐκδοτικοῦ οἴκου. __*ρ.ἀ.* **1**. ἱππεύω: *go ~ing*, πάω καβάλλα. **2**. γράφω γιά ἄλλον.

hackles /ˋhæklz/ *οὐσ. πληθ.* μακρυά φτερά στό λαιμό τοῦ κόκκορα: *with his ~ up*, ἀγριεμένος. ***have one's/get sb's ~ up***, ἀγριεύω/θυμώνω κπ.

hack·ney /ˋhæknɪ/ *οὐσ.* ‹C› ἄλογο. *a ˋ~ carriage/coach*, ἀγοραία ἅμαξα, μόνιππο. **~ed** *ἐπ.* χιλιοειπωμένος: *a ~ed phrase*, κοινοτοπία.

had /həd, *ἐμφ*: hæd/ *ἀόρ.* & *π.μ. τοῦ ρ. have*.

had·dock /ˋhædək/ *οὐσ.* ‹C› (*ἀμετάβλ. στόν πληθ.*) μπακαλιάρος.

Hades /ˋheɪdiz/ *οὐσ.* Ἅδης.

Hadji /ˋhædʒɪ/ *οὐσ.* ‹C› χατζῆς.

haemo- /ˈhimə-/ *πρόθεμα βλ. hemo-*.

haft /hɑft/ *οὐσ.* ‹C› λαβή (μαχαιριοῦ, τσεκουριοῦ, κλπ).

hag /hæg/ *οὐσ.* ‹C› (*γρηά*) μάγισσα, στρίγγλα, μέγαιρα. **ˋ~-ridden**, βασανιζόμενος ἀπό ἐφιάλτες.

hag·gard /ˈhægəd/ *ἐπ.* (*γιά ἄνθρ.*) καταβεβλημένος, ὠχρός, τσακισμένος: *look ~ after a sleepless night*, μοιάζω σάν πεθαμένος ὕστερα ἀπό μιά νύχτα ἀγρύπνιας.

hag·gis /ˈhægɪs/ *οὐσ.* ‹C,U› (*πληθ.* *~es*) (*Σκωτία*) εἶδος ἀρνίσιου πατσᾶ μέ κιμᾶ, κριθαράλευρο καί μπαχαρικά.

haggle /ˈhægl/ *ρ.ἀ.* ~ (**with sb**) (**over/about sth**), παζαρεύω.

hagi·ol·ogy /ˈhægɪˈɒlədʒɪ/ *οὐσ.* ‹U› ἁγιολόγιον, βίοι τῶν ἁγίων.

ha ha /ˈhaˈha/ *ἐπιφ.* χά! χά!

haha /ˈhaha/ *οὐσ.* ‹C› τάφρος γύρω ἀπό κῆπο.

[1]**hail** /heɪl/ *οὐσ.* ‹C,U› **1**. χαλάζι. ˈ~·**stone**, κόκκος χαλαζιοῦ. ˈ~·**storm**, χαλαζοθύελλα. **2**. (*μεταφ.*) βροχή: *a ~ of blows/curses*, βροχή ἀπό γροθιές/βρισιές. —*ρ.μ/ἀ.* **1**. (*ἀπρόσ.*) *It ~ed last night*, ἔρριξε χαλάζι χθές τή νύχτα. **2**. ~ (**down**) (**on**), ρίχνω/πέφτω (σά) βροχή: *Blows ~ed down on his back*, τά χτυπήματα ἔπεφταν βροχή στήν πλάτη του. *They ~ed curses down on us*, μᾶς ἔλουσαν μέ βλαστήμιες.

[2]**hail** /heɪl/ *ρ.μ/ἀ.* **1**. χαιρετῶ: *His appearance was ~ed with long applause*, ἡ ἐμφάνισίς του ἐχαιρετίσθη μέ παρατεταμένα χειροκροτήματα. *~ sb as a hero*, ἐπευφημῶ κπ ὡς ἥρωα. **2**. καλῶ, φωνάζω: *~ a taxi*, φωνάζω ταξί. **3**. ~ **from**, προέρχομαι: *people ~ing from all parts of the country*, (*καθομ.*) ἄνθρωποι προερχόμενοι ἀπ᾽ ὅλα τά μέρη τῆς χώρας. *a ship ~ing from London*, πλοῖο νηολογημένο στό Λονδῖνο. —*ἐπιφ.* χαῖρε! —*οὐσ.* ‹C› χαιρετισμός, κραυγή, κλῆσις: ***within ~***, (*ἰδ. γιά πλοῖα*) εἰς ἀπόστασιν φωνῆς. ***be ˈ~-fellow-well-ˈmet*** (***with sb***), ἔχω φιλίες μέ κπ.

hair /heə(r)/ *οὐσ.* **1**. ‹C› τρίχα: *find a ~ in one's soup*, βρίσκω μιά τρίχα στή σούπα μου. *my first white ~s*, οἱ πρῶτες ἄσπρες τρίχες μου. ***split ~s***, ψιλολογῶ, εἶμαι σχολαστικός, γυρεύω ψύλλους στ᾽ ἄχυρα. ˈ~-**splitting** *οὐσ.* ‹U› ψιλολόγημα, σχολαστικότης. *ἐπ.* λεπτολόγος, σχολαστικός. ***to a ~***, (περιγράφω κτ) μέ ἀπόλυτη ἀκρίβεια. ***not turn a ~***, δέν πτοοῦμαι, δέν ἱδρώνει τ᾽ αὐτί μου, μένω ἐντελῶς ἀδιάφορος. ***a ˈ~('s)-breadth***, ἐλαχίστη ἀπόστασις: *escape by/within a ~'s breadth; have a ~-breadth escape*, τή γλυτώνω παρά τρίχα. ***have/get sb by the short ~s***, (*λαϊκ.*) βάζω κπ στό χέρι, τόν ἔχω τοῦ χεριοῦ μου. **2**. ‹U› (*περιληπτ. στόν ἑν.*) μαλλιά: *Your ~ is getting too long, you must have it cut*, τά μαλλιά σου παραμακραίνουν, πρέπει νά τά κόψῃς. ***a coat of ~***, (*γιά ζῶα*) τρίχωμα. ***Keep your ~ on!*** (*λαϊκ.*) ψυχραιμία! ***let one's ~ down***, (*μεταφ.*) ἀφήνω τόν ἑαυτό μου ἐλεύθερο, συμπεριφέρομαι μέ φυσικότητα (ὕστερα ἀπό κοινωνικές τυπικότητες). ***lose one's hair***, γίνομαι φαλακρός, (*λαϊκ.*) γίνομαι μπαρούτι, θυμώνω. ***make one's ˈ~ stand on end***, μοῦ σηκώνεται ἡ τρίχα, φρικιῶ. ***put one's ~ up***, δένω τά μαλλιά μου. ***tear one's ~***, τραβῶ τά μαλλιά μου. **3**. (*σέ σύνθετες λέξεις*): ˈ~·**brush**, βούρτσα τῶν μαλλιῶν. ˈ~·**cut**, κούρεμα: *You need a ~cut*, θέλεις κούρεμα. ˈ~-**do**, (*καθομ.*) χτένισμα, κόμμωσις. ˈ~·**dresser**, κομμωτής, κομμώτρια. ˈ~-**dye**, βαφή μαλλιῶν. ˈ~·**line**, λεπτή, τριχοειδής γραμμή: *a ~line distinction*, λεπτοτάτη διάκρισις. ˈ~-**net**, φιλές τῶν μαλλιῶν. ˈ~·**piece**, ποστίς. ˈ~·**pin**, φουρκέτα: *ˈ~pin ˈbend*, ἀπότομη στροφή (σέ δρόμο). ˈ~-**raising**, τρομαχτικός: *a ~-raising story*, ἱστορία φρίκης. ˈ~-ˈ**shirt**, τρίχινος σάκκος (ἀσκητῶν). ˈ~-**slide**, τσιμπιδάκι τῶν μαλλιῶν. ˈ~·**spring**, τρίχα (ρολογιοῦ). ~**ed** *ἐπ.* (*μέ ἐπ. ἤ οὐσ.*) μέ μαλλιά: *ˈred-~ed*, κοκκινομάλλης. *ˈlong-~ed*, μακρυμάλλης. *ˈwire-~ed*, μέ ἄγρια μαλλιά. ˈ~·**less** *ἐπ.* φαλακρός. ˈ~·**like** *ἐπ.* τριχοειδής. ~**y** *ἐπ.* (*-ier, -iest*) τριχωτός, δασύτριχος, μαλλιαρός: *a ~y chest*, τριχωτό στῆθος.

hake /heɪk/ *οὐσ.* ‹C› (*ἀμετάβλ. στόν πληθ.*) μουρούνα (ψάρι).

hal·berd /ˈhælbəd/ *οὐσ.* ‹C› δόρυ μέ πέλεκυ, ἀλαβάρδα.

hal·cyon /ˈhælsɪən/ *ἐπ.* γαλήνιος: *~ days/weather*, **ἀλκυονίδες** ἡμέρες/γλυκός καιρός.

[1]**hale** /heɪl/ *ἐπ.* (*μόνο στή φράση*) ***~ and hearty***, κοτσονᾶτος, θαλερός (γιά γέρο).

[2]**hale** /heɪl/ *ρ.μ.* (*ἀπηρχ.*) σύρω: *He was ~d off to prison*, ἐσύρθη εἰς τάς φυλακάς.

half /haf/ *οὐσ.* ‹C› (*πληθ.* *halves* /havz/) & *ἐπ.* **1**. μισό, μισός: *Two halves make a whole*, δυό μισά κάνουν ἕνα ὁλόκληρο. *two pounds and a ~; two and a ~ pounds*, δυόμισυ λίμπρες. *~ an hour/a day*, μισή ὥρα/μισή μέρα. *a ~-hour*, ἕνα ἡμίωρο. *cut in ~/into halves*, κόβω στά δύο/στή μέση. *take ~ of sth*, παίρνω τό μισό ἀπό κτ. *~ (of) the class*, ἡ μισή τάξις. *~ (of) his men*, οἱ μισοί ἄνδρες του. *She's ~ as old as I am*, ἔχει τά μισά μου χρόνια. ***do things by halves***, κάνω μισές δουλειές. ***go halves*** (***with sb***) (***in sth***), πάω στή μέση, μισά-μισά, μέ κπ (σέ κτ). ***too clever, etc by ~***, παραεῖναι ἔξυπνος, κλπ. ***his better ~***, (*καθομ.*) τό τρυφερό του ἥμισυ. **ˈ~ a ˈdozen**, μισή ντουζίνα. **2**. (*σέ σύνθ. λέξεις*): ˈ~-**back**, (*ποδόσφ.*) μέσος, χάφ. ˈ~-ˈ**baked** *ἐπ.* (*καθομ.*) μισοψημένος, (*μεταφ.*)) χαζός, ἀνώριμος, ἀφελής: *a ~-baked young man*, ἀνώριμος νέος. *~-baked ideas*, χαζές, πρόχειρες, ἀβασάνιστες ἰδέες. ˈ~-**blood**, ἑτεροθαλής συγγενής. ˈ~-**breed**, μιγάς, μπασταρδεμένος. ˈ~-**brother**, ἑτεροθαλής ἀδελφός. ˈ~-**caste**, μιγάς. **at ˈ~ ˈcock**, (ὅπλο) στήν ἀσφάλεια. ***go off at ~ cock***, ἐνεργῶ πρόωρα καί ἀποτυγχάνω. **ˈ~ a ˈcrown; a ˈ~-ˈcrown**, μισή κορώνα (*παλαιότ.* νόμισμα $2\frac{1}{2}$ σελλινίων). ˈ~-ˈ**hearted**, ἀπρόθυμος, χλιαρός: *a ~-hearted attempt*, χλιαρή προσπάθεια. ˈ~-ˈ**heartedly** *ἐπίρ.* χλιαρά, μέ μισή καρδιά. ˈ~-ˈ**holiday**, ἡμιαργία. ˈ~-ˈ**hourly** *ἐπ.* & *ἐπίρ.* ἀνά ἡμίωρον: *a ~-hourly bus service*, λεωφορειακή συγκοινωνία ἀνά ἡμίωρον. **(at) ˈ~-ˈmast** *ἐπίρ.* μεσίστιος: *The flag was at ~-mast*, ἡ σημαία ἦταν μεσίστια. ˈ~-ˈ**pay**, μισθός διαθεσιμότητος: *place/put an officer on ~-pay*, θέτω ἀξιωματικόν εἰς διαθεσιμότητα. ~·**penny** /ˈheɪpnɪ/ μισή πέννα. ~·**pennyworth** /ˈheɪpnɪwɜθ/, **ha'p'orth** /ˈheɪpəθ/ *οὐσ.* ‹C› (*καθομ.*) ἀξίας μισῆς πέννας. ˈ~-ˈ**price** *ἐπίρ.* μισοτιμῆς. ˈ~-**seas-ˈover** *κατηγ. ἐπ.*

(*καθομ.*) μισομεθυσμένος: *He's ~-seas-over*, τἄχει κοπανίσει. **ˋ~-sister**, ἑτεροθαλής ἀδελφή. **ˈ~ˋsovereign**, μισόλιρο (χρυσό νόμισμα). **ˈ~ˋtimbered** *ἐπ.* (*γιά οἰκοδομή*) μέ ξύλινο σκελετό. **ˈ~ˋtime**, *(α)* (*ποδόσφ.*) ἡμιχρόνιον. *(β)* μισό μεροκάματο: *be on/work ~-time*, κάνω μισό μεροκάματο. **ˋ~-tone**, (*μουσ.*) ἡμιτόνιον, (*φωτογ.*) φωτοτσιγκογραφία. **ˋ~-track**, (*στρατ.*) ἡμιερπυστροφόρον ὄχημα. **ˋ~-truth**, μισή ἀλήθεια. **ˈ~ˋway** *ἐπ.* & *ἐπίρ.* στό μέσον τῆς ἀποστάσεως/τοῦ δρόμου, μισοδρομίς: *~-way measures*, ἡμίμετρα. *meet sb ~-way*, συμβιβάζομαι. ***be ~-way***, εἶμαι στά μισά, ἔχω μισο-: *be ~-way through a book/across a street/up a mountain/down the stairs*, ἔχω μισοδιαβάσει ἕνα βιβλίο/μισοδιασχίσει ἕνα δρόμο/μισοανεβεῖ ἕνα βουνό/μισοκατεβεῖ τίς σκάλες. **ˋ~-wit** *οὐσ.* ἠλίθιος. χαζός. **ˈ~ˋwitted** *ἐπ.* χαζός. **ˈ~ˋyearly** *ἐπ.* & *ἐπίρ.* ἑξαμηνιαῖος, ἀνά ἑξάμηνον. __*ἐπίρ.* μισό: *~-cooked*, μισομαγειρεμένος. *~-dead*, μισοπεθαμένος. *not ~ long enough*, ὄχι ἀρκετά μακρύς. ***not ~ bad***, (*καθομ.*) καθόλου ἄσχημο, πολύ καλό. ***not ~***, (*λαϊκ.*) πάρα πολύ: *'Was he angry?' 'Not ~!'* -Θύμωσε; -Πάρα πολύ (ἔγινε παπόρι)! *He didn't ~ swear*, βλαστήμησε μέ τήν ψυχή του.

hali·but /ˋhælɪbət/ *οὐσ.* ‹C› (*ἀμετάβλ. στόν πληθ.*) εἶδος βακαλάου.

hali·tosis /ˈhælɪˋtəʊsɪs/ *οὐσ.* ‹U› (*ἰατρ.*) δυσοσμία τοῦ στόματος.

hall /hɔl/ *οὐσ.* ‹C› **1**. χώλ (σπιτιοῦ). **ˋ~-stand**, πορτμαντώ. **2**. αἴθουσα. **ˋconcert-~**, αἴθουσα συναυλιῶν. **ˋmusic-~**, καμπαρέ. **3**. (*ΜΒ, στά πανεπιστήμια*) τραπεζαρία, οἶκος φοιτητῶν. **4**. (*ΜΒ*) ἀρχοντικό, πύργος. **5**. μέγαρον συντεχνίας.

hal·le·lu·jah /ˈhælɪˋlujə/ *οὐσ.* ‹C› & *ἐπιφ.* ἀλληλούϊα.

hall·mark /ˋhɔlmɑk/ *οὐσ.* ‹C› στάμπα σέ χρυσαφικά ἤ ἀσημικά, (*μεταφ.*) ἐγγύησις καλῆς ποιότητος. __*ρ.μ.* σταμπάρω.

hallo /həˋləʊ/ *ἐπιφ.* *βλ.* *hello*.

hal·loo /həˋlu/ *ἐπιφ.* *προτροπῆς σέ λαγωνικό:* πάνω του! *κραυγή γιά τήν προσέλκυση προσοχῆς:* ἔεεε! __*ρ.ἀ.* κράζω.

hal·low /ˋhæləʊ/ *ρ.μ.* (*συνήθ. εἰς παθ. φων.*) καθαγιάζω: *H~ed be thy name*, ἁγιασθήτω τό ὄνομά σου! *ground ~ed by our gallant dead*, ἔδαφος καθαγιασθέν ἀπό τούς ἡρωϊκούς μας νεκρούς. __*οὐσ.* (*μόνον εἰς*) **All H~s**, Ἅγιοι Πάντες.

Hal·low·e'en /ˈhæləʊˋin/ *οὐσ.* παραμονή τῶν Ἁγίων Πάντων (31 Ὀκτωβρίου).

hal·lu·ci·na·tion /həˈlusɪˋneɪʃn/ *οὐσ.* ‹C,U› παραίσθησις: *be subject to ~s*, παθαίνω παραισθήσεις. **hal·lu·ci·na·tory** /həˋlusɪnətərɪ/, **hal·lu·ci·no·genic** /həˋlusɪnəʊˋdʒenɪk/ *ἐπ.* παραισθησιογόνος: *hallucinogenic drugs*, παραισθησιογόνα.

halo /ˋheɪləʊ/ *οὐσ.* (*πληθ.* *~s*, *~es* /-ləʊz/) φωτοστέφανος.

[1]**halt** /hɔlt/ *οὐσ.* ‹C› **1**. (*στρατ.*) ἄλτ, σταμάτημα, στάσις, τέρμα: *H~! Who goes there?* Ἄλτ! Τίς εἶ; *The train came to a ~*, τό τραῖνο σταμάτησε. ***call a ~ (to)***, σταματῶ, θέτω τέρμα: *The captain called a ~*, ὁ λοχαγός διέταξε στάση. *We must call a ~ to vandalism*, (*μεταφ.*) πρέπει νά θέσωμε τέρμα στούς βανδαλισμούς. **2**. μικρός σιδηροδρομικός σταθμός (γιά ὀλιγόλεπτη στάση). __*ρ.μ/ἀ.* σταματῶ: *The company ~ed*, ὁ λόχος σταμάτησε.

[2]**halt** /hɔlt/ *ρ.ἀ.* ἀμφιταλαντεύομαι, μιλῶ ἤ περπατῶ διστακτικά: *~ between two opinions*, διστάζω ἀνάμεσα σέ δυό γνῶμες. *speak in a ~ing voice*, μιλῶ μέ διστακτική φωνή. **~ing·ly** *ἐπίρ.* διστακτικά.

hal·ter /ˋhɔltə(r)/ *οὐσ.* ‹C› **1**. καπίστρι. **2**. σκοινί κρεμάλας.

halve /hɑv/ *ρ.μ.* **1**. μοιράζω στά δύο: *~ an apple*. **2**. περιορίζω στό ἥμισυ: *~ the time/distance*, μισιάζω τό χρόνο/τήν ἀπόσταση.

halves /hɑvz/ *οὐσ.* *πληθ.* *τῆς λ.* *half*.

ham /hæm/ *οὐσ.* ‹C,U› **1**. χοιρομέρι, ζαμπόν: *a slice of ~*, μιά φέτα ζαμπόν. *~ and eggs*, αὐγά μέ ζαμπόν. **2**. (*γιά ζῶα*) γλουτός. **3**. (*λαϊκ.*) κακός ἠθοποιός, ἐρασιτέχνης: *a radio ~*, ὁ ἔχων ἐρασιτεχνικό πομπό. *a ~ actor*, καμποτῖνος. **ˈ~ˋhanded/ˋfisted** *ἐπ.* ἀδέξιος στά χέρια. __*ρ.μ/ἀ.* *(-mm-)* ***~ (up)***, (*θεατρ., καθομ.*) παίζω μέ στόμφο/μελοδραματικά, τό παρακάνω: *Stop ~ming it up!* ἄσε τούς θεατρινισμούς!

hama·dryad /ˈhæməˋdraɪəd/ *οὐσ.* ‹C› **1**. (*μυθ.*) ἁμαδρυάς. **2**. νάγια (φίδι).

ham·burger /ˋhæmbɜgə(r)/ *οὐσ.* ‹C› **1**. μπιφτέκι ἀπό κιμᾶ. **2**. σάντουϊτς μέ μπιφτέκι.

ham·let /ˋhæmlət/ *οὐσ.* ‹C› χωριουδάκι.

ham·mer /ˋhæmə(r)/ *οὐσ.* ‹C› **1**. σφυρί: *the ~ and sickle*, τό σφυροδρέπανο. ***be/go at it ~ and tongs***, στήνω τρικούβερτο καυγᾶ, καταπιάνομαι δραστήρια μέ κτ. ***bring/come under the ~***, βγάζω/βγαίνω στό σφυρί (σέ δημοπρασία). **2**. (*ἀθλ.*) σφύρα: **throwing the ~**, σφυροβολία. **3**. πλῆκτρον (σφύρα χορδῆς πιάνου). **4**. ἐπικρουστήρ, λύκος (ὅπλου). __*ρ.μ/ἀ.* **1**. σφυροκοπῶ, σφυρηλατῶ, χτυπῶ: *~ sth into shape*, δίνω μορφή σέ κτ διά σφυρηλατήσεως. *~ a nail in*, μπήγω ἕνα καρφί. *~ sth flat/out*, ἰσιώνω κτ μέ τό σφυρί. *~ at a door/at the piano keys*, κοπανάω μιά πόρτα/τά πλῆκτρα τοῦ πιάνου. ***~ sth into sb's head***, χώνω κτ μέ κόπο στό κεφάλι κάποιου: *He ~ed the rules into the children's heads*. **2**. ἐργάζομαι σκληρά, πέφτω μέ τά μοῦτρα σέ κτ: *~ away at a problem/compromise*, ἀγωνίζομαι νά λύσω ἕνα πρόβλημα/νά πετύχω συμβιβασμό. *~ out a scheme*, ἐκπονῶ ἕνα σχέδιο. **3**. (*λαϊκ.*) σφυροκοπῶ, τσακίζω (ἐχθρό, ἀντίπαλο, κλπ).

ham·mock /ˋhæmək/ *οὐσ.* ‹C› κρεμαστό κρεββάτι ἀπό πλεχτό σκοινί ἤ ἀπό καναβόπανο.

[1]**ham·per** /ˋhæmpə(r)/ *οὐσ.* ‹C› καλάθι μέ καπάκι.

[2]**ham·per** /ˋhæmpə(r)/ *ρ.μ.* παρακωλύω, παρεμποδίζω, ἐνοχλῶ: *He was ~ed by his heavy overcoat*, τόν ἐμπόδιζε τό βαρύ παλτό του.

ham·string /ˋhæm-strɪŋ/ *ρ.μ.* *ἀνώμ.* (*ἀόρ.* & *π.μ.* *-strung* /-strʌŋ/) σακατεύω κπ (κόβοντας τούς τένοντας στήν κλείδωση τοῦ γόνατος), (*μεταφ.*) καθιστῶ κπ ἀνίσχυρον, κόβω τά γόνατα: *We were hamstrung through lack of credit*, ἡ ἔλλειψη πιστώσεων μᾶς ἔκοψε τά γόνατα.

[1]**hand** /hænd/ *ουσ.* **1.** ‹C› χέρι: *with his ~s in his pockets*, μέ τά χέρια του στίς τσέπες. ***at ~***, κοντά: *He lives close at ~*, μένει ἐδῶ κοντά. *Peace is at ~*, ἐπίκειται εἰρήνη. *The examinations are at ~*, οἱ ἐξετάσεις πλησιάζουν. *have sth at ~*, ἔχω κτ πρόχειρο, κοντά μου. ***at sb's ~s***, στά χέρια κάποιου, ἀπό κάποιον: *I never expected such treatment at your ~s*, ποτέ δέν περίμενα τέτοια μεταχείρηση ἀπό σένα. ***by ~***, μέ τό χέρι: *made by ~*, χειροποίητος. *deliver a letter by ~*, παραδίδω ἕνα γράμμα ἰδιοχείρως. ***bring up by ~***, μεγαλώνω (ἕνα μωρό/ἕνα μοσχάρι, κλπ) μέ τό μπιμπερό. ***in ~***, *(α)* στό χέρι: *He entered, revolver/hat in ~*, μπῆκε μέσα μέ τό περίστροφο/μέ τό καπέλλο στό χέρι. *(β)* διαθέσιμος: *I still have some money in ~*, ἔχω ἀκόμα μερικά χρήματα διαθέσιμα. *(γ)* ὑπό ἐκτέλεσιν, ὑπό συζήτησιν: *The work is in ~ and will soon be finished*, ἡ δουλειά εἶναι ὑπό ἐκτέλεσιν καί θά τελειώση σύντομα. *the matter in ~*, τό προκείμενον θέμα, τό ζήτημα πού μᾶς ἀπασχολεῖ... *(δ)* ὑπό ἔλεγχον: *We have the situation well in ~*, ἔχομε τήν κατάσταση ὑπό τόν ἔλεγχό μας, εἴμεθα κύριοι τῆς καταστάσεως. ***take sb in ~***, σφίγγω τά λουριά σέ κπ, ἐπιβάλλω πειθαρχία, ἀναλαμβάνω κπ. ***on ~***, *(α)* πρός ἐκτέλεσιν: *I have a lot of work on ~*, ἔχω πολλή δουλειά νά κάνω/πού μέ περιμένει. *(β)* διαθέσιμος, πρός πώλησιν: *We have some new woollen goods on ~*, διαθέτομε μερικά νέα μάλλινα εἴδη. ***out of ~***, *(α)* ἀπείθαρχος, ἀσύδοτος: *The boys have got quite out of ~*, τά παιδιά ἔχουν ξεφύγει ἀπό κάθε ἔλεγχο, εἶναι τελείως ἀσύδοτα. *(β)* ἀμέσως, ἀδίσταχτα: *We must deal with the situation out of ~*, πρέπει νά ἀντιμετωπίσωμε τήν κατάσταση ἀμέσως. *shoot sb out of ~*, πυροβολῶ κπ ἀδίσταχτα. ***to ~***, (*ἐμπ.*) ληφθείς: *Your letter is to ~*, ἐλάβομεν τήν ἐπιστολήν σας. *The parcel has come to ~*, ἐλάβομεν τό δέμα. ***from ~ to ~***, (περνῶ) ἀπό χέρι σέ χέρι, (δίνω κτ) χέρι μέ χέρι. ***fight ~ to ~***, ἔρχομαι στά χέρια, παλεύω σῶμα πρός σῶμα. ***(live) from ~ to mouth***, (ζῶ) μεροδούλι-μεροφάγι, ἀπερίσκεπτα. ***beat sb/win ~s down***, νικῶ κπ/κερδίζω πολύ εὔκολα, χωρίς καμιά προσπάθεια. ***bind sb ~ and foot***, (*κυριολ.* & *μεταφ.*) δένω κπ χειροπόδαρα. ***eat/feed out of sb's ~***, *(α)* (*γιά πουλί*) εἶναι πολύ ἥμερο. *(β)* (*γιά ἄνθρ.*) ὑπακούω τυφλά: *She eats out of his ~*, τόν ὑπακούει τυφλά, κάνει ὅ,τι τῆς πῆ. ***get sb/sth off one's ~s***, παύω νά ἔχω τήν εὐθύνη γιά κπ/κτ, ξεφορτώνομαι κπ/κτ: *I'll be glad to get this dictionary off my ~s*, πολύ θά χαρῶ ὅταν φύγη αὐτό τό λεξικό ἀπό τά χέρια μου. *She's off my ~s*, τήν ξεφορτώθηκα, δέν ἔχω πιά τήν εὐθύνη της. ***give/lend sb a ~ (with sth)***, δίνω ἕνα χέρι, βοηθῶ κπ σέ κτ: *Give (me) a ~ with the washing-up*, βόηθησε (με) νά πλύνωμε τά πιάτα. ***give one's ~ on a bargain***, δίνω τό χέρι γιά νά ἐπισφραγίσω μιά συμφωνία: *Give me your ~ on it!* κόλλα το! ***have one's ~s full***, εἶμαι φορτωμένος (δουλειά): *I have my ~s full/My ~s are full just now*, εἶμαι φορτωμένος γιά τήν ὥρα. ***not lift a ~; not do a ~'s turn***, δέν σηκώνω χέρι νά βοηθήσω: *She never lifts a ~/She never does a ~'s turn at home*, ποτέ δέ βοηθάει στό σπίτι. ***(rule) with a firm/heavy ~***, (κυβερνῶ) μέ σταθερό χέρι/τυραννικά. ***shake ~s with sb; shake sb's ~***, δίνω τό χέρι σέ κπ, χαιρετῶ κπ διά χειραψίας. ***take a ~ (in sth)***, βοηθῶ, παίρνω μέρος σέ μιά δουλειά. ***(vote) by show of ~s***, (ψηφίζω) δι'ἀνατάσεως τῶν χειρῶν. ***wait on/serve sb ~ and foot***, στέκομαι στό πόδι γιά νά περιποιηθῶ κπ. ***wash one's ~s of sb/sth***, νίπτω τάς χεῖρας μου ἀπό κπ/κτ, ἀπεκδύομαι πάσης εὐθύνης. ***win a lady's ~***, καταφέρνω μιά γυναίκα νά μέ παντρευτῆ. ***~ in ~***, *(α)* πιασμένοι χέρι-χέρι: *They walked away ~ in ~*, ἔφυγαν πιασμένοι χέρι-χέρι. *(β)* μαζί: *War and misery go ~ in ~*, ὁ πόλεμος κι' ἡ δυστυχία πᾶνε μαζί. ***in the ~s of***, στά χέρια τοῦ: *I'll put the matter in the ~s of a lawyer*, θά ἀναθέσω τήν ὑπόθεση σέ δικηγόρο. ***in good ~s***, σέ καλά χέρια: *Your son is in good ~s*, ὁ γυιός σου εἶναι σέ καλά χέρια. ***H~s off!*** κάτω (μακρυά) τά χέρια! ***on one's ~s***, στά χέρια μου, ὑπ' εὐθύνη μου: *I have my old mother/the whole school on my ~s*, ἔχω τή γρηά μάννα μου/ὁλόκληρο τό σχολεῖο στά χέρια μου. *Time never hangs heavy on my ~s*, δέν καταλαβαίνω πῶς περνάει ἡ ὥρα γιατί ὅλο κάτι ἔχω νά κάμω. ***~ over fist***, μέ ταχύ ρυθμό: *make money ~ over fist*, μαζεύω λεφτά μέ τό τσουβάλι. ***H~s up!*** ψηλά τά χέρια! **2.** (*πληθ.*) ἐξουσία, κατοχή: *My life is in your ~s*, ἡ ζωή μου εἶναι στά χέρια σου. *The book is no longer in my ~s*, τό βιβλίο δέν εἶναι πιά στά χέρια μου, στήν κατοχή μου. ***change ~s***, ἀλλάζω ἰδιοκτήτη, ἀλλάζω χέρια: *This car has changed ~s five times.* **3.** (*μόνον ἑν.*) δρᾶσις: *The ~ of an enemy has been at work here*, τό χέρι κάποιου ἐχθροῦ ἔδρασε ἐδῶ. **4.** (*μόνον ἑν.*) πρόσωπο: *(learn sth)* ***at first/second ~***, (μαθαίνω κτ) ἀπό πρῶτο/δεύτερο χέρι. **5.** (*μόνον ἑν.*) ἐπιδεξιότης, ἱκανότης: *She has a light ~ at pastry*, εἶναι καλή στή ζαχαροπλαστική. ***get/keep one's ~ in***, ἀποκτῶ εὐχέρεια/διατηρῶ τή φόρμα μου σέ κτ: *You must practise the piano every day to keep your ~ in*, πρέπει νά ἀσκῆσαι στό πιάνο κάθε μέρα γιά νά διατηρήσης τή φόρμα σου. ***try one's ~ at sth***, δοκιμάζω τά κότσια μου, τίς ἱκανότητές μου σέ κτ. **6.** ‹C› ἄνθρωπος μέ πεῖρα: *He's a good ~ at fencing*, εἶναι καλός ξιφομάχος. *He's an old ~ at this sort of work*, εἶναι παληά καραβάνα σ' αὐτή τή δουλειά. **7.** ‹C› ἐργάτης: *a 'factory-~*, βιομηχανικός ἐργάτης. *a 'farm-~*, ἀγρεργάτης. *We must take on 100 extra ~s*, πρέπει νά προσλάβωμε ἔξτρα 100 ἐργάτες. *All ~s on deck!* ὅλοι οἱ ναῦτες στό κατάστρωμα! **8.** ‹U› συμμετοχή: *take a ~ at bridge*, συμμετέχω σέ μπρίτζ. ***have a ~ (in sth)***, ἔχω βάλει τό χέρι μου, εἶμαι ἀνακατεμένος (σέ κτ). **9.** ‹C› δείκτης: *the 'hour/'minute ~*, ὁ ὡροδείκτης/ὁ λεπτοδείκτης. **10.** ‹C› θέσις ἤ κατεύθυνσις: *on my right/left ~*, στά δεξιά μου/στ' ἀριστερά μου. ***on all ~s***, σέ/ἀπό κάθε κατεύθυνση. ***on the one ~ (and) on the other (~)***, ἀφ' ἑνός (καί)

ἀφ' ἑτέρου. **11**. (*μόνον ἐν.*) γραφή, γραφικός χαρακτήρας: *He has a clear/legible ~*, γράφει καθαρά/εὐανάγνωστα. **12**. ‹C› (*λόγ.*) ὑπογραφή: *under my ~ and seal*, ὑπογεγραμμένον καί σφραγισμένον παρ' ἐμοῦ. **13**. ‹C› (*χαρτοπ.*) χαρτωσιά, παιχνίδι, παρτίδα, παίχτης: *have a good/bad ~*, ἔχω καλά/ἄσχημα χαρτιά (στό χέρι). *play a good/bad ~*, κάνω καλό/ἄσχημο παιχνίδι. *Let's play one more ~*, ἄς παίξουμε μιά παρτίδα ἀκόμα. *We need a fourth ~*, χρειαζόμαστε ἕναν τέταρτο παίχτη. ***play (for) one's own ~***, (*κυριολ.* & *μεταφ.*) κάνω τό παιχνίδι μου, κοιτάζω τό συμφέρον μου. ***play into sb else's ~s; play into the ~s of sb***, παίζω τό παιχνίδι ἄλλου, κάνω κτ πού ὠφελεῖ τόν ἄλλον, πέφτω στήν παγίδα/στά χέρια (ἀντιπάλου): *If you do that, you'll be playing into her hands*, ἄν κάνης αὐτό, θά πέσης στήν παγίδα της. **14**. ‹C› (*μέτρον*) παλάμη (10.16 ἑκ.): *a horse fifteen ~s high*, ἄλογο 15 παλάμες ψηλό. **15**. ‹U› χειροκροτήματα: *He got/was given a good ~*, χειροκροτήθηκε πολύ **16**. (*σέ σύνθετες λέξεις*): **`~bag**, γυναικεία τσάντα. **`~-barrow**, χειράμαξα, καροτσάκι. **`~·bill**, φέϊγ-βολλάν. **`~·book**, ἐγχειρίδιον, βιβλιαράκι, ὁδηγός. **`~·brake**, χειρόφρενο. **`~·cart**, καροτσάκι. **`~·clap**, παλαμάκια. **`~·cuff** *οὐσ.* ‹C› χειροπέδη. —*ρ.μ.* περνῶ χειροπέδες. **`~·ful** /-fʊl/ χούφτα, (*καθομ.*) μπελᾶς, ἀτίθασσος (ἄνθρ. ἤ ζῶον): *a ~ful of rice/people*, μιά χούφτα ρύζι/ἄνθρωποι. *That boy is quite a ~ful*, αὐτό τό παιδί εἶναι πραγματικός μπελᾶς. **`~·hold**, λαβή, πιάσιμο, σημεῖο στηρίξεως τοῦ χεριοῦ (σέ ἀναρρίχηση). **`~·loom**, (χειροκίνητος) ἀργαλειός. **`~-luggage** *οὐσ.* ‹U› φορητές ἀποσκευές. **'~-`made** *ἐπ.* χειροποίητος. **`~-organ**, ὀργανάκι, λατέρνα. **'~-`picked** *ἐπ.* ἐπίλεκτος: *~-picked troops*, ἐπίλεκτα στρατεύματα. **`~·rail**, κουπαστή (σκάλας). **`~-shake**, χειραψία. **`~·stand**, ὀρθοστασία στά χέρια: *do a ~stand*, στέκομαι ὄρθιος στά χέρια. **`~·work**, δουλειά στό χέρι. **`~·writing**, γραφικός χαρακτήρας, γράψιμο. **`~·written** *ἐπ.* χειρόγραφος.

[2]**hand** /hænd/ *ρ.μ.* δίνω, ἐγχειρίζω, βοηθῶ: *~ a lady out of a bus*, δίνω τό χέρι σέ κυρία νά κατέβη ἀπό ἕνα λεωφορεῖο. ***~ sth down (to sb)***, μεταβιβάζω: *The traditions ~ed down to us must be observed*, οἱ παραδόσεις πού ἔφθασαν ὥς ἐμᾶς πρέπει νά τηροῦνται. **`~-me-down**, ἀποφόρι, μεταχειρισμένο πρᾶγμα (πού δίδεται σέ κπ). ***~ sth on (to sb)***, προωθῶ, κυκλοφορῶ: *H~ on the magazine to your friends*, προώθησε (δῶσε) τό περιοδικό στούς φίλους σου. ***~ sth out***, μοιράζω: *~ out food to the poor*, μοιράζω τρόφιμα στούς φτωχούς. **`~-out**, *(α)* ἐλεημοσύνη, *(β)* ἀνακοινωθέν πρός τόν τύπο. ***~ sth/sb over***, παραδίδω κτ/κπ: *~ over a gun*, παραδίδω ἕνα ὅπλο. *~ sb over to the police*, παραδίδω κπ στήν ἀστυνομία. ***~ it to sb***, (*καθομ.*) τό ἀναγνωρίζω σέ κπ: *He's worked hard. You've got to ~ it to him*, δούλεψε σκληρά, πρέπει νά τοῦ τό ἀναγνωρίσωμε.

handi·cap /`hændɪkæp/ *οὐσ.* ‹C› **1**. (*ἀθλ.*) χάντικαπ, ἰσοζυγισμός (δυσκολία πρός ἐξίσωση τῶν ἀγωνιζομένων). **2**. ἐμπόδιο, μειονέκτημα: *Poor eyesight is a ~ to a student*, ἡ κακή ὅραση εἶναι ἐμπόδιο σ' ἕνα σπουδαστή. —*ρ.μ.* *(-pp-)* ἰσοζυγίζω, παρεμποδίζω, δυσχεραίνω, φέρνω σέ μειονεκτική θέση: *be ~ped by ill health*, εἶμαι σέ μειονεκτική θέση λόγω κακῆς ὑγείας. *~ped children*, ἀνάπηρα παιδιά.

handi·craft /`hændɪkrɑft/ *οὐσ.* ‹C› χειροτεχνία, βιοτεχνία.

handi·work /`hændɪwɜk/ *οὐσ.* ‹C,U› δουλειά μέ τό χέρι, ἔργον (τῶν χειρῶν), δημιούργημα: *It's my ~!* εἶναι ἔργον τῶν χειρῶν μου, δημιούργημά μου!

hand·ker·chief /`hæŋkətʃɪf/ *οὐσ.* ‹C› χειρομάντηλο.

handle /`hændl/ *οὐσ.* ‹C› **1**. λαβή, χέρι, χερούλι: *the ~ of a knife/cup/bucket/door*, λαβή μαχαιριοῦ/χέρι φλυτζανιοῦ/γκουβᾶ/πόμολο πόρτας. **`~·bar**, (*συχνά πληθ.*) τιμόνι ποδηλάτου. ***fly off the ~***, (*καθομ.*) γίνομαι ἔξω φρενῶν, γίνομαι θηρίο. ***give a ~ against***, (*μεταφ.*) δίνω ὅπλα (λαβή), παρέχω πρόσχημα, παρέχω εὐκαιρία: *Your behaviour may give your enemies a ~ against you*, ἡ συμπεριφορά σου μπορεῖ νά δώση ὅπλα στούς ἐχθρούς σου νά σέ πολεμήσουν. **2**. (*λαϊκ.*) τίτλος: *have a ~ to one's name*, κολλάω τίτλο στ' ὄνομά μου. —*ρ.μ.* **1**. πιάνω (στά χέρια), ἀγγίζω: *China should be ~d with care*, οἱ πορσελάνες πρέπει νά πιάνονται μέ προσοχή. *Wash your hands before you ~ my books*, πλῦνε τά χέρια σου πρίν πιάσης τά βιβλία μου. **2**. (μετα)χειρίζομαι: *~ people/a situation carefully*, χειρίζομαι τούς ἀνθρώπους/μιά κατάσταση προσεχτικά. *learn how to ~ a gun*, μαθαίνω πῶς νά χρησιμοποιῶ ἕνα ὅπλο. *a tool easy to ~*, εὐκολομεταχείριστο ἐργαλεῖο. **3**. συμπεριφέρομαι: *The speaker was roughly ~d by the crowd*, τό πλῆθος φέρθηκε ἄσχημα στόν ὁμιλητή. **4**. (*ἐμπ.*) ἐμπορεύομαι, διακινῶ: *We don't ~ imported goods*, δέν ἐμπορευόμεθα εἴδη ἐκ τοῦ ἐξωτερικοῦ. **hand·ler** /`hændlə(r)/ *οὐσ.* ‹C› ἐκγυμναστής ζώων.

hand·some /`hænsəm/ *ἐπίρ.* **1**. ὡραῖος, χαριτωμένος, ὄμορφος: *a ~ man/woman/horse/building*. **2**. γενναιόδωρος, εὐγενικός, σημαντικός: *a ~ present*, πλούσιο, καλό δῶρο. *He said some very ~ things about you*, εἶπε μερικά πολύ εὐγενικά πράγματα γιά σένα. *make a ~ profit*, κάνω σημαντικό κέρδος. *a ~ price*, καλή τιμή. ***H~ is as ~ does***, (*παροιμ.*) ὁ εὐγενής/ὁ γενναιόδωρος φαίνεται στήν πράξη. **~·ly** *ἐπίρ.* γενναιόδωρα, καλά: *He came down ~ly*, (*λαϊκ.*) ἔπεσε καλά (φέρθηκε γενναιόδωρα).

handy /`hændɪ/ *ἐπ.* *(-ier, -iest)* **1**. (*γιά ἄνθρ.*) ἐπιδέξιος στά χέρια. **`~·man**, πολυτεχνίτης. **2**. (*γιά ἐργαλεῖο*) εὔχρηστος, βολικός, χρήσιμος. ***come in ~***, φαίνομαι χρήσιμος: *Don't throw it away, it may come in ~*, μήν τό πετᾶς, μπορεῖ νά σοῦ φανῆ χρήσιμο. **3**. πρόχειρος: *keep sth ~*, ἔχω κτ πρόχειρο, κοντά μου. **hand·ily** /-əlɪ/ *ἐπίρ.* βολικά, ἐπιδέξια.

[1]**hang** /hæŋ/ *οὐσ.* (*μόνον ἐν.*) **1**. ἐφαρμογή, πέσιμο φορέματος: *the ~ of a coat/skirt*. **2**.

get the ~ of sth, παίρνω τό κολάϊ, ἀντιλαμβάνομαι πῶς δουλεύει κτ/τί σημαίνει κτ: *I've been trying to get the ~ of this tape-recorder*, προσπαθῶ νά δῶ πῶς δουλεύει αὐτό τό μαγνητόφωνο. *I don't quite get the ~ of your argument*, δέν ἀντιλαμβάνομαι ἀπολύτως τό νόημα τῶν ἐπιχειρημάτων σου. **3**. ***not give/care a ~***, (*καθομ.*) δέν δίνω/δέν μέ νοιάζει φράγκο.

[2]**hang** /hæŋ/ *ρ.μ/ὰ.* *ἀνώμ.* (*ἀόρ.* & *π.μ.* *hung* /hʌŋ/) **1**. κρεμῶ, κρέμομαι: *~ a picture on the wall*, κρεμῶ μιά εἰκόνα στόν τοῖχο. *~ a wall with pictures*, κρεμῶ πίνακες σ' ἕναν τοῖχο. *a window hung with curtains*, παράθυρο μέ κουρτίνες. *a dog with his tongue ~ing out*, σκυλί μέ τή γλῶσσα του κρεμασμένη ἔξω. ***~ in the balance***, ἔχω ἀβέβαιη ἔκβαση: *Victory hung in the balance*, ἡ νίκη ἦταν ἀβέβαιη. ***~ fire***, ἀργῶ νά πάρω φωτιά, χρονίζω. ***~ by a hair/by a single thread***, κρέμομαι ἀπό μιά τρίχα, ἀπό μιά κλωστή: *His life ~s by a hair*, ἡ ζωή του κρέμεται σέ μιά κλωστή. ***~ the head***, σκύβω τό κεφάλι (ἀπό ντροπή). ***let things go ~***, (*καθομ.*) δέν μέ νοιάζει, ἀδιαφορῶ. **2**. (*ἀόρ.* & *π.μ.* *~ed*) ἀπαγχονίζω: *He was ~ed for murder*, ἀπηγχονίσθη διά φόνον. *He ~ed himself*, κρεμάστηκε. **3**. ἀφήνω (κρέας, κλπ) νά σιτέψη. **4**. (*ἀόρ.* & *π.μ.* *~ed*) (*ἀντί τοῦ damn, πεπαλ.*): *Oh, ~ it!* νά πάρη ὁ διάβολος! *I'll be ~ed if I'll go*, νά μέ πάρη ὁ διάβολος ἄν πάω. **5**. (*σέ σύνθετες λέξεις*): **`~·man**, δήμιος. **`~·dog** *κατηγ.* *ἐπ.* (*γιά ὄψη*) ντροπιασμένος, ἔνοχος, κακόμοιρος. **`~·over**, πονοκέφαλος ἀπό μεθύσι, (*μεταφ.*) κατάλοιπο, ἀπομεινάρι (κανονισμοῦ, κλπ). **`~-up**, ἀπογοήτευση, πίκρα. **6**. (*μέ προθ.* & *ἐπιρρήμ.*):

hang about/(a)round, περιφέρομαι, τριγυρίζω, χαζεύω: *Men hung about on street corners*, ἄνθρωποι στέκονταν (χάζευαν) στίς γωνιές τῶν δρόμων. *~ around a woman*, γυροφέρνω μιά γυναίκα.

hang back, διστάζω, δείχνω ἀπροθυμία (νά δράσω).

hang on, *(α)* κρατῶ σφιχτά: *Though the branch was breaking, he hung on*, μολονότι τό κλαδί ἔσπαζε, αὐτός δέν τό ἄφηνε. *(β)* ἐπιμένω, ἐμμένω: *It's hard work but if you ~ on long enough you'll succeed*, εἶναι δύσκολη δουλειά, ἀλλά ἄν ἐπιμείνης ἀρκετά, θά πετύχης. ***H~ on (a minute)!*** (*καθομ.*) γιά περίμενε (μιά στιγμή)! *(γ)* κρεμιέμαι ἀπό (ἐξαρτῶμαι, ἀκούω ἀπορροφημένος): *Everything ~s on his answer*, ὅλα ἐξαρτῶνται ἀπό τήν ἀπάντησή του. *They all hung on his words*, κρεμόντουσαν ὅλοι ἀπό τά λόγια του. *(δ)* ***~ on to sth***, κρατῶ κτ σφιχτά, κολλῶ σέ κτ.

hang out, (*λαϊκ.*) μένω, ζῶ: *Where are you ~ing out now?* ποῦ ἔχεις κονάκι τώρα; ποῦ εἶναι τό τσαρδί σου; ***~ sth out***, κρεμῶ: *~ out the washing/flags*, κρεμῶ τά πλυμένα ροῦχα/σημαῖες.

hang over, κρέμομαι πάνω ἀπό, ἐπικρέμαμαι: *the threat ~ing over our country*, ἡ ἀπειλή πού κρέμεται πάνω ἀπό τή χώρα μας. *fog ~ing over a town*, ὁμίχλη πού σκεπάζει μιά πόλη.

hang together, *(α)* (*γιά ἀνθρώπους*) παραμένομε ἑνωμένοι: *If we don't ~ together, we may all be ~ed separately*, ἄν δέν μείνωμε ἑνωμένοι, μπορεῖ νά μᾶς κρεμάσουν ἕναν-ἕναν. *(β)* συμπίπτω, συμφωνῶ: *Their stories do not ~ together*, οἱ ἱστορίες τους δέν συμφωνοῦν.

hang up, κλείνω (τό τηλέφωνο): *Don't ~ up!* μήν κλείσης! *She hung up on me*, (*καθομ.*) μοῦ τὄκλεισε, μοὖκοψε τήν κουβέντα.

hangar /`hæŋə(r)/ *οὐσ.* ‹C› ὑπόστεγο ἀεροπλάνων.

hanger /`hæŋə(r)/ *οὐσ.* ‹C› κρεμάστρα. **`coat-/`clothes-~**, κρεμάστρα ρούχων. **`paper-~**, ταπετσέρης. **~-on** /'hæŋər`on/ *οὐσ.* ‹C› (*πληθ.* *~s-on*) παράσιτο, τσιράκι (πολιτικοῦ, κλπ) κολλητσίδα.

hang·ing /`hæŋıŋ/ *οὐσ.* ‹C› **1**. ἀπαγχονισμός. **2**. (*ἐπιθετ.*) συνεπαγόμενος ἀπαγχονισμόν: *It's a `~ matter*, εἶναι γιά κρεμάλα. **3**. (*συνήθ.* *πληθ.*) ταπετσαρία, κουρτίνες.

hang·nail /`hæŋneıl/ *οὐσ.* ‹C› παρωνυχίς.

hank /hæŋk/ *οὐσ.* ‹C› κούκλα (νήματος).

han·ker /`hæŋkə(r)/ *ρ.ὰ.* ***~ after/for sth***, λαχταρῶ, διψῶ γιά κτ: *~ for sympathy*, λαχταρῶ συμπόνοια. *~ after wealth*, διψῶ γιά πλούτη. **~·ing** *οὐσ.* ‹C› λαχτάρα, πόθος, δίψα.

hanky /`hæŋkı/ *οὐσ.* ‹C› (*στή γλῶσσα τῶν παιδιῶν*) μαντήλι.

hanky-panky /'hæŋkı `pæŋkı/ *οὐσ.* ‹U› (*καθομ.*) ἀπάτη, μπαγαποντιά, κοροϊδία: *That's all ~*, αὐτά ὅλα εἶναι ἀπάτες.

Han·sard /`hænsɑd/ *οὐσ.* πρακτικά τῶν συζητήσεων στήν Ἀγγλική Βουλή.

han·som /`hænsəm/ *οὐσ.* ‹C› (*καί* **'~ `cab**) δίτροχο μόνιππο.

hap /hæp/ *οὐσ.* ‹U› (*ἀπηρχ.*) τύχη. —*ρ.ὰ.* *(-pp-)* συμβαίνω. **~·less** *ἐπ.* (*ἀπηρχ.*) ἄτυχος. **~·ly** *ἐπίρ.* (*ἀπηρχ.*) τυχαίως, ἴσως.

hap·haz·ard /hæp`hæzəd/ *ἐπ.* & *ἐπίρ.* τυχαῖος, στήν τύχη: *a ~ choice*, τυχαία ἐκλογή (στά κουτουροῦ).

ha'p'orth /`heıpəθ/ *οὐσ.* ‹C› (*καθομ.*) ἀξίας μισῆς πέννας.

hap·pen /`hæpən/ *ρ.ὰ.* **1**. ***~ (to)***, συμβαίνω: *What ~ed next?* τί συνέβη μετά; *If anything ~s to me*, ἄν μοῦ συμβῆ τίποτα. **2**. τυχαίνω: *I ~ed to be out; It so ~ed that I was out*, ἔτυχε νά λείπω. *Do you ~ to know him?* μήπως τόν ξέρεις; τυχαίνει νά τόν ξέρεις; ***as it ~s***, κατά τύχη: *As it ~s, I have his letter with me*, κατά τύχη ἔχω μαζί μου τό γράμμα του. **3**. ***~ (up)on***, βρίσκω τυχαῖα: *I ~ed on the very thing I'd been looking for*, ἔπεσα πάνω σέ κεῖνο ἀκριβῶς πού ζητοῦσα. **~·ing** *οὐσ.* ‹C› (*συνήθ.* *πληθ.*) συμβάν: *strange ~ings*, παράξενα συμβάντα.

happy /`hæpı/ *ἐπ.* *(-ier, -iest)* **1**. εὐτυχισμένος: *a ~ life/family/man.* ***as ~ as the day is long/as a king/as a sand-boy***, πανευτυχής. **2**. εὐτυχής: *a ~ idea/coincidence/circumstance*, εὐτυχής ἰδέα/σύμπτωσις/περίστασις. **3**. (*καθομ.*) εὐχαριστημένος: *I'd be ~ to come*, πολύ θά χαιρόμουν νά ἔλθω. *I'm not very ~ with your work*, δέν εἶμαι πολύ εὐχαριστημένος ἀπό τή δουλειά σου. **'~-go-`lucky** *ἐπ.* ξένοιαστος, ἀμέριμνος, ἀνέμελος, ἄφροντις. **hap·pily** /-əlı/ *ἐπίρ.* εὐτυχῶς, εὐτυχισμένα. **hap·pi·ness** *οὐσ.* ‹U› εὐτυχία.

hara-kiri /ˈhærəˋkɪrɪ/ *οὐσ.* ‹C,U› χαρακίρι.

har·angue /həˋræŋ/ *οὐσ.* ‹U› κραυγαλέα καί στομφώδης ἀγόρευσις (*συνήϑ.* ἐπιτιμητική). —*ρ.μ/ἀ.* ρητορεύω/ἐπιτιμῶ μέ στόμφο.

har·ass /ˋhærəs/ *ρ.μ.* **1**. (*συνήϑ. εἰς παϑ. φων.*) ἐνοχλῶ, στενοχωρῶ, βασανίζω: *They looked ~ed*, ἔδειχναν πολύ στενοχωρημένοι/ταλαιπωρημένοι. *He was ~ed by debt and illness*, τόν βασάνιζαν τά χρέη κι' ἡ ἀρρώστεια. **2**. (*στρατ.*) παρενοχλῶ (μέ ξαφνικές ἐπιθέσεις ἤ ἐπιδρομές): ~ *the enemy*, παρενοχλῶ τόν ἐχϑρό. **~·ment** *οὐσ.* ‹U› στενοχώρια, (παρ)ενόχλησις, βάσανο, ταλαιπωρία.

har·bin·ger /ˋhabɪndʒə(r)/ *οὐσ.* ‹U› προάγγελος: *The swallow is a ~ of spring*, τό χελιδόνι εἶναι προάγγελος τῆς ἄνοιξης.

har·bour /ˋhabə(r)/ *οὐσ.* ‹C› **1**. λιμάνι: *a natural/an artificial ~*, φυσικό/τεχνητό λιμάνι. ˋ**~ dues**, λιμενικά τέλη. **2**. (*μεταφ.*) καταφύγιον, ἄσυλον. —*ρ.μ/ἀ.* **1**. κρύβω, παρέχω ἄσυλο: ~ *a criminal/spy*, κρύβω ἕναν κακοῦργο/ἕναν κατάσκοπο. **2**. τρέφω: ~ *suspicions/fears/hopes*, τρέφω ὑποψίες/φόβους/ἐλπίδες. **3**. ἀγκυροβολῶ (σέ λιμάνι), ἐλλιμενίζω/-ομαι. **~·age** /-ɪdʒ/ *οὐσ.* ‹U› ἄσυλον, καταφύγιον.

[1]**hard** /had/ *ἐπ.* *(-er, -est)* **1**. σκληρός, στερεός (*ἀντίϑ. soft*): ~ *ground/wood*, σκληρό ἔδαφος/ξύλο. *as ~ as rock*, στέρεος, γερός σά βράχος. ***a ~ nut to crack***, (*μεταφ. γιά ἀντίπαλο, πρόβλημα, κλπ*) σκληρό καρύδι. **2**. δύσκολος (*ἀντίϑ. easy*): *a ~ problem*, δύσκολο πρόβλημα. *a ~ man to please*, ἄνϑρωπος πού δύσκολα εὐχαριστεῖται. *It's ~/I find it ~ to say which is better*, εἶναι δύσκολο/τό βρίσκω δύσκολο νά πῶ ποιό εἶναι τό καλύτερο. **3**. δύσκολος, δυσχερής, ἐπίπονος: *have a ~ time*, περνῶ δύσκολες ὧρες. *We live in ~ times*, ζοῦμε σέ δύσκολη ἐποχή. ~ *work*, ἐπίπονη, κουραστική δουλειά. ***learn sth the ~ way***, μαϑαίνω κτ πληρώνοντας ἀκριβά (σέ κόπο καί πόνο). **4**. αὐστηρός, σκληρός: ~ *discipline*, αὐστηρή πειϑαρχία. *a ~ father*, αὐστηρός πατέρας. *say ~ words to sb/things about sb*, μιλῶ σκληρά σέ κπ/γιά κπ. ***be ~ on sb***, εἶμαι πολύ αὐστηρός/σκληρός σέ κπ. ***take a ~ line***, ἀκολουϑῶ σκληρή γραμμή. ˈ**~-ˋliner**, ὀπαδός τῆς σκληρῆς γραμμῆς, ἀδιάλλακτος. (*βλ. & λ.* [1]*bargain*). **5**. (*γιά σῶμα*) σφιχτός. ***as ~ as nails*** *(a)* σφιχτός σά σίδερο. *(β)* σκληρόκαρδος. **6**. (*γιά καιρό*) δριμύς, δυνατός, βαρύς: *a ~ frost*, δυνατή παγωνιά. *a ~ winter*, βαρύς χειμώνας. **7**. δυνατός, σκληρός: *a ~ blow*, δυνατό χτύπημα. *a ~ worker*, σκληρός δουλευτής. *a ~ drinker*, μεγάλος πότης. *a ~ consonant*, σκληρό σύμφωνο. **8**. ***~ and fast*** *(rules, etc)*, ἄκαμπτος (γιά κανόνες, κλπ). ***~ of hearing***, βαρήκοος. **9**. (*σέ φράσεις καί σύνϑετες λέξεις*): ˋ**~·back/·cover** (*ἀντίϑ. paperback*) *οὐσ.* ‹C› βιβλίο μέ σκληρά ἐξώφυλλα. ˋ**~·backed/·covered/·bound** *ἐπ.* μέ σκληρά ἐξώφυλλα. ˈ**~ ˋcash**, μετρητά (ὄχι ἐπιταγές, κλπ). ˋ**~ core** *οὐσ.* ‹U› σκληρός πυρήνας (*πχ* κόμματος). ˋ**~-core** *ἐπ.* ἀδιάλλακτος. ˈ**~ ˋcurrency**, σκληρό νόμισμα. ˈ**~ ˋdrugs**, ἐπικίνδυνα ναρκωτικά (*πχ* ἡρωΐνη). ˈ**~-ˋheaded** *ἐπ.* ϑετικός, πρακτικός. ˈ**~-ˋhearted** *ἐπ.* σκληρόκαρδος. ˈ**~ ˋlabour**, καταναγκαστικά ἔργα. ˈ**~ ˋluck/ˋlines**, ἀτυχία, γκίνια. ˈ**~ ˋliquor/ˋdrinks**, οἰνοπνευματώδη ποτά. ˈ**~ ˋshoulder**, ἄκρη αὐτοκινητοδρόμου: *He pulled over to the ~ shoulder when one of the tyres burst*, σταμάτησε στήν ἄκρη τοῦ δρόμου ὅταν ἔσκασε ἕνα λάστιχο. ˈ**~ ˋstanding**, ἐπιστρωμένη ἐπιφάνεια (γιά στάϑμευση αὐτοκινήτων, ἀεροπλάνων, κλπ). ˋ**~·top** *ἐπ.* (*γιά αὐτοκίνητο*) μέ μεταλλική σκεπή. ˋ**~·ware** *οὐσ.* ‹U› *(a)* σιδηρικά, εἴδη κιγκαλερίας (κατσαρόλες, κλπ). *(β) military ~ware*, βαρύ πολεμικό ὑλικό. ˈ**~ ˋwater**, σκληρό, βαρύ νερό. ˋ**~·wood** *οὐσ.* ‹U› σκληρό ξύλο (ξύλο φυλλοβόλων δέντρων).

[2]**hard** /had/ *ἐπίρ.* **1**. δύσκολα, μέ κόπο: *~-earned money*, χρήματα πού ἔχουν κερδηϑῆ μέ κόπο. ***be ~ hit***, ὑφίσταμαι ὀδυνηρά πλήγματα: *We were ~ hit by inflation*, μᾶς τσάκισε ὁ πληϑωρισμός. ***be ~ pressed for sth***, πιέζομαι πολύ γιά: *I'm ~ pressed for cash*, πιέζομαι πολύ γιά μετρητά. ***be ~ put to it***, τό βρίσκω δύσκολο, δέν μπορῶ: *He was ~ put to it to explain what had happened*, τοῦ ἦταν δύσκολο νά ἐξηγήση τί συνέβη. ***be ~ up***, εἶμαι σέ οἰκονομικές δυσκολίες, δέν ἔχω μετρητά. ***be ~ up (for sth)***, ἔχω ἀνάγκη ἀπό κτ, δέν ἔχω κτ: *He's ~ up for ideas/something to do*, δέν ἔχει ἰδέες/τί νά κάμη. **2**. δυνατά, σκληρά, πολύ: *It's raining ~*, βρέχει δυνατά. *drink/swear ~*, πίνω/βλαστημῶ πολύ. *look ~*, κοιτάζω ἐπίμονα. *pull/push ~*, τραβῶ/σπρώχνω δυνατά. *think ~*, σκέφτομαι ἐντατικά. *work/hit ~*, δουλεύω/χτυπῶ σκληρά. ˈ**~-ˋbaked**, ξεροψημένος, (*μεταφ.*) ἀνάλγητος. **3**. σφιχτά: *boil eggs ~*, βράζω τά αὐγά σφιχτά. **~-boiled**, σφιχτοβρασμένος, (*μεταφ.*) σκληρός: *ˈ~-ˈboiled ˋeggs*, σφιχτά αὐγά. *a ˈ~-ˈboiled ˋwoman*, ἀναίσϑητη, σκληρή γυναίκα. ˈ**~-ˈbitten**, σκληροτράχηλος. **4**. κοντά: *follow ~ after/upon/behind sb*, ἀκολουϑῶ κπ κατά πόδας. ***~ by***, ἐδῶ κοντά.

harden /ˋhadn/ *ρ.μ/ἀ.* σκληραίνω, σκληραγωγῶ: ~ *the heart*, σκληραίνω τήν καρδιά. *His voice ~ed*, ἡ φωνή του σκλήρυνε. ~ *the body*, σκληραγωγῶ τό σῶμα. *a ~ed criminal*, πωρωμένος ἐγκληματίας. ***be ~ed to***, μένω ἀσυγκίνητος εἰς (*πχ* παρακλήσεις), εἶμαι σκληραγωγημένος εἰς/μαϑημένος ἀπό.

har·di·hood /ˋhadɪhʊd/ *οὐσ.* ‹U› τόλμη, ϑράσος, ἀντοχή, εὐψυχία.

hard·ly /ˋhadlɪ/ *ἐπίρ.* **1**. μόλις (καί μετά βίας), σχεδόν καϑόλου: *I ~ know her*, μόλις πού τήν ξέρω, δέν τήν ξέρω σχεδόν καϑόλου. *I'm so tired I can ~ walk*, εἶμαι τόσο κουρασμένος πού μόλις μπορῶ νά περπατήσω. *We had ~ gone out when the rain began*, δέν εἴχαμε καλά-καλά βγεῖ κι' ἄρχισε ἡ βροχή. **2**. (*συνήϑ. μέ τό can*) δέν (= εἶναι ἀδύνατο/ἀπίϑανο νά): *I can ~ believe you*, δέν μπορῶ (εἶναι ἀδύνατο) νά σέ πιστέψω. *I could ~ believe my eyes/ears*, δέν μποροῦσα νά πιστέψω τά μάτια μου/τ' αὐτιά μου. *He can ~ have arrived yet*, δέν μπορεῖ (εἶναι ἀπίϑανο) νά ἔφϑασε κι' ὅλας. **3**. (*μέ ἀρνητ. ἔννοια*) σχεδόν: ~ *any/anybody/anything/anywhere/*

ever, σχεδόν καθόλου/κανείς/τίποτα/πουθενά/ποτέ. *I need ~ say that*..., εἶναι σχεδόν περιττό νά πῶ ὅτι... **4**. αὐστηρά, σκληρά: *He was ~ treated*, τόν μεταχειρίστηκαν αὐστηρά/σκληρά. **5**. (*σπάν.*) μέ κόπο.

hard·ship /ˈhadʃɪp/ *οὐσ.* ‹C,U› **1**. κακουχία, ταλαιπωρία, στέρησις: *a life of ~*, ζωή γεμάτη κακουχίες/στερήσεις. *the ~s borne by soldiers during a war*, οἱ ταλαιπωρίες πού περνᾶν οἱ στρατιῶτες σ' ἕναν πόλεμο. **2**. βάσανο, δοκιμασία: *bear ~ without complaining*, ὑπομένω τίς δοκιμασίες ἀγογγύστως.

hardy /ˈhadɪ/ *ἐπ.* (*-ier, -iest*) **1**. σκληραγωγημένος, ρωμαλέος, θαρραλέος: *A few ~ men broke the ice on the lake and had a swim*, μερικοί θαρραλέοι ἔσπασαν τόν πάγο στή λίμνη καί κολύμπησαν. **2**. (*γιά φυτά*) ἀνθεκτικός (στό κρύο). **3**. ἄφοβος, ἀτρόμητος. **har·di·ness** *οὐσ.* ‹U› τόλμη, εὐψυχία, ἀνθεκτικότης.

hare /heə(r)/ *οὐσ.* ‹C› λαγός. ***~ and hounds***, (παιδικό παιχνίδι) τό κυνῆγι τοῦ λαγοῦ. ***mad as a (March) ~***, θεοπάλαβος. ***run with the ~ and hunt with the hounds***, τὄχω δίπορτο, τἄχω μ' ὅλους καλά. ***start a ~***, ἀρχίζω ἄσχετη συζήτηση, ἀλλάζω θέμα. **ˈ~-bell**, ζουμπούλι, καμπανούλα. **ˈ~-brained** *ἐπ.* κοκορόμυαλος. —*ρ.ἀ.* τό βάζω στά πόδια: *He ~d off*, ἔγινε λαγός.

harem /haˈrim/ *οὐσ.* ‹C› χαρέμι.

hari·cot /ˈhærɪkəʊ/ *οὐσ.* ‹C› φασόλι.

hark /hak/ *ρ.ἀ.* **1**. (*κυρίως στήν προστακτ.*) ***~ to/at***, (*καθομ.*) ἀκούω: *Just ~ at him!* γιά ἄκου τον ἐκεῖ! **2**. ***~ back (to)***, ξαναγυρίζω (σέ κτ πού ἔγινε ἤ ἐλέχθη): *He's always ~ing back to it*, διαρκῶς ξαναγυρίζει στά ἴδια.

har·le·quin /ˈhaləkwɪn/ *οὐσ.* ‹C› ἀρλεκῖνος. **~·ade** /ˈhaləkwɪnˈeɪd/ *οὐσ.* ‹C› παντομίμα.

Har·ley Street /ˈhalɪ strit/ *οὐσ.* ὁδός τοῦ Λονδίνου ὅπου βρίσκονται οἱ γνωστότεροι γιατροί.

har·lot /ˈhalət/ *οὐσ.* ‹C› (*ἰδ. σά βρισιά*) πουτάνα.

harm /ham/ *οὐσ.* ‹U› κακό, βλάβη, ζημιά: *There's no ~ in trying*, δέν βλάπτει, δέν εἶναι κακό νά δοκιμάσωμε. *He meant no ~*, δέν εἶχε κακό σκοπό, δέν ἤθελε νά βλάψη. ***do sb ~***, κάνω κακό σέ κπ, βλάπτω. ***out of ~'s way***, (*α*) ἀσφαλής, ἐκτός κινδύνου. (*β*) ἀκίνδυνος νά βλάψη. —*ρ.μ.* βλάπτω, κάνω κακό, θίγω: *It won't ~ you*, δέ θά σοῦ κάνη κακό, δέ θά πάθης τίποτα. **~·ful** /-fl/ *ἐπ.* βλαβερός, ἐπιζήμιος: *a ~ful influence*, ἐπιζήμια ἐπιρροή. **~·fully** /-fəlɪ/ *ἐπίρ.* **~·less** *ἐπ.* (*α*) ἀκίνδυνος: *~less snakes*. (*β*) ἀβλαβής, ἀθῶος: *~ talk*, ἀθῶα κουβέντα. **~·less·ly** *ἐπίρ.* ἀκίνδυνα.

har·mon·ica /haˈmonɪkə/ *οὐσ.* ‹C› (*πληθ.* *~s*) φυσαρμόνικα.

har·moni·ous /haˈməʊnɪəs/ *ἐπ.* **1**. μελωδικός. **2**. ἁρμονικός: *a ~ family*. **~·ly** *ἐπίρ.* ἁρμονικά: *They work ~ly together*, συνεργάζονται ἁρμονικά.

har·mo·nium /haˈməʊnɪəm/ *οὐσ.* ‹C› (*πληθ.* *~s*) (*μουσ.*) ἁρμόνιον.

har·mon·ize /ˈhamənaɪz/ *ρ.μ/ἀ.* ἐναρμονίζω/-ομαι: *colours that ~ well with each other/the decorations*, χρώματα πού ἐναρμονίζονται μεταξύ τους/ταιριάζουν μέ τή διακόσμηση. **har·mon·iz·ation** /ˈhamənaɪˈzeɪʃn/ *οὐσ.* ‹U› ἐναρμόνισις.

har·mony /ˈhamənɪ/ *οὐσ.* ‹C,U› ἁρμονία: *the ~ of colour in nature*, ἡ χρωματική ἁρμονία στή φύση. *live in ~ with one's neighbours*, ζῶ ἁρμονικά μέ τούς γειτόνους μου. ***be in ~ (with)***, συμφωνῶ, ταιριάζω: *His tastes are not in ~ with mine*, τά γοῦστα του δέν ταιριάζουν μέ τά δικά μου.

har·ness /ˈhanɪs/ *οὐσ.* ‹C› (*περιληπτ. ἑν.*) ἱπποσκευή, χάμουρα. ***die in ~***, πεθαίνω δουλεύοντας/πάνω στή δουλειά. ***work/run in double ~***, δουλεύω μέ συνέταιρο ἤ μέ σύζυγο/εἶμαι στό ζυγό. —*ρ.μ.* **1**. βάζω τήν ἱπποσκευή (σέ ἄλογο). **2**. τιθασσεύω: *~ a waterfall to produce electricity*, τιθασσεύω ἕναν καταρράχτη γιά τήν παραγωγή ἠλεκτρισμοῦ.

harp /hap/ *οὐσ.* ‹C› ἅρπα. —*ρ.μ.* **1**. παίζω ἅρπα. **2**. ***~ on sth***, (*μεταφ.*) κοπανάω, μιλῶ διαρκῶς γιά κτ: *She's always ~ing on her misfortunes*, διαρκῶς γιά τά βάσανά της μιλάει. **~er**, **~·ist** *οὐσ.* ‹C› παίκτης ἅρπας.

har·poon /ˈhaˈpun/ *οὐσ.* ‹C› καμάκι (γιά φάλαινες ἤ μεγάλα ψάρια). —*ρ.μ.* καμακώνω.

harp·si·chord /ˈhapsɪkɔd/ *οὐσ.* ‹C› (*μουσ.*) κλαβεσίνο, εἶδος πιάνου.

harpy /ˈhapɪ/ *οὐσ.* ‹C› **1**. (*Ἑλλ. μυθ.*) ἅρπυια. **2**. στρίγγλα, μέγαιρα.

har·ri·dan /ˈhærɪdən/ *οὐσ.* ‹C› γρηά μέγαιρα.

har·rier /ˈhærɪə(r)/ *οὐσ.* ‹C› **1**. μικρόσωμο λαγωνικό. **2**. ἀθλητής ἀνωμάλου δρόμου.

har·row /ˈhærəʊ/ *οὐσ.* ‹C› σβάρνα. —*ρ.μ.* σβαρνίζω, (*μεταφ.*) σπαράζω τήν καρδιά: *a ~ing tale of misfortunes*, μιά σπαραξικάρδια ἱστορία δυστυχίας.

harry /ˈhærɪ/ *ρ.μ.* **1**. λεηλατῶ, ἐρημώνω, κάνω ἐπιδρομές: *The Vikings used to ~ the English coast*, οἱ Βίκινγκς ἔκαναν ἐπιδρομές καί λεηλατοῦσαν τίς Ἀγγλικές ἀκτές. **2**. παρενοχλῶ, βασανίζω, πιλατεύω, κυνηγῶ: *moneylenders ~ing their debtors*, τοκογλύφοι πού κυνηγᾶνε τούς χρεοφειλέτες τους.

harsh /haʃ/ *ἐπ.* (*-er, -est*) **1**. τραχύς, δριμύς, ἄγριος: *a ~ voice/taste*, τραχειά φωνή/δριμεῖα γεύση. *~ laughter/a ~ texture*, ἄγριο γέλιο/-α ὕφανση. **2**. σκληρός: *a ~ judge/punishment*, σκληρός δικαστής/-ή τιμωρία. *say ~ things to sb/about sb*, λέω σκληρά λόγια σέ κπ/γιά κπ. **~·ly** *ἐπίρ.* ἄγρια, σκληρά. **~·ness** *οὐσ.* ‹U› τραχύτης, σκληρότης.

hart /hat/ *οὐσ.* ‹C› ἀρσενικό (*ἰδ.* κόκκινο) ἐλάφι.

harum-scarum /ˈheərəm ˈskeərəm/ *οὐσ.* ‹C› (*πληθ.* *~s*) ἐλαφρόμυαλος, ἀπερίσκεπτος ἄνθρωπος: *He's a ~*.

har·vest /ˈhavɪst/ *οὐσ.* ‹C› **1**. σοδειά, συγκομιδή (θερισμός, τρύγος, μάζεμα καρπῶν). **ˈ~ ˈfestival**, δοξολογία μετά τήν συγκομιδή. **ˈ~ home**, γιορτή γιά τούς ἐργάτες στό τέλος τῆς συγκομιδῆς. **ˈ~ ˈmoon**, πανσέληνος τοῦ Σεπτεμβρίου. **2**. (*μεταφ.*) ἀμοιβή: *reap the ~ of one's hard work*, δρέπω τήν ἀμοιβή τῶν κόπων μου. **~er** *οὐσ.* ‹C› **1**. θεριστής. **2**. θεριστική μηχανή. **ˈcombine-ˈ~er**, θεριστική & ἁλωνιστική μηχανή.

has /həz, *ἐμφ*: hæz/ *γ! ἑν. πρόσ. τοῦ ρ. have.*

has-been /ˋhæz bin/ *οὐσ.* ‹C› (*πληθ.* *~s*) (*καθομ.*) πρώην (πρόσωπο ἤ πρᾶγμα πού δέν εἶναι πιά ὅ,τι ἦταν): *She used to be beautiful but now she's just a ~*, ἦταν ὡραία ἀλλά τώρα εἶναι μόνον μιά πρώην καλλονή.

hash /hæʃ/ *ρ.μ.* *~ (up)*, λιανίζω, κόβω (κρέας) κιμᾶ. —*οὐσ.* ‹U› **1**. κρέας μαγειρεμένο, ψιλοκομμένο καί ξαναζεσταμένο μέ σάλτσα. **2**. (*καθομ.*) χασίσι. **3**. ***make a ~ of sth***, (*μεταφ.*) τά κάνω θάλασσα. ***settle sb's ~***, κανονίζω κπ μιά γιά πάντα.

hash·ish, hash·eesh /ˋhæʃiʃ/ *οὐσ.* ‹U› χασίσι.

hasp /hasp/ *οὐσ.* ‹C› κλάπα (μέ κρίκο γιά λουκέτο), ζεμπερέκι.

has·sock /ˋhæsək/ *οὐσ.* ‹C› μαξιλαράκι γιά γονάτισμα.

hast /hæst/ (*ἀπηρχ.*) *β! ἑν. τοῦ ρ. have*: *thou ~*, ἔχεις.

haste /heɪst/ *οὐσ.* ‹U› σπουδή, βιασύνη: *Why all this ~?* γιατί τόση βιασύνη; ***in ~***, βιαστικά: *They went off in great ~*, ἔφυγαν πολύ βιαστικά. ***make ~***, κάνω γρήγορα, βιάζομαι. ***More ~, less speed***, (*παροιμ.*) σπεῦδε βραδέως, ὅποιος βιάζεται σκοντάφτει.

hasten /ˋheɪsn/ *ρ.μ/ἀ.* (*λόγ.*) **1**. σπεύδω: *He ~ed home/to the office*, ἔσπευσε σπίτι/στό γραφεῖο. *~ away*, φεύγω ἐσπευσμένως. *I ~ to thank you*, σπεύδω νά σ'εὐχαριστήσω. **2**. ἐπισπεύδω, ἐπιταχύνω: *That will ~ his fall*, αὐτό θά ἐπισπεύση τήν πτώση του. *Artificial heating ~s the growth of plants*, ἡ τεχνητή θέρμανσις ἐπιταχύνει τήν ἀνάπτυξη τῶν φυτῶν.

hasty /ˋheɪstɪ/ *ἐπ.* *(-ier, -iest)* **1**. βιαστικός, ἐσπευσμένος: *write a ~ note*, γράφω ἕνα βιαστικό σημείωμα. *a ~ departure*, ἐσπευσμένη ἀναχώρησις. *a ~ look/decision*, βιαστική ματιά/ἀπόφαση. **2**. (*πεπαλ.*) ὀξύθυμος. **hast·ily** /-əlɪ/ *ἐπίρ.* βιαστικά. **hasti·ness** *οὐσ.* ‹U› βιασύνη.

hat /hæt/ *οὐσ.* ‹C› καπέλλο: *a top/silk ~*, ἡμίψηλο. *a felt ~*, ρεμπούμπλικα. ***~ in hand***, (*μεταφ.*) μέ σεβασμό, ταπεινά. ***keep sth under one's ~***, (*λαϊκ.*) κρατῶ κτ κρυφό. ***raise one's hat to sb***, βγάζω τό καπέλλο σέ κπ (πρός χαιρετισμόν). ***send/pass round the ~***, βγάζω δίσκο, κάνω ἔρανο. ***take off one's ~ to sb***, βγάζω σέ κπ τό καπέλλο, ἀποκαλύπτομαι μπροστά του, τόν παραδέχομαι. ***talk through one's ~***, (*λαϊκ.*) λέω τρίχες. ***He's a bad ~***, (*λαϊκ.*) εἶναι παλιόσκερο. ***I'll eat my ~ if***..., νά μή μέ λένε μένα..., νά μοῦ τρυπᾶς τή μύτη, ἄν... ***My ~!*** (*λαϊκ.*) *ἐπιφ. ἐκπλήξεως*: ἄντε! σώπα! **ˋ~-band**, κορδέλλα καπέλλου. **ˋ~-box**, καπελλιέρα. **ˋ~-stand/-rack/-rail**, κρεμάστρα γιά καπέλλα. **~·ful** /-fʊl/ *οὐσ.* ‹C› καπελλιά (ὅσο χωράει ἕνα καπέλλο). **~·less** *ἐπ.* ξεσκούφωτος. **~·ter** *οὐσ.* ‹C› καπελλᾶς. ***as mad as a ~ter***, θεοπάλαβος.

[1]**hatch** /hætʃ/ *οὐσ.* ‹C› **1**. μισόπορτα, πορτάκι (στό κάτω μέρος μεγάλης πόρτας). **2**. παραθυράκι (κουζίνας πρός τραπεζαρίαν). **3**. (*καί* **ˋ~·way**) καταπακτή (πρός ἀμπάρι πλοίου). ***under ~es***, στό ἀμπάρι.

[2]**hatch** /hætʃ/ *ρ.μ/ἀ.* **1**. ἐκκολάπτω/-ομαι, κλωσσῶ: *~ chickens/eggs*, ἐκκολάπτω κοτόπουλα/κλωσσῶ αὐγά. **2**. ἐξυφαίνω (συνωμοσίαν, κλπ). **~·ery** /-tʃərɪ/ *οὐσ.* ‹C› ἐκκολαπτήριον, ἰχθυοτροφεῖον.

hatchet /ˋhætʃɪt/ *οὐσ.* ‹C› τσεκουράκι. ***bury the ~***, κάνω εἰρήνη, ξεχνῶ τά μίση, συμφιλιώνομαι.

hate /heɪt/ *ρ.μ.* **1**. μισῶ: *I ~ you*, σέ μισῶ. **2**. σιχαίνομαι, δέν ἀνέχομαι: *I ~ her like poison*, τή σιχαίνομαι σάν τίς ἁμαρτίες μου. *I ~ being interrupted*, σιχαίνομαι/δέν ἀνέχομαι νά μέ διακόπτουν. **3**. λυπᾶμαι πάρα πολύ: *I ~ to trouble you, but*..., λυπᾶμαι πολύ πού σᾶς ἐνοχλῶ, ἀλλά... —*οὐσ.* ‹U› μῖσος, ἀποστροφή: *be filled with ~ for sb*, εἶμαι γεμᾶτος μῖσος γιά κπ. **~·ful**/-fl/ *ἐπ.* μισητός, σιχαμερός. **~·fully** /-fəlɪ/ *ἐπίρ.*

hath /hæθ/ (*ἀπηρχ.*) *γ! ἑν. πρόσ. τοῦ ρ. have*: *He ~*, ἔχει.

hatred /ˋheɪtrɪd/ *οὐσ.* ‹U› μῖσος, ἐχθρότης: *his ~ for/of me*, τό μῖσος του γιά μένα πρός ἐμένα. *incur sb's ~*, ἐπισύρω τό μῖσος/τήν ἐχθρότητα κάποιου. *excite universal ~*, προκαλῶ γενική ἐχθρότητα. ***out of ~***, ἀπό μῖσος.

hat·ter /ˋhætə(r)/ *οὐσ.* ‹C› *βλ. hat.*

haughty /ˋhɔtɪ/ *ἐπ.* *(-ier, -iest)* ὑπεροπτικός, ἀγέρωχος, ἀλαζονικός: *with ~ contempt*, μέ ὑπεροπτική περιφρόνηση. **haught·ily** /-əlɪ/ *ἐπίρ.* ὑπεροπτικά. **haugh·ti·ness** *οὐσ.* ‹U› ὑπεροψία.

haul /hɔl/ *ρ.μ/ἀ.* τραβῶ, σέρνω (κάτι βαρύ): *~ a boat up the beach*, τραβῶ μιά βάρκα στό γιαλό. *~ at/up a rope*, τραβῶ ἕνα σκοινί. *~ logs*, σέρνω κούτσουρα. ***~ sb over the coals***, κατσαδιάζω κπ ἄγρια, τόν περνῶ γενεές δεκατέσσερες. ***~ down one's flag/colours***, ὑποστέλλω τή σημαία (παραδίδομαι). —*οὐσ.* ‹C› **1**. διαδρομή, τράβηγμα. **2**. πιάσιμο, μπάζα: *a good ~ of fish*, καλή διχτυά. *The thief made a good ~*, ὁ κλέφτης ἔκαμε καλή μπάζα.

haul·age /ˋhɔlɪdʒ/ *οὐσ.* ‹U› μεταφορά ἐμπορευμάτων (*ἰδ.* μέ φορτηγά αὐτοκίνητα): *a ˋ~ contractor*, πράκτωρ μεταφορῶν. *the road ~ industry*, χερσαῖες μεταφορές.

haul·ier /ˋhɔlɪə(r)/ *οὐσ.* ‹C› πράκτωρ/πρακτορεῖον μεταφορῶν (μέ ἰδιόκτητα φορτηγά).

haunch /hɔntʃ/ *οὐσ.* ‹C› ἰσχίον, γλουτός, γοφός, (*πληθ.*) πισινά: *The dog was sitting on its ~es*, ὁ σκύλος καθόταν στά πισινά του.

haunt /hɔnt/ *ρ.μ.* **1**. συχνάζω, κάνω παρέα, (*γιά φάντασμα*) στοιχειώνω: *~ gambling-rooms*, συχνάζω σέ λέσχες. *The castle is ~ed*, τό κάστρο εἶναι στοιχειωμένο. **2**. (*γιά ἰδέα*) καταδιώκω, βασανίζω: *He is ~ed by the idea/fear that*..., τόν καταδιώκει ἡ ἰδέα/τόν βασανίζει ὁ φόβος ὅτι... **~·ing** *ἐπ.* βασανιστικός, πού δέν φεύγει ἀπό τό νοῦ: *a ~ing memory/melody*. —*οὐσ.* ‹C› στέκι, λημέρι, ἐντευκτήριο: *the ~s of his youth*, τά μέρη ὅπου σύχναζε νέος.

haut·boy /ˋ(h)əʊbɔɪ/ *οὐσ.* ‹C› *βλ. oboe.*

hau·teur /əʊˋtɜ(r)/ *οὐσ.* ‹U› ὑπεροψία.

have /həv, *ἐμφ:* hæv/ *ρ.μ/ἀ., βοηθητ., ἀνώμ.* (*γ' ἑν. has* /həz, hæz/, *ἀόρ. & π.μ. had* /həd, hæd/) (*ἀρν. haven't* /ˋhævnt/, *hasn't* /ˋhæznt/, *hadn't* /ˋhædnt/) **1**. (*βοηθ. διά τόν σχηματισμόν τοῦ παρακ. καί ὑπερσυντελίκου*) ἔχω: *H~ you read this book?* ἔχεις διαβάσει αὐτό τό βιβλίο; *He hadn't left when I got there*, δέν εἶχε φύγει ὅταν ἔφθασα ἐκεῖ. *I hope to ~ finished by noon*, ἐλπίζω νά ἔχω τελειώση ὥς τό μεσημέρι. **2**. ἔχω (*στήν καθομ. ἀντικαθίσταται ἀπό have got, ὅπως φαίνεται στά παραδείγματα*): *How many days has April?* πόσες μέρες ἔχει ὁ Ἀπρίλης; *Has she (got) blue eyes?* ἔχει γαλανά μάτια; *I ~n't (got) a good memory*, δέν ἔχω καλή μνήμη. *They ~n't (got) a car*, δέν ἔχουν αὐτοκίνητο. *H~ you (got) any idea where he is?* ἔχεις καμιά ἰδέα ποῦ βρίσκεται; *Do you ~ much time for reading?* ἔχεις ἀρκετό χρόνο γιά διάβασμα; *Has she (got) any children?/Does she ~ children?* ἔχει παιδιά; **3**. ἔχω (δοκιμάζω, ὑποφέρω): *Did you ~ much difficulty in finding the house?* εἶχες πολλή δυσκολία νά βρῆς τό σπίτι; *~ pains/a cold/rheumatism*, ἔχω πόνους/κρύο/ρευματισμούς. *Did you ~ a good time/holiday?* περάσατε καλά/κάνατε καλές διακοπές; **4**. (*ἀκολουθούμενον ἀπό ἀπαρέμφατον*) πρέπει: *I ~ (got) to see him*, πρέπει νά τόν δῶ. *We had to leave early*, χρειάστηκε νά φύγουμε νωρίς. *He hasn't (got) to go to the office today*, δέν εἶναι ὑποχρεωμένος νά πάη στό γραφεῖο σήμερα. *He's so rich that he doesn't ~ to work*, εἶναι τόσο πλούσιος ὥστε δέν εἶναι ὑποχρεωμένος νά δουλεύη. **5**. (*~ + ἀντικείμενον + π.μ.*) *(α)* κάνω κτ (μέσῳ ἄλλου): *I had my hair cut yesterday*, ἔκοψα τά μαλλιά μου χθές (μέσῳ τοῦ κουρέα). *We must ~ this tree cut down*, πρέπει νά κόψουμε (νά βάλουμε κπ νά κόψη) αὐτό τό δέντρο. *When did you ~ this suit made?* πότε ἔφτιαξες (*ἐνν.* στό ράφτη) αὐτό τό κοστούμι; *(β)* παθαίνω κτ: *He had his arm broken in a fight*, ἔσπασε τό χέρι του σ'ἕναν καυγᾶ. **6**. (*συνήθ. μέ won't ἤ can't*), ἐπιτρέπω, ἀνέχομαι: *I won't ~ you smoking in the classroom*, δέν ἐπιτρέπω νά καπνίζετε στήν τάξη. *I won't ~ such conduct*, δέν ἀνέχομαι τέτοια συμπεριφορά. **7**. ***~ sb do sth***, θέλω: *Would you ~ me do this to you?* θάθελες νά σοῦ τό κάνω ἐσένα; *I would have you know that...*, θάθελα νά ξέρης ὅτι... **8**. ***~ to do with***, ἔχω σχέση μέ: *I ~ nothing to do with it*, δέν ἔχω καμιά σχέση μ'αὐτό. **9**. *~ + οὐσιαστικό*, (*κατά κανόνα ἀποδίδεται στά Ἑλληνικά μέ ρῆμα πού ἐκφράζει τήν ἔννοια τοῦ οὐσιαστικοῦ*): *~ a walk/swim/wash/rest/try/look*, κάνω περίπατο/κολυμπῶ/πλένομαι/ξεκουράζομαι/δοκιμάζω/κοιτάζω. *Did you ~ a swim/dream last night?* κολύμπησες/ὀνειρεύτηκες χθές τή νύχτα; *Go and ~ a lie down!* πήγαινε καί ξάπλωσε! **10**. παίρνω: *Do you ~ tea or coffee for breakfast?* παίρνετε τσάϊ ἤ καφέ γιά πρόγευμα; *There was nothing to be had*, δέν ὑπῆρχε τίποτε νά πάρουμε (νά φᾶμε). *What else will you ~?* τί ἄλλο θά πάρετε; *~ a letter/news/dinner, etc*, παίρνω γράμμα/νέα/δεῖπνο, κλπ. **11**. ἐξαπατῶ, τή σκάω σέ κπ, νικῶ κπ: *I'm afraid you've been had*, φοβᾶμαι ὅτι σέ κορόϊδεψαν. *Mind he doesn't ~ you*, πρόσεξε μή σοῦ τή σκάση. *You had me there!* μέ νίκησες ἐδῶ! ἐδῶ μ'ἔπιασες! ***~ had it***, (*λαϊκ.*) τήν ἔπαθα, τήν πάτησα: *If you think I'm going to help you, you've had it!* ἄν νομίζης ὅτι θά σέ βοηθήσω, τήν πάτησες! **12**. ἰσχυρίζομαι, λέω: *He will ~ it that our plan is impracticable*, ἰσχυρίζεται (ἐπιμένει) ὅτι τό σχέδιό μας εἶναι ἀνεφάρμοστο. *He isn't so old as you would ~ him*, δέν εἶναι τόσο μεγάλος ὅσο θέλετε νά τόν κάνετε. *Rumour has it that...*, ὑπάρχει μιά διάδοσις ὅτι... *As Plato has it*, ὅπως λέει ὁ Πλάτων, κατά τόν Πλάτωνα. **13**. (*μέ ἐπιρ. & προθέσεις*):

have at sb, (*ἀπηρχ., μόνον στήν προστ.*) ἐπιτίθεμαι: *H~ at him!* ἐπάνω του!

have sth back, παίρνω πίσω: *When shall I ~ it back?* πότε θά τό ἔχω πίσω (θά μοῦ τό ἐπιστρέψης);

have sb down, ἔχω κπ ὡς φιλοξενούμενο (ἀπό τήν πόλη): *We'll ~ them down for a week*, θά μᾶς ἔρθουν γιά μιά βδομάδα.

have sb in, φέρνω κπ (στό σπίτι): *We'll be having the decorators in next week*, θά φέρουμε τούς διακοσμητές τήν ἄλλη βδομάδα. ***~ sth in***, μπάζω, ἀποθηκεύω: *Do you ~ enough coal in for the winter?* ἔχετε ἀποθηκεύσει ἀρκετό κάρβουνο γιά τό χειμῶνα;

have sb on, (*καθομ.*) ξεγελῶ, τή σκάω σέ κπ: *They had him on*, τοῦ τήν ἔσκασαν. ***~ sth on***, *(α)* φορῶ: *She had nothing on*, δέν φοροῦσε τίποτα, ἦταν ὁλόγυμνη. *(β)* ἔχω κανονίσει, ἔχω κλείσει: *I ~ nothing on this evening*, δέν ἔχω κανονίσει τίποτα γιά ἀπόψε (εἶμαι ἐλεύθερος).

have sth out, *(α)* βγάζω: *~ a tooth out*, βγάζω ἕνα δόντι. *(β)* ***~ it out with sb***, ἐξηγοῦμαι καθαρά μέ κπ, λύνω μιά διαφορά. *(γ) Let him ~ his sleep out*, ἄστον νά κοιμηθῆ ὅσο θέλει.

have sb up, *(α)* ἔχω κπ ὡς φιλοξενούμενον (ἀπό τήν ἐπαρχία): *I'll ~ him up for a week*, θά μᾶς ἔρθη γιά μιά βδομάδα. *(β)* (*συνήθ. εἰς παθ. φων.*) μηνύω κπ: *He was had up for exceeding the speed limit*, μηνύθηκε γιά ὑπέρβαση ταχύτητος.

ha·ven /ˋheivn/ *οὐσ.* ‹C› λιμάνι, (*μεταφ.*) καταφύγιον.

hav·er·sack /ˋhævəsæk/ *οὐσ.* ‹C› γυλιός, σακκίδιο.

haves /hævz/ *οὐσ. πληθ.* ***the ˈ~ and the have-ˋnots***, οἱ πλούσιοι καί οἱ φτωχοί, οἱ ἔχοντες καί οἱ μή ἔχοντες.

havoc /ˋhævək/ *οὐσ.* ‹U› καταστροφή, ἐρήμωσις: *The floods caused terrible ~*, οἱ πλημμύρες προκάλεσαν τρομερές καταστροφές. ***make ~ of; play ~ with/among***, κάνω καταστροφή, κάνω θραύση σέ κτ.

[1]**hawk** /hɔk/ *οὐσ.* ‹C› **1**. γεράκι. **ˈ~-ˋeyed**, ἀητομάτης. **2**. (*μεταφ.*) γεράκι, πολεμόφιλος (*ἀντίθ. dove*).

[2]**hawk** /hɔk/ *ρ.μ.* **1**. γυρίζω μέ καρότσι καί πουλῶ πράγματα. **2**. (*μεταφ.*) διαδίδω: *~ news/gossip about*, διαδίδω νέα/κουτσομπολιά. **~er** *οὐσ.* ‹C› γυρολόγος, πλανώδιος πωλητής.

haw·thorn /ˋhɔθɔn/ *οὐσ.* ‹C› λευκαγκάθα, μπουρμπουτζελιά.

hay /hei/ *οὐσ.* ‹U› χόρτο, σανός, ἄχυρο: *make ~*, ξεραίνω χορτάρι. ***make ~ while the sun shines***, (*παροιμ.*) στή βράση κολλάει τό σίδερο. ***make ~ of sth***, ἀναστατώνω, κάνω ἄνω-κάτω, μπερδεύω τά πράγματα. **ˋ~cock**, σωρός χορτάρι (σέ χωράφι). **ˋ~**

fever, (*ἰατρ.*) ἀλλεργικός κατάρρους (ἀπό τήν εἰσπνεόμενη σκόνη τοῦ χόρτου). **`~-fork**, δικράνι. **`~-rick/-stack**, θημωνιά χόρτου. **`~wire** *κατηγ. ἐπ.* ἔξαλλος, ἀναστατωμένος. ***go ~ wire***, ἀναστατώνομαι, γίνομαι ἄνω-κάτω, (*γιά σχέδια*) μπερδεύομαι, χαλῶ.

haz·ard /`hæzəd/ *οὐσ.* **1**. ‹C› κίνδυνος: *Smoking is a `health ~*, τό κάπνισμα εἶναι κίνδυνος γιά τήν ὑγεία. *a life full of ~s*, ζωή γεμάτη κινδύνους. ***at all ~s***, πάσῃ θυσίᾳ. **2**. ‹U› παιχνίδι μέ ζάρια. **3**. (*στό γκόλφ*) ἐμπόδιο. —*ρ.μ.* διακινδυνεύω: *~ one's life*, διακινδυνεύω τή ζωή μου. *~ a guess/remark*, διακινδυνεύω (ἀποτολμῶ) μιά εἰκασία/μιά παρατήρηση. **~·ous** /-əs/ *ἐπ.* ριψοκίνδυνος, παράτολμος, ἐπικίνδυνος.

haze /heɪz/ *οὐσ.* ‹U› **1**. ἐλαφρά ὁμίχλη, ἀχλύς. **2**. (*μεταφ.*) σύγχυσις, ἀοριστία, ἀσάφεια.

hazel /`heɪzl/ *οὐσ.* ‹C,U› φουντουκιά. *~ eyes*, ἀνοιχτά καστανά μάτια. **`~-nut**, φουντούκι.

hazy /`heɪzɪ/ *ἐπ.* (*-ier, -iest*) **1**. καταχνιασμένος, μουντός: *a ~ horizon*, θαμπός ὁρίζοντας (*ἰδ.* ἀπό ζέστη). **2**. (*μεταφ.*) ἀσαφής, ἀβέβαιος, συγκεχυμένος: *I am ~ about what to do next*, δέν ξέρω κι' ἐγώ τί νά κάμω ἔπειτα. **haz·ily** /-əlɪ/ *ἐπίρ.* θαμπά. **hazi·ness** *οὐσ.* ‹U› θαμπάδα, καταχνιά, ἀβεβαιότης.

H-bomb /`eɪtʃ bom/ *οὐσ.* ‹C› ὑδρογονοβόμβα.

he /hi/ **1**. *προσ. ἀντων. ὀνομ.* αὐτός: *He who...*, αὐτός ὁ ὁποῖος... **2**. (*πρόθεμα*) ἀρσενικός: *a `he-goat*, τράγος.

[1]**head** /hed/ *οὐσ.* ‹C› **1**. κεφαλή, κεφάλι: *(α) He hit me on the ~*, μέ χτύπησε στό κεφάλι. *They cut his ~ off*, τόν ἀποκεφάλισαν. *It will cost him his ~*, θά τοῦ κοστίση τό κεφάλι του. *(β) Tom is taller than Harry by a ~*, ὁ Τ. εἶναι ἕνα κεφάλι ψηλότερος ἀπό τόν Χ. *His horse won by a short ~*, τό ἄλογό του κέρδισε βραχεία κεφαλῇ. ***be ~ and shoulders above sb***, (*μεταφ.*) εἶμαι σκάλες ἀνώτερος ἀπό κπ. *(γ) the ~ of a pin/nail/hammer*, τό κεφάλι καρφίτσας/καρφιοῦ/σφυριοῦ. *a tape-recorder ~*, ἡ κεφαλή ἑνός μαγνητοφώνου. *(δ) the ~ of a page/staircase/bed*, ἡ κεφαλή (τό πάνω μέρος) σελίδος/σκάλας/κρεββατιοῦ. *(ε) a fine ~ of lettuce/cabbage*, ἕνα ὡραῖο μαροῦλι/λάχανο. *(ζ) the ~ of a boil*, τό κεφάλι (ἡ μύτη) ἑνός λουθουναριοῦ. *The boil came to a ~*, τό λουθουνάρι ὡρίμασε, ἔγινε. ***bring sth/come to a ~***, (*μεταφ.*) ὁδηγῶ κτ/καταλήγω σέ κρίση: *Things came to a ~ when...*, τά πράγματα ἔφθασαν σέ κρίσιμο σημεῖο, ὅταν... **2**. (*σέ νόμισμα*) κορώνα. ***H~s or tails?*** κορώνα ἤ γράμματα; ***be unable to make ~ or tail of sth***, δέν βγάζω ἄκρη/νόημα σέ κτ. **3**. ἄτομο: *If you come in a group, you'll pay only 10p a ~*, ἄν ἔλθετε ὁμαδικῶς, θά πληρώσετε μόνο 10 πέννες τό ἄτομο. **4**. ζῶον (*ἀμετάβλ. στόν πληθ.*): *50 ~ of cattle*, πενήντα κεφάλια ζῶα. *a large ~ of game*, πολύ κυνήγι (πχ μεγάλος ἀριθμός λαγῶν, κλπ). **5**. μυαλό, ἔμφυτη ἱκανότητα: *put an idea out of one's ~*, βγάζω μιά ἰδέα ἀπό τό μυαλό μου. *He has a good ~ for business*, ἔχει ἐπιχειρηματικό μυαλό. **6**. ἀρχηγός, προϊστάμενος, διευθυντής: *the ~ of a state*, ὁ ἀρχηγός ἑνός κράτους. *the crowned ~s of Europe*, οἱ ἐστεμμένες κεφαλές τῆς Εὐρώπης. *the ~ of a department/service*, ὁ προϊστάμενος τμήματος/ὁ διευθυντής μιᾶς ὑπηρεσίας. *the ~ gardener/waiter*, ὁ ἀρχικηπουρός/ὁ μαίτρ ντ' ὀτέλ. ***at the ~ of***, ἐπικεφαλῆς: *be at the ~ of the procession/regiment/poll/list*, εἶμαι ἐπικεφαλῆς τῆς πομπῆς/τοῦ συντάγματος/τῆς ψηφοφορίας/τοῦ καταλόγου. **7**. (*ἰδ. σέ κύρια ὀνόματα*) 'Ακρωτήριον. **8**. κεφάλαιον, σημεῖον: *a speech arranged in five ~s*, ὁμιλία χωρισμένη σέ πέντε κεφάλαια. ***on this ~***, στό κεφάλαιο αὐτό, ἐπ' αὐτοῦ τοῦ σημείου. **9**. ἀφρός, κορφή: *the ~ on a glass of beer/milk*, ὁ ἀφρός σ' ἕνα ποτήρι μπύρα/ἡ κορφή σ' ἕνα ποτήρι γάλα. **10**. στήλη (ὕδατος), ὑδραυλική πίεσις: *keep up a good ~ of steam*, διατηρῶ ὑψηλή πίεση. ***gather ~***, ἀνεβαίνω, αὐξάνω: *The waters are gathering ~*, τά νερά ἀνεβαίνουν. *The discontent is gathering ~*, (*μεταφ.*) ἡ δυσφορία ὀγκοῦται/αὐξάνει. **11**. *σέ φράσεις:* ***bite sb's ~ off***, κατσαδιάζω κπ ἄγρια. ***eat one's ~ off***, σκάω ἀπό τό φαΐ. ***give a horse its ~***, ἀφήνω ἕνα ἄλογο νά τρέξη ἐλεύθερα. ***give sb his ~***, ἀφήνω κπ ἐλεύθερο νά δράση. ***go to one's ~***, μεθῶ, χτυπῶ στό κεφάλι: *The wine/His success has gone to his ~*, τό κρασί/ἡ ἐπιτυχία του τόν χτύπησε στό κεφάλι. ***have a good ~ on one's shoulders***, ἔχω ἰσορροπημένο μυαλό/πρακτικό νοῦ. ***keep/lose one's ~***, διατηρῶ/χάνω τήν ψυχραιμία μου, χάνω τόν μπούσουλα. ***keep one's ~ above water***, (*μεταφ.*) τά καταφέρνω νά μή χρεωθῶ. ***laugh one's ~ off***, λύνομαι στά γέλια. ***put our ~s together***, συσκεπτόμεθα, τό σκεφτόμαστε μαζί. ***put an idea into sb's ~***, βάζω μιά ἰδέα στό μυαλό κάποιου. ***put an idea out of one's ~***, βγάζω μιά ἰδέα ἀπό τό μυαλό μου. ***take sth into one's ~***, μοῦ καρφώνεται κτ στό μυαλό. ***talk sb's ~ off***, ξεθεώνω κπ στή λίμα, τόν τρελλαίνω στήν πολυλογία, τοῦ παίρνω τ' αὐτιά. ***talk over sb's ~***, μιλῶ μέ τρόπο πού εἶναι πάνω ἀπό τήν διανοητική ἱκανότητα κάποιου: *You shouldn't talk over the ~s of your audience*, πρέπει ἡ ὁμιλία σου νά εἶναι προσαρμοσμένη στό διανοητικό ἐπίπεδο τῶν ἀκροατῶν σου. ***turn sb's ~***, παίρνουν τά μυαλά μου ἀέρα: *Her success turned her ~*, πῆραν τά μυαλά της ἀέρα μέ τήν ἐπιτυχία της. ***be weak in the ~***, χαζοφέρνω. ***(stand) on one's ~***, (στέκομαι) μέ τό κεφάλι κάτω, (*μεταφ.*) εὐκολώτατα: *I could do it (standing) on my ~*, θά μποροῦσα νά τό κάνω εὐκολώτατα. ***an old ~ on young shoulders***, νέος μέ φρονιμάδα μεγάλου. ***Two ~s are better than one***, δυό γνῶμες ἀξίζουν περισσότερο ἀπό μία. ***My ~ is spinning/swimming***, γυρίζει τό κεφάλι μου, ἔχω ζαλάδα. ***from ~ to foot***, ἀπό κεφαλῆς μέχρις ὀνύχων. ***off one's ~***, τρελλός: *He went off his ~*, τρελλάθηκε, ἔγινε ἐκτός ἑαυτοῦ. ***On our (their, etc) own ~ be it***, ἐπί τῶν κεφαλῶν μας (των, κλπ), στό κεφάλι μας νά πέση (ἡ τιμωρία, ἡ ὀργή τοῦ θεοῦ, κλπ). *(He was promoted)*

over my ~/over the ~s of others, (τόν προήγαγαν) παραμερίζοντας ἐμένα/τούς ἄλλους. ~ ***over heels***, ἄνω-κάτω, (*μεταφ.*) ὥς τά μπούνια: ~ *over heels in love/debt*, ἐρωτευμένος/χρεωμένος ὥς τά μπούνια. **12**. (*σέ σύνθετες λέξεις*): **ˋ~·ache**, (*κυριολ.* & *μεταφ.*) πονοκέφαλος: *suffer from ~ache(s)*, ὑποφέρω ἀπό πονοκεφάλους. *She's a real ~-ache to her parents*, εἶναι πραγματικός πονοκέφαλος γιά τούς γονεῖς της. **ˋ~·band**, κεφαλόδεσμος. **ˋ~·dress/·gear**, κάλυμμα τοῦ κεφαλιοῦ. **ˋ~-hunter**, κυνηγός κεφαλῶν. **ˋ~·lamp/·light**, προβολεύς (αὐτοκινήτου, ἀτμομηχανῆς, κλπ). **ˋ~·land** /-lənd/, ἀκρωτήριον. **ˋ~·line**, τίτλος (ἐφημερίδος): *Here are the news ~lines*, (*στό ραδιόφ.*) Καί τώρα οἱ κυριότερες εἰδήσεις ἐν περιλήψει. **ˋ~-man**, ἀρχηγός (φυλῆς, χωριοῦ, κλπ). **ˈ~-ˋmaster/ˋmistress**, γυμνασιάρχης, διευθυντής/διευθύντρια σχολείου. **ˈ~-ˋoffice**, κεντρικά γραφεῖα. **ˋ~-on** *ἐπ.* μετωπικός. *ἐπίρ.* κατά μέτωπον: *a ~-on collision*, μετωπική σύγκρουσις. **ˋ~·phones**, ἀκουστικά τηλεφωνητοῦ. **ˋ~·piece**, κράνος, (*καθομ.*) μυαλό, εὐφυΐα. **ˈ~-ˋquarters**, (*πληθ. ἤ ἑν.*) ἀρχηγεῖον: *the police ~-quarters*, τό ἀρχηγεῖον/ἡ Διεύθυνσις τῆς ἀστυνομίας. **ˋ~-rest**, προσκέφαλο, στήριγμα τοῦ κεφαλιοῦ (*πχ* σέ αὐτοκίνητο). **ˋ~·ship** /-ʃɪp/, θέσις προϊσταμένου, διεύθυνσις, ἀρχηγία. **ˋ~-spring**, πηγή, κεφαλάρι. **ˋ~·stall**, καπιστράτα, κεφαλαριά. **ˋ~·stone**, ἐπιτύμβιος στήλη. **ˋ~-waters**, πηγή (ποταμοῦ). **ˋ~-wind**, ἐνάντιος ἄνεμος. **ˋ~·word**, κεφαλίς, λῆμμα (λεξικοῦ). **~ed** *ἐπ.* μέ κεφάλι: *a two-~ed monster*, δικέφαλο τέρας. *thick-~ed*, χοντροκέφαλος. **~·less** *ἐπ.* ἀκέφαλος.

[2]**head** /hed/ *ρ.μ/ἀ.* **1**. ἡγοῦμαι, μπαίνω/εἶμαι ἐπικεφαλῆς: ~ *a revolt/rebellion*, ἡγοῦμαι μιᾶς ἀνταρσίας. ~ *a procession*, μπαίνω ἐπικεφαλῆς μιᾶς πομπῆς. *His name ~ed the list*, τό ὄνομά του ἦταν πρῶτο στόν κατάλογο. **2**. χτυπῶ μέ τό κεφάλι, δίνω κουτουλιά/κεφαλιά. **3**. κατευθύνομαι, τραβῶ: ~ *south/home*, τραβῶ νότια/γιά τό σπίτι. *be ~ing for disaster*, τραβῶ ἴσια πρός τήν καταστροφή. **4**. ~ ***sb/sth off***, γυρίζω πίσω, ἀποτρέπω: ~ *off a flock of sheep*, γυρίζω πίσω ἕνα κοπάδι πρόβατα. ~ *off a quarrel/disaster*, ἐμποδίζω μιά φιλονικία/ἀποτρέπω μιά καταστροφή.

header /ˋhedə(r)/ *οὐσ.* ‹C› **1**. (*στό ποδόσφ.*) κεφαλιά. **2**. βουτιά μέ τό κεφάλι: *take a ~ into a swimming pool*, κάνω βουτιά μέ τό κεφάλι σέ πισίνα.

head·ing /ˋhedɪŋ/ *οὐσ.* ‹C› ἐπικεφαλίδα.

head·long /ˋhedlɒŋ/ *ἐπ.* & *ἐπίρ.* **1**. μέ τό κεφάλι: *fall ~*, πέφτω μέ τό κεφάλι. *a ~ dive*, βουτιά μέ τό κεφάλι. **2**. ἀπερίσκεπτος/-α, ὁρμητικός/-ά: *a ~ decision*, ἀπερίσκεπτη ἀπόφαση. *rush ~ into danger*, ὁρμῶ ἀπερίσκεπτα μέσ' στόν κίνδυνο.

head·strong /ˋhedstrɒŋ/ *ἐπ.* ἰσχυρογνώμων.

head·way /ˋhedweɪ/ *οὐσ.* ‹U› πρόοδος: *make some/little/no ~*, σημειώνω κάποια/λίγη/καμιά πρόοδο.

heady /ˋhedɪ/ *ἐπ.* *(-ier, -iest)* **1**. (*γιά ἄνθρ.*) ὁρμητικός, ἰσχυρογνώμων, φουριόζος. **2**. μεθυστικός, ἰλιγγιώδης: *a ~ smell/joy/wine*, μεθυστική μυρουδιά/χαρά/-ό κρασί, κουτελίτης. ~ *heights*, ἰλιγγιώδη ὕψη.

heal /hil/ *ρ.μ/ἀ.* **1**. ἐπουλώνω/-ομαι: *The wound soon ~ed up/over*, ἡ πληγή ἐπουλώθηκε (ἔκλεισε) σύντομα. *It isn't yet ~ed*, δέν ἔχει ἐπουλωθεῖ ἀκόμα. **2**. (*ἀπηρχ.*) θεραπεύω. **3**. γιατρεύω: *Time ~s all sorrows*, ὁ χρόνος γιατρεύει ὅλους τούς καϋμούς. ~ *a quarrel*, (*μεταφ.*) θέτω τέρμα σέ φιλονικία, συμφιλιώνομαι. **~er** *οὐσ.* ‹C› θεραπευτής: *Time is a great ~er*, ὁ χρόνος εἶναι ὁ καλύτερος γιατρός. **~·ing** *οὐσ.* ‹U› γιατρειά. *ἐπ.* θεραπευτικός, (*μεταφ.*) συμφιλιωτικός.

health /helθ/ *οὐσ.* ‹U› ὑγεία: *have/enjoy good ~*, εἶμαι ὑγιής. *be in good/poor ~*, εἶμαι/δέν εἶμαι καλά στήν ὑγεία μου. *He looks the picture of ~*, (αὐτός) εἶναι ἡ προσωποποίηση τῆς ὑγείας! ***be in the best of ~***, χαίρω ἄκρας ὑγείας. ~ ***before wealth***, (*παροιμ.*) κάλλιο ὑγεία παρά βιός. ***drink sb's ~; drink a ~ to sb***, πίνω στήν ὑγεία κάποιου. ~ **certificate**, πιστοποιητικόν ὑγείας. **the Department of H~ and Social Security**, (*MB*) τό Ὑπουργεῖον Κοινωνικῶν Ὑπηρεσιῶν. **~·ful** /-fl/ *ἐπ.* ὑγιεινός.

healthy /ˋhelθɪ/ *ἐπ.* *(-ier, -iest)* **1**. ὑγιής: *look/be ~*, φαίνομαι/εἶμαι ὑγιής. **2**. ὑγιεινός: *a ~ climate*, ὑγιεινό κλῖμα. **3**. πού δείχνει ὑγεία (= καλός, ζωηρός, ὠφέλιμος): *a ~ appetite*, καλή ὄρεξη. *It's a ~ sign that...*, εἶναι καλό σημάδι ὅτι... *have a ~ interest in sth*, ἔχω ζωηρό ἐνδιαφέρον γιά κτ. ~ *criticism*, ὠφέλιμη (ἐποικοδομητική) κριτική.

heap /hip/ *οὐσ.* ‹C› **1**. σωρός: *a ~ of books/sand*, σωρός βιβλίων/ἄμμου. ***in ~s***, σέ σωρούς, σωρηδόν. ***be struck/knocked all of a ~***, (*καθομ.*) μένω ἄναυδος/ἀποσβολωμένος. ***fall down in a ~***, σωριάζομαι κάτω. **2**. ***~s (of)***, (*καθομ.*) ἕνα σωρό, πολύς, πολλοί: *~s of money/time*, ἕνα σωρό χρήματα/μπόλικη ὥρα. *~s of times*, ἕνα σωρό (χιλιάδες) φορές. *There's ~s more that I could say on this question*, θά μποροῦσα νά πῶ πολλά ἄλλα ἀκόμα γι' αὐτό τό θέμα. **3**. ***~s***, *ἐπίρ.* (*καθομ.*) πολύ: *I'm feeling ~s better*, νοιώθω πολύ καλύτερα. —*ρ.μ.* ~ ***(up)***, σωριάζω, συσσωρεύω: ~ *(up) stones*, σωριάζω πέτρες. ~ *up riches*, συσσωρεύω πλούτη. *a ~ed spoonful*, μιά σωροτή κουταλιά. ~ ***sth (up)on sb; ~ sb with sth***, ἐπισωρεύω, γεμίζω κπ μέ κτ: *They ~ed honours on him/~ed him with honours*, τόν γέμισαν (τόν φόρτωσαν) τιμές, τόν ἔπνιξαν στίς τιμές.

hear /hɪə(r)/ *ρ.μ/ἀ.* *ἀνώμ.* (*ἀόρ.* & *π.μ.* *heard* /hɜd/) **1**. ἀκούω: *He doesn't/can't ~ well*, δέν ἀκούει καλά. *I ~d him laughing*, τόν ἄκουσα νά γελᾶ. *I ~d him say so*, τόν ἄκουσα πού τό εἶπε. *I can ~ a noise*, ἀκούω ἕνα θόρυβο. **2**. ἀκούω, μαθαίνω: *Have you ~d the news?* ἄκουσες (ἔμαθες) τά νέα; *I ~ you're going abroad*, μαθαίνω ὅτι θά πᾶς στό ἐξωτερικό. *I've ~d (say) that it's a beautiful country*, ἔχω ἀκουστά (ἔχω ἀκούσει νά λένε) ὅτι εἶναι ὡραία χώρα. ~ ***about sth***, ἀκούω γιά κτ, μαθαίνω γιά κτ, πληροφοροῦμαι: *I've just ~d about his illness*, μόλις ἔμαθα γιά τήν ἀρρώστεια του. ~ ***from sb***, παίρνω νέα/

εἰδήσεις/γράμμα ἀπό κπ: *How long is it since you ~d from him?* πόσον καιρό ἔχετε νά πάρετε νέα του/γράμμα του; **~ of sb/sth**, ἀκούω νά γίνεται λόγος γιά κπ/κτ: *I've never ~d of her*, δέν ἔχω ποτέ ἀκούσει νά γίνεται λόγος γι' αὐτή, δέν τήν ξέρω καθόλου. *Who ever ~d of such a thing?* ποῦ ξανακούστηκε τέτοιο πρᾶγμα! *I've ~d of nothing else all day*, δέν ἄκουσα τίποτα ἄλλο (ὅλο γι' αὐτό μιλούσανε) ὅλη τήν ἡμέρα. **~ tell of**, ἀκούω νά λένε: *I've ~d tell of such happenings*, ἔχω ἀκούσει νά λένε γιά τέτοια περιστατικά. **3**. προσέχω, (*γιά δικαστή*) δικάζω: *You'd better ~ what I have to say*, καλύτερα νά προσέξης αὐτό πού θά σοῦ πῶ. *The judge is ~ing a case*, ὁ δικαστής δικάζει αὐτή τή στιγμή μιά ὑπόθεση. **~ sb out**, ἀκούω κπ μέχρι τέλους. **not ~ of**, (*συνήθ. μέ will, would*) δέν θέλω ν' ἀκούσω λέξη: *I won't/She wouldn't ~ of it*, δέν θέλω ν' ἀκούσω/δέν ἤθελε ν' ἀκούση λέξη γι' αὐτό. **4**. *'H~! 'H~!* *ἐπιφ.* (*ἐπιδοκιμασίας ἤ εἰρωνίας*) μπράβο! μπράβο! **~er** *οὐσ.* ‹C› ἀκροατής.

hear·ing /ˈhɪərɪŋ/ *οὐσ.* ‹C,U› **1**. ἀκοή: *His ~ is poor*, ἔχει ἀδύνατη ἀκοή. **be hard of ~**, εἶμαι βαρήκοος. **ˈ~-aid**, ἀκουστικό βαρυκοΐας. **2**. **in sb's ~**, εἰς ἐπήκοον κάποιου: *That was said in the ~ of all the class/in my ~*, αὐτό ἐλέχθη εἰς ἐπήκοον ὅλης τῆς τάξεως/ἐπί παρουσίᾳ μου. **out of/within ~**, σέ ἀπόσταση πού δέν φθάνει/πού φθάνει ἡ φωνή: *Speak now, we are out of ~*, μίλα τώρα, δέν μᾶς ἀκούει κανείς. *If I had been within ~...*, ἄν ἤμουν ἀρκετά κοντά ὥστε ν' ἀκούσω... *Keep within ~*, μήν πᾶς μακρυά! **3**. ἀκρόασις: *Give me a ~!* ἄκουσέ μέ! ἄφησέ με νά μιλήσω! *He was refused a ~*, ἀρνήθηκαν νά τόν ἀκούσουν. *be condemned without a ~*, καταδικάζομαι ἀναπολόγητος. **gain a ~**, ἐπιτυγχάνω ἀκρόαση, γίνομαι δεκτός ἀπό κπ. **give sb a fair ~**, ἀκούω κπ ἀμερόληπτα, τοῦ δίνω τή δυνατότητα νά μιλήση. **4**. (*νομ.*) ἐκδίκασις, ἀκροαματική διαδικασία: *The case comes up for ~ tomorrow*, ἡ ὑπόθεση θά ἐκδικασθῆ αὔριο.

hearken /ˈhɑkən/ *ρ.ἀ.* (*λογοτ.*) ἀκούω.

hear·say /ˈhɪəseɪ/ *οὐσ.* ‹U› φήμη, διάδοσις: *It's all ~*, εἶναι ὅλα διαδόσεις, λόγια τοῦ κόσμου. *know sth from ~*, ξέρω κτ ἐξ ἀκοῆς, ἀπ' ὅ,τι λέει ὁ κόσμος.

hearse /hɜs/ *οὐσ.* ‹C› νεκροφόρος.

heart /hɑt/ *οὐσ.* ‹C› **1**. καρδιά: *His ~ stopped beating*, ἡ καρδιά του ἔπαψε νά χτυπᾶ. *have a weak ~*, ἔχω ἀδύνατη καρδιά, εἶμαι καρδιακός. *a man with a kind ~; a ˈkind-~ed man*, καλόκαρδος ἄνθρωπος. *have a ~ of gold/stone*, ἔχω χρυσῆ καρδιά/καρδιά ἀπό πέτρα. **2**. (*σέ ἰδιωμ. φράσεις*): **~ to ~**, *ἐπ.* εἰλικρινής. *ἐπίρ.* εἰλικρινά. **break sb's ~**, ραγίζω τήν καρδιά κάποιου. **cry one's ~ out**, μαραζώνω. **die of a broken ~**, πεθαίνω ἀπό μαράζι. **have a ~**, δείχνω κατανόηση, συμπάθεια. **have sth at ~**, ἔχω κτ στήν καρδιά μου, ἐνδιαφέρομαι πάρα πολύ γιά κτ. **have the ~ to do sth**, (*συνήθ. μέ can, could ἐρωτ. & ἀρν.*) μοῦ βαστάει ἡ καρδιά: *How could you have the ~ to drown my kitten?* πῶς σοῦ βάσταξε ἡ καρδιά νά πνίξης τό γατάκι μου; **have one's ~ in sth**, ἔχω ζῆλο, εἶμαι ἀφοσιωμένος σέ κτ: *He has his ~ in his work.* **have one's ~ in one's boots/mouth**, παραλύω, τά χάνω ἀπό φόβο. **have one's ~ in the right place**, εἶμαι καλόκαρδος, ντόμπρος ἄνθρωπος, εἶμαι λεβεντιά. **have one's ~ set on sth**, τὄχω βάλει στήν καρδιά μου, λαχταρῶ κτ. **lose ~**, ἀποθαρρύνομαι, δειλιάζω. **lose one's ~ to sb/sth**, ξετρελλαίνομαι μέ κπ/κτ. **set one's ~ on sth/on doing sth**, τὄχω βάλει μεράκι νά κάμω κτ. **take (fresh) ~ (at sth)**, παίρνω (καινούργιο) θάρρος (ἀπό κτ). **take sth to ~**, τό παίρνω κατάκαρδα. **wear one's ~ on one's sleeve**, δέν κρατάω τίποτα μέσα μου, ἐκδηλώνω τά αἰσθήματά μου εὔκολα. **(have) a change of ~**, (δείχνω) ἀλλαγή πρός τό καλύτερο. **(learn) by ~**, (μαθαίνω) ἀπέξω, ἀπό μνήμης. **~ and soul**, ψυχῇ τε καί σώματι: *I'm yours, ~ and soul*, εἶμαι δικός σου ψυχῇ τε καί σώματι. **(He's a man) after my own ~**, (εἶναι τό εἶδος τοῦ ἀνθρώπου) πού μιλάει στήν καρδιά μου. **at ~**, κατά βάθος, βασικά: *At ~ she is not a bad girl*, κατά βάθος δέν εἶναι κακό κορίτσι. **sick at ~**, ἀποκαρδιωμένος, ἀπελπισμένος. **from (the bottom of) one's ~**, ἀπό (τά βάθη τῆς) καρδιᾶς. **in one's ~ of ~s**, στά κατάβαθα τῆς καρδιᾶς μου, στά μύχια τῆς ψυχῆς μου. **to one's ~'s content**, μέ τήν ψυχή μου: *She danced to her ~'s content*, χόρεψε μέ τήν ψυχή της, χόρτασε χορό. **with all one's ~**, μέ ὅλη μου τήν καρδιά, ὁλόψυχα. **3**. κέντρο, βάθος, οὐσία: *the ~ of a town/forest*, τό κέντρο μιᾶς πόλεως/ἡ καρδιά ἑνός δάσους. *get to the ~ of a problem/subject*, ἐμβαθύνω σ' ἕνα πρόβλημα/φθάνω στήν οὐσία ἑνός θέματος. **the ~ of the matter**, ἡ οὐσία τοῦ ζητήματος. **4**. κατάστασις (γῆς): *land in good/out of ~*, γῆ σέ καλή/κακή κατάσταση. **5**. (*τράπουλα*) κούπα: *the ten/queen of ~s*, τό δέκα/ἡ ντάμα κούπα. **6**. *ἐπιφ. Dear ~!* καρδούλα μου! *(My) ˈsweet~!* ἀγάπη μου! **7**. (*σέ σύνθ. λέξεις*): **ˈ~·ache**, βαθύς πόνος. **ˈ~ attack**, καρδιακή προσβολή. **ˈ~·beat**, παλμός, χτύπος τῆς καρδιᾶς, καρδιοχτύπι. **ˈ~('s)-blood**, τό αἷμα τῆς καρδιᾶς, ἡ ζωή. **ˈ~·break**, σπαραγμός (τῆς καρδιᾶς), πικρή ἀπογοήτευσις. **ˈ~·breaking** *ἐπ.* σπαρακτικός. **ˈ~·burn**, ἀνακαψίλα, καούρα. **ˈ~·burning**, (*καί εἰς πληθ.*) κρυφός φθόνος, πικρία. **ˈ~-failure**, συγκοπή. **ˈ~-felt** *ἐπ.* εἰλικρινής, θερμός, ἐγκάρδιος: *~felt wishes/thanks*, εἰλικρινεῖς εὐχές/θερμές εὐχαριστίες. **ˈ~-rending** *ἐπ.* σπαραξικάρδιος. **ˈ~·searching** *οὐσ.* ‹U› & *ἐπ.* ψυχική αὐτοανάλυσις, βαθειά αὐτοεξέτασις. **ˈ~·strings**, εὐαίσθητες χορδές, τά βαθύτερα συναισθήματα: *play upon sb's ~strings*, θίγω τήν εὐαίσθητη χορδή, συγκινῶ κπ. **~·less** *ἐπ.* ἄκαρδος. **~·less·ly** *ἐπίρ.* ἄκαρδα. **~·less·ness** *οὐσ.* ‹U› ἀναισθησία, σκληρότης.

hearten /ˈhɑtn/ *ρ.μ.* ἐνθαρρύνω, ἐγκαρδιώνω, ἐμψυχώνω: *~ing news*, ἐνθαρρυντικά νέα.

hearth /hɑθ/ *οὐσ.* ‹C› τζάκι, ἑστία: *fight for ~ and altar*, (*μεταφ.*) ἀγωνίζομαι ὑπέρ βωμῶν καί ἑστιῶν. **ˈ~-rug**, χαλί μπροστά στό τζάκι. **ˈ~-stone**, πλάκα τοῦ τζακιοῦ.

heart·ily /ˈhatɪlɪ/ *ἐπίρ.* **1**. ἐγκάρδια. **2**. καλά, γερά: *set to work* ~, στρώνομαι στή δουλειά καλά/μέ κέφι. *eat* ~, τρώω γερά. **3**. μ' ὅλη μου τήν καρδιά, πολύ: *I am* ~ *glad*, χαίρομαι πολύ. *I am* ~ *sick of this weather*, ἔχω ἀηδιάσει μ' ὅλη μου τήν καρδιά αὐτό τόν καιρό.

hearty /ˈhatɪ/ *ἐπ.* *(-ier, -iest)* **1**. εἰλικρινής, ἐγκάρδιος: ~ *support/congratulations*, εἰλικρινής ὑποστήριξις/-ῆ συγχαρητήρια. *give sb a* ~ *welcome*, κάνω ἐγκάρδια ὑποδοχή σέ κπ. **2**. ρωμαλέος, σφριγηλός. **3**. (*γιά φαγητό*) πλούσιος, γερός: *a* ~ *meal/appetite*, πλούσιο γεῦμα/γερή ὄρεξη.

[1]**heat** /hit/ *οὐσ.* **1**. ‹U› ζέστη, καύσων, θερμότης: *suffer from the* ~, μέ πειράζει ἡ ζέστη. **2**. ‹U› (*μεταφ.*) ἔξαψις, ἐνθουσιασμός, πυρετός: *speak with great* ~, μιλῶ μέ μεγάλη ἔξαψη. *in the* ~ *of the moment*, πάνω στόν ἐνθουσιασμό τῆς στιγμῆς. *in the* ~ *of the battle/argument*, στόν πυρετό τῆς μάχης/τῆς συζήτησης. **3**. ‹U› (*γιά ζῶα*) ὀργασμός: ***be in/on/at*** ~, εἶμαι σέ ὀργασμό. **4**. ‹C› (*ἀθλητ.*) ἀγώνας: *trial/preliminary* ~*s*, προκριματικοί ἀγῶνες. ***a 'dead*** ˋ~, ἰσοπαλία. **5**. (*σέ σύνθ. λέξεις*): ˋ**~-proof/-resistant** *ἐπ.* ἀνθεκτικός στή θερμότητα. ˋ**~-spot**, πανάδα, κοκκινίλα (δέρματος). ˋ**~-stroke**, θερμοπληξία. ˋ**~-wave**, κῦμα καύσωνος.

[2]**heat** /hit/ *ρ.μ/ἀ.* **1**. ζεσταίνω/-ομαι: ~ *(up) some water*, ζεσταίνω λίγο νερό. ~ *up the cold meat for supper*, ζεσταίνω τό κρύο κρέας γιά τό δεῖπνο. **2**. (*μεταφ.*) ἐξάπτω, ἀνάβω: *a* ~*ed discussion*, ξαναμμένη/ζωηρή συζήτησις. *a* ~*ed reply*, ὠργισμένη ἀπάντηση. *get* ~*ed with wine*, ἀνάβω ἀπό τό κρασί. **~·ed·ly** *ἐπίρ.* ξαναμμένα, ὠργισμένα: *reply* ~*edly*, ἀπαντῶ ὠργισμένα. **~er** *οὐσ.* ‹C› θερμάστρα, θερμοσίφωνας, (*αὐτοκ.*) καλοριφέρ. **~·ing** *οὐσ.* ‹U› θέρμανσις: *central* ~*ing*, κεντρική θέρμανσις.

heath /hiθ/ *οὐσ.* **1**. ‹U› ρείκι. **2**. ‹C› χέρσα γῆ, θαμνότοπος.

hea·then /ˈhiðn/ *οὐσ.* ‹C› **1**. εἰδωλολάτρης: *The Saxons were* ~*s*, οἱ Σάξωνες ἦσαν εἰδωλολάτρες. ~ *customs*, (*ἐπιθ.*) εἰδωλολατρικά ἔθιμα. ***the*** ~, (*πληθ. χωρίς s*) οἱ εἰδωλολάτρες. **2**. ἄνθρωπος χωρίς ἀγωγή καί ἦθος: *These youngsters are regular* ~*s*, αὐτά τά παληόπαιδα δέν σέβονται τίποτα. **~·ish** /-ɪʃ/ *ἐπ.* βάρβαρος, εἰδωλολατρικός.

heather /ˈheðə(r)/ *οὐσ.* ‹U› ρείκι, ἔκτασις σκεπασμένη μέ ρείκια: *take to the* ~, (*παλαιότ.*) βγαίνω στό κλαρί.

heave /hiv/ *ρ.μ/ἀ.* (*ἀόρ. & π.μ.* ~*d ἤ* **6** *κατωτέρω*). **1**. σηκώνω (κάτι βαρύ): ~ *the anchor*, σηκώνω τήν ἄγκυρα. **2**. βγάζω, ἀφήνω: ~ *a sigh/groan*, βγάζω ἀναστεναγμό/βογγητό. **3**. (*καθομ.*) ρίχνω, σηκώνω καί πετῶ: ~ *sth overboard*, ρίχνω κτ στή θάλασσα (ἀπό τό πλοῖο). ~ *a brick through a window*, πετῶ ἕνα τοῦβλο μέσ' ἀπό ἕνα παράθυρο. **4**. ~ ***(at/on sth)***, τραβῶ: ~ *at a rope*, τραβῶ ἕνα σκοινί. ***H~ ho!*** βίρα! **5**. φουσκώνω, ἀνεβοκατεβαίνω ρυθμικά: *Her bosom* ~*d with a sigh*, ἕνας ἀναστεναγμός φούσκωσε τό στῆθος της. *The boat* ~*d on the waves*, ἡ βάρκα ἀνεβοκατέβαινε στά κύματα. **6**. (*ἀόρ. & π.μ. hove* /həʊv/) (*γιά ἱστιοφόρο*) ἀκινητοποιῶ/-οῦμαι: *The barque hove to*, τό ἱστιοφόρο σταμάτησε. ***~ in sight***, (*γιά στερηά ἤ πλοῖο*) ἐμφανίζομαι στόν ὁρίζοντα. __*οὐσ.* ‹C› σήκωμα, τράβηγμα, πέταμα, φούσκωμα, ἀνεβοκατέβασμα.

heaven /ˈhevn/ *οὐσ.* ‹C› **1**. οὐρανός, (*συνέκδ.*) Θεός: *die and go to* ~, πεθαίνω καί πάω στόν οὐρανό. *H~ forbid!* Θεός φυλάξοι! *Thank* ~*!* δόξα τῷ Θεῷ! *For* ~*'s sake!* γιά τ' ὄνομα τοῦ Θεοῦ! *Good* ~*s!* Θεέ μου! ˋ**~·sent** *ἐπ.* οὐρανόπεμπτος: *a* ~*sent opportunity*, οὐρανόπεμπτη εὐκαιρία. ***move ~ and earth***, κινῶ γῆν καί οὐρανόν. **2**. (τά) οὐράνια, εὐδαιμονία: *be in* ~, εἶμαι στά οὐράνια. ˋ**~·ward** /-wəd/ *ἐπ.*, ˋ**~·wards** /-wədz/ *ἐπίρ.* πρός τόν οὐρανό.

heav·en·ly /ˈhevnlɪ/ *ἐπ.* **1**. οὐράνιος. **the ~ bodies**, τά οὐράνια σώματα. **the ~ city**, ἡ οὐρανία πόλις, ὁ παράδεισος. **2**. (*καθομ.*) θαυμάσιος, θεσπέσιος: *What* ~ *peaches!* τί θαυμάσια ροδάκινα! ~ *beauty*, θεσπέσια ὀμορφιά.

heavy /ˈhevɪ/ *ἐπ.* *(-ier, -iest)* **1**. βαρύς: *Lead is* ~, ὁ μόλυβδος εἶναι βαρύς. ˈ**~** ˋ**water**, (*φυσ.*) βαρύ ὕδωρ. ˋ**~-weight**, (πυγμάχος) βαρέων βαρῶν. **2**. βαρύς, πλούσιος, δυνατός, μεγάλος, δύσκολος: ~ *artillery*, βαρύ πυροβολικό. *a* ~ *meal*, πλούσιο γεῦμα. ~ *food*, λιπαρές, βαρειές τροφές. ~ *rain*, δυνατή βροχή. *a* ~ *blow*, δυνατό χτύπημα. *a* ~ *day*, φορτωμένη, κουραστική ἡμέρα. *a* ~ *eater/drinker*, μεγάλος φαγᾶς/πότης. *a* ~ *sea*, ἄγρια θάλασσα. ~ *roads*, λασπεροί δρόμοι. ~ *sleep*, βαθύς ὕπνος. ~ *responsibility/taxation*, βαρειά εὐθύνη/φορολογία. *a* ~ *task*, δύσκολο καθῆκον. *be* ~ *with sleep/wine*, εἶμαι βαρύς (νωθρός) ἀπό τόν ὕπνο/τό κρασί. ~ *work*, δύσκολη, βαρειά δουλειά. ***find sb ~ going***, βρίσκω κπ βαρετό. ***find sth ~ going***, προχωρῶ μέ δυσκολία σέ κτ. **3**. (*σέ σύνθ. λέξεις*): ˈ**~-**ˋ**duty** *ἐπ.* (*μηχ.*) μεγάλης ἀποδόσεως/ἀντοχῆς. ˈ**~-**ˋ**handed** *ἐπ.* ἀδέξιος. ˈ**~-**ˋ**laden** *ἐπ.* βαρυφορτωμένος, (*μεταφ.*) βαρύθυμος, περίλυπος. **heav·ily** /ˈhevəlɪ/ *ἐπίρ.* βαρειά. **heavi·ness** *οὐσ.* ‹U› βάρος.

He·brew /ˈhibru/ *οὐσ.* ‹C› Ἑβραῖος, ‹U› ἡ Ἑβραϊκή γλῶσσα. __*ἐπ.* Ἑβραϊκός.

heca·tomb /ˈhekətum/ *οὐσ.* ‹C› ἑκατόμβη.

heckle /ˈhekl/ *ρ.μ.* διακόπτω/παρενοχλῶ ρήτορα μέ ἐρωτήσεις ἤ ἀποδοκιμασίες. **heck·ler** /ˈheklə(r)/ *οὐσ.* ‹C› ἀντιφρονῶν πού διακόπτει συνεχῶς τό ρήτορα, ταραξίας.

hec·tare /ˈhektɑ(r)/ *οὐσ.* ‹C› ἑκτάριον (10 στρέμματα).

hec·tic /ˈhektɪk/ *ἐπ.* **1**. ξαναμμένος (σάν ἀπό πυρετό), φυματικός: ~ *cheeks*, κόκκινα, πυρετικά μάγουλα. **2**. (*καθομ.*) πυρετώδης, γεμᾶτος ὑπερένταση/δραστηριότητα: *We had a* ~ *day*, περάσαμε μιά μέρα πυρετώδους δραστηριότητος/γεμάτη ὑπερένταση. *lead a* ~ *life*, ζῶ ἐντατικά.

hecto- /ˈhektəʊ/ *πρόθεμα* (*α! συνθ.*) ἑκατο-

hec·tor /ˈhektə(r)/ *ρ.μ/ἀ.* τρομοκρατῶ, βάζω τίς φωνές σέ κπ, φωνάζω κομπαστικά ἤ ἀπειλητικά.

hedge /hedʒ/ *οὐσ.* ‹C› **1**. φράχτης. ˋ**~-hop** *ρ.ἀ.* (*ἀερ.*) πετῶ πολύ χαμηλά. ˋ**~·row**, φράχτης ἀπό θάμνους. **2**. (*μεταφ.*) ἐξασφάλισις, ἄμυνα: *buy gold as a ~ against inflation*, ἀγοράζω χρυσό γιά ἐξασφάλιση ἀπό τόν πληθωρισμό. —*ρ.μ/ὰ.* **1**. φράσσω: *~ land in/off/round*, κλείνω/χωρίζω/τριγυρίζω γῆ μέ φράχτη. **2**. ὑπεκφεύγω, τό στρίβω, ἀποφεύγω νά λάβω θέση: *Answer 'yes' or 'no', don't ~!* ἀπάντησε 'ναί' ἤ 'ὄχι' – μήν τό στρίβης! **3**. (*καθομ.*) ποντάρω διπλά (ὥστε ἄν χάσω ἀπό τὄνα, νά κερδίσω ἀπό τἄλλο).

hedge·hog /ˋhedʒhog/ *οὐσ.* ‹C› σκαντζόχοιρος.

he·don·ism /ˋhidənɪzm/ *οὐσ.* ‹U› ἡδονισμός. **he·don·ist** /-ɪst/ *οὐσ.* ‹C› ἡδονιστής. **he·don·is·tic** /ˈhidəˋnɪstɪk/ *ἐπ.*

heed /hid/ *ρ.μ.* (*λόγ.*) προσέχω, λαμβάνω ὑπ' ὄψιν: *~ a warning*, λαμβάνω ὑπ' ὄψιν μιά προειδοποίηση. —*οὐσ.* ‹U› προσοχή, σημασία. ***pay/give/take (no) ~ of sb/sth***, (δέν) δίνω προσοχή σέ κπ/κτ. **~·ful** /-fl/ *ἐπ.* ***~ful (of)***, προσεκτικός (εἰς). **~·less** *ἐπ.* ***~less (of)***, ἀπρόσεκτος (εἰς): *be ~ful/~less of sb's advice*, προσέχω/δέν προσέχω τίς συμβουλές κάποιου.

hee-haw /ˋhihɔ/ *οὐσ.* ‹C› γκάρισμα, δυνατό γέλιο, καγχασμός.

[1]**heel** /hil/ *οὐσ.* ‹C› **1**. φτέρνα, τακοῦνι. ***at/on sb's ~s; at ~***, κατά πόδας, ἀπό πίσω: *have the police at one's ~s*, μέ κυνηγάει ἡ ἀστυνομία. ***come to ~***, (*γιά σκυλί*) γυρίζω πίσω, ἀκολουθῶ, (*γιά ἄνθρ., μεταφ.*) ὑποτάσσομαι, πειθαρχῶ. ***kick/cool one's ~s***, ξεροσταλιάζω, περιμένω: *Let him cool his ~s for a while*, ἄστον νά περιμένη λίγο. ***kick up one's ~s***, χοροπηδῶ, ξεφαντώνω. ***lay sb by the ~s***, χώνω κπ φυλακή, τόν ἐξουδετερώνω. ***take to one's ~s***, (*σπανιώτ.* ***show a clean pair of ~s***), τό βάζω στά πόδια. ***turn on one's ~***, κάνω μεταβολή, γυρίζω ἀπότομα. ***down at ~***, μέ φαγωμένια τακούνια, κουρελῆς, μπατίρης. ***out at ~s***, μέ τρύπιες κάλτσες, κουρελῆς, μπατίρης. ***under the ~ of*** *(a conqueror)*, (*μεταφ.*) κάτω ἀπό τή φτέρνα (ἑνός κατακτητῆ). **2**. (*λαϊκ.*) κάθαρμα: *What a ~!* τί κάθαρμα! —*ρ.μ.* βάζω τακούνια. **ˈwell-ˋ~ed**, (*λαϊκ.*) οἰκονομημένος, πλούσιος.

[2]**heel** /hil/ *ρ.μ/ὰ.* ***~ over***, (*γιά πλοῖο*) γέρνω, μπατάρω.

hef·ty /ˋheftɪ/ *ἐπ.* (*-ier, -iest*) (*καθομ.*) γεροδεμένος: *a ~ farmer.*

he·gem·ony /hɪˋgeməni/ *οὐσ.* ‹C› (*λόγ.*) ἡγεμονία.

He·gira, He·jira /hɪˋdʒaɪərə/ *οὐσ.* 'Εγ(ε)ίρα (τῶν Μωαμεθανῶν).

heifer /ˋhefə(r)/ *οὐσ.* ‹C› δαμάλα, γελαδίτσα.

heigh-ho /ˈheɪˋhəʊ/ *ἐπιφ. πλήξης, κούρασης, ἀπογοήτευσης*, οὔφ!

height /haɪt/ *οὐσ.* ‹C,U› **1**. ὕψος, ἀνάστημα: *What's your ~?* τί ὕψος ἔχεις; πόσο ψηλός εἶσαι; *He's 6 feet in ~*, ἔχει ἕξη πόδια ὕψος. *of medium ~*, μετρίου ἀναστήματος. **2**. ὕψωμα, βουνό. **3**. ἀποκορύφωμα, ζενίθ: *the ~ of perfection/of his ambition*, τό ζενίθ τῆς τελειότητος/τό ἀποκορύφωμα τῆς φιλοδοξίας του. *The storm was at its ~*, ἡ θύελλα ἦταν στό ἀποκορύφωμά της/στό ζενίθ. ***the ~ of fashion***, ἡ τελευταία λέξη τῆς μόδας.

heighten /ˋhaɪtn/ *ρ.μ/ὰ.* αὐξάνω/-ομαι, ἐπιτείνω: *~ sb's anger/interest/pleasure*, ἐπιτείνω τό θυμό/τό ἐνδιαφέρον/τήν εὐχαρίστηση κάποιου.

hei·nous /ˋheɪnəs/ *ἐπ.* εἰδεχθής, στυγερός: *a ~ crime*, στυγερόν ἔγκλημα. **~·ly** *ἐπίρ.* ἀποτρόπαια.

heir /eə(r)/ *οὐσ.* ‹C› ὁ κληρονόμος: *He's ~ to a large fortune*, εἶναι κληρονόμος μεγάλης περιουσίας. *~ to the throne*, διάδοχος τοῦ θρόνου. **ˈ~ apˋparent**, (*πληθ. ~s apparent*) ἐπίδοξος διάδοχος, ἀναγκαῖος κληρονόμος (ἀκόμη κι' ἄν γεννηθῆ ἕτερος κατιών). **ˈ~ preˋsumptive**, (*πληθ. ~s presumptive*) πιθανός κληρονόμος (ἐκτός ἄν γεννηθῆ ἕτερος κατιών). **~·ess** /ˋeəres/ *οὐσ.* ‹C› ἡ κληρονόμος.

heir·loom /ˋeəlum/ *οὐσ.* ‹C› οἰκογενειακόν κειμήλιον.

held /held/ *ἀόρ. & π.μ. τοῦ ρ. hold.*

heli·cop·ter /ˋhelɪkoptə(r)/ *οὐσ.* ‹C› ἑλικόπτερον.

he·lio·trope /ˋhilɪətrəʊp/ *οὐσ.* ‹U› ἡλιοτρόπιον.

he·lium /ˋhilɪəm/ *οὐσ.* ‹U› (*χημ.*) ἥλιον.

hell /hel/ *οὐσ.* ‹U› **1**. κόλασις: *make sb's life (a) ~*, κάνω τή ζωή κάποιου κόλαση/μαρτυρική. ***give sb ~***, δέν ἀφήνω κπ νά σταθῆ σέ χλωρό κλαρί. ***ride ~ for leather***, καλπάζω σάν τόν ἄνεμο, τρέχω δαιμονιωδῶς. ***suffer ~***, περνῶ βάσανα/μαρτύρια. ***for the ~ of it***, στά καλά καθούμενα, γιά γοῦστο, γιά πλάκα. **2**. (*ἐπιφωνηματικά ἤ ἐπιτατικά*): διάβολος: *H~!* νά πάρη ὁ διάβολος! *What the ~ do you mean?* τί διάβολο θέλεις νά πῆς; *He ran like ~*, ἔτρεχε διαβολεμένα. *a ~ of a noise*, διαβολεμένος θόρυβος. ***a ~ of a lot***, πάρα πολύ: *He's a ~ of a lot better than me.* **ˋ~-cat**, σκύλλα γυναίκα, στρίγγλα. **~·ish** /-ɪʃ/ *ἐπ.* διαβολικός, σατανικός, φοβερός.

Hel·lene /ˋhelin/ *οὐσ.* ‹C› Ἕλλην. **Hel·lenic** /heˋlinɪk/ *ἐπ.* Ἑλληνικός.

hello /həˋləʊ/ *ἐπιφ.* ἔ! γειά! ἀλλό!

helm /helm/ *οὐσ.* ‹C› πηδάλιον (πλοίου): *at the ~*, στό πηδάλιο. *the ~ of state*, (*μεταφ.*) τό πηδάλιο τοῦ κράτους. **~s·man** *οὐσ.* ‹C› πηδαλιοῦχος.

hel·met /ˋhelmɪt/ *οὐσ.* ‹C› κράνος, κάσκα.

helot /ˋhelət/ *οὐσ.* ‹C› εἵλωτας.

[1]**help** /help/ *οὐσ.* ‹C,U› **1**. βοήθεια: *with the ~ of a friend*, μέ τή βοήθεια ἑνός φίλου. *by the ~ of a rope*, μέ τή βοήθεια ἑνός σκοινιοῦ. *cry/shout for ~*, φωνάζω βοήθεια. ***be of ~ to sb***, βοηθῶ κπ: *Can I be of any ~?* μπορῶ νά σᾶς βοηθήσω σέ τίποτα; *It wasn't (of) much ~*, δέν ἦταν μεγάλη βοήθεια. ***be a ~ (to sb)***, εἶμαι βοήθεια, βοηθῶ κπ: *Your advice was a great ~*, οἱ συμβουλές σας ἦταν μεγάλη βοήθεια. *Far from being a ~ to me, you are a hindrance*, ὄχι μόνον δέν μέ βοηθᾶς, ἀλλά ἀπεναντίας μοῦ εἶσαι ἐμπόδιο. **2**. θεραπεία: *There's no ~ for it*, δέν ὑπάρχει θεραπεία γι' αὐτό. **3**. ὑπηρέτρια, βοηθός. **~er** *οὐσ.* ‹C› βοηθός. **~·ful** /-fl/ *ἐπ.* ἐξυπηρετικός, χρήσιμος: *be ~ful to one's friends*, φαίνομαι χρήσιμος (ἐξυπηρετικός) στούς φίλους μου. **~·fully**

/-fəlı/ *ἐπίρ.* **~·ful·ness** *οὐσ.* ‹U› χρησιμότης. **~·ing** *οὐσ.* ‹C› μερίδα (φαγητοῦ): *a huge ~ing of beef*, μιά πελώρια μερίδα μοσχάρι. **~·less** *ἐπ.* **1**. ἀπροστάτευτος. **2**. ἀνίκανος, ἀνήμπορος, σέ ἀμηχανία, σέ ἀδιέξοδο, χαμένος: *as ~less as a baby*, ἀνίκανος σά μωρό. *I am ~less in this matter*, δέν μπορῶ νά κάνω τίποτα (εἶμαι ἀνήμπορος) στό θέμα αὐτό. *He looked quite ~less*, ἔδειχνε νά εἶναι σέ τέλεια ἀμηχανία. **~·less·ly** *ἐπίρ.* ἀνήμπορα, ἀμήχανα.

[2]**help** /help/ *ρ.μ/ὰ.* **1**. **~ *(with sth)***, βοηθῶ (σέ κτ): *Can I ~ you?* μπορῶ νά σᾶς βοηθήσω (νά σᾶς ἐξυπηρετήσω); *~ sb with the housework*, βοηθῶ κπ στό νοικοκυριό. *H~ me up/down/out with this table*, βόηθησέ με ν' ἀνεβάσω/νά κατεβάσω/νά βγάλω ἔξω αὐτό τό τραπέζι. *~ sb across the street*, βοηθῶ κπ νά περάση τό δρόμο. *~ sb on/off with his clothes*, βοηθῶ κπ νά φορέση/νά βγάλη τά ροῦχα του. *I ~ed him (to) find his key*, τόν βόηθησα νά βρῆ τό κλειδί του. ***~ sb out***, βοηθῶ κπ νά βγῆ ἀπό δύσκολη θέση. **2**. ***~ sb/oneself (to sth)***, σερβίρω/-ομαι: *May I ~ you to some more meat?* μπορῶ νά σᾶς δώσω λίγο κρέας ἀκόμη; *H~ yourself (to a cigarette/another glass)*, πάρτε μόνος σας (ἕνα τσιγάρο/κι' ἄλλο ἕνα ποτήρι). **3**. ***can/can't/could(n't) ~ doing sth***, ἀποφεύγω, συγκρατῶ/-οῦμαι: *I won't tell him more than I can ~*, θά τοῦ πῶ ὅσο λιγότερα μπορῶ. *I couldn't ~ crying/~ myself*, δέν μποροῦσα νά μήν κλαίω/νά συγκρατηθῶ. *I can't ~ his being so foolish*, δέν φταίω ἐγώ ἄν αὐτός εἶναι τόσο ἀνόητος. *It can't be ~ed*, δέν γίνεται ἀλλοιῶς. **4**. ***So ~ me God***, μάρτυς μου ὁ Θεός.

help·mate /ˋhelpmeıt/, **help·meet** /ˋhelpmit/ *οὐσ.* ‹C› σύντροφος, *ἰδ.* σύζυγος.

hel·ter-skel·ter /ˈheltə ˋskeltə(r)/ *ἐπίρ.* φύρδην-μίγδην, ἀτάκτως. *—οὐσ.* ‹C› σπιροειδής τσουλήθρα (σέ λούνα-πάρκ).

helve /helv/ *οὐσ.* ‹C› στυλιάρι.

[1]**hem** /hem/ *οὐσ.* ‹C› οὔγια, στρίφωμα. **ˋ~·line**, ποδόγυρος, στρίφωμα φούστας: *lower/raise the ~line*, ρίχνω/σηκώνω τό στρίφωμα (μακραίνω/κονταίνω μιά φούστα). *—ρ.μ. (-mm-)* **1**. στριφώνω. **2**. ***~ about/around/in***, περικλείνω, περιτριγυρίζω: *~med in by the enemy*, περιτριγυρισμένος ἀπό τόν ἐχθρό.

[2]**hem** (*καί* **h'm**) /həm, hm/ *ἐπιφ.* χμ! *—ρ.ὰ. (-mm-)* ξεροβήχω, κομπιάζω (σέ ὁμιλία).

hemi·sphere /ˋhemısfıə(r)/ *οὐσ.* ‹C› ἡμισφαίριον.

hem·lock /ˋhemlok/ *οὐσ.* ‹C,U› κώνειον.

hem·or·rhage (*καί* **haem-**)/ˋhemərıdʒ/ *οὐσ.* ‹C,U› αἱμορραγία.

hem·or·rhoids (*καί* **haem-**) /ˋhemərɔıdz/ *οὐσ. πληθ.* αἱμορροΐδες.

hemp /hemp/ *οὐσ.* ‹U› κάνναβις. **(Indian) ~**, Ἰνδική κάνναβις, χασίσι. **~en** /ˋhempən/ *ἐπ.* κανναβένιος.

hem·stitch /ˋhemstıtʃ/ *οὐσ.* ‹C› ἀζούρ. *—ρ.μ.* κεντῶ ἀζούρ.

hen /hen/ *οὐσ.* ‹C› **1**. κόττα. **ˋ~-coop**, κλουβί γιά κόττες. **ˋ~-house**, κοτέτσι. **ˋ~-party**, (*καθομ.*) γυναικοπαρέα (*ἀντιθ. stag-party*). **ˋ~-pecked** *ἐπ.* (*γιά σύζυγο*) πού τόν τραβᾶ ἡ γυναίκα του ἀπό τή μύτη. **ˋ~-roost**, κούρνια. **2**. τό θηλυκό διαφόρων πουλιῶν.

hence /hens/ *ἐπίρ.* (*λόγ.*) **1**. ἀπό δῶ, ἀπό τώρα: *a week ~*, μιά βδομάδα ἀπό σήμερα. **2**. ὅθεν, γι' αὐτό τό λόγο. **ˈ~ˋforth** /-ˋfɔθ/, **ˈ~ˋforward** /-ˋfɔwəd/ ἀπό δῶ καί στό ἑξῆς, ἀπό τοῦδε, ἐφεξῆς.

hench·man /ˋhentʃmən/ *οὐσ.* ‹C› πρωτοπαλλήκαρο, μπράβος.

hepa·ti·tis /ˈhepəˋtaıtıs/ *οὐσ.* ‹U› (*ἰατρ.*) ἡπατῖτις.

her /hɜ(r)/ **1**. *ἀντων. προσ. αἰτιατ.* αὐτή(ν), τήν: *I love ~*, τήν ἀγαπῶ. *It's ~*, αὐτή εἶναι! **2**. *κτητ. ἐπ.* (δικό) της: *~ book*, τό βιβλίο της. **hers** /hɜz/ *κτητ. ἀντων.* (δικό) της: *This book is ~s*, αὐτό τό βιβλίο εἶναι δικό της. *a friend of ~s*, μιά φίλη της.

her·ald /ˋherld/ *οὐσ.* ‹C› **1**. κήρυξ, ἀγγελιοφόρος. **H~s' College**, τό ἑραλδικόν κολλέγιον (τοῦ Λονδίνου). **2**. προάγγελος: *The cuckoo is a ~ of spring*, ὁ κοῦκος εἶναι προάγγελος τῆς ἀνοίξεως. *—ρ.μ.* ἀναγγέλλω (τήν ἄφιξη). **~ic** /heˋrældık/ *ἐπ.* ἑραλδικός. **~ry** *οὐσ.* ‹U› οἰκοσημολογία.

herb /hɜb/ *οὐσ.* ‹C› χόρτο, βοτάνι: *~ beer/tea/water*, ρόφημα (ἀπό βοτάνι, πχ χαμομῆλι). **~·age** /-ıdʒ/ *οὐσ.* ‹U› τά χορτάρια, τά βότανα. **~al** /ˋhɜbl/ *ἐπ.* ἀπό χορτάρι: *~al remedies*, φάρμακα ἀπό βότανα.

her·ba·ceous /hɜˋbeıʃəs/ *ἐπ.* χορτώδης, φυλλώδης.

her·biv·or·ous /hɜˋbıvərəs/ *ἐπ.* (*γιά ζῶα*) χορτοφάγος (*ἀντίθ. carnivorous*).

her·cu·lean /ˈhɜkjʊˋliən/ *ἐπ.* ἡράκλειος: *a ~ task*, ἡράκλειον ἔργον.

herd /hɜd/ *οὐσ.* ‹C› **1**. ἀγέλη: *a ~ of cattle/deer/elephants*, ἀγέλη βοδιῶν/ἐλαφιῶν/ἐλεφάντων. **2**. (*ὡς β! συνθ.*) βοσκός: *a ˋgoat~*, γιδοβοσκός. *a ˋcow~*, γελαδάρης. **ˋ~s·man** *οὐσ.* ‹C› βοσκός. **3**. (*ὑποτιμ.*) μπουλούκι, ὄχλος: *the common/vulgar ~*, τό ἀγελαῖον πλῆθος, ὁ ὄχλος. *the ~ instinct*, τό ἔνστικτο τῆς ἀγέλης, τάσις συναγελασμοῦ. *—ρ.μ/ὰ.* μαζεύω/-ομαι (σέ κοπάδι): *We were ~ed together like cattle*, μᾶς μάζεψαν ὅλους μαζί σά ζῶα.

here /hıə(r)/ *ἐπίρ.* **1**. ἐδῶ: *Look ~*, κοίτα δῶ! *H~ the teacher stopped*, ἐδῶ σταμάτησε ὁ δάσκαλος. *H~ he is!* νἄτος! *H~ is John!* νά ὁ Γ.! *H~ he comes!* νἄτος, ἔρχεται! *H~ comes John!* νά, ἔρχεται ὁ Γ.! ***H~ goes!*** (*ὅταν ἀρχίζει κανείς νά κάνη κτ*) ἐμπρός! **2**. ***~ and there***, ἐδῶ κι' ἐκεῖ. ***~, there and everywhere***, παντοῦ. ***neither ~ nor there***, (*καθομ.*) ἄσχετος: *That's neither ~ nor there*, αὐτό εἶναι ἐντελῶς ἄσχετο. ***up to ~***, μέχρις ἐδῶ. **3**. ἀπ' ἐδῶ: *My friend ~*, ὁ φίλος μου ἀπ' ἐδῶ... **4**. ***H~'s to***, εἰς ὑγείαν: *H~'s to the bride*, στήν ὑγειά τῆς νύφης! **ˈ~·ˋabouts** *ἐπίρ.* ἐδῶ γύρω. **ˈ~·ˋafter** *ἐπίρ.* εἰς τό ἑξῆς, ἀπό δῶ καί πέρα. *οὐσ.* ‹U› μέλλουσα ζωή: *in the ~after*, στόν ἄλλο κόσμο. **ˈ~ˋby** *ἐπίρ.* (*νομ.*) αὐτοῦ, τοῦ παρόντος. **ˈ~ˋin** *ἐπίρ.* (*νομ.*) ἐσωκλείστως. **ˈ~ˋof** *ἐπίρ.* (*νομ.*) αὐτοῦ, τοῦ παρόντος (ἐγγράφου). **ˈ~·to·(ˋfore)** *ἐπίρ.* (*νομ.*) μέχρι τοῦδε, προηγουμένως. **ˈ~·ˋupon** *ἐπίρ.* (*λόγ.*) ἐπί τούτου, ἐπ' αὐτοῦ, ἐν προκειμένῳ, μετά ταῦτα. **ˈ~ˋwith** *ἐπίρ.* (*ἐμπ.*) διά τῆς παρούσης (ἐπιστολῆς), ἐσωκλείστως.

her·edi·tary /hɪˋredɪtrɪ/ *ἐπ.* κληρονομικός: *a ~ ruler*, κληρονομικός ἄρχων.
her·ed·ity /hɪˋredətɪ/ *οὐσ.* ‹U› κληρονομικότης.
her·esy /ˋherəsɪ/ *οὐσ.* ‹C,U› αἵρεσις: *fall into ~*, πέφτω σέ αἵρεση, γίνομαι αἱρετικός. *the heresies of the Protestants*, οἱ αἱρέσεις τῶν Διαμαρτυρομένων.
her·etic /ˋherətɪk/ *οὐσ.* ‹C› αἱρετικός. **her·eti·cal** /hɪˋretɪkl/ *ἐπ.* αἱρετικός.
heri·tage /ˋherɪtɪdʒ/ *οὐσ.* ‹C› κληρονομία.
her·maph·ro·dite /hɜˋmæfrədaɪt/ *οὐσ.* ‹C› ἑρμαφρόδιτος.
her·metic /hɜˋmetɪk/ *ἐπ.* ἑρμητικός. **her·meti·cally** /-klɪ/ *ἐπίρ.* ἑρμητικῶς: *~ally sealed*, ἑρμητικῶς σφραγισμένος.
her·mit /ˋhɜmɪt/ *οὐσ.* ‹C› ἐρημίτης. **~·age** /-ɪdʒ/ *οὐσ.* ‹C› ἐρημητήριον.
her·nia /ˋhɜnɪə/ *οὐσ.* ‹C,U› (*ἰατρ.*) κήλη.
hero /ˋhɪərəʊ/ *οὐσ.* ‹C› (*πληθ. ~es*) ἥρωας: *the ~ of a story*, ὁ ἥρωας μιᾶς ἱστορίας. **~ism** /ˋherəʊɪzm/ *οὐσ.* ‹U› ἡρωϊσμός.
her·oic /hɪˋrəʊɪk/ *ἐπ.* **1**. ἡρωϊκός: *~ deeds*, ἡρωϊκά κατορθώματα. *~ age*, ἡρωϊκή ἐποχή. *~ remedies*, δραστικά φάρμακα, γενναῖα μέτρα. *a ~ poem*, ἔπος. ˈ**~ ˋverse**, ἡρωϊκός δεκασύλλαβος. **2**. μεγαλόστομος. **he·roi·cally** /-klɪ/ *ἐπίρ.* ἡρωϊκά. **her·oics** *οὐσ. πληθ.* μεγαλοστομία, στόμφος.
her·oin /ˋherəʊɪn/ *οὐσ.* ‹U› ἡρωΐνη.
her·oine /ˋherəʊɪn/ *οὐσ.* ‹C› ἡρωΐδα.
heron /ˋherən/ *οὐσ.* ‹C› (*πτην.*) ἐρωδιός.
her·ring /ˋherɪŋ/ *οὐσ.* ‹C› (*συχνά ἀμετάβλ. στόν πληθ.*) ρέγγα. ˋ**~-bone**, ψαροκόκκαλο (σχέδιο). (*βλ. & λ. red*).
hers /hɜz/ *βλ. her*.
her·self /hɜˋself/ *βλ. self*.
hertz /hɜts/ *οὐσ.* ‹C› (*σύμβολον: Hz*) (ραδιομαγνητικός) κύκλος (ἀνά δευτερόλεπτον). **Hertz·ian** /-ɪən/ *ἐπ.* *~ waves*, ἑρτζιανά κύματα.
hesi·tant /ˋhezɪtənt/ *ἐπ.* διστακτικός. **~·ly** *ἐπίρ.* διστακτικά. **hesi·tance** /-əns/, **hesi·tancy** /-ənsɪ/ *οὐσ.* ‹U› διστακτικότης.
hesi·tate /ˋhezɪteɪt/ *ρ.ἀ.* διστάζω, κομπιάζω (στήν ὁμιλία): *He's still hesitating about going*, διστάζει ἀκόμη γιά τό ἄν θά πάη. *He ~d about what to do next*, δίσταζε γιά τό τί νά κάνη μετά. *I ~ to go*, διστάζω νά πάω. *He ~s at nothing*, εἶναι ἀδίστακτος. **hesi·tat·ing·ly** *ἐπίρ.* διστακτικά.
hesi·ta·tion /ˈhezɪˋteɪʃn/ *οὐσ.* ‹C,U› διστακτικότης, ἀναποφασιστικότης, δισταγμός: *without the slightest ~*, χωρίς τόν παραμικρό δισταγμό. *There's no room for ~*, δέν ὑπάρχουν περιθώρια δισταγμῶν. *I have no ~ in stating that...*, δέν διστάζω νά δηλώσω ὅτι... *He's all doubts and ~s*, εἶναι ὅλο ἀμφιβολίες καί δισταγμούς.
Hes·perus /ˋhespərəs/ *οὐσ.* Ἕσπερος, ἀποσπερίτης.
hes·sian /ˋhesɪən/ *οὐσ.* ‹U› καναβάτσο, λινάτσα.
het·ero·dox /ˋhetərədoks/ *ἐπ.* ἑτερόδοξος (*ἀντίθ. orthodox*). **~y** /-sɪ/ *οὐσ.* ‹C› ἑτεροδοξία.
het·ero·gen·eous /ˈhetərəˋdʒɪnɪəs/ *ἐπ.* ἑτερογενής, ἀνόμοιος, ἑτερόκλιτος.
het·ero·sex·ual /ˈhetərəˋsekʃʊəl/ *ἐπ. & οὐσ.* ‹C› ἑτερόφυλος, (σεξουαλικά) φυσιολογικός.
hew /hju/ *ρ.μ/ἀ. ἀνώμ.* (*ἀόρ. ~ed, π.μ. ~ed ἤ hewn* /hjun/) **1**. πελεκῶ, λιανίζω: *~ down a branch*, κόβω ἕνα κλαδί πελεκώντας το. *~ at sth*, καταφέρνω κτύπημα σέ κτ, πελεκῶ κτ. *~ an enemy to pieces*, κάνω κομμάτια (λιανίζω) ἕναν ἐχθρό. **2**. λαξεύω, φτιάχνω πελεκώντας: *~ a figure out of a rock*, φτιάχνω ἄγαλμα σέ (ἀπό) βράχο. **3**. ἀνοίγω μέ κόπο: *~ one's way through the jungle*, ἀνοίγω δρόμο μέ τό τσεκοῦρι μέσα στή ζούγκλα. *~ out a career for oneself*, φτιάχνω μέ κόπο καριέρα.
hexa·gon /ˋheksəgən/ *οὐσ.* ‹C› ἑξάγωνον. **hex·ag·onal** /ˈheksˋægənl/ *ἐπ.*
hex·am·eter /heksˋæmɪtə(r)/ *οὐσ.* ‹C› ἑξάμετρον.
hey /heɪ/ *ἐπιφ.* ἔ!
hey·day /ˋheɪ deɪ/ *οὐσ.* (*μόνον ἑν.*) ἀκμή, ἀποκορύφωμα: *in the ~ of youth*, στήν ἀκμή τῆς νιότης.
hi /haɪ/ *ἐπιφ.* ἔ! (*ΗΠΑ*) γειά!
hi·atus /haɪˋeɪtəs/ *οὐσ.* ‹C› (*πληθ. ~es* /-sɪz/) κενόν, χάσμα, χασμωδία.
hi·ber·nate /ˋhaɪbəneɪt/ *ρ.ἀ.* περιπίπτω εἰς χειμερίαν νάρκην, διαχειμάζω. **hi·ber·na·tion** /ˈhaɪbəˋneɪʃn/ *οὐσ.* ‹U› χειμερία νάρκη.
hi·bis·cus /haɪˋbɪskəs/ *οὐσ.* ‹U› ἰβίσκος.
hic·cup, hic·cough /ˋhɪkʌp/ *οὐσ.* ‹C› λόξυγγας. —*ρ.ἀ.* ἔχω λόξυγγα. ***have the ~s***, μέ πιάνει λόξυγγας.
hick·ory /ˋhɪkərɪ/ *οὐσ.* ‹C› ἄσπρη καρυδιά τῆς Ἀμερικῆς.
hid, hid·den /hɪd, hɪdn/ *ἀόρ., π.μ. τοῦ ρ. hide*.
[1]**hide** /haɪd/ *οὐσ.* ‹C› τομάρι, δέρμα (ζώου ἤ ἀνθρώπου). ***save one's ~***, γλυτώνω τό τομάρι μου. ***tan sb's ~***, μαυρίζω κπ στό ξύλο. **hid·ing** *οὐσ.* ‹C› (*καθομ.*) ξύλο: ***give sb/get a good hiding***, δίνω σέ κπ/τρώω ἕνα γερό ξύλο.
[2]**hide** /haɪd/ *ρ.μ/ἀ. ἀνώμ.* (*ἀόρ. hid* /hɪd/, *π.μ. hidden* /ˋhɪdn/) κρύβω/-ομαι: *H~ it under the bed!* κρύψτο κάτω ἀπό τό κρεββάτι. *Quick, ~ yourself!* γρήγορα, κρύψου! *H~ behind the door!* κρύψου πίσω ἀπό τήν πόρτα! *~ one's feelings/face*, κρύβω τά αἰσθήματά μου/τό πρόσωπό μου. ˋ**~-and-seek**, κρυφτούλι. ˋ**~-out/-away**, (*καθομ.*) κρυψώνας, κρησφύγετο, κρύπτη: *a guerrilla ~-out in the mountains*, κρησφύγετο ἀνταρτῶν στά βουνά.
hide·bound /ˋhaɪdbaʊnd/ *ἐπ.* στενοκέφαλος, σχολαστικός.
hid·eous /ˋhɪdɪəs/ *ἐπ.* ἀποκρουστικός, εἰδεχθής, φοβερός, ἀπαίσιος: *a ~ face*, ἀποκρουστικό πρόσωπο. *a ~ crime*, εἰδεχθές ἔγκλημα. *a ~ noise*, φοβερός θόρυβος.
hid·ing /ˋhaɪdɪŋ/ *οὐσ.* ‹U› κρύψιμο. ***be in ~***, κρύβομαι, εἶμαι κρυμμένος. ***come out of ~***, βγαίνω ἀπό τόν κρυψώνα μου, φανερώνομαι. ***go into ~***, κρύβομαι. ˋ**~-place**, κρυψώνας.
hie /haɪ/ *ρ.ἀ.* (*ἀπηρχ. ἤ ἀστειολ.*) σπεύδω.
hi·er·archy /ˋhaɪərakɪ/ *οὐσ.* ‹C› ἱεραρχία.
hi·ero·glyph /ˋhaɪərəglɪf/ *οὐσ.* ‹C› ἱερογλυφικόν γράμμα. **~ic** /ˈhaɪərəˋglɪfɪk/ *ἐπ.* ἱερογλυφικός.
hig·gledy-pig·gledy /ˈhɪgldɪ ˋpɪgldɪ/ *ἐπ. &*

ἐπίρ. ἄνω-κάτω, φύρδην-μίγδην.

[1]**high** /hai/ ἐπ. (*-er, -est*) **1**. ψηλός: *a ~ mountain*. **~ and dry**, (*γιά πλοῖο*) προσαραγμένος, (*γιά ἄνθρ.*) μόνος κι' ἔρημος, σύξυλος, στό περιθώριο. **2**. ἀνώτερος: *of ~ rank*, ἀνωτέρου βαθμοῦ. *a ~ official*, ἀνώτερος ὑπάλληλος. *~ society*, ἀνώτερη κοινωνία. ***(do sth) with a ~ hand***, (κάνω κτ) ἀγέρωχα. **~ and low**, πλούσιοι καί φτωχοί, παντοῦ. (*βλ. & λ. horse*). **3**. μεγάλος: *~ prices/speed/temperatures*, μεγάλες τιμές/ταχύτης/θερμοκρασίες. *~ cost*, μεγάλο κόστος. **4**. καλός: *have a ~ opinion of sb*, ἔχω καλή γνώμη γιά κπ. *be in ~ spirits*, ἔχω καλή διάθεση/κέφια. *have a ~ old time*, διασκεδάζω καλά. *~ life*, πλούσια, καλή ζωή. **5**. ὀξύς, ἔντονος, σφοδρός: *~ words*, θυμωμένα (βαριά) λόγια. *a ~ tone*, ὀξύς τόνος. *~ winds*, σφοδροί ἄνεμοι. **6**. προχωρημένος: *~ noon*, καταμεσήμερο. *~ summer*, μεσοκαλόκαιρο. **`~ time**, ὥρα πιά νά: *It's ~ time we started/to go*, ὥρα νά ξεκινήσωμε/νά πηγαίνωμε. **7**. εὐγενής: *~ aims/ideals*, εὐγενεῖς σκοποί/-ἢ ἰδεώδη. *of ~ character*, εὐγενοῦς χαρακτῆρος. **8**. (*γιά τροφές, ἰδ. κρέας*) πολύ σιτεμένος, λίγο χαλασμένος. **9**. (*καθομ.*) μεθυσμένος, (*λαϊκ.*) μαστουρωμένος: *be ~ on marijuana*. **10**. *οὐσ.* ‹U› ὕψη: *Shares reached a new ~ last week*, οἱ μετοχές ἔφθασαν σέ νέα ὕψη τήν προηγούμενη ἑβδομάδα. ***on ~***, στόν οὐρανό, ψηλά: *Glory be to God on ~*, δόξα ἐν Ὑψίστοις Θεῷ. *from on ~*, ἀπό ψηλά, ἄνωθεν. **11**. (*σέ φράσεις & σύνθ. λέξεις*): **`~-ball**, (*ΗΠΑ*) οὐΐσκυ μέ σόδα ἤ νερό σέ μεγάλο ποτήρι. **`~·born** ἐπ. ἀριστοκρατικός στήν καταγωγή. **`~·brow** *οὐσ.* ‹C› & *ἐπ.* διανοούμενος, διανοουμενίστικος, βαρύς (γιά διανοουμένους). **`~·chair**, ψηλή καρέκλα γιά μωρό. **'H~ `Church**, τμῆμα τῆς Ἀγγλικῆς Ἐκκλησίας πού προσεγγίζει τόν Καθολικισμό σέ δογματικά καί λειτουργικά θέματα. **'~-`class** ἐπ. πρώτης κατηγορίας. **'~ `colour**, ζωηρό χρῶμα τοῦ προσώπου. **'H~ Com`missioner**, πρεσβευτής μιᾶς χώρας τῆς Κοινοπολιτείας σέ ἄλλη. **`H~ Court**, τό Ἀνώτατον Δικαστήριον. **`~er-ups** *οὐσ. πληθ.* (*καθομ.*) οἱ παραπάνω (κοινωνικῶς). **'~-fal`utin** ἐπ. (*καθομ.*) γελοιωδῶς στομφώδης, σπουδαιοφανής. **'~-fi`delity**, (*συντομογρ.* **hi-fi**) ἐπ. ὑψηλῆς πιστότητος. **'~·`flier/·`flyer**, φοβερά φιλόδοξος ἄνθρωπος. **'~·`flown** ἐπ. πομπώδης, ἐξεζητημένος: *a ~-flown style*. **'~·`flying** ἐπ. (*μεταφ.*) φιλόδοξος. **'~-`frequency**, ὑψηλή συχνότης. **`~-grade** ἐπ. ἀρίστης ποιότητος. **'~-`handed** ἐπ. ἀγέρωχος, αὐταρχικός. **'~ `hat** *οὐσ.* & *ἐπ.* σνόμπ. __*ρ.μ.* φέρομαι ὑπεροπτικά. **`~ jump**, ἅλμα εἰς ὕψος, (*λαϊκ.*) κρεμάλα. ***be for the `~ jump***, (*λαϊκ.*) εἶμαι γιά κρεμάλα. **'~-`keyed** ἐπ. (*γιά φωνή*) ὀξύς, (*γιά ἄνθρ.*) νευρικός. **`~·land** /-lənd/ ὀρεινή περιοχή: *the H~lands*, Ἄνω Σκωτία. **`~-lander**, ὀρεσίβιος, Σκωτσέζος. **`~-level** ἐπ. ὑψηλοῦ ἐπιπέδου: *a ~-level conference*, διάσκεψις ὑψηλοῦ ἐπιπέδου. **`~·light**, (*συνήθ. πληθ.*) τό ἀποκορύφωμα, τό πλέον σημαντικό ἤ ἐντυπωσιακό τμῆμα: *the ~lights of the week's events*, τά σημαντικώτερα γεγονότα τῆς ἑβδομάδος. *the ~lights of the party/play*, οἱ μεγάλες στιγμές τοῦ πάρτυ/τοῦ ἔργου. __*ρ.μ.* ἐξαίρω, τονίζω. **'~-`minded** ἐπ. ὑψηλόφρων. **'~-`minded·ness**, ὑψηλοφροσύνη, εὐγένεια σκέψης, μεγαλεῖον ψυχῆς. **'~-`necked**, (*γιά φόρεμα*) μέ κλειστό γιακᾶ. **'~-`pitched** ἐπ. (*γιά φωνή*) τσιριχτός, ὀξύς. **'~-`pressure** ἐπ. ὑψηλῆς πιέσεως, πιεστικός, ἐντατικός: *'~-`pressure `boiler/`salesman/`advertising*, λέβης ὑψηλῆς πιέσεως/πιεστικός πλασιέ/ἐντατική διαφήμησις. **'~-`priced** ἐπ. ἀκριβός. **'~ `priest**, μέγας ἀρχιερεύς. **'~-`principled** ἐπ. μέ ἰδανικά, μέ ἀνώτερες ἀρχές: *a~-principled man*. **`~-ranking** ἐπ. ἀνωτέρου βαθμοῦ: *a ~-ranking officer*, ἀνώτερος ἀξιωματικός. **`~-rise** ἐπ. ψηλός: *~-rise flats*, ψηλά διαμερίσματα (σέ πολυκατοικία). **`~·road**, ὁ κύριος δρόμος, δημοσιά: *Is there a ~road to happiness?* (*μεταφ.*) ὑπάρχει κατ' εὐθεῖαν δρόμος πρός τήν εὐτυχία; **`H~ School**, γυμνάσιον. **the '~`seas**, ἡ ἀνοιχτή θάλασσα, τό πέλαγος. **`~-sounding** ἐπ. ἠχηρός, ἐντυπωσιακός, πομπώδης. **'~-`spirited** ἐπ. θαρραλέος, ζωηρός. **`~ spot**, τό ἀποκορύφωμα, τό κυριώτατο γεγονός. **`~ street**, κεντρικός δρόμος (μικρῆς πόλεως). **'~ `table**, (σέ Πανεπιστήμιο) τραπέζι σέ ἐξέδρα ὅπου τρῶνε οἱ καθηγητές. **'~ `tea**, (*ΜΒ*) πλῆρες γεῦμα μέ τσάϊ νωρίς τό βράδυ. **'~-`tension** ἐπ. (*ἠλεκτρ.*) ὑψηλῆς τάσεως. **'~ `tide/`water**, πλημμυρίς, φουσκονεριά: *'~-`water mark*, ἡ ψηλότερη στάθμη. **`~-toned** ἐπ. ὑψηλόφρων, σοβαρός. **'~ `treason**, ἐσχάτη προδοσία. **`~-up** *οὐσ.* ‹C› (*καθομ.*) μεγαλόσχημος. **`~·way**, δημόσιος δρόμος, δημοσιά, ἐθνική ὁδός, (*μεταφ.*) δρόμος. **`~·way·man**, (*παλαιότ.*) ληστής ταξιδιωτῶν.

[2]**high** /hai/ ἐπίρ. ψηλά, πλούσια, ἀκριβά: *climb ~*, ἀναρριχῶμαι ψηλά. *aim ~*, σκοπεύω ψηλά, ἔχω μεγάλες βλέψεις. *live ~*, ζῶ πλούσια. *pay ~*, πληρώνω ἀκριβά. ***fly ~***, (*μεταφ.*) ἔχω μεγάλες φιλοδοξίες. ***hold one's head ~***, κρατῶ τό κεφάλι μου ψηλά. ***run ~***, (*γιά τή θάλασσα*) ἔχω φουρτούνα, (*γιά αἰσθήματα*) εἶμαι ἐξημμένος. ***(search/hunt/look) ~ and low (for sth)***, (ψάχνω) παντοῦ (γιά κτ).

high·ly /`haili/ ἐπίρ. μεγάλως, πολύ: *a ~ paid official*, ὑπάλληλος μέ μεγάλο μισθό. *a ~ amusing story*, μιά πολύ διασκεδαστική ἱστορία. *think/speak ~ of sb*, ἔχω κπ σέ μεγάλη ὑπόληψη/μιλῶ πολύ ἐπαινετικά γιά κπ.

high·ness /`hainis/ *οὐσ.* **1**. ‹U› εὐγένεια (πχ χαρακτῆρος). **2**. ‹C› (*τίτλος*) Ὑψηλότατος: *His H~*, ἡ Αὐτοῦ Ὑψηλότης.

hi·jack (*καί* **high·jack**) /`haidʒæk/ *ρ.μ.* **1**. κλέβω τό φορτίον ὀχήματος (*ἰδ.* ἐν κινήσει). **2**. ληστεύω, πειρατεύω (ἀεροπλάνον, κλπ). **~er** *οὐσ.* ‹C› ἀεροπειρατής.

hike /haik/ *ρ.ἀ.* & *οὐσ.* ‹C› (κάνω) πεζοπορία. **hiker** *οὐσ.* ‹C› πεζοπόρος.

hil·ari·ous /hi`leəriəs/ ἐπ. θορυβωδῶς εὔθυμος: *~ laughter*, ξεκαρδιστό γέλιο. **~·ly** ἐπίρ. εὔθυμα: *laugh ~ly*, λύνομαι στά γέλια.

hil·ar·ity /hi`lærəti/ *οὐσ.* ‹U› ἱλαρότης, θυμηδία, εὐθυμία, θορυβώδη γέλια: *It caused* *general* ~, προκάλεσε γενική θυμηδία.

Hil·ary term /ˋhɪlərɪ tɜm/ (*νομ., σχολ.*) περίοδος πού ἀρχίζει τό Γενάρη.

hill /hɪl/ *οὐσ.* ‹C› **1**. λόφος: *go up ~ and down dale*, περνῶ βουνά καί λαγκάδια. *(go)* ***up-/down-~***, ἀνηφορίζω/κατηφορίζω. **ˋ~-side**, λοφοπλαγιά. **2**. σωρός χῶμα: *an ˋant-~*, μυρμηγκοφωλιά. **~y** *ἐπ.* *(-ier, -iest)* λοφώδης.

hill-billy /ˋhɪl bɪlɪ/ *οὐσ.* ‹C› (*καθομ., συχνά ὑποτιμ.*) ὀρεσίβιος, βουνήσιος.

hill·ock /ˋhɪlək/ *οὐσ.* ‹C› λοφίσκος.

hilt /hɪlt/ *οὐσ.* ‹C› λαβή (ξίφους). *(up)* ***to the ~***, τελείως, πλήρως: *His guilt was proved up to the ~*, ἡ ἐνοχή του ἀπεδείχθη πλήρως. *be in debt up to the ~*, εἶμαι καταχρεωμένος.

him /hɪm/ *προσ. ἀντων. αἰτιατ.* αὐτόν, τόν, αὐτός: *The prize will go to ~ who...*, τό βραβεῖο θά δοθῆ σ' αὐτόν πού... *I see ~*, τόν βλέπω. *It's ~!* αὐτός εἶναι!

him·self /hɪmˋself/ *βλ. self.*

hind /haɪnd/ *ἐπ.* πισινός (*ἀντίθ. fore*): *ˈ~ˋlegs*, πισινά πόδια (ζώου). *ˈ~ˋquarters*, πισινό μέρος (κρέατος), μποῦτι καί νεφραμιά. **ˋ~-most** *ἐπ.* ἔσχατος, ἀπώτατος (πρός τά πίσω). **ˋ~·sight** *οὐσ.* ‹U› ἡ ἐκ τῶν ὑστέρων γνῶσις.

hin·der /ˋhɪndə(r)/ *ρ.μ.* (παρ)εμποδίζω, παρακωλύω: *Don't ~ me in my work*, μή μ' ἐμποδίζης στή δουλειά μου. *Illness has ~ed my answering your letter*, ἡ ἀρρώστεια μέ ἐμπόδισε νά ἀπαντήσω στό γράμμα σας.

hin·drance /ˋhɪndrns/ *οὐσ.* ‹C› ἐμπόδιον, κώλυμα: *You're more of a ~ than a help*, εἶσαι μᾶλλον ἐμπόδιο παρά βοήθεια.

Hin·di /ˋhɪndɪ/ *οὐσ.* ‹U› & *ἐπ.* Ἰνδική γλῶσσα.

Hin·du /ˈhɪnˋdu/ *οὐσ.* ‹C› Ἰνδουϊστής. **~·ism** /ˋhɪnduɪzm/ *οὐσ.* ‹U› ἰνδουϊσμός.

hinge /hɪndʒ/ *οὐσ.* ‹C› μεντεσές, ρεζές (πόρτας), ἁρμός, (*μεταφ.*) ἄξων, βάσις: *take a door off its ~s*, βγάζω πόρτα ἀπό τούς μεντεσέδες της. ***off one's ~s***, (*μεταφ.*) παλαβός. *—ρ.μ/ἀ.* **1**. κρεμῶ (πόρτα). **2**. *~ (up)on*, περιστρέφομαι περί, ἐξαρτῶμαι ἀπό: *Everything ~s (up)on what happens next*, ὅλα ἐξαρτῶνται ἀπό τό τί θά συμβῆ ἐν συνεχείᾳ.

hint /hɪnt/ *οὐσ.* ‹C› νῦξις, ὑπαινιγμός, ὑπόδειξις: *a broad ~*, σαφής ὑπαινιγμός. *H~s for housewives*, συμβουλές/ὑποδείξεις γιά τή νοικοκυρά (*πχ* σέ περιοδικό). ***give/drop a ~***, κάνω νύξη/πετῶ μιά κουβέντα. ***take a ~***, καταλαβαίνω/μπαίνω μέ τήν πρώτη. *—ρ.μ/ἀ.* *~* ***(to sb)***, ὑπαινίσσομαι, ἀφήνω κπ νά καταλάβη: *He ~ed that I ought to go*, ὑπαινίχθη ὅτι θἄπρεπε νά φύγω. *~* ***at***, ὑπονοῶ, μιλῶ συγκεκαλυμένα, κάνω νύξη γιά: *What are you ~ing at?* τί ὑπονοεῖς; τί θέλεις νά πῆς; *He ~ed at my past*, ἔκανε νύξη γιά τό παρελθόν μου.

hin·ter·land /ˋhɪntəlænd/ *οὐσ.* ‹U› ἐνδοχώρα.

[1]**hip** /hɪp/ *οὐσ.* ‹C› ἰσχίον, γοφός, μέση: *sway one's ~s in walking*, περπατῶ μέ κουνήματα. *with his hands on his ~s*, μέ τά χέρια του στή μέση του. **ˋ~-bath**, φορητή καθιστή μπανιέρα. **ˋ~-flask**, πλακέ μπουκάλι τῆς κωλότσεπης. **ˈ~ˋpocket**, κωλότσεπη.

[2]**hip** /hɪp/ *ἐπιφ.* (*μόνον εἰς*): ***ˈH~, ~, hurˋrah!*** ζήτω!

[3]**hip** /hɪp/ (*καί* **hep** /hep/) *ἐπ.* (*λαϊκ.*) τῆς μόδας.

hip·pie, hippy /ˋhɪpɪ/ *οὐσ.* ‹C› χίπυς.

hippo /ˋhɪpəʊ/ *οὐσ.* ‹C› (*πληθ. ~s*) *συντομογρ. γιά hippopotamus.*

hip·po·drome /ˋhɪpədrəʊm/ *οὐσ.* ‹C› **1**. ἱππόδρομος (στήν ἀρχαία Ρώμη). **2**. τσίρκο.

hip·po·pota·mus /ˈhɪpəˋpɒtəməs/ *οὐσ.* ‹C› (*πληθ. ~es* /-sɪz/ *ἤ -mi* /-maɪ/) ἱπποπόταμος.

hire /ˋhaɪə(r)/ *ρ.μ.* μισθώνω, νοικιάζω: *~ a concert-hall*, νοικιάζω μιά αἴθουσα (*πχ* γιά μιά συγκέντρωση. *Πρβλ. rent a house*). *~ a horse/bicycle*, νοικιάζω ἄλογο/ποδήλατο. *~ a workman/girl*, παίρνω ἐργάτη/ὑπηρέτρια. *a ~d assassin*, πληρωμένος δολοφόνος. ***'H~d'***, (*γιά ταξί*) 'κατειλημμένον'. ***~ out***, νοικιάζω (σέ ἄλλους): *~ out boats*, νοικιάζω βάρκες. *—οὐσ.* ‹U› **1**. μίσθωσις, ἐνοικίασις: *bicycles on ~*, ποδήλατα πρός ἐνοικίασιν. ***'For ~'***, (*γιά ταξί*) 'ἐλεύθερον'. **2**. ἐνοίκιον, ἀμοιβή: *work for ~*, δουλεύω ἐπ' ἀμοιβῇ. ***(buy sth) on ~ purchase***, (*βραχ.* **H P**) (ἀγοράζω κτ) μέ δόσεις.

hire·ling /ˋhaɪəlɪŋ/ *οὐσ.* ‹C› (*μειωτ.*) μίσθαρνον ὄργανον.

hir·sute /ˋhɜsjut/ *ἐπ.* μαλλιαρός, δασύτριχος.

his /hɪz/ *κτητ. ἐπ.* & *ἀντων.* (δικός) του: *This is ~ book*, αὐτό εἶναι τό βιβλίο του. *It's ~, not hers*, εἶναι δικό του, ὄχι δικό της. *A friend of ~*, ἕνας φίλος του.

hiss /hɪs/ *οὐσ.* ‹C› σφύριγμα (ἀποδοκιμασίας): *He was received with ~es*, τόν ὑποδέχτηκαν μέ σφυρίγματα. *—ρ.μ/ἀ.* σφυρίζω: *The snake raised its head and ~ed*, τό φίδι σήκωσε τό κεφάλι του καί σφύριξε. *'You'll pay for that', he ~ed*, -Θά τό πληρώσης, σφύριξε μέσα ἀπό τά δόντια του. *~ (at) a play*, σφυρίζω ἕνα ἔργο. *He was ~ed off the stage/out of the room*, τόν ἔδιωξαν ἀπό τή σκηνή/ἀπό τό δωμάτιο μέ σφυρίγματα.

his·tor·ian /hɪˋstɔrɪən/ *οὐσ.* ‹C› ἱστορικός.

his·toric /hɪˋstɒrɪk/ *ἐπ.* ἱστορικός: *a(n) ~ speech/event*, ἱστορικός λόγος/-όν γεγονός. ***~ times***, οἱ ἱστορικοί χρόνοι. ***the ~ present***, (*γραμμ.*) ὁ ἱστορικός ἐνεστώς.

his·tori·cal /hɪˋstɒrɪkl/ *ἐπ.* ἱστορικός: *a(n) ~ novel/play*, ἱστορικό μυθιστόρημα/ἔργο. *a(n) ~ personage*, ἱστορικό πρόσωπο. *~ studies*, ἱστορικές μελέτες. **~ly** /-klɪ/ *ἐπίρ.* ἱστορικά.

his·tory /ˋhɪstrɪ/ *οὐσ.* ‹C,U› ἱστορία: *ancient/medieval/modern ~*, ἀρχαία/μεσαιωνική/σύγχρονη ἱστορία. *a house with a strange ~*, σπίτι μέ παράξενη ἱστορία. *the ~ of one's life*, ἡ ἱστορία τῆς ζωῆς μου. ***make ~***, δημιουργῶ/γράφω ἱστορία, ἀφήνω ἐποχή. **natural ~**, φυσική ἱστορία.

his·tri·onic /ˈhɪstrɪˋɒnɪk/ *ἐπ.* **1**. θεατρικός. **2**. ὑποκριτικός, θεατρινίστικος, ψεύτικος. **his·tri·on·ics** *οὐσ. πληθ.* **1**. θεατρικές παραστάσεις. **2**. (*ὑποτιμ.*) θεατρινισμοί.

hit /hɪt/ *ρ.μ/ἀ. ἀνώμ.* *(-tt-; ἀόρ. & π.μ. ~)* **1**. χτυπῶ: *~ sb on the head*, χτυπῶ κπ στό κεφάλι. *~ sb a hard blow*, καταφέρνω ἕνα δυνατό χτύπημα σέ κπ. *~ the target/mark*, χτυπῶ (πετυχαίνω) τό στόχο. *His head ~ against the kerb*, τό κεφάλι του χτύπησε (προσέκρουσε) στήν ἄκρη τοῦ πεζοδρομίου. ***~ a man when he's down***, δίνω μή ἐπιτρεπόμενο χτύπημα, ἐκμεταλλεύομαι ἀνέντιμα τή δυσχερῆ θέση τοῦ ἄλλου. ***~ it***, κάνω διάνα, τό βρίσκω, τό πετυχαίνω: *You've ~ it*, τό πέτυχες! ~ ***one's fancy***, ἀρέσω, χτυπῶ στό μάτι (*συνηθέστερα: take one's fancy*). ~ ***it off (with sb/together)***, τά πάω καλά, ταιριάζω: *They ~ it off well*, ταιριάξανε. '**~-and-'run** *ἐπιθ.* (*γιά αὐτοκ.*) δυστύχημα στό ὁποῖον ὁ ὑπαίτιος ὁδηγός τό σκάει ἀφήνοντας τό θῦμα του ἀβοήθητο. **2.** ~ ***hard***, πλήττω: *The slump ~ his business hard*, ἡ ὕφεσις ἔπληξε σκληρά τήν ἐπιχείρησή του. ***be hard ~***, ὑποφέρω: *We are all hard ~ by inflation*, ὅλοι ὑποφέρομε (ὅλοι ἔχομε πληγῆ) ἀπό τόν πληθωρισμό. *He has fallen in love with her and is hard ~*, τήν ἐρωτεύτηκε καί τώρα ὑποφέρει. **3.** βρίσκω, φθάνω: ~ *the right path*, βρίσκω τό σωστό δρόμο. ~ ***the headlines***, (*καθομ.*) προβάλλομαι ἐντυπωσιακά (σέ ἐφημερίδα), καταλαμβάνω τό προσκήνιο (τῆς ἐπικαιρότητος, τῆς δημοσιότητος). ~ ***the road***, ξεκινῶ: *We ~ the road at dawn*, ξεκινήσαμε τήν αὐγή. **4.** ~ ***out (against)***, ἐπιτίθεμαι βιαιότατα, χτυπῶ στά τυφλά: *The police ~ out against the demonstrators*, ἡ ἀστυνομία ἐπετέθη μέ βιαιότητα κατά τῶν διαδηλωτῶν. **5.** ~ ***(up)on***, πέφτω πάνω σέ, βρίσκω τυχαῖα/ἀπροσδόκητα: *I ~ (up)on the right answer*, ἔπεσα πάνω στή σωστή ἀπάντηση. *I ~ (up)on an idea/a plan for making money*, βρῆκα μιά ἰδέα/ἕνα σχέδιο νά κάμω χρήματα. **6.** ~ ***sth/sb off***, (*καθομ.*) σκιτσάρω κπ πετυχημένα: *She ~ him off with a few words*, ἔδωσε μέ λίγα λόγια ἕνα πετυχημένο σκίτσο του. —*οὐσ.* ‹C› **1.** χτύπημα, ἐπιτυχία: *three ~s, five misses*, τρεῖς ἐπιτυχίες, πέντε ἀποτυχίες (*πχ* στή σκοποβολή). *Here goes, ~ or miss*, ἐμπρός, κι' ὅ,τι βγῆ. ***make a ~ with sth***, ἐντυπωσιάζω, ἔχω ἐπιτυχία σέ κτ. **'~ songs**; **'song ~s**; **'~ parade**, τραγούδια πού ἔχουν γίνει ἐπιτυχίες. **2.** μπηχτή: *That was a ~ at me*, αὐτό ἦταν μπηχτή γιά μένα.

hitch /hɪtʃ/ *ρ.μ/ὰ.* **1.** ~ ***sth up***, τραβῶ, ἀνασηκώνω (ἀπότομα): ~ *up one's trousers*, μαζεύω τό παντελόνι μου. **2.** δένω, πιάνω/-ομαι, σκαλώνω, ἀγκιστρώνω/-ομαι: ~ *a horse to a fence*, δενω ἕνα ἄλογο σέ φράχτη. *Her dress ~ed on a nail*, τό φόρεμά της πιάστηκε σ'ἕνα καρφί. **3.** ~ ***(a ride)***, (*καθομ.*) κάνω ὠτοστόπ. —*οὐσ.* ‹C› **1.** ἀπότομο τίναγμα ἤ τράβηγμα. **2.** θηλειά. **3.** ἐμπόδιο, σκάλωμα, ἀναποδιά: *Everything went off without a ~*, ὅλα πήγανε ρολόϊ.

hitch-hike /'hɪtʃhaɪk/ *ρ.ὰ.* κάνω ὠτοστόπ. **hitch-hiker** *οὐσ.* ‹C› ἕνας πού κάνει ὠτοστόπ.

hither /'hɪðə(r)/ *ἐπίρ.* (*ἀπηρχ.*) ἐδῶ, πρός τά ἐδῶ.

hither·to /'hɪðə'tu/ *ἐπίρ.* μέχρι τοῦδε.

hive /haɪv/ *οὐσ.* ‹C› (*κυριολ. & μεταφ.*) κυψέλη. —*ρ.μ/ὰ.* **1.** μαζεύω/-ομαι σέ κυψέλη. **2.** ζῶ μέ ἄλλους (σάν τίς μέλισσες). ~ ***off (from)***, ἀποχωρίζω/-ομαι, ἀνεξαρτοποιῶ/-οῦμαι: ~ *off the sales department of a firm*.

hives /haɪvz/ *οὐσ. πληθ.* (*ἰατρ.*) ἐξάνθημα.

ho /həʊ/ *ἐπιφ.* (*ἐκπλήξεως, εἰρωνίας, θαυμασμοῦ*) ὤ!

hoar /hɔ(r)/ *ἐπ.* (*γιά μαλλιά*) ἄσπρος, πολιός, γκρίζος. **'~·frost** *οὐσ.* ‹U› πρωϊνή πάχνη, τσάφι.

hoard /hɔd/ *οὐσ.* ‹C› ἀπόθεμα (τροφίμων), σωρός (κρυμμένων πραγμάτων), θησαυρός: *a miser's ~*, ὁ θησαυρός ἑνός τσιγγούνη. *a ~ of money*, κομπόδεμα. —*ρ.μ/ὰ.* ἀποθησαυρίζω, ἀποκρύπτω, μαζεύω, κάνω ἀπόθεμα: ~ *up gold*, μαζεύω χρυσάφι.

hoard·ing /'hɔdɪŋ/ *οὐσ.* ‹C› φράχτης μέ σανίδες, σανίδωμα (*συνήθ.* γιά διαφημίσεις).

hoarse /hɔs/ *ἐπ.* (*-r, -st*) βραχνός: *shout oneself ~*, βραχνιάζω ἀπό τίς φωνές. **~·ly** *ἐπίρ.* βραχνά. **~·ness** *οὐσ.* ‹U› βραχνάδα.

hoary /'hɔrɪ/ *ἐπ.* (*-ier, -iest*) **1.** πολιός, γκρίζος, σεβάσμιος. **2.** πανάρχαιος.

hoax /həʊks/ *οὐσ.* ‹C› ἀπάτη, κόλπο, φάρσα, κακόγουστο ἀστεῖο. —*ρ.μ.* ξεγελῶ, πείθω κπ μέ ἀπάτη: ~ *sb into believing or doing sth foolish*. **~er** *οὐσ.* ‹C› κατεργάρης, μπαγαπόντης, ἀπατεώνας.

hob /hob/ *οὐσ.* ‹C› ράφι μέσα σέ τζάκι (γιά νά διατηροῦνται τά φαγητά ζεστά).

hobble /'hobl/ *ρ.μ/ὰ.* **1.** κουτσαίνω: *He ~d into the room*, μπῆκε κουτσαίνοντας στό δωμάτιο. **2.** πεδουκλώνω (ζῶον). —*οὐσ.* ‹C› κούτσαμα, σκόνταμα.

hobby /'hobɪ/ *οὐσ.* ‹C› χόμπυ.

hobby-horse /'hobɪhɔs/ *οὐσ.* ‹C› **1.** ξύλινο ἀλογάκι. **2.** (*μεταφ.*) προσφιλές θέμα, μονομανία, πάθος: *Now he's started on his ~*, ἄρχισε πάλι τό μεράκι του (*δηλ.* νά μιλάη γιά κτ πού τὄχει πάθος).

hob·gob·lin /hob'goblɪn/ *οὐσ.* ‹C› τελώνιο, ξωτικό, μπαμπούλας, καλλικάντζαρος.

hob·nail /'hobneɪl/ *οὐσ.* ‹C› πλατυκέφαλο καρφί (γιά παπούτσια), παπουτσόπροκα: *~ed boots*, ἀρβύλες μέ προκαδούρα.

hob·nob /hob'nob/ *ρ.ὰ.* (*-bb-*) ~ ***with sb/together***, τά κουτσοπίνω μέ κπ, κάνω παρέα, συναναστρέφομαι.

hobo /'həʊbəʊ/ *οὐσ.* ‹C› (*πληθ.* *~s, ~es*) (*ΗΠΑ, λαϊκ.*) ἄνεργος πού ἀλητεύει, ρέμπελος.

[1]**hock** /hok/ *οὐσ.* ‹C› ταρσός (ζώου), κότσι (κρέας).

[2]**hock** /hok/ *ρ.μ.* (*λαϊκ.*) ἐνεχυριάζω. —*οὐσ.* ‹C,U› ἐνέχυρον. ***in ~***, ἀμανάτι.

hockey /'hokɪ/ *οὐσ.* ‹U› χόκεϋ.

ho·cus-po·cus /'həʊkəs 'pəʊkəs/ *οὐσ.* ‹U› ταχυδακτυλουργία, κόλπο, (πρός ἀπόσπασιν τῆς προσοχῆς).

hod /hod/ *οὐσ.* ‹C› πηλοφόρι.

hoe /həʊ/ *οὐσ.* ‹C› τσάπα, ἀξίνα. —*ρ.μ/ὰ.* τσαπίζω, σκαλίζω.

hog /hog/ *οὐσ.* ‹C› **1.** μουνουχισμένο γουρουνι. **2.** (*μεταφ.*) λαίμαργος, βρωμιάρης, ἄπληστος ἄνθρωπος. ***go the whole ~***, φτάνω ὥς τό τέρμα (ἑνός ἐγχειρήματος). **'~·wash**, νερόπλυμα, ἀποπλύματα, (*μεταφ.*) ἀνοησίες. **~·gish** /-ɪʃ/ *ἐπ.* λαίμαργος, βρωμιάρης.

Hog·ma·nay /'hogməneɪ/ *οὐσ.* ‹C› (*στή Σκωτία*) παραμονή πρωτοχρονιᾶς, ρεβεγιόν.

hogs·head /'hogzhed/ *οὐσ.* ‹C› **1.** βαρέλι γιά μπύρα. **2.** βαρέλα (μέτρον ὑγρῶν 52,5 γαλλόνια).

hoi pol·loi /'hɔɪ pə'lɔɪ/ *οὐσ.* ***the ~***, οἱ πολλοί, ὁ ὄχλος, ὁ λαουτζίκος.

hoist /hɔɪst/ *ρ.μ.* ὑψώνω, τραβῶ, ἀνεβάζω (μέ σχοινιά, βίντζι, κλπ): ~ *a flag/sail*, ὑψώνω σημαία, πανί. ~ *cars/casks aboard*, ἀνεβάζω αὐτοκίνητα/βαρέλια σέ πλοῖο (μέ τό παλάγκο). —*οὐσ.* ‹C› **1**. ἀνυψωτήρ, βίντζι, παλάγκο. **2**. (*καθομ.*) τράβηγμα, σπρώξιμο: *give sb a ~*, δίνω ἕνα χέρι σέ κπ (*πχ* ὅταν ἀνεβαίνη τοῖχο).

hoity-toity /ˈhɔɪtɪ ˋtɔɪtɪ/ *ἐπ.* (*καθομ.*) ψηλομύτης, ὑπεροπτικός. —*ἐπιφ. ἀποδοκιμασίας* τατατά!

[1]**hold** /həʊld/ *ρ.μ/ἀ. ἀνώμ.* (*ἀόρ.* & *π.μ.* held /held/) **1**. κρατῶ, κρατιέμαι: ~ *sb's hand*, κρατῶ τό χέρι κάποιου. ~ *sb by the sleeve*, κρατῶ κπ ἀπό τό μανίκι. ~ *up an umbrella*, κρατῶ ψηλά μιά ὀμπρέλλα. *H~ my bag for me*, κράτησέ μου τήν τσάντα μου. *H~ tight!* κρατηθῆτε καλά! ***H~ the line!*** περιμένετε στό ἀκουστικό σας! **2**. κρατῶ, συγκρατῶ: *The police held back the crowd*, ἡ ἀστυνομία συγκράτησε τό πλῆθος. ~ *a thief*, κρατῶ ἕναν κλέφτη. *The dam was not strong enough to ~ the flood waters*, τό φράγμα δέν ἦταν ἀρκετά ἰσχυρό γιά νά (συγ)κρατήση τά νερά τῶν πλημμυρῶν. ~ ***one's breath***, (συγ)κρατῶ τήν ἀναπνοή μου. ~ ***one's hand***, ἐπιφυλάσσομαι, συγκρατοῦμαι, διστάζω. ~ ***one's tongue/peace***, κρατῶ τή γλῶσσα μου/κάθομαι ἥσυχα, σιωπῶ. ***there's no ~ing sb***, ἀδύνατο νά συγκρατήσης κπ. **3**. κρατῶ, διατηρῶ (σέ ὡρισμένη θέση ἤ κατάσταση): ~ *one's arms up/out*, σηκώνω ψηλά τά χέρια/ἁπλώνω τά χέρια. *H~ your head up!* κράτησε ψηλά τό κεφάλι σου! ~ *sb's attention*, κρατῶ τήν προσοχή κάποιου. ~ ***one's sides with laughter***, κρατῶ τήν κοιλιά μου ἀπό τά γέλια. ~ ***oneself ready/in readiness (for)***, διατηροῦμαι εἰς κατάστασιν ἑτοιμότητος (γιά κτ). **4**. κρατῶ, ἀντέχω, βαστῶ: *Come down, that branch won't ~ you*, κατέβα, δέν θά σέ κρατήση τό κλαδί. *This nail won't ~ the mirror*, αὐτό τό καρφί δέν μπορεῖ νά κρατήση τόν καθρέφτη. *The rope didn't ~ and...*, τό σκοινί δέν ἄντεξε καί... **5**. κρατῶ, ὑπερασπίζω: ~ *a town/position*, κρατῶ (ὑπερασπίζω) μιά πόλη/μιά θέση. ~ ***the fort***, (*μεταφ.*) κρατῶ τό σπίτι/τό μαγαζί (κατά τήν ἀπουσία τοῦ ὑπευθύνου). ~ ***one's ground/own***, (*μεταφ.*) διατηρῶ τίς θέσεις μου, δέν ὑποχωρῶ, κρατάω καλά: *Our soldiers held their ground bravely*, οἱ στρατιῶτες μας κράτησαν γερά τίς θέσεις τους. *The patient is ~ing his own*, ὁ ἄρρωστος κρατάει/παλεύει καλά. *He can ~ his own with the best*, μπορεῖ νά τά βγάλη πέρα μέ τούς καλύτερους. *All the class attacked him but he held his own/his ground*, ὅλοι στήν τάξη τοῦ ρίχτηκαν ἀλλά αὐτός ἔμεινε ἀμετακίνητος στίς θέσεις του. **6**. κρατῶ, κατέχω, ἔχω: ~ *a chair in the Law School*, κατέχω ἕδρα στήν Νομική Σχολή. ~ *land/shares*, ἔχω χτήματα/μετοχές. ~ ***office***, κατέχω μιά θέση. **7**. κρατῶ, συνεχίζομαι: *Will this fine weather ~?* θά κρατήση (θά συνεχισθῆ) αὐτός ὁ ὡραῖος καιρός; *How long will the anchor ~?* πόσο θά κρατήση ἡ ἄγκυρα; ~ ***good/true***, ἰσχύω/ἀληθεύω: *The ban still ~s good*, ἡ ἀπαγόρευσις ἰσχύει ἀκόμα. **8**. κρατῶ, χωρῶ, ἔχω, περιέχω: *Will this suitcase ~ all your clothes?* θά χωρέση αὐτή ἡ βαλίτσα ὅλα σου τά ροῦχα; *What does this barrel ~?* τί ἔχει (τί περιέχει) αὐτό τό βαρέλι; *She ~s strange views on art*, ἔχει περίεργες ἀπόψεις γιά τήν τέχνη. *Who knows what the future ~s for us*, ποιός ξέρει τί μᾶς ἐπιφυλάσσει τό μέλλον. ***(not) ~ water***, (*γιά ἐπιχείρημα, ἄποψη, κλπ*) (δέν) ἔχω βάση, δέν στέκω: *Your argument doesn't ~ water*, τό ἐπιχείρημά σου δέν στέκει. **9**. θεωρῶ: *I ~ sth sacred*, θεωρῶ κτ ἱερό. *I ~ him to be a fool/~ him to be foolish*, τόν θεωρῶ ἀνόητον. ~ *oneself responsible for sth*, θεωρῶ τόν ἑαυτό μου ὑπεύθυνο γιά κτ. *This is held to be true*, θεωρεῖται ἀλήθεια. ~ ***sb in high/low esteem***, ἔχω κπ σέ μεγάλη/σέ μικρή ὑπόληψη (ἐκτιμῶ κπ πολύ/λίγο). ~ ***sth cheap/dear***, θεωρῶ κτ φτηνό/πολύτιμο: *I ~ my reputation dear*, θεωρῶ τήν ὑπόληψή μου σάν κάτι πολύτιμο. **10**. κάνω, ὀργανώνω: ~ *a meeting/an examination*, κάνω μιά συγκέντρωση/ἐξετάσεις. *We ~ General Elections every four years*, κάνομε βουλευτικές ἐκλογές κάθε 4 χρόνια. *The Flower Show is held in Kifissia*, ἡ ἀνθοκομική ἔκθεσις γίνεται στήν Κηφισιά. **11**. *μέ ἐπιρ. καί προθέσεις:*

hold back, δείχνω ἀπροθυμία: *Buyers are ~ing back*, οἱ ἀγοραστές εἶναι ἐπιφυλακτικοί/ἀπρόθυμοι. ~ ***sb back***, στέκομαι ἐμπόδιο: *His poor education is ~ing him back*, ἡ πλημμελής μόρφωσίς του τοῦ εἶναι ἐμπόδιο. ~ ***sth back***, κρύβω, (κατα)κρατῶ (γιά τόν ἑαυτό μου): ~ *back information*, κατακρατῶ πληροφορίες.

hold sb/sth down, κρατῶ σέ ὑποταγή/κάτω: ~ *a people down*, κρατῶ ἕνα λαό σέ ὑποταγή, τόν δυναστεύω. ~ *prices down*, συγκρατῶ τίς τιμές. ~ ***a job down***, (*καθομ.*) κρατῶ μιά θέση μέ τήν ἀξιωσύνη μου.

hold forth, *(α)* μιλῶ διά μακρῶν, ἀγορεύω. *(β)* προτείνω, προσφέρω.

hold in, συγκρατῶ: ~ *in one's anger*, συγκρατῶ τό θυμό μου. ~ *oneself in*, συγκρατοῦμαι.

hold off, (*γιά καταιγίδα, κλπ*) καθυστερῶ, δέν ξεσπῶ: *If the rain ~s off for a week...*, ἄν ἡ βροχή καθυστερήση (ἄν δέν βρέξη) γιά μιά βδομάδα. ~ ***sb/sth off***, κρατῶ σέ ἀπόσταση: *He held the robbers/dogs off with his stick*, κράτησε μακρυά τούς ληστές/τά σκυλιά μέ τό ραβδί του.

hold on, κρατῶ: *If we could ~ on for another week...*, ἄν μπορούσαμε νά κρατήσωμε ἄλλη μιά βδομάδα... ***H~ on (a minute)!*** (*καθομ.*) (στάσου) μιά στιγμή! σιγά-σιγά! ~ ***on to sth***, προσκολλῶμαι, κρατιέμαι σφιχτά ἀπό κτ, δέν ἀποχωρίζομαι κτ: ~ *on to a hope*, κολλάω σέ μιά ἐλπίδα. ~ *on to a rope/bush*, κρατιέμαι σφιχτά ἀπό ἕνα σκοινί/θάμνο. *He held on to his shares/land for years*, ἀρνιόταν νά πουλήση τίς μετοχές του/τά χτήματά του ἐπί χρόνια.

hold out, κρατῶ, ἀντέχω: *The garrison held out for six months*, ἡ φρουρά κράτησε (ἄντεξε) ἔξη μῆνες. *Our food supplies won't ~ out much longer*, τά ἀποθέματά μας σέ τρόφιμα δέν θά κρατήσουν πολύ ἀκόμα. *I can't ~ out any longer—I must find a loo*, δέν μπορῶ νά κρατηθῶ ἄλλο, πρέπει νά βρῶ ἕνα ἀποχωρητήριο. ~ ***out for***, ἐπιμένω, ἀπαιτῶ: *The* *workers are still ~ing out for higher wages*, οἱ ἐργάτες ἀπαιτοῦν (ἐπιμένουν ἀκόμα γιά) ψηλότερα μεροκάματα. **~ out on sb**, πηγαίνω κόντρα σέ κπ, τοῦ ἀντιστέκομαι: *He's still ~ing out on me*, ἀκόμα μοῦ πάει κόντρα. **~ sth out**, δίνω: *The doctors ~ out little hope of recovery*, οἱ γιατροί δέν δίνουν πολλές ἐλπίδες ἀναρρώσεως.

hold over, ἀναβάλλω, ἀπειλῶ: *The question was held over until the next meeting*, τό θέμα ἀνεβλήθη γιά τήν ἑπόμενη συνεδρίαση. *Don't ~ that over me*, μή μέ ἀπειλῆς μέ αὐτό, μήν τό χρησιμοποιῆς γιά ἀπειλή.

hold to sth, ἐμμένω, συνεχίζω: *He held to his decision*, ἐνέμεινε στήν ἀπόφασή του. **~ sb to** *(a promise, agreement, etc)*, ἀναγκάζω κπ νά τηρήση (ὑπόσχεση, συμφωνία, κλπ).

hold together, διατηρῶ τή συνοχή μου, παραμένω ἑνωμένος: *My car no longer ~s together*, τό αὐτοκίνητό μου ἔχει ἀρχίσει νά διαλύεται. *They ~ together in times of crisis*, παραμένουν ἑνωμένοι σέ κρίσιμους καιρούς. *He is the leader who will ~ the nation together*, εἶναι ὁ ἡγέτης πού θά κρατήση τό ἔθνος ἑνωμένο.

hold up, *(α)* κρατῶ ψηλά: *H~ up your hands!* ψηλά τά χέρια! *(β)* καθυστερῶ: *We were held up by fog*, μᾶς καθυστέρησε ἡ ὁμίχλη. *Traffic was held up for hours*, ἡ κυκλοφορία σταμάτησε γιά ὧρες. *(γ)* σταματῶ (*ἰδ.* γιά νά ληστέψω): *~ up a train*, σταματῶ τραῖνο γιά νά ληστέψω τούς ἐπιβάτες. **`~-up** *οὐσ.* ‹C› ληστεία. **~ sb up as a model**, προβάλλω κπ ὡς ὑπόδειγμα. **~ sb up to derision/scorn/ridicule**, γελοιοποιῶ κπ.

hold with, συμφωνῶ μέ κπ, ἐπιδοκιμάζω κτ: *I don't ~ with such behaviour*, δέν ἐπιδοκιμάζω τέτοιο φέρσιμο.

²**hold** /həʊld/ *οὐσ.* ‹C,U› **1**. στήριγμα, πιάσιμο, λαβή: *The rock face afforded few ~s to the climbers*, ὁ βράχος δέν πρόσφερε πολλά στηρίγματα στούς ὀρειβάτες. **catch/get/take/lay/seize ~ of sth**, πιάνω κτ σφιχτά. **let go/lose** *(one's)* **~ of sth**, ἀφήνω, ἀμολάω κτ. **2**. ἐπιρροή, ἐπίδρασις, ἔλεγχος, ἐξουσία: *have a great ~ over sb*, ἔχω μεγάλη ἐπιρροή πάνω σέ κπ. *keep one's ~ over sb/sth*, διατηρῶ κπ/κτ ὑπό τόν ἔλεγχό μου, ὑπό τήν ἐξουσία μου.

³**hold** /həʊld/ *οὐσ.* ‹C› ἀμπάρι (πλοίου).

hold-all /`həʊld ɔl/ *οὐσ.* ‹C› ταξιδιωτικός σάκκος.

holder /`həʊldə(r)/ *οὐσ.* ‹C› ὁ κρατῶν, ὁ κάτοχος (δικαιώματος, τίτλου, περιουσίας, κλπ), καθετί πού χρησιμοποιεῖται γιά κράτημα: *a 'cigarette-~*, πίπα (γιά τσιγάρα). *a `share~*, μέτοχος (ἑταιρίας).

hold·ing /`həʊldɪŋ/ *οὐσ.* ‹C› κτῆμα, περιουσία, τοποθέτησις (σέ μετοχές): *`small-~s*, μικροί κλῆροι, χτηματάκια. *have ~s in a company*, ἔχω μετοχές σέ μιά ἑταιρία.

hole /həʊl/ *οὐσ.* ‹C› **1**. τρύπα, λακκούβα *a ~ in a tooth/wall*, τρύπα σέ δόντι/σέ τοῖχο. *a road full of ~s*, δρόμος γεμᾶτος λακκοῦβες. **make/stop a ~**, ἀνοίγω/βουλώνω μιά τρύπα. **make a ~ in**, ξοδεύω, ἀπορροφῶ: *The hospital bills made a large ~ in his savings*, τά ἔξοδα τοῦ νοσοκομείου ἀπερρόφησαν τίς περισσότερες οἰκονομίες του. **pick ~s in** *(an argument)*, ἀνατρέπω ἕνα ἐπιχείρημα, τό κάνω κόσκινο. **2**. *(καθομ.)* δύσκολη θέσις: *I'm in rather a ~*, εἶμαι μᾶλλον στριμωγμένος. *You've put me in a devil of a ~*, μ' ἔφερες σέ πολύ δύσκολη θέση. **3**. φωλιά (ζώου), *(μεταφ.)* τρώγλη: *the ~ of a fox*, φωλιά ἀλεποῦς. *What a wretched little ~ he lives in!* σέ τί ἄθλια τρώγλη ζῆ! **4**. τρύπα (γκόλφ). **'~-and-`corner**, *(καθομ.)* *(ἐπιθ.)* μυστικός, ὕποπτος: *a ~-and-corner deal*, μιά ὕποπτη, μυστική συμφωνία. —*ρ.μ/ἀ.* τρυπῶ.

holi·day /`holədeɪ/ *οὐσ.* ‹C› **1**. ἀργία, γιορτή: *Sunday is a ~*, ἡ Κυριακή εἶναι ἀργία. **'half-`~**, ἡμιαργία. **2**. ἄδεια, *(πληθ.)* διακοπές: *a month's ~ with pay*, μηνιαία ἄδεια μετ' ἀποδοχῶν. *school/Christmas ~s*, σχολικές/Χριστουγεννιάτικες διακοπές. **be on ~**, εἶμαι σέ ἄδεια, σέ διακοπές. **`~ camp**, κατασκηνώσεις.

holi·ness /`həʊlɪnəs/ *οὐσ.* ‹C› ἁγιότης: *His H~*, ἡ Αὐτοῦ Ἁγιότης (ὁ Πάπας, ὁ Πατριάρχης).

hol·land /`holənd/ *οὐσ.* **1**. ‹U› χοντρό λινό ἤ βαμβακερό ὕφασμα. **2**. *(πληθ.)* ποτό (σάν τό τζίν).

hol·ler /`holə(r)/ *ρ.μ/ἀ.* *(λαϊκ.)* οὐρλιάζω, σκούζω, γκαρίζω: *stop ~ing!*

hol·low /`holəʊ/ *ἐπ.* **1**. κοῖλος, κούφιος: *a ~ tree/tooth*, κούφιο δέντρο/δόντι. **2**. βαθουλωμένος: *~ cheeks/a ~ face*, βαθουλωμένα μάγουλα/σκαμμένο πρόσωπο. **3**. ὑπόκωφος: *a ~ sound/voice*, ὑπόκωφος ἦχος/σπηλαιώδης φωνή. **4**. *(μεταφ.)* ψεύτικος: *~ sympathy/words/promises*, ψεύτικη συμπόνοια/-ες λέξεις/ὑποσχέσεις. *a ~ laugh/victory*, ψεύτικο γέλιο/ψευτονίκη. —*ἐπίρ.* *(καθομ.)* τελείως: *beat sb ~*, νικῶ κπ κατά κράτος. —*οὐσ.* ‹C› κουφάλα, βαθούλωμα, κοιλάδα. —*ρ.μ.* βαθουλώνω, κοιλαίνω, κουφώνω.

holly /`holɪ/ *οὐσ.* ‹U› λιόπρινο.

holly·hock /`holɪhok/ *οὐσ.* ‹C,U› δενδρομολόχα.

holo·caust /`holəkɔst/ *οὐσ.* ‹C› ὁλοκαύτωμα.

holo·graph /`holəgraf/ *οὐσ.* ‹C› ἐξ ὁλοκλήρου ἰδιόχειρον χειρόγραφον.

hol·ster /`həʊlstə(r)/ *οὐσ.* ‹C› δερμάτινη θήκη πιστολιοῦ.

holy /`həʊlɪ/ *ἐπ.* *(-ier, -iest)* **1**. ἅγιος, ἱερός: *H~ Writ*, ἡ Ἁγία Γραφή. *the H~ Father*, ὁ Ἅγιος Πατήρ (ὁ Πάπας). *H~ week*, ἡ Μεγάλη Ἑβδομάδα. *the H~ Land*, οἱ Ἅγιοι Τόποι. *~ ground*, ἱερόν ἔδαφος. *a ~ war*, ἱερός πόλεμος. **the 'H~ of `Holies**, τά Ἅγια τῶν Ἁγίων, τό ἄδυτον. **~ water** ἁγιασμός. **2**. ἅγιος, εὐσεβής: *a ~ man/life*. **3**. **a ~ terror**, *(λαϊκ.)* διαβολάνθρωπος, ἱερόν τέρας, φόβος καί τρόμος: *That child is a ~ terror*, αὐτό τό παιδί εἶναι σωστός σατανᾶς.

holy·stone /`həʊlɪstəʊn/ *οὐσ.* ‹U› ἐλαφρόπετρα.

hom·age /`homɪdʒ/ *οὐσ.* ‹U› **1**. φόρος τιμῆς. **do/pay ~** *(to sb)*, ἀποτίω φόρον τιμῆς (σέ κπ). **2**. φόρος ὑποτελείας.

¹**home** /həʊm/ *οὐσ.* ‹C,U› **1**. σπίτι (οἰκογενειακή ἑστία), πατρίδα: *the few houses near his ~*, τά λίγα σπίτια κοντά στό σπίτι του (ὅπου μένει). *He left ~ for Canada*, ἔφυγε ἀπό τήν πατρίδα

γιά τόν Καναδᾶ. *In the summer I'll go back* ~, τό καλοκαῖρι θά ξαναγυρίσω στήν πατρίδα μου. ***at*** ~, *(α)* στό σπίτι: *There's nobody at* ~, δέν ὑπάρχει κανείς (στό) σπίτι. *(β)* (*ποδόσφ.*) στήν ἕδρα (τῆς ὁμάδος): *Is your next match at* ~ *or away?* εἶναι ὁ ἑπόμενος ἀγώνας στήν ἕδρα σας ἤ ἐκτός; *the* ~ *team*, ἡ γηπεδοῦχος, ἡ ντόπια ὁμάδα. *(γ)* δεχόμενος ἐπισκέπτες: *Mrs Smith is at* ~ *on Mondays*, ἡ κ. Σ. δέχεται κάθε Δευτέρα. **an at-**~, ζούρ φίξ. ***not at*** ~ *(to)*, δέν δέχομαι: *I'm not at* ~ *to anybody except relatives*, δέν δέχομαι (δέν εἶμαι σπίτι γιά) κανέναν ἐκτός τῶν συγγενῶν. ***make oneself/be/feel at*** ~, νοιώθω ἄνετα, σά στό σπίτι μου. ***at*** ~ ***with/in***, ἔχω ἄνεση μέ/σέ κτ: *I'm not at* ~ *in German*, δέν ἔχω ἄνεση στά Γερμανικά. ***be away from*** ~, λείπω, εἶμαι ταξίδι. ***make one's*** ~ ***in***, ἐγκαθίσταμαι εἰς: *He made his* ~ *in Montreal*, ἐγκαταστάθηκε στό Μ. ***nothing to write*** ~ ***about***, (*καθομ.*) τίποτα τό ἀξιοσημείωτο. **2**. ἵδρυμα, οἶκος: *a 'nursing/ màternity* ~, κλινική/μαιευτήριον. *an orphans'* ~, ὀρφανοτροφεῖον. *a* ~ *for the blind*, οἶκος τυφλῶν. **3**. οἰκογένεια. (*ἐπιθ.*) οἰκογενειακός: *the pleasures of* ~, οἱ χαρές τοῦ σπιτιοῦ/τῆς οἰκογένειας. ~ *life*, οἰκογενειακή ζωή. **4**. πατρίδα, τόπος διαβιώσεως (ζώων, φυτῶν): *the* ~ *of the tiger/palm-tree*. **5**. (*ἀθλ.*) τέρμα, βάσις. **6**. καταφύγιον, ἄσυλον: *provide a* ~ *for sb/sth*, παρέχω καταφύγιον/ἄσυλον σέ κπ ἤ κτ. **7**. (*ἐπιθ.*) ἐγχώριος, ντόπιος (*ἀντίθ. foreign*): ~ *products/the* ~ *market/trade*, ἐγχώρια προϊόντα/ἐσωτερική ἀγορά/-όν ἐμπόριον. **the** ~ **front**, τό ἐσωτερικόν μέτωπον. **'H**~ **'Guard**, ἐθνοφρουρά. **the H**~ **Counties**, οἱ Κομητεῖες πέριξ τοῦ Λονδίνου. **the H**~ **Office/Secretary**, (*MB*) Ὑπουργεῖον/ Ὑπουργός Ἐσωτερικῶν (*πρβλ. ΗΠΑ: Department of the Interior*). **'H**~ **'Rule**, αὐτοκυβέρνησις, αὐτονομία. **8**. (*σέ σύνθ. λέξεις*): **'**~**-'baked/-'brewed/-'made** *ἐπ.* σπιτικός, σπιτήσιος (ψωμί, μπύρα, κλπ). **'**~**-coming** *οὐσ.* ‹C› ἐπάνοδος, παλιννόστησις. **'**~**-farm**, ἀγρόκτημα προσαρτημένο σέ πύργο γιά τίς ἀνάγκες τοῦ ὁποίου διατίθενται τά προϊόντα του. **'**~**-'grown** *ἐπ.* ντόπιος. **'**~**·land** /-lænd/ γενέτειρα, πατρίδα, πατρική γῆ. **'**~**·sick** *ἐπ.* νοσταλγῶν: *feel* ~*sick*, νοσταλγῶ τήν πατρίδα, ἔχω νοσταλγία. **'**~**·sick·ness**, νοσταλγία. **'**~**·spun** *ἐπ.* & *οὐσ.* ‹U› ὑφασμένο στό σπίτι, χειροποίητος, (*μεταφ.*) ἁπλός. **'**~**-stead** /-sted/ (*ΗΠΑ*) ἀγροτικός κλῆρος (πού ἐδίδετο εἰς τούς ἀποίκους). **'**~**·work** *οὐσ.* ‹U› κατ' οἶκον ἐργασία (μαθητοῦ), (*καθομ.*) προπαρασκευαστική ἐργασία. ~**-less** *ἐπ.* ἄστεγος, χωρίς πατρίδα. ~**·like** *ἐπ.* ἄνετος, ἀναπαυτικός, σά σπιτήσιος. ~**-ward(s)** *ἐπ.* & *ἐπίρ.* πρός τό σπίτι, πρός τήν πατρίδα: *the* ~*ward journey*, τό ταξίδι τοῦ γυρισμοῦ στήν πατρίδα.

[2]**home** /həʊm/ *ἐπίρ.* **1**. εἰς ἤ πρός τό σπίτι/ τήν πατρίδα: *Is he* ~ *yet?* γύρισε κι' ὅλας; *on my way* ~, καθ' ὁδόν πρός τό σπίτι/πρός τήν πατρίδα. **2**. στό στόχο, ἐκεῖ πού πρέπει: ***bring/come*** ~ ***to sb***, κάνω κπ νά ἀντιληφθῆ/ἀντιλαμβάνομαι κτ: *It was only then that the gravity of the situation was brought/ came* ~ *to me*, μόνον τότε ἀντελήφθην πλήρως τήν σοβαρότητα τῆς καταστάσεως. ***drive a point/an argument*** ~, πετυχαίνω ὥστε νά κατανοηθῆ πλήρως ἕνα θέμα/ἕνα ἐπιχείρημα.

home·ly /'həʊmlɪ/ *ἐπ.* *(-ier, -iest)* **1**. ἁπλός: *a '*~*-looking old lady*, μιά ἁπλῆ (συνηθισμένη) γρηά κυρία. *a* ~ *meal*, ἁπλό φαγητό. **2**. σπιτικός, σπιτήσιος: *a* ~ *atmosphere*. **3**. (*ΗΠΑ, γιά ἄνθρ.*) ἄσχημος.

Ho·meric /həʊ'merɪk/ *ἐπ.* ὁμηρικός: ~ *laughter*, ὁμηρικά γέλια.

homey /'həʊmɪ/ *ἐπ.* (*ΗΠΑ, καθομ.*) ἄνετος, ἁπλός, σπιτικός.

homi·cide /'homɪsaɪd/ *οὐσ.* ‹C,U› ἀνθρωποκτονία, ἀνθρωποκτόνος: *H*~ *is not criminal when committed in self-defence*, ἡ ἀνθρωποκτονία δέν εἶναι ἔγκλημα ὅταν διαπράττεται ἐν νομίμῳ ἀμύνῃ. **homi·ci·dal** /'homɪ'saɪdl/ *ἐπ.* φονικός: *homicidal tendencies*, φονικές τάσεις.

hom·ily /'homɪlɪ/ *οὐσ.* ‹C› ὁμιλία, κήρυγμα.

hom·ing /'həʊmɪŋ/ *ἐπ.* ἐπιστρέφων, αὐτοκατευθυνόμενος. **'**~**-pigeon**, ταχυδρομική περιστερά.

ho·m(o)eo·pathy /'həʊmɪ'opəθɪ/ *οὐσ.* ‹U› ὁμοιοπάθεια. **ho·m(o)eo·path** /'həʊmɪəpæθ/ *οὐσ.* ‹C› ὁμοιοπαθητικός (γιατρός).

ho·mo·gene·ous /'həʊmə'dʒiniəs/ *ἐπ.* ὁμοιογενής. **ho·mo·gene·ity** /'həʊmədʒɪ'niətɪ/ *οὐσ.* ‹U› ὁμοιογένεια.

homo·nym /'homənɪm/ *οὐσ.* ‹C› ὁμώνυμον, ὁμόηχος λέξις.

homo·phone /'homəfəʊn/ *οὐσ.* ‹C› ὁμόφωνον.

homo·sexual /'həʊmə'sekʃʊəl/ *ἐπ.* & *οὐσ.* ‹C› ὁμοφυλόφιλος. ~**·ity** /'həʊmə'sekʃʊ'ælətɪ/ *οὐσ.* ‹U› ὁμοφυλοφιλία.

hone /həʊn/ *οὐσ.* ‹C› ἀκονόπετρα. __*ρ.μ.* ἀκονίζω.

hon·est /'onɪst/ *ἐπ.* ἔντιμος, τίμιος, εἰλικρινής: *an* ~ *man/face*, ἔντιμος ἄνθρωπος/ ντόμπρα φυσιογνωμία. *be* ~ *in business*, εἶμαι τίμιος στίς συναλλαγές μου. *my* ~ *opinion*, ἡ εἰλικρινής μου γνώμη. ***to be quite*** ~ ***about it***, γιά νά εἶμαι ἀπολύτως εἰλικρινής σ' αὐτό. ***earn an*** ~ ***penny***, κερδίζω τίμια λεφτά. ***make an*** ~ ***woman of a girl***, (*πεπαλ.*) ἀποκαθιστῶ τήν τιμή της (μέ γάμο). ~**·ly** *ἐπίρ.* ἐντίμως, εἰλικρινῶς. **hon-esty** *οὐσ.* ‹U› τιμιότης, ἐντιμότης, εἰλικρίνεια.

honey /'hʌnɪ/ *οὐσ.* **1**. ‹U› μέλι, (*μεταφ.*) γλύκα. **'**~**·bee**, μέλισσα. ~**·comb** *οὐσ.* ‹C,U› κερήθρα. *ἐπ.* κυψελοειδής. **'**~**·dew**, *(α)* μελίτωμα. *(β)* γλυκόπιοτος καπνός. **'**~**-suckle**, ἁγιόκλημα. **2**. ‹C› (*καθομ., προσαγορευτ.*) ἀγάπη μου, γλυκό μου. ~**ed** *ἐπ.* μελιστάλακτος: ~*ed words*.

honey·moon /'hʌnɪmun/ *οὐσ.* ‹C› μήνας τοῦ μέλιτος. __*ρ.ἀ.* περνῶ τό μῆνα τοῦ μέλιτος.

honk /hoŋk/ *οὐσ.* ‹C› κρώξιμο ἀγριόχηνας, κορνάρισμα (μέ τίς παληές κόρνες). __*ρ.ἀ.* κρώζω, κορνάρω.

hon·or·ar·ium /'onə'reərɪəm/ *οὐσ.* ‹C› (*πληθ.* ~*s*) προαιρετική ἀμοιβή (καθηγητοῦ, γιατροῦ, κλπ).

hon·or·ary /'onərɪ/ *ἐπ.* **1**. (*γιά θέση*) τιμητικός, ἄμισθος. **2**. τιμητικός (βαθμός, δίπλωμα), ἐπίτιμος: *an* ~ *president/member*, ἐπίτιμος πρόεδρος/-ον μέλος.

hon·or·if·ic /ˈonəˋrɪfɪk/ *ἐπ.* τιμητικός. —*οὐσ.* ‹C› ἔκφρασις εὐγενείας, τσιριμόνια: *the ~s used in oriental languages,* οἱ ἐκφράσεις εὐγενείας πού χρησιμοποιοῦνται στίς γλῶσσες τῆς Ἀνατολῆς.

[1]**hon·our** /ˋonə(r)/ *οὐσ.* **1.** ‹U› τιμή, ὑπόληψις, σεβασμός: *a man without ~,* ἄνθρωπος χωρίς τιμή. *show ~ to one's parents,* δείχνω σεβασμό στούς γονεῖς μου. *I have the ~ to inform you...,* (*λόγ.*) λαμβάνω τήν τιμήν νά σᾶς πληροφορήσω... *May I have the ~ of your company at dinner? Will you do me the ~ of dining with me?* θά μοῦ κάνετε τήν τιμήν νά δειπνήσετε μαζί μου; ***an affair/a debt of ~***, ὑπόθεσις/χρέος τιμῆς. ***be/feel in ~ bound (to do sth)***, τό θεωρῶ χρέος τιμῆς/ἔχω δώσει τό λόγο μου (νά κάνω κτ). ***do sb ~; do ~ to sb***, τιμῶ κπ, ἀποτίω φόρον τιμῆς σέ κπ. ***give one's word of ~***, δίνω τό λόγο τῆς τιμῆς μου. ***make it a point of ~ to...***, τό κάνω ζήτημα τιμῆς νά... ***put sb on his ~***, ἀναγκάζω κπ νά μοῦ δώση τό λόγο του (γιά νά τόν ἐμπιστευθῶ). ***in ~ of***, πρός τιμήν. ***on one's (word of) ~***, στήν τιμή μου (στό λόγο τῆς τιμῆς μου). **2.** (*πληθ.*) τιμές, τιμητικές διακρίσεις: *Birthday/New Year H~s,* τιμητικές διακρίσεις ἀπονεμόμενες στά γενέθλια τῆς Βασίλισσας/τήν Πρωτοχρονιά. ***with all (due) ~s***, μέ ὅλες τίς (ὀφειλόμενες) τιμές. ***with full military ~s***, μέ ὅλες τίς στρατιωτικές τιμές. ***do the ~s***, (*καθομ.*) ἐνεργῶ ὡς οἰκοδεσπότης. **3.** ‹C› ἐντιμότατος (τίτλος προσφωνήσεως δικαστοῦ): *Your H~,* Κύριε Πρόεδρε, Κύριε δικαστά. **4.** (*πληθ.*) (*σέ Πανεπιστήμιο*) εἰδίκευσις, ἄριστα: *take an ~s degree,* παίρνω δίπλωμα μέ εἰδίκευσιν. *pass with ~s,* περνῶ μέ ἄριστα. **5. *be an ~ to***, εἶμαι τιμή γιά: *He's an ~ to his school/family,* εἶναι τιμή γιά τό σχολεῖο του/τήν οἰκογένειά του. **6.** ‹C› (*στό μπρίτζ*) ὀνέρ, φιγούρα τῶν ἀτοῦ.

[2]**hon·our** /ˋonə(r)/ *ρ.μ.* **1.** τιμῶ: *H~ your parents,* τίμα τούς γονεῖς σου. *~ sb with a visit/one's confidence,* τιμῶ κπ μέ μιά ἐπίσκεψη/μέ τήν ἐμπιστοσύνη μου. **2.** τιμῶ, πληρώνω: *~ one's signature,* τιμῶ τήν ὑπογραφή μου. *~ a cheque/bill,* πληρώνω μιά ἐπιταγή/μιά συναλλαγματική.

hon·our·able /ˋonrbl/ *ἐπ.* **1.** ἔντιμος, τιμητικός: *~ conduct/an ~ man,* ἔντιμος συμπεριφορά/ἄνθρωπος. *conclude an ~ peace,* συνάπτω ἔντιμον εἰρήνην. *~ discharge,* τιμητική ἀποστρατεία. **2.** (*σύντομ. Hon.*) ἐντιμώτατος (*τίτλος προσφωνήσεως εὐγενοῦς ἤ βουλευτοῦ*): *The Right H~ member for Leicester,* ὁ ἐντιμώτατος (ὁ ἀξιότιμος) βουλευτής τοῦ Λέστερ. **hon·our·ably** /-əblɪ/ *ἐπίρ.* ἐντίμως, τιμητικῶς.

hooch /hutʃ/ *οὐσ.* ‹U› (*ΗΠΑ, λαϊκ.*) ποτό (*ἰδ.* οὐΐσκυ) κακῆς ποιότητος.

hood /hʊd/ *οὐσ.* ‹C› **1.** κουκούλα (καλογήρου), σκοῦφος (πανεπιστ. καθηγητῆ). **2.** (*ΗΠΑ*) καπό αὐτοκινήτου (*πρβλ. ΜΒ: bonnet*). **~ed** *ἐπ.* μέ κουκούλα, κουκουλοφόρος.

hood·lum /ˋhudləm/ *οὐσ.* ‹C› (*λαϊκ.*) γκάγκστερ, ἀλήτης, κακοποιός (*ἰδ.* νέος).

hoo·doo /ˋhudu/ *οὐσ.* ‹C› γρουσούζης (ἄνθρ. ἤ πρᾶγμα). —*ρ.μ.* φέρνω γρουσουζιά.

hood·wink /ˋhʊdwɪŋk/ *ρ.μ.* ξεγελῶ: *I was completely ~ed,* πιάστηκα κορόϊδο.

hoof /huf/ *οὐσ.* ‹C› (*πληθ. hooves* /huvz/) ὁπλή (ζώου): *buy the cattle on the ~,* ἀγοράζω τά ζῶα ζωντανά (ὄχι σφαγμένα).

hook /hʊk/ *οὐσ.* ‹C› **1.** ἄγκιστρο, γάντζος, ἀγκιστροειδές ἀντικείμενο: *a ˋmeat-~,* τσιγκέλι. *a ˋfish-~,* ἀγκίστρι. *a ˋclothes-~,* κρεμάστρα. *a ˋreaping-~,* δρεπάνι. *a ˋbill-~,* κλαδευτήρι. ***by ~ or by crook***, μέ ὁποιοδήποτε μέσο. ***be on the ~***, (*καθομ.*) εἶμαι στριμωγμένος/σέ δύσκολη θέση. ***be/get off the ~***, βγαίνω ἀπό δύσκολη θέση, ξελασπώνω. **~s and eyes**, κόπιτσες. **ˈ~-ˋnosed** *ἐπ.* γερακομύτης, μέ γαμψή μύτη. **ˋ~-up** *οὐσ.* ‹C› δίκτυον ραδιοφωνικῶν σταθμῶν. **ˋ~-worm**, ἀγκυλόσωμον, νηματοσκώληξ. **2.** (*σέ γκόλφ, κρίκετ*) εἶδος χτυπήματος, (*στό μπόξ*) κροσέ. —*ρ.μ./ὰ.* **1.** πιάνω μέ ἀγκίστρι, κρεμῶ, κουμπώνω (μέ κόπιτσες): *~ a fish,* πιάνω ψάρι. *~ a husband,* (*μεταφ.*) ψαρεύω σύζυγο. *My dress ~s at the back,* τό φόρεμά μου κουμπώνει πίσω. **2.** δίνω σέ κτ σχῆμα ἀγκιστριοῦ: *~ one's finger.* **3.** (*λαϊκ.*) ***~ it***, στρίβω, τήν κοπανάω. **~ed** *ἐπ.* *(α)* γαμψός. *(β)* (*λαϊκ.*) ***be ~ed on***, ἔχω πάθος/μανία μέ: *He's ~ed on football pools,* ἔχει μανία μέ τό Προ-πό. *He is/got ~ed on heroin,* ἡ ἡρωΐνη τοῦ ἔχει γίνει πάθος.

hookah /ˋhʊkə/ *οὐσ.* ‹C› ναργιλές.

hooky /ˋhʊkɪ/ *ἐπ.* (*ΗΠΑ, λαϊκ.*) ***play ~***, τήν κάνω κοπάνα, κάνω σκασιαρχεῖο.

hoo·li·gan /ˋhulɪgən/ *οὐσ.* ‹C› ἀλήτης, ταραξίας. **~·ism** /-ɪzm/ *οὐσ.* ‹U› ἀλητεία.

hoop /hup/ *οὐσ.* ‹C› στεφάνη (βαρελιοῦ, φορέματος, τσίρκου, παιχνιδιοῦ). *a ˈ~-ˋskirt/-ˋpetticoat,* κρινολῖνο/φουρό. ***put sb/go through the ~(s)***, (*μεταφ.*) κάνω σέ κπ/περνῶ μαρτύρια, μεγάλη δοκιμασία. —*ρ.μ.* βάζω στεφάνι σέ κτ.

hoop-la /ˋhup la/ *οὐσ.* ‹U› παιχνίδι μέ κρίκους (πχ σέ σκοπευτήριο).

hoo·ray /huˋreɪ/ *ἐπιφ. βλ. hurrah.*

hoot /hut/ *οὐσ.* ‹C› **1.** σκούξιμο (κουκουβάγιας). **2.** κορνάρισμα (αὐτοκ.). **3.** οὔρλιασμα (σειρήνας). **4.** γιουχάϊσμα. ***not care a ~/two ~s***, (*λαϊκ.*) δέν δίνω φράγκο, δέν μοῦ καίγεται καρφί. —*ρ.μ./ὰ.* **1.** σκούζω, κρώζω. **2.** κορνάρω. **3.** οὐρλιάζω. **4.** γιουχαΐζω: *~ an actor/a speaker,* γιουχαΐζω ἕναν ἠθοποιό/ἕναν ὁμιλητή. *~ sb down/off/away,* ἀναγκάζω κπ μέ γιουχαΐσματα νά κατέβη/νά φύγη. **~er** *οὐσ.* ‹C› **1.** κλάξον, κόρνα. **2.** σειρήνα (ἐργοστασίου).

hooves /huvz/ *οὐσ. πληθ. βλ. hoof.*

[1]**hop** /hop/ *οὐσ.* ‹C› (*φυτ.*) λυκίσκος, (*πληθ.*) λυκίσκος (οἱ σπόροι πού χρησιμοποιοῦνται στήν κατασκευή μπύρας). **ˋ~-garden/-field**, περιβόλι μέ λυκίσκο. **ˋ~-picker**, συλλέκτης λυκίσκου. —*ρ.μ. (-pp-)* συλλέγω λυκίσκο.

[2]**hop** /hop/ *ρ.μ./ὰ. (-pp-)* **1.** πηδῶ στό ἕνα πόδι, (*γιά πουλιά*) χοροπηδῶ: *He was ~ping along because he had hurt his left foot,* πήγαινε πηδώντας στό ἕνα πόδι γιατί εἶχε χτυπήσει τό ἀριστερό του πόδι. *The sparrows were ~ping about in the garden,* τά σπουργίτια

χοροπηδοῦσαν στόν κῆπο. **2**. πετάγομαι: *~ over to Paris*, πετάγομαι ὥς τό Παρίσι. *~ **it***, (*λαϊκ.*) στρίβω, παίρνω δρόμο. ***be ~ping mad***, (*καθομ.*) εἶμαι μπουρλότο/ἔξω φρενῶν. —*οὐσ.* ‹C› **1**. πήδημα. ***catch sb on the ~***, πιάνω κπ στόν ὕπνο. ***keep sb/be on the ~***, κρατῶ κπ/εἶμαι συνεχῶς στό πόδι, ἐν κινήσει. **2**. ἅλμα. ~, ***skip (ἤ step) and jump***, ἅλμα τριπλοῦν. **3**. (*καθομ.*) (πρόχειρο) πάρτυ (μέ χορό καί μουσική): *give a ~*, σκαρώνω ἕνα πάρτυ. **4**. (*καθομ.*) σταθμός, τμῆμα (μακρυνοῦ ἀερ. ταξιδιοῦ): *fly from Athens to Tokyo in three ~s*, πηγαίνω ἀεροπορικῶς ἀπό τήν Ἀθήνα στό Τόκιο μέ δύο ἐνδιαμέσους σταθμούς.

[1]**hope** /həʊp/ *οὐσ.* ‹C,U› **1**. ἐλπίδα: *There's not much ~ of his being alive/that he's still alive*, δέν ὑπάρχουν πολλές ἐλπίδες ὅτι εἶναι ἀκόμη ζωντανός. ***live in ~ (of sth)***, ζῶ μέ τήν ἐλπίδα: *We live in ~ of better times*, ζοῦμε μέ τήν ἐλπίδα καλυτέρων ἡμερῶν. ***raise sb's ~s***, δίνω ἐλπίδες σέ κάποιον, ἀναπτερώνω τό ἠθικό κάποιου: *Don't raise his ~s too much*, μήν τοῦ δίνης καί πολλές ἐλπίδες. *Her success in the preliminary exam raised her ~s*, ἡ ἐπιτυχία της στίς προκριματικές ἐξετάσεις τῆς ἀναπτέρωσε τό ἠθικό. ***set all one's ~s on sb/sth***, στηρίζω ὅλες μου τίς ἐλπίδες σέ κπ/κτ. ***(be) past/beyond ~***, (δέν ἔχω) καμιά ἐλπίδα: *He's past ~*, δέν ἔχει καμιά ἐλπίδα (νά σωθῆ, νά πετύχη, κλπ). ***in the ~ of doing sth***, μέ τήν ἐλπίδα (ὅτι μπορεῖ, ὅτι μποροῦσε) νά: *I'll go in the ~ of finding him at home*, θά πάω μέ τήν ἐλπίδα νά τόν βρῶ σπίτι. **2**. (πρόσωπο ἤ πρᾶγμα πού δίνει) ἐλπίδα: *You are my last ~*, εἶσαι ἡ τελευταία μου ἐλπίδα. **'~ chest**, (*ΗΠΑ*) μπαοῦλο μέ προικιά. (*πρβλ. ΜΒ: bottom drawer*).

[2]**hope** /həʊp/ *ρ.μ/ἀ.* ἐλπίζω: *I ~ to go/~ he will come*, ἐλπίζω νά πάω/νά ἔλθη. *'Will it rain tomorrow?' 'I ~ so/I ~ not.'* -Θά βρέξη αὔριο; -Τό ἐλπίζω/Ἐλπίζω πώς ὄχι. ***~ for***, ἐλπίζω, περιμένω, προσδοκῶ: *This is not the result I had ~d for*, δέν εἶναι αὐτό τό ἀποτέλεσμα πού περίμενα. *Let's ~ for the best*, ἄς ἐλπίζουμε στό καλύτερο, ἄς μήν ἀπελπιζόμαστε. ***~ against ~***, ἐλπίζω παρά πᾶσαν ἐλπίδα, δέν χάνω τήν ἐλπίδα μου.

hope·ful /ˈhəʊpfl/ *ἐπ.* **1**. αἰσιόδοξος, γεμᾶτος ἐλπίδες: *be/feel ~ about the future*, εἶμαι/αἰσθάνομαι αἰσιόδοξος γιά τό μέλλον. *I'm ~ of success/that I'll succeed*, εἶμαι αἰσιόδοξος ὅτι θά πετύχω. **2**. ἐλπιδοφόρος, πού παρέχει ἐλπίδες: *The future seems very ~*, τό μέλλον φαίνεται πολύ ἐλπιδοφόρο. *a ~ pupil*, μαθητής πού παρέχει πολλές ἐλπίδες. **3**. (*καθομ., ὡς οὐσ.*) *a young ~*, ἕνας φέρελπις νέος. **~ly** /-fəlɪ/ *ἐπίρ.* αἰσιόδοξα, καλά. **~·ness** *οὐσ.* ‹U› αἰσιοδοξία, ἐλπίδα, καλοί οἰωνοί.

hope·less /ˈhəʊpləs/ *ἐπ.* **1**. ἀπελπισμένος, ἀπαρηγόρητος: *~ grief*, ἀπαρηγόρητος πόνος. **2**. ἀπελπιστικός, πού δέν ἀφήνει ἐλπίδα: *The state of things is ~*, ἡ κατάστασις εἶναι ἀπελπιστική. **3**. ἀδιόρθωτος, ἀθεράπευτος: *You're ~!* εἶσαι ἀδιόρθωτος! *He's a ~ drunkard/idiot*, εἶναι ἀδιόρθωτος μπεκρῆς/ἀθεράπευτα ἠλίθιος. **~·ly** *ἐπίρ.* ἀπελπισμένα, ἀπελπιστικά, ἀθεράπευτα. **~·ness** *οὐσ.* ‹U› ἀπελπισία, ἀπελπιστικότης.

hop·per /ˈhɒpə(r)/ *οὐσ.* ‹C› **1**. συλλέκτης λυκίσκου. **2**. ἔντομο πού πηδᾶ (*πχ* ψύλλος, ἀκρίδα). **3**. χοάνη.

hop·scotch /ˈhɒpskɒtʃ/ *οὐσ.* ‹U› κουτσό (παιδικό παιχνίδι).

horde /hɔːd/ *οὐσ.* ‹C› ὀρδή, στῖφος: *~s of barbarians/people/locusts*, ὀρδές βαρβάρων/στίφη ἀνθρώπων/ἀκρίδων.

hor·izon /həˈraɪzn/ *οὐσ.* ‹C› (*κυριολ. & μεταφ.*) ὁρίζοντας: *The sun sank below the ~*, ὁ ἥλιος ἔπεσε στόν ὁρίζοντα.

hori·zon·tal /ˌhɒrɪˈzɒntl/ *ἐπ.* ὁριζόντιος. **~ly** /-təlɪ/ *ἐπίρ.* ὁριζοντίως.

hor·mone /ˈhɔːməʊn/ *οὐσ.* ‹C› ὁρμόνη.

horn /hɔːn/ *οὐσ.* ‹C,U› **1**. κέρας, κέρατο: *the ~s of a bull*, τά κέρατα ταύρου. **2**. κοκκάλινος (ἀπό κερατίνη οὐσία): *a ~ spoon/handle*, κοκκαλένιο κουτάλι/κοκκάλινη λαβή. *ˈ~-rimmed spectacles*, γυαλιά μέ κοκκάλινο σκελετό. **3**. πρᾶγμα ἤ δοχεῖο πού μοιάζει μέ κέρας: *a ˈshoe-~*, κόκκαλο γιά τό φόρεμα τῶν παπουτσιῶν. *a ˈpowder-~*, (*στόν Μεσαίωνα*) κέρας γιά μπαρούτι. *the ~ of plenty*, τό κέρας τῆς Ἀμαλθείας. *a ˈdrinking-~*, κύπελλο σάν κέρας. **4**. κλάξον, κόρνα: *blow/sound the ~*, βαρῶ κλάξον, κορνάρω. **5**. (*μουσ.*) κέρας (πνευστόν ὄργανον): *a ˈhunting ~*, κυνηγετικόν κέρας. *a French/an English ~*, Γαλλικόν/Ἀγγλικόν κέρας. **6**. κεραία (ἐντόμου). ***draw in one's ~s***, ὑποχωρῶ, μπαίνω στό καβούκι μου, βάζω νερό στό κρασί μου. **7**. οἱ ἄκρες τοῦ μισοφέγγαρου. ***on the ~s of a dilemma***, πρό διλήμματος. **~ed** *ἐπ.* κερασφόρος. **~·less** *ἐπ.* χωρίς κέρατα. **~y** *ἐπ.* (*-ier, -iest*) κεράτινος, (γιά χέρια) ροζιασμένος.

hor·net /ˈhɔːnɪt/ *οὐσ.* ‹C› μεγάλη σφήκα. ***bring a ~s' nest about one's ears***, (*μεταφ.*) ρίχνω ἐπάνω μου (μέ κάτι πού λέω ἤ κάνω) ὁλόκληρη σφηκοφωλιά. ***stir up a ~s' nest***, ξεσηκώνω ὁλόκληρη σφηκοφωλιά (ἐρεθίζω ἐπικίνδυνα τούς ἐχθρούς μου).

horn·pipe /ˈhɔːnpaɪp/ *οὐσ.* ‹C› ζωηρός χορός (γιά ἕνα χορευτή, *συνήθ.* ναύτη), μουσική αὐτοῦ τοῦ χοροῦ.

hor·oscope /ˈhɒrəskəʊp/ *οὐσ.* ‹C› ὡροσκόπιον.

hor·rible /ˈhɒrəbl/ *ἐπ.* **1**. φριχτός: *a ~ crime*. **2**. (*μεταφ.*) ἀπαίσιος: *~ weather*. **hor·ribly** /-əblɪ/ *ἐπίρ.* φοβερά.

hor·rid /ˈhɒrɪd/ *ἐπ.* **1**. φριχτός, ἀπαίσιος: *say ~ things about sb.* **2**. φοβερός, δυσάρεστος, ἀντιπαθητικός: *What a ~ woman!* τί ἀντιπαθητική γυναίκα! **~·ly** *ἐπίρ.* φοβερά.

hor·rific /həˈrɪfɪk/ *ἐπ.* (*καθομ.*) φρικιαστικός, μακάβριος.

hor·rify /ˈhɒrəfaɪ/ *ρ.μ.* προκαλῶ φρίκη, τρομάζω: *a ~ing sight*, τρομαχτικό θέαμα. *I was horrified at the idea of...*, μέ γέμιζε φρίκη ἡ ἰδέα νά...

hor·ror /ˈhɒrə(r)/ *οὐσ.* ‹C,U› φρίκη, τρόμος: *the ~s of war*, ἡ φρίκη τοῦ πολέμου. *recoil in ~*, ὀπισθοχωρῶ ἔντρομος. *I have a ~ of snakes*, τά φίδια μοῦ προκαλοῦν φρίκη. *To my ~, I saw him...*, μέ φρίκη μου, τόν εἶδα νά... **ˈchamber of ˈ~s**, αἴθουσα φρίκης (σέ μουσεῖο). `~ **fiction/films**, μυθιστορήματα/ἔργα φρίκης, γκράν-γκινιόλ. `~-**struck/-stricken** ἐπ. κατατρομαγμένος.

horse /hɔs/ οὐσ. ‹C› **1**. ἄλογο: *mount/get on a* ~, καβαλλῶ ἄλογο. ***on `~back***, ἔφιππος, καβάλλα. ***back the wrong ~***, ποντάρω σκάρτο ἄλογο. ***be/get on one's high ~***, παίρνω ὕφος, εἶμαι/γίνομαι μυγιάγγιαχτος. ***eat/work like a ~***, τρώω πολύ/δουλεύω σά σκυλί. ***look a gift ~ in the mouth***, κάποιου χαρίζαν γάϊδαρο κι' αὐτός τόν κοίταζε στά δόντια. ***(straight) from the ~'s mouth***, ἀπό πρῶτο χέρι, κατ' εὐθεῖαν ἀπό τήν πηγή (γιά πληροφορίες, νέα, κλπ). (*βλ.* & *λ.* [2]*dark*, *flog*). **2**. (*συλλογ.*) ἱππικόν: *light* ~, ἐλαφρό ἱππικό. **3**. ξύλινο ἄλογο (σέ λούναπάρκ, γυμναστήριο, κλπ), πλαίσιο: *a `clothes-* ~, καλόγερος γιά τό στέγνωμα τῶν ρούχων. **4**. (*σέ σύνθ. λέξεις*): `~**box**, ὄχημα γιά τήν μεταφορά ἀλόγων. '~-`**chestnut**, ἀγριοκάστανο. `~-**dealer**, ἔμπορος ἀλόγων. `~-**flesh 1**. ‹U› ἀλογήσιο κρέας. **2**. (*συλλογ.*) τά ἄλογα. `~·**fly**, ἀλογόμυιγα. `~·**hair**, ἀλογότριχα. `~-**laugh**, χοντρό, θορυβῶδες γέλιο. `~·**man**, ἱππεύς. `~·**man·ship**, ἱππασία (ἡ τέχνη). `~·**meat**, ἀλογήσιο κρέας. `~-**play**, χοντρές χειρονομίες, χοντρά ἀστεῖα. `~-**pond**, ποτίστρα γιά ἄλογα. `~·**power**, (*συντομ.* **h p**) ἱπποδύναμις. `~·**race**, ἱπποδρομία. `~-**sense**, ἁπλῆ, τετράγωνη λογική. `~·**shoe** οὐσ. ‹C› πέταλο. ἐπιθ. πεταλοειδής. `~-**tail**, ἀλογοουρά. `~·**whip** οὐσ. ‹C› μαστίγιο, καμτσίκι. *ρ.μ.* *(-pp-)* μαστιγώνω. `~·**woman**, ἱππεύτρια.

horsy /`hɔsɪ/ ἐπ. *(-ier, -iest)* φίλιππος.

hor·ta·tive /`hɔtətɪv/ ἐπ. παραινετικός.

hor·ti·cul·ture /`hɔtɪkʌltʃə(r)/ οὐσ. ‹U› κηπουρική, φυτοκομεία. **hor·ti·cul·tural** /'hɔtɪ`kʌltʃərl/ ἐπ. κηπουρικός, φυτοκομικός. **hor·ti·cul·tur·ist** /'hɔtɪ`kʌltʃərɪst/ οὐσ. ‹C› φυτοκόμος.

ho·sanna /həʊ`zænə/ οὐσ. ‹C› (*πληθ.* ~*s*) ὡσαννά.

[1]**hose** /həʊz/ οὐσ. ‹C,U› λάστιχο (ποτίσματος), μάνικα. __*ρ.μ.* ποτίζω, καταβρέχω, πλένω (μέ λάστιχο): ~ *down a garden/car*, ποτίζω κῆπο/πλένω αὐτοκίνητο (μέ λάστιχο).

[2]**hose** /həʊz/ οὐσ. ‹U› **1**. (*ἐμπ.*) κάλτσες: *six pair of* ~, ἔξη ζευγάρια κάλτσες. **2**. (*παλαιότ.*) ἐφαρμοστό παντελόνι, κοντοβράκι.

ho·sier /`həʊzɪə(r)/ οὐσ. ‹C› ἔμπορος καλτσῶν καί πλεκτῶν εἰδῶν. **ho·siery** /`həʊzɪərɪ/ οὐσ. ‹U› πλεκτά εἴδη καί κάλτσες.

hos·pice /`hospɪs/ οὐσ. ‹C› ξενών, ἄσυλον.

hos·pit·able /hə`spɪtəbl/ ἐπ. φιλόξενος. **hos·pit·ably** /-əblɪ/ ἐπίρ. φιλόξενα.

hos·pi·tal /`hospɪtl/ οὐσ. ‹C› νοσοκομεῖο: *I'll go to the ~ to see my brother*, θά πάω στό νοσοκομεῖο νά δῶ τόν ἀδελφό μου. *go to/be in* ~, πάω/εἶμαι στό νοσοκομεῖο (σάν ἄρρωστος). ~·**ize** /-aɪz/ *ρ.μ.* εἰσάγω σέ νοσοκομεῖο. ~·**iz·ation** /'hospɪtəlaɪ`zeɪʃn/ οὐσ. ‹U› νοσοκομειακή περίθαλψις.

hos·pi·tal·ity /'hospɪ`tælətɪ/ οὐσ. ‹U› φιλοξενία.

[1]**host** /həʊst/ οὐσ. ‹C› πλῆθος, στρατιά: *have ~s of friends/enemies*, ἔχω στρατιές φίλων/ἐχθρῶν. *a ~ of difficulties*, πλῆθος δυσκολιῶν. *the heavenly ~s*, οἱ ἐπουράνιες στρατιές (τῶν ἀγγέλων).

[2]**host** /həʊst/ οὐσ. ‹C› **1**. οἰκοδεσπότης: *act as ~ at a party*, κάνω χρέη οἰκοδεσπότη σ' ἕνα πάρτυ. **2**. ξενοδόχος, πανδοχεύς. ***reckon without one's ~***, λογαριάζω χωρίς τόν ξενοδόχο.

Host /həʊst/ οὐσ. ***the ~***, (*ἐκκλ.*) ὄστια, ἄρτος τῆς μεταλήψεως.

hos·tage /`hostɪdʒ/ οὐσ. ‹C› ὅμηρος: *take sb* ~, παίρνω κπ ὅμηρο. *keep sb as a* ~, κρατῶ κπ ὡς ὅμηρο. ***give ~s to fortune***, ἐκτίθεμαι σέ μελλοντικούς κινδύνους.

hos·tel /`hostl/ οὐσ. ‹C› **1**. ξενώνας: *youth ~s*, ξενῶνες νεότητος. **2**. (*παλαιότ.* καί ~**ry**) πανδοχεῖον. ~·**ler** /`hostələ(r)/ οὐσ. ‹C› τουρίστας (*ἰδ.* νέος) πού ταξιδεύει ἀπό ξενῶνα σέ ξενῶνα.

hos·tess /`həʊstɪs/ οὐσ. ‹C› **1**. οἰκοδέσποινα. **2**. (*παλαιότ.*) ἡ ξενοδόχος. **3**. (`**air**-~) ἀεροσυνοδός.

hos·tile /`hostaɪl/ ἐπ. ἐχθρικός: *a ~ army/crowd*, ἐχθρικός στρατός/-ό πλῆθος. *be ~ to reform/new ideas*, εἶμαι ἐχθρός τῶν μεταρρυθμίσεων/τῶν νέων ἰδεῶν. ~·**ly** /-llɪ/ ἐπίρ.

hos·til·ity /ho`stɪlətɪ/ οὐσ. **1**. ‹U› ἐχθρότης: *feelings of* ~, αἰσθήματα ἐχθρότητος. *feel ~ towards sb*, αἰσθάνομαι ἐχθρότητα πρός κπ. *show no ~ to anyone*, δέν δείχνω ἐχθρότητα σέ κανένα. **2**. ‹C› ἐχθροπραξία: *open/suspend hostilities*, ἀρχίζω/ἀναστέλλω τίς ἐχθροπραξίες. *at the outbreak of hostilities*, κατά τήν ἔναρξη τῶν ἐχθροπραξιῶν.

hot /hot/ ἐπ. *(-ter, -test)* **1**. ζεστός, θερμός: *It's* ~, κάνει ζέστη. *be/feel* ~, ζεσταίνομαι. ~ *weather*, ζεστός καιρός. *boiling* ~, ζεματιστός. *burning* ~, καυτός. *steaming* ~, ἀχνιστός. ~ *sun*, φλογερός ἥλιος. ~ *tears*, καυτά δάκρυα. ***be/get ~ under the collar***, φουντώνω, ἀνάβω (ἀπό θυμό, ἀγανάκτηση, κλπ). ***get into/be in ~ water***, μπλέκω ἄσχημα/ἔχω ἄσχημα μπλεξίματα. ***make a place/make it too ~ for sb***, (*μεταφ.*) κάνω κπ νά μήν τόν χωράη ὁ τόπος. **2**. καυτός, καυτερός: *Pepper and mustard are* ~, τό πιπέρι καί ἡ μουστάρδα καῖνε πολύ. *I like Greek food when it isn't too* ~, μ' ἀρέσουν τά Ἑλληνικά φαγητά ὅταν δέν καῖνε πολύ (δέν ἔχουν πολλά πιπέρια). **3**. φλογερός, ζωηρός, βίαιος, ὁρμητικός: *get ~ over an argument*, ἀνάβω σέ μιά συζήτηση. *have a ~ temper*, εἶμαι εὐέξαπτος, ἁρπάζομαι εὔκολα. *the ~test part of the election campaign*, τό ἀποκορύφωμα τῆς προεκλογικῆς ἐκστρατείας. ~ ***pursuit***, ὁρμητική καταδίωξις. ***be ~ on the trail of sb/~ on sb's tracks***, καταδιώκω κπ κατά πόδας. ***go ~ all over***, μοῦρχεται ἔξαψις. **4**. ἐπίρ. ***blow ~ and cold***, (*μεταφ.*) εἶμαι τή μιά ἔτσι καί τήν ἄλλη ἀλλοιῶς, ἀλλάζω συνεχῶς διάθεση/στάση. ***give it sb ~***, τιμωρῶ, ψέλνω τόν ἀναβαλλόμενο σέ κπ. ***get it ~***, ἀκούω τόν ἐξάψαλμο. **5**. (*σέ φράσεις καί σύνθετες λέξεις*): '~ `**air**, ἀέρας κοπανιστός, ἀνοησίες. `~-**bed**, (*μεταφ.*) θερμοκήπιο, ἑστία: *a ~bed of vice/crime/intrigue*, ἑστία διαφθορᾶς/ἐγκλήματος/μηχανορραφιῶν. '~-`**blooded** ἐπ. θερμόαιμος. '~ **cross** `**bun**, τσουρέκι τῆς

Μεγ. Παρασκευῆς. `~ **dog**, σάντουϊτς μέ ζεστό λουκάνικο. `~**·foot** *ἐπίρ.* βιαστικά, καταπόδι. __*ρ.ἀ.* τρέχω γρήγορα: *~foot it down to the library*, τρέξε στή βιβλιοθήκη! `~-**head**, θερμοκέφαλος, ἔξαλλος ἄνθρωπος. `~-**house**, θερμοκήπιον. `~ **line**, κατευθεῖαν τηλεφωνική γραμμή μεταξύ ἀρχηγῶν κρατῶν (*πχ* Μόσχας-Οὐάσιγκτον). `~ **money**, κεφάλαια μετακινούμενα ἀπό χώρα σέ χώρα γιά κερδοσκοπία. '~ `**music**, βίαιη, παθιασμένη μουσική. '~ `**news**, τελευταῖες (*ἰδ.* ἐντυπωσιακές) εἰδήσεις. `~-**plate**, μάτι κουζίνας, ἠλεκτρικό μάτι. '~ **pot`ato**, (*μεταφ.*, *καθομ.*) δυσάρεστο ἤ δυσεπίλυτο πρόβλημα. `~ **scent**, φρέσκα ἴχνη. `~ **seat**, *(α)* (*μέ: the*) ἡ ἠλεκτρική καρέκλα. *(β)* ὑπεύθυνη θέσις. `~ **springs**, θερμοπηγές. '~ `**stuff**, (*λαϊκ.*) σπουδαῖο πρόσωπο ἤ πρᾶγμα: *He's ~ stuff at tennis*, εἶναι σπουδαῖος στό τέννις. *That film is really ~ stuff*, αὐτό τό φίλμ εἶναι πραγματικά περίφημο. '~-`**tempered** *ἐπ.* ἀψύς, ὀξύθυμος. '~-`**water-bottle**, θερμοφόρα. __*ρ.μ/ἀ.* *(-tt-)* (*καθομ.*) ~ ***(sth) up***, ζεσταίνω: *Things are ~ting up*, τά πράγματα ἄρχισαν νά ζεσταίνουν. ~**·ly** *ἐπίρ.* θερμά, βίαια, ἄγρια: *a ~ly contested match*, ἀγώνας πού τόν διεκδίκησαν ἄγρια.

hotch·potch /ˈhɒtʃpɒtʃ/ *οὐσ.* ‹C› ἀνακάτωμα, σαλάτα, συνονθύλευμα: *His essay was a ~ of other people's ideas*, ἡ ἔκθεσή του ἦταν ἕνα ἀνακάτωμα ἀπό κλεμμένες ἰδέες.

ho·tel /həʊˈtel/ *οὐσ.* ‹C› ξενοδοχεῖο: *stay at a(n) hotel*, μένω σέ ξενοδοχεῖο. ~**·ier** /-ˈtelɪeɪ/ *οὐσ.* ‹C› ξενοδόχος.

hound /haʊnd/ *οὐσ.* ‹C› **1**. κυνηγόσκυλο, λαγωνικό. ***follow the ~s***, ἀκολουθῶ τά λαγωνικά. ***ride to ~s***, κυνηγῶ μέ σκυλιά. **2**. βρωμόσκυλο, παλιάνθρωπος. __*ρ.μ.* κυνηγῶ, καταδιώκω, κατατρέχω: *be ~ed by one's creditors*, μέ κυνηγᾶνε οἱ πιστωτές μου.

hour /ˈaʊə(r)/ *οὐσ.* ‹C› ὥρα: *work/be paid by the ~*, δουλεύω/πληρώνομαι μέ τήν ὥρα. *go at sixty miles an ~*, τρέχω μέ 60 μίλια τήν ὥρα. *~ by ~*, ὥρα μέ τήν ὥρα. *walk for ~s (and ~s)*, περπατῶ ἐπί ὧρες. *a two ~s' walk*, δυό ὧρες πεζοπορία. *a 'forty-~`week*, ἑβδομάδα τῶν 40 ὡρῶν. *Our clock strikes the ~s and the half-~s*, τό ρολόϊ μας χτυπάει τίς ὧρες καί τίς μισές. *questions of the ~*, θέματα τοῦ παρόντος. *in the ~ of danger/temptation/crisis*, τήν ὥρα τοῦ κινδύνου/τοῦ πειρασμοῦ/τῆς κρίσεως. *in a good/evil ~*, σέ μιά καλή/κακή ὥρα. *`working/`office ~s*, ὧρες ἐργασίας/γραφείου. ***after ~s***, μετά τίς ὧρες τῆς κανονικῆς ἐργασίας. ***out of ~s***, πρίν ἤ μετά τίς ὧρες τῆς κανονικῆς ἐργασίας. ***work long ~s***, δουλεύω πολλές ὧρες. ***keep early/late ~s***, πάω γιά ὕπνο νωρίς/ἀργά. ***keep regular ~s***, ἔχω ταχτικές ὧρες. ***at the eleventh ~***, τήν ἑνδεκάτην ὥραν. ***the small ~s***, οἱ μικρές ὧρες (3 ἤ 4 π.μ.) `~**·glass**, κλεψύδρα. `~ **hand**, ὡροδείκτης.

houri /ˈhʊərɪ/ *οὐσ.* ‹C› οὐρί.

hour·ly /ˈaʊəlɪ/ *ἐπ.* **1**. ὡριαῖος: *~ pay*, ὡριαία ἀμοιβή. **2**. συνεχής: *in ~ dread of death*, σέ συνεχῆ φόβο τοῦ θανάτου. __*ἐπίρ.* **1**. ἀνά μία ὥρα: *take a medicine ~*, παίρνω ἕνα φάρμακο ἀνά ὥραν. **2**. ἀπό ὥρα σέ ὥρα: *We are expecting him ~*, τόν περιμένομε ἀπό ὥρα σέ ὥρα.

[1]**house** /haʊs/ *οὐσ.* ‹C› (*πληθ.* ~*s* /ˈhaʊzɪz/) **1**. σπίτι, κατοικία: *a country ~*, ἐξοχικό σπίτι. *a detached ~*, μονοκατοικία (ἐλεύθερη ἀπό ὅλες τίς πλευρές). *have a ~ of one's own*, ἔχω δικό μου σπίτι. ***get on like a`~ on fire***, γινόμαστε φίλοι στό πί καί φί. ***keep (to) the ~***, μένω στό σπίτι, δέν βγαίνω. ***under ~ arrest***, ὑπό περιορισμόν κατ' οἶκον. ***a ~ of ill fame***, (*πεπαλ.*) κακόφημο σπίτι. ***a ~ of cards***, πύργος ἀπό τραπουλόχαρτα. ***(That's) on the ~***, αὐτό τό κερνάει τό μαγαζί/ἡ ἐπιχείρηση. **2**. ‹U› νοικοκυριό: ***move ~***, ἀλλάζω σπίτι. ***keep ~***, κρατῶ νοικοκυριό. ***keep open ~***, κρατῶ ἀνοιχτό σπίτι, δέχομαι πολύ κόσμο. ***set/put one's ~ in order***, βάζω τάξη στό σπίτι μου. ***set up ~***, στήνω νοικοκυριό, ἀνοίγω δικό μου σπίτι. **3**. οἶκος, Βουλή: *an old trading `~*, παληός ἐμπορικός οἶκος. *the H~ of Stuart*, ὁ Οἶκος (ἡ οἰκογένεια) τῶν Στιούαρτ. *the H~ of God*, ὁ Οἶκος τοῦ Θεοῦ. **the H~**, (*MB, καθομ.*) ἡ Βουλή: *enter the H~*, γίνομαι βουλευτής. **the 'H~ of `Commons/`Lords**, ἡ Βουλή τῶν Κοινοτήτων/τῶν Λόρδων. **the 'H~ of 'Repre`sentatives**, (*ΗΠΑ*) ἡ Βουλή τῶν ἀντιπροσώπων. **4**. θέατρο, θεατές: *a full ~*, γεμᾶτο θέατρο. *the second ~*, ἡ δεύτερη παράστασις. ***bring down the ~; bring the `~ down***, κάνω νά σειστῆ τό θέατρο (ἀπό ἐπευφημίες), ἐπευφημοῦμαι δαιμονιωδῶς. **5**. (*σέ σύνθ. λέξεις*): `~ **agent**, κτηματομεσίτης. `~**·boat**, πλωτό σπίτι. `~**·bound** *ἐπ.* περιωρισμένος στό σπίτι (ἀπό ἀρρώστεια, κλπ). `~**·breaker**, διαρρήκτης. `~**·coat**, (γυναικεία) ρόμπα τοῦ σπιτιοῦ. `~**·craft** *οὐσ.* ‹U› νοικοκυριό, οἰκοκυρική. `~**·dog**, σκύλος πού φυλάει τό σπίτι. `~ **flag**, σημαία ἑταιρίας. `~**·hold**, σπιτικό, ὅλα τά πρόσωπα σ' ἕνα σπίτι, οἰκογένεια: *~hold duties/expenses*, δουλειές τοῦ σπιτιοῦ/ἔξοδα τοῦ νοικοκυριοῦ. *He's one of the ~hold*, εἶναι ἄνθρωπος τοῦ σπιτιοῦ. *a '~hold `word*, κοινότατη λέξις, καθημερινῆς χρήσεως, πού εἶναι στά χείλη ὅλου τοῦ κόσμου. `~-**holder**, νοικοκύρης, οἰκογενειάρχης. `~-**keeper**, οἰκονόμος. `~-**lights**, φῶτα στήν αἴθουσα θεάτρου. `~**·maid**, ὑπηρέτρια. `~-**man**, εἰδικευόμενος ἰατρός σέ νοσοκομεῖο (*πρβλ. ΗΠΑ: intern*). `~**·master**, καθηγητής πού διευθύνει τό οἰκοτροφεῖον ἰδιωτ. σχολείου. `~-**party**, ὁμάδα προσκεκλημένων σέ ἐξοχικό σπίτι. `~-**proud** *ἐπ.* πού ἀσχολεῖται πολύ μέ τήν ἐμφάνιση τοῦ σπιτιοῦ. `~ **physician**, ἐσωτερικός ἰατρός σέ νοσοκομεῖο. `~**·room**, χῶρος στό σπίτι: *I wouldn't give this desk ~room*, δέν θά τὄβαζα αὐτό τό γραφεῖο στό σπίτι μου, (*μεταφ.*) δέν τό θέλω οὔτε χάρισμα. `~ **sparrow**, σπουργίτι. `~ **surgeon**, ἐσωτερικός χειροῦργος σέ νοσοκομεῖο. `~**·top**, σκεπή, κεραμίδια: *cry/publish/proclaim sth from the ~tops*, διαλαλῶ κτ ἀπό τά κεραμίδια, κάνω κτ τούμπανο. `~**·trained** *ἐπ.* (*γιά ζῶο*) μαθημένο νά εἶναι καθαρό στό σπίτι. `~-**warming**, ἐγκαίνια σπιτιοῦ. `~-**wife**, *(α)*

οἰκοδέσποινα, νοικοκυρά. *(β)* /ˋhʌzɪf/ (*πεπαλ.*) θήκη εἰδῶν ραπτικῆς. ˋ~·**work** *οὐσ.* ‹U› δουλειές τοῦ νοικοκυριοῦ.

[2]**house** /haʊz/ *ρ.μ.* **1**. στεγάζω: *We can ~ three of you*, μποροῦμε νά στεγάσουμε τρεῖς ἀπό σᾶς. **2**. ἀποθηκεύω: *~ old books in the attic*, ἀποθηκεύω παληά βιβλία στή σοφίτα.

hous·ing /ˋhaʊzɪŋ/ *οὐσ.* ‹U› στέγασις, ἀποθήκευσις: *the ~ problem*, τό στεγαστικό πρόβλημα. ˋ~ **estate**, συγκρότημα κατοικιῶν, οἰκισμός.

hove /həʊv/ *ἀόρ.* & *π.μ. τοῦ ρ. heave.*

hovel /ˋhovl/ *οὐσ.* ‹C› καλύβα, ὑπόστεγο.

hover /ˋhovə(r)/ *ρ.ἀ.* **1**. ζυγιάζομαι (ἀκινητῶ) στόν ἀέρα, παραμένω μετέωρος: *The hawk was ~ing over its prey*, το γεράκι ζυγιαζόταν πάνω ἀπό τό θῦμα του. *a helicopter ~ing over a house*, ἑλικόπτερο πού αἰωρεῖται πάνω ἀπό ἕνα σπίτι. **2**. πλανιέμαι, τριγυρίζω: *A smile ~ed over her lips*, ἕνα χαμόγελο πλανιόταν πάνω στά χείλη της. *the danger ~ing over us*, ὁ κίνδυνος πού πλανιέται ἀπό πάνω μας, πού μᾶς ἀπειλεῖ. *~ about the house*, τριγυρίζω στό σπίτι. **3**. ταλαντεύομαι: *~ between life and death*, (*μεταφ.*) ταλαντεύομαι μεταξύ ζωῆς καί θανάτου.

how /haʊ/ *ἐπίρ.* πῶς, πόσον: *H~ did you go?* πῶς πῆγες; *He told me ~ to go*, μοῦ εἶπε πῶς νά πάω. *H~ much/many*, πόσο/πόσα. *H~ good you are!* πόσο καλός εἶσθε! ***H~ do you do?*** χαίρω πολύ. ***H~ is it/H~ come that...***, πῶς γίνεται, πῶς συμβαίνει νά: *H~ come (that) we don't see you more often?* πῶς συμβαίνει νά μή σέ βλέπωμε πιό συχνά; ***H~ so?*** πῶς ἔτσι; γιατί; ***H~'s that?*** τί λές γι' αὐτό; ***H~ about...?*** τί λές γιά; θάθελες νά...; *H~ about a walk?/H~ about going for a walk?* τί λές γιά ἕναν περίπατο;

how-d'ye-do /ˈhaʊ djə ˋdu/ *οὐσ.* ‹C› (*καθομ.*) μπλέξιμο: *Here's a pretty ~!* ὡραῖο μπλέξιμο! τί ἱστορία!

how·ever /haʊˋevə(r)/ *σύνδ.* ὡστόσο, ἐν τούτοις: *John, ~, refused to go*, ὁ Γ., ὡστόσο, ἀρνήθηκε νά πάη. __*ἐπίρ.* ὁσοδήποτε, ὅσο: *H~ good he may be...*, ὅσο καλός κι' ἄν εἶναι... *H~ well he may speak English*, ὅσο καλά κι' ἄν μιλάη Ἀγγλικά.

how·it·zer /ˋhaʊɪtsə(r)/ *οὐσ.* ‹C› ὁλμοβόλον.

howl /haʊl/ *οὐσ.* ‹C› οὐρλιαχτό, κραυγή (ἀποδοκιμασίας, εὐθυμίας, κλπ): *~s of derision*, γιουχαΐσματα. __*ρ.μ/ἀ.* οὐρλιάζω, γιουχαΐζω: *wolves ~ing in the forest*, λύκοι πού οὐρλιάζουν στό δάσος. *The wind ~ed through the trees*, ὁ ἄνεμος οὔρλιαζε ἀνάμεσα στά δέντρα. ~ ***down a speaker***, σταματῶ ἕναν ὁμιλητή μέ γιουχαΐσματα. ~**er** *οὐσ.* ‹C› (*καθομ.*) χονδροειδές λάθος, γελοία γκάφα. ~·**ing** *ἐπ.* (*λαϊκ.*) κραυγαλέος.

hoy·den /ˋhɔɪdn/ *οὐσ.* ‹C› ἀγοροκόριτσο, τρελλοκόριτσο.

hub /hʌb/ *οὐσ.* ‹C› **1**. κέντρον/ἀφαλός τροχοῦ. **2**. (*μεταφ.*) τό κεντρικόν σημεῖον: *a ~ of industry/commerce*, βιομηχανικόν/ἐμπορικόν κέντρον. *He thinks himself the ~ of the universe*, θεωρεῖ τόν ἑαυτό του τό κέντρο τοῦ σύμπαντος.

hubble-bubble /ˋhʌbl bʌbl/ *οὐσ.* ‹C› **1**. ναργιλές, λουλᾶς. **2**. χοχλάκισμα (νεροῦ).

hub·bub /ˋhʌbʌb/ *οὐσ.* ‹U› φασαρία, σαματᾶς, ὀχλοβοή.

hubby /ˋhʌbɪ/ *οὐσ.* ‹C› (*καθομ.*) ὁ σύζυγος: *my ~*, ὁ ἀντρούλης μου.

huddle /ˋhʌdl/ *ρ.μ/ἀ.* **1**. στριμώχνω/-ομαι: *The sheep ~d together for warmth*, τά πρόβατα στριμώχτηκαν κοντά-κοντά γιά ζεστασιά. **2**. (*γιά ἄνθρ.*) ~ ***up (against)***, μαζεύομαι, κουβαριάζομαι, κουλουριάζομαι: *Tom was so cold that he ~d up against his brother in bed*, ὁ Τόμ κρύωνε τόσο πού κουβαριάστηκε κοντά στόν ἀδελφό του στό κρεββάτι. **3**. σωριάζω φύρδην-μίγδην: *~ things together.* __*οὐσ.* ‹C› σωρός, ἄμορφος ὄγκος. ***be in/go into a ~***, (*καθομ.*) συσκέπτομαι.

[1]**hue** /hju/ *οὐσ.* ‹C› χρῶμα, τόνος, ἀπόχρωσις: *the ~s of the rainbow/sea*, τά χρώματα τοῦ οὐράνιου τόξου/τῆς θάλασσας. ˋ**many-~d**, πολύχρωμος.

[2]**hue** /hju/ *οὐσ.* (*μόνον εἰς*) ~ ***and cry***, γενική κατακραυγή, γενικός συναγερμός: *A ~ and cry was raised against this reform*, αὐτή ἡ μεταρρύθμιση ξεσήκωσε γενική κατακραυγή. *raise a ~ and cry after sb*, κυνηγῶ κπ φωνάζοντας.

[1]**huff** /hʌf/ *οὐσ.* ‹C› χόλιασμα, θυμός. ***be in/get into a ~***, εἶμαι πειραγμένος/χολιασμένος, θυμώνω, χολιάζω. ~·**ish** *ἐπ.* χολιασμένος. ~**y** *ἐπ.* εὔθικτος. ~·**ily** /-əlɪ/ *ἐπίρ.*

[2]**huff** /hʌf/ *ρ.ἀ.* (ξε)φυσῶ.

hug /hʌg/ *οὐσ.* ‹C› ἀγκάλιασμα: *She gave her mother a big ~*, ἀγκάλιασε δυνατά τή μητέρα της. __*ρ.μ. (-gg-)* **1**. σφιχταγκαλιάζω: *~ sb/a doll.* **2**. προσκολλῶμαι εἰς: *~ a prejudice/belief*, μένω κολλημένος σέ μιά πρόληψη/πεποίθηση. **3**. ~ ***the shore***, πλέω πλάϊ-πλάϊ στήν ἀκτή. **4**. ~ ***oneself (with pleasure/delight) over sth***, συγχαίρω (κατενθουσιασμένος) τόν ἑαυτό μου γιά κτ.

huge /hjudʒ/ *ἐπ.* πελώριος, τεράστιος. ~·**ly** *ἐπίρ.* τεράστια, πελώρια.

hug·ger-mug·ger /ˋhʌgə mʌgə(r)/ *οὐσ.* ‹U› μυστικότης, σύγχυσις. __*ἐπ.* κρυφός, ἀκατάστατος. __*ἐπίρ.* κρυφά, φύρδην-μίγδην.

hula /ˋhulə/ *οὐσ.* ‹C› Χαβανέζικος χορός.

hulk /hʌlk/ *οὐσ.* ‹C› παληό παροπλισμένο πλοῖο, (*παλαιότ.*) πλωτή φυλακή. ~·**ing** *ἐπ.* μπατάλικος (ὀγκώδης καί ἀδέξιος).

hull /hʌl/ *οὐσ.* ‹C› **1**. φλούδα (φασολιῶν, κλπ), τσόφλι (καρυδιῶν, κλπ). **2**. κουφάρι πλοίου. __*ρ.μ.* ξεφλουδίζω.

hul·la·ba·loo /ˈhʌləbəˋlu/ *οὐσ.* ‹U› σαματᾶς, πανδαιμόνιο, ντόρος, φασαρία: *What a ~!* τί φασαρία! *What's all this ~ about?* πρός τί αὐτός ὁ σαματᾶς;

hullo /həˋləʊ/ *ἐπιφ. βλ. hello.*

hum /hʌm/ *ρ.μ/ἀ. (-mm-)* **1**. βομβῶ, βουΐζω: *bees ~ming in the garden*, μέλισσες πού βομβοῦν στόν κῆπο. **2**. μουρμουρίζω (τραγούδι) μέ κλειστό τό στόμα: *She was ~ming a song to herself*, σιγοτραγουδοῦσε μονάχη της. **3**. βουΐζω, δραστηριοποιῶ: *a factory ~ming with activity*, ἐργοστάσιο πού βουΐζει ἀπό τή δουλειά. *make things ~*, δραστηριοποιῶ τήν κατάσταση. **4**. (*συνήθ.*) ~ ***and haw***, (*καθομ.*) κομπιάζω, ξεροβήχω, μασῶ τά λόγια μου. __*οὐσ.* ‹C› βόμβος, βουή, βουητό: *the ~ of bees*, ὁ βόμβος τῶν μελισσῶν.

the ~ of voices, ἡ βουή τῶν φωνῶν. *the ~ of distant traffic*, τό βουητό τῆς κυκλοφορίας μακρυά.

hu·man /ˈhjumən/ *ἐπ.* ἀνθρώπινος: *~ beings/nature*, τά ἀνθρώπινα ὄντα/ἡ ἀνθρώπινη φύση. *His cruelty suggests that he is less than ~*, ἡ σκληρότητά του δείχνει ὅτι δέν ἔχει τίποτα τό ἀνθρώπινο πάνω του. ˈ**~-kind** *οὐσ.* ‹U› (*λόγ.*) τό ἀνθρώπινον γένος. **~·ly** *ἐπίρ.* ἀνθρωπίνως: *do all that is ~ly possible*, κάνω ὅ,τι εἶναι ἀνθρωπίνως δυνατό.

hu·mane /hjuˈmeɪn/ *ἐπ.* ἀνθρωπιστικός, γεμᾶτος εὐγένεια/ἀνθρωπιά: *~ tasks/studies*, ἀνθρωπιστικά ἔργα/σπουδές. *a man of ~ character*, ἄνθρωπος μέ εὐγενικό, σπλαχνικό χαρακτῆρα. **~·ly** *ἐπίρ.* ἀνθρωπινά, σπλαχνικά.

hu·man·ism /ˈhjumənɪzm/ *οὐσ.* ‹U› ἀνθρωπισμός, οὐμανισμός. **hu·man·ist** /-ɪst/ *οὐσ.* ‹C› οὐμανιστής, μελετητής τῆς κλασσικῆς ἀρχαιότητος, κλασσικός φιλόλογος.

hu·mani·tar·ian /hjuˈmænɪˈteərɪən/ *ἐπ.* & *οὐσ.* ‹C› φιλάνθρωπος, ἀνθρωπιστής. **~·ism** /-ɪzm/ *οὐσ.* ‹U› φιλανθρωπία, ἀνθρωπισμός.

hu·man·ity /hjuˈmænətɪ/ *οὐσ.* ‹U› **1**. ἀνθρωπότης: *crimes against ~*, ἐγκλήματα κατά τῆς ἀνθρωπότητος. **2**. ἡ ἀνθρώπινη φύσις. **3**. ἀνθρωπιά: *treat people and animals with ~*, μεταχειρίζομαι ἀνθρώπους καί ζῶα μέ ἀνθρωπιά. **4**. **the humanities**, φιλολογία (*ἰδ.* ἡ κλασσική), ἀνθρωπιστικές σπουδές.

hu·man·ize /ˈhjumənaɪz/ *ρ.μ/ἀ.* ἐξανθρωπίζω/-ομαι.

humble /hʌmbl/ *ἐπ.* *(-r, -st)* ταπεινός: *a ~ request*, ταπεινή παράκλησις. *in my ~ opinion*, κατά τήν ταπεινή μου γνώμη. *under my ~ roof*, στό φτωχικό μου. *a man of ~ birth*, ἄνθρωπος ταπεινῆς καταγωγῆς. *be ~ towards one's superiors*, εἶμαι δουλοπρεπής πρός τούς ἀνωτέρους μου. ***your ~ servant***, (*πεπαλ.*) ταπεινός σας δοῦλος. ***eat ~ pie***, ταπεινώνομαι. **humbly** *ἐπίρ.* ταπεινά: *beg humbly for forgiveness*, ζητῶ ταπεινά συχώρεση. __*ρ.μ.* ταπεινώνω: *~ an enemy/sb's pride*, ταπεινώνω ἕναν ἐχθρό/τήν περηφάνεια κάποιου.

hum·bug /ˈhʌmbʌg/ *οὐσ.* ‹C,U› **1**. ἀγυρτεία, ἀπάτη. **2**. ἀγύρτης. **3**. καραμέλα μέντας. __*ρ.μ.* *(-gg)* ἐξαπατῶ. __*ἐπιφ.* ἀνοησίες, σαχλαμάρες! μποῦρδες!

hum·drum /ˈhʌmdrʌm/ *ἐπ.* πληκτικός, μονότονος, ἀνιαρός: *live a ~ life*, κάνω μονότονη ζωή. *~ tasks*, ἀνιαρές δουλειές.

hu·mid /ˈhjumɪd/ *ἐπ.* (*ἰδ. γιά κλῖμα ἤ ἀέρα*) ὑγρός, νοτερός. **~·ify** /hjuˈmɪdɪfaɪ/ *ρ.μ.* ὑγραίνω, νοτίζω. **~·ity** /hjuˈmɪdətɪ/ *οὐσ.* ‹U› ὑγρασία.

hu·mili·ate /hjuˈmɪlɪeɪt/ *ρ.μ.* ταπεινώνω, ἐξευτελίζω: *feel ~d*, νοιώθω ταπεινωμένος, ἐξευτελισμένος. *a humiliating defeat*, ταπεινωτική ἧττα. **hu·mili·ation** /hjuˈmɪlɪˈeɪʃn/ *οὐσ.* ‹C,U› ταπείνωσις, ἐξευτελισμός.

hu·mil·ity /hjuˈmɪlətɪ/ *οὐσ.* ‹U› ταπεινοφροσύνη, πραότης.

hum·mock /ˈhʌmək/ *οὐσ.* ‹C› λοφίσκος, ὑψωματάκι.

hu·mor·ist /ˈhjumərɪst/ *οὐσ.* ‹C› ἀστειολόγος, χιουμορίστας, εὐθυμογράφος.

hu·mor·ous /ˈhjumərəs/ *ἐπ.* εὐτράπελος, ἀστεῖος, χιουμοριστικός: *a ~ remark/writer*. **~·ly** *ἐπίρ.*

hu·mour /ˈhjumə(r)/ *οὐσ.* **1**. ‹U› χιοῦμορ: *He has no/not much/a good sense of ~*, δέν ἔχει καθόλου/μεγάλη/ἔχει μεγάλη αἴσθηση χιοῦμορ. **2**. ‹U› (*πεπαλ.*) διάθεσις, κέφι, ὄρεξη: *be in a good/bad ~*, εἶμαι σέ καλή/σέ κακή διάθεση. *I'm out of ~*, εἶμαι στίς κακές μου. *I'm in no ~ to trifle*, δέν ἔχω ὄρεξη γι' ἀστεῖα. *I'm not in the ~ for work*, δέν ἔχω κέφι γιά δουλειά. *He works only when the ~ takes him*, δουλεύει μονάχα ὅταν τοὔρχεται ἡ ὄρεξη. **3**. ‹C› (*πεπαλ.*) χυμός/ὑγρόν τοῦ σώματος (πού ἐθεωρεῖτο ὅτι καθορίζει τή διάθεση). __*ρ.μ.* κάνω τά χατήρια/τά κέφια κάποιου, καλοπιάνω κπ: *~ a child/sick man/horse*, κάνω τά χατήρια σ' ἕνα παιδί/σ'ἕναν ἄρρωστο/καλοπιάνω ἕνα ἄλογο. *do sth by way of ~ing one's impatience*, κάνω κτ γιά νά ξεγελάσω τήν ἀνυπομονησία μου.

hump /hʌmp/ *οὐσ.* ‹C› **1**. καμπούρα, ἐξόγκωμα (σέ δρόμο). ˈ**~·back(ed)** *οὐσ.* ‹C› (*ἐπ.*) καμπούρης. **2**. (*λαϊκ.*) πλήξη, κακοκεφιά: ***have the ~***, ἔχω ἀκεφιές. __*ρ.μ.* κυρτώνω: *~ one's back*, μαζεύω τή ράχη, καμπουριάζω (ὅπως ἡ γάτα). *~ one's shoulders*, χώνω τό κεφάλι στούς ὤμους μου, μαζεύω τούς ὤμους μου.

humph /hʌmpf/ *ἐπιφ.* *δυσπιστίας ἤ δυσαρεσκείας* χμ!

hu·mus /ˈhjuməs/ *οὐσ.* ‹U› μαυρόχωμα.

Hun /hʌn/ *οὐσ.* ‹C› Οὗνος.

hunch /hʌntʃ/ *οὐσ.* ‹C› **1**. καμπούρα. ˈ**~-back(ed)** *οὐσ.* ‹C› (*ἐπ.*) καμπούρης. **2**. (*πεπαλ.*) κομμάτα: *a ~ of bread*. **3**. (*λαϊκ.*) προαίσθημα: *I have a ~ that...*, κάτι μοῦ λέει ὅτι... __*ρ.μ.* κυρτώνω: *sit with one's shoulders ~ed up*, κάθομαι μέ τούς ὤμους μαζεμένους.

hun·dred /ˈhʌndrəd/ *ἐπ.* ἑκατό: *one ~ and ten*, ἑκατόν δέκα. __*οὐσ.* ‹C› ἑκατοντάδα: *a few ~ people; ~s of people*, ἑκατοντάδες ἄνθρωποι. ***a ~ per cent***, ἑκατό τοῖς ἑκατό, γνήσιος. ***a ~ to one***, ἑκατό πρός ἕνα: *I bet a ~ to one that...*, στοιχηματίζω ἑκατό πρός ἕνα ὅτι...ˈ**~·weight**, ἑκατόβαρον (50 κιλά ἤ 112 λίβρες). ˈ**~·fold** *ἐπίρ.* ἑκατονταπλασίως. __*ἐπ.* ἑκατονταπλάσιος.

hun·dredth /ˈhʌndrədθ/ *ἐπ.* ἑκατοστός. __*οὐσ.* ‹C› τό ἑκατοστόν.

hung /hʌŋ/ *ἀόρ.* & *π.μ.* τοῦ *ρ. hang.*

hun·ger /ˈhʌŋgə(r)/ *οὐσ.* ‹U› **1**. πεῖνα: *satisfy one's ~*, ἱκανοποιῶ τήν πεῖνα μου. *die of ~*, πεθαίνω ἀπό πεῖνα. *faint with ~*, λιποθυμῶ ἀπό πεῖνα. ***be/go on (a) ~ strike***, κάνω/κατεβαίνω σέ ἀπεργία πείνας. ˈ**~-march**, πορεία πείνας. **2**. (*μεταφ.*) λαχτάρα, δίψα: *~ for adventure*, δίψα γιά περιπέτειες. __*ρ.ἀ.* ***~ for/to do (sth)***, πεινῶ, λαχταρῶ γιά κτ/νά κάμω κτ: *~ for news*, διψάω γιά εἰδήσεις.

hun·gry /ˈhʌŋgrɪ/ *ἐπ.* *(-ier, -iest)* πεινασμένος: *be/feel ~*, πεινῶ/νοιώθω πεῖνα. *Millions of people will go ~ if ...*, ἑκατομμύρια ἄνθρωποι θά πεινάσουν ἄν... *have a ~ look*, ἔχω ὄψη πεινασμένου. ***be ~ for sth***, διψῶ γιά κτ, λαχταρῶ κτ. **hun·grily** /ˈhʌŋgrəlɪ/ *ἐπίρ.* πεινασμένα, λαίμαργα.

hunk /hʌŋk/ *οὐσ.* ‹C› μεγάλο κομμάτι: *a ~ of bread/cheese/meat*.

[1]**hunt** /hʌnt/ *οὐσ.* ‹C,U› **1**. κυνήγι, ψάξιμο: *have a good* ~, κάνω καλό κυνήγι. *find sth after a long* ~, βρίσκω κτ ὕστερα ἀπό πολύ ψάξιμο. **ˋman-~**, ἀνθρωποκυνηγητό. ***be on the ~ for sth***, κυνηγῶ, ψάχνω γιά κτ. **2**. ὁμάδα κυνηγῶν. **~er** *οὐσ.* ‹C› **1**. κυνηγός. **2**. ἄλογο πού χρησιμοποιεῖται στό κυνήγι τῆς ἀλεποῦς. **3**. ρολόϊ τῆς τσέπης μέ καπάκι. **~·ing** *οὐσ.* ‹U› κυνήγι. —*ἐπ.* κυνηγετικός. *ˋ~ing ground*, περιοχή κυνηγίου. **~·ress** /-rəs/ *οὐσ.* ‹C› (*λογοτ.*) ἡ κυνηγός.

[2]**hunt** /hʌnt/ *ρ.μ/ἀ.* **1**. κυνηγῶ: ~ *big game*, κυνηγῶ ἄγρια θηρία. *go out ~ing*, πάω κυνήγι. ***go ˋhouse ~ing***, ψάχνω γιά σπίτι. **2**. ***~ high and low***, ψάχνω παντοῦ. ***~ down***, καταδιώκω ἀνηλεῶς, στριμώχνω, ἀνακαλύπτω: ~ *down a criminal/an escaped prisoner*, καταδιώκω καί πιάνω ἕναν κακοῦργο/ἕναν δραπέτη. ***~ for***, ψάχνω: ~ *for a lost book*, ψάχνω γιά ἕνα χαμένο βιβλίο. ***~ out***, ξεθάβω: ~ *out old letters/ties*, ξεθάβω παληά γράμματα/-ές γραββάτες. ***~ up***, ξετρυπώνω: ~ *up information/references*, ξετρυπώνω πληροφορίες/παραπομπές. **3**. διώχνω, κυνηγῶ: ~ *cats out of the garden*, διώχνω τίς γάτες ἀπό τόν κῆπο. ~ *sb out of society*, κυνηγῶ κπ ἀπό τήν κοινωνία.

hunts·man /ˋhʌntsmən/ *οὐσ.* ‹C› **1**. κυνηγός. **2**. ὁ ὁδηγός τῶν λαγωνικῶν.

hurdle /ˋh3dl/ *οὐσ.* ‹C› **1**. κινητό ξύλινο φράγμα/πλέγμα. **2**. (*ἀθλ.*) ἐμπόδιον. **ˋ~-race**, δρόμος μετ' ἐμποδίων. **3**. (*μεταφ.*) δυσκολία. —*ρ.μ.* ***~off***, περιφράσσω. **hurdler** *οὐσ.* ‹C› (*ἀθλ.*) ἐμποδιστής.

hurdy-gurdy /ˋh3dι g3dι/ *οὐσ.* ‹C› λατέρνα, ὀργανάκι.

hurl /h3l/ *ρ.μ.* ἐξακοντίζω, ἐκτοξεύω, πετῶ: ~ *a spear at a tiger*, ἐξακοντίζω δόρυ ἐναντίον τίγρεως. ~ *stones at sb*, πετροβολῶ κπ. ~ *abuse at sb*, λούζω κπ μέ βρισιές. ~ *oneself at/upon sb*, ὁρμῶ/ρίχνομαι ἐναντίον κάποιου. —*οὐσ.* ‹C› ἐκσφενδόνισις.

hurly-burly /ˋh3lι b3lι/ *οὐσ.* ‹U› σαματᾶς, φασαρία, πατιρντί, ὀχλοβοή.

hur·rah /hʊˋra/ *ἐπιφ.* ζήτω: *H~ for the Queen!* Ζήτω ἡ Βασίλισσα! —*ρ.ἀ.* ζητωκραυγάζω.

hur·ri·cane /ˋhʌrιkən/ *οὐσ.* ‹C› τυφώνας, σίφουνας, θύελλα. **ˋ~ lamp/lantern**, λάμπα θυέλλης.

hurry /ˋhʌrι/ *οὐσ.* ‹U› βία, βιασύνη, σπουδή: *Why all this ~?* γιατί τόση βιασύνη; *There's no ~*, δέν ὑπάρχει καμιά βία. *In my ~ to leave...*, στή βιασύνη μου νά φύγω... ***in a ~***, *(α)* βιαστικά: *be in a ~*, βιάζομαι. *do sth in a ~*, κάνω κτ βιαστικά. *(β)* (*καθομ.*) πρόθυμα, εὔκολα: *I won't ask him to dinner again in a ~*, δέν θά τόν ξανακαλέσω εὔκολα σέ γεῦμα. *You won't find a better dictionary than this in a ~*, δέν θά βρῆς εὔκολα καλύτερο λεξικό ἀπ' αὐτό. —*ρ.μ/ἀ.* βιάζω/-ομαι: *H~ up!* κάνε γρήγορα! *Don't ~*, μή βιάζεσαι! *Don't ~ me*, μή μέ βιάζῃς! *He hurried off*, ἔφυγε βιαστικά. *More soldiers were hurried to the front*, κι' ἄλλοι στρατιῶτες ἐστάλησαν βιαστικά στό μέτωπο. *If we ~ the work, we may spoil it*, ἐάν κάνωμε τή δουλειά βιαστικά, μπορεῖ νά τή χαλάσωμε. **hur·ried** *ἐπ.* βιαστικός. **hur·ried·ly** *ἐπίρ.* βιαστικά.

hurt /h3t/ *ρ.μ/ἀ.* ἀνώμ. (*ἀόρ.* & *π.μ.* ~) **1**. χτυπῶ, τραυματίζω: *She ~ her knee when she fell*, χτύπησε τό γόνατό της ὅταν ἔπεσε. *Did you ~ yourself?* χτυπήσατε; **2**. πληγώνω, θίγω: *She was ~ by their criticisms*, πληγώθηκε ἀπό τίς ἐπικρίσεις τους. *Nothing ~s like the truth*, τίποτα δέν πληγώνει περισσότερο ἀπό τήν ἀλήθεια. ~ *sb's feelings*, θίγω κπ. **3**. πονῶ, βλάπτω: *The doctor won't ~ you*, ὁ γιατρός δέν θά σέ πονέσῃ. *Oh, it ~s!* ὤ, πονάει! *It won't ~ to put it off for a week*, δέν θά βλάψῃ νά τό ἀναβάλλουμε γιά μιά βδομάδα. —*οὐσ.* ‹U› πληγή, χτύπημα, πλῆγμα: *It was a ~ to his pride*, ἦταν πλῆγμα γιά τόν ἐγωϊσμό του. *I intended no ~ to his feelings*, δέν ἤθελα νά τόν πληγώσω. **~·ful** /-fl/ *ἐπ.* ἐπιβλαβής.

hurtle /ˋh3tl/ *ρ.μ/ἀ.* ἐκσφενδονίζω/-ομαι, τρέχω/πετῶ μέ ὁρμή: ~ *stones down a hillside*, κατρακυλῶ πέτρες σέ μιά πλαγιά. *The people came hurtling out of the cinema*, οἱ ἄνθρωποι ὥρμησαν ἔξω ἀπό τό σινεμά πατεῖς με πατῶ σε.

hus·band /ˋhʌzbənd/ *οὐσ.* ‹C› ὁ σύζυγος. —*ρ.μ.* χρησιμοποιῶ μετά φειδοῦς: ~ *one's resources/strength*, χρησιμοποιῶ μέ οἰκονομία τούς πόρους μου/τίς δυνάμεις μου.

hus·band·man /ˋhʌzbəndmən/ *οὐσ.* ‹C› (*πεπαλ.*) καλλιεργητής, ἀγρότης.

hus·band·ry /ˋhʌzbəndrι/ *οὐσ.* ‹U› διαχείρισις, ἀγροτική οἰκονομία, γεωργία: *good/bad ~*, καλή/κακή διαχείρισις. *animal ~*, κτηνοτροφία.

hush /hʌʃ/ *ρ.μ/ἀ.* ἡσυχάζω, ἐπιβάλλω σιγή/σιωπή: *H~!* σούτ! σιωπή! ~ *a baby to sleep*, ἀποκοιμίζω ἕνα μωρό. *a ~ed conversation*, χαμηλόφωνη/ψιθυριστή κουβέντα. ***~ sth up***, συγκαλύπτω: ~ *up a scandal*, κουκουλώνω ἕνα σκάνδαλο. —*οὐσ.* ‹U› σιωπή, σιγαλιά: *in the ~ of the night*, στή σιγαλιά τῆς νύχτας. **ˋ~-money**, δωροδοκία γιά νά ἐξαγορασθῇ ἡ σιωπή κάποιου. **ˈ~-ˋ~** *ἐπ.* (*καθομ.*) κρυφός, μυστικός: *a ~-~ affair*.

husk /hʌsk/ *οὐσ.* ‹C› φλούδα (ὀσπρίων), τσόφλι: *rice in the ~*, μή ἀποφλοιωμένο ρύζι. —*ρ.μ.* ἀποφλοιῶ, ξεφλουδίζω.

husky /ˋhʌskι/ *ἐπ.* (*-ier, -iest*) **1**. βραχνός, τραχύς, ξερός: *a ~ voice/cough*, βραχνή φωνή/ξερόβηχας. **2**. (*καθομ.*) ρωμαλέος, γεροδεμένος: *a ~ farmer*. **husk·ily** /-əlι/ *ἐπίρ.* βραχνά. **huski·ness** *οὐσ.* ‹U› βραχνάδα.

hus·sar /hʊˋza(r)/ *οὐσ.* ‹C› οὐσσάρος.

hussy /ˋhʌzι/ *οὐσ.* ‹C› (*πεπαλ.*) παληοθήλυκο.

hust·ings /ˋhʌstιŋz/ *οὐσ. πληθ.* προεκλογική διαδικασία (λόγοι, συγκεντρώσεις, κλπ).

hustle /ˋhʌsl/ *ρ.μ/ἀ.* **1**. σπρώχνω βάναυσα: *The police ~d the thief into their van*, οἱ ἀστυνομικοί ἔβαλαν τόν κλέφτη μέ σπρωξιές μές στό αὐτοκίνητό τους. **2**. κινοῦμαι/ἐνεργῶ γρήγορα, ἀναγκάζω κπ νά κάνῃ κτ γρήγορα: ~ *sb into a decision*, ἀναγκάζω κπ νά πάρῃ ἀπόφαση στά γρήγορα. —*οὐσ.* (*μόνον ἑν.*) σπρωξίδι, κίνησις: *the ~ and bustle in a railway station*, ἡ κίνησις καί ἡ φασαρία σ' ἕνα σταθμό τραίνου. **hust·ler** *οὐσ.* ‹C› καταφερτζῆς, δραστήριος ἄνθρωπος.

hut /hʌt/ *οὐσ.* ‹C› καλύβα, ὑπόστεγο, (*στρατ.*)

παράπηγμα: *a mountain* ~, ὀρειβατικόν καταφύγιον. `~·**ment** *οὐσ.* ‹C› παραπήγματα, παράγκες.
hutch /hʌtʃ/ *οὐσ.* ‹C› κλουβί γιά κουνέλια.
hya·cinth /`haiəsinθ/ *οὐσ.* ‹C› ὑάκινθος, ζουμπούλι.
hy·brid /`haibrid/ *οὐσ.* ‹C› & *ἐπ.* ὑβρίδιον, μπασταρδεμένος, νόθος (λέξις, φυτόν, ζῶον): *A mule is a* ~ *animal* (ἐπειδή εἶναι διασταύρωσις ἀλόγου καί γαϊδάρου). *'Cablegram' is a* ~ (διότι τό *cable* εἶναι ἀπό τά Λατινικά, τό *gram* ἀπό τά Ἑλληνικά).
hy·dra /`haidrə/ *οὐσ.* ‹C› (Λερναία) ὕδρα.
hy·drant /`haidrənt/ *οὐσ.* ‹C› στόμιον ὑδροληψίας.
hy·drate /`haidreit/ *οὐσ.* ‹C› ἔνυδρος οὐσία.
hy·drau·lic /hai`drɔlik/ *ἐπ.* ὑδραυλικός: ~ *brakes*, ὑδραυλικά φρένα. **hy·drau·lics** *οὐσ. πληθ.* ἡ ὑδραυλική.
hydro /`haidrəu-/ *πρόθεμα:* ὑδρο- '~-`**carbon** *οὐσ.* ‹C› ὑδρογονάνθραξ. '~·`**chloric** *ἐπ.* ὑδροχλωριοῦχος. '~·**electric** *ἐπ.* ὑδροηλεκτρικός. `~·**gen** /-dʒən/ *οὐσ.* ‹U› ὑδρογόνον: ~*gen bomb*, ὑδρογονική βόμβα. ~·**pathy** /hai`drɔpəθi/ *οὐσ.* ‹U› ὑδροθεραπεία. '~·`**pathic** *ἐπ.* ὑδροθεραπευτικός. '~-`**phobia** /-`fəubiə/ *οὐσ.* ‹U› ὑδροφοβία, λύσσα. `~·**plane** *οὐσ.* ‹C› **1**. ταχύπλοη βενζινάκατος. **2**. (*πεπαλ.*) ὑδροπλάνο (*βλ. seaplane*). '~-`**statics** *οὐσ. πληθ.* ὑδροστατική.
hy·ena, hy·aena /hai`inə/ *οὐσ.* ‹C› ὕαινα.
hy·giene /`haidʒin/ *οὐσ.* ‹U› ὑγιεινή. **hy·gienic** /'hai`dʒinik/ *ἐπ.* ὑγιεινός. **hy·gieni·cally** /'hai`dʒinikli/ *ἐπίρ.* ὑγιεινῶς.
hy·men /`haimən/ *οὐσ.* ‹C› **1**. (*ἀνατ.*) ὑμήν. **2**. (*μυθ.*) Ὑμέναιος.
hymn /him/ *οὐσ.* ‹C› ὕμνος. —*ρ.μ.* ὑμνολογῶ. ~**al** /-nl/ *οὐσ.* ‹C› ὑμνολόγιον.
hy·per·bole /hai`pɜbəli/ *οὐσ.* ‹C,U› (*ρητ. σχῆμα*) ὑπερβολή.
hy·per·criti·cal /'haipə`kritikl/ *ἐπ.* ὑπερβολικά αὐστηρός.
hy·per·mar·ket /`haipəmakit/ *οὐσ.* ‹C› ὑπεραγορά.
hy·per·trophic /'haipə`trofik/ *ἐπ.* ὑπερτροφικός.
hy·phen /`haifn/ *οὐσ.* ‹C› ἑνωτικόν σημεῖον, παύλα. ~·**ate** /-eit/ *ρ.μ.* ἑνώνω δύο λέξεις μέ παύλα.
hyp·no·sis /hip`nəusis/ *οὐσ.* ‹C,U› (*πληθ. -ses* /-siz/) ὕπνωσις. **hy·pnotic** /hip`notik/ *ἐπ.* ὑπνωτικός. **hy·pnot·ism** /`hipnətizm/ *οὐσ.* ‹U› ὑπνωτισμός. **hy·pnot·ize** /`hipnətaiz/ *ρ.μ.* ὑπνωτίζω.
hy·po·chon·dria /'haipə`kondriə/ *οὐσ.* ‹U› ὑποχονδρία. **hy·po·chon·driac** /-riæk/ *ἐπ.* & *οὐσ.* ‹C› ὑποχονδριακός.
hy·poc·risy /hi`pokrəsi/ *οὐσ.* ‹C,U› ὑποκρισία.
hyp·ocrite /`hipəkrit/ *οὐσ.* ‹C› ὑποκριτής.
hy·po·criti·cal /'hipə`kritikl/ *ἐπ.* ὑποκριτικός. **hy·po·criti·cally** /-kli/ *ἐπίρ.* ὑποκριτικά.
hy·po·der·mic /'haipə`dɜmik/ *ἐπ.* ὑποδόριος.
hy·pot·en·use /hai`potənjuz/ *οὐσ.* ‹C› ὑποτείνουσα.
hy·poth·esis /'hai`poθəsis/ *οὐσ.* ‹C› (*πληθ. -ses* /-siz/) ὑπόθεσις. **hy·po·theti·cal** /'haipə`θetikl/ *ἐπ.* ὑποθετικός.
hys·teria /hi`stiəriə/ *οὐσ.* ‹U› ὑστερία. **hys·teri·cal** /hi`sterikl/ *ἐπ.* ὑστερικός. **his·teri·cally** /-kli/ *ἐπίρ.* **hys·ter·ics** /hi`steriks/ *οὐσ. πληθ.* ὑστερία: *go into hysterics*, μέ πιάνει ὑστερική κρίσις.

I i

I, i /ai/ τό 9ον γράμμα τοῦ ἀλφάβητου.
I /ai/ *προσωπ. ἀντων.* ἐγώ.
iamb /`aiæm/ (*πληθ.* ~*s*), **iam·bus** /ai`æmbəs/ (*πληθ.* ~*es ἤ -bi* /-bai/) *οὐσ.* ‹C› ἴαμβος. **iam·bic** /ai`æmbik/ *ἐπ.* ἰαμβικός.
ibi·dem /`ibidem/ *ἐπίρ.* (*συγκεκ.* **ibid** /`ibid/) αὐτόθι, ἔνθα ἀνωτέρω.
ice /ais/ *οὐσ.* **1**. ‹U› πάγος. ***break the*** ~, (*μεταφ.*) σπάζω τόν πάγο. ***keep sth on*** ~, βάζω κτ στόν πάγο, (*μεταφ.*) κρατῶ κτ γιά τό μέλλον. (*βλ.* & *λ.* [1]*cut*, [1]*skate*). **2**. ‹C› παγωτό: *a strawberry* ~, παγωτό φράουλα. **3**. (*σέ σύνθ. λέξεις*): `**I**~ **Age**, ἡ ἐποχή τῶν παγετώνων. `~-**axe**, (*ὀρειβ.*) ραβδοσκαπάνη. `~·**berg**, (*κυριολ.* & *μεταφ.*) παγόβουνο: *his* ~*berg of a wife*, αὐτό τό παγόβουνο ἡ γυναίκα του. `~·**boat**, παγόπλοιο, ἕλκυθρο μέ ἱστία. `~·**bound** *ἐπ.* ἀποκλεισμένος (πχ λιμάνι) ἀπό τούς πάγους (*ἀντίθ.* '~·`**free**). `~·**box**, παγωνιέρα, (*ΗΠΑ*) ψυγεῖον. `~·**breaker**, παγοθραυστικόν. `~·**cap**, παγοσκεπής κορυφή, πολικοί πάγοι σέ σχῆμα κώνου. '~-`**cream**, παγωτό. `~·**fall**, γκρεμός σέ παγετῶνα. `~·**field**, παγοπέδιον. `~·**floe** /-fləu/, μεγάλο κομμάτι ἐπιπλέοντος πάγου, ὀγκόπαγος, παγόνησος. `~·**house**, ἀποθήκη πάγου. '~-`**lolly**, παγωτό ξυλάκι. `~-**man**, (*ΗΠΑ*) παγοπώλης. `~·**pack**, *(α)* σωρός ἐπιπλεόντων πάγων. *(β)* παγοκύστις. `~-**pantomime/-show**, παγοδρομική παράστασις. `~·**pick**, (*ὀρειβ.*) ἀξίνα πάγου. `~-**rink**, αἴθουσα γιά πατινάζ. `~-**skate** *οὐσ.* ‹C› παγοπέδιλο. —*ρ.ἀ.* κάνω πατινάζ. `~-**tray**, φόρμα γιά παγάκια.
[2]**ice** /ais/ *ρ.μ/ἀ.* **1**. παγώνω: ~ *a bottle of beer*; ~*d water*, παγωμένο νερό. **2**. ~ ***up/over***, σκεπάζομαι μέ πάγο: *The pond (was)* ~*d over*, ἡ λιμνούλα σκεπάστηκε μέ πάγο. **3**. γκλασάρω (γλύκισμα).
icicle /`aisikl/ *οὐσ.* ‹C› σταλακτίτης πάγου, κρουστάλλι.
icing /`aisiŋ/ *οὐσ.* ‹U› **1**. γκλασάρισμα, ζαχαρώδης κρούστα. **2**. ἐπίπαγος (σέ ἀεροπλάνο).
icon /`aikon/ *οὐσ.* ‹C› (*ἐκκλ.*) εἰκόνα.

icono·clast /aɪˋkonəklæst/ *οὐσ.* ‹C› εἰκονοκλάστης, εἰκονομάχος.
icy /ˋaɪsɪ/ *ἐπ.* *(-ier, -iest)* παγωμένος, παγερός: *~ roads/winds*, παγωμένοι δρόμοι/ἄνεμοι. *an ~ welcome*, παγερή ὑποδοχή. **icily** /ˋaɪsɪlɪ/ *ἐπίρ.* (*κυριολ.* & *μεταφ.*) παγωμένα, παγερά.
I'd /aɪd/ = *I had* ἤ *I would*.
idea /aɪˋdɪə/ *οὐσ.* ‹C› **1**. ἰδέα (= εἰκόνα, σχέδιο, γνώμη, ἀντίληψις): *That will give you a good ~ of life in Africa*, αὐτό θά σοῦ δώση μιά καλή ἰδέα γιά τή ζωή στήν Ἀφρική. *He's full of new ~s*, εἶναι γεμᾶτος καινούργιες ἰδέες. *You shouldn't force your ~s on other people*, δέν θἄπρεπε νά ἐπιβάλης τίς ἰδέες σου (τή γνώμη σου) στούς ἄλλους. *You have no ~ (of) what it is like to be hungry*, δέν ἔχεις ἰδέα τί θά πῆ νά πεινᾶς. *I've an ~ that she'll be late*, ἔχω τήν ἰδέα ὅτι θ' ἀργήση. *What an ~!* τί ἰδέα! *What a funny/bright ~!* τί ἀστεία/θαυμάσια ἰδέα! ***What's the ~?*** τί σημαίνουν αὐτά; ***have a good/poor idea of sb***, ἔχω καλή/κακή γνώμη γιά κπ. ***put ~s into sb's head***, βάζω ἰδέες στό μυαλό κάποιου. **2**. ψυχή, μυαλό: *the young ~*, ἡ παιδική ψυχή, τό παιδικό μυαλό, ὁ τρόπος σκέπτεσθαι τοῦ παιδιοῦ.
ideal /aɪˋdɪəl/ *ἐπ.* **1**. ἰδεώδης: *~ weather for a holiday*. **2**. ὑπερτέλειος, ἰδανικός: *~ happiness*. *—οὐσ.* ‹C› ἰδεῶδες, ἰδανικό: *the ~ of beauty*, τό ἰδεῶδες τῆς ὀμορφιᾶς. *a man of high ~s*, ἄνθρωπος μέ ὑψηλά ἰδανικά. **~ly** /aɪˋdɪəlɪ/ *ἐπίρ.* ἰδανικά, ἰδεωδῶς, τέλεια: *That suits me ~ly*, αὐτό μέ βολεύει τέλεια.
ideal·ism /aɪˋdɪəlɪzm/ *οὐσ.* ‹U› ἰδεαλισμός, ἰδεοκρατία. **ideal·ist** /-ɪst/ *οὐσ.* ‹C› ἰδεαλιστής. **ideal·is·tic** /aɪˈdɪəˋlɪstɪk/ *ἐπ.* ἰδεαλιστικός.
ideal·ize /aɪˋdɪəlaɪz/ *ρ.μ.* ἐξιδανικεύω. **ideal·iz·ation** /aɪˈdɪəlaɪˋzeɪʃn/ *οὐσ.* ‹U› ἐξιδανίκευσις.
idem /ˋɪdem/ *ἐπίρ.* *βλ.* *ibidem*.
ident·ical /aɪˋdentɪkl/ *ἐπ.* **1**. ὁ ἴδιος ἀκριβῶς: *This is the ~ knife with which the murder was committed*, εἶναι τό ἴδιο ἀκριβῶς μαχαίρι μέ τό ὁποῖον διεπράχθη ὁ φόνος. **2**. ἴδιος, ἀπαράλλακτος, πανομοιότυπος, ταυτόσημος: *Mine is ~ to/with yours*, τό δικό μου εἶναι ἴδιο (πανομοιότυπο) μέ τό δικό σου. *Our views are ~*, οἱ ἀπόψεις μας εἶναι ταυτόσημες. **~·ly** /-klɪ/ *ἐπίρ.* ὅμοια, ἀπαράλλακτα.
ident·ify /aɪˋdentɪfaɪ/ *ρ.μ.* **1**. ἀναγνωρίζω, προσδιορίζω τήν ταυτότητα: *Could you ~ your umbrella among a hundred others?* θά μπορούσατε νά ἀναγνωρίσετε τήν ὀμπρέλλα σας ἀνάμεσα σέ ἑκατό ἄλλες; *He was identified as one of the two robbers*, τόν ἀνεγνώρισαν σάν ἕναν ἀπό τούς δυό ληστές. **2**. ***~ with***, ταυτίζω, ἐξισώνω: *.Wealth should not be identified with happiness*, τά πλούτη δέν πρέπει νά ταυτίζονται μέ τήν εὐτυχία. *~ oneself/become identified with a cause/party/idea*, ταυτίζομαι μέ μιά κίνηση/μ' ἕνα κόμμα/μέ μιά ἰδέα. **identi·fi·ca·tion** /aɪˈdentɪfɪˋkeɪʃn/ *οὐσ.* ‹U› ἀναγνώρισις τῆς ταυτότητος, ταύτισις: *The identification of the people killed in the air crash was not easy*, ἡ ἀναγνώρισις τῶν ἀνθρώπων πού σκοτώθηκαν στό ἀεροπορικό δυστύχημα δέν ἦταν εὔκολη.
ident·ity /aɪˋdentətɪ/ *οὐσ.* **1**. ‹U› ὁμοιότης. **2**. ‹C,U› ταυτότης: *prove one's ~*, ἀποδεικνύω τήν ταυτότητά μου. *~* **card/disc/certificate**, δελτίον ταυτότητος.
ideo·gram /ˋɪdɪəgræm/, **ideo·graph** /ˋɪdɪəgraf/ *οὐσ.* ‹C› ἰδεόγραμμα.
ideol·ogy /ˈaɪdɪˋolədʒɪ/ *οὐσ.* **1**. ‹C› ἰδεολογία. **2**. ‹U› οὐτοπία, φαντασιοκοπία. **ideo·logi·cal** /ˈaɪdɪəˋlodʒɪkl/ *ἐπ.* ἰδεολογικός. **ideo·logi·cally** /-klɪ/ *ἐπίρ.* ἰδεολογικά.
id est /ˈɪd ˋest/ (*Λατ.*, *συγκεκ.* **i.e.**) τουτέστιν, δηλαδή.
idi·ocy /ˋɪdɪəsɪ/ *οὐσ.* ‹C,U› ἠλιθιότης, ἠλιθία ἐνέργεια.
idio·lect /ˋɪdɪəlekt/ *οὐσ.* ‹C› λεκτικόν, λεξιλόγιον.
id·iom /ˋɪdɪəm/ *οὐσ.* ‹C,U› **1**. ἰδίωμα, διάλεκτος, γλῶσσα (μιᾶς χώρας). **2**. ἰδιωματισμός, ἰδιωτισμός.
id·io·matic /ˈɪdɪəˋmætɪk/ *ἐπ.* **1**. ἀνήκων εἰς τήν γλῶσσαν μιᾶς χώρας, ὀρθός: *speak ~ English*, μιλῶ σωστά Ἀγγλικά (*δηλ.* τά Ἀγγλικά πού μιλοῦν οἱ Ἄγγλοι). **2**. γεμᾶτος ἰδιωματισμούς: *English is an ~ language*, ἡ Ἀγγλική εἶναι γλῶσσα γεμάτη ἰδιωματισμούς. **idi·om·ati·cally** /-klɪ/ *ἐπίρ.* ὀρθά, μέ εὐχέρεια.
idio·syn·crasy /ˈɪdɪəˋsɪŋkrəsɪ/ *οὐσ.* ‹C› ἰδιοσυγκρασία, ἰδιομορφία: *idiosyncrasies of style*, ἰδιομορφίες ὕφους. **idio·syn·cratic** /ˈɪdɪəsɪŋˋkrætɪk/ *ἐπ.* ἰδιόμορφος, ἰδιάζων, ἰδιότυπος.
id·iot /ˋɪdɪət/ *οὐσ.* ‹C› ἠλίθιος: *behave like an ~*, συμπεριφέρομαι σάν ἠλίθιος. *the village ~*, ὁ χαζός τοῦ χωριοῦ. *You ~!* ἠλίθιε! **~ic** /ˈɪdɪˋotɪk/ *ἐπ.* ἠλίθιος, ἀνόητος: *Don't be so ~ic!* μήν εἶσαι ἠλίθιος!
idle /ˋaɪdl/ *ἐπ.* *(-r, -st)* **1**. ἀργός, ἄεργος: *I've been ~ for months though, God knows, I'm not lazy*, εἶμαι ἄεργος ἐπί μῆνες, ἄν καί, μάρτυς μου ὁ Θεός, δέν εἶμαι τεμπέλης. *During the depression half the machines in the factory were ~*, στήν περίοδο τῆς κρίσεως οἱ μισές μηχανές στό ἐργοστάσιο δέν δούλευαν. *in my ~ hours*, τίς ὧρες τῆς σχόλης μου, ὅταν δέν δουλεύω. *sit/stand ~*, κάθομαι/στέκομαι ἀργός, μέ σταυρωμένα τά χέρια. *Don't let your money lie ~*, μήν ἀφήνης τά λεφτά σου νά κοιμῶνται (ἀχρησιμοποίητα). *when the engine is ~*, ὅταν ἡ μηχανή εἶναι στό ρελαντί... **2**. τεμπέλης, ἀργόσχολος: *the ~ rich*, οἱ ἀργόσχολοι πλούσιοι. **3**. ἄσκοπος, μάταιος: *~ tears*, ἄσκοπα δάκρυα. *It's ~ to expect help from him*, εἶναι μάταιο νά περιμένης βοήθεια ἀπ' αὐτόν. **4**. ἀβάσιμος, ἐπιπόλαιος: *~ rumours*, ἀβάσιμες διαδόσεις. *—ρ.μ./ἀ.* **1**. τεμπελιάζω, χαζεύω, μένω ἀργός: *Don't ~ about!* μήν τεμπελιάζης! (μήν περιφέρεσαι ἄσκοπα!) *Don't ~ away your time!* μή σπαταλᾶς τό χρόνο σου χαζεύοντας. **2**. (*γιά μηχανή*) δουλεύω στό ρελαντί. **~·ness** *οὐσ.* ‹U› ἀργία, καθησιό, ματαιότης. **idler** /ˋaɪdlə(r)/ *οὐσ.* ‹C› ἀργόσχολος. **idly** /ˋaɪdlɪ/ *ἐπίρ.* χωρίς δουλειά, τεμπέλικα, ἄσκοπα: *talk idly*, λέω λόγια τοῦ ἀέρα, μιλῶ ἄσκοπα.
idol /ˋaɪdl/ *οὐσ.* ‹C› **1**. εἴδωλον (ὁμοίωμα θεοῦ), ψεύτικος θεός. **2**. ἥρως, ἴνδαλμα, λατρεία: *He was the ~ of my youth*, ἦταν ὁ

ἥρωας/τό ἴνδαλμα τῆς νιότης μου. *the ~ of the family*, τό ἴνδαλμα/ἡ λατρεία τῆς οἰκογενείας. *make an ~ of sth/sb*, λατρεύω, θεοποιῶ κπ/κτ. **~·ater** /aɪˋdolətə(r)/ *οὐσ.* ‹C› εἰδωλολάτρης, λάτρης, θαυμαστής. **~-atress** /aɪˋdolətrəs/ *οὐσ.* ‹C› εἰδωλολάτρισσα, λάτρισσα. **~·atrous** /aɪˋdolətrəs/ *ἐπ.* εἰδωλολατρικός, λατρευτικός. **~·atry** /aɪˋdolətrɪ/ *οὐσ.* ‹C,U› εἰδωλολατρεία, λατρεία, θαυμασμός. **~·ize** /ˋaɪdəlaɪz/ *ρ.μ.* λατρεύω, θαυμάζω ἀπεριόριστα.

idyll /ˋɪdl/ *οὐσ.* ‹C› (*ποιητ.*) εἰδύλλιον. **idyl·lic** /ɪˋdɪlɪk/ *ἐπ.* εἰδυλλιακός: *an ~ic life*, εἰδυλλιακή ζωή.

if /ɪf/ *σύνδ.* **1**. ἐάν: *(α) (σέ ὑποθετικές προτάσεις)*: *I~ he comes, I'll give it to him*, ἄν ἔρθη (*τώρα ἤ στό μέλλον*) θά τοῦ τό δώσω. *I~ he came, I'd give it to him*, ἄν ἐρχόταν (*τώρα ἤ στό μέλλον–ἀλλά εἶναι ἀπίθανον*) θά τοῦ τό ἔδινα. *I~ he had come, I'd have given it to him*, ἄν ἐρχόταν (*στό παρελθόν*), θά τοῦ τό ἔδινα. *I~ he should come, ask him to call again*, ἄν τυχόν ἔρθη, πές του νά ξαναπεράση. *I~ you will wait a moment I'll go and tell him that you are here*, ἄν θά ἔχετε τήν καλωσύνη νά περιμένετε ἕνα λεπτό θά πάω νά τοῦ πῶ πώς εἶσθε ἐδῶ. *(β) (σέ ὀνοματικές προτάσεις)*: *Do you know ~ he will be at home tonight?* ξέρετε ἄν θά εἶναι στό σπίτι ἀπόψε; *Let me know ~ you will come*, εἰδοποίησέ με ἄν θά ἔλθης (*δηλ.* στήν περίπτωση πού θά ἔλθης εἰδοποίησέ με, ἄλλως ὄχι) (*Πρβλ. Let me know whether you will come*, εἰδοποίησέ με ἄν θά ἔλθης, *δηλ.* εἴτε ἔλθης εἴτε ὄχι). *(γ)* ***even if***, ἀκόμη κι' ἄν: *I'll go even ~ he doesn't*, θά πάω ἀκόμη κι' ἄν αὐτός δέν πάη. *(δ)* ***as if***, σά νά: *He talks as ~ he were an authority on the subject*, μιλάει σά νά εἶναι αὐθεντία στό θέμα. *As ~ I cared!* σά νά (λές καί) μέ νοιάζη! (*δηλ. δέν μέ νοιάζει!*) *As ~ he didn't know!* σά νά μήν τὄξερε! (*δηλ. τὄξερε!*) *It isn't as ~ we were rich*, ὄχι πώς εἴμαστε πλούσιοι! *(ε)* ***if only***, ἄχ καί νά, φτάνει νά: *I~ only I knew!* ἄχ καί νά τὄξερα! *I~ only he arrives in time!* φτάνει νά ἔρθη ἔγκαιρα! **2**. (*σέ ἐπιφωνήματα ἐκπλήξεως, φόβου, κλπ μέ τό ρῆμα στόν ἀρνητικό τύπο*): *Well, ~ I haven't left my umbrella in the train!* νά πάρη ἡ ὀργή, ξέχασα τήν ὀμπρέλλα μου στό τραῖνο!

ig·loo /ˋɪglu/ *οὐσ.* ‹C› (*πληθ.* *~s*) παγοκαλύβα Ἐσκιμώων.

ig·nite /ɪgˋnaɪt/ *ρ.μ/ἀ.* ἀνάβω, ἀναφλέγω/-ομαι.

ig·ni·tion /ɪgˋnɪʃn/ *οὐσ.* ‹U› ἔναυσμα, (*μηχ.*) ἀνάφλεξις: *switch on the ~*, γυρίζω τό διακόπτη, βάζω μπρός (αὐτοκίνητο).

ig·noble /ɪgˋnəʊbl/ *ἐπ.* **1**. (*λόγ.*) ἀνέντιμος, ποταπός, ἐπαίσχυντος: *an ~ man/action*, ἀνέντιμος ἄνθρωπος/ποταπή ἐνέργεια. *an ~ peace*, μιά ἐπαίσχυντη εἰρήνη. **2**. (*παλαιότ.*) ταπεινῆς καταγωγῆς, πληβεῖος. **ig·nobly** *ἐπίρ.* πρόστυχα, ἐπαίσχυντα.

ig·nom·ini·ous /ˈɪgnəˋmɪnɪəs/ *ἐπ.* ἀτιμωτικός, ἐπονείδιστος: *~ behaviour*, ἐπονείδιστη συμπεριφορά. *an ~ defeat*, ἀτιμωτική ἧττα.

ig·nom·iny /ˋɪgnəmɪnɪ/ *οὐσ.* **1**. ‹U› καταισχύνη, ὄνειδος, ἀτίμωσις. **2**. ‹C› ἀτιμία, προστυχιά.

ig·nor·amus /ˈɪgnəˋreɪməs/ *οὐσ.* ‹C› (*πληθ.* *~es* /-sɪz/) ἀδαής, ἀμαθής: *He's a perfect ~*, εἶναι κούτσουρο ἀπελέκητο.

ig·nor·ance /ˋɪgnərəns/ *οὐσ.* ‹U› ἄγνοια, ἀμάθεια, ἀγραμματοσύνη: *be in complete ~ of sth*, ἀγνοῶ κτ ἐντελῶς. ***do sth from/through ~***, κάνω κτ ἀπό ἄγνοια.

ig·nor·ant /ˋɪgnərənt/ *ἐπ.* **1**. ἀγνοῶν, ἀνίδεος, ἀπληροφόρητος: *be ~ of sth*, ἀγνοῶ κτ. **2**. ἀγράμματος, ἀμαθής: *He's so ~ he can't even read*, εἶναι τόσο ἀγράμματος πού οὔτε νά διαβάση δέν μπορεῖ. **3**. ἀδαής, πού προδίδει ἀμάθεια: *an ~ question/reply*. **~·ly** *ἐπίρ.*

ig·nore /ɪgˋnɔ(r)/ *ρ.μ.* ἀγνοῶ, ἀδιαφορῶ γιά, ἀψηφῶ: *~ sb in the street*, ἀγνοῶ (κάνω ὅτι δέν ξέρω) κπ στό δρόμο. *~ an insult*, ἀδιαφορῶ γιά (παραβλέπω) μιά προσβολή. *~ a rule*, ἀψηφῶ ἕναν κανόνα.

ikon /ˋaɪkon/ *οὐσ.* ‹C› *βλ. icon.*

I'll /aɪl/ = *I will ἤ I shall.*

ill /ɪl/ *ἐπ.* **1**. (*συνήθ. κατηγ.*) ἄρρωστος: *He's ~*, εἶναι ἄρρωστος. *She was ~ with anxiety*, ἀρρώστησε ἀπό ἀνησυχία. **2**. (*ἐπιθ.*) κακός, ἄσχημος: *~ health*, ἄσχημη ὑγεία. *~ luck/repute*, κακή τύχη/φήμη. *~ temper/humour*, κακή διάθεσις. ***It's an ~ wind that blows nobody any good***, (*παροιμ.*) οὐδέν κακόν ἀμιγές καλοῦ. **3**. (*σέ σύνθ. λέξεις*): **ˈ~-ˋbreeding**, κακή ἀνατροφή, ἔλλειψις ἀγωγῆς. **ˈ~-ˋfavoured** *ἐπ.* ἀδικημένος ἀπό τή φύση, ἄσχημος. **ˈ~-ˋmannered** *ἐπ.* κακομαθημένος, μέ κακούς τρόπους. **ˈ~-ˋomened** *ἐπ.* δυσοίωνος. **ˈ~-ˋstarred** *ἐπ.* ἄτυχος, κακότυχος. **ˈ~-ˋtreatment/-ˋusage**, κακομεταχείρισις. **ˈ~ ˋwill**, ἔχθρα, (μνησι)κακία, μοχθηρία. —*οὐσ.* ‹C,U› κακό, ἀτυχία, βάσανο: *do ~*, κάνω κακό. *the various ~s of life*, τά διάφορα βάσανα τῆς ζωῆς. —*ἐπίρ.* κακά, ἄσχημα, δύσκολα: *They were ~ provided with ammunition*, δέν ἦσαν καλά ἐφοδιασμένοι μέ πολεμοφόδια. *I can ~ afford the time and money to do it*, δύσκολα μπορῶ (δέν μπορῶ) νά διαθέσω τό χρόνο καί τά χρήματα γιά νά τό κάνω. *It ~ becomes you to criticize him*, δέν σοῦ ταιριάζει νά τόν ἐπικρίνης. ***be/feel ~ at ease***, δέν νοιώθω ἄνετα, εἶμαι σέ ἀμηχανία. ***speak ~ of sb***, κακολογῶ κπ. **ˈ~-adˋvised** *ἐπ.* ἀσύνετος, ἀπερίσκεπτος. **ˈ~-afˋfected (towards sb)** *ἐπ.* κακά διατεθειμένος (ἔναντι κάποιου), ἐχθρικός. **ˈ~-ˋfated** *ἐπ.* ἄμοιρος, κακότυχος, ἄτυχος. **ˈ~-gotten ˋgains**, ἀνεμομαζώματα, ἀνόμως κτηθέντα κέρδη. **ˈ~-ˋjudged** *ἐπ.* (*γιά πράξη*), ἄκαιρος, ἀστόχαστος, ἀσυλλόγιστος. **ˈ~-ˋtimed** *ἐπ.* ἄκαιρος. **ˈ~-ˋtreat/-ˋuse** *ρ.μ.* κακομεταχειρίζομαι/κακοποιῶ, κάνω κακή χρήση.

il·legal /ɪˋligl/ *ἐπ.* παράνομος. **~ly** /-gəlɪ/ *ἐπίρ.* παρανόμως. **~·ity** /ˈɪlɪˋgæləti/ *οὐσ.* ‹C,U› παρανομία, ἀνομία.

il·leg·ible /ɪˋledʒəbl/ *ἐπ.* δυσανάγνωστος. **il·leg·ibly** /-əblɪ/ *ἐπίρ.* δυσανάγνωστα. **il·leg·ibil·ity** /ɪˈledʒəˋbɪləti/ *οὐσ.* ‹U› τό δυσανάγνωστον.

il·legit·imate /ˈɪlɪˋdʒɪtɪmət/ *ἐπ.* **1**. ἀθέμιτος, παράνομος. **2**. νόθος: *an ~ child*. **3**. (*γιά συμπέρασμα, κλπ*) ἀβάσιμος, παράλογος. **il·legit·imacy** /-məsɪ/ *οὐσ.* ‹U› παρανομία,

νόθος καταγωγή.
il·lib·eral /ɪˋlɪbrl/ ἐπ. **1**. ἀνελεύθερος, στενοκέφαλος. **2**. φιλάργυρος. **~ly** /-rlɪ/ ἐπίρ.
il·licit /ɪˋlɪsɪt/ ἐπ. παράνομος, ἀπαγορευμένος: *The sale of opium is ~*, ἡ πώλησις ὀπίου εἶναι παράνομος, ἀπαγορεύεται. **~·ly** ἐπίρ. παρανόμως.
il·limit·able /ɪˋlɪmɪtəbl/ ἐπ. ἀπεριόριστος, ἀπέραντος: *~ space/ambition*, ἀπέραντος χῶρος/-η φιλοδοξία.
il·lit·er·ate /ɪˋlɪtərət/ ἐπ. & οὐσ. ‹C› ἀγράμματος, ἀναλφάβητος. **il·lit·er·acy** /-ərəsɪ/ οὐσ. ‹U› ἀναλφαβητισμός, ἀγραμματωσύνη.
ill·ness /ˋɪlnəs/ οὐσ. ‹C,U› ἀρρώστεια.
il·logi·cal /ɪˋlɒdʒɪkl/ ἐπ. παράλογος. **~ly** /-klɪ/ ἐπίρ. παράλογα. **~·ity** /ɪˈlɒdʒɪˋkælətɪ/ οὐσ. ‹C,U› παραλογισμός.
il·lu·mi·nate /ɪˋlumɪneɪt/ ρ.μ. **1**. φωτίζω: *a poorly ~d room*, κακοφωτισμένο δωμάτιο. **2**. φωταγωγῶ (πχ δρόμους). **3**. διακοσμῶ (πχ χειρόγραφα, ὅπως στό Μεσαίωνα). **4**. διασαφηνίζω, διευκρινίζω: *~ a difficult passage in a book*, διευκρινίζω ἕνα δύσκολο χωρίον βιβλίου. **il·lu·mi·na·tion** /ɪˈlumɪˋneɪʃn/ οὐσ. ‹C,U› φώτισις, φωτισμός, φωταψία, (πληθ.) φῶτα, διακόσμησις (χειρογράφου).
il·lu·mine /ɪˋlumɪn/ ρ.μ. λαμπρύνω, (δια)φωτίζω, φωταγωγῶ.
il·lu·sion /ɪˋluʒn/ οὐσ. ‹C,U› αὐταπάτη, ψευδαίσθησις, πλάνη: *an optical ~*, ὀπτική ἀπάτη, ὀφθαλμαπάτη. ***be under an ~***, ἀπατῶμαι, ἔχω μιά ψευδαίσθηση. ***cherish an/the ~ that***..., τρέφω μιά/τήν αὐταπάτη ὅτι... ***have no ~s about sth***, δέν τρέφω ψευδαισθήσεις/αὐταπάτες γιά κτ. **~·ist** /-ɪst/ οὐσ. ‹C› θαυματοποιός.
il·lu·sive /ɪˋlusɪv/, **il·lu·sory** /ɪˋlusərɪ/ ἐπ. ἀπατηλός.
il·lus·trate /ˋɪləstreɪt/ ρ.μ. **1**. ἐπεξηγῶ, διευκρινίζω: *~ a rule by means of examples*, ἐπεξηγῶ ἕναν κανόνα μέ παραδείγματα. **2**. εἰκονογραφῶ: *an ~d magazine*, εἰκονογραφημένο περιοδικό. **il·lus·tra·tion** /ˈɪləˋstreɪʃn/ οὐσ. ‹C,U› **1**. ἐπεξήγησις. **2**. εἰκονογράφησις. **3**. εἰκόνα. **il·lus·tra·tive** /ˋɪləstrətɪv/ ἐπ. ἐπεξηγηματικός. **il·lus·tra·tor** /-tə(r)/ οὐσ. ‹C› εἰκονογράφος.
il·lus·tri·ous /ɪˋlʌstrɪəs/ ἐπ. ἐπιφανής, διάσημος, ἔνδοξος, λαμπρός. **~·ly** ἐπίρ.
I'm /aɪm/ = *I am*.
im·age /ˋɪmɪdʒ/ οὐσ. ‹C› **1**. εἴδωλον, ὁμοίωμα, ἀναπαράστασις: *an ~ of the Virgin Mary*, ἕνα ὁμοίωμα τῆς Παναγίας. *graven ~s*, γλυπτές ἀναπαραστάσεις. *a wooden ~*, ξόανο. **2**. εἰκόνα, ἀπεικόνισις: *God created man in his own ~*, ὁ Θεός ἔπλασε τόν ἄνθρωπο κατ' εἰκόνα καί ὁμοίωσίν του. *He's the very/the spitting ~ of his father*, εἶναι φτυστός ὁ πατέρας του. **3**. εἰκόνα, ἰδέα, σκέψις: *The ~s that swept through his mind*, οἱ εἰκόνες πού περνοῦσαν σάν ἀστραπή ἀπό τό μυαλό του... *the public ~ of a company*, ἡ εἰκόνα πού ἔχει ὁ κόσμος γιά μιά ἑταιρεία, τό ὄνομα/ἡ φήμη μιᾶς ἑταιρίας. **4**. (λογοτ.) μεταφορά, παρομοίωσις, σχῆμα λόγου: *speak in ~s*, μιλῶ παραστατικά, ἐκφράζομαι μέ εἰκόνες. **5**. εἴδωλον (σέ καθρέπτη, κλπ). —ρ.μ. ἀπεικονίζω, ἀντικατοπτρίζω.
im·agery /ˋɪmɪdʒrɪ/ οὐσ. ‹U› εἰκόνες, σχήματα λόγου, καλολογικά στοιχεῖα.
im·ag·in·able /ɪˋmædʒɪnəbl/ ἐπ. διανοητός: *the finest morning ~*, τό πιό ὡραῖο πρωϊνό πού μπορεῖ νά φαντασθῆ κανείς.
im·ag·in·ary /ɪˋmædʒɪnərɪ/ ἐπ. φανταστικός, ἀνύπαρκτος: *~ difficulties*.
im·ag·in·ation /ɪˈmædʒɪˋneɪʃn/ οὐσ. ‹C,U› φαντασία: *have a lively ~*, ἔχω ζωηρή φαντασία. *have little/no ~*, ἔχω πολύ λίγη/δέν ἔχω καθόλου φαντασία. *see sth in ~*, βλέπω κτ μέ τή φαντασία μου. *It's your ~*, εἶναι πλᾶσμα τῆς φαντασίας σου! στόν ὕπνο σου τό εἶδες!
im·ag·in·ative /ɪˋmædʒɪnətɪv/ ἐπ. εὐφάνταστος, ἐπινοητικός, ἐφευρετικός: *an ~ child/writer*. **~·ly** ἐπίρ.
im·ag·ine /ɪˋmædʒɪn/ ρ.μ. φαντάζομαι: *I can't ~ life without you*, δέν μπορῶ νά φανταστῶ τή ζωή χωρίς ἐσένα. *Can you ~ him dancing?* μπορεῖς νά τόν φανταστῆς νά χορεύη; *Don't ~ that I'll pay your debts!* μή φαντάζεσαι ὅτι θά πληρώσω τά χρέη σου!
im·bal·ance /ˈɪmˋbæləns/ οὐσ. ‹C,U› διαφορά, ἔλλειψις ἰσορροπίας, δυσαναλογία: *the increasing ~ between rich and poor countries*, ἡ αὐξανόμενη διαφορά μεταξύ πλουσίων καί πτωχῶν χωρῶν.
im·be·cile /ˋɪmbəsil/ ἐπ. & οὐσ. ‹C› ἠλίθιος, ἀνόητος. **im·be·cil·ity** /ˈɪmbəˋsɪlətɪ/ οὐσ. ‹C,U› ἠλιθιότης, βλακεία.
im·bed /ɪmˋbed/ ρ.μ. βλ. *embed*.
im·bibe /ɪmˋbaɪb/ ρ.μ. (λογ.) ἐμποτίζομαι μέ, ἀποκτῶ, ἀπορροφῶ: *~ ideas/knowledge*.
im·bro·glio /ɪmˋbrəʊlɪəʊ/ οὐσ. ‹C› (πληθ. ~s) ἐμπλοκή, χάος, μπέρδεμα: *a political ~*, μπερδεμένη πολιτική κατάστασις.
im·bue /ɪmˋbju/ ρ.μ. (λόγ.) ~ ***with***, (δια)ποτίζω: *~d with patriotism/hatred/prejudices*, διαποτισμένος (γεμᾶτος) μέ πατριωτισμό/μῖσος/προλήψεις.
imi·tate /ˋɪmɪteɪt/ ρ.μ. **1**. (ἀπο)μιμοῦμαι: *~ sb's style*, ἀπομιμοῦμαι τό ὕφος κάποιου. *Parrots ~ human speech*, οἱ παπαγάλοι μιμοῦνται τήν ἀνθρώπινη λαλιά. **2**. μοιάζω μέ: *wood painted to ~ marble*, ξύλο βαμμένο γιά νά μοιάζη μέ μάρμαρο. **imi·ta·tor** /-tə(r)/ οὐσ. ‹C› ἀπομιμητής, ἀντιγραφεύς.
imi·ta·tion /ˈɪmɪˋteɪʃn/ οὐσ. ‹C,U› **1**. (ἀπο)μίμησις: *set a good example for ~*, δίνω καλό παράδειγμα πρός μίμησιν. *do sth in ~ of sb*, κάνω κτ ἀπομιμούμενος κπ. *Beware of ~s!* προσέχετε τίς ἀπομιμήσεις! **2**. (ἐπιθ.) ἰμιτασιόν: *~ leather*, δέρμα ἰμιτασιόν, ἀπομίμησις δέρματος.
imi·ta·tive /ˋɪmɪtətɪv/ ἐπ. (ἀπο)μιμητικός, πιθηκίζων: *as ~ as a monkey*, μιμητικός σάν πίθηκος. **the ~ arts**, οἱ πλαστικές τέχνες (γλυπτική, ζωγραφική).
im·macu·late /ɪˋmækjʊlət/ ἐπ. ἄψογος, ἄμεμπτος, ἀμόλυντος: *~ conduct/clothes*, ἄψογος συμπεριφορά/-α ροῦχα. **the I~ Conception**, ἡ Ἄμωμος Σύλληψις (τῆς Παρθένου). **~·ly** ἐπίρ. ἄψογα: *~ly dressed*.
im·ma·nent /ˋɪmənənt/ ἐπ. ἐνυπάρχων. **im·ma·nence** /-əns/ οὐσ. ‹U› τό ἔμφυτον, τό ἐνυπάρχον.
im·ma·ter·ial /ˈɪməˋtɪərɪəl/ ἐπ. **1**. ἐπουσιώδης,

ἀσήμαντος: ~ *details*, ἐπουσιώδεις λεπτομέρειες. *That's* ~ *to me*, αὐτό δέν ἔχει σημασία γιά μένα, μοῦ εἶναι ἀδιάφορο. **2.** ἄϋλος: *as* ~ *as a ghost*, ἄϋλος σά φάντασμα.

im·ma·ture /ˈɪməˋtjʊə(r)/ *ἐπ.* ἀνώριμος: *an* ~ *girl; the* ~ *minds of young people;* ~ *work*, πρωτόλειον. **im·ma·tur·ity** /-ətɪ/ *οὐσ.* ‹U› ἀνωριμότης.

im·measur·able /ɪˋmeʒərəbl/ *ἐπ.* ἄμετρος, ἀνυπολόγιστος: *to my* ~ *delight*, πρός ἄμετρον εὐχαρίστησίν μου.

im·medi·ate /ɪˋmidɪət/ *ἐπ.* ἄμεσος, ἐγγύτατος: ~ *danger/delivery*, ἄμεσος κίνδυνος/παράδοσις. *I demand an* ~ *answer*, ἀπαιτῶ ἄμεσον ἀπάντησιν. *take* ~ *action*, ἐνεργῶ ἀμέσως. *the* ~ *heir to the throne*, ὁ ἄμεσος κληρονόμος τοῦ θρόνου. *my* ~ *neighbours*, οἱ πλησιέστεροι γείτονές μου. **~·ly** *ἐπίρ.* ἀμέσως, κατ' εὐθεῖαν. __*σύνδ.* ἀμέσως μόλις: *I'll leave* ~*ly he comes*, θά φύγω ἀμέσως μόλις ἔρθη.

im·mem·or·ial /ˈɪməˋmɔrɪəl/ *ἐπ.* πανάρχαιος, ἀμνημόνευτος. ***from time*** ~, ἀπό ἀμνημονεύτων χρόνων.

im·mense /ɪˋmens/ *ἐπ.* ἀχανής, πελώριος, ἀπέραντος. **~·ly** *ἐπίρ.* (*καθομ.*) πάρα πολύ: *He's* ~*ly rich*.

im·merse /ɪˋmɜs/ *ρ.μ.* **1.** ἐμβαπτίζω, βυθίζω, βουτῶ: ~ *one's head in the water*, βουτῶ τό κεφάλι μου στό νερό. **2.** ***be ~d in***, εἶμαι βυθισμένος εἰς/ἀπορροφημένος ἀπό: *be* ~*d in a book/in thought*, εἶμαι βυθισμένος σ' ἕνα βιβλίο/σέ σκέψεις. *be* ~*d in research/one's work*, εἶμαι ἀπορροφημένος ἀπό ἔρευνες/ἀπό τή δουλειά μου. **im·mer·sion** /ɪˋmɜʃn/ *οὐσ.* ‹C,U› βύθισις, βάπτισμα διά καταδύσεως, ἀπορρόφησις.

im·mi·grant /ˋɪmɪgrənt/ *οὐσ.* ‹C› μετανάστης: *Greek* ~*s in Australia*, Ἕλληνες μετανάστες στήν Αὐστραλία.

im·mi·grate /ˋɪmɪgreɪt/ *ρ.ἀ.* ~ ***(into)***, εἰσέρχομαι ὡς μετανάστης: ~ *into Canada*, μπαίνω στόν Καναδᾶ ὡς μετανάστης. **im·mi·gra·tion** /ˈɪmɪˋgreɪʃn/ *οὐσ.* ‹C,U› μετανάστευσις (ἀπ' ἔξω).

im·mi·nent /ˋɪmɪnənt/ *ἐπ.* ἐπικείμενος, ἄμεσος: ~ *danger/death*, ἄμεσος κίνδυνος/θάνατος. *A storm/A revolution/War is* ~, ἐπίκειται θύελλα/ἐπανάστασις/πόλεμος. **~·ly** *ἐπίρ.* ἀμέσως.

im·mo·bile /ɪˋməʊbaɪl/ *ἐπ.* ἀκίνητος, ἀμετακίνητος. **im·mo·bil·ity** /ˈɪməˋbɪlətɪ/ *οὐσ.* ‹U› ἀκινησία.

im·mo·bi·lize /ɪˋməʊbɪlaɪz/ *ρ.μ.* ἀκινητοποιῶ. **im·mo·bil·iz·ation** /ɪˈməʊbɪlaɪˋzeɪʃn/ *οὐσ.* ‹U› ἀκινητοποίησις.

im·mod·er·ate /ɪˋmodərət/ *ἐπ.* ἄμετρος, ὑπερβολικός: ~ *eating and drinking*. **~·ly** *ἐπίρ.* ὑπερβολικά, χωρίς μέτρο.

im·mod·est /ɪˋmodɪst/ *ἐπ.* **1.** ἄσεμνος, ἀπρεπής: *an* ~ *dress;* ~ *behaviour*. **2.** ἀναιδής, ξιπασμένος: ~ *boasts*, ἀναιδεῖς καυχησιολογίες. **~·ly** *ἐπίρ.* ἄσεμνα, ἄπρεπα, ἀναιδῶς. **~y** *οὐσ.* ‹C,U› ἀπρέπεια, ἀμετροέπεια, ἔλλειψις σεμνότητος.

im·mo·late /ˋɪməleɪt/ *ρ.μ.* (*λόγ.*) θυσιάζω, προσφέρω ὡς θυσία. **im·mo·la·tion** /ˈɪməˋleɪʃn/ *οὐσ.* ‹C,U› θυσία.

im·moral /ɪˋmorl/ *ἐπ.* ἀνήθικος. **~ly** /-rəlɪ/ *ἐπίρ.* ἀνήθικα. **~·ity** /ˈɪməˋrælətɪ/ *οὐσ.* ‹C,U› ἀνηθικότης.

im·mor·tal /ɪˋmɔtl/ *ἐπ.* & *οὐσ.* ‹C› ἀθάνατος: ~ *poetry/music/fame*, ἀθάνατη ποίηση/μουσική/δόξα. **the ~s**, οἱ ἀθάνατοι (θεοί τοῦ Ὀλύμπου). **~·ity** /ˈɪmɔˋtælətɪ/ *οὐσ.* ‹U› ἀθανασία. **~·ize** /ɪˋmɔtəlaɪz/ *ρ.μ.* ἀποθανατίζω.

im·mov·able /ɪˋmuvəbl/ *ἐπ.* **1.** ἀκίνητος: ~ *property*, ἀκίνητος περιουσία. **2.** ~ ***in***, ἀμετακίνητος, σταθερός, ἀμετάθετος: ~ *in his purpose*, ἀμετακίνητος στό σκοπό του. **im·mov·ably** /-əblɪ/ *ἐπίρ.*

im·mune /ɪˋmjun/ *ἐπ.* ~ ***(from/against)***, ἀπρόσβλητος: ~ *against attacks/from an illness*, ἀπρόσβλητος ἀπό ἐπιθέσεις/ἀπό μιά ἀρρώστεια. **im·mun·ity** /-ətɪ/ *οὐσ.* ‹U› ἀσφάλεια, ἀνοσία, ἀσυλία, ἀπαλλαγή: ~ *from danger*, ἀσφάλεια ἀπό κίνδυνο. ~ *from an illness*, ἀνοσία ἀπό ἀρρώστεια. *diplomatic* ~, διπλωματική ἀσυλία. ~ *from taxation*, ἀπαλλαγή ἀπό φορολογία.

im·mu·nize /ˋɪmjʊnaɪz/ *ρ.μ.* ~ ***(against)***, διασφαλίζω, ἀνοσοποιῶ. **im·mu·niz·ation** /ˈɪmjʊnaɪˋzeɪʃn/ *οὐσ.* ‹U› ἀνοσοποίησις.

im·mure /ɪˋmjʊə(r)/ *ρ.μ.* (*λόγ.*) ἐγκλείω, φυλακίζω.

im·mut·able /ɪˋmjutəbl/ *ἐπ.* (*λόγ.*) ἀμετάβλητος, μόνιμος. **im·mut·ably** /-əblɪ/ *ἐπίρ.* ἀμετάβλητα. **im·muta·bil·ity** /ɪˈmjutəˋbɪlətɪ/ *οὐσ.* ‹U› σταθερότης, μονιμότης, (τό) ἀμετάβλητον.

imp /ɪmp/ *οὐσ.* ‹C› διαβολάκι, ζιζάνιο.

im·pact /ˋɪmpækt/ *οὐσ.* **1.** ‹C› σύγκρουσις. **2.** ‹U› δύναμις προσκρούσεως/συγκρούσεως. **3.** ‹U› ἐπίδρασις, ἐπιρροή, ἀντίκτυπος: *the* ~ *of new ideas on young people*, ἡ ἐπίδρασις (ὁ ἀντίκτυπος) τῶν νέων ἰδεῶν στούς νέους. __*ρ.μ.* /ɪmˋpækt/ ἐνσφηνώνω: *an* ~*ed tooth*.

im·pair /ɪmˋpeə(r)/ *ρ.μ.* χαλῶ, καταστρέφω, ἀδυνατίζω: ~ *one's health by overwork*, καταστρέφω τήν ὑγεία μου ἀπό ὑπερκόπωση. ~ *one's eyesight*, ἀδυνατίζω τήν ὅρασή μου, χαλῶ τά μάτια μου. **~·ment** *οὐσ.* ‹U› ἐξασθένισις, βλάβη.

im·pale /ɪmˋpeɪl/ *ρ.μ.* σουβλίζω, ἀνασκολοπίζω. **~·ment** *οὐσ.* ‹U› ἀνασκολοπισμός.

im·pal·pable /ɪmˋpælpəbl/ *ἐπ.* ἀνεπαίσθητος, ἀσύλληπτος (ἀπό τό νοῦ).

im·part /ɪmˋpat/ *ρ.μ.* (*λόγ.*) **1.** (μετα)δίδω: ~ *one's enthusiasm*, μεταδίδω τόν ἐνθουσιασμό μου. **2.** ἀνακοινῶ: *I have nothing of interest to* ~ *to you today*, δέν ἔχω τίποτα τό ἐνδιαφέρον νά σᾶς ἀνακοινώσω σήμερα.

im·par·tial /ɪmˋpaʃl/ *ἐπ.* ἀμερόληπτος. **~ly** /-ʃəlɪ/ *ἐπίρ.* ἀμερόληπτα. **~·ity** /ˈɪmˈpaʃɪˋælətɪ/ *οὐσ.* ‹U› ἀμεροληψία.

im·pass·able /ɪmˋpasəbl/ *ἐπ.* ἀδιάβατος: ~ *roads/rivers*.

im·passe /ˋæmpas/ *οὐσ.* ‹C› ἀδιέξοδον.

im·pas·sioned /ɪmˋpæʃnd/ *ἐπ.* παθιασμένος, φλογερός, βίαιος: *an* ~ *speech/speaker*, φλογερός λόγος/παθιασμένος ὁμιλητής.

im·pass·ive /ɪmˋpæsɪv/ *ἐπ.* ἀπαθής. **~·ly** *ἐπίρ.* ἀπαθῶς. **~·ness, im·pass·iv·ity** /ˈɪmpæˋsɪvətɪ/ *οὐσ.* ‹U› ἀπάθεια.

im·pa·tience /ɪmˋpeɪʃns/ *οὐσ.* ‹U› ἀνυπομονησία.

im·pat·ient /ɪm`peɪʃnt/ ἐπ. ἀνυπόμονος: *be ~ to do sth*, ἀνυπομονῶ νά κάνω κτ. ***be ~ of***, δέν ἀνέχομαι: *be ~ of delay/advice/control*, δέν ἀνέχομαι καθυστερήσεις/συμβουλές/ἔλεγχο. **~·ly** ἐπίρ. ἀνυπόμονα.
im·peach /ɪm`pitʃ/ ρ.μ. **1**. (νομ.) ***~ sb (for sth)***, ἀπαγγέλλω κατηγορίαν, παραπέμπω εἰς δίκην (ἰδ. γιά ἔγκλημα κατά τοῦ κράτους): *The President must be ~ed*, ὁ Πρόεδρος πρέπει νά παραπεμφθῇ εἰς δίκην. **2**. (λόγ.) ἀμφισβητῶ: *Do you ~ my motives?* ἀμφισβητεῖς τά κίνητρά μου; **~·ment** οὐσ. ‹C,U› ἀμφισβήτησις, παραπομπή εἰς δίκην.
im·pec·cable /ɪm`pekəbl/ ἐπ. (λόγ.) ἄμεμπτος: *an ~ character/record*, ἄμεμπτος χαρακτήρας/-ο, καθαρό μητρῶο.
im·pe·cuni·ous /ˈɪmpɪ`kjunɪəs/ ἐπ. (λόγ.) ἐνδεής, ἄπορος.
im·pede /ɪm`pid/ ρ.μ. παρακωλύω, (παρ)-εμποδίζω: *~ the traffic*, παρακωλύω τήν κυκλοφορία.
im·pedi·ment /ɪm`pedɪmənt/ οὐσ. ‹C› ἐμπόδιον, κώλυμμα, δυσχέρεια: *an ~ to marriage*, κώλυμμα γάμου. *have an ~ in one's speech*, ἔχω δυσχέρεια στήν ὁμιλία (πχ τραύλισμα).
im·pedi·menta /ɪm'pedɪ`mentə/ οὐσ. πληθ. ἀποσκευές (ἰδ. στρατιωτικές).
im·pel /ɪm`pel/ ρ.μ. *(-ll-)* ὠθῶ, παροτρύνω, παρακινῶ: *be ~led to crime by poverty*, ὠθοῦμαι στό ἔγκλημα ἀπό τή φτώχεια.
im·pend·ing /ɪm`pendɪŋ/ ἐπ. (λόγ.) ἐπικείμενος, ἐπικρεμάμενος: *his ~ arrival*, ἡ ἐπικείμενη ἄφιξίς του. *the danger ~ over us*, ὁ κίνδυνος πού ἐπικρέμεται πάνω μας.
im·pen·etrable /ɪm`penɪtrəbl/ ἐπ. ***~ (to)***, ἀδιαπέραστος, ἀπροσπέλαστος: *~ forests/darkness*, ἀδιαπέραστα δάση/-ο σκοτάδι. *an ~ mystery*, ἀνεξιχνίαστο μυστήριο. *a mind ~ to new ideas*, μυαλό ἐντελῶς κλειστό σέ νέες ἰδέες. *a heart ~ to pity*, καρδιά ἀπροσπέλαστη στόν οἶκτο.
im·peni·tent /ɪm`penɪtənt/ ἐπ. (λόγ.) ἀμετανόητος. **~·ly** ἐπίρ. **im·peni·tence** /-təns/ οὐσ. ‹U› ἀμετανοησία.
im·pera·tive /ɪm`perətɪv/ ἐπ. προστακτικός, ἐπιτακτικός, ἐπιβεβλημένος, ἀναγκαῖος: *an ~ gesture/order*, προστακτική χειρονομία/ἐπιτακτική ἐντολή. *Discretion is ~*, ἡ ἐχεμύθεια εἶναι ἐπιβεβλημένη. *Is it ~ that they should have/for them to have three cars?* εἶναι ἀναγκαῖο νά ἔχουν τρία αὐτοκίνητα; **the ~ mood**, (γραμμ.) ἡ προστακτική ἔγκλισις. **~·ly** ἐπίρ. ἐπιτακτικά.
im·per·cep·tible /ˈɪmpə`septəbl/ ἐπ. ἀνεπαίσθητος: *an ~ difference/change/noise*, ἀνεπαίσθητη διαφορά/ἀλλαγή/-ος θόρυβος. **im·per·cep·tibly** /-əblɪ/ ἐπίρ. ἀνεπαίσθητα.
im·per·fect /ɪm`pɜfɪkt/ ἐπ. ἀτελής, ἐλαττωματικός. **~ tense**, (γραμμ.) συνεχής χρόνος.
im·per·fec·tion /ˈɪmpə`fekʃn/ οὐσ. ‹C,U› ἀτέλεια, ἐλάττωμα: *overlook little ~s in sb's character*, παραβλέπω τά μικρά ἐλαττώματα στό χαρακτῆρα κάποιου.
im·per·ial /ɪm`pɪərɪəl/ ἐπ. **1**. αὐτοκρατορικός. **2**. ἐπιβλητικός. **3**. (γιά μέτρα & σταθμά εἰς MB) ἰσχύων. **~ly** ἐπίρ. **~·ism** /-ɪzm/ οὐσ. ‹U› ἰμπεριαλισμός. **~·ist** /-ɪst/ οὐσ. ‹C› ἰμπεριαλιστής. **~·is·tic** /ɪm'pɪərə`lɪstɪk/ ἐπ. ἰμπεριαλιστικός.
im·peril /ɪm`perl/ ρ.μ. *(-ll-)* (λογοτ.) ἐκθέτω εἰς κίνδυνον, διακινδυνεύω: *~ one's life/good name*, ἐκθέτω σέ κίνδυνο τή ζωή μου/τήν ὑπόληψή μου.
im·peri·ous /ɪm`pɪərɪəs/ ἐπ. (λόγ.) **1**. αὐταρχικός, ἀγέρωχος: *an ~ gesture*, αὐταρχική χειρονομία. *~ looks*, ἀγέρωχη ὄψη. **2**. κατεπείγων, ἐπιτακτικός: *It is ~ that*, εἶναι ἐπιτακτικόν ὅπως... **~·ly** ἐπίρ. αὐταρχικά, ἀγέρωχα. **~·ness** οὐσ. ‹U› αὐταρχικότης.
im·per·ish·able /ɪm`perɪʃəbl/ ἐπ. (λόγ.) ἄφθαρτος: *~ glory/fame*, ἄφθαρτος δόξα/φήμη.
im·per·ma·nent /ɪm`pɜmənənt/ ἐπ. (λόγ.) παροδικός, πρόσκαιρος. **im·per·ma·nence** /-əns/ οὐσ. ‹U› παροδικότης.
im·per·me·able /ɪm`pɜmɪəbl/ ἐπ. (λόγ.) ***~ (to)***, στεγανός, ἀδιάβροχος.
im·per·sonal /ɪm`pɜsnl/ ἐπ. ἀπρόσωπος: *~ remarks/forces*, ἀπρόσωπες παρατηρήσεις/δυνάμεις. *~ verbs*, ἀπρόσωπα ρήματα. **~ly** /-nlɪ/ ἐπίρ.
im·per·son·ate /ɪm`pɜsəneɪt/ ρ.μ. **1**. (στό θέατρο) ὑποδύομαι. **2**. προσωποποιῶ. **im·per·son·ation** /ɪm'pɜsn`eɪʃn/ οὐσ. ‹C,U› **1**. προσωποποίησις. **2**. ἀπομίμησις. **im·per·son·ator** /-tə(r)/ οὐσ. ‹C› μῖμος.
im·per·ti·nence /ɪm`pɜtɪnəns/ οὐσ. ‹C,U› αὐθάδεια, ἀναίδεια.
im·per·ti·nent /ɪm`pɜtɪnənt/ ἐπ. **1**. ἀναιδής, αὐθάδης: *an ~ boy/remark*, παιδί/παρατήρησις ὅλο ἀναίδεια. ***be ~ to sb***, αὐθαδιάζω σέ κπ. **2**. ἄσχετος. **~·ly** ἐπίρ.
im·per·turb·able /ˈɪmpə`tɜbəbl/ ἐπ. (λόγ.) ἀτάραχος, φλεγματικός. **im·per·turb·abil·ity** /ˈɪmpə'tɜbə`bɪlətɪ/ οὐσ. ‹U› φλεγματικότης, ἀταραξία.
im·per·vi·ous /ɪm`pɜvɪəs/ ἐπ. ***~ (to)*** **1**. ἀδιαπέραστος ἀπό: *~ to water/heat*, ἀδιάβροχος/ἀδιάθερμος. **2**. (μεταφ.) ἀπροσπέλαστος, ἀνεπηρέαστος: *~ to criticism/pity*, ἀνεπηρέαστος ἀπό τήν κριτική/ἀπροσπέλαστος στόν οἶκτο.
im·pe·tigo /ˈɪmpɪ`taɪgəʊ/ οὐσ. ‹U› ἔκζεμα προσώπου, λειχήν.
im·petu·ous /ɪm`petʃʊəs/ ἐπ. ὁρμητικός, βίαιος, παράφορος, ἀπερίσκεπτος: *a man of ~ character*, ἄνθρωπος μέ παράφορο/βίαιο χαρακτῆρα. *~ remarks*, ἀπερίσκεπτες κουβέντες. **~·ly** ἐπίρ. ὁρμητικά, ἀπερίσκεπτα. **im·petu·os·ity** /ɪm'petʃʊ`ɒsətɪ/ οὐσ. ‹C,U› παραφορά, βιαιότης, ὁρμητικότης.
im·pe·tus /`ɪmpɪtəs/ οὐσ. ‹C› (πληθ. *~es* /-ɪz/) ὁρμή, ὤθησις: *vital ~*, ζωτική ὁρμή. *give fresh ~ to trade*, δίνω καινούργια ὤθηση στό ἐμπόριο.
im·pi·ety /ɪm`paɪətɪ/ οὐσ. ‹C,U› (λόγ.) ἀσέβεια, ἀνευλάβεια.
im·pinge /ɪm`pɪndʒ/ ρ.ἀ. ***~ (up)on***, (λόγ.) προσκρούω σέ κτ, καταπατῶ, σφετερίζομαι: *The light ~d upon my eyes*, τό φῶς μέ χτυποῦσε στά μάτια. *This work is impinging on my spare time*, αὐτή ἡ δουλειά μοῦ τρώει τόν ἐλεύθερο χρόνο μου.
im·pi·ous /`ɪmpɪəs/ ἐπ. (λόγ.) ἀσεβής, ἀνίερος. **~·ly** ἐπίρ.
imp·ish /`ɪmpɪʃ/ ἐπ. διαβολικός, ζαβολιάρικος. **~·ly** ἐπίρ. **~·ness** οὐσ. ‹U›.

im·plac·able /ɪmˈplækəbl/ *ἐπ.* (*λόγ.*) ἀδυσώπητος: ~ *enemies/hatred*, ἀδυσώπητοι ἐχθροί/-ο μῖσος.

im·plant /ɪmˈplɑnt/ *ρ.μ.* ~ ***in***, (ἐμ)φυτεύω, (*μεταφ.*) ἐμπνέω: *deeply ~ed hatred/love*, βαθειά ριζωμένο μῖσος/-η ἀγάπη. ~ *sound principles in the minds of children*, ἐμφυτεύω (ἐμπνέω) ὑγιεῖς ἀρχές στά μυαλά τῶν παιδιῶν.

[1]**im·ple·ment** /ˈɪmpləmənt/ *οὐσ.* ‹C› ἐργαλεῖον: *farm ~s*, γεωργικά ἐργαλεῖα.

[2]**im·ple·ment** /ˈɪmpləment/ *ρ.μ.* ἐκπληρῶ (ὑπόσχεσιν), ἐφαρμόζω/θέτω εἰς ἐφαρμογήν (σχέδιον). **im·ple·men·ta·tion** /ˈɪmpləmenˈteɪʃn/ *οὐσ.* ‹C› ἐκπλήρωσις, ἐφαρμογή: *the implementation of the Security Council resolutions*, ἡ ἐφαρμογή τῶν ἀποφάσεων τοῦ Συμβουλίου Ἀσφαλείας.

im·pli·cate /ˈɪmplɪkeɪt/ *ρ.μ.* (*λόγ.*) ~ ***(in)***, ἐμπλέκω, ἐνοχοποιῶ: ~ *sb/be ~ed in a crime/scandal*, μπλέκω κπ/μπλέκομαι σ'ἕνα ἔγκλημα/σ'ἕνα σκάνδαλο. *His evidence ~s nobody*, ἡ μαρτυρία του δέν ἐνοχοποιεῖ κανέναν.

im·pli·ca·tion /ˈɪmplɪˈkeɪʃn/ *οὐσ.* ‹C,U› **1**. ἐνοχοποίησις, μπλέξιμο. **2**. συνέπεια, ἐπίπτωσις, ἐπαγωγή, σημασία: *He did not realize the full ~ of what he said/did*, δέν ἀντελήφθη τήν πλήρη σημασία τῶν ὅσων εἶπε/ἔκαμε. ***by*** ~, ἐπαγωγικῶς, κατά συμπερασμόν.

im·pli·cit /ɪmˈplɪsɪt/ *ἐπ.* (*λόγ.*) **1**. ὑπονοούμενος, σιωπηρός, ἐξυπακουόμενος (*ἀντίθ. explicit*): *an ~ threat*, σιωπηρά ἀπειλή. *This is ~ in the agreement*, αὐτό ὑπονοεῖται/περιέχεται σιωπηρῶς στή συμφωνία. **2**. ἀπεριόριστος, ἀνεπιφύλακτος, ἀπόλυτος: ~ *trust*, ἀπεριόριστος ἐμπιστοσύνη. ~ *belief*, ἀνεπιφύλακτος πίστις. ~ *obedience*, ἀπόλυτος ὑπακοή. **~·ly** *ἐπίρ.* σιωπηρῶς, ἀνεπιφυλάκτως.

im·plore /ɪmˈplɔ(r)/ *ρ.μ.* ἱκετεύω, ἐκλιπαρῶ: ~ *sb for mercy*, ἐκλιπαρῶ ἔλεος ἀπό κπ. *an imploring glance*, ἱκετευτικό βλέμμα. **im·plor·ing·ly** *ἐπίρ.* ἱκετευτικά.

im·ply /ɪmˈplaɪ/ *ρ.μ.* **1**. ὑπονοῶ, ὑπαινίσσομαι: *Are you ~ing that I am not telling the truth?* ὑπαινίσσεσαι (θέλεις νά πῆς) ὅτι δέν λέω τήν ἀλήθεια; **2**. ὑποδηλῶ, συνεπάγομαι: *Silence sometimes implies consent*, ἡ σιωπή ἐνίοτε ὑποδηλοῖ συναίνεσιν. *Every duty implies a right*, κάθε καθῆκον συνεπάγεται κι'ἕνα δικαίωμα.

im·po·lite /ˈɪmpəˈlaɪt/ *ἐπ.* ἀγενής. **~·ly** *ἐπίρ.* ἀγενῶς. **~·ness** *οὐσ.* ‹U› ἀγένεια.

im·poli·tic /ɪmˈpolətɪk/ *ἐπ.* (*λόγ.*) ἀσύμφορος, ἀσύνετος.

im·pon·der·able /ɪmˈpondərəbl/ *ἐπ.* (*λόγ.*) ἀστάθμητος: ~ *factors*, ἀστάθμητοι παράγοντες. —*οὐσ.* ‹C› (*ἰδ. πληθ.*) ἀστάθμητον.

[1]**im·port** /ɪmˈpɔt/ *ρ.μ.* **1**. ~ ***(from) (into)***, εἰσάγω: ~ *goods from one country into another*, εἰσάγω ἐμπορεύματα ἀπό μιά χώρα σέ ἄλλη. **2**. (*λόγ.*) δηλῶ, σημαίνω: *What does this ~?* τί δηλοῖ/τί σημαίνει αὐτό; **3**. (*ἀπρόσ. εἰς γ΄ ἑν.*) ἀφορᾶ, ἐνδιαφέρει: *It ~s us to know if...*, (μᾶς) ἐνδιαφέρει νά γνωρίζωμεν ἐάν... **~er** *οὐσ.* ‹C› εἰσαγωγεύς. **~·ation** /ˈɪmpɔˈteɪʃn/ *οὐσ.* ‹C,U› εἰσαγωγή.

[2]**im·port** /ˈɪmpɔt/ *οὐσ.* ‹C,U› **1**. εἰσαγωγή: *an ~-export company*, ἑταιρία εἰσαγωγῶν-ἐξαγωγῶν. *I ~s are up this year*, οἱ εἰσαγωγές αὐξήθηκαν φέτος. **2**. (*λόγ.*) ἔννοια, σημασία: *What is the ~ of this statement?* ποιά εἶναι ἡ ἔννοια αὐτῆς τῆς δηλώσεως; **3**. (*λόγ.*) σπουδαιότης: *questions of great ~*, θέματα μεγίστης σπουδαιότητος.

im·port·ance /ɪmˈpɔtns/ *οὐσ.* ‹U› σημασία, σπουδαιότης: *The matter is of great/little ~ to us*, ἡ ὑπόθεσις ἔχει μεγάλη/μηδαμινή σημασία γιά μᾶς. *questions of the greatest ~*, θέματα ὑψίστης σημασίας. *with an air of ~*, μέ ὕφος περιωπῆς.

im·port·ant /ɪmˈpɔtnt/ *ἐπ.* σημαντικός, σπουδαῖος: *an ~ decision/man*, σημαντική ἀπόφασις/προσωπικότης. *look ~*, παίρνω ὕφος, φαίνομαι σπουδαῖος. **~·ly** *ἐπίρ.*

im·por·tu·nate /ɪmˈpɔtʃʊnət/ *ἐπ.* (*λόγ.*) **1**. φορτικός, ἐπίμονος, ὀχληρός: *an ~ beggar*, φορτικός ζητιάνος. **2**. πιεστικός, ἐπείγων: ~ *claims*, πιεστικές ἀξιώσεις. **im·por·tun·ity** /ˈɪmpəˈtjunətɪ/ *οὐσ.* ‹C,U› φορτικότης.

im·por·tune /ɪmpɔˈtʃun/ *ρ.μ.* (*λόγ.*) γίνομαι φορτικός, ζητῶ ἐπιμόνως: *She ~d her husband for more money/to give her more money*, ζητοῦσε ἐπιμόνως ἀπό τόν ἄνδρα της περισσότερα χρήματα/νά τῆς δώση κι'ἄλλα χρήματα. ~ *sb with requests for sth*, φορτώνομαι κπ μέ αἰτήσεις γιά κτ.

im·pose /ɪmˈpəʊz/ *ρ.μ/ἀ.* **1**. ~ ***on***, ἐπιβάλλω: ~ *a tax/a task/conditions on sb*, ἐπιβάλλω φόρον/καθῆκον/ὅρους σέ κπ. ~ *one's company/oneself on strangers*, ἐπιβάλλω τή συντροφιά μου/γίνομαι φόρτωμα σέ ξένους. **2**. ~ ***(up)on sth***, ἐκμεταλλεύομαι: ~ *(up)on sb's good nature*, ἐκμεταλλεύομαι τήν καλωσύνη κάποιου. *Don't let yourself be ~d (up)on*, μήν ἀφήσης νά σέ ἐκμεταλλευτοῦν/νά σέ κοροϊδέψουν. **im·pos·ing** *ἐπ.* ἐντυπωσιακός, ἐπιβλητικός: *an imposing old lady*. **im·pos·ing·ly** *ἐπίρ.*

im·po·si·tion /ˈɪmpəˈzɪʃn/ *οὐσ.* **1**. ‹U› ἐπιβολή: *the ~ of new taxes*, ἡ ἐπιβολή νέων φόρων. **2**. ‹C› βάρος, ἀγγαρεία, κάτι ἐπιβαλλόμενον (*πχ* φόρος, τιμωρία, πρόσθετος ἐργασία, κλπ). **3**. ‹C› κατάχρησις, κοροϊδία, ἀπάτη.

im·poss·ible /ɪmˈposəbl/ *ἐπ.* **1**. ἀδύνατος: *Nothing is ~ to him*, τίποτα δέν εἶναι ἀδύνατο γι'αὐτόν. *Don't ask me to do the ~*, μή μοῦ ζητᾶς νά κάνω τ'ἀδύνατα. **2**. ἀπαράδεκτος, ἀνυπόφορος: *It's an ~ situation*, εἶναι ἀνυπόφορη κατάστασις! *He's an ~ person*, εἶναι ἀνυπόφορος ἄνθρωπος! **im·possi·bil·ity** /ɪmˈposəˈbɪlətɪ/ *οὐσ.* ‹C,U› ἀδυναμία, τό ἀδύνατον.

im·pos·tor /ɪmˈpostə(r)/ *οὐσ.* ‹C› ἀπατεώνας, ἀγύρτης.

im·pos·ture /ɪmˈpostʃə(r)/ *οὐσ.* ‹C,U› ἀπάτη, ἀγυρτεία.

im·po·tent /ˈɪmpətənt/ *ἐπ.* ἀνίκανος (*ἰδ.* σεξουαλικῶς). **~·ly** *ἐπίρ.* **im·po·tence** /-əns/ *οὐσ.* ‹U› ἀδυναμία, ἀνικανότης: *reduce an enemy to ~*, καθιστῶ ἕναν ἐχθρό ἀνίκανο νά βλάψη.

im·pound /ɪmˈpaʊnd/ *ρ.μ.* κατάσχω, ἐπισχίω.

im·pov·er·ish /ɪmˈpovərɪʃ/ *ρ.μ.* (*λόγ.*) ἀποδυναμώνω, καθιστῶ πτωχόν, πτωχαίνω: *~ed soil*, ἀποδυναμωμένο, ἐξαντλημένο ἔδαφος.

He was ~ed by his wife's excesses, περιῆλθεν εἰς ἔνδειαν ἀπό τίς ὑπερβολικές δαπάνες τῆς γυναίκας του.

im·prac·ti·cable /ɪm`præktɪkəbl/ *ἐπ.* **1**. ἀνεφάρμοστος: *~ plans*. **2**. ἀδιάβατος: *~ roads*. **im·prac·ti·cably** *ἐπίρ.*

im·prac·ti·cal /ɪm`præktɪkl/ *ἐπ.* μή πρακτικός, ἄσκοπος.

im·pre·cate /`ɪmprɪkeɪt/ *ρ.μ.* (*λόγ.*) *~* ***(up)-on***, καταριέμαι: *~ evil/calamity (up)on sb*, καταριέμαι κπ. νά πάθη κακό/νά καταστραφῆ. **im·pre·ca·tion** /'ɪmprɪ`keɪʃn/ *οὐσ.* ‹C› κατάρα.

im·preg·nable /ɪm`pregnəbl/ *ἐπ.* ἀπόρθητος, ἀκαταμάχητος: *an ~ fortress/argument*, ἀπόρθητο φρούριο/ἀκαταμάχητο ἐπιχείρημα. **im·preg·nably** /-nəblɪ/ *ἐπίρ.* **im·preg·na·bil·ity** /'ɪm'pregnə`bɪlətɪ/ *οὐσ.* ‹U› τό ἀπόρθητον.

im·preg·nate /`ɪmpregneɪt/ *ρ.μ.* *~* ***with***, **1**. γονιμοποιῶ, καθιστῶ ἔγκυον. **2**. διαποτίζω, κορεννύω: *~ed with chemicals/hatred*, διαποτισμένος μέ χημικές οὐσίες/μέ μῖσος.

im·press /ɪm`pres/ *ρ.μ.* *~* ***on/with***, **1**. ἀποτυπώνω: *~ a seal on wax*, πατῶ μιά σφραγίδα σέ κερί. *~ a figure/design on sth*, ἀποτυπώνω μιά μορφή/ἕνα σχέδιο σέ κτ. **2**. ἐντυπώνω, ἐγχαράσσω, τονίζω: *His words were strongly ~ed on my memory*, τά λόγια του χαράχτηκαν βαθειά στή μνήμη μου. *~ upon sb the importance of hard work*, τονίζω σέ κπ τήν ἀξία τῆς ἐργατικότητος. **3**. ἐντυπωσιάζω, κάνω ἐντύπωση: *He tried to ~ me with his knowledge*, προσπάθησε νά μέ ἐντυπωσιάση μέ τίς γνώσεις του. *I wasn't at all ~ed*, δέν μοῦ ἔκαμε καμιά ἐντύπωση. *He ~ed me favourably/unfavourably*, μοῦ ἔκανε καλή/κακή ἐντύπωση. __*οὐσ.* ‹C› /`ɪmpres/ ἀποτύπωμα, σφραγίδα.

im·pres·sion /ɪm`preʃn/ *οὐσ.* ‹C,U› **1**. ἐντύπωσις: *First ~s are often misleading*, οἱ πρῶτες ἐντυπώσεις εἶναι συχνά παραπλανητικές. *What are your ~s of London?* ποιές εἶναι οἱ ἐντυπώσεις σου γιά/ἀπό τό Λονδῖνο; *make a good/bad/strong ~ on sb*, κάνω καλή/κακή/μεγάλη ἐντύπωση σέ κπ. *I am under the ~/It's my ~ that...*, ἔχω τήν ἐντύπωση ὅτι... **2**. ἐκτύπωσις, ἀνατύπωσις: *a first ~ of 5000 copies*, πρώτη ἐκτύπωσις σέ 5000 ἀντίτυπα. *five ~s of this book*, πέντε ἀνατυπώσεις αὐτοῦ τοῦ βιβλίου. **3**. ἀποτύπωσις, ἀποτύπωμα, σφραγίδα. **~·ism** /-ɪzm/ *οὐσ.* ‹U› ἰμπρεσσιονισμός. **~·ist** /-ɪst/ *οὐσ.* ‹C› ἰμπρεσσιονιστής. **~·is·tic** /ɪm'preʃn`ɪstɪk/ *ἐπ.* ἰμπρεσσιονιστικός.

im·pres·sion·able /ɪm`preʃənəbl/ *ἐπ.* εὐαίσθητος, εὐκολοεπηρέαστος: *He's an ~ young man*, εἶναι εὐαίσθητος νέος. *He's at the ~ age*, εἶναι σέ ἡλικία πού ἐπηρεάζεται εὔκολα.

im·press·ive /ɪm`presɪv/ *ἐπ.* ἐντυπωσιακός: *an ~ victory/achievement*, ἐντυπωσιακή νίκη/-ό ἐπίτευγμα. **~·ly** *ἐπίρ.* ἐντυπωσιακά. **~-ness** *οὐσ.* ‹U›.

im·pri·ma·tur /'ɪmprɪ`meɪtə(r)/ *οὐσ.* ‹C› τό "τυπωθήτω", ἐπίσημος ἔγκρισις.

im·print /ɪm`prɪnt/ *ρ.μ.* *~* ***sth with/on***, σταμπάρω, ἀποτυπώνω: *~ a letter with a postmark*, σταμπάρω ἕνα γράμμα μέ τή σφραγίδα τοῦ ταχυδρομείου. *ideas ~ed on the mind*, ἰδέες πού ἔχουν ἀποτυπωθῆ στό μυαλό. __*οὐσ.* ‹C› /`ɪmprɪnt/ ἀποτύπωμα, σημάδι, σφραγίδα: *the ~ of a foot on sand*, τό ἀποτύπωμα ἑνός ποδιοῦ στήν ἄμμο. *the ~ of suffering on his face*, ἡ σφραγίδα τοῦ πόνου στό πρόσωπό του...

im·prison /ɪm`prɪzn/ *ρ.μ.* φυλακίζω. **~·ment** *οὐσ.* ‹U› φυλάκισις: *be sentenced to ten years' ~ment*, καταδικάζομαι σέ φυλάκιση δέκα ἐτῶν.

im·prob·able /ɪm`probəbl/ *ἐπ.* ἀπίθανος: *an ~ story. Rain is ~ today*, ἡ βροχή δέν εἶναι πιθανή σήμερα. **im·prob·ably** /-əblɪ/ *ἐπίρ.* ἀπίθανα. **im·prob·abil·ity** /'ɪm'probə`bɪlətɪ/ *οὐσ.* ‹C,U› ἀπιθανότης: *Don't worry about such improbabilities*, μή σκοτίζεσαι μέ τέτοια ἀπίθανα ἐνδεχόμενα.

im·promptu /ɪm`promptju/ *ἐπ.* αὐτοσχέδιος: *an ~ speech*. __*ἐπίρ.* ἐκ τοῦ προχείρου: *I can't speak ~*. __*οὐσ.* ‹C› (*πληθ.* *~s*) αὐτοσχεδιασμός.

im·proper /ɪm`propə(r)/ *ἐπ.* **1**. ἄπρεπος, ἀνάρμοστος, ἀταίριαστος: *Laughing is ~ at a funeral*, τά γέλια εἶναι ἀνάρμοστα σέ μιά κηδεία. **2**. ἀνακριβής, ἐσφαλμένος: *~ diagnosis*, ἀνακριβής διάγνωσις. **3**. αἰσχρός: *~ stories*. **~·ly** *ἐπίρ.* ἀπρεπῶς, ἀνακριβῶς.

im·pro·pri·ety /'ɪmprə`praɪətɪ/ *οὐσ.* ‹C,U› (*λόγ.*) ἀπρέπεια, ἀνακρίβεια: *commit improprieties*, διαπράττω ἀπρέπειες/γκάφες.

im·prove /ɪm`pruv/ *ρ.μ/ὰ.* **1**. βελτιώνω/-ομαι, καλυτερεύω: *~ one's English*, βελτιώνω τ' Ἀγγλικά μου. *Your English is improving*, τ' Ἀγγλικά σου βελτιώνονται. *He's improving in health*, καλυτερεύει στήν ὑγεία του. *greatly ~d*, πολύ βελτιωμένος. *~* ***(up)on sth***, διορθώνω κτ: *~ upon a plan*, διορθώνω/κάνω καλύτερο ἕνα σχέδιο. **2**. ἐκμεταλλεύομαι, χρησιμοποιῶ καλά: *~ the occasion/opportunity*, ἐκμεταλλεύομαι τήν εὐκαιρία.

im·prove·ment /ɪm`pruvmənt/ *οὐσ.* ‹C,U› βελτίωσις: *an ~ in the weather/one's health/the situation*, βελτίωσις τοῦ καιροῦ/τῆς ὑγείας μου/τῆς καταστάσεως. *I've noticed numerous ~s in the town*, παρετήρησα πολυάριθμες βελτιώσεις (ἀλλαγές πρός τό καλύτερο) στήν πόλη. *This is an ~ (up)on your first attempt*, αὐτή ἡ προσπάθειά σου εἶναι καλύτερη ἀπό τήν πρώτη.

im·provi·dent /ɪm`provɪdənt/ *ἐπ.* (*λόγ.*) μή προνοητικός, σπάταλος. **~·ly** *ἐπίρ.* χωρίς προνοητικότητα, σπάταλα. **im·provi·dence** /-əns/ *οὐσ.* ‹U› ἀπρονοησία, ἀπερισκεψία.

im·pro·vise /`ɪmprəvaɪz/ *ρ.μ/ὰ.* **1**. αὐτοσχεδιάζω (ποίημα, μουσική, κλπ). **2**. φτιάχνω πρόχειρα: *~ a bed/meal*, φτιάχνω πρόχειρα ἕνα κρεββάτι/φαγητό. **im·pro·vis·ation** /'ɪmprəvaɪ`zeɪʃn/ *οὐσ.* ‹C,U› αὐτοσχεδιασμός.

im·prud·ence /ɪm`prudns/ *οὐσ.* ‹C,U› ἀπερισκεψία, κουτουράδα.

im·prud·ent /ɪm`prudnt/ *ἐπ.* ἀπερίσκεπτος, ἄφρων, ἀσύνετος: *How ~ of you!* τί ἀπερισκεψία ἀπό μέρους σου! **~·ly** *ἐπίρ.* ἀπερίσκεπτα.

im·pu·dence /`ɪmpjʊdəns/ *οὐσ.* ‹U› θρασύτης, ἀναίδεια: *None of your ~!* νά λείπουν οἱ ἀναίδειές σου! *He had the ~ to...*, εἶχε τό θράσος νά...

im·pu·dent /ˋɪmpjʊdənt/ *ἐπ.* θρασύς, ἀναιδής: *You ~ hussy!* ἀναιδέστατο θηλυκό! **~·ly** *ἐπίρ.* ἀναιδέστατα.

im·pugn /ɪmˋpjun/ *ρ.μ.* (*λόγ.*) ἀμφισβητῶ: *~ sb's honesty,* ἀμφισβητῶ τήν τιμιότητα κάποιου.

im·pulse /ˋɪmpʌls/ *οὐσ.* ‹C,U› **1**. ὤθησις: *give an ~ to trade/education,* δίνω ὤθηση στό ἐμπόριο/στήν παιδεία. **2**. παρόρμησις, ὁρμέμφυτον, αὐθόρμητη διάθεσις: *an irresistible ~,* μιά ἀκατανίκητη παρόρμησις. *be seized with/have an ~ to do sth,* μέ πιάνει/ἔχω ξαφνική διάθεση νά κάμω κτ. *He's a man of ~,* εἶναι παρορμητικός τύπος. ***act on ~***, ἐνεργῶ αὐθόρμητα/μέ τήν ἔμπνευση τῆς στιγμῆς.

im·pul·sion /ɪmˋpʌlʃn/ *οὐσ.* ‹C,U› παρόρμησις, παρακίνησις, ὤθησις: *act at the ~ of a person,* ἐνεργῶ τῇ παρακινήσει κάποιου.

im·pul·sive /ɪmˋpʌlsɪv/ *ἐπ.* παρορμητικός, ἐνστικτώδης, αὐθόρμητος: *an ~ reaction,* μιά αὐθόρμητη/ἐνστικτώδης ἀντίδρασις. **~·ly** *ἐπίρ.* αὐθόρμητα. **~·ness** *οὐσ.* ‹U› αὐθορμητισμός.

im·pun·ity /ɪmˋpjunətɪ/ *οὐσ.* ‹U› ἀτιμωρησία, ἀσυδοσία. ***with ~***, ἀτιμωρητί.

im·pure /ɪmˋpjʊə(r)/ *ἐπ.* ἀκάθαρτος, μολυσμένος, αἰσχρός: *~ water/air/thoughts.* **im·pur·ity** /-ətɪ/ *οὐσ.* ‹C,U› ἀκαθαρσία, ἀνηθικότης, αἰσχρότης.

im·pute /ɪmˋpjut/ *ρ.μ.* (*λόγ.*) **~ to**, ἀποδίδω: *They ~d the accident to carelessness,* ἀπέδωσαν τό ἀτύχημα σέ ἀμέλεια. *He was innocent of the crime ~d to him,* ἦταν ἀθῶος ἀπό τό ἔγκλημα πού τοῦ ἀπέδιδαν. **im·pu·ta·tion** /ˌɪmpjʊˋteɪʃn/ *οὐσ.* ‹C,U› καταλογισμός, κατηγορία, αἰτίασις. **im·put·able** /-əbl/ *ἐπ.* ἀποδοτέος, καταλογιστέος.

[1]**in** /ɪn/ *ἐπίρ.* **1**. μέσα (*ἀντίθ.* out): *go/come ~,* μπαίνω μέσα. **2**. ***be in***, *(α)* εἶμαι μέσα (στό σπίτι/στό γραφεῖο): *My husband isn't ~. Is the Manager ~?* *(β)* ἔχω φθάσει: *Our train isn't ~ yet,* τό τραῖνο μας δέν ἔφθασε ἀκόμα. *(γ)* τῆς ἐποχῆς: *Strawberries are ~,* οἱ φράουλες εἶναι στήν ἐποχή τους. *(δ)* τῆς μόδας: *Mini-skirts are ~ again,* τό μίνι εἶναι πάλι τῆς μόδας. *(ε)* εἶμαι στήν ἐξουσία, ἐκλέγομαι: *The Democrats are ~ again,* οἱ Δημοκρατικοί εἶναι στήν ἐξουσία πάλι. *The Liberal candidate is ~,* ὁ Φιλελεύθερος ὑποψήφιος ἐξελέγη. *(στ')* μαζεύομαι: *The apple harvest is ~,* τά μῆλα μαζεύτηκαν. **3**. ***be in for***, *(α)* ἔχω, περιμένω (εἶναι βέβαιον ὅτι θά ἀντιμετωπίσω): *We're ~ for a storm,* θά ἔχωμε θύελλα. *He's ~ for an unpleasant surprise,* τόν περιμένει δυσάρεστη ἔκπληξη. *We are ~ for a bad time,* μᾶς περιμένουν δύσκολοι καιροί. *(β)* συμμετέχω: *I'm ~ for the Marathon race,* συμμετέχω στόν Μαραθώνιο δρόμο. ***be in on***, (*καθομ.*) λαμβάνω μέρος (σέ σχέδιο, κλπ), συμμετέχω σέ κτ: *I'd like to be ~ on it,* θἄθελα νά λάβω κι' ἐγώ μέρος σ' αὐτό. ***be in and out***, μπαινοβγαίνω: *He's always ~ and out of hospital,* διαρκῶς μπαινοβγαίνει στό νοσοκομεῖο. ***be well in with sb***, τἄχω καλά μέ κπ, ἔχω τά μέσα σέ κπ. ***have it in for sb***, τήν φυλάω σέ κπ.

[2]**in** /ɪn/ *πρόθ.* εἰς, σέ: **1**. *ὡς τοπική (ἀναφέρεται σέ χῶρο, ἐν ἀντιθέσει πρός τήν πρόθεσιν at ἡ ὁποία δηλοῖ τοπικό σημεῖον. Συγκρίνατε: He lives ~ Oxford, ἀλλά He studies at Oxford, δηλ.* εἰς τό Πανεπιστήμιον τῆς 'Οξφόρδης. *He works ~ Paris, ἀλλά: Our plane will stop at Paris, ὅπου τό Παρίσι λαμβάνεται ὡς σημεῖον τῆς νοητῆς γραμμῆς πτήσεως*): *~ England; ~ London; ~ the garden; ~ the street; ~ the corner of the room* (*ἀλλά: the shop at the corner*); *~ the country; ~ the mountains* (*ἀλλά: at the seaside*); *sitting ~ an armchair* (*ἀλλά: on a chair*); *~ bed* (*ἀλλά: on the bed*); *~ the doorway* (ἀλλά: *at the door*). **2**. *ὡς χρονική (ἀναφέρεται σέ χρονική περίοδο, ἐν ἀντιθέσει πρός τήν πρόθεσιν at ἡ ὁποία δηλοῖ χρονικόν σημεῖον*): *~ the morning/afternoon/evening* (*ἀλλά: on a cold winter morning; on Monday morning; at six o'clock; at noon; at midnight; at dawn; at Christmas; at Easter*) *~ the daytime; ~ the night* (ἀλλά: *at night*); *~ a few days; ~ my time,* στόν καιρό μου. *~ her day,* στήν ἐποχή της. **3**. *ὡς δηλωτική κατευθύνσεως ἤ κινήσεως (Διά νά δηλωθῇ κίνησις ἤ κατεύθυνσις ἀπέξω πρός τά μέσα εἶναι προτιμωτέρα ἡ πρόθεσις into, ἰδίως ὅταν ἡ χρῆσις τῆς προθ. in δημιουργεῖ κίνδυνον συγχύσεως, ὅπως π.χ. He looked ~ the room, μπορεῖ νά σημαίνει: (α)* περιέφερε τό βλέμμα του στό δωμάτιο–ὅπου ἤδη βρισκόταν–*ἤ (β)* κοίταξε μέσα στό δωμάτιο–ἀπ' ἔξω. *'Ενῶ: He looked into the room σημαίνει σαφῶς* "κοίταξε μέσα στό δωμάτιο"–ἀπ' ἔξω): *~ all directions,* πρός πᾶσαν κατεύθυνσιν. *He put his hands ~ his pockets,* ἔβαλε τά χέρια του στίς τσέπες του. **4**. *ὡς δηλωτική: (α) περιεχομένου: He has nothing of the hero ~ him,* δέν ἔχει τίποτα τό ἡρωϊκό μέσα του. *(β) ἀναλογίας: one ~ ten/a hundred,* ἕνας στούς δέκα/στούς ἑκατό. *(γ) ἐνδυμασίας: Why are you ~ black?* γιατί φορᾶς μαῦρα; *He came out ~ his shirt sleeves,* βγῆκε μέ τό πουκάμισο. *(δ) περιβάλλοντος, περιστάσεων, κλπ: ~ the rain/~ the cold/~ the shade,* στή βροχή/στό κρύο/στή σκιά. *(ε) καταστάσεως: ~ good health,* σέ καλή ὑγεία. *~ despair,* σέ ἀπελπισία. *~ surprise/fear/anger/astonishment/bewilderment,* μέ ἔκπληξη/φόβο/θυμό/κατάπληξη/ἀμηχανία. *~ earnest,* στά σοβαρά. *~ fun/jest/joke,* στ' ἀστεῖα. *(στ') σχήματος, διαρρυθμίσεως: ~ heaps,* σέ σωρούς. *~ rows,* σέ σειρές. *a play ~ three acts,* ἔργο σέ τρεῖς πράξεις. *(ζ) μέσου: ~ English,* στ' 'Αγγλικά. *~ ink/pencil,* μέ μελάνι/μέ μολύβι. *bound ~ leather,* δεμένο μέ δέρμα. *(η) ἀριθμοῦ, ποσότητος: ~ part,* ἐν μέρει. *~ great numbers/quantities,* σέ μεγάλο ἀριθμό/σέ μεγάλες ποσότητες. *(θ) προσώπου: We lost a good teacher ~ Mr. Hill,* χάσαμε ἕναν καλό δάσκαλο στό πρόσωπο τοῦ κ. Χίλλ. *You'll always have a good friend ~ me,* θἄχης πάντα ἕναν καλό φίλο στό πρόσωπό μου. *(ι) σχέσεως: ~ all respects,* ἀπό πάσης ἀπόψεως. *~ every way,* μέ κάθε τρόπο. *blind ~ the left eye,* τυφλός ἀπό τό ἀριστερό μάτι. *weak ~ the head,* ἀδύνατος στό μυαλό. *ten feet ~ length/depth/width/diameter,* δέκα πόδια μῆκος/βάθος/πλάτος/διάμετρος. *(ια) ἐπαγγέλματος, δραστηριότητος: He's ~ the army/politics/the motor business,* εἶναι στό στρατό/στήν πολιτική/στό ἐμπόριο αὐτοκινήτων. *spend time ~*

reading, ξοδεύω χρόνο στό διάβασμα. ***in that***, ἐπειδή, ὑπό τήν ἔννοιαν ὅτι: *Visitors are a nuisance ~ that they prevent one from working*, οἱ ἐπισκέπτες εἶναι μπελᾶς ἐπειδή σ' ἐμποδίζουν νά δουλέψης. ***in as/so far as***, καθ' ὅσον: *He's a Russian ~ so far as he was born in Russia but*..., εἶναι Ρῶσσος καθ' ὅσον ἐγεννήθη στή Ρωσσία, ἀλλά... ***in itself***, καθ' ἑαυτό: *Card playing is not harmful ~ itself; it's only when*..., αὐτή καθαυτή ἡ χαρτοπαιξία δέν εἶναι βλαβερή παρά μόνον ὅταν...

[3]**in** /ɪn/ *οὐσ.* (*μόνον εἰς*) ***the ~s and the outs***, *(α)* οἱ κατέχοντες τήν ἐξουσίαν καί οἱ ἐκτός αὐτῆς. *(β)* τά μέσα καί τά ἔξω, ὅλα τά καθέκαστα: *He knows all the ~s and outs of this problem*, ξέρει ὅλα τά καθέκαστα αὐτοῦ τοῦ προβλήματος.

in·abil·ity /ˈɪnəˋbɪlətɪ/ *οὐσ.* ‹U› ἀνικανότης, ἀδυναμία.

in·ac·cessi·bil·ity /ˈɪnəkˈsesəˋbɪlətɪ/ *οὐσ.* ‹U› τό ἀπρόσιτον.

in·ac·cess·ible /ˈɪnəkˋsesəbl/ *ἐπ.* (*λόγ.*) ἀπρόσιτος: ~ *mountain-tops*, ἀπρόσιτες βουνοκορφές.

in·ac·cur·acy /ɪnˋækjʊrəsɪ/ *οὐσ.* ‹C,U› ἀνακρίβεια.

in·ac·cur·ate /ɪnˋækjʊrət/ *ἐπ.* ἀνακριβής, λανθασμένος. **~·ly** *ἐπίρ.* ἀνακριβῶς.

in·ac·tion /ɪnˋækʃn/ *οὐσ.* ‹U› ἀδράνεια: *a period of ~*, περίοδος ἀδρανείας.

in·ac·ti·vate /ɪnˋæktɪveɪt/ *ρ.μ.* ἀδρανοποιῶ.

in·ac·tive /ɪnˋæktɪv/ *ἐπ.* ἀδρανής. **in·ac·tiv·ity** /ˈɪnækˋtɪvətɪ/ *οὐσ.* ‹U› ἀδράνεια.

in·ad·equacy /ɪnˋædɪkwəsɪ/ *οὐσ.* ‹U› (*λόγ.*) ἀνεπάρκεια.

in·ad·equate /ɪnˋædɪkwət/ *ἐπ.* ἀνεπαρκής: ***be ~ for sth/to do sth***, εἶμαι ἀνεπαρκής, ἀκατάλληλος γιά κτ/νά κάνω κτ. **~·ly** *ἐπίρ.* ἀνεπαρκῶς.

in·ad·miss·ible /ˈɪnədˋmɪsəbl/ *ἐπ.* ἀπαράδεκτος, ἀνεπίτρεπτος: ~ *evidence*, ἀνεπίτρεπτη μαρτυρία.

in·ad·ver·tence /ˈɪnədˋvɜtns/ *οὐσ.* ‹C,U› ἀπροσεξία, λάθος, ἀβλεψία, ἀμέλεια.

in·ad·ver·tent /ˈɪnədˋvɜtnt/ *ἐπ.* (*λόγ.*) ἀπρόσεκτος, ἀμελής, (γιά πράξεις) ἀθέλητος, ἀκούσιος. **~·ly** *ἐπίρ.* ἐξ ἀπροσεξίας.

in·alien·able /ɪnˋeɪlɪənəbl/ *ἐπ.* (*λόγ.*) ἀπαράγραπτος, ἀναπαλλοτρίωτος (πχ δικαίωμα).

in·ane /ɪˋneɪn/ *ἐπ.* ἀνόητος: *an ~ remark*, ἀνόητη παρατήρηση. **~·ly** *ἐπίρ.* ἀνοήτως. **in·an·ity** /ɪˋnænətɪ/ *οὐσ.* ‹C,U› ἀνοησία, βλακεία.

in·ani·mate /ɪnˋænɪmət/ *ἐπ.* ἄψυχος, νεκρός, ἀνιαρός, ἄτονος: ~ *matter/conversation*, νεκρά ὕλη/ἀνιαρή συζήτηση.

in·ap·pli·cable /ɪnˋæplɪkəbl/ *ἐπ.* ~ ***(to)***, ἀνεφάρμοστος (εἰς): *an ~ rule*.

in·ap·preci·able /ˈɪnəˋpriʃəbl/ *ἐπ.* ἀνεπαίσθητος, ἀσήμαντος: *an ~ difference*.

in·ap·pro·pri·ate /ˈɪnəˋprəʊprɪət/ *ἐπ.* ~ ***to***, ἀκατάλληλος (γιά).

in·apt /ɪnˋæpt/ *ἐπ.* ἀδέξιος, ἄσχετος. **in·ap·ti·tude** /ɪnˋæptɪtjud/ *οὐσ.* ‹U› ἀδεξιότης.

in·ar·ticu·late /ˈɪnaˋtɪkjʊlət/ *ἐπ.* ἄναρθρος, μή εὐκρινής, ἀσύνδετος, (*γιά ἄνθρ.*) ἀνίκανος νά ἀρθρώση/νά ἐκφραστῆ καλά.

in·as·much as /ˈɪnəzˋmʌtʃ əz/ *ἐπίρ.* ἐπειδή, καθόσον.

in·at·ten·tion /ˈɪnəˋtenʃn/ *οὐσ.* ‹U› ἀφηρημάδα, ἀπροσεξία.

in·at·ten·tive /ˈɪnəˋtentɪv/ *ἐπ.* ἀπρόσεκτος, ἀφηρημένος.

in·aud·ible /ɪnˋɔdəbl/ *ἐπ.* ἀνεπαίσθητος, ἀσθενής (ἦχος), μή ἀκουόμενος.

in·aug·ural /ɪˋnɔgjʊrl/ *ἐπ.* ἐναρκτήριος: *an ~ lecture/address*, ἐναρκτήριος ὁμιλία/προσφώνησις ἐπ' εὐκαιρίᾳ ἐγκαινίων.

in·aug·ur·ate /ɪˋnɔgjʊreɪt/ *ρ.μ.* **1**. ἐγκαθιστῶ κπ εἰς ἀξίωμα: ~ *a president/bishop*. **2**. ἐγκαινιάζω: ~ *an exhibition*, ἐγκαινιάζω μίαν ἔκθεσιν. *The steam engine ~d a new era in travelling*, ἡ ἀτμομηχανή ἐγκαινίασε μιά νέα ἐποχή στά ταξίδια. **in·aug·ur·ation** /ɪˈnɔgjʊˋreɪʃn/ *οὐσ.* ‹C,U› ἐγκαίνια, ἐγκατάστασις.

in·aus·pi·cious /ˈɪnɔˋspɪʃəs/ *ἐπ.* δυσοίωνος, ἀτυχής. **~·ly** *ἐπίρ.*

in·born /ˈɪnˋbɔn/, **in·bred** /ˈɪnˋbred/ *ἐπ.* ἔμφυτος: *an inborn talent for music*, ἔμφυτο μουσικό ταλέντο. *inbred courage*, ἔμφυτο θάρρος.

in·cal·cu·lable /ɪnˋkælkjʊləbl/ *ἐπ.* **1**. ἀνυπολόγιστος: *do ~ harm/damage*, κάνω ἀνυπολόγιστο κακό/-η ζημιά. **2**. ἀβέβαιος, ἀσταθής.

in·can·descence /ˈɪnkænˋdesns/ *οὐσ.* ‹U› λευκοπύρωσις.

in·can·descent /ˈɪnkænˋdesnt/ *ἐπ.* λευκοπυρος, πυρακτωμένος.

in·can·ta·tion /ˈɪnkænˋteɪʃn/ *οὐσ.* ‹C,U› ξόρκι, μαγική ρῆσις, μελωδική/ρυθμική ἐπανάληψις.

in·ca·pable /ɪnˋkeɪpəbl/ *ἐπ.* ~ ***(of)***, ἀνίκανος: *He's ~ of telling a lie*, εἶναι ἀνίκανος νά πῆ ψέμα. ***drunk and ~***, στουπί στό μεθύσι.

in·ca·paci·tate /ˈɪnkəˋpæsəteɪt/ *ρ.μ.* ~ ***sb (for/from)***, ἀχρηστεύω, καθιστῶ ἀνίκανον: *His poor health ~d him for work/from working*, ἡ κακή κατάσταση τῆς ὑγείας του τόν ἔκανε ἀνίκανο γιά δουλειά. **in·ca·pac·ity** /-ˋpæsətɪ/ *οὐσ.* ‹U› ἀνικανότης: ~ *for work/for working/to work*, ἀνικανότης πρός ἐργασίαν.

in·car·cer·ate /ɪnˋkasəreɪt/ *ρ.μ.* (*λόγ.*) φυλακίζω. **in·car·cer·ation** /ˈɪnˈkasəˋreɪʃn/ *οὐσ.* ‹U› φυλάκισις.

in·car·nate /ɪnˋkanət/ *ἐπ.* ἐνσαρκωμένος, προσωποποιημένος: *He's a devil ~/an ~ fiend*, εἶναι ὁ ἴδιος ὁ διάβολος/ὁ δαίμονας προσωποποιημένος. *Liberty ~*, ἡ ἐλευθερία ἐνσαρκωμένη. __*ρ.μ.* /ɪnˋkaneɪt/ ἐνσαρκώνω, προσωποποιῶ: *a wife who ~s all the virtues*, σύζυγος πού ἀποτελεῖ τήν ἐνσάρκωση ὅλων τῶν ἀρετῶν.

in·car·na·tion /ˈɪnkaˋneɪʃn/ *οὐσ.* **1**. **the I~**, ἡ ἐνανθρώπισις τοῦ Χριστοῦ. **2**. ‹C› ἐνσάρκωσις: *She's the ~ of all the virtues*, εἶναι ἡ ἐνσάρκωσις κάθε ἀρετῆς.

in·cau·ti·ous /ɪnˋkɔʃəs/ *ἐπ.* (*λόγ.*) ἀπρόσεκτος, ἀπερίσκεπτος. **~·ly** *ἐπίρ.*

in·cen·di·ary /ɪnˋsendɪərɪ/ *οὐσ.* ‹C› ἐμπρηστής. __*ἐπ.* ἐμπρηστικός: *an ~ speech/bomb*, ἐμπρηστικός λόγος/-ή βόμβα.

[1]**in·cense** /ˋɪnsens/ *οὐσ.* ‹U› λιβάνι.

[2]**in·cense** /ɪnˋsens/ *ρ.μ.* ἐξοργίζω, ἐξαγριώνω: *be ~d at a remark/by sb's conduct*, ἐξαγριώ-

νομαι ἀπό μιά παρατήρηση/ἀπό τό φέρσιμο κάποιου.

in·cen·tive /ɪnˋsentɪv/ *οὐσ.* ‹C,U› κίνητρον, ἐλατήριον: *He hasn't much ~/many ~s to work harder*, δέν ἔχει πολλά κίνητρα γιά νά δουλέψη σκληρότερα.

in·cep·tion /ɪnˋsepʃn/ *οὐσ.* ‹C› (*λόγ.*) ἔναρξις.

in·cess·ant /ɪnˋsesnt/ *ἐπ.* ἀκατάπαυστος: *a week of ~ rain*, μιά ἑβδομάδα συνεχοῦς (ἀκατάπαυστης) βροχῆς. **~·ly** *ἐπίρ.* ἀκατάπαυστα.

in·cest /ˋɪnsest/ *οὐσ.* ‹U› αἱμομιξία. **~u·ous** /ɪnˋsestʃʊəs/ *ἐπ.* αἱμομικτικός.

inch /ɪntʃ/ *οὐσ.* ‹C› ἴντσα (2,54 πόντοι). ***~ by ~***, βῆμα πρός βῆμα. ***by ~es***, *(α)* βαθμιαίως, *(β)* παρά τρίχα: *The car missed me by ~es*, τό αὐτοκίνητο μέ ἀπέφυγε παρά τρίχα. ***every ~***, πέρα ὥς πέρα, τέλειος: *He's every ~ a soldier*, εἶναι στρατιώτης μέ τά ὅλα του. ***within an ~ of***, παρά τρίχα: *He came/was within an ~ of death*, παρά τρίχα νά πεθάνη. ***not yield an ~***, δέν κάνω βῆμα πίσω, δέν ὑποχωρῶ σπιθαμή. __*ρ.μ/ἀ.* προχωρῶ σιγά-σιγά: *He ~ed his way forward*, προχώρησε μπρός σιγά-σιγά.

in·cho·ate /ɪnˋkəʊɪt/ *ἐπ.* (*λόγ.*) ἀτελής, ἄρτι ἀρξάμενος. **in·choa·tive** /-tɪv/ *ἐπ.* ἀρκτικός. ***inchoative verbs***, (*γραμμ.*) ρήματα δηλωτικά τοῦ "γίγνεσθαι".

in·ci·dence /ˋɪnsɪdəns/ *οὐσ.* ‹C› ἐπίπτωσις: *the ~ of a tax*, ἡ ἐπίπτωσις ἑνός φόρου.

[1]**in·ci·dent** /ˋɪnsɪdənt/ *ἐπ.* ***~ to***, (*λόγ.*) συναφής πρός, συνεπαγόμενος, ἐνυπάρχων: *the risks ~ to travel*, οἱ κίνδυνοι πού συνεπάγονται τά ταξίδια.

[2]**in·ci·dent** /ˋɪnsɪdənt/ *οὐσ.* ‹C› **1**. ἐπεισόδιον: *frontier ~s*, συνοριακά ἐπεισόδια. *the ~s in a novel*, τά ἐπεισόδια ἑνός μυθιστορήματος. **2**. συμβάν.

in·ci·den·tal /ˈɪnsɪˋdentl/ *ἐπ.* **1**. παρεμπίπτων, συμπτωματικός, δευτερεύων: *~ expenses*, παρεμπίπτοντα ἔξοδα. *~ music to a play*, μουσική ἐπένδυσις ἑνός ἔργου. **2**. παρεπόμενος: *discomforts ~ to a long journey*, ταλαιπωρίες πού συνοδεύουν ἕνα μακρυνό ταξίδι. **~ly** /-tlɪ/ *ἐπίρ.* παρεμπιπτόντως.

in·cin·er·ate /ɪnˋsɪnəreɪt/ *ρ.μ.* ἀποτεφρώνω. **in·cin·er·ation** /ɪnˈsɪnəˋreɪʃn/ *οὐσ.* ‹U› ἀποτέφρωσις. **in·cin·er·ator** /-tə(r)/ *οὐσ.* ‹C› κλίβανος.

in·cipi·ent /ɪnˋsɪpɪənt/ *ἐπ.* ἀρχόμενος: *an ~ ulcer*, ἀρχόμενον ἕλκος.

in·cise /ɪnˋsaɪz/ *ρ.μ.* (*λόγ.*) χαράσσω, κόβω. **in·ci·sion** /ɪnˋsɪʒn/ *οὐσ.* ‹C,U› χάραξις, τομή.

in·cis·ive /ɪnˋsaɪsɪv/ *ἐπ.* κοφτερός (*πχ* ὄργανον), ὀξύς (*πχ* κριτική), ρωμαλέος (γιά ὕφος). **~·ly** *ἐπίρ.* κοφτερά, γλαφυρά.

in·cisor /ɪnˋsaɪzə(r)/ *οὐσ.* ‹C› κοπτήρ (δόντι).

in·cite /ɪnˋsaɪt/ *ρ.μ.* ὑποδαυλίζω, ὑποκινῶ: *~ workmen to go on strike*, ὑποκινῶ ἐργάτες νά ἀπεργήσουν. *~ soldiers to rebellion*, ὑποκινῶ στρατιῶτες σέ ἀνταρσία. **~·ment** *οὐσ.* ‹C,U› ὑποκίνησις, ὑποδαύλισις.

in·civ·il·ity /ˈɪnsɪˋvɪlətɪ/ *οὐσ.* ‹C,U› (*λόγ.*) ἀγένεια.

in·clem·ent /ɪnˋklemənt/ *ἐπ.* (*λόγ.*) τραχύς, δριμύς, ἀνηλεής: *~ weather*, δριμύς καιρός.

in·cli·na·tion /ˈɪnklɪˋneɪʃn/ *οὐσ.* ‹C,U› **1**. κλίσις: *an ~ of the head/roof*, νεῦμα μέ τό κεφάλι/κλίσις τῆς στέγης. **2**. διάθεσις, κλίσις, τάσις: *He showed no ~ to leave*, δέν ἔδειχνε διάθεση νά φύγη. *She was not free to follow her ~s*, δέν ἦταν ἐλεύθερη νά ἀκολουθήση τή φυσική της κλίση. *She has an ~ to stoutness/to grow fat*, ἔχει τάση πρός τό πάχος/νά παχύνη.

[1]**in·cline** /ɪnˋklaɪn/ *ρ.μ/ἀ.* **1**. κλίνω, γέρνω: *~ the head in prayer*, γέρνω τό κεφάλι προσευχόμενος. *The roof ~s steeply*, ἡ στέγη ἔχει ἀπότομη κλίση. **2**. προδιαθέτω: *His letter ~s me to believe that...*, τό γράμμα του μέ προδιαθέτει (μέ κάνει) νά πιστέψω ὅτι... **3**. (*συνήθ. εἰς παθ. φων.*) ἔχω τήν τάση/τήν διάθεση, τείνω: *They are ~d to be late*, ἔχουν τήν τάση νά ἀργοῦν. *We can go for a walk if you feel so ~d*, μποροῦμε νά πᾶμε μιά βόλτα ἄν ἔχετε διάθεση. *I am ~d to think that he has been telling us lies*, τείνω νά πιστέψω ὅτι μᾶς ἔλεγε ψέματα. **4**. ***~ to/towards sth***, ρέπω, ἔχω τάση πρός: *He ~s towards melancholia*, ρέπει πρός τήν μελαγχολία. *She ~s to stoutness*, ἔχει τάση πρός τό πάχος.

[2]**in·cline** /ˋɪnklaɪn/ *οὐσ.* ‹C› κλίσις (ἐπιφανείας), πρανές.

in·clude /ɪnˋklud/ *ρ.μ.* (συμ)περιλαμβάνω: *Could you ~ me in your group?* θά μπορούσατε νά μέ συμπεριλάβετε στήν ὁμάδα σας; *This price ~s everything*, αὐτή ἡ τιμή περιλαμβάνει τά πάντα. **~d, in·clud·ing**, συμπεριλαμβανομένου, μαζί μέ: *There were six of us, including our host/our host ~d*, εἴμασταν ἔξη, συμπεριλαμβανομένου καί τοῦ οἰκοδεσπότη μας, μαζί μέ τόν οἰκοδεσπότη μας.

in·clu·sion /ɪnˋkluʒn/ *οὐσ.* ‹C,U› συνυπολογισμός.

in·clus·ive /ɪnˋklusɪv/ *ἐπ.* συμπεριλαμβανόμενος, περιεκτικός: *from Monday to Friday ~*, ἀπό τή Δευτέρα μέχρι καί τῆς Παρασκευῆς συμπεριλαμβανομένης. ***~ terms***, (*σέ ξενοδοχεῖο*) μέ ὅλα τά ἔξοδα πληρωμένα. **~·ly** *ἐπίρ.* συνολικά.

in·cog·nito /ˈɪnkogˋnitəʊ/ *ἐπ.* & *ἐπίρ.* ἰνκόγκνιτο, ἀνωνύμως, ἀνεπισήμως.

in·co·her·ence /ˈɪnkəʊˋhɪərəns/ *οὐσ.* ‹U› ἀσυναρτησία.

in·co·her·ent /ˈɪnkəʊˋhɪərnt/ *ἐπ.* ἀσυνάρτητος. **~·ly** *ἐπίρ.* ἀσυνάρτητα.

in·com·bust·ible /ˈɪnkəmˋbʌstəbl/ *ἐπ.* (*λόγ.*) ἄφλεκτος, ἄκαυστος.

in·come /ˋɪnkʌm/ *οὐσ.* ‹C› εἰσόδημα: *live within one's ~*, ζῶ μέσα στά ὅρια τῶν εἰσοδημάτων μου. **ˋ~-tax**, φόρος εἰσοδήματος.

in·com·ing /ˋɪnkʌmɪŋ/ *ἐπ.* εἰσερχόμενος, νέος: *~ letters*, εἰσερχόμενα γράμματα. *the ~ tenant*, ὁ νέος ἐνοικιαστής.

in·com·men·sur·ate /ˈɪnkəˋmenʃʊrət/ *ἐπ.* δυσανάλογος, μή δυνάμενος νά συγκριθῆ: *His abilities are ~ to the task given to him*, οἱ ἱκανότητές του εἶναι δυσανάλογες πρός τά καθήκοντα πού τοῦ ἀνετέθησαν.

in·com·mode /ˈɪnkəˋməʊd/ *ρ.μ.* (*λόγ.*) ἐνοχλῶ.

in·com·muni·cado /ˈɪnkəˈmjunɪˋkadəʊ/ *ἐπ.* (*γιά κρατούμενο*) ἀπομονωμένος, σέ ἀπομόνωση.

in·com·par·able /ɪnˋkomprəbl/ *ἐπ.* ***~ (to/***

with), ἀσύγκριτος: ~ *beauty*.

in·com·pati·bil·ity /ˈɪnkəmˈpætəˋbɪlətɪ/ *οὐσ.* ‹U› ἀσυμφωνία.

in·com·pat·ible /ˈɪnkəmˋpætəbl/ *ἐπ.* ~ (***with***), ἀσυμβίβαστος, ἀταίριαστος: *Your conduct is ~ with your office*, ἡ διαγωγή σου εἶναι ἀσυμβίβαστη μέ τό ἀξίωμά σου. *They are sexually ~*, εἶναι σεξουαλικά ἀταίριαστοι.

in·com·pe·tence /ɪnˋkompətəns/ *οὐσ.* ‹U› ἀνικανότης, ἀναρμοδιότης.

in·com·pe·tent /ɪnˋkompətənt/ *ἐπ.* ἀνίκανος, ἀναρμόδιος.

in·com·plete /ˈɪnkəmˋplit/ *ἐπ.* ἀτελής, ἡμιτελής. ~**·ly** *ἐπίρ.* ἡμιτελῶς, ἀτελῶς.

in·com·pre·hen·sible /ˈɪnˈkomprɪˋhensəbl/ *ἐπ.* (*λόγ.*) ἀκατανόητος, ἀδιανόητος. **in·com·pre·hen·sibly** /-əblɪ/ *ἐπίρ.* ἀκατανοήτως.

in·com·pre·hen·sion /ˈɪnˈkomprɪˋhenʃn/ *οὐσ.* ‹U› ἀκατανοησία.

in·con·ceiv·able /ˈɪnkənˋsivəbl/ *ἐπ.* ἀδιανόητος. **in·con·ceiv·ably** /-əblɪ/ *ἐπίρ.* ἀδιανοήτως.

in·con·clus·ive /ˈɪnkənˋklusɪv/ *ἐπ.* μή πειστικός, μή ὁριστικός: ~ *evidence*, ἀπόδειξις πού δέν πείθει/δέν λύει ὁριστικά. ~**·ly** *ἐπίρ.*

in·con·gru·ity /ˈɪnkoŋˋgruətɪ/ *οὐσ.* ‹C,U› δυσαρμονία, ἀσυμφωνία, ἀσυναρτησία, ἀπρέπεια.

in·con·gru·ous /ɪnˋkoŋgrʊəs/ *ἐπ.* ~ (***with***), ἀταίριαστος, ἄτοπος: *They are an ~ couple*, εἶναι ἐντελῶς ἀταίριαστο ζευγάρι. *an ~ remark*, μιά ἄτοπη παρατήρηση. ~**·ly** *ἐπίρ.* ἀτόπως.

in·con·se·quent /ɪnˋkonsɪkwənt/ *ἐπ.* ἀνακόλουθος, ἀσυνεπής. ~**·ly** *ἐπίρ.*

in·con·se·quen·tial /ˈɪnˈkonsɪˋkwenʃl/ *ἐπ.* ἀσήμαντος, ἀνακόλουθος.

in·con·sider·able /ˈɪnkənˋsɪdrəbl/ *ἐπ.* ἀσήμαντος, ἀνάξιος λόγου.

in·con·sider·ate /ˈɪnkənˋsɪdrət/ *ἐπ.* ἀπερίσκεπτος, ἀδιάφορος (ἀναίσθητος), ἀδιάκριτος, ἀπρεπής: ~ *people/remarks*, ἀδιάφοροι ἄνθρωποι/ἀδιάκριτες παρατηρήσεις. ~**·ly** *ἐπίρ.*

in·con·sist·ency /ˈɪnkənˋsɪstənsɪ/ *οὐσ.* ‹C,U› ἀσυνέπεια, ἀντιφατικότης.

in·con·sist·ent /ˈɪnkənˋsɪstənt/ *ἐπ.* ~ (***with***) **1**. ἀσυνεπής: *actions ~ with one's principles*, πράξεις ἀσυνεπεῖς πρός τίς ἀρχές μου. **2**. ἀντιφατικός: *His account of the accident was ~*, ἡ περιγραφή πού ἔκανε γιά τό δυστύχημα ἦταν ἀντιφατική. ~**·ly** *ἐπίρ.* ἀντιφατικά.

in·con·sol·able /ˈɪnkənˋsəʊləbl/ *ἐπ.* ἀπαρηγόρητος: *an ~ widow*, ἀπαρηγόρητη χήρα.

in·con·spicu·ous /ˈɪnkənˋspɪkjʊəs/ *ἐπ.* ἀπαρατήρητος, συμμαζεμένος, σεμνός: *She tried to make herself as ~ as possible*, προσπάθησε νά περάση ὅσο τό δυνατό πιό ἀπαρατήρητη. *dress in ~ colours*, ντύνομαι μέ σεμνά χρώματα (ὄχι χτυπητά). *live an ~ life*, ζῶ συμμαζεμένη ζωή (χωρίς ἐπίδειξη). ~**·ly** *ἐπίρ.* ἀπαρατήρητα, σεμνά, μετρημένα.

in·con·stancy /ɪnˋkonstənsɪ/ *οὐσ.* ‹C,U› ἀστάθεια.

in·con·stant /ɪnˋkonstənt/ *ἐπ.* (*λόγ.*) ἄστατος: *an ~ lover*.

in·con·test·able /ˈɪnkənˋtestəbl/ *ἐπ.* ἀναμφισβήτητος, ἀδιαφιλονίκητος.

in·con·ti·nence /ɪnˋkontɪnəns/ *οὐσ.* ‹U› ἀκράτεια.

in·con·ti·nent /ɪnˋkontɪnənt/ *ἐπ.* ἀκρατής, ἔκλυτος: *be ~*, ἔχω ἀκράτεια οὔρων.

in·con·tro·vert·ible /ɪnˈkontrəˋvɜtəbl/ *ἐπ.* ἀδιαμφισβήτητος, ἀδιάσειστος, ἀκαταμάχητος.

in·con·ven·ience /ˈɪnkənˋvinɪəns/ *οὐσ.* ‹C,U› ἐνόχλησις, φασαρία, μπελᾶς: *cause sb great ~*, βάζω κπ σέ μεγάλη φασαρία. *I hope I am not putting you to too much ~*, ἐλπίζω νά μή σᾶς ἐνοχλῶ πολύ. *They have been at great ~ in order to help us*, μπῆκαν σέ μεγάλη φασαρία γιά νά μᾶς βοηθήσουν. __*ρ.μ.* προκαλῶ φασαρία, ἐνοχλῶ.

in·con·ven·ient /ˈɪnkənˋvinɪənt/ *ἐπ.* ἄβολος, ἀκατάλληλος. ~**·ly** *ἐπίρ.* ἄβολα.

in·con·vert·ible /ˈɪnkənˋvɜtəbl/ *ἐπ.* (*γιά νόμισμα*) μή μετατρέψιμος.

in·cor·por·ate /ɪnˋkɔpəreɪt/ *ρ.μ/ὰ.* ~ (***into/with***), ἐνσωματώνω/-ομαι, συγχωνεύω/-ομαι: *Your suggestions will be ~d into the plan*, οἱ προτάσεις σου θά ἐνσωματωθοῦν στό σχέδιο. *Their firm ~d with others*, ἡ εταιρία τους συγχωνεύτηκε μέ ἄλλες. ~**d**, (*γιά ἑταιρία*) ἀναγνωρισμένη. **in·cor·por·ation** /ɪnˈkɔpəˋreɪʃn/ *οὐσ.* ‹U› συγχώνευσις.

in·cor·por·eal /ˈɪnkɔˋpɔrɪəl/ *ἐπ.* (*λόγ.*) ἀσώματος, ἄϋλος.

in·cor·rect /ˈɪnkəˋrekt/ *ἐπ.* ἀνακριβής. ~**·ly** *ἐπίρ.* ~**·ness** *οὐσ.* ‹U›.

in·cor·ri·gible /ɪnˋkorɪdʒəbl/ *ἐπ.* ἀδιόρθωτος: *He's an ~ liar*.

in·cor·rupti·bil·ity /ˈɪnkəˈrʌptəˋbɪlətɪ/ *οὐσ.* ‹U› τό ἀδιάφθορον.

in·cor·rupt·ible /ˈɪnkəˋrʌptəbl/ *ἐπ.* ἀδιάφθορος.

[1]**in·crease** /ˋɪnkris/ *οὐσ.* ~ (***in***), αὔξησις: *an ~ in population*, αὔξησις τοῦ πληθυσμοῦ. ***be on the ~***, αὐξάνομαι, ἔχω ἀνοδική τάση.

[2]**in·crease** /ɪnˋkris/ *ρ.μ/ὰ.* αὐξάνω/-ομαι: ~ *speed*, αὐξάνω ταχύτητα. *Our difficulties are increasing*, οἱ δυσκολίες μας αὐξάνονται. **in·creas·ing·ly** /ɪnˋkrisɪŋlɪ/ *ἐπίρ.* διαρκῶς πιό, ὅλο καί περισσότερο.

in·credi·bil·ity /ˈɪnˈkredəˋbɪlətɪ/ *οὐσ.* ‹U› τό ἀπίστευτον.

in·cred·ible /ɪnˋkredəbl/ *ἐπ.* ἀπίστευτος. **in·cred·ibly** /-əblɪ/ *ἐπίρ.* ἀπίστευτα.

in·cred·ul·ity /ˈɪnkrɪˋdjulətɪ/ *οὐσ.* ‹U› δυσπιστία.

in·credu·lous /ɪnˋkredjʊləs/ *ἐπ.* δύσπιστος: ~ *looks/smiles*, ματιές/χαμόγελα γεμᾶτα δυσπιστία.

in·cre·ment /ˋɪnkrəmənt/ *οὐσ.* **1**. ‹C› προσαύξησις: *a yearly ~ of £100*, ἐτησία προσαύξησις 100 λιρῶν (πχ μισθοῦ). **2**. ‹U› κέρδος: *unearned ~*, ὑπερτίμησις, αὐτόματον ὑπερτίμημα.

in·crimi·nate /ɪnˋkrɪmɪneɪt/ *ρ.μ.* ἐνοχοποιῶ. **in·crimi·nat·ing** *ἐπ.* ἐνοχοποιητικός.

in·cu·bate /ˋɪnkjʊbeɪt/ *ρ.μ/ὰ.* ἐπωάζω, ἐκκολάπτω. **in·cu·ba·tion** /ˈɪnkjʊˋbeɪʃn/ *οὐσ.* ‹U› ἐπώασις, ἐκκόλαψις.

in·cu·ba·tor /ˋɪnkjʊbeɪtə(r)/ *οὐσ.* ‹C› ἐκκολαπτήριον.

in·cu·bus /ˋɪnkjʊbəs/ *οὐσ.* ‹C› (*πληθ.* ~*es* /-sɪz/ ἤ *-bi* /-baɪ/) ἐφιάλτης, βραχνάς.

in·cul·cate /ˈɪnkʌlkeɪt/ *ρ.μ.* ~ ***sth (in sb)***, (*λόγ.*) ἐμφυσῶ, ἐνσταλάζω, ἐντυπώνω στό νοῦ (διά τῆς ἐπαναλήψεως): *The teacher ~d neatness and accuracy in his pupils*, ὁ δάσκαλος ἐνεφύσησε στούς μαθητάς του καθαριότητα καί ἀκρίβεια.

in·cul·pate /ˈɪnkʌlpeɪt/ *ρ.μ.* (*λόγ.*) ἐνοχοποιῶ, κατηγορῶ.

in·cum·bent /ɪnˈkʌmbənt/ *ἐπ.* ***be ~ (up)on sb (to do sth)***, (*λόγ.*) εἶναι χρέος/ὑποχρέωση κάποιου: *It was ~ upon you to warn him*, ἦταν χρέος σου νά τόν προειδοποιήσης. __*οὐσ.* ‹C› κάτοχος (*ἰδ.* ἐκκλησιαστικοῦ) ἀξιώματος.

in·cur /ɪnˈkɜ(r)/ *ρ.μ.* *(-rr-)* **1**. συνάπτω: ~ *debts*, συνάπτω χρέη. **2**. (*λόγ.*) ἐπισύρω: ~ *sb's displeasure/disapproval/hatred*, ἐπισύρω τή δυσμένεια/τήν ἀποδοκιμασία/τό μῖσος κάποιου. **3**. ἐπιφέρω, ὑφίσταμαι, προκαλῶ: ~ *ridicule*, γελοιοποιοῦμαι. ~ *losses*, ζημιώνομαι. ~ *great expense*, προκαλῶ μεγάλες δαπάνες.

in·cur·able /ɪnˈkjʊərəbl/ *ἐπ.* & *οὐσ.* ‹C› ἀνίατος: *an ~ disease*, ἀνίατος ἀσθένεια. *a home for ~s*, ἄσυλον ἀνιάτων. **in·cur·ably** /-əblɪ/ *ἐπίρ.* ἀθεραπεύτως.

in·curi·ous /ɪnˈkjʊərɪəs/ *ἐπ.* (*λόγ.*) χωρίς περιέργεια, ἀδιάφορος.

in·cur·sion /ɪnˈkɜʃn/ *οὐσ.* ‹C› ~ ***(up)on***, (*λόγ.*) εἰσβολή, ἐπιδρομή: *~s on our coasts*, ἐπιδρομές στίς ἀκτές μας.

in·debted /ɪnˈdetɪd/ *ἐπ.* ***be ~ to sb***, εἶμαι ὑποχρεωμένος σέ κπ: *I'm greatly ~ to you for your help*, σᾶς εἶμαι πολύ ὑποχρεωμένος γιά τή βοήθειά σας.

in·de·cency /ɪnˈdisnsɪ/ *οὐσ.* ‹C,U› ἀσχημία, ἀπρέπεια.

in·de·cent /ɪnˈdisnt/ *ἐπ.* **1**. ἄσεμνος, αἰσχρός: ~ *behaviour*, ἄσεμνη συμπεριφορά. **2**. ἀπρεπής, ἀγενής: ~ *haste*, ἀπρεπής βιασύνη. **~·ly** *ἐπίρ.*

in·de·cipher·able /ˈɪndɪˈsaɪfrəbl/ *ἐπ.* ἀνεξιχνίαστος, δυσανάγνωστος.

in·de·ci·sion /ˈɪndɪˈsɪʒn/ *οὐσ.* ‹U› ἀναποφασιστικότης, δισταγμός.

in·de·cis·ive /ˈɪndɪˈsaɪsɪv/ *ἐπ.* μή ἀποφασιστικός, ἀναποφάσιστος: *an ~ battle/answer*, μάχη/ἀπάντηση πού δέν δίνει ὁριστική λύση. *an ~ man*, ἀναποφάσιστος ἄνθρωπος. **~·ly** *ἐπίρ.*

in·dec·or·ous /ɪnˈdekərəs/ *ἐπ.* (*λόγ.*) ἀπρεπής, ἄκοσμος, κακόγουστος. **~·ly** *ἐπίρ.*

in·de·cor·um /ˈɪndɪˈkɔrəm/ *οὐσ.* ‹C,U› ἀπρέπεια, ἀκοσμία, ἀκαλαισθησία, χοντροκοπιά.

in·deed /ɪnˈdid/ *ἐπίρ.* **1**. πράγματι, πραγματικά, ἀληθινά: *I was very glad ~ to see you*, χάρηκα πραγματικά πού σέ εἶδα. **2**. βέβαια: *Yes*, ~, καί βέβαια, ἀσφαλῶς. **3**. μάλιστα, στήν πραγματικότητα: *I think so, ~ I am sure of it*, ἔτσι νομίζω, στήν πραγματικότητα εἶμαι βέβαιος γι' αὐτό. **4**. (*ὡς σχόλιον δηλοῦν ἐνδιαφέρον, ἔκπληξιν, εἰρωνίαν, κλπ*) ἀλήθεια, τί λές, ὄχι δά, ἄντε, κλπ.

in·de·fati·gable /ˈɪndɪˈfætɪgəbl/ *ἐπ.* (*λόγ.*) ἀκούραστος, ἀκαταπόνητος.

in·de·feas·ible /ˈɪndɪˈfizəbl/ *ἐπ.* (*λόγ.*) ἀπαράγραπτος, ἀναφαίρετος.

in·de·fens·ible /ˈɪndɪˈfensəbl/ *ἐπ.* ἀδικαιολόγητος, ἀστήρικτος, ἀβάσιμος.

in·de·fin·able /ˈɪndɪˈfaɪnəbl/ *ἐπ.* ἀπροσδιόριστος, ἀκαθόριστος.

in·defi·nite /ɪnˈdefɪnət/ *ἐπ.* ἀσαφής, ἀόριστος: *an ~ answer*, ἀσαφής/ἀόριστη ἀπάντηση. **the ~ article**, (*γραμμ.*) τό ἀόριστον ἄρθρον.

in·del·ible /ɪnˈdeləbl/ *ἐπ.* ἀνεξίτηλος: ~ *stains/shame*, ἀνεξίτηλες κηλῖδες/-ον ὄνειδος. **in·del·ibly** /-əblɪ/ *ἐπίρ.* ἀνεξίτηλα.

in·deli·cacy /ɪnˈdelɪkəsɪ/ *οὐσ.* ‹C,U› ἀγένεια, χοντροκοπιά.

in·deli·cate /ɪnˈdelɪkət/ *ἐπ.* ἀγενής, χυδαῖος, χωρίς τάκτ: *an ~ remark*.

in·dem·nify /ɪnˈdemnɪfaɪ/ *ρ.μ.* **1**. ~ ***sb (from/against)***, (*νομ.*, *ἐμπ.*) ἐξασφαλίζω: ~ *sb against loss*, ἐξασφαλίζω κπ ἀπό ζημιές. **2**. ~ ***sb (for sth)***, ἀποζημιώνω: *I'll ~ you for all expenses*, θά σέ ἀποζημιώσω γιά ὅλες τίς δαπάνες. **in·dem·ni·fi·ca·tion** /ˈɪnˈdemnɪfɪˈkeɪʃn/ *οὐσ.* ‹C,U› ἀποζημίωσις, ἐπανόρθωσις.

in·dem·nity /ɪnˈdemnətɪ/ *οὐσ.* ‹C,U› ἀσφάλεια, ἐγγύησις, ἀποζημίωσις: *war indemnities*, πολεμικές ἀποζημιώσεις.

in·dent /ɪnˈdent/ *ρ.μ/ἀ.* **1**. δαντελώνω, κόβω δαντελωτά: *an ~ed coastline*, δαντελωτή ἀκτή. **2**. ἀρχίζω πιό μέσα παράγραφο. **3**. ~ ***(on sb) for sth***, παραγγέλω (κτ σέ κπ): *We ~ed for new machinery*, παραγγείλαμε καινούργια μηχανήματα. __*οὐσ.* ‹C› /ˈɪndent/ δελτίον παραγγελίας (*ἰδ.* ἐξωτερικοῦ). **~-ation** /ˈɪndenˈteɪʃn/ *οὐσ.* ‹C,U› δαντέλωσις, ὀδόντωσις.

in·den·ture /ɪnˈdentʃə(r)/ *οὐσ.* ‹C› σύμβασις εἰς διπλοῦν, (*πληθ.*) σύμβασις μαθητείας. ***take up one's ~s***, τελειώνω τήν μαθητεία μου. __*ρ.μ.* ὑπογράφω σύμβαση μαθητείας.

in·de·pen·dence /ˈɪndɪˈpendəns/ *οὐσ.* ‹U› ~ ***(from)***, ἀνεξαρτησία. **I~ Day**, (*ΗΠΑ*) ἡ ἐπέτειος τῆς ἀνεξαρτησίας (4η Ἰουλίου).

in·de·pen·dent /ˈɪndɪˈpendənt/ *ἐπ.* ~ ***(of)***, ἀνεξάρτητος: ~ *of one's parents*, ἀνεξάρτητος ἀπό τούς γονεῖς μου. *I'll go in my car so as to be ~ of buses and trains*, θά πάω μέ τ' αὐτοκίνητό μου γιά νά μήν ἐξαρτῶμαι ἀπό λεωφορεῖα καί τραῖνα. __*οὐσ.* ‹C› ἀνεξάρτητος βουλευτής. **~·ly** *ἐπίρ.* ἀνεξάρτητα.

in·de·scrib·able /ˈɪndɪˈskraɪbəbl/ *ἐπ.* ἀπερίγραπτος. **in·de·scrib·ably** /-əblɪ/ *ἐπίρ.* ἀπερίγραπτα: *indescribably cruel*, ἀπερίγραπτα σκληρός.

in·de·struct·ible /ˈɪndɪˈstrʌktəbl/ *ἐπ.* ἀκατάλυτος, ἄφθαρτος.

in·de·ter·min·able /ˈɪndɪˈtɜmɪnəbl/ *ἐπ.* ἀπροσδιόριστος, πού δέν μπορεῖ νά λήξη/νά διευθετηθῆ (*πχ* διαφορά). **in·de·ter·min·ably** /-əblɪ/ *ἐπίρ.*

in·de·ter·mi·nate /ˈɪndɪˈtɜmɪnət/ *ἐπ.* ἀσαφής, ἀόριστος, ἀκαθόριστος: *an ~ number/quantity*, ἀκαθόριστος ἀριθμός/ποσότης.

in·dex /ˈɪndeks/ *οὐσ.* (*πληθ.* *~es ἤ -dices* /-dɪsiz/) **1**. δείκτης, ἔνδειξις: *That was an ~ of the country's prosperity*, αὐτό ἦταν ἔνδειξις τῆς εὐημερίας τῆς χώρας. **the ˈ~ finger**, ὁ δείκτης (τό δάκτυλο). **2**. πίναξ, κατάλογος, εὑρετήριον (στό τέλος βιβλίου). **the I~**, (*Καθ. ἐκκλ.*) ὁ μαῦρος πίναξ (τῶν ἀπαγορευμένων βιβλίων). **3.** `~ **number/figure**, τιμάριθμος. **4.** (*ἄλγεβ.*) ἐκθέτης. —*ρ.μ.* βάζω κτ σέ κατάλογο.

In·dia /ˋɪndɪə/ *οὐσ.* Ἰνδία. `~ **paper**, λεπτό χαρτί. '~`**rubber**, γομολάστιχα.

In·dian /ˋɪndɪən/ *οὐσ.* ‹C› Ἰνδός. **American/ Red** ~**s**, Ἰνδιάνος/Ἐρυθρόδερμος. '**West** `~, κάτοικος τῶν Δυτικῶν Ἰνδιῶν. `~ **corn**, ἀραποσίτι, καλαμπόκι. '~ `**ink**, σινική μελάνη. '~ `**summer**, γαϊδουροκαλόκαιρο. ***in ~ file***, σέ φάλαγγα κατ' ἄνδρα.

in·di·cate /ˋɪndɪkeɪt/ *ρ.μ.* **1.** δείχνω, σημειώνω: ~ *sth with one's hand*, δείχνω κτ μέ τό χέρι. *The barometer ~s a rise in temperature*, τό βαρόμετρο δείχνει ὕψωση τῆς θερμοκρασίας. **2.** ὑποδηλῶ, ὑποδεικνύω: *He ~d that the interview was over*, ὑπεδήλωσε (ἄφησε νά φανῆ) ὅτι ἡ συνέντευξις ἐτερματίσθη. *at the time ~d*, κατά τόν ὑποδειχθέντα χρόνον. **3.** ἀπαιτῶ, καθιστῶ ἐνδεδειγμένον: *Strong measures are clearly ~d*, εἶναι σαφές ὅτι ἀπαιτοῦνται αὐστηρά μέτρα.

in·di·ca·tion /ˈɪndɪˋkeɪʃn/ *οὐσ.* ‹C,U› ἔνδειξις: *without the least/slightest ~*, χωρίς τήν παραμικρή ἔνδειξη. *numerous ~s*, πολυάριθμες ἐνδείξεις. *give a clear ~ of one's intentions*, ἐκδηλώνω καθαρά τίς προθέσεις μου.

in·di·ca·tive /ɪnˋdɪkətɪv/ *ἐπ.* **1.** ~ ***of/that***, ἐνδεικτικός, δηλωτικός: *a smile ~ of satisfaction*, χαμόγελο ἐνδεικτικό ἱκανοποιήσεως. **2.** (*γραμμ.*) **the ~mood**, ὁριστική ἔγκλισις.

in·di·ca·tor /ˋɪndɪkeɪtə(r)/ *οὐσ.* ‹C› δείκτης, πίναξ: *a `speed ~*, ταχύμετρο. *`traffic ~s*, τόξα πορείας. *a `train ~*, πίναξ ἀφίξεως καί ἀναχωρήσεως τραίνων.

in·di·ces /ˋɪndɪsiz/ *οὐσ. πληθ. βλ. index.*

in·dict /ɪnˋdaɪt/ *ρ.μ.* (*νομ.*) μηνύω, παραπέμπω, κατηγορῶ: ~ *sb for complicity/on a charge of complicity*, παραπέμπω κπ γιά συνέργεια/μέ τήν κατηγορία τῆς συνέργειας. ~·**ment** *οὐσ.* ‹C,U› ἔγκλησις, μήνυσις, κατηγορία: *bring in an ~ment against sb*, κάνω μήνυση σέ κπ, ἀπαγγέλω κατηγορία ἐναντίον του.

in·dif·fer·ence /ɪnˋdɪfrns/ *οὐσ.* ‹U› ἀδιαφορία: *with ~*, μέ ἀδιαφορία, ἀδιάφορα. *It's a matter of ~ to me*, τό θέμα μοῦ εἶναι ἀδιάφορο. *show ~ to/towards (sb/sth)*, δείχνω ἀδιαφορία γιά (κπ/κτ).

in·dif·fer·ent /ɪnˋdɪfrnt/ *ἐπ.* **1.** ~ ***(to/towards)***, ἀδιάφορος: *be ~ to danger*, εἶμαι ἀδιάφορος στόν κίνδυνο. *I can't remain ~ in this dispute*, δέν μπορῶ νά μείνω ἀδιάφορος σ' αὐτή τή διαμάχη. *It's quite ~ to me whether you go or stay*, μοῦ εἶναι τελείως ἀδιάφορο εἴτε φύγης εἴτε μείνης. **2.** μέτριος, ἀσήμαντος: *an ~ novel/footballer*, μέτριο μυθιστόρημα/μέτριος ποδοσφαιριστής. ~·**ly** *ἐπίρ.* ἀδιάφορα, μέτρια.

in·di·gence /ˋɪndɪdʒəns/ *οὐσ.* ‹U› (*λόγ.*) ἀπορία, ἔνδεια.

in·digen·ous /ɪnˋdɪdʒɪnəs/ *ἐπ.* ~ ***(to)***, ἰθαγενής, αὐτόχθων, γηγενής, ντόπιος: *Kangaroos are ~ to Australia*, τά καγκουρώ εἶναι ἰθαγενῆ στήν Αὐστραλία. *an ~ `language*, ντόπια γλῶσσα (τῶν ἰθαγενῶν).

in·di·gent /ˋɪndɪdʒənt/ *ἐπ.* (*λόγ.*) ἄπορος.

in·di·gest·ible /ˈɪndɪˋdʒestəbl/ *ἐπ.* δύσπεπτος, ἀχώνευτος.

in·di·ges·tion /ˈɪndɪˋdʒestʃən/ *οὐσ.* ‹U› βαρυστομαχιά, δυσπεψία: *suffer from ~*, ὑποφέρω ἀπό δυσπεψία.

in·dig·nant /ɪnˋdɪgnənt/ *ἐπ.* ἀγανακτισμένος: ~ *at sth/with sb*, ἀγανακτισμένος μέ κτ/κπ. *I was ~ to hear that...*, μέ ἀγανάκτησή μου ἔμαθα ὅτι... ~·**ly** *ἐπίρ.*

in·dig·na·tion /ˈɪndɪgˋneɪʃn/ *οὐσ.* ‹U› ἀγανάκτησις: *arouse the ~ of sb*, προκαλῶ τήν ἀγανάκτηση κάποιου. *to my great ~*, πρός μεγάλη μου ἀγανάκτησιν. *feel ~ against sb*, νοιώθω ἀγανάκτηση ἐναντίον κάποιου.

in·dig·nity /ɪnˋdɪgnətɪ/ *οὐσ.* ‹C,U› κακομεταχείρισις, ταπείνωσις, προσβολή: *suffer the ~ of a refusal*, ὑφίσταμαι τήν προσβολή μιᾶς ἀρνήσεως. *be subjected to all sorts of indignities*, ὑποβάλλομαι σέ κάθε εἶδους ταπείνωση.

in·digo /ˋɪndɪgəʊ/ *οὐσ.* ‹U› λουλάκι. ~ **blue**, λουλακί (χρῶμα).

in·dir·ect /ˈɪndɪˋrekt/ *ἐπ.* πλάγιος, ἔμμεσος (ὄχι εὐθύς): *an ~ answer*, πλαγία ἀπάντησις. ~ *taxation*, ἔμμεσος φορολογία. *an ~ result*, παρεπόμενον ἀποτέλεσμα. *make an ~ reference to sb*, ἀναφέρομαι ἐμμέσως σέ κπ. ~ **object**, (*γραμμ.*) ἔμμεσον ἀντικείμενον. ~ **speech**, (*γραμμ.*) πλάγιος λόγος. ~·**ly** *ἐπίρ.* πλαγίως, ἐμμέσως.

in·dis·cern·ible /ˈɪndɪˋsɜnəbl/ *ἐπ.* δυσδιάκριτος.

in·dis·ci·pline /ɪnˋdɪsəplɪn/ *οὐσ.* ‹U› ἀπειθαρχία.

in·dis·creet /ˈɪndɪˋskrit/ *ἐπ.* ἀδιάκριτος, ἀπερίσκεπτος, χωρίς τάκτ: *an ~ remark.* ~·**ly** *ἐπίρ.* ἀδιάκριτα.

in·dis·cre·tion /ˈɪndɪˋskreʃn/ *οὐσ.* ‹C,U› ἀδιακρισία, ἀκριτομύθεια, ἀπερισκεψία: *commit an ~*, διαπράττω ἀδιακρισία.

in·dis·crimi·nate /ˈɪndɪˋskrɪmɪnət/ *ἐπ.* χωρίς διάκριση ἤ προσοχή, γενικός: *He's ~ in making friends*, δέν κάνει διάκριση στούς φίλους πού πιάνει. ~ *slaughter*, γενική σφαγή. *deal out ~ blows*, χτυπῶ ὅπου τύχει, μοιράζω χτυπήματα στά τυφλά. ~·**ly** *ἐπίρ.* ἀδιακρίτως.

in·dis·pens·able /ˈɪndɪˋspensəbl/ *ἐπ.* ~ ***(to)***, ἀπαραίτητος: *It's ~ to us*, μᾶς εἶναι ἀπαραίτητο. *No-one is ~*, τό μοναστήρι νἆν' καλά...

in·dis·posed /ˈɪndɪˋspəʊzd/ *ἐπ.* **1.** ἀδιάθετος: *I'm rather ~ today*, εἶμαι λιγάκι ἀδιάθετος σήμερα. **2.** ~ ***for/to do sth***, ὄχι διατεθειμένος, ἀπρόθυμος: *He seems ~ to help us*, δέν φαίνεται διατεθειμένος νά μᾶς βοηθήση.

in·dis·po·si·tion /ˈɪnˈdɪspəˋzɪʃn/ *οὐσ.* ‹C,U› **1.** ἀδιαθεσία. **2.** ἀπροθυμία.

in·dis·put·able /ˈɪndɪˋspjutəbl/ *ἐπ.* ἀναμφισβήτητος, ἀδιαφιλονίκητος.

in·dis·sol·uble /ˈɪndɪˋsɒljʊbl/ *ἐπ.* (*λόγ.*) ἀκατάλυτος, ἄρρηκτος: *the ~ bonds of friendship/marriage*, οἱ ἀκατάλυτοι δεσμοί τῆς φιλίας/οἱ ἄρρηκτοι δεσμοί τοῦ γάμου.

in·dis·tinct /ˈɪndɪˋstɪŋkt/ *ἐπ.* ἀδιάκριτος, ἀκαθόριστος, συγκεχυμένος: ~ *sounds/memories*, ἀκαθόριστοι ἦχοι/συγκεχυμένες ἀναμνήσεις. ~·**ly** *ἐπίρ.* ἀσαφῶς, συγκεχυμένα.

in·dis·tin·guish·able /ˈɪndɪˋstɪŋgwɪʃəbl/ *ἐπ.* δυσδιάκριτος, μή διακρινόμενος: ~ *to the naked eye*, ἀόρατος διά γυμνοῦ ὀφθαλμοῦ.

in·dite /ɪnˋdaɪt/ *ρ.μ.* (*λόγ.*) ἐκφράζω, συνθέτω (λόγον, ποίημα, κλπ).

in·di·vid·ual /ˈɪndɪˋvɪdʒʊəl/ ἐπ. **1**. ἰδιαίτερος, ξεχωριστός: *I give ~ attention to each member of the class*, δίνω ἰδιαίτερη προσοχή σέ κάθε μέλος τῆς τάξεως. **2**. ἀτομικός: *~ equipment*, ἀτομικά ἐφόδια/εἴδη. **3**. προσωπικός, χαρακτηριστικός: *an ~ style of speaking/dressing*, προσωπικό στύλ ὁμιλίας/ντυσίματος. __οὐσ. ‹C› ἄτομον, ἄνθρωπος: *the rights of the ~*, τά δικαιώματα τοῦ ἀτόμου. *What a crafty ~ he is!* τί πανοῦργος ἄνθρωπος πού εἶναι! **~·ly** ἐπίρ. ἀτομικῶς. **~·ism** /-ɪzm/ οὐσ. ‹U› ἀτομικισμός. **~·ist** /-ɪst/ οὐσ. ‹C› ἀτομικιστής. **~·is·tic** /ˋ-ɪstɪk/ ἐπ. ἀτομικιστικός.

in·di·vidu·al·ity /ˈɪndɪˈvɪdʒʊˋæləti/ οὐσ. ‹C,U› **1**. ἀτομικότης, προσωπικότης: *a man of marked ~*, ἄνθρωπος μέ ἔντονη προσωπικότητα. **2**. ἰδιορρυθμία: *my little individualities*, οἱ μικρές μου ἰδιορρυθμίες.

in·di·vid·ual·ize /ˈɪndɪˋvɪdʒʊəlaɪz/ ρ.μ. ἐξατομικεύω, ξεχωρίζω.

in·di·vis·ible /ˈɪndɪˋvɪzəbl/ ἐπ. ἀδιαίρετος.

in·doc·tri·nate /ɪnˋdoktrɪneɪt/ ρ.μ. κατηχῶ (ἰδ. πολιτικά), ἐμποτίζω (τό νοῦ). **in·doc·tri·na·tion** /ɪnˈdoktrɪˋneɪʃn/ οὐσ. ‹U› (πολιτική) κατήχησις.

in·do·lence /ˋɪndələns/ οὐσ. ‹U› νωθρότης.

in·do·lent /ˋɪndələnt/ ἐπ. (λόγ.) ράθυμος, νωθρός. **~·ly** ἐπίρ.

in·domi·table /ɪnˋdomɪtəbl/ ἐπ. ἀδάμαστος, ἄκαμπτος: *~ courage*, ἀδάμαστο θάρρος. *an ~ will*, ἄκαμπτη θέληση.

in·door /ˈɪnˋdɔ(r)/ ἐπ. ἐσωτερικός, ἐντός κτιρίου (ἀντίθ. *outdoor*): *an ~ swimming-pool*, πισίνα σέ κλειστό χῶρο. *~ games/activities*, παιχνίδια/δραστηριότητες κλειστοῦ χώρου.

in·doors /ˈɪnˋdɔz/ ἐπίρ. μέσα σέ κλειστό χῶρο, στό σπίτι: *stay/play ~s*, μένω/παίζω μέσα.

in·dubi·table /ɪnˋdjubɪtəbl/ ἐπ. (λόγ.) ἀναμφισβήτητος.

in·duce /ɪnˋdjus/ ρ.μ. **1**. παρακινῶ, πείθω: *What ~d you to do such a thing?* τί σέ παρακίνησε νά κάνης τέτοιο πρᾶγμα; *We couldn't ~ him to travel by air*, δέν μπορούσαμε νά τόν πείσωμε νά ταξιδέψη ἀεροπορικῶς. **2**. προκαλῶ, (ἐπι)φέρω: *an illness ~d by overwork*, ἀρρώστεια προκληθεῖσα ἀπό ὑπερκόπωση. **~·ment** οὐσ. ‹C,U› παρακίνησις, δέλεαρ, κίνητρον: *He hasn't much ~ment/many ~ments to study German*, δέν ἔχει πολλά κίνητρα γιά νά μελετήση Γερμανικά.

in·duc·tion /ɪnˋdʌkʃn/ οὐσ. ‹U› **1**. εἰσαγωγή: *an ~ course*, εἰσαγωγική σειρά μαθημάτων. **2**. ἐπαγωγή (ἐκ τοῦ μερικοῦ πρός τό γενικόν), συναγωγή: *by ~*, ἐπαγωγικῶς. **3**. (ἠλεκτρ.) ἐπαγωγή: *~ coil*, ἐπαγωγικόν πηνίον.

in·duc·tive /ɪnˋdʌktɪv/ ἐπ. ἐπαγωγικός.

in·dulge /ɪnˋdʌldʒ/ ρ.μ/ἀ. **1**. ἱκανοποιῶ, κάνω τά χατήρια: *~ the fancies of a sick child*, ἱκανοποιῶ τά κέφια ἑνός ἄρρωστου παιδιοῦ. *~ one's wife*, κάνω τά χατήρια τῆς γυναίκας μου. **2**. *~ in*, παραδίδομαι εἰς, ἐντρυφῶ, προσφέρω στόν ἑαυτό μου (μιά ἀπόλαυση): *~ in pleasures/day dreaming*, παραδίδομαι στίς ἀπολαύσεις/σέ ὀνειροπολήσεις. *~ in a cigar/new hat*, προσφέρω στόν ἑαυτό μου ἕνα ποῦρο/ἕνα καινούργιο καπέλλο. **in·dul·gent** /-ənt/ ἐπ. ἐπιεικής, συγκαταβατικός: *indulgent parents/smiles*. **in·dul·gent·ly** ἐπίρ.

in·dul·gence /ɪnˋdʌldʒəns/ οὐσ. **1**. ‹U› ἐντρύφησις, παράδοσις, ἱκανοποίησις: *~ in sin/one's desires*, κατρακύλισμα στήν ἁμαρτία/παράδοσις στίς ἐπιθυμίες. **2**. ‹C› ἀδυναμία, παραχώρησις (στόν ἑαυτό μου): *A cigar after lunch is my only ~*, ἕνα ποῦρο ὕστερα ἀπό τό γεῦμα εἶναι ἡ μόνη μου ἀδυναμία. **3**. ‹C,U› (Καθ. Ἐκκλ.) ἄφεσις ἁμαρτιῶν.

in·dus·trial /ɪnˋdʌstrɪəl/ ἐπ. βιομηχανικός: *the ~ revolution*, ἡ βιομηχανική ἐπανάστασις. *an ~ area/school*, βιομηχανική περιοχή/σχολή. *an ~ dispute*, ἐργατική διαφορά. **~·ism** /-ɪzm/ οὐσ. ‹U› τό βιομηχανικόν σύστημα. **~·ist** /-ɪst/ οὐσ. ‹C› μεγαλοβιομήχανος.

in·dus·tri·ous /ɪnˋdʌstrɪəs/ ἐπ. ἐπιμελής, ἐργατικός. **~·ly** ἐπίρ.

in·dus·try /ˋɪndəstrɪ/ οὐσ. **1**. ‹C,U› βιομηχανία: *the ˋsteel/ˋcotton ~*, ἡ βιομηχανία χάλυβος/βάμβακος. **2**. ‹U› ἐργατικότης, ἐπιμέλεια: *His success is due to ~ and thrift*, ἡ ἐπιτυχία του ὀφείλεται στήν ἐργατικότητα καί τήν οἰκονομία.

in·ebri·ate /ɪˋnibrɪeɪt/ ρ.μ. (λόγ.) μεθῶ. __οὐσ. ‹C› /ɪˋnibrɪət/ μέθυσος, ἀλκοολικός: *an institution for ~s*, ἵδρυμα ἀλκοολικῶν.

in·ebri·ety /ˈɪnɪˋbraɪətɪ/ οὐσ. ‹U› μέθη, ἀλκοολισμός.

in·ed·ible /ɪnˋedəbl/ ἐπ. μή φαγώσιμος.

in·ef·fable /ɪnˋefəbl/ ἐπ. (λόγ.) ἀνείπωτος, ἀνέκφραστος: *~ joy/beauty*.

in·ef·fec·tive /ˈɪnɪˋfektɪv/ ἐπ. ἀτελέσφορος, ἄκαρπος, (γιά ἄνθρ.) ἀνίκανος: *an ~ speaker*, ἀδόκιμος ὁμιλητής. **~·ly** ἐπίρ.

in·ef·fec·tual /ˈɪnɪˋfektʃʊəl/ ἐπ. μάταιος, ἀνίκανος, ἀποτυχημένος: *an ~ attempt*, ἀποτυχημένη ἀπόπειρα. *an ~ teacher/leader*, ἀνίκανος δάσκαλος/ἡγέτης. **~ly** /-tʃʊəlɪ/ ἐπίρ.

in·ef·fic·iency /ˈɪnɪˋfɪʃnsɪ/ οὐσ. ‹C,U› ἀνικανότης, ἀνεπάρκεια.

in·ef·fic·ient /ˈɪnɪˋfɪʃnt/ ἐπ. μή ἀποδοτικός, ἀνεπαρκής, ἀνίκανος, σπάταλος: *an ~ administration*, ἀνίκανη διοίκηση. **~·ly** ἐπίρ.

in·el·egance /ɪnˋelɪgəns/ οὐσ. ‹U› ἀκομψία, ἀκαλαισθησία, χοντροκοπιά.

in·el·egant /ɪnˋelɪgənt/ ἐπ. ἄχαρος, ἄγαρμπος, ἄκομψος. **~·ly** ἐπίρ.

in·eli·gi·bil·ity /ˈɪnˈelɪdʒəˋbɪlətɪ/ οὐσ. ‹U› μή ἐκλογιμότης, ἀκαταλληλότης.

in·eli·gible /ɪnˋelɪdʒəbl/ ἐπ. μή ἐκλόγιμος, ἀκατάλληλος, ἀπορριπτέος: *~ for the position*, ἀκατάλληλος διά τήν θέσιν.

in·ept /ɪˋnept/ ἐπ. **1**. ἄτοπος, ἀνάρμοστος, παράλογος: *~ remarks*. **2**. ἀνόητος, βραδύνους: *an ~ pupil*. **~·ly** ἐπίρ. ἄτοπα, ἀνόητα. **in·ep·ti·tude** /ɪˋneptɪtjud/ οὐσ. ‹C,U› ἀπρέπεια, ἀνοησία, βλακώδης ἤ ἄτοπος παρατήρησις.

in·equal·ity /ˈɪnɪˋkwolətɪ/ οὐσ. **1**. ‹C,U› ἀνισότης: *Great inequalities in wealth cause social unrest*, οἱ μεγάλες ἀνισότητες πλούτου προκαλοῦν κοινωνική ἀναταραχή. **2**. (πληθ.) ἀνωμαλίες (σέ ἐπιφάνεια).

in·equit·able /ɪnˋekwɪtəbl/ ἐπ. (λόγ.) ἄδικος: *an ~ share*, ἄδικο μερδικό.

in·equity /ɪnˋekwətɪ/ οὐσ. ‹C,U› ἀδικία.

in·eradi·cable /ˈɪnɪˋrædɪkəbl/ ἐπ. ἀξερρί-

ζωτος: ~ *habits*, βαθιά ριζωμένες συνήθειες.
in·ert /ɪ`nɜt/ ἐπ. **1**. ἀδρανής: ~ *matter*, ἀδρανής ὕλη. **2**. ἀκίνητος, νωθρός: *lie ~ on the ground*, μένω ἀκίνητος στό ἔδαφος. **in·ertia** /ɪ`nɜʃə/ οὐσ. ‹U› ἀδράνεια, ἀκινησία.
in·es·cap·able /'ɪnɪ`skeɪpəbl/ ἐπ. ἀναπόφευκτος: *an ~ conclusion*, ἀναπόφευκτο συμπέρασμα.
in·es·ti·mable /ɪn`estɪməbl/ ἐπ. ἀνυπολόγιστος, ἀνεκτίμητος: *of ~ value*, ἀνυπολογίστου ἀξίας.
in·evi·table /ɪn`evɪtəbl/ ἐπ. **1**. ἀναπόφευκτος, μοιραῖος: *an ~ mistake*, ἀναπόφευκτον λάθος. *the ~ end*, τό μοιραῖον τέλος. **2**. ἀχώριστος, μόνιμος, αἰώνιος: *our headmaster with his ~ umbrella/smile*, ὁ Γυμνασιάρχης μας μέ τήν ἀχώριστη ὀμπρέλλα του/μέ τό μόνιμο (αἰώνιο) χαμόγελό του. **in·evi·tably** /-əblɪ/ ἐπίρ. ἀναπόφευκτα. **in·evi·ta·bil·ity** /ɪn'evɪtə`bɪlətɪ/ οὐσ. ‹C,U› τό μοιραῖον, τό ἀναπόφευκτον.
in·ex·act /'ɪnɪg`zækt/ ἐπ. ἀνακριβής. **~i·tude** /-`zæktɪtjud/ οὐσ. ‹C,U› ἀνακρίβεια.
in·ex·cus·able /'ɪnɪk`skjuzəbl/ ἐπ. ἀσυγχώρητος: *an ~ omission*, ἀσυγχώρητη παράλειψις.
in·ex·haust·ible /'ɪnɪg`zɔstəbl/ ἐπ. ἀνεξάντλητος: ~ *wealth*, ἀνεξάντλητα πλούτη. *My patience is not ~*, ἡ ὑπομονή μου δέν εἶναι ἀνεξάντλητη.
in·exor·able /ɪn`eksərəbl/ ἐπ. (*λόγ.*) ἀμείλικτος, ἀνηλεής, ἀνένδοτος: ~ *questions*, ἀμείλικτα ἐρωτήματα. ~ *pressures*, ἀνηλεεῖς πιέσεις. ~ *demands*, ἀνένδοτες ἀξιώσεις. **in·exor·ably** /-əblɪ/ ἐπίρ.
in·ex·pedi·ent /'ɪnɪk`spidɪənt/ ἐπ. ἀσύμφορος, ἀκατάλληλος.
in·ex·pen·sive /'ɪnɪk`spensɪv/ ἐπ. φτηνός, ἀνέξοδος: ~ *holidays*. **~·ly** ἐπίρ. φτηνά.
in·ex·peri·ence /'ɪnɪk`spɪərɪəns/ οὐσ. ‹U› ἔλλειψις πείρας, ἀπειρία. **~d** ἐπ. ἄπειρος: *an ~d teacher*.
in·ex·pert /ɪn`ekspɜt/ ἐπ. ἀδέξιος, ἀνίδεος: ~ *advice*, ἀνίδεες συμβουλές. **~·ly** ἐπίρ.
in·ex·pi·able /ɪn`ekspɪəbl/ ἐπ. (*λόγ.*) ἀσύγγνωστος, ἀδιάλλακτος.
in·ex·plic·able /'ɪnɪk`splɪkəbl/ ἐπ. ἀνεξήγητος.
in·ex·press·ible /'ɪnɪk`spresəbl/ ἐπ. ἀνέκφραστος, ἀπερίγραπτος: ~ *sorrow*.
in·ex·tin·guish·able /'ɪnɪk`stɪŋgwɪʃəbl/ ἐπ. ἄσβυστος: ~ *hatred*, ἄσβυστο μῖσος.
in·ex·tri·cable /ɪn`ekstrɪkəbl/ ἐπ. λαβυρινθώδης, ἀξεδιάλυτος, ἀξεμπέρδευτος: ~ *confusion/difficulties*, ἀξεμπέρδευτη σύγχυση/ἄλυτες δυσκολίες.
in·fal·lible /ɪn`fæləbl/ ἐπ. **1**. ἀλάθητος: *No man is ~*, κανένας ἄνθρωπος δέν εἶναι ἀλάθητος. **2**. ἀσφαλής, σίγουρος, πού δέν ἀποτυγχάνει ποτέ: ~ *remedies/methods*, ἀσφαλῆ φάρμακα/σίγουρες μέθοδοι. **in·fal·li·bil·ity** /'ɪn'fælə`bɪlətɪ/ οὐσ. ‹U› τό ἀλάθητον (πχ τοῦ Πάπα).
in·fa·mous /`ɪnfəməs/ ἐπ. ἄτιμος, ἀχρεῖος: *an ~ rumour/plot/traitor*, ἄτιμη διάδοση/συνωμοσία/ἀχρεῖος προδότης.
in·famy /`ɪnfəmɪ/ οὐσ. ‹C,U› ἀτιμία, ἀχρειότης, δημόσιος ἐξευτελισμός, ὄνειδος: *hold sb up to ~*, ἐξευτελίζω κπ δημοσίως.
in·fancy /`ɪnfənsɪ/ οὐσ. ‹U› νηπιακή ἡλικία, (*μεταφ.*) ἀρχή, πρῶτα βήματα: *an industry still in its ~*, μιά βιομηχανία πού εἶναι ἀκόμη στήν ἀρχή (στά σπάργανα).
in·fant /`ɪnfənt/ οὐσ. ‹C› βρέφος, νήπιον: *an `~-school*, νηπιαγωγεῖον.
in·fan·ti·cide /ɪn`fæntɪsaɪd/ οὐσ. ‹U› βρεφοκτονία, βρεφοκτόνος.
in·fan·tile /`ɪnfəntaɪl/ ἐπ. παιδικός, παιδαριώδης: '~ *pa`ralysis*, παιδική παράλυσις, πολυομυελῖτις.
in·fan·try /`ɪnfəntrɪ/ οὐσ. (*συλλογ. ἑν.*) πεζικόν: *an ~ regiment*, σύνταγμα πεζικοῦ. **~·man** οὐσ. ‹C› πεζικάριος, στρατιώτης τοῦ πεζικοῦ.
in·fatu·ate /ɪn`fætʃʊeɪt/ ρ.μ. ξεμυαλίζω, ξετρελλαίνω, ξεμωραίνω. ***be ~d with sb***, εἶμαι ξετρελλαμένος, ξεμυαλισμένος μέ κπ. **in·fatu·ation** /ɪn'fætʃʊ`eɪʃn/ οὐσ. ‹C,U› ξεμυάλισμα, (ἐρωτική) τρέλλα.
in·fect /ɪn`fekt/ ρ.μ. μολύνω, μεταδίδω (ἀρρώστεια, κέφι, κλπ): ~ *a wound*, μολύνω μιά πληγή. *~ed with cholera*, μολυσμένος ἀπό χολέρα. *Her high spirits ~ed all the girls in the class*, τό κέφι της μεταδόθηκε σ' ὅλα τά κορίτσια τῆς τάξεως.
in·fec·tion /ɪn`fekʃn/ οὐσ. **1**. ‹U› μόλυνσις, μετάδοσις. **2**. ‹C› μολυσματική ἀσθένεια.
in·fec·tious /ɪn`fekʃəs/ ἐπ. μολυσματικός, μεταδοτικός: ~ *humour*, μεταδοτικό/κολλητικό κέφι.
infer /ɪn`fɜ(r)/ ρ.μ. (*-rr-*) συμπεραίνω, συνάγω: *From his letters I ~red that he was unhappy*, ἀπό τά γράμματά του ἔβγαλα τό συμπέρασμα ὅτι ἦταν δυστυχισμένος. **~·ence** /`ɪnfərns/ οὐσ. ‹C,U› **1**. ἐξαγωγή συμπεράσματος: *by ~ence*, κατά συμπερασμόν. **2**. συμπέρασμα: *This is an unfair ~ence*, αὐτό εἶναι ἄδικο συμπέρασμα.
in·fer·ior /ɪn`fɪərɪə(r)/ ἐπ. ~ ***(to)***, κατώτερος (ἀπό): *goods ~ to sample*, ἐμπορεύματα κατώτερα ἀπό τό δεῖγμα. *an ~ officer*, κατώτερος ἀξιωματικός. *materials of ~ quality/~ in quality*, ὑλικά κατωτέρας ποιότητος. *make one feel ~*, κάνω κπ νά νοιώθη κατώτερος. **~·ity** /ɪn'fɪərɪ`ɒrətɪ/ οὐσ. ‹U› κατωτερότης. **~ity complex**, σύμπλεγμα κατωτερότητος.
in·fer·nal /ɪn`fɜnl/ ἐπ. διαβολικός, καταχθόνιος, σατανικός, φοβερός: *the ~ regions*, οἱ περιοχές τῆς κολάσεως. *an ~ machine*, σατανικό μηχάνημα, ὡρολογιακή βόμβα. *He's an ~ nuisance*, εἶναι φοβερός μπελᾶς! **~ly** /-nəlɪ/ ἐπίρ.
in·ferno /ɪn`fɜnəʊ/ οὐσ. ‹C› (*πληθ.* ~*s*) κόλασις.
in·fer·tile /'ɪn`fɜtaɪl/ ἐπ. στεῖρος, ἄγονος. **in·fer·til·ity** /'ɪnfə`tɪlətɪ/ οὐσ. ‹U› στειρότης, ἀγονία.
in·fest /ɪn`fest/ ρ.μ. λυμαίνομαι, μαστίζω, κατακλύζω: *a barn ~ed with rats*, ἀποθήκη γεμάτη (πού τή λυμαίνονται τά) ποντίκια. *a mosquito-~ed village*, χωριό πού μαστίζεται ἀπό κουνούπια.
in·fi·del /`ɪnfɪdl/ οὐσ. ‹C› ἄπιστος, ἀλλόθρησκος.
in·fi·del·ity /'ɪnfɪ`delətɪ/ οὐσ. ‹C,U› ἀπιστία: *conjugal ~*, συζυγική ἀπιστία.
in·fight·ing /`ɪn faɪtɪŋ/ οὐσ. ‹U› ἐσωτερική

φαγωμάρα (σέ έταιρία, ύπηρεσία, κλπ), μάχη/ ἀγώνας ἐκ τοῦ συστάδην.
in·fil·trate /ˋɪnfɪltreɪt/ *ρ.μ/ὰ.* **1**. φιλτράρω/ -ομαι. **2**. (*γιά στρατεύματα, ἰδέες, κλπ*) διεισδύω, εἰσχωρῶ: ~ *through the enemy defences*, εἰσχωρῶ μέσα ἀπό τίς ἐχθρικές γραμμές. **in·fil·tra·tion** /ˈɪnfɪlˋtreɪʃn/ *οὐσ.* ‹C,U› διήθησις, διείσδυσις, διάβρωσις.
in·fi·nite /ˋɪnfənɪt/ *ἐπ.* ἄπειρος, (*μεταφ.*) τεράστιος: *the ~ goodness of God*, ἡ ἄπειρη καλωσύνη τοῦ Θεοῦ. *Such ideas may do ~ harm*, αὐτές οἱ ἰδέες μποροῦν νά κάμουν φοβερό κακό. **~·ly** *ἐπίρ.* ἀπείρως: *~ly small*, ἀπείρως μικρός.
in·fini·tesi·mal /ˈɪnˈfɪnɪˋtesɪml/ *ἐπ.* ἀπειροελάχιστος.
in·fini·tive /ɪnˋfɪnətɪv/ *οὐσ.* ‹C› (*γραμμ.*) ἀπαρέμφατον.
in·fini·tude /ɪnˋfɪnɪtjud/ *οὐσ.* ‹C,U› (*λόγ.*) ἀπειρία, ἀπεραντοσύνη, τό ἄπειρον: *the ~ of God's mercy*, τό ἄπειρον ἔλεος τοῦ Θεοῦ. *an ~ of small particles*, μιά ἀπειρία μορίων.
in·fin·ity /ɪnˋfɪnətɪ/ *οὐσ.* ‹U› **1**. *βλ. infinitude.* **2**. (*μαθ.*) τό ἄπειρον.
in·firm /ˈɪnˋfɜm/ *ἐπ.* **1**. ἀνάπηρος, ἀσθενής, ἀδύνατος, ἀσθενικός. **2**. ἀσταθής: *walk with ~ steps*, περπατῶ μέ ἀσταθῆ βήματα. ***be ~ of purpose***, ταλαντεύομαι, εἶμαι ἀναποφάσιστος. **~·ity** /-ətɪ/ *οὐσ.* ‹C,U› ἀδυναμία, ἀναπηρία: *the infirmities of old age*, οἱ ἀναπηρίες τῶν γηρατειῶν.
in·firm·ary /ɪnˋfɜmərɪ/ *οὐσ.* ‹C› **1**. νοσοκομεῖον, θεραπευτήριον. **2**. ἰατρεῖον, ἀναρρωτήριον (σέ σχολεῖο, φυλακή, κλπ).
in·flame /ɪnˋfleɪm/ *ρ.μ/ὰ.* ἐρεθίζω/-ομαι, φλογίζω: *eyes ~d with dust*, μάτια ἐρεθισμένα ἀπό τή σκόνη. *~d with passion/anger/ indignation*, φλογισμένος ἀπό πάθος/θυμό/ ἀγανάκτηση. *speeches that ~ popular feeling*, λόγοι πού ἐρεθίζουν (ἐξάπτουν) τά πνεύματα τοῦ κόσμου.
in·flam·mable /ɪnˋflæməbl/ *ἐπ.* εὔφλεκτος, (*μεταφ.*) εὐερέθιστος.
in·flam·ma·tion /ˈɪnfləˋmeɪʃn/ *οὐσ.* ‹C,U› ἀνάφλεξις, ἐρεθισμός, παροξυσμός, (*ἰατρ.*) φλεγμονή: *~ of the lungs*, πνευμονικόν οἴδημα.
in·flam·ma·tory /ɪnˋflæmətrɪ/ *ἐπ.* **1**. ἐμπρηστικός: *an ~ speech.* **2**. φλεγμονώδης.
in·flate /ɪnˋfleɪt/ *ρ.μ.* **1**. φουσκώνω: *~ the inner tube/a balloon*, φουσκώνω τή σαμπρέλλα/ ἕνα μπαλλόνι. *~d with pride*, φουσκωμένος ἀπό περηφάνεια. *~d language*, φουσκωμένα (κομπαστικά) λόγια. **2**. διογκώνω (τό κυκλοφοροῦν χαρτονόμισμα). **in·flat·able** /-əbl/ *ἐπ.* πού μπορεῖ νά φουσκωθῆ.
in·fla·tion /ɪnˋfleɪʃn/ *οὐσ.* ‹U› **1**. φούσκωμα. **2**. πληθωρισμός: *galloping ~*, καλπάζων πληθωρισμός.
in·fla·tion·ary /ɪnˋfleɪʃnrɪ/ *ἐπ.* πληθωριστικός: *~ pressures*, πληθωριστικαί πιέσεις. *the ~ spiral*, ὁ φαῦλος κύκλος τοῦ πληθωρισμοῦ.
in·flect /ɪnˋflekt/ *ρ.μ.* **1**. (*γραμμ.*) κλίνω. **2**. ἀλλάζω (τόνο φωνῆς). **3**. λυγίζω, κάμπτω.
in·flec·tion /ɪnˋflekʃn/ *οὐσ.* ‹C,U› **1**. (*γραμμ.*) κλίσις. **2**. κυμάτισμα (φωνῆς). **~al** /-ʃnl/ *ἐπ.* κλιτός.
in·flex·ibil·ity /ˈɪnˈfleksɪˋbɪlətɪ/ *οὐσ.* ‹U› ἀκαμψία.
in·flex·ible /ɪnˋfleksəbl/ *ἐπ.* ἄκαμπτος, ἀλύγιστος: *an ~ will/determination/courage*, ἄκαμπτη θέλησις/ἀποφασιστικότης/ἀλύγιστο θάρρος. **in·flex·ibly** /-əblɪ/ *ἐπίρ.*
in·flexion /ɪnˋflekʃn/ *οὐσ.* ‹C,U› *βλ. inflection.*
in·flict /ɪnˋflɪkt/ *ρ.μ.* **~ *sth/sb (up)on sb***, ἐπιβάλλω, καταφέρω: *~ a penalty upon sb*, ἐπιβάλλω ποινή σέ κπ. *~ oneself/one's company upon sb*, γίνομαι φόρτωμα/ἐπιβάλλω τή συντροφιά μου σέ κπ. *~ a blow/a wound*, καταφέρω κτύπημα/τραυματίζω. **in·flic·tion** /ɪnˋflɪkʃn/ *οὐσ.* ‹C,U› ἐπιβολή (ποινῆς), βάρος, ἐνόχλησις, μάστιγα: *What an infliction he is!* τί μάστιγα πού εἶναι!
in·flow /ˋɪnfləʊ/ *οὐσ.* ‹C,U› εἰσροή: *an ~ of capital/investment*, εἰσροή κεφαλαίων/ἐπενδύσεων. *an ˋ~ pipe*, σωλήν εἰσροῆς.
in·flu·ence /ˋɪnflʊəns/ *οὐσ.* ‹C,U› **1**. ἐπιρροή: *have a good/bad ~ on sb*, ἀσκῶ καλή/κακή ἐπιρροή σέ κπ. *be under the ~ of alcohol/a person*, εἶμαι ὑπό τήν ἐπιρροή οἰνοπνεύματος/ἑνός προσώπου. *I'll use my ~ with him to get you a job*, θά χρησιμοποιήσω τήν ἐπιρροή μου σ' αὐτόν γιά νά σοῦ βρῶ δουλειά. **2**. ἐπίδρασις: *the ~ of the moon/climate*, ἡ ἐπίδρασις τοῦ φεγγαριοῦ/τοῦ κλίματος. __*ρ.μ.* ἐπηρεάζω, ἐπιδρῶ: *~sb in favour of a proposal*, ἐπηρεάζω κπ ὑπέρ μιᾶς προτάσεως.
in·flu·en·tial /ˈɪnflʊˋenʃl/ *ἐπ.* μέ ἐπιρροή, σημαίνων, σημαντικός: *an ~ politician*, πολιτικός μέ ἐπιρροή, σημαίνων πολιτικός. *considerations which are ~ in reaching a decision*, παράγοντες πού εἶναι σημαντικοί διά τήν λῆψιν ἀποφάσεως. **~ly** /-ʃəlɪ/ *ἐπίρ.* ἰσχυρῶς.
in·flu·enza /ˈɪnflʊˋenzə/ *οὐσ.* ‹U› (*συγκεκ.* **flu**) γρίππη.
in·flux /ˋɪnflʌks/ *οὐσ.* ‹C,U› (*πληθ. ~es*) εἰσροή, συρροή, ἄφιξις (μεγάλου ἀριθμοῦ προσώπων ἤ πραγμάτων): *an ~ of capital/wealth*, εἰσροή κεφαλαίου/πλούτου. *repeated ~es of visitors*, ἐπανειλημμένες ἀφίξεις μεγάλου ἀριθμοῦ ἐπισκεπτῶν.
in·form /ɪnˋfɔm/ *ρ.μ/ὰ.* **1**. **~ *sb of/that***, πληροφορῶ, ἐνημερώνω: *He ~ed me of his intentions/that he intended to leave*, μέ πληροφόρησε γιά τίς προθέσεις του/ὅτι σκόπευε νά φύγη. *keep sb ~ed of sth*, κρατῶ κπ ἐνήμερον γιά κτ. *He's a ˋwell-~ed man*, εἶναι καλά πληροφορημένος ἄνθρωπος. *I regret/I am pleased to ~ you that...*, μέ λύπη μου/ εὐχαρίστως σᾶς πληροφορῶ ὅτι... **2**. **~ *against sb***, (*νομ.*) καταδίδω, καταγγέλω κπ. **~er** *οὐσ.* ‹C› πληροφοριοδότης, καταδότης, χαφιές.
in·for·mal /ˈɪnˋfɔml/ *ἐπ.* ἀνεπίσημος, φιλικός, χωρίς τύπους: *an ~ meeting*, ἀνεπίσημη συνάντησις. *an ~ visit/conversation*, φιλική ἐπίσκεψις/συζήτησις. *an ~ dinner*, φιλικό γεῦμα, χωρίς τύπους. *~ clothes/language*, καθημερινά ροῦχα/-ή γλῶσσα. **~ly** /-məlɪ/ *ἐπίρ.* ἀνεπίσημα, φιλικά.
in·for·mal·ity /ˈɪnfɔˋmælətɪ/ *οὐσ.* ‹C,U› **1**. ἀνεπισημότης, ἔλλειψις τυπικότητος. **2**. παρατυπία.
in·for·ma·tion /ˈɪnfəˋmeɪʃn/ *οὐσ.* ‹U› (*μόνον*

στόν ἑν.) ~ ***on/about***, πληροφορίες: *My ~ is correct*, οἱ πληροφορίες μου εἶναι ἀκριβεῖς. *Can you give me any ~ on/about this matter?* μπορεῖτε νά μοῦ δώσετε πληροφορίες γι' αὐτό τό θέμα; ***a piece/bit of ~***, μιά πληροφορία: *That's a useful piece of ~*, αὐτή εἶναι χρήσιμη πληροφορία.

in·for·ma·tive /ɪnˋfɔmətɪv/ *ἐπ.* διδακτικός, κατατοπιστικός, ἐνημερωτικός, πληροφοριακός: *an ~ book/talk.* **~·ly** *ἐπίρ.*

in·fra /ˈɪnfrə/ *ἐπίρ.* κατωτέρω (σ' ἕνα βιβλίο): *See ~, p.21*, ἴδε κατωτέρω στήν σελ. 21. **ˈ~-ˋdig**, κατώτερον τῆς ἀξιοπρεπείας (μου, σου, κλπ), ἀναξιοπρεπές. **ˈ~-ˋred** *ἐπ.* ὑπέρυθρος (*πχ* ἀκτῖνες). **ˋ~·structure**, (*στρατ.*) βάσις, ὑποδομή.

in·frac·tion /ɪnˋfrækʃn/ *οὐσ.* ‹C,U› (*λόγ.*) παράβασις, παραβίασις (κανόνος, κλπ).

in·fre·quency /ɪnˋfrikwənsɪ/ *οὐσ.* ‹U› σπανιότης.

in·fre·quent /ɪnˋfrikwənt/ *ἐπ.* σπάνιος, σποραδικός, ἀσυνήθης. **~·ly** *ἐπίρ.* σπάνια, ἀραιά.

in·fringe /ɪnˋfrɪndʒ/ *ρ.μ/ἀ.* **1**. παραβαίνω, παραβιάζω: ~ *the law/a rule/an oath*, παραβαίνω τόν νόμο/ἕναν κανόνα/ἕναν ὅρκο. **2**. ~ ***(up)on*** *(sb's rights)*, καταπατῶ (τά δικαιώματα κάποιου). **~·ment** *οὐσ.* ‹C,U› παράβασις, παραβίασις, καταπάτησις.

in·furi·ate /ɪnˋfjʊərɪeɪt/ *ρ.μ.* ἐξαγριώνω, ἐξοργίζω.

in·fuse /ɪnˋfjuz/ *ρ.μ/ἀ.* **1**. (*λόγ.*) ἐγχέω, (*μεταφ.*) ἐμφυσῶ, ἐμποτίζω, ἐνσταλάζω, γεμίζω: ~ *fresh courage/new life into soldiers*, ἐνσταλάζω νέο θάρρος/-α πνοή σέ στρατιῶτες. ~ *soldiers with fresh courage*, γεμίζω τούς στρατιῶτες μέ νέο θάρρος. **2**. ζεματίζω (φύλλα τσαγιοῦ, χαμομῆλι, κλπ). **in·fu·sion** /ɪnˋfjuʒn/ *οὐσ.* **1**. ‹U› ἔγχυσις, ἐνστάλαξις. **2**. ‹C› ἐκχύλισμα.

in·gath·er·ing /ˋɪngæðərɪŋ/ *οὐσ.* ‹C› (*λόγ.*) συγκομιδή.

in·geni·ous /ɪnˋdʒinɪəs/ *ἐπ.* **1**. (*γιά ἄνθρ.*) πολυμήχανος, δαιμόνιος, ἐφευρετικός: *He's got an ~ mind*, ἔχει ἐφευρετικό νοῦ. **2**. (*γιά πράγμ.*) ἔξυπνος: *an ~ toy/tool*, ἔξυπνο παιχνίδι/ἐργαλεῖο. **~·ly** *ἐπίρ.*

in·gen·uity /ˈɪndʒɪˋnjuətɪ/ *οὐσ.* ‹U› ἐξυπνάδα, ἐφευρετικότης, πρωτοτυπία.

in·genu·ous /ɪnˋdʒenjʊəs/ *ἐπ.* (*λόγ.*) ἄδολος, ἁπλός, ἀφελής: *an ~ smile.* **~·ly** *ἐπίρ.*

in·glori·ous /ɪnˋglɔrɪəs/ *ἐπ.* (*λόγ.*) ἄδοξος, ἐπαίσχυντος, σκοτεινός: *have an ~ end*, ἔχω ἄδοξον τέλος. **~·ly** *ἐπίρ.* ἄδοξα.

in·go·ing /ˋɪngəʊɪŋ/ *ἐπ.* εἰσερχόμενος, νέος: *the ~ tenant of a flat*, ὁ νέος ἐνοικιαστής ἑνός διαμερίσματος.

in·got /ˋɪŋgət/ *οὐσ.* ‹C› ράβδος, πλίνθωμα (χρυσοῦ, ἀργύρου, κλπ).

in·grained /ˈɪnˋgreɪnd/ *ἐπ.* βαθιά ριζωμένος, βαθύς: ~ *prejudices/habits*, ριζωμένες προλήψεις/συνήθειες. ~ *dirt*, βρώμα πού εἰσχωρεῖ στούς πόρους.

in·grati·ate /ɪnˋgreɪʃɪeɪt/ *ρ.μ.* ~ ***oneself (with sb)***, γίνομαι ἀρεστός σέ κπ, κερδίζω τήν εὔνοιά του: *with an ingratiating smile*, μ' ἕνα πρόθυμο/ὑποχρεωτικό χαμόγελο. **in·grati·at·ing·ly** *ἐπίρ.* πρόθυμα, ὑποχρεωτικά.

in·grati·tude /ɪnˋgrætɪtjud/ *οὐσ.* ‹U› ἀγνωμοσύνη.

in·gredi·ent /ɪnˋgridɪənt/ *οὐσ.* ‹C› συστατικόν: *the ~s of a cake/of a man's character*, τά συστατικά ἑνός κέϊκ/τοῦ χαρακτῆρος ἑνός ἀνθρώπου.

in·gress /ˋɪngrəs/ *οὐσ.* ‹U› (*λόγ.*) εἴσοδος.

in·habit /ɪnˋhæbɪt/ *ρ.μ.* κατοικῶ. **~·able** /-əbl/ *ἐπ.* κατοικίσιμος. **~·ant** /-ənt/ *οὐσ.* ‹C› κάτοικος.

in·hale /ɪnˋheɪl/ *ρ.μ.* εἰσπνέω: *I~! Exhale!* Εἰσπνοή! Ἐκπνοή!

in·her·ent /ɪnˋhɪərnt/ *ἐπ.* συμφυής, ἔμφυτος: ~ *characteristics*, ἔμφυτα χαρακτηριστικά. *an ~ love of beauty*, ἔμφυτη ἀγάπη γιά τήν ὀμορφιά. *the ~ power in this office*, ἡ ἐξουσία πού εἶναι συμφυής μέ αὐτό τό ἀξίωμα.

in·herit /ɪnˋherɪt/ *ρ.μ/ἀ.* κληρονομῶ: *He'll ~ my property*, θά κληρονομήση τήν περιουσία μου. *She has ~ed her mother's good looks*, κληρονόμησε τήν ὀμορφιά τῆς μητέρας της. **~·ance** /-əns/ *οὐσ.* ‹C,U› κληρονομία.

in·hibit /ɪnˋhɪbɪt/ *ρ.μ.* ἐμποδίζω, ἀναχαιτίζω, ἀναστέλλω: *His bad English ~s him from speaking freely*, τά ἄσχημα Ἀγγλικά του τόν ἐμποδίζουν νά μιλήση ἐλεύθερα. ~ *impulses and desires*, ἀναχαιτίζω τίς παρορμήσεις καί τίς ἐπιθυμίες. *an ~ed person*, κλειστός ἄνθρωπος, πού δέν ἐκδηλώνεται, πού εἶναι γεμᾶτος ἀπωθημένα. **in·hi·bi·tion** /ˈɪnɪˋbɪʃn/ *οὐσ.* ‹C,U› (*ψυχ.*) ἀναστολή, ἀνασταλτικόν (φαινόμενον), συστολή: *Wine weakens a person's ~ions*, τό κρασί ἐξασθενίζει τά ἀνασταλτικά τοῦ ἀνθρώπου. **in·hibi·tory** /-trɪ/ *ἐπ.* ἀνασταλτικός, ἀνασχετικός.

in·hos·pi·table /ˈɪnhoˋspɪtəbl/ *ἐπ.* ἀφιλόξενος.

in·hu·man /ˈɪnˋhjumən/ *ἐπ.* ἀπάνθρωπος. **~·ity** /ˈɪnhjuˋmænətɪ/ *οὐσ.* ‹C,U› ἀπανθρωπία, σκληρότης: *man's ~ity to man*, ἡ σκληρότης τοῦ ἀνθρώπου πρός ἄνθρωπον.

in·hu·mane /ˈɪnhjuˋmeɪn/ *ἐπ.* σκληρός, ἄσπλαχνος, ἀνελέητος. **~·ly** *ἐπίρ.*

in·imi·cal /ɪˋnɪmɪkl/ *ἐπ.* (*λόγ.*) ἐχθρικός, ἐπιβλαβής: *actions ~ to friendly relations between countries*, πράξεις ἐπιβλαβεῖς εἰς τάς φιλικάς σχέσεις μεταξύ χωρῶν.

in·imi·table /ɪˋnɪmɪtəbl/ *ἐπ.* (*λόγ.*) ἀμίμητος. **in·imi·tably** /-əblɪ/ *ἐπίρ.*

in·iqui·tous /ɪˋnɪkwɪtəs/ *ἐπ.* (*λόγ.*) ἄδικος, ἄνομος, κακοήθης: *an ~ system/regime*, ἄδικο σύστημα/καθεστώς. **~·ly** *ἐπίρ.*

in·iquity /ɪˋnɪkwətɪ/ *οὐσ.* ‹C,U› ἀδικία, ἀνομία, κακοήθεια.

in·itial /ɪˋnɪʃl/ *ἐπ.* ἀρχικός: *the ~ stages of an undertaking*, τά ἀρχικά στάδια ἑνός ἐγχειρήματος. __*οὐσ.* ‹C› ἀρχικόν γράμμα: *What are your ~s?* ποιά εἶναι τά ἀρχικά σας; __*ρ.μ.* *(-ll-)* μονογραφῶ: ~ *a document*, μονογραφῶ ἕνα ἔγγραφον.

in·itially *ἐπίρ.* ἀρχικῶς.

in·iti·ate /ɪˋnɪʃɪeɪt/ *ρ.μ.* **1**. ἐγκαινιάζω, ἀρχίζω (ἕνα σχέδιο, κλπ). **2**. ~ ***sb into sth***, εἰσάγω, μυῶ κπ σέ κτ: ~ *sb into a group*, εἰσάγω κπ σ' ἕναν κύκλο. ~ *students into the mysteries of space travel*, μυῶ σπουδαστές στά μυστήρια τῶν διαπλανητικῶν ταξιδίων. **in·iti·ation** /ɪˈnɪʃɪˋeɪʃn/ *οὐσ.* ‹U› μύησις, εἰσαγωγή, ἔναρξις.

in·iti·at·ive /ɪˋnɪʃətɪv/ *οὐσ.* ‹C,U› πρωτοβουλία:

A statesman must have/show/display ~, ἕνας πολιτικός πρέπει νά ἔχη/νά δείχνη πρωτοβουλία. ***on one's own*** ~, ἐξ ἰδίας πρωτοβουλίας. ***have/take the*** ~ ***(in doing sth)***, ἔχω/παίρνω τήν πρωτοβουλία (σέ κτ).

in·ject /ɪn`dʒekt/ *ρ.μ.* ἐγχέω, κάνω ἔνεση: ~ *penicillin into the blood-stream*, κάνω ἔνεση πενικιλλίνης στό αἷμα. ~ *new life into a committee*, ἐμφυσῶ καινούργια πνοή σέ μιά ἐπιτροπή.

in·jec·tion /ɪn`dʒekʃn/ *οὐσ.* ‹C,U› ἔνεσις.

in·ju·di·ci·ous /'ɪndʒʊ`dɪʃəs/ *ἐπ.* (*λόγ.*) ἄφρων, ἀσύνετος. ~**·ly** *ἐπίρ.*

in·junc·tion /ɪn`dʒʌŋkʃn/ *οὐσ.* ‹C› **1**. διαταγή, ἐντολή: *my father's* ~*s*, οἱ ἐντολές τοῦ πατέρα μου. **2**. (*νομ.*) διάταξις περί λήψεως προσωρινῶν μέτρων.

in·jure /`ɪndʒə(r)/ *ρ.μ.* πληγώνω, ἀδικῶ, θίγω. ~**d** *ἐπ.* πληγωμένος, ἀδικημένος, προσβεβλημένος: *the dead and the* ~*d*, οἱ νεκροί καί οἱ τραυματίες. *in an* ~*d voice*, μέ πειραγμένη φωνή.

in·juri·ous /ɪn`dʒʊərɪəs/ *ἐπ.* (*λόγ.*) ~ ***to***, ἐπιζήμιος, ἐπιβλαβής: ~ *to social order/health*, ἐπιζήμιος εἰς τήν κοινωνικήν τάξιν/εἰς τήν ὑγείαν.

in·jury /`ɪndʒərɪ/ *οὐσ.* **1**. ‹U› βλάβη, ζημιά. ***do sb an*** ~, βλάπτω, ζημιώνω κπ. ***add insult to*** ~, χτυπῶ κπ κι᾿ ἀπό πάνω τόν βρίζω. **2**. ‹C› κάκωσις, τραῦμα: *receive/suffer injuries*, παθαίνω τραύματα. *This was a severe* ~ *to his reputation*, αὐτό ἦταν δεινό πλῆγμα γιά τήν ὑπόληψή του.

in·jus·tice /'ɪn`dʒʌstɪs/ *οὐσ.* ‹C,U› ἀδικία. ***do sb an*** ~, ἀδικῶ κπ, τόν κρίνω ἄδικα.

ink /ɪŋk/ *οὐσ.* ‹U› μελάνι: *write in* ~, γράφω μέ μελάνι. `~**-bottle/-pot**, μελανοδοχεῖο. `~**-pad**, ταμπόν (σφραγῖδος). `~**-stand**, βάσις μελανοδοχείου. `~**-well**, μελανοδοχεῖο (ἐνσωματωμένο σέ γραφεῖο, θρανίο, κλπ). —*ρ.μ.* μελανώνω: ~ *one's fingers*, γεμίζω μελάνια τά δάχτυλά μου. ~ *in a drawing*, περνῶ μέ μελάνι ἕνα σχέδιο (πού ἦταν μέ μολύβι). ~**y** *ἐπ.* *(-ier, -iest)* μελανωμένος, κατάμαυρος: ~*y fingers;* ~*y darkness*, βαθύ σκοτάδι.

ink·ling /`ɪŋklɪŋ/ *οὐσ.* ‹C› νύξις, ἰδέα. ***have/get/give sb some/an*** ~ ***(of sth)***, ἔχω/παίρνω/δίνω σέ κπ μιά ἀμυδρή ἰδέα γιά κτ.

in·land /`ɪnlənd/ *ἐπ.* μεσόγειος, ἐσωτερικός: ~ *towns*, μεσόγειες (μή παραλιακές) πόλεις. ~ *trade*, ἐσωτερικό ἐμπόριο. **the** '**I**~ `**Revenue**, ἡ Ἐφορία.

in-laws /`ɪn lɔz/ *οὐσ. πληθ.* (*καθομ.*) τά πεθερικά, τό σόϊ τῆς γυναίκας (ἤ τοῦ ἄντρα): *All my* ~ *will be visiting us this summer*, ὅλο τό σόϊ τῆς γυναίκας μου (ἤ τοῦ ἄντρα μου) θά μᾶς ἐπισκεφθῆ φέτος τό καλοκαίρι.

in·lay /ɪn`leɪ/ *ρ.μ.* ἀνώμ. (*ἀόρ.* & *π.μ.* *inlaid* /-`leɪd/) διακοσμῶ μέ ψηφίδες. —*οὐσ.* ‹C,U› /`ɪnleɪ/ ψηφίδα, ἔμπαισμα, ψηφιδωτό (*ὀδοντιατρ.*) σφράγισμα.

in·let /`ɪnlet/ *οὐσ.* ‹C› **1**. ὁρμίσκος, λιμανάκι. **2**. τσόντα. **3**. εἴσοδος.

in·mate /`ɪnmeɪt/ *οὐσ.* ‹C› τρόφιμος (φυλακῆς, φρενοκομείου, γηροκομείου, κλπ).

in·most /`ɪnməʊst/ *ἐπ.* ὁ ἐνδότερος: *my* ~ *feelings*, τά μύχια αἰσθήματά μου.

inn /ɪn/ *οὐσ.* ‹C› πανδοχεῖον. `~**-keeper**, πανδοχεύς.

in·nards /`ɪnədz/ *οὐσ. πληθ.* (*καθομ.*) ἐντόσθια, σπλάχνα, σωθικά.

in·nate /ɪ`neɪt/ *ἐπ.* ἔμφυτος: *her* ~ *courtesy*, ἡ ἔμφυτη εὐγένειά της. ~**·ly** *ἐπίρ.*

in·ner /`ɪnə(r)/ *ἐπ.* ἐσωτερικός: *an* ~ *room*, ἐσωτερικό δωμάτιο. ***the*** '~ `***man***, ὁ ἐσωτερικός ἄνθρωπος (ἡ ψυχή ἤ τό στομάχι).

in·ner·most /`ɪnəməʊst/ *ἐπ.* ἐσώτατος.

in·nings /`ɪnɪŋz/ *οὐσ. πληθ.* περίοδος (ἐξουσίας ἤ δραστηριότητος): *have a good* ~, μακροημερεύω, κρατάει πολύ ἡ τύχη μου.

in·no·cence /`ɪnəsns/ *οὐσ.* ‹U› ἀθωότης, ἁπλοϊκότης.

in·no·cent /`ɪnəsnt/ *ἐπ.* **1**. ~ ***(of)***, ἀθῶος: *I am* ~ *of the charge/crime*, εἶμαι ἀθῶος τῆς κατηγορίας/τοῦ ἐγκλήματος. **2**. ἀθῶος, ἁγνός, ἄκακος: ~ *amusements*, ἀθῶες διασκεδάσεις. *as* ~ *as a new-born babe*, ἄκακος σά μικρό παιδί. **3**. ἀφελής, ἁπλοϊκός, ἀπονήρευτος: *I was* ~ *enough to believe him*, ἤμουν τόσο ἀφελής πού τόν πίστεψα. —*οὐσ.* ‹C› ἀθῶος, ἁπλοϊκός, ἀφελής, ἄκακος (*ἰδ.* νέος). ~**·ly** *ἐπίρ.*

in·nocu·ous /ɪ`nokjʊəs/ *ἐπ.* ἀβλαβής: ~ *snakes/drugs*, ἀβλαβῆ φίδια/φάρμακα.

in·no·vate /`ɪnəveɪt/ *ρ.ἀ.* καινοτομῶ: *The new teacher wants to* ~, ὁ νέος δάσκαλος θέλει νά καινοτομήση.

in·no·va·tion /'ɪnə`veɪʃn/ *οὐσ.* ‹C,U› καινοτομία, ἀλλαγή, νεωτερισμός: *make* ~*s in sth*, ἐπιφέρω καινοτομίες/ἀλλαγές σέ κτ. *Old people dislike* ~*s*, οἱ γέροι ἀντιπαθοῦν τούς νεωτερισμούς. *technical* ~*s*, τεχνικές βελτιώσεις.

in·no·va·tor /`ɪnəveɪtə(r)/ *οὐσ.* ‹C› καινοτόμος, νεωτεριστής.

in·nu·endo /'ɪnjʊ`endəʊ/ *οὐσ.* ‹C› (*πληθ.* ~*es* /-dəʊz/) ὑπονοούμενο: *throw out* ~*es against sb*, πετῶ/ἀφήνω ὑπονοούμενα σέ βάρος κάποιου.

in·nu·mer·able /ɪ`njumrəbl/ *ἐπ.* ἀναρίθμητος.

in·ocu·late /ɪ`nokjʊleɪt/ *ρ.μ.* μπολιάζω, ἐμβολιάζω: ~ *sb against cholera*, ἐμβολιάζω κπ κατά τῆς χολέρας. **in·ocu·la·tion** /ɪ'nokjʊ`leɪʃn/ *οὐσ.* ‹C,U› ἐμβολιασμός, ἐμβόλιον.

in·of·fen·sive /'ɪnə`fensɪv/ *ἐπ.* ἄκακος, ἀθῶος: *an* ~ *little man*, ἄκακο ἀνθρωπάκι. *an* ~ *smell/remark*, ἀθῶα (ὄχι δυσάρεστη) μυρουδιά/ἀθῶα (ὄχι προσβλητική) παρατήρηση.

in·op·er·able /ɪn`oprəbl/ *ἐπ.* μή χειρουργήσιμος.

in·op·er·at·ive /ɪn`oprətɪv/ *ἐπ.* ἀνενεργός, μή ἰσχύων (*πχ* νόμος).

in·op·por·tune /'ɪn`opətʃun/ *ἐπ.* ἄκαιρος: *at an* ~ *time*, σέ ἄκαιρη στιγμή. ~**·ly** *ἐπίρ.* ἀκαίρως.

in·or·di·nate /ɪ`nɔdɪnət/ *ἐπ.* (*λόγ.*) ὑπέρμετρος, ἄμετρος, ὑπερβολικός: ~ *pride/ambition*, ἄμετρη περηφάνεια/φιλοδοξία. ~ *demands*, ὑπερβολικές ἀξιώσεις. ~**·ly** *ἐπίρ.* ὑπερμέτρως.

in·or·ganic /'ɪnɔ`gænɪk/ *ἐπ.* **1**. ἀνόργανος: ~ *chemistry/matter*, ἀνόργανος χημεία/ὕλη. **2**. μή φυσιολογικός: ~ *development*, μή φυσιολογική ἐξέλιξις.

in·pa·tient /`ɪn peɪʃnt/ *οὐσ.* ‹C› ἐσωτερικός ἀσθενής σέ νοσοκομεῖο (*ἀντίθ.* *out-patient*).

in·put /ˋɪnpʊt/ *οὐσ.* ‹U› (*τεχν.*) ~ ***(to)***, εἰσαγωγή.
in·quest /ˋɪnkwest/ *οὐσ.* ‹C› ~ ***(on)***, ἀνάκρισις: *a coroner's* ~, δικαστική ἔρευνα πρός καθορισμόν τῶν αἰτίων ἐπί βιαίου ἤ ξαφνικοῦ θανάτου.
in·quire, en·quire /ɪnˋkwaɪə(r)/ *ρ.μ/ἀ.* **1**. ζητῶ νά μάθω: ~ *sb's name/what sb wants*, ζητῶ νά μάθω τό ὄνομα κάποιου/τί θέλει κάποιος. ~ *of sb the reason for sth*, ζητῶ νά μάθω ἀπό κπ τό λόγο γιά κτ. **2**. ~ ***about sth***, ζητῶ πληροφορίες, ρωτῶ γιά κτ: ~ *about trains to London*, ρωτῶ γιά τά τραῖνα πού πηγαίνουν στό Λονδῖνο. ~ ***after sb***, ρωτῶ γιά τήν ὑγεία κάποιου. ~ ***for***, ἀναζητῶ κτ (σέ μαγαζί), ζητῶ νά δῶ κπ: ~ *for an article*, ζητῶ κάποιο εἶδος. ~ *for the Manager*, ζητῶ νά δῶ τόν διευθυντή. ~ ***into***, ἐρευνῶ: *We must* ~ *into the matter*, πρέπει νά ἐρευνήσωμε τό θέμα. **in·quir·ing** *ἐπ.* ἐρευνητικός, ἐρωτηματικός, περίεργος: *an inquiring glance/mind*, ἐρωτηματική ματιά/ἐρευνητικός νοῦς. **in·quir·ing·ly** *ἐπίρ.*
in·quiry /ɪnˋkwaɪərɪ/ *οὐσ.* ‹C,U› ἔρευνα, ζήτησις πληροφοριῶν: *learn sth by* ~, μαθαίνω κτ κατόπιν ἐρεύνης. *hold an official* ~ *into sth*, διεξάγω ἐπίσημη ἔρευνα σέ κτ. ***on*** ~, κατόπιν ἐρεύνης, μετά ζήτησιν πληροφοριῶν, κατόπιν διερευνήσεως. ***make inquiries about sb/sth***, παίρνω πληροφορίες γιά κπ/κτ. **court of** ~, (*στρατ.*) ἀνακριτικόν συμβούλιον.
in·qui·si·tion /ˌɪnkwɪˋzɪʃn/ *οὐσ.* ‹C,U› ἀνάκρισις, δικαστική ἔρευνα. **the I**~, ἡ Ἱερά Ἐξέτασις.
in·quisi·tive /ɪnˋkwɪzətɪv/ *ἐπ.* περίεργος, ἀδιάκριτος: *It's very annoying to have* ~ *neighbours*, εἶναι πολύ ἐνοχλητικό νά ἔχης περίεργους γειτόνους. *I don't want to appear* ~, *but...*, δέν θέλω νά φανῶ ἀδιάκριτος, ἀλλά... ~**·ly** *ἐπίρ.* ~**·ness** *οὐσ.* ‹U› περιέργεια, ἀδιακρισία.
in·quisi·tor /ɪnˋkwɪzɪtə(r)/ *οὐσ.* ‹C› ἀνακριτής, ἱεροεξεταστής.
in·roads /ˋɪnrəʊdz/ *οὐσ. πληθ.* **1**. ἐπιδρομή (σέ ἐχθρική χώρα). **2**. κατανάλωσις, ξόδεμα: *make* ~ *upon one's leisure time/one's savings*, τρώω τόν ἐλεύθερο χρόνο μου/τίς ἀποταμιεύσεις μου.
in·rush /ˋɪnrʌʃ/ *οὐσ.* ‹C› εἰσροή, εἰσβολή: *an* ~ *of water/tourists.*
in·sane /ɪnˋseɪn/ *ἐπ.* παράφρων, φρενοβλαβής: *an* ~ *asylum*, φρενοκομεῖον (*ἐν χρήσει: mental hospital*). ~**·ly** *ἐπίρ.*
in·sani·tary /ɪnˋsænɪtrɪ/ *ἐπ.* ἀνθυγιεινός.
in·san·ity /ɪnˋsænətɪ/ *οὐσ.* ‹U› παραφροσύνη.
in·sa·tiable /ɪnˋseɪʃəbl/ *ἐπ.* (*λόγ.*) ἀκόρεστος: *an* ~ *appetite/ambition*, ἀκόρεστη ὄρεξη/φιλοδοξία. *be* ~ *of power*, ἔχω ἀκόρεστη φιλαρχία. **in·sa·tiably** /-ʃəblɪ/ *ἐπίρ.*
in·scribe /ɪnˋskraɪb/ *ρ.μ.* ~ ***in/on/with***, (ἐγ)γράφω, χαράσσω, ἐπιγράφω: ~ *one's name in the visitor's book*, γράφω τό ὄνομά μου στό βιβλίο ἐπισκεπτῶν. ~ *names on a war memorial*, χαράσσω ὀνόματα στό μνημεῖο τῶν πεσόντων. ~ *a tomb with a name*, χαράσσω ὄνομα πάνω σέ τάφο. ~**d stock**, ὀνομαστικές ὁμολογίες.
in·scrip·tion /ɪnˋskrɪpʃn/ *οὐσ.* ‹C› ἐπιγραφή (σέ μνημεῖο, νόμισμα, κλπ), ἀφιέρωσις.
in·scru·table /ɪnˋskrutəbl/ *ἐπ.* ἀνεξιχνίαστος: *the* ~ *face of the Sphinx*, τό ἀνεξιχνίαστο πρόσωπο τῆς Σφίγγας.
in·sect /ˋɪnsekt/ *οὐσ.* ‹C› ἔντομο. ˋ~**-powder**, ἐντομοκτόνος σκόνη.
in·sec·ti·cide /ɪnˋsektɪsaɪd/ *οὐσ.* ‹C,U› ἐντομοκτόνον.
in·sec·ti·vor·ous /ˌɪnsekˋtɪvərəs/ *ἐπ.* ἐντομοφάγος.
in·se·cure /ˌɪnsɪˋkjʊə(r)/ *ἐπ.* ἐπισφαλής, ἀνασφαλής: *I feel* ~ *away from home*, αἰσθάνομαι ἀνασφαλής μακρυά ἀπό τό σπίτι. ~**·ly** *ἐπίρ.* **in·se·cur·ity** /-ˋkjʊərətɪ/ *οὐσ.* ‹U› ἀνασφάλεια: *suffer from feelings of insecurity*, ὑποφέρω ἀπό αἴσθημα ἀνασφαλείας.
in·semi·nate /ɪnˋsemɪneɪt/ *ρ.μ.* γονιμοποιῶ.
in·semi·na·tion /ɪnˌsemɪˋneɪʃn/ *οὐσ.* ‹U› γονιμοποίησις: *artificial* ~, τεχνητή γονιμοποίησις.
in·sen·sate /ɪnˋsenseɪt/ *ἐπ.* (*λόγ.*) **1**. ἄψυχος: ~ *rocks*, ἄψυχα λιθάρια. **2**. ἀναίσθητος, παράλογος, ἀνάλγητος: ~ *rage/cruelty*, ἄλογη μανία/σκληρότης.
in·sen·si·bil·ity /ˌɪnˌsensəˋbɪlətɪ/ *οὐσ.* ‹U› (*λόγ.*) ἀναισθησία.
in·sen·sible /ɪnˋsensəbl/ *ἐπ.* (*λόγ.*) **1**. ἀναίσθητος, λιπόθυμος: *She remained* ~ *for an hour*, ἔμεινε ἀναίσθητη μιά ὥρα. **2**. ~ ***to***, ἀδιάφορος, ἀσυγκίνητος, χωρίς αἴσθημα: *They were* ~ *to our request*, ἔμειναν ἀδιάφοροι στήν παράκλησή μας. *I'm so frozen that my hands are* ~ *to any feeling*, εἶμαι τόσο παγωμένος πού τά χέρια μου δέν αἰσθάνονται τίποτα. **3**. ~ ***of***, χωρίς αἴσθηση, χωρίς ἀντίληψη: *He seemed* ~ *of the danger*, φαινόταν νά μήν ἔχη αἴσθηση τοῦ κινδύνου. **4**. ἀνεπαίσθητος: *by* ~ *degrees*, ἀνεπαισθήτως. **in·sen·sibly** /-əblɪ/ *ἐπίρ.* ἀνεπαίσθητα, σιγά-σιγά.
in·sen·si·tive /ɪnˋsensətɪv/ *ἐπ.* ~ ***to***, ἀναίσθητος, ἀνεπηρέαστος, χωρίς εὐαισθησία: ~ *to the sufferings of others/to the beauty of nature*, ἀναίσθητος στά βάσανα τῶν ἄλλων/στήν ὀμορφιά τῆς φύσης. *film* ~ *to light*, φίλμ χωρίς εὐαισθησία στό φῶς. **in·sen·si·tiv·ity** /ˌɪnˌsensəˋtɪvətɪ/ *οὐσ.* ‹U› ἀναισθησία.
in·sen·tient /ɪnˋsenʃnt/ *ἐπ.* (*λόγ.*) ἄψυχος, μή αἰσθανόμενος.
in·sep·ar·able /ɪnˋseprəbl/ *ἐπ.* ἀχώριστος: ~ *friends.*
in·sert /ɪnˋsɜt/ *ρ.μ.* εἰσάγω, καταχωρίζω: ~ *a key in the lock*, βάζω κλειδί σέ κλειδωνιά. ~ *an advertisement in a newspaper*, καταχωρίζω διαφήμιση σέ ἐφημερίδα. __*οὐσ.* ‹C› /ˋɪnsɜt/ παρεμβολή, προσθήκη, καταχώρησις. **in·ser·tion** /ɪnˋsɜʃn/ *οὐσ.* ‹C,U› παρεμβολή, προσθήκη, καταχώρησις.
in·shore /ˋɪnˋʃɔ(r)/ *ἐπ.* παράκτιος: ~ *current/fishing*, ρεῦμα/ψάρεμα κοντά στίς ἀκτές.
in·side /ɪnˋsaɪd/ *οὐσ.* ‹C› **1**. τό ἐσωτερικόν: *the* ~ *of a box/church*, τό ἐσωτερικό ἑνός κουτιοῦ/μιᾶς ἐκκλησίας. *The door bolts on the* ~, ἡ πόρτα κλείνει ἀπό μέσα. ~ ***out*** /ˋɪnsaɪd ˋaʊt/ ἀνάποδα, τό μέσα ἔξω: *The wind blew her umbrella* ~ *out*, ὁ ἀέρας τῆς γύρισε τήν ὀμπρέλλα ἀνάποδα. *put on /turn the socks*

~ *out*, φορῶ/γυρίζω τίς κάλτσες ἀνάποδα. *turn the drawers ~ out*, κάνω τά συρτάρια ἄνω-κάτω. ***know sth ~ out***, ξέρω κτ ἀπέξω κι᾽ ἀνακατωτά. **2**. /ˈɪnsaɪd/ (*σέ στῖβο*) ἐσωτερική γραμμή. **3**. (*καθομ*.) ἡ κοιλιά: *have a pain in one's ~*, ἔχω ἕναν πόνο στήν κοιλιά. —*ἐπ*. /ˈɪnsaɪd/ ἐσωτερικός: *the ~ pages of a newspaper*, οἱ μέσα σελίδες μιᾶς ἐφημερίδας. —*ἐπίρ*. & *πρόθ*. /ˈɪnˈsaɪd/ **1**. μέσα: *Shall I wait ~ or outside?* νά περιμένω μέσα ἤ ἔξω; *~ the house*, μέσα στό σπίτι. **2**. (*λαϊκ*.) στή φυλακή: *He's ~ for two years*, εἶναι μέσα γιά δυό χρόνια. ***~ of***, (*καθομ*.) μέσα σέ, ὄχι λιγότερο ἀπό: *I can't finish it ~ of a month*, δέν μπορῶ νά τό τελειώσω σ᾽ ἕνα μῆνα.

in·sider /ɪnˈsaɪdə(r)/ *οὐσ*. ‹C› καλῶς πληροφορημένος, μυημένος, γνώστης.

in·sidi·ous /ɪnˈsɪdɪəs/ *ἐπ*. ὕπουλος, ἐπίβουλος, δόλιος: *an ~ enemy/disease*, ὕπουλος ἐχθρός/ὕπουλη ἀρρώστεια. **~·ly** *ἐπίρ*.

in·sight /ˈɪnsaɪt/ *οὐσ*. **1**. ‹U› διορατικότης, ὀξυδέρκεια, βαθειά γνῶσις: *a man of ~*, ἄνθρωπος μέ ὀξυδερκή νοῦ. *show ~ into human character*, δείχνω βαθειά γνώση τοῦ ἀνθρώπινου χαρακτῆρα. **2**. ‹C› εἰκόνα, ἰδέα, ἀντίληψις: *get an ~ into the problems of young people*, παίρνω καθαρή εἰκόνα/σχηματίζω σωστή ἀντίληψη γιά τά προβλήματα τῶν νέων.

in·sig·nia /ɪnˈsɪgnɪə/ *οὐσ*. *πληθ*. διακριτικά, διάσημα, ἐμβλήματα.

in·sig·nifi·cance /ˈɪnsɪgˈnɪfɪkəns/ *οὐσ*. ‹U› ἀσημαντότης.

in·sig·nifi·cant /ˈɪnsɪgˈnɪfɪkənt/ *ἐπ*. ἀσήμαντος: *an ~-looking little man*, ἕνα ἀσήμαντο ἀνθρωπάκι.

in·sin·cere /ˈɪnsɪnˈsɪə(r)/ *ἐπ*. ἀνειλικρινής, ψεύτικος, ὑποκριτικός. **~·ly** *ἐπίρ*. **in·sin·cer·ity** /ˈɪnsɪnˈserətɪ/ *οὐσ*. ‹U› ἀνειλικρίνεια.

in·sinu·ate /ɪnˈsɪnjʊeɪt/ *ρ.μ*. **1**. ***~ sth/oneself into***, χώνω κτ/χώνομαι μέ πανουργία: *He ~d himself into her favour/into their family*, κέρδισε ἐπιτήδεια τήν εὔνοιά της/χώθηκε μέσα στήν οἰκογένειά τους. **2**. ***~ (to sb) that***, ὑπαινίσσομαι, ἀφήνω νά ἐννοηθῆ: *He ~d to me that you were a liar*, μέ ἄφησε νά ἐννοήσω ὅτι εἶσαι ψεύτης. **in·sinu·ation** /ɪnˈsɪnjʊˈeɪʃn/ *οὐσ*. ‹C,U› ὑπαινιγμός, διείσδυσις.

in·sipid /ɪnˈsɪpɪd/ *ἐπ*. ἄνοστος, ἀνούσιος, σαχλός: *~ food/conversation/young men*, ἄνοστο φαΐ/ἀνούσια συζήτησις/σαχλοί νεαροί. **in·si·pid·ity** /ˈɪnsɪˈpɪdətɪ/ *οὐσ*. ‹U› ἀνοστιά, σαχλότης.

in·sip·ient /ɪnˈsɪpɪənt/ *ἐπ*. ἀνόητος.

in·sist /ɪnˈsɪst/ *ρ.μ/ἀ*. ***~ (on/that)***, ἐπιμένω: *He ~ed on his innocence/that he was innocent*, ἐπέμενε στήν ἀθωότητά του/ὅτι ἦταν ἀθῶος. *I ~ that you should come with me/on your coming with me*, ἐπιμένω νά ἔλθης μαζί μου. **~·ence** /-əns/ *οὐσ*. ‹U› ἐπιμονή: *his ~ence on blind obedience*, ἡ ἐπιμονή του γιά τυφλή ὑπακοή... **~·ent** /-ənt/ *ἐπ*. ἐπίμονος: *~ent demands*, ἐπίμονες ἀπαιτήσεις.

in·so·lence /ˈɪnsələns/ *οὐσ*. ‹U› θρασύτης.

in·so·lent /ˈɪnsələnt/ *ἐπ*. θρασύς, ἀναιδέστατος, προσβλητικός: *He was ~ to his teacher*, ἦταν ἀναιδέστατος στό δάσκαλό του. **~·ly** *ἐπίρ*.

in·sol·uble /ɪnˈsɒljʊbl/ *ἐπ*. ἀδιάλυτος, ἀξεδιάλυτος: *an ~ mystery*.

in·sol·vable /ɪnˈsɒlvəbl/ *ἐπ*. ἀξεδιάλυτος.

in·sol·vency /ɪnˈsɒlvənsɪ/ *οὐσ*. ‹U› ἀφερεγγυότης, πτώχευσις.

in·sol·vent /ɪnˈsɒlvənt/ *ἐπ*. ἀναξιόχρεος, ἀφερέγγυος, χρεωκοπημένος: *become ~*, γίνομαι ἀφερέγγυος, πτωχεύω.

in·som·nia /ɪnˈsɒmnɪə/ *οὐσ*. ‹U› ἀϋπνία: *suffer from ~*, ὑποφέρω ἀπό ἀϋπνίες. **in·som·niac** /-nɪæk/ *οὐσ*. ‹C› ὁ πάσχων ἀπό ἀϋπνίες.

in·so·much /ˈɪnsəʊˈmʌtʃ/ *ἐπίρ*. ***~ as/that***, μέχρι τοῦ σημείου (πού), ἐν ᾧ βαθμῷ, ἐν ᾧ μέτρῳ.

in·souci·ance /ɪnˈsusɪəns/ *οὐσ*. ‹U› ξεγνοιασιά, ἀμεριμνησία. **in·souci·ant** /-ənt/ *ἐπ*. ξέγνοιαστος.

in·spect /ɪnˈspekt/ *ρ.μ*. ἐπιθεωρῶ, ἐλέγχω: *~ a school/regiment/factory*, ἐπιθεωρῶ ἕνα σχολεῖο/σύνταγμα/ἐργοστάσιο. **in·spec·tion** /ɪnˈspekʃn/ *οὐσ*. ‹C,U› ἐπιθεώρησις, ἔλεγχος: *On ~ion the notes proved to be forgeries*, γενομένου ἐλέγχου, τά χαρτονομίσματα ἀπεδείχθησαν πλαστά.

in·spec·tor /ɪnˈspektə(r)/ *οὐσ*. ‹C› ἐπιθεωρητής, ἐπόπτης, ἐλεγκτής: *I~ of Taxes*, ἐλεγκτής ἐφορίας. **~·ate** /-ət/ *οὐσ*. ‹C› ἐπιθεώρησις (=τό σῶμα τῶν ἐπιθεωρητῶν). **~·ship** /-ʃɪp/ *οὐσ*. ‹U› ἐπιθεώρησις (=τό ἀξίωμα).

in·spi·ra·tion /ˈɪnspəˈreɪʃn/ *οὐσ*. ‹C,U› ἔμπνευσις: *divine ~*, θεία ἔμπνευσις. *draw one's ~ from*, ἐμπνέομαι ἀπό. *She was a constant ~ to him*, τοῦ ἦταν μόνιμη ἔμπνευση. *have a sudden ~*, ἔχω μιά ξαφνική ἔμπνευση.

in·spire /ɪnˈspaɪə(r)/ *ρ.μ*. **1**. ***~ sth (in sb)***, ἐμπνέω: *~ confidence/courage in sb*, ἐμπνέω ἐμπιστοσύνη/θάρρος σέ κπ. **2**. ***~ sb with sth***, γεμίζω: *~ sb with hope/enthusiasm/self-confidence*, γεμίζω κπ μέ ἐλπίδα/ἐνθουσιασμό/αὐτοπεποίθηση. **~d** *ἐπ*. ἐμπνευσμένος: *an ~d artist/poet/speech/article/poem*, ἐμπνευσμένος καλλιτέχνης/ποιητής/λόγος/-ο ἄρθρο/ποίημα. **in·spir·ing** *ἐπ*. πού ἐμπνέει, πού ἐνθουσιάζει: *an inspiring speech*, λόγος πού ἐμπνέει.

in·sta·bil·ity /ˈɪnstəˈbɪlətɪ/ *οὐσ*. ‹U› ἀστάθεια: *~ of character*, ἀστάθεια χαρακτῆρος.

in·stall /ɪnˈstɔl/ *ρ.μ*. ἐγκαθιστῶ, τοποθετῶ: *~ a bishop*, ἐγκαθιστῶ (ἐνθρονίζω) ἕναν ἐπίσκοπο. *~ a drainage/lighting system*, κάνω τήν ὑδραυλική/ἠλεκτρική ἐγκατάσταση. *be ~ed in a new house*, ἐγκαθίσταμαι σ᾽ ἕνα νέο σπίτι. *She ~ed herself in her father's chair*, ἐγκαταστάθηκε (θρονιάστηκε) στήν πολυθρόνα τοῦ πατέρα της. **in·stal·la·tion** /ˈɪnstəˈleɪʃn/ *οὐσ*. ‹C,U› ἐγκατάστασις: *a ˈheating ~ation*, ἐγκατάστασις θερμάνσεως.

in·stal·ment /ɪnˈstɔlmənt/ *οὐσ*. ‹C› **1**. δόσις: *buy sth by monthly ~s*, ἀγοράζω κτ μέ μηνιαῖες δόσεις. **2**. τεῦχος, συνέχεια (ἱστορίας): *A new 'History of Greece' will come out in monthly ~s*, μιά νέα "Ἱστορία τῆς Ἑλλάδος" θά κυκλοφορήση σέ μηνιαῖα τεύχη (φυλλάδια). *Have you read this week's ~?* διάβασες τή συνέχεια αὐτῆς τῆς ἑβδομάδος;

in·stance /ˈɪnstəns/ *οὐσ*. ‹C› **1**. παράδειγμα,

περιστατικόν: *This is only one ~ out of many*, αὐτό εἶναι ἕνα μονάχα περιστατικό μέσα στά πολλά. ***for ~***, παραδείγματος χάριν. ***in the first ~***, κατά πρῶτον λόγον, ἐν πρώτοις. **2**. παράκλησις: *at the ~ of Mr. A.*, κατά παράκλησιν τοῦ κ. Α. __*ρ.μ.* ἀναφέρω ὡς παράδειγμα.

[1]**in·stant** /ˈɪnstənt/ *ἐπ.* **1**. ἄμεσος: *His book was an ~ success*, τό βιβλίο του σημείωσε ἄμεση ἐπιτυχία. *~ relief/an ~ reply*, ἄμεση ἀνακούφιση/ἀπάντηση. **2**. ἐπείγων: *be in ~ need of help*, ἔχω ἐπείγουσα ἀνάγκη βοηθείας. **3**. στιγμιαῖος. ˈ**~ ˋcoffee**, στιγμιαῖος καφές. **4**. (*συγκεκ.* **inst**.) τρέχων (μήνας): *Your letter of the 10th inst.*, (*ἐμπ.*) ἡ ἐπιστολή σας τῆς 10ης τρέχοντος. **~·ly** *ἐπίρ.* αὐτοστιγμεί, ἀμέσως.

[2]**in·stant** /ˈɪnstənt/ *οὐσ.* ‹C› στιγμή: *Come here this ~!* ἔλα δῶ αὐτή τή στιγμή! *I'll send it to you the ~ I receive it*, θά σοῦ τό στείλω τήν ἴδια στιγμή πού (ἀμέσως μόλις) θά τό λάβω. *I'll be back in an ~*, θά ἐπιστρέψω σέ μιά στιγμή. ***on the ~***, πάραυτα, αὐτοστιγμεί.

in·stan·ta·neous /ˈɪnstənˋteɪnɪəs/ *ἐπ.* ἀκαριαῖος: *Death was ~*, ὁ θάνατος ἦταν ἀκαριαῖος. **~·ly** *ἐπίρ.* ἀκαριαίως.

in·stead /ɪnˋsted/ *ἐπίρ.* **1**. στή θέση (μου, σου, του, κλπ), ἀντί γι' αὐτό: *If he can't go with you, take me ~*, ἄν δέν μπορῆ νά ἔλθη μαζί σου, πάρε ἐμένα στή θέση του. *He's not allowed wine and he drinks tea ~*, τοῦ ἀπαγόρευσαν τό κρασί καί πίνει τσάϊ στή θέση του (ἀντί γι' αὐτό). **2**. **~ *of***, ἀντί γιά, ἀντί νά: *I'll do it ~ of you*, θά τό κάνω ἐγώ ἀντί γιά σένα. *We'll have tea in the garden ~ of in the house*, θά πάρουμε τό τσάϊ μας στόν κῆπο ἀντί (γιά) μέσα στό σπίτι. *He went to the cinema ~ of going home*, πῆγε σινεμά ἀντί νά πάη σπίτι.

in·step /ˈɪnstep/ *οὐσ.* ‹C› στῆθος ποδιοῦ, κουτουπιές.

in·sti·gate /ˈɪnstɪgeɪt/ *ρ.μ.* ὑποκινῶ, ἐξωθῶ, ὑποδαυλίζω: *~ a strike/crime*, ὑποκινῶ μιάν ἀπεργία/ἕνα ἔγκλημα. *~ workers to go on strike*, ἐξωθῶ ἐργάτες νά ἀπεργήσουν. **in·sti·ga·tion** /ˈɪnstɪˋgeɪʃn/ *οὐσ.* ‹U› ὑποκίνησις: *on/at sb's instigation*, τῇ ὑποκινήσει κάποιου. **in·sti·ga·tor** /-tə(r)/ *οὐσ.* ‹C› ὑποκινητής.

in·stil /ɪnˋstɪl/ *ρ.μ.* *(-ll-)* ἐνσταλάζω: *~ sound principles into young people*, ἐνσταλάζω (ἐμπνέω) ὑγιεῖς ἀρχές στούς νέους. **~·la·tion** /ˈɪnstɪˋleɪʃn/ *οὐσ.* ‹U› ἐνστάλαξις.

in·stinct /ˈɪnstɪŋkt/ *οὐσ.* ‹C,U› **1**. ἔνστικτον: *the ~ of self-preservation*, τό ἔνστικτον τῆς αὐτοσυντηρήσεως. *be controlled by one's ~s*, κατευθύνομαι ἀπό τά ἔνστικτά μου. ***by ~***, ἐξ ἐνστίκτου. **2**. ἐνστικτώδης ἱκανότης, ροπή: *He has an ~ for always doing the right thing*, ἔχει μιά ἐνστικτώδη ἱκανότητα νά κάνη πάντα τό σωστό. __*κατηγ. ἐπ.* **~ *with***, διαποτισμένος, γεμᾶτος: *a picture ~ with life/beauty*, πίνακας γεμᾶτος ζωή/ὀμορφιά.

in·stinc·tive /ɪnˋstɪŋktɪv/ *ἐπ.* ἐνστικτώδης: *I have an ~ dread of fire*, ἔχω ἕναν ἐνστικτώδη φόβο γιά τή φωτιά. **~·ly** *ἐπίρ.* ἐνστικτωδῶς.

in·sti·tute /ˈɪnstɪtjut/ *οὐσ.* ‹C› ἰνστιτοῦτον, ἵδρυμα. __*ρ.μ.* **1**. **~ *sb to/into***, ἐγκαθιστῶ, διορίζω. **2**. θεσπίζω (νόμον), καθιερῶ (κανόνες), ἱδρύω (ὑπηρεσίαν, κλπ), ἐπιβάλλω (περιορισμούς). **3**. ἀρχίζω: *~ an action at law*, ἐγείρω ἀγωγήν. *~ legal proceedings against sb*, προβαίνω εἰς δικαστικήν δίωξιν κάποιου.

in·sti·tu·tion /ˈɪnstɪˋtjuʃn/ *οὐσ.* **1**. ‹U› θέσπισις, καθιέρωσις, ἵδρυσις, ἔναρξις: *the ~ of laws/customs/proceedings*, ἡ θέσπισις νόμων/ἡ καθιέρωσις ἐθίμων/ἡ ἔναρξις δικαστικῆς διώξεως. **2**. ‹C› παράδοσις, θεσμός: *Afternoon tea has become an ~*, τό ἀπογευματινό τσάϊ ἔχει γίνει θεσμός. *The postman has been in our district so long that he has become a sort of ~*, ὁ ταχυδρόμος εἶναι τόσα χρόνια στήν περιοχή μας πού ἔχει γίνει ἕνα εἶδος θεσμοῦ. **3**. ἵδρυμα: *a charitable ~*, φιλανθρωπικόν ἵδρυμα. **~al** /-ʃnl/ *ἐπ.* καθιερωμένος, σχετικός μέ τό ἵδρυμα: *old people in need of ~al care*, γέροι πού χρειάζονται περιποίηση σέ ἵδρυμα.

in·struct /ɪnˋstrʌkt/ *ρ.μ.* **1**. διδάσκω, ἐκπαιδεύω: *~ a class in maths*, διδάσκω μαθηματικά σέ μιά τάξη. *~ recruits*, ἐκπαιδεύω νεοσύλλεκτους. **2**. δίνω ἐντολή/ὁδηγίες: *He ~ed the bank not to cash the cheque*, ἔδωσε ἐντολή στήν τράπεζα νά μήν ἐξαργυρώσουν τήν ἐπιταγή. *They were ~ed not to pay*, ἔλαβαν ἐντολή νά μήν πληρώσουν. *We must ~ him how to do it*, πρέπει νά τοῦ δώσωμε ὁδηγίες πῶς νά τό κάμη. **3**. πληροφορῶ: *I have been ~ed by my agent that...*, ὁ ἀντιπρόσωπός μου μέ ἐπληροφόρησε ὅτι...

in·struc·tion /ɪnˋstrʌkʃn/ *οὐσ.* **1**. ‹U› διδασκαλία, ἐκπαίδευσις: *give/receive ~*, διδάσκω/-ομαι. *~ in chemistry*, ἡ διδασκαλία τῆς χημείας. **2**. (*πληθ.*) ὁδηγίες: *give sb ~s (how) to do sth*, δίνω σέ κπ ὁδηγίες (πῶς) νά κάμη κτ. **~al** /-ʃnl/ *ἐπ.* ἐκπαιδευτικός, μορφωτικός: *~al films*, μορφωτικές ταινίες.

in·struc·tive /ɪnˋstrʌktɪv/ *ἐπ.* διδακτικός: *~ books; an ~ experience*, μιά διδακτική ἐμπειρία. **~·ly** *ἐπίρ.*

in·struc·tor /ɪnˋstrʌktə(r)/ *οὐσ.* ‹C› ἐκπαιδευτής, διδάσκαλος: *a driving ~*, ἐκπαιδευτής ὁδηγήσεως.

in·struc·tress /ɪnˋstrʌktrəs/ *οὐσ.* ‹C› διδασκάλισσα.

in·stru·ment /ˈɪnstrʊmənt/ *οὐσ.* ‹C› **1**. (ἐπιστημονικόν) ὄργανον, ἐργαλεῖον (*πρβλ. tools γιά τούς τεχνίτες*): *optical/surgical ~s*, ὀπτικά ὄργανα/χειρουργικά ἐργαλεῖα. **2**. (*μουσ.*) ὄργανον: *wind/percussion ~s*, πνευστά/κρουστά ὄργανα. **3**. (*μεταφ.*) ὄργανον, μέσον: *He was a mere ~ in her hands*, ἦταν ἕνα ἁπλό ὄργανο στά χέρια της. **4**. (*νομ.*) ἔγγραφον, πρᾶξις: *The King signed the ~ of abdication*, ὁ Βασιλεύς ὑπέγραψε τήν πρᾶξιν τῆς παραιτήσεως. **in·stru·men·ta·tion** /ˈɪnstrʊmenˋteɪʃn/ *οὐσ.* ‹U› (*μουσ.*) ἐνορχήστρωσις.

in·stru·men·tal /ˈɪnstrʊˋmentl/ *ἐπ.* **1**. ***be ~ in***, συμβάλλω ἀποφασιστικά, παίζω ἀποφασιστικό ρόλο: *He was ~ in saving her*, συνέβαλε ἀποφασιστικά στή σωτηρία της. **2**. ἐνόργανος: *vocal and ~ music*, φωνητική καί ἐνόργανος μουσική. **~·ist** /-təlɪst/ *οὐσ.* ‹C› παίκτης μουσικοῦ ὀργάνου. **~·ity** /ˈɪnstrʊmenˋtæləti/ *οὐσ.* ‹U› μεσολάβησις, συνδρομή: *by the ~ity of sb*, μέ τή μεσολάβηση, μέ τή συνδρομή κάποιου.

in·sub·or·di·nate /ˈɪnsəˋbɔdɪnət/ *ἐπ.* ἀπείθαρχος, ἀνυπότακτος. **in·sub·or·di·na·tion** /ˈɪnsəˈbɔdɪˋneɪʃn/ *οὐσ.* ‹C,U› ἀπειθαρχία, ἀπείθεια, ἀνταρσία.

in·sub·stan·tial /ˈɪnsəbˋstænʃl/ *ἐπ.* **1**. ἄϋλος: *an ~ vision*, ἄϋλη μορφή. **2**. ἀσύστατος: *an ~ accusation*, ἀσύστατη κατηγορία. **3**. (*γιά τροφή*) ἀδύνατος, μή θρεπτικός.

in·suf·fer·able /ˈɪnˋsʌfrəbl/ *ἐπ.* ἀνυπόφορος, ἀφόρητος: *~ insolence/conduct*, ἀνυπόφορη θρασύτης/διαγωγή.

in·suf·fi·ciency /ˈɪnsəˋfɪʃnsɪ/ *οὐσ.* ‹U› ἀνεπάρκεια.

in·suf·fi·cient /ˈɪnsəˋfɪʃnt/ *ἐπ.* ἀνεπαρκής: *~ evidence*, ἀνεπαρκεῖς ἀποδείξεις. **~·ly** *ἐπίρ.*

in·su·lar /ˋɪnsjʊlə(r)/ *ἐπ.* **1**. νησιωτικός: *an ~ climate*, νησιώτικο κλῖμα. **2**. (*μεταφ.*) περιορισμένος, στενόμυαλος: *be ~ in one's views*, ἔχω περιορισμένες, στενόμυαλες ἀντιλήψεις. **~·ity** /ˈɪnsjʊˋlærətɪ/ *οὐσ.* ‹U› στενοκεφαλιά.

in·su·late /ˋɪnsjʊleɪt/ *ρ.μ.* (ἀπο)μονώνω: *~d electric wires*, μονωμένα ἠλεκτρικά σύρματα. *a room ~d against noise*, δωμάτιο μέ ἀντιηχητική μόνωση. *In the country one is ~d from the worries of life in the big towns*, στήν ἐξοχή εἶναι κανείς ἀπομονωμένος ἀπό τίς σκοτοῦρες τῆς ζωῆς τῶν μεγάλων πόλεων. **ˋinsulating tape**, μονωτική ταινία. **in·su·la·tion** /ˈɪnsjʊˋleɪʃn/ *οὐσ.* ‹U› (ἀπο)μόνωσις, μονωτικόν ὑλικόν. **in·su·la·tor** /-tə(r)/ *οὐσ.* ‹C› μονωτικόν, μονωτήρ.

in·su·lin /ˋɪnsjʊlɪn/ *οὐσ.* ‹U› ἰνσουλίνη.

in·sult /ɪnˋsʌlt/ *ρ.μ.* βρίζω, προσβάλλω. __*οὐσ.* ‹C,U› /ˋɪnsʌlt/ βρισιά, προσβολή. **~·ing** *ἐπ.* ὑβριστικός, προσβλητικός. **~·ing·ly** *ἐπίρ.*

in·super·able /ˈɪnˋsjuprəbl/ *ἐπ.* ἀνυπέρβλητος: *~ difficulties*.

in·sup·port·able /ˈɪnsəˋpɔtəbl/ *ἐπ.* ἀνυπόφορος, ἀφόρητος.

in·sur·ance /ɪnˋʃʊərns/ *οὐσ.* ‹C,U› **1**. ἀσφάλεια, ἀσφάλισις: *On her husband's death she received £10,000 ~*, ὅταν πέθανε ὁ ἄντρας της πῆρε 10.000 λίρες ἀσφάλεια. *How many ~s have you?* πόσες ἀσφάλειες ἔχεις; **~ agent**, πράκτωρ ἀσφαλίσεων. **~ company**, ἀσφαλιστική ἑταιρία. **comprehensive ~**, μικτή ἀσφάλεια. **~ policy**, ἀσφαλιστήριον. **~ premium**, ἀσφάλιστρον. **third party ~**, ἁπλῆ ἀσφάλεια. **2**. (*μεταφ.*) ἀσφάλεια: *He's sitting an entrance exam at Leeds University as an ~ against failure at York*, θά δώση εἰσαγωγικές ἐξετάσεις καί στό Πανεπιστήμιο τοῦ Λήτζ σάν ἀσφάλεια γιά τήν περίπτωση ἀποτυχίας στό Πανεπιστήμιο τῆς Ὑόρκ.

in·sur·ant /ɪnˋʃʊərnt/ *οὐσ.* ‹C› **the ~**, (*νομ.*) ὁ ἀσφαλίζων (ὁ ὑπόχρεως καταβολῆς τῶν ἀσφαλίστρων).

in·sure /ɪnˋʃʊə(r)/ *ρ.μ.* ἀσφαλίζω/-ομαι: *~ one's house against fire*, ἀσφαλίζω τό σπίτι μου ἀπό πυρκαγιά. *~ oneself/one's life*, ἀσφαλίζω τή ζωή μου. *~ against theft/all risks*, ἀσφαλίζομαι κατά κλοπῆς/κατά παντός κινδύνου. **the ~d**, ὁ ἀσφαλισμένος. **the ~r**, ὁ ἀσφαλιστής.

in·sur·gent /ɪnˋsɜdʒənt/ *ἐπ.* στασιαστικός. __*οὐσ.* ‹C› στασιαστής, ἀντάρτης.

in·sur·mount·able /ˈɪnsəˋmaʊntəbl/ *ἐπ.* ἀνυπέρβλητος: *~ obstacles*, ἀνυπέρβλητα ἐμπόδια.

in·sur·rec·tion /ˈɪnsəˋrekʃn/ *οὐσ.* ‹C,U› στάσις, ἐξέργεσις, ἀνταρσία.

in·tact /ˈɪnˋtækt/ *ἐπ.* ἀνέπαφος, ἄθικτος: *keep one's capital/reputation ~*, διατηρῶ ἀνέπαφο τό κεφάλαιό μου/ἄθικτη τήν ὑπόληψή μου.

in·take /ˋɪnteɪk/ *οὐσ.* ‹C,U› εἰσαγωγή, εἴσοδος, ἀναρρόφησις: *The Law School has an ~ of 500 students each year*, ἡ Νομική Σχολή κάνει εἰσαγωγή 500 σπουδαστῶν ἐτησίως. **~ pipe/valve/stroke**, (*μηχ.*) σωλήν/βαλβίς/διαδρομή εἰσαγωγῆς.

in·tan·gible /ɪnˋtændʒəbl/ *ἐπ.* ἄπιαστος, ἀνέγγιχτος, ἀπροσδιόριστος: *an ~ feeling of fear*, ἕνα ἀπροσδιόριστο αἴσθημα φόβου. **~ assets**, (*ἐμπ.*) ἄϋλα ἀγαθά.

in·te·ger /ˋɪntɪdʒə(r)/ *οὐσ.* ‹C› (*μαθ.*) ἀκέραιος ἀριθμός.

in·te·gral /ˋɪntɪgrl/ *ἐπ.* **1**. ἀναπόσπαστος: *be an ~ part of sth*, εἶμαι ἀναπόσπαστον μέρος ἑνός πράγματος. **2**. ὁλοκληρωτικός, ἀκέραιος, ὁλόκληρος. **~ calculus**, (*μαθ.*) ὁλοκληρωτικός λογισμός. **~ly** /-grəlɪ/ *ἐπίρ.* ὁλοκληρωτικά. __*οὐσ.* ‹C› (*μαθ.*) ὁλοκλήρωμα.

in·te·grate /ˋɪntɪgreɪt/ *ρ.μ.* ὁλοκληρώνω, ἑνοποιῶ, συγκροτῶ σέ ἑνιαῖο σύνολο: *an ~d personality*, μιά ὁλοκληρωμένη προσωπικότητα. *The US Armed Forces are now fully ~d*, οἱ ἔνοπλες δυνάμεις τῆν ΗΠΑ εἶναι τώρα πλήρως ἑνοποιημένες (χωρίς φυλετικές διακρίσεις). **in·te·gra·tion** /ˈɪntɪˋgreɪʃn/ *οὐσ.* ‹U› ὁλοκλήρωσις, ἑνοποίησις, ἐνσωμάτωσις: *a policy of school integration*, πολιτική ἐκπαιδευτικῆς ἑνοποιήσεως (*δηλ.* καταργήσεως τῶν φυλετικῶν διακρίσεων στά σχολεῖα).

in·teg·rity /ɪnˋtegrətɪ/ *οὐσ.* ‹U› ἀκεραιότης, τιμιότης: *territorial ~*, ἐδαφική ἀκεραιότης. *commercial ~*, ἐμπορική τιμιότης. *a man of ~*, ἄνθρωπος ἀκεραίου χαρακτῆρος, ἔντιμος.

in·tegu·ment /ɪnˋtegjʊmənt/ *οὐσ.* ‹C,U› (*λόγ.*) περίβλημα.

in·tel·lect /ˋɪntəlekt/ *οὐσ.* **1**. ‹U› νόησις, νοῦς, νοημοσύνη: *I~ distinguishes man from the animals*, ἡ νοημοσύνη ξεχωρίζει τόν ἄνθρωπο ἀπό τά ζῶα. **2**. (*πληθ.*) διάνοια: *He was one of the ~s of his time*, ἦταν μιά ἀπό τίς διάνοιες τοῦ καιροῦ του.

in·tel·lec·tual /ˈɪntəˋlektʃʊəl/ *ἐπ.* διανοητικός, πνευματικός: *the ~ faculties*, οἱ διανοητικές λειτουργίες. *~ interests/pursuits*, πνευματικά ἐνδιαφέροντα/-ές ἐνασχολήσεις. __*οὐσ.* ‹C› διανοούμενος: *He's the ~ of the family*, εἶναι ὁ διανοούμενος τῆς οἰκογενείας. **~ly** /-tʃʊəlɪ/ *ἐπίρ.*

in·tel·li·gence /ɪnˋtelɪdʒəns/ *οὐσ.* ‹U› **1**. εὐφυΐα, νοημοσύνη: *an ~ test*, τέστ νοημοσύνης. *He's a man of great ~*, εἶναι ἄνθρωπος μεγάλης εὐφυΐας. (*βλ.* & *λ.* *quotient*). **2**. εἴδησις, πληροφορία: *the I~ Service*, Ὑπηρεσία Πληροφοριῶν. *have secret ~ of the enemy's plans*, ἔχω μυστικές πληροφορίες γιά τά σχέδια τοῦ ἐχθροῦ.

in·tel·li·gent /ɪnˋtelɪdʒənt/ *ἐπ.* εὐφυής, ἔξυπνος. **~·ly** *ἐπίρ.*

in·tel·li·gent·sia /ɪnˈtelɪˋdʒensɪə/ *οὐσ.* **the ~**, (*συλλογ.*) οἱ διανοούμενοι.

in·tel·li·gible /ɪn`telɪdʒəbl/ *ἐπ.* νοητός, καταληπτός, εὐνόητος: *He spoke so fast that he was hardly* ~, μιλοῦσε τόσο γρήγορα πού μόλις μποροῦσαν νά τόν καταλάβουν. **in·tel·li·gibly** /-əblɪ/ *ἐπίρ.* κατανοητά, καθαρά, ἁπλᾶ.

in·tem·per·ance /ɪn`tempərəns/ *οὐσ.* ‹U› ἀκράτεια, κατάχρησις, ἀλκοολισμός.

in·tem·per·ate /ɪn`tempərɪt/ *ἐπ.* (*λόγ.*) ἀκρατής, ὑπερβολικός, ἔκλυτος: *be ~ in one's speech*, εἶμαι ἀθυρόστομος. *a man of ~ habits*, μέθυσος ἄνθρωπος.

in·tend /ɪn`tend/ *ρ.μ.* **1**. σκοπεύω, προτίθεμαι, σχεδιάζω: *I ~ to leave/~ leaving tomorrow morning*, σκοπεύω νά φύγω αὔριο τό πρωΐ. *I did not ~ to offend you; I ~ed no offence*, δέν εἶχα πρόθεση νά σᾶς προσβάλλω. *Does he ~ marriage or not?* ἔχει σκοπό τό γάμο ἤ ὄχι; *I ~ them to do it/~ that they shall do it*, ἔχω κατά νοῦ νά τό κάμουν. **2**. **~ for**, προορίζω: *They ~ him for the army*, τόν προορίζουν γιά στρατιωτικό. *This book is ~ed for you*, αὐτό τό βιβλίο εἶναι (προορίζεται) γιά σένα. **3**. (*ἀπηρχ.*) ἐννοῶ: *What do you ~ by this word?* τί ἐννοεῖς μ' αὐτή τή λέξη;

in·tense /ɪn`tens/ *ἐπ.* **1**. ἔντονος, δυνατός, σφοδρός: *~ heat/cold*, δυνατή ζέστη/-ό κρύο. *~ anxiety/curiosity*, ἔντονη ἀνησυχία/περιέργεια. *~ hatred/pain*, σφοδρό μῖσος/ὀξύς πόνος. **2**. (*γιά ἄνθρ.*) ὑπερευαίσθητος. **~·ly** *ἐπίρ.* ἐντόνως.

in·ten·sify /ɪn`tensɪfaɪ/ *ρ.μ/ἀ.* ἐντείνω, ἐπιτείνω/-ομαι.

in·ten·sity /ɪn`tensətɪ/ *οὐσ.* ‹U› ἔντασις, σφοδρότης.

in·ten·sive /ɪn`tensɪv/ *ἐπ.* ἐντατικός, ἐπιτατικός: *an ~ course/method*, ἐντατικά μαθήματα/-ή μέθοδος. *~ bombardment*, ἐντατικός βομβαρδισμός. **an ~ word**, (*γραμμ.*) ἐπιτατική λέξις (πού ἐπιτείνει τήν ἔννοια ἄλλης λέξεως). **~·ly** *ἐπίρ.* ἐντατικά.

[1]**in·tent** /ɪn`tent/ *ἐπ.* **1**. ἔντονος, διαπεραστικός, γεμᾶτος ὑπερένταση: *She had an ~ look on her face as she watched the game*, τό πρόσωπό της εἶχε μιά ἔκφραση ὑπερέντασης καθώς παρακολουθοῦσε τό παιχνίδι. *He gave me an ~ look*, μοῦ ἔρριξε μιά διαπεραστική ματιά. **2**. **~ (up)on (doing) sth**, προσηλωμένος, συγκεντρωμένος, ἀφωσιωμένος: *He was ~ on his work*, ἦταν προσηλωμένος στή δουλειά του. *She was ~ on winning*, ἦταν ἀφωσιωμένη στό νά κερδίση. **~·ly** *ἐπίρ.* διαπεραστικά, ἐντατικά: *think ~ly*, σκέφτομαι ἐντατικά. **~·ness** *οὐσ.* ‹U› προσήλωσις, ἔντασις.

[2]**in·tent** /ɪn`tent/ *οὐσ.* **1**. ‹U› (*νομ.*) σκοπός, πρόθεσις: *with ~ to kill*, μέ πρόθεση νά σκοτώση. *with good/evil ~*, μέ καλή/κακή πρόθεση. **2**. (*πληθ.*) **to all ~s and purposes**, στήν πραγματικότητα, κατ' οὐσίαν.

in·ten·tion /ɪn`tenʃn/ *οὐσ.* ‹C,U› σκοπός, πρόθεσις: *make known one's ~s*, γνωστοποιῶ τίς προθέσεις μου. *carry out one's ~s*, πραγματοποιῶ τίς προθέσεις μου. *do sth without ~*, κάνω κτ χωρίς πρόθεση. *with the ~ of returning it*, μέ τό σκοπό νά τό ἐπιστρέψω. *He has no ~/hasn't the least ~ of marrying yet*, δέν ἔχει καμιά πρόθεση/οὔτε τήν ἐλαχίστη πρόθεση νά παντρευτῆ ἀκόμη: **well-~ed** *ἐπ.* καλοπροαίρετος, μέ καλές προθέσεις. **~al** /-ʃnl/ *ἐπ.* σκόπιμος: *It was not ~al*, δέν ἦταν σκόπιμο, δέν ἔγινε ἐπίτηδες. **~·ally** /-ʃnəlɪ/ *ἐπίρ.* σκοπίμως.

in·ter /ɪn`tɜ(r)/ *ρ.μ.* (*-rr-*) (*λόγ.*) ἐνταφιάζω.

in·ter·act /ˈɪntə`rækt/ *ρ.ἀ.* ἀλληλεπιδρῶ. **in·ter·ac·tion** /-`rækʃn/ *οὐσ.* ‹C,U› ἀλληλεπίδρασις.

in·ter alia /ˈɪntər `eɪlɪə/ (*Λατ.*) μεταξύ τῶν ἄλλων.

in·ter·breed /ˈɪntə`brid/ *ρ.μ/ἀ.* *ἀνώμ.* (*ἀόρ.* & *π.μ.* *-bred* /-`bred/) διασταυρώνω (ράτσες)/-ομαι.

in·ter·cede /ˈɪntə`sid/ *ρ.ἀ.* **~ (with sb) (for...)**, μεσολαβῶ, παρεμβαίνω: *~ with the father for/on behalf of the son*, μεσολαβῶ στόν πατέρα ὑπέρ/γιά χάρη τοῦ γιοῦ. **in·ter·cession** /ˈɪntə`seʃn/ *οὐσ.* ‹C,U› μεσολάβησις, παρέμβασις.

in·ter·cept /ˈɪntə`sept/ *ρ.μ.* σταματῶ, ἐμποδίζω/κόβω (τό δρόμο, τήν πορεία): *~ a letter*, σταματῶ (ὑποκλέπτω) ἕνα γράμμα. *~ a messenger*, σταματῶ (πιάνω) ἕναν ἀγγελιοφόρο. *Our fighter-planes ~d the enemy's bombers*, τά καταδιωκτικά μας σταμάτησαν τά ἐχθρικά βομβαρδιστικά. **in·ter·cep·tion** /-`sepʃn/ *οὐσ.* ‹C,U› σταμάτημα, παρεμπόδισις.

in·ter·change /ˈɪntə`tʃeɪndʒ/ *ρ.μ.* ἀνταλλάσσω, ἐναλλάσσω: *~ views/gifts/letters*, ἀνταλλάσσω ἀπόψεις/δῶρα/γράμματα. *The tyres on a car should be ~d*, τά λάστιχα ἑνός αὐτοκινήτου πρέπει νά ἐναλλάσσωνται. **~·able** /-əbl/ *ἐπ.* ἀνταλλάξιμος, ἐναλλακτικός: *True synonyms are ~able*, τά ἀληθινά συνώνυμα μποροῦν νά ἐναλλαχθοῦν.

in·ter·col·legi·ate /ˈɪntəkə`lidʒɪət/ *ἐπ.* ἐνδοκολλεγιακός: *~ games*, ἐνδοκολλεγιακοί ἀγῶνες.

in·ter·com /`ɪntəkom/ *οὐσ.* ‹C› (*καθομ.* *συγκεκ.*) **the ~**, σύστημα ἐσωτερικῆς ἐπικοινωνίας (σέ κτίριο, ἀεροπλάνο).

in·ter·com·mu·nal /ˈɪntə`komjʊnl/ *ἐπ.* διακοινοτικός: *~ talks*, διακοινοτικές συνομιλίες.

in·ter·com·mu·ni·cate /ˈɪntəkə`mjunɪkeɪt/ *ρ.ἀ.* ἀλληλεπικοινωνῶ: *The prisoners ~d by using the Morse code*, οἱ κρατούμενοι ἐπικοινωνοῦσαν μεταξύ τους μέ τόν κώδικα Μόρς. **in·ter·com·mu·ni·ca·tion** /ˈɪntəkəˈmjunɪ`keɪʃn/ *οὐσ.* ‹C,U› ἀλληλεπικοινωνία.

in·ter·con·ti·nen·tal /ˈɪntəˈkontɪ`nentl/ *ἐπ.* διηπειρωτικός: *~ missiles*, διηπειρωτικά βλήματα.

in·ter·course /`ɪntəkɔs/ *οὐσ.* ‹U› ἐπαφή, σχέσις, συνουσία: *commercial/cultural ~ between east and west*, ἐμπορικές/πολιτιστικές σχέσεις μεταξύ ἀνατολῆς καί δύσεως.

in·ter·de·pen·dence /ˈɪntədɪ`pendəns/ *οὐσ.* ‹U› ἀλληλοεξάρτησις.

in·ter·de·pen·dent /ˈɪntədɪ`pendənt/ *ἐπ.* ἀλληλένδετος, ἀλληλοεξαρτώμενος: *These two questions are ~*, αὐτά τά δύο θέματα εἶναι ἀλληλένδετα.

in·ter·dict /ˈɪntə`dɪkt/ *ρ.μ.* (*λόγ.*) ἀπαγορεύω.

[1]**in·ter·est** /`ɪntrəst/ *οὐσ.* ‹C,U› **1**. ἐνδιαφέρον: *feel/take a great ~ in politics*, ἔχω μεγάλο ἐνδιαφέρον γιά τά πολιτικά. *a matter of public ~*, ὑπόθεσις πού ἐνδιαφέρει τό κοινόν. *I'll*

take no further ~ *in you*, δέν θά δείξω πιά ἐνδιαφέρον γιά σένα. *His two great* ~*s in life are music and poetry*, τά δυό κυριώτερα ἐνδιαφέροντά του στή ζωή εἶναι ἡ μουσική καί ἡ ποίηση. **2**. (*συχνά πληθ.*) κέρδος, συμφέρον: *He looks after his own* ~*s*, κοιτάζει τό συμφέρον του. *It's in your* ~*(s) to accept*, εἶναι (πρός τό) συμφέρον σου νά δεχθῆς. ***in the*** ~***(s) of***, χάριν: *in the* ~*(s) of peace/truth/justice*, πρός τό συμφέρον (χάριν) τῆς εἰρήνης/τῆς ἀλήθειας/τῆς δικαιοσύνης. **3**. ὁμάδα προσώπων μέ κοινά συμφέροντα: *the shipping* ~*(s)*, οἱ ἐφοπλιστές (τά ἐφοπλιστικά συμφέροντα). *the landed* ~, οἱ γαιοκτήμονες. *the business* ~*s*, οἱ ἐπιχειρηματίες. **4**. μερίδιο, συμμετοχή: *have an* ~ *in a company*, ἔχω μερίδιο σέ ἑταιρία. **5**. τόκος: *borrow at 9%* ~, δανείζομαι μέ τόκο 9%. **rate of** ~, ἐπιτόκιον. ***with*** ~, (*μεταφ.*) μέ τόκο, μέ τό παραπάνω: *He returned the blows with* ~, ἀνταπέδωσε τά χτυπήματα μέ τόκο.

[2]**in·ter·est** /ˋɪntrəst/ *ρ.μ.* ἐνδιαφέρω, κινῶ τό ἐνδιαφέρον: *Your story* ~*s me*, ἡ ἱστορία σου μ' ἐνδιαφέρει. *I'll try to* ~ *them in this question*, θά προσπαθήσω νά τούς κινήσω τό ἐνδιαφέρον σ' αὐτή τήν ὑπόθεση. **~ed** *ἐπ.* ἐνδιαφερόμενος, συμφεροντολογικός: *an* ~*ed look*, βλέμμα γεμᾶτο ἐνδιαφέρον. ~*ed spectators*, θεατές πού ἔχουν ἐνδιαφέρον. ~*ed motives*, συμφεροντολογικά ἐλατήρια. ***be*** ~***ed (in)***, ἐνδιαφέρομαι γιά: *I'm* ~*ed in you/in your progress*, ἐνδιαφέρομαι γιά σένα/γιά τήν πρόοδό σου. *I'll be* ~*ed to know what happened*, θά μέ ἐνδιαφέρει νά μάθω τί συνέβη. **~·ing** *ἐπ.* ἐνδιαφέρων: *an* ~*ing book/story/man*, ἐνδιαφέρον βιβλίο/-ουσα ἱστορία/-ων ἄνθρωπος. **~·ing·ly** *ἐπίρ.* μέ ἐνδιαφέρον.

in·ter·fere /ˌɪntəˋfɪə(r)/ *ρ.ἀ.* **1**. ~ ***(in sth)***, ἐπεμβαίνω, ἀνακατεύομαι: *Don't* ~ *in my business!* μήν ἐπεμβαίνης στίς δουλειές μου! *Isn't she an interfering old lady!* μανία πού ἔχει αὐτή ἡ γρηά ν' ἀνακατεύεται παντοῦ! *It's unwise to* ~ *between husband and wife*, δέν εἶναι φρόνιμο νά ἀνακατεύεται κανείς στ' ἀντρόγυνα. **2**. ~ ***(with sth)***, (*γιά ἄνθρ.*) πειράζω, ἐγγίζω κτ: *Don't* ~ *with this machine/my books*, μήν πειράζης αὐτή τή μηχανή/μήν ἐγγίζης τά βιβλία μου. **3**. ~ ***with***, (*γιά πράγμ.*) ἐμποδίζω, παρεμβαίνω, χαλῶ: *Pleasure should not be allowed to* ~ *with business*, ἡ διασκέδαση δέν ἐπιτρέπεται νά ἐμποδίζη τή δουλειά. **in·ter·fer·ing** *ἐπ.* ἐνοχλητικός, ἀνακατωσούρης.

in·ter·fer·ence /ˌɪntəˋfɪərəns/ *οὐσ.* ‹U› παρέμβασις, ἐπέμβασις, ἀνάμιξις, παρεμβολή, (*ραδιοφ.*) παράσιτα.

in·terim /ˋɪntərɪm/ *οὐσ.* ‹U› ἐνδιάμεσον διάστημα. ***in the*** ~, ἐν τῷ μεταξύ, προσωρινά. —*ἐπιθ.* προσωρινός, ἐνδιάμεσος: ~ *dividends*, προσωρινά μερίσματα. *an* ~ *report*, προσωρινή ἔκθεσις.

in·ter·ior /ɪnˋtɪərɪə(r)/ *ἐπ.* **1**. ἐσωτερικός: ~ *decoration*, ἐσωτερική διακόσμησις. ~ *tourism/trade*, ἐσωτερικός τουρισμός/-όν ἐμπόριον. **2**. μεσόγειος (ὄχι παραλιακός). —*οὐσ.* ‹C› ἐσωτερικόν, ἐνδοχώρα. **Ministry of the I**~, Ὑπουργεῖον ἐσωτερικῶν (*πρβλ. MB: Home Office*). *the* ~ *of a building*, τό ἐσωτερικόν ἑνός κτιρίου.

in·ter·ject /ˌɪntəˋdʒekt/ *ρ.μ.* (*λόγ.*) παρεμβάλλω, ἀναφωνῶ, παρενθέτω (σέ ὁμιλία): ~ *a remark*, παρεμβάλλω μιά παρατήρηση. **in·ter·jec·tion** /-ˋdʒekʃn/ *οὐσ.* ‹C› ἐπιφώνημα.

in·ter·lace /ˌɪntəˋleɪs/ *ρ.μ/ἀ.* συνυφαίνω, (*γιά κλαδιά, κλπ*) συμπλέκω/-ομαι: *interlacing branches*, μπλεγμένα κλαδιά.

in·ter·lard /ˌɪntəˋlad/ *ρ.μ.* (*λόγ.*) διανθίζω (κείμενο, ὁμιλία): *an essay* ~*ed with quotations from the poets*, ἔκθεση διανθισμένη μέ ἀποσπάσματα ποιητῶν.

in·ter·link /ˌɪntəˋlɪŋk/, **in·ter·lock** /ˌɪntəˋlok/ *ρ.μ/ἀ.* ἀλληλοσυνδέω/-ομαι.

in·ter·lo·cu·tor /ˌɪntəˋlokjʊtə(r)/ *οὐσ.* ‹C› συνομιλητής.

in·ter·lo·per /ˋɪntələʊpə(r)/ *οὐσ.* ‹C› παρείσακτος.

in·ter·lude /ˋɪntəlud/ *οὐσ.* ‹C› **1**. διάλειμμα: ~*s of bright weather*, διαλείμματα καλοκαιρίας. *an* ~ *of peace between two wars*, διάλειμμα εἰρήνης μεταξύ δυό πολέμων. *an* ~ *between two acts (in a play)*, διάλειμμα μεταξύ δύο πράξεων (σέ θεατρ. ἔργο). **2**. (*μουσ.*) ἰντερλούδιο, ἰντερμέτζο.

in·ter·marry /ˌɪntəˋmærɪ/ *ρ.ἀ.* συνδέομαι δι' ἐπιγαμίας, ἀλληλοπαντρεύομαι. **in·ter·mar·riage** /-ˋmærɪdʒ/ *οὐσ.* ‹C,U› ἐπιγαμία, ἐπιμιξία.

in·ter·medi·ary /ˌɪntəˋmidɪərɪ/ *οὐσ.* ‹C› μεσάζων, μεσίτης. —*ἐπ.* ἐνδιάμεσος.

in·ter·medi·ate /ˌɪntəˋmidɪət/ *ἐπ.* μεσαῖος, (ἐν)διάμεσος: *an* ~ *examination*. —*οὐσ.* ‹C› μεσάζων. **~·ly** *ἐπίρ.* ἐνδιαμέσως.

in·ter·mezzo /ˌɪntəˋmetsəʊ/ *οὐσ.* ‹C› (*πληθ.* ~*s*) ἰντερμέτζο, μουσικό διάλειμμα.

in·ter·mi·nable /ɪnˋtɜmɪnəbl/ *ἐπ.* ἀτέλειωτος: ~ *negotiations/talks*, ἀτέλειωτες διαπραγματεύσεις/συνομιλίες. **in·ter·mi·nably** /-əblɪ/ *ἐπίρ.* ἀτέλειωτα.

in·ter·mingle /ˌɪntəˋmɪŋgl/ *ρ.μ/ἀ.* (*λόγ.*) ἀναμιγνύω/-ομαι: *They* ~*d their tears*, ἔσμιξαν τά δάκρυά τους. *The conference delegates* ~*d over tea*, οἱ ἀντιπρόσωποι στή διάσκεψη ἀνακατεύτηκαν (ἦρθαν σ' ἐπαφή) μεταξύ τους τήν ὥρα τοῦ τσαγιοῦ.

in·ter·mission /ˌɪntəˋmɪʃn/ *οὐσ.* ‹C,U› διακοπή, ἀνάπαυλα, διάλειμμα: *work without* ~*/with a short* ~ *at noon*, δουλεύω χωρίς διακοπή/μ' ἕνα σύντομο διάλειμμα τό μεσημέρι.

in·ter·mit·tent /ˌɪntəˋmɪtnt/ *ἐπ.* διακοπτόμενος, διαλείπων: ~ *pulse/fever*, διαλείπων σφυγμός/πυρετός. **~·ly** *ἐπίρ.* κατά διαλείμματα, περιοδικά: *It rained* ~*ly all through the day*, ἔβρεχε κατά διαλείμματα ὅλη τήν ἡμέρα.

[1]**in·tern** /ɪnˋtɜn/ *ρ.μ.* θέτω ὑπό περιορισμόν, κλείνω σέ στρατόπεδο: ~ *aliens during a war*, περιορίζω τούς ἀλλοδαπούς κατά τήν διάρκεια τοῦ πολέμου. **~·ment** *οὐσ.* ‹U› περιορισμός: ~*ment camps*, στρατόπεδα περιορισμοῦ. **~ee** /ˌɪntɜˋni/ *οὐσ.* ‹C› ὁ ἔγκλειστος, ὁ ὑπό περιορισμόν.

[2]**in·tern** /ˋɪntɜn/ *οὐσ.* ‹C› (*ΗΠΑ*) εἰδικευόμενος ἰατρός ἐσωτερικός σέ νοσοκομεῖο. (*πρβλ. MB: house physician/surgeon*).

in·ter·nal /ɪnˋtɜnl/ *ἐπ.* ἐσωτερικός: ~ *bleeding/injuries*, ἐσωτερική αἱμορραγία/-ά τραύματα. ~ *trade/security*, ἐσωτερικό ἐμπόριο/-ή ἀσφάλεια. ~ **combustion en-**

gine, μηχανή ἐσωτερικῆς καύσεως. **~ly** /-nəlı/ *ἐπίρ.* ἐσωτερικῶς.

in·ter·na·tional /ˈıntəˋnæʃnl/ *ἐπ.* διεθνής: ~ *law*, διεθνές δίκαιον. ~ *agreements/conferences*, διεθνεῖς συμφωνίες/διασκέψεις. **the I~ Court of Justice**, τό Διεθνές Δικαστήριον (τῆς Χάγης). __*οὐσ.* ‹C› ἡ Διεθνής: *the 1st/2nd/3rd I~*, ἡ Πρώτη/Δευτέρα/Τρίτη Διεθνής. **~·ism** /-ızm/ *οὐσ.* ‹U› διεθνισμός. **~·ist** /-ıst/ *οὐσ.* ‹C› διεθνιστής. **~·ize** /-ʃnəlaız/ *ρ.μ.* διεθνοποιῶ. **~·iz·ation** /ˈıntəˈnæʃnəlaıˋzeıʃn/ *οὐσ.* ‹U› διεθνοποίησις. **the internationale**, ἡ διεθνής (ὁ σοσιαλιστικός ὕμνος).

in·ter·necine /ˈıntəˋnisaın/ *ἐπ.* ἀλληλοκτόνος, ἀλληλοεξοντωτικός.

in·ter·pel·late /ınˋtɜpəleıt/ *ρ.μ.* ἐπερωτῶ (στή Βουλή). **in·ter·pel·la·tion** /ınˈtɜpəˋleıʃn/ *οὐσ.* ‹C,U› ἐπερώτησις.

in·ter·plan·etary /ˈıntəˋplænıtrı/ *ἐπ.* διαπλανητικός: *an* ~ *journey*, διαπλανητικό ταξίδι.

in·ter·play /ˋıntəpleı/ *οὐσ.* ‹U› ἀλληλεπίδρασις: *the* ~ *of two characters in a play/of colour and light*, ἡ ἀλληλεπίδρασις δύο ἡρώων σ' ἕνα ἔργο/χρώματος καί φωτός.

In·ter·pol /ˋıntəpol/ *οὐσ.* ἰντερπόλ, διεθνής ἀστυνομία.

in·ter·po·late /ınˋtɜpəleıt/ *ρ.μ.* παρεμβάλλω (σέ κείμενο βιβλίου), παραποιῶ (κείμενο) μέ προσθῆκες. **in·ter·po·la·tion** /ınˈtɜpəˋleıʃn/ *οὐσ.* ‹C,U› παρεμβολή.

in·ter·pose /ˈıntəˋpəʊz/ *ρ.μ/ὰ.* **1**. προβάλλω: ~ *one's veto*, προβάλλω βέτο. **2**. διακόπτω, παρεμβάλλω: *Will you stop interposing?* θά πάψετε νά διακόπτετε; ~ *a remark*, παρεμβάλλω μιά παρατήρηση. **3**. ~ ***(oneself) between/in***, παρεμβαίνω, μεσολαβῶ: ~ *between two persons who are quarrelling*, παρεμβαίνω μεταξύ δύο ἀνθρώπων πού μαλώνουν. **in·ter·po·si·tion** /ˈıntəpəˋzıʃn/ *οὐσ.* ‹C,U› διακοπή, παρέμβασις.

in·ter·pret /ınˋtɜprıt/ *ρ.μ/ὰ.* **1**. ἑρμηνεύω, ἐξηγῶ: ~ *a difficult passage in a book*, ἑρμηνεύω ἕνα δύσκολο κομμάτι βιβλίου. *Poetry helps to* ~ *life*, ἡ ποίηση βοηθάει νά ἑρμηνεύσωμε τή ζωή. *We* ~*ed his silence as a refusal*, ἑρμηνεύσαμε τή σιωπή του σάν ἄρνηση. **2**. ἑρμηνεύω, παίζω: *He* ~*ed his role well*, ἑρμήνευσε καλά τό ρόλο του. **3**. διερμηνεύω, μεταφράζω: *Will you* ~ *for me?* θά μοῦ κάνης τό διερμηνέα; **~a·tion** /ınˈtɜprıˋteıʃn/ *οὐσ.* ‹C,U› ἑρμηνεία: *give sth several* ~*ations*, δίνω πολλές ἑρμηνεῖες σέ κτ. **~er** *οὐσ.* ‹C› διερμηνεύς.

in·ter·racial /ˈıntəˋreıʃl/ *ἐπ.* διαφυλετικός.

in·ter·reg·num /ˈıntəˋregnəm/ *οὐσ.* ‹C› (*πληθ.* ~*s ἤ -na* /-nə/) μεσοβασιλεία, διάλειμμα.

in·ter·re·la·ted /ˈıntərıˋleıtıd/ *ἐπ.* συγγενικός, ἀλληλένδετος: ~ *studies*.

in·ter·re·la·tion /ˈıntərıˋleıʃn/ *οὐσ.* ‹C› ἀμοιβαία σχέσις. **~·ship** *οὐσ.* ‹C› ἀλληλεξάρτησις.

in·ter·ro·gate /ınˋterəgeıt/ *ρ.μ.* ἐρωτῶ, ἀνακρίνω: ~ *a prisoner*, ἀνακρίνω ἕναν κρατούμενο. **in·ter·ro·ga·tor** /-tə(r)/ *οὐσ.* ‹C› ὁ ἐρωτῶν, ὁ ἀνακρίνων.

in·ter·ro·ga·tion /ınˈterəˋgeıʃn/ *οὐσ.* ‹C,U› ἐξέτασις, ἀνάκρισις, ἐρώτησις. ~ **mark**, ἐρωτηματικόν.

in·ter·roga·tive /ˈıntəˋrogətıv/ *ἐπ.* ἐρωτηματικός: *an* ~ *look/glance*, ἐρωτηματική ματιά. *in an* ~ *tone*, μέ ἐρωτηματικό τόνο. *an* ~ *sentence*, (*γραμμ.*) ἐρωτηματική πρότασις. **~·ly** *ἐπίρ.* ἐρωτηματικά.

in·ter·roga·tory /ˈıntəˋrogətrı/ *ἐπ.* ἐξεταστικός, ἀνακριτικός. __*οὐσ.* ‹C› (*νομ.*) ἐρωτηματολόγιον.

in·ter·rupt /ˈıntəˋrʌpt/ *ρ.μ/ὰ.* **1**. διακόπτω/-ομαι: *Traffic was* ~*ed by floods*, ἡ κυκλοφορία διεκόπη ἀπό τίς πλημμύρες. *He* ~*ed his studies to join the army*, διέκοψε τίς σπουδές του γιά νά καταταγῆ στρατιώτης. *Don't* ~ *me while I'm speaking/while I'm busy*, μή μέ διακόπτης ὅταν μιλῶ/ὅταν δουλεύω. **2**. κόβω, ἐμποδίζω: *Those trees* ~ *the view*, αὐτά τά δέντρα κόβουν τή θέα. **in·ter·rup·tion** /-ˋrʌpʃn/ *οὐσ.* ‹C,U› διακοπή.

in·ter·sect /ˈıntəˋsekt/ *ρ.μ/ὰ.* τέμνω/-ομαι: *The two lines* ~ *at point X*, οἱ δύο γραμμές τέμνονται στό σημεῖο Χ. **in·ter·sec·tion** /-ˋsekʃn/ *οὐσ.* ‹C,U› τομή, διασταύρωσις.

in·ter·sperse /ˈıntəˋspɜs/ *ρ.μ.* **1**. ~ ***among/between***, διασπείρω, σκορπίζω ἐδῶ κι' ἐκεῖ: *poppies* ~*d among the wheat*, παπαροῦνες σκορπισμένες ἀνάμεσα στό στάρι. **2**. ~ ***with***, διανθίζω: *a speech* ~*d with witty remarks*, λόγος διανθισμένος μέ εὐφυολογήματα.

in·ter·state /ˈıntəˋsteıt/ *ἐπ.* διαπολιτειακός.

in·ter·stel·lar /ˈıntəˋstelə(r)/ *ἐπ.* διαστρικός (μεταξύ ἀστέρων).

in·ter·stice /ınˋtɜstıs/ *οὐσ.* ‹C› σχισμή, ρωγμή, μικρό διάκενο: *flowers growing in the* ~*s of a rock*, λουλούδια φυτρωμένα στίς ρωγμές ἑνός βράχου.

in·ter·tri·bal /ˈıntəˋtraıbl/ *ἐπ.* διαφυλετικός.

in·ter·twine /ˈıntəˋtwaın/ *ρ.μ/ὰ.* πλέκω/-ομαι: *a lattice* ~*d with vines*, ἕνα δικτυωτό πλεγμένο μέ κλήματα.

in·ter·val /ˋıntəvl/ *οὐσ.* ‹C› διάστημα, διάλειμμα, ἀπόστασις: *lucid* ~*s*, φωτεινά διαλείμματα (τρελλοῦ). *rainy weather with bright* ~*s*, βροχερός καιρός μέ διαλείμματα λιακάδας. ***at*** **~*s***, κατά διαστήματα: *at long/short* ~*s*, κατά ἀραιά/κατά πυκνά διαστήματα. *They were arranged at* ~*s of ten feet*, ἦταν τακτοποιημένα κατά διαστήματα δέκα ποδῶν.

in·ter·vene /ˈıntəˋvin/ *ρ.ὰ.* **1**. μεσολαβῶ, συμβαίνω: *I'll leave on Sunday if nothing* ~*s*, θά φύγω τήν Κυριακή ἄν δέν μεσολαβήση (ἄν δέν συμβῆ) τίποτα. **2**. ~ ***in/between***, μεσολαβῶ, παρεμβαίνω: ~ *in a dispute/between people who are disputing*, παρεμβαίνω σέ μιά φιλονικία/μεταξύ ἀνθρώπων πού φιλονικοῦν. **3**. μεσολαβῶ, περνῶ: *Ten years* ~*d*, δέκα χρόνια μεσολάβησαν (πέρασαν). **in·ter·ven·tion** /-ˋvenʃn/ *οὐσ.* ‹C,U› μεσολάβησις, παρέμβασις, ἐπέμβασις: *armed/foreign intervention*, ἔνοπλος/ξένη ἐπέμβασις.

in·ter·view /ˋıntəvju/ *οὐσ.* ‹C› συνέντευξις. __*ρ.μ.* παίρνω συνέντευξη, ἐξετάζω διά συνεντεύξεως: *He refused to give an* ~*/to be* ~*ed*, ἀρνήθηκε νά δώση συνέντευξη.

in·ter·weave /ˈıntəˋwiv/ *ρ.μ.* ἀνώμ. (*ἀόρ. -wove* /-ˋwəʊv/, *π.μ. -woven* /-ˋwəʊvən/) ~ ***(with)***, συνυφαίνω: *interwoven with*, συνυφασμένος μέ.

in·tes·tate /ɪn`testeɪt/ *ἐπ.* ἀδιάθετος, χωρίς διαθήκη: *die* ~, πεθαίνω χωρίς ν' ἀφήσω διαθήκη.

in·tes·ti·nal /ɪn`testɪnl/ *ἐπ.* ἐντερικός: ~ *disorders*, ἐντερικές διαταραχές.

in·tes·tine /ɪn`testɪn/ *οὐσ.* ‹C› ἔντερον: *the large/small* ~, τό παχύ/λεπτό ἔντερο.

in·ti·macy /`ɪntɪməsɪ/ *οὐσ.* **1**. ‹U› στενή σχέσις, φιλία, (*εὐφημ.*) σεξουαλικές σχέσεις. **2**. (*πληθ.*) οἰκειότητες, χάδια, φιλιά, κλπ.

[1]**in·ti·mate** /`ɪntɪmət/ *ἐπ.* **1**. στενός: ~ *friends*. ***get/be on ~ terms (with sb)***, πιάνω/ἔχω πολύ στενές σχέσεις (μέ κπ), συνδέομαι στενά. **2**. μύχιος, ἐνδόμυχος, ἀπόκρυφος: ~ *thoughts/details*, μύχιες σκέψεις/ἀπόκρυφες λεπτομέρειες. **3**. βαθύς: *have an* ~ *knowledge of ancient history*, ἔχω βαθειά γνώση τῆς ἀρχαίας ἱστορίας. __*οὐσ.* ‹C› στενός φίλος. ~**·ly** *ἐπίρ.* στενά, βαθιά.

[2]**in·ti·mate** /`ɪntɪmeɪt/ *ρ.μ.* γνωστοποιῶ, γνωρίζω, φανερώνω (ἐμμέσως): *He* ~*d his approval of the plan/that he approved of the plan*, γνωστοποίησε ὅτι ἐγκρίνει τό σχέδιο. *He* ~*d to me his intentions*, μοῦ φανέρωσε (μοῦ γνώρισε) τίς προθέσεις του. **in·ti·ma·tion** /'ɪntɪ`meɪʃn/ *οὐσ.* ‹C,U› γνωστοποίησις, νύξις.

in·timi·date /ɪn`tɪmɪdeɪt/ *ρ.μ.* ἐκφοβίζω, πτοῶ, τρομοκρατῶ: ~ *a witness*, ἐκφοβίζω μάρτυρα. *He's easily* ~*d*, τρομοκρατεῖται εὔκολα. **in·timi·da·tion** /ɪn'tɪmɪ`deɪʃn/ *οὐσ.* ‹U› ἐκφοβισμός, (κατα)τρομοκράτησις.

into /`ɪntə, *ἐμφ:* `ɪntu/ *πρόθ.* (*ὑποδηλοῖ κίνησιν πρός τά μέσα ἤ μεταβολήν*) σέ, μέσα σέ: *Come* ~ *the room!* ἔλα μέσα στό δωμάτιο! *Throw it* ~ *the fire!* πέταξέ το στή φωτιά! *She burst* ~ *tears*, ξέσπασε σέ δάκρυα. *Water changes* ~ *ice*, τό νερό μεταβάλλεται σέ πάγο. *5* ~ *30 goes 6*, τό 5 στό 30 πάει 6.

in·tol·er·able /ɪn`tolərəbl/ *ἐπ.* ἀφόρητος, ἀνυπόφορος: ~ *heat/insolence*, ἀφόρητη ζέστη/θρασύτης. *Life is becoming* ~, ἡ ζωή γίνεται ἀνυπόφορη. **in·tol·er·ably** /-əblɪ/ *ἐπίρ.* ἀνυπόφορα.

in·tol·er·ance /ɪn`tolərəns/ *οὐσ.* ‹U› μισαλλοδοξία, ἀδιαλλαξία: *religious/political* ~, θρησκευτική/πολιτική μισαλλοδοξία.

in·tol·er·ant /ɪn`tolərənt/ *ἐπ.* μισαλλόδοξος, ἀδιάλλακτος, μή ἀνεκτικός: *He's* ~ *of opposition*, δέν ἀνέχεται ἀντίρρηση/ἀντιγνωμία. *a man of* ~ *views*, ἄνθρωπος μέ ἀδιάλλακτες ἀπόψεις. ~**·ly** *ἐπίρ.*

in·ton·ation /'ɪntə`neɪʃn/ *οὐσ.* ‹U› τονισμός, κυμάτισμα τῆς φωνῆς.

in·tone /ɪn`təʊn/ *ρ.μ/ἀ.* ἀπαγγέλλω ψαλμωδικά, μιλῶ τραγουδιστά.

in toto /ɪn `təʊtəʊ/ (*Λατ.*) συνολικά, ἐν ὅλῳ.

in·toxi·cant /ɪn`toksɪkənt/ *οὐσ.* ‹C› οἰνοπνευματῶδες ποτό. __*ἐπ.* μεθυστικός.

in·toxi·cate /ɪn`toksɪkeɪt/ *ρ.μ.* μεθῶ κπ: *become* ~*d*, μεθῶ. ~*d with his success/with joy*, μεθυσμένος ἀπό τήν ἐπιτυχία του/ἀπό χαρά. **in·toxi·ca·tion** /ɪn'toksɪ`keɪʃn/ *οὐσ.* ‹U› μέθη.

in·trac·table /'ɪn`træktəbl/ *ἐπ.* ἀτίθασος ἀνυπότακτος, δύσκολος: ~ *children*, ἀτίθασα παιδιά. *an* ~ *temper/problem*, δύσκολος χαρακτήρας/δυσεπίλυτο πρόβλημα.

in·tra·mural /'ɪntrə`mjʊərl/ *ἐπ.* ἐσωτερικός, ἐντός τῶν τειχῶν.

in·tran·si·gence /ɪn`trænsɪdʒəns/ *οὐσ.* ‹U› (*λόγ.*) ἀδιαλλαξία.

in·tran·si·gent /ɪn`trænsɪdʒənt/ *ἐπ.* (*λόγ.*) ἀδιάλλακτος (*ἰδ.* στήν πολιτική): *an* ~ *attitude*, ἀδιάλλακτη στάση.

in·tran·si·tive /ɪn`trænsətɪv/ *ἐπ.* (*γραμμ.*) ἀμετάβατον (ῥῆμα).

in·tra·ven·ous /'ɪntrə`viːnəs/ *ἐπ.* ἐνδοφλέβιος: *an* ~ *injection*, ἐνδοφλέβιος ἔνεσις.

in·trench /ɪn`trentʃ/ *ρ.μ.* *βλ.* *entrench*.

in·trepid /ɪn`trepɪd/ *ἐπ.* ἀτρόμητος: *an* ~ *warrior*, ἄφοβος πολεμιστής. **in·trep·id·ity** /'ɪntrə`pɪdətɪ/ *οὐσ.* ‹C,U› ἀφοβία, παλληκαριά, τολμηρό ἐγχείρημα. ~**·ly** *ἐπίρ.* ἄφοβα.

in·tri·cacy /`ɪntrɪkəsɪ/ *οὐσ.* ‹C,U› περιπλοκή, μπλέξιμο, μπέρδεμα: *the intricacies of the law*, οἱ δαίδαλοι τοῦ νόμου.

in·tri·cate /`ɪntrɪkət/ *ἐπ.* περίπλοκος, μπερδεμένος, πολύπλοκος: *the* ~ *works of a clock*, ὁ περίπλοκος μηχανισμός ἑνός ρολογιοῦ. *a novel with an* ~ *plot*, μυθιστόρημα μέ περίπλοκο μῦθο. *an* ~ *argument*, ἕνα μπερδεμένο (δαιδαλῶδες) ἐπιχείρημα. ~**·ly** *ἐπίρ.* περίπλοκα, μπερδεμένα.

in·trigue /ɪn`triːg/ *ρ.μ/ἀ.* **1**. μηχανορραφῶ, ραδιουργῶ: ~ *with sb against a man*, ραδιουργῶ μέ κπ ἐναντίον ἑνός ἀνθρώπου. **2**. παραξενεύω, διεγείρω τήν περιέργεια: *The news* ~*d all of us*, τά νέα μᾶς παραξένεψαν ὅλους. __*οὐσ.* ‹C,U› /`ɪntriːg/ μηχανορραφία, ραδιουργία, κρυφή/παράνομη ἐρωτική σχέσις.

in·trin·sic /ɪn`trɪnsɪk/ *ἐπ.* ἐσωτερικός, οὐσιαστικός, ἐγγενής, πραγματικός: *the* ~ *value of a coin*, ἡ ἐσωτερική ἀξία ἑνός νομίσματος (*δηλ.* ἡ ἀξία του ὡς μετάλλου). *a man's* ~ *worth*, ἡ ἐσωτερική, ἡ πραγματική ἀξία ἑνός ἀνθρώπου (*δηλ.* ἡ ἀξία του σάν χαρακτήρας). ~**ally** /-klɪ/ *ἐπίρ.* ἐσωτερικά, οὐσιαστικά.

in·tro·duce /'ɪntrə`djuːs/ *ρ.μ.* **1**. ~ ***(to)***, συνιστῶ, παρουσιάζω: *She* ~*d me to her parents*, μέ σύστησε στούς γονεῖς της. *Have you been* ~*d?* συστηθήκατε; *He* ~*d the speaker to the audience*, παρουσίασε τόν ὁμιλητή στό ἀκροατήριο. **2**. ~ ***(into)***, εἰσάγω (φέρω, μυῶ, μπάζω): *Tobacco was* ~*d to Europe from America*, ὁ καπνός εἰσήχθη στήν Εὐρώπη ἀπό τήν Ἀμερική. ~ *a Bill before Parliament*, φέρω ἕνα νομοσχέδιο στή Βουλή. ~ *new ideas/methods in a school*, εἰσάγω νέες ἰδέες/μεθόδους σ' ἕνα σχολεῖο. ~ *a key into a lock*, βάζω ἕνα κλειδί σέ μιά κλειδαριά. *He* ~*d me to the delights of music*, μέ μύησε στίς χαρές τῆς μουσικῆς.

in·tro·duc·tion /'ɪntrə`dʌkʃn/ *οὐσ.* ‹C,U› **1**. σύστασις: *a letter of* ~, συστατική ἐπιστολή. *I had to make* ~*s all round*, χρειάστηκε νά κάνω τίς συστάσεις ὅλων τῶν παρόντων. **2**. εἰσαγωγή, πρόλογος: *'An I*~ *to English Grammar'*, "Εἰσαγωγή στήν Ἀγγλική Γραμματική". *An essay should begin with a short* ~, μιά ἔκθεσις πρέπει ν' ἀρχίζη μέ σύντομη εἰσαγωγή. *foreign words of recent* ~, ξέναι λέξεις προσφάτως εἰσαχθεῖσαι (στή γλῶσσα). *Who's going to write the* ~*?* ποιός θά γράψη

τόν πρόλογο;
in·tro·duc·tory /ˌɪntrəˈdʌktəri/ *ἐπ.* εἰσαγωγικός: *some ~ remarks*, μερικές εἰσαγωγικές παρατηρήσεις.
in·tro·spect /ˌɪntrəˈspekt/ *ρ.ἀ.* (*λόγ.*) ἐξετάζω τόν ἑαυτό μου (τίς σκέψεις, τά αἰσθήματά μου). **in·tro·spec·tion** /-ˈspekʃn/ *οὐσ.* ‹U› ἐνδοσκόπησις, αὐτοεξέτασις, αὐτοέλεγχος. **in·tro·spec·tive** /-tɪv/ *ἐπ.* ἐνδοσκοπικός.
in·tro·vert /ˈɪntrəvɜt/ *οὐσ.* ‹C› ἐσωστρεφής.
in·trude /ɪnˈtrud/ *ρ.μ/ἀ.* ~ ***(oneself) (on/into)***, μπαίνω ἀπρόσκλητος, κολλῶ, ἐνοχλῶ μέ τήν παρουσία μου: *He ~d himself into the meeting*, μπῆκε ἀπρόσκλητος (παρεισέφρησε) στή συγκέντρωση. *When this thought/suspicion ~d itself into my mind...*, ὅταν μοῦ κόλλησε στό μυαλό αὐτή ἡ σκέψη/αὐτή ἡ ὑποψία... *You should not ~ yourself on other people*, δέν πρέπει νά ἐπιβάλλης τήν παρουσία σου στούς ἄλλους. *He ~d himself on us*, μᾶς κόλλησε στήν παρέα. *~ on sb's time/privacy*, ἀπασχολῶ κπ μέ τό ζόρι/ταράσσω τή μοναξιά κάποιου. *I hope I'm not intruding*, ἐλπίζω νά μή σᾶς ἐνοχλῶ μέ τήν παρουσία μου. **in·truder** *οὐσ.* ‹C› παρείσακτος, τῆς προσκολλήσεως.
in·tru·sion /ɪnˈtruʒn/ *οὐσ.* ‹C,U› αὐθαίρετος εἴσοδος, ἀπρόσκλητος ἐπίσκεψις, παρείσφρησις. *You are guilty of unpardonable ~*, διέπραξες ἀσυγχώρητη ἀδιακρισία μέ τήν παρουσία σου. *an ~ on sb's time/privacy*, παραβίασις τῆς ἡσυχίας/διατάραξις τῆς μοναξιᾶς κάποιου. **in·tru·sive** /-ˈtruzɪv/ *ἐπ.* παρείσακτος, ὀχληρός, ἀδιάκριτος.
in·trust /ɪnˈtrʌst/ *ρ.μ.* *βλ.* *entrust*.
in·tu·ition /ˌɪntjʊˈɪʃn/ *οὐσ.* ‹C,U› διαίσθησις: *Women have more ~ than men*, οἱ γυναῖκες ἔχουν περισσότερη διαίσθηση ἀπό τούς ἄνδρες. *I know sth by ~*, ξέρω κτ ἀπό διαίσθηση. *trust one's ~*, πιστεύω στή διαίσθησή μου.
in·tu·itive /ɪnˈtjuɪtɪv/ *ἐπ.* διαισθητικός, ἐνστικτώδης: *~ knowledge*, ἐνστικτώδης γνῶσις/ἀπό διαίσθηση. *Women are more ~ than men*, οἱ γυναῖκες ἔχουν περισσότερη διαίσθηση ἀπό τούς ἄνδρες. **~·ly** *ἐπίρ.* ἐνστικτωδῶς, ἀπό διαίσθηση.
in·un·date /ˈɪnʌndeɪt/ *ρ.μ.* ~ ***with***, πλημμυρίζω, κατακλύζω: *The rivers ~d the fields*, τά ποτάμια πλημμύρισαν τά χωράφια. *We were ~d with requests for help*, κατακλυστήκαμε ἀπό αἰτήσεις γιά βοήθεια. **in·un·da·tion** /ˈɪnənˈdeɪʃn/ *οὐσ.* ‹C,U› πλημμύρα, κατακλυσμός.
in·ure /ɪˈnjʊə(r)/ *ρ.μ.* ~ ***oneself/sb to***, (*συνήθ. εἰς παθ. φων.*) συνηθίζω (κτ δυσάρεστο): *be ~d to cold/hunger/hardships*, εἶμαι συνηθισμένος στό κρύο/στήν πεῖνα/στίς ταλαιπωρίες. *become ~d to ridicule*, συνηθίζω στήν κοροϊδία.
in·vade /ɪnˈveɪd/ *ρ.μ.* (*χωρίς πρόθεση*) **1**. εἰσβάλλω, κάνω εἰσβολή: *~ a country*, εἰσβάλλω σέ μιά χώρα. *a city ~d by tourists*, πόλη ὅπου ἔχουν εἰσβάλει οἱ τουρίστες. **2**. παραβιάζω, προσβάλλω: *~ sb's rights*, παραβιάζω τά δικαιώματα κάποιου. **in·vader** *οὐσ.* ‹C› εἰσβολεύς.
[1]**in·valid** /ɪnˈvælɪd/ *ἐπ.* **1**. ἄκυρος: *an ~ cheque/will*, ἄκυρη ἐπιταγή/διαθήκη. **2**. ἀβάσιμος: *~ claims/excuses/arguments*, ἀβάσιμες ἀξιώσεις/δικαιολογίες/-α ἐπιχειρήματα. **in·vali·date** /-deɪt/ *ρ.μ.* καθιστῶ ἄκυρον: *invalidate an agreement*, καθιστῶ ἄκυρη μιά συμφωνία. **in·vali·da·tion** /ɪnˈvælɪˈdeɪʃn/ *οὐσ.* ‹C,U› ἀκύρωσις: *the invalidation of a passport*, ἡ ἀκύρωσις ἑνός διαβατηρίου. **in·va·lid·ity** /ˈɪnvəˈlɪdətɪ/ *οὐσ.* ‹U› ἀκυρότης.
[2]**in·va·lid** /ˈɪnvəlɪd/ *ἐπ.* & *οὐσ.* ‹C› **1**. ἀνάπηρος. **2**. ἀσθενικός, φιλάσθενος. **3**. ἀσθενής, ἄρρωστος: *an ~ chair*, ἀναπηρική καρέκλα. *an ~ diet*, δίαιτα ἀρρώστου. *war ~s*, ἀνάπηροι πολέμου. —*ρ.μ.* στέλνω ἤ ἀπολύω κπ λόγῳ ἀναπηρίας: *He was ~ed home/out of the army*, ἐστάλη πίσω/ἀπελύθη ἀπό τό στρατό λόγῳ ἀναπηρίας.
in·valu·able /ɪnˈvæljʊbl/ *ἐπ.* ἀνεκτίμητος: *offer ~ services to sb*, προσφέρω ἀνεκτίμητες ὑπηρεσίες σέ κπ.
in·vari·able /ɪnˈveərɪəbl/ *ἐπ.* ἀμετάβλητος, σταθερός: *an ~ temperature*, σταθερή θερμοκρασία. **in·vari·ably** /-əblɪ/ *ἐπίρ.* σταθερά, συνεχῶς, μονίμως: *I was invariably wrong*, μονίνως ἐγώ εἶχα ἄδικο.
in·va·sion /ɪnˈveɪʒn/ *οὐσ.* ‹C,U› εἰσβολή.
in·va·sive /ɪnˈveɪsɪv/ *ἐπ.* εἰσβολῆς: *~ forces*, δυνάμεις εἰσβολῆς.
in·vec·tive /ɪnˈvektɪv/ *οὐσ.* ‹U› ὑβρεολόγιον: *a speech filled with ~*, λόγος γεμᾶτος ὕβρεις. (*πληθ.*) βρισιές, ὕβρεις: *a stream of coarse ~s*, χείμαρρος χυδαίων ὕβρεων.
in·veigh /ɪnˈveɪ/ *ρ.ἀ.* ~ ***against sb/sth***, καταφέρομαι βιαίως.
in·veigle /ɪnˈvigl/ *ρ.μ.* ~ ***sb into doing sth***, ξεγελῶ, παρασύρω, καταφέρνω κπ (δολίως) νά κάμη κτ.
in·vent /ɪnˈvent/ *ρ.μ.* ἐφευρίσκω, ἐπινοῶ: *When was the steam engine ~ed?* πότε ἐφευρέθη ἡ ἀτμομηχανή; *~ a story/an excuse*, ἐπινοῶ μιά ἱστορία/μιά δικαιολογία. **in·ven·tive** /-tɪv/ *ἐπ.* ἐφευρετικός: *an ~ive mind*, ἐφευρετικό μυαλό. **in·ven·tor** /-tə(r)/ *οὐσ.* ‹C› ἐφευρέτης.
in·ven·tion /ɪnˈvenʃn/ *οὐσ.* ‹C,U› **1**. ἐφεύρεσις: *Necessity is the mother of ~*, ἡ ἀνάγκη εἶναι ἡ μήτηρ τῆς ἐφευρέσεως. *the ~ of the telephone*, ἡ ἐφεύρεσις τοῦ τηλεφώνου. *Edison's numerous ~s*, οἱ πολυάριθμες ἐφευρέσεις τοῦ Ἔδισον. **2**. πλαστή ἱστορία, ἐπινόησις, μύθευμα, ψέμα: *This is pure ~*, αὐτό εἶναι καθαρή ἐπινόησις. *Some newspapers are full of ~s*, μερικές ἐφημερίδες εἶναι γεμᾶτες μυθεύματα.
in·ven·tory /ˈɪnvəntrɪ/ *οὐσ.* ‹C› κατάλογος, ἀπογραφή (ἐμπορευμάτων, κλπ).
in·verse /ɪnˈvɜs/ *ἐπ.* ἀντίστροφος: *~ ratio/proportion*, ἀντίστροφος ἀναλογία. **~·ly** *ἐπίρ.* ἀντιστρόφως.
in·ver·sion /ɪnˈvɜʃn/ *οὐσ.* ‹C,U› ἀντιστροφή.
in·vert /ɪnˈvɜt/ *ρ.μ.* ἀντιστρέφω, ἀναποδογυρίζω: *~ a glass*. **~ed commas**, τά εἰσαγωγικά.
in·vert·ebrate /ɪnˈvɜtəbreɪt/ *ἐπ.* ἀσπόνδυλος. —*οὐσ.* ‹C› ἀσπόνδυλον ζῶον.
in·vest /ɪnˈvest/ *ρ.μ/ἀ.* **1**. ~ ***(in)***, ἐπενδύω: *~ one's savings in government stock*, ἐπενδύω τίς ἀποταμιεύσεις μου σέ κρατικές ὁμολογίες.

2. (*καθομ.*) ~ ***in***, ἀγοράζω (κτ χρήσιμο): ~ *in a new hat*, ἀγοράζω καινούργιο καπέλλο. 3. ~ ***sb with***, δίδω, περιβάλλω (μέ ἐξουσίαν, κῦρος, κλπ): *The government ~ed him with special powers*, ἡ κυβέρνησις τοῦ ἔδωσε εἰδικές ἐξουσίες. *He was ~ed with full authority*, ἦταν περιβεβλημένος μέ ὅλες τίς ἐξουσίες. *The old ruins were ~ed with romance*, τά ἀρχαῖα ἐρείπια εἶχαν ἕναν ἀέρα μυστηριώδους γοητείας πάνω τους. 4. (*στρατ.*) πολιορκῶ: ~ *a fort/town*, πολιορκῶ ἕνα φρούριο/μιά πόλη. **~·ment** *οὐσ.* ‹C,U›) ἐπένδυσις, πολιορκία, τελετή ἀναρρήσεως σέ ἀξίωμα. **in·ves·tor** /-tə(r)/ *οὐσ.* ‹C› ἐπενδυτής, κεφαλαιοῦχος.

in·ves·ti·gate /ɪn`vestɪgeɪt/ *ρ.μ.* ἐρευνῶ, ἐξετάζω, κάνω ἀνακρίσεις: ~ *the market*, ἐξετάζω/διερευνῶ τήν ἀγορά. ~ *a crime/the causes of an air crash*, κάνω ἀνακρίσεις γιά ἕνα ἔγκλημα/γιά τά αἴτια ἀεροπορικοῦ δυστυχήματος. **in·ves·ti·ga·tion** /ɪn'vestɪ`geɪʃn/ *οὐσ.* ‹C,U› ἔρευνα, διερεύνησις, ἀνάκρισις: *The matter is under investigation*, τό θέμα ἐρευνᾶται. **in·ves·ti·ga·tor** /-tə(r)/ *οὐσ.* ‹C› ὁ διεξάγων ἔρευναν.

in·ves·ti·ture /ɪn`vestɪtʃə(r)/ *οὐσ.* ‹C› τελετή ἀπονομῆς (παρασήμων, κλπ) ἤ ἐγκαταστάσεως ἑνός σέ ἀξίωμα.

in·vet·er·ate /ɪn`vetərət/ *ἐπ.* (*γιά συνήθειες, κλπ*) ριζωμένος, (*γιά ἄνθρ.*) μανιώδης, ἀθεράπευτος: ~ *prejudices*, βαθιά ριζωμένες προλήψεις. *an* ~ *smoker*, μανιώδης καπνιστής.

in·vidi·ous /ɪn`vɪdɪəs/ *ἐπ.* ἀντιπαθής, φθονερός. **~·ly** *ἐπίρ.*

in·vigi·late /ɪn`vɪdʒɪleɪt/ *ρ.ἀ.* ἐπιτηρῶ (σέ ἐξετάσεις). **in·vigi·la·tion** /ɪn'vɪdʒɪ`leɪʃn/ *οὐσ.* ‹U› ἐπιτήρησις. **in·vigi·la·tor** /-tə(r)/ *οὐσ.* ‹C› ἐπιτηρητής.

in·vig·or·ate /ɪn`vɪgəreɪt/ *ρ.μ.* ἀναζωογονῶ, τονώνω, δυναμώνω: *The walk in the forest ~d us*, ὁ περίπατος στό δάσος μᾶς ἀναζωογόνησε. *an invigorating climate*, τονωτικό κλῖμα.

in·vin·cible /ɪn`vɪnsəbl/ *ἐπ.* ἀήττητος, ἀκατανίκητος. **in·vin·cibly** /-əblɪ/ *ἐπίρ.*

in·viol·able /ɪn`vaɪələbl/ *ἐπ.* ἀπαράβατος, πού δέν μπορεῖ νά παραβιασθῆ: *an* ~ *oath*, ἀπαράβατος ὅρκος.

in·viol·ate /'ɪn`vaɪələt/ *ἐπ.* ἀπαραβίαστος, ἄθικτος, ἀβεβήλωτος: *keep a rule* ~, διατηρῶ ἀπαραβίαστον ἕναν κανόνα. *an* ~ *tomb*, ἄθικτος τάφος.

in·vis·ible /ɪn`vɪzəbl/ *ἐπ.* ἀόρατος: ~ *to the naked eye*, ἀόρατος διά γυμνοῦ ὀφθαλμοῦ. ~ *ink*, συμπαθητική μελάνη. **in·vis·ibly** /-əblɪ/ *ἐπίρ.* ἀοράτως. **in·visi·bil·ity** /ɪn'vɪzə`bɪlətɪ/ *οὐσ.* ‹U› ἀφάνεια, τό ἀόρατον.

in·vi·ta·tion /'ɪnvɪ`teɪʃn/ *οὐσ.* ‹C,U› πρόσκλησις: *send out ~s to a wedding*, στέλνω προσκλήσεις σέ γάμο. *Admission by* ~ *only*, εἴσοδος μόνον κατόπιν προσκλήσεως.

in·vite /ɪn`vaɪt/ *ρ.μ.* 1. προσκαλῶ: ~ *friends to dinner/to one's house*, προσκαλῶ φίλους σέ γεῦμα/στό σπίτι μου. 2. ἐνθαρρύνω, ζητῶ νά ὑποβληθοῦν: ~ *questions/offers*, ζητῶ νά ὑποβληθοῦν ἐρωτήσεις/προσφορές. 3. (προ)καλῶ: *They ~d me to speak*, μέ κάλεσαν νά μιλήσω. *Open windows ~ thieves to enter*, τά ἀνοιχτά παράθυρα (προ)καλοῦν τούς κλέφτες νά μποῦνε μέσα. **in·vit·ing** *ἐπ.* δελεαστικός, ἑλκυστικός, ἐνθαρρυντικός: *The sea looks inviting today*, ἡ θάλασσα εἶναι πειρασμός σήμερα. **in·vit·ing·ly** *ἐπίρ.* ἑλκυστικά.

in·vo·ca·tion /'ɪnvə`keɪʃn/ *οὐσ.* ‹C,U› ἐπίκλησις.

in·voice /`ɪnvɔɪs/ *οὐσ.* ‹C› τιμολόγιον: *make out an* ~, κόβω τιμολόγιο. __*ρ.μ.* ἐκδίδω τιμολόγιον, χρεώνω διά τιμολογίου: ~ *sb for goods*, ἐκδίδω τιμολόγιο ἐπ' ὀνόματι κάποιου γιά ἐμπορεύματα.

in·voke /ɪn`vəʊk/ *ρ.μ.* 1. ἐπικαλοῦμαι: *When in danger we all* ~ *God*, ὅταν κινδυνεύομε ἐπικαλούμεθα ὅλοι τόν Θεόν. 2. ~ ***sth (up)on***, ζητῶ ἀπό τό Θεό: *He ~d vengeance upon his enemies*, ζήτησε ἀπό τό Θεό ἐκδίκηση ἐναντίον τῶν ἐχθρῶν του. 3. καλῶ (πνεύματα).

in·vol·un·tary /ɪn`vɒləntrɪ/ *ἐπ.* ἀκούσιος: *an* ~ *movement of fear*, μιά ἀκούσια κίνηση φόβου. **in·vol·un·tar·ily** /ɪn`vɒləntrəlɪ/ *ἐπίρ.* ἀκουσίως, ἀθέλητα.

in·volve /ɪn`vɒlv/ *ρ.μ.* 1. μπλέκω, ἀνακατεύω: *They always* ~ *me in their quarrels*, διαρκῶς μέ ἀνακατεύουν στούς καυγάδες τους. *get ~d in a crime*, μπλέκω σ' ἕνα ἔγκλημα. *Don't get yourself ~d with them*, μή μπλέκης (μήν ἀνακατεύεσαι) μαζί τους! *He's deeply ~d in debt*, εἶναι πολύ μπλεγμένος σέ χρέη, εἶναι καταχρεωμένος. 2. συνεπάγομαι, ἔχω σά συνέπεια: *Your project ~s much expense*, τό σχέδιό σου συνεπάγεται μεγάλα ἔξοδα. *This post will* ~ *my living in London*, αὐτή ἡ θέση θά ἔχη σά συνέπεια νά μένω στό Λονδῖνο. **~d** *ἐπ.* περίπλοκος: *Proust's ~d style*, τό περίπλοκο στύλ τοῦ Προύστ. *He told me an ~d story*, μοῦ εἶπε μιά μπλεγμένη ἱστορία. **~·ment** *οὐσ.* ‹C,U› μπλέξιμο.

in·vul·ner·able /ɪn`vʌlnrəbl/ *ἐπ.* ἄτρωτος, ἀπρόσβλητος: *He's* ~, εἶναι ἄτρωτος. *His position is* ~, ἡ θέση του εἶναι ἀπρόσβλητη.

in·ward /`ɪnwəd/ *ἐπ.* 1. ἐσωτερικός, ἐνδόμυχος, ψυχικός: ~ *happiness*, ψυχική ἀγαλλίασις. *one's* ~ *nature*, ὁ ψυχικός κόσμος. 2. πρός τά μέσα: *an* ~ *curve*, καμπή πρός τά μέσα. **~·ly** *ἐπίρ.* μέσα, ἐνδομύχως, κρυφά, ἐσωτερικά: *I was ~ly pleased*, μέσα μου ἤμουν εὐχαριστημένος. **~·ness** *οὐσ.* ‹U› ἐσωτερική φύσις, πνευματική οὐσία, βαθύτερη ἔννοια: *the true ~ness of Christ's teaching*, ἡ ἀληθινή οὐσία τῆς διδασκαλίας τοῦ Χριστοῦ. **~(s)** *ἐπίρ.* πρός τά μέσα.

in·wrought /'ɪn`rɔt/ *ἐπ.* κεντημένος, δουλεμένος (μέ κτ ἄλλο), συνυφασμένος.

iod·ine /`aɪədin/ *οὐσ.* ‹U› ἰώδιον.

ion /`aɪən/ *οὐσ.* ‹C› (*φυσ.*) ἰόν.

Ionic /aɪ`ɒnɪk/ *ἐπ.* ἰωνικός.

ion·ize /`aɪənaɪz/ *ρ.μ.* ἰον(τ)ίζω. **ion·iz·ation** /'aɪənaɪ`zeɪʃn/ *οὐσ.* ‹U› ἰον(τ)ισμός.

iono·sphere /aɪ`ɒnəsfɪə(r)/ *οὐσ.* ***the*** ~, ἰονόσφαιρα.

iota /aɪ`əʊtə/ *οὐσ.* ‹C› ἰῶτα, (*μεταφ.*) κεραία, μόριον, κόκκος: *not an* ~ *of truth*, οὔτε κόκκος ἀλήθειας.

I O U /'aɪ əʊ `ju/ *οὐσ.* ‹C› (τά ἀρχικά τῆς φράσεως: *I owe you*, σοῦ ὀφείλω) γραμμάτιον, ἀπόδειξις ὀφειλῆς.

ipso facto /'ɪpsəʊ `fæktəʊ/ (*Λατ.*) αὐτομάτως, αὐτοδικαίως.

iras·cible /ɪ`ræsəbl/ ἐπ. (λόγ.) ὀξύθυμος, ἀράθυμος. **iras·ci·bil·ity** /ɪ'ræsə`bɪlətɪ/ οὐσ. ‹U› ὀξυθυμία.

irate /aɪ`reɪt/ ἐπ. (λόγ.) ὠργισμένος. **~·ly** ἐπίρ.

ire /`aɪə(r)/ οὐσ. ‹U› (λόγ.) ὀργή.

iri·descent /'ɪrɪ`desnt/ ἐπ. (λόγ.) ἰριδίζων. **iri·descence** /-`desns/ οὐσ. ‹U› ἰριδισμός.

iris /`aɪərɪs/ οὐσ. ‹C› ἶρις (ματιοῦ), ἀγριόκρινο.

Irish /`aɪərɪʃ/ ἐπ. 'Ιρλανδικός. **`~·man/·woman** οὐσ. ‹C› 'Ιρλανδός/-ή. **the I~**, οἱ 'Ιρλανδοί.

irk /ɜk/ ρ.μ. (κυρίως εἰς) *It ~s me to...*, μέ πειράζει, μέ ἐνοχλεῖ νά... **~·some** /-səm/ ἐπ. δυσάρεστος, ἐνοχλητικός, ἀνιαρός.

¹**iron** /`aɪən/ οὐσ. **1**. ‹U› σίδηρος, σίδερο: *as hard as ~*, σκληρός σά σίδερο. **the `I~ Age**, ἡ 'Εποχή τοῦ σιδήρου. **the ~ curtain**, (μεταφ.) τό σιδηροῦν παραπέτασμα. **an ~ fist in a velvet glove**, σιδερένια γροθιά σέ βελούδινο γάντι (φαινομενικά μαλακός, στήν οὐσία σκληρός). **a man of ~**, σκληρός, ἄκαμπτος ἄνθρωπος. **~ rations**, ἀπόθεμα τροφίμων ἐκτάκτου ἀνάγκης. **an ~ will**, σιδερένια θέληση. **rule with a rod of ~/with an ~ hand**, κυβερνῶ μέ σιδηρᾶ πυγμή. **strike while the ~ is hot**, στή βράση κολλάει τό σίδερο. **2**. ‹C› σίδερο (πού σιδερώνομε). **3**. (πληθ.) σιδερικά, σίδερα, δεσμά: *be in ~s*, εἶμαι σιδεροδέσμιος. *put sb in ~s*, βάζω κπ στά σίδερα. **have too many ~s in the fire**, ἀσχολοῦμαι μέ πολλά πράγματα ταυτοχρόνως, κυνηγῶ πολλούς λαγούς. **4**. (σέ σύνθ. λέξεις): **`~·clad**, (παλαιότ. ὄνομα γιά) θωρηκτό. **`~-foundry**, χυτήριον σιδήρου. **'~-`grey** ἐπ. & οὐσ. ‹U› ψαρός. **`~·monger**, σιδηροπώλης, **`~-mongery**, σιδηροπωλεῖον. **`~·mould**, λεκές ἀπό σκουριά. **'~ `ore**, σιδηρομετάλλευμα. **`~·side** ἐπ. (μεταφ.) σκληρός, πεισματάρης. —οὐσ. ‹C› ἄνδρας τοῦ ἱππικοῦ τοῦ Κρόμβελ. **`~-ware**, σιδηρᾶ εἴδη. **`~·work**, σιδεριά, σιδηρᾶ κατασκευή. **`~·works**, (μέ ρ. ἑν.) χυτήριον σιδήρου, σιδηρουργεῖον.

²**iron** /`aɪən/ ρ.μ/ἀ. **1**. σιδερώνω: *~ a shirt*, σιδερώνω ἕνα πουκάμισο. **2**. **~ out**, ἐξαφανίζω, ἐξομαλύνω: *~ out wrinkles*, ἐξαφανίζω ζάρες (μέ τό σίδερο). *~ out difficulties/points of disagreement*, ἐξομαλύνω δυσκολίες/σημεῖα διαφωνίας. **`~ing-board**, σανίδα σιδερώματος.

ironic /aɪ`ronɪk/, **ironi·cal** /aɪ`ronɪkl/ ἐπ. εἰρωνικός: *an ~ smile/person*, εἰρωνικό χαμόγελο/εἴρων ἄνθρωπος. **ironi·cally** /-klɪ/ ἐπίρ. εἰρωνικά.

irony /`aɪərənɪ/ οὐσ. ‹C,U› εἰρωνία: *the ~ of fate*, ἡ εἰρωνία τῆς τύχης. *That's one of life's ironies*, εἶναι μιά ἀπό τίς εἰρωνίες τῆς ζωῆς. **dramatic ~**, τραγική εἰρωνία.

ir·ra·di·ate /ɪ`reɪdɪeɪt/ ρ.μ. (λόγ.) ἀκτινοβολῶ, φωτίζω: *faces ~d with joy*, πρόσωπα ἀκτινοβολοῦντα ἀπό χαρά.

ir·ra·tional /ɪ`ræʃnl/ ἐπ. ἄλογος, παράλογος: *~ fears/behaviour*, παράλογος φόβος/-η συμπεριφορά. **~·ly** ἐπίρ.

ir·rec·on·cil·able /ɪ'rekən`saɪləbl/ ἐπ. (λόγ.) ἀσυμβίβαστος, ἀσυμφιλίωτος, ἄσπονδος: *~ ideas/enemies*, ἀσυμβίβαστες ἰδέες/ἄσπονδοι ἐχθροί.

ir·re·cover·able /'ɪrɪ`kʌvərəbl/ ἐπ. (λόγ.) ἀνεπανόρθωτος: *an ~ loss*, ἀνεπανόρθωτη ἀπώλεια.

ir·re·deem·able /'ɪrɪ`diməbl/ ἐπ. ἀνεπανόρθωτος, μή μετατρέψιμος: *an ~ loss*.

ir·re·fut·able /'ɪrɪ`fjutəbl/ ἐπ. ἀναντίρρητος, ἀκαταμάχητος: *an ~ argument*, ἀκαταμάχητο ἐπιχείρημα.

ir·regu·lar /ɪ`regjʊlə(r)/ ἐπ. **1**. ἀνώμαλος, ἄτακτος, ἀντικανονικός: *~ verbs*, ἀνώμαλα ρήματα. *be ~ in class attendance*, εἶμαι ἄτακτος στήν παρακολούθηση τῶν μαθημάτων. *~ troops*, ἄτακτα στρατεύματα. *an ~ marriage*, ἀντικανονικός γάμος. **2**. ἀκανόνιστος: *~ in shape*, μέ ἀκανόνιστο σχῆμα. *at ~ intervals*, σέ ἀκανόνιστα διαστήματα. —οὐσ. (συνήθ. πληθ.) ἄτακτοι (ἔνοπλοι). **~·ly** ἐπίρ. ἀνώμαλα, ἀντικανονικά, ἄτακτα. **~·ity** /ɪ'regjʊ`lærətɪ/ οὐσ. ‹C,U› ἀνωμαλία, ἀντικανονικότης, ἀταξία.

ir·rel·evancy /ɪ`reləvənsɪ/ οὐσ. ‹C,U› τό ἄσχετον: *speech full of irrelevancies*, λόγοι γεμᾶτοι παρεκβάσεις ἄσχετες πρός τό θέμα.

ir·rel·evant /ɪ`reləvənt/ ἐπ. **~ (to)**, ἄσχετος: *~ questions/remarks*, ἄσχετες ἐρωτήσεις/παρατηρήσεις. *What you say is ~ to the subject*, ὅ,τι λές εἶναι ἄσχετο πρός τό θέμα.

ir·re·li·gious /'ɪrɪ`lɪdʒəs/ ἐπ. ἄθρησκος.

ir·re·medi·able /'ɪrɪ`midɪəbl/ ἐπ. ἀθεράπευτος.

ir·re·mov·able /'ɪrɪ`muvəbl/ ἐπ. ἀμετακίνητος (ἰδ. ἀπό ἀξίωμα).

ir·rep·ar·able /ɪ`reprəbl/ ἐπ. ἀνεπανόρθωτος: *do ~ harm*, κάνω ἀνεπανόρθωτο κακό.

ir·re·place·able /'ɪrɪ`pleɪsəbl/ ἐπ. ἀναντικατάστατος.

ir·re·press·ible /'ɪrɪ`presəbl/ ἐπ. ἀκατάσχετος: *~ laughter*, ἀκατάσχετα γέλια.

ir·re·proach·able /'ɪrɪ`prəʊtʃəbl/ ἐπ. ἄμεμπτος: *~ conduct*, ἄμεμπτος συμπεριφορά.

ir·re·sist·ible /'ɪrɪ`zɪstəbl/ ἐπ. ἀκατανίκητος, ἀκαταμάχητος: *~ desires/temptations*, ἀκατανίκητες ἐπιθυμίες/ἀκαταμάχητοι πειρασμοί.

ir·res·ol·ute /ɪ`rezəlut/ ἐπ. (λόγ.) ἀναποφάσιστος, διστακτικός. **ir·res·ol·ution** /ɪ'rezə`luʃn/ οὐσ. ‹U› ἀναποφασιστικότης.

ir·re·spec·tive /'ɪrɪ`spektɪv/ ἐπ. **~ of**, ἄσχετος, ἀσχέτως πρός, ἀνεξαρτήτως: *He rushed forward, ~ of the danger*, ὥρμησε μπροστά ἀσχέτως πρός τόν κίνδυνο (χωρίς νά τόν νοιάζῃ ὁ κίνδυνος). *~ of ability/age*, ἀνεξαρτήτως ἱκανότητος/ἡλικίας.

ir·re·spon·sible /'ɪrɪ`sponsəbl/ ἐπ. ἀνεύθυνος: *Children are ~*, τά παιδιά εἶναι ἀνεύθυνα. *~ behaviour*, ἀνεύθυνη συμπεριφορά. *She's quite ~*, εἶναι ἐντελῶς ἀνεύθυνη, δέν ἔχει αἴσθημα εὐθύνης. **ir·re·spon·sibly** /-əblɪ/ ἐπίρ. ἀνευθύνως. **ir·re·spon·si·bil·ity** /'ɪrɪ'sponsə`bɪlətɪ/ οὐσ. ‹U› ἀνευθυνότης.

ir·re·triev·able /'ɪrɪ`trivəbl/ ἐπ. ἀνεπανόρθωτος: *an ~ loss*, ἀνεπανόρθωτη ἀπώλεια.

ir·rev·er·ence /ɪ`revərəns/ οὐσ. ‹U› ἀσέβεια.

ir·rev·er·ent /ɪ`revərənt/ ἐπ. ἀσεβής. **~·ly** ἐπίρ.

ir·re·vers·ible /'ɪrɪ`vɜsəbl/ ἐπ. ἀμετάτρεπτος, ἀμετάκλητος: *an ~ decision*, ἀμετάκλητη ἀπόφασις.

ir·re·vo·cable /ɪˋrevəkəbl/ *ἐπ.* ἀνέκκλητος: *an ~ judgement/letter of credit*, ἀνέκκλητος δικαστική ἀπόφασις/πιστωτική ἐπιστολή.

ir·ri·gate /ˋɪrɪgeɪt/ *ρ.μ.* ἀρδεύω, κάνω ἀρδευτικά ἔργα: *~ desert areas*, ἀρδεύω ἔρημες ἐκτάσεις. **ir·ri·ga·tion** /ˈɪrɪˋgeɪʃn/ *οὐσ.* ‹U› ἄρδευσις.

ir·ri·table /ˋɪrɪtəbl/ *ἐπ.* εὐερέθιστος, εὐέξαπτος, ὀργίλος. **ir·ri·tably** /-əblɪ/ *ἐπίρ.* ὠργισμένα, νευρικά. **ir·ri·ta·bil·ity** /ˈɪrɪtəˋbɪlətɪ/ *οὐσ.* ‹U› τό εὐέξαπτον, ἐρεθιστικότης, ἀψάδα.

ir·ri·tant /ˋɪrɪtənt/ *ἐπ.* ἐρεθιστικός. __*οὐσ.* ‹C› ἐρεθιστικόν: *Smoke is an eye ~*, ὁ καπνός ἐρεθίζει τά μάτια.

ir·ri·tate /ˋɪrɪteɪt/ *ρ.μ.* ἐρεθίζω, ἐκνευρίζω: *The smoke ~d her eyes*, ὁ καπνός τῆς ἐρέθισε τά μάτια. *He was ~d at the delay*, ἐκνευρίστηκε ἀπό τήν καθυστέρηση.

ir·ri·ta·tion /ˈɪrɪˋteɪʃn/ *οὐσ.* ‹C,U› ἐρεθισμός, ἐκνευρισμός.

ir·rup·tion /ɪˋrʌpʃn/ *οὐσ.* ‹C› εἰσβολή, ἐπιδρομή, εἰσόρμησις: *an ~ of water/gnats*, εἰσβολή νεροῦ/ἐπιδρομή ἀπό σκνίπες.

is /ɪz/ *βλ. be.*

Is·lam /ɪzˋlam/ *οὐσ.* Ἰσλάμ. **~ic** /ɪzˋlæmɪk/ *ἐπ.* ἰσλαμικός.

is·land /ˋaɪlənd/ *οὐσ.* ‹C› νησί. **ˋtraffic ~**, νησίδα κυκλοφορίας. **~er** *οὐσ.* ‹C› νησιώτης.

isle /aɪl/ *οὐσ.* ‹C› νῆσος (*ἰδ.* σέ κύρια ὀνόματα).

is·let /ˋaɪlət/ *οὐσ.* ‹C› νησάκι.

ism, izm /ˋɪzm/ *οὐσ.* ‹C› θεωρία: *surrealism, fascism and all the other ~s...*, ὁ σουρρεαλισμός, ὁ φασισμός κι'ὅλες οἱ ἄλλες θεωρίες...

iso·bar /ˋaɪsəba(r)/ *οὐσ.* ‹C› ἰσοβαρής (καμπύλη).

iso·late /ˋaɪsəleɪt/ *ρ.μ.* ἀπομονώνω: *A person who has an infectious disease is usually ~d*, ἕνας ἄνθρωπος μέ μολυσματική νόσο συνήθως ἀπομονώνεται. *a village ~d by floods*, χωριό ἀπομονωμένο ἀπό πλημμύρες.

iso·la·tion /ˈaɪsəˋleɪʃn/ *οὐσ.* ‹U› ἀπομόνωσις: *live in ~*, ζῶ σέ ἀπομόνωση. *an ~ ward*, ἀπομονωτήριον (νοσοκομείου). **~ism** /-ɪzm/ *οὐσ.* ‹U› ἀπομονωτισμός. **~ist** /-ɪst/ *ἐπ.* & *οὐσ.* ‹C› ἀπομονωτικός.

isos·celes /aɪˋsosəliz/ *ἐπ.* (*γεωμ.*) ἰσοσκελής.

iso·tope /ˋaɪsətəʊp/ *οὐσ.* ‹C› ἰσότοπον.

[1]**issue** /ˋɪʃu/ *ρ.μ/ὰ.* **1.** *~* ***from***, ἐξέρχομαι, προέρχομαι, βγαίνω: *Smoke and flames ~d from the burning house*, καπνοί καί φλόγες ἔβγαιναν ἀπό τό καιόμενο σπίτι. **2.** *~* ***sth to sb; ~ sb with sth***, διανέμω (τρόφιμα, ροῦχα, κλπ), μοιράζω: *They ~d warm clothing to the troops/~d the troops with warm clothing*, διένειμαν ζεστά ροῦχα στούς στρατιῶτες. **3.** ἐκδίδω, θέτω σέ κυκλοφορία (χαρτονόμισμα, μετοχές, γραμματόσημα, βιβλία).

[2]**issue** /ˋɪʃu/ *οὐσ.* ‹C,U› **1.** ἔξοδος, ἐκροή: *the point of ~*, τό σημεῖον ἐξόδου. *an ~ of blood from the nose*, τρέξιμο αἵματος ἀπό τή μύτη. **2.** ἔκδοσις, κυκλοφορία: *the ~ of a newspaper/banknotes*, ἡ ἔκδοσις ἐφημερίδος/χαρτονομίσματος. *buy new stamps on the day of ~*, ἀγοράζω νέα γραμματόσημα τήν πρώτη ἡμέρα τῆς κυκλοφορίας τους. **3.** διανομή, μερίδα, τεῦχος, φύλλον: *an ~ of boots to the troops*, διανομή ἀρβυλῶν στούς στρατιῶτες. *the latest ~ of a periodical/newspaper*, τό τελευταῖο τεῦχος ἑνός περιοδικοῦ/φύλλον ἐφημερίδος. **4.** ἔκβασις: *That battle decided the ~ of the war*, αὐτή ἡ μάχη ἔκρινε τήν ἔκβαση τοῦ πολέμου. **5.** ‹U› (*νομ.*) ἀπόγονοι, κατιόντες: *die without ~*, πεθαίνω χωρίς ἀπογόνους (ἄτεκνος). **6.** θέμα, ζήτημα, πρόβλημα (ἀντικείμενον συζητήσεως): *The great ~ today is whether there will be war or peace*, τό μέγα θέμα σήμερα εἶναι ἄν θά ἔχωμε πόλεμο ἤ εἰρήνη. *the Cyprus ~*, τό Κυπριακόν πρόβλημα. *raise a new ~*, δημιουργῶ νέον πρόβλημα. *argue political ~s*, συζητῶ πολιτικά θέματα. *We must face the ~*, πρέπει νά ἀντιμετωπίσωμε τό ζήτημα καθαρά. ***at ~***, ὑπό κρίσιν, ὑπό συζήτησιν, ὑπό ἐξέτασιν: *the point/matter/case at ~*, τό ὑπό συζήτησιν θέμα. ***join/take ~ with sb (on/about sth)***, διαφωνῶ μέ κπ γιά κτ καί τό συζητῶ, πιάνω συζήτηση: *I joined ~ with John about his ideas*, εἶχα συζήτηση μέ τό Γ. γιά τίς ἰδέες του.

isth·mus /ˋɪsməs/ *οὐσ.* ‹C› (*πληθ.* *~es* /-sɪz/) ἰσθμός.

it /ɪt/ **1.** *προσωπική ἀντων. οὐδετέρου γένους* (*ἤ καί γιά μωρά ὅταν τό γένος εἶναι ἄγνωστο ἤ δέν ἐνδιαφέρει*) αὐτό, τό: *Where's my book? I can't see ~*, Ποῦ εἶναι τό βιβλίο μου; Δέν μπορῶ νά τό δῶ. *It's on the desk*, εἶναι στό γραφεῖο. *Where's the cat? It's in the garden.* Ποῦ εἶναι ἡ γάτα; Εἶναι στόν κῆπο. *The baby is asleep now but ~ will wake up soon*, τό μωρό κοιμᾶται τώρα ἀλλά σύντομα θά ξυπνήση. **2.** *ὡς προεξαγγελτικόν ὑποκείμενον ἤ ἀντικείμενον: It is difficult to believe him*, εἶναι δύσκολο νά τόν πιστέψη κανείς. *I find ~ hard to believe him*, τό βρίσκω δύσκολο νά τόν πιστέψω. **3.** *ὡς ὑποκείμενον ἀπροσώπων ρημάτων ἤ ἐκφράσεων: It's raining/snowing*, βρέχει/χιονίζει. *It's five o'clock*, εἶναι πέντε ἡ ὥρα. *It's ten miles to the station*, εἶναι δέκα μίλια ὥς τό σταθμό. **4.** *γιά τόν προσδιορισμό τῆς ταυτότητος: It's Peter*, εἶναι ὁ Πέτρος. *It was Mary and Helen*, ἦταν ἡ Μαίρη καί ἡ Ἑλένη. **5.** *στίς περιπτώσεις ἐμφατικῆς συντάξεως: It was John who said ~*, ὁ Γ. τό εἶπε. *It was yesterday that we met him*, χθές ἦταν πού τόν συναντήσαμε. **its** /ɪts/ *κτητ. ἐπ. οὐδετ. γένους* του: *The book has lost ~s cover*, τό βιβλίο ἔχασε τό κάλυμμά του. **it·self** *βλ.* [1]*self*.

italic /ɪˋtælɪk/ *ἐπ.* & *οὐσ.* ‹C› πλάγιο τυπογραφικό στοιχεῖο.

itali·cize /ɪˋtælɪsaɪz/ *ρ.μ.* τυπώνω μέ πλάγια στοιχεῖα.

itch /ɪtʃ/ *οὐσ.* ‹C› **1.** (*μέ the ἤ a*) φαγούρα: *have/suffer from the ~/an ~*, ἔχω/ὑποφέρω ἀπό φαγούρα. **2.** (*συνηθ. μέ an ἤ κτητ. ἐπ.*) λαχτάρα: *He has an ~ for money/to go abroad*, ἔχει λαχτάρα γιά χρήματα/νά πάη στό ἐξωτερικό. *His ~ to travel...*, ἡ λαχτάρα του νά ταξιδέψη... __*ρ.ὰ.* **1.** ἔχω φαγούρα: *Where does it ~?* ποῦ ἔχεις φαγούρα; *My hand ~es*, τό χέρι μου μέ τρώει. *Are the mosquito bites still ~ing?* σέ τρῶνε ἀκόμα τά τσιμπήματα τῶν κουνουπιῶν; *Scratch where it ~es*, ξύσου ὅπου σέ τρώει. **2.** *~* ***(for)***, (*καθομ.*) λαχταρῶ: *The boys were ~ing for the lesson to end*, τά παιδιά δέν ἔβλεπαν τήν ὥρα νά τελειώση τό μάθημα. *I'm ~ing to tell you about it*, μέ τρώει νά σοῦ τό πῶ. ***have an ~ing palm***, μέ τρώει ἡ χούφτα μου (θέλω λεφτά). **~y** *ἐπ.* *(-ier, -iest)* μέ φαγούρα: *an ~y head*, φαγούρα στό κεφάλι.

item /ˋaɪtəm/ *οὐσ.* ‹C› εἶδος, ἰδιαίτερον πρᾶγμα ἤ σημεῖον (εἰς κατάλογον), τεμάχιον, (*λογιστ.*) κονδύλιον: *the last ~ on the programme*, τό τελευταῖο νούμερο στό πρόγραμμα. *Check all the ~s in the catalogue*, τσεκάρισε ὅλα τά πράγματα στόν κατάλογο. *I ~s on the agenda*, θέματα τῆς ἡμερησίας διατάξεως. *an ~ of news; a ˋnews ~*, μιά εἴδησις. *This ~ does not appear in our books*, αὐτό τό κονδύλι δέν ὑπάρχει στά βιβλία μας. __*ἐπίρ.* (*κατά τήν ἀπαρίθμησιν εἰδῶν εἰς κατάλογον*). ὁμοίως, ἐπί πλέον. **~·ize** /ˋaɪtəmaɪz/ *ρ.μ.* ἀναλύω (λογαριασμόν): *an ~ized account*, ἀναλυτικός λογαριασμός.

itin·er·ant /aɪˋtɪnərənt/ *ἐπ.* πλανόδιος: *~ musicians*, πλανόδιοι μουσικοί.

itin·er·ary /aɪˋtɪnərərɪ/ *οὐσ.* ‹C› δρομολόγιον, ὁδοιπορικόν: *map out an ~ for sb*, χαράσσω στό χάρτη τό δρομολόγιον κάποιου.

its /ɪts/ *κτητ. ἐπ. βλ. it.*

it's /ɪts/ = *it is, it has.*

it·self /ɪtˋself/ *βλ.* [1]*self.*

I've /aɪv/ = *I have.*

ivory /ˋaɪvərɪ/ *οὐσ.* ‹U› φίλντισι. __*ἐπ.* φιλντισένιος. ˈ**~ ˋtower**, (*μεταφ.*) ἐλεφάντινος πύργος.

ivy /ˋaɪvɪ/ *οὐσ.* ‹U› κισσός. **ivied** *ἐπ.* κισσοσκεπής: *ivied walls*, τοῖχοι σκεπασμένοι μέ κισσό.

izm /ˋɪzm/ *βλ. ism.*

J j

J, j /dʒeɪ/ τό δέκατο γράμμα τοῦ ἀλφάβητου.

jab /dʒæb/ *ρ.μ/ἀ.* *(-bb-)* **1**. **~ at**, χτυπῶ μπηχτά: *He ~bed at his opponent*, (*στήν πυγμαχία*) ἔδωσε ἕνα μπηχτό χτύπημα στόν ἀντίπαλό του. **2**. **~ into**, χώνω: *He ~bed his elbow into my side*, ἔχωσε τόν ἀγκῶνα του στό πλευρό μου. **3**. **~ out**, βγάζω (χώνοντας): *Be careful! Don't ~ my eye out with your umbrella!* πρόσεχε μή μοῦ βγάλης τό μάτι μέ τήν ὀμπρέλλα σου. __*οὐσ.* ‹C› **1**. ἀπότομο χτύπημα. **2**. (*καθομ.*) ἔνεσις, ἐμβόλιον.

jab·ber /ˋdʒæbə(r)/ *ρ.μ/ἀ.* (*καθομ.*) φλυαρῶ γρήγορα καί ἀκατάληπτα, λέω τροχάδην: *She's always ~ing*, ροδάνι πάει ἡ γλῶσσα της ὅλη τήν ὥρα, διαρκῶς τσαμπουνάει. *Listen to those children ~ing away!* ἄκου πῶς φλυαροῦν αὐτά τά παιδιά! __*οὐσ.* ‹U› φλυαρία, κουβεντολόϊ. **~er** *οὐσ.* ‹C› φλύαρος.

jabot /ˋʒæbəʊ/ *οὐσ.* ‹C› τραχηλιά, δαντέλλα στήθους.

jack /dʒæk/ *οὐσ.* ‹C› **1**. **J ~**, (*ὑποκοριστικό τοῦ John*) Γιαννάκης. ˈ***J ~ of ˋall trades***, πολυτεχνίτης. ***before you can say J ~ Robinson***, ὥσπου νά πῆς κύμινο. **2**. ἐργάτης, μεροκαματιάρης. ***J ~ is as good as his master***, κι' ὁ ἐργάτης ἔχει ψυχή σάν τ' ἀφεντικό του. ***every man ~***, (*καθομ.*) ὅλοι, ὅλος ὁ κόσμος. **3**. γρύλλος (αὐτοκινήτου). **4**. σημαία ἐθνικότητος πλοίου. ˈ**Union ˋJ ~**, ἡ σημαία τῆς Μεγ. Βρεττανίας. ˋ**~ staff**, κατάρτι γιά τή σημαία, στυλίδιον ἐπισήμου. **5**. (*καί: knave*) βαλές, φάντης (τῆς τράπουλας). **6**. ˋ**~-in-the-box**, (*παιχνίδι*) διαβολάκι μ' ἐλατήριο (πού ἀναπηδᾶ ὅταν ἀνοίξης τό κουτί), (*γιά ἄνθρ.*) νευρόσπαστο. ˋ**~ plane**, χοντρή μπλάνη. ˋ**~ rabbit**, λαγός. **~ tar**, ναύτης, ναυτικός: *an old ~ tar*, ἕνας γερο-θαλασσόλυκος. __*ρ.μ.* **~ up**, σηκώνω μέ γρύλλο: *~ up a car and change a wheel*, σηκώνω τό αὐτοκίνητο μέ γρύλλο καί ἀλλάζω τροχό.

jackal /ˋdʒækəl/ *οὐσ.* ‹C› τσακάλι.

jack·a·napes /ˋdʒækəneɪps/ *οὐσ.* ‹C› **1**. ψηλομύτης. **2**. (*γιά παιδί*) ζιζάνιο, πειραχτήρι.

jack·ass /ˋdʒækæs/ *οὐσ.* ‹C› **1**. γάϊδαρος. **2**. (*καθομ.*) βλάκας, ζῶον, χαϊβάνι.

jack-boot /ˋdʒæk but/ *οὐσ.* ‹C› ψηλή μπότα (μέχρι πάνω ἀπό τό γόνατο).

jack·daw /ˋdʒækdɔ/ *οὐσ.* ‹C› κάργια, καλιακούδα.

jacket /ˋdʒækɪt/ *οὐσ.* ‹C› **1**. σακκάκι, ζακέττα. ***dust sb's ~***, τινάζω τή γοῦνα κάποιου, τόν ξυλοφορτώνω. **2**. φλούδα (πατάτας): *potatoes baked in their ~s*, πατάτες ψημένες μέ τή φλούδα τους. **3**. (*καί* ˋ**dust ~**) κουβερτούρα (βιβλίου). **4**. (*μηχ.*) χιτώνιο, πουκάμισο.

jack-knife /ˋdʒæk naɪf/ *οὐσ.* ‹C› σουγιᾶς τῆς τσέπης, κολοκοτρώνης.

jack·pot /ˋdʒækpot/ *οὐσ.* ‹C› (*στό πόκερ*) πότ, κόλπο (σύνολο στοιχημάτων). ***hit the ~***, πιάνω τήν καλή, ἔχω μεγάλη τύχη.

Jaco·bean /ˈdʒækəˋbiən/ *ἐπ.* τῆς ἐποχῆς τοῦ Ἰακώβου τοῦ Α! (1603–25).

Jac·obin /ˋdʒækəbɪn/ *ἐπ.* Ἰακωβῖνος, ριζοσπαστικός, ἀδιάλλακτος.

Jac·obite /ˋdʒækəbaɪt/ *οὐσ.* ‹C› Ἰακωβίτης (ὀπαδός τοῦ Ἰακώβου τοῦ Β!, 1685–88).

[1]**jade** /dʒeɪd/ *οὐσ.* ‹U› νεφρίτης (λίθος).

[2]**jade** /dʒeɪd/ *οὐσ.* ‹C› **1**. παληάλογο, ψοφίμι. **2**. (*ὑποτιμ. ἤ ἀστειολ.*) γυναίκα: *She's a cunning little ~*, εἶναι μιά μουσίτσα.

jaded /ˋdʒeɪdɪd/ *ἐπ.* κατάκοπος, κομμένος: *He looks ~*, φαίνεται ξεθεωμένος. *He has a ~ appetite*, ἡ ὄρεξή του εἶναι κομμένη.

jag /dʒæg/ *οὐσ.* ‹C› προεξοχή, δόντι (πχ βράχου). __*ρ.μ.* *(-gg-)* κόβω ἤ σκίζω πριονωτά, δοντιάζω (μαχαίρι). **~·ged** *ἐπ.* ὀδοντωτός, πριονωτός: *~ged rocks*, μυτερά βράχια, γεμᾶτα προεξοχές.

jag·uar /ˋdʒægjʊə(r)/ *οὐσ.* ‹C› τζάγκουαρ, εἶδος τίγρεως τῆς Ν. Ἀμερικῆς.

jail /dʒeɪl/ *βλ.* *gaol.*

[1]**jam** /dʒæm/ *οὐσ.* ‹U› μαρμελάδα, γλυκό τοῦ κουταλιοῦ. ***money for*** **~**, (*λαϊκ.*) εὔκολο κέρδος, σίγουρα λεφτά, τζάμπα πρᾶμα. **ˋ~-jar/-pot**, βάζο τοῦ γλυκοῦ.

[2]**jam** /dʒæm/ *ρ.μ/ὰ.* *(-mm-)* **1**. συνθλίβω/-ομαι, σφηνώνω, πιάνομαι: *He got his hand ~med between the two boxes/in the hole,* τό χέρι του πιάστηκε (σφηνώθηκε) ἀνάμεσα στά δυό κιβώτια/μέσ' στήν τρύπα. **2**. στριμώχνω, χώνω, (συμ)πιέζω: *She ~med all her clothes into a small suitcase,* στρίμωξε (ἔχωσε) ὅλα τά ροῦχα της σέ μιά βαλιτσούλα. *We were ~med in the crowd,* εἴμαστε στριμωγμένοι μέσα στό πλῆθος. **~ *the brakes on*; ~ *on the brakes***, πατάω φρένο ἀπότομα. **3**. φρακάρω, παθαίνω ἐμπλοκή: *The brakes ~med and the car skidded badly,* τά φρένα φράκαραν (κόλλησαν) καί τό αὐτοκίνητο ντεραπάρισε ἄσχημα. *The door/drawer/window has ~med and won't open,* ἡ πόρτα/τό συρτάρι/τό παράθυρο φράκαρε καί δέν ἀνοίγει. *The streets were ~med with traffic,* οἱ δρόμοι ἦταν φρακαρισμένοι ἀπό τήν κυκλοφορία. *The corridors were ~med with schoolchildren,* οἱ διάδρομοι ἦταν ἀσφυκτικά γεμᾶτοι ἀπό μαθητούδια. **4**. (*ραδιοφ.*) παρεμβάλλω παράσιτα: *~ the enemy's stations during a war,* παρεμβάλλω παράσιτα στούς ἐχθρικούς σταθμούς σ' ἕναν πόλεμο. **~·ming** *οὐσ.* ‹C› παράσιτα. —*οὐσ.* **1**. συνωστισμός: *There was such a ~ (of people) that I couldn't get in,* ὑπῆρχε τέτοιος συνωστισμός πού δέν μπόρεσα νά μπῶ. **ˋtraffic-~**, κυκλοφοριακή συμφόρηση. **2**. ἐμπλοκή (μηχανῆς), φρακάρισμα. **3**. (*λαϊκ.*) δύσκολη θέσις. ***be in/get into a*** **~**, βρίσκομαι/μπαίνω σέ δύσκολη θέση: *As I had lost my wallet, I was in a ~,* καθώς εἶχα χάσει τό πορτοφόλι μου, βρέθηκα σέ δύσκολη θέση.

jamb /dʒæm/ *οὐσ.* ‹C› παραστάς, κολώνα (πόρτας, παραθυριοῦ, τζακιοῦ).

jam·boree /ˈdʒæmbəˈri/ *οὐσ.* ‹C› **1**. τζάμπορι (προσκόπων). **2**. θορυβῶδες γλέντι, ξεφάντωμα.

jam·pack /ˈdʒæmˋpæk/ *ρ.μ.* (*καθομ.*) γεμίζω ἀσφυκτικά: *a stadium ~ed with spectators,* στάδιο ἀσφυκτικά γεμᾶτο ἀπό θεατές.

jangle /ˋdʒæŋgl/ *ρ.μ/ὰ.* (*γιά κλειδιά ἤ σιδερικά*) κουδουνίζω, χτυπῶ: *Stop jangling your keys,* πᾶψε νά παίζης τά κλειδιά σου! *Pots and kettles ~d in the kitchen,* τά κατσαρολικά χτυποῦσαν στήν κουζίνα. —*οὐσ.* ‹U› χτύπος, κουδούνισμα.

jan·is·sary /ˋdʒænɪsərɪ/, **jan·iz·ary** /-nɪzərɪ/ *οὐσ.* ‹C› γενίτσαρος.

jani·tor /ˋdʒænɪtə(r)/ *οὐσ.* ‹C› **1**. θυρωρός. **2**. (*ΗΠΑ*) ἐπιστάτης (κτιρίου).

Jan·uary /ˋdʒænjʊərɪ/ *οὐσ.* Ἰανουάριος.

Ja·nus /ˋdʒeɪnəs/ *οὐσ.* Ἰανός.

japan /dʒəˋpæn/ *οὐσ.* ‹U› μαύρη λάκα. —*ρ.μ.* *(-nn-)* βερνικώνω μέ μαύρη λάκα.

jape /dʒeɪp/ *ρ.μ.* (*ἀπηρχ.*) καλαμπουρίζω, χωρατεύω. —*οὐσ.* ‹C› χωρατό.

[1]**jar** /dʒɑ(r)/ *οὐσ.* ‹C› βάζο, κιούπι, λαγήνι.

[2]**jar** /dʒɑ(r)/ *οὐσ.* ‹C› **1**. τσίριγμα, σκληρός ἦχος. **2**. διαφωνία, διάστασις. **3**. τράνταγμα (σωματικό ἤ ψυχικό), σόκ, δόνησις: *We felt a ~ when the engine was coupled to the train,* νοιώσαμε ἕνα τράνταγμα ὅταν ἡ μηχανή συνδέθηκε μέ τό τραῖνο. *The fall gave her a nasty ~,* τό πέσιμο τῆς προκάλεσε μεγάλο σόκ, τήν τάραξε.

[3]**jar** /dʒɑ(r)/ *ρ.μ/ὰ.* *(-rr-)* **1**. χτυπῶ (κάνοντας ἐνοχλητικό θόρυβο): *Don't ~ the kettle on the stove,* μή χτυπᾶς τήν κατσαρόλα στήν κουζίνα. **2**. **~ *on***, πειράζω, ἐνοχλῶ: *The way he laughs ~s on me/my ears/my nerves,* ὁ τρόπος πού γελάει μέ πειράζει/ἐνοχλεῖ τ' αὐτιά μου/μοῦ δίνει στά νεῦρα. **3**. τραντάζω, ταράσσω: *She was badly ~red by the blow/the sad news,* ταράχτηκε πολύ ἀπό τό χτύπημα/ἀπό τά ἄσχημα νέα. **4**. **~ *(with)***, συγκρούομαι, δέν ταιριάζω: *His opinions ~ with mine,* οἱ γνῶμες του συγκρούονται μέ τίς δικές μου. *Our views ~,* οἱ ἀπόψεις μας συγκρούονται, διΐστανται. *These two colours ~,* αὐτά τά δυό χρώματα δέν ταιριάζουν, δέν πᾶνε μαζί. **~-ring** *ἐπ.* (*γιά ἦχο*) κακόηχος, ἐνοχλητικός, (*γιά χρῶμα*) ἀταίριαστος, (*γιά γνῶμες*) ἀντίθετος. ***a ~ring note***, παραφωνία.

jar·gon /ˋdʒagən/ *οὐσ.* ‹U› **1**. ἐπαγγελματική διάλεκτος, ἀλαμπουρνέζικα, κορακίστικα: *the ~ of lawyers/radio technicians,* ἡ διάλεκτος τῶν δικηγόρων/τῶν ραδιοτεχνιτῶν. **2**. ἀκατάληπτη γλῶσσα: *a baby's ~,* ἡ ἀκατάληπτη γλῶσσα ἑνός μωροῦ.

jas·mine /ˋdʒæzmɪn/ *οὐσ.* ‹U› γιασεμί.

jaun·dice /ˋdʒɔndɪs/ *οὐσ.* ‹U› (*ἰατρ.*) ἴκτερος, (*μεταφ.*) φθόνος, προκατάληψις. **~d** *ἐπ.* ἰκτερικός, (*μεταφ.*) προκατειλημμένος, φθονερός. ***take a ~d view (of)***, βλέπω κτ μέ προκατάληψη/μέ φθόνο.

jaunt /dʒɔnt/ *οὐσ.* ‹C› κοντινή ἐκδρομή, βόλτα: *go for a ~ in the car,* πάω βόλτα μέ τ' αὐτοκίνητο. —*ρ.ὰ.* κάνω ἐκδρομή.

jaunty /ˋdʒɔntɪ/ *ἐπ.* *(-ier, -iest)* ξένοιαστος, καμαρωτός, γεμᾶτος σιγουριά, κεφᾶτος: *with a ~ air,* μέ καμαρωτό ὕφος. *He wore his hat at a ~ angle,* φοροῦσε τό καπέλλο του στραβά (ἦταν στά κέφια του). **jaunt·ily** /-əlɪ/ *ἐπίρ.* ξένοιαστα, κεφᾶτα, καμαρωτά! **jaunti·ness** *οὐσ.* ‹U› ξενοιασιά.

jav·elin /ˋdʒævlɪn/ *οὐσ.* ‹C› (*ἀθλ.*) ἀκόντιον.

jaw /dʒɔ/ *οὐσ.* ‹C› **1**. σιαγών, σαγόνι, μασέλα: *the upper/lower ~,* τό πάνω/κάτω σαγόνι. *a man with a strong ~,* ἄνθρωπος μέ τετράγωνο σαγόνι, μέ δυνατή θέληση. **ˋ~-bone**, γναθαῖον ὀστοῦν, γνάθος. **ˋ~-breaker**, (*καθομ.*) δυσκολοπρόφερτη λέξις, γλωσσοδέτης. ***into/out of the ~s of death***, στά/ἀπό τά δόντια τοῦ χάρου. **2**. σιαγόνα (ἐργαλείων), στόμιον κοιλάδος. **3**. (*καθομ.*) φλυαρία, πάρλα, λίμα: *Stop/Hold your ~!* κόψε τή λίμα! βούλωσ' το! **4**. (*καθομ.*) νουθεσία, συμβουλές, κήρυγμα: *I've had enough of your ~,* βαρέθηκα τίς συμβουλές σου. —*ρ.ὰ.* **~ *(at)***, φλυαρῶ, δίνω συμβουλές (σέ κπ): *Stop ~ing at me!* σταμάτα νά μοῦ κάνης κήρυγμα!

jay /dʒeɪ/ *οὐσ.* ‹C› καρακάξα, (*μεταφ.*) πολυλογάς, γλωσσοκοπάνα. **ˋ~-walker**, ἀφηρημένος πεζός, ὄρνιο.

jazz /dʒæz/ *οὐσ.* ‹U› τζάζ. —*ρ.μ.* **1**. χορεύω τζάζ. **2**. **~ *sth up***, ζωηρεύω κτ, δίνω κέφι: *~ up a party/~ things up a bit,* ζωηρεύω ἕνα πάρτυ/δίνω λίγο κέφι σέ κτ. **~y** *ἐπ.* *(-ier, -iest)* (*καθομ.*) φανταχτερός, φιγουρᾶτος: *a*

~*y tie*, φανταχτερή γραββάτα. *a ~y sports car*, φιγουρᾶτο σπόρ αὐτοκίνητο.
jeal·ous /ˈdʒeləs/ ἐπ. ζηλιάρης: *a ~ husband; ~ looks*, ματιές ζήλειας. ***be ~ of sb/sth***, *(α)* ζηλεύω: *He's ~ of me/my success*, μέ ζηλεύει/ζηλεύει τήν ἐπιτυχία μου. *(β)* ὑπερασπίζομαι/προσέχω ζηλότυπα: *He's ~ of his rights/reputation*, ὑπερασπίζεται ζηλότυπα τά δικαιώματά του/προσέχει πολύ τήν ὑπόληψή του. *keep a ~ eye on sb*, προσέχω ζηλότυπα. **~·ly** ἐπίρ. **jeal·ousy** /-əsɪ/ οὐσ. ‹C,U› ζήλεια: *I'm tired of your jealousies*, βαρέθηκα τίς ζήλειες σου.
jean /dʒin/ οὐσ. **1**. ‹U› ντρίλι: *~ overalls*, ντρίλινη φόρμα. **2**. (*πληθ.*) **(blue) ~s**, ξώραφο παντελόνι ἀπό μπλέ ντρίλι.
jeep /dʒip/ οὐσ. ‹C› τζίπ.
jeer /dʒɪə(r)/ ρ.μ/ἀ. ~ ***(at sb)***, χλευάζω, περιγελῶ, γιουχαΐζω: *~ (at) the speaker*, χλευάζω/γιουχαΐζω τόν ὁμιλητή. *When the player fell, the crowd ~ed*, ὅταν ὁ παίχτης ἔπεσε, τό πλῆθος ξέσπασε σέ ἀποδοκιμασίες. —*οὐσ.* ‹C› χλεύη, κοροϊδία, γιουχάϊσμα: *greet sb with ~s*, ὑποδέχομαι κπ μέ γιουχαΐσματα. **~·ing·ly** ἐπίρ. χλευαστικά, ἀποδοκιμαστικά.
Je·ho·vah /dʒɪˈhəʊvə/ οὐσ. ὁ Ἰεχωβᾶ.
je·june /dʒɪˈdʒun/ ἐπ. (*λόγ.*) (*γιά γραπτά*) πενιχρός, ξηρός, κενός.
jell /dʒel/ ρ.μ/ἀ. (*καθομ.*) πήζω, (*μεταφ.*) ἀποκρυσταλλώνομαι, παίρνω σχῆμα/μορφή: *My plans are beginning to ~*, τά σχέδιά μου ἀρχίζουν νά παίρνουν μορφή.
jelly /ˈdʒelɪ/ οὐσ. ‹C,U› ζελές, πηχτή. **ˈ~-fish**, τσούχτρα, μέδουσα.
jemmy /ˈdʒemɪ/ οὐσ. ‹C› λοστός.
jeop·ard·ize /ˈdʒepədaɪz/ ρ.μ. διακινδυνεύω: *~ one's life/honour*, διακινδυνεύω τή ζωή μου/τήν τιμή μου.
jeop·ardy /ˈdʒepədɪ/ οὐσ. ‹U› κίνδυνος (*μόνον στή φράση*) ***be in ~***, κινδυνεύω: *His life is in ~; He's in ~ of his life*, κινδυνεύει ἡ ζωή του.
jere·miad /ˌdʒerɪˈmaɪæd/ οὐσ. ‹C› ἱερεμιάς, θρηνολογία, κλαψούρα.
jerk /dʒɜk/ οὐσ. ‹C› ἀπότομη κίνηση (τίναγμα, τράνταγμα, τράβηγμα, σπρώξιμο, πέταγμα): *The train stopped/started with a ~*, τό τραῖνο σταμάτησε/ξεκίνησε μ' ἕνα ἀπότομο τράνταγμα. *push/pull with a ~*, σπρώχνω/τραβῶ ἀπότομα. **physical ~s**, (*καθομ.*) γυμναστική. **knee-~s**, ἀντανακλαστικόν τοῦ γόνατος. **the ~s**, (*ἰατρ.*) χορεία, τρέμουλο. —*ρ.μ/ἀ.* κινῶ/-οῦμαι ἀπότομα (μέ τραντάγματα): *The train ~ed to a stop*, τό τραῖνο σταμάτησε μέ τραντάγματα. *The lorry ~ed along the bad road*, τό φορτηγό προχωροῦσε μέ τραντάγματα στόν παληόδρομο. *He ~ed the letter out of my hand*, μοῦ βούτηξε ἀπότομα τό γράμμα ἀπό τά χέρια μου. *He ~ed the fish out of the water*, τράβηξε ἀπότομα τό ψάρι ἀπό τό νερό. *The boy ~ed out an answer*, τό παιδί πέταξε μιά ἀπάντηση (μέ δυσκολία). *He ~ed her into the water*, τῆς ἔδωσε μιά σπρωξιά καί τήν ἔρριξε στό νερό. **~y** ἐπ. *(-ier, -iest)* ἀπότομος, μέ τινάγματα/τραντάγματα: *a ~y ride in an old bus*, ταξίδι ὅλο κούνημα μ' ἕνα παληό λεωφορεῖο. **~·ily** /-əlɪ/ ἐπίρ. ἀπότομα, μέ τραντάγματα.
jer·kin /ˈdʒɜkɪn/ οὐσ. ‹C› ζιπούνι, ἐφαρμοστό δερμάτινο σακκάκι.
jerry /ˈdʒerɪ/ οὐσ. ‹C› (*λαϊκ.*) καθίκι. **ˈ~-builder**, κατασκευαστής φτηνῶν κακοχτισμένων σπιτιῶν. **ˈ~-building**, προχειροφτιαγμένο κτίριο, φτηνή κατασκευή. **ˈ~-built** ἐπ. κακοχτισμένος, ψευτοχτισμένος. **ˈ~-can**, μπιτόνι βενζίνης.
jer·sey /ˈdʒɜzɪ/ οὐσ. ‹C,U› ζέρσεϋ, φανέλλα.
jes·sa·mine /ˈdʒesəmɪn/ *βλ. jasmine*.
jest /dʒest/ οὐσ. ‹C› **1**. ἀστεῖο, ἀστεϊσμός: *turn everything into a ~*, τά γυρίζω ὅλα στό ἀστεῖο. ***in ~***, στ' ἀστεῖα: *say sth half in ~, half in earnest*, λέω κτ μισο-αστεῖα, μισοσοβαρά. **2**. περίγελως: *He's the (standing) ~ of the town*, εἶναι ὁ περίγελως, τό (μόνιμο) νούμερο τῆς πόλης. —*ρ.ἀ.* ἀστειεύομαι: *Don't ~ about serious things*, μήν ἀστειεύεσαι μέ τά σοβαρά πράγματα. *He's not a man to ~ with*, δέν εἶναι ἄνθρωπος μέ τόν ὁποῖον μπορεῖς νά κάνης ἀστεῖα. **~er**, γελωτοποιός, χωρατατζῆς. **~·ing** ἐπ. ἀστεῖος: *a ~ing remark*, ἀστεία κουβέντα. *a ~ing fellow*, ἀστειολόγος, χωρατατζῆς. **~·ing·ly** ἐπίρ. ἀστεῖα, εἰρωνικά.
Jes·uit /ˈdʒezjʊɪt/ οὐσ. ‹C› Ἰησουΐτης. **~i·cal** /ˌdʒezjʊˈɪtɪkl/ ἐπ. ἰησουϊτικός.
Jesus /ˈdʒizəs/ οὐσ. Ἰησοῦς.
[1]**jet** /dʒet/ οὐσ. ‹C› **1**. πίδακας (ὑγροῦ, φλόγας, ἀερίου): *When the pipe burst, a ~ of water shot across the kitchen*, ὅταν ἔσπασε ὁ σωλήνας ἕνας πίδακας νεροῦ τινάχτηκε ὥς τήν ἄλλη ἄκρη τῆς κουζίνας. *~s of blood spurted out of the cut*, κύματα αἵματος ἀνέβλυσαν ἀπό τό τραῦμα. **2**. ἀεριωθούμενο, τζέτ. **the ˈ~ set**, ἡ διεθνής ἀριστοκρατία τοῦ χρήματος. **3**. ἀναβλυστήρ, (*αὐτοκ.*) ζιγκλέρ. **ˈ~ ˈaircraft/ˈairliner**, ἀεριωθούμενο ἀεροπλάνο. **ˈ~-proˈpelled** ἐπ. ἀεριωθούμενος. **ˈ~-proˈpulsion**, ἀεριοπροώθησις. —*ρ.μ/ἀ.* *(-tt-)* **1**. ἀναβλύζω, ἐκτοξεύω/-ομαι. **2**. ταξιδεύω μέ τζέτ.
[2]**jet** /dʒet/ οὐσ. ‹U› γαγάτης (λίθος). **ˈ~-ˈblack**, κατάμαυρος.
jet·sam /ˈdʒetsəm/ οὐσ. ‹U› **1**. ἐμπορεύματα πού πετιῶνται στή θάλασσα γιά ν' ἀλαφρώση τό πλοῖο. **2**. ναυάγια πού βγάζει ἡ θάλασσα στή στερηά. **flotsam and ~**, (*μεταφ.*) ναυάγια: *the flotsam and ~ of the war*, τά ναυάγια τοῦ πολέμου (πρόσφυγες, κλπ).
jet·ti·son /ˈdʒetɪsn/ ρ.μ. ρίχνω φορτίο στή θάλασσα, κάνω ἀβαρία, (*μεταφ.*) ἐγκαταλείπω: *~ a Bill*, ἐγκαταλείπω ἕνα νομοσχέδιο.
jetty /ˈdʒetɪ/ οὐσ. ‹C› μῶλος, προκυμαία, ἀποβάθρα, προβλήτα.
Jew /dʒu/ οὐσ. ‹C› Ἰουδαῖος, Ἑβραῖος. **Jew·ess** /dʒuˈes/ οὐσ. ‹C› Ἑβραία. **Jew·ish** /ˈdʒuɪʃ/ ἐπ. ἑβραϊκός.
jewel /ˈdʒuəl/ οὐσ. ‹C› **1**. πολύτιμος λίθος, πετράδι, κόσμημα. **2**. (*σέ ρολόϊ*) ρουμπίνι. **3**. (*μεταφ.*) στολίδι, διαμάντι: *She's a ~ of a wife*, εἶναι γυναίκα διαμάντι. —*ρ.μ.* *(-ll-)* στολίζω μέ πετράδια. **~·ler** οὐσ. ‹C› κοσμηματοπώλης. **~ry**, **~·lery** /ˈdʒuəlrɪ/ οὐσ. ‹U› (*συλλ.*) κοσμήματα, στολίδια.
Jeze·bel /ˈdʒezəbl/ οὐσ. (*σάν βρισιά*) ξε-

διάντροπη, ἔκφυλη γυναίκα.

[1]**jib** /dʒɪb/ *οὐσ.* ‹C› **1.** ἀρτέμων, φλόκος. ***the cut of his ~***, ἡ κοψιά του, τό σουλούπι του, τό παρουσιαστικό του. **2.** βραχίων γερανοῦ.

[2]**jib** /dʒɪb/ *ρ.ἀ.* *(-bb-)* *(γιά ἄλογο)* κοντοστέκομαι, κωλώνω, ἀρνοῦμαι νά προχωρήσω: *On seeing the ditch the horse ~bed*, βλέποντας τό χαντάκι, τό ἄλογο κώλωσε. ***~ at***, *(μεταφ.)* ἀρνοῦμαι ἤ δείχνω ἀπροθυμία, *(μεταφ.)* κλωτσάω: *They ~bed at working overtime every day*, ἀρνήθηκαν νά κάνουν ὑπερωρίες κάθε μέρα.

jibe /dʒaɪb/ *βλ. gibe.*

jiffy /ˋdʒɪfɪ/ *οὐσ.* ‹C› *(καθομ.)* στιγμή: ***in a ~***, στή στιγμή, στό ἄψε-σβῦσε.

jig /dʒɪg/ *οὐσ.* ‹C› πεταχτός χορός, ζίγκ. —*ρ.μ/ἀ.* *(-gg-)* χορεύω, χοροπηδῶ: *~ a baby (up and down) on one's knees*, χορεύω ἕνα μωρό στά γόνατα. *They ~ged up and down in excitement*, χοροπηδοῦσαν ἀπό τή χαρά τους. **ˋ~·saw (puzzle)**, παιχνίδι συναρμολογήσεως.

jig·ger /ˋdʒɪgə(r)/ *οὐσ.* ‹C› **1.** τσιμπούρι. **2.** κυπελλάκι (γιά μέτρο τῶν λικέρ).

jig·gered /ˋdʒɪgəd/ *κατηγ. ἐπ.* *(καθομ.)* **1.** κατάπληκτος: *Well, I'm ~!* μένω κατάπληκτος! μή μοῦ τό λές! **2.** ψόφιος στήν κούραση.

jig·gery-po·kery /ˈdʒɪgərɪ ˋpəʊkərɪ/ *οὐσ.* ‹U› *(καθομ.)* ἀπάτη, κοροϊδία.

jilt /dʒɪlt/ *ρ.μ.* παρατάω (μετά ἀπό σύνδεσμο ἤ ὑπόσχεση γάμου), διώχνω, κυνηγῶ: *When he lost his job, she ~ed him*, ὅταν ἔχασε τή δουλειά του, τόν παράτησε (τόν κυνήγησε). —*οὐσ.* ‹C› γυναίκα πού παρατάει ἕναν ἄντρα.

ji·miny /ˋdʒɪmənɪ/ *ἐπιφ. ἐκπλήξεως* *(καθομ.)* Ὠλαλά!

jim-jams /ˋdʒɪm dʒæmz/ *οὐσ. πληθ.* *(καθομ. μέ the)* ***have/get/give the ~***, εἶμαι ἐκνευρισμένος, ἐκνευρίζομαι: *He gives me the ~*, μοῦ δίνει στά νεῦρα.

jingle /ˋdʒɪŋgl/ *οὐσ.* **1.** ‹C› κουδούνισμα (νομισμάτων, κλειδιῶν, κουδουνιῶν), ἐπανάληψις ὁμοήχων λέξεων: *We could hear the ~ of bells*, ἀκούγαμε κουδουνίσματα. *I only heard a meaningless ~*, ἄκουγα μόνον ἠχηρές λέξεις χωρίς νόημα. **2.** διαφημιστικό τραγουδάκι. —*ρ.μ/ἀ.* κουδουνίζω: *He ~d his keys/the coins in his pockets*, κουδούνισε τά κλειδιά του/τά νομίσματα στήν τσέπη του.

jingo /ˋdʒɪŋgəʊ/ *οὐσ.* ‹C› **1.** *(πληθ. ~es)* σωβινιστής. **~·ism** /-ɪzm/ *οὐσ.* ‹U› σωβινισμός. **~·ist** /-ɪst/ *οὐσ.* ‹C› σωβινιστής. **~·is·tic** /ˈdʒɪŋgəʊˋɪstɪk/ *ἐπ.* σωβινιστικός. **2.** *ἐπιφ. ἐκπλήξεως, χαρᾶς, κλπ.* ***By ~!*** σοβαρά; ὠλαλά!

jinks /ˋdʒɪŋks/ *οὐσ. πληθ.* *(μόνον στή φράση)* ***high ~***, τρικούβερτο γλέντι, ξεφάντωμα.

jinn /dʒɪn/ *βλ. genie.*

jinx /ˋdʒɪŋks/ *οὐσ.* ‹C› *(λαϊκ.)* γρουσούζης, γρουσούζικο πρᾶγμα: *put a ~ on sb*, βάζω κτ σέ κπ γιά νά τοῦ φέρη γρουσουζιά, γρουσουζεύω κπ.

jit·ters /ˋdʒɪtəz/ *οὐσ. πληθ.* *(λαϊκ. μέ the)* τρεμούλα, νευρικότης, πανικός. ***get the ~***, μέ πιάνει τρεμούλα: *I've got the ~ about the exams*, μ'ἔχει πιάσει τρεμούλα (πανικός) μέ τίς ἐξετάσεις. ***give sb the ~***, φέρνω πανικό σέ κπ. **jit·tery** /ˋdʒɪtərɪ/ *ἐπ.* φοβισμένος, ἀναστατωμένος, σέ κατάσταση μεγάλης νευρικότητας.

[1]**job** /dʒob/ *οὐσ.* ‹C› **1.** *(καθομ.)* θέσις, δουλειά: *I've lost my ~*, ἔχασα τή δουλειά μου. *He's got a good ~*, ἔχει καλή θέση, καλή δουλειά. *I'm looking for a ~*, ψάχνω γιά δουλειά. *J~s are not easy to get*, οἱ δουλειές σπανίζουν. ***be out of a ~***, εἶμαι ἄνεργος. **2.** δουλειά, ἔργον, ἐργασία: *The new Mercedes is a lovely ~*, ἡ νέα Μερσεντές εἶναι φίνα δουλειά, εἶναι ὡραῖο πρᾶγμα. ***be paid by the ~***, πληρώνομαι μέ τό κομμάτι/χωριστά γιά κάθε δουλειά. ***do a ~***, κάνω μιά δουλειά. ***make a good/fine ~ of sth***, κάνω κτ πολύ καλά, κάνω καλή δουλειά σέ κτ. ***odd ~s***, δουλειές τοῦ ποδαριοῦ, μερεμέτια. ***an oddˋ~ man***, ἄνθρωπος γιά τίς μικροδουλειές. ***on the ~***, *(καθομ.)* στή δουλειά, ἀπασχολημένος: *I'm on the ~ now*, τό κάνω τώρα, εἶμαι ἀπασχολημένος. **3.** *σέ φράσεις:* ***a bad ~***, ἀτυχία: *It was a bad ~ you never told me*, ἦταν ἀτυχία πού δέν μοῦ τό εἶπες. ***give sb/sth up as a bad ~***, *(καθομ.)* ἀπελπίζομαι ἀπό κπ/κτ καί τά παρατάω. ***make the best of a bad ~***, κάνω ὅ,τι μπορῶ, τά βγάζω πέρα ὅσο καλύτερα μπορῶ (σέ μιά δύσκολη κατάσταση). ***a good ~***, εὐτύχημα: *It was a good ~ you had a friend to help you*, ἦταν εὐτύχημα πού εἶχες ἕνα φίλο νά σέ βοηθήση. *He lost his seat in Parliament, and a good ~, too!* ἔχασε τήν ἕδρα στή Βουλή, κι'εἶναι εὐτύχημα! ***be/have a (hard) ~ doing/to do sth***, εἶναι ζόρικη ὑπόθεση νά: *It's a (hard) ~ to get into the University*, εἶναι ζόρικη ὑπόθεση νά μπῆς στό Πανεπιστήμιο. *You'll have a (hard) ~ convincing him*, θά δυσκολευτῆς πολύ νά τόν πείσης. ***(be) just the ~***, *(καθομ.)* (εἶμαι) ἀκριβῶς ὅ,τι χρειάζεται. **4.** *(λαϊκ.)* κομπίνα, βρωμοδουλειά, κλοπή: *It's a ˈput-up ˋ~*, εἶναι σκηνοθετημένη δουλειά/κομπίνα. *It's a dirty ~*, εἶναι βρωμοδουλειά. *He got three years for a ~ he did in Patras*, ἔφαγε τρία χρόνια γιά μιά δουλειά (διάρρηξη, κλπ) πού ἔκανε στήν Πάτρα.

[2]**job** /dʒob/ *ρ.μ/ἀ.* *(-bb-)* **1.** κάνω μικροδουλειές: *a ~bing gardener*, μεροκαματιάρης κηπουρός. *a ~bing printer*, ἕνας πού κάνει μικρές τυπογραφικές ἐργασίες (κάρτες, κλπ). **2.** καταφέρνω (ἐκμεταλλευόμενος τή θέση μου ἤ τήν ἐμπιστοσύνη πού μοῦ ἔχουν), μηχανορραφῶ, κάνω κομπῖνες: *He ~bed his brother into a well-paid post*, κατάφερε νά βολέψη τόν ἀδελφό του σέ καλή θέση. **3.** *(στό Χρηματ.)* διαπραγματεύομαι ἀξίες, ἐνεργῶ ὡς μεσίτης. **~·ber** *οὐσ.* ‹C› μεροκαματιάρης, μεσίτης, ρουσφετολόγος, κομπιναδόρος. **~·bery** /ˋdʒobərɪ/ *οὐσ.* ‹U› κομπίνα, ρουσφετολογία, μεσιτεία.

Job /dʒəʊb/ *οὐσ.* Ἰώβ, ὑπομονετικός ἄνθρωπος: *She would try the patience of ~*, θἄκανε καί τόν Ἰώβ ν' ἀγανακτήση.

jockey /ˋdʒokɪ/ *οὐσ.* ‹C› τζόκεϋ. —*ρ.μ/ἀ.* καταφέρνω (μέ ἀπάτη, μέ κόλπα): *He ~ed Smith out of his job*, κατάφερε νά ἐκτοπίση τόν Σμίθ ἀπό τή δουλειά του. ***~ for***

position, προσπαθῶ νά βρεθῶ σέ πλεονεκτική θέση, ἑλίσσομαι, μηχανορραφῶ.

jo·cose /dʒəʊˋkəʊs/ *ἐπ.* (*λόγ.*) φιλοπαίγμων. **~·ly** *ἐπίρ.*

jocu·lar /ˋdʒokjʊlə(r)/ *ἐπ.* ἀστεῖος, διασκεδαστικός, ἀστειολόγος, εὐτράπελος. **~·ity** /ˈdʒokjʊˋlærətɪ/ *οὐσ.* ‹C,U› ἀστεϊσμός, χιουμοριστική διάθεσις. **~·ly** *ἐπίρ.* ἀστεῖα.

joc·und /ˋdʒokənd/ *ἐπ.* (*λογοτ.*) εὐδιάθετος. **~·ity** /ˈdʒəʊˋkʌndətɪ/ *οὐσ.* ‹C,U› εὐδιαθεσία, ἀστεϊσμός.

jodh·purs /ˋdʒodpəz/ *οὐσ. πληθ.* παντελόνι ἱππασίας (ἐφαρμοστό στίς κνῆμες).

jog /dʒog/ *ρ.μ/ἀ.* (*-gg-*) **1**. σκουντῶ ἐλαφρά: *He ~ged my elbow, making me spill my wine*, μέ σκούντησε στόν ἀγκῶνα κι'ἔχυσα τό κρασί μου. ***~ sb's memory***, βοηθάω τή μνήμη κάποιου, θυμίζω κτ σέ κπ. **2**. κουνῶ: *The horse ~ged its rider up and down*, τό ἄλογο κουνοῦσε τόν καβαλλάρη του πάνωκάτω. **3**. ***~ along/on***, προχωρῶ σιγά-σιγά, τά καταφέρνω, τά κουτσοβολεύω: *We ~ged along the bad road*, προχωρούσαμε σιγά-σιγά στόν παληόδρομο. *He ~s on at school*, τά καταφέρνει καλούτσικα στό σχολεῖο. *We must ~ on somehow until business conditions improve*, πρέπει κάπως νά τά φέρωμε βόλτα ὥσπου νά καλυτερέψουν οἱ δουλειές. *__οὐσ.* ‹C› **1**. σκούντημα, τράνταγμα. **2**. (*ἐπίσης*: **ˋ~-trot**) ἀργό περπάτημα ἤ ἀργός καλπασμός.

joggle /ˋdʒogl/ *ρ.μ/ἀ.* κουνῶ/τραντάζω ἐλαφρά, σκουντῶ. *__οὐσ.* ‹C› ἐλαφρό κούνημα/τράνταγμα, σκούντημα.

John Bull /ˈdʒon ˋbʊl/ *οὐσ.* τό Ἀγγλικό Ἔθνος, ὁ χαρακτηριστικός Ἄγγλος.

join /dʒɔɪn/ *ρ.μ/ἀ.* **1**. ἑνώνω/-ομαι, συνδέω/-ομαι: *~ two pieces together*, (συν)ἑνώνω δυό κομμάτια. *~ an island to the mainland with a bridge*, συνδέω ἕνα νησί μέ τήν ἠπειρωτική χώρα μέ μιά γέφυρα. *Two parallel lines never ~*, δύο παράλληλοι δέν ἑνώνονται ποτέ. *The priest ~ed them in marriage*, ὁ παπᾶς τούς ἕνωσε διά γάμου. *Where does this river ~ the Danube?* ποῦ ἑνώνεται μέ τό Δούναβη αὐτό τό ποτάμι; ***~ battle***, δίδω μάχη, ἀρχίζω τή μάχη: *We ~ed battle with the enemy at dawn*, ἀρχίσαμε τή μάχη μέ τόν ἐχθρό τά χαράματα. ***~ forces (with sb)***, ἑνώνω τίς δυνάμεις μου μέ κπ, συνεργάζομαι μαζί του: *We must ~ forces to fight him out of the market*, πρέπει νά συνενώσουμε τίς δυνάμεις μας γιά νά τόν ἐκτοπίσωμε ἀπό τήν ἀγορά. ***~ hands***, πιάνω τό χέρι κάποιου, συνεργάζομαι μέ κπ γιά ἕνα σκοπό: *We ~ed hands to cross the stream*, πιαστήκαμε ἀπό τά χέρια νά περάσουμε τό ρέμα. ***~ issue***, στήνω καυγᾶ (συζητῶ ἔντονα): *I ~ed issue with him about his behaviour*, ἔστησα καυγᾶ μαζί του γιά τό φέρσιμό του. **2**. γίνομαι μέλος/παρέα, συναντῶ: *~ a club/party*, γίνομαι μέλος μιᾶς λέσχης/ἑνός κόμματος. *Will you ~ us?* θἄρθης μαζί μας; *I'll ~ you at the theatre*, θά σᾶς συναντήσω στό θέατρο. *~ the army*, κατατάσσομαι στό στρατό. *~ one's unit/company*, γυρίζω στή μονάδα μου/στό λόχο μου. ***~ up***, (*καθομ.*) πάω φαντάρος. **3**. ***~ in***, συμμετέχω, λαμβάνω μέρος: *Why don't you ~ in the conversation/game?* γιατί δέν συμμετέχεις στή συζήτηση/στό παιχνίδι; *May I ~ in?* μπορῶ νά λάβω μέρος (σέ παιχνίδι); *__οὐσ.* ‹C› ἕνωσις, ραφή, συμβολή, σημεῖον συναντήσεως.

joiner /ˋdʒɔɪnə(r)/ *οὐσ.* ‹C› ξυλουργός, ἐπιπλοποιός. **~y** /-nərɪ/ *οὐσ.* ‹U› ξυλουργική.

[1]**joint** /dʒɔɪnt/ *ἐπ.* κοινός, συνδυασμένος, συλλογικός, συν- (μέ τή συμμετοχή δύο ἤ περισσοτέρων): *a ~ effort*, κοινή/συνδυασμένη προσπάθεια. *~ consent*, κοινή συναίνεσις. *~ use*, κοινή χρῆσις. *a ~ report*, κοινή/συλλογική ἔκθεσις. *a ~ account*, κοινός λογαριασμός. *a ~ committee*, μικτή ἐπιτροπή (*πχ* ἐργατῶν καί ἐργοδοτῶν). *~ operations/exercises*, συνδυασμένες ἐπιχειρήσεις/ἀσκήσεις. *~ owners/ownership*, συνιδιοκτῆτες/συνιδιοκτησία. *~ heirs*, συγκληρονόμοι. *~ debtors*, συνοφειλέτες. *~ responsibility*, ἀλληλέγγυος εὐθύνη. *a ~ stock company*, ἀνώνυμος ἑταιρία. *during their ~ lives*, (*νομ.*) ἐνόσῳ βρίσκονται ἀμφότεροι (ἤ ὅλοι) ἐν ζωῇ. **~·ly** *ἐπίρ.* ἀπό κοινοῦ: *We inherit/possess sth ~ly*, κληρονομοῦμε/κατέχομε κτ ἀπό κοινοῦ.

[2]**joint** /dʒɔɪnt/ *οὐσ.* ‹C› **1**. ἄρθρωσις, κλείδωσις, ἁρμός: *finger ~s*, ἀρθρώσεις δακτύλων. ***out of ~***, ἐξαρθρωμένος, ξεχαρβαλωμένος: *He fell and put his knee out of ~*, ἔπεσε κι'ἐξάρθρωσε (ἔβγαλε) τό γόνατό του. ***put sb's ˋnose out of ~***, *(α)* ἐκτοπίζω κπ (ἀπό τήν εὔνοια ἤ τήν ἀγάπη ἄλλου). *(β)* συγυρίζω κπ (ὁ ὁποῖος εἶναι ἐνοχλητικός), τόν βάζω στή θέση του. **2**. μεγάλο κομμάτι κρέας: *We had a ~ of beef for dinner*, εἴχαμε ἕνα κομμάτι μοσχάρι γιά δεῖπνο. *A slice off the ~, please*, (*στό ἑστιατόριο*) φέτα μοσχάρι, παρακαλῶ. **3**. (*λαϊκ.*) καταγώγιον, τρώγλη (γιά χαρτοπαιξία, πιοτό, κλπ), στέκι. *__ρ.μ.* **1**. ἐφοδιάζω μέ ἀρθρώσεις. **2**. τεμαχίζω (κρέας).

join·ture /ˋdʒɔɪntʃə(r)/ *οὐσ.* ‹C› (*νομ.*) περιουσία προοριζομένη διά τήν σύζυγον μετά τόν θάνατον τοῦ συζύγου.

joist /dʒɔɪst/ *οὐσ.* ‹C› πάτερο, δοκάρι.

joke /dʒəʊk/ *οὐσ.* ‹C› ἀστεῖο: *a good/poor ~*, καλό/ἄσχημο ἀστεῖο. *What's the ~?* γιατί γελᾶς; ποῦ βλέπεις τό ἀστεῖο; *take/see a ~*, καταλαβαίνω ἕνα ἀστεῖο, παίρνω ἀπό ἀστεῖα. *do sth for a ~*, κάνω κτ γι'ἀστεῖο. ***be the ~ of***, εἶμαι ὁ περίγελως, τό νούμερο: *He's the ~ of the school/village/town*, εἶναι τό νούμερο τοῦ σχολείου/τοῦ χωριοῦ/τῆς πόλεως. ***It's no ~***, δέν εἶναι ἀστεῖο: *It's no ~ waiting in the rain*, δέν εἶναι ἀστεῖο νά περιμένης στή βροχή. ***have a ~ with sb***, λέω ἀστεῖα μέ κπ. ***make a ~ about sth***, ρίχνω κτ στό ἀστεῖο. ***play a ~ on sb***, σκαρώνω φάρσα σέ κπ. ***a practical ~***, φάρσα. *__ρ.ἀ.* ἀστειεύομαι: *He's always joking*, διαρκῶς ἀστειεύεται. *I was only joking*, ἀστειευόμουνα. ***joking apart***, ἀφήνοντας τ'ἀστεῖα κατά μέρος. **joker** *οὐσ.* ‹C› καλαμπουρτζῆς, (*χαρτοπ.*) τζόκερ.

jolly /ˋdʒolɪ/ *ἐπ.* (*-ier, -iest*) χαρούμενος, διαχυτικός, κεφᾶτος, ἐλαφρά μεθυσμένος. **ˈJ~ ˋRoger**, ἡ σημαία τῶν πειρατῶν (μέ τή νεκροκεφαλή). *__ἐπίρ.* (*καθομ.*) πολύ: *He played a ~ good game*, ἔκανε πολύ καλό παιχνίδι. *He's a ~ good fellow*, εἶναι σπουδαῖος τύπος. *__ρ.μ.* (*καθομ.*) καταφέρνω κπ μέ καλοπιάσματα: *We jollied him into coming with us*, τόν καταφέραμε μέ τά πολλά νά ἔλθη μαζί μας. *They jollied me along until I agreed to help them*, μοῦ ἦταν ὅλο καλοπιάσματα μέχρι πού συμφώνησα νά τούς βοηθήσω. **jol·li·fi·ca·tion** /ˈdʒɒlɪfɪˈkeɪʃn/ *οὐσ.* ‹C,U› (*καθομ.*) γλέντι, γιορτή. **jol·lity** /-ətɪ/ *οὐσ.* ‹U› εὐθυμία.

jolt /dʒəʊlt/ *ρ.μ/ὰ.* τινάζω/-ομαι, τραντάζω/-ομαι: *The train ~ed us from our seats by stopping suddenly*, τό τραῖνο μᾶς τίναξε ἀπό τά καθίσματά μας μέ τό ἀπότομο σταμάτημά του. *The bus ~ed along the rough road*, τό λεωφορεῖο προχωροῦσε μέ τραντάγματα στόν ἀνώμαλο δρόμο. —*οὐσ.* ‹C› τίναγμα, τράνταγμα, ξάφνιασμα: *The news gave me a bit of a ~*, τά νέα μέ ξάφνιασαν λίγο.

Jonah /ˈdʒəʊnə/ *οὐσ.* Ἰωνᾶς, (*καθομ.*) ἄτυχος, γρουσούζης ἄνθρωπος.

jon·quil /ˈdʒɒŋkwɪl/ *οὐσ.* ‹C› νάρκισσος.

joss /dʒɒs/ *οὐσ.* ‹C› (*στήν Κίνα*) εἴδωλο θεοῦ. **ˋ~-house**, ναός. **ˋ~-stick**, κινέζικο λιβάνι.

jostle /ˈdʒɒsl/ *ρ.μ/ὰ.* σπρώχνω δυνατά: *We ~d through the crowd*, προχωρήσαμε σπρώχνοντας μέσα στό πλῆθος. *He ~d against me*, μ' ἔσπρωχνε δυνατά, εἶχε πέσει πάνω μου.

[1]**jot** /dʒɒt/ *οὐσ.* ‹C› (*συνήθ. μέ not*) (*μεταφ.*) κόκκος, κεραία: *not a ~ of truth*, οὔτε κόκκος ἀλήθειας. *not by a ~*, οὔτε κατά κεραίαν.

[2]**jot** /dʒɒt/ *ρ.μ.* (*-tt-*) σημειώνω: *He ~ted down my name and address*, σημείωσε τ' ὄνομά μου καί τή διεύθυνσή μου. **ˋ~·ter**, σημειωματάριο, μπλόκ. **ˋ~·ting**, σημείωσις.

jour·nal /ˈdʒɜːnl/ *οὐσ.* ‹C› **1**. ἡμερολόγιον. **2**. ἐφημερίδα, περιοδικό. **~ese** /ˈdʒɜːnlˈiːz/ *οὐσ.* ‹U› δημοσιογραφικό στύλ. **~·ism** /-ɪzm/ *οὐσ.* ‹U› δημοσιογραφία. **~·ist** /-ɪst/ *οὐσ.* ‹C› δημοσιογράφος. **~·is·tic** /ˈdʒɜːnlˈɪstɪk/ *ἐπ.* δημοσιογραφικός.

jour·ney /ˈdʒɜːnɪ/ *οὐσ.* ‹C› διαδρομή, ταξίδι: *make a ~*, κάνω ταξίδι. *We'll reach our ~'s end tomorrow*, θά φθάσωμε στόν προορισμό μας (στό τέρμα τοῦ ταξιδιοῦ μας) αὔριο. ***go/send sb on a ~***, πάω/στέλνω κπ ταξίδι. ***set out on a ~***, ξεκινῶ γιά ταξίδι.

jour·ney·man /ˈdʒɜːnɪmən/ *οὐσ.* ‹C› εἰδικευμένος ἔμμισθος τεχνίτης.

joust /dʒaʊst/ *οὐσ.* ‹C› μονομαχία ἱππέων μέ κοντάρια. —*ρ.ὰ.* μονομαχῶ μ' αὐτόν τόν τρόπο.

Jove /dʒəʊv/ *οὐσ.* Δίας: ***By J~!*** *ἐπιφ. ἐκπλήξεως:* διάβολε!

jov·ial /ˈdʒəʊvɪəl/ *ἐπ.* κεφᾶτος, πρόσχαρος, γελαστός: *a ~ fellow*, γελαστός ἄνθρωπος. *be in a ~ mood*, εἶμαι κεφᾶτος. **~ly** /-ɪəlɪ/ *ἐπίρ.* χαρωπά, πρόσχαρα. **~·ity** /ˈdʒəʊvɪˈæləti/ *οὐσ.* ‹C,U› κέφι, διαχυτικότης.

jowl /dʒaʊl/ *οὐσ.* ‹C› σαγόνι, μαγούλια (τό κάτω μέρος τοῦ προσώπου): *a man with a heavy ~; a heavy-~ed man*, ἄνθρωπος μέ χοντρά μαγούλια. ***cheek by ~***, κοντά-κοντά, κολλητά.

joy /dʒɔɪ/ *οὐσ.* **1**. ‹U› χαρά: *I heard with ~ that…*, μέ χαρά μου ἄκουσα ὅτι… *To my great ~*, πρός μεγάλην μου χαράν. *a good friend, both in ~ and in sorrow*, ἕνας καλός φίλος, καί στή χαρά καί στή λύπη. *I wish you ~ of it!* νά τό χαίρεσαι! ***dance/jump for ~***, χορεύω/πηδῶ ἀπό χαρά. **ˋ~-bells**, κωδωνοκρουσία πανηγυρισμοῦ. **ˋ~-ride**, (*λαϊκ.*) βόλτα μέ αὐτοκίνητο (*ἰδ.* κλεμμένο). **ˋ~-stick**, (*λαϊκ.*) πηδάλιο ἀεροπλάνου. **2**. ‹C› χαρά, θέλγητρο: *the ~s of life/the countryside*, οἱ χαρές τῆς ζωῆς/τά θέλγητρα τῆς ἐξοχῆς. —*ρ.ὰ.* (*ποιητ.*) χαίρομαι: *~ in a friend's success*, χαίρομαι γιά τήν ἐπιτυχία ἑνός φίλου. **~·ful** /-fl/ *ἐπ.* χαρούμενος, εὐχάριστος. **~·fully** /-fəlɪ/ *ἐπίρ.* **~·less** *ἐπ.* μελαγχολικός, κατηφής, σκυθρωπός. **~-less·ly** *ἐπίρ.* **~·ous** /-əs/ *ἐπ.* εὔθυμος, χαρούμενος, περιχαρής. **~·ous·ly** *ἐπίρ.*

ju·bi·lant /ˈdʒuːbɪlənt/ *ἐπ.* (*λόγ.*) περιχαρής, ἐνθουσιώδης, θριαμβευτικός: *a ~ welcome*, θριαμβευτική ὑποδοχή. **~·ly** *ἐπίρ.* θριαμβευτικά. **ju·bi·la·tion** /ˈdʒuːbɪˈleɪʃn/ *οὐσ.* ‹C,U› ἀγαλλίασις, πανηγυρισμός.

ju·bi·lee /ˈdʒuːbɪliː/ *οὐσ.* ‹C› ἰωβηλαῖον, ἑορτή (ἐπετείου, *ἰδ.* γάμου). **diamond ~**, 60ή ἐπέτειος. **golden ~**, 50ή ἐπέτειος. **silver ~**, 25η ἐπέτειος.

Ju·daic /dʒuːˈdeɪɪk/ *ἐπ.* ἰουδαϊκός.

Ju·da·ism /ˈdʒuːdeɪɪzm/ *οὐσ.* ‹U› Ἰουδαϊσμός.

Ju·das /ˈdʒuːdəs/ *οὐσ.* Ἰούδας, προδότης.

jud·der /ˈdʒʌdə(r)/ *ρ.ὰ.* ριγῶ.

[1]**judge** /dʒʌdʒ/ *οὐσ.* ‹C› **1**. δικαστής: *a High Court ~*, μέλος τοῦ ἀνωτάτου δικαστηρίου. **2**. κριτής: *the ~s at a flower show*, οἱ κριτές σέ μιά ἔκθεση ἀνθέων. **3**. γνώστης, εἰδήμων, εἰδικός: *He's a good ~ of modern art*, εἶναι γνώστης τῆς μοντέρνας τέχνης. *I'm no ~ of wine*, δέν εἶμαι εἰδικός στά κρασιά, δέν ξέρω ἀπό κρασιά.

[2]**judge** /dʒʌdʒ/ *ρ.μ/ὰ.* **1**. κρίνω: *God will ~ all men*, ὁ Θεός θά μᾶς κρίνη ὅλους. **2**. εἶμαι κριτής: *Who will ~ at the flower show?* ποιός θά εἶναι κριτής στήν ἀνθοκομική ἔκθεση; **3**. κρίνω, ὑπολογίζω, θεωρῶ: *I ~ him to be about 50*, ὑπολογίζω ὅτι εἶναι 50 ἐτῶν. *We ~d it better to leave*, τό θεωρήσαμε (τό κρίναμε) καλύτερο νά φύγωμε. *Judging from what you say, he ought to succeed*, κρίνοντας ἀπ' ὅ,τι λές πρέπει νά πετύχη. *Don't ~ a man by his looks*, μήν κρίνης ἕναν ἄνθρωπο ἀπό τήν ἐμφάνισή του.

judge·ment /ˈdʒʌdʒmənt/ *οὐσ.* ‹C,U› **1**. κρίσις: **the ˈDay of ˋJ~; the ˈLast ˋJ~**, ἡ Ἡμέρα τῆς Κρίσεως, ἡ Δευτέρα Παρουσία. ***pass ~ on** (a prisoner)*, δικάζω ἕναν κατηγορούμενο, ἀποφαίνομαι: *It is not for me to pass (a) ~ on him*, δέν εἶναι δική μου δουλειά νά τόν κρίνω. ***sit in ~ on a case***, (*γιά δικαστή*) δικάζω μιά ὑπόθεση. **2**. ἀπόφασις (δικαστική): *The ~ was in his favour*, ἡ ἀπόφασις ἦτο ὑπέρ αὐτοῦ, ἦταν εὐνοϊκή γι' αὐτόν. **3**. κρίσις, εὐθυκρισία, ὀρθοφροσύνη, λογική: *His ~ is at fault*, ἡ κρίσις του εἶναι λανθασμένη. *He's a man of ~*, εἶναι ἄνθρωπος μέ λογική/μέ κρίση. **4**. γνώμη: *give one's ~ on sth*, ἐκφράζω τή γνώμη μου γιά κτ. ***in my ~***, κατά τήν γνώμη μου, κατά τήν κρίση μου. *in the ~ of most people*, σύμφωνα μέ τή γνώμη τῶν περισσοτέρων. ***against my better ~***, παρά τίς ἐπιφυλάξεις μου/τήν κρίση μου. **5**. δίκαιη τιμωρία, θεία δίκη: *Your failure is a ~ on you for being lazy*, ἡ ἀποτυχία σου εἶναι δίκαιη τιμωρία γιά τήν τεμπελιά σου.

ju·di·ca·ture /ˋdʒudɪkətʃə(r)/ *οὐσ.* **1**. ‹U› Δικαιοσύνη. **2**. ‹C› τό Δικαστικόν Σῶμα.

ju·di·cial /dʒuˋdɪʃl/ *ἐπ.* **1**. δικαστικός: *be invested with ~ powers*, εἶμαι περιβεβλημένος μέ δικαστικήν ἐξουσίαν. *~ murder*, δικαστικόν ἔγκλημα. **2**. δίκαιος, ἀμερόληπτος, κριτικός: *a man with a ~ mind*, ἄνθρωπος μέ κριτικόν νοῦν. **~ly** /-ʃəlɪ/ *ἐπίρ.* δικαστικά, δίκαια.

ju·di·ci·ary /dʒuˋdɪʃərɪ/ *οὐσ.* ‹C› **1**. δικαστικός κλάδος. **2**. τά δικαστήρια.

ju·di·cious /dʒuˋdɪʃəs/ *ἐπ.* (*λόγ.*) νουνεχής, συνετός. **~·ly** *ἐπίρ.* φρόνιμα, γνωστικά.

judo /ˋdʒudəʊ/ *οὐσ.* ‹U› ἰαπωνική πάλη, τζούντο.

jug /dʒʌg/ *οὐσ.* ‹C› **1**. κανάτα. **2**. (*λαϊκ.*) ψειροῦ, φρέσκο, φυλακή. **~·ful** /-fʊl/ *οὐσ.* ‹C› κανατιά, τό περιεχόμενον μιᾶς κανάτας. —*ρ.μ.* *(-gg-)* **1**. μαγειρεύω στή στάμνα: *~ged hare*, λαγός σαλμί. **2**. (*λαϊκ.*) φυλακίζω.

jug·ger·naut /ˋdʒʌgənɔt/ *οὐσ.* ‹C› **1**. (*καθομ.*) πελώριο φορτηγό αὐτοκίνητο μεγάλων διαδρομῶν. **2**. πίστις ἤ ὑπόθεσις πού ἀπαιτεῖ ἀνθρωποθυσίες: *the ~ of war*, ὁ Μολώχ τοῦ πολέμου.

juggle /ˋdʒʌgl/ *ρ.μ/ἀ.* **1**. κάνω ταχυδακτυλουργίες, ξεγελῶ. **2**. χρησιμοποιῶ κτ ταχυδακτυλουργικά/μέ δόλιο τρόπο: *You are juggling with the figures when you say that*, παίζεις μέ τούς ἀριθμούς ὅταν λές αὐτό. **jug·gler** *οὐσ.* ‹C› ταχυδακτυλουργός.

jugu·lar /ˋdʒʌgjʊlə(r)/ *ἐπ.* τραχηλικός, τοῦ λαιμοῦ.

juice /dʒus/ *οὐσ.* ‹C,U› **1**. χυμός: *ˋorange ~*, χυμός πορτοκαλιοῦ, πορτοκαλάδα. *ˋfruit ~s*, χυμοί φρούτων. **2**. ὑγρόν: *gastric ~s*, γαστρικά ὑγρά. **3**. (*λαϊκ.*) πηγή ἐνεργείας (ἠλεκτρισμός, πετρέλαιο, κλπ): *step on the ~*, πατάω γκάζι.

juicy /ˋdʒusɪ/ *ἐπ.* *(-ier, -iest)* **1**. χυμώδης, ζουμερός: *~ fruit*, χυμώδη φροῦτα. **2**. (*καθομ.*) νόστιμος, σκανδαλώδης: *There are some ~ stories about him*, κυκλοφοροῦν κάτι νόστιμες ἱστορίες γι' αὐτόν.

ju-jit·su /ˈdʒuˋdʒɪtsu/ *οὐσ.* ‹U› ζίου-ζίτσου.

ju·ju /ˋdʒudʒu/ *οὐσ.* ‹C,U› (*στή Δυτ. Ἀφρική*) ξόρκι, μάγια.

juke-box /ˋdʒuk bɔks/ *οὐσ.* ‹C› τζιούκμποξ, ἠλεκτρόφωνο.

ju·lep /ˋdʒulɪp/ *οὐσ.* ‹C,U› σιρόπι (*ἰδ.* μέ φάρμακο).

Jul·ian /ˋdʒulɪən/ *ἐπ.* ἰουλιανός: *the ~ calendar*, τό ἰουλιανόν ἡμερολόγιον.

July /dʒuˋlaɪ/ *οὐσ.* Ἰούλιος.

jumble /ˋdʒʌmbl/ *ρ.μ/ἀ.* ~ *(**up**)*, ἀνακατώνω/-ομαι, μπερδεύω: *a ~d story*, μιά μπερδεμένη ἱστορία. *Books, shoes and clothes were all ~d up together on the bed*, βιβλία, παπούτσια, καί ροῦχα ἦταν ὅλα φύρδην-μίγδην πάνω στό κρεββάτι. —*οὐσ.* ‹U› σωρός, κυκεών, ἀνακάτωμα, μπέρδεμα. **ˋ~-sale**, πώλησις παληῶν ἤ μεταχειρισμένων πραγμάτων (*συνήθ.* γιά φιλανθρωπικούς σκοπούς).

jum·bo /ˋdʒʌmbəʊ/ *ἐπ.* (*ἐπιθ.*) ὑπερμεγέθης: *~ jets*, μεγάλα ἀεριωθούμενα.

[1]**jump** /dʒʌmp/ *οὐσ.* ‹C› **1**. πήδημα, ἅλμα: *the ˋlong/ˋhigh/ˋpole ~*, ἅλμα εἰς μῆκος/εἰς ὕψος/ἐπί κοντῷ. **2**. ἅλμα, ἀπότομη ἀνύψωσις: *a ~ in exports/prices*, ἅλμα στίς ἐξαγωγές/στίς τιμές. **3**. ἀναπήδησις (ἀπό φόβο). ***give sb a ~***, τρομάζω κπ. ***have the ~s***, (*καθομ.*) ἔχω τρεμούλα, τρέμω ὁλόκληρος. **~y** *ἐπ.* *(-ier, -iest)* (*γιά ἄνθρ.*) ἀναστατωμένος, νευρικός, (*γιά ὕφος*) σπασμωδικός, (*γιά τιμές*) ἀσταθής. **~i·ness** *οὐσ.* ‹U› ἀναστάτωσις, νευρικότης.

[2]**jump** /dʒʌmp/ *ρ.μ/ἀ.* **1**. πηδῶ: *~ to one's feet*, πηδῶ/τινάζομαι ὄρθιος. *~ into a taxi*, πηδῶ σέ ταξί. *~ out of one's chair*, πετάγομαι ἀπό τήν καρέκλα μου. *~ from one subject to another*, πηδῶ ἀπό τό ἕνα θέμα στ' ἄλλο. **ˈ~ing-ˋoff place**, σημεῖον ἐκκινήσεως. ***~ down sb's throat***, ἀπαντῶ σέ κπ/διακόπτω κπ βίαια. **2**. (ὑπερ)πηδῶ: *~ a ditch*, πηδῶ ἕνα χαντάκι. *~ a horse over a fence*, πηδῶ (κάνω νά πηδήση) ἕνα ἄλογο πάνω ἀπό φράχτη. ***~ the rails/track***, (*γιά τραῖνο, τράμ, κλπ*) φεύγω ἀπό τίς γραμμές. **3**. (ἀνα)πηδῶ: *~ up and down in excitement*, χοροπηδῶ ἀπό ἔξαψη. *My heart ~ed when I saw her*, ἡ καρδιά μου ἀναπήδησε (σπαρτάρισε) ὅταν τήν εἶδα. ***~ for joy***, πηδῶ ἀπό χαρά. **4**. (*γιά τιμές*) ὑψώνομαι ἀπότομα, κάνω ἅλμα: *Oil shares ~ed on the Stock Exchange yesterday*, οἱ μετοχές πετρελαίου ἔκαναν ἅλμα στό χρηματιστήριο χθές. **5**. *~* ***at***, σπεύδω νά δεχθῶ, ἐπωφελοῦμαι: *~ at an offer/the chance*, σπεύδω νά δεχθῶ μιά προσφορά/ἁρπάζω τήν εὐκαιρία. ***~ to conclusions***, σπεύδω νά βγάλω συμπεράσματα. ***~ to it***, ἐνεργῶ ταχύτατα, σπεύδω. ***~ (up)on sb***, ρίχνομαι σέ κπ, τόν ἐπιτιμῶ ἄγρια: *The teacher ~ed on him for being late*, ὁ δάσκαλος τόν κατσάδιασε ἐπειδή ἄργησε. ***~ one's bail***, φυγοδικῶ (παρά τήν καταβληθεῖσαν ἐγγύησιν). ***~ the gun***, κάνω πρόωρη ἐκκίνηση, ἀρχίζω πρόωρα. ***~ the queue***, πηδῶ τήν οὐρά. ***~ a train***, ταξιδεύω λαθραῖα μέ φορτηγό τραῖνο.

jumper /ˋdʒʌmpə(r)/ *οὐσ.* ‹C› **1**. φανέλλα (ἀθλητοῦ, ναυτικοῦ, κλπ), μπλούζα, πουλόβερ. **2**. ἅλτης.

junc·tion /ˋdʒʌŋkʃn/ *οὐσ.* ‹C,U› συνένωσις (στρατευμάτων), ἕνωσις (σωλήνων), συμβολή (ποταμῶν), διασταύρωσις (δρόμων), κόμβος, διακλάδωσις (σιδ. γραμμῶν).

junc·ture /ˋdʒʌŋktʃə(r)/ *οὐσ.* ‹C› (*λόγ.*) **1**. ἕνωσις, συμβολή. **2**. κρίσιμος στιγμή, περιστάσεις, συνθῆκες. ***at this ~***, σ' αὐτή τήν κρίση, ὑπό τάς συνθήκας αὐτάς.

June /dʒun/ *οὐσ.* Ἰούνιος.

jungle /ˋdʒʌŋgl/ *οὐσ.* ‹C› ***the ~***, ζούγκλα. ***the law of the ~***, (*μεταφ.*) ὁ νόμος τῆς ζούγκλας.

jun·ior /ˋdʒunɪə(r)/ *ἐπ.* **1**. νεώτερος (*ἀντίθ. senior*): *He's two years my ~; He's my ~ by two years*, εἶναι δυό χρόνια νεώτερός μου/νεώτερός μου κατά δύο χρόνια. *Tom Brown, J~* (*ἤ συγκεκ.* **Jr.**), Τόμ Μπράουν, υἱός (*γιά τό γυιό πού ἔχει τό ἴδιο ὄνομα μέ τόν πατέρα του*) ἤ νεώτερος (*γιά δυό μαθητές πού ἔχουν τό ἴδιο ὄνομα*). **2**. κατώτερος: *a ~ clerk*, κατώτερος ὑπάλληλος. *a ~ partner*, νεώτερος συνεταῖρος. **3**. (*ΗΠΑ*) τριτοετής φοιτητής (ἐπί τετραετοῦς φοιτήσεως).

junk /dʒʌŋk/ *οὐσ.* ‹U› **1**. παληά ἄχρηστα πράγματα: *a ˋ~ room*, ἀποθήκη μέ

παληοπράγματα. `~ **dealer**, παληατζῆς. `~ **shop**, παληατζίδικο. 2. κινέζικο ἱστιοφόρο.
junket /ˈdʒʌŋkɪt/ *οὐσ.* 1. ‹C,U› γλυκό ἀπό ξυνόγαλο. 2. ‹U› τραπέζι, γλέντι, πικνίκ. __*ρ.ἀ.* διασκεδάζω, γλεντῶ. ~**·ing** *οὐσ.* ‹U› διασκέδασις, γλέντι.
junta /ˈdʒʌntə/ *οὐσ.* ‹C› (*πληθ.* ~*s*) χούντα.
Jupi·ter /ˈdʒupɪtə(r)/ *οὐσ.* Ζεύς.
ju·ridi·cal /dʒʊˈrɪdɪkl/ *ἐπ.* δικαστικός, δικανικός, νομικός.
ju·ris·dic·tion /ˈdʒʊərɪsˈdɪkʃn/ *οὐσ.* ‹U› δικαιοδοσία, ἁρμοδιότης: *have ~ over sb*, ἔχω δικαιοδοσία ἐπί ἑνός προσώπου. *This matter doesn't come/fall within our ~*, αὐτό τό θέμα δέν ἐμπίπτει στήν ἁρμοδιότητά μας.
ju·ris·pru·dence /ˈdʒʊərɪsˈprudns/ *οὐσ.* ‹U› νομική ἐπιστήμη, νομολογία.
jur·ist /ˈdʒʊərɪst/ *οὐσ.* ‹C› νομομαθής.
juror /ˈdʒʊərə(r)/ *οὐσ.* ‹C› ἔνορκος.
jury /ˈdʒʊərɪ/ *οὐσ.* ‹C› 1. ἔνορκοι, ὁρκωτόν δικαστήριον: *trial by ~*, δίκη ἐνώπιον ὁρκωτοῦ δικαστηρίου. 2. ἑλλανόδικος ἐπιτροπή: *the ~ of public opinion*, (*μεταφ.*) τό δικαστήριον τῆς κοινῆς γνώμης. `~**·man**, ἔνορκος.
jury-mast /ˈdʒʊərɪ mast/ *οὐσ.* ‹C› πρόχειρο/αὐτοσχέδιο κατάρτι.
[1]**just** /dʒʌst/ *ἐπ.* 1. δίκαιος: *a ~ man/sentence*, δίκαιος ἄνθρωπος/-η καταδίκη. ***be ~ to sb***, εἶμαι δίκαιος σέ κπ: *To be ~ to him...*, γιά νά εἴμαστε δίκαιοι ἀπέναντί του... 2. δίκαιος, πρέπων, ὀρθός: *a ~ reward/remark*, δικαία ἀνταμοιβή/ὀρθή παρατήρησις. 3. δικαιολογημένος: *~ suspicions/indignation*, δικαιολογημένες ὑποψίες/-η ἀγανάκτησις.
[2]**just** /dʒəst, *ἐμφ.* dʒʌst/ *ἐπίρ.* 1. μόλις: *He's ~ left*, μόλις ἔφυγε. *His new book is ~ out*, τό νέο του βιβλίο μόλις κυκλοφόρησε. *I was ~ going*, μόλις ἔφευγα, ἤμουν ἕτοιμος νά φύγω. *She ~ managed to pass the exam*, μόλις πού κατάφερε νά περάση τίς ἐξετάσεις. *We (only) ~ caught the train*, μόλις πού προλάβαμε τό τραῖνο. ***~ now***, *(α)* μόλις τώρα, αὐτή τή στιγμή: *I'm busy ~ now*, εἶμαι ἀπασχολημένος αὐτή τή στιγμή. *(β)* μόλις πρό ὀλίγου: *He came in ~ now*, ἦρθε πρίν ἀπό λίγο. 2. ἀκριβῶς: *It's ~ two o'clock*, εἶναι ἀκριβῶς δύο ἡ ὥρα. *This is ~ what I want*, εἶναι ἀκριβῶς ὅ,τι θέλω. *J~ the thing!* ἀκριβῶς ὅ,τι ζητᾶμε! ***~ as***, *(α)* (ἀκριβῶς) ὅπως: *Leave them ~ as they are*, ἄφησέ τα ὅπως εἶναι! *Come ~ as you are*, ἔλα ὅπως εἶσαι. *(β)* (ἀκριβῶς) ὅταν: *He arrived ~ as I was about to leave*, ἔφθασε ὅταν ἑτοιμαζόμουν νά φύγω. *(γ)* ἐξ ἴσου: *This is ~ as good as the other*, εἶναι ἐξ ἴσου καλό μέ τό ἄλλο. 3. ἁπλῶς, μόνο καί μόνο: *He's ~ a fool*, εἶναι ἁπλῶς ἀνόητος. *I've come here ~ to see you*, ἦρθα ἐδῶ μόνο καί μόνο γιά νά σέ δῶ. 4. (*ἰδ. σέ προστακτική*) γιά: *J~ try!* γιά δοκίμασε! *J~ a moment*, μιά στιγμή! *J~ listen to her!* γιά ἄκου την! 5. (*καθομ.*) κυριολεκτικά, χωρίς συζήτηση, πολύ (*ὡς ἐπιτατικόν*): *They were ~ starving*, κυριολεκτικά λιμοκτονοῦσαν. *It was ~ about the best performance I had seen*, ἦταν χωρίς συζήτηση ἡ καλύτερη παράσταση πού εἶχα δεῖ. *'Did you enjoy yourselves?' 'Didn't we ~!'* -Περάσατε καλά; -Ἄν περάσαμε! (Θαῦμα!) *Don't I ~ remember him!* ἄν τόν θυμᾶμαι! (τόν θυμᾶμαι καί πολύ καλά!). 6. ***~ about***, κάπου, κάπως, σχεδόν: *I'm ~ about finished*, σχεδόν τελείωσα.
jus·tice /ˈdʒʌstɪs/ *οὐσ.* 1. ‹U› δικαιοσύνη: *treat all men with ~*, μεταχειρίζομαι ὅλους μέ δικαιοσύνη. ***in ~ to sb***, γιά νά εἶμαι δίκαιος ἀπέναντι σέ κπ. *In ~ to him, we must admit he worked hard*, γιά νά εἴμαστε δίκαιοι ἀπέναντί του, πρέπει νά ὁμολογήσουμε ὅτι δούλεψε σκληρά. ***do ~ to sb/sth***, *(α)* εἶμαι δίκαιος σέ κπ. *(β)* τιμῶ (ὅπως ἀξίζει): *He did ~ to the dinner*, τίμησε τό γεῦμα δεόντως. ***do oneself ~***, δικαιώνω τίς ἱκανότητές μου, δείχνω τήν ἀξία μου: *You aren't doing yourself ~*, ἀδικεῖς τόν ἑαυτό σου, δέν ἀποδίδεις ὅσο μπορεῖς. ***bring sb to ~***, παραπέμπω κπ στή δικαιοσύνη. **court of ~**, δικαστήριον. **Department of J~**, (*ΗΠΑ*) Ὑπουργεῖον Δικαιοσύνης. 2. ‹C› δικαστής τοῦ Ἀνωτάτου Δικαστηρίου. *the Chief J~*, ὁ Πρόεδρος τοῦ Ἀνωτάτου Δικαστηρίου. *Mr. J~ Smith*, ὁ δικαστής κ. Σμίθ. **ˈJ~ of the ˈPeace**, Εἰρηνοδίκης, Πταισματοδίκης.
jus·tify /ˈdʒʌstɪfaɪ/ *ρ.μ.* δικαιολογῶ, δικαιώνω: *You can hardly ~ such conduct*, δύσκολα μπορεῖς νά δικαιολογήσης τέτοια συμπεριφορά. *He was fully justified in his suspicions*, οἱ ὑποψίες του ἐδικαιώθησαν πλήρως. *I'm justified in believing that...*, ἔχω τό δικαίωμα/εἶμαι δικαιολογημένος νά πιστεύω ὅτι... ***The end justifies the means***, ὁ σκοπός ἁγιάζει τά μέσα. **jus·ti·fi·able** /ˈdʒʌstɪˈfaɪəbl/ *ἐπ.* δικαιολογημένος, εὔλογος. **jus·ti·fi·ably** /-əblɪ/ *ἐπίρ.* εὐλόγως, δικαιολογημένα. **jus·ti·fi·ca·tion** /ˈdʒʌstɪfɪˈkeɪʃn/ *οὐσ.* ‹U› δικαιολογία, δικαίωσις.
jut /dʒʌt/ *ρ.ἀ.* *(-tt-)* ***~ out***, προεξέχω: *The balcony ~s out over the garden*, τό μπαλκόνι προεξέχει πάνω ἀπό τόν κῆπο. *He saw a gun ~ting out from a bush*, εἶδε ἕνα ὅπλο νά προεξέχη (νά προβάλλη) ἀπό ἕνα θάμνο.
jute /dʒut/ *οὐσ.* ‹U› γιούτα.
ju·ven·ile /ˈdʒuvənaɪl/ *οὐσ.* ‹C› νέος. __*ἐπ.* νεανικός: *a ~ appearance*, νεανική ἐμφάνιση. *~ books*, παιδικά βιβλία. ~ **court**, δικαστήριο ἀνηλίκων. ~ **delinquency**, ἐγκληματικότης ἀνηλίκων.
jux·ta·pose /ˈdʒʌkstəˈpəʊz/ *ρ.μ.* ἀντιπαραθέτω, ἀντιπαραβάλλω. **jux·ta·po·si·tion** /ˈdʒʌkstəpəˈzɪʃn/ *οὐσ.* ‹U› ἀντιπαράθεσις.

K, k /keɪ/ τό 11ον γράμμα τοῦ ἀλφάβητου.

ka·lei·do·scope /kə`laɪdəskəʊp/ *οὐσ.* ‹C› καλειδοσκόπιον. **ka·lei·do·scopic** /kə'laɪdə`skɒpɪk/ *ἐπ.* συνεχῶς μεταβαλλόμενος, πολυποίκιλος, πολύχρωμος.

kan·ga·roo /ˈkæŋgə`ru/ *οὐσ.* ‹C› καγκουρώ. **~ court**, πρόχειρο δικαστήριο (ἐργατῶν, κρατουμένων, κλπ, πρός τιμωρίαν συντρόφου τους).

kao·lin /`keɪəlɪn/ *οὐσ.* ‹U› (*ὀρυκτ.*) καολίνη.

ka·pok /`keɪpɒk/ *οὐσ.* ‹U› καπόκ.

ka·rate /kə`ratɪ/ *οὐσ.* ‹U› καράτε, ἰαπωνική πάλη.

kayak /`kaɪæk/ *οὐσ.* ‹C› καγιάκ (κανώ Ἐσκιμώων).

ke·bab /kə`bæb/ *οὐσ.* ‹C,U› κεμπάπ, κρέας σουβλάκι.

keel /kil/ *οὐσ.* ‹C› καρίνα πλοίου. ***(keep) on an even ~***, (μένω) σταθερός, χωρίς ταλαντεύσεις. *—ρ.μ/ἀ.* **~ over**, ἀνατρέπω/-ομαι, μπατάρω.

keen /kin/ *ἐπ.* *(-er, -est)* **1**. ὀξύς, κοφτερός: *a ~ edge*, κοφτερή κόψη. *a ~ point*, μυτερή ἄκρη. *~ sight/hearing*, ὀξεῖα ὅρασις/ἀκοή. *~ competition*, ὀξύς συναγωνισμός. *~ intelligence*, κοφτερό μυαλό, μεγάλη εὐφυΐα. **2**. τσουχτερός: *a ~ wind*, τσουχτερός ἀέρας. *~ sarcasm*, τσουχτερός/δηκτικός σαρκασμός. **3**. ἔντονος, δυνατός: *~ interest*, ἔντονο ἐνδιαφέρον. *~ pleasure*, ἔντονη εὐχαρίστηση. *a ~ pain/appetite*, δυνατός πόνος/-ή πεῖνα. **4**. ἐνθουσιώδης, φανατικός, πού ἀγαπάει/θέλει πολύ: *a ~ sportsman*, φανατικός φίλαθλος. *He's ~ to help us*, θέλει πολύ νά μᾶς βοηθήση. ***be ~ on (doing) sth***, (*καθομ.*) μοῦ ἀρέσει, θέλω πολύ, λαχταρῶ: *I'm not very ~ on football*, δέν μοῦ ἀρέσει πολύ τό ποδόσφαιρο. *He's ~ on Mary*, τοῦ ἀρέσει πολύ ἡ Μαίρη. *He's ~ on going abroad*, λαχταράει νά πάη στό ἐξωτερικό. *They are ~ on John('s) marrying Helen/~ that John should marry Helen*, θέλουν πολύ νά παντρευτῆ ὁ Γ. τήν Ἑλένη. **~·ly** *ἐπίρ.* ἔντονα, δυνατά, πάρα πολύ: *I'm ~ly interested in your work*, ἐνδιαφέρομαι πάρα πολύ γιά τή δουλειά σου. **~·ness** *οὐσ.* ‹U› ὀξύτης, ζῆλος.

¹**keep** /kip/ *ρ.μ/ἀ.* *ἀνώμ.* (*ἀόρ.* & *π.μ.* *kept* /kept/) **1**. κρατῶ: *(α)* κρατῶ σέ ὡρισμένη θέση ἤ κατάσταση: *K~ your hands in your pockets*, κράτησε τά χέρια σου στίς τσέπες σου. *K~ your soul pure*, κράτησε τήν ψυχή σου ἁγνή. *~ sb in prison*, κρατῶ κπ στή φυλακή. *K~ the fire burning*, κράτησε τή φωτιά ἀναμμένη. ***~ sb going***, βοηθῶ κπ νά συνεχίση: *£10 will ~ me going until payday*, δέκα λίρες θά μέ βοηθήσουν ὥς τήν ἡμέρα τῆς μισθοδοσίας. ***~ sb waiting***, ἀφήνω κπ νά περιμένη. *(β)* κρατῶ (= δέν λέω ἤ δέν δίνω): *She can ~ nothing (back) from her friends*, δέν μπορεῖ νά κρατήση τίποτα ἀπό τίς φίλες της. *They ~ back £3 a month from my salary*, μοῦ κρατᾶνε τρεῖς λίρες τό μῆνα ἀπό τό μισθό μου. ***~ sth to oneself***, κρατῶ κτ γιά τόν ἑαυτό μου: *He kept the good news to himself*, κράτησε τά καλά νέα γιά τόν ἑαυτό του. *K~ your remarks to yourself*, κράτα τίς παρατηρήσεις σου γιά τόν ἑαυτό σου! *(γ)* κρατῶ, τηρῶ: *~ a promise/one's word*, κρατῶ τήν ὑπόσχεση/τό λόγο μου. *~ the law/an agreement/a treaty*, τηρῶ τόν νόμο/μιά συμφωνία/μιά συνθήκη. *(δ)* κρατῶ, φυλάω: *You may ~ the change*, μπορεῖς νά κρατήσης τά ρέστα. *Do you ~ the letters you receive?* κρατᾶς (φυλᾶς) τά γράμματα πού λαβαίνεις; *K~ my suitcase for me while I'm away*, φύλαξέ μου τή βαλίτσα ὅση ὥρα λείπω. *(ε)* κρατῶ, διατηρῶ, ἔχω (γιά πούλημα, κλπ): *He ~s hens/bees/pigs*, ἔχει (τρέφει) κόττες/μελίσσια/γουρούνια. *He ~s an inn/a shop/a school*, κρατάει (διατηρεῖ) πανδοχεῖο/μαγαζί/σχολεῖο. *Do you ~ batteries?* (*σέ μαγαζί*) ἔχετε (πουλᾶτε) μπαταρίες; (*στ´*) κρατῶ: *~ a diary/accounts/books*, κρατῶ ἡμερολόγιο/λογαριασμούς/βιβλία. **`book-keeper**, λογιστής. *(ζ)* κρατῶ, παραμένω, διατηροῦμαι, κρατιέμαι: *Will this meat ~ till tomorrow?* θά κρατήση αὐτό τό κρέας μέχρις αὔριο; *K~ quiet!* μεῖνε ἥσυχος! κάθισε ἥσυχα! *K~ cool!* ψυχραιμία! συγκρατήσου! *I hope you are ~ing well*, ἐλπίζω νά εἶσθε καλά. ***~ fit***, κρατιέμαι γερός/σέ καλή κατάσταση: *I do exercises every morning to ~ fit*, κάνω γυμναστική κάθε πρωΐ γιά νά διατηρηθῶ σέ καλή κατάσταση. **2**. γιορτάζω: *~ one's birthday/Easter*, γιορτάζω τά γενέθλιά μου/τό Πάσχα. **3**. φυλάσσω, προστατεύω: *May God ~ you!* ὁ Θεός νά σέ φυλάη! **4**. συντηρῶ/-οῦμαι: *I have a large family to ~*, ἔχω μεγάλη οἰκογένεια νά συντηρήσω. *He ~s a mistress*, συντηρεῖ ἐρωμένη. **a kept woman**, σπιτωμένη γυναίκα (πού τή συντηρεῖ κάποιος ἄνδρας). **5**. ***~ sb/sth from doing sth***, ἐμποδίζω: *What kept you from joining us?* τί σ'ἐμπόδισε νά ἔλθης μαζί μας; *We must do something to ~ the roof from falling in*, πρέπει νά κάνωμε κάτι νά ἐμποδίσωμε τή στέγη νά πέση. ***~ from doing sth***, συγκρατοῦμαι: *I kept from saying anything*, συγκρατήθηκα καί δέν εἶπα τίποτα. *I couldn't ~ from laughing*, δέν μπόρεσα νά κρατήσω τά γέλια μου. **6**. ***~ on/to***, ἐξακολουθῶ (νά μένω, νά προχωρῶ): *She will ~ (to) her bed/the house for another week*, θά παραμείνει στό κρεββάτι/στό σπίτι ἄλλη μιά βδομάδα. *The lorry kept to the middle of the road*, τό φορτηγό ἐξακολούθησε νά πηγαίνη στή μέση τοῦ δρόμου. *Traffic in Britain ~s (to the) left*, ἡ κυκλοφορία (ὀχημάτων) στή Μ. Βρεταννία γίνεται στ'ἀριστερά. *K~ straight on until you get to the station*, συνέχισε νά προχωρᾶς κατ'εὐθεῖαν ἐμπρός ἕως ὅτου φθάσης στό σταθμό. ***~ a firm/tight hold on sth***, κρατῶ κτ σφιχτά: *K~ a tight hold on the horse's reins*, κράτα σφιχτά τά χαλινάρια τοῦ ἀλόγου. **7**. ***~ (on) doing sth***, συνεχίζω νά κάνω κτ: *K~ (on) smiling/working/eating!* συνέχισε νά χαμογελᾶς/νά δουλεύης/νά τρῶς! *My shoe laces ~ coming undone*, διαρκῶς λύνονται τά κορδόνια μου. (*βλ.* *keep on*). ***~ going***, συνεχίζω: *It's exhausting work but I manage to ~ going*, εἶναι

ἐξαντλητική δουλειά ἀλλά καταφέρνω νά συνεχίζω. *I'm doubtful whether the company can* ~ *going*, ἀμφιβάλλω ἄν θά μπορέση ἡ ἑταιρία νά συνεχίση. (*βλ.* & *λ. ball, counsel, eye, faith, house, pot, tab, track*) **8**. (*μέ ἐπιρ. καί προθέσεις*):

keep at sth, ἐμμένω σέ κτ: *K~ at it!* μήν τά παρατᾶς! συνέχισε! ~ ***sb at sth***, κάνω κπ νά δουλεύη: *He kept me at it all day*, δέν μ' ἄφησε νά σηκώσω κεφάλι ὅλη τήν ἡμέρα.

keep away (from), μένω/κρατῶ μακρυά: *K~ away from the fire!* μεῖνε μακρυά ἀπό (μήν πλησιάζης) τή φωτιά. *K~ the children away from the fire!* κράτησε τά παιδιά μακρυά ἀπό τή φωτιά.

keep back, συγκρατῶ, μένω πίσω: ~ *back the crowd/one's tears*, συγκρατῶ τό πλῆθος/τά δάκρυά μου. *K~ back!* μήν προχωρεῖς! *They ran forward but I kept back*, ἔτρεξαν μπροστά ἀλλά ἐγώ ἔμεινα πίσω.

keep down, μένω σκυμμένος: *We kept down behind the wall until they passed*, μείναμε σκυμμένοι πίσω ἀπό τόν τοῖχο ὥσπου πέρασαν. ~ ***sb down***, κρατῶ κπ σέ ὑποταγή: *You can't ~ them down for ever*, δέν μπορεῖτε νά τούς κρατήσετε γιά πάντα σέ ὑποταγή. ~ ***sth down***, συγκρατῶ, κρατῶ χαμηλά: *He couldn't ~ down his anger*, δέν μποροῦσε νά συγκρατήση τό θυμό του. *We must ~ down expenses/prices*, πρέπει νά κρατήσωμε τά ἔξοδα/τίς τιμές σέ χαμηλά ἐπίπεδα. *He couldn't ~ his food down*, δέν μποροῦσε νά κρατήση μέσα του τό φαΐ (τοῦ ἐρχόταν νά κάνη ἐμετό).

keep in, μένω/κρατῶ μέσα, (*γιά φωτιά*) συνεχίζω νά καίω: *I kept in during the riots*, ἔμεινα μέσα (στό σπίτι) κατά τήν διάρκεια τῶν ταραχῶν. ~ *a schoolboy in*, κρατῶ ἕναν μαθητή μέσα (γιά τιμωρία). *I couldn't ~ in my indignation*, δέν μποροῦσα νά κρατήσω μέσα μου τήν ἀγανάκτησή μου. *Will the fire ~ in until we get back?* θά κρατήση ἡ φωτιά ὥσπου νά γυρίσωμε; *Shall we ~ the fire in or let it (go) out?* νά κρατήσωμε τή φωτιά ἀναμμένη ἤ νά τήν ἀφήσωμε νά σβύση; ~ ***in with sb***, διατηρῶ ἀγαθές σχέσεις μέ κπ: *You must ~ in with your customers*, πρέπει νά διατηρῆς ἀγαθές σχέσεις μέ τούς πελάτες σου.

keep off, μένω/κρατῶ μακρυά: *K~ off the grass, please*, μακρυά ἀπό τή χλόη, παρακαλῶ! *K~ the children off the grass*, κρατῆστε τά παιδιά μακρυά ἀπό τή χλόη. *K~ off drugs!* μακρυά ἀπό τά ναρκωτικά! *Please ~ off that subject*, παρακαλῶ μή θίγετε αὐτό τό θέμα. *We made a fire to ~ the wolves off*, ἀνάψαμε φωτιά γιά νά κρατήσωμε μακρυά τούς λύκους. *If the rain ~s off for another week...*, ἄν δέν βρέξη κι' ἄλλη μιά βδομάδα...

keep on, συνεχίζω, ἐπιμένω: *We all stopped work but he just kept on*, ὅλοι σταματήσαμε τή δουλειά ἀλλά αὐτός συνέχισε. *Why do the dogs ~ on barking?* γιατί τά σκυλιά ἐπιμένουν νά γαυγίζουν; τί πάθανε τά σκυλιά καί γαυγίζουν; ~ ***on at sb***, ἐνοχλῶ κπ μέ συνεχεῖς ἐρωτήσεις, τοῦ γίνομαι φόρτωμα. ~ ***sth on***, κρατῶ κτ φορεμένο. ~ ***sb on***, κρατῶ κπ στή δουλειά, δέν τόν ἀπολύω: ~ *an old employee on*, κρατῶ ἕναν παληό ὑπάλληλο.

keep out, μένω/κρατῶ ἔξω: *K~ out of their quarrels*, μεῖνε ἔξω ἀπό τούς καυγάδες τους. *K~ the dog out of my room*, μήν ἀφήνης τό σκυλί νά μπῆ στό δωμάτιό μου.

keep to, τηρῶ, περιορίζομαι εἰς: *He always ~s to his promises/word*, πάντα τηρεῖ τίς ὑποσχέσεις του/τό λόγο του. ~ ***(oneself) to oneself***, δέν κάνω παρέες, δέν εἶμαι κοινωνικός: *At the party he kept (himself) to himself all the time*, δέν ἔκανε παρέα μέ κανέναν στό πάρτυ ὅλη τήν ὥρα.

keep under, κρατῶ κάτω ἀπό ἔλεγχο/σέ πειθαρχία: *That boy needs ~ing under*, αὐτό τό παιδί θέλει πειθαρχία.

keep up (with), συμβαδίζω: *I can't ~ up with this class*, δέν μπορῶ νά συμβαδίσω μ' αὐτή τήν τάξη. *Don't go so fast; I can't ~ up with you*, μήν προχωρῆς τόσο γρήγορα, δέν μπορῶ νά σέ φτάσω. ~ ***up with the Joneses***, φροντίζω (*ἰδ.* μέ ἀγορές πραγμάτων) νά μή μείνω πίσω ἀπό τούς γνωστούς μου. ~ ***sb up***, κρατῶ κπ ἀργά τό βράδυ: *You shouldn't ~ the children up so late*, δέν πρέπει νά κρατᾶτε τά παιδιά τόσο ἀργά. ~ ***sth up***, κρατῶ, διατηρῶ, συντηρῶ, συνεχίζω: *K~ your courage up!* μή χάνης τό θάρρος σου! ~ *up old customs*, κρατῶ τά παληά ἔθιμα. *How much does it cost you to ~ up a large house like this?* πόσο σᾶς κοστίζει νά κρατᾶτε (συντηρῆτε) ἕνα τόσο μεγάλο σπίτι; *They kept up the attack all day*, συνέχισαν τήν ἐπίθεση ὅλη τήν ἡμέρα. *Do you still ~ up your German?* συνεχίζεις (διαβάζεις) ἀκόμη Γερμανικά; ~ ***it up***, συνεχίζω (νά κάνω κτ) μέ τήν ἴδια ἔνταση, τόν ἴδιο ρυθμό.

[2]**keep** /kip/ *οὐσ.* ‹C,U› **1**. φαΐ, συντήρησις, διατροφή: *The dog doesn't earn his ~*, ὁ σκύλος δέν ἀξίζει τό φαΐ πού τρώει. **2**. πύργος (πάνω σέ κάστρο). **3**. ***for ~s***, (*λαϊκ.*) ὁριστικά, γιά πάντα: *It's yours for ~s*, εἶναι δικό σου γιά πάντα.

keeper /ˈkipə(r)/ *οὐσ.* ‹C› φύλακας.

keep·ing /ˈkipɪŋ/ *οὐσ.* ‹U› **1**. φύλαξις, φροντίδα: *Your valuables are in safe ~*, τά τιμαλφῆ σας εἶναι καλά φυλαγμένα. **2**. συντήρησις, διατήρησις: *the ~ of bees*, ἡ ἐκτροφή μελισσῶν. **3**. ἁρμονία, συμφωνία: *His actions are not in ~/are out of ~ with his promises*, οἱ πράξεις του δέν συμφωνοῦν μέ τίς ὑποσχέσεις του.

keep·sake /ˈkipseɪk/ *οὐσ.* ‹C› ἐνθύμιον: *Have this ring for a ~*, πᾶρε αὐτό τό δαχτυλίδι γιά ἐνθύμιο.

keg /keg/ *οὐσ.* ‹C› βαρελάκι: *a ~ of beer/brandy*.

ken /ken/ *οὐσ.* ‹U› (*μόνο στή φράση*) ***beyond/outside my ~***, (*καθομ.*) πέρα/ἔξω ἀπό τίς γνώσεις μου, ἀπό τήν ἁρμοδιότητά μου.

ken·nel /ˈkenl/ *οὐσ.* ‹C› σπιτάκι σκύλου.

kept /kept/ *ἀόρ.* & *π.μ. τοῦ ρ. keep*.

kerb /kɜb/ *οὐσ.* ‹C› κράσπεδον πεζοδρομίου. **ˈ~·stone**, πέτρα κρασπέδου.

ker·chief /ˈkɜtʃif/ *οὐσ.* ‹C› μαντήλα, τσεμπέρι.

ker·nel /ˈkɜnl/ *οὐσ.* ‹C› **1**. ψύχα (καρυδιοῦ, μύγδαλου, σταριοῦ, κλπ). **2**. (*μεταφ.*) οὐσία, πυρήνας, βάθος: *the ~ of the matter*, ἡ οὐσία

τοῦ θέματος.
kero·sene /ˋkerəsin/ *οὐσ.* ‹U› (φωτιστικόν) πετρέλαιον: *a ~ lamp*, λάμπα πετρελαίου.
kes·trel /ˋkestrl/ *οὐσ.* ‹C› μικρό γεράκι.
ketch /ketʃ/ *οὐσ.* ‹C› δικάταρτο καΐκι.
ketch·up /ˋketʃəp/ *οὐσ.* ‹U› σάλτσα ντομάτας, κετσάπ.
kettle /ˋketl/ *οὐσ.* ‹C› χύτρα, τσαγερό, κατσαρόλα. (*βλ.* & *λ. fish*).
kettle·drum /ˋketldrʌm/ *οὐσ.* ‹C› (μεταλλικό) τύμπανο.
1**key** /ki/ *οὐσ.* ‹C› **1**. κλειδί: *Put the ~ in the lock and then turn it*, βάλε τό κλειδί στήν κλειδαριά καί ὕστερα γύρισέ το. *a ~ to wind a clock*, κλειδί γιά τό κούρδισμα ρολογιοῦ. **ˋmaster/ˋskeleton ~**, πασπαρτού, γενικό ἀντικλείδι. **ˋ~·hole**, κλειδαρότρυπα. **ˋ~-ring**, κρίκος κλειδιῶν. **2**. (*μεταφ.* & *ἐπιθ.*) κλειδί: *the ~ to a mystery*, τό κλειδί τοῦ αἰνίγματος. *Gibraltar has been called the ~ to the Mediterranean*, τό Γιβραλτάρ ἔχει ὀνομασθῆ τό κλειδί τῆς Μεσογείου. *a ˈ~ ˋindustry*, μιά βιομηχανία-κλειδί (*δηλ.* ζωτικῆς σημασίας). *a ˈ~ poˋsition*, θέσις-κλειδί. *a ˈ~ ˋman*, ἄνθρωπος-κλειδί. **3**. (*σχολ.*) κλείδα, λύσις. **4**. πλῆκτρον (γραφομηχανῆς, πιάνου, κλπ). **ˋ~·board**, πληκτρολόγιον, κλαβιέ. **5**. (*μουσ.*) κλείς, κλειδί, τόνος: *major/minor ~*, μείζων/ἐλάσσων τόνος. *speak in a high/low ~*, μιλῶ σέ ὑψηλό/χαμηλό τόνο. *in a minor ~*, θλιμμένα. *all in the same ~*, ὅλα στόν ἴδιο τόνο, μονότονα. **ˋ~·note**, (*μουσ.*) τονική, (*μεταφ.*) κεντρική, δεσπόζουσα ἰδέα: *That was the ~note of his speech*, αὐτή ἦταν ἡ κεντρική ἰδέα/ἡ κατευθυντήρια γραμμή τοῦ λόγου του.
2**key** /ki/ *ρ.μ.* **~ up**, (*μεταφ.*) κουρδίζω, διεγείρω, φέρνω κπ σέ ἀγωνία: *The thought of the match ~ed him up to a state of great excitement*, ἡ σκέψη τοῦ μάτς τόν ἔφερε σέ κατάσταση μεγάλης ἐξάψεως.
key·stone /ˋki-stəʊn/ *οὐσ.* ‹C› **1**. ἡ μεσαία πέτρα στήν κορυφή ἁψῖδος. **2**. (*μεταφ.*) βάσις, θεμέλιο, μοχλός, ἄξονας: *These considerations are the ~ of our policy*, αὐτές οἱ σκέψεις ἀποτελοῦν τή βάση/τόν ἄξονα τῆς πολιτικῆς μας.
khaki /ˋkaki/ *ἐπ.* & *οὐσ.* ‹U› χακί (ὕφασμα, χρῶμα).
khan /kan/ *οὐσ.* ‹C› (*τίτλος*) χάν, (*στήν Ἀνατολή*) χάνι.
1**kick** /kɪk/ *οὐσ.* **1**. ‹C› κλωτσιά: *give a ~ at the door*, δίνω κλωτσιά στήν πόρτα. *give sb a ~*, δίνω κλωτσιά σέ κάποιον. **ˈ~-ˋstart(er)**, (*σέ μοτοσυκλέττα*) ἐκκινητής μέ τό πόδι. **2**. ‹C,U› (*καθομ.*) εὐχαρίστησις, συγκίνησις: *I get a good deal of ~/a big ~ out of underwater fishing*, βρίσκω πολλή εὐχαρίστηση/πολλή συγκίνηση στό ὑποβρύχιο ψάρεμα. ***for ~s***, γιά τή συγκίνηση, γιά γοῦστο: *I don't play cards to win money, I do it for ~s*, δέν παίζω χαρτιά γιά νά κερδίσω χρήματα, τό κάνω μόνο γιά τή συγκίνηση. **3**. ‹U› σφρῖγος, δύναμις: *He has no ~ left in him*, εἶναι ξεψυχισμένος, δέν ἔχει δύναμη γιά τίποτα. *The party had a lot of ~ in it*, τό πάρτυ ἦταν γεμᾶτο ζωντάνια.
2**kick** /kɪk/ *ρ.μ/ἀ.* **1**. κλωτσῶ: *The horse ~s*, τό ἄλογο κλωτσάει. *~ sb on the shin*, κλωτσῶ κπ στά καλάμια. *~ a hole in the ice*, ἀνοίγω τρύπα στόν πάγο μέ κλωτσιά. ***~ a goal***, βάζω γκώλ. ***be ~ing about***, (*γιά πράγματα*) εἶναι πεταμένα/ἀφημένα χάμω ἐδῶ κι'ἐκεῖ. ***~ the bucket***, (*λαϊκ.*) τινάζω τά πέταλα, τά κακαρώνω. ***~ one's heels***, ξεροσταλιάζω περιμένοντας. **2**. (*γιά ὅπλο*) κλωτσῶ. **3**. *μέ ἐπίρ. καί προθέσεις:* ***~ at/against***, κλωτσῶ, διαμαρτύρομαι, ἀντιδρῶ: *The people will ~ at the new taxes*, ὁ λαός θά κλωτσήση μέ τούς καινούργιους φόρους. ***~ off***, δίνω τό ἐναρκτήριο λάκτισμα σ'ἕνα μάτς, πετῶ κλωτσώντας: *He ~ed off his slippers*, ἔβγαλε τίς παντοῦφλες του μέ κλωτσιά. **ˋ~-off**, ἐναρκτήριο λάκτισμα. ***~ out***, πετῶ ἔξω μέ κλωτσιές: *The drunken man was ~ed out of the bar*, πετάξανε τόν μεθυσμένο μέ κλωτσιές ἔξω ἀπό τό μπάρ. ***~ sb upstairs***, βγάζω κπ ἀπό τή μέση προάγοντάς τον. ***~ up a fuss/row/shindy/stink***, (*καθομ.*) κάνω φασαρία/καυγᾶ. **~er** *οὐσ.* ‹C› ζῶον πού κλωτσᾶ: *That horse is a bad ~er*, αὐτό τό ἄλογο κλωτσάει ἄσχημα.
1**kid** /kɪd/ *οὐσ.* **1**. ‹C› κατσικάκι. **2**. ‹C› (*λαϊκ.*) παιδί. **3**. ‹U› δέρμα ἀπό κατσίκι. **~ gloves**, σεβρά γάντια: ***handle sb with ~ gloves***, μεταχειρίζομαι κπ μέ τό μαλακό.
2**kid** /kɪd/ *ρ.μ.* (*-dd-*) (*λαϊκ.*) κοροϊδεύω, δουλεύω κπ: *You're ~ding (me)!* μέ δουλεύεις!
kid·nap /ˋkɪdnæp/ *ρ.μ.* (*-pp-*) ἀπάγω (γιά λύτρα). **~·per** *οὐσ.* ‹C› ἀπαγωγεύς.
kid·ney /ˋkɪdnɪ/ *οὐσ.* ‹C› νεφρό: *have ~ trouble*, μέ πονᾶνε τά νεφρά μου.
kill /kɪl/ *ρ.μ/ἀ.* **1**. φονεύω, σκοτώνω, θανατώνω: *Thou shalt not ~*, οὐ φονεύσης. *Malaria ~ed him*, τόν σκότωσε ἡ ἑλονοσία. *The frost ~ed the flowers*, ἡ παγωνιά κατέστρεψε τά λουλούδια. ***shoot to ~***, πυροβολῶ στό ψαχνό: *The police were shooting to ~*, ἡ ἀστυνομία ἔρριχνε στό ψαχνό. ***~ off***, ἐξολοθρεύω, ἀφανίζω: *The frost ~ed off most of the insect pests*, ἡ παγωνιά ἐξολόθρευσε τά περισσότερα ἔντομα. ***~ time***, σκοτώνω τήν ὥρα: *leaf through a magazine to ~ time*, ξεφυλλίζω ἕνα περιοδικό νά περάση ἡ ὥρα. **2**. καταστρέφω, σβύνω, καταψηφίζω, θέτω τέρμα: *That ~ed all our chances of success/all our hopes*, αὐτό κατέστρεψε ὅλες μας τίς πιθανότητες ἐπιτυχίας/ὅλες μας τίς ἐλπίδες. *~ a proposal/bill*, καταψηφίζω μιά πρόταση/ἕνα νομοσχέδιο. **ˋ~·joy**, ἀνάποδος ἄνθρωπος (πού χαλάει ἤ προσπαθεῖ νά χαλάση τή χαρά τῶν ἄλλων): *Don't be a ~joy!* μή μᾶς χαλᾶς τό χατήρι/τό κέφι! **3**. ἐπισκιάζω, ἐξουδετερώνω: *The scarlet carpet ~s your curtains*, τό κόκκινο χαλί ἐξουδετερώνει τίς κουρτίνες σας. ***~ sb with kindness***, πεθαίνω κπ στήν περιποίηση. ***(be) dressed/got up to ~***, ντυμένος γιά νά κάψη καρδιές, στήν πέννα. —*οὐσ.* (*μόνον ἑν.*) **1**. σκότωμα. **2**. σκοτωμένα ζῶα: *There was a plentiful ~*, ἦταν καλό κυνήγι (μέ πολλά θηράματα σκοτωμένα). **~er** *οὐσ.* ‹C› φονηᾶς.
kill·ing /ˋkɪlɪŋ/ *ἐπ.* (*καθομ.*, *πεπαλ.*) διασκεδαστικός, ἐξαντλητικός: *It was a ~ joke*, ἦταν ξεκαρδιστικό ἀστεῖο. *Teaching ten hours a day is ~*, εἶναι ἐξαντλητικό νά διδάσκης δέκα ὧρες τήν ἡμέρα. —*οὐσ.* ‹C,U› ***make a ~***, σημειώνω μεγάλη ἐπιτυχία, κάνω "μπάμ".

kiln /ˈkɪln/ *οὐσ.* ‹C› καμίνι.
kilo /ˈkiləʊ/ *οὐσ.* ‹C› (*πληθ.* ~*s*) κιλό.
kilo- /ˈkiləʊ/ *πρόθεμα* χιλιο- ˈ~**·cycle**, χιλιόκυκλος. ˈ~**·gramme/gram**, χιλιόγραμμον, κιλό. ˈ~**·litre**, χιλιόλιτρον. ˈ~**·metre**, χιλιόμετρον. ˈ~**·watt**, κιλοβάτ.
kilt /kɪlt/ *οὐσ.* ‹C› Σκωτσέζικη φουστανέλλα.
kim·ono /kɪˈməʊnəʊ/ *οὐσ.* ‹C› (*πληθ.* ~*s*) κιμονό.
kin /kɪn/ *οὐσ.* (*συλλογ.*) οἰκογένεια, συγγενεῖς, συγγενολόϊ: *We are near* ~, εἴμαστε κοντινοί συγγενεῖς. ***next of*** ~, πλησιέστερος συγγενής. ˈ~**s·folk** *οὐσ. πληθ.* συγγενεῖς. ˈ~**s·man**/ˈ~**s·woman** *οὐσ.* ‹C› ὁ/ἡ συγγενής. ˈ~**·ship** *οὐσ.* ‹U› συγγένεια.
[1]**kind** /kaɪnd/ *ἐπ.* (*-er, -est*) καλός, εὐγενικός: *I have* ~ *parents*, ἔχω καλούς γονεῖς. *You are very* ~ *to me*, εἶσθε πολύ καλός μαζί μου. *It was very* ~ *of you to help me*, ἦταν εὐγενικό ἐκ μέρους σας νά μέ βοηθήσετε. *Will you be* ~ *enough/so* ~ *as to...*, θά εἴχατε τήν καλωσύνη νά... ˈ~ˈ**hearted** *ἐπ.* καλόκαρδος. ~**·ly** *ἐπίρ.* **1**. μέ καλωσύνη: *treat sb* ~*ly*, φέρομαι μέ καλωσύνη σέ κπ. **2**. εὐγενικά: *Will you* ~*ly tell me the time?* ἔχετε τήν καλωσύνη νά μοῦ πῆτε τήν ὥρα; **3**. ***take*** ~***ly to sth***, παίρνω κτ ἀπό καλό, συμπαθῶ: *He took* ~*ly to his new job*, πῆρε ἀπό καλό τήν καινούργια του δουλειά. *He doesn't take* ~*ly to being treated as a child*, δέν τοῦ ἀρέσει νά τόν μεταχειρίζονται σάν παιδί. ~**·ness** *οὐσ.* ‹C,U› καλωσύνη: *do sth out of* ~*ness*, κάνω κτ ἀπό καλωσύνη. ***do sb a*** ~***ness***, κάνω μιά καλωσύνη σέ κπ.
[2]**kind** /kaɪnd/ *οὐσ.* ‹C,U› **1**. γένος: *man*ˈ~, ˈ*human*ˈ~, ἀνθρώπινον γένος, ἀνθρωπότης. **2**. εἶδος, κατηγορία, ποικιλία: *people of all* ~*s; all* ~*s of people*, κάθε εἴδους ἄνθρωποι. *What* ~ *of tree/fish/book is this?* τί εἴδους δέντρο/ψάρι/βιβλίο εἶναι αὐτό; *She's the* ~ *of woman who likes to...*, εἶναι τό εἶδος τῆς γυναίκας πού θέλει νά... *He's not the* ~ *(of person) to talk scandal*, δέν εἶναι ἀπ' αὐτούς (ἀπό τούς ἀνθρώπους) πού τούς ἀρέσει τό κουτσομπολιό. ***nothing of the*** ~, τίποτα τέτοιο: *I said/did nothing of the* ~, δέν εἶπα/δέν ἔκαμα ἐγώ τέτοιο πρᾶγμα. ***something of the*** ~, κάτι τέτοιο: *He said/did something of the* ~, κάτι τέτοιο εἶπε/ἔκαμε. ***of a*** ~, ὅμοιος, κάτι σάν: *There were three of a* ~, ὑπῆρχαν τρία ὅμοια. *We had coffee of a* ~, ἤπιαμε κάτι σάν καφέ, κάτι πού ὁ θεός νά τό κάμη καφέ. ***a*** ~ ***of***, κάτι, κάποιος (γιά νά δείξη ἀβεβαιότητα): *I had a* ~ *of suspicion that he was kidding*, εἶχα μιά κάποια ὑποψία ὅτι μέ δούλευε. ~ ***of***, (*καθομ., συχνά γράφεται* **kinda** /ˈkaɪndə/) κάπως, κατά κάποιον τρόπο: *I* ~ *of thought this would happen*, κατά κάποιον τρόπο εἶχα τήν ἰδέα ὅτι αὐτό θά συνέβαινε. *He* ~ *of expected it*, κατά κάποιον τρόπο τό περίμενε. ***in*** ~, σέ εἶδος, μέ τόν ἴδιο τρόπο: *payment in* ~, πληρωμή σέ εἶδος. *repay insolence in* ~, ἀνταποδίδω τήν θρασύτητα μέ τόν ἴδιο τρόπο. **3**. φύση, χαρακτήρας: *They differ in degree but not in* ~, διαφέρουν στό βαθμό ἀλλ' ὄχι στόν χαρακτήρα.
kin·der·gar·ten /ˈkɪndəgatn/ *οὐσ.* ‹C› νηπιαγωγεῖο.
kindle /ˈkɪndl/ *ρ.μ/ἀ.* **1**. ἀνάβω: *The sparks* ~*d the dry hay*, οἱ σπίθες ἄναψαν τό ξερό χορτάρι. *This wood is too wet to* ~, αὐτά τά ξύλα εἶναι ὑγρά καί δέν ἀνάβουν. **2**. (*μεταφ.*) ἀνάβω, ἐξάπτω, διεγείρω: ~ *sb's interest/curiosity*, ἐξάπτω τό ἐνδιαφέρον/τήν περιέργεια κάποιου. *Her eyes* ~*d with anger*, τά μάτια της ἄναψαν (ἄστραψαν) ἀπό θυμό.
kind·ly /ˈkaɪndlɪ/ *ἐπ.* (*-ier, -iest*) καλωσυνᾶτος, φιλικός: *speak in a* ~ *tone*, μιλῶ μέ φιλικό τόνο. *give sb* ~ *advice*, δίνω φιλικές συμβουλές σέ κπ. ―*ἐπίρ. βλ.* [1]*kind*.
kin·dred /ˈkɪndrəd/ *οὐσ.* (*μόνον ἑν.*) **1**. ‹U› συγγένεια: *claim* ~ *with sb*, ἰσχυρίζομαι ὅτι ἔχω συγγένεια μέ κπ. **2**. (*μέ ρ. πληθ.*) συγγενολόϊ, συγγενεῖς: *Most of his* ~ *are in Canada*, οἱ περισσότεροι συγγενεῖς του εἶναι στόν Καναδᾶ. ―*ἐπ.* **1**. συγγενικός: ~ *languages/races/phenomena*, συγγενικές γλῶσσες/φυλές/-ά φαινόμενα. **2**. ὅμοιος, τῆς αὐτῆς φύσεως: ~ *souls*, ἀδελφές ψυχές.
kin·etic /kɪˈnetɪk/ *ἐπ.* κινητικός. **kin·et·ics** *οὐσ. πληθ.* (*μέ τό ρ. στόν ἑν.*) (*φυσ.*) κινητική.
king /kɪŋ/ *οὐσ.* ‹C› **1**. βασιλεύς: *the* ~ *of Denmark*, ὁ Βασιλεύς τῆς Δανίας. *an* ˈ*oil* ~, βασιλεύς τοῦ πετρελαίου. *the* ~ *of beasts*, ὁ βασιλεύς τῶν ζώων (τό λιοντάρι). *the* ~ *of the forest*, ὁ βασιλεύς τοῦ δάσους (ἡ δρῦς). **2**. βασιληᾶς (στό σκάκι), ρήγας (στήν τράπουλα). ˈ~**·pin**, πεῖρος τροχοῦ, (*μεταφ.*) κινητήριος μοχλός: *He's the* ~*pin of this company*, εἶναι ὁ κινητήριος μοχλός σ' αὐτήν τήν έταιρία. ˈ~**·ship**, βασιλεία (τό ἀξίωμα). ˈ~**-size(d)** *ἐπ.* ὑπερμεγέθης. ~**·like**, ~**·ly** *ἐπ.* βασιλικός, μεγαλοπρεπής.
king·dom /ˈkɪŋdəm/ *οὐσ.* ‹C› **1**. βασίλειον: *the U'nited* ˈ*K*~, τό Ἡνωμένον Βασίλειον. **2**. βασιλεία (τοῦ Θεοῦ): *Thy K*~ *come on earth*, ἐλθέτω ἡ βασιλεία σου ἐπί τῆς γῆς. **3**. *the* ˈ*animal*/ˈ*vegetable* ~, τό ζωϊκόν/φυτικόν βασίλειον.
kink /kɪŋk/ *οὐσ.* ‹C› **1**. κόμπος, στρίψιμο, τύλιγμα (σέ σκοινί, καλώδιο, κλπ). **2**. (*μεταφ.*) λόξα, μονομανία. ―*ρ.μ/ἀ.* στρίβω, τυλίγω/-ομαι, κομποδιάζομαι: *This hosepipe* ~*s easily*, αὐτό τό λάστιχο τυλίγεται εὔκολα. ~**y** *ἐπ.* (*-ier, -iest*) (*καθομ.*) λοξός, διεστραμμένος.
kiosk /ˈkiosk/ *οὐσ.* ‹C› περίπτερο, κιόσκι.
kip·per /ˈkɪpə(r)/ *οὐσ.* ‹C› παστή ἤ καπνιστή ρέγγα, κίπερ.
kirk /k3k/ *οὐσ.* ‹C› (*Σκωτ.*) ἐκκλησία.
kirsch /kɪəʃ/ *οὐσ.* ‹U› κίρς (ποτό).
kis·met /ˈkɪzmet/ *οὐσ.* ‹U› κισμέτ, μοῖρα.
kiss /kɪs/ *ρ.μ/ἀ.* φιλῶ: *He* ~*ed her on the cheek*, τήν φίλησε στό μάγουλο. ~ *sb goodnight/goodbye*, λέω καληνύχτα/ἀποχαιρετῶ κπ μ' ἕνα φιλί. ~ *sb's tears away*, σκουπίζω τά δάκρυα κάποιου μ' ἕνα φιλί. ~ ***the book***, φιλῶ Εὐαγγέλιο, ὁρκίζομαι. ~ ***the dust/ground***, γλείφω/τρώω χῶμα (ταπεινώνομαι ἤ σκοτώνομαι). ~ ***the rod***, φιλῶ τό χέρι πού μ' ἔδειρε, δέχομαι μιά τιμωρία ἀδιαμαρτύρητα. ―*οὐσ.* ‹C› φιλί.
kit /kɪt/ *οὐσ.* **1**. (*συλλογ.*) ἀτομικά εἴδη (ναύτη, στρατιώτη, ταξιδιώτη): ˈ~ *inspection*, (*στρατ.*) ἐπιθεώρησις ἀτομικῶν εἰδῶν. ˈ~**-bag**, σάκκος, σακκίδιον. **2**. ‹C› ἐργαλεῖα τεχνίτη, ἐργαλειοθήκη: *a plumber's* ~, τά ἐργαλεῖα

τοῦ ὑδραυλικοῦ. **3**. ‹C,U› σύνεργα: *'fishing/'skiing/'golfing/'shooting* ~, τά σύνεργα τοῦ ψαρέματος/τοῦ σκί/τοῦ γκόλφ/τοῦ κυνηγιοῦ. **'first-'aid** ~, φαρμακεῖο (κουτί). **'do-it-your'self** ~, τεμάχια ἀντικειμένου πρός συναρμολόγησιν ἀπό τόν ἴδιο τόν ἀγοραστή.

kit·chen /'kɪtʃən/ *οὐσ.* ‹C› κουζίνα. **'~-'ette** /'kɪtʃə'net/ *οὐσ.* ‹C› κουζινίτσα. **'~ 'garden**, λαχανόκηπος. **'~-maid**, κουζινιέρισσα, λαντζέρισσα.

kite /kaɪt/ *οὐσ.* ‹C› **1**. χαρταετός: ***fly a*** ~, πετῶ ἀετό, (*μεταφ.*) σφυγμομετρῶ τήν κοινή γνώμη. **2**. ψαλιδάρης (εἶδος γερακιοῦ).

kith /kɪθ/ *οὐσ.* (*μόνον στή φράση*) ~ ***and kin***, συγγενεῖς καί φίλοι.

kit·ten /'kɪtn/ *οὐσ.* ‹C› γατάκι. **~·ish** /-ɪʃ/ *ἐπ.* σά γατάκι, παιχνιδιάρικος.

kitty /'kɪtɪ/ *οὐσ.* ‹C› **1**. γατούλα, ψιψίνα. **2**. κοινό ταμεῖο, (*χαρτοπ.*) πότ.

klaxon /'klæksn/ *οὐσ.* ‹C› κλάξον.

klep·to·ma·nia /'kleptə'meɪnɪə/ *οὐσ.* ‹U› κλεπτομανία. **klep·to·ma·niac** /-nɪæk/ *οὐσ.* ‹C› κλεπτομανής.

knack /næk/ *οὐσ.* ‹C› ἱκανότητα, μαστοριά, κόλπο: *There's a ~ in tying knots*, ἔχει μαστοριά (θέλει ἱκανότητα) τό νά φτιάχνης κόμπους. *It's easy when you've got the ~ (of it)*, εἶναι εὔκολο ὅταν τοῦ πάρης τό κόλπο/τό κολάϊ. *He has the ~ of pleasing/disappearing when he is needed*, ἔχει τό ταλέντο (τόν τρόπο) νά γίνεται εὐχάριστος/νά ἐξαφανίζεται ὅταν τόν θέλης.

knacker /'nækə(r)/ *οὐσ.* ‹C› **1**. μπόγιας γέρικων ἀλόγων. **2**. ἐργολάβος κατεδαφίσεως οἰκοδομῶν ἤ διαλύσεως παληῶν πλοίων. **~'s yard**, μάντρα μέ παλησιδερικά ἤ ὑλικά κατεδαφίσεως.

knap /næp/ *ρ.μ.* *(-pp-)* σπάζω (πέτρες γιά δρόμο).

knap·sack /'næpsæk/ *οὐσ.* ‹C› γυλιός, σακκίδιο.

knave /neɪv/ *οὐσ.* ‹C› **1**. (*πεπαλ.*) ἀπατεώνας, παληάνθρωπος. **2**. (*ἐπίσης jack*) φάντης, βαλές: *the ~ of hearts*, ὁ βαλές κούπα. **knav·ery** /-ərɪ/ *οὐσ.* ‹C,U› ἀπατεωνία, κατεργαριά. **knav·ish** /-ɪʃ/ *ἐπ.* ἀπατεωνίστικος: *knavish tricks*, ἀπατεωνίστικα κόλπα.

knead /nid/ *ρ.μ.* **1**. ζυμώνω. **2**. κάνω μασάζ, μαλάσσω. **'~ing-trough**, σκάφη ζυμώματος.

knee /ni/ *οὐσ.* ‹C› γόνατο. ***bring sb to his ~s***, γονατίζω, ὑποτάσσω κπ. ***go (down)/drop/fall on one's ~s***, γονατίζω, πέφτω στά γόνατα. ***on one's ~s***, γονατιστός. **'~-breeches**, κοντοβράκι, κοντή κυλότα. **'~-cap**, ἐπιγονατίς. **'~-'deep/'high** *ἐπ.* ὥς τό γόνατο: *The water was ~-deep; The grass was ~-high*, τό νερό/τό χορτάρι ἔφτανε ὥς τό γόνατο.

kneel /nil/ *ρ.ά.* *ἀνώμ.* (*ἀόρ.* & *π.μ.* *knelt* /nelt/) ~ ***(down)***, γονατίζω: *He knelt down to look under the bed*, γονάτισε γιά νά κοιτάξη κάτω ἀπό τό κρεββάτι. *Everybody knelt in prayer*, ὅλοι γονάτισαν νά προσευχηθοῦν.

knell /nel/ *οὐσ.* ‹U› πένθιμη κωδωνοκρουσία: *toll the ~*, χτυπῶ τήν καμπάνα πένθιμα. *the ~ of my hopes*, τό τέλος τῶν ἐλπίδων μου.

knelt /nelt/ *ἀόρ.* & *π.μ.* *τοῦ ρ. kneel.*

knew /nju/ *ἀόρ.* *τοῦ ρ. know.*

knicker·bock·ers /'nɪkəbokəz/ *οὐσ. πληθ.* βράκα, φουφούλα.

knick·ers /'nɪkəz/ *οὐσ. πληθ.* **1**. (*καθομ.*) βράκα, φουφούλα. **2**. παλαιά γυναικεία κυλόττα (ὥς τό γόνατο).

knick-knack /'nɪk næk/ *οὐσ.* ‹C› μπιχλιμπίδι, μπιμπελό.

knife /naɪf/ *οὐσ.* ‹C› (*πληθ.* *knives* /naɪvz/) μαχαίρι: *a 'table/'pocket ~*, τραπεζομάχαιρο/σουγιᾶς. ***get one's ~ into sb***, (*καθομ.*) πνέω μένεα ἐναντίον κάποιου, θέλω νά τοῦ κάμω κακό. ***war to the ~***, πόλεμος μέχρις ἐσχάτων. **'~-edge**, κόψη μαχαιριοῦ: ***(be) on a ~-edge***, (*γιά μελλοντικά γεγονότα*) στήν κόψη τοῦ ξυραφιοῦ,- ἐπί ξυροῦ ἀκμῆς (= σέ κρισιμώτατο σημεῖο, πολύ ἀβέβαιος). —*ρ.μ.* μαχαιρώνω.

knight /naɪt/ *οὐσ.* ‹C› **1**. (*παλαιά*) ἱππότης: *'~-'errant*, περιπλανώμενος ἱππότης. *~ of the shire*, ἀντιπρόσωπος τῆς κομητείας στό Κοινοβούλιο. *the K~s of the Round Table*, οἱ Ἱππότες τῆς Στρογγυλῆς Τραπέζης. **2**. (*τίτλος*) ἱππότης. **3**. (*στό σκάκι*) ἄλογο. **'~-hood**, *οὐσ.* ‹C,U› **1**. (*συλλ.*) οἱ ἱππότες. **2**. τό ἀξίωμα, ὁ τίτλος τοῦ ἱππότου. **~·ly** *ἐπ.* ἱπποτικός.

knit /nɪt/ *ρ.μ/ά.* *ἀνώμ.* (*ἀόρ.* & *π.μ.* *~ed ἤ knit*) *(-tt-)* **1**. πλέκω: *~ stockings from/out of wool*, πλέκω κάλτσες μέ μαλλί. *I'll ~ this wool into stockings*, θά πλέξω αὐτό τό μαλλί κάλτσες. ~ ***sth up***, ἐπιδιορθώνω πλέκοντας. **2**. συγκολλῶ, συνδέω, ἑνώνω, σφίγγω, σμίγω: *a closely-~ story/plot/argument*, μιά σφιχτοδεμένη ἱστορία/-ος μῦθος/-ο ἐπιχείρημα. *Mortar is used to ~ bricks together*, ἡ λάσπη χρησιμοποιεῖται γιά νά δένη τά τοῦβλα μεταξύ τους. *~ broken bones*, συγκολλῶ σπασμένα κόκκαλα. *families ~ together by common interests*, οἰκογένειες πού τίς ἑνώνουν κοινά συμφέροντα. ~ ***one's brows***, σμίγω τά φρύδια. **~ting** *οὐσ.* ‹U› πλέξιμο, πλεκτό: *I like ~ting*, μ' ἀρέσει τό πλέξιμο. *Her ~ting fell from her lap to the floor*, τό πλεκτό της ἔπεσε ἀπό τήν ποδιά της στό πάτωμα. **'~-ting-machine**, πλεκτική μηχανή. **'~·ting-needle**, βελόνα πλεξίματος. **'~·wear**, πλεχτά (ροῦχα).

knives /naɪvz/ *οὐσ. πληθ. βλ. knife.*

knob /nob/ *οὐσ.* ‹C› **1**. καρούμπαλο, γρόμπος (στό δέρμα), ρόζος (δέντρου), πόμολο (πόρτας), κουμπί (ραδιοφώνου), λαβή (μπαστουνιοῦ). **2**. στρογγυλό κομμάτι (κάρβουνο, βούτυρο, κλπ). **~·bly** /'noblɪ/ *ἐπ.* *(-ier, -iest)* μέ ρόζους, μέ καρούμπαλα: *a ~bly stick/knee*, μπαστοῦνι μέ ρόζους/γόνατο μέ καρούμπαλα, μέ γρομπαλάκια.

[1]**knock** /nok/ *οὐσ.* ‹C› **1**. χτύπημα, χτύπος: *give sb a ~ on the head*, χτυπῶ κπ στό κεφάλι. *get a nasty ~*, τρώω ἄσχημο χτύπημα. *I heard a ~ at the door*, ἄκουσα χτύπο στήν πόρτα. *I knew him by his ~*, τόν κατάλαβα ἀπό τό χτύπο του (στήν πόρτα). *I don't like the ~ in the engine*, δέν μοῦ ἀρέσει ὁ χτύπος τῆς μηχανῆς. **2**. (*λαϊκ.*) οἰκονομική ζημιά, κατραπακιά: *He's taken a bad ~*, ἔπαθε μεγάλη ζημιά. **~er** *οὐσ.* ‹C› χτυπητήρι (πόρτας). **~-kneed** *ἐπ.* στραβοπόδης.

[2]**knock** /nok/ *ρ.μ/ὰ.* **1**. χτυπῶ: ~ *at the door/on the window*, χτυπῶ στήν πόρτα/στό παράθυρο. ~ *sb down/flat/senseless*, χτυπῶ κπ καί τόν ρίχνω κάτω/φαρδύ-πλατύ/ἀναίσθητο. ~ *the bottom out of a box*, ξεπατώνω ἕνα κουτί χτυπώντας το. ~ *a door down*, γκρεμίζω μιά πόρτα. **2**. (*γιά μηχανή*) κάνω ἄσχημο χτύπο: *My car ~s when it climbs a hill*, τό αὐτοκίνητό μου χτυπάει ὅταν πάη σ'ἀνηφοριά. **3**. ἐπικρίνω: *He's always ~ing Greek things*, διαρκῶς χτυπάει (ἐπικρίνει) κάθε τι ἑλληνικό. (*βλ.& λ. bottom, cock, spot*). **4**. *μέ ἐπιρ. & προθέσεις:*
knock about, (α) περιπλανῶμαι, κάνω τυχοδιωκτική ζωή, παραδέρνω, τριγυρίζω: *He has ~ed about all over Asia*, ἔχει περιπλανηθῆ σ'ὅλη τήν 'Ασία. *He's ~ing about Africa*, παραδέρνει στήν 'Αφρική. *She's ~ing about with a married man*, (*λαϊκ.*) γυρίζει μ'ἕναν παντρεμένο. (β) στραπατσάρω: *The ship had been ~ed about by storms*, τό πλοῖο εἶχε στραπατσαριστῆ ἀπό φουρτοῦνες. **'~-about** *ἐπ.* (*στό θέατρο*) θορυβώδης κωμωδία (μέ χτυπήματα, φωνές, κλπ), (*γιά ροῦχα*) ἄνετος, γερός, πρόχειρος: *a ~-about suit*, καθημερινό κουστούμι.
knock down, (α) χτυπῶ καί ρίχνω κάτω: ~ *sb down with one blow*, ρίχνω κπ κάτω μ'ἕνα χτύπημα. *He was ~ed down by a lorry*, τόν χτύπησε ἕνα φορτηγό. (β) γκρεμίζω, διαλύω, ἀποσυναρμολογῶ: *These old houses must be ~ed down*, αὐτά τά παληά σπίτια πρέπει νά γκρεμιστοῦν. *The machines must be ~ed down before they are packed*, οἱ μηχανές πρέπει νά διαλυθοῦν πρίν συσκευασθοῦν σέ κιβώτια. (γ) (*γιά τιμές*) κατεβάζω: *I ~ed him down 10%*, τόν κατέβασα 10%. (δ) κατακυρώνω: *The vase was ~ed down to me for £50*, τό βάζο κατακυρώθηκε σέ μένα γιά 50 λίρες. **'~-down** *οὐσ.* ‹C› κατακύρωση. —*ἐπ.* (*γιά χτύπημα*) ἐξουθενωτικός, (*γιά τιμή*) ἐξευτελιστικός, (*γιά ἔπιπλα*) λυόμενος: *~-down prices/furniture*, χτυπημένες τιμές/λυόμενα ἔπιπλα.
knock in, μπάζω μέσα χτυπώντας: ~ *in a nail/the top of a box*, μπάζω μέσα ἕνα καρφί/τό καπάκι ἑνός κουτιοῦ.
knock off, (α) σταματῶ τή δουλειά, σχολάω: *It's time to ~ off for tea*, ὥρα νά σταματήσωμε γιά τσάϊ. ***K~ it off!*** (*λαϊκ.*) κόφτο! (β) κόβω (ἀπό τιμή): *I'll ~ £1 off the price*, θά κόψω μιά λίρα ἀπό τήν τιμή. (γ) (*λαϊκ.*) καθαρίζω κπ, κανονίζω (γυναίκα): *They ~ed him off*, τόν καθάρισαν. *He ~ed her off*, τήν κανόνισε καί τήν παράτησε. (δ) σκαρώνω, τελειώνω στά γρήγορα: ~ *off some verses for a magazine*, σκαρώνω στίχους γιά περιοδικό.
knock out, (α) ρίχνω κπ νοκάουτ, ἀφήνω κπ κατάπληκτον: *He was ~ed out in the third round*, βγῆκε νοκάουτ στόν τρίτο γύρο. *She was ~ed out by the news*, τά νέα τήν ἄφησαν κατάπληκτη. (β) ἀδειάζω (χτυπώντας): *He ~ed out his pipe*, ἄδειασε τήν πίπα του. **'~-out** *οὐσ.* ‹C› **1**. νοκάουτ. **2**. χαριστική βολή. **3**. σπουδαῖος, ἀκαταγώνιστος: *Isn't he a ~-out!* εἶναι σπουδαῖος! *~-out pills*, χάπια πού σέ βγάζουν νοκάουτ (πού σέ κοιμίζουν ἀμέσως).
knock together, κατασκευάζω πρόχειρα, χτυπῶ τὄνα μέ τ'ἄλλο: *The furniture has obviously been ~ed together*, τά ἔπιπλα εἶναι ὁλοφάνερα φτιαγμένα ὅπως-ὅπως. *My knees were ~ing together*, τά γόνατά μου χτυποῦσαν τὄνα μέ τἄλλο (ἀπό φόβο).
knock up, (α) (*MB, καθομ.*) ξυπνῶ: *Tell him to ~ me up at five*, πές του νά μέ ξυπνήση στίς πέντε. (β) (*ΗΠΑ, χυδ.*) φουσκώνω γυναίκα (τήν ἀφήνω ἔγκυο). (γ) (*καθομ.*) σκαρώνω, φτιάχνω πρόχειρα/βιαστικά: *She ~ed up supper in a few minutes*, σκάρωσε ἕνα δεῖπνο σέ λίγα λεπτά. ~ *up a shelter*, φτιάχνω ἕνα πρόχειρο καταφύγιο. ***~ up copy***, ἑτοιμάζω στά γρήγορα ὕλη γιά τό τυπογραφεῖο.
knoll /nəʊl/ *οὐσ.* ‹C› βουναλάκι, λοφίσκος.
knot /not/ *οὐσ.* ‹C› **1**. κόμπος: *tie/make a ~ in a rope*, δένω/φτιάχνω κόμπο σ'ἕνα σκοινί. *tie two ropes in/with a ~*, δένω δυό σκοινιά κόμπο. *the 'marriage-~*, ὁ δεσμός τοῦ γάμου. **2**. φιόγκος. **3**. δυσκολία, κόμπος. ***tie oneself in/up in/into ~s***, μπερδεύομαι πολύ, τά θαλασσώνω: *He tied himself up in ~s trying to explain how the engine worked*, μπερδεύτηκε (τά θαλάσσωσε) προσπαθώντας νά ἐξηγήση πῶς δουλεύει ἡ μηχανή. **4**. ναυτικός κόμβος: *sail at 15 ~s*, πλέω μέ 15 κόμβους. **5**. ρόζος (ξύλου). **6**. ὁμάδα, παρέα: *People were standing about in ~s, anxiously waiting for the results*, οἱ ἄνθρωποι στέκονταν παρέες-παρέες (σέ μικρές ὁμάδες), περιμένοντας ἀνυπόμονα τά ἀποτελέσματα. —*ρ.μ/ὰ. (-tt-)* κομποδιάζω/-ομαι, δένω: ~ *two ropes together*, δένω κόμπο δυό σκοινιά. *This string ~s easily*, αὐτός ὁ σπάγγος κομποδιάζεται (μπερδεύεται) εὔκολα. **~ty** *ἐπ. (-ier, -iest)* γεμᾶτος κόμπους, (*μεταφ.*) δύσκολος, περίπλοκος, μπερδεμένος: *a ~ty problem*, ἕνα δύσκολο πρόβλημα.
know /nəʊ/ *ρ.μ/ὰ. ἀνώμ.* (*ἀόρ. knew* /nju/, *π.μ. known* /nəʊn/) **1**. ξέρω, γνωρίζω: *I ~ English/how to play chess/that two and two make four*, ξέρω 'Αγγλικά/νά παίζω σκάκι/ὅτι δύο καί δύο κάνουν τέσσερα. *I ~ him to be honest/~ (that) he is honest*, ξέρω ὅτι εἶναι τίμιος. ***There's no ~ing***, εἶναι ἀδύνατο νά ξέρη κανείς: *There's no ~ing what he'll do*, δέν μπορεῖ νά ξέρη κανείς τί θά κάνη. ***~ one's business/what's what/the ropes/a thing or two***, ξέρω τή δουλειά μου, κάτι ξέρω κι'ἐγώ, δέν εἶμαι χαζός, ἔχω πεῖρα. ***~ better than to do sth***, ἔχω ἀρκετή πεῖρα/γνώση/-ό μυαλό ὥστε νά μήν κάνω κτ: *I ~ better than to lend him any money*, δέν εἶμαι βλάκας νά τοῦ δανείσω χρήματα. *He ~s better than to say such a thing*, ἔχει ἀρκετό μυαλό ὥστε νά μήν πῆ τέτοιο πρᾶγμα. **2**. γνωρίζω (κάποιον), ἀναγνωρίζω, ξεχωρίζω: *Do you ~ Mr Hill?* γνωρίζετε τόν κ. Χίλλ; *I've ~n him all my life/since childhood*, τόν ξέρω ὅλη μου τή ζωή/ἀπό παιδί. *I knew her by her walk*, τήν (ἀνε)γνώρισα ἀπό τήν περπατησιά της. *I ~ a good play when I see one*, ξεχωρίζω τό καλό ἔργο ὅταν τό δῶ. ***~ sb by sight/name***, γνωρίζω κπ ἐξ ὄψεως/ἐξ ἀκοῆς. ***not ~ sb from Adam***, δέν ἔχω ἰδέα ποιός εἶναι, μοῦ εἶναι ἐντελῶς ἄγνωστος. ***be ~n to the police***, εἶμαι γνωστός στήν (ἔχω ἀπασχολήσει τήν) ἀστυνομία. ***be ~n as***,

εἶμαι γνωστός ὡς, θεωροῦμαι ὡς: *He's ~n as the Father of History/the greatest modern composer*, εἶναι γνωστός ὡς ὁ πατήρ τῆς Ἱστορίας/θεωρεῖται ὡς ὁ μεγαλύτερος σύγχρονος συνθέτης. ***make oneself ~n to sb***, αὐτοσυστήνομαι σέ κπ. **3**. γνωρίζω, ἔχω πεῖρα: *I've ~n poverty*, ἔχω γνωρίσει τή φτώχεια, ξέρω ἀπό φτώχεια. *He's ~n better days*, ἔχει γνωρίσει καλύτερες μέρες. **4**. ***~ about/of***, ξέρω, μαθαίνω, πληροφοροῦμαι: *I didn't ~ about that*, δέν τὄξερα, δέν τὄχα μάθει. *I ~ of an excellent little restaurant near here*, ξέρω (ἔχω ἀκούσει γιά) ἕνα θαυμάσιο ἑστιατόριο ἐδῶ κοντά. ***~ all about it***, τά ξέρω ὅλα. ***Not that I ~ of***, ὄχι, ἀπ' ὅ,τι ξέρω, δέν ἔχω ἀκούσει/μάθει τίποτα τέτοιο: *'Are they going away?' 'Not that I ~ of.'* -Θά φύγουν; -Δέν ἔχω ἀκούσει τέτοιο πρᾶγμα. ***let sb ~***, εἰδοποιῶ, πληροφορῶ κπ: *When you are ready let me ~*, ὅταν εἶσαι ἕτοιμος, εἰδοποίησέ με. **5**. **`~-all** *οὐσ.* ‹C› παντογνώστης. **`~-how** *οὐσ.* ‹U› πεῖρα, τεχνικές γνώσεις: *They have the money to build it but not the ~-how*, ἔχουν τά χρήματα νά τό φτιάξουν ἀλλά ὄχι καί τίς τεχνικές γνώσεις. __*οὐσ.* (*μόνον σέ*) ***(be) in the ~***, (*καθομ.*) (εἶμαι) ἐν γνώσει: *Do you think John is in the ~?* πιστεύεις ὅτι ὁ Γ. εἶναι ἐν γνώσει/εἶναι στό κόλπο;

know·ing /ˋnəυιŋ/ *ἐπ.* ἔξυπνος, πονηρός, μέ σημασία: *a ~ smile/look*, πονηρό χαμόγελο/-ή ματιά, ματιά μέ σημασία. **~·ly** *ἐπίρ.* **1**. πονηρά, μέ σημασία: *look ~ly at sb*, κοιτάζω κπ πονηρά/μέ σημασία. **2**. σκόπιμα, ἐνσυνειδήτως: *He would never ~ly say anything to hurt your feelings*, ποτέ δέν θἄλεγε σκόπιμα τίποτα πού νά σέ πληγώση.

knowl·edge /ˋnolıdʒ/ *οὐσ.* ‹U› (*πάντοτε στόν ἑν.*) γνῶσις: *He has no ~ of good and evil*, δέν ἔχει γνώση τοῦ καλοῦ καί τοῦ κακοῦ. *His ~ of French is good*, οἱ γνώσεις του στά Γαλλικά εἶναι καλές, ἔχει καλή γνώση τῆς Γαλλικῆς. ***without one's ~***, ἐν ἀγνοίᾳ μου. ***It has come to my ~ that...***, ἔφθασε στ' αὐτιά μου, ἔμαθα ὅτι... ***to the best of one's ~***, ἀπ' ὅ,τι ξέρω: *To the best of my ~ he's still alive*, ἀπ' ὅ,τι ξέρω ἀκόμα ζῆ. **~·able** /-əbl/ *ἐπ.* (*καθομ.*) γνώστης, πληροφορημένος, ἐνήμερος: *He's very ~able about cars*, ξέρει πολλά πράγματα γύρω ἀπό αὐτοκίνητα.

knuckle /ˋnʌkl/ *οὐσ.* ‹C› ἄρθρωσις/κόμπος δακτύλων: *give a boy a rap over/on the ~s*, χτυπῶ ἕνα παιδί στά δάχτυλα. **`~-duster**, σιδερένια γροθιά. __*ρ.ἀ.* ***~ down to***, στρώνομαι (σέ μιά δουλειά). ***~ under***, ὑποτάσσομαι.

Ko·ran /kəˋran/ *οὐσ.* κοράνι.

kow·tow /ˈkaυˋtaυ/ *οὐσ.* ‹C› βαθειά ὑπόκλισις (ὅπως παληά στήν Κίνα). __*ρ.ἀ.* ***~ (to sb)***, κάνω βαθειές ὑποκλίσεις σέ κπ.

kraal /kral/ *οὐσ.* ‹C› (*στή Ν. Ἀφρική*) περίφρακτο χωριό, μαντρί.

krona /ˋkrəυnə/ *οὐσ.* ‹C› (*πληθ. -nor*) κορώνα (νόμισμα Σουηδικό).

krone /ˋkrəυnə/ *οὐσ.* ‹C› (*πληθ. ~r*) κορώνα (νόμισμα Δανικό ἤ Νορβηγικό).

ku·dos /ˋkjudos/ *οὐσ.* ‹U› (*καθομ.*) φήμη, δόξα, τιμή: *We did the work and he got the ~*, ἐμεῖς κάναμε τή δουλειά κι' αὐτός πῆρε τή δόξα.

ku·lak /ˋkulæk/ *οὐσ.* ‹C› κουλάκος.

kum·quat /ˋkumkwæt/ *οὐσ.* ‹C› κουμκουάτ (εἶδος κίτρου).

L l

L, l /el/ τό 12ο γράμμα τοῦ ἀλφάβητου.

la /la/ *οὐσ.* (*μουσ.*) ἡ νότα λά.

lab /læb/ *οὐσ.* ‹C› (*βραχυλ. γιά*) *laboratory*.

label /ˋleıbl/ *οὐσ.* ‹C› ἐτικέττα: *put ~s on one's luggage*, βάζω ἐτικέττες στίς ἀποσκευές μου. __*ρ.μ.* *(-ll-)* κολλῶ ἐτικέττες, (*μεταφ.*) χαρακτηρίζω: *~ sb as a demagogue*, χαρακτηρίζω κπ' σά δημαγωγό.

la·bial /ˋleıbıəl/ *ἐπ.* χειλικός: *~ sounds*, χειλικοί φθόγγοι. __*οὐσ.* ‹C› χειλόφωνον.

lab·ora·tory /ləˋborətrı/ *οὐσ.* ‹C› ἐπιστημονικόν ἐργαστήριον.

la·bori·ous /ləˋbɔrıəs/ *ἐπ.* **1**. κοπιώδης, ἐπίπονος: *a ~ task*, ἐπίπονη ἐργασία. **2**. στρυφνός, βαρύς: *a ~ style of writing*, ὕφος βαρύ, πού δέν κυλάει ἄνετα. **3**. (*γιά ἄνθρ.*) ἐργατικός, δουλευτής. **~·ly** *ἐπίρ.* κουραστικά, δύσκολα, ἐπίπονα.

[1]**la·bour** /ˋleıbə(r)/ *οὐσ.* **1**. ‹U› δουλειά, μόχθος, κόπος, ἐργασία (σωματική ἤ πνευματική): *succeed by one's ~*, πετυχαίνω μέ τή δουλειά μου/μέ τό μόχθο μου. *division of ~*, καταμερισμός ἐργασίας. **manual ~**, χειρωνακτική ἐργασία. **'hard `~**, καταναγκαστικά ἔργα. **`~-saving** *ἐπ.* βοηθητικός, πού ἐξοικονομεῖ ἐργασία, πού ἀπαλλάσσει ἀπό δουλειά. **~-saving device**, μηχανή πού περιορίζει τό μόχθο τοῦ ἀνθρώπου (πχ πλυντήρια, κλπ): *Their house is full of ~-saving devices*, τό σπίτι τους εἶναι γεμᾶτο ἠλεκτρικά εἴδη. **2**. ‹C› ἔργον: *the twelve ~s of Hercules*, οἱ δώδεκα ἆθλοι τοῦ Ἡράκλῆ. ***a ~ of love***, μεράκι, δουλειά πού γίνεται ἀπό εὐχαρίστηση ἤ γιά χάρη κάποιου. **3**. ‹U› ἐργατικό δυναμικό, ἐργάτες: *skilled and unskilled ~*, εἰδικευμένοι καί ἀνειδίκευτοι ἐργάτες. **the 'Ministry of `L~**, τό Ὑπουργεῖον Ἐργασίας. **`L~ Exchange**, Γραφεῖον Ἀπασχολήσεως Ἐργατικοῦ Δυναμικοῦ, Γραφεῖον Εὑρέσεως Ἐργασίας. **the `L~ Party**, τό Ἐργατικόν Κόμμα. **4**. ‹U› τοκετός, ὠδῖνες τοκετοῦ: *premature ~*, πρόωρος τοκετός. *a woman in ~*, ἐπίτοκος γυναίκα.

[2]**la·bour** /ˋleıbə(r)/ *ρ.μ/ἀ.* **1**. ἐργάζομαι, κο-

πιάζω, μοχθῶ: ~ *in the cause of peace/for the happiness of mankind*, ἐργάζομαι γιά τήν ὑπόθεση τῆς εἰρήνης/γιά τήν εὐτυχία τῆς ἀνθρωπότητος. ~ *at a task*, μοχθῶ σέ μιά δουλειά. **2.** προχωρῶ μέ δυσκολία, ἀγκομαχῶ: *The ship ~ed through the heavy seas*, τό πλοῖο προχωροῦσε μέ δυσκολία στή φουρτουνιασμένη θάλασσα. *He ~ed up the steep mountain*, ἀνέβαινε τό ἀπότομο βουνό ἀγκομαχώντας. **3.** ~ ***under***, εἶμαι θῦμα, παλεύω: ~ *under the delusion that...*, εἶμαι θῦμα τῆς αὐταπάτης ὅτι... ~ *under great difficulties*, παλεύω μέ μεγάλες δυσκολίες. ~ *under a disadvantage*, παλεύω κάτω ἀπό μειονεκτικές συνθῆκες. **4.** ~ ***the point/argument***, μιλῶ διά μακρῶν, ἐπεκτείνομαι: *We all know what the difficulty is, so there's no need to ~ the point*, ξέρομε ὅλοι ποιά εἶναι ἡ δυσκολία, γι' αὐτό δέν εἶναι ἀνάγκη νά ἐπεκταθῶ. **~ed** *ἐπ.* βαρύς, δύσκολος: *~ed breathing*, ἀγκομαχητό, δύσκολη ἀναπνοή. *a ~ed speech*, βαρύς, ἄκομψος λόγος (πού δέν κυλάει ἄνετα). **~er** *οὐσ.* ‹C› ἀνειδίκευτος ἐργάτης, μεροκαματιάρης: *an agricultural ~er*, γεωργικός ἐργάτης. **~·ite** /-aɪt/ *οὐσ.* ‹C› ὀπαδός τοῦ Ἐργατικοῦ Κόμματος.

lab·yr·inth /ˈlæbərɪnθ/ *οὐσ.* ‹C› λαβύρινθος. **~ine** /ˈlæbəˋrɪnθaɪn/ *ἐπ.* λαβυρινθώδης.

lace /leɪs/ *οὐσ.* **1.** ‹U› δαντέλλα: *a dress trimmed with ~*, φόρεμα γαρνιρισμένο μέ δαντέλλα. **gold/silver ~**, χρυσό/ἀσημένιο σειρήτι. **2.** ‹C› κορδόνι: *a pair of shoe-~s*, ἕνα ζευγάρι κορδόνια παπουτσιῶν. *—ρ.μ/ὰ.* **1.** ~ ***(up)***, δένω, σφίγγω μέ κορδόνι: ~ *(up) one's shoes*, δένω τά παπούτσια μου. *This corset ~s (up) at the side*, αὐτός ὁ κορσές σφίγγει στό πλάϊ. **2.** ~ ***into sb***, δέρνω κπ. **3.** ~ ***(a drink) with***, γαρνίρω (ποτό) μέ: *They ~d their tea with brandy*, ἔβαλαν λίγο κονιάκ στό τσάϊ τους.

lac·er·ate /ˈlæsəreɪt/ *ρ.μ.* ξεσκίζω (τή σάρκα), πληγώνω (τά αἰσθήματα). **lac·er·ation** /ˈlæsəˋreɪʃn/ *οὐσ.* ‹C,U› ξέσκισμα, πληγή, πλήγωμα.

lach·ry·mal /ˈlækrɪml/ *ἐπ.* δακρυγόνος, δακρυδόχος: ~ *glands*, δακρυγόνοι ἀδένες.

lach·ry·mose /ˈlækrɪməus/ *ἐπ.* (*λόγ.*) δακρυσμένος, κλαψιάρης.

lack /læk/ *ρ.μ/ὰ.* **1.** στεροῦμαι: *He ~s wisdom/courage*, στερεῖται φρονήσεως/θάρρους. **2.** ***be ~ing***, λείπω, ὑπάρχει ἔλλειψις: *Money/Food is ~ing*, ὑπάρχει ἔλλειψις χρημάτων/τροφίμων. ***be ~ing in sth***, ὑπολείπομαι σέ κτ, δέν ἔχω ἀρκετό: *He's ~ing in courage*, δέν ἔχει ἀρκετό (τοῦ λείπει τό) θάρρος. ~ ***for nothing***, (*λόγ.*) δέν στεροῦμαι τίποτα, τά ἔχω ὅλα. *—οὐσ.* ‹U› ἔλλειψις. ***for ~ of***, ἀπό ἔλλειψη: *They died for ~ of water*, πέθαναν ἀπό ἔλλειψη νεροῦ. **ˋ~·lustre** *ἐπ.* (*γιά μάτια*) σβυσμένος, χωρίς λάμψη.

lacka·daisi·cal /ˈlækəˋdeɪzɪkl/ *ἐπ.* βαρυεστημένος, ἀδιάφορος, κουρασμένος. **~ly** /-klɪ/ *ἐπίρ.*

lackey /ˈlækɪ/ *οὐσ.* ‹C› (*πληθ.* ~*s*) (*κυριολ.* & *μεταφ.*) λακές.

la·conic /ləˋkɒnɪk/ *ἐπ.* λακωνικός: *a ~ person/reply*, λακωνικός ἄνθρωπος/-ή ἀπάντησις. **~ally** /-klɪ/ *ἐπίρ.* λακωνικά. **la·coni·cism** /-sɪzm/, **lac·on·ism** /ˈlækənɪzm/ *οὐσ.* ‹C,U› λακωνισμός.

lac·quer /ˈlækə(r)/ *οὐσ.* ‹U› λάκκα, βερνίκι, λοῦστρο. *—ρ.μ.* λουστράρω, βερνικώνω μέ λάκκα.

lac·tic /ˈlæktɪk/ *ἐπ.* γαλακτικός.

la·cuna /ləˋkjunə/ *οὐσ.* ‹C› (*πληθ.* ~*s*, *-nae* /-naɪ/) κενόν, χάσμα (σέ γραπτό, σέ ἐπιχείρημα, κλπ).

lacy /ˈleɪsɪ/ *ἐπ.* (*-ier, -iest*) δαντελλένιος, δαντελλωτός.

lad /læd/ *οὐσ.* ‹C› νέος, παλληκάρι.

lad·der /ˈlædə(r)/ *οὐσ.* ‹C› **1.** κινητή σκάλα, ἀνεμόσκαλα: *a folding/an extending ~*, σκάλα πού διπλώνει/πού μεγαλώνει. *climb a rung up the social ~*, ἀνεβαίνω ἕνα σκαλοπάτι στήν κοινωνική κλίμακα. **2.** (*σέ γυναικεῖες κάλτσες*) φευγᾶτος πόντος (*πρβλ. ΗΠΑ run*): *All my stockings have ~s*, ὅλες μου οἱ κάλτσες εἶναι μέ φευγάτους πόντους. *—ρ.ὰ.* (*γιά κάλτσες*) χαλῶ.

lad·die /ˈlædɪ/ *οὐσ.* ‹C› παλληκαρόπουλο.

laden /ˈleɪdn/ *ἐπ.* φορτωμένος: *trees ~ with fruit*, δέντρα φορτωμένα μέ φροῦτα. *a heart ~ with grief*, καρδιά γεμάτη θλίψη, βαρειά ἀπό θλίψη.

la-di-da /ˈla dɪ ˋda/ *ἐπ.* (*καθομ.*) ψευτοαριστοκρατικός, φαντασμένος, ἐπιτηδευμένος (*ἰδ.* στήν ὁμιλία).

lad·ing /ˈleɪdɪŋ/ *οὐσ.* ‹U› φορτίον. **ˈbill of ˋ~**, φορτωτική.

ladle /ˈleɪdl/ *οὐσ.* ‹C› κουτάλα: *a ˋsoup-~*, κουτάλα τῆς σούπας. *—ρ.μ.* ~ ***out***, **1.** σερβίρω μέ κουτάλα: ~ *out soup*. **2.** (*μεταφ.*) μοιράζω ἀφειδῶς: ~ *out honours*, μοιράζω τίτλους μέ τή σέσουλα.

lady /ˈleɪdɪ/ *οὐσ.* ‹C› **1.** κυρία (*γυναίκα μέ τρόπους καί κάποια κοινωνική θέση—τό ἀντίστοιχο τοῦ gentleman*): *She's a true ~*, εἶναι ἀληθινή κυρία. *Ladies and Gentlemen*, Κυρίες καί Κύριοι! **ˈ~-inˋ-waiting**, **ˈ~ of the ˋbed-chamber**, κυρία ἐπί τῶν τιμῶν. **2.** Λαίδη. ***'My L~,'*** "Κυρία" (*προσφώνησις Λαίδης ἀπό τούς ὑπηρέτες, κλπ*). **3. Our L~**, ἡ Παναγία. **ˋL~-chapel**, παρεκκλήσιο ἀφιερωμένο στήν Παναγία. **ˋL~ Day**, ἡ ἑορτή τοῦ Εὐαγγελισμοῦ. **4.** (*γενικά*) γυναίκα, κυρία: *There's a ~ to see you*, θέλει νά σᾶς δῆ μιά κυρία. *a young ~*, μιά νεαρή, μιά δεσποινίς. *a ~ doctor*, γυναίκα γιατρός. **5. Ladies** (*ἑν.*) τουαλέττα γυναικῶν: *Is there a Ladies near here?* ὑπάρχει γυναικεία τουαλέττα ἐδῶ κοντά; **6.** (*σέ σύνθ. λέξεις*): **ˋ~·bird**, (*ἐντομ.*) παπαδίτσα, κοκκινέλη. **ˋ~-killer**, γυναικοκατακτητής, Δόν Ζουάν. **ˋ~·like** *ἐπ.* ἀρχοντικός, εὐγενικός, πού ἁρμόζει σέ κυρία. **ˋ~'s-maid**, καμαριέρα, θαλαμηπόλος (κυρίας). **ˋ~'s/ˈladies' man**, γυναικάκιας. **ˋ~-ship** /-ʃɪp/, Κυρία (*χρησιμοποιούμενον ὅταν μιλᾶνε πρός ἤ γιά μιά Λαίδη*): *Your/Her L~ship.*

[1]**lag** /læg/ *ρ.ὰ.* (*-gg-*) πάω σιγά, μένω πίσω, χασομερῶ, καθυστερῶ: *The lame boy ~ged behind the others*, τό κουτσό παιδί ἔμεινε πίσω ἀπό τ' ἄλλα. *—οὐσ.* **ˋtime lag**, χρονική καθυστέρησις, ἐπιβράδυνσις.

[2]**lag** /læg/ *οὐσ.* ‹C› (*λαϊκ.*) κατάδικος: *an old ~*, τρόφιμος τῶν φυλακῶν.

[3]**lag** /læg/ ρ.μ. *(-gg-)* ~ *(**with**)*, μονώνω (σωλῆνες, λέβητες, κλπ).

la·ger /ˈlagə(r)/ οὐσ. ‹C,U› ξανθή μπύρα.

lag·gard /ˈlægəd/ οὐσ. ‹C› ἄνθρωπος βραδυκίνητος, νωθρός, πού ἀργοπορεῖ.

la·goon /ləˈgun/ οὐσ. ‹C› λιμνοθάλασσα.

laic /ˈleɪɪk/ ἐπ. λαϊκός, κοσμικός (ὄχι κληρικός). **lai·cize** /ˈleɪɪsaɪz/ ρ.μ. ἀποσχηματίζω (κληρικόν), ἀφαιρῶ τόν ἐκκλησιαστικό ἔλεγχο (ἀπό σχολεῖα, κλπ).

laid /leɪd/ ἀόρ. & π.μ. τοῦ ρ. *lay*.

lain /leɪn/ π.μ. τοῦ ρ. [2]*lie*.

lair /leə(r)/ οὐσ. ‹C› φωληά (ἀγρίου ζώου).

laird /leəd/ οὐσ. ‹C› (*Σκωτ.*) γαιοκτήμων, ἄρχοντας.

laissez-faire /ˈleɪseɪ ˈfeə(r)/ οὐσ. ‹U› οἰκονομικός φιλελευθερισμός.

laity /ˈleɪətɪ/ οὐσ. (*μέ the καί ρ. πληθ.*) **1**. οἱ λαϊκοί (*βλ. laic*). **2**. οἱ ἀμύητοι (ὡς πρός ἕνα ἐπάγγελμα).

lake /leɪk/ οὐσ. **1**. ‹C› λίμνη. **2**. ‹U› κόκκινη βαφή.

lam /læm/ ρ.μ/ἀ. *(-mm-)* (*λαϊκ.*) χτυπῶ, κοπανάω. ~ ***into sb***, ρίχνομαι σέ κπ (μέ λόγια ἤ γροθιές).

lamb /læm/ οὐσ. ‹C,U› **1**. ἀρνί: *a baby* ~, ἀρνάκι. ~ **cutlet**, ἀρνίσια κοτολέττα. **roast** ~, ψητό ἀρνί. **2**. (*μεταφ.*) πρόβατο (= ἀγαθός, ἄκακος ἄνθρωπος): *like a* ~, σάν πρόβατο. —*ρ.ἀ.* γεννῶ ἀρνιά: *the ~ing season*, ἡ ἐποχή τῆς γέννας. ˈ~**·kin** /-kɪn/, ἀρνάκι τοῦ γάλακτος. ˈ~**·skin**, προβιά, γούνα ἀπό ἀρνί, δέρμα ἀρνιοῦ. ˈ~**'s-wool**, λεπτό ἀρνίσιο μαλλί.

lame /leɪm/ ἐπ. **1**. κουτσός: *be* ~ *in the right leg*, εἶμαι κουτσός ἀπό τό δεξί. **2**. ἀδύνατος, σαθρός: *a* ~ *excuse/argument*, ἀδύνατη δικαιολογία/σαθρό ἐπιχείρημα. ~ *verses*, χωλαίνοντες στίχοι. (*βλ.* & *λ.* [1]*duck*). —*ρ.μ.* κουτσαίνω. ~**·ly** ἐπίρ. κούτσα-κούτσα, ἀδύναμα. ~**·ness** οὐσ. ‹U› ἀναπηρία.

lamé /ˈlameɪ/ οὐσ. ‹U› (ὕφασμα) λαμέ.

la·ment /ləˈment/ ρ.μ/ἀ. ~ *(**for/over**)*, θρηνῶ, κλαίω, θρηνολογῶ: ~ *the death of a friend*, θρηνῶ τό θάνατο ἑνός φίλου. ~ *for a friend*, κλαίω γιά ἕνα φίλο. ~ *(over) one's misfortunes*, θρηνολογῶ (κλαίω καί ὀδύρομαι) γιά τά βάσανά μου. —*οὐσ.* ‹C› θρῆνος (ποίημα ἤ μουσική σύνθεση), μοιρολόϊ, ἐλεγεία. ~**ed** ἐπ. πολύκλαυστος. **lam·en·table** /ˈlæməntəbl/ ἐπ. ἀξιοθρήνητος: *~able behaviour*, ἀξιοθρήνητη συμπεριφορά. **lam·en·tably** /-əblɪ/ ἐπίρ. ἀξιοθρήνητα. **lam·en·ta·tion** /ˈlæmenˈteɪʃn/ οὐσ. ‹C,U› θρῆνος, κλαυθμός καί ὀδυρμός.

lami·nate /ˈlæmɪneɪt/ ρ.μ/ἀ. χωρίζω/-ομαι σέ φύλλα, ἐλασματοποιῶ, καπλαντίζω: *~d wood*, καπλαμᾶς, κοντραπλακέ.

lamp /læmp/ οὐσ. ‹C› λάμπα, λαμπτήρ, φανός: *an ˈoil* ~, λυχνάρι. *a ˈparaffin* ~, λάμπα πετρελαίου. ˈ~**-black**, φοῦμο. ˈ~**·light**, τό φῶς λάμπας: *read by ~light*, διαβάζω μέ λάμπα. ˈ~**·lighter**, (*παλαιότ.*) φανοκόρος. ˈ~**-oil**, φωτιστικό πετρέλαιο. ˈ~**-post**, φανοστάτης (δρόμου). ˈ~**·shade**, ἀμπαζούρ.

lam·poon /læmˈpun/ οὐσ. ‹C› λίβελλος, σάτυρα.

[1]**lance** /lans/ οὐσ. ‹C› λόγχη, μακρύ δόρυ. ~**r** οὐσ. ‹C› λογχοφόρος ἱππεύς. ˈ~-ˈ**corporal**, ὑποδεκανεύς.

[2]**lance** /lans/ ρ.μ. κόβω μέ νυστέρι: ~ *an abscess*, ἀνοίγω ἀπόστημα.

lan·cet /ˈlansɪt/ οὐσ. ‹C› **1**. νυστέρι. **2**. λογχοειδές τόξο ἤ παράθυρο.

[1]**land** /lænd/ οὐσ. ‹C,U› **1**. ξηρά, στερηά: *travel over* ~ *and sea*, ταξιδεύω διά ξηρᾶς καί θαλάσσης. *Are you going by* ~ *or by sea?* θά πᾶτε διά ξηρᾶς ἤ διά θαλάσσης; *I'm glad to be on ~/reach ~/come to ~ again*, χαίρομαι πού ξαναπατάω στερηά. ***make*** ~, πιάνω στερηά (βλέπω ἤ πλησιάζω σέ στερηά). **2**. ἔδαφος, γῆ: *fertile/stony* ~, γόνιμο/πετρῶδες ἔδαφος. *work on the* ~, δουλεύω στή γῆ. **3**. γῆ, χτῆμα: *He owns a lot of* ~ *in Thessaly*, ἔχει πολλή γῆ στή Θεσσαλία. *All these ~s belong to the Church*, ὅλα αὐτά τά χτήματα ἀνήκουν στήν Ἐκκλησία. **4**. χώρα: *my native* ~, ἡ χώρα πού γεννήθηκα, ἡ πατρίδα μου. *travel to distant ~s*, ταξιδεύω σέ μακρυνές χῶρες. **the Promised L~**; **the L~ of Promise**, ἡ Γῆ τῆς Ἐπαγγελίας. (*βλ.* & *λ.* [2]*lie*). **5**. (*σέ σύνθ. λέξεις*): ˈ***no man's*** ~, οὐδετέρα ζώνη. ˈ~**-agent**, (*α*) διαχειριστής χτήματος. (*β*) κτηματομεσίτης. ˈ~**·fall**, προσέγγισις/ἐμφάνισις ξηρᾶς (*ἰδ.* ὅπως τή βλέπει κανείς ἀπό πλοῖο γιά πρώτη φορά). ˈ~ **forces** οὐσ. πληθ. δυνάμεις ξηρᾶς. ˈ~**-holder**, κύριος ἤ ἐκμισθωτής γῆς. ˈ~**·lady**, σπιτονοικοκυρά. ˈ~**-locked** ἐπ. περιβαλλόμενος ἀπό ξηρά. ˈ~**·lord**, ἰδιοκτήτης ἀκινήτου, σπιτονοικοκύρης, πανδοχεύς, ξενοδόχος. ˈ~**-lubber** /-lʌbə(r)/ (*περιφρ.*) στεριανός, πού δέν ξέρει ἀπό θάλασσα. ˈ~**·mark**, (*κυριολ.* & *μεταφ.*) ὁρόσημο: *~marks in the history of mankind*, ὁρόσημα (σταθμοί) στήν ἱστορία τῆς ἀνθρωπότητος. ˈ~**·mine**, νάρκη ἐδάφους. ˈ~**·owner**, γαιοκτήμων, τσιφλικᾶς. ˈ~**·slide**, *(α)* καθίζησις ἐδάφους. *(β)* (*μεταφ.*) ἐντυπωσιακή μεταστροφή τῶν ψηφοφόρων ὑπέρ ἑνός κόμματος: *a Democratic ~slide*, θρίαμβος τῶν Δημοκρατικῶν. ˈ~**·slip**, καθίζησις. ˈ~**s·man**, στεριανός.

[2]**land** /lænd/ ρ.μ/ἀ. **1**. ἀποβιβάζω/-ομαι: *The passengers ~ed/were ~ed at Bombay*, οἱ ταξιδιῶτες ἀποβιβάστηκαν στή Βομβάη. **2**. (*γιά ἀεροπλάνο*) προσγειώνω/-ομαι: *The airliner ~ed/The pilot ~ed it safely*, τό ἀεροπλάνο προσγειώθηκε/ὁ πιλότος τό προσγείωσε ὁμαλά. **3**. ~ ***on one's feet***, (*μετά ἀπό πήδημα*) πέφτω ὄρθιος, (*μεταφ.*) τή γλυτώνω φτηνά. ἔχω τύχη. ~ ***sb/oneself in***, μπλέκω: *What a mess you've ~ed us all in!* σέ τί φασαρία μᾶς ἔμπλεξες ὅλους! *You'll* ~ *yourself in trouble with the police*, θά βρεθῆς μπερδεμένος μέ τήν ἀστυνομία. ~ ***up***, (*καθομ.*) καταλήγω, ξεπέφτω: *He'll* ~ *up in prison*, θά καταλήξη στή φυλακή. *He ~ed up in a strange city without friends or money*, ξέπεσε σέ μιά ξένη πόλη χωρίς φίλους ἤ χρήματα. *He's been away for months but he'll* ~ *up one of these days*, λείπει μῆνες ἀλλά ὅπου νά ʼναι θά ξεπέση κατά δῶ. **4**. (*καθομ.*) πετυχαίνω, βρίσκω: *He ~ed a good job*, πέτυχε μιά καλή δουλειά. **5**. (*λαϊκ.*) χώνω (χτύπημα): *He ~ed her one in the eye*, τῆς ἔχωσε μιά στό μάτι. ~**ed** ἐπ. ἔγγειος, ἔχων κτηματική περιουσία:

~*ed property*, ἔγγειος/κτηματική περιουσία. *the ~ed classes/gentry*, οἱ γαιοκτήμονες. **~·less** ἐπ. ἀκτήμων.

lan·dau /ˈlændɔ/ οὐσ. ‹C› λαντώ.

land·ing /ˈlændɪŋ/ οὐσ. ‹C› **1**. ἀποβίβασις, ἀπόβασις (ἰδ. στρατευμάτων), προσγείωσις: ~ *of troops*, ἀποβίβασις (ἀπόβασις) στρατευμάτων. *a forced* ~, ἀναγκαστική προσγείωσις. ˈ**~-craft**, ἀποβατικόν σκάφος. ˈ**~-field/-strip**, διάδρομος προσγειώσεως καί ἀπογειώσεως. ˈ**~-gear**, σύστημα προσγειώσεως. **2**. ἀποβάθρα. ˈ**~-stage**, ξύλινη (*συνήθ.* πλωτή) ἀποβάθρα. **3**. κεφαλόσκαλο.

land·scape /ˈlændskeɪp/ οὐσ. ‹C,U› τοπεῖον. ˈ~ ˈ**gardening**/ˈ**architecture**, διαρρύθμισις κήπων/ἀρχιτεκτονικό στύλ πού νά δίνη τήν ἐντύπωση φυσικοῦ τοπείου.

lane /leɪn/ οὐσ. ‹C› **1**. (*στήν ἐξοχή*) μονοπάτι (*συνήθ.* μέ φράχτες ἤ ψηλούς ὄχτους). **2**. (*σέ πόλη*) δρομίσκος, πάροδος. **3**. δίοδος (ἀνάμεσα σέ πλῆθος). **4**. τακτική ἐναέριος ἤ θαλάσσιος ὁδός, γραμμή (πλοίων ἤ ἀεροπλάνων). **5**. ἀτομική λουρίδα στίβου, γραμμή. **6**. (*σέ αὐτοκινητόδρομο*) ζώνη, λουρίδα: *the inside/nearside* ~, ἡ ἐσωτερική λουρίδα. *the outside/offside* ~, ἡ ἐξωτερική λουρίδα. *four-~ traffic*, κυκλοφορία σέ τέσσερες λουρίδες.

lan·guage /ˈlæŋgwɪdʒ/ οὐσ. ‹C,U› γλῶσσα: *(α) foreign/dead ~s*, ξένες/νεκρές γλῶσσες. ˈ**~ laboratory**, ἠλεκτρονικόν κέντρον διδασκαλίας ξένων γλωσσῶν. *(β) He has a great command of* ~, ἔχει μεγάλη εὐφράδεια. ***bad/strong ~***, πρόστυχες ἐκφράσεις/βίαιη γλῶσσα. *(γ) technical/legal ~*, τεχνική/νομική γλῶσσα. *the ~ of flowers*, ἡ γλῶσσα τῶν λουλουδιῶν.

lan·guid /ˈlæŋgwɪd/ ἐπ. ἄτονος, ἀποχαυνωμένος, νωθρός. **~·ly** ἐπίρ. ἄτονα, νωθρά.

lan·guish /ˈlæŋgwɪʃ/ ρ.ἀ. λυώνω, ρεύω, μαραζώνω: ~ *in prison*, λυώνω στή φυλακή. ~ *for love*, μαραζώνω ἀπό ἀγάπη. *a ~ing look*, μιά λιγωμένη ματιά.

lan·guor /ˈlæŋgə(r)/ οὐσ. **1**. ‹U› ἀτονία, ἀποχαύνωσις, μαράζι: *the ~ of a summer day*, ἡ ἀποχαύνωσις μιᾶς καλοκαιριάτικης ἡμέρας. **2**. (*συχνά πληθ.*) λίγωμα, τρυφεράδα, αἰσθηματική μελαγχολία. **~·ous** /-əs/ ἐπ. ἄτονος, λιγωμένος.

lank /læŋk/ ἐπ. **1**. (*γιά μαλλιά*) ἴσια καί ἀδύνατα, σάν πράσα. **2**. (*γιά ἄνθρ.*) ψιλόλιγνος.

lanky /ˈlæŋkɪ/ ἐπ. *(-ier, -iest)* (*γιά ἄνθρ., γιά χέρια, πόδια*) ξερακιανός, (μακρύς κι᾽ ἀδύνατος), ἄχαρος: *a ~ girl*, μιά ἄχαρη ψιλόλιγνη κοπέλλα. ~ *arms/legs*, ξερακιανά πόδια/χέρια.

lan·tern /ˈlæntən/ οὐσ. ‹C› φανάρι. ˈ**~-jawed** ἐπ. μακροπρόσωπος, μέ βαθουλωμένα μάγουλα.

lan·yard /ˈlænjəd/ οὐσ. ‹C› κορδόνι (σάλπιγγος, σφυρίχτρας, σουγιᾶ, κλπ) γύρω στό λαιμό ἤ στόν ὦμο.

[1]**lap** /læp/ οὐσ. ‹C› γόνατα, ποδιά: *She had a baby on her ~*, εἶχε ἕνα μωρό στήν ποδιά της. *sit on sb's ~*, κάθομαι στά γόνατα κάποιου. ***be/live in the ~ of luxury***, εἶμαι/ζῶ μέσ᾽ στά πλούτη, στή χλιδή. ***in the ~ of the gods***, (*γιά μελλοντικά γεγονότα*) ἀβέβαιος, στά χέρια τοῦ Θεοῦ. ˈ**~-dog**, σκυλάκι τοῦ σαλονιοῦ.

[2]**lap** /læp/ ρ.μ/ἀ. *(-pp-)* **1**. ~ ***up***, πίνω ἀπό χάμω μέ τή γλῶσσα, γλείφω: *The cat quickly ~ped up all the milk*, ἡ γάτα ἔγλειψε (ἤπιε) γρήγορα ὅλο τό γάλα. **2**. (*καθομ.*) χάφτω: *She ~ped up his compliments/his story about the accident*, ἔχαψε τά κομπλιμέντα του/τήν ἱστορία του γιά τό δυστύχημα. **3**. πλαταγίζω, παφλάζω: *The waves were ~ping on the beach/against the rocks*, τά κύματα πάφλαζαν στό γιαλό/πάνω στά βράχια. —οὐσ. ‹C,U› ρουφηξιά, παφλασμός: *The dog emptied the plate with three ~s of the tongue*, ὁ σκύλος ἄδειασε τό πιάτο μέ τρεῖς ρουφηξιές τῆς γλώσσας.

[3]**lap** /læp/ ρ.μ/ἀ. *(-pp-)* **1**. τυλίγω: *He ~ped the rope round a tree*, τύλιξε τό σκοινί γύρω ἀπό ἕνα δέντρο. **2**. τοποθετῶ καβαλλικευτά (σανίδια, κεραμίδια, κλπ): *He put the slates on the roof so that they ~ped over*, ἔβαλε τίς πλάκες στή σκεπή καβαλλικευτά. —οὐσ. ‹C› **1**. (*γιά φόρεμα*) μπάσκα. **2**. ἐπικάλυψις. **3**. γύρος (σταδίου), (*μεταφ.*) φάσις: *He overtook them on the last ~*, τούς πρόλαβε στόν τελευταῖο γύρο.

la·pel /ləˈpel/ οὐσ. ‹C› πέτο (σακκακιοῦ).

lapi·dary /ˈlæpɪdərɪ/ οὐσ. ‹C› λιθοχαράκτης. —ἐπ. πέτρινος, χαραγμένος στήν πέτρα (πχ ἐπιγραφή).

lapse /læps/ οὐσ. ‹C› **1**. λάθος, ὀλίσθημα, παραδρομή: *a ~ of memory/of the tongue/of the pen*, παραδρομή τῆς μνήμης/τῆς γλώσσας/τῆς πέννας. **2**. (*μεταφ.*) ἀπομάκρυνσις, ἐκτροπή, κατολίσθησις: *a ~ from virtue/true belief*, ἀπομάκρυνσις ἀπό τήν ἀρετή/ἀπό τήν ἀληθινή πίστη. *a ~ into crime/heresy*, κατολίσθησις στό ἔγκλημα/στήν αἵρεση. **3**. πάροδος, πέρασμα (χρόνου): *after a ~ of three years*, μετά πάροδον τριῶν ἐτῶν. **4**. (*νομ.*) ἐκπνοή (δικαιώματος), παρέλευσις (προθεσμίας), παραγραφή. —ρ.ἀ. **1**. ***~ from/into***, ὀλισθαίνω, γλιστρῶ: *~ from virtue into vice/~ into bad habits*, ὀλισθαίνω ἀπό τήν ἀρετή στή διαφθορά/σέ κακές συνήθειες. **2**. (*γιά δικαίωμα*) παραγράφομαι.

lar·ceny /ˈlasənɪ/ οὐσ. ‹C,U› κλοπή.

lard /lad/ οὐσ. ‹U› λαρδί, χοιρινό λίπος. —ρ.μ. **1**. ἀρτύζω μέ λαρδί, ἀλείφω μέ λίπος. **2**. (*ὑποτιμ.*) γαρνίρω (ὁμιλία): *a speech ~ed with Latin phrases*, λόγος γαρνιρισμένος μέ λατινικές φράσεις.

lar·der /ˈladə(r)/ οὐσ. ‹C› κελλάρι.

large /ladʒ/ ἐπ. *(-r, -st)* **1**. μεγάλος (*χρησιμοποιεῖται λιγώτερο συχνά ἀπό τό big καί σπανιώτατα γιά ἀνθρώπους*): *a ~ family/fortune/house*, μεγάλη οἰκογένεια/περιουσία/-ο σπίτι. ˈ**~-scale** ἐπ. ἐκτεταμένος, μεγάλης κλίμακος: *~-scale operations/changes*, ἐπιχειρήσεις/ἀλλαγές μεγάλης κλίμακος. **2**. γενναιόδωρος: ˈ~-ˈ*hearted*/-ˈ*minded*, γενναιόκαρδος/γενναιόφρων. **3**. εὐρύς, ἐκτεταμένος, πλατύς: *He was given ~ powers*, τοῦ ἔδωσαν εὐρεῖες ἐξουσίες. *a man with ~ views*, ἄνθρωπος μέ πλατειές ἀντιλήψεις. (*βλ. & λ. life*). —οὐσ. (*μόνο στή φράση*) ***at ~***, *(α)* ἐλεύθερος: *The escaped prisoner is still at ~*, ὁ δραπέτης εἶναι ἀκόμη ἐλεύθερος. *(β)* ἐν ἐκτάσει, διά μακρῶν: *talk/write at ~*. *(γ)* γενικά: *Boys at ~ like football*, στ᾽ ἀγόρια γενικά ἀρέσει τό ποδόσφαιρο. *(δ)* στήν τύχη: *scatter accusations at* ~, σκορπῶ κατηγορίες στήν τύχη/δεξιά κι' ἀριστερά. (*βλ.* & *λ.* [1]*by*). ~**·ish** /-ɪʃ/ *ἐπ.* μεγαλούτσικος. ~**·ly** *ἐπίρ.* κατά μέγα μέρος, σέ μεγάλο βαθμό, γενναιόδωρα: *His success was* ~*ly due to luck*, ἡ ἐπιτυχία του ὀφειλόταν κατά μέγα μέρος σέ τύχη. *He gives* ~*ly to charities*, δίνει γενναιόδωρα γιά φιλανθρωπικούς σκοπούς.

lar·gesse /laˈdʒes/ *οὐσ.* ‹U› (*ἀπηρχ.*) γενναιοδωρία.

largo /ˈlagəʊ/ *οὐσ.* ‹C› (*πληθ.* ~*s*) (*μουσ.*) ἀργό κομμάτι. —*ἐπίρ.* ἀργά.

[1]**lark** /lak/ *οὐσ.* ‹C› κορυδαλλός, σιταρήθρα.

[2]**lark** /lak/ *οὐσ.* ‹C› διασκέδασις, ἀστεῖο, πλάκα: *Boys are fond of having a* ~, τά παιδιά ἀγαποῦν νά κάνουν πλάκα. *He did it for a* ~, τὄκανε γιά πλάκα. *What a* ~*!* τί ἀστεῖο! —*ρ.ἀ.* κάνω ζαβολιές: *Stop* ~*ing about and get on with your work*, ἄσε τίς ζαβολιές καί συνέχισε τή δουλειά σου.

lark·spur /ˈlakspɜ(r)/ *οὐσ.* ‹C,U› (*φυτ.*) δελφίνιον.

larva /ˈlavə/ *οὐσ.* ‹C› (*πληθ.* *-vae* /-vi/) κάμπια (ἐντόμου).

lar·yn·gi·tis /ˈlærɪnˈdʒaɪtɪs/ *οὐσ.* ‹U› λαρυγγῖτις.

lar·ynx /ˈlærɪŋks/ *οὐσ.* ‹C› λάρυγγας.

las·civ·ious /ləˈsɪvɪəs/ *ἐπ.* λάγνος: *a* ~ *smile*. ~**·ly** *ἐπίρ.*

laser /ˈleɪzə(r)/ *οὐσ.* ‹C› λέηζερ: ~ *beams*, ἀκτῖνες λέηζερ.

[1]**lash** /læʃ/ *οὐσ.* ‹C› **1**. βούρδουλας, λουρί μαστιγίου. **2**. βουρδουλιά: *He gave the prisoner ten* ~*es*, ἔδωσε δέκα βουρδουλιές στόν φυλακισμένο. **the** ~, μαστίγωσις: *He was sentenced to the* ~, καταδικάστηκε σέ μαστίγωση. *the* ~ *of criticism*, (*μεταφ.*) τό μαστίγιον τῆς κριτικῆς. **3**. βλεφαρίδα: *a girl with dark* ~*es*, κορίτσι μέ μαῦρες βλεφαρίδες.

[2]**lash** /læʃ/ *ρ.μ/ἀ.* **1**. μαστιγώνω, δέρνω, χτυπῶ: ~ *a horse with a whip*, μαστιγώνω ἄλογο μέ καμουτσίκι. *The rain was* ~*ing (against) the windows*, ἡ βροχή ἔδερνε τά παράθυρα. *The tiger* ~*ed its tail angrily*, ἡ τίγρης χτύπησε τήν οὐρά της στόν ἀέρα θυμωμένα. **2**. ~ ***sb into***, ἐξάπτω: *The speaker* ~*ed his audience into a fury*, ὁ ὁμιλητής ἐξαγρίωσε τό ἀκροατήριό του. ~ ***out (at/against) (sb/ sth)***, ἐπιτίθεμαι βιαίως (μέ λόγια ἤ ἔργα): *The speaker* ~*ed out against the government*, ὁ ὁμιλητής ἐπετέθη μέ βιαιότητα κατά τῆς κυβερνήσεως. *He* ~*ed out at them with his fists*, ρίχτηκε πάνω τους μέ τίς γροθιές του. *The horse* ~*ed out at me*, τό ἄλογο μέ ἄρχισε στίς κλωτσιές. **3**. δένω σφιχτά (μέ σκοινί ἤ λουρίδα): *They* ~*ed him to a tree*, τόν ἔδεσαν σ' ἕνα δέντρο. ~ ***down***, προσδένω σφιχτά: *They* ~*ed the boxes down on the deck*, ἔδεσαν σφιχτά τά κουτιά στό κατάστρωμα. ~**·ing** *οὐσ.* ‹C› *(α)* μαστίγωσις. *(β)* λουρί. *(γ)* (*καθομ.*, *πληθ.*) ἀφθονία: *strawberries with* ~*ings of cream*, φράουλες μέ μπόλικη κρέμα. ~*ings of drink*; ~*ings to drink*, ἄφθονο ποτό.

lass /læs/, **las·sie** /ˈlæsɪ/ *οὐσ.* ‹C› κοπελλιά.

lassi·tude /ˈlæsɪtjud/ *οὐσ.* ‹U› κούρασις, κάματος, βαρυεστημάρα.

lasso /læˈsu/ *οὐσ.* ‹C› (*πληθ.* ~*s* ἤ ~*es* /-ˈsuz/) λάσσο. —*ρ.μ.* πιάνω μέ λάσσο.

[1]**last** /last/ *ἐπ.* **1**. τελευταῖος, ἔσχατος, ὕστατος: *the* ~ *week in June*, ἡ τελευταία βδομάδα τοῦ Ἰουνίου. *This is our* ~ *hope/penny*, αὐτή εἶναι ἡ τελευταία μας ἐλπίδα/δεκάρα. *She's the* ~ *woman I'd like to meet*, εἶναι ἡ τελευταία γυναίκα πού θἄθελα νά συναντήσω. *This is the* ~ *thing in language teaching*, εἶναι ἡ τελευταία λέξις στή γλωσσική διδασκαλία. *I remember the* ~ *time I saw him*, θυμᾶμαι τήν τελευταία φορά πού τόν εἶδα. *He's the* ~ *man to do such a thing*, εἶναι ὁ τελευταῖος ἄνθρωπος πού θά ἔκανε τέτοιο πρᾶγμα. ~ ***but not least***, ὁ τελευταῖος ἀλλά ὄχι ὁ λιγώτερο σημαντικός. ***the*** ~ ***but one***, ὁ προτελευταῖος. ***the L***~ ***Day***, ἡ συντέλεια τοῦ κόσμου. ***have the*** ~ ***word***, ἔχω τήν τελευταία λέξη. **2**. προηγούμενος, περασμένος (*ἀντίθ.* *next*): ~ *Monday/week*, τήν περασμένη Δευτέρα/ἑβδομάδα. ~ *night*, χθές τό βράδυ. ~ *year*, πέρισυ. *during the* ~ *few days*, τίς τελευταῖες λίγες μέρες. —*ἐπίρ.* τελευταῖα: *I am to speak* ~ *at the meeting*, θά μιλήσω τελευταῖα στή συγκέντρωση. *When I* ~ *saw her; When I saw her* ~, τήν τελευταία φορά πού τήν εἶδα. *When were you* ~ *in London?* πότε ἦσουν τελευταῖα στό Λονδῖνο; —*οὐσ.* (*μόνον ἑν.*) τελευταῖος, τέλος: *This is the* ~ *of our money*, αὐτά εἶναι τά τελευταῖα χρήματά μας. ***at*** ~, ἐπιτέλους: *At* ~ *he came*, ἐπιτέλους ἦρθε. ***at long*** ~, ἐπιτέλους ἔδωσε ὁ θεός (καί...): *At long* ~ *we reached London*, ἐπιτέλους ἔδωσε ὁ θεός καί φθάσαμε στό Λονδῖνο. ***to/till the*** ~, (*λόγ.*) μέχρι τέλους: *faithful to the* ~, πιστός μέχρι τέλους/μέχρι θανάτου. ***breathe one's*** ~, (*λόγ.*) πνέω τά λοίσθια. ***see/hear the*** ~ ***of***, βλέπω/ἀκούω γιά τελευταία φορά, ξεφορτώνομαι, ξεμπλέκω: *I hope we've seen the* ~ *of her*, ἐλπίζω ὅτι τήν εἴδαμε γιά τελευταία φορά, ἐλπίζω ὅτι τήν ξεφορτωθήκαμε. *We'll never hear the* ~ *of it*, ποτέ δέν θά ξεμπλέξουμε ἀπ' αὐτό. ~**·ly** *ἐπίρ.* τελικά.

[2]**last** /last/ *ρ.ἀ.* διαρκῶ, κρατῶ: *How long will this fine weather* ~*?* πόσο θά κρατήση αὐτός ὁ ὡραῖος καιρός; *We've got enough food to* ~ *(us) for a month*, ἔχομε ἀρκετά τρόφιμα γιά (νά κρατήσουν) ἕνα μῆνα. ~**·ing** *ἐπ.* διαρκής, μόνιμος: *a* ~*ing peace*, μόνιμη εἰρήνη.

[3]**last** /last/ *οὐσ.* ‹C› καλαπόδι. ***stick to one's*** ~, κοιτάω τή δουλειά μου, δέν μπαίνω σέ ξένα οἰκόπεδα.

latch /lætʃ/ *οὐσ.* ‹C› μάνταλος, σύρτης. ***on the*** ~, μανταλωμένος. ˋ~**·key**, ζεμπερέκι, ἁπλό κλειδί τοῦ σύρτη. ˈ~**key ˋchildren**, (*καθομ.*) παιδιά πού μεγαλώνουν μόνα τους (γιατί κι' οἱ δυό γονεῖς δουλεύουν). —*ρ.μ/ἀ.* **1**. μανταλώνω. **2**. ~ ***on(to)***, (*καθομ.*) κολλάω σέ κτ, μπαίνω (= καταλαβαίνω).

[1]**late** /leɪt/ *ἐπ.* *(-r, -st)* **1**. ἀργός, καθυστερημένος. ***be*** ~ ***(for)***, ἀργοπορῶ, ἀργῶ: *I'm sorry for being* ~, μέ συγχωρεῖτε πού ἄργησα. *Today I'm only five minutes* ~ *while yesterday I was ten minutes* ~, σήμερα ἄργησα μόνον πέντε λεπτά ἐνῶ χθές ἄργησα δέκα λεπτά. *We're* ~ *for work/school*, ἀργήσαμε γιά τή δουλειά/γιά τό σχολεῖο. **2**. ἀργός, προχωρη-

μένος: *It's ~/getting ~*, εἶναι ἀργά/περνάει ἡ ὥρα. *in the ~ afternoon*, ἀργά τό ἀπόγευμα. *in ~ summer*, πρός τό τέλος τοῦ καλοκαιριοῦ. *a man in his ~ thirties*, ἄνθρωπος πού κοντεύει τά σαράντα. *in the ~ sixties*, πρός τό τέλος τῆς δεκαετίας τοῦ 1960. ***keep ~ hours***, πηγαίνω ἀργά γιά ὕπνο/γιά δουλειά. **3**. τελευταῖος, πρόσφατος: *the ~ riots*, οἱ τελευταῖες (πρόσφατες) ταραχές. *the ~st news/fashion*, τά τελευταῖα νέα/ἡ τελευταία μόδα. *Mr Green's ~st novel*, τό τελευταῖο (τό πιό πρόσφατο) μυθιστόρημα τοῦ κ. Γκρήν. (*πρβλ. Dickens' last novel*). **4**. τέως, πρώην: *the ~ President*, ὁ τέως Πρόεδρος. **5**. μακαρίτης: *my ~ husband*, ὁ μακαρίτης ὁ ἄντρας μου. **6**. ***of ~***, προσφάτως, τώρα τελευταῖα. ***at (the) latest***, τό ἀργότερο: *Be here on Monday at (the) latest*, νά εἶσαι δῶ τό ἀργότερο τή Δευτέρα.

[2]**late** /leɪt/ *ἐπίρ.* **1**. ἀργά: *arrive ~*, φθάνω ἀργά. ***sit/stay up ~***, μένω ἀργά (τό βράδυ), ξαγρυπνῶ. ***Better ~ than never***, (*παροιμ.*) κάλλιο ἀργά παρά ποτέ. ***~r on***, ἀργότερα, μετά, πιό ὕστερα. ***sooner or ~r***, ἀργά ἤ γρήγορα. ***early and ~***, ὅλες τίς ὧρες: *He's at his desk early and ~*, εἶναι ὅλες τίς ὧρες στό γραφεῖο του. **2**. πρόσφατα, τελευταῖα: *I saw him as ~ as/no ~r than yesterday*, χθές ἀκόμη τόν εἶδα. **lat·ish** /ˈleɪtɪʃ/ *ἐπ. & ἐπίρ.* ἀργούτσικος/-α.

late·ly /ˈleɪtlɪ/ *ἐπίρ.* (*συνήθ. σέ ἐρωτημ. καί ἀρνητ. προτάσεις ἤ μέ only ἤ as ~ as*) τώρα τελευταῖα, πρόσφατα: *We haven't been there ~*, δέν ἔχομε πάει ἐκεῖ τελευταῖα. *Have you seen him ~?* τόν ἔχεις δεῖ τελευταῖα; *I saw him as ~ as yesterday*, χθές ἀκόμη τόν εἶδα. *It's only ~ that I heard about it*, τώρα τελευταῖα μονάχα ἔμαθα γι' αὐτό.

latent /ˈleɪtnt/ *ἐπ.* λανθάνων, κρυμμένος, ἀφανής: *~ abilities*, κρυμμένες ἱκανότητες.

lat·eral /ˈlætrl/ *ἐπ.* πλευρικός, πλαγινός, πλάγιος: *~ view/expansion*, πλευρική θέα/ἐπέκτασις. *pinch out the ~ buds*, κόβω (τσιμπῶ) τά πλαϊνά μπουμπούκια (*πχ* στά χρυσάνθεμα).

latex /ˈleɪteks/ *οὐσ.* ‹U› χυμός-γάλα (φυτῶν).

lath /lɑθ/ *οὐσ.* ‹C› (*πληθ. ~s* /lɑðz/) πηχάκι, λεπτή σανίδα, γρίλλια (*πχ* σέ παντζούρια).

lathe /leɪð/ *οὐσ.* ‹C› τόρνος.

lather /ˈlɑðə(r)/ *οὐσ.* ‹U› **1**. σαπουνάδα. **2**. ἀφρώδης ἱδρώτας (ἀλόγου). __*ρ.μ/ἀ.* **1**. σαπουνίζω, ἀφρίζω: *~ one's face before shaving*, σαπουνίζω τό πρόσωπό μου πρίν ξυριστῶ. *This soap doesn't ~ easily*, αὐτό τό σαποῦνι δέν ἀφρίζει εὔκολα. **2**. (*γιά ἄλογο*) ἱδρώνω. **3**. (*καθομ.*) μαστιγώνω, ξυλοφορτώνω.

Latin /ˈlætɪn/ *οὐσ.* Λατινικά. __*ἐπ.* λατινικός: *the L~ races/peoples*, οἱ λατινικές φυλές/-οἱ λαοί. **ˈL~ Aˈmerica**, Λατινική Ἀμερική. **the ˈL~ Quarter**, τό Καρτιέ Λατέν (φοιτητική συνοικία στό Παρίσι). **~·ize** /-aɪz/ *ρ.μ.* ἐκλατινίζω.

lati·tude /ˈlætɪtjud/ *οὐσ.* **1**. ‹U› γεωγραφικόν πλάτος (*πρβλ. longitude*). **2**. (*πληθ.*) χῶρες, περιοχές, κλίματα: *high/low ~s*, περιοχές σέ μεγάλο/μικρό γεωγραφικό πλάτος. *warm ~s*, ζεστές περιοχές, θερμά κλίματα. **3**. ‹U› περιθώριον, εὐρύτης, ἐλευθερία: *have great ~ for manoeuvring*, ἔχω μεγάλα περιθώρια ἑλιγμῶν. *He's given/allowed more ~ than his brother*, τοῦ ἔχουν δώσει περισσότερη ἐλευθερία ἀπ' ὅ,τι στόν ἀδελφό του. **lati·tudi·nal** /ˈlætɪˈtjudɪnl/ *ἐπ.* ἐγκάρσιος. **lati·tudi·nar·ian** /ˈlætɪˈtjudɪˈneərɪən/ *ἐπ. & οὐσ.* ‹C› ἐλευθερόφρων (*ἰδ.* σέ θρησκευτικά ζητήματα).

la·trine /ləˈtrin/ *οὐσ.* ‹C› ἀποχωρητήριο (*ἰδ.* σέ στρατόπεδο).

lat·ter /ˈlætə(r)/ *ἐπ.* **1**. πρόσφατος, τελευταῖος: *the ~ half of the year*, τό τελευταῖο ἥμισυ τοῦ χρόνου. **ˈ~-ˈday** *ἐπ.* σύγχρονος, μοντέρνος: *a ~-day method of communication*, σύγχρονη μέθοδος ἐπικοινωνίας. **2**. ὁ δεύτερος (ἀπό δύο): *Of these two men the former is dead, but the ~ is still alive*, ἀπό τούς δυό αὐτούς ἀνθρώπους ὁ πρῶτος πέθανε ἀλλά ὁ δεύτερος ζῇ ἀκόμη. **~·ly** *ἐπίρ.* τελευταίως, προσφάτως.

lat·tice /ˈlætɪs/ *οὐσ.* ‹C› δικτυωτό, καφάσι, πλέγμα: *~ windows*, καφασωτά παράθυρα. **~d** *ἐπ.* δικτυωτός, καφασωτός.

laud /lɔd/ *ρ.μ.* (*ἀπηρχ.*) αἰνῶ. **~·able** /-əbl/ *ἐπ.* ἐπαινετός. **~·ably** /-əblɪ/ *ἐπίρ.* **~a·tory** /ˈlɔdətərɪ/ *ἐπ.* ὑμνητικός, ἐπαινετικός.

lauda·num /ˈlɔdənəm/ *οὐσ.* ‹U› λαύδανον.

[1]**laugh** /lɑf/ *ρ.μ/ἀ.* **1**. γελῶ: *His jokes made us all ~*, τ' ἀστεῖα του μᾶς ἔκαναν ὅλους νά γελάσωμε. ***~ in sb's face***, (*καθομ.*) γελῶ κατάμουτρα σέ κπ. ***~ on the other side of one's face***, (*καθομ.*) μοῦ βγαίνουν ξυνά τά γέλια, μοῦ κόβεται τό κέφι γιά γέλια. ***~ one's head off***, (*καθομ.*) λύνομαι στά γέλια. ***~ up one's sleeve***, (*καθομ.*) κρυφογελῶ, γελῶ κάτω ἀπό τά μουστάκια μου. ***~ oneself silly/helpless***, χασκογελῶ ἀνόητα, λύνομαι ἀπό τά πολλά γέλια. ***~ today and cry tomorrow***, τῆς Παρασκευῆς τά γέλια, τοῦ Σαββάτου κλάματα. **2**. ***~ at***, *(α)* γελῶ μέ κτ: *~ at a joke/a funny story*, γελῶ μ' ἕνα ἀστεῖο/μέ μιά ἀστεία ἱστορία. *(β)* κοροϊδεύω, περιγελῶ: *Don't ~ at your brother*, μήν κοροϊδεύης τόν ἀδελφό σου. *(γ)* περιφρονῶ: *~ at sb's threats*, περιφρονῶ τίς ἀπειλές κάποιου. ***~ away*** διώχνω μέ γέλιο, διασκεδάζω: *~ away sb's fears/doubts/suspicions*, διασκεδάζω τούς φόβους/τίς ἀμφιβολίες/τίς ὑποψίες κάποιου. ***~ down***, ἀρνοῦμαι ν' ἀκούσω/ἀπορρίπτω μέ καγχασμούς: *They ~ed the speaker down*, ἀνάγκασαν τόν ὁμιλητή νά σταματήση ἀπό τά γέλια. *They ~ed down my ideas*, ἀπέρριψαν τίς ἰδέες μου μέ γέλια. ***~ into***, φέρνω μέ τά γέλια σέ (μιά κατάσταση): *We ~ed him into good humour*, τοῦ φτιάξαμε τό κέφι μέ τά γέλια. ***~ off***, ξεφεύγω γελώντας, γυρίζω κάτι σοβαρό στ' ἀστεῖο: *He ~ed off the embarrassing situation*, ξέφυγε ἀπό τήν κατάσταση ἀμηχανίας μ' ἕνα γέλιο. *You can't ~ such a serious matter off*, δέν μπορεῖς νά τό ρίξης στ' ἀστεῖο τέτοιο σοβαρό ζήτημα. ***~ out of***, βγάζω κπ μέ τά γέλια ἀπό (μιά κατάσταση): *We ~ed him out of his depression/his silly ideas*, μέ τά γέλια τοῦ διώξαμε τή στενοχώρια του/τίς ἀνόητες ἰδέες του.

[2]**laugh** /lɑf/ *οὐσ.* ‹C› γέλιο: *give a loud ~*, γελῶ δυνατά. *raise a ~*, προκαλῶ τό γέλιο. *answer with a ~*, ἀπαντῶ γελώντας. *join in the ~*,

γελῶ μαζί μέ τούς ἄλλους. ***have a ~***, γελῶ: *We've had a good many ~s over his foolishness*, κάναμε πολλά γέλια (γελάσαμε πολύ) μέ τή χαζομάρα του. ***have/get the ~ of sb***, νικῶ κπ, τοῦ τή σκάω, τοῦ τή φέρνω. ***have the last ~***, γελῶ τελευταῖος. **~·able** /-əbl/ *ἐπ.* ἀστεῖος, γελοῖος: *a ~able mistake.* **~·ably** /-əblı/ *ἐπίρ.* **~·ing** *οὐσ.* ‹U› γέλιο. —*ἐπ.* γελαστός: *a ~ing face*, γελαστό πρόσωπο. *It's no ~ing matter*, δέν εἶναι γιά γέλια. ***~ing stock***, περίγελως, νούμερο: *He's the ~ing stock of the school*, εἶναι ὁ περίγελως (τό νούμερο) τοῦ σχολείου. **~·ing·ly** *ἐπίρ.* γελώντας, γελαστά.

laugh·ter /ˈlɑftə(r)/ *οὐσ.* ‹U› γέλιο: *burst into ~*, ξεσπῶ σέ γέλια. *roar with ~*, γελῶ θορυβωδῶς.

[1]**launch** /lɔntʃ/ *ρ.μ/ἀ.* **1**. καθελκύω (πλοῖο). **2**. ἐκτοξεύω: *~ threats at sb*, ἐκτοξεύω ἀπειλές ἐναντίον κάποιου. *~ rockets/a spacecraft*, ἐκτοξεύω πύραυλους/διαστημόπλοιο. **ˋ~ing-site/-pad**, πεδίον/ἐξέδρα ἐκτοξεύσεως. **3**. ἐξαπολύω, ἀρχίζω, λανσάρω, βάζω μπρός: *~ an attack*, ἐξαπολύω ἐπίθεση. *~ a new business enterprise*, βάζω μπρός μιά καινούργια ἐπιχείρηση. *~ a new fashion*, λανσάρω καινούργια μόδα. **4**. ***~ (out) into***, ἀποδύομαι, ρίχνομαι, καταπιάνομαι: *~ (out) into a new argument*, ρίχνομαι σέ καινούργια συζήτηση. *~ out into a new line of business*, ἀποδύομαι σέ νέον ἐπιχειρηματικό τομέα. —*οὐσ.* ‹C› καθέλκυσις, ἐκτόξευσις, λανσάρισμα, ξεκίνημα.

[2]**launch** /lɔntʃ/ *οὐσ.* ‹C› ἄκατος: *a motor ~*, βενζινάκατος.

launder /ˈlɔndə(r)/ *ρ.μ/ἀ.* πλένω καί σιδερώνω: *Send these sheets to be ~ed*, στεῖλε αὐτά τά σεντόνια γιά πλύσιμο καί σιδέρωμα.

laun·der·ette /ˈlɔndəˋret/ *οὐσ.* ‹C› μαγαζί μέ αὐτόματα πλυντήρια πού λειτουργοῦν μέ νομίσματα.

laun·dress /ˈlɔndrəs/ *οὐσ.* ‹C› πλύστρα.

laun·dry /ˈlɔndrı/ *οὐσ.* **1**. ‹C› πλυντήριον. **2**. (*μέ the καί ἑν.*) μπουγάδα (= ροῦχα γιά πλύσιμο καί σιδέρωμα): *Has the ~ come back yet?* μήπως γύρισαν τά ροῦχα ἀπό τό πλυντήριο; **ˋ~·man**, ὑπάλληλος πλυντηρίου.

laur·eate /ˈlorıət/ *ἐπ.* δαφνοστεφής. **the ('Poet) ˋL~**, (*MB*) Ποιητής τῶν Ἀνακτόρων (τίτλος ἀπονεμόμενος ὑπό τοῦ Βασιλέως εἰς διακεκριμένον ποιητήν).

laurel /ˈlorl/ *οὐσ.* ‹C› δάφνη. ***look to one's ~s***, φυλάω ζηλότυπα τίς δάφνες μου. ***rest on one's ~s***, ἀναπαύομαι στίς δάφνες μου. ***win/gain one's ~s***, κερδίζω τίς δάφνες μου. **~led** *ἐπ.* δαφνοστεφής.

lav /læv/ *οὐσ.* ‹C› (*καθομ. βραχυλ. γιά*) *lavatory*.

lava /ˈlavə/ *οὐσ.* ‹U› λάβα (ἡφαιστείου).

lava·tory /ˈlævətrı/ *οὐσ.* ‹C› τουαλέττα, ἀποχωρητήριον.

lav·en·der /ˈlævındə(r)/ *οὐσ.* ‹U› λεβάντα. **ˋ~ water**, κολώνια λεβάντας.

lav·ish /ˈlævıʃ/ *ἐπ.* **1**. ***~ (in/of)*** (*γιά ἄνθρ.*) γενναιόδωρος, σπάταλος: *He's ~ in his help to others*, εἶναι γενναιόδωρος στή βοήθειά του πρός τούς ἄλλους. *He's never ~ of praise*, ποτέ δέν εἶναι σπάταλος στούς ἐπαίνους του. **2**. (*γιά πράγμ.*) πλούσιος, ἡγεμονικός: *give ~ gifts/praise*, δίνω πλούσια δῶρα/ἀφειδεῖς ἐπαίνους. *live in ~ style*, ζῶ ἡγεμονικά. **~·ly** *ἐπίρ.* πλούσια, γενναιόδωρα, ἀφειδῶς. —*ρ.μ.* ***~ (up)on***, δίνω πλούσια, ἐπιδαψιλεύω, κατασπαταλῶ: *~ care/attention on sb*, ἐπιδαψιλεύω φροντίδες/περιποιήσεις σέ κπ.

law /lɔ/ *οὐσ.* **1**. ‹C› νόμος: *When a Bill is passed by Parliament, it becomes a ~*, ὅταν ἕνα νομοσχέδιο ψηφισθῆ ἀπό τή Βουλή, γίνεται νόμος. **ˋ~-giver**, νομοθέτης. **2**. ‹U› ὁ νόμος (τό σύνολο, ἡ λειτουργία τῶν νόμων): *The ~ does not allow it*, δέν τό ἐπιτρέπει ὁ νόμος. *break/observe the ~*, παραβαίνω/τηρῶ τόν νόμο. *enforce/maintain ~ and order*, ἐπιβάλλω/τηρῶ τόν νόμο καί τήν τάξη. ***Necessity knows no ~***, ἡ ἀνάγκη δέν γνωρίζει νόμο. ***go to ~ (against sb)***; (*καθομ.*) ***have the ~ on sb***, καταφεύγω στό νόμο/στά δικαστήρια ἐναντίον κάποιου. ***lay down the ~***, ἀποφαίνομαι, δογματίζω, βάζω κανόνες. ***take the ~ into one's hands***, αὐτοδικῶ, παίρνω τό δίκιο μόνος μου. **ˋ~-abiding** *ἐπ.* νομοταγής. **ˋ~-breaker**, παραβάτης τοῦ νόμου. **ˋ~ court**, δικαστήριον. **ˋ~ suit**, δίκη. **3**. ‹C› νόμος, ἀρχή, κανόνας: *Newton's ~*, ὁ νόμος τοῦ Νεύτωνος. *the ~s of harmony*, οἱ νόμοι/οἱ ἀρχές τῆς ἁρμονίας. *the ~ of nature/of self-preservation*, ὁ νόμος τῆς φύσεως/τῆς αὐτοσυντηρήσεως. *the ~ of supply and demand*, ὁ νόμος τῆς προσφορᾶς καί τῆς ζητήσεως. *the ~s of motion*, οἱ νόμοι τῆς κινήσεως. ***be a ~ unto oneself***, ἔχω τό δικό μου νόμο, κάνω ὅ,τι ἐγώ νομίζω σωστό. **4**. ‹U› νομικά, δίκαιον: *study/read ~*, σπουδάζω νομικά. *go in for/follow the ~*, ἀκολουθῶ νομικά. *a ~ student/school*, φοιτητής τῆς νομικῆς/νομική σχολή. *civil/commercial/international ~*, ἀστικόν/ἐμπορικόν/διεθνές δίκαιον. *the ~ of nations*, τό δίκαιον τῶν ἐθνῶν. **~·ful** /-fl/ *ἐπ.* νόμιμος: *~ful acts/heir/age*, νόμιμοι πράξεις/-ος κληρονόμος/-ος ἡλικία. **~·fully** /-flı/ *ἐπίρ.* **~·less** *ἐπ.* ἄνομος, ἀχαλίνωτος. **~-less·ness** *οὐσ.* ‹U› ἀνομία, ἀναρχία.

lawn /lɔn/ *οὐσ.* ‹C› **1**. γκαζόν, χλόη, πελούζα, χορτοτάπης. **ˋ~-mower**, χορτοκόπτης, μηχανή κουρέματος τῆς χλόης. **2**. (*ὕφασμα*) λινή μπατίστα.

law·yer /ˈlɔjə(r)/ *οὐσ.* ‹C› δικηγόρος.

lax /læks/ *ἐπ.* **1**. χαλαρός, ἀμελής, ἄτακτος: *~ discipline/morals*, χαλαρή πειθαρχία/-ά (ἔκλυτα) ἤθη. *be ~ in one's conduct/attendance*, εἶμαι ἄτακτος στή διαγωγή μου/στήν παρακολούθηση (μαθημάτων). **2**. εὐκοίλιος. **~·ity** /ˈlæksətı/ *οὐσ.* ‹C,U› χαλαρότης, χαλάρωσις, ἀμέλεια.

laxa·tive /ˈlæksətıv/ *οὐσ.* ‹C› (*ἰατρ.*) καθαρτικόν. —*ἐπ.* ὑπακτικός.

[1]**lay** /leı/ *ρ.μ/ἀ.* ἀνώμ. (*ἀόρ. & π.μ. laid* /leıd/) **1**. τοποθετῶ, θέτω (= βάζω, ἀκουμπῶ, ἐπιβάλλω): *Who will ~ the linoleum?* ποιός θά τοποθετήση τό πλαστικό; *He laid the book on his desk*, ἔβαλε τό βιβλίο στό γραφεῖο του. *She laid her hand on my shoulder/her head on the pillow*, ἀκούμπησε τό χέρι της στόν ὦμο μου/τό κεφάλι της στό μαξιλάρι. *~ a tax on sth*, ἐπιβάλλω φόρο σέ κτ. *The scene is laid in ancient Athens*, ἡ σκηνή τοποθετεῖται (γίνεται) στήν ἀρχαία Ἀθήνα. *~ the founda-*

tions, βάζω τά θεμέλια. *He has nowhere to* ~ *his head*, δέν ἔχει ποῦ τήν κεφαλήν κλίναι. ~ *(one's)* **hands on sb/sth**, *(α)* βάζω στό χέρι, πιάνω: *He keeps everything he can* ~ *(his) hands on*, ὅ,τι βάλει στό χέρι τό κρατάει. *The police hope to* ~ *(their) hands on him any moment*, ἡ ἀστυνομία ἐλπίζει νά τόν βάλη στό χέρι ἀπό στιγμή σέ στιγμή. *(β)* σηκώνω χέρι: *How dare you* ~ *hands on me?* πῶς τολμᾶς νά σηκώνης χέρι ἐπάνω μου; *(γ)* βρίσκω: *I can't* ~ *my hands on the letter he sent me*, δέν μπορῶ νά βρῶ τό γράμμα πού μοῦστειλε. *(δ)* χειροτονῶ. ***laying-on of hands***, χειροτονία. ~ ***the blame** (for sth)* **on sb**, ρίχνω τό φταίξιμο (γιά κτ) σέ κπ. ~ **a** *(heavy)* **burden on sb**, φορτώνω (μεγάλη) εὐθύνη σέ κπ. ~ **a strict injunction on sb** *(to do sth)*, δίνω αὐστηρές ἐντολές σέ κπ (νά κάμη κτ). ~ **stress/emphasis/ weight on sth**, τονίζω, δίνω ἔμφαση/ βαρύτητα σέ κτ: *We* ~ *special weight on the question of honesty*, δίνομε εἰδική βαρύτητα στό θέμα τῆς τιμιότητος. ~ **sb under a/the necessity/an obligation**, (*λόγ.*) καθιστῶ ἀναγκαῖον, ἐπιβάλλω τήν ὑποχρέωση σέ κπ: *Your conduct* ~*s me under the necessity of dismissing you*, τό φέρσιμό σου μέ ἀναγκάζει νά σέ ἀπολύσω. *Our friendship* ~*s me under the obligation to be quite frank with you*, ἡ φιλία μας μοῦ ἐπιβάλλει τήν ὑποχρέωση νά εἶμαι ἀπολύτως εἰλικρινής μαζί σου. ~ **sb under contribution**, ἐπιβάλλω σέ κπ τήν ὑποχρέωση νά συνεισφέρη. ~ **sth to sb's charge**, θεωρῶ κπ ὑπεύθυνον γιά κτ. ~ **one's hopes on sb/sth**, κρεμῶ τίς ἐλπίδες μου σέ κπ/κτ. ~ **sb to rest**, ἀναπαύω, ἐνταφιάζω κπ. **2**. **lay** + *ἐπ.* *ἤ ἐπίρ.* (*ἀποδίδεται συνήθως μέ ρῆμα βασιζόμενο στήν ἔννοια τοῦ ἐπ. ἤ ἐπιρ.*): ~ **bare**, ξεγυμνώνω: ~ *bare one's heart*, ἀνοίγω τήν καρδιά μου σέ κπ, ἀποκαλύπτω τίς μύχιες σκέψεις μου. ~ **flat**, πλαγιάζω, ρίχνω κάτω: *The rainstorms laid the crops flat*, οἱ καταιγίδες πλάγιασαν τά σπαρτά. ~ **low**, ρίχνω κάτω: *I've been laid low by influenza*, μ' ἔρριξε κάτω ἡ γρίππη. ~ **sth/ oneself open** *(to sth)*, ἀποκαλύπτω, ἀνοίγω, κόβω, ἐκθέτω: ~ *oneself open to criticism/calumny*, ἐκθέτω τόν ἑαυτό μου σέ ἐπικρίσεις/συκοφαντίες. ~ **waste**, ἐρημώνω: *The countryside was laid waste by the occupation forces*, ἡ ὕπαιθρος ἐρημώθηκε ἀπό τίς δυνάμεις κατοχῆς. **3**. στρώνω, ἑτοιμάζω: ~ *the table for two/for breakfast*, ἑτοιμάζω τό τραπέζι γιά δύο/γιά πρόγευμα. ~ *the cloth*, στρώνω τό τραπεζομάντηλο. ~ *a fire*, ἑτοιμάζω μιά φωτιά. ~ **a snare/a trap/an ambush for sb**, στήνω παγίδα/ἐνέδρα σέ κπ. **4**. (*γιά κόττες*) γεννῶ (αὐγά): *Are your hens* ~*ing yet?* ἄρχισαν νά γεννᾶνε οἱ κόττες σας; **new laid eggs**, φρέσκα αὐγά. **5**. στρώνω, ἁπλώνω: ~ *(a) carpet on the floor;* ~ *the floor with (a) carpet*, στρώνω χαλί στό πάτωμα/στρώνω τό πάτωμα μέ χαλί. ~ *sand over the yard;* ~ *the yard with sand*, ἁπλώνω ἄμμο στήν αὐλή/στρώνω τήν αὐλή μέ ἄμμο. **6**. καθησυχάζω, κατακαθίζω, ξορκίζω: ~ *sb's doubts*, διώχνω τίς ἀμφιβολίες κάποιου. *Sprinkle water on the road to* ~ *the dust*, ρίξε νερό στό δρόμο γιά νά κατακαθίση ἡ σκόνη. ~ **a ghost/spirit**, ξορκίζω ἕνα φάντασμα/ ἕνα στοιχειό. **7**. στοιχηματίζω, ποντάρω: *I'll* ~ *you £5 that he won't come*, σέ στοιχηματίζω πέντε λίρες ὅτι δέν θά ἔλθη. **8**. (*λαϊκ.*) καβαλλάω, πηδῶ (γυναίκα): *He's the sort of boss who likes to* ~ *his typist*, εἶναι ἀπό τ' ἀφεντικά πού τούς ἀρέσει νά πηδᾶνε τή δακτυλογράφο τους. **9**. (*μέ ἐπιρ. & προθέσεις*): **lay about one** *(with sth)*, (*λόγ., πεπαλ.*) δίνω χτυπήματα γύρω μου (μέ κτ): *He laid about him with his stick*, χτυποῦσε στά τυφλά μέ τό μπαστοῦνι του.

lay aside, βάζω στήν ἄκρη, ἀφήνω: ~ *some money aside for one's old age*, βάζω στήν ἄκρη μερικά χρήματα γιά τά γηρατειά μου. *He laid his book aside to listen to me*, παραμέρισε (ἄφησε) τό βιβλίο του γιά νά μέ ἀκούση. ~ *aside bad habits*, ἀφήνω κακές συνήθειες.

lay sth back, διπλώνω (πρός τά πίσω): *He laid back the collar of his coat*, δίπλωσε (ἔρριξε πίσω) τό γιακᾶ τοῦ παλτοῦ του.

lay down, *(α)* βάζω κάτω, ξαπλώνω: *She laid the baby down gently*, ἔβαλε κάτω τό μωρό μαλακά. *She laid herself down for an hour*, ξάπλωσε γιά μιά ὥρα. *(β)* βάζω, πληρώνω, στοιχηματίζω: *How much are you ready to* ~ *down?* πόσα εἶσαι διατεθειμένος νά πληρώσης (ἤ νά στοιχηματίσης); *(γ)* ἀρχίζω νά ναυπηγῶ, βάζω στά σκαριά: ~ *down a new ship*. *(δ)* βάζω, μετατρέπω: ~ *down land in/to/with/ under grass*, βάζω (μετατρέπω γῆ σέ) λιβάδι. *(ε)* βάζω, ἀποθηκεύω: ~ *down wine*, βάζω κρασί (τό ἀποθηκεύω σέ κάβα). *(στ')* βάζω, καθορίζω: *The prices have been laid down by the manufacturers*, οἱ τιμές ἔχουν καθορισθῆ ἀπό τούς κατασκευαστές. *He laid down new rules*, ἔβαλε καινούργιους κανόνες. *It was laid down that all students should have to...*, ὁρίστηκε ὅτι ὅλοι οἱ σπουδαστές θά πρέπει νά... *(ζ')* παραιτοῦμαι, καταθέτω, θυσιάζω: ~ *down office*, παραιτοῦμαι ἀξιώματος. ~ **down one's arms**, καταθέτω τά ὅπλα. ~ **down one's life** *(for one's country)*, θυσιάζω τή ζωή μου (γιά τήν πατρίδα μου).

lay in, κάνω ἀπόθεμα/προμήθειες: ~ *in plenty of food and drink for Christmas*, κάνω μεγάλες προμήθειες τροφῶν καί ποτῶν γιά τά Χριστούγεννα.

lay off, (*καθομ.*) *(α)* παύω νά δουλεύω, ξεκουράζομαι: *The doctor told me to* ~ *off for a week*, ὁ γιατρός μοῦ εἶπε νά ξεκουραστῶ μιά βδομάδα. *(β)* κόβω, σταματῶ: *He was told to* ~ *off smoking*, τοῦ εἶπαν νά σταματήση τό κάπνισμα. *(γ)* ἀπολύω προσωρινά: ~ *off workmen*, ἀπολύω προσωρινά ἐργάτες (πχ λόγω ἐλλείψεως πρώτων ὑλῶν). **ˋ~-off**, προσωρινή ἀπόλυσις.

lay sth on, *(α)* ἐγκαθιστῶ, παρέχω (φῶς, νερό, γκάζι σ' ἕνα κτίριο): *Water will be laid on next week*, τό νερό θά μπῆ τήν ἐρχόμενη βδομάδα. *(β)* (*καθομ.*) ἑτοιμάζω, ὀργανώνω: ~ *on a big concert/reception*, ἑτοιμάζω μεγάλη συναυλία/ὑποδοχή. *(γ)* ἁπλώνω, ἐπιστρώνω, βάζω (χρώματα, τσιμέντο, κλπ). ~ **it on** *(***thick***/***with a trowel***)*, τά παραλέω, ὑπερβάλλω (σέ κομπλιμέντα, καυχησιολογία, κλπ): *To call him a genius is ~ing it on a bit too thick!* τό νά τόν λένε μεγαλοφυΐα, ἔ, αὐτό παραπάει λίγο! *You are ~ing it on with a trowel!* τά παραλές!

lay out, *(α)* ἁπλώνω, ἑτοιμάζω: *She laid out her evening dress*, ἔβγαλε (ἀπό τήν ντουλάπα) καί ἅπλωσε τό βραδυνό της φόρεμα. *They laid out the body*, ἑτοίμασαν τόν νεκρό (τόν σαβανώσανε). *(β)* ἐπενδύω: *He ~s out his savings carefully*, ἐπενδύει τίς οἰκονομίες του προσεχτικά. *(γ)* σχεδιάζω: *a town with well-laid out streets*, πόλις μέ καλοσχεδιασμένους δρόμους. *~ out a printed page*, σελιδοποιῶ. **`~-out**, σελιδοποίησις, σχέδιο, πλάνο. *(δ)* ρίχνω ἀναίσθητο: *The blow laid him out*, τό χτύπημα τόν ἔρριξε ἀναίσθητο.

lay up, *(α)* βάζω στήν ἄκρη, παροπλίζω (πλοῖο, αὐτοκίνητο): *~ up coal for the winter*, ἀποθηκεύω κάρβουνο γιά τό χειμῶνα. *I'll ~ the car up for the winter*, θά βάλω τό αὐτοκίνητο στήν ἄκρη γιά τό χειμῶνα (δέν θά τό χρησιμοποιήσω). *(β)* *(στήν παθ. φων.)* κρεββατώνομαι: *He's laid up with flu*, εἶναι κρεββατωμένος μέ γρίππη. ***~ up trouble for oneself***, βάζω μπελάδες στό κεφάλι μου.

[2]**lay** /leɪ/ *ἀόρ. τοῦ ρ.* [2]*lie.*

[3]**lay** /leɪ/ *ἐπ.* *(μόνον ἐπιθ.)* **1**. λαϊκός, μή κληρικός. **2**. μή εἰδικός: *To the ~ mind the computer is a mystery*, γιά τόν κοινό ἄνθρωπο ὁ ἠλεκτρονικός ἐγκέφαλος εἶναι ἕνα μυστήριο. **`~·man**, ὁ μή εἰδικός, ἀνίδεος: *Where the law is concerned I am a ~man*, σέ νομικά θέματα εἶμαι ἐντελῶς ἀνίδεος.

[4]**lay** /leɪ/ *οὐσ.* ‹C› **1**. *(λογοτ.)* μπαλλάντα. **2**. *(λαϊκ.)* σύντροφος στό σέξ.

lay·about /`leɪəbaʊt/ *οὐσ.* ‹C› *(λαϊκ.)* σουλατσαδόρος.

lay-by /`leɪbaɪ/ *οὐσ.* ‹C› χῶρος σταθμεύσεως στό πλάϊ αὐτοκινητοδρόμου.

layer /`leɪə(r)/ *οὐσ.* ‹C› **1**. στρῶμα: *a ~ of clay*, ἕνα στρῶμα λάσπη. **2**. καταβολάδα. **3**. κόττα πού γεννάει: *This hen is a good/bad ~*, αὐτή ἡ κόττα γεννάει καλά/δέν γεννάει. __*ρ.μ.* καταβολιάζω.

lay·ette /leɪ`et/ *οὐσ.* ‹C› μωρουδιακά (ροῦχα).

lay fig·ure /'leɪ `fɪgə(r)/ *οὐσ.* ‹C› κούκλα (ραπτικῆς).

lay·man /`leɪmən/ *οὐσ.* ‹C› *βλ.* [3]*lay*.

laze /leɪz/ *ρ.μ/ά.* τεμπελιάζω: *~ all day*, τεμπελιάζω ὅλη τήν ἡμέρα. *~ away the afternoon*, περνῶ τ' ἀπόγευμα τεμπελιάζοντας.

lazy /`leɪzɪ/ *ἐπ.* *(-ier, -iest)* τεμπέλης, τεμπέλικος: *a ~ man/afternoon.* **`~-bones**, ὁ τεμπέλης: *Get up, you ~bones!* σήκω ἐπάνω, τεμπέλαρε! **lazi·ly** *ἐπίρ.* τεμπέλικα. **laziness** *οὐσ.* ‹U› τεμπελιά.

lea /li/ *οὐσ.* ‹C› *(ποιητ.)* λειμών.

leach /litʃ/ *ρ.μ.* διϋλίζω, στραγγίζω. ***~ out/away***, ξεπλένω, ἀφαιρῶ (στραγγίζοντας): *The heavy rains have ~ed the soil away*, οἱ δυνατές βροχές πῆραν τό χῶμα.

[1]**lead** /led/ *οὐσ.* ‹C,U› **1**. μόλυβδος, μολύβι: *~ wire*, μολυβένιο σύρμα. *window/roof ~s*, μολυβδώματα παραθύρων/μολυβδόφυλλα στέγης. **'~ `poisoning**, μολυβδίασις. **2**. γραφίτης, μύτη (μολυβιοῦ): *The ~ of my pencil has broken*, ἔσπασε ἡ μύτη τοῦ μολυβιοῦ μου. **`~-pencil**, μολυβδοκόνδυλο, μολύβι. **3**. *(τυπογρ.)* διάστιχο. **4**. *(ναυτ.)* βολίς, σκαντάλιο. ***cast/heave the ~***, βολίζω. **~en** /`ledn/ *ἐπ.* μολυβένιος: *~en pipes/clouds/sky*, μολυβένιοι σωλῆνες/-α σύννεφα/-ος οὐρανός. *a ~en heart/~ sleep*, μολυβένια (βαρειά) καρδιά/-ος ὕπνος.

[2]**lead** /lid/ *οὐσ.* **1**. *(μέ ὁριστ. ἤ ἀόρ. ἄρθρ.)* ὁδήγησις, καθοδήγησις, παράδειγμα, πρωτοπορεία: *have a ~ of ten feet*, προπορεύομαι κατά δέκα πόδια. ***follow sb's ~***, ἀκολουθῶ τό παράδειγμα κάποιου: *I hope the others won't follow his ~*, ἐλπίζω νά μήν τόν μιμηθοῦν οἱ ἄλλοι. ***give sb a ~***, ὑποβοηθῶ/ἐνθαρρύνω κπ κάνοντας κτ ὁ ἴδιος πρῶτος. ***have/gain the ~ in a race***, ἔχω/παίρνω τήν πρώτη θέση σέ μιά κούρσα. ***take the ~***, μπαίνω ἐπικεφαλῆς, δίνω τό παράδειγμα, προπορεύομαι: *He took the ~ in the conversation*, πῆρε τή συζήτηση στά χέρια του. ***take over/keep/lose the ~***, ἀναλαμβάνω/διατηρῶ/χάνω τήν πρωτοπορεία. ***the ~ story***, ἡ κυριώτερη εἴδηση (σέ ἐφημερίδα, ραδιόφωνο, κλπ). **2**. ‹C› λουρί (γιά τήν ὁδήγηση σκύλου): *Keep your dog on the ~ in these streets*, κράτα τό σκυλί σου ἀπό τό λουρί σ' αὐτούς τούς δρόμους. **3**. ‹C› *(θέατρ.)* ρόλος πρωταγωνιστοῦ, πρωταγωνιστής: *the juvenile ~*, ὁ ζέν-πρεμιέ. **4**. ‹C› μυλαύλακο. **5**. ‹C› *(ἠλεκτρ.)* ἀγωγός, καλώδιο. **6**. ‹C› *(χαρτοπ.)* πρωτιά: *Whose ~ is it?* ποιός παίζει πρῶτος;

[3]**lead** /lid/ *ρ.μ/ά. ἀνώμ.* *(ἀόρ. & π.μ. led* /led/*)* **1**. ὁδηγῶ (πηγαίνοντας μπροστά ἤ κρατώντας): *He led the visitors in/out*, ὁδήγησε μέσα/ἔξω τούς ἐπισκέπτες. *~ a horse/a blind man*, ὁδηγῶ ἕνα ἄλογο/ἕναν τυφλό. *L~ us not into temptation*, μή εἰσενέγκης ἡμᾶς εἰς πειρασμόν. ***~ the way***, πηγαίνω πρῶτος: *He led the way to the buffet/out of the room*, πῆγε πρῶτος στόν μπουφέ/βγῆκε πρῶτος ἀπό τό δωμάτιο. ***~ sb astray***, *(μεταφ.)* ὁδηγῶ κπ στόν κακό δρόμο. ***~ sb on***, *(μεταφ.)* δελεάζω, παρασύρω κπ (νά προχωρήση περισσότερο ἀπ' ὅ,τι ἴσως θά ἤθελε). ***~ sb by the nose***, σέρνω κπ ἀπό τή μύτη. ***~ a woman to the altar***, ὁδηγῶ μιά γυναίκα στό βωμό τοῦ γάμου. **2**. ἡγοῦμαι, διευθύνω, εἶμαι ἐπικεφαλῆς: *~ an army/a mutiny/a party*, ἡγοῦμαι ἑνός στρατεύματος/μιᾶς ἀνταρσίας/ἑνός κόμματος. *~ the choir/the dance*, διευθύνω τή χορωδία/σέρνω τό χορό. *The band led the procession*, ἡ μπάντα ἦταν ἐπικεφαλῆς τῆς πομπῆς. *Which horse is ~ing?* ποιό ἄλογο ἔρχεται πρῶτο; ***~ off***, κάνω τήν ἀρχή, ἀρχίζω: *Who's going to ~ off?* ποιός θά κάνη τήν ἀρχή; *He led off by saying that...*, ἄρχισε λέγοντας ὅτι... **3**. ὁδηγῶ, πηγαίνω: *Where does this road ~?* ποῦ ὁδηγεῖ (ποῦ πάει) αὐτός ὁ δρόμος; ***~ nowhere***, δέν ὁδηγῶ πουθενά. ***All roads ~ to Rome***, *(μεταφ.)* ὅλοι οἱ δρόμοι ὁδηγοῦν στή Ρώμη (ὑπάρχουν πολλοί τρόποι γιά νά κάνη κανείς κάτι). ***~ up to***, καταλήγω, προετοιμάζω: *That's just what I was ~ing up to*, ἐκεῖ ἀκριβῶς ἤθελα νά καταλήξω. *the events that led up to the war*, τά γεγονότα πού ὁδήγησαν (πού προετοίμασαν) τόν πόλεμο. **4**. ὁδηγῶ, κάνω: *What led you to this conclusion?* τί σέ ὁδήγησε σ' αὐτό τό συμπέρασμα; *The news ~s me to believe...*, τά νέα μέ κάνουν

νά πιστέψω... *What led you to think so?* τί σ' ἔκανε νά σκεφτῇς τέτοιο πρᾶγμα; **5**. ζῶ, διάγω, κάνω: ~ *a double life*, κάνω διπλῆ ζωή. ~ *a wretched life*, ζῶ ἄθλια. (*βλ.* & *λ.* [1]*dance*, [1]*dog*). **6**. (*χαρτοπ.*) ἀρχίζω, παίζω (πρῶτο χαρτί): *I* ~ *the two of clubs*, ἀρχίζω μέ διπλό σπαθί.

leader /ˋlidə(r)/ *οὐσ.* ‹C› **1**. ἡγέτης, ἀρχηγός: *the* ~ *of a party/an expedition*, ὁ ἡγέτης ἑνός κόμματος/ὁ ἀρχηγός μιᾶς ἀποστολῆς. **2**. (*νομ.*) κύριος δικηγόρος σέ ὑπόθεση. **3**. κύριον ἄρθρον ἐφημερίδος. **4**. βλαστάρι (στήν ἄκρη κλάδου). **5**. (*ἰατρ.*) τένων. **~·less** *ἐπ.* χωρίς ἡγεσία. **~·ship** /-ʃɪp/ *οὐσ.* ‹U› ἡγεσία.

leading /ˋlidɪŋ/ *ἐπ.* ἡγετικός, κύριος: *the* ~ *men of the day*, οἱ ἡγετικές φυσιογνωμίες τοῦ καιροῦ μας. *the* ~ *topics of the hour*, τά κύρια θέματα τῆς στιγμῆς. *play a* ~ *part in sth*, παίζω πρωτεύοντα ρόλο σέ κτ. *the* ~ *lady*, (*θέατρ.*) πρωταγωνίστρια. **ˈ~ ˋarticle**, κύριον ἄρθρον. **~ case**, (*νομ.*) ὑπόθεσις πού δημιουργεῖ νομολογίαν. **ˈ~ ˋlight**, (*καθομ.*) ἐξέχουσα φυσιογνωμία. **ˈ~ ˋquestion**, παραπειστική ἐρώτησις. **ˋ~-rein**, καπίστρι. **ˋ~-strings**, λουριά (μωροῦ), (*μεταφ.*) συνεχής καθοδήγησις καί παρακολούθησις: *have sb in ~-strings*, φέρομαι σέ κπ σά νά 'ναι μωρό, τόν ἔχω ὑπό συνεχῆ καθοδήγηση.

leaf /lif/ *οὐσ.* ‹C› (*πληθ.* *leaves* /livz/) **1**. φύλλο δέντρου: *dead leaves*, ξερά φύλλα. ***be in/come into*** **~**, ἔχω/βγάζω φύλλα. **ˋ~-bud**, μπουμπούκι φύλλου. **ˋ~-mould**, μαυρόχωμα ἀπό σάπια φύλλα. **2**. φύλλο χαρτιοῦ. ***take a ~ out of sb's book***, παίρνω κπ γιά ὑπόδειγμα, μιμοῦμαι/ἀντιγράφω κπ. ***turn over a new*** **~**, (*μεταφ.*) ἀλλάζω φύλλο, ἀλλάζω ζωή. **3**. φύλλο τραπεζιοῦ, φύλλο μετάλλου (*ἰδ.* χρυσοῦ). —*ρ.ἀ.* **~ *through***, ξεφυλλίζω: ~ *through a magazine*, ξεφυλλίζω ἕνα περιοδικό. **~·less** *ἐπ.* γυμνός, χωρίς φύλλα. **~y** *ἐπ.* (*-ier, -iest*) φυλλωτός, φυλλώδης.

leaf·let /ˋliflət/ *οὐσ.* ‹C› **1**. φυλλαράκι. **2**. φυλλάδιον.

league /lig/ *οὐσ.* ‹C› **1**. λεῦγα (4,8 χιλιόμ.) **2**. ἕνωσις, συνασπισμός. ***in ~ with***, συνασπισμένος, ἀπό συμφώνου μέ. **the L~ of Nations**, ἡ Κοινωνία τῶν Ἐθνῶν. **3**. (*ἀθλητ.*) ὁμοσπονδία: ~ *matches*, (ἐπαγγελματικοί) ἀγῶνες πρωταθλήματος. —*ρ.μ/ἀ.* συνασπίζω/-ομαι.

leak /lik/ *οὐσ.* ‹C› διαρροή, ρωγμή διαρροῆς/διαφυγῆς: *a* ~ *in the roof*, μιά τρύπα στή σκεπή (ἀπ' ὅπου μπαίνουν νερά). *a* ~ *of information/gas*, διαρροή πληροφοριῶν/γκαζιοῦ. —*ρ.μ/ἀ.* **1**. (*γιά δοχεῖο, κλπ*) τρέχω, (*γιά ὑγρό, ἀέριον, κλπ*) εἰσρέω, διαφεύγω: *The roof/The ship is ~ing badly*, ἡ σκεπή τρέχει πολύ/τό πλοῖο μπάζει πολλά νερά. *The rain is ~ing in*, ἡ βροχή μπαίνει μέσα. *The gas is ~ing out*, ὑπάρχει διαφυγή ἀερίου. **2**. διαρρέω: *The news has ~ed out*, τά νέα διέρρευσαν. *Who has ~ed the news to the press?* ποιός ἔδωσε κρυφά τά νέα στόν τύπο; **ˋ~·age** /-ɪdʒ/ *οὐσ.* ‹C,U› διαρροή, διαφυγή. **~y** *ἐπ.* τρύπιος, πού ἔχει ρωγμές διαρροῆς: *a ~y roof/barrel.*

[1]**lean** /lin/ *ἐπ.* (*-er, -est*) **1**. ἀδύνατος, ἄπαχος: *a* ~ *man;* ~ *meat*. **2**. ἰσχνός: *a* ~ *harvest*, κακή σοδειά. **~ *years***, περίοδος ἰσχνῶν ἀγελάδων. —*οὐσ.* ‹U› ψαχνό, ἄπαχο κρέας. **~·ness** *οὐσ.* ‹U› ἰσχνότης.

[2]**lean** /lin/ *ρ.μ/ἀ.* *ἀνώμ.* (*ἀόρ.* & *π.μ.* *~ed ἤ leant* /lent/) **1**. γέρνω, κλίνω: ~ *out of a window*, γέρνω (σκύβω) ἔξω ἀπό ἕνα παράθυρο. *trees that* ~ *over in the wind*, δέντρα πού γέρνουν στόν ἀέρα. *the L~ing Tower of Pisa*, ὁ κεκλιμένος Πύργος τῆς Πίζας. **~ *over backwards (to do sth)***, (*καθομ.*) κάνω τοῦμπες, σκίζομαι, τσακίζομαι (νά εὐχαριστήσω κπ, νά πετύχω κτ). **2**. **~ *on/against***, γέρνω, ἀκουμπῶ: ~ *(one's elbows) on a table*, ἀκουμπῶ τούς ἀγκῶνες μου σ' ἕνα τραπέζι. ~ *on sb's arm*, ἀκουμπῶ, γέρνω στό μπράτσο κάποιου. ~ *a ladder against a wall*, ἀκουμπῶ μιά σκάλα σ' ἕναν τοῖχο. **3**. **~ *(up)on***, στηρίζομαι: ~ *on a friend's advice*, στηρίζομαι στίς συμβουλές ἑνός φίλου. **4**. **~ *towards***, κλίνω πρός: *His philosophy ~s towards pessimism*, ἡ φιλοσοφία του κλίνει πρός τήν ἀπαισιοδοξία. **ˋ~-to**, ὑπόστεγο πού ἀκουμπάει σέ τοῖχο οἰκοδομῆς. **~·ing** *οὐσ.* ‹C› κλίσις, τάσις: *He has socialist ~ings*, ἔχει σοσιαλιστικές τάσεις.

leap /lip/ *ρ.μ/ἀ.* *ἀνώμ.* (*ἀόρ.* & *π.μ.* *~ed* /lept/ *ἤ ~t* /lept/) πηδῶ: ~ *a wall*, πηδῶ ἕναν τοῖχο. ~ *a horse over a wall*, πηδῶ (κάνω νά πηδήξῃ) ἕνα ἄλογο πάνω ἀπό ἕνα τοῖχο. **~ *at***, ἁρπάζω: *He ~t at the opportunity*, ἅρπαξε τήν εὐκαιρία. —*οὐσ.* ‹C› πήδημα, ἅλμα: *His heart gave a* ~, ἡ καρδιά του ἀναπήδησε, σκίρτησε. *a great* ~ *forward*, (*μεταφ.*) μεγάλο ἅλμα πρός τά ἐμπρός. ***a ~ in the dark***, πήδημα στό ἄγνωστον. ***by ~s and bounds***, ἁλματωδῶς: *Prices are rising by ~s and bounds*, οἱ τιμές ἀνεβαίνουν ἁλματωδῶς. **ˋ~-frog** *οὐσ.* ‹U› (*παιχνίδι*) βαρελάκια, καβάλλες. —*ρ.μ.* *(-gg-)* πηδῶ ὅπως στίς καβάλλες. **ˋ~-year**, δίσεκτον ἔτος.

learn /lɜn/ *ρ.μ/ἀ.* (*ἀόρ.* & *π.μ.* *~t* /lɜnt/ *ἤ ~ed*) **1**. μαθαίνω: ~ *one's lessons/a foreign language*, μαθαίνω τά μαθήματά μου/μιά ξένη γλῶσσα. ~ *to swim/(how) to drive*, μαθαίνω νά κολυμπῶ/νά ὁδηγῶ. **~ *sth by heart***, μαθαίνω κτ ἀπέξω, ἀποστηθίζω. **~ *by experience***, μαθαίνω ἐκ πείρας. **2**. πληροφοροῦμαι: *I ~t of his death only yesterday*, πληροφορήθηκα (ἔμαθα γιά) τό θάνατό του μόλις χθές. **3**. (*λαϊκ.*) δίνω μάθημα (*ἐν χρήσει: teach*): *I'll* ~ *you to steal my apples*, θά σέ μάθω ἐγώ νά κλέβῃς τά μῆλα μου! **~ed** /ˋlɜnɪd/ *ἐπ.* πολυμαθής, σοφός, λόγιος: *~ed men/books*, σοφοί ἄνδρες/-ά βιβλία. *~ed periodicals/societies*, λόγια περιοδικά/-ες ἑταιρεῖες. *look ~ed*, ἔχω περισπούδαστο ὕφος. *the ~ed professions*, τά ἐλευθέρια ἐπαγγέλματα. *my ~ed friend*, (*ἐπί δικηγόρων*) ὁ συνάδελφός μου. **~er** *οὐσ.* ‹C› ὁ μανθάνων, μαθητής, ἀρχάριος. **~·ing** *οὐσ.* ‹U› (ἐκ)μάθησις, γνῶσις, μόρφωσις, σοφία: *a man of great ~ing*, ἄνθρωπος μεγάλης μορφώσεως, σοφός ἄνθρωπος. *A little ~ing is a dangerous thing*, ἡ ἡμιμάθεια εἶναι ἐπικίνδυνο πρᾶγμα.

lease /lis/ *οὐσ.* ‹C› (ἐκ)μίσθωσις: *When does the* ~ *expire?* πότε λήγει ἡ μίσθωσις; ***by/on*** **~**, ἐπί μισθώσει. ***give sb/get a new ~ of***

life, δίνω σέ κπ/παίρνω παράταση ζωῆς, (*μεταφ.*) ξανανιώνω. —*ρ.μ.* ἐκμισθώνω. **ˈ~-hold** *ἐπ.* μισθωμένος. —*οὐσ.* ‹C› μίσθιον. **ˈ~·holder**, μισθωτής. **ˈ~-ˈlend**, νόμος δανεισμοῦ καί ἐκμισθώσεως.

leash /liʃ/ *οὐσ.* ‹C› λουρί (*ἰδ.* σκύλου): *keep a dog on the ~*, κρατῶ ἕνα σκυλί δεμένο. ***hold in ~***, (*μεταφ.*) κρατῶ ὑπό ἔλεγχον, χαλιναγωγῶ. ***strain at the ~***, (*μεταφ.*) δέν κρατιέμαι, ἀδημονῶ, ἀνυπομονῶ (νά κάνω κτ).

least /list/ *ἐπ.* & *οὐσ.* ‹U› **1**. ἐλάχιστος: *That's the ~ of my anxieties*, αὐτή εἶναι ἡ μικρότερη σκοτούρα μου. ***The ~ said the better***, τό σιγᾶν κρεῖττόν ἐστι τοῦ λαλεῖν. ***L~ said soonest mended***, (*παροιμ.*) τά πολλά λόγια εἶναι φτώχεια/κάνουν κακό. **2**. (*σέ φράσεις*): ***at ~***, τουλάχιστον: *You should at ~ have warned me*, θἄπρεπε τουλάχιστον νά μέ ἔχης προειδοποιήσει. ***not in the ~***, καθόλου: *I am not in the ~ tired*, δέν εἶμαι καθόλου κουρασμένος. *It doesn't matter in the ~*, δέν ἔχει καμιά ἀπολύτως σημασία. ***to say the ~ (of it)***, γιά νά μήν ποῦμε τίποτα ἄλλο: *He wasn't very polite, to say the ~ of it*, δέν ἦταν πολύ εὐγενικός, γιά νά μήν ποῦμε τίποτα ἄλλο. —*ἐπίρ.* ἐλάχιστα, τό λιγώτερο: *This is the ~ useful book of the four*, αὐτό εἶναι τό λιγώτερο χρήσιμο βιβλίο ἀπό τά τέσσερα. ***~ of all***, καί πολύ περισσότερο, καί μάλιστα: *Don't tell anyone, ~ of all Peter*, μήν τό πῆς σέ κανένα, καί πολύ περισσότερο στόν Π. **ˈ~·wise** /-waɪz/, **ˈ~·ways** /-weɪz/ *ἐπίρ.* (*λαϊκ.*) ἤ τουλάχιστον, ἤ μᾶλλον.

leather /ˈleðə(r)/ *οὐσ.* ‹U› δέρμα: *gloves made of ~*, γάντια ἀπό δέρμα. —*ἐπ.* δερμάτινος: *~ gloves*, δερμάτινα γάντια. **~y** *ἐπ.* σκληρός σάν πετσί: *~y meat*. **ˈ~·ˈette** /ˈet/ *οὐσ.* ‹U› δέρμα ἰμιτασιόν.

[1]**leave** /liv/ *ρ.μ/ἀ.* *ἀνώμ.* (*ἀόρ* & *π.μ.* *left* /left/) **1**. (*χωρίς πρόθεση*) φεύγω (ἀπό): *What time did you ~?* τί ὥρα φύγατε; *He left London yesterday*, ἔφυγε ἀπό τό Λονδῖνο χθές. ***~ for***, φεύγω γιά: *He left for London yesterday*, ἔφυγε γιά τό Λονδῖνο χθές. **2**. ἀφήνω, παρατάω, ἐγκαταλείπω: *Why did he ~ school?* γιατί παράτησε τό σχολεῖο; *He left medicine for the law*, ἐγκατέλειψε τήν ἰατρική γιά τά νομικά. *If you ~ me I will die*, ἄν μ'ἀφήσης θά πεθάνω. ***be/get nicely left***, (*καθομ.*) μοῦ τή σκᾶνε ὡραῖα (μέ γελᾶνε ἤ μέ ἐγκαταλείπουν). **3**. ἀφήνω, ξεχνῶ, παραμελῶ: *I left my umbrella in the train/my books at home*, ξέχασα τήν ὀμπρέλλα μου στό τραῖνο/τά βιβλία μου στό σπίτι. *He left half his work until the next day*, ἄφησε τή μισή δουλειά του γιά τήν ἑπομένη. ***~ sb/sth behind***, ξεχνῶ νά πάρω κπ/τόν ἀφήνω πίσω: *We've left the keys/the children behind!* ξεχάσαμε νά πάρωμε τά κλειδιά/τά παιδιά! **4**. ἀφήνω (σέ ὡρισμένη θέση ἤ κατάσταση): *L~ your hat in the hall*, ἄφησε τό καπέλλο σου στό χώλ. *Who left that window open?* ποιός ἄφησε αὐτό τό παράθυρο ἀνοιχτό; *Don't ~ her waiting outside in the rain*, μήν τήν ἀφήσης νά περιμένη ἔξω στή βροχή. ***~ sb/sth alone***, ἀφήνω ἥσυχο, δέν ἐγγίζω: *L~ the child/dog alone*, ἄφησε ἥσυχο τό παιδί/τό σκυλί! *L~ me alone!* ἄσε με ἥσυχον! παράτα με! *L~ my watch alone!* μήν ἐγγίζεις τό ρολόϊ μου! ***~ well alone***, (*παροιμ.*) μήν προσπαθῆς νά κάνης τό καλό καλύτερο, μή θίγης τά καλῶς κείμενα! ***~ off***, σταματῶ: *Has the rain left off yet?* μήπως σταμάτησε ἡ βροχή; *We left off at the top of page 31*, σταματήσαμε στό πάνω μέρος τῆς σελίδος 31. *~ off work*, σταματῶ τή δουλειά. *Do ~ off biting your nails!* πᾶψε νά τρῶς τά νύχια σου! *They left off their woollies*, ἔβγαλαν (ἄφησαν) τά μάλλινά τους. ***~ on***, ἀφήνω κτ (ἀναμμένο, φορεμένο, κλπ): *L~ the light on*, ἄφησε τό φῶς ἀναμμένο! *L~ your hat on*, μή βγάζεις (ἄφησε φορεμένο) τό καπέλλο σου. ***~ out***, παραλείπω: *We mustn't ~ anybody out*, δέν πρέπει νά παραλείψουμε κανέναν. ***~ over***, ἀναβάλλω, περισσεύω: *If there is any food left over...*, ἄν περισσέψη φαγητό... **ˈleft-overs**, περισσεύματα, ἀπομεινάρια. ***~ it at that***, τ'ἀφήνω ὅπως εἶναι: *There's nothing we can do; we must ~ it at that*, δέν μποροῦμε νά κάνωμε τίποτα, πρέπει νά τ'ἀφήσωμε ὅπως εἶναι. ***~ sb to himself/to his own devices***, ἀφήνω κπ ἐλεύθερο νά κάνη ὅ,τι θέλει: *Don't ~ the children to themselves!* ***~ sth unsaid***, δέν συζητῶ γιά κτ: *Some things are better left unsaid*, καλύτερα νά μήν κουβεντιάζη κανείς γιά μερικά πράγματα. ***~ much/a lot/nothing to be desired***, εἶμαι πολύ/δέν εἶμαι καθόλου ἱκανοποιητικός: *His behaviour ~s a lot/nothing to be desired*, ἡ συμπεριφορά του δέν εἶναι καθόλου/εἶναι πολύ ἱκανοποιητική. ***~ go/hold (of sth)***, ἀφήνω, παύω νά σφίγγω: *L~ go of my hair!* ἄφησε τά μαλλιά μου! ***~ nothing to chance***, δέν ἀφήνω τίποτα στήν τύχη. **5**. ἀφήνω, (ἀπο)μένω: *Three from seven ~s four (7 − 3 = 4)*, τρία ἀπό ἑπτά ἴσον τέσσερα. *When I've paid all my debts there'll be nothing left/I'll have nothing left*, ὅταν πληρώσω ὅλα μου τά χρέη δέν θά μοῦ μείνει τίποτα. *I'm left with only £2*, ἔχω μείνει μέ δυό λίρες μόνον. ***"To be left until called for"***, (*σέ δέματα, γράμματα, κλπ*) "νά μείνει στό ταχυδρομεῖο μέχρις ὅτου ζητηθῆ." ***~ word (with sb) (for sb)***, ἀφήνω εἰδοποίηση (σέ κπ γιά κπ). **6**. ἀφήνω, κληρονομῶ, ἀναθέτω, ἐμπιστεύομαι: *He left all his money to his friends*, ἄφησε ὅλα του τά χρήματα στούς φίλους του. *He left me his house*, μοῦ ἄφησε τό σπίτι του. *We'll ~ it to him*, θά τό ἀφήσωμε (θά τό ἀναθέσωμε) σ'αὐτόν. *I ~ the matter in your hands*, ἀφήνω (ἐμπιστεύομαι) τήν ὑπόθεση στά χέρια σας.

[2]**leave** /liv/ *οὐσ.* ‹C,U› **1**. ἄδεια: *You have my ~ to go*, ἔχετε τήν ἄδειά μου νά φύγετε. *a six months' ~*, ἄδεια ἕξη μηνῶν. *two ~s in two years*, δυό ἄδειες σέ δυό χρόνια. ***~ of absence***, ἄδεια ἀπουσίας. ***ˈsick ~***, ἀναρρωτική ἄδεια. ***be on ~***, εἶμαι μέ ἄδεια. ***by/with your ~***, μέ τήν ἄδειά σας. ***(take) French ~***, τό σκάω ἀλά Γαλλικά. **2**. ἀναχώρησις. ***take (one's) ~ (of sb)***, φεύγω, ἀποχαιρετῶ κπ: *We took ~ of our host*, ἀποχαιρετήσαμε τόν οἰκοδεσπότη μας. **ˈ~-taking**, ἀποχαιρετιστήρια. ***take ~ of one's senses***, χάνω τό μυαλό μου, παλαβώνω, τρελλαίνομαι, μοῦ στρίβει.

leaven /ˈlevn/ *οὐσ.* ‹U› (*κυριολ.* & *μεταφ.*) προζύμι, μαγιά. ___*ρ.μ.* ζυμώνω.
leaves /livz/ *οὐσ. πληθ. βλ. leaf.*
leav·ings /ˈliviŋz/ *οὐσ. πληθ.* ἀπομεινάρια: *Give the ~ to the dog!*
lech·er·ous /ˈletʃərəs/ *ἐπ.* λάγνος, ἔκφυλος. **lecher** /ˈletʃə(r)/ *οὐσ.* ‹C› ἀκόλαστος. **lech·ery** /ˈletʃərı/ *οὐσ.* **1**. ‹U› λαγνεία. **2**. ‹C› ἀσέλγεια, ἔκφυλη πρᾶξις.
lec·tern /ˈlektən/ *οὐσ.* ‹C› (*ἐκκλ.*) ἀναλόγιον.
lec·ture /ˈlektʃə(r)/ *οὐσ.* ‹C› **1**. διάλεξις: *give a ~ on a subject*, δίνω/κάνω διάλεξη πάνω σ'ἕνα θέμα. **2**. ἐπίπληξις, νουθεσία, μάθημα: *give sb a ~*, κατσαδιάζω κπ, κάνω μάθημα σέ κπ. ___*ρ.ἀ.* ~ **(on)**, κάνω διάλεξη, ὁμιλῶ: *~ on a subject*, μιλῶ γιά ἕνα θέμα. **lec·turer** *οὐσ.* ‹C› λέκτωρ (Πανεπιστημίου). **~·ship** /-ʃıp/ *οὐσ.* ‹C› θέσις λέκτορος.
led /led/ *ἀόρ.* & *π.μ. τοῦ ρ.* [3]*lead.*
ledge /ledʒ/ *οὐσ.* ‹C› **1**. ράφι τοίχου, περβάζι, μαρκίζα, προεξοχή βράχου. **2**. ὕφαλος, ξέρα.
ledger /ˈledʒə(r)/ *οὐσ.* ‹C› (*λογιστ.*) καθολικόν.
lee /li/ *οὐσ.* ‹C› & *ἐπ.* ὑπήνεμος: *the ~ side of a ship* (*ἀντίθ. the windward/weather side*), ἡ ὑπήνεμος πλευρά ἑνός πλοίου (*ἀντίθ.* ἡ πλευρά πού τήν πιάνει ὁ ἄνεμος).
leech /litʃ/ *οὐσ.* ‹C› **1**. (*κυριολ.* & *μεταφ.*) βδέλλα: *He sticks like a ~*, (*μεταφ.*) κολλάει σά βδέλλα. **2**. (*μεταφ.*) παράσιτο.
leek /lik/ *οὐσ.* ‹C› πράσσο.
leer /lıə(r)/ *οὐσ.* ‹C› στραβοκοίταγμα, λάγνο βλέμμα. ___*ρ.ἀ.* στραβοκοιτάζω, κοιτάζω λάγνα: *The old man ~ed at the girl*, ὁ γέρος ἔτρωγε τό κορίτσι μέ τά μάτια του.
lees /liz/ *οὐσ. πληθ.* κατακάθια (κρασιοῦ, κοινωνίας, κλπ): *drink/drain a cup to the ~*, πίνω τό ποτήριον μέχρι τρυγός.
lee·ward /ˈliwəd/ *ἐπ., οὐσ.* ‹U›, *ἐπίρ.* ὑπήνεμος (πλευρά), ὑπήνεμα.
lee·way /ˈliwei/ *οὐσ.* ‹U› (*ναυτ.*) ἔκπτωσις, παρέκκλισις. ***make up ~***, (*μεταφ.*) καλύπτω καθυστέρηση. ***have much ~ to make up***, ἔχω μείνει πολύ πίσω στή δουλειά μου.
[1]**left** /left/ *ἀόρ.* & *π.μ. τοῦ ρ. leave.*
[2]**left** /left/ *ἐπ., οὐσ.* ‹C,U› & *ἐπίρ.* ἀριστερός, ἀριστερά: *on my ~*, στ' ἀριστερά μου. *turn (to the) ~*, στρίβω (πρός τ') ἀριστερά. **the L~ (Wing)**, ἡ 'Αριστερά: *~-wing militants*, μαχητικά μέλη τῆς ἀριστερᾶς. **the extreme L~**, ἡ ἄκρα ἀριστερά. **ˈ~-ˈhand** *ἐπ.* ἀριστερός: *a ~-hand blow*, ἀριστερό χτύπημα. *on the ~-hand side of the street*, στήν ἀριστερή πλευρά τοῦ δρόμου. **ˈ~-ˈhanded** *ἐπ.* ἀριστερόχειρ. ***a ~-handed compliment***, ὕποπτο/ἀμφίβολο κομπλιμέντο. **ˈL~·ist** /-ıst/, ἀριστερίζων.
leg /leg/ *οὐσ.* ‹C› **1**. πόδι (ἀπό τόν ἀστράγαλο καί πάνω): *He lost his right ~ in the war*, ἔχασε τό δεξί του πόδι στόν πόλεμο. *a ~ of mutton*, ἀρνίσιο μποῦτι. ***be all ~s***, εἶμαι ὅλο ἀρίδες (ψηλός). ***be never off one's ~s***, εἶμαι διαρκῶς στό πόδι: *She's never off her ~s*, δέν κάθεται στιγμή. ***be on one's ~s*** (*ἤ χιουμορ.* ***hind ~s)/feet***, *βλ. λ.* [1]*foot.* ***feel/find one's ~s*** (*ἤ συνήθ.* ***feet***) *βλ. λ.* [2]*find.* ***give sb a ~ up***, (*καθομ.*) δίνω ἕνα χέρι σέ κπ (ν' ἀνέβη σέ ἄλογο ἤ βοήθεια σέ ὥρα ἀνάγκης). ***pull sb's ~***, (*καθομ.*) κοροϊδεύω/δουλεύω κπ. **ˋ~-pull(ing)**, δούλεμα. ***run sb off his ~s/feet***, (*καθομ.*) ξεθεώνω κπ στή δουλειά, δέν τόν ἀφήνω νά σταθῆ στιγμή. ***shake a ~***, (*καθομ.*) χορεύω. ***show a ~***, (*καθομ.*) σηκώνομαι ἀπό τό κρεββάτι. (*στήν προστακτ.*) *Show a ~!* κουνήσου! κάνε γρήγορα! κούνα τά πόδια σου! ***not have a ~ to stand on***, δέν ἔχω κανένα ἐπιχείρημα/καμιά δικαιολογία. ***stretch one's ~s***, σηκώνομαι νά ξεμουδιάσω, πάω βόλτα. ***take to one's ~s/heels***, *βλ. λ.* [1]*heel.* ***walk one's ˋ~s off***, (*καθομ.*) ξεποδαριάζομαι. ***walk sb off his ~s***, (*καθομ.*) ξεποδαριάζω κπ. **2**. γάμπα (κάλτσας, παντελονιοῦ), πόδι (τραπεζιοῦ, καρέκλας, κλπ). ***on its last ~s***, ἑτοιμόρροπος, ἕτοιμος νά διαλυθῆ, στά τελευταῖα του: *This table/chair is on its last ~s.* **3**. τμῆμα (ταξιδιοῦ): *the first ~ of a round-the-world flight*, τό πρῶτο τμῆμα ἑνός ἀεροπορικοῦ γύρου τοῦ κόσμου. **~ged** /legd/ *ἐπ.* μέ πόδια: *a three-~ged table*, τραπέζι μέ τρία πόδια. *bare-~ged*, μέ γυμνά πόδια, ξεκάλτσωτος. **~·less** *ἐπ.* χωρίς πόδια.
leg·acy /ˈlegəsı/ *οὐσ.* ‹C› κληροδότημα, κληρονομιά: *a ~ of hatred*, (*μεταφ.*) κληρονομιά μίσους.
legal /ˈligl/ *ἐπ.* νόμιμος, νομικός: *Is it ~ to sell drugs?* εἶναι νόμιμο νά πουλάη κανείς ναρκωτικά; *a ~ heir*, νόμιμος κληρονόμος. *a ~ adviser*, νομικός σύμβουλος. *take ~ action*, ἐνεργῶ δικαστικῶς. *~ affairs/matters*, νομικές ὑποθέσεις. *acquire ~ status*, (*γιά ὀργάνωση*) ἀποκτῶ νομική προσωπικότητα. *a ~ offence*, ἀδίκημα προβλεπόμενον ὑπό τοῦ νόμου. *a ~ obligation*, ὑποχρέωσις ἐπιβαλλομένη ὑπό τοῦ νόμου. **~ly** *ἐπίρ.* νομίμως, νομικῶς. **ˋ~·ism** /-ızm/ *οὐσ.* ‹U› νομικισμός, τυπολατρεία.
legal·ity /liˋgæləti/ *οὐσ.* ‹U› νομιμότης: *examine the ~ of an act*, ἐρευνῶ τήν νομιμότητα μιᾶς πράξεως.
legal·ize /ˈligəlaiz/ *ρ.μ.* νομιμοποιῶ. **legal·iz·ation** /ˈligəlaıˋzeiʃn/ *οὐσ.* ‹U› νομιμοποίησις.
legat /ˈlegət/ *οὐσ.* ‹C› πρέσβυς τοῦ Πάπα.
lega·tee /ˈlegəˋti/ *οὐσ.* ‹C› κληροδόχος.
leg·ation /lıˋgeiʃn/ *οὐσ.* ‹C› πρεσβεία β! τάξεως.
leg·end /ˈledʒənd/ *οὐσ.* ‹C,U› **1**. θρῦλος, μῦθος: *ancient ~s*, ἀρχαῖοι θρῦλοι. **2**. ἐπιγραφή νομίσματος. **3**. λεζάντα εἰκόνος, ὑπόμνημα χάρτου, κλπ. **~·ary** /-drı/ *ἐπ.* θρυλικός, μυθώδης: *~ary heroes/riches*, μυθικοί ἥρωες/μυθώδη πλούτη. *a ~ary figure*, θρυλική φυσιογνωμία.
leger·de·main /ˈledʒədəˋmein/ *οὐσ.* ‹U› ταχυδακτυλουργία.
leg·ging /ˈlegiŋ/ *οὐσ.* ‹C› (*συνήθ. πληθ.*) περικνημίδα, γκέττα.
leggy /ˈlegı/ *ἐπ.* μακροπόδαρος.
legi·bil·ity /ˈledʒəˋbılətı/ *οὐσ.* ‹U› καθαρό γράψιμο.
leg·ible /ˈledʒəbl/ *ἐπ.* εὐανάγνωστος.
leg·ibly /ˈledʒəblı/ *ἐπίρ.* εὐανάγνωστα.
legion /ˈlidʒən/ *οὐσ.* ‹C› (*κυριολ.* & *μεταφ.*) λεγεώνα. **Foreign L~**, ἡ Λεγεώνα τῶν Ξένων. **L~ of Honour**, Λεγεὼν τῆς Τιμῆς.

~·ary /ˋledʒənərɪ/ *οὐσ.* ‹C› λεγεωνάριος.
legis·late /ˋledʒɪsleɪt/ *ρ.ἀ.* νομοθετῶ. **legis·la·tion** /ˈledʒɪsˋleɪʃn/ *οὐσ.* ‹U› νομοθεσία.
legis·lat·ive /ˋledʒɪslətɪv/ *ἐπ.* νομοθετικός: *a ~ body/assembly*, νομοθετικόν σῶμα/-ἡ συνέλευσις.
legis·la·tor /ˋledʒɪsleɪtə(r)/ *οὐσ.* ‹C› νομοθέτης.
legis·la·ture /ˋledʒɪsleɪtʃə(r)/ *οὐσ.* ‹C› τό νομοθετικόν σῶμα, ἡ νομοθετική ἐξουσία.
le·git·imate /lɪˋdʒɪtɪmət/ *ἐπ.* **1**. νόμιμος: *the ~ king*, ὁ νόμιμος βασιλεύς. **2**. εὔλογος, δικαιολογημένος: *have ~ reasons to believe sth*, ἔχω εὔλογη αἰτία νά πιστεύω κτ. *~ fears/doubts*, δικαιολογημένοι φόβοι/-ες ἀμφιβολίες. **3**. (*γιά τέκνο*) νόμιμος, γνήσιος (*ἀντίθ. illegitimate*). **4**. **the ~ drama**, τό κανονικό θέατρο (ὄχι τοῦ ραδιοφώνου ἤ τῆς TV). **le·git·imacy** /lɪˋdʒɪtɪməsɪ/ *οὐσ.* ‹U› νομιμότης, γνησιότης (τέκνου). **le·git·imatize** /lɪˋdʒɪtɪmətaɪz/ *ρ.μ.* νομιμοποιῶ, ἀναγνωρίζω (τέκνον) ὡς γνήσιον.
leg·umin·ous /lɪˋgjuːmɪnəs/ *ἐπ.* ὀσπριοειδής.
lei·sure /ˋleʒə(r)/ *οὐσ.* ‹U› ἀργία, ἄνεσις, εὐκαιρία, ἐλεύθερος χρόνος: *have ~ for sth*, ἔχω ἐλεύθερο χρόνο γιά κτ. *I spend my ~ reading*, περνῶ τόν ἐλεύθερο χρόνο μου διαβάζοντας. *~ time/hours*, ἐλεύθερος χρόνος/-ες ὧρες. ***wait sb's ~***, περιμένω νά εὐκαιρήση κπ. ***at ~***, εὔκαιρος, χωρίς ἀπασχόληση. ***at one's ~***, μέ τήν ἡσυχία μου, ὅταν ἔχω εὐκαιρία. **~·ly** *ἐπίρ.* σιγά-σιγά, ἀργά, χωρίς βιασύνη: *work ~ly*, δουλεύω μέ τό πάσσο μου. __*ἐπ.* ἀργός, τεμπέλικος, ἄνετος: *~ly movements*, ἀργές, ἄνετες κινήσεις. **~d** *ἐπ.* ἄεργος, εὔπορος: *the ~d classes*, οἱ εὔποροι, οἱ ἀργόσχολοι.
lemon /ˋlemən/ *οὐσ.* ‹C› λεμόνι. **ˋ~ drop**, καραμέλα λεμονιοῦ. **ˈ~ ˋsquash**, χυμός λεμονιοῦ. **ˋ~ squeezer**, λεμονοστίφτης. **~·ade** /ˈleməˋneɪd/ *οὐσ.* ‹U› λεμονάδα.
lend /lend/ *ρ.μ.* ἀνώμ. (*ἀόρ. & π.μ. lent* /lent/) **1**. δανείζω: *Will you ~ me £100?* μπορεῖτε νά μέ δανείσετε 100 λίρες; ***~ an ear***, τείνω τό οὖς, ἀκούω. ***~ a hand (with sth)***, βάζω ἕνα χεράκι, βοηθῶ σέ κτ: *I'll ~ a hand with the washing*, θά σέ βοηθήσω στήν πλύση. **ˋ~ing-library**, δανειστική βιβλιοθήκη. **2**. προσδίδω: *facts that ~ probability to a theory*, γεγονότα πού καθιστοῦν πιθανή μιά θεωρία. *This ~s a new colour to the matter*, αὐτό δίνει καινούργια ὄψη στήν ὑπόθεση. **3**. ***~ oneself to sth***, ἀνακατεύομαι σέ κτ, προσφέρομαι: *Don't ~ yourself to such stupid plans*, μήν ἀνακατεύεσαι σέ τέτοια ἀνόητα σχέδια. *The garden ~s itself to meditation*, ὁ κῆπος προσφέρεται γιά περισυλλογή. **~er** *οὐσ.* ‹C› δανειστής.
length /leŋθ/ *οὐσ.* ‹C,U› μῆκος, διάρκεια: *a room 10 feet in ~ and 8 in breadth*, δωμάτιο μήκους δέκα ποδῶν καί πλάτους ὀκτώ. *We'll stay in Rome for some ~ (of time)*, θά μείνωμε στή Ρώμη γιά ὡρισμένο χρόνο. ***at ~***, *(α)* ἐπί τέλους, τελικά: *At ~ he came back*, τελικά γύρισε. *(β)* ἐπί πολύ: *speak at (great) ~*, μιλῶ πολύ ὥρα, διά μακρῶν. *(γ)* διεξοδικῶς, ἐν ἐκτάσει: *treat a subject at (great) ~*, κάνω διεξοδική ἀνάπτυξη ἑνός θέματος. ***(at) full ~***, φαρδύς-πλατύς: *He was lying (at) full ~ on the grass*, ἦταν ξαπλωμένος φαρδύς-πλατύς στή χλόη. **2**. μῆκος ἑνός πράγματος: *The horse won by two ~s*, τό ἄλογο κέρδισε μέ δύο μήκη (μέ ἀπόσταση ἴση μέ δυό φορές τό μῆκος τοῦ σώματός του). ***turn in its own ~***, κάνω πλήρη στροφή ἐπί τόπου: *The car turned in its own ~*. **3**. ἀπόστασις, ἄκρον, σημεῖον. ***go to the ~ of doing sth***, φθάνω μέχρι τοῦ σημείου νά κάνω κτ: *He went to the ~ of saying that...*, ἔφθασε μέχρι τοῦ σημείου νά πῆ ὅτι... ***go to great/all ~s to do sth***, κάνω τό πᾶν: *He went to all ~s to please his guests*, ἔκανε τό πᾶν γιά νά εὐχαριστήση τούς ξένους του. ***go to any ~(s) to do sth***, κάνω ὅ,τιδήποτε: *I'll go to any ~s to ruin him*, θά κάνω ὅ,τιδήποτε γιά νά τόν καταστρέψω. **4**. τεμάχιον (ἀρκετό γιά ὡρισμένο σκοπό): *a dress ~*, κομμάτι ὕφασμα γιά ἕνα φόρεμα. **~en** /ˋleŋθn/ *ρ.μ/ἀ.* μακραίνω, παρατείνω: *have a skirt ~ened*, μακραίνω μιά φούστα. *The days ~en in March*, οἱ μέρες μεγαλώνουν τό Μάρτη. *~en one's stay*, παρατείνω τήν παραμονή μου. **ˋ~·ways** /-weɪz/, **ˋ~·wise** /-waɪz/ *ἐπ., ἐπίρ.* κατά μῆκος, στό μάκρος. **~y** *ἐπ.* μακρός, ἐκτεταμένος: *a ~y speech.*
leni·ency /ˋliːnɪənsɪ/, **leni·ence** /-ɪəns/ *οὐσ.* ‹U› ἐπιείκεια.
leni·ent /ˋliːnɪənt/ *ἐπ.* ***~ to/towards***, ἐπιεικής (σέ κπ). **~·ly** *ἐπίρ.* ἐπιεικῶς.
lens /lenz/ *οὐσ.* ‹C› (*πληθ. ~es* /ˋlenzɪz/) φακός: *a camera with powerful ~es*, φωτογραφική μηχανή μέ δυνατούς φακούς.
lent /lent/ *ἀόρ. & π.μ. τοῦ ρ. lend.*
Lent /lent/ *οὐσ.* σαρακοστή. **~ lily**, νάρκισσος, ζαμπάκι. **ˋ~ term**, σχολικό τρίμηνο πού λήγει τό Πάσχα.
len·til /ˋlentl/ *οὐσ.* ‹C› φακή: *~ soup*, σούπα φακές.
leo·nine /ˋlɪənaɪn/ *ἐπ.* λιονταρίσιος.
leop·ard /ˋlepəd/ *οὐσ.* ‹C› λεοπάρδαλις.
leper /ˋlepə(r)/ *οὐσ.* ‹C› λεπρός.
lep·rosy /ˋleprəsɪ/ *οὐσ.* ‹U› λέπρα. **lep·rous** /ˋleprəs/ *ἐπ.* λεπρός, λεπρώδης.
les·bian /ˋlezbɪən/ *οὐσ.* ‹C› λεσβία. **~·ism** /-ɪzm/ *οὐσ.* ‹U› λεσβιασμός.
lese maj·esty /ˈleɪz ˋmæʒəsteɪ/ *οὐσ.* ‹U› ἐσχάτη προδοσία, ἔγκλημα καθοσιώσεως.
lesion /ˋliːʒn/ *οὐσ.* ‹C› (*ἰατρ.*) ὀργανική βλάβη, ἀλλοίωσις, κάκωσις.
less /les/ *ἐπ.* (*χρησιμοποιεῖται μέ μή ἀριθμήσιμα οὐσιαστικά* ‹U›, *ἐνῶ μέ ἀριθμήσιμα στόν πληθυντικό* ‹C› *χρησιμοποιοῦμε fewer*) μικρότερος, λιγώτερος (*ἀντίθ. more*): *~ butter*, λιγώτερο βούτυρο (*πρβλ. fewer eggs*). *I have ~ money than you*, ἔχω λιγώτερα χρήματα ἀπό σένα. *of ~ value/importance*, μικροτέρας ἀξίας/σημασίας. ***in/to a ~er degree***, σέ μικρότερο βαθμό. __*ἐπίρ.* λιγώτερο: *Talk ~ and work more*, νά κουβεντιάζης λιγώτερο καί νά δουλεύης περισσότερο. *Try to be ~ impatient*, προσπάθησε νά εἶσαι λιγώτερο ἀνυπόμονος! *The ~ you eat the better*, ὅσο λιγώτερο τρῶς τόσο τό καλύτερο. ***(not) any the ~***, λιγώτερο: *For all that, I don't love him any the ~*, παρ' ὅλα αὐτά, δέν τόν ἀγαπῶ λιγώτερο. *I don't think any the ~ of him because he failed*, δέν ἔχω λιγώτερη ἐκτίμηση γι' αὐτόν

ἐπειδή ἀπέτυχε. **~ and ~**, ὅλο καί λιγώτερο. **no ~**, ὄχι λιγώτερο, τουλάχιστον: *He won no ~ than £50*, κέρδισε τουλάχιστον 50 λίρες. **even/still ~**, πολλῷ μᾶλλον: *He can't run a hundred yards, still ~ a mile*, δέν μπορεῖ νά τρέξη ἑκατό γυάρδες, πολλῷ μᾶλλον ἕνα μίλι. **none the ~**, παρ' ὅλα αὐτά, ἐν τούτοις: *She's cheeky but I like her none the ~*, εἶναι αὐθάδης ἀλλά ἐν τούτοις τήν συμπαθῶ. —*οὐσ.* ‹U› λιγώτερο: *I want ~ of this and more of that*, θέλω λιγώτερο ἀπ' αὐτό καί περισσότερο ἀπό κεῖνο. *I won't sell it for ~ than £50*, δέν θά τό πουλήσω λιγώτερο ἀπό 50 λίρες. *I hope to see ~ of her in future*, ἐλπίζω νά τήν βλέπω λιγώτερο στό μέλλον. —*πρόθ.* μεῖον: *Here's your money ~ my commission*, ὁρῖστε τά λεφτά σας μεῖον ἡ προμήθειά μου.

les·see /le'si/ *οὐσ.* ‹C› μισθωτής.

les·sen /'lesn/ *ρ.μ/ἀ.* λιγοστεύω, ἐλαττώνω/-ομαι, μειώνω: *~ the damage*, λιγοστεύω τή ζημιά. *~ sb's services*, μειώνω τίς ὑπηρεσίες (τήν προσφορά) κάποιου.

les·ser /'lesə(r)/ *ἐπ.* (*μόνον ἐπιθ.*) μικρότερος. ***(choose) the ~ evil***, (διαλέγω) τό μικρότερο κακό, τό μή χεῖρον βέλτιστον.

les·son /'lesn/ *οὐσ.* ‹C› **1**. μάθημα: *English ~s*, μαθήματα Ἀγγλικῆς. *a ~ in music*, μάθημα μουσικῆς. **2**. δίδαγμα, μάθημα: *Let this be a ~ to you!* νά σοῦ γίνη μάθημα αὐτό! **3**. ἀνάγνωσμα (τῆς Βίβλου στήν ἐκκλησία).

les·sor /les'ɔ(r)/ *οὐσ.* ‹C› ἐκμισθωτής.

lest /lest/ *σύνδ.* **1**. γιά νά μή, ἀπό φόβο μή: *He ran away ~ they should hit him*, τὄσκασε γιά νά μήν τόν χτυπήσουν. **2**. (*μετά ἀπό: fear, be anxious/afraid*) μήπως, ὅτι: *We were afraid ~ he should get here too late*, φοβόμαστε μήπως ἀργήση νά φτάση.

[1]**let** /let/ *ρ.μ/ἀ.* ἀνώμ. (*ἀόρ. & π.μ.* ~) *(-tt-)* **1**. ἐπιτρέπω, ἀφήνω (*ἀκολουθεῖται ἀπό ἀντικείμενον + ἀπαρέμφατον χωρίς to*): *He didn't ~ me dance*, δέν μέ ἄφησε (δέν μοῦ ἐπέτρεψε) νά χορέψω. *Don't ~ the fire go out*, μήν ἀφήσης τή φωτιά νά σβήση. **2**. (*ὑποδηλοῖ προσταγή, ἄδεια, πρόταση, ὑπόθεση, πρόκληση*) ἄς, νά: *L~ him come here at once*, νά ἔλθη ἐδῶ ἀμέσως! *L~ me have that key*, γιά δῶσε μου αὐτό τό κλειδί. *I won't ~ you have it*, δέν θά στό δώσω, δέν θά σ' ἀφήσω νά τό πάρης. *L~ them go to the cinema*, ἄστους νά πᾶνε στό σινεμά. *Let's start at once, shall we?* ἄς ξεκινήσωμε ἀμέσως, τί λές; *Don't ~'s start yet!* ἄς μήν ξεκινήσωμε ἀκόμη. *L~ there be no mistake about it*, νά μήν ἔχωμε παρεξήγηση! *L~ there be light!* γεννηθήτω φῶς! *L~ it be done!* γένοιτο! *L~ AB be equal to CD*, ἔστω AB ἴσον πρός CD. *L~ them all come*, ἄς ἔλθουν ὅλοι! (τούς προκαλῶ!) *L~ him do his worst!* ἄς κάνη ὅ,τι (τό χειρότερο πού) μπορεῖ! (τόν προκαλῶ!) **~ sb/sth be**, ἀφήνω κπ/κτ ἥσυχο: *L~ me be!* ἄφησέ με ἥσυχο! μή μέ ἐνοχλεῖς! *L~ the poor dog be!* ἄσε ἥσυχο (μήν παιδεύεις) τό καϋμένο τό σκυλί! **~ sb/sth go**, ἀφήνω, παύω νά κρατῶ ἤ νά σφίγγω: *L~ go the boy!* ἄσε τό παιδί! *L~ me go!* ἄφησέ με! *Don't ~ go the rope!* μήν ἀφήνεις τό σκοινί! **~ oneself go**, ἀφήνω τόν ἑαυτό μου ἐλεύθερο, ξεσπῶ, ἐκφράζομαι/ἐκδηλώνομαι ἐλεύθερα. **~ it go at that**, ἄς μείνει ἐκεῖ τό θέμα, σταματῶ ἐδῶ τή συζήτηση: *I don't agree with you but we'll ~ it go at that*, δέν συμφωνῶ μαζί σου, ἀλλά ἄς σταματήσωμε ἐδῶ. **~ sth pass**, παραβλέπω, συγχωρῶ κτ: *I'll ~ it pass this time*, θά τό παραβλέψω αὐτή τή φορά. **~ sth slip**, ἀφήνω νά μοῦ ξεφύγη κτ: *We should not ~ this opportunity slip*, δέν πρέπει νά μᾶς ξεφύγη αὐτή ἡ εὐκαιρία. **3**. (*στήν σύνταξη let + ἀπαρέμφατον, μεταφράζεται μόνον τό ἀπαρέμφατον*): **~ drive (at sb/sth)**, χτυπῶ, ρίχνω: *He ~ drive with his left fist*, χτύπησε μέ τήν ἀριστερή του γροθιά. *He ~ drive at me with a stone*, μοῦ πέταξε μιά πέτρα. **~ drop/fall a hint**, πετῶ ἕναν ὑπαινιγμό. **~ fly (at sb/sth)**, ρίχνω, βάζω τίς φωνές: *He aimed carefully and then ~ fly at the hare*, σημάδεψε προσεχτικά κι' ἔπειτα ἔρριξε στό λαγό. **4**. (*let + ἐπίθετο*) ἀφήνω: *Don't ~ the dog loose*, μήν ἀφήνεις τό σκυλί ἐλεύθερο, μήν τό ἀμολᾶς. *L~ me alone!* ἄσε με νά τό κάνω μόνος! μήν ἀνακατεύεσαι! **~ well alone**, *βλ.* [1]*leave*. **~ alone**, (*καθομ.*) γιά νά μήν ἀναφέρωμε, χωρίς νά λογαριάσωμε, πόσο μᾶλλον: *There were seven of us in the car, ~ alone two dogs*, εἴμασταν ἑπτά στό αὐτοκίνητο, γιά νά μήν ἀναφέρωμε καί δυό σκυλιά! *She won't help her own brother, ~ alone a stranger*, δέν βοηθάει τόν ἴδιο της τόν ἀδελφό, πόσο μᾶλλον ἕναν ξένο. **5**. ἐνοικιάζω, ἐκμισθώνω: *Furnished flats to ~*, ἐνοικιάζονται ἐπιπλωμένα διαμερίσματα. **6**. **~ blood**, κάνω ἀφαίμαξη. **'blood-letting**, ἀφαίμαξις. **7**. (*μέ ἐπιρ. & προθέσεις*):

let sth down, κατεβάζω: *~ down a skirt*, μακραίνω μιά φούστα. *She ~ down her hair*, ἔλυσε (ἔρριξε) τά μαλλιά της. **~ sb down**, (*μεταφ.*) ἐγκαταλείπω, τή σκάω σέ κπ, ἀφήνω κπ στά κρύα τοῦ λουτροῦ, ἀπογοητεύω: *I will never ~ you down*, ποτέ δέν θά σέ ἐγκαταλείψω. *Don't ~ me down as you did last time*, μή μοῦ τή σκάσης ὅπως τήν προηγούμενη φορά! **'~-down**, ἀπογοήτευσις.

let in/into, μπάζω: *This skirt needs ~ting in at the waist*, αὐτή ἡ φούστα θέλει μπάσιμο στή μέση. *My shoes ~ in water*, τά παπούτσια μου μπάζουν νερό. *Who ~ you in/into the house?* ποιός σ' ἄφησε νά μπῆς/σ' ἔμπασε στό σπίτι; *She had been ~ into the secret*, τήν εἶχαν μπάσει στό μυστικό. **~ sb/oneself in for**, φορτώνω κπ/φορτώνομαι (δουλειά, φασαρία, κλπ), μπλέκω: *I didn't know what a lot of work I was ~ting myself in for when I agreed*, δέν ἤξερα τί δουλειά φορτωνόμουν ὅταν συμφώνησα... *Her illness has ~ us in for a lot of extra work*, ἡ ἀρρώστεια της μᾶς δημιούργησε (μᾶς φόρτωσε) ἕνα σωρό παραπανίσια δουλειά.

let sb off, συγχωρῶ, τή χαρίζω σέ κπ: *He was ~ off with a fine*, τή γλύτωσε μ' ἕνα πρόστιμο. *I'll ~ you off this time*, θά σοῦ τή χαρίσω αὐτή τή φορά. **~ off fireworks/a gun**, ρίχνω πυροτεχνήματα/πυροβολῶ.

let on (that), (*καθομ.*) μαρτυράω: *He knew where I was hiding but he didn't ~ on*, ἤξερε ποῦ κρυβόμουν ἀλλά δέν τό μαρτύρησε. *If*

you ~ on that I was late..., ἄν μαρτυρήσης ὅτι ἄργησα...
let out, *(α)* φαρδαίνω: *His trousers need to be ~ out*, τό παντελόνι του πρέπει νά φαρδύνη. *(β)* βγάζω: *He ~ the air out of the tyre*, ἔβγαλε τόν ἀέρα ἀπό τό λάστιχο. *L~ me out!* ἄνοιξέμου! ἄσε με νά βγῶ *(γ)* *(καθομ.)* κοινολογῶ, διαδίδω: *He has ~ (it) out that he is leaving*, διέδωσε ὅτι φεύγει. *(δ)* ρίχνομαι (μέ γροθιές ἤ λόγια) ἐναντίον: *He has a habit of ~ting out at people*, ἔχει τή συνήθεια νά ρίχνεται στόν κόσμο.
let through, ἀφήνω (κπ) νά περάση.
let up, κόβω, πέφτω, σταματῶ: *The rain has ~ up*, ἡ βροχή ἔκοψε. *He works all day; he never ~s up*, δουλεύει ὅλη τήν ἡμέρα, δέν σταματάει καθόλου. **`~-up**, *(καθομ.)* διακοπή: *without a ~-up*, χωρίς διακοπή. ***~ up on sb***, *(καθομ.)* μαλακώνω, γίνομαι λιγότερο αὐστηρός: *At first he was very strict, but now he has ~ up on us*, στήν ἀρχή ἦταν πολύ αὐστηρός, ἀλλά τώρα μαλάκωσε μαζί μας.

[2]**let** /let/ *οὐσ.* ‹C› μίσθωσις, νοίκιασμα: *I can't get a ~ for my house*, δέν μπορῶ νά νοικιάσω τό σπίτι μου. **~·ting** *οὐσ.* ‹C› μίσθιον: *a furnished ~ting*, ἐπιπλωμένον μίσθιον (σπίτι ἤ δωμάτιο).

[3]**let** /let/ *οὐσ.* ‹C,U› *(ἀπηρχ.)* ἐμπόδιον: *without ~ or hindrance*, *(νομ.)* ἀδιακωλύτως.

lethal /ˋliθl/ *ἐπ.* θανατηφόρος, φονικός: *a ~ dose of poison*, θανατηφόρος δόσις δηλητηρίου. *~ weapons*, φονικά ὅπλα.

leth·argy /ˋleθədʒɪ/ *οὐσ.* ‹U› λήθαργος, ὑπνηλία, ἀπάθεια. **leth·ar·gic** /lɪˋθadʒɪk/ *ἐπ.* ληθαργικός, κοιμισμένος, ἀπαθής: *~ sleep; ~ eyes; look ~*. **~ally** /-klɪ/ *ἐπίρ.* ληθαργικά, μέ ἀπάθεια.

Lethe /ˋliθɪ/ *οὐσ.* *(μυθ.)* Λήθη.

let·ter /ˋletə(r)/ *οὐσ.* ‹C› **1**. γράμμα, ψηφίον: *capital/small ~s*, κεφαλαῖα/πεζά γράμματα. **2**. γράμμα, ἐπιστολή: *communicate by ~*, ἐπικοινωνῶ μέ γράμμα. **`~-box**, γραμματοκιβώτιον. **`~-card**, ἐπιστολικόν δελτάριον. **`~-case**, χαρτοφύλαξ τῆς τσέπης. **`~·head**, (ἔντυπη) ἐπικεφαλίδα ἐπιστολόχαρτου. **`~-press**, κείμενον εἰκονογραφημένου βιβλίου. **3**. ***the ~ of the law/an agreement***, τό γράμμα τοῦ νόμου/μιᾶς συμφωνίας. ***to the ~***, κατά γράμμα: *obey sb/carry out sb's wishes to the ~*, ὑπακούω κπ/ἐκπληρῶ τίς ἐπιθυμίες κάποιου κατά γράμμα. **4**. *(πληθ.)* γράμματα, φιλολογία: *a man of ~s*, ἄνθρωπος τῶν γραμμάτων. **~ed** *ἐπ.* γραμματισμένος, διαβασμένος. **~·ing** *οὐσ.* ‹U› ἐπιγραφή (τύπος, μέγεθος, κλπ, γραμμάτων). *(βλ. & λ. dead)*.

let·tuce /ˋletɪs/ *οὐσ.* ‹C,U› μαρούλι.

leu·co·cyte, leu·ko·cyte /ˋlukəsaɪt/ *οὐσ.* ‹C› λευκοκύτταρον, λευκόν αἱμοσφαίριον.

leu·ke·mia /luˋkimɪə/ *οὐσ.* ‹U› λευχαιμία.

Lev·ant /lɪˋvænt/ *οὐσ.* ἀνατολική Μεσόγειος. **~·ine** /-aɪn/ *οὐσ.* ‹C› & *ἐπ.* λεβαντῖνος.

lev·ant /lɪˋvænt/ *ρ.ἀ.* σκάω κανόνι *(ἰδ.* στά χαρτιά), φεύγω χωρίς νά πληρώσω.

[1]**levee** /ˋlevɪ/ *οὐσ.* ‹C› βασιλική ἀκρόασις (μόνον γιά ἄνδρες).

[2]**levee** /ˋlevɪ/ *οὐσ.* ‹C› ἀνάχωμα, φράγμα ποταμοῦ.

[1]**level** /ˋlevl/ *ἐπ.* **1**. ἐπίπεδος: *~ ground*, ἐπίπεδο, ἴσιο ἔδαφος. **ˈ~ ˋcrossing**, ἰσόπεδος διάβασις. **2**. ἰσόπαλος: *The two brothers are ~ in maths*, οἱ δυό ἀδελφοί εἶναι ἰσόπαλοι (στό ἴδιο ἐπίπεδο) στά μαθηματικά. ***draw ~ with sb***, ἔρχομαι ἰσοπαλία μέ κπ. **3**. ***have a ~ head***, εἶμαι λογικός/μετρημένος/ψύχραιμος. **ˈ~-ˋheaded**, λογικός, ἰσορροπημένος. ***do one's ~ best***, κάνω ὅ,τι μπορῶ/ὅ,τι περνάει ἀπό τό χέρι μου.

[2]**level** /ˋlevl/ *οὐσ.* **1**. ‹C› στάθμη, ἐπιφάνεια, ὕψος: *the ~ of the water*, ἡ στάθμη τοῦ νεροῦ. *at eye ~*, στό ὕψος τῶν ματιῶν. ***above sea ~***, πάνω ἀπό τήν ἐπιφάνεια τῆς θαλάσσης, ὑψόμετρο. ***on a ~ with***, στό ἴδιο ὕψος μέ: *The window is on a ~ with the road*, τό παράθυρο εἶναι στό ἴδιο ὕψος μέ τό δρόμο. **2**. ‹C,U› ἐπίπεδο, βαθμίδα: *The ~ of the class is not satisfactory*, τό ἐπίπεδο τῆς τάξεως δέν εἶναι ἱκανοποιητικό. *a high-~ meeting*, συνάντησις ὑψηλοῦ ἐπιπέδου. *top-~ talks*, διαπραγματεύσεις ἀνωτάτου ἐπιπέδου. *consultations at Foreign Ministers' ~*, διαβουλεύσεις σέ ἐπίπεδο Ὑπουργῶν Ἐξωτερικῶν. ***come down/rise to sb's ~***, κατέρχομαι/ἀνέρχομαι στό ἐπίπεδο κάποιου. ***find one's ~***, βρίσκω τό κοινωνικό μου ἐπίπεδο, τούς ὅμοιούς μου. **`O-/`A-~ (examination)**, κατώτερες/ἀνώτερες (ἀπολυτήριες ἐξετάσεις). **3**. ***on the ~***, *ἐπ.* & *ἐπίρ.* *(καθομ.)* ἐν τάξει, τίμιος: *Is he on the ~?* εἶναι ἐν τάξει ἄνθρωπος; **4**. ἀλφάδι.

[3]**level** /ˋlevl/ *ρ.μ/ἀ.* *(-ll-)* **1**. ἰσοπεδώνω, ἐξισώνω: *~ a building/town to the ground*, ἰσοπεδώνω, γκρεμίζω ἐντελῶς ἕνα κτίριο/μιά πόλη. *Death ~s all men*, ὁ θάνατος ἐξισώνει ὅλους τούς ἀνθρώπους. ***~ sth up/down***, ἐξισώνω (πχ εἰσοδήματα, βαθμούς, κλπ) πρός τά κάτω/πρός τά πάνω. **2**. στρέφω, σκοπεύω, ἐκτοξεύω: *~ a gun at a tiger*, στρέφω τό ὅπλο καί σκοπεύω μιά τίγρη. *That was ~led at me*, αὐτό ἐστρέφετο ἐναντίον μου, ἦταν μπηχτή γιά μένα. *~ remarks/accusations/criticisms against sb*, ἐκτοξεύω παρατηρήσεις/κατηγορίες/ἐπικρίσεις ἐναντίον κάποιου. ***~ off/out***, *(α)* *(γιά ἀεροπλάνο)* ὁριζοντιώνω: *The pilot ~led off at 10 000 feet*, ὁ πιλότος ὁριζοντίωσε (τό σκάφος του) στά 10.000 πόδια. *(β)* *(γιά καριέρα)* σταματῶ: *You won't get any further promotion; we all have to ~ off some time*, δέν θά πάρης ἄλλη προαγωγή—ὅλοι σταματᾶμε κάποια ὥρα. **~·ler** *οὐσ.* ‹C› ἰσοπεδωτής, ὀπαδός καταργήσεως τῶν κοινωνικῶν διακρίσεων.

lever /ˋlivə(r)/ *οὐσ.* ‹C› μοχλός, λεβιές: *gear ~*, λεβιές ταχυτήτων. *the ~s of power*, *(μεταφ.)* οἱ μοχλοί τῆς ἐξουσίας. __*ρ.μ.* κινῶ μέ μοχλό: *~ sth up*, ἀνασηκώνω μέ μοχλό. **~·age** /-ɪdʒ/ *οὐσ.* ‹U› δύναμις μοχλοῦ, *(μεταφ.)* ἐπιρροή.

lev·eret /ˋlevərɪt/ *οὐσ.* ‹C› λαγουδάκι.

lev·ia·than /lɪˋvaɪəθən/ *οὐσ.* ‹C› *(κυριολ. & μεταφ.)* λεβιάθαν, μεγαθήριο, κολοσσός, τερατῶδες κατασκεύασμα.

levi·tate /ˋlevɪteɪt/ *ρ.μ/ἀ.* ἀνυψώνω/-ομαι στόν ἀέρα (δι' ὑπνωτισμοῦ), μετεωρίζομαι. **levi·ta·tion** /ˈlevɪˋteɪʃn/ *οὐσ.* ‹C,U› μετεώρισις, τηλεκινησία.

lev·ity /ˋlevətɪ/ *οὐσ.* ‹C,U› ἐλαφρότης, ἔλλειψις

σοβαρότητος.
levy /ˋlevɪ/ *ρ.μ/ὰ.* **1**. ἐπιβάλλω: ~ *a tax/a fine*, ἐπιβάλλω φόρο/πρόστιμο. **2**. συγκεντρώνω δι' ἐπιστρατεύσεως: ~ *an army/troops*, συγκροτῶ στρατό/συγκεντρώνω στρατεύματα. ~ ***war upon/against***, κηρύσσω τόν πόλεμο ἐναντίον. **3**. ~ ***on*** *(sb's property)*, (*νομ.*) κατάσχω (τήν περιουσία κάποιου). —*οὐσ.* ‹C› εἴσπραξις, φορολογία, ἐπιστράτευσις, στρατολογία.
lewd /lud/ *ἐπ.* λάγνος, ἀσελγής. **~·ly** *ἐπίρ.* **~·ness** *οὐσ.* ‹U› λαγνεία, ἀσέλγεια.
lexi·cal /ˋleksɪkl/ *ἐπ.* λεξιλογικός. **~ly** /-klɪ/ *ἐπίρ.*
lexi·cogra·phy /ˈleksɪˋkogrəfɪ/ *οὐσ.* ‹U› λεξικογραφία. **lexi·cogra·pher** /ˈleksɪˋkogrəfə(r)/ *οὐσ.* ‹C› λεξικογράφος.
lia·bil·ity /ˈlaɪəˋbɪlətɪ/ *οὐσ.* ‹C,U› **1**. ὑποχρέωσις: ~ *for military service/to pay taxes*, ὑποχρέωσις θητείας/πληρωμῆς φόρων. **2**. εὐθύνη: ~ *for an accident*, εὐθύνη γιά ἕνα ἀτύχημα. **3**. προδιάθεσις, ροπή: *I have a ~ to (get) bad colds*, ἔχω προδιάθεση στά κρυολογήματα, κρυολογῶ εὔκολα. **4**. (*πληθ.*) παθητικόν: *assets and liabilities*, ἐνεργητικόν καί παθητικόν. **5**. (*καθομ.*) παθητικόν, ἐμπόδιον: *The new teacher is a ~ to the school*, ὁ καινούργιος δάσκαλος εἶναι παθητικό στό σχολεῖο.
li·able /ˋlaɪəbl/ *ἐπ.* **1**. ~ ***for***, ὑπεύθυνος: *I am ~ for the accident*, εἶμαι ὑπεύθυνος γιά τό ἀτύχημα. **2**. ὑπόχρεως, ὑποκείμενος: ~ *to military service*, ὑπόχρεως εἰς στρατιωτικήν θητείαν. ~ *to import duty*, ὑποκείμενος εἰς εἰσαγωγικόν δασμόν. ***be ~ to sth***, ὑποχρεοῦμαι, ὑπόκειμαι, εἶμαι ἐπιρρεπής πρός: *She is ~ to seasickness*, τήν πιάνει ἡ θάλασσα εὔκολα. ***be ~ to do sth***, ἔχω τήν τάση νά κάνω κτ: *We are all ~ to make mistakes occasionally*, ὅλοι (ἔχομε τήν τάση νά) κάνομε λάθη πότε-πότε.
li·aise /lɪˋeɪz/ *ρ.ὰ.* ~ ***(with/between)***, (*καθομ.*) ἐκτελῶ χρέη συνδέσμου.
li·aison /lɪˋeɪzn/ *οὐσ.* **1**. ‹U› (*στρατ.*) σύνδεσμος: ~ *officer*, ἀξιωματικός σύνδεσμος. **2**. ‹C› παράνομος ἐρωτικός δεσμός.
liar /ˋlaɪə(r)/ *οὐσ.* ‹C› ψεύτης.
lib /lɪb/ *οὐσ.* ‹U› (*βραχ. γιά liberation*) **women's ~**, κίνημα ἀπελευθερώσεως τῆς γυναίκας.
li·ba·tion /laɪˋbeɪʃn/ *οὐσ.* ‹C› σπονδή, (*μεταφ.*) οἰνοποσία: *make a ~ to Jupiter/Bacchus*, προσφέρω σπονδή στό Δία/στό Βάκχο.
li·bel /ˋlaɪbl/ *οὐσ.* ‹C,U› **1**. λίβελλος, λιβελλογράφημα, δυσφήμησις: *sue a newspaper for ~*, μηνύω μιά ἐφημερίδα γιά δυσφήμηση. *The portrait is a ~ on me*, (*καθομ.*) τό πορτραῖτο ἀποτελεῖ δυσφήμηση σέ βάρος μου. —*ρ.μ.* *(-ll-)* δυσφημῶ (διά τοῦ τύπου). **~·lous** /-bələs/ *ἐπ.* δυσφημηστικός.
lib·eral /ˋlɪbərəl/ *ἐπ.* **1**. γενναιόδωρος, ἄφθονος, πλούσιος: *He is ~ of promises but not of money*, εἶναι γενναιόδωρος σέ ὑποσχέσεις ἀλλά ὄχι σέ χρήματα. *a ~ table*, πλούσιο τραπέζι. *a ~ supply of food and drink*, ἀφθονία τροφῶν καί ποτῶν. **2**. ἐλευθέριος, φιλελεύθερος, εὐρύνους, φωτισμένος: *the ~ arts*, αἱ ἐλευθέριαι σπουδαί (φιλοσοφία, ἱστορία, γλῶσσες, κλπ). ~ *education*, φιλελεύθερη παιδεία, ἐλεύθερη μόρφωσις. *a ~ mind*, φωτισμένο μυαλό, μέ πλατειές ἀντιλήψεις. —*οὐσ.* ‹C› φιλελεύθερος. **the L~ Party**, τό Φιλελεύθερον Κόμμα. **~·ism** /-ɪzm/ *οὐσ.* ‹U› φιλελευθερισμός. **~·ize** /ˋlɪbrlaɪz/ *ρ.μ.* φιλελευθεροποιῶ. **~·iz·ation** *οὐσ.* ‹C,U› φιλελευθεροποίησις.
lib·er·al·ity /ˈlɪbəˋrælətɪ/ *οὐσ.* ‹C,U› γενναιοδωρία, ἐλευθεροφροσύνη, εὐρύτης ἀντιλήψεων: *He has made himself poor by his liberalities*, φτώχυνε ἀπό τίς γενναιοδωρίες του.
lib·er·ate /ˋlɪbəreɪt/ *ρ.μ.* ~ ***(from)***, ἐλευθερώνω: ~ *slaves*, ἐλευθερώνω σκλάβους. ~ *the mind from prejudice*, ἐλευθερώνω τό μυαλό ἀπό τίς προλήψεις. **lib·er·ation** /ˈlɪbəˋreɪʃn/ *οὐσ.* ‹U› ἀπελευθέρωσις. **lib·er·ator** /-tə(r)/ *οὐσ.* ‹C› ἐλευθερωτής.
lib·er·tine /ˋlɪbətin/ *οὐσ.* ‹C› ἀκόλαστος ἄνθρωπος. ***a chartered ~***, (*καθομ.*) γνωστός, δεδηλωμένος μουρντάρης.
lib·erty /ˋlɪbətɪ/ *οὐσ.* **1**. ‹U› ἐλευθερία: *We'll fight for our ~*, θά πολεμήσωμε γιά τήν ἐλευθερία μας. ***at ~***, ἐλεύθερος: *You are at ~ to stay or go*, εἶσαι ἐλεύθερος νά μείνης ἤ νά φύγης. ***set sb at ~***, ἐλευθερώνω κπ. ~ ***of conscience/speech/the press***, ἐλευθερία τῆς συνειδήσεως/τοῦ λόγου/τοῦ τύπου. **2**. ‹C,U› θάρρος, οἰκειότητα. ***take the ~ of doing/to do sth***, παίρνω τό θάρρος νά κάμω κτ. ***take liberties with sb***, παραπαίρνω θάρρος μέ κπ, γίνομαι ἀναιδής. **3**. (*πληθ.*) προνόμια: *the liberties of the City of London*, τά προνόμια τοῦ Σίτυ.
li·bid·in·ous /lɪˋbɪdɪnəs/ *ἐπ.* λάγνος.
li·bido /lɪˋbidəʊ/ *οὐσ.* ‹C› (*ψυχ.*) γενετήσιος ὁρμή, λίμπιντο.
Libra /ˋlibrə/ *οὐσ.* (*ἀστρολ.*) Ζυγός.
li·brary /ˋlaɪbrərɪ/ *οὐσ.* ‹C› **1**. βιβλιοθήκη: *the public ~*, δημοσία (*συνήθ.* δημοτική) βιβλιοθήκη. *a ˋlending/ˋcirculating ~*, δανειστική/περιοδεύουσα βιβλιοθήκη. *a ˋ~ book/edition*, βιβλίον/ἔκδοσις μεγάλου σχήματος. *a ˋreference ~*, βιβλιοθήκη τῆς ὁποίας τά βιβλία δέν δίδονται ἐκτός τοῦ κτιρίου. *He's a walking ~*, εἶναι ζωντανή βιβλιοθήκη. **2**. βιβλιοθήκη, ἀναγνωστήριον (σέ σπίτι). **3**. συλλογή: *a ˋrecord ~*, συλλογή δίσκων. **li·brar·ian** /laɪˋbreərɪən/ *οὐσ.* ‹C› βιβλιοθηκάριος.
lice /laɪs/ *πληθ. τοῦ οὐσ. louse.*
[1]**li·cence** /ˋlaɪsns/ *οὐσ.* **1**. ‹C,U› ἄδεια, ἔγκρισις: *a ˋdriving ~*, ἄδεια ὁδηγήσεως. *a ~ to sell periodicals and newspapers*, ἄδεια πωλήσεως περιοδικῶν καί ἐφημερίδων. *marry by special ~*, παντρεύομαι κατόπιν εἰδικῆς ἐγκρίσεως/ἀδείας. **ˋon-/ˋoff-~**, ἄδεια πωλήσεως οἰνοπνευματωδῶν πρός κατανάλωσιν ἐντός/ἐκτός τοῦ καταστήματος. **poetic ~**, ποιητική ἄδεια. **2**. ‹U› ἀσυδοσία: *The ~ shown by the troops*, ἡ ἀσυδοσία πού ἐπέδειξαν τά στρατεύματα...
[2]**li·cense, li·cence** /ˋlaɪsns/ *ρ.μ.* χορηγῶ ἄδεια: *shops ~d to sell tobacco*, μαγαζιά πού ἔχουν ἄδεια νά πουλᾶνε καπνό. *a ~d school*, ἐγκεκριμένη σχολή. **li·cen·see** /ˈlaɪsnˋsi/ *οὐσ.* ‹C› ὁ κάτοχος τῆς ἀδείας.
li·cen·tiate /laɪˋsenʃɪət/ *οὐσ.* ‹C› διπλωματοῦ-

χος, κάτοχος ἀδείας ἀσκήσεως ἐπαγγέλματος.

li·cen·tious /laɪˈsenʃəs/ *ἐπ.* ἀσελγής, ἔκφυλος. **~·ly** *ἐπίρ.* **~·ness** *οὐσ.* ‹U› ἀσέλγεια.

li·chen /ˈlaɪkən, ˈlɪtʃən/ *οὐσ.* ‹U› (*βοτ.*) λειχήν.

lich·gate, lych·gate /ˈlɪtʃgeɪt/ *οὐσ.* ‹C› στεγασμένη εἴσοδος νεκροταφείου.

lick /lɪk/ *ρ.μ/ὰ.* **1**. γλείφω: *The cat was ~ing its paws*, ἡ γάτα ἔγλειφε τά πόδια της. *He ~ed the spoon clean*, καθάρισε τό κουτάλι γλείφοντάς το. ~ ***sb's boots***, γλείφω τά πόδια κάποιου. ~ ***one's lips***, γλείφω τά χείλια μου, ξερογλείφομαι. ~ ***one's wounds***, ἐπουλώνω τίς πληγές μου, προσπαθῶ νά συνέλθω μετά ἀπό ἧττα. ~ ***up***, μαζεύω γλείφοντας: *The cat ~ed up the milk.* ~ ***into shape***, σουλουπώνω, συμμορφώνω, στρώνω κπ: *The recruits were soon ~ed into shape by the drill sergeants*, οἱ λοχίες ἐκπαιδευτές σύντομα στρώσανε (σουλούπωσαν) τούς νεοσύλλεκτους. ~ ***the dust***, τρώω χῶμα, νικιέμαι ἤ σκοτώνομαι. **2**. (*γιά φλόγες, κύματα, κλπ*) ἐγγίζω ἐλαφρά, γλείφω: *The flames ~ed the logs*, οἱ φλόγες ἔγλειψαν τά κούτσουρα. **3**. (*καθομ.*) νικῶ, συντρίβω, τσακίζω: *We ~ed their team quite easily*, νικήσαμε τήν ὁμάδα τους (τούς φάγαμε) πολύ εὔκολα. __*οὐσ.* ‹C,U› **1**. γλείψιμο. ***give sth a ~ and a promise***, κάνω κτ πρόχειρα (μέ τήν ἰδέα ὅτι ἀργότερα θά τό κάμω καλύτερα). **2**. ***at full/a great ~***, (*λαϊκ.*) ὁλοταχῶς, μέ τά τέσσερα. **~·ing** *οὐσ.* ‹C› (*καθομ.*) ξύλο. ***give sb/get a ~ing***, δίνω ξύλο/τίς τρώω: *Our team got a ~ing yesterday*, ἡ ὁμάδα μας τίς ἔφαγε χθές.

lid /lɪd/ *οὐσ.* ‹C› καπάκι, βλέφαρο.

lido /ˈlidəʊ/ *οὐσ.* ‹C› (*πληθ.* ~*s*) ὑπαίθρια πισίνα.

[1]**lie** /laɪ/ *οὐσ.* ‹C› & *ρ.ὰ.* (*ἀόρ.* & *π.μ.* *lied*, *ἐνεργ. μετ.* *lying*) ψέμα, ψεύδομαι: *tell ~s*, λέω ψέματα. *He ~d to me*, μοῦ εἶπε ψέματα. *You're lying*, λές ψέματα. ***a pack of ~s***, ἕνα τσουβάλι ψέματα. ***a whopping ~***, (*λαϊκ.*) ψέμα μέ οὐρά. ***live a ~***, λέω ψέματα χωρίς νά μιλήσω (μόνο μέ τή στάση μου). ***give sb the ~***, ἀποκαλῶ κπ ψεύτη, τόν διαψεύδω κατηγορηματικά. **ˈ~ detector**, ὀρρός τῆς ἀληθείας, ἀνιχνευτής τοῦ ψεύδους. (*βλ.* & *λ.* [1]*white*).

[2]**lie** /laɪ/ *ρ.ὰ. ἀνώμ.* (*ἀόρ. lay* /leɪ/, *π.μ. lain* /leɪn/, *ἐνεργ. μετ. lying*) **1**. κεῖμαι, ξαπλώνω, εἶμαι ξαπλωμένος: *His body ~s in the village churchyard*, τό σῶμα του κεῖται στό νεκροταφεῖο τοῦ χωριοῦ. *He went out into the garden and lay down on the grass*, πῆγε στόν κῆπο καί ξάπλωσε στό γρασίδι. ~ *face downwards/ ~ on one's side/back*, εἶμαι ξαπλωμένος μπρούμητα/στό πλευρό/ἀνάσκελα. ~ ***back***, γέρνω πίσω, ξεκουράζομαι: *He lay back in an armchair*, ξάπλωσε σέ μιά πολυθρόνα. ***take sth lying down***, δέχομαι κτ ἀδιαμαρτύρητα: *I'm not going to take this insult lying down*, δέν πρόκειται νά καταπιῶ ἀδιαμαρτύρητα αὐτή τή βρισιά. ~ ***down under sth***, δέχομαι κτ χωρίς διαμαρτυρία/ἀντίσταση. ~ ***in***, *(α)* χουζουρεύω: *It's nice to ~ in on Sunday morning*, εἶναι ὡραῖο νά χουζουρεύη κανείς τήν Κυριακή τό πρωΐ. **ˈ~-ˈin**, χουζούρι. *(β)* (*γιά ἔγκυο γυναίκα*) πιάνω τό κρεββάτι (νά γεννήσω): *The time had come for her to ~ in*, εἶχε ἔρθη ἡ ὥρα της (νά γεννήση). *(γ)* ~ ***in state***, (*γιά νεκρό*) ἐκτίθεμαι σέ λαϊκό προσκύνημα. ~ ***up***, μένω στό κρεββάτι ἤ στό σπίτι (ἀπό ἀρρώστεια). **ˈ~-abed**, χουζούρης, ὑπναρᾶς. (*βλ.* & *λ.* *ambush*, [1]*low*). **2**. εἶμαι, (παρα)μένω: *The book lay open on the table*, τό βιβλίο ἦταν ἀνοιχτό πάνω στό τραπέζι. *men who lay in prison for years*, ἄνθρωποι πού ἔμειναν στή φυλακή χρόνια. *a town lying in ruins*, ἐρειπωμένη πόλις. *a ship lying at anchor*, ἀγκυροβολημένο πλοῖο. ~ ***in wait for sb***, παραμονεύω, ἐνεδρεύω. ~ ***heavy on***, βαρύνω: *The lobster lay heavy on my stomach*, ὁ ἀστακός μοῦπεσε βαρύς (στό στομάχι). *The lie lay heavy on his conscience*, τό ψέμα βάραινε τή συνείδησή του. ~ ***over***, παραμένω ἐκκρεμής: *Let the matter ~ over until the next committee meeting*, ἄς μείνη τό θέμα ἐκκρεμές ὥς τήν ἐπόμενη συνεδρίαση τῆς ἐπιτροπῆς. **3**. ἁπλώνομαι: *The valley lay before us*, ἡ κοιλάδα ἁπλωνόταν μπροστά μας. *If you are young, life still ~s before you*, ὅταν εἶσαι νέος, ἡ ζωή ἁπλώνεται ἀκόμη μπροστά σου. ***find out/see how the land ~s***, (*μεταφ.*) κάνω ἀναγνώριση τοῦ ἐδάφους, βολιδοσκοπῶ τά πράγματα. **4**. εἶμαι, βρίσκομαι: *He knows where his interest ~s*, ξέρει ποῦ εἶναι τό συμφέρον του. *The village ~s on a hillside*, τό χωριό βρίσκεται σέ μιά πλαγιά. *The trouble ~s in the engine*, ἡ αἰτία τοῦ κακοῦ βρίσκεται στή μηχανή. *I'll do everything that ~s in my power*, θά κάνω ὅ,τι περνάει ἀπό τό χέρι μου. ~ ***at sb's door***, (*γιά εὐθύνη, φταίξιμο, λάθος, κλπ*) εἶμαι, βαρύνω κπ: *The blame ~s at your door*, τό φταίξιμο εἶναι δικό σου. *The responsibility ~s at John's door*, ἡ εὐθύνη εἶναι τοῦ Γ./βαρύνει τόν Γ. ~ ***with sb***, εἶναι θέμα τοῦ, ἐξαρτᾶται ἀπό τόν: *It ~s with you to accept or reject the proposal*, εἶναι θέμα δικό σου νά δεχθῆς ἤ νά ἀπορρίψης τήν πρόταση. *The solution ~s with you*, ἡ λύσις ἐξαρτᾶται ἀπό σένα. **6**. (*νομ.*) εἶμαι παραδεκτός: *The appeal will not ~*, ἡ ἔφεσις εἶναι ἀπαράδεκτος. __*οὐσ.* (*μόνον ἑν.*) διαμόρφωσις (ἐδάφους), (*μεταφ.*) κατάστασις (τῶν πραγμάτων).

lied /lid/ *οὐσ.* ‹C› (*πληθ.* ~*er* /ˈlidə(r)/) Γερμανικό λυρικό τραγούδι.

lief /lif/ *ἐπίρ.* (*ἀπηρχ.*) εὐχαρίστως: *I would/had ~ go*, εὐχαρίστως θά πήγαινα.

liege /lidʒ/ *ἐπ.* (*νομ.*) (*μόνον εἰς*) **ˈ~ lord/sovereign**, ἡγεμών. **ˈ~·man**, ὑποτελής.

lieu /lu/ *οὐσ.* (*μόνον εἰς*) ***in ~ (of)***, ἀντί (τοῦ).

lieu·ten·ant /lefˈtenənt/ *οὐσ.* ‹C› **1**. ὑπολοχαγός, ὑποπλοίαρχος. **2**. (*σέ σύνθ. λέξεις*): ἀντί-, ὑπό-: *ˈ~-ˈcolonel*, ἀντισυνταγματάρχης. *ˈ~-ˈgeneral*, ἀντιστράτηγος. *ˈ~-comˈmander* (*ναυτ.*) πλωτάρχης. *flight ~*, ἀντισμήναρχος. **3**. τοποτηρητής. **Lord L~ (of the County)**, Τοποτηρητής τοῦ Βασιλέως εἰς τήν Κομητείαν. **L~ of the Tower**, Διοικητής τοῦ Πύργου (τοῦ Λονδίνου). **lieu·ten·ancy** /-ənsɪ/ *οὐσ.* ‹C› τό ἀξίωμα τοῦ ὑπολοχαγοῦ/ ὑποπλοιάρχου.

life /laɪf/ *οὐσ.* ‹C,U› (*πληθ.* *lives* /laɪvz/) **1**. ζωή: *How did ~ begin?* πῶς ἄρχισε ἡ ζωή; *Is there any ~ on the planet Mars?* ὑπάρχει ζωή στόν πλανήτη Ἄρη; *A naturalist studies animal and plant* ~, οἱ φυσιοδίφες μελετοῦν τή ζωή τῶν ζώων καί τῶν φυτῶν. *The battle was won, but only with great loss of* ~, ἡ μάχη κερδήθηκε, ἀλλά μόνον ὕστερα ἀπό μεγάλες ἀπώλειες σέ ἔμψυχο ὑλικό. ***bring/come to*** ~, ζωντανεύω, φέρνω/ξαναγυρίζω στή ζωή: *We thought he had drowned, but after an hour's artificial respiration we brought him/he came (back) to* ~, νομίζαμε ὅτι εἶχε πνιγεῖ ἀλλά ὕστερα ἀπό τεχνητές ἀναπνοές μιᾶς ὥρας τόν φέραμε/ἦλθε πίσω στή ζωή (ζωντάνεψε). ***run for one's ~/for dear*** ~, τρέχω νά γλυτώσω, παίρνω δρόμο, ὅπου φύγη φύγη: *Run for your lives!* ὁ σώζων ἑαυτόν σωθήτω! ***a matter of ~ or death***, ζήτημα ζωῆς ἤ θανάτου. ***this*** ~, ἡ ἐπίγεια ζωή. ***the other*** ~, ἡ ἄλλη ζωή. ***future/eternal/everlasting*** ~, ἡ μέλλουσα/ἡ αἰωνία ζωή. ~ **force**, ζωτική ὁρμή. **2**. ζωή, ὕπαρξις: *How many lives were lost in the disaster?* πόσες ζωές (πόσες ὑπάρξεις) χάθηκαν στή συμφορά; ***take sb's*** ~, σκοτώνω κπ, ἀφαιρῶ τή ζωή κάποιου. ***take one's own*** ~, αὐτοκτονῶ. ***a ~ for a*** ~, τό αἷμα πληρώνεται μέ αἷμα. ***I cannot for the ~ of me***, μοῦ εἶναι τελείως ἀδύνατο νά: *For the ~ of me I couldn't recall her name*, μοῦ ἦταν τελείως ἀδύνατο νά θυμηθῶ τό ὄνομά της. ***Not on your*** *~!* (*καθομ.*) ποτέ! ποτέ τῶν ποτῶν! ***Upon my*** *~!* (*πεπαλ.*) στή ζωή μου! νά μή χαρῶ τή ζωή μου! **3**. ζωή, βίος (διάρκεια ζωῆς): *I have lived here all my* ~, ἔχω ζήσει ἐδῶ ὅλη μου τή ζωή. *receive a ~ sentence*, καταδικάζομαι σέ ἰσόβια. *He's doing* ~, (*λαϊκ.*) εἶναι ἰσοβίτης. ***for*** ~, ἰσοβίως: *imprisonment for* ~, ἰσόβιος κάθειρξις. ***early/late in*** ~, νωρίς/ἀργά (στή ζωή): *He married late in* ~, παντρεύτηκε ἀργά/μεγάλος. ***at my time of*** ~, στήν ἡλικία μου. ***have the time of one's*** ~, (*καθομ.*) διασκεδάζω ὅσο ποτέ στή ζωή μου. ~ **annuity**, ἰσόβιος πρόσοδος. ~ **cycle**, ὁ βιολογικός κύκλος: *the ~ cycle of a frog*, ὁ βιολογικός κύκλος ἑνός βατράχου. ~ **interest**, (*νομ.*) ἰσόβιος ἐπικαρπία/πρόσοδος. ~ **peer**, ἰσόβιος λόρδος. **4**. ζωή, κίνησις, κόσμος: *There is not much ~ in a small village*, δέν ὑπάρχει πολλή ζωή σ' ἕνα μικρό χωριό. *I want to be a sailor and see* ~, θέλω νά γίνω ναυτικός γιά νά δῶ τή ζωή/τόν κόσμο. ***true to*** ~, πιστός, φυσικός: *a story true to* ~, ἱστορία πού δίνει πιστή εἰκόνα τῆς ζωῆς. *act true to* ~, (*γιά ἠθοποιό*) παίζω φυσικώτατα. ***taken from*** ~, παρμένος ἀπό τή ζωή. ***to the*** ~, πολύ πιστά: *imitate sb/draw to the* ~, μιμοῦμαι κπ/ζωγραφίζω πολύ πιστά. ***as large as*** ~, *(α)* σέ φυσικό μέγεθος: *a statue as large as* ~, ἄγαλμα σέ φυσικό μέγεθος. *(β)* (*καθομ.*) αὐτοπροσώπως, μέ σάρκα καί ὀστᾶ: *I opened the door and there stood John as large as* ~, ἄνοιξα τήν πόρτα καί παρουσιάστηκε μπροστά μου ὁ Γ. αὐτοπροσώπως. **5**. ζωή, ζωντάνια, δραστηριότης, τρόπος ζωῆς, καριέρα, βιογραφία, διάρκεια: *The children are full of* ~, τά παιδιά εἶναι γεμᾶτα ζωή. *Put more ~ into your work*, βάλε περισσότερη ζωντάνια στή δουλειά σου! *have an easy/a good/hard* ~, ἔχω ἄνετη/καλή/δύσκολη ζωή. *That's the ~ for me*, αὐτή εἶναι ζωή γιά μένα, αὐτή ἡ ζωή μοῦ ἀρέσει! *the ~ of a doctor*, ἡ ζωή ἑνός γιατροῦ. *a new ~ of Shakespeare*, μιά καινούργια βιογραφία τοῦ Σαίξπηρ. *the ~ of a steamship/government*, ἡ ζωή (ἡ διάρκεια) ἑνός ἀτμοπλοίου/μιᾶς κυβερνήσεως. **expectation of** ~; **`~ expectancy**, (*ἀσφαλ.*) πιθανή διάρκεια ζωῆς. **6**. (*σέ σύνθ. λέξεις*): **`~·belt**, σωσίβιον. **`~-blood**, τό αἷμα τῆς ζωῆς, (*καθομ.*) ἡ ψυχή (πχ μιᾶς ἐπιχειρήσεως). **`~-boat**, ναυαγοσωστική λέμβος. **`~·buoy**, σωσίβιον κουλούρα. **`~ estate**, ἰσόβιος ἐπικαρπία. **`~-giving** *ἐπ.* ζωοδότης. **`~·guard**, σωματοφύλακας, ναυαγοσώστης, (*πληθ.* *`L~ Guards*) σῶμα ἱππέων τῆς Βασιλικῆς Φρουρᾶς. **`~ history**, τό ἱστορικόν, ἡ ἱστορία τῆς ζωῆς. **`~-jacket**, σωσίβιον-χιτών. **`~·like** *ἐπ.* (*γιά πορτραῖτο, κλπ*) πιστός, σά ζωντανός. **`~-line**, (*στή χειρομαντεία*) ἡ γραμμή τῆς ζωῆς, (*κυριολ.* & *μεταφ.*) σκοινί/σανίδα σωτηρίας. **`~·long** *ἐπ.* ὁλοκλήρου ζωῆς: *a ~long friend.* **`~-office**, γραφεῖον ἀσφαλειῶν ζωῆς. **`~-preserver**, (*MB*) ρόπαλο, (*ΗΠΑ*) σωσίβιον. **`~-saver**, ναυαγοσώστης. **`~-size(d)** *ἐπ.* (*πίνακας, κλπ*) σέ φυσικό μέγεθος. **`~-span**, (*βιολ.*) μεγίστη διάρκεια ζωῆς. **`~·time**, διάρκεια ζωῆς: *in/during my ~time*, κατά τήν διάρκεια τῆς ζωῆς μου. *a ~time of happiness*, μιά ὁλόκληρη ζωή εὐτυχίας. *It's the work of a ~time*, εἶναι ἔργον ὁλόκληρης ζωῆς. ***the chance of a ~time***, εὐκαιρία πού παρουσιάζεται μόνο μιά φορά στή ζωή. **~·less** *ἐπ.* ἄψυχος, χωρίς ζωή, νεκρός. **~·less·ly** *ἐπίρ.* **lifer** /ˋlaɪfə(r)/ *οὐσ.* ‹C› **1**. (*λαϊκ.*) ἰσοβίτης. **2**. ἄνθρωπος πού ζεῖ ὡρισμένη ζωή: *a simple-lifer*, ἄνθρωπος πού τοῦ ἀρέσει ἡ ἁπλῆ ζωή.

[1]**lift** /lɪft/ *ρ.μ/ἀ.* **1**. ἀνυψώνω, σηκώνω/-ομαι: *Help me (to) ~ the table*, βοήθησέ με νά σηκώσω τό τραπέζι. *Don't ~ the baby out of his cot*, μή σηκώνεις τό παιδί ἀπό τήν κούνια του. *This window won't* ~, αὐτό τό παράθυρο δέν ἀνεβαίνει. *The mist began to* ~, ἡ ὁμίχλη ἄρχισε νά σηκώνεται, νά διαλύεται. *We saw Olympus when the clouds ~ed*, εἴδαμε τόν Ὄλυμπο ὅταν σηκώθηκαν τά σύννεφα. ***have one's face ~ed***, κάνω πλαστική ἐγχείρηση στό πρόσωπο. ***~ one's spirits***, δίνω κουράγιο, ἐνθαρρύνω: *The news ~ed her spirits*, τά νέα τῆς ἔδωσαν κουράγιο. ***~ down***, κατεβάζω (ἀπό ράφι, τραῖνο, κλπ). ***~ off***, (*γιά πύραυλο, διαστημόπλοιο*) ἀπογειοῦμαι. ***~ up one's eyes (to...)***, σηκώνω τά μάτια, κοιτάζω. ***~ up one's hand to sb***, σηκώνω χέρι, χτυπῶ κπ. ***not ~ up one's head***, δέν σηκώνω τό κεφάλι (ἀπό ντροπή). ***~ up one's voice***, σηκώνω τή φωνή, ὑψώνω τόν τόνο τῆς φωνῆς μου. **2**. βγάζω (ἀπό τή γῆ): *~ potatoes/seedlings*, βγάζω πατάτες/δενδρύλλια. **3**. (*καθομ.*) κλέβω (ἀπό μαγαζί ἤ ἀπό βιβλίο): *~ articles from/in a supermarket*, κλέβω εἴδη ἀπό μιά ὑπεραγορά. *You've ~ed this passage of your essay from a book*, αὐτό τό κομμάτι στήν ἔκθεσή σου τὄκλεψες ἀπό βιβλίο. **`shoplifter**, κλέφτης μαγαζιῶν. **`shoplifting**, κλοπή (ἀπό μαγαζί). **4**. αἴρω (ἀπαγόρευση, πολιορκία, ἀποκλεισμό, κλπ): *The ban on his music has been*

~*ed*, ἤρθη ἡ ἀπαγόρευσις τῆς μουσικῆς του. **`weight lifting**, (*ἀθλ.*) ἄρσις βαρῶν.

[2]**lift** /lɪft/ *οὐσ.* ‹C› **1**. ἀνύψωσις, σήκωμα, ἐνθάρρυνσις. ***give sb/get a ~***, *(α)* μεταφέρω κπ/μεταφέρομαι μέ αὐτοκίνητο: *Can you give me a ~ to the station?* μπορεῖς νά μέ πᾶς ὥς τό σταθμό; *(β)* δίνω/παίρνω κουράγιο: *Her success in the preliminary exam gave her a tremendous ~*, ἡ ἐπιτυχία της στίς προκριματικές ἐξετάσεις τῆς ἔδωσε μεγάλο κουράγιο. **2**. ἀσανσέρ: *take the ~*, παίρνω τό ἀσανσέρ. **`~·boy/·man**, ὑπάλληλος τοῦ ἀσανσέρ.

liga·ment /ˋlɪgəmənt/ *οὐσ.* ‹C› (*ἀνατ.*) σύνδεσμος.

liga·ture /ˋlɪgətʃə(r)/ *οὐσ.* ‹C› **1**. (*χειρουργ.*) ἀπολίνωσις, ἐπίδεσμος, κλωστή (*ἰδ.* γιά τό σταμάτημα αἱμορραγίας). **2**. (*τυπογρ.*) σύμπλεγμα γραμμάτων.

[1]**light** /laɪt/ *ἐπ.* *(-er, -est)* **1**. φωτεινός (*ἀντίθ. dark*): *a ~ room*, φωτεινό δωμάτιο. *It's beginning to get ~*, ἄρχισε νά φωτίζη. **2**. (*γιά χρῶμα*) ἀνοιχτός, χλωμός, ξανθωπός: *~ blue/green*, ἀνοιχτό μπλέ/πράσινο. *a ~ complexion*, χλωμό δέρμα προσώπου. *~ hair*, ξανθωπά μαλλιά. **`~-coloured** *ἐπ.* ἀνοιχτόχρωμος.

[2]**light** /laɪt/ *ἐπ.* *(-er, -est)* **1**. ἐλαφρός (ὄχι βαρύς): *~ shoes/clothing*, ἐλαφρά παπούτσια/ροῦχα. *~ luggage*, ἐλαφρές ἀποσκευές. *~ punishment/taxation*, ἐλαφρά τιμωρία/φορολογία. *~ cavalry/infantry*, ἐλαφρό ἱππικό/πεζικό. ***as ~ as air/as a feather***, ἐλαφρός σάν ἀέρας/σάν πούπουλο. **ˈ~ˋarmed** *ἐπ.* ἐλαφρά ὁπλισμένος. **2**. ἐλαφρός, ἀνάλαφρος, ἁπαλός: *a ~ touch/step*, ἐλαφρό ἄγγιγμα/βῆμα. *~ movements*, ἀνάλαφρες κινήσεις. *~ rain/a ~ fall of snow/a ~ breeze*, ἁπαλή βροχή/χιονόπτωσις/-ό ἀεράκι. *~ sleep*, ἐλαφρός ὕπνος. ***be a ~ sleeper***, κοιμᾶμαι ἐλαφρά. ***have a ~ hand for sth***, ἔχω ἐλαφρό χέρι, εἶμαι ἐπιδέξιος σέ κτ. **ˈ~-ˋhanded** *ἐπ.* ἀλαφροχέρης, ἐλαφρά φορτωμένος. **ˈ~ˋfingered** *ἐπ.* μέ ἐλαφρά/ἐπιδέξια δάχτυλα (*ἰδ.* γιά κλοπή). **ˈ~ˋfooted** *ἐπ.* εὐκίνητος, πεταχτός. **3**. ἐλαφρός (ὄχι δυνατός ἤ ἄφθονος): *~ wine/beer*, ἐλαφρό κρασί/ἐλαφρά μπύρα. *a ~ supper*, ἐλαφρό δεῖπνο. *~ traffic*, ἀραιή κυκλοφορία. *a ~ attack of flu*, ἐλαφρά γρίππη. ***be a ~ eater***, τρώγω ἐλαφρά. **4**. ἐλαφρός (ὄχι δύσκολος ἤ κουραστικός): *~ work; a ~ task*, ἐλαφρά δουλειά. ***make ~ work of sth***, κάνω κτ εὔκολα καί γρήγορα. **5**. ἐλαφρός (ὄχι σοβαρός): *~ music/comedy/reading*, ἐλαφρά μουσική/κωμωδία/-ό διάβασμα. ***make ~ of sth***, παίρνω κτ ἀψήφιστα, δέν δίνω σημασία: *He made ~ of his illness/failure*, πῆρε ἀψήφιστα τήν ἀρρώστεια του/τήν ἀποτυχία του. ***with a ~ heart***, ἐλαφρᾷ τῇ καρδίᾳ, ἀνέμελα, χαρούμενα. **ˈ~ˋheaded**, ζαλισμένος. **ˈ~ˋheadedness**, ζαλάδα. **ˈ~ˋhearted**, χαρούμενος, ξένοιαστος. **ˈ~ˋheartedness**, ξενοιασιά. **ˈ~ˋminded**, ἐλαφρόμυαλος, ἐπιπόλαιος. **ˈ~ˋmindedness**, ἐλαφρότης, ἐπιπολαιότης. **6**. ἐλλειμματικός, λειψός: *a ~ coin*, ἐλαφρό νόμισμα, κάτω τοῦ κανονικοῦ βάρους. *We are 50p ~ on the petty cash*, εἴμαστε ἔλλειμμα 50 πέννες στά λιανά. **`~·weight** *οὐσ.* ‹C› & *ἐπ.* (*γιά ζῶο ἤ ἄνθρ.*) κάτω τοῦ κανονικοῦ βάρους, (*πυγμ.*) ἐλαφρῶν βαρῶν. —*ἐπίρ.* ἐλαφρά, ἀνάλαφρα: *sleep ~*, κοιμᾶμαι ἐλαφρά. *travel ~*, ταξιδεύω χωρίς ἀποσκευές. ***get off ~(ly)***, (*καθομ.*) τή γλυτώνω φτηνά. **~·ly** *ἐπίρ.* ἐλαφρά. **~·ness** *οὐσ.* ‹U› ἐλαφρότης.

[3]**light** /laɪt/ *οὐσ.* ‹C,U› **1**. φῶς: *the ~ of the sun/the fire/a lamp*, τό φῶς τοῦ ἥλιου/τῆς φωτιᾶς/μιᾶς λάμπας. *read by candle-~/lamp-~*, διαβάζω μέ τό φῶς κεριοῦ/λάμπας. *walk by moon~*, περπατῶ μέ τό φεγγαρόφωτο. *bathe in the sun~*, λούζομαι στό ἡλιοφῶς, λιάζομαι. *The day~ began to fail*, τό φῶς τῆς μέρας ἄρχισε νά λιγοστεύη. ***in a good/bad ~***, *(α)* μέ καλό/κακό φωτισμό: *hang a picture in a good/bad ~*, κρεμῶ μιά εἰκόνα μέ τρόπο πού νά φωτίζεται καλά/ἄσχημα. *(β)* (*μεταφ.*) καλή/κακή ἐντύπωσις: *That makes me appear in a bad ~*, αὐτό δημιουργεῖ κακή ἐντύπωση γιά μένα. ***see the ~***, βλέπω (τό) φῶς (= γεννιέμαι, δημοσιεύομαι, παραδέχομαι κτ, προσηλυτίζομαι). ***be/stand in sb's ~***, κόβω τό φῶς κάποιου, (*μεταφ.*) δέν τόν ἀφήνω νά προκόψη/νά ἀναδειχθῆ. ***stand in one's own ~***, στέκομαι μπροστά στό φῶς μου, (*μεταφ.*) πάω κόντρα στό συμφέρον μου. ***come/bring sth to ~***, ἔρχομαι/φέρνω κτ σέ φῶς: *New facts were brought to ~*, καινούργια στοιχεῖα ἦλθαν σέ φῶς. ***shed/throw (a new) ~ on sth***, ρίχνω (καινούργιο) φῶς σέ κτ, (δια)φωτίζω κτ. ***in the ~ of***, ὑπό τό φῶς: *in the ~ of these revelations*, ὑπό τό φῶς αὐτῶν τῶν ἀποκαλύψεων. **2**. φῶς, φωτιά, λάμπα, κερί: *`traffic ~s*, φῶτα τῆς κυκλοφορίας. *Put that ~ out!* σβῦσε αὐτό τό φῶς! *Suddenly the ~s went out*, ξαφνικά τά φῶτα ἔσβυσαν. *switch the ~s on/off*, ἀνάβω/σβύνω τά φῶτα. *He put a ~ to the old papers*, ἔβαλε φωτιά στά παληόχαρτα. *Can you give me a ~, please?* μπορεῖτε νά μοῦ δώσετε φωτιά παρακαλῶ; *Bring a ~!* φέρε ἕνα φῶς (μιά λάμπα, ἕνα κερί, κλπ). ***strike a ~***, ἀνάβω ἕνα σπίρτο. ***L~s out***, (*στρατ.*) σιωπητήριο (σάλπισμα). **3**. ἄποψις, σκοπιά, ἀντίληψις: *I don't see this matter in the same ~ as you do*, δέν βλέπω τό θέμα αὐτό ἀπό τήν ἴδια σκοπιά μέ σένα. *If you see it in this ~...*, ἄν τό βλέπης ἀπ' αὐτή τήν ἄποψη... **4**. ἱκανότης, δυνατότης. ***according to one's ~s***, σύμφωνα μέ τίς δυνατότητές μου. **5**. λάμψις (προσώπου): *the ~s in their eyes*, ἡ λάμψις τῶν ματιῶν τους. *The ~ died out of her eyes*, ἔσβυσε ἡ λάμψη τῶν ματιῶν της. **6**. φωστήρας, ἐπιφανής ἄνδρας: *one of the ~s of the Church/our age*, ἕνας ἀπό τούς φωστῆρες τῆς Ἐκκλησίας/ἀπό τούς ἐπιφανέστερους ἄνδρες τῆς ἐποχῆς μας. **7**. παράθυρο: *a `sky~*, φεγγίτης. **8**. (*ζωγρ.*) φωτισμένο τμῆμα πίνακος: *~ effects*, φωτιστικά ἐφφέ. *~ and shade*, φωτοσκίασις (σέ πίνακα). **9**. **`~-house**, φάρος. **`~·ship**, φαρόπλοιον. **`~ year**, ἔτος φωτός.

[4]**light** /laɪt/ *ρ.μ/ἀ.* (*ἀόρ.* & *π.μ.* *ὁμαλόν ~ed, καί ἀνώμ.* lit /lɪt/. *Ἡ μετοχή ~ed χρησιμοποιεῖται περισσότερον ἐπιθετικῶς πρό οὐσιαστικοῦ, πχ a ~ed candle, ἀναμμένο κερί*) **1**. ἀνάβω: *~ a cigarette/fire/lamp*, ἀνάβω ἕνα τσιγάρο/μιά φωτιά/μιά λάμπα. **2**. φωτίζω:

Our streets are lit/~ed by electricity, οἱ δρόμοι μας φωτίζονται μέ ἠλεκτρισμό. ~ *sb on his way*, φωτίζω τό δρόμο κάποιου. **~ *sth up***, φωταγωγῶ: *The shops were brilliantly lit up*, τά μαγαζιά ἦταν λαμπρά φωταγωγημένα. **3**. **~ *up***, ἀνάβω (φῶς, τσιγάρο), φωτίζω/-ομαι: *He struck a match and lit up*, (*καθομ.*) ἄναψε ἕνα σπίρτο κι' ἄναψε (τσιγάρο, πίπα). *A smile lit up her face*, ἕνα χαμόγελο φώτισε τό πρόσωπό της. *Her face lit up with joy*, τό πρόσωπό της φωτίστηκε ἀπό χαρά. *It's getting dark; time to ~ up*, ἄρχισε καί σκοτεινιάζει-ὥρα ν' ἀνάψουμε τά φῶτα. **'~-ing-up time**, ὥρα πού ἀνάβουν τά (δημόσια) φῶτα. **4**. **~ *upon***, βρίσκω τυχαίως: *I lit upon a rare book in a secondhand bookshop*, πέτυχα (βρῆκα τυχαίως) ἕνα σπάνιο βιβλίο σ' ἕνα παλαιοβιβλιοπωλεῖο.

[1]**lighten** /'laɪtn/ *ρ.μ/ὰ.* ἐλαφρύνω: ~ *taxes/a ship's cargo*, ἐλαφρύνω τούς φόρους/τό φορτίο ἑνός πλοίου. ~ *a ship of her cargo*, ἐλαφρώνω τό φορτίο πλοίου. *Her heart ~ed when she heard the news*, ἡ καρδιά της ἀλάφρωσε ὅταν ἄκουσε τά νέα.

[2]**lighten** /'laɪtn/ *ρ.μ/ὰ.* **1**. φωτίζω/-ομαι: *A solitary candle ~ed the darkness of his room*, ἕνα μοναχικό κερί φώτιζε τό σκοτάδι τοῦ δωματίου του. *The eastern sky ~ed*, ὁ οὐρανός στήν ἀνατολή φωτίστηκε. **2**. ἀστράφτω: *It's thundering and ~ing*, βροντάει καί ἀστράφτει.

lighter /'laɪtə(r)/ *οὐσ.* ‹C› **1**. ἀναπτήρας: *a gold ~*, χρυσός ἀναπτήρας. **2**. ἄνθρωπος πού ἀνάβει κτ: *a 'lamp-~*, καντηλανάφτης. **3**. μαούνα.

light·ning /'laɪtnɪŋ/ *οὐσ.* ‹U› (*μόνον ἑν.*) ἀστραπή, κεραυνός: *a flash of ~*, μιά ἀστραπή. *be killed/struck by ~*, σκοτώνομαι/ χτυπιέμαι ἀπό κεραυνό. *like (greased) ~*, σάν ἀστραπή, ὁλοταχῶς. **'~-rod/-conductor**, ἀλεξικέραυνον. __*ἐπιθ.* ἀστραπιαῖος: *a ~ attack*, ἀστραπιαία (κεραυνοβόλος) ἐπίθεσις. *with ~ speed*, μέ ἀστραπιαία ταχύτητα.

lights /laɪts/ *οὐσ. πληθ.* πλεμόνια (γιά τροφή σκύλων, γάτων).

light·some /'laɪtsəm/ *ἐπ.* **1**. λυγερός, χαριτωμένος. **2**. ἐλαφρός, πεταχτός, χαρούμενος. **~·ly** *ἐπίρ.*

lig·nite /'lɪgnaɪt/ *οὐσ.* ‹U› λιγνίτης.

lik·able, like·able /'laɪkəbl/ *ἐπ.* εὐχάριστος, ἀξιαγάπητος, συμπαθητικός: *He's a very ~ person*, εἶναι ἀξιαγάπητος ἄνθρωπος.

[1]**like** /laɪk/ *ἐπ.* ὅμοιος, ἴδιος: *The two girls are very ~*, τά δυό κορίτσια μοιάζουν πολύ. (*βλ.* & *λ.* *pea*). ***L~ master, ~ man***, κατά τό μάστορα καί τά κοπέλια του. ***L~ father, ~ son***, (*παροιμ.*) κατά τόν πατέρα καί ὁ γυιός. **'~-minded** *ἐπ.* μέ τήν ἴδια γνώμη, μέ τά ἴδια μυαλά. __*ἐπίρ.* πιθανῶς (*μόνον στά παραδείγματα*): ***~ enough/very ~/as ~ as not***, πιθανώτατα. __*σύνδ.* (*ἡ χρῆσις του ὡς συνδέσμου δέν ἔχει καθιερωθῆ, ὡστόσο ἀπαντᾶται συχνά σέ κείμενα καί ἀκόμη συχνότερα στήν ὁμιλία. Εἶναι προτιμώτερο ὅμως νά χρησιμοποιοῦνται ἀντ' αὐτοῦ οἱ σύνδεσμοι: as, in the same way as, as if*) ὅπως, σάν, σάν νά: *She can't cook ~ her mother does* (*καλύτερα: as her mother does*), δέν μπορεῖ νά μαγειρέψη ὅπως ἡ μητέρα της (σάν τή μητέρα της). *It rained ~ the skies were falling* (*καλύτερα: as if the skies...*), ἔβρεχε σάν νἄχαν ἀνοίξει οἱ οὐρανοί. __*οὐσ.* **1**. ‹C,U› ὅμοιος, παρόμοιος: *Have you ever seen/heard the ~ of it?* ἔχεις δεῖ/ἀκούσει ποτέ τίποτα παρόμοιο; *You and your ~s*, ἐσύ καί οἱ ὅμοιοί σου. *I don't mix with the ~s of you*, δέν ἀνακατεύομαι μέ ἀνθρώπους σάν καί σένα. **2**. προτίμησις (*ἰδ. στή φράση*): ***~s and dislikes***, προτιμήσεις καί ἀντιπάθειες, προσωπικά γοῦστα.

[2]**like** /laɪk/ *πρόθ.* **1**. σάν: *a book ~ this*, ἕνα βιβλίο σάν αὐτό. *What does he look ~?* τί λογῆς ἄνθρωπος εἶναι; *Don't talk ~ that*, μή μιλᾶς ἔτσι! *If you worked ~ me*, ἄν δούλευες σάν καί μένα. *He drinks ~ a fish*, πίνει σάν ψάρι. ***nothing ~***, τίποτα καλύτερο ἀπό, καθόλου (ὅμοιο μέ): *There's nothing ~ a glass of beer/swimming in summer*, τίποτα δέν εἶναι καλύτερο τό καλοκαίρι ἀπό ἕνα ποτήρι μπύρα/ἀπό τό κολύμπι. *This is nothing ~ what I want*, αὐτό δέν εἶναι καθόλου ἐκεῖνο πού ζητῶ. ***something ~***, σχεδόν, κάπως σάν: *It'll cost you something ~ £10*, θά σοῦ κοστίση σχεδόν (κάπου) δέκα λίρες. *She looks something ~ her sister*, μοιάζει κάπως μέ τήν ἀδελφή της. *This is something ~ a dinner!* (*καθομ.*) αὐτό εἶναι γεῦμα (εἶναι θαυμάσιο)! ***feel ~***, ἔχω διάθεση γιά/νά: *I don't feel ~ walking*, δέν ἔχω διάθεση γιά περίπατο. *I felt ~ crying*, μοῦ ἐρχόταν νά κλάψω. *I don't feel ~ it*, δέν ἔχω κέφι γι' αὐτό (γιά κτ πού ἔχει ἤδη ἀναφερθῆ). ***look ~***, φαίνομαι σά νά/ὅτι θά: *It looks ~ raining/rain*, φαίνεται σά νά βρέξη/μοιάζει μέ βροχή. *It looks ~ being a fine day*, φαίνεται ὅτι θά εἶναι ὡραία μέρα. ***That's more ~ it!*** τώρα εἶναι καλύτερο! τώρα μάλιστα! **2**. ἴδιον, χαρακτηριστικόν, ὅ,τι μπορεῖ νά περιμένη κανείς ἀπό κπ: *That's just ~ John!* αὐτό εἶναι ἴδιον/χαρακτηριστικό τοῦ Γ! τέτοιος εἶναι ὁ Γ! *That's just ~ a woman!* τί ἄλλο νά περιμένη κανείς ἀπό γυναίκα! *It's just ~ you to leave all the work to me*, τέτοιος εἶσαι σύ, νά ἀφήνης ὅλη τή δουλειά σέ μένα! **3**. ***~ anything***, (*καθομ.*) πάρα πολύ, ἀφάνταστα: *She works ~ anything when she is interested*, δουλεύει ἀφάνταστα ὅταν τῆς ἀρέσει κάτι. ***~ mad/crazy***, σάν τρελλός: *He shouts ~ mad when things go wrong*, φωνάζει σάν τρελλός ὅταν πάει τίποτα στραβά. ***~ hell/blazes***, *(α)* μέ μανία, μ' ὅλη μου τή δύναμη, ἀσυγκράτητα: *He was running ~ blazes*, ἔτρεχε μ' ὅλη του τή δύναμη. *(β)* σάν ἐπιφ. ἀσφαλῶς (ὄχι): *'But you were there, weren't you?' 'L~ hell, I was!'* -Μά ἦσουν ἐκεῖ, δέν ἦσουν; -'Ασφαλῶς ὄχι!

[3]**like** /laɪk/ *ρ.μ/ὰ.* **1**. συμπαθῶ, μοῦ ἀρέσει: *I ~ you but I don't love you*, μοῦ ἀρέσεις ἀλλά δέν σέ ἀγαπῶ. *I ~ fish/swimming*, μοῦ ἀρέσει τό ψάρι/τό κολύμπι. *I ~ to read in bed but I don't ~ smoking in bed*, μοῦ ἀρέσει νά διαβάζω στό κρεββάτι ἀλλά δέν μοῦ ἀρέσει νά καπνίζω στό κρεββάτι. ***I ~ that!*** (*καθομ.*) καλό κι' αὐτό! **2**. θέλω, ἐπιθυμῶ: *I don't ~ to disturb him*, δέν θέλω νά τόν ἐνοχλήσω. *I should ~ to know...*, θἄθελα νά ξέρω... *They would ~ to have come; They would have ~d to come*, θά ἤθελαν νά εἶχαν ἔλθει. ***if you ~***, ἄν θέλετε, ἄν τό ἐπιθυμῆτε. **3**. προτιμῶ: *How*

do you ~ your eggs? πῶς προτιμᾶτε τ' αὐγά σας;

like·li·hood /ˈlaɪklɪhʊd/ *οὐσ.* ‹U› πιθανότης: *There's no ~ of my failing*, δέν ὑπάρχει πιθανότης νά ἀποτύχω. ***in all ~***, κατά πᾶσαν πιθανότητα.

like·ly /ˈlaɪklɪ/ *ἐπ.* *(-ier, -iest)* πιθανός, ἀληθοφανής, ἐνδεχόμενος: *a ~ story/excuse*, ἀληθοφανής ἱστορία/δικαιολογία. *That's a ~ story/excuse!* (*εἰρων.*) ὡραία ἱστορία/δικαιολογία! *What's the likeliest time to find him at home?* ποιά εἶναι ἡ πιό πιθανή ὥρα νά τόν βρῆ κανείς σπίτι; ***be ~ to***, εἶναι πιθανόν νά: *He is ~ to come* (*πρβλ τήν ἀπρόσωπη σύνταξη: It is ~ that he will come*), εἶναι πιθανόν νά ἔλθη. *John is ~ to be there*, εἶναι πιθανόν νά βρίσκεται ἐκεῖ ὁ Γ. *Are the children ~ to know?* εἶναι ἐνδεχόμενο νά ξέρουν τά παιδιά; __*ἐπίρ.* ***most/very ~***, κατά πᾶσαν πιθανότητα: *I'll very ~ go back in June*, πιθανώτατα νά ξαναπάω τόν Ἰούνιο. ***as ~ as not***, σίγουρα, πιθανώτατα: *He'll forget all about it as ~ as not*, σίγουρα θά τό ξεχάση ἐντελῶς.

liken /ˈlaɪkən/ *ρ.μ.* ***~ to***, παρομοιάζω: *He ~ed the heart to a pump*, παρωμοίασε τήν καρδιά μέ ἀντλία.

like·ness /ˈlaɪknəs/ *οὐσ.* **1.** ‹U› ὁμοιότης: *There's not much ~ between them*, δέν ὑπάρχει μεγάλη ὁμοιότης μεταξύ τους. *There's a family ~ in all of them*, ὑπάρχει οἰκογενειακή ὁμοιότης σέ ὅλους τους. ***in the ~ of***, μέ τή μορφή/τήν ἐμφάνιση: *an enemy in the ~ of a friend*, ἐχθρός ἐμφανιζόμενος σά φίλος. **2.** ‹C› εἰκόνα, πορτραῖτο: *draw sb's ~*, σκιτσάρω τό πορτραῖτο κάποιου.

like·wise /ˈlaɪkwaɪz/ *ἐπίρ.* παρομοίως, τό ἴδιο: *Do ~*, κάνε τό ἴδιο. __*σύνδ.* ἐπίσης, ὡσαύτως, ἐπιπλέον.

lik·ing /ˈlaɪkɪŋ/ *οὐσ.* ‹C,U› συμπάθεια, γοῦστο. ***have a ~ for sb***, συμπαθῶ κπ, μοῦ ἀρέσει κπ. ***to one's ~***, τοῦ γούστου μου, τῆς ἀρεσκείας μου: *Is everything to your ~?* εἶναι ὅλα ὅπως τά θέλετε;

li·lac /ˈlaɪlək/ *οὐσ.* ‹C,U› πασχαλιά, (χρῶμα) λιλά.

Lil·li·pu·tian /ˈlɪlɪˈpjuʃn/ *ἐπ.* λιλλιπούτειος.

lilt /lɪlt/ *οὐσ.* ‹C› ζωηρός πηδηχτός ρυθμός. __*ρ.μ/ἀ.* περπατῶ/τραγουδῶ μέ ζωηρό ρυθμό. **~·ing** *ἐπ.* ρυθμικός.

lily /ˈlɪlɪ/ *οὐσ.* ‹C› κρίνος. ˈ**~-white** *ἐπ.* πάλλευκος, ἁγνός, ἄσπιλος.

limb /lɪm/ *οὐσ.* ‹C› **1.** μέλος, ἄκρον τοῦ σώματος: *rest one's tired ~s*, ξεκουράζω τά κουρασμένα μου μέλη. *tear sb ~ from ~*, ξεσκίζω, κομματιάζω. **2.** (χοντρός) κλάδος (δέντρου). ***out on a ~***, (*καθομ.*) ἀποκομμένος, ἐκτεθειμένος, σέ δύσκολη θέση. **~ed** /lɪmd/ *β! συνθετ.* μέ μέλη: *strong-/long-~ed*, μέ δυνατά/μακρυά μέλη.

limbo /ˈlɪmbəʊ/ *οὐσ.* (*πληθ.* ~*s*) **1.** ‹U› λήθη, χῶρος γιά ἄχρηστα ἤ ξεχασμένα πράγματα. ***be in ~***, (*γιά σχέδια, κλπ*) μπαίνω στό χρονοντούλαπο, ξεχνιέμαι. **2.** ‹C› **L~**, προθάλαμος τῆς κολάσεως.

[1]**lime** /laɪm/ *οὐσ.* ‹U› **1.** ἀσβέστης. ˋ**quick/**ˋ**slaked ~**, ἄσβηστος/σβησμένος ἀσβέστης. ˋ**~·kiln**, ἀσβεστοκάμινο. ˋ**~·light**, φῶς ἀσετυλίνης, (*μεταφ.*) προβολή, δημοσιότης, προσκήνιον. ***be in the ~light***, εὑρίσκομαι στό προσκήνιο, στό κέντρο τῆς δημοσιότητος. ˋ**~·stone**, ἀσβεστόλιθος. **2.** (*καί* ˋ**bird-~**), ἰξόκολλα (γιά τό πιάσιμο πουλιῶν). __*ρ.μ.* ἀσβεστώνω.

[2]**lime** /laɪm/ *οὐσ.* ‹C› **1.** γλυκολέμονο, γλυκολεμονιά. ˋ**~·juice**, χυμός γλυκολέμονου. **2.** φιλύρα, φλαμουριά.

lim·er·ick /ˈlɪmərɪk/ *οὐσ.* ‹C› πεντάστιχο κωμικό ἤ χωρίς νόημα.

[1]**limit** /ˈlɪmɪt/ *οὐσ.* ‹C› ὅριον: *within the city ~s*, ἐντός τῶν ὁρίων τῆς πόλεως. *There's a ~ to everything*, ὅλα τά πράγματα ἔχουν τά ὅριά τους. *There's a ~ to my patience*, ἔχει ὅρια καί ἡ ὑπομονή μου. ***set a ~ to***, θέτω ὅρια, καθορίζω ἕνα ὅριο (σέ ἔξοδα, κλπ). ***know no ~s***, δέν ἔχω ὅρια: *His ambition knows no ~s*, ἡ φιλοδοξία του δέν ἔχει ὅρια. ***within ~s***, ἐντός ὁρίων. ***without ~***, ἀπεριόριστος: *help sb within ~s/without ~*, βοηθῶ κπ ἐντός ὁρίων/ἀπεριορίστως. ***That's the ~!*** (*καθομ.*) ὥς ἐδῶ καί μή παρέκει! αὐτό παραπάει/ὑπερβαίνει τά ὅρια! *That man is the ~!* αὐτός ὁ ἄνθρωπος εἶναι κυριολεκτικά ἀνυπόφορος! ˋ**age ~**, ὅριον ἡλικίας.

[2]**limit** /ˈlɪmɪt/ *ρ.μ.* περιορίζω/-ομαι: *We must ~ the expense to £1000*, πρέπει νά περιορίσωμε τά ἔξοδα σέ χίλιες λίρες. *I shall ~ myself to only one remark*, θά περιορισθῶ σέ μία μόνο παρατήρηση. **~ed**, περιωρισμένος: *have a ~ed intelligence/knowledge of a language*, ἔχω περιωρισμένη εὐφυΐα/γνώση μιᾶς γλώσσας. ˈ**~d** ˈ**lia**ˋ**bility company** (*συγκεκ. Ltd.*), ἑταιρία περιωρισμένης εὐθύνης ἤ ἀνώνυμος ἑταιρία. **~·less** *ἐπ.* ἀπεριόριστος.

limi·ta·tion /ˈlɪmɪˈteɪʃn/ *οὐσ.* ‹C,U› περιορισμός, ἐμπόδιο: *impose ~s upon sth/sb*, ἐπιβάλλω περιορισμούς σέ κπ/κτ. *Poor health is a great ~*, ἡ κακή ὑγεία εἶναι μεγάλο ἐμπόδιο. ***I know my ~s***, ξέρω τά ὅρια τῶν ἱκανοτήτων μου/ὥς ποῦ φτάνουν οἱ δυνατότητές μου.

lim·ou·sine /ˈlɪməzin/ *οὐσ.* ‹C› λιμουζίνα.

[1]**limp** /lɪmp/ *ἐπ.* μαλακός, ἄτονος, χαλαρός, πλαδαρός: *~ binding*, μαλακό δέσιμο (βιβλίου). *feel ~ with the heat*, νοιώθω λυωμένος ἀπό τή ζέστη. *He gave me a ~ hand*, μοῦ ἔδωσε τό χέρι του ἄτονα.

[2]**limp** /lɪmp/ *ρ.ἀ.* κουτσαίνω, πάω κούτσα-κούτσα: *He ~ed off the playground*, βγῆκε ἀπό τό γήπεδο κουτσαίνοντας. *The damaged ship ~ed back to port*, τό πλοῖο πού εἶχε ὑποστῆ βλάβη γύρισε κούτσα-κούτσα (μέ δυσκολία) στό λιμάνι. __*οὐσ.* ‹C› κουτσαμάρα: *walk with/have a bad ~*, κουτσαίνω πολύ.

lim·pet /ˈlɪmpɪt/ *οὐσ.* ‹C› (*ζωολ.*) πεταλίδα.

lim·pid /ˈlɪmpɪd/ *ἐπ.* διαυγής, πεντακάθαρος, διαφανής: *~ water/eyes/a ~ atmosphere*, διαυγές νερό/καθαρά μάτια/πεντακάθαρη ἀτμόσφαιρα. **~·ly** *ἐπίρ.* **~·ity** /lɪmˈpɪdətɪ/ *οὐσ.* ‹U› διαύγεια.

linch·pin /ˈlɪntʃpɪn/ *οὐσ.* ‹C› πεῖρος τροχοῦ, (*μεταφ.*) κεντρικός μοχλός (πχ μιᾶς ἑταιρίας).

lin·den /ˈlɪndən/ *οὐσ.* ‹C,U› φιλύρα.

[1]**line** /laɪn/ *οὐσ.* ‹C› **1.** γραμμή: *draw a straight ~*, τραβῶ μιά εὐθεῖα γραμμή. *The ball crossed the ~*, ἡ μπάλλα πέρασε τή γραμμή. *the*

beauty of ~ *in the work of Botticelli*, ἡ ὀμορφιά τῆς γραμμῆς στό ἔργο τοῦ Μποτιτσέλλι. *the austere* ~*s of a Doric temple*, οἱ αὐστηρές γραμμές ἑνός Δωρικοῦ ναοῦ. **2**. σκοινί, σύρμα. **ˈclothes ~**, σκοινί ρούχων: *Hang the clothes on the* ~, ἅπλωσε τά ροῦχα στό σκοινί! **ˈfishing ~**, πετονιά. **3**. εἶδος ἐργασιῶν, εἶδος ἐμπορευμάτων: *He's in the ˈdrapery* ~, ἐμπορεύεται ὑφάσματα. *What's his* ~? τί δουλειές κάνει; *His* ~ *is tourism*, ἀσχολεῖται μέ τόν τουρισμό. ***in one's* ~**, στά ἐνδιαφέροντά μου, στίς γνώσεις μου: *That's not much in my* ~, αὐτό δέν μ'ἐνδιαφέρει πολύ (ἤ δέν εἶμαι εἰδικός σ'αὐτό). **4**. (*πληθ.*) τύχη, μοῖρα. ***Hard ~s***! ἀτυχία! **5**. πληροφορία. ***give sb/have/get a ~ on sth***, (*καθομ.*) δίνω σέ κπ/ἔχω/παίρνω μιά πληροφορία γιά κτ. **6**. ρυτίδα: *a face with deep* ~*s*, πρόσωπο μέ βαθειές ρυτίδες. **7**. τηλεφωνική γραμμή: *Give me a* ~, *please!* δῶστε μου γραμμή, παρακαλῶ! *L*~ *engaged!* ἡ γραμμή εἶναι κατηλειμμένη, τό τηλέφωνο μιλάει. **8**. οἰκογένεια, καταγωγή: *He comes from a long* ~ *of bankers*, κατάγεται ἀπό οἰκογένεια τραπεζιτῶν μέ μεγάλη παράδοση. **9**. σύνορα: *He crossed the* ~ *into Turkey*, πέρασε τά σύνορα πρός τήν Τουρκία. **10**. ἑταιρία: *an ˈair*~, ἀεροπορική ἑταιρία. *a ˈbus* ~, ἑταιρία λεωφορείων. *a ˈsteamship* ~, ἀτμοπλοϊκή ἑταιρία. **11**. σιδηροδρομική γραμμή: *the main* ~, ἡ κύρια σιδηροδρομική γραμμή. *a ˈbranch* ~, παρακλάδι, δευτερεύουσα γραμμή. *Cross the* ~ *by the bridge*, περᾶστε τίς γραμμές ἀπό τή γέφυρα! ***reach the end of the* ~**, (*μεταφ.*) φτάνω στό τέρμα ἑνός δεσμοῦ. **12**. (*πληθ.*) γραμμή, σχῆμα: *a ship of fine* ~*s*, πλοῖο μέ ὡραία γραμμή. *I like the* ~*s of that car*, μοῦ ἀρέσει ἡ γραμμή αὐτοῦ τοῦ αὐτοκινήτου. **13**. στίχος, γραμμή, ἀράδα: *a few* ~*s of poetry*, μερικοί στίχοι. *The leading actor wasn't sure of his* ~*s*, ὁ πρωταγωνιστής δέν ἤξερε καλά τό ρόλο του. *200* ~*s of prose*, 200 ἀράδες κείμενο ἀντιγραφή (τιμωρία μαθητοῦ). ***drop sb a ~***, (*καθομ.*) γράφω ἕνα γραμματάκι/δυό ἀράδες σέ κπ. ***read between the ~s***, (*μεταφ.*) διαβάζω ἀνάμεσα στίς ἀράδες (ἐφημερίδος), καταλαβαίνω κτ πού ὑπονοεῖται χωρίς νά γράφεται. ***ˈmarriage ~s***, (*MB*) πιστοποιητικόν γάμου. **14**. γραμμή, σειρά: *a* ~ *of hills/trees*, μιά σειρά λόφοι/μιά δενδροστοιχία. *a long* ~ *of people*, μακρυά σειρά (οὐρά) ἀνθρώπων. ***on the ~***, στή σειρά. ***be in ~ for***, ἔχω σειρά γιά: *He's in* ~ *for promotion*, ἔχει σειρά γιά προαγωγή. **15**. (*στρατ.*) γραμμή, παράταξις, μέτωπον: ~ *of battle/fire*, γραμμή μάχης/πυρός. *the front* ~, ἡ πρώτη γραμμή, τό μέτωπον. *behind the* ~, στά μετόπισθεν. *communication/supply* ~*s*, γραμμές ἐπικοινωνίας/ἀνεφοδιασμοῦ. *form into* ~, παρατάσσομαι. *stand in* ~, στέκομαι στή γραμμή, σέ παράταξη. *infantry of the* ~, τακτικόν πεζικόν, τῆς γραμμῆς. ***~ abreast/astern***, (*ναυτ.*) παράταξις πλοίων κατά μέτωπον/εἰς βάθος. ***all along the ~***, καθ' ὅλον τό μῆκος τῆς γραμμῆς, σέ ὅλα τά σημεῖα: *I was right all along the* ~, εἶχα δίκηο πέρα ὥς πέρα. **16**. γραμμή, τακτική, τρόπος ἐνεργείας: *What* ~ *do you intend to take?* τί γραμμή σκοπεύεις ν'ἀκολουθήσης; ***(be) in/out of ~ (with)***, εἶμαι/δέν εἶμαι σύμφωνος (μέ): *Your actions are not in* ~ *with my instructions*, οἱ ἐνέργειές σας δέν εἶναι σύμφωνοι μέ τίς ὁδηγίες μου. ***bring sb/sth into ~***, κάνω κπ/κτ νά εὐθυγραμμισθῆ: *They've brought their prices into* ~ *with ours*, εὐθυγράμμισαν τίς τιμές τους μέ τίς δικές μας. ***choose/follow/take the ~ of least resistance***, ἐκλέγω/ἀκολουθῶ τή γραμμή τῆς ἥσσονος ἀντιστάσεως (τόν πιό εὔκολο τρόπο). ***come/fall into ~ (with)***, εὐθυγραμμίζομαι: *At length he fell into* ~ *with us*, τελικά εὐθυγραμμίστηκε μαζί μας. ***do sth along/on sound/correct, etc ~s***, κάνω κτ πάνω σέ σωστή γραμμή: *I'll proceed along these* ~*s*, θά ἐνεργήσω πάνω σ'αὐτή τή γραμμή, μ'αὐτόν τόν τρόπο. ***keep to one's own ~***, τραβῶ τή δική μου τή γραμμή, ἐνεργῶ ἀνεξάρτητα. ***take a firm/hard/soft ~ (with sb/over sth)***, ἀκολουθῶ σταθερή/σκληρή/μαλακή γραμμή (μέ κπ/κτ). ***toe the ~***, (*μεταφ.*) πειθαρχῶ, εὐθυγραμμίζομαι: *If he doesn't toe the* ~ *he'll be expelled*, ἄν δέν πειθαρχήση, θά ἀποβληθῆ. ***the party ~***, ἡ κομματική γραμμή: *follow the party* ~, ἀκολουθῶ τή γραμμή τοῦ κόμματος.

[2]**line** /laɪn/ *ρ.μ/ἀ.* **1**. χαρακώνω: ~*d paper*, χαρακωμένο χαρτί. **2**. ρυτιδώνω: *a* ~*d face*, ρυτιδωμένο πρόσωπο. **3**. ***~ up***, παρατάσσω/-ομαι, κάνω οὐρά: *The General* ~*d up his troops*, ὁ στρατηγός παρέταξε τά στρατεύματά του. *The soldiers quickly* ~*d up*, οἱ στρατιῶτες παρετάχθησαν γρήγορα. *The unemployed* ~*d up for work at the factory gates*, οἱ ἄνεργοι ἔκαναν οὐρά γιά δουλειά στήν εἴσοδο τοῦ ἐργοστασίου. **4**. πλαισιώνω/-ομαι, σχηματίζω γραμμή κατά μῆκος: *The road was* ~*d with trees*, ὁ δρόμος πλαισιωνόταν ἀπό δενδροστοιχίες. *The streets were* ~*d with police/crowds*, τά πλήθη/οἱ ἀστυνομικοί εἶχαν παραταχθῆ κατά μῆκος τοῦ δρόμου.

[3]**line** /laɪn/ *ρ.μ.* ***~ sth with***, **1**. φοδράρω, ἐπενδύω: ~ *gloves with fur*, φοδράρω γάντια μέ γούνα. ~*d with silk*, φοδραρισμένος μέ μετάξι. *He* ~*d the box with paper*, ἔντυσε μέσα τό κουτί μέ χαρτί. **2**. (*μεταφ.*) φροντίζω, γεμίζω: ~ *one's pocket/purse/stomach*, γεμίζω τή τσέπη μου/τό πορτοφόλι μου/τό στομάχι μου.

lin·eage /ˈlɪnɪɪdʒ/ *οὐσ.* ‹U› καταγωγή, σόϊ: *of good* ~, ἀπό καλό σόϊ.

lin·eal /ˈlɪnɪəl/ *ἐπ.* κατ'εὐθεῖαν γραμμή: *a* ~ *descendant/heir*, ἀπόγονος/κληρονόμος κατ' εὐθεῖαν γραμμή. **~·ly** /-əlɪ/ *ἐπίρ.*

lin·ea·ment /ˈlɪnɪəmənt/ *οὐσ.* ‹C› (*λόγ., συνήθ. πληθ. ἐκτός ἄν προηγεῖται each ἤ every*) χαρακτηριστικόν: *the* ~*s of a Mongol face*, τά χαρακτηριστικά μογγολικοῦ προσώπου.

lin·ear /ˈlɪnɪə(r)/ *ἐπ.* **1**. γραμμικός: ~ *design*, γραμμικό σχέδιο. **2**. μήκους: ~ *measures*, μέτρα μήκους.

line·man /ˈlaɪnmən/ *οὐσ.* ‹C› τοποθετητής ἤ συντηρητής σιδηροδρομικῶν, τηλεφωνικῶν ἤ τηλεγραφικῶν γραμμῶν.

linen /ˈlɪnɪn/ *ἐπ.* λινός. —*οὐσ.* ‹U› λινό (ὕφασμα), (*συλλογ.*) λινά ροῦχα ἤ εἴδη: *change* *the ~ on a bed*, ἀλλάζω τά σεντόνια καί μαξιλάρια ἑνός κρεββατιοῦ. ***wash one's dirty ~ in public***, βγάζω τά ἄπλυτά μου στή φόρα.

liner /ˋlaɪnə(r)/ *οὐσ.* ‹C› πλοῖο ἤ ἀεροπλάνο τακτικῆς γραμμῆς. *an ocean ~*, ὑπερωκεάνειον. ˋ**~ train**, ταχύ φορτηγό τραῖνο μεγάλων ἀποστάσεων.

lines·man /ˋlaɪnzmən/ *οὐσ.* ‹C› (*ποδόσφ.*) ἐπόπτης γραμμῶν.

line-up /ˋlaɪn ʌp/ *οὐσ.* ‹C› **1**. παράταξις, μέτωπον: *a new ~ of non-aligned countries*, μιά καινούργια παράταξις (καινούργιο μέτωπο) ἀδεσμεύτων χωρῶν. *a ~ of players*, παράταξις παικτῶν (στό γήπεδο). **2**. (*ραδιόφ. καί TV*) πρόγραμμα: *late ~*, νυχτερινό πρόγραμμα.

lin·ger /ˋlɪŋgə(r)/ *ρ.ὰ.* (παρα)μένω, δείχνω ἀπροθυμία νά φύγω, χρονοτριβῶ, παρατείνω: *He ~ed on after everyone else had left*, ἐξακολουθοῦσε νά μένη κι' ὅταν οἱ ἄλλοι ὅλοι εἶχαν φύγει. *We ~ed in the park until it was dark*, μείναμε στό πάρκο ὥσπου νύχτωσε. *Why is he ~ing about our house?* γιατί γυροφέρνει τό σπίτι μας; *His eyes ~ed on the coffin*, τά μάτια του δέν ξεκολλοῦσαν ἀπό τό φέρετρο. *~ over a meal/pipe/glass of brandy*, παρατείνω ἕνα γεῦμα/ἀπολαμβάνω σιγά-σιγά μιά πίπα/ἕνα ποτήρι κονιάκ. *A doubt still ~ed in his mind*, παρέμενε ἀκόμη μιά ἀμφιβολία στό μυαλό του. *The custom still ~s on*, τό ἔθιμο κρατάει λίγο ἀκόμη, δέν ἔχει σβύσει ἐντελῶς. *The dying man ~ed on for months*, ὁ ἑτοιμοθάνατος ἔκανε μῆνες νά πεθάνη. **~·ing** *ἐπ.* μακροχρόνιος, παρατεταμένος, ἐπίμονος: *a ~ing illness*, μακροχρόνια ἀρρώστεια. *a ~ing look/doubt*, παρατεταμένη ματιά/ἐπίμονη ἀμφιβολία. **~·ing·ly** *ἐπίρ.*

linge·rie /ˋlɒ̃ʒəri/ *οὐσ.* ‹U› γυναικεῖα ἐσώρρουχα.

lingo /ˋlɪŋgəʊ/ *οὐσ.* ‹C› (*πληθ. ~es*) (*συνήθ. ἀστειολ.*) κορακίστικα.

lin·gua franca /ˈlɪŋgwə ˋfræŋkə/ *οὐσ.* ‹C› κοινή γλῶσσα (σέ χώρα πού μιλοῦνται πολλές ντόπιες διάλεκτοι).

lin·gual /ˋlɪŋgwl/ *ἐπ.* γλωσσικός: *audio-~ aids*, ἀκουστικά γλωσσικά βοηθήματα. ˈ**bi**ˋ**~**, δίγλωσσος. ˈ**multi-**ˋ**~**, πολύγλωσσος.

lin·guist /ˋlɪŋgwɪst/ *οὐσ.* ‹C› **1**. γλωσσομαθής: *He's a good ~*, ξέρει πολλές ξένες γλῶσσες, εἶναι πολύγλωσσος. *I'm no ~*, δέν εἶμαι γλωσσομαθής. **2**. γλωσσολόγος.

lin·guis·tic /lɪŋˋgwɪstɪk/ *ἐπ.* γλωσσικός, γλωσσολογικός. **~s** *οὐσ.* ‹U› (*μέ ρ. ἑν.*) γλωσσολογία: *applied ~s*, ἐφηρμοσμένη γλωσσολογία.

lini·ment /ˋlɪnɪmənt/ *οὐσ.* ‹C,U› ὑγρόν ἐντριβῆς.

lin·ing /ˋlaɪnɪŋ/ *οὐσ.* ‹C,U› ἐσωτερική ἐπένδυσις, φόδρα. ***Every cloud has a silver ~***, (*παροιμ.*) οὐδέν κακόν ἀμιγές καλοῦ.

link /lɪŋk/ *οὐσ.* ‹C› **1**. κρίκος (ἁλυσσίδας). **2**. (*συνήθ. πληθ.*) ˋ**cuff-~s**, μανικεττόκουμπα. **3**. μέτρον μήκους (περίπου 20 πόντοι). **4**. σύνδεσμος, κρίκος: *This is a ~ between the past and the future*, αὐτό συνδέει τό παρελθόν μέ τό μέλλον. ***the missing ~***, (*μεταφ.*) ὁ ἐλλείπων κρίκος (σέ μιά θεωρία, κλπ), (*ἀνθρωπολ.*) ἐξαφανισθείς διάμεσος τύπος πιθηκάνθρωπου. __*ρ.μ/ὰ.* συνδέω/-ομαι: *a canal/line that ~s up two towns*, διώρυγα/σιδηρ. γραμμή πού συνδέει δυό πόλεις. *She ~ed her arm in/through her husband's*, πέρασε τό χέρι της στό μπράτσο τοῦ ἄντρα της. *Where do they ~ up?* ποῦ συνδέονται; ˋ**~-up**, ἕνωσις, ἐπαφή, σύνδεσις.

links /lɪŋks/ *οὐσ.* ‹U› **1**. (*μέ ρ. πληθ.*) πράσινη ἔκτασις (*ἰδ.* κοντά σέ θάλασσα). **2**. (*συχνά μέ ρ. ἑν.*) γήπεδο γκόλφ.

lin·net /ˋlɪnɪt/ *οὐσ.* ‹C› γαρδέλι, σπῖνος, φλῶρος.

lino /ˋlaɪnəʊ/ *οὐσ.* ‹U› (*βραχυλ. γιά*) *linoleum*.

lin·oleum /lɪˋnəʊlɪəm/ *οὐσ.* ‹U› μουσαμᾶς δαπέδου, πλαστικό.

lino·type /ˋlaɪnəʊtaɪp/ *οὐσ.* ‹C,U› λινοτυπική μηχανή.

lin·seed /ˋlɪnsid/ *οὐσ.* ‹U› λινόσπορος. ˋ**~-oil**, λινέλαιον.

lint /lɪnt/ *οὐσ.* ‹U› (*ἰατρ.*) ξαντόν.

lin·tel /ˋlɪntl/ *οὐσ.* ‹U› πρέκι (ὁριζόντιο ξύλο ἤ πέτρα στήν κορυφή πόρτας ἤ παραθύρου).

lion /ˋlaɪən/ *οὐσ.* ‹C› **1**. λιοντάρι. ***the ~'s share***, ἡ μερίδα τοῦ λέοντος. ˋ**~-hearted**, λεοντόκαρδος. **2**. ἐξέχουσα προσωπικότης. **~·ess** /-es/ *οὐσ.* ‹C› λιόντισσα, λέαινα. ˋ**~·ize** /-aɪz/ *ρ.μ.* ***~ sb***, περιποιοῦμαι κπ σά διασημότητα.

lip /lɪp/ *οὐσ.* ‹C› **1**. χεῖλος: *the upper/lower ~*, τό ἄνω/κάτω χεῖλος. *with a cigarette between his ~s*, μ' ἕνα τσιγάρο στά χείλη του. *No complaint ever passes her ~s*, δέν βγάζει ποτέ παράπονο ἀπό τά χείλη της. ***with parted ~s***, μ' ἀνοιχτό στόμα. ***bite one's ~***, δαγκώνω τά χείλη (ἀπό ἐκνευρισμό). ***curl one's ~***, στραβώνω τά χείλη, μορφάζω περιφρονητικά. ***hang (up)on sb's ~s***, κρεμιέμαι ἀπό τά χείλη κάποιου. ***keep a stiff upper ~***, μένω ἀτάραχος, δείχνω καρτερία. ***lick/smack one's ~s***, γλείφω τά χείλια μου, ξερογλείφομαι. ***open one's ~s***, ἀνοίγω τό στόμα, μιλῶ. ***pay/give*** ˋ***~-service to sth***, δείχνω ψεύτικο/ὑποκριτικό σεβασμό σέ κτ, κάνω ὅτι σέβομαι κτ. ˋ**~-read**, καταλαβαίνω ἀπό τίς κινήσεις τῶν χειλιῶν (ὅπως οἱ κωφάλαλοι). ˋ**~stick**, κραγιόν, ρούζ τῶν χειλιῶν. **2**. χεῖλος (δοχείου, κρατῆρος). **3**. (*λαϊκ.*) θρασύτης, ἀναίδεια: *None of your ~!* μήν εἶσαι ἀναιδής! **~ped** *β! συνθ.* μέ χείλη: *ˈthick-ˋ~ped*, μέ παχιά χείλη.

liquefy /ˋlɪkwɪfaɪ/ *ρ.μ/ὰ.* ὑγροποιῶ/-οῦμαι, ρευστοποιῶ. **lique·fac·tion** /ˈlɪkwɪˋfækʃn/ *οὐσ.* ‹U› ὑγροποίησις.

li·queur /lɪˋkjʊə(r)/ *οὐσ.* ‹C› λικέρ.

liquid /ˋlɪkwɪd/ *οὐσ.* ‹C,U› ὑγρόν, ὑγρόν σύμφωνον. __*ἐπ.* **1**. ὑγρός: *~ food*, ὑγρά τροφή. **~ air**, ὑγροποιημένος ἀέρας. **2**. διαυγής, λαμπερός, διάφανος: *~ eyes/a ~ sky*, λαμπερά μάτια/διάφανος οὐρανός. **3**. ἁπαλός, ἁρμονικός, γλυκός: *the ~ notes of a blackbird*, τό γλυκό κελάηδισμα ἑνός κότσυφα. **4**. ρευστός: *~ opinions*, ρευστές (μεταβαλλόμενες) γνῶμες. **~ assets**, (*ἐμπ.*) ρευστοποιήσιμο ἐνεργητικό.

liqui·date /ˋlɪkwɪdeɪt/ *ρ.μ/ὰ.* **1**. ἐξοφλῶ (χρέη), ρευστοποιῶ (κεφάλαια). **2**. διαλύω, ἐκκαθαρίζω (ἑταιρία). **3**. (*καθομ.*) ἐξοντώνω, ξεκαθαρίζω: *The gangsters ~d their rivals*, οἱ γκάγκστερ ξεκαθάρισαν τούς ἀντιπάλους τους.

liqui·da·tion /ˈlɪkwɪˋdeɪʃn/ *οὐσ.* ‹U› ρευστοποίησις, διάλυσις, ἐκκαθάρισις. ***go into ~***, (γιά ἑταιρία) διαλύομαι, τελῶ ὑπό ἐκκαθάρισιν, χρεωκοπῶ.

liq·ui·da·tor /ˋlɪkwɪdeɪtə(r)/ *οὐσ.* ‹C› ἐκκαθαριστής.

li·quid·ity /lɪˋkwɪdətɪ/ *οὐσ.* ‹U› ρευστότης.

liquid·ize /ˋlɪkwɪdaɪz/ *ρ.μ.* πολτοποιῶ (φροῦτα). **liquid·izer** *οὐσ.* ‹C› μηχανή πολτοποιήσεως φρούτων, ἐκχυμωτής.

liquor /ˋlɪkə(r)/ *οὐσ.* ‹C U› οἰνοπνευματῶδες ποτόν: *brandy and other spirituous ~s*, κονιάκ καί ἄλλα οἰνοπνευματώδη ποτά. *under the influence of ~*, ὑπό τήν ἐπίδρασιν οἰνοπνεύματος. ***the worse for ~; in ~***, μεθυσμένος.

liquor·ice /ˋlɪkərɪs/ *οὐσ.* ‹U› γλυκόρριζα.

lira /ˋlɪərə/ *οὐσ.* ‹C› (*πληθ. lire* /ˋlɪəreɪ/ *ἤ ~s*) λίρα Ἰταλίας.

lisp /lɪsp/ *ρ.μ/ἀ.* ψευδίζω: *He ~ed (out) his answer*, ἀπάντησε ψευδίζοντας. *__οὐσ.* ‹C› ψεύδισμα: *The boy has a bad ~*, τό παιδί ψευδίζει ἄσχημα. **~·ing·ly** *ἐπίρ.* ψευδά.

lis·som, lis·some /ˋlɪsəm/ *ἐπ.* λυγερός, σβέλτος.

[1]**list** /lɪst/ *οὐσ.* ‹C› κατάλογος: *a ˋshopping ~*, κατάλογος γιά ψώνια. *Is my name on the ~?* εἶναι τό ὄνομά μου στόν κατάλογο; *Put it on the ~*, βάλτο στόν κατάλογο! *Take it off the ~*, βγάλτο ἀπό τόν κατάλογο! ***make (out)/draw up a ~***, φτιάχνω ἕναν κατάλογο. ***the free ~***, (*α*) πίνακας ἀτελῶς εἰσαγωμένων εἰδῶν. (*β*) κατάλογος προσώπων πού μπαίνουν δωρεάν σ'ἕνα θέατρο. ***on the ˋactive ~***, (*γιά ἀξιωματικούς*) εἰς ἐνεργόν ὑπηρεσίαν. **black ~**, μαῦρος πίνακας. **(on the) ˋshort ~**, στόν τελικό κατάλογο ἐπιλογῆς (*πχ* ὑποψηφίων γιά μιά θέση). **ˋwaiting ~**, κατάλογος ὑποψηφίων (γιά μιά θέση). *__ρ.μ.* φτιάχνω κατάλογο, βάζω σέ κατάλογο: *I'll ~ all my engagements*, θά φτιάξω κατάλογο μέ ὅλα μου τά ραντεβοῦ. *~ sb's name*, βάζω τό ὄνομα κάποιου σέ κατάλογο.

[2]**list** /lɪst/ *ρ.ἀ.* (*γιά πλοῖο*) γέρνω στό πλευρό.

[3]**list** /lɪst/ *ρ.ἀ.* (*ἀπηρχ.*) **1**. ἀκούω. **2**. εὐδοκῶ: *'The wind bloweth where it ~eth,'* ὁ ἄνεμος φυσᾶ ὅπου θέλει.

lis·ten /ˋlɪsn/ *ρ.ἀ.* ***~ (to)***, **1**. ἀκούω, ἀφουγκράζομαι: *We ~ed but heard nothing*, ἀφουγκραστήκαμε ἀλλά δέν ἀκούσαμε τίποτα. *L~ to the birds!* ἄκου τά πουλιά! ***~ for***, περιμένω ν'ἀκούσω: *They were ~ing for their father's step*, περίμεναν ν'ἀκούσουν τά βήματα τοῦ πατέρα τους. ***~ in (to)***, (*α*) ἀκούω κρυφά: *I'll hang up, somebody is ~ing in*, θά κλείσω (τό τηλέφωνο) γιατί κάποιος ἀκούει κρυφά. (*β*) ἀκούω στό ραδιόφωνο: *Did you ~ in to the President last night?* ἄκουσες τόν Πρόεδρο στό ράδιο χθές βράδυ; **2**. προσέχω: *Don't ~ to him; he talks nonsense*, μήν τόν προσέχης, λέει ἀνοησίες. **~er** *οὐσ.* ‹C› ἀκροατής.

list·less /ˋlɪstləs/ *ἐπ.* βαρυεστημένος, κουρασμένος, ἀδιάφορος. **~·ly** *ἐπίρ.* **~·ness** *οὐσ.* ‹U› βαρυεστημάρα, νωθρότης, ἀτονία.

lists /lɪsts/ *οὐσ. πληθ.* (*ἀπηρχ.*) παλαίστρα, κονίστρα. ***enter the ~***, (*μεταφ.*) μπαίνω στόν ἀγῶνα.

lit /lɪt/ *ἀόρ. & π.μ. τοῦ ρ. light.*

lit·any /ˋlɪtənɪ/ *οὐσ.* ‹C› λιτανεία.

lit·er·acy /ˋlɪtrəsɪ/ *οὐσ.* ‹U› γνῶσις γραφῆς καί ἀναγνώσεως.

lit·eral /ˋlɪtərəl/ *ἐπ.* **1**. πού ἔχει σχέση μέ τά γράμματα τοῦ ἀλφαβήτου: *a ~ error*, ὀρθογραφικό/τυπογραφικό λάθος. **2**. κυριολεκτικός: *In its ~ sense this word means...*, στήν κυριολεκτική της ἔννοια αὐτή ἡ λέξις σημαίνει... **3**. πιστός, κατά λέξη: *a ~ translation*, μιά κατά λέξη μετάφρασις. **4**. (*γιά ἄνθρ.*) πεζός, χωρίς φαντασία: *He has a rather ~ mind*, εἶνα μᾶλλον πεζός. *__οὐσ.* ‹C› τυπογραφικό λάθος. **~ly** /ˋlɪtrəlɪ/ *ἐπίρ.* κατά λέξη, κυριολεκτικά: *translate ~ly*, μεταφράζω λέξη πρός λέξη. *I am ~ly starving*, (*καθομ.*) πεθαίνω κυριολεκτικά ἀπό τήν πεῖνα.

lit·er·ary /ˋlɪtərərɪ/ *ἐπ.* φιλολογικός, λογοτεχνικός: *a ~ man/society*, ἕνας λόγιος/ἕνα λογοτεχνικό σωματεῖο. *~ style*, λογοτεχνικό ὕφος. **~ property**, πνευματική ἰδιοκτησία.

the lit·er·ati /ˈlɪtəˋratɪ/ *οὐσ. πληθ.* οἱ διανοούμενοι.

lit·er·ate *ἐπ. & οὐσ.* ‹C› **1**. ἐγγράμματος. **2**. μορφωμένος.

lit·era·ture /ˋlɪtrətʃə(r)/ *οὐσ.* ‹U› **1**. φιλολογία, γράμματα, λογοτεχνία. **2**. ἔντυπο/διαφημιστικό ὑλικό.

lithe /laɪð/ *ἐπ.* εὐκίνητος, λυγερός, σβέλτος: *~ movements*, σβέλτες κινήσεις.

lith·ogra·phy /lɪˋθogrəfɪ/ *οὐσ.* ‹U› λιθογραφία (μέθοδος ἐκτυπώσεως). **litho·graph** /ˋlɪθəgraf/ *οὐσ.* ‹C› λιθογραφία (ἡ εἰκόνα). *__ρ.μ/ἀ.* τυπώνω διά λιθογραφίας. **litho·graphic** /ˈlɪθəˋgræfɪk/ *ἐπ.* λιθογραφικός.

liti·gant /ˋlɪtɪgənt/ *οὐσ.* ‹C› διάδικος.

liti·gate /ˋlɪtɪgeɪt/ *ρ.μ/ἀ.* διεκδικῶ δικαστικῶς, καταφεύγω στά δικαστήρια. **liti·ga·tion** /ˈlɪtɪˋgeɪʃn/ *οὐσ.* ‹U› δίκη, δικαστικός ἀγών.

li·ti·gious /lɪˋtɪdʒəs/ *ἐπ.* φιλόδικος, ἐπίδικος.

lit·mus /ˋlɪtməs/ *οὐσ.* ‹U› (*χημ.*) ἡλιοτρόπιον. **ˋ~-paper**, χάρτης ἡλιοτροπίου. **ˋ~ solution**, βάμμα ἡλιοτροπίου.

li·totes /ˋlaɪtətiz/ *οὐσ.* ‹U› (*ρητ.*) σχῆμα λιτότητος.

litre /ˋlitə(r)/ *οὐσ.* ‹C› λίτρα, λίτρον.

[1]**lit·ter** /ˋlɪtə(r)/ *οὐσ.* ‹C› φορεῖον (τῆς ἀρχαίας ἐποχῆς).

[2]**lit·ter** /ˋlɪtə(r)/ *οὐσ.* **1**. ‹U› σκουπίδια, ἀπορρίμματα (χαρτιά, μπουκάλια, κλπ): *Always pick up your ~ after a picnic*, πάντα νά μαζεύετε τά ἀπορρίμματά σας ὕστερα ἀπό τό πικνίκ. **ˋ~-bin/-basket**, κάλαθος ἀχρήστων. **ˋ~-lout**, (*καθομ.*) βρωμισιάρης (πάρκων κλπ δημοσίων χώρων). **2**. (*μέ ἀόρ. ἄρθρ.*) ἀκαταστασία: *Her room was in such a ~ that she was ashamed to ask me in*, τό δωμάτιό της ἦταν σέ τέτοια ἀκαταστασία πού ντρεπόταν νά μοῦ πῆ νά περάσω μέσα. **3**. ‹U› στρωμνή (ζώου) (ἀπό ἄχυρο, σβουνιά, κλπ). **4**. ‹C› γέννα (ζώων): *a ~ of puppies*, μιά γέννα κουταβάκια. *ten little pigs at a ~*, δέκα γουρουνάκια σέ μιά γέννα. *__ρ.μ/ἀ.* **1**. προκαλῶ ἀκαταστασία, ρυπαίνω, σκορπῶ, γεμίζω: *~ up one's room*, κάνω τό δωμάτιό μου ἄνω-κάτω. *~ a desk with papers*, γεμίζω

ἕνα τραπέζι μέ χαρτιά. *The road was ~ed with broken glass*, ὁ δρόμος ἦταν στρωμένος μέ σπασμένα γυαλιά. **2**. φτιάχνω στρωμνή (γιά ζῶο): *~ down a horse/stable*, στρώνω ἄχυρο γιά ἕνα ἄλογο/στρώνω σταῦλο. **3**. (*γιά ζῶο*) γεννῶ.

little /ˈlɪtl/ *ἐπ.* (*στίς ἔννοιες 1, 2, 3 δέν ἔχει παραθετικά, στίς ἔννοιες 4 & 5 ἔχει συγκρ. less & ὑπερθ. least*) **1**. μικρός: *the ~ finger/toe*, τό μικρό δάχτυλο τοῦ χεριοῦ/τοῦ ποδιοῦ. *a ~ box*, ἕνα μικρό κουτί. **2**. (*ὅταν ἰδίως ἕπεται ἄλλου ἐπιθέτου δέν ἔχει ἔννοια μεγέθους ἀλλά χρησιμεύει μόνον γιά νά φτιάξη τόν ὑποκοριστικό τύπο τοῦ οὐσιαστικοῦ πού ἀκολουθεῖ καί νά ὑποδηλώση μιά ὡρισμένη συναισθηματική στάση ἀπέναντι σ' αὐτό – στοργή, θαυμασμό, εἰρωνία, συγκατάβαση, κλπ, κατά τήν περίσταση*): *What a nice ~ house/boy!* τί ὡραῖο σπιτάκι/ἀγοράκι! *The poor ~ girl!* τό καϋμένο τό κοριτσάκι! *A dear ~ man came and repaired it*, ἕνα χρυσό ἀνθρωπάκι ἦλθε καί τό διόρθωσε. ***the ~ people/folk***, (*ἰδ. στήν 'Ιρλανδία*) τά νεραϊδικά. **3**. μικρός, νεαρός: *How are the ~ ones?* πῶς εἶναι τά μικρά; *Here come the ~ Smiths*, ἔρχονται οἱ νεαροί Σμίθ. **4**. (*γιά χρόνο, ἀπόσταση*) λίγος: *Won't you stay a ~ time with me?* δέν θά μείνης λίγη ὥρα μαζί μου; *Come a ~ way with us*, ἔλα λίγο δρόμο μαζί μας! **5**. (*γιά ποσότητα*) λίγος, ὄχι πολύς: *I have very ~ time for reading*, ἔχω πολύ λίγο χρόνο γιά διάβασμα. *He knows ~ German and less French*, ξέρει λίγα Γερμανικά καί λιγώτερα Γαλλικά. ***a ~***, μερικός, ἀρκετούτσικος: *I know a ~ English and hope to manage*, ξέρω λίγα 'Αγγλικά κι' ἐλπίζω νά τά καταφέρω. __*ἐπίρ.* **1**. πολύ λίγο, σχεδόν καθόλου: *He is ~ known*, εἶναι πολύ λίγο γνωστός, δέν εἶναι σχεδόν καθόλου γνωστός. *I sleep very ~*, κοιμᾶμαι πάρα πολύ λίγο. *He is ~ better, I am afraid*, δυστυχῶς δέν εἶναι καλύτερα. ***a ~***, κάπως: *He's a ~ better today*, εἶναι κάπως καλύτερα σήμερα. **2**. (*πρίν ἀπό τά ρήματα know, think, imagine, realize, guess, suspect*): καθόλου, ποτέ, οὔτε: *He ~ thought that he was never to see his home again*, δέν φανταζόταν καθόλου ὅτι δέν ἐπρόκειτο νά ξαναδῆ τήν πατρίδα του. *He ~ knows/L~ does he know that you've told me everything*, οὔτε τοῦ περνάει ἀπό τό νοῦ πώς μοῦ τά εἶπες ὅλα/ποῦ νά ξέρει ὅτι... __*οὐσ.* ‹U› πολύ λίγο: *I see ~ of him*, λίγο τόν βλέπω. *You've done very ~ for me*, ἔκανες πολύ λίγα γιά μένα. *The ~ of his work I've seen...*, ἀπό τή λίγη δουλειά του πού ἔχω δεῖ... ***~ by ~***, λίγο-λίγο. ***~ or nothing***, σχεδόν τίποτα/καθόλου: *I know ~ or nothing about him*, δέν ξέρω σχεδόν τίποτα γι' αὐτόν. ***in ~***, σέ μικρή κλίμακα. ***a ~***, λίγο (*μέ θετική ἔννοια*): *He knows a ~ of everything*, ξέρει λίγο ἀπ' ὅλα. ***after/for a ~***, ὕστερα ἀπό λίγο/γιά λίγο.

lit·toral /ˈlɪtərl/ *οὐσ.* ‹C› & *ἐπ.* παραθαλάσσιος.

lit·urgy /ˈlɪtədʒɪ/ *οὐσ.* ‹C› (*ἐκκλ.*) λειτουργία.

li·turgi·cal /lɪˈtɜdʒɪkl/ *ἐπ.* λειτουργικός.

liv·able, liv·eable /ˈlɪvəbl/ *ἐπ.* (*γιά σπίτι*) κατοικίσιμος, (*γιά ἄνθρ.*) ὑποφερτός. ***~ with***, (*γιά ἄνθρ.*) βολικός.

[1]**live** /laɪv/ *ἐπ.* (*σπανιώτατα κατηγορ.*) **1**. ζωντανός: *~ fish*, ζωντανά ψάρια. *a ~ broadcast, not a recording*, (*ραδιοφ.*) ζωντανή ἀναμετάδοσις, ὄχι μαγνητοφωνημένη. **2**. (*γιά κάρβουνα*) ἀναμμένος, (*γιά σπίρτο*) ἀχρησιμοποίητο, (*γιά βόμβα, φυσίγγι, κλπ*) πού δέν ἔχει ἐκραγῆ, (*γιά σύρμα*) ἠλεκτροφόρον. ***a ~ wire***, (*μεταφ.*) πολύ δραστήριος ἄνθρωπος, σπίρτο μοναχό! **3**. γεμᾶτος ζωή/δράση/ἐνδιαφέρον: *a ~ question/issue*, ἕνα πρόβλημα/θέμα πού προκαλεῖ γενικό ἐνδιαφέρον. __*ἐπίρ.* ἀπευθείας: *The concert will be broadcast ~*, ἡ συναυλία θά μεταδοθῆ δι' ἀπευθείας συνδέσεως.

[2]**live** /lɪv/ *ρ.μ/ἀ.* **1**. ὑπάρχω, εὑρίσκομαι ἐν ζωῇ (*γιά ἄνθρ. προτιμᾶται ἡ φράση be alive ἀντί τοῦ ρ. live*). **2**. ζῶ, παραμένω ζωντανός: *I'll never ~ to see it*, δέν θά ζήσω νά τό δῶ. *I hope to ~ to (be) a hundred*, ἐλπίζω νά φτάσω τά ἑκατό. *She's very ill; the doctors don't think (that) she will ~ through the night*, εἶναι πολύ ἄρρωστη – οἱ γιατροί δέν πιστεύουν ὅτι θά ζήση/ὅτι θά βγάλη τή νύχτα. ***~ and let ~***, πρέπει νά εἴμαστε ἀνεκτικοί. ***We ~ and learn***, ὅσο γερνᾶμε μαθαίνουμε, γηράσκω ἀεί διδασκόμενος. ***~ on***, συνεχίζω νά ζῶ: *His parents died but he ~d on in the village*, οἱ γονεῖς του πέθαναν ἀλλά αὐτός συνέχισε νά ζῆ στό χωριό. *His memory will always ~ on*, ἡ μνήμη του θά ζῆ πάντα. ***~ through***, περνῶ δοκιμασίες, ἐπιζῶ: *You just can't imagine what I've ~d through*, εἶναι ἀδύνατο νά φανταστῆς τί πέρασα. *He's ~d through two wars*, πέρασε δύο πολέμους, ἐπέζησε δύο πολέμων. **3**. ζῶ, κατοικῶ, μένω: *Where do you ~?* ποῦ ζῆτε; ποῦ μένετε; *He ~s in London/in lodgings*, ζῆ στό Λονδῖνο/σέ νοικιασμένο διαμέρισμα. *Do your servants ~ in or out?* μένουν οἱ ὑπηρέτες σας στό σπίτι ἤ μένουν ἔξω; **4**. ζῶ, συντηροῦμαι, διάγω: *'I want to ~!' she said.* -Θέλω νά ζήσω (νά χορτάσω τή ζωή)! εἶπε. *He ~s a quiet life; He ~s quietly*, ζῆ ἥσυχη ζωή/ἥσυχα. *She ~s a double life*, κάνει διπλῆ ζωή. ***~ by the pen/one's work***, ζῶ ἀπό τή πέννα/ἀπό τή δουλειά μου. ***~ sth down***, κάνω (μέ καλή διαγωγή) νά ξεχαστῆ κτ ἄσχημο: *~ down a scandal*, κάνω νά ξεχαστῆ ἕνα σκάνδαλο. ***~ off one's friends/the land***, ζῶ ἀπό τούς φίλους μου/ἀπό τή γεωργία. ***~ on***, ζῶ μέ: *He ~s on fruit/his income/his father's money*, ζῆ μέ φροῦτα/μέ τό εἰσόδημά του/μέ τά χρήματα τοῦ πατέρα του. ***~ on one's wits***, ζῶ μέ τήν καπατσοσύνη μου, μέ ἀπάτες. ***~ on one's name/reputation***, ζῶ ἀπό τή φήμη μου. ***~ up to sth***, ζῶ σύμφωνα μέ κτ, φαίνομαι ἀντάξιος: *~ up to one's principles/reputation*, ζῶ σύμφωνα μέ τίς ἀρχές μου/φαίνομαι ἀντάξιος τῆς φήμης μου. ***~ it up***, (*καθομ.*) τό γλεντάω, κάνω ἔντονη ζωή. ***~ with sth***, παίρνω κτ ἀπόφαση, συνηθίζω, ὑπομένω κτ: *The truth is you've got a bad heart and you'll have to ~ with it*, ἡ ἀλήθεια εἶναι ὅτι ἡ καρδιά σου δέν εἶναι καλά καί θά πρέπει νά τό πάρης ἀπόφαση.

live·li·hood /ˈlaɪvlɪhʊd/ *οὐσ.* ‹C› πόροι τῆς ζωῆς, τά πρός τό ζῆν: *earn/gain one's ~ by teaching*, κερδίζω τά πρός τό ζῆν μέ τή διδασκαλία. *earn an honest ~*, κερδίζω τό ψωμί μου τίμια.

live·long /ˈlɪvlɒŋ/ *ἐπ.* (*μόνον στή φρ.*) ***the ~***

day/night, ὁλάκερη τή μέρα/τή νύχτα.

live·ly /ˈlaɪvlɪ/ *ἐπ.* *(-ier, -iest)* **1**. ζωηρός, κεφᾶτος, δραστήριος, ἔντονος: *have a ~ imagination*, ἔχω ζωηρή φαντασία. *~ colours*, ζωηρά χρώματα. *have a ~ time*, διασκεδάζω πολύ, περνῶ καλά. *Things are getting ~*, τά πράγματα ζωηρεύουν/ἀγριεύουν. ***look ~***, δείχνω περισσότερη δραστηριότητα, κινοῦμαι πιό γρήγορα. ***make things ~ for sb***, *(καθομ.)* προσφέρω (ἴσως ἐπικίνδυνες) συγκινήσεις σέ κπ, τοῦ κάνω τή ζωή δύσκολη: *Now I'll make things ~ for you; I'll go up to a hundred miles!* τώρα ἑτοιμάσου γιά συγκινήσεις–θά φτάσω τά ἑκατό μίλια! **2**. *(γιά περιγραφή, κλπ)* ζωντανός: *give sb a ~ description/idea of what happened*, δίνω σέ κπ μιά ζωντανή περιγραφή/ἰδέα γιά τό τί συνέβη. **live·li·ness** *οὐσ.* ‹U› ζωηρότης, ζωντάνια.

liven /ˈlaɪvn/ *ρ.μ/ὰ.* ***~ up***, ζωηρεύω, ζωντανεύω: *We must ~ things up*, πρέπει νά ζωντανέψωμε λίγο τά πράγματα. *The party is ~ing up*, τό πάρτυ ζωηρεύει.

[1]**liver** /ˈlɪvə(r)/ *οὐσ.* ‹C,U› συκώτι. **~·ish** /-ɪʃ/, **~y** *ἐπ.* *(καθομ.)* ἡπατικός, *(μεταφ.)* εὐερέθιστος, κακοδιάθετος.

[2]**liver** /ˈlɪvə(r)/ *οὐσ.* ‹C› *β! συνθετ.* ἄνθρωπος πού ζῇ (μέ ὡρισμένο τρόπο): *a loose-~*, ἄνθρωπος πού ζῇ ἔκλυτα. *a clean-~*, ἄνθρωπος πού κάνει καθαρή ζωή.

liv·ery /ˈlɪvərɪ/ *οὐσ.* ‹C› **1**. στολή ὑπηρέτου, λιβρέα. **2**. στολή μελῶν ὡρισμένων συντεχνιῶν στό Σίτυ. **3**. ˋ**~ (stable)**, δημόσιος σταῦλος. ˋ**~ company**, συντεχνία τοῦ Λονδίνου πού τά μέλη της φοροῦν εἰδική στολή. ˋ**~ man**, μέλος μιᾶς τέτοιας συντεχνίας, σταυλοῦχος.

lives /laɪvz/ *οὐσ. πληθ. τοῦ οὐσ. life.*

live·stock /ˈlaɪvstɒk/ *οὐσ.* ‹U› κτηνοτροφία (τά ζῶα).

livid /ˈlɪvɪd/ *ἐπ.* πελιδνός, μαυροκίτρινος: *~ with rage*, πελιδνός ἀπό τή λύσσα του. **~·ly** *ἐπίρ.*

[1]**liv·ing** /ˈlɪvɪŋ/ *ἐπ.* ζωντανός: *~ languages*, ζωντανές γλῶσσες. *No man ~ could do better*, κανείς στόν κόσμο δέν θά τά κατάφερνε καλύτερα. *He's the ~ image of his father*, εἶναι ἡ ζωντανή εἰκόνα τοῦ πατέρα του (ἴδιος ὁ πατέρας του). ***the ~ theatre***, τό ζωντανό θέατρο (σέ ἀντίθεση μέ τό σινεμά). ***within/in ~ memory***, ὅσο θυμᾶται ἄνθρωπος. __*οὐσ.* ‹U› *(μέ ρ. πληθ.)* **the ~**, οἱ ζωντανοί.

[2]**liv·ing** /ˈlɪvɪŋ/ *οὐσ.* **1**. ‹C,U› τά πρός τό ζῆν: *earn/gain/get/make a ~ as a teacher/out of teaching*, κερδίζω τά πρός τό ζῆν σά δάσκαλος/ἀπό τή διδασκαλία. **2**. ‹U› ζωή, τρόπος ζωῆς: *standard of ~*, βιοτικό ἐπίπεδο. *the art of ~*, ἡ τέχνη τῆς ζωῆς. *plain ~ and high thinking*, ζωή ἁπλῆ καί ὑψηλά ἰδανικά. **a ˈ~ ˋwage**, μισθός συντηρήσεως. ˋ**~-room**, λίβινγκρούμ, καθημερινό δωμάτιο. ˋ**~-space**, ζωτικός χῶρος.

liz·ard /ˈlɪzəd/ *οὐσ.* ‹C› σαύρα.

Lloyd's /lɔɪdz/ *οὐσ.* τό Λόϋδ. **~ Register**, νηογνώμων τοῦ Λόϋδ. ***A1 at ~***, *(γιά πλοῖο)* πρώτης τάξεως.

lo /ləʊ/ *ἐπιφ.* *(ἀπηρχ.)* ἰδού!

[1]**load** /ləʊd/ *οὐσ.* ‹C› **1**. *(κυριολ. & μεταφ.)* φορτίο, βάρος: *It's a heavy ~ on my shoulders*, εἶναι βαρύ φορτίο (μεγάλη εὐθύνη) γιά μένα. *a ˋship-~ of cotton/tourists*, μιά καραβιά βαμβάκι/τουρίστες. *a ˋcart-~ of hay*, ἕνα κάρρο χορτάρι. *a ˋlorry-~ of sand*, μιά ἁμαξιά ἄμμος. ***take a ~ off sb's mind***, καθησυχάζω κπ, διώχνω ἕνα βάρος/μιά ἔγνοια ἀπό πάνω του. ***~s of***, *(καθομ.)* ἕνα σωρό: *~s of money*, ἕνα σωρό χρήματα. ˋ**~-line**, *(ναυτ.)* ἔμφορτος ἴσαλος. **2**. *(μηχ. ἠλεκτρ.)* γόμωσις, φορτίον, φόρτωσις.

[2]**load** /ləʊd/ *ρ.μ/ὰ.* **1**. φορτώνω: *~ a cart with hay*, φορτώνω ἕνα κάρρο μέ χορτάρι. *~ sacks onto a cart*, φορτώνω σακκιά σ' ἕνα κάρρο. *~ a lot of work on to one's staff*, φορτώνω πολλή δουλειά στό προσωπικό μου. *~ed with parcels/honours/cares*, φορτωμένος δέματα/τιμές/σκοτοῦρες. *Don't ~ your stomach!* μή φορτώνης τό στομάχι σου! *a heart ~ed with sorrow*, καρδιά φορτωμένη θλίψη. **2**. γεμίζω (ὅπλο, φωτογραφική μηχανή): *Is your gun/camera ~ed?* εἶναι γεμᾶτο τό ὅπλο σου/ἔχει φίλμ ἡ μηχανή σου; **3**. βάζω μολύβι (σέ μπαστοῦνι, ζάρια, κλπ): *~ed dice*, βαραιμένα (νοθεμένα) ζάρια. ***a ~ed question***, πονηρή ἐρώτηση.

[1]**loaf** /ləʊf/ *οὐσ.* ‹C› *(πληθ. loaves* /ləʊvz/*)* **1**. καρβέλι. ***Half a ~ is better than none/than no bread***, στήν ἀναβροχιά καλό εἶναι καί τό χαλάζι. ˋ**sugar-~**, κῶνος ζάχαρης. ˋ**~-sugar**, ζάχαρη σέ κομμάτια. **2**. *(λαϊκ.)* κούτρα, κεφάλι. ***Use your ~!*** κούνα λιγάκι τό ξερό σου! σκέψου λιγάκι!

[2]**loaf** /ləʊf/ *ρ.μ/ὰ.* *(καθομ.)* χαζεύω, σουλατσάρω, περιφέρομαι ἄσκοπα: *spend one's time ~ing about the streets*, περνῶ τόν καιρό μου περιφερόμενος στούς δρόμους. *Don't ~ away your time!* μή χάνης τόν καιρό σου ἄσκοπα. **~er** *οὐσ.* ‹C› ἀκαμάτης, σουλατσαδόρος.

loam /ləʊm/ *οὐσ.* ‹U› παχύ χῶμα, κοπρογῆ. **~y** *ἐπ.* παχύς, ἀργιλλώδης.

loan /ləʊn/ *οὐσ.* ‹C,U› δάνειον, δανεισμός: *government ~s*, κρατικά δάνεια. *domestic and foreign ~s*, ἐσωτερικά καί ξένα δάνεια. ***have the ~ of sth***, δανείζομαι κτ: *May I have the ~ of your bike?* μπορῶ νά δανειστῶ τό ποδήλατό σου; ***have sth on ~ (from sb)***, παίρνω κτ δανεικό (ἀπό κπ): *I have the book out on ~ from the public library*, ἔχω πάρει τό βιβλίο δανεικό ἀπό τή βιβλιοθήκη. ***raise a ~***, συνάπτω δάνειο. ˋ**~-collection**, συλλογή ἔργων τέχνης δανεισθέντων γιά ἔκθεση. ˋ**~-office**, ἰδιωτικόν γραφεῖον παροχῆς δανείων. ˋ**~·word**, δανεική λέξις. __*ρ.μ.* δανείζω.

loath, loth /ləʊθ/ *κατηγ. ἐπ.* *(πεπαλ.)* ἀπρόθυμος. ***be ~ to do sth***, ἀπεχθάνομαι νά κάμω κτ.

loathe /ləʊð/ *ρ.μ.* *(καθομ.)* σιχαίνομαι: *I ~ the smell of garlic*, σιχαίνομαι τή μυρουδιά τοῦ σκόρδου. *I ~ travelling by air*, ἀπεχθάνομαι νά ταξιδεύω ἀεροπορικῶς. **loath·ing** *οὐσ.* ‹C› ἀηδία. **loath·some** /-səm/ *ἐπ.* ἀηδιαστικός.

loaves /ləʊvz/ *πληθ. τοῦ* [1]*loaf.*

lobby /ˈlɒbɪ/ *οὐσ.* ‹C› **1**. προθάλαμος, εἴσοδος (θεάτρου, ξενοδοχείου), διάδρομος (Βουλῆς). **2**. *(μεταφ.)* ὁμάδα πιέσεως βουλευτῶν, παρασκήνια. __ρ.μ/ἀ. ἐνεργῶ γιά νά ἐπηρεάσω τούς βουλευτές: ~ *a Bill through*, ἐπιτυγχάνω τήν ψήφισιν νομοσχεδίου μέ παρασκηνιακές ἐνέργειες. **`~ist** /-ɪst/ *οὐσ.* ‹C› πρόσωπο πού ἐνεργεῖ πρός ἐπηρεασμόν τῶν βουλευτῶν.

lobe /ləʊb/ *οὐσ.* ‹C› λοβός (αὐτιοῦ, πνεύμονος). **~d** *ἐπ.* λοβωτός, μέ λοβούς.

lob·ster /`lobstə(r)/ *οὐσ.* ‹C› ἀστακός.

lo·cal /`ləʊkl/ *ἐπ.* τοπικός: ~ *news*, τοπικές εἰδήσεις. *the ~ doctor*, ὁ γιατρός τῆς περιφερείας. ~ *government*, αὐτοδιοίκησις. ~ *time*, τοπική ὥρα. ~ *pain*, τοπικός πόνος. *a ~ anaesthetic*, τοπικό ἀναισθητικό. ~ ***colour***, τοπικό χρῶμα. __*οὐσ.* ‹C› **1**. (*συνήϑ. πληϑ.*) ντόπιος: *the ~s*, οἱ ντόπιοι. **2**. (*καϑομ.*) ταβέρνα τῆς γειτονιᾶς: *pop into the ~ for a pint*, πετάγομαι στή γειτονική ταβέρνα γιά ἕνα ποτήρι μπύρα.

lo·cale /ləʊ`kal/ *οὐσ.* ‹C› τόπος/ϑέατρον γεγονότων, σκηνή ἱστορίας, κλπ.

lo·cal·ism /`ləʊkəlɪzm/ *οὐσ.* ‹C,U› τοπικισμός, τοπολαλιά.

lo·cal·ity /ləʊ`kælətɪ/ *οὐσ.* **1**. ‹C› τοποϑεσία, περιοχή, τόπος: *There are no hotels/petrol pumps in this ~*, δέν ὑπάρχουν ξενοδοχεῖα/βενζινάδικα σ' αὐτή τήν περιοχή. **2**. ‹U› τοπογραφική μνήμη, προσανατολισμός: *She has a good sense of ~*, ϑυμᾶται καλά τά μέρη, προσανατολίζεται εὔκολα.

lo·cal·ize /`ləʊkəlaɪz/ *ρ.μ.* ἐντοπίζω, περιορίζω: ~ *a disease*, περιορίζω μιά ἀρρώστεια. **lo·cal·iz·ation** /'ləʊkəlaɪ`zeɪʃn/ *οὐσ.* ‹C,U› ἐντοπισμός.

lo·cate /lə`keɪt/ *ρ.μ.* **1**. ἐντοπίζω, βρίσκω, ἐξακριβώνω: ~ *a town on a map*, βρίσκω μιά πόλη σέ χάρτη. *The police have ~d the gang*, ἡ ἀστυνομία ἔχει ἐντοπίσει τή συμμορία. **2**. ἱδρύω, ἐγκαϑιστῶ: *The new factory will be ~d outside the town*, τό νέο ἐργοστάσιο ϑά ἐγκατασταϑῆ ἔξω ἀπό τήν πόλη. ***be ~d***, εὑρίσκομαι, κεῖμαι. **lo·ca·tion** /ləʊ`keɪʃn/ *οὐσ.* ‹C,U› **1**. ἐντοπισμός, ἐξακρίβωσις, ἐγκατάστασις. **2**. τοποϑεσία, μέρος, ϑέσις: *suitable locations for factories*, τοποϑεσίες κατάλληλες γιά ἐργοστάσια. **3**. ἐξωτερικά (στό γύρισμα φίλμ).

loch /lok/ *οὐσ.* ‹C› (*Σκωτ.*) λίμνη, στενή καί μακρυά εἰσδοχή τῆς ϑάλασσας.

[1]**lock** /lok/ *οὐσ.* ‹C› **1**. κλειδαριά, κλειδωνιά: *safety ~*, κλειδαριά ἀσφαλείας. ***keep/put under ~ and key***, κλειδαμπαρώνω, κρατῶ κτ κλειδωμένο/κπ φυλακισμένον. **`~·smith**, κλειδαρᾶς. **2**. ἐμπυρεύς (ὅπλου). ***~, stock and barrel***, τά πάντα, ὅλα μαζί. **3**. ὑδατοφράκτης, φράγμα. **'~-`gate**, πόρτα φράγματος. **`~-keeper**, φύλακας τοῦ ὑδατοφράκτη. **4**. λαβή παλαιστοῦ, κλείδωμα: *an arm ~*, χειροκλείδωμα. **`~·jaw**, τέτανος. **5**. γωνία κάμψεως τιμονιοῦ.

[2]**lock** /lok/ *ρ.μ/ἀ.* **1**. κλειδώνω: *Shall I ~ the door?* νά κλειδώσω τήν πόρτα; *The door ~s easily*, ἡ πόρτα κλειδώνει εὔκολα. *This trunk doesn't ~*, αὐτό τό μπαοῦλο δέν κλειδώνει. ***~ the stable door after the horse has bolted***, (*μεταφ.*) ὅταν γκαστρώϑηκε ἡ γρηά ἔβαλε σύρτη (*δηλ.* παίρνω μέτρα ἀσφαλείας κατόπιν ἑορτῆς). ~ ***away***, κλειδώνω κτ (μέσα σέ κουτί, συρτάρι, κλπ): *have a secret safely ~ed (away) in one's breast*, κλείνω ἕνα μυστικό βαϑιά στό στῆϑος μου. ~ ***sb in/out***, κλειδώνω κπ μέσα/ἔξω. ~ ***oneself in***, κλειδώνομαι μέσα. **`~-out**, ἀπεργία ἐργοδοτῶν, λοκάουτ. ~ ***up***, ἀσφαλίζω, κλειδώνω, κλείνω: *L~ up your jewellery before you leave*, κλείδωσε τά κοσμήματά σου πρίν φύγης. *L~ up before you leave*, κλείδωσε καλά (τό σπίτι) πρίν φύγης. *They ~ed him up*, τόν ἔκλεισαν μέσα (σέ φυλακή, φρενοκομεῖο, κλπ). *All his capital is ~ed up in land*, ὅλο του τό κεφάλαιο εἶναι κλεισμένο σέ γῆ. **`~-up**, κρατητήριο, φυλακή. __*ἐπ.* πού κλειδώνεται: *a ~-up garage*, γκαράζ πού κλειδώνει. **2**. σφίγγω δυνατά: *His jaws were tightly ~ed*, τά σαγόνια του ἦταν γερά σφιγμένα. *They were ~ed in each other's arms*, εἶχαν σφιχταγκαλιαστῆ.

[3]**lock** /lok/ *οὐσ.* ‹C› βόστρυχος, μπούκλα (μαλλιῶν).

locker /`lokə(r)/ *οὐσ.* '‹C› **1**. ϑαλαμίσκος, ϑυρίδα (*πχ* σέ σιδηρ. σταϑμό, ἀεροδρόμιο, κλπ, ὅπου μπορεῖ κανείς νά κλειδώση ἀντικείμενα). **`~ room**, καμπίνα, ἀποδυτήριο. **2**. (*ναυτ.*) ἱματιοϑήκη, ἀποϑήκη. ***be in/go to Davy Jones's ~***, πάω στόν πάτο τῆς ϑάλασσας.

locket /`lokɪt/ *οὐσ.* ‹C› μενταγιόν.

loco·mo·tion /'ləʊkə`məʊʃn/ *οὐσ.* ‹U› μετακίνησις. **loco·mo·tive** /'ləʊkə`məʊtɪv/ *ἐπ.* κινητήριος, κινητικός. __*οὐσ.* ‹C› μηχανή τραίνου: *a steam locomotive*, ἀτμομηχανή.

locum tenens /`ləʊkəm `tinənz/ *οὐσ.* ‹C› ἀντικαταστάτης (γιατροῦ, παπᾶ).

lo·cust /`ləʊkəst/ *οὐσ.* ‹C› **1**. ἀκρίδα. **2**. **`~ (-tree)**, χαρουπιά.

lo·cution /lə`kjuʃn/ *οὐσ.* ‹C,U› ὕφος ὁμιλίας, ἔκφρασις, φράσις.

lode /ləʊd/ *οὐσ.* ‹U› φλέβα μεταλλεύματος. **`~·star**, πολικός ἀστέρας, (*μεταφ.*) ὁδηγητής. **`~·stone**, μαγνητίτης, φυσικός μαγνήτης.

[1]**lodge** /lodʒ/ *οὐσ.* ‹C› **1**. ϑυρωρεῖον, σπιτάκι φύλακος, κηπουροῦ, κλπ. **2**. περίπτερον (κυνηγετικό, ὀρεινό, κλπ). **3**. στοά (τεκτόνων). **4**. κατοικία τοῦ κοσμήτορος (στό Καῖμπριτζ). **5**. φωλιά κάστορος.

[2]**lodge** /lodʒ/ *ρ.μ/ἀ.* **1**. στεγάζω: *The refugees were ~d in the school*, οἱ πρόσφυγες στεγάστηκαν στό σχολεῖο. **2**. ~ ***at/with***, μένω (ὡς οἰκότροφος): *I'm lodging at Mrs Brown's/with Mrs Brown*, μένω στῆς κ. Μπράουν/στήν κ. Μπράουν. **3**. ~ ***in***, σφηνώνω/-ομαι, χώνω/-ομαι: ~ *a bullet in sb's brain*, χώνω μιά σφαῖρα στό κεφάλι κάποιου. *The bullet ~d in his jaw*, ἡ σφαῖρα χώϑηκε στό σαγόνι του. **4**. καταϑέτω (πρός φύλαξιν): ~ *one's valuables in the bank*, καταϑέτω τά τιμαλφῆ μου στήν Τράπεζα. **5**. ὑποβάλλω: ~ *a complaint against sb with the police*, κάνω (ὑποβάλλω) καταγγελία ἐναντίον κάποιου στήν ἀστυνομία. **lodger** *οὐσ.* ‹C› νοικάρης: *She makes a living by taking in lodgers*, βγάζει τό ψωμί της παίρνοντας οἰκότροφους στό σπίτι της.

lodg·ing /`lodʒɪŋ/ *οὐσ.* ‹C› (*συνήϑ. πληϑ.*) κατάλυμα, ἐπιπλωμένο δωμάτιο/διαμέρισμα: *Where can we find ~s/a ~ for the night?* ποῦ μποροῦμε νά βροῦμε κατάλυμα γιά τή νύχτα;

It's cheaper to live in ~s than in a hotel, εἶναι φτηνότερα νά μένη κανείς σέ ἐπιπλωμένο δωμάτιο παρά στό ξενοδοχεῖο.

lodge·ment, lodgment /ˈlɒdʒmənt/ *οὐσ.* ‹C,U› **1**. ὑποβολή (καταγγελίας). **2**. συγκέντρωσις κατακαθισμάτων (σέ σωλῆνα, ἀγωγό, κλπ). **3**. (*στρατ.*) ἔρεισμα, καταληφθεῖσα θέσις στίς ἐχθρικές γραμμές: *gain a ~ on an enemy-held coast*, καταλαμβάνω ἔρεισμα σέ ἀκτή πού κρατᾶ ὁ ἐχθρός.

loft /lɒft/ *οὐσ.* ‹C› **1**. σοφίτα. **2**. πατάρι (σέ ἀχερώνα ἤ σταῦλο). **3**. ὑπερῷο, ἐξώστης (σέ ἐκκλησία).

lofty /ˈlɒftɪ/ *ἐπ.* (*-ier, -iest*) **1**. (*ὄχι γιά ἄνθρ.*) ψηλός: *a ~ mountain/tower*, ψηλό βουνό/-ός πύργος. **2**. (*γιά αἰσθήματα, σκοπούς, κλπ*) ἀνώτερος, ὑψηλός, εὐγενικός: *~ sentiments*, εὐγενικά αἰσθήματα. *a ~ style*, ὑψηλόφρον/μεγαλοπρεπές ὕφος. **3**. (*γιά ἄνθρ., συμπεριφορά, κλπ*) ἀγέρωχος: *in a ~ manner*, μέ ἀγέρωχο τρόπο. **loft·ily** /-əlɪ/ *ἐπίρ.* ὑψηλά, ἀγέρωχα. **lofti·ness** *οὐσ.* ‹U› ὕψος, εὐγένεια, μεγαλοπρέπεια.

[1]**log** /lɒg/ *οὐσ.* ‹C› κούτσουρο, κομμένος κορμός (δέντρου): ***like a ~***, ἀκίνητος, ἀναίσθητος: *stand like a ~*, στέκομαι σάν κούτσουρο (ἀκίνητος). ***sleep like a ~***, κοιμᾶμαι σάν κούτσουρο. **ˈ~ ˋcabin**, καλύβα ἀπό κορμούς δέντρων. **ˋ~-rolling**, (*μεταφ.*) ἀλληλοϋποστήριξις. **~·ging**, ὑλοτομία.

[2]**log** /lɒg/ *οὐσ.* ‹C› **1**. (*ναυτ.*) δρομόμετρο. **2**. (*καί* **ˋ~-book**) ἡμερολόγιον (πλοίου): *deck ~*, πρόχειρο ἡμερολόγιο γεφύρας. **3**. ἄδεια κυκλοφορίας (ὀχήματος).

log·ar·ithm /ˈlɒgərɪðm/ *οὐσ.* ‹C› λογάριθμος.

log·ger·heads /ˈlɒgəhedz/ *οὐσ.* (*μόνον στή φρ.*) ***be at ~ (with sb)***, εἶμαι στά μαχαίρια (μέ κπ).

log·gia /ˈlɒdʒɪə/ *οὐσ.* ‹C› (*ἀρχιτ.*) περίστυλος στοά (σέ ἄνω ὄροφο μεγάρου), λότζια.

logic /ˈlɒdʒɪk/ *οὐσ.* ‹U› λογική (ἡ ἐπιστήμη). **logi·cal** /-kl/ *ἐπ.* λογικός: *~al conclusions/behaviour*, λογικά συμπεράσματα/-ή συμπεριφορά.

lo·gis·tics /ləˋdʒɪstɪks/ *οὐσ.* (*μέ ρ. ἑν.*) (*στρατ.*) ἐπιμελητεία.

loin /lɔɪn/ *οὐσ.* ‹C› **1**. (*πληθ.*) λαγόνες, μέση, νεφρά. **ˋ~-cloth**, κάλυμα τῶν λαγόνων. (*βλ. & λ. gird*) **2**. φιλέτο (ἀρνιοῦ), κόντρα φιλέτο (μοσχαριοῦ).

loi·ter /ˈlɔɪtə(r)/ *ρ.μ/ἀ.* χασομερῶ, κοντοστέκομαι, χαζεύω: *~ on one's way to school*, χαζεύω/χασομερῶ πηγαίνοντας στό σχολεῖο. *~ the hours away*, περνῶ τίς ὧρες μου χαζεύοντας. *~ over one's work*, χαζεύω στή δουλειά μου. **~er** *οὐσ.* ‹C› χασομέρης.

loll /lɒl/ *ρ.μ/ἀ.* ***~ about/around***, ξαπλώνω/κάθομαι/στέκομαι τεμπέλικα ἤ νωχελικά. ***~ out***, (*γιά τή γλῶσσα*) κρεμῶ, κρεμιέμαι: *The dog's tongue was ~ing out*, ἡ γλῶσσα τοῦ σκύλου κρεμόταν. *The dog ~ed its tongue out*, ὁ σκύλος κρέμασε τή γλῶσσα του.

lol·li·pop /ˈlɒlɪpɒp/ *οὐσ.* ‹C› γλειφιτζούρι, ματζούνι. **ˈice-ˋ~**, παγωτό ξυλάκι. **ˋ~ man/woman**, (*MB, καθομ.*) ἄντρας/γυναίκα πού βοηθάει τά παιδιά ἑνός σχολείου νά διασχίζουν τό δρόμο.

lolly /ˈlɒlɪ/ *οὐσ.* **1**. ‹C› (*καθομ.*) *βλ. lollipop*. **2**. ‹U› (*λαϊκ.*) παρᾶς, χρήματα.

lone /ləʊn/ *ἐπιθ.* μόνος, μοναχικός, ἐρημικός: *a ~ pine*, ἕνα μοναχικό πεῦκο. ***play a ~ hand***, (*μεταφ.*) κάνω κτ ὁλομόναχος, χωρίς τή βοήθεια (ἤ τήν ἀντίδραση) ἄλλων.

lone·ly /ˈləʊnlɪ/ *ἐπ.* (*-ier, -iest*) **1**. μοναχικός: *a ~ traveller*, μοναχικός ταξιδιώτης. **2**. ἔρημος, θλιμμένος λόγῳ μοναξιᾶς: *feel ~*, νοιώθω μοναξιά. **3**. (*γιά μέρη*) ἀπομονωμένος, ἀσύχναστος: *a ~ mountain village*, ἕνα ἀπομονωμένο ὀρεινό χωριό. **lone·li·ness** *οὐσ.* ‹U› μοναξιά, ἐρημιά.

lone·some /ˈləʊn-səm/ *ἐπ.* **1**. θλιμμένος λόγῳ μοναξιᾶς: *feel ~*, νοιώθω μοναξιά, μέ πνίγει ἡ μοναξιά. **2**. μοναχικός, ἐρημικός: *a ~ journey/valley*, μοναχικό ταξίδι/ἐρημική κοιλάδα.

[1]**long** /lɒŋ/ *ἐπ.* (*-er, -est*) **1**. μακρύς, μεγάλος (στό χῶρο): *How ~ is the River Nile?* πόσο μακρύς εἶναι (τί μῆκος ἔχει) ὁ Νεῖλος; *have ~ hair*, ἔχω μακρυά μαλλιά. **the ˋ~ jump**, ἅλμα εἰς μῆκος. ***have a ~ arm***, (*μεταφ.*) ἔχω μακρύ χέρι, ἡ δύναμή μου (ἤ ἐπιρροή μου) φτάνει μακρυά. ***the ~ arm of the law***, ἡ παντοδυναμία τοῦ νόμου. ***make a ~ arm for sth***, ἁπλώνω τό χέρι νά πιάσω κτ (πχ στό τραπέζι). **2**. μακρύς, μεγάλος, πολύς (στό χρόνο): *How ~ are the holidays?* πόσο διαρκοῦν οἱ διακοπές; *He's been ill for a ~ time*, εἶναι πολύ καιρό ἄρρωστος. *The days are ~ in summer*, οἱ μέρες εἶναι μεγάλες τό καλοκαίρι. ***be ~ in doing sth***, μέ παίρνει πολλή ὥρα, ἀργῶ: *I won't be ~ in making up my mind*, δέν θ' ἀργήσω ν' ἀποφασίσω. ***take a ~ cool/hard look at sth***, ἐξετάζω κτ προσεχτικά καί πολλή ὥρα. ***take a/the ~ view***, ἐξετάζω κτ μακροπρόθεσμα, βλέπω μακρυά. ***work ~ hours***, δουλεύω πολλές ὧρες τήν ἡμέρα. ***(not) by a ~ chalk***, (*καθομ.*) πολύ ἀκόμη: *He has not finished by a ~ chalk*, θέλει πολύ ἀκόμη γιά νά τελειώση. ***in the ~ term***, μακροπροθέσμως. (*βλ. & λ.* [1]*run*). **3**. ***a ~ dozen***, δεκατρία. ***a ~ drink***, ψηλό ποτήρι μέ ποτό. ***~ odds***, (*σέ στοίχημα*) μεγάλη διαφορά (*πχ* 50 πρός 1). ***a ~ ton***, 2240 λίμπρες. ***a ~ vowel***, μακρό φωνῆεν. **4**. (*σέ σύνθετες λέξεις*): **ˋ~·boat**, ἡ μεγάλη λέμβος τοῦ πλοίου. **ˋ~·bow**, μεγάλο τόξο (2 μέτρων): ***draw the ~bow***, (*μεταφ.*) λέω ὑπερβολές/παραμύθια. **ˈ~ˋdistance** *ἐπ.* μακρᾶς ἀποστάσεως: *~-distance runners*, δρομεῖς μεγάλων ἀποστάσεων. *a ~-distance (phone) call*, ὑπεραστικό τηλεφώνημα. **ˋ~-hand**, κανονική γραφή (ὄχι στενογραφικά). **ˈ~ˋhaired** *ἐπ.* μακρυμάλλης. **ˈ~ˋheaded** *ἐπ.* καπάτσος, διορατικός. **ˈ~-play(ing) (ˋrecord/ˋdisc)**, (*βραχυλ. LP*) (δίσκος) μακρᾶς διαρκείας. **ˋ~-range** *ἐπιθ.* μακροπρόθεσμος, μακρᾶς ἀποστάσεως: *~-range planning*, μακροπρόθεσμος σχεδιασμός. *~-range missiles*, πύραυλοι μεγάλης ἀκτῖνος δράσεως. **ˋ~·shore·man**, λιμενεργάτης. **ˈ~ ˋsighted** *ἐπ.* πρεσβύωψ, (*μεταφ.*) σώφρων, προνοητικός. **ˈ~ˋstanding** *ἐπ.* παλαιός, ὑφιστάμενος ἀπό μακροῦ χρόνου. **ˈ~ˋterm** *ἐπ.* μακροπρόθεσμος: *~-term agreements/investments*, μακροπρόθεσμες συμφωνίες/ἐπενδύσεις. **ˈ~ˋwinded** *ἐπ.* (*μεταφ.*) σχοινο-

τενής, φλύαρος, πλατυαστικός: *a ~-winded lecture*, φλύαρη διάλεξη.

[2]**long** /lɒŋ/ *οὐσ.* (*μόνον ἑν.*) πολύς χρόνος. ***before ~***, σέ λίγο, πρίν περάση πολλή ὥρα: *I'll see you before ~*, θά σέ δῶ σέ λίγο. ***for ~***, ἐπί πολύ χρόνο: *Will you be away for ~?* θά λείψετε πολύ; ***take ~***, παίρνω πολλή ὥρα: *The work won't take ~*, ἡ δουλειά δέν θά πάρη πολλή ὥρα. ***at (the) ~est***, τό πολύ-πολύ: *three days at ~est*, τρεῖς μέρες τό πολύ-πολύ. ***the ~ and (the) short of it***, ἡ οὐσία τῆς ὑποθέσεως, ἡ ὅλη ἱστορία: *That's the ~ and (the) short of it*, αὐτή εἶναι ὅλη ἡ ἱστορία, αὐτό εἶναι ὅλο. ***She's not ~ for this world***, λίγα εἶναι τά ψωμιά της, δέν θά ζήση πολύ.

[3]**long** /lɒŋ/ *ἐπίρ.* (*-er, -est*) **1**. ἐπί μακρόν, ἀπό πολλοῦ, πολύ (γιά χρόνο): *Stay (for) as ~ as you like*, μεῖνε ὅσο θέλεις. *I've ~ been intending to call on you*, ἀπό καιρό (ἀπό πολύ χρόνο) ἤθελα νά σέ ἐπισκεφθῶ. ***~ ago/before***, πρό πολλοῦ, πολύ πρίν. ***~ after/since***, πολύ καιρό (ὥρα) ἀργότερα, μετά ἀπό, ἔκτοτε, μετά ἀπό τότε πού. ***all day ~/all my life ~***, ὅλη τήν ἡμέρα/ὅλη μου τή ζωή. ***no/any/much ~er***, ὄχι ἄλλο πιά, περισσότερο: *He's no ~er here*, δέν εἶναι πιά ἐδῶ. *I can't wait much ~er*, δέν μπορῶ νά περιμένω περισσότερο. ***as/so ~ as***, *σύνδ.* ὑπό τήν προϋπόθεση ὅτι, ἐφ' ὅσον: *You may borrow it so ~ as you keep it clean*, μπορεῖς νά τό δανειστῆς ἐφ' ὅσον θά τό κρατήσης καθαρό. **2**. *σέ πολυάριθμες σύνθετες λέξεις, ὅπως κατωτέρω ἐνδεικτικῶς*: **'~-drawn-'out** *ἐπ.* παρατεταμένος: *a ~-drawn-out visit/war*, παρατεταμένη ἐπίσκεψις/μακρός πόλεμος. **'~-'legged** *ἐπ.* μακρυπόδης. **'~-'lived** *ἐπ.* μακρόβιος. **'~-'standing** *ἐπ.* ὑφιστάμενος ἀπό μακροῦ χρόνου. **'~-'suffering** *ἐπ.* πολυβασανισμένος, καρτερικός: *his ~-suffering wife*, ἡ πολυβασανισμένη γυναίκα του.

[4]**long** /lɒŋ/ *ρ.ἀ.* ***~ for sth/to do sth/for sb to do sth***, λαχταρῶ κτ/νά κάμω κτ: *The children are ~ing for the holidays*, τά παιδιά λαχταρᾶνε τίς διακοπές. *I'm ~ing to visit uncle Tom*, λαχταρῶ νά ἐπισκεφθῶ τόν θεῖο Τόμ. *I'm ~ing for uncle Tom to visit us*, λαχταρῶ νά μᾶς ἐπισκεφθῆ ὁ θεῖος Τόμ. **~·ing** *οὐσ.* ‹C,U› λαχτάρα: *a ~ing for home*, λαχτάρα γιά τό σπίτι, νοσταλγία. —*ἐπ.* γεμᾶτος λαχτάρα: *with ~ing eyes*, μέ μάτια γεμᾶτα λαχτάρα. **~·ing·ly** *ἐπίρ.* μέ λαχτάρα.

lon·gev·ity /lɒn'dʒevətɪ/ *οὐσ.* ‹U› μακροζωΐα.

longi·tude /'lɒndʒɪtjud/ *οὐσ.* ‹C› γεωγραφικόν μῆκος. **longi·tudi·nal** /'lɒndʒɪ'tjudɪnl/ *ἐπ.*

long·ways /'lɒŋweɪz/, **long·wise** /'lɒŋwaɪz/ *ἐπίρ. βλ. lengthways.*

loo /lu/ *οὐσ.* ‹C› (*MB, καθομ.*) τουαλέτα, ἀποχωρητήριο.

[1]**look** /lʊk/ *ρ.μ/ἀ.* **1**. ***~ (at)***, κοιτάζω: *I'm ~ing but I can't see anything*, κοιτάζω ἀλλά δέν βλέπω τίποτα. *L~ at me!* κοίταξέ με! *I happened to be ~ing another way*, ἔτυχε νά κοιτάζω ἀλλοῦ. *L~ ahead/where you're going!* κοίτα μπροστά σου/ποῦ πᾶς! *L~ who's here!* κοίτα ποιός εἶναι ἐδῶ! ***L~ before you leap***, (*παροιμ.*) κοίταξε πρίν πηδήξης! ***to ~ at him/her/it, etc***, βλέποντάς τον/την, ἀπό τήν ἐμφάνισή του/της, κλπ: *To ~ at her you'd never guess she was 60*, ἀπό τήν ἐμφάνισή της ποτέ δέν θά φανταζόσουν ὅτι εἶναι 60 χρονῶν. ***~ in the face***, κοιτάζω κατάματα/κατά πρόσωπο: *~ death/an enemy in the face*, κοιτάζω τό θάνατο/ἕναν ἐχθρό κατάματα. **'~·ing-glass**, καθρέφτης. **2**. φαίνομαι, ἔχω τήν ὄψη: *~ tired/happy/sad/puzzled, etc*, φαίνομαι κουρασμένος/εὐτυχισμένος/θλιμμένος/σέ ἀμηχανία, κλπ. *It ~s very suspicious to me*, μοῦ φαίνεται πολύ ὕποπτο. *She's forty but she doesn't ~ it*, εἶναι σαράντα ἀλλά δέν τῆς φαίνεται. ***(not) ~ oneself***, (δέν) ἔχω τή συνηθισμένη μου ὄψη, (δέν) εἶμαι στά καλά μου: *You're not ~ing yourself today*, δέν φαίνεσαι στά καλά σου σήμερα. *He's beginning to ~ himself again*, ἄρχισε νά ξαναβρίσκη τόν ἑαυτό του. ***~ one's age***, δείχνω τά χρόνια μου/τήν ἡλικία μου: *She doesn't ~ her age*, φαίνεται νεώτερη ἀπ' ὅ,τι εἶναι. ***~ one's best***, εἶμαι στό φόρτε μου (ἀπό ἀπόψεως ἐμφανίσεως): *She ~s her best in a miniskirt*, εἶναι στό φόρτε της ὅταν φοράει μίνι. *The garden ~s its best in spring*, ὁ κῆπος εἶναι στίς δόξες του τήν ἄνοιξη. ***~ black/blue***, φαίνομαι θυμωμένος/μελαγχολικός. ***~ good***, φαίνομαι ἑλκυστικός, τά πηγαίνω καλά: *The room ~s good*, τό δωμάτιο φαίνεται ὡραῖο. *The election ~ed good until...*, οἱ ἐκλογές φαίνονταν νά πηγαίνουν καλά, μέχρις ὅτου... ***make sb/sth ~ small***, κάνω κπ/κτ νά φανῆ ἀσήμαντο. ***~ well***, φαίνομαι (νά εἶμαι) καλά, (*γιά ροῦχα*) μοῦ πάει: *You ~ very well*, φαίνεσαι πολύ καλά (στήν ὑγεία σου). *Does this hat ~ well on me?* μοῦ πάει αὐτό τό καπέλλο; *He ~s well in his uniform*, ὡραῖα τοῦ πάει ἡ στολή. ***L~ alive/sharp!*** κουνήσου!/κάνε γρήγορα! ***~ like/as if***, μοιάζω μέ, φαίνομαι σά νά/ὅτι: *It ~s like salt but it isn't*, μοιάζει μέ ἁλάτι ἀλλά δέν εἶναι. *It ~s like rain/being a fine day*, φαίνεται ὅτι θἄχωμε βροχή/ὅτι θά εἶναι ὡραία μέρα. *You ~ as if you slept badly*, φαίνεσαι σά νά κακοκοιμήθηκες. *It doesn't ~ (to me) as if we shall get there in time*, δέν μοῦ φαίνεται ὅτι θά φθάσωμε ἐγκαίρως. **3**. (*μέ ἐπιρ. καί προθέσεις*):

look about one, ρίχνω μιά ματιά γύρω, ἐξετάζω, κατατοπίζομαι: *I had no time to ~ about me*, δέν εἶχα καιρό νά κοιτάξω γύρω μου. ***~ about (for sth)***, ψάχνω γιά κτ (πηγαίνοντας ἐδῶ κι' ἐκεῖ): *Are you still ~ing about for a job?* ψάχνεις ἀκόμα γιά δουλειά;

look after, (*α*) παρακολουθῶ μέ τά μάτια: *They ~ed after the train as it left the station*, παρακολουθοῦσαν μέ τά μάτια τό τραῖνο καθώς ἔβγαινε ἀπό τό σταθμό. (*β*) φροντίζω: *You need a wife to ~ after you*, χρειάζεσαι μιά γυναίκα γιά νά σέ φροντίζη.

look at sth, (*α*) ἐξετάζω: *We must ~ at the question from all sides*, πρέπει νά ἐξετάσωμε τό θέμα ἀπ' ὅλες τίς πλευρές. (*β*) ρίχνω μιά ματιά: *Will you please ~ at this letter?* ἔχετε τήν καλωσύνη νά ρίξετε μιά ματιά σ' αὐτό τό γράμμα; (*γ*) (*σέ ἀρνητ. προτάσεις, συνήθ. μέ will, would*) δέν θέλω οὔτε ν' ἀκούσω: *They wouldn't ~ at my proposal*, δέν θέλησαν οὔτε ν' ἀκούσουν τήν πρότασή μου. ***good, etc to***

~ at, ἐξωτερικῶς, στήν ἐμφάνιση: *Their house is nice to ~ at, but...*, τό σπίτι τους εἶναι ὡραῖο ἐξωτερικῶς, ἀλλά...

look away (from sth), γυρίζω τά μάτια ἀλλοῦ: *When I proposed to her she ~ed away from me and said nothing*, ὅταν τῆς ἔκανα πρόταση γάμου γύρισε τά μάτια της ἀλλοῦ καί δέν εἶπε τίποτα.

look back (on/to sth), ἀναπολῶ, ξαναφέρνω στό νοῦ μου, κοιτάζω πίσω μου: *When I ~ back to/on the days when we were together*, ὅταν ξαναφέρνω στό νοῦ μου τήν ἐποχή πού εἴμαστε μαζί... *He ~ed back but saw nobody*, κοίταξε πίσω του ἀλλά δέν εἶδε κανέναν. ***never ~ back***, σημειώνω σταθερή πρόοδο, τραβῶ διαρκῶς μπροστά: *Since that day he never ~ed back*, ἀπό κείνη τήν ἡμέρα δέν ἔπαψε οὔτε στιγμή νά προοδεύη.

look down on sb, κοιτάζω κπ ἀφ' ὑψηλοῦ, περιφρονῶ: *You have no reason to ~ down on him*, δέν ἔχεις λόγο νά τόν περιφρονῆς. ***~ down one's nose at sb/sth***, (*καθομ.*) στραβώνω τά μοῦτρα (ἀπό περιφρόνηση ἤ σιχαμάρα). *She ~ed down her nose at the food on the table*, στράβωσε τά μοῦτρα της ὅταν εἶδε τό φαΐ στό τραπέζι.

look for, περιμένω, ψάχνω: *Don't ~ for any help from me*, μήν περιμένης βοήθεια ἀπό μένα. *I'm ~ing for my hat/a job*, ψάχνω γιά τό καπέλλο μου/γιά δουλειά. *You're ~ing for trouble*, πᾶς γυρεύοντας καβγᾶ.

look forward to (doing) sth, προσμένω μέ χαρά, περιμένω πῶς καί πῶς: *I'm ~ing forward to Easter/seeing you/hearing from you*, περιμένω μέ χαρά τό Πάσχα/νά σέ δῶ/νά πάρω νέα σου.

look in (on sb), περνῶ γιά λίγο (ἀπό κπ): *Won't you ~ in (on us) when you come to London?* δέν θά περάσης νά μᾶς δῆς ὅταν ἔλθης στό Λονδῖνο; *The doctor will ~ in this morning*, ὁ γιατρός θά περάση σήμερα τό πρωΐ. ***(not) have/get a `~-in***, (*καθομ.*) (δέν) ἔχω καμιά ἐλπίδα ἐπιτυχίας: *The exam is so difficult that I haven't got a ~-in*, οἱ ἐξετάσεις εἶναι τόσο δύσκολες πού δέν ἔχω καμιά ἐλπίδα.

look into sth, κοιτάζω μέσα, διερευνῶ, ἐξετάζω: *He ~ed into my pockets*, κοίταξε μέσα στίς τσέπες μου. *I'll ~ into the question/your complaint*, θά ἐξετάσω τό θέμα/τά παράπονά σου.

look on, *(α)* παρακολουθῶ (σάν θεατής): *Why don't you help instead of just ~ing on?* γιατί δέν βοηθᾶς ἀντί (νά στέκεσαι καί) νά κοιτάζης μόνο; *He ~ed on while they were fighting/playing*, κάθισε καί τούς κοίταζε ἐνῶ μάλωναν/ἔπαιζαν. **`~er-on**, ἀμέτοχος θεατής, περίεργος. *(β)* κοιτάζω στό βιβλίο ἄλλου: *May I ~ on with you?* μπορῶ νά κοιτάζω καί γώ στό βιβλίο σου; ***~ on sb as***, θεωρῶ: *I ~ on him as a good friend*, τόν θεωρῶ καλό φίλο. ***~ on sb with***, βλέπω κπ μέ: *He ~s on me with distrust/envy*, μέ βλέπει μέ δυσπιστία/μέ φθόνο. ***~ on to***, (*γιά δωμάτιο, παράθυρο, κλπ*) ἔχω θέα, βλέπω: *My room ~s on to the garden*, τό δωμάτιό μου βλέπει στόν κῆπο.

look out (of/at), κοιτάζω ἔξω: *He stood at the window and ~ed out at the view*, στάθηκε στό παράθυρο καί κοίταξε τή θέα ἔξω. *Don't ~ out of the window!* μήν κοιτᾶς ἔξω ἀπό τό παράθυρο! ***~ out on/over***, ἔχω θέα εἰς: *My room ~s out on/over the sea*, τό παράθυρό μου ἔχει θέα πρός τή θάλασσα. ***~ out (for)***, ἔχω τό νοῦ μου, προσέχω: *L~ out! There's a car coming!* πρόσεχε, ἔρχεται αὐτοκίνητο! *You should ~ out for snakes in the grass*, πρέπει νἄχης τό νοῦ σου γιά φίδια στό γρασίδι. **`~-out** *οὐσ.* *(α)* (*μόνον ἑν.*) παρακολούθησις, ἐπιφυλακή, ἐπαγρύπνησις: *keep a ~-out*, εἶμαι σκοπός, φυλάω τσίλιες. *be on the ~-out for bargains*, κοιτάζω γιά εὐκαιρίες. *(β)* ‹C› παρατηρητής, παρατηρητήριο: *send ~-outs in advance*, στέλνω μπροστά ἀνιχνευτές. *This is a good ~-out post*, αὐτό εἶναι καλό παρατηρητήριο. *(γ)* (*μόνον ἑν.*) προοπτική: *It seems a bad ~-out for business*, φαίνεται ἄσχημη προοπτική γιά τίς δουλειές. *That's your own ~-out*, αὐτό εἶναι δικό σου ζήτημα, αὐτό ἀφορᾶ ἐσένα. ***~ sth out (for sb)***, ξεδιαλέγω: *I'll ~ out some old clothes for him*, θά τοῦ ξεδιαλέξω (θά κοιτάξω νά τοῦ βρῶ) τίποτα παληά ροῦχα.

look over, *(α)* ἐξετάζω στά γρήγορα: *L~ over your papers before you hand them in*, ξανακοιτᾶξτε γρήγορα τίς κόλλες σας πρίν τίς παραδώσετε. *(β)* ἐπιθεωρῶ (ἕνα χῶρο): *We must ~ over the house before we rent it*, πρέπει νά γυρίσωμε (νά κοιτάξωμε καλά) τό σπίτι πρίν τό νοικιάσωμε. **`~-over**, ἐξέτασις: *I'll give it a ~-over*, θά τό ἐξετάσω.

look round, *(α)* τριγυρίζω: *Could we ~ round (the town) before lunch?* θά μπορούσαμε νά γυρίσωμε λίγο (τήν πόλη) πρίν ἀπό τό μεσημεριανό; *(β)* γυρίζω τό κεφάλι: *When I ~ed round, he had already gone*, ὅταν γύρισα τό κεφάλι μου, εἶχε κι' ὅλας φύγει. *(γ)* ἐρευνῶ (τίς ἐνδεχόμενες δυνατότητες): *I'll ~ round first before I make up my mind what to do*, θά κοιτάξω γύρω (θά ἐρευνήσω) πρίν ἀποφασίσω τί νά κάμω.

look through, ξανακοιτάζω, ἐξετάζω, διεξέρχομαι: *L~ through your notes before the exam*, ξανακοίταξε (ξαναπέρασε) τίς σημειώσεις σου πρίν ἀπό τίς ἐξετάσεις. *I must ~ through these bills before we pay them*, πρέπει νά κοιτάξω (νά ἐλέγξω) αὐτούς τούς λογαριασμούς πρίν τούς πληρώσωμε. *I'll ~ through the reports before the meeting*, θά κοιτάξω (θά διεξέλθω) τίς ἐκθέσεις πρίν ἀπό τή συνεδρίαση. *I'll ~ your proposals through and let you know*, θά ἐξετάσω τίς προτάσεις σου προσεχτικά καί θά σέ εἰδοποιήσω.

look to sth, φροντίζω, προσέχω: *The country must ~ to its defences*, ἡ χώρα πρέπει νά φροντίση τήν ἄμυνά της. *L~ to your manners, boys!* προσέχετε τούς τρόπους σας, παιδιά! ***~ to sb for sth***, ὑπολογίζω σέ κπ γιά κτ: *They ~ to you for help*, ὑπολογίζουν σέ σένα γιά βοήθεια. ***~ to/towards***, (*γιά κτίριο*) βλέπω πρός: *My room ~s to the south/towards the river*, τό δωμάτιό μου βλέπει νότια/πρός τό ποτάμι.

look up, σηκώνω τά μάτια/τό κεφάλι, καλυτερεύω: *Don't ~ up!* μήν κοιτάξης πάνω, μή σηκώσης τά μάτια σου! *Business is ~ing* *up*, οἱ δουλειές καλυτερεύουν, παίρνουν ἐπάνω. **~ sth up**, κοιτάζω/βρίσκω (σέ βιβλίο): *L~ up his telephone number*, βρές τόν ἀριθμό τοῦ τηλεφώνου του (στόν κατάλογο). **~ sb up**, ἐπισκέπτομαι κπ: *Do ~ me up when you are in London!* ἔλα νά μέ δῆς σέ παρακαλῶ ὅταν θά εἶσαι στό Λονδῖνο! **~ up to sb**, σέβομαι, ἐκτιμῶ: *Everybody in the village ~s up to him*, ὅλοι στό χωριό τόν σέβονται. **~ sb up and down**, ἐξετάζω κπ ἀπό τήν κορφή ὥς τά νύχια.

[2]**look** /lʊk/ *οὐσ.* ‹C› **1**. ματιά, βλέμμα: *have a ~*, ρίχνω μιά ματιά. **2**. ἐμφάνισις, ὄψις, ἔκφρασις: *The town has a European ~*, ἡ πόλη ἔχει εὐρωπαϊκή ἐμφάνιση. *A ~ of displeasure came to her face*, μιά ἔκφραση δυσαρέσκειας φάνηκε στό πρόσωπό της. **give sth/get/have a new ~**, δίνω σέ κτ/παίρνω/ἔχω καινούργια ὄψη: *We must give the garden a new ~*, πρέπει νά φρεσκάρουμε τόν κῆπο, ν' ἀλλάξουμε τήν ἐμφάνισή του. **3**. (*πληθ.*) παρουσιαστικό: *She has good ~s*, εἶναι ὄμορφη. *She has ~s but no money*, ἔχει ὀμορφιά ἀλλά ὄχι χρήματα. *She's beginning to lose her ~s*, ἀρχίζει νά χάνη τήν ὀμορφιά της.

[1]**loom** /lum/ *οὐσ.* ‹C› ἀργαλειός.

[2]**loom** /lum/ *ρ.ἀ.* **1**. διαγράφομαι, προβάλλω: *The dark outline of another ship ~ed (up) through the fog*, ἡ σκοτεινή φιγούρα ἑνός ἄλλου πλοίου πρόβαλε μέσα ἀπό τήν ὁμίχλη. **2**. **~ (large)**, κυριαρχῶ, δεσπόζω: *The fear of failure ~ed (large) in her mind*, ὁ φόβος τῆς ἀποτυχίας δέσποζε στό μυαλό της.

loony /ˈluni/ *ἐπ.* (*λαϊκ.*) παλαβός, μουρλός. **ˋ~·bin** /-bɪn/, (*λαϊκ.*) τρελλάδικο.

loop /lup/ *οὐσ.* ‹C› **1**. βρόχος, θηλειά, κουλούρα. **2**. (*σιδηροδρ. ἤ τηλεφ.*) παρακαμπτήριος γραμμή. **3**. μαίανδρος, στροφή. σπεῖρα. __*ρ.μ/ἀ.* **1**. φτιάχνω/περνῶ θηλειές, τυλίγω. **2**. (*ἀεροπ.*) κάνω λούπιγκ.

loop·hole /ˈluphəʊl/ *οὐσ.* ‹C› **1**. πολεμίστρα. **2**. (*μεταφ.*) τρύπα, παραθυράκι: *find ~s in the tax laws*, βρίσκω παραθυράκια στίς φορολογικές διατάξεις.

loose /lus/ *ἐπ.* *(-r, -st)* **1**. σκόρπιος, λυμένος, ἀδέσποτος, ἐλεύθερος: *Put your small change in a purse; don't carry it ~ in your pocket*, βάλε τά ψιλά σου σ' ἕνα πορτοφολάκι, μήν τἄχης σκόρπια στίς τσέπες σου. *The horses are running ~ in the field*, τ' ἄλογα τρέχουν λυτά στό χωράφι. *We leave the dog ~ at night*, ἀφήνομε τό σκυλί ἐλεύθερο τή νύχτα. **break/get ~**, λύνομαι, ξεφεύγω, ἐλευθερώνομαι: *One of the tigers in the zoo has broken/got ~*, μιά ἀπό τίς τίγρεις τοῦ ζωολογικοῦ κήπου τὄσκασε ἀπό τό κλουβί της. **let sth ~**, ἀφήνω κτ ἐλεύθερο: *Don't let the dog ~*, μήν ἀμολᾶς τό σκυλί. *He let ~ his indignation*, ἄφησε νά ξεσπάση ἡ ἀγανάκτησή του. **ˈ~-leaf ˋnotebook**, σημειωματάριο μέ κινητά φύλλα. **2**. φαρδύς, μπόλικος: *a ~ collar/suit*, φαρδύς γιακᾶς/-ύ κουστούμι. **3**. χαλαρός, μπόσικος, λασκαρισμένος, λυτός: *a ~ tooth/nail/board*, δόντι/καρφί/σανίδα πού κουνιέται, πού εἶναι μπόσικο. *a ~ knot/rope*, λασκαρισμένος κόμπος/-ο σκοινί. *a ~ thread/end of a rope*, φευγάτη κλωστη/λυτή ἄκρη σκοινιοῦ. **come ~**, λύνομαι: *The knot has come ~*, ὁ κόμπος λύθηκε/λάσκαρε. **work ~**, λασκάρω, ξεσφίγγω: *The lock has worked ~*, ἡ κλειδαριά ἔχει λασκάρει. **be at a ~ end**, (*μεταφ.*) δέν ξέρω τί νά κάμω, δέν ἔχω μέ τί ν' ἀσχοληθῶ. **ride with a ~ rein**, λασκάρω τά γκέμια, (*μεταφ.*) εἶμαι πολύ μαλακός μέ κπ. **have a ˋscrew ~**, (*καθομ.*) μοῦχει λασκάρει μιά βίδα. **have a ~ tongue**, δέν κρατάω τή γλῶσσα μου, εἶμαι ἀθυρόστομος. **4**. (*γιά συμπεριφορά, κλπ*) ἀνήθικος, ἔκλυτος: *a ~ woman*, διεφθαρμένη γυναίκα. *lead a ~ life*, κάνω ἔκλυτη ζωή. **(be) on the ~**, (*καθομ.*) ἔχω ἀποβάλει κάθε ἠθικό φραγμό. (*βλ. & λ.* [1]*fast*). **5**. (*γιά ἰδέες, κλπ*) ἀόριστος, ἀσαφής, θολός, ἀνακριβής: *~ thinking/ideas*, θολές/συγκεχυμένες ἰδέες. *a ~ thinker*, ἄνθρωπος μέ θολό μυαλό, χωρίς ξεκαθαρισμένες ἀντιλήψεις. *a ~ translation*, ἀπρόσεχτη, μή ἀκριβής μετάφρασις. *~ arguments*, ξεκάρφωτα ἐπιχειρήματα. **6**. χαλαρός, ὄχι σφιχτοδεμένος, χωρίς συνεκτικότητα: *~ soil*, ἀναχλό χῶμα. *cloth with a ~ weave*, ὕφασμα μέ χαλαρή ὕφανση. *a man with a ~ frame/limbs*, ἄνθρωπος μέ ἄχαρο σῶμα καί μέλη, σάν ξεβιδωμένος. **~·ly** *ἐπίρ.* χαλαρά, χωρίς ἀκρίβεια/αὐστηρότητα: *words ~ly employed*, λέξεις πού χρησιμοποιοῦνται χωρίς ἀκρίβεια. *rules ~ly enforced*, κανόνες πού ἐπιβάλλονται μέ χαλαρό τρόπο. __*ρ.μ.* λύνω (*τό ρ. loosen εἶναι συνηθέστερο*): *Wine ~d his tongue*, τό κρασί ἔλυσε τή γλῶσσα του.

loosen /ˈlusn/ *ρ.μ/ἀ.* λύω/-ομαι, χαλαρώνω/-ομαι, λασκάρω: *Can you ~ this screw?* μπορεῖς νά λασκάρης αὐτή τή βίδα; *This screw has ~ed*, αὐτή ἡ βίδα ἔχει λασκάρει. **~ up**, ξεσφίγγω, (*μεταφ.*) ξεθαρρεύω: *I'll do some exercises to ~ up my muscles*, θά κάνω λίγη γυμναστική νά ξεσφίξουν οἱ μύες μου.

loot /lut/ *οὐσ.* ‹U› λεία, λάφυρα, πλιάτσικο. __*ρ.μ/ἀ.* λεηλατῶ, κουρσεύω, διαρπάζω: *They ~ed and massacred for weeks*, λεηλατοῦσαν καί ἔσφαζαν ἐπί ἑβδομάδες.

[1]**lop** /lɒp/ *ρ.μ.* *(-pp-)* **~ away/off**, κλαδεύω, κόβω κλαδιά.

[2]**lop** /lɒp/ *ρ.ἀ.* *(-pp-)* κρεμιέμαι χαλαρά. **ˋ~-ears**, κρεμασμένα/πεσμένα αὐτιά. **ˋ~-eared** *ἐπ.* μέ κρεμαστά αὐτιά (πχ ὅπως τό κουνέλι). **ˈ~ˋsided** *ἐπ.* μονόπαντος, πού γέρνει ἀπό τή μιά μεριά.

lope /ləʊp/ *ρ.ἀ.* τρέχω μέ μεγάλες, ἄνετες δρασκελιές ἤ πηδήματα (ὅπως τό ἐλάφι ἤ ὁ λαγός). __*οὐσ.* ‹C› δρασκελιά, πήδημα.

lo·qua·cious /ləʊˋkweɪʃəs/ *ἐπ.* (*λόγ.*) φλύαρος, πολυλογᾶς. **~·ly** *ἐπίρ.* **~·ness, lo·quac·ity** /ləʊˋkwæsətɪ/ *οὐσ.* ‹U› πολυλογία.

lo·quat /ˈləʊkwæt/ *οὐσ.* ‹C› μούσμουλο, μουσμουλιά.

lord /lɔd/ *οὐσ.* ‹C› **1**. ἄρχων, αὐθέντης, κύριος. **2**. Θεός, ὁ Κύριος: *the ˋL~'s Day*, ἡ Κυριακή. *the ˈL~'s ˋPrayer*, τό Πάτερ ἡμῶν. *L~ knows!* Κύριος οἶδε! **Good L~**! (*ἐπιφώνημα*) Θεέ μου! Κύριε τῶν Δυνάμεων! **3**. λόρδος: *live like a ~*, ζῶ σά λόρδος. **as drunk as a ~**, στουπί στό μεθύσι. **the House of L~s**, ἡ Βουλή τῶν Λόρδων. **My L~**! (*προσφώνησις σέ εὐγενεῖς, δικαστές, ἐπισκόπους*) ἐντιμώτατε, ἐξοχώτατε! **4**. μεγιστάν, ἄρχων: *the* *cotton* ~*s*, οἱ μεγιστᾶνες τοῦ βάμβακος. *My* ~ *and master*, (*συνήθ. ἀστειολ.*) ὁ ἀφέντης μου (ὁ ἄντρας μου). *the* ~*s of creation*, οἱ ἄρχοντες τῆς δημιουργίας (οἱ ἄνθρωποι, *καί ἀστειολ.* οἱ ἄντρες). **`~·ship** /-ʃɪp/ *οὐσ.* **1**. ‹U› ἐξουσία, κυριαρχία. **2**. *His/Your L~ship*, (*προσφώνησις ἤ ἀναφορά σέ λόρδον, συνηθ. ἀπό τούς ὑπηρέτες, κλπ*): ἡ Εὐγένειά του/σας. **~·ly** *ἐπ.* (*-ier, -iest*) **1**. ἀγέρωχος, ὑπεροπτικός. **2**. ἀρχοντικός, μεγαλοπρεπής. —*ρ.μ.* (*στή φράση*): **~ *it over sb***, κάνω τόν ἀφέντη σέ κπ: *'I will not be* ~*ed over,' she said to her husband.* -Δέν θά μοῦ κάνης ἐμένα τόν ἀφέντη, εἶπε στόν ἄντρα της.

lore /lɔ(r)/ *οὐσ.* ‹U› **1**. λαϊκές παραδόσεις: *`Irish/`gipsy* ~, Ἰρλανδικές/τσιγγάνικες λαϊκές παραδόσεις. **2**. γνώσεις: *`fairy* ~, ἱστορίες γιά νεράϊδες. *`bird* ~, ὀρνιθολογία. *`folk*~, λαογραφία, λαϊκές παραδόσεις.

lor·gnette /lɔ`njet/ *οὐ*. ‹C› λορνιόν, φασαμαίν.

lorry /`lɒrɪ/ *οὐσ.* ‹C› φορτηγό (ὄχημα).

lose /luz/ *ρ.μ/ἀ.* ἀνώμ. (*ἀόρ.* & *π.μ.* *lost* /lost/) **1**. χάνω (= παύω νά ἔχω): ~ *one's life/money/husband/job*, χάνω τή ζωή μου/τά χρήματά μου/τόν ἄντρα μου/τή δουλειά μου. ~ *a leg in the war/an arm in an accident*, χάνω ἕνα πόδι στόν πόλεμο/ἕνα χέρι σέ δυστύχημα. ~ *one's good looks/name*, χάνω τήν ὀμορφιά μου/τήν ὑπόληψή μου. *I'm losing (my) patience/my hair*, ἀρχίζω νά χάνω τήν ὑπομονή μου/τά μαλλιά μου. *The ship was lost with all its crew*, τό πλοῖο χάθηκε μέ ὅλο του τό πλήρωμα. **~ *one's cool***, (*καθομ.*) χάνω τήν ἀταραξία μου, τήν ψυχραιμία μου. **~ *one's interest (in sth)***, χάνω τό ἐνδιαφέρον μου γιά κτ. **~ *one's reason/senses***, χάνω τά λογικά μου. **~ *one's temper***, χάνω τήν ψυχραιμία μου, θυμώνω. ***be lost to sth***, ἔχω ἀπωλέσει κάθε αἴσθημα: *He is lost to shame*, ἔχει ἀπωλέσει κάθε αἴσθημα ντροπῆς, ***be lost/~ oneself in sth***, βυθίζομαι, ἀπορροφοῦμαι: *He was lost in thought/admiration*, εἶχε βυθισθῆ σέ σκέψεις/εἶχε ξεχαστῆ ἀποθαυμάζοντας. *She had lost herself in the book she was reading*, εἶχε τελείως ἀπορροφηθῆ ἀπό τό βιβλίο πού διάβαζε. (*βλ.* & *λ.* [1]*face*, [1]*ground*, [1]*head*, *heart*). **2**. χάνω (= δέν βρίσκω): *I've lost my keys*, ἔχασα τά κλειδιά μου. *She lost her children in the crowd*, ἔχασε τά παιδιά της στό πλῆθος. *I've lost my place in the book*, ἔχασα τό μέρος πού ἤμουν στό βιβλίο. **~ *oneself/one's way***, χάνομαι/χάνω τό δρόμο μου. **~ *sight of sth/sb***, παραβλέπω, χάνω ἀπό τά μάτια μου: *We mustn't* ~ *sight of the fact that he is young*, δέν πρέπει νά παραβλέπωμε τό γεγονός ὅτι εἶναι νέος. *We lost sight of land*, χάσαμε τήν ξηρά ἀπό τά μάτια μας. *I lost sight of him in the crowd*, τόν ἔχασα ἀπό τά μάτια μου στό πλῆθος. (*βλ.* & *λ.* *thread, tongue, track*). **3**. χάνω (= δέν προλαβαίνω, πάω ἀργά): ~ *the train/bus*, χάνω τό τραῖνο, τό λεωφορεῖο (*συνηθέστ.* *miss*). ~ *the post*, χάνω τό ταχυδρομεῖο. *My watch* ~*s two minutes a day*, τό ρολόϊ μου χάνει δυό λεπτά τό 24ωρο. **4**. χάνω (= δέν κερδίζω): ~ *a game/battle/war/lawsuit/prize*, χάνω ἕνα παιχνίδι/μιά μάχη/ἕναν πόλεμο/μιά δίκη/ἕνα βραβεῖο. **~ *to sb***, χάνω σέ κπ (μέ κερδίζει κπ): *Have you lost to him?* ἔχασες μ' αὐτόν (σέ κέρδισε); ***a lost cause***, χαμένη ὑπόθεσις. ***(play) a losing game***, (παίζω) χωρίς ἐλπίδα ἐπιτυχίας. **5**. **~ *by/in/on sth***, χάνω (σέ/ἀπό κτ): *You will* ~ *nothing by waiting*, δέν θά χάσης τίποτα περιμένοντας. *How much did you* ~ *on that transaction?* πόσα ἔχασες σέ (ἀπό) αὐτή τή δουλειά; *The story doesn't* ~ *in telling*, ἡ ἱστορία δέν χάνει στήν ἀφήγηση. **6**. χάνω (= σπαταλῶ): *There's not a moment to be lost*, δέν πρέπει νά χάνεται στιγμή. *They lost time waiting for him*, ἔχασαν χρόνο περιμένοντάς τον. **~ *no time in doing sth***, σπεύδω νά κάνω κτ: *She lost no time in telling him*, ἔσπευσε νά τοῦ τό πῆ. ***be lost (up)on sb***, πάω χαμένος, δέν ἔχω ἀποτέλεσμα: *My advice/joke was lost on him*, οἱ συμβουλές μου/τ' ἀστεῖα μου πῆγαν ἄδικα (δέν ἔδωσε προσοχή στίς συμβουλές μου, δέν κατάλαβε τ' ἀστεῖα μου).

loser /`luzə(r)/ *οὐσ.* ‹C› χαμένος, ἡττημένος: *L*~*s are always in the wrong*, ὁ ἡττημένος ἔχει πάντα ἄδικο. ***be a good/bad ~***, δέχομαι τήν ἧττα καλά/θυμώνω ὅταν χάνω.

loss /los/ *οὐσ.* **1**. ‹U› ἀπώλεια: ~ *of blood/prestige/money/weight*, ἀπώλεια αἵματος/γοήτρου/χρημάτων/βάρους. *a heavy* ~, βαρειά ἀπώλεια. *the* ~ *of the title*, ἡ ἀπώλεια τοῦ τίτλου. **2**. ‹C› ἀπώλεια, ζημιά, χασούρα: *sell at a* ~, πουλῶ κτ μέ ζημιά. *suffer heavy* ~*es in war*, ὑφίσταμαι μεγάλες ἀπώλειες στόν πόλεμο. ***a total ~***, ὁλική ἀπώλεια. ***be no/a great ~***, δέν εἶμαι/εἶμαι μεγάλη ἀπώλεια: *He is no great* ~, δέν χάσαμε καί τίποτα πού ἔφυγε. ***be a dead ~***, (*καθομ.*) εἶμαι ἄχρηστος: *We'd better fire him; he's a dead* ~, καλύτερα νά τόν ἀπολύσωμε – εἶναι ἐντελῶς ἄχρηστος. ***(be) at a ~ for sth/to do sth***, τἄχω χαμένα, δέν ξέρω τί νά κάμω: *He was at a* ~ *for words*, δέν ἤξερε τί νά πῆ. *He's never at a* ~ *to find an excuse/*~ *for an answer*, βρίσκει πάντα δικαιολογία/ἔχει πάντα ἕτοιμη τήν ἀπάντηση.

lost /lost/ *ἀόρ.* & *π.μ.* *τοῦ ρ.* *lose*.

[1]**lot** /lot/ *οὐσ.* (*καθομ.*) **1**. ***the ~***, ὅλα, τό σύνολο: *That's the* ~, αὐτά εἶναι ὅλα, αὐτό εἶναι ὅλο. *He ate the* ~, τἄφαγε ὅλα. *Go away, the whole* ~ *of you!* φύγετε, ὅλοι σας! *I hate the* ~ *of them*, τούς σιχαίνομαι ὅλους τους. **2**. ***a ~ (of); ~s (and ~s) of***, ἕνα σωρό, πολύ: *She spends a* ~ *of money on clothes*, ξοδεύει ἕνα σωρό χρήματα γιά ροῦχα. *What a* ~ *of time you take to dress!* πόση ὥρα κάνεις νά ντυθῆς! *I've seen quite a* ~ *of him recently*, τόν βλέπω πολύ συχνά τελευταῖα. *I want* ~*s!* θέλω πολλά (ἤ πολύ)! *He ate* ~*s and* ~*s of fruit*, ἔφαγε ἕνα σωρό φροῦτα. —*ἐπίρ.* πολύ: *I'm feeling* ~*s/a* ~ *better*, νοιώθω πολύ καλύτερα. ***A ~ you care!*** πολύ πού σέ νοιάζει!

[2]**lot** /lot/ *οὐσ.* ‹C› **1**. λαχνός, κλῆρος: *The* ~ *came to me/fell upon me*, ὁ κλῆρος ἔπεσε σέ μένα. ***by ~***, μέ κλῆρο. ***draw/cast ~s***, τραβῶ/ρίχνω κλήρους. **2**. τύχη, κλῆρος, μοῖρα: *His* ~ *has been a hard one*, ἡ μοῖρα του ἦταν σκληρή. *It fell to my* ~ *to break*

the news to him, μοῦλαχε ὁ κλῆρος νά τοῦ πῶ τά δυσάρεστα νέα. ***cast/throw in one's ~ with sb***, ἑνώνω (ταυτίζω) τήν τύχη μου μέ κπ. **3**. (*σέ δημοπρασία*) κλῆρος, ἀντικείμενο. **4**. (*ἐμπ.*) παρτίδα: *We've received a new ~ of hats*, παραλάβαμε μιά καινούργια παρτίδα καπέλλων. **5**. ***a bad ~***, (*καθομ.*) παληάνθρωπος, τιποτένιος, χαμένο κορμί. **6**. κομμάτι γῆς: *a `parking ~*, μάντρα γιά παρκάρισμα.

loth /ləʊθ/ *κατηγ. ἐπ. βλ. loath.*

lo·tion /ˈləʊʃn/ *οὐσ.* ‹C,U› λοσιόν.

lot·tery /ˈlɒtərɪ/ *οὐσ.* ‹C› (*κυριολ. & μεταφ.*) λαχεῖο, λοτταρία: *a ticket in the National L~*, γραμμάτιο τοῦ Ἐθνικοῦ Λαχείου. *win first prize in the ~*, κερδίζω τόν πρῶτο ἀριθμό τοῦ λαχείου. *Marriage is a ~*, ὁ γάμος εἶναι λαχεῖο.

lo·tus /ˈləʊtəs/ *οὐσ.* ‹C› (*πληθ.* *~s* /-sɪz/) λωτός. **`~-eater**, λωτοφάγος, (*μεταφ.*) ὀνειροπόλος, τεμπέλης.

loud /laʊd/ *ἐπ.* (*-er, -est*) **1**. δυνατός: *a ~ noise/voice/laugh*, δυνατός θόρυβος/-ή φωνή/-ό γέλιο. **'~-`hailer**, τηλεβόας. **'~-`speaker**, μεγάφωνο. **2**. (*γιά χρῶμα*) χτυπητός, φανταχτερός, (*γιά συμπεριφορά*) θορυβώδης. —*ἐπίρ.* δυνατά: *talk/laugh ~*. *Speak ~er!* μίλα δυνατώτερα! **~·ly** *ἐπίρ.* δυνατά, χτυπητά: *knock ~ly at the door*, χτυπῶ δυνατά στήν πόρτα. *~ly dressed*, χτυπητά (φανταχτερά) ντυμένος.

lounge /laʊndʒ/ *ρ.ἀ.* ραχατεύω (κάθομαι/στέκομαι ἀκουμπώντας νωχελικά), σεργιανίζω, χαζεύω, τεμπελιάζω: *idlers lounging at street corners/about in the gardens*, ἀργόσχολοι πού ραχατεύουν στίς γωνιές τῶν δρόμων/στό πάρκο. —*οὐσ.* ‹C,U› **1**. νωχελική στάσις, χάζεμα. **2**. σαλόνι, αἴθουσα (ξενοδοχείου, λέσχης, κλπ). **`~-bar**, ἡ καλή αἴθουσα μιᾶς ταβέρνας. **`~-chair**, πολυθρόνα. **`~-suit**, ροῦχα περιπάτου.

lour, lower /ˈlaʊə(r)/ *ρ.ἀ.* *~ at/(up)on*, **1**. σκυθρωπάζω, κατσουφιάζω. **2**. (*γιά τόν οὐρανό*) σκοτεινιάζω. **~·ing·ly** *ἐπίρ.*

louse /laʊs/ *οὐσ.* ‹C› (*πληθ.* *lice* /laɪs/) ψεῖρα.

lousy /ˈlaʊzɪ/ *ἐπ.* (*-ier, -iest*) **1**. ψειριασμένος. **2**. (*καθομ.*) ἄθλιος: *a lousy dinner/impression*, ἄθλιο δεῖπνο/-α ἐντύπωση.

lout /laʊt/ *οὐσ.* ‹C› χοντράνθρωπος, χωριάτης. **`~ish** /-ɪʃ/ *ἐπ.* ἄξεστος.

louvre, lou·ver /ˈluvə(r)/ *οὐσ.* ‹C› κινητές γρίλλιες: *a louvred door/window*, πόρτα/παράθυρο μέ κινητές γρίλλιες.

lov·able /ˈlʌvəbl/ *ἐπ.* ἀξιαγάπητος.

[1]**love** /lʌv/ *οὐσ.* **1**. ‹U› ἀγάπη: *a mother's ~ for her children*, ἡ ἀγάπη τῆς μητέρας γιά τά παιδιά της. *a ~ of learning/adventure*, ἀγάπη γιά μάθηση/γιά περιπέτεια. *with ~ towards all*, μέ ἀγάπη πρός ὅλους. ***give/send sb one's ~***, δίνω/στέλνω τήν ἀγάπη μου (χαιρετίσματα) σέ κπ. ***play for ~***, παίζω γιά διασκέδαση (χωρίς λεφτά). ***not to be had for ~ or money***, δέν ἀγοράζεται μέ τίποτα στόν κόσμο. ***There's no ~ lost between them***, δέν χωνεύονται μεταξύ τους. ***for the ~ of***, γιά τ' ὄνομα τοῦ: *Put that gun down, for the ~ of God!* ἄφησε κάτω τό ὅπλο, γιά τὄνομα τοῦ Θεοῦ! **`~-feast**, ἑορτή τῆς Ἀγάπης. (*βλ. & λ.* [1]*labour*). **2**. ‹U› ἀγάπη, ἔρωτας: *marry for ~*, παντρεύομαι ἀπό ἔρωτα. *a `~-story/-letter/-song*, ἐρωτική ἱστορία/-ό γράμμα/τραγούδι. ***be in ~ (with sb)***, εἶμαι ἐρωτευμένος μέ κπ. ***fall in ~ (with sb)***, ἐρωτεύομαι κπ. ***make ~ (to sb)***, κάνω ἔρωτα, ἐρωτοτροπῶ μέ κπ. **`~-affair**, ἐρωτοδουλειά, ἐρωτικός δεσμός. **`~-birds**, τρυγονάκια (ἐρωτευμένοι νέοι). **`~-child**, (*πεπαλ.*) νόθος, παιδί τοῦ ἔρωτα. **`~·lorn** /-lɔn/ *ἐπ.* πού ὑποφέρει ἀπό ἐρωτική ἀπογοήτευση, ἐρωτόπληκτος. **`~-making**, συνουσία, ἐρωτοτροπία. **`~-match**, γάμος ἀπό ἔρωτα. **`~-philtre/-potion/-charm**, ἐλιξήριο τοῦ ἔρωτα, μάγια. **`~-seat**, πάγκος γιά δύο σέ σχῆμα S. **`~·sick** *ἐπ.* πού μαραζώνει ἀπό ἔρωτα, ἐρωτοχτυπημένος. **`~-token**, ἐνθύμιο/σύμβολο ἔρωτος. **3**. ‹C› (*καθομ.*) ἀξιαγάπητο πρόσωπο ἤ πρᾶγμα: *Isn't she a little ~!* τί ὡραῖο κοριτσάκι! **4**. ‹C› ἀγαπημένος/-η: *Come here, my ~*, ἔλα ἐδῶ, ἀγάπη μου. *She's an old ~ of mine*, εἶναι παληά μου ἀγάπη. **5**. ‹U› (*σέ παιχνίδια*) χωρίς σκόρ: *~ all*, μηδέν-μηδέν. **`~ game**, παιχνίδι ὅπου ὁ ἀντίπαλος δέν σημειώνει οὔτε ἕνα πόντο: *I'll make it a ~ game for you!* (*πχ στό τάβλι*) θά σέ βγάλω παρθένα! **~·less** *ἐπ.* ἀνέραστος, χωρίς ἀγάπη.

[2]**love** /lʌv/ *ρ.μ.* **1**. ἀγαπῶ: *~ one's parents/one's country/God/all men*, ἀγαπῶ τούς γονεῖς μου/τήν πατρίδα μου/τό Θεό/ὅλους τούς ἀνθρώπους. **2**. ἀγαπῶ, μοῦ ἀρέσει πολύ: *I ~ comfort/swimming*, μοῦ ἀρέσει ἡ ἄνεση/τό κολύμπι. *I ~ to meet/~ meeting people*, μ' ἀρέσει νά γνωρίζω ἀνθρώπους. *I'd ~ to go but I have no time*, πολύ θάθελα νά πάω ἀλλά δέν ἔχω χρόνο.

love·ly /ˈlʌvlɪ/ *ἐπ.* (*-ier, -iest*) ὡραῖος, ἑλκυστικός, εὐχάριστος, θαυμάσιος: *a ~ view/a ~ woman/~ weather*, ὡραία θέα/ἑλκυστική γυναίκα/εὐχάριστος καιρός. *a ~ holiday/dinner/joke*, ἀπολαυστικές διακοπές/θαυμάσιο δεῖπνο/ἀστεῖο.

lover /ˈlʌvə(r)/ *οὐσ.* ‹C› **1**. ἐραστής, ἐρωτευμένος: *her ~*, ὁ ἐραστής της. *the two ~s*, οἱ δυό ἐρωτευμένοι. *They were ~s*, ἀγαπιόταν, ἦταν ἐρωτευμένοι. **2**. φίλος (ἑνός πράγματος): *music ~*, φιλόμουσος. *a ~ of learning/poetry/the arts*, φιλομαθής/λάτρης τῆς ποιήσεως/τῶν τεχνῶν.

lov·ing /ˈlʌvɪŋ/ *ἐπ.* στοργικός, τρυφερός: *~ parents/friends*, στοργικοί γονεῖς/φίλοι. **`~-cup**, ποτήρι τῆς φιλίας (πού κάνει τό γύρο τοῦ τραπεζιοῦ). **'~-`kindness**, στοργή. **~·ly** *ἐπίρ.* στοργικά.

[1]**low** /ləʊ/ *ἐπ.* (*-er, -est*) **1**. χαμηλός: *~ hills/houses*, χαμηλοί λόφοι/-ά σπίτια. *~ pressure/temperature*, χαμηλή πίεσις/θερμοκρασία. *~ prices/wages*, χαμηλές τιμές/-ά μεροκάματα. *speak in a ~ voice*, μιλῶ χαμηλόφωνα. **'~-`keyed** *ἐπ.* (*μεταφ.*) συγκρατημένος. **'~-`pitched** *ἐπ.* (*γιά ἦχο*) βαθύς, χαμηλός. **2**. ταπεινός: *of ~ birth*, ταπεινῆς καταγωγῆς. *a ~ station in life*, ταπεινή κοινωνική θέσις. **3**. χυδαῖος, πρόστυχος, χοντρός, κατώτερος: *~ manners/people*, χυδαῖοι τρόποι/ἄνθρωποι. *~ tastes*, χοντρά γοῦστα. *keep ~ company*, συναναστρέφομαι μέ παρακατιανούς. *~ forms*

of life, κατώτερες (μή ἀναπτυγμένες) μορφές ζωῆς. ***fall*** ~, ξεπέφτω. **4**. (*γιά ὑγεία, διάθεση*) κακός, ἄσχημος: *be in a ~ state of health*, εἶμαι σέ κακή κατάσταση ὑγείας. ***be in ~ spirits/feel*** ~, εἶμαι σέ ἄσχημη ψυχική κατάσταση/νοιώθω κατάθλιψη. '**~-`spirited** *ἐπ.* ἀποθαρρυμένος, μελαγχολικός. **5**. ***bring sb/sth*** ~, ρίχνω κπ/κτ χαμηλά (σέ ὑγεία, πλοῦτο, κοινων. θέση, κλπ). ***have a ~ opinion of sb/sth***, ἔχω κακή γνώμη γιά κπ/κτ. ***lay sb/sth*** ~, ἀνατρέπω, ρίχνω κάτω: *He was laid ~ with flu*, ἔπεσε κάτω μέ γρίππη. ***lie*** ~, μουλώχνω, κρύβομαι: *The escaped prisoners had to lie ~ for months*, οἱ φυγάδες χρειάστηκε νά κρυφτοῦν ἐπί μῆνες. ***run*** ~, (*γιά ἀποθέματα, κλπ*) πλησιάζω νά ἐξαντληθῶ: *Our stock of coal is running ~*, τό ἀπόθεμά μας σέ κάρβουνο πλησιάζει νά ἐξαντληθῆ. **6**. (*σέ φράσεις καί σύνθ. λέξεις*): '**~-`born** *ἐπ.* ταπεινῆς καταγωγῆς. '**~-`bred** *ἐπ.* κακοαναθρεμμένος, ἄξεστος. `**~·brow** *ἐπ.* & *οὐσ.* ‹C› ἄνθρωπος χωρίς πνευματικά ἐνδιαφέροντα, μικροαστός, νοικοκυρᾶκος. **~er case**, (*τυπογρ.*) πεζά γράμματα (ὄχι κεφαλαῖα). **L~er Chamber/House**, Κάτω Βουλή. **L~ Church**, τμῆμα τῆς 'Αγγλικανικῆς 'Εκκλησίας μέ ἁπλότητα σέ λειτουργικά καί δογματικά ζητήματα. **~ comedian**, κωμικός πού κάνει τόν παληάτσο. **~ comedy**, φαρσοκωμωδία (μέ χοντρά ἀστεῖα, κλπ). `**~-down** *ἐπ.* (*καθομ.*) παληανθρωπίστικος, πρόστυχος: *~-down tricks*, πρόστυχα κόλπα. ***get/give the ~-down on sth/sb***, παίρνω/δίνω ἰδιαίτερες πληροφορίες γιά κπ/κτ. `**~-lander** /-ləndə(r)/ καμπίσιος (*ἰδ.* κάτοικος τῆς Κάτω Σκωτίας). `**~·lands** /-ləndz/ κάμπος, ἡ Κάτω Σκωτία. **L~ Sunday/Week**, ἡ ἑβδομάδα τῆς Κυριακῆς τοῦ Θωμᾶ. `**~·ermost** *ἐπ.* χαμηλότατος. `**~·ness** *οὐσ.* ‹U› χαμηλότης, ταπεινότης, προστυχιά.

[2]**low** /ləʊ/ *ἐπίρ.* (*-er, -est*) χαμηλά, ταπεινά: *aim/shoot ~*, σκοπεύω/πυροβολῶ χαμηλά. *bow ~*, ὑποκλίνομαι βαθιά/ταπεινά. *speak ~*, μιλῶ χαμηλόφωνα. *play ~*, παίζω μικροποσά. *buy ~ and sell high*, ἀγοράζω φτηνά καί πουλῶ ἀκριβά. __*οὐσ.* ‹C› χαμηλό ἐπίπεδο: *Shares reached a new ~ yesterday*, οἱ μετοχές κατέβηκαν σέ ἀκόμα πιό χαμηλό ἐπίπεδο χθές.

[3]**low** /ləʊ/ *ρ.ἀ.* (*γιά ἀγελάδα*) μουγγανίζω. __*οὐσ.* ‹C› μουγγάνισμα.

[1]**lower** /`laʊə(r)/ *ρ.ἀ. βλ. lour.*

[2]**lower** /`ləʊə(r)/ *ρ.μ/ἀ.* **1**. χαμηλώνω, κατεβάζω: *~ a flag*, κατεβάζω μιά σημαία. *~ the price/the rent/one's voice*, χαμηλώνω τήν τιμή/τό ἐνοίκιο/τή φωνή μου. ***~ oneself***, ξεπέφτω. **2**. ἐξασθενίζω, μειώνω: *Poor diet ~s resistance to illness*, ἡ κακή διατροφή μειώνει τήν ἀντίσταση στίς ἀρρώστειες.

low·ly /`ləʊlɪ/ *ἐπ.* (*-ier, -iest*) ἁπλός, ταπεινός, μέτριος. **low·li·ness** *οὐσ.* ‹U› ἁπλότης, μετριότης.

loyal /`lɔɪəl/ *ἐπ.* πιστός: *~ friends/supporters*, πιστοί φίλοι/ὀπαδοί. *be ~ to one's country*, εἶμαι πιστός στήν πατρίδα μου. **~·ist** /-ɪst/ *οὐσ.* ‹C› νομιμόφρων. **~ly** /`lɔɪəlɪ/ *ἐπίρ.* πιστά, μέ ἀφοσίωση. **~ty** *οὐσ.* ‹C,U› πίστις, νομιμοφροσύνη.

loz·enge /`lozɪndʒ/ *οὐσ.* ‹C› **1**. (*γεωμ.*) ρόμβος. **2**. παστίλια: *cough ~s*, παστίλιες γιά τό βῆχα.

lub·ber /`lʌbə(r)/ *οὐσ.* ‹C› μπουνταλᾶς, κρεμανταλᾶς.

lu·bri·cant /`lubrɪkənt/ *οὐσ.* ‹C,U› λιπαντικόν, γράσσο.

lu·bri·cate /`lubrɪkeɪt/ *ρ.μ.* γρασσάρω, λιπαίνω. **lu·bri·ca·tion** /'lubrɪ`keɪʃn/ *οὐσ.* ‹U› γρασσάρισμα.

lu·cent /`lusnt/ *ἐπ.* λαμπερός, στιλπνός, διάφανος.

lu·cerne /lu`sɜn/ *οὐσ.* ‹U› (*MB*) τριφύλλι.

lu·cid /`lusɪd/ *ἐπ.* καθαρός, σαφής, διαυγής, φωτεινός: *a ~ style/mind/explanation*, καθαρό ὕφος/μυαλό/-ή ἐξήγησις. *~ intervals*, φωτεινά διαλείμματα (τρελλοῦ). **~·ly** *ἐπίρ.* **~·ity** /lu`sɪdətɪ/ *οὐσ.* ‹U› διαύγεια.

Luci·fer /`lusɪfə(r)/ *οὐσ.* ‹C› **1**. ὁ 'Εωσφόρος. **2**. αὐγερινός.

luck /lʌk/ *οὐσ.* ‹U› τύχη: *have good/bad ~*, ἔχω τύχη/ἀτυχία. *have the good/bad ~ to...*, ἔχω τήν τύχη/τήν ἀτυχία νά... ***be down on one's*** ~, (*καθομ.*) ἔχω ἀτυχίες, μ' ἔχει πάρει ὁ κατήφορος. ***be out of/in*** ~, ἔχω ἀτυχία/τύχη. ***(have) hard*** ~, (ἔχω) κακοτυχιά: *It was hard ~ on you that...*, ἦταν ἀτυχία γιά σένα ὅτι... ***push one's*** ~, ζορίζω τήν τύχη μου. ***try one's*** ~, δοκιμάζω τήν τύχη μου. ***as ~ would have it***, ἡ τύχη τό θέλησε, εὐτυχῶς ἤ δυστυχῶς (ἀνάλογα μέ τό νόημα). ***for*** ~, γιά γοῦρι. ***my ~'s in/out***, ἔχω τύχη/ἀτυχία. ***Just my*** ~, ἄτυχος ὅπως πάντα. ***worse*** ~, (*παρενθετικῶς*) ἀτυχῶς, τόσο τό χειρότερο. **~·less** *ἐπ.* ἄτυχος, ἀνεπιτυχής.

lucky /`lʌkɪ/ *ἐπ.* (*-ier, -iest*) τυχερός: *~ at cards/in love*, τυχερός στά χαρτιά/στόν ἔρωτα. *a ~ man/day*, τυχερός ἄνθρωπος/-ή μέρα. *a ~ guess!* τό μάντεψες, τό βρῆκες! *It was ~ for him he went*, τοῦ βγῆκε σέ καλό/ἦταν εὐτύχημα γι' αὐτόν πού πῆγε. **luck·ily** /`lʌkɪlɪ/ *ἐπίρ.* εὐτυχῶς.

lu·cra·tive /`lukrətɪv/ *ἐπ.* ἐπικερδής, προσοδοφόρος.

lucre /`lukə(r)/ *οὐσ.* ‹U› κέρδος, παρᾶς: *He would do anything for ~*, θά σκότωνε τόν πατέρα του γιά τόν παρᾶ.

lu·di·crous /`ludɪkrəs/ *ἐπ.* γελοῖος, ἀστεῖος. **~·ly** *ἐπίρ.*

luff /lʌf/ *ρ.μ/ἀ.* (*ναυτ.*) ὀρτσάρω.

[1]**lug** /lʌg/ *ρ.μ.* (*-gg-*) σέρνω: *~ a heavy suitcase up the stairs*, σέρνω μιά βαρειά βαλίτσα πάνω στή σκάλα. __*οὐσ.* ‹C› σύρσιμο, τράβηγμα.

[2]**lug** /lʌg/ *οὐσ.* ‹C› αὐτί (λαγήνας), προεξοχή, κρίκος.

lug·gage /`lʌgɪdʒ/ *οὐσ.* ‹U› (*πάντα ἑν.*) ἀποσκευές: *Where is your ~?* ποῦ εἶναι οἱ ἀποσκευές σας; *a piece/an article of ~*, μιά ἀποσκευή. `**~-carrier/-grid**, σχάρα ἀποσκευῶν. `**~-rack**, δίχτυ ἀποσκευῶν (πάνω ἀπό καθίσματα τραίνου, κλπ). `**~-ticket**, ἀπόδειξις παραδόσεως ἀποσκευῶν. `**~-trolley**, καροτσάκι ἀποσκευῶν. `**~-van**, σκευοφόρος (τραίνου).

lu·gu·bri·ous /lu`gubrɪəs/ *ἐπ.* (*λόγ.*) πένθιμος, θλιβερός: *a ~ expression*, πένθιμη ἔκφρασις. **~·ly** *ἐπίρ.* **~·ness** *οὐσ.* ‹U›.

luke·warm /'luk`wɔm/ *ἐπ.* χλιαρός: *~ water/*

support/friendship, χλιαρό νερό/-ή ὑποστήριξις/φιλία. **~·ly** *ἐπίρ.* **·ness** *οὐσ.* ‹U› χλιαρότης.

lull /lʌl/ *ρ.μ/ὰ.* νανουρίζω, ἀποκοιμίζω, κατευνάζω/-ομαι: ~ *a baby to sleep*, ἀποκοιμίζω ἕνα μωρό νανουρίζοντάς το. ~ *sb's fears/suspicions*, ἀποκοιμίζω τούς φόβους/τίς ὑποψίες κάποιου. *The wind ~ed/was ~ed*, ὁ ἀέρας ἔπεσε. —*οὐσ.* ‹C› κάλμα, γαλήνη: *There was a ~ in the storm/wind/conversation*, γιά μιά στιγμή ἡ καταιγίδα/ὁ ἀέρας/ἡ κουβέντα ἔκοψε.

lull·aby /ˋlʌləbaɪ/ *οὐσ.* ‹C› νανούρισμα.

lum·bago /lʌmˋbeɪgəʊ/ *οὐσ.* ‹U› ὀσφυαλγία, ἰσχιαλγία.

lum·bar /ˋlʌmbə(r)/ *ἐπ.* ὀσφυϊκός.

[1]**lum·ber** /ˋlʌmbə(r)/ *οὐσ.* ‹U› **1**. χοντρή ξυλεία (κατασκευῶν). **ˋ~·man/·jack**, ξυλοκόπος, πριονιστής. **ˋ~-mill**, πριονιστήριον. **ˋ~-yard**, ξυλαποθήκη. **2**. παληά ἔπιπλα καί ἄλλα πράγματα. **ˋ~·room**, ἀποθήκη, δωμάτιο μέ τ' ἄχρηστα. —*ρ.μ.* γεμίζω μέ παληοπράγματα: *a mind ~ed (up) with useless bits of information*, (*μεταφ.*) μυαλό γεμᾶτο ἄχρηστες γνώσεις.

[2]**lum·ber** /ˋlʌmbə(r)/ *ρ.ὰ.* κινοῦμαι βαριά καί μέ θόρυβο: *The army tanks ~ed past*, τά τάνκς προσπέρασαν βαριά.

lu·min·ary /ˋluːmɪnərɪ/ *οὐσ.* ‹C› **1**. φωτεινό σῶμα, ἄστρο. **2**. (*μεταφ.*) φωστήρας, ἀστέρι (τῆς ἐπιστήμης, κλπ).

lu·mi·nous /ˋluːmɪnəs/ *ἐπ.* **1**. φωτεινός: ~ *paint*, φωτεινόν χρῶμα (πού λάμπει ἀντανακλώντας τό φῶς στό σκοτάδι, ὅπως σέ ὁδικά σήματα, κλπ). **2**. (*μεταφ.*) καθαρός, φωτισμένος: *a ~ explanation/mind*, καθαρή ἐξήγησις/φωτισμένο μυαλό. **lu·min·os·ity** /ˈluːmɪˋnɒsətɪ/ *οὐσ.* ‹U› φωτεινότης.

lummy, lumme /ˋlʌmɪ/ *ἐπιφ.* ἐκπλήξεως, ὡλαλά!

[1]**lump** /lʌmp/ *οὐσ.* ‹C› **1**. κομμάτι, σβῶλος: *a ~ of clay*, κομμάτι λάσπη. *a ~ of sugar; a ˋsugar ~*, κομμάτι ζάχαρη. ***a ~ sum***, συνολικό ποσό, ἐφ' ἅπαξ. ***in the ~***, ὅλα μαζί, συλλήβδην. **2**. καρούμπαλο, ἐξόγκωμα: *a ~ on the forehead*, καρούμπαλο στό κούτελο. ***have a ~ in one's throat***, (*μεταφ.*) ἔχω ἕναν κόμπο στό λαιμό (ἀπό συγκίνηση). **3**. (*καθομ.*) βαρύς, κουτός ἄνθρωπος: *Get out of my way, you big fat ~ of a man!* χάσου ἀπό μπρός μου, μπουνταλᾶ! —*ρ.μ.* **1**. ***~ together***, βάζω μαζί/στό σωρό/συλλήβδην: *We ~ed all our money together to buy him a present*, βάλαμε μαζί ὅλα μας τά χρήματα νά τοῦ πάρωμε ἕνα δῶρο. *You can't ~ me together with the others*, δέν μπορεῖς νά μέ βάζης στό ἴδιο σακκί μέ τούς ἄλλους. **2**. σβωλιάζω: *The cream will ~ if you don't stir it well*, ἡ κρέμα θά σβωλιάση ἄν δέν τήν ἀνακατεύης καλά. **~·ish** /-ɪʃ/ *ἐπ.* χοντρομπαλᾶς, χοντροκέφαλος. **~y** *ἐπ.* (*-ier, -iest*) σβωλιασμένος.

[2]**lump** /lʌmp/ *ρ.μ.* (*μόνο στή φρ.*) ***~ it***, ἀνέχομαι: *You'll just have to ~ it*, θά τό ἀνεχθῆς καί θά πῆς κ'ἕνα τραγούδι! *If you don't like it, you can ~ it*, ἄν δέν σοῦ ἀρέση, κάνε τά παράπονά σου.

lu·nacy /ˋluːnəsɪ/ *οὐσ.* ‹C,U› παραφροσύνη, μεγάλη ἀπερισκεψία, τρέλλα: *It's sheer ~*, εἶναι καθαρή τρέλλα.

lu·nar /ˋluːnə(r)/ *ἐπ.* σεληνιακός: *a ~ month/year/orbit*, σεληνιακός μῆνας/χρόνος/-ή τροχιά.

lu·na·tic /ˋluːnətɪk/ *οὐσ.* ‹C› παράφρων. **ˋ~ asylum**, φρενοκομεῖο. —*ἐπιθ.* τρελλός: *a ~ proposal*, πρότασις τρελλοῦ. ***the ˈ~ ˋfringe***, οἱ ἀκραῖοι, οἱ τρελλοί (τῆς πολιτικῆς, τέχνης, κλπ), οἱ φανατικοί τῶν ἄκρων.

lunch /lʌntʃ/ *οὐσ.* ‹C› μεσημεριανό φαγητό: *They were having ~/were at ~ when I called*, ἔπαιρναν τό μεσημεριανό τους ὅταν πέρασα. ***have ~***, γευματίζω. —*ρ.μ/ὰ.* παίρνω/προσφέρω γεῦμα. **ˋ~eon** /ˋlʌntʃən/ *οὐσ.* ‹C› (*λόγ.*) γεῦμα.

lung /lʌŋ/ *οὐσ.* ‹C› πνεύμων: ~ *cancer*, καρκίνος τῶν πνευμόνων. *the ~s of a town*, (*μεταφ.*) οἱ πνεύμονες μιᾶς πόλης (*πχ* τά πάρκα). **ˋ~-power**, δύναμις τῶν πνευμόνων (*δηλ.* τῆς φωνῆς).

lunge /lʌndʒ/ *οὐσ.* ‹C› ἀπότομη κίνησις πρός τά μπρός (*πχ* γιά χτύπημα). —*ρ.ὰ.* ρίχνομαι, ἐπιτίθεμαι: *He ~d at his opponent*, ρίχτηκε στόν ἀντίπαλό του.

[1]**lurch** /lɜːtʃ/ *οὐσ.* (*μόνο στή φρ.*) ***leave sb in the ~***, ἀφήνω κπ στά κρύα τοῦ λουτροῦ.

[2]**lurch** /lɜːtʃ/ *οὐσ.* ‹C› γέρσιμο, ἀπότομη κλίσις, κλυδωνισμός: *The ship gave a ~*, τό πλοῖο ἔγυρε ἀπότομα. —*ρ.ὰ.* τρεκλίζω, κλυδωνίζομαι: *The drunken man ~ed across the street*, ὁ μεθυσμένος διέσχισε τό δρόμο τρεκλίζοντας.

lure /lʊə(r)/ *οὐσ.* ‹C› δέλεαρ, ἕλξις, θέλγητρο: *the ~ of the sea*, ἡ γοητεία τῆς θάλασσας. *the ~s used by women*, τά δολώματα πού χρησιμοποιοῦν οἱ γυναῖκες. —*ρ.μ.* δελεάζω, θέλγω, παρασύρω: ~ *sb away from his duty*, παρασύρω κπ ἀπό τό καθῆκον του. *He was ~d on to destruction*, παρεσύρθη στήν καταστροφή του.

lu·rid /ˋlʊərɪd/ *ἐπ.* **1**. φωτερός, μαυροκίτρινος, ζοφερός: *a ~ sunset*, φωτερή δύσις. *a ~ sky*, μαυροκίτρινος, ζοφερός οὐρανός. ~ *thunder-clouds*, βαριά σύννεφα καταιγίδας. **2**. (*μεταφ.*) μακάβριος, ἀνατριχιαστικός: ~ *stories of the civil war*, ἀνατριχιαστικές ἱστορίες τοῦ ἐμφυλίου πολέμου. ~ *details of a crime*, μακάβριες λεπτομέρειες ἑνός ἐγκλήματος. **~·ly** *ἐπίρ.*

lurk /lɜːk/ *ρ.ὰ.* κρύβομαι, καραδοκῶ, παραμονεύω: *He was ~ing in the dark*, παραμόνευε στά σκοτεινά. *Some suspicion still ~ed in his mind*, στό μυαλό του ἔμενε ἀκόμα μιά ὑποψία. **ˋ~ing-place**, κρυψώνας, ἐνέδρα, καρτέρι.

luscious /ˋlʌʃəs/ *ἐπ.* χυμώδης, αἰσθησιακός, γλυκός: ~ *peaches/music*, χυμώδη ροδάκινα/γλυκειά αἰσθησιακή μουσική. *a ~ woman/~ lips*, αἰσθησιακή γυναίκα (μέ πλούσια θέλγητρα)/-ά χείλη.

lush /lʌʃ/ *ἐπ.* ἄφθονος, πλούσιος, ὀργιαστικός: ~ *vegetation*, πλούσια βλάστησις. ~ *surroundings*, (*μεταφ.*) περιβάλλον ὅλο χλιδή.

lust /lʌst/ *οὐσ.* ‹C,U› λαγνεία, πόθος, δίψα: *filled with ~*, γεμᾶτος λαγνεία. *the ~s of the flesh*, οἱ σαρκικοί πόθοι. ~ *for gold/honours/power*, δίψα γιά χρυσάφι/τιμές/ἐξουσία.

—*ρ.ἀ.* ~ ***after/for sb/sth***, λαχταρῶ, ποθῶ. **~·ful** /-fl/ *ἐπ.* λάγνος, ἀσελγής. **~·fully** /-fəlɪ/ *ἐπίρ.*
lustre /ˋlʌstə(r)/ *οὐσ.* ‹U› **1**. λάμψις, ἀκτινοβολία, στιλπνότης: *the ~ of pearls*, ἡ στιλπνότης τῶν μαργαριταριῶν. **2**. (*μεταφ.*) λαμπρότης, αἴγλη, δόξα: *add fresh ~ to the family name*, προσθέτω νέα αἴγλη στό οἰκογενειακό ὄνομα. **3**. κρύσταλλος (πολυελαίου). **lus·trous** /ˋlʌstrəs/ *ἐπ.* στιλπνός, λαμπερός: *~ pearls/eyes*.
lusty /ˋlʌstɪ/ *ἐπ.* εὔρωστος, ρωμαλέος, ψυχωμένος, δυνατός: *a ~ village girl*, μιά εὔρωστη χωριατοπούλα. *~ cheers*, δυνατές ἐπευφημίες. **lust·ily** /ˋlʌstəlɪ/ *ἐπίρ.* γερά, δυνατά, λεβέντικα: *work/shout/fight lustily*, δουλεύω/ φωνάζω/πολεμῶ γερά.
lute /lut/ *οὐσ.* ‹C› λαοῦτο. **lu·tan·ist** /ˋlutənɪst/ *οὐσ.* ‹C› λαουτιέρης.
lux·ur·iant /ləgˋʒʊərɪənt/ *ἐπ.* **1**. ἄφθονος, ὀργιώδης, πλούσιος: *~ vegetation*, πλούσια (ὀργιώδης) βλάστηση. *a ~ imagination*, (*μεταφ.*) πληθωρική φαντασία. **2**. (*γιά ὕφος*) περίτεχνος, καταστόλιστος: *a ~ style of writing*, περίτεχνο, στολισμένο ὕφος γραψίματος. **~·ly** *ἐπίρ.* **lux·ur·iance** /-ɪəns/ *οὐσ.* ‹U› ἀφθονία, πλοῦτος, ὀργιώδης βλάστησις.
lux·ur·iate /ləgˋʒʊərɪeɪt/ *ρ.ἀ.* **~ *in***, ἐντρυφῶ, ἀπολαμβάνω: *~ in the warm spring sunshine*, ἀπολαμβάνω τή ζεστή ἀνοιξιάτικη λιακάδα.
lux·ur·ious /ləgˋʒʊərɪəs/ *ἐπ.* **1**. πολυτελής: *a ~ hotel*. **2**. ἐκλεκτός, ἀκριβός: *~ food*. **3**. τρυφηλός, πού ἀγαπάει τήν πολυτέλεια: *~ habits/a ~ life*, τρυφηλές συνήθειες/-ή ζωή.
lux·ury /ˋlʌkʃərɪ/ *οὐσ.* ‹C,U› πολυτέλεια, χλιδή, ἀπόλαυσις: *live in ~*, ζῶ στή χλιδή. *a life of ~*, πλούσια ζωή. *a ~ hotel*, ξενοδοχεῖον πολυτελείας. *I can't afford many luxuries*, δέν ἔχω τά μέσα γιά πολλές πολυτέλειες/ἀπολαύσεις. *What a ~ to have nothing to do!* τί ἀπόλαυση νά μήν ἔχης νά κάνης τίποτα!
ly·ceum /laɪˋsiəm/ *οὐσ.* ‹C› λύκειον, αἴθουσα διαλέξεων, μορφωτική ἑταιρία.
lye /laɪ/ *οὐσ.* ‹C› ἀλισίβα.
ly·ing /ˋlaɪɪŋ/ *ἐνεργ. μετ. τοῦ ρ.* [1 & 2]*lie*.
lymph /lɪmf/ *οὐσ.* ‹U› λύμφη. **~atic** /lɪmˋfætɪk/ *ἐπ.* λυμφατικός, νωθρός.
lynch /lɪntʃ/ *ρ.μ.* λυντσάρω. —*οὐσ.* ˋ**~ law**, ὁ νόμος τοῦ λύντς.
lynx /lɪŋks/ *οὐσ.* ‹C› λύγξ. ˈ**~-ˋeyed** *ἐπ.* μέ δυνατή ὅραση, ἀετομάτης.
lyre /ˋlaɪə(r)/ *οὐσ.* ‹C› λύρα.
lyric /ˋlɪrɪk/ *ἐπ.* λυρικός. —*οὐσ.* **1**. ‹C› λυρικόν ποίημα. **2**. (*πληθ.*) στίχοι τραγουδιοῦ. **~al** /ˋlɪrɪkl/ *ἐπ.* λυρικός, ἐνθουσιώδης: *She waxed/became lyrical over the beauties of Crete*, ἦταν ὅλο λυρισμό/ἐνθουσιασμό γιά τίς ὀμορφιές τῆς Κρήτης. **~ly** /-klɪ/ *ἐπίρ.*

M m

M, m /em/ τό 13ο γράμμα τοῦ ἀλφάβητου.
ma /ma/ *οὐσ.* ‹C› (*παιδική λέξη γιά mamma*) μαμά.
ma'am /mæm/ (*παραφθορά τοῦ madam, χρησιμοποιούμενον ἰδ. ἀπό τούς ὑπηρέτες*) κυρία.
mac /mæk/ *οὐσ.* ‹C› (*βραχυλ. γιά*) *mackintosh*.
ma·cabre /məˋkabr/ *ἐπ.* μακάβριος.
ma·cadam /məˋkædəm/ *οὐσ.* ‹U› σκυρόστρωτον. **~·ize** /-aɪz/ *ρ.μ.* σκυροστρώνω: *~ized roads*, σκυροστρωμένοι δρόμοι.
maca·roni /ˈmækəˋrəʊnɪ/ *οὐσ.* ‹U› μακαρόνια. ˈ*~ˋcheese*, ὀγκρατέν.
maca·roon /ˈmækəˋrun/ *οὐσ.* ‹C› (*ζαχαροπλ.*) ἀμυγδαλωτόν, ἐργολάβος.
ma·caw /məˋkɔ/ *οὐσ.* ‹C› εἶδος παπαγάλου.
mace /meɪs/ *οὐσ.* **1**. ‹C› ρόπαλο (μέ μεταλλικά ἀγκίθια), ἀπελατίκι. **2**. ‹C› σκῆπτρον. ˋ**~-bearer**, σκηπτροῦχος (πρόσωπον πού φέρει τήν τελετουργικήν ράβδον). **3**. ‹U› μοσχοκάρυδο (φλούδα).
mac·er·ate /ˋmæsəreɪt/ *ρ.μ/ἀ.* μουσκεύω/ -ομαι, ἐμβρέχω.
mach·ia·vel·lian /ˈmækɪəˋvelɪən/ *ἐπ.* μακιαβελλικός, σατανικός.
machi·na·tion /ˈmækɪˋneɪʃn/ *οὐσ.* ‹C,U› μηχανορραφία, ραδιουργία, δολοπλοκία.
ma·chine /məˋʃin/ *οὐσ.* ‹C› **1**. μηχανή: *a ˋsewing-~*, ραπτομηχανή. *a ˋprinting-~*, τυπογραφική μηχανή. *We live in the ~ age*, ζοῦμε στόν αἰῶνα τῆς μηχανῆς. ˋ**~-gun** *οὐσ.* ‹C› πολυβόλο. —*ρ.μ.* πολυβολῶ. ˈ**~-ˋmade** *ἐπ* μηχανοποίητος. ˋ**~ tool**, μηχανικόν ἐργαλεῖον. **2**. μηχανισμός: *the party ~*, ὁ κομματικός μηχανισμός, ἡ μηχανή τοῦ κόμματος. —*ρ.μ.* ράβω, τυπώνω (μέ μηχανή). **ma·chin·ist** /məˋʃinɪst/ *οὐσ.* ‹C› μηχανουργός.
ma·chin·ery /məˋʃinərɪ/ *οὐσ.* **1**. (*μόνον ἑν.*) μηχανήματα, τεμάχια μηχανῆς: *Is all the ~ new?* εἶναι ὅλα τά μηχανήματα καινούργια; (*πρβλ. Are all the machines new?*) **2**. ‹C,U› μηχανισμός: *the ~ of government*, ὁ μηχανισμός τῆς κυβερνήσεως.
mack·erel /ˋmækrl/ *οὐσ.* ‹C,U› (*ἰχθ.*) σκουμπρί, κολιός.
mack·in·tosh /ˋmækɪntoʃ/ *οὐσ.* ‹C› ἀδιάβροχο: *a plastic ~*, πλαστικό ἀδιάβροχο.
mac·ro·biotic /ˋmækrəʊbaɪˋotɪk/ *ἐπ.* πού δίνει μακροβιότητα: *~ food*.
mac·ro·cosm /ˋmækrəʊkozm/ *οὐσ.* ‹C› μακρόκοσμος, σύμπαν (*ἀντίθ. microcosm*).
mad /mæd/ *ἐπ.* *(-der, -dest)* **1**. τρελλός. ***drive/send sb ~***, τρελλαίνω κπ. ***go ~***, τρελλαίνομαι. ˋ**~·house**, (*καθομ.*) τρελλάδικο. ˋ**~·man**, παράφρων, τρελλός. ˋ**~-woman**, τρελλή. (*βλ. & λ. hare, hat*). **2**. (*καθομ.*) παλαβός, ξετρελλαμένος, ἔξαλλος (ἀπό χαρά, ἐνθουσιασμό, θυμό, κλπ): *~ with joy*, τρελλός ἀπό χαρά. *~ about pop music*, παλαβός γιά μουσική πόπ. *He's ~ on fishing/*

dancing, τρελλαίνεται γιά τό ψάρεμα/γιά χορό. *He was ~ about/at missing the train*, ἔκανε σάν παλαβός (ἦταν ἔξαλλος) πού ἔχασε τό τραῖνο. *She was ~ with me for spilling the ink*, ἔγινε ἔξω φρενῶν μαζί μου ἐπειδή ἔχυσα τό μελάνι. *What a ~ thing to do!* τί παλαβομάρα! τί ἀνοησία! ***like ~***, σάν παλαβός, μέ ὅλη μου τή δύναμη: *run/work like ~*, τρέχω/δουλεύω σάν παλαβός. **`~·cap**, παλαβιάρης, τρελλάρας. **~·ly** *ἐπίρ.* τρελλά, παλαβά: *be ~ly in love*, (*καθομ.*) εἶμαι τρελλά ἐρωτευμένος. **~·ness** *οὐσ.* ‹U› τρέλλα, παλαβομάρα: *It would be sheer ~ness to ...*, θά ἦταν καθαρή τρέλλα νά ... **~·den** /ˋmædn/ *ρ.μ.* τρελλαίνω, ἐκνευρίζω: *a ~dening delay/noise*, ἐκνευριστική καθυστέρησις/-ός θόρυβος.

madam /ˋmædəm/ *οὐσ.* ‹C› **1**. (*προσφώνησις πρός γυναίκα, παντρεμένη ἤ ὄχι*) κυρία: *Can I help you, ~?* (σέ μαγαζί) μπορῶ νά σᾶς ἐξυπηρετήσω, κυρία μου; *Dear M~*, (σέ γράμμα) Ἀγαπητή Κυρία. **2**. (*καθομ.*) αὐταρχική γυναίκα: *She's a bit of a ~*, εἶναι λιγάκι αὐταρχική. **3**. (*καθομ.*) τσατσά, μαντάμ (διευθύντρια σέ οἶκο ἀνοχῆς).

Mad·ame /ˋmædəm/ (*συγκεκ.* *Mme*) *οὐσ.* (*πληθ.* *Mesdames* /meɪˋdamz/) πρό τῶν κυρίων ὀνομάτων ξένων ὑπάνδρων γυναικῶν: *M~ Chang Kai Shek*.

made /meɪd/ *ἀόρ.* & *π.μ.* *τοῦ ρ.* *make*.

Ma·deira /məˋdɪərə/ *οὐσ.* ‹C,U› ἄσπρο κρασί, μαδέρα. **~ cake**, παντεσπάνι.

Ma·donna /məˋdonə/ *οὐσ.* **the ~**, Παναγία. **~ lily**, λευκός κρίνος.

mad·ri·gal /ˋmædrɪgl/ *οὐσ.* ‹C› (*μουσ.*) μαδριγάλι.

Mae·cenas /maɪˋsinəs/ *οὐσ.* ‹C› Μαικήνας, προστάτης τῶν καλῶν τεχνῶν.

mael·strom /ˋmeɪlstrəm/ *οὐσ.* ‹C› (*κυριολ.* & *μεταφ.*) δίνη: *in the ~ of war/passions*, στή δίνη τοῦ πολέμου/τῶν παθῶν.

mae·nad /ˋminæd/ *οὐσ.* ‹C› μαινάδα, στρίγγλα.

mag /mæg/ *οὐσ.* ‹C› (*καθομ.*, *βραχυλ.* *γιά*) *magazine*.

maga·zine /ˈmægəˋzin/ *οὐσ.* ‹C› **1**. περιοδικό. **2**. ἀποθήκη πυρομαχικῶν. **3**. γεμιστήρ (ὅπλου).

ma·genta /məˋdʒentə/ *οὐσ.* ‹C,U› & *ἐπ.* μαντζέντα (χρῶμα).

mag·got /ˋmægət/ *οὐσ.* ‹C› κάμπια (ἐντόμου). **~y** *ἐπ.* σκουληκιασμένος: *~y cheese*.

Magi /ˋmeɪdʒaɪ/ *οὐσ.* *πληθ.* οἱ Μάγοι (τῆς Γραφῆς).

magic /ˋmædʒɪk/ *οὐσ.* ‹U› **1**. μαγεία. ***like ~; as if by ~***, ὡς διά μαγείας. **black ~**, μαύρη μαγεία. **2**. (*μεταφ.*) γοητεία: *the ~ of great art/of a sunset*, ἡ γοητεία (ἡ μαγεία) τῆς μεγάλης τέχνης/ἑνός ἡλιοβασιλέματος. __*ἐπ.* μαγικός. *~ arts/words*, μαγικές τέχνες/λέξεις. **~ eye**, (*καθομ.*, *ἠλεκτρ.*) μαγικό μάτι. **~al** /-kl/ *ἐπ.* μαγικός: *The result was ~al*, τό ἀποτέλεσμα ἦταν μαγικό. **~ally** /-klɪ/ *ἐπίρ.* μαγικά, διά μαγείας. **ma·gician** /məˋdʒɪʃn/ *οὐσ.* ‹C› μάγος, ταχυδακτυλουργός.

magis·terial /ˈmædʒɪˋstɪərɪəl/ *ἐπ.* **1**. δικαστικός. **2**. αὐταρχικός, δεσποτικός, ἐπιβλητικός: *in a ~ manner*, μέ αὐταρχικό ὕφος.

magis·trate /ˋmædʒɪstreɪt/ *οὐσ.* ‹C› κατώτερος δικαστής, πταισματοδίκης, εἰρηνοδίκης.

magis·tracy /ˋmædʒɪstrəsɪ/ *οὐσ.* ‹C,U› **1**. τό ἀξίωμα κατώτερου δικαστῆ. **2**. (*μέ ὁρ. ἄρθρ.*) (*συλλογ.*) οἱ κατώτεροι δικαστές.

mag·nani·mous /mægˋnænɪməs/ *ἐπ.* μεγάθυμος, μεγαλόψυχος. **~·ly** *ἐπίρ.* μεγαλόψυχα.

mag·na·nim·ity /ˈmægnəˋnɪmətɪ/ *οὐσ.* ‹C,U› μεγαλοθυμία, μεγαλοψυχία.

mag·nate /ˋmægneɪt/ *οὐσ.* ‹C› μεγιστάν (πλούτου).

mag·nesia /mægˋniʃə/ *οὐσ.* ‹U› (*χημ.*) μαγνησία.

mag·nesium /mægˋnizɪəm/ *οὐσ.* ‹U› (*χημ.*) μαγνήσιον.

mag·net /ˋmægnɪt/ *οὐσ.* ‹C› (*κυριολ.* & *μεταφ.*) μαγνήτης. **~·ic** /mægˋnetɪk/ *ἐπ.* μαγνητικός: *a ~ic field/needle/tape*, μαγνητικόν πεδίον/-ή βελόνη/μαγνητοταινία. *a ~ic smile/personality*, μαγνητικό χαμόγελο/-ή προσωπικότης. **~i·cally** /-klɪ/ *ἐπίρ.* **~·ism** /-ɪzm/ *οὐσ.* ‹U› μαγνητισμός: *He has great personal ~ism*, ἔχει μεγάλο προσωπικό μαγνητισμό. **~·ize** /-aɪz/ *ρ.μ.* (*κυριολ.* & *μεταφ.*) μαγνητίζω.

mag·neto /mægˋnitəʊ/ *οὐσ.* ‹C› (*πληθ.* *~s*) (*μηχ.*) σπινθηροπαραγωγός, μανιατό.

Mag·nifi·cat /mægˋnɪfɪkæt/ *οὐσ.* ‹C› (*ἐκκλ.*) μεγαλυνάριον.

mag·nifi·cence /mægˋnɪfɪsns/ *οὐσ.* ‹U› μεγαλοπρέπεια, λαμπρότης.

mag·nifi·cent /mægˋnɪfɪsnt/ *ἐπ.* μεγαλοπρεπής, ἔξοχος. **~·ly** *ἐπίρ.* ἔξοχα, μεγαλοπρεπέστατα.

mag·nify /ˋmægnɪfaɪ/ *ρ.μ.* **1**. μεγεθύνω, μεγαλοποιῶ: *~ dangers*, μεγαλοποιῶ τούς κινδύνους. **`~ing glass**, μεγεθυντικός φακός. **2**. (*ἀπηρχ.*) μεγαλύνω (τόν Θεόν). **mag·ni·fier** /-faɪə(r)/ *οὐσ.* ‹C› μεγεθυντικός φακός. **mag·nifi·ca·tion** /ˈmægnɪfɪˋkeɪʃn/ *οὐσ.* ‹U› μεγέθυνσις.

mag·nil·oquent /mægˋnɪləkwənt/ *ἐπ.* πομπώδης, στομφώδης. **~·ly** *ἐπίρ.* πομπωδῶς. **mag·nil·oquence** /-əns/ *οὐσ.* ‹U› στόμφος, μεγαλοστομία.

mag·ni·tude /ˋmægnɪtjud/ *οὐσ.* ‹C,U› μέγεθος, σημασία, σπουδαιότης: *of the first ~*, πρώτου μεγέθους. *the ~ of the interests at stake*, τό μέγεθος/ἡ σπουδαιότης τῶν διακινδυνευομένων συμφερόντων.

mag·no·lia /mægˋnəʊlɪə/ *οὐσ.* ‹C,U› μαγνολία.

mag·pie /ˋmægpaɪ/ *οὐσ.* ‹C› **1**. κίσσα, καρακάξα. **2**. (*μεταφ.*) φλύαρος, λογᾶς, μικροκλέφτης.

Ma·ha·ra·ja(h) /ˈmahəˋradʒə/ *οὐσ.* ‹C› μαχαραγιᾶς. **Ma·ha·ra·nee** /ˈmahəˋrani/ *οὐσ.* ‹C› μαχαρανή.

ma·hog·any /məˋhogənɪ/ *οὐσ.* ‹U› μαόνι.

maid /meɪd/ *οὐσ.* ‹C› **1**. (*ἐπίσης:* **`~servant**, **`house~**) ὑπηρέτρια: *It's the ~'s day off*, ἡ ὑπηρέτρια ἔχει ἔξοδο σήμερα. **2**. (*λογοτ.*) κοπέλλα. **3**. (*ἀπηρχ.*) παρθένος. **old ~**, γεροντοκόρη. **ˈ~ of `honour**, δεσποινίς ἐπί τῶν τιμῶν.

maiden /ˋmeɪdn/ *οὐσ.* ‹C› (*λογοτ.*) ἀνύπαντρη κοπέλλα. __*ἐπ.* **1**. παρθενικός, πρῶτος: *a ship's ~ voyage*, τό παρθενικό ταξίδι ἑνός πλοίου. **~ speech**, παρθενικός λόγος. **2**. ἀνύπαντρος: *a ~ aunt*, ἄγαμη θεία. **3**. (*σέ σύνθετες λέξεις*): **`~·head**, παρθενικός ὑμήν, παρθενιά. `~·**hood**, κοριτσίστικη ἡλικία. `~ **name**, πατρικό ὄνομα (παντρεμένης). `~-**like**, ~·**ly** *ἐπ.* παρθενικός, σεμνός, κοριτσίστικος. __*ἐπίρ.* σεμνά.

1 **mail** /meɪl/ *οὐσ.* ‹U› πανοπλία. ***the ~ed fist***, ἡ ἔνοπλος δύναμις, ἡ σιδηρᾶ πυγμή.

2 **mail** /meɪl/ *οὐσ.* **1**. ‹U› ταχυδρομεῖον, ταχυδρομική ὑπηρεσία: *send sth (by) air ~*, στέλνω κτ ἀεροπορικῶς. ***by return of ~***, μέ τό ἀμέσως ἑπόμενο ταχυδρομεῖο. `~·**bag**, ταχυδρομικός σάκκος. `~·**boat**, ταχυδρομικό πλοῖο, ποστάλε. `~·**box**, (*ΗΠΑ*) ταχυδρομικό κουτί. `~-**coach**, (*παλαιότ.*) ταχυδρομική ἅμαξα. `~·**man**, (*ΗΠΑ*) ταχυδρόμος. '~ `**order**, ταχυδρ. παραγγελία: *~-order business*, ἐμπόριο μέ τό ταχυδρομεῖο. `~-**train**, ταχυδρομικός συρμός. **2**. ‹C,U› ἀλληλογραφία, ταχυδρομεῖο (τά γράμματα, κλπ): *Is there any ~ this morning?* ὑπάρχουν γράμματα σήμερα τό πρωΐ; __*ρ.μ.* (*κυρίως ΗΠΑ*) ταχυδρομῶ (*πρβλ. MB post*). `~**ing-card**, (*ΗΠΑ*) ταχυδρομικό δελτάριο (*πρβλ. MB postcard*). `~**ing-list**, κατάλογος πελατῶν (στούς ὁποίους μιά ἑταιρία στέλνει ταχυδρομικῶς διαφημιστικό ὑλικό).

maim /meɪm/ *ρ.μ.* ἀκρωτηριάζω, σακατεύω: *He was seriously ~ed in the war*, ἀκρωτηριάστηκε βαριά στόν πόλεμο.

1 **main** /meɪn/ *ἐπιθ.* (*χωρίς παραθετικά*) **1**. κύριος, πρωτεύων, οὐσιώδης: *the ~ street of a town*, ὁ κύριος (κεντρικός) δρόμος μιᾶς πόλεως. *the ~ line of a railway*, ἡ κυρία σιδηροδρομική γραμμή. *the ~ course of a meal*, τό κύριο φαγητό ἑνός γεύματος. *the ~ reason*, ὁ κυριώτερος λόγος. ***for the ~ part***, κατά τό πλεῖστον. (*βλ. & λ.* [1]*chance*). ***do sth by ~ force***, κάνω κτ βάζοντας ὅλη μου τή δύναμη, διά τῆς ὠμῆς βίας. **2**. (*σέ σύνθετες λέξεις*): `~ **deck**, κύριο κατάστρωμα. `~-**land** /-lænd/, ἡ ἠπειρωτική χώρα. `~·**mast**, κύριο κατάρτι, ἄρμπουρο τῆς μαΐστρας. `~-**spring**, κύριο ἐλατήριο (ρολογιοῦ), (*μεταφ.*) κινητήριος δύναμις. `~·**stay** /-steɪ/, κύριο ἔρεισμα, στυλοβάτης, στήριγμα: *He's the ~-stay of the family*, (*μεταφ.*) εἶναι τό στήριγμα τῆς οἰκογενείας. `~·**stream**, *(α)* δεσπόζουσα τάσις: *the ~stream of political thought in our day*, ἡ δεσπόζουσα τάσις τῶν πολιτικῶν ἰδεῶν στήν ἐποχή μας. (*β*) στύλ τζάζ (μεταξύ κλασσικῆς καί μοντέρνας). ~·**ly** *ἐπίρ.* κυρίως, πρωτίστως, κατά βάσιν: *I am ~ly to blame*, ἐγώ φταίω κυρίως.

2 **main** /meɪn/ *οὐσ.* **1**. ‹C› κεντρικός ἀγωγός (νεροῦ, γκαζιοῦ, ρεύματος): *the town ~s*, τό δίκτυον ὑδρεύσεως τῆς πόλεως. *Our new house is not yet connected to the ~s*, τό καινούργιο μας σπίτι δέν ἔχει ἀκόμη συνδεθῆ μέ τά δίκτυα. `~**s set**, ραδιόφωνο ρεύματος. **2**. ***in the ~***, γενικῶς, κατά τό πλεῖστον. **3**. ***with might and ~***, μέ τό ζόρι, διά τῆς βίας. **4**. ‹C› (*ποιητ.*) ὠκεανός, πέλαγος.

main·tain /meɪn`teɪn/ *ρ.μ.* **1**. (δια)τηρῶ, (συγ)κρατῶ: *~ friendly relations with sb*, διατηρῶ φιλικές σχέσεις μέ κπ. *~ law and order*, τηρῶ τόν νόμο καί τήν τάξη. *~ silence*, τηρῶ σιωπή. *~ a steady speed*, κρατῶ σταθερή ταχύτητα. *~ prices*, συγκρατῶ (κρατῶ σταθερές) τίς τιμές. ***~ an open mind on sth***, βλέπω κτ χωρίς φανατισμό, εἶμαι ἕτοιμος νά συζητήσω ὅλες τίς ἀπόψεις πάνω σέ κτ. **2**. συντηρῶ, τρέφω: *It's hard to ~ a family on £15 a week*, εἶναι δύσκολο νά συντηρήση κανείς μιά οἰκογένεια μέ 15 λίρες τήν ἑβδομάδα. **3**. ὑποστηρίζω, βεβαιώνω, ἰσχυρίζομαι: *~ one's innocence*, ὑποστηρίζω τήν ἀθωότητά μου. **4**. συντηρῶ, διατηρῶ σέ καλή κατάσταση: *~ the roads*, συντηρῶ τούς δρόμους. **5**. ὑπερασπίζομαι: *~ one's rights*, ὑπερασπίζομαι τά δικαιώματά μου.

main·ten·ance /`meɪntənəns/ *οὐσ.* ‹U› (δια)τήρησις, συντήρησις: *~ expenses*, ἔξοδα συντηρήσεως (*πχ* αὐτοκινήτου). `~ **order**, (*νομ.*) ἀπόφασις διατροφῆς (*πχ* συζύγου ἤ τέκνων). `~ **men/gang**, ἐργάτες συντηρήσεως (δρόμων, κλπ).

mai·son·nette /'meɪzən`et/ *οὐσ.* ‹C› οἰκίσκος, σπιτάκι.

maize /meɪz/ *οὐσ.* ‹U› ἀραποσίτι, καλαμπόκι.

ma·jes·tic /mə`dʒestɪk/ *ἐπ.* μεγαλοπρεπής, ἡγεμονικός. ~**ally** /-klɪ/ *ἐπίρ.* μεγαλοπρεπῶς.

maj·esty /`mædʒəstɪ/ *οὐσ.* **1**. ‹U› μεγαλεῖον, λαμπρότης, μεγαλοπρέπεια: *the ~ of the scenery*, τό μεγαλεῖον τοῦ τοπείου. **2**. ‹C› μεγαλειότης. **His/Her M~**, ἡ Αὐτοῦ/ἡ Αὐτῆς Μεγαλειότης. **Your M~**, ἡ Ὑμετέρα Μεγαλειότης, Μεγαλειότατε, Μεγαλειοτάτη.

1 **ma·jor** /`meɪdʒə(r)/ *οὐσ.* ‹C› (*στρατ.*) ταγματάρχης. '~-`**general**, ὑποστράτηγος.

2 **ma·jor** /`meɪdʒə(r)/ *ἐπ.* μείζων, σημαντικός, μεγαλύτερος (*ἀντίθ. minor*): *the ~ portion*, τό μεγαλύτερο τμῆμα. *a ~ operation*, σοβαρή ἐγχείρηση. *Drugs are a ~ problem nowadays*, τά ναρκωτικά εἶναι μεῖζον πρόβλημα σήμερα. *all ~ roads*, ὅλοι οἱ κυριώτεροι δρόμοι. *Smith ~*, ὁ μεγάλος Σμίθ (ἀπό δύο παιδιά μέ τό ἴδιο ὄνομα στό σχολεῖο). ~ **scale**, (*μουσ.*) μείζων κλῖμαξ, ματζόρε. ~ **suit**, (*χαρτοπ.*) δυνατό χρῶμα (μπαστούνια, κοῦπες). __*ρ.ἀ.* ***~ in sth***, εἰδικεύομαι (στό Πανεπιστήμιο): *He ~ed in economics*, εἰδικεύτηκε στά οἰκονομικά.

ma·jor·ity /mə`dʒorətɪ/ *οὐσ.* ‹C,U› **1**. πλειοψηφία: *an absolute/a relative ~*, ἀπόλυτος/σχετική πλειοψηφία. *be elected by a large ~/by a ~ of 7000*, ἐκλέγομαι μέ μεγάλη πλειοψηφία/μέ πλειοψηφία 7000 ψήφων. ***be in the ~***, ἔχω τήν πλειοψηφία. **a ~ verdict**, (*νομ.*) ἐτυμηγορία κατά πλειοψηφίαν (ὄχι ὁμόφωνος). **2**. πλειονότης: *The ~ of houses have/has TV sets*, ἡ πλειονότης τῶν σπιτιῶν ἔχει τηλεόραση. **3**. ἐνηλικίωσις: *He'll reach his ~ next week*, θά ἐνηλικιωθῆ τόν ἐρχόμενο μήνα. **4**. βαθμός ταγματάρχου.

1 **make** /meɪk/ *ρ.μ/ἀ.* ἀνώμ. (*ἀόρ. & π.μ. made* /meɪd/) **1**. ***~ sth from/of/out of/into sth***, δημιουργῶ, φτιάχνω: *God made man*, ὁ Θεός δημιούργησε τόν ἄνθρωπο. *~ bread/coffee/tea*, φτιάχνω ψωμί/καφέ/τσάϊ. *Wine is made from grapes*, τό κρασί γίνεται ἀπό σταφύλια. *Tables are made of wood*, τά τραπέζια γίνονται ἀπό ξύλο. *We ~ bottles out of glass*, φτιάχνομε μπουκάλια ἀπό γυαλί. *Glass is made into bottles*, τό γυαλί γίνεται μπουκάλια. ***show sb/let sb see what one is made of***, δείχνω σέ κπ τί ἀξίζω, ἀπό τί

εἶμαι φτιαγμένος. ***be made for***, εἶμαι φτιαγμένος γιά: *They are made for each other*, εἶναι φτιαγμένοι ὁ ἕνας γιά τόν ἄλλον. **2**. κάνω, φτιάχνω, θεσπίζω, συντάσσω: *~ a hole in the ground*, κάνω μιά τρῦπα στό χῶμα. *~ new rules*, φτιάχνω (θεσπίζω) καινούργιους κανόνες. *~ a will*, κάνω (συντάσσω) διαθήκη. *~ trouble*, κάνω φασαρία. *~ an effort*, κάνω προσπάθεια. (*γιά τίς πολλές ἄλλες περιπτώσεις ὅπου τό make χρησιμοποιεῖται μέ οὐσιαστικά, ὅπως: make an attempt/an appointment/a change, κλπ, κλπ, βλ. τίς κατ' ἰδίαν λέξεις*). **3**. (*πεπαλ.*) τρώγω, παίρνω: *He made a hasty breakfast and went off*, ἔφαγε (πῆρε) ἕνα βιαστικό πρόγευμα κι' ἔφυγε. **4**. κάνω, ἐξαναγκάζω, πείθω (*στήν ἐνεργ. φωνή τό make ἀκολουθεῖται ἀπό ἀπαρέμφατο χωρίς to, στήν παθ. φωνή ἀπό ἀπαρέμφατο μέ to*): *They made me repeat/I was made to repeat the story*, μ' ἔκαναν νά ἐπαναλάβω τήν ἱστορία. ***'~ one's `blood boil/one's `hackles rise***, κάνω κπ ἔξω φρενῶν. ***'~ sb's `hair stand on end***, κάνω νά σηκωθῆ ἡ τρίχα κάποιου. ***~ sth do; ~ do with sth***, ἀρκοῦμαι σέ κτ, κάνω κτ νά ἐπαρκέση, τά βγάζω πέρα: *You'll have to ~ do with cold meat for dinner*, πρέπει νά ἀρκεστῆς σέ κρύο κρέας γιά δεῖπνο. *There's not much of it but I'll try to ~ it do*, δέν εἶναι ἀρκετό ἀλλά θά προσπαθήσω νά τό κάνω νά φτάση. ***~ sth go round***, καταφέρνω κτ νά φτάση: *I don't know how she ~s the money go round*, δέν ξέρω πῶς καταφέρνει νά τῆς φτάνουν τά χρήματα. ***~ believe***, προσποιοῦμαι: *Let's ~ believe that we are Red Indians*, ἄς κάνωμε (ἄς προσποιηθοῦμε) ὅτι εἴμαστε Ἰνδιάνοι. **`~-believe**, ψέματα, προσποίησις: *It was all ~-believe*, ἦταν ὅλα ψέματα/στ' ἀστεῖα. **5**. κάνω, κερδίζω, ἀποκτῶ, πετυχαίνω: *~ a fortune*, κάνω περιουσία. *He ~s £5000 a year*, κερδίζει 5000 λίρες τό χρόνο. *~ one's living*, κερδίζω τά πρός τό ζῆν. ***~ one's name/a name for oneself***, ἀποκτῶ φήμη, γίνομαι γνωστός: *He made his name/a name for himself in the war*, ἀπέκτησε φήμη/ἔγινε γνωστός στόν πόλεμο. ***~ a pile/a packet***, (*καθομ.*) κάνω καλή μπάζα, μαζεύω πολλά χρήματα. ***be a made man***, κάνω τήν τύχη μου: *If this project comes off I am a made man*, ἄν πετύχη αὐτό τό σχέδιο, ἔκαμα τήν τύχη μου. ***~ or break/mar***, (πάω) ἤ τοῦ ὕψους ἤ τοῦ βάθους. **6**. κάνω, γίνομαι: *The news made her happy*, τά νέα τήν ἔκαναν εὐτυχισμένη. *He made clear his objections*, κατέστησε σαφεῖς τίς ἀντιρρήσεις του. *He made it clear that he objected to the plan*, τό κατέστησε σαφές ὅτι εἶχε ἀντιρρήσεις στό σχέδιο. *The story was never made known/public*, ἡ ἱστορία δέν ἔγινε ποτέ γνωστή/δέν κοινολογήθηκε ποτέ. *He will ~ a good teacher*, θά γίνη καλός δάσκαλος. *She made him a good wife*, ἔγινε (βγῆκε, ἀποδείχτηκε) καλή σύζυγος γι' αὐτόν. ***~ oneself heard***, μέ ἀκοῦνε, ἀκούγομαι. ***~ oneself understood***, γίνομαι κατανοητός, μέ καταλαβαίνουν. ***~ oneself useful***, γίνομαι χρήσιμος. ***~ it worth sb's while***, ἀνταμείβω κπ γιά τόν κόπο του: *If you will help me, I'll ~ it worth your while*, ἄν μέ βοηθήσης θά σέ ἀνταμείψω γιά τόν κόπο σου. **7**. κάνω, ὑπολογίζω: *What time do you ~ it?/What do you ~ the time?* τί ὥρα λές νά εἶναι; *I ~ the distance about 70 miles*, ὑπολογίζω τήν ἀπόσταση περίπου 70 μίλια. *How large do you ~ the audience?* πόσοι ἀκροατές ὑπολογίζεις νά εἶναι; **8**. κάνω, ἰσοῦμαι, ἔχω, εἶμαι: *Twelve inches ~ one foot*, δώδεκα ἴντσες κάνουν ἕνα πόδι. *Two and two ~ four*, δύο καί δύο κάνουν τέσσερα. *His adventures ~ interesting reading*, οἱ περιπέτειές του ἔχουν ἐνδιαφέρον σάν ἀνάγνωσμα. *This ~s the fifth time you've failed this exam*, αὐτή εἶναι ἡ πέμπτη φορά πού ἀποτυχαίνεις σ' αὐτές τίς ἐξετάσεις. ***~ (no/any) sense***, (δέν) ἔχω νόημα: *His attitude ~s no sense*, ἡ στάσις του δέν ἔχει νόημα (εἶναι ἀκατανόητη). ***~ (no/any) difference***, (δέν) κάνει διαφορά: *Does it ~ any difference if I don't come?* κάνει διαφορά ἐάν δέν ἔλθω; **9**. κάνω, ταξιδεύω, καταφέρνω νά φθάσω, καταφέρνω νά γίνω: *We've made 200 miles since noon*, κάναμε (ταξιδέψαμε) 200 μίλια ἀπό τό μεσημέρι. *The ship was making only ten knots*, τό πλοῖο ἔκανε (πήγαινε μέ) μόνο δέκα κόμβους. *He's already tired out; he'll never ~ the summit*, εἶναι ἤδη ἐξαντλημένος – δέν θά καταφέρη νά φθάση στήν κορυφή. ***~ it***, τά καταφέρνω (νά φθάσω, νά πετύχω, κλπ): *We're too late; I don't think we'll ~ it*, ἔχομε ἀργήσει πολύ, δέν νομίζω ὅτι θά καταφέρωμε νά φθάσωμε ἐγκαίρως. **10**. κάνω, ἀνακηρύσσω, ἀπονέμω τίτλο, ἐκλέγω: *They made him king*, τόν ἔκαναν (τόν ἀνακήρυξαν) βασιληᾶ. *The king made him an earl*, ὁ Βασιλεύς τόν ἔκανε κόμητα. *He made her his wife*, τήν ἔκανε γυναίκα του. *He was made President*, ἔγινε (ἐξελέγη) Πρόεδρος. *We'll ~ you our spokesman*, θά σέ κάνωμε ἐκπρόσωπό μας. **11**. κάνω, γίνομαι: *Don't ~ it a habit/~ a habit of it*, μήν τό κάνης (νά μή σοῦ γίνη) συνήθεια. *Will you ~ a fourth at bridge?* θά γίνης τέταρτος στό μπρίτζ; *Don't ~ a fool of yourself*, μή γίνεσαι ἀνόητος, μή γελοιοποιεῖσαι. *He made a mess of it*, τά θαλάσσωσε. ***~... of sb***, κάνω ... κπ: *His parents want to ~ a doctor of him*, οἱ γονεῖς του θέλουν νά τόν κάνουν γιατρό. *We must ~ an example of her*, πρέπει νά τήν τιμωρήσωμε παραδειγματικά. **12**. κάνω νά, ἑτοιμάζομαι νά: *He made as if to strike me*, ἔκανε σά νἄθελε νά μέ χτυπήση. *He made to reply and then became silent*, ἔκανε ν' ἀπαντήση κι' ἔπειτα σώπασε. **13**. (*σέ σύνθετες λέξεις*): **`~·shift** *οὐσ.* ‹C› προσωρινή λύσις: *use a box as a ~shift for a table*, χρησιμοποιῶ ἕνα κιβώτιο προσωρινά γιά τραπέζι. __*ἐπ.* πρόχειρος, ἐμβαλωματικός: *a ~shift table*, ἕνα πρόχειρο τραπέζι. **`~·up**, *(α)* μακιγιάζ. *(β)* σελιδοποίησις. *(γ)* χαρακτήρας: *people of that ~up*, ἄνθρωποι μέ τέτοιο χαρακτῆρα, πού εἶναι ἔτσι φτιαγμένοι. **`~weight**, συμπλήρωμα βάρους, κατιμᾶς. **14**. (*μέ ἐπιρ. καί προθέσεις*):

make after, (*πεπαλ.*) τρέχω ξοπίσω, κυνηγῶ.

make at, προχωρῶ ἐναντίον: *The angry woman made at me with her umbrella*, ἡ θυμωμένη γυναίκα προχώρησε ἐναντίον μου μέ τήν ὀμπρέλλα της.

make for sb/sth, *(α)* κατευθύνομαι, τραβῶ πρός: *They made for the forest*, τράβηξαν πρός τό δάσος. *(β)* ὁρμῶ ἐναντίον, ρίχνομαι: *The bull made for me and I had to run*, ὁ ταῦρος μοῦ ρίχτηκε καί χρειάστηκε νά τό βάλω στά πόδια. *(γ)* συμβάλλω, βοηθῶ: *Early rising ~s for good health*, τό πρωϊνό ξύπνημα συμβάλλει στήν καλή ὑγεία.
make into, μετατρέπω σέ: *They made the castle into a hotel*, μετέτρεψαν τόν πύργο σέ ξενοδοχεῖο. *He wasn't always a liar; you made him into one*, δέν ἦταν πάντα ψεύτης – ἐσύ τόν ἔκανες τέτοιον.
make of, καταλαβαίνω, ἑρμηνεύω: *I can ~ nothing of all this scribble*, δέν βγάζω λέξη ἀπ' ὅλα αὐτά τά ὀρνιθοσκαλίσματα. *What do you ~ of it all?* τί ἑρμηνεία δίνεις σέ ὅλα αὐτά;
make off, φεύγω, τό σκάω: *The robbers got into a car and made off at top speed*, οἱ ληστές μπῆκαν σ' ἕνα αὐτοκίνητο καί ἔφυγαν ὁλοταχῶς. *He made off with the cash*, τὄσκασε μέ τίς εἰσπράξεις.
make out, *(α)* φτιάχνω, γράφω: *~ out a cheque*, φτιάχνω (ἐκδίδω) μιά ἐπιταγή. *~ out a document in duplicate*, φτιάχνω ἕνα ἔγγραφο εἰς διπλοῦν. *~ out a list*, φτιάχνω (καταρτίζω) κατάλογο. *(β)* ξεχωρίζω: *We made out a figure in the darkness*, ξεχωρίσαμε μιά σιλουέττα στό σκοτάδι. *(γ)* ἰσχυρίζομαι, κάνω: *He ~s out that he has been cheated*, ἰσχυρίζεται ὅτι τόν ἐξαπάτησαν. *He ~s himself out to be richer than he really is*, κάνει ὅτι εἶναι πιό πλούσιος ἀπ' ὅ,τι πραγματικά εἶναι. *He's not such a fool as some people ~ out*, δέν εἶναι τόσο ἀνόητος ὅσο λένε μερικοί. *(δ)* καταλαβαίνω: *I can't ~ him out at all*, δέν μπορῶ νά τόν καταλάβω καθόλου (*δηλ.* τί ἄνθρωπος εἶναι). *Can you ~ out what she wants?* μπορεῖς νά καταλάβης τί θέλει; *(ε)* ἐξελίσσομαι, προχωρῶ, (τά) πάω: *How are things making out?* πῶς πᾶν τά πράγματα; *How are you making out with Helen?* πῶς τά πᾶς (πῶς προχωράει ἡ ὑπόθεση) μέ τήν Ἑλένη;
make over, *(α)* ἀλλάζω, μεταμορφώνω, μετατρέπω: *You can't ~ over a personality in one day*, δέν μπορεῖς ν' ἀλλάξης τήν προσωπικότητα ἑνός ἀνθρώπου σέ μιά μέρα. *The basement has been made over into a workshop*, τό ὑπόγειο μετετράπη σέ (ἔγινε) ἐργαστήρι. *(β)* μεταβιβάζω (τήν κυριότητα): *He's made over the whole of his property to the state*, μετεβίβασε ὅλη του τήν περιουσία στό κράτος.
make sth up, *(α)* συμπληρώνω (ἔλλειμμα), καλύπτω (διαφορά): *We still need £50 to ~ up the sum he asked for*, χρειαζόμαστε ἀκόμα 50 λίρες γιά νά συμπληρώσωμε (νά φτιάσωμε) τό ποσό πού ζήτησε. *Our losses will have to be made up with fresh drafts*, οἱ ζημιές μας θά πρέπει νά καλυφθοῦν μέ νέες συναλλαγματικές. *(β)* ἐπινοῶ: *~ up a story/an excuse*, ἐπινοῶ μιά ἱστορία/μιά δικαιολογία. *It's all a made-up charge*, ἡ κατηγορία εἶναι πέρα ὥς πέρα φτιαχτή/ψεύτικη. *(γ)* σελιδοποιῶ. *(δ)* συγκροτῶ, συνθέτω, ἀποτελῶ: *What are the qualities that ~ up Hamlet's character?* ποιές εἶναι οἱ ἰδιότητες πού συγκροτοῦν (συνθέτουν) τόν χαρακτῆρα τοῦ Ἄμλετ; *All animal bodies are made up of cells*, τά σώματα ὅλων τῶν ζώων ἀποτελοῦνται ἀπό κύτταρα. *(ε)* φτιάχνω, παρασκευάζω, ἑτοιμάζω: *~ up a medicine/a bundle of old clothes/sb's bed*, παρασκευάζω ἕνα γιατρικό/φτιάχνω ἕνα δέμα μέ παληά ροῦχα/ἑτοιμάζω τό κρεββάτι κάποιου. *~ up the fire*, προσθέτω καύσιμα στή φωτιά. *(στ')* μακιγιάρω/-ομαι: *Ought she to ~ up at the age of twelve?* εἶναι σωστό νά μακιγιάρεται στά δώδεκα χρόνια της; ***~ up for sth***, ἀντισταθμίζω, ἀναπληρώνω: *Can her beauty ~ up for her stupidity?* μπορεῖ ἡ ὀμορφιά της νά ἀντισταθμίση τήν ἀνοησία της; *We must ~ up for lost time*, πρέπει νά ἀναπληρώσωμε τό χαμένο χρόνο. ***~ up to sb***, κολακεύω, πέφτω κοντά σέ κπ: *He's always making up to influential people*, πέφτει πάντα κοντά σ' ἀνθρώπους μ' ἐπιρροή. ***~ it up to sb (for sth)***, ἀποζημιώνω: *How can we ~ it up to them for what they have suffered?* πῶς μποροῦμε νά τούς ἀποζημιώσωμε γιά ὅ,τι ὑπέφεραν; *I'm sorry I've brought you nothing from London; I'll ~ it up to you next time*, μέ συγχωρεῖς πού δέν σοῦφερα τίποτα ἀπό τό Λονδῖνο – θά σέ ἀποζημιώσω γι' αὐτό τήν ἑπόμενη φορά. ***~ it up (with sb)***, τά ξαναφτιάχνω μέ κπ: *They quarrel in the morning and ~ it up in the evening*, τσακώνονται τό πρωΐ καί τά φτιάχνουν τό βράδυ.

[2]**make** /meɪk/ *οὐσ.* ‹C,U› μάρκα, κατασκευή: *What ~ is your car?* τί μάρκα εἶναι τό αὐτοκίνητό σου; *Is this your own ~?* εἶναι δικῆς σου κατασκευῆς (ἐσύ τὄφτιαξες); ***be on the ~***, (*λαϊκ.*) τό μυαλό μου εἶναι στό κέρδος, κοιτάζω νά βγάλω κτ.

maker /ˋmeɪkə(r)/ *οὐσ.* ‹C› **1**. **our M~**, ὁ Πλάστης μας. **2**. (*ὡς β! συνθετ.*) κατασκευαστής: *a ˋshoe~*, παπουτσῆς. *a ˋdress~*, μοδίστρα.

mak·ing /ˋmeɪkɪŋ/ *οὐσ.* ‹C,U› κατασκευή, φτιάξιμο, ἔργο: *This dress is of her own ~*, αὐτό τό φόρεμα τό ἔφτιαξε ἡ ἴδια (εἶναι δικῆς της κατασκευῆς). ***in the ~***, ἐν τῷ γίγνεσθαι: *a teacher in the ~*, ὑπό κατασκευήν δάσκαλος. ***be the ~ of sb***, φτιάχνω: *That was the ~ of him*, αὐτό τόν ἔφτιαξε, ἔκαμε τήν τύχη του μ' αὐτό. ***have the ~s of***, ἔχω ὅ, τι χρειάζεται γιά νά γίνω, εἶμαι ἀπό τήν πάστα: *He has in him the ~s of a statesman*, εἶναι πλασμένος γιά πολιτικός.

mal- /mæl-/ *πρόθεμα* κακό-, δυσ-.

mal·adjusted /ˈmæləˋdʒʌstɪd/ *ἐπ.* ἀπροσάρμοστος: *a school for ~ children*.

mal·adroit /ˋmælədrɔɪt/ *ἐπ.* ἀδέξιος, χωρίς τάκτ. **~·ly** *ἐπίρ.*

mal·ady /ˋmælədɪ/ *οὐσ.* ‹C› (*πεπαλ.*) ἀσθένεια, νόσος: *a social ~*, κοινωνική πληγή.

mal·aise /mæˋleɪz/ *οὐσ.* (*ἑν. μέ ἀόρ. ἄρθρ.*) δυσφορία, ἀδιαθεσία, (*μεταφ.*) δυσπραγία.

mala·prop·ism /ˋmæləprop-ɪzm/ *οὐσ.* ‹C› χρησιμοποίησις λογίων λέξεων ἀπό ἡμιμαθεῖς μέ γελοῖο τρόπο, λόγω συγχύσεως.

mal·apro·pos /ˈmælˈæprəˋpəʊ/ *ἐπ.* ἄκαιρος. __*ἐπίρ.* ἄκαιρα.

ma·laria /məˋleərɪə/ *οὐσ.* ‹U› ἑλονοσία. **ma·lar·ial** /-ɪəl/ *ἐπ.* ἑλώδης: *~l fever*, ἑλώδης πυρετός.

mal·con·tent /ˋmælkəntent/ ἐπ. δυσαρεστημένος.

male /meɪl/ ἐπ. ἀνδρικός, ἀρσενικός (*ἀντίϑ. female*): *the ~ sex*, τό ἀνδρικό φῦλο. *a ~ voice*, ἀνδρική φωνή. __*οὐσ.* ‹C› ἄνδρας, ἀρσενικό (ζῶο).

mal·edic·tion /ˈmælɪˋdɪkʃn/ *οὐσ.* ‹C› (*λόγ.*) κατάρα.

mal·efac·tor /ˋmælɪfæktə(r)/ *οὐσ.* ‹C› κακοποιός, κακοῦργος.

mal·efi·cent /məˋlefɪsnt/ *ἐπ.* ἐπιβλαβής.

mal·evo·lent /məˋlevələnt/ *ἐπ.* κακόβουλος, ἐχϑρικός: *He gave me a ~ look*, μοῦριξε μιά ἐχϑρική ματιά. **~·ly** *ἐπίρ.* κακοβούλως. **mal·evol·ence** /-əns/ *οὐσ.* ‹U› κακοβουλία, ἐχϑρότης.

mal·for·ma·tion /ˈmælfɔˋmeɪʃn/ *οὐσ.* ‹C,U› δυσμορφία. **mal·formed** /ˈmælˋfɔmd/ *ἐπ.* δύσμορφος, κακοφτιαγμένος.

mal·ice /ˋmælɪs/ *οὐσ.* ‹U› ~ ***(towards)***, κακία, ἔχϑρα, μνησικακία, δόλος, μοχϑηρία: *bear sb no ~*, δέν κρατάω κακία σέ κπ. *with ~ towards none*, χωρίς μνησικακία γιά κανένα.

ma·licious /məˋlɪʃəs/ *ἐπ.* κακόβουλος, μοχϑηρός: *~ gossip*, κακόβουλο κουτσομπολιό. **~·ly** *ἐπίρ.* κακόβουλα, μοχϑηρά.

ma·lign /məˋlaɪn/ *ἐπ.* ἐπιζήμιος, φϑοροποιός: *exercise ~ influence*, ἀσκῶ φϑοροποιό ἐπίδραση. __*ρ.μ.* κακολογῶ, διασύρω: *~ an innocent person*, κακολογῶ ἕναν ἀϑῶο. *~ sb's character*, διασύρω τήν ὑπόληψη κάποιου.

ma·lig·nant /məˋlɪgnənt/ *ἐπ.* **1**. (*γιά ἄνϑρ.*) κακεντρεχής, μοχϑηρός, φαρμακερός (*ἐντονώτερον τοῦ malicious καί malevolent*): *~ glances*, φαρμακερές ματιές. *take ~ delight in sb's misfortunes*, βρίσκω μοχϑηρή εὐχαρίστηση στίς ἀτυχίες κάποιου. **2**. (*ἰατρ.*) κακοήϑης: *a ~ growth/tumour*, κακοήϑης ὄγκος. **~·ly** *ἐπίρ.* **ma·lig·nancy** /-nənsɪ/, **ma·lig·nity** /məˋlɪgnətɪ/ *οὐσ.* ‹C,U› κακεντρέχεια, μοχϑηρία, κακοήϑεια.

ma·lin·ger /məˋlɪŋgə(r)/ *ρ.ἀ.* κάνω τόν ἄρρωστο: *He ~ed to avoid being sent to school*, ἔκανε τόν ἄρρωστο γιά νά μήν τόν στείλουν στό σχολεῖο. **~er** *οὐσ.* ‹C› ψευτο-άρρωστος, κοπανατζῆς.

mal·leable /ˋmælɪəbl/ *ἐπ.* εὔπλαστος, μαλακός: *Gold is more ~ than iron*, ὁ χρυσός εἶναι πιό εὔπλαστος/πιό μαλακός ἀπό τό σίδερο. *Younger people are more ~ than older people*, (*μεταφ.*) οἱ νέοι εἶναι πιό εὔπλαστοι ἀπό τούς μεγάλους.

mal·let /ˋmælɪt/ *οὐσ.* ‹C› ξύλινο σφυρί, κόπανος, (*ἀϑλητ.*) ξυλόσφυρα.

mal·low /ˋmæləʊ/ *οὐσ.* ‹C,U› (*φυτ.*) μολόχα.

mal·nu·tri·tion /ˈmælnjuˋtrɪʃn/ *οὐσ.* ‹U› ὑποσιτισμός, κακή διατροφή.

mal·odor·ous /ˈmælˋəʊdərəs/ *ἐπ.* (*λόγ.*) δύσοσμος.

mal·prac·tice /ˈmælˋpræktɪs/ *οὐσ.* ‹C,U› ἀδίκημα, κατάχρησις, (*νομ.*) ἀμέλεια (ἰατροῦ, κλπ).

malt /mɔlt/ *οὐσ.* ‹U› βύνη. __*ρ.μ/ἀ.* μετατρέπω κριϑάρι σέ βύνη.

Mal·tese /mɔlˋtiz/ *ἐπ. & οὐσ.* ‹C› (*ἀμετάβλ. στόν πληϑ.*) μαλτέζος, ‹U› ἡ γλῶσσα τῆς Μάλτας.

mal·treat /mælˋtrit/ *ρ.μ.* κακομεταχειρίζομαι. **~ment** *οὐσ.* ‹U› κακομεταχείρισις.

mal·ver·sa·tion /ˈmælvəˋseɪʃn/ *οὐσ.* ‹U› (*λόγ.*) κατάχρησις (ἐξουσίας, δημοσίου χρήματος).

ma(m)ma /məˋmɑ/ *οὐσ.* ‹C› μαμά.

mam·mal /ˋmæml/ *οὐσ.* ‹C› ϑηλαστικόν.

mam·mon /ˋmæmən/ *οὐσ.* ‹U› μαμωνᾶς, χρῆμα: *worshippers of M~*, οἱ λάτρεις τοῦ χρήματος/τοῦ μαμωνᾶ.

mam·moth /ˋmæməθ/ *οὐσ.* ‹C› μαμούϑ.

mammy /ˋmæmɪ/ *οὐσ.* ‹C› μαμάκα.

[1]**man** /mæn/ *οὐσ.* ‹C› (*πληϑ. men* /men/) **1**. ἄνδρας: *men, women and children*, ἄνδρες, γυναῖκες καί παιδιά. ***I'm your ~***, ἐδῶ εἶμαι ἐγώ: *If you want to sell your car, I'm your ~*, ἄν ϑέλης νά πουλήσης τό αὐτοκίνητό σου, ἐδῶ εἶμαι ἐγώ, εἶμαι ἕτοιμος νά τ'ἀγοράσω. ***be the ~ for sth***, εἶμαι ὁ κατάλληλος ἄνϑρωπος γιά κτ. ***be one's own ~***, εἶμαι ἐλεύϑερος, εἶμαι κύριος τοῦ ἑαυτοῦ μου. ***to a ~; to the last ~***, μέχρις ἑνός. ***~ and boy***, ἀπό παιδί, ἀπό τά παιδικά μου χρόνια: *He has worked for the firm for 30 years, ~ and boy*, δουλεύει στήν ἑταιρία 30 χρόνια, ἀπό παιδί. ***a ~ of letters***, ἄνϑρωπος τῶν γραμμάτων. ***a ~ about town***, κοσμικός ἄνϑρωπος. ***a ~ of the world***, ἄνϑρωπος τοῦ κόσμου/μέ πεῖρα. ***the ~ in the street; the common ~***, ὁ κοινός/ὁ ἁπλός ἄνϑρωπος. **2**. (*χωρίς the*) ἄνϑρωπος, ἀνϑρωπότης: *M~ is mortal*, ὁ ἄνϑρωπος εἶναι ϑνητός. *the rights of ~*, τά δικαιώματα τοῦ ἀνϑρώπου. *No ~ can stand it*, κανείς ἄνϑρωπος δέν μπορεῖ νά τό ἀντέξη. **3**. ἄνδρας (= σύζυγος, στρατιώτης, ὑπηρέτης, ἐργάτης): *~ and wife*, ἄντρας καί γυναίκα. *officers and men*, ἀξιωματικοί καί ἄνδρες. *masters and men*, ἀφεντικά καί ὑπηρέτες. *Our men are on strike*, οἱ ἐργάτες μας ἔχουν ἀπεργία. **4**. (*στό σκάκι*) πιόνι. **5**. ἀληϑινός ἄντρας, παλληκάρι: *Be a ~!* φέρσου σάν ἄντρας! φανοῦ ἄντρας! *How can we make a ~ of him?* πῶς μποροῦμε νά τόν κάνωμε ἄντρα; *He behaved like a ~*, φέρϑηκε σάν ἄντρας. **6**. (*στήν κλητική, ὡς προτρεπτικόν ἐπιφώνημα*): *Hurry up, ~!* κάνε γρήγορα, ἄνϑρωπέ μου! *Here, take it, ~!* ἔλα, ντέ, πάρτο! **7**. *ὡς β! συνϑετικόν*: *ˋclergy~*, κληρικός. *ˋpost~*, ταχυδρόμος. *ˋfisher~*, ψαρᾶς. **8**. (*σέ σύνϑετες λέξεις*): **ˈ~-at-ˋarms**, (*ἱστ.*) στρατιώτης. **ˋ~-eater**, ἀνϑρωποφάγος, κανίβαλος. **ˋ~-handle** *ρ.μ.* τραβολογάω, κακοποιῶ κπ: *He was ~-handled by the police*, κακοποιήϑηκε ἀπό τήν ἀστυνομία. **ˋ~·hole**, στόμιον (ὑπονόμου, κλπ). **ˋ~-hour**, ὥρα ἐργασίας (ἑνός ἀνϑρώπου). **ˈ~-of-ˋwar**, (*πεπαλ.*) πολεμικόν σκάφος. **ˋ~power**, ἐργατικόν δυναμικόν, (*στρατ.*) δύναμις σέ ἄνδρες: *There's a shortage of ~power in the coal-mines*, ὑπάρχει ἔλλειψις ἐργατικῶν χειρῶν στά ἀνϑρακωρυχεῖα. **ˋ~·servant**, (*πληϑ. ˋmenservants*) (*πεπαλ.*) ὑπηρέτης. **ˋ~-sized** *ἐπ.* ἀνδρικοῦ μεγέϑους. **ˋ~·slaughter**, ἀνϑρωποκτονία ἐξ ἀμελείας. **ˋ~·trap**, ἀνϑρωποπαγίδα.

[2]**man** /mæn/ *ρ.μ.* (*-nn-*) ἐπανδρώνω: *~ a fort/ship*, ἐπανδρώνω φρούριο/πλοῖο. *a fully ~ned boat*, πλήρως ἐπανδρωμένο σκάφος.

man·acle /ˋmænəkl/ *οὐσ.* ‹C› (*συνήθ. πληθ.*) χειροπέδες, δεσμά. —*ρ.μ.* περνῶ τίς χειροπέδες, ἁλυσσοδένω.

man·age /ˋmænɪdʒ/ *ρ.μ/ἀ.* **1**. διευθύνω, (δια)χειρίζομαι, κουμαντάρω: ~ *a household/business*, διευθύνω ἕνα νοικοκυριό/μιά ἐπιχείρηση. ~ *sb's affairs*, διαχειρίζομαι τίς ὑποθέσεις κάποιου. ~ *a horse/a naughty boy*, κουμαντάρω ἕνα ἄλογο/ἕνα ἀνυπάκουο παιδί. *She's a very managing person*, εἶναι γυναίκα πού τῆς ἀρέσει νά κουμαντάρη τούς ἄλλους. *the Managing Director*, ὁ Διευθύνων Σύμβουλος. **2**. καταφέρνω: *I ~d to keep my temper*, κατάφερα νά συγκρατήσω τό θυμό μου. *Can you ~ without help?* μπορεῖς νά τά καταφέρης χωρίς βοήθεια; **3**. (*καθομ. μέ can/could/be able*) καταφέρνω (νά φάω): *Can you ~ another slice of cake?* μπορεῖς νά καταφέρης κι᾿ ἄλλο ἕνα κομμάτι κέϊκ; **~·able** /-əbl/ *ἐπ.* (*γιά πρᾶγμα*) εὔχρηστος, (*γιά ἄνθρ.*) εὔκολος.

man·age·ment /ˋmænɪdʒmənt/ *οὐσ.* **1**. ‹U› διεύθυνσις, διαχείρισις: *The business is under new ~*, ἡ ἐπιχείρησις εἶναι ὑπό νέαν διεύθυνσιν. *good/bad ~*, καλή/κακή διαχείρισις. **2**. ‹U› ἐπιδέξιος χειρισμός, μανούβρα: *It needed a good deal of ~ to persuade him to give me the job*, χρειάστηκε πολλή μανούβρα γιά νά τόν πείσω νά μοῦ δώση τή δουλειά. **3**. ‹C,U› (*συλλογ.*) ἡ Διεύθυνσις: *I'll report it to the ~*, θά τό ἀναφέρω στή Διεύθυνση.

man·ager /ˋmænɪdʒə(r)/ *οὐσ.* ‹C› **1**. διευθυντής: *the general ~*, ὁ γενικός διευθυντής. **2**. (*συνήθ. μαζί μέ ἐπ.*) διαχειριστής: *My wife is an excellent ~*, ἡ γυναίκα μου εἶναι σπουδαία στή διαχείριση. **~·ess** /ˈmænɪdʒəˋres/ *οὐσ.* ‹C› διευθύντρια.

mana·ger·ial /ˈmænɪˋdʒɪərɪəl/ *ἐπ.* διευθυντικός, τεχνοκρατικός: *The company is lacking ~ skill*, ἡ ἑταιρία στερεῖται ἱκανῶν στελεχῶν. **the ~ class**, οἱ τεχνοκράτες.

man·da·rin /ˋmændərɪn/ *οὐσ.* ‹C› **1**. μανδαρῖνος. **2**. **~ (orange)**, μανταρίνι.

man·date /ˋmændeɪt/ *οὐσ.* ‹C› ἐντολή: *the ~ given to us by the electors*, ἡ ἐντολή πού μᾶς ἔδωσαν οἱ ἐκλογεῖς. —*ρ.μ.* θέτω (περιοχήν) ὑπό ἐντολήν: *the ~d territories*, αἱ ὑπό ἐντολήν περιοχαί. **man·da·tory** /ˋmændətrɪ/ *ἐπ.* ὑποχρεωτικός, ἐντολοδόχος: *mandatory powers*, (*ἱστ.*) αἱ ἐντολοδόχοι δυνάμεις.

man·do·lin /ˋmændəlɪn/ *οὐσ.* ‹C› μαντολίνο.

mane /meɪn/ *οὐσ.* ‹C› χαίτη (ἀλόγου, λιονταριοῦ, κλπ).

man·ful /ˋmænfl/ *ἐπ.* γενναῖος, ἀνδροπρεπής. **~ly** /-fəlɪ/ *ἐπίρ.* ἀντρίκια.

man·ga·nese /ˈmæŋgəˋniz/ *οὐσ.* ‹U› (*μεταλ.*) μαγγάνιον.

mange /meɪndʒ/ *οὐσ.* ‹U› ψώρα (ζώων).

manger /ˋmeɪndʒə(r)/ *οὐσ.* ‹C› παχνί. (*βλ.* & *λ.* [1]*dog*).

[1]**mangle** /ˋmæŋgl/ *οὐσ.* ‹C› μάγγανο (συσκευή μέ κυλίνδρους γιά τό στίψιμο ρούχων). —*ρ.μ.* περνῶ ροῦχα ἀπό μάγγανο.

[2]**mangle** /ˋmæŋgl/ *ρ.μ.* **1**. (κατα)σπαράσσω, ξεσκίζω, ἀκρωτηριάζω, πετσοκόβω: *The boy's body was found frightfully ~d*, τό σῶμα τοῦ παιδιοῦ βρέθηκε φρικτά ἀκρωτηριασμένο. **2**. (*μεταφ.*) χαλῶ, κατακρεουργῶ, σκοτώνω (κείμενο, μουσική σύνθεση, κλπ).

mango /ˋmæŋgəʊ/ *οὐσ.* ‹C› (*πληθ.* ~*es* ἤ ~*s*) μάνγκο (τροπικό φροῦτο).

mangy /ˋmeɪndʒɪ/ *ἐπ.* **1**. ψωριάρης. **2**. ψωραλέος, βρώμικος, ἄθλιος. **mang·ily** /ˋmeɪndʒəlɪ/ *ἐπίρ.*

man·handle /ˋmænhændl/ *βλ.* [1]*man.*

man·hood /ˋmænhʊd/ *οὐσ.* ‹U› **1**. ἀνδρική ἡλικία: *reach ~*, γίνομαι ἄνδρας, φθάνω σέ ἀνδρική ἡλικία. **2**. ἀνδρισμός, λεβεντιά, θάρρος. **3**. (*συλλογ.*) ὅλοι οἱ ἄνδρες: *the ~ of Scotland*, οἱ ἄντρες (ὁ ἀνδρικός πληθυσμός) τῆς Σκωτίας.

ma·nia /ˋmeɪnɪə/ *οὐσ.* ‹C,U› μανία, τρέλλα, (*μεταφ.*) πάθος: *religious ~*, θρησκοληψία. *suicidal ~*, μανία αὐτοκτονίας. *have a ~ for (doing) sth*, ἔχω πάθος/μανία γιά (νά κάνω) κτ.

ma·niac /ˋmeɪnɪæk/ *οὐσ.* ‹C› μανιακός, τρελλός, παθιασμένος: *a ˋspeed/ˋsex ~*, ἕνας πού ἔχει μανία μέ τήν ταχύτητα/μέ τό σέξ. **~al** /məˋnaɪəkl/ *ἐπ.* μανιακός, τρελλός, μανιώδης, ὑπερενθουσιώδης. **~ally** /məˋnaɪəklɪ/ *ἐπίρ.*

manic-depressive /ˈmænɪk dɪˋpresɪv/ *οὐσ.* ‹C› & *ἐπ.* μανι(ακ)οκαταθλιπτικός.

mani·cure /ˋmænɪkjʊə(r)/ *οὐσ.* ‹C,U› μανικιούρ. —*ρ.μ.* κάνω μανικιούρ. **mani·cur·ist** /-ɪst/ *οὐσ.* ‹C› μανικιουρίστα.

[1]**mani·fest** /ˋmænɪfest/ *οὐσ.* ‹C› (*ναυτ.*) δηλωτικόν φορτίου.

[2]**mani·fest** /ˋmænɪfest/ *ἐπ.* προφανής, καταφανής, πασίδηλος, ὁλοφάνερος: *He's a ~ liar*, εἶναι ὁλοφάνερος ψεύτης. —*ρ.μ.* **1**. δείχνω καθαρά, ἀποδεικνύω: ~ *the truth of a statement*, ἀποδεικνύω τήν ἀλήθεια ἑνός ἰσχυρισμοῦ. **2**. ἐπιδεικνύω: ~ *great enthusiasm/activity*, ἐπιδεικνύω μεγάλον ἐνθουσιασμό/δραστηριότητα. **3**. **~ *oneself***, ἐκδηλώνομαι, ἐμφανίζομαι: *No disease ~ed itself during the voyage*, καμία ἀσθένεια δέν ἐξεδηλώθη κατά τό ταξίδι. *Has the ghost ~ed itself?* ἐμφανίστηκε τό φάντασμα; **~a·tion** /ˈmænɪfeˋsteɪʃn/ *οὐσ.* ‹C,U› ἐκδήλωσις: *mass ~ations*, μαζικές ἐκδηλώσεις. *That was a ~ation of his fear*, ἦταν ἐκδήλωσις τοῦ φόβου του. **~·ly** *ἐπίρ.* προφανῶς, καταφανῶς.

mani·festo /ˈmænɪˋfestəʊ/ *οὐσ.* ‹C› (*πληθ.* ~*s* ἤ ~*es*) μανιφέστο, διακήρυξις.

mani·fold /ˋmænɪfəʊld/ *ἐπ.* πολλαπλοῦς. —*ρ.μ.* πολυγραφῶ. —*οὐσ.* ‹C› (*μηχ.*) πολλαπλοῦς, πολλαπλῆ.

mani·kin /ˋmænɪkɪn/ *οὐσ.* ‹C› **1**. *βλ. mannequin.* **2**. νάνος, ἀνθρωπάκι, πυγμαῖος.

Ma·nilla /məˋnɪlə/ *οὐσ.* ‹C,U› **1**. **~ (hemp)** κάνναβις τῆς Μανίλλας. **2**. **~ paper**, στρατσόχαρτο. **3**. ποῦρο κακῆς ποιότητος.

ma·nipu·late /məˋnɪpjʊleɪt/ *ρ.μ.* **1**. χειρίζομαι (μηχανήματα). **2**. μανουβράρω, ἐπηρεάζω (πρός ἴδιον ὄφελος): *A clever politician knows how to ~ public opinion*, ὁ ἔξυπνος πολιτικός ξέρει πῶς νά μανουβράρη τήν κοινή γνώμη. ~ *accounts/a committee*, μαγειρεύω τούς λογαριασμούς/ἐπηρεάζω μιά ἐπιτροπή. **ma·nipu·la·tion** /məˈnɪpjʊˋleɪʃn/ *οὐσ.* ‹C,U› ἐπιδέξιος χειρισμός, μανούβρα.

man·kind /ˈmænˋkaɪnd/ *οὐσ.* ‹U› **1**. ἀνθρωπότης, ἀνθρώπινον γένος. **2**. /ˋmænkaɪnd/ ἀνδρικόν γένος.

man·like /ˋmænlaɪk/ *ἐπ.* ἀνδρικός, ἀνδροπρεπής.

man·ly /ˋmænlɪ/ *ἐπ.* *(-ier, -iest)* ἀρρενωπός, ἀντρίκιος, ἀνδρικός: *a ~ voice/woman*, ἀνδρική φωνή/ἀντρογυναίκα. *That was a ~ thing to do*, αὐτό πού ἔκανε ἦταν ἀντρίκιο.

manna /ˋmænə/ *οὐσ.* ‹U› μάννα (ἐξ οὐρανοῦ).

man·ne·quin /ˋmænəkɪn/ *οὐσ.*‹C› **1**. μαννεκέν. **2**. κούκλα (ραφτάδων).

man·ner /ˋmænə(r)/ *οὐσ.* ‹C› **1**. τρόπος: *in this ~*, κατ᾽αὐτόν τόν τρόπον. *in the same ~*, μέ τόν ἴδιο τρόπο. *(as)* ***to the ~ born***, (σά) γεννημένος γιά κτ. **2**. *(μόνον ἑν.)* τρόπος, φέρσιμο: *a strange ~*, παράξενο φέρσιμο. **3**. *(πληθ.)* ἤθη καί ἔθιμα: *M~s change with the times*, ἄλλοι καιροί ἄλλα ἤθη. **4**. *(πληθ.)* τρόποι, συμπεριφορά: *He has no ~s*, δέν ἔχει τρόπους. *It's bad ~s to stare at people*, εἶναι ἀπρέπεια (ἀγένεια) νά καρφώνης τά μάτια σου στούς ἄλλους. **5**. τεχνοτροπία, μανιέρα: *a painting in the ~ of Raphael*, πίνακας μέ τήν τεχνοτροπία τοῦ Ραφαήλ. **6**. εἶδος: *What ~ of man is he?* τί εἴδους ἄνθρωπος εἶναι; ***all ~ of***, κάθε εἴδους: *all ~ of people*, κάθε εἴδους ἄνθρωποι. ***in a ~***, κατά κάποιον τρόπο, ὥς ἕνα σημεῖο. ***in a ~ of speaking***, τρόπος τοῦ λέγειν. ***by ˋno ~ of means***, κατά κανέναν τρόπο, σέ καμιά περίπτωση. **ˋrough-/ˋill-/ˋwell-~ed**, μέ χοντρούς/κακούς/καλούς τρόπους.

man·ner·ism /ˋmænərɪzm/ *οὐσ.* ‹C› ἐκζήτησις, ἰδιομορφία.

man·ner·ly /ˋmænəlɪ/ *ἐπ.* εὐγενικός, καλομαθημένος.

man·nish /ˋmænɪʃ/ *ἐπ.* πού προσιδιάζει σέ ἄνδρα, ἀνδρικός, *(γιά γυναίκα)* πού ἀντροφέρνει: *a ~ style of dress*, ἀνδρικό στύλ ντυσίματος.

ma·noeuvre /məˋnuvə(r)/ *οὐσ.* ‹C› **1**. *(στρατ.)* ἑλιγμός, τακτική ἄσκησις: *army ~s*, στρατιωτικά γυμνάσια. **2**. ἑλιγμός, μανοῦβρα, κόλπο: *the despicable ~s of some politicians*, τά ἀξιοθρήνητα κόλπα μερικῶν πολιτικάντηδων. *__ρ.μ/ἀ.* **1**. *(στρατ.)* κάνω γυμνάσια. **2**. μανουβράρω, πετυχαίνω μέ ἑλιγμούς. *~ the enemy out of a position*, ἐκτοπίζω τόν ἐχθρό ἀπό μιά θέση μέ ἐπιδέξιους ἑλιγμούς. *She ~d her car into a small parking space*, πέτυχε μέ μανοῦβρες νά παρκάρη τό αὐτοκίνητό της σέ μιά θεσούλα. *~ sb into selling sth/into a good job*, καταφέρνω κπ νά πουλήση κτ/νά βρῶ μιά καλή θέση σέ κπ. **ma·noeuvr·able** /-vrəbl/ *ἐπ.* εὐέλικτος, εὐχείριστος. **ma·noeuvr·abil·ity** /məˈnuvrəˋbɪlətɪ/ *οὐσ.* ‹U› εὐελιξία, χειριστότης.

manor /ˋmænə(r)/ *οὐσ.* ‹C› **1**. *(ἱστ.)* τιμάριον, φέουδο. **2**. *(τώρα)* *(καί* **ˋ~-house**) παληό μεγάλο σπίτι μέ χτήματα γύρω του. **ma·nor·ial** /məˋnɔrɪəl/ *ἐπ.* φεουδαλικός.

man·sard /ˋmænsɑd/ *οὐσ.* ‹C› δικλινής στέγη.

manse /mæns/ *οὐσ.*‹C› *(Σκωτ.)* πρεσβυτέριον.

man·sion /ˋmænʃn/ *οὐσ.* ‹C› **1**. ἀρχοντικό, μέγαρο. **the ˋM~ House**, ἡ ἐπίσημη κατοικία τοῦ Λόρδου Δημάρχου τοῦ Λονδίνου. **2**. *(πληθ. μέ κύριον ὄνομα)* πολυκατοικία, μέγαρον.

man·slaughter /ˋmænslɔtə(r)/ *οὐσ.* ‹U› *βλ.* [1]*man*.

man·tel /ˋmæntl/ *οὐσ.* ‹C› *(καί* **ˋ~piece**) κορνίζα/μάρμαρο/ράφι τοῦ τζακιοῦ.

man·tis /ˋmæntɪs/ *οὐσ.* ‹C› *(ἐντομ.)* ἀλογάκι τῆς Παναγίας.

mantle /ˋmæntl/ *οὐσ.*‹C› **1**. *(ἀνδρικός)* μανδύας, *(γυναικεία)* κάππα, *(γενικῶς)* πέπλος: *a ~ of ivy/mist*, πέπλος κισσοῦ/ὁμίχλης. **2**. ἀμίαντος (λάμπας). *__ρ.μ/ἀ.* **1**. καλύπτω/-ομαι: *an ivy-~d wall*, κισσοσκεπής τοῖχος. **2**. *(γιά αἷμα)* ἁπλώνομαι, σκεπάζω/-ομαι, ἀναψοκοκκινίζω: *Blood ~d (over) her cheeks*, τό αἷμα ἔβαψε (σκέπασε) τά μάγουλά της.

man·ual /ˋmænjʊəl/ *ἐπ.* τῆς χειρός, χειρωνακτικός: *~ work/labour*, ἐργασία τῆς χειρός/χειρωνακτική δουλειά. **~-operated** *ἐπ.* χειροκίνητος. **~ exercises**, *(στρατ.)* χειρισμός τῶν ὅπλων. *__οὐσ.*‹C›**1**. ἐγχειρίδιον, βοήθημα: *a shorthand ~*, ἐγχειρίδιον στενογραφίας. **2**. *(μουσ.)* κλαβιέ. **~ly** *ἐπίρ.* μέ τό χέρι.

manu·fac·ture /ˈmænjʊˋfæktʃə(r)/ *ρ.μ.* **1**. παράγω, κατασκευάζω (βιομηχανικά προϊόντα): *~ shoes/tools/cement*, κατασκευάζω παπούτσια/ἐργαλεῖα/τσιμέντο. *~d goods*, βιομηχανικά προϊόντα. **2**. ἐπινοῶ, σκαρώνω: *~ an excuse/a story*, σκαρώνω μιά δικαιολογία/μιά ἱστορία. *__οὐσ.* **1**. ‹U› παραγωγή, κατασκευή: *goods of foreign ~*, προϊόντα ξενικῆς κατασκευῆς (προελεύσεως). *firms engaged in the ~ of plastics*, ἑταιρίες ἀσχολούμενες μέ τήν παραγωγή πλαστικῶν εἰδῶν. **2**. *(πληθ.)* βιομηχανικά προϊόντα. **manu·fac·turer** /-tʃərər/ *οὐσ.* ‹C› κατασκευαστής, ἐργοστασιάρχης, βιομήχανος.

ma·nure /məˋnjʊə(r)/ *οὐσ.* ‹U› κοπριά, λίπασμα *(πρβλ. fertilizer*, χημικόν λίπασμα). *__ρ.μ.* ρίχνω κοπριά (σέ χωράφι).

manu·script /ˋmænjʊskrɪpt/ *οὐσ.* ‹C› *(συγκεκ.* **MS**, *ἡ πληθ.* **MSS**) χειρόγραφον. ***in ~***, σέ μορφή χειρογράφου.

many /ˋmenɪ/ *ἐπ. & οὐσ.* *(σέ καθαρῶς καταφατικές προτάσεις προτιμῶνται ἀντί τοῦ many, οἱ φράσεις a lot (of), lots (of), a large number (of))* πολλοί: *Were there ~ people at the meeting?* ὑπῆρχαν πολλοί ἄνθρωποι στή συγκέντρωση; *I have some, but not ~*, ἔχω μερικά, ἀλλά ὄχι πολλά. ***how ~***, πόσοι. ***so/as ~ as***, ὅσοι, τόσοι. ***twice/three times, etc as ~***, δυό (τρεῖς, κλπ) φορές περισσότεροι, διπλάσιοι (τριπλάσιοι, κλπ). ***a great/good ~***, ἕνα σωρό, πολυάριθμοι: *I have a good ~ things to do today*, ἔχω ἕνα σωρό δουλειές νά κάμω σήμερα. ***one too ~***, ἕνας παραπάνω/πού περισσεύει: *There's one too ~; we can't all get in the car*, εἶναι ἕνας παραπάνω (ἕνας περισσεύει) – δέν χωρᾶμε ὅλοι στό αὐτοκίνητο. *I wish she'd gone away, she's one too ~ here*, θἄθελα νά φύγη, περισσεύει (εἶναι ἀνεπιθύμητη) ἐδῶ. *He's had one too ~ again*, ἤπιε ἕνα παραπάνω (τά κοπάνισε) πάλι. ***be one too ~ for sb***, ἀποδεικνύομαι καλύτερος/ἀνώτερος, νικῶ κπ: *He was one too ~ for you that time*, ἀποδείχτηκε πολύ καλύτερός σου αὐτή τή φορά. ***~ a***, *(μέ οὐσ. ἑν.)* πολλοί: *~ a time/man*, πολλές φορές/πολλοί ἄνθρωποι. ***the ~***, οἱ πολλοί, ὁ λαός: *Is it right that the ~ should starve while the few have plenty?* εἶναι σωστό οἱ πολλοί νά πεινᾶνε ἐνῶ οἱ λίγοι τά ἔχουν ὅλα; **ˈ~ˋsided** *ἐπ.* πολύπλευρος, πολύμορφος, πολυσύνθετος.

map /mæp/ *οὐσ.* ‹C› (γεωγραφικός) χάρτης: *a ~ of Asia*, χάρτης τῆς Ἀσίας. ***put sth on the ~***, κάνω κτ πολύ γνωστό/ὑπολογίσιμο: *Our recent victories have really put our team on the ~*, οἱ τελευταῖες μας νίκες ἔκαναν τήν ὁμάδα μας πραγματικά ὑπολογίσιμη. ***off the ~***, (*καθομ., γιά μέρος*) ἀπρόσιτος, πίσω ἀπό τό θεό. ***wipe off the ~***, σβύνω ἀπό τό χάρτη, ἀφανίζω τελείως. ***a good/bad `~ reader***, ἄνθρωπος πού διαβάζει εὔκολα/δύσκολα ἕνα χάρτη. __*ρ.μ. (-pp-)* χαρτογραφῶ. ~ ***out***, καταστρώνω, χαράσσω, κανονίζω λεπτομερῶς, καθορίζω, σχεδιάζω: *~ out a route/a course of action*, χαράσσω δρομολόγιον/καθορίζω γραμμή ἐνεργείας. *~ out one's time*, κανονίζω λεπτομερῶς τό χρόνο μου, φτιάχνω πρόγραμμα.

maple /`meɪpl/ *οὐσ.* ‹C,U› σφοντάμι (δέντρο).

mar /mɑ(r)/ *ρ.μ. (-rr-)* χαλῶ, φθείρω, καταστρέφω: *~ one's reputation*, καταστρέφω τήν ὑπόληψή μου. *Nothing ~red their happiness*, τίποτα δέν ετάρασσε (δέν χαλοῦσε) τήν εὐτυχία τους. ***make or ~***, (πάω) ἤ τοῦ ὕψους ἤ τοῦ βάθους.

mara·bou /`mærəbu/ *οὐσ.* ‹C,U› (*ὀρνιθ.*) μαραμπού, εἶδος πελεκάνου.

mar·as·chino /ˈmærə`ʃinəʊ/ *οὐσ.* ‹C› (*πληθ. ~s*) μαρασκίνο (λικέρ).

mara·thon /`mærəθən/ *οὐσ.* ‹C› ὁ μαραθώνιος.

ma·raud /mə`rɔd/ *ρ.ἀ.* λεηλατῶ, βγαίνω γιά πλιάτσικο. **~er** *οὐσ.* ‹C› πλιατσικολόγος.

marble /`mɑbl/ *οὐσ.* **1**. ‹U› μάρμαρο: *statues of ~; ~ statues*, μαρμάρινα ἀγάλματα. **2**. (*πληθ.*) μαρμάρινα ἀγάλματα: *the Elgin ~s*, τά ἐλγίνεια μάρμαρα (στό Βρετανικό Μουσεῖο!) **3**. ‹C› βῶλος, μπίλια: *a game of ~s*, παιχνίδι μέ μπίλιες. **4**. (*ἐπιθ., μεταφ.*) σά μάρμαρο: *a ~ breast*, πέτρινη καρδιά.

March /mɑtʃ/ *οὐσ.* Μάρτιος.

[1]**march** /mɑtʃ/ *ρ.μ/ἀ.* **1**. βαδίζω, βηματίζω, παρελαύνω, προχωρῶ ἐν πορείᾳ, διανύω: *He ~ed impatiently up and down the room*, βημάτιζε ἀνυπόμονα πάνω-κάτω στό δωμάτιο. *They ~ed into the town*, μπῆκαν συντεταγμένοι στήν πόλη. *They ~ed past*, προσπέρασαν, παρήλασαν. *Quick ~!* ἐμπρός μάρς! *We've ~ed 30 miles today*, διανύσαμε 30 μίλια σήμερα. **`~·ing orders**, (*στρατ.*) φύλλον πορείας. **2**. ἀναγκάζω κπ νά βαδίση, πηγαίνω κπ: *They ~ed him off to prison*, τόν πῆγαν φυλακή.

[2]**march** /mɑtʃ/ *οὐσ.* ‹C,U› **1**. πορεία. ***on the ~***, ἐν πορείᾳ: *troops on the ~*, στρατεύματα ἐν πορείᾳ. ***a line of ~***, δρόμος, κατεύθυνσις πορείας. ***a ~ past***, παρέλασις. ***a forced ~***, τροχάδην ἤ ἀναγκαστική πορεία. ***steal a ~ on sb***, προλαβαίνω κπ, κερδίζω πλεονέκτημα ἔναντι κάποιου. **2**. (*μεταφ.*) πορεία, διαδρομή, ἐξέλιξις: *the ~ of events/time*, ἡ πορεία τῶν γεγονότων/ἡ διαδρομή τοῦ χρόνου. **3**. μάρς, ἐμβατήριον: *military ~es*, στρατιωτικά ἐμβατήρια. *a dead/wedding ~*, πένθιμο/γαμήλιο ἐμβατήριο.

[3]**march** /mɑtʃ/ *οὐσ.* ‹C› (*συνήθ. πληθ.*) παραμεθόριος καί ἀμφισβητουμένη περιοχή (*ἰδ.* μεταξύ Ἀγγλίας καί Σκωτίας ἤ Οὐαλλίας).

mar·chion·ess /ˈmɑʃn`es/ *οὐσ.* ‹C› μαρκησία.

mare /`meə(r)/ *οὐσ.* ‹C› φοράδα.

mar·gar·ine /ˈmɑdʒə`rin/ *οὐσ.* ‹U› (*ἐπίσης συγκεκ.* **marge** /mɑdʒ/) μαργαρίνη.

mar·gin /`mɑdʒɪn/ *οὐσ.* ‹C› **1**. περιθώριο: *notes written in the ~*, σημειώσεις γραμμένες στό περιθώριο. **2**. παρυφή, ἄκρη: *the ~ of a lake*, ἡ ἄκρη μιᾶς λίμνης. **3**. (*μεταφ.*) περιθώριον, ἀπόστασις: *allow some ~*, ἀφήνω κάποιο περιθώριο. *That leaves no ~ of profit*, αὐτό δέν ἀφήνει περιθώρια κέρδους. *a `safety ~*, περιθώριον ἀσφαλείας. **~al** /-əl/ *ἐπ.* **1**. περιθωριακός: *~al notes*, σημειώσεις στό περιθώριο. **2**. ὁριακός, πού βρίσκεται στό μεταίχμιον: *a ~al case*, ὁριακή, ἀκραία περίπτωσις. *~al land*, ὁριακή γῆ (κατωτέρας ἀποδόσεως). **~al seat**, (*πολιτ.*) ἐπισφαλής βουλευτική ἕδρα. **~ally** /-nəlɪ/ *ἐπίρ.* ὁριακῶς, ἐλαφρῶς, ἐπουσιωδῶς.

mar·guer·ite /ˈmɑgə`rit/ *οὐσ.* ‹C› (*ἀνθ.*) μαργαρίτα.

mari·gold /`mærɪgəʊld/ *οὐσ.* ‹C› (*ἀνθ.*) κατιφές.

mari·juana, mari·huana /ˈmærɪ`wɑnə/ *οὐσ.* ‹C,U› (*ἐπίσης hashish, cannabis, pot*) μαριχουάνα, χασίς.

mar·imba /mə`rɪmbə/ *οὐσ.* ‹C› ξυλόφωνο τῆς τζάζ.

ma·rina /mə`rinə/ *οὐσ.* ‹C› (*ναυτ.*) μαρίνα.

mar·ine /mə`rin/ *ἐπ.* **1**. θαλάσσιος, θαλασσινός: *~ products/plants*, θαλασσινά προϊόντα/φυτά. *~ painter*, θαλασσογράφος. **2**. ναυτικός: *~ insurance*, ναυτασφάλεια. **a ~ corps**, σῶμα πεζοναυτῶν. __*οὐσ.* ‹C,U› **1**. ναυτικόν: **ˈmerchant/ˈmercantile `~**, ἐμπορικόν ναυτικόν. **2**. πεζοναύτης. ***Tell that to the ~s***, ἀλλοῦ αὐτά! δέν πιάνουν αὐτά σέ μένα!

mari·ner /`mærɪnə(r)/ *οὐσ.* ‹C› (*πεπαλ.*) ναυτικός, θαλασσινός.

mari·on·ette /ˈmærɪə`net/ *οὐσ.* ‹C› μαριονέττα.

mari·tal /`mærɪtl/ *ἐπ.* συζυγικός, γαμικός: *~ obligations*, ὑποχρεώσεις ἐκ τοῦ γάμου.

mari·time /`mærɪtaɪm/ *ἐπ.* **1**. ναυτικός: *~ law*, ναυτικόν δίκαιον. *the great ~ powers*, οἱ μεγάλες ναυτικές δυνάμεις. **2**. παραθαλάσσιος: *~ provinces*, παραθαλάσσιες περιοχές.

mar·joram /`mɑdʒərəm/ *οὐσ.* ‹U› (*φυτ.*) μαντζουράνα.

[1]**mark** /mɑk/ *οὐσ.* ‹C,U› **1**. σημάδι (γραμμή, βούλα, οὐλή, κοψιά, κηλίδα, κλπ): *dirty ~s on the wall*, βρώμικα σημάδια στόν τοῖχο. *a horse with a white ~ on its head*, ἄλογο μέ ἄσπρο σημάδι στό κεφάλι του. *a man with a ~ on his face*, ἄνθρωπος μέ σημάδι στό πρόσωπο. *the ~s of suffering/old age*, τά σημάδια τοῦ πόνου/τῶν γηρατειῶν. *give sb a gift as a ~ of goodwill/of one's esteem*, δίνω σέ κπ ἕνα δῶρο σά σημάδι καλῆς θελήσεως/ἔνδειξη τῆς ἐκτιμήσεώς μου. **2**. σημεῖον, σῆμα, διακριτικόν γνώρισμα. **`birth ~**, σημάδι ἐκ γενετῆς. **ˈpunctu`ation ~s**, σημεῖα στίξεως. **`trade ~**, ἐμπορικόν σῆμα. **3**. (*σχολ.*) βαθμός. ***give sb/get/gain good (bad) ~s***, δίνω σέ κπ/παίρνω καλούς (κακούς) βαθμούς: *He got 72 ~s out of 100 for geography*, πῆρε 72 βαθμούς μέ ἄριστα τό 100 στή γεωγραφία. ***full ~s***, ἄριστα. **4**. στόχος. ***be/fall wide of the ~***, χτυπῶ μακρυά ἀπό τό στόχο, πέφτω πολύ ἔξω. ***hit/miss the ~***, (*μεταφ.*) πετυχαίνω/δέν χτυπῶ τό στόχο. ***an easy ~***, (*καθομ., γιά ἄνθρ.*)

εὔκολος στόχος, θῦμα, κορόϊδο. ***beside the ~***, ἐκτός θέματος: *Your remarks are beside the ~*, οἱ παρατηρήσεις σου εἶναι ἄσχετες μέ τό θέμα. **5**. ‹U› διάκρισις, φήμη. ***make one's ~***, διακρίνομαι, ἀποκτῶ φήμη. **6**. (*μόνον ἑν.*) ἱκανοποιητικό ἐπίπεδο. ***be up to/below the ~***, εἶμαι καλός/μέτριος: *Your essay is not up to the ~*, ἡ ἔκθεσίς σου δέν εἶναι ἱκανοποιητική. ***not be/feel (quite) up to the ~***, δέν εἶμαι/δέν νοιώθω πολύ καλά. **7**. γραπτόν σημεῖον: *He can't write, he only makes his ~*, δέν μπορεῖ νά γράψη, μόνο βάζει ἕνα σταυρό. **8**. (*ἀθλ.*) ἀφετηρία: *On your ~s, get set, go!* στίς θέσεις σας, ἕτοιμοι, ἐμπρός! **9**. μοντέλλο, τύπος.

²**mark** /mak/ *ρ.μ.* **1**. μαρκάρω: *~ one's name on a shirt*, μαρκάρω (κεντῶ) τὄνομά μου σ' ἕνα πουκάμισο. *~ a shirt with one's name*, μαρκάρω ἕνα πουκάμισο μέ τὄνομά μου. **2**. (*στήν παθ. φων.*) σημαδεύω: *His face is ~ed with smallpox/grief*, τό πρόσωπό του εἶναι σημαδεμένο ἀπό τή βλογιά/ἀπό τόν πόνο. **3**. διορθώνω, βαθμολογῶ (γραπτά): *~ examination papers*, βαθμολογῶ γραπτά διαγωνισμοῦ. **4**. σημειώνω: *~ sth wrong*, σημειώνω κτ ὡς λάθος. *~ a pupil absent*, σημειώνω ἕναν μαθητή ὡς ἀπόντα. **5**. (*λόγ.*) σημειώνω, προσέχω: *M~ carefully how I do it*, πρόσεχε καλά πῶς τό κάνω! ***(You) ~ my words***, σημείωσε/νά θυμᾶσαι καλά τά λόγια μου! **6**. διακρίνω, χαρακτηρίζω: *What are the qualities that ~ a great leader?* ποιές εἶναι οἱ ἰδιότητες πού χαρακτηρίζουν ἕναν μεγάλο ἡγέτη; **7**. (*μεταφ.*) σημειώνω, σημαίνω, τιμῶ: *His death ~ed the end of an era*, ὁ θάνατός του σημείωσε (σημαίνει) τό τέλος μιᾶς ἐποχῆς. *We'll have champagne to ~ the occasion*, θά ἔχωμε σαμπάνια γιά νά τιμήσωμε τήν περίσταση. **8**. ***~ time***, κάνω σημειωτόν, (*μεταφ.*) παραμένω σέ στάση ἀναμονῆς. **9**. (*μέ ἐπίρ. καί προθέσεις*): ***~ down/up***, κατεβάζω/ἀνεβάζω τίς τιμές: *We'll ~ down all the stock for the sales*, θά κατεβάσωμε τίς τιμές ὅλων τῶν ἐμπορευμάτων γιά τίς ἐκπτώσεις. *We'll ~ up all our publications*, θά ἀνεβάσωμε τίς τιμές σ' ὅλες τίς ἐκδόσεις μας. ***~ off/out***, ξεχωρίζω, καθορίζω τά ὅρια: *~ off/out an area*, καθορίζω τά ὅρια μιᾶς περιοχῆς. *His wit ~ed him off/out from his colleagues*, τό πνεῦμα του τόν ἔκανε νά ξεχωρίζη ἀπό τούς συναδέλφους του. ***~ sb/sth out for***, ἐπισημαίνω, ξεχωρίζω: *He is ~ed out for promotion*, τόν ἔχουν ἐπισημάνει/ξεχωρίσει γιά προαγωγή. **~ed** *ἐπ.* ἔντονος, ἔκδηλος, σαφής, καταφανής, φανερός: *a ~ed German accent*, ἔντονη Γερμανική προφορά. *a ~ed difference/improvement*, ἔκδηλη διαφορά/σαφής βελτίωσις. *a ~ed change*, καταφανής ἀλλαγή. ***a ~ed man***, σταμπαρισμένος ἄνθρωπος, ὕποπτος. **~·ed·ly** /ˋmakıdlı/ *ἐπίρ.* ἔντονα, φανερά, σαφῶς. **~·ing** *οὐσ.* ‹C› (*συνήθ. πληθ.*) στίγματα, κηλῖδες, σημάδια.

³**mark** /mak/ *οὐσ.* ‹C› Γερμανικό μάρκο.

marker /ˋmakə(r)/ *οὐσ.* ‹C› μαρκαριστής, μαρκαδόρος, δείκτης.

¹**market** /ˋmakıt/ *οὐσ.* ‹C,U› **1**. ἀγορά (τό μέρος): *an open-air ~*, ὑπαίθριος ἀγορά. ***go to ~***, πάω στήν ἀγορά (γιά νά ψωνίσω). ***go to a bad/good ~***, σημειώνω ἀποτυχία/ἐπιτυχία. **ˋ~-day**, ἡμέρα παζαριοῦ. **ˈ~-ˋgarden**, λαχανοπερίβολο. **ˋ~-place/-square**, ἀγορά (ὁ τόπος), παζάρι. **ˋ~-town**, πόλις ὅπου γίνεται παζάρι. **2**. ἀγορά (=ἐμπόριο, τιμές, ζήτησις, ἀγοραπωλησία): *the ˋcorn/ˋcoffee ~*, ἡ ἀγορά δημητριακῶν/καφέ. *a dull/lively ~*, ἄτονη/ζωηρή ἀγορά. *The ~ rose/fell/was steady*, οἱ τιμές ἀνέβηκαν/ἔπεσαν/παρέμειναν σταθερές. *There's not much ~ for these goods*, δέν ὑπάρχει μεγάλη ζήτησις γι' αὐτά τά προϊόντα. *new/foreign ~s*, νέες/ξένες ἀγορές. ***be in the ~ for sth***, εἶμαι ὑποψήφιος ἀγοραστής, ζητῶ ν' ἀγοράσω. ***be on/come on (to) the ~***, προσφέρομαι πρός πώλησιν: *This house will come on the ~ next month*, αὐτό τό σπίτι θά πουλιέται τόν ἄλλο μῆνα. ***play the ~***, παίζω στό χρηματιστήριο. ***put sth on the ~***, προσφέρω κτ πρός πώλησιν. **ˈblack ˋ~**, μαύρη ἀγορά. **ˈblack ˈ~ˋeer**, μαυραγορίτης. **the ˈCommon ˋM~**, ἡ Κοινή Ἀγορά. **ˋ~ price**, τρέχουσα τιμή. **ˈ~ reˋsearch**, διερεύνησις/μελέτη τῆς ἀγορᾶς.

²**market** /ˋmakıt/ *ρ.μ/ἀ.* ἀγοράζω ἤ πουλῶ στήν ἀγορά. **~·able** /-əbl/ *ἐπ.* (*γιά προϊόντα*) ἐμπορεύσιμος. **~·ing** *οὐσ.* ‹U› τοποθέτησις ἑνός προϊόντος στήν ἀγορά, μάρκετινγκ.

marks·man /ˋmaksmən/ *οὐσ.* ‹C› δεινός σκοπευτής. **ˋ~·ship** /-ʃıp/ *οὐσ.* ‹U› σκοπευτική δεινότης.

mar·ma·lade /ˋmaməleıd/ *οὐσ.* ‹U› μαρμελάδα (ἀπό κιτροειδῆ).

ma·ro·cain /ˋmærəˋkeın/ *οὐσ.* ‹U› μαροκαίν (ὕφασμα).

¹**ma·roon** /məˋrun/ *ἐπ.* & *οὐσ.* ‹C,U› καστανόχρωμος, κοκκινωπός.

²**ma·roon** /məˋrun/ *ρ.μ.* ἐγκαταλείπω κπ σέ ἔρημο νησί, (*μεταφ.*) ἐγκαταλείπω κπ ἀβοήθητον/ἔρημον. __*οὐσ.* ‹C› δραπέτης νέγρος.

mar·quee /maˋki/ *οὐσ.* ‹C› μεγάλη τέντα (σάν αὐτή σέ τσίρκο).

mar·quetry /ˋmakıtrı/ *οὐσ.* ‹U› ψηφιδοθέτημα, ψηφιδωτό, μαρκετερί.

mar·quis, mar·quess /ˋmakwıs/ *οὐσ.* ‹C› μαρκήσιος.

mar·riage /ˋmærıdʒ/ *οὐσ.* ‹C,U› γάμος: *arrange a ~*, κανονίζω ἕνα γάμο. *a church/civil ~*, ἐκκλησιαστικός/πολιτικός γάμος (*προτιμότερον wedding*). ***give one's daughter in ~ to sb***, παντρεύω τήν κόρη μου μέ κπ. ***take sb in ~***, παντρεύομαι κπ. **ˋ~ certificate/licence**, πιστοποιητικό/ἄδεια γάμου. **~-able** /-əbl/ *ἐπ.* τῆς παντρειᾶς: *a girl of ~able age*, κορίτσι σέ ἡλικία γάμου.

mar·ried /ˋmærıd/ *ἐπ.* παντρεμένος: *~ couples/life*, παντρεμένα ζευγάρια/-η ζωή. ***be ~ to sb***, εἶμαι παντρεμένος μέ κπ.

mar·row /ˋmærəʊ/ *οὐσ.* **1**. ‹U› μυελός, μεδούλι: *spinal ~*, νωτιαῖος μυελός. *the ~ in a bone*, τό μεδούλι σ' ἕνα κόκκαλο. ***chilled to the ~***, παγωμένος ὥς τό κόκκαλο. **2**. ‹U› (*μεταφ.*) οὐσία: *the pith and ~ of his statement*, ἡ οὐσία τῆς δηλώσεώς του. **3**. ‹C,U› κολοκύθι: *stuffed ~ for lunch*, παραγεμιστά κολοκύθια γιά γεῦμα.

marry /ˋmærı/ *ρ.μ/ἀ.* ***~ (to)***, παντρεύω/-ομαι: *Which priest is going to ~ them?* ποιός παπᾶς θά τούς παντρέψη; *He's married off all his daughters*, πάντρεψε ὅλες του τίς κόρες. *I'll ~ you to an American*, θά σέ παντρέψω μέ Ἀμερικάνο. *John has married Jane*, ὁ Γ. παντρεύτηκε τήν Ἰωάννα. *She has married money/wealth*, παντρεύτηκε γιά τά λεφτά/γιά τά πλούτη.

Mars /maz/ *οὐσ.* Ἄρης (ὁ θεός τοῦ πολέμου καί ὁ πλανήτης).

marsh /maʃ/ *οὐσ.* ‹C,U› ἕλος, βάλτος. **`~y** *ἐπ.* *(-ier, -iest)* βαλτώδης.

[1]**mar·shal** /`maʃl/ *οὐσ.* ‹C› **1**. στρατάρχης: *'Field-/'Air-`M~*, στρατάρχης τοῦ στρατοῦ ξηρᾶς/τῆς ἀεροπορίας. **2**. τελετάρχης, σταυλάρχης. **3**. (*ΗΠΑ*) ἀστυνόμος.

[2]**mar·shal** /`maʃl/ *ρ.μ.* *(-ll-)* **1**. συγκεντρώνω, ταξινομῶ, παρατάσσω: *~ facts*, συγκεντρώνω/ταξινομῶ γεγονότα. *~ military forces*, παρατάσσω στρατιωτικές δυνάμεις. **`~-ling-yard**, (*σιδηρ.*) σταθμός συνδέσεως συρμῶν. **2**. ὁδηγῶ (ἐθιμοτυπικῶς): *~ persons into the presence of the king*, ὁδηγῶ ἄτομα ἐνώπιον τοῦ βασιλέως.

mar·su·pial /ma`supiəl/ *ἐπ.* μαρσιποφόρος. *__οὐσ.* ‹C› μαρσιποφόρον.

mart /mat/ *οὐσ.* ‹C› **1**. (*λογοτ.*) ἀγορά. **2**. αἴθουσα δημοπρασιῶν.

mar·ten /`matın/ *οὐσ.* ‹C,U› (*ζωολ.*) ἰκτίς, νυφίτσα.

mar·tial /`maʃl/ *ἐπ.* **1**. στρατιωτικός: *~ music/bearing*, στρατιωτική μουσική/-ό παράστημα. **'~ `law**, στρατιωτικός νόμος: *declare ~ law*, κηρύσσω τόν στρατιωτικό νόμο. *under ~ law*, ὑπό στρατιωτικόν νόμον. **2**. πολεμικός, μαχητικός: *show a ~ spirit*, δείχνω μαχητικόν πνεῦμα.

Mar·tian /`maʃn/ *οὐσ.* ‹C› & *ἐπ.* κάτοικος τοῦ Ἄρεως, Ἄρειος.

mar·tin /`matın/ *οὐσ.* ‹C› πετροχελίδονο.

mar·ti·net /'matı`net/ *οὐσ.* ‹C› ἄτεγκτος τηρητής τῆς πειθαρχίας, στραβόξυλο, «ἐπιλοχίας».

mar·tyr /`matə(r)/ *οὐσ.* ‹C› μάρτυρας, μάρτυς: *the Christian ~s*, οἱ χριστιανοί μάρτυρες. *a ~ in the cause of science/peace*, μάρτυς τῆς ἐπιστήμης/τῆς εἰρήνης. ***make a ~ of oneself***, θυσιάζομαι, μαρτυρῶ. ***be a ~ to sth***, βασανίζομαι ἀπό: *I'm a ~ to rheumatism/gout*, βασανίζομαι ἀπό ρευματισμούς/ἀπό ἀρθριτικά. *__ρ.μ.* βασανίζω, τυραννῶ. **`~-dom** /-dəm/ *οὐσ.* ‹U› μαρτύριον: *She made his life one long ~dom*, τοῦ ἔκανε τή ζωή ἀτέλειωτο μαρτύριο.

mar·vel /`mavl/ *οὐσ.* ‹C› θαῦμα: *the ~s of modern science*, τά θαύματα τῆς σύγχρονης ἐπιστήμης. *It's a ~ to me that he escaped unhurt*, γιά μένα εἶναι θαῦμα πῶς γλύτωσε χωρίς νά πάθη τίποτα. ***work ~s***, κάνω θαύματα: *The doctor's pills worked ~s*, τά χάπια τοῦ γιατροῦ ἔκαναν θαύματα. ***a ~ of***, φαινόμενο, θαῦμα: *She's a ~ of patience/learning*, εἶναι φαινόμενο ὑπομονῆς/γνώσεων. *__ρ.ἀ.* *(-ll-)* ***~ (at)***, θαυμάζω, μοῦ προξενεῖ κατάπληξη: *I ~ at your impudence*, θαυμάζω (ἀπορῶ μέ) τό θράσος σου. *I ~ that she should agree to marry him*, μοῦ προξενεῖ κατάπληξη τό ὅτι δέχτηκε νά τόν παντρευτῆ.

mar·vel·lous /`mavələs/ *ἐπ.* θαυμαστός, θαυμάσιος. **~·ly** *ἐπίρ.* θαυμάσια, θαυμαστά.

Marx·ist /`maksıst/ *οὐσ.* ‹C› & *ἐπιθ.* μαρξιστής. **Marx·ism** /`maksızm/ *οὐσ.* ‹U› μαρξισμός.

mar·zi·pan /`mazıpæn/ *οὐσ.* ‹C,U› (*ζαχαροπλ.*) ἀμυγδαλωτό.

mas·cara /mæ`skarə/ *οὐσ.* ‹U› μάσκαρα (χρῶμα γιά τίς βλεφαρίδες).

mas·cot /`mæskət/ *οὐσ.* ‹C› μασκότ.

mas·cu·line /`mæskjʊlın/ *ἐπ.* **1**. ἀρρενωπός, ἀνδρικός: *a ~ style/woman*, ἀνδρικό στύλ/ἀντρογυναίκα. **2**. (*γραμμ.*) ἀρσενικόν: *the ~ gender*, τό ἀρσενικόν γένος. **mas·cu·lin·ity** /'mæskjʊ`lınətı/ *οὐσ.* ‹U› ἀρρενωπότης, ἀνδρισμός.

mash /mæʃ/ *οὐσ.* ‹U› **1**. χυλός, κουρκούτι (γιά ζῶα). **2**. πουρές, πολτός. **3**. χυλός (βύνης). *__ρ.μ.* πολτοποιῶ: *~ed potatoes*, πατάτες πουρέ. **~er** *οὐσ.* ‹C› τρίφτης, πολτοποιητής.

mask /mask/ *οὐσ.* ‹C› μάσκα, προσωπίδα: *put on a ~*, βάζω μάσκα. *wear a ~*, φορῶ μάσκα. ***under the ~ of***, ὑπό τό προσωπεῖον, μέ τό πρόσχημα: *under the ~ of friendship/kindness*, μέ τό πρόσχημα τῆς φιλίας/τῆς καλωσύνης. ***throw off one's ~***, (*μεταφ.*) πετῶ τή μάσκα, ἀποκαλύπτομαι ποιός εἶμαι. **`gas·~**, ἀντιασφυξιογόνος μάσκα. **`death ~**, ἐκμαγεῖον νεκροῦ. *__ρ.μ.* **1**. φορῶ μάσκα: *a ~ed woman/ball*, μασκοφορεμένη γυναίκα/χορός μασκέ. **2**. ἀποκρύπτω: *~ one's intentions*, ἀποκρύπτω τίς πραγματικές μου προθέσεις.

maso·chism /`mæsəkızm/ *οὐσ.* ‹U› μαζοχισμός.

maso·chist /`mæsəkıst/ *οὐσ.* ‹C› μαζοχιστής. **~ic** /'mæsə`kıstık/ *ἐπ.*

ma·son /`meısn/ *οὐσ.* ‹C› **1**. χτίστης. **2**. τέκτων, μασόνος. **~ic** /mə`sonık/ *ἐπ.* μασονικός. **~ry** /`meısnrı/ *οὐσ.* ‹U› **1**. τοιχοποιΐα, λιθοδομή. **2**. τεκτονισμός.

masque /mask/ *οὐσ.* ‹C› (*θέατρ.*) μάσκα (παληό δρᾶμα σέ στίχους, μέ χορό καί τραγούδι).

mas·quer·ade /'maskə`reıd/ *οὐσ.* ‹C› **1**. μασκαράτα. **2**. (*μεταφ.*) μεταμφίεσις, ὑπόκρισις. *__ρ.ἀ.* ***~ (as)***, μασκαρεύομαι, μεταμφιέζομαι σάν: *a prince who ~d as a peasant*, πρίγκηπας μεταμφιεσμένος σέ χωρικό.

mass /mæs/ *οὐσ.* ‹C,U› μᾶζα, πλῆθος, ὄγκος: *dark ~es of clouds*, σκοτεινές μᾶζες σύννεφα. *a ~ of snow/rock*, ἕνας ὄγκος χιονιοῦ/βράχων. *He was a ~ of bruises*, ἦταν γεμᾶτος μώλωπες. ***the ~es***, οἱ μᾶζες, ὁ λαός. ***in the ~***, σά σύνολο: *The nation in the ~ was against the war*, τό ἔθνος σά σύνολο ἦταν ἐναντίον τοῦ πολέμου. **~ meeting**, μαζική συγκέντρωσις, συλλαλητήριο. **~ executions**, μαζικές ἐκτελέσεις. **'~ com'muni`cations/`media**, μέσα μαζικῆς ἐπικοινωνίας (ράδιο, TV, ἐφημερίδες). **'~ pro`duction**, μαζική παραγωγή. **'~-pro`duce** *ρ.μ.* κάνω μαζική παραγωγή. *__ρ.μ/ἀ.* συγκεντρώνω/-ομαι κατά μᾶζες ἤ σέ μᾶζες: *Troops are ~ing/are being ~ed on the frontier*, στρατεύματα συγκεντρώνονται στά σύνορα. *The clouds are ~ing*, τά σύννεφα συσσωρεύονται. **~y** *ἐπ.* ὀγκώδης, βαρύς, συμπαγής.

Mass /mæs/ *οὐσ.* ‹C› (*ἐκκλ.*) θεία λειτουργία: *High/Low ~*, μεγάλη/μικρή λειτουργία.

M ~es were said for peace in the world, ἔγιναν λειτουργίες (δεήσεις) ὑπέρ τῆς εἰρήνης στόν κόσμο. ***go to** ~*, πάω στή θεία λειτουργία. ***hear** ~*, λειτουργιέμαι.

mass·acre /ˈmæsəkə(r)/ *οὐσ.* ‹C› σφαγή, μακελλειό. *__ρ.μ.* κατασφάζω, βάζω μαχαίρι, σκοτώνω ὁμαδικά.

mass·age /ˈmæsaʒ/ *οὐσ.* ‹C,U› μασάζ, μάλαξις. *__ρ.μ.* κάνω μασάζ.

mass·eur /mæˈsɜ(r)/, **mass·euse** /mæˈsɜz/ *οὐσ.* ‹C› ὁ/ἡ μασέρ, χειρομαλάκτης.

massif /mæˈsif/ *οὐσ.* ‹C› συμπαγής ὀροσειρά, ὀρεινός ὄγκος.

mass·ive /ˈmæsɪv/ *ἐπ.* **1**. συμπαγής, ὀγκώδης: *a ~ monument*, ὀγκῶδες μνημεῖον. **2**. βαρύς: *a ~ forehead*, βαρύ μέτωπο. **3**. μεγάλος, μαζικός: *a ~ protest*, μαζική διαμαρτυρία. **~·ly** *ἐπίρ.* μαζικά.

[1]**mast** /mast/ *οὐσ.* ‹C› **1**. ἱστός, κατάρτι. ***sail before the** ~*, ὑπηρετῶ σάν ἁπλός ναύτης. **ˈ~-head**, λαιμός ἱστοῦ, κολομπύρι. **2**. κοντός σημαίας. ***(flag) at half** ~*, μεσίστιος (σημαία). **3**. στήλη, ἱστός (ραδιοφ. πομποῦ).

[2]**mast** /mast/ *οὐσ.* ‹U› βελανίδι (τροφή γιά γουρούνια).

[1]**mas·ter** /ˈmastə(r)/ *οὐσ.* ‹C› **1**. ἀφεντικό, ἐργοδότης, μάστορας: *~ and man*, μάστορας καί παραγυιός. *a ~ builder*, πρωτομάστορας (ἐργολάβος οἰκοδομῶν). *a ~ carpenter*, μάστορας ξυλουργός. ***be one's own** ~*, εἶμαι ἀνεξάρτητος, ἀφεντικό τοῦ ἑαυτοῦ μου. **2**. νοικοκύρης, ἰδιοκτήτης: *the ~ of the house*, ὁ νοικοκύρης τοῦ σπιτιοῦ. *the ~ of a dog/horse*, ὁ ἰδιοκτήτης ἑνός σκύλου/ἀλόγου. ***be ~ in one's own house***, εἶμαι ἀφεντικό μέσα στό σπίτι μου. **3**. καπετάνιος (*ἐμπορ. πλοίου*): *a ~ mariner*, καπετάνιος. *obtain a ~'s certificate*, παίρνω δίπλωμα καπετάνιου. **4**. δάσκαλος, καθηγητής: *a ˈmathèmatics ~*, καθηγητής μαθηματικῶν. *a ˈschool~*, δάσκαλος. *a ˈdancing-~*, καθηγητής χοροῦ. **5**. (*στήν Ὀξφόρδη καί Καῖμπριτζ*) διευθυντής κολλεγίου. **6**. (*τίτλος μπροστά ἀπό τό ὄνομα παιδιοῦ μέχρι περίπου* 14 *χρονῶν*) νεαρός κύριος: *M~ John Smith*, ὁ νεαρός κύριος Γ.Σ. **7**. μεγάλος καλλιτέχνης. **old ~s**, μεγάλοι καλλιτέχνες τοῦ παρελθόντος (ἀπό τόν 13ον ὥς τόν 17ον αἰῶνα). **8**. (*ἐπιθ.*) ἀνώτερος, δεσπόζων: *It's the work of a ~ hand*, εἶναι ἔργο μεγάλου δεξιοτέχνη. *His ~ passion is horse-racing*, τό δεσπόζον πάθος του εἶναι οἱ ἱπποδρομίες. **ˈ~·mind** *οὐσ.* ‹C› ὀργανωτικός νοῦς, ἐγκέφαλος: *He was the ~mind of the plot*, ἦταν ὁ ἐγκέφαλος τῆς συνομωσίας. **ˈ~-mind** *ρ.μ.* ὀργανώνω, κινῶ: *The whole affair was ~-minded by the publicity department*, ἡ ὅλη ὑπόθεσις ὀργανώθηκε ἀπό τό διαφημιστικό τμῆμα. **9**. κύριος, κάτοχος, ἀριστοτέχνης: *You cannot be the ~ of your fate*, δέν μπορεῖς νά εἶσαι κύριος τῆς μοίρας σου. *He is ~ of a large fortune*, εἶναι κάτοχος μεγάλης περιουσίας. *We are ~s of the situation*, εἴμαστε κύριοι τῆς καταστάσεως. *make oneself ~ of a language/an art*, γίνομαι τέλειος κάτοχος μιᾶς γλώσσας/μιᾶς τέχνης. ***a past** ~*, ἀριστοτέχνης, ἀνυπέρβλητος: *He's a past ~ at making speeches*, εἶναι ἀριστοτέχνης στό νά βγάζη λόγους. **ˈ~piece**, ἀριστούργημα. **ˈ~·stroke**, ἀριστοτεχνική κίνησις/ἐνέργεια. **10**. (*τίτλος διαφόρων ἀξιωμάτων*): **M~ of Arts/Science**, ἀνώτερος πτυχιοῦχος φιλολογίας/θετικῶν ἐπιστημῶν (τίτλος μεταξύ τοῦ ἁπλοῦ πτυχιούχου καί τοῦ διδάκτορος). **M~ of Ceremonies**, (*συγκεκ.* **MC**) Τελετάρχης. **M~ of the Horse**, Μέγας Σταυλάρχης. **ˈ~-at-ˈarms**, (*πληθ. ~s-at-arms*) (*πολεμ. ναυτ.*) ὁπλονόμος, (*ἐμπορ. ναυτ.*) ἀστυνόμος ἐπιβατικοῦ πλοίου. **ˈ~-key**, πασπαρτοῦ, γενικό ἀντικλείδι.

[2]**mas·ter** /ˈmastə(r)/ *ρ.μ.* κυριαρχῶ, μαθαίνω τέλεια: *~ one's temper*, κυριαρχῶ στό θυμό μου. *~ a foreign language*, μαθαίνω τέλεια μιά ξένη γλῶσσα. **~·ful** *ἐπ.* δεσποτικός, ἐπιτακτικός: *in a ~ful manner*, μέ ἐπιτακτικό ὕφος. **~·fully** *ἐπίρ.* ἐπιτακτικά. **~·less** *ἐπ.* ἀδέσποτος. **~·ly** *ἐπ.* ἀριστοτεχνικός, ἐπιδέξιος: *with a few ~ly strokes of the brush*, μέ λίγες ἐπιδέξιες πινελιές. **~ship** /-ʃɪp/ *οὐσ.* ‹C,U› **1**. ἐξουσία, ἐπιβολή. **2**. θέσις καθηγητοῦ. **~y** *οὐσ.* ‹U› **1**. τέλεια γνῶσις, μαεστρία, δεξιοτεχνία: *His ~y of the language/violin is astonishing*, ἡ τέλεια γνῶσις του τῆς γλώσσας/ἡ δεξιοτεχνία του στό βιολί εἶναι ἐκπληκτική. **2**. ἔλεγχος, ἐπιβολή, ὑπεροχή: *get ~y of a wild horse*, τιθασσεύω ἕνα ἄγριο ἄλογο. ***gain/get ~y (over sb)***, ἀποκτῶ τήν ὑπεροχή (ἔναντι κάποιου).

mas·ti·cate /ˈmæstɪkeɪt/ *ρ.μ.* μασῶ. **mas·ti·ca·tion** /ˈmæstɪˈkeɪʃn/ *οὐσ.* ‹U›.

mas·tiff /ˈmæstɪf/ *οὐσ.* ‹C› μαντρόσκυλο, μάστιφ.

mas·to·don /ˈmæstədon/ *οὐσ.* ‹C› μαστόδους.

mas·tur·bate /ˈmæstəbeɪt/ *ρ.ἀ.* αὐνανίζομαι. **mas·tur·ba·tion** /ˈmæstəˈbeɪʃn/ *οὐσ.* ‹U› αὐνανισμός.

[1]**mat** /mæt/ *οὐσ.* ‹C› **1**. ψάθα, χαλάκι: *a ˈdoor~*, χαλί γιά τά πόδια (στήν πόρτα). *ˈtable-~s*, ψαθάκια γιά (ζεστά) πιάτα, σου-πλά, σουβέρ. **2**. μπερδεμένη/τυλιγμένη τούφα: *a ~ of weeds/hair*, μιά μπερδεμένη τούφα χορτάρια/μαλλιά. *__ρ.μ/ἀ. (-tt-)* στρώνω μέ ψάθα, μπερδεύω/-ομαι: *~ted hair*, μπερδεμένα μαλλιά.

[2]**mat, matt** *ἐπ.* μουντός, θαμπός, μάτ: *~ paper*, χαρτί μάτ (*ἀντίθ. glossy paper*, σατινέ).

mata·dor /ˈmætədɔ(r)/ *οὐσ.* ‹C› ταυρομάχος, ματαντόρ.

[1]**match** /mætʃ/ *οὐσ.* ‹C› σπίρτο: *strike a ~*, ἀνάβω ἕνα σπίρτο. *a box of ~es*, κουτί σπίρτα. **ˈ~·box**, σπιρτόκουτο. **ˈ~·stick**, σπιρτόξυλο. **ˈ~·wood**, ξύλο γιά σπίρτα, πελεκούδια, σκλῆθρες, κομματάκια ξύλου.

[2]**match** /mætʃ/ *οὐσ.* ‹C› **1**. ἀγώνας, μάτς: *a ˈfootball/ˈwrestling/ˈboxing ~*, ἀγώνας ποδοσφαιρικός/πάλης/πυγμαχίας. **2**. ἰσάξιος ἀντίπαλος, ἐφάμιλλος, ταίρι: *find/meet one's ~*, βρίσκω τό ταίρι μου, τόν ἰσάξιό μου. *He's up against more than his ~*, βρῆκε τόν μάστορή του. *You are no ~ for him*, δέν βγαίνεις μπροστά του, εἶναι πολύ καλύτερός σου. **3**. συνοικέσιο, γάμος: *make a ~*, κάνω συνοικέσιο. *make a good ~*, καλοπαντρεύομαι. *They decided to make a ~ of it*, ἀποφάσισαν νά παντρευτοῦν. ***He's a good** ~*, εἶναι σπουδαῖος (γιά) γαμπρός. ***She's a good** ~*, εἶναι σπουδαία

νύφη. **`~-maker**, προξενητής, προξενήτρα. **`~-making**, προξενιό. **4**. ταίρι: *They are a good/bad ~*, ταιριάζουν/δέν ταιριάζουν (πᾶνε καλά/ἄσχημα μαζί).

[3]**match** /mætʃ/ *ρ.μ/ἀ.* **1**. *~ **sb/sth with/against***, ἀντιπαρατάσσω: *I'm ready to ~ my strength with/against yours*, εἶμαι ἕτοιμος νά ἀντιπαρατάξω τή δύναμή μου στή δική σου. **2**. παραβγαίνω, συναγωνίζομαι: *No-one can ~ him in speed*, κανένας δέν μπορεῖ νά τόν συναγωνισθῆ (νά παραβγῆ μαζί του) στήν ταχύτητα. *Can you ~ this story?* μπορεῖς νά συναγωνισθῆς αὐτή τήν ἱστορία (νά πῆς μιά καλύτερη); **3**. ταιριάζω: *The curtains and carpets should ~*, οἱ κουρτίνες καί τά χαλιά θἄπρεπε νά ταιριάζουν. *Can you ~ this silk?* μπορεῖς νά μοῦ βρῆς τό ταίρι σ' αὐτό τό μεταξωτό; ***to ~***, ἀσσορτί: *She was wearing a brown dress with hat and gloves to ~*, φοροῦσε ἕνα σκοῦρο φόρεμα μέ καπέλλο καί γάντια ἀσσορτί. ***well-~ed***, καλοταιριασμένοι. **4**. ***~ sb with sb***, παντρεύω κπ μέ κπ. **~·less** *ἐπ.* ἀπαράμιλλος: *of ~less beauty*, ἀπαράμιλλης ὀμορφιᾶς.

[1]**mate** /meɪt/ *οὐσ.* ‹C› **1**. (*ἰδ. μεταξύ ἐργατῶν*) σύντροφος, συνάδελφος, φίλος: *Where are you going, ~?* ποῦ πᾶς, φίλε; **`class-~**, συμμαθητής. **`play-~**, συμπαίκτης, σύντροφος στό παιχνίδι. **2**. (*καθομ.*) σύντροφος (στό γάμο): *She's been a faithful ~ to him*, τοῦ στάθηκε πιστή σύντροφος. **3**. (*γιά ζῶα καί πουλιά*) ταίρι: *the lion and his ~*, τό λιοντάρι καί τό ταίρι του. **4**. βοηθός: *a plumber's ~*, βοηθός ὑδραυλικοῦ. **5**. ἀξιωματικός (*ἐμπορ. πλοίου*): *First ~*, ὑποπλοίαρχος, β! καπετάνιος. *Second ~*, τρίτος καπετάνιος. *the master and his ~s*, ὁ καπετάνιος καί οἱ ἀξιωματικοί.

[2]**mate** /meɪt/ *ρ.μ/ἀ.* *~ (**with**)*, (*γιά ζῶα, πουλιά*) ζευγαρώνω: *the `mating season*, ἡ ἐποχή τοῦ ζευγαρώματος, τό βάτεμα.

[3]**mate** /meɪt/ *οὐσ. & ρ.μ. βλ. checkmate.*

[1]**ma·ter·ial** /mə`tɪərɪəl/ *ἐπ.* **1**. ὑλικός, ὑλιστικός (*ἀντίθ. spiritual*): *the ~ world*, ὁ ὑλικός κόσμος. *~ needs/pleasures*, ὑλικές, σωματικές ἀνάγκες/ἡδονές. *a ~ point of view*, ὑλιστική ἄποψις. **2**. (*συνήθ. νομ.*) σημαντικός, οὐσιώδης: *~ evidence*, οὐσιώδης μαρτυρία. *Is this point ~ to your argument?* εἶναι αὐτό τό σημεῖο σημαντικό γιά τό ἐπιχείρημά σας; **~ly** *ἐπίρ.* οὐσιωδῶς.

[2]**ma·ter·ial** /mə`tɪərɪəl/ *οὐσ.* **1**. ‹C,U› ὑλικό, ὕφασμα: *raw ~s*, ἀκατέργαστες, πρῶτες ὕλες. *writing ~*, γραφική ὕλη. *building ~s*, οἰκοδομικά ὑλικά. *dress/curtain ~s*, ὑφάσματα γιά ροῦχα/γιά κουρτίνες. *This ~ is not enough for two pairs of trousers*, τό ὕφασμα αὐτό δέν εἶναι ἀρκετό γιά δυό παντελόνια. **2**. ‹U› (*μεταφ.*) ὕλη, ὑλικό: *~ for a story/a newspaper article*, ὑλικό γιά μιά ἱστορία/γιά ἕνα ἄρθρο ἐφημερίδος. **~·ism** /-ɪzm/ *οὐσ.* ‹U› ὑλισμός: *dialectical ~ism*, διαλεκτικός ὑλισμός. *It's rank ~ism*, εἶναι χυδαῖος ὑλισμός. **~·ist** /-ɪst/ *οὐσ.* ‹C› ὑλιστής. **~·is·tic** /mə'tɪərɪə`lɪstɪk/ *ἐπ.* ὑλιστικός. **~·is·ti·cally** /-klɪ/ *ἐπίρ.*

ma·teri·al·ize /mə`tɪərɪəlaɪz/ *ρ.ἀ.* ὑλοποιοῦμαι, πραγματοποιοῦμαι: *Our plans didn't ~*, τά σχέδιά μας δέν πραγματοποιήθηκαν. **ma·teri·al·iz·ation** /mə'tɪərɪəlaɪ`zeɪʃn/ *οὐσ.* ‹C,U› ὑλοποίησις, πραγματοποίησις.

ma·ternal /mə`tɜnl/ *ἐπ.* μητρικός: *~ care/instinct*, μητρική φροντίδα/-ό ἔνστικτο. *my ~ grandmother*, ἡ γιαγιά μου ἀπό τή μητέρα μου. **~ly** /-nəlɪ/ *ἐπίρ.*

ma·tern·ity /mə`tɜnətɪ/ *οὐσ.* ‹U› μητρότης: *~ hospital*, μαιευτήριον.

matey /`meɪtɪ/ *ἐπ.* (*καθομ.*) φιλικός, οἰκεῖος, συντροφικός: *get/be ~ with sb*, πιάνω φιλίες μέ κπ/εἴμαστε παληόφιλοι.

mathe·mat·ics /'mæθə`mætɪks/ *οὐσ.* (*μέ ρ. ἐν ἤ πληθ.*) μαθηματικά: *His ~ are weak*, τά μαθηματικά του εἶναι ἀδύνατα. *M~ is my weak subject*, τά μαθηματικά εἶναι τό μάθημα στό ὁποῖον εἶμαι ἀδύνατος. **math·emat·ical** /'mæθə`mætɪkl/ *ἐπ.* μαθηματικός. **math-emat·ically** /-klɪ/ *ἐπίρ.* **math·ema·tician** /'mæθəmə`tɪʃn/ *οὐσ.* ‹C› μαθηματικός.

maths /mæθs/ *οὐσ.* (*καθομ., βραχυλ. γιά*) *mathematics.*

mati·née /`mætɪneɪ/ *οὐσ.* ‹C› ἀπογευματινή παράστασις (σέ θέατρο ἤ σινεμά).

mat·ins, mat·tins /`mætɪnz/ *οὐσ. πληθ.* (*ἐκκλ.*) ὄρθρος.

ma·tri·arch /`meɪtrɪak/ *οὐσ.* ‹C› γυναίκα ἀρχηγός οἰκογενείας (ἤ φυλῆς). **~·al** *ἐπ.* μητριαρχικός. **ma·tri·archy** *οὐσ.* ‹C› μητριαρχία.

ma·tric /mə`trɪk/ *οὐσ.* (*καθομ., βραχυλ. γιά*) *matriculation.*

ma·trices /`meɪtrɪsiz/ *οὐσ. πληθ. τοῦ matrix.*

mat·ri·cide /`mætrɪsaɪd/ *οὐσ.* ‹C,U› μητροκτονία, μητροκτόνος.

ma·tricu·late /mə`trɪkjʊleɪt/ *ρ.μ/ἀ.* **1**. ἐγγράφω/-ομαι στό Πανεπιστήμιο. **2**. (*παλαιότ.*) περνῶ τίς ἀπολυτηρίους ἐξετάσεις (περίπου σάν αὐτές τοῦ ἀκαδημαϊκοῦ ἀπολυτηρίου, ἀλλά τώρα ἔχουν ἀντικατασταθῆ μέ τό G.C.E.). **ma·tricu·la·tion** /mə'trɪkjʊ`leɪʃn/ *οὐσ.* **1**. ‹C,U› ἐγγραφή στό Πανεπιστήμιο. **2**. ‹U› (*παλαιότ.*) εἰσιτήριοι ἐξετάσεις στό Πανεπιστήμιο (ἀντικατασταθεῖσαι τώρα ἀπό τό G.C.E.).

mat·ri·mony /`mætrɪmənɪ/ *οὐσ.* ‹U› γάμος, συζυγικός βίος: *united in holy ~*, ἑνωμένοι εἰς ἱεράν γάμου κοινωνίαν. **mat·ri·mo·nial** /'mætrɪ`məʊnɪəl/ *ἐπ.* γαμικός, συζυγικός.

ma·trix /`meɪtrɪks/ *οὐσ.* ‹C› (*πληθ. matrices* /`meɪtrɪsiz/ *ἤ ~es*) μήτρα, καλούπι.

ma·tron /`meɪtrən/ *οὐσ.* ‹C› **1**. οἰκονόμος (σχολείου ἤ ἱδρύματος). **2**. προϊσταμένη ἀδελφή νοσοκομείου. **3**. δέσποινα, ἡλικιωμένη κυρία: *styles suitable for ~s*, μοντέλα κατάλληλα γιά κυρίες. **~·ly** *ἐπ.* ἀξιοπρεπής, εὐτραφής καί ἀξιοσέβαστη, (τῆς) οἰκοδεσποίνης ἤ προϊσταμένης: *in a ~ly manner*, μέ ἀξιοπρεπῆ τρόπο. *~ly duties*, καθήκοντα οἰκοδεσποίνης (ἤ προϊσταμένης).

matt /mæt/ *ἐπ. βλ.* [2]*mat.*

mat·ted /`mætɪd/ *ἐπ. βλ.* [1]*mat.*

[1]**mat·ter** /`mætə(r)/ *οὐσ.* ‹C,U› **1**. ὕλη (*ἀντίθ. spirit, mind*): *organic/inorganic ~*, ὀργανική/ἀνόργανος ὕλη. *`colouring ~*, χρωστική ὕλη. **2**. περιεχόμενον, οὐσία, ὕλη, ὑλικόν: *form and ~*, μορφή καί περιεχόμενον. *The ~ in your essay is good but the style is deplorable*, τό περιεχόμενον τῆς ἐκθέσεώς σου εἶναι καλό ἀλλά τό γράψιμο εἶναι ἀξιοθρήνητο.

provide ~ for discussion, παρέχω ὑλικό πρός συζήτησιν. **`reading ~**, ὑλικό γιά διάβασμα. **`postal ~**, ταχυδρομικό ὑλικό. **`printed ~**, ἔντυπο ὑλικό. **3**. πύον. **4**. ζήτημα, θέμα, ὑπόθεσις: *money ~s*, χρηματικά ζητήματα. *in ~s of religion*, σέ θρησκευτικά ζητήματα. *This is a ~ I know little about*, εἶναι θέμα πού δέν τό κατέχω καλά. *It's no easy ~*, δέν εἶναι εὔκολη ὑπόθεσις. *That's quite another ~*, αὐτό εἶναι ἐντελῶς ἄλλο θέμα. ***a ~ of***, περίπου, σχεδόν, ὑπόθεσις: *It's a ~ of £20*, εἶναι ὑπόθεσις 20 λιρῶν. *a ~ of 10 miles*, περίπου 10 μίλια. *within a ~ of hours*, μέσα σέ ὧρες σχεδόν. *It's a ~ of trying harder*, εἶναι θέμα μεγαλύτερης προσπάθειας. ***a ~ of course***, κάτι φυσικό, αὐτονόητο: *I told him I had passed my examination but he took it as a ~ of course*, τοῦ εἶπα ὅτι εἶχα περάσει τίς ἐξετάσεις μου ἀλλά τό πῆρε σάν κάτι φυσικό. ***a ~ of taste/opinion/habit***, ζήτημα γούστου/γνώμης/συνηθείας. ***as a ~ of fact***, στήν πραγματικότητα: *As a ~ of fact I knew nothing about it*, στήν πραγματικότητα δέν ἤξερα τίποτα γι' αὐτό. ***for that ~; for the ~ of that***, ὅσο γι' αὐτό, ὅσον ἀφορᾶ αὐτό, ἄλλωστε: *...nor, for that ~, do I regret it*, κι' οὔτε ἄλλωστε τό μετανοιώνω. ***in the ~ of***, στό θέμα: *He is strict in the ~ of discipline*, εἶναι αὐστηρός στό θέμα τῆς πειθαρχίας (*βλ.* & *λ. hanging*, [2]*laugh*). **5**. σημασία: *It's no ~/It makes no ~ whether he comes or not*, δέν ἔχει σημασία ἄν ἔλθη ἤ ὄχι. *If you can't do it, no ~*, ἄν δέν μπορεῖς νά τό κάνης, δέν πειράζει. ***no ~ who/what/where/how, etc***, ὁποιοσδήποτε / ὁτιδήποτε / ὁπουδήποτε / ὅσο (δήποτε), κλπ: *Don't believe it, no ~ who says it*, μήν τό πιστέψης, ὁποιοσδήποτε καί νά τό πῆ. *Don't trust him, no ~ what he says*, μήν τόν ἐμπιστεύεσαι, ὅ, τι καί νά πῆ. *I'll find it, no ~ where you hide it*, θά τό βρῶ, ὁπουδήποτε κι' ἄν τό κρύψης. *She won't marry him, no ~ how rich he is*, δέν θά τόν παντρευτῆ, ὅσο πλούσιος καί νά εἶναι. **6**. ***be the ~ (with sb)***, συμβαίνει (μέ κπ): *What's the ~ with you?* τί σοῦ συμβαίνει; τί ἔχεις; *There's nothing the ~ with me*, δέν μοῦ συμβαίνει τίποτα. *Is there anything the ~ with father?* συμβαίνει τίποτα στόν πατέρα; *What's the ~ with it?* τί ἔχει; (*καθομ.*) δεν σοῦ ἀρέσει; δέν εἶναι ἐν τάξει; **7**. (*σέ σύνθετες λέξεις*): **'~-of-`course** *ἐπ.* φυσικός, αὐτονόητος. **'~-of-`fact** *ἐπ.* θετικός, πρακτικός, πεζός.

[2]**mat·ter** /`mætə(r)/ *ρ.ἀ.* (*ἰδ. σέ ἐρωτημ., ἀρνητ. καί ὑποθετικές προτάσεις*) ἔχω σημασία, ἐνδιαφέρω: *What does it ~?* τί σημασία ἔχει; τί πειράζει; *Does it ~ to you if I don't come?* σέ πειράζει ἄν δέν ἔλθω; *It doesn't ~ at all*, δέν πειράζει καθόλου. *It hardly ~s what my sister says*, δέν ἐνδιαφέρει σχεδόν καθόλου τί θά πῆ ἡ ἀδελφή μου.

mat·ting /`mætıŋ/ *οὐσ.* ‹U› ψάθα (γιά πατώματα), τζίβα.

mat·tock /`mætək/ *οὐσ.* ‹C› τσάπα, ξινάρι.

mat·tress /`mætrəs/ *οὐσ.* ‹C› στρῶμα.

matu·rate /`mætʃʊreıt/ *ρ.ἀ.* (*ἰατρ.*) ὡριμάζω. **matu·ra·tion** /'mætʃʊ`reıʃn/ *οὐσ.* ‹U› ὡρίμανσις.

ma·ture /mə`tʃʊə(r)/ *ἐπ.* **1**. ὥριμος, μυαλωμένος, μεστωμένος: *a person of ~ years*, ἄνθρωπος ὡρίμου ἡλικίας. **2**. ὥριμος, προσεκτικός: *after ~ consideration*, κατόπιν ὡρίμου σκέψεως. *give a matter ~ deliberation*, ἐξετάζω ἕνα θέμα προσεκτικά. **3**. (*γιά γραμμάτια*) ἀπαιτητός, πού ἔχει λήξει. —*ρ.μ/ἀ.* **1**. ὡριμάζω: *His character ~d during these years*, ὁ χαρακτήρας του ὡρίμασε αὐτά τά χρόνια. *These years ~d his character*, αὐτά τά χρόνια ὡρίμασαν τόν χαρακτῆρα του. *The wine has not ~d properly*, τό κρασί δέν ἔχει γίνει καλά. **2**. (*γιά γραμμάτια*) λήγω. **~·ly** *ἐπίρ.*

ma·tur·ity /mə`tjʊərətı/ *οὐσ.* ‹U› ὡριμότης: *come to ~*, φθάνω σέ πλήρη ὡριμότητα. *the work of his ~*, τό ἔργον τῆς ὡριμότητός του.

maud·lin /`mɔdlın/ *ἐπ.* μισοκακόμοιρος, κλαψούρης, παραπονιάρης: *The drunken man began to get ~*, ὁ μεθυσμένος ἄρχισε τίς κλάψες. *~ sentimentality*, κλαψιάρικος/νοσηρός συναισθηματισμός.

maul /mɔl/ *ρ.μ.* τραβολογῶ, μωλωπίζω, κακοποιῶ, ξετινάζω: *Stop ~ing me about!* πᾶψε νά μέ τραβολογᾶς! *Stop ~ing the cat!* πᾶψε νά βασανίζης τή γάτα! *His latest novel has been ~ed by the critics*, τό τελευταῖο του μυθιστόρημα τό ξετίναξαν οἱ κριτικοί.

maun·der /`mɔndə(r)/ *ρ.ἀ.* ἀνοηταίνω, μιλῶ ἀσυνάρτητα, χαζεύω, σουλατσάρω.

Maundy Thursday /'mɔndı `θɜzdı/ *οὐσ.* Μεγάλη Πέμπτη.

mau·so·leum /'mɔsə`liəm/ *οὐσ.* ‹C› μαυσωλεῖον.

mauve /məʊv/ *ἐπ.* & *οὐσ.* ‹C,U› μώβ.

mav·er·ick /`mævərık/ *οὐσ.* ‹C› ἀνορθόδοξος, διαφωνῶν.

mawk·ish /`mɔkıʃ/ *ἐπ.* ἀνούσιος, σαχλός, γελοῖα αἰσθηματικός: *a ~ film/play*.

maxi /`mæksı/ *οὐσ.* ‹C› (*καθομ.*) μάξι φόρεμα.

maxim /`mæksım/ *οὐσ.* ‹C› ρητόν, γνωμικόν, ἀπόφθεγμα.

maxi·mize /`mæksımaız/ *ρ.μ.* αὐξάνω στό μέγιστο βαθμό: *~ educational opportunities*, αὐξάνω στό μέγιστο βαθμό τίς εὐκαιρίες μορφώσεως. **maxi·mi·za·tion** /'mæksımaı`zeıʃn/ *οὐσ.* ‹U› μεγιστοποίησις.

maxi·mum /`mæksıməm/ *οὐσ.* ‹C› (*πληθ.* ~s *ἤ* -ma /-mə/) ἀνώτατον ὅριον, μάξιμουμ: *~ load/speed/price*, ἀνώτατον φορτίον/-η ταχύτης/τιμή.

may /meı/ *ρ. βοηθητικόν ἐλλειπτικόν* (*ἀόρ.* might /maıt/, *ἡ ἐρώτ. δι' ἀντιστροφῆς, ἡ ἄρνησις μέ* not) **1**. μπορεῖ, ἴσως (*δηλοῖ δυνατότητα ἤ πιθανότητα. 'Ο ἀόρ.* might *ἔχει τήν ἴδια ἔννοια μέ τόν ἐνεστ.* may *ἀλλά δείχνει ὅτι ἡ πιθανότητα εἶναι μικρότερη. Σημειῶστε ὅμως τό τελευταῖο παράδειγμα, ὅπου ἡ πιθανότητα εἶναι καθαρῶς ὑποθετική, γιά κάτι πού θά μποροῦσε νά συμβῆ στό παρελθόν ἀλλά δέν συνέβη*): *He ~ be at home now/~ come tomorrow*, ἴσως (μπορεῖ) νά εἶναι σπίτι τώρα/νά ἔλθη αὔριο. *He might be at home now/might come tomorrow*, ἴσως νά εἶναι σπίτι τώρα/νά ἔλθη αὔριο (ἀλλά δέν φαίνεται πολύ πιθανόν). *They ~ have missed the train yesterday*, ἴσως νά ἔχασαν τό τραῖνο χθές. *They might have missed the train yesterday*, ἴσως νά ἔχασαν τό τραῖνο χθές (ἀλλά δέν φαίνεται πολύ πιθανόν). *You* *might have killed me with that stone*, θά μποροῦσες νά μέ εἶχες σκοτώσει μ' αὐτή τήν πέτρα (ἀλλά εὐτυχῶς δέν ἔγινε τίποτα). **2**. μπορῶ (*ὅταν ζητᾶμε ἤ δίνομε ἄδεια. 'Εδῶ τό might δείχνει περισσότερη διστακτικότητα στό πρόσωπο τοῦ ὁμιλητῆ*): *M~/Might I ask you a favour?* μπορῶ/θά μποροῦσα νά σᾶς ζητήσω μιά χάρη; *You ~ go now*, μπορεῖς νά φύγης τώρα. **3**. μπορῶ (*δηλοῖ παράκληση ἤ εὐγενική προσταγή*): *You ~/might do me a favour*, μπορεῖς/θά μποροῦσες νά μοῦ κάνης (*δηλ*. σέ παρακαλῶ, κάνε μου) μιά χάρη. **4**. εἴθε: *M~ you both be happy!* εἴθε νά εἶσθε καί οἱ δυό σας εὐτυχισμένοι! **5**. (*σέ δευτερεύουσες τελικές, ὑποθετικές, τοπικές καί ἐνδοτικές προτάσεις*): *He died so that we might live*, πέθανε αὐτός γιά νά ζήσωμε ἐμεῖς. *If it's a fine day tomorrow I ~ go with you*, ἄν εἶναι καλή μέρα αὔριο μπορεῖ νά ἔλθω μαζί σας. *I will follow you wherever you ~ go*, θά σέ ἀκολουθήσω ὅπου καί νά πᾶς. *I won't buy it, however cheap it ~ be*, δέν θά τό ἀγοράσω ὅσο φτηνό καί νά εἶναι. (*βλ*. & *λ*. [2]*well*).

May /meɪ/ *οὐσ*. Μάϊος. **`M~ Day**, Πρωτομαγιά. **`M~ Queen**, Βασίλισσα τῆς Πρωτομαγιᾶς.

may·be /`meɪbɪ/ *ἐπίρ*. ἴσως, πιθανῶς, ἐνδεχομένως. ***as soon as ~***, ὅσο τό δυνατόν ταχύτερα.

may-beetle /`meɪ-bitl/, **may-bug** /-bʌg/ *οὐσ*. ‹C› χρυσοκάνθαρος, χρυσόμυγα.

may·day /`meɪdeɪ/ *οὐσ*. ‹C,U› σῆμα κινδύνου.

may·flower /`meɪflaʊə(r)/ *οὐσ*. ‹C› (*φυτ*.) μουμουτζελιά.

may·hem /`meɪhem/ *οὐσ*. ‹C› **1**. (*ἀπηρχ*.) ἀκρωτηριασμός. **2**. καταστροφή,ἀναμπουμπούλα, κοσμοχαλασιά: *cause/create ~*, προκαλῶ καταστροφή.

may·pole /`meɪpəʊl/ *οὐσ*. ‹C› γαϊτανάκι.

may·on·naise /'meɪə`neɪz/ *οὐσ*. ‹U› μαγιονέζα.

mayor /meə(r)/ *οὐσ*. ‹C› δήμαρχος. **~·ess** /meə`res/ *οὐσ*. ‹C› δημαρχίνα. **~·al·ty** /`meərltɪ/ *οὐσ*. ‹C› τό δημαρχιλίκι, τό ἀξίωμα τοῦ δημάρχου.

maze /meɪz/ *οὐσ*. ‹C› λαβύρινθος, δαίδαλος, κυκεώνας: *a ~ of narrow alleys*, ἕνας λαβύρινθος ἀπό σοκάκια. *a ~ of facts and dates*, κυκεώνας γεγονότων καί ἡμερομηνιῶν. ***be in a ~***, (*καθομ*.) τἄχω χαμένα, εἶμαι σέ ἀδιέξοδο.

ma·zurka /mə`zɜkə/ *οὐσ*. ‹C› (*μουσ*.) μαζούρκα.

me /mi/ *προσ. ἀντων. αἰτ*. (ἐ)μένα, μέ, μου, μοῦ, ἐγώ: *He gave it to ~, not to you*, τὄδωσε σέ μένα, ὄχι σέ σένα. *He hit ~*, μέ χτύπησε. *Give ~ a book*, δῶσε μου ἕνα βιβλίο. *He told ~ a story*, μοῦ εἶπε μιά ἱστορία. *It's ~, John!* ἐγώ εἶμαι, ὁ Γιάννης!

mead /mid/ *οὐσ*. **1**. ‹U› ὑδρομέλι. **2**. ‹C› (*ποιητ*.) λειμών.

meadow /`medəʊ/ *οὐσ*. ‹C,U› λειβάδι.

meagre /`migə(r)/ *ἐπ*. **1**. ἰσχνός: *a ~ face*. **2**. πενιχρός, φτωχικός: *a ~ meal*, πενιχρό, φτωχικό γεῦμα. *a ~ attendance at the meeting*, πενιχρή, λιγοστή συμμετοχή κόσμου στή συγκέντρωση. **~·ly** *ἐπίρ*. πενιχρά. **~·ness** *οὐσ*. ‹U› πενιχρότης, λιτότης.

[1]**meal** /mil/ *οὐσ*. ‹C› **1**. γεῦμα: *Breakfast is the first ~ of the day*, τό πρόγευμα εἶναι τό πρῶτο γεῦμα τῆς ἡμέρας. **`~·time**, ὥρα φαγητοῦ. **2**. γεῦμα, φαγητό: *I had a good ~*, ἔφαγα καλά.

[2]**meal** /mil/ *οὐσ*. ‹U› μπλουγούρι, χοντρό ἀλεύρι (*πρβλ. flour*, ψιλό ἀλεύρι). **~y** /`milɪ/ *ἐπ*. (*-ier, -iest*) ἀλευρώδης, ἀλευρωμένος, ἀλευροειδής. **'~y-`mouthed** *ἐπ*. πολύ ἐξεζητημένος στήν ὁμιλία, ἀνειλικρινής.

[1]**mean** /min/ *ἐπ*. (*-er, -est*) **1**. ἄθλιος, μίζερος, φτωχικός: *a ~ house in a ~ street*, ἕνα φτωχόσπιτο σ' ἕναν ἄθλιο δρόμο. **2**. (*γιά κοινωνική θέση ἤ καταγωγή*) παρακατιανός, ταπεινός: *even the ~est of men has a right to...*, ἀκόμη καί ὁ τελευταῖος (ὁ ἔσχατος) τῶν ἀνθρώπων ἔχει τό δικαίωμα νά... **3**. (*γιά ἀντίληψη*) μέτριος, χαμηλός: *This should be clear even to the ~est intelligence*, αὐτό θά τό καταλάβαινε κι' ὁ πιό κουτός. *He is no ~ scholar*, ἔχει μεγάλη μόρφωση. **4**. (*γιά συμπεριφορά ἤ χαρακτήρα*) ταπεινός, πρόστυχος, χυδαῖος ἄθλιος, σιχαμένος: *That was a ~ trick*, ἦταν πρόστυχο κόλπο. *What a ~ revenge!* τί ταπεινή ἐκδίκηση! *It was ~ of you to...*, ἦταν ἄθλιο ἀπό μέρους σου νά... *He's a ~ rascal*, εἶναι παληάνθρωπος τοῦ χειρίστου εἴδους. *He's a `~-minded sort of fellow*, εἶναι ταπεινός ἄνθρωπος (κατωτάτης ὑποστάθμης). *Don't be ~ to her*, μήν τῆς φέρεσαι πρόστυχα/χυδαῖα. **5**. (*καθομ*.) ντροπιασμένος, ἔνοχος μέσα μου: *I feel rather ~ for not helping more*, νοιώθω λιγάκι ντροπιασμένος πού δέν βοήθησα περισσότερο. **6**. τσιγγούνης, μικροπρεπής: *He's ~ over money matters*, εἶναι μικροπρεπής στά χρηματικά θέματα. *Don't be ~, give me a little more*, μήν εἶσαι τσιγγούνης, δῶσε μου κάτι παραπάνω. **~·ly** *ἐπίρ*. **~·ness** *οὐσ*. ‹C,U› ἀθλιότης, προστυχιά, μικροπρέπεια, τσιγγουνιά. **~ie**, **~y** /`minɪ/ *οὐσ*. ‹C› (*καθομ*.) ἄνθρωπος ταπεινός ἤ τσιγγούνης: *What a ~ie you are!* τί τσιγγούναρος (ἤ, τί σιχαμένος) πού εἶσαι!

[2]**mean** /min/ *ἐπ*. μέσος, μεσαῖος: *the ~ annual temperature*, ἡ μέση ἐτησία θερμοκρασία. **~ price**, ἡ μέση τιμή. —*οὐσ*. ‹C› **1**. μέσον. ***the golden/happy ~***, τό χρυσοῦν μέσον, τό ὀρθόν μέτρον. **2**. (*μαθ*.) μέσος ὅρος.

[3]**mean** /min/ *ρ.ἀ. ἀνώμ*. (*ἀόρ*. & *π.μ. meant* /ment/) **1**. σημαίνω: *What does this word ~?* τί σημαίνει αὐτή ἡ λέξις; *This ~s war, I'm afraid*, φοβοῦμαι ὅτι αὐτό σημαίνει πόλεμο. *That ~s working overtime*, αὐτό σημαίνει ὅτι θά πρέπει νά δουλέψωμε ὑπερωρίες. ***~ to sb***, ἔχω σημασία γιά κπ: *Your friendship ~s a great deal to me*, ἡ φιλία σου ἔχει μεγάλη σημασία γιά μένα. *She ~s nothing to me now*, δέν σημαίνει τίποτα γιά μένα τώρα. *£20 ~s a lot to her*, εἴκοσι λίρες ἔχουν μεγάλη σημασία γι' αὐτήν. *You ~ everything to me*, εἶσαι τό πᾶν γιά μένα. **2**. ἐννοῶ (ἔχω κατά νοῦν): *What do you ~ by this/by saying this?* τί ἐννοεῖς μ' αὐτό/λέγοντας αὐτό; *Which Smith do you ~?* ποιόν Σ. ἐννοεῖς; *It was ~t as a joke*, εἰπώθηκε σάν ἀστεῖο. **3**. ἐννοῶ (εἶμαι ἀποφασισμένος): *I ~ to succeed*, ἐννοῶ (εἶμαι ἀποφασισμένος) νά ἐπιτύχω. *I ~ him to obey me*, ἐννοῶ (ἀξιῶ) νά μέ ὑπακούη. *I ~ to have it*, εἶμαι ἀποφασισμένος νά τό πάρω. **4**. σκοπεύω, σχεδιάζω, ἔχω τήν πρόθεση, θέλω: *What do you ~ to*

do now? τί σκοπεύεις νά κάμης τώρα; *How long do you ~ to stay?* πόσον καιρό σχεδιάζεις νά μείνης; *I'm sorry if I hurt your feelings; I didn't ~ to*, λυπᾶμαι ἄν σέ ἔθιξα – δέν εἶχα τέτοια πρόθεση (δέν τό ἤθελα). *I didn't ~ you to read this letter*, δέν ἤθελα νά διαβάσης αὐτό τό γράμμα. *I ~ no harm to anyone*, δέν θέλω τό κακό κανενός. **~ mischief**, ἔχω κακές προθέσεις/κακούς σκοπούς: *That evil-looking dog ~s mischief*, αὐτό τό βρωμόσκυλο δέν ἔχει καλό σκοπό. **~ well**, ἔχω καλές προθέσεις/καλούς σκοπούς: *I know he ~s well, but...*, ξέρω ὅτι οἱ προθέσεις του εἶναι καλές, ἀλλά... **~ well by sb**, θέλω τό καλό κάποιου: *We all know that he ~s well by you*, ὅλοι ξέρομε ὅτι θέλει τό καλό σου. **~ for**, σκοπεύω, προορίζω γιά: *I ~t this book for you*, προώριζα αὐτό τό βιβλίο γιά σένα. *We are ~t for each other*, εἴμαστε φτιαγμένοι (προορισμένοι) ὁ ἕνας γιά τόν ἄλλο. *Who is this ~t for?* γιά ποιόν εἶναι (προορίζεται) αὐτό; (*βλ.* & *λ. business*).

me·ander /mɪˋændə(r)/ *ρ.ἀ.* **1**. (*γιά ποτάμι*) σχηματίζω μαιάνδρους, πάω σά φίδι. **2**. (*γιά ἄνθρ.*) περιφέρομαι, μιλῶ χωρίς συνοχή/μέ πολλές παρεκβάσεις. **~·ing** *ἐπ.* ὀφιοειδής, ἑλικοειδής. **~·ings** /mɪˋændrɪŋz/ *οὐσ.* (*πληθ.*) μαίανδροι.

mean·ing /ˋminɪŋ/ *οὐσ.* ‹C,U› ἔννοια, νόημα, σημασία: *A word may have several ~s*, μιά λέξις μπορεῖ νά ἔχη πολλές ἔννοιες. *He looked at me with ~*, μέ κοίταξε μέ σημασία, μέ νόημα. *What's the ~ of all this?* τί σημαίνουν ὅλα αὐτά; ―*ἐπ.* ἐκφραστικός, μέ ἔννοια, μέ σημασία, μέ πρόθεση: *He gave me a ~ look*, μοῦ ἔρριξε μιά ματιά μέ σημασία. *I know he is well-~*, ξέρω ὅτι εἶναι καλοπροαίρετος (ἔχει καλό σκοπό). **~·ful** /-fl/ *ἐπ.* σημαντικός, γεμᾶτος σημασία: *a ~ful look*. **~·fully** /-flɪ/ *ἐπίρ.* μέ σημασία. **~·less** *ἐπ.* χωρίς σημασία, χωρίς νόημα: *It's all quite ~less*, ὅλα εἶναι χωρίς σημασία, δέν ἔχουν κανένα νόημα.

[1]**means** /minz/ *οὐσ. πληθ.* (*συχνά μέ ἑν. σύνταξιν*) μέσον, τρόπος, μέσα: *Learning a foreign language is a ~ to an end*, ἡ ἐκμάθησις μιᾶς ξένης γλώσσας εἶναι μέσον γιά τήν ἐπίτευξη ἑνός σκοποῦ. *There is/are no ~ of knowing*, δέν ὑπάρχει τρόπος νά μάθωμε. *Every ~ has/All ~ have been tried*, κάθε τρόπος δοκιμάστηκε/ὅλοι οἱ τρόποι δοκιμάστηκαν. **The end justifies the ~**, ὁ σκοπός ἁγιάζει τά μέσα. **by ~ of**, διά μέσου, μέ τή βοήθεια: *He climbed down the wall by ~ of a rope*, κατέβηκε τόν τοῖχο μέ τήν βοήθεια ἑνός σκοινιοῦ. **by all ~**, βεβαίως, εὐχαρίστως. **by no ~**, μέ κανένα τρόπο, καθόλου: *It's by no ~ satisfactory*, δέν εἶναι καθόλου ἱκανοποιητικό. **by no manner of ~**, κατά κανένα τρόπο: *He's by no manner of ~ a genius*, δέν εἶναι κατά κανένα τρόπο ἰδιοφυΐα. **by some ~ or other**, μέ τόν ἕνα ἤ τόν ἄλλο τρόπο. **ways and ~**, τρόποι, μέθοδοι. (*βλ.* & *λ.* [1]*foul*).

[2]**means** /minz/ *οὐσ. πληθ.* χρήματα, πόροι, εἰσοδήματα, περιουσία: *a man of ~/of independent ~*, πλούσιος ἄνθρωπος/οἰκονομικά ἀνεξάρτητος. *a man of your ~*, ἕνας ἄνθρωπος μέ τή δική σου περιουσία. *have private ~*, ἔχω προσωπική περιουσία, ἰδιαίτερα εἰσοδήματα. **(live) beyond/within one's ~**, ξοδεύω περισσότερα ἀπό τό εἰσόδημά μου/ὅσα μοῦ ἐπιτρέπει τό εἰσόδημά μου: *This car is beyond my ~*, αὐτό τό αὐτοκίνητο εἶναι πέρα ἀπό τίς οἰκονομικές μου δυνατότητες. **~ test**, ἔρευνα τῆς οἰκονομικῆς καταστάσεως (ἀνθρώπου πού ζητάει οἰκονομ. βοήθεια).

meant /ment/ *ἀόρ.* & *π.μ. τοῦ ρ.* [3]*mean*.

mean·time /ˋmin-taɪm/ *ἐπίρ.* & *οὐσ.* ‹U› ἐνδιάμεσος χρόνος. **in the ~**, ἐν τῷ μεταξύ.

mean·while /ˈminˋwaɪl/ *ἐπίρ.* ἐν τῷ μεταξύ.

measles /ˋmizlz/ *οὐσ.* ‹U› (*μέ ρ. ἑν.*) ἱλαρά.

measly /ˋmizlɪ/ *ἐπ.* (*καθομ.*) εὐτελής, τιποτένιος, τσιγγούνικος: *a ~ present*, ἕνα εὐτελές δῶρον. *a ~ helping*, μιά πολύ μικρή μερίδα.

[1]**measure** /ˋmeʒə(r)/ *οὐσ.* ‹C,U› **1**. μέτρον: *weights and ~s*, σταθμά καί μέτρα. *An inch is a ~ of length*, ἡ ἴντσα εἶναι μέτρον μήκους. *liquid/dry ~s*, μέτρα ὑγρῶν/στερεῶν. *Words cannot give the ~ of my feelings*, οἱ λέξεις δέν μποροῦν νά δώσουν τό μέτρο τῶν αἰσθημάτων μου. **give full/short ~**, δίνω κτ κανονικά/λειψά. **(clothes) made to ~**, (ροῦχα) ἐπί παραγγελίᾳ. **get the ~ of sb**, (*μεταφ.*) μετρῶ, ζυγίζω κπ (νά δῶ τί ἀξίζει). **take strong ~s (against sb)**, λαμβάνω σκληρά μέτρα (ἐναντίον κάποιου). **2**. (*μαθημ.*) διαιρέτης: *common ~*, κοινός διαιρέτης. **3**. (*ραπτ.*) μεζούρα, (*μουσ.*) μέτρον, (*ἀπηρχ.*) χορός. **tread a ~ (with sb)**, χορεύω μέ κπ. **4**. ὅριον. **beyond ~**, ἀπεριόριστος: *His joy was beyond ~*, ἡ χαρά του δέν εἶχε ὅρια. **in great/large ~**, ὥς ἕνα μεγάλο σημεῖο: *His success was in some/great ~ the result of hard work*, ἡ ἐπιτυχία του ἦταν ὥς ἕνα σημεῖο/ὥς ἕνα μεγάλο σημεῖο τό ἀποτέλεσμα σκληρῆς δουλειᾶς. **in some ~**, μέχρι ἑνός ὁρίου, ὥς ἕνα σημεῖο. **set ~s to**, θέτω ὅρια, περιορίζω: *set ~s to one's ambitions*, θέτω ὅρια στίς φιλοδοξίες μου.

[2]**measure** /ˋmeʒə(r)/ *ρ.μ/ἀ.* **1**. μετρῶ: *~ a piece of ground/cloth*, μετρῶ ἕνα κομμάτι γῆ/ὕφασμα. *The tailor ~d me for a suit*, ὁ ράφτης μοῦ πῆρε μέτρα γιά κουστούμι. **2**. εἶμαι (ὕστερα ἀπό καταμέτρηση): *This room ~s 6 by 4*, αὐτό τό δωμάτιο εἶναι 6 ἐπί 4. **3**. **~ out/off**, μετρῶ, δίνω: *He ~d out a dose of medicine*, μέτρησε (ἔδωσε) μιά δόση φάρμακο. *The shop-assistant ~d off 2 metres of cloth*, ὁ ὑπάλληλος μέτρησε (ἔκοψε) δυό μέτρα ὕφασμα. **~ up to**, εἶμαι στό ὕψος, εἶμαι στό ἴδιο ἐπίπεδο μέ. **~ one's length**, πέφτω φαρδιά-πλατιά, μετρῶ τό χῶμα. **~ one's strength (with sb)**, μετρῶ τή δύναμή μου μέ κπ. **~ one's words**, μετρῶ/ζυγίζω τά λόγια μου. **measur·able** /ˋmeʒərəbl/ *ἐπ.* δυνάμενος νά μετρηθῆ: *We came within measurable distance of success*, φθάσαμε πολύ κοντά στήν ἐπιτυχία. **measur·ably** /-əblɪ/ *ἐπίρ.* σημαντικά, μέχρι ἑνός σημείου. **meas·ured** *ἐπ.* μετρημένος, προσεγμένος, σοβαρός, ρυθμικός: *speak in ~d tones*, μιλῶ μετρημένα. *walk with a ~d tread*, περπατῶ μέ σοβαρό βῆμα. **~·less** *ἐπ.*

ἀμέτρητος, ἀπέραντος. **~·ment** *οὐσ.* ‹C,U› (κατα)μέτρησις, (*πληθ.*) μέτρα, διαστάσεις: *the ~ments of a room*, οἱ διαστάσεις ἑνός δωματίου.

meat /mit/ *οὐσ.* ‹C,U› **1**. κρέας: *fresh/frozen ~*, φρέσκο/κατεψυγμένο κρέας. *~ pie*, κρεατόπιττα. **`~·ball**, κεφτές. **`~-safe**, κλουβί γιά κρέας. **~·less** *ἐπ.* χωρίς κρέας: *Friday is a ~less day*, ἡ Παρασκευή εἶναι ἡμέρα ἀκρεωφαγίας. **2**. (*ἀπηρχ.*) ὁποιαδήποτε τροφή, (*μεταφ.*) οὐσία, περιεχόμενον: *~ and drink*, φαΐ καί πιοτό. *There is no ~ in this argument*, δέν ὑπάρχει οὐσία σ' αὐτό τό ἐπιχείρημα. **~y** *ἐπ.* *(-ier, -iest)* (*μεταφ.*) σαρκώδης, ζουμερός, πυκνός, μέ περιεχόμενο.

mech·anic /mɪ`kænɪk/ *οὐσ.* ‹C› τεχνίτης, μηχανικός: *a `motor ~*, μηχανικός αὐτοκινήτων.

mech·an·ical /mɪ`kænɪkl/ *ἐπ.* μηχανικός: *~ power*, μηχανική δύναμις. *~ movements*, μηχανικές κινήσεις (σάν αὐτόματο). **~ly** /-klɪ/ *ἐπίρ.* μηχανικά.

mech·an·ics /mɪ`kænɪks/ *οὐσ. πληθ.* (*συνήθ. μέ ρ. ἑν.*) ἡ μηχανική.

mech·an·ism /`mekənɪzm/ *οὐσ.* ‹C› μηχανισμός: *the ~ of the body/the ~ of government*, ὁ μηχανισμός τοῦ σώματος/τῆς κυβερνήσεως.

mech·an·is·tic /'mekə`nɪstɪk/ *ἐπ.* μηχανιστικός.

mech·an·ize /`mekənaɪz/ *ρ.μ.* μηχανοποιῶ: *~d forces*, (*στρατ.*) μηχανοκίνητες δυνάμεις. **mech·an·iz·ation** /'mekənaɪ`zeɪʃn/ *οὐσ.* ‹U› μηχανοποίησις.

medal /`medl/ *οὐσ.* ‹C› μετάλλιον. **`~·list** /`medəlɪst/ *οὐσ.* ‹C› κάτοχος μεταλλίου (πχ ἀπό ἀγῶνες): *He's a gold ~list*, εἶναι κάτοχος χρυσοῦ μεταλλίου.

me·dal·lion /mɪ`dælɪən/ *οὐσ.* ‹C› μενταγιόν.

meddle /`medl/ *ρ.ἀ.* *~ **in sth***, ἀνακατεύομαι: *Don't ~ in my affairs/in politics*, μήν ἀνακατεύεσαι στίς δουλειές μου/στήν πολιτική. *~ **(with sth)***, ἀνακατεύω/-ομαι: *Who's been meddling with my books?* ποιός ἀνακάτεψε τά βιβλία μου; *You're always meddling*, διαρκῶς ἀνακατεύεσαι. **med·dler** *οὐσ.* ‹C› ἀνακατωσούρης. **`~·some** /-səm/ *ἐπ.* ἀνακατωσούρης, πολυπράγμων.

me·dia /`midɪə/ *οὐσ. πληθ.* (*τῆς λ. medium*). **the ~**, (*συνήθ. μέ ρ. ἑν.*) τά μαζικά μέσα ἐνημερώσεως.

medi·aeval /'medɪ`ivl/ *ἐπ. βλ. medieval.*

me·dial /`midɪəl/ *ἐπ.* μεσαῖος, διάμεσος. **~ly** /-ɪəlɪ/ *ἐπίρ.*

me·di·ate /`midɪeɪt/ *ρ.μ/ἀ.* **1**. μεσολαβῶ: *~ between two warring countries*, μεσολαβῶ μεταξύ δύο ἐμπολέμων χωρῶν. **2**. ἐπιτυγχάνω διά μεσολαβήσεως: *~ a settlement/a peace*, ἐπιτυγχάνω διά μεσολαβήσεως τή διευθέτηση διαφορᾶς/τή σύναψη εἰρήνης. **me·dia·tion** /'midɪ`eɪʃn/ *οὐσ.* ‹U› μεσολάβησις: *His mediation failed*, ἡ παρέμβασίς του ἀπέτυχε. **me·dia·tor** /-tə(r)/ *οὐσ.* ‹C› μεσολαβητικός.

medi·cal /`medɪkl/ *ἐπ.* ἰατρικός: *a `~ examination*, ἰατρική ἐξέτασις. **`~ school**, ἰατρική σχολή. **`~ student/knowledge**, φοιτητής τῆς ἰατρικῆς/ἰατρικές γνώσεις. —*οὐσ.* ‹C› **1**. (*καθομ. συγκεκ. medic*) φοιτητής τῆς ἰατρικῆς. **2**. ἰατρική ἐξέτασις. **~ly** /-klɪ/ *ἐπίρ.*

medic·ament /mə`dɪkəmənt/ *οὐσ.* ‹C› φάρμακο.

Medi·care /`medɪkeə(r)/ *οὐσ.* ‹U› (*ΗΠΑ*) ἰατροφαρμακευτική μέριμνα.

medi·cated /`medɪkeɪtɪd/ *ἐπ.* διαποτισμένος μέ φάρμακο: *~ soap/gauze*, σαπούνι ὑγείας/ἀποστειρωμένη γάζα. **medi·ca·tion** *οὐσ.* **1**. ‹C› γιατρικό. **2**. ‹U› φαρμακευτική ἀγωγή.

med·ici·nal /mɪ`dɪsnl/ *ἐπ.* θεραπευτικός, ἰαματικός: *~ preparations*, θεραπευτικά ἰδιοσκευάσματα.

medi·cine /`medsn/ *οὐσ.* **1**. ‹U› ἰατρική: *study ~*, σπουδάζω ἰατρική. **2**. ‹C,U› φάρμακο: *He's always taking ~s*, διαρκῶς παίρνει φάρμακα. **`~-ball**, (*ἀθλ.*) σφαῖρα γυμναστικῆς. **`~-chest**, ντουλάπι γιά φάρμακα (στό σπίτι). **3**. ‹U› (*μεταφ.*) σωφρονισμός, δίκαιη τιμωρία. ***take one's ~***, τιμωροῦμαι, πίνω τό πικρό ποτήρι. ***get some/a little of one's own ~***, μοῦ ἀνταποδίδουν τά ἴδια. **4**. ‹U› (*στούς πρωτόγονους λαούς*) μάγια, ξόρκια.

med·ico /`medɪkəʊ/ *οὐσ.* ‹C› (*πληθ. ~s*) (*καθομ., χιουμορ.*) γιατρός ἤ φοιτητής τῆς ἰατρικῆς, γιατρουδάκι.

medi·eval (*καί* **medi·aeval**) /'medɪ`ivl/ *ἐπ.* μεσαιωνικός.

me·di·ocre /'midɪ`əʊkə(r)/ *ἐπ.* μέτριος, παρακατιανός, ἀσήμαντος. **me·di·oc·rity** /'midɪ`okrətɪ/ *οὐσ.* ‹C,U› μετριότης: *He's a mediocrity*, εἶναι μετριότης. *a government of mediocrities*, κυβέρνησις μετριοτήτων.

medi·tate /`medɪteɪt/ *ρ.μ/ἀ.* **1**. μελετῶ, σκέπτομαι: *~ revenge*, μελετῶ ἐκδίκηση. *~ suicide*, σκέπτομαι ν' αὐτοκτονήσω. **2**. *~ **(up)on***, συλλογίζομαι: *~ on one's misfortunes*, συλλογίζομαι τίς ἀτυχίες μου. **3**. διαλογίζομαι, αὐτοσυγκεντρώνομαι.

medi·ta·tion /'medɪ`teɪʃn/ *οὐσ.* ‹C,U› διαλογισμός, αὐτοσυγκέντρωσις, στοχασμός, (περι)συλλογή: *He was deep in ~*, ἦταν ἀπορροφημένος σέ βαθειά συλλογή. *The M~s of Marcus Aurelius*, οἱ σκέψεις (οἱ στοχασμοί) τοῦ Μάρκου Αὐρηλίου.

medi·tat·ive /`medɪtətɪv/ *ἐπ.* συλλογισμένος, στοχαστικός. **~·ly** *ἐπίρ.*

Medi·ter·ra·nean /'medɪtə`reɪnɪən/ *οὐσ.* ἡ Μεσόγειος.

me·dium /`midɪəm/ *οὐσ.* ‹C› (*πληθ. media* /`midɪə/ *ἤ ~s*) **1**. μέσον, μέσος ὅρος. ***a/the happy ~***, τό ὀρθόν μέτρον, ἡ χρυσῆ τομή. **2**. μέσον, διάμεσον: *a ~ for advertising*, μέσον διαφημίσεως. *through the ~ of the press*, διά (μέσου) τοῦ τύπου. **3**. φορεύς, περιβάλλον: *Air is the ~ of sound*, ὁ ἀέρας εἶναι ὁ φορεύς τοῦ ἤχου. **4**. μέντιουμ. —*ἐπ.* μεσαῖος, μέτριος: *the ~ income group*, ἡ μεσαία εἰσοδηματική ὁμάδα. *a man of ~ size*, ἄνδρας μετρίου ἀναστήματος.

med·ley /`medlɪ/ *οὐσ.* ‹C› (*πληθ. ~s*) σύμφυρμα, κυκεών, ποτ-πουρί: *a ~ of races/tunes*, σύμφυρμα φυλῶν/πότ-πουρί τραγουδιῶν.

meek /mik/ *ἐπ.* *(-er, -est)* πρᾶος, μαλακός, μειλίχιος, πειθήνιος: *as ~ as a lamb*, πρᾶος σάν ἀρνί.

[1]**meet** /mit/ *ρ.μ/ἀ. ἀνώμ.* (*ἀόρ. & π.μ. met* /met/) **1**. συναντῶ/-ῶμαι, ἀνταμώνω: *~ sb in the street*, συναντῶ κπ στό δρόμο. *They met*

(each other) quite by chance, συναντήθηκαν ἐντελῶς τυχαῖα. *Goodbye till we ~ again*, εἰς τό ἐπανιδεῖν! ***~ the eye/ear; ~ our eyes/ears***, φαίνομαι/ἀκούγομαι: *There's more to John than ~s the eye*, (*μεταφ.*) ὁ Γ. ἀξίζει περισσότερο ἀπ' ὅ,τι φαίνεται. *The music that met our ears*, ἡ μουσική πού ἔφθασε στ' αὐτιά μας (πού ἀκούσαμε)... ***~ with***, *(α)* πέφτω πάνω (συναντῶ τυχαῖα): *~ with obstacles/an old friend at a party*, πέφτω πάνω σέ ἐμπόδια/σ' ἕνα παληό φίλο σέ πάρτυ. *(β)* παθαίνω, βρίσκω, τυγχάνω: *~ with an accident/a misfortune*, παθαίνω ἀτύχημα/συμφορά. *~ with great kindness*, βρίσκω (μοῦ δείχνουν) μεγάλη καλωσύνη. *~ with approval/a good reception*, τυγχάνω ἐγκρίσεως/καλῆς ὑποδοχῆς. **2**. συνεδριάζω: *The committee ~s on Mondays*, ἡ ἐπιτροπή συνεδριάζει κάθε Δευτέρα. **3**. γνωρίζω (κάνω τή γνωριμία) κπ: *I know him by sight but we've never met*, τόν γνωρίζω ἐξ ὄψεως ἀλλά δέν ἔχομε γνωριστεῖ. *Come and ~ my wife*, ἔλα νά σοῦ γνωρίσω τή γυναίκα μου. *Pleased to ~ you*, (*σέ συστάσεις*) χαίρω πολύ. **4**. (πάω καί) ὑποδέχομαι, προϋπαντῶ: *Who will ~ you at the station?* ποιός θά σέ ὑποδεχθῆ (περιμένη) στό σταθμό; *He came forward to ~ me*, ἦλθε σέ προϋπάντησή μου. **5**. ἱκανοποιῶ, ἀντιμετωπίζω, ἀντικρούω: *~ sb's wishes/requirements*, ἱκανοποιῶ τίς ἐπιθυμίες/τίς ἀπαιτήσεις κάποιου. *~ sb's objections/criticisms*, ἀντικρούω τίς ἀντιρρήσεις/τίς ἐπικρίσεις κάποιου. ***~ one's commitments***, ἐκπληρῶ τίς ὑποχρεώσεις μου. ***~ all expenses/bills***, πληρώνω (καλύπτω) ὅλα τά ἔξοδα/ὅλους τούς λογαριασμούς. ***~ sb half-way***, (*μεταφ.*) συμβιβάζομαι μέ κπ: *I'm prepared to ~ you half-way*, εἶμαι ἕτοιμος νά κάμω ὑποχωρήσεις ἄν κάμης καί σύ. *They met half-way*, ἔκαναν ἀμοιβαῖες ὑποχωρήσεις. **6**. ἑνώνομαι, ἀγγίζω: *Their hands met*, τά χέρια τους ἑνώθηκαν/ἄγγιξαν. *I've grown so fat that my waistcoat doesn't ~*, πάχυνα τόσο πολύ πού τό γιλέκο μου δέν κουμπώνει. (*βλ. & λ.* [1]*end*).

[2]**meet** /mit/ *ἐπ.* (*ἀπηρχ.*) πρέπων.

meet·ing /`mitɪŋ/ *οὐσ.* ‹C› **1**. συνάντησις: *a sports ~*, ἀθλητική συνάντησις. *She's shy at a first ~*, εἶναι ντροπαλή στήν ἀρχή, ὅταν τήν πρωτοσυναντᾶς. **2**. συγκέντρωσις, συνεδρίασις: *political ~s*, πολιτικές συγκεντρώσεις. ***arrange/hold a ~***, ὁρίζω/κάνω συνεδρίαση (συγκέντρωση).

mega·cycle /`megəsaɪkl/ *οὐσ.* ‹C› μεγάκυκλος.

mega·lith /`megəlɪθ/ *οὐσ.* ‹C› μεγάλιθος, μεγαλιθικόν μνημεῖον. **~ic** /'megə`lɪθɪk/ *ἐπ.* μεγαλιθικός.

mega·lo·ma·nia /'megələ`meɪnɪə/ *οὐσ.* ‹U› μεγαλομανία: *suffer from ~*, πάσχω ἀπό μεγαλομανία. **mega·lo·ma·niac** /-nɪæk/ *οὐσ.* ‹C› μεγαλομανής.

mega·phone /`megəfəʊn/ *οὐσ.* ‹C› μεγάφωνον, τηλεβόας.

mega·ton /`megətʌn/ *οὐσ.* ‹C› μεγάτοννος (ἕνα ἑκατομμύριο τόννοι ἐκρηκτικῆς ὕλης).

mei·osis /maɪ`əʊsɪs/ *οὐσ.* ‹U› *βλ. litotes.*

mel·an·cholia /'melən`kəʊlɪə/ *οὐσ.* ‹U› (*ἰατρ.*) μελαγχολία.

mel·an·cholic /'melən`kolɪk/ *ἐπ.* (*ἰατρ.*) μελαγχολικός.

mel·an·choly /`melənkəlɪ/ *οὐσ.* ‹U› μελαγχολία, κατήφεια. —*ἐπ.* κατηφής, ὑποχονδριακός, (*γιά πράγμ.*) δυσάρεστος, θλιβερός: *~ news*, δυσάρεστα, θλιβερά νέα.

mê·lée /`meleɪ/ *οὐσ.* ‹C› συμπλοκή.

meli·or·ate /`miliəreɪt/ *ρ.μ/ἀ.* βελτιώνω/-ομαι. **meli·or·ation** /'miliə`reɪʃn/ *οὐσ.* ‹U› βελτίωσις.

mel·lif·lu·ous /me`lɪfluəs/ *ἐπ.* (*λόγ.*) γλυκός, μελωδικός: *~ music/voices.*

mel·low /`meləʊ/ *ἐπ.* *(-er, -est)* **1**. (*γιά ἤχους, χρώματα, γεύση*) ἁπαλός, πλούσιος, γλυκός: *the ~ colours of autumn*, τά γλυκά χρώματα τοῦ φθινοπώρου. *a ~ wine*, γλυκόπιοτο κρασί. **2**. ὥριμος, μειλίχιος, συγκαταβατικός: *One grows ~er as one gets older*, ὅσο περνοῦν τά χρόνια γίνεται κανείς πιό συγκαταβατικός, πιό μαλακός. **3**. (*καθομ.*) εὐδιάθετος, ἐλαφρά στό κέφι (μισοπιωμένος): *be in a ~ mood*, εἶμαι σέ ὄμορφη γλυκειά διάθεση. —*ρ.μ/ἀ.* ὡριμάζω, ἁπαλύνω, γλυκαίνω. **~·ness** *οὐσ.* ‹U› γλύκα, ἁπαλότης, ὡριμότης.

mel·odic /mə`lodɪk/ *ἐπ.* πού ἔχει σχέση μέ τή μελωδία, μελωδικός.

mel·odi·ous /mə`ləʊdɪəs/ *ἐπ.* μελωδικός, ἁρμονικός, γλυκός: *the ~ notes of a nightingale*, τά μελωδικά κελαϊδίσματα τοῦ ἀηδονιοῦ. **~·ly** *ἐπίρ.*

melo·drama /`melədrɑmə/ *οὐσ.* ‹C,U› μελόδραμα. **melo·dram·atic** /'melədrə`mætɪk/ *ἐπ.* μελοδραματικός. **melo·dram·ati·cally** /-klɪ/ *ἐπίρ.* μελοδραματικά.

mel·ody /`melədɪ/ *οὐσ.* ‹C,U› μελωδία, τραγούδι.

melon /`melən/ *οὐσ.* ‹C› πεπόνι.

melt /melt/ *ρ.μ/ἀ.* (*π.μ.* *~ed*, *ἤ ὡς ἐπ.* *molten* /`məʊltən/) **1**. λυώνω, διαλύομαι: *Sugar ~s in tea*, ἡ ζάχαρη λυώνει στό τσάϊ. *This cake/pear ~s in the mouth*, αὐτό τό κέκ/τό ἀχλάδι λυώνει στό στόμα. **2**. λυώνω/-ομαι (μέ τή ζέστη): *The hot sun soon ~ed the ice*, ὁ ζεστός ἥλιος ἔλυωσε σύντομα τόν πάγο. *The butter ~ed in the pan*, τό βούτυρο ἔλυωσε στό τηγάνι. *~ metals*, λυώνω μέταλλα. ***~ away***, διαλύομαι, διασκορπίζομαι, ἐξαφανίζομαι: *The snow/The fog ~ed away when the sun came out*, τό χιόνι/ἡ ὁμίχλη διαλύθηκε ὅταν βγῆκε ὁ ἥλιος. *The crowd quickly ~ed away when the storm broke*, τό πλῆθος διασκορπίστηκε γρήγορα ὅταν ξέσπασε ἡ θύελλα. ***~ down***, λυώνω (μεταλλικά ἀντικείμενα γιά νά χρησιμοποιήσω τό μέταλλο). **3**. (*γιά ἄνθρ. & αἰσθήματα*) μαλακώνω: *His heart ~ed with pity*, ἡ καρδιά του μαλάκωσε ἀπό οἶκτο. *Pity ~ed his heart*, ὁ οἶκτος μαλάκωσε τήν καρδιά του. **4**. (*γιά χρῶμα*) συγχωνεύομαι/σβύνω σιγά-σιγά: *One colour ~ed into another*, τό ἕνα χρῶμα ἔσβυνε μέσα στό ἄλλο. **~·ing** *ἐπ.* πού λυώνει, (*μεταφ.*) τρυφερός, συμπονετικός, αἰσθηματικός: *in a ~ing voice*, μέ τρυφερή φωνή. *be in a ~ing mood*, εἶμαι σέ αἰσθηματική διάθεση. **`~ing-point**, σημεῖον τήξεως. **`~ing-pot**, δοχεῖον τήξεως, (*μεταφ.*) χωνευτήρι: *go into the ~ing-pot*, μπαίνω στό καζάνι γιά λυώσιμο, (*μεταφ.*)

μπαίνω στό χωνευτήρι, ὑφίσταμαι ριζική ἀλλαγή.

mem·ber /ˈmembə(r)/ *οὐσ.* ‹C› **1**. μέλος: *the ~s of a family/club*, τά μέλη μιᾶς οἰκογενείας/μιᾶς λέσχης. ˈ**M~ of ˈParliament** (*συγκεκ.* **MP**), βουλευτής. **2**. (*πεπαλ.*) μέλος τοῦ σώματος (*ἐν χρήσει: limb*). ˈ**~·ship** /-ʃɪp/ *οὐσ.* ‹C,U› **1**. ἰδιότης ἑνός ὡς μέλους. **2**. συνολικός ἀριθμός μελῶν: *The club has a large/limited ~ship*, ἡ λέσχη ἔχει μεγάλο/περιωρισμένο ἀριθμό μελῶν.

mem·brane /ˈmembreɪn/ *οὐσ.* ‹C,U› μεμβράνη. **mem·bra·nous** /ˈmembrənəs/ *ἐπ.* μεμβρανώδης.

mem·ento /məˈmentəʊ/ *οὐσ.* ‹C› (*πληθ. ~s ἤ ~es*) ἐνθύμιον.

memo /ˈmeməʊ/ *οὐσ.* ‹C› (*πληθ. ~s*) *βραχυλ. γιά memorandum.*

mem·oir /ˈmemwɑ(r)/ *οὐσ.* ‹C› **1**. βιογραφικόν σημείωμα, σύντομη βιογραφία. **2**. πραγματεία. **3**. (*πληθ.*) ἀπομνημονεύματα.

mem·or·able /ˈmemrəbl/ *ἐπ.* ἀξιομνημόνευτος, ἀλησμόνητος: *That was a ~ evening*, ἦταν μιά ἀλησμόνητη βραδυά. **mem·or·ably** /-əblɪ/ *ἐπίρ.*

mem·or·an·dum /ˈmeməˈrændəm/ *οὐσ.* ‹C› (*πληθ. -da* /-də/ *ἤ ~s*) (*βραχυλ. memo*) **1**. μνημόνιον, σημείωσις: *make a ~ of sth*, κρατῶ σημείωσιν ἑνός θέματος (γιά μελλοντική χρήση). **2**. (*ἐμπ.*) ὑπόμνημα, σημείωμα. **3**. (ἀνεπίσημη) περίληψις συμφωνίας.

mem·or·ial /məˈmɔrɪəl/ *οὐσ.* ‹C› **1**. μνημεῖον: *a ~ to the dead*, μνημεῖον πεσόντων. *a ˈwar ~*, μνημεῖον τοῦ ἀγνώστου στρατιώτου. **2**. (*ἐπιθ.*) ἀναμνηστικός, ἐπιμνημόσυνος: *a ~ tablet*, ἀναμνηστική πλάκα. *a ~ service*, ἐπιμνημόσυνη δέησις. **M~ Day**, (*ΗΠΑ*) ἡμέρα τῶν νεκρῶν τοῦ ἐμφυλίου πολέμου (30 Μαΐου). **3**. ὑπόμνημα (πρός τίς ἀρχές.) (*συνηθ. petition*). **4**. (*πληθ.*) χρονικόν. **~·ize** /-aɪz/ *ρ.μ.* *(α)* τιμῶ τήν μνήμην κάποιου. *(β)* ὑποβάλλω ὑπόμνημα.

mem·or·ize /ˈmeməraɪz/ *ρ.μ.* ἀπομνημονεύω: *~ a poem.*

mem·ory /ˈmemərɪ/ *οὐσ.* ‹C,U› **1**. μνήμη: *have a good/poor ~*, ἔχω καλή/κακή μνήμη. *have a bad ~ for names/dates*, δέν θυμᾶμαι ὀνόματα/ἡμερομηνίες. *loss of ~*, ἀπώλεια μνήμης. *The incident came back to my ~*, τό περιστατικό ξαναγύρισε στή μνήμη μου. *It stuck in my ~*, χαράχτηκε στή μνήμη μου. ***from ~***, ἀπό μνήμης. ***beyond the ~ of men***, ἀπό ἀμνημονεύτων χρόνων. (*βλ. &λ. commit, ¹living*). **2**. ἀνάμνησις, μνήμη, θύμηση: *memories of childhood*, ἀναμνήσεις τῆς παιδικῆς ζωῆς. *of blessed ~*, μακαρίας μνήμης. ***in ~/to the ~ of sb***, εἰς μνήμην κάποιου.

men /men/ *οὐσ. πληθ. τῆς λ. man.*

men·ace /ˈmenəs/ *οὐσ.* ‹C,U› κίνδυνος, ἀπειλή: *a ~ to world peace*, ἀπειλή γιά τήν παγκόσμια εἰρήνη. *in a voice full of ~*, μέ ἀπειλητική φωνή. *That woman is a ~!* αὐτή ἡ γυναίκα εἶναι δημόσιος κίνδυνος (εἶναι πληγή/συμφορά)! __*ρ.μ.* ἀπειλῶ: *We are ~d by/with war*, ἀπειλούμεθα ἀπό/μέ πόλεμο. **men·ac·ing·ly** *ἐπίρ.* ἀπειλητικά.

mé·nage /ˈmeɪnɑʒ/ *οὐσ.* ‹C› νοικοκυριό.

men·ag·erie /məˈnædʒərɪ/ *οὐσ.* ‹C› θηριοτροφεῖον.

mend /mend/ *ρ.μ/ἀ.* **1**. ἐπιδιορθώνω, ἐπισκευάζω (μπαλώνω, μαντάρω, κλπ): *~ shoes/clothes*, ἐπιδιορθώνω παπούτσια/ροῦχα. *~ a broken window/tool*, ἐπισκευάζω ἕνα σπασμένο παράθυρό/ἐργαλεῖο. **2**. διορθώνω/-ομαι: *That won't ~ matters*, αὐτό δέν διορθώνει τήν κατάσταση. ***~ one's ways***, ἀλλάζω ζωή, μπαίνω στόν ἴσιο δρόμο. (*βλ. & λ. least*). **3**. συνέρχομαι, καλυτερεύω, βελτιώνομαι: *The patient is ~ing nicely*, ὁ ἄρρωστος προχωρεῖ καλά στήν ἀνάρρωση. __*οὐσ.* ‹C› μπάλωμα, βελτίωσις: *The ~ was almost invisible*, τό μπάλωμα δέν φαινόταν σχεδόν καθόλου. ***be on the ~***, βελτιώνομαι, πάω καλύτερα, παίρνω καλό δρόμο: *His health/business is on the ~*, ἡ ὑγεία του/ἡ δουλειά του πάει καλύτερα. ˈ**~er** *οὐσ.* ‹C› (*ὡς β! συνθετικόν*) ἐπιδιορθωτής. ˈ**~·ing** *οὐσ.* ‹C› ἐπιδιόρθωσις, μπάλωμα, μαντάρισμα.

men·da·cious /menˈdeɪʃəs/ *ἐπ.* (*λόγ.*) ψευδολόγος, ἀναληθής: *a ~ boy*, παιδί πού ἀγαπάει τά ψέματα. *a ~ story*, ψευδής, ἀναληθής ἱστορία. **~·ly** *ἐπίρ.* ἀναληθῶς. **men·dac·ity** /ˈmenˈdæsətɪ/ *οὐσ.* ‹C,U› (*λόγ.*) τάσις πρός τό ψέμα, ψευδολογία, ἀναλήθεια.

men·di·cant /ˈmendɪkənt/ *οὐσ.* ‹C› & *ἐπ.* (*λόγ.*) ἐπαίτης.

men·folk /ˈmenfəʊk/ *οὐσ. πληθ.* (*καθομ.*) οἱ ἄντρες (μιᾶς οἰκογένειας): *The ~ have all gone out fishing*, οἱ ἄντρες ἔχουν πάει ὅλοι γιά ψάρεμα.

me·nial /ˈminɪəl/ *ἐπ.* (*γιά δουλειά*) ταπεινός, ὑπηρετικός: *~ tasks*, ταπεινές (χοντρές) δουλειές. *the ~ staff*, τό ὑπηρετικό προσωπικό. __*οὐσ.* ‹C› (*ὑποτιμ.*) ὑπηρέτης, δούλα. **~ly** *ἐπίρ.*

men·in·gi·tis /ˈmenɪnˈdʒaɪtɪs/ *οὐσ.* ‹U› (*ἰατρ.*) μηνιγγῖτις.

meno·pause /ˈmenəpɔz/ *οὐσ.* ‹U› ἐμμηνόπαυσις.

men·ses /ˈmensiz/ *οὐσ. πληθ.* ἔμμηνα. **men·strual** /ˈmenstrʊəl/ *ἐπ.* καταμήνιος. **men·stru·ate** /ˈmenstrʊeɪt/ *ρ.ἀ.* ἔχω περίοδο. **men·stru·ation** /ˈmenstrʊˈeɪʃn/ *οὐσ.* ‹U› ἐμμηνόρροια.

men·sur·ation /ˈmensjʊˈreɪʃn/ *οὐσ.* ‹U› (κατα)μέτρησις.

men·tal /ˈmentl/ *ἐπ.* πνευματικός, διανοητικός, νοερός: *~ ability*, πνευματική, διανοητική ἱκανότης. ˈ**~ ˈage**, διανοητικό ἐπίπεδο σέ συνάρτηση μέ τήν ἡλικία. ˈ**~ aˈrithmetic**, νοερός ὑπολογισμός. ˈ**~ deˈficiency**, διανοητική ἀνεπάρκεια/καθυστέρησις. ˈ**~ home/hospital**, ψυχιατρεῖον, φρενοκομεῖον. ˈ**~ ˈillness**, ψυχοπάθεια, φρενοβλάβεια. ˈ**~ patient**, ψυχοπαθής, φρενοβλαβής. ˈ**~ reserˈvation**, ἐνδιάθετος, νοερά ἐπιφύλαξις. ˈ**~ test**, τέστ νοημοσύνης. **~ly** /-mentəlɪ/ *ἐπίρ.* διανοητικῶς, πνευματικῶς: *~ly deranged*, διανοητικά ἀνισόρροπος, φρενοβλαβής.

men·tal·ity /menˈtælətɪ/ *οὐσ.* ‹C,U› νοημοσύνη, νοοτροπία: *He's of average ~*, εἶναι μέσης διανοητικῆς ἀντιλήψεως. *the Greek ~*, ἡ Ἑλληνική νοοτροπία.

men·thol /ˈmenθol/ *οὐσ.* ‹U› (*χημ.*) (κρυσταλλική) μινθόλη. **~ated** /-eɪtɪd/ *ἐπ.*

men·tion /ˈmenʃn/ *ρ.μ.* μνημονεύω, ἀναφέρω, θίγω, κάνω λόγο γιά κτ: *I'll ~ it to him*, θά τοῦ τό πῶ, θά τοῦ κάνω λόγο γι' αὐτό. *I heard my name ~ed*, ἄκουσα νά ἀναφέρεται τό ὄνομά μου. ***not to ~***, γιά νά μήν ἀναφέρω... ***without ~ing***, χωρίς νά ἀναφέρω: *not to ~/without ~ing the fact that...*, γιά νά μήν/χωρίς νά ἀναφέρω τό γεγονός ὅτι... ***Don't ~ it***, (*σάν ἀπάντηση σέ εὐχαριστίες*) παρακαλῶ, τίποτα. __*οὐσ.* ‹C,U› μνεία: *He made no ~ of your request*, δέν ἔκανε μνεία τῆς παρακλήσεώς σου. ***honourable ~***, εὔφημος μνεία, ἔπαινος. **-men·tioned** *ἐπ.* (*ὡς β' συνθετικόν*) ἀναφερόμενος: *the above-/below-~ed*, ὁ προαναφερθείς/ὁ ἀναφερόμενος κατωτέρω.

men·tor /ˈmentɔ(r)/ *οὐσ.* ‹C› σοφός καί ἔμπιστος σύμβουλος, μέντωρ.

menu /ˈmenju/ *οὐσ.* ‹C› μενού.

Mephi·stoph·elian /ˈmefɪstəˈfiliən/ *ἐπ.* μεφιστοφελικός, σατανικός.

mer·can·tile /ˈmɜkəntaɪl/ *ἐπ.* ἐμπορικός: *~ marine*, ἐμπορικόν ναυτικόν.

mer·cen·ary /ˈmɜsnrɪ/ *ἐπ.* ἰδιοτελής, παραδόπιστος, συμφεροντολογικός, πληρωμένος, μίσθαρνος: *~ motives*, ἰδιοτελῆ κίνητρα. __*οὐσ.* ‹C› μισθοφόρος.

mer·cer /ˈmɜsə(r)/ *οὐσ.* ‹C› (*MB*) ὑφασματέμπορος (*ἰδ.* ἔμπορος μεταξωτῶν).

mer·chan·dise /ˈmɜtʃəndaɪz/ *οὐσ.* ‹U› (*μόνον ἑν.*) ἐμπορεύματα.

mer·chant /ˈmɜtʃənt/ *οὐσ.* ‹C› **1**. μεγαλέμπορος, ἔμπορος σ' ἕνα εἶδος, (*ἐπιθ.*) ἐμπορικός: *a ˈcoal/ˈwine ~*, ἀνθρακέμπορος/κρασέμπορος. *~ ships*, ἐμπορικά πλοῖα. *a ˈ~-seaman*, ναυτικός σ' ἐμπορικό πλοῖο. **2**. (*MB, λαϊκ.*) μανιακός: *a ˈspeed ~*, ἄνθρωπος πού ἔχει μανία μέ τήν ταχύτητα.

mer·ci·ful /ˈmɜsɪfl/ *ἐπ.* *~ (to)*, σπλαχνικός, ἐπιεικής. **~ly** /-flɪ/ *ἐπίρ.* φιλεύσπλαχνα.

mer·ci·less /ˈmɜsɪləs/ *ἐπ.* *~ (to)*, ἄσπλαχνος, ἀνηλεής, σκληρός. **~·ly** *ἐπίρ.* ἄσπλαχνα, σκληρά.

mer·cur·ial /mɜˈkjʊərɪəl/ *ἐπ.* **1**. ὑδραργυρικός: *~ poisoning*, ὑδραργυρίασις. **2**. (*μεταφ.*) ζωηρός, σπιρτόζος: *a ~ temperament*, ζωηρό ταμπεραμέντο. **3**. εὐμετάβλητος, ἀσταθής.

mer·cury /ˈmɜkjʊrɪ/ *οὐσ.* ‹U› ὑδράργυρος. **M~**, ὁ Ἑρμῆς (ὁ θεός, ὁ πλανήτης).

mercy /ˈmɜsɪ/ *οὐσ.* ‹C,U› **1**. οἶκτος, εὐσπλαχνία, ἔλεος. ***at the ~ of***, στό ἔλεος: *The ship was at the ~ of the waves*, τό πλοῖο ἦταν στό ἔλεος τῶν κυμάτων. ***beg for ~***, ζητῶ ἔλεος. ***be left to the tender ~/mercies of...***, μένω ἐκτεθειμένος στήν καλή διάθεση τοῦ... ***have ~ on sb***, δείχνω εὐσπλαχνία/οἶκτο γιά κπ, τόν λυπᾶμαι: *Have ~ on my children!* λυπηθεῖτε τά παιδιά μου! ***show/give no ~***, δέν λυπᾶμαι, δέν δείχνω οἶκτο. ***throw oneself on sb's ~***, ἀφήνομαι στό ἔλεος κάποιου. ***with a recommendation to ~***, μέ τήν εὐχή νά δοθῆ χάρις (εἰς κπ κριθέντα ἔνοχον). **2**. εὐτύχημα, εὐεργεσία: *His death was a ~*, ὁ θάνατός του ἦταν εὐτύχημα/λύτρωσις. *(be) thankful for small mercies*, (εἶμαι) εὐγνώμων καί γιά τίς μικρότερες εὐεργεσίες. *It's a ~ you came*, εἶναι εὐτύχημα πού ἦλθες. **ˈ~ killing**, (*καθομ.*) εὐθανασία. **3**. (*ἐπιφ. ἐκπλήξεως ἤ προσποιητοῦ φόβου*): *M~! M~ on us!* Κύριε ἐλέησον!

[1]**mere** /mɪə(r)/ *ἐπ.* ἁπλός, μόνον, τίποτα ἄλλο ἀπό: *She's a ~ child*, δέν εἶναι παρά ἕνα παιδί. *It was ~ chance*, ἦταν καθαρή τύχη. *a ~ coincidence*, ἁπλῆ σύμπτωσις. *The ~ thought of it makes me shudder*, καί μόνον πού τό σκέφτομαι ἀνατριχιάζω. *the ~ sight of her*, καί μόνον ἡ θέα της, καί μόνο πού τή βλέπω... **~·ly** *ἐπίρ.* ἁπλῶς, μόνον: *She ~ly smiled*, ἁπλῶς χαμογέλασε, περιωρίστηκε νά χαμογελάση. *I ~ly touched it*, ἐγώ μόνο πού τό ἄγγιξα. *I said it ~ly as a joke*, τό εἶπα μόνο γι' ἀστεῖο.

[2]**mere** /mɪə(r)/ *οὐσ.* ‹C› (*λογοτ.*) λιμνούλα.

mer·etri·cious /ˈmerəˈtrɪʃəs/ *ἐπ.* (*λόγ.*) ἐπιτηδευμένος, φανταχτερός, ψεύτικος: *a ~ style*, ἐπιτηδευμένο ὕφος. *~ jewellery*, ψευτοκοσμήματα. **~·ly** *ἐπίρ.* φανταχτερά.

merge /mɜdʒ/ *ρ.μ./ἀ.* **1**. (*ἐμπ.*) συγχωνεύω/-ομαι: *The two firms ~d/were ~d into one large organization*, οἱ δύο ἑταιρίες συγχωνεύτηκαν καί ἀπετέλεσαν ἕναν μεγάλο ὀργανισμό. **2**. μεταβάλλομαι/γίνομαι σιγά-σιγά: *Twilight ~d into darkness*, τό λυκόφως σιγά-σιγά ἔγινε σκοτάδι. *His fear ~d into curiosity*, ὁ φόβος του μεταβλήθηκε σιγά-σιγά σέ περιέργεια. **merger** /ˈmɜdʒə(r)/ *οὐσ.* ‹C,U› συγχώνευσις.

mer·id·ian /məˈrɪdɪən/ *οὐσ.* ‹C› **1**. (*γεωγρ.*) μεσημβρινός (κύκλος), μεσημέρι. **2**. (*γιά τόν ἥλιο, καί μεταφ.*) μεσουράνημα: *at the ~ of his glory*, στό μεσουράνημα τῆς δόξας του. **3**. (*ἐπιθ.*) μεσημβρινός, (*μεταφ.*) μεσουρανῶν: *~ distance/latitude*, γεωγραφικόν μῆκος/μεσημβρινόν πλάτος. *in his ~ splendour*, στό ἀποκορύφωμα τῆς αἴγλης του.

mer·idi·onal /məˈrɪdɪənl/ *ἐπ.* μεσημβρινός, νότιος (*ἰδ.* στήν Εὐρώπη).

me·ringue /məˈræŋ/ *οὐσ.* ‹C,U› μαρέγγα.

mer·ino /məˈrinəʊ/ *οὐσ.* ‹C› (*πληθ.* *~s*) (*καί ~* **sheep**) ἀρνί/μαλλί μερινός.

merit /ˈmerɪt/ *οὐσ.* **1**. ‹U› ἀξία, προσόν: *men of ~*, ἄνθρωποι ἀξίας. *works of little/great ~*, ἔργα μικρῆς/μεγάλης ἀξίας. *Vicky was awarded a certificate of ~ for her piano playing*, στή Βίκυ ἀπενεμήθη τιμητικό δίπλωμα γιά τό παίξιμό της στό πιάνο. **2**. ‹C› ἀξία, οὐσία: *decide a case on its ~s*, κρίνω μιά ὑπόθεση κατ' οὐσίαν (μέ βάση τά δεδομένα της). ***according to one's ~s***, ἀναλόγως μέ τήν ἀξία μου. ***make a ~ of sth***, θεωρῶ κτ σπουδαῖο, καμαρώνω γιά κτ: *Don't make a ~ of being punctual*, μήν τό θεωρῆς σπουδαῖο (μήν καμαρώνης) πού εἶσαι ἀκριβής. __*ρ.μ.* ἀξίζω: *He ~s praise/reward*, εἶναι ἄξιος ἐπαίνου/ἀμοιβῆς.

meri·toc·racy /ˈmerɪˈtokrəsɪ/ *οὐσ.* ‹C,U› ἀξιοκρατία.

meri·tori·ous /ˈmerɪˈtɔrɪəs/ *ἐπ.* ἀξιέπαινος: *~ conduct*, ἀξιέπαινος διαγωγή. **~·ly** *ἐπίρ.*

mer·maid /ˈmɜmeɪd/ *οὐσ.* ‹C› γοργόνα.

merry /ˈmerɪ/ *ἐπ.* **1**. *(-ier, -iest)* χαρούμενος, εὔθυμος, γλεντζές, (*καθομ.*) λιγάκι πιωμένος: *a ~ laugh*, χαρούμενο γέλιο. *wish sb a ~ Christmas*, εὔχομαι καλά Χριστούγεννα σέ κπ.

the more the merrier, ὅσο περισσότεροι τόσο μεγαλύτερο τό κέφι. ***make ~***, γλεντῶ, διασκεδάζω. **`~-go-round**, λούνα πάρκ, περιστρεφόμενα ἀλογάκια/αὐτοκινητάκια, κλπ. **`~-maker**, γλεντζές. **`~-making**, γλέντι, διασκέδασις. **2**. (*πεπαλ.*) εὐχάριστος, ὡραῖος: *the ~ month of May*, ὁ ὡραῖος μήνας τοῦ Μαΐου. *M~ England*, ἡ ὄμορφη Ἀγγλία.

mer·rily /`merəlɪ/ *ἐπίρ.* εὔθυμα, χαρούμενα.

mer·ri·ment /`merɪmənt/ *οὐσ.* ‹U› εὐθυμία, χαρά, διασκέδασις.

mé·sal·liance /'meɪzæ`liɔns/ *οὐσ.* ‹C› ἀνάρμοστος γάμος.

mesh /meʃ/ *οὐσ.* ‹C,U› **1**. βρόχος, μάτι, θηλειά (σέ δίχτυ): *a net with half-inch ~es*, δίχτυ μέ μάτια μισῆς ἴντσας. **2**. (*πληθ.*) πλέγμα, δίχτυ: *entangled in the ~es of a political intrigue*, (*μεταφ.*) μπλεγμένος στά δίχτυα μιᾶς πολιτικῆς μηχανορραφίας. **3**. (*μηχ.*) ***in ~***, σέ ἐμπλοκή, μέ ἑνωμένα τά γρανάζια. __*ρ.μ/ἀ.* **1**. πιάνω μέ δίχτυ (*ἰδ.* ψάρια). **2**. ***~ (with)***, (*γιά γρανάζια*) συνδέομαι, ἐμπλέκομαι, (*μεταφ.*) ἐναρμονίζομαι: *Our views don't ~*, οἱ ἀπόψεις μας δέν συνταιριάζουν.

mes·mer·ism /`mezmərɪzm/ *οὐσ.* ‹U› (*πεπαλ.*) ὑπνωτισμός, γοητεία. **mes·meric** /mez`merɪk/ *ἐπ.* ὑπνωτικός. **mes·mer·ize** /-aɪz/ *ρ.μ.* ὑπνωτίζω, γοητεύω.

[1]**mess** /mes/ *οὐσ.* ‹C› (*συνήθ. ἑν.*) βρωμισιές, ἀκαταστασία, ἀνακάτωμα, μπέρδεμα: *Who's going to clear up the ~ made by the cat?* ποιός θά καθαρίση τίς βρωμισιές (τίς ἀκαθαρσίες) πού ἔκανε ἡ γάτα; *The workmen cleaned up the ~ before they left*, οἱ ἐργάτες καθάρισαν τίς βρωμιές πρίν νά φύγουν. *The room was in a fearful ~*, τό δωμάτιο ἦταν σέ φοβερή ἀκαταστασία. ***make a ~ of sth***, χαλῶ κτ, τά κάνω θάλασσα: *You've made a ~ of the job*, τή χάλασες τή δουλειά (τἄκανες θάλασσα). *A nice ~ you've made of it!* ὡραῖα τά κατάφερες! ***be in/get into a ~***, εἶμαι μπλεγμένος/μπλέκω: *He's got into another ~*, ἔμπλεξε ἄσχημα πάλι. __*ρ.μ/ἀ.* **1**. ***~ sth up***, χαλῶ, ἀνακατεύω, μπερδεύω: *And now you've ~ed up my watch*, καί τώρα, μοῦ τό χάλασες τό ρολόϊ. *He's ~ed up all my plans*, μοῦ ἔκανε ὅλα τά σχέδια ἄνω-κάτω. **`~-up**, (*καθομ.*) ἀνακάτωμα, μπέρδεμα: *There's been a bit of a ~-up about booking seats for the concert*, ἔγινε ἕνα μπέρδεμα στό βγάλσιμο τῶν εἰσιτηρίων γιά τή συναυλία. **2**. ***~ about***, παίζω, σαχλαμαρίζω, χαζεύω, ψευτοδουλεύω, χάνω τήν ὥρα μου, τραβολογῶ: *Stop ~ing about with her*, πᾶψε νά σαχλαμαρίζης (νά παίζης) μαζί της. *Why are you always ~ing about the house?* γιατί χαζολογᾶς διαρκῶς μέσ' στό σπίτι; *Don't ~ about with that gun*, μήν παίζης μ' αὐτό τό ὅπλο! *Stop ~ing me about!* πᾶψε νά μέ τραβολογᾶς! **~y** *ἐπ.* *(-ier, -iest)* βρώμικος, μπελαλίδικος, πού φέρνει ἀνακάτωμα: *Painting the house is a ~y job*, τό βάψιμο τοῦ σπιτιοῦ εἶναι δουλειά πού λερώνει (μπελαλίδικη δουλειά).

[2]**mess** /mes/ *οὐσ.* ‹C› **1**. (*ἀπηρχ.*) πινάκιον. **2**. συσσίτιο, αἴθουσα φαγητοῦ, τράπεζα: *Officers' M~*, λέσχη φαγητοῦ ἀξιωματικῶν. **`~-jacket**, στολή φαγητοῦ. **`~-mate**, ὁμοτράπεζος, συνδαιτημών. __*ρ.ἀ.* ***~ with sb; ~ together***, συντρώγω, συσσιτοῦμαι. **`~ing allowance**, ἐπίδομα συσσιτίου.

mess·age /`mesɪdʒ/ *οὐσ.* ‹C› **1**. παραγγελία: *Can I leave a ~ for Mr A?* μπορῶ ν' ἀφήσω μιά παραγγελία γιά τόν κ. Α; **2**. μήνυμα, εἴδησις: *a `telephone ~*, τηλεφώνημα. *a `radio ~*, μήνυμα μέ τόν ἀσύρματο. ***(Have you) got the ~?*** (*λαϊκ.*) μπῆκες; (κατάλαβες;) **3**. μήνυμα, δίδαγμα: *Is there a ~ in his poetry/art?* ὑπάρχει μήνυμα (δίδαγμα) στήν ποίησή του/στήν τέχνη του;

mess·en·ger /`mesɪndʒə(r)/ *οὐσ.* ‹C› ἀγγελιοφόρος, ταχυδρόμος, ὑπάλληλος γιά θελήματα.

Mess·iah /mə`saɪə/ *οὐσ.* ‹C› Μεσσίας.

Messrs /`mesəz/ *οὐσ.* (*πρό τῶν ὀνομάτων δύο ἤ περισσοτέρων προσώπων*) κύριοι, οἱ κ.κ.

met /met/ *ἀόρ.* & *π.μ. τοῦ ρ. meet.*

Met /met/ *ἐπ.* (*βραχυλ. γιά*) *Meteorological: the latest ~ report*, τό τελευταῖο μετεωρολογικό δελτίο.

me·tab·olism /mɪ`tæbəlɪzm/ *οὐσ.* ‹U› (*βιολ.*) μεταβολισμός. **meta·bolic** /'metə`bolɪk/ *ἐπ.*

metal /`metl/ *οὐσ.* **1**. ‹C,U› μέταλλον: *made of ~*, κατασκευασμένος ἀπό μέταλλο. *base/precious ~s*, κοινά/πολύτιμα μέταλλα. **`~-work**, μεταλλουργική καλλιτεχνική ἐργασία. **`~-worker**, μεταλλουργός τεχνίτης. **2**. ‹U› (*καί* **`road-~**) χαλίκι, σκῦρα (γιά δρόμο). **3**. (*πληθ.*) ράγες, σιδηροτροχιές: *The train jumped the ~s*, τό τραῖνο ξέφυγε ἀπό τίς ράγες. __*ρ.μ.* *(-ll-)* σκυροστρώνω (δρόμο): *~led roads*, σκυροστρωμένοι δρόμοι.

me·tal·lic /mə`tælɪk/ *ἐπ.* μεταλλικός.

metal·lurgy /mɪ`tælədʒɪ/ *οὐσ.* ‹U› μεταλλουργία. **metal·lur·gist** /-dʒɪst/ *οὐσ.* ‹C› μεταλλουργός. **metal·lur·gi·cal** /'metə`lɜdʒɪkl/ *ἐπ.* μεταλλουργικός.

meta·mor·phose /'metə`mɔfəʊz/ *ρ.μ.* ***~ sb/sth (into)***, μεταμορφώνω (σέ): *Circe ~d the companions of Odysseus into swine*, ἡ Κίρκη μεταμόρφωσε τούς συντρόφους τοῦ Ὀδυσσέα σέ χοίρους.

meta·mor·pho·sis /'metə`mɔfəsɪs/ *οὐσ.* ‹C› (*πληθ. -ses* /-siz/) μεταμόρφωσις: *the social ~ that has occurred in China*, ἡ κοινωνική μεταμόρφωσις πού ἔλαβε χώρα στήν Κίνα.

meta·phor /`metəfə(r)/ *οὐσ.* ‹C,U› (*ρητ.*) μεταφορά, εἰκών, ἀλληγορία: *speak in ~s*, μιλῶ μεταφορικά, μέ εἰκόνες. **~i·cal** /'metə`forɪkl/ *ἐπ.* μεταφορικός, (ὄχι κυριολεκτικός). **~i·cally** /-klɪ/ *ἐπίρ.* μεταφορικῶς.

meta·phys·ics /'metə`fɪzɪks/ *οὐσ. πληθ.* (*μέ ρ. ἑν.*) μεταφυσική. **meta·phys·ical** /-`fɪzɪkl/ *ἐπ.* μεταφυσικός.

mete /mit/ *ρ.μ.* ***~ out***, ἀπονέμω, μοιράζω: *Justice was ~d out to them*, τούς ἀπενεμήθη δικαιοσύνη. *~ out punishments/rewards*, μοιράζω τιμωρίες/ἀμοιβές.

me·teor /`mitɪə(r)/ *οὐσ.* ‹C› μετέωρον, ἀερόλιθος, διάττων (*πρβλ. στήν καθομ. shooting/falling star*).

me·teoric /'mitɪ`orɪk/ *ἐπ.* μετεωρικός: *~ stones*, μετεωρόλιθοι. *a ~ career*, (*μεταφ.*) μετεωρική καριέρα (λαμπρή ἀλλά ἐφήμερη).

me·teor·ite /`mitɪəraɪt/ *οὐσ.* ‹C› μετεωρίτης λίθος.

me·teor·ol·ogy /'mitɪə`rolədʒɪ/ *οὐσ.* ‹U›

μετεωρολογία. **me·teor·ol·ogist** /-dʒɪst/ *οὐσ.* ‹C› μετεωρολόγος. **me·teoro·logi·cal** /ˈmitrəˈlodʒɪkl/ *ἐπ.* μετεωρολογικός.

me·ter /ˈmitə(r)/ *οὐσ.* ‹C› μετρητής: *an ˈelecˈtricity-/a ˈwater-~*, μετρητής (ρολόϊ) τοῦ ἠλεκτρικοῦ/τοῦ νεροῦ. *a ˈparking-~*, παρκόμετρο.

meth·ane /ˈmiθeɪn/ *οὐσ.* ‹U› (*χημ.*) μεθάνιον.

me·thinks /mɪˈθɪŋks/ (*ἀπηρχ.*) μοῦ φαίνεται.

method /ˈmeθəd/ *οὐσ.* ‹C,U› μέθοδος, μεθοδικότης: *teaching ~s*, μέθοδοι διδασκαλίας. *He's a man of ~*, εἶναι μεθοδικός ἄνθρωπος. ***There's ~ in his/her madness***, δέν εἶναι τόσο τρελλός/τόσο τρελλή ὅσο φαίνεται. **~i·cal** /məˈθodɪkl/ *ἐπ.* μεθοδικός: *~ work/workers.* **~i·cally** /-klɪ/ *ἐπίρ.* **~·ol·ogy** /ˈmeθəˈdolədʒɪ/ *οὐσ.* ‹C,U› μεθοδολογία.

Meth·od·ism /ˈmeθədɪzm/ *οὐσ.* ‹U› (*ἐκκλ.*) Μεθοδισμός. **Meth·od·ist** /-ɪst/ *οὐσ.* ‹C› μεθοδιστής.

me·thought /mɪˈθɔt/ (*ἀπηρχ.*) μοῦ φάνηκε.

meths /meθs/ *οὐσ. πληθ.* (*καθομ. βραχυλ. γιά*) *methylated spirits.*

Me·thuse·lah /mɪˈθjuzələ/ *οὐσ.* Μαθουσάλας, (*μεταφ.*) αἰωνόβιος ἄνθρωπος.

methyl /ˈmeθl/ *οὐσ.* ‹U› (*χημ.*) μεθύλιον. **ˈ~-ated** /-eɪtɪd/ *ἐπ.* **ˈ~ated ˈspirit**, οἰνόπνευμα τοῦ μπακάλη.

me·ticu·lous /mɪˈtɪkjʊləs/ *ἐπ.* ~ *(in)*, λεπτολόγος, σχολαστικός, ὑπερβολικά προσεκτικός: *be ~ in the choice of words*, λεπτολογῶ τήν κάθε λέξη πού θά πῶ. **~·ly** *ἐπίρ.* σχολαστικά.

metre /ˈmitə(r) *οὐσ.* **1**. ‹C› μέτρον (100 πόντοι). **2**. ‹C,U› μέτρον (στήν ποίηση).

met·ric /ˈmetrɪk/ *ἐπ.* μετρικός. **the ˈ~ system**, τό μετρικόν σύστημα. **~al** *ἐπ.* μετρικός, ἔμμετρος: *a ~al translation of the Iliad*, ἔμμετρη μετάφρασις τῆς Ἰλιάδος.

metri·ca·tion /ˈmetrɪˈkeɪʃn/ *οὐσ.* ‹U› μετρολογία.

met·ro·nome /ˈmetrənəʊm/ *οὐσ.* ‹C› (*μουσ.*) μετρονόμος, χρονόμετρο.

me·trop·olis /məˈtropəlɪs/ *οὐσ.* ‹C› (*πληθ. ~es*) μητρόπολις (= πρωτεύουσα, ἕδρα μητροπολίτου).

metro·poli·tan /ˈmetrəˈpolɪtn/ *ἐπ.* μητροπολιτικός: *the ~ police*, ἡ ἀστυνομία τῆς πρωτευούσης. *M~ France*, ἡ μητροπολιτική Γαλλία (χωρίς τίς κτήσεις). —*οὐσ.* ‹C› **1**. πρωτευουσιάνος. **2**. μητροπολίτης, ἀρχιεπίσκοπος (*πρβλ. στήν ὀρθόδοξη ἐκκλησία:* **Metropolite**).

mettle /ˈmetl/ *οὐσ.* ‹U› κουράγιο, ψυχή, θάρρος, ὁρμή, σφρῖγος: *a man of ~*, ἄνθρωπος μέ ψυχή/πού τό λέει ἡ καρδιά του. *a horse full of ~*, ἄλογο γεμᾶτο σφρῖγος. *try sb's ~*, δοκιμάζω τί ἀξίζει κάποιος. *show one's ~*, δείχνω τί ἀξίζω. ***be on one's ~***, φιλοτιμιέμαι, τό παίρνω ζεστά. ***put sb on his ~***, κεντρίζω τή φιλοτιμία κάποιου, τόν ρίχνω στό φιλότιμο. **ˈ~·some** /-səm/ *ἐπ.* ψυχωμένος, θαρραλέος, ὁρμητικός.

mew /mju/ (*καί* **miaou, miaow** /mɪˈaʊ/) *οὐσ.* ‹C› νιαούρισμα. —*ρ.ἀ.* νιαουρίζω.

mews /mjuz/ *οὐσ. πληθ.* (*μέ ρ. ἑν.*) (*παλαιότ. σταῦλοι μετατραπέντες εἰς*) γκαράζ ἤ διαμερίσματα.

mezza·nine /ˈmetsənin/ *οὐσ.* ‹C› & *ἐπ.* ἡμιώροφος.

mezzo /ˈmetsəʊ/ *ἐπίρ.* (μουσ.) μέτρια.

mi·aou, mi·aow /mɪˈaʊ/ *οὐσ.* ‹C› & *ρ.ἀ. βλ. mew.*

mi·asma /mɪˈæzmə/ *οὐσ.* ‹C› μίασμα.

mice /maɪs/ *πληθ. τῆς λ. mouse.*

Michael·mas /ˈmɪklməs/ *οὐσ.* ἑορτή τοῦ Ἁγίου Μιχαήλ (29 Σεπτεμβρίου). **ˈ~ term**, πρώτη τριμηνία τοῦ σχολικοῦ ἔτους.

mickey /ˈmɪkɪ/ *οὐσ.* ***take the ~ (out of sb)***, (*λαϊκ.*) γελοιοποιῶ, πειράζω, δουλεύω κπ.

microbe /ˈmaɪkrəʊb/ *οὐσ.* ‹C› μικρόβιον.

micro-biology /ˈmaɪkrəʊ baɪˈolədʒɪ/ *οὐσ.* ‹U› μικροβιολογία.

micro·cosm /ˈmaɪkrəʊkozm/ *οὐσ.* ‹C› μικρόκοσμος, μικρογραφία.

micro·dot /ˈmaɪkrəʊdot/ *οὐσ.* ‹C› μικροφωτογραφία.

mi·cro·elec·tron·ics /ˈmaɪkrəʊˈelɪkˈtronɪks/ *οὐσ. πληθ.* (*μέ ρ. ἑν.*) μικροηλεκτρονική.

micro·film /ˈmaɪkrəʊfɪlm/ *οὐσ.* ‹C,U› μικροφίλμ. —*ρ.μ.* φωτογραφίζω σέ μικροφίλμ.

mi·crom·eter /maɪˈkromɪtə(r)/ *οὐσ.* ‹C› μικρόμετρον.

mi·cron /ˈmaɪkron/ *οὐσ.* ‹C› μικρόν (*σύμβολον* μ), ἑκατομμυριοστόν τοῦ μέτρου.

micro-or·gan·ism /ˈmaɪkrəʊ ˈɔgənɪzm/ *οὐσ.* ‹C› μικρο-οργανισμός.

micro·phone /ˈmaɪkrəfəʊn/ *οὐσ.* ‹C› μικρόφωνον.

micro·scope /ˈmaɪkrəskəʊp/ *οὐσ.* ‹C› μικροσκόπιον. **micro·scopic** /ˈmaɪkrəˈskopɪk/ *ἐπ.* μικροσκοπικός. **micro·scopi·cally** /-klɪ/ *ἐπίρ.*

micro·wave /ˈmaɪkrəʊweɪv/ *οὐσ.* ‹C› (*φυσ.*) μικρόκυμα.

mid /mɪd/ *ἐπ.* **1**. μέσος, μεσαῖος; *from ~ June to ~ August*, ἀπό τά μέσα Ἰουνίου ὥς τά μέσα Αὐγούστου. *in ~ winter*, στά μέσα τοῦ χειμῶνα, στό μεσοχείμωνο. *in ~ air*, στόν ἀέρα. **2**. (*ὡς α! συνθετικόν*): *a ~-morning coffee*, καφές στή μέση τοῦ πρωϊνοῦ. *~-week*, τό μεσοβδόμαδο.

mid·day /ˈmɪdˈdeɪ/ *οὐσ.* ‹U› μεσημέρι: *the ~ meal*, τό μεσημεριανό φαγητό.

mid·den /ˈmɪdn/ *οὐσ.* ‹C› κοπροσωρός.

middle /ˈmɪdl/ *οὐσ.* **1**. (*ἑν. μέ ὁριστ. ἄρθρ.*) κέντρον, μέσον, μέση: *in the ~ of the room/night/century*, στό μέσον τοῦ δωματίου/τῆς νύχτας/τοῦ αἰῶνα. *be in the ~ of the street/of reading*, εἶμαι στό μέσον τοῦ δρόμου/διαβάσματος. *a pain in the ~ of the back*, ἕνας πόνος στή μέση τῆς πλάτης. **ˈ~-of-the-ˈroad** *ἐπ.* μεταξύ τῶν δύο ἄκρων, μετριοπαθής: *a ~-of-the-road policy*, μετριοπαθής πολιτική. **2**. (*καθομ.*) μέση, ὀσφύς: *seize sb round the ~*, πιάνω κπ ἀπό τή μέση. **3**. (*ἐπιθ.*) μέσος, μεσαῖος: *the ~ house in the row*, τό μεσαῖο σπίτι στή γραμμή. ***(take/follow) a ~ course***, (ἀκολουθῶ) μέσην ὁδόν. **ˈ~ ˈage**, ἡ μέση ἡλικία. **ˈ~-ˈaged** *ἐπ.* μεσῆλιξ, μεσόκοπος. **the M~ Ages**, ὁ Μεσαίων. **ˈ~ ˈclass** *οὐσ.* ‹C› μεσαία τάξις. **ˈ~-ˈclass** *ἐπ.* μεσοαστικός. **ˈ~ ˈfinger**, μεσαῖο δάκτυλο. **ˈ~·man**, μεσάζων. **~ name**, τό δεύτερο ἀπό δύο βαφτιστικά ὀνόματα. **ˈ~ school**, μέση σχολή. **ˈ~-sized** *ἐπ.* μέσου/μετρίου μεγέθους. **the ~ watch**, (*σέ πλοῖα*) μεσονύκτια βάρδια (ἀπό 12 ὥς 4 π.μ.) **`~-weight**, πυγμάχος μεσαίων βαρῶν.

mid·dling /ˋmɪdlɪŋ/ *ἐπ.* μέτριος: *a town of ~ size*, πόλις μετρίου μεγέθους. ***I'm feeling only ~/fair to ~***, (*καθομ.*) αἰσθάνομαι καλούτσικα/ἔτσι κι'ἔτσι. *__ἐπίρ.* (*καθομ.*) μέτρια. *__οὐσ.* (*συνήθ. πληθ.*) παρακατιανά, εἴδη δευτέρας ποιότητος.

midge /mɪdʒ/ *οὐσ.* ‹C› σκνίπα.

midget /ˋmɪdʒɪt/ *οὐσ.* ‹C› νάνος, ἀνθρωπάκι: *a ~ submarine*, μικροσκοπικό ὑποβρύχιο.

mid·land /ˋmɪdlənd/ *οὐσ.* ‹C› κεντρική περιοχή μιᾶς χώρας. **the M~s**, οἱ κεντρικές κομητεῖες τῆς Ἀγγλίας.

mid·night /ˋmɪdnaɪt/ *οὐσ.* ‹U› μεσάνυχτα: *at ~*, τά μεσάνυχτα. *before/after ~*, πρίν/μετά τά μεσάνυχτα. *__ἐπιθ.* μεσονύκτιος: *the ~ hours*, οἱ ὧρες τοῦ μεσονυκτίου. ***burn the ~ oil***, δουλεύω ὥς ἀργά τή νύχτα. **the ~ sun**, ὁ ἥλιος τοῦ μεσονυκτίου.

mid·riff /ˋmɪdrɪf/ *οὐσ.* ‹C› (*ἀνατ.*) διάφραγμα, στομάχι: *a blow on the ~*, ἕνα χτύπημα στό στομάχι.

mid·ship·man /ˋmɪdʃɪpmən/ *οὐσ.* ‹C› (*ναυτ.*) δόκιμος σημαιοφόρος.

midst /mɪdst/ *οὐσ.* (*μόνον ἑν.*) (*λογοτ. ἤ ἀπηρχ.*) μέσον: *in our ~*, ἐν μέσῳ ἡμῶν. *in the ~ of his work*, ἐν τῷ μέσῳ τῆς ἐργασίας του.

mid·sum·mer /ˈmɪdˋsʌmə(r)/ *οὐσ.* ‹U› μεσοκαλόκαιρο, θερινόν ἡλιοστάσιον. **ˈM~ ˋday**, ἑορτή τοῦ Ἁηγιαννιοῦ (24 Ἰουνίου). **ˈ~ ˋmadness**, τό ἀποκορύφωμα τῆς τρέλλας.

mid·way /ˈmɪdˋweɪ/ *ἐπ. & ἐπίρ.* εἰς τό μέσον: *~ up the hill*, στή μέση τῆς ἀνηφοριᾶς.

mid·wife /ˋmɪdwaɪf/ *οὐσ.* ‹C› (*πληθ. -wives* /-waɪvz/) μαμή. **~ry** /ˋmɪdwɪfrɪ/ *οὐσ.* ‹U› μαιευτική: *take a course in ~ry*, παίρνω μαθήματα μαιευτικῆς.

mien /min/ *οὐσ.* ‹C› (*λογοτ.*) ὄψις, ὕφος, παρουσιαστικό: *a man of pleasing ~*, ἄνθρωπος μ'εὐχάριστο παρουσιαστικό. *with a sorrowful ~*, μέ θλιμμένη ὄψη.

1 **might** /maɪt/ *ἀόρ τοῦ may*.

2 **might** /maɪt/ *οὐσ.* ‹U› δύναμις, ἰσχύς: *work with all one's ~*, δουλεύω μ'ὅλες μου τίς δυνάμεις. ***M~ against right***, ἡ δύναμις ἐναντίον τοῦ δικαίου. ***M~ is right***, τό δίκαιον τοῦ ἰσχυροτέρου ὑπερισχύει πάντοτε. ***by/with ~ and main***, διά τῆς βίας, μέ τό ζόρι, μέ τά χέρια/μέ τό κορμί.

mighty /ˋmaɪtɪ/ *ἐπ. (-ier, -iest)* **1**. (*λογοτ.*) ἰσχυρός: *a ~ nation*, ἰσχυρόν ἔθνος. **2**. μέγας: *the ~ ocean*, ὁ μέγας ὠκεανός. **3**. (*καθομ.*) μεγάλος. ***high and ~***, μέγας καί πολύς, περήφανος. *__ἐπίρ.* (*καθομ.*) πάρα πολύ: *think oneself ~ clever*, θεωρῶ τόν ἑαυτό μου πάρα πολύ ἔξυπνο. **ˋmight·ily** /-əlɪ/ *ἐπίρ.* (*πεπαλ.*) ἐξαιρετικά, ἄκρως: *mightily indignant*, ἐξαιρετικά ἀγανακτισμένος.

mi·graine /ˋmigreɪn/ *οὐσ.* ‹C,U› ἡμικρανία.

mi·grant /ˋmaɪgrənt/ *οὐσ.* ‹C› μετανάστης, ἀποδημητικός (*ἰδ.* γιά πουλιά): *Swallows are ~s*, τά χελιδόνια εἶναι ἀποδημητικά πουλιά.

mi·grate /maɪˋgreɪt/ *ρ.ἀ.* μεταναστεύω, ἀποδημῶ. **mi·gra·tion** /maɪˋgreɪʃn/ *οὐσ.* ‹C,U› ἀποδημία, μετανάστευσις. **mi·gra·tory** /ˋmaɪgrətərɪ/ *ἐπ.* ἀποδημητικός: *migratory birds*, ἀποδημητικά πουλιά.

mike /maɪk/ *οὐσ.* ‹C› (*καθομ. βραχυλ. γιά*) *microphone*.

mi·lady /mɪˋleɪdɪ/ *οὐσ.* ‹C› (*πεπαλ.*) μυλαίδη, κυρία μου.

mi·lage /ˋmaɪlɪdʒ/ *οὐσ.* ‹C,U› *βλ. mileage*.

milch /mɪltʃ/ *ἐπ.* (*γιά οἰκιακά ζῶα*) γαλακτοφόρος.

mild /maɪld/ *ἐπ. (-er, -est)* **1**. ἤπιος, γλυκός, μαλακός: *a ~ climate/~ weather*, ἤπιον κλῖμα/γλυκύς καιρός. *a ~ person*, πρᾶος ἄνθρωπος. *a ~ punishment*, μαλακιά/ἐλαφρά τιμωρία. *a ~ reply*, ἤπια ἀπάντηση. **~ steel**, μαλακό ἀτσάλι. **2**. ἐλαφρός: *~ tobacco*, ἐλαφρός καπνός. *~ beer*, ἐλαφριά μπύρα. **~·ly** *ἐπίρ.* ἤπια, μαλακά, μέ πραότητα. ***to put it ~ly***, γιά νά τό πῶ μαλακά, γιά νά μήν θεωρηθῶ ὅτι ὑπερβάλλω. **~·ness** *οὐσ.* ‹U› ἠπιότης, πραότης, ἐλαφρότης.

mil·dew /ˋmɪldju/ *οὐσ.* ‹U› (*γιά ψωμί*) μούχλα, (*γιά φυτά*) καπνιά, (*γιά ἀμπέλι*) περονόσπορος. *__ρ.μ/ἀ.* μουχλιάζω, προκαλῶ ἤ παθαίνω περονόσπορο.

mile /maɪl/ *οὐσ.* ‹C› μίλι (1609 μέτρα ἤ 1760 γυάρδες. *βλ. & λ. nautical*): *a 30 ~/a 30 ~s' journey*, ταξίδι 30 μιλίων. *She's feeling ~s better today*, (*καθομ.*) νοιώθει πάρα πολύ καλύτερα σήμερα. *There's nobody within ~s of him as a tennis player*, (*καθομ.*) δέν τοῦ παραβγαίνει κανείς στό τέννις. **mil·om·eter** /maɪˋlomɪtə(r)/ *οὐσ.* ‹C› μιλιομετρητής (αὐτοκινήτου). **ˋ~·stone**, (*κυριολ. & μεταφ.*) ὁρόσημο: *That was a ~stone in his career/in the history of medicine*, αὐτό ἦταν ὁρόσημο στή σταδιοδρομία του/σταθμός στήν ἱστορία τῆς ἰατρικῆς.

mile·age, mi·lage /ˋmaɪlɪdʒ/ *οὐσ.* ‹C,U› **1**. ἀπόστασις σέ μίλια: *a used car with a small ~*, μεταχειρισμένο αὐτοκίνητο πού ἔχει κάνει λίγα μίλια. **2**. ἔξοδα κινήσεως (ἀνά μίλι).

mi·lieu /ˋmilɜ/ *οὐσ.* ‹C› περιβάλλον: *live in an artistic ~*, ζῶ σέ καλλιτεχνικό περιβάλλον.

mili·tant /ˋmɪlɪtənt/ *ἐπ. & οὐσ.* ‹C› μαχητικός, μαχόμενος: *~ students/workers*, μαχητικοί φοιτητές/ἐργάτες. **mili·tancy** /-ənsɪ/ *οὐσ.* ‹U› μαχητικότης, ἀγωνιστικότης.

mili·tar·ism /ˋmɪlɪtərɪzm/ *οὐσ.* ‹U› μιλιταρισμός, στρατοκρατία. **mili·tar·ist** /ˋmɪlɪtərɪst/ *οὐσ.* ‹C› μιλιταριστής, στρατοκράτης. **mili·tar·istic** *ἐπ.* μιλιταριστικός.

mili·tary /ˋmɪlɪtrɪ/ *ἐπ.* στρατιωτικός: *be called up for ~ service*, καλοῦμαι γιά τή στρατιωτική μου θητεία. *~ training/government*, στρατιωτική ἐκγύμνασις/κυβέρνησις. *in ~ uniform*, μέ στρατιωτική στολή. *the ~ attaché*, ὁ στρατιωτικός ἀκόλουθος (Πρεσβείας). *__οὐσ.* ‹U› **the ~**, ὁ στρατός, οἱ στρατιωτικοί: *The ~ have taken over in Chile*, οἱ στρατιωτικοί κατέλαβαν τήν ἀρχή στή Χιλή.

mili·tate /ˋmɪlɪteɪt/ *ρ.ἀ.* **~ *against***, μάχομαι ἐναντίον, ἀντιμάχομαι, καταπολεμῶ: *~ against the success of a plan*, ἀντιμάχομαι τήν ἐπιτυχία ἑνός σχεδίου.

mil·itia /mɪˋlɪʃə/ *οὐσ.* ‹C› (*συνήθ.* **the ~**) ἐθνοφυλακή, ἐθνοφρουρά, πολιτοφυλακή. **ˋ~-man**, ἐθνοφρουρός, πολιτοφύλακας.

1 **milk** /mɪlk/ *οὐσ.* ‹U› **1**. γάλα: *~ fresh from the cow*, φρεσκοαρμεγμένο γάλα. *tinned ~*,

γάλα τοῦ κουτιοῦ. *be on a ~ diet*, κάνω δίαιτα μέ γάλα, πίνω μόνον γάλα. ***the ~ of human kindness***, ἡ ἀνθρώπινη καλωσύνη, ἡ καλή καρδιά. ***It's no use crying over spilt ~***, ὅ,τι ἔγινε δέν ξεγίνεται, δέν ὠφελοῦν τά κλάματα ὅταν γίνη τό κακό. ***~ and water***, (*μεταφ.*) ἀνούσιος, γλυκανάλατος. **2**. (*σέ σύνθετες λέξεις*): **`~-bar**, γαλακτοπωλεῖον. **`~-churn**, καρδάρα, βεδούρα. **`~ loaf**, γλυκό ψωμί πολυτελείας. **`~·maid**, γαλατοῦ, ἐργάτρια σέ γαλακτοκομεῖον. **`~·man**, γαλατᾶς. **`~-powder**, γάλα σκόνη. **`~ round**, ὁ γύρος τοῦ γαλατᾶ. **`~-shake**, (ποτό) χτυπημένο καί ἀρωματισμένο κρύο γάλα. **`~-sop** /-sop/ μαμόθρεφτο. **'~-`white** *ἐπ.* ἄσπρος σάν τό γάλα.

[2]**milk** /mɪlk/ *ρ.μ/ὰ.* **1**. ἀρμέγω: *~ a cow*. **2**. (*μεταφ.*) ἐκμεταλλεύομαι, ἀρμέγω, μαδῶ κπ. **3**. (*γιά ζῶα*) κατεβάζω γάλα: *The cows are ~ing well*, οἱ ἀγελάδες ἔχουν ἄφθονο γάλα. **`~ing-machine**, μηχάνημα γιά τό ἄρμεγμα. **~y** /`mɪlkɪ/ *ἐπ.* *(-ier, -iest)*, γαλακτώδης, γαλακτοῦχος, γαλακτερός, (*γιά χρῶμα ὑγροῦ*) θαμπός. **the 'M~y `Way**, ὁ Γαλαξίας.

[1]**mill** /mɪl/ *οὐσ.* ‹C› **1**. μύλος: *a `flour-~*, ἀλευρόμυλος. *a `water~*, νερόμυλος. *a `wind~*, ἀνεμόμυλος. ***put sb/go through the ~***, παιδεύω κπ/παιδεύομαι, τραβῶ πολλά. (*βλ.* & *λ.* [1]*run*). **`~·pond**, δεξαμενή μύλου: *like a ~-pond*, (*γιά τή θάλασσα*) ἥσυχη σά λάδι. **`~·stone**, μυλόπετρα, (*μεταφ.*) βαρύ φορτίο: *The mortgage has been like a ~stone round my neck*, ἡ ὑποθήκη ἦταν θηλειά στό λαιμό μου/μοῦ ἦταν ἀσήκωτο βάρος. **2**. μύλος (τοῦ χεριοῦ): *a `coffee-~*, μύλος τοῦ καφέ. *a `pepper-~*, μύλος γιά τό πιπέρι. **3**. ἐργοστάσιο. **`cotton-~**, βαμβακουργεῖον. **`paper-~**, ἐργοστάσιο χαρτοποιΐας. **`pulp-~**, ἐργοστάσιο χαρτοπολτοῦ. **`steel-~**, χαλυβδουργεῖον. **`~-girl**, ἐργάτρια (*ἰδ.* ὑφαντουργίας). **`~-hand**, ἐργάτης ἐργοστασίου, μυλεργάτης.

[2]**mill** /mɪl/ *ρ.μ/ὰ.* **1**. ἀλέθω: *~ grain/flour*, ἀλέθω στάρι/ἀλεύρι. **2**. κατασκευάζω ὀδοντώσεις σέ νόμισμα: *silver coins with a ~ed edge*, ἀργυρᾶ νομίσματα μέ ὀδοντωτή ἄκρη. **3**. ***~ about/around***, (*γιά ζῶα ἤ γιά πλῆθος*) γυρίζω γύρω-γύρω, στριφογυρίζω κατά μᾶζες, σά σβούρα.

mill·board /`mɪlbɔd/ *οὐσ.* ‹U› χοντρό χαρτόνι (γιά ἐξώφυλλα βιβλίων).

mil·len·nium /mɪ`lenɪəm/ *οὐσ.* ‹C› (*πληθ.* *-nia* /-nɪə/, *~s*) χιλιετία.

mil·le·pede /`mɪlɪpid/ *οὐσ.* ‹C› χιλιόπους, σαρανταποδαρούσα.

mil·ler /`mɪlə(r)/ *οὐσ.* ‹C› μυλωνάς.

mil·let /`mɪlɪt/ *οὐσ.* ‹U› (*φυτ.*) κεχρί.

milli- /mɪlɪ/ *πρόθεμα* χιλιοστός. **`~·gram**, χιλιοστόγραμμον. **`~·metre**, χιλιοστόμετρον.

mil·liard /`mɪlɪɑd/ *οὐσ.* ‹C› (*MB*) δισεκατομμύριον (*πρβλ. ΗΠΑ billion*).

mil·li·bar /`mɪlɪbɑ(r)/ *οὐσ.* ‹C› (*μετεωρ.*) χιλιοστόβαρον.

mil·liner /`mɪlɪnə(r)/ *οὐσ.* ‹C› καπελλοῦ. **~y** /-nrɪ/ *οὐσ.* ‹U› εἴδη πιλοποιΐας, καπελλάδικο.

mil·lion /`mɪlɪən/ *οὐσ.* ‹C,U› & *ἐπ.* ἑκατομμύριο: *ten ~ people*, δέκα ἑκατομμύρια ἄνθρωποι. **~·aire** /'mɪlɪə`neə(r)/ *οὐσ.* ‹C› ἑκατομμυριοῦχος. **mil·lionth** /-lɪənθ/ *ἐπ.* & *οὐσ.* ‹C› ἑκατομμυριοστόν.

mil·ometer /maɪ`lomɪtə(r)/ *οὐσ.* ‹C› χιλιομετρικός δείκτης (σέ αὐτοκίνητο).

mi·lord /mɪ`lɔd/ *οὐσ.* ‹C› μιλόρδος.

mime /maɪm/ *οὐσ.* ‹C,U› **1**. μῖμος, παντομίμα. **2**. μιμική. *__ρ.μ/ὰ.* (ἀπο)μιμοῦμαι.

mimeo·graph /`mɪmɪəʊgrɑf/ *οὐσ.* ‹C› πολύγραφος. *__ρ.μ.* πολυγραφῶ.

mi·metic /mɪ`metɪk/ *ἐπ.* μιμητικός.

mimic /`mɪmɪk/ *ἐπιθ.* ἀπομιμητικός, πλασματικός: *~ warfare*, ψευτοπόλεμος. *__οὐσ.* ‹C› μῖμος. *__ρ.μ.* (*ἀόρ.* & *π.μ.* *~ked*) **1**. (*γιά ἀνθρ.*) μιμοῦμαι, κοροϊδεύω κπ: *He was ~king his uncle's voice very cleverly*, ἐμιμεῖτο πολύ πετυχημένα τή φωνή τοῦ θείου του. **2**. (*γιά πράγμ.*) παρομοιάζω: *wood painted to ~ marble*, ξύλο χρωματισμένο γιά νά μοιάζη μέ μάρμαρο. **~ry** /-krɪ/ *οὐσ.* ‹U› μίμησις, μιμητικότης.

mim·osa /mɪ`məʊzə/ *οὐσ.* ‹C,U› (*φυτ.*) μιμόζα.

min·aret /'mɪnə`ret/ *οὐσ.* ‹C› μιναρές.

mince /mɪns/ *ρ.μ/ὰ.* **1**. ψιλοκόβω, κάνω (κρέας) κιμᾶ: *`mincing machine; `mincer*, μηχανή κρέατος. ***not to ~ matters/one's words***, γιά νά μιλήσω ἀπερίφραστα/ἔξω ἀπό τά δόντια. **2**. μιλῶ ἤ περπατῶ μέ νάζι. *__οὐσ.* ‹U› κιμᾶς. **`~·meat**, πίττα (μέ φροῦτα, σταφίδες, κλπ). ***make ~meat of sb/sth***, (*καθομ.*) κάνω κπ κιμά, τόν κάνω σκόνη, τόν κατατροπώνω. **'~-`pie**, τάρτα, πυροσκί. **minc·ing** *ἐπ.* ἐπιτηδευμένος, ναζιάρης, σκερτσόζος: *a mincing young girl*, μιά καμωματοῦ/κουνίστρα. *walk with mincing steps*, περπατῶ μέ νάζι, μέ κουνήματα. **minc·ing·ly** *ἐπίρ.* ναζιάρικα, σκερτσόζικα.

[1]**mind** /maɪnd/ *οὐσ.* ‹C,U› **1**. μυαλό, διάνοια, πνεῦμα: *He has a very good ~*, ἔχει πολύ καλό μυαλό. *one of the best ~s of the age*, ἕνα ἀπό τά καλύτερα μυαλά τῆς ἐποχῆς. ***Great ~s think alike***, τά μεγάλα πνεύματα συναντῶνται. **2**. νοῦς, μνήμη. ***bear/keep sth in ~***, λαμβάνω ὑπ' ὄψιν μου, θυμᾶμαι κτ: *You should always bear that in ~*, αὐτό θά πρέπει νά τὄχης πάντα στό νοῦ σου. ***bring/call sth to ~***, ξαναφέρνω στό νοῦ/στή μνήμη, ἀναπολῶ. ***go/pass from (ἤ out of) one's ~***, ξεχνιέμαι, φεύγω ἀπό τό μυαλό: *It went clean out of my ~*, τό ξέχασα τελείως. ***put sb in ~ of sth***, θυμίζω κτ σέ κπ: *He puts me in ~ of his father*, μοῦ θυμίζει τόν πατέρα του. ***out of sight, out of ~***, (*παροιμ.*) μάτακια πού δέν φαίνονται γρήγορα λησμονιοῦνται. **3**. νοῦς, πρόθεσις, σκέψη, γνώμη, ἰδέα, σκοπός: *the person I have in ~*, ὁ ἄνθρωπος πού ἔχω στό νοῦ μου. *Nothing is further from my ~*, τίποτα δέν ἀπέχει περισσότερο ἀπό τίς προθέσεις μου. ***absence/presence of ~***, ἀφηρημάδα/ἑτοιμότης πνεύματος. ***out of one's ~; not in one's right ~***, τρελλός: *He's out of his ~*, τοὔχει στρίψει, εἶναι παλαβός. *He's not in his right ~*, δέν εἶναι στά καλά του. ***be of one ~ about sth***, συμφωνῶ γιά κτ: *We are all of one ~ about it*, εἴμαστε ὅλοι σύμφωνοι σ' αὐτό. ***be of the same ~***, ἔχω τήν ἴδια γνώμη: *Are they all of the same ~?* ἔχουν ὅλοι τήν

ἴδια γνώμη/εἶναι ὅλοι σύμφωνοι; *Is he still of the same ~?* ἔχει ἀκόμα τά ἴδια μυαλά/εἶναι ἀκόμη ἀμετάπειστος; ***be in two ~s about sth***, διστάζω, εἶμαι δίβουλος γιά κτ, ταλαντεύομαι. ***bend one's ~***, διαστρέφω τόν νοῦ, ἐπηρεάζω ἀμετάκλητα/βαθιά. ***blow one's ~***, (*καθομ.*) παίρνω τό μυαλό, ἐκστασιάζω, συνεπαίρνω. ***change one's ~***, ἀλλάζω γνώμη. ***give one's ~ to sth***, δίνω τήν προσοχή μου σέ κτ. ***have half a ~/have a good ~ to do sth***, ἔτσι μοῦρχεται νά: *I have a good ~ to fire him*, ἔτσι μοῦρχεται νά τόν ἀπολύσω. *I have half a ~ not to go*, ἔτσι μοῦρχεται νά μήν πάω. ***have sth on one's ~***, ἔχω κτ στό μυαλό μου, μέ βασανίζει, μέ στενοχωρεῖ κτ: *I have so many things on my ~*, μέ ἀπασχολοῦν τόσα πράγματα, ἔχω τόσες σκοτοῦρες. ***keep one's ~ on sth***, ἔχω τήν προσοχή μου σέ κτ: *Keep your ~ on your work!* τό μυαλό σου νά εἶναι στή δουλειά σου! ***know one's own ~***, ξέρω τί θέλω: *She never knows her own ~*, οὔτε ἡ ἴδια δέν ξέρει ποτέ τί θέλει. ***make up one's ~ (about/to)***, ἀποφασίζω, τό παίρνω ἀπόφαση: *He made up his ~ to go/about the model he preferred*, ἀποφάσισε νά πάη/ποιό μοντέλο προτιμοῦσε. *We are no longer rich, we must make up our ~s to that*, δέν εἴμαστε πιά πλούσιοι, πρέπει νά τό πάρωμε ἀπόφαση. ***set one's ~ on sth***, εἶμαι ἀποφασισμένος νά: *We've set our ~s on going abroad this year*, εἴμαστε ἀποφασισμένοι νά πᾶμε στό ἐξωτερικό φέτος. *He's set his ~ on becoming an actor*, τοῦ καρφώθηκε στό μυαλό νά γίνη ἠθοποιός. ***speak one's ~***, μιλῶ ντόμπρα, λέω ἐκεῖνο πού σκέφτομαι. ***take one's/sb's ~ off sth***, παίρνω τό μυαλό μου/τό μυαλό κάποιου ἀπό κτ: *He must take his ~ off her death*, πρέπει νά πάρη τό μυαλό του ἀπό (νά πάψη νά σκέφτεται) τό θάνατό της. ***in the ~'s eye***, μέ τή φαντασία, μέ τό μυαλό: *In her ~'s eye, she saw him...*, μέ τή φαντασία της τόν εἶδε νά... ***to one's ~***, κατά τή γνώμη μου, τοῦ γούστου μου: *To my ~, this is just a nonsense*, κατά τή γνώμη μου, εἶναι καθαρή ἀνοησία. *Your proposal is not to my ~*, ἡ πρότασή σου δέν εἶναι τοῦ γούστου μου, δέν μ' ἀρέσει. (*βλ.* & *λ.* [1]*piece*, [1]*absent*).

[2]**mind** /maɪnd/ *ρ.μ/ἀ.* **1**. προσέχω, φροντίζω: *Who's ~ing the baby?* ποιός προσέχει τό μωρό; *M~ the step/dog*, πρόσεχε τό σκαλί/τό σκυλί! *M~ you do what you are told*, κοίτα νά κάμης ὅ,τι σοῦ λένε. ***~ one's P's and Q's***, εἶμαι πολύ προσεχτικός σ' ὅ,τι λέω ἤ κάνω. ***M~ your own business!*** κοίτα τή δουλειά σου! μήν ἀνακατεύεσαι στίς δουλειές τῶν ἄλλων! ***M~ (you)***, (*ἐπιφων.*) κάθε ἄλλο, κοίτα: *I have no objection, ~ (you), but I think it unwise*, δέν ἔχω ἀντίρρηση, κάθε ἄλλο, ἀλλά δέν τό θεωρῶ φρόνιμο. **2**. μέ πειράζει, μέ νοιάζει, ἔχω ἀντίρρηση: *I don't ~ the cold weather*, δέν μέ πειράζει ὁ κρύος καιρός. *Do you ~ opening the window?* σᾶς πειράζει ν' ἀνοίξετε τό παράθυρο; *Do you ~ my opening/if I open the window?* σᾶς πειράζει ν' ἀνοίξω τό παράθυρο; *I wouldn't ~ a cup of tea*, δέν θά εἶχα ἀντίρρηση γιά ἕνα φλυτζάνι τσάϊ. *Don't ~ him*, μήν τοῦ δίνης σημασία. ***Never ~***, μή σέ νοιάζει, δέν πειράζει, μή στενοχωριέσαι γι' αὐτό. **~er** *οὐσ.* ‹C› (*β! συνθ.*) ἐπιμελητής, φροντιστής.

minded /ˋmaɪndɪd/ *ἐπ.* **1**. (*κατηγ.*) διατεθειμένος, πρόθυμος: *if she were ~ to help*, ἄν ἦταν διατεθειμένη νά βοηθήση. **2**. (*ὡς β! συνθ.*) μέ μυαλό: *ˋstrong-~*, ἰσχυρογνώμων. *ˋhigh-~*, ὑψηλόφρων. *ˋmean-~*, μέ ταπεινό, πρόστυχο μυαλό. **3**. (*ὡς β! συνθ.*) τείνων, ρέπων, ἔχων συνείδησιν τοῦ: *He has become very food-~ since his holiday in France*, ἔχει ἀποκτήσει συνείδηση τῆς καλῆς τροφῆς (ἔχει γίνει καλοφαγᾶς) ἀπό τότε πού πῆγε διακοπές στή Γαλλία.

mind·ful /ˋmaɪndfl/ *ἐπ.* ~ ***of***, ἐπιμελής, προσεκτικός: *He is ~ of his duties/health*, προσέχει τά καθήκοντά του/τήν ὑγεία του. **~ly** /-fəlɪ/ *ἐπίρ.*

mind·less /ˋmaɪndləs/ *ἐπ.* **1**. ~ ***of***, ἀπρόσεκτος, ἀδιάφορος: *He's ~ of danger*, δέν προσέχει, δέν δίνει σημασία στόν κίνδυνο. **2**. ἀνόητος, χαζός: *~ drudgery*, χαζοδουλειές. **~·ly** *ἐπίρ.* ἄμυαλα, ἀδιάφορα.

[1]**mine** /maɪn/ *ἀντων. κτητ.* δικός μου: *This book is ~.* __*κτητ. ἐπ.* (*μόνον στήν ποίηση καί στή Βίβλο*) μου: *~ heart/eyes*, ἡ καρδιά μου/τά μάτια μου.

[2]**mine** /maɪn/ *οὐσ.* ‹C› **1**. ὀρυχεῖον, (*μεταφ.*) ἀστείρευτη πηγή, θησαυρός: *a ˋcoal~*, ἀνθρακωρυχεῖον. *a ˋgold~*, χρυσωρυχεῖον. *She's a ~ of information*, εἶναι ἀστείρευτη πηγή πληροφοριῶν. **2**. λαγούμι: *a ~ under the walls of a fort*, λαγούμι κάτω ἀπό τά τείχη ἑνός φρουρίου. **3**. νάρκη: *a ground/floating ~*, νάρκη ἐδάφους/ἐπιφανείας. **ˋ~-detector**, ἀνιχνευτής ναρκῶν. **ˋ~-disposal**, ἐξουδετέρωσις/ἀφοπλισμός νάρκης. **ˋ~·field**, ναρκοπέδιο, περιοχή ὀρυχείων. **ˋ~-layer**, ναρκοθέτις (πλοῖο ἤ ἀεροπλάνο). **ˋ~-laying**, ναρκοθέτησις, πόντισις ναρκῶν. **ˋ~-sweeper**, ναρκαλιευτικόν.

[3]**mine** /maɪn/ *ρ.μ/ἀ.* **1**. ἐξορύσσω, βγάζω, ἀναζητῶ (σκάβοντας): *Gold is ~d from deep under ground*, τό χρυσάφι ἐξορύσσεται ἀπό τά σπλάχνα τῆς γῆς. *~ (for) coal/gold*, βγάζω κάρβουνο/χρυσάφι. *~ the earth for coal*, σκάβω τή γῆ γιά κάρβουνο. **2**. ναρκοθετῶ: *~ the entrance to a harbour*, ναρκοθετῶ τήν εἴσοδο ἑνός λιμανιοῦ. **3**. (*κυριολ.*) ὑπονομεύω: *~ the enemy's fort*, ὑπονομεύω τό φρούριο τοῦ ἐχθροῦ.

miner /ˋmaɪnə(r)/ *οὐσ.* ‹C› **1**. ἐργάτης ὀρυχείου: *a ˋcoal~*, ἀνθρακωρύχος. **2**. (*στρατ.*) ναρκοθέτης, λαγουμιτζῆς.

min·eral /ˋmɪnərəl/ *οὐσ.* ‹C› ὀρυκτόν: *Coal and gold are ~s*, τό κάρβουνο καί ὁ χρυσός εἶναι ὀρυκτά. __*ἐπ.* ὀρυκτός: *the ~ wealth of a country*, ὁ ὀρυκτός πλοῦτος μιᾶς χώρας. **ˋ~ water**, μεταλλικό νερό, νερό σόδα. **~-ogy** /ˈmɪnəˋrælədʒɪ/ *οὐσ.* ‹U› ὀρυκτολογία. **~·ogist** /ˈmɪnəˋrælədʒɪst/ *οὐσ.* ‹C› ὀρυκτολόγος.

mingle /ˋmɪŋgl/ *ρ.μ/ἀ.* ἀνακατεύω/-ομαι: *truth ~d with falsehood*, ἀλήθεια ἀνακατεμένη μέ ψέμα. *~ with the crowds*, ἀνακατεύομαι μέ τά πλήθη. *The two rivers join and ~ their waters*, τά δυό ποτάμια ἑνώνονται καί ἀνακατεύουν τά νερά τους.

mingy /`mındʒı/ *ἐπ. (-ier, -iest) (ΜΒ, καθομ.)* τσιγγούνης, μίζερος, μικροπρεπής.

mini /`mını/ *πρόθεμα* μικρο-, μίνι: *`~skirt/bus/cab,* μίνι φούστα/λεωφορεῖο/ταξί.

minia·ture /`mınıtʃə(r)/ *οὐσ.* ‹C,U› μινιατούρα, μικρογραφία: *in ~,* σέ μικρογραφία. *a ~ camera,* μικροσκοπική φωτογραφική μηχανή.

minia·tur·ist /`mınıtʃərıst/ *οὐσ.* ‹C› μινιατουρίστας.

minim /`mınım/ *οὐσ.* ‹C› *(μουσ.)* μισή νότα.

mini·mal /`mınıml/ *ἐπ.* ἐλάχιστος, μηδαμινός: *Danger is ~,* ὁ κίνδυνος εἶναι ἐλάχιστος, μηδαμινός.

mini·mize /`mınımaız/ *ρ.μ.* περιορίζω, μειώνω στό ἐλάχιστο: *~ the risks/the importance of sth,* μειώνω στό ἐλάχιστο τούς κινδύνους/τή σημασία ἑνός πράγματος.

mini·mum /`mınıməm/ *οὐσ.* ‹C› *(πληθ. -ma /-mə/, ἤ ~s)* & *ἐπ.* ἐλάχιστος, κατώτατος *(ἀντίθ. maximum)*: *reduce sth to a ~,* περιορίζω κτ στό ἐλάχιστο. *the ~ temperature/price,* ἡ ἐλαχίστη θερμοκρασία/τιμή. *the ~ wages,* τά κατώτατα ἡμερομίσθια.

min·ing /`maınıŋ/ *οὐσ.* ‹U› ἐξόρυξις, ὑπονόμευσις, ναρκοθέτησις: *the `~ industry,* ἡ μεταλλευτική βιομηχανία. *a `~ engineer,* μηχανικός ὀρυχείων.

min·ion /`mınıən/ *οὐσ.* ‹C› εὐνοούμενος, *(ὑποτιμ.)* ὑπηρέτης, τσιράκι: *a ~ of fortune,* εὐνοούμενος τῆς τύχης. *the ~s of the law,* τά τσιράκια τοῦ νόμου (χωροφύλακες, κλπ).

1 **min·is·ter** /`mınıstə(r)/ *οὐσ.* ‹C› **1**. ὑπουργός: *the M~ of Defence,* ὁ Ὑπουργός Ἐθνικῆς Ἀμύνης. **2**. πληρεξούσιος πρέσβυς. **3**. ἱερεύς, πάστωρ (τῆς Ἀγγλικανικῆς Ἐκκλησίας).

2 **min·is·ter** /`mınıstə(r)/ *ρ.ἀ.* **~ *to***, ὑπηρετῶ, φροντίζω, διακονῶ: *~ to the needs of the sick,* φροντίζω τίς ἀνάγκες τῶν ἀσθενῶν.

min·is·ter·ial /'mını`stıərıəl/ *ἐπ.* ὑπουργικός: *~ duties/functions/benches,* ὑπουργικά καθήκοντα/ἔργα/ἑδώλια. **~ly** /-ıəlı/ *ἐπίρ.*

min·is·tra·tion /'mını`streıʃn/ *οὐσ.* ‹C,U› περιποίησις, φροντίδα: *Thanks to the ~s of his wife, he was restored to health,* χάρις στίς φροντίδες (τίς περιποιήσεις) τῆς γυναίκας του, ξαναβρῆκε τήν ὑγεία του.

min·is·try /`mınıstrı/ *οὐσ.* ‹C› **1**. ὑπουργεῖον: *the M~ of Education,* τό Ὑπουργεῖον Παιδείας. **2**. **the ~**, τό ἱερατεῖον, ὁ κλῆρος: *He was intended for the ~,* τόν προώριζαν γιά τόν κλῆρο. ***enter the ~***, γίνομαι κληρικός. **3**. ὑπουργία, θητεία ὑπουργοῦ.

mini·ver /`mınıvə(r)/ *οὐσ.* ‹U› ἑρμίνα.

mink /mıŋk/ *οὐσ.* ‹C,U› βιζόν.

min·now /`mınəʊ/ *οὐσ.* ‹C,U› *(ἰχθ.)* τσίμα, μικρόψαρα τοῦ γλυκοῦ νεροῦ.

mi·nor /`maınə(r)/ *ἐπ.* **1**. μικρός, ἀσήμαντος, ἐπουσιώδης, δευτερεύων: *~ errors/injuries,* ἀσήμαντα λάθη/ἐλαφρά τραύματα. *~ repairs/alterations,* μικροεπισκευές/μικροαλλαγές. *the ~ poets/planets,* οἱ μικρότεροι ποιητές/πλανῆτες. *play a ~ part in sth,* παίζω δευτερεύοντα ρόλο σέ κτ. *Smith ~,* ὁ μικρός (ὁ νεώτερος) Σμίθ (ἀπό δύο στό ἴδιο σχολεῖο). **2**. *(μουσ.)* μινόρε: *~ key,* ἐλάσσων τόνος. ***in a ~ key***, *(μεταφ.)* μελαγχολικός. —*οὐσ.* ‹C› *(νομ.)* ἀνήλικος.

mi·nor·ity /maı`norətı/ *οὐσ.* **1**. ‹U› *(νομ.)* ἀνηλικιότης. **2**. ‹C› μειοψηφία. ***be in the ~***, εἶμαι μειοψηφία, μειοψηφῶ. ***be in a ~ of one***, εἶμαι μόνος ὑπέρ τῆς γνώμης μου. **a ~ government/programme/report**, κυβέρνησις/πρόγραμμα/ἔκθεσις μειοψηφίας.

Mino·taur /`maınətɔ(r)/ *οὐσ.* Μινώταυρος.

min·ster /`mınstə(r)/ *οὐσ.* ‹C› μέγας καθεδρικός ναός (πού ἄλλοτε ἀνῆκε σέ μοναστήρι).

min·strel /`mınstrəl/ *οὐσ.* ‹C› **1**. *(στόν Μεσαίωνα)* ἀοιδός, ραψωδός. **2**. τραγουδιστές μεταμφιεσμένοι σέ μαύρους.

1 **mint** /mınt/ *οὐσ.* ‹U› μαϊντανός, μέντα.

2 **mint** /mınt/ *οὐσ.* ‹C› **1**. νομισματοκοπεῖο. ***make/earn a ~ (of money)***, *(καθομ.)* κάνω/κερδίζω ἕνα σωρό χρήματα. **2**. *(ἐπιθ.)* *(γιά χαρτονομίσματα, κέρματα, κλπ)* ***in ~ condition***, ὁλοκαίνουργος. —*ρ.μ.* **1**. κατασκευάζω/κόβω κέρματα. **2**. ***~ a word***, *(μεταφ.)* ἐπινοῶ μιά καινούργια λέξη.

min·uet /'mınjʊ`et/ *οὐσ.* ‹C› *(μουσ.)* μενουέττο.

minus /`maınəs/ *ἐπ., πρόθ* & *οὐσ.* ‹C› μεῖον, πλήν: *the `~ sign,* τό σημεῖον τῆς ἀφαιρέσεως. *Seven ~ three is four,* ἑπτά μεῖον τρία ἴσον τέσσερα.

min·us·cule /`mınəskjul/ *ἐπ.* μικροσκοπικός.

1 **min·ute** /`mınıt/ *οὐσ.* ‹C› **1**. λεπτόν (τῆς ὥρας): *The time is/It's three ~s to ten,* ἡ ὥρα εἶναι δέκα παρά τρία λεπτά. ***in a ~***, σ' ἕνα λεπτό, ἀμέσως: *I'll be back in a ~,* θά γυρίσω σ' ἕνα λεπτό. ***to the ~***, ἀκριβῶς: *The train arrived at 5 o'clock to the ~,* τό τραῖνο ἔφθασε στίς 5 ἡ ὥρα ἀκριβῶς. ***this ~***, ἀμέσως τώρα: *Come here, this ~,* ἔλα δῶ, ἀμέσως τώρα! ***the ~ (that)***, ἀμέσως μόλις, τήν ἴδια στιγμή πού: *I'll give it to him the ~ (that) he arrives,* θά τοῦ τό δώσω τήν ἴδια στιγμή πού θἄρθη. **`~-hand**, λεπτοδείκτης. **'up-to-the-`~**, *ἐπιθ.* ὁ πιό πρόσφατος: *up-to-the-~ information,* οἱ τελευταῖες πληροφορίες. **2**. *(γεωμ.)* λεπτόν (μοίρας). **3**. μνημόνιον, ὑπόμνημα, σημείωσις, *(πληθ.)* πρακτικά: *make a ~ of sth,* κρατῶ σημείωση γιά κτ. *confirm the ~s of the last meeting,* ἐπικυρώνω τά πρακτικά τῆς προηγουμένης συνεδριάσεως. **`~-book**, βιβλίον πρακτικῶν. —*ρ.μ.* σημειώνω κτ.

2 **mi·nute** /maı`njut/ *ἐπ.* μικροσκοπικός, λεπτομερέστατος: *~ particles of dust,* μικροσκοπικά μόρια σκόνης. *a ~ description,* μιά λεπτομερής περιγραφή. *down to the ~st details,* ὥς τίς παραμικρότερες λεπτομέρειες. **~·ly** *ἐπίρ.* λεπτομερέστατα.

mi·nu·tiae /maı`njuʃıi/ *οὐσ. πληθ.* μικρολεπτομέρειες, καθέκαστα, ψιλολογήματα.

minx /mıŋks/ *οὐσ.* ‹C› *(γιά κορίτσι)* σουσουράδα.

mir·acle /`mırəkl/ *οὐσ.* ‹C› θαῦμα: *His success was a ~,* ἡ ἐπιτυχία του ἦταν ἕνα θαῦμα. *It's a ~ of ingenuity,* εἶναι θαῦμα ἐφευρετικότητος. ***by a ~***, ὡς ἐκ θαύματος: *He was saved by a ~,* ἐσώθη ὡς ἐκ θαύματος. ***work/accomplish ~s***, κάνω/πραγματοποιῶ θαύματα. **`~ play**, θρησκευτικόν δρᾶμα, μυστήριον. **mir·acu·lous** /mı`rækjʊləs/ *ἐπ.* θαυμαστός, ὡς ἐκ θαύματος: *a miraculous escape,* σωτηρία ὡς ἐκ θαύματος. **mir·acu·lous·ly** *ἐπίρ.*

mi·rage /`mıraʒ/ *οὐσ.* ‹C› ἀντικατοπτρισμός,

ὀφθαλμαπάτη, (*μεταφ.*) αὐταπάτη, χίμαιρα.
mire /ˋmaɪə(r)/ *οὐσ.* ‹U› βαλτότοπος, λάσπη, βοῦρκος, (*μεταφ.*) βόρβορος. ***be in the ~***, (*μεταφ.*) εἶμαι σέ δυσκολίες, ἔχω μπλεξίματα. ***drag sb/sb's name through the ~***, σέρνω στή λάσπη τήν ὑπόληψη κάποιου. —*ρ.μ/ὰ.* κολλῶ/χώνομαι στή λάσπη, λασπώνω, δημιουργῶ μπλεξίματα σέ κπ. **miry** *ἐπ.* λασπερός, λασπωμένος: *miry roads.*
mir·ror /ˋmɪrə(r)/ *οὐσ.* ‹C› καθρέφτης: *a ˋdriving ~*, καθρέφτης ὁδηγοῦ. *His diary is a ~ of his times,* (*μεταφ.*) τό ἡμερολόγιόν του εἶναι καθρέφτης τῆς ἐποχῆς του. **ˈ~ ˋimage**, ἀνεστραμμένη εἰκόνα (ὡς πρός τό δεξιό καί τ' ἀριστερό). —*ρ.μ.* καθρεφτίζω: *The trees were ~ed in the lake*, τά δέντρα καθρεφτίζονταν στή λίμνη.
mirth /mɜθ/ *οὐσ.* ‹U› εὐθυμία, ἱλαρότης, κέφι. **~·ful** /-fl/ *ἐπ.* εὔθυμος, κεφάτος. **~fully** /-fəlɪ/ *ἐπίρ.* **~·less** *ἐπ.* δύσθυμος, ἄκεφος: *a ~less laugh*, ἄκεφο (βιασμένο) γέλιο.
mis·ad·ven·ture /ˈmɪsədˋventʃə(r)/ *οὐσ.* ‹C,U› ἀτύχημα, δεινοπάθημα, ἀναποδιά. ***death by ~***, θάνατος ἐξ ἀτυχήματος.
mis·al·liance /ˈmɪsəˋlaɪəns/ *οὐσ.* ‹C› ἀνάρμοστος γάμος.
mis·an·thrope /ˋmɪsnθrəʊp/ *οὐσ.* ‹C› μισάνθρωπος. **mis·an·thropic** /ˈmɪsnˋθropɪk/ *ἐπ.* μισάνθρωπος. **mis·an·thropy** /mɪsˋænθrəpɪ/ *οὐσ.* ‹U› μισανθρωπία.
mis·apply /ˈmɪsəˋplaɪ/ *ρ.μ.* ἐφαρμόζω κακῶς, κάνω κακή χρήση. **mis·ap·pli·ca·tion** /ˈmɪsˈæplɪˋkeɪʃn/ *οὐσ.* ‹C,U› κακή ἐφαρμογή ἤ χρῆσις.
mis·ap·pre·hend /ˈmɪsˈæprɪˋhend/ *ρ.μ.* παρανοῶ, παρεξηγῶ.
mis·ap·pre·hen·sion /ˈmɪsˈæprɪˋhenʃn/ *οὐσ.* ‹C,U› παρανόησις, πλάνη. ***do sth/be under a ~***, κάνω κτ/τελῶ ἐν πλάνῃ.
mis·ap·pro·pri·ate /ˈmɪsəˋprəʊprɪeɪt/ *ρ.μ.* ἰδιοποιοῦμαι, σφετερίζομαι: *The treasurer ~d the society's funds*, ὁ ταμίας σφετερίστηκε (καταχράστηκε) τά χρήματα τοῦ συλλόγου.
mis·ap·pro·pri·ation /ˈmɪsəˈprəʊprɪˋeɪʃn/ *οὐσ.* ‹C,U› σφετερισμός, κατάχρησις.
mis·be·got·ten /ˈmɪsbɪˋgotn/ *ἐπ.* μπάσταρδος, (*καθομ.*) παράλογος, τερατώδης.
mis·be·have /ˈmɪsbɪˋheɪv/ *ρ.ὰ.* συμπεριφέρομαι ἄσχημα. **mis·be·hav·iour** /ˈmɪsbɪˋheɪvɪə(r)/ *οὐσ.* ‹U› κακή συμπεριφορά.
mis·cal·cu·late /ˈmɪsˋkælkjʊleɪt/ *ρ.μ/ὰ.* ὑπολογίζω κακῶς, πέφτω ἔξω, πλανῶμαι. **mis·cal·cu·la·tion** /ˈmɪsˈkælkjʊˋleɪʃn/ *οὐσ.* ‹C,U› κακός, λανθασμένος ὑπολογισμός.
mis·car·riage /ˋmɪskærɪdʒ/ *οὐσ.* ‹C,U› **1**. ἀποβολή (ἐμβρύου): *have a ~*, κάνω ἀποβολή. **2**. ἀπώλεια (μεταφερομένων ἀντικειμένων), ναυάγιο, ἀποτυχία. **3**. ***~ of justice***, δικαστική πλάνη, κακοδικία.
mis·carry /ˈmɪsˋkærɪ/ *ρ.ὰ.* **1**. (*γιά σχέδια, κλπ*) ἀποτυγχάνω, ναυαγῶ. **2**. (*γιά γράμμα*) παραπέφτω, χάνομαι καθ' ὁδόν. **3**. (*γιά γυναίκα*) ἀποβάλλω.
mis·cast /ˈmɪsˋkast/ *ἐπ.* (*γιά ἠθοποιό*) ἀκατάλληλος (γιά ἕνα ρόλο): *He was ~ as Hamlet*.
mis·cel·laneous /ˈmɪsəˋleɪnɪəs/ *ἐπ.* ποικίλος, διάφορος, ἑτερόκλητος, ἀνάμικτος: *~ objects/books*, διάφορα ἀντικείμενα/βιβλία.
mis·cel·lany /mɪˋselənɪ/ *οὐσ.* ‹C› συλλογή: *a prose miscellany*, ἀνθολογία πεζῶν κειμένων. **mis·cel·lanea** /ˈmɪsəˋleɪnɪə/ *οὐσ. πληθ.* (*λογοτ.*) ἀνάλεκτα.
mis·chance /ˈmɪsˋtʃans/ *οὐσ.* ‹C,U› ἀτυχία: *by ~ ; through a ~*, ἀπό ἀτυχία.
mis·chief /ˋmɪstʃɪf/ *οὐσ.* **1**. ‹U› βλάβη, κακό, ζημιά (ὑλική ἤ ἠθική): *The storm did much ~ to shipping*, ἡ θύελλα προκάλεσε μεγάλες ζημιές στή ναυσιπλοΐα. *Such speeches may work great ~*, τέτοιοι λόγοι μπορεῖ νά κάνουν μεγάλη ζημιά. ***do sb a ~***, κάνω κακό σέ κπ. ***make ~ between** (neighbours, etc.)*, φέρνω διχόνοια/σπέρνω ζιζάνια (μεταξύ γειτόνων, κλπ). **ˋ~-maker**, ἀνακατωσούρης, ζιζάνιο. **ˋ~-making**, διχόνοια. **2**. ‹U› ζαβολιά, πονηριά, ἀταξία, σκανταλιά (*ἰδ.* μικροῦ παιδιοῦ): *Boys are fond of ~*, τά παιδιά ἀγαποῦν τίς σκανταλιές. *Tell them to keep out of ~/not to get into ~*, πές τους νά μήν κάνουν ζαβολιές/ἀταξίες. *He's up to ~ again*, κάποια παληοδουλειά σκαρώνει πάλι. *Her eyes were full of ~*, τά μάτια της ἦταν γεμᾶτα πονηριά/σκανταλιά. **3**. ‹C› ζαβολιάρης, ζιζάνιο, κατεργάρης: *Those boys are regular ~s*, αὐτά τά παιδιά εἶναι πραγματικοί σατανάδες/μεγάλα ζιζάνια.
mis·chiev·ous /ˋmɪstʃɪvəs/ *ἐπ.* **1**. βλαβερός, ἐπιζήμιος: *a ~ rumour*, ἐπιζήμια διάδοση. **2**. (*γιά ἄνθρ.*) κακόβουλος, κακός, (*γιά παιδί*) πονηρός, σκανταλιάρης, ἄτακτος: *as ~ as a monkey*, ζαβολιάρης/ἄτακτος σά μαϊμοῦ. **~-ly** *ἐπίρ.* κακόβουλα, ζαβολιάρικα, πονηρά. **~·ness** *οὐσ.* ‹U› κακοποιός φύσις, πονηριά, κατεργαριά.
mis·con·ceive /ˈmɪskənˋsiv/ *ρ.μ/ὰ.* **1**. παρανοῶ, ἀντιλαμβάνομαι ἐσφαλμένα. **2**. ***~ of***, ἔχω ἐσφαλμένη ἰδέα γιά: *~ of one's duties*, ἔχω ἐσφαλμένη ἰδέα γιά τά καθήκοντά μου.
mis·con·cep·tion /ˈmɪskənˋsepʃn/ *οὐσ.* ‹C,U› ἐσφαλμένη ἀντίληψις/γνώμη.
mis·con·duct /mɪsˋkondʌkt/ *οὐσ.* ‹U› κακή διαγωγή/διαχείρισις, παράπτωμα: *He's guilty of ~*, εἶναι ἔνοχος κακῆς διαγωγῆς/διαχειρίσεως. —*ρ.μ.* /ˈmɪskənˋdʌkt/ **1**. ***~ oneself (with sb)***, συμπεριφέρομαι κακῶς, εἶμαι ἔνοχος μοιχείας. **2**. διαχειρίζομαι κακῶς: *~ one's business affairs*, διαχειρίζομαι κακῶς τίς ὑποθέσεις μου.
mis·con·struc·tion /ˈmɪskənˋstrʌkʃn/ *οὐσ.* ‹C,U› παρερμηνεία, παρανόησις: *Your words/motives are open to ~*, οἱ λόγοι σου/τά κίνητρά σου κινδυνεύουν νά παρερμηνευθοῦν.
mis·con·strue /ˈmɪskənˋstru/ *ρ.μ.* παρερμηνεύω, παρανοῶ: *You have ~d my words/motives*, παρερμηνεύσατε τά λόγια μου/τά κίνητρά μου.
mis·count /ˈmɪsˋkaʊnt/ *ρ.μ/ὰ.* κάνω λάθος στό μέτρημα. —*οὐσ.* ‹C› λανθασμένο μέτρημα (*ἰδ.* τῶν ψήφων).
mis·cre·ant /ˋmɪskrɪənt/ *οὐσ.* ‹C› (*πεπαλ.*) ἀχρεῖος, ἀλιτήριος.
mis·date /ˈmɪsˋdeɪt/ *ρ.μ.* βάζω λάθος ἡμερομηνία: *~ a letter*.
mis·deal /ˈmɪsˋdil/ *ρ.μ. ἀνώμ.* (*ἀόρ. & π.μ. -dealt* /-ˋdelt/) μοιράζω χαρτιά λάθος. —*οὐσ.* ‹C› λάθος μοιρασιά: *I've got eleven cards; it's*

a ~, ἔχω ἕντεκα χαρτιά – χάλασαν.

mis·deed /mɪs`did/ *οὐσ.* ‹C› κακή πρᾶξις, ἀδίκημα, παράπτωμα: *He was punished for his ~s*, τιμωρήθηκε γιά τίς κακές του πράξεις.

mis·de·mean·our /ˈmɪsdɪ`minə(r)/ *οὐσ.* ‹C› (*νομ.*) πταῖσμα.

mis·di·rect /ˈmɪsdɪ`rekt/ *ρ.μ.* **1**. γράφω λάθος διεύθυνση (σέ γράμμα): ~ *a letter*. **2**. κατευθύνω λανθασμένα: ~ *one's studies/energies*, δίνω στραβή κατεύθυνση στή μελέτη μου/στή δραστηριότητά μου. **mis·di·rec·tion** /ˈmɪsdɪ`rekʃn/ *οὐσ.* ‹C,U› ἐσφαλμένη κατεύθυνσις.

mis·doing /ˈmɪs`duɪŋ/ *οὐσ.* ‹C› (*συνήθ. πληθ.*) κακή πρᾶξις.

mise en scène /ˈmiz õ `sen/ *οὐσ.* ‹C› σκηνοθεσία.

miser /`maɪzə(r)/ *οὐσ.* ‹C› τσιγγούνης. **~·ly** *ἐπ.* τσιγγούνης, σπαγγοραμμένος. **~·li·ness** *οὐσ.* ‹U› τσιγγουνιά.

mis·er·able /`mɪzrəbl/ *ἐπ.* **1**. δυστυχισμένος, σέ κακά χάλια: *He's made her life ~*, τῆς ἔκανε τή ζωή δυστυχισμένη, τῆς φαρμάκωσε τή ζωή. *I'm feeling ~*, ἔχω τά κακά μου χάλια, νοιώθω δυστυχισμένος. **2**. ἐξαθλιωμένος, ἄθλιος, ἐλεεινός: ~ *slums*, ἐξαθλιωμένες φτωχογειτονιές. ~ *weather*, ἄθλιος καιρός. **3**. ἄθλιος (=γλίσχρος ἤ κακῆς ποιότητος): *How can you live on a ~ pension of £30 a month?* πῶς μπορεῖς νά ζήσης μέ μιά ψωροσύνταξη 30 λιρῶν τό μῆνα; *What a ~ dinner/speech/performance!* τί ἄθλιο γεῦμα/-ιος λόγος/-α παράσταση! **mis·er·ably** /-əblɪ/ *ἐπίρ.* δυστυχισμένα, ἄθλια.

mi·sery /`mɪzərɪ/ *οὐσ.* **1**. ‹U› δυστυχία, μιζέρια, βάσανο, μαρτύριο: *You've made my life a long ~*, ἔκανες τή ζωή μου ἕνα ἀτέλειωτο μαρτύριο. *live in ~ and want*, ζῶ μέσα στή μιζέρια (στή δυστυχία) καί στήν ἀνέχεια. *suffer ~ from a toothache*, μέ βασανίζει ἕνας πονόδοντος, ὑποφέρω μαρτύρια ἀπό ἕνα δόντι. ***put an animal out of its ~***, θέτω τέρμα στά βάσανα/στό μαρτύριο ἑνός ζώου, τό σκοτώνω. **2**. (*πληθ.*) βάσανα, συμφορές: *the miseries of mankind*, τά βάσανα τῶν ἀνθρώπων, οἱ συμφορές τῆς ἀνθρωπότητος. **3**. ‹C› (*καθομ.*) κλαψιάρης, παραπονιάρης: *I've had enough of your complaints, you little ~!* βαρέθηκα πιά τά παράπονά σου, κλαψούρη!

mis·fire /ˈmɪs`faɪə(r)/ *ρ.ἀ.* **1**. (*γιά ὅπλο*) δέν παίρνω φωτιά, παθαίνω ἀφλογιστία. **2**. (*γιά μηχανή*) δέν παίρνω ἐμπρός, ρετάρω. **3**. (*γιά σχέδια, ἀστεῖα, κλπ*) πέφτω στό κενό, πάω στράφι. —*οὐσ.* ‹C› ἀφλογιστία, ρετάρισμα, ἀποτυχία.

mis·fit /`mɪsfɪt/ *οὐσ.* ‹C› κακοφτιαγμένο ροῦχο, (*μεταφ.*) ἄνθρωπος πού δέν ταιριάζει σέ μιά θέση ἤ σ' ἕνα περιβάλλον: *the social ~s*, οἱ κοινωνικά ἀπροσάρμοστοι.

mis·for·tune /ˈmɪs`fɔtʃun/ *οὐσ.* ‹C,U› ἀτυχία, δυστυχία, συμφορά: *companions in ~*, σύντροφοι στή δυστυχία. *He bore his ~s bravely*, ὑπόμεινε τίς συμφορές του μέ γενναιότητα.

mis·giv·ing /ˈmɪs`gɪvɪŋ/ *οὐσ.* ‹C,U› (*συνήθ. πληθ.*) ὑποψία, δισταγμός, ἀνησυχία, φόβος: *I was full of/I had some ~s about lending him the money*, ἤμουν γεμᾶτος/εἶχα μερικούς δισταγμούς γιά τό ἄν θἄπρεπε νά τοῦ δανείσω τά χρήματα.

mis·gov·ern /ˈmɪs`gʌvən/ *ά.μ.* κακοδιοικῶ.

mis·guide /ˈmɪs`gaɪd/ *ρ.μ.* παραπλανῶ, συμβουλεύω κακῶς: *We were ~d into believing that he was rich*, μᾶς παρεπλάνησαν νά πιστέψωμε ὅτι ἦταν πλούσιος. **mis·guided** *ἐπ.* παρασυρμένος, ἀνόητος, ἄκριτος: *those ~d young people*, αὐτοί οἱ ἀνόητοι/παρασυρμένοι νεαροί. *~d zeal*, ἀνόητος/ἄκριτος ζῆλος.

mis·handle /ˈmɪs`hændl/ *ρ.μ.* κακομεταχειρίζομαι, χειρίζομαι ἄσχημα: ~ *a person/situation*, (μετα)χειρίζομαι ἄσχημα ἕναν ἄνθρωπο/μιά κατάσταση.

mis·hap /`mɪshæp/ *οὐσ.* ‹C,U› ἀτύχημα, ἀναποδιά, περιπέτεια: *a slight ~*, ἐλαφρό ἀτύχημα. *arrive home without ~*, φθάνω σπίτι χωρίς περιπέτειες/χωρίς νά μοῦ συμβῆ τίποτα.

mish·mash /`mɪʃmæʃ/ *οὐσ.* ‹U› (*καθομ.*) ἀνακάτωμα, σαλάτα, συνονθύλευμα.

mis·in·form /ˈmɪsɪn`fɔm/ *ρ.μ.* πληροφορῶ κακῶς, παραπλανῶ: *You've been ~ed*, σέ πληροφόρησαν ἄσχημα.

mis·in·ter·pret /ˈmɪsɪn`tɜprɪt/ *ρ.μ.* παρερμηνεύω: *He ~ed her silence as giving consent*, παρερμήνευσε τή σιωπή της ὡς συγκατάθεση.

mis·judge /ˈmɪs`dʒʌdʒ/ *ρ.μ/ἀ.* παρεξηγῶ, κρίνω κακῶς, ὑπολογίζω λανθασμένα, ὑποτιμῶ: ~ *sb's motives*, παρεξηγῶ τά κίνητρα κάποιου. ~ *a person/the distance*, κρίνω κακῶς κπ/ὑπολογίζω λάθος τήν ἀπόσταση. ~ *an opponent*, ὑποτιμῶ ἕναν ἀντίπαλο.

mis·lay /ˈmɪs`leɪ/ *ρ.μ. ἀνώμ.* (*ἀόρ. & π.μ. -laid* /-`leɪd/) χάνω (ἀδυνατῶ νά βρῶ, παραπετῶ): *I've mislaid your book*, ἔχασα τό βιβλίο σου (δέν θυμᾶμαι ποῦ τὄβαλα).

mis·lead /ˈmɪs`lid/ *ρ.μ. ἀνώμ.* (*ἀόρ. & π.μ. -led* /-`led/) παραπλανῶ, παρασύρω: *He misled me as to his intentions*, μέ παραπλάνησε ὡς πρός τίς προθέσεις του. *I was misled into lending him the money*, μέ παραπλάνησε καί τοῦ δάνεισα τά λεφτά. *He was misled by bad companions*, τόν παρέσυραν κακές συναναστροφές. *~ing information*, παραπλανητικές πληροφορίες.

mis·man·age /ˈmɪs`mænɪdʒ/ *ρ.μ.* διευθύνω/διαχειρίζομαι κακῶς. **~·ment** *οὐσ.* ‹U› κακή διαχείρισις.

mis·name /ˈmɪs`neɪm/ *ρ.μ.* (*συνήθ. σέ παθ. φων.*) ἀποκαλῶ κακῶς.

mis·nomer /ˈmɪs`nəʊmə(r)/ *οὐσ.* ‹C› ἐσφαλμένος/ἀτυχής χαρακτηρισμός, ἐσφαλμένη ὀνομασία: *It's a ~ to call this shabby place a luxury hotel*, εἶναι ἀτυχής χαρακτηρισμός νά λές ξενοδοχεῖο πολυτελείας αὐτό τό σαράβαλο.

mis·ogyn·ist /mɪ`sodʒɪnɪst/ *οὐσ.* ‹C› μισογύνης.

mis·place /ˈmɪs`pleɪs/ *ρ.μ.* **1**. τοποθετῶ λανθασμένα (*πχ* τόνο σέ λέξη). **2**. (*συνήθ. παθ. φων.*) δίνω/χαρίζω σέ ἀνάξιο πρόσωπο ἤ πρᾶγμα: *~d love/confidence*, ἀγάπη/ἐμπιστοσύνη δοσμένη σέ ἄνθρωπο πού δέν τήν ἀξίζει.

mis·print /ˈmɪs`prɪnt/ *ρ.μ.* τυπώνω ἐσφαλμένως. —*οὐσ.* ‹C› /`mɪsprɪnt/ τυπογραφικό λάθος.

mis·pro·nounce /ˈmɪsprə`naʊns/ *ρ.μ.* προφέρω κακῶς.

mis·quote /ˈmɪs`kwəʊt/ *ρ.μ.* παραθέτω ἐσφαλμένως ἀπόσπασμα, παραποιῶ/ἀλλοιώνω (κείμενο).

mis·read /ˈmɪsˋrid/ *ρ.μ. ἀνώμ.* (*ἀόρ. & π.μ. -read* /ˈ-red/) διαβάζω κακῶς, παρερμηνεύω.

mis·rep·re·sent /ˈmɪsˈreprɪˋzent/ *ρ.μ.* παραμορφώνω, διαστρέφω, διαστρεβλώνω, δίνω ἀνακριβῆ εἰκόνα: *His views have been ~ed by the press*, οἱ ἀπόψεις του διαστρεβλώθηκαν ἀπό τόν τύπο. **~a·tion** /ˈmɪsˈreprɪzenˋteɪʃn/ *οὐσ.* ‹C,U› διαστρέβλωσις.

mis·rule /ˈmɪsˋrul/ *οὐσ.* ‹U› κακοδιοίκησις, ἀναρχία, ἀταξία.

1 **miss** /mɪs/ *οὐσ.* ‹C› **1**. ἀστοχία, ἀποτυχία: *ten hits and one ~*, δέκα ἐπιτυχίες καί μιά ἀποτυχία. *That was a lucky ~*, ἦταν τυχερό πού γλύτωσες. ***give sth a ~***, (*καθομ.*) ἀποφεύγω, παραλείπω κτ, δέν ἀσχολοῦμαι μέ κτ: *I'll give the translation class a ~*, δέν θά πάω στό μάθημα τῆς μεταφράσεως. ***A ~ is as good as a mile***, (*παροιμ.*) φτάνει νά γλυτώση κανείς κι᾽ ἄς γλυτώσει παρά τρίχα. **2**. ἀποβολή (ἐμβρύου).

2 **miss** /mɪs/ *οὐσ.* ‹C› **M~**, δεσποινίς: *M~ Smith*, ἡ Δίς Σμίθ. *the M~ Smiths; the M~es Smith*, οἱ δεσποινίδες Σμίθ. *A cup of tea, ~*, (*στή σερβιτόρα*) ἕνα τσάϊ, δεσποινίς! *Good morning, ~!* (*οἱ μαθητές στή δασκάλα*) καλημέρα, δεσποινίς!

3 **miss** /mɪs/ *ρ.μ/ἀ.* **1**. ἀστοχῶ, χάνω: *~ the target*, δέν πετυχαίνω τό στόχο. *He fired at the tiger but ~ed (it)*, ἔρριξε στήν τίγρη ἀλλά δέν τήν πέτυχε. *The bullet/lorry just ~ed me*, παρά τρίχα νά μέ πετύχη ἡ σφαῖρα/τό φορτηγό. *I just ~ed having an accident*, παρά λίγο νάχω ἀτύχημα. *He ~ed his footing*, γλίστρησε, παραπάτησε. *He ~ed the point of my joke*, ἔχασε (δέν ἀντιλήφθηκε) τό ἀστεῖο μου. *~ a train/the first part of a concert*, χάνω ἕνα τραῖνο/τό πρῶτο μέρος μιᾶς συναυλίας. *I ~ed (seeing) that film*, ἔχασα (δέν εἶδα) αὐτό τό φίλμ. **2**. μοῦ λείπει κπ/κτ, ἀποθυμῶ, ἀποζητῶ, νοιώθω τήν ἀπουσία/τήν ἔλλειψη: *When did you ~ your wallet?* πότε ἀντιληφθήκατε ὅτι σᾶς λείπει τό πορτοφόλι; *He's so rich he won't ~ £100*, εἶναι τόσο πλούσιος ὥστε δέν θά τοῦ λείψουν 100 λίρες. *I ~ed you*, μοῦλειψες. *Have you ~ed me?* μέ πεθύμησες; *Nobody will ~ old Surly*, δέν θά λείψη σέ κανέναν ὁ γερο-Σέρλυ, κανένας δέν θά τόν ἀποζητήση. **3**. ***~ sth out***, παραλείπω: *We'll ~ out chapter five*, θά παραλείψωμε τό πέμπτο κεφάλαιο. *The printer has ~ed out a line*, ὁ τυπογράφος παρέλειψε μιά ἀράδα. **4**. ***~ out (on sth)***, δέν ἐπωφελοῦμαι ἀπό κτ: *I ~ed out on his offer of a free holiday in Greece*, δέν ἐπωφελήθηκα ἀπό τήν προσφορά του γιά δωρεάν διακοπές στήν Ἑλλάδα. **5**. ***be ~ing***, λείπω: *One of my books is ~ing*, λείπει ἕνα ἀπό τά βιβλία μου. *Five men are ~ing*, λείπουν (ἀγνοοῦνται) πέντε ἄνδρες. **~·ing** *ἐπ.* ἐλλείπων, ἀγνοούμενος: *the ~ing pages*, οἱ σελίδες πού λείπουν. **the ~ing**, οἱ ἀγνοούμενοι (στόν πόλεμο).

mis·sal /ˋmɪsl/ *οὐσ.* ‹C› (*ἐκκλ.*) λειτουργικόν, σύνοψις.

mis·shapen /ˈmɪsˋʃeɪpən/ *ἐπ.* δύσμορφος, παραμορφωμένος.

mis·sile /ˋmɪsaɪl/ *οὐσ.* ‹C› βλῆμα, ρουκέτα, πύραυλος. **inter-continental ballistic ~** (*συγκεκ. ICBM*), διηπειρωτικός βαλλιστικός πύραυλος. **guided ~**, κατευθυνόμενος πύραυλος. **ˋ~ site/base**, βάσις πυραύλων.

mission /ˋmɪʃn/ *οὐσ.* ‹C› **1**. ἀποστολή: *a ˋtrade ~ to Brazil*, ἐμπορική ἀποστολή στή Βραζιλία. *send sb/go on a ~*, στέλνω κπ/πηγαίνω ἀποστολή. *complete one's ~ successfully*, φέρω εἰς αἴσιον πέρας τήν ἀποστολή μου. **2**. ἀποστολή, ἔργον, καθῆκον: *a teacher's ~*, ἡ ἀποστολή ἑνός δασκάλου. *Their group has flown 30 ~s*, τό σμῆνος τους ἔχει κάνει 30 ἀποστολές. ***~ in life***, ὁ προορισμός/σκοπός στή ζωή. **3**. ἱεραποστολή: *foreign ~s*, ξένες ἱεραποστολές.

mission·ary /ˋmɪʃnrɪ/ *οὐσ.* ‹C› ἱεραπόστολος. —*ἐπ.* ἱεραποστολικός.

mis·sis /ˋmɪsɪz/ *οὐσ.* ‹C› *βλ. missus.*

mis·sive /ˋmɪsɪv/ *οὐσ.* ‹C› (*ἀστειολ.*) ἐπιστολή (*ἰδ.* μεγάλη καί σοβαροφανής).

misspell /ˈmɪs ˋspel/ *ρ.μ.* (*ἀνώμ. βλ. spell*) γράφω ἀνορθόγραφα.

misspend /ˈmɪs ˋspend/ *ρ.μ.* (*ἀνώμ. βλ. spend*) ξοδεύω κακῶς, σπαταλῶ: *a misspent youth*, σπαταλημένα νιάτα.

misstate /ˈmɪsˋsteɪt/ *ρ.μ.* διατυπώνω ἐσφαλμένως.

mis·sus, mis·sis /ˋmɪsɪz/ *οὐσ.* ‹C› (*MB, λαϊκ., καθομ.*) κυρία, κυρά: *The ~ has gone out*, (*ἡ ὑπηρέτρια:*) ἡ κυρία βγῆκε. *My ~ won't like that*, (*ὁ σύζυγος:*) δέν θ᾽ ἀρέσει στήν κυρά μου.

missy /ˋmɪsɪ/ *οὐσ.* ‹C› (*καθομ.*) δεσποινίς μου, κοπελλιά μου.

mist /mɪst/ *οὐσ.* ‹C,U› **1**. ὁμίχλη: *hills hidden/shrouded in ~*, λόφοι χαμένοι/τυλιγμένοι στήν ὁμίχλη. *lost in the ~s of time*, (*μεταφ.*) χαμένος στά βάθη τῶν αἰώνων. **2**. ὁμίχλη, θολούρα, θάμπωμα: *have a ~ before one's eyes*, ἔχω μιά θολούρα μπροστά στά μάτια μου. *the ~ on the windows*, τό θάμπωμα στά τζάμια. —*ρ.μ/ἀ.* ***~ (over)***, σκεπάζω/-ομαι μέ ὁμίχλη, θαμπώνω, θολώνω: *The scene ~ed over*, τό τοπεῖο σκεπάστηκε μέ ὁμίχλη. *The mirror ~ed over*, ὁ καθρέφτης θάμπωσε. *Her eyes ~ed with tears*, τά μάτια της θόλωσαν ἀπό τά δάκρυα. **~y** *ἐπ.* *(-ier, -iest)* ὁμιχλώδης, θαμπός, ἀσαφής: *~y weather*, ὁμιχλώδης καιρός. *a ~y view*, μιά θαμπή θέα. *a ~y idea*, ἀσαφής/θολή ἰδέα.

1 **mis·take** /mɪˋsteɪk/ *οὐσ.* ‹C› λάθος: *There's/There must be some ~!* κάποιο λάθος ὑπάρχει/πρέπει νά ὑπάρχη! ***make a ~***, κάνω λάθος: *He made the ~ of telling him*, ἔκανε τό λάθος νά τοῦ τό πῆ. ***by ~***, κατά λάθος. ***and no ~***, (*καθομ.*) χωρίς συζήτηση, χωρίς ἀμφιβολία: *It's hot today, and no ~*, κάνει ζέστη σήμερα, χωρίς συζήτηση.

2 **mis·take** /mɪˋsteɪk/ *ρ.μ/ἀ. ἀνώμ.* (*ἀόρ. -took* /-tʊk/, *π.μ. ~n* /mɪˋsteɪkn/) **1**. κάνω λάθος, γελιέμαι, παρεξηγῶ, παρανοῶ: *We've ~n the house*, κάναμε λάθος στό σπίτι. *~ sb's meaning*, παρανοῶ τήν ἔννοια κάποιου. ***There's no mistaking***, δέν μπορεῖ νά γίνη λάθος: *There's no mistaking what ought to be done*, δέν μπορεῖ νά γίνη λάθος ὡς πρός τό τί πρέπει νά γίνη. *There's no mistaking ˋher*, δέν μπορεῖ νά τήν παραγνωρίσης (νά μή τήν ἀναγνωρίσης, νά τήν πάρης γι᾽ ἄλλη). **2**. ***~ sb/sth for***, ἐκλαμβάνω ὡς, παίρνω (λανθασμένα) γιά: *I mistook him for his brother*, τόν

πῆρα γιά τόν ἀδελφό του. **mis·taken** *π.μ. ὡς ἐπ.* λανθασμένος, πεπλανημένος: *You have ~n ideas about me*, ἔχεις λανθασμένες ἰδέες γιά μένα. *If I'm not ~n*, ἄν δέν κάνω λάθος. **mis·tak·en·ly** *ἐπίρ.* κατά λάθος, λανθασμένα.

mis·ter /ˋmɪstə(r)/ *οὐσ.* ‹C› (*γράφεται* **Mr**) (*κατά κανόνα πρό τοῦ ὀνόματος προσώπου ἤ τοῦ ἀξιώματός του, ἀλλά χρησιμοποιεῖται καί μόνο του ἀπό παιδιά ἤ λαϊκούς τύπους*) κύριος: *Mr Smith/President*, ὁ κ. Σμίθ/ὁ κ. Πρόεδρος. *Please, ~, can I have my ball back?* σᾶς παρακαλῶ, κύριε, μοῦ δίνετε τή μπάλλα μου; *Listen to me, ~!* ἄκουσέ με, κύριε!

mis·timed /ˈmɪsˋtaɪmd/ *ἐπ.* ἄκαιρος: *a ~ intervention*, μιά ἄκαιρη παρέμβαση.

mistle·toe /ˋmɪsltəʊ/ *οὐσ.* ‹U› γκύ, μελᾶς.

mis·took /mɪˋstʊk/ *ἀόρ. τοῦ ρ. mistake.*

mis·trans·late /ˈmɪstrɑnzˋleɪt/ *ρ.μ.* μεταφράζω λάθος. **mis·trans·la·tion** /-ˋleɪʃn/ *οὐσ.* ‹C,U› λανθασμένη μετάφρασις.

mis·tress /ˋmɪstrəs/ *οὐσ.* ‹C› **1**. κυρία, οἰκοδέσποινα: *Is your ~ at home?* (*σέ ὑπηρέτρια*) εἶναι ἡ κυρία σου σπίτι; *She is ~ of herself*, εἶναι κυρία τοῦ ἑαυτοῦ της, ἔχει αὐτοκυριαρχία. *She is ~ of the situation*, εἶναι κυρία τῆς καταστάσεως. **2**. τεχνίτρα, μαστόρισσα: *She is a ~ of needlework*, εἶναι μαστόρισσα στό κέντημα. **3**. δασκάλα, καθηγήτρια: *the French/the music ~*, ἡ δασκάλα τῶν Γαλλικῶν/τῆς μουσικῆς. **4**. (*ποιητ.*) ἀγαπημένη. **5**. (*καθομ.*) ἐρωμένη, μαιτρέσσα.

mis·trial /ˈmɪsˋtraɪəl/ *οὐσ.* ‹C› (*νομ.*) κακοδικία, δικαστική ἀπόφασις πάσχουσα δικονομικῶς.

mis·trust /ˈmɪsˋtrʌst/ *ρ.μ.* δυσπιστῶ πρός: *I ~ him/myself*, δυσπιστῶ πρός αὐτόν/δέν ἔχω ἐμπιστοσύνη στόν ἑαυτό μου. —*οὐσ.* ‹U› δυσπιστία, καχυποψία: *I have a strong ~ of all foreigners*, ἔχω μεγάλη δυσπιστία πρός ὅλους τούς ξένους. **~·ful** /-fl/ *ἐπ.* δύσπιστος, φιλύποπτος, καχύποπτος. **~·fully** /-fəlɪ/ *ἐπίρ.*

misty /ˋmɪstɪ/ *ἐπ. βλ. mist.*

mis·un·der·stand /ˈmɪsˈʌndəˋstænd/ *ρ.μ. ἀνώμ.* (*ἀόρ. & π.μ. -stood* /-ˋstʊd/) παρανοῶ, παρεξηγῶ: *His intentions were misunderstood*, οἱ προθέσεις του παρενοήθησαν/παρεξηγήθησαν. *I feel misunderstood*, νοιώθω ὅτι δέν μέ καταλαβαίνουν. **~·ing** *οὐσ.* ‹C,U› παρεξήγησις, παρανόησις: *a tragic ~ing*, τραγική παρεξήγησις.

mis·use /ˈmɪsˋjuz/ *ρ.μ.* χρησιμοποιῶ κακῶς, κακομεταχειρίζομαι. —*οὐσ.* ‹C,U› /ˈmɪsˋjus/ κακή χρῆσις, κατάχρησις: *the ~ of power*, ἡ κακή χρῆσις (κατάχρησις) τῆς ἐξουσίας.

mite /maɪt/ *οὐσ.* ‹C,U› **1**. ὀβολός, (*μεταφ.*) ψιχίον: *give one's ~*, δίνω τόν ὀβολό μου. *offer a ~ of consolation*, προσφέρω μιά μικρή παρηγοριά. **2**. πραγματάκι, πιτσιρίκι: *Poor little ~!* καϋμένο μικρό μου! **3**. σκουληκάκι, ἄκαρι: *ˋcheese ~*, σκουλήκι τοῦ τυριοῦ.

miti·gate /ˋmɪtɪgeɪt/ *ρ.μ.* (κατα)πραΰνω, ἀπαλύνω, μετριάζω: *~ pain/punishment*, μετριάζω τόν πόνο/τήν τιμωρία. *mitigating circumstances*, ἐλαφρυντικαί περιστάσεις. **miti·ga·tion** /ˈmɪtɪˋgeɪʃn/ *οὐσ.* ‹U› μετριασμός, (κατα)πράϋνσις, ἀνακούφισις.

mitre /ˋmaɪtə(r)/ *οὐσ.* ‹C› **1**. μίτρα (δεσπότη). **2**. (*καί* ˋ**~-joint**) λοξή ἕνωσις ξύλων (πού σχηματίζει ὀρθή γωνία).

mitt /mɪt/ *οὐσ.* ‹C› **1**. γάντι πυγμαχίας ἤ μπέιζ-μπωλ. **2**. (*λαϊκ.*) γροθιά, χέρι. **3**. *βλ. mitten.*

mit·ten /ˋmɪtn/ *οὐσ.* ‹C› **1**. γάντι πού σκεπάζει τά 4 δάχτυλα μαζί καί χωριστά τόν ἀντίχειρα. **2**. ψευτογάντι (πού σκεπάζει μόνο τή ράχη καί τήν παλάμη τοῦ χεριοῦ, ἀλλ' ὄχι τά δάχτυλα).

[1]**mix** /mɪks/ *ρ.μ/ὰ.* **1**. ἀναμιγνύω/-ομαι, ἀνακατεύω/-ομαι: *~ flour and water*, ἀνακατεύω ἀλεύρι καί νερό. *Oil and water don't ~, but you can ~ wine and water*, τό λάδι καί τό νερό δέν ἀναμιγνύονται, ἀλλά μπορεῖς νά ἀναμίξης κρασί καί νερό. *~ed races*, ἀνακατεμένες φυλές. *~ business with pleasure*, συνδυάζω τή δουλειά μέ τήν ψυχαγωγία, τό τερπνόν μετά τοῦ ὠφελίμου. **~ a salad**, φτιάχνω μιά σαλάτα. **2**. **~ (with)**, συναναστρέφομαι, κάνω παρέα: *He doesn't ~ well*, δέν κάνει εὔκολα παρέα. *He ~es with all sorts of people*, κάνει παρέα μέ κάθε λογῆς ἀνθρώπους. **3**. **be/get ~ed up in/with sth**, ἀνακατεύομαι, μπλέκω σέ κτ: *He got ~ed up in politics*, ἀνακατεύτηκε στήν πολιτική. *Don't get ~ed up with them*, μή μπλέκης μαζί τους! *I feel very ~ed up about life*, οἱ ἰδέες μου γιά τή ζωή εἶναι πολύ μπερδεμένες. ˋ**~-up**, μπέρδεμα, ἀνακάτωμα, μπλέξιμο: *What a ~-up!* τί μπλέξιμο! *There's been a bit of a ~-up about the tickets*, ἔγινε κάποιο μπέρδεμα γύρω ἀπό τά εἰσιτήρια.

[2]**mix** /mɪks/ *οὐσ.* ‹C› μῖγμα: *an ice-cream/a cake ~*, μῖγμα παγωτοῦ/κέικ.

mixed /mɪkst/ *ἐπ.* ἀνάμικτος, μικτός: *~ biscuits*, ἀνάμικτα μπισκότα. *a ~ school*, μικτό σχολεῖο. **have ~ feelings about sth**, ἔχω ἀνάμικτα αἰσθήματα γιά κτ. **a ~ reception**, ἀνάμικτη ὑποδοχή (πχ μέ ἐπευφημίες καί ἀποδοκιμασίες). ˈ**~** ˋ**doubles**, μικτός ἀγώνας (μέ ἕναν ἄνδρα καί μιά γυναίκα σέ κάθε πλευρά). ˈ**~**ˋ**marriage**, μικτός γάμος. ˈ**~**ˋ**metaphor**, (*ρητ.*) ἀσύνδετη μεταφορά.

mixer /ˋmɪksə(r)/ *οὐσ.* ‹C› ἀναμίκτης, ἀναμικτήρ, μίξερ. **be a good ~**, (*καθομ.*) πιάνω εὔκολα φιλίες, ξέρω νά γίνομαι συμπαθής σ' ὅλο τόν κόσμο.

mix·ture /ˋmɪkstʃə(r)/ *οὐσ.* **1**. ‹U› μῖξις, ἀνάμιξις. **2**. ‹C› μῖγμα, ἀνακάτεμα, κρᾶμα: *a ˋcough ~*, μῖγμα γιά τό βῆχα. *He's a ~ of good and bad qualities*, εἶναι κρᾶμα ἀρετῶν καί ἀδυναμιῶν. **the ~ as before**, (*καθομ.*) τό ἴδιο φάρμακο, τά ἴδια ὅπως καί πρίν (πχ διαδικασία, τιμωρία, κλπ).

mizzle /ˋmɪzl/ *ρ.ὰ.* (*καθομ.*) ψιχαλίζω.

mne·monic /nɪˋmonɪk/ *ἐπ.* μνημονικός. **~s** *οὐσ. πληθ.* μνημονική, μνημοτεχνική.

mo /məʊ/ *οὐσ.* ‹C› (*λαϊκ. βραχυλ. γιά*) *moment*, στιγμή: *half a ~*, μιά στιγμούλα.

moan /məʊn/ *οὐσ.* ‹C› βόγγημα, βογγητό: *the ~s of the wounded*, τά βογγητά τῶν λαβωμένων. *the ~ of the wind*, τό βόγγημα τοῦ ἀέρα. —*ρ.μ/ὰ.* βογγῶ, λέω βογγῶντας: *What's she ~ing about now?* τί βογγάει/τί παραπονιέται τώρα;

moat /məʊt/ *οὐσ.* ‹C› τάφρος μέ νερό γύρω ἀπό κάστρο. **~ed** *ἐπ.* μέ τάφρο.

mob /mob/ *οὐσ.* ‹C› **1**. ὄχλος, (*ἐπιθ.*) ὀχλοκρατικός: ~ *law*, νόμος τοῦ ὄχλου. ~ ***rule***, ὀχλοκρατία. ~ ***oratory***, δημαγωγία. **2**. συμμορία, σπεῖρα. —*ρ.μ.* (*-bb-*) (*γιά πλῆθος*) πολιορκῶ: *He was ~bed by teenagers*, τόν πολιόρκησε ἕνα πλῆθος νεαρῶν. *The pickpocket was ~bed by angry women*, ὁ πορτοφολάς περικυκλώθηκε ἀπό ἐξαγριωμένες γυναῖκες. **~·ster** /ˋmobstə(r)/ *οὐσ.* ‹C› μέλος συμμορίας.

mo·bile /ˋməʊbaɪl/ *ἐπ.* **1**. κινητός, ταχυκίνητος: ~ *troops*, ταχυκίνητα στρατεύματα. **2**. σβέλτος, εὐκίνητος: *a ~ mind*, σβέλτο μυαλό. ~ *features*, εὐκίνητα/εὐμετάβλητα χαρακτηριστικά. **mo·bil·ity** /məʊˋbɪlətɪ/ *οὐσ.* ‹U› κινητικότης, εὐκινησία.

mo·bi·lize /ˋməʊbəlaɪz/ *ρ.μ/ἀ.* κινητοποιῶ/-οῦμαι, ἐπιστρατεύω: *The nation ~d (all its resources)*, τό ἔθνος κινητοποιήθηκε (κινητοποίησε ὅλους τούς πόρους του). *All men aged between 20 and 50 were ~d*, ὅλοι οἱ ἄνδρες ἡλικίας 20 ἕως 50 ἐπιστρατεύτηκαν. **mo·bi·liz·ation** /ˈməʊbəlaɪˋzeɪʃn/ *οὐσ.* ‹U› κινητοποίησις, ἐπιστράτευσις: *mobilization orders*, διαταγή ἐπιστρατεύσεως.

moc·ca·sin /ˋmokəsɪn/ *οὐσ.* **1**. ‹U› μοκασέν (δέρμα). **2**. (*πληθ.*) μονοκόμματα παπούτσια ἀπό μαλακό δέρμα, τσαρούχια τῶν ἰνδιάνων.

mo·cha /ˋmokə/ *οὐσ.* ‹U› καφές μόκα.

mock /mok/ *ρ.μ/ἀ.* **1**. ~ ***(at)***, περιπαίζω, μιμοῦμαι κοροϊδευτικά, χλευάζω, περιγελῶ: *The naughty boys ~ed my way of speaking*, τά παληόπαιδα εἰρωνεύονταν τόν τρόπο πού μιλοῦσα. *They ~ed at my fears/at the blind man*, μέ κορόϊδευαν γιά τούς φόβους μου/περιγελοῦσαν τόν τυφλό. **2**. ἀψηφῶ, σαρκάζω: *The heavy steel doors ~ed the attempts of the thieves to open the safe*, οἱ βαρειές ἀτσάλινες πόρτες ἀψηφοῦσαν τίς ἀπόπειρες τῶν διαρρηκτῶν νά ἀνοίξουν τό χρηματοκιβώτιο. **ˋ~-up**, ὁμοίωμα, μοντέλο, μακέττα. —*ἐπιθ.* ψεύτικος, προσποιητός: *a ~ battle*, ψευτομάχη. ˈ~-*heˋroic*, ψευτοηρωϊκός, ἡρωϊκο-κωμικός. —*οὐσ.* ‹U› (*ἀπηρχ.*) περίγελως. ***make a ~ of sth***, περιγελῶ κτ. **~er** *οὐσ.* ‹C› χλευαστής. **~·ing·ly** *ἐπίρ.* χλευαστικά, κοροϊδευτικά.

mock·ery /ˋmokərɪ/ *οὐσ.* ‹C,U› **1**. γελοιοποίησις, χλεύη: *hold sb up to ~*, περιγελῶ, γελοιοποιῶ κπ. **2**. περίγελως: *He was made the ~ of the party*, ἔγινε ὁ περίγελως τῆς συντροφιᾶς. **3**. κοροϊδία, διακωμώδησις, παρωδία, ἐμπαιγμός: *the ~ of a trial*, παρωδία δίκης. *His trial was a ~ of justice*, ἡ δίκη του ἦταν ἐμπαιγμός κάθε ἐννοίας δικαιοσύνης.

mo·dal /ˋməʊdl/ *ἐπ.* τροπικός, (*γραμμ.*) ἐγκλιτικός.

mode /ˋməʊd/ *οὐσ.* ‹C› **1**. τρόπος: *her ~ of life*, ὁ τρόπος τῆς ζωῆς της. **2**. μόδα: *the latest ~s*, οἱ τελευταῖες μόδες. **3**. (*μουσ.*) τρόπος: *major/minor ~*, μείζων/ἐλάσσων τρόπος.

[1] **model** /ˋmodl/ *οὐσ.* ‹C› **1**. πρόπλασμα, ὁμοίωμα, μοντέλο: *a wax ~ for a statue*, κέρινο πρόπλασμα ἀγάλματος. *the ~ of an ocean liner*, τό ὁμοίωμα ἑνός ὑπερωκεάνιου. **2**. ὑπόδειγμα, πρότυπον, (*ἐπιθ.*) τέλειος, ὑποδειγματικός: *He's a ~ of industry*, εἶναι ὑπόδειγμα ἐπιμελείας. *She's a ~ wife*, εἶναι ὑπόδειγμα/πρότυπον συζύγου (ὑποδειγματική σύζυγος). **3**. (*καθομ.*) πιστό ἀντίγραφο, πανομοιότυπο: *She's the ~/a perfect ~ of her mother*, εἶναι ἀντίγραφο/τέλειο ἀντίγραφο τῆς μητέρας της (εἶναι ἴδια ἡ μητέρα της). **4**. μοντέλο (ζωγράφου), μαννεκέν (μόδας). **5**. (*γιά πράγμ.*) μοντέλο: *the latest Paris ~s*, τά τελευταῖα Παρισινά μοντέλα. *the latest ~s of Mercedes*, τά τελευταῖα μοντέλα τῆς Μερσεντές.

[2] **model** /ˋmodl/ *ρ.μ/ἀ.* (*-ll-*) **1**. (δια)πλάθω: ~ *sb's head in clay*, φτιάχνω τό κεφάλι κάποιου σέ πηλό. *beautifully ~led features*, (*μεταφ.*) ὡραῖα πλαστικά χαρακτηριστικά. **2**. ἐργάζομαι ὡς μοντέλο ἤ μαννεκέν. **3**. ~ ***oneself (up)on sb***, παίρνω κπ σάν ὑπόδειγμα: *He ~led himself (up)on his father*, πῆρε σάν πρότυπο τόν πατέρα του. **~ling** *οὐσ.* ‹U› πλάσιμο, ἐργασία μοντέλου ἤ μαννεκέν.

[1] **mod·er·ate** /ˋmodrət/ *ἐπ.* **1**. μέτριος: *He has a ~ appetite/income*, ἔχει μέτρια ὄρεξη/-ο εἰσόδημα. *a ~-price room*, δωμάτιο μετρίας τιμῆς. *a ~-sized house*, σπίτι μετρίου μεγέθους. **2**. μετριοπαθής, μετρημένος, λογικός: *a man of ~ opinions*, ἄνθρωπος μετριοπαθῶν ἀντιλήψεων. *a ~ political party*, μετριοπαθές πολιτικόν κόμμα. *be ~ in one's demands*, εἶμαι μετρημένος/λογικός στίς ἀξιώσεις μου. —*οὐσ.* ‹C› μετριοπαθής (στήν πολιτική). **~·ly** *ἐπίρ.* μέτρια, μετρημένα, διαλλακτικά.

[2] **mod·er·ate** /ˋmodəreɪt/ *ρ.μ/ἀ.* **1**. μετριάζω/-ομαι: ~ *one's enthusiasm/demands*, μετριάζω τόν ἐνθουσιασμό μου/τίς ἀπαιτήσεις μου. *The wind is moderating*, ὁ ἄνεμος κοπάζει. *exercise a moderating influence on sb*, ἀσκῶ κατευναστική ἐπίδραση πάνω σέ κπ, τόν συγκρατῶ. **2**. προεδρεύω.

mod·er·ation /ˈmodəˋreɪʃn/ *οὐσ.* **1**. ‹U› μετριοπάθεια, μετριασμός: ~ *in eating and drinking*, μετριοπάθεια στό φαγητό καί τό πιοτό. ***(all things) in ~***, πᾶν μέτρον ἄριστον. **2**. (*πληθ. συγκεκ. Mods*) προκαταρτικές πτυχιακές ἐξετάσεις φιλολογίας στήν Ὀξφόρδη.

mod·er·ator /ˋmodəreɪtə(r)/ *οὐσ.* ‹C› **1**. πρόεδρος ἐξεταστικῆς ἐπιτροπῆς Πανεπιστημίου. **2**. (*ἐκκλ.*) πρόεδρος Πρεσβυτεριανῆς συνελεύσεως. **3**. μεσολαβητής.

mod·ern /ˋmodn/ *ἐπ.* νεώτερος, σύγχρονος, μοντέρνος: ~ *history*, σύγχρονη ἱστορία. ~ *ideas/methods*, μοντέρνες ἰδέες/μέθοδοι. *a home with all ~ conveniences* (*συγκεκ. mod cons* /ˈmod ˋkonz/), σπίτι μέ ὅλα τά σύγχρονα κομφόρ. —*οὐσ.* ‹C› σύγχρονος ἄνθρωπος. **~·ism** /-ɪzm/ *οὐσ.* ‹C,U› νεωτερισμός, μοντερνισμός. **~·ist** /-ɪst/ *οὐσ.* ‹C› νεωτεριστής. **~·is·tic** /ˈmodənˋɪstɪk/ *ἐπ.* νεωτεριστικός. **~·ity** /məˋdɜnətɪ/ *οὐσ.* ‹U› νεωτεριστικός/μοντέρνος χαρακτήρας, νεωτερισμός.

mod·ern·ize /ˋmodənaɪz/ *ρ.μ.* (ἐκ)συγχρονίζω: ~ *teaching methods/an industry*, ἐκσυγχρονίζω τίς διδακτικές μεθόδους/μιά βιομηχανία. **mod·ern·iz·ation** /ˈmodənaɪˋzeɪʃn/ *οὐσ.* ‹U› (ἐκ)συγχρονισμός.

mod·est /ˋmodɪst/ *ἐπ.* **1**. μετριόφρων, σεμνός: *He's ~ about his achievements*, εἶναι μετριόφρων γιά τίς ἐπιτυχίες του. *a ~ hero*, σεμνός ἥρωας. **2**. μέτριος, μετριοπαθής: *a man of ~ means*, ἄνθρωπος μετρίας οἰκονομικῆς καταστάσεως. *My demands are quite ~*, οἱ ἀπαιτήσεις μου εἶναι πολύ μετριοπαθεῖς. **3**. μετρημένος, συγκρατημένος: *be ~ in speech, dress and behaviour*, εἶμαι μετρημένος στά λόγια, στό ντύσιμο καί στή συμπεριφορά. **~·ly** *ἐπίρ*. **mod·esty** /ˋmodɪstɪ/ *οὐσ*. ‹U› μετριοφροσύνη, σεμνότης, μετριοπάθεια, μετριότης. ***in all ~y***, χωρίς κομπασμούς, μέ κάθε σεμνότητα.

modi·cum /ˋmodɪkəm/ *οὐσ*. (*μόνον ἑν*.) μικρή ποσότητα, λιγάκι: *with a ~ of effort*, μέ μιά μικρή προσπάθεια. *a simple meal with a ~ of wine*, ἁπλό γεῦμα μέ λιγάκι κρασί.

mod·ify /ˋmodɪfaɪ/ *ρ.μ*. **1**. τροποποιῶ: *~ a plan*, τροποποιῶ ἕνα σχέδιο. **2**. μετριάζω: *~ one's tone/demands*, μετριάζω τόν τόνο τῆς φωνῆς μου/τίς ἀπαιτήσεις μου. **3**. (*γραμμ*.) προσδιορίζω: *Adjectives ~ nouns*, τά ἐπίθετα προσδιορίζουν τά οὐσιαστικά. **modi·fi·ca·tion** /ˌmodɪfɪˋkeɪʃn/ *οὐσ*. ‹C,U› τροποποίησις, τροπολογία, μετριασμός.

mod·ish /ˋməʊdɪʃ/ *ἐπ*. μοντέρνος, τῆς μόδας. **~·ly** *ἐπίρ*. μοντέρνα, μέ τή μόδα.

mo·diste /məʊˋdist/ *οὐσ*. ‹C› (*λόγ*.) μοδίστρα, καπελλοῦ.

modu·late /ˋmodjʊleɪt/ *ρ.μ/ἀ*. **1**. κανονίζω, διαμορφώνω, ρυθμίζω (ἦχο). **2**. (*μουσ*.) μετατονίζω. **modu·la·tion** /ˌmodjʊˋleɪʃn/ *οὐσ*. ‹C,U› διαμόρφωσις, ρύθμισις, μετατόνισις, χρωματισμός (φωνῆς).

mod·ule /ˋmodjul/ *οὐσ*. ‹C› **1**. (*ἀρχιτ*.) ἐμβάτης, μέτρον, ἀναλογία. **2**. θαλαμίσκος (διαστημοπλοίου).

modus /ˋməʊdəs/ *οὐσ*. (*Λατ*.) **ˌ~ opeˋrandi**, τρόπος ἐνεργείας. **ˌ~ viˋvendi**, τρόπος ζωῆς, προσωρινός διακανονισμός.

mo·gul /ˋməʊgl/ *οὐσ*. ‹C› **1**. μογγόλος. **2**. (*καθομ*.) μεγιστάν, προσωπικότης: *the movie ~s*, οἱ βασιλεῖς τοῦ κινηματογράφου.

mo·hair /ˋməʊheə(r)/ *οὐσ*. ‹U› μοχαίρ.

Mo·ham·medan /məˋhomɪdən/ *οὐσ*. & *ἐπ*. *βλ*. *Muhammad*.

moist /mɔɪst/ *ἐπ*. ἐλαφρά ὑγρός: *eyes ~ with tears*, μάτια νοτισμένα ἀπό τά δάκρυα. *a ~ wind from the sea*, ὑγρός θαλασσινός ἀέρας. **~en** /ˋmɔɪsn/ *ρ.μ/ἀ*. ὑγραίνω/-ομαι: *~en the lips*, ὑγραίνω τά χείλη (μέ τή γλῶσσα). *~en a sponge with water*, βρέχω ἕνα σπόγγο.

mois·ture /ˋmɔɪstʃə(r)/ *οὐσ*. ‹U› ὑγρασία: *~ on the ground/in the air*, ὑγρασία στό ἔδαφος/στόν ἀέρα.

mo·lar /ˋməʊlə(r)/ *οὐσ*. ‹C› & *ἐπ*. τραπεζίτης (δόντι).

mo·las·ses /məˋlæsɪz/ *οὐσ*. *πληθ*. (*μέ ρ. ἑν*.) μέλασσα.

mold, molder, mold·ing, moldy *βλ*. *mould*.

[1]**mole** /məʊl/ *οὐσ*. ‹C› κρεατοελιά, φακίδα.

[2]**mole** /məʊl/ *οὐσ*. ‹C› μῶλος, κυματοθραύστης.

[3]**mole** /məʊl/ *οὐσ*. ‹C› ἀσπάλαξ, τυφλοπόντικας. **ˋ~hill**, σωρός χῶμα πάνω ἀπό τή φωληά τυφλοπόντικα, ποντικοφωληά. ***make a mountain out of a ~hill***, κάνω τή μύγα βόδι, δημιουργῶ ζητήματα ἀπό τό τίποτα. **ˋ~-skin**, δέρμα ἀσπάλακος, τώπ.

mol·ecule /ˋmolɪkjul/ *οὐσ*. ‹C› (*χημ*.) μόριον, (*καθομ*.) κομματάκι. **mol·ecu·lar** /məˋlekjʊlə(r)/ *ἐπ*. μοριακός: *molecular structure*, μοριακή δομή.

mo·lest /məˋlest/ *ρ.μ*. (παρ)ἐνοχλῶ. **mol·es·ta·tion** /ˌməʊləˋsteɪʃn/ *οὐσ*. ‹U› παρενόχλησις.

mol·lify /ˋmolɪfaɪ/ *ρ.μ*. κατευνάζω, μαλακώνω: *~ sb's anger*, μαλακώνω τό θυμό κάποιου. *He refused to be mollified*, ἔμενε ἄκαμπτος, τίποτα δέν τόν μαλάκωνε. **mol·li·fi·ca·tion** /ˌmolɪfɪˋkeɪʃn/ *οὐσ*. ‹U› κατευνασμός, μαλάκωμα.

mol·lusc (*ΗΠΑ*, **mol·lusk**) /ˋmoləsk/ *οὐσ*. ‹C› (*ζωολ*.) μαλάκιον.

molly·coddle /ˋmolɪkodl/ *οὐσ*. ‹C› μαλθακός, μαμόθρεφτος. —*ρ.μ*. παραχαϊδεύω, κανακεύω, πολυφροντίζω: *He ~s himself*, φροντίζει πολύ τόν ἑαυτούλη του.

Mo·loch /ˋməʊlok/ *οὐσ*. ‹C› Μολώχ: *the ~ of war*, ὁ Μολώχ τοῦ πολέμου.

mol·ten /ˋməʊltən/ *π.μ*. *τοῦ ρ. melt*. —*ἐπιθ*. λυωμένος, χυτός: *~ steel*, λυωμένο ἀτσάλι. *a ~ image*, χυτό ἄγαλμα (ἀπό μέταλλα χυμένα σέ καλούπι).

molto /ˋmoltəʊ/ *ἐπίρ*. (*μουσ*.) πολύ.

mo·ment /ˋməʊmənt/ *οὐσ*. **1**. ‹C› στιγμή: *in a few ~s*, σέ λίγες στιγμές. *Wait a ~*, περιμένετε μιά στιγμή. *Just a ~, please*, μιά στιγμή, παρακαλῶ. *It was all done in a ~*, ὅλα ἔγιναν σέ μιά στιγμή, πολύ γρήγορα. *at that ~*, τήν ἴδια στιγμή, ἐκείνη τή στιγμή. *at the last ~*, τήν τελευταία στιγμή. *at the right/at an awkward ~*, τήν κατάλληλη/σέ ἀκατάλληλη ὥρα. ***at this ~***, αὐτή τή στιγμή, ἀκριβῶς τώρα: *He's probably thinking of you at this (very) ~*, ἴσως νά σέ σκέφτεται ἀκριβῶς αὐτή τή στιγμή. ***at the ~***, πρός τό παρόν, τώρα: *He's busy at the ~*, εἶναι ἀπασχολημένος τώρα. ***just/only this ~***, τώρα δά, μόλις πρό ὀλίγου. ***not for a ~***, οὔτε στιγμή, ποτέ. ***men of the ~***, ἄνθρωποι τῆς ἐποχῆς, πού βρίσκονται στήν ἐπικαιρότητα. **2**. **the ~**, *σύνδ*. ἀμέσως μόλις: *The ~ I saw him I knew there was something wrong*, ἀμέσως μόλις τόν εἶδα κατάλαβα κάτι ἔτρεχε. **3**. ‹U› σημασία: *a matter of little/of no ~*, θέμα μικρῆς/ἄνευ σημασίας. *an affair of great ~*, ὑπόθεσις μεγάλης σπουδαιότητος. *men of ~*, ἄνθρωποι μέ ἐπιρροή.

mo·men·tary /ˋməʊməntrɪ/ *ἐπ*. **1**. στιγμιαῖος: *a ~ hesitation*, στιγμιαῖος δισταγμός. **2**. ἀπό στιγμή σέ στιγμή: *in ~ expectation of his arrival*, περιμένοντάς τον νά φθάση ἀπό στιγμή σέ στιγμή. **mo·men·tar·ily** /ˈməʊmənˋterəlɪ/ *ἐπίρ*. πρός στιγμήν, γιά μιά στιγμή.

mo·men·tous /məˋmentəs/ *ἐπ*. σοβαρός, βαρυσήμαντος: *a ~ decision/event*, βαρυσήμαντη ἀπόφασις/-ο γεγονός. **~·ly** *ἐπίρ*.

mo·men·tum /məˋmentəm/ *οὐσ*. ‹U› ὁρμή, φόρα, κεκτημένη ταχύτης: *gather ~*, ἐπιταχύνομαι, γίνομαι ὁρμητικώτερος. *gain/lose ~*, παίρνω/χάνω φόρα. *carried away by his own ~*, παρασυρμένος ἀπό τήν ἴδια του τή φόρα.

mon·arch /ˋmonək/ *οὐσ*. ‹C› μονάρχης. **mon·ar·chic** /məˋnakɪk/ *ἐπ*. μοναρχικός. **mon·ar·chism** /-ɪzm/ *οὐσ*. ‹U› μοναρχισμός. **mon·ar·chist** /-ɪst/ *οὐσ*. ‹C› μοναρχικός. **mon·archy** /ˋmonəkɪ/ *οὐσ*. ‹C,U› μοναρχία.

mon·as·tery /ˋmonəstrɪ/ *οὐσ*. ‹C› μοναστήρι.

mon·as·tic /məˋnæstɪk/ *ἐπ*. μοναστικός, καλογερικός: ~ *life*, μοναστική ζωή. *take ~ vows*, περιβάλλομαι τό μοναχικόν σχῆμα. **mon·as·ti·cism** /mə`næstɪs-ɪzm/ οὐσ. ‹U› μοναστικός βίος/-όν σύστημα.

mon·aural /ˈmon`ɔrl/ ἐπ. (*καθομ. βραχυλ. mono*) μονοφωνικός, ἁπλῆς (ὄχι στερεοφωνικῆς) ἐγγραφῆς.

Mon·day /`mʌndɪ/ οὐσ. Δευτέρα.

mon·et·ary /`mʌnɪtrɪ/ ἐπ. νομισματικός: *a ~ unit/reform*, νομισματική μονάδα/μεταρρύθμισις. **the International M ~ Fund** (*συγκεκ.* **IMF**), Διεθνές Νομισματικόν Ταμεῖον.

money /`mʌnɪ/ οὐσ. **1**. ‹U› (*μέ ρ. ἑν.*) χρῆμα, χρήματα, λεφτά: *All my ~ is in shares*, ὅλα μου τά χρήματα εἶναι σέ μετοχές. ***be `coining/`minting ~***, (*μεταφ.*) μαζεύω χρήματα μέ τή σέσουλα. ***be in the ~***, (*λαϊκ.*) κολυμπάω στά λεφτά. ***get one's `~'s worth***, πιάνουν τόπο τά λεφτά πού πληρώνω. ***make ~***, κάνω/κερδίζω χρήματα, γίνομαι πλούσιος. ***marry ~***, παντρεύομαι γιά τά λεφτά. ***put ~ into sth***, βάζω/ἐπενδύω χρήματα σέ κτ. ***(pay, buy) ~ down***, (πληρώνω, ἀγοράζω) τοῖς μετρητοῖς. ***ready ~***, μετρητά, ρευστό χρῆμα. **2**. (*σέ σύνθετες λέξεις*): **`~-box**, κουμπαράς. **`~-changer**, ἀργυραμοιβός, σαράφης. **`~-grubber**, φιλοχρήματος, παραδόπιστος. **`~-lender**, τοκιστής, τοκογλύφος, χρηματοδότης. **the `~-market**, ἡ χρηματαγορά. **`~-order**, ταχυδρομική ἐπιταγή. **`~-spinner**, (*καθομ.*) (*γιά βιβλίο, ἔργο, κλπ*) ἐμπορική ἐπιτυχία. **3**. (*πληθ. ~s, ἀπηρχ. ἤ νομ.*) χρηματικόν ποσόν: *~s paid in/out*, εἰσπραχθέντα/καταβληθέντα χρηματικά ποσά. **~ed** ἐπ. πλούσιος: *a ~ed man*, πλούσιος ἄνθρωπος, παραλῆς, λεφτάς. *the ~ed classes*, οἱ τάξεις τῶν πλουσίων, οἱ πλουτοκράτες. *the ~ed interests*, οἱ κεφαλαιοῦχοι. **~·less** ἐπ. ἀπένταρος, χωρίς χρήματα.

mon·ger /`mʌŋgə(r)/ οὐσ. (*ὡς β! συνθ.*) ἔμπορος, κάπηλος: *`fish~*, ἰχθυοπώλης (ψαρᾶς). *`iron~*, ἔμπορος εἰδῶν κιγκαλερίας. *`scandal-~*, σκανδαλοθήρας. *`war~*, πολεμοκάπηλος.

mon·gol /`moŋgl/ κατηγ. ἐπ. (*ἰατρ.*) μογγολικός. **~·ism** /-ɪzm/ οὐσ. ‹U› μογγολισμός.

mon·grel /`mʌŋgrəl/ οὐσ. ‹C› **1**. μιγάς, μπάσταρδος, ἀπό ἀνακατωμένες ράτσες. **2**. σκυλί μπαστάρδικο.

moni·tor /`monɪtə(r)/ οὐσ. ‹C› **1**. (*σχολ.*) ἐπιμελητής: *the class ~*, ὁ ἐπιμελητής τῆς τάξεως. **2**. (*ραδιοφ.*) ὑπάλληλος παρακολουθήσεως ξένων ραδιοφωνικῶν σταθμῶν. **3**. ὄργανον παρακολουθήσεως καί ἐλέγχου. —*ρ.μ/ἀ.* παρακολουθῶ (ξένους σταθμούς, λειτουργίαν μηχανήματος, κλπ).

monk /mʌŋk/ οὐσ. ‹C› καλόγερος, μοναχός. **~·ish** /-ɪʃ/ ἐπ. καλογερίστικος.

mon·key /`mʌŋkɪ/ οὐσ. ‹C› (*πληθ. ~s*) **1**. πίθηκος, μαϊμοῦ. ***be/get up to `~ business/tricks***, σκαρώνω βρωμοδουλειές/ζαβολιές. ***make a ~ out of sb***, γελοιοποιῶ κπ. **`~-jacket**, (*ναυτ.*) γελεκάκι. **`~-nut**, ἀράπικο φυστίκι. **`~-wrench**, (*μηχ.*) γαλλικό κλειδί, κάβουρας. —*ρ.ἀ.* ***~ about (with sth)***, παίζω μέ κτ, πασπατεύω κτ: *Stop ~ing about with those tools!* ἄφησε ἥσυχα (μήν παίζης μέ) αὐτά τά ἐργαλεῖα.

mono /`monəʊ/ ἐπ. *βλ. monaural.*

mon·ocle /`monəkl/ οὐσ. ‹C› μονόκλ, μονύελο.

mon·og·amy /mə`nogəmɪ/ οὐσ. ‹U› μονογαμία. **mon·og·amist** /-ɪst/ οὐσ. ‹C› μονόγαμος. **mon·og·amous** /mə`nogəməs/ ἐπ. μονογαμικός.

mono·gram /`monəgræm/ οὐσ. ‹C› μονόγραμμα.

mono·graph /`monəgrɑf/ οὐσ. ‹C› μονογραφία.

mono·lith /`monəlɪθ/ οὐσ. ‹C› μονόλιθος. **~ic** /ˈmonə`lɪθɪk/ ἐπ. μονολιθικός: *a ~ic party*, μονολιθικό κόμμα.

mono·logue /`monəlog/ οὐσ. ‹C› μονόλογος.

mono·mania /ˈmonəʊ`meɪnɪə/ οὐσ. ‹C,U› μονομανία. **mono·maniac** /-`meɪnɪæk/ οὐσ. ‹C› μονομανής.

mono·plane /`monəpleɪn/ οὐσ. ‹C› μονοπλάνο.

mon·op·ol·ize /mə`nopəlaɪz/ ρ.μ. μονοπωλῶ: *He likes to ~ the conversation*, τοῦ ἀρέσει νά μονοπωλῆ τή συζήτηση. **mon·op·ol·iz·ation** /məˈnopəlaɪ`zeɪʃn/ οὐσ. ‹U› μονοπώλησις.

mon·op·oly /mə`nopəlɪ/ οὐσ. ‹C› μονοπώλιον: *Salt is a government ~ in Greece*, τό ἁλάτι εἶναι κρατικό μονοπώλιο στήν Ἑλλάδα. **mon·op·ol·ist** /-lɪst/ οὐσ. ‹C› ὁ ἔχων τό μονοπώλιον. **mon·op·ol·is·tic** /məˈnopə`lɪstɪk/ ἐπ. μονοπωλιακός.

mono·rail /`monəʊreɪl/ οὐσ. ‹C,U› **1**. μονή σιδηροτροχιά. **2**. μονοτρόχιος σιδηρόδρομος.

mono·syl·lable /`monəsɪləbl/ οὐσ. ‹C› μονοσύλλαβη λέξις. **mono·syl·labic** /ˈmonəsɪ`læbɪk/ ἐπ. μονοσυλλαβικός, μονολεκτικός: *a monosyllabic answer*, μονολεκτική ἀπάντησις.

mono·theism /`monəʊθi-ɪzm/ οὐσ. ‹U› μονοθεϊσμός. **mono·theist** /-ɪst/ οὐσ. ‹C› μονοθεϊστής. **mono·theistic** /monəʊθi`ɪstɪk/ ἐπ. μονοθεϊστικός.

mono·tone /`monətəʊn/ οὐσ. ‹C› μονότονη ὁμιλία: *speak in a ~*, μιλῶ μονότονα.

mon·ot·onous /mə`notənəs/ ἐπ. μονότονος: *a ~ voice/~ work*, μονότονη φωνή/δουλειά. **~ly** ἐπίρ. μονότονα.

mon·ot·ony /mə`notənɪ/ οὐσ. ‹U› μονοτονία.

mono·type /`monətaɪp/ οὐσ. ‹C,U› μονοτυπική μηχανή, μονοτυπία.

mon·ox·ide /mo`noksaɪd/ οὐσ. ‹C,U› μονοξείδιον: *carbon ~*, μονοξείδιον τοῦ ἄνθρακος.

mon·sieur /mə`sjɜ(r)/ οὐσ. ‹C› (*Γαλλ.*) κύριος.

Mon·si·gnor /mon`sinjə(r)/ οὐσ. ‹C› (*ἐκκλ.*) τίτλος καρδιναλίου, μονσινιόρος.

mon·soon /mon`sun/ οὐσ. ‹C,U› μονσούν, μουσσών.

mon·ster /`monstə(r)/ οὐσ. ‹C› (*κυριολ. & μεταφ.*) τέρας: *A five-legged dog is a ~*, ἕνα σκυλί μέ πέντε πόδια εἶναι τέρας. *He's a ~ of egotism/ingratitude*, εἶναι τέρας ἐγωϊσμοῦ/ἀγνωμοσύνης. *a ~ ship*, ἕνα τερατῶδες (τεράστιο) πλοῖο.

mon·strance /`monstrəns/ οὐσ. ‹C› (*ἐκκλ.*) ἀρτοφόριον.

mon·stros·ity /mon`strosətɪ/ οὐσ. ‹C,U› τερατωδία, τερατούργημα: *He calls his monstrosities works of art*, ὀνομάζει ἔργα τέχνης τά τερατουργήματά του.

mon·strous /ˋmonstrəs/ *ἐπ.* τερατώδης: *A dinosaur was a ~ animal*, ὁ δεινόσαυρος ἦταν τερατῶδες ζῶον. *a ~ crime*, τερατῶδες, φρικιαστικό ἔγκλημα. *It's ~ that we should pay...*, (*καθομ.*) εἶναι τερατῶδες νά πληρώσωμε... **~·ly** *ἐπίρ.*

mon·tage /ˋmontaʒ/ *οὐσ.* ‹U› μοντάζ.

month /mʌnθ/ *οὐσ.* ‹C› μῆνας: *What day of the ~ is it?* πόσες ἔχει ὁ μῆνας; *a baby of three months; a three-~ old baby*, μωρό τριῶν μηνῶν. *In which ~ were you born?* ποιό μῆνα γεννήθηκες; *this day a ~ ago*, σά σήμερα πρίν ἀπό ἕνα μῆνα. ***a ~ of Sundays***, πολύς καιρός, ἀτέλειωτος χρόνος: *Never in a ~ of Sundays!* ποτέ στόν αἰῶνα τόν ἅπαντα! **calendar/lunar ~**, ἡμερολογιακός/σεληνιακός μῆνας. **~·ly** *ἐπίρ.* μηνιαίως: *It's published ~ly*, ἐκδίδεται (κυκλοφορεῖ) μηνιαίως. __*ἐπ.* μηνιαῖος: *a ~ly season ticket*, μηνιαῖο εἰσιτήριο διαρκείας. *It will be paid in equal ~ly instalments*, θά ἐξοφληθῆ σέ ἴσες μηνιαῖες δόσεις. __*οὐσ.* ‹C› μηνιαῖο περιοδικό.

monu·ment /ˋmonjʊmənt/ *οὐσ.* ‹C› μνημεῖον: *ancient ~s*, ἀρχαῖα μνημεῖα. *a ~ of scholarship*, μνημεῖον σοφίας.

monu·men·tal /ˈmonjʊˋmentl/ *ἐπ.* **1**. μνημειακός: *~ inscriptions*, μνημειακές ἐπιγραφές (*δηλ.* πάνω σέ μνημεῖα). **2**. μνημειώδης: *a ~ production*, μνημειώδης παραγωγή (*πχ* ἕνα φίλμ). **3**. πελώριος: *~ buildings/ignorance*, πελώρια κτίρια/ἀμάθεια.

moo /mu/ *ρ.ἀ.* (*γιά βόδι*) μουγκανίζω. __*οὐσ.* ‹C› μουγκάνισμα. **ˋ~-cow**, (*παιδική λέξη γιά*) ἀγελάδα.

mooch /mutʃ/ *ρ.ἀ.* ***~ about***, (*καθομ.*) περιφέρομαι ἄσκοπα, χαζεύω ἐδῶ κι' ἐκεῖ: *~ about the streets*, περιφέρομαι/χαζολογάω στούς δρόμους.

mood /mud/ *οὐσ.* ‹C› **1**. (*γραμμ.*) ἔγκλισις: *the indicative/imperative/subjunctive ~*, ἡ ὁριστική/προστακτική/ὑποτακτική ἔγκλισις. **2**. διάθεσις: *in a merry/serious/bad ~*, σέ χαρούμενη/σοβαρή/ἄσχημη διάθεση. *He's a man of ~s*, εἶναι ἄνθρωπος μέ μεταπτώσεις. ***be in the ~ for sth***, ἔχω διάθεση γιά κτ: *I'm in the ~/in no ~ for swimming*, ἔχω/δέν ἔχω διάθεση γιά μπάνιο. **~y** *ἐπ.* *(-ier, -iest)* *(α)* εὐμετάβλητος. *(β)* δύσθυμος, κακόκεφος, κατσούφης. **ˋ~·ily** /-əlɪ/ *ἐπίρ.* κακόκεφα. **ˋ~i·ness** *οὐσ.* ‹U› ἰδιοτροπία, κακοκεφιά.

[1]**moon** /mun/ *οὐσ.* **1**. ‹C› φεγγάρι: *the first men on the ~*, οἱ πρῶτοι ἄνθρωποι στό φεγγάρι. *Is there a ~ tonight?* ἔχει φεγγάρι ἀπόψε; ***cry for the ~***, ζητῶ τ' ἀδύνατα, ζητῶ τόν οὐρανό μέ τ' ἄστρα. ***promise sb the ~***, τάζω λαγούς μέ πετραχήλια σέ κπ. ***once in a blue ~***, (*καθομ.*) στή χάση καί στή φέξη, πολύ σπάνια. **a new/full ~**, νέο φεγγάρι/πανσέληνος. **2**. (*σέ σύνθετες λέξεις*): **ˋ~-beam**, ἀχτίδα τοῦ φεγγαριοῦ. **ˋ~ buggy/rover**, ὄχημα γιά τό φεγγάρι. **ˋ~·flower**, ἀνεμώνη. **ˋ~·light**, φεγγαρόφωτο, φεγγαράδα: *swim in the/by ~light*, κολυμπῶ μέ τή φεγγαράδα. *a ~light walk*, περίπατος μέ φεγγαράδα. **ˋ~·lit** *ἐπ.* φεγγαρόλουστος: *a ~lit night/landscape*, φεγγαρόλουστη νύχτα/-ο τοπεῖο. **ˋ~·shine**, *(α)* σεληνόφως. *(β)* (*καθομ.*) ἀνοησίες, λόγια τοῦ ἀέρα. *(γ)* (*ΗΠΑ*) λαθραῖο ἀλκοόλ. **ˋ~·stone**, πρασινογάλαζος ἡμιπολύτιμος λίθος. **ˋ~·struck** *ἐπ.* παλαβός, παραλοϊσμένος, νεραϊδοπαρμένος. **~·less** *ἐπ.* χωρίς φεγγάρι, ἀσέληνος: *a dark, ~less night*, μιά σκοτεινή ἀφέγγαρη νύχτα.

[2]**moon** /mun/ *ρ.μ./ἀ.* (*καθομ.*) **1**. ***~ about/around***, γυρίζω βαρυεστημένα, χαζεύω. **2**. ***~ away***, περνῶ χαζεύοντας: *~ away the summer holidays*, περνῶ τίς καλοκαιριάτικες διακοπές χαζολογώντας. **~y** *ἐπ.* *(-ier, -iest)* μέ διάθεση χαζολογήματος.

[1]**moor** /mʊə(r)/ *οὐσ.* ‹C,U› χερσότοπος. **ˋ~-fowl**, **ˋ~·game**, **ˋ~·cock**, **ˋ~·hen**, λαγόπους ὁ σκωτικός, νερόκοττα. **ˋ~·land** /-lənd/ ρεικότοπος.

[2]**moor** /mʊə(r)/ *ρ.μ.* ἀγκυροβολῶ, ἀράζω. **~-ings** /ˋmʊərɪŋz/ *οὐσ. πληθ.* *(α)* ἀγκυροβόλιον. *(β)* ἐξαρτήματα ἀγκυροβολήσεως, πρυμνήσια.

Moor /mʊə(r)/ *οὐσ.* Μαυριτανός. **~·ish** /-rɪʃ/ *ἐπ.* μαυριτανικός: *the ~ish palaces in Granada*, τά μαυριτανικά παλάτια στή Γρανάδα.

moot /mut/ *ἐπ.* (*μόνον στή φρ.*) ***a ~ point/question***, ἀμφισβητήσιμο σημεῖο/θέμα. __*ρ.μ.* ἀνακινῶ: *The question has been ~ed again*, τό θέμα ἀνεκινήθη καί πάλιν.

mop /mop/ *οὐσ.* ‹C› **1**. ξεσκονιστήρι, πατσαβούρα (μέ λαβή): *a ˋdish ~*, πατσαβούρα γιά τά πιάτα. **2**. πυκνά ξεχτένιστα μαλλιά. __*ρ.μ.* *(-pp-)* **1**. σφουγγαρίζω: *~ the floor*. **2**. σφογγίζω: *~ one's brow*, σφογγίζω/σκουπίζω τό μέτωπό μου. ***~ the floor with sb***, (*μεταφ.*) κάνω κπ μέ τά κρεμμυδάκια, νικῶ κπ κατά κράτος. ***~ up***, (*καθομ.*) ξεκαθαρίζω: *~ up a mess*, ξεκαθαρίζω μιά βρωμιά. *~ up arrears of work*, ξεκαθαρίζω δουλειές πού ἔχουν μείνει πίσω. *~ up crime in a city*, καθαρίζω μιά πόλη ἀπό τό ἔγκλημα. *~ping-up operations*, ἐκκαθαριστικές ἐπιχειρήσεις.

mope /məʊp/ *ρ.ἀ.* μελαγχολῶ, μέ πιάνει ἀπελπισία/πλήξη/ἀδιαφορία γιά ὅλα: *He's been moping (about) all day*, εἶναι ἀμίλητος, μελαγχολικός ὅλη τήν ἡμέρα. __*οὐσ. πληθ.* **the ~s**, μελαγχολία, πλῆξις: *have a fit of the ~s*, μέ πιάνει κρίσις μελαγχολίας, τά βλέπω ὅλα μαῦρα, ἔχω τίς μαῦρες μου. *suffer from the ~s*, ὑποφέρω ἀπό πλήξη/μελαγχολία.

mo·ped /ˋməʊped/ *οὐσ.* ‹C› μοτοποδήλατο, μηχανάκι.

mo·quette /məˋket/ *οὐσ.* ‹U› μοκέττα.

[1]**moral** /ˋmorl/ *ἐπ.* **1**. ἠθικός: *~ law/philosophy*, ἠθικός νόμος/-ή φιλοσοφία. *~ rights/obligations*, ἠθικά δικαιώματα/-ές ὑποχρεώσεις. *a ~ question*, ἠθικό πρόβλημα, θέμα ἠθικῆς τάξεως. *the ~ sense*, τό ἠθικόν συναίσθημα. *Man is a ~ being*, ὁ ἄνθρωπος εἶναι ἠθικόν ὄν. **2**. ἠθικός, ἁγνός: *live a ~ life*, ζῶ ἠθική ζωή. *~ books*, ἠθικά, ἠθοπλαστικά βιβλία. **3**. ἠθικός, ψυχικός, λογικός. ***a ~ certainty***, μιά λογική βεβαιότης. **a ~ victory**, ἠθική νίκη. **~ support**, ἠθική ἐνίσχυσις. **~ courage**, ψυχικό θάρρος. **~ly** /-rəlɪ/ *ἐπίρ.* ἠθικά, ψυχικά, λογικά: *~ly pure*, ἠθικά ἁγνός. *The attempt is ~ly bound to fail*, ἡ ἀπόπειρα πρέπει λογικά νά ἀποτύχη.

[2]**moral** /ˋmorl/ *οὐσ.* **1**. ‹C› ἐπιμύθιον, ἠθικόν δίδαγμα: *a story with a ~*, ἱστορία μέ ἐπι-

μύθιον, ἠθοπλαστική ἱστορία. *What's the ~ of this play?* ποιό εἶναι τό δίδαγμα αὐτοῦ τοῦ ἔργου; **2**. (*πληθ.*) ἤθη, ἦθος: *a man without ~s/a man of loose ~s*, ἄνθρωπος χωρίς ἠθική, ἀνήθικος/μέ χαλαρά ἤθη, διεφθαρμένος. *improve the ~s of the younger generation*, ἠθικοποιῶ τήν νεολαία.

mo·rale /mə`rɑl/ *οὐσ.* ‹U› ἠθικόν: *The army lost/recovered its ~*, ὁ στρατός ἔχασε/ἀνέκτησε τό ἠθικό του. *loss of ~*, κατάπτωσις τοῦ ἠθικοῦ.

mor·al·ist /`morəlɪst/ *οὐσ.* ‹C› ἠθικολόγος.

mor·al·is·tic /'morl`ɪstɪk/ *ἐπ.* ἠθοπλαστικός, διδακτικός.

mor·al·ity /mə`rælətɪ/ *οὐσ.* ‹C,U› **1**. ἠθική, ἠθικότης: *Christian/commercial/international ~*, χριστιανική/ἐμπορική/διεθνής ἠθική. **2**. (*καί* `~ **play**) ἠθοπλαστικόν ἀλληγορικόν ἔργον (στόν 16ον αἰῶνα).

mor·al·ize /`morəlɑɪz/ *ρ.μ/ἀ.* **1**. ~ ***(about/(up)on)*** ἠθικολογῶ, ἠθικοποιῶ, ἐξετάζω ἀπό ἠθικῆς σκοπιᾶς: ~ *upon the failings of the younger generation*, ἐπικρίνω ἀπό ἠθικῆς σκοπιᾶς τά ἐλαττώματα τῶν νέων. *Oh, stop your moralizing!* σταμάτα ἐπιτέλους τίς ἠθικολογίες σου! **2**. ἀναλύω, ἐρευνῶ ἠθικῶς κτ, ἐξάγω ἠθικό δίδαγμα ἀπό κτ.

mo·rass /mə`ræs/ *οὐσ.* ‹C› ἕλος, βάλτος, τέλμα.

mora·torium /'morə`tɔrɪəm/ *οὐσ.* ‹C› (*πληθ.* ~*s ἤ -ria* /-rɪə/) δικαιοστάσιον, χρεωστάσιον, συμπεφωνημένη ἀναστολή.

mor·bid /`mɔbɪd/ *ἐπ.* **1**. παθολογικός: ~ *anatomy/growths*, παθολογική ἀνατομία/-οί ὄγκοι. **2**. νοσηρός: *a ~ imagination/curiosity*, νοσηρή φαντασία/περιέργεια. **~·ly** *ἐπίρ.* νοσηρά, παθολογικά. **~·ity** /mɔ`bɪdətɪ/, **~-ness** *οὐσ.* ‹U› νοσηρότης, παθολογική κατάστασις.

mor·dant /`mɔdnt/ *ἐπ.* δηκτικός: ~ *criticism/wit/sarcasm*, δηκτική κριτική/-ό πνεῦμα/-ός σαρκασμός.

more /mɔ(r)/ *ἐπ., οὐσ.* ‹U›, *ἐπίρ.* περισσότερος, πιό: *He has ~ books/money than me*, ἔχει περισσότερα βιβλία/χρήματα ἀπό μένα. ~ *interesting/easily*, πιό ἐνδιαφέρων/εὔκολα. ***some/any/a little*** ~, μερικοί/λίγο ἀκόμη. ***not any/no*** ~, ὄχι ἄλλο πιά: *I don't want any ~*, δέν θέλω ἄλλο (ἄλλα) πιά. *I don't see him any ~*, δέν τόν βλέπω πιά. ***once/never*** ~, ἄλλη μιά φορά/ποτέ πιά. ~ ***and*** ~, ὅλο καί πιό πολύ: *Life is becoming ~ and ~ expensive*, ἡ ζωή γίνεται ὅλο καί πιό ἀκριβή. ***all the*** ~, πολύ περισσότερο, τοσούτῳ μᾶλλον. ***and what's*** ~, καί τό πιό σπουδαῖο, καί τό κυριώτερο. ~ ***or less***, κατά τό μᾶλλον ἤ ἧττον, πάνω-κάτω, σχεδόν: *We have ~ or less finished*, σχεδόν τελειώσαμε. ***(the) ~'s the pity***, τόσο τό χειρότερο. ***no*** ~, οὔτε: *'I can't believe it.' 'No ~ can I.'* -Δέν μπορῶ νά τό πιστέψω. -Οὔτε καί γώ. ***the ~ ... the ~***, ὅσο περισσότερο ... τόσο περισσότερο: *The ~ you study the ~ you learn*, ὅσο περισσότερο μελετᾶς τόσο περισσότερα μαθαίνεις.

mo·rello /mə`reləʊ/ *οὐσ.* ‹C› (*πληθ.* ~*s*) βύσσινο.

more·over /mɔr`əʊvə(r)/ *ἐπίρ.* ἐπιπλέον, πέραν τούτου, ἐκτός αὐτοῦ.

mores /`mɔreɪz/ *οὐσ. πληθ.* (*λόγ.*) τά ἤθη.

mor·ga·natic /'mɔgə`nætɪk/ *ἐπ.* μοργανατικός: ~ *marriage*, μοργανατικός γάμος.

morgue /mɔg/ *οὐσ.* ‹C› **1**. νεκροτομεῖον. **2**. ἀρχεῖον ἐφημερίδος μέ ἕτοιμες νεκρολογίες προσωπικοτήτων πού ζοῦν ἀκόμα.

mori·bund /`morɪbʌnd/ *ἐπ.* ἑτοιμοθάνατος: ~ *civilizations*, πολιτισμοί πού πεθαίνουν.

Mor·mon /`mɔmən/ *οὐσ.* ‹C› & *ἐπ.* (*ἐκκλ.*) μορμόνος.

morn /mɔn/ *οὐσ.* ‹C› (*ποιητ.*) αὐγή: *the rosy-fingered ~*, ἡ ροδοδάκτυλος ἠώς.

morn·ing /`mɔnɪŋ/ *οὐσ.* ‹C› **1**. πρωΐ: *this ~*, σήμερα τό πρωΐ. *in/during the ~*, τό πρωΐ. *one ~ last week*, ἕνα πρωΐ τήν περασμένη ἑβδομάδα. *on Sunday ~*, τό πρωΐ τῆς Κυριακῆς. *from ~ till night*, ἀπό τό πρωΐ ὥς τό βράδυ. *When he awoke it was ~*, ὅταν ξύπνησε ἦταν πρωΐ. ***a '~`off***, ἕνα ἐλεύθερο πρωϊνό. **2**. (*ἐπιθ.*) πρωϊνός: ~ *papers*, πρωϊνές ἐφημερίδες. `~ **coat**, μαύρη ζακέττα, φράκο. '~ -`**glory**, περικοκλάδα (πού τά λουλούδια της μαραίνονται ὥς τό μεσημέρι). `~ **sickness**, πρωϊνή ἀδιαθεσία (στούς πρώτους μῆνες τῆς ἐγκυμοσύνης). **the ~ star**, ὁ αὐγερινός. **the ~ watch**, πρωϊνή βάρδια σέ πλοῖο (4–8 π.μ.)

mo·rocco /mə`rokəʊ/ *οὐσ.* ‹U› μαροκαίν, σεβρό (δέρμα).

moron /`mɔron/ *οὐσ.* ‹C› ἄνθρωπος ἀμβλύνους (ἀλλ' ὄχι ἠλίθιος). **~ic** /mə`ronɪk/ *ἐπ.*

mo·rose /mə`rəʊs/ *ἐπ.* δύστροπος, κακοδιάθετος, δύσθυμος: *be in a ~ mood*, εἶμαι δύσθυμος, ἔχω τίς κακές μου. **~·ly** *ἐπίρ.* **~·ness** *οὐσ.* ‹U› δυσθυμία.

Mor·pheus /`mɔfɪəs/ *οὐσ.* (*μυθ.*) Μορφεύς (ὁ θεός τοῦ ὕπνου): *in the arms of ~*, εἰς τάς ἀγκάλας τοῦ Μορφέως.

mor·phia /`mɔfɪə/, **mor·phine** /`mɔfin/ *οὐσ.* ‹U› μορφίνη.

mor·phol·ogy /mɔ`folədʒɪ/ *οὐσ.* ‹U› μορφολογία.

mor·row /`morəʊ/ *οὐσ.* ‹C› **1**. (*λογοτ.*) ἐπαύριον: *What has the ~ in store for us?* τί μᾶς ἐπιφυλάσσει ἡ ἐπαύριον; **2**. (*ἀπηρχ.*) πρωΐ.

Morse /mɔs/ *οὐσ.* ‹U› (*καί* `~ **code**) Μόρς, μορσικός κῶδιξ: *a message in ~*, μήνυμα σέ Μόρς.

mor·sel /`mɔsl/ *οὐσ.* ‹C› κομματάκι, μπουκιά: *not a ~ of bread*, οὔτε κομματάκι ψωμί. *I haven't had a ~ of food since morning*, δέν ἔβαλα μπουκιά στό στόμα μου ἀπό τό πρωΐ. *What a dainty/choice ~!* τί ὡραῖο κομματάκι! μπουκιά καί συχώρηο!

mor·tal /`mɔtl/ *ἐπ.* **1**. θνητός: *Man is ~*, ὁ ἄνθρωπος εἶναι θνητός. *Here lie the ~ remains of...*, ἐνθάδε κεῖνται τά ὀστᾶ τοῦ... **2**. θανάσιμος, θανατηφόρος: ~ *injuries/wounds/sins*, θανάσιμα τραύματα/-ες πληγές/-α ἁμαρτήματα. **3**. θανάσιμος, μέχρι θανάτου: ~ *hatred*, θανάσιμο μῖσος. ~ **enemies/combat**, ἐχθροί/ἀγών μέχρι θανάτου. **4**. θανάσιμος, τοῦ θανάτου: ~ *agony*, ἀγωνία τοῦ θανάτου. **5**. (*καθομ.*) φοβερός, πολύ μεγάλος: *be in a ~ hurry*, εἶμαι φοβερά βιαστικός. *in ~ fear*, σέ μεγάλο φόβο. —*οὐσ.* ‹C› (*καθομ.*) ἄνθρωπος: *What a greedy ~ you are!* τί ἄπληστος ἄνθρωπος πού εἶσαι! **~ly**

/-təlı/ *ἐπίρ.* θανάσιμα, πολύ: *~ly wounded/offended*, θανάσιμα πληγωμένος/προσβεβλημένος.

mor·tal·ity /mɔˋtæləti/ *οὐσ.* ‹U› **1**. θνητότης. **2**. θνησιμότης: *an epidemic with a heavy ~*, ἐπιδημία μέ μεγάλη θνησιμότητα (μεγάλο ἀριθμό θυμάτων). **~ rate**, ποσοστόν θνησιμότητος.

[1]**mor·tar** /ˋmɔtə(r)/ *οὐσ.* ‹U› ἀσβεστόλασπη, ἀσβεστοκονίαμα. **ˋ~-board**, *(α)* πηλοφόρι. *(β)* ἀγγλικός πανεπιστημιακός πῖλος. *—ρ.μ.* δένω (τίς πέτρες) μέ λάσπη.

[2]**mor·tar** /ˋmɔtə(r)/ *οὐσ.* ‹C› **1**. γουδί. **2**. ὅλμος: *~ shell*, βλῆμα ὅλμου.

mort·gage /ˋmɔgɪdʒ/ *οὐσ.* ‹C› ὑποθήκη: *raise a ~ (on one's house) from a Bank*, δανείζομαι ἀπό Τράπεζα ἐπί ὑποθήκη (τοῦ σπιτιοῦ μου). *—ρ.μ.* ὑποθηκεύω. **mort·ga·gee** /ˈmɔgɪˋdʒi/ *οὐσ.* ‹C› ἐνυπόθηκος δανειστής. **mort·ga·gor** /ˈmɔgɪˋdʒɔ(r)/ *οὐσ.* ‹C› ἐνυπόθηκος ὀφειλέτης.

mor·tice /ˋmɔtɪs/ *οὐσ.* ‹C› *βλ. mortise.*

mor·ti·cian /mɔˋtɪʃn/ *οὐσ.* ‹C› *(ΗΠΑ)* ἐργολάβος κηδειῶν.

mor·tify /ˋmɔtɪfaɪ/ *ρ.μ/ἀ.* **1**. ταπεινώνω/-ομαι, πληγώνω, ντροπιάζομαι: *be mortified by sb's rudeness*, πληγώνομαι ἀπό τήν προσβλητική συμπεριφορά κάποιου. *I felt so mortified at my failure that…*, ἔνοιωσα τόσο ταπεινωμένος (ντροπιασμένος) ἀπό τήν ἀποτυχία μου ὥστε… *a ~ing defeat*, μιά ταπεινωτική ἧττα. **2**. **~ *the flesh***, κολάζω τό σῶμα (πρός ἐξαγνισμόν), δαμάζω τίς ἐπιθυμίες μου. **3**. *(γιά πληγή)* σαπίζω, γαγγραινιάζω. **mor·ti·fi·ca·tion** /ˈmɔtɪfɪˋkeɪʃn/ *οὐσ.* ‹U› ταπείνωσις, ἐξαγνιστικός κολασμός, νέκρωσις, γάγγραινα.

mor·tise, mor·tice /ˋmɔtɪs/ *οὐσ.* ‹C› ὑποδοχή σέ ξύλο (γιά νά μπῆ προεξοχή ἄλλου ξύλου καί νά ματιστοῦν). **ˋ~ lock**, κλειδαριά ἐνσωματωμένη σέ ξύλο (ὄχι βιδωμένη ἀπέξω). *—ρ.μ.* ἑνώνω ξύλα.

mor·tu·ary /ˋmɔtʃʊrɪ/ *οὐσ.* ‹C› νεκροθάλαμος (νοσοκομείου), δημόσιον νεκροφυλακεῖον. *—ἐπ.* νεκρικός, ἐπικήδειος.

mo·saic /məʊˋzeɪɪk/ *οὐσ.* ‹C› ψηφιδωτόν, μωσαϊκόν: *The ~s in Pella are beautifully preserved*, τά μωσαϊκά τῆς Πέλλας διατηροῦνται θαυμάσια. *—ἐπ.* ψηφιδωτός.

Mo·saic /məʊˋzeɪɪk/ *ἐπ.* Μωσαϊκός, τοῦ Μωϋσέως: **the ~ law**, ὁ Μωσαϊκός νόμος.

Mos·lem /ˋmozləm/ *οὐσ.* ‹C› & *ἐπ.* *βλ. Muslim.*

mosque /mosk/ *οὐσ.* ‹C› τζαμί.

mos·quito /məˋskitəʊ/ *οὐσ.* ‹C› *(πληθ. ~es)* κουνούπι. **ˋ~-net**, κουνουπιέρα.

moss /mos/ *οὐσ.* ‹U› *(μόνον ἑν.)* βρύα, μούσκλια: *~-covered rocks/roofs/tree-trunks*, βράχια/στέγες/κορμοί δέντρων σκεπασμένα μέ μούσκλια. ***A rolling stone gathers no ~***, *(παροιμ.)* πέτρα πού κυλᾶ μαλλί δέν πιάνει. **ˋ~-grown** *ἐπ.* βρυοσκεπής, γεμᾶτος μούσκλια. **~y** *ἐπ.* *(-ier, -iest)* χορταριασμένος.

[1]**most** /məʊst/ *ἐπ.* & *οὐσ.* ‹U› **1**. πλεῖστος, τό πλεῖστον, ὁ περισσότερος: *I have made (the) ~ mistakes*, ἐγώ ἔκαμα τά περισσότερα λάθη. ***at (the) ~/at the very ~***, τό πολύ-πολύ, κατ' ἀνώτατον ὅριον: *I can pay only £10 at the ~*, μπορῶ νά πληρώσω 10 λίρες τό πολύ-πολύ. *She's thirty at the very ~*, τό πολύ-πολύ νά εἶναι τριάντα χρονῶν. ***make the ~ of***, ἐκμεταλλεύομαι στό ἔπακρον, ἀξιοποιῶ πλήρως: *We must make the ~ of our time*, πρέπει νά ἐκμεταλλευτοῦμε τό χρόνο μας ὅσο περισσότερο μποροῦμε. ***for the ˋ~ part***, ὡς ἐπί τό πλεῖστον, κατά κανόνα: *English TV sets are, for the ~ part, of excellent quality*, οἱ ἀγγλικές τηλεοράσεις εἶναι ὡς ἐπί τό πλεῖστον πολύ καλῆς ποιότητος. **2**. *(χωρίς the)* ἡ πλειοψηφία, τό μεγαλύτερον μέρος: *M~ people hate him*, οἱ περισσότεροι τόν μισοῦν. *I was ill ~ of the summer*, ἤμουν ἄρρωστος τό μεγαλύτερο μέρος τοῦ καλοκαιριοῦ.

[2]**most** /məʊst/ *ἐπίρ.* **1**. *(διά τόν προσδιορισμό ἐπ. καί ἐπιρ.)* ὁ πιό, πάρα πολύ: *the ~ interesting/useful book*, τό πιό ἐνδιαφέρον/χρήσιμο βιβλίο. *~ carefully*, πάρα πολύ προσεχτικά. **2**. *(διά τόν προσδιορισμόν ρημάτων)* περισσότερο (ἀπ' ὅλα): *What's troubling you ~?* τί σέ βασανίζει περισσότερο; *What ~ pleased me/What pleased me ~ was that…*, ἐκεῖνο πού μέ εὐχαρίστησε περισσότερο ἀπ' ὅλα ἦταν ὅτι… **3**. *(συχνά μέ ἀόρ. ἄρθρ.)* πάρα πολύ: *a ~ useful book*, ἕνα πάρα πολύ χρήσιμο βιβλίο. *This is ~ interesting*, αὐτό εἶναι πάρα πολύ ἐνδιαφέρον. **4**. *(ἐπιτατικῶς πρό ἐπιρ.)* ἐντελῶς: *M~ certainly*, βεβαιότατα. **~·ly** *ἐπίρ.* κατά βάσιν, κατά κανόνα, ὡς ἐπί τό πλεῖστον: *The medicine was ~ly sugar and water*, τό φάρμακο ἦταν κατά βάση ζάχαρη καί νερό. *I'm ~ly at home on Sundays*, εἶμαι κατά κανόνα σπίτι τίς Κυριακές.

mote /məʊt/ *οὐσ.* ‹C› κόκκος/μόριον σκόνης: *~s dancing in a sunbeam*, μόρια σκόνης πού πλέουν σέ μιά ἡλιαχτίδα.

mo·tel /məʊˋtel/ *οὐσ.* ‹C› μοτέλ.

moth /moθ/ *οὐσ.* ‹C› **1**. πεταλουδίτσα (πού γυρίζει γύρω ἀπό τό φῶς). **2**. σκῶρος. **ˋ~·ball**, ναφθαλίνη σέ βώλους: ***in ~balls***, *(μεταφ.)* στή ναφθαλίνη, ἀχρησιμοποίητος. **ˋ~-eaten** *ἐπ.* σκωροφαγωμένος: *~-eaten clothes*, σκωροφαγωμένα ροῦχα. **ˋ~-proof** *ἐπ.* ἀπρόσβλητος ἀπό σκῶρο: *~-proof carpets*, χαλιά πού δέν τά πιάνει ὁ σκῶρος.

mother /ˋmʌðə(r)/ *οὐσ.* ‹C› μητέρα, μάνα: *She was like a ~ to me*, μοῦ στάθηκε σά μάνα. ***Necessity is the ~ of invention***, *(παροιμ.)* ἡ ἀνάγκη εἶναι ἡ μήτηρ τῆς ἐφευρέσεως. *—ρ.μ.* προφυλάω, κακομαθαίνω κπ. **M~ Superior**, Ἡγουμένη. **the ˋ~ country**, πατρίδα, μητρόπολις (σέ σχέση μέ τίς ἀποικίες). **ˋ~-in-law** *οὐσ.* *(πληθ. ~s-in-law)* πεθερά. **ˈ~-of-ˋpearl**, μάργαρος, σεντέφι, φίλντισι. **~ ship**, πλοῖον ἀνεφοδιασμοῦ. **~ tongue**, μητρική γλῶσσα. **ˋ~-hood** *οὐσ.* ‹U› μητρότης. **ˋ~·less** *ἐπ.* ὀρφανός ἀπό μητέρα. **ˋ~·like** *ἐπ.* σάν μητρικός. **ˋ~·ly** *ἐπ.* μητρικός. **ˋ~·li·ness** *οὐσ.* ‹U› μητρικότης, μητρική στοργή.

mo·tif /məʊˋtif/ *οὐσ.* ‹C› *(πληθ. ~s)* μοτίβο, κεντρικό θέμα.

mo·tion /ˋməʊʃn/ *οὐσ.* **1**. ‹U› κίνησις: *If a thing is in ~, it is not at rest*, ὅταν ἕνα πρᾶγμα εὑρίσκεται ἐν κινήσει, δέν εἶναι ἐν στάσει. ***put/set sth in ~***, θέτω κτ εἰς κίνησιν. **~ picture**, κινηματογραφικόν φίλμ. **2**. ‹C› κίνησις (τοῦ σώματος): *with a ~ of his hand*, μέ μιά κίνηση τοῦ χεριοῦ.

All her ~s were graceful, ὅλες της οἱ κινήσεις ἦταν γεμᾶτες χάρη. ***go through the ~s***, (*καθομ.*) κάνω κτ μόνο γιά νά λέω ὅτι τό κάνω, μέ τό ζόρι: *She went through the ~s of cleaning the room*, ἔκανε τάχα πώς καθάριζε τό δωμάτιο. **3**. ‹C› πρότασις (πρός συζήτησιν καί ψηφοφορίαν): *On the ~ of Mr A. the committee agreed to adjourn*, προτάσει τοῦ κ. Α. ἡ ἐπιτροπή ἀπεφάσισε νά ἀναβάλη τήν συνεδρίασιν. *The ~ was adopted/carried/ rejected by a majority of four*, ἡ πρότασις υἱοθετήθη/ἐνεκρίθη/ἀπερρίφθη μέ πλειοψηφία 4 ψήφων. —*ρ.μ/ἀ.* **1**. ***~ to sb (to do sth)***, ὑποδεικνύω (μέ κίνηση) σέ κπ (νά κάμη κτ): *He ~ed to me to sit down*, μοῦ ὑπέδειξε μέ μιά κίνηση (μοῦ ἔκανε νόημα) νά καθίσω. **2**. ***~ sb out/in/away, etc***, κάνω νεῦμα σέ κπ νά βγῆ ἔξω/νά μπῆ μέσα/νά φύγη: *He ~ed me out of the room*, μοῦ ἔκανε νεῦμα νά βγῶ ἀπό τό δωμάτιο. **~·less** *ἐπ.* ἀκίνητος.

mo·ti·vate /ˋməʊtɪveɪt/ *ρ.μ.* (παρα)κινῶ: *~d by greed*, κινούμενος ἀπό ἀπληστία. **mo·tiv·ation** /ˈməʊtɪˋveɪʃn/ *οὐσ.* ‹U› κίνητρον, παρακίνησις.

mo·tive /ˋməʊtɪv/ *ἐπ.* κινητήριος: *~ power/ force*, κινητήριος δύναμις. —*οὐσ.* ‹C› **1**. κίνητρον, ἐλατήριον: *low and selfish ~s*, ταπεινά καί ἰδιοτελῆ κίνητρα. *from political ~s*, ἀπό πολιτικά κίνητρα. *Hatred was his ~ for attacking me*, τό μῖσος ἦταν τό κίνητρό πού μοῦ ἐπετέθη. **2**. *βλ. motif*. **~·less** *ἐπ.* ἄνευ κινήτρου.

mot·ley /ˋmɒtlɪ/ *ἐπ.* **1**. παρδαλός, πολύχρωμος. **2**. παρδαλός, ἑτερόκλητος: *a ~ crowd*, ἀνάμικτο πλῆθος (ἀπό λογῆς-λογῆς ἀνθρώπους).

mo·tor /ˋməʊtə(r)/ *οὐσ.* ‹C› **1**. μηχανή, κινητήρ, μοτέρ: *driven by electric ~s*, κινούμενος ἀπό ἠλεκτροκινητῆρες. *~ vehicles*, μηχανοκίνητα ὀχήματα. **ˋ~-bike/-cycle**, μοτοσυκλέττα. **ˋ~-car/-boat**, αὐτοκίνητο/βενζινάκατος. **ˋ~·cade**, πομπή ὀχημάτων. **ˋ~-man**, ὁδηγός (σέ τράμ ἤ ὠτομοτρίς). **ˋ~-way**, αὐτοκινητόδρομος. **2**. (*βραχυλ. γιά*) αὐτοκίνητο: *theˋM~ Show*, ἡ Ἔκθεσις Αὐτοκινήτου. **3**. (*ἐπιθ.*) κινητήριος, μηχανοκίνητος, κινητικός: *~ nerve*, κινητικόν νεῦρον. —*ρ.μ/ἀ.* ταξιδεύω μέ αὐτοκίνητο: *~ from London to Oxford*. **~·ing** *οὐσ.* ‹U› βόλτα μέ τ᾽αὐτοκίνητο, αὐτοκινητάδα. **ˋ~·ist** /-ɪst/ *οὐσ.* ‹C› αὐτοκινητιστής, ὁδηγός. **ˋ~·ize** /-aɪz/ *ρ.μ.* καθιστῶ (πχ στράτευμα) μηχανοκίνητον.

mottled /ˋmɒtld/ *ἐπ.* διάστικτος, ποικιλόχρωμος: *the ~ skin of a snake*, τό διάστικτον δέρμα φιδιοῦ.

motto /ˋmɒtəʊ/ *οὐσ.* ‹C› (*πληθ.* *~s ἤ ~es*) ρητόν, γνωμικόν, ἀρχή: *My ~ is: 'More haste, less speed'*, ἡ ἀρχή μου εἶναι: "Σπεῦδε βραδέως".

mou·jik, mujik /ˋmuʒɪk/ *οὐσ.* ‹C› μουζίκος.

[1]**mould** /məʊld/ *οὐσ.* ‹C› καλούπι: *They are cast in the same/in a different ~*, (*μεταφ.*) εἶναι φτιαγμένοι ἀπό τό ἴδιο/ἀπό διαφορετικό καλούπι. —*ρ.μ.* **1**. ***~ sth (in/from/out of)***, φτιάχνω κτ (ἀπό/μέ): *~ a head in/out of clay*, φτιάχνω ἕνα κεφάλι ἀπό πηλό. **2**. (*μεταφ.*) διαπλάθω, διαμορφώνω: *What ~ed his character most...*, ἐκεῖνο πού διέπλασε τόν χαρακτῆρα του περισσότερο...

[2]**mould** /məʊld/ *οὐσ.* ‹U› μούχλα. —*ρ.ἀ.* μουχλιάζω: *Cheese ~s in warm, wet weather*, τό τυρί μουχλιάζει μέ ζεστό, ὑγρό καιρό. **~y** *ἐπ.* (*-ier, -iest*) **1**. μουχλιασμένος: *~y bread*. **2**. μπαγιάτικος, πού μυρίζει μούχλα. **3**. (*μεταφ.*) παληός, ἀραχνιασμένος, (*γιά ἄνθρ.*) ἄχρηστος, μέ μουχλιασμένες ἰδέες.

[3]**mould** /məʊld/ *οὐσ.* ‹U› μαυρόχωμα: *ˋleaf ~*, μαυρόχωμα ἀπό σαπισμένα φύλλα.

moulder /ˋməʊldə(r)/ *ρ.ἀ.* γίνομαι σκόνη, καταρρέω, σαπίζω, διαλύομαι: *the ~ing ruins of an old castle*, τά καταρρέοντα ἐρείπια ἑνός παληοῦ κάστρου. *He's now ~ing away in the churchyard*, λυώνει τώρα στό νεκροταφεῖο.

mould·ing /ˋməʊldɪŋ/ *οὐσ.* **1**. ‹U› διαμόρφωσις, διάπλασις, καλούπωμα. **2**. ‹C› κορνίζα (τοίχου), γεῖσο (παραθύρου, κλπ).

moult /məʊlt/ *ρ.μ/ἀ.* (*γιά πουλιά, ζῶα, κλπ*) μαδῶ, ἀλλάζω φτερά/τρίχωμα. —*οὐσ.* ‹U› μάδημα.

mound /maʊnd/ *οὐσ.* ‹C› σωρός χῶμα, ἀνάχωμα, βουναλάκι, (*μεταφ.*) πλῆθος: *a ˋburial-~*, τύμβος. *a ~ of letters*, σωρός/ἕνα βουνό γράμματα.

[1]**mount** /maʊnt/ *οὐσ.* ‹C› (*συνήθ. μέ κύρια ὀνόματα βραχ. εἰς* **Mt**) ὄρος: *Christ's sermon on the ~*, ἡ ἐπί τοῦ ὄρους ὁμιλία τοῦ Χριστοῦ. *Mt Olympus*, τό ὄρος Ὄλυμπος, ὁ Ὄλυμπος. *Mt Taygetus*, ὁ Ταΰγετος.

[2]**mount** /maʊnt/ *ρ.μ/ἀ.* **1**. ἀνέρχομαι, ἀνεβαίνω: *~ the stairs*, ἀνεβαίνω τή σκάλα. ***~ the throne***, ἀνέρχομαι εἰς τόν θρόνον. **2**. ἱππεύω, καβαλλῶ, ἐφοδιάζω κπ μέ ἄλογο: *They ~ed (their horses) and rode away*, ἵππευσαν (τά ἄλογά τους) κι᾽ἔφυγαν. *the ~ed police*, ἡ ἔφιππη ἀστυνομία. **3**. ***~ up***, ἀνεβαίνω, αὐξάνομαι, συσσωρεύομαι: *Our living expenses are ~ing up*, τά ἔξοδα συντηρήσεώς μας ἀνεβαίνουν. **4**. τοποθετῶ, στήνω, μοντάρω: *~ a gun*, θέτω πυροβόλον ἐπί κιλλίβαντος. *~ a machine*, ἐγκαθιστῶ, μοντάρω μιά μηχανή. *~ jewels in gold*, δένω πετράδια μέ χρυσό. **5**. (*στό θέατρο*) ἀνεβάζω (ἔργο): *The play was well ~ed*, τό ἔργο ἦταν καλά ἀνεβασμένο (*δηλ.* μέ καλά σκηνικά, κοστούμια, κλπ). **6**. (*στρατ.*) ἐξαπολύω: *~ an offensive*, ἐξαπολύω ἐπίθεσιν. ***~ guard (at/ over)***, φρουρῶ, στέκομαι φρουρά (σέ ἕνα μέρος). **7**. (*γιά μεγάλα ζῶα*) βατεύω, καβαλλῶ. —*οὐσ.* ‹C› βάσις, στήριγμα, πλαίσιο.

moun·tain /ˋmaʊntɪn/ *οὐσ.* ‹C› (*κυριολ. & μεταφ.*) βουνό: *spend the summer up in the ~s*, περνῶ τό καλοκαίρι πάνω στά βουνά. *The waves were ~ high*, τά κύματα ἦταν βουνά. *a ~ of debts/difficulties*, ἕνα σωρό χρέη/ δυσκολίες. **~ chain/range**, ὀροσειρά. **ˋ~ dew**, (*καθομ.*) Σκωτσέζικο οὐΐσκυ. **ˋ~ sickness**, (*ἰατρ.*) νόσος τῶν ὀρειβατῶν. **~·eer** /ˈmaʊntɪˋnɪə(r)/, ὀρεσίβιος, ὀρειβάτης. **~·eer·ing**, ὀρειβασία. **~ous** /-əs/ *ἐπ.* ὀρεινός, βουνήσιος, σά βουνό: *a ~ous country*, ὀρεινή χώρα. *~ous waves*, κύματα σά βουνά.

moun·te·bank /ˋmaʊntɪbæŋk/ *οὐσ.* ‹C› ἀγύρτης, τσαρλατᾶνος.

mourn /mɔn/ *ρ.μ/ἀ.* ***~ (for/over)***, πενθῶ, θρηνῶ, κλαίω: *~ for a dead friend*, πενθῶ τό θάνατο ἑνός φίλου. ~ *over a friend's death*, κλαίω γιά τό θάνατο ἑνός φίλου. ~ *the loss of one's mother*, θρηνῶ τήν ἀπώλεια τῆς μητέρας μου. **~er** *οὐσ.* ‹C› πενθῶν, τεθλιμμένος συγγενής (σέ κηδεία). **~·ful** /-fl/ *ἐπ.* πένθιμος, θλιβερός. **~·fully** /-fəlɪ/ *ἐπίρ.*

mourn·ing /ˋmɔnɪŋ/ *οὐσ.* ‹U› πένθος: *be in* ~, ἔχω πένθος, εἶμαι ντυμένος πένθιμα. *The Court will go into* ~ *for a month*, ἡ Αὐλή θά πενθήση ἕνα μῆνα. ˋ**~-band**, ταινία πένθους, πένθος (σέ μανίκι, κλπ).

mouse /maʊs/ *οὐσ.* ‹C› (*πληθ. mice* /maɪs/) ποντικός, (*μεταφ.*) δειλό ἀνθρωπάκι. ˋ**~-trap**, ποντικοπαγίδα. —*ρ.ἀ.* (*γιά γάτα*) κυνηγῶ/πιάνω ποντίκια: *Our cats* ~ *well*, οἱ γάτες μας κυνηγᾶν καλά. **mousy** /ˋmaʊsɪ/ *ἐπ. (-ier, -iest) (α)* (*γιά χρῶμα, ἰδ. μαλλιῶν*) ξεπλυμένο σκοῦρο. *(β)* (*γιά ἄνθρ.*) φοβιτσιάρης.

mousse /mus/ *οὐσ.* ‹C,U› μούς, παγωμένη κρέμα (*συνήθ.* μέ ἄρωμα φρούτου).

mous·tache /məˋstaʃ/ *οὐσ.* ‹C› μουστάκι. **~d**, μουστακοφόρος.

[1]**mouth** /maʊθ/ *οὐσ.* ‹C› (*πληθ.* ~*s* /maʊðz/) **1**. στόμα: *Open your* ~! ἄνοιξε τό στόμα σου! ***by word of*** ~, προφορικῶς, διά ζώσης. ***down in the*** ~, κατηφής, σκυθρωπός, θλιμμένος. ***put words into sb's*** ~, *(α)* τοῦ λέω τί νά πῆ. *(β)* ἰσχυρίζομαι ὅτι εἶπε κτ. ***take the words out of sb's*** ~, παίρνω τίς λέξεις ἀπό τό στόμα κάποιου, τόν προλαβαίνω. (*βλ.* & *λ. horse*). ˋ**~-organ**, φυσαρμόνικα. ˋ**~·piece**, *(α)* ἐπιστόμιον (τσιγάρου, πίπας, μουσικοῦ ὀργάνου, κλπ). *(β)* ἐκπρόσωπος (κόμματος), φερέφωνον: *That newspaper is the* ~*piece of the Liberals*, αὐτή ἡ ἐφημερίδα ἀπηχεῖ τίς ἀπόψεις τῶν Φιλελευθέρων. **2**. στόμιον (πηγαδιοῦ), εἴσοδος (τοῦνελ, σπηλιᾶς, λιμανιοῦ), χείλη (μπουκαλιοῦ), ἐκβολή (ποταμοῦ). **~·ful** /-fʊl/ *οὐσ.* μπουκιά, ὅσο χωράει τό στόμα: *have a* ~*ful of food*, τρώω μιά μπουκιά. *swallow sth at one* ~*ful*, καταπίνω μέ μιά χαψιά. *What a* ~*ful of a name!* τί ὄνομα-σιδηρόδρομος!

[2]**mouth** /maʊð/ *ρ.μ/ἀ.* **1**. μιλῶ μέ στόμφο, ρητορεύω, ἐκστομίζω (ἀπειλές, κλπ). **2**. ἁρπάζω μέ τό στόμα, χάβω.

mov·able /ˋmuvəbl/ *ἐπ.* κινητός: *a* ~ *bookcase*, κινητή βιβλιοθήκη. *Christmas is fixed but Easter is* ~, τά Χριστούγεννα εἶναι σταθερή ἑορτή ἀλλά τό Πάσχα εἶναι κινητή.

[1]**move** /muv/ *οὐσ.* ‹C› **1**. (*στό σκάκι, κλπ*) κίνησις, παίξιμο: *a knight's* ~, κίνησις τοῦ ἀλόγου. *Whose* ~ *is it?* ποιός ἔχει σειρά νά κινήση (νά παίξη); **2**. κίνησις, ἐνέργεια: *a* ~ *towards settling a strike*, κίνησις πρός διευθέτησιν μιᾶς ἀπεργίας. *We must watch their next* ~, πρέπει νά προσέχωμε τήν ἑπόμενη κίνηση/ἐνέργειά τους. *a new* ~ *towards peace*, ἕνα νέο βῆμα πρός τήν εἰρήνη. ***make a*** ~, *(α)* μετακινοῦμαι: *Shall we make a* ~ *now?* τί λέτε, φεύγωμε; *(β)* προβαίνω εἰς ἐνέργειαν, ἐνεργῶ: *Unless we make a* ~ *soon, we'll be in a hopelessly weak position*, ἄν δέν ἐνεργήσωμε σύντομα θά βρεθοῦμε σέ ἀπελπιστικά ἀδύνατη θέση. **3**. (μετα)κίνησις. ***(be) on the*** ~, εἶμαι (διαρκῶς) σέ κίνηση, μετακινοῦμαι. ***get a*** ~ ***on***, (*λαϊκ.*) βιάζομαι, κάνω γρήγορα.

[2]**move** /muv/ *ρ.μ/ἀ.* **1**. (μετα)κινῶ, κινοῦμαι: *He* ~*d his chair nearer (to) the fire*, μετακίνησε τήν καρέκλα του κοντύτερα στή φωτιά. *Not a leaf* ~*d*, δέν κουνιόταν φύλλο. *They* ~ *in the best society*, κινοῦνται στήν καλύτερη κοινωνία. *Nobody seems willing to* ~ *in the matter*, κανείς δέν φαίνεται πρόθυμος νά κινηθῆ (νά ἐνεργήση) σ' αὐτό τό θέμα. ~ ***heaven and earth***, κινῶ γῆ καί οὐρανό. **moving staircase**, κυλιόμενη σκάλα (*βλ.* & *λ. escalator*). **2**. προχωρῶ: *Time* ~*s on*, ὁ καιρός προχωρεῖ. *The work* ~*s slowly*, ἡ δουλειά προχωρεῖ ἀργά. *'M*~ *on, please,' said the policeman.* -Μή στέκεστε, παρακαλῶ, κυκλοφορεῖτε! εἶπε ὁ ἀστυφύλακας. ~ ***along/down/up***, προχωρῶ κατά μῆκος/κάτω/πάνω: *'M*~ *along, please,' said the conductor*, -Προχωρεῖτε στό διάδρομο, παρακαλῶ, εἶπε ὁ εἰσπράκτωρ. **3**. ~ ***(house)***, μετακομίζω, ἀλλάζω σπίτι: *We're moving (house) tomorrow*, θά μετακομίσωμε αὔριο. ~ ***in***, ἐγκαθίσταμαι, μπαίνω (σέ νέο σπίτι). ~ ***out***, φεύγω, ἀφήνω τό παληό σπίτι. **4**. συγκινῶ, (παρα)κινῶ, ὠθῶ: *I was* ~*d to tears*, συγκινήθηκα μέχρι δακρύων. *His story* ~*d her deeply*, ἡ ἱστορία του τήν συγκίνησε βαθιά. *It was a moving sight*, ἦταν συγκινητικό θέαμα. *Nothing I said* ~*d him to offer his help*, τίποτα ἀπ' ὅ,τι εἶπα δέν τόν παρεκίνησε (δέν τόν ἔκαμε) νά προσφέρη τή βοήθειά του. *He is not to be* ~*d*, τίποτα δέν τόν κουνάει, δέν ἀλλάζει γνώμη. *The spirit* ~*d him to address the meeting*, τοῦ ἦλθε ἡ διάθεσις νά μιλήση στή συγκέντρωση. ~ ***the bowels***, προκαλῶ κένωσιν (τῶν ἐντέρων). **5**. προτείνω: *Mr Chairman, I* ~ *that the money (should) be used*..., Κύριε Πρόεδρε, προτείνω νά χρησιμοποιηθοῦν τά χρήματα... ~ ***for papers***, (*κοινοβούλ.*) αἰτοῦμαι τήν κατάθεσιν ἐγγράφων.

move·ment /ˋmuvmənt/ *οὐσ.* ‹C,U› **1**. (μετα)κίνησις, δρᾶσις, ἑλιγμός: *There was a general* ~ *towards the door*, ἔγινε γενική κίνησις (ὅλοι κινήθηκαν) πρός τήν πόρτα. *with a* ~ *of his hand/head*, μέ μιά κίνηση τοῦ χεριοῦ του/τοῦ κεφαλιοῦ του. *The play lacks* ~, τό ἔργο δέν ἔχει κίνηση/δράση. *By a series of rapid* ~*s, the general*..., μέ μιά σειρά ταχεῖς ἑλιγμούς, ὁ στρατηγός... **2**. κίνησις, κίνημα. **the ˋLabour M**~, τό ἐργατικό κινημα. *a social/religious* ~, ἕνα κοινωνικό/θρησκευτικό κίνημα. **3**. μηχανισμός (ρολογιοῦ), μέρος (μουσ. ἔργου), ἐνέργεια (ἐντέρων): *a symphony in four* ~*s*, συμφωνία σέ τέσσερα μέρη.

mover /ˋmuvə(r)/ *οὐσ.* ‹C› **1**. εἰσηγητής (προτάσεως). **2**. ὑποκινητής. ***the prime*** ~ *(of a project)*, ὁ κύριος ὑποκινητής (ἑνός σχεδίου).

movie /ˋmuvɪ/ *οὐσ.* ‹C› φίλμ, (*πληθ.*) κινηματογράφος: *go to the* ~*s*, πάω σινεμά.

mow /məʊ/ *ρ.μ. ἀνώμ.* (*ἀόρ.* ~*ed*, *πμ.* ~*n* /məʊn/ *ἤ* ~*ed*) **1**. κουρεύω (γρασίδι): ~ *the lawn*, κουρεύω τό γκαζόν. **2**. θερίζω: ~ *a field*, θερίζω χωράφι. ~ ***down***, (*μεταφ.*) θερίζω: *The enemy troops were* ~*ed down by machine-gun fire*, οἱ ἐχθρικές δυνάμεις θερίστηκαν ἀπό τό πῦρ τῶν ὁπλοπολυβόλων.

mower /ˋməʊə(r)/ *οὐσ.* ‹C› θεριστής (*βλ.* & *λ.*

lawn).

Mr /ˋmɪstə(r)/ *οὐσ. βλ. mister.*

Mrs /ˋmɪsɪz/ *οὐσ. (πρίν ἀπό τό ὄνομα παντρεμένης γυναίκας)* κυρία.

[1]**much** /mʌtʃ/ *οὐσ.* ‹U› & *ἐπ. (χρησιμοποιεῖται μέ μή ἀριθμήσιμα οὐσιαστικά ἑνικοῦ, κυρίως σέ ἐρωτηματικές καί ἀρνητικές προτάσεις. Στίς καθαρῶς καταφατικές προτάσεις προτιμῶνται οἱ φράσεις plenty (of), a lot (of), a good/great deal (of), a large quantity (of))*, πολύς, πολλή, πολύ: *Did you have ~ difficulty in finding the house?* εἴχατε πολλή δυσκολία νά βρῆτε τό σπίτι; *I never eat ~ breakfast*, ποτέ δέν παίρνω πολύ πρόγευμα. *He's given me too ~ cake*, μοῦ ἔδωσε πάρα πολύ κέκ. ***how ~***, πόσο: *How ~ butter do you want?* πόσο βούτυρο θέλετε; *How ~ are these shoes?* πόσο κάνουν αὐτά τά παπούτσια; ***not be up to ~***, *(καθομ.)* δέν ἀξίζω πολύ: *His music is not up to ~*, δέν λέει πολλά πράγματα ἡ μουσική του. ***not ~ of a***, δέν ἀξίζει πολλά σάν: *He is not ~ of a teacher*, δέν ἀξίζει πολλά σάν δάσκαλος. *It was not ~ of a dinner*, δέν ἔλεγε πολλά σά γεῦμα. ***this/that ~***, *(ἐμφατ.)* αὐτό, τόσο: *This ~ is certain, that he will try again*, αὐτό εἶναι βέβαιο, ὅτι θά προσπαθήση πάλι. *Did he admit that ~?* τό παραδέχτηκε αὐτό; ***be too ~ for sb***, παραεἶμαι, εἶμαι πολύ ἀνώτερος ἀπό κπ: *That was too ~ for me*, αὐτό παρά ἦταν γιά μένα (δέν μποροῦσα νά τό ἀνεχθῶ αὐτό). *He was too ~ for me*, ἦταν πολύ ἀνώτερός μου (δέν ἔβγαινα μπροστά του). ***make ~ of sth***, καταλαβαίνω πολύ, ἀποδίδω σημασία: *I didn't make ~ of his lecture*, δέν κατάλαβα πολλά ἀπό τή διάλεξή του. *We mustn't make ~ of this incident*, δέν πρέπει ν' ἀποδώσωμε μεγάλη σημασία σ' αὐτό τό περιστατικό. ***not think ~ of***, δέν ἔχω σέ πολλή ἐκτίμηση, δέν ἔχω μεγάλη ἰδέα γιά: *I don't think ~ of him as a composer*, δέν ἔχω μεγάλη ἰδέα γι' αὐτόν σάν συνθέτη. ***as ~ (as)***, *(α)* ἄλλο τόσο: *Give me as ~ again*, ξαναδῶστε μου ἄλλο τόσο. *(β)* αὐτό, τόσο: *I thought as ~*, τό σκέφτηκα αὐτό, τό σκέφτηκα καί γώ. *(γ)* τό ἴδιο: *You've always helped me and I'll do as ~ for you now*, πάντα μέ βοήθησες καί θά κάνω κι' ἐγώ τό ἴδιο γιά σένα τώρα. *This is as ~ as to say that I am a liar*, αὐτό εἶναι τό ἴδιο σάν νά λές ὅτι εἶμαι ψεύτης (θέλεις νά πῆς μ' αὐτό ὅτι εἶμαι ψεύτης). *(δ)* ἐξίσου: *You are as ~ to blame as I am*, φταῖς ἐξίσου μέ μένα, ὅσο καί γώ. *(ε) (μέ τό ρ. do)* μέ τό ζόρι, μέ δυσκολία, κάνω ὅ,τι μπορῶ: *It was as ~ as I could do not to cry*, μέ δυσκολία κρατήθηκα νά μήν κλάψω. *It is as ~ as he can do not to go bankrupt*, κάνει ὅ, τι μπορεῖ γιά (μέ δυσκολία κρατιέται) νά μήν χρεωκοπήση. ***(with) not/without so ~ as***, χωρίς κἄν: *He left without so ~ as saying 'Thank you'*, ἔφυγε χωρίς κἄν νά πῆ 'εὐχαριστῶ'. *He pushed me back with not so ~ as a word of apology*, μ' ἔσπρωξε πίσω χωρίς κἄν μιά λέξη συγγνώμης. *He hadn't so ~ as his fare home*, δέν εἶχε οὔτε κἄν τά εἰσιτήρια ἐπιστροφῆς.

[2]**much** /mʌtʃ/ *ἐπίρ.* πολύ. **1**. *(μέ ρήματα)*: *I don't like beer ~*, δέν μοῦ ἀρέσει πολύ ἡ μπύρα. *I very ~ enjoyed the concert*, χάρηκα πάρα πολύ τή συναυλία. **2**. *(μέ ἐπίθετα συγκριτικοῦ ἤ ὑπερθετικοῦ βαθμοῦ. Πρβλ. τό very χρησιμοποιεῖται μέ θετικό βαθμό)*: *He's very good but his brother is ~ better*, εἶναι πολύ καλός, ἀλλά ὁ ἀδελφός του εἶναι πολύ καλύτερος. *This is ~ the best*, αὐτό εἶναι χωρίς συζήτηση τό καλύτερο. **3**. *(μέ κατηγορηματικά ἐπίθετα καί παθητικές μετοχές. Τό very, ἀντιθέτως, χρησιμοποιεῖται μέ ἐνεργητικές μετοχές, ἤ μέ παθητικές μετοχές πού λειτουργοῦν σάν γνήσια ἐπίθετα)*: *I was ~ afraid that he wouldn't come*, φοβόμουν πολύ ὅτι δέν θά ἔλθη. *I'll be ~ surprised if he fails*, θά ἐκπλαγῶ πολύ ἄν ἀποτύχη *(πρβλ. It will be very surprising if...)* ***~ as***, μολονότι... πολύ: *M~ as I like you, I can't marry you*, μολονότι μοῦ ἀρέσεις πολύ, δέν μπορῶ νά σέ παντρευτῶ. ***~ the same***, σχεδόν τό ἴδιο: *His condition is ~ the same today*, ἡ κατάστασίς του εἶναι σχεδόν ἡ ἴδια σήμερα. ***~ to***, πρός μεγάλη: *~ to my surprise*, πρός μεγάλη μου ἔκπληξη. ***too ~***, πάρα πολύ: *He thinks too ~ of himself*, ἔχει πάρα πολύ μεγάλη ἰδέα γιά τόν ἑαυτό του. ***not so ~... as***, μᾶλλον... παρά: *Oceans do not so ~ divide the world as unite it*, οἱ ὠκεανοί μᾶλλον ἑνώνουν τόν κόσμο παρά τόν χωρίζουν. *She doesn't so ~ love him as admire him*, μᾶλλον τόν θαυμάζει παρά τόν ἀγαπάει. ***~ of a ~ness***, *(καθομ.)* περίπου τό ἴδιο, σχεδόν ὅμοιο.

mu·ci·lage /ˋmjusɪlɪdʒ/ *οὐσ.* ‹U› φυτική κόλλα.

muck /mʌk/ *οὐσ.* ‹U› κοπριά, βόρβορος, *(μεταφ.)* βρωμιά, ἀηδία: *clear the ~ out of a yard*, καθαρίζω τή βρωμιά ἀπό μιά αὐλή. ***make a ~ of sth***, *(καθομ.)* χαλῶ, βρωμίζω, θαλασσώνω κτ. **ˋ~-heap**, σωρός κοπριᾶς. **ˋ~-raker**, *(μεταφ.)* σκανδαλοθήρας. **ˋ~-raking**, *(μεταφ.)* σκανδαλοθηρία. —*ρ.μ/ἀ.* **1**. ***~ sth up***, *(καθομ.)* χαλῶ, βρωμίζω, ἀνακατώνω κτ. **2**. ***~ about***, *(MB, λαϊκ.)* περιφέρομαι ἄσκοπα, κοπροσκυλιάζω, χαζολογάω: *He's been ~ing about all day*, χαζολογάει ὅλη τήν ἡμέρα. **3**. ***~ out***, καθαρίζω (σταύλους). **~y** *ἐπ. (-ier, -iest)* βρωμιάρης.

mu·cous /ˋmjukəs/ *ἐπ.* βλεννώδης. **the ˋ~ ˋmembrane**, ἡ βλεννογόνος. **mu·cus** /ˋmjukəs/ *οὐσ.* ‹U› βλέννα.

mud /mʌd/ *οὐσ.* ‹U› λάσπη, ἰλύς: *Rain turns dust into ~*, ἡ βροχή μεταβάλλει τή σκόνη σέ λάσπη. *river ~*, ἰλύς ποταμοῦ. ***throw/fling ~ at sb***, κατασπιλώνω τήν ὑπόληψη κάποιου, τόν συκοφαντῶ. **ˋ~-slinger**, συκοφάντης. ***his/her name is ~***, δέν ἔχει καλό ὄνομα, **ˋ~-bath**, *(ἰατρ.)* λασπόλουτρο. **ˋ~ flat**, λασπώδης παραλία (πού τήν σκεπάζει ἡ παλίρροια). **ˋ~guard**, φτερό αὐτοκινήτου/ποδηλάτου. **muddy** *ἐπ. (-ier, -iest)* **1**. λασπωμένος: *~dy shoes/roads*. **2**. λασπώδης, θολός: *a ~dy river*, θολό ποτάμι. *a ~dy skin*, σκοῦρο, μουντό δέρμα. *~dy ideas*, *(μεταφ.)* μπερδεμένες ἰδέες.

muddle /ˋmudl/ *ρ.μ/ἀ.* ἀναστατώνω, μπερδεύω, μπλέκω, ἀνακατώνω, θολώνω (τό μυαλό): *Who's ~d up my papers?* ποιός ἀνακάτεψε τά χαρτιά μου; *~ (up) a drawer*, ἀναστατώνω/κάνω ἄνω-κάτω ἕνα συρτάρι. *~ a scheme*, θαλασσώνω ἕνα σχέδιο. *a ~d affair*, μπλεγμένη/μπερδεμένη ὑπόθεσις. *A glass of* *wine soon ~s him*, ένα ποτήρι κρασί τόν ζαλίζει (τοῦ θολώνει τό μυαλό) ἀμέσως. **~ on/along**, (*καθομ.*) προχωρῶ κουτσά-στραβά, χωρίς σχέδιο ἤ πρόγραμμα: *He's still muddling along in the Law School*, συνεχίζει ἀκόμα κούτσα-κούτσα στά Νομικά. **~ through**, (*καθομ.*) ξεμπερδεύω, καταφέρνω καί τελειώνω κουτσά-στραβά: *Somehow he was able to ~ through University*, κάπως τά κατάφερε κι' ἔβγαλε κουτσά-στραβά τό Πανεπιστήμιο. —*οὐσ.* (*συνήθ. ἐν. μέ ἀόρ. ἄρθρ.*) ἀνακάτωμα, θαλάσσωμα, μπέρδεμα, σύγχυσις: *The room was in a ~*, τό δωμάτιο ἦταν ἄνω-κάτω. *You've made a ~ of it*, τά ἔκανες θάλασσα. *I was in a ~*, τἄχα μπερδεμένα στό μυαλό μου, ἤμουν ζαλισμένος. **`~-headed** *ἐπ.* ζαβλακωμένος, ἀποβλακωμένος.

mu·ez·zin /mu`ezɪn/ *οὐσ.* ‹C› μουεζίνης.

1 **muff** /mʌf/ *οὐσ.* ‹C› μανσόν.

2 **muff** /mʌf/ *οὐσ.* ‹C› ἀτζαμής, ἀδέξιος (*ἰδ. σέ παιχνίδια*), μποῦφος. —*ρ.μ.* χαλῶ, ἀστοχῶ, χάνω (ἀπό ἀδεξιότητα). *~ the ball/an easy match*, χάνω τήν μπάλλα/ἕνα εὔκολο παιχνίδι.

muf·fin /`mʌfɪn/ *οὐσ.* ‹C› τηγανίτα. **`~-man**, πλανόδιος πωλητής τηγανιτῶν.

muffle /`mʌfl/ *ρ.μ.* **1**. *~ (up)*, τυλίγω (μέ ροῦχα): *~ one's throat*, τυλίγω τό λαιμό μου (μέ κασκόλ). *~ oneself up well*, τυλίγομαι καλά. *~d up in a heavy overcoat*, τυλιγμένος σ' ἕνα βαρύ παλτό. **2**. σβύνω, πνίγω (ἦχο), τυλίγω (γιά νά πνίξω τόν ἦχο): *The carpet ~s the steps*, τό χαλί πνίγει τά βήματα. *~ the oars*, ντύνω τά κουπιά (γιά νά μήν ἀκούγονται). *~d voices*, πνιχτές φωνές.

muf·fler /`mʌflə(r)/ *οὐσ.* ‹C› **1**. σάλι, κασκόλ. **2**. (*αὐτοκ.*) σιλανσιέ. **3**. (*μουσ.*) σουρντίνα.

mufti /`mʌftɪ/ *οὐσ.* **1**. ‹U› ***in ~***, μέ πολιτικά (ροῦχα). **2**. ‹C› μουφτής.

1 **mug** /mʌg/ *οὐσ.* ‹C› **1**. μεγάλο κύπελλο (μέ χέρι), κρίκερ: *a `beer-~*, κύπελλο μπύρας. *a ~ of milk*, μιά κούπα γάλα. **2**. (*λαϊκ.*) φάτσα, μούρη, στόμα: *What an ugly ~ he's got!* τί ἄσχημη φάτσα πού ἔχει! **3**. (*λαϊκ*) χαζοπούλι, κόπανος, κορόϊδο: *He looks a bit of a ~*, φαίνεται λίγο κορόϊδο. ***a `~'s game***, τζάμπα, δουλειά (χωρίς κέρδος).

2 **mug** /mʌg/ *ρ.μ.* *(-gg-)* **1**. ***~ sth up***, (*καθομ.*) διαβάζω πολύ (γιά ἐξετάσεις): *He's ~ging up Greek*, ἔχει πέσει μέ τά μοῦτρα στά Ἑλληνικά. **2**. ***~ sb***, (*λαϊκ.*) ἐπιτίθεμαι καί ληστεύω κπ (*συνήθ.* στά σκοτεινά). **~·ger** *οὐσ.* ‹C› κακοποιός, ληστής. **~·ging** *οὐσ.* ‹C,U› ἐπίθεσις μέ ληστεία.

mug·gins /`mʌgɪnz/ *οὐσ.* ‹C› (*λαϊκ.*) χαζός, βλάκας.

muggy /`mʌgɪ/ *ἐπ.* *(-iest, -iest)* (*γιά καιρό*) πνιγηρός, ζεστός καί ὑγρός: *It's a ~ day*, ἀποπνικτική μέρα.

Mu·ham·mad /mə`hæmɪd/ *οὐσ.* Μωάμεθ. **~an** /-ən/ *ἐπ.* & *οὐσ.* ‹C› μωαμεθανικός, μωαμεθανός. **Mu·ham·ma·dan·ism** /mə`hæmɪdən-ɪzm/ *οὐσ.* ‹U› μωαμεθανισμός.

mu·jik /`muʒɪk/ *οὐσ.* *βλ. moujik.*

mu·latto /mju`lætəʊ/ *οὐσ.* ‹C› (*πληθ. ~s, ~es*) μιγάς.

mul·berry /`mʌlbrɪ/ *οὐσ.* ‹C› μοῦρο, μουριά.

mulch /mʌltʃ/ *οὐσ.* ‹U› στρῶμα ἀπό ἄχυρα ἤ ξερά φύλλα πού προστατεύουν τίς ρίζες τῶν φυτῶν. —*ρ.μ.* σκεπάζω μέ ἄχυρο ἤ ξερά φύλλα.

mule /mjul/ *οὐσ.* ‹C› **1**. μουλάρι. ***as obstinate/stubborn as a ~***, πεισματάρης σά μουλάρι. **2**. (*καθομ.*) πεισματάρης ἄνθρωπος. **3**. παντούφλα, σανδάλι (χωρίς φτέρνα). **mu·le·teer** /`mjulɪ`tɪə(r)/ *οὐσ.* ‹C› ἡμιονηγός, ἀγωγιάτης. **mu·lish** /-ɪʃ/ *ἐπ.* πεισματάρης, ξεροκέφαλος. **mu·lish·ly** *ἐπίρ.*

1 **mull** /mʌl/ *ρ.μ.* **1**. ζεσταίνω (κρασί) μέ μπαχαρικά: *~ed wine*, ζεστό κρασί μέ κανέλλα. **2**. ***~ over sth; ~ sth over***, συλλογίζομαι κτ, γυροφέρνω κτ στό μυαλό μου.

2 **mull** /mʌl/ *οὐσ.* ‹C› (*Σκωτ., σέ κύρια ὀνόματα*) ἀκρωτήριον.

mul·lah /`mʌlə/ *οὐσ.* ‹C› μουλᾶς.

mul·lein /`mʌlɪn/ *οὐσ.* ‹C› (*φυτ.*) φλόμος.

mul·let /`mʌlɪt/ *οὐσ.* ‹C,U› (*ἰχθ.*) κέφαλος. **red ~**, μπαρμπούνι.

mul·lion /`mʌlɪən/ *οὐσ.* ‹C› κάθετο χώρισμα παραθύρου. **~ed** /`mʌlɪənd/ *ἐπ.*

multi- /`mʌltɪ/ *πρόθεμα* πολύ-: *a '~-'millio-`naire*, ἕνας πολυεκατομμυριοῦχος.

mul·ti·far·ious /'mʌltɪ`feərɪəs/ *ἐπ.* πολυποίκιλος, πολυσχιδής: *his ~ duties*, τά πολυσχιδῆ καθήκοντά του. **~·ly** *ἐπίρ.*

mul·ti·form /`mʌltɪfɔm/ *ἐπ.* πολύμορφος.

mul·ti·lat·eral /'mʌltɪ`lætrl/ *ἐπ.* πολύπλευρος.

mul·tiple /`mʌltɪpl/ *ἐπ.* πολλαπλοῦς: *a man of ~ interests*, ἄνθρωπος μέ πολλαπλᾶ ἐνδιαφέροντα. —*οὐσ.* ‹C› τό πολλαπλάσιον. **'greatest 'common `~** (*συγκεκ.* **GCM**), μέγιστος κοινός διαιρέτης (ΜΚΔ). **'least/'lowest 'common `~**, (*συγκεκ.* **LCM**), τό ἐλάχιστον κοινόν πολλαπλάσιον (ΕΚΠ).

mul·ti·plex /`mʌltɪpleks/ *ἐπ.* πολυσχιδής, πολλαπλοῦς.

mul·ti·pli·ca·tion /'mʌltɪplɪ`keɪʃn/ *οὐσ.* ‹C,U› πολλαπλασιασμός.

mul·ti·plic·ity /'mʌltɪ`plɪsətɪ/ *οὐσ.* ‹U› πολλαπλότης: *a ~ of duties*, πολλαπλότης καθηκόντων, πλῆθος καθήκοντα.

mul·ti·ply /`mʌltɪplaɪ/ *ρ.μ/ἀ.* πολλαπλασιάζω/-ομαι: *~ 6 by 9*, πολλαπλασιάζω τό 6 μέ τό 9. *~ instances*, πολλαπλασιάζω τά παραδείγματα. *Rabbits ~ rapidly*, τά κουνέλια πολλαπλασιάζονται ταχέως.

mul·ti·tude /`mʌltɪtjud/ *οὐσ.* **1**. ‹C› μέγας ἀριθμός, μέγα πλῆθος: *the ~s of stars*, τά πλήθη τῶν ἀστέρων. **2**. ***the ~***, τό πλῆθος, οἱ μᾶζες: *Demagogues appeal to the ~*, οἱ δημαγωγοί προσελκύουν (βρίσκουν ἀπήχηση εἰς) τίς μᾶζες/τόν ὄχλο. **multi·tud·in·ous** /'multɪ`tjudɪnəs/ *ἐπ.* πολυπληθής.

mul·tum in parvo /`mʊltəm ɪn `pɑvəʊ/ (*Λατ.*) πολύ ἐν σμικρῷ.

1 **mum** /mʌm/ *ἐπιφ.* σιωπή! σούτ! ***Mum's the word!*** μή βγάλης λέξη! ***Keep ~!*** τσιμουδιά!

2 **mum** *οὐσ.* ‹C› (*καθομ.*) μαμά.

mumble /`mʌmbl/ *ρ.μ/ἀ.* **1**. ψελλίζω, μουρμουρίζω, τρώω τά λόγια μου: *The old man was mumbling away to himself*, ὁ γέρος μουρμούριζε μόνος του. *Don't ~ your words*, μήν τρῶς τά λόγια σου. **2**. μασουλῶ (σάν ξεδοντιάρης γέρος).

mumbo jumbo /'mʌmbəʊ `dʒʌmbəʊ/ *οὐσ.* ‹U› εἴδωλο λατρευόμενο ἀνοήτως, δεισιδαίμων λατρεία, ἀνόητη τελετή, καραγκιοζιλίκι.

mum·mer /ˋmʌmə(r)/ *οὐσ.* ‹C› μῖμος, ἠθοποιός παντομίμας. **~y** *οὐσ.* ‹C,U› **1**. παντομίμα. **2**. ἀνόητη τελετή (ἰδ. θρησκευτική), καραγκιοζιλίκι.

mum·mify /ˋmʌmɪfaɪ/ *ρ.μ.* ταριχεύω, κάνω μούμια. **mum·mi·fi·ca·tion** /ˌmʌmɪfɪˋkeɪʃn/ *οὐσ.* ‹C,U› ταρίχευσις, μομμιοποίησις.

mummy /ˋmʌmɪ/ *οὐσ.* ‹C› **1**. μούμια. **2**. (*καθομ.*) μαμάκα, μητερούλα.

mumps /mʌmps/ *οὐσ.* (*μέ ρ. ἑν.*) (*ἰατρ.*) παρωτῖτις, μαγουλάδες.

munch /mʌntʃ/ *ρ.μ/ὰ.* μασῶ γερά, μασουλίζω: ~ *away at an apple*, μασουλίζω ἕνα μῆλο. *cattle ~ing their fodder*, ζῶα πού μασουλίζουν τό σανό τους.

mun·dane /ˋmʌndeɪn/ *ἐπ.* ἐγκόσμιος, γήϊνος, κοσμικός: ~ *affairs*, τά ἐγκόσμια. **~·ly** *ἐπίρ.*

mu·nici·pal /mjuˋnɪsɪpl/ *ἐπ.* δημοτικός: ~ *administration*, δημοτική διοίκησις. *a ~ building/hospital/library*, δημοτικό κτίριο/νοσοκομεῖο/-ή βιβλιοθήκη. **~·ity** /mjuˌnɪsɪˋpælətɪ/ *οὐσ.* ‹C› **1**. δῆμος. **2**. δημοτικόν συμβούλιον.

mu·nifi·cence /mjuˋnɪfɪsns/ *οὐσ.* ‹U› γενναιοδωρία.

mu·nifi·cent /mjuˋnɪfɪsnt/ *ἐπ.* (*λόγ.*) γενναιόδωρος. **~·ly** *ἐπίρ.*

mu·ni·ments /ˋmjunɪmənts/ *οὐσ. πληθ.* (*νομ.*) τίτλοι (ἀποδεικτικοί δικαιωμάτων), ἔγγραφα.

mu·ni·tion /mjuˋnɪʃn/ *οὐσ.* (*πάντα πληθ., ἐκτός ὅταν λειτουργεῖ ὡς ἐπ.*) πολεμοφόδια, πυρομαχικά: *There was a shortage of ~s/a ~ shortage*, ὑπῆρχε ἔλλειψις πυρομαχικῶν.

mural /ˋmjʊərl/ *ἐπ.* τοῦ τοίχου: ~ *paintings*, τοιχογραφίες. __*οὐσ.* ‹C› τοιχογραφία.

mur·der /ˋmɜdə(r)/ *οὐσ.* ‹C,U› φόνος, δολοφονία: *commit ~*, διαπράττω φόνο. *guilty of ~*, ἔνοχος φόνου. *six ~s in one day*, ἕξη δολοφονίες σέ μιά μέρα. *The police were shooting to kill; it was sheer ~*, οἱ ἀστυνομικοί χτυποῦσαν στό ψαχνό – ἦταν καθαρή δολοφονία. ***M~ will out***, (*παροιμ.*) οὐδέν κρυπτόν, ἡ ἀλήθεια τελικά ἀποκαλύπτεται. ***cry blue ~***, (*καθομ.*) φωνάζω σά νά μέ σκοτώνουν. __*ρ.μ.* δολοφονῶ, (*κυριολ. & μεταφ.*) σκοτώνω: ~ *sb/a language/a piece of music*, σκοτώνω κπ/μιά γλῶσσα/ἕνα κομμάτι μουσικῆς. **~er**, **~·ess** /-əs/, *οὐσ.* ‹C› ὁ/ἡ δολοφόνος, φονηάς/φόνισσα. **~·ous** /-əs/ *ἐπ.* φονικός, δολοφονικός: *~ous fire*, φονικόν πῦρ. *a ~ous-looking villain*, ἕνας ἀλιτήριος μέ ὄψη φονηᾶ. **~·ous·ly** *ἐπίρ.*

murk /mɜk/ *οὐσ.* ‹U› σκοτάδι, ζόφος, μαυρίλα. **~y** *ἐπ. (-ier, -iest)* σκοτεινός, ζοφερός: *a ~y night*, σκοτεινή νύχτα. *~y darkness*, πηχτό σκοτάδι. ˋ**~ily** /-əlɪ/ *ἐπίρ.*

mur·mur /ˋmɜmə(r)/ *οὐσ.* ‹C› **1**. ψίθυρος, μουρμούρισμα: *the ~ of voices*, ὁ ψίθυρος φωνῶν. **2**. κελάρυσμα, φλοῖσβος, βουή, βουητό: *the ~ of a stream/of waves*, τό κελάρυσμα ρυακιοῦ/ὁ φλοῖσβος τῶν κυμάτων. *the ~ of bees/of distant traffic*, τό βουητό μελισσῶν/μακρυνῆς κυκλοφορίας. **3**. μουρμουρητό, παράπονο: *~s of delight*, μουρμουρητά εὐχαριστήσεως. *They paid the new taxes without a ~*, πλήρωσαν τούς νέους φόρους χωρίς οὔτε ἕνα παράπονο. __*ρ.μ/ὰ.* **1**. ψιθυρίζω, μουρμουρίζω, κελαρύζω: ~ *a prayer*, μουρμουρίζω μιά προσευχή. ~ *in sb's ear*, ψιθυρίζω στό αὐτί κάποιου. **2**. ~ ***(at/against)***, παραπονοῦμαι, γογγύζω: ~ *at an injustice/against new taxes*, παραπονοῦμαι γιά ἀδικία/γογγύζω γιά τούς νέους φόρους.

muscle /ˋmʌsl/ *οὐσ.* ‹C,U› μῦς, μυϊκή δύναμις: *develop ~*, ἀναπτύσσω τή μυϊκή μου δύναμη, φτιάχνω ποντίκια. *Don't move a ~!* μεῖνε ἐντελῶς ἀκίνητος! __*ρ.ὰ.* **~ ˋin (on)**, (*λαϊκ.*) παίρνω μέ τή βία.

Mus·co·vite /ˋmʌskəvaɪt/ *οὐσ.* ‹C› Μοσχοβίτης.

mus·cu·lar /ˋmʌskjʊlə(r)/ *ἐπ.* **1**. μυϊκός: ~ *rheumatism/strength*, μυϊκός ρευματισμός/-ή δύναμις. **2**. μυώδης.

[1]**muse** /mjuz/ *οὐσ.* ‹C› μοῦσα.

[2]**muse** /mjuz/ *ρ.ὰ.* ~ ***over/(up)on***, συλλογίζομαι, ρεμβάζω, ὀνειροπολῶ: ~ *on sb's words*, συλλογίζομαι τά λόγια κάποιου. ˋ**mus·ing·ly** *ἐπίρ.* ρεμβαστικά.

mu·seum /mjuˋzɪəm/ *οὐσ.* ‹C› μουσεῖον. **~ piece**, κάτι πού εἶναι γιά τό μουσεῖο (γιατί εἶναι ἤ ὡραῖο ἤ παληό).

mush /mʌʃ/ *οὐσ.* ‹U› χυλός. **~y** *ἐπ. (-ier, -iest)* χυλωμένος, (*καθομ., μεταφ.*) σαχλός, γλυκανάλατος: *a ~y story/film*, ἄνοστη ἱστορία/γλυκανάλατο φίλμ.

mush·room /ˋmʌʃrʊm/ *οὐσ.* ‹C› μανιτάρι, (*ἐπιθ.*) ταχύς. __*ρ.ὰ.* **1**. μαζεύω μανιτάρια: *go ~ing*. **2**. ξεφυτρώνω/ἀναπτύσσομαι σά μανιτάρι: *Foreign language schools are ~ing all over Athens*.

mu·sic /ˋmjuzɪk/ *οὐσ.* ‹U› μουσική. ***set/put sth to ~***, μελοποιῶ κτ. (*βλ.* & *λ.* [2]*face*). ˋ**~-hall**, μιούζικ-χώλ, καμπαρέ. ˋ**~-stand**, ἀναλόγιον μουσικῆς. ˋ**~-stool**, σκαμνάκι τοῦ πιάνου, ταμπουρέ.

mu·si·cal /ˋmjuzɪkl/ *ἐπ.* μουσικός, μουσικόφιλος: ~ *instruments*, μουσικά ὄργανα. *He's not at all ~*, δέν τοῦ ἀρέσει ἡ μουσική, δέν καταλαβαίνει ἀπό μουσική. ˋ**~-box**, κουτί πού παίζει μουσική (ὅταν τό ἀνοίγεις). __*οὐσ.* ‹C› μουσική κωμωδία. **~ly** /-klɪ/ *ἐπίρ.*

mu·si·cian /mjuˋzɪʃn/ *οὐσ.* ‹C› μουσικός.

musk /mʌsk/ *οὐσ.* ‹U› **1**. μόσχος (ἄρωμα). **2**. διάφορα εἴδη φυτῶν μέ μυρουδιά μόσχου. ˋ**~ melon**, εἶδος ἀρωματικοῦ πεπονιοῦ. ˋ**~-rose**, μυρωδᾶτο τριαντάφυλλο, μουσκιά. **~y** *ἐπ. (-ier, -iest)* μοσχομυρωδᾶτος.

mus·ket /ˋmʌskɪt/ *οὐσ.* ‹C› (*ἱστορ.*) μουσκέτο. **~·eer** /ˌmʌskɪˋtɪə(r)/ *οὐσ.* ‹C› μουσκετοφόρος. **~ry** /-trɪ/ *οὐσ.* ‹U› **1**. βολή μέ ὅπλο. **2**. (*ἱστορ.*) σῶμα μουσκετοφόρων, πεζικό.

Mus·lim /ˋmʊzlɪm/ *οὐσ.* ‹C› μουσουλμᾶνος. __*ἐπ.* μουσουλμανικός.

mus·lin /ˋmʌzlɪn/ *οὐσ.* ‹U› μουσελίνα.

muss /mʌs/ *οὐσ.* ‹C,U› (*ΗΠΑ*) ἀνακάτωμα. __*ρ.μ.* **~ (up)**, ἀνακατώνω (*ἰδ.* τά μαλλιά), μπερδεύω.

mus·sel /ˋmʌsl/ *οὐσ.* ‹C› μύδι.

[1]**must** /mʌst/ *οὐσ.* ‹U› μοῦστος.

[2]**must** /məst, *ἐμφ*: mʌst/ *ρ. βοηθ.* **1**. (*δηλοῖ ὑποχρέωση στό παρόν ἤ τό μέλλον, στό δέ παρελθόν κυρίως εἰς τόν πλάγιον λόγον. Στούς ἄλλους χρόνους ἡ ἔννοιά του ἀποδίδεται μέ τούς χρόνους τοῦ ρ.* have) πρέπει: ***Soldiers ~ obey orders***, οἱ στρατιῶτες πρέπει νά ὑπακούουν στίς διαταγές. *You ~n't go*, δέν πρέπει νά πᾶς (*πρβλ. you needn't go*, δέν εἶναι ἀνάγκη νά

πᾶς). *He said he ~ go*, εἶπε ὅτι ἔπρεπε νά πάη (*πρβλ. He was late because he had to go shopping first*). **2**. (*δηλοῖ βεβαιότητα ἤ ἔντονη πιθανότητα στό παρόν. Ἡ παροῦσα βεβαιότης πού ἀφορᾶ πρᾶξιν τοῦ παρελθόντος ἐκφέρεται μέ must + have + π.μ.*) πρέπει, θά: *It ~ be Peter, I know his knock*, πρέπει νά εἶναι (θά εἶναι) ὁ Πέτρος, γνωρίζω τό χτύπο του. *You ~ be joking!* θά ἀστειεύεσαι βέβαια! *It ~ have been Peter*, πρέπει νά ἦταν ὁ Πέτρος (στό παρελθόν). *Somebody ~ have seen us*, κάποιος θά μᾶς εἶδε. **3**. (*περιγράφει κάτι δυσάρεστο καί ἀνεπιθύμητο πού συνέβη στό παρελθόν*) βρῆκε τήν ὥρα νά: *He ~ come and worry her with questions, just when she was busy cooking dinner!* βρῆκε τήν ὥρα νἄρθη καί νά τήν παιδεύη μέ ἐρωτήσεις, ἀκριβῶς ὅταν ἦταν ἀπασχολημένη μέ τό μαγείρεμα! —*οὐσ.* ‹C› (*καθομ.*) κάτι ὑποχρεωτικό, κάτι πού δέν πρέπει νά χάση κανείς: *His latest collection is a ~ for all lovers of poetry*, ἡ τελευταία του συλλογή εἶναι κάτι ὑποχρεωτικό γιά ὅλους τούς φίλους τῆς ποίησης.

mus·tachio /mə`staʃɪəʊ/ *οὐσ.* ‹C› (*πληθ.* ~*s*) παχύ καί μακρύ μουστάκι, μουστάκα.

mus·tang /`mʌstæŋ/ *οὐσ.* ‹C› ἀγριάλογο (τῆς Ἀμερικῆς).

mus·tard /`mʌstəd/ *οὐσ.* ‹U› **1**. σινάπι. **2**. μουστάρδα. ***as keen as ~***, πολύ ἐνθουσιώδης, πολύ ὀρεξᾶτος. ***grain of ~ seed***, (*Ἁγ. Γραφή*) κόκκος σινάπεως (κάτι μικρό πού μπορεῖ νά ἐξελιχθῆ σέ κάτι μεγάλο). **`~ gas**, (*στρατ.*) ὑπερίτης (δηλητηριῶδες ἀέριο). **`~ plaster**, σιναπισμός, κατάπλασμα μέ σιναπόσπορο.

mus·ter /`mʌstə(r)/ *οὐσ.* ‹C› συγκέντρωσις, (*στρατ.*) ἐπιθεώρησις. ***pass ~***, κρίνομαι ἱκανοποιητικός, περνῶ: *My essay is not excellent but I think it will pass ~*, ἡ ἔκθεσίς μου δέν εἶναι περίφημη ἀλλά νομίζω θά περάση. —*ρ.μ/ὰ.* συγκεντρώνω/-ομαι, μαζεύω: *Go and ~ all the men you can find*, πήγαινε καί μάζεψε ὅλους τούς ἄνδρες πού θά βρῆς. ***~ up one's courage***, συγκεντρώνω τό θάρρος μου.

musty /`mʌstɪ/ *ἐπ.* (*-ier, -iest*) μπαγιάτικος, πού μυρίζει κλεισούρα/μούχλα: *~ bread; a ~ room; ~y books; a professor with ~ ideas*, καθηγητής μέ σκουριασμένες ἰδέες.

mu·table /`mjutəbl/ *ἐπ.* μεταβλητός, εὐμετάβλητος, ἀσταθής. **mu·ta·bil·ity** /`mjutə`bɪlətɪ/ *οὐσ.* ‹U› μεταβλητότης, ἀστάθεια.

mu·ta·tion /mju`teɪʃn/ *οὐσ.* ‹C,U› μεταλλαγή, μεταβολή, (*βιολ.*) μετατυπία, ποικιλία: *He produced some extraordinary plant ~s*, δημιούργησε μερικές ἐκπληκτικές ποικιλίες φυτῶν.

mu·ta·tis mu·tan·dis /mu`tatɪs mu`tændɪs/ *ἐπίρ.* (*Λατ.*) τηρουμένων τῶν ἀναλογιῶν.

mute /mjut/ *ἐπ.* ἄφωνος, βουβός: *in ~ amazement*, βουβός ἀπό κατάπληξη. *a ~ letter*, ἄφωνο γράμμα (πού δέν προφέρεται). —*οὐσ.* ‹C› **1**. μουγγός. **2**. (*μουσ.*) σουρντίνα. —*ρ.μ.* σβύνω τόν ἦχο (*ἰδ.* μουσικοῦ ὀργάνου). **~·ly** *ἐπίρ.*

mu·ti·late /`mjutɪleɪt/ *ρ.μ.* **1**. ἀκρωτηριάζω, σακατεύω. **2**. κουτσουρεύω (πχ ἔργο στή λογοκρισία). **mu·ti·la·tion** /ˈmjutɪ`leɪʃn/ *οὐσ.* ‹C,U› ἀκρωτηριασμός.

mu·ti·nous /`mjutɪnəs/ *ἐπ.* στασιαστής, στασιαστικός: *~ sailors*, στασιαστές ναῦτες. *~ behaviour*, στασιαστική συμπεριφορά.

mu·tiny /`mjutɪnɪ/ *οὐσ.* ‹C,U› (*στρατ.*) στάσις. —*ρ.ὰ.* ***~ (against)***, στασιάζω. **mu·tin·eer** /ˈmjutɪ`nɪə(r)/ *οὐσ.* ‹C› στασιαστής.

mutt /mʌt/ *οὐσ.* ‹C› **1**. (*λαϊκ.*) γκαφατζῆς, κουτορνίθι. **2**. (*γιά σκυλί*) κοπρόσκυλο.

mut·ter /`mʌtə(r)/ *ρ.μ/ὰ.* μουρμουρίζω, γκρινιάζω, γογγύζω, (*γιά κεραυνό*) βροντῶ, μπουμπουνίζω: *He was ~ing away to himself*, μουρμούριζε μονάχος του. *~ threats at sb*, μουρμουρίζω ἀπειλές ἐναντίον κάποιου. *We heard thunder ~ing in the distance*, ἀκούσαμε νά μπουμπουνίζη πέρα μακρυά. —*οὐσ.* ‹C› μουρμούρα, ψίθυρος, γόγγυσμα. **~er** *οὐσ.* ‹C› μουρμούρης.

mut·ton /`mʌtn/ *οὐσ.* ‹U› ἀρνίσιο κρέας: *a leg of ~*, ἀρνίσιο μποῦτι. *a shoulder of ~*, σπάλα (μπροστινό) ἀρνιοῦ. *roast ~*, ψητό ἀρνί. *a ~ chop*, ἀρνίσια μπριτζόλα. ***as dead as ~***, ὁλότελα πεθαμένος. ***~ dressed as lamb***, (*μεταφ.*) γρηά γυναίκα πού μπεμπεδίζει (*ἰδ.* στό ντύσιμο).

mu·tual /`mjutʃʊəl/ *ἐπ.* **1**. ἀμοιβαῖος: *~ friendship/love/admiration*, ἀμοιβαία φιλία/ἀγάπη/-ος θαυμασμός. **~ aid**, ἀλληλοβοήθεια. **ˈ~-ˈadmi`ration society**, (*χιουμορ.*) σύλλογος ἀλληλοθαυμασμοῦ! **a ˈ~ in`surance company**, ἀλληλασφαλιστική ἑταιρία. **2**. κοινός: *our ~ friends*, οἱ κοινοί μας φίλοι. **~ly** /-tʃəlɪ/ *ἐπίρ.* ἀμοιβαίως.

muzzle /`mʌzl/ *οὐσ.* ‹C› **1**. μουσούδα (ζώου). **2**. φίμωτρον. **3**. μπούκα (ὅπλου). —*ρ.μ.* φιμώνω: *~ a dog*, περνῶ φίμωτρο σέ σκυλί. *~ the press*, (*μεταφ.*) φιμώνω τόν τύπο.

muzzy /`mʌzɪ/ *ἐπ.* (*-ier, -iest*) ζαλισμένος, σαστισμένος, μέ θολωμένο τό μυαλό, θολός, συγκεχυμένος.

my /maɪ/ *κτητ. ἐπ.* **1**. μου: *~ book*, τό βιβλίο μου. **2**. *ἐπιφ. M~!* νά πάρη ἡ ὀργή! πώ, πώ! μπά!

My·cenae /maɪ`sinɪ/ *οὐσ.* Μυκῆναι.

my·col·ogy /maɪ`kolədʒɪ/ *οὐσ.* ‹U› μυκητολογία.

my·opia /maɪ`əʊpɪə/ *οὐσ.* ‹U› μυωπία. **myopic** *ἐπ.* μυωπικός.

myr·iad /`mɪrɪəd/ *οὐσ.* ‹C› ***~ (of)***, μυριάς.

myr·mi·don /`mɜmɪdən/ *οὐσ.* ‹C› (*ὑποτιμ.*) τσιράκι, τραμπούκος, μπράβος, ἐκτελεστικό ὄργανο: *the ~s of the law*, οἱ σταυρωτῆδες.

myrrh /mɜ(r)/ *οὐσ.* ‹U› σμύρνα, μύρον.

myrtle /`mɜtl/ *οὐσ.* ‹C,U› μυρτιά, σμυρτιά.

my·self /maɪ`self/ *βλ.* [1]*self*.

mys·teri·ous /mɪ`stɪərɪəs/ *ἐπ.* μυστηριώδης, αἰνιγματικός. **~·ly** *ἐπίρ.* μυστηριωδῶς.

mys·tery /`mɪstrɪ/ *οὐσ.* ‹C,U› **1**. μυστήριον, αἴνιγμα: *an unsolved ~*, ἄλυτο μυστήριο. *It's a ~ to me why...*, μοῦ εἶναι αἴνιγμα γιατί... *wrapped in ~*, περιβαλλόμενος ἀπό μυστήριο. **2**. (*πληθ.*) μυστήρια (θρησκευτ. τελετές). **3**. **`~ (play)**, θρησκευτικόν δρᾶμα.

mys·tic /`mɪstɪk/ *ἐπ.* ἀπόκρυφος, ὑπερφυσικός, μυστηριακός: *~ rites*, ἀπόκρυφες τελετές. *a ~ experience*, ὑπερφυσική ἐμπειρία. —*οὐσ.* ‹C› μεμυημένος, μυστικιστής, μυστικοπαθής. **mys·ti·cal** /`mɪstɪkl/ *ἐπ. βλ. mystic*.

mys·ti·cism /`mɪstɪs-ɪzm/ *οὐσ.* ‹U› μυστικι-

σμός, μυστικοπάθεια.
mys·tify /ˈmɪstɪfaɪ/ *ρ.μ.* φέρνω σέ ἀμηχανία, σαστίζω, προκαλῶ σύγχυση, ζαλίζω: *His words mystified everybody*, τά λόγια του ἔφεραν ὅλους σέ ἀμηχανία. **mys·ti·fi·ca·tion** /ˈmɪstɪfɪˈkeɪʃn/ *οὐσ.* ‹C,U› ἀμηχανία.
mys·tique /mɪˈstik/ *οὐσ.* ‹U› μυστηριώδης χαρακτήρ/ἕλξις, μαγεία, γοητεία: *the ~ of the monarchy in Great Britain*, ἡ μυστηριώδης γοητεία τῆς μοναρχίας στή Μ. Βρεττανία.
myth /mɪθ/ *οὐσ.* ‹C,U› μύθος, παραμύθι: *the ~s of ancient Greece*, οἱ μύθοι τῆς ἀρχαίας Ἑλλάδος. *That rich uncle of his is only a ~*, αὐτός ὁ πλούσιος θεῖος του εἶναι καθαρό παραμύθι! **~i·cal** /ˈmɪθɪkl/ *ἐπ.* μυθικός, μυθώδης: *~ical heroes/wealth*, μυθικοί ἥρωες/μυθώδη πλούτη. *~ical adventures/conquests*, φανταστικές περιπέτειες/κατακτήσεις.
myth·ol·ogy /mɪˈθolədʒɪ/ *οὐσ.* ‹C,U› μυθολογία. **mytho·logi·cal** /ˈmɪθəˈlodʒɪkl/ *ἐπ.* μυθολογικός. **myth·ol·ogist** /mɪˈθolədʒɪst/ *οὐσ.* ‹C› μελετητής τῆς μυθολογίας.

N n

N, n /en/ τό 14ο γράμμα τοῦ ἀλφάβητου.
nab /næb/ *ρ.μ.* (*-bb-*) (*καθομ.*) συλλαμβάνω, τσιμπῶ, βουτῶ: *He was ~bed by the police*, τόν τσίμπησε ἡ ἀστυνομία.
na·bob /ˈneɪbob/ *οὐσ.* ‹C› (*18ος αἰών*) ἀγγλοινδός βαθύπλουτος.
na·celle /næˈsel/ *οὐσ.* ‹C› ἀτρακτίδιον κινητῆρος (ἀεροπλάνου), κάλαθος ἀεροστάτου.
nacre /ˈneɪkə(r)/ *οὐσ.* ‹U› μάργαρος, σεντέφι.
na·dir /ˈnædɪə(r)/ *οὐσ.* ‹C› (*μεταφ.*) ναδίρ, κατώτατο σημεῖον: *at the ~ of one's hopes/fortunes*, στό ναδίρ τῶν ἐλπίδων μου/τῆς τύχης μου.
[1]**nag** /næg/ *οὐσ.* παληάλογο, ἀλογάκι.
[2]**nag** *ρ.ἀ.* (*-gg-*) **~ (at sb)**, γκρινιάζω διαρκῶς: *She ~s (at) him all day long*, τόν γκρινιάζει ὅλη τήν ἡμέρα. **~·ger** *οὐσ.* γκρινιάρης. **~·ging** *οὐσ.* ‹U› γκρίνια, κρεββατομουρμούρα.
naiad /ˈnaɪæd/ *οὐσ.* (*πληθ.* *~s, ~es* /-diz/) (*μυθ.*) ναϊάς, νεράϊδα.
nail /neɪl/ *οὐσ.* **1**. νύχι: *ˋfinger-/ˋtoe-~s*, νύχια τῶν δακτύλων τοῦ χεριοῦ/τοῦ ποδιοῦ. *bite one's (ˋfinger-) ~s*, τρώω τά νύχια μου (*καί μεταφ.* ἀπό ἀνυπομονησία). ***fight tooth and ~***, παλεύω μέ νύχια καί μέ δόντια. **ˋ~·brush**, βούρτσα τῶν νυχιῶν. **ˋ~-clippers**, νυχοκόπτης. **ˋ~-file**, λίμα τῶν νυχιῶν. **ˋ~-scissors**, ψαλλιδάκι τῶν νυχιῶν. **ˋ~-varnish/-polish**, μανόν, βερνίκι γιά τά νύχια. **2**. καρφί: *drive a ~ in/into the wall*, μπήγω ἕνα καρφί στόν τοῖχο. ***hit the ~ on the head***, πετυχαίνω διάνα. ***(right) on the ~***, (*καθομ.*) ἀμέσως, ἐπί τόπου: *pay on the ~*, πληρώνω ἐπί τόπου. ***as hard as ~s***, (*α*) σκληρός, ἄτεγκτος. (*β*) νευρώδης, πολύ γερός. (*βλ. καί λ. coffin*). —*ρ.μ.* καρφώνω, καθηλώνω: *~ a lid on a box*, καρφώνω ἕνα σκέπασμα σέ κουτί. *~ down a carpet*, καρφώνω ἕνα χαλί. *~ up a door/a window*, κλείνω καρφώνοντας μιά πόρτα/ἕνα παράθυρο. *He ~ed me in the hall for a quarter*, μέ καθήλωσε στό χώλ ἐπί ἕνα τέταρτο. *~ one's eyes on sth*, καρφώνω τά μάτια μου σέ κτ. *~ sb's attention*, καθηλώνω τήν προσοχή κάποιου. ***~ sb down (to sth)***, ἀναγκάζω κπ νά τηρήση κτ ἤ νά πῆ καθαρά τί θέλει: *We must ~ him down to a precise agreement/to his promise*, πρέπει νά τόν ἀναγκάσωμε νά συμφωνήση καθαρά/νά τηρήση τήν ὑπόσχεσή του. ***~ a lie (to the counter)***, ἀποδεικνύω ὅτι κτ εἶναι ψέμα. (*βλ. & λ. colour*).
naïve, naive /naɪˈiv/ *ἐπ.* ἁπλοϊκός, ἀφελής: *a ~ man/question*, ἀφελής ἄνθρωπος/ἐρώτησις. **~·ly** *ἐπίρ.* ἁπλοϊκά, ἀφελῶς. **~té, ~ty** /naɪˈivteɪ/ *οὐσ.* ‹U› ἀφέλεια.
naked /ˈneɪkɪd/ *ἐπ.* γυμνός: *~ trees*, γυμνά δέντρα. *a ~ sword/light*, γυμνό σπαθί/φῶς (χωρίς ἀμπαζούρ). ***as ~ as the day he was born***, γυμνός ὅπως τόν γέννησε ἡ μάνα του. ***with the ~ eye***, διά γυμνοῦ ὀφθαλμοῦ. ***stark ~***, ὁλόγυμνος, τσίτσιδος. ***the ~ truth***, ἡ γυμνή/ἡ καθαρή ἀλήθεια. **~·ly** *ἐπίρ.* γυμνά. **~·ness** *οὐσ.* ‹U› γύμνια.
namby-pamby /ˈnæmbɪˈpæmbɪ/ *ἐπ.* (*καθομ.*) σαχλός, νερόβραστος, γλυκανάλατος.
[1]**name** /neɪm/ *οὐσ.* ‹C› **1**. ὄνομα: *What's your ~?* Πῶς σέ λένε; *A man of the ~ of Smith*, ἕνας ἄνθρωπος ὀνόματι Σμίθ. *He writes under the ~ of Nimrod*, γράφει μέ τό ψευδώνυμο Νεμρώδ. **Christian ~**, βαφτιστικό ὄνομα. **family ~**, ἐπώνυμον. **full ~**, ὄνομα καί ἐπώνυμο. ***by ~***, ὀνομαστικῶς, ἐξ ἀκοῆς: *He knows all the people in the town by ~*, ξέρει ὅλους τούς ἀνθρώπους στήν πόλη μέ τ' ὄνομά τους. *I know him only by ~*, τόν γνωρίζω μόνον ἐξ ἀκοῆς, τόν ἔχω ἀκουστά. ***in sb's ~***, ἐπ' ὀνόματι κάποιου. ***in ~ only***, μόνον κατ' ὄνομα. ***in the ~ of***, ἐν ὀνόματι, γιά τ' ὄνομα: *in the ~ of the law*, ἐν ὀνόματι τοῦ νόμου. *What, in the ~ of goodness, are you doing?* Γιά τ' ὄνομα τοῦ Θεοῦ, τί κάνετε; ***call sb ~s***, βρίζω κπ. ***put down/enter one's ~ for***, δηλώνω συμμετοχή/ὑποψηφιότητα γιά. ***not have a penny to one's ~***, δέν ἔχω οὔτε δραχμή στ' ὄνομά μου. ***lend one's ~ to***, προσφέρω τ' ὄνομά μου (τήν ὑποστήριξή μου) σέ κτ. ***mention no ~s***, δέν ἀναφέρω ὀνόματα, δέν θέλω νά πῶ ποιός: *Then one of them–I'll mention no ~s–tried to...*, τότε ἕνας ἀπ' αὐτούς–δέν θά πῶ ὀνόματα–προσπάθησε νά... **ˋ~-day**, ὀνομαστική ἑορτή. **ˋ~-dropping**, ἡ συνήθεια ν' ἀναφέρη κανείς ὀνόματα σπουδαίων ἀνθρώπων σάν νά ἦταν φίλοι του (γιά νά κάνη ἐντύπωση). **ˋ~-part**, ὁμώνυμος ρόλος ἔργου: *Who's playing the ~-part in 'Hamlet'?*

ποιός παίζει τό ρόλο τοῦ Ἄμλετ στό ὁμώνυμο ἔργο; `~·**plate**, ταμπέλλα μέ ὄνομα (σέ πόρτα). `~·**sake**, συνονόματος: *He is my ~sake*, ἔχω τό ἴδιο ὄνομα μ' αὐτόν. **2**. ὄνομα, φήμη, ὑπόληψις: *the great ~s of history*, τά μεγάλα ὀνόματα (οἱ προσωπικότητες) τῆς ἱστορίας. ***have a good/bad ~***, ἔχω καλή/κακή φήμη. ***have a ~ for***, ἔχω βγάλει ὄνομα γιά. ***make/win a ~ for oneself***, γίνομαι γνωστός, ἀποκτῶ φήμη.

[2]**name** /neɪm/ *ρ.μ.* **1**. ὀνομάζω, δίνω ὄνομα: *A man ~d M. Smith*, ἕνας ἄνθρωπος ὀνομαζόμενος Μ. Σμίθ. *They ~d the child Peter*, ἔδωσαν στό παιδί τό ὄνομα Πέτρος. *Can you ~ all the trees in the garden?* Μπορεῖς νά πῆς τά ὀνόματα ὅλων τῶν δέντρων στόν κῆπο; ***~ sb after sb***, δίνω σέ κπ τό ὄνομα κάποιου: *They ~d him after his grandfather*, τοῦ δώσανε τό ὄνομα τοῦ παπποῦ του. **2**. ὀνομάζω, λέω, καθορίζω: *N~ your price!* Πές τί τιμή ζητᾶς! *N~ the day!* Ὅρισε τήν ἡμέρα! **3**. ***~ to/for***, διορίζω, προτείνω: *He was ~d for the directorship*, ἐπροτάθη γιά διευθυντής.

name·less /ˋneɪmləs/ *ἐπ.* **1**. ἀνώνυμος, ἄσημος: *a ~ grave*, ἀνώνυμος τάφος. **2**. ἀκατονόμαστος, φρικτός: *~ vices*, ἀκατονόμαστα βίτσια. **3**. ἀπερίγραπτος: *a ~ longing/horror*, ἀπερίγραπτη λαχτάρα/φρίκη.

name·ly /ˋneɪmlɪ/ *ἐπίρ.* δηλαδή.

nancy /ˋnænsɪ/ *ἐπ. καί οὐσ.* (*MB, λαϊκ.*) θηλυπρεπής, ὁμοφυλόφιλος, ἀδελφή.

nanny /ˋnænɪ/ *οὐσ.* ‹C› νταντά, παραμάνα. `~-**goat** *οὐσ.* κατσίκα, γίδα (*πρβλ. billy-goat*, τράγος).

[1]**nap** /næp/ *οὐσ.* ‹C› ὑπνάκος: *have/take a ~*, παίρνω ἕναν ὑπνάκο, τόν κλέβω λίγο. ***catch sb ~ping***, πιάνω κπ στόν ὕπνο, αἰφνιδιάζω κπ.

[2]**nap** /næp/ *οὐσ.* ‹U› **1**. χνοῦδι (ὑφάσματος). **2**. εἶδος χαρτοπαιγνίου.

na·palm /ˋneɪpɑm/ *οὐσ.* ‹U› ναπάλμ: `~ *bomb*, βόμβα ναπάλμ.

nape /neɪp/ *οὐσ.* ‹C› σβέρκος.

naph·tha /ˋnæfθə/ *οὐσ.* ‹U› νάφθα, νέφτι. ~·**lene** /-lin/ *οὐσ.* ‹U› ναφθαλίνη.

nap·kin /ˋnæpkɪn/ *οὐσ.* ‹C› **1**. (`**table-**)~, πετσέτα (τοῦ φαγητοῦ). **2**. πάνα (βρέφους).

nappy /ˋnæpɪ/ *οὐσ.* ‹C› (*καθομ.*) πάνα βρέφους (*ΗΠΑ diaper*).

nar·cis·sism /ˋnɑsɪsɪzm/ *οὐσ.* ‹U› ναρκισσισμός.

nar·cis·sus /nɑˋsɪsəs/ *οὐσ.* ‹C› (*πληθ. ~es* /-səsɪz/ ἤ *-cissi* /ˋsɪsaɪ/) νάρκισσος, μανουσάκι.

nar·cotic /nɑˋkɒtɪk/ *ἐπ.* ναρκωτικός. —*οὐσ.* ‹C,U› ναρκωτικόν, ναρκομανής.

[1]**nark** /nɑk/ *οὐσ.* ‹C› (*λαϊκ.*) σπιοῦνος, χαφιές.

[2]**nark** /nɑk/ *ρ.μ.* (*καθομ.*) ἐνοχλῶ, πειράζω: *feel ~ed at unjust criticism*, μέ πειράζουν οἱ ἄδικες ἐπικρίσεις.

nar·rate /nəˋreɪt/ *ρ.μ.* ἀφηγοῦμαι, διηγοῦμαι: *~ an adventure*, διηγοῦμαι μιά περιπέτεια. **nar·ra·tor** /-tə(r)/ *οὐσ.* ‹C› ἀφηγητής. **nar·ra·tion** /ˋreɪʃn/ *οὐσ.* ‹C,U› ἀφήγησις.

nar·ra·tive /ˋnærətɪv/ *οὐσ.* ‹C,U› ἀφήγησις, ἀφήγημα, ἱστορία. —*ἐπ.* ἀφηγηματικός: *a ~ poem*, ἀφηγηματικό ποίημα. *a writer of great ~ power*, συγγραφέας μέ μεγάλη ἀφηγηματική δύναμη.

nar·row /ˋnærəʊ/ *ἐπ.* (*-er, -est*) **1**. στενός: *a ~ road*, στενός δρόμος. *The river is getting ~*, τό ποτάμι στενεύει. *What does this word mean in the ~est sense?* Τί σημαίνει αὐτή ἡ λέξις στήν πιό στενή της ἔννοια (στήν κυριολεξία της); **2**. στενός, περιωρισμένος, μέτριος: *a ~ circle of friends*, περιωρισμένος κύκλος φίλων. *live in ~ circumstances*, ζῶ περιωρισμένα/φτωχικά. **3**. αὐστηρός, προσεκτικός: *a ~ search*, προσεκτική ἔρευνα. **4**. ἐλάχιστος, πολύ μικρός: *a ~ majority/margin*, ἐλαχίστη πλειοψηφία/πολύ μικρό περιθώριο. ***have a ~ escape***, τή γλυτώνω παρά τρίχα. **5**. στενός, περιωρισμένης ἀντιλήψεως: *have a ~ mind*, εἶμαι στενόμυαλος. '~-`**minded** *ἐπ.* στενόμυαλος, στενοκέφαλος. '~-`**mindedness**, στενοκεφαλιά. —*οὐσ.* (*συνήθ. πληθ.*) στενόν. —*ρ.μ/ἀ.* στενεύω. ~·**ly** *ἐπίρ.* ἐπισταμένως, μόλις: *watch sb ~ly*, παρακολουθῶ κπ ἐπισταμένως. *He ~ly escaped drowning*, μόλις καί μετά βίας ἀπέφυγε τόν πνιγμό, παρά λίγο νά πνιγῆ. ~·**ness** *οὐσ.* ‹U› στενότης.

na·sal /ˋneɪzl/ *ἐπ.* ρινικός, τῆς μύτης, ἔρρινος: *~ catarrh*, ρινικός κατάρρους, καταρροή. *a ~ accent*, ἔρρινος προφορά. ~·**ize** /ˋneɪzəlaɪz/ *ρ.μ/ἀ.* προφέρω/μιλῶ μέ τή μύτη.

na·scent /ˋneɪsənt/ *ἐπ.* (*λόγ.*) γεννώμενος, ἐν τῷ γίγνεσθαι.

nas·tur·tium /nəˋstɜʃəm/ *οὐσ.* ‹C› (*πληθ. ~s*) νεροκάρδαμο.

nasty /ˋnɑstɪ/ *ἐπ.* (*-ier, -iest*) **1**. ἀηδιαστικός, δυσάρεστος, ἄσχημος: *a ~ smell/taste*, ἀηδιαστική μυρουδιά/γεῦσις. *~ weather*, βρωμόκαιρος. *a ~ blow*, ἄσχημο χτύπημα. **2**. ἐπικίνδυνος, ἀπειλητικός: *a ~ turn in a road*, ἐπικίνδυνη στροφή σέ δρόμο. *There was a ~ look in his eye*, τό μάτι του ἔλαμπε ἀπειλητικά. **3**. κακός, ἄγριος, μοχθηρός, πρόστυχος: *turn ~*, κακεύω, ἀγριεύω πολύ. *be ~ to sb*, φέρομαι πρόστυχα/μέ κακία σέ κπ. *a ~ trick*, προστυχιά, βρωμιά. *have a ~ mind*, ἔχω πρόστυχο μυαλό.

na·tal /ˋneɪtl/ *ἐπ.* γενέθλιος.

na·tion /ˋneɪʃn/ *οὐσ.* ἔθνος: *the United Nations Organization* (*συγκεκ. UNO*), ὁ Ὀργανισμός Ἡνωμένων Ἐθνῶν (ΟΗΕ). `~·**wide** *ἐπ.* πανεθνικός: *a ~wide movement*, πανεθνικόν κίνημα.

na·tion·al /ˋnæʃnəl/ *ἐπ.* ἐθνικός: *a ~ theatre/poet*, ἐθνικό θέατρο/-ός ποιητής. *the ~ anthem*, ὁ ἐθνικός ὕμνος. *a ~ monument*, ἐθνικόν μνημεῖον. *a ~ park*, ἐθνικός δρυμός. *~ service*, στρατιωτική θητεία. *N~ Socialism*, ἐθνικοσοσιαλισμός, ναζισμός. *N~ Trust*, Κοσμητεία Τοπείου. —*οὐσ.* ὑπήκοος: *British ~s*, Βρεταννοί ὑπήκοοι. ~·**ism** /-ɪzm/ *οὐσ.* ‹U› ἐθνικισμός. ~·**ist** /-ɪst/ *οὐσ.* ‹C› ἐθνικιστής. ~·**is·tic** /ˋnæʃnəˋlɪstɪk/ *ἐπ.* ἐθνικιστικός. ~·**ity** /ˋnæʃəˋnælətɪ/ *οὐσ.* ‹C,U› ἐθνικότης, ἰθαγένεια.

na·tion·al·ize /ˋnæʃnəlaɪz/ *ρ.μ.* **1**. ἐθνικοποιῶ: *~ the Banks/the mines*, ἐθνικοποιῶ τίς Τράπεζες/τά ὀρυχεῖα. *a ~d industry*, ἐθνικοποιημένη βιομηχανία. **2**. πολιτογραφῶ: *Greeks ~d in the U.S.A.*, Ἕλληνες πολιτογραφημένοι στίς Η.Π.Α. **na·tion·al·iz·ation** /ˈnæʃnəlaɪˋzeɪʃn/ *οὐσ.* ‹U› ἐθνικοποίησις.

na·tive /ˈneɪtɪv/ *οὐσ.* ‹C› **1**. γηγενής, αὐτόχθων: *a ~ of Athens*, Ἀθηναῖος ἐκ γενετῆς. **2**. ἰθαγενής, ντόπιος: *The ~s began dancing*, οἱ ἰθαγενεῖς ἄρχισαν νά χορεύουν. —*ἐπ.* **1**. γενέθλιος: *my ~ land*, ἡ γενέθλια γῆ, ἡ πατρίδα μου. **2**. ντόπιος: *~ customs*, ντόπια ἔθιμα. **3**. ἔμφυτος: *~ ability/charm*, ἔμφυτη ἱκανότητα/χάρις. **4**. ἀτόφιος: *~ gold*, ἀτόφιο χρυσάφι. **5**. *~ to*, καταγόμενος ἀπό: *plants/animals ~ to Brazil*, φυτά/ζῶα καταγόμενα ἀπό τή Βραζιλία, πού ἀπαντῶνται στή Βραζιλία.

na·tiv·ity /nəˋtɪvətɪ/ *οὐσ.* ‹C› γέννησις (*ἰδ.* τοῦ Χριστοῦ).

nat·ter /ˈnætə(r)/ *ρ.ἀ.* (*καθομ.*) μουρμουρίζω (*ἰδ.* μόνος), γκρινιάζω: *What's he ~ing about now?* Γιά τί μουρμουρίζει πάλι;

natty /ˈnætɪ/ *ἐπ.* *(-ier, -iest)* (*καθομ.*) **1**. κομψός, περιποιημένος: *a ~ uniform*, κομψή στολή. **2**. σβέλτος, ἐπιδέξιος. **nat·tily** /-əlɪ/ *ἐπίρ.* ὡραῖα, σβέλτα.

natu·ral /ˈnætʃərl/ *ἐπ.* **1**. φυσικός: *a country's ~ resources*, οἱ φυσικοί πόροι μιᾶς χώρας. *in their ~ state*, στή φυσική τους κατάσταση. *~ forces/phenomena*, φυσικές δυνάμεις/-ά φαινόμενα. **~ gas**, φυσικό ἀέριο. **~ history/philosophy**, φυσική ἱστορία/φιλοσοφία. **~ law**, φυσικός νόμος. **~ selection**, φυσική ἐπιλογή. **2**. ἔμφυτος, ἐκ φύσεως: *~ gifts/abilities*, ἔμφυτα χαρίσματα/-ες ἱκανότητες. *He's a ~ orator*, εἶναι ἐκ φύσεως ρήτωρ. *It comes ~ to me*, μοῦρχεται φυσικό. **3**. φυσικός, φυσιολογικός: *die a ~ death*, πεθαίνω ἀπό φυσικό θάνατο. **4**. φυσικός, ἁπλός, ἀνεπιτήδευτος: *~ behaviour/voice*, ἁπλῆ, φυσική συμπεριφορά/φωνή. **5**. φυσικός, νόθος: *a ~ child*, νόθο παιδί. —*οὐσ.* **1**. (*μουσ.*) φυσική νότα. **2**. ***be a ~ for*** *(a job, a part, etc)*, εἶμαι γεννημένος γιά (μιά δουλειά, ἕνα ρόλο, κλπ). **~·ly** *ἐπίρ.* **1**. βεβαίως, φυσικά. **2**. ἐκ φύσεως. **3**. ἁπλᾶ. **~·ism** /-ɪzm/ *οὐσ.* ‹U› νατουραλισμός, φυσιοκρατία. **~·ist** /-ɪst/ *οὐσ.* ‹C› νατουραλιστής, φυσιοδίφης. **~·is·tic** /ˈnætʃərlˋɪstɪk/ *ἐπ.* νατουραλιστικός, φυσιοκρατικός.

natu·ra·lize /ˈnætʃrəlaɪz/ *ρ.μ/ἀ.* **1**. πολιτογραφῶ: *He was ~d in France*, πολιτογραφήθηκε στή Γαλλία. *English words ~d in French*, Ἀγγλικές λέξεις πολιτογραφημένες στά Γαλλικά. **2**. (*γιά φυτά*) ἐγκλιματίζω/-ομαι. **natu·ra·liz·ation** /ˈnætʃrəlaɪˋzeɪʃn/ *οὐσ.* ‹U› πολιτογράφησις, ἐγκλιματισμός: *naturalization papers*, ἔγγραφα πολιτογραφήσεως.

na·ture /ˈneɪtʃə(r)/ *οὐσ.* **1**. ‹U› φύσις, οὐσία: *the beauty of ~ in spring*, ἡ ὀμορφιά τῆς φύσεως τήν ἄνοιξη. *man's struggle with ~*, ὁ ἀγώνας τοῦ ἀνθρώπου μέ τή φύση. ***preach a return to ~***, κηρύττω τήν ἐπιστροφή στή φύση. ***pay the debt of ~; pay one's debt to ~***, πεθαίνω. ***contrary to ~***, ἀντίθετος πρός τή φυσική τάξη, ἀφύσικος. ***in the course of ~***, φυσιολογικά, στή φυσική πορεία τῶν πραγμάτων. ***be in a state of ~***, εἶμαι σέ φυσική κατάσταση, (*γιά ἄνθρ.*) ἐν ἀδαμιαίᾳ περιβολῇ. **ˋ~ cure**, φυσιοθεραπεία. **ˋ~ study**, μελέτη τῆς φύσεως. **ˋ~ worship**, φυσιολατρεία. **2**. ‹C,U› φύσις, χαρακτήρας, ἰδιότης: *the spiritual ~ of man*, ἡ πνευματική φύσις τοῦ ἀνθρώπου. *It's the ~ of a bird to fly*, εἶναι στή φύση ἑνός πουλιοῦ νά πετάη. *It's human ~*, εἶναι φυσικό στόν ἄνθρωπο, εἶναι ἡ φύσις τοῦ ἀνθρώπου τέτοια. *Chemists study the ~ of gases*, οἱ χημικοί μελετοῦν τίς ἰδιότητες τῶν ἀερίων. **good ~**, καλωσύνη. **ˈgood-/ˈill-ˋ~ed** *ἐπ.* μέ καλό/κακό χαρακτήρα. **3**. εἶδος: *I am not interested in things of this ~*, δέν μέ ἐνδιαφέρουν πράγματα αὐτοῦ τοῦ εἴδους.

na·tur·ism /ˈneɪtʃərɪzm/ *οὐσ.* ‹U› γυμνισμός. **naturist** /-ɪst/ *οὐσ.* ‹C› γυμνιστής.

naught /nɔt/ *οὐσ.* μηδέν, τίποτα: ***bring sth to ~***, ματαιώνω (σχέδια, κλπ). ***care ~ for***, δέν μ' ἐνδιαφέρει καθόλου. ***come to ~***, ἀποτυγχάνω. ***set at ~***, (*ἀπηρχ.*) ἀψηφῶ, ἀγνοῶ.

naughty /ˈnɔtɪ/ *ἐπ.* *(-ier, -iest)* **1**. κακός, ἄτακτος: *a ~ boy*, ἄτακτο παιδί, παληόπαιδο. **2**. σκανδαλιστικός, τολμηρός, ἄσεμνος: *~ stories*, σόκιν ἱστορίες. *~ jokes*, τολμηρά ἀστεῖα. *~ novels*, ἄσεμνα μυθιστορήματα. **naugh·ti·ness** *οὐσ.* ἀταξία, τολμηρότης.

nau·sea /ˈnɔzɪə/ *οὐσ.* ‹U› ἀηδία, ἀναγούλα, ναυτία: *be overcome by ~*, μοῦρχεται νά κάμω ἐμετό. **nau·se·ate** /ˈnɔzɪeɪt/ *ρ.μ.* προκαλῶ ἀηδία/ἐμετό: *nauseating food/sights*, ἀηδιαστική τροφή/-ά θεάματα. **nau·se·ous** /ˈnɔzɪəs/ *ἐπ.* ἀηδιαστικός, ἐμετικός.

nau·ti·cal /ˈnɔtɪkl/ *ἐπ.* ναυτικός: *a ~ mile*, ἕνα ναυτικό μίλι (1852 μέτρα).

nau·ti·lus /ˈnɔtɪləs/ *οὐσ.* ‹C› (*πληθ.* *~es*) (*ζωολ.*) ναυτίλος.

na·val /ˈneɪvl/ *ἐπ.* ναυτικός (τοῦ πολεμικοῦ ναυτικοῦ): *~power/base/battle*, ναυτική δύναμις/βάσις/ναυμαχία. *~ officers*, ἀξιωματικοί τοῦ ναυτικοῦ.

nave /neɪv/ *οὐσ.* ‹C› σηκός, ὁ κυρίως ναός.

na·vel /ˈneɪvl/ *οὐσ.* ‹C› ἀφαλός. **ˋ~ orange**, ὀμφαλοφόρο πορτοκάλι (μέρλιν).

navi·gable /ˈnævɪgəbl/ *ἐπ.* (*γιά ποταμό*) πλωτός. (*γιά πλοῖο*) ἱκανός πρός πλοῦν. **navi·ga·bil·ity** /ˈnævɪgəˋbɪlətɪ/ *οὐσ.* ‹U› πλωτότης, πλωϊμότης.

navi·gate /ˈnævɪgeɪt/ *ρ.μ/ἀ.* (δια)πλέω, ταξιδεύω, κυβερνῶ (πλοῖο ἤ ἀεροπλάνο): *~ a Bill through Parliament*, (*μεταφ.*) καταφέρνω νά περάσω ἕνα νομοσχέδιο στή Βουλή.

navi·ga·tor /ˈnævɪgeɪtə(r)/ *οὐσ.* ‹C› πλοηγός, θαλασσοπόρος.

navi·ga·tion /ˈnævɪˋgeɪʃn/ *οὐσ.* ‹U› ναυτιλία, ναυσιπλοΐα, κυβέρνησις σκάφους: *inland ~*, ναυσιπλοΐα ἐσωτερικοῦ (σέ ποτάμια καί διώρυγες).

navvy /ˈnævɪ/ *οὐσ.* ‹C› σκαφτιᾶς, ἐργάτης δημοσίων ἔργων.

navy /ˈneɪvɪ/ *οὐσ.* ‹C› (πολεμικόν) ναυτικόν: *join the ~*, κατατάσσομαι στό ναυτικό. *Secretary to the N~*, Ὑπουργός Ναυτικῶν.

nay /neɪ/ *ἐπίρ.* (*παλ.*) ὄχι, ἤ μᾶλλον.

[1]**near** /nɪə(r)/ *ἐπ.* *(-er, -est)* **1**. (*γιά τόπο ἤ χρόνο*) κοντινός, ἐγγύς, πλησίον: *Christmas/The station is ~*, τά Χριστούγεννα/ὁ σταθμός εἶναι κοντά. *She was ~ to tears*, κόντευε νά κλάψη. *the ~ future*, τό ἐγγύς μέλλον. *the*

~*est town*, ἡ πλησιέστερη πόλις. *get a* ~*er view of sth*, βλέπω κτ ἀπό πιό κοντά. *go by the* ~*est road*, πηγαίνω ἀπό τό συντομώτερο δρόμο. ***a ~ miss***, (*γιά βολή*) παρ' ὀλίγον ἐπιτυχία. ***a ~ thing***, σωτηρία παρά τρίχα: *It was a ~ thing*, παρ' ὀλίγο νά τήν πάθωμε, φτηνά τή γλυτώσαμε. **'~-sighted** *ἐπ.* κοντόφθαλμος, μύωψ. **'~-sightedness** *οὐσ.* μυωπία. **2.** κοντινός, στενός: ~ *relations*, κοντινοί συγγενεῖς. **3.** πλησιέστερος πρός τό πεζοδρόμιο (*ἀντίθ. off*): *the ~ front wheel of a car*, ὁ μπροστινός δεξιός (*στή ΜΒ, ἀριστερός*) τροχός αὐτοκινήτου. *the '~ side lane of traffic*, ἡ δεξιά λωρίδα κυκλοφορίας. __*ρ.μ/ἀ.* πλησιάζω: *We were ~ing land*, πλησιάζαμε σέ στερηά. *He's ~ing his end*, πλησιάζει πρός τό τέλος του. *The work is ~ing completion*, ἡ δουλειά κοντεύει νά τελειώση. **~·ly** *ἐπίρ.* **1.** στενά: *We are ~ly related*, εἴμαστε στενοί συγγενεῖς. **2.** σχεδόν, παρά λίγο νά: *I'm ~ly ready*, εἶμαι σχεδόν ἕτοιμος. *He was ~ly killed*, παρά λίγο νά σκοτωθῆ. **3.** ***not ~ly***, καθόλου: *It is not ~ly enough for our needs*, δέν εἶναι καθόλου ἀρκετό γιά τίς ἀνάγκες μας. **~·ness** *οὐσ.* ‹U› ἐγγύτης.

[2]**near** /nɪə(r)/ *ἐπίρ.* κοντά, πλησίον: *go/come/draw ~*, πλησιάζω. *His attitude comes ~ to treachery*, ἡ στάση του ἐγγίζει τό ὅρια τῆς προδοσίας. ***as ~ as***, ὅσο κοντά, παρά λίγο: *Go as ~ as you like*, πήγαινε ὅσο κοντά θέλεις. *As ~ as I can guess, there were 200 people present*, ἀπ' ὅ, τι μπορῶ νά μαντέψω (ὁ πλησιέστερος ὑπολογισμός μου εἶναι ὅτι) ὑπῆρχαν 200 πρόσωπα παρόντα. *He was as ~ as he could be to getting drowned*, λίγο ἔλειψε νά πνιγῆ. ***as ~ as makes no difference***, τόσο κοντά πού νά μήν κάνη διαφορά. ***~ (up)on***, (*γιά χρόνο*) πολύ κοντά, σχεδόν: *It was ~ on midnight*, ἦταν σχεδόν (κόντευαν) μεσάνυχτα. ***nowhere*** (*ἤ καθομ.* ***not***) ~, καθόλου: *The hall was nowhere ~ full*, ἡ αἴθουσα δέν ἦταν καθόλου γεμάτη. **'~·by** *ἐπ.* κοντινός: *a ~by school*, ἕνα κοντινό σχολεῖο. __*ἐπίρ.* κοντά: *The school is ~by*, τό σχολεῖο εἶναι κοντά. (*βλ. καί. λ. far, hand*).

[3]**near** /nɪə(r)/ *πρόθ.* κοντά: *Sit ~ me*, κάθισε κοντά μου.

neat /nit/ *ἐπ. (-er, -est)* **1.** νοικοκυρεμένος, συγυρισμένος, μέ πολλή τάξη: ~ *work/writing*, νοικοκυρεμένη δουλειά/καθαρό γράψιμο. *a ~ desk/worker*, συγυρισμένο γραφεῖο/ἐργάτης πού ἀγαπάει τήν τάξη. **2.** ἁπλός ἀλλά μέ γοῦστο: *a ~ dress*. **3.** καλοφτιαγμένος, ὄμορφος: *a woman with a ~ figure/~ legs*, γυναῖκα μέ καλλίγραμμο σῶμα/μέ ὡραῖες γάμπες. **4.** πετυχημένος, εὔστοχος: *a ~ answer*. **5.** ἀνέρωτος, σκέτος: *I drink my whisky ~*, πίνω τό οὐΐσκυ μου σκέτο. **~·ly** *ἐπίρ.* ἁπλᾶ, νοικοκυρεμένα, ἔξυπνα. **~·ness** *οὐσ.* ‹U› τάξις, νοικοκυροσύνη, ἁπλότης.

neb·ula /'nebjʊlə/ *οὐσ.* (*πληθ.* ~*e* /-li/) (*ἀστρον.*) νεφέλωμα.

nebu·lous /'nebjʊləs/ *ἐπ.* νεφελώδης, ὁμιχλώδης, θολός: *a ~ shape/idea*, θολό, ἀκαθόριστο σχῆμα/-ή ἰδέα.

nec·es·sar·ily /'nesə'serəlɪ/ *ἐπίρ.* ἀναγκαίως: *Rich people are not ~ happy*, οἱ πλούσιοι δέν εἶναι ἀναγκαίως εὐτυχεῖς.

nec·es·sary /'nesəsrɪ/ *ἐπ.* ἀναγκαῖος, ἀπαραίτητος: *a ~ evil*, ἀναγκαῖον κακόν. *Is it ~ that you should work/~ for you to work so hard?* Εἶναι ἀπαραίτητο (εἶναι ἀνάγκη) νά δουλεύῃς τόσο πολύ; __*οὐσ. πληθ.* τά ἀναγκαῖα, τά χρειώδη.

nec·es·si·tate /nə'sesɪteɪt/ *ρ.μ.* (*λόγ.*) ἀπαιτῶ, καθιστῶ ἀναγκαῖον, συνεπάγομαι: *Your proposals ~ borrowing money*, οἱ προτάσεις σου συνεπάγονται δανεισμό χρημάτων.

nec·es·si·tous /nə'sesɪtəs/ *ἐπ.* (*λόγ.*) ἐνδεής, ἄπορος.

nec·es·sity /nə'sesətɪ/ *οὐσ.* **1.** ‹U› ἀνάγκη, χρεία: *He was driven by ~ to steal*, ἡ ἀνάγκη τόν ἔσπρωξε νά κλέψη. *in case of ~*, σέ περίπτωση ἀνάγκης. ***(out) of ~***, ἀπό ἀνάγκη, ἀναγκαστικά, κατ' ἀνάγκην. ***be under the ~ of***, (*πεπαλ. λόγ.*) βρίσκομαι στήν ἀνάγκη, εἶμαι ἀναγκασμένος νά. *I am under the ~ of dismissing you*, εἶμαι ἀναγκασμένος νά σέ ἀπολύσω. ***N~ is the mother of invention***, (*παροιμ.*) ἡ πενία τέχνας κατεργάζεται. ***bow to ~***, ὑποκύπτω στήν ἀνάγκη. ***make a virtue of ~***, κάνω τήν ἀνάγκη φιλοτιμία. ***a logical ~***, ἀναγκαῖον ἐπακόλουθον, λογικῶς ἀναγκαῖον. **2.** ‹C› ἀναγκαῖον, χρειῶδες: *the necessities of life*, τά ἀναγκαῖα τῆς ζωῆς.

neck /nek/ *οὐσ.* ‹C› **1.** λαιμός, σβέρκος: *wrap a scarf round one's ~*, τυλίγω τό λαιμό μου μέ κασκόλ. *have a stiff ~*, ἔχει πιαστεῖ ὁ σβέρκος μου, ἔχω στραβολαιμιάσει. ***break one's ~***, σκοτώνομαι, σπάζω τά μοῦτρα μου, πεθαίνω στή δουλειά. ***breathe down sb's ~***, (*καθομ.*) εἶμαι ἀκριβῶς πίσω ἀπό κπ, παρακολουθῶ κπ κατά πόδι. ***get it in the ~***, (*λαϊκ.*) τήν τρώω κατακέφαλα, μοῦρχεται κεραμίδα. ***save one's ~***, γλυτώνω τό κεφάλι μου, τή γλυτώνω. ***stick one's ~ out***, (*λαϊκ.*) βάζω τό κεφάλι μου στόν ντορβᾶ, ἐκτίθεμαι (σέ κίνδυνο). ***take sb by the ~***, βουτάω κπ ἀπό τό σβέρκο. ***win/lose by a ~***, (*ἱπποδρ. & μεταφ.*) κερδίζω/χάνω παρά λίγο. ***~ and ~***, (*γιά ἀγῶνες, κλπ*) πλαϊ-πλάϊ, στῆθος μέ στῆθος. ***~ and crop***, ὁλότελα, μέ ὅλα του τά πράγματα: *He was thrown out, ~ and crop*, τόν πέταξαν ἔξω μ' ὅλα του τά συμπράγκαλα. ***~ or nothing***, (τά παίζω) ὅλα γιά ὅλα. **2.** λαιμός, αὐχήν: *the ~ of a bottle*, ὁ λαιμός ἑνός μπουκαλιοῦ. *a narrow ~ of land*, ἕνας στενός αὐχένας ἐδάφους. **3.** (*σέ σύνθ. λέξεις*): **'~·band**, λαιμός (πχ πουκάμισου). **'~·lace** /-ləs/, περιδέραιο. **'~·let** /-lət/, κολλιέ. **'~·line**, λαιμός φορέματος, ντεκολτέ. **'~·tie**, γραβάτα. **'~·wear**, εἴδη γιά τό λαιμό (γραβάτες, φουλάρια, μαντήλια, κλπ). __*ρ.ἀ.* (*λαϊκ.*) χαϊδολογάω (φιλῶ, ἀγκαλιάζω, κλπ): *They were ~ing in the dark*, χαϊδολογιόντουσαν στά σκοτεινά.

nec·ro·mancy /'nekrəmænsɪ/ *οὐσ.* ‹U› νεκρομαντεία.

ne·crop·olis /nɪ'krɒpəlɪs/ *οὐσ.* ‹C› (*πληθ. -es* /-lɪsɪz/) νεκρόπολις.

nec·tar /'nektə(r)/ *οὐσ.* ‹U› νέκταρ.

nec·tar·ine /'nektərɪn/ *οὐσ.* ‹C› μηλοροδάκινο.

née /neɪ/ (*Γαλλ.*) γεννηθεῖσα, τό γένος: *Mrs Smith, ~ Hill*, ἡ κ. Σμίθ, τό γένος Χίλ.

[1]**need** /nid/ *ρ. βοηθ.* (*ἐλλειπτικόν, χωρίς ἄλλους*

τύπους ἤ χρόνους πλήν τοῦ ἐνεστῶτος. ἀκολουθεῖται ἀπό ἀπαρέμφατον χωρίς to. στό γ! ἑν. πρόσωπο δέν παίρνει s. ἀπαντᾶται κυρίως στόν ἐρωτηματικό κι' ἀρνητικό τύπο. ἡ ἐρώτησις δι ἀντιστροφῆς, ἡ ἄρνησις μέ not) εἶναι ἀνάγκη νά; δέν εἶναι ἀνάγκη νά: *N~ the children make so much noise?* εἶναι ἀνάγκη νά κάνουν τά παιδιά τόσο θόρυβο; *N~ you go yet?* εἶναι ἀνάγκη νά φύγετε ἀπό τώρα; *No, we ~n't*, ὄχι, δέν εἶναι ἀνάγκη (*πρβλ. Yes, we must*, ναί, πρέπει). **need+have**+*π.μ.* δέν ἦταν ἀνάγκη (νά γίνη κάτι, πού παρ' ὅλα αὐτά ἔγινε): *He ~n't have gone*, δέν ἦταν ἀνάγκη νά πάη (μολονότι πῆγε). (*πρβλ. He didn't ~ to go*, δέν χρειάστηκε νά πάη, καί δέν πῆγε). **~·ful** /-fl/ *ἐπ.* ἀναγκαῖος, ἀπαραίτητος: *do what is ~ful* (*ἤ, στήν καθομ. do the ~ful*), κάνω ὅ,τι πρέπει, ἐκεῖνο πού χρειάζεται. **~·less** *ἐπ.* περιττός, ἄσκοπος: *~less work/trouble*, περιττή δουλειά/ἄσκοπη φασαρία. ***~less to say***, εἶναι περιττό νά λεχθῆ, δέ χρειάζεται νά ποῦμε: *N~less to say, he didn't keep his promise*, εἶναι περιττό νά λεχθῆ ὅτι δέν ἐτήρησε τήν ὑπόσχεσή του.

[2]**need** /nid/ *οὐσ.* ‹C,U› ἀνάγκη, χρεία, δυσκολία: *There's no ~ for me to tell him*, δέν ὑπάρχει ἀνάγκη νά τοῦ τό πῶ. *There's no ~ for anxiety*, δέν ὑπάρχει λόγος ἀνησυχίας. *My ~s are few*, οἱ ἀνάγκες μου εἶναι λίγες. *satisfy/meet one's ~s*, ἱκανοποιῶ/καλύπτω τίς ἀνάγκες μου. ***if ~ be***, στήν ἀνάγκη, ἄν χρειασθῆ. ***in my hour of ~***, τήν ὥρα πού εἶχα ἀνάγκη. ***be badly in ~ of***, ἔχω ἀπόλυτη ἀνάγκη ἀπό. ***A friend in ~ is a friend indeed***, (*παροιμ.*) ὁ καλός ὁ φίλος στήν ἀνάγκη φαίνεται. **~y** *ἐπ. (-ier, -iest)* ἄπορος: *a ~y family*, ἄπορη οἰκογένεια. *be in ~y circumstances*, βρίσκομαι σέ φτώχεια.

[3]**need** /nid/ *ρ.μ.* **1**. χρειάζομαι, ἔχω ἀνάγκη: *He ~s a new pair of shoes*, χρειάζεται καινούργια παπούτσια. *The dog ~s washing*, τό σκυλί θέλει (χρειάζεται) πλύσιμο. *You ~ a shave*, θέλεις ξύρισμα. *The walls ~ painting*, οἱ τοῖχοι θέλουν βάψιμο. *Do you ~ any help?* χρειάζεσαι βοήθεια; **2**. χρειάζομαι, πρέπει: *He didn't ~ to go*, δέν χρειάστηκε νά πάη (*πρβλ. He needn't have gone*). *I agree that they ~ to know about it*, συμφωνῶ ὅτι πρέπει νά τό μάθουν. *It ~s to be done carefully*, πρέπει νά γίνη προσεχτικά.

needle /ˋnidl/ *οὐσ.* **1**. βελόνι, βελόνα (ραψίματος, πλεκτικῆς, γραμμοφώνου, πυξίδος, πεύκων, κλπ): *thread the ~*, βελονιάζω, περνῶ τήν κλωστή στή βελόνα. ***look for a ~ in a haystack***, (*παροιμ.*) γυρεύω ψύλλους στ' ἄχυρα. ***as sharp as a ~***, πανέξυπνος, σπίρτο μοναχό. ***give sb/get the ~***, (*λαϊκ.*) πικάρω, ἐρεθίζω κπ/ἐρεθίζομαι. **ˋ~-woman**, ράφτρα. **ˋ~·craft**, **ˋ~·work**, ‹U› κέντημα, ραπτική, ἐργόχειρο. (*βλ. καί λ. [1]pin*). **2**. ὀβελίσκος, μυτερή ἄκρη, κορυφή. —*ρ.μ.* **1**. ράβω, κόβω/ἀνοίγω μέ βελόνα. **2**. (*καθομ.*) προκαλῶ, ἐρεθίζω κπ (*ἰδ.* μέ λόγια).

needs /nidz/ *ἐπίρ.* (*χρησιμοποιούμενον μόνον μέ τό ρ. must, συνήθ. σαρκαστικά*) ἀπαραιτήτως: *He must ~ go away just when I want his help*, σώνει καί καλά (ἔπρεπε ἀπαραιτήτως) νά φύγη τήν ὥρα ἀκριβῶς πού χρειάζομαι τή βοήθειά του! ***N~ must when the devil drives***, (*παροιμ.*) ἀνάγκα καί θεοί πείθονται, ἡ ἀνάγκη δέν ξέρει νόμο.

ne'er /neə(r)/ *ἐπίρ.* (*ποιητ.*) ποτέ. **ˋ~-do-well** *οὐσ.* ‹C› ἄχρηστος, ἀκαμάτης.

nef·ari·ous /nɪˋfeərɪəs/ *ἐπ.* (*λόγ.*) φαῦλος, ἄνομος. **~·ly** *ἐπίρ.*

ne·gate /nɪˋgeɪt/ *ρ.ἀ.* (*λόγ.*) ἀρνοῦμαι, καταργῶ, ἀναιρῶ.

ne·ga·tion /nɪˋgeɪʃn/ *οὐσ.* ‹U› (*λόγ.*) ἄρνησις: *Shaking the head is a sign of ~*, τό κούνημα τοῦ κεφαλιοῦ εἶναι σημεῖον ἀρνήσεως.

nega·tive /ˋnegətɪv/ *ἐπ.* ἀρνητικός: *a ~ answer/virtue*, ἀρνητική ἀπάντησις/ἀρετή. *the ~ pole*, (*ἠλεκτρ.*) ἀρνητικός πόλος. *a ~ number*, (*ἄλγ.*) ἀρνητικός ἀριθμός. *a ~ film*, (*φωτογρ.*) ἀρνητικό φίλμ. —*οὐσ.* ‹C› ἀρνητική λέξις, ἄρνησις. ***answer in the ~***, ἀπαντῶ ἀρνητικά. —*ρ.μ.* ἀποκρούω, ἐξουδετερώνω, ἀναιρῶ: *~ a suggestion*, ἀποκρούω μιά πρόταση. *Experiments ~d his theory*, τά πειράματα ἀναίρεσαν τή θεωρία του. **~·ly** *ἐπίρ.* ἀρνητικά.

ne·glect /nɪˋglekt/ *ρ.μ.* (παρ)αμελῶ, παραλείπω: *~ one's duty*, παραμελῶ τό καθῆκον μου. *~ to thank sb*, ἀμελῶ/παραλείπω νά εὐχαριστήσω κπ. —*οὐσ.* ‹U› ἀμέλεια, παραμέλησις: *~ of duty*, παραμέλησις καθήκοντος. *The garden was in a state of ~*, ὁ κῆπος ἦταν παραμελημένος. **~·ful** /-fl/ *ἐπ.* ἀμελής: *be ~ful of one's appearance*, παραμελῶ τήν ἐμφάνισή μου. **~·ful·ness** *οὐσ.* ‹U› ἀμέλεια: *He has a tendency to ~fulness*, ἔχει ροπή πρός τήν ἀμέλεια.

nég·ligé, neg·li·gee /ˋneglɪʒeɪ/ *οὐσ.* ‹C› νεγκλιζέ. —*ἐπ.* ἀτημέλητος.

neg·li·gence /ˋneglɪdʒəns/ *οὐσ.* ‹U› ἀμέλεια, ἀπροσεξία, ἀδιαφορία: *The accident was due to ~*, τό δυστύχημα ὠφείλετο σέ ἀμέλεια/ἀπροσεξία. *gross ~*, βαρεῖα ἀμέλεια.

neg·li·gent /ˋneglɪdʒənt/ *ἐπ.* ~ ***(in/of)***, ἀμελής, ἀπρόσεκτος: *be ~ in one's work/of one's duty*, εἶμαι ἀπρόσεκτος στή δουλειά μου/ἀμελής στό καθῆκον μου.

neg·li·gible /ˋneglɪdʒəbl/ *ἐπ.* ἀμελητέος: *a ~ quantity*, ἀμελητέα ποσότης.

ne·go·ti·able /nɪˋgəʊʃəbl/ *ἐπ.* **1**. διαπραγματεύσιμος. **2**. ἐμπορεύσιμος: *~ securities*, ἐμπορεύσιμοι ἀξίαι (πού μποροῦν νά ρευστοποιηθοῦν ἤ νά μεταβιβασθοῦν). **3**. (*γιά δρόμο*) βατός.

ne·go·ti·ate /nɪˋgəʊʃɪeɪt/ *ρ.μ/ἀ.* **1**. διαπραγματεύομαι: *They are negotiating for a peaceful settlement*, διεξάγουν διαπραγματεύσεις γιά μιά εἰρηνική λύση. *~ a sale/loan/treaty*, διαπραγματεύομαι μιά πώληση/ἕνα δάνειο/μιά συνθήκη. **2**. μεταβιβάζω, ἐμπορεύομαι: *~ a cheque/a bill*, μεταβιβάζω ἐπιταγήν/συναλλαγματικήν. **3**. περνῶ ἕνα ἐμπόδιο, ὑπερπηδῶ: *~ a difficult corner*, περνῶ μιά δύσκολη στροφή. *My horse ~d the fence very well*, τό ἄλογο πέρασε πάνω ἀπό τό φράχτη πολύ εὔκολα. **ne·go·ti·ator** /-tə(r)/ *οὐσ.* ‹C› διαπραγματευτής, μεσολαβητής.

ne·go·ti·ation /nɪˌgəʊʃɪˋeɪʃn/ *οὐσ.* ‹C,U› διαπραγμάτευσις: *under ~*, ὑπό διαπραγμάτευσιν, στό στάδιο τῶν διαπραγματεύσεων. *Price is a matter of ~*, ἡ τιμή εἶναι ἀντικείμενο διαπραγματεύσεως. *open/start/resume* ~*s*, ἀρχίζω/ἐπαναλαμβάνω τίς διαπραγματεύσεις. *enter into/carry on* ~*s*, ἀρχίζω/συνεχίζω διαπραγματεύσεις. *be in* ~ *with sb*, εἶμαι σέ διαπραγματεύσεις μέ κπ.

Ne·gress /ˋnigrəs/ *οὐσ.* ‹C› νέγρα, ἀραπίνα.

Ne·gro /ˋnigrəʊ/ *οὐσ.* ‹C› (*πληθ.* ~*es*) νέγρος.

Ne·groid /ˋnigrɔɪd/ *ἐπ. καί οὐσ.* νεγροειδής.

neigh /neɪ/ *ρ.ἀ.* (*γιά ἄλογο*) χρεμετίζω, χλιμιντρίζω.

neigh·bour /ˋneɪbə(r)/ *οὐσ.* ‹C› γείτονας, πλαϊνός: *our next-door* ~*s*, οἱ πλαϊνοί μας. **~·ing** *ἐπ.* γειτονικός: ~*ing towns/countries*, γειτονικές πόλεις/χῶρες. ˋ**~·hood** /-hʊd/ *οὐσ.* ‹C› **1**. γειτονιά: *It's a nice/friendly* ~*hood*, εἶναι καλή/φιλική γειτονιά. **2**. γειτνίασις: *The* ~*hood of the airport is a disadvantage*, ἡ γειτνίασις τοῦ ἀεροδρομίου εἶναι μειονέκτημα. ***in the* ~*hood of***, κοντά εἰς: *live in the* ~*hood of London/of the town hall*, μένω κοντά στό Λονδῖνο/στό Δημαρχεῖο. *He lost a sum in the* ~*hood of £100*, ἔχασε ἕνα ποσόν γύρω στίς 100 λίρες. **~·ly** *ἐπ.* γειτονικός, φιλικός, πρόθυμος: ~*ly relations*, σχέσεις καλῆς γειτονίας. **~·li·ness** *οὐσ.* ‹U› φιλικότης, προθυμία, βοήθεια, γειτονική συμπεριφορά.

neither /ˋnaɪðə(r)/ *ἐπ. & ἀντων.* κανένας (ἀπό δύο), οὔτε ὁ ἕνας οὔτε ὁ ἄλλος: *N~ sister is intelligent*, καμιά ἀπό τίς δυό ἀδελφές δέν εἶναι ἔξυπνη. *I like* ~ *of them*, δέν μοῦ ἀρέσει οὔτε τὄνα οὔτε τἄλλο. __*σύνδ. & ἐπίρ.* οὔτε (*μέ τό ρ. πού ἀκολουθεῖ στόν ἐρωτηματικό τύπο*): *If you don't go*, ~ *shall I*, ἄν δέν πᾶς ἐσύ, οὔτε κι᾽ἐγώ θά πάω. *'I didn't go.' 'N~ did I.'* -Δέν πῆγα. -Οὔτε κι᾽ἐγώ. **~ ... nor**, οὔτε ... οὔτε: *I know* ~ *English nor French*, δέν ξέρω οὔτε Ἀγγλικά οὔτε Γαλλικά.

nem·esis /ˋneməsɪs/ *οὐσ.* ‹C› (*πληθ.* *-ses* /-əsiz/) (*λόγ.*) Νέμεσις, θεία δίκη.

neo-co·lo·ni·al·ism /ˋniəʊ kəˋləʊnɪəlɪzm/ *οὐσ.* ‹U› νεο-αποικιοκρατία.

neo·lithic /ˋniəˋlɪθɪk/ *ἐπ.* νεολιθικός. •

neo·log·ism /niˋɒlədʒɪzm/ *οὐσ.* ‹C,U› νεολογισμός.

neon /ˋniɒn/ *οὐσ.* ‹U› (*χημ.*) νέον. ˋ~ *light*, φωτισμός μέ νέον. ˋ~ *sign*, φωτεινή ἐπιγραφή.

neo·phyte /ˋniəfaɪt/ *οὐσ.* ‹C› νεοφώτιστος.

nephew /ˋnefju/ *οὐσ.* ‹C› ἀνηψιός.

neph·ri·tis /nɪˋfraɪtɪs/ *οὐσ.* ‹U› (*ἰατρ.*) νεφρῖτις.

neo·plasm /ˋniəʊplæzm/ *οὐσ.* ‹C› (*ἰατρ.*) νεόπλασμα, ὄγκος.

nepo·tism /ˋnepətɪzm/ *οὐσ.* ‹U› νεποτισμός, οἰκογενειοκρατία.

Nep·tune /ˋneptʃun/ *οὐσ.* Ποσειδών.

ne·reid /ˋnɪərɪd/ *οὐσ.* ‹C› (*μυθ.*) νηρηΐς.

nerve /nɜv/ *οὐσ.* **1**. ‹C› νεῦρο: *the optic* ~, τό ὀπτικόν νεῦρον. ˋ**~-cell**, νευρικόν κύτταρον. ˋ**~-centre**, νευρικόν κέντρον. **2**. (*πληθ.*) νεῦρα: *suffer from one's* ~*s*, ὑποφέρω ἀπό τά νεῦρα (μου). *He doesn't know what* ~*s are*, δέν ἐκνευρίζεται ποτέ, δέν ξέρει τί θά πῆ νεῦρα. ***war of* ~*s***, πόλεμος νεύρων. ***get on one's* ~*s***, δίνω στά νεῦρα: *That man/noise gets on my* ~*s*, αὐτός ὁ ἄνθρωπος/θόρυβος μοῦ δίνει στά νεῦρα. ˋ**~-racking** *ἐπ.* ἐκνευριστικός, ἐξουθενωτικός. **3**. ‹C,U› τόλμη, ψυχραιμία, θράσος, κουράγιο: *He's got plenty of* ~, ἔχει μεγάλη τόλμη. *lose one's* ~, χάνω τήν ψυχραιμία μου. ***have a* ~**, (*καθομ.*) ἔχω τό κουράγιο: *He's got a* ~, *going to work dressed like that*, κουράγιο πού τὄχει, νά πηγαίνη στή δουλειά ντυμένος ἔτσι! ***have the* ~ *to do sth***, ἔχω τό κουράγιο (ἤ τό θράσος) νά κάμω κτ: *He had the* ~ *to tell me I was cheating*, εἶχε τό θράσος νά μοῦ πῆ ὅτι ἔκλεβα. ***strain every* ~ *to do sth***, βάζω ὅλη μου τή δύναμη νά κάμω κτ. __*ρ.μ.* ~ ***oneself for sth/to do sth***, μαζεύω ὅλη μου τή δύναμη (ὅλο μου τό θάρρος) γιά κτ/νά κάμω κτ: *He* ~*d himself ready to face troubles*, ἑτοιμάστηκε νά ἀντιμετωπίση φασαρίες. **~·less** *ἐπ.* ἄτονος, ἀδρανής.

ner·vous /ˋnɜvəs/ *ἐπ.* **1**. νευρικός: *the* ~ *system*, τό νευρικό σύστημα. ***have a* ~ *breakdown***, παθαίνω νευρασθένεια/νευρικό κλονισμό. **2**. εὐέξαπτος, ταραγμένος, ἐκνευρισμένος: *I'm always* ~ *in the dark*, μέ πιάνει πάντα ταραχή στό σκοτάδι. *What's she so* ~ *about?* γιατί εἶναι τόσο ἐκνευρισμένη; **3**. νευρώδης: *a* ~ *style of writing*, νευρῶδες συγγραφικόν ὕφος. ~ *energy*, νευρώδης δραστηριότης. **~·ly** *ἐπίρ.* μέ νευρικότητα, νευρικά. **~·ness** *οὐσ.* ‹U› νευρικότης, ἀνησυχία.

nervy /ˋnɜvɪ/ *ἐπ.* (*-ier, -iest*) **1**. (*καθομ.*) νευριασμένος, ἐκνευρισμένος, νευρικός: *feel* ~, ἔχω τά νεῦρα μου, ἔχω νευρική ὑπερένταση. *be* ~, εἶμαι νευρικός. **2**. (*λαϊκ.*) ξετσίπωτος, θρασύς.

nest /nest/ *οὐσ.* ‹C› **1**. φωλιά: *a ˋbird-*~, φωλιά πουλιοῦ. *a ˋwasp's* ~, σφηκοφωλιά. *machine-gun* ~*s*, φωλιές πολυβόλων. *a* ~ *of robbers/crime*, σφηκοφωλιά ληστῶν/ἐγκληματικό ἄντρο. *make oneself a* ~ *of cushions*, φτιάχνω μιά ἄνετη θέση μέ μαξιλάρια γιά τόν ἑαυτό μου. ***foul one's* ~**, βρωμίζω τή φωλιά μου. (*βλ. καί λ. feather*). ˋ**~-egg**, φῶλος, (*μεταφ.*) κομπόδεμα. **2**. σέτ (κουτιά, τραπεζάκια, κλπ πού μπαίνουν τό ἕνα μέσα στό ἄλλο). __*ρ.ἀ.* **1**. φωλιάζω, κουρνιάζω. **2**. ***go* ~*ing***, πάω (νά ψάξω) γιά φωλιές πουλιῶν.

nestle /ˋnesl/ *ρ.μ/ἀ.* **1**. ~ ***down***, ξαπλώνομαι, χώνομαι, φωλιάζω, βολεύομαι ἀναπαυτικά: *He* ~*d down among the cushions/in bed*, χώθηκε μέσ᾽στά μαξιλάρια/στό κρεββάτι. *a village nestling among trees*, χωριό φωλιασμένο (χωμένο) ἀνάμεσα σέ δέντρα. **2**. ~ ***up (against/to)***, χώνομαι, σφίγγομαι, κουλουριάζομαι, ἀκουμπῶ στοργικά: *The child* ~*d up to his mother*, τό παιδάκι σφίχτηκε πάνω στή μητέρα του.

nest·ling /ˋneslɪŋ/ *οὐσ.* ‹C› νεοσσός, ξεπεταροῦδι.

[1]**net** /net/ *οὐσ.* ‹C› δίχτυ: *ˋfishing-*~*s*, ψαράδικα δίχτυα. *a mosˋquito-*~, κουνουπιέρα. *a ˋhair-*~, δίχτυ (φιλές) γιά τά μαλλιά. ˋ**~·ball**, (*ἀθλ.*) δικτυόσφαιρα. ˋ**~·work**, δίκτυον: *a* ~*work of railways/canals*, σιδηροδρομικόν δίκτυον/δίκτυον διωρύγων. *a spy/an intelligence* ~*work*, δίκτυον κατασκοπείας/πληροφοριῶν. __*ρ.μ.* (*-tt-*) **1**. πιάνω (ψάρια, πουλιά, κλπ) μέ δίχτυα. **2**. στήνω/ρίχνω δίχτυα.

[2]**net(t)** /net/ *ἐπ.* καθαρός, νέτος: ~ *price/profit/weight*, νέτη τιμή/καθαρό κέρδος/

βάρος.

nether /ˋneðə(r)/ *ἐπ.* (*ἀπηρχ.*) κάτω, χαμηλότερος: *the ~ world*, ὁ κάτω κόσμος. *~ garments*, (*ἀστειολ.*) παντελόνι. **the N~-lands**, αἱ Κάτω Χῶραι. **ˋ~·most** *ἐπ.* ἔσχατος, χαμηλότατος.

net·ting /ˋnetıŋ/ *οὐσ.* ‹U› δικτυωτόν: *wire ~*, συρμάτινο δικτυωτό. *windows screened with ~*, παράθυρα κλεισμένα μέ κρισαρόπανο.

nettle /ˋnetl/ *οὐσ.* ‹C› τσουκνίδα. **ˋ~·rash**, κοκκινίλα, φαγούρα. *—ρ.μ.* **1**. χτυπῶ κπ μέ τσουκνίδες. **2**. κεντρίζω, ἐρεθίζω: *She looked ~d by my remarks*, ἔδειξε πειραγμένη ἀπό τίς παρατηρήσεις μου.

neur·al·gia /njυˋrældʒə/ *οὐσ.* ‹U› νευραλγία. **neur·al·gic** /njυˋrældʒık/ *ἐπ.* νευραλγικός (*πχ* πόνος).

neur·as·thenia /ˌnjυərəsˋθiniə/ *οὐσ.* ‹U› νευρασθένεια. **neur·as·thenic** /-nık/ *ἐπ.* & *οὐσ.* ‹C› νευρασθενικός.

neur·itis /ˌnjυəˋraıtıs/ *οὐσ.* ‹U› νευρῖτις.

neur·ol·ogist /ˌnjυəˋrolədʒıst/ *οὐσ.* νευρολόγος.

neur·ol·ogy /ˌnjυəˋrolədʒı/ *οὐσ.* ‹U› νευρολογία.

neur·osis /ˌnjυəˋrəυsıs/ *οὐσ.* (*πληϑ. -ses* /-siz/) νεύρωσις.

neur·otic /ˌnjυəˋrotık/ *ἐπ.* & *οὐσ.* νευρωτικός, (*γιά φάρμακο*) νευροτονωτικός.

neu·ter /ˋnjutə(r)/ *ἐπ.* & *οὐσ.* ‹C› οὐδέτερος, οὐδετέρου γένους. *—ρ.μ.* εὐνουχίζω: *a ~ed tomcat*, εὐνουχισμένος γάτος.

neu·tral /ˋnjutrəl/ *ἐπ.* **1**. (*πολιτ.*) οὐδέτερος: *be/remain ~ in a quarrel*, εἶμαι/παραμένω οὐδέτερος σέ μιά διαμάχη. *~ nations/ships*, οὐδέτερα ἔθνη/πλοῖα. **2**. ἀκαθόριστος: *~ tints*, οὐδέτερες/ἀκαθόριστες ἀποχρώσεις. **3**. (*αὐτοκ.*) νεκρό σημεῖον (ταχύτητος): *in ~ gear*, στό νεκρό σημεῖον. *—οὐσ.* ‹C› οὐδέτερος, νεκρό σημεῖον. **~·ity** /njuˋtrælətı/ *οὐσ.* ‹U› οὐδετερότης: *armed ~ity*, ἔνοπλος οὐδετερότης. **~·ize** /ˋnjutrəlaız/ *ρ.μ.* **1**. οὐδετεροποιῶ. **2**. ἐξουδετερώνω: *~ize a poison*, ἐξουδετερώνω δηλητήριο. **~·iz·ation** /ˌnjutrəlaıˋzeıʃn/ *οὐσ.* ‹U› οὐδετεροποίησις, ἐξουδετέρωσις.

neu·tron /ˋnjutron/ *οὐσ.* ‹C› οὐδετερόνιον.

never /ˋnevə(r)/ *ἐπίρ.* **1**. ποτέ: *I've ~ seen him before*, δέν τόν ἔχω ξαναδῆ ποτέ. *N~ before have I heard such nonsense!* ποτέ δέν ξανάκουσα τέτοιες ἀνοησίες. **2**. (*ἐμφατικῶς, ἀντί τοῦ not*) δέν: *I ~ slept a wink all night*, δέν ἔκλεισα μάτι ὅλη τή νύχτα. *He ~ so much as smiled*, οὔτε κἄν χαμογέλασε. **3**. ***Well, I ~!*** (*ἐπιφ. ἐκπλήξεως*) ἀπίστευτο! ***on the ˋ~-ˋ~***, (*καϑομ.*) μέ δόσεις: *buy sth on the ~-~*, ἀγοράζω κτ μέ δόσεις. **ˈ~-ˋending** *ἐπ.* ἀτέλειωτος. **ˈ~-ˋmore** *ἐπίρ.* ποτέ πιά. **ˈ~·the·ˋless** *ἐπίρ.* & *σύνδ.* ὡστόσο, παρ'ὅλα αὐτά.

new /nju/ *ἐπ.* (*-er, -est*) **1**. νέος, φρέσκος, καινούργιος: *a ~ invention/idea/fashion*, νέα ἐφεύρεσις/ἰδέα/μόδα. *~ bread/potatoes*, φρέσκο ψωμί/φρέσκες πατάτες. ***lead a ~ life***, κάνω καινούργια ζωή. ***a ~ moon***, νέο φεγγάρι. ***the ~ rich***, οἱ νεόπλουτοι. ***the N~ Testament***, ἡ Καινή Διαθήκη. ***the ~ woman***, ἡ νέα γυναίκα (ὁ νέος τύπος γυναίκας). ***the N~ World***, ὁ Νέος Κόσμος. ***the N~ Year***, ὁ νέος χρόνος. ***N~ Year's Day***, πρωτοχρονιά. **2**. ***~ to/from***, καινούργιος, ἀρχάριος, ἄπειρος: *I'm ~ to this town/job*, εἶμαι καινούργιος σ'αὐτή τήν πόλη/σ'αὐτή τή δουλειά. *He's ~ from school/the provinces*, μόλις ἔβγαλε τό σχολεῖο/μόλις ἦλθε ἀπό τήν ἐπαρχία. *—ἐπίρ.* προσφάτως: *a ~-born baby*, νεογέννητο μωρό. *~-laid eggs*, φρέσκα αὐγά. *~-fallen snow*, φρέσκο χιόνι. *~-made graves*, φρεσκο-ανοιγμένοι τάφοι. **ˋ~-comer**, νεοφερμένος. **ˋ~-ˋfangled** *ἐπ.* νεότευκτος, μοντέρνος (*πχ ἰδέες, κλπ*). **~·ly** *ἐπίρ.* ἄρτι, νεωστί, προσφάτως: *~ly-painted*, φρεσκοβαμμένος. *a ~ly married couple*, νιόπαντρο ζευγάρι. **ˋ~ly·weds** *οὐσ. πληϑ.* νεόνυμφοι. **~·ness** *οὐσ.* ‹C› φρεσκάδα, ἀπειρία.

news /njuz/ *οὐσ.* (*πάντα μέ ρ. ἑν.*) νέα, εἰδήσεις: *The ~ is good today*, τά νέα εἶναι καλά σήμερα. *What's the ~?* τί νέα ἔχομε; *This is bad ~*, αὐτά εἶναι ἄσχημα νέα. *That's no ~ to me*, αὐτά τά ξέρω, δέν εἶναι νέα γιά μένα. ***an item/a piece/a bit of ~***, μιά εἴδησις. ***No ~ is good ~***, (*παροιμ.*) τά νέα εἶναι καλά ὅταν δέν ὑπάρχουν νέα. ***be in the ~***, γράφουν οἱ ἐφημερίδες γιά κπ. **ˋ~·agent**, πράκτωρ ἐφημερίδων. **ˋ~ agency**, εἰδησεογραφικόν πρακτορεῖον. **ˋ~·boy**, μικρός ἐφημεριδοπώλης. **ˋ~·cast**, (*ραδιοφ.*) δελτίον εἰδήσεων. **ˋ~·caster**, (*ραδιοφ.*) ρεπόρτερ. **ˋ~·letter**, δελτίον (ὀργανώσεως), ἐγκύκλιος. **ˋ~·monger**, διαδοσίας, κουτσομπόλης, ψιθυριστής. **ˋ~·paper**, ἐφημερίδα. **ˋ~·print**, δημοσιογραφικό χαρτι. **ˋ~·reel**, ταινία ἐπικαίρων. **ˋ~·room**, αἴθουσα (σέ βιβλιοθήκη, κλπ) μέ ἐφημερίδες καί περιοδικά, γραφεῖον συντάξεως ἐφημερίδος ἤ ραδ. σταθμοῦ. **ˋ~·sheet**, ἐφημεριδούλα. **ˋ~·stand**, περίπτερο ἐφημερίδων. **ˋ~·vendor**, ἐφημεριδοπώλης. **ˋ~-worthy** *ἐπ.* ἄξιος δημοσιεύσεως. **~y** *ἐπ.* (*-ier, -iest*) (*καϑομ.*) γεμᾶτος εἰδήσεις, ὅλο κουτσομπολιό: *a ~y letter*.

newt /njut/ *οὐσ.* ‹C› (*ζωολ.*) σαλαμάνδρα.

next /nekst/ *ἐπ.* **1**. (*γιά τόπο ἤ σειρά*) πλησιέστερος, ἑπόμενος: *walk to the ~ town*, πάω μέ τά πόδια ὥς τήν πλησιέστερη πόλη. *What's the ~ item on the programme?* τί ἔρχεται μετά στό πρόγραμμα; *Which is the town ~ to London in size?* ποιά πόλις ἔρχεται μετά τό Λονδῖνο σέ μέγεθος; ***the ~ best (thing)***, ἡ καλύτερη λύση ὕστερα ἀπ'αὐτό, ἡ ἑπομένη ἐκλογή: *If we can't get tickets for the theatre, the ~ best thing is the zoo*, ἄν δέν βροῦμε εἰσιτήρια γιά τό θέατρο, ἡ καλύτερη λύση εἶναι νά πᾶμε στό ζωολογικό κῆπο. ***~ to***, σχεδόν: *He eats ~ to nothing*, δέν τρώει σχεδόν τίποτα. *This is ~ to impossible*, αὐτό εἶναι σχεδόν ἀδύνατο. ***~ door***, πλάϊ, στό πλαϊνό σπίτι ἤ διαμέρισμα: *He lives ~ door (to us)*, μένει πλάϊ (μας). *the people ~ door/our ~-door neighbours*, οἱ πλαϊνοί μας. ***be ~ door to***, ἰσοδυναμῶ σχεδόν: *Such ideas are ~ door to madness*, αὐτές οἱ ἰδέες ἰσοδυναμοῦν σχεδόν μέ τρέλλα. **2**. (*χρονικῶς*) ἑπόμενος, προσεχής (*Σημειωτέον ὅτι ἄν τό next συσχετίζεται μέ τό* *παρόν δέν παίρνει όριστικόν ἄρθρον μπροστά, ἄν ὅμως συσχετίζεται μέ χρονικόν σημεῖον τοῦ παρελθόντος ἤ τοῦ μέλλοντος, παίρνει the*): ~ *week/month/year*, τήν ἄλλη βδομάδα/τόν ἄλλο μῆνα/τοῦ χρόνου (*μέ βάση τό παρόν κατά τόν χρόνον τῆς ὁμιλίας*). (*πρβλ. Last Monday he was in London; the ~ day he left for Paris*). —*ἐπίρ.* μετά, ὕστερα ἀπ' αὐτό: *What shall we do ~?* τί θά κάνωμε μετά; *When I ~ saw her...*, τήν ἑπόμενη φορά πού τήν εἶδα... *N~ I went to the office*, μετά πῆγα στό γραφεῖο. *What ~?* (*μέ ἔντονη ἔκπληξη*) τί ἄλλο μετά; τί ἄλλο θά δοῦμε ἀκόμη; —*πρόθ.* κοντά: *May I bring my chair ~ (to) yours?* Μπορῶ νά φέρω τήν καρέκλα μου κοντά στή δική σας; ***~ to one's skin***, κατάσαρκα.

nexus /ˈneksəs/ *οὐσ.* ‹C› (*πληθ.* ~*es* /-səsɪz/) συνάφεια, πλέγμα: *causal ~*, αἰτιώδης συνάφεια. *the cash ~*, τό πλέγμα τοῦ πλούτου.

nib /nɪb/ *οὐσ.* ‹C› μύτη (πέννας, στυλογράφου).

nibble /ˈnɪbl/ *ρ.μ/ἀ.* ~ ***(away) (at)*** (*κυριολ. & μεταφ.*) τσιμπῶ ἐλαφρά: *The fish was nibbling (at) the bait*, τό ψάρι τσιμποῦσε ἐλαφρά τό δόλωμα. *He's nibbling at our offer*, τσιμπάει στήν προσφορά μας (φαίνεται ὅτι τοῦ ἀρέσει).

nice /naɪs/ *ἐπ.* (*-r, -st*) **1**. ὡραῖος, καλός, εὐχάριστος, συμπαθητικός, εὐγενικός: *a ~ day*, ὡραία ἡμέρα. *She's a ~ girl*, εἶναι καλή κοπέλλα. *He's a ~ person*, εἶναι συμπαθητικός ἄνθρωπος. **2**. λεπτός: *a ~ point of law*, λεπτό νομικό θέμα. *~ shades of meaning*, λεπτές ἐννοιολογικές ἀποχρώσεις. **3**. δύσκολος, ἄσχημος: *You've got us into a ~ mess*, μᾶς ἔμπλεξες ἄσχημα. **4**. ἐξεζητημένος, ἐπιτηδευμένος: *speak with a ~ accent*, μιλῶ μ' ἐπιτηδευμένο τόνο. **5**. προσεκτικός, λεπτολόγος: *He's not so ~ in his business methods*, δέν λεπτολογεῖ καί πολύ τούς τρόπους πού κάνει τίς δουλειές του. **~·ly** *ἐπίρ.* ὡραῖα, ὄμορφα, πολύ καλά: *That suits me ~ly*, αὐτό μέ βολεύει μιά χαρά. *The patient is doing ~ly*, ὁ ἄρρωστος πάει πολύ καλά.

nicety /ˈnaɪsətɪ/ *οὐσ.* ‹C,U› **1**. ὀρθότης, λεπτότης, ἀκρίβεια: *~ of judgement*, ὀρθότης κρίσεως. *a point of great ~*, πολύ λεπτό σημεῖο. ***to a ~***, μέ μεγάλη ἀκρίβεια: *He judged the distance to a ~*, ὑπολόγισε τήν ἀπόσταση μέ μεγάλη ἀκρίβεια. **2**. λεπτή διάκρισις, λεπτολογία: *the niceties of criticism*, οἱ λεπτές διακρίσεις τῆς κριτικῆς.

niche /nɪʃ/ *οὐσ.* ‹C› **1**. κοίλωμα σέ τοῖχο (πχ γιά ἄγαλμα), κόγχη. **2**. (*μεταφ.*) γωνιά, θέση: *He found the right ~ for himself*, βρῆκε τή θέση πού ἤθελε, βολεύτηκε καλά.

[1]**nick** /nɪk/ *οὐσ.* ‹C,U› **1**. χαρακιά, ἐγκοπή, κοψιά. **2**. ***in the ~ of time***, πάνω στήν ὥρα, στό τσάκ. **3**. (*λαϊκ.*) ***in the ~***, στή στενή (στή φυλακή). —*ρ.μ.* **1**. κόβω: *~ one's chin*, κόβω τό σαγόνι μου (στό ξύρισμα). **2**. τσιμπῶ, κλέβω.

[2]**nick** /nɪk/ *οὐσ.* (*λαϊκ.*) ***in good/poor ~***, σέ καλή/κακή κατάσταση.

Nick /nɪk/ *οὐσ.* Νῖκος. **Old N~**, ὁ διάβολος.

nickel /ˈnɪkl/ *οὐσ.* **1**. ‹U› νικέλιον. **2**. ‹C› νικέλινο νόμισμα τῶν 5 σέντς. —*ρ.μ.* (*-ll-*) ἐπινικελώνω.

nick·nack /ˈnɪknæk/ *βλ. knick-knack.*

nick·name /ˈnɪkneɪm/ *οὐσ.* ‹C› παρατσούκλι, ὑποκοριστικό. —*ρ.μ.* ἐπονομάζω, παρονομάζω.

nico·tine /ˈnɪkətin/ *οὐσ.* ‹U› νικοτίνη: *ˋ~-stained fingers*, δάχτυλα βαμμένα ἀπό τή νικοτίνη. *cigarettes with a low ~ content*, τσιγάρα μέ χαμηλή περιεκτικότητα σέ νικοτίνη.

niece /nis/ *οὐσ.* ‹C› ἀνηψιά.

niff /nɪf/ *οὐσ.* ‹C› (*λαϊκ.*) βρῶμα, ἄσχημη μυρουδιά.

nifty /ˈnɪftɪ/ *ἐπ.* (*-ier, -iest*) (*λαϊκ.*) **1**. κομψός, φίνος. **2**. σβέλτος. **3**. δύσοσμος.

nig·gard /ˈnɪgəd/ *οὐσ.* ‹C› τσιγγούνης, σπαγγοραμμένος. **~·ly** *ἐπ.* τσιγγούνικος: *a ~ly fifty drachs*, πενήντα ψωροδραχμές.

nig·ger /ˈnɪgə(r)/ *οὐσ.* ‹C› (*ὑποτιμ.*) ἀράπης.

niggle /ˈnɪgl/ *ρ.ἀ.* χάνω τόν καιρό μου σέ λεπτομέρειες, ψειρίζω, ψιλολογῶ. **nig·gling** *ἐπ.* ἀσήμαντος, ἄτολμος.

nigh /naɪ/ *ἐπίρ. & πρόθ.* (*ποιητ.*) πλησίον, ἐγγύς, σιμά.

night /naɪt/ *οὐσ.* ‹C› **1**. νύχτα: *in/during the ~*, (κατά) τή νύχτα. *on Monday ~*, τή νύχτα τῆς Δευτέρας. *on a dark ~*, μιά σκοτεινή νύχτα. *stay over ~*, διανυκτερεύω, μένω γιά τή νύχτα. ***~ after ~***, πολλές νύχτες συνέχεια. ***all ~ long***, ὅλη τή νύχτα. ***~ and day***, μέρα καί νύχτα, νυχτόημερα. ***at ~***, τή νύχτα. ***by ~***, νύχτα: *travel by ~*, ταξιδεύω νύχτα. *Athens by ~*, ἡ Ἀθήνα τή νύχτα. ***have a ~ off***, ἔχω ἐλεύθερη τή νύχτα, δέν ἔχω νυχτερινή ὑπηρεσία. ***have a good/bad ~***, κοιμᾶμαι καλά/ἄσχημα: *Did you have a good ~?* ***have a ~ out***, βγαίνω ἔξω τό βράδυ (σέ διασκέδαση). ***make a ~ of it***, τό πάω ξενύχτι, γλεντάω ὥς τό πρωΐ. ***turn ~ into day***, κάνω τήν νύχτα ἡμέρα. ***work ~s***, δουλεύω νυχτερινή βάρδια: *I'm working ~s this week*. **2**. *σέ σύνθετες λέξεις*: **ˋ~-bell**, κουδούνι τῆς νύχτας (σέ πόρτα). **ˋ~-bird**, νυχτοπούλι, ξενύχτης. **ˋ~·cap, 1**. σκοῦφος τοῦ ὕπνου. **2**. ποτό πρίν ἀπό τήν κατάκλιση. **ˋ~·club**, νάϊτ-κλαμπ, νυχτερινό κέντρο διασκεδάσεως. **ˋ~·dress**, νυχτικό (γυναίκας ἤ παιδιοῦ). **ˋ~·fall**, σούρουπο, νύχτωμα: *at ~fall*, μέ τό σούρουπο. **ˋ~-gown**; **ˋ~ie**; **ˋ~y**, νυχτικό, νυχτικιά. **ˋ~ life**, νυχτερινή ζωή. **ˋ~-light**, φῶς πού μένει ἀναμμένο τή νύχτα, βεγιέζα. **ˋ~-long** *ἐπ.* ὁλονύχτιος. **ˋ~·mare**, ἐφιάλτης, βραχνᾶς. **ˋ~·mar·ish** /-meərɪʃ/ *ἐπ.* ἐφιαλτικός. **ˋ~-porter**, νυχτερινός θυρωρός ξενοδοχείου. **ˋ~ school**, νυχτερινή σχολή. **ˋ~ shift**, νυχτερινή βάρδια (ἐργατῶν). **ˋ~·shirt**, νυχτικό (ἀνδρῶν). **ˋ~ stop** *οὐσ.* ‹C› (*ἀεροπ.*) διανυκτέρευσις. **ˋ~-stop** *ρ.ἀ.* (*ἀεροπ.*) διανυκτερεύω. **ˋ~-time**, σκοτάδι, νύχτα: *in the ~-time*, τή νύχτα. **ˋ~-walker**, νυχτοπερπατητής. **ˋ~-ˋwatch**, νυχτερινή βάρδια (φρουροῦ), ἀγρύπνια (στό πλάϊ ἀρρώστου). ***in the ~-watches***, στίς ὧρες τῆς ἀγρύπνιας. **ˋ~-ˋwatchman**, νυχτοφύλακας. **ˋ~·work**, νυχτερινή δουλειά. **~·ly** *ἐπ.* νυχτερινός, βραδυνός: *a ~ly performance*, βραδυνή παράστασις. *ἐπίρ.* κάθε νύχτα, τή νύχτα: *a film shown twice ~ly*, φίλμ πού προβάλλεται δυό φορές κάθε βράδυ.

night·in·gale /ˈnaɪtɪŋgeɪl/ *οὐσ.* ‹C› ἀηδόνι.

ni·hil·ism /ˈnaɪhɪlɪzm/ *οὐσ.* ‹U› μηδενισμός. **ni·hil·ist** /-ɪst/ *οὐσ.* ‹C› μηδενιστής. **ni·hil·is·tic** /ˈnaɪhɪˈlɪstɪk/ *ἐπ.* μηδενιστικός.

nil /nɪl/ *οὐσ.* μηδέν, τίποτα: *The result of the game was 3 0 (three-~)*, τό ἀποτέλεσμα τοῦ ἀγῶνα ἦταν τρία-μηδέν.

nimble /ˈnɪmbl/ *ἐπ.* **1**. σβέλτος (στό σῶμα): *as ~ as a goat*, πολύ σβέλτος. **2**. εὔστροφος (στό νοῦ). **~·ness** *οὐσ.* ‹U› σβελτάδα.

nim·bus /ˈnɪmbəs/ *οὐσ.* ‹C› (*πληθ.* *~es* /-bəsɪz/, *-bi* /-baɪ/) **1**. φωτοστέφανος, φωτεινόν νέφος. **2**. σύννεφο βροχῆς.

nin·com·poop /ˈnɪnkəmpup/ *οὐσ.* ‹C› ἀνόητος, χαζός, μποῦφος.

nine /naɪn/ *ἐπ. & οὐσ.* ‹C› ἐννέα. ***a ~-days' wonder***, ἐννιάμερο θαῦμα (κάτι ἐντυπωσιακό πού κρατάει λίγο). ***dressed up to the ~s***, (*καθομ.*) ντυμένος στήν πέννα/στήν τρίχα. ***~ times out of ten***, ἐννιά φορές στίς δέκα (πολύ συχνά). **~·teen** *ἐπ. & οὐσ.* ‹C› δεκαεννέα (*βλ. καί λ. dozen*) **~·teenth** *ἐπ. & οὐσ.* ‹C› δέκατος ἔνατος. **~·ty** *ἐπ. & οὐσ.* ‹C› ἐνενήντα. ***~ty-~ times out of a hundred***, ἐνενήντα-ἐννιά φορές στίς ἑκατό, σχεδόν πάντοτε. ***the ~ties***, ἡ δεκαετία 90–99. **~·ti·eth** *ἐπ. & οὐσ.* ‹C› ἐνενηκοστός. **~·fold** *ἐπ.* ἐννεαπλάσιος. *ἐπίρ.* ἐννεαπλασίως.

nine·pins /ˈnaɪnpɪnz/ *οὐσ. πληθ.* (*μέ ρ. ἑν.*) τσούνια, κῶνοι (παιχνίδι). ***go down like a ninepin***, πέφτω μονοκόμματα.

ninny /ˈnɪnɪ/ *οὐσ.* ‹C› χαζός, κουτορνίθι.

[1]**nip** /nɪp/ *ρ.μ/ἀ.* *(-pp-)* **1**. τσιμπῶ, πιάνω, σφίγγω: *A crab ~ped my toe*, ἕνας κάβουρας μοῦ τσίμπησε τό δάκτυλο τοῦ ποδιοῦ. *He ~ped his finger in the door*, ἔπιασε τό δάκτυλό του στήν πόρτα. *~ in the sides of a dress*, μπάζω ἕνα φόρεμα στό πλάϊ. **2**. κόβω, καταστρέφω, (*γιά παγωνιά, ζέστη, κλπ*) καίω: *The gardener was ~ping off the side shoots from his chrysanthemums*, ὁ κηπουρός ἔκοβε τά πλαϊνά βλαστάρια στά χρυσάνθεμά του. *frost-~ped*, καμένος ἀπό τήν παγωνιά. ***~ sth in the bud***, καταπνίγω κτ ἐν τῇ γενέσει του (*πχ* συνωμοσίαν). **3**. πάω γρήγορα, τρέχω: *I'll ~ on ahead and open the door*, θά τρέξω μπροστά ν'ἀνοίξω τήν πόρτα. —*οὐσ.* ‹C› **1**. ψύχρα, παγωνιά, δαγκωνιά, τσίμπημα. **2**. γουλιά: *a ~ of brandy*, μιά γουλιά κονιάκ. **~·ping** *ἐπ.* τσουχτερός, κρύος, δηκτικός.

nip·per /ˈnɪpə(r)/ *οὐσ.* ‹C› **1**. (*πληθ., καθομ.*) λαβίδα, τσιμπίδα, πένσα, δαγκάνα (ἀστακοῦ). **2**. (*MB, καθομ.*) πιτσιρίκος.

nipple /ˈnɪpl/ *οὐσ.* ‹C› **1**. ρώγα (μαστοῦ ἤ θηλάστρου). **2**. γρασσαδόρος.

Nip·pon·ese /ˈnɪpəˈniz/ *ἐπ. & οὐσ.* ‹U› Ἰαπωνικός.

nippy /ˈnɪpɪ/ *(-ier, -iest)* **1**. τσουχτερός. **2**. σβέλτος, δραστήριος: *Look ~!* κάνε γρήγορα!

nir·vana /nəˈvanə/ *οὐσ.* ‹U› νιρβάνα, μακαριότης.

nit /nɪt/ *οὐσ.* ‹C› **1**. κόνιδα ψείρας. **2**. *βλ. nitwit.*

ni·trate /ˈnaɪtreɪt/ *οὐσ.* ‹U› νιτρικόν ἅλας.

niter, nitre /ˈnaɪtə(r)/ *οὐσ.* ‹U› νίτρον.

ni·tric /ˈnaɪtrɪk/ *ἐπ.* νιτρικός.

ni·tro·gen /ˈnaɪtrədʒən/ *οὐσ.* ‹U› (*χημ.*) ἄζωτον.

ni·tro·gly·cer·in(e) /ˈnaɪtrəʊˈglɪsəˈrin/ *οὐσ.* ‹U› νιτρογλυκερίνη.

ni·trous /ˈnaɪtrəs/ *ἐπ.* νιτρώδης. ˈ**~ ˋoxide**, πρωτοξείδιον τοῦ ἀζώτου.

nit·wit /ˈnɪtwɪt/ *οὐσ.* ‹C› (*καθομ.*) χαζός, μποῦφος, ἠλίθιος. **~·ted** *ἐπ.* χαζός.

no /nəʊ/ *ἐπ.* **1**. κανείς, τίποτα, καθόλου: *N~ man can do it*, κανένας ἄνθρωπος δέν μπορεῖ νά τό κάμη. *N~ words can describe the scene*, καμιά λέξις δέν μπορεῖ νά περιγράψη τή σκηνή. **2**. δέν: *He's ~ friend of mine*, δέν εἶναι φίλος μου. *She's ~ beauty*, δέν εἶναι καλλονή. *N~ smoking*, ἀπαγορεύεται τό κάπνισμα. ***There is ~ + -ing***, εἶναι ἀδύνατο νά: *There's ~ denying that ... There's ~ stopping him*, εἶναι ἀδύνατον νά ἀρνηθῇ κανείς αὐτό/ νά τόν σταματήσει κανείς. ***It's ~ go***, (*καθομ.*) δέν γίνεται τίποτα, εἶναι ἀδύνατο. ***It's ~ good/use***, δέν ὠφελεῖ: *It's ~ good/use seeing him*, δέν ὠφελεῖ νά τόν δῆς. ***It's ~ wonder that ...***, δέν εἶναι ἀπορίας ἄξιον ὅτι ... ***in ~ time***, στό πῖ καί φῖ. ˋ**~-one**, ˋ**~ one** *ἀντων.* κανένας. (*βλ. καί λ. end, means, land*). —*ἐπίρ.* δέν, ὄχι: *We went ~ farther than the bridge*, δέν πήγαμε μακρύτερα ἀπό τή γέφυρα. *He's ~ better than his brother*, δέν εἶναι καλύτερος ἀπό τόν ἀδελφό του. *Whether or ~* (*συνηθ. or not*) *you like it, you've got to do it*, εἴτε σοῦ ἀρέσει εἴτε ὄχι, πρέπει νά τό κάμης. *N~, not me!* ὄχι, ὄχι ἐγώ! —*οὐσ.* ‹C› (*πληθ.* *~es*) ὁ ψηφίσας ὄχι: *The noes have it*, τά "ὄχι" πῆραν τήν πλειοψηφία.

Noah's ark /ˈnəʊəz ˈak/ *οὐσ.* ἡ Κιβωτός τοῦ Νῶε.

nob /nob/ *οὐσ.* ‹C› (*λαϊκ.*) **1**. κεφάλα, κούτρα. **2**. ἀριστοκράτης.

nobble /ˈnobl/ *ρ.μ.* (*καθομ.*) βουτῶ, σουφρώνω, ἐξασφαλίζω (μέ πλάγια μέσα).

no·bil·ity /nəʊˈbɪlətɪ/ *οὐσ.* ‹U› **1**. εὐγένεια, ἀρχοντιά: *the ~ of his character*, ἡ εὐγένεια τοῦ χαρακτήρα του. **2**. **the ~**, οἱ εὐγενεῖς, οἱ ἄρχοντες: *marry into the ~*, παντρεύομαι μέλος τῆς ἀριστοκρατίας.

noble /ˈnəʊbl/ *ἐπ.* *(-r, -st)* **1** εὐγενής, ἀνώτερος, ὑψηλός: *~ sentiments/ideals*, εὐγενῆ αἰσθήματα/ἀνώτερα ἰδανικά. ˈ**~-ˋminded** *ἐπ.* ὑψηλόφρων. ˈ**~-ˋmindedness** *οὐσ.* ‹U› ὑψηλοφροσύνη, ἀνωτερότης (χαρακτῆρος, ἤθους, κλπ). **2**. μεγαλοπρεπής, ἐπιβλητικός, εὐγενής: *a ~ monument*, μεγαλοπρεπές μνημεῖον. *a ~ horse*, ἐπιβλητικό, ὡραῖο ἄλογο. *~ metals*, εὐγενῆ μέταλλα. **3**. εὐγενής, ἀριστοκρατικός: *a man of ~ birth*, ἄνθρωπος ἀριστοκρατικῆς καταγωγῆς. —*οὐσ.* ‹C› εὐγενής, ἀριστοκράτης. ˋ**~·man**, εὐπατρίδης. **nobly** /ˈnəʊblɪ/ *ἐπίρ.* εὐγενικά, ὑπέροχα, μεγαλόψυχα, ἀρχοντικά.

no·body /ˈnəʊbədɪ/ *ἀντων.* **1**. κανείς: *N~ came*, κανείς δέν ἦλθε. *~ else*, κανείς ἄλλος. **2**. (*μέ ἀόρ. ἄρθρ.*) μηδαμινότης, ἀσήμαντος ἄνθρωπος, νούλα, μηδενικό. *Don't marry a ~ like him*, μήν παντρευτῆς ἕνα μηδενικό σάν κι' αὐτόν.

noc·tam·bu·list /nokˈtæmbjʊlɪst/ *οὐσ.* ‹C› ὑπνοβάτης.

noc·tur·nal /nokˈtɜnl/ *ἐπ.* νυχτερινός: *~ birds*, νυκτόβια πουλιά.

noc·turne /ˈnoktɜn/ *οὐσ.* ‹C› **1.** (*ζωγρ.*) νυκτερινή σκηνή. **2.** (*μουσ.*) νυκτωδία, νυκτερινό.
nod /nod/ *οὐσ.* ‹C› κίνηση τοῦ κεφαλιοῦ, νόημα, καταφατικό νεῦμα, κουτούλημα: *He gave me a ~ as he passed*, μέ χαιρέτισε μέ τό κεφάλι καθώς πέρασε. ***go to the Land of N~***, ἀποκοιμιέμαι. ***on the ~***, (*ΗΠΑ, λαϊκ.*) μέ πίστωση. —*ρ.μ/ὰ.* (*-dd-*) **1.** κουνῶ τό κεφάλι, γνέφω (ἐπιδοκιμαστικά ἤ πρός χαιρετισμόν): *He ~ded to me as he passed*, μέ χαιρέτισε μέ μιά κίνηση τοῦ κεφαλιοῦ καθώς πέρασε. *He ~ded approval*, κούνησε τό κεφάλι ἐπιδοκιμαστικά. *She ~ded me a welcome*, μέ ὑποδέχτηκε μέ μιά ἐλαφρά κίνηση τῆς κεφαλῆς. (*βλ. καί λ. acquaintance*). **2.** κουτουλῶ, νυστάζω, γέρνω τό κεφάλι: *She sat ~ding by the fire*, καθόταν κοντά στή φωτιά καί κουτουλοῦσε. *He often ~s off during the afternoon*, συχνά ἀποκοιμιέται (τόν παίρνει στήν καρέκλα του) τό ἀπόγευμα.
noddle /ˈnodl/ *οὐσ.* ‹C› (*καθομ.*) κεφάλι, κούτρα, ξερό.
node /nəʊd/ *οὐσ.* ‹C› κόμπος, ρόζος.
nod·ule /ˈnodjul/ *οὐσ.* ‹C› γρομπαλάκι.
no·how /ˈnəʊhaʊ/ *ἐπίρ.* (*καθομ.*) καθόλου.
noise /nɔɪz/ *οὐσ.* ‹C,U› θόρυβος: *Don't make so much/such a loud ~!* μήν κάνης τόσο/τόσο δυνατό θόρυβο! *What are those strange ~s?* τί εἶναι αὐτοί οἱ παράξενοι θόρυβοι; ***make a ~ about sth***, κάνω φασαρία γιά κτ. ***make a ~ in the world***, γίνομαι γνωστός, μιλάει γιά μένα ὅλος ὁ κόσμος. ***a big ~***, (*λαϊκ.*) μεγάλη προσωπικότητα. ***hold one's ~***, (*λαϊκ.*) τό βουλώνω, σωπαίνω: *Hold your ~!* —*ρ.μ.* ***~ sth abroad***, διαδίδω, κοινολογῶ: *It was ~d abroad that he had been arrested*, διαδόθηκε ὅτι τόν πιάσανε. **~·less** *ἐπ.* ἀθόρυβος: *with ~less steps*, μέ ἀθόρυβα βήματα. **~·less·ly** *ἐπίρ.* ἀθόρυβα.
noi·some /ˈnɔɪsəm/ *ἐπ.* δυσάρεστος, δύσοσμος, βλαβερός.
noisy /ˈnɔɪzɪ/ *ἐπ.* (*-ier, -iest*) θορυβώδης: *~ children/games/streets*, θορυβώδη παιδιά/παιχνίδια/-εις δρόμοι. **nois·ily** /-əlɪ/ *ἐπίρ.* θορυβωδῶς.
no·mad /ˈnəʊmæd/ *οὐσ.* ‹C› νομάς. **~ic** /nəʊˈmædɪk/ *ἐπ.* νομαδικός.
no·men·cla·ture /ˈnəʊmənkleɪtʃə(r)/ *οὐσ.* ‹C› (*λόγ.*) ὀνοματολογία: *scientific ~*, ἐπιστημονική ὀνοματολογία.
nomi·nal /ˈnomɪnl/ *ἐπ.* **1.** ὀνομαστικός: *a ~ ruler*, ὀνομαστικός/κατ' ὄνομα ἀρχηγός. *a ~ sum/rent*, ὀνομαστικό ποσό/ἐνοίκιον. *~ list/shares*, ὀνομαστικός κατάλογος/-ές μετοχές. **2.** (*γραμμ.*) ὀνοματικός. **~·ly** *ἐπίρ.* ὀνομαστικῶς.
nomi·nate /ˈnomɪneɪt/ *ρ.μ.* **1.** ***~ for***, ὑποδεικνύω, προτείνω (ὡς ὑποψήφιον): *He was ~d for President/Mayor*, ὑπεδείχθη (ἐπροτάθη) γιά Πρόεδρος/γιά Δήμαρχος. **2.** ***~ to***, διορίζω: *He was ~d to the post of…*, διωρίσθη εἰς τήν θέσιν τοῦ… **nomi·nee** /ˌnomɪˈni/ *οὐσ.* ‹C› ὑποψήφιος. **nomi·na·tion** /ˌnomɪˈneɪʃn/ *οὐσ.* ‹C,U› ὑπόδειξις, ὑποψηφιότης.
non /non/ *πρόθεμα* μή, (*στερητικόν*) ἀ-, ἀν-:
ˈnon-aˈlignment *οὐσ.* ‹C,U› οὐδετερότης, μή δέσμευσις.
ˈnon-agˈgression *οὐσ.* ‹U› μή ἐπίθεσις: *a ~-aggression pact*, σύμφωνον μή ἐπιθέσεως.
ˈnon-ˈcombatant *οὐσ.* ‹C› ἄμαχος, μή μάχιμος.
ˈnon-comˈmissioned ˈofficer, ὑπαξιωματικός.
ˈnon-comˈmittal *ἐπ.* ἐπιφυλακτικός, μή δεσμευτικός: *a ~-committal answer*, ἐπιφυλακτική ἀπάντησις.
ˈnon-comˈpliance *οὐσ.* ‹U› μή συμμόρφωσις.
ˈnon-conˈductor *οὐσ.* ‹C› κακός ἀγωγός (θερμότητος, κλπ), μονωτικόν.
ˈnon-conˈformist *οὐσ.* ‹C› διαφωνῶν μέ τήν ἐπίσημον θρησκείαν.
ˈnon-conˈformity *οὐσ.* ‹U› διαφωνία, ἑτεροδοξία, ἀντικονφορμισμός.
ˈnon-conˈtentious *ἐπ.* πού δέν προκαλεῖ διαμάχη/ἀμφισβήτηση. **~·ly** *ἐπίρ.*
ˈnon-deˈlivery *οὐσ.* ‹C,U› μή παράδοσις (ἐπιστολῆς, κλπ).
ˈnon-esˈsential *ἐπ.* μή οὐσιώδης, ἐπουσιώδης.
ˈnon-eˈvent *οὐσ.* ‹C› ἀποτυχία: *The party was a ~-event.*
ˈnon-ˈfiction *οὐσ.* ‹U› πεζός λόγος (πλήν μυθιστορημάτων).
ˈnon-ˈflammable *ἐπ.* ἄφλεκτος.
ˈnon-ˈinterˈference, ˈnon-ˈinterˈvention *οὐσ.* ‹C,U› μή ἐπέμβασις.
ˈnon-ˈmember *οὐσ.* ‹C› μή μέλος.
ˈnon-ˈmoral *ἐπ.* ἠθικῶς ἀδιάφορος.
ˈnon-obˈservance *οὐσ.* ‹U› μή τήρησις.
ˈnon-ˈpayment *οὐσ.* ‹C,U› μή πληρωμή.
ˈnon-ˈresident *οὐσ.* ‹C› μή μόνιμος κάτοικος, μή ἔνοικος.
ˈnon-ˈskid *ἐπ.* ἀντιολισθητικός (γιά λάστιχα αὐτοκινήτου).
ˈnon-ˈsmoker *οὐσ.* ‹C› μή καπνιστής, βαγόνι μή καπνιζόντων.
ˈnon-ˈstarter *οὐσ.* ‹C› ἄλογο πού ἐγκαταλείπει τόν ἀγῶνα, ἄνθρωπος πού ἀποτυγχάνει σέ κτ πού ἀναλαμβάνει.
ˈnon-ˈstick *ἐπ.* (*γιά τηγάνι, κλπ*) πού δέν κολλάει.
ˈnon-ˈstop *ἐπ.* & *ἐπίρ.* ἄνευ στάσεως: *a ~-stop train from London to Brighton; fly ~-stop from Athens to London.*
ˈnon-ˈunion *ἐπ.* μή συνδικαλισμένος, ἀντισυνδικαλιστικός.
ˈnon-ˈviolence *οὐσ.* ‹U› μή βία.
non·age /ˈnəʊnɪdʒ/ *οὐσ.* ‹U› ἀνηλικιότης.
nona·gen·ar·ian /ˌnonədʒəˈneərɪən/ *οὐσ.* ‹C› ἐνενηκοντούτης.
nonce /nons/ *οὐσ.* (*μόνον στή φρ.*) ***for the ~***, μόνον διά τήν παροῦσαν περίπτωσιν. **ˈ~-word**, λέξις κατασκευασθεῖσα εἰδικῶς διά τήν περίπτωσιν.
non·cha·lance /ˈnonʃələns/ *οὐσ.* ‹U› ἀδιαφορία, ἀπάθεια, ἀταραξία, νωχέλεια.
non·cha·lant /ˈnonʃələnt/ *ἐπ.* νωχελικός, ἀδιάφορος. **~·ly** *ἐπίρ.*
non com·pos men·tis /ˌnon ˌkompəs ˈmentɪs/ (*Λατ.*) ἀκαταλόγιστος.
non·de·script /ˈnondɪskrɪpt/ *ἐπ.* & *οὐσ.* ‹C› δυσπερίγραπτος, ἀκαθόριστος.
none /nʌn/ *ἀντων.* **1.** (*μέ ρ. στόν ἑν. ἤ πληθ.*) κανένας, καθόλου: *N~ of them has/have come*

back yet, κανείς τους δέν γύρισε ἀκόμα. *I wanted some butter but there was ~ left*, ἤθελα λίγο βούτυρο ἀλλά δέν εἶχε μείνει καθόλου. **~ the less**, οὐχ' ἧττον. **~ but**, μόνον: *They chose ~ but the best*, διάλεξαν μόνο τά καλύτερα. **~ other than**, κανένας ἄλλος ἀπό: *The man on the phone was ~ other than the President*, ὁ ἄνθρωπος στό τηλέφωνο δέν ἦταν ἄλλος ἀπό τόν Πρόεδρο (ἦταν ὁ ἴδιος ὁ Πρόεδρος). **2.** **~ of**, (*ἰσοδυναμεῖ μέ προστακτική*): *N~ of your impudence!* ἄφησε τίς ἀναίδειες! πᾶψε νά εἶσαι θρασύς! *N~ of that!* ἄστα αὐτά! —*ἐπίρ.* καθόλου, κατά κανένα τρόπο: *He's ~ the happier for his wealth*, δέν εἶναι καθόλου εὐτυχέστερος ἐπειδή εἶναι πλούσιος. *I'm ~ the wiser for your explanation*, οἱ ἐξηγήσεις σου δέν μέ διαφώτισαν καθόλου. *It's ~ too good*, δέν εἶναι καθόλου καλό. **There are ~ so deaf as those who won't hear**, (*παροιμ.*) στοῦ κουφοῦ τήν πόρτα ὅσο θέλεις βρόντα.

non·en·tity /non`entətɪ/ *οὐσ.* ‹C› **1.** ἀσήμαντος ἄνθρωπος, μηδαμινότης, μηδενικό: *He's a ~.* **2.** πρᾶγμα ἀνύπαρκτο ἤ φανταστικό.

none·such, non·such /`nʌnsʌtʃ/ *οὐσ.* (*πρᾶγμα ἤ ἄνθρ.*) ἀσύγκριτος, ἀπαράμιλλος.

non-par·eil /'non pə`reɪl/ *οὐσ. βλ. nonesuch.*

non·plus /'non`plʌs/ *ρ.μ.* (*-ss-*) (*συνήθ. παθ. φων.*) φέρω σέ ἀμηχανία, σαστίζω κπ, ἀποσβολώνω: *I was completely ~sed when she said 'No' to my proposal of marriage*, τἄχασα κυριολεκτικά ὅταν εἶπε "Ὄχι" στήν πρότασή μου νά παντρευτοῦμε.

non·sense /`nonsəns/ *οὐσ.* ‹U› ἀνοησία, κουταμάρα, βλακεία: *What (a) ~!* τί ἀνοησία! *No more of your ~!* ἄσε τίς βλακεῖες πιά! *N~! I don't believe a word of it!* ἀνοησίες! δέν πιστεύω οὔτε λέξη ἀπ' αὐτά. *I will stand no ~*, δέν ἀνέχομαι βλακεῖες, δέν σηκώνω ἀστεῖα. *That will knock the ~ out of her*, αὐτό θά τήν συνεφέρη, θά τῆς βάλη μυαλό. *It's ~ to think that ...*, εἶναι ἀνόητο νά πιστεύης ὅτι... **talk ~**, λέω ἀνοησίες. **Stuff and ~!** ἀνοησίες! μπαροῦφες!

non·sen·si·cal /'non`sensɪkl/ *ἐπ.* ἀνόητος: *~ remarks*, ἀνόητες παρατηρήσεις.

non sequi·tur /'non `sekwɪtə(r)/ *οὐσ.* ‹C› (*Λατ.*) λογικῶς ἀνακόλουθο συμπέρασμα, λογική ἀνακολουθία.

noodle /`nudl/ *οὐσ.* **1.** ‹C› βλάκας. **2.** (*πληθ.*) λαζάνια, χυλοπίττες.

nook /nʊk/ *οὐσ.* ‹C› γωνιά, ἄκρη, κώχη, ἀκρούλα: *search every ~ and cranny*, ψάχνω κάθε γωνιά, παντοῦ.

noon /nun/ *οὐσ.* ‹U› μεσημέρι: *at ~*, τό μεσημέρι. *ἐπ.* μεσημεριάτικος. **`~·day** /-deɪ/, **`~·tide** /-taɪd/ *οὐσ.* ‹U› (*πεπαλ.*) μεσημβρία.

no-one, no one /`nəʊ wʌn/ *ἀντων. βλ. nobody.*

noose /nus/ *οὐσ.* ‹C› θηλειά, βρόχος, παγίδα, (*μεταφ.*) κρεμάλα. **put one's head in the ~**, (*μεταφ.*) πιάνομαι στήν παγίδα, (*λαϊκ.*) βάζω θηλειά στό λαιμό μου, παντρεύομαι. —*ρ.μ.* πιάνω μέ λάσσο, φτιάχνω θηλειά.

nope /nəʊp/ *ἐπίφ.* (*λαϊκ.*) ὄχι!

nor /nɔ(r)/ *σύνδ.* οὔτε, κι' οὔτε: *I have neither father ~ mother*, δέν ἔχω οὔτε πατέρα οὔτε μητέρα. *He can't do it; ~ can I*, δέν μπορεῖ νά τό κάμη, κι' οὔτε κι' ἐγώ. *N~ was this all*, κι' οὔτε ἦταν μόνο αὐτό. *I don't know, ~ can I guess*, δέν ξέρω κι' οὔτε μπορῶ νά μαντέψω.

Nor·dic /`nɔdɪk/ *ἐπ.* & *οὐσ.* βόρειος, Σκανδιναυός.

norm /nɔm/ *οὐσ.* ‹C› τύπος, πρότυπο, κανόνας, μέτρο, νόρμα: *fulfil one's ~*, πραγματοποιῶ τή νόρμα μου/τό πρόγραμμά μου. *set the workers a ~*, βάζω νόρμα (ὡρισμένο ὕψος παραγωγῆς) στούς ἐργάτες.

nor·mal /`nɔml/ *ἐπ.* κανονικός, ὁμαλός, φυσιολογικός: *the ~ temperature of the human body*, ἡ κανονική (φυσιολογική) θερμοκρασία τοῦ ἀνθρωπίνου σώματος. *under ~ circumstances*, σέ ὁμαλές περιστάσεις. —*οὐσ.* ‹C,U› (*μόνον ἑν.*) κανονικό, φυσιολογικό ἐπίπεδο: *The political situation is back to ~*, ἡ πολιτική κατάστασις ξανάγινε ὁμαλή. **above/below ~**, πάνω/κάτω ἀπό τό κανονικό. **~·ly** *ἐπίρ.* κανονικά, ὁμαλά. **~·ity** /nɔ`mælətɪ/ *οὐσ.* ‹U› ὁμαλότης, κανονικότης, φυσιολογική κατάστασις. **~·ize** /-aɪz/ *ρ.μ.* ὁμαλοποιῶ. **~·iz·ation** /'nɔməlaɪ`zeɪʃn/ *οὐσ.* ‹U› ὁμαλοποίησις.

Nor·man /`nɔmən/ *οὐσ.* Νορμανδός. —*ἐπ.* νορμανδικός, ρωμανικός: *the N~ Conquest*, ἡ Νορμανδική Κατάκτησις. *~ architecture*, ρωμανική ἀρχιτεκτονική.

nor·ma·tive /`nɔmətɪv/ *ἐπ.* κανονιστικός.

Norse /nɔs/ *οὐσ.* ἡ Νορβηγική γλῶσσα. —*ἐπ.* νορβηγικός.

north /nɔθ/ *οὐσ.* ‹U› βορρᾶς, βοριᾶς, βορεινή περιοχή: *the ~ of England*, οἱ βορεινές περιοχές τῆς Ἀγγλίας. *a wind from the ~*, ἀέρας ἀπό τό βοριᾶ. —*ἐπ.* βορεινός, βόρειος: *N~ Greece*, Βόρειος Ἑλλάς. *the ~ pole*, ὁ βόρειος πόλος. *ἐπίρ.* πρός τό βορρᾶ: *go ~*, πάω βορεινά, πρός τό βορρᾶ. **'~`east** (*ἤ* **nor'-east**), βορειοανατολικόν/-ός. **'~`west** (*ἤ* **nor'-west**), βορειοδυτικόν/-ός. **'~-`easter/'~`wester**, γραῖγος/μαΐστρος. **'~-`easter·ly/'~`wester·ly** *ἐπ.* & *ἐπίρ.* (*γιά ἄνεμο*) βορειοανατολικός, -ῶς/βορειοδυτικός, -ῶς. **'~`eastern/'~`western** *ἐπ.* & *ἐπίρ.* (*γιά τοποθεσία ἤ κατεύθυνση*) βορειοανατολικός, -ῶς/βορειοδυτικός, -ῶς.

north·wards /`nɔθwədz/ *ἐπίρ.* πρός βορρᾶν.

north·er·ly /`nɔðəlɪ/ *ἐπ.* & *ἐπίρ.* βόρειος, (*γιά ἄνεμο*) βορεινός.

north·ern /`nɔðən/ *ἐπ.* (*γιά τοποθεσία ἤ κατεύθυνση*) βορεινός, βόρειος: *the ~ hemisphere*, τό βόρειο ἡμισφαίριο. *the ~ lights*, τό βόρειον σέλας.

Nor·we·gian /nɔ`widʒən/ *οὐσ.* Νορβηγός, τά νορβηγικά. —*ἐπ.* νορβηγικός.

[1]**nose** /nəʊz/ *οὐσ.* ‹C› **1.** μύτη: *hit sb on the ~*, χτυπῶ κπ στή μύτη. **blow one's ~**, φυσῶ τή μύτη μου. **bite/snap sb's ~ off**, (*συνηθέστ. head*), μιλῶ ἀπότομα σέ κπ, τόν ἀποπαίρνω. **cut off one's ~ to spite one's face**, κάνω κακό στόν ἑαυτό μου ἀπό πεῖσμα. **follow one's ~**, τραβῶ κατ' εὐθεῖαν μπροστά, ἐμπιστεύομαι (ἀκολουθῶ) τό ἔνστικτό μου. **pay through the ~**, πληρώνω κτ ἀκριβά, μοῦ βγαίνει κτ ξυνό. **poke/stick one's ~ into** (*other people's business*), χώνω τή μύτη μου (στίς δουλειές τῶν ἄλλων). **turn one's ~ up at sth**, δείχνω περιφρόνηση σέ κτ. **as plain as the ~ on one's face**,

φῶς-φανάρι. *(right)* ***under one's ~***, μπροστά στά μάτια μου. (*βλ. καί λ. grindstone, lead, look, joint*). **2**. ὄσφρησις: *My dog has a good ~*, ὁ σκύλος μου ἔχει καλή μύτη (δυνατή ὄσφρηση). *a reporter with a ~ for scandal*, δημοσιογράφος πού μυρίζεται τά σκάνδαλα. **3**. μύτη (ἀεροπλάνου, σωλήνα, κλπ). **4**. *σέ σύνθετες λέξεις*: **`~·bag**, ντορβᾶς, τάγιστρο. **`~·bleed**, αἱμορραγία τῆς μύτης. **`~·dive** *οὐσ.* ‹C› κάθετος ἐφόρμησις ἀεροπλάνου. —*ρ.ἀ.* κάνω κάθετη ἐφόρμηση. **`~·gay**, μπουκέτο, ἀνθοδέσμη. **`~·ring**, μυταριά (κρίκος μύτης) ταύρου. **`~-wheel**, ἐμπρόσθιος τροχός προσγειώσεως ἀεροπλάνου. **-nosed** *β! συνθ.* μέ τή μύτη: *red-nosed*, κοκκινομύτης.

[2]**nose** /nəʊz/ *ρ.μ/ἀ.* ***~ one's way***, προχωρῶ: *The ship ~d its way slowly through the ice*, τό πλοῖο προχωροῦσε ἀργά μέσα ἀπό τούς πάγους. ***~ sth out***, ξετρυπώνω κτ (μέ τήν ὄσφρηση). ***~ about for sth***, ὀσφραίνομαι, ψάχνω (μέ τήν ὄσφρηση). ***~ into sth***, χώνω τή μύτη μου κάπου.

nos(e)y /ˈnəʊzɪ/ *ἐπ.* (*καθομ.*) ἀδιάκριτος, περίεργος: *Don't be so ~!* μήν εἶσαι τόσο περίεργος. **`~ parker** *οὐσ.* ‹C› (*καθομ.*) ἀδιάκριτος ἄνθρωπος.

nosh /nɒʃ/ *οὐσ.* ‹U› (*λαϊκ.*) μάσα, φαΐ. **`~-up** *οὐσ.* ‹C› τσιμπούσι. —*ρ.ἀ.* (*καθομ.*) τρώω, ρίχνω μάσες.

nos·tal·gia /noˈstældʒə/ *οὐσ.* ‹C› νοσταλγία. **nos·tal·gic** /-dʒɪk/ *ἐπ.* νοσταλγικός. **nos·tal·gi·cally** /-dʒɪklɪ/ *ἐπίρ.* νοσταλγικά.

nos·tril /ˈnostrəl/ *οὐσ.* ‹C› ρουθούνι.

nos·trum /ˈnostrəm/ *οὐσ.* ‹C› (*συνήθ. ὑποτιμ.*) γιατροσόφι, πανάκεια.

not /not/ *ἐπίρ.* **1**. (*διά τόν σχηματισμόν τοῦ ἀρνητικοῦ τύπου τῶν ρημάτων*): *He is ~ here*, δέν εἶναι ἐδῶ. *He did ~ go*, δέν πῆγε. *He told me ~ to go*, μοῦ εἶπε νά μήν πάω. *I was right in ~ going*, εἶχα δίκηο νά μήν πάω. **2**. ὄχι: *~ a few*, ὄχι λίγοι. *~ without reason*, ὄχι χωρίς λόγο. ***not that***, ὄχι πώς: *If he ever said so –~ that I ever heard him say so–he told a lie*, ἄν εἶπε ποτέ τέτοιο πρᾶγμα–ὄχι πώς τόν ἄκουσα ποτέ νά τό λέη–εἶπε ψέμματα. ***not but what***, ὡστόσο: *I can't do it; ~ but what a younger person might be able to do it*, δέν μπορῶ νά τό κάνω, ὡστόσο ἕνας πιό νέος ἴσως μποροῦσε νά τό κάμη. (*βλ. καί λ. all, likely, soon*). **3**. (*μετά τά ρ. appear, believe, expect, fancy, fear, hope, seem, suppose καί τή φράση be afraid, γιά νά ἀντικαταστήση μιά ὁλόκληρη ἀρνητική πρόταση*) πώς ὄχι: *'Will it rain tomorrow?' 'I hope ~.'* (*i.e. I hope that it won't rain*) -Θά βρέξη αὔριο; -Ἐλπίζω πώς ὄχι (*δηλ.* ἐλπίζω πώς δέν θά βρέξη).

nota bene /ˈnəʊtə ˈbeneɪ/ (*Λατ.*) σημειῶστε προσεκτικά (*συγκεκ. NB. nb*), σημείωσις.

no·table /ˈnəʊtəbl/ *ἐπ.* ἀξιόλογος, ἀξιοσημείωτος, σημαντικός: *a ~ event/artist*, σημαντικό γεγονός/ἀξιόλογος καλλιτέχνης. —*οὐσ.* ‹C› διακεκριμένος ἄνθρωπος, πρόκριτος. **no·tably** /-əblɪ/ *ἐπίρ.* ἀξιόλογα, εἰδικῶς, ἰδιαιτέρως. **no·ta·bil·ity** /ˈnəʊtəˈbɪlətɪ/ *οὐσ.* **1**. ‹U› σπουδαιότης, σοβαρότης (γεγονότος, κλπ). **2**. ‹C› προσωπικότης, διασημότης.

no·tary /ˈnəʊtərɪ/ *οὐσ.* ‹C› (*συχνά ˈ~ˈpublic*) συμβολαιογράφος.

no·ta·tion /nəʊˈteɪʃn/ *οὐσ.* ‹C,U› σημειογραφία, (*μουσ.*) παρασημαντική.

notch /notʃ/ *οὐσ.* ‹C› ἐγκοπή, χαρακιά σέ σχῆμα V, δόντι (πριονιοῦ). —*ρ.μ.* χαράζω, δοντιάζω. ***~ up***, (*καθομ.*) σημειώνω: *~ up a new record*, σημειώνω νέο ρεκόρ.

[1]**note** /nəʊt/ *οὐσ.* ‹C› **1**. σημείωσις: *make a ~ of sth*, σημειώνω κτ. *speak without ~s*, μιλῶ χωρίς σημειώσεις. ***take down ~s***, κρατῶ σημειώσεις. **`~·book**, σημειωματάριο, μπλόκ. **2**. σχόλιον, παρατήρησις: *A new edition of Shakespeare with copious ~s*, μιά νέα ἔκδοσις τοῦ Σαίξπηρ μέ ἄφθονα σχόλια. *compare ~s with a friend*, ἀνταλλάσσω παρατηρήσεις (ἀπόψεις, ἰδέες) μέ ἕνα φίλο. **3**. σημείωμα, γραμματάκι, μπιλιέτο, νότα: *a ~ of thanks*, ἕνα εὐχαριστήριο μπιλιέτο. *a diplomatic ~*, διπλωματική νότα. **4**. γραμμάτιον: *a promissory ~*, γραμμάτιον, χρεωστικόν ὁμόλογον. *a £5 ~*, χαρτονόμισμα 5 λιρῶν, πεντόλιρο. **`bank~**, τραπεζογραμμάτιον, χαρτονόμισμα. **`~·case**, πορτοφόλι γιά χαρτονομίσματα. **5**. σημεῖον, (*μουσ.*) νότα (τό σύμβολον): *a ~ of exclamation/interrogation*, θαυμαστικόν/ἐρωτηματικόν. **6**. κελάηδισμα, νότα, τόνος: *The blackbird's merry ~s*, τό χαρούμενο κελάηδισμα τοῦ κότσυφα. *a ~ of disappointment*, ἕνας τόνος ἀπογοητεύσεως. *There was a ~ of impatience in his voice*, ὑπῆρχε ἕνας τόνος ἀνυπομονησίας στή φωνή του. ***sound a ~ of warning (against sth)***, κάνω προειδοποίηση (γιά κτ). ***strike the right ~***, μιλῶ καλά, μέ τρόπο πού νά κερδίσω τήν συμπάθεια τοῦ ἀκροατηρίου. ***strike/sound a false ~***, μιλῶ ἄστοχα, μέ τρόπο πού νά χάσω τή συμπάθεια τῶν ἀκροατῶν. **7**. διάκρισις, φήμη: *a family of ~*, διακεκριμένη οἰκογένεια. *All people of ~ were invited*, ὅλες οἱ προσωπικότητες εἶχαν προσκληθῆ. **8**. προσοχή: *His advice is worthy of ~*, οἱ συμβουλές του εἶναι ἄξιες προσοχῆς. *Take ~ of what he says*, πρόσεξε (λάβε ὑπ' ὄψη σου) ὅ,τι λέει.

[2]**note** /nəʊt/ *ρ.μ.* **1**. προσέχω, παρατηρῶ, διαπιστώνω: *Please ~ my words*, παρακαλῶ, προσέξετε τά λόγια μου. *N~ how it is done*, πρόσεξε πῶς γίνεται. *She ~d that his hands were dirty*, παρατήρησε ὅτι τά χέρια του ἦταν βρώμικα. **2**. σημειώνω. ***~ sth down***, (κατα)γράφω: *The policeman ~d down everything I said*, ὁ ἀστυφύλακας ἔγραφε ὅλα ὅσα ἔλεγα. **~d** *ἐπ.* πασίγνωστος, φημισμένος: *a place ~d for its scenery*, ἕνα μέρος φημισμένο γιά τίς φυσικές του ὀμορφιές. *a man ~d for his generosity*, ἄνθρωπος πασίγνωστος γιά τή γενναιοδωρία του. **`~-worthy** *ἐπ.* ἀξιοσημείωτος.

noth·ing /ˈnʌθɪŋ/ *οὐσ.* τίποτα: *I know ~*, δέν ξέρω τίποτα. *N~ ever pleases her*, τίποτα δέν τήν εὐχαριστεῖ ποτέ. *There's ~ in him*, δέν ἔχει τίποτα μέσα του. *There's ~ like iced beer in summer*, δέν ὑπάρχει τίποτα καλύτερο ἀπό τήν παγωμένη μπύρα τό καλοκαίρι. ***be ~ to***, (α) δέν εἶμαι τίποτα γιά: *She's ~ to me*, δέν μοῦ εἶναι τίποτα, δέν ἐνδιαφέρομαι καθόλου γι' αὐτήν. (β) δέν συγκρίνομαι μέ: *Your losses are ~ to mine*, ἡ χασούρα σου δέ συγκρίνεται μέ τή δική μου, δέν εἶναι τίποτα μπροστά στή δική μου. ***come to ~***, καταλήγω στό μηδέν, δεν ἔχω ἀποτέλεσμα: *All his efforts came to ~*, ὅλες του οἱ προσπάθειες πῆγαν χαμένες. ***go for ~***, πάω στράφι: *Six months' hard work all gone for ~*, ἔξη μηνῶν σκληρή δουλειά πῆγε ὅλη στράφι. ***have ~ to do with***, δέν ἔχω καμιά σχέση μέ: *I have ~ to do with them/this affair*, δέν ἔχω καμιά σχέση μαζί τους/μ' αὐτή τήν ὑπόθεση. ***make ~ of***, δέν καταλαβαίνω τίποτα: *I can make ~ of his attitude*, δέν μπορῶ νά καταλάβω τίποτα ἀπό τή στάση του, ***mean ~ to***, δέν σημαίνω τίποτα γιά: *This word/This man means ~ to me*, αὐτή ἡ λέξις/αὐτός ὁ ἄνθρωπος δέν σημαίνει τίποτα γιά μένα. ***to say ~ of***, γιά νά μήν ἀναφέρω, χώρια: *There were six of us, to say ~ of the children*, εἴμασταν ἔξη, χώρια τά παιδιά. ***think ~ of***, θεωρῶ σάν κτ φυσικό, δεν θεωρῶ ἄξιο λόγου ἤ σπουδαῖο: *He thinks ~ of a twenty-mile walk*, θεωρεῖ σάν κάτι φυσικό 20 χιλιόμετρα πορεία. ***Think ~ of it!*** μή τό σκέφτεσαι (ὡς ἀπάντησις σέ εὐχαριστίες, συγγνώμη, κλπ). ***for ~***, τζάμπα: *I've got it for ~*, τό πῆρα τζάμπα. *It's been all for ~*, πῆγαν ὅλα τζάμπα/στό βρόντο/χαμένα. ***next to ~***, σχεδόν τίποτα (*βλ. next*). ***~ but***, τίποτα ἄλλο ἐκτός ἀπό, μόνον: *N~ but a miracle can save him*, μόνον ἕνα θαῦμα μπορεῖ νά τόν σώση. ***there's ~ for it but to***, δέν ἀπομένει τίποτα ἄλλο παρά νά: *There's ~ for it but to pay*. ***N~ doing!*** δέ γίνεται, σέ γελάσανε: *'Can you lend me £10?' 'N~ doing, old boy!'* -Μπορεῖς νά μοῦ δανείσης δέκα λίρες; -Δέ γίνεται, φίλε! __*ἐπίρ.* καθόλου, μέ κανένα τρόπο: *It was ~ like what I had imagined*, δέν ἔμοιαζε καθόλου μέ ὅ,τι εἶχα φανταστεῖ. **~·ness** *οὐσ.* ‹U› ἀνυπαρξία, μηδαμινότης: *pass into ~ness*, περνῶ στήν ἀνυπαρξία.

no·tice /ˈnəʊtɪs/ *οὐσ.* ‹C,U› **1**. (ἀν)αγγελία, ἀνακοίνωσις: *~s of marriage*, ἀγγελίες γάμων (σέ ἐφημερίδες). *put up a ~*, τοιχοκολλῶ ἀγγελία. **ˈ~-board**, πίναξ ἀνακοινώσεων. **2**. (προ)ειδοποίησις, προθεσμία: *till further ~*, μέχρι νεωτέρας εἰδοποιήσεως. *I received two months' ~ to quit*, μοῦ ἔδωσαν δυό μῆνες προθεσμία νά φύγω (ἀπό τό σπίτι). *The cook left without ~*, ἡ μαγείρισσα ἔφυγε ἀπροειδοποίητα. ***give sb ~***, εἰδοποιῶ κπ *(α)* ὅτι ἀπολύεται, ἤ *(β)* ὅτι φεύγω ἀπό τή δουλειά: *I'll give my employer ~ that I intend to leave*, θά εἰδοποιήσω τόν ἐργοδότη μου ὅτι σκοπεύω νά φύγω. *I'll give my secretary a month's ~*, θά εἰδοποιήσω τήν γραμματέα μου ὅτι ἀπολύεται σ' ἕνα μῆνα. ***at short ~***, σέ πολύ σύντομη προθεσμία: *I can't find another secretary at short ~*, δέν μπορῶ νά βρῶ ἄλλη γραμματέα στό ἄψε σβῦσε, σέ τόσο λίγο χρόνο. **3**. προσοχή, ἀντίληψις, σημασία: *attract ~*, προσελκύω τήν προσοχή. *The rumour attracted no ~*, δέ δόθηκε προσοχή στή διάδοση. ***be beneath one's ~***, εἶναι κατώτερο/ἀνάξιο τῆς προσοχῆς μου: *His threats are beneath my ~*, δέν δίνω καμιά σημασία στίς ἀπειλές του. ***bring sth to sb's ~***, ἐφιστῶ τήν προσοχή κάποιου σέ κτ. ***come to one's ~***, πληροφοροῦμαι, ὑποπίπτω στήν ἀντίληψή: *It has just come to my ~ that ...*, μόλις πληροφορήθηκα ὅτι, μόλις ὑπέπεσε στήν ἀντίληψή μου ὅτι... ***sit up and take ~***, (*γιά ἄρρωστο*) ἀρχίζω νά συνέρχομαι. ***make sb sit up and take ~***, (*μεταφ.*) ξυπνῶ κπ, τόν κάνω νά ἀντιληφθῆ πῶς ἔχουν τά πράγματα. ***take no ~ of***, δέν δίνω προσοχή/σημασία: *Take no ~ of what he says*, μή δίνης προσοχή σ' ὅ,τι λέει. *Nobody took any ~ of me*, κανένας δέν μέ πρόσεξε, δέν μοῦ ἔδωσε σημασία. **4**. κριτικόν σημείωμα: *N~s of new publications*, (σέ ἐφημερίδα) κριτική τῶν νέων ἐκδόσεων. __*ρ.μ/ά.* **1**. ἀντιλαμβάνομαι, προσέχω, παρατηρῶ: *I didn't ~ you*, δέν σᾶς ἀντελήφθηκα. *I wasn't noticing*, δέν πρόσεχα. *Did you ~ his hand shaking?* παρατήρησες ὅτι ἔτρεμε τό χέρι του; **2**. σχολιάζω (βιβλίο, ἔργο, κλπ) σέ ἐφημερίδα, γράφω κριτική. **~·able** /-əbl/ *ἐπ.* ἀξιοπρόσεχτος, καταφανής, αἰσθητός: *There's a ~able difference*, ὑπάρχει μιά αἰσθητή διαφορά. **~·ably** /-əblɪ/ *ἐπίρ.* καταφανῶς, αἰσθητῶς.

no·ti·fi·able /ˈnəʊtɪˈfaɪəbl/ *ἐπ.* (*γιά ἀρρώστεια*) πού πρέπει νά ἀναγγελθῆ στίς ἀρχές.

no·ti·fy /ˈnəʊtɪfaɪ/ *ρ.μ.* ***~ sb of sth/that***, εἰδοποιῶ κπ γιά κτ: *~ the police of a loss*, εἰδοποιῶ τήν ἀστυνομία γιά μιά ἀπώλεια. *~ the authorities that ...*, εἰδοποιῶ τίς ἀρχές ὅτι... ***~ sth to sb***, ἀναγγέλω κτ σέ κπ, δηλώνω, ἀνακοινῶ, κοινοποιῶ: *~ a loss to the police*, δηλώνω μιά ἀπώλεια στήν ἀστυνομία.

no·ti·fi·ca·tion /ˈnəʊtɪfɪˈkeɪʃn/ *οὐσ.* ‹C,U› εἰδοποίησις, (ἀν)αγγελία, ἀνακοίνωσις.

no·tion /ˈnəʊʃn/ *οὐσ.* ‹C› ἰδέα, ἔννοια, ἀντίληψις: *I have no ~ where he is*, δέν ἔχω ἰδέα ποῦ βρίσκεται. *Her head is full of silly ~s*, τό κεφάλι της εἶναι γεμᾶτο ἀνόητες ἀντιλήψεις. *I have a ~ that you aren't listening*, ἔχω τήν ἰδέα ὅτι δέν προσέχεις. **~al** /-nl/ *ἐπ.* **1**. θεωρητικός. **2**. ἐνδεικτικός. **3**. (*γλωσσ.*) ἐννοιολογικός.

no·tori·ous /nəʊˈtɔrɪəs/ *ἐπ.* περιβόητος: *a ~ criminal/liar*, περιβόητος κακοῦργος/ψεύτης.

no·tor·iety /ˈnəʊtəˈraɪətɪ/ *οὐσ.* ‹U› διασημότης (*ἰδ.* μέ κακή ἔννοια), κακή φήμη.

not·with·stand·ing /ˈnotwɪðˈstændɪŋ/ *πρόθ.* παρά: *~ my objections*, παρά τίς ἀντιρρήσεις μου. __*ἐπίρ.* παρ' ὅλα αὐτά: *He knows it is dangerous but he will do it ~*, ξέρει ὅτι εἶναι ἐπικίνδυνο ἀλλά παρ' ὅλα αὐτά θά τό κάμη. __*σύνδ.* μολονότι, καίτοι: *N~ it is dangerous he will do it*.

nou·gat /ˈnugɑ/ *οὐσ.* ‹U› μαντολάτο.

nought /nɔt/ *οὐσ.* ‹C› μηδέν. ***bring sth/sb to ~***, καταστρέφω κτ/κπ. ***come to ~***, καταστρέφομαι, ἀποτυγχάνω. ***set sb at ~***, ἀψηφῶ κπ.

noun /naʊn/ *οὐσ.* ‹C› οὐσιαστικό, ὄνομα.

nour·ish /ˈnʌrɪʃ/ *ρ.μ.* τρέφω, (*μεταφ.*) καλλιεργῶ: *~ing food*, θρεπτική τροφή. *~ hopes/hatred*, καλλιεργῶ ἐλπίδες/τρέφω μῖσος. **~·ment** *οὐσ.* ‹U› θρέψις, τροφή.

nous /naʊs/ *οὐσ.* ‹U› **1**. νοῦς. **2**. (*καθομ.*) κοινός νοῦς.

nou·veau riche /ˈnuvəʊ ˈriʃ/ *οὐσ.* (*πληθ. nouveaux riches*) νεόπλουτος.

novel /ˈnovl/ *ἐπ.* νέος, καινοφανής: *~ ideas*.

—*οὐσ.* ‹C› μυθιστόρημα. ˋ**~·ist** /-ɪst/ *οὐσ.* ‹C› μυθιστοριογράφος. ˈ**~·ˋette** *οὐσ.* ‹C› νουβέλλα.
nov·elty /ˋnovəltɪ/ *οὐσ.* ‹C› **1**. (τό) νέον, (τό) καινοφανές: *The ~ of his surroundings soon wore off*, ἡ γοητεία τοῦ νέου του περιβάλλοντος ἔσβυσε γρήγορα. **2**. καινοτομία: *the ~ of the measures taken*, ἡ καινοτομία τῶν ληφθέντων μέτρων. **3**. (*πληθ.*) νεωτερισμός: *the latest novelties from Paris*, οἱ τελευταῖοι νεωτερισμοί ἀπό τό Παρίσι.
No·vem·ber /nəʊˋvembə(r)/ *οὐσ.* Νοέμβριος.
nov·ice /ˋnovɪs/ *οὐσ.* ‹C› **1**. ἀρχάριος, πρωτόπειρος, πρωτάρης. **2**. δόκιμος μοναχός.
now /naʊ/ *ἐπίρ.* **1**. τώρα: *He's ~ living in London*, τώρα μένει στό Λονδῖνο. *Do it ~!* κάμε το τώρα! *N~ or never!* ἤ τώρα ἤ ποτέ! ***even ~***, ἀκόμα καί τώρα. ***just ~***, τώρα δά, πρό ὀλίγου. ***by ~***, τώρα πιά, ἤδη: *He'll be back by ~*, θά ἔχη ἐπιστρέψη τώρα πιά. ***up to/till/until ~***, μέχρι τώρα, ὥς αὐτή τή στιγμή: *Up to ~ he's been lucky*, μέχρι τώρα στάθηκε τυχερός. ***from ~ onwards***, ἀπό δῶ καί στό ἑξῆς, ἀπό δῶ καί πέρα, στό μέλλον: *From ~ onwards I'll be stricter*, στό μέλλον θά εἶμαι αὐστηρότερος. ***(every) ~ and then/again***, πότε-πότε, ἀπό καιρό σέ καιρό, κάθε τόσο: *I see him ~ and again*, τόν βλέπω πότε-πότε. ***now ... now/then***, πότε...πότε, τή μιά στιγμή...τήν ἄλλη: *~ this and ~ that*, πότε τοῦτο καί πότε κεῖνο. *What mixed weather, ~ fine, ~ showery!* τί ἄστατος καιρός, τή μιά καλοκαιρία, τήν ἄλλη βροχή. (*βλ. λ. just*). **2**. (*χωρίς χρονική ἔννοια*) ὅμως, λοιπόν, (*ἐπιφων.*) ἔλα, ἐλᾶτε τώρα: *Now Barabbas was a robber*, ὁ Βαραββᾶς ὅμως ἦταν ληστής. *Now it happened that...*, συνέβη ὅμως νά... *Now, what's the matter with you?* τί ἔχεις, λοιπόν; *Now, stop quarrelling!* ἐλᾶτε τώρα, σταματῆστε τούς καυγάδες! *Now, now, don't cry!* ἔλα, ἔλα, μήν κλαῖς! *Now then, where have you been?* λοιπόν, ποῦ ἤσουν; —*σύνδ.* τώρα πού: *Now (that) you mention it, I do remember*, τώρα πού τό λές, τό θυμᾶμαι.
now·adays /ˋnaʊədeɪz/ *ἐπ.* σήμερα, στήν ἐποχή μας.
no·where /ˋnəʊweə(r)/ *ἐπίρ.* πουθενά: *He was ~ to be found*, δέν βρέθηκε πουθενά. ***get ~***, δέν ὁδηγῶ πουθενά, δέν ὠφελῶ καθόλου: *Such methods will get you ~*, δέν θά σέ ὁδηγήσουν πουθενά τέτοιες μέθοδοι. ***~ near***, οὔτε κατά προσέγγιση, καθόλου: *£50 is ~ near enough*, οἱ 50 λίρες δέν ἐπαρκοῦν καθόλου. ***come in/be ~***, ἀποτυχαίνω τελείως (σέ διαγωνισμό, κλπ): *In the third race my horse was ~*, στήν τρίτη κούρσα τό ἄλογό μου ἀπέτυχε ἐντελῶς.
no·wise /ˋnəʊwaɪz/ *ἐπίρ.* (*πεπαλ.*) καθόλου, κατά κανένα τρόπο.
noxi·ous /ˋnokʃəs/ *ἐπ.* ἐπιβλαβής. **~·ly** *ἐπίρ.*
nozzle /ˋnozl/ *οὐσ.* ‹C› μπέκ, ἀκροφύσιον, στόμιον.
nu·ance /ˋnjuəns/ *οὐσ.* ‹C› ἀπόχρωσις, χροιά, λεπτή διαφορά.
nub /nʌb/ *οὐσ.* ‹C› γρομπαλάκι, (*μεταφ.*) κόμπος, οὐσία (ὑποθέσεως).
nu·bile /ˋnjubaɪl/ *ἐπ.* (*γιά κορίτσι*) τῆς παντρειᾶς.
nu·clear /ˋnjuklɪə(r)/ *ἐπ.* πυρηνικός: *~ energy*, πυρηνική ἐνέργεια. *~ weapons*, πυρηνικά ὅπλα. *~-powered submarines*, ὑποβρύχια κινούμενα μέ πυρηνική ἐνέργεια.
nu·cleus /ˋnjuklɪəs/ *οὐσ.* ‹C› (*πληθ. nuclei* /-klɪaɪ/) πυρήν (ἀτόμου, κυττάρου, κοινωνίας, κλπ).
nude /njud/ *ἐπ.* γυμνός. —*οὐσ.* ‹C› τό γυμνό: *pose in the ~*, ποζάρω γυμνός. **nu·dist** /-ɪst/ *οὐσ.* ‹C› γυμνιστής: *nudist camp/colony*, κατασκήνωσις γυμνιστῶν. **nu·dism** /-ɪzm/ *οὐσ.* ‹U› γυμνισμός. **nu·dity** /ˋnjudətɪ/ *οὐσ.* ‹U› γύμνια.
nudge /nʌdʒ/ *ρ.μ.* σκουντῶ, σπρώχνω κπ μέ τόν ἀγκώνα (γιά νά προσέξη). —*οὐσ.* ‹C› σκουντιά.
nuga·tory /ˋnjugətrɪ/ *ἐπ.* (*λόγ.*) ἀσήμαντος, ἀνάξιος, ἄκυρος, ἀλυσιτελής.
nug·get /ˋnʌgɪt/ *οὐσ.* ‹C› βῶλος (χρυσοῦ ἤ ἀργύρου πού βρέθηκε στό χῶμα).
nui·sance /ˋnjusəns/ *οὐσ.* ‹C› μπελᾶς, φασαρία, ἐνόχλησις, πληγή: *What a ~ that child is!* τί μπελᾶς πού εἶναι αὐτό τό παιδί! *Mosquitoes are a ~*, τά κουνούπια εἶναι πληγή. *Go away, you are a ~!* φύγε, μ'ἐνοχλεῖς/εἶσαι μπελᾶς! *Commit no ~*, (*ἐπιγραφή*) ἀπαγορεύεται τό οὐρεῖν/ἡ ἀπόρριψις τῶν σκουπιδιῶν.
null /nʌl/ *ἐπ.* ἄκυρος: ***~ and void***, τελείως ἄκυρος.
nul·lify /ˋnʌlɪfaɪ/ *ρ.μ.* ἀκυρώνω, ἀχρηστεύω. **nul·li·fi·ca·tion** /ˈnʌlɪfɪˋkeɪʃn/ *οὐσ.* ‹U› ἀκύρωσις. **nul·lity** /ˋnʌlətɪ/ *οὐσ.* ‹U› ἀκυρότης.
numb /nʌm/ *ἐπ.* μουδιασμένος, παράλυτος: *fingers ~ with cold*, δάχτυλα μουδιασμένα ἀπό τό κρύο. —*ρ.μ.* μουδιάζω, παραλύω: *~ed with grief*, μουδιασμένος ἀπό τόν πόνο. **~·ness** *οὐσ.* ‹U› μούδιασμα.
num·ber /ˋnʌmbə(r)/ *οὐσ.* ‹C› **1**. ἀριθμός, ψηφίον: *odd/even ~s*, περιττοί/ἄρτιοι (μονοί/ζυγοί) ἀριθμοί. *singular/plural ~*, ἑνικός/πληθυντικός ἀριθμός. *We live at No. 4*, μένομε στό νούμερο 4 (τῆς ὁδοῦ). ˋ**~-plate**, πινακίδα (μέ τόν ἀριθμό σπιτιοῦ ἤ αὐτοκινήτου). ***His ~ is up***, βγῆκε ὁ ἀριθμός του, ἦλθε ἡ ὥρα του (νά πληρώση, νά πεθάνη, κλπ). ***in ~***, σέ ἀριθμό: *They are few in ~*, εἶναι λίγοι σέ ἀριθμό. ***to the ~ of***, μέχρι τοῦ ἀριθμοῦ, ἕως: *They volunteered to the ~ of 10,000*, κατετάγησαν ἐθελοντικῶς ἕως 10.000. ***without ~***, ἀναρίθμητος: *Times without ~ I've told you...*, ἀναρίθμητες φορές σοῦ εἶπα... ***look after/take care of ~ one***, (*καθομ.*) φροντίζω τόν ἑαυτούλη μου. **2**. τεῦχος: *the current ~ of 'Punch'*, τό τρέχον τεῦχος τοῦ "Πάντς". (*βλ. λ. back*). **3**. (*πληθ.*) ἀριθμητική: *He's good at ~s*. **4**. (*θέατρ.*) νούμερο. **5**. ἀριθμητική δύναμις, παρέα, συντροφιά: *They won by ~s/by force of ~s*, κέρδισαν λόγω τῆς ἀριθμητικῆς δυνάμεως/ὑπεροχῆς. *He's not of our ~*, δέν εἶναι τῆς παρέας μας. *One of their ~*, ἕνας ἀπό τούς δικούς τους. —*ρ.μ.* **1**. ἀριθμῶ: *N~ all the boxes*, ἀρίθμησε ὅλα τά κουτιά. **2**. ἀνέρχομαι, συμποσοῦμαι: *We ~ed 50 in all*, ἀριθμούσαμε (εἴμαστε) 50 συνολικά. **3**. ***~ sb/sth among***, συγκαταλέγω: *Do you ~*

him among your friends? τόν συγκαταλέγεις μεταξύ τῶν φίλων σου; ~ ***off***, (*στρατ.*) ἀριθμῶ, λέω τόν ἀριθμό μου. ***His days are ~ed***, οἱ μέρες του εἶναι μετρημένες, λίγα εἶναι τά ψωμιά του. **~·less** *ἐπ.* ἀναρίθμητος.

nu·mer·able /ˈnjumərəbl/ *ἐπ.* ἀριθμήσιμος, πού μπορεῖ νά μετρηθῆ.

nu·meral /ˈnjumərəl/ *ἐπ.* ἀριθμητικός. —*οὐσ.* ‹C› ἀριθμός: *Arabic/Roman ~s*, ἀραβικοί/λατινικοί ἀριθμοί.

nu·mer·ate /ˈnjumərət/ *ἐπ.* (*γιά ἄνθρ.*) πού ξέρει ἀρίθμηση.

nu·mer·ation /ˌnjuməˈreɪʃn/ *οὐσ.* ‹C,U› ἀρίθμησις.

nu·mer·ator /ˈnjuməreɪtə(r)/ *οὐσ.* ‹C› ἀριθμητής (κλάσματος).

nu·meri·cal /njuˈmerɪkl/ *ἐπ.* ἀριθμητικός. **~ly** /-klɪ/ *ἐπίρ.* ἀριθμητικῶς.

nu·mer·ous /ˈnjumərəs/ *ἐπ.* πολυάριθμος: *Her ~ friends.*

nu·mis·ma·tics /ˌnjumɪsˈmætɪks/ *οὐσ.* (*μέ ρ. ἑν.*) νομισματολογία. **nu·mis·ma·tist** /njuˈmɪzmətɪst/ *οὐσ.* ‹C› νομισματολόγος, νομισματοσυλλέκτης.

num·skull /ˈnʌmskʌl/ *οὐσ.* ‹C› χοντροκέφαλος, ἠλίθιος, μπουμπούνας.

nun /nʌn/ *οὐσ.* ‹C› καλογρηά.

nun·nery /ˈnʌnərɪ/ *οὐσ.* ‹C› γυναικεῖο μοναστήρι.

nun·cio /ˈnʌnsɪəʊ/ *οὐσ.* ‹C› (*πληθ.* ~*s*) πρεσβευτής τοῦ Πάπα, νούντσιο.

nup·tial /ˈnʌpʃl/ *ἐπ.* γαμήλιος: ~ *happiness*, ἔγγαμος εὐτυχία. *the ~ day*, ἡ ἡμέρα τοῦ γάμου. —*οὐσ. πληθ.* γάμος.

1 **nurse** /nɜs/ *οὐσ.* ‹C› **1**. (ˈ~·)**maid**, νταντά. **2**. (ˈ**wet-**)~, τροφός, παραμάνα. **3**. νοσοκόμος: *hospital/Red Cross ~s*, νοσοκόμες νοσοκομείου/τοῦ Ἐρυθροῦ Σταυροῦ. *a male ~*, ἕνας νοσοκόμος. **4**. (*μεταφ.*) τροφός: *England, the ~ of liberty*, Ἀγγλία, ἡ τροφός τῆς ἐλευθερίας.

2 **nurse** /nɜs/ *ρ.μ.* **1**. νοσηλεύω, περιποιοῦμαι, περιθάλπω: *She ~d him to health*, τόν ἔκανε καλά μέ τίς περιποιήσεις της. *take up nursing as a career*, ἀκολουθῶ τό ἐπάγγελμα τῆς νοσοκόμου. **nursing-home**, ἰδιωτική κλινική. **2**. θηλάζω (μωρό), γαλουχῶ, νταντεύω, κρατῶ στήν ἀγκαλιά: *I ~d him when he was a baby*, τόν κράτησα μωρό στήν ἀγκαλιά μου, τόν ντάντεψα ὅταν ἦταν μωρό. **3**. προσέχω, περιποιοῦμαι, φροντίζω: ~ *one's constituency*, φροντίζω τήν ἐκλογική μου περιφέρεια. ~ ***a cold***, φροντίζω, γιατρεύω ἕνα κρύο (μέ ζεστά, κλπ). **4**. (*μεταφ.*) τρέφω: ~ *feelings of revenge*, τρέφω αἰσθήματα ἐκδικήσεως.

nurs·ery /ˈnɜsərɪ/ *οὐσ.* ‹C› **1**. δωμάτιο τῶν παιδιῶν. ˈ**day** ~, βρεφικός σταθμός. ˈ~**-governess**, νταντά, γκουβερνάντα, νηπιαγωγός. ˈ~ **rhymes/tales**, παιδικά τραγουδάκια/παραμύθια. ˈ~ **school**, νηπιαγωγεῖον. ˈ~ **slopes**, (*στό σκί*) πλαγιές γιά ἀρχαρίους. **2**. φυτώριο. **nurs·ling** *οὐσ.* ‹C› νήπιο.

nur·ture /ˈnɜtʃə(r)/ *οὐσ.* ‹U› ἀνατροφή, μόρφωσις, καλλιέργεια, περιποίησις: ~ *of the mind*, καλλιέργεια τοῦ μυαλοῦ. ***N~ is stronger than nature***, (*παροιμ.*) ἡ ἀνατροφή νικάει τή φύση. —*ρ.μ.* ἀνατρέφω, καλλιεργῶ, μορφώνω: *a delicately ~d girl*, καλομαθημένο κορίτσι.

nut /nʌt/ *οὐσ.* ‹C› **1**. καρύδι: *walnut/hazel-nut*, καρύδι/φουντούκι. ***a hard ~ to crack***, σκληρό καρύδι (δύσκολο πρόβλημα, δύσκολος ἄνθρωπος). ***be ~s (about sb/sth)***, (*καθομ.*) εἶμαι τρελλός: *He's ~s about pop music/Mary*, εἶναι ξετρελλαμένος μέ τή μουσική πόπ/μέ τή Μαίρη. ˈ~**-brown** *ἐπ.* καστανός. ˈ~**-butter**, βούτυρο καρυδιοῦ. ˈ~**-crackers**, καρυοθραύστης. ˈ~·**shell**, φλούδα καρυδιοῦ, καρυδότσουφλο. ***in a ~shell***, μέ λίγα λόγια. **2**. παξιμάδι (βίδας). **3**. (*λαϊκ.*) κεφάλι. ***be off one's ~***, εἶμαι τρελλός, μοῦχει στρίψει. **4**. ***go ~ting***, πάω γιά καρύδια.

nut·meg /ˈnʌtmeg/ *οὐσ.* ‹U› μοσχοκάρυδο.

nu·tri·ment /ˈnjutrɪmənt/ *οὐσ.* ‹U› (*λόγ.*) τροφή.

nu·tri·tion /njuˈtrɪʃn/ *οὐσ.* ‹U› (*λογ.*) θρέψις, διατροφή.

nu·tri·tive /ˈnjutrɪtɪv/ *ἐπ.* (*λόγ.*) τροφικός, θρεπτικός.

nutty /ˈnʌtɪ/ *ἐπ.* (*-ier, -iest*) **1**. σάν καρύδι. **2**. (*λαϊκ.*) τρελλός.

nuzzle /ˈnʌzl/ *ρ.μ/ἀ.* ~ ***up (against/to)***, σπρώχνω μέ τή μούρη, τρίβω τή μύτη μου πάνω εἰς: *The horse ~d up against my shoulder*, τό ἄλογο μ'ἔσπρωξε στόν ὦμο μέ τή μούρη του.

ny·lon /ˈnaɪlon/ *ἐπ.* & *οὐσ.* ‹U› νάϋλον.

nymph /nɪmf/ *οὐσ.* ‹C› **1**. νύμφη, νεράϊδα. **2**. χρυσαλλίδα.

nym·phet /nɪmˈfet/ *οὐσ.* ‹C› νυμφίδιον.

nym·pho·ma·nia /ˌnɪmfəʊˈmeɪnɪə/ *οὐσ.* ‹U› νυμφομανία. **nymphomaniac** /-ˈmeɪnɪæk/ *ἐπ.* & *οὐσ.* ‹C› νυμφομανής.

O o

O, o /əʊ/ τό 15ο γράμμα τοῦ ἀλφάβητου.

O, oh /əʊ/ *ἐπιφ.* ὤ!

oaf /əʊf/ *οὐσ.* ‹C› (*πληθ.* ~*s*) μπουνταλᾶς: *Careful, you great ~!* πρόσεχε, μπουνταλᾶ! ˈ~·**ish** /-ɪʃ/ *ἐπ.* ἄξεστος, μπουνταλάδικος.

oak /əʊk/ *οὐσ.* ‹C› δρῦς, βαλανιδιά: *a forest of ~(s)/of ~-trees*, δάσος ἀπό βαλανιδιές. —*ἐπ.* δρύϊνος: *an ~ door*, δρύϊνη πόρτα.

oaken /ˈəʊkən/ *ἐπ.* δρύϊνος.

oa·kum /ˈəʊkəm/ *οὐσ.* ‹U› στουπί.

oar /ɔ(r)/ *οὐσ.* ‹C› κουπί. ***stick/put/shove one's ~ in***, (*καθομ.*) ἀνακατεύομαι σέ κτ (ἀδέξια καί ἀνεπίκαιρα). ***rest on one's ~s***, ξεκουράζομαι γιά λίγο, κάνω ἀνάπαυλα. **`~s·man** /`ɔzmən/ *οὐσ.* ‹C› κωπηλάτης. **`~s·man·ship** *οὐσ.* ‹U› κωπηλασία.

oasis /əʊ`eɪsɪs/ *οὐσ.* ‹C› (*πληθ.* *-ses* /-siz/) ὄασις.

oast /əʊst/ *οὐσ.* ‹C› φοῦρνος (γιά τό λυκίσκο).

oat /əʊt/ *οὐσ.* ‹C› (*συνήθ. πληθ.*) βρώμη. ***feel one's ~s***, (*καθομ.*) νοιώθω ζωηρός, κεφᾶτος, ἕτοιμος γιά δράση. ***sow one's wild ~s***, κάνω νεανικές τρέλλες, γλεντῶ τά νιάτα μου. **`~·meal** *οὐσ.* ‹U› μπλουγούρι βρώμης.

oath /əʊθ/ *οὐσ.* ‹C› (*πληθ.* *~s* /əʊðz/) **1**. ὅρκος. ***on one's ~***, (*καθομ.*) στ' ὁρκίζομαι, νά μή σώσω. ***on ~***, (*νομ.*) ἐνόρκως. ***put sb under ~***, (*νομ.*) ἐπάγω ὅρκον σέ κπ. ***swear/take an ~***, κάνω ὅρκο/δίνω ὅρκο. **2**. βλαστήμια.

ob·du·rate /`obdjʊərət/ *ἐπ.* (*λογ.*) ἄκαμπτος, ἀμετάπειστος, ἀμετανόητος: *an ~ sinner*, ἀμετανόητος ἁμαρτωλός. **~·ly** *ἐπίρ.* **ob·du·racy** /`obdjʊərəsɪ/ *οὐσ.* ‹U› ἐπιμονή.

obedi·ence /ə`bidɪəns/ *οὐσ.* ‹C› ὑπακοή: *act in ~ to orders*, ἐνεργῶ πειθαρχῶν εἰς διαταγάς.

obedi·ent /ə`bidɪənt/ *ἐπ.* πειθαρχικός, πειθήνιος, ὑπάκουος: *~ children*. **~·ly** *ἐπίρ.*

obeis·ance /əʊ`beɪsns/ *οὐσ.* ‹C› (*λόγ.*) βαθειά ὑπόκλισις, προσκύνημα: *do/pay ~ to sb*, προσκυνῶ κπ, κάνω βαθειά ὑπόκλιση σέ κπ.

ob·elisk /`obəlɪsk/ *οὐσ.* ‹C› ὀβελίσκος.

obese /əʊ`bis/ *ἐπ.* παχύσαρκος. **obes·ity** /əʊ`bisətɪ/ *οὐσ.* ‹U› παχυσαρκία.

obey /ə`beɪ/ *ρ.μ/ἀ.* (*χωρίς πρόθεση*) ὑπακούω, πειθαρχῶ: *~ an officer/orders*, πειθαρχῶ σ' ἕναν ἀξιωματικό/σέ διαταγές. *~ one's parents*; ὑπακούω τούς γονεῖς μου. ***make oneself ~ed***, ἐπιβάλλω πειθαρχία, ἐπιβάλλομαι.

ob·fus·cate /`obfəskeɪt/ *ρ.μ.* (*λόγ.*) συσκοτίζω (τό λογικό), θολώνω (τήν κρίση).

obitu·ary /ə`bɪtʃʊərɪ/ *οὐσ.* ‹C› νεκρολογία. *~ notices*, ἀγγελίες θανάτων (σέ ἐφημερίδα).

[1]**ob·ject** /`obdʒɪkt/ *οὐσ.* ‹C› **1**. ἀντικείμενον, πρᾶγμα: *a distant ~*, μακρυνό ἀντικείμενο. *the ~s in this room*, τά πράγματα σ' αὐτό τό δωμάτιο. **`~ lesson**, παράδειγμα, (*σχολ.*) πραγματογνωσία, ἐποπτικόν μάθημα. **2**. (*γραμμ.*) ἀντικείμενο. **direct/indirect ~**, ἄμεσον/ἔμμεσον ἀντικείμενον. **3**. ἀντικείμενο, στόχος, σκοπός: *the ~ of his research*, τό ἀντικείμενο τῶν ἐρευνῶν του. *He has no ~ in life*, δέν ἔχει σκοπό στή ζωή του. *fail/succeed in one's ~*, ἀποτυγχάνω/πετυχαίνω στό σκοπό μου, στό στόχο μου. *He works with the sole ~ of earning money*, δουλεύει μέ μοναδικό σκοπό νά κερδίση χρήματα. *He became an ~ of pity/admiration*, ἔγινε ἀντικείμενο οἴκτου/θαυμασμοῦ. *What an ~ you look in that hat!* τί θέαμα πού εἶσαι μ' αὐτό τό καπέλλο! ***no ~***, ἄνευ ἀντικειμένου, χωρίς σημασία: *When he is out to please her, expense is no ~*, ὅταν θέλει νά τήν εὐχαριστήση, τά ἔξοδα δέν λογαριάζονται. *salary/money/time/distance, no ~*, (*σέ διαφήμ.*) ὁ μισθός/τό χρῆμα/ὁ χρόνος/ἡ ἀπόστασις δέν ἔχει σημασία.

[2]**ob·ject** /əb`dʒekt/ *ρ.μ/ἀ.* **1**. ***~ (to)***, ἀντιτίθεμαι, δέν ἐγκρίνω, διαμαρτύρομαι, ἔχω ἀντιρρήσεις: *I strongly ~ to your proposal*, ἀντιτίθεμαι κατηγορηματικά στήν πρότασή σου. *Why do you ~ to my dress?* γιατί δέν σοῦ ἀρέσει τό φόρεμά μου; *I ~ to being treated like that*, δέν δέχομαι νά μέ μεταχειρίζωνται ἔτσι. *He stood up and ~ed in strong language*, σηκώθηκε ὄρθιος καί διαμαρτυρήθηκε ἔντονα. *I don't ~ to a glass of wine*, δέν λέω ὄχι γιά ἕνα ποτηράκι κρασί. **2**. ***~ (against sb) that***, ἐπικαλοῦμαι, φέρω ὡς ἐπιχείρημα: *He ~ed against me that I was too young*, ἔφερε σάν ἐπιχείρημα ἐναντίον μου ὅτι ἤμουν πολύ νέος. **3**. παρατηρῶ, ἀντιτάσσω: *I ~ed that there was no time for it*, παρατήρησα ὅτι δέν ὑπῆρχε χρόνος γι' αὐτό. *It was ~ed that...*, ἀντετάχθη ὅτι... **~or** /-tə(r)/ *οὐσ.* ἀντιτιθέμενος, ἀντιρρησίας. (*βλ.* & *λ.* *conscientious*).

ob·jec·tion /əb`dʒekʃn/ *οὐσ.* ‹C,U› **1**. ἀντίρρησις, ἔνστασις: *Do you have any ~(s) to my leaving early?* ἔχεις ἀντίρρηση στό νά φύγω νωρίς; ***no ~***, καμιά ἀντίρρησις. ***raise an ~***, προβάλλω ἀντίρρηση. ***sustain/reject an ~***, κάνω δεκτή/ἀπορρίπτω μιά ἔνσταση. ***take ~ to sth***, ἔχω ἀντίρρηση σέ κτ, θυμώνω μέ κτ, πειράζομαι ἀπό κτ: *He took ~ to what I said*, δέν τοῦ ἄρεσε ὅ,τι εἶπα (πειράχτηκε ἀπ' ὅ,τι εἶπα). **2**. μειονέκτημα, δυσκολία: *I see no ~ to it*, δέν βλέπω κανένα μειονέκτημα/καμιά δυσκολία σ' αὐτό. **~·able** /-əbl/ *ἐπ.* **1**. ἀπαράδεκτος, ἀποδοκιμαστέος: *most ~able conduct*, ἐντελῶς ἀπαράδεκτη συμπεριφορά. **2**. δυσάρεστος, ἐνοχλητικός: *an ~able smell*, δυσάρεστη μυρουδιά.

ob·jec·tive /əb`dʒektɪv/ *ἐπ.* **1**. ὑπαρκτός. **2**. ἀντικειμενικός, ἀμερόληπτος: *~ criticism*, ἀντικειμενική κριτική. *an ~ account/attitude*, ἀντικειμενική περιγραφή/στάσις. **the ~ case**, (*γραμμ.*) ἡ αἰτιατική πτῶσις. —*οὐσ.* ‹C› ἀντικειμενικός σκοπός, στόχος: *All our ~s were won*, ὅλοι μας οἱ ἀντικειμενικοί σκοποί ἐπετεύχθησαν. **~·ly** *ἐπίρ.* ἀντικειμενικά: *judging things ~ly*, κρίνοντας τά πράγματα ἀντικειμενικά.

ob·jec·tiv·ity /'obdʒek`tɪvətɪ/ *οὐσ.* ‹U› ἀντικειμενικότης, ἀμεροληψία.

ob·jur·gate /`obdʒəgeɪt/ *ρ.μ.* (*λόγ.*) ἐπιπλήττω, ἐπικρίνω. **ob·jur·ga·tion** /'obdʒə`geɪʃn/ *οὐσ.* ‹C,U› ἐπίπληξις.

ob·li·gate /`oblɪgeɪt/ *ρ.μ.* (*συνήθ. παθ. φων.*) ὑποχρεώνω: *He felt ~d to help*, ἔνοιωσε ὑποχρεωμένος νά βοηθήση.

ob·li·ga·tion /'oblɪ`geɪʃn/ *οὐσ.* ‹C› ὑποχρέωσις: *moral/financial ~s*, ἠθικές/οἰκονομικές ὑποχρεώσεις. *fulfil/repay an ~*, ἐκπληρῶ/ἀνταποδίδω μιά ὑποχρέωση. ***place sb/be under an ~ (to do sth)***, ἐπιβάλλω σέ κπ/ἔχω τήν ὑποχρέωση νά (κάμω κτ).

ob·li·ga·tory /ə`blɪgətrɪ/ *ἐπ.* ὑποχρεωτικός: *Is attendance at school ~ or optional?* εἶναι ἡ παρακολούθησις στό σχολεῖο ὑποχρεωτική ἤ προαιρετική; *It is ~ on hotel owners to take precautions against fire*, οἱ ἰδιοκτῆτες τῶν ξενοδοχείων ὑποχρεοῦνται νά λαμβάνουν μέτρα κατά τῆς πυρκαγιᾶς.

ob·lige /ə`blaɪdʒ/ *ρ.μ.* **1**. ὑποχρεώνω: *The law ~s parents to send their children to school*, ὁ νόμος ὑποχρεώνει τούς γονεῖς νά στέλνουν τά παιδιά τους στό σχολεῖο. *I am ~d to obey*, εἶμαι ὑποχρεωμένος ν' ἀκούσω. **2**. ἐξυπηρετῶ, ὑποχρεώνω κπ: *You would greatly ~ me by sending it*, θά μέ ὑποχρεώνατε πολύ ἄν μοῦ τό στέλνατε. *Can you ~ me with £10?* μπορεῖτε νά μοῦ δανείσετε δέκα λίρες; *I'm much ~d to you*, σᾶς εἶμαι πολύ ὑποχρεωμένος. **ob·lig·ing** ἐπ. πρόθυμος, ὑποχρεωτικός, ἐξυπηρετικός: *obliging neighbours*, ὑποχρεωτικοί γείτονες. **ob·lig·ing·ly** ἐπίρ. πρόθυμα.

ob·lique /ə`blik/ ἐπ. λοξός, πλάγιος: *an ~ line/glance*, λοξή γραμμή/πλάγια ματιά. *an ~ angle*, ὀξεῖα γωνία. *achieve sth by ~ means*, πετυχαίνω κτ μέ πλάγια μέσα. **ob·li·quity** /ə`blikwəti/ οὐσ. ‹C,U› λοξότης, ἀνειλικρίνεια, ὑπουλότης, δολιότης.

ob·lit·er·ate /ə`blitəreit/ ρ.μ. σβύνω, ἐξαλείφω: *an inscription ~d by time*, ἐπιγραφή σβυσμένη ἀπό τό χρόνο.

ob·liv·ion /ə`bliviən/ οὐσ. ‹U› λήθη, λησμονιά: *sink/fall into ~*, βυθίζομαι στή λήθη/λησμονιέμαι.

ob·livi·ous /ə`bliviəs/ ἐπ. ~ ***of***, ἐπιλήσμων: *He was ~ of my presence*, ξέχασε ἐντελῶς τήν παρουσία μου. *The two lovers were happily ~ of the world*, οἱ δύο ἐραστές εἶχαν ξεχάσει τόν κόσμο μέσα στήν εὐτυχία τους.

ob·long /`obloŋ/ ἐπ. ἐπιμήκης, στενόμακρος. —οὐσ. ‹C› ὀρθογώνιο παραλληλόγραμμο.

ob·loquy /`obləkwi/ οὐσ. ‹U› ἐπίκρισις, κακολογία, λοιδορία, ὄνειδος, καταισχύνη.

ob·nox·ious /əb`nokʃəs/ ἐπ. ἀπεχθής, ἀποκρουστικός, ἀπαίσιος: *an ~ play/smell*, ἀποκρουστικό ἔργο/ἀπαίσια μυρουδιά. **~·ly** ἐπίρ.

oboe /`əubəu/ οὐσ. ‹C› (μουσ.) ὄμποε.

ob·scene /əb`sin/ ἐπ. αἰσχρός, ἀνήθικος: *~ books*, αἰσχρά βιβλία, πορνογραφήματα. **~·ly** ἐπίρ.

ob·scen·ity /əb`senəti/ οὐσ. ‹C,U› αἰσχρότης, αἰσχρολογία.

ob·scur·ant·ism /'obskjuə`ræntizm/ οὐσ. ‹U› σκοταδισμός. **ob·scur·ant·ist** /'obskjuə`ræntist/ οὐσ. ‹C› σκοταδιστής. —ἐπ. σκοταδιστικός, ἀντιδραστικός.

ob·scure /əb`skjuə(r)/ ἐπ. **1**. σκοτεινός, δυσνόητος: *an ~ corner*, μιά σκοτεινή γωνιά. *an ~ passage/author*, δυσνόητο χωρίον/-ος συγγραφεύς. **2**. κρυμμένος, κρυφός: *an ~ corner/view*, κρυμμένη γωνιά/θέα. **3**. ταπεινός, ἄσημος: *an ~ poet/little village*, ἄσημος ποιητής/ταπεινό χωριουδάκι. —ρ.μ. συσκοτίζω, κρύβω, σκιάζω, συγκαλύπτω: *The moon was ~d by the clouds*, τό φεγγάρι σκεπάστηκε ἀπό τά σύννεφα. *Mist ~d the view*, ἡ ὁμίχλη ἔκρυβε τή θέα. **~·ly** ἐπίρ. σκοτεινά, δυσνόητα, ταπεινά.

ob·scur·ity /əb`skjuərəti/ οὐσ. ‹C,U› σκοτάδι, ἀφάνεια, ἀσάφεια: *He was content to live in ~*, ἦταν εὐχαριστημένος νά ζῆ στήν ἀφάνεια. *an essay full of obscurities*, δοκίμιο γεμᾶτο ἀσάφειες.

ob·sequies /`obsikwiz/ οὐσ. πληθ. κηδεία, ἐκφορά.

ob·sequi·ous /əb`sikwiəs/ ἐπ. ~ ***(to/towards sb)***, δουλοπρεπής (σέ κπ). **~·ly** ἐπίρ. **~·ness** οὐσ. ‹U› δουλοπρέπεια.

ob·serv·able /əb`zɜvəbl/ ἐπ. τηρητέος (πχ κανών), αἰσθητός (πχ ἀλλαγή), ἀξιοπρόσεχτος, ἀξιοσημείωτος.

ob·serv·ance /əb`zɜvəns/ οὐσ. ‹C,U› τήρησις, τύπος: *the ~ of the law*, ἡ τήρησις τοῦ νόμου. *religious ~s*, τό τυπικόν τῆς θρησκείας.

ob·serv·ant /əb`zɜvənt/ ἐπ. **1**. παρατηρητικός: *an ~ boy/mind*, παρατηρητικό παιδί/μυαλό. **2**. τηρητής: *He is always ~ of formalities*, τηρεῖ πάντα τούς τύπους.

ob·ser·va·tion /'obzə`veiʃn/ οὐσ. **1**. ‹U› παρατήρησις, παρακολούθησις: *the ~ of natural phenomena*, ἡ παρατήρησις τῶν φυσικῶν φαινομένων. *escape ~*, ξεφεύγω τήν παρακολούθηση, περνῶ ἀπαρατήρητος. ***be/come under ~***, εἶμαι/τίθεμαι ὑπό παρακολούθηση. ***keep sb under ~***, παρακολουθῶ κπ, τόν ἔχω ὑπό παρακολούθηση (ἀστυνομική, ἰατρική, κλπ). **~ post**, (στρατ.) παρατηρητήριον. **~ ward**, θάλαμος τῶν ὑπό παρακολούθηση ἀσθενῶν. **2**. ‹C› παρατήρησις, σχόλιον: *a chance ~*, μιά τυχαία παρατήρησις. *Has he published his ~s on bird life?* δημοσίευσε τίς παρατηρήσεις του γιά τή ζωή τῶν πουλιῶν; **3**. ‹U› παρατηρητικότης: *a man of little ~*, ἄνθρωπος πού δέν ἔχει πολλή παρατηρητικότητα. **4**. ***take an ~***, (ναυτ.) λαμβάνω τό στῖγμα.

ob·serv·atory /əb`zɜvətri/ οὐσ. ‹C› ἀστεροσκοπεῖον.

ob·serve /əb`zɜv/ ρ.μ/ά. **1**. παρατηρῶ, παρακολουθῶ, προσέχω: *~ the behaviour of ants*, παρατηρῶ τίς συνήθειες ζωῆς τῶν μυρμηγκιῶν. *The accused man was ~d to enter the Bank*, ὁ κατηγορούμενος ἔγινε ἀντιληπτός νά μπαίνη στήν Τράπεζα. *They ~d him open the door*, τόν παρακολούθησαν/τόν εἶδαν ν' ἀνοίγη τήν πόρτα. *I did not ~ the number of his car*, δέν πρόσεξα τόν ἀριθμό τοῦ αὐτοκινήτου του. *Jane ~s keenly but says little*, ἡ Ἰωάννα τά προσέχει ὅλα ἀλλά δέν μιλάει πολύ. **2**. τηρῶ, κρατῶ: *~ a rule*, τηρῶ ἕναν κανόνα. *~ one's birthday*, κρατῶ τά γενέθλιά μου, τά γιορτάζω. **3**. παρατηρῶ, λέγω: *He ~d that we should probably have rain*, παρετήρησε (εἶπε) ὅτι πιθανώτατα θά ἔβρεχε. **ob·server** οὐσ. ‹C› παρατηρητής, τηρητής. **ob·serv·ing** ἐπ. παρατηρητικός.

ob·sess /əb`ses/ ρ.μ. (συνήθ. παθ. φων.) κατατρύχω, βασανίζω (μέ ἔμμονη ἰδέα): *He's ~ed by fear of unemployment*, τόν βασανίζει ὁ φόβος τῆς ἀνεργίας (ὁ φόβος τῆς ἀνεργίας τοῦ ἔχει γίνει ἔμμονη ἰδέα).

ob·ses·sion /əb`seʃn/ οὐσ. ‹C,U› ἔμμονη ἰδέα, πάθος: *With him politics/sex/travelling is an ~*, ἡ πολιτική/τό σέξ/τό ταξίδι τοῦ ἔχει γίνει πάθος, ἔμμονη ἰδέα.

ob·sess·ive /əb`sesiv/ ἐπ. ἔμμονος, καταθλιπτικός, βασανιστικός: *an ~ fear/preoccupation*, ἔμμονος φόβος/βασανιστική ἔγνοια.

ob·sol·escence /'obsə`lesns/ οὐσ. ‹U› βαθμιαία ἔκλειψις, ἀχρησία, (τό) πεπαλαιωμένον.

ob·sol·escent /'obsə`lesnt/ ἐπ. πεπαλαιωμένος, πού τείνει νά περιπέση σέ ἀχρησία.

ob·sol·ete /`obsəlit/ ἐπ. ἀπηρχαιωμένος, μή

χρησιμοποιούμενος, πού ἔχει πέσει σέ ἀχρησία.

ob·stacle /ˋobstəkl/ *οὐσ.* ‹C› ἐμπόδιο: *put ~s in sb's way*, παρεμβάλλω ἐμπόδια σέ κπ. *This is the only ~ to their marriage*, αὐτό εἶναι τό μόνο ἐμπόδιο στό γάμο τους. ˋ**~ race**, ἀγών δρόμου μετ' ἐμποδίων.

ob·stet·ric /əbˋstetrɪk/, **ob·stet·ri·cal** /-kl/ *ἐπ.* μαιευτικός. **ob·stet·rics** *οὐσ. πληθ.* (*μέ ρ. ἑν.*) μαιευτική.

ob·ste·trician /ˈobstɪˋtrɪʃn/ *οὐσ.* ‹C› μαιευτήρ.

ob·sti·nacy /ˋobstɪnəsɪ/ *οὐσ.* ‹U› ἰσχυρογνωμοσύνη, πεῖσμα, ἐπιμονή, ξεροκεφαλιά.

ob·sti·nate /ˋobstɪnət/ *ἐπ.* **1**. ἰσχυρογνώμων, πεισματάρης: *~ children*, πεισματάρικα παιδιά. *be ~ in (doing) sth*, εἶμαι ἰσχυρογνώμων σέ κτ (ἐπιμένω νά κάμω κτ). **2**. πείσμων, ἐπίμονος: *~ resistance*, πείσμων ἀντίστασις. *an ~ cough*, ἐπίμονος βήχας. **~·ly** *ἐπίρ.*

ob·strep·er·ous /əbˋstrepərəs/ *ἐπ.* ἀτίθασσος, θορυβώδης: *~ children/behaviour*, ἀτίθασσα παιδιά/θορυβώδης συμπεριφορά.

ob·struct /əbˋstrʌkt/ *ρ.μ.* **1**. φράσσω, κλείνω, ἐμποδίζω: *The road was ~ed by falls of rock*, ὁ δρόμος εἶχε φράξει ἀπό πεσμένα βράχια. *The trees ~ed the view*, τά δέντρα ἔκοβαν/ἐμπόδιζαν τή θέα. *'Do not ~ the gangway'*, «Μή κλείνετε τό διάδρομο». **2**. παρακωλύω, δυσκολεύω, παρεμβάλλω ἐμπόδια: *~ sb in the execution of his duty*, παρακωλύω κπ κατά τήν ἐκτέλεση τοῦ καθήκοντός του. *~ the traffic*, παρακωλύω τήν κυκλοφορία.

ob·struc·tion /əbˋstrʌkʃn/ *οὐσ.* **1**. ‹U› παρεμπόδισις, κωλυσιεργία: *a policy of ~*, πολιτική κωλυσιεργίας. **2**. ‹C› ἐμπόδιο: *~s on the road*, ἐμπόδια στό δρόμο. **~·ism** /-ɪzm/ *οὐσ.* ‹U› συστηματική κωλυσιεργία. **~·ist** /-ɪst/ *οὐσ.* ‹C› ὁ ἐκ συστήματος κωλυσιεργῶν.

ob·struc·tive /əbˋstrʌktɪv/ *ἐπ.* παρελκυστικός, κωλυσιεργός, παρεμποδιστικός.

ob·tain /əbˋteɪn/ *ρ.μ/ἀ.* **1**. λαμβάνω, ἀποκτῶ, ἀποκομίζω, προμηθεύομαι, ἐξασφαλίζω: *~ information*, λαμβάνω πληροφορίες. *the pleasure ~ed from music*, ἡ ἀπόλαυσις πού ἀποκομίζει κανείς ἀπό τή μουσική. *Where can I ~ this book?* ποῦ μπορῶ νά προμηθευτῶ αὐτό τό βιβλίο; *~ sb's appointment to a post*, ἐξασφαλίζω τό διορισμό κάποιου σέ μιά θέση. **2**. (ἐπι)κρατῶ: *The custom still ~s in some districts*, τό ἔθιμο κρατεῖ ἀκόμα σέ μερικές περιοχές. **~·able** /-əbl/ *ἐπ.* πού μπορεῖ νά ἀποκτηθῆ.

ob·trude /əbˋtrud/ *ρ.μ/ἀ.* ~ ***(upon)***, (*λογ.*) ἐπιβάλλω μέ τό ζόρι: *~ one's opinions/oneself upon other people*, ἐπιβάλλω τίς γνῶμες μου/γίνομαι φόρτωμα στούς ἄλλους.

ob·trus·ive /əbˋtrusɪv/ *ἐπ.* φορτικός, ὀχληρός, ἐνοχλητικός, παρείσακτος. **~·ly** *ἐπίρ.*

ob·tuse /əbˋtjus/ *ἐπ.* **1**. ἀμβλύς, στομωμένος: *an ~ knife*, στομωμένο μαχαίρι. *an ~ angle*, ἀμβλεῖα γωνία. **2**. ἀμβλύνους, ἀργονόητος, κουτός. **~·ness** *οὐσ.* ‹U› ἀμβλύτης, ἀμβλύνοια.

ob·verse /ˋobvɜs/ *οὐσ.* ‹C› ἐμπροσθία ὄψις (νομίσματος), κορώνα (*πρβλ. reverse*).

ob·vi·ate /ˋobvɪeɪt/ *ρ.μ.* (*λογ.*) ξεκαθαρίζω, προλαμβάνω (κίνδυνο, δυσκολία, ἐμπόδιο, κλπ).

ob·vi·ous /ˋobvɪəs/ *ἐπ.* φανερός, πρόδηλος, εὐνόητος: *It's quite ~ that he is lying*, εἶναι ὁλοφάνερο ὅτι λέει ψέματα. **~·ly** *ἐπίρ.* προφανῶς.

oc·ca·sion /əˋkeɪʒn/ *οὐσ.* **1**. ‹C› περίπτωσις, περίστασις: *on this/that ~*, σ' αὐτή/σέ κείνη τήν περίπτωση. *on one ~*, μιά φορά, σέ μιά περίσταση. *on no ~*, καμιά φορά, σέ καμιά περίσταση. *on rare ~s*, σέ σπάνιες περιπτώσεις. *I've met him on several ~s*, τόν ἔχω συναντήσει πολλές φορές. *This is not an ~ for sorrow/trifling*, δέν εἶναι ὥρα γιά λύπη/γι' ἀστεῖα. *This is a happy ~*, αὐτή εἶναι μιά εὐτυχισμένη ὥρα. *Bring champagne, we'll make this an ~*, φέρε σαμπάνια, θά τό γιορτάσωμε. ***on ~***, πότε-πότε, ὅταν τό φέρνει ἡ περίσταση. ***rise to the ~***, φαίνομαι ἀντάξιος (αἴρομαι στό ὕψος) τῶν περιστάσεων. ***take this ~ to say sth***, ἐπωφελοῦμαι τῆς παρούσης περιστάσεως γιά νά πῶ κτ. **2**. ‹C,U› λόγος, αἰτία, εὐκαιρία: *His return was the ~ for a family gathering*, ἡ ἐπιστροφή του ἔγινε αἰτία νά συγκεντρωθῆ ὅλη ἡ οἰκογένεια. *I have few ~s to speak English*, δέν ἔχω πολλές εὐκαιρίες νά μιλήσω Ἀγγλικά. **3**. ‹U› ἀφορμή: *The real causes of the strike are not clear, but the ~ was the dismissal of two workmen*, οἱ πραγματικές αἰτίες τῆς ἀπεργίας δέν ἔχουν διευκρινισθῆ, ἀλλά ἡ ἀφορμή ὑπῆρξε ἡ ἀπόλυσις δύο ἐργατῶν. **4**. (*πληθ., ἀπηρχ.*) ἀσχολίες.—*ρ.μ.* γίνομαι αἰτία, προξενῶ, δίνω ἀφορμή, προκαλῶ: *Her behaviour ~d her family much anxiety*, τό φέρσιμό της προκάλεσε μεγάλη ἀνησυχία στήν οἰκογένειά της.

oc·ca·sional /əˋkeɪʒnl/ *ἐπ.* **1**. τυχαῖος, σποραδικός, πού συμβαίνει πότε-πότε: *He made an ~ remark*, ἔκανε κάπου-κάπου καμιά παρατήρηση. *pay an ~ visit*, κάνω ἐπίσκεψη πότε-πότε. *~ showers*, σποραδικές μπόρες. **2**. περιστασιακός: *an ~ poem*, ποίημα πού γράφτηκε εἰδικῶς γιά μιά περίσταση. **~ly** *ἐπίρ.* σποραδικά, συμπτωματικά.

oc·ci·dent /ˋoksɪdənt/ *οὐσ.* **the O~**, (*λογοτ.*) ἡ Δύσις, ὁ Δυτικός κόσμος. **~al** /ˈoksɪˋdentl/ *οὐσ.* ‹C› & *ἐπ.* Δυτικός.

oc·cult /oˋkʌlt/ *ἐπ.* ἀπόκρυφος, μυστικός: *the ~ sciences*, οἱ ἀπόκρυφες ἐπιστῆμες.

oc·cu·pancy /ˋokjʊpənsɪ/ *οὐσ.* ‹C› κτῆσις, κατοχή, νομή.

oc·cu·pant /ˋokjʊpənt/ *οὐσ.* ‹C› κάτοχος, νομεύς, ἔνοικος.

oc·cu·pa·tion /ˈokjʊˋpeɪʃn/ *οὐσ.* **1**. ‹U› κατοχή: *the ~ of a house by a family*, ἡ κατοχή ἑνός σπιτιοῦ ἀπό μιά οἰκογένεια. *an army of ~*, στρατός κατοχῆς. *during the ~*, κατά τήν διάρκεια τῆς κατοχῆς. **2**. κατάληψις (χώρας, ἀδεσπότου, κλπ). **3**. ‹C› ἀπασχόλησις, ἀσχολία, ἐπάγγελμα: *a useful ~*, χρήσιμη ἀπασχόλησις. *What's his ~?* ποιό εἶναι τό ἐπάγγελμά του (τί δουλειά κάνει); **~al** /-nl/ *ἐπ.* ἐπαγγελματικός: ˈ**~al** ˋ**hazard**, ἐπαγγελματικός κίνδυνος. ˈ**~al** ˋ**therapy**, ἐργασιοθεραπεία.

oc·cu·pier /ˋokjʊpaɪə(r)/ *οὐσ.* ‹C› κάτοχος, ἔνοικος.

oc·cupy /ˋokjʊpaɪ/ *ρ.μ.* **1**. (κατ)έχω, κατοικῶ: *My friends ~ the ground floor*, οἱ φίλοι μου ἔχουν τό (κατοικοῦν στό) ἰσόγειο. **2**. καταλαμβάνω, κατακτῶ: ~ *the enemy's capital*, καταλαμβάνω τήν πρωτεύουσα τοῦ ἐχθροῦ. **3**. ἔχω, κατέχω (θέση): *He occupies an important position in the Foreign Office*, κατέχει σημαντική θέση στό Ὑπουργεῖο Ἐξωτερικῶν. **4**. καταλαμβάνω, ἀπασχολῶ: *The desk occupied half the floor space*, τό γραφεῖο κατελάμβανε τό μισό πάτωμα. *Many anxieties* ~ *my mind*, πολλές σκοτοῦρες ἀπασχολοῦν τό μυαλό μου. *He was occupied in translating/with the translation of a document*, ἦταν ἀπασχολημένος μέ τή μετάφραση ἑνός ἐγγράφου.

oc·cur /ə`kɜ(r)/ *ρ.ἀ.* *(-rr-)* **1**. λαμβάνω χώραν, συμβαίνω: *When did the accident* ~? πότε συνέβη τό ἀτύχημα; **2**. ~ ***to***, ἔρχομαι στό νοῦ: *It* ~*red to me that*..., μοῦ ἦρθε στό νοῦ (σκέφτηκα) ὅτι... *An idea* ~*red to me*, μοῦ ἦρθε μιά ἰδέα. *Did it ever* ~ *to you that*...? σκέφτηκες ποτέ ὅτι...; **3**. ἀπαντῶμαι, βρίσκομαι: *This word never* ~*s in the Bible*, αὐτή ἡ λέξις δέν ἀπαντᾶται ποτέ στή Βίβλο.

oc·cur·rence /ə`kʌrns/ *οὐσ.* **1**. ‹C› συμβάν: *an everyday/a strange* ~, καθημερινό/παράξενο συμβάν. **2**. ‹U› ὕπαρξις, ἐμφάνισις: *This is of frequent/rare* ~, αὐτό συμβαίνει συχνά/σπάνια.

ocean /`əʊʃn/ *οὐσ.* ‹C› ὠκεανός: *the Atlantic/the Pacific O*~, ὁ Ἀτλαντικός/Εἰρηνικός ὠκεανός. `~*-going ships*, ὑπερωκεάνεια. **the** ~ **lanes**, αἱ θαλάσσιοι ὁδοί. ~**ic** /ˈəʊʃɪˋænɪk/ *ἐπ.* ὠκεάνειος.

ochre /`əʊkə(r)/ *οὐσ.* ‹U› ὤχρα.

o'clock /ə`klok/ *βλ. clock.*

oc·ta·gon /`oktəgən/ *οὐσ.* ‹C› ὀκτάγωνον. **oc·tag·onal** /ok`tægənl/ *ἐπ.* ὀκταγώνιος.

oc·tane /`okteɪn/ *οὐσ.* ‹U› *(χημ.)* ὀκτάνιον.

oc·tave /`oktɪv/ *οὐσ.* ‹C› *(ποίησ.)* ὀκτάστιχον, *(μουσ.)* ὀκτάβα.

oc·tavo /ok`teɪvəʊ/ *οὐσ.* ‹C› *(πληθ.* ~*s)* *(τυπογρ.)* ὄγδοον (σχῆμα).

oc·tet, -tette /ok`tet/ *οὐσ.* ‹C› *(μουσ.)* ὀκτέττο.

Oc·to·ber /ok`təʊbə(r)/ *οὐσ.* Ὀκτώβριος.

oc·to·gen·ar·ian /ˈoktədʒɪˋneərɪən/ *οὐσ.* ‹C› ὀγδοηκοντούτης.

oc·to·pus /`oktəpəs/ *οὐσ.* ‹C› *(πληθ.* ~*es* /-pəsɪz/) χταπόδι.

ocu·lar /`okjʊlə(r)/ *ἐπ.* *(λογ.)* ὀφθαλμικός: *an* ~ *witness*, αὐτόπτης μάρτυς.

ocu·list /`okjʊlɪst/ *οὐσ.* ‹C› ὀφθαλμίατρος.

oda·lisque /`əʊdəlɪsk/ *οὐσ.* ‹C› ὀδαλίσκη.

odd /od/ *ἐπ.* **1**. *(γιά ἀριθμό)* περιττός, μονός: *3, 5 and 7 are* ~ *numbers*. **2**. *(γιά πρᾶγμα ἀπό ζευγάρι ἤ σειρά)* μοναχός, παράταιρος: *an* ~ *shoe*, ἕνα μοναχό παπούτσι (χωρίς ταίρι). *two* ~ *volumes of a six-volume history*, δυό μονοί τόμοι μιᾶς ἑξάτομης ἱστορίας. ~ ***man out***, *(a)* αὐτός πού περισσεύει (σέ μιά παρέα ἀπό ζευγάρια). *(β)* αὐτός πού στέκεται ἀπόμερα, πού δέν θέλει ν' ἀνακατεύεται μέ τούς πολλούς. **3**. καί κάτι, λίγο παραπάνω ἀπό: *a hundred pounds* ~, καμιά ἑκατοσταριά λίρες, ἑκατό καί κάτι. `*thirty-*~ *years*, τριάντα χρόνια καί κάτι. **4**. ἀκανόνιστος, ἄτακτος, σποραδικός: *do* ~ *jobs*, κάνω δουλειές τοῦ ποδαριοῦ. *weed the garden at* ~ *times/moments*, βοτανίζω τόν κῆπο πότε-πότε, σέ ἀκανόνιστες ὧρες. **5**. *(-er, -est)* παράξενος, περίεργος, ἰδιόρρυθμος: *an* ~*-looking man*, ἄνθρωπος μέ παράξενο παρουσιαστικό. *How* ~ *that he should have forgotten it!* περίεργο νά τό ξέχασε! *He's an* ~ *old man*, εἶναι ἕνας ἰδιόρρυθμος γέρος. ~**·ly** *ἐπίρ.* περίεργα, παράξενα: ~*ly enough*, κατά περίεργον τρόπον, πολύ περίεργα.

odd·ity /`odətɪ/ *οὐσ.* **1**. ‹U› παραδοξότης, παραξενιά, ἰδιορρυθμία: ~ *of behaviour/dress*, ἰδιορρυθμία συμπεριφορᾶς/ντυσίματος. **2**. ‹C› ἐκκεντρικός, ἐκκεντρικότης: *He's something of an* ~, εἶναι κάπως ἐκκεντρικός. *He has some little oddities*, ἔχει μερικές ἐκκεντρικότητες/ἰδιορρυθμίες.

odd·ment /`odmənt/ *οὐσ.* ‹C› **1**. ἀπομεινάρι. **2**. *(πληθ.)*ρετάλια, ὑπολείμματα.

odds /odz/ *οὐσ.* *πληθ.* *(ἐνίοτε μέ ρ. ἑν.)* **1**. ἀνισότης, διαφορά: *make* ~ *even*, ἐξισώνω τίς διαφορές. **2**. πλεονέκτημα, πιθανότητες, διαφορά: *The* ~ *are in our favour/against us*, οἱ πιθανότητες εἶναι ὑπέρ ἡμῶν/ἐναντίον μας. *The* ~ *are that we'll win*, ἡ πιθανότητα εἶναι ὅτι θά κερδίσωμε. *fight against heavy* ~, ἀγωνίζομαι ἐναντίον πολύ ὑπερτέρων δυνάμεων. ***It makes no*** ~, δέν κάνει διαφορά. ***What's the*** ~? τί διαφορά κάνει; ***give sb/receive*** ~, ἀφήνω σέ κπ/μοῦ ἀφήνουν περιθώριο/ἀβάντσο/ἀέρα. **3**. διαφορά σέ στοίχημα: *The* ~ *are ten to one*, τό στοίχημα εἶναι δέκα πρός ἕνα. ***lay*** ~ ***of***, βάζω στοίχημα: *I'll lay* ~ *of 20 to 1 that*..., θά στοιχηματίσω 20 πρός 1 ὅτι... ***long/short*** ~, μεγάλη/μικρή διαφορά σέ στοίχημα. **4**. ***be at*** ~ ***(with sb over sth)***, διαφωνῶ, καυγαδίζω (μέ κπ γιά κτ): *They are always at* ~, εἶναι διαρκῶς στά μαχαίρια. **5**. ~ ***and ends***, διάφορα μικροπράγματα, ἀπομεινάρια.

ode /əʊd/ *οὐσ.* ‹C› ὠδή.

odi·ous /`əʊdɪəs/ *ἐπ.* ἀποκρουστικός, ἀπεχθής, ἀηδιαστικός. ~**·ly** *ἐπίρ.*

odium /`əʊdɪəm/ *οὐσ.* ‹U› μῖσος, ἀντιπάθεια, γενική κατακραυγή: *Their intrigues exposed them to public* ~, οἱ μηχανορραφίες τους προκάλεσαν γενική ἀντιπάθεια ἐναντίον τους (ὅλος ὁ κόσμος τούς ἐμίσησε γιά τίς μηχανορραφίες τους).

odor·ifer·ous /ˈəʊdə`rɪfərəs/ *ἐπ.* *(λόγ.)* εὐώδης.

odor·ous /`əʊdərəs/ *ἐπ.* *(λόγ.)* εὔοσμος.

odour /`əʊdə(r)/ *οὐσ.* ‹C› ὀσμή, μυρουδιά (καλή ἤ κακή). ***be in bad/good*** ~ ***with sb***, δέν ἔχω/ἔχω τή συμπάθεια κάποιου. ~**·less** *ἐπ.* ἄοσμος.

od·ys·sey /`odɪsɪ/ *οὐσ.* ‹C› ὀδύσσεια.

oecu·meni·cal /ˈikjuˋmenɪkl/ *ἐπ.* *βλ. ecumenical.*

Oedi·pus com·plex /`idɪpəs ˈkompleks/ *(ψυχ.)* Οἰδιπόδειον σύμπλεγμα.

o'er /ɔ(r)/ *πρόθ.* *(ποιητ.)* *βλ. over.*

of /əv, *ἐμφ:* ov/ *πρόθ.* *(κυρίως διά τόν σχηματισμόν τῆς γενικῆς σέ ὅλες της τίς μορφές καί λειτουργίες, ὅπως φαίνεται ἐν συνεχείᾳ)* μέ, ἀπό, διά, ἐκ, περί: **1**. *(γενική κτητική)*: *the legs* ~ *the horse*, τά πόδια τοῦ ἀλόγου. **2**. *(περιγραφική)*: *a girl* ~ *ten years*, κορίτσι δέκα χρονῶν. *goods* ~ *our own manufacture*, προϊόντα δικῆς μας κατασκευῆς. **3**. *(ἀντικειμε-*

νική): *the fear* ~ *God*, ὁ φόβος τοῦ Θεοῦ. **4**. (*ὑποκειμενική*): *the love* ~ *God*, ἡ ἀγάπη τοῦ Θεοῦ. **5**. (*πληρότητος*): *a bottle* ~ *milk*, ἕνα μπουκάλι (μέ) γάλα. **6**. (*ὕλης*): *a table* ~ *wood*, ἕνα τραπέζι ἀπό ξύλο. **7**. (*αἰτίας*): *He died* ~ *hunger*, πέθανε ἀπό πεῖνα. **8**. (*τοπικῆς ἤ χρονικῆς ἀποστάσεως*): *within fifty yards* ~ *the station*, σέ πενήντα γυάρδες ἀπό τό σταθμό. *within a year* ~ *his death*, σ᾽ ἕνα χρόνο ἀπό τό θάνατό του. **9**. (*καταγωγῆς, προελεύσεως*): *a man* ~ *humble descent*, ἄνθρωπος ταπεινῆς καταγωγῆς. *the Iliad* ~ *Homer*, ἡ Ἰλιάς τοῦ Ὁμήρου. **10**. (*ἀπαλλαγῆς*): *He was cleared* ~ *the accusation*, ἀθωώθηκε ἀπό τήν κατηγορία. **11**. (*διανεμητική, τοῦ ὅλου*): *some* ~ *the people*, μερικοί ἀπό τούς ἀνθρώπους. *a slice* ~ *bread*, μιά φέτα ψωμί. *a friend* ~ *mine*, ἕνας φίλος μου. **12**. (*ἐπιτατική*): *the Holy* ~ *Holies*, τά Ἅγια τῶν Ἁγίων. **13**. (*σχέσεως*): *the consequences* ~ *the war*, οἱ συνέπειες τοῦ πολέμου. **14**. (*χρόνου*): *He comes in* ~ *a Sunday*/~ *an evening*, ἔρχεται τίς Κυριακές/τά βράδυα. *in the days* ~ *old*, τόν παληό καιρό. **~ late**, τελευταίως. **15**. (*ἐκ μέρους*): *It was kind* ~ *you to help me*, ἦταν εὐγενικό ἀπό μέρους σας νά μέ βοηθήσετε. **16**. (*γιά νά δώση ἐπιθετική δύναμη σέ προηγούμενο οὐσιαστικό*): *an angel* ~ *a boy*, ἕνα ἀγγελικό παιδί. *Your fool* ~ *a brother*, ὁ ἀνόητος ἀδελφός σου. *Where's her rogue* ~ *a husband?* ποῦ εἶναι ὁ ἀλιτήριος ὁ ἄντρας της;

[1]**off** /of/ *ἐπ*. **1**. ἀπομακρυσμένος ἀπό τό πεζοδρόμιο (*προκειμένου γιά κυκλοφορία στή ΜΒ αὐτό σημαίνει 'δεξιός', στίς ἄλλες χῶρες 'ἀριστερός'*): *the* ~ *front wheel*, ὁ μποστινός δεξιός (ἀριστερός) τροχός. **2**. ἐλάχιστα πιθανός: ***on the `~ chance*** (*βλ. chance*). **3**. χωρίς κίνηση, ἀδρανής: ***the `~ season*** (*βλ. season*).

[2]**off** /of/ *ἐπίρ. πού δηλώνει*: **1**. (*χρονική ἤ τοπική ἀπόσταση*): *The holidays are not far* ~, οἱ διακοπές δέν ἀπέχουν πολύ. *The town is five miles* ~, ἡ πόλις ἀπέχει πέντε μίλια. **2**. (*ἀπομάκρυνση*): *He's* ~ *to London*, ἔχει πάει στό Λονδῖνο. *It's time I was/I must be* ~, καιρός νά φεύγω/πρέπει νά τοῦ δίνω. *O* ~ *we go!* φύγαμε! πᾶμε! *O* ~ *with him!* πᾶρτε τον ἀπό δῶ! **3**. (*ἀφαίρεση*): *I have never seen him with his hat* ~, ποτέ δέν τόν ἔχω δεῖ χωρίς καπέλλο. *You'd better have that long beard* ~, καλύτερα νά τήν κόψης αὐτή τή μακρυά γενειάδα. *O* ~ *with his head!* πᾶρτε του τό κεφάλι! **4**. (*τερματισμός*): *The miners' strike is* ~, ἡ ἀπεργία τῶν ἀνθρακωρύχων τερματίστηκε. *Their engagement is* ~, ὁ ἀρραβώνας τους διαλύθηκε. **5**. (*διακοπή, ἔλλειψη*): *The electricity is* ~, δέν ὑπάρχει (κόπηκε) τό ρεῦμα. *Chicken is* ~, (*σέ ἑστιατόριο*) τό κοτόπουλο τελείωσε. **6**. (*σχόλη, ἀνάπαυση*): *I'll take the afternoon* ~, δέν θά πάω στή δουλειά (δέν θά δουλέψω) τό ἀπόγευμα. *It's my day* ~, εἶναι ἡ μέρα πού δέν δουλεύω. *The manager gave the staff a day* ~, ὁ διευθυντής ἔδωσε στό προσωπικό μιά μέρα ἄδεια. **7**. (*γιά τροφή*) μπαγιάτικος: *This fish/meat is slightly* ~, αὐτό τό ψάρι/κρέας εἶναι λιγάκι μπαγιάτικο. **8**. (*στό θέατρο*) ἐκτός τῆς σκηνῆς, στά παρασκήνια: *Noises* ~, (*σέ σκηνικές ὁδηγίες*) θόρυβος στά παρασκήνια. **9**. *σέ φράσεις*: ***on and ~; ~ and on***, πότε-πότε, σποραδικά: *It rained on and* ~ *all day*, ἔβρεχε κατά διαστήματα ὅλη τήν ἡμέρα. *I still see them* ~ *and on*, ἀκόμη τούς βλέπω πότε-πότε. ***right/straight ~***, (*καθομ*.) ἀμέσως, στή στιγμή. (*βλ*. & *λ. better, worse, well, badly, comfortably*).

[3]**off** /of/ *πρόθ*. **1**. (*δηλοῖ ἀπομάκρυνση, ἀποχωρισμό, ἀπόσταση*) ἀπό: *He fell* ~ *the horse*, ἔπεσε ἀπό τό ἄλογο. *The ball rolled* ~ *the table*, ἡ μπάλλα κύλισε ἀπό τό τραπέζι. *Cut another slice* ~ *the loaf*, κόψε ἄλλη μιά φέτα ἀπό τό καρβέλι. *Can you take something* ~ *the price?* μπορεῖς νά κόψης τίποτα ἀπό τήν τιμή; *A narrow lane* ~ *the main road*, ἕνα δρομάκι πού ξεκινάει ἀπό τόν κύριο δρόμο. *Keep* ~ *the grass!* μήν πλησιάζετε (μήν πατᾶτε) τή χλόη! *An island* ~ *Sounion*, ἕνα νησί σέ ἀπόσταση ἀπό τό Σούνιο, στ᾽ ἀνοιχτά τοῦ Σουνίου. *The ship was anchored* ~ *the harbour entrance*, τό πλοῖο ἦταν ἀραγμένο στ᾽ ἀνοιχτά τῆς εἰσόδου τοῦ λιμανιοῦ. **2**. (*δηλοῖ ἀποστροφή πρός ἤ διακοπή ἀπό*): *I'm* ~ *my food*, δέν ἔχω διάθεση γιά φαγητό, μοῦ ἔχει κοπεῖ ἡ ὄρεξη. *She's* ~ *smoking*, ἔχει κόψει τό τσιγάρο. *He's* ~ *drugs*, ἔχει σταματήσει τά ναρκωτικά. (*βλ*. & *λ. colour, duty, head, map, point*).

of·fal /`ofl/ *οὐσ*. ‹U› ἐντόσθια (σφαγμένου ζώου).

off-beat /'of `bit/ *ἐπ*. (*καθομ*.) ἀσυνήθιστος, ἀνορθόδοξος, ἔξαλλος: *an* ~ *boutique*, ἔξαλλη μπουτίκ.

off-day /`of deɪ/ *οὐσ*. ‹C› ἀνάποδη μέρα (ὅταν ὅλα πᾶνε στραβά).

of·fence /ə`fens/ *οὐσ*. **1**. ‹C› παράβασις, παράπτωμα, ἀδίκημα: *commit an* ~, κάνω παράβαση. *an* ~ *against the law*, παράβασις τοῦ νόμου. *an* ~ *against good manners*, παράβασις τῶν κανόνων καλῆς συμπεριφορᾶς. *an* ~ *against God*, ἁμάρτημα. **2**. ‹U› προσβολή. ***cause/give ~ (to sb)***, προσβάλλω, θίγω κπ. ***take ~ (at sth)***, θίγομαι, προσβάλλομαι ἀπό κτ: *He takes* ~ *at the slightest thing*, θίγεται μέ τό παραμικρό. *She is quick to take* ~, προσβάλλεται εὔκολα. ***No ~!*** δέν ἤθελα νά σᾶς θίξω! **3**. ‹C› ὕβρις, ἐνόχλησις: *That cess-pool is an* ~ *to the neighbourhood*, αὐτός ὁ βόθρος ἐνοχλεῖ πολύ τή γειτονιά. **4**. ‹U› ἐπίθεσις: *The most effective defence is* ~, ἡ πιό ἀποτελεσματική ἄμυνα εἶναι ἡ ἐπίθεσις. **~·less** *ἐπ*. ἄμεμπτος, ἄκακος.

of·fend /ə`fend/ *ρ.μ/ἀ*. **1**. ***~ against***, παραβαίνω, προσβάλλω: ~ *against the law/traditions/common decency*, παραβαίνω τό νόμο/τίς παραδόσεις/προσβάλλω τήν δημοσία αἰδῶ. **2**. προσβάλλω, θίγω, πειράζω: *I'm sorry if I've* ~*ed you*, μέ συγχωρεῖτε ἄν σᾶς ἔθιξα. *He was* ~*ed at/by my remarks*, προσεβλήθη ἀπό τίς παρατηρήσεις μου. *She was* ~*ed by/with her husband*, πειράχτηκε μέ τόν ἄντρα της. **3**. ἐνοχλῶ: *sounds that* ~ *the ear*, ἦχοι πού ἐνοχλοῦν τό αὐτί. *buildings that* ~ *the eye*, χτίρια πού ἐνοχλοῦν τό μάτι. **~er** *οὐσ*. ‹C› παραβάτης, φταίχτης: *a first* ~*er*, παραβάτης γιά πρώτη φορά. *old* ~*ers*, καθ᾽ ὑποτροπήν ἐγκληματίες. *the chief* ~*er*, ὁ μέγας ἔνοχος.

of·fense /ə`fens/ *βλ. offence*.

of·fen·sive /ə`fensɪv/ *ἐπ*. **1**. ἐνοχλητικός,

δυσάρεστος: *an* ~ *smell*, ἐνοχλητική/δυσάρεστη μυρουδιά. **2**. ὑβριστικός, προσβλητικός: ~ *language/behaviour*, ὑβριστική γλῶσσα/προσβλητική συμπεριφορά. **3**. ἐπιθετικός: ~ *weapons/wars*, ἐπιθετικά ὅπλα/-οί πόλεμοι. —*οὐσ*. ‹C› ἐπίθεσις: ***go into/take the*** ~, περνῶ στήν ἐπίθεση/ἀναλαμβάνω ἐπίθεση. ***a peace*** ~, ἐπίθεσις εἰρήνης. **~·ness** *οὐσ*. ‹U› ἐπιθετικότης, προσβλητικότης.

of·fer /ˋofə(r)/ *ρ.μ/ἀ*. **1**. προσφέρω/-ομαι: ~ *a reward for sth*, προσφέρω ἀμοιβή γιά κτ. *I* ~*ed him a good price for the house*, τοῦ προσέφερα μιά καλή τιμή γιά τό σπίτι. *He* ~*ed me his help/* ~*ed to help me*, μοῦ προσέφερε τή βοήθειά του/προσεφέρθη νά μέ βοηθήση. ***~ up prayers/thanks***, ἀναπέμπω δεήσεις/εὐχαριστίες στό Θεό. ***~ battle***, προκαλῶ σέ μάχη. ***~ one's hand***, δίνω/ἁπλώνω τό χέρι. ***~ one's hand (in marriage)***, προσφέρω τό χέρι (σέ γάμο). **2**. προβάλλω, ἐπιχειρῶ, κάνω: ~ *resistance/an excuse*, προβάλλω ἀντίσταση/ μιά δικαιολογία. ~ *a suggestion/a remark*, κάνω μιά πρόταση/μιά παρατήρηση. **3**. παρέχω, παρουσιάζω/-ομαι, προσφέρομαι: *The fireworks* ~*ed a fine spectacle*, τά πυροτεχνήματα προσέφεραν (παρεῖχαν) ἕνα ὡραῖο θέαμα. *The scheme* ~*ed great difficulties*, τό σχέδιο παρουσίαζε μεγάλες δυσκολίες. *Take the first opportunity that* ~*s*, πάρε τήν πρώτη εὐκαιρία πού προσφέρεται/πού θά παρουσιαστῆ. ***as occasion ~s***, ὅταν παρουσιαστῆ εὐκαιρία. —*οὐσ*. ‹C› προσφορά, πρότασις: *make an* ~, κάνω μιά προσφορά. *an* ~ *of help*, προσφορά βοηθείας. *an* ~ *of marriage*, πρότασις γάμου. ***on*** ~, πρός πώλησιν. ***be open to an*** ~, εἶμαι ἕτοιμος νά συζητήσω προσφορές. **~·ing** *οὐσ*. ‹C,U› προσφορά, πρότασις, ἀφιέρωμα: *a ˋpeace* ~*ing*, προσφορά εἰρήνης, πρότασις συνδιαλλαγῆς.

of·fer·tory /ˋofətrɪ/ *οὐσ*. ‹C› (*ἐκκλ*.) προσκομιδή, περιφορά τοῦ δίσκου, εἴσπραξις τοῦ δίσκου.

off-hand /ˈof ˋhænd/ *ἐπ*. **1**. αὐτοσχέδιος, πρόχειρος: *an* ~ *speech*, αὐτοσχέδιος λόγος. **2**. ἀπότομος, κοφτός: *in an* ~ *way*, μέ κοφτό τρόπο. —*ἐπίρ*. ἐκ τοῦ προχείρου: *I can't say* ~, δέν μπορῶ νά πῶ πρόχειρα. **~·ed·(ly)** *ἐπ*. πρόχειρος (*ἐπίρ*. πρόχειρα).

of·fice /ˋofɪs/ *οὐσ*. ‹C› **1**. γραφεῖον: *a lawyer's* ~, δικηγορικό γραφεῖο. *work in an* ~, δουλεύω σέ γραφεῖο. *head* ~*s*, κεντρικά γραφεῖα. *a ˋbranch* ~, παράρτημα, ὑποκατάστημα. **ˋ~-block**, μέγαρο μέ γραφεῖα. **ˋ~-boy**, κλητήρας γραφείου. **2**. ὑπουργεῖον: *the Foreign O*~, τό Ὑπουργεῖον Ἐξωτερικῶν. **3**. ἀρχή, ἐξουσία, κυβέρνησις: *The Liberals have been out of* ~ *for a long time*, οἱ Φιλελεύθεροι εἶναι μακρυά ἀπό τήν ἐξουσία πολύ καιρό. ***come into/take*** ~, ἀναλαμβάνω τήν ἀρχή. ***continue in*** ~, παραμένω στήν ἀρχή. **4**. ἀξίωμα, λειτούργημα: *enter upon/accept* ~, ἀναλαμβάνω ἀξίωμα/θέση. *leave/resign* ~, ἐγκαταλείπω/παραιτοῦμαι ἀπό μιά θέση. **ˋ~-bearer**, ἀξιωματοῦχος. **5**. καθῆκον: *the* ~ *of host/chairman*, τά καθήκοντα τοῦ οἰκοδεσπότη/τοῦ προέδρου. **6**. (*συνήθ. πληθ*.) ὑπηρεσίες, βοήθεια: *offer one's good* ~*s*, προσφέρω τίς καλές μου ὑπηρεσίες. *do sb a good/bad* ~, προσφέρω καλή/κακή ὑπηρεσία σέ κπ. *perform the last* ~*s for sb*, ἐκτελῶ τά τελευταῖα καθήκοντα πρός κπ (νεκρόν). **7**. λειτουργία, ἀκολουθία. **8**. (*πληθ*.) βοηθητικοί χῶροι (σέ σπίτι).

of·fi·cer /ˋofɪsə(r)/ *οὐσ*. ‹C› **1**. ἀξιωματικός: *high-ranking* ~*s*, ἀνώτατοι ἀξιωματικοί. **2**. ἀξιωματοῦχος, ὑπάλληλος: *a ˋcustoms* ~, τελωνειακός ὑπάλληλος. **3**. (*τρόπος προσαγορεύσεως ἀστυνομικοῦ*): *Excuse me,* ~*, could you tell me*..., μέ συγχωρεῖτε, κ. ἀστυφύλακα, μπορεῖτε νά μοῦ πεῖτε...

of·fi·cial /əˋfɪʃl/ *ἐπ*. ἐπίσημος: ~ *records*, ἐπίσημα ἀρχεῖα. *The news is not* ~, τά νέα δέν εἶναι ἐπίσημα. *in his* ~ *uniform/capacity*, μέ τήν ἐπίσημη στολή του/ὑπό τήν ἐπίσημη ἰδιότητά του. —*οὐσ*. ‹C› ὑπάλληλος: *government* ~*s*, δημόσιοι ὑπάλληλοι. *Bank/Post Office* ~*s*, τραπεζιτικοί/ταχυδρομικοί ὑπάλληλοι. **~ly** *ἐπίρ*. ἐπισήμως. **~·dom** /-dəm/ *οὐσ*. ‹U› ὑπαλληλοκρατία, γραφειοκρατία, (*συλλογ*.) οἱ ὑπάλληλοι.

of·fi·cial·ese /əˈfɪʃlˋiz/ *οὐσ*. ‹U› (*καθομ*.) ἡ γλῶσσα τῆς γραφειοκρατίας, ὑπηρεσιακή φρασεολογία.

of·fici·ate /əˋfɪʃɪeɪt/ *ρ.ἀ*. **1**. ἐκτελῶ χρέη/ καθήκοντα: ~ *as host at a dinner party*, ἐκτελῶ χρέη οἰκοδεσπότου σ' ἕνα γεῦμα. ~ *as chairman*, ἐκτελῶ καθήκοντα προέδρου. **2**. ἱερουργῶ: ~ *at a wedding*, ἱερουργῶ σέ γάμο. *the Rev. X. officiating*, χοροστατοῦντος τοῦ αἰδεσιμωτάτου Χ.

of·fi·cious /əˋfɪʃəs/ *ἐπ*. πού ἐπιδεικνύει ὑπερβολικό ζῆλο ἤ προθυμία, πού θέλει νά δείχνη ὅτι ἔχει ἐξουσία, αὐταρχικός: *an* ~ *bureaucrat*, ἕνας τυραννίσκος γραφειοκράτης. **~·ly** *ἐπίρ*. **~·ness** *οὐσ*. ‹U› ὑπερβολικός ζῆλος.

off·ing /ˋofɪŋ/ *οὐσ*. ***in the*** ~ **1**. (*γιά πλοῖο*) στό βάθος, πού μόλις ἀρχίζει νά φαίνεται: *a steamer in the* ~, ἀτμόπλοιο στό βάθος/στ' ἀνοιχτά. **2**. (*μεταφ*.) ἐν τῇ γενέσει: *a quarrel in the* ~, φιλονικία ἐν τῇ γενέσει της. *Is there anything in the* ~*?* ἑτοιμάζεται τίποτα;

off·ish /ˋofɪʃ/ *ἐπ*. (*καθομ*.) ἀκατάδεκτος, ἐπιφυλακτικός, ψυχρός.

off-licence /ˋof laɪsns/ *οὐσ*. ‹C› *βλ. licence*.

off-print /ˋof prɪnt/ *οὐσ*. ‹C› ἀνάτυπον.

off-put·ting /ˈof ˋpʊtɪŋ/ *ἐπ*. (*καθομ*.) ἀπωθητικός.

off-scour·ings /ˋof skaʊərɪŋz/ *οὐσ. πληθ*. ἀπορρίμματα, κατακάθια: *the* ~ *of humanity/ society*, τά κατακάθια τῆς κοινωνίας.

off·set /ˋofset/ *ρ.μ*. *(-tt-)* ἀντισταθμίζω. —*οὐσ*. **1**. ‹U› (*τυπογρ*.) ὄφσετ. **2**. ‹C› *βλ. offshoot*.

off·shoot /ˋofʃut/ *οὐσ*. ‹C› παρακλάδι, παραφυάς, βλαστός: *the* ~ *of a tree/family*.

off-shore /ˈof ˋʃɔ(r)/ *ἐπ*. **1**. ἀπό τήν ξηρά πρός τή θάλασσα: *an* ~ *breeze*, ἀπόγειος αὔρα. **2**. σέ μικρή ἀπόσταση ἀπό τήν ἀκτή: ~ *islands*, παράκτιοι νῆσοι.

off·side /ofˋsaɪd/ *ἐπ*. & *ἐπίρ*. (*ποδόσφ*.) ὀφσάϊντ.

off·spring /ˋofsprɪŋ/ *οὐσ*. ‹C› (*ἀμετάβλ. εἰς πληθ*.) **1**. ἀπόγονος, βλαστός: *He is the* ~ *of a scientific genius and a ballet dancer*, εἶναι βλαστός μιᾶς ἐπιστημονικῆς μεγαλοφυΐας καί μιᾶς μπαλλαρίνας. **2**. (*συλλογ.*) οἱ ἀπόγονοι: *Their ~ are slightly mad*, οἱ ἀπόγονοί τους εἶναι ἐλαφρῶς βλαμμένοι.

off-street /ˋofstrit/ *ἐπ.* σέ/ἀπό πλαϊνό δρόμο: *~ parking*, παρκάρισμα σέ πλαϊνό (ὄχι στόν κύριο) δρόμο. *~ (un)loading*, (ἐκ)φόρτωσις ἀπό (εἴσοδο σέ) πλαϊνό δρόμο.

off-white /ˈof ˋwaɪt/ *ἐπ.* ξεθωριασμένος, κιτρινιασμένος: *~ paper*.

oft /oft/ *ἐπίρ.* (*ποιητ.*) συχνά, πολλάκις.

of·ten /ˋofn/ *ἐπίρ.* *συχνότητος* (*χάριν ἐμφάσεως, ἤ ὅταν προσδιορίζεται ἀπό very ἤ quite, τίθεται στήν ἀρχή ἤ στό τέλος τῆς προτάσεως*) συχνά: *We ~ go there*, πᾶμε συχνά ἐκεῖ. *He is ~ wrong*, κάνει συχνά λάθος. *We go there quite ~*, πᾶμε ἐκεῖ πολύ συχνά. ***as ~ as***, κάθε φορά πού: *As ~ as I tried to meet him, he was out*, κάθε φορά πού δοκίμασα νά τόν δῶ, ἔλειπε. ***as ~ as not; more ~ than not***, συχνότατα, τίς περισσότερες φορές: *He's drunk as ~ as not*, τίς περισσότερες φορές εἶναι μεθυσμένος. ***every so ~***, ἀπό καιρό σέ καιρό. ***how ~***, κάθε πόσο. *(do sth)* ***once too ~***, τό παρακάνω σέ κτ (καί τήν παθαίνω).

ogle /ˋəʊgl/ *ρ.μ/ἀ.* *~ (at)*, γλυκοκοιτάζω, κάνω τά γλυκά μάτια, κοιτάζω ξελιγωμένα: *He's ogling all the pretty girls*, γλυκοκοιτάζει ὅλα τά ὄμορφα κορίτσια.

ogre /ˋəʊgə(r)/ *οὐσ.* ‹C› (*στά παραμύθια*) δράκος. **ogress** /ˋəʊgres/ *οὐσ.* ‹C› δράκαινα. **ogre·ish** /-ɪʃ/ *ἐπ.* σά δράκος, ἄγριος.

oh /əʊ/ *ἐπιφ.* *φόβου, ἐκπλήξεως, πόνου:* ὤ!

ohm /əʊm/ *οὐσ.* ‹C› (*ἠλεκτρ.*) ὤμ.

oho /əʊˋhəʊ/ *ἐπιφ.* *ἐκπλήξεως ἤ θριάμβου:* ὠχώ!

oil /ɔɪl/ *οὐσ.* ‹U› **1**. λάδι, πετρέλαιο: *ˈolive-ˋ~*, ἐλαιόλαδο. *ˈcod-liver ˋ~*, μουρουνέλαιο. *seed ~*, σπορέλαιο. ***paint in ~s***, ζωγραφίζω μέ λαδομπογιές. ***pour ~ on the flame(s)***, ρίχνω λάδι στή φωτιά. ***pour ~ on troubled waters***, κατευνάζω τά πνεύματα, σβήνω τή φωτιά. ***burn the midnight ~***, μυρίζω λάδι, φέρω τά σημάδια νυχτερινῆς μελέτης. ***strike ~***, ἀνακαλύπτω πετρέλαιο. **2**. (*σέ σύνθ. λέξεις*): **ˋ~-bearing** *ἐπ.* πετρελαιοφόρος (περιοχή, κοίτασμα, κλπ). **ˋ~-burner**, μηχανή πού καίει ἤ κινεῖται μέ πετρέλαιο. **ˋ~-cake**, ἐλαιόπιττα (*τροφή γιά τά ζῶα*). **ˋ~-can**, λαδικό, λαδωτῆρι. **ˋ~-cloth**, λαδόπανο, μουσαμᾶς. **ˋ~-colours**, λαδομπογιές. **ˋ~-field**, πετρελαιοφόρος περιοχή, πετρελαιοπηγή. **ˋ~-lamp**, λυχνάρι, λάμπα πετρελαίου. **ˋ~-painting**, ἐλαιογραφία. **ˋ~-palm**, ἐλαιοφοῖνιξ. **ˋ~-paper**, λαδόχαρτο, διαφανής χάρτης. **ˋ~-press**, λιοτρίβι. **ˋ~-skin**, μουσαμᾶς (ἐπίχρισμα γιά ροῦχα). **ˋ~-tanker**, δεξαμενόπλοιο, πετρελαιοφόρο. **ˋ~-well**, φρέαρ πετρελαίου. __*ρ.μ.* λαδώνω: *~ an engine/a lock*, λαδώνω μιά μηχανή/μιά κλειδαριά. ***~ sb's palm***, (*μεταφ.*) λαδώνω κπ, τόν δωροδοκῶ. **~ed** *ἐπ.* (*καθομ., συνήθ. well-~ed*) μεθυσμένος.

oiler /ˋɔɪlə(r)/ *οὐσ.* ‹C› **1**. πετρελαιοφόρο πλοῖο. **2**. λιπαντήρ (μηχανῶν).

oily /ˋɔɪlɪ/ *ἐπ.* *(-ier, -iest)* **1**. λαδερός, λιπαρός. **2**. λαδωμένος (πχ χέρια). **3**. (*γιά τρόπους, φωνή, κλπ*) γλοιώδης, γλυκανάλατος.

oint·ment /ˋɔɪntmənt/ *οὐσ.* ‹C,U› ἀλοιφή.

okay /ˈəʊˋkeɪ/ *ἐπ.* & *ἐπίρ.* (*συγκεκ.* **OK**) ἐν τάξει. __*ρ.μ.* (*καθομ.*) ἐγκρίνω. __*οὐσ.* ἔγκρισις: *give one's OK*, δίνω τήν ἔγκρισή μου.

okra /ˋəʊkrə/ *οὐσ.* ‹U› (*φυτ.*) μπάμια.

old /əʊld/ *ἐπ.* *(-er, -est)* (*βλ.* & *λ. elder, eldest*) **1**. ἡλικίας: *How ~ are you?* πόσων χρονῶν εἶσαι; *I'm thirty years ~*, εἶμαι τριάντα χρονῶν. *a ten-year-~ boy*, ἕνα δεκάχρονο παιδί. *At twenty years ~ he left home*, στήν ἡλικία τῶν εἴκοσι ἔφυγε ἀπό τό σπίτι. **2**. ἡλικιωμένος, μεγάλος, γέρος (*ἀντίθ. young*): *One is never too ~ to learn*, κανένας δέν εἶναι πολύ μεγάλος γιά νά μάθη. *get/grow ~*, μεγαλώνω/γερνάω. **the ~**, οἱ γέροι. ***~ and young; young and ~***, μικροί καί μεγάλοι, ὅλοι. **~ age**, γηρατειά, γεράματα: *~ age pensions*, συντάξεις γήρατος. ***the ~ man***, ὁ γέρος (= ὁ πατέρας, ὁ σύζυγος, ὁ καπετάνιος). ***the ~ woman***, ἡ γρηά (= ἡ σύζυγος). **ˈ~-ˋwomanish** *ἐπ.* (*γιά ἄντρες*) γρηΐστικος, γεροντίστικος. ***an ~ maid***, γεροντοκόρη. **ˈ~-ˋmaidish** *ἐπ.* γεροντοκορίστικος, στριμμένος, γκρινιάρης. **3**. παλαιός, παληός (*ἀντίθ. new, modern*): *~ houses/clothes*, παληά σπίτια/ροῦχα. ***~ hat***, (*καθομ.*) παληᾶς μόδας, ξεπερασμένος. ***one of the ~ school***, ἄνθρωπος τῆς παληᾶς σχολῆς. ***the Old World***, ὁ παλαιός κόσμος (Εὐρώπη, Ἀσία καί Ἀφρική). **ˈ~-ˋfashioned** *ἐπ.* ντεμοντέ, συντηρητικός, ἐπιτιμητικός: *~-fashioned dresses/ideas/glances*, ντεμοντέ φορέματα/συντηρητικές ἰδέες/ἐπιτιμητικές ματιές. **ˈ~-ˋfog(e)yish** *ἐπ.* (*γιά ἄνθρ.*) μέ σκουριασμένες ἀντιλήψεις, ὀπισθοδρομικός. **ˋ~-time** *ἐπ.* τοῦ παληοῦ καιροῦ: *~-time dances/songs*, χοροί/τραγούδια τοῦ παληοῦ καιροῦ. **ˋ~-world** *ἐπ.* παλαιϊκός, τῆς παληᾶς ἐποχῆς: *an ~-world cottage*, βίλλα τῆς παληᾶς ἐποχῆς. **4**. παληός, μακροχρόνιος: *~ friends*, παληοί φίλοι. **ˋ~ boy**, παληός μαθητής. *ˋO ~ Boys Day*, ἡ Ἡμέρα τῶν Παλαιῶν Μαθητῶν. **5**. παληός, πεπειραμένος: *He's ~ in diplomacy*, ἔχει πεῖρα στή διπλωματία. *the ~ guard*, ἡ παληά φρουρά. ***an ~ hand at sth***, ἔμπειρος, παληά καραβάνα σέ κτ. ***be an ˈ~-ˋtimer***, εἶμαι ἀπό τούς παληούς (μιᾶς συνοικίας, λέσχης, κλπ). ***come the ~ soldier (over sb)***, παριστάνω τόν παλαίμαχο σέ κπ. **6**. (*καθομ.*) (*σέ προσφώνηση, ἤ μέ κύρια ὀνόματα δίνει ἕναν τόνο οἰκειότητος*): *Listen, ~ man*, ἄκουσέ με, φίλε! *Good ~ John!* Ὁ καλός μας ὁ Γ.! *Hullo, ~ thing!* γειά σου, φιλαράκο! ***the ~ one; the ~ gentleman; ~ Harry/Nick/scratch***, ὁ διάβολος. **7**. (*λαϊκ.*) (*ὡς ἐπιτατικόν μόριον*): *We had a high ~ time*, περάσαμε πάρα πολύ καλά. *Give me any ~ thing*, δῶσε μου ὅ, τι τύχει, ὁτιδήποτε. __*οὐσ.* ‹U› παρελθόν: *in days of ~*, τόν παληό καιρό. *the men of ~*, οἱ ἄνθρωποι τοῦ παρελθόντος, οἱ παλαιϊκοί. **ˋold·ish** /-ɪʃ/ *ἐπ.* μᾶλλον ἡλικιωμένος.

olden /ˋəʊldn/ *ἐπ.* (*λογοτ. ἤ ἀπηρχ.*) περασμένος: *in ~ days/times*, σέ περασμένες ἐποχές.

old·ster /ˋəʊldstə(r)/ *οὐσ.* ‹C› (*ὡς ἀντίθ. τοῦ youngster*) μεγάλος: *Some of us ~s have more energy than the youngsters*, μερικοί ἀπό μᾶς τούς μεγάλους ἔχουν περισσότερη ζωντάνια ἀπό τούς νεαρούς.

ole·agi·nous /ˈəʊlɪˋædʒɪnəs/ *ἐπ.* ἐλαιώδης, λιπαρός.
olean·der /ˈəʊlɪˋændə(r)/ *οὐσ.* ‹C› ροδοδάφνη, πικροδάφνη.
ol·fac·tory /olˋfæktərɪ/ *ἐπ.* ὀσφρητικός: *the ~ nerves*, τά νεῦρα τῆς ὀσφρήσεως.
oli·garchy /ˋolɪgakɪ/ *οὐσ.* ‹C,U› ὀλιγαρχία.
ol·ive /ˋolɪv/ *οὐσ.* ‹C› ἐληά (*ὁ καρπός καί τό δέντρο*). ***hold out the ˋ~-branch***, κρατῶ κλάδον ἐλαίας, εἶμαι ἕτοιμος νά συζητήσω τήν σύναψιν εἰρήνης. —*ἐπ.* λαδί (χρῶμα).
Olym·piad /əˋlɪmpɪæd/ *οὐσ.* Ὀλυμπιάδα.
Olym·pian /əˋlɪmpɪən/ *ἐπ.* ὀλύμπιος: *~ calm*, ὀλύμπια γαλήνη.
Olym·pic /əˋlɪmpɪk/ *ἐπ.* ὀλυμπιακός. **the ~ Games**, οἱ Ὀλυμπιακοί Ἀγῶνες.
om·buds·man /ˋombʊdzmæn/ *οὐσ.* ‹C› Ἐπίτροπος Διοικήσεως.
om·elet, -ette /ˋomlət/ *οὐσ.* ‹C› ὀμελέττα: *sweet ~*, ὀμελέττα μέ μαρμελάδα.
omen /ˋəʊmen/ *οὐσ.* ‹C,U› οἰωνός: *a good/bad ~*, καλός/κακός οἰωνός. *an ~ of success*, σημάδι ἐπιτυχίας.
om·in·ous /ˋomɪnəs/ *ἐπ.* δυσοίωνος: *an ~ silence*, μιά σιωπή πού δέν προμηνάει τίποτα καλό. **~·ly** *ἐπίρ.* δυσοίωνα.
omis·sion /əˋmɪʃn/ *οὐσ.* ‹C,U› παράλειψις: *an unpardonable ~*, ἀσυγχώρητη παράλειψις.
omit /əˋmɪt/ *ρ.μ.* (*-tt-*) ***~ to do/doing sth***, παραλείπω: *I ~ted to write to him*, παρέλειψα νά τοῦ γράψω. *We may ~ this chapter*, μποροῦμε νά παραλείψωμε αὐτό τό κεφάλαιο.
om·ni·bus /ˋomnɪbəs/ *οὐσ.* ‹C› (*ἀπηρχ.*) ἅμαξα, λεωφορεῖον. —*ἐπ.* περιλαμβάνων πολλά: *an ~ volume/Bill*, τόμος μέ ἀνάλεκτα/Νομοσχέδιο μέ διατάξεις ποικίλου περιεχομένου.
om·nip·otence /omˋnɪpətəns/ *οὐσ.* ‹U› παντοδυναμία: *the ~ of God*. **om·nip·otent** /-ənt/ *ἐπ.* παντοδύναμος. *the Omnipotent*, ὁ Παντοδύναμος, ὁ Θεός.
om·niscience /omˋnɪʃns/ *οὐσ.* ‹U› παντογνωσία: *the ~ of God*. **om·niscient** /-ʃnt/ *ἐπ.* παντογνώστης.
om·niv·or·ous /omˋnɪvərəs/ *ἐπ.* παμφάγος: *an ~ reader*.
¹**on** /on/ *ἐπίρ.* **1**. (*δηλοῖ συνέχισιν μιᾶς πράξεως*): *The war went ~ for five years*, ὁ πόλεμος συνεχίστηκε πέντε χρόνια. *He worked ~ until it was dark*, συνέχισε νά δουλεύη ὥσπου νύχτωσε. *O~ with the show!* ν' ἀρχίση (ἤ νά συνεχιστῆ) ἡ παράσταση! *I'll follow ~*, θ' ἀκολουθήσω, θά ἔλθω ἀπό κοντά. *well ~ in years*, προχωρημένος στά χρόνια, στήν ἡλικία. ***and so ~***, καί οὕτω καθεξῆς. ***later ~***, ἀργότερα, πιό ὕστερα. ***~ and ~***, συνέχεια, ἀσταμάτητα: *They walked ~ and ~*, συνέχισαν τό δρόμο τους χωρίς διακοπή, (*στά παραμύθια*) δρόμο παίρνουν, δρόμο ἀφήνουν. **2**. (*ἐν λειτουργίᾳ*): *Don't leave the lights/the tap ~*, μήν ἀφήσης τά φῶτα ἀναμμένα/τή βρύση ἀνοιχτή! *Is the handbrake ~?* ἔχεις βάλει χειρόφρενο; *Is the radio ~ or off?* εἶναι τό ραδιόφωνο ἀνοιχτό ἤ κλειστό; *The strike is still ~*, ἡ ἀπεργία συνεχίζεται ἀκόμη. **3**. (*φορεμένο*): *He had nothing ~*, δέν φοροῦσε τίποτα. *O~ with your coat!* φόρεσε τό παλτό σου! **4**. πρός: *end ~*, μέ τήν οὐρά μπροστά. **5**. ***What's ~?*** τί συμβαίνει; (*γιά θέατρο, σινεμά, κλπ*) τί παίζει; ***have ~***, ἔχω κανονίσει: *Have you anything ~ this evening?* ἔχεις κανονίσει τίποτα γι' ἀπόψε;
²**on** /on/ *πρόθ.* **1**. (*τοπική*) ἐπάνω, εἰς: *There's a clock ~ the wall*, ὑπάρχει ἕνα ρολόϊ στόν τοῖχο. *Have you any money ~ you?* ἔχεις χρήματα ἐπάνω σου; *continued ~ page 30*, ἡ συνέχεια στή σελ. 30. *have a ring ~ one's finger*, ἔχω ἕνα δαχτυλίδι στό δάχτυλό μου. *live ~ the Continent* (*πρβλ. in Europe*), ζῶ στήν Εὐρώπη. **2**. (*χρονική*) εἰς, μέ, κατά, ἐπί: *~ Sunday*, τήν Κυριακή. *~ the 10th of March*, στίς δέκα Μαρτίου. *~ this occasion*, σ' αὐτή τήν περίσταση. *~ a cold day in October*, μιά κρύα ἡμέρα τοῦ Ὀκτώβρη. *~ his father's death*, μέ τό θάνατο τοῦ πατέρα του. *~ my arrival*, ἐπί τῇ ἀφίξει μου. *~ time/~ the minute*, ἀκριβῶς στήν ὥρα/στό λεπτό. **3**. (*δηλοῖ σχέσιν, θέμα*) περί, ἐπί: *speak ~ abstract art*, ὁμιλῶ περί ἀφηρημένης τέχνης. *lecture ~ international affairs*, κάνω διάλεξη ἐπί τῶν διεθνῶν ὑποθέσεων. **4**. (*δηλοῖ συμμετοχήν*) εἰς: *He's ~ the committee*, εἶναι μέλος τῆς ἐπιτροπῆς, εἶναι στήν ἐπιτροπή. *He's ~ the staff of a magazine*, εἶναι μέλος τοῦ προσωπικοῦ ἑνός περιοδικοῦ. **5**. (*δηλοῖ κατεύθυνσιν*) πρός, ἐναντίον: *He turned his back ~ me*, μοῦ γύρισε τά νῶτα. *smile ~ sb*, χαμογελῶ σέ κπ. *They marched ~ the enemy's capital*, ἐβάδισαν ἐναντίον τῆς πρωτευούσης τοῦ ἐχθροῦ. *draw a knife ~ sb*, τραβῶ μαχαίρι ἐναντίον κάποιου. **6**. (*δηλοῖ αἰτίαν, λόγον, αἰτιολόγησιν*) ἐπί, εἰς, μέ, ἀπό: *based ~ fact*, βασιζόμενος ἐπί γεγονότων. *~ penalty of death*, ἐπί ποινῇ θανάτου. *I have it ~ good authority*, τὄχω ἀπό καλή πηγή. *act ~ sb's advice*, ἐνεργῶ σύμφωνα μέ τή συμβουλή κάποιου. *~ my honour*, στήν τιμή μου. *~ no account*, κατά κανένα τρόπο. *~ a charge of theft*, μέ τήν κατηγορία κλοπῆς. **7**. (*δηλοῖ ἐπιβολήν*) ἐπί: *a tax ~ tobacco*, φόρος ἐπί τοῦ καπνοῦ. *interest ~ money*, τόκος ἐπί τῶν χρημάτων. **8**. (*δηλοῖ ἐγγύτητα*) ἐπί, εἰς, κοντά εἰς: *Henley-~-Thames*, τό Χένλι παρά τόν Τάμεσι. *a town ~ the coast*, πόλις κοντά στήν ἀκτή. *a village ~ the frontier*, χωριό στά σύνορα. *just ~ ten o'clock*, κοντά στίς δέκα ἡ ὥρα. *just ~ a year ago*, σχεδόν πρίν ἀπό ἕνα χρόνο. **9**. (*δηλοῖ διαδοχή*) ἐπί: *disaster ~ disaster*, καταστροφή στήν καταστροφή. *failure ~ failure*, ἡ μία ἀποτυχία κατόπιν τῆς ἄλλης. **10**. (*δηλοῖ τρόπον, κατάστασιν, ἐνέργειαν*) εἰς: *~ the sly*, στά κρυφά. *~ holiday*, σέ διακοπές. *~ fire*, καιόμενος. *~ an errand/mission*, σέ θέλημα/ἀποστολή. *buy sth ~ the cheap*, ἀγοράζω κτ στή φτήνεια. *~ business*, γιά δουλειές.
once /wʌns/ *ἐπίρ.* **1**. (*συνήθ. στό τέλος τῆς προτάσεως*) ἅπαξ, μιά φορά: *We go to the theatre ~ a month*, πηγαίνομε θέατρο μιά φορά τό μῆνα. ***~ more***, ἄλλη μιά φορά. ***~ or twice, ~ and again, ~ in a while***, πότε-πότε, κάπου-κάπου, σποραδικά. ***(for) this ~; (just) for ~***, αὐτή τή συγκεκριμένη φορά, κατ' ἐξαίρεσιν: *For ~ he was telling the truth*, αὐτή τή συγκεκριμένη φορά ἔλεγε τήν ἀλήθεια. *You may use my car this ~*, μπορεῖς νά χρησιμοποιήσης τό αὐτοκίνητό μου κατ'

ἐξαίρεσιν αὐτή τή φορά. (*βλ.* & *λ. all, moon*). **2**. (*συνήθ. στό μέσον τῆς προτάσεως*) κάποτε, ἄλλοτε, παληότερα: *This song was ~ very popular*, αὐτό τό τραγούδι ἦταν κάποτε μεγάλη ἐπιτυχία. *I ~ met him in Paris*, τόν συνάντησα κάποτε στό Παρίσι. *There ~ lived a king who...*, ζοῦσε ἄλλοτε (παληά) ἕνας βασιλῆας πού... *O~ upon a time*, μιά φορά κι' ἕναν καιρό. **3**. (*σέ ἀρνητικές προτάσεις*) οὔτε μιά φορά: *He never ~ offered to help*, οὔτε μιά φορά δέν προσεφέρθη νά βοηθήση. **4**. **at ~**, *(α)* ἀμέσως: *Come here at ~!* ἔλα δῶ ἀμέσως! *(β)* ταυτοχρόνως: *Don't all speak at ~*, μή μιλᾶτε ὅλοι ταυτοχρόνως, ὅλοι μαζί. **all at ~**, ἐντελῶς ξαφνικά, σέ μιά στιγμή. **give sb/sth the \`~-over**, (*καθομ.*) ἐξετάζω κπ/κτ στά γρήγορα. —*σύνδ.* ἅπαξ καί, εὐθύς ὡς, μόλις: *O~ I've made up my mind nothing will make me change it*, ἅπαξ καί ἀποφασίσω τίποτα δέν μπορεῖ νά μέ κάμη ν' ἀλλάξω γνώμη. *O~ you understand this rule, you'll have no further difficulty*, μόλις καταλάβετε αὐτόν τόν κανόνα δέν θά ἔχετε ἄλλες δυσκολίες.

on·com·ing /ˈonkʌmıŋ/ *ἐπ.* ἐπερχόμενος, προσεγγίζων: *the ~ war*, ὁ ἐπερχόμενος πόλεμος. —*οὐσ.* ‹U› ἐρχομός, προσέγγισις: *the ~ of winter*, ὁ ἐρχομός τοῦ χειμῶνα.

[1]**one** /wʌn/ *ἀριθμ. ἐπ.* & *ἀντων.* ἕνας, μία, ἕνα, *(α) ἀριθμητικῶς: ~ chair*, μιά καρέκλα. *'twenty-\`~*, εἴκοσι ἕνα. *~ hundred/thousand/million*, ἑκατό/χίλια/ἕνα ἑκατομμύριο. *a hundred and ~*, ἑκατόν ἕνα. *The Thousand and O~ Nights*, οἱ Χίλιες Μία Νύχτες. *~ and a half millions/years* (*μᾶλλον ἀπηρχ.–προτιμητέον: a million and a half, a year and a half*) ἑνάμισυ ἑκατομμύριο/ἑνάμισυ χρόνος. *Book/Chapter O~*, Βιβλίο πρῶτο/κεφάλαιο πρῶτο. *four ~s in a row*, τέσσεροι ἄσσοι στή σειρά. *~ day/night/morning/afternoon/evening*, μιά μέρα/μιά νύχτα/ἕνα πρωΐ/ἕνα ἀπόγευμα/ἕνα βράδυ. (*Σημειωτέον ὅτι ἄν ὑπάρχη ἡ πρόθεσις on χρησιμοποιοῦμεν a ἀντί ~. πρβλ: ~ summer morning*, καί: *on a summer morning*). *(β)* (*σέ ἀντιδιαστολή μέ the other, another*): *They are so much alike that it is difficult to tell (the) ~ from the other*, μοιάζουν τόσο πολύ πού εἶναι δύσκολο νά ξεχωρίσης τό ἕνα ἀπό τό ἄλλο. *(γ)* (*ἐμφατικῶς μέ ἰσχυρόν τόνον*): *There's only \`~ way to do it*, ὑπάρχει μόνον ἕνας τρόπος νά τό κάμη κανείς. **~ and only**, μοναδικός: *My ~ and only daughter/hope*, ἡ μονάκριβή μου κόρη/ἡ μοναδική μου ἐλπίδα. **for ~**, τουλάχιστον, ἐν πάση περιπτώσει: *I, for ~, don't believe it*, ἐγώ τουλάχιστον δέν τό πιστεύω. **for ~ thing**, ἐν πρώτοις, κατά πρῶτον λόγον: *I can't help you; for ~ thing, I have no money*, δέν μπορῶ νά σέ βοηθήσω, ἐν πρώτοις δέν ἔχω χρήματα. **as ~ man**, σάν ἕνας ἄνθρωπος, ἐν σώματι, ὁμαδικῶς: *They resigned as one man*, παρῃτήθησαν ἐν σώματι. *(δ)* ἕνας κάποιος: *I heard it from ~ Smith*, τό ἄκουσα ἀπό ἕναν κάποιο Σμίθ. (*Μᾶλλον πεπαλ.–ἐν χρήσει: a Mr Smith*). *(ε)* ἴδιος, σύμφωνος: *They all went off in ~ direction*, ἔφυγαν ὅλοι πρός τήν ἴδια κατεύθυνση. **be at ~ (with sb)**, εἶμαι σύμφωνος μέ κπ: *I am at ~ with you*, εἶμαι τῆς γνώμης σου. *We are at ~ on this subject*, εἴμαστε σύμφωνοι (ἔχομε τήν ἴδια γνώμη) σ' αὐτό τό θέμα. **It's all ~ to me/him, etc**, τό ἴδιο μοῦ (τοῦ, κλπ) κάνει: *It's all ~ to me whether you stay or go*, τό ἴδιο μοῦ κάνει εἴτε μείνης εἴτε φύγης. **~ and the same**, ὁ ἴδιος ἀκριβῶς: *O~ and the same idea occurred to all of us*, εἴχαμε ὅλοι τήν ἴδια ἀκριβῶς ἰδέα. *become/be made ~*, γίνομαι ἕνα, ἑνώνομαι. *(στ') σέ φράσεις:* **~ and all**, καθένας, οἱ πάντες: *They were drunk ~ and all*, ἦταν ὅλοι μεθυσμένοι. **~ or two**, κανά δυό: *I'll be away for ~ or two days*, θά λείψω κανά δυό μέρες. **~ by ~**, ἕνας-ἕνας. **in/by ~s and twos**, λίγοι-λίγοι, ἕνας-ἕνας δυό-δυό: *They began to leave by ~s and twos*, ἄρχισαν νά φεύγουν λίγοι-λίγοι. **be ~ up (on sb)**, πλεονεκτῶ ἔναντι κάποιου. **number ~**, (*καθομ.*) ὁ ἑαυτός μου, τό συμφέρον μου: *He's always thinking of number ~*, σκέφτεται διαρκῶς τόν ἑαυτό του/τό συμφέρον του. *(ζ)* (*σέ σύνθ. λέξεις*): **'~-\`armed** *ἐπ.* μονόχειρ. **'~-armed \`bandit**, μονόχειρ ληστής (αὐτόματη μηχανή παιχνιδιοῦ). **'~-\`eyed** *ἐπ.* μονόφθαλμος. **'~-\`horse** *ἐπ.* μόνιππος, (*μεταφ.*) ἀσήμαντος, χωρίς ἐνδιαφέρον: *a ~-horse town*, ἀσήμαντη ἐπαρχιακή πολιτειούλα. **'~-\`legged** *ἐπ.* κουτσός, μέ ἕνα πόδι. **'~-\`piece** *ἐπ.* μονοκόμματος. **'~-\`sided** *ἐπ.* μονόπλευρος, μεροληπτικός. **'~-\`time** *ἐπ.* τέως, πρώην, παλαιός: *a ~-time politician*, πρώην πολιτικός. **'~-\`track** *κατηγ. ἐπ.* μονοκόμματος: *a ~-track mind*, μονοκόμματο μυαλό. **'~-\`way** *ἐπ.* μονόδρομος: *a ~-way street*, δρόμος μονῆς κατευθύνσεως.

[2]**one** /wʌn/ *ἀόρ. ἀντων.* **1**. (*Χρησιμοποιεῖται κυρίως μετά τά ἄρθρα ἤ μετά ἀπό ἔναρθρο ἐπίθετο, ἤ τά ἐπίθετα which, this, that, γιά νά ἀντικαταστήση ἕνα οὐσιαστικό πού ἔχει ἤδη ἀναφερθῆ. Δέν χρησιμοποιεῖται μετά ἀπό κτητικά ἐπίθετα, μετά ἀπό οὐσιαστικό στή γενική κτητική –ἐκτός ἄν ὑπάρχη καί ἐπίθετο– καί μετά ἀπό τό ἐπίθετο own. Στά Ἑλληνικά μένει κατά κανόνα ἀμετάφραστος*): *This problem is ~ of great difficulty*, αὐτό τό πρόβλημα παρουσιάζει μεγάλες δυσκολίες (εἶναι πολύ δύσκολο). *Here's a red pencil and a green ~*, νά ἕνα κόκκινο μολύβι, κι' ἕνα πράσινο. *There were two new books and some old ~s*, ὑπῆρχαν δυό καινούργια βιβλία καί μερικά παληά. *Here are some English books. Which ~(s) do you want?* νά μερικά Ἀγγλικά βιβλία. ποιό (ποιά) θέλεις; **this/that ~**, αὐτό/ἐκεῖνο: *This (~) is better than that (~)*, αὐτό εἶναι καλύτερο ἀπό κεῖνο. (*Μέ τούς πληθ. these καί those συνήθως δέν χρησιμοποιοῦμε ~s, ἐκτός ἄν ἀκολουθῆ ἐπίθετο. These are better than those– ὄχι these ~s are better than those ~s. Ἀλλά: Will you have these green ~s or those red ~s? τό ἴδιο συμβαίνει καί μέ οὐσιαστικό στή γενική κτητική: John's essay is better than Peter's– ὄχι Peter's ~, Ἀλλά: John's old suit looks as smart as Peter's new ~*). **the ~/the ~s**, αὐτό, ἐκεῖνο/αὐτά, ἐκεῖνα (πού): *the ~ I have in my right hand*, αὐτό πού ἔχω στό δεξί μου χέρι. *the ~ in the corner*, ἐκεῖνο (πού εἶναι) στή γωνία. *the ~s you showed me yesterday*, ἐκεῖνα πού μοῦ ἔδειξες χθές. **2**. κανείς, οἱοσδήποτε (*ὅταν τό one εἶναι ὑποκείμενον ρήματος, τότε τό κτητικόν ἐπίθετον εἶναι ~'s*

καί ἡ αὐτοπαθής ἀντωνυμία oneself): *O ~ should always do ~'s duty*, πρέπει κανείς νά κάνη πάντα τό καθῆκον του. *If ~ kills oneself...*, ἄν κανείς αὐτοκτονήση... (*στά 'Αμερικανικά-'Αγγλικά ὡστόσο εἶναι δυνατόν νά πῆ κανείς: O ~ should always do his duty, ἤ, If ~ kills himself...*).

[3]**one** /wʌn/ *προσ. ἀντων.* **1**. (*χρησιμοποιεῖται πάντα μέ ἐπίθετο*): *the Evil O ~*, ὁ Σατανᾶς. *the absent ~*, ὁ ἀπών (τό ἀπόν μέλος μιᾶς οἰκογενείας). *the little ~s*, τά μικρά (τά παιδιά μιᾶς οἰκογενείας). **2**. ἕνας ἄνθρωπος, ἀπό τούς ἀνθρώπους πού: *He lay there like ~ dead*, ἦταν ξαπλωμένος σάν (ἄνθρωπος) πεθαμένος. *I'm not ~ to be frightened easily*, δέν εἶμαι ἄνθρωπος πού τρομάζει (ἀπ' αὐτούς πού τρομάζουν) εὔκολα. **3**. ***~ another***, ἀλλήλους, ὁ ἕνας τόν ἄλλον: *They hate ~ another*, ἀλληλομισοῦνται, μισεῖ ὁ ἕνας τόν ἄλλον. *They were trying to steal ~ another's money*, προσπαθοῦσαν νά κλέψουν ὁ ἕνας τά χρήματα τοῦ ἄλλου.

on·er·ous /ˈonərəs/ *ἐπ.* ἐπαχθής, βαρύς: *~ duties*, βαριά καθήκοντα.

one·self /wʌnˈself/ *βλ. self*.

onion /ˈʌnɪən/ *οὐσ.* ‹C› κρεμμύδι. ***be off one's ~***, (*λαϊκ.*) μοῦχει στρίψει, εἶμαι τρελλός. ***know one's ~s***, (*λαϊκ.*) ξέρω τί μοῦ γίνεται, εἶμαι μάστορης.

on·looker /ˈonlʊkə(r)/ *οὐσ.* ‹C› θεατής. ***The ~ sees most of the game***, (*παροιμ.*) ἕνας τρίτος εἶναι σέ θέση νά κρίνη καλύτερα.

[1]**only** /ˈəʊnlɪ/ *ἐπ.* μόνος, μοναδικός: *an ~ child*, μοναχοπαίδι. *His ~ answer was a shrug*, ἡ μόνη του ἀπάντηση ἦταν νά σηκώση τούς ὤμους. *He was the ~ man to help me*, ἦταν ὁ μόνος πού μέ βοήθησε. *He was the ~ one killed*, ἦταν ὁ μόνος πού σκοτώθηκε.

[2]**only** /ˈəʊnlɪ/ *ἐπίρ.* (*μπαίνει συνήθως πρίν ἀπό τή λέξη πού προσδιορίζει ἤ πλησιέστατα σ' αὐτήν*) μόνον: *O ~ Peter saw the snake*, μόνον ὁ Π. εἶδε τό φίδι (*δηλ. κανένας ἄλλος δέν τό εἶδε*). *Peter ~ saw the snake*, ὁ Π. μόνο πού εἶδε τό φίδι (*δηλ. δέν τόν σκότωσε αὐτός*). *Peter saw the snake ~*, ὁ Π. εἶδε μόνον τό φίδι (*δηλ. δέν εἶδε κάτι ἄλλο πού εἴδαμε ἐμεῖς*). ***~ just***, μόλις, πολύ λίγο, μόλις καί μετά βίας, ἴσα-ἴσα. ***~ too***, πάρα πολύ: *I'll be ~ too glad to help*, θά χαρῶ πάρα πολύ νά βοηθήσω. ***if ~***, ἄχ καί νά, μακάρι νά: *If ~ I could catch him!* ἄχ καί νά μποροῦσα νά τόν πιάσω!

[3]**only** /ˈəʊnlɪ/ *σύνδ.* μόνο (πού), ἀλλά: *The house is cheap enough, ~ it is too small*, τό σπίτι εἶναι ἀρκετά φτηνό, μόνο πού εἶναι πολύ μικρό. *He might do well, ~ that he never studies at home*, θά μποροῦσε νά εἶναι καλός, μόνο πού δέν μελετάει ποτέ στό σπίτι.

ono·mato·pœia /ˈonəˈmætəˈpɪə/ *οὐσ.* ‹U› ὀνοματοποιΐα.

on·rush /ˈonrʌʃ/ *οὐσ.* ‹C› εἰσβολή, εἰσροή: *the ~ of water*, ἡ ὁρμητική εἰσροή τοῦ νεροῦ.

on·set /ˈonset/ *οὐσ.* ‹C› ἐπίθεσις, ἔφοδος: *at the first ~*, μέ τήν πρώτη ἔφοδο. *the ~ of a disease*, ἡ ἐπίθεσις (ἡ ὁρμητική ἐκδήλωσις) μιᾶς ἀρρώστειας.

on·shore /ˈonʃɔ(r)/ *ἐπ.* & *ἐπίρ.* πρός τήν ἀκτή.

on·slaught /ˈonslɔt/ *οὐσ.* ‹C› ***~ (on)***, βίαιη/σφοδρή ἐπίθεσις (ἐναντίον).

onto /ˈontə, *ἐμφ:* ˈontu/ *πρόθ.* ἐπάνω εἰς.

on·tol·ogy /onˈtolədʒɪ/ *οὐσ.* ‹U› ὀντολογία.

onus /ˈəʊnəs/ *οὐσ.* (*μόνον ἑν.*) βάρος: *The ~ of proof is with you/is on you*, τό βάρος τῆς ἀποδείξεως εἶναι δικό σας (σεῖς πρέπει ν' ἀποδείξετε).

on·ward /ˈonwəd/ *ἐπ.* & *ἐπίρ.* πρός τά μπρός: *the ~ march of ideas*, ἡ πρός τά μπρός πορεία τῶν ἰδεῶν. *move ~(s)*, κινοῦμαι πρός τά μπρός.

oof /uf/ *οὐσ.* ‹U› (*λαϊκ.*) παρᾶς.

oomph /ʊmf/ *οὐσ.* ‹U› (*λαϊκ.*) σέξ-ἀπήλ.

ooze /uz/ *οὐσ.* ‹U› ἰλύς, λάσπη. —*ρ.μ/ἀ.* στάζω (*ἰδ.* μέσα ἀπό τούς πόρους), (διαρ)ρέω: *Blood was still oozing from his wounds*, τό αἷμα ἔσταζε ἀκόμα ἀπό τίς πληγές του. *The walls were oozing (with) moisture*, οἱ τοῖχοι ἔσταζαν ὑγρασία. *Their courage was oozing away*, τό θάρρος τους τούς ἐγκατέλειπε. *He was oozing sweat*, ἔσταζε ἱδρῶτα.

opac·ity /əʊˈpæsətɪ/ *οὐσ.* ‹U› ἀδιαφάνεια, θαμπάδα, βραδύνοια.

opal /ˈəʊpl/ *οὐσ.* ‹C› ὀπάλι. **~·escent** *ἐπ.* ἰριδίζων.

opaque /əʊˈpeɪk/ *ἐπ.* **1**. ἀδιαφανής, θαμπός: *an ~ sheet of glass*, θαμπό τζάμι. **2**. βραδύνους.

op art /ˈop ɑt/ *οὐσ.* ‹U› μορφή ἀφηρημένης γεωμετρικῆς τέχνης.

[1]**open** /ˈəʊpən/ *ἐπ.* **1**. ἀνοιχτός (*ὄχι κλειστός*): *leave the door ~*, ἀφήνω τήν πόρτα ἀνοιχτή. *The shop was still ~*, τό μαγαζί ἦταν ἀκόμα ἀνοιχτό. *~ flowers*, ἀνοιγμένα λουλούδια. *an ~ vowel*, ἀνοιχτό φωνῆεν. *an ~ wound*, ἀνοιχτή πληγή. *His mind is like an ~ book*, τό μυαλό του εἶναι σάν ἀνοιχτό βιβλίο. ***with ~ arms***, μέ ἀνοιχτές ἀγκάλες. ***force an ~ door***, παραβιάζω ἀνοιχτές πόρτες. **2**. ἀνοιχτός, ἀκάλυπτος: *an ~ car*, ἀνοιχτό (χωρίς σκεπή) αὐτοκίνητο. ***in the ~ air***, στό ὕπαιθρο. **3**. ἀνοιχτός, ἐλεύθερος: *an ~ competition*, ἀνοιχτός διαγωνισμός (ἐλεύθερος γιά ὅλους). *The post is still ~*, ἡ θέσις εἶναι ἀκόμα ἐλεύθερη (δέν ἔχει καταληφθῆ). *the O ~ University*, τό ἀνοιχτό (ἐλεύθερο) Πανεπιστήμιο. **4**. ἀνοιχτός, ἐκκρεμής: *an ~ account*, ἀνοιχτός λογαριασμός. *leave a matter ~*, ἀφήνω ἕνα θέμα ἀνοιχτό/ἐκκρεμές. ***have an ~ mind (on sth)***, ἔχω ἀνοιχτό μυαλό (σέ κτ), δέν εἶμαι προκατειλημμένος. **an ~ question**, ἀνοιχτό θέμα, ἀναπάντητο ἐρώτημα. **5**. εἰλικρινής: *I want to be ~ with you*, θέλω νά εἶμαι εἰλικρινής μαζί σου. *an ~ character/countenance*, εἰλικρινής χαρακτήρας/φυσιογνωμία. **6**. ἀνοιχτός, δημόσιος, φανερός, κοινός: *an ~ letter*, ἀνοιχτή ἐπιστολή. *an ~ trial*, δημοσία δίκη (ὄχι κεκλεισμένων τῶν θυρῶν). *an ~ scandal*, δημόσιο σκάνδαλο. *an ~ atheist/enemy*, φανερός (δεδηλωμένος) ἄθεος/ἐχθρός. **an ~ secret**, κοινό μυστικό. **7**. ἀνοιχτός, ἐκτεθειμένος, εὐεπίφορος: *~ to criticism*, ἐκτεθειμένος σέ ἐπικρίσεις. ***be ~ to sth***, εἶμαι ἐκτεθειμένος σέ κτ/διατεθειμένος νά κάνω κτ: *He is ~ to calumny*, εἶναι ἐκτεθειμένος στίς συκοφαντίες. *He's ~ to persuasion/advice*, εἶναι διατεθειμένος νά πεισθῆ/ν' ἀκούση μιά συμβουλή. *He is ~ to improvement*, ἐπιδέχεται βελτίωσιν. ***lay oneself ~ to sth***, ἐκτίθεμαι σέ κτ, δίνω

ἀφορμή/στόχο σέ κτ. **8**. ἀνοιχτός, ἀνεμπόδιστος: *an ~ road*, ἀνοιχτός δρόμος. *the ~ sea*, ἡ ἀνοιχτή θάλασσα. **9**. *σέ φράσεις:* **an ~ cheque**, ἀνοιχτή ἐπιταγή (ὄχι δίγραμμος). **an ~ city/town**, ἀνοχύρωτος πόλις. **an ~ prison**, φυλακή μέ πολύ ἐλεύθερες συνθῆκες διαβιώσεως. **the ~ season**, ἡ ἐλεύθερη ἐποχή (τοῦ κυνηγιοῦ). **10**. (*σέ σύνθ. λέξεις*): **'~-'air** *ἐπ.* ὑπαίθριος: *an ~-air theatre*, ὑπαίθριο θέατρο. *~-air treatment*, ἀεροθεραπεία. *an ~-air market/meeting*, ὑπαίθριος ἀγορά/συγκέντρωσις. **'~-cast**, τῆς ἐπιφανείας: *~-cast coal*, κάρβουνο ἐπιφανείας. **'~-'eyed** *ἐπ.* ἄγρυπνος, ἔκπληκτος: *He gazed ~-eyed*, κοίταζε μέ τά μάτια ὀρθάνοιχτα. **'~-'faced** *ἐπ.* ξαστεροπρόσωπος, εἰλικρινής. **'~-'handed** *ἐπ.* ἀνοιχτοχέρης, γενναιόδωρος. **'~-'hearted** *ἐπ.* ἀνοιχτόκαρδος, ντόμπρος. **'~-'minded** *ἐπ.* μέ ἀνοιχτό μυαλό, ἀπροκατάληπτος. **'~-'mouthed** μέ ἀνοιχτό τό στόμα (ἀπό ἀπληστία ἤ ἔκπληξη). **'~-work**, δικτυωτό, ἀζούρ. —*οὐσ.* ‹U› ὕπαιθρο. ***come out into the ~***, (*μεταφ.*) ἐκδηλώνομαι φανερά/δημοσίως.

[2]**open** /ˈəupən/ *ρ.μ/ἀ.* **1**. ἀνοίγω: *~ a door/a window/a letter*, ἀνοίγω μιά πόρτα/ἕνα παράθυρο/ἕνα γράμμα. *This door ~s inwards, not outwards*, αὐτή ἡ πόρτα ἀνοίγει πρός τά μέσα, ὄχι πρός τά ἔξω. *Shops ~ at nine*, τά μαγαζιά ἀνοίγουν στίς ἐννέα. *Our roses are ~ing*, τά τριαντάφυλλά μας ἀνοίγουν. *O~ your hand/mouth*, ἄνοιξε τό χέρι σου/τό στόμα σου! *~ a way through the crowd*, ἀνοίγω δρόμο μέσα ἀπό τό πλῆθος. *~ a well/a hole in the wall*, ἀνοίγω ἕνα πηγάδι/μιά τρύπα στόν τοῖχο. ***~ one's eyes***, ἀνοίγω τά μάτια μου (ἀπό ἔκπληξη). ***~ sb's eyes (to sth)***, ἀνοίγω τά μάτια κάποιου (γιά κτ), τοῦ ἀποκαλύπτω κτ. ***~ one's heart/mind to sb***, ἀνοίγω τήν καρδιά μου σέ κπ/τοῦ ἀποκαλύπτω ὅλες μου τίς σκέψεις. **2**. ἀνοίγω, ἀρχίζω: *~ an account/a debate/a meeting*, ἀνοίγω λογαριασμό/μιά συζήτηση/μιά συνεδρίαση. *The story ~s with a murder*, ἡ ἱστορία ἀρχίζει μ' ἕνα φόνο. ***~ the bidding***, ἀρχίζω τήν πλειοδοσία. ***~ fire on/at***, ἀνοίγω πῦρ (ἐναντίον). ***~ a shop***, ἀνοίγω μαγαζί. **3**. ***~ up***, ἀνοίγω, ἀρχίζω: *~ up a wound/a mine*, ἀνοίγω ἕνα τραῦμα/ἕνα ὀρυχεῖο. *~ up a new road/a country to trade*, ἀνοίγω καινούργιο δρόμο/μιά χώρα στό ἐμπόριο. *~ up a new business*, ἀρχίζω μιά καινούργια ἐπιχείρηση. *O~ up!* (*διαταγή*) ἀνοῖξτε! **4**. ***~ out***, ξανοίγω/-ομαι, ἁπλώνομαι: *The view ~ed out before our eyes*, ἡ θέα ἁπλωνόταν μπρός στά μάτια μας. **5**. ***~ into/on to***, συγκοινωνῶ, βγάζω: *The two rooms ~ into one another*, τά δυό δωμάτια συγκοινωνοῦν μεταξύ τους. *This door ~s on to the garden*, αὐτή ἡ πόρτα βγάζει στόν κῆπο.

opener /ˈəupənə/ *οὐσ.* ‹C› ἀνοιχτήρι.

open·ing /ˈəupnɪŋ/ *οὐσ.* ‹C› **1**. ἄνοιγμα, τρύπα: *an ~ in a hedge*, ἄνοιγμα σ' ἕνα φράχτη. **2**. ἄνοιγμα (*ἡ διαδικασία*): *the ~ of an account*, τό ἄνοιγμα ἑνός λογαριασμοῦ. **3**. ἔναρξις, ἀρχή: *the ~ of Parliament*, ἡ ἔναρξις τῶν ἐργασιῶν τῆς Βουλῆς. *the ~ of a conversation/book*, ἡ ἀρχή μιᾶς συνομιλίας/ἑνός βιβλίου. **the ~ night**, ἡ πρεμιέρα. **~ time**, ὥρα ἀνοίγματος τῶν καταστημάτων. **4**. εὐκαιρία, κενή θέσις (σέ ἐπιχείρηση): *I'm looking about for an ~*, κοιτάζω γιά καμιά εὐκαιρία. *If there is an ~ in our firm, I'll let you know*, ἐάν ὑπάρξη καμιά θέσις στήν ἑταιρία μας, θά σέ εἰδοποιήσω. —*ἐπ.* ἐναρκτήριος: *the ~ ceremony*, ἡ ἐναρκτήριος τελετή. *his ~ speech*, ὁ ἐναρκτήριος λόγος του.

op·era /ˈɒprə/ *οὐσ.* ‹C› (*πληθ.* ~*s*) ὄπερα. ***grand ~***, μελόδραμα. ***light ~***, ὀπερέττα. **'~-glasses**, κιάλια τοῦ θεάτρου. **'~-hat**, ψηλό καπέλλο, κλάκ. **'~-house**, ὄπερα (τό κτίριο). **op·er·atic** /ˌɒpəˈrætɪk/ *ἐπ.* ὀπερατικός, μελοδραματικός.

op·er·ate /ˈɒpəreɪt/ *ρ.μ/ἀ.* **1**. χειρίζομαι, κινῶ/-οῦμαι: *~ a machine*, χειρίζομαι μιά μηχανή. *The machinery is ~d by electricity*, τά μηχανήματα κινοῦνται μέ ἠλεκτρισμό. **2**. λειτουργῶ, ἰσχύω: *Several causes ~d to bring on the war*, διάφορες αἰτίες λειτούργησαν καί προεκάλεσαν τόν πόλεμο. *This lift is not operating properly*, αὐτό τό ἀσανσέρ δέν λειτουργεῖ καλά. *The wage increase will ~ from the 1st of January*, ἡ αὔξησις τῶν μισθῶν θά ἰσχύση ἀπό τῆς 1ης Ἰανουαρίου. **3**. ἐκμεταλλεύομαι, διευθύνω: *Our company ~s three factories and a coal-mine*, ἡ ἑταιρία μας ἐκμεταλλεύεται τρία ἐργοστάσια κι' ἕνα ὀρυχεῖο. **4**. ***~ (on sb) (for sth)***, χειρουργῶ (κπ γιά κτ), ἐγχειρίζω: *The doctors decided to ~ (on him) at once*, οἱ γιατροί ἀπεφάσισαν νά (τόν) χειρουργήσουν ἀμέσως. *He was ~d on for appendicitis*, τοῦ ἔκαναν ἐγχείρηση σκωληκοειδίτιδος. **'operating-table/-theatre**, χειρουργεῖον. **5**. (*στρατ.*) κάνω ἐπιχειρήσεις: *~ on a large scale*, διεξάγω ἐπιχειρήσεις σέ μεγάλη κλίμακα. **6**. (*χρηματ.*) κάνω πράξεις. **op·er·able** /ˈɒpərəbl/ *ἐπ.* ἐγχειρήσιμος.

op·er·ation /ˌɒpəˈreɪʃn/ *οὐσ.* ‹C› **1**. λειτουργία, ἐργασία, ἐφαρμογή, ἰσχύς: *the ~ of a machine*, ἡ λειτουργία μιᾶς μηχανῆς. *preparatory ~s*, προπαρασκευαστικές ἐργασίες. ***be in ~***, λειτουργῶ, ἰσχύω. ***bring sth/come into ~***, θέτω κτ/τίθεμαι σέ λειτουργία, σέ ἰσχύ: *When does the new plan/law come into ~?* πότε μπαίνει σέ ἐφαρμογή τό νέο σχέδιο/τίθεται σέ ἰσχύ ὁ νέος νόμος; **2**. ἐπιχείρησις (*συγκεκ. ops*): *naval air ~s*, ναυτικές/ἀεροπορικές ἐπιχειρήσεις. **'ops room**, γραφεῖον ἐπιχειρήσεων. *building/banking ~s*, οἰκοδομικές/τραπεζιτικές ἐπιχειρήσεις (ἐργασίες). **3**. ἐγχείρησις: *perform an ~ on sb*, κάνω ἐγχείρηση σέ κπ. *have/undergo an ~*, κάνω/ὑφίσταμαι ἐγχείρηση. *an emergency ~*, κατεπείγουσα/ἐσπευσμένη ἐγχείρησις. **4**. (*μαθηματικά*) πρᾶξις. **5**. χειρισμός. **~al** /-nl/ *ἐπ.* **1**. λειτουργικός: *~al costs/expenditure*, κόστος/ἔξοδα λειτουργίας. **2**. ἕτοιμος πρός χρῆσιν: *The newly designed airliner will soon be ~al*, τό νεοσχεδιασθέν ἀεροπλάνο θά εἶναι συντόμως ἕτοιμον πρός χρῆσιν.

op·er·at·ive /ˈɒprətɪv/ *ἐπ.* **1**. ἐν ἰσχύϊ, λειτουργῶν: *become ~*, (*γιά νόμο*) ἀρχίζω νά ἰσχύω, (*γιά ἐργοστάσιο, μηχανές, κλπ*) ἀρχίζω νά λειτουργῶ. **2**. χειρουργικός: *~ treatment*, χειρουργική ἐπέμβασις. **3**. οὐσιώδης: *the ~ words in a deed*, οἱ οὐσιώδεις λέξεις ἑνός συμβολαίου. —*οὐσ.* ‹C› ἐργάτης, τεχνίτης.

op·er·ator /`ɒpəreɪtə(r)/ *οὐσ.* ‹C› **1**. χειριστής, τηλεφωνητής: *call the* ~, καλῶ τήν τηλεφωνήτρια. **2**. καταφερτζῆς: *He's a smooth/slick* ~, εἶναι ἐπιδέξιος καταφερτζῆς (στίς δουλειές, στόν ἔρωτα, κλπ).
op·er·etta /`ɒpə`retə/ *οὐσ.* ‹C› (*πληϑ.* ~*s*) ὀπερέττα.
oph·thal·mia /ɒf`θælmɪə/ *οὐσ.* ‹U› ὀφθαλμία, πονόματος. **oph·thal·mic** /-mɪk/ *ἐπ.* ὀφθαλμικός.
oph·thal·mo·scope /ɒf`θælməskəʊp/ *οὐσ.* ‹C› ὀφθαλμοσκόπιον.
opi·ate /`əʊpɪət/ *οὐσ.* ναρκωτικόν, ὑπνωτικόν.
opine /ə`paɪn/ *ρ.μ.* (*λόγ.*) ἀποφθέγγομαι, ἀποφαίνομαι.
opin·ion /ə`pɪnɪən/ *οὐσ.* ‹C,U› γνώμη, ἄποψις, ἰδέα, συμβουλή: *What's your* ~ *of our new teacher?* ποιά εἶναι ἡ γνώμη σου γιά τόν καινούργιο μας δάσκαλο; *get a lawyer's/a doctor's* ~, συμβουλεύομαι ἕνα δικηγόρο/ἕνα γιατρό. ***in my*** ~, κατά τή γνώμη μου. ***in the*** ~ ***of sb***, κατά τή γνώμη κάποιου. ***be of the*** ~ ***that***..., εἶμαι τῆς γνώμης ὅτι... ***act up to one's*** ~, ἐνεργῶ σύμφωνα μέ τήν ἀντίληψή μου. ***have a good/high*** ~ ***of sb***, ἔχω καλή/μεγάλη ἰδέα γιά κπ, ἔχω κπ σέ μεγάλη ὑπόληψη. ***have a bad/low*** ~ ***of sb***, δέν ἔχω καλή/ἔχω τή χειρίστη γνώμη γιά κπ. **public** ~, ἡ κοινή γνώμη. ~**·ated** /-eɪtɪd/, ~**·ative** /-ətɪv/ *ἐπ.* ἰσχυρογνώμων, πείσμων, φανατισμένος, ἀδιάλλακτος.
opium /`əʊpɪəm/ *οὐσ.* ὄπιον. `~**-den**, τεκές.
op·po·nent /ə`pəʊnənt/ *οὐσ.* ‹C› ἀντίπαλος.
op·por·tune /`ɒpətjun/ *ἐπ.* **1**. (*γιά χρόνο*) εὔθετος, κατάλληλος: *arrive at a most* ~ *moment*, φθάνω σέ πολύ κατάλληλη στιγμή. **2**. (*γιά πράξη*) ἐπίκαιρος: *an* ~ *remark/intervention*, ἐπίκαιρη παρατήρησις/παρέμβασις.
op·por·tun·ism /`ɒpə`tjun-ɪzm/ *οὐσ.* ‹U› ὀπορτουνισμός, καιροσκοπισμός. **op·por·tun·ist** /-ɪst/ *οὐσ.* ‹C› ὀππορτουνιστής, καιροσκόπος.
op·por·tun·ity /`ɒpə`tjunətɪ/ *οὐσ.* ‹C,U› ~ ***(for sth/of doing sth/to do sth)***, εὐκαιρία: *find/get/make an* ~, βρίσκω/πετυχαίνω/δημιουργῶ μιά εὐκαιρία. *an* ~ *of meeting sb*, εὐκαιρία νά συναντήσω κπ. *have no* ~ *for hearing good music*, δέν ἔχω εὐκαιρία ν' ἀκούσω καλή μουσική. *I had no* ~ *to discuss it with him*, δέν εἶχα εὐκαιρία νά τό συζητήσω μαζί του.
op·pose /ə`pəʊz/ *ρ.μ.* **1**. ἀντιτίθεμαι, καταπολεμῶ: ~ *a scheme/the government*, ἀντιτίθεμαι σ' ἕνα σχέδιο/καταπολεμῶ τήν Κυβέρνηση. ***be*** ~***d to sth***, ἀντιμάχομαι, εἶμαι ἀντίθετος σέ κτ. ***as*** ~***d to***, ἐν ἀντιθέσει πρός, ἐν ἀντιδιαστολῇ πρός. **2**. ἀντιτάσσω, προβάλλω: ~ *a vigorous resistance*, προβάλλω σθεναράν ἀντίστασιν. *He* ~*d his will against mine/his view to mine*, ἀντέταξε τή θέλησή του στή δική μου/τίς ἀπόψεις του στίς δικές μου.
op·po·site /`ɒpəzɪt/ *ἐπ.* **1**. ~ ***(to)***, ἀπέναντι, ἀντικρυνός: *the house* ~ *(to) mine*, τό σπίτι ἀπέναντι ἀπό τό δικό μου. *on the* ~ *side of the road*, στήν ἀπέναντι πλευρά τοῦ δρόμου. **2**. ἀντίθετος: *in the* ~ *direction*, πρός τήν ἀντίθετη κατεύθυνση. **3**. ἀντίστοιχος: **one's** ~ **number**, συνάδελφος, ἰσοβάθμιος: *The British Foreign Minister is in Paris discussing problems with his* ~ *number*, ὁ Βρεταννός Ὑπουργός Ἐξωτερικῶν βρίσκεται στό Παρίσι πρός ἀνταλλαγήν ἀπόψεων μέ τόν Γάλλο συνάδελφό του. —*οὐσ.* ‹C› ἀντίθετον: *Black and white are* ~*s*, τό μαῦρο καί τό ἄσπρο εἶναι ἀντίθετα. *He's the exact* ~ *of his brother*, εἶναι τό ἀκριβῶς ἀντίθετο τοῦ ἀδελφοῦ του. ***just the*** ~, ἀκριβῶς τό ἀντίθετο.
op·po·si·tion /`ɒpə`zɪʃn/ *οὐσ.* **1**. ‹U› ἀντίθεσις: *be in* ~ *to sb on sth*, εὑρίσκομαι σέ ἀντίθεση μέ κπ γιά κτ. **2**. ‹C,U› (*μόνον ἑν.*) ἀντιπολίτευσις: *the* ~ *parties*, τά κόμματα τῆς ἀντιπολιτεύσεως. *We need a stronger* ~, ἔχομε ἀνάγκην ἰσχυροτέρας ἀντιπολιτεύσεως. **3**. ‹U› ἀντίστασις, ἀντίδρασις: *meet with strong* ~, συναντῶ ἰσχυράν ἀντίστασιν/ἀντίδρασιν.
op·press /ə`pres/ *ρ.μ.* **1**. καταπιέζω: ~ *a people*, καταπιέζω ἕνα λαό. **2**. καταθλίβω, βασανίζω: *be* ~*ed with anxiety/heat*, μέ βασανίζει ἡ ἀγωνία/ἡ ζέστη. ~**or** /-sə(r)/ *οὐσ.* ‹C› καταπιεστής, τύραννος.
op·pres·sion /ə`preʃn/ *οὐσ.* ‹C,U› καταπίεσις, κατάθλιψις: *victims of* ~, θύματα καταπιέσεως. *a feeling of* ~, αἴσθημα καταθλίψεως.
op·press·ive /ə`presɪv/ *ἐπ.* καταπιεστικός, καταθλιπτικός: *an* ~ *government*, καταπιεστική κυβέρνησις. ~ *laws/taxes*, καταπιεστικοί νόμοι/καταθλιπτικοί φόροι. ~ *heat/weather*, ἀποπνικτική ζέστη/καταθλιπτικός καιρός. ~**·ly** *ἐπίρ.* καταπιεστικά, καταθλιπτικά.
op·pro·bri·ous /ə`prəʊbrɪəs/ *ἐπ.* (*λόγ.*) ὑβριστικός, ἐπονείδιστος.
op·pro·brium /ə`prəʊbrɪəm/ *οὐσ.* ‹U› (*λόγ.*) ὄνειδος, καταισχύνη.
op·pugn /ə`pjun/ *ρ.μ.* (*λόγ.*) ἀμφισβητῶ, ἀντικρούω.
opt /ɒpt/ *ρ.ἀ.* **1**. ~ ***for sth***, ἐπιλέγω κτ, κάνω τήν ἐκλογή μου: *He* ~*ed for the civil service*, διάλεξε νά γίνη δημόσιος ὑπάλληλος. **2**. ~ ***out of sth***, ἐξέρχομαι οἰκειοθελῶς: *He* ~*ed out of society*, προτίμησε νά μπῆ στό κοινωνικό περιθώριο.
op·tat·ive /`ɒptətɪv/ *ἐπ.* εὐκτικός: *the* ~ *mood*, ἡ εὐκτική ἔγκλισις.
op·tic /`ɒptɪk/ *ἐπ.* ὀπτικός: *the* ~ *nerve*, τό ὀπτικό νεῦρο. **op·tics** *οὐσ.* (*μέ ρ. ἑν.*) ὀπτική.
optical /`ɒptɪkl/ *ἐπ.* ὀπτικός: ~ *instruments*, ὀπτικά ὄργανα. ~ **illusion**, ὀφθαλμαπάτη.
op·ti·cian /ɒp`tɪʃn/ *οὐσ.* ‹C› ὀπτικός (ἔμπορος ὀπτικῶν εἰδῶν).
op·ti·mism /`ɒptɪmɪzm/ *οὐσ.* ‹U› αἰσιοδοξία.
op·ti·mist /`ɒptɪmɪst/ *οὐσ.* ‹C› αἰσιόδοξος: *He is an incurable* ~, εἶναι ἀθεράπευτα αἰσιόδοξος. **op·ti·mis·tic** *ἐπ.* αἰσιόδοξος: *feel optimistic about sth.* **op·ti·mis·ti·cally** /-klɪ/ *ἐπίρ.* αἰσιόδοξα.
op·ti·mum /`ɒptɪməm/ *οὐσ.* ‹C› (*πληϑ.* ~*s*) τό βέλτιστον, (*ἐπιϑ.*) ὁ καλύτερος, ὁ πιό εὐνοϊκός: *the* ~ *age for learning foreign languages*, ἡ καλύτερη ἡλικία γιά τήν ἐκμάθηση ξένων γλωσσῶν.
op·tion /`ɒpʃn/ *οὐσ.* ‹C,U› **1**. ἐκλογή, ἐπιλογή, εὐχέρεια: *I haven't much* ~ *in the matter*, δέν ἔχω μεγάλα περιθώρια ἐπιλογῆς στό θέμα

αὐτό. *I had no* ~, δέν εἶχα ἄλλη ἐκλογή, ἐξαναγκάστηκα. *a month's imprisonment with the* ~ *of a fine (without the* ~*)*, ἑνός μηνός φυλάκισις μέ δικαίωμα ἐξαγορᾶς (χωρίς δικαίωμα ἐξαγορᾶς). ***leave one's ~s open***, ἀποφεύγω νά δεσμευθῶ. ***local*** ~, ἀπόφασις κατόπιν ψηφοφορίας τῶν κατοίκων τῆς περιοχῆς. **2.** (*ἐμπ.*) ὀψιόν, δικαίωμα ἐπιλογῆς. **~al** /-nl/ *ἐπ.* προαιρετικός.

opu·lence /ˋopjʊləns/ *οὐσ.* ‹U› χλιδή, πλοῦτος: *live in* ~. **opu·lent** /-ənt/ *ἐπ.* πλούσιος, ἄφθονος, (*γιά βλάστηση*) ὀργιώδης.

opus /ˋəʊpəs/ *οὐσ.* ‹C› (*πληθ.* ~*es*) ἔργον, (*μουσ.*) σύνθεσις. **magnum** ~, μέγα ἔργον.

or /ɔ(r)/ *σύνδ.* **1.** ἤ, (*μέ ἄρνηση*) οὔτε: *Tea* ~ *coffee?* τσάϊ ἤ καφές; ***either*** ... ~, ἤ ... ἤ. ***whether*** ... ~, εἴτε ... εἴτε. **2.** ~ ***else***, εἰδάλλως, ἀλλοιώτικα: *Get up now* ~ *else you'll be late*, σήκω τώρα εἰδάλλως θ' ἀργήσης. **3.** ~ ***so***, περίπου: *a mile or so*, περίπου ἕνα μίλι. *I'd like twenty* ~ *so*, θἄθελα καμιά εἰκοσαριά. ~ ***somebody/something/ somewhere***, ἤ κάποιος τέτοιος/κάτι τέτοιο/ κάπου ἐκεῖ, ἴσως: *It was Smith* ~ *somebody who...*, ἦταν ἴσως ὁ Σμίθ πού... *He's sick* ~ *something*, εἶναι ἄρρωστος ἤ κάτι τέτοιο. ***somebody/something/somewhere*** ~ ***other***, κάποιος/κάτι/κάπου (μέ αἴσθημα ἀβεβαιότητος): *It was something* ~ *other about a loan*, ἦταν κάτι γιά ἕνα δάνειο.

or·acle /ˋorəkl/ *οὐσ.* ‹C› μαντεῖον, χρησμός. **oracu·lar** /əˋrækjʊlə(r)/ *ἐπ.* μαντικός: *an oracular utterance*, γριφώδης ρῆσις.

oral /ˋɔrl/ *ἐπ.* **1.** προφορικός: *an* ~ *examination.* **2.** στοματικός, διά τοῦ στόματος: *the* ~ *cavity*, ἡ στοματική κοιλότης. ~ *administration*, χορήγησις (φαρμάκου) διά τοῦ στόματος. —*οὐσ.* ‹C› (*καθομ.*) προφορικές ἐξετάσεις. **~ly** *ἐπίρ.* προφορικῶς, διά τοῦ στόματος.

or·ange /ˋorɪndʒ/ *οὐσ.* ‹C,U› πορτοκάλι, πορτοκαλί (χρῶμα). **~·ade** /ˈorɪndʒˋeɪd/ *οὐσ.* ‹U› πορτοκαλάδα.

orang-outang /ɔˋræŋ uˋtæŋ/ *οὐσ.* ‹C› οὐραγκουτάγκος.

orate /ɔˋreɪt/ *ρ.ἀ.* (*λόγ.*) δημηγορῶ, ἀγορεύω.

ora·tion /ɔˋreɪʃn/ *οὐσ.* ‹C,U› δημηγορία, λόγος, ἀγόρευσις.

ora·tor /ˋorətə(r)/ *οὐσ.* ‹C› ρήτωρ. **~i·cal** *ἐπ.* ρητορικός.

ora·torio /ˈorəˋtɔrɪəʊ/ *οὐσ.* ‹C,U› (*πληθ.* ~*s*) ὀρατόριο.

ora·tory /ˋorətrɪ/ *οὐσ.* **1.** ‹U› ρητορική (τέχνη), ρητορεία: *a brilliant piece of* ~, θαυμάσιος λόγος. **2.** ‹C› ἰδιωτικόν παρεκκλήσιον, προσευχητήριον.

orb /ɔb/ *οὐσ.* ‹C› σφαίρα (*ἰδ.* οὐράνιον σῶμα). ὑδρόγειος (ὡς βασιλικόν ἔμβλημα).

or·bit /ˋɔbɪt/ *οὐσ.* ‹C› τροχιά: *the earth's* ~, ἡ τροχιά τῆς γῆς (γύρω ἀπό τόν ἥλιο). *put a satellite into* ~, θέτω δορυφόρον εἰς τροχιάν. —*ρ.μ/ἀ.* θέτω/κινοῦμαι εἰς τροχιάν: *The first man-made satellite was* ~*ed in 1957*, ὁ πρῶτος τεχνητός δορυφόρος ἐτέθη εἰς τροχιάν τό 1957. *Tens of satellites are now* ~*ing the earth*, δεκάδες δορυφόροι εἶναι (κινοῦνται) τώρα σέ τροχιά γύρω ἀπό τή γῆ. **~al** /-tl/ *ἐπ.* τροχιακός: ~*al distance/velocity*, τροχιακή ἀπόστασις/ταχύτης.

or·chard /ˋɔtʃəd/ *οὐσ.* ‹C› περιβόλι (μέ ὀπωροφόρα δέντρα), δεντρόκηπος.

or·ches·tra /ˋɔkɪstrə/ *οὐσ.* ‹C› (*πληθ.* ~*s*) **1.** ὀρχήστρα: *a symphony* ~, συμφωνική ὀρχήστρα. **2.** ~**(pit)**, θέσις τῆς ὀρχήστρας (σέ θέατρο). ~ **stalls**, μπροστινά καθίσματα τῆς πλατείας θεάτρου.

or·ches·trate /ˋɔkɪstreɪt/ *ρ.μ.* ἐνορχηστρώνω. **or·ches·tra·tion** /ˈɔkɪˋstreɪʃn/ *οὐσ.* ‹C,U› ἐνορχήστρωσις.

or·chid /ˋɔkɪd/ *οὐσ.* ‹C› ὀρχεοειδές.

or·dain /ɔˋdeɪn/ *ρ.μ.* **1.** χειροτονῶ: *He was* ~*ed priest*, ἐχειροτονήθη ἱερεύς. **2.** ~ ***that***, ἐπιτάσσω, ὁρίζω: *God has* ~*ed that all men shall die*, ὁ Θεός ὥρισε νά πεθαίνουν ὅλοι οἱ ἄνθρωποι.

or·deal /ɔˋdil/ *οὐσ.* ‹C› δοκιμασία: *go through terrible* ~*s*, περνῶ φοβερές δοκιμασίες.

[1]**or·der** /ˋɔdə(r)/ *οὐσ.* **1.** ‹U› σειρά, τάξις: *in alphabetical/chronological* ~, κατά ἀλφαβητική/χρονολογική σειρά. ~ *of priority*, σειρά προτεραιότητος. ***in*** ~ ***of***, κατά σειράν, κατά τάξιν: *in* ~ *of size/importance*, κατά μέγεθος/ κατά σπουδαιότητα. **2.** ‹U› τάξις, λειτουργία: ***in*** ~, ἐν τάξει: *Is your passport in* ~*?* εἶναι τό διαβατήριό σου ἐν τάξει; ***in good*** ~, ἐν πλήρει τάξει: *The troops retired in good* ~, τά στρατεύματα ἀπεσύρθησαν ἐν πλήρει τάξει. ***in good/running/working, etc*** ~, (*γιά μηχανές*) ἐν καλῇ καταστάσει, ἐν λειτουργίᾳ: *The engine is in perfect* ~, ἡ μηχανή δουλεύει τέλεια. ***out of*** ~, (*γιά μηχανή*) χαλασμένος: *The telephone is out of* ~, τό τηλέφωνο δέν λειτουργεῖ. *My stomach is out of* ~, τό στομάχι μου εἶναι χαλασμένο. ***put in*** ~, βάζω σέ τάξη, τακτοποιῶ. **3.** ‹U› τάξις, πειθαρχία: *It's the business of the police to keep* ~, εἶναι δουλειά τῆς ἀστυνομίας νά κρατᾶ τήν τάξη. *The army restored* ~, ὁ στρατός ἀποκατέστησε τήν τάξη. *law and* ~, νόμος καί τάξις. **4.** ‹U› τάξις, εὐταξία, κανονισμός (στή Βουλή): ***be in*** ~ ***to do sth***, ἔχω τό δικαίωμα ἐκ τοῦ κανονισμοῦ νά κάμω κτ. ***call sb to*** ~, ἀνακαλῶ κπ εἰς τήν τάξιν. ***speak on a point of*** ~, ὁμιλῶ ἐπί τοῦ κανονισμοῦ. ***O*** ~*!* ***O*** ~*!* (*ἐπιφ.*) εἰς τήν τάξιν! νά ἐφαρμοσθῇ ὁ κανονισμός! ~ ***of the day***, ἡμερησία διάταξις. **5.** ‹C› διαταγή, ἐντολή: *Soldiers must obey* ~*s*, οἱ στρατιῶτες πρέπει νά ὑπακούουν στίς διαταγές. *He gave* ~*s for the work to be started*, ἔδωσε ἐντολή ν' ἀρχίση ἡ δουλειά. ***be under*** ~***s to do sth***, ἔχω διαταγή νά κάμω κτ. ***under the*** ~***s of***, ὑπό τάς διαταγάς τοῦ. ***by*** ~ ***of***, ἐντολῇ τοῦ. **6.** ‹C› (*ἐμπ.*) παραγγελία: *place an* ~ *with a firm for goods*, κάνω παραγγελία σέ μιά ἑταιρία γιά ἐμπορεύματα. ***fill an*** ~, ἐκτελῶ μιά παραγγελία. ***on*** ~, (*γιά ἐμπορεύματα*) παραγγελθέντα: *These books are on* ~, αὐτά τά βιβλία ἔχουν παραγγελθῆ (ἀλλά δέν ἔχουν παραληφθῆ). ***made to*** ~, (*ροῦχα, κλπ*) ἐπί παραγγελίᾳ. **a large/tall** ~, (*καθομ.*) ζόρικη δουλειά, δύσκολο καθῆκον. **ˋ~-book/-form**, βιβλίον/δελτίον παραγγελιῶν. **7.** ‹C› ἐντολή, ἐπιταγή: *an* ~ *on a Bank*, τραπεζιτική ἐντολή. **ˋpostal** ~, ταχυδρομική ἐπιταγή. **8.** ‹U› σκοπός: ***in*** ~ ***to/that***, μέ τό σκοπό νά, γιά νά: *He stood up in* ~ *to see/* ~

that he might see clearly, σηκώθηκε ὄρθιος γιά νά δῆ καθαρά. **9**. ‹C› (κοινωνική) τάξις: *the ~ of knights*, ἡ τάξις τῶν ἱπποτῶν. *the lower ~s*, οἱ κατώτερες τάξεις. **10**. ‹C› τάγμα (θρησκευτικό ἤ τιμητικό), βαθμός (θρησκευτικός), παράσημο: *the monastic ~s*, τά μοναχικά τάγματα. *the O~ of the Garter*, τό Τάγμα τῆς Περικνημίδος. *the ~ of deacons*, ὁ βαθμός τῶν διακόνων. *He was wearing all his ~s and decorations*, φοροῦσε ὅλα του τά παράσημα καί μετάλλια. **11**. (*πληθ.*) ἱερωσύνη: ***be in/take (holy) ~s***, εἶμαι/γίνομαι ἱερωμένος. **12**. ‹C› (*ἀρχιτ.*) ρυθμός: *the Ionian/Doric ~*, ὁ Ἰωνικός/Δωρικός ρυθμός. **13**. ‹C› (*βιολ.*) κατηγορία: *The rose and the bean families belong to the same ~*, οἱ οἰκογένειες τῶν ρόδων καί τῶν ὀσπρίων ἀνήκουν στήν ἴδια κατηγορία. **14**. ‹C› τάξις, ἐπίπεδον: *intellectual ability of a high ~*, διανοητική ἱκανότης ὑψηλοῦ ἐπιπέδου. **15**. ‹U› (*στρατ.*) τάξις, παράταξις: *in review ~*, εἰς τάξιν παρελάσεως. ***in open/close ~***, σέ ἀραιή/πυκνή τάξη.

[2]**or·der** /ˋɔdə(r)/ *ρ.μ.* **1**. διατάσσω, παραγγέλλω: *The regiment was ~ed to the front*, τό σύνταγμα διετάχθη νά πάη στό μέτωπο. *Have you ~ed lunch?* παράγγειλες γεῦμα; *The chairman ~ed silence*, ὁ πρόεδρος διέταξε σιωπή. ***~ sb about***, στέλνω κπ ἐδῶ κι' ἐκεῖ. **2**. ρυθμίζω, τακτοποιῶ: *~ one's life/affairs*, ρυθμίζω τή ζωή μου/τίς ὑποθέσεις μου.

or·der·ly /ˋɔdəlɪ/ *ἐπ.* **1**. συγυρισμένος, μεθοδικός: *an ~ room/desk*, συγυρισμένο δωμάτιο/γραφεῖο. *an ~ mind*, μεθοδικό μυαλό. **2**. τακτικός, πειθαρχικός: *an ~ child/crowd*, ἕνα πειθαρχικό παιδί/πλῆθος. **3**. (*στρατ.*) τῆς ὑπηρεσίας: *the ~ officer/room*, ἀξιωματικός/δωμάτιο ὑπηρεσίας. __*οὐσ.* ‹C› ὀρντινάτσα: *an officer's ~*, ὀρντινάτσα ἀξιωματικοῦ. *a medical ~*, νοσοκόμος (σέ στρατιωτικό νοσοκομεῖο). **or·der·li·ness** *οὐσ.* ‹U› εὐταξία, μεθοδικότης.

or·di·nal /ˋɔdɪnl/ *ἐπ.* & *οὐσ.* ‹C› τακτικός (ἀριθμός).

or·di·nance /ˋɔdənəns/ *οὐσ.* ‹C› διάταξις, διαταγή, διάταγμα: *police ~s*, ἀστυνομικές διατάξεις.

or·di·nary /ˋɔdnrɪ/ *ἐπ.* συνηθισμένος, κανονικός, κοινός: *~ size*, συνηθισμένο μέγεθος. *in ~ dress*, μέ συνηθισμένα ροῦχα. *the ~ reader*, ὁ κανονικός/κοινός ἀναγνώστης. ***in the ~ way***, μέ τόν κανονικό/συνήθη τρόπο. ***out of the ~***, ἀσυνήθης, ἐξαιρετικός. ***in ~***, τακτικός, μόνιμος (πχ ἰατρός, προμηθευτής, κλπ) **or·di·nar·ily** /ˋɔdnrlɪ/ *ἐπίρ.* κανονικά, συνηθισμένα.

or·di·na·tion /ˈɔdɪˋneɪʃn/ *οὐσ.* ‹C,U› χειροτονία.

ord·nance /ˋɔdnəns/ *οὐσ.* ‹U› **1**. πυροβολικόν. **2**. ὑλικόν πολέμου. *~ depot*, ἀποθήκη ὑλικοῦ πολέμου. **the Army O~ Corps/Department**, Σῶμα/Ὑπηρεσία Ὑλικοῦ Πολέμου. **ˈO~ ˋSurvey**, ἐπιτελικός χάρτης, Χαρτογραφική Ὑπηρεσία.

or·dure /ˋɔdjʊə(r)/ *οὐσ.* ‹U› ἀκαθαρσία, κόπρανα.

ore /ɔ(r)/ *οὐσ.* ‹C,U› μετάλλευμα: *iron ~*, σιδηρομετάλλευμα. *a country rich in ~s*, χώρα πλούσια σέ μεταλλεύματα.

or·gan /ˋɔgən/ *οὐσ.* ‹C› **1**. ὄργανον: *the ~s of speech/of generation*, τά ὄργανα τῆς ὁμιλίας/ἀναπαραγωγῆς. *The police force is an organ of the government*, ἡ ἀστυνομία εἶναι ὄργανον τῆς κυβερνήσεως. *the ~s of public opinion*, τά ὄργανα τῆς κοινῆς γνώμης (τύπος, κλπ). **2**. ἁρμόνιον. **ˋ~-grinder**, λατερνατζῆς. **ˋ~·ist** /-ɪst/ παίκτης ἁρμονίου.

or·gan·die /ɔˋgændɪ/ *οὐσ.* ‹U› ὀργκαντίνα.

or·ganic /ɔˋgænɪk/ *ἐπ.* **1**. ἐνόργανος. **2**. ὀργανικός, συστηματοποιημένος: **~ chemistry**, ὀργανική χημεία. *an ~ whole/part*, ὀργανικό σύνολο/τμῆμα. **~ally** /-klɪ/ *ἐπίρ.* ὀργανικά.

or·gan·ism /ˋɔgən-ɪzm/ *οὐσ.* ‹C› ὀργανισμός.

or·gan·iz·ation /ˈɔgənaɪˋzeɪʃn/ *οὐσ.* ‹C,U› ὀργάνωσις, ὀργανισμός: *the ~ of a new club*, ἡ ὀργάνωσις μιᾶς καινούργιας λέσχης. *a large/complex ~*, μεγάλη ὀργάνωσις/περίπλοκος ὀργανισμός.

or·gan·ize /ˋɔgənaɪz/ *ρ.μ.* ὀργανώνω: *~ a party/one's work/oneself/a trade union*, ὀργανώνω ἕνα κόμμα/τή δουλειά μου/τή ζωή μου/ἕνα συνδικᾶτο. **or·gan·izer** *οὐσ.* ‹C› (δι)οργανωτής.

or·gasm /ˋɔgæzm/ *οὐσ.* ‹C› ὀργασμός.

or·gi·as·tic /ˈɔdʒɪˋæstɪk/ *ἐπ.* ὀργιαστικός.

orgy /ˋɔdʒɪ/ *οὐσ.* ‹C› ὄργιον: *a drunken ~*, ὀργιαστικό μεθύσι. *an ~ of spending*, ὄργιο ἐξόδων.

orient /ˋɔrɪənt/ *οὐσ.* **the O~**, ἡ Ἀνατολή. **~al** /ˈɔrɪˋentl/ *ἐπ.* ἀνατολικός, ἀνατολίτικος, ἀσιατικός: *~al art/carpets*, ἀνατολική τέχνη/-ά χαλιά. __*οὐσ.* ‹C› **O~**, ἀνατολίτης. **~al·ist** /-ɪst/ *οὐσ.* ‹C› ἀνατολιστής.

orien·tate /ˋɔrɪənteɪt/ *ρ.μ.* προσανατολίζω. ***~ oneself***, προσανατολίζομαι. **orien·ta·tion** /ˈɔrɪənˋteɪʃn/ *οὐσ.* ‹U› προσανατολισμός.

ori·fice /ˋɔrəfɪs/ *οὐσ.* ‹C› τρύπα, στόμιον.

ori·gin /ˋɔrədʒɪn/ *οὐσ.* ‹C,U› ἀρχή, καταγωγή, προέλευσις: *the ~ of a quarrel*, ἡ ἀρχή μιᾶς φιλονικίας. *of humble ~*, ταπεινῆς καταγωγῆς. *the ~ of the species*, ἡ καταγωγή τῶν εἰδῶν. *words of Latin ~*, λέξεις λατινικῆς προελεύσεως.

orig·inal /əˋrɪdʒnl/ *ἐπ.* **1**. ἀρχικός: *the ~ inhabitants of a country*, οἱ ἀρχικοί κάτοικοι μιᾶς χώρας. *the ~ meaning of a word*, ἡ ἀρχική ἔννοια μιᾶς λέξεως. (*βλ.* & *λ.* *sin*). **2**. πρωτότυπος: *~ ideas/designs*, πρωτότυπες ἰδέες/σχέδια. *an ~ thinker/writer*, πρωτότυπος στοχαστής/συγγραφεύς. __*οὐσ.* ‹C› **1**. πρωτότυπον: *This is a copy; the ~ is in Rome*, αὐτό εἶναι ἀντίγραφο, τό πρωτότυπο εἶναι στή Ρώμη. *Can you read Homer in the ~?* μπορεῖς νά διαβάσης Ὅμηρο στό πρωτότυπο; **2**. ἰδιόρρυθμος ἄνθρωπος. **~ly** *ἐπίρ.* ἀρχικά, πρωτότυπα. **~·ity** /əˈrɪdʒɪˋnælətɪ/ *οὐσ.* ‹U› πρωτοτυπία: *It lacks ~ity*, στερεῖται πρωτοτυπίας.

orig·inate /əˋrɪdʒɪneɪt/ *ρ.μ/ἀ.* **1**. ***~ from/in sth; ~ from/with sb***, προέρχομαι, ἕλκω τήν καταγωγήν: *The quarrel ~d in jealousy*, ἡ φιλονικία προῆλθε ἀπό ζήλεια. *The plan ~d with my brother*, τό σχέδιο προῆλθε ἀπό τόν ἀδελφό μου. **2**. δημιουργῶ, ἐπινοῶ: *~ a new card game*, ἐπινοῶ ἕνα νέο παιχνίδι μέ χαρτιά. **orig·in·ator** /-tə(r)/ *οὐσ.* ‹C› ἐπινοητής, δημιουργός, ἐφευρέτης.

ori·ole /\`ɔrɪəʊl/ *οὐσ.* ‹C› φλῶρος, κιτρινοπούλι.
ori·son /\`orɪzn/ *οὐσ.* ‹C› (*ἀπηρχ.*) προσευχή.
or·na·ment /\`ɔnəmənt/ *οὐσ.* ‹C,U› κόσμημα, στολίδι: *by way of* ~, σά στολίδι, γιά στόλισμα. *laden with ~s*, φορτωμένη στολίδια. *He's an ~ to his profession*, ἀποτελεῖ κόσμημα γιά τό ἐπάγγελμά του. *__ρ.μ.* στολίζω, κοσμῶ: ~ *a dress with lace*, στολίζω ἕνα φόρεμα μέ ντεντέλλα.
or·na·men·tal /'ɔnə\`mentl/ *ἐπ.* διακοσμητικός.
or·na·men·ta·tion /'ɔnəmen\`teɪʃn/ *οὐσ.* ‹U› διακόσμησις, στόλισμα, στολίδι.
or·nate /ɔ\`neɪt/ *ἐπ.* πολύ στολισμένος, (*γιά ὕφος*) περίκομψος, φανταχτερός.
or·ni·thol·ogy /'ɔnɪ\`θolədʒɪ/ *οὐσ.* ‹U› ὀρνιθολογία. **or·ni·thol·ogist** /-ɪst/ *οὐσ.* ‹C› ὀρνιθολόγος.
oro·tund /\`ɔrəʊtʌnd/ *ἐπ.* (*λόγ.*) **1**. ἐπιβλητικός. **2**. πομπώδης, στομφώδης.
or·phan /\`ɔfən/ *ἐπ.* & *οὐσ.* ‹C› ὀρφανός. *__ρ.μ.* ὀρφανεύω (κπ). **~·age** /-ɪdʒ/ *οὐσ.* ‹C› ὀρφανοτροφεῖον.
or·tho·dox /\`ɔθədoks/ *ἐπ.* ὀρθόδοξος: **the O~ Church**, ἡ Ὀρθόδοξος Ἐκκλησία. **~y** /\`ɔθədoksɪ/ *οὐσ.* ‹C,U› ὀρθοδοξία.
or·tho·graphic /'ɔθə\`græfɪk/ *ἐπ.* ὀρθογραφικός.
or·tho·gra·phy /ɔ\`θogrəfɪ/ *οὐσ.* ‹U› ὀρθογραφία.
or·tho·paedic /'ɔθə\`pidɪk/ *ἐπ.* ὀρθοπεδικός. **or·tho·paedics** *οὐσ.* (*μέ ρ. ἑν.*) ὀρθοπεδική.
os·cil·late /\`osɪleɪt/ *ρ.μ/ἀ.* ταλαντεύω/-ομαι, αἰωροῦμαι, κυμαίνομαι, (*φυσ., ἀσυρμ.*) ταλαντοῦμαι: ~ *between two opinions*, ταλαντεύομαι μεταξύ δύο γνωμῶν. **oscillating current**, ταλαντούμενον ρεῦμα. **os·cil·la·tion** /'osɪ\`leɪʃn/ *οὐσ.* ‹C,U› ταλάντευσις, ταλάντωσις. **os·cil·lator** /-tə(r)/ *οὐσ.* ‹C› ταλαντωτής.
os·cillo·graph /ə\`sɪləgraf/ *οὐσ.* ‹C› ταλαντογράφος, παλμογράφος.
os·cillo·scope /ə\`sɪləskəʊp/ *οὐσ.* ‹C› ταλαντοσκόπιον, παλμοσκόπιον.
osier /\`əʊzɪə(r)/ *οὐσ.* ‹C› λυγαριά.
os·prey /\`osprеɪ/ *οὐσ.* ‹C› (*πληθ.* ~*s*) (*ὀρνιθ.*) ψαραετός.
os·seous /\`osɪəs/ *ἐπ.* ὀστεώδης.
oss·ify /\`osɪfaɪ/ *ρ.μ/ἀ.* ὀστεοποιῶ/-οῦμαι, ἀπολιθώνομαι, (*μεταφ.*) σκληρύνομαι, γίνομαι ὀπισθοδρομικός. **ossi·fi·ca·tion** /'osɪfɪ\`keɪʃn/ *οὐσ.* ‹U› ὀστεοποίησις, ἀποστέωσις.
os·ten·sible /o\`stensəbl/ *ἐπ.* φαινομενικός, δῆθεν: *His ~ reason for leaving...*, ἡ φαινομενική αἰτία πού ἔφυγε... **os·ten·sibly** /-əblɪ/ *ἐπίρ.* φαινομενικά, δῆθεν.
os·ten·ta·tion /'osten\`teɪʃn/ *οὐσ.* ‹U› ἐπίδειξις, φιγούρα: *the ~ of the newly rich*, ἡ ἐπίδειξις τῶν νεοπλούτων.
os·ten·ta·tious /'osten\`teɪʃəs/ *ἐπ.* ἐπιδεικτικός, φανταχτερός: ~ *jewellery*, φανταχτερά κοσμήματα. *in an ~ manner*, μέ ἐπιδεικτικό τρόπο. **~·ly** *ἐπίρ.*
os·teo·path /\`ostɪəpæθ/ *οὐσ.* ‹C› χειροπράκτωρ.
os·te·opathy /'ostɪ\`opəθɪ/ *οὐσ.* ‹U› χειροπραξία, θεραπεία διά μαλάξεως.
os·tler /\`oslə(r)/ *οὐσ.* ‹C› ἱπποκόμος.
os·tra·cize /\`ostrəsaɪz/ *ρ.μ.* ἐξοστρακίζω, ἀπομονώνω (κοινωνικά). **os·tra·cism** /-ɪzm/ *οὐσ.* ‹U› ἐξοστρακισμός.
os·trich /\`ostrɪtʃ/ *οὐσ.* ‹C› στρουθοκάμηλος.
other /\`ʌðə(r)/ *επ.* & *ἀντων.* **1**. ἄλλος: *Where are the ~ boys?* ποῦ εἶναι τά ἄλλα παιδιά; *This is mine, all the ~s are John's*, αὐτό εἶναι δικό μου, ὅλα τ' ἄλλα εἶναι τοῦ Γιάννη. (*βλ.* & *λ. each, hand*). ***every ~***, *(α)* κάθε ἄλλος: *John is stupid; every ~ boy in the class knows the answer*, ὁ Γ. εἶναι βλάκας, κάθε ἄλλο παιδί (ὅλα τά ἄλλα παιδιά) στήν τάξη ξέρει τήν ἀπάντηση. *(β)* ἐναλλάξ, ἕνας παρά ἕνας: *I go to school every ~ day*, πάω σχολεῖο μέρα παρά μέρα. ***one after the ~; one after another***, ὁ ἕνας κατόπιν τοῦ ἄλλου: *They all left one after the ~*, ἔφυγαν ὅλοι, ὁ ἕνας κατόπιν τοῦ ἄλλου. ***or ~***, (*δίνει ἕναν τόνο ἀμφιβολίας ἤ ἀοριστίας στίς προηγούμενες λέξεις*) ἕνας κάποιος: *some day or ~*, μιά κάποια μέρα, καμιά μέρα. *someone or ~*, ἕνας κάποιος. ***the ~ day***, τίς προάλλες, πρίν λίγες μέρες. **2**. διαφορετικός: *I don't wish her ~ than she is*, δέν τήν θέλω διαφορετική ἀπ' ὅ,τι εἶναι. **'~·\`worldly** *ἐπ.* τοῦ ἄλλου κόσμου, μυστικοπαθής. *__ἐπίρ.* διαφορετικά: *I could not do it ~ than hurriedly*, δέν μποροῦσα νά τό κάμω παρά μόνο βιαστικά.
other·wise /\`ʌðəwaɪz/ *ἐπίρ.* **1**. διαφορετικά, ἀλλοιώτικα: *You evidently think ~*, προφανῶς σκέφτεσαι διαφορετικά. **2**. κατά τά ἄλλα: *The rent is high but ~ the house is satisfactory*, τό νοίκι εἶναι μεγάλο, ἀλλά κατά τά ἄλλα τό σπίτι εἶναι ἱκανοποιητικό. *__σύνδ.* εἰδάλλως: *Be quick, ~ you'll miss the train*, κάνε γρήγορα, εἰδάλλως θά χάσης τό τραῖνο.
oti·ose /\`əʊʃɪəʊs/ *ἐπ.* (*λόγ.*) ἄχρηστος, περιττός.
ot·ter /\`otə(r)/ *οὐσ.* ‹C› (*ζωολ.*) **1**. ἐνυδρίς, νερόσκυλο. **2**. ἡ γούνα του, λούτρ.
ot·to·man /\`otəmən/ *οὐσ.* ‹C› καναπές, ντιβανοκασέλα.
ouch /aʊtʃ/ *ἐπιφ. πόνου* ὤχ!
ought /ɔt/ *ρ. βοηθ.* (*ἐλλειπτικό, χωρίς ἄλλους χρόνους ἤ τύπους. Σχηματίζει τήν ἐρώτηση μέ ἀντιστροφή καί τήν ἄρνηση μέ not. Ἀκολουθεῖται ἀπό ἀπαρέμφατον μέ to. Ἀναφέρεται εἰς τό παρόν ἤ τό μέλλον, εἰς δέ τό παρελθόν μόνον εἰς τόν πλάγιον λόγον ἤ ὅταν ἀκολουθεῖται ἀπό have + past participle διά νά δηλώση ὅτι κάτι θά ἔπρεπε νά εἶχε γίνει ἀλλά δέν ἔγινε*). **1**. ὀφείλω: *Children ~ to obey their parents*, τά παιδιά ὀφείλουν νά ὑπακούουν στούς γονεῖς τους. *O~ I to go? No, you ~ not.* ὀφείλω νά πάω; ὄχι (δέν ὀφείλεις). **2**. πρόπει, φαίνεται ὅτι θά *Look at those black clouds! There ~ to be rain soon*, κοίταξε αὐτά τά μαῦρα σύννεφα! πρέπει νά βρέξη σύντομα. **3**. θἄπρεπε, θά ἦταν σωστό/εὐκταῖο: *You ~ to see the new film at the Rex*, θἄπρεπε νά δῆς τό νέο φίλμ στό Ρέξ. *You ~ to have seen this film*, θἄπρεπε νά τό εἶχες δῆ (ἀλλά δέν τό εἶδες).
ounce /aʊns/ *οὐσ.* ‹C› (*συγκεκ.* **oz**) οὐγγιά (28,35 γραμ.).
our /a(r)/ *κτητ. ἐπ.* μας: *This is our house*, αὐτό εἶναι τό σπίτι μας.
ours /\`aʊəz/ *κτητ. ἀντων.* δικός μας: *This house is ours*, αὐτό τό σπίτι εἶναι δικό μας.
our·selves /a\`selvz/ *βλ.* [1]*self.*

oust /aʊst/ *ρ.μ.* ἐκδιώκω: ~ *sb from office*, ἐκδιώκω κπ ἀπό τήν ἐξουσία.

out /aʊt/ *ἐπίρ.* **1**. (*κίνησις ἤ στάσις*) ἔξω: *go/rush/throw sb* ~, πηγαίνω/ὁρμῶ/πετῶ κπ ἔξω. **2**. (*γιά νά τονίση τήν ἔννοια τῆς ἀποστάσεως*) πέρα, μακρυά, ἔξω: *He's* ~ *in the country*, εἶναι μακρυά στήν ἐξοχή. ~ *there*, ἐκεῖ πέρα. ~ *at sea*, στ' ἀνοιχτά, στό πέλαγος. ~ *in America*, πέρα στήν Ἀμερική. **3**. (*μέ τήν ἔννοια* 'βγαίνω, γίνομαι γνωστός/φανερός'). *The secret is* ~, τό μυστικό μαθεύτηκε. *The sun is* ~, πρόβαλε ὁ ἥλιος. *The roses are* ~, ἄνοιξαν τά τριαντάφυλλα. *His new book is* ~, ἐκδόθηκε τό νέο του βιβλίο. **4**. (*μέ τήν ἔννοια τοῦ τέλους ἤ τῆς ἐξαντλήσεως*): *The fire is* ~, ἡ φωτιά ἔσβυσε. *The lease is* ~, ἡ μίσθωσις ἔληξε. *Our supplies are* ~, οἱ προμήθειές μας ἐξαντλήθηκαν. **5**. (*μέ τήν ἔννοια λάθους*): *I'm* ~ *in my calculations*, ἔπεσα ἔξω στούς ὑπολογισμούς μου. *You are not far* ~, δέν ἔχεις πέσει πολύ ἔξω. **6**. (*μέ τήν ἔννοια* 'καθαρά, δυνατά'): *stand* ~, ξεχωρίζω. *speak* ~, μιλῶ καθαρά/δυνατά. *right* ~, στά ἴσια, χωρίς τίποτα κρυφό. ***O~ with it!*** πέστο! μίλα καθαρά! **7**. (*μέ τήν ἔννοια* 'ἐντελῶς', 'μέχρι τέλους'): *fight it* ~, ἀγωνίζομαι μέχρι τέλους. *tired* ~, πολύ κουρασμένος. *before the week is* ~, πρίν τελειώση ἡ βδομάδα. ***cry one's eyes*** ~, στραβώνομαι στό κλάμα. ~ ***and*** ~, τέλειος, τελείως: *He's a scoundrel* ~ *and* ~, εἶναι παληάνθρωπος πέρα ὥς πέρα. *He's an* ~*-and-*~ *scoundrel*, εἶναι τέλειος παληάνθρωπος. ~ ***and away***, ἀσυζητητί, χωρίς σύγκριση: *He's* ~ *and away the best footballer we have*, εἶναι ἀσυζητητί ὁ καλύτερος ποδοσφαιριστής πού ἔχομε. ***all*** ~, μέ ὅλη τή δύναμη, ἀνώτατος: *My new car can do 100 miles when it's going all* ~, τό καινούργιο μου αὐτοκίνητο πιάνει τά 100 μίλια ὅταν πατήσης ὅλο τό γκάζι (ὅταν εἶναι στό μέγιστο τῆς ἀποδόσεώς του). *We must make an all-*~ *effort*, πρέπει νά κάνωμε μιά ὑπέρτατη προσπάθεια. **8**. ***be*** ~, (*ἐκτός ἀπό τίς ἀνωτέρω χρήσεις, σημαίνει ἐπίσης*): *(α)* λείπω: *The manager is* ~, ὁ διευθυντής λείπει. *(β)* δέν εἶμαι πιά τῆς μόδας: *Miniskirts are* ~, οἱ φοῦστες μίνι δέν εἶναι πιά τῆς μόδας. *(γ)* δέν εἶμαι στήν ἐξουσία: *The conservatives are* ~, οἱ Συντηρητικοί δέν εἶναι στήν ἀρχή. *(δ)* ἀπεργῶ: *The dockers are* ~ *again*, οἱ λιμενεργάτες ἔχουν πάλι ἀπεργία. ***be*** ~ ***and about***, (*γιά ἄρρωστο*) εἶμαι στό πόδι/καλά. ***be*** ~ ***for***, ἐπιδιώκω, ἐνδιαφέρομαι γιά: *He's* ~ *for compliments*, ψαρεύει κομπλιμέντα. *He's* ~ *for your blood*, θέλει νά σέ φάη, νά σέ καταστρέψη. ***be*** ~ ***to***, προσπαθῶ, ἐλπίζω, ἔχω σκοπό: *They are* ~ *to reform the world*, ἔχουν βαλθῆ ν' ἀλλάξουν τόν κόσμο. *He's* ~ *to win the first prize*, τὄχει βάλει σκοπό νά κερδίση τό πρῶτο βραβεῖο. **9**. ~ ***of***, *(α)* ἔξω ἀπό, μακρυά ἀπό: *He's* ~ *of town*, εἶναι ἔξω (λείπει) ἀπό τήν πόλη. *He jumped* ~ *of bed*, πετάχτηκε ἀπό τό κρεββάτι. *(β)* ἀπό, ἐξ αἰτίας: ~ *of jealousy/love/hatred/curiosity*, ἀπό ζήλεια/ἀπό ἀγάπη/ἀπό μῖσος/ἀπό περιέργεια. *(γ)* ἀπό, φτιαγμένος ἀπό: ~ *of wood/steel*, ἀπό ξύλο/ἀπό ἀτσάλι. *Can good ever come* ~ *of evil?* μπορεῖ ποτέ νά προέλθη καλό ἀπό τό κακό; *(δ)* ἀπό, ἀνάμεσα σέ: *one* ~ *of ten*, ἕνας στούς δέκα. *(ε)* χωρίς: ~ *of work/money*, χωρίς δουλειά/χρήματα. *I'm* ~ *of breath/patience*, εἶμαι λαχανιασμένος/ἔχω χάσει τήν ὑπομονή μου. *(στ')* ἐκτός: ~ *of danger/control/fashion*, ἐκτός κινδύνου/ἐλέγχου/ντεμοντέ. *(ζ)* (*δηλοῖ τήν πηγή ἤ τό μέσον*) ἀπό, μέ: *a scene* ~ *of a play*, μιά σκηνή ἀπό ἔργο. *copy sth* ~ *of a book*, ἀντιγράφω κτ ἀπό ἕνα βιβλίο. *drink* ~ *of a cup*, πίνω μ' ἕνα φλυτζάνι. *(η)* (*δηλοῖ τό ἀποτέλεσμα μιᾶς πράξεως*): *They cheated him* ~ *of his money*, τόν γέλασαν καί τοῦ πῆραν τά χρήματα. *I talked her* ~ *of buying it*, τήν ἔπεισα νά μήν τό ἀγοράση. *He was frightened* ~ *of his wits*, τά εἶχε χάσει ἀπό τό φόβο του. ***feel*** ~ ***of it***, νοιώθω πίκρα/μοναξιά, σάν παραμελημένος: *I felt* ~ *of it when I saw them all set out on the picnic*, ἔνοιωσα μοναξιά (μοῦ κακοφάνηκε) ὅταν τούς εἶδα ὅλους νά ξεκινᾶν γιά τό πικνίκ. ***be*** ~ ***of it***, δέν ἀνακατεύομαι: *I'm glad I'm* ~ *of it*, χαίρομαι πού εἶμαι ἔξω ἀπό τήν ὑπόθεση. **10**. (*ὡς οὐσ.*) ***the ins and*** ~***s***, *(α)* αὐτοί πού εἶναι στήν ἀρχή κι' αὐτοί πού εἶναι ἀπέξω. *(β)* οἱ λεπτομέρειες, τά καθέκαστα: *He knows all the ins and* ~*s of the affair*, ξέρει ὅλες τίς λεπτομέρειες (τά μέσα καί τά ἔξω) τῆς ὑποθέσεως. —*ρ.μ.* (*λαϊκ.*) πετῶ ἔξω.

out·bal·ance /aʊt`bæləns/ *ρ.μ.* ὑπερέχω, βαρύνω περισσότερο.

out·bid /aʊt`bɪd/ *ρ.μ.* (*-dd-*) πλειοδοτῶ, ξεπερνῶ.

out·board /`aʊtbɔd/ *ἐπιθ.* ἐξωτερικός, ἐξωλέμβιος: **an** ~ **motor**, ἐξωλέμβιος κινητήρ.

out·bound /`aʊtbaʊnd/ *ἐπ.* (*γιά πλοῖο*) ἐξερχόμενος, ἀποπλέων.

out·brave /aʊt`breɪv/ *ρ.μ.* ἀψηφῶ: ~ *the storm*, ἀψηφῶ τή θύελλα.

out·break /`aʊtbreɪk/ *οὐσ.* ‹C› ξέσπασμα, ἔναρξις, ἔκρηξις: *an* ~ *of anger/hostilities*, ξέσπασμα θυμοῦ/ἐχθροπραξιῶν. *at the* ~ *of the war/of the epidemic*, κατά τήν ἔκρηξη τοῦ πολέμου/τήν ἐκδήλωση τῆς ἐπιδημίας.

out·build·ing /`aʊtbɪldɪŋ/ *οὐσ.* ‹C› ἐξωτερικό/βοηθητικό κτίσμα.

out·burst /`aʊtbɜst/ *οὐσ.* ‹C› ξέσπασμα: *an* ~ *of laughter/anger*, ξέσπασμα γέλιου/θυμοῦ.

out·cast /`aʊtkast/ *οὐσ.* ‹C› & *ἐπ.* (κοινωνικά) ἀπόβλητος, ἀπόκληρος.

out·class /aʊt`klas/ *ρ.μ.* ξεπερνῶ, ὑπερτερῶ.

out·come /`aʊtkʌm/ *οὐσ.* ‹C› ἔκβασις, κατάληξις: *the* ~ *of the war/negotiations*, ἡ ἔκβασις τοῦ πολέμου/τῶν διαπραγματεύσεων.

out·crop /`aʊtkrop/ *οὐσ.* ‹C› προεξοχή (βράχου) πάνω ἀπό τό ἔδαφος. (*ψυχ.*) ἐκδήλωσις.

out·cry /`aʊtkraɪ/ *οὐσ.* ‹C,U› (κατα)κραυγή: *There was a general* ~ *against him*, ὑπῆρξε γενική κατακραυγή ἐναντίον του.

out·dated /aʊt`deɪtɪd/ *ἐπ.* ἀπηρχαιωμένος, ξεπερασμένος.

out·dis·tance /aʊt`dɪstəns/ *ρ.μ.* ξεπερνῶ, ἀφήνω πίσω (ἀντίπαλο, κλπ).

out·do /aʊt`du/ *ρ.μ.* (*ἀνώμ. βλ. do*) ὑπερτερῶ, ξεπερνῶ, νικῶ.

out·door /aʊt`dɔ(r)/ *ἐπ.* ἐξωτερικός, ὑπαίθριος: ~ *games*, ὑπαίθρια παιχνίδια.

out·doors /aʊt`dɔz/ *ἐπίρ.* ἔξω, στό ὕπαιθρο:

sleep/work ~, κοιμᾶμαι/δουλεύω στό ὕπαιθρο.

outer /ˋaʊtə(r)/ *ἐπ.* ἐξωτερικός (*ἀντίθ. inner*): *the ~ space*, τό (ἐξωγήϊνο) διάστημα. *the ~ man*, ὁ ἐξωτερικός ἄνθρωπος. ˋ**~·most** /-məʊst/ *ἐπ.* πιό μακρυνός, ἀκραῖος, ἔσχατος.

out·face /aʊtˋfeɪs/ *ρ.μ.* κοιτάζω κπ ἐπίμονα, τόν ἀναγκάζω νά κατεβάση τά μάτια, τοῦ παίρνω τόν ἀέρα.

out·fall /ˋaʊtfɔl/ *οὐσ.* ‹C› στόμιον, ἐκβολή, ἐκροή.

out·fit /ˋaʊtfɪt/ *οὐσ.* ‹C› ἐφόδια, σύνεργα, ἐξοπλισμός: *a carpenter's ~*, τά σύνεργα μαραγκοῦ. *a camping ~*, τά ἀπαραίτητα γιά κατασκήνωση. **~·ted** *ἐπ.* ἐφοδιασμένος. **~·ter**, προμηθευτής, ἔμπορος ρούχων: *a gentleman's ~ter*, ἔμπορος ἀνδρικῶν εἰδῶν.

out·flank /aʊtˋflæŋk/ *ρ.μ.* ὑπερφαλαγγίζω: *an ~ing movement*, κυκλωτική κίνησις.

out·flow /ˋaʊtfləʊ/ *οὐσ.* ‹C› ἐκροή, διαρροή.

out·fox /aʊtˋfoks/ *ρ.μ.* ξεπερνῶ κπ στήν πανουργία, φέρνω κπ καπάκι.

out·gen·eral /aʊtˋdʒenrl/ *ρ.μ.* ξεπερνῶ κπ στή στρατηγική.

out·go /ˋaʊtgəʊ/ *οὐσ.* ‹C› (*πληθ. ~es*) πληρωμή, δαπάνη.

out·go·ing /ˋaʊtgəʊɪŋ/ *ἐπιθ.* ἐξερχόμενος, ἀναχωρῶν: *an ~ ship/train*, πλοῖο/τραῖνο πού ἀναχωρεῖ. *the ~ government/tenant*, ἡ κυβέρνησις/ὁ ἐνοικιαστής πού φεύγει. **out·go·ings** *οὐσ. πληθ.* ἔξοδα.

out·grow /aʊtˋgrəʊ/ *ρ.μ.* (*ἀνώμ., βλ. grow*) **1**. μεγαλώνω γρηγορώτερα ἀπό κπ: *John has ~n all the boys in the class*, ὁ Γ. ψήλωσε περισσότερο ἀπ' ὅλα τά παιδιά στήν τάξη του. **2**. μεγαλώνω πολύ (καί κτ δέν μοῦ κάνη ἤ δέν μοῦ ἀρέσει πιά): *He has ~n his clothes/his interest in toys*, μεγάλωσε τόσο πού δέν τοῦ κάνουν τά ροῦχα του/πού ἔχασε τό ἐνδιαφέρον του γιά παιχνίδια.

out·growth /ˋaʊtgrəʊθ/ *οὐσ.* ‹C› **1**. ἀποτέλεσμα, φυσική συνέπεια. **2**. ἀπόφυσις, ἔκφυσις.

out-herod /aʊt ˋherəd/ *ρ.μ.* ξεπερνῶ τόν Ἡρώδη (σέ σκληρότητα).

out·house /ˋaʊthaʊs/ *οὐσ.* ‹C› βοηθητικό κτίριο.

out·ing /ˋaʊtɪŋ/ *οὐσ.* ‹C› ἐκδρομούλα, ἔξοδος (στό ὕπαιθρο): *go for an ~ to the seaside.*

out·land·ish /aʊtˋlændɪʃ/ *ἐπ.* παράξενος, ξενόφερτος, ἐξωτικός, ἀπόμακρος: *~ clothes/behaviour*, παράξενα ροῦχα/ξενόφερτοι τρόποι. **~·ly** *ἐπίρ.*

out·last /aʊtˋlast/ *ρ.μ.* διαρκῶ/ζῶ περισσότερο (ἀπό κπ ἤ κτ).

out·law /ˋaʊtlɔ/ *ρ.μ.* θέτω ἐκτός νόμου: *~ a party/drugs*, θέτω ἐκτός νόμου ἕνα κόμμα/τά ναρκωτικά. *—οὐσ.* ‹C› ἐπικηρυγμένος, παράνομος, ἐκτός νόμου.

out·lay /ˋaʊtleɪ/ *οὐσ.* ‹C,U› (προγραμματισμένη) δαπάνη, ἔξοδα: *a large ~ on/for scientific research*, μεγάλο κοντύλι γιά ἐπιστημονική ἔρευνα.

out·let /ˋaʊtlet/ *οὐσ.* ‹C› *~* (**for**), (*κυριολ. & μεταφ.*) διέξοδος, ἔξοδος: *the ~ of a lake*, ἡ ἔξοδος μιᾶς λίμνης. *an ~ for one's energy/anger*, διέξοδος στή δραστηριότητά μου/στό θυμό μου. *give/provide an ~ for sth*, δίνω/παρέχω διέξοδο σέ κτ.

out·line /ˋaʊtlaɪn/ *οὐσ.* ‹C› **1**. περίγραμμα, σιλουέττα: *the ~ of a ship/mountain*, τό περίγραμμα ἑνός πλοίου/ἑνός βουνοῦ. **2**. γενικές γραμμές, κύρια σημεῖα, διάγραμμα, περίληψις: *the ~ of an essay/lecture*, οἱ γενικές γραμμές μιᾶς ἐκθέσεως/διαλέξεως. *draw sth in ~*, σχεδιάζω κτ σέ γενικές γραμμές. *an ~ of European History*, διάγραμμα τῆς Εὐρωπαϊκῆς Ἱστορίας. *—ρ.μ.* σκιαγραφῶ, διαγράφω: *~ one's plans/policy*, σκιαγραφῶ (δίνω σέ γενικές γραμμές) τά σχέδιά μου/τήν πολιτική μου.

out·live /aʊtˋlɪv/ *ρ.μ.* **1**. ἐπιζῶ: *He'll ~ us all*, θά ζήση περισσότερο ἀπ' ὅλους μας, θά μᾶς θάψη ὅλους. *He won't ~ the winter*, δέν θά βγάλη τό χειμῶνα. **2**. ζῶ ὥσπου νά ξεχαστῆ κτ: *~ a disgrace*, ζῶ τόσο ὥστε νά ξεχαστῆ μιά ντροπή.

out·look /ˋaʊtlʊk/ *οὐσ.* ‹C› **1**. θέα: *The window has a pleasant ~ over the valley*, τό παράθυρο ἔχει ὄμορφη θέα στήν κοιλάδα. **2**. προοπτική, πρόβλεψις: *The business ~/The ~ for world peace is gloomy*, οἱ προβλέψεις γιά τό ἐμπόριο/οἱ προοπτικές γιά τήν παγκόσμια εἰρήνη εἶναι σκοτεινές. **3**. ἀντίληψις, νοοτροπία: *a man with a narrow/gloomy ~ on life*, ἄνθρωπος μέ στενή/μέ ἀπαισιόδοξη ἀντίληψη γιά τή ζωή.

out·lying /ˋaʊtlaɪɪŋ/ *ἐπ.* ξεμακρυσμένος, ἀπόμερος: *~ villages.*

out·man·œuvre /ˋaʊtməˋnuvə(r)/ *ρ.μ.* νικῶ κπ μέ καλύτερη στρατηγική, ξεπερνάω κπ σέ τεχνάσματα, τόν φέρνω καπάκι.

out·march /aʊtˋmatʃ/ *ρ.μ.* βαδίζω γρηγορώτερα ἤ μακρύτερα ἀπό κπ.

out·match /aʊtˋmætʃ/ *ρ.μ.* ἀναδεικνύομαι ἀνώτερος ἀπό κπ, ὑπερτερῶ.

out·moded /aʊtˋməʊdɪd/ *ἐπ.* ντεμοντέ.

out·most /ˋaʊtməʊst/ *βλ. outermost.*

out·num·ber /aʊtˋnʌmbə(r)/ *ρ.μ.* ὑπερέχω ἀριθμητικῶς: *They ~ed us three to one*, μᾶς ξεπερνοῦσαν τρεῖς πρός ἕναν.

out-of-date /ˈaʊt əv ˋdeɪt/ *ἐπ. βλ. date.*

out-of-door /ˈaʊt əv ˋdɔ(r)/ *βλ. out-door.*

out-of-the-way /ˈaʊt əv ðə ˋweɪ/ *ἐπ.* ἀπόμερος, ἐλάχιστα γνωστός: *an ~ village.*

out·patient /ˋaʊtpeɪʃnt/ *οὐσ.* ‹C› ἐξωτερικός ἀσθενής.

out·play /aʊtˋpleɪ/ *ρ.μ.* παίζω καλύτερα ἀπό κπ, νικῶ.

out·point /aʊtˋpɔɪnt/ *ρ.μ.* (*πυγμ.*) νικῶ στά σημεῖα.

out·post /ˋaʊtpəʊst/ *οὐσ.* ‹C› προκεχωρημένο φυλάκιο, προφυλακή.

out·pour·ing /ˋaʊtpɔrɪŋ/ *οὐσ.* ‹C› ξεχείλισμα, ξέσπασμα: *the ~s of the heart*, τό ξεχείλισμα τῆς καρδιᾶς.

out·put /ˋaʊtpʊt/ *οὐσ.* ‹C,U› ἀπόδοσις, παραγωγή: *the ~ of a factory/coal mine*, ἡ ἀπόδοσις ἑνός ἐργοστασίου/ἀνθρακωρυχείου. *the literary ~ of the year*, ἡ φιλολογική παραγωγή τῆς χρονιᾶς. *the power ~*, ἡ συνολική παραγωγή ἠλεκτρισμοῦ.

out·rage /ˋaʊt-reɪdʒ/ *οὐσ.* ‹C,U› προσβολή, βιασμός, ὕβρις, βιαιοπραγία, ἔγκλημα: *an ~ upon decency*, προσβολή τῆς δημοσίας αἰδοῦς. *the ~s committed by the drunken mob*, οἱ βιαιότητες πού διεπράχθησαν ἀπό τόν μεθυσμένο ὄχλο. *The use of H-bombs would be an ~ against humanity*, ἡ χρῆσις ὑδρογονικῶν βομβῶν θά ἦταν ἔγκλημα κατά τῆς ἀνθρωπότητος. —*ρ.μ.* προσβάλλω, σοκάρω, βιάζω: ~ *one's sense of justice*, προσβάλλω τό αἴσθημα δικαιοσύνης. ~ *public opinion*, σκανδαλίζω/ἐξαγριώνω τήν κοινή γνώμη. ~ *a woman*, βιάζω γυναίκα.

out·rage·ous /aʊt`reɪdʒəs/ *ἐπ.* σκανδαλώδης, ἐξωφρενικός, πρόστυχος, χυδαῖος, σκληρός, ἀποτρόπαιος: *an ~ price*, σκανδαλώδης/ἐξωφρενική τιμή. ~ *behaviour*, χυδαία/πρόστυχη συμπεριφορά. ~ *treatment*, σκληρή μεταχείρισις. *an ~ crime*, ἀποτρόπαιο ἔγκλημα. **~·ly** *ἐπίρ.*

out·re·lief /`aʊtrɪlif/ *οὐσ.* ‹U› οἰκονομική ἐνίσχυσις κατ᾽οἶκον.

out·ride /aʊt`raɪd/ *ρ.μ.* (*ἀνώμ., βλ. ride*) καλπάζω γρηγορώτερα ἀπό κπ, ξεφεύγω ἔφιππος: *He outrode his pursuers*, ξέφυγε καλπάζοντας ἀπό τούς διῶκτες του.

out·rider /`aʊt-raɪdə(r)/ *οὐσ.* ‹C› ἔφιππος ἤ ἐποχούμενος συνοδός.

out·right /`aʊt-raɪt/ *ἐπ.* **1**. σαφής, καθαρός, κατηγορηματικός, εἰλικρινής: *an ~ loss*, σαφής/καθαρή ζημιά. *an ~ denial*, κατηγορηματική ἄρνησις. *an ~ manner*, εἰλικρινής τρόπος. **2**. ἀναμφισβήτητος: *He was the ~ winner*, ἦταν ὁ ἀναμφισβήτητος νικητής. —*ἐπίρ.* **1**. καθαρά, ξάστερα, ἀπερίφραστα: *I'll tell him ~ what I think of him*, θά τοῦ πῶ καθαρά τί σκέφτομαι γι᾽αὐτόν. **2**. μονομιᾶς: *buy a house ~*, ἀγοράζω ἕνα σπίτι μονομιᾶς (ὄχι μέ δόσεις). *He was killed ~*, σκοτώθηκε μονομιᾶς/ἐπί τόπου.

out·rival /aʊt`raɪvl/ *ρ.μ.* ὑπερτερῶ (ἀνταγωνιστοῦ).

out·run /aʊt`rʌn/ *ρ.μ.* (*ἀνώμ. βλ. run*) τρέχω γρηγορώτερα ἀπό κπ, ξεπερνῶ, προτρέχω: *His ambition outran his ability*, ἡ φιλοδοξία του ξεπέρασε τίς ἱκανότητές του. *His zeal ~s his discretion*, ὁ ζῆλος του προτρέχει τῆς κρίσεώς του (τόν παρασύρει σέ ἀπερισκεψίες).

out·sail /aʊt`seɪl/ *ρ.μ.* πλέω γρηγορώτερα.

out·set /`aʊtset/ *οὐσ.* ‹C› ἀρχή, ξεκίνημα: *at the ~ of his career*, στήν ἀρχή τῆς καριέρας του. ***from the ~***, ἐξαρχῆς.

out·shine /aʊt`ʃaɪn/ *ρ.μ.* (*ἀνώμ. βλ. shine*) λάμπω περισσότερο ἀπό κπ, ἐπισκιάζω: *He outshone all his rivals*, ἐπεσκίασε ὅλους τούς ἀντιπάλους του.

out·side /aʊt`saɪd/ *οὐσ.* ‹C› **1**. τό ἐξωτερικόν: *the ~ of a house; judge sth from the ~*, κρίνω κτ ἀπό τήν ἐμφάνισή του. **2**. ***at the (very) ~***, τό πολύ-πολύ: *He earns £2000 a year at the ~*, τό πολύ-πολύ νά κερδίζη 2000 λίρες τό χρόνο. —*ἐπ.* **1**. ἐξωτερικός: ~ *repairs*, ἐξωτερικές ἐπισκευές. *We need ~ help*, χρειαζόμαστε ἐξωτερική (πρόσθετη) βοήθεια. *get an ~ opinion*, παίρνω μιά ξένη γνώμη. *an ~ broadcast*, ἐξωτερική (ἐπιτόπια) μετάδοση. **2**. ἀνώτατος: *an ~ estimate*, ἀνώτατος ὑπολογισμός. ~ *prices*, ἀνώτατες τιμές. —*ἐπίρ.* ἔξω, ἀπ᾽ἔξω: *I'll be waiting ~*, θά περιμένω ἔξω. *The house is painted green ~*, τό σπίτι εἶναι βαμμένο πράσινο ἀπ᾽ἔξω. —*πρόθ.* ἔξω ἀπό, πέρα ἀπό: ~ *the house/the harbour*, ἔξω ἀπό τό σπίτι/ἀπό τό λιμάνι. *We can't go ~ the evidence*, δέν μποροῦμε νά προχωρήσωμε πέρα ἀπό τό ἀποδεικτικό ὑλικό. ~ *my office work*, ἐκτός ἀπό τή δουλειά μου στό γραφεῖο.

out·sider /aʊt`saɪdə(r)/ *οὐσ.* ‹C› **1**. ξένος, τρίτος, ὁ ἀπέξω: *He's an ~*, εἶναι ξένος, δέν εἶναι τοῦ κύκλου μας/τῆς δουλειᾶς μας. **2**. (*ἰδ. γιά ἄλογο στίς κοῦρσες*) χωρίς πιθανότητες ἐπιτυχίας.

out·size /`aʊtsaɪz/ *ἐπ.* (*ἰδ. γιά ροῦχα*) μεγάλο νούμερο, ὑπερμεγέθης.

out·skirts /`aʊtskɜts/ *οὐσ. πληθ.* παρυφές, περίχωρα, ἀκραῖες συνοικίες: *on the ~ of the forest/of Athens*, στίς παρυφές τοῦ δάσους/στίς ἄκρες τῆς ᾿Αθήνας.

out·smart /aʊt`smat/ *ρ.μ.* φαίνομαι πιό ἔξυπνος ἀπό κπ, φέρνω κπ καπάκι.

out·spoken /aʊt`spəʊkən/ *ἐπ.* ντόμπρος, εἰλικρινής: ~ *comments*, σταράτες κουβέντες. *He's very ~*, εἶναι πολύ εἰλικρινής, λέει ἐκεῖνο πού σκέφτεται, δέν μασᾶ τά λόγια του. **~·ly** *ἐπίρ.* ντόμπρα, καθαρά, σταράτα. **~-ness** *οὐσ.* ‹U› εἰλικρίνεια.

out·spread /aʊt`spred/ *ἐπ.* ἁπλωμένος, ἀνοιγμένος: *with ~ wings*, μέ ἁπλωμένα τά φτερά. *with arms ~*, μέ ἁπλωμένα τά χέρια, μέ ἀνοιχτή τήν ἀγκαλιά.

out·stand·ing /aʊt`stændɪŋ/ *ἐπ.* **1**. περίβλεπτος, κύριος, ἐξαιρετικός, διακεκριμένος: *an ~ landmark*, περίβλεπτο ὁρόσημο. *the ~ features of a period/play*, τά κύρια, τά δεσπόζοντα χαρακτηριστικά μιᾶς περιόδου/ἑνός ἔργου. *man of ~ ability/bravery*, ἄνθρωπος ἐξαιρετικῆς ἱκανότητος/γενναιότητος. **2**. ἐκκρεμής, ἀνεξόφλητος: ~ *work/debts*, ἐκκρεμής δουλειά/ἀπλήρωτα χρέη. **3**. προεξέχων: ~ *ears*, αὐτιά πού προεξέχουν.

out·stay /aʊt`steɪ/ *ρ.μ.* μένω περισσότερο ἀπό κπ: ~ *the other guests*, μένω περισσότερο ἀπό τούς ἄλλους ξένους. ***~ one's welcome***, κάνω ἀρμένικη βίζιτα, καταχρῶμαι τῆς φιλοξενίας.

out·stretched /aʊt`stretʃt/ *ἐπ.* ἁπλωμένος, τεντωμένος: *with ~ arms*, μέ ἁπλωμένα τά χέρια. *lie ~ on the grass*, ξαπλώνω φαρδύςπλατύς στό γρασίδι.

out·strip /aʊt`strɪp/ *ρ.μ.* *(-pp-)* ξεπερνῶ κπ: *The tortoise ~ped the hare*, ἡ χελώνα ξεπέρασε (ἄφησε πίσω) τό λαγό.

out·vote /aʊt`vəʊt/ *ρ.μ.* παίρνω περισσότερους ψήφους ἀπό κπ, πλειοψηφῶ.

out·ward /`aʊtwəd/ *ἐπ.* **1**. ἐξωτερικός: *the ~ appearance*, ἡ ἐξωτερική ἐμφάνισις. **2**. πρός τό ἐξωτερικόν: *the ~ voyage*, τό ταξίδι μεταβάσεως. —*ἐπίρ.* (*καί ~s*) πρός τά ἔξω: *The two ends must be bent ~s*, οἱ δυό ἄκρες πρέπει νά εἶναι λυγισμένες πρός τά ἔξω. *The ship is ~ bound*, τό πλοῖο κατευθύνεται πρός τά ἔξω. **~·ly** *ἐπίρ.* ἐξωτερικά: *Though frightened, she appeared ~ly calm*, ἄν καί τρομοκρατημένη, ἐξωτερικά φαινόταν ἤρεμη.

out·wear /aʊt`weə(r)/ *ρ.μ.* (*ἀνώμ. βλ. wear*) **1**. κρατῶ περισσότερο ἀπό: *Leather shoes ~ two pairs of cheap rubber shoes*, τά δερμάτινα παπούτσια κρατᾶνε περισσότερο ἀπό δυό ζευγάρια φτηνά λαστιχένια παπούτσια. **2**. φθείρω τελείως, ξεφτίζω: *outworn ideas/*

theories, ξεφτισμένες ἰδέες/θεωρίες.

out·weigh /aʊt`weɪ/ *ρ.μ.* ζυγίζω/βαρύνω περισσότερο, ὑπερτερῶ: *The advantages* ~ *the disadvantages*, τά πλεονεκτήματα ὑπερτεροῦν τῶν μειονεκτημάτων.

out·wit /aʊt`wɪt/ *ρ.μ.* *(-tt-)* φαίνομαι πιό ἔξυπνος, νικῶ στήν ἐξυπνάδα, ξεγελῶ (μέ τέχνασμα), φέρνω καπάκι: *The thief* ~*ted the police and got away*, ὁ κλέφτης φάνηκε πιό ἔξυπνος ἀπό τήν ἀστυνομία καί ξέφυγε.

out·work /`aʊtwɜk/ *οὐσ.* ‹U› *(στρατ.)* προκεχωρημένα ἀμυντικά ἔργα.

ouzo /`uzəʊ/ *οὐσ.* ‹U› οὖζο.

ova /`əʊvə/ *πληθ.* *τοῦ οὐσ. ovum.*

oval /`əʊvl/ *ἐπ. & οὐσ.* ‹C› ὠοειδής, ὀβάλ.

ovary /`əʊvərɪ/ *οὐσ.* ‹C› ὠοθήκη.

ova·tion /əʊ`veɪʃn/ *οὐσ.* ‹C› ἐπευφημία: *He was given a standing* ~, τόν ἐπευφήμησαν ὄρθιοι.

oven /`ʌvn/ *οὐσ.* ‹C› φοῦρνος, κλίβανος.

[1]**over** /`əʊvə(r)/ *ἐπίρ. δηλοῦν*: **1**. *(ἀνατροπή ἤ ἀναστροφή)*: *He knocked the vase* ~, χτύπησε κι' ἀναποδογύρισε τό βάζο. *He turned* ~ *in bed*, στριφογύρισε στό κρεββάτι. **2**. *(κίνηση πρός τά πάνω καί ἔξω)*: *The milk boiled* ~, τό γάλα φούσκωσε καί χύθηκε. **3**. *(ἀπ' ἀρχῆς μέχρι τέλους, ἐπανάληψη)*: *I must read it* ~, πρέπει νά τό διαβάσω ὁλόκληρο. *Think it* ~*!* σκέψου το προσεχτικά, ξανασκέψου το! *Count them* ~*!* μέτρησέ τα πάλι! ***all ~ again***, πάλι ἀπό τήν ἀρχή: *I must do it all* ~ *again*, πρέπει νά τό ξανακάμω ἀπό τήν ἀρχή. ***~ and ~ again***, κατ' ἐπανάληψιν: *I've told you* ~ *and* ~ *again not to do that*, σοῦ εἶπα χιλιάδες φορές νά μήν τό κάνης αὐτό. **4**. *(διάβαση, μετάβαση)*: *He went* ~ *to the other side of the street*, πέρασε στήν ἄλλη πλευρά τοῦ δρόμου. *He's gone* ~ *to Italy*, ἔχει μεταβεῖ στήν Ἰταλία. *Come* ~ *and see me some time*, πέρασε νά μέ δῆς καμιά μέρα. ***~ against***, ἀπέναντι ἀπό, σέ ἀντίθεση μέ. **5**. *(περίσσευμα, ὑπόλοιπο)*: *There's no meat left* ~, δέν ἔχει περισσέψει κρέας. *I've paid all my debts and have £10* ~, πλήρωσα ὅλα μου τά χρέη κι' ἔχω δέκα λίρες περίσσευμα. **6**. *(ἐπιπλέον, παραπάνω)*: *children of ten and* ~, παιδιά ἡλικίας δέκα ἐτῶν καί ἄνω. *ten metres and a bit* ~, δέκα μέτρα καί λιγάκι παραπάνω. **7**. *(τέλος)*: *The storm is* ~, ἡ θύελλα πέρασε. *The lesson is* ~, τό μάθημα τελείωσε. *It's all* ~ *with him*, ἦρθε τό τέλος του, ξόφλησε *(δηλ.* πέθανε, καταστράφηκε, νικήθηκε, κλπ, *ἀναλόγως μέ τό κείμενο)*. **8**. *(πάρα πολύ)*: *He's not* ~ *strong*, δέν παραεῖναι δυνατός. *He hasn't done it* ~ *well*, δέν τό ἔκαμε καί πάρα πολύ καλά. **9**. *(μεταβίβαση, προσχώρηση)*: *He made his business* ~ *to his son*, μετεβίβασε τήν ἐπιχείρησή του στό γυιό του. *He's gone* ~ *to the enemy*, μετεπήδησε (προσχώρησε) στόν ἐχθρό. **10**. *(παντοῦ)*: *all the world* ~, σέ ὁλόκληρο τόν κόσμο. *Your clothes are dusty all* ~, τά ροῦχα σου εἶναι γεμᾶτα σκόνη. *That's Smith all* ~, αὐτός εἶναι ὁ Σ. μέ τά ὅλα του, αὐτό εἶναι χαρακτηριστικό τοῦ Σ.

[2]**over** /`əʊvə(r)/ *πρόθ.* **1**. ἐπάνω εἰς: *He spread a handkerchief* ~ *his face/a cloth* ~ *the table*, ἅπλωσε ἕνα μαντήλι στό πρόσωπό του/ἕνα τραπεζομάντηλο στό τραπέζι. **2**. *(μέ τοπική ἔννοια)* ἐπάνω ἀπό *(στήν ἔννοια αὐτή μπορεῖ συχνά νά ἀντικατασταθῆ ἀπό τό above)*: *She held a large umbrella* ~ *(ἤ above) her head*, κρατοῦσε μιά μεγάλη ὀμπρέλλα πάνω ἀπό τό κεφάλι της. *fly* ~ *(ἤ above) the clouds*, πετῶ πάνω ἀπό τά σύννεφα. *The balcony juts out* ~ *the street*, τό μπαλκόνι προεξέχει πάνω ἀπό τό δρόμο. **3**. πάνω ἀπό *(δηλ.* ἀπό τήν μιά πλευρά στήν ἄλλη, ἤ στήν ἀπέναντι πλευρά): *He jumped* ~ *the brook/the fence*, πήδησε πάνω ἀπό τό ρυάκι/τό φράχτη. *We heard voices from* ~ *the garden wall*, ἀκούσαμε φωνές πάνω ἀπό τόν τοῖχο τοῦ κήπου (νἄρχονται ἀπό τήν ἄλλη πλευρά τοῦ τοίχου). *Whose is the house* ~ *the way?* τίνος εἶναι τό σπίτι ἀπέναντι στό δρόμο; **4**. πάνω ἀπό, περισσότερο ἀπό: *He spoke for* ~ *an hour*, μίλησε πάνω ἀπό μιά ὥρα. *She's* ~ *fifty*, εἶναι πάνω ἀπό (ἔχει περάσει τά) πενήντα. *Can you stay* ~ *Sunday?* μπορεῖς νά μείνης τήν Κυριακή *(δηλ.* ὥς τή Δευτέρα); *We'll stay for* ~ *a month*, θά μείνωμε πάνω ἀπό μῆνα. ***~ and above***, ἐπιπλέον, πάνω ἀπό, ἐπιπροσθέτως πρός: *He gets a lot in tips,* ~ *and above his wages*, κερδίζει πολλά ἀπό τά φιλοδωρήματα, ἐπιπλέον τοῦ μισθοῦ του. **5**. πάνω ἀπό *(μέ τήν ἔννοια βαθμοῦ, ἐξουσίας, κλπ)*: *He's* ~ *me in the office*, εἶναι πάνω ἀπό μένα (ἀνώτερός μου) στό γραφεῖο. *She reigned* ~ *a vast empire*, βασίλευσε πάνω σέ μιά ἀπέραντη αὐτοκρατορία. *He has no control* ~ *his passions/* ~ *himself*, δέν ἔχει ἔλεγχο πάνω στά πάθη του/δέν ἐξουσιάζει τόν ἑαυτό του. **6**. παντοῦ: *It's snowing* ~ *the north of England*, χιονίζει σ' ὁλόκληρη τή Βόρειο Ἀγγλία. *He has travelled all* ~ *Europe*, ἔχει ταξιδέψει παντοῦ στήν Εὐρώπη. **7**. πάνω εἰς, κατά τή διάρκεια, μέ: *He went to sleep* ~ *his work*, ἀποκοιμήθηκε πάνω στή δουλειά του (ἐνῶ δούλευε). *How long will you be* ~ *it?* πόση ὥρα θά κάνης μ' αὐτό; πόση ὥρα θά σέ πάρη αὐτό; *We laughed* ~ *his stupidity*, γελάσαμε μέ τήν ἀνοησία του. *We had a pleasant chat* ~ *a cup of tea*, εἴχαμε μιά εὐχάριστη κουβέντα ἐνῶ πίναμε τό τσάϊ μας.

over- /`əʊvə(r)/ *πρόθεμα (μέ τήν ἔννοια* 'πάρα πολύ, ὑπερβολικά, ὑπέρ τό δέον') ὑπέρ-, παρά-: **'~-a`bundance**, ὑπεραφθονία. **'~-am`bitious** *ἐπ.* ὑπέρ τό δέον φιλόδοξος. **'~-`confidence**, ὑπερβολική αὐτοπεποίθησις. **'~-`curious** *ἐπ.* ὑπερβολικά περίεργος. **'~-`eat** *ρ.ἀ.* παρατρώω. **'~-en`thusi`astic** *ἐπ.* ὑπερενθουσιώδης. **'~-`heat** *ρ.μ.* ὑπερθερμαίνω. **'~-`sensitive** *ἐπ.* ὑπερευαίσθητος. **'~-`simplify** *ρ.μ.* ὑπεραπλουστεύω. **'~-`value** *ρ.μ.* ὑπερεκτιμῶ.

over·act /'əʊvər`ækt/ *ρ.μ/ἀ.* ὑπερβάλλω, τό παρακάνω (σ' ἕνα ρόλο).

over·all /`əʊvərɔl/ *ἐπ.* ὁλικός, γενικός, συνολικός: *the* ~ *loss*, ἡ συνολική ζημιά. *the* ~ *length*, τό ὁλικό μῆκος (ἀπ' ἄκρη σ' ἄκρη). __*οὐσ.* **1**. ‹C› ποδιά (μαθητοῦ, νοικοκυρᾶς), μπλούζα (γιατροῦ). **2**. *(πληθ.)* φόρμα (ἐργάτη).

over·arch /'əʊvər`ɑtʃ/ *ρ.μ.* σχηματίζω θόλο πάνω ἀπό: *The trees* ~*ed the road*, τά δέντρα σχημάτιζαν θόλο πάνω ἀπό τό δρόμο.

over·awe /'əʊvər`ɔ/ *ρ.μ.* (κατα)πτοῶ: ~ *sb into submission/silence*, πτοῶ κπ καί τόν ἀναγκάζω νά ὑποταγῆ/νά σιωπήση.

over·bal·ance /'əʊvə`bæləns/ *ρ.μ/ἀ.* **1**. ἀνατρέπω/-ομαι, χάνω τήν ἰσορροπία μου: *He*

~*d and fell into the water*, ἔχασε τήν ἰσορροπία του κι' ἔπεσε στό νερό. *Don't ~ the canoe*, μήν ἀναποδογυρίσης τό κανό. **2**. ὑπερκαλύπτω, ὑπερέχω (*σέ βάρος, ἀξία, κλπ*): *The gains ~ the losses*, τά κέρδη ὑπερκαλύπτουν τίς ζημιές.

over·bear /ˈəʊvəˈbeə(r)/ *ρ.μ.* (*ἀνώμ. βλ.* [2]*bear*) καταβάλλω, κατισχύω, ὑπερισχύω, ἀνατρέπω: *My objections were overborne in the argument*, οἱ ἀντιρρήσεις μου ἀνετράπησαν μέ τή συζήτηση. **~·ing** *ἐπ.* αὐταρχικός, δεσποτικός, ἀγέρωχος: *in an ~ing manner*, μέ αὐταρχικό τρόπο.

over·bid /ˈəʊvəˈbɪd/ *ρ.μ/ἀ.* (*ἀνώμ. βλ.* [2]*bid*) ὑπερθεματίζω, πλειοδοτῶ, (*χαρτ.*) παραχτυπῶ.

over·blown /ˈəʊvəˈbləʊn/ *ἐπ.* (*γιά λουλούδια*) πολύ ἀνοιγμένος, ἕτοιμος νά φυλλορροήση.

over·board /ˈəʊvəbɔd/ *ἐπίρ.* ἀπό τό πλοῖο, στή θάλασσα: *jump ~*, πηδῶ ἀπό τό πλοῖο (στή θάλασσα). *throw sb ~*, πετῶ κπ στή θάλασσα. *fall ~*, πέφτω (ἀπό τό πλοῖο) στή θάλασσα. *Man ~!* ἄνθρωπος στή θάλασσα!

over·bur·den /ˈəʊvəˈbɜdn/ *ρ.μ.* παραφορτώνω.

over·cast /ˈəʊvəˈkast/ *ἐπ.* συννεφιασμένος, σκοτεινός. —*οὐσ.* ‹C› συννεφιά.

over·charge /ˈəʊvəˈtʃadʒ/ *ρ.μ/ἀ.* **1**. χρεώνω ὑπερβολικά, φουσκώνω τιμές/τό λογαριασμό: *We were ~d for the eggs*, μᾶς πῆρε πολλά γιά τ' αὐγά. *This hotel never ~s*, αὐτό τό ξενοδοχεῖο δέν φουσκώνει ποτέ τό λογαριασμό. **2**. παραγεμίζω (ὅπλο), ὑπερφορτίζω (μπαταρία). —*οὐσ.* ‹C› ὑπερφόρτισις, παραγέμισμα, ὑπερτίμησις, ὑπερβολική ἐπιβάρυνσις.

over·cloud /ˈəʊvəˈklaʊd/ *ρ.μ/ἀ.* συννεφιάζω, (*μεταφ.*) σκοτεινιάζω.

over·coat /ˈəʊvəkəʊt/ *οὐσ.* ‹C› παλτό, πανωφόρι.

over·come /ˈəʊvəˈkʌm/ *ρ.μ.* (*ἀνώμ. βλ. come*) καταβάλλω, ὑπερνικῶ: *~ the enemy*, καταβάλλω τόν ἐχθρό. *~ a bad habit/a temptation*, ὑπερνικῶ μιά κακή συνήθεια/ἕναν πειρασμό. *be ~ with fatigue/emotion*, εἶμαι τσακισμένος ἀπό τήν κούραση/ἀπό τή συγκίνηση.

over·crop /ˈəʊvəˈkrop/ *ρ.μ.* (*-pp-*) ἐξαντλῶ ἔδαφος (δι' ἐντατικῆς καλλιεργείας).

over·crowd /ˈəʊvəˈkraʊd/ *ρ.μ.* ὑπερπληρῶ, κατακλύζω μέ κόσμο: *~ed trains*, ὑπερπλήρη τραῖνα.

over·do /ˈəʊvəˈdu/ *ρ.μ.* (*ἀνώμ. βλ.* [2]*do*) **1**. ὑπερβάλλω, τό παρακάνω, τό παρατραβάω: *Some of the scenes were overdone*, μερικές σκηνές ἦταν παρατραβηγμένες. *Don't ~ it!* μήν τό παρακάνης! **2**. παραψήνω: *One of the steaks was overdone, the other was underdone*, μιά ἀπό τίς μπριτζόλες ἦταν παραψημένη, ἡ ἄλλη ἦταν ἄψητη.

over·draft /ˈəʊvədraft/ *οὐσ.* ‹C› ὑπέρβασις τραπεζιτικοῦ λογαριασμοῦ, ἀνάληψις χωρίς ἀντίκρυσμα, πίστωσις: *He asked the Bank Manager for an ~ facility*, ἐζήτησε ἀπό τόν διευθυντή τῆς Τραπέζης διευκόλυνση ὑπερβάσεως τοῦ λογαριασμοῦ του (πίστωση).

over·draw /ˈəʊvəˈdrɔ/ *ρ.μ.* (*ἀνώμ. βλ.* [2]*draw*) **1**. ὑπερβαίνω (λογαριασμό): *His account is ~n by £125*, ὑπερέβη τό λογαριασμό του κατά *125* λίρες. **2**. τό παρατραβῶ, μεγαλοποιῶ: *Some of the characters in the play are ~n*, μερικά πρόσωπα στό ἔργο εἶναι παρατραβηγμένα.

over·dress /ˈəʊvəˈdres/ *ρ.μ/ἀ.* ντύνω/-ομαι ἐπιδεικτικά.

over·drive /ˈəʊvədraɪv/ *οὐσ.* ‹C› (*αὐτοκ.*) ὑπερπολλαπλασιασμένη ταχύτης.

over·due /ˈəʊvəˈdju/ *ἐπ.* ὑπερήμερος, καθυστερημένος: *The train is ~*, τό τραῖνο ἔχει καθυστέρηση. *The baby is a week ~*, τό παιδί ἔπρεπε νά εἶχε γεννηθῆ πρό μιᾶς ἑβδομάδος. *The bills are all ~*, οἱ λογαριασμοί ἔπρεπε νά εἶχαν ὅλοι πληρωθῆ.

over·eat /ˈəʊvəˈrit/ *ρ.μ.* (*ἀνώμ. βλ. eat*) παρατρώω.

over·flow /ˈəʊvəˈfləʊ/ *ρ.μ/ἀ.* ξεχειλίζω, πλημμυρίζω: *The river ~ed its banks*, τό ποτάμι πλημμύρισε. *The lake is ~ing*, ἡ λίμνη ξεχειλίζει. *~* ***with***, ξεχειλίζω ἀπό: *a heart ~ing with gratitude*, καρδιά πού ξεχειλίζει ἀπό εὐγνωμοσύνη. —*οὐσ.* /ˈəʊvəfləʊ/ ‹C› ξεχείλισμα, ὑπερχείλισις, πλημμύρα: *an ˈ~ pipe/valve*, σωλήνας/βαλβίδα ὑπερχειλίσεως. *an ~ of population*, πληθυσμιακή πλημμυρίς. *an ~ audience/meeting*, ἀκροατήριο/συγκέντρωσις ἔξω ἀπό τόν κύριο χῶρο (λόγῳ συνωστισμοῦ).

over·grown /ˈəʊvəˈgrəʊn/ *ἐπ.* **1**. μέ πρόωρη ἀνάπτυξη: *an ~ boy*. **2**. κατάφυτος, σκεπασμένος: *a garden ~ with weeds*, κῆπος γεμᾶτος ἀγριόχορτα. *a wall ~ with ivy*, τοῖχος σκεπασμένος μέ κισσό.

over·growth /ˈəʊvəgrəʊθ/ *οὐσ.* ‹C› **1**. ὑπερανάπτυξις. **2**. ὑπερβολική βλάστησις ἤ τριχοφυΐα.

over·hang /ˈəʊvəˈhæŋ/ *ρ.μ/ἀ.* (*ἀνώμ. βλ.* [2]*hang*) **1**. προεξέχω/κρέμομαι πάνω ἀπό κτ: *The cliffs/The branches ~ the stream*, τά βράχια/τά κλαδιά προεξέχουν πάνω ἀπό τό ποτάμι. *A slight mist overhung the forest*, μιά ἐλαφρά ὁμίχλη κρεμόταν πάνω ἀπό τό δάσος. **2**. ἐπικρέμαμαι, ἀπειλῶ: *~ing dangers*, ἐπικρεμάμενοι κίνδυνοι.

over·haul /ˈəʊvəˈhɔl/ *ρ.μ.* **1**. ἐξετάζω λεπτομερῶς: *The engine needs ~ing*, ἡ μηχανή θέλει λεπτομερῆ ἐξέταση (γιά ἐπισκευή). **2**. (*ναυτ.*) προφθάνω, ξεπερνῶ (προπορευόμενο πλοῖο). —*οὐσ.* /ˈəʊvəhɔl/ γενική ἐπιθεώρησις/ἐπισκευή.

over·head /ˈəʊvəˈhed/ *ἐπίρ.* ἀποπάνω, ψηλά: *the people ~*, οἱ ἀποπάνω μας. *the stars ~*, τά ἄστερια ψηλά. —*ἐπ.* /ˈəʊvəhed/ **1**. ὑπερυψωμένος, ἐναέριος: *~ wires*, ἐναέρια καλώδια. *an ~ railway*, ἐναέριο τραῖνο. **2**. (*ἐμπ.*) γενικός: *~ expenses*, γενικά ἔξοδα (ἐπιχειρήσεως). —*οὐσ. πληθ.* (ˈ**~s**) γενικά ἔξοδα.

over·hear /ˈəʊvəˈhɪə(r)/ *ρ.μ.* (*ἀνώμ. βλ. hear*) ἀκούω τυχαῖα, παίρνει τ' αὐτί μου: *I ~d a few words*, ἔπιασα (πῆρε τ' αὐτί μου) μερικές λέξεις.

over·joyed /ˈəʊvəˈdʒɔɪd/ *ἐπ.* ~ ***at***, καταχαρούμενος: *I was ~ at the idea that...*, ἤμουν καταχαρούμενος μέ τήν ἰδέα ὅτι...

over·land /ˈəʊvəlænd/ *ἐπ.* & *ἐπίρ.* διά ξηρᾶς: *travel ~*.

over·lap /ˈəʊvəˈlæp/ *ρ.μ/ἀ.* **1**. σκεπάζω ἐν μέρει: *tiles that ~ one another*, κεραμίδια πού σκεπάζουν λίγο τό ἕνα τό ἄλλο (πού ἔχουν τοποθετηθῆ καβαλλικευτά). **2**. συμπίπτω ἐν μέρει, συμπλέκομαι: *His duties and mine* ~, τά καθήκοντά του συμπίπτουν ἐν μέρει (συμπλέκονται) μέ τά δικά μου. *His visit and mine ~ped*, ἡ ἐπίσκεψίς του συνέπεσε ἐν μέρει μέ τή δική μου. __*οὐσ.* /ˋəʊvəlæp/ ‹C,U› μερική ἐπικάλυψις/σύμπτωσις.

over·lay /ˈəʊvəˋleɪ/ *ρ.μ.* (*ἀνώμ. βλ.* [1]*lay*) ἐπικαλύπτω, ἐπιστρώνω. __*οὐσ.* ‹C› /ˋəʊvəleɪ/ σκέπασμα, ἐπίστρωμα.

over·leaf /ˈəʊvəˋlif/ *ἐπίρ.* ὄπισθεν (σέ σελίδα).

over·leap /ˈəʊvəˋlip/ *ρ.μ.* (*ἀνώμ. βλ. leap*) παραπηδῶ, ὑπερπηδῶ.

over·load /ˈəʊvəˋləʊd/ *ρ.μ.* παραφορτώνω.

over·look /ˈəʊvəˋlʊk/ *ρ.μ.* **1**. ἔχω θέα πρός, δεσπόζω: *My bedroom window ~s the river*, τό παράθυρο τῆς κρεββατοκάμαράς μου ἔχει θέα πρός τό ποτάμι. **2**. παραβλέπω, συγχωρῶ: ~ *a printer's mistake*, μοῦ διαφεύγει ἕνα τυπογραφικό λάθος. *You are ~ing the fact that...*, σοῦ διαφεύγει τό γεγονός ὅτι... ~ *sb's disobedience*, συγχωρῶ τήν ἀπείθεια κάποιου.

over·lord /ˋəʊvəlɔd/ *οὐσ.* ‹C› ἐπικυρίαρχος, ἡγεμόνας.

over·ly /ˋəʊvəlɪ/ *ἐπίρ.* ὑπερβολικά: ~ *cautious*, ὑπερβολικά προσεχτικός.

over·mas·ter /ˋəʊvəmastə(r)/ *ρ.μ.* κυριαρχῶ, δεσπόζω: *an ~ing passion*, ἕνα ἀκατανίκητο πάθος.

over·much /ˈəʊvəˋmʌtʃ/ *ἐπ.* & *ἐπίρ.* ὑπερβολικός, ὑπέρμετρος, ὑπερβολικά.

over·night /ˈəʊvəˋnaɪt/ *ἐπίρ.* **1**. ἀποβραδίς: *I had everything ready* ~, τά εἶχα ὅλα ἕτοιμα ἀπό τό προηγούμενο βράδυ. **2**. κατά τή διάρκεια τῆς νύχτας, ἀπό τή μιά μέρα στήν ἄλλη: *stay at a friend's* ~, περνῶ τή νύχτα στό σπίτι ἑνός φίλου. *The situation changed* ~, ἡ κατάστασις ἄλλαξε σέ μιά νύχτα/ἀστραπιαῖα. __*ἐπιθ.* ὁλονύκτιος: *an ~ journey/stop at Rome*, ταξίδι ὅλη τή νύχτα/διανυκτέρευση στή Ρώμη.

over·pass /ˋəʊvəpas/ *οὐσ.* ‹C› ὑπερυψωμένη διάβασις/γέφυρα.

over·pay /ˈəʊvəˋpeɪ/ *ρ.μ.* (*ἀνώμ. βλ. pay*) ἀκριβοπληρώνω.

over·play /ˈəʊvəˋpleɪ/ *ρ.μ.* ~ ***one's hand***, παίζω/ἐνεργῶ παρακεκινδυνευμένα, βασίζομαι ὑπερβολικά στά ἀτού μου.

over·plus /ˋəʊvəplʌs/ *οὐσ.* ‹C› πλεόνασμα.

over·power /ˈəʊvəˋpaʊə(r)/ *ρ.μ.* καταβάλλω, ἐξουδετερώνω, ἀκινητοποιῶ (*π.χ.* τρελλόν): *The criminals were easily ~ed by the police*, ἡ ἀστυνομία ἐξουδετέρωσε τούς κακοποιούς εὔκολα. *I was ~ed by the heat/with grief*, μέ τσάκισε ἡ ζέστη/ὁ πόνος. **~·ing** *ἐπ.* συντριπτικός, ἀποπνικτικός, ἀκαταμάχητος, ἀνώτερος (*σέ δύναμη, ἀριθμό, κλπ*): *~ing heat/emotion*, ζέστη/συγκίνησις πού παραλύει. *~ing forces*, ἀνώτερες δυνάμεις.

over·rate /ˈəʊvəˋreɪt/ *ρ.μ.* ὑπερτιμῶ: ~ *one's abilities*, ὑπερτιμῶ τίς δυνάμεις μου.

over·reach /ˈəʊvəˋritʃ/ *ρ.μ.* **1**. ἐξαπατῶ κπ, τοῦ τή σκάω. **2**. ~ ***oneself***, ἀποτυγχάνω (λόγῳ ὑπερβολικῆς φιλοδοξίας), παρατραβάω τό σκοινί.

over·ride /ˈəʊvəˋraɪd/ *ρ.μ.* (*ἀνώμ. βλ.* [2]*ride*) παραμερίζω, ἀγνοῶ, ὑπερισχύω, προέχω: ~ *sb's wishes/claims/opinions/decisions*, ἀγνοῶ, παραμερίζω τίς ἐπιθυμίες/τίς ἀξιώσεις/τίς γνῶμες/τίς ἀποφάσεις κάποιου. *a consideration that ~s all others*, μιά σκέψις πού ὑπερισχύει κάθε ἄλλης.

over·rule /ˈəʊvəˋrul/ *ρ.μ.* ἀνατρέπω, ἀπορρίπτω, ἀκυρῶ, ὑπερισχύω: *The judge ~d the previous decision*, ὁ δικαστής ἀνέτρεψε τήν προηγούμενη ἀπόφαση. ~ *an objection*, ἀπορρίπτω μιά ἔνσταση.

over·run /ˈəʊvəˋrʌn/ *ρ.μ.* (*ἀνώμ. βλ.* [2]*run*) **1**. κατακλύζω, μαστίζω: *The country was ~ by enemy troops*, ἡ χώρα κατεκλύσθη ἀπό ἐχθρικά στρατεύματα. *a warehouse ~ by rats*, ἀποθήκη πού μαστίζεται ἀπό ποντίκια. *a garden ~ by weeds*, κῆπος πού τόν ἔπνιξαν τ' ἀγριόχορτα. **2**. ὑπερβαίνω (τό ὅριον): *The speaker overran the allotted time*, ὁ ὁμιλητής ξεπέρασε τόν καθορισμένο χρόνο.

over·seas /ˈəʊvəˋsiz/ *ἐπ.* ὑπερπόντιος: ~ *trade*, ὑπερπόντιο ἐμπόριο. __*ἐπίρ.* ὑπερποντίως: *go/live* ~, πηγαίνω/ζῶ ὑπερποντίως, στό ἐξωτερικό.

over·see /ˈəʊvəˋsi/ *ρ.μ.* (*ἀνώμ. βλ.* [1]*see*) ἐπιτηρῶ, ἐπιστατῶ, ἐπιβλέπω. **over·seer** /ˋəʊvəsɪə(r)/ *οὐσ.* ‹C› ἐπιστάτης.

over·sexed /ˈəʊvəˋsekst/ *ἐπ.* ὑπεραναπτυγμένος σεξουαλικά.

over·shadow /ˈəʊvəˋʃædəʊ/ *ρ.μ.* ἐπισκιάζω (κπ ἤ κτ).

over·shoe /ˋəʊvəʃu/ *οὐσ.* ‹C› ἐξωτερικό παπούτσι: *rubber ~s*, γαλότσες.

over·shoot /ˈəʊvəˋʃut/ *ρ.μ.* (*ἀνώμ. βλ.* [2]*shoot*) ὑπερακοντίζω, προχωρῶ περισσότερο ἀπ' ὅ,τι πρέπει. ~ *the mark*, ὑπερβαίνω τό στόχο. *The aircraft overshot the runway*, τό ἀεροπλάνο προχώρησε πέρα ἀπό τόν διάδρομο. ~ ***oneself***, τό παρακάνω, πέφτω μόνος στήν παγίδα πού στήνω.

over·sight /ˋəʊvəsaɪt/ *οὐσ.* ‹C,U› **1**. ἀβλεψία, παράλειψις, ἀπροσεξία, λάθος: *through an* ~, ἐκ παραδρομῆς, ἐξ ἀβλεψίας. **2**. ἐποπτεία, ἐπίβλεψις: *under the ~ of a nurse*, ὑπό τήν ἐπίβλεψιν νοσοκόμου.

over·sleep /ˈəʊvəˋslip/ *ρ.ἀ.* (*ἀνώμ. βλ.* [2]*sleep*) παρακοιμᾶμαι: *He overslept and was late for school*, παρακοιμήθηκε καί ἄργησε γιά τό σχολεῖο.

over·spill /ˋəʊvəspɪl/ *οὐσ.* ‹C› ἄπλωμα (μιᾶς πόλης), ὑπερπληθυσμός.

over·state /ˈəʊvəˋsteɪt/ *ρ.μ.* ὑπερβάλλω, μεγαλοποιῶ: *Don't ~ your case*, μήν ὑπερβάλης, μή ζητᾶς πολλά. **~·ment** /ˋəʊvəsteɪtmənt/ *οὐσ.* ‹C,U› ὑπερβολή.

over·stay /ˈəʊvəˋsteɪ/ *ρ.μ.* μένω περισσότερο ἀπ' ὅ, τι πρέπει. ~ ***one's welcome***, κάνω ἀρμένικη βίζιτα.

over·step /ˈəʊvəˋstep/ *ρ.μ.* (*-pp-*) ὑπερβαίνω: ~ *one's authority*, ὑπερβαίνω τήν ἐξουσία μου.

over·stock /ˈəʊvəˋstok/ *ρ.μ.* δημιουργῶ μεγάλο ἀπόθεμα, παραγεμίζω (ἕνα μαγαζί).

over·strung /ˈəʊvəˋstrʊŋ/ *ἐπ.* (*γιά πιάνο*) κρουαζέ, (*γιά ἄνθρ.*) σέ ὑπερδιέγερση, μέ τεντωμένα τά νεῦρα.

overt /əʊˋvɜt/ *ἐπ.* φανερός, ἀνοιχτός: ~ *hostility*, φανερή ἐχθρότης. **~·ly** *ἐπίρ.* στά φανερά.

over·take /ˈəʊvəˋteɪk/ *ρ.μ.* (*ἀνώμ. βλ.* [1]*take*) **1**. προφθαίνω, προλαμβάνω, προσπερνῶ: ~ *other cars on the road*, προσπερνῶ ἄλλα αὐτοκίνητα στό δρόμο. **2**. καταλαμβάνω, πιάνω: *He was ~n by/with fear*, τόν κατέλαβε φόβος. *We were ~n by darkness/by a storm*, μᾶς πρόλαβε τό σκοτάδι/ἡ καταιγίδα.

over·tax /ˈəʊvəˋtæks/ ρ.μ. **1**. ὑπερφορολογῶ, ἀπομυζῶ (ἕνα λαό). **2**. ὑπερτείνω: *~ one's strength/patience*, ὑπερτείνω τίς δυνάμεις μου/θέτω σέ δοκιμασία τήν ὑπομονή μου.

over·throw /ˈəʊvəˋθrəʊ/ ρ.μ. (ἀνώμ. βλ. [1]*throw*) ἀνατρέπω: *~ the government*, ἀνατρέπω τήν Κυβέρνηση. —οὐσ. ‹C› /ˋəʊvəθrəʊ/ ἀνατροπή, πτῶσις.

over·time /ˋəʊvətaɪm/ οὐσ. ‹U› ὑπερωρία: *do ~; be on ~; work ~*, κάνω/δουλεύω ὑπερωρίες. *~ pay*, ὑπερωριακή ἀμοιβή.

over·tone /ˋəʊvətəʊn/ οὐσ. ‹C› (μουσ.) ἁρμονική, (πληθ., μεταφ.) τόνος, ἀπόηχος: *The ceremony had ~s of sadness*, ἡ τελετή εἶχε ἕναν τόνο μελαγχολίας/κάτι τό θλιβερό.

over·top /ˈəʊvəˋtop/ ρ.μ. (-pp-) ὑψώνομαι πάνω ἀπό, δεσπόζω: *The old houses are ~ped by the new blocks of flats*, οἱ καινούργιες πολυκατοικίες ὑψώνονται (δεσπόζουν) πάνω ἀπό τά παληά σπίτια.

over·ture /ˋəʊvətʃə(r)/ οὐσ. ‹C› **1**. (μουσ.) εἰσαγωγή, ὀβερτούρα. **2**. (συνήθ. πληθ.) πρότασις, διάβημα, βολιδοσκόπησις: *make ~s to sb*, κάνω προτάσεις σέ κπ, βολιδοσκοπῶ κπ. *peace ~s*, προτάσεις εἰρήνης. *His ~s met with no response*, οἱ προτάσεις του δέν ἔτυχον ἀπαντήσεως.

over·turn /ˈəʊvəˋtɜn/ ρ.μ/ἀ. ἀναποδογυρίζω, ἀνατρέπω/-ομαι: *He ~ed the boat; the boat ~ed.*

over·ween·ing /ˈəʊvəˋwinɪŋ/ ἐπ. ὑπερφίαλος, ξιππασμένος: *~ ambition/vanity*, ὑπερφίαλος φιλοδοξία/ματαιοδοξία.

over·weight /ˋəʊvəweɪt/ ἐπ. & οὐσ. ‹U› (μέ) ὑπερβάλλον βάρος: *O~ costs a lot*, τό ὑπερβάλλον βάρος κοστίζει πολύ. *If your luggage is ~ you'll pay a lot*, ἄν οἱ ἀποσκευές σου ξεπερνοῦν τό κανονικό βάρος θά πληρώσης πολλά. *I'm only two kilos ~*, ἔχω μόνον δύο κιλά παράνω βάρος ἀπό τό κανονικό.

over·whelm /ˈəʊvəˋwelm/ ρ.μ. **1**. κατακλύζω: *The village was ~ed by the floods*, τό χωριό κατεκλύσθη ἀπό τίς πλημμύρες. *He ~ed her with gifts/praises/promises*, τήν ἔπνιξε στά δῶρα/στούς ἐπαίνους/στίς ὑποσχέσεις. *~ed with joy/gratitude*, ἔμπλεος ἀπό χαρά/εὐγνωμοσύνη. **2**. καταβάλλω, τσακίζω, συντρίβω: *be ~ed by superior forces/by the enemy*, καταβάλλομαι ἀπό ὑπέρτερες δυνάμεις/ἀπό τόν ἐχθρό. *She was ~ed with grief*, τήν εἶχε τσακίσει ὁ πόνος. *an ~ing victory*, μιά συντριπτική νίκη. *Your kindness ~s me*, ἡ καλωσύνη σας μέ σκλαβώνει.

over·work /ˈəʊvəˋwɜk/ ρ.μ/ἀ. παραδουλεύω, παρακουράζω/-ομαι: *It's foolish to ~*, εἶναι ἀνόητο νά παρακουράζεται κανείς. *Don't ~ yourself*, μήν παρακουράζεσαι. —οὐσ. ‹U› ὑπερκόπωσις: *become ill through ~*, ἀρρωσταίνω ἀπό ὑπερκόπωση.

over·wrought /ˈəʊvəˋrɔt/ ἐπ. παρακουρασμένος, τσακισμένος, σέ ὑπερένταση: *~ nerves; an ~ condition*, κατάστασις ὑπερεντάσεως.

ovum /ˋəʊvəm/ οὐσ. (πληθ. *ova* /ˋəʊvə/) (βιολ.) ὠάριον.

owe /əʊ/ ρ.μ. ὀφείλω: *He ~s me £50*, μοῦ ὀφείλει 50 λίρες. *I ~ it to you that I am still alive*, τό ὀφείλω σέ σένα ὅτι εἶμαι ἀκόμα ζωντανός. *We ~ obedience to our parents*, ὀφείλομε ὑπακοή στούς γονεῖς μας. *He ~s his success to good luck*, ὀφείλει τήν ἐπιτυχία του στήν τύχη.

ow·ing /ˋəʊɪŋ/ ἐπ. ὀφειλόμενος: *large sums still ~*, μεγάλα ποσά πού ὀφείλονται ἀκόμα. ***~ to***, πρόθ. ἐξ αἰτίας: *O~ to the rain they couldn't come*, ἐξ αἰτίας τῆς βροχῆς δέν μπόρεσαν νά ἔλθουν.

owl /aʊl/ οὐσ. ‹C› κουκουβάγια. **~et** /ˋaʊlət/ οὐσ. ‹C› τό μικρό τῆς κουκουβάγιας. **~·ish** /ˋaʊlɪʃ/ ἐπ. σοβαροφανής: *an ~ish air of wisdom*, ὕφος βαθειᾶς σοφίας.

[1]**own** /əʊn/ ἐπ. & ἀντων. **1**. (*χρησιμοποιεῖται μέ κτητικά ἐπίθετα γιά νά δώση ἔμφαση στήν ἰδέα κατοχῆς ἤ στόν ἰδιαίτερο χαρακτήρα ἑνός πράγματος*) ἴδιος, δικός (μου, σου, του, κλπ): *I saw it with my ~ eyes*, τό εἶδα μέ τό ἴδια μου τά μάτια. *It was her ~ idea*, ἦταν δική της ἰδέα. *A house of my ~, that's my dream*, ἕνα δικό μου σπίτι, αὐτό εἶναι τὄνειρό μου. *This fruit has a flavour of its ~*, αὐτά τά φροῦτα ἔχουν ἕνα ἄρωμα ἐντελῶς δικό τους. *My time is my ~*, ὁ χρόνος μου εἶναι δικός μου, μπορῶ νά τόν κάνω ὅ,τι θέλω. *For reasons of his ~, he refused to come*, γιά λόγους δικούς του (πού μόνο αὐτός τούς ξέρει) ἀρνήθηκε νά ἔλθη. ***be on one's ˋ~***, μόνος, ἀνεξάρτητος, ἀσυναγώνιστος: *I'm all on my ~ today*, εἶμαι ὁλομόναχος σήμερα. *She lives on her ~*, ζῆ μόνη της. *He's working on his ~*, δουλεύει μόνος του (χωρίς συνεταῖρο ἤ ἀφεντικό). *For craftsmanship, he is on his ~*, στή μαστοριά, εἶναι ἀσυναγώνιστος. ***be one's ~ man/master***, εἶμαι ἀνεξάρτητος/ἀφεντικό τοῦ ἑαυτοῦ μου. *He's now working for a firm but hopes to be his ~ man soon*, τώρα δουλεύει σέ μιά ἑταιρία ἀλλά ἐλπίζει ν' ἀνοίξη δική του δουλειά σύντομα. ***come into one's ˋ~***, παίρνω ὅ,τι μοῦ ἀνήκει, δείχνω τί ἀξίζω. (βλ. & λ. *get, hold*). **2**. μονάχος: *She makes all her ~ clothes*, φτιάχνει μονάχη της ὅλα της τά ροῦχα. *Don't try to be your ~ lawyer*, μή δοκιμάζης νά κάνης μονάχος σου τό δικηγόρο.

[2]**own** /əʊn/ ρ.μ. **1**. ἔχω, κατέχω, εἶμαι κύριος: *He ~s land, factories, houses*, ἔχει γῆ, ἐργοστάσια, σπίτια. **2**. ὁμολογῶ, ἀναγνωρίζω: *~ one's faults*, ὁμολογῶ τά σφάλματά μου. *He ~s to having told lies*, ὁμολογεῖ ὅτι εἶπε ψέματα. *He refused to ~ the child*, ἀρνήθηκε ν' ἀναγνωρίση τό παιδί (ὅτι εἶναι δικό του). ***~ up to sth***, προβαίνω σέ πλήρη ὁμολογία.

owner /ˋəʊnə(r)/ οὐσ. ‹C› ἰδιοκτήτης. **~·less** ἐπ. ἀδέσποτος. **~·ship** /-ʃɪp/ οὐσ. ‹U› ἰδιοκτησία.

ox /oks/ οὐσ. ‹C› (πληθ. *oxen* /ˋoksn/) βόδι. **ˋox-cart**, βοϊδάμαξα. **ˈox-ˋeyed** ἐπ. βοϊδομάτης. **ˋox-tail**, βωδινή οὐρά (ἰδ. γιά σούπα).

Ox·bridge /ˋoksbrɪdʒ/ οὐσ. φτιαχτό ὄνομα γιά τά Πανεπιστήμια *Oxford* καί *Cambridge*.

Ox·ford /ˋoksfəd/ οὐσ. Ὀξφόρδη. **~ bags**, πλατύ παντελόνι.

ox·ide /ˋoksaɪd/ οὐσ. ‹C,U› (χημ.) ὀξείδιον.

oxi·dize /ˋoksıdaız/ *ρ.μ/ἀ.* ὀξειδώνω. **oxi·diz·ation** /ˈoksıdaıˋzeıʃn/ *οὐσ.* ‹U› ὀξείδωσις.
Ox·on·ian /okˋsəʊnıən/ *ἐπ.* & *οὐσ.* ‹C› τοῦ Πανεπιστημίου τῆς ˋΟξφόρδης, ὀξφορδιανός.
oxy·acety·lene /ˈoksıəˋsetəlin/ *ἐπ.* & *οὐσ.* ‹U› (*χημ.*) ὀξυασετυλίνη: ~ *blow pipe*, φυσητήρ ὀξυγονοκολλήσεως. ~ *welding*, ὀξυγονοκόλλησις.

oxy·gen /ˋoksıdʒən/ *οὐσ.* ‹U› ὀξυγόνον. ˋ~ **mask**, μάσκα ὀξυγόνου. ˋ~**·ate** /-eıt/, ˋ~**·ize** /-aız/ *ρ.μ.* ὀξυγονῶ.
oyez /əʊˋjez/ *ἐπίρ.* Προσοχή! ˋΑκούσατε!
oy·ster /ˋɔıstə(r)/ *οὐσ.* ‹C› στρεῖδι. ˋ~**-bed/-bank/-farm**, ὀστρεοτροφεῖον.
ozone /ˋəʊzəʊn/ *οὐσ.* ‹U› (*χημ.*) ὄζον, (*καθομ.*) καθαρός ἀέρας, ἰώδιο τῆς θαλάσσης.

P p

P, p /pi/ τό 16ο γράμμα τοῦ ἀλφάβητου. ***mind one's P's and Q's***, προσέχω τά λόγια μου.
pa /pa/ *οὐσ.* (*καθομ. βραχυλ. γιά papa*) μπαμπᾶς.
pabu·lum /ˋpæbjʊləm/ *οὐσ.* ‹U› (*λογοτ., συνήθ. μεταφ.*) τροφή: *mental* ~, πνευματική τροφή.
pace /peıs/ *οὐσ.* ‹C› βηματισμός, βῆμα: *take a ~ forward*, κάνω ἕνα βῆμα ἐμπρός. *some ~s away*, μερικά βήματα μακρύτερα. ***at a good ~***, μέ ταχύ βῆμα. ***go the ~***, τρέχω γρήγορα, (*μεταφ.*) τό ρίχνω ἔξω, ξοδεύω ἀσυλλόγιστα. ***keep ~ (with sb/sth)***, (*κυριολ.* & *μεταφ.*) συμβαδίζω μέ κπ/κτ: *keep ~ with new discoveries*, παρακολουθῶ (εἶμαι ἐνήμερος εἰς) τίς καινούργιες ἀνακαλύψεις. ***put sb through his ~s***, δοκιμάζω τίς δυνάμεις κάποιου. ***set the ~ (for sb)***, δίνω τό ρυθμό/τό βῆμα σέ κπ. ˋ~**-maker** (*α*) (*ἰατρ.*) ἠλεκτρικός βηματοδότης. (*β*) (*καί* ˋ~**setter**) ἐκεῖνος πού δίνει τό ρυθμό (σ' ἕναν δρομέα). —*ρ.μ/ἀ.* **1**. βηματίζω, βαδίζω: ~ *up and down*, βηματίζω πάνω-κάτω. **2**. διασχίζω: ~ *a room/the station platform*, διασχίζω ἕνα δωμάτιο/τήν πλατφόρμα τοῦ σταθμοῦ. **3**. ~ ***off/out***, μετρῶ μέ δρασκελιές: ~ *off a distance*/~ *out a room*, μετρῶ μιά ἀπόσταση/ἕνα δωμάτιο. **4**. προπονῶ (δρομέα, κλπ).
pachy·derm /ˋpækıdɜm/ *οὐσ.* ‹C› παχύδερμον.
pa·cific /pəˋsıfık/ *ἐπ.* εἰρηνικός. **the P~ (Ocean)**, ὁ Εἰρηνικός (ˋΩκεανός). **~ally** /-klı/ *ἐπίρ.* εἰρηνικά.
paci·fi·cation /ˈpæsıfıˋkeıʃn/ *οὐσ.* ‹U› εἰρήνευσις, κατευνασμός.
paci·fism /ˋpæsıf-ızm/ *οὐσ.* ‹U› εἰρηνοφιλία, πασιφισμός. **paci·fist** /-ıst/ *οὐσ.* ‹C› εἰρηνόφιλος.
pac·ify /ˋpæsıfaı/ *ρ.μ.* εἰρηνεύω, κατευνάζω, ἀποκαθιστῶ τήν ἡσυχία.
[1]**pack** /pæk/ *οὐσ.* ‹C› **1**. δέμα, μπόγος, φόρτωμα, (*ΗΠΑ*) πακέτο (τσιγάρα). ˋ~**-animal**, ὑποζύγιον. ˋ~**·horse**, ἄλογο γιά φόρτωμα. ˋ~**-saddle**, σαμάρι. ˋ~**-thread**, σπάγγος (συσκευασίας). **2**. κοπάδι: *a ~ of hounds/wolves*, κοπάδι κυνηγετικά σκυλιά/ἀγέλη λύκων. **3**. (*περιφρ.*) σωρός, τσοῦρμο: *a ~ of lies*, ἕνα σωρό ψέματα. *a ~ of thieves/liars*, ἕνα τσοῦρμο κλέφτες/ψεῦτες. **4**. ~ **of cards**, τράπουλα (52 χαρτιά). **5**. ˋ~**-ice**, σωρός ἐπιπλέοντος πάγου. **6**. (*ποδόσφ.*) οἱ μπροστινοί κυνηγοί. **7**. ποσότης κονσερβαρισμένου ψαριοῦ, κρέατος, φρούτων, κλπ: *this year's ~ of salmon*, ἡ φετεινή ποσότητα κονσερβαρισμένου σολομοῦ.
[2]**pack** /pæk/ *ρ.μ/ἀ.* **1**. πακετάρω, ἀμπαλλάρω, συσκευάζω/-ομαι: *I must begin ~ing at once*, πρέπει ν' ἀρχίσω νά φτιάχνω τίς βαλίτσες μου ἀμέσως. *Have you ~ed (up) your things?* ἔφτιαξες τά πράγματά σου; *These books ~ easily*, αὐτά τά βιβλία συσκευάζονται εὔκολα. ~ *clothes into a trunk*, τακτοποιῶ ροῦχα σ' ἕνα μπαοῦλο. ~ *a trunk with clothes*, γεμίζω ἕνα μπαοῦλο μέ ροῦχα. ~ ***it in***, (*λαϊκ.*) παρατάω (κάτι πού κάνω), τά βροντάω κάτω. ~ ***sb off; send sb ~ing***, (*καθομ.*) διώχνω, ξαποστέλνω: *I'll send him ~ing!* θά τόν ξαποστείλω. *I wish you'd ~ yourself off*, σέ παρακαλῶ, στρίβε (μάζεψέ τα καί δρόμο)! ~ ***up***, (*α*) (*καθομ.*) τά μαζεύω: *It's time to ~ up*, ὥρα νά τά μαζεύωμε (νά σταματήσωμε τή δουλειά). (*β*) (*λαϊκ.*) σταματῶ: *One of the engines ~ed up*, μιά ἀπό τίς μηχανές σταμάτησε. **2**. γεμίζω, στοιβάζω, στριμώχνω, στουπώνω: *The roads were ~ed with people*, οἱ δρόμοι ἦταν γεμᾶτοι κόσμο. *~ed like sardines*, στριμωγμένοι σά σαρδέλλες. ~ *a leak*, στουπώνω ἕνα σημεῖο διαρροῆς. **3**. κονσερβοποιῶ (κρέας, φροῦτα, ψάρια, κλπ). **4**. φτιάχνω (μιά ἐπιτροπή, κλπ) σέ τρόπο πού νά μ' εὐνοῆ. **~er** *οὐσ.* ‹C› συσκευαστής, μηχανή συσκευασίας.
pack·age /ˋpækıdʒ/ *οὐσ.* ‹C› **1**. συσκευασία: ~ *expenses*, ἔξοδα συσκευασίας. **2**. δέμα, μπάλλα, μπόγος. ~ **deal**, (*καθομ.*) διάφορες ἐπί μέρους προτάσεις πού θά πρέπει νά συζητηθοῦν ἤ νά γίνουν ἀποδεκτές σά σύνολο. ~ **tour**, ὀργανωμένη ἐκδρομή (στήν τιμή τῆς ὁποίας περιλαμβάνονται ὅλα τά ἔξοδα). —*ρ.μ.* συσκευάζω.
packet /ˋpækıt/ *οὐσ.* ‹C› **1**. μικρό δέμα, πακέτο: *a ˋpostal ~*, ταχυδρομικό δέμα. *a ~ of cigarettes*, ἕνα πακέτο τσιγάρα. *a ~ of needles*, ἕνα φακελλάκι βελόνες. **2**. (*λαϊκ.*) μάτσο λεφτά, πολύ χρῆμα: *He's made a ~ out of it*, ἔκανε ἕνα σωρό λεφτά ἀπ' αὐτό. *It'll cost you a ~*, θά σοῦ κοστίση πολύ χρῆμα. **3**. ˋ~**(-boat)**, πλοῖο τῆς γραμμῆς, ποστάλε.
pack·ing /ˋpækıŋ/ *οὐσ.* ‹U› **1**. συσκευασία. **2**. ὑλικά συσκευασίας. ˋ~**-case**, κασόνι. ˋ~**-needle**, σακορράφα.
pact /pækt/ *οὐσ.* ‹C› συμφωνία, σύμφωνον: *a four-power ~*, τετραμερές σύμφωνον. *the Atlantic/Warsaw P~*, τό ˋΑτλαντικό Σύμφωνο/τό Σύμφωνο τῆς Βαρσοβίας.

[1]**pad** /pæd/ *οὐσ.* ‹C› **1**. μαξιλαράκι (γιά τά γόνατα, τούς ἀγκῶνες, κλπ), βάτα. **2**. ταμπόν (σφραγίδος). **3**. μπλόκ, καρνέ. **4**. πέλμα (λαγοῦ, ἀλεποῦς, κλπ). **5**. ἐξέδρα (ἐξαπολύσεως διαστημοπλοίου). **6**. (*λαϊκ.*) γιατάκι. —*ρ.μ.* *(-dd-)* **1**. βάζω βάτα (σέ ροῦχο), καπιτονάρω, ἐπιστρώνω μέ μαλακό ὑλικό: *~ded shoulders*, ὦμοι μέ βάτα. *a ~ded cell*, κελλί μέ τούς τοίχους ντυμένους (σέ φρενοκομεῖο). **2**. ~ ***out***, παραγεμίζω: *an essay ~ded out with numerous quotations*, ἔκθεσις παραγεμισμένη μέ ἕνα σωρό ἀποσπάσματα. **~·ding** /`pædɪŋ/ *οὐσ.* ‹U› παραγέμισμα, βάτα, τζίβα.

[2]**pad** /pæd/ *ρ.μ/ἀ.* πηγαίνω μέ τά πόδια, πεζοπορῶ: *I lost all my money and had to ~ it home*, ἔχασα ὅλα μου τά χρήματα καί ἀναγκάστηκα νά γυρίσω σπίτι μέ τά πόδια. *I saw him padding along the corridor*, τόν εἶδα νά πηγαίνῃ κάτω στό διάδρομο.

[1]**paddle** /`pædl/ *οὐσ.* ‹C› **1**. κουπί (κοντό καί πλατύ, γιά κανώ): *a double ~*, κουπί πλατύ καί στίς δυό ἄκρες. **2**. κωπηλασία. **`~-steamer**, τροχήλατο πλοῖο, μέ φτερωτές. **`~-wheel**, φτερωτή (πλοίου). **3**. ἐργαλεῖο ἤ πρᾶγμα σέ σχῆμα κουπιοῦ (πχ κόπανος ρούχων, ἐργαλεῖο ἀναμίξεως, πόδι πάπιας ἤ χελώνας). —*ρ.μ/ἀ.* κωπηλατῶ (*ἰδ.* κανώ). ~ ***one's own canoe***, (*παροιμ.*) στηρίζομαι μονάχα στίς δυνάμεις μου, τά βγάζω πέρα μόνος μου.

[2]**paddle** /`pædl/ *ρ.ἀ.* πλατσουρίζω: *a `paddling pool*, λιμνούλα σέ πάρκο γιά νά πλατσουρίζουν τά παιδιά. —*οὐσ.* ‹C› πλατσούρισμα.

pad·dock /`pædək/ *οὐσ.* ‹C› **1**. μάντρα (μικρό μαντρωμένο λιβάδι γιά ἄλογα). **2**. (*ἱππόδρ.*) πεζάς.

[1]**paddy** /`pædɪ/ *οὐσ.* ‹U› ἀθέριστο ἤ ἀναποφλοίωτο ρύζι. **`~-field**, ριζοχώραφο.

[2]**paddy** /`pædɪ/ *οὐσ.* ‹C› (*καθομ.*) θυμός, τσαντίλα: *She's in one of her paddies*, ἔχει πάλι τά νεῦρα της, εἶναι τσαντισμένη.

Paddy /`pædɪ/ *οὐσ.* (*παρατσούκλι γιά*) Ἰρλανδός. **`~-wagon**, (*ΗΠΑ*) κλούβα (ἀστυνομική).

pad·lock /`pædlok/ *οὐσ.* ‹C› λουκέτο. —*ρ.μ.* κλειδώνω μέ λουκέτο.

padre /`padreɪ/ *οὐσ.* ‹C› (*καθομ.*) παπᾶς.

paean, pean /`piən/ *οὐσ.* ‹C› παιάνας.

pa·gan /`peɪgən/ *οὐσ.* ‹C› & *ἐπ.* εἰδωλολάτρης, ἄθεος. **`~ism** /-ɪzm/ *οὐσ.* ‹U› εἰδωλολατρεία, παγανισμός.

[1]**page** /peɪdʒ/ *οὐσ.* ‹C› σελίδα: *tear out a ~*, σκίζω μιά σελίδα. —*ρ.μ.* ἀριθμῶ σελίδες.

[2]**page** /peɪdʒ/ *οὐσ.* ‹C› **1**. (*ἐπίσης* **`~ boy**) μικρός ὑπηρέτης (ξενοδοχείου), λακές. **2**. νεαρός ἀκόλουθος. **3**. ἀρχοντόπουλο. —*ρ.μ.* (*γιά ὑπηρέτη ξενοδοχείου*) διασχίζω τό χώλ φωνάζοντας τό ὄνομα πελάτου.

pag·eant /`pædʒənt/ *οὐσ.* ‹C› **1**. φαντασμαγορικό ὑπαίθριο θέαμα μέ ἱστορικές στολές. **2**. μεγαλοπρεπής παρέλασις. **~ry** /-trɪ/ *οὐσ.* ‹U› φαντασμαγορία, πομπή, λαμπρότης.

pagi·nation /`pædʒɪ`neɪʃn/ *οὐσ.* ‹C,U› ἀρίθμησις σελίδων.

pa·goda /pə`gəʊdə/ *οὐσ.* ‹C› παγόδα.

pah /pa/ *ἐπιφ.* ἀηδίας πούφ!

paid /peɪd/ *ἀόρ.* & *π.μ.* *τοῦ ρ.* *[2]pay*.

pail /peɪl/ *οὐσ.* ‹C› κουβᾶς: *a ~ of milk*, ἕνας κουβᾶς γάλα. **`~ful** /-fʊl/ *οὐσ.* ‹C› κουβαδιά.

pail·lasse /`pælıæs/ *οὐσ.* ‹C› *βλ.* *palliasse.*

pain /peɪn/ *οὐσ.* ‹C,U› **1**. πόνος: *be in ~*, πονῶ. *cry with ~*, φωνάζω ἀπό τόν πόνο. *have a ~ in the knee/back*, μέ πονάει τό γόνατο/ἡ πλάτη. ***a ~ in the neck***, (*λαϊκ.*) ἐκνευριστικός ἄνθρωπος, τσάμικος ταμπάκος. **`~-killer**, παυσίπονον. **2**. ***on/under ~ of death***, (*νομ.*) ἐπί ποινῇ θανάτου. —*ρ.μ.* προξενῶ πόνο: *It ~s me to think that...*, μέ πονεῖ πού σκέφτομαι ὅτι... *My foot is still ~ing me*, τό πόδι μου ἀκόμα μέ πονάει. **~ed** *ἐπ.* πικραμένος, πονεμένος: *a ~ed look*, μιά πονεμένη ματιά/ἔκφρασις. **`~·ful** /-fl/ *ἐπ.* ὀδυνηρός: *a ~ful duty*, ὀδυνηρό καθῆκον. **`~·fully** /-fəlɪ/ *ἐπίρ.* **`~·less** *ἐπ.* ἀνώδυνος: *a ~less operation*, ἀνώδυνη ἐγχείρηση. **`~·less·ly** *ἐπίρ.*

pains /peɪnz/ *οὐσ.* *πληθ.* στενοχώριες, βάσανα, κόποι. ***be at ~ to do sth***, καταβάλλω μεγάλη προσπάθεια νά κάμω κτ. ***spare no ~***, δέν φείδομαι κόπων. ***take (great) ~ (over sth/to do sth)***, καταβάλλω μεγάλη φροντίδα/προσέχω: *take great ~ over one's appearance/to please sb*, προσέχω πολύ τήν ἐμφάνισή μου/κάνω ὅ,τι μπορῶ νά εὐχαριστήσω κπ. **`~·taking** *ἐπ.* πολύ προσεκτικός, ἐπιμελής, φιλόπονος.

paint /peɪnt/ *οὐσ.* **1**. (‹U› *ἤ πληθ.*) μπογιά, χρῶμα: *a coat of ~*, ἕνα στρῶμα μπογιά. *Give it a coat of ~*, πέρασέ το ἕνα χέρι χρῶμα. **`~-box**, κουτί μέ χρώματα. **`~-brush**, πινέλλο (βαφῆς). **2**. ‹U› φτιασίδι (γιά τό πρόσωπο). —*ρ.μ/ἀ.* **1**. μπογιατίζω, χρωματίζω: *~ a door/~ the walls green.* (*βλ.* & *λ.* *red*). **2**. ζωγραφίζω: *~ in oils/water-colours*, ζωγραφίζω μέ λαδομπογιές/μέ νερομπογιές. **3**. περιγράφω ζωηρά: *He's not so bad as he's ~ed*, (*μεταφ.*) δέν εἶναι τόσο κακός ὅσο τόν λένε. **`~·ing** *οὐσ.* (*α*) ‹U› ζωγραφική, μπογιάτισμα. (*β*) ‹C› πίνακας, ζωγραφιά.

painter /`peɪntə(r)/ *οὐσ.* ‹C› **1**. ζωγράφος, ἐλαιοχρωματιστής, μπογιατζῆς. **2**. παλαμάρι. ***cut the ~***, (*μεταφ.*) κόβω τούς δεσμούς (πχ μεταξύ ἀποικίας καί μητροπόλεως).

pair /peə(r)/ *οὐσ.* ‹C› **1**. ζευγάρι: *a ~ of shoes/gloves*, ἕνα ζευγάρι παπούτσια/γάντια. *They are a happy ~*, εἶναι εὐτυχισμένο ζευγάρι. ***in ~s***, ἀνά δύο, κατά ζεύγη. **2**. ἕνας (γιά ἀντικείμενα μέ δύο σκέλη): *a ~ of trousers*, ἕνα παντελόνι. *a ~ of scissors*, ἕνα ψαλίδι. **3**. δύο βουλευτές ἀντιθέτων κομμάτων πού συμφωνοῦν νά ἀπόσχουν ἀμοιβαῖα. —*ρ.μ/ἀ.* ζευγαρώνω. ~ ***off***, ταξινομῶ κατά ζεύγη.

pal /pæl/ *οὐσ.* ‹C› (*καθομ.*) φίλος, σύντροφος. —*ρ.ἀ.* *(-ll-)* (*καθομ.*) ~ ***up (with sb)***, πιάνω φιλίες μέ κπ. **~ly** /`pælɪ/ *ἐπ.* (*καθομ.*) φιλικός.

pal·ace /`pælɪs/ *οὐσ.* ‹C› παλάτι, ἀνάκτορο. ~ ***revolution***, ἀνακτορική ἐπανάστασις (ὑπό τοῦ στενοῦ κύκλου ἑνός ἡγέτου ἐναντίου του).

pala·din /`pælədɪn/ *οὐσ.* ‹C› παλαδῖνος, περιπλανώμενος ἱππότης, ὑπερασπιστής.

palæo- /`pælɪəʊ-/ *πρόθεμα* (*συνηθ.* *paleo-*) παλαιο-.

palan·quin, palan·keen /`pælən`kin/ *οὐσ.* ‹C› ἀνατολίτικο σκεπαστό φορεῖο.

pal·at·able /`pælətəbl/ *ἐπ.* νόστιμος, εὐχάριστος: *Truth is seldom ~ to kings*, σπανίως

ἡ ἀλήθεια εἶναι ἀρεστή στούς βασιληάδες.
pala·tal /`pælətl/ *οὐσ.* ‹C› & *ἐπ.* οὐρανισκόφωνον, (*ἀνατ.*) ὑπερωϊκός.
pal·ate /`pælət/ *οὐσ.* ‹C› **1**. οὐρανίσκος, ὑπερώα: *the `hard/`soft* ~, σκληρή/μαλακή ὑπερώα. **2**. γεῦσις: *have a delicate* ~, ἔχω ντελικάτο οὐρανίσκο. *have no* ~ *for wines*, δέν καταλαβαίνω ἀπό κρασιά.
pa·la·tial /pə`leɪʃl/ *ἐπ.* ἀνακτορικός, μεγαλοπρεπής.
pa·lat·in·ate /pə`lætɪnət/ *οὐσ.* ‹C› παλατινᾶτο.
pal·aver /pə`lɑvə(r)/ *οὐσ.* **1**. ‹C› διαπραγμάτευσις (*ἰδ.* μέ ἰθαγενεῖς). **2**. ‹U› φλυαρία, λακριντί. **3**. ‹U› μπελᾶς. —*ρ.ἀ.* φλυαρῶ ἀκατάσχετα.
[1]**pale** /peɪl/ *ἐπ.* *(-r, -st)* **1**. χλωμός, ὠχρός: *look* ~, φαίνομαι χλωμός. ***turn*** ~, χλωμιάζω. **2**. (*γιά χρῶμα*) ξεπλυμένος: ~ *blue*, ξεπλυμένο μπλέ. —*ρ.ἀ.* ὠχριῶ. ~ ***before/by the side of***..., (*μεταφ.*) ὠχριῶ μπροστά/πλάϊ, σέ σύγκριση μέ... ~**·ly** /`peɪllɪ/ *ἐπίρ.* χλωμά, ὠχρά. ~**·ness** *οὐσ.* ‹U› χλωμάδα, ὠχρότης.
[2]**pale** /peɪl/ *οὐσ.* **1**. ‹C› παλούκι. **2**. ὅρια, σύνορα (*μόνο στή φράση*): ***beyond/outside the*** ~, κοινωνικά ἤ λογικά ἀπαράδεκτος.
paleo·lithic (*καί* **palæo-**) /'pælɪəʊ`lɪθɪk/ *ἐπ.* παλαιολιθικός.
pale·on·tol·ogy (*καί* **palæ-**) /'pælɪɒn`tolədʒɪ/ *οὐσ.* ‹U› παλαιοντολογία. **pale·on·tol·ogist** (*καί* **palæ-**) /-ədʒɪst/ *οὐσ.* ‹C› παλαιοντολόγος.
pal·ette /`pælɪt/ *οὐσ.* ‹C› παλέττα. `~**-knife**, σπάτουλα (ζωγράφου).
pal·ing /`peɪlɪŋ/ *οὐσ.* ‹C› φράχτης ἀπό παλούκια, περίφραξις.
pali·sade /'pælɪ`seɪd/ *οὐσ.* ‹C› μάντρα ἀπό παλούκια. —*ρ.μ.* ὀχυρώνω ἤ περιτοιχίζω μέ φράχτη.
pal·ish /`peɪlɪʃ/ *ἐπ.* ὠχρούτσικος.
[1]**pall** /pɔl/ *οὐσ.* ‹C› **1**. σάβανο. `~**-bearer**, ὁ κρατῶν τίς ταινίες φερέτρου. **2**. (*μεταφ.*) στρῶμα, πέπλος, σύννεφο: *a* ~ *of smoke*, σύννεφο (πέπλος) καπνοῦ.
[2]**pall** /pɔl/ *ρ.ἀ.* ~ ***(upon)***, γίνομαι βαρετός, κουράζω: *All pleasures* ~ *after a time*, ὅλες οἱ ἡδονές κουράζουν (γίνονται βαρετές) ὕστερα ἀπό λίγο. *a dish that never* ~*s on me*, φαγητό πού δέν τό βαρυέμαι ποτέ.
pal·let /`pælɪt/ *οὐσ.* ‹C› ἀχυρόστρωμα, ψάθα.
pal·liasse (*καί* **pail·lasse**) /`pælɪæs/ *οὐσ.* ‹C› ἀχυρόστρωμα.
pal·li·ate /`pælɪeɪt/ *ρ.μ.* (*λόγ.*) ἀνακουφίζω, μετριάζω, μαλακώνω: ~ *a pain/a crime*, μαλακώνω ἕναν πόνο/ἐλαφρύνω ἕνα ἔγκλημα. **pal·li·ation** /'pælɪ`eɪʃn/ *οὐσ.* ‹C,U› ἐλάφρυνσις, ἀνακούφισις. **pal·li·ative** /`pælɪətɪv/ *οὐσ.* ‹C› & *ἐπ.* καταπραϋντικό/-ός.
pal·lid /`pælɪd/ *ἐπ.* ὠχρός, ἀρρωστιάρικος. ~**·ly** *ἐπίρ.* ~**·ness** *οὐσ.* ‹U› ὠχρότης.
pal·lor /`pælə(r)/ *οὐσ.* ‹U› χλωμάδα.
pally /`pælɪ/ *ἐπ.* *βλ.* *pal.*
[1]**palm** /pɑm/ *οὐσ.* ‹C› παλάμη. ***grease/oil sb's*** ~, λαδώνω (δωροδοκῶ) κπ. ***have an itching*** ~, μέ τρώει ἡ παλάμη μου (γιά λεφτά), δωροδοκοῦμαι εὔκολα. —*ρ.μ.* κρύβω κτ στήν παλάμη. ~ ***sth off (on/upon sb)***, φορτώνω/πασάρω κτ ἄχρηστο σέ κπ.
[2]**palm** /pɑm/ *οὐσ.* ‹C› **1**. φοίνικας. `**date-**~, χουρμαδιά. `~**-oil**, φοινικέλαιο, (*μεταφ.*) λάδωμα. `~ **wine**, φοινικόκρασο. '**P**~ `**Sunday**, Κυριακή τῶν Βαΐων. **2**. δάφνη (ὡς σύμβολο νίκης). ***bear/carry off the*** ~, νικῶ, κερδίζω τή δάφνη τῆς νίκης. ***yield the*** ~ ***(to sb)***, ἀναγνωρίζω τήν ὑπεροχή κάποιου. ~**y** *ἐπ.* *(-ier, -iest)* ἀκμάζων: *in my* ~*y days*, τόν καιρό τῆς ἀκμῆς μου. ~**er** *οὐσ.* ‹C› *(α)* περιπλανώμενος καλόγερος. *(β)* χατζῆς.
pal·metto /pæl`metəʊ/ *οὐσ.* ‹C› (*πληθ.* ~*s ἤ* ~*es*) φοῖνιξ ὁ ριπιδοειδής.
palm·ist /`pɑmɪst/ *οὐσ.* ‹C› χειρομάντης/-ισσα. **palm·is·try** /`pɑmɪstrɪ/ *οὐσ.* ‹U› χειρομαντεία.
pal·pable /`pælpəbl/ *ἐπ.* ψηλαφητός, χειροπιαστός, ὁλοφάνερος: *a* ~ *error*, ὁλοφάνερο λάθος. **pal·pably** /-əblɪ/ *ἐπίρ.* ἁπτά, ὁλοφάνερα.
pal·pi·tate /`pælpɪteɪt/ *ρ.ἀ.* **1**. (*γιά τήν καρδιά*) πάλλω, χτυπῶ (γρήγορα καί μέ ἀρρυθμία). **2**. (*γιά τό σῶμα*) σπαρταρῶ: ~ *with terror*, σπαρταρῶ ἀπό τρόμο. **pal·pi·ta·tion** /'pælpɪ`teɪʃn/ *οὐσ.* ‹C,U› χτυποκάρδι, σπαρτάρισμα.
palsy /`pɔlzɪ/ *οὐσ.* ‹U› παράλυσις: *cerebral* ~, ἐγκεφαλική παράλυσις. —*ρ.μ.* παραλύω.
pal·ter /`pɔltə(r)/ *ρ.ἀ.* ~ ***with***, ὑπεκφεύγω, παίζω: *Don't* ~ *with the question*, μήν παίζης μέ τήν ἐρώτηση, μήν τά στρίβης, μήν τό ρίχνεις στ' ἀστεῖο.
pal·try /`pɔltrɪ/ *ἐπ.* *(-ier, -iest)* ἀσήμαντος, τιποτένιος: *a* ~ *sum of money*, ἕνα ἀσήμαντο χρηματικό ποσό.
pam·pas /`pæmpəs/ *οὐσ.* *πληθ.* ἄδενδρη πεδιάδα τῆς Ν. Ἀμερικῆς, πάμπας.
pam·per /`pæmpə(r)/ *ρ.μ.* κανακεύω, κάνω ὅλα τά χατήρια, (παρα)χαϊδεύω: ~ *a wife/child.*
pamph·let /`pæmflət/ *οὐσ.* ‹C› φυλλάδιο, μπροσούρα. ~**·eer** /'pæmflə`tɪə(r)/ *οὐσ.* ‹C› φυλλαδιογράφος.
[1]**pan** /pæn/ *οὐσ.* ‹C› **1**. ρηχή κατσαρόλα. `**frying-**~, τηγάνι. `*baking-*~, ταψί φούρνου. **2**. δοχεῖον (γιά διάφορες χρήσεις): *a lavatory-*~, λεκάνη ἀποχωρητηρίου. **3**. δίσκος (ζυγαριᾶς). **4**. κοίλωμα, κοιλότης: *a `salt-*~, ἁλυκή. `**brain-**~, κρανιακή κοιλότης. **5**. σκάφη (γιά τό στράγγισμα χρυσοφόρου ἄμμου). **6**. (*λαϊκ.*) μούρη, φάτσα. **7**. στρῶμα ἐδάφους: *clay* ~, ἀργιλῶδες στρῶμα. (*βλ.* & *λ.* [1]*flash*). —*ρ.μ/ἀ.* *(-nn-)* **1**. (*καθομ.*) κατακρίνω ἔντονα. **2**. ~ ***off/out***, πλένω (μετάλλευμα). ~ ***for (gold)***, στραγγίζω (ἄμμο, κλπ) γιά χρυσάφι. ~ ***out***, ἀποδίδω (χρυσάφι), (*μεταφ.*) πετυχαίνω, καταλήγω: *Things didn't* ~ *out well*, τά πράγματα δέν πῆγαν καλά.
[2]**pan** /pæn/ *ρ.μ/ἀ.* (*κινημ.* ἤ *τηλεόρ.*) κάνω πανοραμική λήψη.
pan- /pæn/ *πρόθεμα* πάν-: *Pan-African*, παναφρικανικός.
pana·cea /'pænə`sɪə/ *οὐσ.* ‹C› πανάκεια.
pa·nache /pæ`næʃ/ *οὐσ.* ‹U› καμάρι, αὐτοπεποίθησις: *There was an air of* ~ *about him*, εἶχε ὕφος ὅλο καμάρι/ὅλο σιγουριά γιά τόν ἑαυτό του.
pa·nama /'pænə`mɑ/ *οὐσ.* ‹C› ~ **(hat)**, ψαθάκι, παναμᾶς.

pan·cake /ˋpænkeɪk/ *οὐσ.* ‹C› **1**. τηγανίτα. **ˋP~ Day**, Τσικνοπέμπτη. **~ landing**, κατακόρυφη προσγείωση. **2**. εἶδος κρέμας προσώπου, μεϊκάπ.

pan·chro·matic /ˈpænkrəˋmætɪk/ *ἐπ.* (*φωτογρ.*) πανχρωματικός: *~ film.*

pan·creas /ˋpæŋkrɪəs/ *οὐσ.* ‹C› (*ἰατρ.*) πάγκρεας. **pan·cre·atic** /ˈpæŋkrɪˋætɪk/ *ἐπ.* παγκρεατικός.

panda /ˋpændə/ *οὐσ.* ‹C› αἴλουρος. **ˋP~ car**, (*MB*) περιπολικό τῆς ἀστυνομίας. **ˋP~ crossing**, (*MB*) διάβασις πεζῶν μέ φῶτα πού ρυθμίζονται ἀπό τούς πεζούς ἀπό δύο στύλους στά πεζοδρόμια.

pan·demic /pænˋdemɪk/ *οὐσ.* ‹C› (*ἰατρ.*) πανδημία. __*ἐπ.* πανδημικός.

pan·de·mo·nium /ˈpændɪˋməʊnɪəm/ *οὐσ.* ‹C,U› πανδαιμόνιον.

pan·der /ˋpændə(r)/ *ρ.ἀ.* **~ to 1**. ὑποθάλπω: *~ to low tastes*, ὑποθάλπω/ἐνθαρρύνω ταπεινά γοῦστα. *~ to the public interest in scandal*, ὑποθάλπω/τροφοδοτῶ τό ἐνδιαφέρον τοῦ κοινοῦ γιά σκάνδαλα. **2**. (*πεπαλ.*) μαστροπεύω, κάνω τό ρουφιάνο (σέ κπ). __*οὐσ.* ‹C› (*πεπαλ.*) σωματέμπορος, μαστροπός.

pane /peɪn/ *οὐσ.* ‹C› τζάμι (παραθύρου).

pan·egyric /ˈpænɪˋdʒɪrɪk/ *οὐσ.* ‹C› πανηγυρικός (λόγος).

panel /ˋpænl/ *οὐσ.* ‹C› **1**. φάτνωμα (πόρτας, τοίχου), χώρισμα. **2**. ταμπλῶ ὀργάνων (σέ αὐτοκίνητο, ἀεροπλάνο, TV, κλπ). **3**. φύλλο, βολάν (σέ φόρεμα). **4**. κατάλογος, πίνακας ὀνομάτων (πχ ἐνόρκων, γιατρῶν συμβεβλημένων μέ τό ΙΚΑ, κλπ). **5**. ὁμάδα ὁμιλητῶν: *a ˋ~ game*, ραδιοφωνικό ἤ τηλεοπτικό παιχνίδι. __*ρ.μ.* *(-ll-)* διαιρῶ τοῖχο σέ τετράγωνα, ἐπενδύω τοῖχο μέ ξύλο: *a ~led room/wall.* **~·ling** *οὐσ.* ‹U› χωρισμός σέ τετράγωνα, ξυλεπένδυσις, μπουαζερί.

pang /pæŋ/ *οὐσ.* ‹C› σουβλιά (πόνου, τύψεως, κλπ).

pan·handle /ˋpænhændl/ *οὐσ.* ‹C› (*ΗΠΑ*) προεξέχουσα στενή λουρίδα γῆς. __*ρ.ἀ.* (*ΗΠΑ λαϊκ.*) ζητιανεύω.

panic /ˋpænɪk/ *οὐσ.* ‹C,U› πανικός: *throw into/create a ~*, πανικοβάλλω. **ˋ~-stricken** *ἐπ.* πανικόβλητος. __*ρ.ἀ.* *(-ck-)* πανικοβάλλομαι: *Don't ~, there's no danger*, μήν πανικοβάλλεσθε, δέν ὑπάρχει κίνδυνος. **pan·icky** /ˋpænɪkɪ/ *ἐπ.* (*καθομ.*) πανικόβλητος, πού πανικοβάλλεται εὔκολα.

pan·jan·drum /pænˋdʒændrəm/ *οὐσ.* ‹C› (*χιουμορ.*) προσωπικότητα, σπουδαῖο πρόσωπο, μεγαλόσχημος.

pan·nier /ˋpænɪə(r)/ *οὐσ.* ‹C› **1**. κόφα, πολιτάρι. **2**. σάκκος (ὁ ἕνας ἀπό δύο ἑνωμένους σάκκους πού σχηματίζουν δισάκκι). **3**. ποδιά (τμῆμα φούστας ἀναδιπλωμένο καί πιασμένο ἀπό τή ζώνη).

pan·ni·kin /ˋpænɪkɪn/ *οὐσ.* ‹C› (*MB*) καραβάνα, μεταλλικό πιάτο.

pan·oply /ˋpænəplɪ/ *οὐσ.* ‹C› πανοπλία. **pan·oplied** /ˋpænəplɪd/ *ἐπ.* πάνοπλος, μέ πανοπλία.

pan·or·ama /ˈpænəˋrɑmə/ *οὐσ.* ‹C› πανόραμα, φαντασμαγορία. **pan·or·amic** /ˈpænəˋræmɪk/ *ἐπ.* πανοραμικός.

pansy /ˋpænzɪ/ *οὐσ.* ‹C› **1**. (*φυτ.*) πανσές. **2**. (*καθομ.*) ὁμοφυλόφιλος, τοιοῦτος.

pant /pænt/ *ρ.μ/ἀ.* **1**. ἀσθμαίνω, λαχανιάζω: *The dog ~ed along behind its master*, ὁ σκύλος πήγαινε λαχανιασμένος πίσω ἀπό τ' ἀφεντικό του. **2**. ***~ out***, λέγω λαχανιαστά: *He ~ed out his message and fainted*, εἶπε τό μήνυμά του μέ κομμένη ἀναπνοή καί λιποθύμισε. **3**. ***~ for***, (*πεπαλ.*) λαχταρῶ. __*οὐσ.* ‹C› λαχάνιασμα. **~·ing·ly** *ἐπίρ.* λαχανιασμένα, μέ κομμένη ἀναπνοή.

pan·ta·loon /ˈpæntəˋlun/ *οὐσ.* **1**. ‹U› (*στήν παντομίμα*) Πανταλόνε (χαζός τύπος). **2**. (*πληθ. χιουμορ. ἤ ΗΠΑ*) παντελόνι.

pan·tech·ni·con /pænˋteknɪkən/ *οὐσ.* ‹C› (*MB*) καμιόνι γιά μετακομίσεις ἤ γιά μεταφορά ἐπίπλων.

pan·the·ism /ˋpænθɪɪzm/ *οὐσ.* ‹U› πανθεϊσμός. **pan·the·ist** /-ɪst/ *οὐσ.* ‹C› πανθεϊστής. **pan·the·is·tic** /ˈpænθɪˋɪstɪk/ *ἐπ.* πανθεϊστικός.

pan·theon /ˋpænθɪən/ *οὐσ.* ‹C› πάνθεον: *the P~ in Paris*, τό Πάνθεον τοῦ Παρισιοῦ. *the Greek P~*, τό Ἑλληνικόν Πάνθεον.

pan·ther /ˋpænθə(r)/ *οὐσ.* ‹C› πάνθηρας.

pan·ties /ˋpæntɪz/ *οὐσ. πληθ.* (*καθομ.*) παιδικό παντελονάκι, γυναικεία κυλόττα.

pan·tile /ˋpæntaɪl/ *οὐσ.* ‹C› κυρτό κεραμίδι στέγης.

panto /ˋpæntəʊ/, **pan·to·mime** /ˋpæntəmaɪm/ *οὐσ.* ‹C U› παντομίμα.

pan·try /ˋpæntrɪ/ *οὐσ.* ‹C› **1**. ἀποθήκη (γιά τά εἴδη τοῦ τραπεζιοῦ). **2**. κελλάρι. **ˋ~·man** /-mən/, κελλάρης.

pants /pænts/ *οὐσ. πληθ.* παντελόνι.

pan·zer /ˋpæntsə(r)/ *ἐπ.* (*Γερμ.*) μηχανοκίνητος: *ˋ~ divisions*, μηχανοκίνητες μεραρχίες.

pap /pæp/ *οὐσ.* ‹U› χυλός, λαπᾶς: *feed sb on ~*, τρέφω κπ μέ χυλό.

papa /pəˋpa/ *οὐσ.* μπαμπᾶς.

pa·pacy /ˋpeɪpəsɪ/ *οὐσ.* ‹C› παπισμός. **pa·pal** /ˋpeɪpl/ *ἐπ.* παπικός.

pa·paw, paw·paw /pəˋpɔ/, (*καί* **papaya** /pəˋpaɪə(r)/) *οὐσ.* ‹C› παπάγια (τό φροῦτο καί τό δέντρο).

pa·per /ˋpeɪpə(r)/ *οὐσ.* **1**. ‹U› χαρτί: *a sheet of ~*, μιά κόλλα χαρτί. *a ~ bag*, χαρτοσακκούλα. *glazed ~*, χαρτί σατινέ. ***good on ~***, καλός στό χαρτί (ἀλλά ἀδοκίμαστος στήν πράξη): *The scheme is good on ~*, τό σχέδιο εἶναι καλό στό χαρτί. ***put pen to ~***, (*καθομ. πεπαλ.*) ἀρχίζω νά γράφω. **ˋ~·backed** *ἐπ.* (*γιά βιβλία*) χαρτόδετος. **ˋ~·back**, χαρτόδετο βιβλίο. **ˋ~-clip**, συνδετήρας. **ˋ~-hanger**, ταπετσέρης (τοίχων). **ˋ~-knife**, χαρτοκόπτης. **ˋ~-mill**, ἐργοστάσιον χαρτοποιΐας. **ˋ~-weight**, πρές παπιέ. **ˋ~-work**, γραφική ἐργασία. **2**. ‹C› (**ˋnews·~**): ἐφημερίδα: *an evening ~*, ἀπογευματινή ἐφημερίδα. **3**. ‹U› **ˋ~ (money)** χαρτονόμισμα. **4**. (*πληθ.*) ἔγγραφα, χαρτιά, ντοκουμέντα: *Are all your ~s in order?* εἶναι ὅλα τά χαρτιά σου ἐν τάξει; ***send in one's ~s***, (*στρατ.*) ὑποβάλλω παραίτηση. **5**. ‹C› θέμα γραπτῆς ἐξετάσεως: *the ˋhistory ~*, ἡ γραπτή ἐξέτασις στήν ἱστορία. ***set a ~***, ἐκλέγω τά θέματα μιᾶς ἐξετάσεως. **ˋtest ~**, δοκιμαστική ἐξέτασις. **6**. ‹C› ἀνακοίνωσις (σέ ἐπιστημονική ἑταιρία), διατριβή. __*ρ.μ.* ταπετσάρω τοίχους.

~ over the cracks, (*μεταφ.*) μπαλώνω/κρύβω πρόχειρα τά ἐλαττώματα, τά σφάλματα, κλπ. **~ the house**, γεμίζω τό θέατρο μέ δωρεάν εἰσιτήρια (γιά δημιουργία ἐντυπώσεων).
pa·pier-mâché /ˈpæpɪeɪ ˋmæʃeɪ/ *οὐσ.* ‹U› πεπιεσμένος χάρτης.
pa·pist /ˈpeɪpɪst/ *οὐσ.* ‹C› παπιστής, ὀπαδός τοῦ Πάπα.
pa·poose /pəˋpus/ *οὐσ.* ‹C› (*λέξις τῶν Ἰνδιάνων γιά*) μωρό, σάκκος γιά τό μωρό στήν πλάτη.
pap·rika /ˋpæprɪkə/ *οὐσ.* ‹U› κόκκινο πιπέρι.
pa·py·rus /pəˋpaɪərəs/ *οὐσ.* ‹U› πάπυρος.
par /pa(r)/ *οὐσ.* ‹U› (*χρημ.*) ἄρτιον, ἰσότης, ἰσοτιμία, (*μεταφ.*) κανονικό/φυσιολογικό ἐπίπεδο. **~ value**, ὀνομαστική ἀξία. **~ of exchange**, νομισματική ἰσοτιμία. ***above/below ~***, ἄνω/κάτω τοῦ ἀρτίου. ***at ~***, στό ἄρτιον. ***on a ~ (with)***, ἴσος πρός, ἰσότιμος μέ. ***not feeling (quite) up to ~***, (*καθομ.*) δέν νοιώθω πολύ στά καλά μου.
par·able /ˋpærəbl/ *οὐσ.* ‹C› παραβολή: *Jesus taught in ~s*, ὁ Ἰησοῦς δίδασκε μέ παραβολές. **para·boli·cal** /ˈpærəˋbolɪkl/ *ἐπ.* παραβολικός.
par·ab·ola /pəˋræbələ/ *οὐσ.* ‹C› (*γεωμ.*) παραβολή. **para·bolic** /ˈpærəˋbolɪk/ *ἐπ.*
para·chute /ˋpærəʃut/ *οὐσ.* ‹C› ἀλεξίπτωτον. *—ρ.μ/ἀ.* πέφτω/ρίχνω μέ ἀλεξίπτωτο: *~ men behind the enemy lines*, ρίχνω ἀλεξιπτωτιστές πίσω ἀπό τίς ἐχθρικές γραμμές. **para·chut·ist** /-ɪst/ *οὐσ.* ‹C› ἀλεξιπτωτιστής.
par·ade /pəˋreɪd/ *ρ.μ/ἀ.* **1**. παρατάσσω/-ομαι, παρελαύνω: *~ through the streets*, παρελαύνω στούς δρόμους τῆς πόλεως. **2**. ἐπιδεικνύω, κάνω ἐπίδειξη: *~ one's riches/knowledge*, κάνω ἐπίδειξη τοῦ πλούτου μου/τῶν γνώσεων μου. *—οὐσ.* ‹C,U› **1**. παρέλασις, ἐπιθεώρησις, ἄσκησις: *be on ~*, εἶμαι σέ παρέλαση/σέ ἄσκηση. **ˋ~-ground**, πεδίον ἀσκήσεων/παρελάσεων. **2**. ἐπίδειξις: *a ˋmannequin ~*, ἐπίδειξις μόδας. ***make a ~ of one's virtues***, κάνω ἐπίδειξη τῶν ἀρετῶν μου. **3**. χῶρος γιά περίπατο (*ἰδ.* κοντά σέ παραλία), παραλία.
para·digm /ˋpærədaɪm/ *οὐσ.* ‹C› (*γραμμ.*) παράδειγμα.
para·dise /ˋpærədaɪs/ *οὐσ.* ‹C› παράδεισος. (*βλ. & λ. fool*). **para·dis·iac** /ˈpærəˋdɪsɪæk/, **para·disia·cal** /ˈpærədɪˋsaɪəkl/ *ἐπ.* παραδείσιος, παραδεισένιος.
para·dox /ˋpærədoks/ *οὐσ.* ‹C› παραδοξολογία, ἀντίφασις, ἀντινομία. **~i·cal** /ˈpærəˋdoksɪkl/ *ἐπ.* παράδοξος, ἀντιφατικός. **~i·cally** /-klɪ/ *ἐπίρ.* παραδόξως.
par·af·fin /ˋpærəfɪn/ *οὐσ.* ‹U› παραφίνη (*πρβλ. ΗΠΑ kerosene*). **ˋ~(oil)**, φωτιστικό πετρέλαιο, παραφινέλαιο. **ˋ~ (wax)**, στερεή παραφίνη. (**ˈliquid**) **ˋ~**, βαζελίνη, ὑγρή παραφίνη.
para·gon /ˋpærəgən/ *οὐσ.* ‹C› ὑπόδειγμα, πρότυπον (τελειότητος, κλπ): *a ~ of virtue*, ὑπόδειγμα ἀρετῆς.
para·graph /ˋpærəgraf/ *οὐσ.* ‹C› παράγραφος. *—ρ.μ.* χωρίζω σέ παραγράφους.
par·al·lel /ˋpærəlel/ *ἐπ.* ***~ (to/with)*** παράλληλος (πρός/μέ). *—οὐσ.* ‹C,U› **1**. **~ of latitude**, γεωγραφικός παράλληλος. ***in ~***, παραλλήλως. **2**. σύγκρισις, παραλληλισμός, ἀναλογία: *without (a) ~ in history*, χωρίς τίποτα ἀνάλογο στήν ἱστορία. ***draw a ~ between***..., κάνω παραλληλισμό μεταξύ. *—ρ.μ. (-ll-)* **1**. εἶμαι παράλληλος πρός: *The street ~s the railway*, ὁ δρόμος εἶναι παράλληλος πρός τήν σιδηροδρ. γραμμή. **2**. παραλληλίζω, συγκρίνω: *His greed has never been ~led*, ἡ ἀπληστία του δέν μπορεῖ νά συγκριθῆ μέ τίποτα, δέν ἔχει ταῖρι. **ˋ~·ism** /-ɪzm/ *οὐσ.* ‹U› παραλληλισμός. **~o·gram** /ˈpærəˋleləgræm/ *οὐσ.* ‹C› παραλληλόγραμμον.
par·al·ysis /pəˋræləsɪs/ *οὐσ.* ‹U› παράλυσις.
para·lyt·ic /ˈpærəˋlɪtɪk/ *οὐσ.* ‹C› & *ἐπ.* παραλυτικός, παράλυτος, (*μεταφ.*) ἀναίσθητος (ἀπό μεθύσι): *a paralytic stroke*, προσβολή παραλύσεως. **para·lyse** /ˋpærəlaɪz/ *ρ.μ.* παραλύω: *paralysed with fear*, παράλυτος ἀπό φόβο.
para·mili·tary /ˈpærəˋmɪlɪtrɪ/ *ἐπ.* παραστρατιωτικός: *~ formations*, παραστρατιωτικοί σχηματισμοί.
para·mount /ˋpærəmaʊnt/ *ἐπ.* (*λόγ.*) ἀνώτατος, ὑπέρτατος: *~ chiefs*, ἀνώτατοι ἀρχηγοί. *of ~ importance*, ὑψίστης σπουδαιότητος.
para·mour /ˋpærəmʊə(r)/ *οὐσ.* ‹C› (*ἀπηρχ.*) ἐραστής, ἐρωμένη (ἐγγάμου ἀνθρώπου).
para·noia /ˈpærəˋnɔɪə/ *οὐσ.* ‹U› (*ἰατρ.*) παράνοια. **para·noiac** /-ˋnɔɪæk/ *οὐσ.* ‹C› & *ἐπ.* παρανοϊκός.
para·pet /ˋpærəpɪt/ *οὐσ.* ‹C› **1**. στηθαῖο (γεφύρας), μουράγιο. **2**. προπέτασμα (χαρακώματος).
para·pher·nalia /ˈpærəfəˋneɪlɪə/ *οὐσ.* ‹U› σύνεργα, συμπράγκαλα, (*νομ.*) ἐξώπροικα.
para·phrase /ˋpærəfreɪz/ *ρ.μ.* παραφράζω. *—οὐσ.* ‹C› παράφρασις.
para·ple·gia /ˈpærəˋplidʒə/ *οὐσ.* ‹U› (ἰατρ.) παραπληγία, παράλυσις τῶν κάτω ἄκρων. **para·plegic** /-ˋplidʒɪk/ *οὐσ.* ‹C› & *ἐπ.* παράλυτος (ἀπό παραπληγία).
paras /ˋpærəz/ *οὐσ. πληθ.* (*καθομ. βραχυλ. γιά paratroopers*) ἀλεξιπτωτιστές.
para·site /ˋpærəsaɪt/ *οὐσ.* ‹C› παράσιτο (ἔντομον ἤ ἄνθρωπος). **para·sitic** /ˈpærəˋsɪtɪk/, **para·siti·cal** /ˈpærəˋsɪtɪkl/ *ἐπ.* παρασιτικός.
para·sol /ˋpærəsol/ *οὐσ.* ‹C› παρασόλι, ὀμπρέλλα τοῦ ἥλιου.
para·trooper /ˋpærətrupə(r)/ *οὐσ.* ‹C› ἀλεξιπτωτιστής.
para·troops /ˋpærətrups/ *οὐσ. πληθ.* σῶμα ἀλεξιπτωτιστῶν.
para·typhoid /ˈpærəˋtaɪfɔɪd/ *οὐσ.* ‹U› (*ἰατρ.*) παράτυφος.
par·boil /ˋpabɔɪl/ *ρ.μ.* (*γιά τροφή*) μισοβράζω, (*μεταφ.*) ζεσταίνω πολύ: *We were ~ed in the bus*, ψηθήκαμε στό λεωφορεῖο.
par·cel /ˋpasl/ *οὐσ.* ‹C› **1**. δέμα, πακέτο: *She left the shop with an armful of ~s*, ἔφυγε ἀπό τό μαγαζί μέ μιά ἀγκαλιά πακέτα. **ˋ~ post**, ταχυδρομεῖο δεμάτων. **2**. (*ἀπηρχ.*) τεμάχιο, δεσμίδα: *a ~ of shares*, δεσμίδα μετοχῶν. ***part and ~ of sth***, ἀναπόσπαστο μέρος. **a ~ of land**, τεμάχιον γῆς, ἀγροτεμάχιον. *—ρ.μ. (-ll-)* **~ *out***, τεμαχίζω, διαμοιράζω (κληρονομία, τρόφιμα, κλπ). **~ *up***, συσκευάζω σέ δέματα (πχ βιβλία).
parch /patʃ/ *ρ.μ.* **1**. καψαλίζω, τσουρουφλίζω: *~ed earth*, καψαλισμένη γῆ. **2**. ψήνω, καβουρντίζω, ξεραίνω: *~ed peas/a ~ed*

tongue, καβουρντισμένα στραγάλια/ξεραμένη γλῶσσα.

parch·ment /ˋpatʃmənt/ *οὐσ.* ‹C,U› περγαμηνή.

par·don /ˋpadn/ *οὐσ.* ‹C,U› **1**. συγγνώμη: *ask for* ~, ζητῶ συγγνώμη. ***I beg your*** ~! μέ συγχωρεῖτε! ***I beg your*** ~? ἔχετε τήν καλωσύνη νά ἐπαναλάβετε; **2**. (*ἐκκλ.*) ἄφεσις ἁμαρτιῶν, (*νομ.*) χάρις, ἀμνηστία. __*ρ.μ.* συγχωρῶ: ~ *sb (for) an offence*, συγχωρῶ ἕνα παΐσμα σέ κπ. ~ *sb for doing sth*, συγχωρῶ σέ κπ κτ πού ἔκαμε. *P~ me for/P~ my contradicting you*, μέ συγχωρεῖτε πού διαφωνῶ μαζί σας. **~·able** /ˋpadənəbl/ *ἐπ.* συγχωρητέος. **~·ably** /-əblɪ/ *ἐπίρ.* (*λόγ.*) συγγνωστῶς, δικαιολογημένα: *be ~ably proud of sth*, εἶμαι δικαιολογημένα περήφανος γιά κτ. **~er** *οὐσ.* ‹C› (*ἱστορ.*) ἄνθρωπος πού πουλοῦσε συχωροχάρτια τοῦ Πάπα.

pare /peə(r)/ *ρ.μ.* **1**. κόβω τίς ἄκρες, ξακρίζω, περικόπτω: ~ *one's nails*, κόβω τά νύχια μου. ~ *down one's expenses*, (*μεταφ.*) περικόπτω τά ἔξοδά μου. **2**. ξεφλουδίζω: ~ *an apple*. **par·ings** /ˋpeərɪŋz/ *οὐσ.* *πληθ.* ἀποκοπίδια, ξακρίδια.

par·ent /ˋpeərnt/ *οὐσ.* ‹C› γονεύς: *our first ~s*, οἱ πρωτόπλαστοι. ~ **company**, μητρική ἑταιρία. ˋ**~·age** /-ɪdʒ/ *οὐσ.* ‹U› καταγωγή, σόϊ, γένος: *of unknown ~age*, ἀγνώστου πατρότητος. **~al** /pəˋrentl/ *ἐπ.* γονικός, πατρικός: *~al authority/care*, πατρική ἐξουσία/στοργή. *~al anxieties*, οἱ σκοτοῦρες τῶν γονέων. **~·ally** /-təlɪ/ *ἐπίρ.*

par·en·th·esis /pəˋrenθəsɪs/ *οὐσ.* ‹C› (*πληθ.* *-eses* /-əsiz/) παρένθεσις. **par·en·thetic** /ˈpærənˋθetɪk/, **par·en·theti·cal** /-ɪkl/ *ἐπ.* παρενθετικός. **par·en·theti·cally** /ˈpærənˋθetɪklɪ/ *ἐπίρ.*

par ex·cel·lence /ˈpar ˋeksəlɒs/ *ἐπίρ.* (*Γαλλ.*) κατ᾽ ἐξοχήν.

pa·riah /ˋpærɪə/ *οὐσ.* ‹C› παρίας.

par·ish /ˋpærɪʃ/ *οὐσ.* ‹C› ἐνορία. ~ **church**, ἐνοριακός ναός. ~ **clerk**, γραμματεύς τῆς ἐνορίας. ~ **register**, ληξιαρχικόν βιβλίον τῆς ἐνορίας. **civil** ~, κοινότης. ***go on the*** ~, ζῶ σέ βάρος τῆς κοινότητος, εἶμαι ἄπορος. ˈ**~-ˋpump** *ἐπ.* τοπικός: *~-pump affairs*, τοπικά θέματα. **~ioner** /pəˋrɪʃənə(r)/ *οὐσ.* ‹C› ἐνορίτης, κάτοικος τῆς κοινότητος.

Pa·ris·ian /pəˋrɪzɪən/ *ἐπ.* & *οὐσ.* ‹C› Παρισινός.

par·ity /ˋpærətɪ/ *οὐσ.* ‹U› ἰσότης: ~ *of pay*, ἰσότης ἀποδοχῶν. ˈ**~ of exˋchange**, συναλλαγματική ἰσοτιμία.

park /pak/ *οὐσ.* ‹C› **1**. πάρκο, ἄλσος. **national** ~, ἐθνικός δρυμός. **2**. (ˋ**car-**)~, χῶρος σταθμεύσεως αὐτοκινήτων. **3**. (*στρατ.*) ὄρχος (πυροβολικοῦ, αὐτοκινήτων, κλπ). __*ρ.μ/ὰ.* παρκάρω, (*καθομ.*) ἀφήνω, ἀκουμπῶ: ~ *one's car*, παρκάρω τό αὐτοκίνητό μου. *Where can I ~ my luggage?* ποῦ μπορῶ ν᾽ἀκουμπήσω τίς ἀποσκευές μου; *P~ yourself in that chair while I make you a cup of tea*, ξάπλωσε σ᾽αὐτή τήν πολυθρόνα ὥσπου νά σοῦ φτιάξω ἕνα φλυτζάνι τσάϊ.

park·ing /ˋpakɪŋ/ *οὐσ.* ‹U› στάθμευσις: *No* ~, ἀπαγορεύεται ἡ στάθμευσις. ˋ**~ lot**, χῶρος σταθμεύσεως αὐτοκινήτων. ˋ**~ meter**, παρκόμετρο. ˋ**~ orbit**, προσωρινή τροχιά διαστημοπλοίου.

parky /ˋpakɪ/ *ἐπ.* (*πεπαλ.* *λαϊκ.*) κρύος, τσουχτερός.

par·lance /ˋpaləns/ *οὐσ.* ‹U› γλῶσσα, διάλεκτος. ***in common*** ~, στήν κοινή, στήν καθημερινή γλῶσσα.

par·ley /ˋpalɪ/ *οὐσ.* ‹C› διαπραγμάτευσις, διάσκεψις: *hold a ~ with sb*, κάνω διαπραγματεύσεις μέ κπ. __*ρ.ὰ.* διαπραγματεύομαι.

par·lia·ment /ˋpaləmənt/ *οὐσ.* ‹C› Βουλή, Κοινοβούλιον: *enter* ~, μπαίνω στή Βουλή, ἐκλέγομαι βουλευτής. ˈ**Member of ˋP~** (*βραχυλ.* ˈ**M ˋP**), βουλευτής. ***open P~***, κηρύσσω τήν ἔναρξιν τῶν ἐργασιῶν τῆς Βουλῆς. ***summon P~***, συγκαλῶ τή Βουλή. **~arian** /ˈpaləmənˋteərɪən/ *οὐσ.* ‹C› κοινοβουλευτικός ρήτωρ, πεπειραμένος βουλευτής. **~ary** /ˈpaləˋmentrɪ/ *ἐπ.* κοινοβουλευτικός: *~ary debates*, κοινοβουλευτικές συζητήσεις.

par·lour /ˋpalə(r)/ *οὐσ.* ‹C› **1**. σαλόνι. ˋ**~ game**, παιχνίδι τοῦ σαλονιοῦ. ˋ**~-maid**, σερβιτόρα, τραπεζοκόμος. **2**. ἰδιαίτερο δωμάτιο πανδοχείου, αἴθουσα ὑποδοχῆς. **3**. αἴθουσα πελατῶν: *a ˋbeauty* ~, ἰνστιτοῦτο καλλονῆς. ˋ**~-car**, (*ΗΠΑ*) βαγόνι πολυτελείας.

Par·me·san /ˈpamɪˋzæn/ *οὐσ.* παρμεζάνα.

par·ochial /pəˋrəʊkɪəl/ *ἐπ.* ἐνοριακός, (*μεταφ.*) περιορισμένος, στενοκέφαλος, τοπικιστικός: *a ~ outlook/mind*, στενή ἀντίληψη/-ό μυαλό. **~ly** /-kɪəlɪ/ *ἐπίρ.* **~·ism** /-ɪzm/ *οὐσ.* ‹U› τοπικισμός.

par·ody /ˋpærədɪ/ *οὐσ.* ‹C,U› παρωδία. __*ρ.μ.* παρωδῶ: ~ *an author*, παρωδῶ ἕναν συγγραφέα. **par·odist** /-ɪst/ *οὐσ.* ‹C› παρωδιογράφος.

pa·role /pəˋrəʊl/ *οὐσ.* ‹U› λόγος τιμῆς κρατουμένου ὅτι δέν θά δραπετεύση. ***be on*** ~, εἶμαι ἐλεύθερος ἐπί τῷ λόγῳ τῆς τιμῆς μου. ***break one's*** ~, ἀθετῶ τό λόγο μου (καί προσπαθῶ νά δραπετεύσω). __*ρ.μ.* ἐλευθερώνω κρατούμενον ἐπί τῷ λόγῳ τῆς τιμῆς του ὅτι δέν θά δραπετεύση.

par·ox·ysm /ˋpærəksɪzm/ *οὐσ.* ‹C› παροξυσμός (πόνου, θυμοῦ, κλπ).

par·quet /ˋpakeɪ/ *οὐσ.* ‹C,U› & *ἐπ.* παρκέ: *a ~ floor*.

par·ri·cide /ˋpærɪsaɪd/ *οὐσ.* ‹C,U› πατροκτόνος, πατροκτονία.

par·rot /ˋpærət/ *οὐσ.* ‹C› παπαγάλος. ˋ**~ fever**, ψιττακίωσις. ***~-fashion***, παπαγαλίστικα.

parry /ˋpærɪ/ *ρ.μ.* ἀποκρούω (χτύπημα), ἀποφεύγω (ἐρώτηση, κίνδυνο, κλπ). __*οὐσ.* ‹C› ἀπόκρουσις.

parse /paz/ *ρ.μ.* (*γραμμ.*) ἀναλύω, τεχνολογῶ (πρόταση).

par·si·mony /ˋpasɪmənɪ/ *οὐσ.* ‹U› (*λόγ.*) φειδωλότης, φιλαργυρία. **par·si·moni·ous** /ˈpasɪˋməʊnɪəs/ *ἐπ.* φειδωλός, φιλάργυρος.

pars·ley /ˋpaslɪ/ *οὐσ.* ‹U› μαϊντανός.

pars·nip /ˋpasnɪp/ *οὐσ.* ‹C› (*βοτ.*) δαυκί, παστινάκη.

par·son /ˋpasn/ *οὐσ.* ‹C› ἐφημέριος, παπᾶς. **~'s nose**, (*καθομ.*) ὁ πισινός τῆς ψητῆς κότας, ὁ μεζές τοῦ μερακλῆ. ˋ**~·age** /-ɪdʒ/ *οὐσ.* ‹C› πρεσβυτέριον.

[1]**part** /pat/ *οὐσ.* ‹C› **1**. μέρος, τμῆμα: *in these ~s*, σ᾽αὐτά τά μέρη. *I spent (a) ~ of my*

holiday in France, πέρασα ἕνα τμῆμα τῶν διακοπῶν μου στή Γαλλία. *the ~s of the body*, τά μέρη τοῦ σώματος. *an encyclopaedia issued in monthly ~s*, ἐγκυκλοπαίδεια ἐκδιδομένη σέ μηνιαῖα τεύχη. *~s of speech*, (*γραμμ.*) μέρη τοῦ λόγου. ***be/form ~ of sth***, εἶμαι/ἀποτελῶ μέρος ἑνός πράγματος. ***for the most ~***, ὡς ἐπί τό πλεῖστον. ***in ~***, ἐν μέρει. **'~-`owner**, συνιδιοκτήτης. **'~-`time** *ἐπίρ.* & *ἐπ.* γιά ἕνα τμῆμα .τῆς ἡμέρας ἤ τῆς βδομάδας: *be employed ~-time*, ἀπασχολοῦμαι μερικῶς (δέν ἔχω πλήρη ἀπασχόληση). *a ~-time job*, ἡμιαπασχόλησις (*ἀντίθ. full-time*). **'~-`timer**, ὑποαπασχολούμενος ἄνθρωπος (ἤ ἕνας πού δουλεύει ἀπό λίγο σέ πολλούς ἐργοδότες). **2**. τεμάχιον, ἐξάρτημα: *machine ~s*, ἐξαρτήματα μηχανῆς. *moving ~s*, κινητά τεμάχια. **spare ~s**, ἀνταλλακτικά. **3**. μέρος, ρόλος, συμμετοχή, ἀνάμειξις: *have a small ~ in sth*, ἔχω μιά μικρή ἀνάμειξη σέ κτ. *He acted his ~ well*, ἔπαιξε τό ρόλο του καλά. ***play a ~ in sth***, παίζω ρόλο σέ κτ. ***take ~ in sth***, λαμβάνω μέρος, συμμετέχω σέ κτ. **4**. μέρος, πλευρά: *take sb's ~ ; take the ~ of sb*, παίρνω τό μέρος κάποιου, τόν ὑποστηρίζω. ***for my ~***, ἀπό μέρους μου, καθ' ὅσον ἀφορᾶ ἐμένα. ***on sb's ~***, ἀπό/ἐκ μέρους κάποιου: *on the ~ of Mr A.*, ἀπό μέρους τοῦ κ. 'Α. *on his/her, etc. ~*, ἐκ μέρους του/της, κλπ. **5**. ***take sth in good ~***, παίρνω κτ καλά, τό δέχομαι ἀδιαμαρτύρητα, δέν θίγομαι. **6**. (*μουσ.*) μέρος, μελωδία, φωνή: *orchestra ~s*, τά μέρη τῆς ὀρχήστρας. *a song in three ~s*, τραγούδι γιά τρεῖς φωνές. **`~-singing**, πολυφωνία. **`~-song**, τραγούδι μέ πολλές φωνές. **7**. (*πληθ.*, *ἀπηρχ.*) ἱκανότητες: *a man of ~s*, ἱκανός ἄνθρωπος. (*βλ.* & *λ. parcel*). __*ἐπίρ.* ἐν μέρει, μερικῶς: *It's made ~ of wood and ~ of iron*, εἶναι φτιαγμένο ἐν μέρει ἀπό ξύλο καί ἐν μέρει ἀπό σίδερο.

[2]**part** /pat/ *ρ.μ/ἀ.* χωρίζω/-ομαι: *We tried to ~ the two fighters*, προσπαθήσαμε νά χωρίσωμε τούς δυό συμπλεκομένους. *Let us ~ friends*, ἄς χωρίσωμε φίλοι. *~ one's hair*, χωρίζω (κάνω χωρίστρα) τά μαλλιά μου. ***~ from sb***, χωρίζω/φεύγω μακρυά ἀπό κπ: *How can she ~ from her children?* πῶς μπορεῖ νά χωριστῆ τά παιδιά της; ***~ with sth***, ἀποχωρίζομαι κτ (τό ἐκχωρῶ, τό δίνω): *He hates to ~ with his money*, δέν τοῦ ἀρέσει καθόλου νά ξοδεύη τά λεφτά του. ***~ company with sb***, χωρίζω μέ κπ, τραβῶ ἄλλο δρόμο, διαφωνῶ: *On this question I must ~ company with you*, σ' αὐτό τό θέμα χωρίζουν οἱ δρόμοι μας. **~·ing** *οὐσ.* ‹C,U› *(α)* χωρίστρα. *(β)* ἀναχώρησις: *his ~ing injunctions*, οἱ τελευταῖες του ἐντολές πρίν φύγη. *(γ)* χωρισμός: *a ~ing visit/kiss*, ἀποχαιρετιστήρια ἐπίσκεψη/-ο φιλί. ***be at the ~ing of the ways***, (*κυριολ.* & *μεταφ.*) βρίσκομαι σέ σταυροδρόμι. **~·ly** *ἐπίρ.* μερικῶς, ἐν μέρει.

par·take /pa`teɪk/ *ρ.μ/ἀ.* (*ἀνώμ. βλ. take*) (*λόγ.*) ***~ of/in sth (with sb)***, (συμ)μετέχω: *You'll ~ of my triumph*, θά συμμετάσχης στό θρίαμβό μου. *They partook of our simple meal*, ἔφαγαν ἀπό τό ἁπλό φαγητό μας. *His manner ~s of insolence*, ὁ τρόπος του μετέχει τῆς ἀναιδείας (πλησιάζει τήν ἀναίδεια).

par·terre /pa`teə(r)/ *οὐσ.* ‹C› παρτέρι (κήπου), πλατεῖα (θεάτρου).

Par·thian /`paθɪən/ *ἐπ.* πάρθιος. **~ shot/shaft**, (*μεταφ.*) πάρθιον βέλος.

par·tial /`paʃəl/ *ἐπ.* **1**. μερικός: *a ~ success/eclipse of the sun*, μερική ἐπιτυχία/ἔκλειψις τοῦ ἡλίου. **2**. ***~ (towards)***, μεροληπτικός: *be ~ towards a student*, μεροληπτῶ ὑπέρ ἑνός σπουδαστοῦ. **3**. ***be ~ to sth***, μοῦ ἀρέσει κτ, ἔχω ἀδυναμία σέ κτ: *I am ~ to French wines*, ἔχω προτίμηση στά Γαλλικά κρασιά. **~ly** /`paʃəlɪ/ *ἐπίρ.* μερικά, μεροληπτικά. **~·ity** /'paʃɪ`ælətɪ/ *οὐσ.* **1**. ‹U› μεροληψία, εὔνοια. **2**. ***~ity for***, ‹C› ἀδυναμία, προτίμησις: *have a ~ity for French wines*.

par·tici·pate /pa`tɪsɪpeɪt/ *ρ.ἀ.* ***~ (in)***, συμμετέχω: *~ in sb's suffering/in a plot*, συμμετέχω στά βάσανα κάποιου/σέ μιά συνωμοσία. **par·tici·pant** /pa`tɪsɪpənt/ *οὐσ.* ‹C› (συμ)μέτοχος, κοινωνός. **par·tici·pa·tion** /pa'tɪsɪ`peɪʃn/ *οὐσ.* ‹U› συμμετοχή.

par·ti·ciple /`patəspl/ *οὐσ.* ‹C› (*γραμμ.*) μετοχή. **par·ti·cip·ial** /'patɪ`sɪpɪəl/ *ἐπ.* μετοχικός.

par·ticle /`patɪkl/ *οὐσ.* ‹C› μόριον: *~s of dust*, μόρια σκόνης. *adverbial ~s*, (*γραμμ.*) ἐπιρρηματικά μόρια.

particol·oured /`patɪ kʌləd/ *ἐπ.* ποικιλόχρωμος.

par·ticu·lar /pə`tɪkjʊlə(r)/ *ἐπ.* **1**. συγκεκριμένος: *in this ~ case*, σ' αὐτή τή συγκεκριμένη περίπτωση. **2**. ἰδιαίτερος, εἰδικός: *for no ~ reason*, χωρίς (γιά κανένα) ἰδιαίτερο λόγο. *He took ~ trouble to be accurate*, κατέβαλε εἰδική φροντίδα νά εἶναι ἀκριβής. ***in ~***, εἰδικῶς, ἰδιαιτέρως. **3**. λεπτομερής: *a full and ~ account of what we saw*, πλήρης καί λεπτομερής περιγραφή τοῦ τί εἴδαμε. **4**. ***~ (about/over)***, λεπτολόγος, προσεκτικός, ἀπαιτητικός: *She's very ~ about what she wears*, προσέχει πολύ τό τί φοράει. *He's too ~ over his food*, εἶναι πολύ ἀπαιτητικός (πολύ δύσκολος) στό φαΐ του. __*οὐσ.* ‹C› λεπτομέρεια, (*πληθ.*) τά καθέκαστα. ***go into ~s***, μπαίνω σέ λεπτομέρειες. **~·ly** *ἐπίρ.* ἰδιαιτέρως, εἰδικῶς, συγκεκριμένα: *He's not ~ly clever*, δέν εἶναι ἰδιαιτέρως ἔξυπνος. **~·ity** /pə'tɪkjʊ`lærətɪ/ *οὐσ.* ‹U› λεπτολογία. **~·ize** /-aɪz/ *ρ.μ/ἀ.* ἐξειδικεύω, συγκεκριμενοποιῶ.

par·ti·san /'patɪ`zæn/ *οὐσ.* ‹C› **1**. ἐνθουσιώδης ὀπαδός, θιασώτης: *the ~s of the present regime*, οἱ θιασῶτες τοῦ σημερινοῦ καθεστῶτος. **2**. παρτιζᾶνος, ἀντάρτης. __*ἐπ.* μεροληπτικός, φανατικός: *act in a ~ spirit*, ἐνεργῶ φανατισμένα, κομματίζομαι, φατριάζω. **`~·ship** /-ʃɪp/ *οὐσ.* ‹U› φατριασμός, κομματισμός, τυφλή ἀφοσίωσις.

par·ti·tion /pa`tɪʃn/ *οὐσ.* **1**. ‹U› διαίρεσις, διαμελισμός: *the ~ of India in 1947*, ἡ διαίρεσις τῶν 'Ινδιῶν στά 1947. **2**. ‹C› μεσότοιχος, χώρισμα: *wooden/brick ~*, ξύλινο/τούβλινο χώρισμα. **3**. ‹C› τμῆμα, χώρισμα (ὁ χῶρος). __*ρ.μ.* ***~ (off)***, χωρίζω, διαιρῶ, ἀπομονώνω μέ μεσότοιχο.

par·ti·tive /`patɪtɪv/ *ἐπ.* μεριστικός. __*οὐσ.* ‹C› μεριστικόν.

part·ner /`patnə(r)/ *οὐσ.* ‹C› **1**. συνεταῖρος: *an active ~*, ὁμόρρυθμος ἑταῖρος. **`sleeping ~**, ἑτερόρρυθμος ἑταῖρος. **2**. σύντροφος (σέ παιχνίδι), καβαλιέρος, ντάμα (σέ χορό). **3**. συνένοχος, συνεργός: *~s in crime*, συνένοχοι σέ ἔγκλημα. —*ρ.μ.* συνεταιρίζω/-ομαι, εἶμαι παρτεναίρ κάποιου. '**~·ship** /-ʃɪp/ *οὐσ.* ‹C,U› συνεταιρισμός, ἑταιρία: *enter into ~ship with sb*, συνεταιρίζομαι μέ κπ.

par·took /pa'tʊk/ *ἀόρ. τοῦ ρ. partake*.

par·tridge /'pa-trɪdʒ/ *οὐσ.* ‹C› πέρδικα.

par·tur·ition /'patjʊ'rɪʃn/ *οὐσ.* ‹U› τεκνοποιΐα, τοκετός, γέννα.

party /'patɪ/ *οὐσ.* ‹C,U› **1**. κόμμα: *the Labour P~*, τό Ἐργατικόν Κόμμα. *the ~ system*, τό πολυκομματικό σύστημα. *put public interest before ~*, θέτω τό γενικό συμφέρον πάνω ἀπό τό κόμμα. ***join a ~***, γίνομαι μέλος ἑνός κόμματος. **~ line/machine**, κομματική γραμμή/-ός μηχανισμός. '**~-'spirit**, κομματικό πνεῦμα. '**~-'spirited** *ἐπ.* κομματιζόμενος, φατριαστικός. **2**. (*νομ.*) διάδικος, (*ἐμπ.*) συμβαλλόμενος: *be ~ to a suit/an agreement*, εἶμαι διάδικος σέ μιά δίκη/συμβαλλόμενος σέ μιά συμφωνία. **third ~**, τρίτος, μή μετέχων σέ κτ. '**~-'wall**, μεσοτοιχία. (*βλ. & λ.* [1]*line*) **3**. ἀπόσπασμα, ὁμάδα. **4**. συντροφιά, παρέα: *a pleasure ~*, γλεντζέδικη συντροφιά. *He's not one of our ~*, δέν εἶναι τῆς παρέας μας. ***lack the ~ spirit***, μοῦ λείπει τό πνεῦμα τῆς παρέας. ***make up a ~***, φτιάχνομε παρέα. **5**. πάρτυ: *a 'birthday ~*, πάρτυ γενεθλίων. *go to/give a ~*, πάω σέ/δίνω πάρτυ. **6**. συμμέτοχος, κοινωνός: *be (a) ~ to a conspiracy*, συμμετέχω σέ συνομωσία. **7**. (*χιουμορ.*) τύπος, ἄνθρωπος: *Who's the old ~ in brown?* ποιός εἶναι ὁ τύπος μέ τά καφέ;

par·venu /'pavənju/ *οὐσ.* ‹C› νεόπλουτος.

pas·chal /'pæskl/ *ἐπ.* πασχαλινός.

pasha /'paʃə/ *οὐσ.* ‹C› πασᾶς.

[1]**pass** /pas/ *οὐσ.* ‹C› **1**. προβιβάσιμος βαθμός σέ ἐξετάσεις, σχεδόν καλῶς: *get a ~*, περνῶ, παίρνω σχεδόν καλῶς. *a '~ degree*, πτυχίο μέ σχεδόν καλῶς. **2**. εἰσιτήριο, ἄδεια (εἰσόδου), δελτίον: *No admittance without a ~*, ἀπαγορεύεται ἡ εἴσοδος χωρίς ἄδεια. **free ~**, δελτίον ἐλευθέρας κυκλοφορίας. **3**. πάσα (στό ποδόσφαιρο), πάσο (στά χαρτιά), ἐπίθεσις (στήν ξιφομαχία), χειρονομία (ταχυδακτυλουργοῦ): *a clever ~ to the forward*, ἔξυπνη πάσα στόν κυνηγό. ***make a ~ at a woman***, (*λαϊκ.*) κάνω προτάσεις σέ μιά γυναίκα, τῆς ρίχνομαι. **4**. στενό, πέρασμα, (*μεταφ.*) ὀχυρό, θέσις-κλειδί: *the P~ of Thermopylae*, τά Στενά τῶν Θερμοπυλῶν. ***hold the ~***, φυλάω τά στενά, ὑπερασπίζομαι τή θέση-κλειδί. ***sell the ~***, προδίδω, ἀνοίγω τίς πύλες στόν ἐχθρό, γίνομαι Ἐφιάλτης. **5**. (*μόνον ἑν.*) σημεῖον, κατάστασις: *Things have come to a sad ~*, τά πράγματα ἔχουν φτάσει σέ θλιβερή κατάσταση. ***bring to ~***, (*λόγ.*) πραγματοποιῶ, προκαλῶ, ἐπιφέρω. ***come to ~***, (*λόγ.*) συμβαίνω: *How exactly did that come to ~?* πῶς ἀκριβῶς συνέβη αὐτό; **6**. (*σέ σύνθ. λέξεις*): '**~·book**, *(α)* βιβλιάριον καταθέσεων (σέ Τράπεζα). *(β)* (*στή Ν. Ἀφρική*) ἄδεια παραμονῆς σέ ὡρισμένη περιοχή. '**~·key**, πασπαρτού, ἀντικλείδι. '**~·word**, σύνθημα, παρασύνθημα: *demand/give the ~ word*, ζητῶ/δίνω τό σύνθημα.

[2]**pass** /pas/ *ρ.μ./ἀ.* **1**. διαβαίνω, περνῶ, προσπερνῶ: *Let me ~*, ἄφησέ με νά περάσω. *~ through a town*, περνῶ μέσα ἀπό μιά πόλη. *I bowed to her and ~ed on*, τῆς ἔκαμα ὑπόκλιση καί προσπέρασα/συνέχισα τό δρόμο μου. *I ~ed him in the street*, τόν προσπέρασα/τόν συνάντησα στό δρόμο. *Turn right after ~ing the station*, στρίψε δεξιά ἀφοῦ περάσης τό σταθμό. ***~ water***, οὐρῶ. **2**. (*γιά χρόνο, ἐξετάσεις, νομοσχέδια*) περνῶ: *How shall we ~ the evening?* πῶς θά περάσωμε τή βραδυά; *~ the time*, περνῶ τήν ὥρα. *Ten years ~ed*, πέρασαν δέκα χρόνια. *Most of the candidates ~ed*, οἱ περισσότεροι ὑποψήφιοι πέρασαν (πέτυχαν). *The Bill ~ed and became law*, τό νομοσχέδιο πέρασε (ψηφίστηκε) κι'ἔγινε νόμος. *I don't like it, but I'll let it ~*, δέν μοῦ ἀρέσει ἀλλά θά τ'ἀφήσω νά περάση ἔτσι (θά τό παραβλέψω). *His rude behaviour ~ed without comment*, ἡ ἀπρεπής συμπεριφορά του πέρασε χωρίς σχόλια. *No complaints ~ed her lips*, κανένα παράπονο δέν πέρασε (δέν βγῆκε ἀπό) τά χείλη της. **3**. ***~ from...into***, μεταβάλλομαι ἀπό... εἰς: *When water boils it ~es from liquid into steam*, ὅταν τό νερό βράση μεταβάλλεται ἀπό ὑγρό σέ ἀέριο. **4**. κυκλοφορῶ: *~ forged banknotes*, κυκλοφορῶ πλαστά χαρτονομίσματα. *He ~es under the name of A. Bill*, κυκλοφορεῖ μέ τό ὄνομα Ἀ. Μπίλ. **5**. συμβαίνω, λαμβάνω χώραν: *Tell me everything that ~ed between you*, πές μου τα ὅλα ὅσα συνέβησαν μεταξύ σας. **6**. ξεπερνῶ: *That ~es my comprehension*, αὐτό ξεπερνάει τήν ἀντίληψή μου, δέν μπορῶ νά τό καταλάβω. **7**. δίνω (μέ τό χέρι): *Please ~ (me) the butter*, παρακαλῶ, δῶσε (μου) τό βούτυρο. ***~ on/round***, περνῶ ἀπό χέρι σέ χέρι: *Read it and ~ it on to your neighbour*, διάβαστο καί δῶστο στόν πλαϊνό σου. *The letter was ~ed round to all the members of the family*, τό γράμμα πέρασε ἀπό χέρι σέ χέρι σ'ὅλα τά μέλη τῆς οἰκογενείας. **8**. προφέρω, λέγω: *~ a remark*, κάνω μιά παρατήρηση. ***~ on***, ἐκφέρω: *~ an opinion on sb*, ἐκφέρω γνώμη γιά κπ. *~ sentence on sb*, ἐπιβάλλω ποινή σέ κπ. ***~ one's word/oath***, δίνω τό λόγο μου/ὁρκίζομαι. **9**. (*στό ποδόσφ.*) δίνω πάσα, (*στά χαρτιά*) περνῶ (χωρίς νά χτυπήσω). **10**. ἐπιθεωρῶ (στρατεύματα): *~ troops in review*, κάνω ἐπιθεώρηση στρατιωτῶν. **11**. (*μέ ἐπιρ. & προθέσεις*):

pass away, πεθαίνω: *He ~ed away peacefully*, πέθανε ἥσυχα.

pass sth by, παραβλέπω, ἀφήνω κτ νά περάση: *I can't ~ it by without a protest*, δέν μπορῶ νά τό ἀφήσω νά περάση χωρίς νά διαμαρτυρηθῶ.

pass for, περνῶ γιά, ἐκλαμβάνομαι ὡς: *He ~es for a learned man*, περνάει γιά μορφωμένος.

pass in/into, μπαίνω: *He ~ed into the Faculty of Law*, μπῆκε στή Νομική Σχολή.

pass off, *(α)* (*γιά γεγονότα*) ἐξελίσσομαι, γίνομαι: *The meeting ~ed off quietly*, ἡ συγκέντρωσις ἐξελίχθηκε ἥσυχα. *Everything ~ed off smoothly*, ὅλα ἔγιναν ἥσυχα. *(β)* (*γιά πόνο*) περνῶ, ἐξαφανίζομαι: *My headache hasn't ~ed off yet*, ὁ πονοκέφαλος δέν μοῦ πέρασε ἀκόμα. *(γ)* ξεπερνῶ: *~ off an awkward* *situation*, ξεπερνῶ μιά δύσκολη κατάσταση. **~ *off as***, παριστάνω, περνῶ γιά: *He tried to ~ himself off as an officer*, προσπάθησε νά παραστήση τόν ἀξιωματικό, νά περάση γιά ἀξιωματικός. *Don't ~ it off as a joke*, μήν τό περνᾶς γι' ἀστεῖο.

pass on, ἐκπνέω, πεθαίνω: *He ~ed on at dawn*, ἔφυγε (πέθανε) τά χαράματα. *~ sth on*, μεταβιβάζω κτ, τό περνῶ χέρι μέ χέρι σέ ἄλλον.

pass out, *(α)* (*καθομ.*) λιποθυμῶ. *(β)* ἀποφοιτῶ (σχολῆς): **'~ing-'out (ceremony)**, γιορτή ἀποφοιτήσεως (*ἰδ.* ἀπό στρατ. σχολές).

pass sb over, παραλείπω, ὑπερπηδῶ κπ: *They ~ed me over in favour of Mr Leech*, μέ παρέλειψαν (στήν προαγωγή) γιά χάρη τοῦ κ. Λήτς.

pass through, περνῶ, διέρχομαι: *~ through a crisis*, περνῶ μιά κρίση.

pass sth up, (*καθομ.*) παραμελῶ, δέν ἐπωφελοῦμαι ἀπό κτ: *~ up an opportunity*, ἀφήνω νά μοῦ ξεφύγη μιά εὐκαιρία.

pass·able /ˈpasəbl/ *ἐπ.* **1**. διαβατός: *This road is not ~ in winter*, αὐτός ὁ δρόμος δέν περνιέται τό χειμῶνα. **2**. ὑποφερτός, μέτριος, καλούτσικος: *a ~ knowledge of Greek*, μέτρια γνώση τῆς Ἑλληνικῆς. **pass·ably** /-əblı/ *ἐπίρ.* ὑποφερτά.

pass·age /ˈpæsıdʒ/ *οὐσ.* **1**. ‹U› πέρασμα, διάβα: *the ~ of time*, τό πέρασμα τοῦ χρόνου. **birds of ~**, *(α)* διαβατάρικα πουλιά. *(β)* (*μεταφ.*) προσωρινός ἐπισκέπτης. **2**. ‹C› ταξίδι, διάπλους: *book one's ~ to New York*, κλείνω θέση γιά τή Ν. Ὑόρκη. **3**. ‹C› δίοδος, δρόμος: *force a ~ through a crowd*, ἀνοίγω δρόμο μέσα ἀπό ἕνα πλῆθος. **4**. ‹C› **ˈ~·(way)**, διάδρομος: *Don't leave your bicycle in the ~*, μήν ἀφήνης τό ποδήλατό σου στό διάδρομο. **5**. ‹C› περικοπή, ἀπόσπασμα (βιβλίου): *read a ~ from the Bible*, διαβάζω ἕνα ἀπόσπασμα ἀπό τή Βίβλο. **6**. ‹C› ψήφισις (νομοσχεδίου). **7**. (*πληθ.*) διαξιφισμοί, ἀνταλλαγή ὕβρεων, κλπ: *have angry ~s with sb during a debate*, ἔχω ἔντονους διαξιφισμούς (ἀνταλλάσσω βαρειές κουβέντες) μέ κπ σέ μιά συζήτηση. **8**. **'~ of ˈarms**, (*κυριολ.* & *μεταφ.*) διαξιφισμός, διαπληκτισμός.

passé, passée /pæˈseı/ *ἐπ.* περασμένος/-η, παρηκμασμένος/-η.

pass·en·ger /ˈpæsndʒə(r)/ *οὐσ.* ‹C› **1**. ἐπιβάτης. **2**. (*καθομ.*, *ἀθλ.*) ἀναπληρωματικός παίκτης.

passe·par·tout /ˈpæspaˈtu/ *οὐσ.* ‹U› **1**. πασπαρτού (κλειδί). **2**. γομμαρισμένη ταινία.

passer-by /ˈpasəˈbaı/ *οὐσ.* ‹C› (*πληθ.* *passers-by*) διαβάτης, περαστικός.

pas·sing /ˈpasıŋ/ *ἐπ.* περαστικός: *a ~ policeman*, ἕνας διερχόμενος ἀστυφύλακας. —*οὐσ.* (*μόνον ἑν.*) πέρασμα: *the ~ of the old year*, τό πέρασμα τοῦ παληοῦ χρόνου.

passion /ˈpæʃn/ *οὐσ.* **1**. ‹C,U› πάθος, ὀργή: *be filled with ~ for sb*, ἔχω πάθος (παράφορο ἔρωτα) γιά κπ. *be choking with ~*, πνίγομαι ἀπό θυμό. ***be in a ~***, εἶμαι ἐξωργισμένος. ***fly into a ~***, γίνομαι ἐκτός ἑαυτοῦ, ἐξαγριώνομαι. ***master one's ~s***, δαμάζω τά πάθη μου. **2**. **the P~**, τά Πάθη (τοῦ Χριστοῦ). **ˈP~ Week**, ἡ Μεγάλη Ἑβδομάς. **ˈP~ play**, θρησκευτικό δρᾶμα (μέ θέμα τά Πάθη). **ˈ~-flower**, (*βοτ.*) ρολογιά. **~·less** *ἐπ.* ἀπαθής, ἀτάραχος, ἀδιάφορος.

passion·ate /ˈpæʃənət/ *ἐπ.* **1**. ἀψύς, παράφορος, ὀξύθυμος: *a ~ nature*, παράφορος χαρακτήρας. **2**. φλογερός, περιπαθής, γεμᾶτος πάθος: *a ~ embrace*, φλογερό ἀγκάλιασμα. **~·ly** *ἐπίρ.* παθιασμένα, παράφορα: *be ~ly in love with sb*, εἶμαι παράφορα ἐρωτευμένος μέ κπ.

pas·sive /ˈpæsıv/ *ἐπ.* παθητικός, ἀπαθής: *remain ~*, παραμένω ἀπαθής/ἀδρανής. *~ obedience*, παθητική ὑπακοή. **'~ reˈsistance**, παθητική ἀντίστασις. **the ~ (voice)**, (*γραμμ.*) παθητική φωνή. **~·ly** *ἐπίρ.* παθητικά, μέ ἀπάθεια. **~·ness, pass·iv·ity** /pæˈsıvətı/ *οὐσ.* ‹U› παθητικότης, ἀπάθεια, ἀδράνεια.

Pass·over /ˈpasəʊvə(r)/ *οὐσ.* Πάσχα τῶν Ἰουδαίων.

pass·port /ˈpaspɔt/ *οὐσ.* ‹C› διαβατήριο: *~ control*, ἔλεγχος διαβατηρίων. *Money is a ~ to everything*, (*μεταφ.*) τό χρῆμα ἀνοίγει ὅλες τίς πόρτες.

pass·word /ˈpaswɜd/ *οὐσ.* ‹C› *βλ.* [1]*pass*.

[1]**past** /past/ *ἐπ.* περασμένος: *for the ~ few days*, τίς τελευταῖες λίγες μέρες. *~ generations/events*, περασμένες γενεές/-α γεγονότα. *for a long time ~*, πολύ καιρό στό παρελθόν, ἐδῶ καί πολύ καιρό. ***~ master of/in sth***, μεγάλος μάστορας/τεχνίτης σέ κτ: *He's a ~ master in deceit*, εἶναι μάστορας στήν ἀπάτη. —*οὐσ.* (*συνήθ. ἑν.*) παρελθόν: *memories of the ~*, ἀναμνήσεις τοῦ παρελθόντος. *We know nothing of his ~*, δέν ξέρομε τίποτα γιά τό παρελθόν του. *She's a woman with a ~*, εἶναι γυναίκα μέ παρελθόν.

[2]**past** /past/ *πρόθ.* πέραν, πέρα ἀπό, περασμένος: *go ~ sb/a place*, προσπερνῶ κπ/ἕνα μέρος. *It is ~ midnight*, εἶναι περασμένα μεσάνυχτα. *It's ~ all belief/understanding*, εἶναι ἐντελῶς ἀπίστευτο/ἀκατανόητο. ***be/get ~ it***, (*καθομ.*) δέν τά καταφέρνω πιά. ***be ~ doing sth***, δέ μπορῶ πιά νά κάμω κτ, δέν εἶμαι ἄξιος γιά κτ: *She is ~ child-bearing*, δέν μπορεῖ πιά νά κάμη παιδιά. *I am ~ dancing*, δέν μπορῶ πιά νά χορέψω. *He is ~ caring what happens*, δέν τόν νοιάζει πιά τί θά συμβῆ. ***I wouldn't put it ~ sb (to do sth)***, θεωρῶ κπ ἱκανό νά κάμη κτ (συνήθ. κακό): *I wouldn't put it ~ him to run off with the funds*, τόν θεωρῶ ἱκανό νά τό σκάση μέ τό ταμεῖο. —*ἐπίρ.* ***go/run ~***, προσπερνῶ/περνῶ τρέχοντας. ***hurry ~***, προσπερνῶ βιαστικά. **march ~**, παρέλασις.

pasta /ˈpæstə/ *οὐσ.* ‹C,U› (*Ἰταλ.*) πάστα, ζυμαρικά.

paste /peıst/ *οὐσ.* ‹U› **1**. ζυμάρι, πάστα, πολτός: *ˈfish-~*, πολτός ψαριοῦ. **ˈtooth·~**, ὀδοντόπαστα. **2**. κόλλα: *ˈstarch ~*, ἀμυλόκολλα. *a tube of ~*, ἕνα σωληνάρι κόλλα. **ˈ~·board**, χαρτόνι. **3**. στράς, ψεύτικο διαμάντι. —*ρ.μ/ἀ.* **1**. κολλῶ, ἐπικολλῶ. ***~ sth down/up***, κολλῶ κτ κάτω/ἐπάνω. **ˈ~-up**, ἐπικόλλησις. **2**. (*καθομ.*) ξυλοφορτώνω: *give sb/get a good pasting*, δίνω σέ κπ/τρώω γερό ξύλο.

pas·tel /ˈpæstl/ *οὐσ.* ‹C› & *ἐπ.* παστέλ: *~ shades*, ἁπαλοί τόνοι.

pas·teur·ize /ˈpæstʃəraız/ *ρ.μ.* παστεριῶ,

ἀποστειρώνω. **pas·teur·iz·ation** /'pæstʃər-aɪ`zeɪʃn/ *οὐσ.* ‹U› παστερίωσις.

pas·tiche /pæ`sti:ʃ/ *οὐσ.* ‹C› (καλλιτεχνική) ἀπομίμησις, συγκόλλησις, ποτ-πουρί.

pas·tille /`pæstɪl/ *οὐσ.* ‹C› παστίλια.

pas·time /`pɑs-taɪm/ *οὐσ.* ‹C› ἀπασχόλησις γιά νά περνᾶ ἡ ὥρα, παιχνίδι, διασκέδασις: *Flirting was her favourite* ~, τό φλέρτ ἦταν ἡ ἀγαπημένη της διασκέδασις.

pas·tor /`pɑstə(r)/ *οὐσ.* ‹C› πάστωρ, ἱερεύς, ποιμήν.

pas·toral /`pɑstərəl/ *ἐπ.* **1**. ποιμενικός, βουκολικός: ~ *poetry*, βουκολική ποίησις. **2**. ποιμαντορικός: *a* ~ *letter/staff*, ποιμαντορική ἐπιστολή/ράβδος. ~ *duties*, ποιμαντορικά καθήκοντα. —*οὐσ.* ‹C› βουκολικό ποίημα/εἰδύλλιο, ποιμαντορική ἐγκύκλιος.

pas·tor·ate /`pɑstərət/ *οὐσ.* ‹C› **1**. ποιμαντορία. **2**. (*συλλογ.*) οἱ ἱερεῖς.

pas·try /`peɪstrɪ/ *οὐσ.* **1**. ‹U› ζύμη. **2**. ‹C,U› πάστα, γλύκισμα, γλυκό: *You should eat less* ~, θά πρέπει νά τρῶς λιγώτερα γλυκά. `**~-cook**, ζαχαροπλάστης.

pas·ture /`pɑstʃə(r)/ *οὐσ.* ‹C,U› βοσκοτόπι, λειβάδι. —*ρ.μ/ἀ.* βόσκω: ~ *one's sheep on the village common*, βόσκω τά πρόβατά μου στό κοινοτικό χτῆμα. **pas·tur·age** /-ɪdʒ/ *οὐσ.* ‹U› βοσκοτόπια, βοσκή.

[1]**pasty** /`peɪstɪ/ *ἐπ.* *(-ier, -iest)* ζυμαρωτός, ἀρρωστιάρικος, ὠχρός: *a* ~ *complexion*, ἀρρωστιάρικο χρῶμα προσώπου.

[2]**pasty** /`pæstɪ/ *οὐσ.* ‹C› κρεατόπιττα.

[1]**pat** /pæt/ *ἐπίρ.* ἐπικαίρως, στήν ὥρα του, στό τσάκ, ἕτοιμα: *The answer came* ~, ἡ ἀπάντησις ἦλθε στήν ὥρα της. *He had his excuse* ~, εἶχε τή δικαιολογία ἕτοιμη. ***stand*** ~, μένω ἀμετακίνητος (σέ ἀπόφαση, κλπ).

[2]**pat** /pæt/ *ρ.μ/ἀ.* *(-tt-)* χτυπῶ ἐλαφρά μέ τήν παλάμη, χτυπῶ χαϊδευτικά: ~ *a ball*, χτυπῶ μιά μπάλλα (γιά νά ἀναπηδήση). ~ *a dog*, χαϊδεύω ἕνα σκυλί. **~ *sb/oneself on the back***, (*μεταφ.*) συγχαίρω, ἐπιδοκιμάζω κπ/καμαρώνω γιά κτ. —*οὐσ.* ‹C› **1**. ἐλαφρό χτύπημα μέ τήν παλάμη: *give sb a* ~ *on the cheek*, χτυπῶ κπ χαϊδευτικά στό μάγουλο. **2**. ἐλαφρός χτύπος. **3**. βῶλος (πχ βουτύρου).

[1]**patch** /pætʃ/ *οὐσ.* ‹C› **1**. μπάλωμα: ~*es on the elbows*, μπαλώματα στούς ἀγκῶνες. *a* ~ *on the inner tube of a tyre*, μπάλωμα στή σαμπρέλλα ἑνός ἐλαστικοῦ (τροχοῦ). '**~-`pocket**, ξώραφη τσέπη. **2**. κομματάκι τσιρότο. **3**. βούλα, λεκές χρώματος: *a black dog with a white* ~ *on its back*, μαῦρο σκυλί μέ ἄσπρη βούλα στήν πλάτη του. *red* ~*es on the cheeks*, κοκκινίλες στό πρόσωπο. **4**. ψεύτικη ἐληά (γιά ὀμορφιά). **5**. μικρό κομμάτι (ἀπό κτ): ~*es of fog*, πατουλιές ὁμίχλης. *small* ~*es of blue in a cloudy sky*, κομματάκια γαλάζιου σ'ἕνα συννεφιασμένο οὐρανό. *a celery* ~ *in a garden*, μιά βραγιά σέλινο σέ κῆπο. *a* ~ *of oil in the street*, μιά κηλίδα λάδι στό δρόμο. **6**. (*καθομ.*) ***not a* ~ *on***, δέν συγκρίνομαι μέ, δέν πιάνω μπάζα μπροστά σέ: *He's not a* ~ *on you*, δέν πιάνει μπάζα μπροστά σου. ***be going through/strike/hit a bad*** ~, περνῶ δύσκολη περίοδο, ἔχω ἀτυχίες. `**~-work** *οὐσ.* ‹U› κατασκεύασμα μέ συγκόλληση ἤ συρραφή διαφόρων κομματιῶν, προχειροδουλειά, συνονθύλευμα, κουρελοῦ. —*ἐπ.* ὅλο μπαλώματα, μπαλωμένος, ἐμβαλωματικός: *a* ~*work quilt*, κουβέρτα ἀπό κομμάτια ματισμένα. *a* ~*work peace*, ἐμβαλωματική εἰρήνη. *a* ~*work building*, χτίριο χωρίς ἑνιαῖο ρυθμό.

[2]**patch** /pætʃ/ *ρ.μ.* μπαλώνω: ~ *a coat*, μπαλώνω ἕνα σακκάκι. **~ *up***, ἐπιδιορθώνω πρόχειρα: *an old*, ~*ed-up bicycle*, παληό ἐπιδιορθωμένο ποδήλατο. ~ *up a quarrel*, (*μεταφ.*) διευθετῶ πρόχειρα μιά φιλονικία, τά ψευτομπαλώνω. **~y** *ἐπ.* *(-ier, -iest)* ὅλο μπαλώματα, ἄνισος, ὄχι ὁμοιόμορφος: ~*y work/knowledge*, ψευτοδουλειά/σκόρπιες γνώσεις. `**~ily** /-əlɪ/ *ἐπίρ.* ἐμβαλωματικά, ἀνομοιόμορφα. `**~i·ness** *οὐσ.* ‹U› ἀνομοιομορφία, ἀνομοιογένεια.

pate /peɪt/ *οὐσ.* ‹C› (*καθομ.*) κεφάλι: *a bald* ~, φαλακρό κεφάλι, φαλάκρα. '*curly-*`~*d*, μέ σγουρό κεφάλι, σγουρομάλλης.

pâté /`pæteɪ/ *οὐσ.* ‹C,U› πατέ.

pa·tella /pə`telə/ *οὐσ.* ‹C› (*ἀνατ.*) ἐπιγονατίς.

[1]**pat·ent** /`peɪtnt/ *ἐπ.* **1**. προφανής, καταφανής, ὁλοφάνερος: *It was* ~ *to everyone that the country was drifting into civil war*, ἦταν ὁλοφάνερο σέ ὅλους ὅτι ἡ χώρα γλιστροῦσε στόν ἐμφύλιο πόλεμο. **2**. '**letters** `~ /`pætnt/, δίπλωμα εὑρεσιτεχνίας. **3**. πατενταρισμένος (προστατευόμενος διά προνομίου εὑρεσιτεχνίας): ~ *medicines*, σπεσιαλιτέ φάρμακα. **4**. ~ **leather**, λουστρίνι. **5**. (*καθομ.*) πρωτότυπος, ἰδιόρρυθμος, ἔξυπνος: *He has a* ~ *way of doing things*, ἔχει τό δικό του τρόπο νά κάνη τίς δουλειές. *a* ~ *device*, ἔξυπνη ἐφεύρεση. **~·ly** *ἐπίρ.* ὁλοφάνερα: *He's* ~*ly a fool*, εἶναι ὁλοφάνερα βλάκας, εἶναι βλάκας μέ πατέντα.

[2]**pat·ent** /`peɪtnt/ *οὐσ.* ‹C› προνόμιον εὑρεσιτεχνίας, πατέντα: *take out a* ~ *to protect a new invention*, παίρνω πατέντα γιά νά προστατεύσω μιά καινούργια ἐφεύρεση. `**P~** (/`pætnt/) **Office**, γραφεῖον προνομίων εὑρεσιτεχνίας. —*ρ.μ.* πατεντάρω, λαμβάνω (προστατεύω μέ) δίπλωμα εὑρεσιτεχνίας. **~ee** /'peɪtn`ti/ *οὐσ.* ‹C› κάτοχος προνομίου εὑρεσιτεχνίας.

pa·ter /`peɪtə(r)/ *οὐσ.* ‹C› (*πεπαλ. σχολ., λαϊκ.*) πατέρας, ὁ γέρος (μου).

pa·te·rnal /pə`tɜnl/ *ἐπ.* πατρικός: ~ *affection*, πατρική στοργή. *my* ~ *grandfather*, ὁ παπποῦς μου ἀπό τόν πατέρα. **~ly** /-nəlɪ/ *ἐπίρ.* πατρικά. **~ism** /-ɪzm/ *οὐσ.* ‹U› πατερναλισμός, κηδεμονία.

pa·ter·nity /pə`tɜnətɪ/ *οὐσ.* ‹U› πατρότης: *of unknown* ~, ἀγνώστου πατρότητος. *the* ~ *of a book*, (*μεταφ.*) ἡ πατρότης ἑνός βιβλίου.

pater·nos·ter /'pætə`nɒstə(r)/ *οὐσ.* (*Λατ.*) τό Πάτερ ἡμῶν.

path /pɑθ/ *οὐσ.* ‹C› (*πληθ.* ~*s* /pɑðz/) **1**. ~ (**way**), μονοπάτι, (*μεταφ.*) δρόμος: *Keep to the* ~ *or you may lose your way*, ἀκολούθησε τό μονοπάτι εἰδάλλως μπορεῖ νά χάσης τό δρόμο σου. *the* ~ *of glory/duty/honour*, ὁ δρόμος τῆς δόξας/τοῦ καθήκοντος/τῆς τιμῆς. `**~-finder**, ἀνιχνευτής, ἐξερευνητής, πρωτοπόρος. `**foot-**~, μονοπάτι γιά πεζούς κατά μῆκος δρόμου. **2**. τροχιά, πορεία: *the* ~ *of a tornado*, ἡ πορεία ἑνός τυφῶνος. *the moon's* ~ *round the earth*, ἡ τροχιά τῆς σελήνης γύρω στή γῆ.

`~·less *ἐπ.* ἀπάτητος.
pa·thetic /pə`θetɪk/ *ἐπ.* **1**. θλιβερός, δυστυχισμένος, ἀξιολύπητος: *a ~ sight*, θλιβερό θέαμα. *~ ignorance*, ἀξιολύπητη ἄγνοια. *She's a ~ creature*, εἶναι ἕνα δυστυχισμένο πλᾶσμα. **2**. πού ἔχει σχέση μέ τά συναισθήματα, συγκινησιακός. **the ~ fallacy**, ἡ ἀπόδοσις ἀνθρωπίνων συναισθημάτων στά ἄψυχα. **pa·theti·cally** /-klɪ/ *ἐπίρ.*
pa·thol·ogy /pə`θolədʒɪ/ *οὐσ.* ‹U› παθολογία. **path·ol·ogist** /-dʒɪst/ *οὐσ.* ‹C› παθολόγος. **path·o·logi·cal** /ˈpæθəˋlodʒɪkl/ *ἐπ.* παθολογικός. **path·o·logi·cally** /ˈpæθəˋlodʒɪklɪ/ *ἐπίρ.*
pa·thos /`peɪθos/ *οὐσ.* ‹U› συγκίνησις, πάθος, θέρμη.
pa·tience /`peɪʃns/ *οὐσ.* ‹U› **1**. ὑπομονή: *lose one's ~*, χάνω τήν ὑπομονή μου. ***be out of ~ (with)***, ἔχω χάσει τήν ὑπομονή μου, δέν μπορῶ νά ὑποφέρω πιά. ***have no ~ with sb***, δέν μπορῶ νά ὑποφέρω κπ. ***put sb out of ~***, κάνω κπ νά χάση τήν ὑπομονή του. ***try/tax sb's ~***, θέτω ὑπό δοκιμασίαν τήν ὑπομονή κάποιου. **the ~ of Job**, ὑπομονή τοῦ Ἰώβ: *He would try the ~ of Job*, θά ἔκανε καί τόν Ἰώβ νά χάση τήν ὑπομονή του. **2**. πασιέντσα (μέ τράπουλα).
[1]**pa·tient** /`peɪʃnt/ *ἐπ.* ὑπομονητικός, καρτερικός: *be ~ with sb*, εἶμαι ὑπομονητικός μέ κπ. *Be ~!* κάνε ὑπομονή! *be ~ of insults*, ὑπομένω βρισιές μέ καρτερία. **~·ly** *ἐπίρ.*
[2]**pa·tient** /`peɪʃnt/ *οὐσ.* ‹C› ἄρρωστος, νοσηλευόμενος: *a doctor's ~*, πελάτης τοῦ γιατροῦ.
pat·ina /`pætɪnə/ *οὐσ.* ‹C› πατίνα, ὀξείδωσις (χαλκοῦ).
patio /`pætɪəʊ/ *οὐσ.* ‹C› (*πληθ.* *~s*) **1**. πλακόστρωτη ἐσωτερική αὐλή χωρίς στέγη. **2**. πλακόστρωτος χῶρος κοντά σέ σπίτι (χρησιμοποιούμενος γιά ἀναψυχή).
pa·tis·serie /pə`tisərɪ/ *οὐσ.* ‹C› ζαχαροπλαστεῖον.
pat·ois /`pætwa/ *οὐσ.* ‹C› τοπική διάλεκτος.
patri·arch /`peɪtrɪak/ *οὐσ.* ‹C› **1**. Πατριάρχης. **2**. γενάρχης. **~al** /ˈpeɪtrɪˋakl/ *ἐπ.* πατριαρχικός, σεβάσμιος. **`~·ate** /-eɪt/ *οὐσ.* ‹C› Πατριαρχεῖον.
pa·tri·cian /pə`trɪʃn/ *ἐπ.* & *οὐσ.* ‹C› πατρίκιος, εὐπατρίδης, ἀριστοκράτης.
pat·ri·cide /`pætrɪsaɪd/ *οὐσ.* **1**. ‹C,U› πατροκτονία. **2**. ‹C› πατροκτόνος.
pat·ri·mony /`pætrɪmənɪ/ *οὐσ.* ‹C› **1**. πατρική κληρονομία. **2**. ἐκκλησιαστική περιουσία. **pat·ri·mo·nial** /ˈpætrɪˋməʊnɪəl/ *ἐπ.* πατρογονικός, τῆς πατρικῆς περιουσίας.
pa·triot /`peɪtrɪət/ *οὐσ.* ‹C› πατριώτης, ὁ φιλόπατρις. **`~·ism** /-ɪzm/ *οὐσ.* ‹U› πατριωτισμός. **~ic** /ˈpeɪtrɪˋotɪk/ *ἐπ.* πατριωτικός. **~i·cally** /-klɪ/ *ἐπίρ.* πατριωτικά.
pa·trol /pə`trəʊl/ *ρ.μ/ὰ.* (*-ll-*) περιπολῶ. __*οὐσ.* **1**. ‹U› περιπολία. ***be on ~***, εἶμαι/κάνω περιπολία. **2**. ‹C› περίπολος: *a police `~ car*, περιπολικό τῆς ἀστυνομίας. **`~·man**, ἄνδρας περιπολίας, (*ΗΠΑ*) ἀστυφύλακας ἐν ὑπηρεσίᾳ.
pa·tron /`peɪtrən/ *οὐσ.* ‹C› **1**. προστάτης, ὑποστηρικτής (τῶν καλῶν τεχνῶν, κλπ), εὐεργέτης. **ˈ~ `saint**, πολιοῦχος, προστάτης ἅγιος. **2**. τακτικός πελάτης (μαγαζιοῦ). **`~-ess** /-ɪs/ *οὐσ.* ‹C› πελάτισσα.
pa·tron·age /`pætrənɪdʒ/ *οὐσ.* ‹U› **1**. ὑποστήριξις, ἐνθάρρυνσις, προστασία: *with/under the ~ of sb*, μέ τήν ἐνθάρρυνση/προστασία κάποιου. *ensure sb's ~*, ἐξασφαλίζω τήν ὑποστήριξη κάποιου. **2**. προστατευτικόν ὕφος, συγκατάβασις. **3**. πελατεία (μαγαζιοῦ): *take away one's ~ because of poor service*, παύω νά εἶμαι πελάτης κάποιου ἐξ αἰτίας κακῆς ἐξυπηρετήσεως.
pa·tron·ize /`pætrənaɪz/ *ρ.μ.* **1**. ἐνθαρρύνω, προστατεύω, ὑποστηρίζω κπ: *~ a young artist*, ὑποστηρίζω ἕναν νέο καλλιτέχνη. **2**. εἶμαι τακτικός πελάτης: *~ a dressmaker*, εἶμαι πελάτις μιᾶς μοδίστρας. **3**. φέρομαι συγκαταβατικά/προστατευτικά σέ κπ. **pat·ron·iz·ing** *ἐπ.* προστατευτικός, συγκαταβατικός (*πχ* τρόπος). **pat·ron·iz·ing·ly** *ἐπίρ.*
pat·ro·nymic /ˈpætrəˋnɪmɪk/ *ἐπ.* πατρωνυμικός. __*οὐσ.* ‹C› πατρωνυμικόν.
pat·ten /`pætn/ *οὐσ.* ‹C› ξυλοπάπουτσο, τσόκαρο.
[1]**pat·ter** /`pætə(r)/ *οὐσ.* ‹U› **1**. κορακίστικα, συνθηματική γλῶσσα: *thieves' ~*, ἡ γλῶσσα τῶν κλεπτῶν. **2**. φλυαρία, λίμα, παρλάτα (*πχ* ταχυδακτυλουργοῦ, κωμικοῦ σέ θέατρο, κλπ). __*ρ.μ/ὰ.* **1**. φλυαρῶ ἀδιάκοπα καί γρήγορα: *The two women ~ed on for hours*, οἱ δυό γυναῖκες συνέχισαν νά φλυαροῦν ἐπί ὧρες. **2**. μιλῶ/ἀπαγγέλλω γρήγορα ἤ μηχανικά.
[2]**pat·ter** /`pætə(r)/ *οὐσ.* ‹U› γρήγορος ἐλαφρός ἦχος: *the ~ of the rain on the roof*, ὁ χτύπος τῆς βροχῆς πάνω στή στέγη. *the ~ of footsteps*, ὁ ἦχος βιαστικῶν βημάτων. __*ρ.ὰ.* ἠχῶ γρήγορα (καί ἐλαφρά): *The rain ~ed on the window-panes*, ἡ βροχή χτυποῦσε στά τζάμια. *The children ~ed away*, τά παιδιά ἔφυγαν μέ γρήγορα βηματάκια.
pat·tern /`pætn/ *οὐσ.* ‹C› **1**. πρότυπον, ὑπόδειγμα: *She's the ~ of all the virtues*, εἶναι πρότυπο κάθε ἀρετῆς. *take sb as a ~*, παίρνω κπ ὡς ὑπόδειγμα. **2**. (*ραπτ.*) πατρόν, (*μεταλλ.*) καλούπι: *take a ~*, βγάζω πατρόν. *cut a dress on a ~*, κόβω φόρεμα πάνω σέ πατρόν. **3**. (*διακοσμητικό*) σχέδιο, μοτίβο: *geometrical ~s*, γεωμετρικά σχέδια. **4**. δεῖγμα: *~s of cloth*, δείγματα ὑφασμάτων. **5**. τύπος, μορφή, τρόπος: *new ~s of family life*, νέες μορφές οἰκογενειακῆς ζωῆς. __*ρ.μ.* **1**. ***~ sth on/after***, φτιάχνω κτ σύμφωνα μέ: *a dress ~ed on a Paris model*, φόρεμα φτιαγμένο σύμφωνα μέ μοντέλο ἀπό τό Παρίσι. *He ~ed himself upon his father*, πῆρε σάν πρότυπο τόν πατέρα του. **2**. διακοσμῶ μέ σχέδια: *~ed materials*, ἐμπριμέ ὑφάσματα.
patty /`pætɪ/ *οὐσ.* ‹C› μπουρεκάκι, πιττάκι: *oyster patties*, πιττάκια μέ στρείδια. **`~-pan**, φορμίτσα.
pau·city /`pɔsətɪ/ *οὐσ.* ‹U› (*λόγ.*) ἐλαχιστότης, σπάνις.
Paul /pɔl/ *κύρ. ὄν.* Παῦλος. **`~ Pry**, ἀδιάκριτος, ἀνακατωσούρης. (*βλ.* & *λ. Peter*).
paunch /pɔntʃ/ *οὐσ.* ‹C› προκοίλι, κοιλιά. **`~y** *ἐπ.* κοιλαρᾶς, **`~i·ness** *οὐσ.* ‹U›.
pau·per /`pɔpə(r)/ *οὐσ.* ‹C› ἄπορος, πάμπτωχος. **`~·ism** /-ɪzm/ *οὐσ.* ‹U› ἔνδεια, ἀπορία. **~·iz·ation** /ˈpɔpəraɪˋzeɪʃn/ *οὐσ.* ‹U› ἐξαθλίωσις. **`~·ize** /-aɪz/ *ρ.μ.* φτωχαίνω, ἐξαθλιώνω κπ.

pause /pɔz/ *οὐσ.* ‹C› παῦσις, διακοπή, ἀνάπαυλα, διάλειμμα: *a ~ to take a breath*, μιά διακοπή γιά νά πάρω ἀναπνοή. *There was a ~ in the conversation*, ἡ κουβέντα σταμάτησε γιά λίγο, ἔγινε μικρή παῦσις. ***give ~ to sb***, κόβω τή φόρα κάποιου, τόν βάζω σέ σκέψεις. —*ρ.ὰ.* σταματῶ, παύω γιά λίγο, κοντοστέκομαι: *He ~d to look round*, κοντοστάθηκε νά κοιτάξη γύρω.

pave /peɪv/ *ρ.μ.* (πλακο)στρώνω (δρόμο, αὐλή, κλπ). *~d with brick*, στρώνω μέ τοῦβλα. *a life ~d with good intentions*, (*μεταφ.*) ζωή γεμάτη καλές προθέσεις. ***~ the way to sth (for sb)***, προετοιμάζω τό ἔδαφος, ἀνοίγω τό δρόμο σέ κτ (κπ). **`paving-stone**, πλάκα.

pave·ment /`peɪvmənt/ *οὐσ.* ‹C› πεζοδρόμιο (*πρβλ. ΗΠΑ sidewalk*).

pa·vil·ion /pə`vɪlɪən/ *οὐσ.* ‹C› **1**. ὑπόστεγο, τέντα (σέ γήπεδο). **2**. περίπτερο (ἐκθέσεως, κυνηγετικό, κλπ).

paw /pɔ/ *οὐσ.* ‹C› **1**. πόδι (ζώου μέ νύχια). **2**. (*χιουμορ.*) χέρι. —*ρ.μ.* **1**. (*γιά ζῶο*) ξύνω τό χῶμα μέ τό πόδι. **2**. (*γιά ἄνθρ.*) πασπατεύω, πιάνω ἄγαρμπα μέ τά χέρια: *No girl likes being ~ed (about)*, σέ κανένα κορίτσι δέν ἀρέσει νά τήν πασπατεύουν.

[1]**pawn** /pɔn/ *οὐσ.* ‹C› (*κυριολ. & μεταφ.*) πιόνι.

[2]**pawn** /pɔn/ *ρ.μ.* βάζω ἐνέχυρο: *~ one's watch*, βάζω ἐνέχυρο τό ρολόϊ μου. *~ one's life/honour*, (*μεταφ.*) παίζω τή ζωή μου/τήν τιμή μου. —*οὐσ.* ‹U› ἐνέχυρο: *put sth in ~*, βάζω κτ ἐνέχυρο. *My watch is in ~*, τό ρολόϊ μου εἶναι ἐνέχυρο. **`~·broker**, ἐνεχυροδανειστής. **`~·shop**, ἐνεχυροδανειστήριον. **`~-ticket**, ἀπόδειξις ἐνεχυριάσεως.

paw·paw /pə`pɔ/ *οὐσ.* ‹C› *βλ. papaw*.

pax /pæks/ *οὐσ.* **1**. (*σχολ., λαϊκ.*) εἰρήνη! ἀνακωχή! **2**. (*στή φρ.*) *P~ Romana*, Ρωμαϊκή Εἰρήνη (ἐπιβληθεῖσα διά τῶν Ρωμαϊκῶν ὅπλων).

[1]**pay** /peɪ/ *οὐσ.* ‹U› πληρωμή, μισθός (στρατιωτικῶν), ἐπίδομα, ἀποδοχές: *get an increase in ~*, παίρνω αὔξηση μισθοῦ. *holidays with ~*, διακοπές μετ᾽ἀποδοχῶν. ***be in sb's ~***, εἶμαι στήν ὑπηρεσία κάποιου: *He's in the ~ of the enemy*, εἶναι στήν ὑπηρεσία τοῦ ἐχθροῦ. ***draw one's ~***, εἰσπράττω τό μισθό μου. **`~-day**, ἡμέρα πληρωμῆς/μισθοδοσίας. **`~load**, ὠφέλιμο φορτίο (πλοίου ἤ ἀεροπλάνου). **`~·master**, (*στρατ.*) ταμίας, ἀξιωματικός τοῦ οἰκονομικοῦ. **`~-off**, (*καθομ.*) ἐκκαθάρισις λογαριασμοῦ, ἐκδίκησις. **`~-packet**, φάκελλος μέ τό μισθό. **`~-phone/-station**, (*ΗΠΑ*) τηλέφωνο γιά τό κοινό. **`~-roll/-sheet**, μισθοδοτική κατάστασις. **`~-slip**, ἐκκαθαριστικό σημείωμα μισθοδοσίας.

[2]**pay** /peɪ/ *ρ.μ/ὰ. ἀνώμ.* (*ἀόρ. & π.μ. paid* /peɪd/) **1**. πληρώνω, ἐξοφλῶ: *How much did you ~ for it?* πόσο τό πλήρωσες; *You must ~ me what you owe*, πρέπει νά μοῦ πληρώσης ὅ,τι ὀφείλεις. *~ one's debts*, ἐξοφλῶ τά χρέη μου. ***put `paid to sth***, (*καθομ.*) κανονίζω κτ μιά γιά πάντα, θέτω ὁριστικά τέρμα σέ κτ (δυσάρεστο). **`~·able** /-əbl/ *ἐπ.* πληρωτέος. **~ee** /peɪ`i/ *οὐσ.* ‹C› δικαιοῦχος, κομιστής ἐπιταγῆς. **~er** *οὐσ.* ‹C› πληρωτής. **2**. ἀποδίδω, ἀποφέρω κέρδος, ἀνταμείβω: *It ~s to advertise*, ἡ διαφήμησις ἀποδίδει. *Sheep farming doesn't ~*, ἡ κτηνοτροφία δέν ἀποδίδει, δέν ἀφήνει κέρδος. *He's been amply paid for his trouble*, ἀνταμείφθηκε πλουσιοπάροχα γιά τούς κόπους του. ***~ one's way***, βγάζω τά ἔξοδά μου, δέν μπαίνω σέ χρέος: *The shop ~s its way*, τό μαγαζί βγάζει τά ἔξοδά του. **'pay-as-you-`earn** (*συγκεκ.* **P A Y E**), παρακράτησις φόρου μισθωτῶν ὑπηρεσιῶν. (*βλ. & λ.* [1]*nose*). **3**. δίνω, κάνω: *~ attention*, δίνω προσοχή, προσέχω. *~ a visit*, κάνω ἐπίσκεψη. *~ sb a compliment*, κάνω φιλοφρόνηση σέ κπ. ***~ one's respects to sb***, ὑποβάλλω τά σέβη μου σέ κπ. **4**. (*μέ ἐπιρ. καί προθέσεις*):

pay back, ἐπιστρέφω δανεικά, ἐκδικοῦμαι: *When will you ~ me back?* πότε θά μοῦ ἐπιστρέψης τά δανεικά; *I'll ~ him back in his own coin*, θά τόν πληρώσω μέ τό ἴδιο νόμισμα.

pay for, πληρώνω/τιμωροῦμαι γιά κτ: *He'll ~ for his foolish behaviour*, θά πληρώση γιά τήν ἀνόητη συμπεριφορά του.

pay into, καταχωρῶ, καταθέτω: *~ a cheque into an account*, καταθέτω μιά ἐπιταγή σ᾽ἕνα λογαριασμό.

pay off, ἀποζημιώνω καί ἀπολύω κπ, ἐξοφλῶ πλήρως: *~ off one's creditors*, ἐξοφλῶ πλήρως τούς πιστωτές μου.

pay out, ξοδεύω, ἐκδικοῦμαι: *I'm always ~ing out*, εἶμαι διαρκῶς μέ τό χέρι στήν τσέπη. *I've paid him out for the trick he played on me*, τόν ἐκδικήθηκα γιά τή δουλειά πού μοῦ σκάρωσε.

pay up, ἐξοφλῶ πλήρως, ἀποπληρώνω (χρέος).

pay·ment /`peɪmənt/ *οὐσ.* ‹C,U› **1**. πληρωμή, ἐξόφλησις: *prompt ~*, ἄμεσος πληρωμή. *a cheque in ~ of sth*, ἐπιταγή εἰς ἐξόφλησιν. *monthly ~s*, μηνιαῖες δόσεις. ***~ in full***, πλήρης ἐξόφλησις. ***~ in kind***, πληρωμή σέ εἶδος. **2**. ἀνταμοιβή, ἀνταπόδοσις, ἐκδίκησις.

pea /pi/ *οὐσ.* ‹C› μπιζέλι, ἀρακᾶς: *green/dried ~s*, φρέσκα/ξερά μπιζέλια. *split ~s*, φάβα. *sweet ~s*, μοσχομπίζελα. ***as like as two ~s***, ὅμοιοι σά δυό σταγόνες νερό. **`~-flour**, μπιζελάλευρο. **`~-green**, ἀνοιχτό πράσινο, βεραμάν. **`~-fowl/-chick/-hen**, παγώνι. **`~-shooter**, (*παιχνίδι*) σωλήνας γιά τήν ἐκτόξευση φασολιῶν μέ φύσημα. **'~-`soup**, μπιζελόσουπα. **'~-`souper**, (*καθομ.*) πυκνή κιτρινωπή ὁμίχλη.

peace /pis/ *οὐσ.* ‹U› **1**. εἰρήνη: *in time(s) of ~*, σέ καιρό εἰρήνης. ***be at ~ (with sb)***, βρίσκομαι σέ εἰρήνη (μέ κπ). ***make ~ (with sb)***, συνάπτω εἰρήνη (μέ κπ). **~ treaty**, συνθήκη εἰρήνης. **2**. ἡσυχία, τάξις: *keep/break the ~*, τηρῶ/διαταράσσω τήν (δημοσία) τάξη. ***a breach of the ~***, διατάραξις τῆς κοινῆς ἡσυχίας. **Justice of the P~** (*συγκεκ.* **J P**) εἰρηνοδίκης, πταισματοδίκης. **3**. γαλήνη, ἡσυχία, ἠρεμία: *the ~ of the countryside*, ἡ γαλήνη τῆς ἐξοχῆς. ***give sb no ~***, δέν ἀφήνω κπ σέ ἡσυχία. ***hold one's ~***, σιωπῶ, παύω νά συζητῶ. ***leave sb in ~***, ἀφήνω κπ ἥσυχο. ***make one's ~ with sb***, τά φτιάχνω μέ κπ, σταματῶ τούς καυγάδες. ***at ~ with sb***, ἁρμονικά, ἥσυχα: *He's never at ~ with himself*, δέν ἔχει ποτέ ἡσυχία, δέν ἡσυχάζει στιγμή. ***in ~***, ἥσυχα, εἰρηνικά: *live in ~*, ζῶ ἥσυχα. ***~ of mind***, πνευματική γαλήνη. **`~·maker**, εἰρηνοποιός. **`~-offering**, θυσία εὐχαριστιῶν, δῶρο συμφιλιώσεως.

peace·able /`pisəbl/ *ἐπ.* εἰρηνικός, φιλήσυχος. **peace·ably** /-əblı/ *ἐπίρ.* εἰρηνικά.

peace·ful /`pisfl/ *ἐπ.* **1**. εἰρηνικός, εἰρηνόφιλος: *~ nations*, φιλειρηνικά ἔθνη. **2**. γαλήνιος, ἤρεμος, ἥσυχος: *a ~ evening*, ἥσυχη βραδυά. *a ~ death*, ἤρεμος θάνατος. **~ly** /-fəlı/ *ἐπίρ.* ἥσυχα, ἤρεμα. **~·ness** *οὐσ.* ‹U› γαλήνη, ἠρεμία, ἡσυχία.

[1]**peach** /pitʃ/ *οὐσ.* ‹C› **1**. ροδάκινο, ροδακινιά. **2**. (*λαϊκ.*) θαυμάσιο (πρόσωπο ἤ πρᾶγμα): *Isn't she a ~!* εἶναι κουκλίτσα! εἶναι ποίημα!

[2]**peach** /pitʃ/ *ρ.ἀ.* (*σχολ., λαϊκ.*) καρφώνω, καταδίδω: *~ against/upon sb*, μαρτυράω, καταδίδω κπ.

pea·cock /`pikok/ *οὐσ.* ‹C› παγώνι.

pea-jacket /`pi dʒækıt/ *οὐσ.* ‹C› μάλλινη ναυτική ζακέτα, πατατούκα.

[1]**peak** /pik/ *οὐσ.* ‹C› **1**. κορυφή (*ἰδ.* βουνοῦ), ἄκρη. **2**. αἰχμή: *~ hours of traffic*, ὧρες κυκλοφοριακῆς αἰχμῆς. *~ output*, μεγίστη ἀπόδοσις. *off-~ periods*, περίοδοι χαλαρώσεως/μειωμένης κινήσεως. **~ed** *ἐπ.* μυτερός: *a ~ed roof*, μυτερή σκεπή.

[2]**peak** /pik/ *ρ.ἀ.* μαραίνομαι: *~ and pine*, πέφτω σέ μαρασμό, μαραζώνω. **~ed**, **~y** *ἐπ.* ἀδύνατος, ὠχρός, κοκκαλιάρης.

peal /pil/ *οὐσ.* ‹C› **1**. κωδωνοκρουσία. **2**. κρότος, δυνατός ἦχος: *a ~ of thunder*, μπουμπουνητό: *~s of laughter*, καμπανιστά γέλια. __*ρ.μ/ἀ.* ἠχῶ, χτυπῶ, ἀντηχῶ.

pea·nut /`pinʌt/ *οὐσ.* ‹C› ἀράπικο φυστίκι.

pear /peə(r)/ *οὐσ.* ‹C› ἀχλάδι, ἀχλαδιά.

pearl /pɜl/ *οὐσ.* ‹C› **1**. μαργαριτάρι: *a necklace of ~s; a ~ necklace*, περιδέραιο ἀπό μαργαριτάρια. ***cast ~s before swine***, (*καθομ.*) ρίπτω τούς μαργαρίτας εἰς τούς χοίρους. **`~-diver**, ἁλιεύς μαργαριταριῶν. **`~-fishery**, περιοχή ἁλιείας ἤ καλλιεργείας μαργαριταριῶν. **`~-oyster**, μελεαγρίνη ἤ μαργαριτοφόρος. **mother-of-~**, σεντέφι. **2**. πρᾶγμα πού μοιάζει μέ μαργαριτάρι (*πχ* δάκρυ, σταγόνα, κλπ). **3**. πολύτιμο πρᾶγμα. __*ρ.ἀ.* μαζεύω μαργαριτάρια. **~y** *ἐπ.* μαργαριταρένιος, μαργαριτοειδής, στολισμένος μέ μαργαριτάρια ἤ σεντέφι.

pear·main /`peəmein/ *οὐσ.* ‹C› ποικιλία μήλου.

peas·ant /`peznt/ *οὐσ.* ‹C› χωρικός, χωριάτης. **the ~ry** /`pezntrı/ οἱ χωρικοί.

peat /pit/ *οὐσ.* ‹U› τύρφη, ποάνθραξ: *`~-bog*, τυρφών. *a ~ fire*, φωτιά μέ τύρφη. **~y** *ἐπ.*

pebble /`pebl/ *οὐσ.* ‹C› χαλίκι, πετραδάκι, κροκάλη, βότσαλο. **pebbly** /`peblı/ *ἐπ.* σκεπασμένος μέ βότσαλα: *a pebbly beach*, ἀκτή μέ χαλίκια.

pec·cable /`pekəbl/ *ἐπ.* (*λόγ.*) ἁμαρτωλός.

pecca·dillo /'pekə`dıləu/ *οὐσ.* ‹C› (*πληθ.* *~es* *ἤ ~s* /-ləuz/) μικροπταῖσμα, μικροελάττωμα.

[1]**peck** /pek/ *οὐσ.* ‹C› **1**. μονάς μέτρου στερεῶν (περίπου 9 λίτρες). **2**. (*μεταφ.*) σωρός, πλῆθος: *a ~ of troubles*, ἕνα σωρό σκοτοῦρες.

[2]**peck** /pek/ *ρ.μ/ἀ.* **1**. ***~ (at)***, ραμφίζω, τσιμπῶ: *hens ~ing at the corn*, κόττες πού ραμφίζουν τό ἀραποσίτι. *cocks ~ing (at) the hens*, κοκκόρια πού τσιμποῦν τίς κόττες. *~ at one's food*, τσιμπῶ τό φαΐ μου, τρώω ἀνόρεχτα. **`~ing order**, ἱεραρχία ἀνάλογα μέ τή δύναμη. **2**. σκάβω μέ τό ράμφος: *The hens ~ed a hole in the sack*, οἱ κόττες ἄνοιξαν τρύπα στό σακκί μέ τό ράμφος τους. **3**. (*καθομ.*) φιλῶ βιαστικά ἤ ἀδιάφορα. __*οὐσ.* ‹C› **1**. ράμφισμα. **2**. (*καθομ.*) βιαστικό τυπικό φιλί: *He gave his wife a ~ on the cheek and hurried off*, φίλησε τυπικά τή γυναίκα του στό μάγουλο κι'ἔφυγε βιαστικά. **~er** *οὐσ.* ‹C› (*λαϊκ.*) μύτη, (*μεταφ.*) θάρρος, κουράγιο: *Keep your ~er up!* μή χάνης τό θάρρος σου! **`~·ish** /-ıʃ/ *ἐπ.* (*καθομ.*) πεινασμένος.

pec·toral /`pektərəl/ *ἐπ.* στηθικός, θωρακικός.

pecu·late /`pekjuleıt/ *ρ.μ/ἀ.* (*λόγ.*) καταχρῶμαι. **pecu·la·tion** /'pekju`leıʃn/ *οὐσ.* ‹C,U› κατάχρησις.

pe·cu·liar /pı`kjulıə(r)/ *ἐπ.* **1**. ***~ (to)***, προσιδιάζων, χαρακτηριστικός: *a style ~ to the 18th century*, στύλ χαρακτηριστικό τοῦ 18ου αἰῶνα. **2**. παράξενος, ἐκκεντρικός, ἀσυνήθιστος: *She's a ~ girl*, εἶναι παράξενο κορίτσι. **3**. εἰδικός, ἰδιαίτερος: *a matter of ~ interest*, θέμα ἰδιαιτέρου ἐνδιαφέροντος. **~ly** *ἐπίρ.* ἰδιαίτερα. **~·ity** /pı'kjulı`ærətı/ *οὐσ.* ‹C,U› ἰδιομορφία, ἰδιορρυθμία, παραξενιά, ἐκκεντρικότης: *peculiarities of speech/behaviour*, ἰδιορρυθμίες στήν ὁμιλία/στή συμπεριφορά.

pe·cuni·ary /pı`kjunıərı/ *ἐπ.* (*λόγ.*) χρηματικός: *~ aid/reward*, χρηματική βοήθεια/ἀμοιβή.

peda·gogue /`pedəgog/ *οὐσ.* ‹C› παιδαγωγός. **peda·gog·ic** /'pedə`godʒık/, **peda·gogi·cal** /-ıkl/ *ἐπ.* παιδαγωγικός. **peda·gogy** /`pedəgodʒı/ *οὐσ.* ‹U› παιδαγωγική.

pedal /`pedl/ *οὐσ.* ‹C› πεντάλ: *depress the ~*, πατῶ τό πεντάλ. __*ρ.μ/ἀ.* *(-ll-)* ποδηλατῶ, πατῶ τό πεντάλ: *The boy ~led away on his bicycle*, τό παιδί πάτησε πεντάλ κι'ἔφυγε.

ped·ant /`pednt/ *οὐσ.* ‹C› ὁ σχολαστικός. **~ry** /`pedntrı/ *οὐσ.* ‹U› σχολαστικότης. **pe·dan·tic** /pə`dæntık/ *ἐπ.* σχολαστικός. **~i·cally** /-klı/ *ἐπ.*

peddle /`pedl/ *ρ.μ/ἀ.* **1**. κάνω τόν μικροπωλητή, εἶμαι γυρολόγος, πουλάω στούς δρόμους. **2**. μοιράζω (σέ μικρές ποσότητες): *~ gossip round the village*, διαδίδω κουτσομπολιά στό χωριό. **ped·dler** *βλ.* *pedlar*. **ped·dling** *ἐπ.* ἀσήμαντος (*πχ* λεπτομέρεια).

ped·er·asty /`pedəræstı/ *οὐσ.* ‹U› παιδεραστία. **ped·er·ast** *οὐσ.* ‹C› παιδεραστής.

ped·estal /`pedıstl/ *οὐσ.* ‹C› **1**. βάθρον (ἀγάλματος, κλπ). **2**. σῶμα συρταριῶν (γραφείου): *`~ desk*, γραφεῖο μέ δυό σειρές συρτάρια. ***knock sb off his ~***, γκρεμίζω κπ ἀπό τό βάθρο του. ***set sb on a ~***, στήνω κπ σέ βάθρο, ἡρωοποιῶ κπ.

pe·des·trian /pı`destrıən/ *οὐσ.* ‹C› πεζός. **~ crossing**, διάβασις πεζῶν. __*ἐπ.* πεζός, ἀνιαρός, μονότονος. **~·ize** /-aız/ *ρ.μ/ἀ.* ἐπιτρέπω τήν κυκλοφορία μόνον τῶν πεζῶν: *~ized streets*, δρόμοι μόνον γιά πεζούς (ὄχι γιά ὀχήματα).

pedi·at·rics /'pidı`ætrıks/ *οὐσ. πληθ.* (*μέ ρ. ἑν.*) παιδιατρική. **pedia·tric·ian** /'pidıə`trıʃn/ *οὐσ.* ‹C› παιδίατρος.

pedi·cab /ˋpedɪkæb/ *οὐσ.* ‹C› τρίκυκλο ποδηλατούμενον ταξί (στήν Ἄπω Ἀνατολή).

pedi·cure /ˋpedɪkjʊə(r)/ *οὐσ.* ‹C› πεντικιούρ, περιποίησις τῶν ποδιῶν.

pedi·gree /ˋpedɪgri/ *οὐσ.* ‹C,U› **1**. γενεαλογικό δέντρο, σόϊ, καταγωγή. **2**. πιστοποιητικό καταγωγῆς (ζώου). **3**. (*ἐπιϑ.*) ἀπό σόϊ.

pedi·ment /ˋpedɪmənt/ *οὐσ.* ‹C› ἀέτωμα.

ped·lar, ped·dler /ˋpedlə(r)/ *οὐσ.* ‹C› γυρολόγος.

ped·ometer /pɪˋdomɪtə(r)/ *οὐσ.* ‹C› βηματόμετρον.

pee /pi/ *ρ.ἀ.* (*καϑομ.*) οὐρῶ: *Do you want to ~?* θέλεις νά κάνης πιπί; —*οὐσ.* ‹C› πιπί: *go for a ~*, πάω γιά πιπί.

peek /pik/ *ρ.ἀ.* **~ at**, κρυφοκοιτάζω. —*οὐσ.* ‹C› γρήγορη ματιά: *have a quick ~ over the fence*, ρίχνω μιά γρήγορη ματιά πάνω ἀπό τό φράκτη.

peek-a-boo /ˋpik ə ˋbu/ *οὐσ.* & *ἐπιφ.* (*σέ κρυφτούλι μέ μωρό*) ˋκούκου!ˋ ˋτσά!ˋ

peel /pil/ *ρ.μ/ἀ.* ξεφλουδίζω/-ομαι, ξεγδέρνω, βγαίνω σέ φλοῦδες, ξεντύνομαι: *~ bananas/potatoes/oranges*, ξεφλουδίζω μπανάνες/πατάτες/πορτοκάλια. *These apples ~ easily*, αὐτά τά μῆλα καθαρίζονται (ξεφλουδίζονται) εὔκολα. *The paint on the gate is ~ing off*, ἡ μπογιά στήν ἐξώπορτα βγαίνει φλοῦδες. *After a day in the sun my skin began to ~*, ὕστερα ἀπό μιά μέρα στόν ἥλιο ἡ ἐπιδερμίδα μου ἄρχισε νά ξεφλουδίζη. *We ~ed off and jumped into the sea*, ξεντυθήκαμε καί πηδήξαμε στή θάλασσα. —*οὐσ.* ‹U› φλούδα: *candied orange ~*, γλυκό (τοῦ κουταλιοῦ) ἀπό φλούδα πορτοκάλι. **~er** *οὐσ.* ‹C› (*ὡς β΄ συνϑ.*) *potato-~er*, πατατοκαθαριστήρι. ˋ**~ings** *οὐσ. πληϑ.* φλούδια.

1 **peep** /pip/ *οὐσ.* ‹C› **1**. γρήγορη κρυφή ματιά: *have a ~ at sb through a window*, κρυφοκοιτάζω κπ ἀπό τό παράθυρο. ˋ**~-hole**, τρύπα σέ τοῖχο (γιά κρυφοκοίταγμα). ˋ**~-show**, στερεοσκόπιο. **2**. χάραμα: *the ~ of day*, ἡ αὐγή. —*ρ.ἀ.* **1**. **~ (at)**, κρυφοκοιτάζω: *~ through a keyhole at sth*, κρυφοκοιτάζω κτ ἀπό κλειδαρότρυπα. *~ at sb from behind a curtain*, κρυφοκοιτάζω κπ πίσω ἀπό μιά κουρτίνα. ˈ**~ing ˋTom**, ἡδονοβλεψίας. **2**. **~ (out)**, προβάλλω, φαίνομαι: *The moon ~ed out from behind the clouds*, τό φεγγάρι πρόβαλε πίσω ἀπό τά σύννεφα. **~er** *οὐσ.* ‹C› ἡδονοβλεψίας, ἀδιάκριτος, (*λαϊκ.*) μάτι.

2 **peep** /pip/ *οὐσ.* ‹C› τιτίβισμα (πουλιοῦ), τσίριγμα (ποντικοῦ). —*ρ.ἀ.* τσιρίζω, τιτιβίζω.

1 **peer** /pɪə(r)/ *οὐσ.* ‹C› **1**. ἰσάξιος, ταίρι, ὁμότιμος: *It is not easy to find his ~*, δέν εἶναι εὔκολο νά βρῆς τό ταίρι του, δέν ὑπάρχει ἄλλος σάν κι' αὐτόν. **2**. εὐπατρίδης. **~ of the realm**, ὁμότιμος τοῦ Βασιλείου, Λόρδος. **life/hereditary ~**, ἰσόβιος/κληρονομικός εὐπατρίδης. **~·age** /ˋpɪərɪdʒ/ *οὐσ.* ‹C› *(α)* ἀξίωμα λόρδου, τό σύνολον τῶν εὐπατριδῶν: *raise sb to the ~age*, ἀπονέμω σέ κπ τόν τίτλο τοῦ λόρδου. *(β)* βιβλίο μέ τά ὀνόματα τῶν ὁμοτίμων. **~ess** /ˋpɪəres/ *οὐσ.* ‹C› γυναίκα ὁμότιμος. **~·less** *ἐπ.* ἀσύγκριτος, ἀπαράμιλλος.

2 **peer** /pɪə(r)/ *ρ.ἀ.* **~ at/into**, κοιτάζω ἐρευνητικά, περιεργάζομαι: *He ~ed out into the dark*, κοίταξε ἐρευνητικά ἔξω στό σκοτάδι. *He was ~ing at her over his spectacles*, τήν περιεργαζόταν πάνω ἀπό τά γυαλιά του.

peeve /piv/ *ρ.μ.* (*καϑομ.*) τσαντίζω κπ: *He looked ~d*, φάνηκε τσαντισμένος.

pee·vish /ˋpivɪʃ/ *ἐπ.* εὐερέθιστος, ὀργίλος. **~·ly** *ἐπίρ.* ἀράθυμα, ἐκνευρισμένα. **~·ness** *οὐσ.* ‹U› ἀψιθυμία.

pee·wit /ˋpiwɪt/ *οὐσ. βλ. pewit.*

1 **peg** /peg/ *οὐσ.* ‹C› **1**. ξυλόπροκα. ***a square ~ in a round hole***, (*μεταφ.*) ἄνθρωπος ἀκατάλληλος γιά τή θέση πού κατέχει. **2**. παλούκι: *a ˋtent-~*, παλούκι σκηνῆς. **3**. μανταλάκι. ˋ**clothes-~**, μανταλάκι γιά τά ροῦχα. **4**. κρεμαστάρι: *a hat/coat ~*, κρεμάστρα γιά τά καπέλλα/γιά τά παλτά. ***buy sth off the ~***, (*καϑομ.*) ἀγοράζω κτ ἕτοιμο (*ἰδ.* γιά ροῦχα). **5**. (*μεταφ.*) θέμα, ἀφορμή: *a ~ on which to hang a sermon*, θέμα/ἀφορμή γιά κήρυγμα. **6**. κλειδί (βιολιοῦ). **7**. σκαλί (ἀνεμόσκαλας). ˈ***take sb ˋdown a ~ (or two)***, βάζω κπ στή θέση του, τοῦ κόβω λίγο τόν ἀέρα. **8**. πεῖρος (βαρελιοῦ). **9**. (*λαϊκ.*) ξύλινο πόδι. **10**. (*MB*) ποτό (*ἰδ.* οὐΐσκυ ἤ κονιάκ μέ σόδα).

2 **peg** /peg/ *ρ.μ/ἀ.* *(-gg-)* **1**. στερεώνω (μέ ξυλόκαρφο ἤ παλούκι): *~ a tent down*, στερεώνω μιά τέντα μέ παλούκια. **2**. σταθεροποιῶ (τιμές, μισθούς, κλπ): *The Government's wage-pegging efforts failed*, οἱ προσπάθειες τῆς κυβερνήσεως γιά σταθεροποίηση τῶν ἀποδοχῶν ἀπέτυχαν. **3**. ***~ away at sth***, ἐργάζομαι μέ ἐπιμονή, πέφτω μέ τά μοῦτρα στή δουλειά. ***~ sb down***, (*μεταφ.*) στριμώχνω κπ, τόν ἀναγκάζω νά πειθαρχήση. ***~ out***, (*καϑομ.*) τά κακαρώνω, πεθαίνω. ***~ sth out***, δριοθετῶ μέ πασσάλους. **level ~ging**, (*συχνά μεταφ.*) ὁμοιόμορφη πρόοδος.

pei·gnoir /ˋpeɪnwa(r)/ *οὐσ.* ‹C› (*ἀπηρχ.*) πενιουάρ.

pe·jor·at·ive /pəˋdʒorətɪv/ *ἐπ.* ὑποτιμητικός, μειωτικός. **~·ly** *ἐπίρ.* ὑποτιμητικά.

peke /pik/, (*βραχυλ. γιά*) **pe·kin·ese** /ˋpikɪˋniz/ *οὐσ.* ‹C› πεκινουά (σκυλί).

pelf /pelf/ *οὐσ.* ‹U› (*συνήϑ. ὑποτιμ.*) παράδες, λεφτά.

peli·can /ˋpelɪkən/ *οὐσ.* ‹C› πελεκᾶνος.

pe·lisse /peˋlis/ *οὐσ.* ‹C› (*ἀπηρχ.*) πανωφόρι (γυναίκας ἤ παιδιοῦ), (*στρατ.*) μπέρτα.

pel·let /ˋpelɪt/ *οὐσ.* ‹C› **1**. σβῶλος, μπαλλίτσα (*πχ* ψωμιοῦ ἤ χαρτιοῦ πού φτιάχνει κανείς μέ τά δάχτυλα). **2**. χάπι, δισκίον. **3**. σφαιρίδιον (γιά ἀεροβόλο τουφέκι).

pell-mell /ˈpel ˋmel/ *ἐπίρ.* φύρδην-μίγδην, βιαστικά, μπερδεμένα.

pel·lu·cid /peˋlusɪd/ *ἐπ.* (*μεταφ., λογοτ.*) διαυγής, διάφανος. **~·ly** *ἐπίρ.*

pel·met /ˋpelmɪt/ *οὐσ.* ‹C› κορνίζα.

1 **pelt** /pelt/ *οὐσ.* ‹C› τομάρι, προβιά.

2 **pelt** /pelt/ *ρ.μ/ἀ.* **1**. ***~ sth at sb; ~ sb with sth***, ἐκτοξεύω, ρίχνω, χτυπῶ: *~ abuse at sb*, ἐκτοξεύω ὕβρεις σέ κπ. *~ sb with stones/snowballs*, πετροβολῶ κπ/τοῦ ρίχνω χιονόμπαλλες. **2**. (*γιά βροχή*) πέφτω καταρρακτωδῶς: *It was ~ing with rain; The rain was ~ing down*, ἔβρεχε καταρρακτωδῶς. *The hail was ~ing against the roof*, τό χαλάζι ἔδερνε τή σκεπή. **3**. τρέχω ὁλοταχῶς. —*οὐσ.* ‹C› τρέξιμο.

at full ~, ὁλοταχῶς.

pel·vis /ˋpelvɪs/ *οὐσ.* ‹C› (*ἀνατ.*) (*πληθ. pelves* /pelviz/) λεκάνη.

pem·mi·can /ˋpemɪkən/ *οὐσ.* ‹U› ξερό κοπανισμένο κρέας φτιαγμένο πίττες (στούς 'Ινδιάνους).

[1]**pen** /pen/ *οὐσ.* ‹C› πέννα: *make a living with one's* ~, ζῶ ἀπό τήν πέννα μου. ˋ**~-friend**, φίλος δι' ἀλληλογραφίας. ˋ**~-holder**, κοντυλοφόρος. ˋ**~·knife**, σουγιαδάκι τῆς τσέπης. ˋ**~·man·ship** /ˋpenmənʃɪp/, καλλιγραφία. ˋ**~-name**, συγγραφικό ψευδώνυμο. ˋ**~-nib**, μεταλλική πέννα, πεννάκι. ˋ**~-pusher**, (*καθομ.*) γραφιᾶς, καλαμαρᾶς. '**~-and-ˋink**, πεννάκι: *a ~-and-ink sketch*, σκίτσο μέ πεννάκι. (*βλ.* & *λ. ball, fountain*). —*ρ.μ.* (*-nn-*) γράφω.

[2]**pen** /pen/ *οὐσ.* ‹C› **1**. μαντρί (γιά ζῶα), κλουβί (γιά κόττες). **2**. (ˋ**play)-pen**, πάρκο (γιά μωρά). **3**. καταφύγιο ὑποβρυχίων. —*ρ.μ.* (*-nn-*) ~ ***up/in***, μαντρώνω (ζῶα).

penal /ˋpinl/ *ἐπ.* ποινικός: ~ *law*, ποινικόν δίκαιον. *a ~ offence*, ποινικόν ἀδίκημα. '~ ˋ**servitude**, καταναγκαστικά ἔργα. ˋ~ **settlement/colony**, ἀποικία καταδίκων. **~ly** /ˋpinəlɪ/ *ἐπίρ.* ποινικῶς.

pe·nal·ize /ˋpinəlaɪz/ *ρ.μ.* **1**. ἀνάγω (μιά πράξη) σέ ἀδίκημα, τιμωρῶ διά ποινῆς. **2**. τιμωρῶ. **pe·nal·iz·ation** /'pinəlaɪˋzeɪʃn/ *οὐσ.* ‹U› τιμωρία, ἐπιβολή ποινῆς.

pen·alty /ˋpenltɪ/ *οὐσ.* ‹C,U› **1**. ποινή, τιμωρία, κύρωσις: *impose penalties*, ἐπιβάλλω κυρώσεις. ***on/under ~ of (death, etc)***, ἐπί ποινῇ (θανάτου). ˋ~ **clause**, (*ἐμπ.*) ποινική ρήτρα. **2**. μειονέκτημα: *the penalties of fame*, τά μειονεκτήματα/τά λύτρα τῆς δόξας. **3**. (*ἀθλ.*) πέναλτυ: *kick a ~*, χτυπῶ πέναλτυ. ˋ~ **kick**, πέναλτυ. **4**. ἐμπόδιον, χάντικαπ.

pen·ance /ˋpenəns/ *οὐσ.* ‹U› (*θεολ.*) μετάνοια, τιμωρία. ***do ~ (for one's sins)***, ἐξαγοράζω (τίς ἁμαρτίες μου).

pence /pens/ *οὐσ. πληθ. βλ. penny.*

pen·chant /ˋpɔ̃ʃɔ̃/ *οὐσ.* ‹C› ~ ***for sth***, προτίμησις, τάσις, ροπή πρός κτ.

pen·cil /ˋpensl/ *οὐσ.* ‹C› μολύβι: *write sth in ~*, γράφω κτ μέ μολύβι. *an ˋeyebrow ~*, κραγιόνι γιά τά φρύδια. —*ρ.μ.* (*-ll-*) γράφω/σχεδιάζω μέ μολύβι.

pen·dant /ˋpendənt/ *οὐσ.* ‹C› κρεμαστό κόσμημα, μπρελόκ, κρεμασίδι.

pend·ent /ˋpendənt/ *ἐπ.* (*λόγ.*) **1**. κρεμάμενος, κρεμαστός, προεξέχων: ~ *cliffs*, κρεμαστά/προεξέχοντα βράχια. **2**. ἐκκρεμής.

pend·ing /ˋpendɪŋ/ *ἐπ.* ἐκκρεμής: *The lawsuit was then ~*, ἡ δίκη ἐκκρεμοῦσε τότε. —*πρόθ.* **1**. διαρκοῦντος: ~ *these negotiations*, κατά τήν διάρκειαν αὐτῶν τῶν διαπραγματεύσεων. **2**. ἐν ἀναμονῇ: ~ *his decision*, ἐν ἀναμονῇ τῆς ἀποφάσεώς του.

pen·du·lous /ˋpendjʊləs/ *ἐπ.* (*λόγ.*) αἰωρούμενος, κρεμαστός.

pen·du·lum /ˋpendjʊləm/ *οὐσ.* ‹C› ἐκκρεμές. ***the swing of the ~***, (*μεταφ.*) ριζική μεταστροφή (πχ τῆς κοινῆς γνώμης).

pen·etrable /ˋpenɪtrəbl/ *ἐπ.* (*λόγ.*) διαπερατός. **pen·etra·bil·ity** /'penɪtrəˋbɪlətɪ/ *οὐσ.* ‹U›.

pen·etrate /ˋpenɪtreɪt/ *ρ.μ/ἀ.* **1**. (δια)τρυπῶ, διαπερνῶ: *The cat's claws ~d my skin*, τά νύχια τῆς γάτας τρύπησαν τό δέρμα μου (χώθηκαν μέσα στό δέρμα μου). *Our eyes could not ~ the darkness*, τά μάτια μας δέν μποροῦν νά διαπεράσουν τό σκοτάδι. **2**. εἰσδύω, εἰσχωρῶ: *The mist ~d (into) the room*, ἡ ὁμίχλη εἰσεχώρησε στό δωμάτιο. ~ *sb's designs/disguise*, εἰσδύω στά σχέδια κάποιου/στή μεταμφίεσή του (καταλαβαίνω ποιός εἶναι). **3**. ***be ~d with***, εἶμαι ἐμποτισμένος μέ: *He was ~d with the ideas of a past age*, ἦταν (ἐμ)ποτισμένος μέ τίς ἰδέες μιᾶς περασμένης ἐποχῆς. **pen·etrat·ing** *ἐπ.* διεισδυτικός (πχ νοῦς), διαπεραστικός (πχ ἦχος). **pen·etrat·ing·ly** *ἐπίρ.* **pen·etra·tion** *οὐσ.* ‹U› διείσδυσις, ὀξυδέρκεια, ἀγχίνοια. **pen·etra·tive** *ἐπ.* διεισδυτικός, ὀξυδερκής, διαπεραστικός.

pen·guin /ˋpeŋgwɪn/ *οὐσ.* ‹C› πιγκουΐνος.

peni·cil·lin /'penɪˋsɪlɪn/ *οὐσ.* ‹U› πενικιλλίνη.

pen·in·sula /pəˋnɪnsjʊlə/ *οὐσ.* ‹C› χερσόνησος. **pen·in·su·lar** /-lə(r)/ *ἐπ.* χερσονήσιος.

pe·nis /ˋpinɪs/ *οὐσ.* ‹C› πέος.

peni·tence /ˋpenɪtəns/ *οὐσ.* ‹U› ~ ***(for)***, μετάνοια.

peni·tent /ˋpenɪtənt/ *ἐπ.* & *οὐσ.* ‹C› μετανοῶν, μετανοιωμένος. **~·ly** *ἐπίρ.*

peni·ten·tial /'penɪˋtenʃl/ *ἐπ.* μετανοητικός, τῆς μετανοίας. **~·ly** /-ʃəlɪ/ *ἐπίρ.*

peni·ten·tiary /'penɪˋtenʃərɪ/ *οὐσ.* ‹C› ἀναμορφωτήριον. —*ἐπ.* ἀναμορφωτικός.

pen·nant /ˋpenənt/ *οὐσ.* ‹C› (*ναυτ.*) τριγωνική σημαία γιά σηματοδότηση.

pen·ni·less /ˋpenɪləs/ *ἐπ.* ἀπένταρος.

pen·non /ˋpenən/ *οὐσ.* ‹C› **1**. *βλ. pennant.* **2**. λάβαρο ἱππότου ἤ (*εἰς ΗΠΑ*) σχολείου.

penn'orth /ˋpenəθ/ *οὐσ. βλ. pennyworth.*

penny /ˋpenɪ/ *οὐσ.* ‹C› (*πληθ. pence* /pens/ *γιά ἀξία, pennies* /ˋpenɪz/ *γιά κατ' ἰδίαν νομίσματα. μέχρι τό 1971 1/12 τοῦ σελλινίου, συγκεκ.* **d**, *τώρα 1/100 τῆς λίρας, συγκεκ.* **p** /pi/) πέννα: *He hasn't a ~ to his name*, δέν ἔχει δεκάρα στ' ὄνομά του. ***spend a ~***, (*καθομ.*) πάω στήν τουαλέττα. ***turn an honest ~***, κερδίζω λίγα ἀλλά τίμια. ***in for a ~, in for a pound***, (*παροιμ.*) ὅποιος μπαίνει στό χορό πρέπει νά χορέψη. ***~ wise and pound foolish***, ἀκριβός στά πίτουρα καί φτηνός στ' ἀλεῦρι. ***the ~ dropped***, μπῆκα στό νόημα, πῆρα χαμπάρι. ***a pretty ~***, ἀρκετά λεφτά: *It will cost you a pretty ~*, θά σοῦ κοστίση ἀρκετά. '~ ˋ**dreadful**, (*καθομ.*) λαϊκό μυθιστόρημα τῆς πεντάρας. ˋ~ **pincher**, (*καθομ.*) τσιγγούνης, σπαγγοραμμένος. ˋ~ **pinching**, *ἐπ.* τσιγγούνης. ~ **royal**, (*φυτ.*) φλουσκούνι. ˋ**~·weight**, μέτρον βάρους (περίπου $1\frac{1}{2}$ γραμμάριο). '~ ˋ**whistle**, σφυρίχτρα τῆς δεκάρας. ˋ**~worth** (*καί* **penn'orth** /ˋpenəθ/), ἀξία(ς) μιᾶς πέννας, εὐκαιρία, ἀγορά: *a good/bad ~-worth*, καλή/κακή ἀγορά (φτηνά/ἀκριβά).

[1]**pen·sion** /ˋpenʃn/ *οὐσ.* ‹C› σύνταξις: *reˋtirement* (*παλαιότ. old age*) ~, σύνταξις γήρατος. *a ˋwar ~*, πολεμική σύνταξις. ***draw one's ~***, εἰσπράττω τή σύνταξή μου. ***retire on a ~***, μπαίνω σέ σύνταξη, ἀποχωρῶ παίρνοντας σύνταξη. —*ρ.μ.* ~ ***sb off***, συνταξιοδοτῶ κπ, τόν βάζω στή σύνταξη. ˋ**~·able** /-əbl/ *ἐπ.* συνταξιοδοτήσιμος. **~er**, συνταξιοῦχος.

[2]**pen·sion** /ˈpõsiõ/ *οὐσ.* ‹C› πανσιόν. **en ~** /õ ˈpõsiõ/, ὡς οἰκότροφος.
pen·sive /ˈpensɪv/ *ἐπ.* συλλογισμένος, σύννους, περίφροντις: *look ~*, φαίνομαι συλλογισμένος. **~·ly** *ἐπίρ.* συλλογισμένα, σκεφτικά. **~·ness** *οὐσ.* ‹U› σκεφτικό ὕφος, συλλογή.
pen·stock /ˈpen-stok/ *οὐσ.* ‹C› ὑδατοφράκτης.
pen·ta·gon /ˈpentəgən/ *οὐσ.* ‹C› πεντάγωνο. **The P~**, Τό Πεντάγωνο (τῆς Οὐάσιγκτον). **pen·tag·onal** /penˈtægənl/ *ἐπ.* πεντάγωνος.
pen·tam·eter /penˈtæmɪtə(r)/ *οὐσ.* ‹C› (*ποιητ.*) πεντάμετρον, πεντάμετρος στίχος.
Pen·ta·teuch /ˈpentətjuk/ *οὐσ.* Πεντάτευχος.
pen·tath·lon /penˈtæθlən/ *οὐσ.* ‹C› (*ἀθλ.*) πένταθλον.
Pente·cost /ˈpentɪkost/ *οὐσ.* Πεντηκοστή.
pent·house /ˈpenthaʊs/ *οὐσ.* ‹C› **1.** ὑπόστεγο (μέ γερτή στέγη). **2.** διαμέρισμα στήν ὀροφή σπιτιοῦ.
pent-up /ˈpent ʌp/ *ἐπ.* συγκρατημένος, καταπνιγόμενος: *~ emotion/fury*, συγκρατημένη συγκίνησις/ὀργή.
pen·ul·ti·mate /penˈʌltɪmət/ *οὐσ.* ‹C› & *ἐπ.* παραλήγουσα (συλλαβή), προτελευταῖος.
pen·um·bra /pɪnˈʌmbrə/ *οὐσ.* ‹C› σκιόφως, ἡμίφως, μισοσκόταδο.
pen·uri·ous /pɪˈnjʊərɪəs/ *ἐπ.* (*λόγ.*) πένης, φιλάργυρος. **~·ly** *ἐπίρ.* **pen·ury** /ˈpenjʊərɪ/, **~·ness** *οὐσ.* ‹U› (*λόγ.*) πενία, ἔνδεια.
peon /ˈpiən/ *οὐσ.* ‹C› ἐργάτης γῆς (στή Ν. Ἀμερική), ὀρντινάτσα (στίς Ἰνδίες). **ˈ~·age** /-ɪdʒ/ *οὐσ.* ‹U› δουλοπαροικία.
peony /ˈpiənɪ/ *οὐσ.* ‹C› (*φυτ.*) παιωνία, μᾶκος.
people /ˈpipl/ *οὐσ.* **1.** (*ἑν. στή μορφή ἀλλά μέ ρ. πληθ.*) ἄνθρωποι, λαός (μιᾶς χώρας), συγγενεῖς: *Some ~ are very inquisitive*, μερικοί ἄνθρωποι εἶναι πολύ ἀδιάκριτοι. *the ~ of Greece*, ὁ λαός τῆς Ἑλλάδος. *government of the ~, by the ~, for the ~*, κυβέρνησις τοῦ λαοῦ, ἀπό τό λαό καί γιά τό λαό. *the P~'s Republic of China*, ἡ Λαϊκή Δημοκρατία τῆς Κίνας. *I'd like to meet your ~*, (*καθομ.*) πολύ θἄθελα νά γνωρίσω τούς δικούς σου. **2.** (*μέ πληθ.*) λαός: *the ~s of Asia*, οἱ λαοί τῆς Ἀσίας. __*ρ.μ.* οἰκίζω: *densely ~d country*, πυκνοκατοικημένη χώρα. *a house ~d with memories*, σπίτι γεμᾶτο ἀναμνήσεις.
pep /pep/ *οὐσ.* ‹U› (*λαϊκ.*) ζωντάνια, νεῦρο, κέφι: *put some ~ into sb*, ζωντανεύω λίγο κπ. **ˈ~ pill**, νευροτονωτικό χάπι, 'χάπι αἰσιοδοξίας.' **ˈ~ talk**, ὁμιλία πού ζωντανεύει/δραστηριοποιεῖ τούς ἀκροατές. __*ρ.μ.* *(-pp-)* ***~ up***, ζωηρεύω, ζωντανεύω, τονώνω, ἐνθαρρύνω.
pep·per /ˈpepə(r)/ *οὐσ.* **1.** ‹U› πιπέρι: *black/white/ground ~*, μαῦρο/ἄσπρο/τριμμένο πιπέρι. **ˈ~-and-ˈsalt** *ἐπ.* (γιά ὕφασμα) ἀσπρόμαυρος, ψαρής. **ˈ~·corn**, κόκκος πιπεριοῦ, ἄτριφτο πιπέρι. **ˈ~-pot/-box**, πιπεριέρα. **ˈ~-mill**, μύλος πιπεριοῦ. **ˈ~·mint**, μέντα, πίπερμαν. **2.** ‹C› πιπεριά: *stuffed ~s*, γεμιστές πιπεριές. __*ρ.μ.* **1.** πιπερώνω (φαγητό). **2.** πετῶ, ρίχνω, ἐκτοξεύω, (ἐρωτήσεις, πέτρες, κλπ). **~y** *ἐπ.* **1.** πιπερᾶτος, πιπερωμένος, καυτός. **2.** (*μεταφ.*) εὐέξαπτος, ἀράθυμος.
pep·sin /ˈpepsɪn/ *οὐσ.* ‹U› πεψίνη. **pep·tic** /ˈpeptɪk/ *ἐπ.* πεπτικός: *a peptic ulcer*, πεπτικόν ἕλκος.
per /pɜ(r)/ *πρόθ.* **1.** ἀνά, κατά: *~ annum* /ˈænəm/, κατ' ἔτος. *~ man*, ἀνά ἄνδρα. *six ~ cent*, ἕξη τοῖς ἑκατό. **2.** μέσῳ, διά: *~ post*, διά τοῦ ταχυδρομείου.
per·ad·ven·ture /ˈperədˈventʃə(r)/ *ἐπίρ.* (*ἀπηρχ.*) ἴσως, κατά τύχην. __*οὐσ.* ‹C› (*ἀπηρχ.*) ἀμφιβολία.
per·am·bu·late /pəˈræmbjʊleɪt/ *ρ.μ/ἀ.* περιέρχομαι, πηγαινοέρχομαι, περιδιαβάζω. **per·am·bu·la·tion** /pəˈræmbjʊˈleɪʃn/ *οὐσ.* ‹U› περίπατος, γύρος. **per·am·bu·la·tor** /-tə(r)/ *οὐσ.* ‹C› (*συνήθ.* **pram** /præm/) καρροτσάκι μωροῦ.
per·ceive /pəˈsiv/ *ρ.μ.* (*λόγ.*) ἀντιλαμβάνομαι, διακρίνω: *I ~ed the futility of my efforts*, ἀντελήφθην τό μάταιον τῶν προσπαθειῶν μου. *~ sb in the dark*, διακρίνω κπ στό σκοτάδι. **per·ceiv·able** /-əbl/ *ἐπ.* ἀντιληπτός, αἰσθητός.
per·cen·tage /pəˈsentɪdʒ/ *οὐσ.* ‹C› ποσοστόν, ἀναλογία.
per·cep·tible /pəˈseptəbl/ *ἐπ.* (*λόγ.*) ἀντιληπτός, νοητός, καταληπτός: *a scarcely ~ difference*, δυσδιάκριτη διαφορά. **per·cep·tibly** /-əblɪ/ *ἐπίρ.* αἰσθητά: *perceptibly improved*, αἰσθητά βελτιωμένος.
per·cep·tion /pəˈsepʃn/ *οὐσ.* ‹U› (*λόγ.*) ἀντίληψις, νόησις, αἴσθησις: *organs of ~*, αἰσθητήρια ὄργανα. *a man of keen ~*, ἄνθρωπος ὀξείας ἀντιλήψεως.
per·cep·tive /pəˈseptɪv/ *ἐπ.* (*λόγ.*) **1.** αἰσθητήριος. **2.** ἱκανός ν' ἀντιλαμβάνεται, ὀξύνους, εὐαίσθητος. **~·ly** *ἐπίρ.*
[1]**perch** /pɜtʃ/ *οὐσ.* ‹U› (*ἰχθ.*) πέρκα.
[2]**perch** /pɜtʃ/ *οὐσ.* ‹C› **1.** κούρνια (πουλιοῦ), ξύλο (σέ κλουβί). **2.** (*καθομ.*) μεγάλη/ὑψηλή θέσις. ***knock sb off his ~***, (*μεταφ.*) γκρεμίζω κπ ἀπό τά ὕψη του, τοῦ κόβω τόν πολύ ἀέρα. ***come off one's ~***, (*μεταφ.*) κατεβαίνω ἀπό τά ὕψη μου (στούς τρόπους, κλπ). **3.** μονάς μήκους ($5\frac{1}{2}$ γυάρδες): *a square ~*, τετραγωνική πέρτς ($30\frac{1}{4}$ γυάρδες). __*ρ.μ/ἀ.* **1.** (*γιά πουλιά*) κάθομαι, κουρνιάζω: *swallows ~ing on the telegraph lines*, χελιδόνια καθισμένα στά τηλεφωνικά σύρματα. **2.** (*γιά ἄνθρ.*) σκαρφαλώνω: *~ed on stools at the bar*, σκαρφαλωμένοι σέ σκαμνιά στό μπάρ. **3.** (*γιά κτίρια*) (*συνήθ. π.μ.*) χτισμένος σέ ὑψηλό μέρος: *a castle ~ed on a rock*, κάστρο σκαρφαλωμένο σ' ἕνα βράχο.
per·chance /pəˈtʃans/ *ἐπίρ.* (*ἀπηρχ.*) ἐνδεχομένως, κατά τύχην.
per·cipi·ent /pəˈsɪpɪənt/ *ἐπ.* (*λόγ.*) ὀξύνους, νοήμων.
per·co·late /ˈpɜkəleɪt/ *ρ.μ/ἀ.* φιλτράρω/-ομαι, διεισδύω, περνῶ, διϋλίζω/-ομαι: *Water ~s through sand*, τό νερό περνάει μέσα ἀπό τήν ἄμμο. **per·co·lator** /-tə(r)/ *οὐσ.* ‹C› καφετιέρα μέ φίλτρο.
per·cussion /pəˈkʌʃn/ *οὐσ.* ‹C› κροῦσις, κρότος, πρόσκρουσις: *~ instruments*, κρουστά ὄργανα. **~·ist** /-ɪst/ *οὐσ.* ‹C› παίκτης κρουστῶν ὀργάνων.
per·di·tion /pəˈdɪʃn/ *οὐσ.* ‹U› (*λόγ.*) ἀπώλεια, ὄλεθρος, (*θεολ.*) κόλασις.
per·egri·na·tion /ˈperəgrɪˈneɪʃn/ *οὐσ.* (*λόγ.*) ‹U› περιπλάνησις, κοσμογύρισμα, ‹C› ταξίδι.

per·emp·tory /pə`remptərɪ/ *ἐπ.* (*λόγ.*) ἐπιτακτικός, προστακτικός, αὐταρχικός. **a ~ writ**, (*νομ.*) ἔνταλμα βιαίας προσαγωγῆς. **per·emp·torily** /-trəlɪ/ *ἐπίρ.* ἐπιταχτικά, αὐταρχικά.

per·en·nial /pə`renɪəl/ *ἐπ.* **1**. αἰώνιος, μόνιμος: *~ snow*, αἰώνιο χιόνι, πού δέν λυώνει ποτέ. *~ spring*, αἰώνια ἄνοιξις. *of ~ interest*, μονίμου ἐνδιαφέροντος. **2**. (*γιά φυτό*) πολυετές. *—οὐσ.* ‹C› πολυετές φυτόν. **~ly** /-nɪəlɪ/ *ἐπίρ.* μόνιμα, παντοτινά.

[1]**per·fect** /`pзfɪkt/ *ἐπ.* **1**. τέλειος: *a ~ wife*, τέλεια σύζυγος. *a ~ circle*, τέλειος κύκλος. *a ~ dinner*, τέλειο γεῦμα. *the ~ tenses*, (*γραμμ.*) τέλειοι χρόνοι (παρακείμενος, ὑπερσυντέλικος, τετελ. μέλλων). **2**. τέλειος, ἀπόλυτος: *~ nonsense*, καθαρή ἀνοησία. *a ~ stranger*, τελείως ἄγνωστος. *He's a ~ fool*, εἶναι τέλειος βλάκας. **~·ly** *ἐπίρ.* τελείως.

[2]**per·fect** /pə`fekt/ *ρ.μ.* τελειοποιῶ: *~ oneself in English*, τελειοποιοῦμαι στ' Ἀγγλικά. **~·ible** /-əbl/ *ἐπ.* δεκτικός τελειοποιήσεως.

per·fec·tion /pə`fekʃn/ *οὐσ.* ‹U› **1**. τελείωσις, τελειοποίησις, τελειότης: *attain ~*, ἐπιτυγχάνω τήν τελειότητα. *bring sth to ~*, τελειοποιῶ κτ, τό φθάνω σέ βαθμό τελειότητος. *It was the very ~ of beauty*, ἦταν ἡ ὀμορφιά στήν τελειότητά της. *She is ~ itself*, εἶναι ἡ προσωποποίησις τῆς τελειότητος. ***do sth to ~***, κάνω κτ τέλεια. **2**. (*πληθ.*) χάρες, προτερήματα. **~·ist** /-ɪst/ *οὐσ.* ‹C› **1**. ὁ πιστεύων στήν δυνατότητα ἠθικῆς τελειώσεως. **2**. (*καθομ.*) ἐραστής τῆς τελειότητος, ἄνθρωπος πού θέλει νά τά κάνῃ ὅλα τέλεια.

per·fidi·ous /pə`fɪdɪəs/ *ἐπ.* (*λόγ.*) δόλιος, ἐπίβουλος, ὕπουλος, ἄπιστος. **~·ly** *ἐπίρ.* **per·fidy** /`pзfɪdɪ/, **~ness** *οὐσ* ‹C,U› (*λόγ.*) δολερότης, ἀπιστία, ὑπουλότης: *an act/a piece of perfidy*, δολιότης, μπαμπεσιά.

per·for·ate /`pзfəreɪt/ *ρ.μ/ἀ.* διατρυπῶ, κάνω σειρά μικρές τρύπες: *a ~d sheet of paper*, μιά διάτρητη κόλλα. **per·for·ation** /`pзfə`reɪʃn/ *οὐσ.* **1**. ‹U› διάτρησις. **2**. ‹C› σειρά ἀπό τρύπες.

per·force /pə`fɔs/ *ἐπίρ.* (*λόγ.*) κατ' ἀνάγκην, ἀναγκαστικά.

per·form /pə`fɔm/ *ρ.μ/ἀ.* **1**. ἐκτελῶ, ἐκπληρῶ: *~ one's duties*, ἐκπληρῶ τά καθήκοντά μου. **2**. ἐκτελῶ (μουσικό κομμάτι), παίζω (στό θέατρο), ἑρμηνεύω (ρόλον): *~ skilfully on the flute*, παίζω φλάουτο μέ τέχνη. *~ a play*, παίζω/ἀνεβάζω ἕνα θεατρικό ἔργο. **~ing animal**, γυμνασμένο ζῶο (πού παίζει σέ τσίρκο). **~er** *οὐσ.* ‹C› ἐκτελεστής, μουσικός, ἠθοποιός.

per·form·ance /pə`fɔməns/ *οὐσ.* **1**. ‹U› ἐκπλήρωσις, ἐκτέλεσις: *He's faithful in the ~ of his duties*, εἶναι πιστός στήν ἐκτέλεση τῶν καθηκόντων του. **2**. ‹C› προσπάθεια, ἐπίτευγμα, κατόρθωμα: *a creditable ~*, ἀξιέπαινη προσπάθεια. *He is modest about his ~s*, εἶναι μετριόφρων γιά τά ἐπιτεύγματά του. **3**. ‹C› λειτουργία/ἀπόδοσις (μηχανῆς), ἐπίδοσις ἀθλητοῦ: *Are you satisfied with the ~ of your car?* εἶσαι ἱκανοποιημένος ἀπό τήν ἀπόδοση τοῦ αὐτοκινήτου σου; *put up a good ~*, πετυχαίνω καλή ἐπίδοση, τά καταφέρνω καλά. **4**. ‹C› (*θεατρ.*) παράστασις: *two ~s a day*, δυό παραστάσεις τήν ἡμέρα. *an afternoon/evening ~*, ἀπογευματινή/βραδυνή παράστασις. **~ rights**, δικαιώματα παραστάσεως/ἐκτελέσεως. ***What a ~!*** τί καραγκιοζιλίκια! τί τρόπος!

per·fume /`pзfjum/ *οὐσ.* ‹C,U› ἄρωμα. *—ρ.μ.* /pə`fjum/ ἀρωματίζω. **per·fumer** *οὐσ.* ‹C› ἀρωματοποιός, ἀρωματοπώλης.

per·func·tory /pə`fʌŋktərɪ/ *ἐπ.* **1**. ἐπιπόλαιος, γιά τούς τύπους, τυπικός: *a ~ inspection*, βιαστική ἐπιθεώρησις (γιά τούς τύπους). *a ~ glance*, μιά ἐπιπόλαιη/βιαστική ματιά. **2**. (*γιά ἄνθρ.*) ἀμελής, ἀπρόθυμος. **per·func·torily** /-trəlɪ/ *ἐπίρ.* ἐπιπόλαια, βιαστικά, τυπικά.

per·gola /`pзgələ/ *οὐσ.* ‹C› πέργολα, κληματαριά, κρεββατίνα.

per·haps /pə`hæps/ *ἐπίρ.* ἴσως, πιθανόν.

peri /`pɪərɪ/ *οὐσ.* ‹C› (*Περσική μυθολ.*) νεράϊδα.

peri·gee /`perɪdʒi/ *οὐσ.* ‹C› τό περίγειον.

peri·helion /`perɪ`hilɪən/ *οὐσ.* ‹C› τό περιήλιον.

peril /`perl/ *οὐσ.* ‹C,U› κίνδυνος: *the ~s of the ocean*, οἱ κίνδυνοι τοῦ ὠκεανοῦ. ***in ~***, σέ κίνδυνο: *be in ~ of one's life*, διακινδυνεύω τή ζωή μου. ***at one's (own) ~***, μέ ἴδιον κίνδυνο. *—ρ.μ.* (*λογοτ.*) ἐκθέτω σέ κίνδυνο (*ἐν χρήσει: imperil*). **~·ous** /`perələs/ *ἐπ.* ἐπικίνδυνος. **~·ous·ly** *ἐπίρ.* ἐπικίνδυνα.

per·imeter /pə`rɪmɪtə(r)/ *οὐσ.* ‹C› περίμετρος.

period /`pɪərɪəd/ *οὐσ.* ‹C› **1**. περίοδος, διάρκεια: *20 teaching ~s a week*, 20 διδακτικοί περίοδοι τήν ἑβδομάδα. *a lesson ~ of 45 minutes*, μάθημα διαρκείας 45 λεπτῶν. **2**. ἐποχή, περίοδος: *the ~ of the French Revolution*, ἡ ἐποχή τῆς Γαλλικῆς Ἐπαναστάσεως. *typical of the ~*, χαρακτηριστικό τῆς ἐποχῆς. *a ~ in one's life*, μιά περίοδος στή ζωή μου. **3**. (*γραμμ.*) περίοδος, φράσις, τελεία: *put a ~ to sth*, θέτω τέρμα (τελεία καί παύλα) σέ κτ. **4**. (*ἀστρον.*) περίοδος, κύκλος, χρόνος περιστροφῆς. **5**. (*ἰατρ.*) στάδιον, φάσις (νόσου): *the ~ of incubation*, τό στάδιον τῆς ἐπωάσεως. **6**. (*φυσιολ.*) περίοδος (γυναίκας).

peri·odic /`pɪərɪ`odɪk/ *ἐπ.* περιοδικός: *~ attacks of malaria*, περιοδικές προσβολές ἑλονοσίας. **peri·od·ical** /-kl/ *ἐπ.* περιοδικός. *—οὐσ.* ‹C› περιοδικόν. **~ally** /-klɪ/ *ἐπίρ.* περιοδικά.

peri·pa·tetic /`perɪpə`tetɪk/ *ἐπ.* **1**. (*Ἑλλην. φιλοσ.*) περιπατητικός. **2**. περιφερόμενος, πλανόδιος.

pe·riph·ery /pə`rɪfərɪ/ *οὐσ.* ‹C› περιφέρεια, περίμετρος. **pe·riph·eral** /-ərl/ *ἐπ.* περιφερειακός, περιμετρικός.

pe·riph·ra·sis /pə`rɪfrəsɪs/ *οὐσ.* ‹C› (*πληθ. -ses /-siz/*) περίφρασις. **peri·phras·tic** /`perɪ`fræstɪk/ *ἐπ.* περιφραστικός.

peri·scope /`perɪskəʊp/ *οὐσ.* ‹C› περισκόπιον (ὑποβρυχίου).

per·ish /`perɪʃ/ *ρ.μ/ἀ.* **1**. (*λογοτ.*) πεθαίνω, χάνομαι: *Ten people ~ed in the fire*, δέκα ἄνθρωποι χάθηκαν στήν πυρκαγιά. *I shall do it or ~ in the attempt*, θά τό κάνω ἤ θά χαθῶ. *We were ~ed with cold/hunger*, πεθαίναμε ἀπό τό κρύο/τήν πεῖνα. ***P~ the thought!*** (*λογοτ.*) ξορκισμένο νά 'ναι (τό κακό)! **2**. φθείρω/-ομαι, λυώνω: *Oil on your tyres will ~ them*, τό λάδι θά λυώσῃ τά ἐλαστικά σου. **~·able** /-əbl/ *ἐπ.* φθαρτός, (*γιά τροφή*) ἀλλοιούμενος. ~·**ables** *οὐσ. πληθ.* φθαρτά/ἀλλοιούμενα εἴδη. ~**er** *οὐσ.* ‹C› (*πεπαλ. λαϊκ.*) ἀντιπαθητικός τύπος, ἀνάποδος ἄνθρωπος: *Be off at once, you little ~er!* δρόμο τώρα, ἀναποδιά!

peri·style /ˋperɪstaɪl/ *οὐσ.* ‹C› περιστύλιον.

per·ito·ni·tis /ˈperɪtəˋnaɪtɪs/ *οὐσ.* ‹U› περιτονῖτις.

peri·wig /ˋperɪwɪg/ *οὐσ. βλ. wig.*

peri·winkle /ˋperɪwɪŋkl/ *οὐσ.* ‹C› **1**. (*φυτ.*) βίγκα, ἀγριολίτσα. **2**. (*ζωολ.*) εἶδος θαλασσινοῦ μαλακίου.

per·jure /ˋpɜdʒə(r)/ *ρ.μ.* ~ ***oneself***, ψευδορκῶ, ἐπιορκῶ. **per·jurer** /ˋpɜdʒərə(r)/ *οὐσ.* ‹C› ἐπίορκος. **per·jury** /ˋpɜdʒərɪ/ *οὐσ.* ‹C,U› ἐπιορκία, ψευδορκία. ***commit*** ~, ψευδορκῶ.

1 **perk** /pɜk/ *ρ.μ/ἀ.* **1**. ~ ***up***, ξαναζωντανεύω, συνέρχομαι (ἀπό ἀρρώστεια, κατάθλιψη, κλπ). **2**. ~ ***sb/sth up***, ζωντανεύω, ἀνασηκώνω: *The horse ~ed up its head,* τό ἄλογο ἀνασήκωσε τό κεφάλι του. ~ ***oneself up***, ζωηρεύω, κομψεύω, παίρνω ἀέρα, κορδώνομαι. ~**y** *ἐπ.* (*-ier, -iest*) **1**. ζωηρός, καμαρωτός, κορδωτός. **2**. ξετσίπωτος, ἀναιδής. ˋ~·**ily** /-əlɪ/ *ἐπίρ.* ζωηρά, καμαρωτά, ἀναιδῶς. ~**i·ness** *οὐσ.* ‹U› ζωηράδα, καμάρι, θρασύτης.

2 **perk** /pɜk/ *ρ.μ/ἀ.* (*καθομ. βραχυλ. γιά*) *percolate.*

3 **perk** /pɜk/ *οὐσ.* ‹C› (*συνήθ. πληθ.*) (*καθομ.*) *βλ. perquisite.*

perm *οὐσ.* ‹C› (*καθομ. βραχυλ. γιά permanent wave*) **1**. περμανάντ: *go to the hairdresser's for a ~,* πάω στήν κομμώτρια γιά περμανάντ. **2**. συνδυασμός (*πχ* στό Προ-πό). __*ρ.μ.* κάνω περμανάντ.

per·ma·nence /ˋpɜmənəns/ *οὐσ.* ‹U› μονιμότης. **per·ma·nency** /-nənsɪ/ *οὐσ.* **1**. ‹U› μονιμότης. **2**. ‹C› μόνιμος θέσις: *Is his new job a permanency?* εἶναι ἡ νέα του δουλειά μόνιμη;

per·ma·nent /ˋpɜmənənt/ *ἐπ.* μόνιμος: *my ~ address,* ἡ μόνιμη διεύθυνσίς μου. *a ~ position in the Civil Service,* μόνιμη θέσις στή δημοσία ὑπηρεσία. **the ~ way**, τά μόνιμα ἔργα σιδηροδρομικῆς γραμμῆς. ~ **wave**, (*βραχυλ. perm*) περμανάντ. ~·**ly** *ἐπίρ.* μόνιμα.

per·manga·nate /pəˋmæŋgəneɪt/ *οὐσ.* ‹U› ~ **of potash; potassium ~**, ὑπερμαγγανικόν ἅλας/κάλιον.

per·meate /ˋpɜmɪeɪt/ *ρ.μ/ἀ.* ~ ***(through/among)***, διαπερῶ, διεισδύω, διαποτίζω: *Water ~s through the soil,* τό νερό διεισδύει στό ἔδαφος. *New ideas have ~d (through/among) the people,* νέες ἰδέες ἔχουν διαποτίσει τό λαό. *The smell of cooking ~d (through) the flat,* ἡ μυρουδιά τῆς κουζίνας εἶχε εἰσχωρήσει παντοῦ στό διαμέρισμα. **per·meation** /ˈpɜmɪˋeɪʃn/ *οὐσ.* ‹U› διείσδυσις, διαποτισμός. **per·meable** /ˋpɜmɪəbl/ *ἐπ.* πορώδης, διαπερατός. **per·mea·bil·ity** /ˈpɜmɪəˋbɪlətɪ/ *οὐσ.* ‹U› (δια)περατότης.

per·miss·ible /pəˋmɪsəbl/ *ἐπ.* ἐπιτρεπόμενος, θεμιτός, ἀνεκτός: ~ *speed,* ἐπιτρεπομένη ταχύτης. **per·mis·sibly** /-əblɪ/ *ἐπίρ.* θεμιτά, ἀνεκτά.

per·mission /pəˋmɪʃn/ *οὐσ.* ‹U› ἄδεια: *give sb ~ to do sth,* δίνω σέ κπ ἄδεια νά κάμη κτ. *By whose ~?* μέ τήν ἄδεια τίνος; *You have my ~ to leave,* ἔχετε τήν ἄδειά μου νά φύγετε. ***With your ~***, μέ τήν ἄδειά σας, μέ τό συμπάθειο.

per·mis·sive /pəˋmɪsɪv/ *ἐπ.* **1**. ἐπιτρεπτικός: ~ *legislation,* ἐπιτρεπτική νομοθεσία. **2**. ἀνεκτικός. **the ~ society**, ἡ κοινωνία τῆς (ἠθικῆς) ἀνοχῆς. ~·**ness** *οὐσ.* ‹U› ἀνεκτικότης.

1 **per·mit** /pəˋmɪt/ *ρ.μ/ἀ.* (*-tt-*) **1**. ἐπιτρέπω: *Smoking is not ~ted,* τό κάπνισμα δέν ἐπιτρέπεται. *Circumstances did not ~ me to help you/~ my helping you,* οἱ περιστάσεις δέν μοῦ ἐπέτρεψαν νά σᾶς βοηθήσω. **2**. ~ ***of***, (*λόγ.*) ἐπιδέχομαι: *The situation ~s of no delay,* ἡ κατάστασις δέν ἐπιδέχεται ἀναβολή.

2 **per·mit** /ˋpɜmɪt/ *οὐσ.* ‹C› ἄδεια (ἀπό τίς ἀρχές). ˋ**work ~**, ἄδεια ἐργασίας.

per·mu·ta·tion /ˈpɜmjʊˋteɪʃn/ *οὐσ.* ‹C› (*μαθ.*) (ἀντι)μετάθεσις, μεταλλαγή, συνδυασμός.

per·mute /pəˋmjut/ *ρ.μ.* μεταθέτω, συνδυάζω (κατά διαφόρους τρόπους).

per·ni·cious /pəˋnɪʃəs/ *ἐπ.* ~ ***(to)***, ἐπιβλαβής, ἐπιζήμιος, ὀλέθριος: ~ *habits,* ὀλέθριες συνήθειες. ~ **anaemia**, κακοήθης ἀναιμία. ~·**ly** *ἐπίρ.* ~·**ness** *οὐσ.* ‹U›.

per·nick·ety /pəˋnɪkətɪ/ *ἐπ.* (*καθομ.*) ἰδιότροπος, σχολαστικός, λεπτολόγος, δύσκολος.

per·or·ation /ˈperəˋreɪʃn/ *οὐσ.* ‹C› (*λόγ.*) κατακλείς λόγου, ἀνακεφαλαίωσις.

per·ox·ide /pəˋrɒksaɪd/ *οὐσ.* ‹U› ὑπεροξείδιον. ~ **of hydrogen**, ὀξυζενέ. ***a ~ blonde***, ψεύτικη ξανθή (μέ ὀξυζεναρισμένα μαλλιά).

per·pen·dicu·lar /ˈpɜpənˋdɪkjʊlə(r)/ *ἐπ.* κάθετος, κατακόρυφος. __*οὐσ.* ἡ κάθετος (‹C› γραμμή, ‹U› θέσις): *a wall out of the ~,* τοῖχος λίγο γερτός (ὄχι κάθετος). ~·**ly** *ἐπίρ.*

per·pe·trate /ˋpɜpɪtreɪt/ *ρ.μ.* διαπράττω: ~ *a crime/a blunder/a frightful pun,* διαπράττω ἔγκλημα/γκάφα/φοβερό λογοπαίγνιο. **per·pe·tra·tor** /-tə(r)/ *οὐσ.* ‹C› δράστης. **per·pe·tra·tion** /ˈpɜpɪˋtreɪʃn/ *οὐσ.* ‹U› διάπραξις, ἀδίκημα.

per·pet·ual /pəˋpetʃʊəl/ *ἐπ.* αἰώνιος, ἀέναος, ἀκατάπαυστος, συνεχής: *I'm tired of her ~ chatter,* βαρέθηκα τήν ἀκατάσχετη φλυαρία της. ~ **motion**, ἀέναος κίνησις, τό ἀεικίνητον. ~**ly** /-ʃʊəlɪ/ *ἐπίρ.* ἀενάως, συνεχῶς.

per·petu·ate /pəˋpetʃʊeɪt/ *ρ.μ.* διαιωνίζω: ~ *sb's memory,* διαιωνίζω τή μνήμη κάποιου. **per·petu·ation** /pəˈpetʃʊˋeɪʃn/ *οὐσ.* ‹U› διαιώνισις.

per·petu·ity /ˈpɜpɪˋtjuətɪ/ *οὐσ.* ‹C,U› αἰωνιότης, τό διηνεκές. ***in ~***, εἰς τό διηνεκές.

per·plex /pəˋpleks/ *ρ.μ.* **1**. σαστίζω, ζαλίζω κπ: ~ *sb with questions,* ζαλίζω κπ μέ ἐρωτήσεις. **2**. περιπλέκω, μπερδεύω: *Don't ~ the issue,* μήν περιπλέκης τό θέμα. ~**ed** *ἐπ.* σαστισμένος, μπερδεμένος. ~·**ed·ly** /-ɪdlɪ/ *ἐπίρ.* σαστισμένα, μπερδεμένα. ~·**ity** /-ətɪ/ *οὐσ.* ‹C,U› ἀμηχανία, ἀβεβαιότητα, παραζάλη, μπέρδεμα: *He looked at us in ~ity,* μᾶς κοίταξε μέ ἀμηχανία.

per·qui·site /ˋpɜkwɪzɪt/ *οὐσ.* ‹C› **1**. (*καθομ. βραχυλ. perk*) τυχερό, πρόσθετο ὄφελος, ἔκτακτη ἀπολαβή: *One of the ~s of my post is a free car,* ἕνα ἀπό τά τυχερά τῆς θέσεώς μου εἶναι δωρεάν αὐτοκίνητο. **2**. προνόμιο: *Politics in Britain used to be the ~ of the great landowners,* ἡ πολιτική στήν Βρεταννία

ήταν προνόμιο τῶν μεγάλων γαιοκτημόνων.
perry /ˋperɪ/ *οὐσ.* ‹U› κρασί ἀπό ἀχλάδια.
per·se·cute /ˋpɜsɪkjut/ *ρ.μ.* διώκω, καταδιώκω, τρέχω, ταλαιπωρῶ: *The early Christians were ~d*, οἱ πρῶτοι Χριστιανοί ὑφίσταντο διωγμούς. *~ sb with questions*, ταλαιπωρῶ κπ μέ ἐρωτήσεις. **per·se·cu·tor** /-tə(r)/ *οὐσ.* ‹C› διώκτης. **per·se·cu·tion** /ˈpɜsɪˋkjuʃn/ *οὐσ.* ‹C,U› διωγμός: *suffer persecution for one's beliefs*, ὑφίσταμαι διωγμούς γιά τίς πεποιθήσεις μου.
per·se·vere /ˈpɜsɪˋvɪə(r)/ *ρ.ὰ.* ~ (**at/in/with**), ἐμμένω, ἐπιμένω, ἐξακολουθῶ μέ ἐπιμονή: *~ in one's studies*, ἐπιμένω στίς σπουδές μου. **per·se·ver·ing** *ἐπ.* ἐπίμονος, ἐπιμελής, σύντονος. **per·se·ver·ing·ly** *ἐπίρ.* **per·se·ver·ance** /-rns/ *οὐσ.* ‹U› ἐπιμονή, ἐμμονή, καρτερία.
Per·sian /ˋpɜʃn/ *οὐσ.* ‹C› Πέρσης. —*ἐπ.* περσικός: *~ carpets*, περσικά χαλιά.
per·si·flage /ˋpɜsɪflaʒ/ *οὐσ.* ‹U› πείραγμα.
per·sist /pəˋsɪst/ *ρ.ὰ.* **1**. ~ **in**, ἐπιμένω, μένω σταθερός, ἀρνοῦμαι νά μεταβάλλω κτ: *She ~s in this lie/in wearing that ridiculous hat*, ἐπιμένει σ' αὐτό τό ψέμα/νά φοράη αὐτό τό γελοῖο καπέλλο. **2**. ~ **with**, συνεχίζω: *He ~ed with his English*, συνέχισε νά δουλεύη στ' Ἀγγλικά του. **3**. παραμένω, διαρκῶ, συνεχίζομαι: *The fog is likely to ~*, ἡ ὁμίχλη εἶναι πιθανόν νά συνεχισθῆ. **~·ence** /-əns/ *οὐσ.* ‹U› ἐπιμονή, ἐμμονή, συνέχισις: *The ~ence of a high temperature in the child puzzled the doctor*, ἡ ἐπιμονή (ἡ συνέχισις) τοῦ μεγάλου πυρετοῦ στό παιδί ἔφερε σέ ἀμηχανία τό γιατρό. **~·ent** /-ənt/ *ἐπ.* ἐπίμονος, ἐξακολουθητικός: *~ent attacks of malaria*, ἐπίμονες προσβολές ἑλονοσίας. **~·ent·ly** *ἐπίρ.* ἐπίμονα, συνεχῶς.
per·son /ˋpɜsn/ *οὐσ.* ‹C› πρόσωπον, ἄτομο, ἄνθρωπος: *How many ~s will be at table?* πόσα ἄτομα θά εἶναι στό τραπέζι; *Who is this ~?* (*ὑποτιμ.*) ποιό εἶναι αὐτό τό πρόσωπο; *There's a young ~ to see you*, θέλει νά σᾶς δῆ ἕνας νέος (ἤ, μιά νέα). **in ~**, αὐτοπροσώπως: *He's brought it in ~*, τό ἔφερε αὐτοπροσώπως/ὁ ἴδιος. **in the ~ of**, στό πρόσωπο: *I found a good friend in the ~ of my landlord*, βρῆκα ἕναν καλό φίλο στό πρόσωπο τοῦ σπιτονοικοκύρη μου. **~-to-~ call**, (*τηλεφ.*) προσωπική κλῆσις.
per·sona /pəˋsəʊnə/ *οὐσ.* ‹C› (*ψυχ.*) προσωπικότης. ~ **grata** /ˋgratə/, (*γιά διπλωμάτη*) εὐπρόσδεκτος. ~ **non grata** /ˋnon ˋgratə/, ἀνεπιθύμητος.
per·son·able /ˋpɜsənəbl/ *ἐπ.* εὐπαρουσίαστος.
per·son·age /ˋpɜsənɪdʒ/ *οὐσ.* ‹C› προσωπικότης, σπουδαῖο πρόσωπο.
per·sonal /ˋpɜsnl/ *ἐπ.* **1**. προσωπικός, ἀτομικός, ἰδιαίτερος, ἰδιωτικός: *~ affairs/opinions*, προσωπικές ὑποθέσεις/γνῶμες. *~ life*, ἰδιωτική ζωή. ˈ**~ asˋsistant**, ἰδιαίτερος βοηθός. ˈ**~ ˋproperty/eˋstate**, ἀτομική περιουσία, κινητά εἴδη. **~ pronoun**, (*γραμμ.*) προσωπική ἀντωνυμία. **2**. αὐτοπρόσωπος: *make a ~ appearance at a meeting*, κάνω αὐτοπρόσωπη ἐμφάνιση σέ μιά συγκέντρωση. **3**. σωματικός: *~ cleanliness*, σωματική καθαριότης. **4**. ἀδιάκριτος, προσβλητικός, προσωπικός: *highly ~ remarks*, πολύ ἀδιάκριτες ἐρωτήσεις. *Let's not be ~*, ἄς μήν κάνωμε προσωπικές (προσβλητικές) παρατηρήσεις. **5**. ἀνθρωπόμορφος: *Do you believe in a ~ God?* πιστεύεις σ' ἕναν ἀνθρωπόμορφο θεό; **~ly** /-nəlɪ/ *ἐπίρ.* προσωπικά, αὐτοπροσώπως: *Don't take it ~ly*, μήν τό παίρνης προσωπικά. *P~ly I like the idea*, προσωπικά μοῦ ἀρέσει ἡ ἰδέα. *He conducted me ~ly through the museum*, μέ γύρισε ὁ ἴδιος (αὐτοπροσώπως) στό μουσεῖο.
per·son·ality /ˈpɜsəˋnælətɪ/ *οὐσ.* **1**. ‹C,U› ὀντότης, προσωπικότης: *respect the ~ of a child*, σέβομαι τήν προσωπικότητα ἑνός παιδιοῦ. *a woman with a strong/striking ~*, γυναίκα μέ δυνατή/ἔντονη προσωπικότητα. **2**. ‹C› προσωπικότης, διασημότης: *personalities of the stage and screen*, προσωπικότητες τῆς σκηνῆς καί τῆς ὀθόνης. **~ cult**, προσωπολατρεία. **3**. (*πληθ.*) προσωπικές παρατηρήσεις: *indulge in personalities*, ἀρχίζω τά προσωπικά.
per·son·al·ize /ˋpɜsənəlaɪz/ *ρ.μ.* προσωποποιῶ: *~d stationery*, χαρτοφάκελλα μέ τυπωμένα τό ὄνομα καί τή διεύθυνση. *~d shirts*, πουκάμισα μέ κεντητό μονόγραμμα.
per·son·alty /ˋpɜsnltɪ/ *οὐσ.* ‹U› (*νομ.*) κινητή περιουσία.
per·son·ate /ˋpɜsəneɪt/ *ρ.μ.* **1**. ὑποδύομαι (στό θέατρο). **2**. παριστάνω, ἐμφανίζομαι (ὡς κάποιος ἄλλος). **per·son·ation** /ˈpɜsəˋneɪʃn/ *οὐσ.* ‹U› ὑπόδυσις, πλαστοπροσωπία.
per·son·ify /pəˋsonɪfaɪ/ *ρ.μ.* **1**. προσωποποιῶ: *~ the sun and the moon*, προσωποποιῶ τόν ἥλιο καί τό φεγγάρι. **2**. εἶμαι ἡ προσωποποίησις: *He personifies avarice*, εἶναι ἡ προσωποποίησις τῆς φιλαργυρίας. *He is kindness personified*, εἶναι ἡ καλωσύνη προσωποποιημένη. **per·soni·fi·ca·tion** /pəˈsonɪfɪˋkeɪʃn/ *οὐσ.* ‹C,U› προσωποποίησις: *He's the personification of courage*, εἶναι ἡ προσωποποίησις τοῦ θάρρους.
per·son·nel /ˈpɜsnˋel/ *οὐσ.* ‹U› (*μέ ρ. ἑν. ἤ πληθ.*) προσωπικόν: *ˋground ~*, προσωπικόν ἐδάφους. *military ~*, στρατιωτικόν προσωπικόν. *a ~ manager*, διευθυντής προσωπικοῦ, προσωπάρχης.
per·spec·tive /pəˋspektɪv/ *οὐσ.* **1**. ‹U› προοπτική: *a drawing in/out of ~*, σχέδιο μέ καλή/κακή προοπτική. **2**. ‹U› ὄψις, πλευρά. **in ~**, σέ συσχετισμό (μέ τά λοιπά συναφῆ στοιχεῖα): *You must get the story in ~*, πρέπει νά πιάσης τήν ἱστορία σωστά/ἀπ' ὅλες τίς πλευρές. **in the/its right/wrong ~**, ἀπό τή σωστή/λαθεμένη ὄψη: *He sees things in their right ~*, βλέπει τά πράγματα σωστά (στό σωστό ἀλληλοσυσχετισμό τους). **3**. ‹C› σειρά, θέα, ἄποψις: *a ~ of the nation's history*, μιά καθολική ἄποψις τῆς ἱστορίας τοῦ ἔθνους. *with a long ~ of happy days before them*, μέ μιά μακρυά σειρά εὐτυχισμένων ἡμερῶν μπροστά τους.
per·spi·ca·cious /ˈpɜspɪˋkeɪʃəs/ *ἐπ.* (*λόγ.*) διορατικός, ὀξύνους, ὀξυδερκής. **per·spi·cac·ity** /ˈpɜspɪˋkæsətɪ/ *οὐσ.* ‹U› ὀξύνοια, διορατικότης.
per·spicu·ous /pəˋspɪkjʊəs/ *ἐπ.* (*λόγ.*) διαυγής, σαφής, ἐναργής, καθαρός. **~·ly** *ἐπίρ.*

per·spi·cu·ity /'pɜspɪ`kjuətɪ/, **~·ness** *οὐσ.* ‹U› σαφήνεια, διαύγεια, ἐνάργεια.

per·spire /pə`spaɪə(r)/ *ρ.ἀ.* ἱδρώνω. **per·spir·ation** /'pɜspə`reɪʃn/ *οὐσ.* ‹U› ἱδρώτας, ἵδρωμα.

per·suad·able /pə`sweɪdəbl/ *ἐπ.* πού μπορεῖ νά πεισθῇ.

per·suade /pə`sweɪd/ *ρ.μ.* **1.** **~ *sb of sth/that***, πείθω: *How can I ~ you of my sincerity/that I am sincere?* πῶς μπορῶ νά σέ πείσω γιά τήν εἰλικρίνειά μου/ὅτι εἶμαι εἰλικρινής; **2.** **~ *sb to do sth***, καταφέρνω: *We ~d him to try again*, τόν καταφέραμε νά ξαναδοκιμάση. **~ *sb into/out of doing sth***, καταφέρνω κπ νά κάμη/νά μήν κάμη κτ: *Can you ~ her out of her foolish plans?* μπορεῖς νά τήν ἀποτρέψης ἀπό τά ἀνόητα σχέδιά της; **~*d***, *κατηγ. ἐπ.* πεπεισμένος, βέβαιος.

per·sua·sion /pə`sweɪʒn/ *οὐσ.* **1.** ‹U› πειθώ: *the power of ~*, ἡ δύναμις τῆς πειθοῦς. *the art of ~*, ἡ τέχνη τοῦ πείθειν. **2.** ‹U› πίστις, πεποίθησις: *It is my ~ that he is mad*, εἶναι ἡ πεποίθησίς μου ὅτι εἶναι τρελλός. **3.** ‹C› πίστις, δόγμα: *people of various (religious) ~s*, ἄνθρωποι διαφόρων δογμάτων.

per·sua·sive /pə`sweɪsɪv/ *ἐπ.* πειστικός: *She has a ~ manner*, ἔχει πειστικό τρόπο. **~·ly** *ἐπίρ.* πειστικά. **~·ness** *οὐσ.* ‹U› πειστικότης.

pert /pɜt/ *ἐπ.* **1.** ἀναιδής, θρασύς: *a ~ answer*, ἀναιδής ἀπάντησις. *a ~ little girl*, μικρή γλωσσοκοπάνα. **2.** (*ΗΠΑ*) σφριγηλός, ρωμαλέος. **~·ly** *ἐπίρ.* ἀναιδῶς. **~·ness** *οὐσ.* ‹U› ἀναίδεια, προπέτεια.

per·tain /pə`teɪn/ *ρ.ἀ.* **~ *to***, (*λόγ.*) ἀνήκω, ἀναφέρομαι (σχετίζομαι), προσιδιάζω, χαρακτηρίζω: *the house and the land ~ing to it*, τό σπίτι καί ἡ γῆ πού ἀνήκει σ' αὐτό. *all questions ~ing to religion*, ὅλα τά θέματα πού ἀναφέρονται στή θρησκεία. *the enthusiasm ~ing to youth*, ὁ ἐνθουσιασμός πού χαρακτηρίζει τά νιάτα.

per·ti·na·cious /'pɜtɪ`neɪʃəs/ *ἐπ.* ἐπίμονος, πείσμων, ἄκαμπτος. **~·ly** *ἐπίρ.* **per·ti·nac·ity** /'pɜtɪ`næsətɪ/ *οὐσ.* ‹U› ἐπιμονή, ξεροκεφαλιά.

per·ti·nent /`pɜtɪnənt/ *ἐπ.* **~ *to***, (*λόγ.*) ἔχων σχέσιν, ἁρμόζων, πρέπων: *remarks not ~ to the subject under discussion*, παρατηρήσεις πού δέν ἔχουν σχέση μέ τό συζητούμενο θέμα. *a ~ reply*, μιά πρέπουσα ἀπάντησις. **~·ly** *ἐπίρ.* **per·ti·nence** /-əns/ *οὐσ.* ‹U› συνάφεια, ὀρθότης, καταλληλότης.

per·turb /pə`tɜb/ *ρ.μ.* (*λόγ.*) διαταράσσω, προκαλῶ ἀνησυχία: *~ing rumours*, ἀνησυχητικές διαδόσεις. *He's never ~ed*, δέν ταράζεται ποτέ. **~a·tion** /'pɜtə`beɪʃn/ *οὐσ.* ‹U› ταραχή, σύγχυσις, ἀνησυχία.

pe·ruke /pə`ruk/ *οὐσ.* ‹C› μακρυά περρούκα.

pe·ruse /pə`ruz/ *ρ.μ.* (*λόγ.*) διαβάζω προσεκτικά, μελετῶ. **pe·rusal** /pə`ruzl/ *οὐσ.* ‹C,U› προσεκτική ἀνάγνωσις, μελέτη.

per·vade /pə`veɪd/ *ρ.μ.* διαποτίζω, διεισδύω παντοῦ: *Religious feeling ~s his poetry*, τό θρησκευτικό αἴσθημα διαποτίζει τήν ποίησή του. **per·va·sion** /pə`veɪʒn/ *οὐσ.* ‹U› διείσδυσις, διαπότισις.

per·va·sive /pə`veɪsɪv/ *ἐπ.* διαβρωτικός, διάχυτος, διεισδυτικός: *~ influences*, διαβρωτικές ἐπιρροές. **~·ly** *ἐπίρ.* διαβρωτικά, διάχυτα, γενικά. **~·ness** *οὐσ.* ‹C› διαβρωτικότης.

per·verse /pə`vɜs/ *ἐπ.* **1.** διεστραμμένος: *a ~ man*, διεστραμμένος ἄνθρωπος. **2.** ἀνάποδος, παράλογος: *~ circumstances*, ἀνάποδες περιστάσεις. *~ behaviour*, παράλογο φέρσιμο. **~·ly** *ἐπίρ.* διεστραμμένα. **~·ness** *οὐσ.* ‹U› διαστροφή, κακία, παραλογισμός.

per·ver·sion /pə`vɜʃn/ *οὐσ.* ‹C,U› διαστροφή, διαστρέβλωσις: *a ~ of justice*, διαστρέβλωσις τῆς δικαιοσύνης. *sexual ~s*, σεξουαλικές διαστροφές. **per·ver·sity** /pə`vɜsətɪ/ *οὐσ.* ‹C,U› διαστροφή.

per·vert /pə`vɜt/ *ρ.μ.* διαστρέφω, διαφθείρω, διαστρεβλώνω: *~ the mind of a child*, διαστρέφω τό μυαλό ἑνός παιδιοῦ. *Socrates was convicted for ~ing the youth of Athens*, ὁ Σωκράτης καταδικάστηκε γιατί διέφθειρε τήν νεολαία τῆς Ἀθήνας. __*οὐσ.* ‹C› /`pɜvɜt/ ἄνθρωπος διεστραμμένος, ἀνώμαλος.

pe·seta /pə`seɪtə/ *οὐσ.* ‹C› πεσέτα (νόμισμα).

pesky /`peskɪ/ *ἐπ.* (*καθομ.*) ἐνοχλητικός, μπελαλίδικος.

peso /`peɪsəʊ/ *οὐσ.* ‹C› (*πληθ.* *~s*) πέζο (νόμισμα).

pes·sary /`pesərɪ/ *οὐσ.* ‹C› (*ἰατρ.*) πεσσός.

pes·si·mism /`pesɪm-ɪzm/ *οὐσ.* ‹U› ἀπαισιοδοξία.

pes·si·mist /`pesɪm-ɪst/ *οὐσ.* ‹C› ἀπαισιόδοξος. **~ic** /'pesɪ`mɪstɪk/ *ἐπ.* ἀπαισιόδοξος. **~i·cally** /-klɪ/ *ἐπίρ.* ἀπαισιόδοξα.

pest /pest/ *οὐσ.* ‹C› **1.** ἐπιβλαβές φυτό ἤ ἔντομο: *garden ~s*, ζιζάνια/παράσιτα τοῦ κήπου. **2.** (*μεταφ. καθομ.*) πληγή, μπελᾶς: *That child is a ~!* αὐτό τό παιδί εἶναι πληγή! **3.** (*ἀπηρχ.*) πανούκλα. **`~-house**, (*παλαιότ.*) λοιμοκαθαρτήριο. **pes·ti·cide** /`pestɪsaɪd/ *οὐσ.* ‹C› ἐντομοκτόνο.

pes·ter /`pestə(r)/ *ρ.μ.* **~ *sb (with/for)***, ἐνοχλῶ, βασανίζω, γίνομαι τσιμπούρι σέ κπ: *~ sb with questions*, ἐνοχλῶ κπ μέ ἐρωτήσεις. *be ~ed with mosquitoes*, βασανίζομαι ἀπό τά κουνούπια. *~ sb for help/to help me*, γίνομαι τσιμπούρι σέ κπ γιά βοήθεια/νά μέ βοηθήση.

pes·tif·er·ous /pe`stɪfərəs/ *ἐπ.* λοιμώδης, φθοροποιός, ὀλέθριος.

pes·ti·lence /`pestɪləns/ *οὐσ.* ‹C,U› λοιμός, πανούκλα. **pes·ti·lent** /-ənt/, **pes·ti·len·tial** /'pestɪ`lenʃl/ *ἐπ.* **1.** μολυσματικός, λοιμώδης. **2.** (*καθομ.*) φοβερά ἐνοχλητικός, ἀπαίσιος: *These pestilential mosquitoes/children give me no peace*, αὐτά τά ἀναθεματισμένα κουνούπια/παιδιά δέν μέ ἀφήνουν σέ ἡσυχία.

pestle /`pesl/ *οὐσ.* ‹C› κόπανος, γουδοχέρι. __*ρ.μ.* κοπανίζω, τρίβω σέ γουδί.

[1]**pet** /pet/ *οὐσ.* ‹C› **1.** ἀγαπημένο ζῶο (τοῦ σπιτιοῦ): *a `~ shop*, μαγαζί πού πουλάει ζῶα, πουλιά, κλπ γιά τό σπίτι. **2.** χαϊδεμένος, εὐνοούμενος: *He is his mother's ~*, εἶναι ὁ κανακάρης τῆς μητέρας του. *Mary is the teacher's ~*, ἡ Μαίρη εἶναι ἡ εὐνοούμενη τοῦ δάσκαλου. *She's a perfect ~*, (*καθομ.*) εἶναι ἀξιολάτρευτη. *make a ~ of a child*, παραχαϊδεύω ἕνα παιδί. __*ἐπ.* ἔντονος, προσφιλής, ἀγαπημένος: **~ aversion/wish**, δυνατή ἀντιπάθεια/ἐπιθυμία. **`~-name**, χαϊδευτικό ὄνομα. __*ρ.μ.* (*-tt-*) χαϊδολογάω, πασπατεύω: *silly women ~ting their dogs*, ἀνόητες γυναῖκες

πού χαϊδολογᾶνε τά σκυλιά τους.

[2]**pet** /pet/ *οὐσ.* ‹C› (*πεπαλ.*) θυμός, μπουρίνι: *She's in one of her ~s*, ἔχει πάλι τά μπουρίνια της.

petal /ˋpetl/ *οὐσ.* ‹C› πέταλο (λουλουδιοῦ).

pe·tard /peˋtad/ *οὐσ.* ‹C› βαρελότο. ***hoist with one's own ~***, (*παροιμ.*) πιάνομαι στήν ἴδια μου τήν παγίδα.

peter /ˋpitə(r)/ *ρ.ἀ.* ~ ***out***, (*γιά προμήθειες, κλπ*) ἐξαντλοῦμαι σιγά-σιγά, ξεφτίζω.

Peter /ˋpitə(r)/ *κύρ. ὄν.* Πέτρος. ***rob ~ to pay Paul***, παίρνω ἀπό τόν ἕνα καί δίνω στόν ἄλλο. **blue ~**, (*ναυτ.*) σημαία ἀπόπλου.

pe·ter·sham /ˋpitəʃəm/ *οὐσ.* **1**. ‹C› (*πεπαλ.*) χοντρό πανωφόρι. **2**. ‹U› χοντρή μετάξινη κορδέλλα.

pe·ti·tion /pɪˋtɪʃn/ *οὐσ.* ‹C› παράκλησις (στό θεό), (*νομ.*) αἴτησις, ἀναφορά: ~ *for divorce*, αἴτησις διαζυγίου. *grant a ~*, ἱκανοποιῶ μιά αἴτηση. —*ρ.μ/ἀ.* ~ ***(sb) for***, αἰτοῦμαι, ὑποβάλλω αἴτησιν: ~ *for a retrial/for mercy*, αἰτοῦμαι ἀναψηλάφησιν δίκης/ὑποβάλλω αἴτησιν χάριτος. **~er** *οὐσ.* ‹C› αἰτῶν, ἐνάγων (*ἰδ.* ἐπί διαζυγίου).

pet·rify /ˋpetrɪfaɪ/ *ρ.μ/ἀ.* (*κυριολ.* & *μεταφ.*) ἀπολιθώνω/-ομαι: *petrified with terror*, ἀπολιθωμένος ἀπό τό φόβο. **pet·ri·fac·tion** /ˈpetrɪˋfækʃn/ *οὐσ.* ‹U› ἀπολίθωσις.

pet·rol /ˋpetrl/ *οὐσ.* ‹U› βενζίνη (*πρβλ. ΗΠΑ gasoline*). **ˋ~ station**, πρατήριο βενζίνης. **ˋ~ tank**, ντεπόζιτο βενζίνης.

pe·tro·leum /pɪˋtrəʊlɪəm/ *οὐσ.* ‹U› πετρέλαιον: *crude ~*, μαζούτ. **ˈ~ ˋjelly**, μαλακή παραφίνη, βαζελίνη.

pet·ti·coat /ˋpetɪkəʊt/ *οὐσ.* ‹C› μισοφόρι, (*μεταφ.*) γυναίκα: *be always after a ~*, τρέχω διαρκῶς πίσω ἀπό κάποιο φουστάνι. **~ government**, γυναικοκρατία.

pet·ti·fog·ging /ˋpetɪfogɪŋ/ *ἐπ.* σχολαστικός, πού χάνεται στίς λεπτομέρειες: ~ *officials/methods*, σχολαστικοί ὑπάλληλοι/μέθοδοι.

pet·tish /ˋpetɪʃ/ *ἐπ.* ὀξύθυμος, δύστροπος, στριμμένος, (γιά λόγια, κλπ) ὠργισμένος, τοῦ θυμοῦ. **~·ly** *ἐπίρ.* **~·ness** *οὐσ.* ‹U› δυστροπία.

petty /ˋpetɪ/ *ἐπ.* *(-ier, -iest)* **1**. μικρο-, μηδαμινός, ἀσήμαντος: ~ *troubles*, μικροσκοτοῦρες. ~ *farmers*, μικροκτηματίες. *a ~ tyrant*, τυραννίσκος. **~ cash**, ψιλά, πρόχειρο ταμεῖο. **~ larceny**, μικροκλοπή. **~ officer**, ὑπαξιωματικός. **2**. μικρόψυχος, στενόμυαλος, μικροπρεπής: ~ *spite*, μικρόψυχο πεῖσμα. **pet·tily** /ˋpetəlɪ/ *ἐπίρ.* μικρόψυχα. **pet·ti·ness** *οὐσ.* ‹U› μικρότης.

petu·lant /ˋpetjʊlənt/ *ἐπ.* ὀργίλος, ἀράθυμος, νευρικός. **~·ly** *ἐπίρ.* **petu·lance** /-əns/ *οὐσ.* ‹U› ὀργή, παραφορά, νεῦρα.

pe·tu·nia /pɪˋtjunɪə/ *οὐσ.* ‹C› (*φυτ.*) πετούνια.

pew /pju/ *οὐσ.* ‹C› (*ἐκκλ.*) στασίδι.

pe·wit, pee·wit /ˋpiwɪt/ *οὐσ.* ‹C› σκοινοπούλι.

pew·ter /ˋpjutə(r)/ *οὐσ.* ‹U› κασσίτερος, σκεύη τῆς κουζίνας ἀπό κασσίτερο.

phaet·on /ˋfeɪtn/ *οὐσ.* ‹C› (*παλαιότ.*) ἀνοιχτό τετράτροχο ἁμάξι, φαέθων.

phal·anx /ˋfælæŋks/ *οὐσ.* ‹C› (*πληθ.* *~es ἤ phalanges* /fəˋlændʒiz/) φάλαγξ.

phal·lus /ˋfæləs/ *οὐσ.* ‹C› φαλλός. **phal·lic** /ˋfælɪk/ *ἐπ.* φαλλικός.

phan·tasm /ˋfæntæzm/ *οὐσ.* ‹C› φάντασμα, ἀπάτη, ψευδαίσθησις. **~al** /fænˋtæzml/ *ἐπ.*

phan·tas·ma·goria /ˈfæntæzməˋgɔrɪə/ *οὐσ.* ‹C› φαντασμαγορία.

phan·tom /ˋfæntəm/ *οὐσ.* ‹C› φάντασμα, στοιχειό, ὅραμα: ~ *ships*, πλοῖα-φαντάσματα.

Phar·aoh /ˋfeərəʊ/ *οὐσ.* ‹C› Φαραώ.

Phari·see /ˋfærɪsi/ *οὐσ.* ‹C› Φαρισαῖος. **phari·saic** /ˈfærɪˋseɪɪk/, **phari·sai·cal** /-kl/ *ἐπ.* φαρισαϊκός, ὑποκριτικός.

phar·ma·ceuti·cal /ˈfaməˋsjutɪkl/ *ἐπ.* φαρμακευτικός: *the ~ industry*, ἡ φαρμακοβιομηχανία.

phar·ma·cist /ˋfaməsɪst/ *οὐσ.* ‹C› φαρμακοποιός.

phar·ma·col·ogy /ˈfaməˋkolədʒɪ/ *οὐσ.* ‹U› φαρμακολογία. **phar·ma·col·ogist** /-ədʒɪst/ *οὐσ.* ‹C› φαρμακολόγος.

phar·ma·co·poeia /ˈfaməkəˋpiə/ *οὐσ.* ‹C› φαρμακευτικός κῶδιξ.

phar·macy /ˋfaməsɪ/ *οὐσ.* **1**. ‹U› φαρμακευτική, φαρμακολογία. **2**. ‹C› φαρμακεῖον (*πρβλ. ΗΠΑ, drug-store*).

phar·ynx /ˋfærɪŋks/ *οὐσ.* ‹C› φάρυγξ. **phar·yn·gi·tis** /ˈfærɪnˋdʒaɪtɪs/ *οὐσ.* ‹U› φαρυγγῖτις.

phase /feɪz/ *οὐσ.* ‹C› φάσις: *a ~ of history*, ἱστορική φάσις. *the critical ~ of an illness*, ἡ κρίσιμος φάσις μιᾶς ἀρρώστειας. *enter upon a new ~ of one's career*, εἰσέρχομαι σέ νέα φάση τῆς σταδιοδρομίας μου. *the ~s of the moon*, οἱ φάσεις τοῦ φεγγαριοῦ. —*ρ.μ.* σχεδιάζω/ἐκτελῶ κατά στάδια: *a well-~d withdrawal*, καλοσχεδιασμένη σταδιακή ὑποχώρησις. ~ ***in/out***, εἰσάγω/ἀποσύρω σταδιακά.

pheas·ant /ˋfeznt/ *οὐσ.* ‹C,U› φασιανός.

phenol /ˋfinol/ *οὐσ.* ‹U› (*χημ.*) φαινόλη.

phe·nom·enal /fɪˋnomɪnl/ *ἐπ.* **1**. φαινομενικός. **2**. αἰσθητός. **3**. (*καθομ.*) ἀπίθανος, ἐκπληκτικός, πελώριος: *His strength is ~*, ἡ δύναμή του εἶναι ἀπίθανη.

phe·nom·enon /fɪˋnomɪnən/ *οὐσ.* ‹C› (*πληθ. -ena* /-nə/) φαινόμενον: *the phenomena of nature*, τά φυσικά φαινόμενα. *a child ~*, παιδί-φαινόμενο.

phew /fju/ *ἐπιφ. ἀηδίας, ἀνυπομονησίας, ἐκπλήξεως*, πούφ! πωπώ!

phial /ˋfaɪəl/ *οὐσ.* ‹C› φιαλίδιον.

phil·an·der /fɪˋlændə(r)/ *ρ.ἀ.* ἐρωτοτροπῶ (μέ ἐλαφρότητα). **~er** *οὐσ.* ‹C› κορτάκιας, ἐρωτύλος.

phil·an·thropy /fɪˋlænθrəpɪ/ *οὐσ.* ‹U› φιλανθρωπία. **phil·an·thropic** /ˈfɪlənˋθropɪk/ *ἐπ.* φιλανθρωπικός. **phil·an·thropi·cally** /-klɪ/ *ἐπίρ.* **phil·an·thro·pist** /-ɪst/ *οὐσ.* ‹C› φιλάνθρωπος.

phil·at·ely /fɪˋlætəlɪ/ *οὐσ.* ‹U› φιλοτελισμός. **phil·at·el·ist** /-ɪst/ *οὐσ.* ‹C› φιλοτελιστής.

phil·har·monic /ˈfɪləˋmonɪk/ *ἐπ.* φιλαρμονικός.

phil·hel·lene /fɪlˋhelin/ *οὐσ.* ‹C› φιλέλλην. **phil·hel·lenic** /ˈfɪlheˋlinɪk/ *ἐπ.* φιλελληνικός.

Phi·lis·tine /ˋfɪlɪstaɪn/ *οὐσ.* ‹C› **1**. Φιλισταῖος. **2**. **p~**, (*καθομ.*) βάρβαρος, ἀνίδεος (ἀπό τέχνη), ἀκαλλιέργητος.

phil·ol·ogy /fɪˋlolədʒɪ/ *οὐσ.* ‹U› γλωσσολογία.

philo·logi·cal /ˈfɪləˋlodʒɪkl/ ἐπ. γλωσσολογικός. **phil·ol·ogist** /-dʒɪst/ οὐσ. ‹C› γλωσσολόγος.

phil·os·opher /fɪˋlosəfə(r)/ οὐσ. ‹C› φιλόσοφος.

phil·os·ophy /fɪˋlosəfɪ/ οὐσ. ‹C,U› φιλοσοφία. **moral ~**, ἡ ἠθική. **natural ~**, (ἀπηρχ.) ἡ φυσική. **philo·sophi·cal** /ˈfɪləˋsofɪkl/ ἐπ. φιλοσοφικός, φιλοσοφημένος. **philo·sophi·cally** /-klɪ/ ἐπ. **phil·os·ophize** /fɪˋlosəfaɪz/ ρ.ἀ. φιλοσοφῶ.

philtre /ˋfɪltə(r)/ οὐσ. ‹C› ἐρωτικό φίλτρο.

phleb·itis /flɪˋbaɪtɪs/ οὐσ. ‹C› φλεβῖτις.

phlegm /flem/ οὐσ. ‹U› **1**. φλέμα: *cough up ~*, βγάζω φλέματα. **2**. φλέγμα, ἀπάθεια, ἀταραξία. **phleg·matic** /flegˋmætɪk/ ἐπ. φλεγματικός, ἀπαθής, ἀτάραχος. **phleg·mat·i·cally** /-klɪ/ ἐπίρ.

pho·bia /ˋfəʊbɪə/ οὐσ. ‹C› φοβία.

phoe·nix /ˋfinɪks/ οὐσ. ‹C› φοῖνιξ (μυθικό πουλί).

phone /fəʊn/ ρ.μ/ἀ. (*καθομ. βραχυλ. γιά telephone*) τηλεφωνῶ. __οὐσ. τηλέφωνο. **ˋ~-booth/-box**, τηλεφωνικός θάλαμος.

pho·neme /ˋfəʊnim/ οὐσ. ‹C› φθόγγος, φώνημα. **pho·nemic** /fəˋnimɪk/ ἐπ. φθογγικός, φωνητικός. **pho·nem·ics** /fəˋnimɪks/ οὐσ. πληθ. φθογγολογία.

pho·netic /fəˋnetɪk/ ἐπ. φωνητικός. **pho·net·ics** οὐσ. πληθ. **1**. (*μέ ρ. ἑν.*) φωνητική, φωνολογία. **2**. φωνητικά σύμβολα. **pho·neti·cally** /-klɪ/ ἐπίρ. **pho·neti·cian** /ˈfəʊnɪˋtɪʃn/ οὐσ. ‹C› φωνολόγος, εἰδικός εἰς τήν φωνητικήν.

pho·ney, phony /ˋfəʊnɪ/ ἐπ. (*λαϊκ.*) ψεύτικος. __οὐσ. ‹C› κίβδηλος ἄνθρωπος.

pho·no·graph /ˋfəʊnəgraf/ οὐσ. ‹C› (*ΗΠΑ*) φωνογράφος.

pho·nol·ogy /fəˋnolədʒɪ/ οὐσ. ‹U› φωνολογία. **pho·no·logi·cal** /ˈfəʊnəˋlodʒɪkl/ ἐπ. φωνολογικός.

phony /ˋfəʊnɪ/ ἐπ. *βλ. phoney*.

phooey /ˋfuɪ/ ἐπιφ. *περιφρονήσεως, δυσπιστίας, ἀπογοητεύσεως*, πφ! σώπα! ἄχ!

phos·phate /ˋfosfeɪt/ οὐσ. ‹C› (*χημ.*) φωσφορικόν ἅλας.

phos·pho·rescence /ˈfosfəˋresns/ οὐσ. ‹U› φωσφορισμός, μεταφθορισμός. **phos·pho·rescent** /-snt/ ἐπ. φωσφορίζων.

phos·phorus /ˋfosfərəs/ οὐσ. ‹U› (*χημ.*) φωσφόρος. **phos·phoric** /fosˋforɪk/, **phos·phor·ous** /ˋfosfərəs/ ἐπ. φωσφορικός.

photo /ˋfəʊtəʊ/ οὐσ. ‹C› (*πληθ. ~s* /-təʊz/) (*καθομ., βραχυλ. γιά photograph*) φωτογραφία.

photo- /ˋfəʊtəʊ/ *πρόθεμα* φωτο-: **ˋ~·copier**, μηχανή φωτοαντιτύπων. **ˋ~·copy** οὐσ. ‹C› φωτοαντίτυπο. __ρ.μ. βγάζω φωτοαντίγραφα. **ˈ~·eˋlectric** ἐπ. φωτοηλεκτρικός: *a ~-electric cell*, φωτοηλεκτρικό κύτταρο. **ˈ~ˋfinish**, καθορισμός τῆς σειρᾶς τερματισμοῦ μέσω φωτογραφίας. **ˈ~·ˋgenic** /ˈfəʊtəˋdʒenɪk/ ἐπ. φωτογενής, φωτεινός.

pho·to·graph /ˋfəʊtəgraf/ οὐσ. ‹C› φωτογραφία. __ρ.μ/ἀ. **1**. φωτογραφίζω. **2**. βγαίνω σέ φωτογραφία: *He ~s well/badly*, βγαίνει καλά/ἄσχημα στίς φωτογραφίες. **pho·togra·pher** /fəˋtogrəfə(r)/ οὐσ. ‹C› φωτογράφος. **pho·to·graphic** /ˈfəʊtəˋgræfɪk/ ἐπ. φωτογραφικός. **~i·cally** /-klɪ/ ἐπίρ. **pho·togra·phy** /fəˋtogrəfɪ/ οὐσ. ‹U› φωτογραφική τέχνη, φωτογράφησις.

pho·to·gra·vure /ˈfəʊtəgrəˋvjʊə(r)/ οὐσ. ‹C,U› φωτοχαρακτική.

pho·to·li·thogra·phy /ˈfəʊtəʊˈlɪˋθogrəfɪ/ οὐσ. ‹U› φωτολιθογραφία.

pho·to·meter /fəʊˋtomɪtə(r)/ οὐσ. ‹C› φωτόμετρον.

pho·to·stat /ˋfəʊtəstæt/ οὐσ. ‹C› **1**. φωτοαντίτυπον, φωτοτυπία. **2**. μηχάνημα φωτοαντιγραφῆς. __ρ.μ. βγάζω φωτοαντίτυπα. **~ic** /ˈfəʊtəˋstætɪk/ ἐπ. φωτοαντιγραφικός.

phrase /freɪz/ οὐσ. ‹C› **1**. φράσις. **ˋ~-book**, συλλογή φράσεων σέ ξένη γλῶσσα: *an English-Greek ~-book*, Ἀγγλοελληνικοί διάλογοι. **2**. ἔκφρασις, διατύπωσις. __ρ.μ. διατυπώνω, ἐκφράζω: *a neatly ~d compliment*, καλοδιατυπωμένη φιλοφρόνησις. **phrasal** /ˋfreɪzl/ ἐπ. ὑπό μορφήν φράσεως: *phrasal verbs*, περιφραστικά ρήματα. **phras·eol·ogy** /ˈfreɪzɪˋolədʒɪ/ οὐσ. ‹U› φρασεολογία.

phren·etic /frəˋnetɪk/ ἐπ. (*λόγ.*) φρενιτιώδης, μανιώδης, ἔξαλλος.

phren·ol·ogy /frəˋnolədʒɪ/ οὐσ. ‹U› φρενολογία. **phren·ol·ogist** /-ɪst/ οὐσ. ‹C› φρενολόγος.

phthi·sis /ˋθaɪsɪs/ οὐσ. ‹U› φθίσις.

phut /fʌt/ οὐσ. πάφ! (ἦχος σκασίματος). ***go ~***, (*καθομ.*) πάω φοῦντο, χαλῶ, ἀποτυγχάνω.

physic /ˋfɪzɪk/ οὐσ. ‹U› (*ἀπηρχ.*) φάρμακο, γιατρικό: *a dose of ~*, μιά δόση φαρμάκου (*ἰδ.* καθαρτικοῦ). __ρ.μ. *(-ck-) (καθομ.)* δίνω γιατρικό σέ κπ.

physi·cal /ˋfɪzɪkl/ ἐπ. **1**. φυσικός: *~ geography*, φυσική γεωγραφία. *It's a ~ impossibility to be in two places at once*, εἶναι κάτι τό φυσικῶς ἀδύνατο νά εὑρίσκεσαι σέ δυό μέρη ταυτοχρόνως. **2**. ὑλικός: *the ~ world*, ὁ ὑλικός κόσμος. **3**. σωματικός. **~ education**, σωματική ἀγωγή. **~ly** /-klɪ/ ἐπίρ. φυσικά, σωματικά: *~ ly impossible*, φυσικῶς ἀδύνατο. *~ ly exhausted*, σωματικά ἐξαντλημένος.

phys·ician /fɪˋzɪʃn/ οὐσ. ‹C› γιατρός.

physi·cist /ˋfɪzɪsɪst/ οὐσ. ‹C› φυσικός.

phys·ics /ˋfɪzɪks/ οὐσ. (*πληθ.*) (*μέ ρ. ἑν.*) φυσική.

physi·og·nomy /ˈfɪzɪˋonəmɪ/ οὐσ. ‹C,U› **1** φυσιογνωμία, γενικά χαρακτηριστικά (μιᾶς χώρας). **2**. φυσιογνωμική.

physi·ol·ogy /ˈfɪzɪˋolədʒɪ/ οὐσ. ‹U› φυσιολογία. **physio·logi·cal** /ˈfɪzɪəˋlodʒɪkl/ ἐπ. **physi·ol·ogist** /-ɪst/ οὐσ. ‹C› φυσιολόγος.

physio·ther·apy /ˈfɪzɪəʊˋθerəpɪ/ οὐσ. ‹U› φυσιοθεραπεία. **physio·thera·pist** /-pɪst/ οὐσ. ‹C› φυσιοθεραπευτής.

phy·sique /fɪˋzik/ οὐσ. ‹U› σωματική διάπλασις, κρᾶσις: *a man of fine ~*, ἄντρας μέ ὡραῖο σῶμα/μέ γερή κράση.

pia·nist /ˋpɪənɪst/ οὐσ. ‹C› πιανίστας, πιανίστρια.

[1]**pi·ano** /pɪˋanəʊ/ ἐπίρ. (*μουσ.*) μαλακά, ἁπαλά. **pia·nis·simo** /pɪəˋnɪsɪməʊ/ ἐπίρ. πολύ ἁπαλά.

[2]**pi·ano** /pɪˋænəʊ/ οὐσ. ‹C› (*πληθ. ~s* /-nəʊz/) πιάνο: *play the ~*, παίζω πιάνο. *Mr X will be at the ~*, (*σέ συναυλία*) ὁ κ. Χ. θά συνοδεύση στό πιάνο, θά παίξη πιάνο. **cottage ~**, μικρό ὄρθιο πιάνο. **grand ~**, πιάνο μέ οὐρά.

upright ~, ὄρθιο πιάνο. **pia·nola** /pɪəˋnəʊlə/ οὐσ. ‹C› πιανόλα, μηχανικό πιάνο.

pi·astre /pɪˋæstə(r)/ οὐσ. ‹C› πιάστρο (νόμισμα).

pi·azza /pɪˋætsə/ οὐσ. ‹C› πλατεῖα, (*ΗΠΑ*) βεράντα.

pica /ˋpaɪkə/ οὐσ. ‹C› (*τυπογρ.*) στοιχεῖα 12 στιγμῶν.

pic·ar·esque /ˌpɪkəˋresk/ ἐπ. (μυθιστόρημα) γεμᾶτο ταξίδια καί περιπέτειες τυχοδιωκτῶν.

pic·ca·lilli /ˌpɪkəˋlɪlɪ/ οὐσ. ‹U› τουρσί (ψιλοκομμένα λαχανικά μέ ξύδι καί μουστάρδα).

pic·ca·ninny /ˌpɪkəˋnɪnɪ/ οὐσ. ‹C› (*πεπαλ.*) ἀραπάκι, παιδάκι, πιτσιρίκι.

pic·colo /ˋpɪkələʊ/ οὐσ. ‹C› (*πληθ.* ~*s* /-ləʊz/) μικρό φλάουτο.

[1]**pick** /pɪk/ οὐσ. (*μόνον ἑν.*) πρώτη ἐπιλογή. ***the ~ of***, ὅ,τι καλύτερο, ἡ ἀφρόκρεμα, ὁ ἀφρός: *the ~ of the bunch*, ὁ ἀφρός, τό πιό ἐκλεκτό. *the ~ of the army*, τό ἄνθος τοῦ στρατοῦ.

[2]**pick** /pɪk/ οὐσ. ‹C› **1**. ˋ~(**-axe**), σκαπάνη, ἀξίνα, κασμᾶς. **2**. αἰχμηρό ἀντικείμενο: *an ˋice-~*, σκαπάνη ὀρειβατῶν. *a ˋtooth-~*, ὀδοντογλυφίδα.

[3]**pick** /pɪk/ *ρ.μ/ἀ.* **1**. δρέπω, συλλέγω, μαζεύω: *~ flowers*, κόβω (μαζεύω) λουλούδια. *~ fruit/strawberries*, μαζεύω φροῦτα/φράουλες. **2**. καθαρίζω: *~ a bone*, καθαρίζω ἕνα κόκκαλο (ἀπό τό κρέας του). *~ one's nose/teeth*, καθαρίζω, σκαλίζω τή μύτη μου/τά δόντια μου. (*βλ.* & *λ. bone*). **3**. ἀνοίγω (μέ αἰχμηρό ὄργανο): *~ a lock*, ἀνοίγω (διαρρηγνύω) κλειδαριά. *~ holes in sth*, ἀνοίγω τρύπες σέ κτ. ***~ holes in an argument***, (*μεταφ.*) κάνω κόσκινο ἕνα ἐπιχείρημα, τό ξετινάζω. **4**. τραβῶ (μέ τά δάχτυλα), τσιμπῶ, ξεσκίζω: *~ a thread from one's coat*, τραβῶ μιά κλωστή ἀπό τό σακκάκι μου. *~ a guitar/the strings of a guitar*, παίζω κιθάρα (μέ τά δάχτυλα)/σκαλίζω τίς χορδές μιᾶς κιθάρας. *The sparrows were ~ing grains in the yard*, τά σπουργίτια τσιμποῦσαν (ράμφιζαν) σπόρους στήν αὐλή. *~ rags/to pieces*, κόβω κουρέλια/κόβω κομμάτια. **5**. διαλέγω, κάνω ἐπιλογή: *~ only the best*, διαλέγω τό καλύτερο. *~ sides*, φτιάχνω ὁμάδες (διαλέγω τούς παῖχτες γιά τήν κάθε ὁμάδα). *~ one's words*, διαλέγω τά λόγια μου (προσέχω τί θά πῶ). *~ one's way/steps along a muddy road*, διαλέγω τό δρόμο μου/τά βήματά μου σ' ἕνα λασπωμένο δρόμο (προσέχω ποῦ θά πατήσω). *~ the winner*, διαλέγω, πετυχαίνω τόν νικητή. ***~ and choose***, διαλέγω ὅ,τι θέλω, ἱκανοποιῶ τίς ἰδιοτροπίες μου. ***~ a quarrel with sb***, στήνω καυγᾶ μέ κπ, βρίσκω ἀφορμή νά μαλώσω. **6**. κλέβω: *~ sb's purse*, κλέβω τό πορτοφόλι κάποιου. ***~ sb's brains***, κλέβω τίς ἰδέες κάποιου. ***~ sb's pocket***, ἀδειάζω τήν τσέπη κάποιου, τόν ξαλαφρώνω. ˋ**~-pocket**, πορτοφολᾶς. **7**. (*μέ ἐπιρ. καί προθέσεις*):

pick at, τσιμπολογῶ κτ: *The patient only ~ed at his food*, ὁ ἀσθενής μόνο πού τσίμπησε τό φαγητό του. ***~ at sb***, (*καθομ.*) γκρινιάζω κπ, τά βάζω μέ κπ: *He's always ~ing at me*, διαρκῶς μαζί μου τἄχει.

pick off, (*α*) παίρνω (μέ τά δάχτυλα): *She ~ed a few hairs off her blouse*, μάζεψε μερικές τρίχες ἀπό τήν μπλούζα της. (*β*) σκοπεύω καί πυροβολῶ ἕναν-ἕναν τή φορά: *The sniper ~ed off three of our men*, ὁ ἐλεύθερος σκοπευτής χτύπησε τρεῖς ἀπό τούς ἄνδρες μας.

pick on sb, διαλέγω κπ (γιά τιμωρία, γιά ἀγγαρεία, γιά καυγᾶ, κλπ): *Why does he always ~ on me to do the chores?* γιατί διαλέγει πάντα ἐμένα νά κάνω τίς ἀγγαρεῖες;

pick out, (*α*) διαλέγω: *P~ out the books you would like to buy*, διάλεξε τά βιβλία πού θἄθελες ν' ἀγοράσης. (*β*) ξεχωρίζω, διακρίνω: *~ out one's friends in a crowd*, ξεχωρίζω τούς φίλους μου μέσα στό πλῆθος. (*γ*) ἀντιλαμβάνομαι, συλλαμβάνω τό νόημα (ὕστερα ἀπό προσπάθεια). (*δ*) παίζω δοκιμαστικά ἕνα σκοπό (σέ ὄργανο) χωρίς νότες. (*ε*) τονίζω (πχ ἕνα χρῶμα/ἕνα φόντο, διά τῆς χρήσεως ἀντιθέτων χρωμάτων).

pick over, ξεδιαλέγω: *~ over a basket of cherries*, ξεδιαλέγω ἕνα καλάθι κεράσια.

pick up, (*α*) (περι)μαζεύω: *Your books are on the floor; ~ them up*, τά βιβλία σου εἶναι στό πάτωμα, μάζεψέ τα! *He ~ed up his hat and walked out*, πῆρε ἀπό κάτω τό καπέλλο του κι' ἔφυγε. *~ up a hitch-hiker*, παίρνω κπ πού κάνει ὠτοστόπ. *~ up a foreign language*, μαθαίνω μιά ξένη γλῶσσα ἀκούγοντάς την ἀπό δῶ κι' ἀπό κεῖ. *~ up bits of information*, μαζεύω πληροφορίες ἀπό δῶ κι' ἀπό κεῖ. *~ up a livelihood*, βγάζω τό ψωμί μου μέ διάφορες δουλειές. *~ up a girl in the street*, (*λαϊκ.*) ψωνίζω μιά κοπέλλα στό δρόμο. *The escaped prisoner was ~ed up by the police*, ἡ ἀστυνομία ἔπιασε (τσίμπησε) τόν δραπέτη. ***~ oneself up***, σηκώνομαι ὄρθιος (ὕστερα ἀπό πέσιμο). ***~ up speed***, (*γιά ὄχημα*) ἀναπτύσσω ταχύτητα. (*β*) συνέρχομαι: *He's not feeling very well but will soon ~ up*, δέν νοιώθει πολύ καλά ἀλλά σύντομα θά συνέλθη. *~ up health*, ξαναβρίσκω τήν ὑγειά μου. (*γ*) πιάνω (μέ ὄργανο): *~ up radio signals*, πιάνω ραδιοσήματα. *Enemy planes were ~ed up by our radar installations*, ἐχθρικά ἀεροπλάνα ἐντοπίστηκαν ἀπό τά ραντάρ μας. ˋ**~-up** οὐσ. ‹C› (*πληθ.* *~-ups*) (*α*) βραχίονας γραμμοφώνου. (*β*) μικρό φορτηγό αὐτοκίνητο, φορτοταξί. (*γ*) (*λαϊκ.*) ψώνιο, τυχαία γνωριμιά. (*δ*) ρεπρίζ, ἐπιτάχυνσις: *an engine with a good ~-up*, μηχανή μέ καλή ἐπιτάχυνση. ˋ**~-me-up** /ˋpɪk mɪ ʌp/ οὐσ. ‹C› τονωτικό (ποτό), πού φτιάχνει τό κέφι.

picka·back /ˋpɪkəbæk/ ἐπίρ. στήν πλάτη, στούς ὤμους: *I carried her across the river ~*, τήν πέρασα στό ποτάμι στήν πλάτη μου.

picker /ˋpɪkə(r)/ οὐσ. ‹C› (*κυρίως ὡς β! συνθετ.*) συλλέκτης: *a ˋcotton-~*, ἐργάτης πού μαζεύει βαμβάκι. *an ˋolive-~*, ἐργάτης πού μαζεύει ἐλιές. *a ˋrag-~*, ρακοσυλλέκτης.

picket /ˋpɪkɪt/ οὐσ. ‹C› **1**. στύλος, παλούκι (σέ φράχτη, ἤ γιά δέσιμο ζώου). **2**. περίπολος (στρατιωτῶν, ἀστυνομικῶν). **3**. ἐργατική ὁμάδα περιφρουρήσεως ἀπεργίας. **4**. ὁμάδα ἀπεργῶν ἤ διαδηλωτῶν μέ πανώ. __*ρ.μ/ἀ.* **1**. περιφράσσω (μέ παλούκια), δένω ἄλογο (σέ παλούκι). **2**. τοποθετῶ (στρατιωτικό ἀπόσπασμα ἤ ὁμάδα ἐργατῶν): *~ a factory*, βάζω ὁμάδες περιφρουρήσεως ἀπεργίας μπροστά σ'ένα ἐργοστάσιο. **3**. διαδηλώνω μέ πανώ.

pick·ing /`pɪkɪŋ/ *οὐσ*. **1**. ‹U› συλλογή, μάζεμα, διαλογή, κλέψιμο, τσιμπολόγημα. **2**. (*πληϑ*.) ὑπολείμματα, ξεκαθαρίδια, τσιμπολογήματα, μικροκέρδη (ἀπό δῶ κι' ἀπό κεῖ).

pickle /`pɪkl/ *οὐσ*. **1**. ‹U› ἅλμη, σαλαμούρα. **2**. (*συνήϑ. πληϑ*.) τουρσιά. **3**. ‹C› ϑέσις. ***be in a sad/sorry*** ~, εἶμαι σέ δύσκολη ϑέση. **4**. ‹C› (*καϑομ*.) ζιζάνιο (παιδί): *Stop that, you little* ~*!* σταμάτα πιά, ζιζάνιο! —*ρ.μ*. **1**. βάζω τουρσί: ~*d onions*, κρεμμύδια τουρσί. **2**. (*λαϊκ*.) ~**d**, μεϑυσμένος.

pic·nic /`pɪknɪk/ *οὐσ*. ‹C› **1**. ἐκδρομούλα μέ φαγητό στό ὕπαιϑρο, πικνίκ: *go for/have a* ~, πάω/κάνω πικνίκ. *a* `~ *hamper*, καλάϑι γιά πικνίκ, ἐκδρομικό καλάϑι. **2**. (*καϑομ*.) κάτι εὔκολο ἤ διασκεδαστικό: *Life is no* ~, ἡ ζωή δέν εἶναι γλέντι. —*ρ.ἀ*. (*-ck-*) τρώω στήν ἐξοχή, πάω πικνίκ: *go* ~*king in the woods*, πάω πικνίκ στό δάσος. ~**ker** *οὐσ*. ‹C› ἐκδρομεύς.

pic·tor·ial /pɪk`tɔrɪəl/ *ἐπ*. εἰκονογραφημένος, σέ εἰκόνες: *a* ~ *history of Crete*, μιά ἱστορία τῆς Κρήτης σέ εἰκόνες. —*οὐσ*. ‹C› εἰκονογραφημένο περιοδικό.

pic·ture /`pɪktʃə(r)/ *οὐσ*. ‹C› **1**. εἰκόνα, πίνακας, ζωγραφιά: *The walls were hung with* ~*s by famous artists*, οἱ τοῖχοι ἦταν γεμᾶτοι ἀπό πίνακες διασήμων ζωγράφων. *draw/paint a* ~ *(of sth)*, σκιτσάρω/ζωγραφίζω κτ. `~**-book**, εἰκονογραφημένο βιβλίο. `~**-card**, φιγούρα (τῆς τράπουλας). `~**-gallery**, πινακοϑήκη. `~ **hat**, πλατύγυρο γυναικεῖο καπέλλο. '~-`**postcard**, καρτποστάλ. **2**. (*σέ φράσεις*): ***be a*** ~, εἶμαι ζωγραφιά (γιά κτ πολύ ὡραῖο): *My garden is a* ~ *at this time of the year*, ὁ κῆπος μου εἶναι ζωγραφιά αὐτή τήν ἐποχή. ***be the* ~ *of sth***, εἶμαι ἡ προσωποποίηση ἑνός πράγματος: *He was the* ~ *of health/misery*, ἦταν ἡ προσωποποίηση τῆς ὑγείας/τῆς δυστυχίας. ***come into the*** ~, ἐμφανίζομαι στήν εἰκόνα, ὑπολογίζομαι, μοῦ πέφτει λόγος: *His wife doesn't come into the* ~, ἡ γυναίκα του δέν λογαριάζεται καϑόλου. ***put sb/be in the*** ~, ἐνημερώνω κπ/εἶμαι ἐνήμερος, πληροφορημένος: *Unless you put me in the* ~*, I can't advise you*, ἄν δέν μέ κατατοπίσης, δέν μπορῶ νά σοῦ δώσω συμβουλή. **3**. φίλμ, (*πληϑ*.) σινεμά: *That's his first* ~, εἶναι τό πρῶτο του φίλμ. *We don't often go to the* ~*s*, δέν πᾶμε συχνά σινεμά. `~**-goer**, φίλος τοῦ κινηματογράφου. `~**-palace/-theatre**, αἴϑουσα κινηματογράφου. —*ρ.μ*. **1**. ζωγραφίζω, ἀπεικονίζω. **2**. ~ ***(to oneself)***, φαντάζομαι, πλάϑω μέ τό μυαλό τήν εἰκόνα: *He* ~*d to himself his father dying*, φανταζόταν τόν πατέρα του νά πεϑαίνη. *You can* ~ *(to yourself) my astonishment*, μπορεῖς νά φανταστῆς τήν κατάπληξή μου.

pic·tur·esque /'pɪktʃə`resk/ *ἐπ*. γραφικός: *a* ~ *village*, ἕνα γραφικό χωριό. ~ *customs*, γραφικά ἔϑιμα. *a* ~ *character*, γραφικός τύπος. ~**·ly** *ἐπίρ*. ~**·ness** *οὐσ*. ‹U› γραφικότης.

pid·dling /`pɪdlɪŋ/ *ἐπ*. (*καϑομ*.) ἀσήμαντος, ἀνάξιος λόγου: ~ *jobs*, μικροδουλειές.

pidgin /`pɪdʒɪn/ *οὐσ*. **1**. ‹C› παρεφϑαρμένη γλῶσσα, γλωσσικό κατασκεύασμα (ἀπό ξένη καί ντόπια γλῶσσα): *talk* ~ *English*, μιλῶ παρεφϑαρμένα 'Αγγλικά. **2**. ***(not) one's*** ~, (*καϑομ*.) (ὄχι) δική μου δουλειά: *Don't ask me; that's your* ~, μή ρωτᾶς ἐμένα, αὐτό εἶναι δική σου ὑπόϑεση.

pie /paɪ/ *οὐσ*. ‹C,U› πίττα: *meat/fruit/fish* ~, κρεατόπιττα/φρουτόπιττα/ψαρόπιττα. ***have a finger in the* ~*/in every* ~**, χώνω τήν οὐρά μου σέ κτ/παντοῦ. ***as easy as*** ~, (*λαϊκ*.) πολύ εὔκολο. ~ ***in the sky***, ὄνειρα ϑερινῆς νυκτός, οὐτοπία.

pie·bald /`paɪbɔld/ *ἐπ*. (*γιά ἄλογο*) ψαρής, παρδαλός.

[1]**piece** /pis/ *οὐσ*. ‹C› **1**. τεμάχιο, κομμάτι: *a* ~ *of string/meat/bread/paper/glass/chalk*, ἕνα κομμάτι σπάγγος/κρέας/ψωμί/χαρτί/γυαλί/κιμωλία. ***(be) in* ~*s***, (εἶμαι) κομμάτια: *The vase was in* ~*s*, τό βάζο ἦταν κομμάτια. ***(be) in one*** ~, κρατιέμαι, δέν ἔχω διαλυϑῆ: *I'm still in one* ~, κρατιέμαι ἀκόμα, δέν διαλύϑηκα. ***break (sth) to* ~*s***, γίνομαι (κάνω κτ) κομμάτια: *The vase fell and broke to* ~*s*, τό βάζο ἔπεσε κι'ἔγινε κομμάτια. ***come/take to* ~*s***, (*γιά μηχανή*) λύνομαι/λύνω: *Does this machine come to* ~*s?* λύνεται αὐτή ἡ μηχανή; *He took my watch to* ~*s*, ἔλυσε τό ρολόϊ μου, τὄκανε ὅλο βίδες. ***give sb a* ~ *of one's mind***, μιλῶ σέ κπ ἔξω ἀπό τά δόντια, τοῦ λέω τί σκέφτομαι γι αὐτόν. ***go (all) to* ~*s***, (*γιά ἄνϑρ*.) διαλύομαι: *In the last twenty minutes our team went (all) to* ~*s*, στά τελευταῖα εἴκοσι λεπτά ἡ ὁμάδα μας διαλύϑηκε. ***pull/tear sth to* ~*s***, κάνω κτ κομμάτια. ***say one's*** ~, λέω τό λόγο μου, ἀπαγγέλλω τό ποίημά μου. ***a* ~ *of cake***, (*λαϊκ*.) κάτι πολύ εὔκολο. ***by the*** ~, μέ τό κομμάτι: *He's paid by the* ~, πληρώνεται μέ τό κομμάτι. `~**-work**, ἀποκοπή (δουλειά), μέ τό κομμάτι. ~ ***by*** ~, κομμάτι-κομμάτι. ***of a* ~ *(with sth/sb)***, ἴδιος μέ, ἀπό τήν ἴδια πάστα: *They are all of a* ~, εἶναι ὅλοι τους ἀπό τήν ἴδια πάστα/τοῦ ἰδίου φυράματος. **2**. (*ἀμετάφραστο στήν 'Ελληνική, χρησιμοποιεῖται μέ ἔννοια μεριστική σέ περιπτώσεις μή ἀριϑμήσιμων οὐσιαστικῶν*): *a* ~ *of furniture/advice/news/information*, ἕνα ἔπιπλο/μιά συμβουλή/μιά εἴδησις/μιά πληροφορία. **3**. ἐκδήλωσις, πρᾶξις: *a* ~ *of insolence/cruelty/hypocrisy/folly*, ἐκδήλωσις ἀναίδειας/σκληρότητος/ὑποκρισίας/ἀνοησίας. **4**. τόπι (ὑφάσματος), ρόλος (χαρτιοῦ). **5**. δεῖγμα, κομμάτι, ἔργο: *a fine* ~ *of work/poetry/music*, ὡραία δουλειά/ὡραῖο ποίημα/μουσικό κομμάτι. **6**. τεμάχιο, πούλι, νόμισμα: *a dinner service of 50* ~*s*, σερβίτσιο φαγητοῦ 50 τεμαχίων. *chess* ~*s*, πούλια σκακιοῦ. *a ten-pence* ~, νόμισμα δέκα πεννῶν. **7**. ὅπλο: *a `fowling-*~, κυνηγετικό ὅπλο. **8**. (*ὡς β! συνϑ*.) μέλος: *a six-* ~ *pop group*, ἑξαμελής ὀρχήστρα πόπ.

[2]**piece** /pis/ *ρ.μ*. συνδυάζω, ἑνώνω, συμπληρώνω, φτιάχνω κτ κομμάτι-κομμάτι: ~ *facts together*, συνδυάζω γεγονότα. ~ *one thing to another*, ἑνώνω, ματίζω ἕνα πρᾶγμα μέ ἕνα ἄλλο. ~ *out a story/theory*, συμπληρώνω, συναρμολογῶ μιά ἱστορία/μιά ϑεωρία.

piece·meal /`pismil/ *ἐπίρ*. κομματιαστά: *learn sth* ~, μαϑαίνω κτ λίγο-λίγο. *work done* ~, δουλειά καμωμένη κομματιαστά. _ἐπ. ἀποσπασματικός, κομματιαστός: ~ *information*, ἀποσπασματικές πληροφορίες.

pied /paɪd/ ἐπ. παρδαλός.

pier /pɪə(r)/ οὐσ. ‹C› **1**. προβλήτα, μῶλος, ἀποβάθρα. **2**. στύλος (γέφυρας), παραστάτης πόρτας, κολώνα τοίχου (μεταξύ παραθύρων). **ˋ~-glass**, ψηλός ὁλόσωμος καθρέφτης.

pierce /pɪəs/ ρ.μ/ἀ. **1**. τρυπῶ: *The needle ~d her finger*, τό βελόνι τρύπησε τό δάχτυλό της. *She had her ears ~d*, τρύπησε τ' αὐτιά της (γιά νά περάση σκουλαρίκια). **2**. διαπερῶ, (ξε)σχίζω: *The cold ~d us to the bone*, τό κρύο μᾶς διαπέρασε ὥς τό κόκκαλο. *Her shrieks ~d the air*, οἱ κραυγές της ἔσκισαν τόν ἀέρα. *A ray of light ~d the darkness*, μιά ἀχτίδα φῶς ἔσκισε τό σκοτάδι. **3**. διεισδύω: *Our forces ~d through the enemy's lines*, οἱ δυνάμεις μας πέρασαν διά μέσου τῶν ἐχθρικῶν γραμμῶν. **pierc·ing** ἐπ. (*γιά πόνο, κρύο, κραυγή, ἀέρα, κλπ*). διαπεραστικός. **pierc·ing·ly** ἐπίρ.

pier·rot /ˋpɪərəʊ/ οὐσ. ‹C› πιερρότος.

pietà /ˈpieɪˋtɑ/ οὐσ. ‹C› ἀποκαθήλωσις.

piety /ˋpaɪətɪ/ οὐσ. ‹C,U› εὐσέβεια, εὐλάβεια.

piffle /ˋpɪfl/ οὐσ. ‹U› (*καθομ.*) ἀνοησίες, σαχλαμάρες: *talk* ~, λέω σαχλαμάρες. _ρ.ἀ. ἀνοηταίνω, σαχλαμαρίζω. **pif·fling** /ˋpɪflɪŋ/ ἐπ. ἀσήμαντος, γελοῖος, τιποτένιος.

pig /pɪg/ οὐσ. ‹C› **1**. γουρούνι, χοῖρος: *ˋsucking-~*, γουρουνόπουλο τοῦ γάλακτος. ***bring one's ~s to the wrong market***, ἀποτυχαίνω (νά πουλήσω κτ). (*βλ.* & *λ. market*). ***buy a ~ in a poke***, ἀγοράζω γουρούνι στό σακκί. ***~s might fly***, γίνονται καμμιά φορά καί θαύματα. **ˋ~-farm**, χοιροστάσιο. **ˈ~-ˋheaded** ἐπ. πείσμων, ξεροκέφαλος. **ˈ~-ˋheadedly** ἐπίρ. **ˈ~-ˋheadedness**, ξεροκεφαλιά. **ˋ~·man**, χοιροτρόφος. **ˋ~·skin**, χοιρόδερμα. **ˋ~·sty**, σταῦλος γουρουνιῶν, (*μεταφ.*) ἀχούρι, τρώγλη. **ˋ~·tail**, κοτσίδα μαλλιῶν. **ˋ~·wash**, ἀποπλύματα, ἀποφάγια. **2**. (*μεταφ.*) γουρούνι, βρώμικος/λαίμαργος ἄνθρωπος. ***make a ~ of oneself***, τρώω/πίνω σά γουρούνι. **3**. **ˋ~-iron**, χελώνη (μετάλλου). _ρ.ἀ. *(-gg-)* ***~ it/together***, ζῶ σά γουρούνι/ζῶ μέ ἄλλους μέσα στή βρώμα. **ˋ~·gish** /-ɪʃ/ ἐπ. ξεροκέφαλος, βρώμικος, λαίμαργος. **ˋ~·gish·ly** ἐπίρ. **ˋ~·gish·ness** οὐσ. ‹U› γουρουνιά, βρωμιά, λαιμαργία. **ˋ~·gery** /ˋpɪgərɪ/ οὐσ. ‹C› χοιροστάσιο, (*μεταφ.*) ἀχούρι. **ˋ~gy** /ˋpɪgɪ/ οὐσ. ‹C› γουρουνάκι. **ˋ~·gyback** ἐπίρ. (*ΗΠΑ*) *βλ. pickaback*. **ˋ~·let** /ˋpɪglət/ οὐσ. ‹C› γουρουνόπουλο. **ˋ~gy bank** οὐσ. ‹C› κουμπαρᾶς (μέ σχῆμα σά γουρουνάκι).

pigeon /ˋpɪdʒən/ οὐσ. ‹C› **1**. περιστέρι: *ˋcarrier-~/ˋhoming-~*, ταχυδρομικό περιστέρι. **ˋ~-breasted** ἐπ. (*γιά ἄνθρ.*) μέ φουσκωτό/προτεταμένο στῆθος. **ˈ~-ˋtoed** ἐπ. μέ τά δάχτυλα τῶν ποδιῶν στραμμένα πρός τά μέσα. **ˋ~·hole**, θυρίδα (γραφείου, ἀρχειοθήκης, κλπ). _ρ.μ. βάζω στό ἀρχεῖο, ταξινομῶ κτ (καί τό ξεχνῶ), βάζω στό χρονοντούλαπο. **2**. **clay ~**, τεχνητό περιστέρι (χρησιμοποιούμενο σά στόχος σκοποβολῆς). **3**. ἀφελής, ἁπλοϊκός ἄνθρωπος, κορόϊδο. (*βλ.* & *λ. stool*).

pig·ment /ˋpɪgmənt/ οὐσ. ‹C,U› χρωστική οὐσία, μπογιά, βαφή. **pig·men·ta·tion** /ˈpɪgmenˋteɪʃn/ οὐσ. ‹U› χρωμάτωσις.

pig·my /ˋpɪgmɪ/ οὐσ. ‹C› *βλ. pygmy*.

[1]**pike** /paɪk/ οὐσ. ‹C› δόρυ, ἀκόντιο. **ˋ~·staff**, κοντάρι. ***as plain as a ~staff***, ὁλοφάνερος.

[2]**pike** /paɪk/ οὐσ. ‹C› (*ἰχθ.*) λοῦτσος.

[3]**pike** /paɪk/ οὐσ. ‹C› διόδια, σταθμός διοδίων, δρόμος μέ διόδια.

[4]**pike** /paɪk/ οὐσ. ‹C› μυτερή κορυφή λόφου.

pilaf, pilaff /pɪˋlæf/ οὐσ. ‹C› *βλ. pilau*.

pi·las·ter /pɪˋlæstə(r)/ οὐσ. ‹C› (*ἀρχιτ.*) παραστάς, πιλάστρι (τετραγωνική κολώνα ἐν μέρει ἐντοιχισμένη).

pi·lau /pɪˋlaʊ/ οὐσ. ‹C› πιλάφι.

[1]**pile** /paɪl/ οὐσ. ‹C› κολώνα (μέσα στή γῆ γιά θεμέλιο), πασσαλόπηγμα, πάσσαλος. **ˋ~-dwelling**, σπίτι σέ λίμνη (πάνω σέ πασσάλους).

[2]**pile** /paɪl/ οὐσ. ‹C› **1**. σωρός, στοίβα: *a ~ of books*, ἕνας σωρός βιβλία. **ˋfuneral ~**, πυρά (γιά τήν καύση νεκροῦ). **2**. (*καθομ.*) μπάζα (πολλά χρήματα). ***make one's ~/a ~***, κάνω τή μπάζα μου/κάνω γερή μπάζα. **3**. μεγάλο κτίριο ἤ ὁμάδα κτιρίων. **4**. ἠλεκτρική στήλη. **atomic ~**, ἀτομική στήλη.

[3]**pile** /paɪl/ ρ.μ/ἀ. **1**. συσσωρεύω, σωριάζω, στοιβάζω: ~ *logs*, στοιβάζω κούτσουρα. ~ *up dishes on a table*, στοιβάζω πιάτα σ' ἕνα τραπέζι. ~ *a desk with books*, στοιβάζω ἕνα γραφεῖο μέ βιβλία. ~ *more coal on*, βάζω κι' ἄλλο κάρβουνο (στή φωτιά). ~ *up mistakes*, συσσωρεύω λάθη. *My work keeps piling up*, μαζεύεται ὅλο καί περισσότερη δουλειά γιά μένα. ***~ arms***, κάνω πυραμίδα μέ ὅπλα. ***~ it on***, (*καθομ.*) τά παραλέω, ὑπερβάλλω. ***~ on the agony***, (*καθομ.*) ἐπιτείνω τήν ἀγωνία, ὑπερβάλλω σέ δραματικές λεπτομέρειες. **2**. ***~ up***, (*γιά ὀχήματα*) κάνω καραμπόλα (ἐπί συγκρούσεως). **ˋ~-up**, καραμπόλα: *another bad ~-up on the motorway*, κι' ἄλλη ἄσχημη καραμπόλα στήν Ἐθνική Ὁδό. **3**. ***~ into/out of***, (*καθομ.*) μπαίνω/βγαίνω ἄτακτα: *They all ~d into my car/out of the room*, μπήκανε ὅλοι σωρηδόν στό αὐτοκίνητό μου/βγήκανε ὅλοι σπρώχνοντας ἀπό τό δωμάτιο.

[4]**pile** /paɪl/ οὐσ. ‹U› χνούδι, τρίχα (σέ βελοῦδο, χαλί, κλπ).

piles /paɪlz/ οὐσ. ‹U› αἱμορροΐδες, ζοχάδες.

pil·fer /ˋpɪlfə(r)/ ρ.μ/ἀ. διαπράττω μικροκλοπές, σουφρώνω. **~er** οὐσ. ‹C› μικρολωποδύτης. **~·age** /-ɪdʒ/ οὐσ. ‹U› μικροκλοπή, σούφρωμα.

pil·grim /ˋpɪlgrɪm/ οὐσ. ‹C› προσκυνητής (τῶν Ἁγίων Τόπων). **~·age** /-ɪdʒ/ οὐσ. ‹C› προσκύνημα: *go on a ~age to Jerusalem*, πάω προσκύνημα στά Ἱεροσόλυμα.

pill /pɪl/ οὐσ. ‹C› **1**. χάπι. ***a bitter ~ (to swallow)***, (*μεταφ.*) πικρό χάπι. ***sugar/sweeten the ~***, ζαχαρώνω τό χάπι. **ˋ~-box**, σωληνάριο γιά χάπια. **2**. (*συνήθ.* **the ~**) ἀντισυλληπτικό χάπι. ***be/go on the ~***, παίρνω/ἀρχίζω νά παίρνω τό χάπι.

pil·lage /ˋpɪlɪdʒ/ οὐσ. ‹U› πλιάτσικο. _ρ.μ. λεηλατῶ, διαρπάζω, πλιατσικολογῶ. **~r** οὐσ. ‹C› πλιατσικολόγος.

pil·lar /ˋpɪlə(r)/ οὐσ. ‹C› κίων, στήλη, στύλος,

κολώνα: *the ~s of the Parthenon*, οἱ κολῶνες τοῦ Παρθενῶνα. *a ~ of smoke/fire*, στήλη καπνοῦ/φωτιᾶς. ***a ~ of***, (*μεταφ.*) στυλοβάτης: *He's a ~ of the Church*, εἶναι στύλος τῆς Ἐκκλησίας. ***(be driven) from ~ to post***, (*μεταφ.*) (μέ στέλνουν) ἀπό τόν Ἄννα στόν Καϊάφα. **`~-box**, ταχυδρομικό κουτί (σέ σχῆμα κολώνας): *a ~-box hat*, κυλινδρικό καπέλλο.

pil·lion /`pılıən/ *οὐσ.* ‹C› πισινό κάθισμα γιά συνεπιβάτη (σέ ἄλογο, μοτοσυκλέττα, κλπ): *the ~ passenger*, ὁ ἐπιβάτης στό πίσω κάθισμα. ***ride ~***, πάω πισωκάπουλα/καβαλλάω πίσω.

pil·lory /`pılərı/ *οὐσ.* ‹C› κλοιός (στύλος βασανισμοῦ καί διαπομπεύσεως ἐγκληματιῶν): *put sb in the ~*, κλείνω κπ σέ κλοιό, διαπομπεύω κπ. __*ρ.μ.* βασανίζω (σέ κλοιό), διαπομπεύω, στηλιτεύω κπ.

pil·low /`pıləʊ/ *οὐσ.* ‹C› μαξιλάρι (τοῦ κρεββατιοῦ). **`~-case/-slip**, μαξιλαροθήκη. **`~-fight**, μαξιλαροπόλεμος. __*ρ.μ.* ἀκουμπῶ, στηρίζω.

pi·lot /`paılət/ *οὐσ.* ‹C› **1**. πλοηγός (πλοίου), πιλότος (ἀεροπλάνου). ***drop the ~***, (*μεταφ.*) διώχνω ἔμπειρο κι' ἔμπιστο σύμβουλο. **P~ Officer**, ἀνθυποσμηναγός. **2**. (*ἐπιθ.*) δοκιμαστικός, πειραματικός: *a `~ census*, δοκιμαστική ἀπογραφή. *a `~ class/plant*, πειραματική τάξις/-ό ἐργοστάσιο. **3**. (*σέ σύνθ. λέξεις*): **`~-boat**, πλοηγίς. **`~-cloth**, μπλέ μάλλινο ὕφασμα γιά παλτά. **`~-engine**, ἀτμομηχανή-ὁδηγός. **`~-light/-burner**, ὁδηγός καυστήρας, φλόγα ἀναφλέξεως, φλόγιστρον. __*ρ.μ.* ὁδηγῶ, πλοηγῶ, πιλοτάρω, διευθύνω: *~ a Bill through the House*, μανουβράρω/περνῶ ἕνα νομοσχέδιο στή Βουλή.

pimp /pımp/ *οὐσ.* ‹C› μαστρωπός, ρουφιάνος, σωματέμπορος. __*ρ.ἀ.* ***~ (for sb)***, κάνω τό ρουφιάνο, ἀσκῶ σωματεμπορία.

pimple /`pımpl/ *οὐσ.* ‹C› ἐξάνθημα, σπιθοῦρι, σπυράκι. **~d**, **pim·ply** /`pımplı/ *ἐπ.* *(-ier, -iest)* γεμᾶτος σπυράκια: *a pimply face*, πρόσωπο μέ σπυράκια.

[1]**pin** /pın/ *οὐσ.* ‹C› **1**. καρφίτσα: *a `tie-/`hat-~*, καρφίτσα γιά τή γραββάτα/γιά καπέλλο. ***not care a ~***, δέν δίνω δεκάρα. ***neat as a new ~***, πεντακάθαρος, καλοσυγυρισμένος (*πχ* σπίτι, δωμάτιο). ***~s and needles***, μούδιασμα, μυρμηκίασις (*πχ* στά πόδια). ***be on ~s and needles***, κάθομαι σ'ἀναμμένα κάρβουνα. ***You could have heard a ~ drop***, καρφίτσα νἄπεφτε θά τήν ἄκουγες (ἦταν νεκρική σιγή). **`drawing-~**, πινέζα. **`safety-~**, παραμάνα. **2**. (*σέ σύνθ. λέξεις*): **`~-cushion**, καρφιτσοθήκη. **`~-head**, (*καθομ.*) κουτεντές, βλάκας. **`~-money**, χαρτζιλίκι κοριτσιοῦ, ἀτομικά ἔξοδα τῆς συζύγου. **`~-point** *οὐσ.* ‹C› αἰχμή. __*ἐπ.* μικροσκοπικός: *a ~-point target*, μικροσκοπικός στόχος. __*ρ.μ.* ἐπισημαίνω, ἐντοπίζω ἀκριβῶς: *~-point the reasons for sb's failure*, ἐντοπίζω/ἐπισημαίνω τίς αἰτίες τῆς ἀποτυχίας κάποιου. **`~-prick**, τσίμπημα καρφίτσας, (*μεταφ., πληθ.*) μικροενοχλήσεις. **`~-stripe** *ἐπ.* (*γιά ὕφασμα*) μέ ψιλή ρίγα. **`~-table**, μπιλλιάρδο μέ φιγοῦρες. **3**. σφήνα, μπουλόνι, πεῖρος, περόνη. **4**. (*πληθ. λαϊκ.*) πόδια, κανιά: *He's quick on his ~s*, εἶναι σβέλτος στά πόδια, ἔχει γρήγορα κανιά.

[2]**pin** /pın/ *ρ.μ.* *(-nn-)* **1**. καρφιτσώνω, στερεώνω: *~ papers together*, καρφιτσώνω χαρτιά. *~ clothes on a line*, στερεώνω ροῦχα στό σκοινί (μέ μανταλάκια). *~ up a notice*, κολλάω μιά ἀνακοίνωση (μέ πινέζες). **`~-up**, φωτογραφία ὡραίας κοπέλλας γιά καρφίτσωμα: *a `~-up girl*, ὄμορφο κορίτσι πού ἡ φωτογραφία του βρίσκεται καρφιτσωμένη παντοῦ. ***~ sth on sb***, φορτώνω κτ σέ κπ, ρίχνω ἕνα φταίξιμο ἐπάνω του. ***~ one's hopes on sb/sth***, στηρίζω ὅλες μου τίς ἐλπίδες σέ κπ/κτ. **2**. καθηλώνω, καρφώνω, ἀκινητοποιῶ: *He ~ned his assailant against the wall*, κάρφωσε τόν ἐπιτιθέμενο στόν τοῖχο. *He was ~ned under the wrecked car*, πιάστηκε κάτω ἀπό τά συντρίμια τοῦ αὐτοκινήτου. ***~ sb down (to sth)***, (*μεταφ.*) ἀναγκάζω, ὑποχρεώνω κπ (νά κάνη κτ): *He's a difficult man to ~ down*, δύσκολα μπορεῖ κανείς νά τόν στριμώξη/νά τόν κάνη νά δεσμευθῆ. *~ sb down to his word*, ὑποχρεώνω κπ νά κρατήση τό λόγο του.

pina·fore /`pınəfɔ(r)/ *οὐσ.* ‹C› ριχτή ποδιά (*ἰδ.* μαθητρίας).

pince-nez /`pæs neı/ *οὐσ.* ‹C› (*ἀμετάβλ. εἰς πληθ.*) γυαλιά τῆς μύτης.

pin·cers /`pınsəz/ *οὐσ. πληθ.* **1**. (*καί* **a pair of ~**) τανάλια. **`pincer movement**, (*στρατ.*) κυκλωτική κίνηση, κλοιός, λαβίδα. **2**. δαγκάνα (*πχ* κάβουρα).

pinch /pıntʃ/ *ρ.μ/ἀ.* **1**. τσιμπῶ, σφίγγω, πιάνω: *He ~ed my cheek/nose*, μοῦ τσίμπησε τό μάγουλο/τή μύτη. *~ the top of a plant off*, τσιμπῶ/κόβω τήν κορφή ἑνός φυτοῦ. *I ~ed my finger in the doorway*, μοὔπιασε τό δάχτυλο ἡ πόρτα. *The new shoes ~ me*, τά καινούργια παπούτσια μέ πιάνουν (μέ σφίγγουν, μέ στενεύουν). ***(know, see, etc) where the shoe ~es***, (*μεταφ.*) (ξέρω, βλέπω) ποιά εἶναι ἡ δυσκολία, ποῦ εἶναι ὁ κόμπος. ***be ~ed with cold/poverty***, ὑποφέρω ἀπό τό κρύο/ἀπό τή φτώχεια. ***be ~ed for money***, εἶμαι σφιγμένος γιά λεφτά. **2**. τσιγγουνεύομαι, στεροῦμαι: *~ and scrape for one's children*, στεροῦμαι τά πάντα γιά τά παιδιά μου. **3**. (*καθομ.*) τσιμπῶ, κλέβω: *Who's ~ed my fountain-pen?* ποιός τσίμπησε τό στυλό μου; **4**. (*λαϊκ.*) τσιμπῶ, συλλαμβάνω: *You'll be ~ed if you're not careful*, θά σέ τσιμπήσουν ἄν δέν προσέχης. __*οὐσ.* ‹C› **1**. τσιμπιά: *He gave her a spiteful ~*, τῆς ἔδωσε μιά μοχθηρή τσιμπιά. **2**. (*μεταφ.*) ἄγχος, βάσανο: *I feel the ~ of poverty/hunger*, νοιώθω τό βάσανο τῆς φτώχειας/τῆς πείνας. **3**. πρέζα, ἐλάχιστη ποσότητα: *a ~ of snuff/salt*, μιά πρέζα καπνός/ἁλάτι. **4**. ***at a ~; if it comes to the ~***, στήν ἀνάγκη/ἄν χρειαστῆ: *At a ~ we can sell the car*, στήν ἀνάγκη μποροῦμε νά πουλήσωμε τό αὐτοκίνητο.

pinch·beck /`pıntʃbek/ *οὐσ.* ‹U› χρυσόχαλκος, ἀπομίμησις χρυσοῦ. __*ἐπ.* ψεύτικος: *~ jewellery*, ψευτοκοσμήματα.

[1]**pine** /paın/ *οὐσ.* ‹C,U› πεῦκο. **`~-cone**, κουκουνάρι πεύκου. **`~-needle**, πευκοβελόνα.

[2]**pine** /paın/ *ρ.ἀ.* **1**. λυώνω, ἀδυνατίζω: *~ from*

hunger, λυώνω ἀπό τήν πεῖνα. *The sick man just ~d away*, ὁ ἄρρωστος ἔλυωσε σάν κερί. **2.** **~ for sth**, μαραζώνω (ἀπό λαχτάρα) γιά κτ: *~ for home/to return home*, μέ τρώει τό μαράζι τῆς πατρίδας/νά γυρίσω στήν πατρίδα.

pine·apple /ˋpaɪnæpl/ *οὐσ.* ‹C,U› ἀνανᾶς.

ping /pɪŋ/ *οὐσ.* ‹C› σφύριγμα (σφαίρας, κλπ). __*ρ.ἀ.* σφυρίζω.

ping·pong /ˋpɪŋpoŋ/ *οὐσ.* πίγκ-πόγκ.

pin·ion /ˋpɪnɪən/ *οὐσ.* ‹C› **1**. πηνίον, γρανάζι, ὀδοντωτός τροχός. **2.** ἄκρη τοῦ φτεροῦ (πουλιοῦ). **3.** (*ποιητ.*) φτερούγα. __*ρ.μ.* **1**. κόβω τά φτερά πουλιοῦ. **2.** **~ *(to/together)***, δένω σφιχτά: *~ sb's arms to his sides*, δένω τά χέρια κάποιου στά πλευρά του.

[1]**pink** /pɪŋk/ *οὐσ.* **1**. ‹C› γαρύφαλλο. **2.** ‹C,U› ρόδινο χρῶμα, ρόζ. ***be in the ~ (of health)***, (*καθομ.*) εἶμαι περίφημα/ὑγιέστατος. __*ἐπ.* ρόζ, ροδόχρους, (*μεταφ.*) ἀριστερίζων. **ˋ~·ish** /-ɪʃ/ *ἐπ.* ροδίζων, ροζέ.

[2]**pink** /pɪŋk/ *ρ.μ.* **1**. τρυπῶ (μέ ξίφος). **2.** **~ *(out)***, διακοσμῶ (μέ τρύπες), κόβω δαντελλωτά, κάνω ἀζούρ. **ˋ~·ing scissors/shears**, ψαλίδι τοῦ κεντήματος.

[3]**pink** /pɪŋk/ *ρ.ἀ.* (*γιά μηχανή*) χτυπῶ (ἀπό κακή λειτουργία).

pin·nace /ˋpɪnɪs/ *οὐσ.* ‹C› (*ναυτ.*) μεγάλη ἄκατος.

pin·nacle /ˋpɪnəkl/ *οὐσ.* ‹C› **1**. διακοσμητικός πυργίσκος, βέλος (γοτθικοῦ ρυθμοῦ). **2.** μυτερή κορυφή (βουνοῦ). **3.** (*μεταφ.*) ἀποκορύφωμα, κολοφών: *at the ~ of his fame*, στόν κολοφῶνα τῆς δόξας του.

pinny /ˋpɪnɪ/ *οὐσ.* ‹C› (*παιδική λέξη γιά pinafore*) ποδιά.

pint /paɪnt/ *οὐσ.* ‹C› πίντα (μονάς μετρήσεως ὑγρῶν = 568 γραμμ.), μεγάλο ποτήρι (μπύρας).

pion·eer /ˈpaɪəˋnɪə(r)/ *οὐσ.* ‹C› πρωτοπόρος, σκαπανεύς: *the ~s of science*, οἱ σκαπανεῖς τῆς ἐπιστήμης. __*ἐπ.* πρωτοποριακός: *do ~ work in sth*, κάνω πρωτοποριακή δουλειά σέ κτ. __*ρ.μ/ἀ.* ἀνοίγω νέους δρόμους, προπορεύομαι, καινοτομῶ.

pious /ˋpaɪəs/ *ἐπ.* εὐσεβής, εὐλαβής, φιλόστοργος (πρός τούς γονεῖς). **~·ly** *ἐπίρ.*

[1]**pip** /pɪp/ *οὐσ.* ‹C› **1**. κουκούτσι (*ἰδ.* πορτοκαλιοῦ, λεμονιοῦ, ἀχλαδιοῦ, μήλου). **2.** βούλα, κουκίδα (σέ ζάρια), σημεῖο (σέ τραπουλόχαρτα). **3.** (*καθομ.*) ἀστέρι (στίς ἐπωμίδες ἀξιωματικοῦ). **4.** σῆμα τῆς ὥρας (στό ραδιόφωνο ἤ στό τηλέφωνο).

[2]**pip** /pɪp/ *οὐσ.* **the ~**, **1**. κόρυζα (ἀρρώστεια τῶν πουλιῶν). **2.** (*λαϊκ.*) κατάθλιψις. ***have/get the ~***, ἔχω/μέ πιάνει κατάθλιψη. ***give sb the ~***, προκαλῶ κατάθλιψη σέ κπ: *That man gives me the ~*, αὐτός ὁ ἄνθρωπος μοῦ τή δίνει (μοῦ φέρνει κατάθλιψη).

[3]**pip** /pɪp/ *ρ.μ.* *(-pp-)* (*MB καθομ.*) φυτεύω σφαῖρα σέ κπ.

[1]**pipe** /paɪp/ *οὐσ.* ‹C› **1**. σωλήνας: *ˋwater-/ˋgas-~s*, σωλῆνες τοῦ νεροῦ/τοῦ γκαζιοῦ. **ˋdrain~**, σωλήνας ἀποχετεύσεως. **ˋwind~**, ἀναπνευστικός σωλήνας. **ˋ~·line**, γραμμή, ἀγωγός, πετρελαιαγωγός. ***in the ~line***, καθ' ὁδόν, στό στάδιο τῆς παραγωγῆς: *We have several new publications in the ~line*, ἑτοιμάζομε ἀρκετές νέες ἐκδόσεις. **2.** (*μουσ.*) αὐλός, φλογέρα, σωλήνας ὀργάνου: *ˋbag~s*, γκάϊδα. **3.** κελάηδημα, φωνή (πουλιοῦ). **4.** σφυρίχτρα (λοστρόμου). **5.** βαγένι κρασιοῦ (105 γαλλονιῶν). **6.** πίπα, τσιμπούκι: *smoke a ~*, καπνίζω τσιμπούκι. ***Put that in your ~ and smoke it***, (καθομ.) σκέψου το καί ἄν μπορεῖς χώνεψέ το. **ˋ~·clay**, λευκίτης, λευκάργιλος. **ˋ~·dream**, χίμαιρα. **ˋ~-rack**, θήκη (σέ τραπέζι) γιά τσιμπούκια.

[2]**pipe** /paɪp/ *ρ.μ/ἀ.* **1**. μεταφέρω (νερό, γκάζι, κλπ) μέ σωλῆνες. **2.** παίζω (σέ φλογέρα), σφυρίζω, τραγουδῶ μέ κατσαρή φωνή. ***~ up***, (*καθομ.*) ἀρχίζω νά μιλῶ/νά τραγουδῶ/νά παίζω ὄργανο. ***~ down***, (*καθομ.*) κόβω λίγο τίς φωνές, κατεβάζω τόν τόνο. **3.** (*ναυτ.*) σφυρίζω (μέ τή σφυρίχτρα τοῦ λοστρόμου): *~ all hands on deck*, σφυρίζω ν' ἀνέβουν ὅλοι οἱ ναῦτες στό κατάστρωμα. **4.** στολίζω μέ σειρήτι.

piper /ˋpaɪpə(r)/ *οὐσ.* ‹C› παίχτης φλογέρας ἤ γκάϊδας. ***He who pays the ~ calls the tune***, ὅποιος πληρώνει τά βιολιά διαλέγει τό τραγούδι.

pip·ette /pɪˋpet/ *οὐσ.* ‹C› σταγονόμετρο, μικρό σιφώνι.

pip·ing /ˋpaɪpɪŋ/ *οὐσ.* ‹U› **1**. σωλήνας, σωλήνωσις: *ten feet of lead ~*, δέκα πόδια μολυβδοσωλήνα. **2.** σειρήτι (σέ ροῦχο), διακόσμησις (μέ κρέμα ἤ σοκολάτα). **3.** παίξιμο (μέ φλογέρα ἤ γκάϊδα), ἦχος φλογέρας ἤ γκάϊδας. __*ἐπ.* ὀξύς, διαπεραστικός: *a ~ voice*, τσιριχτή φωνή. __*ἐπίρ.* ***~ hot***, πολύ ζεστός.

pip·pin /ˋpɪpɪn/ *οὐσ.* ‹C› εἶδος ἀχλαδιοῦ.

pip·squeak /ˋpɪpskwik/ *οὐσ.* ‹C› (*λαϊκ.*) ἀσήμαντο ἀνθρωπάκι ἤ πρᾶγμα, σαχλαμάρας.

pi·quancy /ˋpikənsɪ/ *οὐσ.* ‹U› νοστιμάδα, πικάντικη γεῦσις, σπιρτάδα (πνεύματος).

pi·quant /ˋpikənt/ *ἐπ.* πικάντικος: *a ~ sauce/story*, πικάντικη σάλτσα/ἱστορία. **~·ly** *ἐπίρ.*

pique /pik/ *ρ.μ.* **1**. πικάρω, κεντῶ, θίγω: *~ sb's pride*, θίγω τόν ἐγωϊσμό κάποιου. **2.** κεντρίζω, διεγείρω: *~ sb's curiosity*, κεντρίζω τήν περιέργεια κάποιου. **3.** ***~ oneself on sth***, καμαρώνω γιά κτ: *He ~d himself on being punctual*, καμάρωνε ὅτι ἦταν ἀκριβής. __*οὐσ.* ‹U› πίκα, φούρκα, μνησικακία: *go away in a fit of ~*, φεύγω φουρκισμένος. *take a ~ against sb*, εἶμαι φουρκισμένος μέ κπ.

pi·qué /ˋpikeɪ/ *οὐσ.* ‹U› (ὕφασμα) πικέ.

pi·quet /pɪˋket/ *οὐσ.* ‹U› (*χαρτοπ.*) πικέτο.

pi·racy /ˋpaɪərəsɪ/ *οὐσ.* ‹C,U› **1**. πειρατεία. **2.** κλεψιτυπία.

pi·rate /ˋpaɪərət/ *οὐσ.* ‹C› **1**. πειρατής. **2.** ἐκδότης κλεψιτύπων βιβλίων. **3.** πειρατικός ραδιοσταθμός. __*ρ.μ.* πειρατεύω, κουρσεύω, ἀνατυπώνω παρανόμως. **pi·rati·cal** /ˈpaɪəˋrætɪkl/ *ἐπ.* πειρατικός, κλεψίτυπος. **pi·rati·cally** /-klɪ/ *ἐπίρ.*

pir·ou·ette /ˈpɪrʊˋet/ *οὐσ.* ‹C› πιρουέττα. __*ρ.ἀ.* κάνω πιρουέττα.

pis·ca·tor·ial /ˈpɪskəˋtɔrɪəl/ *ἐπ.* ἁλιευτικός: *~ rights*, δικαιώματα ἁλιείας.

Pis·ces /ˋpaɪsiz/ *οὐσ. πληθ.* (*ἀστρολ.*) Ἰχθεῖς.

pish /pɪʃ/ *ἐπιφ.* οὔφ! πούφ!

piss /pɪs/ *ρ.μ/ἀ.* (*χυδ.*) κατουρῶ: *P~ off!* στρίβε! ξεκουμπίσου! *~ed off*, μπουχτισμένος. **~ ed** *ἐπ.* (*χυδ.*) στουπί στό μεθύσι. __*οὐσ.* ‹U› κατούρημα, κάτουρο.

pis·ta·chio /pɪˋstaʃɪəʊ/ *οὐσ.* ‹C› (*πληθ.* ~*s*) φυστίκι (Αἰγίνης).

pis·til /ˋpɪstl/ *οὐσ.* ‹C› ὕπερος (λουλουδιοῦ).

pis·tol /ˋpɪstl/ *οὐσ.* ‹C› πιστόλι. ***hold a ~ to sb's head***, *(α)* κολλῶ ἕνα πιστόλι στό κεφάλι κάποιου. *(β)* (*μεταφ.*) ἐκβιάζω κπ ἀπειλώντας τον.

pis·ton /ˋpɪstn/ *οὐσ.* ‹C› ἔμβολον, πιστόνι. **ˋ~ ring**, δακτύλιος ἐμβόλου. **ˋ~-rod**, βάκτρον ἐμβόλου. **ˋ~-stroke**, διαδρομή ἐμβόλου.

[1]**pit** /pɪt/ *οὐσ.* ‹C› **1**. λάκκος, σκάμμα, ὀρυχεῖον: *a ˋclay-~*, ἀργιλωρυχεῖον. *a reˋpair-~*, λάκκος ἐπισκευῶν (σέ γκαράζ). *a ˋsand-~*, σκάμμα ἀμμοληψίας. *a ˋtan-~*, λάκκος δέψεως (σέ βυρσοδεψεῖο). **ˋ~·head**, εἴσοδος ἀνθρακωρυχείου, στόμιον φρέατος. **ˋ~·man** /-mən/, ἀνθρακωρύχος. **ˋ~-prop**, ὑποστήριγμα στοᾶς ὀρυχείου. **2**. λάκκος, παγίδα (ζώου). **ˋ~·fall**, (*μεταφ.*) παγίδα, λούμπα. **3**. κοιλότης: *ˋarm~*, μασχάλη. *the ~ of the stomach*, ἡ κοιλότης τοῦ στομαχιοῦ, τό ἐπιγάστριον. **4**. οὐλή, βούλα, σημάδι (βλογιᾶς). **5**. (*στό θέατρο*) πλατεῖα. **6**. στίβος κοκορομαχιῶν. **7**. (*Ἁγ. Γρ.*) **the ~**, ἡ κόλασις. __*ρ.μ.* *(-tt-)* ἀνοίγω λάκκους, σημαδεύω μέ βοῦλες: *a face ~ted with smallpox*, βλογιοκομμένο πρόσωπο. *The surface of the moon is ~ted with craters*, ἡ ἐπιφάνεια τοῦ φεγγαριοῦ εἶναι γεμάτη κρατῆρες.

[2]**pit** /pɪt/ *οὐσ.* ‹C› κουκούτσι (κερασιοῦ, δαμάσκηνου, κλπ). __*ρ.μ.* ξεκουκουτσιάζω.

pit-a-pat /ˈpɪt ə ˋpæt/ *ἐπίρ.* μέ γρήγορους ἐλαφρούς χτύπους, τακατάκ: *Her heart went ~*, ἡ καρδιά της χτύπησε γρήγορα/πῆγε νά σπάση/ἔκανε τίκ-τάκ. *Her feet went ~*, τά πόδια της πήγαιναν τακατάκ.

[1]**pitch** /pɪtʃ/ *οὐσ.* ‹C› **1**. στέκι, πόστο (*ἰδ.* μικροπωλητῆ ἤ καλλιτέχνη τοῦ δρόμου). ***queer sb's ~***, ἀνατρέπω τά σχέδια, χαλῶ τή δουλειά κάποιου. **2**. ρῖψις, βολή, ριξιά, ἀπόστασις βολῆς. **3**. (*κρίκετ*) γήπεδο. **4**. βαθμός κλίσεως (*ἰδ.* ὀροφῆς). **5**. σκαμπανέβασμα (πλοίου). **6**. τόνος (φωνῆς, μουσικοῦ ὀργάνου). **7**. ὕψος, βαθμός (ἐντάσεως): *Excitement rose to fever ~*, ἡ ἔξαψις ἔφθασε σέ πυρετώδη ὕψη. *His curiosity was raised to the highest ~*, ἡ περιέργειά του εἶχε φθάσει στό κατακόρυφο.

[2]**pitch** /pɪtʃ/ *οὐσ.* ‹U› πίσσα, κατράμι. ***as black/dark as ~***, μαῦρος/σκοτεινός σάν πίσσα. **ˈ~-ˋblack/ˋ-dark** *ἐπ.* κατάμαυρος/κατασκότεινος: *It was ~-dark/as dark as ~ inside the cave*, ἦταν θεοσκότεινα μέσα στή σπηλιά.

[3]**pitch** /pɪtʃ/ *ρ.μ/ἀ.* **1**. ρίχνω, πετῶ: *~ a drunken man out*, πετῶ ἔξω ἕναν μεθυσμένο. *~ hay into a wagon*, πετῶ χόρτο σ' ἕνα κάρρο. **ˋ~·fork**, δεκριάνι. **ˈ~-and-ˋtoss**, στριφτό (παιχνίδι ὅπου νομίσματα ρίχνονται σ' ἕνα σημάδι). **2**. (*μουσ.*) δίνω ὡρισμένο τόνο: *This song is ~ed too low/high for me*, αὐτό τό τραγούδι εἶναι πολύ χαμηλά/ψηλά γιά μένα. *in a high ~ed voice*, μέ ψιλή, τσιριχτή φωνή. **3**. πέφτω, τινάζομαι: *He ~ed heavily on his head*, ἔπεσε βαριά μέ τό κεφάλι. *The carriage overturned and the passengers were ~ed out*, τό βαγόνι ἀνετράπη καί οἱ ἐπιβάτες τινάχτηκαν (ἐκσφενδονίστηκαν) ἔξω. **4**. (*γιά πλοῖο*) σκαμπανεβάζω. **5**. μπήγω, στήνω: *~ wickets*, (*στό κρίκετ*) μπήγω τά τέρματα. *~ a tent/camp*, στήνω μιά σκηνή/μιά κατασκήνωση. ***~ed battle***, μάχη ἐκ παρατάξεως. **6**. (*στό κρίκετ, μπαίηζμπωλ*) σερβίρω (τήν μπάλλα). **7**. (*λαϊκ.*) λέω. ***~ a yarn***, λέω ἱστορίες/παραμύθια. **8**. ***~ in***, ἀρχίζω δραστήρια κτ. ***~ into***, ρίχνομαι ἐναντίον, πέφτω μέ τά μοῦτρα: *They ~ed into him*, τοῦ ριχτήκανε. *We ~ed into the work/the meatballs*, πέσαμε μέ τά μοῦτρα στή δουλειά/στούς κεφτέδες. ***~ upon***, πέφτω ἐπάνω, διαλέγω τυχαῖα: *We ~ed upon the right man for the job*, πέσαμε ἐπάνω στόν κατάλληλο ἄνθρωπο γιά τή δουλειά.

pitcher /ˋpɪtʃə(r)/ *οὐσ.* ‹C› **1**. στάμνα. **2**. (*στό μπέηζμπωλ*) παίχτης πού ρίχνει τήν μπάλλα.

pit·eous /ˋpɪtɪəs/ *ἐπ.* θλιβερός, ἀξιολύπητος. **~·ly** *ἐπίρ.* θλιβερά.

pit·fall /ˋpɪtfɔl/ *οὐσ.* ‹C› *βλ.* [1]*pit*.

pith /pɪθ/ *οὐσ.* ‹U› **1**. ψίχα (μέσα στό καλάμι, στό ἐσωτερικό φλούδας πορτοκαλιοῦ, κλπ). **ˋ~ hat/helmet**, καπέλλο/κάσκα ἀπό φελλό. **2**. ρώμη, σφρῖγος. **3**. (*μεταφ.*) οὐσία: *the ~ of his speech/argument*, ἡ οὐσία τοῦ λόγου του/τοῦ ἐπιχειρήματός του. **ˋ~y** *ἐπ.* *(-ier, -iest)* νευρώδης, ρωμαλέος, γεμᾶτος οὐσία: *a ~y speech*, ρωμαλέος λόγος, ὁμιλία μέ οὐσία. **ˋ~·ily** /-əlɪ/ *ἐπίρ.*

piti·able /ˋpɪtɪəbl/ *ἐπ.* ἀξιολύπητος, ἀξιοθρήνητος: *a ~ attempt/~ conduct*, ἀξιοθρήνητη προσπάθεια/διαγωγή. **piti·ably** /-əblɪ/ *ἐπίρ.*

piti·ful /ˋpɪtɪfl/ *ἐπ.* **1**. σπλαχνικός, συμπονετικός. **2**. θλιβερός. **3**. ἀξιοθρήνητος, οἰκτρός. **~ly** /-fəlɪ/ *ἐπίρ.*

piti·less /ˋpɪtɪləs/ *ἐπ.* ἀνηλεής, ἄσπλαχνος. **~·ly** *ἐπίρ.*

pit·tance /ˋpɪtns/ *οὐσ.* ‹C› ἐξευτελιστική ἀμοιβή: *work for a (mere) ~*, δουλεύω γιά ἕνα κομμάτι ψωμί.

pitter-patter /ˋpɪtə pætə(r)/ *οὐσ.* *βλ.* [2]*patter*.

pity /ˋpɪtɪ/ *οὐσ.* **1**. ‹U› ἔλεος, οἶκτος, συμπόνοια, λύπηση: *be filled with /feel ~ for sb*, εἶμαι γεμᾶτος/νοιώθω οἶκτο γιά κπ. ***have/take ~ on sb***, δείχνω λύπηση γιά κπ, τόν λυπᾶμαι/συμπονῶ. ***for ~'s sake***, γιά τ' ὄνομα τοῦ θεοῦ, γιά τό θεό! ***out of ~***, ἀπό οἶκτο. **2**. (*μέ ἀόρ. ἄρθρ.*) κρῖμα, (*μόνον στόν ἑν. ἐκτός στή φρ.*): *It's a thousand pities that...*, εἶναι μεγάλη ἀτυχία (πολύ κρῖμα) πού... *It's a ~/What a ~ (that) you can't come*, κρῖμα/τί κρῖμα πού δέν μπορεῖς νά ἔλθης. *The ~ is that...*, τό κακό εἶναι ὅτι... *P~ you didn't tell me*, κρῖμα πού δέν μοῦ τό εἶπες. __*ρ.μ.* λυπᾶμαι κπ: *He is much to be pitied*, εἶναι κυριολεκτικά γιά λύπηση/νά τόν λυπᾶται κανείς. *I ~ you if you believe that*, σέ λυπᾶμαι ἄν πιστεύης τέτοιο πρᾶγμα. **~·ing** *ἐπ.* συμπονετικός. **~·ing·ly** *ἐπίρ.* συμπονετικά.

pivot /ˋpɪvət/ *οὐσ.* ‹C› **1**. ἄξων (περιστροφῆς). **2**. (*μεταφ.*) ὁ κύριος μοχλός. __*ρ.μ/ἀ.* ***~ on*** περιστρέφω/-ομαι στηρίζομαι πάνω σέ κτ. **~al** /-tl/ *ἐπ.* κεντρικός, βασικός: *a ~al question*, βασικό, θεμελιῶδες θέμα.

pixy, pixie /ˋpɪksɪ/ *οὐσ.* ‹C› ξωτικό, νεράϊδα.

piz·zi·cato /ˈpɪtsɪˋkatəʊ/ *ἐπ.* & *ἐπίρ.* (*μουσ.*) πιτσικάτο.

plac·ard /plækɑd/ *οὐσ.* ‹C› πλακάτ, ἀφίσσα. —*ρ.μ.* τοιχοκολλῶ ἀφίσσες/διαφημίζω μέ ἀφίσσες.

pla·cate /plə`keɪt/ *ρ.μ.* μαλακώνω, ἐξευμενίζω, καταπραΰνω: ~ *sb with gifts*, μαλακώνω κπ μέ δῶρα. **pla·catory** /-təri/ *ἐπ.* κατευναστικός, συμφιλιωτικός.

1 **place** /pleɪs/ *οὐσ.* ‹C› **1**. μέρος, τόπος, σημεῖον: *find a quiet ~ for one's picnic*, βρίσκω ἕνα ἥσυχο μέρος γιά πικνίκ. *go to ~s and see things*, γυρίζω ἀπό τόπο σέ τόπο καί βλέπω τόν κόσμο. *people from different ~s*, ἄνθρωποι ἀπό διάφορα μέρη (χωριά, πόλεις, χῶρες). *a ~ of worship/amusement*, τόπος λατρείας/διασκεδάσεως. *I've lost my ~ (in the book)*, ἔχασα τό σημεῖο πού ἤμουν (στό βιβλίο). *a sore ~ on my neck*, ἕνα ἐρεθισμένο σημεῖο στό σβέρκο μου. **`~-name**, τοπωνύμιον. **2**. (*καθομ.*) σπίτι, κατοικία: *They have a nice little ~ in the country*, ἔχουν ἕνα ὡραῖο σπιτάκι στήν ἐξοχή. *Come round to my ~ one evening*, πέρασε ἀπό τό σπίτι κανένα βράδυ. **3**. θέσις: *Go back to your ~*, πήγαινε πίσω στή θέση σου. *Everything is in its ~ in my study*, ὅλα εἶναι στή θέση τους στό γραφεῖο μου. *There's always a ~ for you at my dinner-table*, ὑπάρχει πάντοτε θέσις γιά σένα στό τραπέζι μου. *His horse got the first ~*, τό ἄλογό του πῆρε τήν πρώτη θέση. ***back a horse for a ~***, παίζω ἕνα ἄλογο πλασέ. ***get a ~***, βρίσκω θέση. ***know one's ~***, ξέρω τή θέση μου (πῶς πρέπει νά φέρομαι). ***It's your ~ to*** *(see that...,)* εἶναι δική σου δουλειά (ὑποχρέωση ἀπό τή θέση σου) νά (φροντίζης ὥστε...) **`~·man**, **`~·seeker**, θεσιθήρας. **4**. (*σέ φράσεις*): ***in ~***, στή σωστή θέση, ἐπίκαιρος: *Everything is in ~*, ὅλα εἶναι στή θέση τους/καλοβαλμένα. *His remark was quite in ~*, ἡ παρατήρησίς του ἦταν πολύ ἐπίκαιρη. ***out of ~***, ὄχι στή σωστή θέση, ἄτοπος: *Everything seems to be out of ~*, τίποτα δέ φαίνεται νά εἶναι στή θέση του. *Your remarks were out of ~*, οἱ παρατηρήσεις σου ἦταν ἐκτός τόπου. ***in the first/second ~***, κατά πρῶτον/δεύτερον λόγον. ***in ~ of***, ἀντί: *In ~ of information he gave us...*, ἀντί γιά πληροφορίες μᾶς ἔδωσε... ***all over the ~***, παντοῦ. ***be in sb's ~***, εἶμαι στή θέση κάποιου: *If I were in your ~*, ἄν ἤμουν στή θέση σου... ***give ~***, ἐνδίδω, ὑποχωρῶ. ***give ~ to sb/sth***, παραχωρῶ τή θέση μου εἰς: *Old methods must give ~ to new*, οἱ παληές μέθοδοι πρέπει νά παραχωρήσουν τή θέση τους σέ νέες. ***`go ~s***, βγαίνω, γυρίζω, (*καθομ.*) σημειώνω μεγάλη ἐπιτυχία (στήν καριέρα μου). ***keep one's ~***, κρατῶ τή θέση μου. ***keep sb in his ~***, κρατῶ κπ στή θέση του/σέ ἀπόσταση. ***make ~ for sth/sb***, κάνω θέση (κάνω τόπο) γιά κτ/κπ. ***put oneself in sb else's ~***, βάζω τόν ἑαυτό μου/μπαίνω στή θέση κάποιου ἄλλου. ***put sb in his ~***, βάζω κπ στή θέση του. ***take ~***, λαμβάνω χώραν, γίνομαι: *When will the wedding take ~?* πότε θά γίνη ὁ γάμος; ***take sb's ~***, παίρνω τή θέση κάποιου.

2 **place** /pleɪs/ *ρ.μ.* τοποθετῶ (= βάζω, διορίζω, διαθέτω, ἐπενδύω, ἔχω, ἀναθέτω): ~ *a gun in position*, τοποθετῶ ἕνα κανόνι. *I ~ him among the first*, τόν βάζω (τόν θεωρῶ) μεταξύ τῶν πρώτων. ~ *sb in a post*, διορίζω κπ σέ μιά θέση. ~ *goods in new markets*, διαθέτω ἐμπορεύματα σέ νέες ἀγορές. ~ *£1000 in government stocks*, ἐπενδύω 1000 λίρες σέ κρατικά χρεώγραφα. ~ *confidence in sb*, ἔχω/δίνω ἐμπιστοσύνη σέ κπ. ~ *a matter in sb's hands*, ἀναθέτω μιά ὑπόθεση σέ κπ. ***~ an order with sb/a firm***, κάνω παραγγελία σέ κπ/σέ μιά ἑταιρία. ***~ sb***, ἀναγνωρίζω κπ, σχηματίζω σαφῆ ἰδέα γιά κπ: *I know his face but I can't ~ him*, ξέρω τό πρόσωπό του ἀλλά δέν μπορῶ νά θυμηθῶ ποιός εἶναι/πῶς τόν ξέρω. *He's a difficult man to ~*, εἶναι δύσκολο νά πῆ κανείς τί λογῆς ἄνθρωπος εἶναι. ***be ~d***, (*γιά ἄλογο σέ ἱπποδρ.*) ἔρχομαι πλασέ.

pla·cebo /plə`sibəʊ/ *οὐσ.* ‹C› (*πληθ.* ~*s*, ~*es*) εἰκονικό φάρμακο (χορηγούμενο γιά ψυχολογικούς λόγους).

pla·centa /plə`sentə/ *οὐσ.* ‹C› (*μαιευτ.*) πλακοῦς.

pla·cid /`plæsɪd/ *ἐπ.* γαλήνιος, πρᾶος, ἀτάραχος. **~·ly** *ἐπίρ.* **~·ity** /plə`sɪdətɪ/ *οὐσ.* ‹U› γαλήνη, ἠρεμία, πραότης.

placket /`plækɪt/ *οὐσ.* ‹C› **1**. σχισμή, ἄνοιγμα (φούστας). **2**. ἐσωτερική τσέπη (σέ φούστα).

plage /plaʒ/ *οὐσ.* ‹C› (*Γαλλ.*) πλάζ.

pla·giar·ize /`pleɪdʒəraɪz/ *ρ.μ.* κάνω λογοκλοπή. **pla·giar·ism** /-ɪzm/ *οὐσ.* ‹C,U› λογοκλοπή. **pla·giar·ist** /-ɪst/ *οὐσ.* ‹C› λογοκλόπος.

plague /pleɪg/ *οὐσ.* ‹C› **1**. πανούκλα: *bubonic ~*, βουβωνική πανώλης. ***(A) ~ on him, it, etc!*** (*πεπαλ.*) πανούκλα νά τόν/τό πιάση! **`~-spot**, *(α)* πληγή ἀπό πανούκλα. *(β)* ἑστία μολύνσεως. **2**. (*μεταφ.*) πληγή, μάστιγα: *the ten ~s of Egypt*, οἱ δέκα πληγές τοῦ Φαραώ. *What a ~ that boy is!* τί πληγή (τί συφορά) εἶναι αὐτό τό παιδί! *a ~ of flies/locusts/mosquitoes*, μάστιγα ἀπό μυῖγες/ἀκρίδες/κουνούπια. —*ρ.μ.* ***~ sb (with)***, ἐνοχλῶ, μαστίζω, βασανίζω: ~ *sb with questions*, βασανίζω κπ μέ ἐρωτήσεις. **plaguy** /`pleɪgɪ/ *ἐπ.* (*καθομ.*) ἐνοχλητικός, ἀναθεματισμένος. **pla·guily** *ἐπίρ.* ἐνοχλητικά, προκλητικά.

plaice /pleɪs/ *οὐσ.* ‹C› (*ἀμετάβλ. εἰς πληθ.*) (*ἰχθ.*) πησσί, πλατέσσα.

plaid /plæd/ *οὐσ.* **1**. ‹C› σκωτσέζικο ἀνδρικό σάλι, χράμι. **2**. ‹U› καρρώ ὕφασμα.

1 **plain** /pleɪn/ *ἐπ.* *(-er, -est)* **1**. καθαρός, σαφής, ὁλοφάνερος: *make one's meaning quite ~*, κάνω τό νόημά μου ἀπολύτως σαφές. *in ~ speech/language*, μέ καθαρά, σταράτα λόγια. *It was quite ~ that...*, ἦταν ὁλοφάνερο ὅτι... ***as ~ as can be***, ὅσο πιό καθαρά γίνεται. ***~ sailing***, ἀπρόσκοπτη/εὔκολη πορεία, (*μεταφ.*) παιχνιδάκι: *When you have mastered this technique, teaching will be ~ sailing*, ὅταν θά ἔχης μάθη καλά αὐτή τή μέθοδο, ἡ διδασκαλία θά εἶναι παιχνιδάκι. **2**. ἁπλός, ἀπέριττος: ~ *food/cooking*, ἁπλῆ τροφή/κουζίνα. *a ~ man/way of living*, ἁπλός ἄνθρωπος/ἁπλῆ ζωή. *a ~ dress*, ἁπλό φόρεμα. *the ~ truth*, ἡ γυμνή ἀλήθεια. ***(in) ~ clothes***, μέ πολιτικά (ὄχι μέ στολή): *a ~-clothes policeman*, ἀστυνομικός μέ πολιτικά. **3**. τίμιος, ἄδολος, εἰλικρινής, ντόμπρος: ~ *country folk*, ἄδολοι χωριάτες. ~ *dealing*,

τίμιο φέρσιμο, εἰλικρίνεια. **be ~ with sb**, εἶμαι εἰλικρινής μέ κπ, τοῦ μιλάω ἀνοιχτά. **'~-`spoken** *ἐπ.* ντόμπρος. **4**. (*γιά τήν ἐμφάνιση*) μᾶλλον ἄσχημος: *a ~ girl*, ἄσχημο κορίτσι. **5**. μονόχρωμος: *~ material*, μονόχρωμο ὕφασμα. **`~-song/-chant**, (*ἐκκλ.*) γρηγοριανόν μέλος, μονῳδία. —*ἐπίρ.* καθαρά: *Speak ~!* μίλα καθαρά! **`~·ly** *ἐπίρ.* ἁπλᾶ, καθαρά, τίμια. **`~·ness** *οὐσ.* ‹U› ἁπλότης, σαφήνεια, ἀσχήμια, εἰλικρίνεια.

2 **plain** /pleɪn/ *οὐσ.* ‹C› πεδιάδα, κάμπος: *the wide ~s of Canada*, οἱ ἀπέραντες πεδιάδες τοῦ Καναδᾶ. **`~s·man** /-zmən/ καμπίσιος, κάτοικος τῶν πεδιάδων.

3 **plain** /pleɪn/ *οὐσ.* ‹U› (*στό πλέξιμο*) εἶδος πόντου. —*ρ.μ/ἀ.* πλέκω τέτοιο πόντο. *πρβλ.* [1]*purl*.

plaint /pleɪnt/ *οὐσ.* ‹C› **1**. (*νομ.*) ἀγωγή. **2**. (*ποιητ.*) θρῆνος.

plain·tiff /`pleɪntɪf/ *οὐσ.* ‹C› (*νομ.*) ἐνάγων (*ἀντίθ. defendant*).

plain·tive /`pleɪntɪv/ *ἐπ.* παραπονιάρικος, λυπητερός, θρηνητικός: *in a ~ voice*. **~·ly** *ἐπίρ.* **~·ness** *οὐσ.* ‹U› παράπονο.

plait /plæt/ *οὐσ.* ‹C› κοτσίδα, πλεξούδα. —*ρ.μ.* πλέκω κοτσίδα (τά μαλλιά).

plan /plæn/ *οὐσ.* ‹C› σχέδιο, χάρτης, πλάνο: *the ~ of a building/machine*, τό σχέδιο ἑνός κτιρίου/μιᾶς μηχανῆς. *a five-year ~*, πενταετές σχέδιο. *the ~ of a town*, τό σχέδιο/ὁ χάρτης μιᾶς πόλεως. *I have no fixed ~s*, δέν ἔχω προκαθορισμένα σχέδια. ***draw up a ~***, καταρτίζω σχέδιο. ***make ~s for sth***, κάνω σχέδια γιά κτ. ***go according to ~***, ἐξελίσσομαι σύμφωνα μέ τό σχέδιο. —*ρ.μ.* *(-nn-)* σχεδιάζω: *~ a new school/life*, σχεδιάζω ἕνα καινούργιο σχολεῖο/μιά νέα ζωή. *~ (out) a campaign*, σχεδιάζω/καταστρώνω μιά ἐκστρατεία. *~ to do sth*, σχεδιάζω νά κάμω κτ. **a ~ned economy**, σχεδιασμένη οἰκονομία. **`~·ner** *οὐσ.* ‹C› σχεδιαστής.

1 **plane** /pleɪn/ *οὐσ.* ‹C› **`~ (-tree)**, πλάτανος.

2 **plane** /pleɪn/ *οὐσ.* ‹C› (*ἐργαλ.*) πλάνη. —*ρ.μ.* πλανίζω: *~ sth smooth*, κάνω κτ λεῖο πλανίζοντάς το.

3 **plane** /pleɪn/ *οὐσ.* ‹C› **1**. ἐπίπεδον, (ἐπίπεδος) ἐπιφάνεια. **'~ ge`ometry**, ἐπιπεδομετρία. **2**. (*μεταφ.*) ἐπίπεδο, στάθμη: *on a higher social ~*, σέ ψηλότερο κοινωνικό ἐπίπεδο. *on the same ~ as a savage*, στό ἴδιο ἐπίπεδο μέ τούς ἀγρίους.

4 **plane** /pleɪn/ *οὐσ.* ‹C› (*βραχυλ. γιά aeroplane*) ἀεροπλάνο: *I'll take the next ~ for London*, θά πάρω τό ἑπόμενο ἀεροπλάνο γιά τό Λονδῖνο.

planet /`plænɪt/ *οὐσ.* ‹C› πλανήτης. **~·ary** /`plænɪtrɪ/ *ἐπ.* πλανητικός. **~·ar·ium** /'plænɪ`teərɪəm/ *οὐσ.* ‹C› πλανητάριον.

plan·gent /`plændʒənt/ *ἐπ.* (*λόγ.*) ἠχηρός, βουερός, γοερός.

plank /plæŋk/ *οὐσ.* ‹C› **1**. χοντρή σανίδα, μαδέρι: *wood in ~s*, ξυλεία σέ σανίδες. **`~-bed**, σανιδοκρέββατο. (*βλ. & λ.* [2]*walk*). **2**. βασικές ἀρχές κομματικοῦ προγράμματος. —*ρ.μ.* **1**. στρώνω (μέ σανίδες). **2**. ***~ down***, (*καθομ.*) πέφτω, ξηλώνομαι, σκάω (*δηλ.* πληρώνω ἀμέσως). **`~·ing** *οὐσ.* ‹U› σανίδωμα (πατώματος).

plank·ton /`plæŋktn/ *οὐσ.* ‹U› πλαγκτόν.

1 **plant** /plɑnt/ *οὐσ.* **1**. ‹C› φυτό: *garden/mountain ~s*, φυτά τοῦ κήπου/τοῦ βουνοῦ. **`~-louse**, μελίγκρα. **2**. ‹C,U› (*βιομ.*) ἐγκατάστασις (φωτισμοῦ, ἀερισμοῦ), μηχανήματα, ἐργοστάσιο. **3**. ‹C› (*λαϊκ.*) κόλπο, μηχανή, (*γιά ἄνθρ.*) ἐγκάθετος, βαλτός, χαφιές.

2 **plant** /plɑnt/ *ρ.μ.* **1**. φυτεύω: *~ a garden with rose-bushes*, φυτεύω ἕναν κῆπο μέ τριανταφυλλιές. *~ trees*, φυτεύω δέντρα. ***~ out***, μεταφυτεύω (νέα φυτά). **2**. φυτεύω, δίνω (χτύπημα): *I ~ed a good one on his nose*, τοῦ φύτεψα μιά καλή στή μύτη. **3**. στυλώνω, στήνω, τοποθετῶ γερά: *He ~ed his feet firmly on the ground*, στύλωσε τά πόδια του γερά στό ἔδαφος. *He ~ed himself in front of the fire*, στήθηκε/θρονιάστηκε μπροστά στή φωτιά. *~ an idea in sb's mind*, (*μεταφ.*) βάζω μιά ἰδέα στό μυαλό κάποιου. **4**. ἱδρύω, ἐγκαθιστῶ: *~ a colony*, ἱδρύω ἀποικία. *~ the surplus population in virgin lands*, ἐγκαθιστῶ τόν πλεονάζοντα πληθυσμό σέ παρθένα ἐδάφη. **5**. (*καθομ.*) κρύβω (γιά νά ἐνοχοποιήσω ἀθῶον), χώνω (κατάσκοπο): *~ stolen articles on sb*, κρύβω κλοπιμαῖα σέ κπ. *~ a spy in a gang*, χώνω κατάσκοπο σέ μιά συμμορία. *~ a bomb in an aeroplane*, κρύβω (τοποθετῶ) βόμβα σέ ἀεροπλάνο. **`~er** *οὐσ.* ‹C› **1**. καλλιεργητής: *a `tea-~er*, καλλιεργητής τσαγιοῦ. **2**. καλλιεργητική μηχανή: *a po`tato-~er*, μηχανή πού φυτεύει πατάτες.

plan·tain /`plæntɪn/ *οὐσ.* ‹C› **1**. μπανάνα τῶν Ἀντιλλῶν. **2**. (*φυτ.*) ἀρνόγλωσσο, πεντάνευρο.

plan·ta·tion /plæn`teɪʃn/ *οὐσ.* ‹C› φυτεία: *`tea-/`coffee-~s*, φυτεῖες τσαγιοῦ/καφέ. *a ~ song*, νέγρικο τραγούδι (τῶν σκλάβων πού δούλευαν σέ φυτεῖες).

plaque /plɑk/ *οὐσ.* ‹C› (ἀναμνηστική) πλάκα.

plash /plæʃ/ *οὐσ.* (*μόνον ἑν.*) παφλασμός: *the ~ of oars in water*, ὁ παφλασμός κουπιῶν στό νερό. —*ρ.μ/ἀ.* παφλάζω.

plasm /plæzm/ *οὐσ.* ‹U› (*βιολ.*) πρωτόπλασμα.

plasma /`plæzmə/ *οὐσ.* ‹U›, **`blood ~** πλάσμα (αἵματος).

plas·ter /`plɑstə(r)/ *οὐσ.* **1**. ‹C› (*ἰατρ.*) ἔμπλαστρο: *a `corn ~*, ἔμπλαστρο γιά τούς κάλους. **adhesive ~**, τσιρότο. (**`sticking-**)**~**, λευκοπλάστης. **2**. ‹U› σοβᾶς. **'~ of `Paris**, λεπτός γύψος, γυψοκονία. **`~ cast**, (*α*) γύψινο ἐκμαγεῖο, (*β*) (*ἰατρ.*) νάρθηκας (γιά σπασμένο μέλος τοῦ σώματος). **`~·board**, γυψοσανίδα. —*ρ.μ.* **1**. σοβατίζω. **2**. βάζω ἔμπλαστρο/λευκοπλάστη. **3**. μπλαστρώνω, σκεπάζω ἐντελῶς: *hair ~ed with oil*, μαλλιά μπλαστρωμένα μέ μπριγιαντίνη. *an old suitcase ~ed with labels*, μιά παληά βαλίτσα σκεπασμένη μέ ἐτικέττες. **~ed** *ἐπ.* (*καθομ.*) μεθυσμένος. **~er** *οὐσ.* ‹C› σοβατζῆς.

plas·tic /`plæstɪk/ *ἐπ.* **1**. (*κυριολ. & μεταφ.*) εὔπλαστος: *Clay is a ~ substance*, ὁ πηλός εἶναι εὔπλαστη οὐσία. *the ~ mind of a child*, τό εὔπλαστο μυαλό ἑνός παιδιοῦ. **2**. πλαστικός: *~ raincoats/curtains*, πλαστικά ἀδιάβροχα/-ές κουρτῖνες. **'~-`bomb**, πλαστική βόμβα. **'~ ex`plosive**, πλαστική ἐκρηκτική οὐσία. **'~ `surgery**, πλαστική (αἰσθητική) ἐγχείρησις. **the '~ `arts**, οἱ πλαστικές τέχνες. —*οὐσ.* ‹C› πλαστική ὕλη. **plas·tics** *οὐσ.* (*μέ ρ. ἑν.*) τά πλαστικά εἴδη, ἡ τέχνη κατασκευῆς πλαστικῶν. **~·ity** /plæˋstɪsətɪ/ *οὐσ.* ‹U› εὐπλαστότης, πλαστικότης.

plas·ti·cine /ˋplæstɪsin/ *οὐσ.* ‹U› πλαστελίνη.

[1]**plate** /pleɪt/ *οὐσ.* **1**. ‹C› πιάτο: *ˋdinner/ˋsoup ~s*, ρηχά/βαθιά πιάτα. *desˋsert ~s*, πιάτα τοῦ φρούτου, πιατάκια. **ˋ~-rack**, πιατοθήκη. ***on a ~***, (*καθομ.*) στό χέρι: *His mother gives/hands him everything on a ~*, ἡ μητέρα του τοῦ τά δίνει ὅλα στό χέρι. *He wants everything on a ~*, τά θέλει ὅλα στό χέρι. **ˋ~·ful** /-fʊl/ *οὐσ.* ‹C› ὅσο χωράει ἕνα πιάτο: *a ~ful of meat*, ἕνα πιάτο κρέας. **2**. ‹C› δίσκος (ζυγαριᾶς, ἐκκλησίας, κλπ): *put only a penny in the ~*, ἀφήνω μιά πεντάρα μόνο στό δίσκο. **3**. ‹U› (*συλλογ.*) χρυσᾶ ἤ ἀργυρᾶ ἐπιτραπέζια σκεύη: **ˋ~-powder**, σκόνη γιά τό γυάλισμα τῶν ἐπιτραπέζιων σκευῶν. **4**. ‹C,U› πλάκα, λάμα, ἔλασμα, φύλλο (μετάλλου, γυαλιοῦ, κλπ): *ˋclutch-~*, δίσκος ἀμπραγιάζ. *a ˋhot~*, μάτι κουζίνας. **5**. **ˈ~-ˋglass**, φύλλο κρύσταλλου. **6**. ‹C› πλάκα (φωτογραφική), κλισέ, πλάκα σελίδος. **7**. ‹C› πινακίδα. **ˋnumber-~**, πινακίδα μέ τόν ἀριθμό κυκλοφορίας αὐτοκινήτου ἤ τόν ἀριθμό σπιτιοῦ. *a lawyer's/doctor's ~*, πινακίδα μέ τό ὄνομα δικηγόρου/γιατροῦ (στήν πόρτα). **8**. ‹C› (**ˋdental**) **~**, ὀδοντοστοιχία, μασέλα (τεχνητή). **9**. κύπελλον (ὡς βραβεῖο σέ ἱπποδρομίες), ἱπποδρομία κυπέλλου.

[2]**plate** /pleɪt/ *ρ.μ.* **1**. ἐπενδύω (μέ ἐλάσματα): *~ a ship*, θωρακίζω πλοῖο. **2**. ἐπιμεταλλώνω: *~ articles with silver/gold*, ἐπαργυρώνω/ἐπιχρυσώνω εἴδη. *gold-~d dishes*, ἐπίχρυσα πιάτα. *silver-~d spoons*, ἐπάργυρα κουτάλια. **plat·ing** /ˋpleɪtɪŋ/ *οὐσ.* ‹U› ἐπένδυσις, ἐπιμετάλλωσις.

pla·teau /ˋplætəʊ/ *οὐσ.* ‹C› (*πληθ.* *~s ἤ ~x* /-təʊz/) ὑψίπεδο, ὀροπέδιο.

plate·layer /ˋpleɪtleɪə(r)/ *οὐσ.* ‹C› ἐργάτης σιδηροδρομικῶν γραμμῶν.

plat·form /ˋplætfɔm/ *οὐσ.* ‹C› **1**. ἀποβάθρα (σιδηρ. σταθμοῦ): *Which ~ does the train for Leeds leave from?* ἀπό ποιά ἀποβάθρα φεύγει τό τραῖνο γιά τό Λήντς; **2**. ἐξέδρα, βῆμα (δημοσίας συγκεντρώσεως). **3**. πρόγραμμα κόμματος (*ἰδ.* προεκλογικό).

plat·ing /ˋpleɪtɪŋ/ *οὐσ.* ‹U› *βλ.* [2]*plate*.

plati·num /ˋplætənəm/ *οὐσ.* ‹U› πλατίνη. —*ἐπ.* πλατινένιος: *a ˈ~ ˋblonde*, νέα μέ πλατινένια μαλλιά.

plati·tude /ˋplætɪtjud/ *οὐσ.* ‹C,U› κοινοτοπία: *a speech full of ~s*, λόγος γεμᾶτος κοινοτοπίες. **plati·tudi·nous** /ˈplætɪˋtjudɪnəs/ *ἐπ.* τετριμμένος.

Pla·tonic /pləˋtonɪk/ *ἐπ.* πλατωνικός: *~ love*, πλατωνικός ἔρωτας.

pla·toon /pləˋtun/ *οὐσ.* ‹C› διμοιρία, οὐλαμός.

plat·ter /ˋplætə(r)/ *οὐσ.* ‹C› **1**. (*ΗΠΑ*) πιατέλα (σερβιρίσματος). **2**. (*ἀπηρχ.*) πιάτο (συχνά ξύλινο).

plau·dit /ˋplɔdɪt/ *οὐσ.* ‹C› (*συνήθ. πληθ.*) ἐπιδοκιμασία (φωνή, χειροκρότημα, κλπ): *He was gratified at the ~s of the audience*, εὐχαριστήθηκε ἀπό τίς ἐπευφημίες τοῦ ἀκροατηρίου.

plaus·ible /ˋplɔzəbl/ *ἐπ.* **1**. εὔλογος, εὔσχημος, ἀληθοφανής: *a ~ excuse/explanation*, ἀληθοφανής δικαιολογία/ἐξήγησις. **2**. (*γιά ἄνθρ.*) καπάτσος, μαλαγάνας, πειστικός: *a ~ rogue*, πειστικός ἀπατεώνας. **plaus·ibly** /-əblɪ/ *ἐπίρ.* ἀληθοφανῶς. **plausi·bil·ity** /ˈplɔzəˋbɪlətɪ/ *οὐσ.* ‹C,U› ἀληθοφάνεια, ἐνδεχόμενον, εὔλογον.

[1]**play** /pleɪ/ *οὐσ.* **1**. ‹U› παιχνίδι, διασκέδασις: *Children are fond of ~*, τά παιδιά ἀγαποῦν τό παιχνίδι. ***be at ~***, παίζω, (*σχολ.*) ἔχω διάλειμμα: *The children are at ~*, τά παιδιά παίζουν, ἔχουν διάλειμμα. ***in ~***, στ' ἀστεῖα: *say sth in ~*, λέω κτ στ' ἀστεῖα. ***a ~ on words***, λογοπαίγνιο. ***ˋchild's-~***, παιχνιδάκι, κάτι πολύ ἁπλό καί εὔκολο: *Once you've got the trick of it, it's child's-~*, μόλις τοῦ πάρης τό κόλπο, εἶναι παιχνιδάκι. **ˋ~-box**, κουτί γιά παιχνίδια. **ˋ~-boy**, πλαιημπόϋ. **ˋ~·fellow/·mate**, συμπαίκτης. **ˋ~-ground**, γήπεδο (σέ σχολεῖο ἤ πάρκο), παιδική χαρά. **ˋ~-group/-school**, νηπιαγωγεῖον. **ˋ~-pen**, πάρκο μωροῦ. **ˋ~·room**, δωμάτιο τῶν παιδιῶν. **ˋ~-suit**, ποδιά γιά τό παιχνίδι. **ˋ~·thing**, παιχνίδι, (*μεταφ.*) ἄθυρμα. **ˋ~·time**, ὥρα γιά παιχνίδι, (*σχολ.*) διάλειμμα. **2**. ‹U› παίξιμο: *They won the match by good/rough ~*, κέρδισαν τό μάτς μέ τό καλό/σκληρό παίξιμό τους. ***in/out of ~***, (*γιά τήν μπάλλα*) σέ θέση πού παίζεται/ἐκτός παιχνιδιοῦ. ***fair ~***, τίμιο, καθαρό παιχνίδι: *I will see fair ~*, (*μεταφ.*) θά κάνω τό διαιτητή. ***foul ~***, ἀνέντιμο παιχνίδι, βρωμοδουλειά, βία: *The police suspect foul ~*, ἡ ἀστυνομία ὑποψιάζεται βρωμοδουλειά/βίαιες ἐκδηλώσεις. **3**. (*μόνον ἑν.*) σειρά στό παίξιμο (πχ στό σκάκι, τάβλι, κλπ): *It's your ~*, παίζεις ἐσύ, εἶναι ἡ σειρά σου. **4**. ‹U› τυχερό παιχνίδι, χαρτοπαιξία: *high/low ~*, χοντρό/ψιλό παιχνίδι. *He's been ruined by ~*, καταστράφηκε ἀπό τό παιχνίδι. *The ~ ran high*, παίζανε χοντρό παιχνίδι. **5**. ‹C› θεατρικό ἔργο: *the ~s of Shakespeare*, τά ἔργα τοῦ Σαίξπηρ. *Let's go to a ~*, πᾶμε στό θέατρο. ***as good as a ~***, διασκεδαστικός, ἐνδιαφέρων. **ˋ~-acting**, ἠθοποιΐα, (*μεταφ.*) ψέματα, ὑποκρισία: *Her tears were all ~-acting*, τά δάκρυά της ἦταν ψέματα/σκηνοθεσία. **ˋ~-actor/-actress**, (*πεπαλ.*) ἠθοποιός τοῦ θεάτρου. **ˋ~·bill**, πρόγραμμα θεάτρου. **ˋ~-goer** /-gəʊə(r)/, θεατρόφιλος. **ˋ~·house**, θέατρο (τό κτίριο). **ˋ~·wright**, θεατρικός συγγραφεύς, δραματουργός. **6**. ‹U› παιχνίδισμα: *the ~ of sunlight upon water*, τό παιχνίδισμα τοῦ φωτός πάνω στό νερό. **7**. ‹U› ἐλευθερία (κινήσεως, δράσεως): *Give the rope more ~*, λάσκαρε λίγο τό σκοινί! ***(give) free/full ~ to sth***, (ἀφήνω) κτ ἐντελῶς ἐλεύθερο: *give free ~ to one's fancy*, ἀφήνω ἐντελῶς ἐλεύθερη τή φαντασία μου. *allow full ~ to one's curiosity*, ἀφήνω ἐλεύθερη τήν περιέργειά μου. **8**. ‹U› δρᾶσις, ἐνέργεια: *the ~ of forces which…*, ἡ ἐνέργεια τῶν δυνάμεων οἱ ὁποῖες… ***be in full ~***, εἶμαι σέ πλήρη δράση. ***bring sth into ~***, θέτω κτ εἰς ἐνέργειαν, χρησιμοποιῶ. ***come into ~***, μπαίνω στή δράση, ἐνεργῶ.

[2]**play** /pleɪ/ *ρ.μ/ἀ.* **1**. παίζω: *Let's go out and ~*, πᾶμε ἔξω νά παίξωμε. *~ with one's stick/*

pen, παίζω μέ τό μπαστούνι μου/μέ τήν πέννα μου. ~ *football/bridge*, παίζω μπάλλα/μπρίτζ. *Who's ~ing as/at goalkeeper/in goal?* ποιός παίζει τερματοφύλακας; ~ *a pawn/a trump*, παίζω ἕνα πιόνι/ἕνα ἀτοῦ. ~ *the piano/the violin, etc*, παίζω πιάνο/βιολί, κλπ. ~ *a tune on the guitar*, παίζω ἕνα σκοπό στήν κιθάρα. ~ *a part/Hamlet*, παίζω ἕνα ρόλο/τόν Ἅμλετ. **~ at doing sth**, παίζω κτ, ὑποκρίνομαι κτ: *The children were ~ing (at being) soldiers*, τά παιδιά ἔπαιζαν τούς στρατιῶτες. **~ ball (with)**, (*μεταφ.*, *καθομ.*) δείχνω διάθεση συνεργασίας: *He doesn't seem prepared to ~ ball (with us)*, δέν φαίνεται διατεθειμένος νά συνεργασθῆ (μαζί μας). **~ the ball, not the man**, χτυπῶ τήν μπάλλα, ὄχι τόν ἀντίπαλο. **~ one's cards well/badly**, (*κυριολ.* & *μεταφ.*) παίζω τά χαρτιά μου καλά/ἄσχημα. **~ fair**, παίζω τίμια. **~ false**, ἐξαπατῶ, προδίδω. **~ a fish**, παίζω μ' ἕνα πιασμένο ψάρι ὥσπου νά κουραστῆ. **~ the fool**, παριστάνω τό βλάκα. **~ the game**, τηρῶ τούς κανόνες τοῦ παιχνιδιοῦ. **~ hard**, παίζω σκληρά, κάνω σκληρό παιχνίδι. **~ a joke/ a trick on sb**, σκαρώνω ἀστεῖο/φάρσα σέ κπ. **~ the man**, φέρνομαι σάν ἄντρας. (*βλ.* & *λ.* *fiddle*, [1]*hand*(13), [1]*part*, [1]*sight*, *truant*). **2**. παιχνιδίζω: *A smile ~ed on her lips*, ἕνα χαμόγελο παιχνίδιζε στά χείλη της. *The sunlight ~ed on the water*, τό φῶς παιχνίδιζε πάνω στό νερό. **3**. ρίχνω, κατευθύνω: *They ~ed searchlights along the road*, ἔρριξαν τούς προβολεῖς κατά μῆκος τοῦ δρόμου. *The firemen ~ed their hoses on the burning building*, οἱ πυροσβέστες γύρισαν τίς μάνικες πάνω στό κτίριο πού καιγόταν. *Our guns ~ed on the fort*, τά κανόνια μας ἔρριχναν στό φρούριο. **4**. (*μέ ἐπιρ. καί προθέσεις*):

play at, παίζω ἀνάμελα/χωρίς καρδιά: *He's only ~ing at boxing!* αὐτός παίζει ἀντί νά πυγμαχῆ!

play down to sb, φέρομαι μέ τρόπο πού κολακεύει κπ μέ σκοπό νά ἐξασφαλίσω τήν ὑποστήριξή του. ***~ sth down***, προσπαθῶ νά μειώσω τή σημασία ἑνός πράγματος.

play for, παίζω γιά, προσπαθῶ νά κερδίσω: *I never ~ for money*, ποτέ δέν παίζω χρήματα. *He's ~ing for time*, (*μεταφ.*) προσπαθεῖ νά κερδίση χρόνο.

play one off against another, στρέφω ἕναν ἐναντίον ἄλλου. ***~ off (a tie)***, ξαναπαίζω (μιά ἰσοπαλία). ***`~-off***, ρεβάνς, ἐπαναληπτικός ἀγών μετά ἀπό ἰσοπαλίαν.

play sth out, (*μεταφ.*) παίζω μέχρι τέλους. ***be ~ed out***, εἶμαι ἐξαντλημένος, ξεπερασμένος, ξοφλημένος: *That theory is ~ed out*, αὐτή ἡ θεωρία εἶναι ξεπερασμένη.

play up, (*α*) παίζω μέ ζωντάνια. (*β*) (*καθομ.*) κάνω ζαβολιές/ὅ,τι θέλω: *Don't let the children ~ up*, μήν ἀφήνης τά παιδιά νά κάνουν ὅ,τι θέλουν. ***~ up to sb***, (*καθομ.*) κολακεύω κπ (γιά νά κερδίσω τήν εὔνοιά του): *She ~s up to all the teachers in our class*, κολακεύει ὅλους τούς δασκάλους στήν τάξη μας. ***~ sb up***, (*καθομ.*) ἐνοχλῶ, βασανίζω κπ: *That bad tooth has been ~ing me up again*, αὐτό τό χαλασμένο δόντι μέ βασανίζει πάλι. ***~ sth up***, δίνω ὑπερβολική σημασία σέ κτ: *He's ~ing up his illness*, κάνει πολύ ντόρο γιά τήν ἀρρώστεια του, τήν παρουσιάζει πιό σοβαρή ἀπ' ὅ,τι εἶναι.

play upon sth, προσπαθῶ νά ἐκμεταλλευθῶ: ~ *upon sb's credulity/sympathies*, ἐκμεταλλεύομαι τήν εὐπιστία/τή συμπάθεια κάποιου. ***~ upon words***, κάνω λογοπαίγνιο.

play with, παίζω, σκέφτομαι (ἀλλά ὄχι σοβαρά): *You are wrong to ~ with her affections*, δέν εἶναι σωστό νά παίζης μέ τά αἰσθήματά της. *He's ~ing with the idea of emigrating to Canada*, παίζει μέ τήν ἰδέα νά ξενιτευτῆ στόν Καναδᾶ.

player /`pleɪə(r)/ *οὐσ.* ‹C› **1**. παίχτης. **2**. μουσικός, ἐκτελεστής. **3**. ἠθοποιός. **4**. ἐπαγγελματίας παίχτης: *Gentlemen versus P~s*, ἐρασιτέχνες ἐναντίον ἐπαγγελματιῶν. **5**. μηχανικό μουσικό ὄργανο: **`record-~**, πικάπ, γραμμόφωνο. **`~-piano**, μηχανικό πιάνο, πιανόλα.

play·ful /`pleɪfl/ *ἐπ.* παιχνιδιάρικος: *as ~ as a kitten*, παιχνιδιάρης σά γατάκι. *in a ~ manner*, μέ ὕφος παιχνιδιάρικο. **~ly** /-fəlɪ/ *ἐπίρ.* παιχνιδιάρικα. **~·ness** *οὐσ.* ‹U›.

play·ing /`pleɪɪŋ/ *οὐσ.* ‹U› παιχνίδι, παίξιμο. **`~-card**, τραπουλόχαρτο. **`~-field**, ἀθλητικό γήπεδο.

play·let /`pleɪlət/ *οὐσ.* ‹C› (*θεατρ.*) ἐργάκι.

plea /pli/ *οὐσ.* ‹C› **1**. (*νομ.*) ἰσχυρισμός, ἀπάντησις, ἀπολογία, ἔνστασις. **2**. ἔκκλησις: *a ~ for mercy*, ἔκκλησις γιά ἐπιείκεια. **3**. πρόφασις, δικαιολογία: *on the ~ of illness*, μέ τήν πρόφαση/μέ τή δικαιολογία τῆς ἀρρώστειας.

pleach /plitʃ/ *ρ.μ.* (περι)πλέκω: *~ed hedges*, φράχτες ἀπό πλεγμένους θάμνους.

plead /plid/ *ρ.μ/ἀ.* **1**. (*νομ.*) ἀγορεύω. ***~ for/ against sb***, ἀγορεύω ὑπέρ/ἐναντίον κάποιου. ***~ guilty/not guilty***, ὁμολογῶ/ἀρνοῦμαι τήν ἐνοχή μου. **2**. ὑπερασπίζω, συνηγορῶ ὑπέρ: *You should get a lawyer to ~ your case*, πρέπει νά πάρης ἕναν δικηγόρο νά ὑπερασπίση τήν ὑπόθεσή σου. ~ *the cause of women*, ὑπερασπίζομαι τόν ἀγῶνα τῶν γυναικῶν. **3**. ἐπικαλοῦμαι, προβάλλω σάν δικαιολογία: *Her Counsel ~ed insanity*, ὁ συνήγορός της ἐπεκαλέσθη διατάραξιν τῶν φρενῶν. *He ~ed poverty*, πρόβαλε σά δικαιολογία τή φτώχεια. *She ~ed ignorance of the law*, ἰσχυρίστηκε ἄγνοια τοῦ νόμου. **4**. ***~ (with sb) (for sth/to do sth)***, παρακαλῶ κπ θερμά, κάνω ἔκκληση σέ κπ: *He ~ed with them for mercy/to take pity on his family*, τούς ἀπηύθυνε ἔκκληση γιά ἐπιείκεια/νά λυπηθοῦνε τήν οἰκογένειά του. **`~·ing** *ἐπ.* παρακλητικός. __*οὐσ.* (*νομ.*, *πληθ.*) προτάσεις, ἰσχυρισμοί. **~·ing·ly** *ἐπίρ.* παρακλητικά.

pleas·ance /`plezns/ *οὐσ.* ‹C› (*ἀπηρχ.*) κῆπος ἀναψυχῆς.

pleas·ant /`pleznt/ *ἐπ.* εὐχάριστος: *a ~ trip/ surprise*, εὐχάριστο ταξίδι/-η ἔκπληξις. **~·ly** *ἐπίρ.* εὐχάριστα. **~·ness** *οὐσ.* ‹U› χάρις, θέλγητρο, ὀμορφιά.

pleas·an·try /`plezntrɪ/ *οὐσ.* **1**. ‹U› εὐθυμία, κέφι. **2**. ‹C› ἀστεῖο: *The class smiled dutifully at the teacher's pleasantries*, ἡ τάξις χαμογέλασε ἀπό καθῆκον μέ τ' ἀστεῖα τοῦ δάσκαλου.

please /pliz/ *ρ.μ/ὰ.* **1**. (*προστακτ.*) παρακαλῶ (*βραχυλ. τῆς φράσεως if you ~ = ἐάν εὐαρεστῆσθε*): *Come in, ~*, περᾶστε, παρακαλῶ. *P~ sit down*, παρακαλῶ καθῖστε. **2**. εὐχαριστῶ, προκαλῶ εὐχαρίστηση: *It's difficult to ~ everybody*, εἶναι δύσκολο νά εὐχαριστήση κανείς ὅλους. *The news will ~ you*, τά νέα θά σ' εὐχαριστήσουν. ***P~ yourself***, ὅπως σᾶς ἀρέσει, κάνετε τό κέφι σας. **3**. θέλω, μοῦ ἀρέσει: *I shall do as I ~*, θά κάνω ὅ,τι θέλω, ὅ,τι μοῦ ἀρέσει. *Take as many as you ~*, πάρετε ὅσα θέλετε. ***~ God***, ἐάν θέλη ὁ Θεός, μέ τό θέλημα τοῦ Θεοῦ: *War may be abolished one day, ~ God*, ὁ πόλεμος μπορεῖ νά καταργηθῆ μιά μέρα, ἄν θέλη ὁ Θεός. ***if you ~***, (*εἰρων.*) ἐάν εὐαρεστῆσθε, (*ἐπιφ.*) στό θεό σου! ***just as you ~***, ὅπως θέλετε, ὅπως νομίζετε. **pleased** *ἐπ.* εὐχαριστημένος: *I was ~d to hear...*, εὐχαριστήθηκα μαθαίνοντας... *He looked very ~d*, φάνηκε πολύ εὐχαριστημένος. **pleas·ing** *ἐπ.* εὐχάριστος: *a pleasing view/memory*, μιά εὐχάριστη θέα/ἀνάμνησις. **pleasing·ly** *ἐπίρ.*

pleas·ure /\`pleʒə(r)/ *οὐσ.* **1**. ‹U› εὐχαρίστησις, ἀναψυχή: *It gave me great ~ to hear of your success*, εὐχαριστήθηκα πολύ μαθαίνοντας γιά τήν ἐπιτυχία σου. *Has he gone abroad for ~ or on business?* πῆγε στό ἐξωτερικό γιά ἀναψυχή ἤ γιά δουλειές; ***with ~***, εὐχαρίστως, μετά χαρᾶς. ***take ~ in sth***, βρίσκω εὐχαρίστηση σέ κτ: *He takes great ~ in teasing me*, βρίσκει μεγάλη εὐχαρίστηση νά μέ πειράζη. **\`~-boat/-craft**, θαλαμηγός, κόττερο. **\`~-ground**, λούνα-πάρκ, ὑπαίθριος χῶρος ἀναψυχῆς. **2**. ‹U› (*λόγ.*) ἐπιθυμία, κέφι: *We needn't consult his ~*, δέν εἶναι ἀνάγκη νά τόν ρωτήσωμε τί θέλει. *We await your ~*, περιμένομε νά δοῦμε τί θέλεις (τό κέφι σου). ***at one's ~***, κατά τό κέφι μου: *You may go or stay at your ~*, μπορεῖς νά φύγης ἤ νά μείνης, ὅπως σοῦ κάνει κέφι. **3**. ‹C› χαρά: *the ~s of family life/of friendship*, οἱ χαρές τῆς οἰκογενειακῆς ζωῆς/τῆς φιλίας. **4**. ἀπόλαυσις, ἡδονή: *His life is given to ~*, ἡ ζωή του εἶναι δοσμένη στίς ἀπολαύσεις. *sensual ~s*, σαρκικές ἡδονές. **pleas·ur·able** /\`pleʒərəbl/ *ἐπ.* ἀπολαυστικός. **pleas·ur·ably** /-əblɪ/ *ἐπίρ.*

pleat /plit/ *οὐσ.* ‹C› πιέτα, (*πληθ.*) πλισσές. __*ρ.μ.* κάνω πιέτες, πλισσάρω: *a ~ed skirt*, πλισσαρισμένη φούστα.

pleb /pleb/ *οὐσ.* ‹C› (*καθομ. βραχυλ. γιά*) *plebeian*.

pleb·eian /plɪ\`biən/ *οὐσ.* ‹C› & *ἐπ.* πληβεῖος.

plebi·scite /\`plebɪsɪt/ *οὐσ.* ‹C› δημοψήφισμα.

plec·trum /\`plektrəm/ *οὐσ.* ‹C› (*μουσ.*) πλῆκτρο (κιθάρας, μαντολίνου, κλπ), πέννα.

pledge /pledʒ/ *οὐσ.* **1**. ‹C,U› ἐνέχυρο, ἐχέγγυο, ἀσφάλεια: *leave/take sth as a ~*, ἀφήνω/παίρνω κτ σάν ἐνέχυρο. *goods lying in ~*, ἐμπορεύματα πού εἶναι ἐνέχυρο. *hold sth in ~*, κρατῶ κτ ὡς ἐνέχυρο/ὡς ἀσφάλεια. *put sth in ~*, βάζω κτ ἐνέχυρο. **2**. ‹C› ἀπόδειξις, τεκμήριον, δεῖγμα: *a ~ of friendship*, δεῖγμα φιλίας. **3**. ‹U› ὑπόσχεσις, λόγος τιμῆς: *under the ~ of secrecy*, ὑπό ἐχεμύθειαν. ***take/sign the ~***, δίνω γραπτή ὑπόσχεση γιά κτ (*ἰδ.* νά κόψω τό πιοτό). __*ρ.μ.* **1**. ἐνεχυριάζω: *~ one's watch*. **2**. δεσμεύομαι, δίνω (τό λόγο μου), ἀναλαμβάνω (τήν ὑποχρέωση): *I am ~d to secrecy*, ἔχω δεσμευτῆ νά μήν πῶ τίποτα. *~ one's word/honour*, δίνω τό λόγο μου/τό λόγο τῆς τιμῆς μου. **3**. ἐγείρω πρόποση ὑπέρ: *~ the bride and bridegroom*, προπίνω ὑπέρ τῶν νεονύμφων.

ple·nary /\`plinərɪ/ *ἐπ.* **1**. (*γιά ἐξουσία*) ἀπόλυτος, ἀπεριόριστος. **2**. (*γιά συνεδρίαση*) μέ ὅλα τά μέλη παρόντα: *a ~ session*, ὁλομέλεια. **plen·ar·ily** /\`plinərəlɪ/ *ἐπίρ.*

pleni·po·ten·tiary /\`plenɪpə\`tenʃərɪ/ *οὐσ.* ‹C› & *ἐπ.* πληρεξούσιος: *Minister ~*, πληρεξούσιος Ὑπουργός.

pleni·tude /\`plenɪtjud/ *οὐσ.* (*μόνον εἰς ἑν.*) (*λόγ.*) πληρότης, ἀκμή: *in the ~ of his powers*, στήν ἀκμή τῶν δυνάμεών του.

plen·teous /\`plentɪəs/ *ἐπ.* (*ποιητ.*) ἄφθονος. **~·ly** *ἐπίρ.*

plen·ti·ful /\`plentɪfl/ *ἐπ.* ἄφθονος. **~ly** /-fəlɪ/ *ἐπίρ.*

plenty /\`plentɪ/ *οὐσ.* ‹U› ἀφθονία: *land/year of ~*, χώρα/ἔτος ἀφθονίας. *Five will be ~*, πέντε θά εἶναι ὑπεραρκετά. ***~ of***, πλῆθος: *There are ~ of books on the subject*, ὑπάρχουν ἕνα σωρό βιβλία ἐπ' αὐτοῦ τοῦ θέματος. *We have ~ of time*, ἔχομε ἀρκετό χρόνο. ***in ~***, ἐν ἀφθονία: *live in ~*, ζῶ μέσα στήν ἀφθονία, μέσα στά πλούτη. *There was food and drink in ~*, ὑπῆρχε ἄφθονο φαΐ καί πιοτό. __*ἐπίρ.* (*καθομ.*) ἀρκετά, πολύ.

pleo·nasm /\`plɪənæzm/ *οὐσ.* ‹C,U› (*ρητ.*) πλεονασμός.

pleth·ora /\`pleθərə/ *οὐσ.* ‹C› πληθώρα.

pleur·isy /\`plʊərɪsɪ/ *οὐσ.* ‹U› (*ἰατρ.*) πλευρῖτις.

plexus /\`pleksəs/ *οὐσ.* ‹C› (*πληθ. ~es* /-səsɪz/ *ἤ ~*) (*ἀνατ.*) πλέγμα.

pli·able /\`plaɪəbl/ *ἐπ.* εὐλύγιστος, εὔπλαστος, ὑποχωρητικός, ἐλαστικός, εὐεπηρέαστος. **pli·abil·ity** /\`plaɪə\`bɪlətɪ/, **pliancy** /\`plaɪənsɪ/ *οὐσ.* ‹U› ἐλαστικότης.

pli·ant /\`plaɪənt/ *ἐπ.* εὐλύγιστος. **~·ly** *ἐπίρ.*

pli·ers /\`plaɪəz/ *οὐσ. πληθ.* (*καί* **a pair of ~**), πένσα.

[1]**plight** /plaɪt/ *οὐσ.* ‹C› (σοβαρή) κατάστασις, θέσις, χάλι: *What a ~ you are in!* σέ τί δύσκολη θέση εἶσαι! *His affairs were in a terrible ~*, οἱ δουλειές του εἶχαν σέ φοβερό χάλι.

[2]**plight** /plaɪt/ *ρ.μ.* (*λόγ.*) δεσμεύω, δίνω (τό λόγο μου): *You have my ~ed word*, ἔχεις τό λόγο μου. *~ oneself/one's troth*, (*ἀπηρχ.*) λογοδίνομαι, δίνω ὑπόσχεση γάμου.

plim·soll /\`plɪmsl/ *οὐσ.* ‹C› (*συνήθ. πληθ.*) πάνινα παπούτσια μέ λαστιχένιες σόλες.

Plim·soll /\`plɪmsl/ *οὐσ.* **\`~ line/mark**, (*ναυτ.*) γραμμή φορτώσεως, δίσκος ἀσφαλείας (πλοίου).

plinth /plɪnθ/ *οὐσ.* ‹C› βάσις/πλινθίον (στήλης, ἀγάλματος, κλπ).

plod /plod/ *ρ.μ/ὰ.* (*-dd-*) περπατῶ βαριά, δουλεύω ἀργά/κοπιαστικά (ἀλλά χωρίς διακοπή): *~ on one's way*, συνεχίζω βαριά τό δρόμο μου. *~ away at a dull task*, παιδεύομαι μέ μιά ἀνιαρή δουλειά. **\`~·der** *οὐσ.* ‹C› ἀργός ἀλλά εὐσυνείδητος ἐργάτης, ἀργός σταθερός πεζοπόρος: *He's a ~der*, (*γιά μαθητή*) εἶναι σπασίλας. **\`~·ding** *ἐπ.* **\`~·ding·ly** *ἐπίρ.*

[1] **plonk** /ploŋk/ *ουσ.* ‹C› γδοῦπος, παφλασμός: *the* ~ *of something dropping into the water*, ὁ παφλασμός ἑνός πράγματος πού πέφτει στό νερό. __*ρ.ἀ.* ~ ***(down)***, πέφτω (μέ παφλασμό/μέ γδοῦπο).

[2] **plonk** /ploŋk/ *ουσ.* ‹U› (*λαϊκ.*) παληόκρασο.

plop /plop/ *ουσ.* ‹C› πλάφ, παφλασμός. __*ρ.ἀ.* *(-pp-)* πέφτω μέ παφλασμό: *The stone* ~*ped into the water*, ἡ πέτρα ἔπεσε μέ παφλασμό στό νερό. __*ἐπίρ.* μέ παφλασμό, μέ γδοῦπο.

plo·sive /ˈpləʊsɪv/ *ουσ.* ‹C› & *ἐπ.* (*γλωσσολ.*) ἄφωνον σύμφωνον, ἔκκροτος (φθόγγος).

[1] **plot** /plot/ *ουσ.* ‹C› κομματάκι γῆς: *a* ˋ*building* ~, οἰκόπεδο. *a* ~ *of vegetables*, μιά βραγιά γιά λαχανικά. __*ρ.μ/ἀ.* *(-tt-)* **1**. σχεδιάζω, ἀποτυπῶ, παριστάνω γραφικά. **2**. ~ ***(out)***, κατατεμαχίζω.

[2] **plot** /plot/ *ουσ.* ‹C› **1**. συνωμοσία: *a* ~ *to overthrow the government*, συνωμοσία γιά τήν ἀνατροπή τῆς κυβερνήσεως. **2**. πλοκή, ὑπόθεσις (ἔργου, μυθιστορήματος). __*ρ.μ/ἀ.* *(-tt-)* συνωμοτῶ: ~ *with sb against the government*, συνωμοτῶ μέ κπ κατά τῆς κυβερνήσεως. ˋ~**·ter** *ουσ.* ‹C› συνωμότης.

plough /plaʊ/ *ουσ.* **1**. ‹C› ἀλέτρι. ***put one's hand to the*** ~, (*μεταφ.*) στρώνομαι σέ μιά δουλειά. ˋ~**·boy**, παιδί πού ὁδηγεῖ τά ζῶα στό ὄργωμα. ˋ~**·man** /-mən/, ζευγολάτης. ˋ~**-share**, ὑνί. ˋ~**-tail**, λαβή τοῦ ἀλετριοῦ, χερουλάτης. ˋ**snow-**~, χιονοκαθαριστήρας. **2. the P**~ (*ἀστρον.*) ἡ Μεγάλη Ἄρκτος. **3**. ‹U› ὀργωμένη γῆ, ὀργώματα. __*ρ.μ/ἀ.* **1**. ὀργώνω: ~ *a field*, ὀργώνω ἕνα χωράφι. ~ ***a lonely furrow***, (*μεταφ.*) δουλεύω χωρίς βοήθεια, παιδεύομαι μόνος. ~ ***the sand***, (*μεταφ.*) δέρνω τή θάλασσα (κάνω κτ ἀνώφελο). ~ ***back***, (*μεταφ.*) ἐπενδύω τά κέρδη (στήν ἴδια ἐπιχείρηση): *He's* ~*ed back all the year's profits*, ξανάρριξε στήν ἐπιχείρηση ὅλα τά κέρδη τῆς χρονιᾶς. **2**. ~ ***through***, προχωρῶ μέ δυσκολία: *a ship* ~*ing through the heavy waves*, πλοῖο πού προχωρεῖ μέ δυσκολία μέσα στά πελώρια κύματα. ~ *through the mud/a dull book*, προχωρῶ μέ δυσκολία μέσα στή λάσπη/σ' ἕνα ἀνιαρό βιβλίο. **3**. (*λαϊκ.*) κόβω, ἀπορρίπτω κπ (σέ ἐξετάσεις): *The examiners* ~*ed half the candidates*, οἱ ἐξεταστές ἀπέρριψαν/ἔκοψαν τούς μισούς ὑποψηφίους.

plover /ˈplʌvə(r)/ *ουσ.* ‹C› χαραδριός, βροχοπούλι.

ploy /plɔɪ/ *ουσ.* ‹C› ἀσχολία, διασκέδασις, (*καθομ.*) κόλπο, τέχνασμα, τερτίπι, μανούβρα.

pluck /plʌk/ *ρ.μ/ἀ.* **1**. μαδῶ (πουλερικό). **2**. (*μεταφ.*) μαδῶ κπ (στά χαρτιά, κλπ), ξεγελῶ. **3**. κόβω, μαζεύω (λουλούδια, φροῦτα, κλπ). **4**. (*λαϊκ.*) κόβω κπ (σέ ἐξετάσεις). **5**. ~ ***at***, (βουτάω καί) τραβῶ: *The child* ~*ed at its mother's skirt*, τό παιδάκι τραβοῦσε τή μητέρα του ἀπό τή φούστα της. ~ *at sb's hair*, τραβῶ τά μαλλιά κάποιου. ~ ***out/up***, ξερριζώνω (ἀγριόχορτα, κλπ), ξεμαλλιάζω κπ. ~ ***up courage***, συγκεντρώνω τό θάρρος μου. **6**. παίζω ὄργανο (τραβῶντας τίς χορδές). __*ουσ.* **1**. ‹U› θάρρος, κουράγιο: *a boy with plenty of* ~, παιδί πού τό λέει ἡ καρδιά του. **2**. ‹U› σπλάχνα πουλιοῦ. **3**. ‹C› ἀπότομο τράβηγμα: *He gave my sleeve a* ~, μοῦ τράβηξε ἀπότομα τό μανίκι. ˋ~**y** *ἐπ.* *(-ier, -iest)* τολμηρός, ψυχωμένος. ˋ~**·ily** /-əlɪ/ *ἐπιρ.* τολμηρά, θαρραλέα.

plug /plʌg/ *ουσ.* ‹C› **1**. βούλωμα, τάπα (νιπτῆρος, βαρελιοῦ, δεξαμενῆς, κλπ). **2**. κρουνός. **3**. (*ἠλεκτρ.*) βύσμα, φίσα: *a two-/three-pin* ~, δίκλωνη/τρίκλωνη φίσα. *put the* ~ *in the socket*, βάζω τή φίσα στήν πρίζα. ˋ**sparking-**~, μπουζί. **4**. πλακίδιον συμπιεσμένου καπνοῦ. **5**. (*λαϊκ.*) ἔντονη διαφήμηση (στό ράδιο ἤ στήν τηλεόρ.). __*ρ.μ/ἀ.* *(-gg-)* **1**. ταπώνω, βουλώνω: ~ *(up) a leak*, βουλώνω μιά διαρροή. **2**. ~ ***(sth) in***, συνδέω (βάζω) στήν πρίζα. **3**. ~ ***away (at sth)***, (*καθομ.*) δουλεύω σκληρά σέ κτ. **4**. (*ΗΠΑ, λαϊκ.*) χτυπῶ, κοπανάω, βαράω. **5**. (*λαϊκ.*) διαφημίζω ἔντονα (μέ τό ράδιο ἤ τήν τηλεόραση).

plum /plʌm/ *ουσ.* ‹C› **1**. δαμάσκηνο, δαμασκηνιά: *wild* ~, ἀγριοδαμάσκηνο, κορόμηλο. ~ *jam*, μαρμελάδα δαμάσκηνο. **2**. (*ἀπηρχ.*) σταφίδα. ˈ~ ˋ**cake**, σταφιδόψωμο. ˈ~ ˋ**duff**, πίττα μέ σταφίδες. ˈ~-ˋ**pudding**, Χριστουγεννιάτικη πουτίγκα μέ σταφίδες, φροῦτα, κλπ. **3**. (*μεταφ.*) λουκοῦμι: *That position is a* ~, αὐτή ἡ θέσις εἶναι λουκοῦμι.

plum·age /ˈplumɪdʒ/ *ουσ.* ‹U› φτερά, πτέρωμα.

plumb /plʌm/ *ουσ.* ‹C› μολύβι, βαρίδι, στάθμη, (*ναυτ.*) βολίς, σκαντάγιο. ˋ~**-line**, νῆμα τῆς στάθμης, ἀλφάδι. ***out of*** ~, μή ἰσοσταθμισμένος, πού γέρνει (πχ τοῖχος). __*ἐπίρ.* (α) ἀκριβῶς. (β) (*ΗΠΑ, καθομ.*) ἐντελῶς: ~ *crazy*, θεότρελλος. __*ρ.μ.* (*μεταφ.*) σταθμίζω, βυθομετρῶ: ~ *the depths of a mystery*, διερευνῶ ἕνα μυστήριο κατά βάθος.

plum·bago /plʌmˋbeɪgəʊ/ *ουσ.* **1**. ‹U› γραφίτης, μολυβδόχωμα. **2**. ‹C› (*πληθ.* ~*s*) λειχηνόχορτο.

plumber /ˋplʌmə(r)/ *ουσ.* ‹C› ὑδραυλικός.

plumb·ing /ˋplʌmɪŋ/ *ουσ.* ‹U› **1**. ἐπάγγελμα/τέχνη ὑδραυλικοῦ. **2**. σωληνώσεις, ὑδραυλικά (κτιρίου): *The* ~ *is out of order*, ἡ ὑδραυλική ἐγκατάστασις δέν λειτουργεῖ.

plume /plum/ *ουσ.* ‹C› φτερό (*ἰδ.* μεγάλο ἤ διακοσμητικό), λοφίο (περικεφαλαίας). ***in borrowed*** ~***s***, (*μεταφ.*) μέ δανεικά στολίδια. __*ρ.μ.* **1**. (*γιά πουλί*) στρώνω τά φτερά μου. **2**. (*γιά ἄνθρ.*) (*μεταφ.*) ~ ***oneself (on sth)***, καμαρώνω (γιά κτ).

plum·met /ˋplʌmɪt/ *ουσ.* ‹C› βαρίδι (σέ στάθμη, καθετή, κλπ). __*ρ.ἀ.* *(-tt-)* πέφτω κατακόρυφα: *Share prices have* ~*ted*, οἱ τιμές τῶν μετοχῶν ἔπεσαν κατακόρυφα.

plummy /ˋplʌmɪ/ *ἐπ.* *(-ier, -iest)* (*καθομ.*) **1**. λαχταριστός: ~ *jobs*, περιζήτητες δουλειές. **2**. ἐπιτηδευμένος: *in a* ~ *voice*, μέ φωνή ὅλο προσποίηση.

[1] **plump** /plʌmp/ *ἐπ.* παχουλός: *a* ~ *girl*, παχουλή κοπέλλα. *a baby with* ~ *cheeks*, μωρό μέ παχουλά μάγουλα. __*ρ.μ/ἀ.* ~ ***up/out***, παχαίνω, φουσκώνω: *His cheeks are beginning to* ~ *out*, τά μάγουλά του ἄρχισαν νά στρογγυλεύουν/νά γεμίζουν. ~ *up a pillow*, φουσκώνω ἕνα μαξιλάρι (χτυπῶντας το).

[2] **plump** /plʌmp/ *ρ.μ/ἀ.* **1**. ~ ***down***, ρίχνω/πέφτω βαριά: *He* ~*ed down his heavy suitcase*, ἔρριξε κάτω τή βαρειά του βαλίτσα. *He* ~*ed (himself) down in a chair*, σωριάστηκε σέ μιά καρέκλα. **2**. ~ ***for***, τάσσομαι/ψηφίζω ἀπο-

φασιστικά ὑπέρ: *I'll ~ for him*, θά τόν ψηφίσω μέ τά δυό μου χέρια. __οὐσ. ‹C› γδοῦπος, βαρύ πέσιμο ἤ ρίξιμο. __ἐπίρ. (α) ἀπότομα, ξαφνικά, ἴσια: *He fell ~ into the hole*, ἔπεσε ἴσια μέσα στήν τρύπα. (β) ὠμά, κοφτά: *I told him ~ that...*, τοῦ εἶπα ὀρθά-κοφτά ὅτι... __ἐπ. κατηγορηματικός: *a ~ refusal*, κατηγορηματική ἄρνησις.

plun·der /ˋplʌndə(r)/ ρ.μ/ὰ. διαρπάζω, λεηλατῶ, λαφυραγωγῶ, ἀπογυμνώνω: *~ a palace of its treasures*, λεηλατῶ τούς θησαυρούς ἑνός παλατιοῦ. *~ the citizens of a conquered country*, ἀπογυμνώνω (κατακλέβω) τούς πολῖτες κατακτημένης χώρας. __οὐσ. ‹U› διαρπαγή, λεηλασία, πλιάτσικο: *live by ~*, ζῶ ἀπό τίς λεηλασίες. *truck-loads of ~*, φορτηγά γεμᾶτα πλιάτσικο. **~er** οὐσ. ‹C› πλιατσικολόγος, ληστής.

plunge /plʌndʒ/ ρ.μ/ὰ. **1**. ***~ (into)***, βουτῶ, βυθίζω, χώνω: *He ~d his hand into the water/his pocket*, βούτηξε τό χέρι του στό νερό/τὄχωσε στήν τσέπη του. *~ a room into darkness*, βυθίζω ἕνα δωμάτιο στό σκοτάδι. *~ a country into civil war*, βυθίζω/ρίχνω μιά χώρα σέ ἐμφύλιο πόλεμο. *be ~d into grief/despair*, βυθίζομαι στόν πόνο/στήν ἀπελπισία. **2**. (*γιά ἄλογα*) ἀφηνιάζω, (*γιά πλοῖο*) σκαμπανεβάζω. __οὐσ. ‹C› βουτιά. ***take the ~***, (*μεταφ.*) κάνω τή βουτιά/τό πήδημα, παίρνω τή μεγάλη ἀπόφαση (*πχ* παντρεύομαι).

plunk /plʌŋk/ ρ.ὰ. & οὐσ. βλ. [1]*plonk*.

plu·per·fect/ˈpluˋpɜfɪkt/ οὐσ. ‹C› (*γραμμ.*) ὑπερσυντέλικος.

plu·ral /ˋplʊərl/ ἐπ. & οὐσ. ‹C› πληθυντικός. *~* **vote**, πολλαπλῆ ψῆφος. **~·ism** /-ɪzm/ οὐσ. ‹U› (*ἐκκλ.*) πολυθεσία, (*φιλοσ.*) πλουραλισμός. **~·ist** /-ɪst/ οὐσ. ‹C› πολυθεσίτης.

plu·ral·ity /plʊəˋrælətɪ/ οὐσ. ‹C,U› πληθύς, πολλαπλότης, πλειονότης, πολυθεσία.

plus /plʌs/ πρόθ. σύν: *Two ~ three is five*, δύο σύν τρία ἴσον πέντε. ˈ**~-ˋfours**, κυλόττα τοῦ γκόλφ. **the 11+ (examination)**, ἐξετάσεις στήν ἡλικία τῶν 11 ἐτῶν (+μερικούς μῆνες) γιά τόν καθορισμό τοῦ εἴδους τοῦ σχολείου μέσης ἐκπαιδεύσεως ὅπου θά πάη τό παιδί. __ἐπ. θετικός (ἄνω τοῦ μηδενός). __οὐσ. ‹C› τό σύν (τό σημεῖον τῆς προσθέσεως).

plush /plʌʃ/ οὐσ. ‹U› εἶδος βελούδου, φέλπα. __ἐπ. (*ἐπίσης* **~y**) *(-ier, -iest)* (*λαϊκ.*) πολυτελής, λουσάτος, πλούσιος: *a ~(y) restaurant*, ἑστιατόριο πολυτελείας.

Pluto /ˋplutəʊ/ οὐσ. (*ἀστρον.*) Πλούτων.

plu·toc·racy /pluˋtokrəsɪ/ οὐσ. ‹C,U› πλουτοκρατία. **plu·to·crat** /ˋplutəkræt/ οὐσ. ‹C› πλουτοκράτης. **plu·to·cratic** /ˈplutəˋkrætɪk/ ἐπ. πλουτοκρατικός.

plu·to·nium /pluˋtəʊnɪəm/ οὐσ. ‹U› (*χημ.*) πλουτώνιον.

[1]**ply** /plaɪ/ οὐσ. ‹C› **1**. φύλλον κόντρα-πλακέ, καπλαμᾶς: *three-~ wood*, ξύλο ἀπό τρία φύλλα. **2**. κλωνί (σκοινιοῦ): *three-~ wool for knitting*, τρίκλωνο μαλλί γιά πλέξιμο.

[2]**ply** /plaɪ/ ρ.μ/ὰ. **1**. (*λόγ.*) χειρίζομαι, ἐργάζομαι (μέ ἐργαλεῖο): *~ the needle*, ἐργάζομαι μέ τό βελόνι. **2**. (*γιά πλοῖο, κλπ*) ἐκτελῶ δρομολόγιο, κάνω συγκοινωνία, διασχίζω, ὀργώνω: *ships ~ing across the Channel/the oceans*, πλοῖα πού ἐκτελοῦν συγκοινωνία στή Μάγχη/πού ὀργώνουν τούς ὠκεανούς. **3**. ***~ a trade***, μετέρχομαι/ἀσκῶ ἕνα ἐπάγγελμα. ***~ sb with sth***, δίνω συνεχῶς κτ σέ κπ (*πχ* τροφή, ποτό, κλπ), βομβαρδίζω κπ (μέ ἐρωτήσεις, ἐπιχειρήματα, κλπ).

pneu·matic /njuˋmætɪk/ ἐπ. λειτουργῶν διά πεπιεσμένου ἀέρος: *a ~ drill*, κομπρεσέρ. **pneu·mati·cally** /-klɪ/ ἐπίρ.

pneu·monia /njuˋməʊnɪə/ οὐσ. ‹U› (*ἰατρ.*) πνευμονία.

poach /pəʊtʃ/ ρ.μ. **1**. φτιάχνω αὐγά ποσέ, σιγοβράζω. **2**. ***~ on/for***, κυνηγῶ/ψαρεύω λαθραῖα: *~ on sb's land*, κυνηγῶ λαθραῖα στά χτήματα κάποιου. *~ for salmon*, ψαρεύω λαθραῖα σολομό. ***~ on sb's preserves***, (*μεταφ.*) μπαίνω στά οἰκόπεδα ἄλλου. ˋ**~er** οὐσ. ‹C› λαθροθήρας.

pock /pok/ οὐσ. ‹C› βούλα στό δέρμα (ἀπό βλογιά). ˋ**~-marked** ἐπ. βλογιοκομμένος. ***be ~ed with***, εἶμαι γεμᾶτος τρύπες ἤ βαθουλώματα: *The moon's surface is ~ed with small craters*, ἡ ἐπιφάνεια τοῦ φεγγαριοῦ εἶναι ὅλο τρύπες ἀπό μικρούς κρατῆρες.

pocket /ˋpokɪt/ οὐσ. ‹C› **1**. τσέπη: *a trouser/breast ~*, τσέπη παντελονιοῦ/τοῦ στήθους. ***have sb in one's ~***, (*μεταφ.*) ἔχω κπ στήν τσέπη, τόν ἔχω τοῦ χεριοῦ μου. ***pick sb's ~***, κλέβω κτ ἀπό τήν τσέπη κάποιου. ***put one's hand in one's ~***, βάζω τό χέρι στήν τσέπη (*μεταφ.*) πληρώνω. ***put one's pride in one's ~***, καταπίνω τήν περηφάνεια μου. ˋ**~-book**, πορτοφόλι, (γυναικεῖο) τσαντάκι, σημειωματάριο. ˈ**~-ˋhandkerchief**, μαντήλι τῆς τσέπης. ˋ**~-knife**, σουγιαδάκι. ˋ**~-money**, χαρτζιλίκι. **2**. (*μεταφ.*) τσέπη, χρήματα: *He'll suffer in his ~*, θά ὑποφέρη ἡ τσέπη του (θά ξοδέψη/θά χάση χρήματα). ***be in/out of ~***, κερδίζω/χάνω χρήματα (ἀπό μιά δουλειά): *I was a few pounds out of ~ as a result of the transaction*, ἔχασα μερικές λίρες ἀπ' αὐτή τή δουλειά. **out-of-~ expenses**, πραγματοποιηθέντα ἔξοδα. **3**. (*ἐπιθ.*) μεγέθους τσέπης: *a ~ dictionary/camera*, λεξικό/φωτογραφική μηχανή τῆς τσέπης. **4**. θύλακας, κοιλότης: *~s of resistance/unemployment*, θύλακες ἀντιστάσεως/ἀνεργίας. *~s in the ground/rock*, κοιλότητες ἐδάφους/βράχου. ˋ**air-~**, κενό ἀέρος. **~·ful** /-fʊl/ οὐσ. ‹C› ὅσο χωράει μιά τσέπη: *a ~ful of coins*, μιά τσέπη νομίσματα. __ρ.μ. **1**. βάζω στήν τσέπη, τσεπώνω: *He ~ed the money*, ἔβαλε τά χρήματα στήν τσέπη του. *He ~ed half the profits*, τσέπωσε τά μισά κέρδη. **2**. (*μεταφ.*) καταπίνω. ***~ an insult/one's pride***, καταπίνω μιά προσβολή/τόν ἐγωϊσμό μου. ***~ one's feelings***, καταπνίγω τά αἰσθήματά μου.

pod /pod/ οὐσ. ‹C› φλούδα, καβούκι (ὀσπρίων). __ρ.μ/ὰ. *(-dd-)* **1**. ξεφλουδίζω (φασόλια, κλπ). **2**. ***~ (up)***, βγάζω καρπό: *The peas are ~ding (up) well*, τά μπιζέλια καρπίζουν καλά.

podgy /ˋpodʒɪ/ ἐπ. *(-ier, -iest)* κοντόχοντρος, κοντοστούμπης.

po·dium /ˋpəʊdɪəm/ οὐσ. ‹C› ἐξέδρα, βῆμα (μαέστρου, ὁμιλητοῦ).

poem /ˋpəʊɪm/ οὐσ. ‹C› ποίημα.

po·esy /ˋpəʊɪzɪ/ οὐσ. ‹U› (*ἀρχ.*) ποίησις.

poet /ˋpəʊɪt/ οὐσ. ‹C› ποιητής. ˋ**~·ess** /-es/

οὐσ. ‹C› ποιήτρια.

po·etic /pəʊˋetɪk/ *ἐπ.* ποιητικός. **ˈ~ˋjustice**, ἰδανική δικαιοσύνη. **ˈ~ˋlicence**, ποιητική ἄδεια. **~ally** /-klɪ/ *ἐπίρ.* ποιητικά.

po·etry /ˋpəʊɪtrɪ/ *οὐσ.* ‹U› ποίησις.

po·grom /ˋpogrəm/ *οὐσ.* ‹C› πογκρόμ, διωγμός.

poign·ant /ˋpɔɪnjənt/ *ἐπ.* **1**. δριμύς, δηκτικός, καυστικός, ὀξύς: *a ~ scent*, δυνατό ἄρωμα. *a ~ answer*, καυστική/πικρόχολη ἀπάντησις. **2**. ζωηρός, ὀδυνηρός, σπαραχτικός: *~ memories*, ζωηρές (ὀδυνηρές) ἀναμνήσεις. *~ sorrow/grief*, δυνατή λύπη/σπαραχτικός πόνος. **~·ly** *ἐπίρ.* ἔντονα. **poign·ancy** /-ənsɪ/ *οὐσ.* ‹U› δριμύτης, σφοδρότης, ὀξύτης, σπιρτάδα.

[1]**point** /pɔɪnt/ *οὐσ.* ‹C› **1**. αἰχμή, μύτη, ἄκρη: *the ~ of a knife/pencil/jaw*, ἡ αἰχμή ἑνός μαχαιριοῦ/ἡ μύτη μολυβιοῦ/ἡ ἄκρη σαγονιοῦ. *a ~ of land*, μικρό ἀκρωτήριο. ***not to put too fine a ~ on it***, γιά νά μιλήσω καθαρά/χωρίς περιστροφές. **2**. στιγμή: *a decimal ~*, κόμμα (δεκαδικοῦ ἀριθμοῦ). *a full ~*, τελεία. *6-~/8-~ type*, (*τυπογρ.*) στοιχεῖα 6/8 στιγμῶν. **3**. γραμμή (κλίμακος), μονάδα, σημεῖον: *The thermometer went up two ~s*, τό θερμόμετρο ἀνέβηκε δυό γραμμές. *The cost of living went up several ~s last month*, τό κόστος τῆς ζωῆς ἀνέβηκε ἀρκετές μονάδες τόν περασμένο μῆνα. **ˋboiling-/ˋfreezing-/ˋmelting-~**, σημεῖον βρασμοῦ/πήξεως/τήξεως. **4**. (*σέ παιχνίδι*) πόντος, σημεῖον: *score twenty ~s*, κάνω εἴκοσι πόντους. ***give sb ~s***, χαρίζω πόντους σέ κπ. ***win on/be beaten on ~s***, (*πυγμ.*) κερδίζω/χάνω στά σημεῖα. **5**. σημεῖον, ρόμβος (πυξίδος), (*ναυτ.*) κάρτα: *alter the course two ~s to the east*, ἀλλάζω πορεία δυό κάρτες ἀνατολικά. **cardinal ~s**, τά σημεῖα τοῦ ὁρίζοντα. **6**. σημεῖον, χαρακτηριστικόν: *He's not altogether bad; he has some good ~s too*, δέν εἶναι ὁλότελα κακός, ἔχει καί μερικά καλά σημεῖα. *What's her best ~?* ποιό εἶναι τό μεγαλύτερό της προτέρημα; *Singing is not my strongest ~*, τό τραγούδι δέν εἶναι τό φόρτε μου. **7**. πρίζα, ἐπαφή πλατίνης. **8**. σημεῖον (στό χῶρο ἤ τόν χρόνο): *~ of departure*, σημεῖον ἀναχωρήσεως, ἀφετηρία. ***~ of view***, ἄποψις: *from my ~ of view*, ἀπό τή δική μου ἄποψη. ***at this ~***, σ' αὐτό τό σημεῖο. ***to the ~ of***, μέχρι σημείου: *He is severe to the ~ of cruelty*, εἶναι αὐστηρός μέχρι σημείου σκληρότητος. ***up to a ~***, μέχρις ὡρισμένου σημείου, ὥς ἕνα σημεῖο: *Up to a ~ you are right*, ὥς ἕνα σημεῖο ἔχεις δίκηο. ***be at the ~ of***, εἶμαι στό σημεῖο: *He was at the ~ of death*, ἦταν στό σημεῖο (κόντευε) νά πεθάνη. ***be on the ~ of***, ἑτοιμάζομαι νά: *I was on the ~ of going to bed*, ἑτοιμαζόμουν νά πάω γιά ὕπνο. ***if/when it comes to the ~***, ἐάν/ὅταν ἔλθη ἡ (κρίσιμη) στιγμή: *When it came to the ~ he refused to help*, ὅταν ἦρθε ἡ στιγμή ἀρνήθηκε νά βοηθήση. ***get to the ~ of***, φθάνω στό σημεῖο νά: *I got to the ~ of dismissing him*, ἔφθασα στό σημεῖο νά τόν ἀπολύσω. **ˋturning-~**, (*μεταφ.*) καμπή: *That was a turning-~ in my career*, αὐτό ἀποτέλεσε καμπή στή σταδιοδρομία μου. **9**. σκοπιμότης, ὄφελος, λόγος: *What's the ~ of wasting time?* τί ὠφελεῖ νά χάνωμε ὥρα; *There's no ~ in waiting*, δέν ὑπάρχει λόγος νά περιμένωμε. **10**. ‹C,U› σημεῖον, ἄποψις, οὐσία, ζήτημα, θέμα: *On that ~ we disagree*, σ' αὐτό τό σημεῖο διαφωνοῦμε. *You are right in every ~*, ἔχεις δίκηο σ' ὅλα τά σημεῖα, πέρα γιά πέρα. *His remarks lack ~*, οἱ παρατηρήσεις του στεροῦνται οὐσίας/δέν ἔχουν βάρος. *My ~ is that...*, ἡ ἄποψίς μου εἶναι ὅτι... *That's the ~*, αὐτό εἶναι τό θέμα. ***a ~ of conscience/honour***, θέμα συνειδήσεως/τιμῆς. ***a ~ of law***, νομικόν ζήτημα. ***a case in ~***, ἕνα σχετικό παράδειγμα: *Let me give you a case in ~*, νά σᾶς δώσω ἕνα σχετικό παράδειγμα. ***in ~ of fact***, στήν πραγματικότητα, γιά νά λέμε τήν ἀλήθεια. ***~ by ~***, σημεῖον πρός σημεῖον: *Let me explain this theory ~ by ~*, νά ἐξηγήσω αὐτή τή θεωρία σημεῖον πρός σημεῖον. ***off the ~; away from the ~***, ἄσχετος, ἐκτός θέματος: *Most of what he said was off the ~*, τά περισσότερα ἀπ' ὅ,τι εἶπε δέν εἶχαν σχέση μέ τό θέμα. ***to the ~***, ἐπί τοῦ θέματος: *Will he ever come to the ~?* θά ἔλθη ποτέ στό θέμα; *Your remark is not to the ~*, ἡ παρατήρησίς σου δέν εἶναι στό θέμα. ***carry/gain one's ~***, ἐπιβάλλω τήν ἄποψή μου, πείθω τούς ἄλλους. ***get/see the ~***, ἀντιλαμβάνομαι τό ἐπιχείρημα κάποιου: *I don't quite get/see the ~*, δέν ἀντιλαμβάνομαι ἀκριβῶς τί θέλεις νά πῆς/ποιά εἶναι ἡ ἄποψίς σου. ***make a ~***, τονίζω/ἀποδεικνύω κτ: *The ~ I'm trying to make is that...*, ἐκεῖνο πού προσπαθῶ ν' ἀποδείξω εἶναι ὅτι... ***make a ~ of doing sth***, ἔχω κάτι ὡς ἀρχή, θεωρῶ κτ σάν ζήτημα τιμῆς: *He makes a ~ of being the first to finish*, τὄχει σάν ἀρχή νά τελειώνη πρῶτος. ***make one's ~***, ἀποδεικνύω τόν ἰσχυρισμό μου. ***miss the ~***, χάνω/δέν πιάνω τό νόημα: *I missed the ~ of the story/joke*, δέν ἔπιασα τό νόημα τῆς ἱστορίας/δέν κατάλαβα τό ἀστεῖο. ***stretch a ~***, κάνω ἐξαίρεση (σέ θέματα τάξεως ἤ κανονισμοῦ): *Can't you stretch a ~ in my favour?* δέν μπορεῖτε νά κάνετε μιά μικρή ἐξαίρεση γιά μένα; ***take sb's ~***, ἀντιλαμβάνομαι/δέχομαι τήν ἄποψη κάποιου.

[2]**point** /pɔɪnt/ *ρ.μ/ά.* **1**. ***~ (to)***, δείχνω: *He ~ed to the ceiling*, ἔδειξε τήν ὀροφή. *It's rude to ~*, εἶναι ἀπρέπεια νά δείχνεις (τούς ἄλλους). *He ~ed to me with his stick*, μέ ἔδειξε μέ τό μπαστούνι του. **2**. ***~ out***, (ὑπο)δεικνύω, τονίζω, ἐπισημαίνω: *He ~ed out to me the folly of my conduct*, μοῦ ἔδειξε πόσο ἀνόητη ἦταν ἡ συμπεριφορά μου. *I ~ed him out to a policeman who arrested him*, τόν ἔδειξα σ' ἕνα ἀστυφύλακα, ὁ ὁποῖος καί τόν συνέλαβε. *~ out a mistake*, ὑποδεικνύω (ἐπισημαίνω) ἕνα λάθος. *I must ~ out that the road is not safe*, πρέπει νά τονίσω (νά ἐπισημάνω) ὅτι ὁ δρόμος δέν εἶναι ἀσφαλής. **3**. ***~ at/towards***, στρέφω πρός: *He ~ed a gun at me*, ἔστρεψε ἕνα ὅπλο ἐναντίον μου (μέ σημάδεψε μ' ἕνα ὅπλο). **4**. φτιάχνω μύτη (σέ μολύβι, μαχαίρι, παλούκι, κλπ), δίνω ἔμφαση (σέ ἐπιχείρημα, κλπ). **5**. ἁρμολογῶ, γεμίζω τίς ραφές τοίχου (μέ ἀσβέστη, κλπ). **~ed** *ἐπ.* αἰχμηρός, καυστικός, ἀπροκάλυπτος,

εὔστοχος: *a ~ed reproof*, καυστική ἐπιτίμησις. *show ~ed attentions to sb*, δείχνω ἀπροκάλυπτο ἐνδιαφέρον γιά κπ. *a ~ed reply*, εὔστοχη ἀπάντησις. **~·ed·ly** *ἐπίρ.* εὔστοχα, δηκτικά, ἀπροκάλυπτα.

point-blank /ˈpɔɪnt ˈblæŋk/ *ἐπ.* **1**. (*γιά βολή*) ἐγγύς: *fire at ~ range*, πυροβολῶ ἐξ ἐγγυτάτης ἀποστάσεως. **2**. (*μεταφ.*) ἀπότομος, κοφτός, κατηγορηματικός: *a ~ question*, ἀπότομη/εὐθεῖα ἐρώτησις. *a ~ refusal*, κοφτή/κατηγορηματική ἄρνησις. __*ἐπίρ.* **1**. ἀπό κοντά: *fire ~*, πυροβολῶ σχεδόν ἐξ ἐπαφῆς. **2**. στά ἴσια, κατηγορηματικά: *ask sb/refuse ~*, ἐρωτῶ κπ στά ἴσια/ἀρνοῦμαι κατηγορηματικά.

point-duty /ˈpɔɪnt djuti/ *οὐσ.* ‹U› ὑπηρεσία τροχαίας: *be on ~*, ρυθμίζω τήν κυκλοφορία.

pointer /ˈpɔɪntə(r)/ *οὐσ.* ‹C› **1**. δείκτης (ζυγαριᾶς, κλπ). **2**. χάρακας (γιά νά δείχνη κανείς σέ χάρτες, κλπ). **3**. λαγωνικό. **4**. νῦξις, ὑπόδειξις, ἔνδειξις.

point·less /ˈpɔɪntləs/ *ἐπ.* **1**. ἀμβλύς. **2**. (*ἀθλ.*) χωρίς σκόρ. **3**. μάταιος, ἄσκοπος: *It seemed ~ to wait any longer*, φάνηκε ἄσκοπο νά περιμένωμε περισσότερο. **~·ly** *ἐπίρ.* ἄσκοπα, χωρίς σκόρ.

points·man /ˈpɔɪntsmən/ *οὐσ.* ‹C› (*σιδηρόδρ.*) κλειδοῦχος.

poise /pɔɪz/ *οὐσ.* ‹C,U› **1**. ἰσορροπία. **2**. παράστημα, κορμοστασιά. **3**. αὐτοκυριαρχία, ἀξιοπρέπεια, νηφαλιότης. __*ρ.μ/ἀ.* **1**. ἰσορροπῶ: *He ~d himself on his toes*, ἰσορρόπησε στίς μύτες τῶν ποδιῶν. **2**. κρατῶ: *Note the way she ~s her head*, πρόσεξε μέ τί τρόπο κρατάει τό κεφάλι της. **3**. ζυγιάζομαι, αἰωροῦμαι: *The lion was ~d to spring*, τό λιοντάρι ζυγιαζόταν νά πηδήξη. *be ~d in mid-air*, ἰσοζυγιάζομαι στόν ἀέρα.

poi·son /ˈpɔɪzn/ *οὐσ.* ‹C,U› δηλητήριο, φαρμάκι: *take ~*, φαρμακώνομαι. *die of ~*, πεθαίνω ἀπό δηλητήριο. *ˈrat-~*, ποντικοφάρμακο. **ˈ~-ˈgas**, δηλητηριῶδες ἀέριο. **ˈ~-ˈivy**, τοξικόδεντρο. **ˈ~ pen**, ἄνθρωπος πού γράφει κακοήθη ἀνώνυμα γράμματα. __*ρ.μ.* δηλητηριάζω, φαρμακώνω: *~ a cat/a well/sb's mind*, δηλητηριάζω μιά γάτα/ἕνα πηγάδι/τό μυαλό κάποιου. *His whole life was ~ed by that experience*, ὅλη του ἡ ζωή φαρμακώθηκε ἀπό αὐτό τό συμβάν. **~er** *οὐσ.* ‹C› δηλητηριαστής. **~·ous** /ˈpɔɪzənəs/ *ἐπ.* δηλητηριώδης, φαρμακερός: *~ous snakes*, δηλητηριώδη φίδια. *a ~ous tongue*, φαρμακερή γλῶσσα. *~ous films/books*, (*μεταφ.*) φθοροποιά φίλμς/βιβλία. **~·ous·ly** *ἐπίρ.*

[1]**poke** /pəʊk/ *ρ.μ/ἀ.* **1**. τσιγκλάω, κεντρίζω, σπρώχνω (μέ κάτι αἰχμηρό): *~ sb in the ribs (with one's fingers)*, τσιγκλάω κπ στά πλευρά (μέ τά δάχτυλά μου). **2**. τρυπῶ: *~ a hole with one's finger/with a pencil*, ἀνοίγω μιά τρύπα μέ τό δάχτυλό μου/μέ ἕνα μολύβι. **3**. *~ (**about**)*, ἀνασκαλεύω, σκαλίζω, συδαυλίζω: *~ about at the rubbish*, ἀνασκαλεύω τά σκουπίδια. *~ a fire*, συδαυλίζω μιά φωτιά. **4**. μπήγω, χώνω: *Don't ~ your umbrella through the bars of the lion's cage*, μή χώνης τήν ὀμπρέλλα σου στά κάγκελα τοῦ κλουβιοῦ τοῦ λιονταριοῦ. *She ~d a toffee into my mouth*, μοῦ ἔχωσε μιά καραμέλλα στό στόμα. *Don't ~ your head out of the window*, μή βγάζης τό κεφάλι σου ἔξω ἀπό τό παράθυρο! ***~ fun at sb***, κοροϊδεύω, περιπαίζω κπ. ***~ one's nose into sth***, (*καθομ.*) χώνω τή μύτη μου σέ κτ. __*οὐσ.* ‹C› τσίγκλημα, συδαύλισμα: *give sb/the fire a ~*, τσιγκλάω κπ/συδαυλίζω τή φωτιά.

[2]**poke** /pəʊk/ *οὐσ.* ‹C› (*ἀπηρχ.*) σακκί. ***buy a pig in a ~***, παίρνω γουρούνι στό σακκί.

poke-bonnet /ˈpəʊk ˈbonɪt/ *οὐσ.* ‹C› σκούφια (*ἰδ.* ἐκείνη τῶν γυναικῶν τοῦ Στρατοῦ τῆς Σωτηρίας).

poker /ˈpəʊkə(r)/ *οὐσ.* **1**. ‹C› τσιμπίδα, μασιά. **2**. ‹U› (*χαρτοπ.*) πόκερ. **ˈ~-face**, (*καθομ.*) (ἄνθρωπος μέ) ἀνέκφραστο πρόσωπο.

poky /ˈpəʊkɪ/ *ἐπ.* (*-ier, -iest*) (*γιά χῶρο*) περιωρισμένος, στενόχωρος: *a ~ little room*, ἕνα τοσοδά δωματιάκι.

po·lar /ˈpəʊlə(r)/ *ἐπ.* **1**. πολικός: *the ~ circles*, οἱ πολικοί κύκλοι. **~ bear**, πολική ἄρκτος. **2**. ἐκ διαμέτρου ἀντίθετος. **~·ity** /pəˈlærətɪ/ *οὐσ.* ‹C› πολικότης. **~·ize** /-raɪz/ *ρ.μ.* πολώνω. **~·iz·ation** /ˈpəʊləraɪˈzeɪʃn/ *οὐσ.* ‹C,U› πόλωσις.

[1]**pole** /pəʊl/ *οὐσ.* ‹C› πόλος: *the North/South P~*, ὁ Βόρειος/Νότιος Πόλος. *the positive/negative ~*, (*ἠλεκτρ.*) ὁ θετικός/ἀρνητικός πόλος. **ˈ~-star**, Πολικός Ἀστήρ. ***be ~s apart***, (*μεταφ.*) εἴμαστε διαμετρικά ἀντίθετοι.

[2]**pole** /pəʊl/ *οὐσ.* ‹C› **1**. στύλος, πάσσαλος, κοντάρι (σημαίας), (*ναυτ.*) κατάρτι, σταλίκι: *a ˈtelegraph/ˈtent ~*, τηλεγραφοκολώνα/στύλος σκηνῆς. ***under bare ~s***, (*ναυτ.*) μέ τά πανιά μαζεμένα, ξυλάρμενος. ***be up the ~***, (*λαϊκ.*) *(α)* εἶμαι στριμωγμένος/σέ δύσκολη θέση. *(β)* εἶμαι λιγάκι παλαβός. **ˈ~-jumping/-vault**, (*ἀθλ.*) ἅλμα ἐπί κοντῷ. **2**. μονάς μήκους (περίπου 5 μέτρα).

Pole /pəʊl/ *οὐσ.* ‹C› Πολωνός.

pole-axe, pole-ax /ˈpəʊl æks/ *οὐσ.* ‹C› (*ἱστ.*) πολεμικός πέλεκυς, μπαλντᾶς (ζωοσφαγέως). __*ρ.μ.* χτυπῶ/σκοτώνω μέ μπαλντᾶ.

pole·cat /ˈpəʊlkæt/ *οὐσ.* ‹C› εἶδος νυφίτσας.

pol·emic /pəˈlemɪk/ *ἐπ.* πολεμικός. __*οὐσ.* ‹C› (*λόγ.*) πολεμική, (*πληθ.*) ἀπολογητική.

po·lice /pəˈlis/ *οὐσ.* (*συλλογ., πάντα ἑν. καί συνήθ. μέ ρ. πληθ.*) ἀστυνομία: *Several hundred ~ were on duty at the demonstration*, ἀρκετές ἑκατοντάδες ἀστυνομικοί ἦταν ὑπηρεσία στή διαδήλωση. *Extra ~ are needed here*, χρειάζονται κι' ἄλλοι ἀστυνομικοί ἐδῶ. *The ~ have not made any arrests*, ἡ ἀστυνομία δέν ἔκανε συλλήψεις. **ˈ~ constable**, ἀστυφύλακας. **ˈ~-court**, πταισματοδικεῖον. **the ˈ~ force**, τό ἀστυνομικόν σῶμα. **ˈ~-magistrate**, πταισματοδίκης. **ˈ~·man/-officer**, ἀστυνομικός. **ˈ~-office**, Ἀστυνομική Διεύθυνσις. **ˈ~ state**, ἀστυνομικόν κράτος. **ˈ~-station**, ἀστυνομικό τμῆμα. **ˈ~ van**, κλούβα, ἀστυνομικό κλειστό αὐτοκίνητο. **ˈ~ woman**, γυναίκα ἀστυνομικός. __*ρ.μ.* ἀστυνομεύω, τηρῶ τήν τάξη.

pol·icy /ˈpoləsɪ/ *οὐσ.* ‹C,U› **1**. πολιτική, τακτική: *foreign/economic/monetary/financial ~*, ἐξωτερική/οἰκονομική/νομισματική/δημοσιονομική πολιτική. *adopt a ~*, υἱοθετῶ μιά πολιτική. ***Honesty is the best ~***, (*παροιμ.*) ἡ τιμιότητα εἶναι ἡ καλύτερη τακτική. **2**. ἀσφαλιστήριο συμβόλαιο: *take out a `fire-insurance* ~, κάνω ἀσφάλεια πυρός.

po·lio /ˋpəʊlɪəʊ/ *οὐσ.* ‹U› (*καθομ., βραχυλ. γιά poliomyelitis*), πολιομυελῖτις: *ˈanti-ˋ~ injections*, ἐνέσεις κατά τῆς πολιομυελίτιδος. **~·myel·itis** /ˈpəʊlɪəʊˈmaɪəˋlaɪtɪs/ *οὐσ.* ‹U› πολιομυελῖτις.

polish /ˋpolɪʃ/ *ρ.μ/ὰ.* **1**. γυαλίζω, λουστράρω: ~ *shoes/furniture*, γυαλίζω παπούτσια/λουστράρω ἔπιπλα. **~ed** *ἐπ.* γυαλισμένος, στιλπνός, (*μεταφ.*) εὐγενικός: *~ed manners*, λεπτοί, εὐγενικοί τρόποι. **2**. ~ ***off***, (*καθομ.*) τελειώνω γρήγορα, ξεμπερδεύω, καθαρίζω: ~ *off a plateful of pie*, καθαρίζω στά γρήγορα ἕνα πιάτο γεμᾶτο πίττα. **3**. ~ ***up***, (*καθομ.*) κάνω τήν τελευταία ἐπεξεργασία σέ κτ: ~ *up an essay*, περνῶ τελευταῖο χέρι μιά ἔκθεση. __*οὐσ.* **1**. ‹U› στιλπνότης, γυαλάδα: *a car with a good* ~, αὐτοκίνητο μέ καλή γυαλάδα. **2**. ‹C› βερνίκι, λοῦστρο: *`shoe/`floor* ~, βερνίκι παπουτσιῶν/πατωμάτων. **3**. ‹U› (*μεταφ.*) εὐγένεια, καλοί τρόποι, φινέτσα. **~er** *οὐσ.* ‹C› λουστραδόρος.

Pol·ish /ˋpəʊlɪʃ/ *ἐπ.* πολωνικός. __*οὐσ.* ‹U› Πολωνική γλῶσσα.

pol·it·buro /ˋpolɪtbjʊərəʊ/ *οὐσ.* ‹C› (*πληθ.* *~s*) πολιτικό γραφεῖο (*ἰδ.* τοῦ Κομμουν. κόμματος).

pol·ite /pəˋlaɪt/ *ἐπ.* **1**. εὐγενικός: *a ~ boy/answer*, εὐγενικό παιδί/-ή ἀπάντησις. **2**. ραφινάτος: *in ~ society*, στήν καλή κοινωνία. **~·ly** *ἐπίρ.* εὐγενικά. **~·ness** *οὐσ.* ‹C,U› εὐγένεια.

poli·tic /ˋpolətɪk/ *ἐπ.* σώφρων, συνετός, φρόνιμος: *a ~ man/course*, σώφρων ἄνθρωπος/φρόνιμη τακτική. (*βλ.* & *λ. body*).

pol·iti·cal /pəˋlɪtɪkl/ *ἐπ.* πολιτικός: ~ *liberties/reasons*, πολιτικές ἐλευθερίες/-οί λόγοι. *a ~ crisis*, πολιτική κρίσις. **ˈ~ aˋsylum**, πολιτικό ἄσυλο: *ask for ~ asylum*, ζητῶ πολιτικό ἄσυλο. **ˈ~ eˋconomy/geˋography**, πολιτική οἰκονομία/γεωγραφία. **ˈ~ ˋprisoner**, πολιτικός κρατούμενος.

poli·ti·cian /ˈpoləˋtɪʃn/ *οὐσ.* ‹C› πολιτικός, πολιτικάντης: *Is your party leader a ~ or a statesman?* εἶναι ὁ ἀρχηγός τοῦ κόμματός σας πολιτικάντης ἤ πολιτικός ἡγέτης;

poli·tics /ˋpolətɪks/ *οὐσ. πληθ.* (*μέ ρ. ἑν. ἤ πληθ.*) πολιτική: *talk* ~, κουβεντιάζω πολιτικά. *party/local* ~, κομματική/τοπική πολιτική. *P~ has/have ruined him*, ἡ πολιτική τόν κατάστρεψε.

pol·ity /ˋpolətɪ/ *οὐσ.* **1**. ‹U› πολιτική διοίκησις/συγκρότησις. **2**. ‹C› πολιτεία.

polka /ˋpolkə/ *οὐσ.* ‹C› (*χορ.*) πόλκα. **ˋ~ dots**, βοῦλες (σέ ὕφασμα), πουά.

[1]**poll** /pəʊl/ *οὐσ.* ‹C› **1**. ψηφοφορία, ἐκλογικός κατάλογος, κάλπη: *a heavy/light* ~, μεγάλη/μικρή συμμετοχή στήν ψηφοφορία. *go to the ~s*, πάω στίς κάλπες, ψηφίζω. *exclude sb from the* ~, ἀποκλείω κπ ἀπό τήν ψηφοφορία. *be successful at the* ~, ἔχω ἐπιτυχία στίς ἐκλογές. *head the* ~, ἔρχομαι πρῶτος στίς ἐκλογές. *declare the* ~, ἀνακοινώνω τά ἐκλογικά ἀποτελέσματα. **2**. **(public) oˋpinion ~**, σφυγμομέτρησις τῆς κοινῆς γνώμης. **3**. (*ἀπηρχ.*) κεφάλι. **ˋ~-tax**, κεφαλικός φόρος.

[2]**poll** /pəʊl/ *ρ.μ/ὰ.* **1**. ψηφίζω, συγκεντρώνω ψήφους: *Mr Hill ~ed over 3000 votes*, ὁ κ. Χίλ συγκέντρωσε πάνω ἀπό 3000 ψήφους. **ˋ~·ing-booth/-station**, ἐκλογικό παραβάν/τμῆμα. **ˋ~·ing-day**, ἡμέρα ψηφοφορίας. **2**. κόβω τά κέρατα (ζώου)/τήν κορυφή (δέντρου), ξακρίζω.

[3]**poll** /pol/ *οὐσ.* ‹C› παπαγάλος.

pol·lard /ˋpoləd/ *ρ.μ.* κόβω τήν κορυφή δέντρου. __*οὐσ.* ‹C› κουτσουρεμένο δέντρο.

pol·len /ˋpolən/ *οὐσ.* ‹U› γῦρις (λουλουδιῶν). **ˋ~ count**, μέτρησις γύρεως στήν ἀτμόσφαιρα (γιά ἀσθματικούς κλπ).

pol·lin·ate /ˋpolɪneɪt/ *ρ.μ.* γονιμοποιῶ (διά γύρεως). **pol·li·na·tion** /ˈpolɪˋneɪʃn/ *οὐσ.* ‹U› γονιμοποίησις.

poll·ster /ˋpəʊlstə(r)/ *οὐσ.* ‹C› πρόσωπο πού κάνει σφυγμομέτρηση τῆς κοινῆς γνώμης.

pol·lute /pəˋlut/ *ρ.μ.* μολύνω: ~ *a river with factory waste*, μολύνω ἕνα ποτάμι μέ ἀπόβλητα ἐργοστασίου. *~d water/air*, μολυσμένο νερό/-ος ἀέρας. **pol·lu·tant** /-ənt/ *οὐσ.* ‹C› παράγων μολύνσεως. **pol·lu·tion** /pəˋluʃn/ *οὐσ.* ‹C,U› μόλυνσις: *pollution of the atmosphere/environment*, μόλυνσις τῆς ἀτμοσφαίρας/τοῦ περιβάλλοντος.

polo /ˋpəʊləʊ/ *οὐσ.* ‹U› (ἀθλ.) πόλο. **ˋ~-neck**, κλειστός γιακᾶς/ζιβάγκο: *~-neck sweaters*, πουλόβερ ζιβάγκο.

pol·troon /polˋtrun/ *οὐσ.* ‹C› ἄνανδρος. **~-ery** /-ərɪ/ *οὐσ.* ‹U› ἀνανδρία.

poly /ˋpolɪ/ *οὐσ.* ‹C› (*καθομ., βραχυλ. γιά*) *polytechnic*.

poly·an·dry /ˋpolɪændrɪ/ *οὐσ.* ‹U› πολυανδρία. **poly·an·drous** /ˈpolɪˋændrəs/ *ἐπ.*

pol·ygamy /pəˋlɪgəmɪ/ *οὐσ.* ‹U› πολυγαμία. **pol·yga·mist** /-ɪst/ *οὐσ.* ‹C› πολύγαμος, ὀπαδός τῆς πολυγαμίας. **pol·yga·mous** /-məs/ *ἐπ.* πολύγαμος.

poly·glot /ˋpolɪglot/ *ἐπ.* & *οὐσ.* ‹C› πολύγλωσσος.

poly·gon /ˋpolɪgən/ *οὐσ.* ‹C› (*γεωμ.*) πολύγωνον.

poly·mor·phous /ˈpolɪˋmɔfəs/, (*καί* **poly·mor·phic** /-fɪk/) *ἐπ.* πολύμορφος.

polyp /ˋpolɪp/ *οὐσ.* ‹C› (*ζωολ.*) πολύπους.

pol·yph·ony /pəˋlɪfənɪ/ *οὐσ.* ‹U› (*μουσ.*) πολυφωνία. **poly·phonic** /ˈpolɪˋfonɪk/ *ἐπ.* πολυφωνικός.

poly·pus /ˋpolɪpəs/ *οὐσ.* ‹C› (*πληθ.* *~es* /-pəsiz/ *ἤ -pi* /-paɪ/) (*ἰατρ.*) πολύπους.

poly·syl·lable /ˋpolɪsɪləbl/ *οὐσ.* ‹C› πολυσύλλαβος λέξις. **poly·syl·labic** /ˈpolɪsɪˋlæbɪk/ *ἐπ.* πολυσύλλαβος.

poly·tech·nic /ˈpolɪˋteknɪk/ *οὐσ.* ‹C› Πολυτεχνεῖον, ἀνωτέρα τεχνική σχολή.

poly·theism /ˋpolɪθiɪzm/ *οὐσ.* ‹U› πολυθεϊσμός. **poly·theis·tic** /ˈpolɪθiˋɪstɪk/ *ἐπ.* πολυθεϊστικός.

poly·thene /ˋpolɪθin/ *οὐσ.* ‹U› πολυθένιον.

po·made /pəˋmad/ *οὐσ.* ‹U› πομάδα, μυραλοιφή.

pom·egran·ate /ˋpomɪgrænət/ *οὐσ.* ‹C› ρόδι, ροδιά.

pom·mel /ˋpʌml/ *οὐσ.* ‹C› **1**. μπροστάρι (σέλλας). **2**. σφαίρωμα (ξίφους). __*ρ.μ. βλ. pummel.*

pomp /pomp/ *οὐσ.* ‹U› πομπή, λαμπρότης,

μεγαλοπρέπεια: *with great ~ and circumstance*, μέ μεγάλη ἐπισημότητα.

pom·pon /ˋpɔ̃pɔ̃/ *οὐσ.* ‹C› (διακοσμητική) φούντα, πομπόν (σέ καπέλλο/φόρεμα/παπούτσια).

pom·pous /ˋpompəs/ *ἐπ.* πομπώδης: *~ language/style*, πομπώδης γλῶσσα/-ες ὕφος. *He's a ~ ass*, εἶναι ἕνας ξιππασμένος βλάκας. **pom·pos·ity** /pomˋposətɪ/ *οὐσ.* ‹C,U› στόμφος, ξιππασιά.

ponce /pons/ *οὐσ.* ‹C› (*λαϊκ.*) νταβατζῆς.

pon·cho /ˋpontʃəʊ/ *οὐσ.* ‹C› (*πληθ.* *~s*) κάπα (ποδηλάτη, Μεξικάνου, κλπ).

pond /pond/ *οὐσ.* ‹C› λιμνούλα, νερόλακκος, γούρνα (γιά νά πίνουν τά ζῶα).

pon·der /ˋpondə(r)/ *ρ.μ/ὰ.* *~ (**over**)*, συλλογίζομαι, ζυγιάζω (μέ τό νοῦ): *We ~ed many things*, ζυγιάσαμε (μελετήσαμε) πολλά πράγματα. *He sat ~ing over the incident*, καθόταν καί συλλογιζόταν τό περιστατικό. **~·able** /ˋpondərəbl/ *ἐπ.* σταθμητός. __*οὐσ.* (*πληθ.*) σταθμητοί παράγοντες.

pon·der·ous /ˋpondərəs/ *ἐπ.* **1**. βαρύς, ὀγκώδης, δυσκίνητος: *~ movements*, βαρειές κινήσεις. **2**. βαρύς, στριφνός, περισπούδαστος, πληκτικός: *~ style*. **~·ly** *ἐπίρ.*

pone /pəʊn/ *οὐσ.* ‹U› (*ἐπίσης* **ˋcorn ~**) μπομπότα.

pon·tiff /ˋpontɪf/ *οὐσ.* ‹C› Ποντίφηξ, Πάπας, (*ἀρχ.*) ἐπίσκοπος. **pon·tifi·cal** /ponˋtɪfɪkl/ *ἐπ.* **1**. παπικός. **2**. πομπώδης. **pon·tifi·cals** *οὐσ.* *πληθ.* ἀρχιερατικά ἄμφια, μεγάλη στολή.

pon·tifi·cate /ponˋtɪfɪkeɪt/ *οὐσ.* ‹C› ἀρχιερωσύνη (*ἰδ.* τοῦ Πάπα). __*ρ.ὰ.* ἀποφαίνομαι μέ ὕφος ποντίφηκος, ὁμιλῶ ἀπό καθέδρας.

pon·toon /ponˋtun/ *οὐσ.* **1**. ‹C› ἐπίπεδη βάρκα, πλωτό βάθρο γεφύρας: *a ~ bridge*, πλωτή γέφυρα. **2**. ‹C› πλωτήρ ὑδροπλάνου. **3**. ‹U› (*χαρτοπ.*) εἴκοσι-ἕνα (ὅμοιο μέ τό 31).

pony /ˋpəʊnɪ/ *οὐσ.* ‹C› ἀλογάκι, πόνυ. **ˋ~-tail**, ἀλογοουρά (χτένισμα).

poodle /ˋpudl/ *οὐσ.* ‹C› σγουρόμαλλο σκυλάκι.

poof (*καί* **pouf**) /puf/ *οὐσ.* ‹C› (*λαϊκ.*) ὁμοφυλόφιλος, ἀδελφή.

pooh /pu/ *ἐπιφ.* *ἀνυπομονησίας ἤ περιφρονήσεως* πφ!

pooh-pooh /ˈpu ˋpu/ *ρ.μ.* ἀπορρίπτω περιφρονητικά, παίρνω κτ ἐλαφρά, εἰρωνεύομαι: *~ an idea/a threat.*

[1]**pool** /pul/ *οὐσ.* ‹C› λιμνούλα, λακκούβα μέ νερό: *The corpse was in a ~ of blood*, τό πτῶμα ἦταν μέσα σέ μιά λίμνη αἵματος. *~s on a road*, γοῦβες μέ νερό σ' ἕνα δρόμο. (**ˋswimming-**)**~**, πισίνα.

[2]**pool** /pul/ *οὐσ.* **1**. ‹C› κοινοπραξία, κοινό ταμεῖο, (*χαρτοπ.*) πότ. (**ˋfootball**) **~s**, προπό: *He's won a fortune on the ~s*, κέρδισε ὁλόκληρη περιουσία στό προπό. **2**. ‹U› (*ΗΠΑ*) μπιλλιάρδο (*πρβλ. MB: snooker*): *shoot ~*, παίζω μπιλλιάρδο. __*ρ.μ.* κάνω κοινοπραξία/κοινό ταμεῖο, συνενώνω (κεφάλαια, προσπάθειες, κλπ): *We ~ed our savings to buy a car*, βάλαμε ὅλοι τίς οἰκονομίες μας ν' ἀγοράσωμε ἕνα αὐτοκίνητο.

poor /pʊə(r)/ *ἐπ.* *(-er, -est)* **1**. φτωχός. **the ~**, οἱ φτωχοί, οἱ ἄποροι. **ˋ~-box**, (*στήν ἐκκλησία*) τό κουτί γιά τούς ἀπόρους. **ˋ~-house**, (*παλαιότ.*) πτωχοκομεῖο. **ˋ~-law**, (*παλαιότ.*) νόμος περί κοινωνικῆς προνοίας. **ˋ~-rate**, (*παλαιότ.*) δημοτική εἰσφορά ὑπέρ τῶν ἀπόρων. **2**. ἀξιολύπητος, καϋμένος: *the ~ little kitten*, τό καϋμένο τό γατάκι. *P~ boy!* καϋμένο παιδί! *~ man*, φουκαρᾶς. **3**. (*συχνά εἰρων.*) ταπεινός: *in my ~ opinion*, κατά τήν ταπεινή μου γνώμη. **4**. ἀνεπαρκής, λιγοστός, φτωχός: *a ~ supply of teachers*, ἀνεπαρκής ἀριθμός δασκάλων. *a country ~ in minerals*, χώρα φτωχή σέ ὀρυκτά. **5**. κακός, παρακατιανός (σέ ποιότητα): *~ harvest/excuse*, κακή συγκομιδή/δικαιολογία. *~ wine/soil*, παληόκρασο/φτωχό ἔδαφος. ***be in ~ health***, δέν εἶμαι καλά στήν ὑγεία μου. **6**. δειλός, φοβιτσιάρης: *What a ~ creature he is!* τί φοβιτσιάρης πού εἶναι! **ˈ~-ˋspirited** *ἐπ.* ἄτολμος, δειλός.

poor·ly /ˋpʊəlɪ/ *κατηγ. ἐπ.* (*καθομ.*) ἀδιάθετος: *I'm rather ~ this morning*, δέν εἶμαι στά καλά μου σήμερα τό πρωΐ. __*ἐπίρ.* **1**. ἄσχημα, κακά, φτωχικά: *~ lighted streets*, κακοφωτισμένοι δρόμοι. *~ dressed*, κακοντυμένος. *a ~ furnished room*, φτωχικά ἐπιπλωμένο δωμάτιο. **2**. *~ **off***, σέ κακή οἰκονομική κατάσταση: *She's ~ off since her husband died*, ἔχει φτώχειες ἀπό τότε πού πέθανε ὁ ἄντρας της.

poor·ness /ˋpʊənəs/ *οὐσ.* ‹U› πενιχρότης, ἀνεπάρκεια, φτώχεια: *the ~ of the soil*, φτώχεια τοῦ ἐδάφους.

[1]**pop** /pop/ *οὐσ.* (*ΗΠΑ*) μπαμπᾶς.

[2]**pop** /pop/ *οὐσ.* ‹C,U› & *ἐπ.* (*καθομ. βραχυλ. γιά popular*) λαϊκός, πόπ: **ˋ~ art**, πόπ ἄρτ. **ˋ~ music/singer**, μουσική/τραγουδιστής πόπ. ***top of the ~s***, δίσκος ἐπικεφαλῆς τῶν λαϊκῶν ἐπιτυχιῶν.

[3]**pop** /pop/ *οὐσ.* ‹C› **1**. ξερός κρότος (πχ φελλοῦ ἀπό μπουκάλι). **2**. (*λαϊκ.*) γκαζόζα. **3**. (*λαϊκ.*) ἀμανάτι: *have one's watch in ~*, ἔχω βάλει τό ρολόϊ μου ἀμανάτι. __*ἐπίρ.* πάμ! κράκ! *go ~*, σκάω. *P~ went the cork!* πάμ, πάει ὁ φελλός!

[4]**pop** /pop/ *ρ.μ/ὰ.* *(-pp-)* **1**. σκάζω μέ ξηρό κρότο: *Champagne corks were ~ping away on all sides*, (φελλοί ἀπό) μπουκάλες σαμπάνιας ἔσκαζαν ἀπ' ὅλες τίς μεριές. **ˋ~·gun**, παιδικό ὅπλο μέ φελλό. **2**. (*λαϊκ.*) ρίχνω, πυροβολῶ. **3**. (*λαϊκ.*) βάζω ἀμανάτι. **4**. καβουρντίζω καλαμπόκι (ὥσπου νά σκάσουν τά σπυριά). **ˋ~·corn**, καβουρντισμένο καλαμπόκι, πόπ-κόρν. **5**. (*καθομ.*) κινῶ/κινοῦμαι γρήγορα ἤ ξαφνικά. *~ **in/out***, μπαίνω/βγαίνω γρήγορα: *He ~s in every evening*, περνάει γιά λίγο κάθε βράδυ. *P~ in and see me some time*, πέρασε νά μέ δῆς καμιά ὥρα. *The children kept ~ping in and out*, τά παιδιά διαρκῶς μπαινόβγαιναν. *He ~ped his head in at the door*, ἔβαλε ξαφνικά τό κεφάλι του στήν πόρτα. *~ **sth into sth***, πετῶ κτ γρήγορα σέ κτ: *She ~ped the letter into a drawer*, πέταξε γρήγορα-γρήγορα τό γράμμα σ' ἕνα συρτάρι. *~ **off***, *(α)* φεύγω, στρίβω: *Well, it's time I ~ped off*, λοιπόν, καιρός νά τοῦ δίνω. *(β)* (*λαϊκ.*) τά τινάζω: *I don't intend to ~ off yet*, δέν ἔχω σκοπό νά τά τινάξω ἀκόμη. *~ **out (of)***, πετάγομαι ἔξω (ἀπό): *His eyes almost ~ped out in surprise*, τά μάτια του πετάχτηκαν ἔξω ἀπό τίς κόγχες τους ἀπό τήν ἔκπληξη. *~ **over/across/round***, πετάγομαι ἀπέναντι/γύρω στή γωνία: *He's ~ped over/across*

to the grocer's, πετάχτηκε ὥς τό μπακάλη ἀπέναντι. *I'll ~ round to the chemist's*, θά πεταχτῶ ὥς τό φαρμακεῖο ἐδῶ κοντά. **~ *up***, ἐμφανίζομαι ξαφνικά. **~ *the question***, (*λαϊκ.*) κάνω πρόταση γάμου. **`~-eyed** *ἐπ.* μέ γουρλωμένα μάτια, γουρλομάτης.

pope /pəʊp/ *οὐσ.* ‹C› παπάς. **the P~**, ὁ Πάπας. **pop·ery** /`pəʊpərɪ/ *οὐσ.* ‹U› (*ὑποτιμ.*) παπισμός. **pop·ish** /`pəʊpɪʃ/ *ἐπ.* παπικός. **pop·ish·ly** *ἐπίρ.*

pop·in·jay /`popɪndʒeɪ/ *οὐσ.* ‹C› (*πεπαλ.*) δανδῆς, λιμοκοντόρος.

pop·lar /`poplə(r)/ *οὐσ.* ‹C,U› λεύκα.

pop·lin /`poplɪn/ *οὐσ.* ‹U› (ὕφασμα) ποπλίνα.

poppa /`popə/ *οὐσ.* (*ΗΠΑ*) μπαμπᾶς.

pop·pet /`popɪt/ *οὐσ.* ‹C› (*MB, χαϊδευτικά, συνήθ. σέ παιδί*) χρυσούλι: *How's my little ~ this morning?* τί κάνει τό χρυσούλι μου σήμερα; *Isn't she a ~!* ἴδια κουκλίτσα εἶναι!

poppy /`popɪ/ *οὐσ.* ‹C› παπαρούνα, μήκων.

poppy·cock /`popɪkok/ *οὐσ.* ‹U› (*λαϊκ.*) μποῦρδες, σαχλαμάρες.

popu·lace /`popjʊləs/ *οὐσ.* (*μόνον ἑν.*) (*λόγ.*) ὄχλος, μᾶζες.

popu·lar /`popjʊlə(r)/ *ἐπ.* **1**. λαϊκός: *a ~ government*, λαϊκή κυβέρνησις. *the P~ Party*, τό Λαϊκόν Κόμμα. *meals at ~ prices*, γεύματα σέ λαϊκές τιμές. **'~ `front**, λαϊκό μέτωπο. **'~ `science**, ἐκλαϊκευμένη ἐπιστήμη. **2**. δημοφιλής, λαοφιλής: *a ~ leader/hero*, δημοφιλής ἡγέτης/λαοφιλής ἥρωας. ***be ~ with***, εἶμαι ἀγαπητός μεταξύ: *He's very ~ with his classes*, οἱ τάξεις του τόν ἀγαπᾶνε πολύ. **~·ly** *ἐπίρ.*

popu·lar·ity /'popjʊ`lærətɪ/ *οὐσ.* ‹U› δημοτικότης: *win/enjoy great ~*, γίνομαι/εἶμαι πολύ δημοφιλής.

popu·lar·ize /`popjʊləraɪz/ *ρ.μ.* ἐκλαϊκεύω, καθιστῶ δημοφιλῆ: *~ science*, ἐκλαϊκεύω ἐπιστημονικά θέματα. *~ a new method*, ἐπιβάλλω μιά καινούργια μέθοδο (τήν καθιστῶ δημοφιλῆ). **popu·lar·iz·ation** /'popjʊləraɪ`zeɪʃn/ *οὐσ.* ‹U› ἐκλαΐκευσις.

popu·late /`popjʊleɪt/ *ρ.μ.* οἰκίζω, κατοικῶ (περιοχή): *a thinly/densely ~d country*, μιά ἀραιοκατοικημένη/πυκνοκατοικημένη χώρα.

popu·la·tion /'popjʊ`leɪʃn/ *οὐσ.* ‹C› πληθυσμός: *the ~ of London*, ὁ πληθυσμός τοῦ Λονδίνου. *a fall/rise in ~*, μείωσις/αὔξησις τοῦ πληθυσμοῦ. *the working-class ~*, ὁ ἐργατικός πληθυσμός.

popu·lism /`popjʊl-ɪzm/ *οὐσ.* ‹U› λαϊκισμός, δημαγωγική πολιτική. **popu·list** /-ɪst/ *οὐσ.* ‹C› δημαγωγός.

popu·lous /`popjʊləs/ *ἐπ.* πολυάνθρωπος, πυκνοκατοικημένος.

por·ce·lain /`pɔsəlɪn/ *οὐσ.* ‹U› πορσελάνη.

porch /pɔtʃ/ *οὐσ.* ‹C› **1**. στεγασμένη πύλη, προπύλαια. **2**. (*ΗΠΑ*) βεράντα προσόψεως.

por·cine /`pɔsaɪn/ *ἐπ.* χοίρειος, χοιρινός.

por·cu·pine /`pɔkjʊpaɪn/ *οὐσ.* ‹C› ἀκανθόχοιρος.

[1]**pore** /pɔ(r)/ *οὐσ.* ‹C› πόρος: *He was sweating at every ~*, ἔτρεχε ἱδρώτας ἀπό ὅλους τούς πόρους του.

[2]**pore** /pɔ(r)/ *ρ.ἀ.* **~ *over sth***, διαβάζω προσεχτικά: *~ over a letter/book*, διαβάζω προσεχτικά ἕνα γράμμα/βιβλίο. **~ *upon sth***, μελετῶ προσεχτικά: *~ upon a problem*, μελετῶ ἕνα πρόβλημα.

pork /pɔk/ *οὐσ.* ‹U› χοιρινό κρέας: *roast ~*, ψητό χοιρινό. *~ chops*, χοιρινές μπριζόλες. **`~-butcher**, κρεοπώλης χοιρινοῦ, λουκάνικων, κλπ. **'~ `pie**, κρεατόπιττα μέ χοιρινό κρέας. **`~er** *οὐσ.* ‹C› γουρούνι θρεφτάρι.

porn /pɔn/ *οὐσ.* ‹U› (*καθομ., βραχυλ. γιά pornography*) πορνογραφία. **`~ shop**, κατάστημα μέ πορνογραφικά εἴδη.

por·nogra·phy /pɔ`nogrəfɪ/ *οὐσ.* ‹U› πορνογραφία. **por·nogra·pher** /pɔ`nogrəfə(r)/ *οὐσ.* ‹C› πορνογράφος. **por·no·graphic** /'pɔnə`græfɪk/ *ἐπ.* πορνογραφικός.

po·rous /`pɔrəs/ *ἐπ.* πορώδης: *Sandy soil is ~*, τό ἀμμῶδες ἔδαφος εἶναι πορρῶδες.

por·phyry /`pɔfɪrɪ/ *οὐσ.* ‹U› πορφυρόλιθος.

por·poise /`pɔpəs/ *οὐσ.* ‹C› εἶδος δελφινιοῦ, γουρουνόψαρο.

por·ridge /`porɪdʒ/ *οὐσ.* ‹U› χυλός, κουρκούτι. **por·rin·ger** /`porɪndʒə(r)/ *οὐσ.* ‹C› πιάτο γιά χυλό, γαβάθα.

[1]**port** /pɔt/ *οὐσ.* ‹C› **1**. λιμάνι: *a naval ~*, ναυτική βάσις, ναύσταθμος. *reach/leave ~*, φθάνω σέ/ἀναχωρῶ ἀπό λιμάνι. ***any ~ in a storm***, στή μπόρα κάθε δεντράκι καταφύγιο. **`free ~**, ἐλεύθερο λιμάνι. **2**. (*μεταφ.*) καταφύγιο, λιμάνι σωτηρίας.

[2]**port** /pɔt/ *οὐσ.* ‹C› (*ναυτ.*) **1**. μπουκαπόρτα. **`~·hole**, φινιστρίνι. **2**. ἀριστερή πλευρά πλοίου: *put the helm to ~*, γυρίζω τό τιμόνι ἀριστερά. *__ρ.μ.* στρίβω ἀριστερά.

[3]**port** /pɔt/ *οὐσ.* ‹U› πορτό (κρασί).

[4]**port** /pɔt/ *ρ.μ.* *P~ arms!* παρουσιᾶστε ἄρμ! *__οὐσ.* ***at the ~***, (*στρατ.*) στή θέση παρουσιάσεως ὅπλων.

port·able /`pɔtəbl/ *ἐπ.* φορητός: *a ~ radio/TV set*, φορητό ραδιόφωνο/-ή τηλεόρασις. **port·abil·ity** /'pɔtə`bɪlətɪ/ *οὐσ.* ‹U› φορητότης.

port·age /`pɔtɪdʒ/ *οὐσ.* ‹C,U› μεταφορά, μεταφορικά.

por·tal /`pɔtl/ *οὐσ.* ‹C› πύλη, εἴσοδος.

port·cul·lis /'pɔt`kʌlɪs/ *οὐσ.* ‹C› καταρρακτή θύρα, σιδεριά (πού κλείνει τήν πύλη κάστρου).

por·tend /pɔ`tend/ *ρ.μ.* (*λόγ.*) προμηνύω: *This ~s war*, αὐτό προμηνύει πόλεμο.

por·tent /`pɔtent/ *οὐσ.* ‹C› οἰωνός. **~ous** /pɔ`tentəs/ *ἐπ.* *(α)* δυσοίωνος. *(β)* θαυμαστός. **~ous·ly** *ἐπίρ.*

por·ter /`pɔtə(r)/ *οὐσ.* ‹C› **1**. ἀχθοφόρος, χαμάλης. **2**. θυρωρός, πορτιέρης. **3**. (*πεπαλ.*) μαύρη μπύρα. **`~·age** /-ɪdʒ/ *οὐσ.* ‹U› μεταφορά, μεταφορικά, ἀγώγι.

por·ter·house /`pɔtəhaʊs/ *οὐσ.* ‹C› ~ (**steak**), μπιφτέκι ἐξαιρετικῆς ποιότητος.

port·folio /pɔt`fəʊlɪəʊ/ *οὐσ.* ‹C› (*πληθ. ~s*) **1**. χαρτοφύλακας. **2**. χαρτοφυλάκιον (ἀξιῶν). **3**. χαρτοφυλάκιον (ὑπουργοῦ): *He resigned his ~*, παρητήθη ἀπό ὑπουργός. **minister without ~**, ὑπουργός ἄνευ χαρτοφυλακίου.

port·ico /`pɔtɪkəʊ/ *οὐσ.* ‹C› (*πληθ. ~es ἤ ~s*) εἴσοδος (μέ σκεπή καί κολῶνες), πρόναος.

por·tion /`pɔʃn/ *οὐσ.* ‹C› **1**. τμῆμα, μερίδιο, ἀπόκομμα (εἰσιτηρίου): *The money was divided into five ~s*, τά χρήματα μοιράστηκαν σέ πέντε μερίδια. **2**. μερίδα (φαγητοῦ): *a generous*

~ *of roast beef*, μιά γενναία μερίδα ροζμπίφ. *a marriage* ~, προίκα. **3**. (*έν.*) μοῖρα, πεπρωμένον: *Death is our* ~, ὁ θάνατος εἶναι ἡ μοῖρα μας. —*ρ.μ.* **1**. ~ ***sth out (among/ between)***, μοιράζω κτ (μεταξύ), τό κάνω μερίδια. **2**. ~ ***sth to sb***, δίνω, προικίζω.

port·ly /ˋpɔtlɪ/ *ἐπ.* (*συνήθ. γιά ἡλικιωμένους*) παχύς, ἐπιβλητικός.

port·man·teau /pɔtˋmæntəʊ/ *οὐσ.* ‹C› (*πληθ.* ~*s* ἤ ~*x* /-təʊz/) βαλίτσα-ἱματιοθήκη. ~ **word**, φτιαχτή λέξις πού ἔχει τήν ἔννοια καί συλλαβές δύο ἄλλων λέξεων (*π.χ. brunch* = *breakfast* + *lunch*).

por·trait /ˋpɔtrɪt/ *οὐσ.* ‹C› πορτραῖτο, προσωπογραφία. ˋ~**·ist** /-ɪst/ *οὐσ.* ‹C› προσωπογράφος. ˋ**por·trait·ure** /-tʃə(r)/ *οὐσ.* ‹U› προσωπογραφία (ἡ τεχνική).

por·tray /pɔˋtreɪ/ *ρ.μ.* **1**. ζωγραφίζω κπ, κάνω τό πορτραῖτο του. **2**. ἀπεικονίζω, περιγράφω ζωηρά. **3**. ἀποδίδω (ἕνα ρόλο). ~**al** /pɔˋtreɪəl/ *οὐσ.* ‹C,U› ἀπεικόνισις, περιγραφή, ἀπόδοσις, πορτραῖτο.

pose /pəʊz/ *ρ.μ/ἀ.* **1**. ποζάρω (γιά ζωγράφο), κανονίζω (στάση μοντέλου): *Would you like to* ~ *for me?* θἄθελες νά ποζάρης γιά μένα; *The artist* ~*d his model carefully*, ὁ ζωγράφος κανόνισε τή στάση τοῦ μοντέλου του προσεχτικά. **2**. ~ ***as***, ποζάρω γιά, παριστάνω: *He* ~*s as an expert on Byzantine art*, παριστάνει τόν εἰδικό στή Βυζαντινή τέχνη. **3**. παίρνω πόζες, φέρομαι ἐπιτηδευμένα: *She's always posing*, εἶναι ὅλο πόζα. **4**. θέτω (πρός συζήτηση), δημιουργῶ: ~ *a question*, θέτω ἕνα ἐρώτημα. *Unemployment* ~*s several new problems*, ἡ ἀνεργία δημιουργεῖ πολλά νέα προβλήματα. —*οὐσ.* ‹C› πόζα: *His socialism is a mere* ~, ὁ σοσιαλισμός του εἶναι καθαρή πόζα. ˋ**poser** *οὐσ.* ‹C› ἐνοχλητική ἤ δύσκολη ἐρώτησις.

po·seur /pəʊˋzɜ(r)/, **po·seuse** /pəʊˋzɜz/ *οὐσ.* ‹C› ἄντρας/γυναίκα πού παίρνει πόζες, φιγουρατζῆς.

posh /pɒʃ/ *ἐπ.* (*καθομ.*) κομψός, σίκ, φίνος, πλούσιος, ἀριστοκρατικός: *a* ~ *hotel*, ξενοδοχεῖο πολυτελείας. ~ *clothes*, σίκ ροῦχα. *her* ~ *friends*, οἱ πλούσιοι ἀριστοκράτες φίλοι της. —*ρ.μ.* ~ ***up***, (*καθομ.*) στολίζω, φτιάχνω: *We must* ~ *ourselves up for the party*, πρέπει νά στολιστοῦμε (νά φτιαχτοῦμε) γιά τό πάρτυ.

po·si·tion /pəˋzɪʃn/ *οὐσ.* ‹C,U› **1**. θέσις, στάσις, γνώμη: *a prone/recumbent* ~, πρηνής/ὕπτια θέσις. *sit in a comfortable* ~, κάθομαι ἄνετα. *What's your* ~ *on this problem?* ποιά εἶναι ἡ στάσις σου (ἡ γνώμη σου) σ' αὐτό τό θέμα; **2**. θέσις, τοποθεσία: *fix a ship's* ~, καθορίζω τή θέση (τό στίγμα) ἑνός πλοίου. *storm the enemy's* ~*s*, καταλαμβάνω ἐξ ἐφόδου τίς ἐχθρικές θέσεις. ***in*** ~, στή θέση του. ***out of*** ~, μετατοπισμένος, ἔξω ἀπό τή θέση του. **3**. θέσις, κατάστασις: *What's the* ~ *of the firm?* σέ τί κατάσταση βρίσκεται ἡ ἑταιρία; *find oneself in an awkward* ~, βρίσκομαι σέ δύσκολη θέση. *Put yourself in my* ~*!* ἔλα στή θέση μου! *I'm not in a* ~ *to help you*, δέν εἶμαι σέ θέση νά σέ βοηθήσω. **4**. θέσις, σειρά: *What's his* ~ *in class?* τί σειρά ἔχει (ποιά εἶναι ἡ θέσις του) στήν τάξη; *a high/low* ~ *in society*, μεγάλη/ταπεινή θέση στήν κοινωνία. ***people of*** ~, ἄνθρωποι μέ σειρά, τῆς καλῆς κοινωνίας. **5**. θέσις, πόστο, δουλειά: *get a* ~ *as a governess*, βρίσκω δουλειά (θέση) σάν γκουβερνάντα. *apply for the* ~ *of assistant manager*, κάνω αἴτηση γιά τή θέση τοῦ ὑποδιευθυντῆ. —*ρ.μ.* τοποθετῶ, καθορίζω τή θέση.

posi·tive /ˋpɒzətɪv/ *ἐπ.* **1**. (*γραμμ., μαθημ., ἠλεκτρ., φωτογρ.*) θετικός: *the* ~ *degree*, ὁ θετικός βαθμός. ˋ~ **pole**, ὁ θετικός πόλος. **2**. θετικός, σαφής, κατηγορηματικός, πεπεισμένος: ~ *information*, θετικές πληροφορίες. ~ *instructions*, σαφεῖς ὁδηγίες. ~ *orders*, κατηγορηματικές διαταγές. *I'm* ~ *that it was him*, εἶμαι πεπεισμένος (βέβαιος) ὅτι ἦταν αὐτός. **3**. πρακτικός, ἐποικοδομητικός: *a* ~ *suggestion*, πρακτική ὑπόδειξις. ~ *criticism*, ἐποικοδομητική κριτική. **4**. (*καθομ.*) πραγματικός, ἀληθινός, καθαρός: *That's a* ~ *miracle*, αὐτό εἶναι πραγματικό θαῦμα. *It's a* ~ *crime to drink and drive*, εἶναι ἀληθινό ἔγκλημα νά πίνης καί νά ὁδηγῆς. *That man is a* ~ *fool/nuisance*, αὐτός ὁ ἄνθρωπος εἶναι σκέτος βλάκας/μπελᾶς. —*οὐσ.* ‹C› τό θετικόν (ἐπιθέτου, φωτογραφίας). ~**·ly** *ἐπίρ.* θετικά, κατηγορηματικά, ἀπολύτως. ~**·ness** *οὐσ.* ‹U› πεποίθησις, σιγουριά, θετικότης.

posi·tiv·ism /ˋpɒzətɪv-ɪzm/ *οὐσ.* ‹U› (*φιλοσ.*) ποζιτιβισμός, θετικισμός. **posi·tiv·ist** /-ɪst/ *οὐσ.* ‹C› ὀπαδός αὐτῆς τῆς φιλοσοφίας.

posse /ˋpɒsɪ/ *οὐσ.* ‹C› ὁμάς πολιτῶν καλουμένων νά ἐνισχύσουν τήν ἀστυνομία.

pos·sess /pəˋzes/ *ρ.μ.* **1**. ἔχω, κατέχω: *I* ~ *nothing*, δέν ἔχω/δέν κατέχω τίποτα. *This is all I* ~, αὐτή εἶναι ὅλη μου ἡ περιουσία. ***be*** ~***ed of***, εἶμαι προικισμένος μέ: *He is* ~*ed of great courage*, εἶναι προικισμένος μέ πολύ θάρρος. **2**. κυριαρχῶ, ἐξουσιάζω. ***be*** ~***ed***, εἶμαι δαιμονισμένος/τρελλός: *She is surely* ~*ed*, σίγουρα εἶναι δαιμονισμένη. *He fought like one* ~*ed*, ἀγωνιζόταν σά δαιμονισμένος. **3**. καταλαμβάνω: *What* ~*ed you to do that?* τί σ' ἔπιασε (ποιός σατανᾶς σέ καβάλλησε) νά τό κάνης αὐτό; *He's* ~*ed with the idea that...*, τόν ἔχει καταλάβει (τοῦ ἔχει καρφωθῆ) ἡ ἰδέα ὅτι... ~**or** /-sə(r)/ *οὐσ.* ‹C› κάτοχος, κύριος, νομεύς.

pos·session /pəˋzeʃn/ *οὐσ.* **1**. ‹U› κατοχή, κυριότης: *The players fought for* ~ *of the ball*, οἱ παῖχτες ἀγωνίζονταν γιά τήν κατοχή τῆς μπάλλας. *Who is in* ~ *of the property?* ποιός εἶναι κύριος (ἔχει τήν κυριότητα) τοῦ ἀκινήτου; *The information in my* ~ *is strictly confidential*, οἱ πληροφορίες πού ἔχω εἶναι ἀπολύτως ἐμπιστευτικές. ***be in (full)*** ~ ***of one's senses***, ἔχω ὅλα μου τά λογικά, τά ἔχω τετρακόσια. ***come into*** ~ ***of sth***, ἀποκτῶ κτ, γίνομαι κύριος. ***take*** ~ ***of (a house)***, ἐγκαθίσταμαι (σ' ἕνα σπίτι). **2**. ‹C› κτῆσις, κτῆμα, (*πληθ.*) ὑπάρχοντα: *Great Britain's* ~*s overseas*, οἱ ὑπερπόντιες κτήσεις τῆς Μεγ. Βρετανίας. *He lost all his* ~*s*, ἔχασε ὅλα του τά ὑπάρχοντα.

pos·sess·ive /pəˋzesɪv/ *ἐπ.* **1**. κτητικός: ~ *adjectives*, κτητικά ἐπίθετα. **2**. δεσποτικός, ἀτομιστής, ζηλότυπος: *He has a* ~ *manner*, ἔχει δεσποτικό τρόπο (θέλει νά ἐπιβάλλεται).

He has a ~ nature, εἶναι ἀτομικιστής (τά θέλει ὅλα δικά του). *a ~ mother/wife*, ζηλότυπη μητέρα/γυναίκα.

pos·set /ˋposɪt/ *οὐσ.* ‹C› (*παλαιότ.*) ζεστό ρόφημα ἀπό γάλα μαζί μέ μπύρα ἤ κρασί.

possi·bil·ity /ˌposəˋbɪlətɪ/ *οὐσ.* ‹C,U› ~ (**of**), πιθανότης, ἐνδεχόμενο, δυνατότης: *Is there any ~ of meeting him?* ὑπάρχει καμιά πιθανότητα νά τόν συναντήσουμε; *I admit the ~ of his being right*, ἀναγνωρίζω τό ἐνδεχόμενο νά ἔχη δίκηο. *There's always the ~ of an accident*, ὑπάρχει πάντοτε τό ἐνδεχόμενο ἀτυχήματος. *I see great possibilities in this scheme*, διαβλέπω μεγάλες δυνατότητες σ' αὐτό τό σχέδιο. ***within the bounds of ~***, ἐντός τῶν ὁρίων τοῦ πιθανοῦ/τοῦ δυνατοῦ.

poss·ible /ˋposəbl/ *ἐπ.* **1**. δυνατός, μπορετός: *as quickly as ~*, ὅσο τό δυνατόν γρηγορότερα. *Failure is ~, though not probable*, ἡ ἀποτυχία εἶναι δυνατή, ἄν καί ὄχι πιθανή. *foresee all ~ dangers*, προβλέπω ὅλους τούς δυνατούς κινδύνους. ***if ~***, ἄν εἶναι δυνατόν. **2**. κατάλληλος, λογικός: *He is the only ~ man for the position*, εἶναι ὁ μόνος κατάλληλος ἄνθρωπος γιά τή θέση. *That's a ~ explanation*, αὐτή εἶναι μιά λογική ἐξήγησις. —*οὐσ.* ‹C› τό δυνατόν, ὑποψήφιος μέ μεγάλες πιθανότητες: *He was a ~ for the football match*, ἦταν ὑποψήφιος γιά τό μάτς. **poss·ibly** /-əblɪ/ *ἐπίρ.* *(α)* ἐνδεχομένως, ἴσως: *Possibly he knows nothing about it*, ἴσως δέν ξέρει τίποτα γι' αὐτό. *(β)* δυνατόν: *I cannot possibly do such a thing*, δέν εἶναι δυνατόν νά κάνω τέτοιο πρᾶγμα. *How can I possibly ask him to go?* πῶς εἶναι δυνατόν νά τοῦ ζητήσω νά φύγῃ;

pos·sum /ˋposəm/ *οὐσ.* ‹C› ***play ~***, (*καθομ.*) κάνω τόν ψόφιο κορηό, κάνω τήν πάπια.

[1]**post** /pəʊst/ *οὐσ.* ‹C› θέσις, πόστο: *The sentries are all at their ~s*, οἱ σκοποί εἶναι ὅλοι στίς θέσεις τους. *an advanced ~*, προκεχωρημένη θέσις/-ο φυλάκιο. *die at one's ~*, πεθαίνω στή θέση μου. *He was given a ~ as general manager*, τοῦ δόθηκε ἡ θέσις τοῦ γενικοῦ διευθυντοῦ. ˋ**trading-~**, ἐμπορικός σταθμός. —*ρ.μ.* τοποθετῶ: *~ sentries at the gates of a camp*, τοποθετῶ φρουρούς στήν εἴσοδο στρατοπέδου. *~ an officer to a unit*, τοποθετῶ ἕναν ἀξιωματικό σέ μιά μονάδα.

[2]**post** /pəʊst/ *οὐσ.* ‹C› (*στρατ.*) ἀνακλητικόν σάλπισμα, (*λαϊκ.*) θοδώρα. **the first/last ~**, πρῶτο/τελευταῖο μέρος τοῦ ἀνακλητικοῦ: *sound the last ~ over a grave*, ἀπονέμω τίς τελευταῖες τιμές (μέ σάλπιγγες) ἐπί τοῦ τάφου.

[3]**post** /pəʊst/ *οὐσ.* ‹C› **1**. (*παλαιότ.*) ἔφιππος ταχυδρόμος. ˋ**~-horse**, ἄλογο ταχυδρόμου ἤ ταχυδρ. ἁμάξης. ˌ**~-ˋchaise**, ταχυδρομική ἅμαξα. **2**. (*πρβλ. ΗΠΑ = mail*) ταχυδρομική ὑπηρεσία, ταχυδρομεῖον: *take letters to the ~*, πηγαίνω γράμματα στό ταχυδρομεῖο. ***miss/catch the ~***, χάνω/προλαβαίνω τό ταχυδρομεῖο. ***by ~***, ταχυδρομικῶς. ***by return of ~***, μέ τό ταχυδρομεῖο τῆς ἐπιστροφῆς, ἀμέσως. ˋ**~·bag**, ταχυδρομικός σάκκος. ˋ**~·box**, ταχυδρομικό κουτί. ˋ**~-card**, ταχυδρομικό δελτάριο. ˋ**~·code**, ταχυδρομικός τομεύς (*πρβλ. ΗΠΑ: zipcode*). ˌ**~-ˋfree** *ἐπ.* & *ἐπίρ.* ἐλεύθερον ταχυδρομικῶν τελῶν. ˋ**~·man** /-mən/, ταχυδρόμος. ˋ**~-mark**, ταχυδρομική σφραγίδα. ˋ**~·master**/ˋ**~·mistress**, διευθυντής/διευθύντρια ταχυδρομείου. ˌ**P ~ master ˋGeneral**, (*παλαιότ.*) Ὑπουργός τῶν Ταχυδρομείων. ˋ**~ office**, ταχυδρομικό γραφεῖο. ˋ**~ office box**, (*συγκεκ.* ˌ**P ˋO Box**) ταχυδρομική θυρίς. ˌ**~-ˋpaid** *ἐπ.* & *ἐπίρ.* μέ πληρωμένα τά ταχυδρομικά τέλη.

[4]**post** /pəʊst/ *ρ.μ/ἀ.* **1**. (*πρβλ. ΗΠΑ: mail*) ταχυδρομῶ. **2**. (*παλαιότ.*) ταξιδεύω μέ ταχυδρομική ἅμαξα ἤ ἀλλάζοντας ἄλογο κατά σταθμούς. ˌ**~-ˋhaste** *ἐπίρ.* ὁλοταχῶς. **3**. ***~ up***, (*λογιστ.*) καταχωρῶ, ἐγγράφω, ἐνημερώνω: *~ up a ledger*, ἐνημερώνω τό καθολικόν. ***keep sb ~ed***, (*μεταφ.*) κρατῶ κπ ἐνήμερον.

[5]**post** /pəʊst/ *οὐσ.* ‹C› στύλος, κολώνα: ˋ*bed~s*, κολῶνες κρεββατιοῦ. ˋ*gate~s*, παραστάτες/κολῶνες πύλης. ˋ*lamp-~s*, φανοστάτες, κολῶνες τῶν φώτων (σέ πόλη). ˋ**starting-**/ˋ**winning-~**, ἡ ἀφετηρία/τό τέρμα. —*ρ.μ.* κολλῶ, ἀνακοινῶ διά τοιχοκολλήσεως: *P~ no bills!* ἀπαγορεύεται ἡ τοιχοκόλλησις! *The announcement was ~ed up on the wall of the Town Hall*, ἡ ἀνακοίνωσις τοιχοκολλήθηκε ἔξω ἀπό τό Δημαρχεῖο. *~ a wall (over) with placards*, γεμίζω ἕναν τοῖχο μέ ἀφίσσες. *The ship is ~ed as missing*, τό πλοῖο φέρεται ὡς ἀπωλεσθέν.

post- /pəʊst/ *πρόθεμα*, μετά-: ˋ*~-war*, μεταπολεμικός.

post·age /ˋpəʊstɪdʒ/ *οὐσ.* ‹U› ταχυδρομικά τέλη: *What's the ~ for an air-letter?* πόσο κάνει ἕνα ἀεροπορικό γράμμα;

postal /ˋpəʊstl/ *ἐπ.* ταχυδρομικός: ˋ*~ rates/workers*, ταχυδρομικά τέλη/-οἱ ὑπάλληλοι. **~ union**, ταχυδρομική ἕνωσις (κρατῶν). (*βλ.* & *λ.* [1]*order*).

post·date /ˌpəʊstˋdeɪt/ *ρ.μ.* μεταχρονολογῶ (ἐπιταγή, ἐπιστολή, κλπ).

poster /ˋpəʊstə(r)/ *οὐσ.* ‹C› **1**. ἀφίσσα, εἰκόνα, μεγάλου σχήματος. **2**. (ˋ**bill-**)**~**, τοιχοκολλητής.

poste res·tante /ˌpəʊst ˋrestõt/ *οὐσ.* ‹U› ποστ-ρεστάντ.

pos·terior /poˋstɪərɪə(r)/ *ἐπ.* ~ (**to**), μεταγενέστερος (ἀπό) (*ἀντίθ. prior*). —*οὐσ.* ‹C› (*χιουμορ.*) πισινός: *Kick his ~!* δῶστου μιά κλωτσιά στόν πισινό!

pos·ter·ity /poˋsterətɪ/ *οὐσ.* ‹U› **1**. ἀπόγονοι. **2**. μεταγενέστεροι: *for the benefit of ~*, πρός ὄφελος τῶν ἐπιγενομένων.

pos·tern /ˋpostən/ *οὐσ.* ‹C› πλαϊνή εἴσοδος, παραπόρτι: *a ~ door*, πλαϊνή/κρυφή πόρτα.

post·gradu·ate /ˌpəʊst ˋgrædʒʊət/ *ἐπ.* μεταπτυχιακός: *~ studies*, μεταπτυχιακές σπουδές. —*οὐσ.* ‹C› μεταπτυχιακός σπουδαστής.

post·hum·ous /ˋpostʃʊməs/ *ἐπ.* μεταθανάτιος: *a ~ child*, παιδί πού γεννήθηκε μετά τό θάνατο τοῦ πατέρα του. *~ fame*, μεταθανάτιος φήμη. **~·ly** *ἐπίρ.* μετά θάνατον.

pos·til·ion (*καί* **pos·til·lion** /poˋstɪlɪən/ *οὐσ.* ‹C› ἄνθρωπος πού ἱππεύει ἕνα ἀπό τά ἄλογα ἁμάξης, ἱππολάτης.

post mer·id·iem /ˌpəʊst məˋrɪdɪəm/ (*Λατ.*) (*βραχυλ.* **p.m.**) μ.μ. (μετά μεσημβρίαν).

post-mor·tem /ˌpəʊstˋmɔtəm/ *οὐσ.* ‹C› νεκροψία, κριτική ἐκ τῶν ὑστέρων. —*ἐπ.* μεταθανάτιος, (*καθομ.*) ἐκ τῶν ὑστέρων.

post·pone /pə`spəun/ *ρ.μ.* ἀναβάλλω: ~ *a meeting/sending an answer*, ἀναβάλλω μιά συνεδρίαση/νά στείλω ἀπάντηση. **~·ment** *οὐσ.* ‹C,U› ἀναβολή.

post·pran·dial /'pəust`prændıəl/ *ἐπ.* (*συνήθ. χιουμορ.*) ἐπιδόρπιος: ~ *oratory*, ἐπιδόρπιος ρητορεία.

post·script /`pəusskrıpt/ *οὐσ.* ‹C› (*βραχυλ.* **P S**) ὑστερόγραφον.

pos·tu·lant /`postjulənt/ *οὐσ.* ‹C› ὑποψήφιος κληρικός, αἰτῶν, ὑποψήφιος.

pos·tu·late /`postjuleıt/ *ρ.μ.* **1**. ἀξιῶ, ἀπαιτῶ, προβάλλω. **2**. θέτω ὡς ἀξίωμα/ὡς δεδομένον. __*οὐσ.* ‹C› /-lət/ (*γεωμ.*) ἀξίωμα: *the ~s of Euclidean geometry*, τά ἀξιώματα τῆς Εὐκλειδίου γεωμετρίας.

pos·ture /`postʃə(r)/ *οὐσ.* **1**. ‹C› θέσις, στάσις: *The model took a reclining ~ on the sofa*, τό μοντέλο μισοξάπλωσε στόν καναπέ. *If the government doesn't alter its ~ over it...*, ἄν ἡ κυβέρνησις δέν μεταβάλη τή στάση της σ'αὐτό... **2**. ‹U› θέσις, κατάστασις: *in the present ~ of public affairs*, εἰς τήν παροῦσαν κατάστασιν τῶν δημοσίων πραγμάτων. __*ρ.μ/ὰ.* δίνω/παίρνω πόζα: ~ *a model*, δίνω πόζα σ'ἕνα μοντέλο. *She was posturing before a tall mirror*, ἔπαιρνε πόζες μπροστά σ'ἕναν ψηλό καθρέφτη.

posy /`pəuzı/ *οὐσ.* ‹C› μπουκετάκι (κομμένα λουλούδια).

[1]**pot** /pot/ *οὐσ.* ‹C› **1**. δοχεῖον: *a `chamber-~*, δοχεῖο τῆς νυκτός. *a `cooking-~*, τσουκάλι. *a `flower-~*, γλάστρα. *a `jam-~*, βάζο γλυκοῦ. *a `tea~*, τσαγιερό. **2**. (*σέ φράσεις*): ***go to ~***, (*λαϊκ.*) πάω κατά διαβόλου, μέ παίρνει ὁ κατήφορος. ***keep the ~ boiling***, συντηρῶ τήν οἰκογένειά μου, τά βγάζω πέρα. ***make ~s/a ~ of money***, (*καθομ.*) μαζεύω χρήματα μέ τό τσουβάλι. ***take ~ luck***, ὅ,τι τύχει (*ἰδ.* γιά φαγητό): *Come home with me and take ~ luck*, ἔλα σπίτι μαζί μου καί (θά φᾶμε) ὅ,τι βρεθῆ. ***the ~ calling the kettle black***, λέει (εἶπε) ὁ γάϊδαρος τόν πετεινό κεφάλα. **3**. (*σέ σύνθ. λέξεις*): '**~-`belly** *οὐσ.* ‹C› κοιλάρα. '**~-`bellied** *ἐπ.* κοιλαρᾶς. `**~-boiler**, κάτι (βιβλίο, κλπ) πού γίνεται μόνο γιά λεφτά. `**~-bound** *ἐπ.* (*φυτό*) πού δέν τό χωράει ἡ γλάστρα. `**~-boy/-man**, βοηθός σερβιτόρου (πού γεμίζει τά ποτήρια). `**~-herb**, λαχανικό (πού τρώγεται). `**~-hole**, λακκούβα (σέ δρόμο), τρύπα (σέ βράχο). `**~-hook**, κρεμάστρα (τῆς πυροστιᾶς γιά τό τσουκάλι). `**~-house**, (*παλαιότ.*) καπηλειό: *~-house manners*, χυδαῖοι τρόποι. `**~-hunter**, κυνηγός πού χτυπάει ὅ,τι βρεθῆ μπροστά του, ἀθλητής πού κυνηγάει μόνον ἔπαθλα. **~ roast**, ψητό τῆς κατσαρόλας. `**~-shot**, ντουφεκιά στά στραβά (λόγῳ ἐγγύτητος στόχου). **4**. (*ἀθλ.*) κύπελλο, βραβεῖο. **5**. (*λαϊκ.*) μαριχουάνα: *smoke ~*, εἶμαι χασισοπότης. `**~-head**, χασισοπότης.

[2]**pot** /pot/ *ρ.μ/ὰ.* *(-tt-)* **1**. παστώνω, διατηρῶ σέ δοχεῖο: *~ted shrimps/meat*, γαρίδες κονσέρβα/παστωμένο κρέας. **2**. *~ (up)*, βάζω φυτό σέ γλάστρα. **3**. πυροβολῶ, σκοτώνω: *~ rabbits/birds*. **4**. (*μπιλλιάρδο*) ρίχνω τή μπάλλα στήν τρύπα. **5**. (*καθομ.*) καθίζω μωρό στό οὐροδοχεῖο.

pot·able /`pəutəbl/ *ἐπ.* (*λόγ.*) πόσιμος.

pot·ash /`potæʃ/ *οὐσ.* ‹U› ποτάσσα.

po·tass·ium /pə`tæsıəm/ *οὐσ.* ‹U› (*χημ.*) κάλιον.

po·ta·tion /pəu`teıʃn/ *οὐσ.* ‹C› (*συνήθ. πληθ.*) ποτό: *liberal ~s*, γενναία κρασοκατάνυξις.

po·tato /pə`teıtəu/ *οὐσ.* ‹C› (*πληθ.* *~es*) πατάτα: *baked ~es*, ψητές πατάτες. *mashed ~(es)*, πουρές. **(~) crisps**, τσίπς, πατατάκια. **sweet ~**, γλυκοπατάτα. **~ beetle**, σκουλήκι τῆς πατάτας.

po·tency /`pəutnsı/ *οὐσ.* ‹U› δραστικότης, ἰσχύς, δύναμις, σεξουαλική ἱκανότης.

po·tent /`pəutnt/ *ἐπ.* ἰσχυρός, κραταιός, δραστικός, ἱκανός (σεξουαλικά): ~ *reasons*, ἰσχυροί λόγοι. *a ~ remedy/poison*, δραστικό φάρμακο/δηλητήριο. **~·ly** *ἐπίρ.*

po·ten·tate /`pəutnteıt/ *οὐσ.* ‹C› ἄρχοντας, ἡγεμόνας.

po·ten·tial /pə`tenʃl/ *ἐπ.* **1**. δυνατός, ἐνδεχόμενος, ἐν δυνάμει: *the ~ sales of a new book*, οἱ ἐνδεχόμενες πωλήσεις ἑνός νέου βιβλίου. *the ~ resources of a country*, τό εἰς πόρους δυναμικόν μιᾶς χώρας. *our ~ enemies*, οἱ ἐνδεχόμενοι ἐχθροί μας. *~ criminals*, πρόσωπα πού εἶναι δυνατόν νά γίνουν ἐγκληματίες/μέ ροπή πρός τό ἔγκλημα. **2**. **~ mood**, (*γραμμ.*) δυνητική ἔγκλισις. __*οὐσ.* ‹C,U› δυνητική (ἔγκλισις), δυναμικόν, τάσις: *He hasn't realized his full ~ yet*, δέν ἔχει ἀξιοποιήσει ἀκόμη ὅλο τό δυναμικό του. *a current of high ~*, ρεῦμα ὑψηλῆς τάσεως. **~ly** /-ʃəlı/ *ἐπίρ.* ἐν δυνάμει, ἐνδεχομένως: *a ~ly rich country*, χώρα μέ πλούσιες δυνατότητες. **~·ity** /pə'tenʃı`ælətı/ *οὐσ.* ‹C› δυνατότης, δυναμικότης, δυναμικόν (ἱκανότης σέ λανθάνουσα κατάσταση): *the military potentialities of a country*, τό στρατιωτικόν δυναμικόν μιᾶς χώρας.

po·tion /`pəuʃn/ *οὐσ.* ‹C› ρόφημα, δόσις φαρμάκου ἤ δηλητηρίου. *a `love ~*, ἐρωτικό φίλτρο.

pot-pourri /'pəu `puərı/ *οὐσ.* ‹C› ποτ-πουρί.

pot·sherd /`pot-ʃəd/ *οὐσ.* ‹C› (*ἀρχ.*) θραῦσμα ἀγγείου.

pot·tage /`potıdʒ/ *οὐσ.* ‹C› (*παλαιότ.*) πηχτή σούπα.

pot·ted /`potıd/ *ἐπ.* **1**. (*γιά τροφή*) διατηρημένος σέ κιούπι, παστωμένος. **2**. (*γιά βιβλίο*) κουτσουρεμένος: *a ~ version of a classical novel*, μιά κουτσουρεμένη ἔκδοσις ἑνός κλασσικοῦ μυθιστορήματος.

[1]**pot·ter** /`potə(r)/ *ρ.μ/ὰ.* ~ ***about***, χαζοδουλεύω, ἀσχολοῦμαι μέ μικροδουλειές, ψευτοδουλεύω: *He likes ~ing about in the garden*, τοῦ ἀρέσει νά ψευτοασχολεῖται στόν κῆπο. *He ~ed away the whole afternoon*, ἔχασε ὅλο τό ἀπόγευμά του μέ ψευτοδουλειές. **~er** *οὐσ.* ‹C› χασομέρης, ἀσχολούμενος μέ κτ ἐρασιτεχνικά/χωρίς ὄρεξη.

[2]**pot·ter** /`potə(r)/ *οὐσ.* ‹C› ἀγγειοπλάστης: *~'s wheel*, τόρνος κεραμικῆς. **~y** *οὐσ.* **1**. ‹C› κεραμική (τέχνη, βιομηχανία). **2**. ‹U› εἴδη κεραμικῆς.

[1]**potty** /`potı/ *ἐπ.* *(-ier, -iest)* (*καθομ.*) **1**. ἀσήμαντος, τιποτένιος: *~ little details/jobs*, ἀσήμαντες λεπτομέρειες/δουλίτσες. **2**. ~

*(**about**)*, τρελλός, παλαβός: *He's quite* ~, εἶναι θεοπάλαβος. *He's* ~ *about her*, εἶναι τρελλός γι' αὐτήν.

[2]**potty** /ˈpɒtɪ/ *οὐσ.* ‹C› οὐροδοχεῖον μωροῦ.

pouch /paʊtʃ/ *οὐσ.* ‹C› σάκκος, σακκούλα: *a toˋbacco-*~, καπνοσακκούλα. *an ˈammuˋnition-*~, παλάσκα. *the* ~ *of a kangaroo*, μάρσιπος (σακκούλα) τοῦ καγκουρώ. ~*es under the eyes*, σακκοῦλες κάτω ἀπό τά μάτια. —*ρ.μ/ὰ.* **1**. βάζω σέ σακκούλα, κρύβω. **2**. σακκουλιάζω, κρεμιέμαι σά σακκούλα.

pouf /puf/ *οὐσ.* ‹C› **1**. (*λαϊκ.*) *βλ. poof*. **2**. *βλ. pouffe*.

pouffe (*καί* **pouf**) /puf/ *οὐσ.* ‹C› μαξιλάρι, πούφ.

poul·terer /ˈpəʊltərə(r)/ *οὐσ.* ‹C› ἔμπορος πουλερικῶν καί θηραμάτων κυνηγίου.

poul·tice /ˈpəʊltɪs/ *οὐσ.* ‹C› κατάπλασμα. —*ρ.μ.* βάζω κατάπλασμα.

poul·try /ˈpəʊltrɪ/ *οὐσ.* (*συλλογ. μέ ρ. ἑν. ἤ πληθ.*) πουλερικά: *The* ~ *are being fed*, τά πουλερικά τρῶνε τό φαΐ τους αὐτή τή στιγμή. *P*~ *is expensive at Christmas*, τά πουλερικά εἶναι ἀκριβά τά Χριστούγεννα.

pounce /paʊns/ *ρ.ὰ.* ~ ***on/at***, ἐπιπίπτω, ἐφορμῶ, πηδῶ ἐπάνω εἰς: *The hawk* ~*d on its prey*, τό γεράκι ρίχτηκε στό θῦμα του. *The tiger* ~*d on the goat*, ἡ τίγρις πήδησε πάνω στή γίδα. ~ ***at an opportunity***, (*μεταφ.*) ἁρπάζω μιά εὐκαιρία. —*οὐσ.* ‹C› ἐφόρμησις, πήδημα, βουτιά.

[1]**pound** /paʊnd/ *οὐσ.* ‹C› **1**. λίβρα (= 453 γραμμάρια). **2**. λίρα (= 100 πέννες).

[2]**pound** /paʊnd/ *οὐσ.* ‹C› μάντρα (γιά ἀδέσποτα σκυλιά, γάτες ἤ παρατημένα ὀχήματα, & *παλαιότ.* γιά ζῶα).

[3]**pound** /paʊnd/ *ρ.μ/ὰ.* **1**. κοπανίζω, τρίβω: ~ *garlic in a mortar*, κοπανίζω σκόρδο σ' ἕνα γουδί. **2**. ~ *(**on/at**)*, χτυπῶ βίαια, κοπανάω, σφυροκοπῶ: *My heart was* ~*ing*, ἡ καρδιά μου χτυποῦσε/πήγαινε νά σπάση. *The ship was* ~*ed to pieces on the rocks*, τό πλοῖο ἔγινε κομμάτια πάνω στούς βράχους. *Who's* ~*ing on the door/piano?* ποιός κοπανάει στήν πόρτα/στό πιάνο; *Our heavy guns* ~*ed (away at) the walls of the fort*, τό βαρύ μας πυροβολικό σφυροκοποῦσε τά τείχη τοῦ φρουρίου. **3**. περπατῶ/τρέχω βαριά: *He* ~*ed along the road*, περπατοῦσε βαριά στό δρόμο.

pound·age /ˈpaʊndɪdʒ/ *οὐσ.* ‹U› προμήθεια (ἀνά λίρα ἤ λίβρα).

pounder /ˈpaʊndə(r)/ *οὐσ.* ‹C› (*ὡς β! συνθ.*) λιβρῶν: *a six-*~, ἔξη λιβρῶν (πχ ὀβίδα, ψάρι, κλπ).

pour /pɔ(r)/ *ρ.μ/ὰ.* ρίχνω (ὑγρό), σερβίρω (ποτό), χύνω/-ομαι, ξεχύνομαι: *She* ~*ed some milk from the bottle into the cup*, ἔρριξε/ἄδειασε λίγο γάλα ἀπό τό μπουκάλι στό φλυτζάνι. *P*~ *yourself another cup of tea*, σερβιρίσου κι' ἄλλο ἕνα φλυτζάνι τσάϊ. *Who's going to* ~ *out the tea?* ποιός θά σερβίρη τό τσάϊ; *P*~ *this water out*, χῦσε (ἄδειασε) αὐτό τό νερό! ~ *out a story*, σερβίρω (λέω χωρίς διακοπή) μιά ἱστορία. *The sweat was* ~*ing off him*, ὁ ἱδρώτας κυλοῦσε ποτάμι ἀπό πάνω του. *The crowds were* ~*ing out of the football ground*, τά πλήθη ξεχύνονταν ἀπό τό γήπεδο. *Letters of complaint* ~*ed in*, κατακλυστήκαμε ἀπό γράμματα παραπόνων. *The rain* ~*ed down*, ἡ βροχή ἔπεφτε ραγδαῖα. (*βλ.* & *λ. oil*, *[2]rain*).

pout /paʊt/ *ρ.μ/ὰ.* στραβομουτσουνιάζω, κρεμῶ τά χείλη. —*οὐσ.* ‹C› μορφασμός δυσαρέσκειας, στραβομουτσούνιασμα. ~**·ing·ly** *ἐπίρ.* κατσούφικα, μέ σουφρωμένα χείλη.

pov·erty /ˈpɒvətɪ/ *οὐσ.* ‹U› φτώχεια, ἔλλειψις: *live in* ~, ζῶ φτωχικά. *fall into* ~, φτωχαίνω. ~ *of ideas*, ἔλλειψις ἰδεῶν. ˋ~**-stricken** *ἐπ.* ἐξαθλιωμένος, πάμπτωχος.

pow·der /ˈpaʊdə(r)/ *οὐσ.* ‹C,U› **1**. σκόνη: *ˋsoap-*~, σαπούνι σέ σκόνη. *rub sth to* ~, τρίβω κτ καί τό κάνω σκόνη. **2**. πούδρα: *ˋface-*~, πούδρα προσώπου. ˋ~**-puff**, πομπόν. ˋ~**-room**, τουαλέττα γυναικῶν (σέ θέατρο, ξενοδοχεῖο, κλπ). **3**. μπαρούτι. ˋ~**-keg**, βαρέλι μπαρούτι, (*μεταφ.*) κάτι ἕτοιμο νά ἐκραγῆ. ˋ~**-magazine**, πυριτιδαποθήκη. —*ρ.μ/ὰ.* **1**. πουδράρω. **2**. κονιορτοποιῶ. ~**ed** *ἐπ.* κονιοποιημένος: ~*ed milk/eggs*, γάλα/αὐγά σέ μορφή σκόνης. ~**y** *ἐπ.* σά σκόνη, πουδραρισμένος, σκονισμένος: ~*y snow/cheeks*, χιόνι σά σκόνη/πουδραρισμένα μάγουλα.

power /ˈpaʊə(r)/ *οὐσ.* **1**. ‹C,U› ἱκανότης, δύναμις: *a man of great intellectual* ~*s*, ἄνθρωπος μέ μεγάλες πνευματικές ἱκανότητες. *The chameleon has the* ~ *of changing its colour*, ὁ χαμαιλέων ἔχει τήν ἱκανότητα νά ἀλλάζη τό χρῶμα του. *His* ~*s are failing*, οἱ δυνάμεις του τόν ἐγκαταλείπουν. *the* ~ *of a blow*, ἡ δύναμις ἑνός χτυπήματος. ***beyond/outside one's*** ~, πέραν τῶν δυνάμεών μου. ***within one's*** ~, στά ὅρια τῶν δυνάμεών μου: *It's not within my* ~ *to help you*, δέν εἶναι μέσα στίς δυνάμεις μου (δέν μπορῶ) νά σέ βοηθήσω. ***More*** ~ ***to your elbow***! (*καθομ.*) ἄντε, σφίξου! ἐπάνω του! κουράγιο! **2**. ‹U› ἐνέργεια: *eˋlectric/ˋwater* ~, ἠλεκτρική ἐνέργεια/ἐνέργεια τοῦ ὕδατος. ˋ**horse**~, ἱπποδύναμις. ˋ~**-boat**, βενζινάκατος. ˋ~**-driven** *ἐπ.* μηχανοκίνητος, ἠλεκτροκίνητος. ˋ~**-house/-station**, ἐργοστάσιο/σταθμός παραγωγῆς ἠλεκτρικῆς ἐνεργείας. ˋ~**-point**, πρίζα. **3**. ‹C,U› ἐξουσία, δύναμις, ἐπιρροή: *have sb in one's* ~, ἔχω κπ στήν ἐξουσία μου. *fall into sb's* ~, πέφτω στήν ἐξουσία κάποιου. *the* ~*s of the President*, οἱ ἐξουσίες τοῦ Προέδρου. *The press is a great* ~, ὁ τύπος ἔχει μεγάλη δύναμη/ἐπιρροή. ***be at the height of one's*** ~***(s)***, εἶμαι πανίσχυρος/στόν κολοφῶνα τῆς δυνάμεώς μου. ***exceed/go beyond one's*** ~***s***, ὑπερβαίνω τήν ἐξουσία μου. ***in*** ~, στήν ἐξουσία, στήν ἀρχή: *the party in* ~, τό κόμμα πού βρίσκεται στήν ἀρχή. ***the*** ~***s that be***, (*ἀστειολ.*) οἱ κρατοῦντες. ***the*** ~***s of darkness***, οἱ δυνάμεις τοῦ σκότους. **the Great P**~**s**, οἱ Μεγάλες Δυνάμεις. ~ **politics**, πολιτική ἰσχύος. **4**. (*μαθημ.*) ‹C› δύναμις, (*φυσ.*) ‹U› ἰσχύς: *the fourth* ~ *of 3*, ἡ τετάρτη δύναμις τοῦ 3. *a telescope of high* ~, τηλεσκόπιον μεγάλης ἰσχύος. **5**. (*μόνον ἑν.*) (*καθομ.*) ἕνα σωρό, πολύ: *Beer does me a* ~ *of good*, ἡ μπύρα μοῦ κάνει πολύ καλό. ~**ed** *ἐπ.* (*ὡς β! συνθ.*) ἰσχύος, ἱκανότητος: *a high-*~*ed car*, αὐτοκίνητο μεγάλης ἰσχύος. *a high-*~*ed salesman*, (*μεταφ.*) πολύ δυναμικός πλασιέ.

power·ful /ˋpaʊəfl/ *ἐπ.* ἰσχυρός, δυνατός: *a ~ enemy/blow*, ἰσχυρός ἐχθρός/δυνατό χτύπημα. **~ly** /-fli/ *ἐπίρ.* δυνατά.

power·less /ˋpaʊəlɪs/ *ἐπ.* ἀνίσχυρος, ἀνίκανος: *render sb ~*, καθιστῶ κπ ἀνίσχυρο. *He is ~ to resist*, εἶναι ἀνίκανος νά ἀντισταθῆ. **~·ly** *ἐπίρ.*

pow·wow /ˋpaʊwaʊ/ *οὐσ.* ‹C› διάσκεψις Ἰνδιάνων, (*χιουμορ.*) ὁποιαδήποτε διάσκεψις. —*ρ.ἀ.* διασκέπτομαι.

pox /pɒks/ *οὐσ.* (*καθομ.*) **the ~**, σύφιλη: *give sb/catch the ~*, μεταδίδω σέ κπ/κολλῶ σύφιλη.

prac·ti·cable /ˋpræktɪkəbl/ *ἐπ.* **1**. δυνατός, ἐφαρμόσιμος: *Your method is not ~*, ἡ μέθοδός σου δέν εἶναι ἐφαρμόσιμη. **2**. διαβατός: *Most passes in the Alps are not ~ in winter*, τά περισσότερα στενά στίς Ἄλπεις δέν εἶναι βατά τό χειμῶνα. **prac·ti·cably** /-əbli/ *ἐπίρ.* **prac·ti·ca·bil·ity** /ˌpræktɪkəˋbɪləti/ *οὐσ.* ‹U› τό ἐφικτόν, τό δυνατόν.

prac·ti·cal /ˋpræktɪkl/ *ἐπ.* **1**. πρακτικός (*ἀντιθ. theoretical*): *overcome the ~ difficulties of a scheme*, ὑπερνικῶ τίς πρακτικές δυσκολίες ἑνός σχεδίου. *of no ~ value*, χωρίς πρακτική ἀξία. *a ~ application/proposal*, πρακτική ἐφαρμογή/πρότασις. (*βλ.* & *λ. joke*). **2**. (*γιά ἄνθρ.*) πρακτικός, θετικός: *a ~ young girl*, θετικό κορίτσι. *a man with a ~ mind*, ἄνθρωπος μέ πρακτικό μυαλό. **3**. πρακτικός, χρήσιμος: *Your invention is ingenious but not very ~*, ἡ ἐφεύρεσίς σου εἶναι ἔξυπνη ἀλλά ὄχι πολύ πρακτική. **~ly** /-kli/ *ἐπίρ.* *(α)* πρακτικά: *~ly speaking*, μιλώντας ἀπό πρακτική ἄποψη. *(β)* κατ' οὐσίαν, σχεδόν: *He's ~ly ruined*, εἶναι σχεδόν κατεστραμμένος. **~·ity** /ˌpræktɪˋkæləti/ *οὐσ.* ‹C,U› πρακτικότης.

prac·tice /ˋpræktɪs/ *οὐσ.* **1**. ‹U› πρακτική, πρᾶξις (*ἀντιθ. theory*): *put a principle into ~*, θέτω μιά ἀρχή σέ ἐφαρμογή, τήν ἐφαρμόζω στήν πράξη. ***in ~***, στήν πράξη, πρακτικά. **2**. ‹C› συνήθεια, ἔθιμο, ἕξις: *the ~ of closing shops on Sunday*, ἡ συνήθεια τοῦ κλεισίματος τῶν μαγαζιῶν τήν Κυριακή. *Christian ~s*, Χριστιανικά ἔθιμα. *as is my usual ~*, ὅπως τό συνηθίζω. ***make a ~ of doing sth***, κάνω κτ ἐκ συστήματος/ἀπό συνήθεια: *He makes a ~ of cheating at exams*, τὄχει σύστημα νά ἀντιγράφη στούς διαγωνισμούς. **3**. ‹U› ἄσκησις, ἐξάσκησις: *Piano-playing needs a lot of ~*, τό πιάνο θέλει πολύ ἄσκηση. *It takes years of ~ to...*, χρειάζεται χρόνια ἄσκηση νά... *learn sth by ~*, μαθαίνω κτ μέ τήν ἐξάσκηση, μέ τήν πεῖρα, μέ τήν τριβή. ***be in ~***, εἶμαι σέ φόρμα. ***be out of ~***, ἔχω ξεσυνηθίσει, δέν εἶμαι σέ φόρμα. **4**. ‹C,U› ἐξάσκησις ἐπαγγέλματος (ἀπό γιατρό, δικηγόρο, κλπ), πελατεία: *retire from ~*, παύω νά ἐξασκῶ ἕνα ἐπάγγελμα. *a doctor with a large ~*, γιατρός μέ μεγάλη πελατεία. **5**. (*ἰδ. εἰς πληθ.*) ραδιουργία, τέχνασμα. ***sharp ~***, κατεργαριά, ἀνεντιμότης στίς συναλλαγές.

prac·ti·cian /prækˋtɪʃn/ *οὐσ.* ‹C› *βλ. practitioner.*

prac·tise /ˋpræktɪs/ *ρ.μ.* **1**. (ἐξ)ασκοῦμαι, μελετῶ, γυμνάζομαι: *~ the piano*, μελετῶ πιάνο. *~ (for) five hours a day*, γυμνάζομαι πέντε ὧρες τήν ἡμέρα. *~ making a new vowel sound*, ἐξασκοῦμαι στήν προφορά ἑνός νέου φωνήεντος. **2**. (*λόγ.*) ἐφαρμόζω, κάνω κτ στήν πράξη: *I ~ early rising*, ἐφαρμόζω τό πρωϊνό σήκωμα, συνηθίζω νά σηκώνομαι πρωΐ. ***~ what one preaches***, ἐφαρμόζω ὅ,τι διδάσκω. **3**. ἀσκῶ: *~ medicine/the law*, ἀσκῶ τήν ἰατρική/τή δικηγορία. **prac·tised** *ἐπ.* ἐξασκημένος, εἰδικευμένος, ἔμπειρος.

prac·ti·tioner /prækˋtɪʃənə(r)/ *οὐσ.* ‹C› ὁ ἀσκῶν (ἐλευθέριον ἐπάγγελμα), ἐπαγγελματίας. **general ~**, (*βραχ.* **G ˋP**) ἰατρός παθολόγος (πού κάνει γενική ἰατρική).

prae·tor (*καί* **pre·tor**) /ˋpriːtə(r)/ *οὐσ.* ‹C› πραίτωρ. **~·ian** /priˋtɔːrɪən/ *ἐπ.* & *οὐσ.* ‹C› πραιτωριανός.

prag·matic /prægˋmætɪk/ *ἐπ.* **1**. πρακτικός, ρεαλιστικός, δραστήριος, θετικός. **2**. δογματικός, ἐπηρμένος, ἀπόλυτος. **~ally** /-kli/ *ἐπίρ.* πρακτικά, ρεαλιστικά.

prag·ma·tism /ˋprægmət-ɪzm/ *οὐσ.* ‹U› **1**. πραγματισμός, πρακτικότης, ρεαλισμός, θετικότης. **2**. δογματισμός, σχολαστικισμός. **prag·ma·tist** /-tɪst/ *οὐσ.* ‹C› πραγματιστής, ρεαλιστής.

prairie /ˋpreəri/ *οὐσ.* ‹C› ἀπέραντο ἄδενδρο λιβάδι.

praise /preɪz/ *ρ.μ.* **1**. ἐπαινῶ: *~ sb for his courage*, ἐπαινῶ κπ γιά τό θάρρος του. **2**. αἰνῶ (τόν Θεό). —*οὐσ.* **1**. ‹C,U› ἔπαινος: *worthy of ~*, ἀξιέπαινος. *beyond ~*, ἀνώτερος παντός ἐπαίνου. ***speak in ~ of sb***, μιλῶ ἐπαινετικά γιά κπ. ***sing sb's ~s/one's own ~s***, ἐκθειάζω ὥς τά οὐράνια κπ/τόν ἑαυτό μου. **2**. ‹U› αἶνος, δοξολογία: *P~ be to God!* δοξασμένο τό ὄνομα τοῦ Κυρίου! **ˋ~·worthy** /-wɜːðɪ/ *ἐπ.* ἀξιέπαινος. **ˋ~·worth·ily** /-əli/ *ἐπίρ.* ἀξιέπαινα. **ˋ~·worthi·ness** *οὐσ.* ‹U› τό ἀξιέπαινον.

pram /præm/ *οὐσ.* ‹C› (*MB*) (*καθομ.*, *βραχυλ. γιά perambulator*) καροτσάκι μωροῦ.

prance /prɑːns/ *ρ.ἀ.* **1**. ~ ***(about)***, (*γιά ἄλογο*) σηκώνομαι στά πίσω πόδια, τρέχω κλωτσώντας. **2**. (*γιά ἄνθρ.*) περπατῶ κουνιστός καί λυγιστός, καμαρώνω, κορδώνομαι: *~ into a room*, μπαίνω καμαρωτός (σειστός καί λυγιστός) σ' ἕνα δωμάτιο. —*οὐσ.* ‹C› χοροπήδημα.

prank /præŋk/ *οὐσ.* ‹C› ζαβολιά, φάρσα: *play all sorts of ~s*, κάνω κάθε λογῆς ζαβολιά. *play a ~ on sb*, σκαρώνω φάρσα σέ κπ.

prate /preɪt/ *ρ.ἀ.* (*ἀπηρχ.*) ***~ about***, φλυαρῶ ἀνόητα, λέω βλακεῖες γιά: *She ~d on*, συνέχισε νά φλυαρῆ ἀνόητα.

prattle /ˋprætl/ *ρ.ἀ.* (*γιά παιδί*) τερετίζω, φλυαρῶ, (*γιά μεγάλους*) μιλῶ μέ παιδιάστικο τρόπο. —*οὐσ.* ‹U› πολυλογία, φλυαρία, πάρλα: *Don't pay any attention to her ~*, μή δίνης σημασία στήν πάρλα της. **prat·tler** *οὐσ.* ‹C› φλύαρος.

prawn /prɔːn/ *οὐσ.* ‹C› καραβίδα.

pray /preɪ/ *ρ.μ/ἀ.* **1**. προσεύχομαι: *~ to God for help*, προσεύχομαι στό Θεό γιά βοήθεια. *They knelt down and ~ed*, γονάτισαν καί προσευχήθηκαν. ***(be) past ~ing for***, δέν σώζεται μέ τίποτα. **2**. (*λόγ.*) παρακαλῶ, ἱκετεύω: *I ~ you to think again*, σέ παρακαλῶ νά τό ξανασκεφτῆς. *P~, don't speak so loud*, παρακαλῶ, μή μιλᾶτε τόσο δυνατά.

prayer /ˋpreə(r)/ *οὐσ.* ‹C,U› **1**. προσευχή: *He*

knelt down in ~, γονάτισε προσευχόμενος. ***say one's ~s***, κάνω τήν προσευχή μου. **the Lord's P~**, ἡ Κυριακή Προσευχή (τό πάτερ ἡμῶν). **the P~ Book**, τό λειτουργικόν τῆς Ἀγγλικανικῆς Ἐκκλησίας, προσευχητάρι. **`~-meeting**, συγκέντρωσις διά κοινήν προσευχήν. **`~-rug/-mat**, μικρό χαλί γιά γονυκλισία. **2**. παράκλησις, ἱκεσία, δέησις.

pre- /pri/ *πρόθεμα* πρό-: ~-*war*, προπολεμικός.

preach /pritʃ/ *ρ.μ/ὰ.* **1**. κηρύσσω (τό λόγο τοῦ Θεοῦ): ~ *the gospel*, κηρύσσω τό εὐαγγέλιο. ~ *a sermon*, κάνω κήρυγμα. **2**. νουθετῶ, κάνω ἠθική διδασκαλία: *The headmaster was* ~*ing to the boys*, ὁ γυμνασιάρχης νουθετοῦσε τά παιδιά. *Don't* ~ *me a sermon about being lazy, please*, σέ παρακαλῶ, μή μοῦ κάνης κήρυγμα γιά τήν τεμπελιά μου. **`~er** *οὐσ.* ‹C› ἱεροκήρυκας. **`~·ify** /-ɪfaɪ/ *ρ.ὰ.* κάνω κήρυγμα, κάνω τόν ἠθικολόγο: *Stop* ~*ifying!*

pre·amble /priˋæmbl/ *οὐσ.* ‹C› προοίμιον, πρόλογος (*ἰδ.* σέ ἐπίσημο ἔγγραφο), αἰτιολογική ἔκθεσις (νόμου).

pre·arrange /ˈpriəˋreɪndʒ/ *ρ.μ.* προκαθορίζω, ρυθμίζω ἐκ τῶν προτέρων. **~·ment** *οὐσ.* ‹C,U› διευθέτησις ἐκ τῶν προτέρων, προσυνεννόησις.

pre·cari·ous /prɪˋkeərɪəs/ *ἐπ.* (*λόγ.*) ἐπισφαλής, ἀβέβαιος: *make a* ~ *living as an author*, ἔχω ἀβέβαιον εἰσόδημα ὡς συγγραφεύς. **~-ly** *ἐπίρ.* ἐπισφαλῶς, ἀβεβαίως.

pre·cau·tion /prɪˋkɔʃn/ *οὐσ.* ‹C,U› προνοητικότης, πρόνοια, προφύλαξις: *measures of* ~, προφυλακτικά μέτρα. *take* ~*s against fire*, παίρνω προφυλάξεις κατά τῆς πυρκαγιᾶς. ***as a*** ~, γιά κάθε ἐνδεχόμενο, καλοῦ-κακοῦ: *take an umbrella as a* ~, παίρνω μιά ὀμπρέλλα γιά κάθε ἐνδεχόμενο. **~·ary** /-ʃənərɪ/ *ἐπ.* προφυλακτικός, προληπτικός: ~*ary measures*, προληπτικά μέτρα.

pre·cede /prɪˋsid/ *ρ.μ/ὰ.* προηγοῦμαι: *the calm that* ~*s the storm*, ἡ γαλήνη πού προηγεῖται τῆς καταιγίδος. *The conference was* ~*d by a reception*, μία δεξίωσις προηγήθη τῆς διασκέψεως. *in the preceding pages*, στίς προηγούμενες σελίδες.

pre·ced·ence /ˋpresɪdəns/ *οὐσ.* ‹U› (*λόγ.*) προτεραιότης, προβάδισμα. ***have/take ~ over sb/sth***, προηγοῦμαι ἔναντι: *These questions take* ~ *over all others*, αὐτά τά θέματα προηγοῦνται (ἔχουν προτεραιότητα ἔναντι) ὅλων τῶν ἄλλων.

pre·ced·ent /ˋpresɪdənt/ *οὐσ.* ‹C› (*λόγ.*) προηγούμενον: *There is no* ~ *for that*, δέν ὑπάρχει προηγούμενο γι' αὐτό. ***set/create/establish a ~ (for sth)***, δημιουργῶ προηγούμενο (γιά κτ). ***without ~***, ἄνευ προηγουμένου. **~ed** *ἐπ.* ἔχων/στηριζόμενος σέ προηγούμενο.

pre·cen·tor /prɪˋsentə(r)/ *οὐσ.* ‹C› πρωτοψάλτης.

pre·cept /ˋprisept/ *οὐσ.* **1**. ‹C› κανόνας (συμπεριφορᾶς). **2**. ‹U› ἠθικόν δίδαγμα, παραίνεσις: *Example is better than* ~, τό παράδειγμα εἶναι καλύτερο ἀπό τίς παραινέσεις.

pre·cep·tor /prɪˋseptə(r)/ *οὐσ.* ‹C› (*λόγ.*) διδάσκαλος, παιδαγωγός.

pre·cinct /ˋprisɪŋkt/ *οὐσ.* ‹C› **1**. περίβολος (*ἰδ.* ἐκκλησίας): *within the sacred* ~*s*, ἐντός τοῦ ἱεροῦ χώρου. **2**. (*ΗΠΑ*) περιφέρεια: *a police/an election* ~, ἀστυνομική/ἐκλογική περιφέρεια. **3**. (*πληθ.*) τά πέριξ (πόλεως). **4**. ὅριον: *within the city* ~*s*, ἐντός τῶν ὁρίων τῆς πόλεως. **5**. τομεύς (πόλεως), περιοχή. **pedestrian ~**, περιοχή γιά πεζούς μόνον (ὄχι γιά ὀχήματα). **`shopping ~**, ἐμπορικός τομεύς.

pre·ci·os·ity /ˈpreʃɪˋosətɪ/ *οὐσ.* ‹C,U› ἐπιτήδευσις, ἐκζήτησις, ὑπερβολή (στό ὕφος, στή γλῶσσα, κλπ).

precious /ˋpreʃəs/ *ἐπ.* **1**. πολύτιμος, ἀκριβής: ~ *stones*, πολύτιμοι λίθοι. *Your life is* ~ *to me*, ἡ ζωή σου μοῦ εἶναι ἀκριβή. **2**. (*καθομ.*) τέλειος (ὡς ἐπιτατικόν): *He thinks a* ~ *sight too much of himself*, ἔχει πάρα πολύ μεγάλη ἰδέα γιά τόν ἑαυτό του, τό ἔχει πάρει πολύ ἐπάνω του. **3**. (*γιά γλῶσσα, ἐργασία, κλπ*) ἐξεζητημένος, ἐπιτηδευμένος. —*ἐπίρ.* (*καθομ.*) πάρα πολύ: *I have* ~ *little money left*, μοῦ ἔχουν μείνει πάρα πολύ λίγα χρήματα. **~·ly** *ἐπίρ.* πολύ, ζηλότυπα, ἐξεζητημένα. **~·ness** *οὐσ.* ‹U› πολυτιμότης, ἐκζήτησις.

preci·pice /ˋpresəpɪs/ *οὐσ.* ‹C› γκρεμός, βάραθρον.

pre·cipi·tate /prəˋsɪpɪteɪt/ *ρ.μ.* **1**. γκρεμίζω, κατακρημνίζω: ~ *a country into war*, ρίχνω μιά χώρα στόν πόλεμο. **2**. ἐπισπεύδω, ἐπιταχύνω: ~ *a crisis*, ἐπισπεύδω μιά κρίση. *This will* ~ *his ruin*, αὐτό θά ἐπιταχύνη τήν καταστροφή του. **3**. (*χημ.*) κατακρημνίζω (στερεάν οὐσίαν), ὑγροποιῶ. —*οὐσ.* ‹C› ἴζημα, ὄμβρος. —*ἐπ.* /-ˋsɪpɪtət/ ἐσπευσμένος, ἀπερίσκεπτα βιαστικός, κατακόρυφος (*ἰδ.* πτῶσις): ~ *action*, βιαστική ἐνέργεια. **~·ly** *ἐπίρ.*

pre·cipi·ta·tion /prəˈsɪpɪˋteɪʃn/ *οὐσ.* ‹C,U› **1**. πτῶσις (βροχῆς, χιονιοῦ, χαλάζης): *the annual* ~, ἡ ἐτησία βροχόπτωσις. **2**. ἀπερίσκεπτη σπουδή, βιασύνη, βία: *act with* ~, ἐνεργῶ μέ βιασύνη. **3**. καθίζησις, ἐπίσπευσις.

pre·cipi·tous /prəˋsɪpɪtəs/ *ἐπ.* (*λόγ.*) ἀπόκρημνος, ἀπότομος, κατακόρυφος. **~·ly** *ἐπίρ.* ἀποτόμως.

pré·cis /ˋpreɪsi/ *οὐσ.* ‹C› (*ἀμετάβλ. εἰς πληθ. ἀλλά προφερόμ.* /-iz/) σύνοψις, περίληψις.

pre·cise /prɪˋsaɪs/ *ἐπ.* **1**. ἀκριβής, ὀρθός: ~ *orders*, ἀκριβεῖς ἐντολές. ~ *measurements*, ἀκριβῆ μέτρα. *at the* ~ *moment when...*, τή στιγμή ἀκριβῶς πού... **2**. ἀκριβολόγος, λεπτολόγος, τυπικός: *a very* ~ *man*, πολύ λεπτολόγος ἄνθρωπος. **~·ly** *ἐπίρ.* ἀκριβῶς: *state the facts* ~*ly*, ἐκθέτω τά γεγονότα ἐπακριβῶς. *at noon* ~*ly*, ἀκριβῶς τό μεσημέρι. **~·ness** *οὐσ.* ‹U› ἀκρίβεια, ἀκριβολογία.

pre·ci·sion /prɪˋsɪʒn/ *οὐσ.* ‹U› ἀκρίβεια: ~ *instruments/tools*, ὄργανα/ἐργαλεῖα ἀκριβείας.

pre·clude /prɪˋklud/ *ρ.μ.* ***~ sb from doing sth***, ἐμποδίζω, ἀποκλείω, προλαμβάνω: *The weather* ~*d us from travelling*, ὁ καιρός μᾶς ἐμπόδισε νά ταξιδέψωμε. *to* ~ *all misunderstanding*, γιά νά προλάβω κάθε παρεξήγηση. *Failure is* ~*d*, ἡ ἀποτυχία ἀποκλείεται. **pre·clu·sion** /-ˋkluʒn/ *οὐσ.* ‹C,U› παρεμπόδισις.

pre·co·cious /prɪˋkəʊʃəs/ *ἐπ.* πρόωρος, πρώϊμος: *a* ~ *child*, πρόωρα ἀναπτυγμένο παιδί. **~·ly** *ἐπίρ.* προώρως, πρώϊμα. **~·ness**, **pre-**

coc·ity /-`kosətı/ *οὐσ.* ‹U› πρόωρος ἀνάπτυξις. **pre·cog·ni·tion** /'prikog`nıʃn/ *οὐσ.* ‹U› (*λόγ.*) πρόγνωσις.

pre·con·ceive /'prikən`siv/ *ρ.μ.* προκαταλαμβάνω, προδικάζω: ~*d ideas*, ἰδέες σχηματισμένες ἐκ τῶν προτέρων, προκατειλημμένες ἰδέες. **pre·con·cep·tion** /-`sepʃn/ *οὐσ.* ‹C› προκατάληψις.

pre·con·certed /'prikən`sɜtıd/ *ἐπ.* (*λόγ.*) προσυμφωνηθείς, προκαθωρισμένος: ~ *plans*, προσυμφωνηθέντα σχέδια.

pre·con·di·tion /'prikən`dıʃn/ *οὐσ.* ‹C› *βλ. prerequisite.*

pre·cur·sor /'pri`kɜsə(r)/ *οὐσ.* ‹C› (*λόγ.*) πρόδρομος, προάγγελος. ~**y** /-sərı/ *ἐπ.* προκαταρτικός, προειδοποιητικός.

preda·tory /`predətərı/ *ἐπ.* ἁρπακτικός, (*λόγ.*) ληστρικός: ~ *animals*, ἁρπακτικά ζῶα. ~ *tribes/habits*, ληστρικές φυλές/συνήθειες.

pre·de·cease /'pridı`sis/ *ρ.ἀ.* (*νομ.*) προαποβιῶ, προαποθνήσκω.

pre·de·cessor /`pridısesə(r)/ *οὐσ.* ‹C› **1**. προκάτοχος. **2**. προηγηθείς.

pre·des·ti·nate /pri`destıneıt/ *ἐπ.* (*θεολ.*) προκαθωρισμένος, μοιραῖος, ἀναπόφευκτος.

pre·des·ti·na·tion /'pri'destı`neıʃn/ *οὐσ.* ‹U› προορισμός, μοῖρα, προκαθορισμός (ὑπό τοῦ Θεοῦ).

pre·des·tine /pri`destın/ *ρ.μ.* προορίζω: ~*d to damnation*, προωρισμένος νά πάη στήν κόλαση.

pre·de·ter·mine /'pridı`tɜmın/ *ρ.μ.* (*λόγ.*) **1**. προδιαθέτω. **2**. προκαθορίζω: *Does heredity ~ a child's personality?* προκαθορίζει ἡ κληρονομικότης τήν προσωπικότητα ἑνός παιδιοῦ; **pre·de·ter·mi·na·tion** /-'tɜmı`neıʃn/ *οὐσ.* ‹U› προκαθορισμός, προδιάθεσις.

pre·dica·ment /prı`dıkəmənt/ *οὐσ.* ‹C›. δύσκολη θέσις, δυσχέρεια, μπλέξιμο, δυσάρεστη κατάστασις: *be in an awkward* ~, βρίσκομαι σέ δυσχερῆ θέση.

[1]**predi·cate** /`predıkeıt/ *ρ.μ.* (*λόγ.*) **1**. βεβαιῶ, ὑποστηρίζω. **2**. καθιστῶ ἀναγκαῖον.

[2]**predi·cate** /`predıkət/ *οὐσ.* ‹C› (*γραμμ.*) κατηγόρημα.

predi·cat·ive /prı`dıkətıv/ *οὐσ.* ‹C› κατηγορούμενο. —*ἐπ.* κατηγορηματικός. ~ **adjective**, κατηγορηματικό ἐπίθετο (*δηλ.* ἐπίθετο πού χρησιμοποιεῖται μόνον ὡς κατηγορούμενο καί ὄχι πρό οὐσιαστικοῦ).

pre·dict /prı`dıkt/ *ρ.μ.* προλέγω, προφητεύω: ~ *a catastrophe*, προλέγω μιά καταστροφή. ~**ion** /-`dıkʃn/ *οὐσ.* ‹C,U› πρόρρησις, προφητεία. ~**·able** /-əbl/ *ἐπ.* προβλέψιμος, αναμενόμενος. ~**a·bil·ity** /prı'dıktə`bılətı/ *οὐσ.* ‹U› προβλεψιμότης.

pre·di·gest /'pri daı`dʒest/ *ρ.μ.* ἐπεξεργάζομαι τροφή γιά νά γίνη εὔπεπτος.

pre·di·lec·tion /'pridı`lekʃn/ *οὐσ.* ‹C› (*λόγ.*) ***a ~ for***, προτίμησις: *have a ~ for oranges*, ἔχω προτίμηση στά πορτοκάλια.

pre·dis·pose /'pridı`spəʊz/ *ρ.μ.* ~ **to**, (*λόγ.*) προδιαθέτω: *His upbringing ~d him to a life of adventure*, ἡ ἀνατροφή του τόν προδιάθεσε γιά μιά τυχοδιωκτική ζωή. *I found him ~d in my favour*, τόν βρῆκα εὐνοϊκά διατεθειμένον ἀπέναντί μου.

pre·dis·posi·tion /'pri'dıspə`zıʃn/ *οὐσ.* ‹C› ~ ***to***, προδιάθεσις: *have a ~ to arthritis/to find fault*, ἔχω μιά προδιάθεση στήν ἀρθρίτιδα/νά κριτικάρω.

pre·domi·nant /prı`domınənt/ *ἐπ.* ~ ***(over)***, (*λόγ.*) δεσπόζων, ὑπερισχύων, ἐπικρατέστερος: *The ~ feature of his character is pride*, τό δεσπόζον γνώρισμα τοῦ χαρακτῆρος του εἶναι ἡ ὑπερηφάνεια. ~**·ly** *ἐπίρ.* ἐπικρατέστερα, βασικά. **pre·domi·nance** /-əns/ *οὐσ.* ‹U› ὑπεροχή, ἐπικράτησις.

pre·domi·nate /prı`domıneıt/ *ρ.ἀ.* ~ ***(over)***, (*λόγ.*) ἐπικρατῶ, ὑπερισχύω, κυριαρχῶ: *a forest in which oak-trees ~*, δάσος στό ὁποῖο κυριαρχοῦν οἱ βελανιδιές.

pre-emi·nent /pri `emınənt/ *ἐπ.* διαπρεπής, πού ὑπερέχει/ξεχωρίζει: *a ~ doctor*, διαπρεπής γιατρός. ~ *above all others*, πού ξεχωρίζει πάνω ἀπ' ὅλους τούς ἄλλους. ~**·ly** *ἐπίρ.* κατ' ἐξοχήν, πρό παντός, κυρίως. **pre-emi·nence** /-əns/ *οὐσ.* ‹U› ὑπεροχή, πρωτεῖα.

pre-empt /pri `empt/ *ρ.μ.* (*λόγ.*) **1**. προαγοράζω, ἀγοράζω πρῶτος λόγῳ δικαιώματος προτιμήσεως. **2**. καταλαμβάνω/ἐνεργῶ πρῶτος. ~**ion** /pri `empʃn/ *οὐσ.* ‹U› (*λόγ.*) δικαίωμα προτιμήσεως, προαγορά, ἀποκλεισμός (ἀνταγωνιστῶν), προληπτική ἐπίθεσις. ~**ive** /-tıv/ *ἐπ.* γενόμενος ἐκ προτιμήσεως/πρός ἀποκλεισμόν ἤ πρόληψιν: *a ~ive bid*, (*στό μπρίτζ*) ὑψηλή ἀγορά πρός ἀποκλεισμόν τῶν ἀντιπάλων. *a ~ive blow/air strike*, προληπτικό χτύπημα/-ή ἀεροπορική ἐπίθεσις.

preen /prin/ *ρ.μ.* (*γιά πουλί*) στρώνω (τά φτερά μου) μέ τό ράμφος. ~ ***oneself***, (*γιά ἄνθρ.*) στολίζομαι, φτιάχνομαι. ~ ***oneself on sth***, (*μεταφ.*) καμαρώνω, κορδώνομαι γιά κτ.

pre-exist /'pri ıg`zıst/ *ρ.ἀ.* προϋπάρχω. ~**·ence** /-əns/ *οὐσ.* ‹C,U› προΰπαρξις. ~**·ent** /-ənt/ *ἐπ.* προϋπάρχων.

pre·fab /`prifæb/ *οὐσ.* ‹C› (*καθομ.*) προκατασκευασμένο σπίτι, προκάτ.

pre·fab·ri·cate /pri`fæbrıkeıt/ *ρ.μ.* προκατασκευάζω: *a ~d school*, προκατασκευασμένο σχολεῖο. **pre·fab·ri·ca·tion** /'pri'fæbrı`keıʃn/ *οὐσ.* ‹U› προκατασκευή.

pref·ace /`prefıs/ *οὐσ.* ‹C› πρόλογος: *his ~ to my book*, ὁ πρόλογός του στό βιβλίο μου. —*ρ.μ.* γράφω πρόλογο, προλογίζω. **prefa·tory** /`prefətərı/ *ἐπ.* (*λόγ.*) προεισαγωγικός: *after a few prefatory words*, μετά ἀπό λίγα λόγια ἐν εἴδει προλόγου.

prefect /`prifekt/ *οὐσ.* ‹C› **1**. (*στήν ἀρχαία Ρώμη*) ἔπαρχος. **2**. (*στή Γαλλία*) νομάρχης, ὁ διευθυντής τῆς ἀστυνομίας τῶν Παρισίων. **3**. (*σέ σχολεῖο*) ἐπιμελητής τάξεως.

pre·fec·ture /`prifektjʊə(r)/ *οὐσ.* ‹C› νομός, νομαρχία (νομαρχιακόν μέγαρον, θητεία νομάρχου), διεύθυνσις ἀστυνομίας.

pre·fer /prı`fɜ(r)/ *ρ.μ.* *(-rr-)* **1**. ~ ***(to)***, προτιμῶ: *I ~ tea to coffee*, προτιμῶ τό τσάϊ ἀπό τόν καφέ. *I ~ walking to cycling*, προτιμῶ τήν πεζοπορία ἀπό τό ποδήλατο. *He ~s to write his letters rather than dictate them*, προτιμάει νά γράφη τά γράμματά του παρά νά τά ὑπαγορεύη. *I'd ~ to wait*, θά προτιμοῦσα νά περιμένω. *I'd ~ you not to go/~ that you didn't go*, θά προτιμοῦσα νά μήν πᾶς. **2**. ὑποβάλλω. ~ ***charges/a charge (against sb)***, ὑποβάλλω μήνυση (ἐναντίον κάποιου). **3**. προβιβάζω, προάγω: *He was ~red to the post of staff manager*, προήχθη στή θέση τοῦ προσωπάρχη.

pre·fer·able /ˋprefrəbl/ ἐπ. ~ ***(to)***, προτιμητέος, προτιμώτερος (ἀπό). **pre·fer·ably** /-əblɪ/ ἐπίρ. κατά προτίμησιν.

pref·er·ence /ˋprefrəns/ οὐσ. ‹C,U› προτίμησις: *What are your ~s?* ποιές εἶναι οἱ προτιμήσεις σας; ***have a ~ for sth***, ἔχω προτίμηση σέ κτ. ***give sb ~ (over sb else)***, ἐκδηλώνω προτίμηση (σέ κπ ἔναντι κάποιου ἄλλου). ***in ~ to***, κατά προτίμησιν, μᾶλλον παρά: *I should choose this in ~ to any other*, θά διάλεγα αὐτό μᾶλλον παρά ὁποιοδήποτε ἄλλο. **ˋP ~ Stock**, προνομιοῦχοι τίτλοι.

pref·er·en·tial /ˈprefəˋrenʃl/ ἐπ. προνομιακός: *get ~ treatment*, ἔχω προνομιακή μεταχείριση.

pre·fer·ment /prɪˋfɜmənt/ οὐσ. ‹U› προαγωγή, προβιβασμός.

pre·fig·ure /priˋfigə(r)/ ρ.μ. (λόγ.) προεικονίζω, φαντάζομαι προκαταβολικά.

pre·fix /ˋprifiks/ οὐσ. ‹C› **1**. πρόθεμα. **2**. τίτλος (πρό τοῦ ὀνόματος): *He has no right to the ~ of Dr*, δέν ἔχει δικαίωμα νά ἀποκαλεῖται Δόκτωρ. __ρ.μ. /priˋfiks/ προτάσσω.

preg·nancy /ˋpregnənsɪ/ οὐσ. ‹C,U› ἐγκυμοσύνη, (μεταφ.) σημασία, σπουδαιότης, βαρύτης.

preg·nant /ˋpregnənt/ ἐπ. **1**. (γιά γυναίκα) ἔγκυος. **2**. ~ ***with***, πλήρης, μεστός, ἐγκυμονῶν: *words ~ with meaning*, λέξεις γεμάτες νόημα/σημασία. *events ~ with consequences*, γεγονότα γεμάτα συνέπειες.

pre·his·toric /ˈprihɪˋstorɪk/, **-tori·cal** /-kl/ ἐπ. προϊστορικός. **pre·his·tory** /priˋhɪstərɪ/ οὐσ. ‹U› προϊστορία.

pre·judge /ˈpriˋdʒʌdʒ/ ρ.μ. προκρίνω, προδικάζω. **~·ment** οὐσ. ‹C,U› πρόωρη κρίσις, προκατάληψις.

preju·dice /ˋpredʒədɪs/ οὐσ. ‹C,U› **1**. πρόληψις, προκατάληψις: *racial ~*, φυλετικές προλήψεις. *without ~*, χωρίς προκατάληψη, ἀπροκατάλυπτα. ***have a ~ in favour of/against sb***, ἔχω προκατάληψη ὑπέρ/ἐναντίον κάποιου. **2**. (νομ.) βλάβη, ζημία: *to the ~ of one's rights*, πρός βλάβην τῶν δικαιωμάτων μου. ***without ~ (to)***, μέ πᾶσαν ἐπιφύλαξιν: *without ~ to my rights*, ἐπιφυλασσόμενος παντός δικαιώματός μου. __ρ.μ. **1**. ~ ***sb in favour of/against***, προδιαθέτω, ἐπηρεάζω (ὑπέρ/ἐναντίον). **2**. βλάπτω, ζημιώνω: *~ one's claim by asking too much*, βλάπτω τήν ὑπόθεσή μου λόγῳ ὑπερβολικῶν ἀξιώσεων. **~d** ἐπ. προκατειλημμένος. **preju·di·cial** /ˈpredʒʊˋdɪʃl/ ἐπ. ἐπιβλαβής, ἐπιζήμιος.

prel·ate /ˋprelət/ οὐσ. ‹C› ἱεράρχης. **prel·acy** /ˋpreləsɪ/ οὐσ. ‹C› ἱεραρχία, ἀρχιερωσύνη.

pre·lim /prɪˋlɪm/ οὐσ. **1**. (πληθ.) τμηματικές ἐξετάσεις πρωτοετῶν στήν Ὀξφόρδη. **2**. (πληθ.) (καί /ˋprilɪmz/) προεισαγωγικές σελίδες βιβλίου (μέ τόν τίτλο, τά περιεχόμενα, κλπ).

pre·limi·nary /prɪˋlɪmɪnərɪ/ ἐπ. προκαταρτικός, προεισαγωγικός: *a ~ examination*. __οὐσ. ‹C› (συνήθ. πληθ.) τά προκαταρτικά (πχ διασκέψεως).

prel·ude /ˋpreljud/ οὐσ. ‹C› ~ ***(to)***, εἰσαγωγή, προοίμιο, πρελούδιο. __ρ.μ. προαγγέλω, προηγοῦμαι, ἀποτελῶ προανάκρουσμα.

pre·mari·tal /ˈpriˋmærɪtl/ ἐπ. προγαμιαῖος.

pre·ma·ture /ˋpremətʃə(r)/ ἐπ. πρόωρος: *~ birth*, πρόωρος τοκετός. *a ~ baby*, μωρό πού γεννήθηκε πρόωρα (στήν καθομ. *prem*). **~·ly** ἐπίρ.

pre·medi·tate /priˋmedɪteɪt/ ρ.μ. προμελετῶ, προσχεδιάζω: *a ~d murder*, φόνος ἐκ προμελέτης. **pre·medi·ta·tion** /ˈpriˈmedɪˋteɪʃn/ οὐσ. ‹U› προμελέτη.

pre·mier /ˋpremɪə(r)/ ἐπ. πρῶτος, πρεσβύτερος, ἀρχαιότερος. __οὐσ. ‹C› πρωθυπουργός. **ˋ~·ship** /-ʃɪp/ οὐσ. ‹U› πρωθυπουργία.

pre·mière /ˋpremɪeə(r)/ οὐσ. ‹C› πρεμιέρα.

prem·ise, prem·iss /ˋpremɪs/ οὐσ. ‹C› **1**. (λογικ.) πρότασις (συλλογισμοῦ): *the major/minor ~*, ἡ μείζων/ἔλασσων πρότασις. **2**. (πληθ.) οἴκημα, κτίριον, κατάστημα: *business ~s*, τά γραφεῖα/τό κτίριον τῆς ἐπιχειρήσεως. *(drinks) to be consumed on/off the ~s*, (ποτά) πρός κατανάλωσιν ἐντός/ἐκτός τοῦ καταστήματος. **3**. (νομ.) (πληθ.) εἰσαγωγή, πρόλογος (ἐγγράφου, συμβολαίου, κλπ). __ρ.μ. προτάσσω, ἀναφέρω εἰσαγωγικῶς.

pre·mium /ˋprimɪəm/ οὐσ. ‹C› (πληθ. *~s*) **1**. ἀσφάλιστρον. **2**. βραβεῖο: *get a ~ for good conduct*, παίρνω βραβεῖο καλῆς διαγωγῆς. **P ~ Bond**, λαχειοφόρος ὁμολογία. ***put a ~ on sth***, ἐπιβραβεύω: *put a ~ on laziness*, ἐπιβραβεύω τήν ὀκνηρία. **3**. πρόσθετη ἀμοιβή, ἐπιμίσθιον. **4**. ἀμοιβή (διά μαθητείαν). **5**. (γιά χρεώγραφα, μετοχές, κλπ) ὑπερτίμησις: *sell at a ~*, πωλῶ μέ κέρδος. **6**. δῶρο, πρίμ.

pre·mon·ition /ˈpreməˋnɪʃn/ οὐσ. ‹C› προαίσθημα: *have a ~ of disaster*, ἔχω ἕνα προαίσθημα συμφορᾶς. **pre·moni·tary** /prɪˋmonɪtərɪ/ ἐπ. προειδοποιητικός.

pre·natal /priˋneɪtl/ ἐπ. προγενέθλιος.

pren·tice /ˋprentɪs/ οὐσ. ‹C› (ἀπηρχ.) βλ. *apprentice*.

pre·oc·cu·pa·tion /ˈpriˈokjʊˋpeɪʃn/ οὐσ. ‹C,U› φροντίδα, ἀπασχόλησις, ἔγνοια, πνευματική ἀπορρόφησις: *This is my greatest ~*, αὐτή εἶναι ἡ μεγαλυτέρα μου φροντίδα, αὐτό πού μέ ἀπασχολεῖ πάνω ἀπ' ὅλα.

pre·oc·cupy /priˋokjʊpaɪ/ ρ.μ. ἀπασχολῶ, ἀπορροφῶ (τίς σκέψεις): *preoccupied by family troubles/with thoughts of...*, ἀπορροφημένος ἀπό οἰκογενειακές σκοτοῦρες/μέ σκέψεις νά... *He seemed preoccupied*, φαινόταν νά τόν ἀπασχολῇ κάτι.

pre·or·dain /ˈpriɔˋdeɪn/ ρ.μ. προορίζω, προκαθορίζω, προαποφασίζω.

prep /prep/ οὐσ. ‹U› (σχολ., λαϊκ.) **1**. (βραχυλ. γιά *preparation*), προετοιμασία, βραδυνή μελέτη: *ˋ~ room*, αἴθουσα μελέτης. **2**. (βραχυλ. γιά *preparatory*), προπαρασκευαστικό σχολεῖο.

pre·pack·aged /pri ˋpækɪdʒd/, **pre·packed** /priˋpækt/ ἐπ. (γιά προϊόν) συσκευασμένος ἀπό τό ἐργοστάσιο.

prep·ara·tion /ˈprepəˋreɪʃn/ οὐσ. ‹C,U› **1**. προετοιμασία, προπαρασκευή: *I can't do it without ~*, δέν μπορῶ νά τό κάμω χωρίς προπαρασκευή. *~s for war*, προετοιμασίες γιά πόλεμο. *The meal is in* ~, τό φαγητό ἑτοιμάζεται. ***in ~ for***, προετοιμαζόμενος γιά. ***make ~s for***, προετοιμάζομαι γιά. **2**. (*σχολ.*) *βλ. prep (1)*. **3**. παρασκεύασμα (*ἰδ.* φαρμακευτικό).

pre·para·tory /prɪ`pærətərɪ/ *ἐπ.* προπαρασκευαστικός, προκαταρτικός. ~ ***to***, πρό, πρίν: ~ *to leaving for London*, πρό τῆς ἀναχωρήσεως γιά τό Λονδῖνο.

pre·pare /prɪ`peə(r)/ *ρ.μ/ἀ.* προετοιμάζω/-ομαι, προπαρασκευάζω/-ομαι: ~ *a meal/pupils for an exam*, προετοιμάζω φαγητό/μαθητές γιά ἐξετάσεις. ~ *for an attack*, προπαρασκευάζομαι ἐναντίον ἐπιθέσεως. ~ *to attack*, προπαρασκευάζομαι νά ἐπιτεθῶ. ***be ~d for anything***, εἶμαι προετοιμασμένος γιά ὅλα. ***be ~d to do sth***, εἶμαι πρόθυμος/διατεθειμένος νά κάμω κτ: *I'm not ~d to pay for that*, δέν εἶμαι διατεθειμένος νά τό πληρώσω. **pre·pared·ness** /-`peərɪdnəs/ *οὐσ.* ‹U› ἑτοιμότης: *in a state of ~dness*, σέ κατάσταση ἑτοιμότητος.

pre·pay /`pri`peɪ/ *ρ.μ.* (*ἀνώμ. βλ.* ²*pay*) προπληρώνω.

pre·pon·der·ant /prɪ`pondərənt/ *ἐπ.* (*λόγ.*) ὑπερισχύων, ἐπικρατέστερος. **~·ly** *ἐπίρ.* **pre·pon·der·ance** /-əns/ *οὐσ.* ‹U› ὑπεροχή.

pre·pon·der·ate /prɪ`pondəreɪt/ *ρ.ἀ.* (*λόγ.*) βαρύνω, ὑπερισχύω: *These reasons ~ over all other considerations*, οἱ λόγοι αὐτοί βαρύνουν περισσότερο ἀπό ὅλες τίς ἄλλες σκέψεις.

prep·osi·tion /`prepə`zɪʃn/ *οὐσ.* ‹C› (*γραμμ.*) πρόθεσις. **~al** /-ʃənəl/ *ἐπ.* προθετικός, ἐμπρόθετος.

pre·pos·sess /`pripə`zes/ *ρ.μ.* (*λόγ.*) προκαταλαμβάνω, προδιαθέτω εὐνοϊκά: *I was ~ed by his appearance and manners*, ἡ ἐμφάνισίς του καί οἱ τρόποι του μέ προδιέθεσαν εὐνοϊκά. **~·ing** *ἐπ.* ἑλκυστικός, συμπαθητικός, πού προδιαθέτει εὐνοϊκά: *a girl of ~ing appearance*, κορίτσι μέ συμπαθητικό παρουσιαστικό. **~ion** /-`zeʃn/ *οὐσ.* ‹C› εὐνοϊκή/εὐμενής προδιάθεσις.

pre·pos·ter·ous /prɪ`postərəs/ *ἐπ.* παράλογος, τερατώδης: *a ~ claim*, παράλογη ἀξίωση. **~·ly** *ἐπίρ.*

pre·re·cord /`priri`kɔd/ *ρ.μ.* (*ραδιοφ., TV*) προεγγράφω.

pre·requi·site /`pri`rekwɪzɪt/ *ἐπ.* προαπαιτούμενος. —*οὐσ.* ‹C› ἀναγκαία προϋπόθεσις: *This is a ~ for university entrance*, αὐτό εἶναι ἀπαραίτητη προϋπόθεσις γιά νά μπῆ κανείς σέ πανεπιστήμιο.

pre·roga·tive /prɪ`rogətɪv/ *οὐσ.* ‹C› προνόμιον, δικαίωμα: *the ~ of pardon*, τό δικαίωμα ἀπονομῆς χάριτος. **the Royal P~**, τό βασιλικό προνόμιο.

pre·sage /`presɪdʒ/ *οὐσ.*‹C› (*λόγ.*) προαίσθημα, προμήνυμα, οἰωνός. —*ρ.μ.* /prɪ`seɪdʒ/ (*λόγ.*) προοιωνίζω, προαναγγέλω: *The clouds ~ a storm*, τά σύννεφα προοιωνίζουν θύελλα.

pres·by·ter /`prezbɪtə(r)/ *οὐσ.* ‹C› (*ἐκκλ.*) πρεσβύτερος.

Pres·by·terian /`prezbɪ`tɪərɪən/ *ἐπ.* & *οὐσ.* ‹C› πρεσβυτεριανός. **the ~ Church**, ἡ Πρεσβυτεριανή Ἐκκλησία. **~·ism** /-ɪzm/ *οὐσ.* ‹U› Πρεσβυτεριανισμός.

pres·by·tery /`prezbɪtərɪ/ *οὐσ.* ‹C› **1**. ἱερόν (ἐκκλησίας). **2**. πρεσβυτέριον (κατοικία ἱερέως).

pre·sci·ent /`preʃɪənt/ *ἐπ.* (*λόγ.*) προβλεπτικός. **~·ly** *ἐπίρ.* **pre·sci·ence** /-əns/ *οὐσ.* ‹U› πρόγνωσις, πρόβλεψις.

pre·scribe /prɪ`skraɪb/ *ρ.μ.* ὁρίζω, ἐπιβάλλω, διατάσσω: *The doctor ~d a long rest*, ὁ γιατρός διέταξε μακρά ἀνάπαυση. *the penalties ~d by the law*, οἱ τιμωρίες πού ἐπιβάλλει (ὁρίζει) ὁ νόμος. *within the ~d time*, ἐντός τοῦ καθορισμένου χρόνου. **~d book**, ὡρισμένο/ὑποχρεωτικό βιβλίο (σέ ἐξετάσεις).

pre·script /`priskrɪpt/ *οὐσ.* ‹C› ἐντολή, διαταγή, ἐπιταγή.

pre·scrip·tion /prɪ`skrɪpʃn/ *οὐσ.* **1**. ‹U› ἐντολή. **2**. ‹C› συνταγή (γιατροῦ): *write/make out a ~*, γράφω/φτιάχνω μιά συνταγή.

pre·scrip·tive /prɪ`skrɪptɪv/ *ἐπ.* κανονιστικός, ἐπιτακτικός: ~ *rules*, ρυθμιστικοί κανόνες.

pres·ence /`prezns/ *οὐσ.* ‹U› **1**. παρουσία: *Your ~ is requested at the annual meeting*, παρακαλεῖσθε ὅπως παρευρεθῆτε εἰς τήν ἐτησίαν συνέλευσιν. *be admitted to the ~ of sb*, παρουσιάζομαι σέ κπ, γίνομαι δεκτός ἀπό κπ. ***in the ~ of***, παρουσίᾳ, ἐνώπιον: *in the ~ of danger*, ἐνώπιον τοῦ κινδύνου. ***in my ~***, παρουσίᾳ μου, ἐνώπιόν μου. ***~ of mind***, ἑτοιμότης πνεύματος. **2**. παρουσιαστικό: *a man of noble ~*, ἄνθρωπος μέ εὐγενικό παρουσιαστικό.

¹**pres·ent** /`preznt/ *ἐπ.* παρών: *all the people ~*, ὅλοι οἱ παρόντες. *in the ~ case*, στήν παροῦσα περίπτωση. *the ~ government*, ἡ παροῦσα κυβέρνησις. ***be ~ at***, εἶμαι παρών/παρευρίσκομαι εἰς. ***~ company excepted***, (*καθομ.*) οἱ παρόντες ἐξαιροῦνται. —*οὐσ.* ‹C,U› **1**. **the ~**, τό παρόν: *the past, the ~, and the future*, τό παρελθόν, τό παρόν καί τό μέλλον. ***at ~***, τώρα, αὐτή τή στιγμή: *as things are at ~*, ὅπως ἔχουν τά πράγματα αὐτή τή στιγμή. ***for the ~***, ἐπί τοῦ παρόντος, πρός τό παρόν: *That's enough for the ~*, αὐτό ἀρκεῖ πρός τό παρόν. ***up to the ~***, μέχρι τώρα. **2**. (*γραμμ.*) ἐνεστώς (χρόνος). **3**. (*νομ.*) ἔγγραφον: *by these ~s*, διά τοῦ παρόντος (ἐγγράφου).

²**pres·ent** /`preznt/ *οὐσ.* ‹C› δῶρο: *`birthday/`Christmas ~s*, γενέθλια/χριστουγεννιάτικα δῶρα. *buy sth for a ~*, ἀγοράζω κτ γιά δῶρο. ***make sb a ~ of sth***, χαρίζω/δωρίζω κτ σέ κπ: *I'll make you a ~ of my old TV set*, θά σοῦ χαρίσω τήν παληά μου τηλεόραση.

³**pre·sent** /prɪ`zent/ *ρ.μ.* **1**. παρουσιάζω, ἐμφανίζω: ~ *sb at Court*, παρουσιάζω κπ στήν Αὐλή. ~ *oneself for trial/examination*, παρουσιάζομαι νά δικαστῶ/γιά ἐξετάσεις. *The case ~s some difficulties*, ἡ περίπτωσις ἐμφανίζει μερικές δυσκολίες. *if an opportunity ~s itself*, ἄν παρουσιαστῆ εὐκαιρία. ~ *a bill/cheque for payment*, ἐμφανίζω συναλλαγματική/ἐπιταγή πρός πληρωμήν. ***~ arms***, (*στρατ.*) παρουσιάζω ὅπλα. ***~ one's compliments/greetings to sb***, ὑποβάλλω τάς προσρήσεις μου σέ κπ. ***~ a bold front to the world***, ἐμφανίζομαι γενναῖος στά μάτια τοῦ κόσμου, δείχνω γενναιότητα. ***~ a gun at sb***, προτείνω ὅπλο ἐναντίον κάποιου. ***~ a play***, (*γιά θίασο*) ἀνεβάζω/παρουσιάζω ἕνα ἔργο. ~

sb for an office, συνιστῶ/προτείνω κπ γιά ἕνα ἀξίωμα. **2**. **~ sth to sb**; **~ sb with sth**, δωρίζω, προσφέρω: *We ~ed an ancient coin to the headmaster*, δωρίσαμε στό γυμνασιάρχη ἕνα ἀρχαῖο νόμισμα. —*οὐσ.* ‹U› (*στρατ.*) θέσις στό "παρουσιᾶστε": *at the ~*, στό παρουσιᾶστε, ἐπί σκοπόν.

pre·sent·able /prɪˋzentəbl/ *ἐπ.* ἐμφανίσιμος, παρουσιάσιμος: *Is this old suit still ~?* εἶναι ἐμφανίσιμο ἀκόμη αὐτό τό παληό κοστούμι (μπορεῖ νά τό φορέση κανείς); *She's not a beauty, but she's quite ~*, δέν εἶναι καλλονή, ἀλλά εἶναι ἀρκετά ἐμφανίσιμη. **pre·sent·ably** *ἐπίρ.*

pres·en·ta·tion /ˌpreznˋteɪʃn/ *οὐσ.* ‹C,U› παρουσίασις, προσφορά, δῶρον, ἐμφάνισις: *the ~ of a new play*, ἡ παρουσίασις ἑνός νέου ἔργου. *a ~ copy*, βιβλίον προσφερόμενον ὡς δῶρον/τιμῆς ἕνεκεν. **on ~**, ἐπί τῇ ἐμφανίσει: *The cheque is payable on ~*, ἡ ἐπιταγή εἶναι πληρωτέα ἐπί τῇ ἐμφανίσει.

pre·sen·ti·ment /prɪˋzentɪmənt/ *οὐσ.* ‹C› (*λόγ.*) ἀόριστο (κακό) προαίσθημα.

pres·ent·ly /ˋpreznth/ *ἐπίρ.* **1**. σύντομα, σέ λίγο, παρευθύς: *I'll be with you ~*, θά εἶμαι σύντομα μαζί σας. **2**. (*ΗΠΑ*) τώρα, ἐπί τοῦ παρόντος: *He is ~ in London*, εἶναι τώρα στό Λονδῖνο.

pres·er·va·tion /ˌprezəˋveɪʃn/ *οὐσ.* ‹U› διατήρησις, συντήρησις: *the ~ of food/peace/one's health*, ἡ διατήρησις τῶν τροφίμων/τῆς εἰρήνης/τῆς ὑγείας. *self-~*, αὐτοσυντήρησις. *in a good/an excellent state of ~*, καλά/θαυμάσια διατηρημένος.

pre·serv·ative /prɪˋzɜvətɪv/ *οὐσ.* ‹C› συντηρητικόν: *free from ~s*, ἄνευ χημικῶν συντηρητικῶν. —*ἐπ.* διατηρητικός.

pre·serve /prɪˋzɜv/ *ρ.μ.* **1**. **~ (from)**, (προ)φυλάσσω, προστατεύω (*ἰδ.* τό φυσικό περιβάλλον): *~ one's teeth from decay*, προφυλάσσω τά δόντια μου ἀπό τήν τερηδόνα. *God ~ us!* ὁ Θεός νά μᾶς φυλάη! *~ fish/wild animals/forests*, προστατεύω τά ψάρια/τά ἄγρια ζῶα/τά δάση. *Fishing in this stream is strictly ~d*, ἀπαγορεύεται αὐστηρῶς τό ψάρεμα σ'αὐτό τό ποτάμι. **2**. διατηρῶ, συντηρῶ, διασώζω: *~ food/one's health/a tradition*, διατηρῶ τρόφιμα/τήν ὑγεία μου/μιά παράδοση. *Few of his early poems are ~d*, λίγα ἀπό τά πρῶτα του ποιήματα διασώζονται. *a well-~d old man*, καλοδιατηρημένος γέρος. —*οὐσ.* ‹C› *(a)* (*συνήθ. πληθ.*) κομπόστα, γλυκό τοῦ κουταλιοῦ. *(β)* περιοχή προστασίας τοῦ φυσικοῦ πλούτου: *a ˋgame ~*, περιοχή ὅπου ἀπαγορεύεται τό κυνήγι. (*βλ. & λ. poach*). **pre·serv·able** /-əbl/ *ἐπ.* διατηρήσιμος, διατηρητέος. **pre·server** *οὐσ.* ‹C› προστάτης, συντηρητής, ἰδιοκτήτης περιοχῆς κυνηγίου.

pre·side /prɪˋzaɪd/ *ρ.ἀ.* **~ at**, προεδρεύω: *~ at a meeting*, προεδρεύω σέ μιά συνεδρίαση. **~ over**, προΐσταμαι: *The City Council is ~d over by the mayor*, ὁ Δήμαρχος προΐσταται τοῦ Δημοτικοῦ Συμβουλίου.

presi·dency /ˋprezɪdənsɪ/ *οὐσ.* ‹C› Προεδρία (τό ἀξίωμα καί ἡ διάρκειά του).

presi·dent /ˋprezɪdənt/ *οὐσ.* ‹C› πρόεδρος. **~ial** /ˌprezɪˋdenʃl/ *ἐπ.* προεδρικός.

pre·sid·ium /prɪˋsɪdɪəm/ *οὐσ.* ‹C› Προεδρεῖον (*ἰδ.* τοῦ κομμουν. κόμματος).

[1]**press** /pres/ *οὐσ.* ‹C› **1**. πίεσις, σφίξιμο: *give sth a light ~*, πιέζω/σφίγγω κτ ἐλαφρά. **2**. πιεστήριο, πρέσσα: *a ˋwine-~*, πιεστήριο κρασιοῦ. *a hydraulic ~*, ὑδραυλικό πιεστήριο. **3**. (**ˋprinting-**)**~**, τυπογραφικό πιεστήριο. *send/go to the ~*, στέλνω/ πάω γιά τύπωμα. *be in the ~*, τυπώνομαι. *correct the ~*, κάνω τυπογραφικές διορθώσεις. **4**. **the ~**, τύπος, ἐφημερίδες, περιοδικά: *the liberty/freedom of the ~*, ἡ ἐλευθερία τοῦ τύπου. *a ~ campaign against sb*, ἐκστρατεία διά τοῦ τύπου ἐναντίον κάποιου. *the yellow/popular ~*, ὁ κίτρινος/λαϊκός τύπος. **have a good ~**, (*γιά βιβλίο, κλπ*) σχολιάζομαι εὐνοϊκά ἀπό τόν τύπο. **ˋ~-agent**, διαφημιστικός πράκτωρ (ἠθοποιοῦ, κλπ). **ˋ~-box**, χῶρος (σέ γήπεδο, κλπ) γιά τούς δημοσιογράφους. **ˋ~ conference**, διάσκεψις/συνέντευξις τύπου. **ˋ~-cutting/-clipping**, ἀπόκομμα ἐφημερίδος. **ˋ~-gallery**, θεωρεῖον δημοσιογράφων (στή Βουλή). **ˋ~-lord**, πανίσχυρος ἰδιοκτήτης ἐφημερίδων. **ˋ~-photographer**, φωτορεπόρτερ. **5**. πλῆθος, συνωστισμός: *lost in the ~*, χαμένος μέσα στό πλῆθος. *fight one's way through the ~*, ἀνοίγω δρόμο μέ δυσκολία μέσα ἀπό τό πλῆθος/τό συνωστισμό. **6**. πίεσις, φόρτος, πυρετός: *the ~ of business*, ἡ πίεσις/ὁ φόρτος τῆς δουλειᾶς. *the ~ of modern life*, ὁ πυρετός τῆς σύγχρονης ζωῆς. **7**. ντουλάπι (συνήθ. σέ τοῖχο): *ˋkitchen-~*, ντουλάπι τῆς κουζίνας. *ˋlinen-~*, ντουλάπι γιά τά ἀσπρόρουχα. **8**. **carry a ~ of sail**, (*ναυτ.*) σηκώνω ὅλα τά πανιά.

[2]**press** /pres/ *ρ.μ/ἀ.* **1**. πιέζω, πατῶ: *~ the trigger*, πιέζω τή σκανδάλη. *~ the accelerator pedal*, πατῶ τό πεντάλ τοῦ γκαζιοῦ. *~ a button*, πατῶ ἕνα κουμπί. **2**. πιέζω, στίβω: *~ grapes*, στίβω σταφύλια. *~ juice out of an orange*, στίβω τό χυμό ἑνός πορτοκαλιοῦ. *~ed beef*, πεπιεσμένο βωδινό. **3**. σιδερώνω: *~ a suit/skirt*, σιδερώνω ἕνα κοστούμι/μιά φούστα. **4**. πιέζω, σφίγγω: *~ sb's hand*, σφίγγω τό χέρι κάποιου. *He ~ed her in his arms/to his side*, τήν ἔσφιξε στήν ἀγκαλιά του/πλάϊ του. **5**. πιέζω, σπρώχνω, συνωστίζομαι: *The crowds ~ed against the barriers*, τά πλήθη ἔσπρωχναν (συνωστίζονταν) στό κιγκλίδωμα. *They ~ed round the pop singers*, συνωστίζονταν γύρω ἀπό τούς λαϊκούς τραγουδιστές. **6**. πιέζω, διεξάγω (ἐπίθεση, κλπ) μέ ἔνταση καί ἐπιμονή: *~ the enemy hard*, πιέζω τόν ἐχθρό σκληρά. *We are hard ~ed*, πιεζόμεθα σκληρά, ὑφιστάμεθα ἔντονη πίεση. *~ a comparison too far*, παρατραβάω μιά σύγκριση. **~ one's advantage**, ἐκμεταλλεύομαι ἕνα πλεονέκτημα. **~ (home) an attack**, συνεχίζω μιά ἐπίθεση μέ ἀμείωτη ἔνταση. **~ a point home**, ἀναγκάζω ἄλλους νά παραδεχθοῦν μιά ἄποψη. **7**. πιέζω, ἐπείγω: *The matter is ~ing*, τό θέμα ἐπείγει. **Time ~es**, ὁ χρόνος (μᾶς) πιέζει. **8**. **~ sb to do sth**, πιέζω κπ νά κάμη κτ: *I ~ed him to pay his debts*, τόν πίεσα νά πληρώση τά χρέη του. *He didn't need much ~ing*, δέν χρειάστηκε πολύ πίεση. **~ (sb) for sth**, ἀσκῶ πίεση γιά κτ, ἀξιῶ κτ: *I ~ed for an answer*, ἀξίωσα νά δοθῇ ἀπάντησις. *They are ~ing the*

Government for an inquiry into the question, ἀσκοῦν πίεση στήν Κυβέρνηση νά γίνη ἔρευνα ἐπί τοῦ θέματος. ***be ~ed for***, πιέζομαι γιά, δέν ἔχω ἀρκετό: *I'm ~ed for time/money*, δέν ἔχω ἀρκετό χρόνο/χρῆμα. ***~ on (forward) (with sth)***, συνεχίζω βιαστικά, ἐπισπεύδω: *~ on with one's work*, ἐπισπεύδω τή δουλειά μου. *It was getting dark, so we ~ed on (forward)*, ἄρχισε νά σκοτεινιάζη, γι' αὐτό ἐπιταχύναμε τό βῆμα μας. ***~ sth (up)on sb***, πιέζω κπ νά δεχθῆ κτ, τοῦ ἐπιβάλλω κτ: *He ~ed the money on me*, μέ πίεσε νά δεχθῶ τά χρήματα. *Don't ~ your opinion (up)on her*, μήν προσπαθῆς νά τῆς ἐπιβάλης τίς γνῶμες σου. ***~ (down) (up)on sb***, βαρύνω, συνθλίβω, συντρίβω: *The new taxes ~ed down heavily on the people*, οἱ νέοι φόροι συνέθλιψαν τό λαό. *His responsibilities ~ heavily upon him*, οἱ εὐθύνες του τοῦ εἶναι φοβερό βάρος (τόν συντρίβουν). **~ing** *οὐσ.* ‹C› ἀντίτυπο (δίσκου). —*ἐπ.* ἐπείγων, πιεστικός: *~ing business*, ἐπείγουσα ἐργασία. *~ing demands/invitations*, πιεστικές ἀξιώσεις/προσκλήσεις. **~·ing·ly** *ἐπίρ.*

[3]**press** /pres/ *ρ.μ.* **1**. ἐπιστρατεύω βιαίως. **`~-gang**, ἀπόσπασμα βιαίας στρατολογίας. **2**. ***press (sth) into service***, ἐπιτάσσω: *Even carts were ~ed into service*, εἶχαν ἐπιταχθῆ ἀκόμα καί τά κάρρα.

press·ure /`preʃə(r)/ *οὐσ.* ‹C,U› **1**. πίεσις (φυσική): *atmospheric ~*, ἀτμοσφαιρική πίεσις. *Is the tyre ~ right?* εἶναι σωστή ἡ πίεσις στά λάστιχα; **`blood-~**, ἀρτηριακή πίεσις. **`~-cooker**, χύτρα ταχύτητος. **`~-gauge**, μανόμετρο. **2**. πίεσις, φόρτος, βάρος: *the ~ of poverty/necessity*, ἡ πίεσις τῆς φτώχειας/τῆς ἀνάγκης. *the ~ of work*, ὁ φόρτος ἐργασίας. *the ~ of taxation*, ἡ πίεσις/τό βάρος τῆς φορολογίας. ***(at) high ~***, δραστήρια, δραστήριος: *work at high ~*, δουλεύω δραστήρια. *a 'high-~ `salesman*, ἕνας δραστήριος πλασιέ. ***be/come under ~***, ὑφίσταμαι πίεση, πιέζομαι: *He's under strong ~ to resign*, ὑφίσταται ἔντονη πίεση νά παραιτηθῆ. ***bring ~ to bear on sb***, ἀσκῶ πίεση/τήν ἐπιρροή μου σέ κπ. ***put ~ on sb; put sb under ~***, πιέζω κπ: *They are putting strong ~ on him to resign*, τόν πιέζουν πολύ νά παραιτηθῆ. **`~ group**, ὁμάδα πιέσεως (ἰδ. στή Βουλή).

press·ur·ized /`preʃəraizd/ *ἐπ.* (*γιά ἀεροπλάνο, ὑποβρύχιο, κλπ*) μέ σταθερή ἀτμοσφαιρική πίεση στό ἐσωτερικό.

pres·tige /pre`stiʒ/ *οὐσ.* ‹U› γόητρο, κῦρος: *It's a matter of ~*, εἶναι θέμα γοήτρου. *That would mean loss of ~*, αὐτό θά σήμαινε ἀπώλεια γοήτρου. **pres·tig·ious** /pre`stidʒəs/ *ἐπ.* περίβλεπτος, προσδίδων γόητρο: *a prestigious post/distinction*, περίβλεπτος θέσις/διάκρισις.

presto /`prestəʊ/ *ἐπίρ.* & *ἐπ.* (*'Ιταλ., μουσ.*) γρήγορα. **pres·tis·simo** /pre`stisiməʊ/ *ἐπίρ.* & *ἐπ.* πολύ γρήγορα.

pre·sum·able /prɪ`zjuməbl/ *ἐπ.* ὑποτιθέμενος, πιθανός. **pre·sum·ably** /-əblɪ/ *ἐπίρ.* πιθανῶς, ἴσως, ἐνδεχομένως.

pre·sume /prɪ`zjum/ *ρ.μ/ἀ.* **1**. παίρνω ὡς δεδομένον, θεωρῶ, (προ)ϋποθέτω: *An accused man is ~d innocent until he is found guilty*, ὁ κατηγορούμενος θεωρεῖται ἀθῶος μέχρι ἀποδείξεως τῆς ἐνοχῆς του. *Let us ~ that...*, ἄς ὑποθέσωμε (ἄς πάρωμε σά δεδομένο) ὅτι... **2**. ἀποτολμῶ, παίρνω τό θάρρος: *I would never ~ to ask him such a question*, ποτέ δέν θά τολμοῦσα νά τοῦ κάνω τέτοια ἐρώτηση. *May I ~ to advise you?* μοῦ ἐπιτρέπετε (μπορῶ νά πάρω τό θάρρος) νά σᾶς συμβουλεύσω; **3**. ***~ upon sth***, (*λόγ.*) ἐκμεταλλεύομαι, καταχρῶμαι: *~ upon sb's good nature*, καταχρῶμαι τῆς καλωσύνης κάποιου. **pre·sum·ing** *ἐπ.* θρασύς, ἀδιάκριτος.

pre·sump·tion /prɪ`zʌmpʃn/ *οὐσ.* **1**. ‹C› ὑπόθεσις, τεκμήριον, ἔνδειξις: *on the ~ that...*, μέ βάση τήν ὑπόθεση ὅτι... *There is a strong ~ that...*, ὑπάρχουν ἰσχυρές ἐνδείξεις ὅτι... ***~ of law***, (*νομ.*) νόμιμον τεκμήριον. **2**. ‹U› τόλμη, ἔπαρσις: *If you will excuse my ~, I'd like to...*, ἄν μοῦ συγχωρήσετε τήν τόλμη, θάθελα νά...

pre·sump·tive /prɪ`zʌmptɪv/ *ἐπ.* ὑποθετικός, πιθανός: *~ evidence*, (*νομ.*) ἀπόδειξις κατά συμπερασμόν, τεκμήριον. *the ~ heir; the heir ~*, ὁ ἐπίδοξος κληρονόμος/διάδοχος. **~·ly** *ἐπίρ.*

pre·sump·tu·ous /prɪ`zʌmptʃʊəs/ *ἐπ.* (*λόγ.*) ἀλαζονικός, προπετής, αὐθάδης. **~·ly** *ἐπίρ.* ἀλαζονικά.

pre·sup·pose /'prisə`pəʊz/ *ρ.μ.* προϋποθέτω: *Success in the exams ~s hard work*, ἡ ἐπιτυχία στίς ἐξετάσεις προϋποθέτει σκληρή δουλειά. **pre·sup·po·si·tion** /'pri'sʌpə`zɪʃn/ *οὐσ.* ‹C,U› προϋπόθεσις.

pre·tence /prɪ`tens/ *οὐσ.* ‹C,U› **1**. πρόσχημα, προσποίησις, πρόφασις: *It's all ~*, εἶναι ὅλα προσποίησις/ὑποκρισία. *on the slightest ~*, μέ τήν παραμικρή πρόφαση. ***under the ~ of***, ὑπό τό πρόσχημα: *under the ~ of friendship/patriotism*, ὑπό τό πρόσχημα τῆς φιλίας/τοῦ πατριωτισμοῦ. ***false ~s***, (*νομ.*) ψευδής παράστασις (γεγονότων), ἐξαπάτησις: *obtain money by/on/under false ~s*, λαμβάνω χρήματα δι' ἀπάτης. **2**. ἀξίωσις, ἐπίδειξις: *He makes no ~ to wit/to understanding modern art*, δέν ἰσχυρίζεται ὅτι εἶναι ἔξυπνος/ὅτι καταλαβαίνει τήν μοντέρνα τέχνη. *He's a man without ~*, εἶναι σεμνός ἄνθρωπος (χωρίς ἀξιώσεις/χωρίς ἐπίδειξη).

pre·tend /prɪ`tend/ *ρ.μ/ἀ.* **1**. παριστάνω, κάνω πώς: *He ~ed to be asleep*, παρίστανε τόν κοιμισμένο. *Let's ~ that we are pirates*, ἄς κάνωμε ὅτι εἴμαστε πειρατές. *He ~ed not to see me*, ἔκανε πώς δέν μέ εἶδε. **2**. προσποιοῦμαι: *~ sickness/ignorance*, προσποιοῦμαι τόν ἄρρωστο/ἄγνοια. *Stop ~ing!* πᾶψε τούς θεατρινισμούς! **3**. ***~ to***, ἰσχυρίζομαι, διεκδικῶ, ἐγείρω (ἀβάσιμες) ἀξιώσεις εἰς: *I can't ~ to an exact knowledge of what happened*, δέν μπορῶ νά ἰσχυρισθῶ ὅτι ξέρω ἀκριβῶς τί συνέβη. *Surely she doesn't ~ to intelligence!* δέν φαντάζομαι νά πιστεύη ὅτι εἶναι ἔξυπνη! *The young man ~ed to the throne*, ὁ νεαρός ἤγειρε ἀξιώσεις ἐπί τοῦ θρόνου. **~·ed·ly** *ἐπίρ.* **~er** *οὐσ.* ‹C› διεκδικητής, μνηστήρ (θρόνου).

pre·ten·sion /prɪ`tenʃn/ *οὐσ.* ‹C,U› ἀξίωσις, βλέψις, φιλοδοξία: *He has no ~s to be considered an expert*, δέν ἔχει ἀξιώσεις νά θεωρεῖται εἰδικός. *She has some social ~s*, ἔχει κοινωνικές φιλοδοξίες/ βλέψεις. ***make ~s to***, ἰσχυρίζομαι (ἀβασίμως) ὅτι ἔχω: *I make no ~s to expert knowledge*, δέν ἰσχυρίζομαι ὅτι ἔχω εἰδικές γνώσεις.

pre·ten·tious /prɪˋtenʃəs/ *ἐπ.* ξιππασμένος, κοῦφος (πού παριστάνει τόν σπουδαῖο), ἐξεζητημένος: *a ~ artist*, ξιππασμένος καλλιτέχνης. *a ~ book*, βιβλίο μέ ὑπερβολικές (ἀλλά ἀβάσιμες) ἀξιώσεις. *a ~ speech*, κοῦφος λόγος. *use ~ language*, χρησιμοποιῶ ἐξεζητημένη γλῶσσα. **~·ly** *ἐπίρ.* **~·ness** *οὐσ.* ‹U› οἴησις, κουφότης, ἐκζήτησις.

pret·er·ite (*καί* **-erit**) /ˋpretərɪt/ *ἐπ.* (*γραμμ.*) παρωχημένος (χρόνος).

pre·ter·natu·ral /ˈpritəˋnætʃərl/ *ἐπ.* ὑπερφυσικός. **~·ly** *ἐπίρ.*

pre·text /ˋpritekst/ *οὐσ.* ‹C› πρόφασις: *on/ under the ~ of consulting me*, μέ τήν πρόφαση ὅτι θά μέ συμβουλευθῆ. *find a ~ for refusing*, βρίσκω μιά πρόφαση γιά ν' ἀρνηθῶ.

pret·tify /ˋprɪtɪfaɪ/ *ρ.μ.* ὡραιοποιῶ, ἐξωραΐζω (*ἰδ.* ἄνοστα).

pretty /ˋprɪtɪ/ *ἐπ.* (*-ier, -iest*) **1**. χαριτωμένος: *a ~ girl/garden*, χαριτωμένο κορίτσι/-ος κῆπος. **2**. (*εἰρων.*) ὡραῖος: *A ~ mess you've made of it!* ὡραῖα τά κατάφερες! (τἄκαμες θάλασσα!) *You're a ~ sort of fellow!* ὡραῖος τύπος εἶσαι ἐσύ! **3**. σημαντικός: *It will cost you a ~ penny*, θά σοῦ κοστίση ἕνα σωρό χρήματα. (*βλ.* & *λ.* [1]*fish, penny*). —*ἐπίρ.* ἀρκετά: *~ good/expensive*, ἀρκετά καλός/ ἀκριβός. ***~ much***, περίπου: *The result of the ballot is ~ much what we expected*, τό ἀποτέλεσμα τῆς ψηφοφορίας εἶναι περίπου ὅ,τι περιμέναμε. ***~ nearly/well***, σχεδόν: *The car is new, or ~ nearly so*, τό αὐτοκίνητο εἶναι καινούργιο, ἤ σχεδόν καινούργιο. *We've ~ well finished*, σχεδόν τελειώσαμε. ***sitting ~***, (*καθομ.*) εὐκατάστατος, μέ καλές προοπτικές. —*οὐσ.* ‹C› ὀμορφούλης (*ἰδ.* γιά παιδιά): *Come here, my ~*, ἔλα δῶ, ὀμορφούλη μου. **pret·tily** /ˋprɪtəlɪ/ *ἐπίρ.* χαριτωμένα. **pret·ti·ness** *οὐσ.* ‹U› χάρις.

pre·vail /prɪˋveɪl/ *ρ.ἀ.* **1**. ***~ (over/against)***, ὑπερισχύω, (ὑπερ)νικῶ: *Truth will ~*, ἡ ἀλήθεια θά ὑπερισχύση. *~ over one's enemies*, νικῶ τούς ἐχθρούς μου. **2**. ἐπικρατῶ, κυριαρχῶ: *the conditions ~ing in Greece*, οἱ συνθῆκες πού ἐπικρατοῦν στήν Ἑλλάδα. **3**. ***~ (up)on sb to do sth***, πείθω κπ νά κάμη κτ, καταφέρνω: *He ~ed upon me to lend him £10*, μέ ἔπεισε/μέ κατάφερε νά τοῦ δανείσω 10 λίρες. **~·ing** *ἐπ.* ἐπικρατῶν: *the ~ing winds*, οἱ ἐπικρατοῦντες ἄνεμοι.

preva·lent /ˋprevələnt/ *ἐπ.* (*λόγ.*) ἐπικρατῶν, κυριαρχῶν: *the ~ fashions*, ἡ ἐπικρατοῦσα μόδα. *The ~ impression is that...*, ἡ κυριαρχοῦσα ἐντύπωσις εἶναι ὅτι... ***be ~***, κυριαρχῶ, δεσπόζω, εἶμαι διαδεδομένος. **preva·lence** /-əns/ *οὐσ.* ‹U› ἐπικράτησις, γενίκευσις: *the prevalence of bribery among them*, ἡ ἐπικράτησις/ἡ γενίκευσις τῆς διαφθορᾶς μεταξύ τους.

pre·vari·cate /prɪˋværɪkeɪt/ *ρ.ἀ.* (*λόγ.*) ὑπεκφεύγω, παραποιῶ (τήν ἀλήθεια), ἀνακριβολογῶ (σκοπίμως). **pre·vari·ca·tion** /prɪˈværɪˋkeɪʃn/ *οὐσ.* ‹C,U› ὑπεκφυγή, σοφιστεία, ἀνακρίβεια.

pre·vent /prɪˋvent/ *ρ.μ.* ***~ sth (from)***, ἐμποδίζω, ἀποτρέπω, προλαμβάνω: *He ~ed the water from flooding the house*, ἐμπόδισε τό νερό νά πλημμυρίση τό σπίτι. *~ a serious accident*, ἀποτρέπω/προλαμβάνω ἕνα σοβαρό ἀτύχημα. ***~ sb from doing sth***, ἐμποδίζω κπ νά κάμη κτ: *What ~ed you from coming?* τί σέ ἐμπόδισε νά ἔλθης; **~·able** /-əbl/ *ἐπ.* πού μπορεῖ νά προληφθῆ, ἀποτρέψιμος.

pre·ven·tion /prɪˋvenʃn/ *οὐσ.* ‹U› πρόληψις: *The Society for the P~ of Cruelty to Animals*, ἡ Ἑταιρία Προστασίας Ζώων. ***P~ is better than cure***, (*παροιμ.*) κάλλιο γαϊδουρόδενε παρά γαϊδουρογύρευε.

pre·ven·tive /prɪˋventɪv/ *ἐπ.* προληπτικός: *~ measures*, προληπτικά μέτρα. **~ custody/ detention**, προληπτική φυλάκισις/κράτησις. **~ medicine**, προληπτικό φάρμακο, προληπτική ἰατρική. **~ officer**, ὑπάλληλος διώξεως λαθρεμπορίου. **pre·vent·ative** /prɪˋventətɪv/ *οὐσ.* ‹C› προληπτικό φάρμακο.

pre·view /ˋprivju/ *οὐσ.* ‹C› ἀβάν πρεμιέρα. —*ρ.μ.* δίνω ἀβάν πρεμιέρα.

pre·vi·ous /ˋprivɪəs/ *ἐπ.* **1**. προηγούμενος, προγενέστερος: *~ convictions*, προηγούμενες/ προγενέστερες καταδίκες. *on a ~ occasion*, σέ προηγούμενη περίπτωση, παληότερα. **2**. βιαστικός: *Aren't you rather ~ in supposing that I'll marry you?* δέν εἶσαι λίγο βιαστικός νά πιστεύῃς ὅτι θά σέ παντρευτῶ; **3**. ***~ to***, πρίν: *~ to the meeting*, πρίν ἀπό τή συνάντηση. *P~ to coming here, I lived in Paris*, πρίν ἔλθω ἐδῶ, ζοῦσα στό Παρίσι. **~·ly** *ἐπίρ.* προηγουμένως.

pre·vi·sion /ˈpriˋvɪʒn/ *οὐσ.* ‹C,U› πρόβλεψις: *have a ~ of danger*, προβλέπω κίνδυνο.

prey /preɪ/ *οὐσ.* (*μόνον ἑν.*) βορά, θῦμα, λεία: *The eagle was devouring its ~*, ὁ ἀετός κατεβρόχθιζε τή λεία του. **ˈbeast/ˈbird of ˋ~**, σαρκοβόρο ζῶο/ἁρπακτικό ὄρνεο ***fall a ~ to***, πέφτω θῦμα εἰς: *The zebra fell a ~ to the lion*, ἡ ζέβρα ἔπεσε θῦμα τοῦ λιονταριοῦ. ***be a ~ to***, (*μεταφ.*) βασανίζομαι: *He's a ~ to fear and anxiety*, βασανίζεται ἀπό τό φόβο καί τήν ἀγωνία. —*ρ.ἀ.* ***~ (up)on***, **1**. κυνηγῶ: *Hawks ~ on small birds*, τά γεράκια κυνηγᾶνε τά μικρά πουλιά. **2**. λυμαίνομαι: *Pirates ~ed upon our coasts*, οἱ πειρατές ἐλυμαίνοντο τίς ἀκτές μας. **3**. βασανίζω: *This fear ~ed upon my mind*, αὐτός ὁ φόβος βασάνιζε τό νοῦ μου.

price /praɪs/ *οὐσ.* ‹C,U› τιμή: *P~s are going up/down (are rising/falling)*, οἱ τιμές ἀνεβαίνουν/πέφτουν. *sell sth at a good/high ~*, πουλῶ κτ σέ καλή/μεγάλη τιμή. *at a reduced ~*, σέ μειωμένη τιμή. *fixed ~s*, τιμές φίξ, ὡρισμένες τιμές. ***at a ~***, ἀρκετά ἀκριβά: *You can have it, at a ~*, μπορεῖς νά τό ἀποκτήσης, ἄν πληρώσης καλά! ***Name your ~!*** πές πόσα θέλεις! ***Every man has his ~***, ὅλοι οἱ ἄνθρωποι ἀγοράζονται. ***put a ~ on sb's head***, ἐπικηρύσσω κπ (προσφέρω ἀμοιβή γιά τή σύλληψη ἤ τό σκότωμά του). ***the ˋasking ~***, τιμή ἐνάρξεως πλειστηριασμοῦ. ***beyond/above/without ~***, ἀνεκτίμητος. ***What ~...?*** (*λαϊκ.*) (*α*) τί πιθανότητα ὑπάρχει...; (*β*) (*χλευαστικά*) τί ἀξίζει, τί λές τώρα γιά...; *What ~ fame?* τί λές τώρα γιά τή φήμη σου (*δηλ.* τί καλό σοῦ κάνει); **`~-control**, ἔλεγχος τιμῶν. **`~-list**, τιμοκατάλογος. **`list-~**, τιμή καταλόγου. —*ρ.μ.* **1**. τιμολογῶ, διατιμῶ: *The book is ~d at 70p*, τό βιβλίο τιμᾶται 70 πέννες. **2**. τιμῶ, ἐκτιμῶ: *~ sth high/low*, ἐκτιμῶ κτ πολύ/λίγο. ***~ oneself/one's goods out of the market***, βάζω τόσο ψηλές τιμές ὥστε νά μή βρίσκω πελάτες/νά μή μπορῶ νά πουλήσω τά εἴδη μου. **pricey** /`praɪsɪ/ *ἐπ.* (*λαϊκ.*) ἀκριβός. **~·less** *ἐπ.* *(α)* ἀνεκτίμητος. *(β)* (*λαϊκ.*) ἀμίμητος: *a ~less joke*, ἀμίμητο ἀστεῖο.

[1]**prick** /prɪk/ *οὐσ.* ‹C› **1**. μικρό τρύπημα: *~s made by a needle*, τρυπήματα ἀπό βελόνι. **2**. τσίμπημα, κέντρισμα: *I can still feel the ~*, αἰσθάνομαι ἀκόμα τό τσίμπημα. *the ~s of conscience/remorse*, τά κεντρίσματα τῆς συνειδήσεως/τῶν τύψεων. **3**. (*ἀπηρχ.*) βουκέντρα. ***kick against the ~s***, (*μεταφ.*) λακτίζω πρός κέντρα.

[2]**prick** /prɪk/ *ρ.μ/ά.* **1**. τρυπῶ: *~ a balloon/blister*, τρυπῶ ἕνα μπαλλόνι/μιά φουσκάλα. *~ holes in paper*, ἀνοίγω τρύπες σέ χαρτί. **2**. κεντῶ, τσιμπῶ, πονῶ: *~ one's finger with/on a needle*, τρυπῶ τό δάχτυλό μου μέ μιά βελόνα. *My fingers ~*, τά δάχτυλά μου πονᾶνε/μέ σουβλίζουν. *His conscience ~ed him*, (*μεταφ.*) ἡ συνείδησίς του τόν ἔτυπτε. **3**. ***~ out/off***, μεταφυτεύω (φυτώριο). ***~ up one's ears***, σηκώνω τ' αὐτιά, (*μεταφ.*) τεντώνω τ' αὐτιά (ν' ἀκούσω). **`~er** *οὐσ.* ‹C› κεντρί, ἀγκάθι. **`~·ing** *οὐσ.* ‹C,U› τσίμπημα, κέντρισμα.

prickle /`prɪkl/ *οὐσ.* ‹C› ἀγκάθι (φυτοῦ, ζώου). —*ρ.μ/ά.* μυρμηκιῶ, ἔχω/προκαλῶ φαγούρα.

prick·ly /`prɪklɪ/ *ἐπ.* **1**. ἀγκαθωτός, ἀκανθώδης: *a ~ question*, ἀκανθῶδες ζήτημα. **`~ heat**, τροπικός λειχήνας, τροπική κνίδωσις. **`~ pear**, φραγκόσυκο, φραγκοσυκιά. **2**. (*καθομ.*) δύσκολος, εὐερέθιστος: *You're a bit ~ today*, πολύ δύσκολος εἶσαι σήμερα.

pride /praɪd/ *οὐσ.* **1**. ‹U› περηφάνεια: *look with ~ at one's garden*, κοιτάζω μέ περηφάνεια τόν κῆπο μου. ***take ~ in sth***, ὑπερηφανεύομαι γιά κτ: *I take (a) great ~/take no ~ in my success*, ὑπερηφανεύομαι πολύ/δέν ὑπερηφανεύομαι καθόλου γιά τήν ἐπιτυχία μου. **2**. ‹U› ἐγωϊσμός, φιλότιμο: *He has no ~*, δέν ἔχει φιλότιμο. *wound sb's ~*, πληγώνω τόν ἐγωϊσμό κάποιου. **false ~**, ματαιοδοξία. **proper ~**, φιλοτιμία. **3**. ‹U› ἀλαζονία, ἔπαρσις, ὑπεροψία: *the sin of ~*, τό ἁμάρτημα τῆς ὑπεροψίας. *He's puffed up with ~*, εἶναι φουσκωμένος ἀπό ἔπαρση. ***P~ goes before a fall***, (*παροιμ.*) ὁ ὑψῶν ἑαυτόν ταπεινωθήσεται. **4**. ‹U› καμάρι: *She's her mother's ~ and joy*, εἶναι τό καμάρι κι' ἡ χαρά τῆς μητέρας της. **5**. (*ἑν. μέ the*) ἀκμή, ἄνθος: *in the full ~ of youth*, στό ἄνθος τῆς νιότης του. **6**. ‹C› **a ~ of lions/peacocks**, ἕνα κοπάδι λιοντάρια/παγώνια. —*ρ.μ.* ***~ oneself (up)on sth***, ὑπερηφανεύομαι/καμαρώνω γιά κτ: *Vicky ~s herself upon her skill as a pianist*, ἡ Βίκυ ὑπερηφανεύεται γιά τήν ἱκανότητά της σάν πιανίστρια.

priest /prist/ *οὐσ.* ‹C› ἱερεύς, παπᾶς. **~·ess** /pri`stes/ *οὐσ.* ‹C› ἱέρεια. **`~·craft**, παπαδοκρατία, παπαδίστικη πολιτική. **`~·hood** /-hʊd/, ἱερωσύνη, κλῆρος, ἱερατεῖον. **`~-ridden** *ἐπ.* παπαδοκρατούμενος. **`~·ly**, **`~-like** *ἐπ.* ἱερατικός, παπαδίστικος.

prig /prɪg/ *οὐσ.* ‹C› ἠθικολόγος, πουριτανός, σεμνότυφος. **~·gish** /-ɪʃ/ *ἐπ.* πουριτανικός, ἠθικολόγος, σεμνότυφος. **~·gish·ly** *ἐπίρ.* **~·gish·ness**, πουριτανισμός, ἠθικολογία, σεμνοτυφία.

prim /prɪm/ *ἐπ.* *(-mer, -mest)* παστρικός, περιποιημένος, ἀκριβής, σχολαστικός, τυπικός, ἐπιτηδευμένος: *a ~ garden*, προσεγμένος, περιποιημένος κῆπος. *a ~ old gentleman*, αὐστηρά τυπικός γεροντᾶκος. **~-ly** *ἐπίρ.* τυπικά, ἐπιτηδευμένα, προσεχτικά. **~·ness** *οὐσ.* ‹U› εὐπρέπεια, πάστρα, σχολαστικότης.

pri·macy /`praɪməsɪ/ *οὐσ.* ‹C,U› **1**. πρωτοκαθεδρία, πρωτεῖα. **2**. ἀρχιερατεία.

prima facie /ˈpraɪmə `feɪʃɪ/ *ἐπ.* & *ἐπίρ.* (*Λατ.*) (*νομ.*) ἐκ πρώτης ὄψεως.

pri·mal /`praɪml/ *ἐπ.* (*λόγ.*) ἀρχικός, πρωτογενής, πρωτεύων, κύριος.

pri·mar·ily /`praɪmrlɪ/ *ἐπίρ.* βασικά, πρωταρχικά.

pri·mary /`praɪmərɪ/ *ἐπ.* πρωταρχικός, βασικός: *of ~ importance*, πρωταρχικῆς σημασίας. *the ~ meaning of a word*, ἡ βασική ἔννοια μιᾶς λέξεως. **~ colours**, βασικά χρώματα. **~ education**, βασική ἐκπαίδευσις. **`~ school**, δημοτικό σχολεῖο. —*οὐσ.* ‹C› (*ΗΠΑ*) προκριματική ἐκλογή (πρός ὑπόδειξιν ὑποψηφίων).

[1]**pri·mate** /`praɪmeɪt/ *οὐσ.* ‹C› πριμᾶτος, ἀρχιεπίσκοπος.

[2]**pri·mate** /`praɪmeɪt/ *οὐσ.* ‹C› (*ζωολ.*) πρωτεῦον θηλαστικόν (*δηλ.* ἄνθρωπος καί πίθηκος).

[1]**prime** /praɪm/ *ἐπ.* **1**. πρώτιστος, κύριος: *his ~ motive*, τό κύριο κίνητρό του. *the ~ cause*, ἡ πρώτη αἰτία. **P~ Minister**, ὁ Πρωθυπουργός. **2**. ἐξαίρετος, θαυμάσιος, ἐκλεκτός: *~ beef*, ἐκλεκτό βωδινό. *~ wool*, μαλλί πρώτης ποιότητος. **3**. πρῶτος, ἀρχικός, πρωταρχικός: **~ cost**, ἀρχικόν κόστος. **~ mover**, κινητήρια δύναμις. **~ number**, (*μαθ.*) πρῶτος ἀριθμός.

[2]**prime** /praɪm/ *οὐσ.* ‹U› **1**. ἀκμή, τελειότης: *in the ~ of youth*, στήν ἀκμή τῆς νεότητος. *a man in his ~*, ἄντρας στήν ἀκμή του. *the ~ of perfection*, τό ἀποκορύφωμα τῆς τελειότητος. *He's past his ~*, πέρασε ἡ ἀκμή του. **2**. ἀρχή: *the ~ of the year*, ἡ ἀρχή τοῦ ἔτους (ἡ ἄνοιξις). **3**. (*ἐκκλ.*) ἡ πρώτη ὥρα/λειτουργία (στίς 6 π.μ.).

[3]**prime** /praɪm/ *ρ.μ.* **1**. ἑτοιμάζω, γεμίζω (ὅπλο, ἀντλία, κλπ). ***~ the pump***, (*μεταφ.*) ρίχνω χρήματα στήν ἀγορά (μέ σκοπό τήν ἀναθέρμανση τῆς οἰκονομίας). **2**. δασκαλεύω, κατατοπίζω: *The witness has been ~d by the lawyer*, ὁ μάρτυρας ἦταν δασκαλεμένος ἀπό τό δικηγόρο. *The candidate was well ~d by the local party*, ὁ ὑποψήφιος ἦταν καλά κατατοπισμένος ἀπό τήν τοπική κομματική ὀργάνωση. **3**. (*καθομ.*) γεμίζω κπ (μέ φαΐ καί πιοτό): *well ~d with liquor*, χορτᾶτος ἀπό πιοτό. **4**. περνῶ τό πρῶτο χέρι μπογιᾶς ἤ λούστρου, ἀσταρώνω.

primer /`praɪmə(r)/ *οὐσ.* ‹C› **1**. ἀναγνωστικό, ἀλφαβητάρι, εἰσαγωγή (βιβλίο στοιχειωδῶν γνώσεων). **2**. γόμωσις (φυσιγγίου). **3**. ἀστάρι (τό πρῶτο στρῶμα χρώματος).

pri·meval (*καί* **-mae·val**) /praɪˋmivl/ *ἐπ.* ἀρχέγονος, πανάρχαιος: ~ *times*, πανάρχαια χρόνια.

prim·ing /ˋpraɪmɪŋ/ *οὐσ.* ‹U› **1**. γέμισις, γόμωσις (μέ μπαρούτι), θρυαλλίς. **2**. ἀστάρωμα (πρῶτο χέρι χρώματος).

primi·tive /ˋprɪmətɪv/ *ἐπ.* πρωτόγονος, ἀρχέγονος: ~ *man*, ὁ πρωτόγονος ἄνθρωπος. ~ *culture/weapons*, πρωτόγονος πολιτισμός/-α ὅπλα. —*οὐσ.* ‹C› ζωγράφος πριμιτίφ. **~·ly** *ἐπίρ.* ἀρχικά, πρωτόγονα. **~·ness** *οὐσ.* ‹U› πρωτογονισμός.

pri·mo·geni·ture /ˈpraɪməʊˋdʒenɪtʃə(r)/ *οὐσ.* ‹U› πρωτοτοκία: *rights of* ~, τά πρωτοτόκια.

pri·mor·dial /praɪˋmɔdɪəl/ *ἐπ.* ἀρχέγονος, ἀρχέτυπος.

primp /prɪmp/ *ρ.μ. βλ. prink.*

prim·rose /ˋprɪmrəʊz/ *οὐσ.* ‹C› (*φυτ.*) ἠράνθεμο, (*ἐπιθ.*) κιτρινωπός, ἀνοιχτό κίτρινο χρῶμα. ***the ~ way/path***, (*μεταφ.*) ζωή ἀπολαύσεων, ὁ εὔκολος δρόμος.

prim·ula /ˋprɪmjʊlə/ *οὐσ* ‹C› (*φυτ.*) πριμούλη, πασχαλούδα.

pri·mus /ˋpraɪməs/ *οὐσ.* ‹C› γκαζιέρα.

prince /prɪns/ *οὐσ.* ‹C› ἡγεμών, πρίγκηπας. **the ~ of darkness**, ὁ ἄρχων τοῦ σκότους, ὁ Σατανᾶς. **the P~ of Peace**, ὁ Ἰησοῦς. **P~ Consort**, Βασιλικός Σύζυγος. **Crown ~**, διάδοχος τοῦ θρόνου. **ˋ~·dom** /-dəm/ *οὐσ.* ‹C› πριγκηπᾶτον, πριγκηπικόν ἀξίωμα, ἡγεμονία. **ˋ~·ly** *ἐπ.* *(-ier, -iest)* πριγκηπικός, ἡγεμονικός: *a ~ly gift*, πριγκηπικό δῶρο.

prin·cess /prɪnˋses/ *οὐσ.* ‹C› πριγκήπισσα.

prin·ci·pal /ˋprɪnsəpl/ *ἐπ.* κύριος, κυριώτερος: *the ~ rivers of Europe*, τά κυριώτερα ποτάμια τῆς Εὐρώπης. **~ boy**, ὁ ρόλος ἥρωα στήν παντομίμα (παιζόμενος πάντα ἀπό γυναίκα). —*οὐσ.* ‹C› **1**. διευθυντής (κολλεγίου), προϊστάμενος (καταστήματος, κλπ). **2**. (*ἐμπ.*) ἐντολεύς. **3**. κύρια δοκός. **4**. (*νομ.*) δράστης, αὐτουργός. **5**. τοκοφόρο κεφάλαιο. **~ly** /-plɪ/ *ἐπίρ.* κυρίως, πρό παντός, ὡς ἐπί τό πλεῖστον.

prin·ci·pal·ity /ˈprɪnsəˋpælətɪ/ *οὐσ.* ‹C› πριγκηπᾶτον.

prin·ciple /ˋprɪnsəpl/ *οὐσ.* ‹C› ἀρχή: *the (first) ~s of geometry*, οἱ (πρῶτες) ἀρχές τῆς γεωμετρίας. *moral/guiding ~s*, ἠθικές/κατευθυντήριες ἀρχές. *These machines work on the same ~*, αὐτές οἱ μηχανές λειτουργοῦν μέ τήν ἴδια ἀρχή. *live up to one's ~s*, ζῶ σύμφωνα μέ τίς ἀρχές μου. *a man of high ~s*, ἄνθρωπος ἀρχῶν. ***in ~***, κατ᾽ ἀρχήν, γενικά: *In ~ we are in agreement*, στίς γενικές γραμμές συμφωνοῦμε. ***on ~***, ἀπό θέμα ἀρχῆς: *He refused on ~ to understate his income*, ἀρνήθηκε ἀπό θέμα ἀρχῆς νά δηλώση μειωμένο εἰσόδημα.

prin·cipled *ἐπ.* (*ὡς β! συνθ.*) μέ ἀρχές: *a high-/low-~d man*, ἄνθρωπος μέ καλές/κακές ἀρχές. *an unprincipled man*, ἄνθρωπος χωρίς ἀρχές.

prink /prɪŋk/ *ρ.μ.* (*πεπαλ.*) ***~ oneself up***, στολίζομαι, βάζω τά καλά μου.

[1]**print** /prɪnt/ *οὐσ.* **1**. ‹U› τυπογραφικά στοιχεῖα, τυπωμένη ὕλη: *large/small/clear ~*, μεγάλα/μικρά/καθαρά στοιχεῖα. ***in ~***, (*γιά βιβλίο*) τυπωμένο καί ἐν κυκλοφορίᾳ. ***out of ~***, (*γιά βιβλίο*) ἐξαντλημένο. ***rush into ~***, ἐκδίδω/δημοσιεύω βιαστικά. **2** ‹C› (*ἰδ. ὡς β! συνθ.*) ἀποτύπωμα: *ˋfinger-~s*, δακτυλικά ἀποτυπώματα. *ˋfoot-~s*, ἀποτυπώματα ποδιῶν, πατημασιές. **3**. ‹U› (*γιά ὕφασμα*) ἐμπριμέ: *a ~ dress*, φουστάνι ἐμπριμέ. **4**. ‹C› γκραβούρα, κόπια (φωτογραφίας): *old Japanese ~s*, παληές Γιαπωνέζικες γκραβοῦρες. **ˋ~-seller/-shop**, ἔμπορος/μαγαζί πού πουλάει γκραβοῦρες. (*βλ. & λ. blue*).

[2]**print** /prɪnt/ *ρ.μ/ἀ.* **1**. τυπώνω/-ομαι, ἐκτυπώνω (βιβλία, φωτογραφίες, φίλμ), ἀποτυπώνω: *How many copies will you ~/will you have ~ed?* πόσα ἀντίτυπα θά τυπώσης; *I'll have three copies ~ed (off) from this negative*, θά βγάλω τρεῖς φωτογραφίες ἀπ᾽ αὐτό τό ἀρνητικό. *The incidents ~ed themselves on my memory*, (*μεταφ.*) τά γεγονότα ἀποτυπώθηκαν στή μνήμη μου. **~ed matter/papers**, (*ὡς ἔνδειξις σέ φάκελλο*) ἔντυπα. **2**. τυπώνω/σταμπάρω (ὕφασμα): *~ed calico*, τσίτι ἐμπριμέ. **ˋ~·able** /-əbl/ *ἐπ.* δημοσιεύσιμος. **~er** *οὐσ.* ‹C› τυπογράφος. **ˋ~·ing** *οὐσ.* ‹C,U› ἐκτύπωσις. **ˋ~·ing-ink**, τυπογραφικό μελάνι. **ˋ~·ing-machine/-press**, τυπογραφικό πιεστήριο. **ˋ~ing office**, τυπογραφεῖο.

[1]**prior** /ˋpraɪə(r)/ *ἐπ.* ***~ (to)***, προγενέστερος, προηγούμενος: *I have a ~ claim to sth*, ἔχω προγενέστερη ἀξίωση σέ κτ. ***~ to*** *πρόθ.* πρίν ἀπό: *~ to any discussion of this matter*, πρίν ἀπό ὁποιαδήποτε συζήτηση αὐτοῦ τοῦ θέματος.

[2]**prior** /ˋpraɪə(r)/ *οὐσ.* ‹C› (*ἐκκλ.*) ἡγούμενος. **~ess** /ˋpraɪərəs/ *οὐσ.* ‹C› ἡγουμένη. **~y** /ˋpraɪərɪ/ *οὐσ.* ‹C› κοινόβιον, μονή.

pri·or·ity /praɪˋɒrətɪ/ *οὐσ.* ‹C,U› προτεραιότης: *according to ~*, κατά σειράν προτεραιότητος. *I have ~ over you in my claim*, ἔχω προτεραιότητα ἀπό σένα στήν ἀξίωσή μου. *Road-building is a first/top ~*, ἡ ὁδοποιΐα ἔχει ἀπόλυτη προτεραιότητα. ***give ~ to sth***, δίνω προτεραιότητα σέ κτ.

prise /praɪz/ *ρ.μ. βλ.* [3]*prize.*

prism /prɪzm/ *οὐσ.* ‹C› πρῖσμα. **~·atic** /prɪzˋmætɪk/ *ἐπ.* πρισματικός, (*γιά χρώματα*) λαμπερός, φαντασμαγορικός.

prison /ˋprɪzn/ *οὐσ.* ‹C,U› φυλακή: *escape/be released from ~*, δραπετεύω/ἀπολύομαι ἀπό τή φυλακή. ***go to/be in/send sb to ~***, πάω/εἶμαι/στέλνω κπ φυλακή. **ˋ~-breaker**, δραπέτης φυλακῶν. **ˋ~-breaking**, δραπέτευσις ἀπό τή φυλακή. **pris·oner** *οὐσ.* ‹C› φυλακισμένος, αἰχμάλωτος. ***be taken ~er***, πιάνομαι αἰχμάλωτος. **ˈ~er of ˋwar**, αἰχμάλωτος πολέμου.

pris·tine /ˋprɪstin/ *ἐπ.* (*λόγ.*) πρωτόγονος: *~ simplicity*, πρωτόγονη ἁπλότητα.

prithee /ˋprɪðɪ/ *ἐπιφ.* (*ἀρχ.*) (σέ) παρακαλῶ, σέ ἱκετεύω.

priv·acy /ˋprɪvəsɪ/ *οὐσ.* ‹U› **1**. μοναξιά, ἡσυχία, (ἑκουσία) μόνωσις: *disturb sb's ~*, ταράσσω τή μοναξιά/τήν ἡσυχία κάποιου. **2**. μυστικότης: *be married in strict ~*, παντρεύομαι σέ στενώτατο οἰκογενειακό κύκλο (μέ μεγάλη μυστικότητα).

pri·vate /ˋpraɪvɪt/ *ἐπ.* **1**. ἰδιαίτερος, ἰδιωτικός, ἀτομικός, προσωπικός (*ἀντίθ. public*): *a ~ entrance*, ἰδιαίτερη εἴσοδος. *a ~ arrangement*, ἰδιωτικός διακανονισμός. *for ~ reasons*, γιά προσωπικούς λόγους. ~ **account**, ἀτομικός λογαριασμός σέ Τράπεζα. ~ **enterprise**, ἰδιωτική ἐπιχείρησις. ~ **property**, ἀτομική ἰδιοκτησία. ~ **school**, ἰδιωτικό σχολεῖο. **2**. μυστικός, ἐμπιστευτικός: *I have ~ information*, ἔχω μυστικές πληροφορίες. ~ **parts**, κρυφά μέλη, γεννητικά ὄργανα. **3**. ἰδιωτικός, ἀνεπίσημος: *in one's ~ capacity*, ὡς ἰδιώτης (ὄχι ὑπό τήν ἐπίσημη ἰδιότητά μου). *one's ~ life*, ἡ ἰδιωτική μου ζωή. ***retire into ~ life***, ἀποσύρομαι στήν ἰδιωτική ζωή, ἰδιωτεύω. ~ **member (of the House)**, ἁπλός βουλευτής (*δηλ.* ὄχι μέλος τῆς κυβερνήσεως). ~ **(soldier)**, ἁπλός στρατιώτης (ὄχι βαθμοφόρος). *__οὐσ.* *(α)* ‹C› στρατιώτης. *(β)* ***in ~***, κατ' ἰδίαν. **~·ly** *ἐπίρ.* ἰδιαιτέρως.

pri·va·teer /ˈpraɪvɪˋtɪə(r)/ *οὐσ.* ‹C› *(παλαιότ.)* **1**. ἰδιωτικό ἐπιδρομικό σκάφος, ἐμπορικό-κουρσάρικο. **2**. κουρσάρος.

pri·va·tion /praɪˋveɪʃn/ *οὐσ.*‹C,U› *(λόγ.)* στέρησις, ἔλλειψις: *fall ill through ~*, ἀρρωσταίνω ἀπό τίς στερήσεις. *suffer many ~s*, ὑφίσταμαι πολλές στερήσεις.

privet /ˋprɪvɪt/ *οὐσ.* ‹U› *(φυτ.)* ἀγριομυρτιά, λιγοῦστρο.

pri·vi·lege /ˋprɪvəlɪdʒ/ *οὐσ.* **1**. ‹C› προνόμιο, δικαίωμα: *the ~s of birth*, τά προνόμια τῆς καταγωγῆς. *enjoy the ~ of doing sth*, ἔχω τό προνόμιο/τό δικαίωμα νά κάνω κτ. *It was a ~ to see her dancing*, ἦταν ἀπόλαυσις νά τήν βλέπης νά χορεύη. **2**. ‹C,U› ἀσυλία (βουλευτῶν, κλπ). **privi·leged** *ἐπ.* προνομιοῦχος: *the ~d classes/few*, οἱ προνομιοῦχες τάξεις/οἱ λίγοι προνομιοῦχοι. **the ˈunder-ˋ~d**, οἱ ἄποροι.

privy /ˋprɪvɪ/ *ἐπ.* *(ἀπηρχ. ἤ νομ.)* μυημένος, μυστικός, κρυφός. ***be ~ to sth***, τελῶ ἐν γνώσει, εἶμαι ἐνήμερος: *He's been ~ to the plot*, ἐτέλη ἐν γνώσει τῆς συνομωσίας. **the P~ Council**, Ἀνακτοβούλιον. **P~ Councillor/Counsellor**, ἀνακτοσύμβουλος, μυστικοσύμβουλος. **P~ Purse**, βασιλική χορηγία. **P~ Seal**, ἡ βασιλική σφραγίδα. **privily** *ἐπίρ.* μυστικά. *__οὐσ.* ‹C› *(πεπαλ.)* ἀπόπατος, ἀποχωρητήριο.

[1]**prize** /praɪz/ *οὐσ.* ‹C› **1**. βραβεῖον: *be awarded a ~ for good conduct*, παίρνω βραβεῖο καλῆς διαγωγῆς. *carry off most of the ~s at a flower show*, παίρνω τά περισσότερα βραβεῖα σέ μιά ἀνθοκομική ἔκθεση. *win first ~ on the pools/in a lottery*, κερδίζω τόν πρῶτο ἀριθμό στό προπό/λαχεῖο. *~ cattle*, βραβευμένα ζῶα. *a ~ scholarship*, ὑποτροφία διδομένη ὡς βραβεῖο. *ˈconsoˋlation ~*, βραβεῖο παρηγοριᾶς (ἐπιλαχόντος). *the ~s of life*, τά ἔπαθλα τῆς ζωῆς. **2**. **ˋ~-fight**, πυγμαχικός ἀγώνας μέ χρηματικό ἔπαθλο. **ˋ~-fighter**, ἐπαγγελματίας πυγμάχος. **ˋ~-ring**, πυγμαχικός στίβος ἐπαγγελματιῶν. **ˋ~-winner**, βραβευθείς. **ˋ~-winning** *ἐπ.* βραβευθείς. *__ρ.μ.* ἐκτιμῶ: *~ sth highly*, ἐκτιμῶ κτ πάρα πολύ. *my most ~d possession*, τό πολυτιμότερο πρᾶγμα πού ἔχω.

[2]**prize** /praɪz/ *οὐσ.* ‹C› λεία (*ἰδ.* πλοῖο ἤ τό φορτίο του). **ˋ~-money**, χρηματικό μερίδιο ἐκ τῆς λείας, χρηματικό βραβεῖο.

[3]**prize** /praɪz/ *ρ.μ.* (*καί* **prise**) ἀνοίγω μέ μοχλό ἤ διά τῆς βίας: *~ a box open*, ἀνοίγω μέ μοχλό ἕνα κουτί. *~ a lid off/up*, βγάζω/σηκώνω μέ μοχλό ἕνα καπάκι. *~ a horse's mouth open*, ἀνοίγω διά τῆς βίας τό στόμα ἀλόγου.

pro- /ˈprəʊ/ *πρόθεμα* **1**. ὑπέρ: *pro-German*, γερμανόφιλος. **2**. ἀντί: *pro-rector*, ἀντιπρύτανις.

[1]**pro** /prəʊ/ *οὐσ.* ‹C› *(πληθ. ~s)* *(βραχυλ. γιά professional)* ἐπαγγελματίας.

[2]**pro** /prəʊ/ *οὐσ.* ‹C› *(πληθ. ~s)* ὑπέρ. **the ~s and cons**, τά ὑπέρ καί τά κατά. *__ἐπίρ.* **~ and con**, ὑπέρ καί κατά.

prob·abil·ity /ˈprobəˋbɪlətɪ/ *οὐσ.* ‹C,U› πιθανότητα: *There is no ~ of his succeeding/that he'll succeed*, δέν ὑπάρχει πιθανότητα νά πετύχη. *What are the probabilities?* τί πιθανότητες ὑπάρχουν; ***in all ~***, κατά πᾶσαν πιθανότητα.

prob·able /ˋprobəbl/ *ἐπ.* πιθανός, ἀληθοφανής: *It's possible but not ~*, εἶναι δυνατό ἀλλά ὄχι πιθανό. *the ~ result*, τό πιθανό ἀποτέλεσμα. *a ~ winner*, πιθανός νικητής. *a ~ story/excuse*, ἀληθοφανής ἱστορία/δικαιολογία. *__οὐσ.* ‹C› πρόσωπο πού συγκεντρώνει μεγάλες πιθανότητες (γιά κτ). **prob·ably** /-əblɪ/ *ἐπίρ.* πιθανῶς.

pro·bate /ˋprəʊbeɪt/ *οὐσ.* **1**. ‹U› ἐπικύρωσις (διαθήκης): *take out ~ of a will*, ἐπιτυγχάνω ἐπικύρωσιν διαθήκης. *grant ~ of a will*, ἀναγνωρίζω διαθήκην ὡς ἔγκυρον. **2**. ‹C› ἐπικυρωμένη διαθήκη, ἐπίσημο ἀντίγραφο διαθήκης. ~ **court**, τμῆμα δικαστηρίου ἀσχολούμενον μέ τά κληρονομικά. *__ρ.μ.* *(ΗΠΑ)* ἐπικυρώνω (διαθήκην).

pro·ba·tion /prəˋbeɪʃn/ *οὐσ.* ‹U› **1**. δοκιμασία, ἄσκησις, μαθητεία: *an officer on ~*, δόκιμος ἀξιωματικός. *period of ~*, περίοδος δοκιμασίας. ***be on ~***, εἶμαι δόκιμος/ὑπό δοκιμήν. **2**. *(νομ.)* θέσις ὑπό ἀστυνομικήν ἐπιτήρησιν (*ἰδ.* ἀνηλίκου ἐγκληματία): *three years' ~ under suspended sentence of one year's imprisonment*, φυλάκισις ἑνός ἔτους μέ τριετῆ ἀναστολή ὑπό ἀστυνομικήν ἐπιτήρησιν. ~ **officer**, ὁ ὑπεύθυνος νά παρακολουθῆ τούς ὑπό ἐπιτήρησιν. **~·ary** /-ʃənərɪ/ *ἐπ.* δοκιμαστικός, ὑπό δοκιμήν, ὑπό ἐπιτήρησιν. **~er** *οὐσ.* ‹C› **1**. δόκιμη νοσοκόμα. **2**. ὁ ὑπό ἐπιτήρησιν τελῶν.

probe /prəʊb/ *οὐσ.* ‹C› **1**. *(ἰατρ.)* καθετήρ, μήλη. **2**. *(δημοσιογρ.)* ἔρευνα, ἀνάκρισις. *__ρ.μ.* **1**. καθετηριάζω, ἐξετάζω πληγή. **2**. ἐρευνῶ: *~ into a scandal*, διερευνῶ ἕνα σκάνδαλο. *~ deep into a problem*, ἐξετάζω σέ βάθος ἕνα πρόβλημα.

prob·ity /ˋprəʊbətɪ/ *οὐσ.* ‹U› *(λόγ.)* ἀκεραιότης, ἐντιμότης.

prob·lem /ˋprobləm/ *οὐσ.* ‹C› πρόβλημα: *mathematical ~s*, μαθηματικά προβλήματα. *the housing ~*, τό πρόβλημα στέγης. *a ˋ~ play/novel*, ἔργο/μυθιστόρημα προβληματισμοῦ (κοινωνικοῦ ἤ ἠθικοῦ). **ˋ~ child**, δύσκολο παιδί. **~·atic** /ˈprobləˋmætɪk/ *ἐπ.* προβληματικός, ἀμφίβολος. **~·ati·cally** /-klɪ/ *ἐπίρ.*

pro·bos·cis /prəˋbosɪs/ *οὐσ.* ‹C› *(πληθ. -cises /-sɪsiz/)* προβοσκίδα (ἐλέφαντος, ἐντόμου, κλπ).

pro·cedure /prəˋsiːdʒə(r)/ *οὐσ.* ‹C,U› διαδικασία: *the usual ~ at committee meetings*, ἡ

συνήθης διαδικασία στίς συνεδριάσεις ἐπιτροπῶν. *questions of* ~, διαδικαστικά θέματα.
pro·cedural /prə`sidʒərl/ *ἐπ.* διαδικαστικός.
pro·ceed /prə`sid/ *ρ.ἀ.* **1**. ~ ***to sth/to do sth/with sth***, προχωρῶ, συνεχίζω: *Let us ~ to the next item on the agenda*, ἄς προχωρήσωμε στό ἑπόμενο θέμα τῆς ἡμερησίας διατάξεως. *Please ~ with your work*, παρακαλῶ συνεχῖστε τή δουλειά σας. *He ~ed to inform me that...*, ἐν συνεχείᾳ μέ ἐπληροφόρησε ὅτι... *He'll ~ to the degree of Ph D*, θά προχωρήση γιά διδακτορικό δίπλωμα. **2**. ~ ***from***, προέρχομαι, ἀπορρέω: *war and all the evils that ~ from it*, ὁ πόλεμος καί ὅλα τά δεινά πού ἀπορρέουν ἀπ' αὐτόν. **3**. ~ ***(against sb)***, ἐνεργῶ (δικαστικῶς ἐναντίον κάποιου): *We must ~ cautiously*, πρέπει νά ἐνεργήσωμε προσεχτικά. *Unless he pays I'll ~ against him*, ἄν δέν πληρώση θά ἐνεργήσω δικαστικῶς ἐναντίον του.
pro·ceed·ing /prə`sidɪŋ/ *οὐσ.* **1**. ‹C,U› ἐνέργεια: *What's the best way of ~?* ποιός εἶναι ὁ καλύτερος τρόπος ἐνεργείας; *suspicious/disorderly ~s*, ὕποπτες/ἄτακτες ἐνέργειες. ***take/start legal ~s (against sb)***, στρέφομαι δικαστικῶς (ἐναντίον κάποιου). **2**. (*πληθ.*) πρακτικά, πεπραγμένα (συλλόγου, κλπ): *the P~s of the Royal Society*, τά πεπραγμένα τῆς Βασιλικῆς Ἑταιρίας.
pro·ceeds /`prəʊsidz/ *οὐσ. πληθ.* προϊόν, εἴσπραξις: *hold a bazaar and give the ~ to local charities*, ὀργανώνω φιλανθρωπική ἀγορά καί δίνω τήν εἴσπραξη σέ τοπικά φιλανθρωπικά ἱδρύματα.
[1]**pro·cess** /`prəʊses/ *οὐσ.* ‹C,U› **1**. διαδικασία, πορεία, ἐξέλιξις: *the ~ of digestion*, ἡ διαδικασία τῆς πέψεως. *the evolutionary ~*, ἡ ἐξελικτική πορεία. *during the ~ of removal*, στή διαδικασία τῆς μετακομίσεως. *in ~ of time*, στήν πορεία τοῦ χρόνου. *Learning a foreign language is a slow ~*, ἡ ἐκμάθησις μιᾶς ξένης γλώσσας εἶναι ἀργή διαδικασία (παίρνει πολύ χρόνο). ***in ~***, ἐν ἐξελίξει, ἐν τῷ γίγνεσθαι. **2**. μέθοδος (τεχνική, βιομηχανική). **3**. δίκη, κλῆσις. `**~-server**, κλητήρας. —*ρ.μ.* ὑποβάλλω σέ ἐπεξεργασία: ~ *leather*, κατεργάζομαι δέρμα. ~ *a film*, ἐμφανίζω φίλμ. *~ed cheese*, τυρί ὑποβληθέν σέ βιομηχανική ἐπεξεργασία.
[2]**pro·cess** /prə`ses/ *ρ.ἀ.* παρελαύνω ἐν πομπῇ.
pro·cession /prə`seʃn/ *οὐσ.* ‹C,U› **1**. πομπή, παρέλασις: *a `funeral ~*, ἐπικήδειος πομπή. *walk in ~ through the streets of a town*, παρελαύνω διά μέσου τῶν ὁδῶν μιᾶς πόλεως. **2**. λιτανεία. **~al** /-nl/ *ἐπ.* λιτανευτικός: *a ~al chant*, ὁμαδική ψαλμωδία σέ λιτανεία.
pro·claim /prə`kleɪm/ *ρ.μ.* **1**. (δια)κηρύσσω, ἀνακηρύσσω: ~ *war/peace*, κηρύσσω πόλεμο/εἰρήνη. ~ *a republic*, ἀνακηρύσσω τή δημοκρατία. ~ *a public holiday*, κηρύσσω μιά μέρα ἀργία. **2**. μαρτυρῶ, φανερώνω: *His accent ~ed him a Scot*, ὁ τόνος του φανέρωσε ὅτι ἦταν Σκωτσέζος. **proc·la·ma·tion** /'prokləˈmeɪʃn/ *οὐσ.* ‹C,U› (δια)κήρυξις, προκήρυξις: *issue/make a proclamation*, ἐκδίδω/βγάζω μιά διακήρυξη.
pro·cliv·ity /prəʊ`klɪvətɪ/ *οὐσ.* ‹C› ~ ***to/towards***, (*λόγ.*) τάσις, ροπή, κλίσις: *a ~ towards laziness*, τάσις πρός τήν τεμπελιά.
pro·con·sul /'prəʊ`konsl/ *οὐσ.* ‹C› (*ἀρχ. Ρώμ.*) ἀνθύπατος, κυβερνήτης ἀποικίας. **~ate** /-lət/ *οὐσ.* ‹C› ἀνθυπατεία.
pro·cras·ti·nate /prəʊ`kræstɪneɪt/ *ρ.ἀ.* (*λόγ.*) ἀναβάλλω, χρονοτριβῶ. **pro·cras·ti·na·tion** /-kræstɪ`neɪʃn/ *οὐσ.* ‹U› ἀναβολή, ἀναβλητικότης, ἀδράνεια: ***Procrastination is the thief of time***, (*παροιμ.*) ὅ,τι μπορεῖς νά κάμης σήμερα μήν τ' ἀναβάλης γι' αὔριο.
pro·create /`prəʊkrɪeɪt/ *ρ.μ.* (*λόγ.*) γεννῶ, τεκνοποιῶ. **pro·cre·ation** /'prəʊkrɪ`eɪʃn/ *οὐσ.* ‹U› γέννησις, τεκνοποίησις.
proc·tor /`proktə(r)/ *οὐσ.* ‹C› **1**. (*στά Πανεπιστήμια Καῖμπριτζ καί Ὄξφορντ*) κοσμήτωρ. **2**. **King's/Queen's ~**, εἰσαγγελεύς μέ ἁρμοδιότητα σέ ὡρισμένες δίκες.
procu·ra·tor /`prokjʊreɪtə(r)/ *οὐσ.* ‹C› ἀντιπρόσωπος, πληρεξούσιος.
pro·cure /prə`kjʊə(r)/ *ρ.μ.* **1**. προμηθεύω: *This book is out of print and difficult to ~*, αὐτό τό βιβλίο εἶναι ἐξαντλημένο καί εἶναι δύσκολο νά τό προμηθευθῆ κανείς. **2**. (*πεπαλ.*) προκαλῶ, ἐπιφέρω: ~ *sb's death by poison*, προκαλῶ τό θάνατο κάποιου μέ δηλητήριο. **3**. προάγω (εἰς πορνείαν), προμηθεύω (γυναῖκες) πρός ἀσέλγειαν. **pro·cur·able** /-əbl/ *ἐπ.* προμηθεύσιμος. **~·ment** *οὐσ.* ‹U› προμήθεια: *the ~ment of military supplies*, ἡ προμήθεια στρατιωτικῶν ἐφοδίων. **pro·curer** *οὐσ.* ‹C› μαστροπός, προαγωγός. **pro·cur·ess** /-rɪs/ *οὐσ.* ‹C› γυναίκα μαστροπός.
prod /prod/ *ρ.μ/ἀ.* (*-dd-*) **1**. ~ ***(at)***, σκουντῶ, κεντρίζω (μέ κτ αἰχμηρό): ~ *(at) a donkey with a stick*, κεντρίζω ἕνα γαϊδαρο μ' ἕνα ραβδί. **2**. (*μεταφ.*) παρακινῶ: *He needs to be ~ded*, θέλει παρακίνηση. —*οὐσ.* ‹C› σκούντημα: *give sb a ~ with one's umbrella*, σκουντῶ/τσιγκλάω κπ μέ τήν ὀμπρέλλα μου.
prodi·gal /`prodɪgl/ *ἐπ.* ~ ***(of)***, σπάταλος, γενναιόδωρος, ἄσωτος: *Nature is ~ of her gifts*, ἡ φύσις εἶναι σπάταλη στά δῶρα της. ***the ~ son***, ὁ ἄσωτος υἱός. **~·ly** /-gəlɪ/ *ἐπίρ.* σπάταλα, γενναιόδωρα: *He gives ~ly to charities*, δίνει γενναιόδωρα γιά φιλανθρωπικούς σκοπούς. **~·ity** /'prodɪ`gælətɪ/ *οὐσ.* ‹U› γενναιοδωρία, σπατάλη, ἀσωτεία.
pro·di·gious /prə`dɪdʒəs/ *ἐπ.* θαυμαστός, καταπληκτικός, πελώριος: *a ~ event/amount*, ἕνα θαυμαστό γεγονός/τεράστιο ποσό. **~·ly** *ἐπίρ.* θαυμαστά, πελώρια.
prod·igy /`prodɪdʒɪ/ *οὐσ.* ‹C› θαῦμα, τέρας: *a ~ of learning*, ἕνα τέρας μαθήσεως. *a ~ of nature*, θαῦμα τῆς φύσεως. **infant ~**, παιδίθαῦμα.
pro·duce /prə`djus/ *ρ.μ/ἀ.* **1**. δείχνω, παρουσιάζω: ~ *one's ticket/passport*, δείχνω τό εἰσιτήριό μου/τό διαβατήριό μου. *The conjurer ~d a rabbit from his hat*, ὁ ταχυδακτυλουργός ἔβγαλε ἕνα κουνέλι ἀπό τό καπέλλο του. **2**. παράγω, κατασκευάζω (βιομηχανικῶς): *We ~ wheat/rice/fruit*, παράγομε σιτάρι/ρύζι/φροῦτα. *We ~ woollen goods*, φτιάχνομε μάλλινα εἴδη. **3**. παράγω, γεννῶ: ~ *eggs*, γεννῶ αὐγά. **4**. δημιουργῶ, κάνω: *His film ~d a sensation*, ἡ ταινία του ἔκανε αἴσθηση. **5**. φτιάχνω, ἀνεβάζω: ~ *a film/book*, φτιάχνω μιά ταινία/ἕνα βιβλίο. ~ ***a***

play, ἀνεβάζω ἕνα ἔργο. **6**. (*μαϑ.*) προεκτείνω (γραμμή). __*οὐσ.* ‹U› /ˋprodjus/ καρπός, ἐσοδεία, προϊόντα (*ἰδ.* ἀγροτικά): *garden/agricultural* ~, κηπευτικά/γεωργικά προϊόντα.

pro·ducer /prəˋdjusə(r)/ *οὐσ.* ‹C› παραγωγός (προϊόντων, ταινίας, κλπ). **~ gas**, ἀέριο παραγόμενο διά πιέσεως, ἀέριο ἀεριογόνου.

prod·uct /ˋprodʌkt/ *οὐσ.* ‹C› **1**. προϊόν: *farm ~s*, ἀγροτικά προϊόντα. *the chief ~s of Greece*, τά κύρια προϊόντα τῆς Ἑλλάδος. *the ~s of genius*, τά προϊόντα/τά ἔργα τῆς μεγαλοφυΐας. **2**. (*μαϑ.*, *χημ.*) γινόμενον.

pro·duc·tion /prəˋdʌkʃn/ *οὐσ.* **1**. ‹U› ἐμφάνισις, παρουσίασις: *the ~ of one's passport*, ἡ παρουσίασις τοῦ διαβατηρίου. **2**. ‹C,U› παραγωγή: *the ~ of wheat/manufactured goods*, ἡ παραγωγή σιταριοῦ/βιομηχανικῶν εἰδῶν. *a fall/increase in ~*, πτῶσις/αὔξησις τῆς παραγωγῆς. *an epic ~*, ἐπική παραγωγή (ἐπικό φίλμ). *his early ~s as a writer*, τά πρῶτα του ἔργα σά συγγραφέας. **mass ~**, μαζική παραγωγή.

pro·duc·tive /prəˋdʌktɪv/ *ἐπ.* παραγωγικός, γόνιμος: *~ land/a ~ mind*, γόνιμη γῆ/-ο μυαλό. ***be ~ of***, γεννῶ, δημιουργῶ: *discussions that are ~ of quarrels*, συζητήσεις πού δημιουργοῦν φιλονικίες. **~·ly** *ἐπίρ.* παραγωγικά, γόνιμα.

pro·duc·tiv·ity /ˌprodʌkˋtɪvətɪ/ *οὐσ.* ‹U› παραγωγικότης, ἀποδοτικότης.

pro·fane /prəˋfeɪn/ *ἐπ.* **1**. ἐγκόσμιος (*ἀντίϑ. sacred*): *~ literature*, κοσμική λογοτεχνία. **2**. βέβηλος, βλάσφημος, ἀμύητος: *~ practices/language*, βέβηλες πράξεις/βλάσφημη γλῶσσα. *a ~ man*, ἀμύητος/βέβηλος ἄνθρωπος. __*ρ.μ.* βλασφημῶ, βεβηλώνω: *~ the name of God*, βλασφημῶ τό ὄνομα τοῦ Θεοῦ. **~·ly** *ἐπίρ.* βέβηλα, ἀνίερα. **~·ness** *οὐσ.* ‹U› βεβήλωσις. **pro·fan·ity** /-ˋfænətɪ/ *οὐσ.* ‹C,U› βλασφημία, αἰσχρολογία: *a string of profanities*, ἕνας χείμαρρος βλαστήμιες.

pro·fess /prəˋfes/ *ρ.μ/ἀ.* **1**. προσποιοῦμαι, ὑποκρίνομαι (ὅτι ἔχω): *He ~ed a great interest in my future*, προσποιόταν ὅτι τόν ἐνδιέφερε πολύ τό μέλλον μου. *She ~ed a distaste for modern music*, ἔκανε ὅτι σιχαινόταν τή μοντέρνα μουσική. **2**. πρεσβεύω, ὁμολογῶ (πίστιν εἰς κπ), διακηρύσσω: *~ Christianity*, πρεσβεύω τόν Χριστιανισμό. *He ~ed himself a socialist*, ἔκανε τόν σοσιαλιστή. **3**. (*λόγ.*) ἐξασκῶ (ἐπάγγελμα), ἐπαγγέλλομαι, διδάσκω: *~ medicine/law*, ἐξασκῶ τήν ἰατρική/τή δικηγορία. *~ history/foreign languages*, διδάσκω ἱστορία/ξένες γλῶσσες. **4**. παριστάνω, ἰσχυρίζομαι (ὅτι εἶμαι), δηλώνω: *I don't ~ to be an expert on this subject*, δέν ἰσχυρίζομαι ὅτι εἶμαι εἰδικός σ' αὐτό τό θέμα. *He ~ed himself satisfied*, ἐδήλωσε ὅτι εἶναι ἱκανοποιημένος. **~ed** *ἐπ.* *(α)* δεδηλωμένος: *a ~ed Christian/socialist*, δεδηλωμένος χριστιανός/σοσιαλιστής. *(β)* δῆθεν: *a ~ed friend*, ἕνας δῆθεν φίλος. *(γ)* χειροτονημένος: *a ~ed monk*, χειροτονημένος καλόγερος, κεκαρμένος μοναχός. **~·ed·ly** /-ɪdlɪ/ *ἐπίρ.* κατ' ἰδίαν ὁμολογίαν, δεδηλωμένως: *He is ~edly an agnostic*, εἶναι, ὅπως ὁμολογεῖ (ἰσχυρίζεται) ὁ ἴδιος, ἀγνωστικιστής.

pro·fession /prəˋfeʃn/ *οὐσ.* ‹C› **1**. ἐπάγγελμα: *He's a lawyer by ~*, εἶναι δικηγόρος τό ἐπάγγελμα. *the learned ~s*, τά ἐλευθέρια ἐπαγγέλματα. **the ~**, τό ἐπάγγελμα, ὅλοι οἱ ἀσκοῦντες τό αὐτό ἐπάγγελμα. **2**. ὁμολογία, διακήρυξις: *a ~ of faith*, ὁμολογία πίστεως. *I don't believe his ~s of love/loyalty*, δέν πιστεύω στίς διακηρύξεις τῆς ἀγάπης του/τῆς πίστης του.

pro·fession·al /prəˋfeʃnl/ *ἐπ.* **1**. ἐπαγγελματικός: *~ skill/etiquette*, ἐπαγγελματική δεξιοτεχνία/δεοντολογία. *~ men*, ἄνθρωποι ἀσκοῦντες ἐλευθέρια ἐπαγγέλματα. **2**. ἐπαγγελματίας, ἐξ ἐπαγγέλματος: *a ~ tennis-player/politician*, ἐπαγγελματίας παίκτης τοῦ τέννις/πολιτικός. __*οὐσ.* ‹C› (*βραχυλ. pro*) ἐπαγγελματίας. ***turn ~***, (*γιά ἀϑλητή*) γίνομαι ἐπαγγελματίας. **~ly** /-nəlɪ/ *ἐπίρ.* ἐπαγγελματικά. **~·ism** /-ɪzm/ *οὐσ.* ‹U› ἐπαγγελματισμός.

pro·fessor /prəˋfesə(r)/ *οὐσ.* ‹C› **1**. καθηγητής (Πανεπιστημίου). **2**. ὀπαδός (θεωρίας): *a ~ of pacifism*, ὀπαδός τοῦ φιλειρηνικοῦ κινήματος. **~ial** /ˌprofɪˋsɔrɪəl/ *ἐπ.* καθηγητικός: *~ial duties*, καθηγητικά καθήκοντα. **~·ship** /-ʃɪp/ *οὐσ.* ‹C› καθηγεσία.

prof·fer /ˋprofə(r)/ *ρ.μ.* προσφέρω. __*οὐσ.* ‹C› προσφορά.

pro·fi·cient /prəˋfɪʃnt/ *ἐπ.* *~ (in)*, ἱκανός, δόκιμος, πεπειραμένος, ἐντριβής, γνώστης: *be ~ in English*, εἶμαι κάτοχος τῆς Ἀγγλικῆς. *He's ~ in book-keeping*, εἶναι δόκιμος (ἔμπειρος) λογιστής. **~·ly** *ἐπίρ.* ἔμπειρα, ἐπαρκῶς.

pro·fi·ciency /-nsɪ/ *οὐσ.* ‹U› ἱκανότης, ἐπάρκεια, εἰδικότης, μεγάλη ἐπίδοσις: *a certificate of proficiency in English*, δίπλωμα ὑψηλῆς ἐπιδόσεως στά Ἀγγλικά.

pro·file /ˋprəʊfaɪl/ *οὐσ.* ‹C› **1**. κατατομή, προφίλ: *drawn in ~*, σκιτσαρισμένος προφίλ. **2**. πορτραῖτο, σύντομη βιογραφία. __*ρ.μ.* δείχνω/σκιτσάρω προφίλ, διαγράφω: *The line of hills was ~d against the night sky*, ἡ γραμμή τῶν λόφων διαγραφόταν στόν νυχτερινό οὐρανό.

[1]**profit** /ˋprofɪt/ *οὐσ.* **1**. ‹U› ὄφελος: *gain ~ from one's studies*, ὠφελοῦμαι ἀπό τίς σπουδές μου. ***to one's ~***, πρός ὄφελός μου, ἐπωφελῶς. ***turn sth to ~***, ὠφελοῦμαι ἀπό κτ, ἀξιοποιῶ κτ. **2**. ‹C,U› κέρδος: *do sth for ~*, κάνω κτ γιά κέρδος. ***make a ~***, κάνω κέρδος. ***sell at a ~***, πουλῶ μέ κέρδος. ***yield a ~***, ἀποφέρω κέρδος. **gross/net ~**, μικτό/καθαρό κέρδος. **ˈ~ and ˋloss account**, λογαριασμός κερδῶν καί ζημιῶν. **ˋ~-margin**, περιθώριο κέρδους. **ˋ~-sharing** *ἐπ.* συμμετοχικός: *a ~-sharing scheme*, σχέδιο συμμετοχῆς τῶν ὑπαλλήλων στά κέρδη. **~·less** *ἐπ.* ἀσύμφορος, χωρίς κέρδος. **~·less·ly** *ἐπίρ.*

[2]**profit** /ˋprofɪt/ *ρ.μ/ἀ.* **1**. ***~ from/by***, κερδίζω, ἐπωφελοῦμαι: *~ from a deal/by sb's advice*, κερδίζω ἀπό μιά δουλειά/ἀπό τίς συμβουλές κάποιου. **2**. (*πεπαλ.*) ὠφελῶ: *It ~ed him nothing*, δέν τόν ὠφέλησε σέ τίποτα.

prof·it·able /ˋprofɪtəbl/ *ἐπ.* ἐπωφελής, ἐπικερδής, προσοδοφόρος: *a ~ investment*, ἐπικερδής ἐπένδυσις. **prof·it·ably** /-əblɪ/ *ἐπίρ.* ἐπικερδῶς, ἐπωφελῶς.

profi·teer /ˌprofɪˋtɪə(r)/ *οὐσ.* ‹C› κερδοσκόπος.

—*ρ.ἀ.* κερδοσκοπῶ.

prof·li·gate /ˋproflɪgət/ *ἐπ.* (*λόγ.*) ~ (**of**), ἀκόλαστος, ἔκλυτος, ἄσωτος, σπάταλος: *be ~ of one's inheritance*, σπαταλῶ τήν κληρονομιά μου. **prof·li·gacy** /ˋproflɪgəsɪ/ *οὐσ.* ‹U› (*λόγ.*) ἀκολασία, ἀσωτεία, σπατάλη.

pro forma /ˈprəʊ ˋfɔmə/ (*Λατ.*) γιά τόν τύπο. ~ **invoice**, προτιμολόγιον.

pro·found /prəˋfaʊnd/ *ἐπ.* **1**. βαθύς, ἐμβριθής: *a ~ sleep/sigh/bow*, βαθύς ὕπνος/ἀναστεναγμός/βαθειά ὑπόκλιση. *take a ~ interest in sth*, ἐνδιαφέρομαι βαθιά γιά κτ. *a man of ~ learning*, ἄνθρωπος μέ βαθειά μόρφωση. *a ~ thinker*, βαθύς στοχαστής. **2**. ἀπόκρυφος: *~ mysteries*, ἀπόκρυφα μυστήρια. **~·ly** *ἐπίρ.* βαθιά. **pro·fun·dity** /prəˋfʌndətɪ/ *οὐσ.* ‹C,U› βάθος, βαθύνοια, ἐμβρίθεια.

pro·fuse /prəˋfjus/ *ἐπ.* **1**. ἄφθονος, πολύ, μπόλικος: *~ bleeding*, ἀκατάσχετη αἱμορραγία. *~ sweating*, πολύς ἱδρώτας. **2**. ~ **in**, ὑπερβολικός, σπάταλος, πλουσιοπάροχος: *He was ~ in his apologies*, ἦταν ὑπερβολικός στή συγγνώμη του. **~·ly** *ἐπίρ.* ἄφθονα, πλούσια, ὑπερβολικά. **~·ness**, **pro·fu·sion** /-ˋfjuʒn/ *οὐσ.* ‹U› ἀφθονία, σπατάλη, ὑπερβολή: *There was a profusion of flowers*, ὑπῆρχε ἀφθονία λουλουδιῶν.

pro·geni·tor /prəʊˋdʒenɪtə(r)/ *οὐσ.* ‹C› (*λόγ.*) γεννήτωρ, πρόγονος.

progeny /ˋprodʒɪnɪ/ *οὐσ.* ‹U› (*συλλογ., λόγ.*) ἀπόγονοι.

prog·no·sis /progˋnəʊsɪs/ *οὐσ.* ‹C› (*πληθ. -noses* /-nəʊsiz/) (*ἰατρ.*) πρόγνωσις.

prog·nos·tic /progˋnostɪk/ *ἐπ.* (*λόγ.*) προγνωστικός. —*οὐσ.* ‹C› προγνωστικόν, οἰωνός. **prog·nos·ti·cate** /-keɪt/ *ρ.μ.* (*λόγ.*) προλέγω, προμηνύω. **prog·nos·ti·ca·tion** /ˈprog-ˈnostɪˋkeɪʃn/ *οὐσ.* ‹C,U› πρόγνωσις, προαγγελία, προμήνυμα.

pro·gramme (*καί* **-gram**) /ˋprəʊgræm/ *οὐσ.* ‹C› πρόγραμμα: *draw up/arrange a ~*, φτιάχνω/κανονίζω ἕνα πρόγραμμα. *a ˋradio/ˈTˋV ~*, ἕνα ραδιοφωνικό/τηλεοπτικό πρόγραμμα. *What's the ~ for today?* τί πρόγραμμα ἔχομε σήμερα; *ˋ~ music*, περιγραφική μουσική. —*ρ.μ.* προγραμματίζω: *~ one's life/learning*, προγραμματίζω τή ζωή μου/τή μελέτη μου.

prog·ress /ˋprəʊgres/ *οὐσ.* **1**. ‹U› πρόοδος, ἐξέλιξις: *make ~ in one's studies*, κάνω πρόοδο στίς σπουδές μου. ***in*** ~, ἐν ἐξελίξει: *An inquiry is now in ~*, μιά ἔρευνα εὑρίσκεται ἐν ἐξελίξει τώρα. **2**. ‹C› (*πεπαλ.*) ἐπίσημη περιοδεία μονάρχου: *a royal ~ through Cornwall*, μιά βασιλική περιοδεία στήν Κορνουάλλη. —*ρ.ἀ.* /prəˋgres/ προοδεύω, προχωρῶ: *She's ~ing in her studies*, προοδεύει στίς σπουδές της. *The work is ~ing steadily*, ἡ δουλειά προχωρεῖ σταθερά.

pro·gression /prəˋgreʃn/ *οὐσ.* **1**. ‹U› κίνησις πρός τά ἐμπρός: *modes of ~*, τρόποι κινήσεως. **2**. ‹C› (*μαθ.*) πρόοδος. *arithmetical/geometrical ~*, ἀριθμητική/γεωμετρική πρόοδος.

pro·gress·ive /prəˋgresɪv/ *ἐπ.* προοδευτικός: *~ ideas/parties*, προοδευτικές ἰδέες/-ά κόμματα. *~ taxation*, προοδευτική φορολογία. *~ disease/paralysis*, προϊοῦσα νόσος/παράλυσις. —*οὐσ.* ‹C› προοδευτικός ἄνθρωπος. **~·ly** *ἐπίρ.* προοδευτικά. **~·ness** *οὐσ.* ‹U› προοδευτικότης.

pro·hibit /prəˋhɪbɪt/ *ρ.μ.* ~ ***sb*** (**from doing** ***sth***), ἀπαγορεύω (σέ κπ κάμη κτ): *Children are ~ed from using the lift*, ἀπαγορεύεται στά παιδιά νά χρησιμοποιοῦν τό ἀσανσέρ. **~ive** /-ˋhɪbətɪv/ *ἐπ.* ἀπαγορευτικός, παρακωλυτικός: *Prices are ~ive*, οἱ τιμές εἶναι ἀπλησίαστες/ἀπρόσιτες. **~ory** /-ˋhɪbɪtərɪ/ *ἐπ.* (*γιά νόμο, κλπ*) ἀπαγορευτικός.

pro·hib·ition /ˈprəʊɪˋbɪʃn/ *οὐσ.* ‹C,U› ἀπαγόρευσις (*ἰδ.* ποτοαπαγόρευσις): *the ~ laws*, οἱ νόμοι τῆς ποτοαπαγορεύσεως. **~·ist** /-ɪst/ *οὐσ.* ‹C› ὀπαδός τῆς (ποτο)απαγορεύσεως.

[1]**pro·ject** /ˋprodʒekt/ *οὐσ.* ‹C› σχέδιο, πρόγραμμα, τεχνικό ἔργο: *carry out/fail in/form a ~*, ἐφαρμόζω/ἀποτυγχάνω εἰς/καταστρώνω ἕνα σχέδιο.

[2]**pro·ject** /prəˋdʒekt/ *ρ.μ/ἀ.* **1**. σχεδιάζω: *~ a new dam*, σχεδιάζω ἕνα νέο φράγμα. **2**. προβάλλω: *~ a picture on a screen*, προβάλλω μιά εἰκόνα σέ ὀθόνη. *Does the radio ~ Greek culture adequately?* προβάλλει ἐπαρκῶς τό ραδιόφωνο τόν Ἑλληνικό πολιτισμό; **3**. (*ψυχ.*) ἐπιρρίπτω, μεταφέρω: *~ one's guilt onto sb else*, ρίχνω/μεταφέρω τήν ἐνοχή μου σέ κπ ἄλλον. **4**. προεξέχω: *~ing eyebrows*, προεξέχοντα φρύδια. *a balcony that ~s over the street*, μπαλκόνι πού προεξέχει πάνω ἀπό τό δρόμο. **5**. ἐκσφενδονίζω, ἐκτοξεύω: *an apparatus to ~ missiles into space*, μιά συσκευή γιά τήν ἐκτόξευση βλημάτων στό διάστημα.

pro·jec·tile /prəˋdʒektaɪl/ *ἐπ.* βλητικός, προωστικός. —*οὐσ.* ‹C› βλῆμα.

pro·jec·tion /prəˋdʒekʃn/ *οὐσ.* ‹C› σχεδίασμα, ἐκτόξευσις, προβολή. ~ **room**, (*κινημ.*) θάλαμος προβολῆς. **~·ist** /-ɪst/ *οὐσ.* ‹C› μηχανικός προβολῆς, χειριστής τοῦ μηχανήματος προβολῆς.

pro·jec·tor /prəˋdʒektə(r)/ *οὐσ.* ‹C› προβολεύς: *a ˋslide ~*, προβολεύς γιά σλάϊντς. *a ˋcinema ~*, κινηματογραφικός προβολεύς.

prole /prəʊl/ *οὐσ.* ‹C› (*καθομ.*) προλετάριος.

pro·let·ariat /ˈprəʊlɪˋteərɪət/ *οὐσ.* ‹C› τό προλεταριάτο. **pro·let·arian** /-ɪən/ *οὐσ.* ‹C› & *ἐπ.* προλετάριος.

pro·lif·er·ate /prəˋlɪfəreɪt/ *ρ.μ/ἀ.* πολλαπλασιάζω/-ομαι, πληθύνομαι, ἐξαπλοῦμαι. **pro·lif·er·ation** /prəˈlɪfəˋreɪʃn/ *οὐσ.* ‹U› πολλαπλασιασμός, ἐξάπλωσις: *a non-proliferation treaty*, συνθήκη μή ἐξαπλώσεως τῶν πυρηνικῶν ὅπλων.

pro·lific /prəˋlɪfɪk/ *ἐπ.* (*λόγ.*) γόνιμος, παραγωγικός: *a ~ author*, γόνιμος (πολυγραφώτατος) συγγραφεύς. *as ~ as rabbits*, γόνιμος σάν κουνέλι.

pro·lix /ˋprəʊlɪks/ *ἐπ.* (*λόγ.*) σχοινοτενής, ἀπεραντολόγος, πληκτικός. **~·ity** /prəʊˋlɪksətɪ/ *οὐσ.* ‹U› ἀπεραντολογία.

pro·logue /ˋprəʊlog/ *οὐσ.* ‹C› πρόλογος: *a ~ to a play*, πρόλογος σ' ἕνα ἔργο.

pro·long /prəˋloŋ/ *ρ.μ.* παρατείνω, προεκτείνω: *~ life/a visit*, παρατείνω τή ζωή/μιά ἐπίσκεψη. *~ a line*, προεκτείνω μιά γραμμή. **~ed** *ἐπ.* παρατεταμένος. **~a·tion** /ˈprəʊloŋˋgeɪʃn/ *οὐσ.* ‹C,U› παράτασις, προέκτασις, ἐπέκτασις, προσθήκη.

prom·en·ade /ˈproməˋnad/ *οὐσ.* ‹C› (*βραχυλ. prom*) **1**. περίπατος, σεργιάνι, βόλτα. **2**.

δρόμος περιπάτου (*ἰδ.* κοντά σέ θάλασσα). ~ **concert**, συναυλία μέ λαϊκές τιμές (στήν ὁποίαν ἐπιτρέπονται ὄρθιοι ἀκροαταί). ~ **deck**, (*ναυτ.*) κατάστρωμα περιπάτου. —*ρ.μ/ἀ.* πάω/βγάζω περίπατο: ~ *up and down the sea front*, κάνω περίπατο πάνω-κάτω στήν παραλία. ~ *one's children*, βγάζω τά παιδιά μου περίπατο.

promi·nence /ˋprominəns/ *οὐσ.* **1**. ‹C› προεξοχή, ἔξαρσις (ἐδάφους). **2**. ‹U› διάκρισις, ἐξέχουσα θέσις: *bring sth/come into* ~, τονίζω κτ/διακρίνομαι.

promi·nent /ˋprominənt/ *ἐπ.* **1**. προεξέχων, χαρακτηριστικός: ~ *cheek-bones*, προεξέχοντα μῆλα προσώπου. *the most ~ feature in the landscape*, τό πλέον χαρακτηριστικό γνώρισμα τοῦ τοπείου. **2**. διακεκριμένος, διαπρεπής: *a ~ scientist*, διακεκριμένος ἐπιστήμων. **3**. περίβλεπτος, σημαντικός: *occupy a ~ position*, κατέχω μιά περίβλεπτη θέση. *play a ~ part in political life*, παίζω σημαντικό ρόλο στήν πολιτική ζωή. **~·ly** *ἐπίρ.*

pro·mis·cu·ous /prəˋmiskjuəs/ *ἐπ.* **1**. ἀνακατωμένος, ἑτερόκλητος, ἀνάμικτος: *in a ~ heap*, σωρηδόν, φύρδην-μίγδην. **2**. ἀδιάκριτος, ἐπιπόλαιος, πρόχειρος: *a ~ massacre*, ἀδιάκριτος/γενική σφαγή. ~ *friendships*, ἐπιπόλαιες φιλίες (πού συνάπτονται μέ προχειρότητα). **3**. (*γιά ἄνθρ.*) ἀσύδοτος, ἔκδοτος, ἀχαλίνωτος: *a ~ girl*, ἀχαλίνωτη κοπέλλα (πού πιάνει σχέσεις μέ ὅποιον ἄνδρα βρῆ). **~·ly** *ἐπίρ.* ἀνακατωμένα, ὅπως λάχει. **prom·is·cu·ity** /ˈpromiˋskjuəti/ *οὐσ.* ‹U› ἀνακάτεμα, συνονθύλευμα, ἐρωτική ἀσυδοσία.

[1]**prom·ise** /ˋpromis/ *οὐσ.* **1**. ‹C› ὑπόσχεσις: *make/give a ~*, δίνω ὑπόσχεση. *on the ~ that...*, μέ τήν ὑπόσχεση ὅτι... *under a ~ of secrecy*, μέ ὑπόσχεση ἐχεμύθειας. *empty ~s*, κενές ὑποσχέσεις. ***break a ~***, παραβαίνω μιά ὑπόσχεση. ***keep/carry out a ~***, τηρῶ/πραγματοποιῶ μιά ὑπόσχεση. **2**. ‹U› ἐπαγγελία, ἐλπίδα: *the land of ~*, ἡ γῆ τῆς ἐπαγγελίας. *a writer of ~*, φέρελπις συγγραφεύς. *He doesn't show much ~*, δέν δίνει πολλές ἐλπίδες διακρίσεως (δέν ὑπόσχεται πολλά).

[2]**prom·ise** /ˋpromis/ *ρ.μ/ἀ.* **1**. ὑπόσχομαι: *He ~d me to help*, μοῦ ὑποσχέθηκε ὅτι θά βοηθήση. **the P~d Land**, ἡ Γῆ τῆς Ἐπαγγελίας. **2**. προμηνύω: *clouds that ~ rain*, σύννεφα πού προμηνᾶνε βροχή. *It ~s to be warm this afternoon*, δείχνει ὅτι θά κάνη ζέστη σήμερα τό ἀπόγευμα. ~ ***well***, παρέχω ἐλπίδες: *The project ~s well*, τό σχέδιο ἔχει καλές προοπτικές. **prom·is·ing** *ἐπ.* γεμᾶτος ὑποσχέσεις, φέρελπις: *a promising young man*, νέος πού παρέχει μεγάλες ἐλπίδες, φέρελπις νέος.

prom·iss·ory /ˋpromisəri/ *ἐπ.* ὑποσχετικός. ˋ**~ note**, γραμμάτιον.

prom·on·tory /ˋpromәntri/ *οὐσ.* ‹C› ἀκρωτήριον, κάβος.

pro·mote /prəˋməut/ *ρ.μ.* **1**. προάγω, προβιβάζω: ~ *sb to the rank of sergeant*, προβιβάζω κπ στό βαθμό τοῦ λοχία. **2**. προάγω, συμβάλλω θετικά, προωθῶ, ἐνισχύω: ~ *good feelings between neighbours*, προάγω τή φιλία μεταξύ γειτόνων. ~ *a company*, συμβάλλω εἰς τήν ἵδρυσιν ἤ ἀνάπτυξιν ἑταιρίας. ~ *a bill in Parliament*, προωθῶ ἕνα νομοσχέδιο στή Βουλή. ~ *products*, διαφημίζω/προωθῶ προϊόντα στήν ἀγορά. **pro·mo·ter** *οὐσ.* ‹C› ὑποστηρικτής, διοργανωτής.

pro·mo·tion /prəˋməuʃn/ *οὐσ.* **1**. ‹U› προαγωγή, προβιβασμός: *win/gain ~*, ἐπιτυγχάνω προαγωγή, προβιβάζομαι. **2**. ‹C› προώθησις, διαφήμησις, ἀνάπτυξις: *the ~ of a project*, ἡ προώθησις ἑνός σχεδίου. *the ~ of a new book*, ἡ προώθησις ἑνός νέου βιβλίου. *sales ~*, ἀνάπτυξις τῶν πωλήσεων.

[1]**prompt** /prompt/ *ἐπ.* ταχύς, γοργός, ἄμεσος: *a ~ reply*, ταχεῖα ἀπάντησις. ~ *payment/delivery*, ἄμεση πληρωμή/παράδοσις. —*ἐπίρ.* ἀκριβῶς: *at 5 p.m.* ~, στίς 5 μμ. ἀκριβῶς. **~·ly** *ἐπίρ.* ταχέως, ἀμέσως. **~·ness** *οὐσ.* ‹U› ταχύτης, προθυμία.

[2]**prompt** /prompt/ *ρ.μ.* **1**. παρακινῶ: *He was ~ed by patriotism*, ἐκινήθη ἀπό πατριωτισμό. *What ~ed him to come?* τί τόν παρεκίνησε νά ἔλθη; **2**. (*θέατρ.*) ὑποβάλλω, κάνω τόν ὑποβολέα. —*οὐσ.* ‹U› ὑποβολή, καθοδήγησις (ἠθοποιοῦ). ˋ**~-box**, ὑποβολεῖον. ˋ**~-copy**, κείμενον ὑποβολέως. **~er** *οὐσ.* ‹C› ὑποβολεύς.

promp·ti·tude /ˋpromptitjud/ *οὐσ.* ‹U› ἑτοιμότης, ταχύτης, προθυμία: *act with ~*, ἐνεργῶ μέ ταχύτητα.

prom·ul·gate /ˋpromlgeit/ *ρ.μ.* (*λόγ.*) **1**. δημοσιεύω, ἐκδίδω (νόμο, διάταγμα). **2**. διακηρύσσω, διαλαλῶ, διαδίδω (πληροφορίες, γνῶμες, κλπ). **prom·ul·ga·tion** /ˈpromlˋgeiʃn/ *οὐσ.* ‹U› δημοσίευσις, ἔκδοσις, διάδοσις.

prone /prəun/ *ἐπ.* **1**. πρηνής, μπρούμητα: *in a ~ position*, σέ πρηνή θέση. *fall ~*, πέφτω μπρούμητα/μέ τήν κοιλιά. **2**. ~ ***to***, ἐπιρρεπής, ἔχων τάσιν: *be ~ to error/anger/idleness*, ἔχω τάση νά κάνω σφάλματα/νά θυμώνω/νά τεμπελιάζω. *He's ˋaccident ~*, ἔχει ροπή πρός τά ἀτυχήματα. **~·ness** *οὐσ.* ‹U› κλίσις, ροπή, τάσις.

prong /proŋ/ *οὐσ.* ‹C› δόντι (πηρουνιοῦ, δικράνας), αἰχμηρά προεξοχή: *a ˈthree-~ed ˋfork*, πηρούνι μέ τρία δόντια. *the three ~s of Halkidiki*, οἱ τρεῖς μύτες τῆς Χαλκιδικῆς.

pro·nomi·nal /prəuˋnominl/ *ἐπ.* (*γραμμ.*) ἀντωνυμικός.

pro·noun /ˋprəunaun/ *οὐσ.* ‹C› ἀντωνυμία.

pro·nounce /prəˋnauns/ *ρ.μ/ἀ.* **1**. προφέρω: *I can't ~ this word*, δέν μπορῶ νά προφέρω αὐτή τή λέξη. **2**. δηλώνω: *The doctor ~d the patient to be out of danger*, ὁ γιατρός δήλωσε ὅτι ὁ ἀσθενής ἦταν ἐκτός κινδύνου. **3**. ~ ***(up)on***, ἀποφαίνομαι: *I cannot ~ upon such a question*, δέν μπορῶ νά ἀποφανθῶ/νά ἐκφέρω γνώμη πάνω σέ τέτοιο θέμα. **4**. (ἀνα)κηρύσσω: *He was ~d a genius*, ἀνεκηρύχθη ἰδιοφυΐα. *The wine was tasted and ~d excellent*, δοκιμάσανε τό κρασί καί τό βρήκανε θαυμάσιο. *He ~d himself in favour of the plan*, κηρύχθηκε ὑπέρ τοῦ σχεδίου. **5**. (*νομ.*) ἀπαγγέλω (ἀπόφασιν), ἐπιβάλλω (ποινήν): *Has judgement been ~d yet?* ἐξεδόθη μήπως ἡ ἀπόφασις; **~·able** /-əbl/ *ἐπ.* πού μπορεῖ νά προφερθῆ. **pro·nounced** *ἐπ.* ἔντονος, σαφής, ἐκπεφρασμένος: *a man of ~d personality/opinions*, ἄνθρωπος μέ ἔντονη προσωπικότητα/μέ σαφεῖς ἀπόψεις. **~·ment** *οὐσ.* ‹C› δήλωσις, διακήρυξις, ἀποφθεγματική ρῆσις.

pro·nun·cia·mento /prəˈnʌnsɪəˋmentəʊ/ *οὐσ.* ‹C› (*πληθ.* *~s*) προνουντσιαμέντο, προκήρυξις (*ἰδ.* πραξικοπηματιῶν).

pro·nun·ci·ation /prəˈnʌnsɪˋeɪʃn/ *οὐσ.* ‹C,U› προφορά: *His ~ is improving*, ἡ προφορά του βελτιώνεται. *English ~ is difficult*, ἡ Ἀγγλική προφορά εἶναι δύσκολη.

[1]**proof** /pruf/ *οὐσ.* **1**. ‹C,U› ἀπόδειξις: *There's no ~ that he was at the scene of the crime*, δέν ὑπάρχει ἀπόδειξις ὅτι ἦταν στόν τόπο τοῦ ἐγκλήματος. *He produced documents in ~ of his claim*, παρουσίασε ἔγγραφα πρός ἀπόδειξιν τῆς ἀξιώσεώς του. *as (a) ~ of one's gratitude*, σάν ἀπόδειξη τῆς εὐγνωμοσύνης μου. *By way of ~ he mentioned...*, σάν ἀπόδειξη ἀνάφερε ὅτι... *capable of ~*, δυνάμενος νά ἀποδειχθῆ. ***~ to the contrary***, ἀπόδειξις περί τοῦ ἀντιθέτου. **2**. ‹C› δοκιμασία: *put sth to the ~*, θέτω κτ σέ δοκιμασία. *stand the ~*, ἀντέχω στή δοκιμασία. ***The ~ of the pudding is in the eating***, (*παροιμ.*) στή δουλειά φαίνεται ὁ τεχνίτης, στήν πράξη φαίνεται τί ἀξίζει κάτι. **3**. ‹C› (*τυπογρ.*) δοκίμιον, διόρθωσις: *read the ~s*, κάνω τίς διορθώσεις. *pass the ~s for press*, δίνω τό 'τυπωθήτω'. **ˋ~-reader**, διορθωτής τυπογραφικῶν δοκιμίων. **ˋ~-reading**, διόρθωσις δοκιμίων. **4**. ‹U› περιεκτικότης ποτοῦ σέ οἰνόπνευμα: *below ~*, κάτω τῆς κανονικῆς περιεκτικότητος. **~ spirit**, ποτό μέ κανονική περιεκτικότητα σέ οἰνόπνευμα.

[2]**proof** /pruf/ *ἐπ.* ***~ (against)***, ἀδιαπέραστος, ἀνθεκτικός: *~ against bullets; ˋbullet-~*, ἀλεξίσφαιρος. *ˋsound~*, ἀδιαπέραστος ἀπό ἦχο. *ˋwater~*, ἀδιάβροχος. *be ~ against temptation*, εἶμαι ἀπρόσβλητος ἀπό πειρασμό. **ˋfool·~** *ἐπ.* (*καθομ.*) ἀπολύτως σίγουρος, ἐξασφαλισμένος: *a fool~ plan*, σίγουρο σχέδιο, πού ἀποκλείεται νά ἀποτύχη. __*ρ.μ.* κάνω κτ ἀδιαπέραστο/ἀπρόσβλητο.

[1]**prop** /prop/ *οὐσ.* ‹C› (ὑπο)στήριγμα, στύλος, στυλοβάτης: *the ~s of a gallery*, τά ὑποστηρίγματα/οἱ στύλοι μιᾶς γαλαρίας. *He's one of the ~s of society*, εἶναι ἕνας ἀπό τούς στυλοβάτες τῆς κοινωνίας. *He's the ~ of his old parents*, εἶναι τό στήριγμα (τό ἀποκούμπι) τῶν γέρων γονιῶν του. __*ρ.μ.* (*-pp-*) ***~ sth (up)***, (ὑπο)στηρίζω, στυλώνω: *~ a door open with a box*, στυλώνω τήν πόρτα μέ ἕνα κουτί (γιά νά μήν κλείση). *~ a patient up on a pillow*, στηρίζω ἕναν ἄρρωστο πάνω σέ μαξιλάρι. *~ a ladder against a wall*, στηρίζω/ ἀκουμπῶ μιά σκάλα σ' ἕναν τοῖχο.

[2]**prop** /prop/ *οὐσ.* ‹C› (*καθομ.*) *βραχυλ. γιά propeller καί property (4)*. (*βλ.* & *λ.*).

propa·ganda /ˈpropəˋgændə/ *οὐσ.* ‹U› **1**. προπαγάνδα: *a ~ play/film*, προπαγανδιστικό ἔργο/φίλμ. **2**. (*Καθ. Ἐκκλ.*) Κολλέγιον διαδόσεως τῆς Πίστεως. **propa·gan·dist** /-dɪst/ *οὐσ.* ‹C› προπαγανδιστής. **propa·gan·dize** /-daɪz/ *ρ.ἀ.* προπαγανδίζω.

propa·gate /ˋpropəgeɪt/ *ρ.μ/ἀ.* (*λόγ.*) **1**. ἀναπαράγω, πολλαπλασιάζω/-ομαι: *Trees ~ themselves by seeds*, τά δέντρα πολλαπλασιάζονται μέ σπόρους. **2**. διαδίδω, διασπείρω: *~ news*, διασπείρω εἰδήσεις. *~ ideas/knowledge*, διαδίδω ἰδέες/γνώσεις. **3**. μεταδίδω: *vibrations ~d through the rock*, δονήσεις πού μεταδόθηκαν μέσω τοῦ βράχου. **propa·ga·tion** /ˈpropəˋgeɪʃn/ *οὐσ.* ‹U› διάδοσις, ἀναπαραγωγή, πολλαπλασιασμός. **propa·ga·tor** /-tə(r)/ *οὐσ.* ‹C› διαδοσίας.

pro·pel /prəˋpel/ *ρ.μ.* (*-ll-*) προωθῶ, κινῶ πρός τά ἐμπρός: *mechanically ~led vehicles*, μηχανοκίνητα ὀχήματα. *a boat ~led by oars*, βάρκα κινουμένη μέ κουπιά. *a ~ling pencil*, βιδωτό μολύβι μέ μύτες. **~·lant**, **~·lent** /-ənt/ *ἐπ.* προωθητικός, προωστικός, κινητήριος. __*οὐσ.* ‹C› προωθητικόν (ἐκρηκτικόν γέμισμα), κινητήριος δύναμις. **~·ler** *οὐσ.* ‹C› ἕλιξ, προπέλλα.

pro·pen·sity /prəˋpensətɪ/ *οὐσ.* ‹C› ***~ to/towards sth; ~ to do/for doing sth***, τάσις: *have a ~ to exaggerate/for getting into trouble*, ἔχω τάση νά ὑπερβάλλω/νά μπαίνω σέ μπελάδες.

proper /ˋpropə(r)/ *ἐπ.* **1**. κατάλληλος, ὀρθός, σωστός: *Is this the ~ tool for the job?* εἶναι αὐτό τό σωστό ἐργαλεῖο γιά τή δουλειά; *This is not a ~ time for laughing*, δέν εἶναι κατάλληλη ὥρα γιά γέλια. *I thought it ~ to inform you*, τό θεώρησα ὀρθό νά σέ πληροφορήσω. **2**. πρέπων, ἀξιοπρεπής, εὐπρεπής: *~ behaviour*, πρέπουσα συμπεριφορά. *not a very ~ attitude*, ὄχι πολύ καθώς πρέπει στάσις. *a very ~ old gentleman*, ἕνας πολύ ἀξιοπρεπής/πολύ καθώς πρέπει κύριος. **3**. ***~ to***, (*λόγ.*) ἰδιάζων, προσιδιάζων: *the books ~ to this subject*, τά βιβλία πού ἀνήκουν σ' αὐτό τό θέμα. *diseases ~ to some occupations*, ἀσθένειες πού προσιδιάζουν σέ ὡρισμένα ἐπαγγέλματα. **4**. (*ἀπηρχ.*) ἴδιος: *I made it with my (own) ~ hands*, τό ἔφτιαξα μέ τά ἴδια μου τά χέρια. **5**. (*μετά τό οὐσ.*) καθαυτός: *architecture ~*, ἡ καθαυτή ἀρχιτεκτονική. *Greece ~*, ἡ κυρίως Ἑλλάδα. **~ fraction**, γνήσιον κλάσμα (μικρότερον τῆς μονάδος). **~ noun/name**, κύριον ὄνομα. **6**. (*καθομ.*) σωστός, τέλειος, μέ ὅλη τή σημασία τῆς λέξεως: *He's a ~ fool*, εἶναι τέλειος βλάκας. *He gave her a ~ licking*, τῆς ἔδωκε ἕνα κανονικό ξύλο. *We're in a ~ mess*, εἴμαστε κυριολεκτικά πελαγωμένοι. **~·ly** *ἐπίρ.* *(α)* καθώς πρέπει, σωστά, στήν κυριολεξία: *behave ~ly*, συμπεριφέρομαι καθώς πρέπει. *Do it ~ly or not at all*, ἤ κάμε το σωστά ἤ μή τό κάνεις καθόλου. *He's not ~ly speaking a chemist*, δέν εἶναι πραγματικά χημικός. *(β)* (*ἐπιτατ.*) τελείως: *He was ~ly drunk*, ἦταν τελείως μεθυσμένος. *We were ~ly beaten*, τίς φάγαμε κανονικά.

prop·erty /ˋpropətɪ/ *οὐσ.* **1**. ‹U› κυριότης: *There's no ~ in the seashore*, δέν χωρεῖ κυριότης στό γιαλό. *P~ has its obligations*, ἡ κυριότης συνεπάγεται καί ὑποχρεώσεις. **2**. ‹C,U› ἰδιοκτησία, περιουσία, κτῆμα, ὑπάρχοντα: *Don't touch these tools—they're not your ~*, μήν ἀγγίζης αὐτά τά ἐργαλεῖα—δέν εἶναι ἰδιοκτησία σου/δέν σοῦ ἀνήκουν. *private/public ~*, ἀτομική/δημοσία ἰδιοκτησία. *He has a small ~ in Thessaly*, ἔχει λίγη περιουσία (λίγα ἀκίνητα) στή Θεσσαλία. **a man of ~**, ἰδιοκτήτης, πλούσιος ἄνθρωπος. **common ~**, κοινή ἰδιοκτησία, κοινό μυστικό. **personal ~**, προσωπική περιουσία, κινητά πράγματα. **real ~**, ἀκίνητος περιουσία. **3**. ‹C› ἰδιότης: *the chemical properties of iron*, οἱ χημικές ἰδιότητες τοῦ σιδήρου. *herbs with healing properties*, βότανα μέ θεραπευτικές ἰδιότητες. **4**. ‹C› (*θέατρ., βραχυλ. prop*) ἀξεσουάρ τῆς σκηνῆς (κοστούμια, κλπ). **`~-man/-master**, φροντιστής θεάτρου. **prop·er·tied** *ἐπ.* ἔχων περιουσίαν: *the propertied classes*, οἱ τάξεις τῶν ἰδιοκτητῶν (*ἰδ.* τῶν γαιοκτημόνων).

proph·ecy /`profısı/ *οὐσ.* ‹C,U› προφητεία: *the gift of ~*, ἡ μαντική ἱκανότης. *The ~ was fulfilled*, ἡ προφητεία ἐπαλήθευσε.

proph·esy /`profısaı/ *ρ.μ/ἀ.* προφητεύω, προλέγω: *~ war*, προφητεύω πόλεμο. *He prophesied of strange things to come*, προέλεγε ὅτι θά συμβοῦν παράξενα πράγματα. *He prophesied right*, προφήτεψε σωστά/ἀποδείχτηκε καλός μάντης.

prophet /`profıt/ *οὐσ.* ‹C› προφήτης, μάντης: *the ~ Isaiah*, ὁ προφήτης Ἡσαΐας. *He was one of the early ~s of socialism*, ἦταν ἕνας ἀπό τούς πρώτους προφῆτες (ἀποστόλους) τοῦ σοσιαλισμοῦ. *a ~ of evil*, μάντης κακῶν. *No man is a ~ in his own country*, οὐδείς προφήτης δεκτός ἐν τῇ πατρίδι αὐτοῦ. *I'm not a good weather-~*, δέν εἶμαι καλός νά προλέγω τόν καιρό. **~·ess** /-es/ *οὐσ.* ‹C› ἡ προφῆτις. **~etic** /prə`fetık/ *ἐπ.* προφητικός. **~i·cally** /prə`fetıklı/ *ἐπίρ.* προφητικά.

pro·phy·lac·tic /`profı`læktık/ *ἐπ.* προφυλακτικός. —*οὐσ.* ‹C› προφυλακτικόν. **pro·phy·lax·is** /-`læksıs/ *οὐσ.* ‹U› προφύλαξις.

pro·pin·quity /prə`pıŋkwətı/ *οὐσ.* ‹U› (*λόγ.*) ἐγγύτης (τοπική, χρονική), συγγένεια (ἰδεῶν, κλπ).

pro·pi·ti·ate /prə`pıʃıeıt/ *ρ.μ.* (*λόγ.*) **1**. ἐξευμενίζω: *~ the gods*, ἐξευμενίζω τούς θεούς. **2**. κατευνάζω, καταπραΰνω. **pro·pi·ti·ation** /prə'pıʃı`eıʃn/ *οὐσ.* ‹U› ἐξευμενισμός, ἐξιλέωσις. **pro·pi·ti·atory** /prə`pıʃətərı/ *ἐπ.* ἐξιλεωτικός, ἐξιλαστήριος, ἐξευμενιστικός: *with a ~ smile*, μέ ἕνα ἐξευμενιστικό χαμόγελο.

pro·pi·tious /prə`pıʃəs/ *ἐπ.* ***~ to sb/for sth***, εὐνοϊκός, εὐμενής: *~ omens*, εὐνοϊκοί οἰωνοί. *The weather was ~ for their voyage*, ὁ καιρός ἦταν εὐνοϊκός γιά τό ταξίδι τους. **~·ly** *ἐπίρ.* εὐνοϊκά.

pro·por·tion /prə`pɔʃn/ *οὐσ.* **1**. ‹U› ***~ (to)***, ἀναλογία, σχέσις (πρός): *the ~ of imports to exports*, ἡ ἀναλογία (ἡ σχέσις) τῶν εἰσαγωγῶν πρός τίς ἐξαγωγές. ***in ~ to***, ἀνάλογος μέ, ἀναλόγως: *Payment will be in ~ to the work done*, ἡ πληρωμή θά εἶναι ἀνάλογη μέ τή δουλειά πού γίνεται. ***out of ~ (to)***, δυσανάλογος (πρός): *His duties are out of (all) ~ to his abilities*, τά καθήκοντά του εἶναι (ἐντελῶς) δυσανάλογα πρός τίς ἱκανότητές του. ***get sth out of ~***, δίνω δυσανάλογη σημασία σέ κτ, χάνω τό ὀρθό μέτρο. ***lose all sense of ~***, χάνω τό αἴσθημα τοῦ μέτρου. **2**. (*συχνά πληθ.*) συμμετρία, ὀρθή ἀναλογία/σχέσις: *a room of good ~s*, δωμάτιο μέ σωστές ἀναλογίες. *The two windows are in admirable ~*, τά δυό παράθυρα ἔχουν θαυμάσια συμμετρία. **3**. (*πληθ.*) μέγεθος, διαστάσεις: *a ship of majestic ~s*, πλοῖο ἐπιβλητικῶν διαστάσεων. *He's built up an export trade of substantial ~s*, ὀργάνωσε μιά ἐξαγωγική ἐπιχείρηση σημαντικοῦ μεγέθους. **4**. ‹C› τμῆμα, μερίδιο: *pay one's ~ of the expenses*, πληρώνω τό μερίδιό μου (τήν ἀναλογία μου) ἀπό τά ἔξοδα. **5**. ‹C› (*μαθ.*) ἀναλογία. —*ρ.μ.* ρυθμίζω κτ ἀναλόγως: *~ one's expenditure to one's income*, ρυθμίζω τίς δαπάνες μου ἀναλόγως πρός τά ἔσοδά μου. **well-~ed** *ἐπ.* μέ καλές ἀναλογίες, συμμετρικός. **~al** /-ʃnl/, **~·ate** /-ʃənət/ *ἐπ.* (*λόγ.*) ἀνάλογος: *payment ~ate to the work done*, πληρωμή ἀνάλογος πρός τήν πραγματοποιηθεῖσαν ἐργασίαν. **~al representation**, ἀναλογική ἀντιπροσώπευσις (ὡς ἐκλογικό σύστημα). **~ally**, **~·ate·ly** *ἐπίρ.* ἀναλόγως.

pro·po·sal /prə`pəuzl/ *οὐσ.* ‹C› πρότασις: *a ~ for peace*, πρότασις γιά εἰρήνη. *She had five ~s in one week*, εἶχε πέντε προτάσεις (γάμου) σέ μιά βδομάδα.

pro·pose /prə`pəuz/ *ρ.μ/ἀ.* **1**. προτείνω: *I ~ that we (should) start early*, προτείνω νά ξεκινήσωμε νωρίς. *The motion was ~d by Mr A and seconded by Mr X*, ἡ πρότασις ἔγινε ἀπό τόν κ. Α. καί ὑποστηρίχθηκε ἀπό τόν κ.Χ. ***~ sb for***, προτείνω κπ γιά: *I ~ Mr Hill for president*, προτείνω τόν κ.Χίλ γιά πρόεδρο. ***~ a toast/sb's health***, κάνω πρόποση/προπίνω εἰς ὑγείαν κάποιου. **2**. σκοπεύω, προτίθεμαι: *I ~ starting/to start early*, προτίθεμαι νά ξεκινήσω νωρίς. **3**. κάνω πρόταση (γάμου): *He has ~d to Mary*, ἔκανε πρόταση γάμου στή Μαίρη. **pro·posed** *ἐπ.* προτιθέμενος, σχεδιαζόμενος, **pro·poser** *οὐσ.* ‹C› ὁ προτείνων.

prop·osi·tion /`propə`zıʃn/ *οὐσ.* ‹C› **1**. δήλωσις: *The ~ is so clear that it needs no explanation*, ἡ δήλωσις εἶναι τόσο σαφής ὥστε δέν ἔχει ἀνάγκη ἐπεξηγήσεων. **2**. (*μαθ.*) θεώρημα, πρότασις. **3**. (*καθομ.*) ἐπιχείρησις, δουλειά, πρόβλημα: *Tunnelling under the English Channel is a big ~*, ἡ κατασκευή σήραγγος κάτω ἀπό τή Μάγχη εἶναι μεγάλη ἐπιχείρησις/ὑπόθεσις. *That's a different ~*, αὐτό εἶναι ἄλλη ὑπόθεσις/ἄλλη δουλειά. ***a tough ~***, δύσκολη δουλειά, ζόρικος ἄνθρωπος. **4**. (*καθομ.*) πρότασις (*ἰδ.* ἀνήθικη): *make a ~ to one's secretary*, κάνω προτάσεις στή γραμματέα μου. —*ρ.μ.* (*λαϊκ.*) κάνω (ἀνήθικες) προτάσεις, ρίχνομαι: *She was ~ed by her boss*, τῆς ἔκανε προτάσεις (τῆς ρίχτηκε) τό ἀφεντικό της.

pro·pound /prə`paund/ *ρ.μ.* (*λόγ.*) εἰσηγοῦμαι, προτείνω, θέτω (πρός μελέτην).

pro·pri·etary /prə`praıətərı/ *ἐπ.* **1**. ἰδιόκτητος, τῆς ἰδιοκτησίας: *~ rights*, δικαιώματα ἰδιοκτησίας. *~ medicine*, ἰδιοσκεύασμα, σπεσιαλιτέ. **2**. τοῦ ἰδιοκτήτη: *He walked round the estate with a ~ air*, τριγύρισε τό χτῆμα μέ ὕφος ἰδιοκτήτη.

pro·pri·etor /prə`praıətə(r)/ *οὐσ.* ‹C› ἰδιοκτήτης: *the ~ of a hotel*, ὁ ἰδιοκτήτης ἑνός ξενοδοχείου. **pro·pri·etress** /prə`praıətrəs/ *οὐσ.* ‹C› ἰδιοκτήτρια.

pro·pri·ety /prə`praıətı/ *οὐσ.* (*λόγ.*) **1**. ‹U› εὐπρέπεια, κοσμιότης: *throw ~ to the winds*, κάνω στήν μπάντα κάθε εὐπρέπεια. *a breach of ~*, παράβασις τῶν κανόνων εὐπρεπείας. **2**.

(*πληθ.*) καλοί τρόποι: *offend against/observe the proprieties*, παραβαίνω/τηρῶ τούς κανόνες καλῆς συμπεριφορᾶς. **3.** ‹U› ὀρθότης: *I question the ~ of accepting his invitation*, ἀμφισβητῶ τήν ὀρθότητα ἀποδοχῆς τῆς προσκλήσεώς του.

pro·pul·sion /prəˋpʌlʃn/ *οὐσ.* ‹U› πρόωσις, προώθησις. **pro·pul·sive** /-ˋpʌlsɪv/ *ἐπ.* προωθητικός.

pro rata /ˈprəʊ ˋratə/ *ἐπίρ.* (*Λατ.*) κατ᾽ ἀναλογίαν.

pro·rogue /prəʊˋrəʊg/ *ρ.μ.* (*λόγ.*) ἀναβάλλω (τίς ἐργασίες τῆς Βουλῆς). **pro·ro·ga·tion** /ˈprəʊrəˋgeɪʃn/ *οὐσ.* ‹C,U› ἀναβολή.

pro·saic /prəˋzeɪk/ *ἐπ.* πεζός, ἀνιαρός, τετριμμένος: *a ~ life/wife*, πεζή ζωή/γυναίκα. **~ally** /-klɪ/ *ἐπίρ.*

pro·scenium /prəˋsinɪəm/ *οὐσ.* ‹C› (*θέατρ.*) προσκήνιον.

pro·scribe /prəʊˋskraɪb/ *ρ.μ.* **1.** (*ἀπηρχ.*) προγράφω, κηρύσσω ἐκτός νόμου. **2.** (*λόγ.*) ἀπαγορεύω. **pro·scrip·tion** /prəˋskrɪpʃn/ *οὐσ.* ‹C,U› προγραφή.

prose /prəʊz/ *οὐσ.* ‹U› πρόζα, πεζός λόγος.

pros·ecute /ˋprosɪkjut/ *ρ.μ.* **1.** (*πεπαλ.*) συνεχίζω: *~ a war/one's studies*, συνεχίζω ἕναν πόλεμο/τίς σπουδές μου. **2.** διώκω ποινικῶς, καταγγέλλω, μηνύω: *He was ~d for exceeding the speed limit*, ἐμηνύθη δι᾽ ὑπέρβασιν τοῦ ὁρίου ταχύτητος. **pros·ecu·tor** /ˋprosɪkjutə(r)/ *οὐσ.* ‹C› μηνυτής. **Public Prosecutor**, Δημόσιος Κατήγορος, Εἰσαγγελεύς.

pros·ecu·tion /ˈprosɪˋkjuʃn/ *οὐσ.* **1.** ‹U› (*λόγ.*) συνέχισις, ἄσκησις: *in the ~ of his duties*, κατά τήν ἄσκηση τῶν καθηκόντων του. **2.** ‹C,U› δίωξις, μήνυσις: *be liable to ~*, ὑπόκειμαι εἰς δίωξιν. *make oneself liable to ~*, ἐκτίθεμαι εἰς τόν κίνδυνο διώξεως. *start a ~ against sb*, ὑποβάλλω μήνυσιν ἐναντίον κάποιου. **3.** (*συλλογ.*) οἱ μηνυτές, ἡ κατηγορία: *witness for the ~*, μάρτυς κατηγορίας.

pros·elyte /ˋprosəlaɪt/ *οὐσ.* ‹C› προσήλυτος. **pros·elyt·ize** /ˋprosəlɪtaɪz/ *ρ.μ.* προσηλυτίζω.

pros·ody /ˋprosədɪ/ *οὐσ.* ‹U› προσῳδία, μετρική.

[1]**pros·pect** /ˋprospekt/ *οὐσ.* **1.** ‹C› θέα, ἄποψις: *a wide ~*, ἀνοιχτή θέα, πλατύς ὁρίζοντας. **2.** ‹U› ἐλπίδα, προσδοκία, πιθανότης: *Is there no ~ of your visiting us soon?* δέν ὑπάρχει ἐλπίδα νά μᾶς ἐπισκεφθῆς σύντομα; *I see little ~ of his recovery*, δέν βλέπω πολλές ἐλπίδες νά ἀναρρώση. ***in ~***, ἐν ὄψει. **3.** ‹C› προοπτική, (*πληθ.*) μέλλον, ἐλπίδες: *a sad ~*, θλιβερή προοπτική. *open up a new ~ to sb*, ἀνοίγω νέα προοπτική σέ κπ. *His ~s are brilliant*, τό μέλλον του προμηνύεται λαμπρό. *hold out bright ~s to sb*, ὑπόσχομαι λαμπρό μέλλον/δίνω μεγάλες ἐλπίδες σέ κπ. **4.** ‹C› ὑποψήφιος πελάτης/γαμπρός, κλπ: *He's a good ~ for any young girl*, εἶναι καλός ὑποψήφιος (γαμπρός) γιά κάθε κοπέλλα.

[2]**pros·pect** /prəˋspekt/ *ρ.μ.* ~ ***(for)***, ἐνεργῶ ἔρευνες: *~ for gold/oil*, κάνω ἔρευνες γιά χρυσό/πετρέλαιο. **pros·pec·tor** /-tə(r)/ *οὐσ.* ‹C› ἀναζητητής μεταλλευμάτων, μεταλλοδίφης.

pros·pec·tive /prəˋspektɪv/ *ἐπ.* μελλοντικός, ἐπίδοξος, πιθανός, ὑποψήφιος: *~ advantages*, μελλοντικά πλεονεκτήματα. *~ heirs*, ἐπίδοξοι (πιθανολογούμενοι) κληρονόμοι. *my ~ wife*, ἡ μέλλουσα σύζυγός μου. *a ~ buyer*, πιθανός (ὑποψήφιος) ἀγοραστής.

pro·spec·tus /prəˋspektəs/ *οὐσ.* ‹C› (*πληθ.* *~es* /-təsɪz/) περιγραφικό διαφημιστικό φυλλάδιο, ἀναλυτικό πρόγραμμα, ἀγγελία (βιβλίου, κλπ).

pros·per /ˋprospə(r)/ *ρ.μ./ἀ.* **1.** εὐημερῶ, ἀκμάζω, ἐπιτυγχάνω, εὐτυχῶ: *His business is ~ing*, οἱ δουλειές του ἀκμάζουν. *He will ~*, θά ἐπιτύχη, θά προκόψη. **2.** χαρίζω εὐημερία: *May God ~ you!* εἴθε ὁ Θεός νά σᾶς χαρίζη εὐημερία. **~·ity** /proˋsperətɪ/ *οὐσ.* ‹U› εὐημερία: *a life of happiness and ~ity*, ζωή εὐτυχισμένη καί πλούσια. *live in ~ity*, ζῶ σέ εὐημερία. **~·ous** /-rəs/ *ἐπ.* ἐπιτυχής, ἀκμάζων, εὐτυχῶν: *a ~ous business*, ἀκμάζουσα ἐπιχείρησις. *~ous years*, χρόνια εὐημερίας. **~·ous·ly** *ἐπίρ.*

pros·tate /ˋprosteɪt/ *οὐσ.* ‹C› ~ **(gland)**, (*ἀνατ.*) προστάτης: *have a ~ (operation)*, κάνω ἐγχείρηση προστάτου.

pros·ti·tute /ˋprostɪtjut/ *οὐσ.* ‹C› πόρνη. __*ρ.μ.* ἐκπορνεύω, ἐξευτελίζω, πουλάω: *~ one's abilities/honour*, ἐξευτελίζω τίς ἱκανότητές μου/πουλάω τήν τιμή μου. **pros·ti·tu·tion** /ˈprostɪˋtjuʃn/ *οὐσ.* ‹U› πορνεία, ἐκπόρνευσις, ἐξευτελισμός.

pros·trate /ˋprostreɪt/ *ἐπ.* **1.** πρηνής, μπρούμητα: *lie ~*, ἔχω ξαπλώσει μπρούμητα. **2.** (*μεταφ.*) συντετριμμένος, τσακισμένος, ἐκμηδενισμένος: *~ with grief*, τσακισμένος ἀπό τόν πόνο. __*ρ.μ.* /proˋstreɪt/ **1.** ρίχνω/πέφτω χάμω: *trees ~d by the gale*, δέντρα ριγμένα ἀπό τή θύελλα. *The slaves ~d themselves before their master*, οἱ σκλάβοι πέσαν μπρούμητα μπροστά στόν ἀφέντη τους. **2.** συντρίβω, ἐκμηδενίζω: *She is ~d with grief*, εἶναι συντετριμμένη ἀπό τόν πόνο. **pros·tra·tion** /proˋstreɪʃn/ *οὐσ.* *(α)* ‹C› προσκύνημα, πέσιμο μπρούμητα. *(β)* ‹U› τέλεια σωματική ἐξάντλησις.

prosy /ˋprəʊzɪ/ *ἐπ.* πεζός, ἀνιαρός, σαχλός: *~ style/writers/books*. **pro·sily** /-əlɪ/ *ἐπίρ.* **prosi·ness** *οὐσ.* ‹U› ἀνιαρότης, πεζολογία, κενολογία.

pro·tag·on·ist /prəʊˋtægənɪst/ *οὐσ.* ‹C› πρωταγωνιστής.

pro·tean /ˋprəʊtɪən/ *ἐπ.* πρωτεϊκός.

pro·tect /prəˋtekt/ *ρ.μ.* ~ ***(from/against)***, προφυλάσσω, προστατεύω, προασπίζω: *well ~ed from the cold/against the weather*, καλά προφυλαγμένος ἀπό τό κρύο/ἐναντίον τῆς κακοκαιρίας. *~ home industries*, προστατεύω τίς ντόπιες βιομηχανίες. *~ sb from his enemies*, ὑπερασπίζω κπ ἐναντίον τῶν ἐχθρῶν του.

pro·tec·tion /prəˋtekʃn/ *οὐσ.* ‹U› **1.** προστασία: *~ against the weather*, προστασία ἀπό τήν κακοκαιρία. *under sb's ~*, ὑπό τήν προστασίαν κάποιου. *claim the ~ of the law*, ἐπικαλοῦμαι τήν προστασία τοῦ νόμου. **2.** ‹C› ἄμυνα, προστατευτικό μέσον: *wear a heavy overcoat as a ~ against the cold*, φορῶ βαρύ πανωφόρι σάν ἄμυνα κατά τοῦ κρύου. **~·ism** /-ɪzm/ *οὐσ.* ‹U› (δασμολογικός) προστατευτισμός. **~·ist** /-ɪst/ *οὐσ.* ‹C› ὀπαδός τοῦ προστατευτισμοῦ.

pro·tec·tive /prə`tektɪv/ *ἐπ.* προστατευτικός: *a ~ tariff*, προστατευτικό δασμολόγιο. *feel ~ towards sb*, νοιώθω τήν ἀνάγκη νά προστατεύσω κπ. **~·ly** *ἐπίρ.* προστατευτικά.

pro·tec·tor /prə`tektə(r)/ *οὐσ.* ‹C› προστάτης, προστατευτικό ἀντικείμενο: *a `tank-~*, προφυλακτήρ δεξαμενῆς. **~·ate** /-rət/ *οὐσ.* ‹C› προτεκτορᾶτο.

pro·tégé (*θηλ.* **-gée**) /`protɪʒeɪ/ *οὐσ.* ‹C› προστατευόμενος (*θηλ.* προστατευομένη).

pro·tein /`prəʊtin/ *οὐσ.* ‹C,U› πρωτεΐνη.

pro tem /ˈprəʊ `tem/ *ἐπίρ.* (*Λατ.*) (*βραχυλ. γιά pro tempore* /`tempərɪ/) ἐπί τοῦ παρόντος, προσωρινῶς: *I'm in charge of the shop ~*, ἔχω ἀναλάβει τό μαγαζί προσωρινά.

1**pro·test** /`prəʊtest/ *οὐσ.* ‹C,U› διαμαρτυρία: *make/lodge/enter a ~ against sb*, ὑποβάλλω διαμαρτυρία ἐναντίον κάποιου. *give rise to vigorous ~s*, προκαλῶ ἔντονες διαμαρτυρίες. *without ~*, ἀδιαμαρτύρητα. *a `~ movement/ march*, κίνημα/πορεία διαμαρτυρίας.

2**pro·test** /prə`test/ *ρ.μ/ἀ.* **1**. ἰσχυρίζομαι, διακηρύσσω, ὑποστηρίζω: *He ~ed that he had never said such a thing*, ἰσχυρίσθηκε ὅτι ποτέ δέν εἶπε τέτοιο πρᾶγμα. *He ~ed his innocence*, ὑποστήριξε ὅτι εἶναι ἀθῶος (διακήρυξε/ βροντοφώναξε τήν ἀθωότητά του). **2**. *~ (**against**)*, διαμαρτύρομαι (ἐναντίον): *~ loudly*, διαμαρτύρομαι ἐντόνως. *He ~ed against being called a fool*, διαμαρτυρήθηκε πού τόν εἶπαν βλάκα. **~er** *οὐσ.* ‹C› διαμαρτυρόμενος. **~·ing·ly** *ἐπίρ.*

Prot·es·tant /`protɪstənt/ *οὐσ.* ‹C› & *ἐπ.* Προτεστάντης, Διαμαρτυρόμενος. **~·ism** /-ɪzm/ *οὐσ.* ‹U› προτεσταντισμός.

prot·esta·tion /ˈprotɪ`steɪʃn/ *οὐσ.* ‹C› (*λόγ.*) διακήρυξις, ἐκδήλωσις: *~s of innocence/ friendship*, διακηρύξεις ἀθωότητος/ἐκδηλώσεις φιλίας.

pro·to·col /`prəʊtəkol/ *οὐσ.* **1**. ‹C› πρωτόκολλον (ἔγγραφον). **2**. ‹U› πρωτόκολλον, ἐθιμοτυπία: *according to ~*, σύμφωνα μέ τό πρωτόκολλο/μέ τούς κανόνες τῆς ἐθιμοτυπίας.

pro·ton /`prəʊton/ *οὐσ.* ‹C› (*φυσ.*) πρωτόνιον.

pro·to·plasm /`prəʊtəplæzm/ *οὐσ.* ‹C,U› (*βιολ.*) πρωτόπλασμα.

pro·to·type /`prəʊtətaɪp/ *οὐσ.* ‹C› πρωτότυπον, ἀρχέτυπον.

pro·to·zoa /ˈprəʊtə`zəʊə/ *οὐσ. πληθ.* (*βιολ.*) πρωτόζωα.

pro·tract /prə`trækt/ *ρ.μ.* παρατείνω, τραβῶ σέ μάκρος: *~ a visit*, παρατείνω μιά ἐπίσκεψη. *a ~ed argument*, παρατραβηγμένη συζήτηση. **~ion** /prə`trækʃn/ *οὐσ.* ‹U› παράτασις.

pro·trac·tor /prə`træktə(r)/ *οὐσ.* ‹C› μοιρογνωμόνιον.

pro·trude /prə`trud/ *ρ.μ/ἀ.* προεξέχω: *protruding teeth/eyes*, δόντια/μάτια πού πετᾶνε πρός ἔξω. *a shelf that ~s from a wall*, ράφι πού προεξέχει ἀπό ἕναν τοῖχο. **pro·tru·sion** /-`truʒn/ *οὐσ.* ‹C,U› προεξοχή, προεκβολή. **pro·trus·ive** /-`trusɪv/ *ἐπ.* προεξέχων.

pro·tu·ber·ant /prə`tjubərənt/ *ἐπ.* (*λόγ.*) προτεταμένος, ἐξωγκωμένος, πρησμένος. **pro·tu·ber·ance** /-əns/ *οὐσ.* ‹C,U› ἐξόγκωμα, οἴδημα, προεκβολή.

proud /praʊd/ *ἐπ.* (*-er, -est*) **1**. *~ **of***, περήφανος γιά: *He's ~ of his success/of being successful*, εἶναι περήφανος γιά τήν ἐπιτυχία του/πού πέτυχε. **`house·~**, περήφανος γιά τό σπίτι μου. **`purse-~**, περήφανος γιά τά λεφτά μου. **2**. ἀλαζών, ἀγέρωχος, ἀκατάδεχτος, φαντασμένος: *He was too ~ to join us*, ἦταν πολύ ἀκατάδεχτος (ψηλομύτης) γιά νά ἔλθη μαζί μας. ***as ~ as a peacock***, φαντασμένος σάν παγώνι. **3**. ἔνδοξος, λαμπρός, θαυμάσιος: *It was a ~ day for the school*, ἦταν ἔνδοξη (λαμπρή) μέρα γιά τό σχολεῖο. *Her garden was a ~ sight*, ὁ κῆπος της ἦταν ἕνα θαυμάσιο θέαμα. **4**. **~ flesh**, σαρκίον τραύματος. **5**. (*ἐπίρ.*) (*καθομ.*) ***do sb ~***, κάνω μεγάλες περιποιήσεις/τιμές σέ κπ. **~·ly** *ἐπίρ.* περήφανα, μέ καμάρι.

prove /pruv/ *ρ.μ/ἀ.* (*π.μ. ~d ἤ, κατωτ. 1. ~n* /pruvn/) **1**. ἀποδεικνύω: *Can you ~ it to me?* μπορεῖς νά μοῦ τό ἀποδείξης; *~ a will*, ἐπικυρῶ διαθήκην, ἀποδεικνύω τό γνήσιόν της. *~ sb's worth*, ἀποδεικνύω τήν ἀξία κάποιου. ***The exception ~s the rule***, ἡ ἐξαίρεσις ἐπιβεβαιοῖ τόν κανόνα. ***not ~n***, ἀναπόδεικτος. **2**. *~ (**oneself**) (**to be**)*, ἀποδεικνύομαι, φανερώνομαι: *He ~d (himself) (to be) a coward*, ἀποδείχτηκε/βγῆκε δειλός. *Our food supplies ~d (to be) insufficient*, οἱ προμήθειές μας σέ τρόφιμα ἀποδείχτηκαν ἀνεπαρκεῖς. **prov·able** /-əbl/ *ἐπ.* ἀποδείξιμος, πού μπορεῖ νά ἀποδειχθῆ.

prov·enance /`provənəns/ *οὐσ.* ‹U› προέλευσις, πηγή.

prov·en·der /`provɪndə(r)/ *οὐσ.* ‹U› ζωοτροφή, (*καθομ.*) τροφή.

prov·erb /`provɜb/ *οὐσ.* ‹C› **1**. παροιμία. **2**. παροιμιώδης: *He's a ~ for meanness/His meanness is a ~*, εἶναι παροιμιώδης γιά τήν τσιγγουνιά του/ἡ τσιγγουνιά του εἶναι παροιμιώδης. **~·ial** /prə`vɜbɪəl/ *ἐπ.* παροιμιώδης: *His stupidity is ~ial*, ἡ βλακεία του εἶναι παροιμιώδης. **prov·erbi·ally** /-əlɪ/ *ἐπίρ.* παροιμιωδῶς.

pro·vide /prə`vaɪd/ *ρ.μ/ἀ.* **1**. *~ **for sb/sth***, συντηρῶ, ἐξασφαλίζω, προνοῶ: *He has a large family to ~ for*, ἔχει μεγάλη οἰκογένεια νά συντηρήση. *He died without providing for his widow*, πέθανε χωρίς νά ἐξασφαλίση τή χήρα του. *~ for one's children*, προνοῶ γιά τά παιδιά μου. ***~ against***, παίρνω τά μέτρα μου: *~ against accident/ against a coal shortage*, παίρνω τά μέτρα μου γιά τήν περίπτωση ἀτυχήματος/γιά τήν περίπτωση ἐλλείψεως κάρβουνου. **2**. ***~ sth for sb; ~ sb with sth***, προμηθεύω, ἐφοδιάζω: *~ food for one's family*, προμηθεύω τροφή στήν οἰκογένειά μου. *~ one's family with food*, ἐφοδιάζω τήν οἰκογένειά μου μέ τροφή. *~ an opportunity for sb*, παρέχω/προσφέρω μιά εὐκαιρία σέ κπ. **3**. ὁρίζω, προβλέπω: *The contract ~s that...*, τό συμβόλαιο ὁρίζει ὅτι... *A clause in the agreement ~s that...*, ἕνας ὅρος στή συμφωνία προβλέπει ὅτι... **~er** *οὐσ.* ‹C› προμηθευτής.

pro·vided /prə`vaɪdɪd/, (*καθομ.*) **pro·vid·ing** /prə`vaɪdɪŋ/ *σύνδ.* ἀρκεῖ, ἐφ' ὅσον, ὑπό τόν ὅρον ὅτι: *I'll go provided/providing my expenses are paid*, θά πάω ὑπό τόν ὅρο ὅτι θά μοῦ καταβληθοῦν τά ἔξοδα.

provi·dence /ˋprovɪdəns/ *οὐσ.* **1**. ‹U› (*πεπαλ.*) φειδώ, οἰκονομία. **2**. **P** ~, Θεία Πρόνοια: *the mysterious working of divine* ~, αἱ μυστηριώδεις βουλαί τῆς Θείας Προνοίας.

provi·dent /ˋprovɪdənt/ *ἐπ.* προνοητικός, προβλεπτικός. ˋ~ **fund**, ταμεῖον προνοίας/αὐτασφαλίσεως.

provi·den·tial /ˈprovɪˋdenʃl/ *ἐπ.* θεόσταλτος, τῆς Θείας Προνοίας: *a* ~ *escape*, ἀπό Θεοῦ σωτηρία. ~**·ly** /-ʃəlɪ/ *ἐπίρ.* σάν ἀπό τό Θεό/ἀπό τόν οὐρανό.

prov·ince /ˋprovɪns/ *οὐσ.* ‹C› **1**. ἐπαρχία: *people from the* ~*s*, ἐπαρχιῶτες. *tour the* ~*s*. περιοδεύω τίς ἐπαρχίες. **2**. περιοχή, ἁρμοδιότης: *Your question falls outside the* ~ *of science*, τό ἐρώτημά σου βρίσκεται ἔξω ἀπό τήν περιοχή τῆς ἐπιστήμης. *This is not within my* ~, αὐτό δέν εἶναι τῆς ἁρμοδιότητός μου.

prov·in·cial /prəˋvɪnʃl/ *ἐπ.* **1**. ἐπαρχιακός: *a* ~ *government*, ἐπαρχιακή κυβέρνησις. ~ *roads*, ἐπαρχιακοί δρόμοι. **2**. ἐπαρχιώτικος: *a* ~ *accent/outlook*, ἐπαρχιώτικη προφορά/νοοτροπία. —*οὐσ.* ‹C› ἐπαρχιώτης. ~**ly** /-ʃəlɪ/ *ἐπίρ.* ~**·ism** /-izm/ *οὐσ.* ‹C,U› ἐπαρχιωτισμός.

pro·vi·sion /prəˋvɪʒn/ *οὐσ.* **1**. ‹U› πρόβλεψις, πρόνοια, ἐφοδιασμός, παροχή: *make* ~ *for one's old age*, κάνω πρόβλεψη/λαμβάνω πρόνοια γιά τά γερατειά μου. *make* ~ *against sth*, παίρνω μέτρα γιά ἕνα ἐνδεχόμενο. *the* ~ *of water and gas to the suburbs*, ἡ παροχή νεροῦ καί γκαζιοῦ στά προάστεια. **2**. ‹C› ποσότης: *issue a* ~ *of meat/rum to troops*, μοιράζω μιά ποσότητα κρέατος/ρούμι στούς στρατιῶτες. **3**. (*συνήθ. πληθ.*) ἐφόδια, τρόφιμα: *lay in a store of* ~*s*, κάνω ἀπόθεμα τροφίμων. *a wholesale* ~ *business*, χονδρεμπόριο τροφίμων. *a* ~ *merchant*, ἔμπορος τροφίμων. **4**. ‹C› ὅρος, διάταξις, ἄρθρον: *There's no* ~ *to the contrary*, δέν ὑπάρχει ἀντίθετος ὅρος. *come within the* ~*s of the law*, ἐμπίπτω στίς διατάξεις τοῦ νόμου. —*ρ.μ.* τροφοδοτῶ, ἐφοδιάζω: ~ *a ship for a long voyage*, ἐφοδιάζω πλοῖο γιά μακρυνό ταξίδι.

pro·vi·sional /prəˋvɪʒnl/ *ἐπ.* προσωρινός: *a* ~ *government/arrangement*, προσωρινή κυβέρνησις/ρύθμισις. ~**ly** /-nəlɪ/ *ἐπίρ.* προσωρινά.

pro·viso /prəˋvaɪzəʊ/ *οὐσ.* ‹C› (*πληθ.* ~s) ὅρος, αἵρεσις, ἐπιφύλαξις: *with the* ~ *that*..., ὑπό τόν ὅρον ὅτι... *subject to this* ~, ὑπό τήν ἐπιφύλαξιν αὐτήν. **pro·vi·sory** /-ˋvaɪzərɪ/ *ἐπ.* ὑπό ὅρους, ὑπό αἵρεσιν.

provo·ca·tion /ˈprovəˋkeɪʃn/ *οὐσ.* ‹C,U› πρόκλησις, ἀφορμή, προβοκάτσια: *wilful* ~, ἐσκεμμένη πρόκλησις. *do sth under* ~, κάνω κτ ὕστερα ἀπό πρόκληση. *She flares up at/on the slightest* ~, φουντώνει μέ τήν παραμικρή ἀφορμή.

pro·voca·tive /prəˋvokətɪv/ *ἐπ.* προκλητικός: *a* ~ *remark/dress*, προκλητική παρατήρησις/-ό φόρεμα. ~**·ly** *ἐπίρ.* προκλητικά.

pro·voke /prəˋvəʊk/ *ρ.μ.* **1**. ἐρεθίζω, προκαλῶ: *If you* ~ *the dog, it will attack you*, ἄν ἐρεθίσης τό σκυλί, θά σοῦ ριχτῆ. ~ *laughter/a smile/a riot*, προκαλῶ γέλιο/χαμόγελο/ταραχές. **2**. ~ ***sb to do/into doing sth***, ἀναγκάζω (ἐξωθῶ) κπ νά κάνη κτ: *His impudence* ~*d her into slapping his face*, ἡ θρασύτητά του τήν ἀνάγκασε νά τόν χαστουκίση. *He was* ~*d to answer rudely*, ἀναγκάστηκε ν'ἀπαντήση βάναυσα. **pro·vok·ing** *ἐπ.* προκλητικός, ἐνοχλητικός, ἐξοργιστικός. **pro·vok·ing·ly** *ἐπίρ.* προκλητικά, ἐνοχλητικά, ἐξοργιστικά.

pro·vost /ˋprovəst/ *οὐσ.* ‹C› **1**. κοσμήτωρ (σέ ὡρισμένα κολλέγια). **2**. (*Σκωτ.*) δήμαρχος. **3**. ~ **marshal** /prəˈvəʊ ˋmaʃl/ ἀρχηγός τῆς στρατιωτικῆς ἀστυνομίας.

prow /praʊ/ *οὐσ.* ‹C› πλώρη.

prow·ess /ˋpraʊɪs/ *οὐσ.* ‹U› ἀνδρεία, γενναιότης, παλληκαριά.

prowl /praʊl/ *ρ.μ/ἀ.* **1**. (*γιά ἄγριο ζῶο*) περιφέρομαι σέ ἀναζήτηση λείας. **2**. (*γιά ἄνθρ.*) τριγυρίζω: ~ *the streets*, τριγυρίζω στούς δρόμους (μέ ὕποπτο σκοπό). —*οὐσ.* ‹C› ***be on the*** ~, εἶμαι στή γύρα, ἔχω βγῆ παγανιά. ~**er** *οὐσ.* ‹C› τριγυριστής (πρός ἄγραν λείας).

prox /proks/ *ἐπ. βλ. proximo*.

proxi·mate /ˋproksɪmət/ *ἐπ.* (*λόγ.*) ἐγγύτατος, ἄμεσος, προσεχής.

prox·im·ity /prokˋsɪmətɪ/ *οὐσ.* ‹U› ἐγγύτης, ἀμεσότης. ***in (close)*** ~ ***to***, ἐγγύτατα πρός: *in* ~ *to the school*, κοντά στό σχολεῖο. ~ **fuse**, πυροσωλήν προσεγγίσεως.

prox·imo /ˋproksɪməʊ/ *ἐπ.* (*βραχυλ. prox*) (*Λατ.*) προσεχής (μήνας): *on the 20th prox.*, τήν 20ήν προσεχοῦς μηνός.

proxy /ˋproksɪ/ *οὐσ.* ‹C,U› πληρεξουσιότης, πληρεξούσιον, πληρεξούσιος: *make sb one's* ~, κάνω κπ πληρεξούσιόν μου. ***by*** ~, δι' ἀντιπροσώπου: *vote by* ~, ψηφίζω δι' ἀντιπροσώπου.

prude /prud/ *οὐσ.* ‹C› σεμνότυφος: *act the* ~, κάνω τήν ὁσία Μαρία. **pru·dery** /ˋprudərɪ/ *οὐσ.* ‹C, U› σεμνοτυφία. **prud·ish** /ˋprudɪʃ/ *ἐπ.* σεμνότυφος. **pru·dish·ly** *ἐπίρ.*

pru·dent /ˋprudnt/ *ἐπ.* συνετός, φρόνιμος, προνοητικός. ~**·ly** *ἐπίρ.* **pru·dence** /-dns/ *οὐσ.* ‹U› σύνεσις, φρονιμάδα, προνοητικότης.

pru·den·tial /pruˋdenʃl/ *ἐπ.* συνετός, ὑπαγορευόμενος ἀπό φρόνηση.

[1]**prune** /prun/ *οὐσ.* ‹C› ξερό δαμάσκηνο: *stewed* ~*s*, δαμάσκηνο κομπόστα.

[2]**prune** /prun/ *ρ.μ.* κλαδεύω, καθαρίζω, περικόπτω: ~ *the rose-bushes*, κλαδεύω τίς τριανταφυλλιές. ~ *away unwanted growth*, κόβω τά περιττά βλαστάρια. ~ *an essay of superfluous matter*, (*μεταφ.*) καθαρίζω μιά ἔκθεση ἀπό περιττά πράγματα. ˋ**pruning-knife/-bill/-hook**, κλαδευτήρι. ˋ**pruning-saw**, πριόνι τοῦ κλαδέματος. ˋ**pruning-scissors/-shears**, ψαλίδα.

pru·ri·ent /ˋprʊərɪənt/ *ἐπ.* λάγνος, ἀσελγής. ~**·ly** *ἐπίρ.* **pru·ri·ence** /-əns/, **pru·ri·ency** /-ənsɪ/ *οὐσ.* ‹U› λαγνεία.

Prus·sian /ˋprʌʃn/ *οὐσ.* ‹C› Πρῶσσος. —*ἐπ.* πρωσσικός.

prus·sic /ˋprʌsɪk/ *ἐπ.* ˈ~ ˋ**acid**, ὑδροκυανικόν ὀξύ.

[1]**pry** /praɪ/ *ρ.ἀ.* ~ ***about***, ψαχουλεύω, κοιτάζω ἐρευνητικά. ~ ***into***, χώνω τή μύτη μου, προσπαθῶ νά μάθω. **pry·ing·ly** *ἐπίρ.* περίεργα, ἀδιάκριτα.

[2]**pry** /praɪ/ *ρ.μ.* ἀνοίγω μέ λοστό ἤ μέ τό ζόρι (*βλ.* [3]*prize*), ἀποσπῶ: ~ *a secret out of sb*,

(*μεταφ.*) ἀποσπῶ ἕνα μυστικό ἀπό κπ.

psalm /sam/ *οὐσ.* ‹C› ψαλμός. **the P ~ s**, οἱ Ψαλμοί. **the ˋP ~ ist**, ὁ Ψαλμωδός (ὁ Δαυΐδ). **~·ody** /ˋsamədɪ/ *οὐσ.* ‹C,U› ψαλμωδία.

psal·ter /ˋsɔltə(r)/ *οὐσ.* ‹C› Ψαλτήρι. **~y**/-tərɪ/ *οὐσ.* ‹C› μεσαιωνικό σαντούρι.

pseudo- /ˈsjudəʊ/ *πρόθεμα* ψευδο-: ~*-scientific*, ψευδοεπιστημονικός. —*ἐπ.* & *οὐσ.* ‹C› (*καθομ.*) κάλπικος, κάλπης, σκάρτος (ἄνθρωπος): *He's very* ~, εἶναι πολύ σκάρτος.

pseu·do·nym /ˋsjudənɪm/ *οὐσ.* ‹C› ψευδώνυμον.

pshaw /pʃə/ *ἐπιφ. περιφρονήσεως ἤ ἐκνευρισμοῦ* πούφ! οὔφ!

psyche /ˋsaɪkɪ/ *οὐσ.* ‹C› ψυχή, πνεῦμα, νοοτροπία.

psyche·delic /ˈsaɪkəˋdelɪk/ *ἐπ.* παραισθησιογόνος.

psy·chia·try /saɪˋkaɪətrɪ/ *οὐσ.* ‹U› ψυχιατρική. **psy·chia·trist** /-ɪst/ *οὐσ.* ‹C› ψυχίατρος. **psy·chi·atric** /ˈsaɪkɪˋætrɪk/ *ἐπ.*. ψυχιατρικός.

1 **psy·chic** /ˋsaɪkɪk/ *οὐσ.* ‹C› μέντιουμ.

2 **psy·chic** /ˋsaɪkɪk/, **psy·chi·cal** /-ɪkl/ *ἐπ.* ψυχικός: ~ *research/phenomena*, ψυχική ἔρευνα/-ά φαινόμενα.

psy·cho-an·aly·sis /ˈsaɪkəʊ əˋnæləsɪs/ *οὐσ.* ‹U› ψυχανάλυσις. **psy·cho-an·al·yse** /-ˋænəlaɪz/ *ρ.μ.* ψυχαναλύω. **psy·cho-anal·yst** /-ˋænəlɪst/ *οὐσ.* ‹C› ψυχαναλυτής. **psy·cho-an·a·lytic** /-ˈænəˋlɪtɪk/, **-an·a·lytical** /-ɪkl/ *ἐπ.* ψυχαναλυτικός.

psy·chol·ogy /saɪˋkolədʒɪ/ *οὐσ.* ‹U› ψυχολογία: *She understands my* ~ *very well*, καταλαβαίνει τήν ψυχολογία μου πολύ καλά. **psy·chol·ogist** /-ɪst/ *οὐσ.* ‹C› ψυχολόγος. **psy·cho·logi·cal** /ˈsaɪkəˋlodʒɪkl/ *ἐπ.* ψυχολογικός. **psy·cho·logi·cally** /-klɪ/ *ἐπίρ.*

psy·cho·path /ˋsaɪkəʊpæθ/ *οὐσ.* ‹C› ψυχοπαθής. **~ic** /ˈsaɪkəʊˋpæθɪk/ *ἐπ.* ψυχοπαθής.

psy·cho·sis /saɪˋkəʊsɪs/ *οὐσ.* ‹C› (*πληθ.* *-choses* /-ˋkəʊsiz/) ψύχωσις.

psy·cho·therapy /ˈsaɪkəʊˋθerəpɪ/ *οὐσ.* ‹U› ψυχοθεραπεία. **psy·cho·ther·apist** *οὐσ.* ‹C› ψυχίατρος.

ptero·dac·tyl /ˈterəˋdæktɪl/ *οὐσ.* ‹C› (*παλαιοντολ.*) πτεροδάκτυλος.

pto·maine /ˋtəʊmeɪn/ *οὐσ.* ‹C› (*χημ.*) πτωμαΐνη: ~ *poisoning*, τροφική δηλητηρίασις.

pub /pʌb/ *οὐσ.* ‹C› (*MB, βραχυλ. γιά public house*) ταβέρνα, μπάρ, ποτοπωλεῖο: *Let's go round to the* ~ *for a drink*, πᾶμε πλάϊ στό μπάρ νά πιοῦμε κάτι. (*βλ.* & *λ. crawl*).

pu·berty /ˋpjubətɪ/ *οὐσ.* ‹U› ἐφηβεία, ἥβη: *reach the age of* ~, φθάνω στήν ἐφηβεία.

pu·bic /ˋpjubɪk/ *ἐπ.* (*ἀνατ.*) ἡβικός: ~ *hair*, ἡβικόν τρίχωμα, ἐφήβαιον.

pub·lic¹ /ˋpʌblɪk/ *ἐπ.* δημόσιος, κοινός: *a* ~ *holiday*, ἐπίσημη γιορτή, ἀργία. *a* ~ *library*, δημοσία βιβλιοθήκη. ~ *life*, δημοσία ζωή. *It's a matter of* ~ *knowledge/* ~ *concern*, εἶναι κοινό μυστικό/εἶναι θέμα γενικοῦ ἐνδιαφέροντος. ***go*** ~, (γιά ἑταιρία) βάζω τίς μετοχές στό Χρηματιστήριο. ˈ~ ˋ**bar**, μπάρ γιά τό κοινόν. ˈ~ ˈ**corpoˋration**, (*νομ.*) δημοσία ἐπιχείρησις. ˈ~ ˋ**enemy**, δημόσιος κίνδυνος. ˈ~ ˋ**house**, (*λόγ.*) (*MB, βραχυλ. pub*) ταβέρνα. ˈ~ ˋ**nuisance**, (*καθομ.*) δημόσιος μπελᾶς, ταραξίας, (*νομ.*) ἀδίκημα στρεφόμενο κατά τῆς κοινωνίας. ˈ~ ˋ**ownership**, δημοσία/κρατική ἰδιοκτησία. ˈ~ **reˋlations**, δημόσιες σχέσεις, διαφήμησις, προβολή: ˈ~ *reˋlations officer*, ὑπεύθυνος ἐπί τῶν δημοσίων σχέσεων. ˋ~ **school**, (*MB*) ἀριστοκρατικό ἰδιωτικό σχολεῖο, (*ΗΠΑ, Σκωτ.*) δημόσιο σχολεῖο. ˈ~ ˋ**spirit**, πατριωτισμός, ἐνδιαφέρον γιά τά κοινά. ˈ~-ˋ**spirited** *ἐπ.* ἀφοσιωμένος εἰς τά κοινά, μέ πατριωτικό πνεῦμα. ˈ~ ˋ**transport**, δημόσια μεταφορικά μέσα. ˈ~ **uˋtilities**, ἐπιχειρήσεις κοινῆς ὠφελείας. —*οὐσ.* **the** ~, τό κοινόν. *the British* ~, τό κοινόν τῆς Μ. Βρεταννίας. *The* ~ *are not admitted*, δέν ἐπιτρέπεται ἡ εἴσοδος εἰς τό κοινόν. *The* ~ *is/are requested not to...*, παρακαλεῖται τό κοινόν νά μή... *the reading/the theatre-going* ~, τό ἀναγνωστικό/τό θεατρόφιλο κοινόν. ***in*** ~, δημοσίως, στά φανερά. **~·ly** /-klɪ/ *ἐπίρ.* δημοσίως.

pub·li·can /ˋpʌblɪkən/ *οὐσ.* ‹C› **1**. (*MB*) ταβερνιάρης. **2**. (*Α.Γ.* & *Ρωμ. Ἱστορ.*) τελώνης, ἐνοικιαστής τῶν φόρων.

pub·li·ca·tion /ˈpʌblɪˋkeɪʃn/ *οὐσ.* **1**. ‹U› δημοσίευσις: *the* ~ *of a report*, ἡ δημοσίευσις μιᾶς ἐκθέσεως. **2**. ‹C› ἔκδοσις, δημοσίευμα: *a monthly* ~, μηνιαία ἔκδοσις.

pub·li·cist /ˋpʌblɪsɪst/ *οὐσ.* ‹C› δημοσιολόγος, πολιτικός ἀρθρογράφος.

pub·lic·ity /pʌbˋlɪsətɪ/ *οὐσ.* ‹U› **1**. δημοσιότης: *seek/avoid* ~, ἐπιζητῶ/ἀποφεύγω τή δημοσιότητα. *in the full blaze of* ~, στό προσκήνιο τῆς δημοσιότητος. **2**. διαφήμησις: *give sth wide* ~, διαφημίζω κτ πλατιά, κάνω πολύ θόρυβο γύρω ἀπό κτ. ~ **agent**, διαφημιστικός πράκτωρ. ~ **campaign**, διαφημιστική ἐκστρατεία.

pub·li·cize /ˋpʌblɪsaɪz/ *ρ.μ.* κοινολογῶ, προπαγανδίζω, διαφημίζω: *widely* ~*d*, πολυδιαφημισμένος.

pub·lish /ˋpʌblɪʃ/ *ρ.μ.* δημοσιεύω, κοινολογῶ, ἐκδίδω: ~ *the banns of marriage*, ἀναγγέλω προσεχῆ γάμο. ~ *the news/a book*, δημοσιεύω τά νέα/ἐκδίδω βιβλίο. **~er** *οὐσ.* ‹C› ἐκδότης.

puce /pjus/ *οὐσ.* ‹U› (*χρῶμα*) καστανοκόκκινο.

1 **puck** /pʌk/ *οὐσ.* ‹C› ξωτικό, ἀερικό, καλλικάντζαρος. ˋ**~·ish** /-ɪʃ/ *ἐπ.* ζαβολιάρικος. ˋ**~·ish·ly** *ἐπίρ.*

2 **puck** /pʌk/ *οὐσ.* ‹C› (*ἀθλ.*) δίσκος ἀπό καουτσούκ (στό χόκεϋ).

pucka /ˋpʌkə/ *ἐπ. βλ. pukka.*

pucker /ˋpʌkə(r)/ *ρ.μ./ὰ.* ~ ***up***, ζαρώνω, σουφρώνω: ~ *up one's lips/brows*, σουφρώνω τά χείλια/ζαρώνω τά φρύδια. *This coat* ~*s (up) at the shoulders*, αὐτό τό σακκάκι μαζεύει στούς ὤμους. —*οὐσ.* ‹C› ρυτίδα, ζάρα, σούφρα.

pud /pʊd/ *οὐσ.* ‹C,U› (*καθομ. βραχυλ. γιά pudding*) πουτίγκα.

pudding /ˋpʊdɪŋ/ *οὐσ.* ‹C,U› **1**. πουτίγκα: *rice* ~, ρυζόγαλο. ˋ**~-face**, παχύ στρογγυλό πρόσωπο. **2**. εἶδος λουκάνικου.

puddle /ˋpʌdl/ *οὐσ.* **1**. ‹C› λακκούβα μέ νερά (σέ δρόμο). **2**. ‹U› λάσπη, πηλός: *line a well with* ~, ἀλείφω πηγάδι μέ πηλό. —*ρ.μ.* ἀνακατεύω (πηλό καί ἄμμο, λυωμένο μέταλλο).

pu·denda /pjuˋdendə/ *οὐσ. πληθ.* αἰδοῖον.

pudgy /ˋpʌdʒɪ/ *ἐπ.* *(-ier, -iest)* κοντόχοντρος: ~ *fingers*, κοντόχοντρα δάχτυλα.

puer·ile /ˋpjʊəraɪl/ *ἐπ.* παιδαριώδης, ἀνόητος: *ask* ~ *questions*, κάνω παιδιάστικες ἐρωτήσεις. **puer·il·ity** /ˈpjʊəˋrɪlətɪ/ *οὐσ.* ‹C,U› παιδαριωδία, ἀνοησία.

[1]**puff** /pʌf/ *οὐσ.* ‹C› **1**. πνοή, φύσημα (ἀέρα), τολύπη (καπνοῦ), ἦχος ἀναπνοῆς: *have a* ~ *at one's pipe*, τραβῶ μιά ρουφηξιά στό τσιμπούκι μου. ***be out of*** **~**, *(καθομ.)* εἶμαι λαχανιασμένος. **2**. (ˋ**powder-**)**~**, πομπόν, πούφ (γιά πουδράρισμα). ˋ**~-box**, πουδριέρα. **3**. μπουφάν: ~ *(ed) sleeves*, μπουφάν/φοῦσκες μανίκια. **4**. σού (γλυκό): *cream* ~*s*. **5**. ρεκλάμα, ὑπερβολική διαφήμισις. **6**. ˋ**~-adder**, ἀφρικανική ὀχιά. ˋ**~-ball**, ἀλεποπορδή. **puffy** /ˋpʌfɪ/ *ἐπ.* *(-ier, -iest)* φουσκωμένος, ἀσθματικός: *a* ~*y face*, φουσκωμένο πρόσωπο. **~i·ness** *οὐσ.* ‹U› δύσπνοια, φούσκωμα, πρήξιμο, στόμφος.

[2]**puff** /pʌf/ *ρ.μ/ὰ.* **1**. προχωρῶ ξεφυσώντας, ἀσθμαίνω, ἀγκομαχῶ, καπνίζω: *The old steam-engine* ~*ed out of the station*, ἡ γέρικη ἀτμομηχανή βγῆκε ἀπό τό σταθμό ξεφυσώντας. *He was* ~*ing hard when he jumped on to the tram*, βαριανάσαινε λαχανιασμένος ὅταν πήδηξε πάνω στό τράμ. *He* ~*ed (away) at his cigar*, κάπνιζε τό ποῦρο του μέ νευρικές ρουφηξιές. **2**. πετῶ, (ξε)φυσῶ: *He* ~*ed smoke into my face*, μοῦ φύσηξε καπνό στό πρόσωπό μου. *He* ~*ed out a few words*, εἶπε λαχανιασμένος (ξεφυσώντας) λίγες λέξεις. **3**. ~ ***out***, φουσκώνω, σβύνω φυσώντας: *He* ~*ed out his chest with pride*, φούσκωσε τό στῆθος του ἀπό περηφάνεια. *He* ~*ed out the candle*, ἔσβυσε τό κερί φυσώντας το. **4**. ἐκθειάζω, ἐξυμνῶ (βιβλίο, προϊόν, κλπ).

puf·fin /ˋpʌfɪn/ *οὐσ.* ‹C› *(πτην.)* θαλασσινός παπαγάλος.

[1]**pug** /pʌg/ *οὐσ.* ‹C› *(καί* ˋ**~-dog**), μικρός μολοσσός. ˋ**~-nosed** *ἐπ.* πλατσουκομύτης.

[2]**pug** /pʌg/ *οὐσ.* ‹C› πατημασιά (ζώου): *the* ~*s of a tiger*, οἱ πατημασιές μιᾶς τίγρης.

pu·gil·ist /ˋpjudʒɪl-ɪst/ *οὐσ.* ‹C› *(λόγ.)* πυγμάχος. **~ic** /ˈpjudʒɪˋlɪstɪk/ *ἐπ.* πυγμαχικός. **pu·gil·ism** /-ɪzm/ *οὐσ.* ‹U› πυγμαχία.

pug·na·cious /pʌgˋneɪʃəs/ *ἐπ.* *(λόγ.)* φίλερις, φιλόνικος. **~·ly** *ἐπίρ.* **pug·nac·ity** /-ˋnæsətɪ/ *οὐσ.* ‹U› ἐριστικότης.

puke /pjuk/ *ρ.μ/ὰ.* ξερνῶ.

pukka, pucka /ˋpʌkə/ *ἐπ.* γνήσιος, ἀληθινός, θαυμάσιος.

pul·chri·tude /ˋpʌlkrɪtjud/ *οὐσ.* ‹U› *(λόγ.)* σωματικόν κάλλος. **pul·chri·tudi·nous** /ˈpʌlkrɪˋtjudɪnəs/ *ἐπ.* εὔμορφος.

pule /pjul/ *ρ.ὰ.* *(γιά μωρό)* κλαψουρίζω.

[1]**pull** /pʊl/ *οὐσ.* **1**. ‹C› τράβηγμα, τραβηξιά, ρουφηξιά: *give a* ~ *at a rope*, δίνω ἕνα τράβηγμα σ' ἕνα σκοινί. *take a* ~ *at the bottle*, τραβάω μιά ρουφηξιά ἀπό τό μπουκάλι. **2**. ‹U› προσπάθεια, ζόρισμα, δύναμις: *It was a long* ~ *to the top of the mountain*, ἤθελε μεγάλη προσπάθεια ν' ἀνέβη κανείς ὥς τήν κορυφή τοῦ βουνοῦ. *the* ~ *of a magnet*, ἡ δύναμις ἕλξεως ἑνός μαγνήτη. **3**. ‹C,U› *(καθομ.)* ἐπιρροή, μέσα: *He has a strong* ~ */a great deal of* ~ *with the manager*, ἔχει μεγάλη ἐπιρροή/μεγάλα μέσα στό Διευθυντή. **4**. ‹C› κορδόνι (κουδουνιοῦ), λαβή. **5**. ‹C› *(τυπογρ.)* πρῶτο δοκίμιο.

[2]**pull** /pʊl/ *ρ.μ/ὰ.* **1**. τραβῶ, ἕλκω: ~ *a barrow*, τραβῶ ἕνα καρρότσι. ~ *a boy's ears*/~ *sb by the ears*, τραβῶ τ' αὐτιά ἑνός παιδιοῦ/τραβῶ κπ ἀπό τ' αὐτί. ~ *the trigger*, τραβῶ τή σκανδάλη. *have a tooth* ~*ed out*, βγάζω ἕνα δόντι. *She* ~*ed her tights/gloves on/off*, φόρεσε/ἔβγαλε τό καλσόν/τά γάντια της. ~ ***sth to pieces***, κάνω κτ κομμάτια: *He* ~*ed my theory to pieces*, *(μεταφ.)* ἔκανε κομματάκια τή θεωρία μου. **2**. τραβῶ, κωπηλατῶ: *The men* ~*ed for the shore*, οἱ ἄντρες τράβηξαν γιά τήν ἀκτή. *He* ~*s a good oar*, τραβάει καλό κουπί. *The boat* ~*s eight oars*, ἡ βάρκα ἔχει ὀκτώ κουπιά. ~ ***together***, *(μεταφ.)* συνεργάζομαι. **3**. ~ ***a fast one (on/over sb)***, *(καθομ.)* κάνω κατεργαριά (σέ κπ). ~ ***a muscle***, παθαίνω νευροκαβαλλίκεμα. ~ ***a proof***, βγάζω μιά διόρθωση. *(βλ.* & *λ. leg,* [3]*punch,* [1]*string, weight, wool)*. **4**. *(ἀθλ.)* χτυπῶ τή μπάλλα ἀριστερά (στό κρίκετ), δίνω συρτό χτύπημα (στό γκόλφ), κρατῶ ἄλογο (στόν ἱππόδρομο). **5**. *(λαϊκ.)* ληστεύω, κλέβω: ~ *a bank*, ληστεύω τράπεζα. ~ *a few thousand quid*, κλέβω μερικές χιλιάδες λίρες. **6**. *(μέ ἐπιρ. καί προθέσεις)*:

pull sb/sth about, τραβολογάω κπ/κτ.

pull apart, κόβω, κάνω κομμάτια, σχίζω.

pull at/on sth, δίνω ἕνα τράβηγμα/μιά ρουφηξιά: ~ *at a rope*, δίνω ἕνα τράβηγμα σ' ἕνα σκοινί. ~ *at a pipe/bottle*, τραβῶ μιά ρουφηξιά στό τσιμπούκι/στό μπουκάλι.

pull down, κατεδαφίζω (κτίριο), ἀδυνατίζω, ἐξασθενίζω κπ: ~ *down an old building*, κατεδαφίζω ἕνα παληό κτίριο. *An attack of flu soon* ~*s you down*, ἡ γρίππη σέ τσακίζει γρήγορα.

pull in, *(α) (γιά τραῖνο)* μπαίνω στό σταθμό. *(β) (γιά ὄχημα, βάρκα, κλπ)* τραβῶ πρός: *The lorry-driver* ~*ed in to the side of the road*, ὁ ὁδηγός τοῦ φορτηγοῦ ἔκοψε στό πλάϊ τοῦ δρόμου. *The boat* ~*ed in to the bank*, ἡ βάρκα τράβηξε γιά τήν ὄχθη. *(γ)* προσελκύω: *The new play at the Rex is* ~*ing in large audiences*, τό νέο ἔργο στό Ρέξ προσελκύει πολύ κόσμο. *(δ) (καθομ.)* πιάνω, τραβῶ μέσα (στό ἀστυν. τμῆμα): *He was* ~*ed in for questioning*, τόν τράβηξαν μέσα γιά ἀνάκριση. *(ε) (καθομ.)* κερδίζω, βγάζω: *How much money is he* ~*ing in, do you think?* πόσα λεφτά νομίζεις ὅτι βγάζει; *(στ')* ~ ***oneself in***, τραβῶ μέσα τό στομάχι, σφίγγω τή μέση μου.

pull off, *(α)* (γιά ὄχημα) σταματῶ σέ πάρκιν στό πλάϊ τοῦ δρόμου. *(β)* κατορθώνω, ἐπιτυγχάνω κτ: ~ *off a good speculation*, πετυχαίνω σέ μιά κερδοσκοπική δουλειά. ~ *off some good things at the races*, σημειώνω καλές ἐπιτυχίες στόν ἱππόδρομο. *I don't think you'll* ~ *it off*, δέν πιστεύω ὅτι θά τά καταφέρης.

pull out, *(α)* φεύγω, ἀποχωρῶ: *The train* ~*ed out of Victoria Station right on time*, τό τραῖνο ἔφυγε ἀπό τό Σταθμό Βικτωρίας ἀκριβῶς στήν ὥρα του. *The boat* ~*ed out into midstream*, ἡ βάρκα ξανοίχτηκε στή μέση τοῦ ποταμοῦ. *The Americans are* ~*ing out of South East Asia*, οἱ Ἀμερικανοί ἀποχωροῦν ἀπό τήν Ν Α Ἀσία. ˋ**~-out**, ἀποχώρησις.

(β) (*γιά ὄχημα*) βγαίνω ἀπό τή γραμμή: *The car ~ed out from behind the lorry*, τό αὐτοκίνητο βγῆκε ἀπό τή γραμμή του γιά νά προσπεράση τό φορτηγό. *(γ)* ἀφαιρῶ, ἀποσπῶ: *a `~-out supplement*, αὐτοτελές παράρτημα (περιοδικοῦ).
pull over, (*γιά ὄχημα*) τραβῶ στήν ἄκρη (γιά ν' ἀφήσω ἄλλον νά προσπεράση).
pull round, συνεφέρνω, συνέρχομαι: *Have this brandy; it will ~ you round*, πιές αὐτό τό κονιάκ, θά σέ συνεφέρη. *You'll soon ~ round here in the country*, σύντομα θά συνέλθης ἐδῶ στήν ἐξοχή.
pull through, (*καθομ.*) ἐπιζῶ, γλυτώνω, τά βγάζω πέρα, βοηθῶ κπ νά πετύχη σέ κτ: *He's very ill but he may ~ through*, εἶναι πολύ ἄρρωστος ἀλλά μπορεῖ νά τήν σκαπουλάρη. *The doctor ~ed him through*, ὁ γιατρός τόν βοήθησε νά ξεπεράση τήν κρίση. *Her tutor did all he could to ~ her through*, ὁ φροντιστής της ἔκανε ὅ,τι μποροῦσε γιά νά τήν βοηθήση νά πετύχη.
pull oneself together, συνέρχομαι, ἐπιβάλλομαι στόν ἑαυτό μου.
pull up, *(α)* σταματῶ: *He ~ed up (his car) at the entrance*, σταμάτησε (τό αὐτοκίνητό του) στήν εἴσοδο. **`~-up** (*καί* **`~-in**), χάνι, ταβέρνα σέ ἐθνική ὁδό γιά ὁδηγούς αὐτοκινήτων. *(β)* ***~ sb up***, συγκρατῶ, ἐπιτιμῶ κπ. ***~ up to/with***, βελτιώνω τή θέση μου: *The favourite soon ~ed up with the other horses*, τό φαβορί σύντομα βελτίωσε τή θέση του σέ σχέση μέ τ' ἄλλα ἄλογα.

pul·let /`pʊlɪt/ *οὐσ.* ‹C› πουλάδα (κόττα).

pul·ley /`pʊlɪ/ *οὐσ.* ‹C› τροχαλία, καρούλι. **`~-block**, παλάγκο.

Pull·man /`pʊlmən/ *οὐσ.* ‹C› βαγόνι Πούλμαν.

pull·over /`pʊləʊvə(r)/ *οὐσ.* ‹C› πουλόβερ.

pul·lu·late /`pʌljʊleɪt/ *ρ.ἀ.* πληθαίνω, πολλαπλασιάζομαι ταχύτατα.

pul·mon·ary /`pʌlmənərɪ/ *ἐπ.* πνευμονικός: *~ diseases*, πνευμονικά νοσήματα.

pulp /pʌlp/ *οὐσ.* ‹U› πολτός: *`paper-~*, χαρτοπολτός. *reduce sth to (a) ~*, πολτοποιῶ κτ. *His arm was crushed to a ~*, τό χέρι του πολτοποιήθηκε. *~ magazines/literature*, περιοδικά/φιλολογία τῆς πεντάρας. __*ρ.μ/ἀ.* πολτοποιῶ/-οῦμαι. **pulpy** *ἐπ.* *(-ier, -iest)* πολτώδης, πλαδαρός.

pul·pit /`pʊlpɪt/ *οὐσ.* ‹C› ἄμβωνας. **the ~**, ὁ κλῆρος.

pul·sate /pʌl`seɪt/ *ρ.μ/ἀ.* πάλλω/-ομαι, σφύζω. **pul·sa·tion** /pʌl`seɪʃn/ *οὐσ.* ‹C,U› παλμός.

pulse /pʌls/ *οὐσ.* ‹C› **1**. σφυγμός: *have a weak/an irregular ~*, ἔχω ἀδύνατο/ἄτακτο σφυγμό. ***feel sb's ~***, ἐξετάζω τό σφυγμό κάποιου. **2**. (*μεταφ.*) συγκίνησις: *stir sb's ~*, προκαλῶ ρίγη συγκινήσεως σέ κπ. __*ρ.ἀ.* πάλλομαι, σφύζω: *the life pulsing through a great city*, ἡ ζωή πού σφύζει σέ μιά μεγάλη πόλη. *The news sent the blood pulsing through his veins*, τά νέα ἔκαμαν τό αἷμα νά χτυπάη δυνατά στίς φλέβες του.

pul·ver·ize /`pʌlvəraɪz/ *ρ.μ/ἀ.* (*κυριολ.* & *μεταφ.*) κονιορτοποιῶ/-οῦμαι: *~ sb's arguments*, κάνω σκόνη τά ἐπιχειρήματα κάποιου.

puma /`pjumə/ *οὐσ.* ‹C› (*ζωολ.*) πούμα.

pum·ice /`pʌmɪs/ *οὐσ.* ‹U› (*καί* **`~-stone**) ἐλαφρόπετρα.

pum·mel /`pʌml/ *ρ.μ.* *(-ll-)* γρονθοκοπῶ: *give sb a good ~ling*, δίνω σέ κπ ἕνα καλό ξύλο.

[1]**pump** /pʌmp/ *οὐσ.* ‹C› ἀντλία, τρόμπα: *a `bicycle ~*, τρόμπα ποδηλάτου. *a `petrol ~*, βενζιναντλία. *work a ~*, δουλεύω/χειρίζομαι μιά ἀντλία. *the village ~*, ἡ βρύση τοῦ χωριοῦ. **`~-room**, (*σέ λουτρόπολη*) αἴθουσα ὅπου πίνουν τά ἰαματικά νερά. __*ρ.μ/ἀ.* ἀντλῶ, τρομπάρω: *~ a well dry*, στερεύω ἕνα πηγάδι μέ ἄντληση. *~ water up/out*, ἀντλῶ/ἀδειάζω νερό. *~ air into a tyre*, βάζω ἀέρα σέ λάστιχο. *~ facts into the heads of pupils*, (*μεταφ.*) γεμίζω τά κεφάλια μαθητῶν μέ γνώσεις. ***~ information out of sb; ~ sb (for information)***, (*μεταφ.*) ψαρεύω/παίρνω πληροφορίες ἀπό κπ. ***~ up a tyre***, φουσκώνω ἕνα λάστιχο.

[2]**pump** /pʌmp/ *οὐσ.* ‹C› σκαρπίνι (παπούτσι).

pum·per·nickel /`pʌmpə-nɪkl/ *οὐσ.* ‹U› χοντρό σικάλινο ψωμί.

pump·kin /`pʌmpkɪn/ *οὐσ.* ‹C› γλυκοκολοκύθα.

pun /pʌn/ *οὐσ.* ‹C› λογοπαίγνιο: *make a ~ on a word*, κάνω λογοπαίγνιο μέ μιά λέξη. __*ρ.ἀ.* *(-nn-)* κάνω λογοπαίγνιο.

[1]**punch** /pʌntʃ/ *οὐσ.* ‹C› τρυπητήρι, διατρητική μηχανή, στάμπα, μήτρα: *a `paper-~*, τρυπητήρι γιά χαρτί. *a `hand-~*, τρυπητήρι (πχ ἐλεγκτοῦ εἰσιτηρίων). __*ρ.μ.* **1**. ἀνοίγω τρύπες, τρυπῶ: *~ holes in a sheet of metal*, ἀνοίγω τρύπες σ' ἕνα φύλλο μετάλλου. *~ a train-ticket*, τρυπῶ ἕνα εἰσιτήριο τραίνου. *~ed cards*, διάτρητες κάρτες. *~ed tape*, διάτρητη ταινία (γιά κομπιοῦτερ). **2**. ***~ sth in/out***, χώνω/βγάζω κτ μέ τρυπητήρι.

[2]**punch** /pʌntʃ/ *οὐσ.* ‹U› πόντσι (ποτό). **`~-bowl**, μπώλ ὅπου φτιάχνεται τό πόντσι.

[3]**punch** /pʌntʃ/ *ρ.μ.* δίνω γροθιά, χτυπῶ: *~ sb on the chin*, χτυπῶ κπ στό σαγόνι. *He has a face I'd like to ~*, ἔχει φάτσα γιά γροθιές. __*οὐσ.* **1**. ‹C› γροθιά, μπουνιά: *give sb a ~ on the nose*, δίνω σέ κπ γροθιά στή μύτη. ***pull one's ~es***, κρατάω τό χέρι μου, δέν χτυπῶ ὅσο δυνατά θά μποροῦσα. **`~-ball, `~·ing-ball**, σφαῖρα ἤ σάκκος ἀσκήσεως πυγμάχου. **'~-`drunk** *ἐπ.* ζαλισμένος ἀπό γροθιές, (*μεταφ.*) σαστισμένος, πελαγωμένος. **`~ line**, τό κλείσιμο μιᾶς ἱστορίας, ἡ φράσις-κλειδί. **`~-up**, (*καθομ.*) γροθοπατινάδα: *The quarrel ended in a ~-up*, ὁ καυγᾶς κατέληξε σέ γροθιές. **2**. ‹U› (*μεταφ.*) σφρῖγος, νεῦρο, ρώμη: *a speech with plenty of ~ in it*, λόγος μέ πολύ νεῦρο μέσα του (ρωμαλέος λόγος).

Punch /pʌntʃ/ *οὐσ.* Φασουλῆς, Καραγκιόζης. ***as pleased/proud as ~***, εὐχαριστημένος/περήφανος σά Φασουλῆς.

punc·tilio /pʌŋk`tɪlɪəʊ/ *οὐσ.* ‹C,U› (*πληθ.* *~s*) (*λόγ.*) τύπος (συμπεριφορᾶς), σχολαστικότης, ἐθιμοτυπία: *stand upon ~s*, εἶμαι τυπικός/σχολαστικός, ἐπιμένω στούς τύπους.

punc·tili·ous /pʌŋk`tɪlɪəs/ *ἐπ.* (*λόγ.*) λεπτολόγος, σχολαστικός, τυπικός: *as ~ as a Spaniard*, λεπτολόγος σάν Ἱσπανός. **~·ly** *ἐπίρ.* **~·ness** *οὐσ.* ‹U› σχολαστικότης, λεπτολογία.

punc·tual /`pʌŋktʃʊəl/ *ἐπ.* ἀκριβής, στήν ὥρα: *be ~ for work*, εἶμαι στήν ὥρα γιά δουλειά. *be ~ in the payment of one's rent*, εἶμαι τακτικός στήν πληρωμή τοῦ ἐνοικίου μου. **~ly** /-ʊəlɪ/ *ἐπίρ.* ἀκριβῶς. **~·ity** /ˈpʌŋktʃʊˋælətɪ/ *οὐσ.* ‹U› ἀκρίβεια.

punc·tu·ate /ˋpʌŋktʃʊeɪt/ *ρ.μ.* **1**. βάζω σημεῖα στίξεως. **2**. τονίζω, ὑπογραμμίζω, διακόπτω (κατά διαστήματα): *~ one's remarks with thumps on the table*, ὑπογραμμίζω τίς παρατηρήσεις μου μέ γροθιές στό τραπέζι. *His speech was ~d with cheers*, ὁ λόγος του διεκόπτετο ἀπό ἐπευφημίες. **punc·tu·ation** /ˈpʌŋktʃʊˋeɪʃn/ *οὐσ.* ‹U› στίξις.

punc·ture /ˋpʌŋtʃə(r)/ *οὐσ.* ‹C› σκάσιμο/τρύπημα σέ λάστιχο, παρακέντησις: *have a ~*, μέ πιάνει λάστιχο. —*ρ.μ/ἀ.* **1**. παρακεντῶ, σπάζω: *~ an abscess*, σπάζω ἕνα ἀπόστημα. **2**. (*μεταφ.*) ξεφουσκώνω: *~ sb's ego*, ξεφουσκώνω τόν ἐγωϊσμό κάποιου. **3**. τρυπῶ: *Two of my tyres ~d*, δυό ἀπό τά λάστιχά μου τρύπησαν.

pun·dit /ˋpʌndɪt/ *οὐσ.* ‹C› **1**. (*στίς Ἰνδίες*) σοφός, παντίτ. **2**. (*χιουμορ.*) σοφολογιώτατος.

pun·gent /ˋpʌndʒənt/ *ἐπ.* **1**. (*γιά πόνο, λύπη, κλπ*) ὀξύς, δυνατός. **2**. (*γιά γεύση, ὀσμή*) πιπερᾶτος, πικάντικος, δριμύς. **3**. (*γιά λόγο*) δηκτικός, καυστικός, τσουχτερός. **~·ly** *ἐπίρ.* **pun·gency** /-nsɪ/ *οὐσ.* ‹U› δριμύτης, ὀξύτης, δηκτικότης, πικάντικη γεῦσις.

Pu·nic /ˋpjunɪk/ *ἐπ.* καρχηδονιακός: *the ~ Wars*, οἱ καρχηδονιακοί πόλεμοι. ***~ faith***, ἀπιστία, μπαμπεσιά.

pun·ish /ˋpʌnɪʃ/ *ρ.μ.* **1**. τιμωρῶ: *~ sb for his impudence*, τιμωρῶ κπ γιά τήν ἀναίδειά του. *~ sb with/by a fine*, τιμωρῶ κπ μέ πρόστιμο. **2**. χτυπῶ: *The champion ~ed his opponent severely*, ὁ πρωταθλητής χτύπησε ἄγρια τόν ἀντίπαλό του. *~ a horse*, μαστιγώνω ἕνα ἄλογο. **3**. (*καθομ.*) πέφτω μέ τά μοῦτρα σέ, τιμῶ δεόντως (φαγητό ἤ ποτό): *~ the cold beef/the ouzo bottle*, πέφτω μέ τά μοῦτρα στό κρύο βωδινό/στό μπουκάλι μέ τό οὖζο. **~-able** /-əbl/ *ἐπ.* τιμωρητέος, ἀξιόποινος. **~-ment** *οὐσ.* ‹C,U› τιμωρία, ποινή: *P~ should fit the crime*, ἡ τιμωρία πρέπει νά ἀντιστοιχῆ στό ἔγκλημα. ***inflict ~ on sb***, ἐπιβάλλω ποινή σέ κπ.

pu·ni·tive /ˋpjunɪtɪv/ *ἐπ.* τιμωρητικός: *a ~ expedition*, ἐκστρατεία ἀντιποίνων.

punk /pʌŋk/ *οὐσ.* **1**. ‹U› (*ΗΠΑ*) δαδί, σάπιο ξύλο. **2**. (*καθομ.*) ἀνοησίες, βλακεῖες: *talk a lot of ~*, λέω ὅλο βλακεῖες. **3**. (*λαϊκ.*) ρεμάλι. **4**. (*ἐπιθ., πεπαλ.*) ἄχρηστος, σαχλός, τιποτένιος: *a ~ party*, σαχλό πάρτυ.

pun·net /ˋpʌnɪt/ *οὐσ.* ‹C› καλαθάκι (γιά φροῦτα): *Strawberries, 20p a ~*, φράουλες, 20 πέννες τό καλάθι.

pun·ster /ˋpʌnstə(r)/ *οὐσ.* ‹C› εὐφυολόγος, καλαμπουριτζῆς.

[1]**punt** /pʌnt/ *οὐσ.* ‹C› προιάρι (ἐπίπεδη βάρκα μέ τετράγωνες ἄκρες πού κινεῖται μέ κοντάρι). —*ρ.μ/ἀ.* σπρώχνω βάρκα μέ σταλίκι. **ˋ~er** *οὐσ.* ‹C› ὁδηγός προιαρίου.

[2]**punt** /pʌnt/ *ρ.ἀ.* ποντάρω. **ˋ~er** *οὐσ.* ‹C› τζογαδόρος, παίκτης.

[3]**punt** /pʌnt/ *ρ.μ.* (*ποδόσφ.*) κλωτσάω στόν ἀέρα.

puny /ˋpjunɪ/ *ἐπ.* (*-ier, -iest*) μικροκαμωμένος, ἀσθενικός, ἀσήμαντος: *What a ~ little creature!* τί κατσιασμένο ἀνθρωπάκι! *my ~ efforts*, οἱ ταπεινές (ἀσήμαντες) προσπάθειές μου.

pup /pʌp/ *οὐσ.* ‹C› **1**. κουτάβι. ***sell a man a ~***, (*καθομ.*) ἐξαπατῶ κπ (πουλώντας του κτ ἄχρηστο), τοῦ τή σκάω. **2**. φαντασμένος νεαρός.

pupa /ˋpjupə/ *οὐσ.* ‹C› (*πληθ.* *~s ἤ -pae* /-pi/) χρυσαλλίς, νύμφη.

[1]**pu·pil** /ˋpjupl/ *οὐσ.* ‹C› μαθητής.

[2]**pu·pil** /ˋpjupl/ *οὐσ.* ‹C› (*ἀνατ.*) κόρη ὀφθαλμοῦ.

pup·pet /ˋpʌpɪt/ *οὐσ.* ‹C› **1**. μαριονέττα, κούκλα: *a ˋ~-show*, κουκλοθέατρο. *a ˋstring-/ˋglove-~*, μαριονέττα πού κινεῖται μέ σπάγγους/μέ τό χέρι. **2**. (*μεταφ.*) ἀνδρείκελο: *He's a mere ~*, εἶναι σκέτο ἀνδρείκελο. *a ~ government*, κυβέρνησις ἀνδρεικέλων.

puppy /ˋpʌpɪ/ *οὐσ.* ‹C› **1**. κουτάβι, σκυλάκι. **ˋ~ love**, παιδικός ἔρωτας. **ˋ~ fat**, παιδικό πάχος. **2**. φαντασμένος νεαρός.

pur·blind /ˋpɜblaɪnd/ *ἐπ.* **1**. μισόστραβος. **2**. (*μεταφ.*) ἀνόητος, κοντόφθαλμος.

[1]**pur·chase** /ˋpɜtʃəs/ *οὐσ.* **1**. ‹U› ἀγορά, ψώνισμα: *ˋ~-money*, τιμή ἀγορᾶς. **ˋ~ tax**, φόρος ἀγορᾶς εἰδῶν. **2**. ‹C› ψώνιο: *make ~s*, κάνω ψώνια. *fill one's car with ~s*, γεμίζω τό αὐτοκίνητο μέ ψώνια. **3**. (*μόνον ἑν.*) λαβή, πιάσιμο, στήριγμα, παλάγκο: *get a ~ on sth*, πιάνομαι γερά ἀπό κτ. **4**. ‹U› ἐτησία ἀπόδοσις: *sell a house at 30 years' ~*, πουλῶ ἕνα σπίτι ἀντί τοῦ ἰσοπόσου τριακονταετοῦς ἀποδόσεως. *His life is not worth a day's ~*, δέν θά βγάλη τήν ἡμέρα (εἶναι ἑτοιμοθάνατος).

[2]**pur·chase** /ˋpɜtʃəs/ *ρ.μ.* (*λόγ.*) ἀγοράζω, ψωνίζω: *a dearly ~d victory*, νίκη πληρωμένη ἀκριβά. *ˋpurchasing power*, ἀγοραστική δύναμις. **pur·chas·able** /-əbl/ *ἐπ.* ἀγοράσιμος. **pur·chaser** *οὐσ.* ‹C› ἀγοραστής. (*βλ.* & *λ.* *hire*).

pure /pjʊə(r)/ *ἐπ.* *(-r, -st)* καθαρός, ἁγνός: *~ gold/air*, καθαρός χρυσός/ἀέρας. *~ wine*, ἁγνό, ἀνόθευτο κρασί. *a ~ Negro*, καθαρός νέγρος. *~ thoughts*, καθαρές, ἁγνές σκέψεις. *Blessed are the ~ in heart*, μακάριοι οἱ καθαροί τῇ καρδίᾳ. *~ in body and in mind*, καθαρός στό σῶμα καί στό πνεῦμα. *a ~ note*, καθαρή νότα. *~ mathematics*, καθαρά/ἀφηρημένα μαθηματικά. *a ~ waste of time*, καθαρή σπατάλη χρόνου. *out of ~ malice*, ἀπό καθαρή κακία. *~ mischief*, καθαρή ζαβολιά. **ˋ~-blood**, καθαρόαιμος. ***~ and simple***, τίποτα ἄλλο ἀπό: *It's laziness ~ and simple*, δέν εἶναι τίποτα ἄλλο ἐκτός ἀπό τεμπελιά. **~·ly** *ἐπίρ.* καθαρά, ἀπολύτως, ἐντελῶς: *~ly by accident*, ἐντελῶς τυχαῖα. *a ~ly formal invitation*, μιά καθαρά τυπική πρόσκληση. **~·ness** *οὐσ.* ‹U› *βλ.* *purity*.

pu·rée /ˋpjʊəreɪ/ *οὐσ.* ‹U› πουρές (*ἰδ.* λαχανικῶν, φρούτων).

pur·ga·tion /pɜˋgeɪʃn/ *οὐσ.* ‹U› (*λόγ.*) **1**. (*ἐκκλ.*) κάθαρσις. **2**. (*ἰατρ.*) κένωσις τῶν ἐντέρων.

pur·ga·tive /ˋpɜgətɪv/ *οὐσ.* ‹C› καθαρτικό. —*ἐπ.* καθαρτικός.

pur·ga·tory /ˋpɜgətrɪ/ *οὐσ.* ‹C› (*θεολ.*) καθαρτήριον. **pur·ga·torial** /ˈpɜgəˋtɔrɪəl/ *ἐπ.* καθαρτήριος, ἐξιλαστήριος.

purge /ˋpɜdʒ/ *ρ.μ.* **1**. ***~ sb (of/from sth)***, καθαρίζω, ἐξαγνίζω: *be ~d of/from sin*, καθαρίζομαι ἀπό τήν ἁμαρτία. ~ ***sth (away) (from sb)***, ἀποπλύνω: ~ *away one's sins*, ἀποπλύνω τίς ἁμαρτίες μου. **2**. καθαρίζω (τά ἔντερα), δίνω καθαρτικό. **3**. ἀπαλλάσσομαι (κατηγορίας), πληρώνω (γιά παράπτωμα): ~ *oneself of a charge*, ἀπαλλάσσομαι μιᾶς κατηγορίας. ~ *an offence*, (*νομ.*) πληρώνω γιά ἀδίκημα, ἐκτίω ποινή. ~ ***one's contempt***, ἀνακαλῶ, ζητῶ συγγνώμη (γιά προσβολή δικαστοῦ). **4**. ἐκκαθαρίζω (πολιτικό κόμμα). —*οὐσ.* ‹C› *(α)* ἐκκαθάρισις: *the political* ~*s that followed the counter-revolution*, οἱ πολιτικές ἐκκαθαρίσεις πού ἀκολούθησαν τήν ἀντεπανάσταση. *(β)* καθαρτικό.

pu·rify /ˋpjʊərɪfaɪ/ *ρ.μ.* ~ ***sth (of)***, καθαρίζω, ἐξαγνίζω: ~ *the air*, καθαρίζω τήν ἀτμόσφαιρα. **pu·ri·fi·ca·tion** /ˌpjʊərɪfɪˋkeɪʃn/ *οὐσ.* ‹U› ἐξαγνισμός, καθαρμός, καθαρισμός.

pu·rist /ˋpjʊərɪst/ *οὐσ.* ‹C› καθαρολόγος, καθαρευουσιάνος, γλωσσαμύντωρ.

puri·tan /ˋpjʊərɪtən/ *οὐσ.* ‹C› πουριτανός. —*ἐπ.* πουριτανικός. ~**·ism** /-ɪzm/ *οὐσ.* ‹U› πουριτανισμός. ~**i·cal** /ˌpjʊərɪˋtænɪkl/ *ἐπ.* πουριτανικός, αὐστηρός. ~**i·cally** /-klɪ/ *ἐπίρ.*

pu·rity /ˋpjʊərətɪ/ *οὐσ.* ‹U› ἁγνότης, καθαρότης.

[1]**purl** /pɜl/ *οὐσ.* ‹U› (*στό πλέξιμο*) ἀνάποδη βελονιά. —*ρ.μ/ἀ.* πλέκω ἀνάποδες. *πρβλ.* [3]*plain.*

[2]**purl** /pɜl/ *οὐσ.* ‹C› κελάρυσμα (ρυακιοῦ). —*ρ.ἀ.* κελαρύζω.

pur·lieus /ˋpɜljuz/ *οὐσ. πληθ.* (*λόγ.*) τά πέριξ, τά γύρω, τά περίχωρα: *the* ~ *of the camp*, τά πέριξ τῆς κατασκηνώσεως.

pur·loin /pɜˋlɔɪn/ *ρ.μ.* (*λόγ.*) ὑπεξαιρῶ.

purple /ˋpɜpl/ *ἐπ.* βυσσινής, πορφυροῦς. —*οὐσ.* ‹C,U› βυσσινί χρῶμα. ***be/become/go ~ with rage***, γίνομαι κατακόκκινος ἀπό θυμό. **the** ~, ἡ πορφύρα. ***born in the*** ~, πορφυρογέννητος. ***raise sb to the*** ~, κάνω κπ καρδινάλιο. ˈ~ ˋ**heart**, (*ΜΒ*) ταμπλέτα ἀμφιταμίνης, (*ΗΠΑ*, *P*~ *Heart*) ἀριστεῖον ἀνδρείας γιά τραύματα στή μάχη. **pur·plish** /ˋpɜpəlɪʃ/ *ἐπ.* μώβ.

pur·port /ˋpɜpət/ *οὐσ.* (*μόνον ἑν.*) (*λόγ.*) νόημα, ἔννοια, οὐσία, σημασία: *the* ~ *of what he said*, τό νόημα τῶν ὅσων εἶπε. —*ρ.μ.* /pəˋpɔt/ **1**. ἐμφανίζομαι, παριστάνω: *The book* ~*s to be an original work but it isn't*, τό βιβλίο ἐμφανίζεται σάν πρωτότυπη ἐργασία ἀλλά δέν εἶναι. **2**. ἔχω τήν ἔννοια, σημαίνω: *His statement* ~*s that...*, ἡ δήλωσίς του ἔχει τήν ἔννοια ὅτι...

pur·pose /ˋpɜpəs/ *οὐσ.* **1**. ‹C› σκοπός, ἐπιδίωξις, πρόθεσις: *He went to London for/with the* ~ *of buying a car*, πῆγε στό Λονδῖνο μέ σκοπό ν' ἀγοράση αὐτοκίνητο. *a novel with a* ~, μυθιστόρημα μέ θέση. **2**. ‹C› σκοπός, προορισμός: *It's used for various* ~*s*, χρησιμοποιεῖται γιά διάφορους σκοπούς. ***It serves no*** ~, δέν ἐξυπηρετεῖ κανένα σκοπό. **3**. ‹U› ἀποφασιστικότης, θέλησις: *a man weak of* ~, ἄνθρωπος ἀναποφάσιστος, χωρίς θέληση. *He's wanting in* ~, τοῦ λείπει ἡ θέλησις. **4**. (*σέ φράσεις*): ***on*** ~, ἐπίτηδες, σκόπιμα: *He said it on* ~ *to annoy me*, τὄπε σκόπιμα γιά νά μέ πειράξη. ***of set*** ~, προμελετημένα, ἐκ προθέσεως, ἐσκεμμένα. ***to the*** ~, ἐπίκαιρος, εὔστοχος, σχετικός: *The reply was so little to the* ~ *that...*, ἡ ἀπάντησις ἦταν τόσο ἄσχετη ὥστε... *speak to the* ~, μιλῶ ἐπί τοῦ θέματος. ***to little/no/some*** ~, γιά μικρό/καθόλου/κάποιο ἀποτέλεσμα: *speak/work to no* ~, μιλῶ/δουλεύω ἄσκοπα (ἀνώφελα). ***achieve one's*** ~, πραγματοποιῶ τό σκοπό μου. ***serve/answer one's*** ~, ἐξυπηρετῶ τό σκοπό: *This will answer your* ~, αὐτό θά κάνη γιά τή δουλειά πού τό θέλεις. —*ρ.μ.* (*λόγ.*) σκοπεύω: *They* ~ *(making/to make) a further attempt*, σκοπεύουν νά κάμουν μιά προσπάθεια ἀκόμη. ~**·ful** /-fl/ *ἐπ.* σκόπιμος, (*γιά ἄνθρ.*) ἀποφασισμένος, πού ξέρει τί θέλει. ~**·fully** /-fəlɪ/ *ἐπίρ.* σκόπιμα, ἀποφασισμένα. ~**·less** *ἐπ.* ἄσκοπος, ἀνωφελής. ~**·less·ly** *ἐπίρ.* ἄσκοπα. **pur·pos·ive** /ˋpɜpəsɪv/ *ἐπ.* σκόπιμος, ἀποφασισμένος.

purr /pɜ(r)/ *ρ.μ/ἀ.* (*γιά γάτα*) γουργουρίζω ἀπό εὐχαρίστηση, (*γιά μηχανή*) ρονρονίζω, δουλεύω στρωτά, (*γιά ἄνθρ.*) γουργουρίζω, ἐκφράζω ἱκανοποίηση. —*οὐσ.* γουργούρισμα.

purse /pɜs/ *οὐσ.* ‹C› **1**. βαλάντιο, πουγγί, πορτοφόλι (γιά κέρματα): *These prices are beyond my* ~, αὐτές οἱ τιμές εἶναι ἀπλησίαστες γιά μένα. ***hold the*** ˋ~***-strings***, διευθύνω τά οἰκονομικά τοῦ σπιτοῦ. ***tighten/loosen the*** ˋ~***-strings***, σφίγγω/λύνω τό πουγγί. (*βλ.* & *λ. proud*). **2**. ταμεῖο. **the public** ~, τό δημόσιο ταμεῖο. **3**. χρηματικό ἔπαθλο: *put up a* ~ *of £50*, προσφέρω χρηματικό ἔπαθλο 50 λιρῶν. **4**. (*ΗΠΑ*) γυναικεῖο τσαντάκι. —*ρ.μ.* ~ ***(up) the lips***, σουφρώνω τά χείλη.

purser /ˋpɜsə(r)/ *οὐσ.* ‹C› ταμίας/λογιστής πλοίου.

pur·su·ance /pəˋsjuəns/ *οὐσ.* ‹U› (*λόγ.*) ***in*** ~ ***of***, εἰς ἐκτέλεσιν: *in* ~ *of your instructions/duties*, εἰς ἐκτέλεσιν τῶν ὁδηγιῶν σας/τῶν καθηκόντων σας. **pur·su·ant** /-ənt/ *ἐπ.* (*λόγ.*) ~ ***to***, εἰς ἐφαρμογήν, εἰς ἐκτέλεσιν, συμφώνως πρός: *pursuant to your instructions*, συμφώνως πρός τάς ὁδηγίας σας.

pur·sue /pəˋsju/ *ρ.μ.* **1**. (κατα)διώκω, κυνηγῶ: ~ *a robber/a fox*, καταδιώκω ἕναν ληστή/κυνηγῶ μιά ἀλεποῦ. *He has been* ~*d by misfortune*, (*μεταφ.*) τόν κυνηγάει ἀτυχία. **2**. συνεχίζω, ἐξακολουθῶ: ~ *one's studies abroad*, συνεχίζω τίς σπουδές μου στό ἐξωτερικό. **3**. ἐπιδιώκω: ~ *pleasure*, ἐπιδιώκω (κυνηγῶ) τίς ἡδονές. **pur·suer** *οὐσ.* ‹C› διώκτης.

pur·suit /pəˋsjut/ *οὐσ.* **1**. ‹U› καταδίωξις, κυνήγι, ἐπιδίωξις: *the* ~ *of wealth*, τό κυνήγι τοῦ πλούτου. ***in*** ~ ***(of)***, εἰς καταδίωξιν, σέ ἀναζήτηση: *a dog in* ~ *of a hare*, σκύλος πού κυνηγάει ἕνα λαγό. *a fox with the hounds in hot* ~, ἀλεποῦ πού τήν κυνηγᾶνε κατά πόδι τά λαγωνικά. *in* ~ *of happiness*, σέ ἀναζήτηση τῆς εὐτυχίας. ~ **plane**, καταδιωκτικό ἀεροπλάνο. **2**. ‹C› ἀσχολία, ἐργασία: *literary/scientific* ~*s*, φιλολογικές ἀσχολίες/ἐπιστημονικές ἐργασίες.

puru·lent /ˋpjʊərələnt/ *ἐπ.* πυώδης. **puru·lence** /-əns/ *οὐσ.* ‹U› πύον, διαπύησις.

pur·vey /pɜˋveɪ/ *ρ.μ/ἀ.* (*λόγ.*) προμηθεύω: *A butcher* ~*s meat to his customers*, ὁ χασάπης προμηθεύει κρέας στούς πελάτες του. ~ ***for***, ἐφοδιάζω: *a firm that ~s for the Navy*, ἑταιρία πού ἐφοδιάζει τό Ναυτικό. **~or** /-ə(r)/ *οὐσ.* ‹C› προμηθευτής. **~·ance** /-əns/ *οὐσ.* ‹U› ἐφοδιασμός, προμήθεια.

pur·view /ˋpɜvju/ *οὐσ.* ‹C› (*λόγ.*) πεδίον, ὅρια: *within the ~ of our inquiry*, ἐντός τῶν ὁρίων τῆς ἐρεύνης μας.

pus /pʌs/ *οὐσ.* ‹U› πύον.

[1]**push** /pʊʃ/ *οὐσ.* **1**. ‹C› σπρωξιά, σπρώξιμο: *give sb a ~*, δίνω σπρωξιά σέ κπ. *He opened the door with/at one ~*, ἄνοιξε τήν πόρτα μέ μιά σπρωξιά. **give sb/get the ~**, (*λαϊκ.*) δίνω σέ κπ/μοῦ δίνουν τά παπούτσια στό χέρι (δίνω/τρώω κλωτσιά). **2**. ‹C› ἐντατική προσπάθεια: *I must make a ~ to finish it*, πρέπει νά κάνω μιά ἐντατική προσπάθεια νά τό τελειώσω. *The enemy made a ~ all along the line*, ὁ ἐχθρός ἔκανε γενική ἐπίθεση σ' ὅλο τό μέτωπο. **3**. ‹U› δραστηριότης, ἀποφασιστικότης, ἐπιμονή, ἐνεργητικότης: *He hasn't enough ~ to succeed as a salesman*, δέν ἔχει ἀρκετή ἐπιμονή (ἐνεργητικότητα) γιά νά ἐπιτύχη σάν πλασιέ. **4**. (*μόνον ἑν.*) δύσκολη στιγμή, ἀνάγκη, κρίσιμη περίστασις. **if/when it comes to the ~**, ἄν/ὅταν ἔλθη ἡ κρίσιμη στιγμή. **at a ~**, στήν ἀνάγκη: *We can sleep ten people in the house at a ~*, μποροῦμε νά κοιμήσωμε δέκα ἀνθρώπους στό σπίτι σέ ὥρα ἀνάγκης.

[2]**push** /pʊʃ/ *ρ.μ/ἀ.* **1**. σπρώχνω: *We ~ed our way through the crowd*, ἀνοίξαμε δρόμο σπρώχνοντας μέσα ἀπό τό πλῆθος. *Stop ~ing at the back!* μή σπρώχνετε ἐσεῖς ἐκεῖ πίσω! *He ~ed past me*, μ' ἔσπρωξε καί προσπέρασε. *He ~ed the door open*, ἄνοιξε τήν πόρτα σπρώχνοντάς την. **2**. προωθῶ: *Haven't you a friend who can ~ you?* δέν ἔχεις κανένα φίλο νά σέ προωθήση/νά σέ βοηθήση; **~ oneself**, προβάλλομαι: *You'll never get anywhere if you don't ~ yourself*, δέν θά πᾶς μπροστά ἄν δέν κάνης προσπάθεια νά προβληθῆς. **~ one's advantage**, ἐκμεταλλεύομαι τήν πλεονεκτική μου θέση. **~ one's claims**, διεκδικῶ τά δικαιώματά μου. **~ one's wares**, διαφημίζω τά ἐμπορεύματά μου. **~ drugs**, προωθῶ (πλασσάρω) ναρκωτικά. **3**. πιέζω: *~ sb for an answer/to pay his debts*, πιέζω κπ νά δώση ἀπάντηση/νά πληρώση τά χρέη του. *~ a button*, πιέζω/πατῶ ἕνα κουμπί. **be ~ed for sth**, (*καθομ.*) πιέζομαι, εἶμαι ζορισμένος: *I'm rather ~ed for money/time just now*, αὐτή τή στιγμή εἶμαι λίγο ζορισμένος γιά χρήματα/γιά χρόνο. **~ oneself to do sth**, βιάζω τόν ἑαυτό μου νά κάμω κτ. **be ~ing thirty/forty/fifty, etc**, (*καθομ.*) πλησιάζω τά τριάντα/σαράντα/πενήντα, κλπ. **4**. **ˋ~-bike**, ποδήλατο (μέ πεντάλ). **ˋ~-cart**, καρροτσάκι. **ˋ~·chair**, παιδικό ἁμαξάκι. **~er** *οὐσ.* ‹C› *(α)* καταφερτζῆς, ἀρριβίστας. *(β)* (*λαϊκ.*) κράχτης, μεταπράτης (στό ἐμπόριο ναρκωτικῶν). **ˋ~·ing** *ἐπ.* δραστήριος, καταφερτζῆς, αὐτοπροβαλλόμενος, ἐπίμονος, πιεστικός, ἀδιάκριτος: *He's too ~ing with strangers*, εἶναι πολύ ἀδιάκριτος (κολλάει πολύ) στούς ξένους. **5**. (*μέ ἐπιρ. καί προθέσεις*):

push along, (*καθομ.*) φεύγω: *I'm afraid it's time I was ~ing along*, δυστυχῶς εἶναι ὥρα νά φεύγω/νά τοῦ δίνω.

push sb around, (*καθομ.*) κάνω κπ ὅ,τι θέλω, κάνω κουμάντο σέ κπ, ἄγω καί φέρω κπ, διατάσσω κπ: *I'm not going to be ~ed around by you or anybody*, ἐμένα δέν μπορεῖς νά μέ διατάξης οὔτε σύ οὔτε κανένας!

push forward/on (to), προχωρῶ/συνεχίζω δραστήρια: *We must ~ on with our work*, πρέπει νά συνεχίσουμε δραστήρια τή δουλειά μας. *We must ~ forward to our destination*, πρέπει νά σφιχτοῦμε καί νά φτάσωμε στόν προορισμό μας. **~ oneself forward**, κάνω προσπάθεια αὐτοπροβολῆς: *He never ~es himself forward*, ποτέ δέν προσπαθεῖ νά αὐτοπροβληθῆ.

push off, (*καθομ.*) φεύγω, στρίβω, ξεκινῶ: *Tell him to ~ off*, πές του νά στρίβη. *~ off a boat*, ξεκινῶ μιά βάρκα (σπρώχνοντας μέ κουπί ἤ στό μῶλο, κλπ).

push out, (*γιά βάρκα*) ξανοίγομαι, ξεκινῶ, ἀπομακρύνομαι ἀπό τήν ἀκτή.

push over, ἀνατρέπω, ἀναποδογυρίζω: *Don't ~ me over!* μή μέ ρίξης κάτω! **ˋ~-over**, (*λαϊκ.*) παιχνιδάκι, χάπατο (εὔκολο πρᾶγμα, εὔκολος ἄνθρωπος).

push through, βοηθῶ νά περάση: *~ a student/a bill through*, βοηθῶ νά περάση ἕνας σπουδαστής/ἕνα νομοσχέδιο.

push up, ἀνεβάζω, σπρώχνω πρός τά πάνω. **~ up the daisies**, (*καθομ.*) εἶμαι πεθαμένος καί θαμμένος, εἶμαι στά θυμαράκια.

pu·sil·lani·mous /ˈpjusɪˋlænɪməs/ *ἐπ.* (*λόγ.*) μικρόψυχος, δειλός, ψοφοδεής. **pu·sil·la·nim·ity** /ˈpjusɪləˋnɪməti/ *οὐσ.* ‹U› δειλία, μικροψυχία.

puss /pʊs/ *οὐσ.* ‹C› **1**. γατούλα, ψιψίνα (*ἰδ.* ὅταν τή φωνάζομε). **2**. (*καθομ.*) κορίτσι: *She's a sly ~!* εἶναι κατεργάρα!

pussy /ˋpʊsi/ *οὐσ.* ‹C› (*καί* **ˋpussy-cat**), γάτα (στή γλῶσσα τῶν παιδιῶν). **~-willow**, βότρυς (ἰτιᾶς). **ˋ~·foot** *ρ.ἀ.* (*καθομ.*) περπατῶ στά νύχια (ὅπως ἡ γάτα).

pus·tule /ˋpʌstjul/ *οὐσ.* ‹C› (*ἰατρ.*) φλύκταινα.

[1]**put** /pʊt/ *ρ.μ/ἀ. ἀνώμ.* (*ἀόρ. & π.μ. ~, μετ. ἐνεστ. -tt-*) **1**. βάζω, θέτω: *P~ it on the table*, βάλτο στό τραπέζι! *He ~ his hands in(to) his pockets*, ἔβαλε τά χέρια του στίς τσέπες. *~ milk in one's tea*, βάζω γάλα στό τσάϊ μου. *Can you ~ me across the river?* μπορεῖς νά μέ περάσης ἀπέναντι στό ποτάμι; *~ one's pen through a word*, διαγράφω μιά λέξη. *~ a bullet through sb's head*, καρφώνω μιά σφαῖρα στό κεφάλι κάποιου. *~ sb to bed/to sleep*, βάζω κπ στό κρεββάτι/κοιμίζω κπ. *~ a satellite into orbit*, βάζω ἕναν δορυφόρο σέ τροχιά. *~ oneself into sb's hands*, ἀφήνω τόν ἑαυτό μου (πέφτω) στά χέρια κάποιου. *~ an end/a stop to sth*, θέτω τέρμα σέ κτ. **2**. ὑποβάλλω, λέγω: *~ a question to sb*, ὑποβάλλω ἐρώτηση σέ κπ. *We must ~ it to the vote*, πρέπει νά τό βάλωμε σέ ψηφοφορία. *I'll ~ it to the Board of Directors*, θά τό φέρω πρός συζήτηση στό Διοικητικό Συμβούλιο. *~ a case clearly*, ἐκθέτω ἕνα θέμα καθαρά. *You've ~ it very nicely*, τό εἶπες πολύ ὡραῖα. *to ~ it bluntly*, γιά νά τά ποῦμε καθαρά/ἔξω ἀπό τά δόντια. *I don't know how to ~ it*, δέν ξέρω πῶς νά τό πῶ. *I'll ~ it to her so as not to offend her*, θά τῆς τά πῶ ἔτσι ὥστε νά μή τήν προσβάλλω. **3**. (*σέ φράσεις*):

be hard ~ to it, δυσκολεύομαι, εἶμαι σέ δύσκολη θέση/σέ ἀμηχανία: *I'd be hard ~ to it to say exactly why I dislike him*, θά δυσκολευόμουνα νά πῶ ἀκριβῶς γιατί τόν ἀντιπαθῶ. ***~ paid to sth***, θέτω τελεία καί παῦλα σέ κτ: *That ~ paid to his chances of winning*, αὐτό ἔθεσε τελεία καί παῦλα στίς ἐλπίδες του νά νικήση. ***~ a price/value/valuation on sth***, βάζω τιμή σέ κτ/κάνω ἐκτίμηση τῆς ἀξίας ἑνός πράγματος. ***~ sb at his ease***, κάνω κπ νά νοιώθη ἄνετα, καθησυχάζω κπ. ***~ sb to (great) expense/inconvenience***, βάζω κπ σέ (μεγάλα) ἔξοδα/σέ (μεγάλη) φασαρία. ***~ sb in mind of***, θυμίζω: *You ~ me in mind of your father*, μοῦ θυμίζεις τόν πατέρα σου. ***~ sb on (his) oath***, βάζω κπ νά ὁρκιστῆ. ***~ sb/sth right/straight***, διορθώνω κπ/κτ. ***~ sb out to service***, (*παλαιότ.*) στέλνω κπ νά πάη ὑπηρέτης. ***~ sb/sth to the test***, δοκιμάζω κπ/κτ, τόν ὑποβάλλω σέ δοκιμή. ***~ sb to a trade***, βάζω κπ νά μάθη μιά τέχνη. (*γιά πολλές ἄλλες φράσεις, βλ. τά κατ' ἰδίαν λήμματα, πχ blame, blush, death, [1]foot, misery, [1]place, pressure, [1]question, [1&3]right, wrong, κλπ, κλπ*). **4.** (*μέ ἐπιρ. καί προθέσεις*):

put about, *(α)* (*γιά πλοῖο*) ἀλλάζω κατεύθυνση: *The captain ~ the ship about*, ὁ καπετάνιος ἄλλαξε τήν πορεία τοῦ πλοίου. *(β)* διαδίδω: *He's ~ about a story that...*, διέδωσε μιά ἱστορία ὅτι...

put across, *(α)* μεταδίδω: *If I could ~ this across to my class*, ἄν μποροῦσα νά τό μεταδώσω αὐτό στήν τάξη μου... *(β)* (*καθομ.*) πετυχαίνω: *~ a business deal across* (*συνήθ. through*), πετυχαίνω/κλείνω μιά ἐμπορική δουλειά. *(γ)* ἐξαπατῶ: *You can't ~ that across me*, δέν μοῦ τή σκᾶς, δέν τά χάφτω ἐγώ αὐτά.

put aside, βάζω στήν μπάντα, παραμερίζω: *~ aside one's book/work*, βάζω στήν μπάντα τό βιβλίο μου/τή δουλειά μου. *~ aside some money*, βάζω στήν μπάντα μερικά χρήματα. *~ aside some unpleasant facts*, παραμερίζω/ἀγνοῶ μερικά δυσάρεστα γεγονότα.

put at, ὑπολογίζω, λογαριάζω: *I ~ her coat at £200*, ὑπολογίζω τό παλτό της στίς 200 λίρες. *I'd ~ her age at about forty*, θἄλεγα ὅτι εἶναι γύρω στά σαράντα.

put away, *(α)* φυλάω/βάζω κτ στή θέση του: *Now ~ away your books/toys*, τώρα βάλτε τά βιβλία/τά παιχνίδια σας στή θέση τους. *(β)* ἀποταμιεύω, βάζω στήν μπάντα: *~ away some money for one's old age*, βάζω στήν μπάντα λίγα χρήματα γιά τά γερατειά μου. *(γ)* (*καθομ.*) καταβροχθίζω, χωράω: *How can this little man ~ away so much food?* ποῦ χωράει αὐτός ὁ ἀνθρωπάκος τόσο φαΐ; *(δ)* ἐγκαταλείπω (ἐλπίδες, κλπ): *He had to ~ away all ideas of studying abroad*, ὑποχρεώθηκε νά ἐγκαταλείψη κάθε ἰδέα σπουδῶν στό ἐξωτερικό. *(ε)* (*καθομ.*) κλείνω μέσα (σέ φυλακή, ψυχιατρεῖο, κλπ): *He acted so strangely that he had to be ~ away*, φερνόταν τόσο ἀλλόκοτα πού χρειάστηκε νά τόν κλείσουν μέσα. *(στ')* θανατώνω (ζῶα): *The dog was so old that we had to ~ it away*, ὁ σκύλος ἦταν τόσο γέρος πού ἀναγκαστήκαμε νά τόν θανατώσωμε.

put back, *(α)* (*γιά πλοῖο*) ξαναγυρίζω: *We ~ back to harbour*, ξαναγυρίσαμε στό λιμάνι. *(β)* βάζω/ρίχνω πίσω: *P~ it back on the shelf!* ξαναβάλτο στό ράφι! *P~ the clock back five minutes*, βάλε πίσω τό ρολόϊ πέντε λεπτά. *The strike ~ back production badly*, ἡ ἀπεργία ἔρριξε πίσω τήν παραγωγή πολύ ἄσχημα.

put by, βάζω στήν ἄκρη: *Has she any money ~ by?* ἔχει τίποτα χρήματα στήν ἄκρη;

put down, *(α)* προσγειώνομαι: *He ~ down in a field*, προσγειώθηκε σ' ἕνα χωράφι. *(β)* βάζω κάτω: *~ down a gun*, ἀφήνω κάτω ἕνα ὅπλο. *(γ)* ἀπιθώνω, κατεβάζω: *The bus stopped to ~ down some passengers*, τό λεωφορεῖο σταμάτησε νά κατεβάση μερικούς ἐπιβάτες. *(δ)* ἀποθηκεύω: *~ down a good supply of coal*, ἀποθηκεύω μεγάλη ποσότητα κάρβουνο. *(ε)* καταστέλλω, ἐξαλείφω: *~ down a rebellion/gambling and prostitution*, καταστέλλω ἀνταρσία/ἐξαλείφω τή χαρτοπαιξία καί πορνεία. *(στ')* ταπεινώνω, ἀποστομώνω, ἀποπαίρνω: *~ down hecklers at a political meeting*, ἀποστομώνω/ἀποπαίρνω τούς θορυβοποιούς σέ μιά πολιτική συγκέντρωση. *(ζ)* σημειώνω, γράφω, χρεώνω: *Let me ~ down your address before I forget it*, νά σημειώσω τή διεύθυνσή σου πρίν τήν ξεχάσω. *I'll ~ you down for £5*, θά σέ γράψω (ὅτι θά δώσης) 5 λίρες. *I'll ~ it down to his account*, θά τό βάλω (χρεώσω) στό λογαριασμό του. *(η)* θεωρῶ: *We ~ him down as a fool, but...*, τόν θεωρούσαμε βλάκα, ἀλλά... *(θ)* ἀποδίδω: *I'd ~ it down to his ignorance*, θά τό ἀπέδιδα στήν ἀμάθειά του.

put forth, (*λόγ.*) *(α)* καταβάλλω, ἀσκῶ: *You should ~ forth all your energies*, θἄπρεπε νά καταβάλετε ὅλη σας τή δραστηριότητα. *(β)* (*γιά δέντρο*) πετῶ, βγάζω (βλαστάρια, φύλλα, κλπ).

put forward, *(α)* διατυπώνω: *~ forward a new theory*, διατυπώνω μιά καινούργια θεωρία. *(β)* προτείνω: *~ forward a suggestion*, κάνω μιά πρόταση. *~ sb forward as a candidate*, προτείνω κπ ὡς ὑποψήφιο. *(γ)* βάζω μπροστά (ρολόϊ).

put in, (α) ἀναφωνῶ, διακόπτω: *'But what about me?' he ~ in*, – Τί θά γίνει μέ μένα; ἀναφώνησε διακόπτοντας. *(β)* βάζω: *He ~ his head in at the door*, ἔβαλε τό κεφάλι του στήν πόρτα. *(γ)* ἀφιερώνω (δουλειά, χρόνο, κλπ): *He ~s a lot of work into improving his French*, ἀφιερώνει πολλή δουλειά στή βελτίωση τῶν Γαλλικῶν του. *(δ)* (*γιά πλοῖο*) πιάνω (λιμάνι): *The boat ~ in at Malta/~ into Malta for repairs*, τό πλοῖο ἔπιασε στή Μάλτα γιά ἐπισκευές. *(ε)* προτείνω: *He was ~ in for promotion*, ἐπροτάθη γιά προαγωγή. *(στ')* ὑποβάλλω αἴτηση: *He ~ in for leave/for the position of manager*, ὑπέβαλε αἴτηση γιά ἄδεια/γιά τή θέση διευθυντοῦ. *He ~ in a claim for damages*, ὑπέβαλε ἀξίωση ἀποζημιώσεως. *(ζ)* λέω, δίνω (χτύπημα): *I couldn't ~ in a word*, δέν μπόρεσα νά πῶ λέξη. *~ in a blow*, καταφέρω χτύπημα. ***~ in a good word for sb***, λέω καλά λόγια γιά κπ. *(η)* κάνω, (*γιά χρόνο*) περνῶ: *~ in an hour's work before dinner*, δουλεύω μιά ὥρα πρίν ἀπό τό δεῖπνο. *There's still an hour to ~ in before the*

theatre opens, ἔχομε μιά ὥρα ἀκόμα ὥσπου ν' ἀνοίξη τό θέατρο. *(θ)* ἐκλέγω, διορίζω: *The Labour Candidate was ~ in*, ἐξελέγη ὁ Ἐργατικός ὑποψήφιος. *~ in a caretaker*, διορίζω ἕναν ἐπιστάτη.
put off, *(α)* (*γιά πλοῖο*) ἀποπλέω, σαλπάρω. *(β)* ἀναβάλλω, ρίχνω πίσω: *~ off a meeting/going to the dentist*, ἀναβάλλω μιά συνεδρίαση/τήν ἐπίσκεψη στόν ὀδοντογιατρό. *We can't ~ him off once again*, δέν μποροῦμε νά τόν ρίξωμε πίσω πάλι (*δηλ.* νά μήν τόν καλέσωμε, νά μήν τόν πληρώσωμε τώρα, κλπ). *(γ)* ρίχνω κπ, ἀποκοιμίζω, κοροϊδεύω: *You can't ~ me off with such excuses*, δέν μπορεῖς νά μέ ρίξης μέ τέτοιες δικαιολογίες. *He tried to ~ me off with vague promises*, προσπάθησε νά μέ ἀποκοιμίση μέ ἀόριστες ὑποσχέσεις. *(δ)* ξεφορτώνομαι, ἀπαλλάσομαι ἀπό: *You must ~ off your doubts and fears*, πρέπει ν' ἀπαλλαγῆς ἀπό τίς ἀμφιβολίες καί τούς φόβους σου. *(ε)* ἀποτρέπω: *~ sb off a plan*, ἀποτρέπω κπ ἀπό ἕνα σχέδιο. *(στ')* ἐκνευρίζω, ἀναστατώνω: *These interruptions ~ me off*, αὐτές οἱ διακοπές μέ ἐκνευρίζουν. *The mere smell of garlic ~s me off*, καί ἡ μυρωδιά μονάχα τοῦ σκόρδου μέ κάνει ἄνω-κάτω.
put on, *(α)* φορῶ: *P~ on your hat/shoes*, φόρα τό καπέλλο σου/τά παπούτσια σου. *(β)* παίρνω, ὑποκρίνομαι: *~ on an air of innocence*, παίρνω ἀθῶο ὕφος. *Her modesty is all ~ on*, ἡ μετριοφροσύνη της εἶναι ὅλο ὑποκρισία. *(γ)* αὐξάνω, προσθέτω: *~ on speed/pressure*, αὐξάνω τήν ταχύτητα/τήν πίεση. *~ on weight*, παίρνω βάρος. *This will ~ pounds on the cost of living*, αὐτό θά προσθέση πολλές λίρες στό κόστος ζωῆς. *(δ)* (ἀνε)βάζω: *~ on a play*, ἀνεβάζω ἕνα ἔργο. *~ on extra trains during the rush hours*, βάζω κι' ἄλλα τραῖνα στίς ὧρες κυκλοφοριακῆς αἰχμῆς. *(ε)* βάζω μπροστά: *~ the clock on one hour*, βάζω τό ρολόϊ μπροστά μιά ὥρα. *(στ')* (*καθομ.*) κοροϊδεύω, ἐξαπατῶ: *He's not really interested; he's ~ting you on*, δέν ἐνδιαφέρεται πραγματικά, σέ κοροϊδεύει. **ˈ~-on**, φενάκη, κοροϊδία: *What a ~-on!* τί κοροϊδία! τί ἀπάτη! *(ζ)* ***~ it on***, τό παρακάνω, κάνω τόν σπουδαῖο, παίρνω ὕφος: *Some of the hotels ~ it on during the holiday season*, μερικά ξενοδοχεῖα τό παρακάνουν (ζητᾶν πολλά) στίς διακοπές. *Don't ~ it on!* μήν κάνης τό σπουδαῖο! μήν παίρνης ὕφος! *(η)* ποντάρω: *I've ~ a pound on the favourite*, ποντάρισα μιά λίρα στό φαβορί.
put out *(α)* βγάζω (= παράγω, ἐκδίδω, ἐξαρθρώνω): *~ out a boat*, ρίχνω βάρκα στό νερό. *~ sb out of a room*, βγάζω κπ ἔξω ἀπό ἕνα δωμάτιο. *~ out flags*, βγάζω σημαῖες, σημαιοστολίζω. *~ out one's arm/shoulder*, βγάζω τό χέρι μου/τόν ὦμο μου. *~ out a circular*, βγάζω μιά ἐγκύκλιο. *Don't ~ your head out*, μή βγάζεις ἔξω τό κεφάλι σου. *The doctor asked me to ~ out my tongue*, ὁ γιατρός μοῦ εἶπε νά βγάλω (νά δείξω) τή γλῶσσα μου. *The boy ~ his tongue out at me*, τό παιδί μοῦ ἔβγαλε τή γλῶσσα. *(β)* ἁπλώνω: *He ~ out his hand to greet me*, ἅπλωσε τό χέρι νά μέ χαιρετίση. *She ~ out the washing to dry*, ἅπλωσε τά πλυμένα ροῦχα νά στεγνώσουν. *(γ)* σβήνω: *~ out the lights/a fire/the gas/a candle*, σβήνω τά φῶτα/μιά φωτιά/τό γκάζι/ἕνα κερί. *(δ)* στέλνω ἔξω: *~ out the washing*, δίνω τά ροῦχα ἔξω γιά πλύσιμο. *All repairs are done on the premises and not ~ out*, ὅλες οἱ ἐπισκευές γίνονται στό κατάστημα καί δέν στέλνονται ἔξω. *(ε)* τοκίζω: *He ~s money out at 10%*, τοκίζει χρήματα μέ 10%. *(στ')* ἀναστατώνω, ἐκνευρίζω, τά χάνω: *The least thing ~s him out*, τό παραμικρό τόν ἀναστατώνει. *He was very much ~ out by the news*, τά νέα τόν ἔκαμαν ἄνω-κάτω. *Nothing ever ~s him out*, δέν τόν ταράζει ποτέ τίποτα. *(ζ)* δυσκολεύω, ἐνοχλῶ: *Would it ~ you out to lend me £10 until Monday?* θά σέ δυσκόλευε νά μέ δανείσης 10 λίρες ὥς τή Δευτέρα;
put sth over to sb, (*καθομ.*) *βλ.* *put across (α)*.
put through *(α)* φέρω εἰς πέρας, διεκπεραιώνω: *~ through a business deal*, φέρω εἰς πέρας/κλείνω μιά δουλειά. *(β)* συνδέω (τηλεφωνικῶς): *Can you ~ me through to the Manager?* μπορεῖτε νά μέ συνδέσετε μέ (νά μοῦ δώσετε) τόν Διευθυντή; *(γ)* ὑποβάλλω: *The police ~ him through a severe examination*, ἡ ἀστυνομία τόν ὑπέβαλε σέ αὐστηρή ἀνάκριση. ***~ sb through it***, (*καθομ.*) βγάζω τό λάδι σέ κπ.
put together, συγκεντρώνω, μαζεύω, συναρμολογῶ: *~ one's thoughts together*, συγκεντρώνω τίς σκέψεις μου. *~ a few things together in a suitcase*, μαζεύω/ρίχνω λίγα πράγματα σέ μιά βαλίτσα. *It's easier to take a machine to pieces than ~ it together again*, εἶναι εὐκολώτερο νά λύσης μιά μηχανή παρά νά τήν συναρμολογήσης ξανά.
put up *(α)* ὑψώνω, σηκώνω, ἀνεβάζω: *~ up a flag*, ὑψώνω σημαία. *~ up one's hands*, σηκώνω ψηλά τά χέρια. *~ up one's collar*, ἀνασηκώνω τό γιακᾶ μου. *~ up one's hair*, κάνω κότσο τά μαλλιά μου. *~ up the price/wages/rent*, ἀνεβάζω τήν τιμή/τό μεροκάματο/τό ἐνοίκιο. *(β)* στήνω, ἀνεγείρω: *~ up a tent*, στήνω μιά σκηνή. *~ up a shed*, ἀνεγείρω ἕνα ὑπόστεγο. *(γ)* τοιχοκολλῶ: *~ up a notice*, τοιχοκολλῶ μιά ἀνακοίνωση. *(δ)* προτείνω, θέτω ὑποψηφιότητα: *~ sb up for the position of secretary*, προτείνω κπ γιά τή θέση γραμματέως. *He'll ~ up for president*, θά ἐκθέση ὑποψηφιότητα γιά πρόεδρος. *(ε)* μαζεύω: *We've ~ up the deck chairs for the winter*, μαζέψαμε τίς πολυθρόνες γιά τό χειμῶνα. *(στ')* ξεπετάω, κάνω νά πετάξη (πουλί). *(ζ)* κάνω (προσευχή): *~ up a short prayer*, λέω μιά σύντομη προσευχή. *(η)* ἐκθέτω (σέ πλειστηριασμό): *~ up a house for auction/sale*, βάζω ἕνα σπίτι στόν πλειστηριασμό/γιά πούλημα. *(θ)* συσκευάζω, ἑτοιμάζω: *herrings ~ up in barrels*, ρέγγες συσκευασμένες σέ κιβώτια. *The hotel will ~ us up some sandwiches*, τό ξενοδοχεῖο θά μᾶς ἑτοιμάση μερικά σάντουϊτς (γιά νά πάρωμε μαζί μας). *(ι)* προβάλλω: *~ up a stout resistance*, προβάλλω σθεναρή ἀντίσταση. *(ια)* καταβάλλω, προσφέρω, διαθέτω: *Who'll ~ up the necessary capital?* ποιός θά διαθέση τά ἀναγκαῖα κεφάλαια; *(ιβ)* φιλοξενῶ, βολεύω, μένω: *Can you ~ us up for the night?*

μπορεῖς νά μᾶς φιλοξενήσης γιά ἀπόψε; *We ~ up at an inn for the weekend*, μείναμε σ' ἕνα πανδοχεῖο γιά τό Σαββατοκύριακο. *(ιγ)* **~ sb up to sth**, δείχνω, μαθαίνω κτ σέ κπ, βάζω κπ νά κάμη κτ: *Please ~ the new secretary up to her duties*, σέ παρακαλῶ δεῖξε στή νέα γραμματέα τά καθήκοντά της. *Who ~ you up to all those tricks?* ποιός σοῦ ἔμαθε (ποιός σ' ἔβαλε νά κάνης) ὅλα αὐτά τά κόλπα; **a `~-up job**, στημένη δουλειά, πλεκτάνη. *(ιδ)* **~ up with sb**, ἀνέχομαι, ὑποφέρω κπ: *I can no longer ~ up with him*, δέν μπορῶ νά τόν ὑποφέρω ἄλλο πιά.

2 **put** /pʌt/ *ρ.μ/ὰ. βλ. putt.*

pu·ta·tive /`pjutətɪv/ *ἐπ.* ὑποτιθέμενος, θεωρούμενος: *his ~ father*, ὁ ὑποτιθέμενος πατέρας του. *a ~ marriage*, νομιζόμενος γάμος.

pu·tre·fac·tion /ˈpjutrɪ`fækʃn/ *οὐσ.* ‹C,U› σῆψις.

pu·trefy /`pjutrɪfaɪ/ *ρ.μ/ὰ.* σαπίζω, γαγγραινιάζω.

pu·tres·cent /pju`tresnt/ *ἐπ.* ἀποσυντιθέμενος, σηπόμενος. **pu·tres·cence** /-sns/ *οὐσ.* ‹U› ἀποσύνθεσις.

pu·trid /`pjutrɪd/ *ἐπ.* σάπιος, ἄθλιος: *~ fish*, σάπιο, χαλασμένο ψάρι. *~ weather*, (*λαϊκ.*) βρωμόκαιρος. **~·ity** /pju`trɪdətɪ/ *οὐσ.* ‹U› σῆψις, σαπίλα.

putsch /pʊtʃ/ *οὐσ.* ‹C› (*Γερμ.*) πραξικόπημα, κίνημα.

putt, put /pʌt/ *ρ.μ/ὰ.* (*στό γκόλφ*) χτυπῶ μαλακά τή μπάλλα. **`~·ing-green**, (*γκόλφ*) ἰσοπεδωμένη περιοχή γύρω ἀπό τήν τρύπα. **`~·ing-iron**, (*γκόλφ*) εἰδικό ρόπαλο γιά συρτό χτύπημα. —*οὐσ.* ‹C› (*γκόλφ*) μαλακό κτύπημα στή μπάλλα.

put·tee /`pʌtɪ/ *οὐσ.* ‹C› γκέτα.

putty /`pʌtɪ/ *οὐσ.* ‹U› στόκος (γιά τζάμια). —*ρ.μ.* στοκάρω.

puzzle /`pʌzl/ *οὐσ.* ‹C› **1**. σπαζοκεφαλιά: *a `crossword-~*, σταυρόλεξο. *a `jigsaw-~*, σπαζοκεφαλιά συναρμολογήσεως (εἰκόνος). **2**. αἴνιγμα, γρῖφος: *Your friend is a real ~ to me*, ὁ φίλος σου εἶναι ἀληθινό αἴνιγμα γιά μένα. **3**. (*μόνον ἑν.*) παραζάλη, μπέρδεμα. **be in a ~ about sth**, τἄχω χαμένα ἀπό κτ, εἶμαι σέ ἀμηχανία. —*ρ.μ/ὰ.* **1**. περιπλέκω, φέρω σέ ἀμηχανία, ζαλίζω: *His letter ~d me*, τό γράμμα του μ' ἔφερε σέ ἀμηχανία. *He was ~d what to do next*, δέν ἤξερε τί νά κάμη μετά. *He ~d his brains to find an answer*, βασάνισε τό μυαλό του νά βρῆ μιά ἀπάντηση. **2**. **~ over sth**, σπάζω τό κεφάλι μου νά καταλάβω κτ. **~ sth out**, ξεδιαλύνω (ἕνα μυστήριο, αἴνιγμα, κλπ). **~·ment** *οὐσ.* ‹U› ἀπορία, ἀμηχανία, σύγχυσις, σάστισμα. **~r** *οὐσ.* ‹C› δύσκολη ἐρώτηση, σπαζοκεφαλιά: *ask sb a few ~rs*, κάνω μερικές δύσκολες ἐρωτήσεις σέ κπ. *That's a real ~r!* αὐτή εἶναι πραγματική σπαζοκεφαλιά!

pygmy, pigmy /`pɪgmɪ/ *οὐσ.* ‹C› & *ἐπ.* πυγμαῖος.

py·ja·mas /pə`dʒaməz/ *οὐσ. πληθ.* πυτζάμες. **a pair of ~**, μιά πυτζάμα.

py·lon /`paɪlən/ *οὐσ.* ‹C› **1**. (*ἀρχιτ.*) πυλών. **2**. ἀτσάλινος στύλος γιά καλώδια ρεύματος ὑψηλῆς τάσεως.

py·or·rhoea (*καί* **-rhea**) /ˈpaɪə`rɪə/ *οὐσ.* ‹U› πυόρροια.

pyra·mid /`pɪrəmɪd/ *οὐσ.* ‹C› πυραμίδα.

pyre /`paɪə(r)/ *οὐσ.* ‹C› πυρά (καύσεως νεκρῶν).

py·rites /ˈpaɪə`raɪtiz/ *οὐσ.* ‹U› πυρίτης, πυριτόλιθος.

pyro·tech·nics /ˈpaɪərəʊ`teknɪks/ *οὐσ. πληθ.* πυροτεχνική, πυροτεχνήματα, (*μεταφ.*) ρητορικά ἐφφέ. **pyro·tech·nic** *ἐπ.*

Pyr·rhic /`pɪrɪk/ *ἐπ.* Πύρρειος. **a ~ victory**, Πύρρειος νίκη.

py·thon /`paɪθən/ *οὐσ.* ‹C› πύθων.

pyx, pix /pɪks/ *οὐσ.* ‹C› (*ἐκκλ.*) ἀρτοφόριον.

Q q

Q, q /kju/ τό 17ο γράμμα τοῦ ἀλφάβητου.

qua /kweɪ/ *σύνδ.* (*Λατ.*) ὡς.

1 **quack** /kwæk/ *οὐσ.* ‹C› κουάκ, ἡ κραυγή τῆς πάπιας. —*ρ.ὰ.* (γιά πάπια) κακαρίζω, κρώζω.

2 **quack** /kwæk/ *οὐσ.* ‹C› & *ἐπ.* τσαρλατάνος, ἀγύρτης: *a ~ doctor*, τσαρλατάνος γιατρός, κομπογιαννίτης. *~ remedies*, κομπογιαννίτικα φάρμακα. **`~·ery** /-ərɪ/ *οὐσ.* **1**. ‹U› ἀγυρτεία, τσαρλατανισμός. **2**. ‹C› γιατροσόφια.

quad /kwod/ *οὐσ.* ‹C› (*βραχυλ. τῆς καθομ. γιά λ.*) *quadrangle* καί *quadruplet*.

Quad·ra·gesima /ˈkwodrə`dʒesɪmə/ *οὐσ.* Κυριακή τῆς Ὀρθοδοξίας.

quad·rangle /`kwo-dræŋgl/ *οὐσ.* ‹C› **1**. τετράπλευρον. **2**. (*βραχυλ. quad*) τετράγωνη αὐλή (κολλεγίου, ἀνακτόρου, κλπ).

quad·ran·gu·lar /kwo`dræŋgjʊlə(r)/ *ἐπ.* τετράπλευρος, τετραγωνικός.

quad·rant /`kwo-drənt/ *οὐσ.* ‹C› **1**. τεταρτοκύκλιον. **2**. (*ναυτ.*) τετρᾶς.

quad·ratic /kwo`drætɪk/ *ἐπ.* (*μαθ.*) **~ equation**, δευτεροβάθμιος ἐξίσωσις.

quad·ri·lat·eral /ˈkwo-drɪ`lætrl/ *ἐπ.* τετράπλευρος. —*οὐσ.* ‹C› τετράπλευρον.

qua·drille /kwə`drɪl/ *οὐσ.* ‹C› (*μουσ., χορ.*) καντρίλλια.

quad·ril·lion /kwo`drɪlɪən/ *οὐσ.* ‹C› **1**. (*MB*) ἑπτάκις ἑκατομμύριον. **2**. (*ΗΠΑ, Εὐρώπη*) τετράκις ἑκατομμύριον.

quad·ru·ped /`kwodrʊped/ *οὐσ.* ‹C› τετράποδον (ζῶον).

quad·ruple /`kwodrupl/ *ἐπ.* τετραμελής, τετραπλάσιος: *a ~ alliance*, τετραμερής συμμαχία. —*οὐσ.* ‹C› τό τετραπλάσιον. —*ρ.μ/ὰ.* /kwo`drupl/ τετραπλασιάζω: *His income has*

~*d in five years*, τό εἰσόδημά του τετραπλασιάστηκε σέ πέντε χρόνια.

quad·ru·plet /ˋkwodruplɪt/ *οὐσ.* ‹C› τετράδυμο: *one of the* ~*s* (*ἤ καθομ. συγκεκ. one of the quads*) ἕνα ἀπό τά τετράδυμα.

quad·ru·pli·cate /kwoˋdruplɪkət/ *ἐπ.* τετραπλοῦς. —*οὐσ.* ‹U› ***in*** ~, εἰς τετραπλοῦν. —*ρ.μ.* /kwoˋdruplɪkeɪt/ βγάζω εἰς τετραπλοῦν.

quaff /kwof/ *ρ.μ/ἀ.* (*λογοτ.*) πίνω ἄπληστα/μονορρούφι.

quag·mire /ˋkwægmaɪə(r)/ *οὐσ.* ‹C› τέλμα, βάλτος.

Quai d' Orsay /ˈkeɪ dɔˋseɪ/ *οὐσ.* τό Γαλλικό Ὑπουργεῖον τῶν Ἐξωτερικῶν.

[1]**quail** /kweɪl/ *οὐσ.* ‹C› (*ἀμετάβλ. εἰς πληθ.*) ὀρτύκι: *shoot* ~ *and duck*, κυνηγῶ ὀρτύκια καί πάπιες.

[2]**quail** /kweɪl/ *ρ.ἀ.* ~ ***(at/before)***, δειλιάζω, πτοοῦμαι, κιοτεύω: *His heart* ~*ed*, ἡ καρδιά του δείλιασε. *He* ~*ed at the prospect of having to*..., δείλιασε μέ τήν προοπτική ὅτι ἔπρεπε νά... *His eyes* ~*ed before the teacher*, κατέβασε τά μάτια μπροστά στό δάσκαλο.

quaint /kweɪnt/ *ἐπ.* (*-er, -est*) **1**. ἰδιόρρυθμος. **2**. παλαιϊκός, (εὐχάριστα) παράξενος/περίεργος, γραφικός: *a* ~ *church*, μιά γραφική ἐκκλησία. ~ *customs*, περίεργα (παλαιϊκά) ἔθιμα. **~·ly** *ἐπίρ.* περίεργα, ἀλλόκοτα. **~·ness** *οὐσ.* ‹U› παραξενιά, ἰδιορρυθμία.

quake /kweɪk/ *ρ.ἀ.* τρέμω: *The earth* ~*d under his feet*, ἡ γῆ ἔτρεμε κάτω ἀπό τά πόδια του. *quaking with fear/cold*, τρέμοντας ἀπό φόβο/ἀπό τό κρύο. —*οὐσ.* ‹C› (*καθομ. βραχυλ. γιά earthquake*) σεισμός.

Quaker /ˋkweɪkə(r)/ *οὐσ.* Κουάκερος.

quali·fi·ca·tion /ˈkwolɪfɪˋkeɪʃn/ *οὐσ.* **1**. ‹C,U› ἐπιφύλαξις, ὅρος, περιορισμός: *accept sth without* ~*/with certain* ~*s*, δέχομαι κτ ἀνεπιφυλάκτως/ὑπό ὡρισμένους ὅρους. **2**. ‹C› ἱκανότης, προσόν, τίτλος (σπουδῶν): *have the necessary* ~*s for a post*, ἔχω τά ἀπαιτούμενα προσόντα γιά μιά θέση. *a teacher's* ~*s*, (τυπικά) προσόντα καθηγητοῦ.

quali·fied /ˋkwolɪfaɪd/ *ἐπ.* **1**. διπλωματοῦχος, ἱκανός, κατάλληλος, διαθέτων τά προσόντα: *a* ~ *teacher*, διπλωματοῦχος καθηγητής. **2**. περιωρισμένος, ἐπιφυλακτικός: ~ *approval*, ἔγκρισις ὑπό ἐπιφύλαξιν. *give a* ~ *'yes'*, δέχομαι (λέω 'ναί') ὑπό ὅρους.

quali·fier /ˋkwolɪfaɪə(r)/ *οὐσ.* ‹C› (*γραμμ.*) προσδιοριστική λέξις.

qual·ify /ˋkwolɪfaɪ/ *ρ.μ/ἀ.* **1**. (παρ)έχω τά προσόντα, καθιστῶ ἱκανόν: *He's qualified for the post/as a teacher of English/to teach English*, ἔχει τά προσόντα γιά τή θέση/γιά καθηγητής Ἀγγλικῶν/νά διδάξη Ἀγγλικά. **2**. παρέχω τό δικαίωμα, δικαιοῦμαι: *Do you* ~ *for the vote/to vote?* δικαιοῦσαι ψήφου/νά ψηφίσης; *This does not* ~ *you to treat me like that*, αὐτό δέν σᾶς δίνει τό δικαίωμα νά μέ μεταχειρίζεσθε ἔτσι. **3**. προσδιορίζω, περιορίζω, τροποποιῶ (μέ τήν προσθήκη ὅρων ἤ ἐπιφυλάξεων): *Adjectives* ~ *nouns*, τά ἐπίθετα προσδιορίζουν τά οὐσιαστικά. ~ *a statement*, περιορίζω/μετριάζω μιά δήλωση (τήν τροποποιῶ ὥστε νά μήν εἶναι τόσο γενική). **4**. ~ ***sb as***, χαρακτηρίζω: *She qualified him as an ambitious opportunist*, τόν χαρακτήρισε σά φιλόδοξο καιροσκόπο.

quali·tat·ive /ˋkwolɪtətɪv/ *ἐπ.* ποιοτικός.

qual·ity /ˋkwoləti/ *οὐσ.* ‹C,U› **1**. ποιότης: *goods of poor/first-rate* ~, ἐμπορεύματα κακῆς/ἀρίστης ποιότητος. **2**. ἰδιότης, χαρακτηριστικόν, ἀρετή, ἱκανότης: *One of the qualities of wood is*..., μιά ἀπό τίς ἰδιότητες τοῦ ξύλου εἶναι... *He has many good qualities*, ἔχει πολλές καλές ἰδιότητες, πολλές ἀρετές. *He has the* ~ *of inspiring confidence*, ἔχει τήν ἱκανότητα νά ἐμπνέη ἐμπιστοσύνη. **3**. (*ἀπηρχ.*) ὑψηλή κοινωνική θέσις, ἀριστοκρατία: *a lady of* ~, κυρία περιωπῆς.

qualm /kwam/ *οὐσ.* ‹C› ἐνδοιασμός, τύψις: *have no* ~*s about doing sth*, δέν ἔχω ἐνδοιασμούς/δέν διστάζω νά κάμω κτ. ~*s of conscience*, τύψεις συνειδήσεως.

quan·dary /ˋkwondəri/ *οὐσ.* ‹C› δίλημμα, ἀμηχανία: *be in a* ~ *about what to do next*, βρίσκομαι σέ δίλημμα/δέν ξέρω τί νά κάμω ἐν συνεχεία.

quan·ti·tat·ive /ˋkwontɪtətɪv/ *ἐπ.* ποσοτικός.

quan·tity /ˋkwontəti/ *οὐσ.* ‹C,U› ποσότης, ἀριθμός: *I prefer quality to* ~, προτιμῶ τήν ποιότητα ἀπό τήν ποσότητα. *a small/large* ~, μικρή/μεγάλη ποσότης. *a great* ~ *of work*, ὄγκος ἐργασίας. *buy goods in* ~*/in large quantities*, ἀγοράζω ἐμπορεύματα σέ ποσότητα/σέ μεγάλες ποσότητες. ***quantities of***, πολύ, ἕνα σωρό. ***an unknown*** ~, (*μαθ.*) ἄγνωστον μέγεθος. (*μεταφ.*) μεγάλο ἐρωτηματικό, ἀστάθμητος παράγων: *He's an unknown* ~, εἶναι ἕνα μεγάλο ἐρωτηματικό (*δηλ. δέν ξέρομε τίποτα γι αὐτόν, πχ τί ἱκανότητες ἔχει, τί ρόλο θά παίξη, κλπ*).

quan·tum /ˋkwontəm/ *οὐσ.* ‹C› (*πληθ. quanta* /-tə/) ποσοστόν, ἀναλογία, μερίδιον, (*φυσ.*) κβάντον. **ˋ~ theory**, κβαντική θεωρία.

quar·an·tine /ˋkworəntin/ *οὐσ.* ‹U› κάθαρσις, λοιμοκαθαρτήριον, ἀπομόνωσις, καραντίνα: *be in* ~, εἶμαι σέ καραντίνα. *keep a dog in* ~, βάζω σκυλί σέ καραντίνα. —*ρ.μ.* βάζω σέ καραντίνα.

quar·rel /ˋkworl/ *οὐσ.* ‹C› **1**. καυγᾶς, φιλονικία: *have a* ~ *with sb about/over sth*, ἔχω καυγᾶ μέ κπ γιά κτ. *They made up their* ~, τά φτιάξανε, βρήκανε τή διαφορά τους. ***It takes two to make a*** ~, χρειάζονται δύο γιά νά γίνη καυγᾶς, δέν γίνεται καυγᾶς ὅταν ὁ ἕνας δέν τόν θέλει. **2**. ἀφορμή, λόγος φιλονικίας: *I have no* ~ *with/against him*, δέν ἔχω τίποτα μαζί του/ἐναντίον του. ***pick a*** ~ ***(with sb)***, βρίσκω ἀφορμή γιά καυγᾶ. —*ρ.ἀ.* (*-ll-*) **1**. ~ ***(with sb) (about/over sth)***, φιλονικῶ μέ κπ γιά κτ. **2**. ~ ***with (sth)***, διαφωνῶ πάνω σέ κτ, παραπονοῦμαι γιά κτ, τά βάζω μέ κτ. **ˋ~·some** /-səm/ *ἐπ.* φιλόνικος, καυγατζῆς.

[1]**quarry** /ˋkwori/ *οὐσ.* ‹C› (*συνήθ. ἑν.*) θήραμα, λεία, κυνήγι.

[2]**quarry** /ˋkwori/ *οὐσ.* ‹C› λατομεῖο, νταμάρι, (*μεταφ.*) πλούσια πηγή (πληροφοριῶν, κλπ). —*ρ.μ/ἀ.* **1**. βγάζω (πέτρες, κλπ) ἀπό νταμάρι. **2**. (*μεταφ.*) ψάχνω, ἀντλῶ: ~ *in old manuscripts*, ψάχνω σέ παληά χειρόγραφα. ~ *information from old books*, ἀντλῶ πληροφορίες ἀπό παληά βιβλία. **ˋ~-man**, λατόμος.

quart /kwɔt/ *οὐσ.* ‹C› τέταρτον τοῦ γαλλονιοῦ

(*MB 1136 γραμμάρια, ΗΠΑ 946 γραμμάρια*). ***put a ~ into a pint pot***, ἐπιχειρῶ τ᾽ἀδύνατα.

quar·ter /ˋkwɔtə(r)/ *οὐσ.* ‹C› **1**. τέταρτον: *a ~ of an apple/a loaf of bread/a gallon/a mile/an hour*, τέταρτον μήλου/καρβελιοῦ/γαλλονιοῦ/μιλίου/τῆς ὥρας. *It's a quarter to/past ten*, εἶναι δέκα παρά/καί τέταρτο. ***a bad ~ of an hour***, δυσάρεστη ἀλλά σύντομη περιπέτεια. *the first ~ of the 20th century*, τό πρῶτο τέταρτο (ἡ πρώτη εἰκοσιπενταετία) τοῦ 20οῦ αἰῶνα. *a ~ of a dollar*, τό τέταρτο τοῦ δολλαρίου (25 σέντς). *the last ~ of the moon*, τό τελευταῖο τέταρτο (ἡ τελευταία φάσις) τοῦ φεγγαριοῦ. *the first ~ of the year*, ἡ πρώτη τριμηνία τοῦ ἔτους. **ˋ~-day**, (*MB*) κατά νόμον ἡμέρα τῶν τριμηνιαίων πληρωμῶν (25η Μαρτίου, 24 Ἰουνίου, 29η Σεπτεμβρίου, καί 25η Δεκεμβρίου). *a ~ of lamb*, τέταρτον ἀρνιοῦ (μέ τό ἕνα πόδι). *the ˋfore-/ˋhind-~s of an animal*, τό μπροστινό/πισινό μέρος ζώου. **2**. τέταρτον στατῆρος (*MB 28 λίμπρες, ΗΠΑ 25 λίμπρες*). **3**. (*πολεμ. ναυτ.*) θέσις μάχης: *All men took up their ~s*, ὅλοι οἱ ἄνδρες ἔλαβον θέσιν μάχης. **4**. (*ναυτ.*) ἰσχίον πρύμνης. **ˋ~-deck**, κατάστρωμα τῶν ἀξιωματικῶν τοῦ πλοίου. **5**. συνοικία: *the Chinese ~*, ἡ Κινέζικη συνοικία. *a residential ~*, συνοικία μέ καλά σπίτια. **6**. (*πληθ.*) κατάλυμα, στρατώνας: *I took up ~s with a friend*, στεγάστηκα σ᾽ἕνα φίλο. *We found excellent ~s at a small inn*, βρήκαμε θαυμάσιο κατάλυμα σ᾽ἕνα μικρό πανδοχεῖο. *The troops returned to ~s*, οἱ φαντάροι ἐπέστρεψαν στό στρατῶνα τους. ***at close ~s***, πολύ κοντά, ἐκ τοῦ συστάδην. ***in close ~***, στενόχωρα, περιωρισμένα. **7**. οἶκτος, ἔλεος, χάρις (σέ νικημένο ἐχθρό): *ask for/give ~*, ζητῶ/δίνω χάρη. ***give no ~***, εἶμαι ἀνελέητος. **8**. κατεύθυνσις, κύκλος, πηγή: *People came running from all ~s/from every ~*, ἄνθρωποι ἦλθαν τρέχοντας ἀπό παντοῦ/ἀπό κάθε κατεύθυνση. *I expect no trouble from that ~*, δέν προβλέπω φασαρία ἀπ᾽αὐτή τήν πλευρά. *an order from high ~s*, διαταγή ἀπό ψηλά ἱσταμένους. *It's rumoured in certain ~s that…*, φημολογεῖται σέ ὡρισμένους κύκλους ὅτι… *information from a reliable ~*, πληροφορίες ἀπό ἀξιόπιστη πηγή. *He was pressed for money on all ~s*, πιεζόταν γιά χρήματα ἀπό παντοῦ. **9**. (*σέ σύνθ. λέξεις*): **ˈ~ˋfinal**, (*ἀθλ.*) προημιτελικά. **ˋ~-light**, (*αὐτοκ.*) τό μικρό τριγωνικό παραθυράκι ἐξαερισμοῦ στίς μπροστινές πόρτες. **ˋ~-master**, (*βραχυλ.* **QM**) ἀξιωματικός ἐπιμελητείας τάγματος, (*στό ναυτ.*) ὑποναύκληρος, σηματονομος, τιμονιέρης. **ˈ~-master-ˋgeneral**, (*βραχυλ.* **QMG**) ἀξιωματικός ἐπιμελητείας στρατιᾶς. **ˋ~-plate**, (*φωτογρ.*) πλάκα 8,2×10,8 ἑκατοστά. —*ρ.μ.* **1**. κόβω κτ στά τέσσερα, (*παλαιότ.*) τεμαχίζω κατάδικον: *~ an apple*, κόβω στά τέσσερα ἕνα μῆλο. *He was condemned to be hanged, drawn and ~ed*, κατεδικάσθη νά κρεμασθῆ καί τό σῶμα του νά ξεκοιλιαστῆ καί νά κοπῆ στά τέσσαρα. **2**. στρατωνίζω, ἐξασφαλίζω κατάλυμα: *~ troops on the villagers*, στεγάζω στρατιῶτες στά σπίτια τῶν χωρικῶν.

quar·ter·ly /ˋkwɔtəlı/ *ἐπ.* τριμηνιαῖος. —*ἐπίρ.* ἀνά τρίμηνον. —*οὐσ.* ‹C› τριμηνιαῖο περιοδικό.

quar·tet, -·tette /kwɔˋtet/ *οὐσ.* ‹C› (*μουσ.*) κουαρτέτο: *a string ~*, κουαρτέτο ἐγχόρδων.

quarto /ˋkwɔtəʊ/ *οὐσ.* ‹C› (*πληθ.* *~s*) (*τυπογρ.*) σχῆμα τέταρτον (συνήθ. 9×12 ἴντσες).

quartz /kwɔts/ *οὐσ.* ‹U› (*ὀρυκτ.*) χαλαζίας.

quash /kwoʃ/ *ρ.μ.* ἀκυρῶ, καταργῶ, καταπνίγω: *~ a verdict*, ἀκυρῶ ἀπόφασιν. *~ proceedings*, καταργῶ δίκην, διακόπτω τήν δίωξιν. *~ a scandal*, καταπνίγω ἕνα σκάνδαλο.

quasi- /ˋkweısaı/ *πρόθεμα* οἱονεί: α *~-official position*, μιά οἱονεί ἐπίσημος θέσις.

quat·er·cen·ten·ary /ˈkwætəsenˋtinərı/ *οὐσ.* ‹C› 400ή ἐπέτειος.

quat·rain /ˋkwotreın/ *οὐσ.* ‹C› τετράστιχο.

qua·ver /ˋkweıvə(r)/ *ρ.μ/ἀ.* **1**. (*γιά φωνή*) τρέμω: *in a ~ing voice*, μέ τρεμουλιαστή φωνή. **2**. λέω ἤ τραγουδῶ τρεμουλιαστά. —*οὐσ.* ‹C› **1**. λαρυγγισμός, τρέμουλο. **2**. (*μουσ.*) ὄγδοον (φθόγγου).

quay /ki/ *οὐσ.* ‹C› ἀποβάθρα, προκυμαία.

queasy /ˋkwizı/ *ἐπ.* *(-ier, -iest)* **1**. (*γιά τροφή*) ἀηδιαστικός, πού προκαλεῖ ναυτία. **2**. (*γιά ἄνθρ. ἤ στομάχι*) εὐαίσθητος, πού παθαίνει εὔκολα ναυτία: *I feel ~*, μοῦρχεται ἐμετός. *have a ~ stomach*, ἔχω εὐαίσθητο στομάχι. **3**. (*καθομ.*) ὑπερευαίσθητος, εὔθικτος, μυγιάγγιαχτος.

queen /kwin/ *οὐσ.* ‹C› **1**. βασίλισσα. **~ dowager**, χήρα βασιλέως. **~ mother**, βασιλομήτωρ. **2**. (*μεταφ.*) βασίλισσα: *Venice, the ~ of the Adriatic*, Βενετία, ἡ νύμφη τῆς Ἀδριατικῆς. *May Q~*, βασίλισσα τῆς Πρωτομαγιᾶς. **ˋbeauty ~**, βασίλισσα τῆς ὀμορφιᾶς. **~ bee**, βασίλισσα μέλισσα. **3**. (*στήν τράπουλα*) ντάμα, (*στό σκάκι*) βασίλισσα. —*ρ.μ.* ***~ it over sb***, παριστάνω τή βασίλισσα σέ κπ. **~·ly** *ἐπίρ.*

queer /kwıə(r)/ *ἐπ.* *(-er, -est)* **1**. ἀλλόκοτος, παράξενος: *have ~ ideas*, ἔχω ἀλλόκοτες ἰδέες. *act in a ~ way*, ἐνεργῶ παράξενα. **2**. ὕποπτος: *a ~ character/noise*, ὕποπτος τύπος/θόρυβος. **3**. (*καθομ.*) ἀδιάθετος: *I feel very ~*, νοιώθω πολύ ἄσχημα. **4**. (*λαϊκ.*) τοιοῦτος, ὁμοφυλόφιλος. **5**. ***in ˋQ~ street***, (*λαϊκ.*) σέ φασαρία, χρεωμένος. —*οὐσ.* ‹C› ὁμοφυλόφιλος. (*βλ.* & *λ.* *pitch*). **~·ly** *ἐπίρ.* **·ness** *οὐσ.* ‹U›.

quell /kwel/ *ρ.μ.* (*ποιητ.*) καταπνίγω (ἀνταρσία, φόβους, κλπ).

quench /kwentʃ/ *ρ.μ.* σβήνω: *~ a fire/sb's hopes/one's thirst*, σβήνω μιά φωτιά/τίς ἐλπίδες κάποιου/τή δίψα μου. *~ steel*, σβήνω ἀτσάλι (τό ψύχω σέ νερό). **~·less** *ἐπ.* ἄσβηστος: *~less flames/desires*, ἄσβηστες φλόγες/λαχτάρες.

queru·lous /ˋkwerjələs/ *ἐπ.* μεμψίμοιρος, γκρινιάρης: *in a ~ voice*, μέ γκρινιάρικη φωνή. **~·ly** *ἐπίρ.* **~·ness** *οὐσ.* ‹U›.

query /ˋkwıərı/ *οὐσ.* ‹C› **1**. ἐρώτημα, ἀπορία: *raise a ~*, θέτω ἐρώτημα. **2**. ἐρωτηματικό (στό περιθώριο, ὡς ἔνδειξις ἀπορίας). —*ρ.μ.* **1**. ***~ whether/if***, ρωτῶ, διερωτῶμαι, ζητῶ νά μάθω. **2**. ἀμφισβητῶ, ἀμφιβάλλω: *~ sb's instructions*, ἀμφισβητῶ/θέτω ἐν ἀμφιβόλῳ τίς ὁδηγίες κάποιου. **3**. σημειώνω μέ ἐρωτηματικόν.

quest /kwest/ *οὐσ.* ‹C› ἀναζήτησις: *the ~ for*

gold, ἡ ἀναζήτησις χρυσοῦ. ***in ~ of***, (*ἀπηρχ.*) σέ ἀναζήτηση: *He went off in ~ of food*, ἔφυγε σέ ἀναζήτηση τροφῆς. —*ρ.μ.* ***~ for***, (*ἰδ.* γιά σκυλιά) ψάχνω, (*λόγ.*) ἀναζητῶ.

[1]**ques·tion** /ˋkwestʃən/ *οὐσ.* ‹C› **1**. ἐρώτησις: *ask sb a ~; put a ~ to sb*, κάνω ἐρώτηση σέ κπ. ˋ**~-mark**, ἐρωτηματικόν. ˋ**~ time**, (*στή Βουλή*) ὥρα ἐπερωτήσεων/κοινοβουλευτικοῦ ἐλέγχου. **2**. ζήτημα, πρόβλημα, θέμα συζητήσεως: *That's a difficult ~*, εἶναι δύσκολο πρόβλημα. *The ~ is ...*, τό θέμα εἶναι... *the Cyprus/Middle East ~*, τό πρόβλημα τῆς Κύπρου/τῆς Μέσης Ἀνατολῆς. ***in ~***, ὑπό συζήτησιν: *the subject in ~*, τό ὑπό συζήτησιν θέμα. *the man in ~*, ὁ ἐν λόγῳ ἄνθρωπος. ***out of the ~***, ἐκτός συζητήσεως, ἀδύνατο: *That's absolutely out of the ~*, αὐτό εἶναι ἀπολύτως ἀδύνατο. ***It's a ~ of time***, εἶναι ζήτημα χρόνου. ***there's no ~ of***, δέν μπαίνει ζήτημα νά... ***come into ~***, ἀνακύπτω/τίθεμαι ὡς θέμα: *If money ever comes into ~*, ἄν τεθῆ ποτέ ζήτημα χρημάτων... ***Q~!*** (*ἐπιφ. εἰς δημοσίαν συζήτησιν*) ἐπί τοῦ θέματος! ***put the ~***, θέτω τό θέμα σέ ψηφοφορία. **3**. ‹U› ἀμφιβολία, ἀμφισβήτησις, ἀπορία: *There's some ~ as to his honesty*, ὑπάρχει κάποια ἀμφιβολία ὡς πρός τήν τιμιότητά του. *There's no ~ but that he will succeed*, δέν ὑπάρχει καμιά ἀμφιβολία ὅτι θά πετύχη. ***beyond (all)/without ~***, ἀναμφιβόλως/ἐκτός (πάσης) ἀμφιβολίας. ***call sth in ~***, θέτω κτ ὑπό ἀμφισβήτηση: *His honesty was called in ~*, ἡ τιμιότητά του ἐτέθη ὑπό ἀμφισβήτηση. **4**. (*ἀπηρχ.*) βασανιστήριο.

[2]**ques·tion** /ˋkwestʃən/ *ρ.μ.* **1**. ἐρωτῶ, ἐξετάζω, ἀνακρίνω: *They ~ed him on his views*, τόν ρώτησαν νά τούς πῆ τίς ἀπόψεις του. *He was ~ed by the police*, τόν ἀνέκρινε ἡ ἀστυνομία. **2**. ἀμφισβητῶ, ἀμφιβάλλω, διερωτῶμαι: *I ~ his veracity*, ἀμφισβητῶ τή φιλαλήθειά του. *~ the value of sth*, ἀμφιβάλλω γιά τήν ἀξία ἑνός πράγματος. ˋ**~·able** /-əbl/ *ἐπ.* ἀμφισβητήσιμος, προβληματικός, ἀμφίβολος, (*γιά συμπεριφορά*) ὕποπτος. ˋ**~·ably** /-əblı/ *ἐπίρ.* **~er**, ἐξεταστής. **~·ing** *ἐπ.* ἐρωτηματικός: *a ~ing look*. **~·ing·ly** *ἐπίρ.* ἐρωτηματικά.

ques·tion·naire /ˌkwestʃəˋneə(r)/ *οὐσ.* ‹C› ἐρωτηματολόγιον.

queue /kju/ *οὐσ.* ‹C› **1**. οὐρά, σειρά: *form a ~*, σχηματίζω οὐρά. *stand in a ~*, στέκομαι στήν οὐρά. *a long ~ of cars*, μακρυά σειρά αὐτοκινήτων. (*βλ.* & *λ. jump*). **2**. κοτσίδα (περρούκας). —*ρ.ἀ.* ***~ (up) (for sth)***, φτιάχνω οὐρά, μπαίνω στήν οὐρά: *~ (up) for a bus*, κάνω οὐρά γιά τό λεωφορεῖο. *~ (up) to buy tickets*, μπαίνω στήν οὐρά γιά νά ἀγοράσω εἰσιτήρια.

quibble /ˋkwıbl/ *οὐσ.* ‹C› ὑπεκφυγή, σοφιστεία. —*ρ.ἀ.* ***~ (over)***, χρησιμοποιῶ ὑπεκφυγές, ψιλολογῶ: *~ over trivialities*, συζητῶ (λεπτολογῶ) ἀσήμαντες λεπτομέρειες. **quib·bler** *οὐσ.* ‹C› σοφιστής, στρεψόδικος. **quib·bling** *ἐπ.* σοφιστικός.

quick /kwık/ *ἐπ.* (*-er, -est*) **1**. ταχύς, γρήγορος, γοργός: *a ~ pulse/worker/train*, ταχύς σφυγμός/ἐργάτης/-ύ τραῖνο. *a ~ look*, μιά γρήγορη ματιά. *a ~ recovery*, ταχεῖα ἀνάρρωση. *at a ~ pace*, μέ γρήγορο βῆμα. *have a ~ meal*, τρώω γρήγορα. ***Be ~ about it!*** κάνε γρήγορα! ***as ~ as lightning***, γρήγορος σάν ἀστραπή. ***a ~ one***, ἕνα γρήγορο (*συνήθ.* ποτό): *We just have time for a ~ one*, μόλις προλαβαίνομε νά πιοῦμε ἕνα στά πεταχτά/στό πόδι. ˋ**~-freeze** *ρ.μ.* καταψύχω ταχέως: *~-frozen foods*, τρόφιμα ταχείας καταψύξεως. (*βλ.* & *λ.* [1]*march*). **2**. σβέλτος, ζωηρός, ζωντανός, ἔξυπνος: *He's ~ to understand/to make up his mind*, ἀντιλαμβάνεται/ἀποφασίζει γρήγορα. *a ~ child*, ἔξυπνο παιδί. ˈ**~-ˋeared/-ˋeyed/-ˋsighted** *ἐπ.* μέ ὀξεῖα ἀκοή/ὅραση. ˈ**~-ˋtempered** *ἐπ.* εὐέξαπτος. ˈ**~-ˋwitted** *ἐπ.* γρήγορος στό μυαλό, πού παίρνει μέ τήν πρώτη. **3**. (*ἀπηρχ.*) ζωντανός: ***the ~ and the dead***, οἱ ζωντανοί κι᾽ οἱ πεθαμένοι. —*οὐσ.* ‹U› σάρκα, κρέας (*ἰδ. στή ρίζα τῶν νυχιῶν*): *bite one's nails to the ~*, τρώω τά νύχια μου ὡς τό κρέας. ***cut/touch sb to the ~***, πληγώνω/κεντῶ κπ στό πιό εὐαίσθητο σημεῖο, ἐκεῖ πού τόν πονᾶ. —*ἐπίρ.* (*ἀντί τοῦ quickly, καί πάντα μετά τό ρῆμα*) γρήγορα: *He wants to get rich ~*, θέλει νά πλουτίση γρήγορα. *as ~ as possible*, ὅσο τό δυνατόν γρηγορώτερα. **~·ly** *ἐπίρ.* γρήγορα. **~·ness** *οὐσ.* ‹U› γρηγοράδα, ὀξύτης (αἰσθήσεως ἤ ἀντιλήψεως).

quicken /ˋkwıkən/ *ρ.μ/ἀ.* **1**. ἐπιταχύνω/-ομαι: *We ~ed our pace*, ἐπιταχύναμε τό βῆμα μας. *His pace ~ed*, τό βῆμα του ἐπιταχύνθηκε. **2**. ζωηρεύω, ζωντανεύω, κεντρίζω: *His pulse ~ed*, ὁ σφυγμός του ζωήρεψε. *The child ~ed in her womb*, τό ἔμβρυο ἔδωσε σημεῖα ζωῆς στήν κοιλιά της. *Good literature ~s the imagination*, τά καλά βιβλία κεντρίζουν τή φαντασία.

quickie /ˋkwıkı/ *οὐσ.* ‹C› (*καθομ.*) προχειροδουλειά, προχειροφτιαγμένο φίλμ, κτ πού γίνεται στό πόδι.

quick·lime /ˋkwıklaım/ *οὐσ.* ‹U› ἄσβηστο ἀσβέστι.

quick·sand /ˋkwıksænd/ *οὐσ.* ‹C› κινούμενη ἄμμος (ὅπου βουλιάζει κανείς), βοῦρκος: *be caught in the ~*, βουλιάζω στό βοῦρκο.

quick·set /ˋkwıkset/ *ἐπ.* (*γιά φράχτη*) φυτευτός, ἀπό θάμνους.

quick·sil·ver /ˋkwıksılvə(r)/ *οὐσ.* ‹U› ὑδράργυρος.

quick·step /ˋkwıkstep/ *οὐσ.* ‹C› (*στρατ.*) βῆμα ταχύ, (*μουσ.*) ταχύς ρυθμός.

quid /kwıd/ *οὐσ.* ‹C› (*ἀμετάβλ. πληθ., λαϊκ.*) λίρα: *earn twenty ~ a week*, κερδίζω εἴκοσι λίρες τή βδομάδα. *That will cost you fifty ~*, θά σοῦ κοστίση πενήντα λίρες.

qui·esc·ent /kwaıˋesnt/ *ἐπ.* ἀκίνητος, ἥρεμος, παθητικός. **~·ly** *ἐπίρ.* **qui·esc·ence** /-sns/ *οὐσ.* ‹U› ἠρεμία, ἀκινησία.

quiet /ˋkwaıət/ *ἐπ.* (*-er, -est*) **1**. ἥσυχος, ἀθόρυβος: *a ~ sea/evening*, ἥσυχη θάλασσα/βραδυά. *~ footsteps*, ἀθόρυβα βήματα. **2**. ἥσυχος, ἥρεμος, ἀτάραχος: *live a ~ life*, κάνω ἥσυχη ζωή. *have a ~ mind/sleep*, ἔχω ἥρεμο νοῦ/ἀτάραχο ὕπνο. **3**. ἥσυχος, πρᾶος, μαλακός: *~ children*, ἥσυχα παιδιά. *be of a ~ disposition*, εἶμαι πρᾶος/μαλακός ἀπό χαρακτῆρος. **4**. ἁπλός, σοβαρός, διακριτικός: *~ colours/clothes*, διακριτικά χρώματα/σοβαρά ροῦχα. **5**. κρυφός, μυστικός: *harbour ~*

resentment, τρεφω κρυφή μνησικακία. ***keep sth*** ~, κρατῶ κτ μυστικό. ***on the*** ~ (ἤ λαϊκ. ***on the q t*** /ˈkjuˋti/) στά κρυφά, στή ζούλα: *have a drink on the* ~, πίνω ἕνα ποτηράκι στή ζούλα. —*οὐσ.* ‹U› ἡσυχία, γαλήνη, σιγαλιά: *not have a moment's* ~, δέν ἔχω οὔτε λεπτό ἡσυχία. *in the* ~ *of the night*, στήν ἡσυχία τῆς νύχτας. *live in peace and* ~, ζῶ ἥσυχα καί εἰρηνικά. —*ρ.μ/ὰ.* (*συνηθέσ.* **quieten** /ˋkwaiətn/) (καθ)ησυχάζω, ἠρεμῶ: *The city* ~*ed*/~*ened down after the riots*, ἡ πόλις ἡσύχασε μετά τίς ταραχές. ~ *(en) sb's fears/suspicions*, καθησυχάζω τούς φόβους/τίς ὑποψίες κάποιου.

quiet·ism /ˋkwaiət-ɪzm/ *οὐσ.* ‹U› ἡσυχασμός, ἀταραξία. **quiet·ist** /-ɪst/ *οὐσ.* ‹C› ἡσυχαστής.

quiet·ude /ˋkwaiətjud/ *οὐσ.* ‹U› ἠρεμία, γαλήνη.

quiff /kwɪf/ *οὐσ.* ‹C› ἀφέλεια (μαλλιῶν).

quill /kwɪl/ *οὐσ.* ‹C› **1**. ˋ~**(-feather)** φτερό, πέννα. **2**. ἀγκάθι (σκαντζόχοιρου).

quilt /kwɪlt/ *οὐσ.* ‹C› πάπλωμα. —*ρ.μ.* καπιτονάρω, φοδράρω, ντύνω: *a* ~*ed dressing gown*, μιά καπιτοναρισμένη ρόμπα.

quin /kwɪn/ *οὐσ.* ‹C› (*καθομ.*) ἕνα ἀπό πεντάδυμα.

quince /kwɪns/ *οὐσ.* ‹U› κυδώνι, κυδωνιά.

quin·cen·ten·ary /ˈkwɪnsənˋtinərɪ/ *οὐσ.* ‹C› ἡ 500ή ἐπέτειος.

quin·ine /kwɪˋnin/ *οὐσ.* ‹U› κινίνη.

Quin·qua·ges·ima /ˈkwɪŋkwəˋdʒesɪmə/ *οὐσ.* Κυριακή τῆς Τυροφάγου.

quinsy /ˋkwɪnzɪ/ *οὐσ.* ‹U› πυώδης ἀμυγδαλῖτις, πονόλαιμος.

quin·tal /ˋkwɪntl/ *οὐσ.* ‹C› στατήρ (100 κιλά).

quin·tes·sence /kwɪnˋtesns/ *οὐσ.* ‹U› πεμπτουσία: *the* ~ *of virtue/wisdom*, ἡ πεμπτουσία τῆς ἀρετῆς/τῆς σοφίας.

quin·tet, -·tette /kwɪnˋtet/ *οὐσ.* ‹C› (*μουσ.*) κουΐντέτο: *a string/wind* ~, κουΐντέτο ἐγχόρδων/πνευστῶν.

quin·tu·plet /ˋkwɪntjuplɪt/ *οὐσ.* ‹C› πεντάδυμο: *She's given birth to* ~*s*, γέννησε πεντάδυμα.

quip /kwɪp/ *οὐσ.* ‹C› σαρκασμός, εὐφυολόγημα, πείραγμα. —*ρ.ὰ.* *(-pp-)* εὐφυολογῶ, πειράζω.

quire /ˋkwaiə(r)/ *οὐσ.* ‹C› δεσμίδα 24 φύλλων γραφῆς.

quirk /kw3k/ *οὐσ.* ‹C› **1**. εὐφυολογία, ὑπεκφυγή. **2**. ἀπάτη, κόλπο, τέχνασμα. **3**. ἐκκεντρικότης, ἰδιορρυθμία.

[1]**quit** /kwɪt/ *κατηγ. ἐπ.* ἐλεύθερος, ἀπαλλαγμένος: *We are well* ~ *of him*, εὐτυχῶς πού τόν ξεφορτωθήκαμε. *I'd give anything to be* ~ *of her*, θἄδινα τά πάντα γιά νά τήν ξεφορτωθῶ.

[2]**quit** /kwɪt/ *ρ.μ.* *(-tt-)* **1**. ἐγκαταλείπω, ἀφήνω, φεύγω: *I* ~*ted him in disgust*, τόν ἄφησα (ἔφυγα) ἀηδιασμένος. *We've had notice to* ~, μᾶς εἰδοποίησαν νά ἐγκαταλείψωμε τό σπίτι. *I gave him notice to* ~, τόν εἰδοποίησα ὅτι φεύγει (ἀπολύεται). *Don't* ~ *the room before I tell you to*, μή φεύγεις ἀπό τό δωμάτιο πρίν σοῦ πῶ ἐγώ. **2**. σταματῶ: *If you don't* ~ *gambling*..., ἄν δέν σταματήσης νά χαρτοπαίζης... *Q*~ *that!* σταμάτησέ το αὐτό! **3**. (*ἀπηρχ.*) ~ ***oneself***, φέρομαι: *They* ~*ted themselves like heroes*, φέρθηκαν σάν ἥρωες.

quit·ter *οὐσ.* ‹C› (*καθομ.*) ἄνθρωπος πού ἀφήνει τίς δουλειές μισές, κοπανατζῆς.

quite /kwaɪt/ *ἐπίρ.* **1**. ἐντελῶς, ἀπολύτως: *He was* ~ *alone*, ἦταν ὁλομόναχος. *I* ~ *agree*, συμφωνῶ ἀπολύτως. *That's* ~ *another matter*, αὐτό εἶναι ἐντελῶς διαφορετική ὑπόθεση. ~ ***the thing***, (*καθομ.*) ἡ τελευταία λέξη τῆς μόδας: *Miniskirts are* ~ *the thing this year*, οἱ φοῦστες μίνι ειναι ἡ τελευταία λέξη τῆς μόδας φέτος. **2**. μᾶλλον, ὡς ἕνα σημεῖον, ἀρκετά: *It's* ~ *an interesting book*, εἶναι ἀρκετά ἐνδιαφέρον βιβλίο. *It's* ~ *warm today*, κάνει ἀρκετή ζέστη σήμερα. *He's* ~ *a good teacher*, εἶναι ἀρκετά καλός δάσκαλος. **3**. πραγματικά, ἀληθινά: *She's* ~ *a beauty*, εἶναι πραγματική καλλονή. **4**. πράγματι, σωστά, σύμφωνοι: *Q*~ *(so)!* πράγματι. *not* ~, ὄχι ἀκριβῶς. *Oh, that's* ~ *all right*, ὤ, δέν πειράζει!

quits /kwɪts/ *κατηγ. ἐπ.* ***be*** ~ ***(with sb)***, εἶμαι πάτσι (μέ κπ): *We are* ~ *now*, τώρα εἴμαστε πάτσι/ἰσοπαλία. *I'll be* ~ *with him*, θά μοῦ τό πληρώσῃ, θά τόν ἐκδικηθῶ. ***call it*** ~, συμφωνῶ ὅτι εἴμαστε πάτσι. (*βλ.* & *λ.* *double*).

quit·tance /ˋkwɪtns/ *οὐσ.* ‹C,U› ἐξοφλητική ἀπόδειξις.

[1]**quiver** /ˋkwɪvə(r)/ *οὐσ.* ‹C› φαρέτρα.

[2]**quiver** /ˋkwɪvə(r)/ *οὐσ.* ‹C› τρεμούλα, ρῖγος, ἀνατριχίλα, παλμός, σπαρτάρισμα: *with a* ~ *in his voice*, μ' ἕνα τρεμούλιασμα στή φωνή του. *a* ~ *of the eyelid*, ἕνα παίξιμο τοῦ βλέφαρου. —*ρ.μ/ὰ.* τρέμω, τρεμουλιάζω, τρεμοπαίζω: *The leaves* ~*ed*, τά φύλλα τρεμόπαιξαν/ἀναρρίγησαν. *His voice* ~*ed with emotion*, ἡ φωνή του ἔτρεμε ἀπό τή συγκίνηση. *He* ~*ed with fear*, τρεμούλιασε ἀπό φόβο.

quix·otic /kwɪkˋsotɪk/ *ἐπ.* δονκιχωτικός. **quix·oti·cally** /-klɪ/ *ἐπίρ.*

quiz /kwɪz/ *ρ.μ.* *(-zz-)* **1**. κάνω ἐρωτήσεις-τέστ. **2**. (*πεπαλ.*) πειράζω, κοιτάζω κοροϊδευτικά, ἐμπαίζω. —*οὐσ.* ‹C› **1**. διαγωνισμός γενικῶν γνώσεων. **2**. (*πεπαλ.*) πειραχτικό βλέμμα.

quiz·zi·cal /ˋkwɪzɪkl/ *ἐπ.* **1**. ἀστεῖος. **2**. περιπαικτικός, εἰρωνικός: *a* ~ *smile*, εἰρωνικό χαμόγελο. ~**ly** /-klɪ/ *ἐπίρ.*

quoin /kɔɪn/ *οὐσ.* ‹C› ἀγκωνάρι.

quoit /kɔɪt/ *οὐσ.* ‹C› **1**. κρῖκος. **2**. (*πληθ.*) παιχνίδι μέ κρίκους.

quorum /ˋkwɔrəm/ *οὐσ.* ‹C› (*πληθ.* ~*s*) ἀπαρτία: *We have a* ~, ἔχομε ἀπαρτία.

quota /ˋkwəʊtə/ *οὐσ.* ‹C› (*πληθ.* ~*s*) μερίδιο, ἀναλογία, ποσοστόν, ἐπιτρεπόμενον ὅριον (π.χ. εἰσακτέων φοιτητῶν, κλπ): *exceed one's* ~, ὑπερβαίνω τήν ἀναλογία μου. *The* ~ *of immigrants for this year has already been filled*, ὁ ἐπιτρεπόμενος ἀριθμός μεταναστῶν γιά φέτος ἔχει ἤδη συμπληρωθῆ.

quo·ta·tion /kwəʊˋteɪʃn/ *οὐσ.* ‹C,U› **1**. ἀπόσπασμα, χωρίον, παραπομπή, περικοπή: ~*s from Shakespeare*, ἀποσπάσματα ἀπό τόν Σαίξπηρ. ˋ~ **marks**, τά εἰσαγωγικά. **2**. τρέχουσα τιμή: *the latest* ~*s from the Stock Exchange*, οἱ τελευταῖες τιμές τοῦ Χρηματιστηρίου. **3**. προσφορά, ὑπολογισμός: *give sb a* ~ *for sth*, κάνω προσφορά, δίνω τιμή σέ κπ γιά κτ. *a* ~ *for building a house*, ὑπολογισμός δαπάνης γιά τό χτίσιμο ἑνός σπιτιοῦ.

quote /kwəʊt/ *ρ.μ.* **1**. παραθέτω (ἀπόσπασμα

συγγραφέως): ~ *from the Bible*, παραθέτω ἀποσπάσματα τῆς Βίβλου. **2**. (ἀνα)φέρω: *Can you ~ (me) a recent instance?* μπορεῖς νά (μοῦ) ἀναφέρης ἕνα πρόσφατο παράδειγμα; **3**. καθορίζω, δίδω (τιμή): *The prices ~d are too high*, οἱ τιμές πού δόθηκαν εἶναι πολύ μεγάλες. —*οὐσ*. ‹C› (*καθομ*.) **1**. ἀπόσπασμα. **2**. (*πληθ*.) ***in ~s***, (*καθομ*.) τά εἰσαγωγικά. **quot·able** /-əbl/ *ἐπ*. πού ἀξίζει ν' ἀναφερθῆ, ἄξιος μνείας, διαπραγματεύσιμος (στό χρηματιστήριο).

quoth /kwəʊθ/ (*ἀπηρχ*.) εἶπα, εἶπε.

quo·tid·ian /kwəʊˋtɪdɪən/ *ἐπ*. (*γιά πυρετό*) καθημερινός.

quo·tient /ˋkwəʊʃnt/ *οὐσ*. ‹C› (*μαθ*.) πηλίκον. **intelligence ~** (*βραχ*. **I Q**) διανοητικόν πηλίκον, δείκτης εὐφυΐας.

R r

R, r /ɑ(r)/ τό 18ο γράμμα τοῦ ἀλφάβητου. **the three R's**, στοιχειώδης ἀνάγνωσις, γραφή καί ἀριθμητική.

rabbi /ˋræbaɪ/ *οὐσ*. ‹C› ραββῖνος.

rab·bit /ˋræbɪt/ *οὐσ*. ‹C› κουνέλι: *a tame/wild ~*, σπιτικό/ἄγριο κουνέλι. *stewed ~*, κουνέλι στιφάδο. **ˋ~-hole/-burrow**, τρύπα/φωλιά κουνελιοῦ. **ˋ~-hutch**, κλουβί κουνελιῶν. **ˋ~-punch**, (*πυγμ*.) χτύπημα στό σβέρκο. (*βλ*. & *λ*. *warren, Welsh*) —*ρ.ἀ*. *(-tt-)* κυνηγῶ κουνέλια: *go ~ting*, πάω γιά κουνέλια.

rabble /ˋræbl/ *οὐσ*. ‹C› ὄχλος. **the ~**, ὁ λαουτζίκος. **ˋ~-rousing** *ἐπ*. δημαγωγικός (πχ λόγος). **ˋ~-rouser**, δημαγωγός.

Rab·elais·ian /ˈræbəˋleɪzɪən/ *ἐπ*. σάν τοῦ Ραμπελαί, σκαμπρόζικος, ἀθυρόστομος, χοντροκομμένος (πχ χιοῦμορ).

rabid /ˋræbɪd/ *ἐπ*. **1**. λυσσασμένος: *a ~ dog*. **2**. (*μεταφ*.) ἄσπονδος, φανατικός, μανιακός, μαινόμενος: *~ hate*, ἄσπονδο μῖσος. *a ~ socialist/royalist*, φανατικός σοσιαλιστής/βασιλόφρονας.

ra·bies /ˋreɪbiz/ *οὐσ*. ‹U› (*ἰατρ*.) λύσσα, ὑδροφοβία.

[1]**race** /reɪs/ *οὐσ*. ‹C› **1**. ἀγώνας δρόμου, κούρσα: *a ˋhorse-~*, ἱπποδρομία. *a ˋboat-~*, λεμβοδρομία. *a five-mile ~*, δρόμος πέντε μιλίων. ***run a ~ with sb***, παραβγαίνω στό τρέξιμο μέ κπ. ***a ~ against time***, ἀγώνας γιά νά προλάβη κανείς (νά κάμη κτ μέσα σέ ὡρισμένο χρόνο). **ˋ~card**, (ἔντυπο) πρόγραμμα ἱπποδρομιῶν. **ˋ~-course**, ἱπποδρόμιο. **ˋ~-horse**, ἄλογο ἱπποδρομιῶν. **ˋ~-meeting; the ~s**, ἱπποδρομίες: *go to the ~s*, πάω στόν ἱππόδρομο. **2**. αὐλάκι: *a ˋmill-~*, μυλαύλακο. **3**. (*λογοτ*.) δρόμος (τοῦ ἥλιου), ζωή (τοῦ ἀνθρώπου): *His ~ is nearly run*, ἔφθασε στό τέλος τῆς ζωῆς του. —*ρ.μ/ἀ*. **1**. τρέχω, συναγωνίζομαι σέ ταχύτητα: *~ up a street/down a hillside*, ἀνεβαίνω δρόμο/κατεβαίνω λοφοπλαγιά τρέχοντας. *Let's ~ to see what's happening*, ἄς τρέξωμε νά δοῦμε τί συμβαίνει. *I'll ~ you home!* (*καθομ*.) ἔλα νά παραβγοῦμε ποιός θά φθάση γρηγορώτερα σπίτι! ***~ with/against sb***, παραβγαίνω μέ κπ σέ ταχύτητα. **2**. βάζω (ἄλογο) νά τρέξη (σέ ἱπποδρομίες). **3**. ἀναγκάζω (κπ ἤ κτ) νά τρέξη ὁλοταχῶς, κάνω κτ μέ ταχύτητα: *He ~d me off my feet*, μέ ξεθέωσε στό τρέξιμο. *~ an engine*, μαρσάρω μιά μηχανή (*ἰδ*. χωρίς κομπλαρισμένη ταχύτητα). *~ a bill through the House*, περνῶ τροχάδην ἕνα νομοσχέδιο στή Βουλή. *He ~d me to the station in his car*, μέ πέταξε γρήγορα στό σταθμό μέ τ' αὐτοκίνητό του. **rac·ing** *οὐσ*. ‹U› κοῦρσες: *a ˋracing man/car*, ἄνθρωπος πού ἀσχολεῖται μέ τίς κοῦρσες/αὐτοκίνητο γιά κοῦρσες. **racer** *οὐσ*. ‹C› δρομεύς, αὐτοκίνητο/ἄλογο/σκάφος ἀγώνων ταχύτητος.

[2]**race** /reɪs/ *οὐσ*. **1**. ‹C,U› γένος: *the human ~*, τό ἀνθρώπινο γένος. *the ˋfeathered ~*, (*χιουμ*.) τό φτερωτό γένος, τά πουλιά. *the ˋfinny ~*, τά ψάρια. **2**. ‹C› φυλή: *the ˋNegroid/Monˋgolian ~*, ἡ μαύρη/ἡ Μογγολική φυλή. *the ˋwhite ~*, ἡ λευκή φυλή. *~ relations*, φυλετικές σχέσεις. **3**. ‹U› γενιά, σόϊ: *a man of ancient and noble ~*, ἄνθρωπος ἀπό παληά καί ἀρχοντική γενιά.

racial /ˋreɪʃl/ *ἐπ*. φυλετικός: *~ hatred/pride*, φυλετικό μῖσος/-ή περηφάνεια. *~ conflict/discrimination/minorities*, φυλετικές ἀντιθέσεις/διακρίσεις/μειονότητες. **~ly** /-ʃəlɪ/ *ἐπίρ*. **~ism** /-ɪzm/ *οὐσ*. ‹U› ρατσισμός. **~ist** /-ɪst/ *οὐσ*. ‹C› ρατσιστής.

rac·ily *ἐπίρ*., **ra·ci·ness** *οὐσ*. ‹U› *βλ*. *racy*.

rac·ism /ˋreɪs-ɪsm/ *οὐσ*. ‹U› ρατσισμός. **rac·ist** /-ɪst/ *οὐσ*. ‹C› ρατσιστής.

[1]**rack** /ræk/ *οὐσ*. ‹C› **1**. σχάρα, παχνί, καλαμωτή (γιά τό ἅπλωμα φρούτων), σχάρα αὐτοκινήτου/ποδηλάτου. **2**. ράφι (γιά διάφορα ἀντικείμενα): *a ˋhat-~*, κρεμάστρα γιά καπέλλα. *a ˋluggage-~*, δίχτυ/ράφι γιά τίς ἀποσκευές (σέ τραῖνο, κλπ). *a ˋplate-~*, πιατοθήκη. *a ˋtool-~*, ἐργαλειοθήκη. **3**. (*μηχ*.) ὀδοντωτή ράβδος.

[2]**rack** /ræk/ *οὐσ*. (*συνήθ*. *μέ the*) τροχός βασανιστηρίων. ***on the ~***, σέ μαρτύριο (σωματικό ἤ ψυχικό): *keep sb/be on the ~*, βασανίζω κπ/βασανίζομαι. ***go to ~ and ruin***, καταστρέφομαι, (*γιά κτίριο*) ἐρειπώνομαι: *The village church had gone to ~ and ruin*, ἡ ἐκκλησία τοῦ χωριοῦ εἶχε γίνει ἐρείπιο. —*ρ.μ*. **1**. ὑποβάλλω σέ βασανιστήρια. **2**. βασανίζω: *be ~ed with pain/with a bad cough/by remorse*, βασανίζομαι ἀπό πόνους/ἀπό ἄσχημο βῆχα/ἀπό τύψεις. *a ~ing headache*, βασανιστικός πονοκέφαλος. ***~ one's brains***, στίβω τό μυαλό μου, σπάζω τό κεφάλι μου. **ˋ~-rent**, ἐξωφρενικό/ὑπέρογκο ἐνοίκιο.

[1]**racket** /ˋrækɪt/ *οὐσ.* **1**. (*ἑν. μέ ἀόρ. ἄρθρ.*) φασαρία, σαματᾶς: *What a ~!* τί φασαρία! τί κακό! ***kick up a ~***, (*καθομ.*) κάνω σαματᾶ: *The drunken men in the street kicked up no end of a ~*, οἱ μεθυσμένοι στό δρόμο χαλοῦσαν τόν κόσμο ἀπό τό σαματᾶ. **2**. ‹U› φασαρία, βουή, τρεχάλα, ἔντονη κοινωνική ζωή, γλέντια: *the ~ of modern life*, ἡ φασαρία/ἡ τρεχάλα τῆς σύγχρονης ζωῆς. *the ~ of the carnival*, ἡ βουή/τά γλέντια τοῦ καρναβαλιοῦ. **3**. ‹C› δοκιμασία. ***stand the ~***, (*α*) ἀντέχω σέ μιά δοκιμασία, τά βγάζω πέρα παληκαρίσια. (*β*) ἀναλαμβάνω τήν εὐθύνη γιά κτ. (*γ*) πληρώνω τά σπασμένα. **4**. ἀπάτη, κομπίνα, γκαγκστερικοί μέθοδοι χρηματισμοῦ: *the blackmail ~*, συμμορία ἐκβιαστῶν. *the diplomas ~*, ἡ κομπίνα τῶν δῆθεν διπλωμάτων. ***be in on a ~***, συμμετέχω σέ μιά κομπίνα. **~·eer** /ˋrækɪˋtɪə(r)/ *οὐσ.* ‹C› κομπιναδόρος, ἀπατεώνας, κακοποιός. **~·eer·ing** *οὐσ.* ‹U› κομπίνες, ἀπάτες.

[2]**racket, rac·quet** /ˋrækɪt/ *οὐσ.* **1**. ‹C› ρακέττα τοῦ τέννις. **2**. (*πληθ.*) ρακέττες (τό παιχνίδι).

rac·on·teur /ˋrækonˋtɜ(r)/ *οὐσ.* ‹C› καλός ἀφηγητής (ἀνεκδότων, ἱστοριῶν, κλπ).

racy /ˋreɪsɪ/ *ἐπ.* *(-ier, -iest)* **1**. ζωηρός, ρωμαλέος: *a ~ style*, ρωμαλέο ὕφος (γραψίματος). **2**. πικάντικος, πιπερᾶτος, νόστιμος: *a ~ anecdote/flavour*, πιπερᾶτο ἀνέκδοτο/ἄρωμα. **rac·ily** /-əlɪ/ *ἐπίρ.* ζωηρά, πικάντικα. **raci·ness** *οὐσ.* ‹U› ζωηρότης, σπιρτάδα.

ra·dar /ˋreɪdɑ(r)/ *οὐσ.* ‹U› ραντάρ: *by ~*, μέ ραντάρ. *ˋ~ installations*, ἐγκαταστάσεις ραντάρ.

ra·dial /ˋreɪdɪəl/ *ἐπ.* ἀκτινικός, ἀκτινωτός. —*οὐσ.* ‹C› ~ **(tyre)**, (λάστιχο) ράντιαλ. **~ly** /-ɪəlɪ/ *ἐπίρ.*

radi·ance /ˋreɪdɪəns/ *οὐσ.* ‹U› ἀκτινοβολία, λάμψις.

ra·di·ant /ˋreɪdɪənt/ *ἐπ.* **1**. ἀκτινοβόλος: *the ~ sun*. **2**. ἀκτινοβολῶν: *a ~ face/smile*, πρόσωπο/χαμόγελο πού ἀκτινοβολεῖ/πού ἀστράφτει. *He was ~ with joy/youth/health*, ἀκτινοβολοῦσε ἀπό χαρά/ἀπό νιάτα/ἀπό ὑγεία. **3**. ἀκτινοβολούμενος: *~ heat/energy*, ἀκτινοβολουμένη θερμότης/ἐνέργεια. **~·ly** *ἐπίρ.*

ra·di·ate /ˋreɪdɪeɪt/ *ρ.μ/ἀ.* **1**. ἐκπέμπω, ἀκτινοβολῶ: *~ warmth*, ἐκπέμπω θερμότητα. *~ beauty/enthusiasm/happiness*, (*μεταφ.*) ἀκτινοβολῶ ὀμορφιά/ἐνθουσιασμό/εὐτυχία. **2**. ***~ from***, ἀκτινοβολοῦμαι, ἐκπέμπομαι ἀπό: *the heat that ~s from the sun*, ἡ θερμότης πού ἐκπέμπεται ἀπό τόν ἥλιο. **3**. ἁπλώνομαι ἀκτινωτά: *the streets that ~ from Omonia Square*, οἱ δρόμοι πού ἁπλώνονται ἀκτινωτά ἀπό τήν Πλατεῖα Ὁμονοίας.

ra·di·ation /ˈreɪdɪˋeɪʃn/ *οὐσ.* ‹C,U› ἀκτινοβολία, ραδιενέργεια: *cosmic ~*, κοσμική ἀκτινοβολία. *emit ~s*, ἐκπέμπω ἀκτῖνες/ἀκτινοβολίες. **~ sickness**, ἀσθένεια προκαλουμένη ἀπό ἀκτινοβολίες ἤ ἀπό ραδιενέργεια.

ra·di·ator /ˋreɪdɪeɪtə(r)/ *οὐσ.* ‹C› **1**. (σῶμα τοῦ) καλοριφέρ: *a hot-water ~*, καλοριφέρ θερμοῦ ὕδατος. *an electric ~*, ἠλεκτρικό καλοριφέρ. **2**. ψυγεῖον (αὐτοκινήτου): *a fan-cooled ~*, ψυγεῖο μέ ἀνεμιστῆρα.

rad·ical /ˋrædɪkl/ *ἐπ.* **1**. ριζικός: *~ changes*, ριζικές ἀλλαγές. **2**. ριζοσπαστικός: *the R~ Party*, τό ριζοσπαστικό κόμμα. —*οὐσ.* ‹C› **1**. ριζοσπάστης. **2**. (*μαθ.*) ρίζα. **~ly** /-klɪ/ *ἐπίρ.* ριζικά, ριζοσπαστικά. **~·ism** /-ɪzm/ *οὐσ.* ‹U› ριζοσπαστισμός.

rad·icle /ˋrædɪkl/ *οὐσ.* ‹C› (*φυτ.*) ἐμβρυόρριζα.

ra·dii /ˋreɪdɪaɪ/ *βλ. radius.*

radio /ˋreɪdɪəʊ/ *οὐσ.* (*πληθ.* *~s*) **1**. ‹U› ἀσύρματος τηλέγραφος, ραδιοτηλεφωνία: *send a message by ~*, στέλνω μήνυμα μέ τόν ἀσύρματο. **2**. ‹C,U› ραδιόφωνο: *hear sth on the ~*, ἀκούω κτ στό ραδιόφωνο. *talk over the ~*, μιλῶ ἀπό τό ραδιόφωνο. *a ˋ~ programme*, ραδιοφωνικό πρόγραμμα. **ˋ~(-set)**, ραδιοφωνική συσκευή, ραδιόφωνο. **ˋ~ beacon**, ραδιοφάρος. **ˋ~ link**, ραδιοσύνδεσις. **ˋ~ station**, ραδιοφωνικός σταθμός. **ˋ~ transmitter**, ραδιοφωνικός πομπός. **ˈ~ diˋrection finder**, ραδιογωνόμετρον.

radio- /ˋreɪdɪəʊ/ *πρόθεμα,* ραδιο-: **ˈ~·ˋactive**, ραδιενεργός: *~active dust*, ραδιενεργός σκόνη. **ˈ~·acˋtivity**, ραδιενέργεια. **ˋ~·graph**, ἀκτινογραφία, πλάκα. **ˈradiˋogra·phy**, ἀκτινογραφία. **ˈradiˋogra·pher**, ἀκτινολόγος. **ˈ~·ˋiso·tope**, ραδιοϊσότοπον. **ˋ~·gram**, **ˈ~-ˋgramophone**, ραδιογραμμόφωνο. **ˈ~-loˋcation**, ραδιοεντοπισμός, ραντάρ. **ˈ~ˋtelescope**, ραδιοτηλεσκόπιο. **ˈ~-ˋtherapy**, ραδιοθεραπεία.

rad·ish /ˋrædɪʃ/ *οὐσ.* ‹C› ραπανάκι.

radium /ˋreɪdɪəm/ *οὐσ.* ‹U› ράδιον.

radius /ˋreɪdɪəs/ *οὐσ.* ‹C› (*πληθ.* *-dii* /-dɪaɪ/) **1**. ἀκτίνα: *~ of visibility*, ἀκτίνα ὁρατότητος. *within a ~ of two miles*, σέ ἀκτίνα δύο μιλίων. **2**. (*ἀνατ.*) κερκίς.

raff·ish /ˋræfɪʃ/ *ἐπ.* (*πεπαλ.*) ἀνυπόληπτος, ἄσωτος, μάγκικος: *a ~ young man*, ἄσωτος νεαρός. *with a ~ air*, μέ μάγκικο ὕφος. **~·ly** *ἐπίρ.*

raffle /ˋræfl/ *οὐσ.* ‹C› λοταρία, λαχειοφόρος ἀγορά (*ἰδ.* σέ φιλανθρωπική γιορτή): *buy ˋ~ tickets*, ἀγοράζω ἀριθμούς λοταρίας. —*ρ.μ.* ***~ sth (off)***, πουλῶ κτ μέ λοταρία: *~ (off) an old bicycle*, βγάζω στό λότο ἕνα παληό ποδήλατο.

raft /rɑft/ *οὐσ.* ‹C› σχεδία. —*ρ.μ/ἀ.* μεταφέρω/πλέω μέ σχεδία.

rafter /ˋrɑftə(r)/ *οὐσ.* ‹C› καδρόνι (σκεπῆς), δοκός: *a ~ed roof*, σκεπή μέ καδρόνια (ὁρατά λόγῳ ἐλλείψεως ταβανιοῦ).

[1]**rag** /ræg/ *οὐσ.* ‹C› **1**. κουρέλι: *clean the floor with a ~*, καθαρίζω τό πάτωμα μ' ἕνα κουρέλι. *dressed in ~s*, ντυμένος μέ κουρέλια. ***wear sth to ~s***, φορῶ κτ ὥσπου νά γίνη κουρέλι: *My coat is worn to ~s*, τό σακκάκι μου ἔχει γίνει κουρέλι ἀπό τό πολύ φόρεμα. **the ˋ~ trade**, (*λαϊκ.*) τό ἐμπόριο τῶν γυναικείων φορεμάτων. **ˋglad ~s**, (*λαϊκ.*) τά γιορτινά. **ˋ~-bag**, σακκούλα γιά κουρέλια, (*λαϊκ.*) κακοντυμένος ἄνθρωπος. **ˋ~ paper**, χάρτης (ἐκλεκτῆς ποιότητος) ἀπό κουρέλια. **2**. κομματάκι: *The meat was cooked to ~s*, τό κρέας εἶχε λυώσει ἀπό τό βράσιμο. *There was not a ~ of evidence against me*, δέν ὑπῆρχε οὔτε ἴχνος ἀποδείξεως ἐναντίον μου. **3**. (*γιά ἐφημερίδα*) λαχανοφυλλάδα: *How can you read that ~?* πῶς μπορεῖς καί διαβάζεις αὐτή τή φυλλάδα;

[2]**rag** /ræg/ *ρ.μ.* *(-gg-)* *(πεπαλ., καθομ.)* πειράζω, κάνω φάρσες, κάνω καζούρα (στό σχολεῖο). __*οὐσ.* ‹C› *(καθομ.)* σαματᾶς, καζούρα, θορυβώδης φοιτητική γιορτή καί παρέλαση (σάν καρνάβαλος). **`~-day**, ἡμέρα φοιτητικοῦ καρναβαλιοῦ.

raga·muf·fin /`rægəmʌfɪn/ *οὐσ.* ‹C› κουρελιάρης, ἀλητόπαιδο, μόρτης.

rage /reɪdʒ/ *οὐσ.* ‹C,U› **1**. λύσσα, θυμός: *livid/mad with ~*, πελιδνός/τρελλός ἀπό θυμό. *the ~ of the sea*, ἡ λύσσα/ἡ μανία τῆς θάλασσας. ***put sb into a ~***, ἐξαγριώνω κπ. ***be in/fly into a ~***, εἶμαι/γίνομαι ἔξω φρενῶν. **2**. ***have a ~ (for)***, ἔχω μανία μέ κτ: *He has a ~ for collecting butterflies*, ἔχει μανία νά κάνη συλλογή πεταλοῦδες. **3**. ***be (all) the ~***, *(καθομ.)* εἶμαι ἡ μόδα, ἡ μανία τῆς στιγμῆς, χαλάω κόσμο: *These white bags are (all) the ~ this summer*, αὐτές οἱ ἄσπρες τσάντες χαλᾶνε κόσμο φέτος τό καλοκαίρι. *The new dance is all the ~*, ὁ καινούργιος χορός χαλάει κόσμο. __*ρ.ἀ.* μαίνομαι, λυσσομανῶ: *He ~d and fumed against me*, ἦταν πῦρ καί μανία ἐναντίον μου. *The storm/sea/wind ~d all day*, ἡ θύελλα/ἡ θάλασσα/ὁ ἀέρας λυσσομανοῦσε ὅλη τή μέρα. *The storm ~d itself out*, ἡ θύελλα ξεθύμανε.

rag·ged /`rægɪd/ *ἐπ.* **1**. κουρελιασμένος, κουρελῆς: *a ~ coat/man*. **2**. τραχύς, ἀκανόνιστος, ἀνώμαλος: *a dog with a ~ coat of hair*, σκυλί μέ τραχύ τρίχωμα. *~ rocks/clouds*, αἰχμηρά βράχια/ἀκανόνιστα σύννεφα. *It was a ~ performance*, ἡ παράσταση δέν ἦταν στρωτή/δέν εἶχε συνοχή. **~·ly** *ἐπίρ.* μέ κουρέλια, χωρίς συνοχή, ἀκανόνιστα. **~·ness** *οὐσ.* ‹U› κουρέλιασμα, τραχύτης, προχειρότης.

rag·lan /`ræglən/ *οὐσ.* ‹C› & *ἐπ.* *(γιά μανίκι)* ρεγκλάν, χωρίς μανικοκόλληση.

ra·gout /`rægu/ *οὐσ.* ‹C› *(μαγειρ.)* ραγκού.

rag·tag /`rægtæg/ *οὐσ.* *(στή φρ.)* ***'~ and `bobtail***, ἡ σάρα καί ἡ μάρα, ἀληταριό.

rag·time /`rægtaɪm/ *οὐσ.* ‹U› παληά νέγρικη μουσική τζάζ. __*ἐπιθ.* κωμικός, γελοῖος, γιά γέλια: *a ~ army*, στρατός γιά γέλια.

raid /reɪd/ *οὐσ.* ‹C› ***a ~ (on)***, ἐπιδρομή: *an `air-~*, ἀεροπορική ἐπιδρομή. *make a ~ upon the enemy's camp*, κάνω ἐπιδρομή στό στρατόπεδο τοῦ ἐχθροῦ. *a police ~ on a gambling den*, ἀστυνομική ἐπιδρομή σέ χαρτοπαικτική λέσχη. *a ~ on a bank by armed men*, ἐπιδρομή ἐνόπλων σέ τράπεζα. __*ρ.μ/ἀ.* κάνω ἐπιδρομή, εἰσβάλλω: *~ing forces*, δυνάμεις καταδρομῶν. *The children ~ed my garden*, τά παιδιά εἰσέβαλαν (ἔκαναν ἐπιδρομή) στό περιβόλι μου. **~er** *οὐσ.* ‹C› ἐπιδρομεύς, καταδρομεύς.

[1]**rail** /reɪl/ *οὐσ.* ‹C› **1**. κάγκελο, *(πληθ.)* κιγκλίδωμα, φράχτης, κάγκελα: *metal ~s round a monument*, μεταλλικό κιγκλίδωμα γύρω σ'ἕνα μνημεῖο. *wooden ~s round a field*, ξύλινος φράχτης γύρω σ'ἕνα χωράφι. **2**. βέργα, κρεμάστρα: *a `towel-~*, βέργα γιά τίς πετσέτες (στόν νιπτῆρα). *a `hat-~*, κρεμάστρα γιά τά καπέλλα. **3**. σιδηροτροχιά, ράγια, σιδηρόδρομος: *send goods by ~*, στέλνω ἐμπορεύματα σιδηροδρομικῶς. *travel by ~*, ταξιδεύω σιδηροδρομικῶς. ***off the ~s***, *(γιά τραῖνο)* ἐκτροχιασμένος, *(μεταφ.)* ἐκτός ἐλέγχου, ἀποδιοργανωμένος, *(γιά ἄνθρ.)* ἐκκεντρικός, νευρωτικός, τρελλός. **`~-car**, ὠτομοτρίς, βαγόνι μέ δική του κίνηση. **`~·head**, ἀκραῖο σημεῖο σιδηροδρ. γραμμῆς ὑπό κατασκευήν, ἀκραῖος σταθμός. **`~·road**, *(ΗΠΑ)* σιδηρόδρομος. __*ρ.μ.* *(καθομ.)* βιάζω, πετυχαίνω κτ μέ τήν ἄσκηση πιέσεως: *~road a bill through Congress*, περνῶ ἕνα νομοσχέδιο πιεστικά (μέ τό ζόρι) στό Κογκρέσσο. **`~·way**, σιδηρόδρομος: *build a new ~way*, φτιάχνω καινούργια σιδηροδρομική γραμμή. *work on the ~way*, δουλεύω στούς σιδηροδρόμους. *a `~way station*, σιδηροδρομικός σταθμός. __*ρ.μ.* ***~ off/in***, χωρίζω/φράσσω μέ κάγκελα: *fields ~ed off from the road*, χωράφια πού χωρίζονται μέ φράχτη ἀπό τό δρόμο. **~·ing** *οὐσ.* *(συχνά πληθ.)* κιγκλίδωμα (πχ σέ σκάλα).

[2]**rail** /reɪl/ *ρ.ἀ.* *(λόγ.)* ***~ (at/against)*** ἐπικρίνω, κατηγορῶ, τά βάζω μέ κπ: *It's no use ~ing at fate*, δέ βγαίνει τίποτα νά τά βάζης μέ τήν τύχη. **~·ing** *οὐσ.* ‹U› *(ἤ πληθ.)* ἐπίκρισις, διαμαρτυρίες, φωνές.

rail·lery /`reɪlərɪ/ *οὐσ.* ‹C,U› (φιλικό) πείραγμα, κοροϊδία.

rai·ment /`reɪmənt/ *οὐσ.* ‹U› *(πεπαλ.)* ἐνδύματα, ἀμφίεσις, περιβολή.

[1]**rain** /reɪn/ *οὐσ.* **1**. ‹C,U› βροχή: *It looks like ~*, μοιάζει μέ βροχή, φαίνεται ὅτι θά βρέξη. *a walk in the ~*, περίπατος στή βροχή. *Don't go out in the ~*, μή βγαίνης στή βροχή. *Come in out of the ~*, ἔλα μέσα ἀπό τή βροχή. *a fine/heavy ~*, ψιλή/δυνατή βροχή. *a driving/pelting ~*, ραγδαία βροχή, ἄγρια μπόρα. **the ~s**, ἡ περίοδος τῶν βροχῶν (στήν τροπική ζώνη). ***~ in sheets/in buckets***, βροχή μέ τό τουλούμι: *The ~ was coming down in sheets/in buckets*, ἡ βροχή ἔπεφτε μέ τό τουλούμι, εἶχαν ἀνοίξει οἱ οὐρανοί. ***(come) ~ or (come) shine***, βρέχει-ξεβρέχει (ὅ,τι καιρός καί νά εἶναι): *I will go (come) ~ or (come) shine*, βρέχει-ξεβρέχει ἐγώ θά πάω. **`~·bow** /`reɪnbəʊ/ οὐράνιο τόξο. **`~·bow trout**, πολύχρωμη πέστροφα. **`~·coat**, ἀδιάβροχο (παλτό). **`~·drop**, σταγόνα τῆς βροχῆς, στάλα. **`~·fall**, βροχόπτωσις: *the annual ~fall*, ἡ ἐτησία βροχόπτωσις. **`~ forest**, τροπικό δάσος (μέ συνεχεῖς βροχές). **`~-gauge**, βροχόμετρο. **`~·proof** *ἐπ.* ἀδιάβροχος. **`~·water**, βρόχινο νερό, βροχή, νερό τῆς βροχῆς. **2**. *(μεταφ.)* ***a ~ of***, βροχή, καταιγισμός, χείμαρρος: *a ~ of arrows/bullets/congratulations*, βροχή ἀπό βέλη/σφαῖρες/συγχαρητήρια.

[2]**rain** /reɪn/ *ρ.μ/ἀ.* **1**. *(ἀπρόσ.)* *It's ~ing*, βρέχει. *It ~ed hard*, ἔβρεξε πολύ. *It has ~ed itself out*, ξεθύμανε ἡ βροχή. ***It never ~s but it pours***, *(παροιμ.)* ἑνός κακοῦ μύρια ἕπονται, ὅταν ἀρχίσει τό κακό δέν σταματάει. **2**. τρέχω/πέφτω σά βροχή: *Tears ~ed down her cheeks*, τά δάκρυα ἔτρεχαν ποτάμι στά μάγουλά της. *Misfortunes have ~ed heavily upon us*, οἱ δυστυχίες ἔπεσαν βροχή ἐπάνω μας. *Blows ~ed on the door*, τά χτυπήματα ἔπεφταν βροχή πάνω στήν πόρτα. *They ~ed gifts upon him*, τόν ἔπνιξαν στά δῶρα. **~·less** *ἐπ.* χωρίς βροχή, ἄβροχος, μέ ξηρασία. **~y** /`reɪnɪ/ *ἐπ.* *(-ier, -iest)* βροχερός: *a ~y day/climate*, βροχερή μέρα/-ό κλῖμα. ***for a ~y***

day, γιά ὥρα ἀνάγκης: *put away/save/keep sth for a ~y day*, βάζω κτ στήν ἄκρη γιά ὥρα ἀνάγκης.

raise /reɪz/ *ρ.μ.* **1**. σηκώνω, ὑψώνω, ἀνεβάζω: ~ *one's hat to sb*, βγάζω τό καπέλλο μου σέ κπ (γιά χαιρετισμό). ~ *one's eyes*, σηκώνω τά μάτια. ~ *sb/sth from the floor*, σηκώνω κπ/κτ ἀπό τό πάτωμα. ~ *sb from poverty/from the dust*, βγάζω κπ ἀπό τή φτώχεια/τόν μαζεύω ἀπό τή λάσπη. ~ *a monument*, ὑψώνω, ἀνεγείρω μνημεῖο. ~ *the standard of revolt*, σηκώνω τό λάβαρο τῆς ἐξέγερσης. ~ *prices*, ἀνεβάζω τίς τιμές. ~ ***sb from the dead***, ἀνασταίνω κπ. ~ ***one's glass to sb***, πίνω (ὑψώνω τό ποτήρι) εἰς ὑγείαν κάποιου. ~ ***one's hand to sb***, σηκώνω χέρι πάνω σέ κπ, ἀπειλῶ νά τόν δείρω. ~ ***sb's hopes***, ἀναπτερώνω τίς ἐλπίδες κάποιου. ~ ***sb to the peerage***, ἀπονέμω τίτλο εὐγενείας σέ κπ. ~ ***the temperature***, (*κυριολ.* & *μεταφ.*) ἀνεβάζω τή θερμοκρασία. ~ ***one's voice***, ὑψώνω τή φωνή μου. **2**. σηκώνω, προκαλῶ: ~ *a cloud of dust*, σηκώνω σύννεφο σκόνης. *A long walk ~s a good thirst*, ἕνας μακρυνός περίπατος προκαλεῖ μεγάλη δίψα. *New shoes always ~ blisters on my feet*, τά καινούργια παπούτσια μοῦ κάνουν πάντα φουσκάλες στά πόδια. ~ ***a smile/laugh/blush***, προκαλῶ χαμόγελο/γέλιο/κάνω κπ νά κοκκινίση. ~ ***a commotion***, (*μεταφ.*) προκαλῶ ταραχή/φασαρία. ~ ***Cain/hell/the devil/the roof***, (*λαϊκ.*) χαλῶ τόν κόσμο, κάνω μεγάλη φασαρία. **3**. προβάλλω, ἐγείρω: ~ *objections*, προβάλλω ἀντιρρήσεις. ~ *a question*, ἐγείρω/δημιουργῶ θέμα. *When the point was ~d*, ὅταν ἠγέρθη (ἐθίγη) αὐτό τό ζήτημα... **4**. (ἀνα)τρέφω, καλλιεργῶ: ~ *children*, ἀνατρέφω παιδιά. ~ *sheep/cattle*, τρέφω πρόβατα/ζῶα. ~ *crops*, καλλιεργῶ σπαρτά. **5**. μαζεύω, συλλέγω: ~ *an army/money*, μαζεύω στρατό/χρήματα. ~ *a loan*, κάνω δάνειο. **6**. αἴρω: ~ *a siege/a blockade/an embargo*, αἴρω μιά πολιορκία/ἕναν ἀποκλεισμό/μιά ἀπαγόρευση. **7**. ~ ***land***, (*ναυτ.*) πλησιάζω/διακρίνω ξηρά. —*οὐσ.* ‹C› (*ἰδ. ΗΠΑ*) αὔξησις μισθοῦ (*πρβλ. MB: rise*). **raiser** *οὐσ. ὡς β! συνθ.* πού τρέφει/προκαλεῖ/σηκώνει, κλπ: *a `cattle-raiser*, κτηνοτρόφος. *a `fire-raiser*, ἐμπρηστής.

raisin /ˈreɪzn/ *οὐσ.* ‹C› ξερή σταφίδα.

raison d'être /ˈreɪzõ ˋdetr/ *οὐσ.* (*μόνον ἑν.*) (*Γαλλ.*) λόγος ὑπάρξεως.

raj /radʒ/ *οὐσ.* ‹C› κυριαρχία.

ra·jah /ˈradʒə/ *οὐσ.* ‹C› Ἰνδός πρίγκηπας.

[1]**rake** /reɪk/ *οὐσ.* ‹C› **1**. τσουγκράνα. **2**. στέκα, φτυάρι (τοῦ γκρουπιέ σέ ρουλέτα). —*ρ.μ/ἀ.* **1**. ἰσοπεδώνω, σκαλίζω, καθαρίζω, μαζεύω (μέ τσουγκράνα): ~ *the soil smooth for a seedbed*, ἰσοπεδώνω τό ἔδαφος γιά νά φυτέψω σπόρους. ~ *the garden paths*, καθαρίζω τά δρομάκια τοῦ κήπου (ἀπό τά ξερά φύλλα). ~ *out a fire*, καθαρίζω ἕνα τζάκι (ἀπό τίς στάχτες). ~ *the dead leaves together*, μαζεύω τά ξερά φύλλα. ~ ***it in***; ~ ***the money in***, μαζεύω χρήματα μέ τή σέσουλα. **`~-off**, (*λαϊκ.*) μίζα, προμήθεια: *If I put this bit of business in your way, I expect a ~-off*, ἄν σοῦ φέρω αὐτή τή δουλειά, θέλω μίζα κι᾽ ἐγώ. **2**. ~ (***over/through/about***), ψάχνω: ~ *one's memory*, ψάχνω τή μνήμη μου. *The police ~d the district for the criminals*, ἡ ἀστυνομία χτένισε (ἔψαξε) τήν περιοχή γιά τούς κακοποιούς. ~ *about among old documents*, ψάχνω σέ παληά ἔγγραφα. ~ *through old manuscripts for information*, ψάχνω παληά χειρόγραφα γιά πληροφορίες. ~ ***out***, ξεσκαλίζω, βρίσκω ψάχνοντας. **3**. ~ ***up***, σκαλίζω, ἀνασκαλεύω, ξαναφέρνω στήν ἐπιφάνεια: ~ *up old quarrels/grievances*, σκαλίζω παληές ἔριδες/παληά παράπονα. ~ *up sb's past*, σκαλίζω τό παρελθόν κάποιου. *Don't ~ up the past*, μή σκαλίζης τά περασμένα. **4**. γαζώνω, πολυβολῶ: ~ *a trench/ship with machine-gun fire*, γαζώνω ἕνα χαράκωμα/ἕνα πλοῖο μέ τά πολυβόλα.

[2]**rake** /reɪk/ *οὐσ.* ‹C› (*πεπαλ.*) ἄσωτος, παραλυμένος.

[3]**rake** /reɪk/ *οὐσ.* ‹C› κλίσις, γέρσιμο: *the ~ of the stage of a theatre*, ἡ κλίσις τῆς σκηνῆς θεάτρου. *the ~ of a mast*, κλίσις/λάντσο καταρτιοῦ. —*ρ.μ/ἀ.* κλίνω, γέρνω.

rak·ish /ˈreɪkɪʃ/ *ἐπ.* (*πεπαλ.*) **1**. ἔκλυτος, ἀκόλαστος: *a ~ appearance*; ἔκλυτο παρουσιαστικό. **2**. γερτός: *set one's hat at a ~ angle*, φοράω τό καπέλλο μου στραβά. **3**. (*γιά πλοῖο*) ὀξύπρωρος, μέ ὄψη πειρατικοῦ. **~·ly** *ἐπίρ.* ἔκλυτα, στραβά. **~·ness** *οὐσ.* ‹U› ἀσωτεία, μαγκιά, ἀναίδεια.

ral·len·tando /ˌrælənˋtændəʊ/ *οὐσ.* ‹C› & *ἐπ.* (*μουσ.*) μέ ἐπιβραδυνόμενο ρυθμό.

rally /ˋrælɪ/ *οὐσ.* ‹C› **1**. ἀνασύνταξις (στρατευμάτων, ὀπαδῶν, δυνάμεων, κλπ), συσπείρωσις, συναγερμός: *the Greek R~*, ὁ Ἑλληνικός Συναγερμός. **2**. ἀνάρρωσις (τῆς ὑγείας, τῆς οἰκονομίας, κλπ). **3**. μεγάλη συγκέντρωσις: *a political ~*, συλλαλητήριο, πολιτική συγκέντρωσις. *a `peace ~*, συγκέντρωσις τῶν ὀπαδῶν τῆς εἰρήνης. **4**. αὐτοκινητιστικοί ἀγῶνες, ράλλυ. **5**. (*στό τέννις*) γρήγορο παιχνίδι, ἐναλλαγή χτυπημάτων. —*ρ.μ/ἀ.* **1**. συνεγείρω, ἀνασυντάσσω/-ομαι, συγκεντρώνω/-ομαι: *The General rallied his men*, ὁ στρατηγός ἀνασύνταξε τούς ἄνδρες του. *My supporters rallied round me again*, οἱ ὀπαδοί μου συσπειρώθηκαν πάλι γύρω μου. *They rallied to the support of the government*, ἔσπευσαν σέ βοήθεια τῆς κυβερνήσεως. **2**. ἀναζωογονῶ/-οῦμαι, συνέρχομαι, ἐπιστρατεύω (θάρρος, κλπ): ~ *from an illness*, συνέρχομαι ἀπό μιά ἀρρώστεια, παίρνω ἐπάνω μου. *The market rallied*, ἡ ἀγορά πῆρε ἐπάνω της, ἀναζωογονήθηκε. ~ *one's strength/spirit*, ἐπιστρατεύω τίς δυνάμεις μου/τό κουράγιο μου. *The boy rallied his wits*, τό παιδί συγκέντρωσε τή σκέψη του/τό μυαλό του (ἐπιστράτευσε ὅλες του τίς πνευματικές δυνάμεις).

ram /ræm/ *οὐσ.* ‹C› **1**. κριάρι. **2**. ἔμβολο (πλοίου, μηχανῆς, κλπ). —*ρ.μ.* (*-mm-*) **1**. πατηκώνω (πιέζω δυνατά), χώνω: ~ *down the soil*, πατηκώνω τό χῶμα. ~ *tobacco into one's pipe*, πιέζω (πατηκώνω) τόν καπνό μέσα στήν πίπα μου. ~ *a charge into a gun*, πατηκώνω τή γέμιση σ᾽ ἕνα ὅπλο. ~ *one's clothes into a suitcase*, (*καθομ.*) στοιβάζω (χώνω) τά ροῦχα μου σέ μιά βαλίτσα. ~ ***sth down sb's***

throat, χώνω κτ μέ τό ζόρι στό μυαλό κάποιου (*ἰδ.* μέ πολλές ἐπαναλήψεις). **2**. ἐμβολίζω (πλοῖο): ~ *and sink a submarine*, ἐμβολίζω καί βυθίζω ὑποβρύχιο. ˋ**~-rod** ἐμβολεύς (βέργα γεμίσματος ἐμπροσθογεμοῦς ὅπλου).

Rama·dan /ˈræməˋdan/ *οὐσ.* ‹C› ραμαζάνι.

ramble /ˋræmbl/ *ρ.ἀ.* **1**. περιπλανῶμαι, τριγυρίζω ἄσκοπα: ~ *over the country*, τριγυρίζω στήν ἐξοχή. **2**. (*μεταφ.*) φλυαρῶ χωρίς θέμα, μιλῶ ἀσυνάρτητα: *He ~d on for hours*, συνέχισε νά λέη ἀσυναρτησίες ἐπί ὧρες. **3**. (*γιά φυτό*) πετῶ βλαστάρια πού σέρνονται, ἁπλώνομαι, θρασεύω: *The vine ~d over the wall*, τό κλῆμα ἁπλώθηκε στόν τοῖχο. —*οὐσ.* ‹C› περιπλάνησις, μακρυνός περίπατος: *~s in Greece*, περιπλανήσεις στήν Ἑλλάδα. **rambler**, πεζοπόρος, περιηγητής: *~r roses*, ἀναρριχώμενες τριανταφυλλιές. **ram·bling** *ἐπ.* *(α)* (*ἰδ. γιά σπίτια, δρόμους, πόλεις*) ἁπλωμένος χωρίς σχέδιο/χωρίς ἑνότητα. *(β)* (*γιά λόγο, ὕφος*) ἀσύνδετος, ἀσυνάρτητος, χωρίς συνοχή. —*οὐσ.* ‹C› περιπλάνησις, περιήγησις.

rami·fi·ca·tion /ˈræmɪfɪˋkeɪʃn/ *οὐσ.* ‹C› διακλάδωσις, παρακλάδι: *the ~s of a plot/theory*.

ram·ify /ˋræmɪfaɪ/ *ρ.μ/ἀ.* διακλαδώνω, διακλαδίζομαι: *a ramified plot/business*, συνωμοσία/ἐπιχείρησις μέ πολλές διακλαδώσεις.

ramp /ræmp/ *οὐσ.* ‹C› ράμπα, κεκλιμένο ἐπίπεδο, κεκλιμένος διάδρομος πού συνδέει δυό ἐπίπεδα διαφορετικοῦ ὕψους (*πχ* σέ γκαράζ).

ram·page /ˋræmpeɪdʒ/ *ρ.ἀ.* (*μεταφ.*) ‹C› ἀφηνιάζω. —*οὐσ.* ***be/go on the ~***, ἀφηνιάζω, κάνω σαματᾶ. **ram·pa·geous** /ræmˋpeɪdʒəs/ *ἐπ.* θορυβώδης, βίαιος, ἀφηνιασμένος.

ram·pant /ˋræmpənt/ *ἐπ.* **1**. φουντωμένος, ὀργιαστικός, ἀχαλίνωτος, διαδεδομένος. ***be ~***, ὀργιάζω, φουντώνω: *Vegetation is ~*, ἡ βλάστησις ὀργιάζει. *Disease/Crime/Heresy was ~ among them*, ἡ ἀρρώστεια/τό ἔγκλημα/ἡ αἵρεση ὀργίαζε ἀνάμεσά τους. **2**. (*γιά λιοντάρι*) ἀνορθωμένος (στά πισινά του πόδια). **~·ly** *ἐπίρ.* ὀργιαστικά, ἀχαλίνωτα.

ram·part /ˋræmpat/ *οὐσ.* ‹C› ἔπαλξις, προμαχώνας, ντάπια.

ram·rod /ˋræmrod/ *βλ.* *ram*.

ram·shackle /ˋræmʃækl/ *ἐπ.* ἐρειπωμένος, σαραβαλιασμένος, ἑτοιμόρροπος: *a ~ house*, ἐρειπωμένο σπίτι. *a ~ old bus*, σαραβαλιασμένο λεωφορεῖο. *their ~ empire*, ἡ ἑτοιμόρροπη αὐτοκρατορία τους.

ran /ræn/ *ἀόρ. τοῦ ρ.* [2]*run*.

ranch /rantʃ/ *οὐσ.* ‹C› ράντσο, κτηνοτροφικό χτῆμα. **~er** *οὐσ.* ‹C› ἐργάτης ἤ ἰδιοκτήτης τοῦ ράντσου.

ran·cid /ˋrænsɪd/ *ἐπ.* ταγγός: *The butter has grown/smells ~*, τό βούτυρο ἔχει ταγγιάσει/μυρίζει ταγγίλας.

ran·cour /ˋræŋkə(r)/ *οὐσ.* ‹U› ἔχθρα, (μνησι)κακία: *full of ~ against sb*, γεμᾶτος κακία γιά κπ. **ran·cor·ous** /ˋræŋkərəs/ *ἐπ.* μνησίκακος, μοχθηρός.

ran·dom /ˋrændəm/ *οὐσ.* **1**. ***at ~***, στήν τύχη, στά κουτουρού: *shoot at ~*, πυροβολῶ στά κουτουρού. **2**. (*ἐπιθ.*) τυχαῖος, ἀπρογραμμάτιστος, στήν τύχη: *~ remarks/questions/samples*, παρατηρήσεις/ἐρωτήσεις/δείγματα στήν τύχη.

randy /ˋrændɪ/ *ἐπ.* (*καθομ.*) *(-ier, -iest)* λάγνος.

rang /ræŋ/ *ἀόρ. τοῦ ρ.* [2]*ring*.

[1]**range** /reɪndʒ/ *οὐσ.* ‹C› **1**. σειρά, γραμμή: *a mountain-~*, ὀροσειρά. *a ~ of cliffs/hills*, σειρά βράχων/λόφων. **2**. πεδίον: *a ˋrifle-~*, πεδίον βολῆς. **3**. βεληνεκές (ὅπλου), ἐμβέλεια, ἀπόστασις βολῆς: *What's the ~ of this rifle?* ποιό εἶναι τό βεληνεκές αὐτοῦ τοῦ ὅπλου: *The boat was out of/within ~*, τό πλοῖο ἦταν ἐκτός βολῆς/σέ ἀπόσταση βολῆς. *fire at short/long ~*, ρίχνω ἀπό κοντά/ἀπό μακρυά. ˋ**~-finder**, τηλέμετρο. **4**. ἀκτίς (ἀκοῆς, ὁράσεως, δράσεως), πεδίον, ἔκτασις, κύκλος: *be within hearing ~*, εἶμαι σέ ἀκτίνα ἀκοῆς. *~ of vision*, ἀκτίνα ὁράσεως, **ὀπτικόν** πεδίον. *long-~ aircraft*, ἀεροπλάνο μακρᾶς ἀκτῖνος δράσεως. *his ~ of knowledge/of thoughts*, ἡ ἔκτασις τῶν γνώσεών του/τῆς σκέψεώς του. *have a wide ~ of interests*, ἔχω εὐρύ κύκλο ἐνδιαφερόντων. ***be within/beyond one's ~***, εἶναι μέσα εἰς/ἔξω ἀπό τόν κύκλο τῶν γνώσεών μου: *This subject is within/beyond my ~*, αὐτό τό θέμα εἶναι μέσα εἰς/ἔξω ἀπό τήν εἰδικότητά μου. **5**. διακύμανσις, ποικιλία, κλίμακα: *the annual ~ of temperature*, ἡ ἐτησία διακύμανσις τῆς θερμοκρασίας. *a wide ~ of colours/sizes/prices*, μεγάλη ποικιλία χρωμάτων/μεγεθῶν/τιμῶν. *the whole ~ of human feelings*, ὁλόκληρη ἡ κλίμακα τῶν ἀνθρωπίνων συναισθημάτων. **6**. περιοχή, ζώνη (διαβιώσεως ζώου, ἀναπτύξεως φυτοῦ). **7**. (*ΗΠΑ*) κτηνοτροφική ἤ κυνηγετική περιοχή. **8**. ἑστία (μαγειρείου), μεγάλη κουζίνα (ἤ συσκευή).

[2]**range** /reɪndʒ/ *ρ.μ/ἀ.* **1**. παρατάσσω: *He ~d his men along the river bank*, παρέταξε τούς ἄνδρες του κατά μῆκος τῆς ὄχθης τοῦ ποταμοῦ. *The spectators ~d themselves along the route of the procession*, οἱ θεατές παρετάχθησαν κατά μῆκος τῶν δρόμων ἀπ᾿ὅπου θά περνοῦσε ἡ πομπή. ***~ oneself with***, συντάσσομαι, τάσσομαι μέ τό μέρος κάποιου. **2**. ~ ***(through/over)***, περιφέρομαι, τριγυρίζω, ἁπλώνομαι: *animals ranging through the forests/over the hills*, ζῶα πού περιφέρονται στά δάση/στούς λόφους. *Their researches ~d over a wide field*, οἱ ἔρευνές τους ἁπλώθηκαν σέ εὐρύ χῶρο/ἐκάλυψαν μεγάλη ἔκταση. *The speaker ~d far and wide*, ὁ ὁμιλητής ἁπλώθηκε σ᾿ἕνα σωρό θέματα. *a wide-ranging discussion*, πλατειά συζήτησις. **3**. ἐκτείνομαι σέ γραμμή: *The frontier ~s from north to south*, τά σύνορα ἐκτείνονται ἀπό βορρᾶ πρός νότον. **4**. ποικίλλω, κλιμακοῦμαι, κυμαίνομαι: *Prices ~ from £10 to £20*, οἱ τιμές κυμαίνονται ἀπό 10 ἕως 20 λίρες. **5**. (*γιά ὅπλο*) βάλλω, ἔχω βεληνεκές: *This gun ~s over six miles*, αὐτό τό κανόνι ἔχει βεληνεκές 6 μιλίων.

ranger /ˋreɪndʒə(r)/ *οὐσ.* ‹C› **1**. δασοφύλακας. **2**. ἔφιππος χωροφύλακας. **3**. (*στρατ.*) καταδρομεύς, λοκατζῆς.

[1]**rank** /ræŋk/ *οὐσ.* ‹C,U› **1**. σειρά, πιάτσα (γιά ταξί). **2**. (*στρατ.*) ζυγός, γραμμή, στοῖχος: *draw up troops in three ~s*, παρατάσσω στρατιῶτες ἐπί τριῶν ζυγῶν. *close the ~s*, πυκνώνω τούς ζυγούς. ***break ~***, λύνω τούς ζυγούς, βγαίνω ἀπό τή γραμμή. ***fall into ~***,

ζυγίζομαι, στοιχοῦμαι. **keep ~**, μένω στή γραμμή. **pass down the ~s**, ἐπιθεωρῶ παρατεταγμένους ἄνδρες. **3**. **the ~s; other ~s**, οἱ ἁπλοῖ στρατιῶτες: *officers and other ~s*, ἀξιωματικοί καί ὁπλῖτες. **the ~ and file**, οἱ ἁπλοῖ στρατιῶτες, ὁ ἁπλός λαός, τά ἁπλᾶ μέλη (κόμματος). **be reduced to the ~s**, (*γιά ὑπαξιωματικό*) καθαιροῦμαι, ὑποβιβάζομαι σέ ἁπλό στρατιώτη. **pull ~ on sb**, ἐκμεταλλεύομαι τήν (ἀνώτερη) θέση μου σέ βάρος κάποιου. **rise from the ~s**, γίνομαι ἀξιωματικός ἀπό ἁπλός στρατιώτης. **4**. (*στρατ.*) βαθμός: *He was promoted to the ~ of captain*, προήχθη εἰς τόν βαθμόν τοῦ λοχαγοῦ. *hold the ~ of brigadier*, ἔχω τόν βαθμόν ταξίαρχου. **5**. (κοινωνική) θέσις, τάξις, κλάσις: *persons of high ~*, πρόσωπα ὑψηλῆς κοινωνικῆς θέσεως. *the ~s of the unemployed*, οἱ τάξεις τῶν ἀνέργων. *a painter of the first ~*, ζωγράφος περιωπῆς (πρώτης κλάσεως). *a second-~ composer*, παρακατιανός συνθέτης. __*ρ.μ/ἀ.* **1**. κατατάσσω/-ομαι: *How/Where do you ~ Cavafy as a poet?* πῶς/ποῦ κατατάσσεις τόν Καβάφη σάν ποιητή; *He ~s among the best*, κατατάσσεται μεταξύ τῶν καλυτέρων. **2**. ἔχω βαθμό: *A major ~s above a captain*, ὁ ταγματάρχης ἔχει μεγαλύτερο βαθμό ἀπό τό λοχαγό. *high-~ing officers*, ἀνώτατοι ἀξιωματικοί. **~er**, ἁπλός στρατιώτης πού ἔγινε ἀξιωματικός.

[2]**rank** /ræŋk/ *ἐπ.* **1**. (*γιά βλάστηση*) πυκνός, θρασεμένος: *~ grass/nettles*, πυκνή χλόη/θρασεμένες τσουκνίδες. **~ with**, πνιγμένος εἰς: *a field ~ with weeds/thistles*, χωράφι πνιγμένο στ' ἀγριόχορτα/στά γαϊδουράγκαθα. **2**. ταγγός, δύσοσμος: *~ oil/tobacco*, ταγγό λάδι/καπνός πού μυρίζει ἄσχημα. **3**. (*γιά κτ ἄσχημο*) ἀπόλυτος, τέλειος, καθαρός: *a ~ idiot*, τέλειος ἠλίθιος. *~ poison*, καθαρό δηλητήριο. *~ injustice*, ὁλοφάνερη ἀδικία. *a ~ traitor*, σκέτος προδότης. *~ stupidity*, βλακεία μέ περικεφαλαία. *~ materialism*, χυδαῖος ὑλισμός. **~·ly** *ἐπίρ.* **~·ness** *οὐσ.* ‹U›.

rankle /ˈræŋkl/ *ρ.ἀ.* (*μεταφ.*) καίω, πονῶ: *The insult still ~s in his mind*, τόν καίει ἀκόμα αὐτή ἡ προσβολή. *The incident ~d with her*, τὄχε πάρει κατάκαρδα, τήν ἔκαιγε τό περιστατικό.

ran·sack /ˈrænsæk/ *ρ.μ.* **1**. ψάχνω ἐξονυχιστικά: *~ a drawer for sth*, κάνω ἄνω-κάτω ἕνα συρτάρι γιά νά βρῶ κτ. *They'd ~ed the room to find the letter*, εἶχαν ἀναστατώσει τό δωμάτιο γιά νά βροῦν τό γράμμα. **2**. **~ (of)** διαρπάζω, λεηλατῶ: *The palace had been ~ed of its treasures*, τό παλάτι εἶχε λεηλατηθῆ (ἀπογυμνωθῆ) ἀπό τούς θησαυρούς του.

ran·som /ˈrænsəm/ *οὐσ.* ‹C,U› λύτρα, ἐξαγορά (αἰχμαλώτου). **(be) worth a king's ~**, ἀξίζω βασιλικά λύτρα. **hold sb to ~**, ἀπαιτῶ λύτρα γιά τήν ἀπελευθέρωση κάποιου. __*ρ.μ.* ἐλευθερώνω ἔναντι λύτρων.

rant /rænt/ *οὐσ.* ‹U› στόμφος, πομπώδη λόγια, ἀνόητη μεγαλοστομία. __*ρ.μ/ἀ.* μιλῶ/ἀπαγγέλω μέ στόμφο, κομπάζω, κομπορρημονῶ. **~er** *οὐσ.* ‹C› φαφλατάς.

rap /ræp/ *οὐσ.* ‹C› **1**. γρήγορο ἐλαφρό χτύπημα: *I heard a ~ on the door*, ἄκουσα ἕναν χτύπο στήν πόρτα. **2**. μομφή, κατηγορία, μπελᾶς: *give sb a ~ on the knuckles*, χτυπῶ κπ στά δάχτυλα, (*μεταφ.*) κατσαδιάζω, βάζω κπ πόστα. **take the ~ (for sth)**, (*καθομ.*) βρίσκω τό μπελᾶ μου (*συνήθ.* ἄδικα) γιά κτ, πληρώνω τή νύφη. __*ρ.μ/ἀ.* *(-pp-)* **1**. χτυπῶ ἐλαφρά: *~ (on) the table/(at) the door*, χτυπῶ στό τραπέζι/στήν πόρτα. **2**. **~ out**, ἐκστομίζω, μιλῶ ἀπότομα/κοφτά: *~ out an oath*, πετάω μιά βλαστήμια. *~ out a message*, (*σέ πνευματιστική συγκέντρωση*) μεταβιβάζω μήνυμα μέ χτυπήματα.

ra·pa·cious /rəˈpeɪʃəs/ *ἐπ.* (*λόγ.*) ἁρπακτικός, ἄπληστος. **~·ly** *ἐπίρ.* **ra·pac·ity** /rəˈpæsətɪ/ *οὐσ.* ‹U› ἁρπακτικότης.

[1]**rape** /reɪp/ *οὐσ.* ‹U› γογγύλι, ἐλαιοκράμβη.

[2]**rape** /reɪp/ *ρ.μ.* **1**. ἀπάγω, κλέβω, ἁρπάζω (γυναίκα). **2**. βιάζω. __*οὐσ.* ‹C,U› βιασμός, ἁρπαγή: *charged with ~*, κατηγορούμενος γιά βιασμό. **rap·ist** /ˈreɪpɪst/ *οὐσ.* ‹C› βιαστής.

rapid /ˈræpɪd/ *ἐπ.* ταχύς, γρήγορος, ὁρμητικός, ἀπότομος: *a ~ pulse*, ταχύς σφυγμός. *a ~ worker*, γρήγορος, σβέλτος ἐργάτης. *a ~ stream*, ὁρμητικός χείμαρρος. *a ~ slope*, ἀπότομη πλαγιά. *a ~ decline in sales*, ἀπότομη πτῶσις τῶν πωλήσεων. **~-fire questions**, ἀπανωτές ἐρωτήσεις. __*οὐσ.* (*πληθ.*) μικρός καταρράχτης, ὁρμητικό ρεῦμα ποταμοῦ. **run/shoot the ~s**, πηδῶ τούς καταρράχτες (μέ βάρκα). **~·ly** *ἐπίρ.* γρήγορα, ἀπότομα. **~·ity** /rəˈpɪdətɪ/ *οὐσ.* ‹U› ταχύτης, γρηγοράδα.

rapier /ˈreɪpɪə(r)/ *οὐσ.* ‹C› ξίφος (ξιφασκίας): *a ~ thrust*, (*μεταφ.*) πνευματώδης ἀντεπίθεσις, ἔξυπνο πείραγμα.

rap·ine /ˈræpaɪn/ *οὐσ.* ‹U› (*λογοτ.*) διαρπαγή, λεηλασία.

rap·port /ræˈpɔ/ *οὐσ.* ‹U› στενή σχέσις, ἐπικοινωνία, συμπάθεια. **be in ~ (with sb)**, ἔχω στενές/ἁρμονικές σχέσεις μέ κπ, συμπαθῶ κπ.

rap·proche·ment /ræˈprɒʃmɔ̃/ *οὐσ.* ‹C› προσέγγισις, ἀποκατάστασις φιλικῶν σχέσεων, συνδιαλλαγή.

rapt /ræpt/ *ἐπ.* βυθισμένος, συνεπαρμένος, ἐκστατικός: *~ in contemplation/thought/a book*, βυθισμένος σέ συλλογή/σέ σκέψεις/σ' ἕνα βιβλίο. *with ~ attention*, μέ τεταμένη προσοχή. *~ in music*, συνεπαρμένος ἀπό τή μουσική.

rap·ture /ˈræptʃə(r)/ *οὐσ.* **1**. ‹U› ἔκστασις, ἀγαλλίασις: *gaze with ~ at sth*, κοιτάζω κτ μέ ἔκσταση. **2**. (*πληθ.*) **be in/go into ~s (over/about sth)**, (*καθομ.*) ἐκστασιάζομαι γιά κτ, μαγεύομαι ἀπό κτ. **throw sb into ~s**, (*καθομ.*) μαγεύω/γοητεύω κπ. **rap·tur·ous** /ˈræptʃərəs/ *ἐπ.* φρενιτιώδης, ἐκστατικός, μαγεμένος. **rap·tur·ous·ly** *ἐπίρ.*

[1]**rare** /reə(r)/ *ἐπ.* *(-r, -st)* **1**. σπάνιος: *a ~ book/occurrence*, σπάνιο βιβλίο/συμβάν. *It's ~ for her to be late*, εἶναι σπάνιο ν' ἀργήση. **2**. ἀραιός: *the ~ air of the mountains*, ὁ ἀραιός ἀέρας τῶν βουνῶν. **3**. (*καθομ.*) θαυμάσιος, περίφημος: *We had a ~ old time*, περάσαμε περίφημα. **~·ly** *ἐπίρ.* σπανίως. **~·ness** *οὐσ.* ‹U› ἀραιότης, σπανιότης.

[2]**rare** /reə(r)/ *ἐπ.* (*γιά κρέας*) μισοψημένος, μέ τό αἷμα του.

rare·bit /ˈreəbɪt/ *οὐσ.* *βλ.* *Welsh.*

rar·efy /ˈreərɪfaɪ/ *ρ.μ/ἀ.* καθαρίζω, ἀραιώνω:

the rarefied air of the mountain tops, ὁ ἀραιωμένος ἀέρας τῶν βουνοκορφῶν.

rar·ing /ˈreərɪŋ/ ἐπ. (*καθομ.*) ἀνυπομονῶν, πρόθυμος: *They're ~ to go*, ἀνυπομονοῦν νά ξεκινήσουν.

rar·ity /ˈreərətɪ/ οὐσ. **1**. ‹U› σπανιότης, ἀραιότης. **2**. ‹C› σπάνιο γεγονός ἤ ἀντικείμενο: *Snow is a ~ in Egypt*, τό χιόνι εἶναι κάτι σπάνιο στήν Αἴγυπτο.

ras·cal /ˈrɑskl/ οὐσ. ‹C› **1**. μασκαρᾶς, κάθαρμα, παλιάνθρωπος. **2**. (*πειραχτικά*) σκανταλιάρικο παιδί: *You little ~!* κατεργαρᾶκο! **~·ly** /-kəlɪ/ ἐπ. κατεργάρικος, ἀχρεῖος, ἄθλιος: *a ~ly trick*, κατεργαριά, παλιανθρωπιά.

rase /reɪz/ ρ.μ. βλ. *raze*.

[1]**rash** /ræʃ/ οὐσ. ‹C› ἐξάνθημα. **ˈnettle-~**, (*ἰατρ.*) φαγούρα, κνίδωσις.

[2]**rash** /ræʃ/ ἐπ. παράτολμος, ἀσυλλόγιστος, ἀπερίσκεπτος, ὁρμητικός: *a ~ act*, ἀπερισκεψία, ἀπονενοημένον διάβημα. *a ~ young man*, ἀπερίσκεπτος νεαρός. **~·ly** ἐπίρ. ὁρμητικά, ἀπερίσκεπτα. **~·ness** οὐσ. ‹U› ἀποκοτιά, ἀπερισκεψία.

rasher /ˈræʃə(r)/ οὐσ. ‹C› φέτα μπέϊκον γιά τηγάνισμα: *have three ~s and two fried eggs for breakfast*, τρώω τρεῖς φέτες μπέϊκον μέ δυό τηγανητά αὐγά γιά πρόγευμα.

rasp /rɑsp/ οὐσ. ‹C› ράσπα, χοντρή λίμα. —ρ.μ/ἀ. **1**. **~ *sth off/away***, λιμάρω, ξύνω κτ. **2**. (*μεταφ.*) ἐνοχλῶ, ἐρεθίζω: *~ sb's feelings/nerves*, ἐρεθίζω κπ/δίνω στά νεῦρα κάποιου. *wine that ~s the throat*, κρασί πού καίει/ἐρεθίζει τό λαιμό. **3**. γρατσουνίζω (παράγω ὀξύ ἐκνευριστικό ἦχο): *The boy kept ~ing away on his violin*, τό παιδί συνέχισε νά γρατσουνίζη τό βιολί του. *a ~ing voice*, γρατσουνιστή/δυσάρεστη φωνή. **4**. **~ *out***, μιλῶ μέ στριγγιά φωνή: *~ out orders/insults*, δίνω διαταγές/πετῶ βρισιές μέ στριγγιά φωνή. **~·ing·ly** ἐπίρ.

rasp·berry /ˈrɑzbrɪ/ οὐσ. ‹C› **1**. σμεουριά, σμέουρο. **2**. (*λαϊκ.*) πορδή, πρίτς (χλευαστικός ἦχος μέ τό στόμα). *blow/give sb a ~*, ἀμολάω μιά σέ κπ, τοῦ κάνω πρίτς. *get a ~*, τρώω προσβολή.

rat /ræt/ οὐσ. ‹C› **1**. ἀρουραῖος, ποντικός. ***smell a ~***, (*μεταφ.*) μυρίζομαι βρωμοδουλειά/πώς κάποιο λάκκο ἔχει ἡ φάβα. ***(look) like a drowned ~***, εἶμαι βρεγμένος καί κακομοιριασμένος. **the ˈ~ race**, σκυλοκαυγᾶς (ἀδιάκοπος ἀναξιοπρεπής συναγωνισμός μέ τούς ἄλλους). **2**. (*μεταφ.*) προδότης, θρασύδειλο ὑποκείμενο, ἀπεργοσπάστης. **3**. **Rats**! (*πληθ. λαϊκ.*) ἐπιφ. μποῦρδες! παραμύθια! —ρ.μ. *(-tt-)* **~ *(on sb)***, (*καθομ.*) τή σκάω, πουλάω κπ (= τόν προδίδω, τόν ἐγκαταλείπω, δέν τηρῶ τήν ὑπόσχεσή μου). **rat·ter** οὐσ. ‹C› ποντικοκυνηγός. **rat·ty** ἐπ. *(-ier, -iest)* (*καθομ.*) ἀπότομος, τσαντισμένος.

rat·able /ˈreɪtəbl/ ἐπ. βλ. *rateable*.

rat·an /ræˈtæn/ οὐσ. ‹C,U› βλ. *rattan*.

ratch·et /ˈrætʃɪt/, **ratch** /rætʃ/ οὐσ. ‹C› ὀδοντωτός τροχός ἀναστολῆς, τροχός μέ καστάνια.

[1]**rate** /reɪt/ οὐσ. ‹C› **1**. ἀναλογία, ρυθμός, βαθμός, ταχύτης: *at the ~ of three to one*, μέ ἀναλογία τρία πρός ἕνα. *~ of growth*, ρυθμός ἀναπτύξεως. *~ of speed*, βαθμός ταχύτητος. *~ per cent*, ποσοστόν ἐπί τοῖς ἑκατόν. *~ of climb/descent*, (*ἀερ.*) ταχύτης ἀνόδου/καθόδου. ***at ˈthis/ˈthat ~***, μ' αὐτό τό ρυθμό. ***at a ˈfearful ~***, μέ τρομαχτικό ρυθμό, μέ τρομαχτική ταχύτητα. ***at any ~***, ἐν πάση περιπτώσει, ὁπωσδήποτε. **ˈdeath ~**, θνησιμότης. **ˈbirth/ˈmarriage ~**, ρυθμός γεννήσεων/γάμων. **2**. τιμή: *~s in force*, ἰσχύουσαι τιμαί. *reduced ~s*, μειωμένον τιμολόγιον. *railway ~s*, σιδηροδρομικόν τιμολόγιον. *postage ~s*, ταχυδρομικόν τιμολόγιον. **~ of exchange**, τιμή συναλλάγματος. **~ of interest**, ἐπιτόκιον. **the ˈbank/ˈdiscount ~**, προεξοφλητικός τόκος. **3**. δημοτικός φόρος (ἀκινήτων): **ˈ~-payer**, φορολογούμενος δημότης. **4**. τάξις, κατηγορία: *a first-~ teacher*, πρώτης τάξεως δάσκαλος. *a second-~ painter*, ζωγράφος δευτέρας κατηγορίας. **ˈfirst-ˈrater** οὐσ. ‹C› ἄριστος.

[2]**rate** /reɪt/ ρ.μ/ἀ. **1**. ἐκτιμῶ, ὑπολογίζω, θεωρῶ: *What do you ~ his fortune at?* σέ πόσο ὑπολογίζεις τήν περιουσία του; *Do you ~ him among your friends?* τόν θεωρεῖς (τόν λογαριάζεις) μεταξύ τῶν φίλων σου; **2**. φορολογῶ, ἐκτιμῶ: *My property was ~d at £100 per annum*, ἡ περιουσία μου φορολογήθηκε μέ 100 λίρες τό χρόνο. **3**. (*ναυτ.*) ταξινομῶ, κατατάσσω.

[3]**rate** /reɪt/ ρ.μ/ἀ. (*παλαιλ.*) ἐπιπλήττω, κατσαδιάζω: *~ sb soundly*, κατσαδιάζω κπ γερά.

rate·able (καί **rat·able**) /ˈreɪtəbl/ ἐπ. ὑποκείμενος εἰς φορολογίαν, φορολογήσιμος.

rather /ˈrɑðə(r)/ ἐπίρ. **1**. μᾶλλον: *He came late last night, or ~ early this morning*, ἦρθε ἀργά χθές τή νύχτα ἤ μᾶλλον νωρίς σήμερα τό πρωΐ. **2**. μᾶλλον, κάπως, σχετικά: *That was a ~ surprising/~ a surprising result*, αὐτό ἦταν ἕνα μᾶλλον ἐκπληκτικό ἀποτέλεσμα. *He's ~ better today*, εἶναι κάπως καλύτερα σήμερα. *This is ~ too easy for me*, αὐτό εἶναι μᾶλλον πολύ εὔκολο γιά μένα. **3**. (*συνήθ. μέ would/had*) προτιμώτερο, καλύτερα, μᾶλλον: *I'd ~ go on foot*, θά προτιμοῦσα νά πάω μέ τά πόδια. *I'd ~ you came tomorrow than today*, θά προτιμοῦσα νά ἐρχόσουν αὔριο παρά σήμερα. *Would you ~ have left yesterday?* θά προτιμοῦσες νά εἶχες φύγει χθές; *Would you ~ I had left yesterday?* θά προτιμοῦσες νά εἶχα φύγει χθές; *I'll have coffee ~ than tea*, θά πιῶ καφέ μᾶλλον παρά τσάϊ. *R~ than refuse to help you, I'd borrow money from my bank*, θά προτιμοῦσα νά δανειστῶ χρήματα ἀπό τήν Τράπεζά μου παρά ν' ἀρνηθῶ νά σέ βοηθήσω. **4**. (*καθομ.*, *MB* /ˈrɑˈðɜ(r)/) (*σέ ἀπαντήσεις*) βεβαιότατα: *'Do you know him?' 'Rather.'* -Τόν ξέρεις; -Βεβαίως καί τόν ξέρω!

rat·ify /ˈrætɪfaɪ/ ρ.μ. ἐπικυρῶ: *~ a treaty*, ἐπικυρῶ μιά συνθήκη. **rati·fi·ca·tion** /ˈrætɪfɪˈkeɪʃn/ οὐσ. ‹U› ἐπικύρωσις.

rat·ing /ˈreɪtɪŋ/ οὐσ. ‹C› **1**. ἐκτίμησις, καταλογισμός δημοτικῶν φόρων. **2**. ταξινόμησις, κατάταξις, ναυτολογική κλάσις. **3**. κατσάδα: *give sb/get a good ~*, δίνω σέ κπ/τρώω γερή κατσάδα.

ra·tio /ˈreɪʃɪəʊ/ οὐσ. ‹C› (*πληθ. ~s*) (*μαθ.*) ἀναλογία, λόγος: *The ~ of pupils to teachers was 30 to 1*, ἡ ἀναλογία μαθητῶν καί καθηγητῶν ἦταν 30 πρός 1. *The ~s of 1 to 5 and 20 to 100 are the same*, οἱ λόγοι τοῦ 1 πρός 5 καί τοῦ 20 πρός 100 εἶναι οἱ ἴδιοι. ***in direct/inverse ~ to***, κατ᾽εὐθύν/ἀντίστροφον λόγον πρός.

ra·tion /ˈræʃn/ *οὐσ.* ‹C› μερίδα, σιτηρέσιο: *go and draw ~s*, (*στρατ.*) πάω γιά τρόφιμα. ***short ~s***, μειωμένες μερίδες. ***an ˈiron ~***, τρόφιμα γιά ἔσχατη ἀνάγκη. **ˈ~ card/book**, δελτίον/βιβλιάριον τροφίμων. __*ρ.μ.* **1**. περιορίζω: *~ sb's food*, περιορίζω/μετρῶ τό φαΐ κάποιου. **2**. βάζω δελτίο, ἐπιβάλλω μερίδες: *We'll have to ~ the water*, θά πρέπει νά βάλωμε δελτίο στό νερό. *He ~ed out the bread*, μοίρασε τό ψωμί σέ μερίδες.

ra·tional /ˈræʃnl/ *ἐπ.* λογικός, ὀρθολογιστικός: *Man is a ~ being*, ὁ ἄνθρωπος εἶναι λογικό ὄν. *a ~ explanation*, λογική ἐξήγησις. **~ly** /-ʃnəlɪ/ *ἐπίρ.* λογικά. **~·ity** /ˈræʃnˈælətɪ/ *οὐσ.* ‹U› λογική, λογικότης.

ra·tion·ale /ˈræʃəˈnɑl/ *οὐσ.* ‹C› λογική, ἀποχρῶν λόγος, ὀρθολογική βάσις, αἰτιολογία, λογική ἐξήγησις.

ra·tion·al·ism /ˈræʃnəl-ɪzm/ *οὐσ.* ‹U› ὀρθολογισμός, ρασιοναλισμός. **ra·tion·al·ist** /-ɪst/ *οὐσ.* ‹C› ὀρθολογιστής. **ra·tion·al·is·tic** /ˈræʃnl-ˈɪstɪk/ *ἐπ.* ὀρθολογιστικός.

ra·tion·al·ize /ˈræʃnəlaɪz/ *ρ.μ.* **1**. αἰτιολογῶ, δίνω λογική ἐξήγηση: *~ one's fears/behaviour*, ἐξηγῶ λογικά τούς φόβους μου/τό φέρσιμό μου. **2**. ὀργανώνω ὀρθολογικά (πχ ἐπιχείρηση, βιομηχανία, κλπ). **ra·tion·al·iz·ation** /ˈræʃnəlaɪˈzeɪʃn/ *οὐσ.* ‹U› ὀρθολογική ἐξήγησις/ὀργάνωσις.

rat·tan, ratan /ræˈtæn/ *οὐσ.* **1**. ‹C,U› ἰνδικό καλάμι: *~ basket*, καλάθι ἀπό ἰνδικό καλάμι. **2**. ‹C› μπαστούνι (ἀπό ἰνδικό καλάμι).

rat-tat /ræ ˈtæt/ (*ἐπίσης* **rat-a-tat-tat** /ˈræt ə ˈtæt ˈtæt/) *οὐσ.* ‹C› (*ὀνοματοπ.*) τάκ-τάκ, κροτάλισμα.

rattle /ˈrætl/ *ρ.μ/ἀ.* **1**. κροταλίζω, κουδουνίζω, τραντάζω, βροντῶ: *The wind ~d the windows*, ὁ ἀέρας ἔκανε νά χτυπᾶν τά παράθυρα. *The hailstones ~d on the tin roof*, τό χαλάζι κροτάλιζε στήν τενεκεδένια στέγη. **2**. ***~ sth off***, λέω τροχάδην: *The boy ~d off the poem he had learned*, τό παιδί εἶπε γρήγορα-γρήγορα (παπαγάλισε) τό ποίημα πού εἶχε μάθει. ***~ away***, φλυαρῶ: *The child ~d away merrily*, τό παιδί φλυαροῦσε χαρούμενα. __*οὐσ.* **1**. ‹U› κροτάλισμα, κουδούνισμα, κρότος: *the ~ of bottles/hail*, ὁ κρότος τῶν μπουκαλιῶν/τοῦ χαλαζιοῦ. **2**. ‹U› κουβεντολόϊ, φλυαρία. **3**. ‹C› κουδουνίστρα μωροῦ, ροκάνα. **4**. **ˈ~·snake**, κροταλίας. (**ˈdeath**-) **~**, ἐπιθανάτιος ρόγχος. **rat·tling** /ˈrætlɪŋ/ *ἐπ.* & *ἐπίρ.* (*λαϊκ.*) περίφημος, πολύ: *have a rattling time*, περνῶ περίφημα. *a rattling good speech*, πάρα πολύ καλός λόγος.

ratty /ˈrætɪ/ *ἐπ.* *βλ.* *rat.*

rau·cous /ˈrɔkəs/ *ἐπ.* βραχνός, τραχύς: *a ~ voice/~ laughter*, βραχνή φωνή/τραχύ γέλιο. **~·ly** *ἐπίρ.*

rav·age /ˈrævɪdʒ/ *ρ.μ/ἀ.* **1**. λεηλατῶ, ἐρημώνω: *The hordes of the barbarians ~d Rome*, οἱ ὀρδές τῶν βαρβάρων λεηλάτησαν τή Ρώμη. **2**. καταστρέφω, ρημάζω: *forests ~d by fire*, δάση κατεστραμμένα ἀπό τίς πυρκαγιές. *a face ~d by disease*, πρόσωπο ρημαγμένο ἀπό τήν ἀρρώστεια. __*οὐσ.* ‹C,U› λεηλασία, ἐρήμωσις, καταστροφή, ρήμαγμα: *the ~s of time on a woman's face*, οἱ φθορές τοῦ χρόνου στό πρόσωπο μιᾶς γυναίκας. *the ~s of torrential rains*, οἱ καταστροφές τῶν καταρρακτωδῶν βροχῶν.

rave /reɪv/ *ρ.ἀ.* **1**. ***~ (about)***, παραμιλῶ, παραληρῶ (ἀπό πυρετό ἤ ἐνθουσιασμό): *The patient began to ~*, ὁ ἄρρωστος ἄρχισε νά παραμιλάη. *You're raving!* παραμιλᾶς! δέν ξέρεις τί λές! *She ~d about the beauties of Crete*, παραληροῦσε γιά τίς ὀμορφιές τῆς Κρήτης. **2**. ***~ (at/against/about)***, μαίνομαι, οὐρλιάζω, λυσσομανῶ: *She ~d against me*, ἐμαίνετο ἐναντίον μου. *He ~d himself hoarse*, βράχνιασε ἀπό τίς φωνές. *The sea/wind ~d for days*, ἡ θάλασσα/ὁ ἄνεμος λυσσομανοῦσε ἐπί ἡμέρες. __*οὐσ.* (*καθομ.*) παραλήρημα: *be in a ~ about sth*, (*λαϊκ.*) παραληρῶ γιά κτ, εἶμαι ξετρελλαμένος μέ κτ. *a ~ review*, μιά ἀποθεωτική κριτική. **rav·ing** *ἐπ.* παραληρῶν. __*ἐπίρ.* ἐντελῶς: *He's a raving lunatic/He's raving mad*, εἶναι τρελλός γιά δέσιμο/θεότρελλος. **rav·ings** *οὐσ.* *πληθ.* παραμιλητό, ἀσυναρτησίες.

ravel /ˈrævl/ *ρ.μ/ἀ.* (*-ll-*) **1**. ξεφτίζω: *Bind the edge of the rug so that it won't ~*, δέσε τήν ἄκρη τοῦ χαλιοῦ γιά νά μήν ξεφτίση. **2**. μπερδεύω (κλωστές, κλπ). **3**. ***~ (out)***, ξεμπερδεύω.

ra·ven /ˈreɪvn/ *οὐσ.* ‹C› κοράκι. __*ἐπ.* κορακᾶτος: *~ hair*, κατάμαυρα γυαλιστερά μαλλιά.

rav·en·ing /ˈrævənɪŋ/ *ἐπ.* λιμασμένος: *a ~ wolf*, λιμασμένος λύκος.

rav·en·ous /ˈrævənəs/ *ἐπ.* πεινασμένος, λαίμαργος, λιμασμένος: *a ~ appetite/hunger*, φοβερή ὄρεξη/ἄγρια πεῖνα. *~ for power*, λιμασμένος γιά ἐξουσία. **~·ly** *ἐπίρ.* λαίμαργα, λιμασμένα: *eat ~ly*, τρώω λαίμαργα.

ra·vine /rəˈvin/ *οὐσ.* ‹C› φαράγγι, λαγκάδα, ρεματιά.

rav·ish /ˈrævɪʃ/ *ρ.μ.* **1**. θέλγω, γοητεύω, συναρπάζω: *a ~ing view*, συναρπαστική θέα. *~ed with her beauty*, γοητευμένος ἀπό τήν ὀμορφιά της. **~·ing·ly** *ἐπίρ.* **~·ment** *οὐσ.* ‹C,U› γοητεία, ἔκστασις. **2**. (*ἀπηρχ.*) ἁρπάζω, ἀπάγω. **3**. (*ἀπηρχ.*) βιάζω, διακορεύω.

raw /rɔ/ *ἐπ.* **1**. ὠμός, ἄψητος, ἄβραστος: *~ meat*, ὠμό κρέας. *eat oysters ~*, τρώω ὠμά στρείδια. **2**. ἀκατέργαστος: *~ hides*, ἀκατέργαστα δέρματα. *~ materials*, πρῶτες ὕλες. *~ spirit*, καθαρό οἰνόπνευμα. *~ sugar*, ἀκαθάριστη ζάχαρη. ***in the ~***, σέ φυσική κατάσταση, χωρίς κατεργασία, (*μεταφ.*) γυμνός. **3**. (*γιά ἄνθρ.*) ἄπειρος, ἀγύμναστος: *a ~ hand*, ἀρχάριος, ἀτζαμῆς. *~ recruits*, ἀγύμναστοι νεοσύλλεκτοι, γιαννάκια. **4**. (*γιά τόν καιρό*) ὑγρός καί ψυχρός: *~ winds*, νοτεροί ψυχροί ἄνεμοι. *a ~ winter morning*, κρύο χειμωνιάτικο πρωϊνό. **5**. (*γιά τραῦμα*) ἀνοιχτός, πού δέν ἔχει γιατρευτῆ, (*γιά δέρμα*) ξεγδαρμένος: *a ~ knee*, ξεγδαρμένο γόνατο. **ˈ~-ˈboned** *ἐπ.* κοκκαλιάρης, κάτισχνος, πετσί καί κόκκαλο. **6**. (*γιά ὕφος*) χοντροκομμένος, ἀδούλευτος, ὠμός. **7**. (*καθομ.*) ἄδικος, σκληρός. ***a ~ deal***, ἄδικη, σκληρή μεταχείριση. __*οὐσ.* ‹C› ξεγδαρμένο σημεῖο στό σῶμα. ***touch sb on the ~***, (*μεταφ.*) θίγω κπ στό εὐαίσθητο σημεῖο/ἐκεῖ πού τόν πονάει.

[1]**ray** /reɪ/ *οὐσ.* ‹C› ἀκτίς, ἀχτίδα: *the ~s of the sun; the sun's ~s*, οἱ ἀχτίδες τοῦ ἥλιου. *a ~ of hope*, (*μεταφ.*) ἀχτίδα ἐλπίδος. **ˋX-~s**, ἀκτῖνες Χ. __*ρ.μ/ὰ.* ἀκτινοβολῶ, ἐκπέμπω ἀκτῖνες.

[2]**ray** /reɪ/ *οὐσ.* ‹C› (*ἰχθ.*) σαλάχι.

rayon /ˋreɪon/ *οὐσ.* ‹U› ραιγιόν, τεχνητή μέταξα.

raze, rase /reɪz/ *ρ.μ.* ἰσοπεδώνω, ἀνασκάπτω ἐκ θεμελίων: *a town ~d by an earthquake*, πόλις πού τήν ἰσοπέδωσε ὁ σεισμός.

ra·zor /ˋreɪzə(r)/ *οὐσ.* ‹C› ξυράφι: *ˋ~ blade*, ξυριστική λεπίδα. **ˋsafety ~**, ξυριστική μηχανή. **ˋ~-back**, φαλαινόπτερο. **ˋ~-backed** *ἐπ.* μέ ράχη σάν ξυράφι. **ˈ~-ˋedge**, κόψη ξυραφιοῦ, κρίσιμη κατάστασις. ***on the ~'s edge***, (*μεταφ.*) ἐπί ξυροῦ ἀκμῆς, σέ κρίσιμη θέση. **~ed** *ἐπ.* ξυρισμένος: *a well-~ed chin*, καλοξυρισμένο πρόσωπο.

razzle /ˋræzl/ (*καί* **ˈ~-ˋdazzle**) *οὐσ.* (*λαϊκ.*, *πεπαλ.*) ξεφάντωμα. ***be/go on the ~***, ξεφαντώνω, τό ρίχνω ἔξω.

[1]**re** /ri/ *πρόθ.* (*νομ.*) σχετικῶς, ἀναφορικῶς.

[2]**re** /reɪ/ *οὐσ.* ‹C› (*μουσ.*) ρέ (νότα).

re- /ri-/ *πρόθεμα* ξανά-: *re-write*, ξαναγράφω. *re-tell*, ξαναλέω.

[1]**reach** /ritʃ/ *ρ.μ/ὰ.* **1**. (*χωρίς πρόθ.*) φθάνω εἰς: *What time do we ~ London?* τί ὥρα φθάνομε στό Λονδῖνο; *Not a sound ~ed our ears*, κανένας ἦχος δέν ἔφθανε ὥς τ' αὐτιά μας. **2**. φθάνω, ἐκτείνομαι: *My voice did not ~ to the back of the hall*, ἡ φωνή μου δέν ἔφθανε ὥς τό βάθος τῆς αἰθούσης. *The park ~es as far as the river*, τό πάρκο φθάνει ὥς τό ποτάμι. ***as far as the eye can ~***, ὅσο φτάνει τό μάτι. **3**. **~ *out (for)***, ἁπλώνω (γιά): *He ~ed out his hand for the knife*, ἅπλωσε τό χέρι του γιά τό μαχαίρι. *He ~ed (out) for the dictionary*, ἅπλωσε νά φτάση τό λεξικό. **4**. (ἁπλώνω τό χέρι καί) φθάνω: *Can you ~ that book for me/~ me that book?* μπορεῖς νά μοῦ φτάσης αὐτό τό βιβλίο; *He ~ed down the atlas from the top shelf*, κατέβασε τόν ἄτλαντα ἀπό τό πάνω ράφι. **5**. φθάνω, ἔρχομαι σ' ἐπαφή: *How can I ~ him?* πῶς μπορῶ νά ἔλθω σ' ἐπαφή μαζί του; **6**. **ˋ~-me-downs** *οὐσ. πληθ.* (*πεπαλ.*, *λαϊκ.*) ἑτοιματζίδικα ἤ μεταχειρισμένα ροῦχα.

[2]**reach** /ritʃ/ *οὐσ.* **1**. (*μόνον ἑν. ἤ* U) ἅπλωμα, τέντωμα (τοῦ χεριοῦ), ἔκτασις, ἀπόστασις: *He got it by a long ~*, τό πῆρε ἁπλώνοντας τό χέρι του ὅσο ἔφτανε. *This boxer has a long ~*, αὐτός ὁ πυγμάχος ἔχει μακρύ χέρι. ***within/out of/beyond ~***, σέ ἀπόσταση πού μπορεῖ νά τό φθάση/νά μήν τό φθάση κανείς: *I like to have my reference books within (my) ~/within easy ~*, θέλω νά ἔχω τά βοηθήματά μου κοντά μου/νά μπορῶ νά τά φθάνω εὔκολα. *Keep that bottle out of the children's ~*, φύλαξε αὐτό τό μπουκάλι σέ μέρος πού νά μήν τό φθάνουν τά παιδιά. *He was beyond ~ of human aid*, ἐκεῖ πού ἦταν δέν τόν ἔφθανε βοήθεια ἀνθρώπου. *The hotel is within easy ~ of the station*, τό ξενοδοχεῖο εἶναι κοντά στό σταθμό. *cars within everybody's ~*, αὐτοκίνητα προσιτά σέ ὅλους. **2**. ‹C› ἔκτασις, εὐθεῖα ποταμοῦ (μεταξύ δύο στροφῶν), ἁπλωτή: *This is one of the most beautiful ~es of the Thames*, αὐτή εἶναι μιά ἀπό τίς πιό ὄμορφες ἁπλωτές τοῦ Τάμεση.

re·act /rɪˋækt/ *ρ.ὰ.* **1**. **~ *(to)***, ἀντιδρῶ, ἐπηρεάζομαι ἀπό: *When I punished her, she ~ed by bursting into tears*, ὅταν τήν τιμώρησα, ἀντέδρασε ξεσπώντας σέ κλάματα. *He ~s to kindness*, ἡ καλωσύνη τόν ἐπηρεάζει, ἀντιδρᾶ θετικά στήν καλωσύνη. *How did he ~ to the news?* πῶς ἀντέδρασε στά νέα; **2**. **~ *(up)on***, ἐπιδρῶ, ἐπενεργῶ, ἔχω ἐπίδραση: *Applause ~s upon a speaker*, τά χειροκροτήματα ἔχουν ἐπίδραση σ' ἕναν ὁμιλητή. *How do acids ~ on metals?* πῶς ἐπενεργοῦν τά ὀξέα στά μέταλλα; **3**. **~ *against***, ἀντιδρῶ ἐναντίον: *He ~s against anything his parents believe in*, ἀντιδρᾶ σέ κάθε τι πού πιστεύουν οἱ γονεῖς του.

re·ac·tion /rɪˋækʃn/ *οὐσ.* ‹C,U› ἀντίδρασις: *action and ~*, δρᾶσις καί ἀντίδρασις. *a healthy ~*, ὑγιής ἀντίδρασις. *What was his ~ to your proposal?* ποιά ἦταν ἡ ἀντίδρασίς του στήν πρότασή σου; *In his lifetime he was very popular, but after his death a ~ set in*, ὅσο ζοῦσε ἦταν πολύ δημοφιλής, ἀλλά μετά τό θάνατό του σημειώθηκε μιά ἀντίδραση. *The forces of ~ made reform difficult*, οἱ δυνάμεις τῆς ἀντιδράσεως δυσκόλευαν τίς μεταρρυθμίσεις. **~·ary** /-nrɪ/ *ἐπ.* & *οὐσ.* ‹C› ἀντιδραστικός.

re·ac·tor /rɪˋæktə(r)/ *οὐσ.* ‹C› ἀντιδραστήρ: *nuclear ~*, πυρηνικός ἀντιδραστήρ.

read /rid/ *ρ.μ/ὰ.* (*ἀόρ.* & *π.μ.* ~ /red/) **1**. διαβάζω: *He can neither ~ nor write*, δέν μπορεῖ οὔτε νά διαβάση οὔτε νά γράψη (δέν ξέρει γράμματα). *I haven't enough time to ~/for ~ing*, δέν ἔχω ἀρκετό καιρό γιά διάβασμα. **~ *sth out***, διαβάζω κτ ὥς τό τέλος. **~ *to sb***, διαβάζω σέ κπ: *I like being ~ to*, μοῦ ἀρέσει νά μοῦ διαβάζουν. **~ *sb to sleep***, διαβάζω σέ κπ ὥσπου νά ἀποκοιμηθῆ: *He ~ the children/himself to sleep*, διάβασε στά παιδιά ὥσπου ἀποκοιμήθηκαν/διάβασε ὥσπου ἀποκοιμήθηκε. **~ *sb a lesson/lecture***, νουθετῶ κπ, τά ψέλνω σέ κπ. **~ *proofs***, κάνω τυπογραφικές διορθώσεις. **~ *(a subject)***, σπουδάζω κτ (στό Πανεπιστήμιο): *He's ~ing physics/law*, σπουδάζει φυσική/νομικά. **2**. διαβάζω, ἑρμηνεύω: *~ sb's thoughts*, διαβάζω τίς σκέψεις κάποιου. *I can ~ it in your eyes*, τό διαβάζω στά μάτια σου. *~ a dream*, ἐξηγῶ ἕνα ὄνειρο. *Silence must not always be ~ as consent*, ἡ σιωπή δέν πρέπει νά ἑρμηνεύεται πάντα ὡς συναίνεσις. *~ sb's hand/palm*, διαβάζω τό χέρι κάποιου, τοῦ λέω τήν τύχη του. **~ *into***, προσθέτω νόημα σέ κτ, παρερμηνεύω: *~ into a sentence what is not there*, δίνω σέ μιά πρόταση νόημα πού δέν ἔχει (τήν παρερμηνεύω). (*βλ.* & *λ.* [1]*line*). **3**. (*μέ παθητ. δύναμη*) λέω, δείχνω, διαβάζομαι: *His telegram ~s as follows*, τό τηλεγράφημά του λέει τά ἑξῆς. *What does the thermometer ~?* τί δείχνει/τί λέει τό θερμόμετρο; *His plays ~ better than they act*, τά ἔργα του εἶναι καλύτερα ὅταν διαβάζονται παρά ὅταν παίζονται. **4**. (*στήν π.μ.*, *μαζί μέ* *ἐπίρ.*) διαβασμένος: *a well-~ man*, πολύ διαβασμένος ἄνθρωπος. *He's deeply ~ in the classics*, ἔχει μελετήσει βαθιά τούς κλασσικούς. —*οὐσ.* ‹C› διάβασμα: *have a good ~ in the train*, κάνω ἕνα καλό διάβασμα στό τραῖνο. *have a quiet ~*, διαβάζω μέ τήν ἡσυχία μου. **~·able** /ˈridəbl/ *ἐπ.* πού διαβάζεται εὔκολα ἤ εὐχάριστα. **~·abil·ity** /ˌridəˈbɪlətɪ/ *οὐσ.* ‹U› τό εὐανάγνωστον (κειμένου).

reader /ˈridə(r)/ *οὐσ.* ‹C› **1**. ἀναγνώστης: *He's a great ~*, εἶναι ἀχόρταγος στό διάβασμα, διαβάζει πολύ. **ˈmind-/ˈthought-~**, ἄνθρωπος πού μπορεῖ νά διαβάση τή σκέψη, νοομάντης. **ˈpalm-~**, χειρομάντης. **ˈproof-~**, διορθωτής (τυπογραφικῶν δοκιμίων). **publisher's ~**, ἀναγνώστης χειρογράφων ἐκδοτικοῦ οἴκου. **2**. (περίπου) ὑφηγητής Πανεπιστημίου: *a R~ in English Literature*, Ὑφηγητής τῆς Ἀγγλικῆς Λογοτεχνίας. **3**. (*σχολ.*) ἀναγνωσματάριο, ἀναγνωστικό. **ˈ~-ship** /-ʃɪp/ *οὐσ.* ‹C› *(α)* θέσις ὑφηγητοῦ σέ Πανεπιστήμιο. *(β)* ἀναγνωστικό κοινό (περιοδικοῦ, κλπ).

read·ily *ἐπίρ. βλ. ready.*

readi·ness /ˈredɪnəs/ *οὐσ.* ‹U› προθυμία, ταχύτης, εὐκολία, ἑτοιμότης: *a surprising ~ to accept*, μιά ἐκπληκτική προθυμία ἀποδοχῆς. ***in ~***, ἕτοιμος, σέ κατάσταση ἑτοιμότητος. ***~ of wit***, ἑτοιμότης πνεύματος.

read·ing /ˈridɪŋ/ *οὐσ.* **1**. ‹U› διάβασμα: *I'm fond of ~*, ἀγαπῶ τό διάβασμα. ***make*** + *ἐπίθετον* + ~, διαβάζομαι: *a book that makes good/dull ~*, βιβλίο πού εἶναι εὐχάριστο/πληκτικό στό διάβασμα. *His account makes interesting ~*, ἡ περιγραφή του διαβάζεται μ' ἐνδιαφέρον. **ˈ~ desk**, ἀναλόγιον. **ˈ~-glasses**, γυαλιά διαβάσματος. **ˈ~-lamp**, πορτατίφ. **ˈ~ list**, κατάλογος βιβλίων γιά διάβασμα. **ˈ~ matter**, ὑλικό γιά διάβασμα. **ˈ~-room**, ἀναγνωστήριον. **2**. ‹U› μόρφωσις: *a man of wide ~*, ἄνθρωπος εὐρείας μορφώσεως. **3**. ‹C› ἑρμηνεία: *the ~ of a clause in a contract*, ἡ ἑρμηνεία ἑνός ὅρου σέ μιά σύμβαση. **4**. ‹C› ἔνδειξις (ἐπί ὀργάνου): *the barometer ~*, ἡ ἔνδειξις τοῦ βαρομέτρου. ***take ~s***, σημειώνω τίς ἐνδείξεις (μετρητοῦ, κλπ). **5**. ‹C› γραφή, παραλλαγή (κειμένου πού ἔχει ἐκδοθῆ πολλές φορές): *The ~ of the third edition is the true one*, ἡ γραφή τῆς τρίτης ἐκδόσεως εἶναι ἡ ὀρθή. **6**. ‹C› ἀνάγνωσις (διαθήκης, νομοσχεδίου, θεατρ. ἔργου, λογοτεχνικοῦ κειμένου σέ συγκέντρωση): *The Bill was rejected at the second ~*, τό νομοσχέδιο ἀπερρίφθη κατά τήν δεύτερη ἀνάγνωση.

re·ad·just /ˌriəˈdʒʌst/ *ρ.μ.* ~ ***(to)***, ἀναπροσαρμόζω, διορθώνω: *It's difficult to ~ (oneself) to life in England after many years abroad*, εἶναι δύσκολο νά προσαρμοσθῆ κανείς ἐκ νέου στή ζωή τῆς Ἀγγλίας ὕστερα ἀπό πολλά χρόνια στό ἐξωτερικό. **~·ment** /-mənt/ *οὐσ.* ‹C,U› ἀναπροσαρμογή.

ready /ˈredɪ/ *ἐπ. (-ier, -iest)* **1**. (*μόνον κατηγ.*) ἕτοιμος, πρόθυμος: *~ for work/for a journey/to help*, ἕτοιμος γιά δουλειά/γιά ἕνα ταξίδι/νά βοηθήσω. ***get ~***, ἑτοιμάζομαι. ***make ~***, προετοιμάζομαι, (*τυπογρ.*) σελιδοποιῶ. **2**. ἕτοιμος, πρόχειρος, σβέλτος, γρήγορος: *have a ~ answer*, ἔχω ἕτοιμη ἀπάντηση. *have a ~ wit*, εἶμαι ἑτοιμολόγος/πνευματώδης. *You are too ~ with excuses*, πολύ πρόχειρες τίς ἔχεις τίς δικαιολογίες. *Don't be so ~ to find fault*, μή σπεύδεις τόσο νά βρῆς ψεγάδια. **3**. ἕτοιμος, πρόχειρος: *keep a revolver ~*, ἔχω πρόχειρο (κοντά μου) ἕνα πιστόλι. **~ money**, ρευστό χρῆμα. **ˈ~ ˈreckoner**, πίνακες λογιστικῶν ὑπολογισμῶν. **ˈ~-ˈmade** *ἐπ.* ἕτοιμος, χωρίς πρωτοτυπία, προκατασκευασμένος: *~-made clothes/ideas*, ἕτοιμα ροῦχα/προκατασκευασμένες ἰδέες. —*οὐσ.* (*μόνον στή φράση*) ***at the ~***, (*γιά ὅπλο*) ἐπί σκοπόν! **read·ily** /ˈredəlɪ/ *ἐπίρ.* πρόθυμα, γρήγορα, εὔκολα.

re·af·firm /ˌriəˈfɜm/ *ρ.μ.* ἐπαναβεβαιῶ: *~ one's loyalty/determination*, ἐπαναβεβαιῶ τήν πίστη μου/τήν ἀπόφασή μου.

re·af·for·est /ˌri əˈfɒrɪst/ *ρ.μ.* ἀναδασώνω. **re·af·for·est·ation** /ˌri əˌfɒrɪˈsteɪʃn/ *οὐσ.* ‹U› ἀναδάσωσις.

re·agent /riˈeɪdʒənt/ *οὐσ.* ‹C› (*χημ.*) ἀντιδραστήριον.

[1]**real** /rɪəl/ *ἐπ.* **1**. πραγματικός: *the ~ reason*, ὁ πραγματικός λόγος. *in ~ life*, στήν πραγματική ζωή. **2**. **ˈ~ estate**, (*νομ.*) ἀκίνητος περιουσία. **3**. (*ΗΠΑ., καθομ. ὡς ἐπίρ.*) πολύ: *We had a ~ good time*, περάσαμε πάρα πολύ ὡραῖα. **~ly** /ˈrɪəlɪ/ *ἐπίρ.* πραγματικά.

[2]**real** /reɪˈɑl/ *οὐσ.* ‹C› ρεάλι (νόμισμα τῆς Ἰσπανίας).

real·ism /ˈrɪəl-ɪzm/ *οὐσ.* ‹U› ρεαλισμός. **real·ist** /-ɪst/ *οὐσ.* ‹C› ρεαλιστής. **real·is·tic** /ˌrɪəˈlɪstɪk/ *ἐπ.* ρεαλιστικός. **real·is·ti·cally** /-klɪ/ *ἐπίρ.*

re·al·ity /rɪˈælətɪ/ *οὐσ.* **1**. ‹U› πραγματικότης: *bring sb back to ~*, ξαναγυρίζω κπ στήν πραγματικότητα. ***in ~***, στήν πραγματικότητα, πράγματι. **2**. (*συχνά πληθ.*) πραγματικό γεγονός: *Let's stick to realities*, ἄς μείνωμε στά πραγματικά γεγονότα. **3**. ‹U› ἀλήθεια, πιστότης (στήν τέχνη): *He describes it with extraordinary ~*, τό περιγράφει μέ ἐξαιρετική ἀλήθεια/ζωντάνια.

real·ize /ˈrɪəlaɪz/ *ρ.μ.* **1**. ἀντιλαμβάνομαι, συναισθάνομαι, κατανοῶ καλά: *Does he ~ his error?* ἀντιλαμβάνεται τό λάθος του; **2**. πραγματοποιῶ: *~ one's hopes/ambitions*, πραγματοποιῶ τίς ἐλπίδες μου/τίς φιλοδοξίες μου. **3**. ρευστοποιῶ, πουλῶ (μετοχές, κλπ). **4**. ἐπιτυγχάνω, πιάνω (τιμή): *The furniture ~d a high price*, τά ἔπιπλα ἔπιασαν καλή τιμή. *How much did you ~ on those old books?* πόσα ἔπιασες ἀπό κεῖνα τά παληά βιβλία; **real·iz·able** /-əbl/ *ἐπ.* πραγματοποιήσιμος, ἀντιληπτός, ρευστοποιήσιμος. **real·iz·ation** /ˌrɪəlaɪˈzeɪʃn/ *οὐσ.* ‹U› συναίσθησις, πραγματοποίησις, ρευστοποίησις.

realm /relm/ *οὐσ.* ‹C› (*ποιητ.*) βασίλειον: *the peers of the ~*, οἱ ὁμότιμοι (οἱ ἄρχοντες) τοῦ βασιλείου. *the ~ of imagination*, τό βασίλειον τῆς φαντασίας. *in the ~s of fancy*, στήν περιοχή τοῦ ὀνείρου/στό χῶρο τῆς φαντασίας.

re·alty /ˈrɪəltɪ/ *οὐσ.* ‹C› (*νομ.*) ἀκίνητος περιουσία.

ream /rim/ *οὐσ.* **1**. ‹C› δεσμίδα (480 φύλλα γραφῆς ἤ 516 φύλλα τυπογρ. χάρτου). **2**.

(*καθομ. πληθ.*) ἕνα σωρό: *He has written ~s of verse*, ἔχει γράψει τόννους ποίηση.

re·ani·mate /rɪˋænɪmeɪt/ *ρ.μ.* ἀναζωογονῶ, ξαναζωντανεύω, ἐμψυχώνω.

reap /rip/ *ρ.μ/ὰ.* **1**. θερίζω: ~ *a field of wheat*, θερίζω ἕνα χωράφι στάρι. ~ *the corn*, μαζεύω τό καλαμπόκι. **2**. (*μεταφ.*) δρέπω: ~ *laurels/glory*, δρέπω δάφνες/δόξα. ~ *the rewards of one's hard work*, δρέπω τήν ἀμοιβή τοῦ μόχθου μου. **ˋ~·ing-hook**, δρεπάνι. **~er** *οὐσ.* ‹C› θεριστής, θεριστική μηχανή.

re·appear /ˈriəˋpɪə(r)/ *ρ.ὰ.* ξαναφαίνομαι, ἐπανεμφανίζομαι. **~·ance** /-rəns/ *οὐσ.* ‹C,U› ἐπανεμφάνισις.

re·apprais·al /ˈriəˋpreɪzl/ *οὐσ.* ‹C› ἐπανεκτίμησις, ἐπανεξέτασις: *a ~ of our relations with the USA*, μιά ἐπανεκτίμησις τῶν σχέσεών μας μέ τίς ΗΠΑ.

[1]**rear** /rɪə(r)/ *οὐσ.* (*μόνον ἑν.*) **1**. τό πίσω μέρος: *The kitchen is in the ~ of the house*, ἡ κουζίνα εἶναι στό πίσω μέρος τοῦ σπιτιοῦ. *The garage is at the ~ of the house*, τό γκαράζ εἶναι πίσω ἀπό τό σπίτι. **2**. (*ἐπιθ.*) πισινός: *the ~ wheels/lamps of a car*, οἱ πισινοί τροχοί/-ές λάμπες ἑνός αὐτοκινήτου. *get off a bus by the ~ entrance*, κατεβαίνω ἀπό λεωφορεῖο ἀπό τήν πίσω εἴσοδο. **ˈ~-view ˋmirror**, τό καθρεφτάκι πάνω ἀπό τή θέση τοῦ ὁδηγοῦ ἤ στό πλάϊ, καθρέφτης ὁδηγήσεως. **3**. νῶτα, οὐρά, ἄκρη, τέλος (πομπῆς, παράταξης, κλπ): *attack the enemy in the ~*, κάνω ἐπίθεση στά νῶτα τοῦ ἐχθροῦ. ***bring up the ~***, κλείνω τήν πομπή, ἔρχομαι τελευταῖος. ***fall to the ~***, μένω πίσω. **ˋ~·guard**, ὀπισθοφυλακή. **a ~guard action**, δρᾶσις ὀπισθοφυλακῆς, μάχη ὑποχωρήσεως. **4**. **ˈ~ˋadmiral**, ἀντιναύαρχος. **ˋ~·most** /ˋrɪəməʊst/ *ἐπ.* τελευταῖος, ἔσχατος. **ˋ~·ward** /ˋrɪəwəd/ *οὐσ.* (*λόγ.*) τό πίσω μέρος: *to the ~ward of*, πίσω ἀπό. *in the ~ward*, στό πίσω μέρος. **ˋ~·wards** /ˋrɪəwədz/ *ἐπίρ.* πρός τά πίσω.

[2]**rear** /rɪə(r)/ *ρ.μ/ὰ.* **1**. μεγαλώνω, (ἀνα)τρέφω: ~ *poultry/cattle*, τρέφω πουλερικά/ζῶα. **2**. σηκώνω, ὑψώνω, ἀνορθῶ/-οῦμαι: *The snake ~ed its head*, τό φίδι σήκωσε τό κεφάλι του. *The horse ~ed*, τό ἄλογο ἀνορθώθηκε στά πισινά του πόδια. **3**. ἀνεγείρω: ~ *a monument*, ἀνεγείρω μνημεῖο.

rearm /riˋɑm/ *ρ.μ/ὰ.* ἐπανεξοπλίζω/-ομαι. **~a·ment** /riˋɑməmənt/ *οὐσ.* ‹U› ἐπανεξοπλισμός.

[1]**rea·son** /ˋrizn/ *οὐσ.* **1**. ‹C,U› λόγος, αἰτία, αἴτιον: *There is ~ to believe…*, ὑπάρχει λόγος νά πιστεύη κανείς ὅτι… *This is the ~ (why) I am late*, αὐτός εἶναι ὁ λόγος πού ἄργησα. *for ~s of health*, γιά λόγους ὑγείας. *for no ~ at all*, χωρίς κανέναν ἀπολύτως λόγο. *for ~s best known to himself*, γιά λόγους πού τούς ξέρει ὁ ἴδιος. ***give ~s***, δίνω ἐξηγήσεις: *Give me your ~s for doing it*, ἐξήγησέ μου γιά ποιό λόγο τό ἔκανες. ***by ~ of***, ἐξ αἰτίας: *He was excused by ~ of his age*, ἀπαλλάχτηκε ἐξ αἰτίας τῆς ἡλικίας του. ***with (good) ~***, δικαιολογημένα: *He complains with ~ that…*, παραπονεῖται δικαιολογημένα ὅτι… *He's proud of his son, with good ~, too*, εἶναι περήφανος γιά τό γυιό του, καί πολύ δικαιολογημένα (καί μέ τό δίκηο του). **2**. ‹U› λογικόν, λογική: *Only man has ~*, μόνον ὁ ἄνθρωπος ἔχει λογική. *There's no ~ in what you say*, δέν ὑπάρχει λογική σ' αὐτά πού λές. ***bring sb to ~***, κάνω κπ νά λογικευθῆ. ***do anything (with)in ~***, κάνω ὅ,τι μπορῶ μέσα στά πλαίσια τῆς λογικῆς, μέσα σέ λογικά ὅρια. ***listen to/hear ~***, παίρνω ἀπό λόγια: *He won't listen to ~*, δέν παίρνει ἀπό λόγια, κάνει τοῦ κεφαλιοῦ του. ***lose all ~***, παραλογίζομαι, φέρομαι παράλογα. ***lose one's ~***, χάνω τό λογικό μου, τρελλαίνομαι. ***It stands to ~ that***, εἶναι λογικό, εἶναι αὐτονόητο ὅτι… ***out of all ~***, ἐντελῶς παράλογος: *The price of meat is out of all ~*, ἡ τιμή τοῦ κρέατος εἶναι ἐντελῶς παράλογη. (*βλ. & λ. rhyme*). **~·less** *ἐπ.* παράλογος.

[2]**rea·son** /ˋrizn/ *ρ.μ/ὰ.* **1**. σκέπτομαι λογικά: *Man's ability to ~ is…*, ἡ ἱκανότητα τοῦ ἀνθρώπου νά σκέπτεται λογικά εἶναι… **2**. ***~ with sb***, συζητῶ μέ κπ, προσπαθῶ νά τόν πείσω: *I ~ed with him for hours but in vain*, συζήτησα μαζί του ἐπί ὧρες προσπαθώντας νά τόν πείσω ἀλλά χωρίς ἀποτέλεσμα. **3**. ***~ (that)***, ἰσχυρίζομαι, ὑποστηρίζω: *He ~s that if we started at dawn…*, ὑποστηρίζει ὅτι ἄν ξεκινούσαμε τά χαράματα… **4**. ***~ sth out***, θεμελιώνω λογικά, καταλήγω διά τῆς λογικῆς: *~ out the answer to a question*, ἀνευρίσκω τήν ἀπάντηση σ' ἕνα πρόβλημα διά τῆς λογικῆς. **5**. ***~ sb out of/into sth***, πείθω κπ διά τῆς λογικῆς νά μήν κάνη/νά κάνη κτ: *They ~ed her out of her fears*, τήν ἔπεισαν ὅτι οἱ φόβοι της ἦταν παράλογοι. *He ~ed me into accepting their offer*, μέ ἔπεισε νά δεχθῶ τήν προσφορά τους. **~·ing** ‹U› συλλογισμός, διαλεκτική συζήτησις: *He has great powers of ~ing*, ἔχει μεγάλη διαλεκτική ἱκανότητα. *There's no ~ing with that woman*, δέν μπορεῖ νά συζητήση κανείς λογικά μ' αὐτή τή γυναίκα (δέν παίρνει ἀπό λόγια).

rea·son·able /ˋriznəbl/ *ἐπ.* **1**. λογικός: *It's not ~ that we should expect everything of him*, δέν εἶναι λογικό νά τά περιμένωμε ὅλα ἀπ' αὐτόν. **2**. λογικός, μετριοπαθής, μετρημένος: *be ~ in one's demands*, εἶμαι λογικός/μετριοπαθής στίς ἀπαιτήσεις μου. *~ prices*, λογικές τιμές. *a ~ excuse/suspicion*, λογική δικαιολογία/εὔλογη ὑποψία. **~·ness** *οὐσ.* ‹U› (τό) εὔλογον, λογικότης. **rea·son·ably** /-əblɪ/ *ἐπίρ.* λογικά.

re·as·sure /ˈriəˋʃʊə(r)/ *ρ.μ.* καθησυχάζω: *I feel ~d now that you are here*, νοιώθω ἡσυχασμένος τώρα πού εἶσαι ἐδῶ. *I ~d her that there was no danger*, τήν καθησύχασα ὅτι δέν ὑπῆρχε κανείς κίνδυνος. **re·as·sur·ance** /-rns/ *οὐσ.* ‹C,U› καθησύχασις. **re·as·sur·ing** *ἐπ.* καθησυχαστικός. **re·as·sur·ing·ly** *ἐπίρ.*

re·bate /ˋribeɪt/ *οὐσ.* ‹C› ἔκπτωσις: *allow a ~ on an account*, κάνω ἔκπτωση σ' ἕνα λογαριασμό.

[1]**rebel** /ˋrebl/ *οὐσ.* ‹C› ἐπαναστάτης, ἀντάρτης: *a ~ in the home*, ἀντάρτης τῆς οἰκογένειας (ἀτίθασο παιδί). *the ~ forces*, οἱ ἀντάρτικες δυνάμεις.

[2]**rebel** /rɪˋbel/ *ρ.ὰ.* *(-ll-)* ***~ (against)***, ἐπαναστατῶ, ἐξεγείρομαι: *~ against a government/one's fate*, ἐπαναστατῶ κατά τῆς Κυβερνήσεως/κατά τῆς μοίρας μου. *Such treatment*

would make anyone ~, τέτοια μεταχείρισις θἄκανε τόν καθένα νά ἐξεγερθῆ.

re·bel·lion /rɪ`belɪən/ *οὐσ.* ‹C,U› ἐπανάστασις, ἐξέγερσις, ἀνταρσία: *rise in* ~, σηκώνω ἀνταρσία, ἐπαναστατῶ, ἐξεγείρομαι. *a* ~ *against the dictator*, ἐξέγερσις κατά τοῦ δικτάτορα.

re·bel·li·ous /rɪ`belɪəs/ *ἐπ.* **1**. στασιαστικός: ~ *behaviour/troops*, στασιαστική συμπεριφορά/-ά στρατεύματα. **2**. ἀνυπότακτος: *She's got a* ~ *temper*, εἶναι ἀνυπότακτη, ἔχει ἀντάρτικο χαρακτῆρα. **~·ly** *ἐπίρ.* **~·ness** *οὐσ.* ‹U› ἀνυποταξία.

re·birth /ˈri`bɜθ/ *οὐσ.* ‹C› ἀναγέννησις: *spiritual* ~, πνευματική ἀναγέννησις.

re·born /ˈri`bɔn/ *ἐπ.* (*μεταφ.*) ἀναγεννημένος.

re·bound /rɪ`baʊnd/ *ρ.ἀ.* **1**. ~ ***(from)***, ἀναπηδῶ, χτυπῶ καί γυρίζω πίσω: *The ball* ~*ed from the wall into the pond*, ἡ μπάλλα χτύπησε στόν τοῖχο κι᾽ ἔπεσε στή λιμνούλα. **2**. ~ ***(up)on***, (*μεταφ.*) ἐπιστρέφω (στό δράστη): *The evil you do may* ~ *on yourselves*, τό κακό πού κάνετε μπορεῖ νά γυρίση πάνω σας. —*οὐσ.* /ˈribaʊnd/ ***on the*** ~, *(α)* στόν ἀέρα, μετά τήν ἀναπήδηση: *hit the ball on the* ~, χτυπῶ μιά μπάλλα στόν ἀέρα, τήν ὥρα πού πηδάει πίσω. *(β)* (*μεταφ.*) πάνω στό θυμό, ἀπό ἀντίδραση: *She quarrelled with Paul and married Peter on the* ~, τσακώθηκε μέ τόν Παῦλο καί παντρεύτηκε τόν Πέτρο ἀπό ἀντίδραση/πάνω στό θυμό της.

re·buff /rɪ`bʌf/ *οὐσ.* ‹C› προσβλητική ἄρνησις: *meet with/suffer a* ~ *from sb*, συναντῶ ἄρνηση/τρώω χυλόπιττα ἀπό κπ. — *ρ.μ.* ἀποκρούω, ἀρνοῦμαι.

re·build /ˈri`bɪld/ *ρ.μ.* (*ἀνώμ. βλ. build*) ξαναχτίζω.

re·buke /rɪ`bjuk/ *ρ.μ.* (*λόγ.*) ἐπιπλήττω: ~ *sb for being late*, ἐπιπλήττω κπ γιατί ἄργησε. —*οὐσ.* ‹C› ἐπίπληξις, μομφή: *give sb a* ~, μέμφομαι, ἐπιτιμῶ κπ. **re·buk·ing·ly** *ἐπίρ.* ἐπιτιμητικά.

re·bus /ˈribəs/ *οὐσ.* ‹C› εἰκονογραφημένος γρῖφος.

re·but /rɪ`bʌt/ *ρ.μ.* *(-tt-)* ἀντικρούω, ἀποκρούω, ἀνασκευάζω: ~ *a charge/a piece of evidence*, ἀντικρούω μιά κατηγορία/μιά μαρτυρία. **~·tal** /-tl/ *οὐσ.* ‹C› ἀντίκρουσις, ἀνασκευή.

re·cal·ci·trant /rɪ`kælsɪtrənt/ *ἐπ.* (*λόγ.*) ἀπείθαρχος, δύστροπος: *a* ~ *child/horse*. **re·cal·ci·trance** /-əns/, **re·cal·ci·trancy** /-ənsɪ/ *οὐσ.* ‹U› δυστροπία.

re·call /rɪ`kɔl/ *ρ.μ.* **1**. ἀνακαλῶ: ~ *an ambassador/order*, ἀνακαλῶ ἕναν πρεσβευτή/μιά διαταγή. ~ *sb to his duty*, ἀνακαλῶ κπ στό καθῆκον του. **2**. θυμίζω, θυμᾶμαι, φέρνω στό νοῦ μου: *I can't* ~ *his name/face*, δέν μπορῶ νά θυμηθῶ τὄνομά του/τό πρόσωπό του. *I don't* ~ *meeting him*, δέν θυμᾶμαι νά τόν συνάντησα. —*οὐσ.* **1**. ‹C,U› ἀνάκλησις, μνημονικό, ἀνάμνησις: *the* ~ *of an ambassador/of an order*, ἡ ἀνάκλησις ἑνός πρεσβευτοῦ/μιᾶς διαταγῆς. *letters of* ~, ἀνακλητήρια ἔγγραφα. *a man gifted with instant* ~, ἄνθρωπος προικισμένος μέ τήν ἱκανότητα νά θυμᾶται ἀμέσως. ***past/beyond*** ~, ἀνέκκλητος, ξεγραμμένος, ἀγύριστος. **2**. ‹C› (*στρατ.*) ἀνακλητήριον: *sound the* ~, σαλπίζω ἀνακλητήριον.

re·cant /rɪ`kænt/ *ρ.μ/ἀ.* ἀποκηρύσσω (πεποιθήσεις, κλπ): *The torturers could not make him* ~, οἱ βασανιστές δέν μποροῦσαν νά τόν κάμουν νά ἀποκηρύξη. **re·can·ta·tion** /ˈrikæn`teɪʃn/ *οὐσ.* ‹C,U› ἀποκήρυξις, δήλωσις μετανοίας.

re·cap /ˈrikæp/ *ρ.μ/ἀ.* & *οὐσ.* ‹C,U› (*καθομ.*, *βραχυλ. γιά*) *recapitulate, recapitulation.*

re·cap·itu·late /ˈrikəˈpɪtjʊleɪt/ *ρ.μ.* ἀνακεφαλαιώνω: ~ *a discussion/the main points of an agreement*, ἀνακεφαλαιώνω μιά συζήτηση/τά κύρια σημεῖα μιᾶς συμφωνίας. **re·cap·itu·lation** /ˈrikəˈpɪtʃʊˈleiʃn/ *οὐσ.* ‹C,U› ἀνακεφαλαίωσις.

re·cap·ture /rɪ`kæptʃə(r)/ *ρ.μ.* **1**. ξαναπιάνω, ξανασυλλαμβάνω. **2**. ξαναβρίσκω, ξαναζωντανεύω, ἀναπολῶ: ~ *the past*, ἀναπολῶ τό παρελθόν, τό ξαναζῶ.

re·cast /ˈri`kast/ *ρ.μ.* (*ἀνώμ. βλ. cast*) **1**. ξαναφορμάρω, ξαναχύνω, διατυπώνω ἐκ νέου: ~ *a bell*, ξαναχύνω μιά καμπάνα. ~ *a sentence/paragraph*, ξαναγράφω μιά πρόταση/μιά παράγραφο. **2**. (*θέατρ.*) κάνω νέα διανομή ρόλων.

recce /`rekɪ/ *οὐσ.* ‹C› (*στρατ., καθομ. βραχυλ. γιά reconnaissance*) ἀναγνώρισις.

re·cede /rɪ`sid/ *ρ.ἀ.* **1**. ὑποχωρῶ, ξεμακραίνω: *When the flood waters* ~*d*, ὅταν ὑπεχώρησαν τά νερά τῆς πλημμύρας. *As our ship steamed out to sea, the coast slowly* ~*d*, καθώς τό πλοῖο μας ξανοιγόταν στή θάλασσα, ἡ ἀκτή ξεμάκραινε. **2**. κλίνω πρός τά πίσω: *a receding forehead*, μέτωπο πού γέρνει πρός τά πίσω. **3**. ἀποτραβιέμαι (ἀπό συμφωνία, κλπ), ἀνακαλῶ (ὑπόσχεση). **4**. πέφτω (σέ ἀξία), ὑποχωρῶ: *receding prices*, τιμές πού ὑποχωροῦν.

re·ceipt /rɪ`sit/ *οὐσ.* **1**. ‹U› λῆψις: *on* ~ *of the news*, ἅμα τῇ λήψει τῶν εἰδήσεων. *We are in* ~ *of your letter*, (*ἐμπ.*) ἐλάβομεν τήν ἐπιστολήν σας. **2**. (*πληθ.*) εἰσπράξεις: *realized* ~*s*, πραγματοποιηθεῖσαι εἰσπράξεις. ~*s and expenditure*, ἔσοδα καί ἔξοδα. **3**. ‹C› ἀπόδειξις (ἐξοφλήσεως, παραλαβῆς): *give/get a* ~, δίνω/παίρνω ἀπόδειξη. *a* ~ *book*, μπλόκ ἀποδείξεων. ***against*** ~, ἐπί ἀποδείξει. **4**. ‹C› συνταγή (μαγειρικῆς). —*ρ.μ.* ἐκδίδω ἀπόδειξιν ἐξοφλήσεως, ἐξοφλῶ: ~ *a hotel bill*, ἐξοφλῶ λογαριασμό ξενοδοχείου. **~ed bill**, ἐξωφλημένος λογαριασμός.

re·ceiv·able /rɪ`sivəbl/ *ἐπ.* **1**. (ἀπο)δεκτός. **2**. εἰσπρακτέος. **bills** ~, εἰσπρακτέα γραμμάτια.

re·ceive /rɪ`siv/ *ρ.μ/ἀ.* παίρνω, λαμβάνω: ~ *letters/parcels/telegrams*, παίρνω γράμματα/δέματα/τηλεγραφήματα. ~ *a good education*, παίρνω καλή μόρφωση. **2**. δέχομαι: *The hotel is now open to* ~ *guests*, τό ξενοδοχεῖο εἶναι τώρα ἕτοιμο νά δεχθῆ πελάτες. *She* ~*s on Mondays*, δέχεται κάθε Δευτέρα. *He was* ~*d with applause*, ἔγινε δεκτός μέ χειροκροτήματα. **re`ceiving-set**, ραδιοφωνικός δέκτης.

re·ceived *ἐπ.* (*πεπαλ.*) παραδεδεγμένος: *the* ~*d view*, ἡ γενικῶς παραδεδεγμένη ἄποψις.

re·ceiver /rɪ`sivə(r)/ *οὐσ.* ‹C› **1**. παραλήπτης, ἀποδέκτης. **2**. σύνδικος πτωχεύσεως. **3**. δέκτης, ἀκουστικό (τηλεφώνου): *pick up/put down the* ~, σηκώνω/ἀφήνω τό ἀκουστικό.

re·cent /ˋrisnt/ *ἐπ.* πρόσφατος: ~ *events/news*, πρόσφατα γεγονότα/νέα. *It happened within ~ memory*, ἡ ἀνάμνησίς του εἶναι ἀκόμα πρόσφατη. **~·ly** *ἐπίρ.* πρόσφατα, τελευταῖα: *until quite ~ly*, μέχρι τελευταῖα, μέχρι πρό ὀλίγου.

re·cep·tacle /rɪˋseptəkl/ *οὐσ.* ‹C› δοχεῖον.

re·cep·tion /rɪˋsepʃn/ *οὐσ.* **1**. ‹U› ὑποδοχή: *prepare rooms for the ~ of guests*, ἑτοιμάζω δωμάτια γιά τήν ὑποδοχή τῶν ξένων. *a ~ committee/centre*, ἐπιτροπή/κέντρο ὑποδοχῆς (πχ προσφύγων). *The book had a favourable ~*, τό βιβλίο ἔτυχε εὐμενοῦς ὑποδοχῆς. *He met with a cold ~*, ἔγινε δεκτός μέ ψυχρότητα. **ˋ~-desk** ρεσεψιόν (ξενοδοχείου). **~·ist** (*MB*), **~ clerk** (*ΗΠΑ*), ρεσεψιονίστας, (σέ ξενοδοχεῖο). **2**. ‹C› δεξίωσις. ***hold a ~***, δίνω δεξίωση. **3**. ‹U› (*τηλεόρ.*, *ραδιόφ.*) λῆψις: *good/poor ~*, καλή/κακή λῆψις. *Is TV ~ good in your district?* ἔχετε καλή λήψη (ἔχει καθαρή εἰκόνα ἡ τηλεόρασις) στήν περιοχή σας;

re·cep·tive /rɪˋseptɪv/ *ἐπ.* δεκτικός: *a ~ mind*, δεκτικός νοῦς. *He's ~ to new ideas*, δέχεται εὔκολα τίς καινούργιες ἰδέες. **~·ly** *ἐπίρ.* **re·cep·tiv·ity** /ˈrisepˋtɪvətɪ/ *οὐσ.* ‹U› δεκτικότης.

re·cess /rɪˋses/ *οὐσ.* ‹C› **1**. διακοπές (τῆς Βουλῆς, τῶν δικαστηρίων, κλπ): *(The) parliament is in ~*, ἡ Βουλή ἔχει διακόψει τίς ἐργασίες της. **2**. ἐσοχή, κοίλωμα, βαθούλωμα (σέ τοῖχο), σηκός, κόγχη: *There were statues in the ~es of the hall*, ὑπῆρχαν ἀγάλματα σέ ἐσοχές τῆς αἰθούσης. **3**. κρυφή γωνιά: *mountain ~es*, κρυψῶνες σέ βουνά, ἀπρόσιτες γωνιές σέ βουνά. *the dark ~es of a cave*, οἱ σκοτεινές γωνιές μιᾶς σπηλιᾶς. *in the innermost ~es of the heart/mind*, (*μεταφ.*) στά μύχια τῆς καρδιᾶς/τοῦ μυαλοῦ. *__ρ.μ.* βάζω σέ ἐσοχή, φτιάχνω ἐσοχή, γουβώνω.

re·cession /rɪˋseʃn/ *οὐσ.* **1**. ‹U› ὑποχώρησις: *the ~ of the waters*, ἡ ὑποχώρησις τῶν ὑδάτων. **2**. ‹C› (*οἰκον.*) ὕφεσις, κάμψις. **re·cess·ive** /rɪˋsesɪv/ *ἐπ.* ὑποχωρητικός.

re·cher·ché /rəˋʃeəʃeɪ/ *ἐπ.* ἐκλεκτός, ἐξεζητημένος.

re·cidi·vist /rɪˋsɪdəvɪst/ *οὐσ.* ‹C› ἐγκληματίας καθ᾽ ὑποτροπήν. **re·cidi·vism** /-ɪzm/ *οὐσ.* ‹U› ὑποτροπή.

recipe /ˋresəpɪ/ *οὐσ.* ‹C› συνταγή (μαγειρικῆς): *a ~ for a fruit cake*, συνταγή γιά κέκ φρούτων. *Have you a ~ for happiness?* ἔχεις καμιά συνταγή γιά τήν εὐτυχία;

re·cipi·ent /rɪˋsɪpɪənt/ *οὐσ.* ‹C› (ἀπο)δέκτης, παραλήπτης, δωρεοδόχος.

re·cip·ro·cal /rɪˋsɪprəkl/ *ἐπ.* **1**. ἀνταποδοτικός, ἀμοιβαῖος: *~ feelings/affection*, ἀμοιβαῖα αἰσθήματα/-αία ἀγάπη. **2**. (*γραμμ.*) ἀλληλοπαθής. **3**. ἀντίστροφος: *a ~ mistake*, ἕνα ἀντίστροφο λάθος. **~·ly** /-klɪ/ *ἐπίρ.* ἀμοιβαῖα.

re·cip·ro·cate /rɪˋsɪprəkeɪt/ *ρ.μ./ὰ.* **1**. ἀνταποδίδω, ἀνταποκρίνομαι: *~ sb's good wishes*, ἀνταποδίδω τίς εὐχές κάποιου, ἀντεύχομαι. *~ sb's love*, ἀνταποκρίνομαι στήν ἀγάπη κάποιου. **2**. (*μηχ.*) κάνω παλινδρομική κίνηση. **re·cip·ro·ca·tion** /rɪˈsɪprəˋkeɪʃn/ *οὐσ.* ‹U› ἀνταπόδοσις, ἀνταπόκρισις (αἰσθημάτων, κλπ). **reci·proc·ity** /ˈresɪˋprosətɪ/ *οὐσ.* ‹U› ἀμοιβαιότης (στό ἐμπόριο, κλπ).

re·cital /rɪˋsaɪtl/ *οὐσ.* ‹C› **1**. ἐξιστόρησις, ἀφήγησις: *We were bored by the long ~ of his adventures*, πλήξαμε μέ τήν ἀτέλειωτη ἀφήγηση τῶν περιπετειῶν του. **2**. ρεσιτάλ.

reci·ta·tion /ˈresɪˋteɪʃn/ *οὐσ.* ‹C,U› **1**. ἀπαρίθμησις: *the ~ of his grievances*, ἡ ἀπαρίθμησις τῶν παραπόνων του. **2**. ἀπαγγελία (ποιημάτων, κλπ). **3**. κομμάτι πρός ἀπαγγελίαν. **4**. (*ΗΠΑ*) ἀποστήθισις μαθήματος.

reci·ta·tive /ˈresɪtəˋtiv/ *οὐσ.* ‹C,U› (*μουσ.*) ρετσιτατίβο.

re·cite /rɪˋsaɪt/ *ρ.μ./ὰ.* **1**. ἀπαγγέλω (ποίημα, λόγο). **2**. ἐξιστορῶ, ἀπαριθμῶ: *~ one's grievances/the names of all the rivers in Greece*, ἀπαριθμῶ τά παράπονά μου/τά ὀνόματα τῶν ποταμῶν τῆς Ἑλλάδος.

reck·less /ˋrekləs/ *ἐπ.* παράτολμος, ἀσυλλόγιστος, ἀπερίσκεπτος: *a ~ gambler*, παράτολμος παίχτης. *~ driving*, ἐπικίνδυνη/ἀπερίσκεπτη ὁδήγησις. ***~ of***, ἀδιάφορος πρός, ἀψηφῶν: *be ~ of danger/consequences*, ἀψηφῶ τόν κίνδυνο/ἀδιαφορῶ γιά τίς συνέπειες. **~·ly** *ἐπίρ.* ἀπερίσκεπτα. **~·ness** *οὐσ.* ‹U› ἀπερισκεψία, ἀποκοτιά, ἀψηφισιά.

reckon /ˋrekən/ *ρ.μ./ὰ.* **1**. λογαριάζω, μετρῶ, ὑπολογίζω: *~ the cost of a holiday*, ὑπολογίζω τά ἔξοδα τῶν διακοπῶν. *~ing from the day of delivery*, ὑπολογίζοντας ἀπό τήν ἡμέρα τῆς παραδόσεως. ***~ sth in***, συνυπολογίζω: *Did you ~ in the fare?* ἔχεις συνυπολογίσει καί τά ναῦλα; ***~ sth up***, ἀθροίζω: *~ up one's losses*, ἀθροίζω τίς ζημιές μου. (*βλ.* & *λ.* [2]*host*). **2**. ***~ with sb***, *(α)* λογαριάζομαι μέ κπ, καθαρίζω τούς λογαριασμούς μου μέ κπ: *I'll ~ with him when I come back*, θά λογαριαστῶ μαζί του ὅταν ξαναγυρίσω. *(β)* ὑπολογίζω σοβαρά: *He's a competitor to be ~ed with*, εἶναι ἀνταγωνιστής πού πρέπει νά τόν ὑπολογίζει κανείς σοβαρά. **3**. ***~ (up)on***, βασίζομαι, λογαριάζω πάνω σέ κπ/κτ: *I ~ on your help*, βασίζομαι στή βοήθειά σου. *I had not ~ed on finding him there*, δέν εἶχα λογαριάσει ὅτι θά τόν ἔβρισκα ἐκεῖ. *~ on human foolishness*, ποντάρω στήν ἀνθρώπινη ἀνοησία. **4**. θεωρῶ, νομίζω, ὑπολογίζω, πιστεύω: *Do you ~ him among/as one of your friends?* τόν λογαριάζεις μεταξύ τῶν φίλων σου/τόν θεωρεῖς φίλο σου; *I ~ she must be over sixty*, (*καθομ.*) νομίζω/ὑπολογίζω ὅτι θά εἶναι πάνω ἀπό ἑξῆντα. *I ~ we'll go tomorrow*, (*καθομ.*) πιστεύω ὅτι θά πᾶμε αὔριο. **~er** /ˋreknə(r)/ *οὐσ.* ‹C› ὑπολογιστής. (*βλ.* & *λ.* *ready*). **~·ing** /ˋreknɪŋ/ *οὐσ.* ‹C,U› λογαριασμός, ὑπολογισμός: *There'll be a heavy ~ing to pay if he goes on like that*, θά πληρώση ἀκριβά ἄν συνεχίση ἔτσι. ***be out in one's ~ing***, πέφτω ἔξω στούς λογαριασμούς μου. ***day of ~ing***, (*μεταφ.*) ἡμέρα ἐκκαθαρίσεως τῶν λογαριασμῶν, ἡμέρα τιμωρίας. ***dead ~ing***, (*ναυτ.*) πορεία καθ᾽ ὑπολογισμόν, στῖγμα κατ᾽ ἐκτίμησιν.

re·claim /rɪˋkleɪm/ *ρ.μ.* **1**. ξεχερσώνω, ἀποξηραίνω, ἀξιοποιῶ (γῆ): *~ land from the sea*, κάνω προσχώσεις. **2**. (*πεπαλ.*) ἐπαναφέρω κπ (στόν εὐθύ δρόμο), ἀναμορφώνω, σώζω: *~ a woman from vice*, τραβῶ μιά γυναίκα ἀπό τήν ἀκόλαστη ζωή. *a ~ed drunkard*, ἀλκοολικός πού θεραπεύτηκε. **3**. ἀξιῶ τήν ἐπιστροφή: *~ a lost briefcase*, ἀξιῶ νά μοῦ ἐπιστραφῆ ἕνας χαμένος χαρτοφύλακας. **rec·la·ma·tion** /ˈreklǝˈmeɪʃn/ *οὐσ*. ‹U› ἐγγειοβελτίωσις, ἀναμόρφωσις, ἐπανόρθωσις, ἀποκατάστασις. ***beyond reclamation***, ἀδιόρθωτος, ὁριστικά χαμένος.

re·cline /rɪˋklaɪn/ *ρ.μ/ἀ.* ἀκουμπῶ, ἀναπαύω/-ομαι, μισοξαπλώνω: *~ one's body/my arms on a table*, ἀναπαύω τό σῶμα μου/ἀκουμπῶ τά χέρια μου σ' ἕνα τραπέζι. *~ on a couch*, μισοξαπλώνω σέ καναπέ.

re·cluse /rɪˋklus/ *οὐσ*. ‹C› ἐρημίτης: *live the life of a ~*, κάνω ζωή ἐρημίτη.

rec·og·ni·tion /ˈrekǝgˋnɪʃn/ *οὐσ*. ‹U› ἀναγνώρισις: *in ~ of his services*, εἰς ἀναγνώρισιν τῶν ὑπηρεσιῶν του. *R~ of the new regime is unlikely*, ἡ ἀναγνώρισις τοῦ νέου καθεστῶτος εἶναι ἀπίθανη. ***change out of/beyond (all) ~***, γίνομαι τελείως ἀγνώριστος.

re·cog·ni·zance /rɪˋkognɪzns/ *οὐσ*. ‹C› (*νομ.*) **1**. ὑποχρέωσις ἀναλαμβανομένη ἐνώπιον δικαστηρίου. ***enter into ~s***, ἀναλαμβάνω δεσμευτική ὑποχρέωση. **2**. χρηματική ἐγγύησις (διά τήν τήρησιν ὑποχρεώσεως).

rec·og·nize /ˋrekǝgnaɪz/ *ρ.μ.* **1**. ἀναγνωρίζω: *~ a tune/an old acquaintance*, ἀναγνωρίζω ἕνα σκοπό/ἕναν παληό γνώριμο. *~ sb by his voice*, ἀναγνωρίζω κπ ἀπό τή φωνή του. *~ a new regime/state*, ἀναγνωρίζω ἕνα νέο καθεστώς/κράτος. **2**. ἀναγνωρίζω, ὁμολογῶ, παραδέχομαι: *He knows he's wrong but he won't ~ it*, ξέρει ὅτι ἔχει ἄδικο ἀλλά δέν τό παραδέχεται. *We all ~ him to be an authority on this subject*, ἀναγνωρίζομε ὅλοι ὅτι εἶναι αὐθεντία σ' αὐτό τό θέμα. *His services to the state were ~d*, οἱ ὑπηρεσίες του πρός τό κράτος ἀνεγνωρίσθησαν. **rec·og·niz·able** /-ǝbl/ *ἐπ.* ἀναγνωρίσιμος, εὐδιάκριτος. **rec·og·niz·ably** /-ǝblɪ/ *ἐπίρ.* εὐδιακρίτως.

re·coil /rɪˋkɔɪl/ *ρ.ἀ.* **1**. *~ (from)*, ἀναπηδῶ πρός τά πίσω, ὀπισθοχωρῶ, ἀρνοῦμαι (μέ φόβο, ἀηδία, φρίκη, κλπ): *He ~ed from the sight of the snake*, ὀπισθοχώρησε βλέποντας τό φίδι. *He ~ed from killing the lamb*, ἀρνήθηκε μέ φρίκη νά σφάξῃ τό ἀρνάκι. **2**. (*γιά ὅπλο*) κλωτσῶ. **3**. ***~ (up)on***, (*μεταφ.*) ἐπιστρέφω, ἐπιπίπτω: *His meanness ~ed upon his own head*, ἡ τσιγγουνιά του γύρισε κι' ἔπληξε τόν ἴδιο. __*οὐσ*. ‹U› ὀπισθοχώρησις, ἀναπήδησις.

rec·ol·lect /ˈrekǝˋlekt/ *ρ.μ/ἀ.* ξαναφέρνω στό νοῦ, θυμᾶμαι: *~ past incidents*, ξαναφέρνω στό νοῦ περασμένα περιστατικά. *I can't ~ your name*, δέν μπορῶ νά θυμηθῶ τ' ὄνομά σας. ***as far as I ~***, ἀπ' ὅ,τι θυμᾶμαι.

rec·ol·lec·tion /ˈrekǝˋlekʃn/ *οὐσ*. ‹C,U› μνήμη, ἀνάμνησις: *happy/childhood ~s*, εὐτυχισμένες/παιδικές ἀναμνήσεις. *That brought many ~s to my mind*, αὐτό μοῦ ἔφερε πολλές ἀναμνήσεις στό μυαλό. ***to the best of my ~***, ἀπ' ὅ,τι μπορῶ νά θυμηθῶ: *You owe me £50 to the best of my ~*, μοῦ ὀφείλεις 50 λίρες ἀπ' ὅ,τι θυμᾶμαι/ἄν θυμᾶμαι καλά. ***within my ~***, ἀπ' ὅσο θυμᾶμαι, ὅσο ζῶ: *Such a thing never happened within my ~*, δέ θυμᾶμαι στή ζωή μου νἄγινε ποτέ τέτοιο πρᾶγμα.

re·com·mend /ˈrekǝˋmend/ *ρ.μ.* **1**. συστήνω, προτείνω: *Can you ~ me a good novel?* μπορεῖς νά μοῦ συστήσης ἕνα καλό μυθιστόρημα; *He was ~ed for a scholarship*, ἐπροτάθη γιά ὑποτροφία. *Can you ~ me a good English teacher?* μπορεῖς νά μοῦ συστήσης ἕναν καλό καθηγητή τῶν Ἀγγλικῶν; *She was ~ed to us as a good typist*, μᾶς τήν συνέστησαν σάν καλή δακτυλογράφο. **2**. συνιστῶ, συμβουλεύω, εἶμαι ὑπέρ: *I ~ you to stop smoking*, σοῦ συνιστῶ/σέ συμβουλεύω νά κόψης τό κάπνισμα. *Do you ~ banning pornography?* εἶσαι ὑπέρ τῆς ἀπαγορεύσεως τῆς πορνογραφίας; **3**. (*λόγ.*) συνιστῶ: *Behaviour of that sort does not ~ you*, συμπεριφορά σάν κι' αὐτή δέν σέ συνιστᾶ. **4**. ἐμπιστεύομαι, ἀναθέτω: *~ oneself/one's soul to God*, ἐμπιστεύομαι τή ζωή μου/τήν ψυχή μου στό Θεό. *I ~ my son to your care*, σᾶς ἀναθέτω τή φροντίδα τοῦ γυιοῦ μου.

rec·om·men·da·tion /ˈrekǝmenˋdeɪʃn/ *οὐσ*. **1**. ‹U› σύστασις: *a letter of ~*, συστατική ἐπιστολή. ***in ~ of***, ἐπαινετικά γιά, ὑπέρ: *write/speak in ~ of sb*, γράφω/ὁμιλῶ ἐπαινετικά γιά κπ. ***on sb's ~***, κατά σύστασιν κάποιου: *I bought it on my teacher's ~*, τό ἀγόρασα ὕστερα ἀπό σύσταση τοῦ δασκάλου μου. **2**. ‹C› εὐχή: *a verdict of guilty, with a ~ to mercy*, ἐτυμηγορία ἐνοχῆς, μέ εὐχή νά δοθῇ χάρις. **3**. ‹C› προσόν, προτέρημα: *Is a sweet disposition a ~ in a wife?* εἶναι ὁ μαλακός χαρακτήρας προτέρημα σέ μιά σύζυγο; **4**. ‹C› σύστασις, ὑπόδειξις: *the ~s of the committee*, οἱ ὑποδείξεις τῆς ἐπιτροπῆς.

rec·om·pense /ˋrekǝmpens/ *ρ.μ.* ἀνταμείβω, ἀνταποδίδω, ἀποζημιώνω: *~ sb for his troubles*, ἀνταμείβω κπ γιά τόν κόπο του. *~ good with evil*, ἀνταποδίδω κακό ἀντί καλοῦ. *~ sb for a loss*, ἀποζημιώνω κπ γιά κτ πού ἔχασε. __*οὐσ*. ‹C,U› ἀνταμοιβή, ἀποζημίωσις: *in ~ of your help*, ὡς ἀνταμοιβή γιά τή βοήθειά σας.

rec·on·cile /ˋrekǝnsaɪl/ *ρ.μ.* **1**. συμφιλιώνω: *We became ~d*, συμφιλιωθήκαμε, τά φτιάξαμε. *He refused to become ~d with his wife*, ἀρνήθηκε νά συμφιλιωθῇ μέ τή γυναίκα του. **2**. διευθετῶ, λύω (διαφορά): *~ a quarrel*, διευθετῶ μιά διένεξη. **3**. συμβιβάζω, ἐναρμονίζω: *~ two points of view*, συμβιβάζω δύο ἀπόψεις. *How can this decision be ~d with justice?* πῶς συμβιβάζεται αὐτή ἡ ἀπόφασις μέ τή δικαιοσύνη; **4**. ***~ oneself to sth; be ~d to sth***, συμβιβάζομαι, ἀποδέχομαι, προσαρμόζομαι σέ κτ: *I can't ~ myself to old age*, δέν μπορῶ νά συμβιβαστῶ μέ τά γεράματα. *She was ~d to a life of poverty*, προσαρμόστηκε σέ μιά ζωή φτώχειας. **rec·on·cil·able** /-ǝbl/ *ἐπ.* συμβιβάσιμος, συμφωνῶν, διαλλακτικός. **rec·on·cili·ation** /ˈrekǝnˈsɪlɪˋeɪʃn/ *οὐσ*. ‹C,U› συμφιλίωσις, συνδιαλλαγή, διευθέτησις, συμβιβασμός: *bring about a reconciliation between man and wife*, ἐπιτυγχάνω τή συμφιλίωση τῶν συζύγων.

rec·on·dite /ˋrekǝndaɪt/ *ἐπ.* (*λόγ.*) ἀπόκρυφος, βαθύς, σκοτεινός: *~ studies*, ἀπόκρυφες σπουδές. *a ~ author*, σκοτεινός συγγραφεύς.

re·con·di·tion /ˈrikǝnˋdɪʃn/ *ρ.μ.* ἀνακαινίζω,

ἐπιδιορθώνω, κάνω ρεκτιφιέ: *have an engine ~ed*, κάνω ρεκτιφιέ σέ μιά μηχανή.

re·con·nais·sance /rɪˈkɒnɪsns/ *οὐσ.* ‹C,U› (*στρατ.*) ἀναγνώρισις: *a ~ flight*, ἀναγνωριστική πτῆσις. *make a ~ before opening negotiations*, (*μεταφ.*) κάνω ἀναγνώριση τοῦ ἐδάφους πρίν ἀπό τήν ἔναρξη τῶν διαπραγματεύσεων.

re·con·noitre /ˈrekəˈnɔɪtə(r)/ *ρ.μ/ἀ.* κάνω ἀναγνώριση: *~ the ground*, κάνω ἀναγνώριση τοῦ ἐδάφους.

re·con·sider /ˈriːkənˈsɪdə(r)/ *ρ.μ.* ἐπανεξετάζω (θέμα), ἀναθεωρῶ (ἀπόφαση).

re·con·struct /ˈriːkənˈstrʌkt/ *ρ.μ.* **1**. ξαναχτίζω, ἀνοικοδομῶ: *~ a ruined castle*, ἀνοικοδομῶ ἕναν ἐρειπωμένο πύργο. **2**. ἀναπαριστῶ, ἀναπλάθω: *~ a crime*, κάνω ἀναπαράσταση ἑνός ἐγκλήματος. **re·con·struc·tion** /-ˈstrʌkʃn/ *οὐσ.* ‹C,U› ἀνοικοδόμησις, ἀναπαράστασις.

[1]**rec·ord** /ˈrekɔːd/ *οὐσ.* **1**. ‹C› κατάλογος, ἀρχεῖον, πρακτικόν: *a ~ of school attendance*, ἀπουσιολόγιον. *a ~ of road accidents*, ἀρχεῖον τῶν τροχαίων ἀτυχημάτων. *the ~ of a meeting/court*, τά πρακτικά μιᾶς συνεδριάσεως/ἑνός δικαστηρίου. *the ˈR~ Office*, τό Ἀρχεῖον. **2**. ‹C› μνημεῖον, τεκμήριον: *Our museums are full of ~s of past history*, τά μουσεῖα μας εἶναι γεμᾶτα μνημεῖα τῆς ἱστορίας τοῦ παρελθόντος. *R~s of ancient civilizations are still being excavated*, τεκμήρια ἀρχαίων πολιτισμῶν ἐξακολουθοῦν νά ἀνευρίσκονται σέ ἀνασκαφές. **3**. ‹U› ἀναγραφή, καταγραφή, σημείωσις, γραπτή μνεία: *a matter of ~*, γραπτό στοιχεῖο, θέμα ἐπισήμως γνωστόν ἐξ ἐγγράφων. ***on ~***, γραπτῶς: *put a resolution on ~*, διατυπώνω γραπτῶς μιά ἀπόφαση. *It is on ~ that...*, εἶναι γραμμένο ὅτι... *I don't want to go on ~ as saying that...*, δέν θέλω νά μείνω στά χαρτιά ὅτι εἶπα πώς... *the hottest summer on ~*, τό πιό ζεστό καλοκαίρι πού ἔχει σημειωθῆ ποτέ. ***off the ~***, (*καθομ.*) ἀνεπίσημα, ἐμπιστευτικά: *What the Prime Minister said yesterday was off the ~*, ὅ,τι εἶπε ὁ Πρωθυπουργός χθές ἦταν ἀνεπίσημο (δέν ἦταν γιά νά γραφῆ, γιά νά δημοσιευθῆ). ***find no ~ of sth***, δέν βρίσκω γραπτή μνεία/στοιχεῖα γιά κτ. ***keep a ~ of sth***, κρατῶ σημείωση ἑνός πράγματος, τό γράφω. **4**. ‹C› παρελθόν, φάκελλος, μητρῶον: *Your ~ is in your favour*, τό παρελθόν σου εἶναι εὐνοϊκό γιά σένα. *his past ~*, ἡ προηγούμενη διαγωγή του. *He has a good ~ of service*, ἔχει καλό ὑπηρεσιακό φάκελλο. *This airline has a bad ~*, αὐτή ἡ ἀεροπορική ἑταιρία ἔχει ἄσχημο μητρῶο. *have a criminal ~*, ἔχω βεβαρυμένο ποινικό μητρῶο. *have a clean ~*, ἔχω λευκό μητρῶο. *a school ~*, σχολικό μητρῶο/σχολική ἐπίδοσις. **5**. ‹C› ρεκόρ: *Two ~s fell yesterday*, κατερρίφθησαν δύο ρεκόρ χθές. *do sth at ~ speed*, κάνω κτ σέ ταχύτητα ρεκόρ. ***beat/break the ~***, καταρρίπτω τό ρεκόρ. ***hold the ~ for sth***, κατέχω τό ρεκόρ σέ κτ. **6**. ‹C› δίσκος (γραμμοφώνου): *a long-playing ~*, (*βραχυλ.* **LP**) δίσκος μακρᾶς διαρκείας. **ˈ~-player**, πικάπ.

[2]**re·cord** /rɪˈkɔːd/ *ρ.μ.* καταγράφω, ἀναγράφω, σημειώνω, ἐγγράφω (σέ δίσκο): *The result is worth ~ing*, τό ἀποτέλεσμα ἀξίζει νά μείνη/νά καταγραφῆ. *This volume ~s the history of the regiment*, αὐτός ὁ τόμος ἀναγράφει τήν ἱστορία τοῦ συντάγματος. *The thermometer ~ed 40° C*, τό θερμόμετρο σημείωσε 40° Κελσίου. *She has ~ed some new songs*, ἔχει γράψει σέ δίσκο μερικά καινούργια τραγούδια.

re·corder /rɪˈkɔːdə(r)/ *οὐσ.* ‹C› **1**. πλημμελειοδίκης. **2**. μηχάνημα ἐγγραφῆς. **ˈtape-~**, μαγνητόφωνο. **3**. (*μουσ.*) εἶδος αὐλοῦ.

re·cord·ing /rɪˈkɔːdɪŋ/ *οὐσ.* ‹C› ἐγγραφή.

[1]**re·count** /rɪˈkaʊnt/ *ρ.μ.* ἐξιστορῶ, ἀφηγοῦμαι: *He ~ed all he had seen and heard*, ἐξιστόρησε ὅλα ὅσα εἶδε κι᾽ ἄκουσε.

[2]**re-count** /ˈriː ˈkaʊnt/ *ρ.μ.* ξαναμετρῶ: *~ the votes*, ξαναμετρῶ τούς ψήφους. __*οὐσ.* ‹C› /ˈriː kaʊnt/ ξαναμέτρημα, δευτέρα καταμέτρησις.

re·coup /rɪˈkuːp/ *ρ.μ.* ἀποζημιώνω: *~ sb/oneself for a loss*, ἀποζημιώνω κπ/ἀποζημιώνομαι γιά μιά ζημιά. ***~ one's losses***, καλύπτω (ἀναπληρῶ, ἀποκαθιστῶ) τίς ζημιές μου.

re·course /rɪˈkɔːs/ *οὐσ.* ‹U› **1**. προσφυγή, καταφυγή. ***have ~ to***, προσφεύγω, καταφεύγω: *I don't advise you to have ~ to the money-lenders*, δέν σέ συμβουλεύω νά προσφύγης στούς τοκογλύφους. **2**. διέξοδος, καταφύγιο: *Your only ~ is legal action against them*, ἡ μόνη σου διέξοδος εἶναι νά στραφῆς δικαστικῶς ἐναντίον τους.

re·cover /rɪˈkʌvə(r)/ *ρ.μ/ἀ.* **1**. ξαναβρίσκω, ξαναπαίρνω, ἀνακτῶ, ξανακερδίζω: *He ~ed his balance/composure*, ξαναβρῆκε τήν ἰσορροπία του/τήν ψυχραιμία του. *I'm ~ing my strength*, ξαναβρίσκω/ἐπανακτῶ τίς δυνάμεις μου. *He went to ~ his umbrella*, πῆγε νά ξαναπάρη τήν ὀμπρέλλα του. *~ one's sight/hearing*, ἀνακτῶ τήν ὅρασή μου/τήν ἀκοή μου. *We soon ~ed lost time*, σύντομα ξανακερδίσαμε τό χαμένο χρόνο. *~ one's losses*, ξανακερδίζω τά χαμένα. **2**. ***~ from***, συνέρχομαι ἀπό: *~ from an illness/one's astonishment*, συνέρχομαι ἀπό μιά ἀρρώστεια/ἀπό τήν κατάπληξή μου. **~·able** /-əbl/ *ἐπ.* ἀνακτήσιμος: *Is the deposit I paid ~able?* θά πάρω πίσω τήν ἐγγύηση πού πλήρωσα; **re·cov·ery** *οὐσ.* ‹U› ἀνάκτησις, ἐπανόρθωσις, ἀνάρρωσις: *the ~y of a lost article*, ἡ ἀνάκτησις ἑνός χαμένου πράγματος. *The loss is past ~y*, ἡ ζημιά εἶναι ἀνεπανόρθωτη. *I wish you a speedy ~y*, σοῦ εὔχομαι γρήγορη ἀνάρρωση.

re-cover /ˈriː ˈkʌvə(r)/ *ρ.μ.* ξανασκεπάζω.

rec·re·ant /ˈrekrɪənt/ *ἐπ.* & *οὐσ.* ‹C› (*λογοτ.*) ἄνανδρος, προδότης.

re·create /ˈriː krɪˈeɪt/ *ρ.μ.* ἀναπλάθω, ἀναδημιουργῶ.

rec·re·ation /ˈrekrɪˈeɪʃn/ *οὐσ.* ‹C,U› ψυχαγωγία, ἀναψυχή: *Flirting can be an innocent ~, perhaps*, τό φλέρτ μπορεῖ ἴσως νά εἶναι ἀθῶα ψυχαγωγία. *a few moments of ~*, λίγες στιγμές ἀναψυχῆς. **~ ground**, γήπεδο ἀθλοπαιδιῶν, παιδική χαρά, (*σχολ.*) αὐλή γιά παιχνίδια. **~al** /-nl/ *ἐπ.* ψυχαγωγικός: *~al facilities*, ψυχαγωγικές εὐκολίες/-ά μέσα.

re·crimi·na·tion /rɪˈkrɪmɪˈneɪʃn/ *οὐσ.* ‹C,U›

ἀντέγκλησις, ἀλληλοκατηγορία: *indulge in ~s*, ἐπιδίδομαι σέ ἀντεγκλήσεις/σέ ἀλληλοκατηγορίες. **re·crimi·nate** /rɪ`krɪmɪneɪt/ *ρ.ἀ.* ~ ***against sb***, ἀντικατηγορῶ κπ. **re·crimi·na·tory** /rɪ`krɪmɪnətərɪ/ *ἐπ.* ἀντεγκλητικός.

re·cru·descence /`rikru`desns/ *οὐσ.* ‹C› (*λόγ.*) ὑποτροπή, νέο ξέσπασμα, ἐπιδείνωσις, ἐπανάληψις: *the ~ of an illness*, ἡ ὑποτροπή μιᾶς ἀρρώστειας. *a ~ of civil disorder*, νέο ξέσπασμα ταραχῶν.

re·cruit /rɪ`krut/ *οὐσ.* ‹C› νεοσύλλεκτος, κληρωτός, νέος ὀπαδός: *drill ~s*, γυμνάζω νεοσύλλεκτους. *gain a few ~s to one's party*, κερδίζω μερικούς νέους ὀπαδούς γιά τό κόμμα μου. —*ρ.μ/ἀ.* **1**. στρατολογῶ: *a ~ing officer*, ἀξιωματικός στρατολογίας. *~ a new party from the middle classes*, φτιάχνω νέο κόμμα στρατολογώντας ὀπαδούς ἀπό τίς μεσαῖες τάξεις. **2**. ἀνακτῶ, ξαναπαίρνω, συνέρχομαι: *go to the seaside to ~*, πάω στή θάλασσα νά συνέλθω/νά γίνω καλά. *~ supplies*, ἀνεφοδιάζομαι. **~·ment** *οὐσ.* ‹U› στρατολογία.

rec·tal /`rektəl/ *ἐπ.* (*ἰατρ.*) ὀρθικός, πρωκτικός.

rec·tangle /`rek-tæŋgl/ *οὐσ.* ‹C› ὀρθογώνιον. **rec·tangu·lar** /rek`tæŋgʊlə(r)/ *ἐπ.* ὀρθογώνιος.

rec·tify /`rektɪfaɪ/ *ρ.μ.* **1**. ἐπανορθώνω, διορθώνω: *~ abuses/mistakes*, ἐπανορθώνω ἀδικίες/λάθη. **2**. (*χημ.*) ἀνακαθαίρω (οἰνόπνευμα). **rec·ti·fier** *οὐσ.* ‹C› ἀνορθωτής, ἀνακαθαρτήρ. **rec·tifi·ca·tion** /`rektɪfɪ`keɪʃn/ *οὐσ.* ‹C,U› διόρθωσις, ἀνακάθαρσις.

rec·ti·lin·ear /`rektɪ`lɪnɪə(r)/ *ἐπ.* εὐθύγραμμος.

rec·ti·tude /`rektɪtjud/ *οὐσ.* ‹U› (*λόγ.*) εὐθύτης, ἐντιμότης.

rec·tor /`rektə(r)/ *οὐσ.* ‹C› **1**. κληρικός προϊστάμενος ἐνορίας καί εἰσπράττων τήν δεκάτην. **2**. πρύτανις, κοσμήτωρ, διευθυντής. **~y** /`rektərɪ/ *οὐσ.* ‹C› τό πρεσβυτέριον.

rec·tum /`rektəm/ *οὐσ.* ‹C› (*ἀνατ.*) πρωκτός.

re·cum·bent /rɪ`kʌmbənt/ *ἐπ.* (*λόγ.*) πλαγιασμένος, μισοξαπλωμένος: *a ~ figure on a tomb*, πλαγιασμένη μορφή πάνω σέ τάφο.

re·cu·per·ate /rɪ`kjupəreɪt/ *ρ.μ/ἀ.* ἀναρρωνύω, ἀνακτῶ, ἀποθεραπεύομαι, συνέρχομαι: *~ one's health*, ἀνακτῶ τήν ὑγεία μου. *go to the seaside to ~*, πάω στή θάλασσα γιά ἀνάρρωση. **re·cu·per·ation** /rɪ`kjupə`reɪʃn/ *οὐσ.* ‹U› ἀνάρρωσις. **re·cu·per·at·ive** /rɪ`kjupərətɪv/ *ἐπ.* ἀναρρωτικός, τονωτικός.

re·cur /rɪ`kə(r)/ *ρ.ἀ.* (*-rr-*) **1**. ἐπανεμφανίζομαι, ἐπαναλαμβάνομαι: *phenomena/mistakes ~ring periodically*, φαινόμενα/λάθη πού ἐπανεμφανίζονται/πού ἐπαναλαμβάνονται κατά διαστήματα. **2**. ~ ***to***, ἐπανέρχομαι, ξαναγυρίζω: *R~ring to what you said yesterday, I suggest that...*, ἐπανερχόμενος σέ ὅ,τι εἴπατε χθές, προτείνω νά... *These events often ~ to my memory*, αὐτά τά γεγονότα ξαναγυρίζουν συχνά στή μνήμη μου. **~-rence** /rɪ`kʌrns/ *οὐσ.* ‹C,U› ἐπανάληψις, ἐπανεμφάνισις (κατά διαστήματα): *Let there be no ~rence of this error*, φροντίστε νά μήν ἐπαναληφθῆ αὐτό τό λάθος. *The frequent ~rence of these headaches worries me*, μέ ἀνησυχεῖ ἡ συχνή ἐπανάληψις αὐτῶν τῶν πονοκεφάλων. **~·rent** /-ənt/ *ἐπ.* ἐπαναλαμβανόμενος, περιοδικός: *~rent mistakes/expenses*, ἐπαναλαμβανόμενα λάθη/ἔξοδα.

recu·sant /`rekjuznt/ *ἐπ.* (*λόγ.*) ἀνυπότακτος. —*οὐσ.* ‹C› (*ἱστορ.*) καθολικός ἀρνούμενος νά ἐκκλησιασθῆ σέ Ἀγγλικανική Ἐκκλησία. **recu·sancy** /-znsɪ/ *οὐσ.* ‹U› ἀνυποταγή.

re·cycle /`ri`saɪkl/ *ρ.μ.* ἀνακυκλῶ, ξαναχρησιμοποιῶ.

red /red/ *ἐπ.* (*-der, -dest*) κόκκινος: *~ with anger*, κόκκινος ἀπό θυμό. *with ~ hands*, μέ κόκκινα (ματωμένα) χέρια. *with ~ eyes*, μέ κοκκινισμένα (κλαμένα) μάτια. ***catch sb ~-handed***, συλλαμβάνω κπ ἐπ' αὐτοφώρῳ. ***go/turn ~***, κοκκινίζω. ***paint the town ~***, τό ρίχνω ἔξω: *We'll paint the town ~ tonight*, θά τό κάψουμε ἀπόψε. ***see ~***, γίνομαι τοῦρκος (ἀπό θυμό), ἐξαγριώνομαι. ***like a ~ rag to a bull***, σάν κόκκινο πανί σέ ταῦρο. **the R~ Army**, ὁ Κόκκινος Στρατός (ὁ Σοβιετικός). **`~·breast**, (πουλί) κοκκινολαίμης. **`R~·brick**, (*ἐπιθ.*) νέα πανεπιστήμια (τῶν ἀρχῶν τοῦ αἰῶνα μας, σ' ἀντίθεση πρός τά παλαιά). **`~·cap**, κοκκινοσκούφης (ἄνδρας τῆς Στρατιωτικῆς Ἀστυνομίας). **'~ `carpet**, κόκκινο χαλί ὑποδοχῆς: *give a visiting notable a ~ carpet reception*, στρώνω κόκκινο χαλί γιά νά ὑποδεχθῶ ἕναν σημαίνοντα ἐπισκέπτη. **`~·coat**, (*παλαιότ.*) κοκκινοχίτωνας (Ἄγγλος στρατιώτης). **'R~ `Crescent**, ἡ Ἐρυθρά Ἡμισέληνος. **'R~ `Cross**, ὁ Ἐρυθρός Σταυρός. **'~ `deer**, κόκκινο ἐλάφι. **'~ `ensign**, (*ἤ καθομ.* **'~ `duster**), σημαία τοῦ Βρετ. Ἐμπορικοῦ ναυτικοῦ. **'~ `flag**, κόκκινη σημαία (σῆμα κινδύνου ἤ ἐπαναστατικό σύμβολο). **`~·head**, κοκκινομάλλης. **'~`herring**, (*μεταφ.*) ἄσχετο θέμα, παραπλανητική ἔνδειξις: *draw a ~ herring across the trail*, στρίβω τήν κουβέντα. **'~-`hot** *ἐπ.* πυρακτωμένος, (*μεταφ.*) φλογερός, φανατικός: *~-hot enthusiasm/radicals*, φλογερός ἐνθουσιασμός/φανατικοί ριζοσπάστες. **'R~ `Indian**, Ἐρυθρόδερμος. **'~-`letter day**, σημαδιακή μέρα, (*μεταφ.*) ἀξέχαστη μέρα (γιατί ἔγινε κτ εὐχάριστο): *That party was a ~-letter day in our town*, αὐτό τό πάρτυ ἄφησε ἐποχή (θά μείνει ἀλησμόνητο) στήν πόλη μας. **'~ `light**, κόκκινο φῶς (κινδύνου). **'~-'light district**, συνοικία μέ οἴκους ἀνοχῆς. **`~ meat**, κόκκινο κρέας (βωδινό, ἀρνίσιο). **the R~ Star**, ὁ Ἐρυθρός Ἀστήρ (τῆς ΕΣΣΔ). **~ tape**, (*μεταφ.*) γραφειοκρατία. —*οὐσ.* **1**. ‹C,U› κόκκινο χρῶμα: *dressed in ~*, ντυμένη στά κόκκινα. **2**. ‹C› κόκκινος, κομμουνιστής: *the ~s*, οἱ κόκκινοι. **3**. ‹U› παθητικό. ***be in/get into the ~***, ἔχω/δημιουργῶ παθητικό. ***be/get out of the ~***, βγαίνω ἀπό τό παθητικό. **~·den** /`redn/ *ρ.μ/ἀ.* κοκκινίζω. **`~·dish** /`redɪʃ/ *ἐπ.* κοκκινωπός.

re·deem /rɪ`dim/ *ρ.μ.* **1**. ἐξοφλῶ, ἀποδεσμεύω, ἀποκαθιστῶ: *~ a mortgage*, ἐξοφλῶ (αἴρω) ὑποθήκη. *~ a pawned watch*, ξαναπαίρνω πίσω ἐνεχυρασμένο ρολόϊ. *~ one's honour*, ἀποκαθιστῶ τήν τιμή μου. **2**. ἐκπληρῶ: *~ a promise/an obligation*, ἐκπληρῶ μιά ὑπόσχεση/μιά ὑποχρέωση. **3**. ἐξαγοράζω, λυτρώνω, ἀπελευθερώνω: *~ a slave/prisoner*, ἀπελευθερώνω δοῦλο/φυλακισμένον. *Jesus*

~*ed man from vice*, ὁ Ἰησοῦς ἐλύτρωσε τόν ἄνθρωπο ἀπό τήν ἁμαρτία. **4**. ἀντισταθμίζω, σώζω: *Sincerity is his ~ing feature*, ἡ εἰλικρίνειά του εἶναι ἐκεῖνο πού τόν σώζει (πού ἀντισταθμίζει τίς ἄλλες ἄσχημες πλευρές του). *The good acting could not ~ the play*, τό καλό παίξιμο δέν μποροῦσε νά σώση τό ἔργο. **~·able** /-əbl/ *ἐπ.* ἐξαγοράσιμος. (**the**) **Re·dee·mer** *οὐσ.* ὁ Λυτρωτής, ὁ Σωτήρ.

re·demp·tion /rɪˋdempʃn/ *οὐσ.* ‹U› ἐξαγορά, ἐπανόρθωσις, ἐκπλήρωσις, λύτρωσις: *the ~ of a promise/of man*, ἡ ἐκπλήρωσις μιᾶς ὑποσχέσεως/ἡ λύτρωσις τοῦ ἀνθρώπου. *in the year of our ~ 1976*, ἐν τῷ σωτηρίῳ ἔτει 1976. ***past/beyond*** **~**, ἀνεπανόρθωτος, ἀνεπανορθώτως. **re·demp·tive** /rɪˋdemptɪv/ *ἐπ.* λυτρωτικός.

re·de·ploy /ˈridɪˋplɔɪ/ *ρ.μ.* ἀνασυντάσσω, ἀναδιαρθρώνω, μετακινῶ (στρατιῶτες, ἐργάτες, κλπ). **~·ment** *οὐσ.* ‹U› ἀναδιάρθρωσις, ἀνασύνταξις, μετακίνησις.

re·dif·fu·sion /ˈridɪˋfjuʒn/ *οὐσ.* ‹U› ἀναμετάδοσις.

re·do /ˈriˋdu/ *ρ.μ.* (*ἀνώμ. βλ.* [1]*do*) ξαναφτιάνω, ξαναβάφω, κλπ.

redo·lent /ˋredələnt/ *ἐπ.* (*λόγ.*) **~ *of***, ἀποπνέων: *sheets ~ of lavender*, σεντόνια πού μυρίζουν λεβάντα. *a town ~ of age and romance*, πόλις πού ἀποπνέει παρελθόν καί ρομαντική γοητεία. **redo·lence** /-əns/ *οὐσ.* ‹U› εὐωδιά, ἄρωμα.

re·double /rɪˋdʌbl/ *ρ.μ/ἀ.* διπλασιάζω/-ομαι: *They ~d their efforts*, διπλασίασαν τίς προσπάθειές τους. *His zeal ~d*, ὁ ζῆλος του διπλασιάστηκε.

re·doubt /rɪˋdaʊt/ *οὐσ.* ‹C› ὀχυρόν.

re·doubt·able /rɪˋdaʊtəbl/ *ἐπ.* (*λογοτ.*) τρομερός, φοβερός (*πχ* ἀντίπαλος).

re·dress /rɪˋdres/ *ρ.μ.* ἐπανορθώνω, ἀποκαθιστῶ: *~ an error/injustice*, ἐπανορθώνω λάθος/ἀδικία. **~ *the balance***, ἀποκαθιστῶ τήν ἰσορροπία. __*οὐσ.* ‹U› ἐπανόρθωσις, ἀποκατάστασις, ἱκανοποίησις: *seek legal ~*, ζητῶ δικαστική ἱκανοποίηση. ***past/beyond/without*** **~**, ἀνεπανόρθωτος, ἀνεπανορθώτως.

re·duce /rɪˋdjus/ *ρ.μ/ἀ.* **1**. περιορίζω, μειώνω, ἀδυνατίζω: *~ speed/pressure/costs*, περιορίζω τήν ταχύτητα/τήν πίεση/τά ἔξοδα. *~ taxes/expenses/one's weight*, μειώνω τούς φόρους/τίς δαπάνες/τό βάρος μου. *She's reducing*, (*καθομ.*) κάνει δίαιτα ν' ἀδυνατίση. **2**. **~ *to***, περιάγω, φέρω κπ (σέ ὡρισμένη κατάσταση): *~ sb to despair/poverty*, φέρω κπ σέ ἀπελπισία/σέ φτώχεια. *~ sb to silence*, ἀναγκάζω κπ νά σιωπήση. *~ noisy children to order*, ἐπιβάλλω τάξη σέ θορυβώδη παιδιά. *~ rebels to submission*, ἀναγκάζω τούς ἀντάρτες νά ὑποταγοῦν. *~ sb to begging/starving*, κάνω κπ νά ζητιανεύη/νά λιμοκτονῆ. *~ a sergeant to the ranks*, ὑποβιβάζω λοχία σέ ἁπλό στρατιώτη. *He was ~d to the necessity of selling his books*, ἔφτασε στήν ἀνάγκη νά πουλήση τά βιβλία του. **3**. **~ *to***, μετατρέπω, φέρω κτ (σέ ἄλλη μορφή): *~ wood logs to pulp*, μετατρέπω κούτσουρα σέ πολτό. *~ a town to ashes*, ἀποτεφρώνω μιά πόλη, τήν κάνω στάχτη. *~ sth to nothing*, ἐκμηδενίζω κάτι. *clothes ~d to rags*, ροῦχα πού ἔχουν γίνει κουρέλια. *~ an argument/a problem/an equation to its simplest form*, ἁπλοποιῶ ἕνα ἐπιχείρημα/ἕνα πρόβλημα/μιά ἐξίσωση. *~ fractions to the same denominator*, ἀνάγω κλάσματα στόν ἴδιο παρονομαστή. *The whole difficulty ~s itself to whether...*, ἡ ὅλη δυσκολία καταλήγει στό ἐάν... **re·duc·ible** /-əbl/ *ἐπ.* ἀναγώγιμος, ἐπιδεχόμενος ἁπλοποίηση.

re·duc·tio ad ab·surdum /rɪˈdʌktɪəʊ ˈæd əbˋsɜdəm/ (*Λατ.*) εἰς ἄτοπον ἀπαγωγή.

re·duc·tion /rɪˋdʌkʃn/ *οὐσ.* ‹C,U› μείωσις, ἀναγωγή, ἁπλοποίησις, μετατροπή, ὑποβιβασμός, μικρογραφία: *a great ~ in prices*, μεγάλη μείωσις τιμῶν.

re·dun·dant /rɪˋdʌndənt/ *ἐπ.* περιττός, πλεονάζων, ὑπεράριθμος: *without a ~ word*, χωρίς οὔτε μιά περιττή λέξη. *~ labour*, πλεονάζοντες ἐργάτες. *Thousands of workers may become ~*, χιλιάδες ἐργάτες μπορεῖ νά γίνουν ὑπεράριθμοι. **re·dun·dancy** /-ənsɪ/, **re·dun·dance** /-əns/ *οὐσ.* ‹C,U› πλεονασμός, ἀπόλυσις πλεοναζόντων ἐργατῶν: *There have been more redundancies in the car industry*, ἔγιναν καί ἄλλες ἀπολύσεις πλεοναζόντων ἐργατῶν στή βιομηχανία αὐτοκινήτων. **reˋdundancy pay**, ἀποζημίωσις λόγῳ ἀπολύσεως.

re-echo /ri ˋekəʊ/ *ρ.μ/ἀ.* ἀντηχῶ, ἀντιλαλῶ. __*οὐσ.* ‹C› (*πληθ.* ~*es*) ἀντήχησις, ἀντίλαλος.

reed /rid/ *οὐσ.* ‹C,U› **1**. καλάμι. ***a broken*** **~**, (*μεταφ.*) ἀναξιόπιστος (ἄνθρωπος ἤ πρᾶγμα): *He proved a broken ~*, ἀποδείχτηκε ἀναξιόπιστος. **2**. (*μουσ.*) γλωσσίδι (πνευστοῦ ὀργάνου). **reedy** *ἐπ.* καλαμόφυτος, (*γιά φωνή*) σφυριχτός, τσιριχτός.

[1]**reef** /rif/ *οὐσ.* ‹C› (*ναυτ.*) μούδα. __*ρ.μ.* μουδάρω.

[2]**reef** /rif/ *οὐσ.* ‹C› ὕφαλος, σκόπελος, ξέρα.

reefer /ˋrifə(r)/ *οὐσ.* ‹C› **1**. πατατούκα (*ἰδ.* ναυτική). **2**. (*λαϊκ.*) τσιγάρο μέ ναρκωτικά.

reek /rik/ *οὐσ.* ‹U› **1**. βαρειά μυρουδιά, μπόχα: *the ~ of stale tobacco smoke*, μπόχα ἀπό πολυκαιρινό καπνό. **2**. (*λογοτ.*) πηχτός καπνός. __*ρ.ἀ.* **1**. **~ *of***, μυρίζω, βρωμάω: *He ~s of garlic*, μυρίζει σκόρδο. *a room ~ing of tobacco*, δωμάτιο πού βρωμάει τσιγαρίλα. **2**. **~ *with***, εἶμαι σκεπασμένος μέ, ἀχνίζω ἀπό: *a horse ~ing with sweat*, ἄλογο γεμᾶτο (πού ἀχνίζει ἀπό) ἱδρώτα. *hands ~ing with blood*, χέρια βουτηγμένα στό αἷμα.

[1]**reel** /ril/ *οὐσ.* ‹C› καρούλι, μασούρι, κύλινδρος, μπομπίνα, ἀνέμη (πετονιᾶς). __*ρ.μ.* τυλίγω: *~ up a fish*, τραβῶ ψάρι. **~ *out/off***, ξετυλίγω. **~ *sth off***, λέω, ἀραδιάζω χωρίς δυσκολία: *~ off a long poem. ~ off a list of names*, ἀραδιάζω μιά λίστα μέ ὀνόματα.

[2]**reel** /ril/ *ρ.ἀ.* **1**. γυρίζω (σά σβούρα), ζαλίζομαι: *The road ~ed before his eyes*, ὁ δρόμος γύριζε μπροστά του. *His mind ~ed when he heard the news*, τοὖρθε ζαλάδα ὅταν ἄκουσε τά νέα. **2**. παραπαίω, τρικλίζω: *He went ~ing down the street*, κατέβαινε στό δρόμο παραπαίοντας. *He ~ed like a drunken man*, τρέκλιζε σά μεθυσμένος.

[3]**reel** /ril/ *οὐσ.* ‹C› ζωηρός σκωτσέζικος χορός (*συνήθ.* γιά δυό ζευγάρια).

re-entry /ˈri ˋentrɪ/ *οὐσ.* ‹C,U› ἐπάνοδος, ἐκ

νέου εἴσοδος: *the ~ of a spacecraft into the earth's atmosphere*, ἡ ἐπάνοδος διαστημοπλοίου στήν ἀτμόσφαιρα τῆς γῆς.

re·face /'ri`feɪs/ *ρ.μ.* ἀνακαινίζω τήν ἐπιφάνεια.

re·fec·tory /rɪ`fektərɪ/ *οὐσ.* ‹C› τραπεζαρία (σέ μοναστήρι ἤ κολλέγιο).

re·fer /rɪ`fɜ(r)/ *ρ.μ/ἀ. (-rr-)* **1**. ~ ***sb/sth to***, παραπέμπω: *The dispute was ~red to the UN*, ἡ διαφορά παρεπέμφθη στόν ΟΗΕ. *I was ~red to the Manager/Inquiry Office*, μέ παρέπεμψαν στό Διευθυντή/στό Γραφεῖο Πληροφοριῶν. ~ ***back***, ἀναπέμπω. **2**. ἀναφέρομαι, ὑπαινίσομαι, ἀφορῶ: *Don't ~ to this matter again, please*, μήν ἀναφέρεσθε πάλι σ' αὐτό τό θέμα, παρακαλῶ. *Who are you ~ring to?* ποιόν ὑπαινίσσεσαι; *What I have to say ~s to all of you*, ὅ,τι ἔχω νά πῶ σᾶς ἀφορᾶ ὅλους. **3**. καταφεύγω, προσφεύγω: *The speaker often ~red to his notes*, ὁ ὁμιλητής κατέφυγε πολλές φορές στίς σημειώσεις του. **4**. ἀποδίδω: *He ~red his success to hard work*, ἀπέδωσε τήν ἐπιτυχία του στή σκληρή δουλειά. **ref·er·able** /rɪ`fɜrəbl/ *ἐπ.* ἀποδοτέος: *be ~able to*, ἀποδίδομαι εἰς.

ref·eree /'refə`ri/ *οὐσ.* ‹C› διαιτητής (στό ποδόσφαιρο, στήν πυγμαχία, σέ ἐργατικές διαφορές, κλπ). —*ρ.μ/ἀ.* διαιτητεύω.

ref·er·ence /`refrns/ *οὐσ.* **1**. ‹C,U› παραπομπή, μνεία: *The book is full of ~s to people and places that I know well*, τό βιβλίο εἶναι γεμᾶτο παραπομπές σέ πρόσωπα καί μέρη πού ξέρω καλά. *R~ was made to our conversation*, ἔγινε μνεία τῆς συνομιλίας μας. *make ~ to a dictionary*, καταφεύγω σ' ἕνα λεξικό. *I dislike books crowded with ~s*, σιχαίνομαι τά βιβλία πού εἶναι γεμᾶτα παραπομπές. ***terms of*** ~, (*γιά ἐπιτροπή, κλπ*) ἁρμοδιότης, δικαιοδοσία, ἐντολή: *This question is outside our terms of ~*, αὐτό τό θέμα εἶναι ἔξω ἀπό τήν δικαιοδοσία μας. *Under its terms of ~, our commission must...*, σύμφωνα μέ τήν ἐντολή πού ἔχει λάβει, ἡ ἐπιτροπή μας πρέπει... `~ **book**, βοηθητικό, πληροφοριακό βιβλίο. **2**. σύστασις (πρόσωπο ἤ πιστοποιητικό): *have good ~s*, ἔχω καλές συστάσεις. *give sb's name as a ~*, δίνω τό ὄνομα κάποιου γιά σύσταση. **3**. σχέσις, ἀναφορά: *Success seems to have very little ~ to merit*, ἡ ἐπιτυχία δέν φαίνεται νά ἔχη μεγάλη σχέση μέ τήν ἀξία. ***in/with ~ to***, σχετικά μέ: *With ~ to your letter of...*, σχετικά μέ τό γράμμα σας τῆς... ***without ~ to***, ἄσχετα, ἀνεξάρτητα ἀπό: *without ~ to time and expense*, ἄσχετα ἀπό χρόνο καί δαπάνη. **ref·er·en·tial** /'refə`renʃl/ *ἐπ.* παραπεμπτικός, ἀναφερόμενος.

re·fill /'ri`fɪl/ *ρ.μ.* ξαναγεμίζω. —*οὐσ.* ‹C› /`rifɪl/ ἀναπλήρωμα.

re·fine /rɪ`faɪn/ *ρ.μ/ἀ.* **1**. καθαρίζω, διϋλίζω/-ομαι: *~ sugar/oil*, καθαρίζω ζάχαρη/διϋλίζω πετρέλαιο. **2**. ἐκλεπτύνω, ἐξευγενίζω/-ομαι: *~d tastes/language*, ἐκλεπτυσμένα γοῦστα/-η γλῶσσα. *~d manners*, ἐξευγενισμένοι τρόποι. **3**. ~ ***(up)on***, ραφινάρω, βελτιώνω: *~ upon one's methods*, βελτιώνω τίς μεθόδους μου. **~·ment** *οὐσ.* ‹C,U› διΰλισις, ραφινάρισμα, εὐγένεια, λεπτότης, λεπτολογία.

re·finery /rɪ`faɪnərɪ/ *οὐσ.* ‹C› διϋλιστήριον: *a `sugar/an `oil ~*, διϋλιστήριον ζαχάρεως/πετρελαίου.

re·fit /'ri`fɪt/ *ρ.μ/ἀ. (-tt-)* (*ναυτ.*) ἐπισκευάζω, ἐπανεξοπλίζω. —*οὐσ.* ‹C› /`rifɪt/ ἐπισκευή, ἐπανεξοπλισμός.

re·flate /rɪ`fleɪt/ *ρ.μ.* ἀναθερμαίνω (τήν οἰκονομία). **re·fla·tion** /ri`fleɪʃn/ *οὐσ.* ‹U› ἀναθέρμανσις.

re·flect /rɪ`flekt/ *ρ.μ/ἀ.* **1**. ἀντανακλῶ, καθρεφτίζω: *trees ~ed in the water*, δέντρα πού καθρεφτίζονται στό νερό. *The surface of the lake ~ed the lights of the village*, ἡ ἐπιφάνεια τῆς λίμνης ἀντανακλοῦσε τά φῶτα τοῦ χωριοῦ. **2**. ἐκφράζω, ἀπεικονίζω, δείχνω: *Her sad looks ~ed her thoughts*, ἡ θλιμμένη της ὄψις ἀντανακλοῦσε (ἔδειχνε) τίς σκέψεις της. *The literature of a nation ~s its life*, ἡ λογοτεχνία ἑνός ἔθνους καθρεφτίζει (ἐκφράζει) τή ζωή του. **3**. ~ ***(sth) (up)on (sb)***, ἀντανακλῶ πάνω σέ κτ, θίγω, ἀμφισβητῶ: *This action ~s credit/discredit upon you*, αὐτή ἡ ἐνέργεια σέ τιμᾶ/σέ ντροπιάζει. *I do not wish to ~ on your sincerity*, δέν ἐπιθυμῶ νά θίξω (νά ἀμφισβητήσω) τήν εἰλικρίνειά σου. **4**. συλλογίζομαι, σκέφτομαι: *I must ~ on how to answer this question*, πρέπει νά σκεφθῶ πῶς θ' ἀπαντήσω σ' αὐτήν τήν ἐρώτηση. *He ~ed how difficult it would be to escape*, συλλογίστηκε πόσο δύσκολο θά ἦταν νά δραπετεύση.

re·flec·tion (*καί ΜΒ* **re·flexion**) /rɪ`flekʃn/ *οὐσ.* **1**. ‹U› ἀντανάκλασις: *the ~ of heat/light*, ἡ ἀντανάκλασις τῆς θερμότητος/τοῦ φωτός. **2**. ‹C› εἴδωλον, εἰκόνα: *see one's ~ in the mirror*, βλέπω τήν εἰκόνα μου στόν καθρέφτη. **3**. ‹C,U› στοχασμός, σκέψις: *He was lost in ~*, ἦταν βυθισμένος σέ σκέψεις. *R~s on the folly of man*, σκέψεις περί τῆς ἀνοησίας τοῦ ἀνθρώπου. ***on*** ~, μετά σκέψιν, ὕστερα ἀπό μελέτη: *On ~ you will change your mind*, ὅταν τό καλοσκεφθῆς θ' ἀλλάξης γνώμη. **4**. ‹C› μομφή, ψόγος, προσβολή, ἀμφισβήτησις: *This is a ~ on your honour*, αὐτό θίγει τήν τιμή σου.

re·flec·tive /rɪ`flektɪv/ *ἐπ.* **1**. ἀνακλαστικός. **2**. σκεπτόμενος, στοχαστικός: *be in a ~ mood*, εἶμαι σέ στοχαστική διάθεση. **~·ly** *ἐπίρ.*

re·flec·tor /rɪ`flektə(r)/ *οὐσ.* ‹C› ἀνακλαστήρ, κάτοπτρο, καθρέφτης: *Literature is a ~ of the age*, ἡ λογοτεχνία εἶναι ὁ καθρέφτης τῆς ἐποχῆς. ~ **studs**, ἀντανακλαστικά καρφιά (στό δρόμο).

re·flex /`rifleks/ *ἐπ.* ἀνακλαστικός. `~ **action**, ἀντανακλαστική ἐνέργεια, αὐτόματη ἀντίδρασις. —*οὐσ.* ‹C› ἀντανάκλασις, ἀνακλαστικόν, εἴδωλον. **~·ive** /rɪ`fleksɪv/ *ἐπ.* (*γραμμ.*) αὐτοπαθής. **~ive verb/pronoun**, αὐτοπαθές ρῆμα/-ής ἀντωνυμία.

re·flexion /rɪ`flekʃn/ *οὐσ. βλ. reflection.*

re·float /ri`fləʊt/ *ρ.μ/ἀ.* ἀνελκύω, ξεκαθίζω (πλοῖο).

re·flux /'ri`flʌks/ *οὐσ.* (*μόνον ἑν.*) **1**. παλίνδρομο ρεῦμα. **2**. ἄμπωτις, φυρονεριά: *flux and ~*, παλίρροια καί ἄμπωτις.

re·for·est /ri`forɪst/ *ρ.μ.* ἀναδασώνω. **~a·tion** /ri'forɪ`steɪʃn/ *οὐσ.* ‹U› ἀναδάσωσις.

re·form /rɪ`fɔm/ *ρ.μ/ἀ.* μεταρρυθμίζω/-ομαι,

διορθώνω/-ομαι: ~ *a system*, μεταρρυθμίζω, βελτιώνω ἕνα σύστημα. ~ *one's character/oneself*, διορθώνω τό χαρακτῆρα μου/διορθώνομαι. *He's a ~ed man*, εἶναι ἄλλος ἄνθρωπος τώρα (ἄλλαξε, ἔγινε καλός). —*οὐσ.* ‹C,U› μεταρρύθμισις, βελτίωσις, διόρθωσις: *social and political ~s*, κοινωνικές καί πολιτικές μεταρρυθμίσεις. *a ~ in teaching methods*, βελτίωσις τῶν μεθόδων διδασκαλίας. **~er** *οὐσ.* ‹C› μεταρρυθμιστής.

re·form /ˈri ˋfɔm/ *ρ.μ./ἀ.* ἀνασχηματίζομαι, ἀνασυγκροτῶ/-οῦμαι. **~a·tion** /ˈri fɔˋmeɪʃn/ *οὐσ.* ‹C,U› ἀνασχηματισμός, ἀνασυγκρότησις.

ref·or·ma·tion /ˈrefəˋmeɪʃn/ *οὐσ.* ‹C,U› μεταρρύθμισις, ἀναμόρφωσις, ἀνάπλασις.

re·forma·tory /rɪˋfɔmətrɪ/ *ἐπ.* μεταρρυθμιστικός, ἀναμορφωτικός. —*οὐσ.* ‹C› ἀναμορφωτήριο: *send a boy to a ~*.

re·fract /rɪˋfrækt/ *ρ.μ.* διαθλῶ: *Light is ~ed when it passes through a prism*, τό φῶς διαθλᾶται ὅταν περνάει μέσα ἀπό ἕνα πρῖσμα. **re·frac·tion** /rɪˋfrækʃn/ *οὐσ.* ‹C,U› διάθλασις.

re·frac·tory /rɪˋfræktərɪ/ *ἐπ.* **1**. (*λόγ.*) (*γιά χαρακτῆρα*) ἀνυπότακτος, σκληροτράχηλος, πεισματάρης: *as ~ as a mule*, πεισματάρης σά μουλάρι. **2**. (*γιά μέταλλα*) δύστηκτος, δυσκολοδούλευτος. **3**. (*γιά ἀρρώστεια*) ἐπίμονος, πού δέν θεραπεύεται εὔκολα.

[1]**re·frain** /rɪˋfreɪn/ *οὐσ.* ‹C› ρεφραίν.

[2]**re·frain** /rɪˋfreɪn/ *ρ.ἀ.* ~ ***(from)***, συγκρατοῦμαι, ἀπέχω, ἀποφεύγω: *Please ~ from spitting in public places*, παρακαλῶ ἀποφεύγετε νά φτύνετε σέ δημόσιους χώρους. *Let's hope they'll ~ from hostile action*, ἄς ἐλπίσωμε ὅτι θά ἀπόσχουν ἐχθρικῶν ἐνεργειῶν. ~ *from all comment*, ἀπέχω παντός σχολίου, ἀποφεύγω κάθε σχόλιο.

re·fresh /rɪˋfreʃ/ *ρ.μ.* φρεσκάρω, δυναμώνω, ἀναζωογονῶ, ξεκουράζω, δροσίζω: ~ *the eye/mind*, φρεσκάρω, ξεκουράζω τό μάτι/τό μυαλό. *I felt ~ed after my meal/the siesta*, ἔνοιωσα ξεκούραστος (φρέσκος) ὕστερα ἀπό τό φαΐ μου/ἀπό τόν ἀπογευματινό ὕπνο. ~ ***oneself***, τσιμπῶ, πίνω, παίρνω κάτι: *They stopped at a café to ~ themselves*, σταμάτησαν σ'ἕνα καφενεῖο νά πάρουν κάτι. ~ *oneself with a cup of tea/a cold shower*, δροσίζομαι μ'ἕνα φλυτζάνι τσάϊ/μ'ἕνα κρύο ντούς. ~ ***one's memory***, φρεσκάρω τή μνήμη μου. **~·ing** *ἐπ.* ζωογόνος, ξεκουραστικός, δροσιστικός, εὐχάριστος: *a ~ing sleep/breeze*, ζωογόνος ὕπνος/-ο ἀεράκι. *~ing innocence*, χαριτωμένη ἀθωότητα. **~·ing·ly** *ἐπίρ.*

re·fresher /rɪˋfreʃə(r)/ *οὐσ.* ‹C› **1**. (*καθομ.*) ποτό. **2**. συμπληρωματική ἀμοιβή δικηγόρου (κατά τήν πορεία τῆς ὑποθέσεως). **3**. ~ **course**, σειρά μαθημάτων μετεκπαιδεύσεως (γιά δασκάλους) ἤ ἐπαναλήψεως (γιά μαθητές).

re·fresh·ment /rɪˋfreʃmənt/ *οὐσ.* **1**. ‹U› ἀναψυχή, φρεσκάρισμα, ξεκούρασις, ἀναζωογόνησις. **2**. (*συχνά πληθ.*) ἀναψυκτικό: *light ~s*, ἐλαφρά ἀνυψυκτικά (μεζές καί ποτό). ~ **room**, ἀναψυκτήριον.

re·frig·er·ate /rɪˋfrɪdʒəreɪt/ *ρ.μ.* (κατα)ψύχω. **re·frig·er·ant** /-ənt/ *ἐπ.* ψυκτικός. —*οὐσ.* ‹C› ψυκτική οὐσία. **re·frig·er·ation** /rɪˈfrɪdʒəˋreɪʃn/ *οὐσ.* ‹U› κατάψυξις. **re·frig·er·ator** /-tə(r)/ *οὐσ.* ‹C› (*καθομ. βραχυλ.* **fridge**) ψυγεῖον.

re·fuel /ˈriˋfjuəl/ *ρ.μ./ἀ.* (*-ll-*) ἀνεφοδιάζω/-ομαι σέ καύσιμα: *The plane came down to ~*, τό ἀεροπλάνο κατέβηκε γιά ν'ἀνεφοδιασθῆ σέ καύσιμα.

re·fuge /ˋrefjudʒ/ *οὐσ.* ‹C,U› καταφύγιο, ἄσυλο: *seek ~ from the floods*, ἀναζητῶ καταφύγιο ἀπό τίς πλημμύρες. *Books are a ~*, τά βιβλία εἶναι καταφύγιο. ***take ~ in***, καταφεύγω: *take ~ in the attic/in silence/in lying*, καταφεύγω στή σοφίτα/στή σιωπή/στά ψέματα.

refu·gee /ˈrefjʊˋdʒi/ *οὐσ.* ‹C› πρόσφυγας: ~ *camps*, στρατόπεδα προσφύγων.

re·fund /rɪˋfʌnd/ *ρ.μ.* ἐπιστρέφω χρήματα: *have one's money ~ed*, μοῦ ἐπιστρέφονται τά χρήματά μου. —*οὐσ.* ‹C,U› /ˋrifʌnd/ ἀπόδοσις, ἐπιστροφή χρημάτων: *obtain a ~ of a deposit*, παίρνω πίσω τήν ἐγγύηση πού εἶχα δώσει. *demand a ~*, ἀπαιτῶ νά μοῦ ἐπιστραφοῦν τά λεφτά μου.

re·fur·bish /ˈrɪˋfɜbɪʃ/ *ρ.μ.* ξαναγυαλίζω, φρεσκάρω κτ.

re·fusal /rɪˋfjuzl/ *οὐσ.* **1**. ‹C,U› ἄρνησις, ἀποποίησις: *the ~ of an invitation*, ἀποποίησις προσκλήσεως. *his ~ to go*, ἡ ἄρνησίς του νά πάη. **2**. (*συχνά μέ the*) δικαίωμα προτιμήσεως/ἐκλογῆς: *If I ever sell my house I'll give you (the) first ~*, ἄν ποτέ πουλήσω τό σπίτι μου θά σέ προτιμήσω (θά σοῦ δώσω τό δικαίωμα νά κάνης πρῶτος προσφορά).

[1]**ref·use** /ˋrefjus/ *οὐσ.* ‹U› ἀπορρίματα, σκουπίδια. **ˋ~-collector**, σκουπιδιάρης. **ˋ~ dump**, σκουπιδότοπος.

[2]**re·fuse** /rɪˋfjuz/ *ρ.μ./ἀ.* ἀρνοῦμαι, ἀποποιοῦμαι: *I ~d to go*, ἀρνήθηκα νά πάω. ~ *a gift/an invitation*, ἀποποιοῦμαι ἕνα δῶρο/μιά πρόσκληση. ~ *one's consent*, ἀρνοῦμαι (δέν δίνω) τήν συγκατάθεσή μου. *I was ~d admittance*, μοῦ ἀρνήθηκαν τήν εἴσοδο.

re·fute /rɪˋfjut/ *ρ.μ.* ἀντικρούω, ἀνασκευάζω: ~ *sb's arguments*, ἀντικρούω/ἀνασκευάζω τά ἐπιχειρήματα κάποιου. **re·fut·able** /ˋrefjʊtəbl/ *ἐπ.* ἀνασκευάσιμος, ἀντικρούσιμος. **refu·ta·tion** /ˈrefjʊˋteɪʃn/ *οὐσ.* ‹C,U› ἀνασκευή, ἀντίκρουσις.

re·gain /rɪˋgeɪn/ *ρ.μ.* **1**. ἀνακτῶ: ~ *one's freedom*, ἀνακτῶ τήν ἐλευθερία μου. ~ *consciousness*, ἀνακτῶ τίς αἰσθήσεις μου. **2**. ξαναβρίσκω, ξαναγυρίζω: ~ *one's balance*, ξαναβρίσκω τήν ἰσορροπία μου.

re·gal /ˋrigl/ *ἐπ.* βασιλικός, ἡγεμονικός: ~ *power/splendour*, βασιλική ἐξουσία/ἡγεμονική λαμπρότητα. **~ly** /-gəlɪ/ *ἐπίρ.* ἡγεμονικά.

re·gale /rɪˋgeɪl/ *ρ.μ.* (*λόγ.*) ~ ***sb/oneself (with/on sth)***, εὐωχῶ, τέρπω: *They were regaling themselves on caviar and champagne*, εὐωχοῦντο μέ χαβιάρι καί σαμπάνια.

re·galia /rɪˋgeɪlɪə/ *οὐσ. πληθ.* (*συχνά μέ ρ. ἑν.*) **1**. βασιλικά ἐμβλήματα, κοσμήματα τοῦ στέμματος. **2**. ἐμβλήματα (τεκτόνων κλπ).

[1]**re·gard** /rɪˋgad/ *οὐσ.* **1**. ‹C,U› (*λογοτ. & πεπαλ.*) βλέμμα (γεμᾶτο σημασία ἤ ἐπίμονο): *turn/fix one's ~ on sth*, στρέφω/προσηλώνω τό βλέμμα μου σέ κτ. **2**. ‹U› ἄποψις, ἔποψις. ***in ˋthis ~***, ὑπ'αὐτήν τήν ἔποψιν. ***in/with ~ to***, σέ σχέση μέ, ἀπό τήν ἄποψη: *with ~ to*

his abilities, σέ σχέση μέ (ὅσον ἀφορᾶ) τίς ἱκανότητές του... **3**. ‹U› προσοχή, φροντίδα, ἔγνοια: *without ~ to decency/expense*, ἀδιαφορώντας γιά τήν εὐπρέπεια/γιά τά ἔξοδα. ***have ~ for***, νοιάζομαι, ἐνδιαφέρομαι: *He has no ~ for my feelings*, ἀδιαφορεῖ γιά τά αἰσθήματά μου. ***pay ~ to***, προσέχω, λαμβάνω ὑπ' ὄψιν: *More ~ must be paid to other factors*, περισσότερη προσοχή πρέπει νά δοθῆ σέ ἄλλους παράγοντες. **4**. ‹U› σεβασμός, ὑπόληψις, ἐκτίμησις: *hold sb in high/low ~*, ἔχω κπ σέ μεγάλη ὑπόληψη/δέν τόν ἐκτιμῶ πολύ. *have a high/low ~ for sb's judgement*, ἔχω μεγάλη ἐκτίμηση/δέν ἔχω ἐκτίμηση στήν κρίση κάποιου. ***out of ~ for sb***, ἀπό σεβασμό σέ κπ. **5**. (*πληθ.*) χαιρετίσματα: *Give my kind ~s to your wife*, δῶσε τούς χαιρετισμούς μου στή γυναίκα σου. *With kind ~s, Yours sincerely*, (*στό κλείσιμο γράμματος*) Σᾶς χαιρετῶ, μέ ἐκτίμηση. **~·less** *ἐπ*. ***~less of***, ἀδιαφορῶν: *~less of the consequences*, ἀδιαφορώντας γιά τίς συνέπειες.

[2]**re·gard** /rɪˋgad/ *ρ.μ.* **1**. (*λογοτ.* & *πεπαλ.*) κοιτάζω. **2**. θεωρῶ: *~ sth as a crime*, θεωρῶ κτ σάν ἔγκλημα. *~ sb as a hero*, θεωρῶ κπ σάν ἥρωα. **3**. ***~ sth/sb (with)***, ἀντιμετωπίζω, προσβλέπω: *I ~ sth with horror/suspicion*, ἀντιμετωπίζω κτ μέ φρίκη/μέ ὑποψία. **4**. (*ἰδ. σέ ἐρωτ.* & *ἀρνήσ.*) λαμβάνω ὑπ' ὄψιν: *He seldom ~s my advice*, σπανίως λαμβάνει ὑπ' ὄψιν του τίς συμβουλές μου. **5**. ἀφορῶ: *This does not ~ me at all*, αὐτό δέν μέ ἀφορᾶ καθόλου. ***as ~s; ~ing***, ὅσον ἀφορᾶ, σχετικά μέ: *As ~s/R~ing discipline...*, ὅσον ἀφορᾶ/σχετικά μέ τήν πειθαρχία...

re·gatta /rɪˋgætə/ *οὐσ.* ‹C› (*πληθ.* *~s*) λεμβοδρομία, ἱστιοπλοϊκοί ἀγῶνες.

re·gency /ˋridʒənsɪ/ *οὐσ.* ‹C› ἀντιβασιλεία.

re·gen·er·ate /rɪˋdʒenəreɪt/ *ρ.μ/ἀ.* ἀναγεννῶ/-ῶμαι, ἀναπλάθω. —*ἐπ.* /rɪˋdʒenərət/ ἀναγεννημένος (ἠθικά). **re·gen·er·ation** /rɪˌdʒenəˋreɪʃn/ *οὐσ.* ‹U› ἀναγέννησις, ἀνάπλασις.

re·gent /ˋridʒənt/ *οὐσ.* ‹C› **1**. ἀντιβασιλεύς. **2**. (*ΗΠΑ*) μέλος διοικητικοῦ συμβουλίου (*ἰδ.* Πανεπιστημίου).

regi·cide /ˋredʒɪsaɪd/ *οὐσ.* **1**. ‹C› βασιλοκτόνος. **2**. ‹U› βασιλοκτονία.

ré·gime, re·gime /reɪˋʒim/ *οὐσ.* ‹C› **1**. καθεστώς: *democratic/totalitarian ~s*, δημοκρατικά/ὁλοκληρωτικά καθεστῶτα. **2**. δίαιτα, ἀγωγή.

regi·men /ˋredʒɪmən/ *οὐσ.* ‹C› δίαιτα, ἀγωγή.

regi·ment /ˋredʒɪmənt/ *οὐσ.* **1**. ‹C› (*στρατ.*) σύνταγμα. **2**. ***~s of***, στρατιές, μέγας ἀριθμός: *~s of flies*, στρατιές μυῖγες. **3**. ‹U› (*ἀπηρχ.*) διοίκησις: *~ of women*, γυναικοκρατία. —*ρ.μ.* ὀργανώνω σέ πειθαρχημένες ὁμάδες, ὑποβάλλω σέ αὐστηρή πειθαρχία. **regi·men·ta·tion** /ˌredʒɪmenˋteɪʃn/ *οὐσ.* ‹U› αὐστηρή πειθάρχησις/ὀργάνωσις τῆς ζωῆς (*πχ* σέ ἀστυνομικό κράτος).

regi·men·tal /ˌredʒɪˋmentl/ *ἐπ.* τοῦ συντάγματος: *~ colours/records*, ἡ σημαία/ἡ ἱστορία τοῦ συντάγματος. —*οὐσ. πληθ.* στρατιωτική στολή: *in full ~s*, ἐν πλήρει στολῇ.

Re·gina /rɪˋdʒaɪnə/ *οὐσ.* βασίλισσα.

re·gion /ˋridʒən/ *οὐσ.* ‹C› περιοχή: *the Arctic ~s*, οἱ ἀρκτικές περιοχές. *wooded ~s*, δασώδεις περιοχές. *the ~ of metaphysics*, (*μεταφ.*) ἡ περιοχή τῆς μεταφυσικῆς. ***the lower ~s***, ὁ κάτω κόσμος. ***in the ~ of***, (*καθομ.*) περίπου, γύρω ἀπό: *in the ~ of £100*, γύρω στίς 100 λίρες. **~al** /-nl/ *ἐπ.* τοπικός, περιφερειακός. **~·ally** /-nəlɪ/ *ἐπίρ.*

[1]**reg·is·ter** /ˋredʒɪstə(r)/ *οὐσ.* ‹C› **1**. κατάλογος, βιβλίον, μητρῶον, πρωτόκολλον: *a class ~*, κατάλογος τῆς τάξεως. *a parish ~*, ληξιαρχικό βιβλίο ἐνορίας. **Lloyd's ~**, νηογνώμων τῶν Λόϋντς. **the Parliamentary R~**; **the R~ of voters**, ἐκλογικός κατάλογος ψηφοφόρων. **2**. (*μουσ.*) ἔκτασις (φωνῆς, ὀργάνου). **3**. ρυθμιστής, σύρτης (κλιβάνου, καπνοδόχου). **4**. μετρητής (χιλιομετρικός, κλπ). **cash ~**, μηχανή ταμείου. **5**. ληξιαρχεῖον. **6**. (*γλωσσολ.*) ἰδίωμα.

[2]**reg·is·ter** /ˋredʒɪstə(r)/ *ρ.μ/ἀ.* **1**. δηλώνω/-ομαι, ἐγγράφω/-ομαι (σέ κατάλογο), ἀπογράφω, καταθέτω: *~ the birth of a child*, δηλώνω τή γέννηση ἑνός παιδιοῦ. *All foreigners must ~ with the police*, ὅλοι οἱ ξένοι πρέπει νά δηλωθοῦν στήν ἀστυνομία. *~ed teachers*, ἀναγνωρισμένοι δάσκαλοι (ἐγγεγραμμένοι στά μητρῶα τοῦ Ὑπουργείου). *~ one's car*, ἀπογράφω τό αὐτοκίνητό μου. *~ a new trade mark*, καταθέτω ἕνα νέο ἐμπορικό σῆμα. *~ at a hotel*, ἐγγράφομαι σέ ξενοδοχεῖο. **2**. (*γιά ὄργανα ἀκριβείας*) καταγράφω, σημειώνω: *The thermometer ~ed 3° C below zero*, τό θερμόμετρο σημείωσε τρεῖς βαθμούς Κελσίου ὑπό τό μηδέν. **3**. (*γιά ἄνθρ.*) μαρτυρῶ, προδίδω, δείχνω: *His face ~ed surprise/disappointment*, τό πρόσωπό του ἔδειχνε (μαρτυροῦσε) κατάπληξη/ἀπογοήτευση. **4**. στέλνω κτ συστημένο. **~ed letter**, συστημένο γράμμα.

reg·is·trar /ˌredʒɪˋstra(r)/ *οὐσ.* ‹C› ληξίαρχος, ἀρχειοφύλαξ, ὑποθηκοφύλαξ, ὑπεύθυνος τηρήσεως μητρῴου.

reg·is·tra·tion /ˌredʒɪˋstreɪʃn/ *οὐσ.* ‹C,U› σύστασις, ἐγγραφή, καταγραφή, ληξιαρχική πρᾶξις, κατάθεσις, δήλωσις: *~ of letters*, σύστασις ἐπιστολῶν. *~ of a student for an exam*, ἐγγραφή σπουδαστοῦ γιά ἐξετάσεις. *the ~ number of a car*, ἀριθμός κυκλοφορίας αὐτοκινήτου. *~ with the police*, δήλωσις στήν ἀστυνομία.

reg·is·try /ˋredʒɪstrɪ/ *οὐσ.* ‹C› **1**. ληξιαρχεῖον: *They were married at a ˋ~ office*, παντρεύτηκαν σ' ἕνα ληξιαρχεῖο (ἔκαναν πολιτικό γάμο). **2**. νηολόγησις: *port of ~*, λιμήν νηολογήσεως. **certificate of ~**, πιστοποιητικόν ἐθνικότητος (νηολογήσεως). **3**. *βλ. registration*.

Re·gius /ˋridʒɪəs/ *ἐπ.* **~ professor**, καθηγητής ἕδρας ἱδρυθείσης παρά βασιλέως.

reg·nant /ˋregnənt/ *ἐπ.* (*λόγ.*) βασιλεύων.

re·gress /rɪˋgres/ *ρ.ἀ.* ὀπισθοδρομῶ, παλινδρομῶ, ὑποτροπιάζω, ξανακυλῶ. **re·gres·sion** /rɪˋgreʃn/ *οὐσ.* ‹U› παλινδρόμησις, ὀπισθοδρόμησις. **re·gress·ive** /rɪˋgresɪv/ *ἐπ.* ὀπισθοδρομικός.

[1]**re·gret** /rɪˋgret/ *οὐσ.* **1**. ‹U› λύπη: *He expressed ~ at not being able to help*, ἐξέφρασε τή λύπη του πού δέν μποροῦσε νά βοηθήση. *I hear with ~ that...*, μαθαίνω μέ λύπη μου ὅτι...

Much to my ~, I can't come, πρός μεγάλη μου λύπη δέν μπορῶ νά ἔλθω (λυποῦμαι πολύ πού δέν μπορῶ νά ἔλθω). **2**. (*συνήθ. πληθ.*) λύπη, συγγνώμη, τύψις: *Please accept my ~s at having to refuse*, παρακαλῶ δεχθῆτε τήν ἔκφραση τῆς λύπης μου (σᾶς ζητῶ συγγνώμη) γιά τήν ἄρνησή μου. *I have no ~s*, δέν μετανοιώνω. **~·ful** /-fl/ *ἐπ.* θλιμμένος, περίλυπος, μετανοιωμένος. **~·fully** /-fəlɪ/ *ἐπίρ.*

[2]**re·gret** /rɪ`gret/ *ρ.μ.* *(-tt-)* λυποῦμαι, μετανοιώνω: *I ~ being unable to help*, λυποῦμαι πού δέν μπορῶ νά βοηθήσω. *I ~ to inform you that...*, μετά λύπης μου σᾶς πληροφορῶ ὅτι... *You will ~ it*, θά τό μετανοιώσης. *I ~ lost opportunities*, μετανοιώνω γιά τίς χαμένες εὐκαιρίες. *I ~ your ignorance*, (*λόγ.*) λυπᾶμαι γιά τήν ἀμάθειά σου. **~·table** /-əbl/ *ἐπ.* ἀξιοθρήνητος, ἀτυχής, θλιβερός: *~table failures*, θλιβερές ἀποτυχίες. **~·tably** /-əblɪ/ *ἐπίρ.* θλιβερά, ἀξιοθρήνητα.

re·group /'ri`grup/ *ρ.μ/ὰ.* ἀνασυντάσσω/-ομαι.

reg·ular /`regjʊlə(r)/ *ἐπ.* **1**. συμμετρικός: *~ teeth/features*, συμμετρικά δόντια/χαρακτηριστικά. **2**. τακτικός: *a man with ~ habits/work*, ἄνθρωπος μέ τακτικές συνήθειες/-ή δουλειά. *keep ~ hours*, ἔχω τακτικές ὧρες. **3**. τακτικός, κανονικός: *~ soldiers*, τακτικοί στρατιῶτες. *a ~ introduction*, κανονική (τυπική) σύστασις. **4**. (*γραμμ.*) ὁμαλός: *~ and ir~ verbs*, ὁμαλά καί ἀνώμαλα ρήματα. **5**. κανονικός, συνηθισμένος: *~ size*, συνηθισμένο μέγεθος. **6**. (*καθομ.*) τέλειος, σωστός: *He's a ~ rascal/hero*, εἶναι τέλειος παληάνθρωπος/σωστός ἥρωας. **7**. (*πεπαλ.*) ἐν τάξει, φίνος, εὐχάριστος: *He's a ~ guy*, εἶναι ἐντάξει τύπος, εἶναι καλό παιδί. __*οὐσ.* ‹C› τακτικός (στρατιώτης), μόνιμος (πελάτης). **~·ly** *ἐπίρ.* τακτικά, συμμετρικά. **~·ity** /'regjʊ`lærətɪ/ *οὐσ.* ‹U› τακτικότης, ὁμαλότης, κανονικότης, ἀκρίβεια, τάξις. **~·ize** /`regjʊləraɪz/ *ρ.μ.* τακτοποιῶ, κανονίζω, συστηματοποιῶ. **~·iz·ation** /'regjʊləraɪ`zeɪʃn/ *οὐσ.* ‹U› τακτοποίησις.

regu·late /`regjʊleɪt/ *ρ.μ.* **1**. κανονίζω, ρυθμίζω: *~ one's conduct/expenditure*, κανονίζω τό φέρσιμό μου/τά ἔξοδά μου. *~ the traffic*, ρυθμίζω τήν κυκλοφορία. **2**. ρεγουλάρω: *~ the speed of a machine*, ρεγουλάρω (ρυθμίζω) τήν ταχύτητα μιᾶς μηχανῆς. **regu·la·tor** /-tə(r)/ *οὐσ.* ‹C› ρυθμιστής, ρεγουλαδόρος.

regu·la·tion /'regjʊ`leɪʃn/ *οὐσ.* **1**. ‹U› ρύθμισις, ρεγουλάρισμα: *the ~ of the traffic/of a watch*, ἡ ρύθμισις τῆς κυκλοφορίας/τό ρεγουλάρισμα ἑνός ρολογιοῦ. **2**. (*συνήθ. πληθ.*) κανονισμός, ὁρισμός: *`safety/`traffic ~s*, κανονισμοί ἀσφαλείας/κυκλοφορίας. ***contrary to ~s***, κατά παράβασιν τοῦ κανονισμοῦ. **3**. (*ἐπιθ.*) κανονικός (σύμφωνος μέ τόν κανονισμό): *~ uniform/size*, κανονική στολή/-ό μέγεθος.

re·gur·gi·tate /rɪ`gɜdʒɪteɪt/ *ρ.μ/ὰ.* (*γιά ὑγρό ἤ τροφή*) ξαναγυρίζω πίσω, ξερνῶ, ἀναμασῶ: *~ sb's ideas/words*, (*μεταφ.*) ἀναμασῶ τίς ἰδέες/τά λόγια κάποιου.

re·ha·bili·tate /'rihə`bɪlɪteɪt/ *ρ.μ.* **1**. ἀποκαθιστῶ: *~ an old building*, ἀποκαθιστῶ ἕνα παληό κτίριο. *He has been ~d in public esteem*, ἀποκαταστάθηκε στήν κοινή ἐκτίμηση. **2**. ἐπανεκπαιδεύω, ἀποκαθιστῶ (ἀνάπηρον), ἀναμορφώνω, ἐπαναφέρω στήν κανονική ζωή (κατάδικο, πόρνη).

re·ha·bili·ta·tion /'rihə'bɪlɪ`teɪʃn/ *οὐσ.* ‹U› ἀναμόρφωσις, ἀποκατάστασις: *a ~ camp*, στρατόπεδο ἀναμορφώσεως, ἀναμορφωτήριον. *a ~ centre*, κέντρο ἀποκαταστάσεως (ἀναπήρων, κλπ).

re·hash /'ri`hæʃ/ *ρ.μ.* (*καθομ.*) διασκευάζω, ξαναμαγειρεύω, ξαναδουλεύω (κτ παληό): *~ last year's lectures for the new year*, ξαναδουλεύω τά μαθήματα τοῦ περασμένου χρόνου γιά τόν νέον. __*οὐσ.* ‹C› /`rihæʃ/ διασκευή, ἀναμασήματα.

re·hearsal /rɪ`hɜsl/ *οὐσ.* ‹C,U› (*θέατρ.*) πρόβα, δοκιμή, ἐπανάληψις: *put a play into ~*, ἀρχίζω δοκιμές σ' ἕνα ἔργο. **`dress ~**, γενική πρόβα.

re·hearse /rɪ`hɜs/ *ρ.μ/ὰ.* **1**. (*θέατρ.*) κάνω πρόβα. **2**. ἐξιστορῶ, ἐπαναλαμβάνω: *~ the events of the day*, ξαναπερνῶ/ἐξιστορῶ τά γεγονότα τῆς ἡμέρας. *~ one's grievances*, ἐπαναλαμβάνω τά παράπονά μου.

re·house /'ri`haʊz/ *ρ.μ.* ἐπαναστεγάζω.

reign /reɪn/ *οὐσ.* ‹C› κυριαρχία, βασιλεία: *in the ~ of Elizabeth*, κατά τήν βασιλείαν τῆς Ἐλισάβετ. *the ~ of law/reason*, ἡ βασιλεία τοῦ νόμου/ἡ ἐπικράτησις τῆς λογικῆς. ***~ of terror***, περίοδος τρομοκρατίας. __*ρ.ὰ.* (*κυριολ. & μεταφ.*) ~ ***(over)***, βασιλεύω: *She ~ed over the country for 45 years*, βασίλευσε στή χώρα 45 χρόνια. *Silence ~ed everywhere*, σιωπή βασίλευε παντοῦ.

re·im·burse /'riɪm`bɜs/ *ρ.μ.* ἀποδίδω (δαπανηθέντα χρήματα), ἀποζημιώνω: *We must ~ him the costs of the journey*, πρέπει νά τοῦ δώσωμε τά ἔξοδα πού ἔκαμε γιά τό ταξίδι. *You'll be ~d (for) your expenses*, θά ἀποζημιωθῆς γιά τά ἔξοδά σου. **~·ment** *οὐσ.* ‹C,U› ἐπιστροφή, ἀπόδοσις, ἀποζημίωσις.

rein /reɪn/ *οὐσ.* ‹C,U› (*συνήθ. πληθ.*) ἡνία, χαλινάρι, γκέμι: *assume/drop the ~s of government*, ἀναλαμβάνω/ἐγκαταλείπω τά ἡνία τῆς κυβερνήσεως. ***draw ~***, (*κυριολ. & μεταφ.*) σταματῶ, κόβω ταχύτητα. ***give free ~/give the ~s to sb/sth***, ἀφήνω ἐντελῶς ἐλεύθερο/ἀνεξέλεγκτο: *give free ~ to one's passions*, (*μεταφ.*) ἀφήνω ἐλεύθερα τά πάθη μου. ***hold/take the ~s***, (*κυριολ. & μεταφ.*) κρατῶ/παίρνω τά ἡνία. ***keep a tight ~ on sb***, (*μεταφ.*) σφίγγω τά λουριά σέ κπ, ἐπιβάλλω αὐστηρή πειθαρχία. __*ρ.μ.* χαλιναγωγῶ.

re·in·car·nate /'riɪn`kaneɪt/ *ρ.μ.* μετεμψυχῶ/-οῦμαι. __*ἐπ.* /'riɪn`kanət/ μετεμψυχούμενος.

re·in·car·na·tion /`riɪn'ka`neɪʃn/ *οὐσ.* ‹C,U› μετεμψύχωσις.

rein·deer /`reɪndɪə(r)/ *οὐσ.* ‹C› (*ἀμετάβλ. στόν πληθ.*) τάρανδος.

re·in·force /'riɪn`fɔs/ *ρ.μ.* ἐνισχύω: *~ an army/a garment*, ἐνισχύω ἕνα στρατό/ἕνα ροῦχο. **~d concrete**, μπετόν ἀρμέ. **~·ment** *οὐσ.* (U & C, *συχνά πληθ.*) ἐνίσχυσις: *send ~ments*, στέλνω ἐνισχύσεις.

re·in·state /'riɪn`steɪt/ *ρ.μ.* ἀποκαθιστῶ, ἐπαναφέρω κπ στή θέση του: *~ sb in his former office*, ἐπαναφέρω κπ στήν παληά του θέση. **~·ment** *οὐσ.* ‹C,U› ἐπαναφορά.

re·in·sure /'riɪn`ʃʊə(r)/ *ρ.μ.* ἀντασφαλίζω. **re-**

in·sur·ance /-rns/ οὐσ. ‹U› ἀντασφάλισις.
re·is·sue /'ri`ıʃu/ ρ.μ. ἐπανεκδίδω: ~ *books/stamps*. —οὐσ. ‹C› ἐπανέκδοσις, ἀνατύπωσις.
re·iter·ate /ri`ıtəreıt/ ρ.μ. ἐπαναλαμβάνω: ~ *a command*, ἐπαναλαμβάνω μιά διαταγή. **re·iter·ation** /'ri'ıtə`reıʃn/ οὐσ. ‹C,U› ἐπανάληψις.
[1]**re·ject** /`ridʒekt/ οὐσ. ‹C› ἀπόρριμμα, σκάρτο πρᾶγμα: *export ~s*, εἴδη ἀκατάλληλα πρός ἐξαγωγήν.
[2]**re·ject** /rı`dʒekt/ ρ.μ. ἀπορρίπτω, παραιτῶ: ~ *an offer/a suitor*, ἀπορρίπτω μιά προσφορά/ἕνα ὑποψήφιο γαμπρό. **re·jec·tion** /rı`dʒekʃn/ οὐσ. ‹C,U› **1**. ἀπόρριψις, ἄρνησις. **2**. σκάρτο πρᾶγμα.
re·joice /rı`dʒɔıs/ ρ.μ/ἀ. **1**. ~ ***(at/over)***, ἀγαλλιῶ, χαίρομαι, πανηγυρίζω: *I ~ to hear you are well again*, χαίρομαι πού ἀκούω ὅτι εἶσαι καλά τώρα. *I ~ at your success*, εἶμαι ὅλος χαρά γιά τήν ἐπιτυχία σου. *The people ~d over the victory*, ὁ λαός πανηγύρισε τήν νίκη. *She ~s in the name of Aitken*, (χιουμορ.) ὀνομάζεται Ἄτκεν. **2**. (πεπαλ.) χαροποιῶ: *His success ~d everybody at home*, ἡ ἐπιτυχία του χαροποίησε ὅλους στό σπίτι. **re·joic·ing** οὐσ. (U & πληθ.) χαρά, ἀγαλλίασις, πανηγυρισμός: *There was general rejoicing*, ἔγινε γενικός πανηγυρισμός.
[1]**re·join** /rı`dʒɔın/ ρ.μ/ἀ. (νομ.) ἀνταπαντῶ, ἀντικρούω. **~·der** /-də(r)/ οὐσ. ‹C› ἀνταπάντησις.
[2]**re·join** /ri`dʒɔın/ ρ.μ/ἀ. ἐπανέρχομαι, ξανασυναντῶ: ~ *one's regiment/ship*, ἐπανέρχομαι στό σύνταγμά μου/στό πλοῖο μου. ~ *one's company*, ξαναγυρίζω στή συντροφιά μου, ξανασυναντῶ τούς φίλους μου.
re-join /'ri `dʒɔın/ ρ.μ. ἐπανασυνδέω.
re·ju·ven·ate /ri`dʒuvəneıt/ ρ.μ/ἀ. ξανανιώνω: *You look ~d*, φαίνεσαι ξανανιωμένος. **re·ju·ven·ation** /rı'dʒuvə`neıʃn/ οὐσ. ‹U› ἀνανέωσις, ξανάνιωμα.
re·kindle /ri`kındl/ ρ.μ/ἀ. ξανανάβω, ἀναζωπυρῶ/-οῦμαι: ~ *a fire/sb's love*, ξανανάβω μιά φωτιά/τήν ἀγάπη κάποιου. *Our hopes ~d*, οἱ ἐλπίδες μας ἀναζωπυρώθηκαν.
re·laid /'ri`leıd/ ἀόρ. & π.μ. τοῦ ρ. [2]*relay*.
re·lapse /rı`læps/ ρ.ἀ. ξαναπέφτω, ὑποτροπιάζω, ξανακυλῶ: ~ *into silence/heresy*, ξαναπέφτω στή σιωπή/στήν αἵρεση. —οὐσ. ‹C› ὑποτροπή: *The patient has had a ~*, ὁ ἀσθενής εἶχε ὑποτροπή/ξανακύλισε.
re·late /rı`leıt/ ρ.μ/ἀ. **1**. (λόγ.) διηγοῦμαι, ἀφηγοῦμαι, ἱστορῶ: ~ *one's adventures*, ἀφηγοῦμαι τίς περιπέτειές μου. ***strange to ~***, περιέργως, ὅσο κι᾿ ἄν φαίνεται παράξενο: *Strange to ~, he paid me back*, περιέργως, μοῦ ἐπέστρεψε τά δανεικά. **2**. συνδέω, συσχετίζω: *It's difficult to ~ those phenomena with/to any known causes*, εἶναι δύσκολο νά συσχετίση κανείς αὐτά τά φαινόμενα μέ ὁποιεσδήποτε γνωστές αἰτίες. **3**. ***~ to***, σχετίζομαι, ἀφορῶ: *She notices nothing except what ~s to herself*, δέν προσέχει τίποτα ἄλλο ἐκτός ἀπ᾿ ὅ,τι σχετίζεται μέ τόν ἑαυτό της (ὅ,τι τήν ἀφορᾶ). **4**. ***be ~d (to)***, συγγενεύω μέ: *We are not ~d*, δέν συγγενεύομε. *He's ~d to the royal family*, συγγενεύει μέ τή βασιλική οἰκογένεια.
re·la·tion /rı`leıʃn/ οὐσ. **1**. ‹U› ἀφήγησις, διήγησις. **2**. ‹U› σχέσις, συνάφεια: *the ~ between cause and effect*, ἡ σχέσις αἰτίας καί ἀποτελέσματος. ***bear no ~ to; be out of all ~ to***, δέν ἔχω καμιά σχέση μέ, εἶμαι ἐντελῶς δυσανάλογος πρός: *The results are out of all ~ to our efforts*, τά ἀποτελέσματα δέν ἔχουν καμιά σχέση μέ (εἶναι δυσανάλογα πρός) τίς προσπάθειές μας. ***in/with ~ to***, σέ σχέση μέ, σχετικῶς μέ. **3**. (συνήθ. πληθ.) σχέσεις: *friendly/business/diplomatic ~s*, φιλικές / ἐμπορικές / διπλωματικές σχέσεις. ***break off ~s with sb***, διακόπτω τίς σχέσεις μέ κπ. **public ~s**, δημόσιες σχέσεις. **4**. ‹C› συγγενής: *He's no ~ of mine*, δέν εἶναι συγγενής μου. *a ~ on my mother's side*, συγγενής ἀπό τό σόϊ τῆς μητέρας μου. *poor ~s*, φτωχοί συγγενεῖς. *What ~ is he to you?* τί συγγένεια ἔχει μέ σένα; *a near/distant ~*, στενός/μακρυνός συγγενής. *a ~ by marriage*, συγγενής ἐξ ἀγχιστείας.
re·la·tion·ship /rı`leıʃnʃıp/ οὐσ. ‹C,U› **1**. ~ ***(between/to/with)***, σχέσις, συνάφεια: *the principle of ~*, ἡ ἀρχή τῆς συναφείας. *a lasting/close ~ between two people*, μιά μακρά/στενή σχέσις μεταξύ δύο προσώπων. **2**. συγγένεια: *a blood ~*, συγγένεια ἐξ αἵματος.
rela·tive /`relətıv/ οὐσ. ‹C› **1**. συγγενής. **2**. (γραμμ.) ἀναφορικόν. —ἐπ. **1**. σχετικός, συγκριτικός: *live in ~ comfort*, ζῶ μέ σχετική ἄνεση. *the ~ advantages of two methods*, τά συγκριτικά πλεονεκτήματα τῶν δύο μεθόδων. ***~ to***, σχετικός μέ: *The papers ~ to this case*, τά ἔγγραφα τά σχετικά μέ (πού ἀφοροῦν) αὐτή τήν ὑπόθεση... *facts ~ to a problem*, γεγονότα πού σχετίζονται μ᾿ ἕνα πρόβλημα. **2**. (γραμμ.) ἀναφορικός: ~ *pronouns/clauses*, ἀναφορικές ἀντωνυμίες/προτάσεις. **~·ly** ἐπίρ. σχετικά, συγκριτικά: *He is ~ly happy*, εἶναι σχετικά εὐτυχισμένος. ***~ly speaking***, συγκριτικά: *This is unimportant, ~ly speaking*, συγκριτικά, αὐτό εἶναι ἀσήμαντο.
rela·tiv·ity /'relə`tıvətı/ οὐσ. ‹U› σχετικότης: *the theory of ~*, ἡ θεωρία τῆς σχετικότητος.
re·lax /rı`læks/ ρ.μ/ἀ. **1**. χαλαρώνω, μαλακώνω, ἠρεμῶ: ~ *the muscles/one's grip/discipline*, χαλαρώνω τούς μῦς/τό σφίξιμό μου/τήν πειθαρχία. ~ *in one's efforts*, χαλαρώνω τίς προσπάθειές μου. *His severity ~ed*, ἡ αὐστηρότητά του μαλάκωσε (μετριάστηκε). *His face ~ed/~ed in a smile*, τό πρόσωπό του ἠρέμησε/γλύκανε καί χαμογέλασε. **2**. ξεκουράζω/-ομαι: *I read to ~ my mind*, διαβάζω γιά νά ξεκουράσω τό μυαλό μου. *Let's ~ for an hour*, ἄς ξεκουραστοῦμε καμιά ὥρα. *She's feeling ~ed now*, νοιώθει ἀνακουφισμένη (γαληνεμένη) τώρα. *Sit back and ~!* ξάπλωσε καί ξεκουράσου (καί ξεντώσου)! **~·ation** /'rilæk`seıʃn/ οὐσ. ‹C,U› χαλάρωσις, ἀνακούφισις, ξέντωμα, ἀναψυχή, ξεκούρασις: *Fishing is my favourite ~ation*, τό ψάρεμα εἶναι ἡ ἀγαπημένη μου ἀναψυχή.
[1]**re·lay** /`rileı/ οὐσ. ‹C› **1**. ἐφεδρεία (ἀλόγων), βάρδια (ἐργατῶν): *They work in/by ~s*, δουλεύουν μέ βάρδιες. **`~ race**, (ἀθλ.) σκυταλοδρομία. **2**. (ἀσυρμ.) ἀναμετάδοσις. **`~ station**, σταθμός ἀναμεταδόσεως. —ρ.μ. /rı`leı/ ἀναμεταδίδω (προγράμματα).

[2]**relay** /ˈriːˋleɪ/ *ρ.μ.* (*ἀνώμ. βλ.* [1]*lay*) ξαναβάζω.
re·lease /rɪˋlis/ *ρ.μ.* **1**. ἐλευθερώνω, (ἀπο)λύω, ἀποδεσμεύω, ἀπαλλάσω, ἀφήνω: ~ *the handbrake/sb's hands*, ἐλευθερώνω (λύνω) τό χειρόφρενο/τά χέρια κάποιου. ~ *sb from prison/from a promise*, ἀπολύω κπ ἀπό τή φυλακή/ἀποδεσμεύω κπ ἀπό μιά ὑπόσχεση. ~ *one's hold of sth*, ἀφήνω κτ πού σφίγγω, ἀμολάω κτ. **2**. ἀνακοινώνω (εἰδήσεις), θέτω σέ κυκλοφορία (*πχ* δίσκους, κινημ. ταινία, νέο μοντέλλο αὐτοκινήτου, κλπ). **3**. (*νομ.*) παραιτοῦμαι (ἀπό ἕνα δικαίωμα). —*οὐσ.* **1**. ‹C,U› ἀπελευθέρωσις, ἀπαλλαγή, ἀπόλυσις, κυκλοφορία, ἀνακοίνωσις: *a feeling of* ~, αἴσθημα ἀπελευθερώσεως. ~ *from an obligation*, ἀπαλλαγή ἀπό μιά ὑποχρέωση. *an order for sb's* ~ *from prison*, ἐντολή ἀπολύσεως κάποιου ἀπό τή φυλακή. *the newest* ~*s*, οἱ τελευταῖες ταινίες/οἱ τελευταῖοι δίσκοι πού κυκλοφόρησαν. ˋ**press** ~, ἀνακοίνωσις πρός τόν τύπο. **2**. ‹C› (*μηχ.*) διακόπτης, μοχλός (πού ἐπιτρέπει τήν ἀπεμπλοκή).
rel·egate /ˋreləgeɪt/ *ρ.μ.* **1**. παραπέμπω: ~ *a task/question to sb*, παραπέμπω μιά δουλειά/ἕνα θέμα σέ κπ. **2**. ἐξαποστέλλω, ὑποβιβάζω: *She was* ~*d to a convent*, τήν ἐξαπέστειλαν σέ μοναστήρι. ~ *one's wife to the position of a servant*, ὑποβιβάζω τή γυναίκα μου στή θέση ὑπηρέτριας. ~ *a team to the second division*, ὑποβιβάζω μιά ὁμάδα στή β! κατηγορία. **rel·ega·tion** /ˈreləˋgeɪʃn/ *οὐσ.* ‹U› παραπομπή, στάλσιμο, ὑποβιβασμός.
re·lent /rɪˋlent/ *ρ.ἀ.* κάμπτομαι, μαλακώνω: *At last she* ~*ed and allowed the children to stay up and watch TV*, τελικά ἐκάμφθη καί ἐπέτρεψε στά παιδιά νά μείνουν καί νά δοῦν τηλεόραση. ~**·less** *ἐπ.* ἄκαμπτος, ἀμείλικτος, ἀπηνής: ~*less persecution*, ἀπηνής καταδίωξις. ~**-less·ly** *ἐπίρ.* ἀπηνῶς, ἀμείλικτα.
rel·evance /ˋreləvəns/, **rel·evancy** /ˋreləvənsɪ/ *οὐσ.* ‹U› σχέσις, συνάφεια, σημασία.
rel·evant /ˋreləvənt/ *ἐπ.* ~ ***(to)***, σχετικός: *all* ~ *documents*, ὅλα τά σχετικά ἔγγραφα. *all facts* ~ *to the case*, ὅλα τά γεγονότα τά σχετικά μέ τήν ὑπόθεση. ~**·ly** *ἐπίρ.*
re·li·able /rɪˋlaɪəbl/ *ἐπ.* ἀξιόπιστος, σίγουρος, θετικός: ~ *information/witnesses*, ἀξιόπιστες πληροφορίες/-οι μάρτυρες. *a* ~ *car*, σίγουρο αὐτοκίνητο. **re·li·ably** /-əblɪ/ *ἐπίρ.* σίγουρα, μ' ἐμπιστοσύνη. **re·lia·bil·ity** /rɪˈlaɪəˋbɪlətɪ/ *οὐσ.* ‹U› ἀξιοπιστία, σταθερότης.
re·li·ance /rɪˋlaɪəns/ *οὐσ.* **1**. ‹U› ἐμπιστοσύνη: *place* ~ *on sb/on his promises*, δίνω ἐμπιστοσύνη σέ κπ/στίς ὑποσχέσεις του. **2**. ‹C› στήριγμα, ἔρεισμα. **re·li·ant** /-ənt/ *ἐπ.* βασιζόμενος: *be reliant on sb*, βασίζομαι, ἔχω ἐμπιστοσύνη σέ κπ.
relic /ˋrelɪk/ *οὐσ.* ‹C› λείψανο, ὑπόλειμμα: ~*s of the past*, λείψανα τοῦ παρελθόντος. ~*s of ancient civilizations*, ὑπολείμματα ἀρχαίων πολιτισμῶν. *a person's* ~*s*, τό λείψανο κάποιου.
[1]**re·lief** /rɪˋlif/ *οὐσ.* ‹U› **1**. ἀνακούφισις: *heave a sigh of* ~, βγάζω στεναγμό ἀνακουφίσεως. *The medicine gave/brought some* ~, τό φάρμακο ἔφερε λίγη ἀνακούφιση. *to my great* ~, πρός μεγάλη μου ἀνακούφιση. *It was a great* ~ *to hear that*..., ἀνακουφίστηκα πολύ μαθαίνοντας ὅτι... **2**. ξαλάφρωμα, σπάσιμο τῆς μονοτονίας, ποικιλία: *introduce comic scenes into a tragedy by way of* ~, βάζω κωμικές σκηνές σέ μιά τραγῳδία γιά ξαλάφρωμα. *vast stretches of sand without* ~, ἀπέραντες ἐκτάσεις ἄμμου χωρίς καμιά ποικιλία (χωρίς τίποτα πού νά σπάζη τή μονοτονία). **3**. βοήθεια, περίθαλψις, ἀρωγή: *provide* ~ *for refugees*, δίνω βοήθεια σέ πρόσφυγες. *state* ~, κρατική ἀρωγή. ~ **fund**, ταμεῖον ἀρωγῆς/περιθάλψεως. ~ **works**, ἔργα γιά τήν ἀνακούφιση τῶν ἀνέργων. ~ **road**, βοηθητικός δρόμος γιά τήν κυκλοφοριακή ἀνακούφιση ἄλλου δρόμου. **4**. (*στρατ.*) βοήθεια, ἐνίσχυσις: *He hastened to the* ~ *of the besieged town*, ἔσπευσε σέ βοήθεια τῆς πολιορκουμένης πόλεως. *When* ~ *arrived*..., ὅταν ἔφθασαν ἐνισχύσεις... **5**. (*μόνον ἑν. ἤ ἐπιθ.*) ἀντικατάστασις (φρουρᾶς), ἀλλαγή (βάρδιας), ἀντικαταστάτης: *When my* ~ *came*, ὅταν ἦρθε ὁ ἀντικαταστάτης μου... *a* ~ *driver*, συνοδηγός.
[2]**re·lief** /rɪˋlif/ *οὐσ.* **1**. ‹C,U› ἀνάγλυφον: *a profile in* ~, ἀνάγλυφη προσωπογραφία. *in high/low* ~, ἔντονα/ἐλαφρά ἀνάγλυφος. ~ **map**, ἀνάγλυφος χάρτης. **2**. ‹U› (*μεταφ.*) τονισμός, ἔξαρσις, ἀντίθεσις, προβολή. ***bring/throw sth into*** ~, τονίζω, προβάλλω, ἐξαίρω κτ: *throw a character into* ~, τονίζω ἕνα πρόσωπο (*πχ* σ' ἕνα θεατρικό ἔργο). ***be/stand out in*** ~ ***against sth***, ἀποτελῶ/βρίσκομαι σέ ἔντονη ἀντίθεση μέ κτ: *The hills stood out in sharp* ~ *against the morning sky*, οἱ λόφοι διαγράφονταν ἔντονα στόν πρωϊνό οὐρανό.
re·lieve /rɪˋliv/ *ρ.μ.* **1**. ἀνακουφίζω, βοηθῶ: *I was* ~*d to know he was out of danger*, ἀνακουφίστηκα μαθαίνοντας ὅτι ἦταν ἐκτός κινδύνου. ~ *the poor*, βοηθῶ τούς φτωχούς. ~ ***sb's mind***, καθησυχάζω κπ. ~ ***one's feelings***, ξεθυμαίνω, ἐκτονώνομαι, δίνω διέξοδο στά αἰσθήματά μου. ~ ***oneself***, ἀνακουφίζομαι, κάνω τό νερό μου. **2**. ξεκουράζω, ποικίλλω: ~ *the monotony of sth*, σπάζω τή μονοτονία ἑνός πράγματος. **3**. ~ ***sb of sth***, *(α)* ξαλαφρώνω κπ: ~ *sb of a suitcase*, ξαλαφρώνω κπ ἀπό μιά βαλίτσα (τοῦ τήν κουβαλῶ). *The pickpocket* ~*d me of my wallet*, (*ἀστειολ.*) ὁ πορτοφολᾶς μέ ξαλάφρωσε ἀπό πορτοφόλι μου (μοῦ τὄκλεψε). *(β)* ἀπολύω: *He was* ~*d of his post*, ἀπολύθηκε ἀπό τή θέση του. *(γ)* ἀπαλλάσσω, ξαλαφρώνω: *I feel* ~*d of a great weight*, νοιώθω νά μοῦ ἔφυγε (ἀπαλλαγμένος ἀπό) ἕνα μεγάλο βάρος. **4**. ἀντικαθιστῶ κπ στήν ὑπηρεσία: ~ *a guard/sentry*, ἀντικαθιστῶ ἕνα φρουρό/ἕνα σκοπό. *You'll be* ~*d at noon*, θά σέ ἀντικαταστήσουν τό μεσημέρι. **5**. τονίζω, προβάλλω, διαγράφω ἔντονα: ~*d against a dark background*, διαγραφόμενος καθαρά σ' ἕνα σκοῦρο φόντο.
re·lig·ion /rɪˋlɪdʒən/ *οὐσ.* ‹C,U› θρησκεία: *freedom of* ~, θρησκευτική ἐλευθερία. *Her name in* ~ *is Sister Mary*, τὄνομά της σά μοναχή εἶναι ἀδελφή Μαρία. ***take to*** ~, τό ρίχνω στή θρησκοληψία. ***make a*** ~ ***of doing sth***, (*μεταφ.*) τὄχω μανία νά, τὄχω κάνει θρησκεία μου νά: *She makes a* ~ *of keeping her house spotlessly clean*, τὄχει μανία

νά ἔχη τό σπίτι της πεντακάθαρο (ἔχει κάνει τήν καθαριότητα θρησκεία).

re·lig·ious /rɪˋlɪdʒəs/ *ἐπ.* **1**. θρησκευτικός: ~ *duties*, θρησκευτικά καθήκοντα. *a* ~ *house*, μοναστήρι. *do one's work with* ~ *care/exactitude*, (*μεταφ.*) κάνω τή δουλειά μου μέ θρησκευτική προσοχή/ἀκρίβεια. **2**. θρησκευόμενος, θεοφοβούμενος, θρῆσκος. __*οὐσ.* (*συλλογ.*, *ἤ ἑν. μέ ἀόρ. ἄρθρ.*) μοναχός, μοναχή. **~·ly** *ἐπίρ.* μέ θρησκευτική εὐλάβεια.

re·line /ˈriˋlaɪn/ *ρ.μ.* ξαναφοδράρω.

re·lin·quish /rɪˋlɪŋkwɪʃ/ *ρ.μ.* ἐγκαταλείπω, ἀφήνω: ~ *a hope/habit*, ἐγκαταλείπω μιά ἐλπίδα/μιά συνήθεια. ***~ one's hold of/over***, ἀφήνω ἀπό τά χέρια μου: *They will never* ~ *their hold over Greece*, δέν θ' ἀφήσουν ποτέ τήν Ἑλλάδα ἀπό τά χέρια τους. ***~ sth to sb/sth***, παραιτοῦμαι, παραδίδω, ἐκχωρῶ: *He* ~*ed his claim to the throne*, παραιτήθηκε ἀπό τίς ἀξιώσεις του στό θρόνο. *He* ~*ed his shares/rights to his partner*, ἐξεχώρησε τίς μετοχές του/τά δικαιώματά του στό συνεταῖρο του.

reli·quary /ˋrelɪkwərɪ/ *οὐσ.* ‹C› λειψανοθήκη.

rel·ish /ˋrelɪʃ/ *οὐσ.* **1**. ‹C,U› νοστιμάδα, νοστιμιά, καρύκευμα: *give* ~ *to a dish*, δίνω νοστιμάδα σ'ἕνα φαγητό. *Olives and sardines are* ~*es*, οἱ ἐληές καί οἱ σαρδέλλες εἶναι νοστιμιές/ὀρεκτικά. *Hunger is the best* ~ *for food*, ἡ πεῖνα εἶναι τό καλύτερο καρύκευμα στό φαΐ. *Danger gives* ~ *to an adventure*, ὁ κίνδυνος δίνει νοστιμάδα (γοητεία) σέ μιά περιπέτεια. **2**. ‹U› εὐχαρίστησις, ἀπόλαυσις: *eat/drink sth with* ~, τρώω/πίνω κτ μέ ἀπόλαυση. *I have no further* ~ *for games*, δέν μοῦ ἀρέσουν (δέν βρίσκω εὐχαρίστηση) πιά στά παιχνίδια. __*ρ.μ.* ἀπολαμβάνω, μοῦ ἀρέσει πολύ: ~ *one's food/a good story*, ἀπολαμβάνω τό φαΐ μου/μιά ὄμορφη ἱστορία. *He did not quite* ~ *the idea/the prospect of...*, δέν τοῦ πολυάρεσε ἡ ἰδέα/ἡ προοπτική νά... ***~ doing sth***, χαίρομαι νά κάνω κτ.

re·live /ˈriˋlɪv/ *ρ.μ.* ξαναζῶ: ~ *an experience*, ξαναζῶ μιά περιπέτεια.

re·lo·cate /ˈriləʊˋkeɪt/ *ρ.μ/ἀ.* μεταφέρω καί ἐγκαθιστῶ σέ ἄλλο μέρος: ~ *industry/population*, μεταφέρω ἀλλοῦ τά ἐργοστάσια/τόν πληθυσμό. **re·lo·ca·tion** /-ˋkeɪʃn/ *οὐσ.* ‹U› μεταφορά, μετατόπισις.

re·luc·tance /rɪˋlʌktəns/ *οὐσ.* ‹U› ἀπροθυμία.

re·luc·tant /rɪˋlʌktənt/ *ἐπ.* διστακτικός, ἀπρόθυμος: *He seemed* ~ *to join us*, φαινόταν ἀπρόθυμος νἄρθη μαζί μας. **~·ly** *ἐπίρ.* ἀπρόθυμα, διστακτικά.

rely /rɪˋlaɪ/ *ρ.ἀ.* ***~ (up)on***, βασίζομαι: *He's not a man to be relied on*, δέν εἶναι ἄνθρωπος στόν ὁποῖον μπορεῖ νά βασιστῆ κανείς. *You can* ~ *on me*, μπορεῖς νά βασίζεσαι σέ μένα.

re·main /rɪˋmeɪn/ *ρ.ἀ.* **1**. (ἀπο)μένω: *Much* ~*s to be done*, ἀπομένουν πολλά νά γίνουν. *Nothing* ~*s of the ancient temple*, τίποτα δέν ἔχει μείνει ἀπό τόν ἀρχαῖο ναό. **2**. (παρα)μένω: *We'll* ~ *here a week*, θά μείνωμε ἐδῶ μιά βδομάδα. *Let things* ~ *as they are*, ἄσ' τά πράγματα (νά μείνουν) ὅπως εἶναι. *He* ~*ed silent*, ἔμεινε σιωπηλός.

re·main·der /rɪˋmeɪndə(r)/ *οὐσ.* ‹C› τό ὑπόλοιπο, οἱ ὑπόλοιποι: *Keep the* ~ *of the money*, κράτησε τό ὑπόλοιπο τῶν χρημάτων. *Twenty people went in and the* ~ *stayed outside*, εἴκοσι ἄνθρωποι μπῆκαν μέσα καί οἱ ὑπόλοιποι ἔμειναν ἀπέξω.

re·mains /rɪˋmeɪnz/ *οὐσ. πληθ.* ὑπολείμματα: *the* ~*s of a meal/temple*, τά ὑπολείμματα ἑνός γεύματος/ἑνός ναοῦ. *his mortal* ~*s*, τό λείψανό του, τό πτῶμα του.

re·make /ˈriˋmeɪk/ *ρ.μ.* (*ἀνώμ. βλ.* [1]*make*) ξαναφτιάχνω. __*οὐσ.* ‹C› /ˈrimeɪk/ ξαναφτιάξιμο.

re·mand /rɪˋmand/ *ρ.μ.* (*νομ.*) παραπέμπω σέ ἄλλη δικάσιμο: *He was* ~*ed for a week*, ἡ δίκη του ἀνεβλήθη ἐπί μίαν ἑβδομάδα. ***be ~ed in custody***, προφυλακίζομαι, κρατοῦμαι (ὥς τή δίκη). __*οὐσ.* ‹U› παραπομπή (σέ ἄλλη δικάσιμο), προφυλάκισις: *detention on* ~, προφυλάκισις, κράτησις (ἕως τή δίκη). **~ home**, κρατητήριο (ἀνηλίκων).

re·mark /rɪˋmak/ *ρ.μ/ἀ.* **1**. (*λόγ.*) παρατηρῶ, βλέπω: *Did you* ~ *the similarity between them?* παρατήρησες τήν ὁμοιότητα μεταξύ τους; **2**. παρατηρῶ, λέω: *He* ~*ed that it was getting dark*, παρατήρησε ὅτι ἄρχισε νά σκοτεινιάζη. **3**. ***~ (up)on***, κάνω παρατήρηση, σχολιάζω: *It was rude to* ~ *upon her appearance*, ἦταν ἀπρέπεια νά σχολιάσης τήν ἐμφάνισή της. __*οὐσ.* ‹C,U› προσοχή, παρατήρησις, σχόλιο: *nothing worthy of* ~, τίποτα ἀξιοπρόσεχτο. ***make a ~***, κάνω μιά παρατήρηση. ***pass/make rude ~s about sb***, κάνω ἀγενῆ σχόλια γιά κπ. **~·able** /-əbl/ *ἐπ.* ἀξιοσημείωτος, ἀξιόλογος, ἀσυνήθης: *a man of* ~*able courage*, ἄνθρωπος μέ σπάνιο θάρρος. **~·ably** /-əblɪ/ *ἐπίρ.* σημαντικά, πολύ.

re·marry /ˈriˋmærɪ/ *ρ.μ/ἀ.* ξαναπαντρεύομαι. **re·mar·riage** /ˈriˋmærɪdʒ/ *οὐσ.* ‹C,U›.

rem·edy /ˋremədɪ/ *οὐσ.* ‹C,U› ***~ (for)***, γιατρικό, φάρμακο, θεραπεία: *a good* ~ *for colds*, καλό φάρμακο γιά τά κρυολογήματα. *The* ~ *seems to be worse than the disease*, τό γιατρικό φαίνεται χειρότερο ἀπό τήν ἀρρώστεια. *Your only* ~ *is to go to law*, ἡ μόνη σου θεραπεία (λύσις) εἶναι νά πᾶς στά δικαστήρια. ***past/beyond ~***, ἀθεράπευτος. __*ρ.μ.* θεραπεύω, γιατρεύω, διορθώνω: *faults that can be remedied*, ἐλαττώματα πού μποροῦν νά διορθωθοῦν. **re·medial** /rɪˋmidɪəl/ *ἐπ.* διορθωτικός, ἐπανορθωτικός, θεραπευτικός: ~ *work/measures*, διορθωτική δουλειά/μέτρα θεραπείας. **re·medi·able** /rɪˋmidɪəbl/ *ἐπ.* διορθώσιμος, θεραπεύσιμος.

re·mem·ber /rɪˋmembə(r)/ *ρ.μ/ἀ.* **1**. θυμᾶμαι: *Do you* ~ *me/*~ *my name?* μέ θυμᾶσαι/θυμᾶσαι τὄνομά μου; *Did you* ~ *to post them?* θυμήθηκες νά τά ταχυδρομήσης; *R*~ *the waiter*, θυμήσου τό γκαρσόνι (ἄφησέ του πουρμπουάρ). ***~ doing sth***, θυμᾶμαι ὅτι ἔκανα κτ: *I* ~ *posting them*, θυμᾶμαι ὅτι τά ταχυδρόμησα. ***Not that I ~***, ἀπ'ὅ,τι θυμᾶμαι ὄχι: *'Have you met him?' 'Not that I* ~.*'* -Τόν ἔχεις γνωρίσει; -'Απ'ὅ,τι θυμᾶμαι ὄχι. **2**. ***~ sb to sb***, διαβιβάζω χαιρετίσματα: *Please* ~ *me to your wife*, σέ παρακαλῶ δῶσε χαιρετίσματα στή γυναίκα σου.

re·mem·brance /rɪˋmembrns/ *οὐσ.* **1**. ‹U› θύμηση, μνήμη, ἀνάμνησις: *I have no* ~ *of it*, δέν τό θυμᾶμαι καθόλου. *in* ~ *of those* *killed in the war*, εἰς μνήμην ἐκείνων πού ἔπεσαν στόν πόλεμο. **R～ Day**, ἡ ἡμέρα τῶν νεκρῶν (τοῦ α! παγκοσμίου πολέμου). ***to the best of my ～***, ἀπ' ὅ, τι (καθ' ὅσον) θυμᾶμαι. **2**. ‹C› ἐνθύμιο: *That's a ～ of my mother*, εἶναι ἐνθύμιο τῆς μητέρας μου. **3**. (*πληθ.*) χαιρετίσματα: *Give my kind ～s to your parents*, δῶσε τούς χαιρετισμούς μου στούς γονεῖς σου.

re·mind /rɪˋmaɪnd/ *ρ.μ.* ***～ sb of sth; ～ sb to do sth; ～ sb that***, θυμίζω: *Who does John ～ you of?* ποιόν σοῦ θυμίζει ὁ Γ.; *He ～s me of your brother*, μοῦ θυμίζει τόν ἀδελφό σου. *I'll ～ you to buy it*, θά σοῦ θυμίσω νά τό ἀγοράσης. *That ～s me*, ἅ, καλά πού τό θυμήθηκα... **～er** *οὐσ.* ‹C› ὑπενθύμισις, ὑπόμνησις: *as a ～er*, γιά ὑπενθύμιση/γιά ὑπόμνηση. *send sb a ～er*, γράφω σέ κπ νά τοῦ ὑπενθυμίσω κτ, στέλνω μιά ὑπόμνηση.

remi·nisce /ˈremɪˋnɪs/ *ρ.ἀ.* ～ ***(about)***, ξαναθυμᾶμαι, ἀναπολῶ.

remi·nis·cence /ˈremɪˋnɪsns/ *οὐσ.* **1**. ‹U› ἀναπόλησις. **2**. (*πληθ.*) ἀνάμνησις: *～s of my days in the army*, ἀναμνήσεις ἀπό τόν καιρό πού ἤμουν στρατιώτης. *I'll write my ～s*, θά γράψω τίς ἀναμνήσεις μου/τ' ἀπομνημονεύματά μου.

remi·nis·cent /ˈremɪˋnɪsnt/ *ἐπ.* **1**. ἀναπολῶν, γεμάτος ἀναμνήσεις: *After a couple of drinks he became ～*, ὕστερα ἀπό δυό ποτηράκια ἄρχισε τίς ἀναμνήσεις. **2**. ～ ***of***, ἐνθυμίζων, πού θυμίζει: *songs ～ of the war*, τραγούδια πού θυμίζουν τόν πόλεμο.

re·miss /rɪˋmɪs/ *ἐπ.* ～ ***(in)***, ἀμελής, ἀπρόσεκτος: *be ～ in one's duties*, ἀμελῶ τά καθήκοντά μου. *That was very ～ of you*, αὐτό ἦταν μεγάλη ἀμέλεια ἐκ μέρους σου. **～·ness** *οὐσ.* ‹U› ἀμέλεια, ἀδιαφορία, ἀπροσεξία.

re·mission /rɪˋmɪʃn/ *οὐσ.* **1**. ‹U› ἄφεσις: *grant sb ～ of his sins*, παρέχω ἄφεση ἁμαρτιῶν σέ κπ. **2**. ‹C,U› χάρις, ἄφεσις, ἀπαλλαγή: *～ for good conduct*, χάρις (σέ φυλακισμένο) λόγῳ καλῆς διαγωγῆς. *～ of a debt*, ἄφεσις χρέους. *～ of examination fees*, ἀπαλλαγή ἀπό τά ἐξέταστρα. **3**. ‹U› ὕφεσις, μείωσις: *～ of fever/a storm*, ὕφεσις τοῦ πυρετοῦ/τῆς θύελλας.

re·mit /rɪˋmɪt/ *ρ.μ/ἀ.* *(-tt-)* **1**. συγχωρῶ (ἁμαρτίες). **2**. χαρίζω, ἀπαλλάσσω ἀπό (χρέος, τιμωρία, φόρους): *Your examination fees cannot be ～ted*, δέν μπορεῖς ν' ἀπαλλαγῆς ἀπό τά ἐξέταστρα. **3**. ἐμβάζω (ποσόν): *When can you ～ me the money?* πότε μπορεῖς νά μοῦ ἐμβάσης τά χρήματα; **4**. μειώνω/-ομαι: *～ one's efforts*, μειώνω τίς προσπάθειές μου. **5**. παραπέμπω: *The matter has been ～ted to the general manager*, τό θέμα παραπέμφθηκε στό Γεν. Διευθυντή. **～·tance** /-tns/ *οὐσ.* ‹C,U› ἔμβασμα.

re·mit·tent /rɪˋmɪtnt/ *ἐπ.* (*ἰδ. γιά πυρετό*) διαλείπων.

rem·nant /ˋremnənt/ *οὐσ.* ‹C› **1**. ὑπόλειμμα: *the ～s of former glory/of a forest*, τά ὑπολείμματα τῆς παληᾶς δόξας/ἑνός δάσους. **2**. ρετάλι: *a ˋ～ sale*, πώλησις ρεταλιῶν.

re·mon·strate /ˋremənstreɪt/ *ρ.ἀ.* ***～ with sb (about/against sth)***, διαμαρτύρομαι σέ κπ γιά κτ, κάνω παραστάσεις: *～ against cruelty to children*, διαμαρτύρομαι γιά τή σκληρότητα στά παιδιά.

re·morse /rɪˋmɔs/ *οὐσ.* ‹U› **1**. ***～ (for)***, τύψις: *be filled with/feel ～ for sth*, εἶμαι γεμάτος/νοιώθω τύψεις γιά κτ. *in a fit of ～*, σέ μιά κρίση συνειδήσεως. **2**. μεταμέλεια, ἐνδοιασμός: *without ～*, ἀδίσταχτα, ἀνελέητα, ἀλύπητα. **～·ful** /-fl/ *ἐπ.* μετανοιωμένος. **～·fully** /-fəlɪ/ *ἐπίρ.* γεμᾶτος τύψεις. **～·less** *ἐπ.* ἀνηλεής, ἄσπλαχνος. **～·less·ly** *ἐπίρ.* ἄσπλαχνα, χωρίς τύψεις.

re·mote /rɪˋməʊt/ *ἐπ.* *(-r, -st)* **1**. μακρινός, ἀπομακρυσμένος: *in the ～st parts of Asia*, στά πιό ἀπομακρυσμένα μέρη τῆς Ἀσίας. *in the ～ past/future*, στό μακρινό παρελθόν/στό ἀπώτατο μέλλον. **～ control**, ἔλεγχος ἐξ ἀποστάσεως. **2**. ἀπόμερος: *a ～ house/village*, ἀπόμερο σπίτι/χωριό. **3**. (*γιά τρόπο*) ψυχρός, ἐπιφυλακτικός. **4**. ἐλάχιστος: *a ～ resemblance*, μιά μακρινή ὁμοιότης. *I haven't the ～st idea/chance of...*, δέν ἔχω τήν παραμικρή ἰδέα/πιθανότητα νά... **～·ly** *ἐπίρ.* μακρινά, ἐλάχιστα: *We are ～ly related*, εἴμαστε μακρινοί συγγενεῖς. **～·ness** *οὐσ.* ‹U› μεγάλη ἀπόστασις.

re·mount /ˈrɪˋmaʊnt/ *ρ.μ/ἀ.* ξανανεβαίνω (σέ ἄλογο, κλπ), ξαναμοντάρω.

[1]**re·move** /rɪˋmuv/ *ρ.μ/ἀ.* **1**. ἀπομακρύνω (ἀφαιρῶ, βγάζω, παίρνω, διώχνω, μεταφέρω): *～ ink stains from clothes*, ἀφαιρῶ λεκέδες μελανιοῦ ἀπό ροῦχα. *He had one of his kidneys ～d*, τοῦ ἀφαίρεσαν τό ἕνα νεφρό. *～ one's hat/coat*, βγάζω τό καπέλλο μου/τό παλτό μου. *～ a boy from school*, παίρνω ἕνα παιδί ἀπό τό σχολεῖο. *～ fears/doubts*, διώχνω φόβους/ἀμφιβολίες. *～ sb to hospital*, μεταφέρω κπ στό νοσοκομεῖο. **2**. μεταθέτω, ἀπολύω, ἀπομακρύνω: *～ a Civil Servant*, μεταθέτω δημόσιον ὑπάλληλον. *～ sb from office*, ἀπολύω κπ ἀπό τήν ὑπηρεσία. *equally ～d from both*, ἐξίσου ἀπομακρυσμένος καί ἀπό τά δυό. *first cousins once ～d*, παιδιά πρώτων ἐξαδέλφων. **3**. (*λόγ.*) μετακομίζω: *We're removing from Athens to Skyros*, μετακομίζομε ἀπό τήν Ἀθήνα στή Σκύρο. **re·mov·able** /-əbl/ *ἐπ.* μεταθετός, δυνάμενος νά μεταφερθῆ. **re·mover** *οὐσ.* ‹C› ἐκτελεστής μετακομίσεων, (*ὡς β! συνθ.*) ἀφαιρῶν: *(superfluous) ˋhair ～r*, ἀποτριχωτικόν. *ˋnail-varnish ～r*, ἀσετόν. **re·moval** /-vl/ *οὐσ.* ‹C,U› μετακόμισις, ἀφαίρεσις: *removal van*, φορτηγό μετακομίσεων.

[2]**re·move** /rɪˋmuv/ *οὐσ.* ‹C,U› **1**. (*σχολ.*) προαγωγή: *get one's ～*, προάγομαι. **2**. ἀπόστασις, στάδιο: *only a few ～s from...*, μόνον λίγα στάδια/βήματα ἀπό...

re·mun·er·ate /rɪˋmjunəreɪt/ *ρ.μ.* (*λόγ.*) πληρώνω, ἀποζημιώνω, ἀμείβω. **re·mun·er·ation** /rɪˈmjunəˋreɪʃn/ *οὐσ.* ‹U› πληρωμή, ἀμοιβή, ἀποζημίωσις. **re·mun·er·ative** /rɪˋmjunərətɪv/ *ἐπ.* ἐπικερδής.

re·nais·sance /rɪˋneɪsns/ *οὐσ.* ‹C,U› ἀναγέννησις: *～ art*, τέχνη τῆς ἀναγεννήσεως.

re·nal /ˋrinl/ *ἐπ.* (*ἀνατ.*) νεφρικός.

re·name /rɪˋneɪm/ *ρ.μ.* μετονομάζω (πχ ὁδόν).

rend /rend/ *ρ.μ. ἀνώμ.* (*ἀόρ. & π.μ.* rent /rent/) (*λογοτ.*) **1**. ξεσκίζω, σπαράσσω: *Loud cries rent the air*, δυνατές κραυγές ἔσκισαν τόν ἀέρα. *a country rent by civil war*, χώρα πού σπαράσσεται ἀπό ἐμφύλιο πόλεμο. **2**. ἀποσπῶ βίαια: *Children were rent from their mothers' arms*, τά παιδιά ἀποσπάστηκαν βίαια ἀπό τήν ἀγκαλιά τῆς μάνας τους.

ren·der /ˋrendə(r)/ *ρ.μ.* (*λόγ.*) **1**. ἀνταποδίδω, (παρα)δίδω: ~ *good for evil*, ἀνταποδίδω καλό ἀντί κακοῦ. ~ *up a fort*, παραδίδω φρούριο. **2**. προσφέρω: ~ *help to those in need*, προσφέρω βοήθεια σ' αὐτούς πού ἔχουν ἀνάγκη. ~ *sb a service*, προσφέρω ὑπηρεσία σέ κπ. ~ *thanks to God*, εὐχαριστῶ/δοξάζω τό Θεό. **3**. καθιστῶ, κάνω: ~ *sb helpless*, καθιστῶ κπ ἀνίκανο. **4**. ἀποδίδω: *The piano solo was well ~ed*, τό σόλο πιάνο ἀποδόθηκε καλά. *Not all English words can be ~ed into Greek*, δέν μποροῦν ν' ἀποδοθοῦν στά Ἑλληνικά ὅλες οἱ Ἀγγλικές λέξεις. **5**. λυώνω: ~ *down fat/metals*, λυώνω λῖπος/μέταλλα. **~·ing** /ˋrendərɪŋ/ *οὐσ.* ‹C› ἀπόδοσις.

ren·dez·vous /ˋrondɪvu/ *οὐσ.* ‹C› (*πληθ. ἀμετάβλ.*) συνάντησις, ραντεβοῦ, τόπος συναντήσεως: *This café is a ~ for artists*, αὐτό τό καφενεῖο εἶναι τόπος συναντήσεως καλλιτεχνῶν. —*ρ.ἀ.* συναντιέμαι: *We'll ~ on the Acropolis*, θά συναντηθοῦμε στήν Ἀκρόπολη.

ren·di·tion /renˋdɪʃn/ *οὐσ.* ‹C› (*λόγ.*) ἀπόδοσις, ἑρμηνεία (τραγουδιοῦ, κλπ).

ren·egade /ˋrenəgeɪd/ *οὐσ.* ‹C› ἀποστάτης. —*ρ.ἀ.* ἀποστατῶ.

re·nege, re·negue /rɪˋnig/ *ρ.ἀ.* **1**. (*χαρτοπ.*) ἀνακαλῶ. **2**. ~ ***on***, (*καθομ.*) παίρνω πίσω, δέν τηρῶ (τό λόγο μου, κλπ).

re·new /rɪˋnju/ *ρ.μ.* ἀνανεώνω/-ομαι: ~ *one's youth*, ξανανιώνω, ξαναβρίσκω τά νιάτα μου. ~ *a lease/one's subscription to a periodical*, ἀνανεώνω μιά μίσθωση/τή συνδρομή μου σέ περιοδικό. *We must ~ our supplies*, πρέπει ν' ἀνανεώσωμε τίς προμήθειές μας. *with ~ed enthusiasm*, μέ ἀνανεωμένο ἐνθουσιασμό. **~·able** /-əbl/ *ἐπ.* ἀνανεώσιμος. **~·al** /-ˋnjuəl/ *οὐσ.* ‹C,U› ἀνανέωσις, ἐπανάληψις: *the ~al of negotiations*, ἡ ἐπανάληψις τῶν διαπραγματεύσεων.

ren·net /ˋrenɪt/ *οὐσ.* ‹U› πυτιά.

re·nounce /rɪˋnaʊns/ *ρ.μ.* **1**. ἀπαρνοῦμαι: ~ *one's religion/principles*, ἀπαρνοῦμαι τή θρησκεία μου/τίς ἀρχές μου. ~ *the world*, ἀπαρνοῦμαι τόν κόσμο (γίνομαι μοναχός). **2**. παραιτοῦμαι ἀπό, ἀποποιοῦμαι: ~ *one's claim to the throne*, παραιτοῦμαι ἀπό τίς ἀξιώσεις μου στό θρόνο. ~ *a peerage*, ἀποποιοῦμαι τίτλο εὐγενείας. **3**. ἀποκηρύσσω: ~ *one's son*, ἀποκηρύσσω τό γυιό μου.

reno·vate /ˋrenəveɪt/ *ρ.μ.* ἀνακαινίζω (κτίριο), καθαρίζω (πίνακα). **reno·va·tion** /ˋrenəˋveɪʃn/ *οὐσ.* (U & *πληθ.*) ἀνακαίνισις. **reno·va·tor** /-tə(r)/ *οὐσ.* ‹C› ἀνακαινιστής.

re·nown /rɪˋnaʊn/ *οὐσ.* ‹U› φήμη: *win ~*, ἀποκτῶ φήμη. **~ed** *ἐπ.* ξακουστός, διάσημος: *~ed as a pianist/for his skill*, διάσημος σάν πιανίστας/γιά τήν δεξιοσύνη του.

[1]**rent** /rent/ *οὐσ.* ‹C,U› νοῖκι, ἐνοίκιον: *owe three months' ~*, ὀφείλω τριῶν μηνῶν νοίκια. *pay a heavy/high ~*, πληρώνω βαρύ/μεγάλο νοῖκι. ***free of ~***, χωρίς νοῖκι: *have a house free of ~*. **ˈ~-ˋfree** *ἐπ.* ἀπαλλαγμένος ἐνοικίου. **ˈ~-ˋrebate**, ἔκπτωσις ἐπί τοῦ ἐνοικίου. **ˋ~-roll**, σύνολο ἐνοικίων (πχ σέ πολυκατοικία), ὀνομαστική κατάστασις ἐνοικιαστῶν. —*ρ.μ/ἀ.* νοικιάζω/-ομαι: ~ *a house from sb*, νοικιάζω ἕνα σπίτι ἀπό κπ. *The house ~s at £500 a year*, τό σπίτι νοικιάζεται 500 λίρες τό χρόνο. **~·able** /-əbl/ *ἐπ.* ἐνοικιάσιμος. **~al** /ˋrentl/ *οὐσ.* ‹C› μίσθωμα, εἰσόδημα ἀπό ἐνοίκια. **~er** *οὐσ.* ‹C› μισθωτής.

[2]**rent** /rent/ *οὐσ.* ‹C› σχίσιμο (σέ ὕφασμα), σχίσμα (σέ κόμμα).

[3]**rent** /rent/ *ἀόρ.* & *π.μ. τοῦ ρ. rend.*

rent·ier /ˋrõtɪeɪ/ *οὐσ.* ‹C› εἰσοδηματίας.

re·nunci·ation /rɪˈnʌnsɪˋeɪʃn/ *οὐσ.* ‹U› ἀπάρνησις, ἀποκήρυξις, ἀποποίησις.

re·open /riˋəʊpən/ *ρ.μ/ἀ.* ξανανοίγω.

re·or·gan·ize /riˋɔgənaɪz/ *ρ.μ/ἀ.* ἀναδιοργανώνω.

re·orien·tate /riˋɔrɪənteɪt/ (*καί* **re·orient** /riˋɔrɪənt/ *ρ.μ/ἀ.* ἐπαναπροσανατολίζω.

rep /rep/ *οὐσ.* ‹C› (*καθομ.*) ρεπερτόριο.

[1]**re·pair** /rɪˋpeə(r)/ *ρ.μ.* **1**. ἐπισκευάζω: ~ *roads/shoes/watches*, ἐπισκευάζω δρόμους/παπούτσια/ρολόγια. **2**. (*λόγ.*) ἐπανορθώνω: ~ *an error*, ἐπανορθώνω ἕνα λάθος. —*οὐσ.* **1**. ‹C,U› ἐπισκευή, ἐπιδιόρθωσις: *The road is under ~*, ὁ δρόμος εἶναι ὑπό ἐπισκευήν. *slight ~s*, μικροεπισκευές, μικροδιορθώματα. *ruined beyond ~*, κατεστραμμένος ἀνεπανόρθωτα. **2**. ‹U› κατάστασις, συντήρησις: *The house is in a bad state of ~*, τό σπίτι εἶναι κακοσυντηρημένο. ***in good ~***, καλοσυντηρημένος. ***keep sth in ~***, διατηρῶ κτ σέ καλή κατάσταση. ***put sth in ~***, ἐπισκευάζω κτ. **~·able** /-əbl/ *ἐπ.* ἐπιδιορθώσιμος. **~er** *οὐσ.* ‹C› ἐπιδιορθωτής: *a ˋshoe ~er*, μπαλωματής.

[2]**re·pair** /rɪˋpeə(r)/ *ρ.ἀ.* ~ ***to***, (*λόγ.*) συχνάζω, μεταβαίνω.

rep·ar·able /ˋrepərəbl/ *ἐπ.* ἐπανορθώσιμος, πού διορθώνεται.

rep·ar·ation /ˈrepəˋreɪʃn/ *οὐσ.* (U & *πληθ.*) ἐπανόρθωσις: *war ~s*, πολεμικές ἐπανορθώσεις.

rep·ar·tee /ˈrepaˋti/ *οὐσ.* ‹C,U› ἑτοιμολογία, εὔστοχη ἀπάντησις: *He's good at ~*, εἶναι ἑτοιμόλογος.

re·past /rɪˋpast/ *οὐσ.* ‹C› (*λόγ.*) γεῦμα, εὐωχία: *a luxurious ~*, πλούσιο γεῦμα.

re·pat·ri·ate /riˋpætrɪeɪt/ *ρ.μ.* ἐπαναπατρίζω: ~ *refugees*, ἐπαναπατρίζω πρόσφυγες. **re·pat·ri·ation** /ˈriˈpætrɪˋeɪʃn/ *οὐσ.* ‹U› ἐπαναπατρισμός.

re·pay /rɪˋpeɪ/ *ρ.μ/ἀ.* (*ἀνώμ. βλ.* [2]*pay*) **1**. ἐξοφλῶ, ἐπιστρέφω χρήματα: *When will you ~ me?* πότε θά μοῦ ἐπιστρέψετε τά δανεικά; **2**. ~ ***sb for sth***, ἀνταποδίδω κπ: ~ *sb's kindness*, ἀνταποδίδω τήν καλωσύνη κάποιου. *I'll ~ you for that*, θά στό ξεπληρώσω (εἴτε καλό εἴτε κακό). **~·able** /-əbl/ *ἐπ.* ἀποδοτέος. **~·ment** *οὐσ.* ‹C,U› ἐξόφλησις, ἀνταπόδοσις.

re·peal /rɪˋpil/ *ρ.μ.* ἀνακαλῶ, ἀκυρώνω (πχ νόμο, διαταγή, κλπ). —*οὐσ.* ‹C,U› ἀνάκλησις.

re·peat /rɪˋpit/ *ρ.μ/ἀ.* **1**. ἐπαναλαμβάνω/-ομαι: ~ *a question/an order*, ἐπαναλαμβάνω μιά ἐρώτηση/μιά διαταγή. *Don't ~ what I've told you*, μήν ἐπαναλάβης ὅ,τι σοῦ εἶπα. *His language won't bear ~ing*, δέν εἶναι δυνατόν νά ἐπαναλάβη κανείς τά λόγια του. *The last two figures ~*, οἱ δύο τελευταῖοι ἀριθμοί ἐπαναλαμβάνονται. ~ ***oneself***, ἐπαναλαμβάνομαι: *History ~s itself*, ἡ ἱστορία ἐπαναλαμβάνεται. **2**. (*γιά φαγητό*) ξαναγυρίζω στό στόμα, προκαλῶ ρέψιμο: *I find that onions ~*, βρίσκω ὅτι τά κρεμμύδια μοῦ φέρνουν ρέψιμο. **3**. (*ἐμπ.*) ξαναστέλνω: *~ an article*, ξαναστέλνω ἀπό τό ἴδιο εἶδος. __*οὐσ.* ‹C› ἐπανάληψις: *There will be a ~ of this programme on Sunday*, τό πρόγραμμα θά ἐπαναληφθῆ τήν Κυριακή. *a ~ performance/order*, ἐπανάληψις παραστάσεως/παραγγελίας. **~·ed·ly** *ἐπίρ.* ἐπανειλημμένως, κατ' ἐπανάληψιν. **~er** *οὐσ.* ‹C› **1**. (*καί ~ing rifle*) ἐπαναληπτικό ὅπλο. **2**. (*καί ~ing clock*) ἐπαναληπτικό ρολόϊ (πού ξαναχτυπάει τό τελευταῖο τέταρτο).

re·pel /rɪˋpel/ *ρ.μ.* (*-ll-*) **1**. ἀποκρούω: *~ the enemy/a young man's advances*, ἀποκρούω τόν ἐχθρό/τίς προτάσεις νεαροῦ. **2**. ἀπωθῶ, προκαλῶ ἀποτροπιασμό: *His long, rough beard ~led her*, τά μακρυά, ἄγρια γένια του τῆς προκαλοῦσαν ἀποτροπιασμό. **~·lent** /-ənt/ *ἐπ.* ἀντιπαθητικός, ἀποκρουστικός: *~lent work/food/a ~lent manner*, ἀντιπαθητική δουλειά/τροφή/-ός τρόπος. __*οὐσ.* ‹U› ἀπωθητική ἀλοιφή: *mosquito ~lent*, ἀλοιφή γιά νά διώχνει τά κουνούπια.

re·pent /rɪˋpent/ *ρ.μ./ἀ.* (*λόγ.*) *~* ***(of)***, μετανοῶ, μετανοιώνω: *I ~ of what I said/did*, μετανοῶ γιά ὅ,τι εἶπα/ἔκαμα. *Don't you ~ (of) having wasted your time?* δέν μετανοιώνεις πού σπατάλησες τό χρόνο σου; *I have bitterly ~ed it*, τό μετάνοιωσα πικρά. **~·ance** /-əns/ *οὐσ.* ‹U› μεταμέλεια, μετάνοια: *show ~ance for sth*, δείχνω μετάνοια γιά κτ. **~·ant** /-ənt/ *ἐπ.* μετανοῶν, μετανοιωμένος: *a ~ant sinner*, μετανοῶν ἁμαρτωλός. *~ant of her folly*, μετανοιωμένη γιά τήν ἀνοησία της. **~·ant·ly** *ἐπίρ.*

re·per·cussion /ˈripəˋkʌʃn/ *οὐσ.* **1**. ‹C,U› ἀντήχησις, ἀναπήδησις. **2**. (*συνήθ. πληθ.*) ἀντίκτυπος, ἐπίπτωσις: *This will have far-reaching ~s*, αὐτό θά ἔχη σοβαρώτατο ἀντίκτυπο.

rep·er·toire /ˋrepətwa(r)/ *οὐσ.* ‹C› ρεπερτόριο: *She has a large ~ of songs*, ἔχει πλούσιο ρεπερτόριο τραγουδιῶν.

rep·er·tory /ˋrepətrɪ/ *οὐσ.* ‹C› **1**. δραματολόγιο, ρεπερτόριο. **ˋ~ company/theatre**, (*βραχυλ.* **rep**) θίασος/θέατρο μέ ἐναλλασσόμενο προγραμμα. **2**. πηγή, θησαυρός (πληροφοριῶν, κλπ): *He's a ~ of anecdotes*, εἶναι θησαυρός σέ ἀνέκδοτα (ξέρει πολλά).

rep·eti·tion /ˈrepəˋtɪʃn/ *οὐσ.* ‹C,U› **1**. ἐπανάληψις: *Let there be no ~ of it*, αὐτό νά μήν ξαναγίνη. *after numerous ~s*, ὕστερα ἀπό ἕνα σωρό ἐπαναλήψεις. **2**. (*σχολ.*) ἀποστήθησις, ἀπαγγελία. **re·peti·tive** /rɪˋpetətɪv/, **rep·eti·tious** /-ˋtɪʃəs/ *ἐπ.* γεμᾶτος ἐπαναλήψεις: *repetitive work.*

re·pine /rɪˋpaɪn/ *ρ.ἀ.* (*λόγ.*) *~* ***(at/against)***, παραπονοῦμαι, γογγύζω, δυσφορῶ: *~ at misfortune*, παραπονοῦμαι γιά τίς ἀτυχίες μου. *~ against Providence*, γογγύζω κατά τῆς Θείας Προνοίας.

re·place /rɪˋpleɪs/ *ρ.μ.***1**. ξαναβάζω στή θέση του: *~ a book on the shelf/~ the receiver*, ξαναβάζω ἕνα βιβλίο στή βιβλιοθήκη/τό ἀκουστικό στή θέση του. **2**. *~* ***(by/with)***, ἀντικαθιστῶ: *Trolley buses have ~d trams*, τά τρόλλεϋ ἀντικατέστησαν τά τράμ. *~ coal by/with oil*, ἀντικαθιστῶ τό κάρβουνο μέ πετρέλαιο. *I'll ask to be ~d*, θά ζητήσω νά μέ ἀντικαταστήσουν. **~·able** /-əbl/ *ἐπ.* ἀντικαταστατός. **~·ment** *οὐσ.* ‹C,U› **1**. ἀντικατάστασις, ἐπανατοποθέτησις. **2**. ἀντικαταστάτης, (*πληθ.*) ἀνταλλακτικά.

re·play /ˋriˈpleɪ/ *ρ.μ.* ξαναπαίζω, παίζω ἐπαναληπτικό ἀγῶνα. __*οὐσ.* ‹C› /ˋripleɪ/ ἐπαναληπτικός ἀγώνας.

re·plen·ish /rɪˋplenɪʃ/ *ρ.μ.* ἀνανεώνω (προμήθειες), συμπληρώνω, ἐφοδιάζω/-ομαι κατά κόρον: *~ one's wardrobe*, ἀνανεώνω τή γκαρνταρόμπα μου. *~ the oil*, συμπληρώνω τό λάδι (τοῦ αὐτοκινήτου). *~ with petrol*, γεμίζω βενζίνη. **~·ment** *οὐσ.* ‹C› ἀνεφοδιασμός, συμπλήρωμα, ἀνανέωσις.

re·plete /rɪˋplit/ *ἐπ.* *~* ***(with)***, (*λόγ.*) πλήρης, παραγεμισμένος: *I'm feeling ~/~ with food*, αἰσθάνομαι γεμάτος/παραχορτασμένος. **re·ple·tion** /rɪˋpliʃn/ *οὐσ.* ‹U› (*λόγ.*) κορεσμός, κόρος: *eat to repletion*, τρώγω κατά κόρον.

rep·lica /ˋreplɪkə/ *οὐσ.* ‹C› (*πληθ. ~s*) ἀντίγραφο: *make a ~ of a painting*, κάνω ἀντιγραφή πίνακος. *an exact ~*, πιστό ἀντίγραφο.

re·ply /rɪˋplaɪ/ *ρ.μ./ἀ.* *~* ***(to)***, ἀπαντῶ, ἀποκρίνομαι: *~ to a question/letter*, ἀπαντῶ σέ μιά ἐρώτηση/σ' ἕνα γράμμα. *Mr Hill rose to ~ for the guests*, ὁ κ. Χίλλ σηκώθηκε ν' ἀπαντήση ἀπό μέρους τῶν καλεσμένων. __*οὐσ.* ‹C,U› ἀπάντησις. ***make no ~***, δέν ἀπαντῶ, δέν δίνω ἀπάντηση. ***in ~***, σέ ἀπάντηση: *What did he say in ~?* τί εἶπε στήν ἀπάντησή του; **ˈ~-ˋpaid** (*γιά γράμμα, τηλεγράφημα*) μέ πληρωμένη τήν ἀπάντηση.

[1]**re·port** /rɪˋpɔt/ *οὐσ.* **1**. ‹C› *~* ***(on)***, ἔκθεσις (γιά), ἀπολογισμός, εἰδησεογραφία, ἀναφορά: *a ~ on the state of schools*, ἔκθεσις γιά τήν κατάσταση τῶν σχολείων. *the annual ~*, ὁ ἐτήσιος ἀπολογισμός (μιᾶς ἑταιρίας). *ˋlaw ~s*, δικαστηριακές εἰδήσεις. *ˋnewspaper ~s*, δημοσιεύματα ἐφημερίδων. *a police ~*, ἀναφορά τῆς ἀστυνομίας. **school ~**, μαθητικός ἔλεγχος. **ˋweather ~**, μετεωρολογικό δελτίο. **2**. ‹C,U› φήμη, διάδοσις: *R~ has it that...*, ὑπάρχει ἡ φήμη (ἡ διάδοσις) ὅτι... *Don't listen to idle ~s*, μήν ἀκοῦς τί λέει ὁ κόσμος, μήν πιστεύεις τίς διαδόσεις. **3**. ‹U› (*λόγ.*) φήμη, ὄνομα: *a man of good/evil ~*, ἄνθρωπος καλῆς/κακῆς φήμης. **4**. ‹C› κρότος: *the ~ of a gun*, μιά τουφεκιά/κανονιά. *The gun went off with a loud ~*, τό ὅπλο ἐκπυρσοκρότησε μέ δυνατό κρότο.

[2]**re·port** /rɪˋpɔt/ *ρ.μ./ἀ.* **1**. ἀναφέρω, λέγω, ἐκθέτω: *~ an accident*, ἀναφέρω ἕνα ἀτύχημα. *He ~ed having met a cyclist*, ἀνέφερε ὅτι εἶχε συναντήσει ἕναν ποδηλατιστή. *He is ~ed to be dead*, φέρεται ὡς νεκρός. *It is ~ed that...*, λέγεται ὅτι... ***~ sb to***, ἀναφέρω, καταγγέλω κπ: *I'll ~ you to the police*, θά σέ ἀναφέρω στήν ἀστυνομία. ***~ to sb***, ἀναφέρομαι σέ κπ, κάνω ἀναφορά/ἔκθεση: *I'll ~ to the headmaster*, θά ἀναφερθῶ στό γυμνασιάρχη. ***~ (up)on sth***, κάνω ἔκθεση πάνω σέ κτ: *He ~ed (up)on the state of education*, ἔκανε ἔκθεση γιά τήν κατάσταση στήν παιδεία. ***~ progress***, ἀναφέρω τήν πρόοδο/τήν πο-

ρεία (μιᾶς ὑποθέσεως). **2**. ἀναφέρω, περιγράφω, δίνω περίληψη, κάνω ρεπορτάζ: ~ *a speech/meeting*, δίνω περίληψη μιᾶς ὁμιλίας/μιᾶς συνεδριάσεως. ~ *for 'The Times'*, κάνω ρεπορτάζ γιά τούς Τάϊμς. *It is ~ed from Paris that ...*, μεταδίδεται ἀπό τό Παρίσι ὅτι... **~ed speech**, (*γραμμ.*) πλάγιος λόγος. **3**. **~ *(oneself) (to sb for sth)***, παρουσιάζομαι: *He was told to ~ (himself) to headquarters*, τοῦ εἶπαν νά παρουσιαστῆ στό ἀρχηγεῖο. *He ~ed for duty at the head office*, παρουσιάστηκε γιά ἀνάληψη ἐργασίας στά κεντρικά γραφεῖα. **~·age** /'repɔ`taʒ/ *οὐσ.* ‹U› ρεπορτάζ. **~er** *οὐσ.* ‹C› ρεπόρτερ.

[1]**re·pose** /rɪ`pəʊz/ *ρ.μ.* ~ ***in***, (*λόγ.*) ἐναποθέτω, ἔχω: ~ *one's hopes in sb*, ἐναποθέτω (στηρίζω) τίς ἐλπίδες μου σέ κπ. *Don't ~ too much confidence in him/in his promises*, μήν παραέχης ἐμπιστοσύνη σ'αὐτόν/στίς ὑποσχέσεις του.

[2]**re·pose** /rɪ`pəʊz/ *ρ.μ/ἀ.* (*λόγ.*) ἀκουμπῶ, στηρίζω/-ομαι, ἀναπαύω/-ομαι: *She ~d her head on his shoulder*, ἀκούμπησε/στήριξε τό κεφάλι της στόν ὦμο του. *The roof ~s on...*, ἡ ὀροφή στηρίζεται πάνω σέ... *Below this stone ~ the mortal remains of...*, κάτω ἀπ' αὐτή τήν πλάκα ἀναπαύονται τά λείψανα τοῦ... —*οὐσ.* ‹U› (*λόγ.*) **1**. ἀνάπαυσις, ὕπνος: *after a night's ~*, ὕστερα ἀπό τήν ἀνάπαυση μιᾶς νύχτας. *disturb sb's ~*, ταράσσω τόν ὕπνο κάποιου. *Her face is beautiful in ~*, τό πρόσωπό της εἶναι ὄμορφο ὅταν κοιμᾶται. **2**. γαλήνη, ἄνεσις: *the ~ of the countryside*, ἡ γαλήνη τῆς ἐξοχῆς. ~ *of manner*, ἄνεσις τρόπων. **~·ful** /-fl/ *ἐπ.* γαλήνιος, ἤρεμος.

re·posi·tory /rɪ`pɒzɪtrɪ/ *οὐσ.* ‹C› **1**. ἀποθήκη: *Her bag is a ~ of all sorts of things*, ἡ τσάντα της εἶναι ἀποθήκη παντός εἴδους πραγμάτων. **2**. ταμεῖο, θησαυρός (γνώσεων, πληροφοριῶν, κλπ): *The old professor is a ~ of knowledge*, ὁ γερο-καθηγητής εἶναι θησαυρός γνώσεων. **3**. μυστικοσύμβουλος: *make sb the ~ of one's sorrows*, ἐμπιστεύομαι τίς στενοχώριες μου σέ κπ.

re·pot /rɪ`pɒt/ *ρ.μ.* μεταφυτεύω (σέ μεγαλύτερη γλάστρα).

rep·re·hend /'reprɪ`hend/ *ρ.μ.* (*λόγ.*) ἐπιτιμῶ, μέμφομαι: ~ *sb's conduct*, μέμφομαι τή συμπεριφορά κάποιου. **rep·re·hen·sible** /-`hensəbl/ *ἐπ.* ἐπίμεμπτος, κατακριτέος.

rep·re·sent /'reprɪ`zent/ *ρ.μ.* **1**. ἀναπαριστῶ, συμβολίζω, ἀπεικονίζω, παριστάνω: *Phonetic symbols ~ sounds*, τά φωνητικά σύμβολα ἀναπαριστοῦν (ἀπεικονίζουν) ἤχους. *The flag ~s the nation*, ἡ σημαία συμβολίζει τό ἔθνος. *This painting ~s nothing*, αὐτό ὁ πίνακας δέν παριστάνει (δέν ἀπεικονίζει) τίποτα. **2**. παρουσιάζω, ἐμφανίζω, παριστάνω: *He ~s himself as an expert*, παρουσιάζεται/ἐμφανίζεται σάν εἰδικός, παριστάνει τόν εἰδικό. *She's not what you have ~ed her to be*, δέν εἶναι ὅπως τήν παρουσίασες. **3**. ἐκφράζω, ἐξηγῶ, δείχνω: *They ~ed their grievances to the Manager*, ἐξέφρασαν/ἐξήγησαν τά παράπονά τους στό Διευθυντή. *I'll ~ to him the risks he's running*, θά τοῦ δείξω τούς κινδύνους πού διατρέχει. **4**. ἐκπροσωπῶ, ἀντιπροσωπεύω: *Greece will be ~ed at the meeting by the Minister of Defence*, ἡ Ἑλλάς θά ἐκπροσωπηθῆ στή σύνοδο ἀπό τόν Ὑπουργό Ἀμύνης. *Our firm is not ~ed in Canada*, ἡ ἑταιρία μας δέν ἔχει ἀντιπρόσωπο στόν Καναδᾶ. **5**. παρουσιάζω, παίζω (θεατρικό ἔργο).

rep·re·sen·ta·tion /'reprɪzen`teɪʃn/ *οὐσ.* ‹C,U› **1**. ἀναπαράστασις, ἀπεικόνισις, ἔκφρασις: *a ~ of country life*, ἀναπαράστασις τῆς ἀγροτικῆς ζωῆς. **2**. ἀντιπροσώπευσις, ἐκπροσώπευσις: *sole ~*, ἀποκλειστική ἀντιπροσώπευσις. **proportional ~**, ἀναλογική ἐκπροσώπησις. **3**. θεατρική παράστασις, ἀνέβασμα: *an unusual ~ of 'Hamlet'*, ἕνα πρωτότυπο ἀνέβασμα τοῦ Ἅμλετ. **4**. παράστασις, ἤπια διαμαρτυρία: *make ~s to the police*, προβαίνω σέ παραστάσεις στήν ἀστυνομία.

rep·re·sen·ta·tive /'reprɪ`zentətɪv/ *ἐπ.* **1**. παραστατικός, ἐκφραστικός: *manuscripts ~ of monastic life*, χειρόγραφα παραστατικά τῆς μοναστικῆς ζωῆς. **2**. ἀντιπροσωπευτικός, τυπικός: *This book is ~ of his work*, αὐτό τό βιβλίο εἶναι ἀντιπροσωπευτικό (χαρακτηριστικό δεῖγμα) τοῦ ἔργου του. *a ~ government*, ἀντιπροσωπευτική κυβέρνησις. —*οὐσ.* ‹C› ἀντιπρόσωπος: *the ~s of the nation/a company*, οἱ ἀντιπρόσωποι τοῦ ἔθνους/μιᾶς ἑταιρίας. **the House of R~s**, (*ΗΠΑ*) ἡ Βουλή τῶν Ἀντιπροσώπων.

re·press /rɪ`pres/ *ρ.μ.* καταστέλλω, καταπνίγω, ἀπωθῶ, συγκρατῶ: ~ *a revolt/~ sedition*, καταστέλλω μιά ἀνταρσία/μιά στάση. ~ *a sneeze/yawn*, καταπνίγω ἕνα φτάρνισμα/ἕνα χασμουρητό. ~ *one's impulses*, ἀπωθῶ/καταπνίγω τίς παρορμήσεις μου. ~ *one's tears*, συγκρατῶ τά δάκρυά μου. *~ed emotions*, (*ψυχ.*) ἀπωθημένα. *He's a terribly ~ed man*, εἶναι ἄνθρωπος γεμάτος ἀπωθημένα. **re·pression** /rɪ`preʃn/ *οὐσ.* ‹C,U› **1**. καταστολή, κατάπνιξις, (*ψυχ.*) ἀπώθησις, ψυχολογική ἀνωμαλία. **2**. ἀπωθημένο ἔνστικτο. **re·pressive** /rɪ`presɪv/ *ἐπ.* καταπιεστικός, κατασταλτικός: *a ~ive regime*, καταπιεστικό καθεστώς. *~ive measures*, κατασταλτικά μέτρα.

re·prieve /rɪ`priv/ *οὐσ.* ‹C› **1**. ἀναστολή, ἀναβολή, χάρις: *grant a condemned man a ~*, δίνω ἀναστολή ἐκτελέσεως σέ καταδικασμένο. **2**. ἀνάπαυλα, διάλειμμα. —*ρ.μ.* παρέχω ἀναβολή/ἀναστολή/ἀνάπαυλα.

re·pri·mand /'reprɪ`mand/ *ρ.μ.* ἐπιπλήττω, ἐπιβάλλω (ἐπίσημη) μομφή. —*οὐσ.* ‹C› /`reprɪmand/ ‹C› μομφή.

re·print /rɪ`prɪnt/ *ρ.μ.* ἀνατυπώνω. —*οὐσ.* ‹C› /`riprɪnt/ ἀνατύπωσις.

re·prisal /rɪ`praɪzl/ *οὐσ.* (U & *πληθ.*) ἀντίποινα: *do sth by way of ~*, κάνω κτ ὡς ἀντίποινα. *attack in ~*, ἐπιτίθεμαι γιά ἀντίποινα. *brutal ~s*, κτηνώδη ἀντίποινα.

re·proach /rɪ`prəʊtʃ/ *ρ.μ.* **~ *sb (for/with sth)***, προσάπτω, κατηγορῶ: *He ~ed her with extravagance/for being late*, τήν κατηγόρησε γιά σπατάλες/πού ἄργησε. *We have nothing to ~ ourselves with*, δέν ἔχομε τίποτα γιά τό ὁποῖο νά κατηγορήσωμε τούς ἑαυτούς μας. —*οὐσ.* **1**. ‹C,U› ψόγος, μομφή, κατηγορία: *a look of ~*, ἐπιτιμητική ματιά. *a term of ~*, λέξις κατηγορίας. ***above/beyond ~***, ἄμεμπτος, ἄψογος. **2**. ‹C› ντροπή, ὄνειδος. ***be a ~ to sth; bring ~ upon sb***, ντροπιάζω κτ/κπ: *These slums are a ~ to the City Council*, αὐτοί οἱ ντενεκομαχαλάδες εἶναι ντροπή (στίγμα) γιά τό Δημοτικό Συμβούλιο. *She brought ~ upon herself by doing this*, ντρόπιασε τόν ἑαυτό της κάνοντας αὐτό. **~·ful** /-fl/ *ἐπ.* ἐπιτιμητικός, γεμᾶτος παράπονο: *a ~ful look*. **~·fully** /-fəlɪ/ *ἐπίρ.* ἐπιτιμητικά.

rep·ro·bate /ˈreprəbeɪt/ *ρ.μ.* ἀποδοκιμάζω ἔντονα, καταδικάζω. —*οὐσ.* ‹C› ἄνθρωπος διεφθαρμένος, παραλυμένος. **rep·ro·ba·tion** /ˈreprəˈbeɪʃn/ *οὐσ.* ‹U› ἀποδοκιμασία, καταδίκη.

re·pro·duce /ˈriprəˈdjus/ *ρ.μ/ἀ.* **1**. ἀναπαράγω, ἀποδίδω, ἀναπαριστῶ: *~ music from a magnetic tape*, ἀναπαράγω μουσική ἀπό μαγνητοταινία. *The artist has ~d your features very well*, ὁ ζωγράφος ἀπέδωσε πολύ ὡραῖα τά χαρακτηριστικά σου. **2**. ἀναπαράγω, γεννῶ, πολλαπλασιάζομαι: *Most plants ~ through seeds*, τά περισσότερα φυτά πολλαπλασιάζονται μέ σπόρους. *Lizards can ~ their tails*, οἱ σαῦρες ἀναπαράγουν τήν οὐρά τους. ***~ one's kind***, διαιωνίζω τό εἶδος μου. **re·pro·ducer** *οὐσ.* ‹C› ἀναπαραγωγός, ἀντιγραφεύς. **re·pro·duc·ible** /-əbl/ *ἐπ.* πού μπορεῖ νά ἀναπαραχθῆ. **re·pro·duc·tion** /-ˈdʌkʃn/ *οὐσ.* ‹U› ἀναπαραγωγή, ‹C› ἀντίγραφο, ρεπροντιξιόν. **re·pro·duc·tive** /-ˈdʌktɪv/ *ἐπ.* ἀναπαραγωγικός: *reproductive organs*, ὄργανα ἀναπαραγωγῆς.

re·proof /rɪˈpruf/ *οὐσ.* ‹C,U› (*λόγ.*) μομφή, ἐπίκρισις: *a glance of ~*, ἐπιτιμητική ματιά. *conduct deserving of ~*, ἐπίμεμπτος/ἀξιοκατάκριτος συμπεριφορά. *administer sharp ~s to a pupil*, ἀπευθύνω ἔντονες ἐπιπλήξεις σ' ἕνα μαθητή.

re·prove /rɪˈpruv/ *ρ.μ.* (*λόγ.*) ***~ sb (for sth)***, κατακρίνω, ἐπιτιμῶ: *The priest ~d them for not attending church services*, ὁ παπᾶς τούς ἐπέκρινε γιατί δέν πηγαίνουν στή λειτουργία. **re·prov·ing·ly** *ἐπίρ.* ἀποδοκιμαστικά, ἐπιτιμητικά.

rep·tile /ˈreptaɪl/ *οὐσ.* ‹C› ἑρπετό. **rep·til·ian** /repˈtɪlɪən/ *ἐπ.* & *οὐσ.* ‹C› ἑρπετόμορφος.

re·pub·lic /rɪˈpʌblɪk/ *οὐσ.* ‹C› δημοκρατία (τό πολίτευμα).

re·pub·li·can /rɪˈpʌblɪkən/ *ἐπ.* δημοκρατικός. —*οὐσ.* ‹C› **1**. δημοκρατικός. **2**. **R~**, (*ΗΠΑ*) ρεπουμπλικάνος.

re·pudi·ate /rɪˈpjudɪeɪt/ *ρ.μ.* **1**. ἀποκηρύσσω, ἀπαρνοῦμαι: *~ a wicked son*, ἀποκηρύσσω ἕναν ἄσωτο γυιό. *~ the authorship of a book*, ἀπαρνοῦμαι τήν πατρότητα ἑνός βιβλίου. **2**. δέν ἀναγνωρίζω: *~ one's debts/obligations*, δέν ἀναγνωρίζω τά χρέη μου/τίς ὑποχρεώσεις μου. **re·pudi·ation** /rɪˈpjudɪˈeɪʃn/ *οὐσ.* ‹C,U› ἀποκήρυξις.

re·pug·nance /rɪˈpʌgnəns/ *οὐσ.* ‹C,U› ἀποστροφή: *I have a great ~ to writing letters*, ἔχω μεγάλη ἀποστροφή (σιχαίνομαι) νά γράφω γράμματα.

re·pug·nant /rɪˈpʌgnənt/ *ἐπ.* ***~ (to)***, ἀποκρουστικός, ἀπεχθής, σιχαμερός: *I find his views/proposals ~*, βρίσκω τίς ἀπόψεις του/τίς προτάσεις του ἀποκρουστικές. *All food was ~ to me during my illness*, σιχαινόμουν κάθε φαΐ στή διάρκεια τῆς ἀρρώστειας μου.

re·pulse /rɪˈpʌls/ *ρ.μ.* **1**. ἀπωθῶ, ἀποκρούω: *~ the enemy/an attack*, ἀπωθῶ τόν ἐχθρό/ἀποκρούω μιά ἐπίθεση. **2**. ἀποποιοῦμαι: *~ sb's help/friendship*, ἀποποιοῦμαι τή βοήθεια/τή φιλία κάποιου.

re·pul·sion /rɪˈpʌlʃn/ *οὐσ.* ‹U› **1**. ***~ for***, ἀπέχθεια, ἀποστροφή: *feel ~ for sb*, νοιώθω ἀποστροφή γιά κπ. **2**. ἀπώθησις (*ἀντίθ. attraction*).

re·pul·sive /rɪˈpʌlsɪv/ *ἐπ.* ἀποκρουστικός, σιχαμερός, ἀπωθητικός: *a ~ sight*, ἀποκρουστικό/ἀηδιαστικό θέαμα. *a ~-looking beggar*, ζητιάνος μέ ἀποκρουστική ἐμφάνιση. *~ forces*, ἀπωθητικές δυνάμεις. **~·ly** *ἐπίρ.* ἀποκρουστικά: *~ly ugly*, ἀποκρουστικά ἄσχημος.

repu·table /ˈrepjʊtəbl/ *ἐπ.* τίμιος, εὐϋπόληπτος, ὀνομαστός: *a ~ occupation/firm*, τίμιο ἐπάγγελμα/ὀνομαστή φίρμα. *a ~ wine merchant*, εὐϋπόληπτος/γνωστός ἔμπορος κρασιῶν. **repu·tably** /-əblɪ/ *ἐπίρ.*

repu·ta·tion /ˈrepjʊˈteɪʃn/ *οὐσ.* ‹U› (*καί μέ ἀόρ. ἄρθρ. ὅπως στά παραδείγματα*) φήμη, ὄνομα, ὑπόληψις: *have a good/bad ~*, ἔχω καλή/κακή φήμη. *ruin one's ~*, καταστρέφω τήν ὑπόληψή μου. *his ~ as a doctor*, ἡ φήμη του ὡς γιατροῦ. ***have a ~ for***, ἔχω ὄνομα, φημίζομαι γιά: *He has a ~ for courage*, εἶναι ὀνομαστός γιά τό θάρρος του. ***have the ~ of***, ἔχω τή φήμη ὅτι: *He has the ~ of being a miser*, ἔχει τή φήμη ὅτι εἶναι τσιγγούνης. ***live up to one's ~***, ἀποδεικνύομαι ἄξιος τῆς φήμης μου. ***make a ~ for oneself***, βγάζω ὄνομα, ἀποκτῶ φήμη.

re·pute /rɪˈpjut/ *οὐσ.* ‹U› ὄνομα, ὑπόληψις, φήμη: *know a man by ~*, γνωρίζω κπ ἐκ φήμης. *be in bad ~ with sb*, δέν ἔχω ὑπόληψη στά μάτια κάποιου. *be held in high ~*, μέ ἔχουν σέ μεγάλη ὑπόληψη. *a doctor of ~*, ὀνομαστός γιατρός. **re·puted** *ἐπ.* θεωρούμενος, ὑποτιθέμενος: *the ~d father of the child*, ὁ θεωρούμενος ὡς πατέρας τοῦ παιδιοῦ. *his ~d learning*, ἡ ὑποτιθέμενη μόρφωσίς του. ***be ~d***, φημίζομαι, θεωροῦμαι: *He's ~d to be very wealthy*, θεωρεῖται (ὅτι εἶναι) πολύ πλούσιος. *He is well/ill ~d*, ἔχει καλή/κακή φήμη. **re·put·ed·ly** *ἐπίρ.* ὑποθετικῶς, κατά τά λεγόμενα τοῦ κόσμου.

re·quest /rɪˈkwest/ *οὐσ.* ‹C,U› **1**. αἴτησις, παράκλησις: *repeated ~s for help*, ἐπανειλημμένες αἰτήσεις βοηθείας. *make a ~ for sth*, ὑποβάλλω παράκληση (αἴτημα) γιά κτ. ***grant sb's ~***, δέχομαι/ἱκανοποιῶ τήν παράκληση κάποιου: *All my ~s were granted; I had all my ~s*, κάθε μου παράκλησις ἔγινε δεκτή. ***at sb's ~***, κατά παράκλησιν κάποιου: *I'm writing at the ~ of Mr X*, γράφω κατά παράκλησιν τοῦ κ. Χ. ***by/on ~***, κατόπιν αἰτήσεως τοῦ ἐνδιαφερομένου: *Buses stop here by ~*, τά λεωφορεῖα σταματοῦν ἐδῶ ὅταν τό ζητήση κανείς. *Catalogues are sent on ~*, ἀποστέλλονται κατάλογοι σέ ὅποιον τό ζητήσει. **2**. ‹U› ζήτησις. ***in ~***, σέ ζήτηση: *This article is in great ~*, αὐτό τό εἶδος ἔχει μεγάλη ζήτηση/εἶναι περιζήτητο. —*ρ.μ.* ***~ sth (from/of sb)/~ sb to do sth***, ζητῶ κτ ἀπό κπ/παρακαλῶ κπ νά κάνη κτ: *All I ~ of you is that you should not worry*, τό μόνο πού ζητῶ ἀπό σένα εἶναι νά μή στενοχωριέσαι. *Visitors are ~ed not to touch the exhibits*, παρακαλοῦνται οἱ ἐπισκέπτες νά μήν ἀγγίζουν τά ἐκθέματα.

requiem /ˋrekwɪəm/ *οὐσ.* ‹C› (*ἐκκλ. μουσ.*) μνημόσυνο, λειτουργία τῶν νεκρῶν, ρέκβιεμ.

re·quire /rɪˋkwaɪə(r)/ *ρ.μ.* **1**. χρειάζομαι: *We ~ extra help*, χρειαζόμαστε πρόσθετη βοήθεια. *Does this machine ~ much attention?* χρειάζεται πολλή προσοχή αὐτή ἡ μηχανή; **2**. ~ (***of***), (*λόγ.*) ἀπαιτῶ, ζητῶ: *What do you ~ of me?* τί ζητᾶς (τί θέλεις) ἀπό μένα; *The situation there ~s that I should be present*, ἡ κατάστασις ἐκεῖ ἀπαιτεῖ νά εἶμαι παρών. *We ~d that he should resign*, ἀπαιτήσαμε νά παραιτηθῆ. *I've done all that is ~d by law*, ἔκανα κάθε τι πού ἐπιβάλλεται ἀπό τό νόμο. ***be ~d***, ὑποχρεοῦμαι: *Candidates are ~d to have their identity cards with them*, οἱ διαγωνιζόμενοι ὑποχρεοῦνται νά ἔχουν μαζί τους τήν ταυτότητά τους. *These books are ~d reading*, αὐτά τά βιβλία εἶναι ὑποχρεωτικά (πρέπει ὑποχρεωτικά νά διαβαστοῦν). **~-ment** *οὐσ.* ‹C› (*λόγ.*) ἀπαίτησις, ἀξίωσις, ἀνάγκη: *fulfil the ~ments of the law*, πληρῶ τίς νόμιμες προϋποθέσεις. *meet sb's ~ments*, ἱκανοποιῶ τίς ἀπαιτήσεις κάποιου, ἀνταποκρίνομαι στίς ἀξιώσεις του.

requi·site /ˋrekwɪzɪt/ *ἐπ.* ἀπαιτούμενος, ἀναγκαῖος: *We lack the ~ capital for expanding our business*, μᾶς λείπουν τά ἀπαιτούμενα κεφάλαια γιά τήν ἐπέκταση τῶν ἐργασιῶν μας. —*οὐσ.* ‹C› (*λόγ.*) ἀπαιτούμενος ὅρος, προϋπόθεσις, ἀναγκαῖον εἶδος: *This is a ~ for...*, αὐτό εἶναι προϋπόθεσις (ἀπαραίτητος ὅρος) γιά... *travelling ~s*, εἴδη ταξιδίου. *food and other ~s*, τρόφιμα καί ἄλλα χρειώδη.

requi·si·tion /'rekwɪˋzɪʃn/ *οὐσ.* ‹C,U› **1**. ζήτησις, ἐπιταγή, ἐντολή: *The hotel bus was in constant ~*, τό λεωφορεῖο τοῦ ξενοδοχείου ἦταν σέ διαρκῆ ζήτηση (διαρκῶς ἀπασχολημένο). *repairs made under the ~ of the town council*, ἐπισκευές πού ἔγιναν κατ'ἐντολήν τοῦ Δημοτικοῦ Συμβουλίου. **2**. (*στρατ.*) ἐπίταξις: *make a ~ on a village for supplies*, κάνω ἐπίταξη ἐφοδίων σ'ἕνα χωριό. —*ρ.μ.* ἐπιτάσσω, κάνω ἐπίταξη: *~ food for the troops*, κάνω ἐπίταξη τροφίμων γιά τό στράτευμα. *~ sb's services*, ἐπιστρατεύω τίς ὑπηρεσίες κάποιου.

re·quite /rɪˋkwaɪt/ *ρ.μ.* (*λόγ.*) **1**. ἀνταποδίδω, ξεπληρώνω: *~ kindness with ingratitude*, ξεπληρώνω τήν καλωσύνη μέ ἀγνωμοσύνη. *~ an obligation*, ξεπληρώνω μιά ὑποχρέωση. *Will she ever ~ my love?* θά ἀνταποκριθῆ ποτέ στήν ἀγάπη μου; **2**. ἐκδικοῦμαι. **re·qui·tal** /-tl/ *οὐσ.* ‹U› (*λόγ.*) ἀνταπόδοσις, ἀνταμοιβή, ἐξόφλησις. *in requital of/for one's services*, ὡς ἀνταμοιβή τῶν ὑπηρεσιῶν μου. *make full requital*, προβαίνω εἰς πλήρη ἐξόφλησιν.

re·run /ˋrirʌn/ *οὐσ.* ‹C› (*TV, ραδιοφ.*) ἐπανάληψις (φίλμ). —*ρ.μ.* /'riˋrʌn/ (*ἀνώμ. βλ. run*) ξαναπροβάλλω.

re·scind /rɪˋsɪnd/ *ρ.μ.* (*νομ.*) ἀνακαλῶ, ἀκυρῶ, ἀναιρῶ.

res·cue /ˋreskju/ *ρ.μ.* (δια)σώζω, γλυτώνω: *~ sb from drowning/from bandits*, σώζω κπ ἀπό πνιγμό/τόν γλυτώνω ἀπό ληστές. —*οὐσ.* ‹C,U› διάσωσις: *three ~s from drowning in one day*, τρεῖς διασώσεις ἀπό πνιγμό σέ μιά μέρα. ***go/come to sb's ~/to the ~ (of a person)***, σπεύδω εἰς διάσωσιν (βοήθειαν) κάποιου. **~r** *οὐσ.* ‹C› σωτήρας.

re·search /rɪˋsɜtʃ/ *οὐσ.* (U *ἤ πληθ. ἤ μέ ἀόρ. ἄρθρ.*) ἔρευνα, μελέτη: *scientific ~*, ἐπιστημονικές ἔρευνες/μελέτες. *carry out a ~/~es into the causes of cancer*, κάνω ἔρευνες γιά τά αἴτια τοῦ καρκίνου. *be engaged in ~; be busy with ~ work*, εἶμαι ἀπασχολημένος μέ ἔρευνες. —*ρ.ἀ.* ~ (***into***), ἐρευνῶ, κάνω ἔρευνα (σέ κτ). **~er** *οὐσ.* ‹C› ἐρευνητής.

re·seat /'riˋsit/ *ρ.μ.* **1**. ἐφοδιάζω μέ νέο κάθισμα. **2**. ξανακαθίζω.

re·semb·lance /rɪˋzembləns/ *οὐσ.* ‹C,U› ~ (***to/between***), ὁμοιότης: *It bears no ~ to the original*, δέν ἔχει ὁμοιότητα μέ τό πρωτότυπο. *There's no ~ between them*, δέν ὑπάρχει ὁμοιότης μεταξύ τους.

re·semble /rɪˋzembl/ *ρ.μ.* (*χωρίς πρόθ.!*) μοιάζω: *She ~s her mother*, μοιάζει τῆς μητέρας της. *They ~ each other*, μοιάζουν μεταξύ τους.

re·sent /rɪˋzent/ *ρ.μ.* τό φέρω βαρέως, μέ πειράζει, μέ πικραίνει, δυσανασχετῶ: *I ~ criticism*, μέ πειράζει ἡ κριτική. *Does he ~ my being here?* δυσανασχετεῖ πού εἶμαι ἐδῶ; **~·ful** /-fl/ *ἐπ.* μνησίκακος, πειραγμένος, πικαρισμένος, χολωμένος. **~·fully** /-fəlɪ/ *ἐπίρ.* μνησίκακα, πειραγμένα, χολωμένα. **~·ment** *οὐσ.* ‹U› μνησικακία, ἔχθρα, πίκα: *bear/feel no ~ment against anyone*, δέν τρέφω/δέν αἰσθάνομαι μνησικακία γιά κανένα. *He walked away in ~ment*, ἔφυγε πικαρισμένος.

res·er·va·tion /'rezəˋveɪʃn/ *οὐσ.* **1**. ‹C,U› ἐπιφύλαξις: *accept sth without ~/with many ~s*, δέχομαι κτ χωρίς ἐπιφύλαξη/μέ πολλές ἐπιφυλάξεις. **2**. ‹C› κράτησις, κλείσιμο, ἐξασφάλισις: *make ~s for a journey*, κάνω κρατήσεις (θέσεων, δωματίων, κλπ) γιά ἕνα ταξίδι. **3**. ‹C› περιοχή ἀφιερωμένη σέ εἰδικό σκοπό, (*στρατ.*) ἀπηγορευμένη περιοχή.

[1]**re·serve** /rɪˋzɜv/ *οὐσ.* **1**. ‹C› ἀπόθεμα: *a ~ of food*, ἀπόθεμα τροφίμων. *the bank's ~s*, τά ἀποθέματα τῆς Τραπέζης. *the ˋgold ~s*, τά ἀποθέματα χρυσοῦ. *the company's ~s*, τό ἀποθεματικόν ἑταιρίας. *a ~ fund*, ἀποθεματικόν κεφάλαιον. *have great ~s of energy/strength*, ἔχω μεγάλα ἀποθέματα δραστηριότητος/δυνάμεως. **2**. (*ἑν. ἤ πληθ.*) (*στρατ.*) ἐφεδρεία: *send the ~s into action*, ρίχνω στή μάχη τίς ἐφεδρεῖες. *~ officer*, ἔφεδρος ἀξιωματικός. ***be on the ~ list***, εἶμαι ἔφεδρος/στήν ἐφεδρεία. **3**. ***in ~***, σέ ἐφεδρεία: *hold/have some money in ~*, ἔχω λίγα λεφτά γιά ρεζέρβα. **4**. ‹C› ἐπιφυλλασσομένη περιοχή: *a ˋgame ~*, φυσικό ἐκτροφεῖο θηραμάτων. **5**. ‹C,U› (*σέ πώληση*) ἐλαχίστη τιμή: *place a ~ on sth*, βάζω ἐλαχίστη τιμή σέ κτ. *to be sold without ~*, νά πουληθῆ σέ ὁποιαδήποτε τιμή. **6**. ‹U› ἐπιφύλαξις: *accept sth without ~*, δέχομαι κτ χωρίς ἐπιφύλαξη. **7**. ‹U› ἐπιφυλακτικότης: *~ of manner*, ἐπιφυλακτικότης τρόπων. *break through sb's ~*, κατανικῶ τήν ἐπιφυλακτικότητα κάποιου. **re·serv·ist** /rɪˋzɜvɪst/ *οὐσ.* ‹C› ἔφεδρος.

[2]**re·serve** /rɪˋzɜv/ *ρ.μ.* **1**. κρατῶ: *This table/seat is ~d*, αὐτό τό τραπέζι/τό κάθισμα εἶναι κρατημένο. *~ rooms at a hotel*, κρατῶ (κλείνω) δωμάτια σέ ξενοδοχεῖο. **2**. ἐπιφυλάσσω, φυλάω: *I ~ the right to do sth*, ἐπιφυλάσσω

τό δικαίωμα νά κάμω κτ. *The judge ~d his judgement*, ὁ δικαστής ἐπεφυλάχθη νά ἐκδώση τήν ἀπόφασή του. *A great future is ~d for you*, σοῦ ἐπιφυλάσσεται λαμπρό μέλλον. *~ one's strength for the party*, φυλάω τίς δυνάμεις μου γιά τό πάρτυ. **re·served** *ἐπ.* συγκρατημένος, ἐπιφυλακτικός, ψυχρός. **re·serv·ed·ly** /rɪ`zɜvɪdlɪ/ *ἐπίρ.* ἐπιφυλακτικά.

res·er·voir /`rezəvwa(r)/ *οὐσ.* ‹C› **1**. δεξαμενή. **2**. (*μεταφ.*) ἀπόθεμα (γνώσεων).

re·set /`ri`set/ *ρ.μ.* (*ἀνώμ. βλ. set*) **1**. ξανατροχίζω (*πχ* ἕνα πριόνι). **2**. ξαναμοντάρω, ξαναβάζω, ξαναδένω (*πχ.* κόσμημα). **3**. ξαναστοιχειοθετῶ (βιβλίο).

re·settle /ri`setl/ *ρ.μ/ἀ.* ἐγκαθιστῶ/ἐγκαθίσταμαι ἐκ νέου: *~ refugees*, ἀποκαθιστῶ πρόσφυγες. **~·ment** *οὐσ.* ‹C,U› ἀποκατάστασις, ἐπανεγκατάστασις.

re·shuffle /ri`ʃʌfl/ *ρ.μ.* **1**. ἀνασχηματίζω (κυβέρνηση). **2**. ξανανακατεύω (*ἰδ.* τήν τράπουλα). —*οὐσ.* ‹C› ἀνασχηματισμός: *a Cabinet ~*, κυβερνητικός ἀνασχηματισμός.

re·side /rɪ`zaɪd/ *ρ.ἀ.* (*λόγ.*) **1**. *~* ***(in/at)***, διαμένω: *~ abroad/at 10 Patission Street*, διαμένω στό ἐξωτερικό/ στήν ὁδό Πατησίων ἀρ. 10. **2**. *~* ***in***, (*γιά δικαιώματα, κλπ*) ἀνήκω: *The supreme authority ~s in the people*, ἡ ὑπέρτατη ἐξουσία ἀνήκει στό λαό.

resi·dence /`rezɪdns/ *οὐσ.* **1**. ‹U› διαμονή, παραμονή, κατοικία: *during my ~ abroad*, κατά τήν παραμονή μου στό ἐξωτερικό. *take up one's ~ in a new house*, ἐγκαθίσταμαι σέ νέο σπίτι. ***in ~***, (*γιά ἀξιωματοῦχο, κλπ*) ἐγκατεστημένος, μόνιμος, (*γιά φοιτητή*) οἰκότροφος: *Canon in ~*, μόνιμος ἐφημέριος. *The undergraduates are not yet in ~*, οἱ φοιτητές δέν ἐγκαταστάθησαν (δέν ἦλθαν ἀκόμη στό Πανεπιστήμιο). **2**. ‹C› κατοικία, σπίτι (*ἰδ.* μεγάλο): *town and country ~s*, σπίτι στήν πόλη καί στήν ἐξοχή.

resi·dency /`rezɪdənsɪ/ *οὐσ.* ‹C› ἁρμοστία, Διοικητήριον.

resi·dent /`rezɪdənt/ *ἐπ.* διαμένων: *a ~ tutor*, οἰκοδιδάσκαλος (πού ζεῖ μέ τήν οἰκογένεια τοῦ μαθητοῦ του). *a ~ physician*, ἐσωτερικός γιατρός (σέ νοσοκομεῖο). *the ~ population of a town*, οἱ μόνιμοι κάτοικοι μιᾶς πόλεως. —*οὐσ.* ‹C› **1**. κάτοικος. **2**. **R~**, ἁρμοστής, πρόσεδρος ὑπουργός (σέ ξένη χώρα).

resi·den·tial /`rezɪ`denʃl/ *ἐπ.* ἀναφερόμενος εἰς τήν διαμονήν/κατοικίαν: *a ~ suburb/area*, προάστειο/περιοχή μέ κατοικίες. *the ~ parts of a town*, τά κατοικημένα τμήματα μιᾶς πόλεως. *~ qualifications for voters*, προϋποθέσεις διαμονῆς γιά τούς ψηφοφόρους.

re·sid·ual /rɪ`zɪdjʊəl/ *ἐπ.* ὑπολειμματικός, πού παραμένει, πού συνεχίζεται.

re·sidu·ary /rɪ`zɪdjʊərɪ/ *ἐπ.* ὑπολειμματικός, παραμένων: *the ~ legatee*, (*νομ.*) καθολικός διάδοχος.

resi·due /`rezɪdju/ *οὐσ.* ‹C› **1**. ὑπόλειμμα, κατάλοιπον, κατακάθι: *~s of combustion*, κατάλοιπα καύσεως. **2**. (*νομ.*) καθαρόν ὑπόλοιπον κληρονομίας.

re·sign /rɪ`zaɪn/ *ρ.μ/ἀ.* **1**. παραιτοῦμαι ἀπό: *~ one's job/position/commission*, παραιτοῦμαι ἀπό τή δουλειά μου/ἀπό τή θέση μου/ἀπό τό στρατό. *~ from the cabinet*, παραιτοῦμαι ἀπό τήν Κυβέρνηση. **2**. παραδίδω, ἀφήνω: *I ~ my children to your care*, παραδίδω τά παιδιά μου στή φροντίδα σας. *I ~ myself to your guidance*, ἀφήνομαι στήν καθοδήγησή σας. **3**. ***~ oneself/be ~ed to sth***, ἀποδέχομαι, ὑποτάσσομαι, δέχομαι κτ ὡς ἀναπόφευκτο: *He is ~ed to his fate*, ἔχει ὑποταχθῆ στή μοίρα του. *We must ~ ourselves to doing without luxuries*, πρέπει νά τό πάρωμε ἀπόφαση ὅτι θά κάνωμε χωρίς πολυτέλειες. **~ed** *ἐπ.* καρτερικός, γεμᾶτος ἐγκαρτέρηση: *with a ~ed look*, μέ ὕφος ἐγκαρτέρησης. **~·ed·ly** /-ɪdlɪ/ *ἐπίρ.* μέ ἐγκαρτέρηση, παθητικά.

res·ig·na·tion /`rezɪg`neɪʃn/ *οὐσ.* **1**. ‹C› παραίτησις: *hand in/send in/offer one's ~*, ὑποβάλλω τήν παραίτησή μου. **2**. ‹U› ἐγκαρτέρησις: *accept failure with ~*, δέχομαι τήν ἀποτυχία μέ ἐγκαρτέρηση/ἀδιαμαρτύρητα (μοιρολατρικά).

re·sil·ience /rɪ`zɪlɪəns/, **re·sil·iency** /-ənsɪ/ *οὐσ.* ‹U› **1**. ἐλαστικότης, εὐκαμψία. **2**. (*μεταφ.*) προσαρμοστικότης, ἀνθεκτικότης: *a man of great ~*, ἄνθρωπος μέ μεγάλη ἀνθεκτικότητα/ πού προσαρμόζεται εὔκολα. **re·sil·ient** /-ənt/ *ἐπ.* ἐλαστικός, εὐπροσάρμοστος, ἀνθεκτικός.

resin /`rezɪn/ *οὐσ.* ‹C,U› ρετσίνι. **~·ated** /`rezɪneɪtɪd/ *ἐπ.* ρετσινᾶτος: *~ated wine*, ρετσίνα. **~·ous** /`rezɪnəs/ *ἐπ.* ρητινώδης.

re·sist /rɪ`zɪst/ *ρ.μ/ἀ.* (*χωρίς πρόθ.*) **1**. ἀνθίσταμαι, ἀντιστέκομαι: *~ the enemy/an attack/ the police*, ἀνθίσταμαι στόν ἐχθρό/σέ μιά ἐπίθεση/στήν ἀστυνομία. *~ a temptation*, ἀντιστέκομαι σ' ἕνα πειρασμό. *I can't ~ chocolates*, δέν μπορῶ ν' ἀντισταθῶ (ἔχω ἀδυναμία) στίς σοκολάτες. *I couldn't ~ telling him*, δέν μπόρεσα νά κρατηθῶ νά μήν τοῦ τό πῶ. *She couldn't ~ laughing*, δέν μπόρεσε νά μή γελάση. **2**. ἀντέχω: *glass that ~s heat*, γυαλί πού ἀντέχει στή θερμότητα. **3**. ἀντιδρῶ: *~ authority*, ἀντιδρῶ στήν ἐξουσία. **~er** *οὐσ.* ‹C› ἀνθιστάμενος: *passive ~ers*, ὀπαδοί τῆς παθητικῆς ἀντιστάσεως. **~·less** *ἐπ.* ἀκαταμάχητος, ἀσυγκράτητος: *a ~less impulse*, ἀκαταμάχητη παρόρμηση.

re·sis·tance /rɪ`zɪstəns/ *οὐσ.* ‹C,U› **1**. ἀντίστασις: *put up/make/offer no ~ to the enemy advance*, δέν προβάλλω ἀντίσταση στήν προέλαση τοῦ ἐχθροῦ. *meet with stubborn ~*, συναντῶ πείσμονα ἀντίσταση. *break down sb's ~*, συντρίβω (κάμπτω) τήν ἀντίσταση κάποιου. ***line of least ~***, ἡ γραμμή ἥσσονος ἀντιστάσεως, ὁ εὐκολώτερος δρόμος, ἡ εὔκολη λύσις. ***the French/Greek R~***, ἡ Γαλλική/ Ἑλληνική Ἀντίστασις. **passive ~**, παθητική ἀντίστασις. **~ movement**, κίνημα ἀντιστάσεως. **2**. ἀντίδρασις: *arouse ~ in the public*, προκαλῶ τήν ἀντίδραση τοῦ κοινοῦ. *A strong ~ is slowly building up*, δημιουργεῖται σιγά-σιγά ἰσχυρά ἀντίδρασις.

re·sis·tant /rɪ`zɪstənt/ *ἐπ.* ἀνθιστάμενος, ἀνθεκτικός: *insects that have become ~ to DDT*, ἔντομα πού ἔχουν ἀποκτήσει ἀντοχή στό DDT.

re·sis·tor /rɪ`zɪstə(r)/ *οὐσ.* ‹C› (*ἠλεκτρ.*) ἀντίστασις, ἀντιστάτης.

res·ol·ute /`rezəlut/ *ἐπ.* ἀποφασιστικός: *a ~ man*, ἀποφασιστικός ἄνθρωπος. *be ~ for/*

against war, εἶμαι κεκηρυγμένος ὑπέρ/ἐναντίον τοῦ πολέμου. **~·ly** *ἐπίρ.* ἀποφασιστικά. **~·ness** *οὐσ.* ‹U› ἀποφασιστικότης.

res·ol·ution /ˈrezəˋluʃn/ *οὐσ.* **1**. ‹U› ἀποφασιστικότης: *He lacks ~*, στερεῖται ἀποφασιστικότητος. *show great ~*, δείχνω μεγάλη ἀποφασιστικότητα. **2**. ‹C› πρότασις, ψήφισμα, ἀπόφασις: *pass/carry/adopt a ~*, ψηφίζω μιά πρόταση. *reject a ~*, ἀπορρίπτω μιά πρόταση. *a ~ for/in favour of/against*, ἀπόφασις ὑπέρ/ἐναντίον. **3**. ‹C› ἀπόφασις: *make good ~s*, παίρνω καλές ἀποφάσεις. *Her ~ never to marry is...*, ἡ ἀπόφασίς της νά μήν παντρευτῆ ποτέ εἶναι... **4**. ‹U› λύσις (διαφωνίας, ἀμφιβολίας, κλπ). **5**. ‹U› (*φυσ., χημ.*) ἀνάλυσις, διάλυσις, διαχωρισμός: *the ~ of light*, ἡ ἀνάλυσις τοῦ φωτός.

re·solve /rɪˋzolv/ *ρ.μ/ὰ.* **~ (*on/upon*)** (*λόγ.*) **1**. ἀποφασίζω: *He ~d upon making an early start*, ἀποφάσισε νά ξεκινήση νωρίς. *He ~d to succeed/~d that nothing should hold him back*, ἀποφάσισε νά πετύχη/νά μήν τόν σταματήση τίποτα. **2**. ψηφίζω: *Our committee ~d that...*, ἡ ἐπιτροπή μας ψήφισε ὅτι... **3**. λύνω (δυσκολίες, διαφορές), διαλύω (ἀμφιβολίες). **4**. **~ *sth into***, ἀναλύω: *~ a problem into its elements*, ἀναλύω ἕνα πρόβλημα στά ἐπί μέρους στοιχεῖα του. __*οὐσ.* ‹C› (σταθερά) ἀπόφασις: *keep one's ~*, κρατῶ τήν ἀπόφασή μου. *make a ~ to do sth*, παίρνω ἀπόφαση νά κάνω κτ. **re·solv·able** /-əbl/ *ἐπ.* ἀναλύσιμος.

res·on·ant /ˋrezənənt/ *ἐπ.* **1**. ἠχηρός: *a deep, ~ voice*, βαθειά ἠχηρή φωνή. **2**. ἀντηχῶν: *~ walls*, τοῖχοι πού δημιουργοῦν ἀντήχηση. *valleys ~ with the sound of church bells*, κοιλάδες πού ἀντηχοῦν ἀπό τούς ἤχους καμπάνας. **res·on·ance** /-əns/ *οὐσ.* ‹U› ἠχώ, ἀντήχησις, ἠχηρότης. **res·ona·tor** /-tə(r)/ *οὐσ.* ‹C› (*φυσ.*) ἠχεῖον, ἀντηχεῖον, (*ἀσύρμ.*) συνηχητής.

re·sort /rɪˋzɔt/ *ρ.ὰ.* **~ *to***, **1**. προσφεύγω, καταφεύγω: *~ to force/deception/violence*, καταφεύγω στή δύναμη/στήν ἀπάτη/στή βία. *~ to all sorts of tricks*, χρησιμοποιῶ κάθε εἴδους κόλπα. **2**. (*πεπαλ.*) συχνάζω: *~ to a café*, συχνάζω σ' ἕνα καφενεῖο. __*οὐσ.* **1**. ‹U› προσφυγή, χρησιμοποίησις: *Can we do it without ~ to force?* μποροῦμε νά τό κάνωμε χωρίς προσφυγή στή βία; ***as a last ~; in the last ~***, σάν ἔσχατο καταφύγιο, σέ ἔσχατη ἀνάγκη. **2**. ‹C› καταφύγιον, μέσον, βοήθημα: *An old taxi was the only ~ left*, ἕνα παληό ταξί ἦταν τό μόνο μέσο πού εἶχε ἀπομείνει στή διάθεσή μας. **3**. ‹C› πολυσύχναστο μέρος: *holiday ~*, τόπος διακοπῶν. *summer ~*, θέρετρο. *winter ~*, κέντρον χειμερινῶν σπόρ. *health ~*, λουτρόπολις. *seaside ~*, παραθαλάσσιο θέρετρο.

re·sound /rɪˋzaʊnd/ *ρ.μ/ὰ.* **~ *with***, ἀντηχῶ, ἀντιλαλῶ: *The hall ~ed with applause*, ἡ αἴθουσα ἀντήχησε ἀπό χειροκροτήματα. *His success ~ed through the world*, (*μεταφ.*) ἡ ἐπιτυχία του ἀντιλάλησε σ' ὅλο τόν κόσμο. **~·ing** *ἐπ.* ἠχηρός, συνταρακτικός: *~ing laughter*, ἠχηρό γέλιο. *The film was a ~ing success*, (*καθομ.*) τό φίλμ εἶχε πολύ μεγάλη ἐπιτυχία, χάλασε κόσμο, ἔκαμε πάταγο. **~·ing·ly** *ἐπίρ.* ἠχηρά.

re·source /rɪˋsɔs/ *οὐσ.* **1**. (*πληθ.*) πόροι: *the natural ~s of a country*, οἱ φυσικοί πόροι μιᾶς χώρας. *I am at the end of my ~s*, ἐξάντλησα ὅλους τούς πόρους μου. *make the most of one's ~s*, κάνω τήν καλύτερη δυνατή χρησιμοποίηση τῶν πόρων μου. **2**. ‹C› καταφύγιο, διέξοδος, τρόπος διασκεδάσεως: *Music is my only ~*, ἡ μουσική εἶναι τό μόνο μου καταφύγιο. *Leave him to his own ~s*, ἄφησέ τον νά διασκεδάζη/νά σκαρώνη ὅ,τι θέλει. **3**. ‹U› ἐφευρετικότης, ἐπινοητικότης: *He is a man of ~*, εἶναι ἐπινοητικός ἄνθρωπος (πού κόβει τό μυαλό του). **~·ful** /-fl/ *ἐπ.* πολυμήχανος, καπάτσος. **~·fully** /-fəlɪ/ *ἐπίρ.*

[1]**re·spect** /rɪˋspekt/ *οὐσ.* **1**. ‹U› σεβασμός, ἐκτίμησις: *have ~ for sb*, σέβομαι κπ. *show one's ~ for sb*, δείχνω τό σεβασμό μου γιά κπ. *out of ~ for sb*, ἀπό σεβασμό γιά κπ. *He can command ~*, ξέρει νά γίνεται σεβαστός. *He is held in great ~*, ἀπολαμβάνει μεγάλης ἐκτιμήσεως. ***with all due ~***, μέ ὅλο τόν ὀφειλόμενο σεβασμό, (*καθομ.*) μέ τό συμπάθειο. **2**. ‹U› προσοχή, κατανόησις: *have ~ for/pay ~ to sth*, προσέχω κτ, δείχνω κατανόηση σέ κτ. **3**. ‹U› σχέσις. ***with ~ to***, ἐν σχέσει πρός, σέ σχέση μέ. ***without ~ to***, ἄσχετα μέ. **4**. ‹C› ἄποψις. ***in ~ of***, ἀπό τήν ἄποψη τοῦ. ***in some/all ~s***, ἀπό μερικές/ἀπ' ὅλες τίς ἀπόψεις. **5**. (*πληθ.*) χαιρετίσματα: *Give him my ~s*, (*πεπαλ.*) δῶσε του τούς χαιρετισμούς μου. ***pay one's ~s to sb***, ὑποβάλλω τά σέβη μου σέ κπ.

[2]**re·spect** /rɪˋspekt/ *ρ.μ.* σέβομαι, τιμῶ: *~ sb's opinions/wishes*, σέβομαι τίς γνῶμες/τίς ἐπιθυμίες κάποιου. *He's ~ed by everybody*, τόν σέβονται ὅλοι. *If you don't ~ yourself, how can you expect others to ~ you?* ἄν δέν σέβεσαι ὁ ἴδιος τόν ἑαυτό σου, πῶς περιμένεις νά σέ σέβονται οἱ ἄλλοι: **~er** *οὐσ.* (*μόνο στή φράση*) **no ~er of persons**: *He's no ~er of persons*, δέν σέβεται κανέναν. **~·ing** *πρόθ.* σχετικά μέ: *legislation ~ing property*, νομοθεσία σχετική μέ τήν ἰδιοκτησία.

re·spect·able /rɪˋspektəbl/ *ἐπ.* **1**. σεβαστός, ἔντιμος, σεβάσμιος: *do sth from ~ motives*, κάνω κτ ἀπό ἔντιμα ἐλατήρια. *a ~ old man*, ἕνας σεβάσμιος γέρος. **2**. εὐϋπόληπτος, εὐπρεπής: *a ~ family*, μιά εὐϋπόληπτη οἰκογένεια. *She's poor but ~*, εἶναι φτωχή ἀλλά καθώς πρέπει. *It is not considered ~ to pick your teeth in public*, δέν θεωρεῖται εὐπρεπές νά καθαρίζη κανείς τά δόντια του δημοσίᾳ. *Need we worry so much about being ~?* εἶναι ἀνάγκη νά μᾶς ἀπασχολῆ τόσο πολύ τό ἄν εἴμαστε καθώς πρέπει; **3**. σεβαστός, σημαντικός, ἀρκετός: *He earns a ~ income*, κερδίζει ἕνα σεβαστό εἰσόδημα. *He has quite ~ talents*, ἔχει σημαντικό ταλέντο. **re·spect·ably** /-əblɪ/ *ἐπίρ.* καθώς πρέπει, εὐπρεπῶς: *respectably dressed*, ντυμένος εὐπρεπῶς. **re·spect·abil·ity** /rɪˈspektəˋbɪlətɪ/ *οὐσ.* **1**. ‹U› εὐπρέπεια, καθωσπρεπισμός. **2**. (*πληθ.*) κοινωνικοί τύποι: *maintain the respectabilities (of life)*, τηρῶ τούς τύπους/τούς κανόνες τῆς εὐπρέπειας.

re·spect·ful /rɪˋspektfl/ *ἐπ.* γεμάτος σεβασμό: *He's ~ to his teachers*, εἶναι γεμάτος σεβασμό

πρός τούς δασκάλους του. **~ly** /-fəlɪ/ *ἐπίρ.* μέ σεβασμό, εὐσεβάστως.
re·spect·ive /rɪˋspektɪv/ *ἐπ.* σχετικός, ἀντίστοιχος, τοῦ καθενός: *The three boys were given work according to their ~ abilities*, τά τρία παιδιά πῆραν δουλειά σύμφωνα μέ τίς ἀντίστοιχες ἱκανότητές τους. *They all went off to their ~ rooms*, πῆγαν ὁ καθένας στό δωμάτιό του. **~·ly** *ἐπίρ.* ἀντιστοίχως: *The first and second prizes were given to John and Mary ~ly*, τό πρῶτο καί τό δεύτερο βραβεῖο δόθηκε στό Γιάννη καί τή Μαίρη ἀντιστοίχως (*δηλ.* τό α! στό Γ. καί τό β! στή Μ.)
res·pir·ation /ˈrespəˋreɪʃn/ *οὐσ.* ‹C,U› ἀναπνοή, ἀνάσα.
res·pir·ator /ˋrespəreɪtə(r)/ *οὐσ.* ‹C› ἀναπνευστική συσκευή, μάσκα.
re·spire /rɪˋspaɪə(r)/ *ρ.ἀ.* ἀναπνέω. **res·pir·a·tory** /rɪˋspɪrətrɪ/ *ἐπ.* ἀναπνευστικός: *the respiratory system/organs*, τό ἀναπνευστικό σύστημα/-ά ὄργανα.
res·pite /ˋrespaɪt/ *οὐσ.* ‹C› **1**. ἀνάπαυλα, διακοπή: *work without (a) ~*, δουλεύω χωρίς διακοπή. **2**. ἀναστολή, ἀναβολή: *get a ~*, παίρνω ἀναστολή. *grant sb a ~*, δίνω σέ κπ ἀναβολή (πχ πληρωμῆς). *—ρ.μ.* δίνω ἀναστολή/ἀναβολή, ἀνακουφίζω: *~ a murderer*, δίνω ἀναστολή (ἐκτελέσεως) ἑνός δολοφόνου.
re·splen·dent /rɪˋsplendənt/ *ἐπ.* ἀπαστράπτων. **~·ly** *ἐπίρ.* **re·splen·dence** /-əns/, **re·splen·dency** /-ənsɪ/ *οὐσ.* ‹U› λαμπρότητα, μεγαλοπρέπεια.
re·spond /rɪˋspond/ *ρ.ἀ.* **1**. *~ (to)*, ἀνταποκρίνομαι, ἀπαντῶ: *~ to a speech of welcome*, ἀπαντῶ σέ μιά προσφώνηση. **2**. ἀνταπαντῶ, ἀντιδρῶ: *When Tom insulted John, he ~ed with a kick*, ὅταν ὁ Τόμ ἔβρισε τό Γιάννη αὐτός ἀνταπάντησε (ἀντέδρασε) μέ μιά κλωτσιά. **3**. ἀντιδρῶ θετικά, συγκινοῦμαι, ἐπηρεάζω: *The illness quickly ~ed to treatment*, ἡ ἀρρώστεια ἀντέδρασε γρήγορα στή θεραπεία. *He ~s to music*, τόν συγκινεῖ ἡ μουσική. *She ~s to kindness*, ἡ καλωσύνη τήν ἐπηρεάζει. **~ent** /-ənt/ *οὐσ.* ‹C› (*νομ.*) ἐναγόμενος (*ἰδ.* σέ δίκη διαζυγίου).
re·sponse /rɪˋspons/ *οὐσ.* **1**. ‹C› ἀπάντησις: *In ~ to your inquiry*, σέ ἀπάντηση στήν ἔρευνά σας... *She made no ~*, δέν ἀπάντησε. **2**. ‹C,U› ἀνταπόκρισις, ἀντίδρασις: *His love met with no ~*, ἡ ἀγάπη του δέν βρῆκε ἀνταπόκριση. **3**. ‹C› (*ἐκκλ.*) ἀντίφωνο.
re·spon·si·bil·ity /rɪˈsponsəˋbɪlətɪ/ *οὐσ.* ‹C,U› εὐθύνη: *have a post of great ~*, ἔχω πολύ ὑπεύθυνη θέση. *I decline all ~ for the accident*, ἀποκρούω κάθε εὐθύνη γιά τό ἀτύχημα. *without ~ on my part*, χωρίς εὐθύνη ἐκ μέρους μου. *the heavy responsibilities of the Manager*, οἱ βαρειές εὐθύνες τοῦ διευθυντοῦ. ***on one's own ~***, ὑπό ἰδίαν εὐθύνην: *You did it on your own ~*, τό ἔκαμες μέ δική σου εὐθύνη. ***assume ~ for sth***, ἀναλαμβάνω τήν εὐθύνη γιά κτ.
re·spon·sible /rɪˋsponsəbl/ *ἐπ.* **1**. ὑπεύθυνος, ἐπιφορτισμένος: *The pilot is ~ for the safety of the passengers*, ὁ πιλότος εἶναι ὑπεύθυνος γιά τήν ἀσφάλεια τῶν ἐπιβατῶν. ***be ~ to sb for sth***, εἶμαι ὑπεύθυνος/ὑπόλογος σέ κπ γιά κτ. **2**. ὑπεύθυνος, συνεπαγόμενος εὐθύνες: *have a very ~ position*, ἔχω μιά πολύ ὑπεύθυνη θέση. **3**. ὑπεύθυνος, δράστης, αἴτιος: *He's ~ for these verses*, εἶναι ὁ δράστης αὐτῶν τῶν στίχων. *Rain is ~ for many road accidents*, ἡ βροχή εἶναι ἡ αἰτία πολλῶν τροχαίων ἀτυχημάτων. **4**. ἱκανός, ἄξιος ἐμπιστοσύνης, μέ αἴσθημα εὐθύνης: *This task must be given to a ~ man*, αὐτή ἡ δουλειά πρέπει ν' ἀνατεθῆ σέ ἱκανό ἄνθρωπο (σέ ἄνθρωπο μέ αἴσθημα εὐθύνης). **re·spon·sibly** /-əblɪ/ *ἐπίρ.* ὑπεύθυνα.
re·spon·sive /rɪˋsponsɪv/ *ἐπ.* **1**. ἀπαντητικός: *a ~ gesture*, ἀπαντητική χειρονομία. **2**. εὐαίσθητος, πού ἐπηρεάζεται, πού ἀνταποκρίνεται: *He's ~ to affection*, εἶναι εὐαίσθητος στή στοργή (τόν ἐπηρεάζει). *a ~ class*, τάξις πού ἀνταποκρίνεται στίς ἀπαιτήσεις τοῦ δασκάλου/πού ἀντιδρᾶ θετικά.
[1]**rest** /rest/ *οὐσ.* **1**. ‹U› ἀνάπαυσις, ξεκούρασις: *Sunday is a day of ~*, ἡ Κυριακή εἶναι ἡμέρα ἀναπαύσεως. *Let's stop and have/take a ~*, ἄς σταματήσωμε νά ξεκουραστοῦμε λίγο. ***at ~***, ἀκίνητος, ἐν ἀναπαύσει, νεκρός. ***be laid to ~***, ἐνταφιάζομαι. ***come to ~***, σταματῶ, παύω νά κινοῦμαι. ***set sb's mind/fears at ~***, καθησυχάζω κπ/διαλύω τούς φόβους του. **ˋ~-cure**, θεραπεία ἀκινησίας, κούρα ἀναπαύσεως. **ˋ~-day**, ἡμέρα ξεκούρασης. **ˋ~-house**, πανδοχεῖο. **ˋ~ room**, (*ΗΠΑ*) τουαλέττα. **2**. ‹C› ἀκουμπιστήρι, βάσις: *an ˋarm-~/a ˋhead-~*, (*αὐτοκ.*) ἀκουμπιστήρι γιά τόν ἀγκῶνα/γιά τό κεφάλι. *a ~ for a telescope*, βάσις (τρίποδο) γιά τηλεσκόπιο. **3**. ‹C› (*μουσ.*) παῦσις. **4**. ‹C› ἄσυλον, κατάλυμα, ἀναπαυτήριον: *a seamen's ~*, ὁ οἶκος τοῦ ναύτη. *a ˋ~ centre/home*, κέντρο/οἶκος ἀναπαύσεως. **~·ful** /-fl/ *ἐπ.* εἰρηνικός, γαλήνιος, ἥρεμος, ξεκουραστικός: *a ~ful scene*, τοπίο γεμᾶτο γαλήνη. *colours ~ful to the eye*, χρώματα πού ξεκουράζουν τό μάτι. **~·fully** /-fəlɪ/ *ἐπίρ.* ἥρεμα. **~·ful·ness** *οὐσ.* ‹U› ἠρεμία. **~·less** *ἐπ.* ἀνήσυχος, ἀνυπόμονος, νευρικός, ἀεικίνητος: *spend a ~less night*, περνῶ ἀνήσυχη νύχτα. *The audience was growing ~less*, τό ἀκροατήριο ἄρχισε νά ἀδημονῆ. *the ~less waves*, τά ἀκατάπαυστα κύματα. **~·less·ly** *ἐπίρ.* ἀνήσυχα, ἀνυπόμονα, ταραγμένα. **~·less·ness** *οὐσ.* ‹U› ἀνησυχία, ἀνυπομονησία, ταραχή, ἀναβρασμός.
[2]**rest** /rest/ *οὐσ.* **the ~ 1**. τό ὑπόλοιπον: *Eat what you like and throw the ~ away*, φάε ὅ,τι θέλεις καί πέταξε τό ὑπόλοιπο. ***and (all) the ~ (of it)***, κι' ὅλα τ' ἄλλα, καί τά λοιπά καί τά λοιπά. ***for the ~***, κατά τά λοιπά, ὅσο γιά τ' ἄλλα. **2**. (*μέ ρ. πληθ.*) οἱ ὑπόλοιποι, οἱ ἄλλοι: *the ~ of us*, ἐμεῖς οἱ ἄλλοι. *What are the ~ of you going to do?* τί θά κάνετε σεῖς οἱ ἄλλοι; *Two of the boys were fishing, the ~ were swimming*, δυό ἀπό τά παιδιά ψάρευαν, τά ὑπόλοιπα κολυμποῦσαν.
[3]**rest** /rest/ *ρ.μ/ἀ.* **1**. ἀναπαύομαι, ἡσυχάζω, ξεκουράζομαι: *He ~s in the churchyard*, ἀναπαύεται στό νεκροταφεῖο. *We ~ed for an hour*, ξεκουραστήκαμε μιά ὥρα. *I will not ~ until I know the truth*, δέν θά ἡσυχάσω ὥσπου νά μάθω τήν ἀλήθεια. **2**. ξεκουράζω: *He stopped to ~ his horse*, σταμάτησε νά ξεκουράση τ' ἄλογό του. *These glasses ~ my*

eyes, αὐτά τά γυαλιά ξεκουράζουν τά μάτια μου. *May God ~ his soul!* ὁ Θεός ν'ἀναπαύση τήν ψυχή του! Θεός 'σχωρέστον! **3**. **~ upon/against**, ἀκουμπῶ, στηρίζομαι: *He ~ed his elbows on the table*, ἀκούμπησε τούς ἀγκῶνες του στό τραπέζι. *The roof ~s upon five columns*, ἡ σκεπή στηρίζεται σέ πέντε κολῶνες. (βλ. & λ. *oar*). **4**. **~ (up)on**, ἁπλώνομαι, κάθομαι, σταματῶ: *A shadow ~ed on his face*, ἕνας ἴσκιος ἁπλώθηκε στό πρόσωπό του. *clouds ~ing upon a mountain top*, σύννεφα καθισμένα σέ μιά βουνοκορφή. *Her eyes ~ed on me*, τά μάτια της σταμάτησαν πάνω μου. *She let her glance ~ on me*, κάρφωσε τή ματιά της πάνω μου.

[4]**rest** /rest/ ρ.ἀ. **1**. (παρα)μένω: *This matter cannot ~ here*, αὐτό τό θέμα δέν μπορεῖ νά μείνη ἐδῶ. *The affair ~s a mystery*, ἡ ὑπόθεσις παραμένει μυστήριο. *You may ~ assured that everything possible will be done*, μπορεῖτε νά εἶσθε (νά μείνετε) ἥσυχος ὅτι θά γίνη ὅ,τι εἶναι δυνατόν. **2**. **~ with**, ἐναπόκειμαι: *It ~s with you to decide*, ἐναπόκειται σέ σᾶς ν'ἀποφασίσετε. **3**. **~ (up)on**, βασίζομαι: *His fame ~s on his plays more than on his poetry*, ἡ φήμη του βασίζεται στά θεατρικά του ἔργα μᾶλλον παρά στήν ποίησή του.

re·state /'ri'steɪt/ ρ.μ. ἐπαναδιατυπώνω (πρόβλημα, θεωρία, κλπ), θέτω ἐξ ἀρχῆς. **~·ment** οὐσ. ‹C,U› ἐπαναδιατύπωσις.

res·taur·ant /'restrɔ̃/ οὐσ. ‹C› ἑστιατόριο.

res·taura·teur /'restərə'tɜ(r)/, **res·taur·an·teur** /'restrɔ̃'tɜ(r)/ οὐσ. ‹C› ἑστιάτωρ.

res·ti·tu·tion /'restɪ'tjuʃn/ οὐσ. ‹U› ἐπιστροφή (πράγματος στόν ἰδιοκτήτη), ἀπόδοσις, ἀποκατάστασις (ζημίας): *make ~ of sth to sb*, ἐπιστρέφω/ἀποδίδω κτ σέ κπ. *make full ~*, προβαίνω σέ πλήρη ἀποκατάσταση.

res·tive /'restɪv/ ἐπ. **1**. (γιά ἄνθρ.) δύστροπος, ἀνυπάκουος. **2**. (γιά ζῶο, ἰδ. ἄλογο) ἀνήσυχος, νευρικός, ἀτίθασος. **~·ly** ἐπίρ. ἀνήσυχα, νευρικά. **~·ness** οὐσ. ‹U› δυστροπία, νευρικότης.

re·stock /'ri'stok/ ρ.μ. ξαναεφοδιάζω.

res·to·ra·tion /'restə'reɪʃn/ οὐσ. **1**. ‹U› ἐπιστροφή, ἀπόδοσις: *~ of stolen property*, ἀπόδοσις κλαπέντων. *~ to health and strength*, πλήρης ἀποκατάστασις τῆς ὑγείας. **2**. παλινόρθωσις. **the R~**, (ἱστ.) ἡ Παλινόρθωσις τοῦ Καρόλου Β! (1660). **3**. ‹C› ἀποκατάστασις (κειμένου, πίνακος), ἐπισκευή (κτιρίου), ἀναστήλωσις (μνημείου): *Closed during ~s*, κλειστόν λόγω ἐπισκευῶν.

re·stora·tive /rɪ'stɔrətɪv/ ἐπ. τονωτικός, δυναμωτικός. —οὐσ. ‹C,U› τονωτικό, δυναμωτικό.

re·store /rɪ'stɔ(r)/ ρ.μ. **1**. ἐπιστρέφω, ἀποδίδω: *~ borrowed books*, ἐπιστρέφω δανεικά βιβλία. *~ stolen property*, ἀποδίδω κλοπιμαῖα. **2**. ἐπαναφέρω, ξαναζωντανεύω: *~ old customs*, ξαναζωντανεύω παλαιά ἔθιμα. **3**. ἀποκαθιστῶ, συνεφέρνω: *He was quite ~d to health*, ἀποκαταστάθηκε τελείως στήν ὑγεία του. *I feel completely ~d*, νοιώθω ὅτι ἔχω συνέλθει ἐντελῶς. *Law and order have been ~d*, ὁ νόμος καί ἡ τάξις ἀποκαταστάθηκαν. *~ freedom and democracy*, ἀποκαθιστῶ τήν ἐλευθερία καί τή δημοκρατία. **4**. ἐπαναφέρω, ἀποκαθιστῶ, παλινορθώνω: *~ an officer to his command*, ἐπαναφέρω ἀξιωματικό στή διοίκησή του. *~ an employee to his old post*, ἐπαναφέρω ὑπάλληλο στήν παληά του θέση. *The king was ~d to his throne*, ὁ βασιλεύς ἀποκαταστάθηκε στό θρόνο του. **5**. ἐπισκευάζω, ἀναστηλώνω, ἀποκαθιστῶ: *~ a ruined castle*, ἐπισκευάζω (ἀναστηλώνω) ἕναν ἐρειπωμένο πύργο. *~ a text/painting*, ἀποκαθιστῶ ἕνα κείμενο/ἕναν πίνακα. **re·storer** οὐσ. ‹C› ἐπιδιορθωτής, ἀναστηλωτής, ρεστορατέρ: *'health-restorer*, τονωτικό, δυναμωτικό. *'hair-restorer*, φάρμακο τριχοφυΐας.

re·strain /rɪ'streɪn/ ρ.μ. **~ sb (from)**, συγκρατῶ: *~ one's anger/mirth/tongue*, συγκρατῶ τό θυμό μου/τά γέλια/τή γλῶσσα μου. *~ oneself*, συγκρατοῦμαι, κρατιέμαι. *~ a child from doing mischief*, συγκρατῶ/ἐμποδίζω ἕνα παιδί νά μήν κάνη ζαβολιές. **~ed** ἐπ. συγκρατημένος: *a ~ed smile*.

re·straint /rɪ'streɪnt/ οὐσ. **1**. ‹U› (σωματικός) περιορισμός: *put sb under ~*, θέτω κπ ὑπό περιορισμόν (πχ ἕναν ψυχοπαθῆ). **2**. ‹C› περιορισμός, δεσμός: *the ~s of poverty/convention*, τά δεσμά τῆς φτώχειας/τῶν κοινωνικῶν τύπων. **3**. ‹U› περιορισμός, συγκράτησις, μέτρο (ὕφους), χαλινός, πειθαρχία: *submit to ~*, ὑποβάλλομαι σέ περιορισμούς/σέ πειθαρχία. *break loose from all ~*, ἀποχαλινώνομαι. **without ~**, ἐλεύθερα, χωρίς χαλινό, χωρίς μέτρο: *speak/write/act without ~*.

re·strict /rɪ'strɪkt/ ρ.μ. **~ (to)**, περιορίζω: *Discussion was ~ed to the agenda*, ἡ συζήτησις περιορίστηκε στήν ἡμερησία διάταξη. *Speed is ~ed to 50 miles an hour*, ἡ ταχύτητα περιορίζεται σέ 50 μίλια τήν ὥρα. *~ the consumption of oil*, θέτω περιορισμούς στήν κατανάλωση πετρελαίου. **re·stric·tion** /rɪ'strɪkʃn/ οὐσ. ‹C,U› περιορισμός: *~ion of expenditure*, περιορισμός στίς δαπάνες. *'import ~ions*, περιορισμοί στίς εἰσαγωγές. *'trade/'currency ~ions*, ἐμπορικοί/συναλλαγματικοί περιορισμοί. **~·ive** /-tɪv/ ἐπ. περιοριστικός. **~·ive·ly** ἐπίρ.

re·sult /rɪ'zʌlt/ ρ.ἀ. **1**. **~ (from)**, ἀπορρέω, προκύπτω: *obligations ~ing from the contract*, ὑποχρεώσεις πού ἀπορρέουν ἀπό τή σύμβαση. *damage ~ing from negligence*, ζημιά πού προκύπτει ἀπό (ὀφείλεται σέ) ἀμέλεια. **2**. **~ in**, καταλήγω, ἀπολήγω: *~ in failure/war*, ἀπολήγω σέ ἀποτυχία/καταλήγω σέ πόλεμο. **3**. ἔχω (ὡς) τέλος: *Their efforts ~ed badly*, οἱ προσπάθειές τους εἶχαν ἄσχημο τέλος. —οὐσ. ‹C,U› ἀποτέλεσμα, κατάληξις, ἔκβασις: *without ~*, χωρίς ἀποτέλεσμα. *as a ~ of...*, σάν ἀποτέλεσμα, συνεπείᾳ τοῦ... *yield ~s*, δίδω/φέρω ἀποτελέσματα. *His limp is the ~ of an accident*, ἡ κουτσαμάρα του εἶναι ἀποτέλεσμα ἀτυχήματος. *Are the examination ~s out?* βγῆκαν τά ἀποτελέσματα τῶν ἐξετάσεων; *announce the ~s of a competition*, δημοσιεύω τά ἀποτελέσματα ἑνός διαγωνισμοῦ. **~·ant** /-ənt/ ἐπ. προερχόμενος, ἐπακόλουθος, προκύπτων.

re·sume /rɪ'zjum/ ρ.μ. **1**. συνεχίζω (μετά ἀπό διακοπή), ξαναρχίζω, ἐπαναλαμβάνω: *~ a story/one's work*, συνεχίζω μιά ἱστορία/ξαναρχίζω τή δουλειά μου. *Hostilities/The negotiations were ~d*, ἐπαναλήφθησαν οἱ ἐχθροπραξίες/οἱ διαπραγματεύσεις. 2. ξαναπαίρνω: ~ *one's seat*, ξαναπηγαίνω στή θέση μου.

ré·sumé /reˋzumeɪ/ *οὐσ.* ‹C› περίληψις, ἀνασκόπησις.

re·sump·tion /rɪˋzʌmpʃn/ *οὐσ.* ‹C,U› (ἐπ)ανάληψις, συνέχισις.

re·sur·face /ˈriˋsɜfɪs/ *ρ.μ.* **1**. ξαναστρώνω (δρόμο). **2**. (*γιά ὑποβρύχιο*) ἀναδύομαι.

re·sur·gent /rɪˋsɜdʒənt/ *ἐπ.* ἀναδυόμενος, νέος, ἀναζωπυρούμενος, ἀναβιῶν, πού ξαναζωντανεύει: ~ *nationalism*, ἀναδυόμενος ἐθνικισμός. ~ *hopes*, ἐλπίδες πού ξαναζωντανεύουν. **re·sur·gence** /-əns/ *οὐσ.* ‹U› ἀναγέννησις. ξαναζωντάνεμα.

res·ur·rect /ˈrezəˋrekt/ *ρ.μ/ὰ.* **1**. ἀνασταίνω/-ομαι. **2**. ἀναβιώνω: ~ *an old word/custom*, ἀναβιώνω μιά παληά λέξη/ἕνα ἔθιμο. **3**. (*καθομ.*) ξεθάβω: *My dog ~ed a bone in the garden*, ὁ σκύλος μου ξέθαψε ἕνα κόκκαλο στόν κῆπο. **res·ur·rec·tion** /-ˋrekʃn/ *οὐσ.* ‹U› ἀνάστασις, ἀναβίωσις.

re·sus·ci·tate /rɪˋsʌsɪteɪt/ *ρ.μ/ὰ.* ἐπαναφέρω στή ζωή, νεκρανασταίνω/-ομαι: ~ *sb who has been nearly drowned*, ξαναφέρνω στή ζωή ἕναν μισοπνιγμένο. **re·sus·ci·ta·tion** /rɪˈsʌsɪˋteɪʃn/ *οὐσ.* ‹U› νεκρανάστασις.

re·tail /ˋriteɪl/ *οὐσ.* ‹C›, *ἐπ.* & *ἐπίρ.* λιανική πώλησις, λιανικός, λιανικῶς: *sell goods (by)* ~, πωλῶ εἴδη λιανικῶς. ~ *prices*, τιμές λιανικῆς πωλήσεως. ~ *dealers*, μικροπωλητές. *Do you buy wholesale or ~?* ἀγοράζεις χονδρικῶς ἤ λιανικῶς; __*ρ.μ/ὰ.* **1**. ~ **(at)**, πουλῶ/πουλιέμαι λιανικῶς. **2**. (*καθομ.*) ἐπαναλαμβάνω, μεταφέρω, διαδίδω (εἰδήσεις, κουτσομπολιό, κλπ). **~er** *οὐσ.* ‹C› ἔμπορος λιανικῆς πωλήσεως.

re·tain /rɪˋteɪn/ *ρ.μ.* **1**. (συγ)κρατῶ: *This dyke was built to ~ the flood waters*, αὐτό τό φράγμα φτιάχτηκε γιά νά συγκρατῆ τά νερά τῶν πλημμυρῶν. *This vessel won't ~ water*, αὐτό τό δοχεῖο δέν κρατάει νερό. **2**. διατηρῶ: *Though over 90 he ~s the use of all his faculties*, ἄν κι'ἔχει περάσει τά 90, διατηρεῖ ὅλες του τίς δυνάμεις. ~ *a clear memory of an incident*, διατηρῶ καθαρή ἀνάμνηση ἑνός περιστατικοῦ. **3**. προσλαμβάνω, ἐξασφαλίζω: ~ *a barrister/sb's services*, προσλαμβάνω δικηγόρο/ἐξασφαλίζω τίς ὑπηρεσίες κάποιου. **~er** *οὐσ.* ‹C› **1**. ἀμοιβή (δικηγόρου). **2**. (*ἀπηρχ.*) ὑπηρέτης.

re·take /ˈriˋteɪk/ *ρ.μ.* (*ἀνώμ. βλ. take*) ξαναπαίρνω. __*οὐσ.* ‹C› /ˋriteɪk/ (*κινημ.*) ξανατράβηγμα σκηνῆς.

re·tali·ate /rɪˋtælɪeɪt/ *ρ.ὰ.* ~ ***against/(up)on***, ἐκδικοῦμαι, ἀνταποδίδω (κακό), κάνω ἀντίποινα: ~ *(up)on one's enemies*, ἐκδικοῦμαι τούς ἐχθρούς μου. ~ *against sb*, ἀσκῶ ἀντίποινα σέ βάρος κάποιου. **re·tali·ation** /rɪˈtælɪˋeɪʃn/ *οὐσ.* ‹U› ἀντεκδίκησις, ἀντίποινα: *by way of retaliation/in retaliation for*, γιά ἀντίποινα. **re·tali·at·ive** /rɪˋtælɪətɪv/, **re·tali·at·ory** /rɪˋtælɪətrɪ/ *ἐπ.* ἀνταποδοτικός, γιά ἀντίποινα.

re·tard /rɪˋtɑd/ *ρ.μ.* ἐπιβραδύνω, καθυστερῶ: ~ *progress/development*, ἐπιβραδύνω (ἐμποδίζω) τήν πρόοδο/τήν ἀνάπτυξη. *mentally ~ed children*, διανοητικῶς καθυστερημένα παιδιά. **~a·tion** /ˈritɑˋdeɪʃn/ *οὐσ.* ‹U› καθυστέρησις.

retch /retʃ/ *ρ.ὰ.* ρεύομαι, ἀναγουλιάζω.

re·ten·tion /rɪˋtenʃn/ *οὐσ.* ‹U› **1**. κράτησις, ἐπίσχεσις, διατήρησις: ~ *of urine*, (*ἰατρ.*) ἐπίσχεσις οὔρων. **2**. μνημονικό.

re·ten·tive /rɪˋtentɪv/ *ἐπ.* συγκρατητικός, (γιά μνήμη) ἰσχυρός: *a memory ~ of details*, μνήμη πού συγκρατεῖ λεπτομέρειες. *a ~ soil*, ἔδαφος πού συγκρατεῖ τήν ὑγρασία. **~·ly** *ἐπίρ.* **~·ness** *οὐσ.* ‹U› ἱκανότης συγκρατήσεως.

re·think /ˈriˋθɪŋk/ *ρ.μ/ὰ.* (*ἀνώμ. βλ. think*) ξανασκέφτομαι, ἐπανεξετάζω: ~ *one's policy towards sb*, ἐπανεξετάζω τήν πολιτική μου ἔναντι κάποιου. __*οὐσ.* ‹C› /ˋriθɪŋk/ (*καθομ.*) ἐπανεξέτασις: *have a ~*, τό ξανασκέφτομαι.

reti·cent /ˋretɪsnt/ *ἐπ.* λιγόλογος, ἐπιφυλακτικός: *be ~ on/about sth*, ἀποφεύγω νά μιλήσω γιά κτ. **reti·cence** /-sns/ *οὐσ.* ‹C,U› σιωπηλότης, ἐπιφυλακτικότης, λιγολογία.

re·ticu·late /rɪˋtɪkjʊleɪt/ *ρ.μ/ὰ.* καλύπτω/-ομαι μέ δικτυωτό/μέ τετραγωνίδια. __*ἐπ.* /rɪˋtɪkjʊlət/ δικτυωτός. **re·ticu·la·tion** /rɪˈtɪkjʊˋleɪʃn/ *οὐσ.* ‹C› (*συχνά πληθ.*) δικτύωμα.

reti·cule /ˋretɪkjul/ *οὐσ.* ‹C› γυναικεῖο τσαντάκι.

ret·ina /ˋretɪnə/ *οὐσ.* ‹C› (*πληθ.* ~*s* ἤ *-nae* /-ni/) ἀμφιβληστροειδής χιτών.

reti·nue /ˋretɪnju/ *οὐσ.* ‹C› συνοδεία, ἀκολουθία: *a prince and his ~*.

re·tire /rɪˋtaɪə(r)/ *ρ.μ/ὰ.* **1**. ~ ***(from/to)***, ἀποσύρομαι, ἀποτραβιέμαι: *He ~d to his room*, ἀποσύρθηκε στό δωμάτιό του. *She usually ~s (to bed) at 10 o'clock*, συνήθως ἀποσύρεται (γιά ὕπνο) στίς δέκα. *when the ladies ~d*, (*λόγ.*) ὅταν ἀποσύρθηκαν οἱ κυρίες. ~ *from the world*, ἀποσύρομαι ἀπό τόν κόσμο, κλείνομαι σέ μοναστήρι. ~ ***into oneself***, κλείνομαι στόν ἑαυτό μου. **2**. ἀποχωρῶ (τῆς ὑπηρεσίας), ἀποστρατεύομαι: *He will ~ on a pension at 65*, θά μπῆ στή σύνταξη στά 65. **3**. (*στρατ.*) ὑποχωρῶ, συμπτύσσομαι: *Our forces ~d to prepared positions*, οἱ δυνάμεις μας συνεπτύχθησαν σέ προκαθορισμένες θέσεις. __*οὐσ.* ‹C› ὑποχώρησις, σύμπτυξις: *sound the ~*, σαλπίζω σύμπτυξη. **re·tired** *ἐπ.* *(α)* συνταξιοῦχος, ἀπόστρατος: *a ~d civil servant*, συνταξιοῦχος δημόσιος ὑπάλληλος. *a ~d officer*, ἀπόστρατος ἀξιωματικός. *be on the ~d list*, εἶμαι στήν ἀποστρατεία. *~d pay*, σύνταξις. *(β)* ἀποτραβηγμένος, ἀπόμερος: *live a ~d life*, ζῶ ἀποτραβηγμένος. *a ~d valley*, ἀπόμερη κοιλάδα. **~·ment** *οὐσ.* ‹C,U› ἀποχώρησις, συνταξιοδότησις, ἀπομόνωσις: *optional/compulsory ~-ment*, ἑκούσια/ὑποχρεωτική ἀποχώρησις (συνταξιοδότησις). *reach ~ment age*, φθάνω σέ συντάξιμη ἡλικία. *~ment allowance*, ἐπίδομα ἀποχωρήσεως ἐκ τῆς ὑπηρεσίας. **~-ment pension**, σύνταξις λόγῳ ἀποχωρήσεως. ***go into ~ment***, ἀποχωρῶ (ἀπό τήν ὑπηρεσία), ἀποτραβιέμαι (ἀπό τήν κοινωνία).

re·tir·ing /rɪˋtaɪərɪŋ/ *ἐπ.* συμπτυσσόμενος, ἐπιφυλακτικός, λιγομίλητος, κλεισμένος στόν ἑαυτό του: *He is of a ~ disposition*, ἔχει κλειστό χαρακτῆρα. *a ~ army*, συμπτυσσόμενα στρατεύματα. __*οὐσ.* ‹U› ἀποχώρησις, συνταξιοδότησις.

[1]**re·tort** /rɪˋtɔt/ *οὐσ.* ‹C› ἀποστακτήρ, ἀποστακτικόν κέρας.

[2]**re·tort** /rɪ`tɔt/ *ρ.μ/ὰ.* **1**. ἀπαντῶ (ἔντονα, εὔστοχα). **2**. ἀνταποδίδω, ἐπιστρέφω (ὕβριν, προσβολή), ἀντιστρέφω (ἐπιχείρημα). —*οὐσ.* ‹C,U› (ὀξεῖα) ἀπάντησις: *say sth in* ~, λέω κτ σέ ἀπάντηση. *make an insolent* ~, ἀπαντῶ μέ προπέτεια.
re·touch /ˈri`tʌtʃ/ *ρ.μ.* ρετουσάρω.
re·trace /ri`treɪs/ *ρ.μ.* **1**. ἀναπολῶ, ξαναπερνῶ (ἀπό τό νοῦ): *He* ~*d the events that led to the quarrel*, ξαναπέρασε ἀπό τό νοῦ του τά γεγονότα πού ὁδήγησαν στόν καυγᾶ. **2**. ξαναγυρίζω πίσω (ἀπό τόν ἴδιο δρόμο): ~ *one's steps*, ξαναγυρίζω ἀπό τόν ἴδιο δρόμο.
re·tract /rɪ`trækt/ *ρ.μ/ὰ.* **1**. ἀνακαλῶ, ἀναιρῶ, ἀποσύρω, παίρνω πίσω: ~ *a statement/an offer/a confession*, ἀνακαλῶ μιά δήλωση/μιά προσφορά/μιά ὁμολογία. **2**. (*μηχ.*) εἰσέλκω, μαζεύω/-ομαι: *A cat can* ~ *its claws*, ἡ γάτα μπορεῖ νά μαζέψη (νά κρύψη) τά νύχια της. ~**·able** /-əbl/ *ἐπ.* ἀναιρέσιμος, εἰσελκόμενος. ~**ion** /rɪ`trækʃn/ *οὐσ.* ‹C,U› ἀνάκλησις, συμμάζεμα.
re·tread /ˈri`tred/ *ρ.μ.* κάνω ἀναγόμωση σέ λάστιχο. —*οὐσ.* ‹C› /`ritred/ ἀναγομωμένο λάστιχο.
re·treat /rɪ`trit/ *ρ.ὰ.* ~ ***(from/to)***, ὑποχωρῶ: *We forced the enemy to* ~, ἀναγκάσαμε τόν ἐχθρό νά ὑποχωρήση. *They* ~*ed on the capital*, ὑποχώρησαν πρός τήν πρωτεύουσα. —*οὐσ.* ‹C,U› **1**. ὑποχώρησις: *sound the* ~, σαλπίζω ὑποχώρηση. *The army was in full* ~, ὁ στρατός ἦταν ἐν πλήρει ὑποχωρήσει. *cut off sb's* ~, ἀποκόπτω τήν ὑποχώρηση κάποιου. ***beat a (hasty)*** ~, σπεύδω νά ὑποχωρήσω, (*καθομ.*) τό σκάω. ***make good one's*** ~, ὑποχωρῶ μέ τάξη. **2**. καταφύγιο, ἄσυλο: *a quiet country* ~, ἕνα ἥσυχο καταφύγιο στήν ἐξοχή. ***go into*** ~, ἀποσύρομαι σέ ἡσυχαστήριο.
re·trench /rɪ`trentʃ/ *ρ.μ/ὰ.* κάνω οἰκονομίες. ~**·ment** *οὐσ.* ‹C,U› περικοπή δαπανῶν, περισυλλογή.
re·trial /ri`traɪəl/ *οὐσ.* ‹C› νέα δίκη.
ret·ri·bu·tion /ˈretrɪ`bjuʃn/ *οὐσ.* ‹U› τιμωρία, ἀνταπόδοσις: *There will be a day of* ~, θἄρθη ἡμέρα τιμωρίας/πληρωμῆς. *just* ~ *for a crime*, δίκαιη τιμωρία/ἀνταπόδοσις γιά ἕνα ἔγκλημα. **re·tri·bu·tive** /rɪ`trɪbjʊtɪv/ *ἐπ.* τιμωρός, ἀνταποδοτικός.
re·trieve /rɪ`triv/ *ρ.μ/ὰ.* **1**. ξαναβρίσκω (κάτι χαμένο): ~ *a lost umbrella*, ξαναβρίσκω μιά χαμένη ὀμπρέλλα. **2**. ἐπανορθώνω: ~ *an error/a loss/a defeat*, ἐπανορθώνω λάθος/ζημιά/ἧττα. **3**. ἀποκαθιστῶ, ἀνορθώνω, ἀνακτῶ: ~ *one's honour/fortune*, ἀποκαθιστῶ τήν τιμή μου/ἀνακτῶ τήν περιουσία μου. **4**. σώζω: ~ *sb from ruin*, σώζω κπ ἀπό τήν καταστροφή. **5**. (*γιά σκύλο*) φέρνω (τό θήραμα). **re·triev·able** /-əbl/ *ἐπ.* ἐπανορθώσιμος, ἀνακτήσιμος. **re·trieval** /-vl/ *οὐσ.* ‹U› ἐπανόρθωσις, ἀνάκτησις: *beyond/past retrieval*, ἀνεπανόρθωτος. **re·triever** *οὐσ.* ‹C› σκύλος πού φέρνει τό κυνήγι.
retro·ac·tive /ˈretrəʊ`æktɪv/ *ἐπ.* ἀναδρομικός (*πχ* νόμος). ~**·ly** *ἐπίρ.* ἀναδρομικά.
retro·grade /`retrəgreɪd/ *ἐπ.* παλινδρομικός, ὀπισθοδρομικός: ~ *motion*, παλινδρομική κίνησις. *a* ~ *policy*, ὀπισθοδρομική πολιτική. —*ρ.ὰ.* ὀπισθοδρομῶ, χειροτερεύω.
retro·gress /ˈretrə`gres/ *ρ.ὰ.* παλινδρομῶ, σημειώνω ὀπισθοδρόμηση. ~**ion** /-`greʃn/ *οὐσ.* ‹U› ὀπισθοδρόμησις, παλινδρόμησις. ~**·ive** /-`gresɪv/ *ἐπ.* ὀπισθοδρομικός, παλινδρομικός.
retro·spect /`retrəspekt/ *οὐσ.* ‹U› ἀναδρομική ἐξέτασις. ***in*** ~, ἐκ τῶν ὑστέρων: *consider sth in* ~, ἐξετάζω κτ ἐκ τῶν ὑστέρων. **retro·spec·tion** /ˈretrə`spekʃn/ *οὐσ.* ‹C,U› ἀνασκόπησις, ἀναπόλησις, ἐπαναθεώρησις. **retro·spec·tive** /ˈretrə`spektɪv/ *ἐπ.* ἀναδρομικός: *a* ~*ive law*, ἀναδρομικός νόμος. *a* ~*ive wage increase*, ἀναδρομική αὔξησις μισθῶν. **retro·spec·tive·ly** *ἐπίρ.*
re·troussé /rə`truseɪ/ *ἐπ.* (*γιά τή μύτη*) ἀνασηκωμένη.
ret·ro·ver·sion /ˈretrəʊ`vɜʃn/ *οὐσ.* ‹C,U› ἀναστροφή, κλίσις πρός τά πίσω.
ret·sina /ret`sinə/ *οὐσ.* ‹U› ρετσίνα.
[1]**re·turn** /rɪ`tɜn/ *οὐσ.* **1**. ‹C,U› ἐπιστροφή, ἀνταπόδοσις: *a* ~ *home/to school*, ἐπιστροφή στό σπίτι/στό σχολεῖο. *a poor* ~ *for my kindness*, μικρή ἀνταμοιβή γιά τήν καλωσύνη μου. ***on one's*** ~, στήν ἐπιστροφή μου: *On his* ~ *to London, he found that...*, γυρίζοντας στό Λονδῖνο, βρῆκε ὅτι... ***by*** ~ ***(of post)***, μέ τήν ἐπιστροφή τοῦ ταχυδρομείου, μέ τό ἑπόμενο ταχυδρομεῖο. ***in*** ~ ***(for)***, σέ ἀνταπόδοση, σέ ἀντάλλαγμα, ἀντί γιά: *I'll give you something in* ~, θά σοῦ δώσω κάτι σέ ἀντάλλαγμα. *He was given a receipt in* ~ *for his money*, τοῦδωσαν μιά ἀπόδειξη γιά τά λεφτά του. ***on sale or*** ~, (*ἐμπ.*) μέ δικαίωμα ἐπιστροφῆς τῶν ἀπούλητων, ἐπί παρακαταθήκη. ***point of no*** ~, σημεῖο ὅπου εἶναι ἀδύνατη ἡ ὑπαναχώρησις/ἡ ἐπιστροφή, (*μεταφ.*) ἀδιέξοδο. ***Many happy*** ~***s (of the day)!*** χρόνια πολλά! ~ **fare**, ναῦλος ἐπιστροφῆς. ~ **half**, ἀπόκομμα εἰσιτηρίου. ~ **match**, (*ποδόσφ.*) ἐπαναληπτικός ἀγώνας. ~ **ticket**, εἰσιτήριο μετ'ἐπιστροφῆς. **day-**~, εἰσιτήριο μετ'ἐπιστροφῆς γιά τήν ἴδια μέρα. **2**. (*συνήθ. πληθ.*) ἀπόδοσις, κέρδος, εἴσπραξις (ἀπό πωλήσεις): *get a good* ~ *on an investment*, ἔχω καλή ἀπόδοση ἀπό μιά ἐπένδυση. *gross* ~*s*, ἀκαθάριστες εἰσπράξεις. *'Small profits and quick* ~*s,'* ἐν τῇ καταναλώσει τό κέρδος. **3**. ἔκθεσις, δήλωσις, στατιστική: *make one's tax* ~*s*, κάνω τή φορολογική μου δήλωση. *the Board of Trade* ~*s*, στατιστικές τοῦ Ὑπουργείου Ἐμπορίου. *the election* ~*s*, ἐκλογικά ἀποτελέσματα.
[2]**re·turn** /rɪ`tɜn/ *ρ.μ/ὰ.* **1**. (ξανα)γυρίζω, ἐπιστρέφω: *He* ~*ed to Athens from London*, ξαναγύρισε στήν Ἀθήνα ἀπό τό Λονδῖνο. ~ *a book to its place*, ἐπιστρέφω (ξαναβάζω) βιβλίο στή θέση του. *He has* ~*ed to his old habits*, ξαναγύρισε στίς παληές του συνήθειες. ~*ed empties*, ἐπιστραφέντα κενά (μπουκάλια, κλπ). **2**. ἀνταποδίδω: ~ *a visit/sb's greeting/compliments*, ἀνταποδίδω μιά ἐπίσκεψη/τό χαιρετισμό/τά κομπλιμέντα κάποιου. ~ *thanks*, ἐκφράζω τίς εὐχαριστίες μου. **3**. (*πεπαλ.*) ἀπαντῶ, ἀποκρίνομαι. **4**. δηλῶ, ἀναφέρω, ἐκθέτω κτ (ἐπισήμως): ~ *one's income at £5000*, δηλώνω εἰσόδημα 5000 λιρῶν. *liabilities* ~*ed at £1000*, παθητικόν δηλωθέν σέ 1000 λίρες. *The jury* ~*ed a verdict of guilty*, οἱ

ἔνορκοι ἐξέδωσαν ἀπόφασιν ἐνοχῆς. *The prisoner was ~ed not guilty*, ὁ κατηγορούμενος ἐκηρύχθη ἀθῶος. **5**. ἐκλέγω (βουλευτή): *Smith was ~ed*, ὁ Σμίθ ἐξελέγη. ~ *the result of the poll*, ἀναφέρω τό ἀποτέλεσμα τῆς ψηφοφορίας. **~·ing officer**, πρόεδρος ἐφορευτικῆς ἐπιτροπῆς πού ἀνακηρύσσει τόν ἐπιτυχόντα ὑποψήφιο. **6**. ἀποφέρω (κέρδος): *an investment that ~s a good interest*, ἐπένδυσις πού ἀποφέρει καλό τόκο. **~·able** /-əbl/ *ἐπ.* ἐπιστρεπτέος.

re·un·ion /ˈriˋjuniən/ *οὐσ.* ‹C,U› ἐπανασύνδεσις, συγκέντρωσις, ξανασμίξιμο (ὕστερα ἀπό χωρισμό): *a family ~*, ξανασμίξιμο τῶν μελῶν οἰκογενείας. *a ~ of old schoolfriends/colleagues*, συγκέντρωση παληῶν συμμαθητῶν/συναδέλφων.

re·unite /ˈrijuˋnaɪt/ *ρ.μ/ἀ.* ξανασμίγω: *They were ~d after long years of separation*, ξανάσμιξαν ὕστερα ἀπό πολύχρονο χωρισμό.

rev /rev/ *οὐσ.* ‹C› (*καθομ. βραχυλ. γιά revolution*) στροφή (μηχανῆς): *2000 ~s a minute*, 2000 στροφές στό λεπτό. **~-counter**, στροφόμετρο. —*ρ.μ/ἀ.* (*-vv-*) **~ *up***, (*καθομ.*) μαρσάρω, φουλάρω (μηχανή): *Don't ~ up (the engine) so hard*, μή μαρσάρης (τή μηχανή) τόσο πολύ.

re·value /riˋvælju/ *ρ.μ.* ἐπανεκτιμῶ, ἀποτιμῶ ἐκ νέου, ἀνατιμῶ. **re·valu·ation** /ˈriˈvæljuˋeɪʃn/ *οὐσ.* ‹C,U› ἀνατίμησις (*πχ* νομίσματος).

re·vamp /ˈriˋvæmp/ *ρ.μ.* ἐπιδιορθώνω, ἀνακαινίζω, μπαλώνω: *~ a shoe*, ἀλλάζω τό ψίδι παπουτσιοῦ. *~ an old comedy*, (*καθομ.*) συμμαζεύω, ξαναφρεσκάρω μιά παληά κωμωδία.

re·veal /rɪˋvil/ *ρ.μ.* ἀποκαλύπτω: *~ a secret/the truth*, ἀποκαλύπτω ἕνα μυστικό/τήν ἀλήθεια. *Her dresses ~ more than they cover*, τά φορέματά της ἀποκαλύπτουν περισσότερα ἀπ' ὅσα κρύβουν. *His remarks ~ed his ignorance*, οἱ παρατηρήσεις του φανέρωσαν τήν ἄγνοιά του. ***~ed religion***, θρησκεία ἐξ ἀποκαλύψεως.

re·veille /rɪˋvælɪ/ *οὐσ.* ‹C› (*στρατ.*) ἐγερτήριο.

revel /ˋrevl/ *ρ.ἀ.* (*-ll-*) **1**. διασκεδάζω, γλεντοκοπῶ, ξεφαντώνω, ὀργιάζω: *They ~led until dawn*, γλεντοκοποῦσαν ὥς τά χαράματα. ***~ away the time***, περνῶ τόν καιρό μου μέ γλέντια. **2**. ***~ in***, ἀπολαμβάνω ἔντονα κτ: *~ in one's freedom*, ἀπολαμβάνω/χαίρομαι τήν ἐλευθερία μου. *He ~s in words/gossip*, μεθάει μέ τίς λέξεις/τρελλαίνεται γιά κουτσομπολιό. —*οὐσ.* ‹C,U› (*καί* **~ry**) ξεφάντωμα, γλεντοκόπι: *Our ~s/revelries ended*, τελειώσανε τά γλέντια μας. **~·ler** /ˋrevələ(r)/ *οὐσ.* ‹C› γλεντζές, γλεντοκόπος, χαροκόπος.

rev·el·ation /ˈrevəˋleɪʃn/ *οὐσ.* ‹C,U› ἀποκάλυψις: *That was a ~ to me*, αὐτό ἦταν ἀποκάλυψις γιά μένα. **the R~ of St John**, ἡ Ἀποκάλυψις τοῦ Ἰωάννου.

rev·elry /ˋrevlrɪ/ *οὐσ. βλ. revel.*

re·venge /rɪˋvendʒ/ *ρ.μ.* **1**. (*χωρίς πρόθ.*) ἐκδικοῦμαι γιά, παίρνω ἐκδίκηση γιά: *~ an insult/one's friend*, ἐκδικοῦμαι γιά προσβολή/γιά ἕνα φίλο μου. **2**. ***~ oneself/be ~d on sb***, ἐκδικοῦμαι κπ/παίρνω ἐκδίκηση ἀπό κπ: *He ~d himself/He was ~d on the murderer's family*, ἐκδικήθηκε τήν οἰκογένεια τοῦ φονηᾶ. —*οὐσ.* ‹U› ἐκδίκησις: *be thirsting for ~*, διψῶ ἐκδίκηση. *nurse thoughts of ~*, τρέφω σκέψεις ἐκδικήσεως. ***take ~ on sb (for sth)***, παίρνω ἐκδίκηση ἀπό κπ (γιά κτ). ***have/get one's ~ (on sb) (for sth)***, παίρνω τήν ἐκδίκησή μου (ἀπό κπ γιά κτ). ***in/out of ~***, ἀπό ἐκδίκηση. **~·ful** /-fl/ *ἐπ.* ἐκδικητικός. **~·fully** /-fəlɪ/ *ἐπίρ.* ἐκδικητικά.

rev·enue /ˋrevənju/ *οὐσ.* ‹C,U› ἔσοδον, πρόσοδος: *public ~*, δημόσια ἔσοδα. *the ~s of a City Council*, δημοτικά ἔσοδα. **ˋ~ cutter**, καταδιωκτικό σκάφος τελωνείου. **ˋ~ officer**, τελωνειακός/ἐφοριακός ὑπάλληλος (*ἐν χρήσει: customs/excise officer*). **Inland ˋR~**, πρόσοδος ἐκ φορολογίας, κλπ.

re·ver·ber·ate /rɪˋvɜbəreɪt/ *ρ.μ/ἀ.* ἠχῶ, ἀντηχῶ, ἀντανακλῶ: *The roar of the train ~d/was ~d in the tunnel*, ὁ βρυχηθμός τοῦ τραίνου ἀντιβούησε μέσα στό τοῦννελ. **re·ver·ber·ant** /-ənt/ *ἐπ.* ἀντηχητικός. **re·ver·ber·ation** /rɪˈvɜbəˋreɪʃn/ *οὐσ.* ‹U› ἀντήχησις, (*πληθ.*) ἀπόηχος, ἐπιπτώσεις.

re·vere /rɪˋvɪə(r)/ *ρ.μ.* σέβομαι, τιμῶ: *~ one's grandfather*, σέβομαι τόν παπποῦ μου. *~ virtue*, τιμῶ τήν ἀρετή.

rev·er·ence /ˋrevərəns/ *οὐσ.* **1**. ‹U› εὐλάβεια, βαθύς σεβασμός: *regard sb with ~*, τρέφω βαθύ σεβασμό γιά κτ. ***have/show ~ for sb/sth***, ἔχω/δείχνω βαθύ σεβασμό γιά κπ/κτ. ***hold sb/sth in ~***, σέβομαι κπ/κτ βαθύτατα. **2**. ‹C› (*ἀπηρχ.*) ρεβερέντσα, βαθειά ὑπόκλισις. **3**. ‹C› (*τίτλος, ἰδ. χιουμορ. γιά ἱερωμένο*) δέσποτας. —*ρ.μ.* φέρομαι μέ σεβασμό.

rev·er·end /ˋrevərənd/ *ἐπ.* **1**. σεβάσμιος. **2**. **the R~** (*βραχυλ. στή γραφή: the Rev.*) (*τίτλος ἱερωμένου*) αἰδεσιμώτατος: *the Rev. V. Hill; the Rev. Mr Hill*, ὁ αἰδεσιμώτατος Β. Χίλλ. *the R~ Mother*, ἡ Ἁγία Ἡγουμένη. *the Very R~*, (*γιά ἀρχιμανδρίτη*) ὁ πανοσιολογιώτατος. *the Right R~*, (*γιά ἐπίσκοπο*) ὁ θεοφιλέστατος. *the Most R~*, (*γιά ἀρχιεπίσκοπο*) ὁ σεβασμιώτατος. —*οὐσ.* ‹C› (*συνήθ. πληθ.*) (*καθομ.*) παπᾶς, δεσπότης: *a crowd of ~s and right ~s*, ἕνα πλῆθος παπάδες καί δεσποτάδες.

rev·er·ent /ˋrevərənt/ *ἐπ.* πλήρης σεβασμοῦ, ταπεινός. **~·ly** *ἐπίρ.* μετά σεβασμοῦ, εὐσεβάστως. **rev·er·en·tial** /ˈrevəˋrenʃl/ *ἐπ.* εὐλαβικός, πλήρης σεβασμοῦ. **~ly** /-ʃəlɪ/ *ἐπίρ.*

rev·erie /ˋrevərɪ/ *οὐσ.* ‹C,U› ὀνειροπόλησις: *lost in ~*, βυθισμένος σέ ὀνειροπόληση. *indulge in ~s about the future*, παραδίδομαι σέ ὀνειροπολήσεις γιά τό μέλλον.

re·vers /rɪˋvɪə(r)/ *οὐσ.* ‹C› (*πληθ.* ~) ρεβέρ, πέττα (σακκακιοῦ).

re·ver·sal /rɪˋvɜsl/ *οὐσ.* ‹C,U› ἀντιστροφή, ἀνατροπή (*πχ* δικαστικῆς ἀποφάσεως), μεταστροφή: *the ~ of public opinion*, ἡ μεταστροφή τῆς κοινῆς γνώμης.

[1]**re·verse** /rɪˋvɜs/ *ἐπ.* ἀντίστροφος, ἀνάποδος, ἀντίθετος: *the ~ side of a length of cloth/of a coin*, ἡ ἀνάποδη ὄψη ἑνός τεμαχίου ὑφάσματος/ἑνός νομίσματος. *in the ~ direction*, πρός τήν ἀντίθετη κατεύθυνση. ***in ~ order***, κατ' ἀντίστροφη σειρά. **~·ly** *ἐπίρ.* ἀντιστρόφως, ἀντιθέτως, ἀνάποδα.

[2]**re·verse** /rɪˋvɜs/ *οὐσ.* ‹C,U› **1**. τό ἀντίθετο: *He did the ~ of what he was expected to do*, ἔκαμε τό ἀντίθετο ἀπ' ὅ,τι περίμεναν νά κάμη.

have the ~ effect, ἔχω τό ἀντίθετο ἀποτέλεσμα. **2**. ἀνάποδη, πίσω πλευρά: *the ~ of a coin*, ἡ ἀνάποδη ἑνός νομίσματος. *write sth on the ~ of a photograph*, γράφω κτ στό πίσω μέρος μιᾶς φωτογραφίας. **3**. μηχανισμός ἐπαναφορᾶς, ἐπιστροφῆς: *an automatic ribbon ~*, αὐτόματη ἐπιστροφή τῆς ταινίας (σέ γραφομηχανή). *Most cars have three forward gears and (a) ~*, τά περισσότερα αὐτοκίνητα ἔχουν τρεῖς ταχύτητες πρός τά μπρός καί μία ὄπισθεν. ***put a car into ~***, βάζω τήν ὄπισθεν. **4**. ἀτυχία, ἀναποδιά, ἧττα: *suffer a slight ~*, ἔχω μιά μικρή ἀτυχία, ὑφίσταμαι ἐλαφράν ἧτταν. *financial ~s*, οἰκονομικές ἀναποδιές/ἀτυχίες.

³**re·verse** /rɪ`vɜs/ *ρ.μ/ὰ*. **1**. ἀντιστρέφω, γυρίζω ἀνάποδα, ἀλλάζω ἐντελῶς: *~ a procedure/result*, ἀντιστρέφω μιά διαδικασία/ἕνα ἀποτέλεσμα. *~ an old coat*, γυρίζω ἕνα παληό παλτό. *~ one's policy/opinions*, ἀλλάζω ἐντελῶς τήν πολιτική μου. ***a ~d charge***, (*τηλέφ.*) χρέωσις τοῦ καλουμένου. ***~ arms***, (*στρατ.*) ἀναστρέφω τό ὅπλο (τό κρατῶ στή μασχάλη πρός τό ἔδαφος, ὅπως πχ σέ κηδεία), (*ὡς παράγγελμα*) ὑπό μάλης. ἄρμ! **2**. (*αὐτοκ.*) κάνω ὄπισθεν, (*σέ βάλς*) κάνω ἀνάποδες στροφές. **3**. ἀνατρέπω, ἀνακαλῶ, (*νομ.*) ἀναιρῶ: *~ a decree*, ἀνακαλῶ διάταγμα. *~ the decision of a lower court*, ἀνατρέπω/ἀναιρῶ τήν ἀπόφαση κατωτέρου δικαστηρίου. **re·vers·ible** /-əbl/ *ἐπ*. ἀνατρεπόμενος, ἀκυρώσιμος: *reversible cloth*, ὕφασμα ντούμπλ-φάς. **re·versi·bil·ity** /rɪ`vɜsə`bɪlətɪ/ *οὐσ*. ‹U›.

re·ver·sion /rɪ`vɜʃn/ *οὐσ. βλ. revert*.

re·vert /rɪ`vɜt/ *ρ.ὰ*. **1**. ***~ (to)***, ἐπανέρχομαι, ξαναγυρίζω (σέ προηγούμενη κατάσταση) περιέρχομαι: *R~ing to your original statement, I think...*, ἐπανερχόμενος στήν ἀρχική σας δήλωση, νομίζω ὅτι... *The fields have ~ed to moorland*, τά χωράφια ξανάγιναν χερσότοποι. *The rights will ~ to your heirs*, τά δικαιώματα θά ἐπανέλθουν στούς κληρονόμους σου. *The property will ~ to the state*, ἡ περιουσία θά περιέλθη στό κράτος. ***~ to type***, (*βιολ.*) ἐπιστρέφω στόν ἀρχικό τύπο. **2**. (*γιά ἄρρωστο*) παθαίνω ὑποτροπή. **~·ible** /-əbl/ *ἐπ*. ἐπιστρεπτός, ἀποδοτέος. **re·ver·sion** /rɪ`vɜʃn/ *οὐσ*. ‹C,U› ἐπιστροφή, ἐπάνοδος, ἀταβισμός, ἀνάκλησις (δωρεᾶς), περιέλευσις, ὑποτροπή. **re·ver·sion·ary** /rɪ`vɜʃnrɪ/ *ἐπ*. ἀνακλητός, ἀταβιστικός, ἀνακτητικός.

re·view /rɪ`vju/ *οὐσ*. **1**. ‹C,U› ἀνασκόπησις, ἀπολογισμός: *pass one's life in ~*, κάνω ἀνασκόπηση τῆς ζωῆς μου. *a ~ of the year's sporting events*, ἀνασκόπησις τῶν ἀθλητικῶν γεγονότων τῆς χρονιᾶς. ***come under ~***, ἐξετάζομαι, μελετῶμαι: *When the question came under ~*, ὅταν τό θέμα ἐξετάσθηκε/μελετήθηκε... **2**. ‹C› (*στρατ.*) ἐπιθεώρησις: *hold a ~*, κάνω ἐπιθεώρηση. **3**. ‹C› κριτική (βιβλίου): *write ~s for a paper*, γράφω κριτικές σέ μιά ἐφημερίδα. **4**. ‹C› ἐπιθεώρησις (περιοδικό): *a weekly/monthly/quarterly ~*, ἑβδομαδιαία/μηνιαία/τριμηνιαία ἐπιθεώρησις. *__ρ.μ/ὰ*. **1**. ἀνασκοπῶ: *~ the past/last week's lesson*, ἀνασκοπῶ τό παρελθόν/τό μάθημα τῆς περασμένης ἑβδομάδος. **2**. (*στρατ.*) ἐπιθεωρῶ. **3**. γράφω κριτική: *His book was favourably ~ed*, τό βιβλίο του εἶχε καλές κριτικές. **~er** *οὐσ*. ‹C› κριτικός.

re·vile /rɪ`vaɪl/ *ρ.μ/ὰ*. ***~ (at/against)***, στηλιτεύω, καταφέρομαι βίαια, βρίζω, διασύρω: *~ at/against corruption*, καταφέρομαι βίαια ἐναντίον τῆς διαφθορᾶς. *~ one's boss/the police*, βρίζω τό ἀφεντικό μου/τήν ἀστυνομία.

re·vise /rɪ`vaɪz/ *ρ.μ*. ἀναθεωρῶ, ἐπανεξετάζω, ἐπαναλαμβάνω (ξαναμελετῶ): *~ one's estimates*, ἀναθεωρῶ/ἐπανεξετάζω τούς ὑπολογισμούς μου. *~ one's opinions of sb*, ἀναθεωρῶ τή γνώμη μου γιά κπ. *She's revising her notes for the exams*, ξανακοιτάζει τίς σημειώσεις της γιά τίς ἐξετάσεις. **the R~d Version**, ἡ Ἀναθεωρημένη Μετάφρασις τῆς Βίβλου. **re·viser** *οὐσ*. ‹C› ἀναθεωρητής. **re·vi·sion** /rɪ`vɪʒn/ *οὐσ*. ‹C,U› ἀναθεώρησις, ἐπανεξέτασις, ἐπανάληψις, βελτιωμένη ἔκδοσις. **re·vi·sion·ism** /-ɪzm/ *οὐσ*. ‹U› ἀναθεωρητισμός, ρεβιζιονισμός. **re·vi·sion·ist** /rɪ`vɪʒənɪst/ *οὐσ*. ‹C› ἀναθεωρητής, ρεβιζιονιστής.

re·vital·ize /ri`vaɪtəlaɪz/ *ρ.μ*. ἀναζωογονῶ. **re·vital·iz·ation** /`ri`vaɪtəlaɪ`zeɪʃn/ *οὐσ*. ‹C,U› ἀναζωογόνησις.

re·vival /rɪ`vaɪvl/ *οὐσ*. **1**. ‹C,U› ἀναγέννησις, ἀναβίωσις, ἀναζωογόνησις: *the Gothic ~*, ἡ ἀναγέννησις τῆς γοτθικῆς τέχνης. *the ~ of an old custom*, ἡ ἀναβίωσις ἑνός παληοῦ ἐθίμου. *the ~ of trade*, ἡ ἀναζωογόνησις τοῦ ἐμπορίου. **2**. ‹C› (θρησκευτική) ἀφύπνισις. **~·ist** /-vəlɪst/ *οὐσ*. ‹C› ὀργανωτής συγκεντρώσεων ἀναζωπυρώσεως τοῦ θρησκευτικοῦ αἰσθήματος.

re·vive /rɪ`vaɪv/ *ρ.μ/ὰ*. συνεφέρνω, συνέρχομαι, ἀναβιῶ, ἀναζωογονῶ/-οῦμαι: *~ sb who has fainted*, συνεφέρνω κπ πού λιποθύμησε. *~ an old play/custom*, ξανανεβάζω ἕνα παληό ἔργο/ἀναβιῶ παληό ἔθιμο. *The flowers will ~ in water*, τά λουλούδια θά ξαναζωντανέψουν στό νερό. *Our hopes ~d*, οἱ ἐλπίδες μας ἀναζωπυρώθηκαν.

re·viv·ify /ri`vɪvɪfaɪ/ *ρ.μ*. (*λόγ.*) ἀναζωογονῶ.

revo·cable /`revəkəbl/ *ἐπ*. ἀνακλητός, μετακλητός. **revo·ca·tion** /`revə`keɪʃn/ *οὐσ*. ‹C,U› ἀνάκλησις.

re·voke /rɪ`vəʊk/ *ρ.μ*. ἀνακαλῶ, ἀκυρῶ, ἀποσύρω: *~ an order/a driving licence*, ἀνακαλῶ μιά διαταγή/ἀκυρῶ ἄδεια ὁδηγήσεως. *~ one's consent/a promise*, ἀποσύρω τή συναίνεσή μου/μιά ὑπόσχεση.

re·volt /rɪ`vəʊlt/ *ρ.μ/ὰ*. **1**. ἐξεγείρω, γεμίζω φρίκη, προκαλῶ τόν ἀποτροπιασμό: *a scene of brutality that ~ed all those who saw it*, μιά σκηνή κτηνωδίας πού ἐξήγειρε (προκάλεσε ἀποτροπιασμό σέ) ὅλους ὅσους τήν εἶδαν. **2**. ***~ against/at/from***, ἐπαναστατῶ, ξεσηκώνομαι, ἐξεγείρομαι: *The students ~ed against the tyrant*, οἱ φοιτητές ἐπαναστάτησαν (ξεσηκώθηκαν) κατά τοῦ τυράννου. *Human nature ~s at/from such a crime*, ἡ ἀνθρώπινη φύσις ἐξεγείρεται μπροστά σ' ἕνα/ἀπό ἕνα τέτοιο ἔγκλημα. *__οὐσ*. ‹C,U› ἐξέγερσις: *break out in ~*, ξεσπῶ σέ ἐξέγερση. *stir the people to ~*, ὑποκινῶ τό λαό σέ ἐξέγερση. *~ against authority*, ἐξέγερσις κατά τῆς ἐξουσίας. **~·ing** /-tɪŋ/ *ἐπ*. ἀποτροπιαστικός, ἀποκρουστικός: *~ing behaviour*, ἀποτροπιαστική συμπεριφορά. *~ing to our sense of morality*, ἀποκρουστικός στήν ἠθική μας ἀντίληψη. **~·ing·ly** *ἐπίρ.* ἀποκρουστικά.

rev·ol·ution /ˈrevəˈluʃn/ *οὐσ.* **1**. ‹C› περιστροφή: *the ~ of the earth round the sun*, ἡ περιστροφή τῆς γῆς γύρω ἀπό τόν ἥλιο. *~s per minute (r.p.m.)*, στροφές ἀνά λεπτό. **2**. ‹C,U› ἐπανάστασις: *the French/October R~*, ἡ Γαλλική/ἡ Ὀκτωβριανή Ἐπανάστασις. *~ in our ideas of time and space*, ἐπανάστασις στίς ἰδέες μας γιά τό χρόνο καί τό χῶρο. **~·ary** /-nrı/ *ἐπ.* ἐπαναστατικός: *~ary ideas/changes*, ἐπαναστατικές ἰδέες/ἀλλαγές. —*οὐσ.* ‹C› ἐπαναστάτης: *He's a ~ary*, εἶναι ἐπαναστάτης. **~·ize** /-ʃənaız/ *ρ.μ.* ἐπαναστατικοποιῶ, ἐπιφέρω ἐπάνάσταση: *~ize the youth of a country*, ἐπαναστατικοποιῶ τήν νεολαία μιᾶς χώρας. *The use of atomic energy will ~ize the lives of coming generations*, ἡ χρῆσις τῆς ἀτομικῆς ἐνεργείας θά ἐπιφέρη ἐπανάσταση στή ζωή τῶν ἐρχομένων γενεῶν.

re·volve /rıˈvolv/ *ρ.μ/ἀ.* γυρίζω, περιστρέφω/-ομαι: *A wheel ~s about/round its axis*, ἕνας τροχός στρέφεται περί τόν ἄξονά του. *The earth ~s about/round the sun*, ἡ γῆ περιστρέφεται γύρω ἀπό τόν ἥλιο. *The life of the home ~s around the mother*, ἡ ζωή τοῦ σπιτιοῦ γυρίζει γύρω ἀπό τή μητέρα.

re·volver /rıˈvolvə(r)/ *οὐσ.* ‹C› περίστροφο.

re·vue /rıˈvju/ *οὐσ.* ‹C,U› (*θεατρ.*) ρεβύ, ἐπιθεώρησις.

re·vul·sion /rıˈvʌlʃn/ *οὐσ.* ‹U› (*συνήθ. ἐν. μέ ἀόρ. ἄρθρ.*) **1**. μεταστροφή: *a ~ of public feeling in favour of sb*, μεταστροφή τῆς κοινῆς γνώμης ὑπέρ κάποιου. **2**. ***~ (against/ from)***, ἔντονη ἀντίδρασις κατά, ἀποστροφή, ἀηδία: *A ~ set in against pornography*, σημειώθηκε ἀντίδρασις κατά τῆς πορνογραφίας. *be filled with ~*, γεμίζω ἀηδία.

re·ward /rıˈwɔd/ *οὐσ.* ‹C,U› ἀνταμοιβή, ἀμοιβή: *without hope of ~*, χωρίς ἐλπίδα ἀνταμοιβῆς. *get very little in ~ for one's work*, παίρνω ἐλάχιστα σέ ἀνταμοιβή τῆς δουλειᾶς μου. *offer a ~ of £10 for sth lost*, προσφέρω ἀμοιβή δέκα λιρῶν γιά κτ πού ἔχασα. —*ρ.μ.* ἀνταμείβω: *~ sb for his help/honesty*, ἀνταμείβω κπ γιά τή βοήθειά του/γιά τήν τιμιότητά του.

re·word /ˈriˈwɜd/ *ρ.μ.* διατυπώνω ἐκ νέου: *~ a telegram.*

re·write /ˈriˈraıt/ *ρ.μ.* (*ἀνώμ. βλ. write*) ξαναγράφω. —*οὐσ.* ‹C› /ˈriraıt/ ξαναγραμμένο ἄρθρο.

rex /reks/ *οὐσ.* (*βραχυλ.* **R**) βασιληᾶς.

rhap·sody /ˈræpsədı/ *οὐσ.* ‹C› **1**. ραψωδία. **2**. (*καθομ.*) ὕμνος, διθύραμβος: *go into rhapsodies over sth*, ἀνεβάζω κτ στά οὐράνια, ψέλνω διθυράμβους γιά κτ. **rhap·so·dize** /ˈræpsədaız/ *ρ.ἀ.* ***rhapsodize about/over/ on sth***, ψέλνω διθυράμβους γιά κτ, ἐκστασιάζομαι γιά κτ.

rhet·oric /ˈretərık/ *οὐσ.* ‹U› **1**. ρητορική. **2**. ρητορεία, στόμφος: *a speech full of ~*, λόγος γεμάτος στόμφο. **~al** /rıˈtorıkl/ *ἐπ.* ρητορικός, στομφώδης: *a ~al question.* **~ally** /-klı/ *ἐπίρ.* ρητορικά.

rhet·or·ician /ˈretəˈrıʃn/ *οὐσ.* ‹C› ρήτορας, λογοκόπος.

rheu·matic /ruˈmætık/ *ἐπ.* ρευματικός: *~ fever/pains*, ρευματικός πυρετός/ρευματόπονοι. —*οὐσ.* ‹C› **1**. ρευματικός (ἄρρωστος). **2**. (*πληθ.*) ρευματόπονοι.

rheu·ma·tism /ˈrumətızm/ *οὐσ.* ‹U› ρευματισμός.

rheu·ma·toid /ˈrumətɔıd/ *ἐπ.* ρευματώδης: *~ arthritis*, ρευματοαρθρῖτις.

rhinal /ˈraınl/ *ἐπ.* ρινικός.

Rhine /raın/ *οὐσ.* Ρῆνος. **ˋ~·stone**, ψεύτικο διαμάντι.

rhino /ˈraınəʊ/ *οὐσ.* ‹C› (*πληθ. ~s*) (*καθομ. βραχυλ. γιά*) *rhinoceros.*

rhi·noc·eros /raıˈnosərəs/ *οὐσ.* ‹C› (*πληθ. ~es ἤ, συλλογ., ~*) ρινόκερως.

rhi·zome /ˈraızəʊm/ *οὐσ.* ‹C› (*βοτ.*) ρίζωμα.

Rhodes /rəʊdʒ/ *οὐσ.* (ἡ νῆσος) Ρόδος.

rho·do·den·dron /ˈrəʊdəˈdendrən/ *οὐσ.* ‹C› ροδόδενδρον.

rhomb /rom/, **rhom·bus** /ˈrombəs/ *οὐσ.* ‹C› (*γεωμ.*) ρόμβος. **rhom·boid** /ˈrombɔıd/ *ἐπ.* ρομβοειδής.

rhu·barb /ˈrubab/ *οὐσ.* ‹U› **1**. (*βοτ.*) ρῆον, ραβέντι. **2**. (*καθομ.*) χλαλοή, χάβρα (θορυβώδης συζήτησις πολλῶν μαζί).

rhyme /raım/ *οὐσ.* ‹C,U› **1**. ὁμοιοκαταληξία: *Is there a ~ for/to the word...?* ὑπάρχει ὁμοιοκαταληξία γιά τή λέξη...; ***without ~ or reason***, ξεκάρφωτα, χωρίς κανένα λόγο. **2**. στίχος, ἔμμετρος λόγος: *tell sth in ~*, λέω κάτι ἐμμέτρως. *put sth in ~*, τό κάνω κτ ποίημα. **ˋnursery ~**, παιδικό τραγουδάκι, ποιηματάκι. —*ρ.μ/ἀ.* **1**. ὁμοιοκαταληκτῶ: *'Worm' ~s with 'term' but not with 'form'.* **2**. στιχουργῶ. **~·ster** /ˈraımstə(r)/ *οὐσ.* ‹C› στιχοπλόκος.

rhythm /ˈrıðm/ *οὐσ.* ‹C,U› μέτρο, ρυθμός (μετρικός, μουσικός), περιοδικότης. **rhyth·mic** /ˈrıðmık/, **rhyth·mi·cal** /ˈrıðmıkl/ *ἐπ.* ρυθμικός.

rib /rıb/ *οὐσ.* ‹C› **1**. πλευρό, παΐδι: *He broke two ~s in the accident*, ἔσπασε δυό πλευρά στό δυστύχημα. ***dig/poke sb in the ~s***, σκουντῶ κπ στό πλευρό (μέ τόν ἀγκώνα ἤ τό χέρι), σπρώχνω. **2**. νεῦρο (φύλλου), ράβδωσις (σέ ὕφασμα), ρυτίδωσις (στήν ἄμμο ἀπό τά κύματα). —*ρ.μ.* (*-bb-*) **1**. σχηματίζω ραβδώσεις/ρυτιδώσεις. **2**. (*ΗΠΑ, καθομ.*) πειράζω κπ.

rib·ald /ˈrıbld/ *ἐπ.* αἰσχρός, πρόστυχος, σόκιν, (*γιά ἄνθρ.*) αἰσχρολόγος: *~ jests/songs*, σόκιν ἀστεῖα/αἰσχρά τραγούδια. —*οὐσ.* ‹C› αἰσχρολόγος ἄνθρωπος. **~ry** /-drı/ *οὐσ.* ‹U› αἰσχρολογία.

rib·and /ˈrıbənd/ *οὐσ.* ‹C› (*ἀπηρχ.*) κορδέλλα.

rib·bon /ˈrıbən/ *οὐσ.* **1**. ‹C,U› κορδέλλα, ταινία: *Her hair was tied up with a ~*, τά μαλλιά της ἦταν δεμένα μέ μιά κορδέλλα. *She had a ~ in her hair*, εἶχε μιά κορδέλλα στά μαλλιά της. *typewriter ~s*, ταινίες γραφομηχανῆς. ***blue ~***, κυανῆ ταινία (παρασήμου). **2**. ‹C› λουρίδα, (*πληθ.*) κουρέλια: *a long ~ of white*, μιά μακρυά ἄσπρη λουρίδα (πχ ἕνας δρόμος ἤ ἕνα ποτάμι). *He tore the sheets to ~s*, ἔκανε τά σεντόνια λουρίδες. *His clothes were hanging in ~s*, τά ροῦχα του κρέμονταν (σέ) κουρέλια. **3**. (*ἐπιθ.*) **~ development**, ἀνοικοδόμησις κατά μῆκος τῶν ἐθνικῶν ὁδῶν.

rice /raɪs/ *οὐσ.* ‹U› ρύζι: *polished/brown/ground* ~, ἀποφλοιωμένο/ἀναποφλοίωτο/ἀλεσμένο ρύζι. `~**-paper**, ριζόχαρτο.

rich /rɪtʃ/ *ἐπ.* *(-er, -est)* **1**. πλούσιος: *the ~ and the poor*, οἱ πλούσιοι καί οἱ φτωχοί. *~ clothes/furniture*, πλούσια ροῦχα/πολυτελῆ ἔπιπλα. ~ ***in***, πλούσιος σέ, μέ πλοῦτο: *a country ~ in minerals*, χώρα πλούσια σέ ὀρυκτά/μέ ὀρυκτό πλοῦτο. **2**. (*γιά φαγητό*) παχύς, λιπαρός: *a ~ cake*, παχύ (πλούσιο σέ συστατικά) κέκ. *a ~ diet*, ὑπερτροφία. *Some Greek dishes are too ~ for my taste*, μερικά Ἑλληνικά φαγητά εἶναι πολύ λιπαρά (βαριά) γιά τά γοῦστα μου. **3**. (*γιά ἦχο*) πλούσιος, βαθύς, (*γιά χρῶμα*) ζωηρός, ἔντονος: *a ~ voice*, βαθειά μελωδική φωνή. *the ~ colours of spring*, τά ζωηρά χρώματα τῆς ἄνοιξης. **4**. (*πεπαλ. καθομ.*) διασκεδαστικός, ἐξωφρενικός, γιά γέλια: *a ~ joke*, ἔκτακτο ἀστεῖο. *That's ~!* αὐτό εἶναι ὡραῖο (εἶναι γιά γέλια)! **~·ly** *ἐπίρ.* πλούσια, ἀπολύτως: *~ly dressed*, πλούσια ντυμένος. *He ~ly deserved it!* τοῦ ἄξιζε καί μέ τό παραπάνω. **~·ness** *οὐσ.* ‹U› πλοῦτος, ἀφθονία, μεγαλοπρέπεια, λαμπρότης.

riches /`rɪtʃɪz/ *οὐσ. πληθ.* πλούτη: *amass great ~*, συσσωρεύω μεγάλα πλούτη.

[1]**rick** /rɪk/ *οὐσ.* ‹C› θημωνιά. *—ρ.μ.* θημωνιάζω.

[2]**rick** /rɪk/ *ρ.μ. βλ. wrick.*

rick·ets /`rɪkɪts/ *οὐσ.* (*μέ ρ. ἑν. ἤ πληθ.*) ραχῖτις, ραχιτισμός.

rick·ety /`rɪkɪtɪ/ *ἐπ.* ξεχαρβαλωμένος, ἑτοιμόρροπος, ἕτοιμος νά διαλυθῆ: *~ furniture*, ξεχαρβαλωμένα ἔπιπλα. *a ~ old cab*, σαραβαλιασμένο παληό ταξί.

rick·shaw /`rɪkʃɔ/ *οὐσ.* ‹C› δίτροχο ἁμάξι μεταφορᾶς ἐπιβατῶν συρόμενο ἀπό ἄνθρωπο.

rico·chet /`rɪkəʃeɪ/ *οὐσ.* ‹C,U› (*γιά σφαῖρα, κλπ*) ἀποστρακισμός, ἀναπήδησις (ὕστερα ἀπό πρόσκρουση). *—ρ.μ/ἀ.* (*-t- ἤ -tt-*) ἀποστρακίζω/-ομαι, ἀναπηδῶ.

rid /rɪd/ *ρ.μ. ἀνώμ.* (*ἀόρ.* ~*ded ἤ συνηθ.* ~, *π.μ.* ~) ~ ***of***, ἀπαλλάσσω, ἐλευθερώνω, γλυτώνω: *~ a house of mice/a country of bandits*, ξεκαθαρίζω ἕνα σπίτι ἀπό τά ποντίκια/μιά χώρα ἀπό τούς ληστές. *~ oneself of a debt/of lice*, ἐλευθερώνομαι ἀπό ἕνα χρέος/ἀπό τίς ψεῖρες. ***be/get ~ of***, ξεφορτώνομαι, ἀπαλλάσσομαι: *How can we get ~ of her?* πῶς μποροῦμε νά τήν ξεφορτωθοῦμε;

rid·dance /`rɪdns/ *οὐσ.* ‹U› γλύτωμα, ξεφόρτωμα, ἀπαλλαγή: *Their departure was a good ~*, ἐπιτέλους ξεκουμπιστήκανε! φύγανε κι᾽ ἀνασάναμε! ***Good ~!*** στό καλό καί νά μᾶς γράφης! στόν ἀγύριστο! καλά ξεκουμπίδια!

rid·den /`rɪdn/ *π.μ. τοῦ ρ.* [2]*ride*, (*ἰδ. ὡς β! συνθ.*) κυριαρχούμενος ἀπό: `*priest-~*, παπαδοκρατούμενος. *po`lice-~*, ἀστυνομικοκρατούμενος. *~ by fears*, βασανιζόμενος ἀπό φόβους.

[1]**riddle** /`rɪdl/ *οὐσ.* ‹C› γρῖφος, αἴνιγμα, μυστήριο: *ask sb a ~*, ρωτῶ κπ ἕνα αἴνιγμα. *know the answer to a ~*, ξέρω τήν ἀπάντηση σ᾽ ἕνα αἴνιγμα. *That man is a ~!* αὐτός ὁ ἄνθρωπος εἶναι αἴνιγμα/μυστήριο.

[2]**riddle** /`rɪdl/ *οὐσ.* ‹C› χοντρό κόσκινο (γιά χῶμα, κλπ). *—ρ.μ.* **1**. κοσκινίζω. **2**. ~ ***(with)***, κάνω κόσκινο: *~ sb with bullets/a ship with shot*, κάνω κόσκινο κπ μέ σφαῖρες/ἕνα πλοῖο μέ βλήματα. *~ an argument*, κάνω κόσκινο/ξετινάζω ἕνα ἐπιχείρημα.

[1]**ride** /raɪd/ *οὐσ.* ‹C› **1**. διαδρομή, περίπατος (μέ ἄλογο, ποδήλατο, λεωφορεῖο): *go for a ~*, πάω βόλτα (μέ ποδήλατο, ἄλογο ἤ συγκοινωνιακό μέσο) (*Πρβλ: go for a drive*, πάω βόλτα μέ τ᾽ αὐτοκίνητό μου). *It's a fivepenny ~ on a bus*, εἶναι διαδρομή πέντε πεννῶν μέ τό λεωφορεῖο. *a free ~*, τζάμπα ταξίδι. *give a child a ~ on one's shoulders/back*, παίρνω ἕνα παιδί καβάλα στούς ὤμους μου/στήν πλάτη μου. ***take sb for a ~***, (*καθομ.*) τή σκάω σέ κπ, τόν δουλεύω ἄσχημα, τόν πιάνω κορόϊδο. **2**. μονοπάτι γιά ἄλογα (σέ δάσος).

[2]**ride** /raɪd/ *ρ.μ/ἀ. ἀνώμ.* (*ἀόρ. rode* /rəʊd/, *π.μ. ridden* /`rɪdn/) **1**. καβαλλικεύω, ἱππεύω: *~ (on) a horse/bicycle*, καβαλλικεύω ἄλογο/ποδήλατο. **2**. πηγαίνω (ἔφιππος), τρέχω (μέ ἄλογο ἤ ποδήλατο): *Did you walk or ~?* ἦρθες μέ τά πόδια ἤ μέ ἄλογο; *He rode to the nearest town*, πῆγε ἔφιππος στήν πλησιέστερη πόλη. *He was riding fast*, ἔτρεχε γρήγορα. *Don't ~ your horse too fast*, μήν τρέχης τό ἄλογό σου πάρα πολύ. *He rode over to see us*, ἦρθε μέ τ᾽ ἄλογο νά μᾶς δῆ. *He rode off/away*, ἔφυγε καβάλλα. *He rode back*, ξαναγύρισε ἔφιππος. *He rode by/past*, προσπέρασε καβάλλα. *He rode to where we were standing*, πλησίασε καβάλλα ἐκεῖ πού στεκόμασταν. *He rode about the town*, γύριζε καβάλλα στήν πόλη. *He rode on*, συνέχισε τό δρόμο του ἔφιππος. **3**. διασχίζω ἔφιππος: *~ the desert/prairies*, διασχίζω ἔφιππος τήν ἔρημο/τά λειβάδια. **4**. (*γιά ἔδαφος*) εἶμαι (καλός/κακός, κλπ) γιά ἱππασία: *The ground rode hard after the frost/rode soft after the rain*, τό ἔδαφος ἦταν σκληρό μετά τίς παγωνιές/μαλακό μετά τή βροχή γιά ἱππασία. **5**. (*γιά τζόκεϋ*) ζυγίζω στή σέλλα: *He ~s 67 kilos*, ζυγίζει 67 κιλά στή σέλλα. **6**. πηγαίνω, ταξιδεύω (μέ ἅμαξα, λεωφορεῖο, κλπ): *~ in a bus/carriage*, πάω μέ λεωφορεῖο/μέ ἅμαξα. *~ in/on a cart*, πάω μέ κάρρο. **7**. (*γιά πλοῖο, κλπ*) διασχίζω, πλέω, ταξιδεύω (πάνω εἰς): *The ship was riding the waves*, τό πλοῖο διέσχιζε τά κύματα. *a ship riding at anchor*, ἀγκυροβολημένο πλοῖο πού ἀνεβοκατεβαίνει μέ τό κῦμα. *A seagull was riding (on) the wind*, ἕνας γλάρος πετοῦσε μέ τόν ἄνεμο. *The moon was riding high*, τό φεγγάρι ταξίδευε ψηλά στόν οὐρανό. **8**. ***~ sb down***, *(α)* κυνηγῶ μέ τ᾽ ἄλογο καί πιάνω κπ: *~ down a fugitive*, κυνηγῶ καί πιάνω ἕνα δραπέτη. *(β)* ρίχνω κπ κάτω μέ τ᾽ ἄλογο, καταπατῶ: *The squadron rode the enemy troops down*, ἡ ἴλη πέρασε πάνω ἀπό τούς στρατιῶτες τοῦ ἐχθροῦ.. ***~ on***, παίρνω/πηγαίνω καβάλλα: *Shall I ~ you on my shoulders/knees?* νά σέ πάρω καβάλλα στούς ὤμους μου/στά γόνατά μου; *He was riding on his father's back*, πήγαινε καβάλλα στήν πλάτη τοῦ πατέρα του. ***~ up***, (*γιά ροῦχο*) ἀνεβαίνω, βγαίνω (ἔξω ἀπό τή θέση μου): *Your shirt has ridden up*, τό πουκάμισό σου ἔχει βγῆ ἔξω. **9**. (*σέ*

φράσεις): ***go riding***, κάνω ἱππασία. ~ ***astride/side-saddle***, καβαλλικεύω ἀντρίκια/γυναικωτά. ~ ***a race***, τρέχω σέ μιά κούρσα (στόν ἱππόδρομο). ~ ***to hounds***, πηγαίνω στό κυνήγι τῆς ἀλεποῦς. ***be riding for a fall***, (*μεταφ.*) πάω γυρεύοντας νά φάω τό κεφάλι μου, ἐνεργῶ ριψοκίνδυνα/ἀσυλλόγιστα. ***let sth*** ~, (*καθομ.*) δέν προβαίνω σέ καμιά ἐνέργεια, ἀφήνω τά πράγματα νά τραβήξουν τό δρόμο τους. ~ ***out a storm***, (*γιά πλοῖο*) βγαίνω σῶος ἀπό μιά θύελλα, (*μεταφ.*) ξεπερνῶ μιά κρίση, τά βγάζω πέρα.

rider /ˋraɪdə(r)/ *οὐσ.* ‹C› **1**. ἀναβάτης, καβαλλάρης. **2**. προσθήκη, πρόσθετος ὅρος, συμπλήρωμα (σέ ἔγγραφο, δικαστική ἀπόφαση, κλπ). ~**·less** *ἐπ.* χωρίς ἀναβάτη.

ridge /rɪdʒ/ *οὐσ.* ‹C› κορυφογραμμή (βουνῶν), ράχη (μύτης), κορφιᾶς (στέγης), κορυφή (κύματος), ὄχτος (αὐλακιῶν), ζάρα (ἐπιφανείας). **ˋ~-pole**, ὁριζόντιος στύλος στήν κορυφή σκηνῆς. **ˋ~-tile**, κεραμίδι τοῦ κορφιᾶ στέγης.

ridi·cule /ˋrɪdɪkjul/ *οὐσ.* ‹U› περίγελως, γελοιοποίησις, σαρκασμός: *an object of* ~, στόχος σαρκασμῶν/κοροϊδίας. *pour* ~ *on a proposal*, γελοιοποιῶ μιά πρόταση. *hold sb up to* ~, σαρκάζω, γελοιοποιῶ κπ. *lay oneself open to* ~, ἐκτίθεμαι σέ γελοιοποίηση, γίνομαι γελοῖος. —*ρ.μ.* σαρκάζω, κοροϊδεύω, γελοιοποιῶ.

rid·icu·lous /rɪˋdɪkjʊləs/ *ἐπ.* γελοῖος: *Don't be* ~, μή γίνεσαι γελοῖος. *look* ~ *in sth*, φαίνομαι γελοῖος φορώντας κτ. ~**·ly** *ἐπίρ.* γελοῖα.

rid·ing /ˋraɪdɪŋ/ *οὐσ.* ‹U› ἱππασία. **ˋ~-breeches/-habit**, κυλόττα/ροῦχα ἱππασίας. **ˋ~-master/-school**, καθηγητής/σχολή ἱππασίας. **ˋ~-light/-lamp**, (*ναυτ.*) ἐφίστιος φανός ἀγκυροβολίας.

rife /raɪf/ *κατηγ. ἐπ.* διαδεδομένος, ἐνδημῶν: *Superstition is still* ~ *in Africa*, ἡ δεισιδαιμονία εἶναι ἀκόμα εὐρύτατα διαδεδομένη στήν Ἀφρική. ***be*** ~ ***with***, βρίθω, εἶμαι γεμᾶτος: *The country was* ~ *with rumours of war*, ἡ χώρα ἔβριθε ἀπό διαδόσεις ὅτι θά γίνη πόλεμος.

riffle /ˋrɪfl/ *ρ.μ/ἀ.* **1**. φυλλάρω, ἀνακατώνω (τράπουλα). **2**. ξεφυλλίζω γρήγορα (βιβλίο, κλπ): *He was riffling through a periodical*, ξεφύλλιζε ἕνα περιοδικό.

riff-raff /ˋrɪf ræf/ *οὐσ.* (*μέ the*) συρφετός, ἀλητεία: *all the* ~, ὅλα τά κατακάθια τῆς κοινωνίας.

[1]**rifle** /ˋraɪfl/ *οὐσ.* ‹C› **1**. αὐλάκι (σέ κάννη ὅπλου). **2**. ἀραβίδα, τουφέκι, καραμπίνα (κυνηγιοῦ). **3**. σῶμα τυφεκιοφόρων. **ˋ~-range**, *(α)* βεληνεκές ὅπλου. *(β)* σκοπευτήριον, πεδίον βολῆς. **ˋ~-shot**, *(α)* βολή ὅπλου: *within* ~*-shot/-range*, ἐντός βολῆς τυφεκίου. *(β)* καλός σκοπευτής. **ˋ~·man** /-mən/ τυφεκιοφόρος.

[2]**rifle** /ˋraɪfl/ *ρ.μ.* ψάχνω, διαρπάζω, ἀδειάζω: *The thieves* ~*d every drawer in the room*, οἱ κλέφτες ἔψαξαν κάθε συρτάρι στό δωμάτιο. *They* ~*d the drawers of their contents*, ἄδειασαν τά συρτάρια ἀπ' ὅ,τι εἶχαν μέσα.

rift /rɪft/ *οὐσ.* ‹C› **1**. σχισμή, χαραμάδα, σκάσιμο, ἄνοιγμα: *a* ~ *in the clouds*, ἕνα ξάνοιγμα στά σύννεφα. **ˋ~-valley**, τεκτονική τάφρος. **2**. (*μεταφ.*) ρῆξις: *There has been a* ~ *in the party/between them*, ἐπῆλθε ρῆξις στό κόμμα/μεταξύ τους.

[1]**rig** /rɪg/ *ρ.μ/ἀ.* *(-gg-)* **1**. ἐξοπλίζω, ἐφοδιάζω, ἁρματώνω (πλοῖο): ~ *a ship with new sails*, ἐφοδιάζω πλοῖο μέ καινούργια πανιά. **2**. ~ ***sb out***, ἐφοδιάζω, (*καθομ.*) ντύνω: *He* ~*ged himself out as a sailor*, ντύθηκε ναύτης. *She was* ~*ged out in her best*, ἦταν στολισμένη μέ τά καλά της. **ˋ~-out**, (*καθομ.*) ντύσιμο: *What a ridiculous* ~*-out!* τί γελοῖο ντύσιμο! **3**. ~ ***sth up***, ντύνω, συναρμολογῶ (μηχάνημα, ἀεροπλάνο, κλπ), φτιάχνω πρόχειρα: *The climbers* ~*ged up a shelter for the night*, οἱ ὀρειβάτες σκάρωσαν ἕνα καταφύγιο γιά τή νύχτα. —*οὐσ.* ‹C› ξάρτια (πλοίου), ἐφόδια, (*καθομ.*) ντύσιμο: *be in full/working* ~, φορῶ τά καλά μου/τά ροῦχα τῆς δουλειᾶς. ~**·ging** *οὐσ.* ‹U› τά ξάρτια. ~**·ger** *οὐσ.* ‹C› τεχνίτης ἐξαερισμοῦ (πλοίου), συνθέτης/μονταριστής ἀεροπλάνων.

[2]**rig** /rɪg/ *ρ.μ.* *(-gg-)* μανουβράρω, λαθροχειρῶ, νοθεύω, στήνω (δουλειά): ~ *the market*, μανουβράρω τήν ἀγορά. ~ *the elections*, νοθεύω τίς ἐκλογές.

[1]**right** /raɪt/ *ἐπ.* (*ἀντίθ. τοῦ wrong*) **1**. σωστός, ὀρθός, πρέπων, δίκαιος: *You know what is* ~ *and what is wrong*, ξέρεις τί εἶναι σωστό καί τί εἶναι κακό. *It was the* ~ *decision*, ἦταν ὀρθή ἀπόφασις. *I thought it* ~ *to inform you*, τό θεώρησα πρέπον νά σέ πληροφορήσω. ***be*** ~, ἔχω δίκηο: *Am I* ~ *or wrong?* ἔχω δίκηο ἤ ἄδικο; *You are quite* ~ *to refuse/in deciding not to go*, εἶχες ἀπολύτως δίκηο ν' ἀρνηθῆς/πού ἀποφάσισες νά μήν πᾶς. **2**. σωστός, ἀκριβής: *What's the* ~ *time?* ποιά εἶναι ἡ σωστή/ἀκριβής ὥρα; ***get sth*** ~, ἀντιλαμβάνομαι κτ σωστά, ἐξηγοῦμαι σέ κτ καθαρά: *I didn't get it* ~, δέν τό κατάλαβα καλά. *Let's get this* ~ *before we go on to the next point*, ἄς ἐξηγηθοῦμε καλά σ' αὐτό πρίν προχωρήσωμε παρακάτω. ***put/set sth*** ~, διορθώνω κτ: *set a watch* ~, βάζω σωστά ἕνα ρολόϊ. *It's not your business to put me* ~, δέν εἶναι δουλειά σου νά μέ διορθώνης. *This medicine will soon put you* ~, αὐτό τό φάρμακο θά σέ φτιάξη γρήγορα. ***All*** ~***!/R***~ ***you are!/R***~ ***oh!*** (*καθομ.*) ἐν τάξει! σύμφωνοι! **ˈ~-ˋminded** *ἐπ.* ὀρθοφρονῶν: *all* ~*-minded people*, ὅλοι οἱ ἄνθρωποι πού σκέφτονται σωστά. **3**. σωστός, κατάλληλος, καλύτερος: *He's the* ~ *man for the job*, εἶναι ὁ κατάλληλος ἄνθρωπος γιά τή δουλειά. *Which is the* ~ *side of this cloth?* ποιά εἶναι ἡ καλή (ἤ σωστή ὄψη) αὐτοῦ τοῦ ὑφάσματος; *the* ~ *thing to do*, τό καλύτερο πού ἔχεις νά κάνης. ***be on the*** ~ ***side of (fifty, sixty, etc)***, δέν ἔχω πατήσει τά (πενήντα, ἑξήντα, κλπ). ***get on the*** ~ ***side of sb***, κερδίζω τή συμπάθεια κάποιου. **4**. ὑγιής, καλά: *Do you feel all* ~*?* αἰσθάνεσαι καλά; ***(to be) as*** ~ ***as rain*** (*καθομ.*) (εἶμαι) μιά χαρά, θαυμάσια. ***in one's*** ~ ***mind***, στά λογικά μου: *Is he in his* ~ *mind?* εἶναι στά λογικά του; ***(be) not quite*** ~ ***in the head/in one's head***, (*καθομ.*) μοῦ ἔχει στρίψει, δέν εἶμαι ἐντελῶς καλά. **5**. **a** ~ **line**, εὐθεῖα γραμμή. **ˋ~ angle**,

ὀρθή γωνία: *a ~-angled triangle*, ὀρθογώνιο τρίγωνο. **~·ly** *ἐπίρ.* ὀρθά, σωστά, δίκαια: *act ~ly*, ἐνεργῶ ὀρθά. *~ly or wrongly*, δίκαια ἤ ἄδικα/καλά ἤ κακά. *He was sacked, and ~ly so*, ἀπολύθηκε, καί πολύ σωστά. **~·ness** *οὐσ.* ‹U› ὀρθότης.

[2]**right** /raɪt/ *ἐπίρ.* **1**. ἴσια: *Go ~ ahead/home*, πήγαινε ἴσια μπροστά/κατ' εὐθεῖαν σπίτι. **2**. ἀκριβῶς: *~ in the middle of the room*, ἀκριβῶς στή μέση τοῦ δωματίου. ***~ away/off***, ἀμέσως, χωρίς καθυστέρηση. ***~ now***, ἐπί τόπου, στή στιγμή. **3**. ἐντελῶς: *This pear is rotten ~ through*, αὐτό τό ἀχλάδι εἶναι ἐντελῶς σάπιο. *Go ~ to the end of the road*, πήγαινε ὥς τήν ἄκρη-ἄκρη τοῦ δρόμου. *He got ~ away*, διέφυγε ἐντελῶς. **4**. σωστά, καλά: *If I remember ~*, ἄν θυμᾶμαι σωστά. *guess ~*, μαντεύω σωστά. ***go ~ with***, πάω καλά: *Nothing seems to go ~ with him*, τίποτα δέν φαίνεται νά τοῦ πηγαίνη καλά/ὅλα τοῦ πᾶνε στραβά. ***It 'serves him `~***, καλά νά πάθη. **5**. (*πεπαλ. ἤ διαλεκτ.*) πολύ: *We were ~ glad that...*, πολύ χαρήκαμε πού... *He knew ~ well that...*, ἤξερε πολύ καλά ὅτι... **the R~ Honourable/Reverend**, (*σέ τίτλους*) ὁ Ἐντιμότατος/ὁ Θεοφιλέστατος. **`~-down** (*συνηθ. downright*), τέλειος: *He's a ~-down scoundrel*, εἶναι τέλειος παλιάνθρωπος.

[3]**right** /raɪt/ *οὐσ.* **1**. ‹U› σωστό, ὀρθό, δίκαιο, ἔντιμο: *the difference between ~ and wrong*, ἡ διαφορά ἀνάμεσα στό καλό καί στό κακό/στό δίκαιο καί στό ἄδικο. ***be in the ~***, ἔχω τό δίκηο μέ τό μέρος μου. **2**. ‹C,U› δικαίωμα: *He has a/no ~ to do that*, ἔχει/δέν ἔχει δικαίωμα νά τό κάμη. *What gives you the ~ to say that?* τί σοῦ δίνει τό δικαίωμα νά τό λές αὐτό; ***by ~(s)***, δικαιωματικῶς, νομίμως: *The property is hers by ~*, ἡ περιουσία τῆς ἀνήκει δικαιωματικά. ***by ~ of***, δικαίῳ, μέ τό δικαίωμα: *by ~ of succession*, κληρονομικῷ δικαιώματι. *by ~ of conquest*, μέ τό δικαίωμα τοῦ κατακτητοῦ. ***in one's own ~***, ἰδίῳ δικαιώματι (ὄχι λόγω συγγενείας, κλπ). ***~ of way***, *(α)* δικαίωμα διόδου, πέρασμα, δρόμος: *There's a ~ of way across these fields*, ὑπάρχει κοινόχρηστος δρόμος (δικαίωμα διόδου) μέσα ἀπ' αὐτά τά χωράφια. *(β)* (*μέ αὐτοκ.*) προτεραιότης: *We have ~ of way; It's our ~ of way*, ἔχομε προτεραιότητα. ***set/put things to ~s***, διορθώνω/ἀποκαθιστῶ τά πράγματα. ***stand on/assert one's ~s***, διεκδικῶ τά δικαιώματά μου. ***women's ~s***, τά δικαιώματα τῆς γυναίκας.

[4]**right** /raɪt/ *ρ.μ.* ἐπανορθώνω (σφάλμα), ξαναφέρνω στά ἴσια (πλοῖο, αὐτοκίνητο, κλπ): *Your wrongs will be ~ed*, ἡ ἀδικία πού σοῦ ἔγινε θά ἐπανορθωθῆ. *The driver quickly ~ed the car after it skidded*, ὁ ὁδηγός ξανάφερε γρήγορα τό αὐτοκίνητο στά ἴσια μετά τό ντεραπάρισμα. ***~ the helm***, ἰσιώνω τό τιμόνι (πλοίου).

[5]**right** /raɪt/ *ἐπ.* (*ἀντίθ. τοῦ left*) δεξιός: *on the ~ bank of the river*, στή δεξιά ὄχθη τοῦ ποταμοῦ. ***one's ~ hand/arm***, (*μεταφ.*) τό δεξί μου χέρι, ὁ καλύτερος βοηθός μου. **'~-`handed** *ἐπ.* δεξιόχειρ, δεξύς. **'~-`hander**, δεξιόχειρ, δεξιό (χτύπημα). **'~-`turn**, κλίσις, στροφή 90 μοιρῶν. **'~-about `turn/`face**, μεταβολή. —*ἐπίρ.* δεξιά: *Eyes ~!* κεφαλή δεξιά! *He owes money ~ and left*, ὀφείλει χρήματα δεξιά κι' ἀριστερά. —*οὐσ.* ‹U› **1**. δεξιά πλευρά, δεξιά κατεύθυνσις: *Take the first turning to the ~*, πάρε τόν πρῶτο δρόμο πρός τά δεξιά. *on my ~*, στά δεξιά μου. *attack the enemy's ~*, προσβάλλω τό δεξιό τοῦ ἐχθροῦ. **2**. (*πολιτ.*) ἡ δεξιά: *the R~ and the Left*, ἡ δεξιά καί ἡ ἀριστερά. **~·ist** /-ɪst/ *οὐσ.* ‹C› & *ἐπ.* δεξιός, ὀπαδός τῆς δεξιᾶς.

right·eous /`raɪtʃəs/ *ἐπ.* **1**. δίκαιος, ἐνάρετος: *the ~ and the wicked*, οἱ ἐνάρετοι καί οἱ κακοί. **2**. δικαιολογημένος: *~ anger*, δικαιολογημένος θυμός. **~·ly** *ἐπίρ.* δικαίως. **~·ness** *οὐσ.* ‹U› δικαιοσύνη, ὀρθότης, τιμιότης.

right·ful /`raɪtfl/ *ἐπ.* **1**. νόμιμος: *the ~ king*, ὁ νόμιμος βασιλεύς. **2**. δίκαιος, δικαιολογημένος. **~ly** /-fəlɪ/ *ἐπίρ.* δικαίως, νομίμως, δικαιολογημένα.

rigid /`rɪdʒɪd/ *ἐπ.* **1**. ἄκαμπτος, ἀλύγιστος: *a ~ body/frame*, ἄκαμπτο σῶμα/πλαίσιο. **2**. αὐστηρός: *practise ~ economy*, κάνω αὐστηρές οἰκονομίες. *a man of ~ principles*, ἄνθρωπος αὐστηρῶν ἀρχῶν. **~·ly** *ἐπίρ.* ἄκαμπτα, αὐστηρά. **~·ity** /rɪ`dʒɪdətɪ/ *οὐσ.* ‹U› αὐστηρότης, ἀκαμψία.

rig·ma·role /`rɪgmərəʊl/ *οὐσ.* ‹C› ἀσυναρτησία, σχοινοτενής ἀνοησία.

rigor mor·tis /`raɪgɔ `mɔtɪs/ *οὐσ.* (*Λατ.*) νεκρική ἀκαμψία.

rig·or·ous /`rɪgərəs/ *ἐπ.* **1**. ἄκαμπτος, αὐστηρός: *~ discipline*, αὐστηρή πειθαρχία. **2**. τραχύς: *a ~ climate*, τραχύ κλῖμα. **~·ly** *ἐπίρ.*

rig·our /`rɪgə(r)/ *οὐσ.* **1**. ‹U› αὐστηρότης, ἀκαμψία: *punish sb with the utmost ~ of the law*, τιμωρῶ κπ μέ τή μεγαλύτερη αὐστηρότητα τοῦ νόμου. **2**. (*συχνά πληθ.*) κακουχία, τραχύτης, δριμύτης: *the ~s of prison life*, οἱ κακουχίες τῆς ζωῆς τῆς φυλακῆς. *the ~(s) of the winter in Canada*, ἡ δριμύτης τοῦ χειμῶνα στόν Καναδᾶ.

rile /raɪl/ *ρ.μ.* (*καθομ.*) τσαντίζω, ἐξαγριώνω, πειράζω: *It ~d him that nobody would believe him*, τσαντιζόταν πού δέν τόν πίστευε κανείς.

rim /rɪm/ *οὐσ.* ‹C› **1**. στεφάνι, ζάντα (τροχοῦ). **2**. χεῖλος (νομίσματος, κυπέλλου, γυαλικῶν, κλπ): *the ~ of a cup*, τό χεῖλος ἑνός κυπέλλου. *~less glasses*, γυαλιά χωρίς σκελετό. *red-~med eyes*, κόκκινα (ἀπό τό κλάμα) μάτια.

rime /raɪm/ *οὐσ.* ‹U› (*λογοτ.*) πάχνη, τσάφι. —*ρ.μ.* σκεπάζω μέ τσάφι, τσαφίζω.

rind /raɪnd/ *οὐσ.* ‹C,U› φλούδα (τυριοῦ, πεπονιοῦ, καρπουζιοῦ, μπέϊκον, κλπ).

[1]**ring** /rɪŋ/ *οὐσ.* ‹C› **1**. δαχτυλίδι: *a `wedding ~*, βέρα. *an en`gagement ~*, ἀρραβώνας. *an `ear~*, σκουλαρίκι. **`~-finger**, παράμεσος (δάκτυλος). **2**. κρίκος, δακτύλιος, στεφάνη, κύκλος: *a `key-/`napkin ~*, κρίκος γιά κλειδιά/γιά πετσέτες. *puff out `smoke-~s*, φυσῶ δακτυλίδια καπνοῦ. *the ~ of light round the moon*, ἡ φωτεινή στεφάνη γύρω ἀπό τό φεγγάρι. *The men were standing in a ~*, οἱ ἄνθρωποι στέκονταν σέ κύκλο. *the ~s of a tree*, οἱ κύκλοι (στόν κορμό) ἑνός δέντρου. ***make/run ~s round sb***, εἶμαι πολύ πιό σβέλτος (ἀνώτερος) ἀπό κπ. **3**. σπεῖρα, συμμορία: *a `spy ~*, συμμορία κατασκόπων. **4**. παλαίστρα, ρίγκ (πυ-

γμαχίας), ἀρένα (ταυρομαχιῶν), πίστα (τσίρκου), περίβολος, πράκτορες ἱπποδρ. στοιχημάτων. **5**. `**~-leader**, ἀρχηγός, ὑποκινητής (στάσεως). `**~-road**, περιφερειακός δρόμος πόλεως. `**~·side** *ἐπ.* κοντά στό ρίγκ: *a ~side seat*, κάθισμα κοντά στό ρίγκ. `**~·worm**, μολυσματικό ἐξανθηματικό νόσημα τοῦ δέρματος, τριχοφυτίασις. —*ρ.μ/ὰ.* (*ἀόρ.* & *π.μ.* *~ed*) **1**. (περι)κυκλώνω: *~ed about with enemies*, περικυκλωμένος ἀπό ἐχθρούς. **2**. (γιά γεράκι, ἀλεποῦ) διαγράφω κύκλους. **3**. βάζω κρίκο (σέ μύτη ζώου, κλπ), κόβω δαχτυλίδι (σέ δέντρο, κλπ).

[2]**ring** /rɪŋ/ *ρ.μ/ὰ.* *ἀνώμ.* (*ἀόρ.* *rang* /ræŋ/, *π.μ.* *rung* /rʌŋ/) **1**. (*γιά κουδούνι, καμπάνα*) χτυπῶ, σημαίνω: *The telephone is ~ing*, χτυπάει τό τηλέφωνο. *~ the church bells*, σημαίνω τίς καμπάνες τῆς ἐκκλησίας. *The church bell ~s the hours but not the quarters*, ἡ καμπάνα τῆς ἐκκλησίας χτυπάει τίς ὧρες ἀλλά ὄχι τά τέταρτα. *Someone is ~ing at the door*, κάποιος χτυπάει τό κουδούνι τῆς πόρτας. ***~ for***, σημαίνω γιά κτ/κπ: *He rang for the secretary/for a cup of tea*, σήμανε νά πάη ἡ γραμματεύς του/νά τοῦ φέρουν ἕνα φλυτζάνι τσάϊ. ***~ out/in***, ἀποχαιρετῶ/ὑποδέχομαι μέ κωδωνοκρουσίες: *~ out the Old (year) and ~ in the New*, ἀποχαιρετῶ μέ κωδωνοκρουσίες τόν παληό χρόνο καί ὑποδέχομαι τόν νέο. ***~ an alarm***, σημαίνω συναγερμό. ***~ a bell***, (*καθομ.*) θυμίζω ἀόριστα: *His name ~s a bell, but I can't place him*, κάτι μοῦ θυμίζει τ' ὄνομά του, ἀλλά δέν μπορῶ νά θυμηθῶ ποιός εἶναι. ***~ the changes (on)***, χτυπῶ τίς καμπάνες μέ διάφορους ρυθμούς καί συνδυασμούς, (*μεταφ.*) ἐπαναλαμβάνω κτ μέ παραλλαγές. ***~ the curtain up/down***, σημαίνω γιά ν'ἀνέβη/νά πέση ἡ αὐλαία, (*μεταφ.*) κηρύσσω τήν ἔναρξη/λήξη σέ κτ. ***~ the knell of sth***, σημαίνω τό τέλος: *That ~s the knell of our hopes*, αὐτό σημαίνει τό τέλος τῶν ἐλπίδων μας. **2**. ἠχῶ, ἀντηχῶ, βουΐζω: *A shot rang out*, ἀντήχησε ἕνας πυροβολισμός. *His words ~ hollow*, τά λόγια του ἠχοῦν/φαίνονται κούφια (χωρίς περιεχόμενο). *My ears are still ~ing*, τ' αὐτιά μου βουΐζουν ἀκόμα. ***~ true/false***, φαίνομαι ἀληθινός/ψεύτικος (στό αὐτί): *His voice rang true*, ἡ φωνή του φαινόταν εἰλικρινής, ὑπῆρχε εἰλικρίνεια στή φωνή του. *This coin ~s false*, αὐτό τό νόμισμα φαίνεται (ἀπό τόν ἦχο) κάλπικο. ***~ with***, (*γιά μέρος*) ἀντηχῶ, δονοῦμαι, (*γιά φωνή*) πάλλομαι: *The school rang with happy shouts*, τό σχολεῖο ἀντηχοῦσε ἀπό χαρούμενες φωνές. *The air rang with cheers*, ὁ ἀέρας ἐδονεῖτο ἀπό ζητωκραυγές. *His voice rang with emotion*, ἡ φωνή του ἐπάλλετο ἀπό συγκίνηση. **3**. ***~ sb (up)***, τηλεφωνῶ σέ κπ: *I'll ~ you (up) this evening*, θά σοῦ τηλεφωνήσω ἀπόψε. ***~ off***, κλείνω τό τηλέφωνο: *Don't ~ off yet*, μή κλείσης ἀκόμα. —*οὐσ.* **1**. (*μόνον ἑν.*) ἦχος, τόνος: *This coin has a good ~*, αὐτό τό νόμισμα ἔχει καλό ἦχο. *There was a ~ of sincerity in his voice*, ὑπῆρχε ἕνας τόνος εἰλικρίνειας στή φωνή του. **2**. ‹C› κουδούνισμα: *There was a ~ at the door*, ἀκούστηκε τό κουδούνι τῆς πόρτας. **3**. ‹C› τηλεφώνημα: *I'll give you a ~ tomorrow*, θά σοῦ κάνω ἕνα τηλεφώνημα αὔριο. **~er** *οὐσ.* ‹C› κωδωνοκρούστης.

ring·let /ˈrɪŋlət/ *οὐσ.* ‹C› βόστρυχος, μπούκλα: *She arranged her hair in ~s*, ἔφτιαξε τά μαλλιά της μποῦκλες.

rink /rɪŋk/ *οὐσ.* ‹C› αἴθουσα παγοδρομίας, αἴθουσα πατινάζ.

rinse /rɪns/ *ρ.μ.* **1**. ξεπλένω: *~ (out) a bottle/one's mouth*, ξεπλένω ἕνα μπουκάλι/τό στόμα μου. *~ the clothes/~ soap out of the clothes*, νεροβγάζω τά ροῦχα/νεροβγάζω τή σαπουνάδα ἀπό τά ροῦχα. **2**. **~ sth down**, συνοδεύω τροφή μέ ποτό: *What shall we ~ the squids down with?* μέ τί θά βρέξωμε τά καλαμαράκια; —*οὐσ.* ‹C› **1**. ξέπλυμα, ξέβγαλμα: *Give your hair a good ~*, ξέπλυνε καλά τά μαλλιά σου. **2**. βαφή (μαλλιῶν).

riot /ˈraɪət/ *οὐσ.* **1**. ‹C› ταραχή, ὀχλοκρατική ἐκδήλωσις: *There were ~s when the government resigned*, ἔγιναν ταραχές ὅταν παραιτήθη ἡ Κυβέρνησις. *put down a ~ by force*, καταστέλλω βίαια μιά ὀχλοκρατική ἐκδήλωση. **the `R~ Act**, ὁ νόμος περί διαταράξεως τῆς δημοσίας τάξεως. ***read the R~ Act***, *(α)* καλῶ τούς παρανόμως συγκεντρωμένους νά διαλυθοῦν. *(β)* (*χιουμορ.*) λέω (*ἰδ.* σέ παιδιά) νά σταματήσουν τή φασαρία. **2**. ‹U› ***run ~***, *(α)* (*γιά ἀνθρώπους*) ὀργιάζω, ἀποχαλινώνομαι: *The boys ran ~ at John's party yesterday*, τά παιδιά ὀργίασαν (ἀποχαλινώθηκαν, τά σπάσανε) στό πάρτυ τοῦ Γ. χθές. *(β)* (*γιά φυτά*) ὀργιάζω, φουντώνω, θρασεύω: *The jasmine has run ~ in our garden*, τό γιασεμί φούντωσε (θράσεψε) στόν κῆπο μας. **3**. (*μόνον ἑν.*) ***a ~ of***, (*καθομ.*) ὄργιο, ξέσπασμα, παραλήρημα, θύελλα: *The garden was a ~ of colour*, ὁ κῆπος ἦταν ἕνα ὄργιο χρωμάτων. *a ~ of emotion*, ἕνα ξέσπασμα συγκίνησης. *a ~ of cheering and clapping*, παραλήρημα/θύελλα ἐπευφημιῶν καί χειροκροτημάτων. ***be a ~***, (*καθομ.*) προκαλῶ θύελλα ἐνθουσιασμοῦ, σημειώνω θρίαμβο: *His latest play was a ~ when it was produced in New York*, τό τελευταῖο του ἔργο σημείωσε θρίαμβο (προκάλεσε θύελλα ἐνθουσιασμοῦ) ὅταν ἀνέβηκε στή Νέα Ὑόρκη. —*ρ.ἀ.* **1**. κάνω φασαρία, χαλῶ τόν κόσμο, πανηγυρίζω: *They were ~ing all night in the streets after the victory of their team*, πανηγύριζαν (χάλασαν τόν κόσμο) ὅλη τή νύχτα στούς δρόμους ὕστερα ἀπό τή νίκη τῆς ὁμάδας τους. **2**. **~ in**, ρίχνομαι μέ πάθος σέ κτ, ὀργιάζω: *The tyrant ~ed in cruelty and torture*, ὁ τύραννος ὀργίασε σέ σκληρότητα καί βασανιστήρια. **~er** *οὐσ.* ‹C› ταραχοποιός, γλεντοκόπος. **~·ous** /-əs/ *ἐπ.* ταραχώδης, θορυβοποιός, στασιαστικός, ὀχλαγωγικός: *a ~ous assembly*, ταραχώδης συγκέντρωσις. *be charged with ~ous behaviour*, κατηγοροῦμαι γιά διατάραξη τῆς δημοσίας τάξεως. **~-ous·ly** *ἐπίρ.*

rip /rɪp/ *ρ.μ/ὰ.* (*-pp-*) **1**. ξεσκίζω/-ομαι (κατά μῆκος): *~ sth open*, ἀνοίγω κτ σκίζοντάς το (πχ γράμμα, δέμα, κλπ). *~ a tyre*, σκίζω ἕνα λάστιχο (πχ μέ μαχαίρι ἤ μέ πέτρες σέ παληόδρομο). *~ the seams of a garment*, ξηλώνω ἕνα ροῦχο στίς ραφές. *The dog ~ped our cat's ear*, ὁ σκύλος ἔσκισε τό αὐτί τῆς γάτας μας. ~ *wood*, κόβω/σκίζω ξύλα (ὅπως πᾶνε τά νερά). *This material ~s easily*, αὐτό τό ὕφασμα σκίζεται εὔκολα. **2**. **~ off**, ἀποσπῶ βίαια: ~ *the cover off*, ἀποσπῶ βίαια τό σκέπασμα. *The roof-tiles were ~ped off by the wind*, ὁ ἀέρας πῆρε (ξήλωσε) τά κεραμίδια τῆς στέγης. **3**. (*καθομ.*) τρέχω ὁλοταχῶς. ***let it/her ~***, (*γιά μηχανή*) φουλάρησέ την, πάτα ὅλο τό γκάζι. ***let things ~***, ἄσ' τά πράγματα νά τραβήξουν τό δρόμο τους. __*οὐσ.* ‹C› σκίσιμο: *a ~ in a tent/in one's coat*, σκίσιμο στήν τέντα/στό σακκάκι μου. **`~-cord**, σκοινί ἀνοίγματος ἀλεξιπτώτου. **`~-saw**, ξυλοπρίονο.

ripe /raɪp/ *ἐπ.* (*-r, -st*) ὥριμος: ~ *fruit*, ὥριμα/γινομένα φροῦτα. ~ *wine/cheese*, γινομένο, ψημένο κρασί/τυρί. ~ *beauty*, ὥριμη ὀμορφιά. ~ *lips*, κόκκινα χυμώδη χείλη. ~ *judgement/age*, ὥριμη κρίση/ἡλικία. ***~ for***, ἕτοιμος γιά: *corn ~ for harvesting*, στάρι ἕτοιμο γιά θέρισμα. *a country ~ for revolt*, χώρα ἕτοιμη/ὥριμη γιά ἐπανάσταση. **~·ly** *ἐπίρ.* ὥριμα, μέ ὡριμότητα. **~·ness** *οὐσ.* ‹U› ὡριμότης.

ripen /`raɪpən/ *ρ.μ/ὰ.* ὡριμάζω.

ri·poste /rɪ`pəʊst/ *οὐσ.* ‹C› ἀπόκρουσις, ἔξυπνη ἀνταπάντησις. __*ρ.ὰ.* ἀποκρούω, ἀνταπαντῶ.

rip·ping /`rɪpɪŋ/ *ἐπ.* (*πεπαλ., σχολ., λαϊκ.*) μούρλια, περίφημος: *have a ~ time*, περνῶ περίφημα. *That's ~!* εἶναι μούρλια! σκίζει!

ripple /`rɪpl/ *οὐσ.* ‹C› **1**. ἐλαφρός κυματισμός, ρυτίδωσις (νεροῦ). **2**. κελάρισμα, ψίθυρος, ἐλαφρός παφλασμός: *A ~ of laughter passed through the audience*, ἕνα σιγανό κῦμα γέλιου διέτρεξε τό ἀκροατήριο. __*ρ.μ/ὰ.* κυματίζω (ἐλαφρά): *The wheat ~d in the breeze*, τό σιτάρι κυμάτισε ἐλαφρά μέ τ' ἀεράκι. *The wind ~d the surface of the lake*, ὁ ἀέρας ρυτίδωσε τήν ἐπιφάνεια τῆς λίμνης.

rip-tide /`rɪp taɪd/ *οὐσ.* ‹C› δυνατό ρεῦμα ἐπιστροφῆς.

[1]**rise** /raɪz/ *οὐσ.* ‹C,U› **1**. ὕψωμα: *a ~ in the ground*, ὕψωμα τοῦ ἐδάφους. *The cottage is on a ~*, τό ἐξοχικό σπίτι εἶναι σ' ἕνα ὕψωμα. **2**. ὕψωσις, αὔξησις, ἀνύψωσις: *a ~ in prices/temperature*, ὕψωσις τιμῶν/θερμοκρασίας. *a ~ in social position*, κοινωνική ἀνύψωσις. ***get a ~ (in wages/salary)***, παίρνω αὔξηση στό μεροκάματο/στό μισθό. **3**. (*λογοτ.*) ἀνατολή: *at ~ of sun/day*, στήν ἀνατολή τοῦ ἥλιου/στό χάραμα τῆς μέρας (*συνηθ. at sunrise*). **4**. ἀνέβασμα (ψαριοῦ στήν ἐπιφάνεια), ἄνοδος: *I fished for two hours without getting a ~*, ψάρευα δυό ὧρες καί δέν τσίμπησε τίποτα. *the ~ and fall of Napoleon*, ἡ ἄνοδος καί ἡ πτῶσις (ἡ ἀκμή καί παρακμή) τοῦ Ναπολέοντα. ***take/get the ~/a ~ out of sb***, τσαντίζω κπ, τόν κάνω νά χάση τήν ψυχραιμία του: *You can't take a ~ out of him*, αὐτός δέν τσαντίζεται μέ τίποτα (δέν μπορεῖς νά τόν κάνης νά θυμώση). **5**. πηγή, ἀρχή: *The river has/takes its ~ among these hills*, τό ποτάμι ἔχει τήν πηγή του σ' αὐτούς τούς λόφους. ***give ~ to***, προκαλῶ, δημιουργῶ: *That might give ~ to difficulties*, αὐτό θά μποροῦσε νά προκαλέση ζητήματα/νά δημιουργήση δυσκολίες. **riser** *οὐσ.* ‹C› (*α*) πού ξυπνάει: *a late/early riser*, ἄνθρωπος πού ξυπνάει ἀργά/νωρίς. (*β*) μετόπη, ποδιά (σκαλοπατιοῦ).

[2]**rise** /raɪz/ *ρ.μ/ὰ.* ἀνώμ. (*ἀόρ. rose* /rəʊz/, *π.μ. risen* /`rɪzn/) **1**. ἀνατέλλω: *The sun ~s in the East*, ὁ ἥλιος ἀνατέλλει στήν ἀνατολή. **2**. σηκώνομαι, ξυπνῶ: *He rose from (the) table*, σηκώθηκε ἀπό τό τραπέζι. *The horse rose on its hind legs*, τό ἄλογο σηκώθηκε στά πισινά του πόδια. *He ~s very early*, σηκώνεται/ξυπνᾶ πολύ νωρίς. **3**. (*γιά τή Βουλή*) διακόπτω: *Parliament will ~ tomorrow*, ἡ Βουλή θά διακόψη αὔριο. **4**. ἀνασταίνομαι: *Christ has ~n!* Χριστός Ἀνέστη! **5**. ὑψώνομαι, ἀνεβαίνω: *The river has ~n two feet*, τό ποτάμι ἀνέβηκε δυό πόδια. *The smoke rose straight up in the still air*, ὁ καπνός ἀνέβαινε ἴσια ψηλά στόν ἥσυχο ἀέρα. *Prices continue to ~*, οἱ τιμές ἐξακολουθοῦν ν' ἀνεβαίνουν. *The bread won't ~*, τό ψωμί δέν φουσκώνει. *The barometer is rising*, τό βαρόμετρο ἀνέρχεται. *New blocks of flats are rising all over Athens*, νέες πολυκατοικίες ὑψώνονται παντοῦ στήν Ἀθήνα. ***the rising generation***, ἡ γενηά πού ἔρχεται/πού μεγαλώνει. ***be rising 12, 13, etc***, (*γιά ἡλικία*) πλησιάζω τά 12, 13, κλπ. **6**. ἀνηφορίζω: *rising ground*, ἀνηφορικό ἔδαφος. **7**. ἀνεβαίνω, ἀνέρχομαι στήν ἐπιφάνεια: *Bubbles rose from the bottom*, φυσαλλίδες ἀνέβηκαν ἀπό τόν πάτο. *A drowning man ~s three times*, ἕνας ἄνθρωπος πού πνίγεται ἀνεβαίνει στήν ἐπιφάνεια τρεῖς φορές. *The fish were rising*, τά ψάρια ἀνέβαιναν (στήν ἐπιφάνεια γιά τροφή). **8**. ἀνέρχομαι (κοινωνικά, κλπ): *a rising young politician*, ἀνερχόμενος νέος πολιτικός. ***~ to greatness/fame***, γίνομαι μεγάλος/διάσημος. ***~ from the ranks***, γίνομαι ἀξιωματικός ἀπό στρατιώτης. ***~ in the world***, ἀνεβαίνω κοινωνικά, πάω μπροστά. **9**. πηγάζω, ἀρχίζω: *Where does the Nile ~?* ποῦ πηγάζει ὁ Νεῖλος; *The quarrel rose from a mere trifle*, ὁ καυγᾶς ἄρχισε/προκλήθηκε ἀπό ἕνα τίποτα. **10**. ***~ to the occasion***, φαίνομαι ἀντάξιος τῶν περιστάσεων. ***~ (up) against***, ἐξεγείρομαι ἐναντίον: *Everybody rose against him*, ὅλοι ἐξεγέρθηκαν ἐναντίον του. **ris·ing** *οὐσ.* ‹C› ἐξέγερσις (*ἰδ.* ἔνοπλος).

ris·ible /`rɪzəbl/ *ἐπ.* (*λόγ.*) πού γελάει, πού ἔχει σχέση μέ τό γέλιο.

risk /rɪsk/ *οὐσ.* **1**. ‹CU› κίνδυνος: *There's no ~ of your meeting him*, δέν ὑπάρχει κίνδυνος νά τόν συναντήσης. ***run/take ~s/a ~***, ἐκτίθεμαι σέ κίνδυνο, εἶμαι ριψοκίνδυνος: *He is not one to take ~s*, δέν εἶναι ριψοκίνδυνος, δέν εἶναι ἄνθρωπος πού ἐκτίθεται σέ κίνδυνο. ***run/take the ~ (of)***, (δια)κινδυνεύω νά: *I'll take the ~*, θά τό διακινδυνεύσω. *He runs the ~ of being taken prisoner*, κινδυνεύει νά συλληφθῆ αἰχμάλωτος. ***at ~***, σέ κίνδυνο: *Is his life at ~?* βρίσκεται σέ κίνδυνο (κινδυνεύει) ἡ ζωή του; ***at the ~ of; at ~ to***, μέ κίνδυνο, διακινδυνεύοντας: *at the ~ of (at ~ to) his life*, μέ κίνδυνο τῆς ζωῆς του. ***at one's own ~***, ὑπό ἴδιον κίνδυνον, μέ δική μου εὐθύνη: *If you buy it, it will be at your own ~*, ἄν τό ἀγοράσης, θά τό κάμης μέ δική σου εὐθύνη. ***at owner's ~***, ὑπ' εὐθύνη τοῦ ἰδιοκτήτη. **2**.

‹C› ἀσφαλιστικό ποσό, ἀσφαλιζόμενον πρόσωπο ἤ πρᾶγμα. —ρ.μ. διακινδυνεύω: ~ *one's money/health/life*, διακινδυνεύω τά χρήματά μου/τήν ὑγεία μου/τή ζωή μου. ~ *failure/defeat*, ἐκτίθεμαι στόν κίνδυνο ἀποτυχίας/ἥττας. ~ *losing everything*, κινδυνεύω νά τά χάσω ὅλα. ~ ***one's neck***, παίζω τό κεφάλι μου. **~y** *ἐπ. (-ier, -iest)* ἐπικίνδυνος, ριψοκίνδυνος, τολμηρός, σκαμπρόζικος: *a ~y undertaking*, ριψοκίνδυνη δουλειά. *a ~y story*, τολμηρή ἱστορία. **~·ily** /-əlɪ/ *ἐπίρ.*

ris·qué /ˈriskeɪ/ *ἐπ.* σκαμπρόζικος, τολμηρός: *a ~ story.*

ris·sole /ˈrɪsəʊl/ *οὐσ.* ‹C› (*μαγειρ.*) κροκέτα.

rite /raɪt/ *οὐσ.* ‹C› ἱεροτελεστία, μυσταγωγία, τελετή: *ˋburial ~s*, νεκρώσιμος τελετή. *~s of baptism*, τελετή/μυστήριον τοῦ βαπτίσματος. *initiation ~s*, τελετή μυήσεως. *the ~s of the church*, τά ἄχραντα μυστήρια.

rit·ual /ˈrɪtʃʊəl/ *οὐσ.* ‹C,U› τυπικόν, ἱεροτελεστία, τελετουργικόν: *the ~ of the Greek Orthodox Church*, τό τελετουργικόν τῆς Ἑλληνικῆς Ὀρθόδοξης Ἐκκλησίας. *the ~ of making tea*, ἡ ἱεροτελεστία τῆς παρασκευῆς τσαγιοῦ. —*ἐπ.* τελετουργικός, θρησκευτικός: *the ~ dances of an African tribe*, οἱ θρησκευτικοί χοροί μιᾶς Ἀφρικανικῆς φυλῆς. **~·ism** /-ɪzm/ *οὐσ.* ‹U› τυποκρατία, τυπολατρεία. **~·ist** /-ɪst/ *οὐσ.* ‹C› τυπολάτρης. **~·is·tic** /ˈrɪtʃʊəˈlɪstɪk/ *ἐπ.* τυπολατρικός, μυσταγωγικός.

ri·val /ˈraɪvl/ *οὐσ.* ‹C› ἀντίζηλος, ἀνταγωνιστής, ἀντίπαλος: *~s in love*, ἀντίζηλοι στόν ἔρωτα. *ˋbusiness ~s*, ἐμπορικοί ἀνταγωνιστές. *~ firms*, ἀντίπαλες ἑταιρίες. —*ρ.μ. (-ll-)* ἁμιλλῶμαι, συναγωνίζομαι: *Nothing can ~ football in excitement*, τίποτα δέν μπορεῖ νά συναγωνισθῆ (δέν συγκρίνεται μέ) τό ποδόσφαιρο ἀπό ἄποψη συγκινήσεων. **~ry** /ˈraɪvlrɪ/ *οὐσ.* ‹C,U› ἀνταγωνισμός, ἀντιζηλία, συναγωνισμός, ἅμιλλα: *friendly ~ry between two schools*, φιλικός συναγωνισμός μεταξύ δύο σχολείων. *the rivalries between states*, οἱ ἀνταγωνισμοί μεταξύ κρατῶν. ***enter into ~ry with sb***, ἀρχίζω ἀνταγωνισμό μέ κπ.

rive /raɪv/ *ρ.μ/ἀ. ἀνώμ. ἀόρ. ~d, π.μ.* riven /ˈrɪvn/) (*λόγ.*) (ξε)σκίζω, ξεκολλῶ: *trees riven by lightning*, δέντρα πού τἄσκισε ὁ κεραυνός. *~ off a branch*, ξεμασκαλίζω ἕνα κλαδί. *a heart riven by grief*, (*μεταφ.*) καρδιά πού τήν ξεσκίζει ὁ πόνος.

river /ˈrɪvə(r)/ *οὐσ.* ‹C› **1**. ποταμός, ποτάμι: *the R~ Thames*, ὁ ποταμός Τάμεσις. *a ~ of lava*, ποτάμι λάβας. *~s of blood*, ποταμοί αἵματος. ***sell sb down the ~***, (*μεταφ.*) προδίνω, πουλάω κπ. **2**. (*σέ σύνθετες λέξεις*): **ˋ~-basin**, κοιλάδα ποταμοῦ. **ˋ~-bed**, κοίτη ποταμοῦ. **ˋ~-head**, πηγή ποταμοῦ. **ˋ~-mouth**, ἐκβολή ποταμοῦ. **ˋ~·side**, ἀκροποταμιά.

rivet /ˈrɪvɪt/ *οὐσ.* ‹C› (πλατυκέφαλο) καρφί λαμαρίνας, πιρτσίνι. —*ρ.μ.* **1**. καρφώνω, γυρίζω (καρφί). **2**. προσηλώνω, καθηλώνω: *~ one's eyes on sth*, προσηλώνω τά μάτια σέ κτ. *The scene ~ed our attention*, ἡ σκηνή καθήλωσε τήν προσοχή μας.

rivu·let /ˈrɪvjʊlət/ *οὐσ.* ‹C› ρυάκι, ποταμάκι.

roach /rəʊtʃ/ *οὐσ.* ‹C› **1**. (*ψάρι*) τσιρόνι. **2**. (*βραχυλ. γιά cockroach*) κατσαρίδα.

road /rəʊd/ *οὐσ.* ‹C› δρόμος: *main and subsidiary ~s*, κύριοι καί δευτερεύοντες δρόμοι. *a ˋ~ map of Greece*, ὁδικός χάρτης τῆς Ἑλλάδος. *ˋ~ accidents*, τροχαῖα ἀτυχήματα. *'R~ works in progress'*, "Ἔργα ἐπί τῆς ὁδοῦ". ***on the ~***, στό δρόμο, στή γύρα. ***take the ~***, παίρνω δρόμο, ξεκινῶ. ***take to the ~***, τό ρίχνω στήν ἀλητεία, (*παλαιότ.*) γίνομαι ληστής. ***rules of the ~***, κανόνες κυκλοφορίας. **~ *to***, (*μεταφ.*) δρόμος γιά: *the ~ to success/crime*, ὁ δρόμος πρός τήν ἐπιτυχία/πρός τό ἔγκλημα. *There's no royal ~ to learning*, δέν εἶναι εὔκολος ὁ δρόμος γιά τή μάθηση. ***be/stand in the ~/in sb's ~***, ἐμποδίζω κπ. **2**. (*σέ σύνθετες λέξεις*): **ˋ~-bed**, σκάφη ὁδοῦ, ἑρμόστρωσις. **ˋ~-block**, ὁδόφραγμα, μπλόκο σέ δρόμο. **ˋ~-book**, ὁδικός ὁδηγός. **ˋ~ fund**, ταμεῖον ὁδοστρωμάτων. **ˋ~-hog**, (*καθομ.*) κακός, ἐπικίνδυνος ὁδηγός. **ˋ~-house**, μοτέλ. **ˋ~·man** /-mæn/, **ˋ~·mender**, ἐργάτης τῶν δρόμων. **ˋ~-metal**, χαλίκι δρόμων. **ˋ~-sense**, αἴσθημα κυκλοφορίας: *My dog has no ~-sense*, ὁ σκύλος μου δέν καταλαβαίνει ἀπό κυκλοφορία (καί θά σκοτωθῆ κάποια μέρα). **ˋ~·side**, ἄκρη/πλάϊ τοῦ δρόμου: *a ~side inn*, χάνι στό δρόμο. **ˋ~·way**, κατάστρωμα δρόμου. **ˋ~·worthy** *ἐπ.* (*γιά ὄχημα*) κατάλληλο/ἕτοιμο νά κυκλοφορήση. **3**. (*μέ κύρια ὀνόματα*) *(α)* (*μέ the*) δρόμος πού ὁδηγεῖ εἰς: *the Oxford R~*, ὁ δρόμος πού ὁδηγεῖ στήν Ὀξφόρδη. *(β)* (*χωρίς the*) ὁδός ἐντός πόλεως: *Oxford R~* (*ἤ* **Rd**), ὁδός Ὄξφορντ. **4**. (*πληθ.*) ἀγκυροβόλιο. **5**. (*ΗΠΑ*) σιδηρόδρομος.

road·ster /ˈrəʊdstə(r)/ *οὐσ.* ‹C› (*πεπαλ.*) ἀνοιχτό διθέσιο αὐτοκίνητο.

roam /rəʊm/ *ρ.μ/ἀ.* περιπλανῶμαι, τριγυρίζω: *go ~ing*, γυρίζω ἐδῶ κι' ἐκεῖ. *~ about the world/~ the seas*, τριγυρίζω τόν κόσμο/τίς θάλασσες. *after years of ~ing*, ὕστερα ἀπό πολύχρονη περιπλάνηση.

roan /rəʊn/ *ἐπ.* (*γιά ζῶα*) γκριζοκόκκινος, ντορῆς. —*οὐσ.* ‹C› προβιά.

roar /rɔ(r)/ *οὐσ.* ‹C› **1**. βρυχηθμός: *the ~s of a lion/tiger*, οἱ βρυχηθμοί ἑνός λιονταριοῦ/μιᾶς τίγρης. **2**. μουγκρητό (πόνου), βουητό (θάλασσας), κρότος (κεραυνοῦ), οὔρλιασμα (καταιγίδας), ξέσπασμα (γέλιου). —*ρ.μ/ἀ.* **1**. βρυχῶμαι, μουγκρίζω, οὐρλιάζω: *~ with laughter/pain/rage*, ξεσπῶ σέ ὁμηρικά γέλια/οὐρλιάζω ἀπό τόν πόνο/ἀπό θυμό. **2**. ***~ sb down***, πνίγω τήν ὁμιλία κάποιου μέ φωνές, τόν ἀναγκάζω νά σταματήση: *They ~ed the speaker down*, ἀνάγκασαν μέ τά οὐρλιαχτά τους τόν ὁμιλητή νά σταματήση. **3**. ***~ sth out***, λέω κτ οὐρλιάζοντας/σκούζοντας: *~ out an order/a song*, διατάσσω οὐρλιάζοντας/τραγουδῶ δυνατά (γκαρίζω). **~·ing** *ἐπ. (α)* θορυβώδης, βρυχώμενος. *(β)* φουρτουνιασμένος. *(γ)* γερός, δυνατός, πολύ καλός: *do a ~ing trade*, κάνω χρυσές δουλιές. *be in ~ing health*, ἔχω περίφημη ὑγεία. —*ἐπίρ.* πολύ: *~ing drunk*, στουπί στό μεθύσι. —*οὐσ.* ‹U› βρυχηθμός.

roast /rəʊst/ *ρ.μ/ἀ.* ψήνω: *~ meat/potatoes*, ψήνω κρέας/πατάτες. *a fire fit to ~ an ox*, φωτιά νά ψήσης ὁλόκληρο βόδι. *The meat* *was ~ing in the oven*, τό κρέας ψηνόταν στό φοῦρνο. **2**. καβουρντίζω: ~ *coffee-beans*, καβουρντίζω καφέ. **3**. πυρώνω/-ομαι, ξεροψήνομαι: ~ *oneself in front of a fire*, πυρώνομαι μπροστά σέ μιά φωτιά. ~ *in the sun*, ξεροψήνομαι στόν ἥλιο. __*ἐπ*. ψημένος, ψητός: ~ *beef/pork*, ψητό βωδινό/χοιρινό. __*οὐσ*. ‹C,U› ψητό, ψήσιμο: *We had cold ~ for dinner*, εἴχαμε κρύο ψητό γιά δεῖπνο. *Give it a good ~*, ψῆστο καλά. **~er** *οὐσ*. ‹C› *(α)* ψήστης. *(β)* ψηστιέρα, κλίβανος. *(γ)* κοτόπουλο, γουρουνόπουλο, κλπ, κατάλληλο γιά ψήσιμο. **~·ing** *οὐσ*. ‹C,U› ψήσιμο, (*μεταφ*.) κατσάδα, κοροϊδία. ***give sb a good ~ing***, δίνω ἄγρια κατσάδα σέ κπ, τόν γελοιοποιῶ.

rob /rob/ *ρ.μ/ἀ*. *(-bb-)* ~ ***sb (of sth)*** **1**. ληστεύω κπ, τοῦ κλέβω κτ, λεηλατῶ: *The Bank was ~bed last night*, ληστέψανε τήν Τράπεζα χθές τή νύχτα. *They ~bed me of my money*, μοῦ κλέψανε τά λεφτά (*πρβλ: They stole money from me*). *They ~bed my garden*, μοῦ λεηλάτησαν τόν κῆπο. **2**. ἀποστερῶ: *He was ~bed of the rewards of his labours*, τοῦ στέρησαν τήν ἀμοιβή τῶν κόπων του. **~·ber** *οὐσ*. ‹C› ληστής. **~·bery** /ˋrobərɪ/ *οὐσ*. ‹C,U› ληστεία: *~bery with violence*, ληστεία μετά βίας. ˈ***daylight ˋ~bery***, (*μεταφ*.) ληστεία μέρα μεσημέρι (*ἰδ*. γιά ὑψηλή τιμή).

robe /rəʊb/ *οὐσ*. ‹C› **1**. ρόμπα: *a ˋbath~*, ρόμπα τοῦ μπάνιου. **2**. (*συχνά πληθ*.) τήβεννος (δικαστικῶν), στολή, ράσο, ἐσθῆτα. __*ρ.μ*. ἐνδύω: *professors ~d in their gowns*, καθηγητές ντυμένοι στήν τήβεννό τους.

robin /ˋrobɪn/ *οὐσ*. ‹C› (πουλί) κοκκινολαίμης. **R~ Hood**, ὁ Ρομπέν τῶν Δασῶν.

ro·bot /ˋrəʊbot/ *οὐσ*. ‹C› ρομπότ.

ro·bust /rəʊˋbʌst/ *ἐπ*. ρωμαλέος, εὔρωστος, γερός: *a ~ young man*, γεροδεμένος νέος. *have a ~ appetite*, ἔχω γερή ὄρεξη. **~·ly** *ἐπίρ*.

[1]**rock** /rok/ *οὐσ*. ‹C,U› **1**. βράχος: *a house built on ~*, σπίτι χτισμένο σέ βράχο (σέ πέτρωμα). ***as firm/solid as a ~***, (*μεταφ. γιά ἄνθρ*.) στέρεος σά βράχος. ***on the ~s***, (*γιά πλοῖο*) πεσμένο στά βράχια, (*μεταφ*.) σέ οἰκονομικές δυσκολίες, (*γιά γάμο*) στόν γκρεμό, (*γιά οὐΐσκυ, κλπ*) μέ πάγο μόνο, χωρίς νερό. ***see ~s ahead***, διαβλέπω δυσκολίες, βλέπω ἐμπόδια/κινδύνους. **the R~ of Ages**, ὁ Χριστός. **2**. βράχος, κοτρώνα, λιθάρι. **3**. κυλινδρική σκληρή καραμέλλα. **4**. (*σέ σύνθ. λέξεις*): ˈ**~-ˋbottom**, πάτος, τό κατώτερο σημεῖο: *Prices have reached ~-bottom*, οἱ τιμές ἔχουν πάει στόν πάτο. *~-bottom prices*, οἱ χαμηλότερες δυνατές τιμές. ˋ**~-cake**, μικρό κέκ μέ σκληρή ἀκανόνιστη ἐπιφάνεια. ˋ**~-climbing**, ἀνάβασις σέ βράχια. ˋ**~-crystal**, καθαρό φυσικό κρύσταλλο. ˋ**~-garden**, φυσικός ἤ τεχνητός βραχώδης κῆπος. ˋ**~-plant**, φυτό πού φυτρώνει πάνω στά βράχια. ˈ**~-ˋsalmon**, (*ἐμπορική ὀνομασία γιά τό*) σκυλόψαρο. ˋ**~-salt**, ὀρυκτό ἁλάτι. **~·ery** /ˋrokərɪ/ *οὐσ*. ‹C› ἀλπικός κῆπος, βραχόκηπος.

[2]**rock** /rok/ *ρ.μ/ἀ*. λικνίζω/-ομαι, κουνῶ, κουνιέμαι, σείω/-ομαι: ~ *a baby to sleep*, ἀποκοιμίζω ἕνα μωρό λικνίζοντάς το. *He sat ~ing (himself) in his chair*, καθόταν στήν καρέκλα του καί κουνιόταν. *Our boat was ~ed by/on the waves*, ἡ βάρκα μας λικνιζόταν ἀπό/ἐπάνω εἰς τά κύματα. *The town was ~ed by an earthquake*, ἡ πόλις σείστηκε ἀπό ἕνα σεισμό. ~ ***the boat***, (*μεταφ*.) χαλάω μιά δουλειά, ἀνακατεύω τά πράγματα, προκαλῶ ἐπικίνδυνη ἀναταραχή. ˋ**~·ing-chair**, κουνιστή πολυθρόνα. ˋ**~·ing-horse**, (παιδικό) ξύλινο κουνιστό ἀλογάκι. **~er** *οὐσ*. ‹C› *(α)* (*ΗΠΑ*) κουνιστή πολυθρόνα. *(β)* καμπυλωτή βάσις κουνιστῆς πολυθρόνας. *(γ)* νεαρός τέντυ-μπόϋ μοτοσυκλετιστής. ***be off one's ~er***, (*λαϊκ*.) εἶμαι παλαβός, μοῦχει στρίψει.

[3]**rock** /rok/ *οὐσ*. (*ἐπίσης ~-'n-roll*) ρόκ ἔντ ρόλ. __*ρ.ἀ*. χορεύω ρόκ.

rocket /ˋrokɪt/ *οὐσ*. ‹C› **1**. ρουκέτα, πύραυλος: *a ~-propelled fighter*, πυραυλοκίνητο καταδιωκτικό. ˋ**~-base**, βάσις πυραύλων. ˋ**~-range**, πεδίον ἐκτοξεύσεως πυραύλων. **2**. ρουκέτα, φωτοβολίδα. **3**. (*καθομ*.) κατσάδα: *give sb/get a ~*, δίνω σέ κπ/τρώω κατσάδα. __*ρ.ἀ*. ἀνεβαίνω κατακόρυφα: *Prices have ~ed in the last two years*, οἱ τιμές πῆγαν στά οὐράνια τά τελευταῖα δύο χρόνια. **~ry** /-trɪ/ *οὐσ*. ‹U› πυραυλική.

rocky /ˋrokɪ/ *ἐπ*. *(-ier, -iest)* **1**. βραχώδης: ~ *ground*, βραχῶδες ἔδαφος. *a ~ road*, δρόμος γεμᾶτος πέτρες. **2**. (*καθομ*.) ἀσταθής, ἑτοιμόρροπος: *This table is rather ~*, αὐτό τό τραπέζι κουνιέται πολύ. *His business is very ~*, ἡ ἐπιχείρησίς του εἶναι ἑτοιμόρροπη.

ro·coco /rəˋkəʊkəʊ/ *ἐπ*. (*στύλ*) ροκοκό, περίτεχνος, μέ πολλά κεντίδια.

rod /rod/ *οὐσ*. ‹C› **1**. ράβδος, μοχλός, βέργα: *a ˋcurtain-~*, βέργα γιά τίς κουρτίνες. *a ˋfishing-~*, καλάμι γιά ψάρεμα. **2**. βέργα (γιά τιμωρία). ***spare the ~ and spoil the child***, (*παροιμ*.) τό ξύλο βγῆκε ἀπό τόν παράδεισο. **3**. (*ἐπίσης* **pole** *καί* **perch**) μονάδα μήκους ἴση μέ 5½ γυάρδες ἤ 5.03 μέτρα.

rode /rəʊd/ *ἀόρ. τοῦ ρ.* [2]*ride*.

ro·dent /ˋrəʊdnt/ *οὐσ*. ‹C› (*ζωολ*.) τρωκτικόν.

ro·deo /rəʊˋdeɪəʊ/ *οὐσ*. ‹C› (*πληθ. ~s*) **1**. συγκέντρωσις ζώων (στίς δυτικές ΗΠΑ). **2**. διαγωνισμός ἱππευτικῆς τέχνης καουμπόϋδων.

roe /rəʊ/ *οὐσ*. **1**. ‹C,U› αὐγοτάραχο (ψαριῶν). **2**. ‹C› (*πληθ. ~s ἤ, συλλογ., ~*) ζαρκάδι. ˋ**~·buck**, ἀρσενικό ζαρκάδι.

ro·ga·tion /rəʊˋgeɪʃn/ *οὐσ*. ‹C› (*συνήθ. πληθ*.) λιτανεία: *R~ week/Sunday*, ἑβδομάς/Κυριακή λιτανειῶν (ἡ πρό τῆς Ἀναλήψεως).

roger /ˋrodʒə(r)/ *ἐπιφ*. (*στόν ἀσύρματο*) ἐλήφθη!

rogue /rəʊg/ *οὐσ*. ‹C› **1**. κακοποιός, κάθαρμα, παλιάνθρωπος. **~'s gallery**, ἄλμπουμ διασήμων κακοποιῶν. **2**. (*ἀστειολ*.) κατεργάρης, πειραχτήρι: *You little ~!* κατεργαράκο! **3**. ἄγριος ἐλέφαντας ἤ βούβαλος πού ἔχει ξεκόψει ἀπό τό κοπάδι. **ro·guery** /ˋrəʊgərɪ/ *οὐσ*. ‹C,U› παλιανθρωπιά, ζαβολιά.

ro·guish /ˋrəʊgɪʃ/ *ἐπ*. **1**. παλιανθρωπίστικος, δόλιος. **2**. ζαβολιάρικος, τσαχπίνικος: *as ~ as a kitten*, ζαβολιάρης σά γατάκι. ~ *eyes*, τσαχπίνικα μάτια.

roist·erer /ˋrɔɪstərə(r)/ *οὐσ*. ‹C› γλεντοκόπος, θορυβώδης γλεντζές.

role, rôle /rəʊl/ *οὐσ*. ‹C› ρόλος: *play the title-~ in 'Hamlet'*, παίζω τόν ὁμώνυμο ρόλο στόν Ἄμλετ.

[1]**roll** /rəʊl/ *οὐσ.* ‹C› **1**. κύλινδρος, ρόλος, ρολό, τόπι: *a ~ of film*, κύλινδρος φωτογραφικοῦ φίλμ. *a ~ of newsprint*, ρόλος δημοσιογραφικοῦ χαρτιοῦ. *a ~ of cloth*, ἕνα τόπι ὕφασμα. *a man with ~s of fat under his chin*, ἄνθρωπος μέ προγούλια. *a bread ~*, κουλούρα ψωμιοῦ, φραντζολάκι. *French ~s*, κουλουράκια. *~s of butter*, μικρά ρολά βούτυρο. *sausage ~s*, κουλούρι μέ λουκάνικο μέσα. '**~-top `desk**, γραφεῖο μέ ρολ-τόπ. **2**. κύλισμα, κούνημα, στριφογύρισμα: *the ~ of a ball*, τό κύλισμα μιᾶς μπάλλας. *have a ~ on the grass*, κυλιέμαι στό γρασίδι. *The ~ of the ship made us all sick*, τό κούνημα τοῦ πλοίου μᾶς ζάλισε ὅλους. *He walks with a ~*, περπατάει μ' ἕνα κούνημα/λίκνισμα. *with each ~ of his eyes*, μέ κάθε στριφογύρισμα τῶν ματιῶν του. **3**. συνεχής κυλιστός ἦχος: *the distant ~ of thunder*, τό μακρυνό κυλιστό μπουμπουνητό. *the ~ of drums*, ἡ (παρατεταμένη) τυμπανοκρουσία. **4**. κατάλογος (ὀνομάτων). ***call the ~***, φωνάζω κατάλογο. ***strike off the ~s***, διαγράφω δικηγόρο ἀπό τά μητρῶα τοῦ συλλόγου. **`~-call**, ὀνομαστικό προσκλητήριο, διάβασμα τοῦ καταλόγου, ἐκφώνησις ὀνομάτων. '**~ of `honour**, κατάλογος τῶν πεσόντων ὑπέρ πατρίδος.

[2]**roll** /rəʊl/ *ρ.μ/ὰ.* **1**. κυλῶ, τσουλάω: *The coin fell and ~ed under the table*, τό νόμισμα ἔπεσε καί κύλισε κάτω ἀπό τό τραπέζι. *The boy was ~ing a hoop*, τό παιδί τσουλοῦσε ἕνα στεφάνι. **2**. κυλῶ, περνῶ: *The clouds ~ed away as the sun rose higher*, τά σύννεφα κύλισαν κι' ἔφυγαν καθώς ὁ ἥλιος σηκώθηκε ψηλότερα. *Tears were ~ing down her cheeks*, δάκρυα κυλοῦσαν στά μάγουλά της. *The years ~ed on/by*, τά χρόνια κύλισαν (πέρασαν). **3**. στρίβω, τυλίγω: *~ a cigarette*, στρίβω τσιγάρο. *~ up a carpet/an umbrella*, τυλίγω ἕνα χαλί/μιά ὀμπρέλλα. *The hedgehog ~ed itself into a ball*, ὁ σκαντζόχοιρος τυλίχτηκε κουβάρι. **4**. (συγ)κυλιέμαι: *A porpoise was ~ing in the water*, ἕνα δελφίνι κυλιόταν στό νερό. **5**. ἰσοπεδώνω, στρώνω, ἁπλώνω: *~ sth flat*, ἰσοπεδώνω κτ. *~ a road surface*, στρώνω ἕνα δρόμο. *~ a lawn*, κουρεύω γκαζόν μέ κύλινδρο. *This dough ~s well*, αὐτή ἡ ζύμη ἁπλώνει καλά. *~ out pastry*, ἀνοίγω φύλλο ζύμης. **6**. κουνῶ, κουνιέμαι (ἀπό πλευρά σέ πλευρά): *The ship was ~ing heavily*, τό πλοῖο κουνοῦσε πολύ. *Some sailors have a ~ing gait*, μερικοί ναυτικοί ἔχουν κουνιστό βῆμα. *The drunken man ~ed up to me*, ὁ μεθυσμένος μέ πλησίασε τρεκλίζοντας. ***~ and pitch***, κλυδωνίζομαι. **7**. ἁπλώνομαι κυματιστά: *~ing plains*, κυματιστές πεδιάδες. *miles and miles of ~ing country*, ἀτέλειωτα μίλια κυματιστῆς γῆς. **8**. ἀντηχῶ (βαριά καί παρατεταμένα): *The thunder ~ed in the distance*, ἕνα παρατεταμένο μπουμπουνητό ἀντήχησε μακρυά. *The drums ~ed*, τά τύμπανα χτυποῦσαν συνέχεια. *~ one's r's*, ρολλάρω/προφέρω μακρόσυρτα τό ρό. **9**. στριφογυρίζω: *~ one's eyes*, στριφογυρίζω τά μάτια. **10**. **`~·ing-mill**, ἐργοστάσιον ἐλάσεως μεταλλων. **`~·ing-pin**, πλάστης (γιά τή ζύμη). **`~-ing-stock** (*σιδηροδρ.*) τροχαῖο ὑλικό. **11**. (*μέ ἐπιρ. & προθέσεις*): ***roll back***, ἀπωθῶ, ρίχνω πίσω (*πχ* ἐχθρικές δυνάμεις). ***roll in***, καταφθάνω (σέ μεγάλους ἀριθμούς ἤ ποσότητες): *Offers of help ~ed in*, κατέφθασαν πλῆθος προσφορές βοηθείας. ***be ~ing in***, (*μεταφ.*) κολυμπάω μέσα εἰς: *He's ~ing in money/luxury*, κολυμπάει στό χρῆμα/στήν πολυτέλεια. ***roll on***, (*γιά χρόνο*) κυλῶ, περνῶ, ἁπλώνω μέ κύλινδρο (*π.χ.* μελάνι), φορῶ ξετυλίγοντας (*πχ* κάλτσες). ***roll up***, καταφθάνω, πλησιάζω: *Three latecomers ~ed up*, φθάσανε τρεῖς καθυστερημένοι. ***R~ up! R~ up!*** (*φωνές πωλητοῦ σέ ὑπαίθριο πάγκο*) πλησιᾶστε κύριοι! τρέξε κόσμε!

roller /`rəʊlə(r)/ *οὐσ.* ‹C› **1**. κύλινδρος: *a `garden-~*, κύλινδρος κήπου. *a `road-~*, ὁδοστρωτῆρας. **`~ bandage**, ἐπίδεσμος σέ ρολό. **2**. ροδίτσα (πολυθρόνας, κλπ). **`~-skates**, τροχοπέδιλα, πατίνια μέ ροδίτσες. **3**. φουσκοθαλασσιά.

rol·lick·ing /`rolıkıŋ/ *ἐπ.* (*πεπαλ.*) εὔθυμος, θορυβώδης, γλεντζέδικος: *have a ~ time*, τό ρίχνω ἔξω, τό γλεντάω.

roly-poly /'rəʊlı `pəʊlı/ *οὐσ.* ‹C› **1**. πουτίγκα ρολό. **2**. (*καθομ.*) μπουλοῦκος, παχουλό παιδάκι.

Ro·maic /rəʊ`meıık/ *οὐσ.* (*συνήθ. demotic*), ρωμέϊκα, δημοτική, καθομιλουμένη Ἑλληνική.

Ro·man /`rəʊmən/ *οὐσ.* ‹C› Ρωμαῖος, Ρωμαιοκαθολικός. __*ἐπ.* ρωμαϊκός, Λατινικός: *the ~ Empire*, ἡ Ρωμαϊκή Αὐτοκρατορία. *r~ numerals*, λατινικοί ἀριθμοί. *r~ letters/type*, (*τυπογρ.*) ὄρθια πεζά στοιχεῖα.

ro·mance /rə`mæns/ *οὐσ.* **1**. ‹C› ρομάντσο, ρωμαντική ἱστορία. **2**. ‹C› εἰδύλλιον: *a ~ between two young people*, ἕνα εἰδύλλιο μεταξύ δύο νέων. **3**. ‹U› ποίησις, μυστηριώδες θέλγητρο, ρωμαντική/ὑποβλητική ἀτμόσφαιρα: *There was an air of ~ about the old inn*, ὑπῆρχε κάτι ρωμαντικό στήν ἀτμόσφαιρα τοῦ παληοῦ πανδοχείου. **4**. ‹C› φανταστική ἱστορία γεμάτη ὑπερβολές. **5**. (*μουσ.*) ρομάντζα. __*ρ.ὰ.* (*λόγ.*) ὑπερβάλλω, πλάθω μέ τή φαντασία, μυθιστορηματοποιῶ.

Ro·mance /rə`mæns/ *ἐπ.* ρωμανικός. **~ languages**, οἱ ρωμανικές (λατινογενεῖς) γλῶσσες.

Ro·man·esque /'rəʊmə`nesk/ *οὐσ.* ‹U› (*ἀρχιτ.*) ρωμανικός ρυθμός.

ro·man·tic /rə`mæntık/ *ἐπ. & οὐσ.* ‹C› ρωμαντικός: *a ~ girl/affair*, ρωμαντική κοπέλλα/ἐρωτοδουλειά. *He's an incurable ~*, εἶναι ἕνας ἀθεράπευτα ρωμαντικός. (*πληθ.*) φανταστικές, ἔξαλλες ἰδέες. **ro·man·ti·cally** /-klı/ *ἐπίρ.* ρωμαντικά. **ro·man·ti·cism** /-tısizm/ *οὐσ.* ‹U› ρωμαντισμός, ρωμαντικότης. **ro·man·ti·cist** /-tısist/ *οὐσ.* ‹C› ὀπαδός τοῦ ρωμαντισμοῦ στήν τέχνη. **ro·man·ti·cize** /-tısaiz/ *ρ.μ.* μυθιστορηματοποιῶ, περιγράφω κτ μέ ρωμαντικό τρόπο, τό ρίχνω στό ρωμαντισμό.

Rom·any /`romənı/ *οὐσ.* ‹C› τσιγγάνος, ‹U› τσιγγάνικη γλῶσσα.

Rom·ish /`rəʊmıʃ/ *ἐπ.* (*ὑποτιμ.*) ρωμαιοκαθολικός, παπικός.

romp /romp/ *ρ.ἀ.* **1**. (*ἰδ. γιά παιδιά*) παίζω, τρέχω, κάνω φασαρία. **2**. κερδίζω εὔκολα/χωρίς προσπάθεια: *My horse ~ed home*, (*σέ ἱπποδρ.*) τό ἄλογό μου νίκησε μέ πολλή ἄνεση. *John just ~s through his examinations*, οἱ ἐξετάσεις εἶναι περίπατος γιά τόν Γ. —*οὐσ.* ‹C› **1**. σκανταλιάρικο παιδί. **2**. θορυβώδη παιχνίδια, φασαρία, σκανταλιές: *have a ~*, κάνω σαματᾶ, παίζω μέ θόρυβο. **~er** *οὐσ.* (*ἐν. ἤ πληθ.*) μπλούζα, ποδιά (παιδιῶν): *a pair of ~ers; a`~er suit*, φόρμα (παιδική).

rood /rud/ *οὐσ.* ‹C› **1**. (*πεπαλ.*) Τίμιος Σταυρός. **2**. 'Εσταυρωμένος (σέ ἐκκλησία). **3**. μονάς ἐπιφανείας (περίπου ἕνα στρέμμα).

roof /ruf/ *οὐσ.* ‹C› **1**. σκεπή, στέγη: *a tiled/stone/flat ~*, σκεπή μέ κεραμίδια/μέ πλάκες/μέ ταράτσα. *live under the same ~ with sb*, ζῶ κάτω ἀπό τήν ἴδια στέγη μέ κπ. ***raise the ~***, (*καθομ.*) γκρεμίζω τό σπίτι (ἀπό τίς φωνές), κάνω σαματᾶ. **`~-garden**, κῆπος σέ ταράτσα. **`~-tree**, κορφιᾶς, καβαλλάρης στέγης. **2**. (*μεταφ.*) σκέπη, ὀροφή: *the ~ of heaven*, ὁ οὐρανός. *the ~ of the world*, ἡ κορυφή τοῦ κόσμου (πχ τά 'Ιμαλάϊα). —*ρ.μ.* σκεπάζω, στεγάζω. **~·less** *ἐπ.* χωρίς σκεπή, (*μεταφ., γιά ἄνθρ.*) ἄστεγος. **~·ing** *οὐσ.* ‹U› ὑλικά σκεπῆς.

[1]**rook** /rʊk/ *οὐσ.* ‹C› κοράκι. **~·ery** /-ərɪ/ *οὐσ.* ‹C› συστάδα δέντρων ὅπου φωλιάζουν κουροῦνες, κορακοφωλιά. **penguin/seal ~-ery**, σμῆνος πιγγουΐνων/ἀποικία φωκῶν.

[2]**rook** /rʊk/ *οὐσ.* ‹C› χαρτοκλέφτης. —*ρ.μ.* (*καθομ.*) κλέβω στά χαρτιά, γδύνω πελάτη (χρεώνοντάς τον ὑπερβολικά).

[3]**rook** /rʊk/ *οὐσ.* ‹C› (*στό σκάκι*) πύργος.

room /rʊm/ *οὐσ.* **1**. ‹C› δωμάτιο: *a six-~ed house*, σπίτι μ' ἕξη δωμάτια. **2**. (*πληθ.*) διαμέρισμα: *Come and see me in my ~s one day*, ἔλα νά μέ δῆς στό διαμέρισμά μου καμιά μέρα. **`~-mate**, συγκάτοικος. **3**. ‹U› χῶρος: *Is there ~ for me in the car?* ὑπάρχει χῶρος (θέση) γιά μένα στ' αὐτοκίνητο; *Standing ~ only!* (*σέ λεωφ.*) χῶρος μόνον γιά ὀρθίους! *Make ~ for me!* κάντε τόπο γιά μένα! *This table takes too much ~*, αὐτό τό τραπέζι πιάνει πολύ χῶρο. **4**. ‹U› περιθώριο: *There's ~ for improvement in your work*, ὑπάρχουν περιθώρια βελτιώσεως στή δουλειά σου. —*ρ.ἀ.* (*ΗΠΑ*) συγκατοικῶ: *He's ~ing with a friend of mine*, συγκατοικεῖ μ' ἕνα φίλο μου. **`~·ing house**, (*ΗΠΑ*) κτίριο ὅπου ἐνοικιάζονται ἐπιπλωμένα δωμάτια. **~·ful** /-fʊl/ *οὐσ.* ‹C› ὅσο χωρεῖ ἕνα δωμάτιο: *a ~ful of people/furniture*, δωμάτιο φίσκα ἀπό κόσμο/ἀπό ἔπιπλα. **roomy** *ἐπ.* (*-ier, -iest*) εὐρύχωρος, φαρδύς: *a ~y cabin/raincoat*, εὐρύχωρη καμπίνα/φαρδύ ἀδιάβροχο. **~·ily** *ἐπίρ.* εὐρύχωρα.

roost /rust/ *οὐσ.* ‹C› κούρνια: *at ~*, (*γιά πουλί*) κουρνιασμένος. ***Curses come home to ~***, (*παροιμ.*) οἱ κατάρες γυρίζουν σέ κεῖνον πού τίς λέει. ***rule the ~***, εἶμαι τ' ἀφεντικό στό σπίτι/στό γραφεῖο, κάνω κουμάντο. —*ρ.ἀ.* κουρνιάζω.

rooster /`rustə(r)/ *οὐσ.* ‹C› κόκκορας.

[1]**root** /rut/ *οὐσ.* ‹C› **1**. ρίζα (φυτοῦ, μαλλιῶν, νυχιῶν, γλώσσας, δοντιοῦ, ἀριθμοῦ, λέξεως): *pull up a plant by the ~s*, ξερριζώνω ἕνα φυτό. *He has no ~s in society*, (*μεταφ.*) δέν ἔχει ρίζες στήν κοινωνία. *The square/cube ~ of 64 is...*, ἡ τετραγωνική/κυβική ρίζα τοῦ 64 εἶναι... ***pull up one's ~s***, (*μεταφ.*) ξερριζώνομαι. ***put down new ~s***, (*μεταφ.*) ρίχνω καινούργιες ρίζες. ***take/strike ~***, (*κυριολ. & μεταφ.*) πιάνω ρίζα, ριζώνω. ***~ and branch***, (*μεταφ.*) ἀπό τή ρίζα, ἐντελῶς: *destroy sth ~ and branch*, καταστρέφω κτ ἀπό τή ρίζα. **~-less** *ἐπ.* (*γιά ἄνθρ. & φυτό*) χωρίς ρίζες. **2**. (*μεταφ.*) ρίζα, αἰτία: *the ~ of the trouble*, ἡ ρίζα τοῦ κακοῦ. *Money is the ~ of all evil*, τά λεφτά εἶναι ἡ αἰτία ὅλων τῶν κακῶν. *the ~ cause*, ἡ ἀρχική (γενεσιουργός) αἰτία. ***get at/to the ~ of sth***, φθάνω στή ρίζα ἑνός θέματος.

[2]**root** /rut/ *ρ.μ./ἀ.* **1**. ριζώνω, πιάνω ρίζες: *Geranium cuttings ~ easily*, τά κλωνάρια ἀπό τά γεράνια πιάνουν ρίζες εὔκολα. **2**. (*μεταφ.*) καθηλώνω, καρφώνω: *Fear ~ed him to the ground*, ὁ φόβος τόν καθήλωσε στό ἔδαφος. *She stood there ~ed to the spot*, στεκόταν ἐκεῖ καρφωμένη στή θέση της. **~ed**, ριζωμένος: *He has a ~ed objection to cold baths*, ἔχει μιά βαθειά ριζωμένη ἀντιπάθεια στό κρύο μπάνιο. *Her affection for him is deeply ~ed*, ἡ ἀγάπη της γι' αὐτόν εἶναι βαθιά ριζωμένη. **3**. ***~ sth out***, ξερριζώνω, ἐξολοθρεύω κτ ἐντελῶς (πχ ἔγκλημα, ναρκωτικά, κλπ). ***~ sth up***, ξερριζώνω, βγάζω μέ τίς ρίζες.

[3]**root** /rut/ *ρ.μ./ἀ.* **1**. ***~ about (for sth)***, (*γιά γουρούνι*) ψάχνω μέ τό ρύγχος, (*γιά ἄνθρ.*) ψάχνω, ἀνασκαλεύω: *~ about among piles of papers for a missing document*, ἀνασκαλεύω/ψάχνω σέ σωρούς χαρτιά γιά ἕνα χαμένο ἔγγραφο. ***~ sth out***, ξετρυπώνω: *I managed to ~ out a copy of that document*, κατάφερα νά ξετρυπώσω ἕνα ἀντίγραφο αὐτοῦ τοῦ ἐγγράφου. **2**. ***~ (for)***, (*ΗΠΑ, λαϊκ.*) ζητωκραυγάζω, ἀβαντάρω (ὁμάδα, κλπ).

rootle /`rutl/ *ρ.ἀ.* ***~ about for***, (*γιά γουρούνι*) ψάχνω μέ τό ρύγχος.

rope /rəʊp/ *οὐσ.* **1**. ‹C,U› σκοινί: *tie sb's hands with (a) ~*, δένω τά χέρια κάποιου μέ (ἕνα) σκοινί. **the ~**, ἡ κρεμάλα: *a crime worthy of the ~*, ἔγκλημα ἄξιο ἀγχόνης. **the ~s**, τά σκοινιά τοῦ ρίγκ. ***know/learn/show sb the ~s***, (*μεταφ.*) ξέρω/μαθαίνω/δείχνω σέ κπ τά μυστικά μιᾶς δουλειᾶς (τά κόλπα, τά κουμπιά). ***give sb (plenty of) ~***, (*μεταφ.*) ἀφήνω σέ κπ (μεγάλη) ἐλευθερία ἐνεργείας, μεγάλη πρωτοβουλία. ***Give him enough ~ and he'll hang himself***, (*παροιμ.*) ἄστον νά κάνη ὅ,τι θέλει καί θά φάη μονάχος τό κεφάλι του. **2**. ‹C› πλεξούδα (πχ κρεμμύδια, σκόρδα, κλπ). **3**. (*σέ σύνθ. λέξεις*): **`~-dancer**, σχοινοβάτης. **`~-`ladder**, σκοινένια σκάλα, ἀνεμόσκαλα. **`~-walk/-yard**, σχοινοποιεῖον. **`~-walker**, σχοινοβάτης. **`~·way**, ἐναέριο καλώδιο μεταφορᾶς πραγμάτων. **`~-yarn**, κλῶσμα (ὑλικό κατασκευῆς σκοινιῶν). —*ρ.μ.* **1**. δένω: *~ sb to a tree*, δένω κπ σ' ἕνα δέντρο. **2**. ***~ sth off***, χωρίζω μέ σκοινί: *Part of the square was ~d off*, ἕνα τμῆμα τῆς πλατείας χωρίστηκε μέ σκοινί. **3**. ***~ sb in***, μπλέκω κπ σέ μιά δουλειά, τόν παρασύρω, τόν τυλίγω.

ropey /`rəʊpɪ/ *ἐπ.* (*λαϊκ.*) παρακατιανός, τῆς

πεντάρας, κακῆς ποιότητος.

ro·sary /ˋrəʊzərɪ/ *οὐσ.* ‹C› **1**. προσευχή, προσευχητάριο (τῶν Καθολικῶν). **2**. κομπολόϊ, κομποσκοίνι (γιά προσευχές). **3**. κῆπος μέ τριανταφυλλιές.

[1]**rose** /rəʊz/ *ἀόρ. τοῦ ρ.* [2]*rise*.

[2]**rose** /rəʊz/ *οὐσ.* ‹C› **1**. τριαντάφυλλο, τριανταφυλλιά. ***a bed of ~s***, εὐχάριστη, ἄνετη ζωή. ***not all ~s***, δέν εἶναι ὅλα ρόδινα: *Life is not all ~s*, δέν εἶναι ὅλα ρόδινα στή ζωή (ἡ ζωή ἔχει καί τίς ἀναποδιές της). ***no ~ without a thorn***, δέν ὑπάρχει ρόδο χωρίς ἀγκάθι (ὅλα τά πράγματα ἔχουν τά μειονεκτήματά τους). ***gather life's ~s***, τρυγάω τίς χαρές τῆς ζωῆς. **2**. ρόδινος, ρόζ (χρῶμα). ***see things through ~-coloured/-tinted spectacles***, τά βλέπω ὅλα ρόδινα. **3**. ροζέτα. **4**. τρυπητό (ποτιστηριοῦ). **ˋ~-bed**, βραγιά μέ τριανταφυλλιές. **ˋ~·bud**, μπουμπούκι τριαντάφυλλου. **ˋ~-leaf**, ροδοπέταλο. **ˋ~-water**, ροδόσταμο. **ˋ~ window**, (*ἀρχιτ.*) ροζέτα, ρόδαξ. **ˋ~·wood**, ροδόξυλο.

ro·seate /ˋrəʊzɪət/ *ἐπ.* ρόδινος, τριανταφυλλένιος, ροδόχρους.

rose·mary /ˋrəʊzmərɪ/ *οὐσ.* ‹U› (*βοτ.*) δεντρολίβανο.

ro·sette /rəʊˋzet/ *οὐσ.* ‹C› ροζέτα.

rosin /ˋrozɪn/ *οὐσ.* ‹U› κολοφώνιο. __*ρ.μ.* ἀλείφω μέ κολοφώνιο.

ros·ter /ˋrostə(r)/ *οὐσ.* ‹C› πίνακας (μέ ὀνόματα), κατάλογος/κατάστασις ὑπηρεσίας, σχεδιάγραμμα ἐργασίας ἐκ περιτροπῆς.

ros·trum /ˋrostrəm/ *οὐσ.* ‹C› (*πληθ.* *~s ἤ -tra* /-trə/) ἐξέδρα, βῆμα (ὁμιλητοῦ).

rosy /ˋrəʊzɪ/ *ἐπ.* (*-ier, -iest*) ρόδινος: *~ cheeks/prospects*, ρόδινα μάγουλα/-ες προοπτικές.

rot /rot/ *ρ.μ/ἀ.* (*-tt-*) σαπίζω: *A fallen tree soon ~s*, ἕνα πεσμένο δέντρο γρήγορα σαπίζει. *One of the branches had ~ted off*, ἕνα ἀπό τά κλαδιά σάπισε κι' ἔπεσε. *He was left to ~ in prison*, (*μεταφ.*) τόν ἄφησαν νά σαπίση στή φυλακή. *wood ~ted by the damp*, ξύλο σαπισμένο ἀπό τήν ὑγρασία. __*οὐσ.* ‹U› **1**. σαπίλα, σῆψις: *Our fig-tree is affected by ~*, ἡ συκιά μας ἔχει ἀρχίζει νά σαπίζη. *R~ has set in*, ἄρχισε ἡ σήψη. *We have dry ~ in the floor*, τό πάτωμα ἔχει πιάσει σαράκι. **2**. (**tommy-**)**~**, (*λαϊκ.*) ἀνοησίες, βλακεῖες: *Don't talk ~!* μή λές βλακεῖες! *His speech was all ~*, ὁ λόγος του ἦταν ὅλο ἀνοησίες. **3**. (*σέ παιχνίδι, πόλεμο, κλπ*) κατάπτωσις τοῦ ἠθικοῦ, ἀποσύνθεσις: *A ~ set in*, ἄρχισε ἡ ἀποσύνθεσις. *stop the ~*, σταματῶ τήν ἀποσύνθεση, ἀναστηλώνω τό ἠθικό.

rota /ˋrəʊtə/ *οὐσ.* ‹C› (*πληθ.* *~s*) *βλ.* *roster*.

ro·tary /ˋrəʊtərɪ/ *ἐπ.* περιστροφικός, περιστρεφόμενος: *~ motion*, περιστροφική κίνησις. **ˋR~ Club**, Ροταριανός Ὅμιλος. **Ro·tarian** /rəʊˋteərɪən/ *οὐσ.* ‹C› Ροταριανός.

ro·tate /rəʊˋteɪt/ *ρ.μ/ἀ.* **1**. περιστρέφω/-ομαι: *~ a wheel/telescope*, περιστρέφω ἕναν τροχό/ἕνα τηλεσκόπιο. **2**. ἐναλλάσσω/-ομαι: *~ crops*, ἐφαρμόζω ἀμειψισπορά, ἐναλλάσσω καλλιέργεια. *The office of Chairman ~s*, ὁ πρόεδρος ἐναλλάσσεται (ἡ προεδρία περιέρχεται ἐκ περιτροπῆς σέ διαφόρους).

ro·ta·tion /rəʊˋteɪʃn/ *οὐσ.* ‹C,U› **1**. περιστροφή: *the ~ of the earth*, ἡ περιστροφική κίνησις τῆς γῆς. *five ~s an hour*, πέντε περιστροφές τήν ὥρα. **2**. περιτροπή, ἐναλλαγή: *ˋcrop-~*, καλλιέργεια ἐκ περιτροπῆς. ***in ~***, κατ' ἐναλλαγήν, ἐκ περιτροπῆς.

ro·ta·tory /ˋrəʊtətərɪ/ *ἐπ.* περιστροφικός.

rote /rəʊt/ *οὐσ.* (*μόνον στή φρ.*) ***by ~***, παπαγαλίστικα: *learn/know/say sth by ~*, μαθαίνω/ξέρω/λέω κτ παπαγαλίστικα.

ro·tis·se·rie /rəʊˋtɪsərɪ/ *οὐσ.* ‹C› ψησταριά.

roto·gra·vure /ˈrəʊtəʊgrəˋvjʊə(r)/ *οὐσ.* ‹C,U› βαθυτυπία.

rot·ten /ˋrotn/ *ἐπ.* **1**. σάπιος, χαλασμένος: *~ wood*, σάπιο ξύλο. *~ eggs*, χαλασμένα αὐγά. *He's ~ through*, εἶναι πέρα ὥς πέρα σάπιος/διεφθαρμένος. **2**. (*λαϊκ.*) ἄσχημος, βρωμο-: *~ weather*, βρωμόκαιρος. *I'm feeling ~ today*, εἶμαι στά χάλια μου σήμερα. *What ~ luck!* τί γκίνια! τί κακοτυχιά! **~·ly** *ἐπίρ.* **~·ness** *οὐσ.* ‹U› σαπίλα.

ro·tund /rəʊˋtʌnd/ *ἐπ.* (*γιά ἄνθρ.*) ὁλοστρόγγυλος, (*γιά φωνή*) πλούσιος, βαθύς, (*γιά ὕφος*) στομφώδης, φουσκωμένος. **~·ly** *ἐπίρ.* **~·ity** /-ətɪ/ *οὐσ.* ‹U› στρογγυλότης.

ro·tunda /rəʊˋtʌndə/ *οὐσ.* ‹C› (*ἀρχιτ.*) ροτόντα.

rouble, ruble /ˋrubl/ *οὐσ.* ‹C› ρούβλι.

roué /ˋrueɪ/ *οὐσ.* ‹C› ἄσωτος, φαῦλος.

rouge /ruʒ/ *οὐσ.* ‹U› ρούζ, κοκκινάδι. __*ρ.μ.* βάζω ρούζ.

[1]**rough** /rʌf/ *ἐπ.* (*-er, -est*) **1**. (*γιά ἐπιφάνεια ἤ ἦχο*) τραχύς, χοντρός (ὄχι λεῖος ἤ ἁπαλός): *cloth ~ to the touch*, ὕφασμα τραχύ στήν ἀφή. *~ hands*, χοντρά (ροζιασμένα) χέρια. *~ hair*, σκληρά, χοντρά μαλλιά. *a ~ voice*, τραχειά φωνή. **2**. ἀνώμαλος: *a ~ road*, ἀνώμαλος δρόμος. **3**. ἀκατέργαστος: *a ~ stone*, ἀκατέργαστος λίθος. **4**. φουρτουνιασμένος: *a ~ sea*, φουρτουνιασμένη, ἄγρια θάλασσα. **5**. σκληρός, τραχύς, βίαιος, βάναυσος, ἄξεστος, ἀπότομος: *~ children*, ἄτακτα, σκληρά παιδιά. *~ behaviour/handling*, βάναυση συμπεριφορά/μεταχείρισις. *~ manners*, ἄξεστοι, ἀπότομοι τρόποι. ***be ~ on sb***, εἶναι δυσάρεστο/δοκιμασία/σκληρό γιά κπ: *It's ~ on her, having to live with her mother-in-law*, εἶναι δοκιμασία γι' αὐτήν νά πρέπει νά ζήση μέ τήν πεθερά της! ***give sb the ~ side of one's tongue***, μιλῶ σκληρά/αὐστηρά σέ κπ. ***give sb a ~ time***, μεταχειρίζομαι κπ σκληρά. ***have a ~ time***, περνῶ ἄσχημα, ταλαιπωροῦμαι. **~ house**, (*καθομ.*) φασαρία, καυγᾶς. **~ luck**, ἄδικη/σκληρή τύχη, κακοτυχιά. **ˋ~-neck** *οὐσ.* ‹C› (*ΗΠΑ, καθομ.*) καυγατζῆς, ἀληταρᾶς. **ˈ~-and-ˋtumble** *ἐπ.* βίαιος, τυχοδιωκτικός: *a ~-and-tumble life*. __*οὐσ.* μαλαβράσι, γενική συμπλοκή. (*βλ.* & *λ.* *diamond*). **6**. πρόχειρος: *a ~ translation*, πρόχειρη μετάφραση. *a ~ sketch*, πρόχειρο, βιαστικό σκίτσο. *a ~ estimate*, πρόχειρος (κατά προσέγγισιν) ὑπολογισμός. ***~ and ready***, πρόχειρος, τσαπατσούλικος: *a ~ and ready method*, τσαπατσούλικη μέθοδος. **~·ly** *ἐπίρ.* τραχιά, πρόχειρα: *treat sb ~ly*, μεταχειρίζομαι κπ τραχιά. *a ~ly made table*, προχειροφτιαγμένο τραπέζι. *~ly speaking*, μιλῶντας πρόχειρα/χοντρικά. **~·ness** *οὐσ.* ‹U› τραχύτης.

[2]**rough** /rʌf/ *ἐπίρ.* σκληρά: *play ~*, κάνω σκληρό παιχνίδι. *treat sb ~*, μεταχειρίζομαι

κπ σκληρά. ***cut up ~***, (*καθομ.*) γίνομαι θηρίο, ἐξαγριώνομαι. ***live ~***, ζῶ ἀλήτικα. ***sleep ~***, (*γιά ἄστεγο*) κοιμᾶμαι ὅπου τύχει. **ˋ~-cast** *οὐσ.* ‹C› χοντρός ἐξωτερικός σουβᾶς. —*ρ.μ.* περνῶ τοῖχο μέ χτυπητό σουβᾶ. **ˋ~-dry** *ρ.μ.* στεγνώνω (ροῦχα) χωρίς νά τά σιδερώσω. **ˋ~-hewn** *ἐπ.* χοντροπελεκημένος. **ˋ~·shod** *ἐπ.* πεταλωμένος μέ χοντρά καρφιά. ***ride ˋ~shod over sb***, μεταχειρίζομαι κπ ὅπως-ὅπως/χωρίς προσοχή ἤ λεπτότητα. **ˈ~-ˋspoken** *ἐπ.* ἄξεστος στήν κουβέντα, σκαιός, χυδαιολόγος.

[3]**rough** /rʌf/ *οὐσ.* **1.** ‹U› ἀκατέργαστη μορφή, ἀνώμαλο ἔδαφος: *I've seen the statue only in the ~*, ἔχω δεῖ τό ἄγαλμα μονάχα ὅταν ἦταν ἀκόμα ἀδούλευτο. ***in ~***, (*γιά γραπτό*) σέ πρόχειρη/ἀδούλευτη μορφή. **2.** ‹U› ταλαιπωρία, ἀναποδιά. ***take the ~ with the smooth***, δέχομαι καί τά καλά καί τ' ἀνάποδα. **3.** ‹U› ἀνώμαλο τμῆμα μέ χορτάρια (σέ γήπεδο γκόλφ).

[4]**rough** /rʌf/ *ρ.μ.* **1.** ***~ sth (up)***, ἀνακατώνω: *Don't ~ (up) my hair*, μή μοῦ ἀνακατώνης τά μαλλιά. ***~ sb up***, (*λαϊκ.*) κακοποιῶ κπ, βιαιοπραγῶ ἐναντίον κάποιου: *He was ~ed up by the police*, τόν κακοποίησε ἡ ἀστυνομία. **2.** ***~ sth in***, σκιαγραφῶ, σχεδιάζω κτ σέ χοντρές γραμμές. **3.** ***~ it***, περνῶ λίγο πρωτόγονα, κάνω χωρίς ἀνέσεις: *Young people don't mind ~ing it when travelling*, τούς νέους δέν τούς νοιάζει νά εἶναι χωρίς ἀνέσεις ὅταν ταξιδεύουν.

rough·age /ˋrʌfidʒ/ *οὐσ.* ‹U› πίτουρα.

roughen /ˋrʌfn/ *ρ.μ/ἀ.* ἀγριεύω, τραχύνω/-ομαι: *Her hands have ~ed with the work in the garden*, τά χέρια της ἀγρίεψαν ἀπό τή δουλειά στόν κῆπο.

rou·lette /ruˋlet/ *οὐσ.* ‹U› ρουλέττα. **Russian ~**, ρωσσική ρουλέττα.

[1]**round** /raʊnd/ *ἐπ.* **1.** στρογγυλός: *a ~ table*, στρογγυλό τραπέζι. *~ cheeks*, στρογγυλά μάγουλα. *~ arms/legs*, παχουλά μπράτσα/πόδια. *a ~ sum/dozen*, στρογγυλό ποσό/σωστή ντουζίνα. **2.** (*πεπαλ.*) γεμάτος, γρήγορος, ἁπλός, καθαρός: *a ~ voice*, γεμάτη, ἠχηρή φωνή. *at a ~ pace*, μέ γρήγορο βῆμα. *a ~ oath*, χοντρή βλαστήμια. *speak to sb in good, ~ terms*, μιλῶ σέ κπ καθαρά/μέ σταρᾶτα λόγια. **3.** (*σέ φράσεις*): **~-table conference**, διάσκεψις στρογγυλῆς τραπέζης. **~ trip/tour/voyage**, ταξίδι μετ' ἐπιστροφῆς. **ˋ~ dance**, χορός σέ κύκλο, συρτός. **in ~ figures/numbers**, σέ στρογγυλούς ἀριθμούς. **~ robin**, αἴτησις μέ τίς ὑπογραφές σέ κύκλο (γιά νά μή φαίνεται ποιός ὑπέγραψε πρῶτος). **4.** (*σέ σύνθ. λέξεις*): **ˈ~-ˋbacked** *ἐπ.* λιγάκι καμπουριαστός, κυρτωμένος. **ˈ~-ˋeyed** *ἐπ.* μέ γουρλωμένα μάτια: *stare/listen in ~-eyed wonder*, κοιτάζω/ἀκούω μέ τά μάτια γουρλωμένα ἀπό θαυμασμό. **ˋ~-hand**, στρογγυλό καί καθαρό γράψιμο. **ˋR~·head**, στρογγυλοκέφαλος (ὀπαδός τοῦ Κρόμγουελ). **ˋ~-shot**, μπάλλα κανονιοῦ. **ˈ~-ˋshouldered**, μέ κυρτωμένους ὤμους. **~·ish** /-iʃ/ *ἐπ.* στρογγυλούτσικος. **~·ly** *ἐπίρ.* ἴσια, καθαρά: *I told him ~ly that he was fired*, τοῦ εἶπα καθαρά ὅτι ἀπολυόταν. **~·ness** *οὐσ.* ‹U› στρογγυλάδα.

[2]**round** /raʊnd/ *ἐπίρ.* γύρω: *Turn your chair ~ and face me*, γύρισε τήν καρέκλα σου πρός ἐμένα. *We went a long way ~*, κάναμε μεγάλο γύρο. *Hand these papers ~*, μοίρασε τά χαρτιά σ' ὅλους γύρω (τούς παρόντες). *Come ~ and see me this evening*, πέρασε νά μέ δῆς ἀπόψε. *Everybody for miles ~ talks about it*, ὅλοι σέ ἀκτίνα μιλίων μιλᾶνε γι' αὐτό. ***~ and ~***, γύρω-γύρω. ***all/right ~***, ὁλόγυρα. ***all (the) year ~***, ὁλοχρονίς, χειμῶνα-καλοκαίρι. ***go ~***, ἐπαρκῶ: *Will the meat go ~?* θά φθάση τό κρέας γιά ὅλους; *Have we enough whisky to go ~?* ἔχομε ἀρκετό οὐΐσκυ γιά ὅλους; ***go ~ to sb***, ἐπισκέπτομαι κπ. ***look ~***, ρίχνω μιά ματιά γύρω. ***show sb ~***, γυρίζω κπ καί τοῦ δείχνω ἕνα μέρος. ***taking it all ~***, ἐξετάζοντάς το ἀπό κάθε πλευρά.

[3]**round** /raʊnd/ *οὐσ.* ‹C,U› **1.** στρογγυλό ἀντικείμενο: *the ~s of a ladder/chair*, τά σκαλοπάτια μιᾶς σκάλας/τά πατήματα μιᾶς καρέκλας. *a ~ of beef/bread*, μιά φέτα μοσχάρι/ψωμί. ***a statue in the ~***, κανονικό ἄγαλμα (ὄχι ἀνάγλυφο). ***theatre in the ~***, κυκλικό θέατρο. **2.** γύρος, κύκλος, περιοδεία: *the earth's yearly ~*, ὁ ἐτήσιος γύρος (ἡ περιστροφή) τῆς γῆς. *the daily ~*, οἱ καθημερινές δουλειές. *a continuous ~ of pleasures*, συνεχής κύκλος διασκεδάσεων. *a ~ of cards*, μιά παρτίδα χαρτιά. *a boxing-match of ten ~s*, πυγμαχικός ἀγώνας σέ δέκα γύρους. *a ~ of visits*, μιά σειρά ἐπισκέψεις. *the postman's/doctor's ~*, ὁ γύρος τοῦ ταχυδρόμου/ἑνός γιατροῦ. *I had only five ~s of ammunition left*, μοῦ εἶχαν μείνει μόνο πέντε ριξιές (πέντε σφαῖρες/φυσίγγια). *I'll pay for this ~ (of drinks)*, θά πληρώσω ἐγώ αὐτή τή βόλτα. ***go the ~s; make one's ~s***, κάνω τό γύρο/τήν περιοδεία/τή βόλτα μου: *The night watchman makes his ~s every hour*, ὁ νυχτοφύλακας κάνει τή βόλτα του κάθε μιά ὥρα. **3.** συρτός χορός.

[4]**round** /raʊnd/ *πρόθ.* γύρω ἀπό/εἰς: *They were sitting ~ a table*, κάθονταν γύρω (σέ) ἀπό ἕνα τραπέζι. *He looked ~ the room*, κοίταξε γύρω στό δωμάτιο. *walk ~ a corner*, στρίβω σέ μιά γωνιά. *It'll cost you ~ £1000*, θά σοῦ κοστίση γύρω στίς 1000 λίρες. *Come ~ about twelve o'clock*, ἔλα γύρω στίς δώδεκα. ***~-the-clock***, ὅλο τό εἰκοσιτετράωρο: *sleep/work ~-the-clock*, κοιμᾶμαι/δουλεύω ὅλο τό εἰκοσιτετράωρο. **~-the-clock** *ἐπ.* εἰκοσιτετράωρος. ***go ~ the bend***, (*λαϊκ.*) μοῦ στρίβει, παλαβώνω.

[5]**round** /raʊnd/ *ρ.μ/ἀ.* **1.** στρογγυλεύω: *~ one's lips/a piece of wood*, στρογγυλεύω τά χείλη μου/ἕνα ξύλο. **2.** παίρνω (στροφή): *~ a corner close*, παίρνω μιά στροφή κλειστά. **3.** ***~ off***, στρογγυλεύω, ὁλοκληρώνω: *~ off a sentence*, στρογγυλεύω μιά πρόταση. *~ off one's career by being made a Minister*, ὁλοκληρώνω τή σταδιοδρομία μου γενόμενος Ὑπουργός. ***~ out***, στρογγυλεύω, παχαίνω: *Her figure is beginning to ~ out*, ἄρχισε νά στρογγυλεύη, νά γεμίζη ἡ σιλουέτα της. ***~ up***, συγκεντρώνω, μαζεύω: *The police ~ed up all beggars*, ἡ ἀστυνομία μάζεψε ὅλους τούς ζητιάνους. **ˋ~-up**, συγκέντρωσις, μάζεμα: *a ~-up of cattle*, μάζεμα ζώων. ***~ up (a***

figure/price), στρογγυλεύω (ἕναν ἀριθμό/μιά τιμή). ~ ***upon sb***, στρέφομαι ἐναντίον κάποιου, ἐπιτίθεμαι (μέ λόγια ἤ ἔργα).

round·about /ˋraʊndəbaʊt/ *ἐπ.* κυκλικός, περιφραστικός: *We came by a ~ route*, ἤρθαμε γύρω-γύρω (ὄχι κατ᾽ εὐθεῖαν), κάναμε κύκλο. *say sth in a ~ way*, λέω κτ περιφραστικά/ἔμμεσα/μέ πλάγιο τρόπο. —*οὐσ.* ‹C› **1**. περιστρεφόμενα ἀλογάκια (σέ λούνα πάρκ). ***(you) lose on the swings what (you) gain on the ~s***, (*παροιμ.*) ἦρθες μία ἤ ἄλλη, ὅ,τι ἔχασες ἀπό τή μιά τό κέρδισες ἀπό τήν ἄλλη. **2**. κυκλική διασταύρωσις δρόμων.

roun·del /ˋraʊndl/ *οὐσ.* ‹C› μικρός δίσκος (*ἰδ.* μενταγιόν).

rounds·man /ˋraʊndzmən/ *οὐσ.* ‹C› διανομεύς (παντοπωλείου, κλπ).

rouse /raʊz/ *ρ.μ/ἀ.* **1**. ξυπνῶ κπ: ~ *sb from sleep*, ξυπνῶ/ σηκώνω κπ ἀπό τόν ὕπνο. **2**. διεγείρω, ἐξάπτω, ξεσηκώνω: ~ *sb's interest*, ἐξάπτω τό ἐνδιαφέρον κάποιου. ~ *sb to anger/action*, ἐξαγριώνω/δραστηριοποιῶ κπ. ~ *the masses*, ξεσηκώνω τίς μᾶζες. *He's a terrible man when he's ~d*, εἶναι φοβερός ὅταν θυμώνη.

[1]**rout** /raʊt/ *οὐσ.* ‹C› **1**. φυγή, πανωλεθρία: *The defeat became a ~*, ἡ ἧττα ἔγινε πανωλεθρία. ***put to ~***, κατατροπώνω, τρέπω σέ ἄτακτη φυγή. **2**. (*πεπαλ.* ἤ *νομ.*) ἄτακτο πλῆθος. **3**. (*ἀπηρχ.*) δεξίωσις. —*ρ.μ.* κατατροπώνω: ~ *the enemy*.

[2]**rout** /raʊt/ *ρ.μ.* ~ ***sb out (of)***, προσάγω, τραβολογάω: *We were ~ed out of our cabins at dawn for passport examination*, μᾶς ξεπέταξαν ἀπό τίς καμπίνες μας τήν αὐγή γιά ἔλεγχο διαβατηρίων.

route /rut/ *οὐσ.* ‹C,U› πορεία, δρόμος, διαδρομή: *trace/map out a ~*, χαράσσω πορείαν. *find a new ~ to the top of a mountain*, βρίσκω καινούργιο δρόμο πρός τήν κορυφή ἑνός βουνοῦ. *the ~ of a procession*, ἡ διαδρομή μιᾶς πομπῆς. ***en ~***/ˌõ ˋrut/, καθ᾽ ὁδόν. ˋ**~-march**, (*στρατ.*) πορεία. **column of ~**, (*στρατ.*) φάλαγξ πορείας. —*ρ.μ.* καθορίζω δρομολόγιο, ἀποστέλλω: *We were ~d by way of Dover*, μᾶς ἔστειλαν μέσῳ Ντόβερ.

rou·tine /ruˋtin/ *οὐσ.* ‹C,U› ρουτίνα: *the daily ~*, ἡ καθημερινή ρουτίνα. *a question of ~*, τυπική, συνηθισμένη ἐρώτησις. *as a matter of ~*, ἀπό ρουτίνα, ὡς συνήθως. ~ *business/duties*, τρέχουσα δουλειά/συνήθη καθήκοντα.

rove /rəʊv/ *ρ.μ/ἀ.* (*ποιητ.*) **1**. γυρίζω, περιπλανῶμαι: ~ *over sea and land*, γυρίζω σέ στερηές καί θάλασσες. ***a roving life/commission***, ἀλήτικη ζωή/θέσις περιοδεύοντος ὑπαλλήλου. **2**. περιφέρω, στρέφω ἐδῶ κι᾽ ἐκεῖ: ~ *one's eyes/affections*, περιφέρω τά μάτια μου/τήν ἀγάπη μου. **rover** *οὐσ.* ‹C› πλάνης, πρόσκοπος (ἄνω τῶν 17 ἐτῶν), (*πεπαλ.*) πειρατής.

[1]**row** /rəʊ/ *οὐσ.* ‹C› σειρά, γραμμή: *a ~ of books/desks/people*, μιά σειρά βιβλία/θρανία/ἄνθρωποι. *a front-~ seat*, μπροστινό κάθισμα, στήν πρώτη σειρά. ***in a ~; in ~s***, στή σειρά. ***a hard ~ to hoe***, ζόρικη δουλειά.

[2]**row** /rəʊ/ *ρ.μ/ἀ.* κωπηλατῶ: ~ *across a river*, διασχίζω ποτάμι μέ βάρκα. *I was ~ed out*, ἤμουν κατάκοπος ἀπό τήν κωπηλασία. ˋ**~-ing-boat**, βάρκα κωπηλασίας. ˋ**~·ing-club**, κωπηλατικός ὅμιλος. **~er** *οὐσ.* ‹C› κωπηλάτης. —*οὐσ.* ‹C› κωπηλασία: *go for a ~*, πάω νά κάνω λίγο κουπί, πάω βαρκάδα.

[3]**row** /raʊ/ *οὐσ.* **1**. ‹U› φασαρία, σαματᾶς: *How can I study with all this ~ about me?* πῶς νά μελετήσω μ᾽ ὅλο αὐτό τό σαματᾶ γύρω μου; **2**. ‹C› καυγᾶς: *be always ready for a ~*, εἶμαι διαρκῶς ἕτοιμος γιά καυγᾶ. *have a ~ with sb*, καυγαδίζω μέ κπ. ***kick up/make a ~***, στήνω καυγᾶ. **3**. ‹C› μπελᾶς, κατσάδα: *get into a ~ for being late*, βρίσκω τόν μπελᾶ μου πού ἄργησα. —*ρ.μ/ἀ.* **1**. κατσαδιάζω κπ. **2**. ~ ***with sb***, καυγαδίζω μέ κπ.

rowdy /ˋraʊdɪ/ *ἐπ.* (*-ier, -iest*) θορυβώδης, ταραχοποιός: ~ *scenes*, θορυβώδεις σκηνές. ~ *elements*, ταραχοποιά στοιχεῖα. —*οὐσ.* ‹C› καυγατζῆς, νταῆς. **row·dily** /-əlɪ/ *ἐπίρ.* θορυβωδῶς, μέ φασαρία, καυγατζίδικα, νταηλίτικα. **row·di·ness**, **~·ism** /-ɪzm/ *οὐσ.* ‹U› φασαρία, νταηλίκι.

rowel /ˋraʊəl/ *οὐσ.* ‹C› ἀγκαθωτός τροχίσκος (σέ σπηρούνι).

row·lock /ˋrolək/ *οὐσ.* ‹C› σκαρμός.

royal /ˋrɔɪəl/ *ἐπ.* **1**. βασιλικός: *the ~ family/household*, ἡ βασιλική οἰκογένεια/ὁ βασιλικός οἶκος. **His R~ Highness**, ἡ Αὐτοῦ Ὑψηλότης. **R~ Commission**, (*κοινοβουλ.*) Ἐξεταστική τῶν Πραγμάτων Ἐπιτροπή. **2**. ἡγεμονικός, ἔξοχος: *a ~ welcome*, ἡγεμονική ὑποδοχή. **~ly** /ˋrɔɪəlɪ/ *ἐπίρ.* ἡγεμονικά: *We were ~ly entertained*, μᾶς περιποιήθηκαν ἡγεμονικά. **~·ist** /-ɪst/ *οὐσ.* ‹C› βασιλόφρων.

roy·alty /ˋrɔɪəltɪ/ *οὐσ.* **1**. ‹U› μέλη τῆς βασιλικῆς οἰκογενείας: *This hotel has been patronized by ~*, σ᾽ αὐτό τό ξενοδοχεῖο καταλύουν βασιλικά πρόσωπα. **2**. ‹U› τό βασιλικό ἀξίωμα. **3**. ‹C› δικαιώματα ἐκμεταλλεύσεως ὀρυχείου ἤ συγγραφικά: *oil royalties*, δικαιώματα ἀντλήσεως πετρελαίου. *His royalties come to £10 000 a year*, τά συγγραφικά του δικαιώματα ἀνέρχονται σέ 10.000 λίρες τό χρόνο.

[1]**rub** /rʌb/ *οὐσ.* ‹C› **1**. τρίψιμο: *give sb/sth a good ~/~-up/~-down*, δίνω σέ κπ/κτ ἕνα γερό τρίψιμο. **2**. δυσκολία, κόμπος. ***There's the ~***, ἐκεῖ βρίσκεται ἡ δυσκολία/ὁ κόμπος.

[2]**rub** /rʌb/ *ρ.μ/ἀ.* (*-bb-*) **1**. τρίβω/-ομαι: ~ *one's hands together*, τρίβω τά χέρια μου. ~ *one's leg with oil*, τρίβω (κάνω ἐντριβή εἰς) τό πόδι μου μέ λάδι. *The dog ~bed itself/its head against my leg*, ὁ σκύλος τριβόταν/ἔτριβε τό κεφάλι του στά πόδια μου. *You've ~bed your coat against some wet paint*, ἀκούμπησες τό σακκάκι σου σέ νωπή μπογιά. *This door ~s on the floor*, αὐτή ἡ πόρτα τρίβεται (ἀκουμπάει) στό πάτωμα. ~ ***shoulders with sb***, συναγελάζομαι μέ κπ. **2**. (*μέ ἐπιρ.* & *προθέσεις*):

rub along, (*πεπαλ. καθομ.*) τά φέρνω βόλτα/ψευτοζῶ. ~ ***along with sb***, τά πάω καλά μέ κπ: *We manage to ~ along together*, τά πᾶμε καλά μαζί.

rub down, τρίβω γερά: *You must ~ him/yourself down after his/your bath*, πρέπει νά τόν τρίψης/νά τριφτῆς γερά μετά τό μπάνιο.

rub in(to), χώνω (διά τριβῆς): *R~ this oint-*

ment well in/into the skin, τρίψε καλά αὐτή τήν ἀλοιφή/ὥστε νά χωθῆ στό δέρμα. *The moral needs to be well ~bed in*, (*μεταφ.*) τό δίδαγμα πρέπει νά μπῆ καλά στό μυαλό (του, της, τους, κλπ). ***~ it in***, ἐπαναλαμβάνω κτ διαρκῶς: *I know I behaved foolishly but you needn't ~ it in*, ξέρω ὅτι φέρθηκα ἀνόητα ἀλλά δέν εἶναι ἀνάγκη νά μοῦ τό κοπανᾶς διαρκῶς.
rub off, τρίβω, ξεγδέρνω, ξεφτάω: *~ the skin off one's knee*, ξεγδέρνω τό γόνατό μου.
rub out, βγάζω/σβύνω τρίβοντας: *~ out stains/words*, βγάζω λεκέδες/σβύνω λέξεις.
rub up, γυαλίζω (πχ ἀσημικά), φρεσκάρω (πχ μιά γλῶσσα). ***~ sb (up) the right/wrong way***, μαλακώνω/ἐρεθίζω κπ.

rub-a-dub /ˈrʌb ə ˋdʌb/ *οὐσ.* ‹U› τυμπανοκρουσία, τα-ρα-μπα-μπάμ.

rub·ber /ˋrʌbə(r)/ *οὐσ.* **1**. ‹U› λάστιχο, καουτσούκ: ˋ*~ plantations*, φυτεῖες καουτσούκ. *~ bands*, λαστιχάκια, καλτσοδέτες. *~ gloves*, λαστιχένια γάντια. ˋ**~-neck**, (*καθομ.*) χαζοτουρίστας (πού γυρίζει διαρκῶς τό κεφάλι του δεξιά-ἀριστερά). ˈ**~-ˋstamp** *ρ.μ.* (*καθομ.*) ἐγκρίνω ἀνεξέταστα. **2**. ‹C› γομολάστιχα, σβυστήρι. **3**. (*πληθ.*) γαλότσες. __*ρ.μ.* (*καί* **~·ize** /-aɪz/) καλύπτω μέ καουτσούκ.

rub·bing /ˋrʌbɪŋ/ *οὐσ.* ‹C› ἀντιγραφή/ἀποτύπωμα διά τριβῆς.

rub·bish /ˋrʌbɪʃ/ *οὐσ.* ‹U› **1**. σκουπίδια, ἀπορρίμματα: *a ~-bin/-cart*, τενεκές/κάρρο ἀπορριμμάτων. **2**. ἀνοησίες, σαχλαμάρες: *talk ~*, λέω ἀνοησίες. *That's all ~!* αὐτά εἶναι ὅλα ἀνοησίες. **~y** *ἐπ.* (*καθομ.*) ἄχρηστος, σαχλός.

rubble /ˋrʌbl/ *οὐσ.* ‹U› χαλίκι (πχ γιά δρόμους), χαλάσματα, μπάζα: *buildings reduced to ~ by bombing*, κτίρια πού ἔγιναν σωροί ἐρειπίων ἀπό βομβαρδισμό.

Ru·bi·con /ˋrubɪkən/ *οὐσ.* ποταμός Ρουβίκων. ***pass/cross the ~***, διαβαίνω τόν Ρουβίκωνα, παίρνω τή μεγάλη ἀπόφαση.

ru·bi·cund /ˋrubɪkənd/ *ἐπ.* κόκκινος (στό πρόσωπο).

ruble *οὐσ.* *βλ.* *rouble.*

ru·bric /ˋrubrɪk/ *οὐσ.* ‹C› (*τυπογρ.*) ρουμπρίκα.

ruby /ˋrubɪ/ *οὐσ.* ‹C› ρουμπίνι. __*ἐπ.* ρουμπινένιος.

[1]**ruck** /rʌk/ *οὐσ.* **the (common) ~**, ἡ μάζα, ὁ κοσμάκης.

[2]**ruck** /rʌk/ *οὐσ.* ‹C› ζάρα, πτυχή. __*ρ.μ/ἀ.* ζαρώνω, τσαλακώνω/-ομαι: *Your dress is all ~ed up*, τό φόρεμά σου εἶναι πολύ τσαλακωμένο.

ruck·sack /ˋrʌksæk/ *οὐσ.* ‹C› σακκίδιο.

ruc·tions /ˋrʌkʃnz/ *οὐσ. πληθ.* διαμαρτυρίες, φασαρίες, καυγᾶς: *There'll be ~ if ...*, θά γίνη φασαρία ἄν...

rud·der /ˋrʌdə(r)/ *οὐσ.* ‹C› πηδάλιο (πλοίου, ἀεροπλάνου).

ruddy /ˋrʌdɪ/ *ἐπ.* *(-ier, -iest)* **1**. κόκκινος (στό πρόσωπο), κοκκινωπός: *~ cheeks*, κόκκινα μάγουλα. *be in ~ health*, λάμπω ἀπό ὑγεία. *a ~ glow in the sky*, μιά κόκκινη ἀνταύγεια στόν οὐρανό. **2**. (*εὐφημ. γιά bloody*) διάβολο-, ἀναθεματισμένος: *What the ~ hell do you mean?* τί διάβολο θέλεις νά πῆς;

rude /rud/ *ἐπ.* *(-r, -st)* **1**. ἀγενής, ἀγροῖκος: *It's ~ to interrupt people*, εἶναι ἀγένεια νά διακόπτης τούς ἄλλους. *~ manners*, ἀγροῖκοι τρόποι. *Don't be ~ to your teacher*, μήν εἶσαι ἀγενής στό δάσκαλό σου. **2**. βίαιος, ἀπότομος: *get a ~ shock*, δοκιμάζω βίαιο κλονισμό. ***a ~ awakening***, (*μεταφ.*) ἀπότομη/δυσάρεστη προσγείωση στήν πραγματικότητα. **3**. πρωτόγονος, χοντροκομμένος, ἀκατέργαστος, τραχύς: *our ~ forefathers*, οἱ πρωτόγονοι πρόγονοί μας. *~ ornaments*, χοντροκομμένα στολίδια. *cotton in its ~ state*, βαμβάκι στήν ἀκατέργαστη μορφή του. *~ style*, τραχύ ὕφος. **4**. ρωμαλέος: *~ health*, ρωμαλέα ὑγεία. **~·ly** *ἐπίρ.* μέ ἀγένεια, τραχιά, ἀπότομα, ἀδέξια, ἄτεχνα. **~·ness** *οὐσ.* ‹U› ἀγένεια, τραχύτης, πρωτογονισμός.

ru·di·ment /ˋrudɪmənt/ *οὐσ.* ‹C› **1**. (*πληθ.*) στοιχεῖα, πρῶτες γνώσεις: *the ~s of grammar*, στοιχεῖα (τά βασικά τῆς) γραμματικῆς. **2**. ὑποτυπώδης μορφή: *the ~ of a tail*, ὑποτυπώδης/ἀτροφική οὐρά. **ru·di·men·tary** /ˈrudɪˋmentrɪ/ *ἐπ.* στοιχειώδης, ὑποτυπώδης: *~ary knowledge*, στοιχειώδεις γνώσεις.

[1]**rue** /ru/ *οὐσ.* ‹U› (*βοτ.*) ἀπήγανος.

[2]**rue** /ru/ *ρ.μ.* (*πεπαλ. ἤ λογοτ.*) μετανοιώνω: *You'll live to ~ it*, θά τό μετανοιώσης μιά μέρα. **~·ful** /ˋru-fl/ *ἐπ.* θλιμμένος, μετανοιωμένος, θλιβερός: *a ~ful smile*, θλιμμένο χαμόγελο. **~·fully** /ˋru-fəlɪ/ *ἐπίρ.*

ruff /rʌf/ *οὐσ.* ‹C› περιλαίμιο, τραχηλιά.

ruf·fian /ˋrʌfɪən/ *οὐσ.* ‹C› κακοποιός, μαχαιροβγάλτης, μπράβος. **~·ly** *ἐπ.* κακοποιός, βάναυσος, ἐγκληματικός (πχ συμπεριφορά, ἐμφάνισις). **~·ism** /-ɪzm/ *οὐσ.* ‹U› ἐγκληματικότης.

ruffle /ˋrʌfl/ *ρ.μ./ἀ.* ***~ (up)***, ἀνακατεύω, (ἀνα)ταράζω, ἀναστατώνω/-ομαι: *~ up sb's hair*, ἀνακατεύω τά μαλλιά κάποιου, τόν ἀναμαλλιάζω. *The bird ~d up its feathers*, τό πουλί φούσκωσε τά φτερά του. *A breeze ~d the surface of the lake*, ἕνα ἀεράκι ἀνατάραξε τήν ἐπιφάνεια τῆς λίμνης. *You ~ too easily*, ἀναστατώνεσαι/πειράζεσαι πολύ εὔκολα. __*οὐσ.* ‹C› **1**. ἀνακάτωμα, (ἀνα)ταραχή, ἐκνευρισμός, ρυτίδωσις. **2**. τραχηλιά.

rug /rʌg/ *οὐσ.* ‹C› **1**. χαλάκι, κιλίμι: *a* ˋ*hearth-~*, χαλάκι μπροστά στό τζάκι. **2**. κουβέρτα, χράμι: *a* ˋ*travelling-~*, κουβέρτα γιά τά πόδια (σέ ταξίδι).

rug·ged /ˋrʌgɪd/ *ἐπ.* **1**. ἀνώμαλος, ἀπότομος, πετρώδης: *a ~ coast*, ἀπότομη, βραχώδης ἀκτή. *~ land*, ἀνώμαλο, πετρῶδες ἔδαφος. **2**. ἁδρός, βασανισμένος, αὐλακωμένος: *a ~ face*, αὐλακωμένο πρόσωπο. **3**. τραχύς ἀλλά καλόκαρδος: *a ~ old peasant*, τραχύς τίμιος γερο-χωρικός. **~·ly** *ἐπίρ.* τραχιά. **~·ness** *οὐσ.* ‹U› τραχύτης.

rug·ger /ˋrʌgə(r)/ *οὐσ.* ‹U› (*καθομ.*) ράγκμπυ φουτμπώλ.

ruin /ˋruɪn/ *οὐσ.* **1**. ‹U› καταστροφή, ἀφανισμός: *the ~ of her hopes*, ὁ ἀφανισμός τῶν ἐλπίδων της. *Gambling was his ~*, ἡ χαρτοπαιξία ἦταν ἡ καταστροφή του. **2**. ‹C,U› ἐρείπιο, συντρίμι: *The castle has fallen into ~/in ~s*, τό κάστρο ἔχει ἐρειπωθῆ. (*βλ.* & *λ.* [2]*rack*). __*ρ.μ.* καταστρέφω: *~ one's eyes/prospects*, καταστρέφω τά μάτια μου/τό μέλλον μου. *The storm has ~ed the crops*, ἡ θύελλα κατάστρεψε τά σπαρτά/τή σοδειά. *I'm ~ed*, εἶμαι κατεστραμμένος, καταστράφηκα. **~·ation** /ˈruiˋneɪʃn/ *οὐσ.* ‹U› ὄλεθρος, ρήμαγμα, καταστροφή: *The frosts mean ~ation to the fruit farmers,* οἱ παγωνιές σημαίνουν ὄλεθρο γιά τους φρουτοπαραγωγούς. **~·ous** /-əs/ *ἐπ.* ὀλέθριος, καταστροφικός, ἐρειπωμένος: *~ous folly,* ὀλέθρια ἀνοησία. *live in a ~ous house,* ζῶ σέ ἐρειπωμένο σπίτι. **~·ous·ly** *ἐπίρ.*

[1]**rule** /rul/ *οὐσ.* **1**. ‹C› κανόνας, κανονισμός: *the ~s of the game,* οἱ κανόνες τοῦ παιχνιδιοῦ. *It's against the ~s to...,* ἀποτελεῖ παραβίαση τοῦ κανονισμοῦ νά... *school/hospital ~s,* κανονισμός σχολείου/νοσοκομείου. ***according to ~; by ~***, σύμφωνα μέ τόν κανονισμό/μέ τούς κανόνες: *He does everything by ~,* ἐνεργεῖ πάντα σύμφωνα μέ τούς κανόνες. ***work to ~***, δουλεύω σύμφωνα μέ τόν κανονισμό (γιά σκόπιμη ἐπιβράδυνση τῆς παραγωγῆς). **ˋ~ book**, κανονισμός (τό βιβλίο). (*βλ.* & *λ.* *road, thumb*). **2**. ‹C› κανόνας, συνήθεια: *My ~ is to get up early,* τό ἔχω κανόνα νά σηκώνομαι νωρίς. *Rainy weather is the ~ here in July,* ὁ βροχερός καιρός εἶναι κανόνας ἐδῶ τόν Ἰούλιο. ***make it a ~ to do sth; make a ~ of doing sth***, τὄχω σάν κανόνα νά: *He makes it a ~ to go/He makes a ~ of going for a walk every morning,* τὄχει κανόνα νά πηγαίνη περίπατο κάθε πρωΐ. ***as a ~***, κατά κανόνα, συνήθως. **3**. ‹U› ἐξουσία, κυριαρχία, ἀρχή: *the ~ of the people,* ἡ ἐξουσία τοῦ λαοῦ. *under French ~,* ὑπό Γαλλικήν κυριαρχία. *the ~ of law,* ἡ ἀρχή/τό κράτος τοῦ νόμου. **4**. ‹C› κανών, χάρακας, ρίγα, μέτρο: *a folding ~,* μέτρο πού διπλώνει. *a ˋslide-~,* λογαριθμικός κανών.

[2]**rule** /rul/ *ρ.μ/ὰ.* **1**. ***~ (over)***, κυβερνῶ, διοικῶ: *King Charles I ~d (England) for 11 years without a parliament,* ὁ Βασιλεύς Κάρολος Α! κυβέρνησε (τήν Ἀγγλία) ἐπί 11 χρόνια χωρίς κοινοβούλιο. *Mrs Rowdy ~s her husband,* ἡ κ. Ρ. κυβερνάει τόν ἄντρα της. *~ over a vast empire,* κυβερνῶ σέ μιά ἀπέραντη αὐτοκρατορία. **2**. (*κυρίως στήν παθ. φωνή*) καθοδηγῶ, διέπω, ἐξουσιάζω: *He is ~d by his passions,* ἐξουσιάζεται ἀπό τά πάθη του. **3**. ἀποφαίνομαι, βγάζω ἀπόφαση, ὁρίζω: *The chairman ~d the motion out of order,* ὁ πρόεδρος ἀπεφάνθη ὅτι ἡ πρότασις εἶναι ἐκτός κανονισμοῦ. ***~ out***, ἀποκλείω: *That's a possibility that can't be ~d out,* εἶναι ἕνα ἐνδεχόμενο πού δέν μπορεῖ νά ἀποκλεισθῆ. **4**. ριγώνω, χαρακώνω: *~d paper,* χαρακωμένο χαρτί. *~ a line,* τραβῶ μιά γραμμή μέ τό χάρακα. ***~ sth off***, χωρίζω κτ μέ μιά γραμμή. **5**. διαμορφοῦμαι (σέ ὡρισμένο ὕψος): *Prices ~d high,* οἱ τιμές διαμορφώθηκαν ψηλά/κινήθηκαν ψηλά.

ruler /ˈrulə(r)/ *οὐσ.* ‹C› **1**. κυβερνήτης. **2**. χάρακας.

rul·ing /ˈrulɪŋ/ *ἐπ.* **1**. κυβερνῶν, ἄρχων: *the ~ class,* ἡ ἄρχουσα τάξις. **2**. κυριαρχῶν, δεσπόζων: *His ~ passion is politics,* τό κυρίαρχο πάθος του εἶναι ἡ πολιτική. *__οὐσ.* ‹C› ἀπόφασις (*ἰδ.* δικαστοῦ).

[1]**rum** /rʌm/ *οὐσ.* ‹U› ρούμι. **ˋ~-runner**, λαθρέμπορος οἰνοπνευματωδῶν.

[2]**rum** /rʌm/ *οὐσ.* ‹U› & *ἐπ.* *(-mer, -mest)* (*καθομ.*) παράξενος, ἀλλόκοτος, περίεργος: *He's a ~ fellow,* εἶναι περίεργος τύπος. **~my** *ἐπ.* παράξενος, ἀλλόκοτος.

rumba /ˈrʌmbə/ *οὐσ.* ‹C› (*πληθ.* *~s*) ρούμπα (χορός).

rumble /ˈrʌmbl/ *ρ.μ/ὰ.* **1**. βροντῶ ὑπόκωφα: *We heard thunder rumbling in the distance,* ἀκούσαμε τόν κεραυνό νά βροντάη ὑπόκωφα μακριά. *A heavy cart ~d past,* ἕνα βαρύ κάρο προσπέρασε μέ βαρύ κρότο. **2**. (*γιά κοιλιά*) γουργουρίζω. **3**. ***~ out/forth***, μιλῶ βαριά: *He ~d forth a few remarks,* ἔκαμε λίγες παρατηρήσεις μέ βαρειά ὑπόκωφη φωνή. *__οὐσ.* ‹U› ὑπόκωφη βροντή, βουή, μπουμπούνισμα.

rum·bus·tious /rʌmˋbʌstʃəs/ *ἐπ.* θορυβώδης.

ru·mi·nant /ˈruminənt/ *ἐπ.* & *οὐσ.* ‹C› μηρυκαστικόν.

ru·mi·nate /ˈrumineɪt/ *ρ.ὰ.* **1**. (*γιά ζῶο*) μηρυκάζω, ἀναχαράζω. |**2**. (*γιά ἄνθρ.*) ἀναμασῶ, σκέπτομαι καί ξανασκέπτομαι κτ: *~ over/about/on recent events,* ξαναγυρίζω διαρκῶς στό νοῦ μου τά τελευταῖα γεγονότα. **ru·mi·na·tive** /ˈruminətɪv/ *ἐπ.* στοχαστικός. **ru·mi·na·tion** /ˈrumiˋneɪʃn/ *οὐσ.* ‹U› σκέψις, συλλογή, μηρυκασμός.

rum·mage /ˈrʌmɪdʒ/ *ρ.μ/ὰ.* **1**. ψάχνω, ἀνασκαλεύω: *~ in a desk drawer,* ψάχνω σ'ἕνα συρτάρι γραφείου. **2**. ἐρευνῶ: *~ a ship,* ἐρευνῶ ἕνα πλοῖο (*πχ* οἱ τελωνοφύλακες). *__οὐσ.* ‹U› **1**. ψάξιμο, ἔρευνα. **2**. φθαρμένα παλιοπράγματα. **ˋ~ sale**, ἐκποίησις μεταχειρισμένων (σέ φιλανθρωπική γιορτή).

rummy /ˈrʌmi/ *ἐπ.* *βλ.* [2]*rum.* *__οὐσ.* ‹U› (*χαρτοπ.*) ραμί.

ru·mour /ˈrumə(r)/ *οὐσ.* ‹C,U› φήμη, διάδοσις: *All sorts of ~s are going around,* κυκλοφοροῦν ὅλων τῶν λογιῶν οἱ φῆμες. *There's a ~ that...,* ὑπάρχει ἡ διάδοσις ὅτι... *R~ has it that...,* λέγεται/διαδίδεται ὅτι... **ˋ~-monger**, διαδοσίας, σπερμολόγος. *__ρ.μ.* (*συνήθ. παθ. φων.*) διαδίδω: *It is ~ed that he died; He is ~ed to have died,* διαδίδεται (φημολογεῖται) ὅτι πέθανε.

rump /rʌmp/ *οὐσ.* ‹C› **1**. γλουτοί, καπούλια, ὀπίσθια. **ˈ~-ˋsteak**, κόντρα φιλέτο. **2**. ἀπομεινάρι (*πχ* κόμματος, κλπ).

rumple /ˈrʌmpl/ *ρ.μ.* τσαλακώνω (φόρεμα), ἀνακατώνω (μαλλιά).

rum·pus /ˈrʌmpəs/ *οὐσ.* (*καθομ., μόνον ἑν.*) φασαρία, σαματᾶς, καυγᾶς: *What's all this ~ about?* γιατί ὅλος αὐτός ὁ σαματᾶς; ***kick up/make a ~***, στήνω καυγᾶ, κάνω σαματᾶ.

[1]**run** /rʌn/ *οὐσ.* ‹C› **1**. τρέξιμο: *go for a short ~,* πάω νά τρέξω λίγο. ***at a ~***, τρέχοντας: *He started off at a ~,* ξεκίνησε τρέχοντας. ***on the ~***, *(α)* σέ φυγή: *We have the enemy on the ~,* ἔχομε τρέψει τόν ἐχθρό σέ φυγή, τόν κυνηγᾶμε. *He is on the ~ from the police,* τόν κυνηγάει ἡ ἀστυνομία. *(β)* ἐπί ποδός, σέ διαρκῆ κίνηση: *I've been on the ~ ever since I got up,* εἶμαι σέ διαρκῆ κίνηση ἀπό τήν ὥρα πού σηκώθηκα. ***with a ~***, μέ ταχύτητα, μέ ὁρμή: *Prices came down with a ~,* οἱ τιμές κατρακύλησαν. ***a ~ on a bank***, τρεχάλα/συρροή κόσμου σέ Τράπεζα (γιά ν'ἀποσύρουν τίς καταθέσεις τους). ***break into a ~***, ἀρχίζω νά τρέχω. ***get/give sb a (good) ~ for his money***, παίρνω κτ ὡς

ἀνταμοιβή τῶν κόπων ἤ τῶν χρημάτων μου/ ζορίζω κπ (*ἰδ.* σέ συναγωνισμό). **2**. βόλτα (μέ αὐτοκίνητο, τραῖνο, κλπ), δρόμος, διαδρομή, πορεία: *a ~ to Paris*, μιά βόλτα ὥς τό Παρίσι. *It's two hours' ~ by train*, εἶναι δυό ὧρες δρόμος μέ τό τραῖνο. *a day's ~ by boat*, διαδρομή μιᾶς ἡμέρας μέ τό πλοῖο. *a trial ~ of a car*, δοκιμαστική διαδρομή αὐτοκινήτου. *The ship was taken off its usual ~*, τό πλοῖο βγῆκε ἀπό τή συνηθισμένη του πορεία. **3**. μακρά σειρά, διαδοχή (παραστάσεων, τύχης, κλπ): *The play will have a long ~*, τό ἔργο θά κρατήση (θά παίζεται) πολύ. *a ~ of bad luck*, σειρά ἀτυχιῶν. ***in the long ~***, μακροπροθέσμως: *In the long ~ it pays to buy expensive things*, μακροπροθέσμως εἶναι συμφερώτερο ν' ἀγοράζη κανείς ἀκριβά πράγματα. **4**. μαντρί, αὐλή (γιά ζῶα): *a `sheep-~*, μαντρί προβάτων. *a `chicken-~* κοτέτσι μέ αὐλή. **5**. **the common ~**, συνηθισμένο μέτρο, κοινός τύπος: *a hotel out of the common ~*, ἐξαιρετικό ξενοδοχεῖο (πάνω ἀπό τό συνηθισμένα μέτρα). *the common ~ of men*, οἱ συνηθισμένοι ἄνθρωποι. **'~-of-the-`mill**, κοινός, συνηθισμένος. **6**. (*καθομ.*) ἐλευθέρα χρῆσις/εἴσοδος, τό ἐλεύθερο: *I have the ~ of his library*, ἔχω τό δικαίωμα νά χρησιμοποιῶ ἐλεύθερα τή βιβλιοθήκη του. *He gave me the ~ of his house*, μοῦ ἔδωσε τό ἐλεύθερο νά μπαίνω ὅποτε θέλω σπίτι του. **7**. τάσις, κατεύθυνσις: *The ~ of the market was against us*, ἡ τάσις τῆς ἀγορᾶς ἦταν ἐναντίον μας. *The ~ of the cards favoured me most of the evening*, τό χαρτί μέ εὐνόησε τό περισσότερο μέρος τῆς βραδυᾶς. **8**. (*μουσ.*) σειρά νότες (παιζόμενες γρήγορα). **9**. κοπάδι ψαριῶν ἐν κινήσει.

²**run** /rʌn/ *ρ.μ/ἀ. ἀνώμ.* (*ἀόρ. ran* /ræn/, *π.μ. ~*) *(-nn-)* **1**. τρέχω: *~ hard/fast*, τρέχω γρήγορα. *He ran/came ~ning to meet us*, ἦλθε τρέχοντας νά μᾶς ὑποδεχθῆ. *He ran to our help/aid*, ἔσπευσε σέ βοήθειά μας. *Who's left the tap ~ning?* ποιός ἄφησε τή βρύση ἀνοιχτή (νά τρέχη); *Dick, your nose is ~ning – use your hanky*, Ντίκ, ἡ μύτη σου τρέχει – σκούπισέ την μέ τό μαντήλι σου. *The floor was ~ning with water*, τό νερό ἔτρεχε στό πάτωμα. ***~ a bath***, γεμίζω τήν μπανιέρα μέ νερό. ***~ (in) a race***, τρέχω σέ ἀγῶνες δρόμου. ***take a ~ning jump***, κάνω ἅλμα μέ φόρα, (*λαϊκ. στήν προστακτική*) ἄντε νά κουρεύεσαι! ***~ for it***, τρέχω γιά ν' ἀποφύγω κάτι (πχ βροχή, κλπ). ***cut and ~***, τό βάζω στά πόδια: *They cut and ran when the police charged*, τὄβαλαν στά πόδια ὅταν ἐπετέθη ἡ ἀστυνομία. ***a ~ning fight***, μάχη ἐν ὑποχωρήσει (μεταξύ καταδιωκόντων καί καταδιωκομένων). ***~ sb hard/close***, συναγωνίζομαι κπ ἐπιτυχῶς: *We ~ our competitors close for price and quality*, εἴμαστε ἰσάξιοι τῶν ἀνταγωνιστῶν μας σέ τιμή καί ποιότητα. ***~ sb (clean) off his feet/legs***, (*καθομ.*) ξεποδαριάζω κπ, τόν ξεθεώνω στό δρόμο. ***~ oneself/sb into the ground***, ἐξαντλοῦμαι/ἐξαντλῶ κπ (ἀπό τήν πολλή δουλειά, γυμναστική, κλπ). ***~ the streets***, τρέχω στούς δρόμους (*ἰδ.* γιά παιδιά). ***~ the chance/danger of***, ἔχω τήν πιθανότητα/τόν κίνδυνο νά... *You ~ the chance/danger of being suspected of theft*, ὑπάρχει ἡ πιθανότητα/ὁ κίνδυνος νά σέ ὑποπτευθοῦν γιά κλοπή. (*βλ. & λ.* ¹*course, earth, life, rapids, risk*). **2**. ἐκθέτω ὑποψηφιότητα: *He will ~ for President/Mayor/Parliament*, θά πάη γιά Πρόεδρος/Δήμαρχος/Βουλευτής. *How many candidates is the Liberal Party ~ning in the General Election?* πόσους ὑποψηφίους ἔχει τό Φιλελεύθερο Κόμμα στίς Βουλευτικές Ἐκλογές; **3**. κινοῦμαι, (*γιά πλοῖο*) πλέω, (*γιά τραῖνα, κλπ*) κάνω δρομολόγιο: *Trams ~ on rails*, τά τράμ κινοῦνται πάνω σέ ράγες. *Our ship ran into port for supplies*, τό πλοῖο μας κατέπλευσε σέ λιμάνι γιά ἀνεφοδιασμό. *The buses ~ every five minutes*, τά λεωφορεῖα ἔχουν δρομολόγιο κάθε πέντε λεπτά. *They ~ extra trains during the holidays*, δρομολογοῦν ἔκτακτα τραῖνα στίς γιορτές. **4**. πέφτω/ρίχνω ἐπάνω εἰς: *The ship ran on the rocks*, τό πλοῖο ἔπεσε πάνω στά βράχια. *The two boats ran foul of each other*, τά δύο πλοῖα συγκρούστηκαν. *The car ran into the wall*, τό αὐτοκίνητο ἔπεσε πάνω σ' ἕνα τοῖχο. *He ran his head against a glass door*, χτύπησε τό κεφάλι του πάνω σέ μιά γυάλινη πόρτα. **5**. λειτουργῶ: *Don't leave the engine of your car ~ning*, μήν ἀφήνης τή μηχανή τοῦ αὐτοκινήτου σου ἀναμμένη (ἐν λειτουργίᾳ). *The works have ceased ~ning*, τό ἐργοστάσιο ἔπαψε νά λειτουργῆ. *His life has ~ smoothly up to now*, ἡ ζωή του κύλισε ὁμαλά ὥς τώρα. *I can't afford to ~ a car*, δέν ἔχω τά μέσα νά συντηρήσω (νά κρατήσω σέ λειτουργία) αὐτοκίνητο. **`~ning costs**, τρέχοντα ἔξοδα, ἔξοδα λειτουργίας. **6**. διευθύνω: *~ a business/school/theatre*, διευθύνω μιά ἐπιχείρηση/ἕνα σχολεῖο/ἕνα θέατρο. *He is ~ by his secretary*, τόν διευθύνει ἡ γραμματεύς του. ***~ the show***, (*καθομ.*) εἶμαι τ' ἀφεντικό, κάνω κουμάντο. **7**. μεταφέρω, πηγαίνω: *I'll ~ you back home*, θά σέ πάω πίσω σπίτι (πχ μέ τ' αὐτοκίνητό μου). ***~ errands/messages (for sb)***, κάνω θελήματα γιά κπ, πηγαίνω παραγγελίες. ***~ arms/liquor***, κάνω λαθρεμπόριο ὅπλων/ποτῶν. ***~ contraband***, κάνω λαθρεμπόριο. ***~ a blockade***, διασπῶ ἀποκλεισμό. **8**. (δια)περνῶ, διατρέχω: *He ran his fingers through his hair/over the keys of the piano*, πέρασε τά δάχτυλά του μέσα στά μαλλιά του/πάνω ἀπό τά πλῆκτρα τοῦ πιάνου. *She ran her eyes over the page*, διέτρεξε τή σελίδα μέ τά μάτια της. *The thought kept ~ning through my head*, ἡ σκέψη περνοῦσε συνεχῶς (στριφογύριζε) στό μυαλό μου. *A shiver ran down my spine*, ἕνα ρῖγος διέτρεξε τή σπονδυλική μου στήλη. *He ran his sword through the rider/He ran him through with his sword*, ἔμπηξε τό ξῖφος του στόν καβαλλάρη/τόν διαπέρασε μέ τό ξῖφος του. ***It ~s in the family/blood***, τὄχει ἡ οἰκογένειά του/μέσ' στό αἷμα του. **9**. γίνομαι, περιέρχομαι (σέ ὡρισμένη κατάσταση): *My blood ran cold*, τό αἷμα μου πάγωσε. *The stream ~s dry in summer*, τό ποτάμι ξεραίνεται τό καλοκαίρι. *Supplies are ~ning short/low*, τά ἐφόδια λιγοστεύουν. *I've ~ short of money*, μοῦ λείψανε χρήματα. (*βλ. & λ. riot, temperature, wild*). **10**. ἐκτείνομαι, ἁπλώνομαι, διαρκῶ: *A scar ~s*

across his right cheek, μιά οὐλή ἐκτείνεται σ' ὅλο τό δεξί του μάγουλο. *There was a wall ~ning all round the house*, ὑπῆρχε ἕνας τοῖχος πού ἁπλωνόταν ὁλόγυρα στό σπίτι. *Will the colours ~ if the dress is washed?* θ' ἁπλώσουν τά χρώματα ἄν πλυθῆ τό φόρεμα; *The play ran (for) ten months*, τό ἔργο κράτησε (παιζόταν) δέκα μῆνες. *The lease of my house has only a year to ~*, ἡ μίσθωσις τοῦ σπιτιοῦ μου θά διαρκέση ἕνα χρόνο ἀκόμη (λήγει σ' ἕνα χρόνο). ***~ning***, συνέχεια, συνεχῶς: *He hit the target ten times ~ning*, πέτυχε τό στόχο δέκα φορές συνέχεια. **'~ning `commentary**, συνεχής σχολιασμός: *keep up a ~ning commentary of a football match*, σχολιάζω βῆμα πρός βῆμα ἕναν ποδοσφαιρικό ἀγῶνα. **11**. ἔχω τάση νά εἶμαι: *This author ~s to sentiment*, αὐτός ὁ συγγραφεύς ἔχει τάση πρός τόν συναισθηματισμό. *Apples ~ rather small this year*, τά μῆλα εἶναι κάπως μικρά φέτος. *Prices for fruit are ~ning high*, οἱ τιμές τῶν φρούτων εἶναι ψηλά. **12**. (*γιά κείμενο, ἱστορία, κλπ*) ἔχω, λέγω: *The story ~s that...*, λέγεται ὅτι, ἡ ἱστορία λέει ὅτι... *The document ~s in these terms*, τό ἔγγραφο λέει τά ἑξῆς/ἔχει ὡς ἑξῆς. *I forget how the next verse ~s*, δέν θυμᾶμαι πῶς πάει ὁ ἑπόμενος στῖχος. **13**. (*γιά πλεκτά*) ξεπλέκομαι, χαλῶ: *Nylon stockings ~ easily*, οἱ κάλτσες νάϋλον χαλᾶν εὔκολα (φεύγουν εὔκολα οἱ πόντοι). **14**. (*μέ ἐπιρ. καί προθέσεις*):

run across, βρίσκω/συναντῶ τυχαῖα: *~ across an old photograph/friend*, βρίσκω τυχαῖα μιά παληά φωτογραφία/συναντῶ τυχαῖα ἕναν παληό φίλο.

run after, κυνηγῶ, τρέχω πίσω ἀπό: *~ after women*, κυνηγῶ τίς γυναῖκες. *~ after a bus*, τρέχω πίσω ἀπό ἕνα λεωφορεῖο.

run against sb, ἔχω κπ ὡς ἀντίπαλο (*ἰδ.* στίς ἐκλογές).

run along, (*καθομ.*) φεύγω: *Now, children, ~ along!* καί τώρα παιδιά, δρόμο!

run at sb, ὁρμῶ ἐναντίον κάποιου.

run away, φεύγω, τό στρίβω, τό σκάω: *Don't ~ away – I want your advice*, μή φεύγεις, χρειάζομαι τή συμβουλή σου. *~ away from school*, τό σκάω ἀπό τό σχολεῖο. ***~ away with sb***, *(α)* ἀπάγομαι μέ κπ: *He ran away with his boss's daughter*, κλέφτηκε (τὄσκασε) μέ τή θυγατέρα τοῦ ἀφεντικοῦ του. *(β)* ξεφεύγω ἀπό τόν ἔλεγχο, ἀφηνιάζω: *Don't let your horse/car ~ away with you*, μήν ἀφήσης τό ἄλογό σου/τό αὐτοκίνητό σου νά σοῦ ξεφύγη ἀπό τόν ἔλεγχο. *Don't let your temper ~ away with you*, μήν ἀφήσης τό θυμό σου νά σέ παρασύρη, μή χάνης τήν αὐτοκυριαρχία σου. ***~ away with sth***, παίρνω, βουτάω, κλέβω: *This project will ~ away with a lot of money*, αὐτό τό σχέδιο θά πάρη (θά ἀπαιτήση) ἕνα σωρό λεφτά. *She ran away with the first prize*, πῆρε/βούτηξε τό πρῶτο βραβεῖο. *The maid ran away with the silver cutlery*, ἡ ὑπηρέτρια τὄσκασε μέ τ' ἀσημένια μαχαιροπήρουνα. ***~ away with the idea/notion***, μοῦ περνάει ἀπό τό νοῦ, ἔχω τήν ἰδέα: *Don't ~ away with the idea that I will always pay your debts*, μή φαντάζεσαι/μήν ἔχεις τήν ἰδέα ὅτι θά πληρώνω διαρκῶς τά χρέη σου.

run back, ξανατυλίγω (φίλμ, ταινία, κασέτα, κλπ). ***~ back over sth***, ξαναγυρίζω, ξαναφέρνω στό νοῦ: *~ back over the past*, ξαναγυρίζω στό παρελθόν.

run down, *(α)* (*γιά ρολόϊ*) ξεκουρδίζομαι: *The clock has ~ down – it needs rewinding*, τό ρολόϊ ξεκουρδίστηκε – θέλει κούρδισμα. *(β)* (*γιά μπαταρία*) ἀδειάζω: *The battery has ~ down – it needs recharging*, ἡ μπαταρία ἔχει ἀδειάσει – θέλει γέμισμα. *(γ)* (*γιά ἄνθρ.*) ἐξαντλοῦμαι: *He is/feels/looks quite ~ down*, εἶναι/αἰσθάνεται/δείχνει τελείως ἐξαντλημένος. *(δ)* χτυπῶ καί ρίχνω κάτω: *He was ~ down by a lorry*, τόν χτύπησε ἕνα φορτηγό. ***~ sb down***, *(α)* κακολογῶ, διασύρω: *She keeps ~ning down her boss*, διαρκῶς κακολογεῖ τ' ἀφεντικό της. *(β)* πιάνω κπ (ὕστερα ἀπό καταδίωξη): *The police ran all the gang down*, ἡ ἀστυνομία κυνήγησε κι ἔπιασε ὅλη τή συμμορία. ***~ sth down***, κόβω (τήν ἔνταση, δουλειά, κλπ): *They'll ~ down the dockyard*, θά κόψουν (θά μειώσουν) τή δουλειά στά ναυπηγεῖα. **`~-down**, περικοπή, μείωσις, (*καθομ.*) λεπτομερής ἐξήγησις.

run in, κάνω σύντομη ἐπίσκεψη (μέ αὐτοκίνητο): *I'll ~ in and see you this evening*, θά περάσω νά σέ δῶ ἀπόψε. ***~ sb in***, (*καθομ.*) κλείνω κπ μέσα (φυλακή): *The drunken man was ~ in*, τόν κλεῖσαν μέσα τό μεθυσμένο. ***~ sth in***, στρώνω (μιά μηχανή): *The engine is not yet ~ in*, ἡ μηχανή δέν ἔχει ἀκόμα στρώσει. **'~ning-`in** *οὐσ.* ‹U› ροντάρισμα, στρώσιμο (μηχανῆς).

run into, *(α)* πέφτω/ρίχνω ἐπάνω εἰς, τρακάρω: *~ into an old friend*, πέφτω πάνω σ' ἕναν παληό φίλο. *The car ran into a tree*, τό αὐτοκίνητο ἔπεσε πάνω σ' ἕνα δέντρο. *He ran his car into a wall*, ἔρριξε τό αὐτοκίνητό του σ' ἕναν τοῖχο. *(β)* δημιουργῶ: *I never ~ into debt*, ποτέ δέν δημιουργῶ χρέη. *My wife never ~s me into unnecessary expense*, ἡ γυναίκα μου ποτέ δέν μοῦ δημιουργεῖ περιττά ἔξοδα. *(γ)* ἀνέρχομαι, φθάνω: *His income ~s into five figures*, τό εἰσόδημά του ἀνέρχεται σέ πενταψήφιο ἀριθμό. *This book has ~ into five editions*, αὐτό τό βιβλίο ἔχει φτάσει τίς πέντε ἐκδόσεις.

run off with sb/sth, κλέβω, τό σκάω: *The treasurer has ~ off with all the funds*, ὁ ταμίας τὄσκασε μέ ὅλα τά χρήματα. *She ran off with a married man*, τὄσκασε μ' ἕναν παντρεμένο. ***~ sth off***, *(α)* ἀδειάζω: *~ off the water after a bath*, ἀδειάζω τό νερό ὕστερα ἀπό ἕνα μπάνιο. *(β)* γράφω ἤ τυπώνω γρήγορα: *~ off an article for a periodical*, γράφω στά πεταχτά ἕνα ἄρθρο γιά ἕνα περιοδικό. *~ off a few hundred copies on the duplicating machine*, βγάζω στά γρήγορα λίγες ἑκατοντάδες ἀντίτυπα στόν πολύγραφο. ***~ off a heat***, ὀργανώνω ἐπαναληπτικό ἀγῶνα δρόμου. **`~-off**, ἐπαναληπτική κούρσα. ***~ off sb like water off a duck's back***, κτ μέ ἀφήνει ἐντελῶς ἀδιάφορο: *The scolding ran off him like water off a duck's back*, ἡ κατσάδα τόν ἄφησε ἐντελῶς ἀδιάφορο (δέν τοῦ κάηκε καρφί).

run on, *(α)* μιλῶ συνέχεια: *He will ~ on for hours if you don't stop him*, θά μιλάη ἐπί ὧρες ἄν δέ τόν σταματήσης. *(β)* περνῶ: *Time ran on*, ὁ καιρός περνοῦσε. *(γ)* συνεχίζω: *The epidemic ran on*, ἡ ἐπιδημία συνεχιζόταν. *(δ)* περιστρέφομαι, ἀφορῶ: *Our talk ran on the stituation in Italy*, ἡ κουβέντα μας περιεστράφη στήν κατάσταση στήν Ἰταλία. ~ ***the letters on***, γράφω μέ τά γράμματα ἑνωμένα.

run out, *(α)* ὑποχωρῶ: *The tide is ~ning out*, ἡ παλίρροια ὑποχωρεῖ. *(β)* λήγω: *The lease ~s out on the 31st July*, ἡ μίσθωσις λήγει στίς 31 Ἰουλίου. *(γ)* τελειώνω, ἐξαντλοῦμαι: *Our money has ~ out; We've ~ out of money*, τά λεφτά μας σώθηκαν. *My patience is ~ning out*, ἡ ὑπομονή μου ἐξαντλεῖται. *(δ)* προχωρῶ μέσα εἰς, ἐκτείνομαι: *A pier ~s out into the sea*, μιά ἀποβάθρα προχωρεῖ στή θάλασσα. ~ ***oneself out (of breath)***, λαχανιάζω, ἐξαντλοῦμαι. ~ ***out on sb***, *(λαϊκ.)* παρατάω κπ: *Poor Mary, her husband has ~ out on her*, τήν καϋμένη τή Μαίρη, τήν παράτησε ὁ ἄντρας της.

run over, *(α)* ξεχειλίζω: *The tank has ~ over*, τό ντεπόζιτο ξεχείλισε καί χύνεται. *(β)* πετάγομαι: *I'll ~ over (to the baker's) and buy some bread*, θά πεταχτῶ (στό φοῦρνο) ν' ἀγοράσω λίγο ψωμί. ~ ***over sb/sth***, *(γιά ὄχημα)* κόβω, χτυπῶ, πατῶ: *The lorry ran over his legs*, τό φορτηγό τοῦ ἔκοψε τά πόδια. *He was ~ over by a bus*, τόν πάτησε ἕνα λεωφορεῖο. ~ ***over sth***, διαβάζω στά πεταχτά: *He ran (his eyes) over his notes*, ἔρριξε μιά ματιά στίς σημειώσεις του.

run round, πετάγομαι: *~ round to a neighbour's*, πετάγομαι πλάϊ σ' ἕνα γείτονα.

run through, *(α)* διατρυπῶ. *(β)* ἐξαντλῶ: *He soon ran through his money*, ἐξάντλησε (τελείωσε) γρήγορα τά λεφτά του. *(γ)* ἐξετάζω γρήγορα: *He ran through his mail during breakfast*, ἔρριξε μιά γρήγορη ματιά στό ταχυδρομεῖο ἐνῷ προγευμάτιζε.

run to sth, *(α)* ἀνέρχομαι, συμποσοῦμαι: *The bills ~ to £100*, οἱ λογαριασμοί ἀνέρχονται σέ 100 λίρες. *(β)* ἐπαρκῶ: *Our funds won't ~ to a holiday abroad this year*, τά λεφτά μας δέν ἐπαρκοῦν γιά διακοπές στό ἐξωτερικό φέτος. *(γ)* φθάνω: *His new novel has already ~ to three volumes/to five impressions*, τό νέο του μυθιστόρημα ἔχει ἤδη φθάσει τούς τρεῖς τόμους/τίς πέντε ἀνατυπώσεις. ~ ***to fat***, ἔχω τάση πρός τό πάχος. ~ ***to ruin***, ἐρειπώνομαι. *(βλ. & λ. seed, ³waste)*.

run up, *(α)* ὑψώνω: *~ up a flag*, ὑψώνω σημαία. *(b)* φτιάχνω γρήγορα, σκαρώνω, στήνω: *~ up a dress/a garden shed*, φτιάχνω στά γρήγορα ἕνα φόρεμα/στήνω ἕνα καλύβι στόν κῆπο. *(γ)* προσθέτω (στήλη ἀριθμῶν). *(δ)* ἀνεβάζω (λογαριασμό), ἀνεβαίνω (ἐπί τιμῆς): *~ up a bidding/a hotel bill*, ἀνεβάζω τήν πλειοδοσία/τό λογαριασμό ξενοδοχείου. ~ ***up against sth***, πέφτω ἐπάνω εἰς, συναντῶ: *~ up against difficulties*, μοῦ τυχαίνουν/συναντῶ δυσκολίες. ~ ***up to***, ἀνέρχομαι, συμποσοῦμαι: *His debts ~ up to £1000*, τά χρέη του ἀνέρχονται σέ 1000 λίρες. ~ ***(up)on sth***, *(α)* *(γιά σκέψεις)* γυρίζω γύρω ἀπό: *His thoughts are always ~ning (up)on food*, οἱ σκέψεις του διαρκῶς γυρίζουν στό φαΐ. *(β)* προσκρούω: *The ship ran upon the rocks*, τό πλοῖο ἔπεσε πάνω στά βράχια.

run·away /ˋrʌnəweɪ/ *οὐσ.* ‹C› φυγάς, δραπέτης, ἄλογο ἀφηνιασμένο.

¹**rung** /rʌŋ/ *οὐσ.* ‹C› ὁριζόντιο πόδι (καρέκλας), σκαλί (κινητῆς σκάλας).

²**rung** /rʌŋ/ *π.μ. τοῦ ρ.* ²*ring.*

run·ner /ˋrʌnə(r)/ *οὐσ.* ‹C› **1**. δρομεύς. **ˋ~-ˋup**, δεύτερος νικητής (σέ διαγωνισμό), ἐπιλαχών. **2**. *(ὡς β! συνθ.)* λαθρέμπορος: *ˋgun-~*, λαθρέμπορος ὅπλων. *bloˋckade-~*, διασπαστής ἀποκλεισμοῦ. **3**. παραβλάσταρο. **4**. στενό μακρύ χαλί (γιά σκάλα) ἤ ὕφασμα (γιά μπουφέ). **5**. ὀλισθητήρ (ἑλκύθρου, χιονοπέδιλου).

run·ning /ˋrʌnɪŋ/ *οὐσ.* ‹U› **1**. τρέξιμο. ***make the ~***, *(κυριολ. καί μεταφ.)* δίνω τό βῆμα/τόν τόνο σέ κτ. ***take up the ~***, μπαίνω ἐπικεφαλῆς. ***in/out of the ~***, μέ/χωρίς ἐλπίδες ἐπιτυχίας. **2**. **ˋ~-board**, *(πεπαλ.)* μαρσπιέ (αὐτοκινήτου). **ˋ~-mate**, συνυποψήφιος (γιά τό μικρότερο ἀπό δύο ἀξιώματα, πχ γιά ἀντιπρόεδρος). —*ἐπ.* **1**. τρεχούμενος, ρέων: *~ water*, τρεχούμενο νερό. **2**. τρέχων: *a ~ kick*, κλωτσιά πού δίνεται πάνω στό τρέξιμο. *~ expenses*, τρέχοντα ἔξοδα. **3**. συνεχής, ἀδιάκοπος: *~ fire*, συνεχές πῦρ. **4**. *(μετά οὐσ. πληθ.)* συνέχεια: *for three days ~*, ἐπί τρεῖς ἡμέρες συνέχεια. **5**. πυορροῶν: *a ~ sore*, πυορροοῦσα πληγή. **6**. κινητός: *a ˋ~ knot*, κινητή θηλειά, βρόχος.

runny /ˋrʌnɪ/ *ἐπ. (-ier, -iest) (καθομ.)* **1**. πού τρέχει: *a ~ nose*, μύτη πού τρέχει. **2**. ρευστός: *The jam is rather ~*, τό γλυκό εἶναι μᾶλλον ἀναλυτό/ρευστό.

runt /rʌnt/ *οὐσ.* ‹C› *(καθομ.)* κατσιασμένο φυτό, μικρόσωμο ζῶο, κοντοστούμπης ἄνθρωπος.

run·way /ˋrʌnweɪ/ *οὐσ.* ‹C› *(ἀεροπ.)* διάδρομος (προσγειώσεως καί ἀπογειώσεως).

ru·pee /ruˋpi/ *οὐσ.* ‹C› ρουπία.

rup·ture /ˋrʌptʃə(r)/ *οὐσ.* ‹C,U› **1**. ρῆξις: *the ~ of a blood vessel/friendly relations*, ρῆξις αἱμοφόρου ἀγγείου/φιλικῶν σχέσεων. **2**. *(ἰατρ.)* κήλη. —*ρ.μ/ἀ.* διακόπτω (φιλία, κλπ), διαρρηγνύω/-ομαι.

ru·ral /ˋrʊərl/ *ἐπ.* ἀγροτικός, ἐξοχικός: *~ occupations*, ἀγροτικές ἀσχολίες. *live in ~ seclusion*, ζῶ ἀπομονωμένος στήν ἐξοχή.

ruse /ruz/ *οὐσ.* ‹C› πανουργία, κόλπο, στρατήγημα.

¹**rush** /rʌʃ/ *οὐσ.* ‹C› ψαθί, βοῦρλο. **ˋ~-light**, λυχνάρι μέ φυτίλι ἀπό βοῦρλο. **~y** *ἐπ. (-ier, -iest)* γεμᾶτος βοῦρλα.

²**rush** /rʌʃ/ *οὐσ.* **1**. ‹C,U› τρεχάλα, πιλάλα, σπουδή, βιασύνη, ὁρμή: *the ~ of city life*, ἡ τρεχάλα τῆς ζωῆς στήν πόλη. *Why all this ~?* γιατί ὅλη αὐτή ἡ σπουδή; *There was a ~ for safety*, ὅλοι ἔτρεχαν νά προφυλαχθοῦν. *He was swept away by the ~ of the current and drowned*, τόν παρέσυρε ἡ ὁρμή τοῦ ρεύματος καί πνίγηκε. **the ˋ~-hour**, ἡ ὥρα τῆς μεγάλης κυκλοφορίας. **2**. ‹C› συρροή, αἰφνίδια μεγάλη ζήτησις: *the Christmas ~*, ἡ συρροή/ὁ συνωστισμός τῶν Χριστουγέννων (στά μαγαζιά, κλπ). *a ~ for raincoats*, μεγάλη ζήτησις

ἀδιάβροχων.

[3]**rush** /rʌʃ/ *ρ.μ/ὰ.* **1**. ὁρμῶ, μεταφέρω ἐπειγόντως, σπεύδω: *They ~ed out of the school gates*, ὥρμησαν ἔξω ἀπό τήν πύλη τοῦ σχολείου. *The bull ~ed at me*, ὁ ταῦρος ὥρμησε ἐναντίον μου. *They ~ed more troops to the front*, μετέφεραν ἐπειγόντως κι' ἄλλο στρατό στό μέτωπο. ***~ to conclusions***, σπεύδω νά βγάλω συμπεράσματα. ***~ into print***, δημοσιεύω ἐσπευσμένα. ***~ through***, κάνω κτ ἐσπευσμένα: *The Bill was ~ed through Parliament*, τό νομοσχέδιο πέρασε βιαστικά ἀπό τή Βουλή. **2**. καταλαμβάνω ἐξ ἐφόδου: *~ the enemy's trenches*, καταλαμβάνω ἐξ ἐφόδου τά χαρακώματα τοῦ ἐχθροῦ. **3**. ἀναγκάζω κπ ν' ἀποφασίση βιαστικά: *Please don't ~ me*, σέ παρακαλῶ μή μέ βιάζης. ***~ sb off his feet***, παίρνω κπ ἀπό μπροστά (καί τόν ἀναγκάζω νά κάμη κτ χωρίς νά τό σκεφθῆ), τόν ἐξαντλῶ. **4**. ***~ sb (for sth)***, (*πεπαλ., λαϊκ.*) γδέρνω κπ χρεώνοντάς τον ὑπερβολικά: *They ~ed me £10 for it*, μοῦ βούτηξαν 10 λίρες γι' αὐτό.

rusk /rʌsk/ *οὐσ.* ‹C› παξιμάδι.

rus·set /ˈrʌsɪt/ *οὐσ.* ‹C› εἶδος μήλου. __*ἐπ.* κοκκινωπός.

Rus·sian /ˈrʌʃn/ *ἐπ.* ρωσικός. __*οὐσ.* ‹C› Ρῶσος, ‹U› ἡ Ρωσική γλῶσσα.

rust /rʌst/ *οὐσ.* ‹U› **1**. σκουριά: *rub the ~ off sth*, ξεσκουριάζω κτ. **2**. σκωρίασις (ἀρρώστεια φυτῶν). __*ρ.μ/ὰ.* σκουριάζω: *machinery ~ing in the yard*, μηχανές πού σκουριάζουν στήν αὐλή. ***It's better to wear out than ~ out***, (*παροιμ.*) καλύτερα νά λυώνης στή δουλειά παρά νά σκουριάζης στήν ἀνεργία, καλύτερα νά τό λυώσης παρά νά τό φάη ὁ σκῶρος. **~·less** *ἐπ.* ἀνοξείδωτος. **rusty** *ἐπ.* (*-ier, -iest*) (*κυριολ. καί μεταφ.*) σκουριασμένος: *~y needles/ideas*, σκουριασμένες βελόνες/ἰδέες. *My English is getting ~y*, (*μεταφ.*) τά Ἀγγλικά μου ἄρχισαν νά σκουριάζουν. *~y cloth*, ξεθωριασμένο ὕφασμα.

rus·tic /ˈrʌstɪk/ *ἐπ.* **1**. ἀγροτικός: *~ simplicity*, ἀγροτική ἁπλότης. **2**. ἀγροῖκος, χωριάτικος: *~ manners*, χωριάτικοι τρόποι. **3**. χοντροφτιαγμένος: *a ~ bench*, χοντροκαμωμένος πάγκος. __*οὐσ.* ‹C› χωριάτης. **~·ity** /rʌˈstɪsətɪ/ *οὐσ.* ‹U› χωριατοσύνη, ἁπλότης.

rus·ti·cate /ˈrʌstɪkeɪt/ *ρ.μ/ὰ.* **1**. ζῶ ἀγροτική ζωή, ἀποσύρομαι στήν ἐξοχή. **2**. (*MB*) ἀποβάλλω προσωρινά φοιτητή.

rustle /ˈrʌsl/ *ρ.μ/ὰ.* **1**. θροΐζω: *I heard a snake rustling through the undergrowth*, ἄκουσα ἕνα φίδι νά περνάη θροΐζοντας μέσα ἀπό τά χαμόκλαδα. *She ~d by in her silk dress*, προσπέρασε θροΐζοντας μέ τό μεταξωτό της φόρεμα. **2**. τρίζω: *Don't ~ your programme when the orchestra is playing*, μήν τρίζης τό πρόγραμμά σου ὅταν παίζει ἡ ὀρχήστρα. **3**. (*ΗΠΑ, καθομ.*) κλέβω ζῶα. **4**. ***~ sth up***, μαζεύω, βρίσκω: *~ up some food for an unexpected guest*, βρίσκω λίγο φαΐ γιά ἕναν ἀπροσδόκητο μουσαφίρη. __*οὐσ.* ‹U› (*ἐπίσης* **rustling** /ˈrʌslɪŋ/ (U & *πληθ.*) θρόϊσμα, φρουφροῦ. **rust·ler** /ˈrʌslər/ *οὐσ.* ‹C› ζωοκλέπτης.

[1]**rut** /rʌt/ *οὐσ.* ‹C› **1**. αὐλάκι, ροδιά. **2**. (*μεταφ.*) ρουτίνα: *sink into a ~*, πέφτω στή ρουτίνα. ***be in/get into a ~***, εἶμαι/μπαίνω στή ρουτίνα. ***get out of the ~***, βγαίνω ἀπό τή ρουτίνα. **rut·ted** *ἐπ.* *a ~ted road*, αὐλακωμένος δρόμος.

[2]**rut** /rʌt/ *οὐσ.* ‹U› βαρβατίλα (ζώου). __*ρ.ὰ.* (*-tt-*) βαρβατεύω: *the ~ting season*, ἡ ἐποχή τοῦ ὀργασμοῦ.

ruth·less /ˈruθləs/ *ἐπ.* ἀνηλεής, ἄσπλαχνος, σκληρός: *He's a ~ man*, εἶναι ἀδίστακτος (ἄσπλαχνος) ἄνθρωπος. **~·ly** *ἐπίρ.* ἀνηλεῶς. **~·ness** *οὐσ.* ‹U› ἀσπλαχνία.

rye /raɪ/ *οὐσ.* ‹U› **1**. σίκαλη. **ˈ~-bread**, σικάλινο ψωμί. **2**. οὐΐσκυ ἀπό σίκαλη.

S s

S, s /es/ τό 19ο γράμμα τοῦ ἀλφάβητου.

sab·ba·tarian /ˈsæbəˈteərɪən/ *ἐπ.* & *οὐσ.* ‹C› αὐστηρός τηρητής τῆς Κυριακῆς ἀργίας.

Sab·bath /ˈsæbəθ/ *οὐσ.* Σάββατον (τῶν Ἑβραίων), Κυριακή (τῶν Χριστιανῶν), ἡμέρα ἀργίας καί προσευχῆς: *keep/break the ~*, τηρῶ/παραβιάζω τήν ἀργία τοῦ Σαββάτου (ἤ τῆς Κυριακῆς).

sab·bati·cal /səˈbætɪkl/ *ἐπ.* σαββατικός, Κυριακάτικος: *After this uproar there came a ~ calm*, ὕστερα ἀπ' αὐτή τήν ὀχλοβοή ἦρθε μιά Κυριακάτικη ἡσυχία. **~ year/leave**, σαββατικόν ἔτος/-ή ἄδεια (διδομένη σέ Καθηγητές Πανεπιστημίου γιά ταξίδια, ἔρευνες, κλπ).

sable /ˈseɪbl/ *οὐσ.* **1**. ‹C› (*ζωολ.*) σαμούρι, ζιμπελίν. **2**. ‹U› γούνα ζιμπελίν: *a ~ coat*, παλτό ἀπό γούνα ζιμπελίν. __*ἐπ.* (*λογοτ.*) μαῦρος, πένθιμος.

sa·bot /ˈsæbəʊ/ *οὐσ.* ‹C› ξυλοπάπουτσο, τσόκαρο.

sab·otage /ˈsæbətɑʒ/ *οὐσ.* ‹U› σαμποτάζ. __*ρ.μ.* κάνω σαμποτάζ, σαμποτάρω. **sab·oteur** /ˈsæbəˈtɜ(r)/ *οὐσ.* ‹C› σαμποτέρ.

sabre /ˈseɪbə(r)/ *οὐσ.* ‹C› σπάθη ἱππικοῦ, πάλα. **ˈ~-rattling** *ἐπ.* πολεμοχαρής. __*οὐσ.* ‹C,U› πολεμικός ἐκφοβισμός. __*ρ.μ.* σπαθίζω.

sac /sæk/ *οὐσ.* ‹C› (*ζωολ., φυτ.*) θύλαξ, κύστις, ἀσκός.

sac·char·in /ˈsækərɪn/ *οὐσ.* ‹U› σακχαρίνη.

sac·char·ine /-rin/ *ἐπ.* σακχαρώδης, (*μεταφ.*) γλυκερός.

sac·er·do·tal /ˈsæsəˈdəʊtl/ *ἐπ.* ἱερατικός, (*ὑποτιμ.*) παπαδίστικος. **~·ism** /-ɪzm/ *οὐσ.* ‹U› ἱεροκρατία, παπαδοκρατία.

sachet /ˈsæʃeɪ/ *οὐσ.* ‹C› **1**. σακκουλάκι μέ ἄρωμα. **2**. πλαστικό σακκουλάκι: *a ~ of shampoo*, ἕνα σακκουλάκι μέ σαμπουάν.

[1]**sack** /sæk/ *οὐσ.* ‹C› **1**. σακκί, τσουβάλι: *a ~ of coal/potatoes*, ἕνα τσουβάλι κάρβουνο/πατάτες. **`~·cloth**, *(α)* σακκόπανο, λινάτσα. *(β)* τρίχινο ράσο πένθους ἤ μετάνοιας. **~*cloth and ashes***, σάκκος καί σποδός, (*μεταφ.*) μετάνοια, πένθος. **`~-race**, σακκοδρομία (ἀγώνας δρόμου μέ τά πόδια τῶν δρομέων μέσα σέ τσουβάλια). **2**. φόρεμα σέ στύλ ράσου. —*ρ.μ.* σακκιάζω.

[2]**sack** /sæk/ *οὐσ.* (*έν. μέ the*) ***give sb/get the ~***, (*καθομ.*) δίνω σέ κπ/μοῦ δίνουν τά παπούτσια στό χέρι. —*ρ.μ.* ἀπολύω κπ.

[3]**sack** /sæk/ *ρ.μ.* λεηλατῶ, διαγουμίζω (κατακτημένη πόλη). —*οὐσ.* (*συνήθ. ἑν. μέ the*) λεηλασία, πλιάτσικο, διαρπαγή: *We lost everything during the ~*, τά χάσαμε ὅλα στή λεηλασία.

[4]**sack** /sæk/ *οὐσ.* (*μόνον ἑν.*) (*λαϊκ.*) κρεββάτι. ***hit the ~***, πάω γιά ὕπνο.

[5]**sack** /sæk/ *οὐσ.* ‹U› (*πεπαλ.*) ἄσπρο κρασί τῆς Ἰσπανίας ἤ τῶν Καναρίων νήσων.

sac·ra·ment /ˋsækrəmənt/ *οὐσ.* ‹C› (*ἐκκλ.*) μυστήριον: *the ~ of baptism*, τό μυστήριον τοῦ βαπτίσματος. **the Blessed/Holy S~**, τό μυστήριον τῆς Θείας Εὐχαριστίας, τά ἄχραντα μυστήρια. **~al** /ˌsækrəˋmentl/ *ἐπ.* μυσταγωγικός, καθαγιασμένος: *~al wine*, οἶνος τῆς μεταλήψεως.

sacred /ˋseɪkrəd/ *ἐπ.* **1**. ἱερός, θρησκευτικός: *~ writings*, ἱερά βιβλία. *~ music/history*, θρησκευτική μουσική/ἱστορία. **the S~ Way**, ἡ Ἱερά Ὁδός. **~ *to***, ἀφιερωμένος εἰς: *~ to the memory of*, ἀφιερωμένος εἰς τήν μνήμην τοῦ... **2**. ἱερός, ἀπαραβίαστος: *a ~ promise*, ἱερή ὑπόσχεσις. *regard sth as a ~ duty*, θεωρῶ κτ σάν ἱερό καθῆκον. **3**. ἱερός, σεβαστός: *In India the cow is a ~ animal*, στίς Ἰνδίες ἡ ἀγελάδα εἶναι ἱερόν ζῶον. *Nothing is ~ to him*, δέν σέβεται τίποτα, δέν ἔχει οὔτε ἱερό οὔτε ὅσιο. **~ *cow***, (*καθομ.*) ταμπού, κάτι ὑπεράνω κριτικῆς. **~·ly** *ἐπίρ.* θρησκευτικά, ἀπαραβίαστα. **~·ness** *οὐσ.* ‹U› ἱερότης.

sac·ri·fice /ˋsækrɪfaɪs/ *οὐσ.* ‹C,U› **1**. θυσία, θῦμα, προσφορά: *offer sth as a ~*, προσφέρω κτ ὡς θυσία. *kill a sheep as a ~*, σφάζω πρόβατο γιά θυσία. **2**. θυσία, ἀπάρνησις: *He gave his life as a ~ for his country*, ἔδωσε τή ζωή του θυσία γιά τήν πατρίδα του. *make ~s for one's children*, κάνω θυσίες γιά τά παιδιά μου. *the last ~*, ἡ ὑπέρτατη θυσία. ***at the ~ of***, ἐπί θυσίᾳ, θυσιάζοντας: *He succeeded at the ~ of his health*, ἐπέτυχε θυσιάζοντας τήν ὑγεία του. **3**. (*καθομ.*) (πώλησις μέ) ζημιά: *sell sth at a ~*, πουλῶ κτ ἐπί ζημίᾳ, τό δίνω κοψοχρονιά. —*ρ.μ/ἀ.* θυσιάζω: *~ to the gods*, θυσιάζω στούς θεούς. *He ~d his life to save the child*, θυσίασε τή ζωή του γιά νά σώση τό παιδί. *She ~d herself/~d everything to her husband's welfare*, θυσιάστηκε/τά θυσίασε ὅλα γιά τό καλό τοῦ ἄντρα της. **sac·ri·fi·cial** /ˌsækrɪˋfɪʃl/ *ἐπ.* θυσιαστήριος, (*καθομ.*) κάτω τοῦ κόστους.

sac·ri·lege /ˋsækrɪlɪdʒ/ *οὐσ.* ‹U› ἱεροσυλία: *It would be ~ to do so*, θά ἦταν ἱεροσυλία νά κάνης τέτοιο πρᾶγμα. **sac·ri·legious** /ˌsækrɪˋlɪdʒəs/ *ἐπ.* ἱερόσυλος: *sacrilegious thoughts*, ἱερόσυλες σκέψεις.

sa·cring bell /ˋseɪkrɪŋ bel/ *οὐσ.* ‹C› (*ἐκκλ.*) κώδων σημαίνων κατά τήν ἀνύψωσιν τῆς Ἁγίας Δωρεᾶς.

sac·ris·tan /ˋsækrɪstən/ *οὐσ.* ‹C› νεωκόρος.

sac·risty /ˋsækrɪstɪ/ *οὐσ.* ‹C› (*ἐκκλ.*) σκευοφυλάκιον.

sac·ro·sanct /ˋsækrəʊsæŋkt/ *ἐπ.* ἱερός καί ἀπαραβίαστος: *He regards his privileges as ~*, θεωρεῖ τά προνόμιά του ἱερά καί ἀπαραβίαστα.

sad /sæd/ *ἐπ.* *(-der, -dest)* **1**. θλιμμένος, λυπημένος, περίλυπος, μελαγχολικός: *become/look ~*, μελαγχολῶ/φαίνομαι λυπημένος. *be ~ at heart*, ἔχω βάρος/λύπη στήν καρδιά. **2**. λυπηρός, θλιβερός: *~ news*, θλιβερά νέα. *a ~ day*, θλιβερή ἡμέρα. **3**. (*γιά χρώματα*) μουντός, ξεπλυμένος. **4**. (*γιά ψωμί*) βαρύς, λασπώδης. **5**. ἀξιοθρήνητος, ἄθλιος, οἰκτρός: *make a ~ mistake*, κάνω ἕνα ἀξιοθρήνητο λάθος. **~·ly** *ἐπίρ.* θλιμμένα, θλιβερά. **~·ness** *οὐσ.* ‹U› θλῖψις, μελαγχολία. **~·den** /ˋsædn/ *ρ.μ/ἀ.* λυπῶ, θλίβω/-ομαι, μελαγχολῶ.

saddle /ˋsædl/ *οὐσ.* ‹C› **1**. σέλλα, σαμάρι: *vault into the ~*, πηδῶ στή σέλλα. ***in the ~***, ἔφιππος, (*μεταφ.*) σέ θέση ἰσχύος, καβάλλα. **`~-bag**, δισάκκι, τσάντα μέ ἐργαλεῖα (στή σέλλα ποδηλάτου). **`~-sore** *ἐπ.* πληγιασμένος/συγκαμένος ἀπό τή σέλλα. **~ of mutton**, νεφραμιά ἀρνιοῦ. **2**. ράχη (ζώου). **3**. αὐχένας (βουνοῦ). —*ρ.μ.* **1**. σελλώνω, σαμαρώνω. **2**. ***~ sb with sth***, φορτώνω κπ μέ κτ: *~ sb with heavy tasks*, φορτώνω κπ μέ βαριά καθήκοντα. *be ~d with a large family*, ἔχω μεγάλη οἰκογένεια στήν πλάτη μου. **sad·dler** /ˋsædlə(r)/ *οὐσ.* ‹C› σαμαρᾶς. **sad·dlery** /ˋsædlərɪ/ *οὐσ.* ‹U› σαγματοποιΐα, ‹C› χάμουρα.

sa·dism /ˋseɪd-ɪzm/ *οὐσ.* ‹U› σαδισμός. **sa·dist** /-ɪst/ *οὐσ.* ‹C› σαδιστής. **sa·dis·tic** /səˋdɪstɪk/ *ἐπ.* σαδιστικός.

sa·fari /səˋfɑrɪ/ *οὐσ.* ‹C,U› σαφάρι.

[1]**safe** /seɪf/ *ἐπ.* *(-r, -st)* **1**. ***~ (from)***, ἀσφαλισμένος, προφυλαγμένος: *~ from attack*, ἀσφαλισμένος ἀπό ἐπίθεση. **2**. ἀσφαλής, σίγουρος, ἀκίνδυνος: *put sth in a ~ place*, βάζω κτ σέ ἀσφαλές μέρος. *The matter is in ~ hands*, ἡ ὑπόθεσις εἶναι σέ σίγουρα χέρια. *Is your dog ~?* εἶναι ὁ σκύλος σου ἀκίνδυνος; *Is this a ~ seat for the Tories?* εἶναι σίγουρη ἕδρα γιά τούς συντηρητικούς; ***be ~ to***, εἶναι βέβαιο ὅτι: *He is ~ to be elected*, εἶναι βέβαιο ὅτι θά ἐκλεγῆ. ***to be on the `~ side***, καλοῦ-κακοῦ, γιά νά εἶμαι πιό σίγουρος, γιά νἄχω τό κεφάλι μου ἥσυχο. ***ˈ~ and `sound***, σῶος καί ἀβλαβής. **3**. προσεκτικός, σώφρων, συγκρατημένος: *a ~ statesman*, προσεκτικός (σώφρων) πολιτικός. *play a ~ game*, παίζω συγκρατημένα/φρόνιμα. **4**. (*σέ σύνθ. λέξεις*): **ˈ~-`conduct**, ἄδεια κυκλοφορίας (σέ ἐπικίνδυνες ἤ πολεμικές ζῶνες). **`~-deposit**, θησαυροφυλάκιον, θυρίδα σέ Τράπεζα. **`~-guard** *οὐσ.* ‹C› ἐγγύησις, ἀσφάλεια, προστασία. —*ρ.μ.* διασφαλίζω, περιφρουρῶ, προστατεύω. **ˈ~-`keeping**, φύλαξις: *leave one's jewels in the Bank for ~-keeping*, ἀφήνω τά κοσμήματά μου στήν Τράπεζα γιά φύλαξη. **~·ly** *ἐπίρ.* ἀσφαλῶς, σίγουρα, ἀκίνδυνα. **~·ness** *οὐσ.* ‹U› ἀσφάλεια.

[2]**safe** /seɪf/ *οὐσ.* ‹C› **1**. χρηματοκιβώτιο. **2**. φανάρι (γιά τρόφιμα), κελλάρι.

safety /ˋseɪftɪ/ *οὐσ.* ‹U› **1**. ἀσφάλεια, προστασία, σιγουριά: *endanger sb's* ~, θέτω σέ κίνδυνο τήν ἀσφάλεια κάποιου. *seek* ~ *in flight*, ζητῶ νά σωθῶ διά τῆς φυγῆς. ***for*** ~, γιά ἀσφάλεια, στά σίγουρα: *play for* ~, παίζω στά σίγουρα. ***S~ First!*** Πρό παντός ἀσφάλεια! Ὅποιος φυλάει τά ροῦχα του ἔχει τά μισά. ***public*** ~, δημοσία ἀσφάλεια. **2**. (*σέ σύνϑ. λέξεις*): ˋ**~-belt**, ζώνη ἀσφαλείας. ˋ**~-bolt/-catch/-lock**, ἀσφάλεια (μηχανισμός ἀσφαλείας ὅπλου, κοσμήματος, κλπ). ˋ**~-curtain**, αὐλαία ἀσφαλείας (κατά πυρκαγιᾶς). ˋ**~ glass**, γυαλί ἀσφαλείας (πού δέν ϑρυμματίζεται ὅταν σπάση). ˋ**~-lamp**, φανός ἀσφαλείας. ˋ**~-match**, σπίρτο (πού ἀνάβει μόνον ὅταν τριβῆ). ˋ**~-pin**, παραμάνα. ˋ**~-razor**, ξυριστική μηχανή. ˋ**~-valve**, βαλβίδα ἀσφαλείας.

saf·fron /ˋsæfrən/ *οὐσ.* ‹U› κρόκος, ζαφορά.

sag /sæg/ *ρ.ὰ.* (*-gg-*) **1**. βουλιάζω/κάμπτομαι/βαϑουλώνω (στό μέσον): *a ~ging roof*, στέγη βουλιαγμένη, πού κάνει κοιλιά. **2**. ὑποχωρῶ, πέφτω: *Prices are ~ging*, οἱ τιμές ὑποχωροῦν/πέφτουν. **3**. κρεμῶ, κρεμιέμαι (χαλαρά), γέρνω: *His cheeks are beginning to* ~, τά μάγουλά του ἄρχισαν νά κρεμᾶνε. *The door is ~ging*, ἡ πόρτα κρεμάει/γέρνει. —*οὐσ.* ‹C› βαϑούλωμα, βούλιασμα, κάμψις, πλαδαρότης, χαλάρωσις: *There's a bad* ~ *in the seat of this chair*, ὁ πάτος αὐτῆς τῆς καρέκλας ἔχει βουλιάξει πολύ.

saga /ˋsagə/ *οὐσ.* ‹C› **1**. μεσαιωνικό πεζό ἔπος (*ἰδ.* Ἰσλανδικό). **2**. μακρά περιπετειώδης ἀφήγησις.

sa·gacious /səˋgeɪʃəs/ *ἐπ.* ὀξυδερκής, μυαλωμένος, (*γιά ζῷα*) ἔξυπνος, νοήμων: *He is* ~, κόβει τό μυαλό του. **~·ly** *ἐπίρ.*

sa·gac·ity /səˋgæsətɪ/ *οὐσ.* ‹U› ὀξύνοια, εὐϑυκρισία, σύνεσις, (*γιά ζῷα*) νοημοσύνη.

[1]**sage** /seɪdʒ/ *οὐσ.* ‹C› σοφός. —*ἐπ.* φρόνιμος, συνετός, μυαλωμένος, (*εἴρων.*) περισπούδαστος. **~·ly** *ἐπίρ.* φρόνιμα, σοφά, (*εἴρων.*) μέ ὕφος περισπούδαστο.

[2]**sage** /seɪdʒ/ *οὐσ.* ‹U› φασκομηλιά.

Sag·it·tarius /ˈsædʒɪˋteərɪəs/ *οὐσ.* (*ἀστρολ.*) Τοξότης.

sago /ˋseɪgəʊ/ *οὐσ.* ‹U› σαγοῦ (ἀμυλώδης τροφή).

sa·hib /sab/ *οὐσ.* ‹C› σαχίμπ, κύριος (προσαγόρευσις τῶν Εὐρωπαίων ὑπό τῶν Ἰνδῶν).

said /sed/ *ἀόρ.* & *π.μ.* τοῦ *ρ. say.*

[1]**sail** /seɪl/ *οὐσ.* **1**. ‹C,U› ἱστίο, πανί: *hoist/lower the ~s*, σηκώνω/κατεβάζω τά πανιά. ***in full*** ~, μέ ὅλα τά πανιά ἀνοιγμένα, πλησίστιος. ***under*** ~, μέ σηκωμένα πανιά, ἀρμενίζοντας. ***set ~ (from/to/for)***, ξεκινῶ, κάνω πανιά (ἀπό/πρός/γιά). ***take in*** ~, μαζεύω λίγο τά πανιά, (*μεταφ.*) μοῦ κόβεται λίγο ὁ ἀέρας. (*βλ.* & *λ.* [1]*wind*). **2**. (*ἀμετάβλ. στόν πληϑ.*) ἱστιοφόρο πλοῖο: *a fleet of twenty* ~, στόλος εἴκοσι ἱστιοφόρων. *not a* ~ *in sight*, οὔτε ἕνα πλοῖο στόν ὁρίζοντα. *S~ ho!* πλοῖο ἐν ὄψει! **3**. ταξίδι ἀναψυχῆς (μέ πλοῖο): *It's three days'* ~ *from/to Crete*, εἶναι τρεῖς μέρες μέ τό πλοῖο ἀπό/ἕως τήν Κρήτη. ***go for a*** ~, πάω κρουαζιέρα. ˋ**~-cloth**, ὕφασμα γιά πανιά, καραβόπανο. ˋ**~·plane**, ἀνεμόπτερο.

[2]**sail** /seɪl/ *ρ.μ/ὰ.* **1**. πλέω: ~ *along the coast*, παραπλέω τήν ἀκτή. ~ *up the coast*, πλέω πρός τήν ἀκτή. ~ *into harbour*, μπαίνω σέ λιμάνι. ***go ~ing***, κάνω ἱστιοπλοΐα. ***~ close/near to the wind***, (α) πλέω τήν ἐγγυτάτη, πάω μέ τήν μπουρίνα. (β) (*μεταφ.*) κάνω κτ πού σχεδόν ἐγγίζει τήν ἀπρέπεια/τήν παρανομία. ˋ**~·ing-boat/-ship/-vessel**, ἱστιοφόρον. **2**. ἀποπλέω, ταξιδεύω: *When does the ship ~?* πότε ἀποπλέει τό πλοῖο; *He has ~ed for New York*, ἔφυγε μέ πλοῖο γιά τήν Νέα Ὑόρκη. **3**. διαπλέω: ~ *the Atlantic*, διαπλέω τόν Ἀτλαντικό. **4**. κάνω ἱστιοπλοΐα, κυβερνῶ: *Do you ~?* κάνετε ἱστιοπλοΐα; *He ~s his own yacht*, κυβερνᾶ ὁ ἴδιος τό γιώτ του. **5**. ἀρμενίζω, γλιστρῶ (= τρέχω/πλέω/πετῶ/κινοῦμαι ἁπαλά ἤ μέ χάρη): *The moon ~ed across the sky*, τό φεγγάρι ἀρμένιζε στόν οὐρανό. *The airship ~ed slowly over the city*, τό ἀερόπλοιο γλιστροῦσε ἁπαλά πάνω ἀπό τήν πόλη. *The clouds ~ed across the sky*, τά σύννεφα ἔπλεαν/ἀρμένιζαν στόν οὐρανό. *The duchess ~ed into the room*, ἡ Δούκισσα μπῆκε στήν αἴϑουσα ἀργά κι' ἐπιβλητικά. **6**. ~ ***in***, ἀρχίζω κτ δραστήρια. ~ ***into sb***, ρίχνομαι σέ κπ, τόν κατσαδιάζω.

sailor /ˋseɪlə(r)/ *οὐσ.* ‹C› ναύτης, ναυτικός: ~ *hat/blouse/suit*, ναυτικό καπέλλο/μπλούζα/κοστούμι (παιδιοῦ). ***be a good/bad*** ~, δέν μέ πιάνει/μέ πιάνει ἡ ϑάλασσα. **~·ly** *ἐπ.* (*πεπαλ.*) φίνος, ἔξυπνος.

saint /seɪnt/ *οὐσ.* ‹C› **1**. (*βραχ.* **St**) ἅγιος: *All ˋS~s' (Day)*, τῶν Ἁγίων Πάντων. *St ˋGeorge's Day*, ἑορτή τοῦ Ἁγίου Γεωργίου. **St Vitus's** /ˈvaɪtəsɪz/ ˋ**dance**, (*ἰατρ.*) χορεία. **2**. ὑπομονητικός ἄνϑρωπος, ἅγιος: *What a ~ my wife is!* τί ἅγιος ἄνϑρωπος πού εἶναι ἡ γυναίκα μου! **~ed** *ἐπ.* ἁγιοποιηϑείς, ἅγιος, ἱερός. ˋ**~·hood** /-hʊd/, ˋ**~·li·ness** *οὐσ.* ‹U› ἁγιωσύνη, ἁγιότης. **~·like, ~·ly** *ἐπ.* ἅγιος, ἁγιοπρεπής: *a ~like expression on his face*, μιά ἔκφραση ἁγίου στό πρόσωπό του. *a ~ly life*, ἅγια ζωή.

saith /seθ/ (*ἀρχ.*) λέγει.

sake /seɪk/ *οὐσ.* (*συνήϑ. ἑν.*) χάρις: *for my ~*, γιά χάρη μου. *He worries for the ~ of worrying*, στενοχωρεῖται γιατί τοῦ ἀρέσει νά στενοχωρεῖται. *He argues for the ~ of arguing*, συζητάει μόνο καί μόνο γιά νά συζητάει. *art for art's ~*, ἡ τέχνη γιά τήν τέχνη. ***for old times' ~***, γιά χάρη τῶν περασμένων. ***for God's/goodness'/pity's/mercy's ~***, (*ἐπιφ.*) γιά τ' ὄνομα τοῦ Θεοῦ!

saké /ˋsake/ *οὐσ.* ‹U› σάκι (γιαπωνέζικο ποτό).

sa·laam /səˋlam/ *οὐσ.* **1**. (*Μουσουλμανικός χαιρετισμός*) εἰρήνη! **2**. ‹C› βαϑειά ὑπόκλιση. —*ρ.ὰ.* ὑποκλίνομαι βαϑειά.

sal·able /ˋseɪləbl/ *ἐπ.* *βλ.* *saleable.*

sa·lacious /səˋleɪʃəs/ *ἐπ.* αἰσχρός, λάγνος, ἀκόλαστος. **~·ly** *ἐπίρ.* **~·ness, sa·lac·ity** /səˋlæsətɪ/ *οὐσ.* ‹U› αἰσχρότης, λαγνεία.

salad /ˋsæləd/ *οὐσ.* ‹C,U› σαλάτα: *a crab/tomato/cucumber/lettuce ~*, καβουρο-/τοματο-/ἀγγουρο-/μαρουλο-σαλάτα. *Russian/fruit ~*, ρωσική σαλάτα/φρουτοσαλάτα. *prepare/mix a ~*, φτιάχνω σαλάτα. ˋ***~-days***, νεανικά χρόνια, χρόνια ἀπειρίας. **`~-dressing**, ἀρτύμια τῆς σαλάτας (λάδι, ξύδι, κλπ).

sala·man·der /`sæləmændə(r)/ *οὐσ.* ‹C› σαλαμάνδρα.

sal·ary /`sælərɪ/ *οὐσ.* ‹C› μισθός, ἀποδοχές: *draw one's ~*, παίρνω τό μισθό μου. **sal·ar·ied** *ἐπ.* μισθωτός, ἔμμισθος: *salaried posts/the salaried classes*, οἱ ἔμμισθες θέσεις/οἱ τάξεις τῶν μισθωτῶν.

sale /seɪl/ *οὐσ.* ‹C,U› **1**. πώλησις, πούλημα: *S~s are up/down*, οἱ πωλήσεις αὐξήθηκαν/μειώθηκαν. *find a quick/ready ~*, (*γιά ἐμπόρευμα*) πουλιέμαι γρήγορα/εὔκολα. *I haven't made a ~ all week*, δέν ἔκαμα οὔτε μιά πούληση ὅλη τήν ἑβδομάδα. *cash/credit ~s*, πωλήσεις τοῖς μετρητοῖς/ἐπί πιστώσει. **2**. (συνήθ. πληθ.) ἐκπτώσεις, ξεπούλημα: *The ~s are on*, ἄρχισαν οἱ ἐκπτώσεις. *winter/summer ~s*, χειμερινές/καλοκαιρινές ἐκπτώσεις. **3**. (*συνήθ. πληθ.*) δημοπρασία, πλειστηριασμός: *get bargains by attending ~s*, πετυχαίνω εὐκαιρίες πηγαίνοντας στίς δημοπρασίες. **4**. (*σέ φράσεις & σύνθ. λέξεις*) : ***for ~***, γιά πούλημα: *House/Business for ~*, πωλεῖται οἰκία/ἐπιχείρησις. *These articles are not for ~*, αὐτά τά εἴδη δέν εἶναι γιά πούλημα. ***on ~***, πωλούμενος: *Foreign newspapers on ~ here*, ἐδῶ πωλοῦνται ξένες ἐφημερίδες. ***on '~ or re`turn***, ἐπί παρακαταθήκη. **bill of ~**, (*ἐμπ.*) ὑποθηκευτήριον ἔγγραφον. **`~room**, αἴθουσα πωλήσεων. **~ of work**, φιλανθρωπική ἀγορά. **`~s department**, τμῆμα πωλήσεων. **`~s resistance**, ἀπροθυμία ἀγορᾶς, δυσκολία διαθέσεως. **`~s talk**, (*καθομ.* **`~s chat**) ψηστήρι τοῦ ἀγοραστῆ. **`~s tax**, φόρος πωλήσεων. **`~s·man** /-mən/, πωλητής, πλασιέ. **`~s·man·ship** /-mənʃɪp/ *οὐσ.* ‹U› ἱκανότητα/τέχνη πωλήσεων. **`~s·woman**, πωλήτρια.

sal·eable, sal·able /`seɪləbl/ *ἐπ.* πωλήσιμος.

sa·li·ent /`seɪlɪənt/ *ἐπ.* προεξέχων, προέχων, περίοπτος: *the ~ points of a speech*, τά προέχοντα σημεῖα ἑνός λόγου. *Honesty is his most ~ characteristic*, ἡ τιμιότητα εἶναι τό πιό χτυπητό χαρακτηριστικό του. —*οὐσ.* ‹C› προεξοχή, αἰχμή.

sa·lif·er·ous /sə`lɪfərəs/ *ἐπ.* ἁλατοῦχος.

sa·line /`seɪlaɪn/ *ἐπ.* ἁλμυρός, ἁλατοῦχος: *a ~ solution*, ἁλατοῦχον διάλυμμα. —*οὐσ.* **1**. ‹U› καθαρτικόν ἅλας. **2**. ‹C› ἁλατοῦχος πηγή. **sa·lin·ity** /sə`lɪnətɪ/ *οὐσ.* ‹U› ἁρμυράδα, περιεκτικότης σέ ἁλάτι.

sali·nom·eter /'sælə`nomətə(r)/ *οὐσ.* ‹C› ἁλατόμετρον.

sal·iva /sə`laɪvə/ *οὐσ.* ‹U› σίελος, σάλιο. **sali·vary** /`sælɪvərɪ/ *ἐπ.* σιελογόνος (πχ ἀδήν). **sali·vate** /`sælɪveɪt/ *ρ.ἀ.* βγάζω σάλια.

sal·low /`sæləʊ/ *ἐπ.* (*-er, -est*) ὠχρός, χλωμός, κιτρινιάρικος. —*ρ.μ/ἀ.* κιτρινίζω (τό δέρμα): *a face ~ed by years of residence in the tropics*, πρόσωπο κιτρινιασμένο ἀπό πολύχρονη παραμονή στούς τροπικούς.

sally /`sælɪ/ *οὐσ.* ‹C› **1**. ἔξοδος (πολιορκουμένων), ἐξόρμησις: *make a ~*, ἐπιχειρῶ ἔξοδον. **2**. πνευματώδης ἐπίθεσις, εὐφυολόγημα. —*ρ.ἀ.* **1**. ἐξορμῶ, ἐπιχειρῶ ἔξοδον: *The besieged sallied out against the besiegers*, οἱ πολιορκούμενοι ἐπιχείρησαν ἔξοδο κατά τῶν πολιορκητῶν. **2**. ***~ out/forth***, πάω περίπατο/ταξίδι, βγαίνω, (γιά ὑγρό) ἀναπηδῶ.

salmon /`sæmən/ *οὐσ.* **1**. ‹C› (*ἀμετάβλ. στόν πληθ.*) σολομός: *a river full of ~*, ποτάμι γεμᾶτο σολομούς. *~ ladder/pass/leap*, πέρασμα σολομῶν. **2**. ‹U› (χρῶμα) ρόζ, σωμόν.

salon /`sælɔ̃/ *οὐσ.* ‹C› **1**. σαλόνι (πολιτικό, φιλολογικό, κλπ). **2**. σαλόνι (ἐτησία ἔκθεσις ζωγραφικῆς). **3**. αἴθουσα, ἰνστιτοῦτον: *a `beauty-~*, ἰνστιτοῦτον καλλονῆς.

sa·loon /sə`lun/ *οὐσ.* ‹C› **1**. αἴθουσα, σαλόνι (σέ πλοῖο, ξενοδοχεῖο, κλπ): *a `billiards ~*, αἴθουσα μπιλλιάρδου. *a `dancing ~*, χορευτικό κέντρο. *the ship's `dining-~*, τό ἑστιατόριο τοῦ πλοίου. *~ bar*, μπάρ. **2**. (*ΗΠΑ*) ποτοπωλεῖον, ταβέρνα (*πρβλ. MB pub*). **3**. **~-car**, κλειστό αὐτοκίνητο, σεντάν.

[1]**salt** /sɔlt/ *οὐσ.* **1**. ‹U› ἅλας, ἁλάτι: *`table ~*, ἐπιτραπέζιο ἁλάτι. *`kitchen ~*, μαγειρικό ἁλάτι. ***not/hardly worth one's ~***, χαραμοφάης, ἀνάξιος, πού δέν ἀξίζει τό ψωμί πού τρώει. ***take sth with a grain/pinch of ~***, δέν πολυπιστεύω/δέν παίρνω τοῖς μετρητοῖς (μιά ἱστορία, κλπ). ***the ~ of the earth***, τό ἅλας τῆς γῆς, οἱ ἐκλεκτοί. **2**. ‹C› **an old ~**, θαλασσόλυκος. **3**. (*πληθ.*) καθαρτικόν ἅλας: *take a dose of (Epsom) ~s*, παίρνω μιά δόση ἅλας. **4**. (*μόνον ἑν.*) (*μεταφ.*) νοστιμιά: *Adventure is the ~ of life*, ἡ περιπέτεια εἶναι τό ἁλάτι τῆς ζωῆς (ὅ,τι κάνει τή ζωή πικάντικη). **5**. (*σέ σύνθ. λέξεις*): **`~-cellar**, ἁλατιέρα. **`~-lick**, ἁλατοῦχο ἔδαφος (ὅπου πᾶνε τά ζῶα νά γλείψουν τό ἁλάτι). **`~-pan**, ἁλυκή, ἁλίπεδον. **'~-`water** *ἐπ.* θαλασσινός, τοῦ ἁλμυροῦ νεροῦ: *~-water fish*. **`~-works**, ἁλυκή, ἁλατωρυχεῖον, διϋλιστήριον ἅλατος.

[2]**salt** /sɔlt/ *ρ.μ.* **1**. ἁλατίζω. **2**. ***~ (down)***, παστώνω: *~ down meat*, παστώνω κρέας. **3**. ***~ away***, (*καθομ.*) ἀποταμιεύω, βάζω στήν πάντα: *He's got quite a bit ~ed away*, ἔχει καλό κομπόδεμα στήν ἄκρη. —*ἐπ.* **1**. ἁλμυρός, ἁλατισμένος: *~ water*, ἁλμυρό νερό. *~ butter*, ἁλατισμένο βούτυρο. **2**. ἁλατοῦχος: *~ marshes*, ἁλατοῦχα ἐδάφη. **salty** *ἐπ.* (*-ier, -iest*) ἁλμυρός, πικάντικος. **~i·ness** *οὐσ.* ‹U› ἁλμύρα.

salt·petre /sɔlt`pitə(r)/ *οὐσ.* ‹U› νίτρο, νιτρικόν κάλιον.

sa·lu·bri·ous /sə`lubrɪəs/ *ἐπ.* (*ἰδ. γιά κλῖμα*) ὑγιεινός: *the ~ air of the mountains*, ὁ ὑγιεινός ἀέρας τῶν βουνῶν. **sa·lu·brity** /-`lubrətɪ/ *οὐσ.* ‹U› (τό) ὑγιεινόν.

salu·tary /`sæljʊtrɪ/ *ἐπ.* ὠφέλιμος, εὐεργετικός: *~ exercise/advice*, ὠφέλιμη ἄσκησις/συμβουλή.

salu·ta·tion /'sæljʊ`teɪʃn/ *οὐσ.* ‹C,U› χαιρετισμός: *He raised his hat in ~*, ἔβγαλε τό καπέλλο του εἰς χαιρετισμόν.

sa·lute /sə`lut/ *οὐσ.* ‹C› χαιρετισμός (*ἰδ.* στρατιωτικός): *give/return a ~*, δίδω/ἀνταποδίδω χαιρετισμό. *fire a ~ of ten guns*, χαιρετίζω μέ δέκα κανονιοβολισμούς. ***stand at the ~***, μένω σέ στάση χαιρετισμοῦ. ***take the ~***, παρακολουθῶ (ὡς τιμώμενον πρόσωπον) στρατιωτική παρέλαση. —*ρ.μ/ἀ.* χαιρετίζω: *The soldier ~d smartly*, ὁ στρατιώτης χαιρέτισε ζωηρά.

sal·vage /`sælvɪdʒ/ *οὐσ.* ‹U› **1**. διάσωσις,

ναυαγιαίρεσις: *a* `~ *company*, ἑταιρία ναυαγιαιρέσεων. *a* `~ *tug*, ναυαγοσωστικό ρυμουλκό. *make* ~ *of goods*, διασώζω ἐμπορεύματα. **2**. ἀμοιβή διασώσεως, ναυαγοσωστικά. **3**. διασωθέντα πράγματα, περισυλλεγόμενα ὑλικά. —*ρ.μ.* διασώζω (ἀπό ναυάγιο, πυρκαϊά, κλπ), περισυλλέγω.

sal·va·tion /sælˈveɪʃn/ *οὐσ.* ‹U› σωτηρία: *seek/find* ~ *in sth*, ζητῶ/βρίσκω σωτηρία σέ κτ. *There's no hope of* ~, δέν ὑπάρχει ἐλπίς σωτηρίας. *That loan will be the* ~ *of their company*, αὐτό τό δάνειο θά εἶναι ἡ σωτηρία τῆς ἑταιρίας τους. ***work out one's own*** ~, βρίσκω μόνος μου τόν τρόπο νά σωθῶ. **ˈS~ ˈArmy**, ὁ Στρατός τῆς Σωτηρίας.

[1]**salve** /sælv/ *οὐσ.* ‹C,U› ἀλοιφή (γιά πληγές), (*μεταφ.*) βάλσαμο. —*ρ.μ.* γλυκαίνω (πόνους), καθησυχάζω (τή συνείδηση): ~ *one's conscience by giving stolen money to charity*, καθησυχάζω τή συνείδησή μου δίνοντας ἀπό τά κλεμμένα σέ φιλανθρωπικούς σκοπούς.

[2]**salve** /sælv/ *ρ.μ.* *βλ.* *salvage*.

sal·ver /ˈsælvə(r)/ *οὐσ.* ‹C› δίσκος, τάσι.

salvo /ˈsælvəʊ/ *οὐσ.* ‹C› (*πληθ.* ~*s ἤ* ~*es*) ὁμοβροντία, κανονιοβολισμός: *a* ~ *of applause*, ὁμοβροντία χειροκροτημάτων.

sal vol·atile /ˈsæl vəˈlætəlɪ/ *οὐσ.* ‹U› ἀνθρακικόν ἀμμώνιον (γιά λιποθυμίες).

samba /ˈsæmbə/ *οὐσ.* ‹C› (*χορ.*) σάμπα.

same /seɪm/ *ἐπ.* & *ἀντων.* **1**. ἴδιος, ὁ αὐτός, ὅμοιος (*σημειωτέον ὅτι ἄν ἀκολουθῇ ἀναφορική πρότασις, χρησιμοποιεῖται ἡ ἀντωνυμ. as ἀντί τῆς ἀντωνυμ. that ὅταν παραλείπεται τό ρῆμα τῆς ἀναφορικῆς προτάσεως*): *He uses the* ~ *books that you do/as you*, χρησιμοποιεῖ τά ἴδια βιβλία πού χρησιμοποιεῖς καί σύ/ὅπως καί σύ. *The price is the* ~ *as before the war*, ἡ τιμή εἶναι ἡ ἴδια μέ τήν προπολεμική. *He'll do the* ~ *again*, θά ξανακάνη τά ἴδια. *of the* ~ *kind*, τοῦ αὐτοῦ εἴδους. ***be the ~ age/ height, etc, as sb***, ἔχω τήν ἴδια ἡλικία/τό ἴδιο ὕψος, κλπ, μέ κπ: *He's the* ~ *height as my brother*, ἔχει τό ἴδιο ὕψος μέ τόν ἀδελφό μου. ***be all/just the ~ to me (him, her, etc)***, τό ἴδιο μοῦ (τοῦ, τῆς, κλπ) κάνει, μοῦ εἶναι ἀδιάφορο. ***all/just the*** ~, παρ' ὅλα αὐτά: *He's naughty but I like him all the* ~, εἶναι ἄτακτος ἀλλά παρ' ὅλα αὐτά τόν συμπαθῶ. ***come/amount to the ~ thing***, καταλήγω/σημαίνω τό ἴδιο πρᾶγμα. ***The ~ to you***, (*ἀπάντηση σέ εὐχή*) παρομοίως. ***the very*** ~, ὁ ἴδιος ἀκριβῶς: *You've made the very* ~ *mistake again*, ξανάκανες τό ἴδιο ἀκριβῶς λάθος. ***one and the*** ~, ὁ ἴδιος ἀκριβῶς, ἕνας καί ὁ αὐτός: *Jekyll and Hyde were one and the* ~ *person*, ὁ Τζέκυλ καί ὁ Χάϋντ ἦταν ἕνα καί τό αὐτό πρόσωπο. ***at the ~ time***, συγχρόνως, ταυτοχρόνως: *Don't all speak at the* ~ *time*, μή μιλᾶτε ὅλοι συγχρόνως. *He was crying and laughing at the* ~ *time*, ἔκλαιγε καί γελοῦσε ταυτοχρόνως. **2**. (*ὡς ἀντων., χωρίς τό the*) (*πεπαλ., ἐμπ.*) τό αὐτό, τό ἴδιο, ὡς ἀνωτέρω. **ˈ~·ness** *οὐσ.* ‹U› ὁμοιότης, ὁμοιομορφία, μονοτονία, ταυτότης.

samo·var /ˈsæməva(r)/ *οὐσ.* ‹C› σαμοβάρι.

sam·pan /ˈsæmpæn/ *οὐσ.* ‹C› μικρή κινέζικη βάρκα.

sample /ˈsampl/ *οὐσ.* ‹C› δεῖγμα: *give away free* ~*s*, μοιράζω δωρεάν δείγματα. ***up to*** ~, κατά τό δεῖγμα, σύμφωνα μέ τό δεῖγμα. —*ρ.μ.* παίρνω δεῖγμα, δοκιμάζω: *He spent an hour at the old abbey, sampling their wines*, πέρασε μιά ὥρα στό παληό μοναστήρι, δοκιμάζοντας τά κρασιά τους. ~ *camp life*, δοκιμάζω (παίρνω μιά ἰδέα ἀπό) τή ζωή σέ κατασκήνωση.

sam·pler /ˈsamplə(r)/ *οὐσ.* ‹C› κέντημα (κρεμασμένο στόν τοῖχο).

sam·urai /ˈsæmʊraɪ/ *οὐσ.* ‹C› σαμουράϊ.

sana·tor·ium /ˈsænəˈtɔrɪəm/ *οὐσ.* ‹C› (*πληθ.* ~*s ἤ -ria*) σανατόριο.

sanc·tify /ˈsæŋktɪfaɪ/ *ρ.μ.* ἁγιοποιῶ, καθαγιάζω, ἀφιερώνω. **sanc·ti·fi·ca·tion** /ˈsæŋktɪfɪˈkeɪʃn/ *οὐσ.* ‹U› καθαγίασις, ἀφιέρωσις.

sanc·ti·moni·ous /ˈsæŋktɪˈməʊnɪəs/ *ἐπ.* ψευτοθεοφοβούμενος, φαρισαϊκός, ὑποκριτικός. **~·ly** *ἐπίρ.*

sanc·tion /ˈsæŋkʃn/ *οὐσ.* **1**. ‹U› ἔγκρισις, συγκατάθεσις: *with/without the* ~ *of the author*, μέ/χωρίς τήν ἔγκριση τοῦ συγγραφέα. **2**. ‹U› καθιέρωσις, κύρωσις: ~ *by usage*, καθιέρωσις διά τῆς συνηθείας. ~ *of custom*, κύρωσις ἐθίμου. **3**. ‹C› κύρωσις, τιμωρία: *apply* ~*s against an aggressor country*, ἐπιβάλλω κυρώσεις ἐναντίον ἐπιτιθεμένης χώρας. —*ρ.μ.* ἐπικυρώνω, καθιερώνω, ἐγκρίνω, ἐπιδοκιμάζω: *I don't* ~ *flogging as a punishment*, δέν ἐπιδοκιμάζω τήν μαστίγωση ὡς τιμωρία. ~*ed by usage/time*, καθιερωμένος διά τῆς συνηθείας/ὑπό τοῦ χρόνου.

sanc·tity /ˈsæŋktətɪ/ *οὐσ.* ‹C,U› ἁγιότης, ἱερότης, τό ἀπαραβίαστον: *the* ~ *of his life*, ἡ ἁγιότης τῆς ζωῆς του. *the* ~ *of life/of an oath*, ἡ ἱερότης τῆς ζωῆς/τοῦ ὅρκου. *the sanctities of the home*, τά ἱερά καί τά ὅσια τοῦ σπιτιοῦ.

sanc·tu·ary /ˈsæŋktʃʊərɪ/ *οὐσ.* **1**. ‹C› ἄδυτον, ναός, ἱερόν: *the* ~ *of the heart*, τά ἄδυτα τῆς καρδιᾶς. **2**. ‹C,U› ἄσυλο, καταφύγιο: *seek/offer* ~, ζητῶ/προσφέρω ἄσυλο. *Britain has always been a* ~ *for political refugees*, ἡ Βρεταννία ὑπῆρξε ἀνέκαθεν καταφύγιο πολιτικῶν προσφύγων. ***right of*** ~, δικαίωμα ἀσύλου, ἀσυλία. **ˈbird-~**, καταφύγιο πουλιῶν, περιοχή ὅπου ἀπαγορεύεται τό κυνήγι.

sanc·tum /ˈsæŋktəm/ *οὐσ.* ‹C› **1**. ἄδυτον, ἱερόν: ~ *sanctorum*, τά ἅγια τῶν ἁγίων. **2**. (*καθομ.*) ἰδιαίτερο γραφεῖο/δωμάτιο, ἄδυτο.

sand /sænd/ *οὐσ.* **1**. ‹U› ἄμμος: *mix* ~ *and cement*, ἀνακατεύω ἄμμο καί τσιμέντο. **2**. (*συνήθ. πληθ.*) ἀμμουδιά: *children playing on the* ~*(s)*, παιδιά πού παίζουν στήν ἀμμουδιά. ***The ~s are running out***, ὁ χρόνος φεύγει. ***as happy as a ~boy***, πανευτυχής. **3**. (*σέ σύνθ. λέξεις*): **ˈ~·bag**, τσουβάλι ἄμμος (σέ ὀχυρώσεις). **ˈ~·bank**, σύρτις, ἀμμώδης ὕφαλος, μπάγκος (σέ ποτάμι ἤ θάλασσα). **ˈ~-bar**, φράγμα ἄμμου (σέ στόμιο ποταμοῦ ἤ λιμανιοῦ). **ˈ~-bath**, ἀμμόλουτρο. **ˈ~-blast** *οὐσ.* ‹C› ἀμμορριπή. —*ρ.μ.* ἐπεξεργάζομαι μέ ἀμμορριπή. **ˈ~ dune**, ἀμμόλοφος. **ˈ~-fly**, (*ἐντομ.*) σιμούλη. **ˈ~-glass**, ρολόϊ μέ ἄμμο, μετζαρόλι. **ˈ~paper**, γυαλόχαρτο, σμυριδόχαρτο. **ˈ~·piper**, θαλασσοπούλι, σουρλίνα. **ˈ~-pit**, σκάμμα ἄμμου. **ˈ~-shoes**, παπούτσια τοῦ μπάνιου (ἀπό καουτσούκ). **ˈ~·stone**, ἀμμόπετρα, πουρί, ψαμμίτης. **ˈ~-storm** *οὐσ.* ‹C› ἀμμοθύελλα. —*ρ.μ.* στρώνω/

καθαρίζω/τρίβω μέ ἄμμο. **~y** ἐπ. *(-ier, -iest)* *(α)* ἀμμώδης: *a ~y beach*, παραλία μέ ἄμμο. *(β)* πυρόξανθος: *~y hair*, πυρόξανθα μαλλιά. —*οὐσ.* ροῦσος.

san·dal /ˋsændl/ *οὐσ.* ‹C› πέδιλο, σανδάλι. **~·led** /ˋsændld/ *ἐπ.* μέ πέδιλα, σανδαλοφόρος.

san·dal·wood /ˋsændlwʊd/ *οὐσ.* ‹U› σανταλόξυλο.

sand·wich /ˋsænwɪdʒ/ *οὐσ.* ‹C› σάντουϊτς: *a cheese/ham ~*, σάντουϊτς μέ τυρί/μέ χοιρομέρι. ˋ**~ course**, σειρά θεωρητικῶν μαθημάτων μεταξύ δύο περιόδων πρακτικῆς ἀσκήσεως. ˋ**~·man** /-mæn/, ἄνθρωπος-σάντουϊτς (πού γυρίζει φορτωμένος δυό διαφημιστικές πινακίδες). ˋ**~-board**, διαφημιστική πινακίδα (πού τή φέρει ὁ ἄνθρωπος- σάντουϊτς). —*ρ.μ.* στριμώχνω: *I was ~ed between two fat ladies on the bus*, εἶχα στριμωχτεῖ ἀνάμεσα σέ δυό χοντρές στό λεωφορεῖο.

sane /seɪn/ *ἐπ.* *(-r, -st)* ὑγιής (στό νοῦ), λογικός: *a ~ mind/~ judgement*, ὑγιής νοῦς/ ὀρθή κρίσις.

sang /sæŋ/ *ἀόρ. τοῦ ρ. sing.*

sang froid /ˈsɒŋ ˋfrwɑ/ *οὐσ.* ‹U› *(Γαλλ.)* ψυχραιμία, ἀταραξία.

san·gui·nary /ˋsæŋgwɪnərɪ/ *ἐπ.* *(λόγ.)* **1**. φονικός, αἱματηρός: *a ~ battle*, φονική μάχη. **2**. αἱμοδιψής, αἱμοσταγής: *a ~ tyrant*, αἱμοδιψής τύραννος. **3**. βλάσφημος: *~ language*, βλάσφημη γλῶσσα.

san·guine /ˋsæŋgwɪn/ *ἐπ.* *(λόγ.)* **1**. αἱματώδης, κόκκινος (στό πρόσωπο). **2**. αἰσιόδοξος: *be/feel ~ of success*, εἶμαι αἰσιόδοξος/αἰσθάνομαι αἰσιοδοξία ὅτι θά πετύχω.

sani·tarium /ˈsænɪˋteərɪəm/ *οὐσ.* ‹C› *(ΗΠΑ)* ἀναρρωτήριο, σανατόριο.

sani·tary /ˋsænɪtrɪ/ *ἐπ.* **1**. ὑγιεινός: *~ conditions*, ὑγιεινές συνθῆκες. *poor ~ arrangements in a camp*, ἀνεπαρκῆ μέτρα ὑγιεινῆς σέ κατασκήνωση. **2**. ὑγειονομικός: *a ~ inspection*, ὑγειονομική ἐπιθεώρησις. *a ~ towel/napkin*, πετσέτα ὑγείας (γιά γυναίκα).

sani·ta·tion /ˈsænɪˋteɪʃn/ *οὐσ.* ‹U› ὑγιεινή, ἐξυγίανσις, ἀποχέτευσις: *improve the ~ of a town*, βελτιώνω τήν ὑγιεινή (*ἰδ.* τό ἀποχετευτικό σύστημα) μιᾶς πόλεως.

san·ity /ˋsænətɪ/ *οὐσ.* ‹U› πνευματική ὑγεία, λογική, μετριοπάθεια: *S~ will prevail*, θά ἐπικρατήση ἡ λογική.

sank /sæŋk/ *ἀόρ. τοῦ ρ.* [2]*sink*.

San·skrit /ˋsænskrɪt/ *οὐσ.* Σανσκριτικά.

Santa Claus /ˋsæntə klɔz/ *οὐσ.* Ἅγιο-Νικόλας (ὁ δικός μας Ἀη-Βασίλης μέ τά δῶρα).

[1]**sap** /sæp/ *ρ.μ.* *(-pp-)* ὑποσκάπτω, ὑπονομεύω: *Fever has ~ped his strength*, ὁ πυρετός ὑπέσκαψε τίς δυνάμεις του. *~ walls/sb's faith*, ὑπονομεύω τά τείχη/τήν πίστη κάποιου. —*οὐσ.* ‹C› *(στρατ.)* λαγούμι, σήραγγα. ˋ**~-head**, ἄνοιγμα σήραγγος (πρός τήν πλευρά τοῦ ἐχθροῦ). ˋ**~·per**, *(στρατ.)* σκαπανεύς, λαγουμιτζῆς.

[2]**sap** /sæp/ *οὐσ.* ‹U› **1**. χυμός (δέντρου): *The ~ is beginning to rise in the trees*, ἄρχισαν ν' ἀνεβαίνουν οἱ χυμοί τῶν δέντρων. **2**. *(μεταφ.)* σφρῖγος: *the ~ of youth*, τό σφρῖγος τῆς νιότης. ˋ**~·wood**, σώφλουδα, σομφό (ξύλο). **~·less** *ἐπ.* ξερός, στεγνός, ἄτονος, χωρίς χυμό/σφρῖγος. ˋ**~·ling** /ˋsæplɪŋ/, δενδρύλλιο, δεντράκι, φυντανάκι, *(μεταφ.)* παλληκαράκι. ˋ**~·py** *ἐπ.* *(-ier, -iest)* χυμώδης, σφριγηλός.

sa·pi·ent /ˋseɪpɪənt/ *ἐπ.* *(λόγ.)* σοφός. **~·ly** *ἐπίρ.* **sa·pi·ence** /-əns/ *οὐσ.* ‹U› *(συχνά εἴρων.)* σοφία.

Sap·phic /ˋsæfɪk/ *ἐπ.* σαπφικός.

sap·phire /ˋsæfaɪə(r)/ *οὐσ.* ‹C› σάπφειρος, ζαφείρι, ‹U› (χρῶμα) ζωηρό μπλέ. —*ἐπ.* ζαφειρένιος.

sara·band /ˋsærəbænd/ *οὐσ.* ‹C› *(μουσ., χορ.)* σαραμπάντα.

Sara·cen /ˋsærəsn/ *οὐσ.* ‹C› Σαρακηνός.

sar·casm /ˋsɑkæzm/ *οὐσ.* ‹C,U› σαρκασμός.

sar·cas·tic /sɑˋkæstɪk/ *ἐπ.* σαρκαστικός.

sar·cas·ti·cally /-klɪ/ *ἐπίρ.* σαρκαστικά.

sar·copha·gus /sɑˋkɒfəgəs/ *οὐσ.* ‹C› *(πληθ. -gi* /-gaɪ/ *ἤ ~es* /-gəsɪz/) σαρκοφάγος.

sar·dine /sɑˋdin/ *οὐσ.* ‹C› σαρδέλλα. ***packed like ~s***, στριμωγμένοι σά σαρδέλλες.

sar·donic /sɑˋdɒnɪk/ *ἐπ.* *(γιά γέλιο, ἔκφραση, κλπ)* σαρδόνιος. **~ally** /-klɪ/ *ἐπίρ.* σαρδόνια.

sari /ˋsɑrɪ/ *οὐσ.* ‹C› *(πληθ. ~s)* σάρι (Ἰνδικό φόρεμα).

sa·rong /səˋrɒŋ/ *οὐσ.* ‹C› σαρόγκ (Μαλαισιανό φόρεμα).

sar·tor·ial /sɑˋtɔrɪəl/ *ἐπ.* ραπτικός: *the ~ art*, ἡ ραπτική τέχνη.

[1]**sash** /sæʃ/ *οὐσ.* ‹C› πλατειά ζώνη ἤ λουρίδα ἀπό ὕφασμα.

[2]**sash** /sæʃ/ *οὐσ.* ˋ**~ window**, παράθυρο πού ἀνεβοκατεβαίνει. ˋ**~ -cord/-line**, σκοινί παραθύρου πού ἀνεβοκατεβαίνει.

sat /sæt/ *ἀόρ. & π.μ. τοῦ ρ. sit.*

Satan /ˋseɪtn/ *οὐσ.* Σατανᾶς. **~ic** /səˋtænɪk/ *ἐπ.* σατανικός: *His ~ic Majesty*, *(εἴρων.)* ἡ Α.Μ. ὁ Σατανᾶς. **~i·cally** /-klɪ/ *ἐπίρ.* σατανικά.

sat·chel /ˋsætʃl/ *οὐσ.* ‹C› σχολική τσάντα.

sate /seɪt/ *ρ.μ.* *(λόγ.)* *βλ. satiate.*

sa·teen /səˋtin/ *οὐσ.* ‹U› βαμβακερό σατέν.

sat·el·lite /ˋsætəlaɪt/ *οὐσ.* ‹C› *(κυριολ. & μεταφ.)* δορυφόρος: *a comˈmuniˋcations ~*, δορυφόρος τηλεπικοινωνιῶν. ˋ**~ town**, πόλις-δορυφόρος (ἄλλης μεγαλύτερης).

sati·ate /ˋseɪʃɪeɪt/ *ρ.μ.* παραχορταίνω, μπουχτίζω: *be ~d with pleasure/food*, εἶμαι παραχορτασμένος ἀπό ἡδονές/ἀπό φαΐ.

sat·iety /səˋtaɪətɪ/ *οὐσ.* ‹U› *(λόγ.)* κορεσμός: *indulge in pleasure to ~/to the point of ~*, παραδίδομαι στίς ἀπολαύσεις μέχρι κορεσμοῦ.

satin /ˋsætɪn/ *οὐσ.* ‹U› (ὕφασμα) σατέν: *~ dresses*, φορέματα ἀπό σατέν.

sat·in·wood /ˋsætɪnwʊd/ *οὐσ.* ‹U› ξανθόξυλο.

sat·ire /ˋsætaɪə(r)/ *οὐσ.* ‹C,U› σάτιρα: *a ~ (up)on religion*, σάτιρα ἐναντίον τῆς θρησκείας. **sa·tiri·cal** /səˋtɪrɪkl/ *ἐπ.* σατιρικός. **sa·tiri·cally** /-klɪ/ *ἐπίρ.* **sat·ir·ist** /ˋsætərɪst/ *οὐσ.* ‹C› σατιρικός (ποιητής, συγγραφέας), εἴρων, σαρκαστής. **sat·ir·ize** /ˋsætəraɪz/ *ρ.μ.* σατιρίζω.

sat·is·fac·tion /ˈsætɪsˋfækʃn/ *οὐσ.* **1**. ‹C,U› ἱκανοποίησις: *feel ~ at sth*, αἰσθάνομαι ἱκανοποίηση γιά κτ. *have the ~ of knowing...*, ἔχω τήν ἱκανοποίηση νά ξέρω... *have no cause for ~*, δέν ἔχω λόγο νά εἶμαι ἱκανοποιημένος.

The work will be done to your ~, ἡ δουλειά θά γίνη ὥστε νά μείνετε ἱκανοποιημένος. *It's a great* ~ *to know that...*, εἶναι μεγάλη ἱκανοποίηση νά ξέρω ὅτι... *the* ~ *of one's desires/ambitions/hopes*, ἡ ἱκανοποίησις τῶν ἐπιθυμιῶν μου/φιλοδοξιῶν μου/ἐλπίδων μου. 2. ‹U› ἱκανοποίησις, ἐπανόρθωσις, ἀποζημίωσις: *give sb/demand/obtain* ~, δίνω σέ κπ/ἀξιῶ/παίρνω ἱκανοποίηση.

sat·is·fac·tory /ˌsætɪsˈfæktrɪ/ ἐπ. ἱκανοποιητικός: ~ *results*, ἱκανοποιητικά ἀποτελέσματα. ~ *reasons*, πειστικοί λόγοι. *bring negotiations to a* ~ *conclusion*, φέρω διαπραγματεύσεις σέ αἴσιον πέρας. **sat·is·fac·tor·ily** /-trəlɪ/ ἐπίρ. ἱκανοποιητικά.

sat·isfy /ˈsætɪsfaɪ/ ρ.μ/ἀ. 1. ἱκανοποιῶ: *Nothing satisfies him*, δέν τόν ἱκανοποιεῖ τίποτα. ~ *one's hunger/curiosity*, ἱκανοποιῶ τήν πεῖνα μου/τήν περιέργειά μου. ~ ***the examiners***, περνῶ ἐξετάσεις μέ σχεδόν καλῶς. 2. πείθω, καθησυχάζω, διαβεβαιῶ: *He satisfied me that he could do the work well*, μέ ἔπεισε ὅτι μποροῦσε νά κάμη τή δουλειά καλά. **~·ing** ἐπ. ἱκανοποιητικός, πειστικός. **~·ing·ly** ἐπίρ.

sa·trap /ˈsætrəp/ οὐσ. ‹C› σατράπης.

satu·rate /ˈsætʃəreɪt/ ρ.μ. 1. (χημ.) κορεννύω: *a* ~*d solution*, κεκορεσμένο διάλυμα. *The market for used cars is* ~*d*, (μεταφ.) ἡ ἀγορά μεταχειρισμένων αὐτοκινήτων εἶναι κορεσμένη. 2. διαποτίζω, μουσκεύω: *He was caught in the rain and came home* ~*d*, τόν ἔπιασε ἡ βροχή καί ἦλθε σπίτι μούσκεμα. *lie on the beach and be* ~*d with sunshine*, ξαπλώνω στήν παραλία καί χορταίνω/γεμίζω ἥλιο. *He is* ~*d with Greek history*, εἶναι διαποτισμένος μέ Ἑλληνική ἱστορία.

satu·ra·tion /ˌsætʃəˈreɪʃn/ οὐσ. ‹U› διαπότισις, κορεσμός. ~ **bombing**, βομβαρδισμός τελείας καταστροφῆς. ~ **point**, σημεῖο κορεσμοῦ: *The market has reached* ~ *point*, ἡ ἀγορά ἔχει κορεσθῆ.

Sat·ur·day /ˈsætədɪ/ οὐσ. Σάββατο.

Sat·urn /ˈsætən/ οὐσ. (ἀστρον., μυθ.) Κρόνος.

sat·ur·na·lia /ˌsætəˈneɪlɪə/ οὐσ. πληθ. 1. **S**~, Σατουρνάλια (ἑορτή στήν ἀρχαία Ρώμη). 2. (συχνά μέ ἀόρ. ἄρθρ.) ὄργιο (γλεντιοῦ, ἀκολασίας, κλπ).

sat·ur·nine /ˈsætənaɪn/ ἐπ. σκυθρωπός, σκουντούφλης, κατηφής.

satyr /ˈsætə(r)/ οὐσ. ‹C› σάτυρος. **sa·tyric** /səˈtɪrɪk/ ἐπ. σατυρικός.

sauce /sɔs/ οὐσ. 1. ‹C,U› σάλτσα: *tomato* ~, σάλτσα ντομάτας. ˈ**~-boat**, σαλτσιέρα. 2. ‹U› (καθομ.) ἀναίδεια, ἀδιαντροπιά (διασκεδαστική μᾶλλον παρά ἐνοχλητική): *None of your* ~*!* μήν εἶσαι ἀναιδής! μάζεψε τή γλῶσσα σου! *What* ~*!* τί ἀναίδεια! *She's got plenty of* ~, ἔχει πολλή ἀναίδεια, εἶναι πολύ ἀδιάντροπη. **saucy** ἐπ. (-ier, -iest) (καθομ.) (α) ἀναιδής. (β) χαριτωμένος, κομψός, τσαχπίνικος: *What a saucy little hat!* τί χαριτωμένο καπελλάκι! **sauc·ily** ἐπίρ. μέ ἀναίδεια, χαριτωμένα, τσαχπίνικα. **sauci·ness** οὐσ. ‹U› ἀναίδεια, τσαχπινιά.

sauce·pan /ˈsɔspən/ οὐσ. ‹C› κατσαρόλα (μέ χέρι).

saucer /ˈsɔsə(r)/ οὐσ. ‹C› 1. πιατάκι: *a cup and (a)* ~, φλυτζάνι καί πιατάκι. ˈ**~-eyed** ἐπ. γουρλομάτης. 2. δίσκος: *a ˈflying* ˈ~, ἱπτάμενος δίσκος. 3. βαθούλωμα.

sauer·kraut /ˈsaʊəkraʊt/ οὐσ. ‹U› (Γερμ.) ξυνολάχανο.

sauna /ˈsaʊnə/ οὐσ. ‹C› ἀτμόλουτρο.

saun·ter /ˈsɔntə(r)/ ρ.ἀ. σουλατσάρω, περιδιαβάζω, σεργιανίζω: ~ *along a street window-shopping*, περιδιαβάζω σ' ἕνα δρόμο χαζεύοντας στίς βιτρίνες. —οὐσ. ‹C› σουλάτσο, βόλτα: *come at a* ~, ἔρχομαι μέ τό πάσο μου. **~er** οὐσ. ‹C› σουλατσαδόρος, περιπατητής. σαυροειδές.

saus·age /ˈsɒsɪdʒ/ οὐσ. ‹C,U› λουκάνικο. ˈ**~-meat**, κιμᾶς γιά λουκάνικα. ˌ**~-ˈroll**, πυροσκί μέ λουκάνικο.

sauté /ˈsəʊteɪ/ ἐπ. (Γαλλ.) σωταρισμένος. —ρ.μ. σωτάρω.

sav·age /ˈsævɪdʒ/ ἐπ. 1. ἄγριος, ἀπολίτιστος: ~ *tribes*, ἄγριες φυλές. 2. ἄγριος, σκληρός: *a* ~ *dog*, ἄγριος σκύλος. *make a* ~ *attack on sb*, κάνω ἄγρια ἐπίθεση ἐναντίον κάποιου. ~ *criticism*, ἄγρια κριτική. 3. (καθομ.) ἐξαγριωμένος, ἔξω φρενῶν. —οὐσ. ‹C› ἄγριος, βάρβαρος, πρωτόγονος. —ρ.μ. (γιά ζῶο) δαγκώνω, τσαλαπατῶ, στραπατσάρω ἄγρια, ἐπιτίθεμαι: *He was badly* ~*d by his mare*, τόν χτύπησε (τόν στραπατσάρισε) ἄσχημα ἡ φοράδα του. **~·ly** ἐπίρ. ἄγρια. **~·ness**, **~ry** /ˈsævɪdʒrɪ/ οὐσ. ‹U› ἀγριότης, σκληρότης, βαρβαρότης, πρωτογονισμός: *treat a conquered people with great* ~*ry*, φέρομαι μέ μεγάλη ἀγριότητα σ' ἕναν νικημένο λαό. *live in* ~*ry*, ζῶ σέ ἄγρια κατάσταση.

sa·vanna, sa·van·nah /səˈvænə/ οὐσ. ‹C› σαβάννα, ἄδενδρη πεδιάδα.

sa·vant /ˈsævɒ̃/ οὐσ. ‹C› σοφός.

[1]**save** /seɪv/ ρ.μ/ἀ. 1. ~ ***(from)***, σώζω, γλυτώνω: *Jesus came into the world to* ~ *sinners*, ὁ Ἰησοῦς ἦλθε στόν κόσμο νά σώση τούς ἁμαρτωλούς. ~ *sb from drowning*, σώζω κπ ἀπό πνιγμό. ~ *sb's life*, σώζω τή ζωή κάποιου. ~ *the goal*, (ποδόσφ.) σώζω τό τέρμα, ἀποκρούω. ~ ***sb from himself***, σώζω κπ ἀπό τόν ἴδιο του τόν ἑαυτό (ἀπό τίς ἀνοησίες του). ~ ***the situation***, σώζω τήν κατάσταση. ~ ***one's skin***, γλυτώνω τό τομάρι μου. (βλ. & λ. *bacon*, [1]*face*). 2. ~ ***(up)***, ἀποταμιεύω, φυλάω: ~ *(up) money for a holiday*, ἀποταμιεύω χρήματα γιά διακοπές. *S*~ *some of the meat for tomorrow*, φύλαξε λίγο ἀπό τό κρέας γιά αὔριο. *He has never* ~*d*, ποτέ δέν ἔχει κάνει οἰκονομία. ~ ***oneself/one's strength for sth***, φυλάω τίς δυνάμεις μου γιά κτ. (βλ. & λ. *rainy*). 3. ~ ***sb sth***, γλυτώνω, ἀπαλλάσσω: *That will* ~ *you time/one pound a week/a lot of trouble*, μ' αὐτό θά γλυτώσης χρόνο/μιά λίρα τήν ἑβδομάδα/πολλή φασαρία. *We've been* ~*d a lot of expense by doing it ourselves*, γλυτώσαμε ἕνα σωρό ἔξοδα κάνοντάς το οἱ ἴδιοι. *You'll* ~ *going there every day*, θά ἀπαλλαγῆς ἀπό τό νά πηγαίνης ἐκεῖ κάθε μέρα. **labour-saving device**, συσκευή ἐξοικονομήσεως ἐργασίας. —οὐσ. ‹C› (ποδόσφ.) ἀπόκρουσις, διάσωσις τῆς ἑστίας. **saver** οὐσ. ‹C› σωτήρας, ἐξοικονομητής, ἀποταμιευτής: *a* ~*r of souls*, σωτήρας ψυχῶν. *a ˈtime-*~*r*, ἐξοικονομητής

χρόνου. **sav·ing** ἐπ. σωτήριος: *a ~ intervention*, σωτήρια παρέμβαση. **saving grace**, τό καλό πού (τόν) σώζει, ἀρετή πού ἀντισταθμίζει ἐλαττώματα: *He has the ~ grace of humour*, ἔχει ἕνα καλό πού τόν σώζει–χιοῦμορ. **saving clause**, ὅρος ἀσφαλείας, ἐπιφύλαξις. —*οὐσ.* **1**. ‹C› σωτηρία, ἐξοικονόμησις: *a useful saving of money and time*, χρήσιμη ἐξοικονόμησις χρήματος καί χρόνου. **2**. (*πληθ.*) ἀποταμιεύσεις, καταθέσεις: *He keeps his savings in the Post Office*, ἔχει τίς οἰκονομίες του στό Ταχυδρ. Ταμιευτήριο. **`savings account**, λογαριασμός ταμιευτηρίου. **`savings bank**, ταμιευτήριον.

[2]**save** /seɪv/, **sav·ing** /`seɪvɪŋ/ *πρόθ.* ἐκτός: *all save him*, ὅλοι ἐκτός ἀπ' αὐτόν. *saving your presence*, (*πεπαλ.*) μέ τό συμπάθειο. ***save that***, ἐκτός τοῦ ὅτι: *We know nothing about him save that he was a prisoner of war*, δέν ξέρομε τίποτα γι' αὐτόν ἐκτός τοῦ ὅτι ἦταν αἰχμάλωτος πολέμου.

sav·iour /`seɪvɪə(r)/ *οὐσ.* ‹C› λυτρωτής, Σωτήρ.

savoir-faire /ˈsævwa `feə(r)/ *οὐσ.* ‹U› καλοί τρόποι, τάκτ, κοινωνική μόρφωσις.

sa·vory /`seɪvərɪ/ *οὐσ.* ‹U› (*φυτ.*) θρούμπη.

sa·vour /`seɪvə(r)/ *οὐσ.* ‹C,U› ~ ***of***, ἐλαφρά γεῦσις, ἄρωμα, νοστιμάδα, τόνος: *soup with a ~ of garlic*, σούπα μέ μιά ἐλαφρά γεύση σκόρδου. *the ~ of his humour*, ἡ νοστιμάδα τοῦ χιοῦμορ του. *His political views have a ~ of fanaticism*, οἱ πολιτικές του ἀπόψεις ἔχουν ἕναν τόνο φανατισμοῦ. —*ρ.μ/ὰ.* **1**. (*λογοτ.*) γεύομαι, ἀπολαμβάνω: *He ~ed his wine*, γεύτηκε/ἀπόλαυσε τό κρασί του. **2**. ~ ***of***, ἔχω γεύση, μυρίζω, προδίδω, δείχνω: *It ~s of garlic*, ἔχει μιά γεύση σκόρδου. *His reaction ~s of jealousy*, ἡ ἀντίδρασίς του μυρίζει (προδίδει, δείχνει) ζήλεια.

sa·voury /`seɪvərɪ/ *ἐπ.* νόστιμος, πικάντικος. —*οὐσ.* ‹C› μεζές, πικάντικο φαγητό.

sa·voy /sə`vɔɪ/ *οὐσ.* ‹C,U› κραμπολάχανο (μέ κατσαρά φύλλα).

savvy /`sævɪ/ *ρ.ὰ.* (*λαϊκ.*) καταλαβαίνω: *S~?* μπῆκες (= κατάλαβες); —*οὐσ.* ‹U› μυαλό, νιονιό: *Where's your ~?* ποῦ ἔχεις τό νιονιό σου;

[1]**saw** /sɔ/ *ἀόρ. τοῦ ρ.* [1]*see*.

[2]**saw** /sɔ/ *οὐσ.* ‹C› πριόνι. **`~·dust**, πριονίδι. **`~-horse**, τρίποδο πριονισμοῦ. **`~-mill**, πριονιστήρι. —*ρ.μ/ὰ.* (*ἀόρ. ~ed, π.μ. ~n* /sɔn/) πριονίζω/-ομαι, κόβω/-ομαι: *~ wood*, πριονίζω ξύλα. *~ a log into planks*, κόβω ἕνα κούτσουρο (σέ) σανίδες. *This wood ~s easily*, αὐτό τό ξύλο κόβεται εὔκολα. *He was ~ing at his fiddle*, (*μεταφ.*) γρατσούνιζε τό βιολί του. *~n timber*, ξυλεία σέ σανίδες. ***~ off***, ἀποκόπτω μέ πριόνι: *~ a branch off a tree*, κόβω ἕνα κλαδί ἀπό ἕνα δέντρο. ***~ up***, τεμαχίζω μέ πριόνι: *~ up a log*, κομματιάζω κούτσουρο (μέ πριόνι). **~·yer** /`sɔjə(r)/ *οὐσ.* ‹C› πριονιστής.

[3]**saw** /sɔ/ *οὐσ.* ‹C› γνωμικό, ρητό.

sax /sæks/ *οὐσ.* ‹C› (*καθομ. βραχυλ. γιά*) *saxophone*.

sax·horn /`sækshɔn/ *οὐσ.* ‹C› (*μουσ. ὄργανο*) σαξοκέρας.

Saxon /`sæksn/ *οὐσ.* ‹C› Σάξων. —*ἐπ.* σαξωνικός.

saxo·phone /`sæksəfəʊn/ *οὐσ.* ‹C› (*καθομ. βραχυλ.* **sax**) σαξόφωνο. **sax·ophon·ist** /sæk`sofənɪst/ *οὐσ.* ‹C› σαξοφωνίστας.

say /seɪ/ *ρ.μ/ὰ. ἀνώμ.* (*γ! πρόσ. ἑν. says* /sez/, *ἀόρ. & π.μ. said* /sed/) λέγω: *~ a word*, λέω μιά λέξη. *S~ it again!* ξαναπέστο! *~ one's lessons/prayers*, λέω τά μαθήματά μου/τήν προσευχή μου. *You don't mean to ~ that...*, δέ θέλεις νά πῆς ὅτι... ***I ~!*** (*ἐπιφ. ἐκπλήξεως ἤ προσελκύσεως τῆς προσοχῆς*) σώπα! ἔ! γιά πές μου! ***'So you `~***, μπορεῖ νἆναι ὅπως τά λές, ἐσύ τό λές αὐτό. ***You may well ~ so***, πολύ σωστά λές. ***What do you ~ (to sth/to doing sth)?*** τί λές (γιά): *What do you ~ to a walk/to going for a walk?* τί λές γιά ἕναν περίπατο; ***I wouldn't ~ no (to)***, δέν θἄχα ἀντίρρηση (γιά): *I wouldn't ~ no to a drop of ouzo*, δέν θἄχα ἀντίρρηση γιά λίγο οὖζο. ***that is to ~***, δηλαδή. ***to ~ nothing of***, γιά νά μήν ἀναφέρωμε, ἄσε πιά: *His grammar is atrocious, to ~ nothing of his pronunciation*, ἡ γραμματική του εἶναι φριχτή, γιά νά μήν ἀναφέρωμε (ἄσε πιά) τήν προφορά του. ***there's no ~ing***, δέν μπορεῖ νά ξέρη κανείς: *There's no ~ing what he'll do next*, ἀδύνατο νά ξέρη (νά πῆ) κανείς τί θά κάμη μετά. ***It goes without ~ing***, εἶναι ἀναμφισβήτητο, δέν θέλει συζήτηση. ***have nothing to ~ for oneself***, δέν ἔχω νά πῶ τίποτα πρός ὑπεράσπισή μου. ***~ the word***, φτάνει νά τό πῆς: *S~ the word and it's yours*, φτάνει νά τό πῆς κι' εἶναι δικό σου. ***~ a good word for sb***, λέω καλό λόγο γιά κπ. —*οὐσ.* (*μόνον ἑν.*) λόγος, κουβέντα. ***have no/not much ~ (in the matter)***, δέν μοῦ πέφτει καθόλου/πολύς λόγος (στό θέμα αὐτό). ***have one's ~***, λέω τό λόγο μου: *Let him have his ~*, ἄστον νά πῆ κι' αὐτός τό λόγο του/τήν ἰδέα του. ***~ one's ~***, λέω ὅ,τι ἔχω νά πῶ: *Have you said your ~?* εἶπες ὅ,τι εἶχες νά πῆς; **~·ing** /`seɪɪŋ/ *οὐσ.* ‹C› ρητό, παροιμία: *'More haste, less speed', as the ~ing goes*, 'σπεῦδε βραδέως' ὅπως λέει ἡ παροιμία.

scab /skæb/ *οὐσ.* **1**. ‹U› ψώρα (*ἰδ.* προβάτων). **2**. ‹C› κρούστα (ἐπουλωμένου τραύματος). **3**. ‹C› (*καθομ.*) ἀπεργοσπάστης, προδότης, μασκαρᾶς. **~by** ἐπ. ψωριάρης.

scab·bard /`skæbəd/ *οὐσ.* ‹C› θηκάρι (σπαθιοῦ, μαχαιριοῦ).

sca·bies /`skeɪbiz/ *οὐσ.* ‹U› (*ἰατρ.*) ψώρα.

scab·rous /`skeɪbrəs/ *ἐπ.* **1**. (*γιά ἐπιφάνεια*) τραχύς, ἀνώμαλος. **2**. (*γιά ἀφήγηση, κλπ*) σκαμπρόζικος, τολμηρός, αἰσχρός: *a ~ novel*, τολμηρό μυθιστόρημα. **3**. (*γιά θέμα*) ἀκανθώδης, δύσκολος: *a ~ question*.

scaf·fold /`skæfld/ *οὐσ.* ‹C› **1**. σκαλωσιά. **2**. ἰκρίωμα: *die on the ~*, πεθαίνω στό ἰκρίωμα/στήν κρεμάλα. *go to the ~*, πάω στήν κρεμάλα. **~·ing** *οὐσ.* ‹U› ὑλικά σκαλωσιᾶς.

scald /skɔld/ *ρ.μ.* **1**. ζεματίζω: *He ~ed his hand with hot oil*, ζεμάτισε τό χέρι του μέ καυτό λάδι. *He was ~ed to death when the boiler exploded*, πέθανε ἀπό τά ἐγκαύματα ὅταν ἔσκασε τό καζάνι. *~ing tears*, καυτά δάκρυα. **2**. πλένω (πιάτα, κλπ) μέ καυτό νερό. **3**. ζεσταίνω (πχ γάλα) μέχρι τοῦ σημείου βρασμοῦ σχεδόν. —*οὐσ.* ‹C› ζεμάτισμα, ἔγκαυμα (ἀπό καυτό ὑγρό): *an ointment for* *burns and* ~*s*, ἀλοιφή γιά ἐγκαύματα ἀπό φωτιά κι'ἀπό νερό.

[1]**scale** /skeɪl/ *οὐσ.* **1**. ‹C› λέπι (ψαριοῦ, φιδιοῦ, κλπ). **2**. ‹U› πουρί (σέ δόντια, σωλῆνες, κλπ). **3**. ‹C› φλούδα (σκουριᾶς, δέρματος, μπογιᾶς, κλπ). ***remove the*** ~***s from sb's eyes***, (*μεταφ.*) ἀνοίγω τά μάτια κάποιου, τόν βοηθάω νά δῆ τήν ἀλήθεια. __*ρ.μ./ὰ.* **1**. καθαρίζω (ἀπό λέπια, σκουριά, πουρί), ξελεπιάζω, ξεσκουριάζω. **2**. ~ ***off***, βγαίνω/κόβομαι σέ φλοῦδες, ξεφλουδίζω: *The paint/plaster was scaling off*, τό χρῶμα/ὁ σουβᾶς ἔβγαινε φλοῦδες. **scaly** *ἐπ.* *(α)* σκεπασμένος μέ λέπια ἤ μέ πουρί. *(β)* πού κόβεται σέ φλοῦδες, λεπιδωτός, φολιδωτός.

[2]**scale** /skeɪl/ *οὐσ.* ‹C› **1**. κλῖμαξ: *a* ~ *in centimetres/inches*, κλῖμαξ σέ πόντους/σέ ἴντσες. *the 'decimal* ~, ἡ δεκαδική κλῖμαξ. *on a* ~ *of one mile to the inch*, ὑπό κλίμακα ἑνός μιλίου στήν ἴντσα. *play a* ~ *on the piano*, (*μουσ.*) παίζω τήν κλίμακα στό πιάνο. *a* ~ *of wages*, μισθολογική κλῖμαξ. *a* ~ *of colours*, χρωματική κλῖμαξ. *the social* ~, ἡ κοινωνική κλῖμαξ. *be at the top of the* ~, εἶμαι στήν κορυφή τῆς (κοινωνικῆς ἤ ἐπαγγελματικῆς) κλίμακος. ***on a small/large*** ~, σέ μικρή/μεγάλη κλίμακα: *They are investing on a large* ~, κάνουν ἐπενδύσεις σέ μεγάλη κλίμακα. ***to*** ~, ὑπό κλίμακα: *a map drawn to* ~, χάρτης ὑπό κλίμακα. **2**. βαθμολογημένος κανών. __*ρ.μ.* **1**. κλιμακώνω: ~ *a map/building*, σχεδιάζω χάρτη/κτίριο ὑπό κλίμακα. **2**. ~ ***up/down***, αὐξάνω/μειώνω κατά τήν αὐτή κλίμακα: *All wages were* ~*d up to 10%*, ὅλοι οἱ μισθοί αὐξήθηκαν ἀναλόγως κατά 10%.

[3]**scale** /skeɪl/ *οὐσ.* **1**. ‹C› δίσκος/πιάτο ζυγαριᾶς: *a pair of* ~*s*, μιά ζυγαριά, μιά πλάστιγγα. **2**. (*πληθ.*) ζυγαριά, πλάστιγγα: *bathroom* ~*s*, ζυγαριά τοῦ μπάνιου. *kitchen* ~*s*, ζυγαριά τῆς κουζίνας. ***hold the*** ~***s even***, κρίνω δίκαια/ἀμερόληπτα. ***turn the*** ~***(s)***, κλίνω τήν πλάστιγγα: *The arrival of reinforcements turned the* ~*(s) in our favour*, ἡ ἄφιξις ἐνισχύσεων ἔκλινε τήν πλάστιγγα ὑπέρ ἡμῶν. ***turn the*** ~***(s) at***, (*καθομ.*) ζυγίζω: *The jockey turned the* ~*(s) at 80 lb*, ὁ τζόκεϋ ζύγιζε 80 λίβρες. __*ρ.ὰ.* ζυγίζω.

[4]**scale** /skeɪl/ *ρ.μ.* ἀναρριχῶμαι; σκαρφαλώνω: ~ *a wall/cliff*, ἀναρριχῶμαι σέ τοῖχο/σέ βράχο. **scaling-ladder**, πολιορκητική σκάλα, ἀνεμόσκαλα.

scal·lop (*καί* **scol·lop**) /ˈskoləp/ *οὐσ.* ‹C› **1**. χτένι (ὄστρακο). **ˋ~-shell**, (*μαγειρ.*) κοκίγ (μέ ψάρι, κρέας, κλπ). **2**. (*πληθ.*, *ἐργόχ.*) φεστόνι. __*ρ.μ.* **1**. μαγειρεύω σέ κοκίγ. **2**. φεστονάρω.

scally·wag /ˈskælɪwæg/ *οὐσ.* ‹C› (*χιουμορ.*, *πεπαλ.*) μασκαρᾶς, παληοτόμαρο, ἀλιτήριος.

scalp /skælp/ *οὐσ.* ‹C› τό τριχωτό δέρμα τῆς κεφαλῆς (*ἰδ.* σάν πολεμικό τρόπαιο τῶν ἐρυθροδέρμων). ***be out for*** ~***s***, (*μεταφ.*) κυνηγάω τρόπαια/νίκες. __*ρ.μ.* ἀποσπῶ τό τριχωτό μέρος τῆς κεφαλῆς ἐχθροῦ.

scal·pel /ˈskælpəl/ *οὐσ.* ‹C› χειρουργικό νυστέρι.

[1]**scamp** /skæmp/ *οὐσ.* ‹C› (*συχνά χιουμορ.*, *πεπαλ.*) μασκαρᾶς, ἀλιτήριος, τιποτένιος: *my* ~ *of a son*, ὁ μασκαρᾶς ὁ γυιός μου.

[2]**scamp** /skæmp/ *ρ.μ.* φτιάχνω τσαπατσούλικα καί βιαστικά, ψευτοφτιάχνω, προχειροφτιάχνω.

scam·per /ˈskæmpə(r)/ *ρ.ὰ.* (*γιά ποντίκια, κουνέλια, κλπ*) τρέχω τρομαγμένα, (*γιά παιδιά, σκυλιά, κλπ*) τό βάζω στά πόδια: *The children* ~*ed off/away*, τά παιδιά ἔφυγαν τρεχάλα. __*οὐσ.* ‹C› τρεχάλα: *I'll take the dog for a* ~, θά βγάλω τό σκυλί νά τρέξη λίγο.

scampi /ˈskæmpɪ/ *οὐσ.* *πληθ.* (*μέ ρ. ἑν.*) μεγάλες γαρίδες, καραβίδες.

scan /skæn/ *ρ.μ./ὰ.* *(-nn-)* **1**. ψάχνω μέ τά μάτια, ἐξετάζω μέ τό βλέμμα: ~ *the horizon*, ψάχνω (ἀνιχνεύω, ἀγναντεύω) τόν ὁρίζοντα. ~ *sb's face*, ἐρευνῶ (ἀνιχνεύω, προσπαθῶ νά διαβάσω) τό πρόσωπο κάποιου. **2**. ρίχνω βιαστική ματιά: *He* ~*ned the newspaper while having his breakfast*, ἔρριξε μιά γρήγορη ματιά στήν ἐφημερίδα ἐνῶ προγευμάτιζε. **3**. ἀναλύω μετρικά ἕναν στίχο (ἀπαγγέλοντάς τον). **4**. (*γιά στίχο*) ἔχω σωστό μέτρο: *This line does not* ~, αὐτός ὁ στίχος δέν ἔχει καλό μέτρο. **5**. (*γιά ραντάρ*) ἐξερευνῶ, ἀνιχνεύω. **scan·sion** /ˈskænʃn/ *οὐσ.* ‹U› μετρική ἀνάλυσις, προσωδία.

scan·dal /ˈskændl/ *οὐσ.* **1**. ‹C,U› σκάνδαλο: *create a* ~, δημιουργῶ σκάνδαλο. *There have been grave* ~*s on the Stock Exchange*, σημειώθηκαν σοβαρά σκάνδαλα στό Χρηματιστήριο. *It's a* ~ *that he is still allowed to go about free*, εἶναι σκάνδαλο (εἶναι αἶσχος) πού τοῦ ἐπιτρέπουν ἀκόμη νά γυρίζη ἐλεύθερος. **2**. ‹U› κουτσομπολιό, κακολογία, δυσφήμησις: *talk* ~, κουτσομπολεύω. *Don't listen to* ~, μήν ἀκοῦς τά κουτσομπολιά. *She enjoys a bit of* ~, τῆς ἀρέσει λίγο τό κουτσομπολιό. **ˋ~·monger** /-mʌŋgə(r)/, κουτσομπόλης, σκανδαλοθήρας. **ˋ~·mon·ger·ing** /-mʌŋgərɪŋ/, σκανδαλοθηρία. **ˋ~·ize** /ˈskændəlaɪz/ *ρ.μ.* σκανδαλίζω: *She* ~*ized the neighbours by sunbathing on the verandah in the nude*, σκανδάλισε τούς γειτόνους κάνοντας ἡλιοθεραπεία στήν βεράντα γυμνή. **ˋ~·ous** /ˈskændələs/ *ἐπ.* *(α)* σκανδαλώδης, αἰσχρός: ~*ous behaviour*, αἰσχρή συμπεριφορά. *(β)* κουτσομπόλικος, δυσφημιστικός: ~*ous reports/rumours*, δυσφημιστικά δημοσιεύματα/κουτσομπόλικες διαδόσεις. ~*ous tongues*, κουτσομπόλικες/κακές γλῶσσες. **~·ous·ly** *ἐπίρ.*

Scan·di·na·vian /ˈskændɪˋneɪvɪən/ *οὐσ.* ‹C› Σκανδιναυός. __*ἐπ.* σκανδιναυϊκός.

scan·sion /ˈskænʃn/ *οὐσ.* ‹U› *βλ. scan.*

scant /skænt/ *ἐπ.* ἀνεπαρκής, πολύ λίγος: ~ *vegetation*, λιγοστή βλάστηση. *pay* ~ *attention to sb's advice*, δέν δίνω πολλή προσοχή στίς συμβουλές κάποιου. *He was* ~ *of breath*, τοῦ εἶχε κοπῆ ἡ ἀναπνοή, ἦταν λαχανιασμένος. __*ρ.μ.* τσιγγουνεύομαι: *Don't* ~ *the butter when you make a cake*, μήν τσιγγουνεύεσαι τό βούτυρο ὅταν φτιάχνης γλυκά. **scanty** *ἐπ.* *(-ier, -iest)* ἀνεπαρκής, πενιχρός, λιγοστός: *a* ~*y income/wheat crop*, πενιχρό εἰσόδημα/-ή σοδειά σταριοῦ. *a* ~*y bathing dress*, μιά ὑποψία μαγιό. ~*y hair*, λιγοστά/ἀραιά μαλλιά. **~·ily** /-əlɪ/ *ἐπίρ.* ἀνεπαρκῶς: ~*ily dressed/lighted*, ἀνεπαρκῶς ντυμένος/φωτισμένος. **~i·ness** *οὐσ.* ‹U› ἀνεπάρκεια,

ἔλλειψις, σπάνις.
scant·ling /`skæntlıŋ/ *οὐσ.* ‹C› στενή σανίδα, μικρό μαδέρι.
scape·goat /`skeıpgəut/ *οὐσ.* ‹C› ἀποδιοπομπαῖος τράγος, ἐξιλαστήριον θῦμα.
scape·grace /`skeıpgreıs/ *οὐσ.* ‹C› (*πεπαλ., συχνά χιουμορ.*) ἀχαΐρευτος, προκομμένος, μόρτης: *her ~ husband*, ὁ προκομμένος ὁ ἄντρας της. *You young ~!* νεαρέ μόρτη!
scap·ula /`skæpjulə/ *οὐσ.* ‹C› (*ἀνατ.*) ὠμοπλάτη.
scar /skɑ(r)/ *οὐσ.* ‹C› οὐλή, σημάδι, (*μεταφ.*) πληγή, ψυχικό τραῦμα: *a ~ across his cheek*, μιά οὐλή στό μαγουλό του. *That grief left a ~ on her heart*, αὐτός ὁ πόνος τῆς ἄφησε σημάδι/τραῦμα στήν καρδιά. —*ρ.μ/ὰ.* (*-rr-*) **1**. ἀφήνω σημάδι/οὐλή, σημαδεύω: *a face ~red by smallpox*, πρόσωπο σημαδεμένο ἀπό τή βλογιά. *the war-~red towns of Vietnam*, οἱ σημαδεμένες ἀπό τόν πόλεμο πόλεις τοῦ Βιετνάμ. **2**. **~ *over***, (*γιά τραῦμα*) ἐπουλώνομαι: *The cut on his forehead ~red over*, τό τραῦμα στό μέτωπό του ἐπουλώθηκε.
scarab /`skærəb/ *οὐσ.* ‹C› (*ζωολ.*) σκαραβαῖος.
scarce /skeəs/ *ἐπ.* σπάνιος: *Money/Coal is ~*, τό χρῆμα/τό κάρβουνο σπανίζει. *a ~ book*, σπάνιο βιβλίο. ***make oneself ~***, (*καθομ.*) ἐξαφανίζομαι, φεύγω, στρίβω, τό σκάω. **scarc·ity** /`skeəsətı/ *οὐσ.* ‹C,U› σπάνις, ἔλλειψις: *the scarcity of food/water*, ἡ ἔλλειψις τροφίμων/ἡ λειψυδρία.
scarce·ly /`skeəslı/ *ἐπίρ.* μόλις καί μετά βίας, σχεδόν καθόλου, πρίν καλά-καλά: *He can ~ read*, μόλις καί μετά βίας μπορεῖ νά διαβάση. *I ~ know him*, δέν τόν γνωρίζω σχεδόν καθόλου. *S~ had he entered the office when the phone rang*, δέν εἶχε μπεῖ καλά-καλά στό γραφεῖο του καί χτύπησε τό τηλέφωνο.
scare /skeə(r)/ *ρ.μ/ὰ.* τρομάζω, φοβίζω, πανικοβάλλω/-ομαι: *He ~s easily; He is easily ~d*, τρομάζει εὔκολα. *The dog ~d the thief away*, ὁ σκύλος τρόμαξε τόν κλέφτη καί τόν ἔδιωξε. *He was ~d by the thunder/at the strange noise*, τρόμαξε ἀπό τόν κεραυνό/ἀπό τόν παράξενο θόρυβο. **~ *sb stiff***, (*καθομ.*) πανικοβάλλω κπ: *He's ~d stiff of women*, τρέμει τίς γυναῖκες, οἱ γυναῖκες τοῦ φέρνουν πανικό. **~ *sb out of his wits***, (*καθομ.*) τρελλαίνω κπ ἀπό τό φόβο: *She was ~d out of her wits when...*, τρελλάθηκε ἀπό τό φόβο της ὅταν... —*οὐσ.* ‹C› φόβος, τρόμος, πανικός: *give sb a ~*, τρομάζω κπ, προκαλῶ τρόμο σέ κπ. *The news caused a war ~*, τά νέα προκάλεσαν πανικό πολέμου. ***create/raise a ~***, δημιουργῶ/ἐνσπείρω πανικό. `**~·crow**, σκιάχτρο, φόβητρο (*ἰδ.* γιά τά πουλιά). `**~ headline**, τεράστιος ἐντυπωσιακός τίτλος (σέ ἐφημερίδα). `**~-monger** /-mʌŋgə(r)/, διαδοσίας, ἄνθρωπος πού προκαλεῖ πανικό διαδίδοντας ἀνησυχητικές εἰδήσεις. **scary** /`skeərı/ *ἐπ.* (*καθομ.*) τρομαχτικός, πού προκαλεῖ φόβο: *This room is a bit scary*, αὐτό τό δωμάτιο σέ τρομάζει λίγο.
scarf /skɑf/ *οὐσ.* ‹C› (*πληθ.* *~s* /skɑfs/ ἤ *scarves* /skɑvs/) κασκόλ, φουλάρι (γιά τό κεφάλι), ἐσάρπα. `**~-pin**, καρφίτσα τοῦ κασκόλ.
scar·ify /`skærəfaı/ *ρ.μ.* **1**. (*χειρουργ.*) σκαριφίζω. **2**. ἀναμοχλεύω (τό ἔδαφος). **3**. (*μεταφ.*) ἐπικρίνω δριμύτατα, ξεσκίζω (πχ συγγραφέα, ἔργον, κλπ).
scar·let /`skɑlət/ *ἐπ.* ἄλικος, κατακόκκινος. —*οὐσ.* ‹C,U› ἄλικο χρῶμα. '**~** `**fever**, ὀστρακιά, σκαρλατίνα. '**~** `**hat**, καπέλλο καρδιναλίου. '**~** `**woman**, (*παλαιότ.*) πόρνη.
scarp /skɑp/ *οὐσ.* ‹C› γκρεμός, ἀπότομη πλαγιά.
scat /skæt/ *ἐπιφ.* (*λαϊκ.*) στρίβε! σπάσε! δίνε του!
scath·ing /`skeıðıŋ/ *ἐπ.* καυστικός, δηκτικός, φαρμακερός: *a ~ retort*, καυστική ἀπάντηση. *~ criticism*, φαρμακερή κριτική. **~·ly** *ἐπίρ.* καυστικά.
scat·ter /`skætə(r)/ *ρ.μ/ὰ.* (δια)σκορπίζω/-ομαι: *The police ~ed the crowd*, ἡ ἀστυνομία διέλυσε/διεσκόρπισε τό πλῆθος. *The crowd ~ed*, τό πλῆθος σκόρπισε/διαλύθηκε. *~ seed/gravel*, σκορπίζω σπόρο/ἀμμοχάλικο. *~ed all over the street*, σκορπισμένος σ' ὅλο τό δρόμο. *The region is ~ed over with small villages*, ἡ περιοχή εἶναι κατεσπαρμένη μέ χωριουδάκια. `**~-brain**, ἐλαφρόμυαλος. `**~-brained** *ἐπ.* ξεμυαλισμένος: *She's ~-brained*, ἔχει τά μυαλά της πάνω ἀπό τό κεφάλι της, εἶναι ἐλαφρόμυαλη. —*οὐσ.* ‹C› διασπορά, σκόρπισμα, διάλυσις. **~ed** *ἐπ.* διασκορπισμένος, ἀραιός.
scatty /`skætı/ *ἐπ.* (*-ier, -iest*) (*καθομ.*) μουρλός, παλαβός: *She'll drive him ~*, θά τόν παλαβώση.
scav·enge /`skævındʒ/ *ρ.μ/ὰ.* σκουπίζω (δρόμους), καθαρίζω (ὑπονόμους). **~r** /-dʒə(r)/ *οὐσ.* ‹C› **1**. σκουπιδιάρης (*ἐν χρήσει: dustman ἤ refuse-collector*). **2**. ζῶο ἤ πουλί πού τρώει ψοφίμια.
scen·ario /sı`nɑrıəu/ *οὐσ.* ‹C› (*πληθ.* *~s*) σενάριο. **scen·arist** /sı`nɑrıst/ *οὐσ.* ‹C› σεναριογράφος.
scene /sin/ *οὐσ.* ‹C› **1**. σκηνή, τόπος (ὅπου διαδραματίζεται κάτι): *the ~ of a great battle*, ἡ σκηνή μιᾶς μεγάλης μάχης. *The ~ of the novel is laid in Scotland*, ἡ σκηνή τοῦ μυθιστορήματος τοποθετεῖται στή Σκωτία (ἡ ἱστορία ἐκτυλίσσεται στή Σκωτία). **2**. σκηνή, θέα, εἰκόνα, ἐντύπωσις, τοπεῖο: *the ~ from the window*, ἡ θέα ἀπό τό παράθυρο. *S~s of country life*, σκηνές τῆς ἀγροτικῆς ζωῆς. *The boats make a beautiful ~*, οἱ βάρκες φτιάχνουν μιά ὄμορφη εἰκόνα. *They went abroad for a change of ~*, πῆγαν στό ἐξωτερικό γιά ν' ἀλλάξουν ἐντυπώσεις. **3**. σκηνή, ἐπεισόδιο: *It was a dreadful ~*, ἦταν μιά φοβερή σκηνή. ***make a ~***, δημιουργῶ/κάνω σκηνή. **4**. σκηνή (θεατρ. ἔργου), σκηνικό, σκηνογραφία: *the duel ~ in 'Hamlet'*, ἡ σκηνή τῆς μονομαχίας στόν "Ἄμλετ". ***behind the ~s***, (*κυριολ. & μεταφ.*) στά παρασκήνια. ***come on the ~***, (*μεταφ.*) ἐμφανίζομαι ἐπί σκηνῆς. `**~-painter**, σκηνογράφος. `**~-shifter**, μηχανικός θεάτρου. **5**. εἰκόνα, ἐκδήλωσις, κέντρον, περιοχή. ***be on the ~***, (*καθομ.*) εἶμαι παρών (*ἰδ.* σέ κοσμικές ἐκδηλώσεις). ***make the ~ (with sb)***, (*μεταφ., καθομ.*) κάνω τήν ἐμφάνισή μου (μέ κπ), συμμετέχω σέ κοσμικές ἐκδηλώσεις.
scen·ery /`sinərı/ *οὐσ.* ‹U› **1**. τοπεῖα, θέα:

mountain ~, ὀρεινά τοπεῖα. *The ~ along the banks of the Thames is beautiful*, τά τοπεῖα κατά μῆκος τῶν ὀχθῶν τοῦ Τάμεση εἶναι πολύ ὄμορφα. *He stopped to admire the* ~, σταμάτησε νά ἀποθαυμάση τό τοπεῖο/τή θέα. 2. (*θέατρ.*) σκηνικά.

scenic /ˋsinɪk/ *ἐπ.* **1**. φυσικός, τοῦ τοπείου: *the ~ beauty of the Alps*, ἡ φυσική ὀμορφιά τῶν Ἄλπεων/ἡ ὀμορφιά τῶν τοπείων στίς Ἄλπεις. **2**. γραφικός: *a ~ road across Taygetus*, ἕνας γραφικός δρόμος πού διασχίζει τόν Ταΰγετο. **3**. σκηνικός, θεατρικός: *~ effects*, σκηνικά ἐφφέ. **~ally** /-klɪ/ *ἐπίρ.*

scent /sent/ *οὐσ.* **1**. ‹C,U› μυρωδιά: *the ~ of new-mown hay*, ἡ μυρωδιά τοῦ νιόκοπου χόρτου. *These flowers have no* ~, αὐτά τά λουλούδια δέν ἔχουν μυρουδιά/δέν μυρίζουν. *a ~ of lavender*, μυρωδιά λεβάντας. **2**. ‹U› ἄρωμα: *a bottle of* ~, ἕνα μπουκαλάκι ἄρωμα. **3**. (*συνήθ. ἑν.*) ὀσμή, ἴχνος, ντορός (ζώου): *pick up/lose the* ~, βρίσκω/χάνω τά ἴχνη. *The ~ was hot*, τά ἴχνη ἦταν φρέσκα. ***be on the ~***, εἶμαι ἐπί τά ἴχνη. ***be off the ~***, ἔχω χάσει τά ἴχνη. ***put/throw sb off the ~***, παραπλανῶ κπ, τόν κάνω νά χάση τά ἴχνη μου. ***be on a wrong/false ~***, ἀκολουθῶ λανθασμένα/ψεύτικα ἴχνη. **4**. ‹U› (*ἰδ. γιά σκυλί*) ὄσφρησις: *This dog has no* ~, αὐτός ὁ σκύλος δέν ἔχει ὄσφρηση/δέν ἔχει μύτη. *He has a good ~ for young talent*, (*καθομ.*) μυρίζεται (ἔχει τήν ἱκανότητα ν' ἀνακαλύπτη) τά νέα ταλέντα. —*ρ.μ.* **1**. μυρίζομαι, ὀσφραίνομαι: *The dog ~ed a hare*, ὁ σκύλος μυρίστηκε λαγό. *I ~ trouble/treachery*, (*μεταφ.*) μυρίζομαι (ὑποπτεύομαι, διαισθάνομαι) φασαρία/προδοσία. **2**. ἀρωματίζω: *~ a handkerchief/the air*, ἀρωματίζω ἕνα μαντήλι/τήν ἀτμόσφαιρα. **~·less** *ἐπ.* ἄοσμος: *~less flowers.*

scep·tic /ˋskeptɪk/ *οὐσ.* ‹C› σκεπτικιστής. **~al** *ἐπ.* σκεπτικιστικός, δύσπιστος. **~ally** *ἐπίρ.* μέ σκεπτικισμό. **~ism** /ˋskeptɪsɪzm/ *οὐσ.* ‹U› σκεπτικισμός.

sceptre /ˋseptə(r)/ *οὐσ.* ‹C› σκῆπτρον: *hold/wield the* ~, κρατῶ τό σκῆπτρο.

sched·ule /ˋʃedjul/ *οὐσ.* ‹C› πρόγραμμα, χρονοδιάγραμμα, πίνακας: *a proˋduction* ~, πρόγραμμα παραγωγῆς. *a full* ~, πλῆρες πρόγραμμα. ***on/behind ~***, στήν ὥρα του/καθυστερημένος: *The train arrived on* ~, τό τραῖνο ἔφθασε στήν ὥρα του. *We are behind* ~, ἔχομε καθυστερήσει. ***(according) to ~***, σύμφωνα μέ τό πρόγραμμα: *Everything went off according to* ~, ὅλα ἔγιναν ὅπως εἶχαν προγραμματισθῆ. —*ρ.μ.* προγραμματίζω: *~d services*, προγραμματισμένα δρομολόγια. *His arrival is ~d for Sunday*, ἡ ἄφιξίς του ἔχει προγραμματισθῆ γιά τήν Κυριακή. *The President is ~d to make a speech tomorrow*, ὁ Πρόεδρος πρόκειται (σύμφωνα μέ τό πρόγραμμα) νά ἐκφωνήση λόγο αὔριο.

sche·matic /skiˋmætɪk/ *ἐπ.* σχηματικός, παραστατικός, γραφικός: *a ~ representation*, σχηματική ἀναπαράστασις. **~ally** /-klɪ/ *ἐπίρ.* σχηματικά, παραστατικά, συνοπτικά.

scheme /skim/ *οὐσ.* ‹C› **1**. (διά)ταξις, συνδυασμός: *the ~ of things*, ἡ τάξις τῶν πραγμάτων, ἡ φυσική τάξις. *a ˋcolour* ~, χρωματικός συνδυασμός. **2**. σχέδιο, μελέτη, διάγραμμα: *the ~ of a canal*, τό σχέδιο/ἡ μελέτη μιᾶς διώρυγος. *the ~ of a play*, τό διάγραμμα ἑνός ἔργου. **3**. μηχανορραφία, δολοπλοκία, κομπίνα: *a ~ to defraud the tax authorities*, κομπίνα γιά νά ἐξαπατηθῆ ἡ ἐφορία. ***lay a ~***, ὀργανώνω μηχανορραφία, στήνω κομπίνα. —*ρ.μ/ἀ.* ***~ for sth/to do sth***, μηχανορραφῶ, δολοπλοκῶ, βυσσοδομῶ, σχεδιάζω: *They ~d for the overthrow of the government*, μηχανορραφοῦσαν γιά τήν ἀνατροπή τῆς κυβερνήσεως. **~r** *οὐσ.* ‹C› δολοπλόκος, μηχανορράφος. **schem·ing** *ἐπ.* δολοπλόκος, μηχανορράφος: *a scheming young man*, ἕνας δολοπλόκος νεαρός. —*οὐσ.* ‹U› ραδιουργία, μηχανορραφία, δολοπλοκίες, κομπίνες: *Scheming will get you nowhere.*

scherzo /ˋskeətsəʊ/ *οὐσ.* ‹C› (*μουσ.*) σκέρτσο.

schism /ˋsɪzm/ *οὐσ.* ‹C,U› σχῖσμα. **schis·matic** /sɪzˋmætɪk/ *ἐπ.* σχισματικός.

schizo·phrenia /ˈskɪtsəʊˋfriniə/ *οὐσ.* ‹U› σχιζοφρενία. **schizo·phrenic** /-ˋfrenɪk/ *ἐπ.* σχιζοφρενικός. —*οὐσ.* ‹C› (*καθομ. βραχυλ. schizo*) σχιζοφρενής.

schmaltz /ʃmɔlts/ *οὐσ.* ‹U› (*καθομ.*) ἀρρωστημένος συναισθηματισμός. **~y** *ἐπ.* ψευτοσυναισθηματικός, γλυκερός.

schnapps /ʃnæps/ *οὐσ.* ‹C› γερμανικό τζίν.

schnit·zel /ˋʃnɪtsl/ *οὐσ.* ‹C› σνίτσελ.

schnor·kel /ˋʃnɔkl/ *οὐσ.* ‹C› *βλ. snorkel.*

scholar /ˋskolə(r)/ *οὐσ.* ‹C› **1**. (*ἀπηρχ.*) μαθητής, σκολιαρούδι. **2**. ὑπότροφος: *a British Council* ~, ὑπότροφος τοῦ Βρετ. Συμβουλίου. **3**. σοφός, ἐπιστήμων, μελετητής: *a great* ~, μεγάλος ἐπιστήμων, σοφός. *a Greek* ~, Ἑλληνιστής. *a Chinese* ~, σινολόγος. **4**. (*καθομ., μεταξύ ἀμόρφωτων ἀνθρώπων*) γραμματισμένος: *I'm not much of a* ~, δέν εἶμαι πολύ γραμματισμένος, δέν ξέρω πολλά γράμματα. **~·ly** *ἐπ.* λόγιος, μορφωμένος, δόκιμος: *a ~ly woman*, λογία γυναίκα. *a ~ly translation*, δόκιμος μετάφρασις (πού φανερώνει βαθειά γνώση). **ˋ~·ship** /ˋskoləʃɪp/ *οὐσ.* *(α)* ‹C› ὑποτροφία: *win a ~ship to the University*, παίρνω ὑποτροφία γιά τό Πανεπιστήμιο. *(β)* ‹U› μόρφωσις, γνώσεις, εὐρυμάθεια, ἐπιστημονική σκέψις.

schol·as·tic /skəˋlæstɪk/ *ἐπ.* **1**. ἐκπαιδευτικός, σχολικός: *the ~ profession*, τό ἐκπαιδευτικόν ἐπάγγελμα. *a ~ post*, θέσις ἐκπαιδευτικοῦ/δασκάλου. *a ~ agency*, γραφεῖο τοποθετήσεως ἐκπαιδευτικῶν. **2**. σχολαστικός, (*μεταφ.*) στενοκέφαλος, δασκαλίστικος. **~ism** /skəˋlæstɪsɪzm/ *οὐσ.* ‹U› σχολαστικισμός.

[1]**school** /skul/ *οὐσ.* **1**. ‹C› σχολεῖο: *a ˋprimary/a ˋsecondary/an ˋevening* ~, δημοτικό/γυμνάσιο/νυκτερινό. *an ˋinfant* ~, νηπιαγωγεῖο. *(a) ˋSunday* ~, κατηχητικό. *a ˋState* ~, δημόσιο σχολεῖο. *a ˋprivate* ~, ἰδιωτικό σχολεῖο. (*βλ. & λ. comprehensive*). **ˋ~-age**, σχολική ἡλικία: *ˈ~-ˋleaving age*, ἡλικία ἀποφοιτήσεως. **ˋ~-board**, σχολική ἐφορία. **ˋ~-book**, ἀναγνωστικό, σχολικό βιβλίο. **ˋ~-boy/girl**, μαθητής/μαθήτρια. **ˋ~-days**, σχολική ζωή, μαθητικά χρόνια. **~ doctor**, σχολίατρος. **ˋ~·fellow**, συμμαθητής. **ˋ~-house**, *(α)* σχολικό κτίριο, διδακτήριον. *(β)* κατοικία δασκάλου. **ˋ~-ma'am/-marm**

/-mam/, (*καθομ.*) δασκάλα. `~·**man** /-mən/, καθηγητής σέ Μεσαιωνικό Πανεπιστήμιο. `~·**master/mistress**, δάσκαλος, καθηγητής/δασκάλα, καθηγήτρια. `~-**mate**, συμμαθητής. `~-**time**, ὥρα μαθήματος (εἴτε στό σχολεῖο εἴτε στό σπίτι). **2**. (*μέ όριστ. ἄρθρ.*) σχολεῖο (τό σύνολο τῶν μαθητῶν): *The whole ~ knew about it*, ὅλο τό σχολεῖο τό ἤξερε. **3**. (*χωρίς the*) σχολεῖο (σά διαδικασία μαθήσεως): *go to/leave ~*, πηγαίνω στό σχολεῖο/σταματῶ τό σχολεῖο. *S~ begins at 9 a.m.*, τό σχολεῖο ἀρχίζει στίς 9 πμ. *There will be no ~ tomorrow*, δέν ἔχει σχολεῖο αὔριο. *He won't be back from ~ before 2 p.m.*, δέν θά γυρίση ἀπό τό σχολεῖο πρίν ἀπό τίς 2 μμ. **4**. **the ~s**, *(α)* Μεσαιωνικά Πανεπιστήμια, σχολαστική φιλοσοφία. *(β)* αἴθουσα ἐξετάσεων, (*στήν Ὀξφόρδη*) ἐξετάσεις ἐπί πτυχίῳ. **5**. σχολή (Πανεπιστημιακή): *the `Law/`Medical S~*, ἡ Νομική/ἡ Ἰατρική Σχολή. **6**. ‹C› σχολή (στήν τέχνη, φιλοσοφία, κλπ): *the Dutch ~ of painting*, ἡ σχολή Ὁλλανδῶν ζωγράφων. *the Hegelian ~*, ἡ Ἑγελιανή Σχολή. *He's one of the old ~*, εἶναι τῆς παληᾶς σχολῆς. **7**. (*μεταφ.*) σχολεῖο, ἐμπειρία: *the hard ~ of adversity*, τό πικρό σχολεῖο τῆς δυστυχίας. __*ρ.μ.* διαπαιδαγωγῶ, γυμνάζω, μορφώνω: *~ a horse*, γυμνάζω ἕνα ἄλογο. *~ one's temper*, μαθαίνω νά εἶμαι συγκρατημένος. *~ oneself to patience*, ἀσκοῦμαι στήν ὑπομονή, μαθαίνω νά εἶμαι ὑπομονητικός. *~ed by adversity*, γυμνασμένος ἀπό τή δυστυχία. **~·ing** *οὐσ.* ‹U› ἐκπαίδευσις, μόρφωσις, σπουδές: *He had very little ~ing*, δέν πῆρε πολλή μόρφωση, δέν πῆγε πολύ στό σχολεῖο. *Who's paying for her ~ing?* ποιός πληρώνει γιά τίς σπουδές της;

²**school** /skul/ *οὐσ.* ‹C› (*γιά ψάρια*) κοπάδι.

schoo·ner /`skunə(r)/ *οὐσ.* ‹C› **1**. (*ναυτ.*) σκούνα, γολέτα. **2**. ψηλό ποτήρι (μπύρας).

schwa /ʃwa/ *οὐσ.* ‹C› ὀνομασία τοῦ φωνητικοῦ συμβόλου /ə/.

sci·atic /saɪ`ætɪk/ *ἐπ.* ἰσχιακός. **sci·atica** /saɪ`ætɪkə/ *οὐσ.* ‹U› ἰσχιαλγία.

science /`saɪəns/ *οὐσ.* **1**. ‹C,U› ἐπιστήμη: *the ap`plied ~s*, οἱ ἐφαρμοσμένες ἐπιστῆμες. *the `natural ~s*, φυτολογία, ζωολογία. *the `physical ~s*, ἡ φυσική καί χημεία. *`pure ~*, καθαρή/ἀφηρημένη ἐπιστήμη. *social science; the social ~s*, κοινωνικές ἐπιστῆμες. '~ `**fiction**, μυθιστορήματα ἐπιστημονικῆς φαντασίας. **2**. ‹U› τεχνική: *In judo ~ is more important than strength*, στό καράτε ἡ τεχνική ἔχει πιό πολλή σημασία ἀπό τή δύναμη.

scien·tific /'saɪən`tɪfɪk/ *ἐπ.* **1**. ἐπιστημονικός: *~ methods/instruments*, ἐπιστημονικές μέθοδοι/-ά ὄργανα. **2**. πεπειραμένος, μεθοδικός, μέ ὑψηλή τεχνική: *a ~ boxer*, πυγμάχος μέ ἄριστη τεχνική. **~ally** /-klɪ/ *ἐπίρ.*

scien·tist /`saɪəntɪst/ *οὐσ.* ‹C› ἐπιστήμων.

scimi·tar /`sɪmɪtə(r)/ *οὐσ.* ‹C› γιαταγάνι.

scin·tilla /sɪn`tɪlə/ *οὐσ.* ‹C› ἴχνος, σπινθήρας, κόκκος: *not a ~ of truth*, οὔτε κόκκος ἀλήθειας. *not a ~ of evidence*, οὔτε ἴχνος ἀποδείξεως.

scin·til·late /`sɪntɪleɪt/ *ρ.ἀ.* σπινθηροβολῶ: *~ with wit*, σπινθηροβολῶ ἀπό πνεῦμα. **scin·til·la·ting** *ἐπ.* σπινθηροβόλος. **scin·til·la·tion** /'sɪntɪ`leɪʃn/ *οὐσ.* ‹U› σπινθηροβόλημα, λαμπύρισμα.

scion /`saɪən/ *οὐσ.* ‹C› **1**. βλαστός, γόνος: *the ~ of a noble family*, ὁ βλαστός/ὁ γόνος ἀρχοντικῆς οἰκογενείας. **2**. βλαστάρι, μπόλι (δέντρου).

scis·sors /`sɪzəz/ *οὐσ. πληθ.* (*συχνά: a pair of ~*) ψαλίδι: *Where are my ~?* ποῦ εἶναι τό ψαλίδι μου; *~ **and paste***, συγκόλλημα (ἀπό παληά ἄρθρα): *This article is a ~ and paste job*, αὐτό τό ἄρθρο εἶναι καθαρή συγκόλλησις παληῶν δημοσιευμάτων.

scler·osis /sklə`rəʊsɪs/ *οὐσ.* ‹U› (*ἰατρ.*) σκλήρυνσις, σκλήρωσις.

¹**scoff** /skof/ *ρ.ἀ.* *~ **(at)***, λοιδωρῶ, χλευάζω, κοροϊδεύω, περιφρονῶ: *~ at religion/dangers*, λοιδωρῶ τή θρησκεία/περιφρονῶ τούς κινδύνους. __*οὐσ.* ‹C› **1**. χλευασμός, κοροϊδία. **2**. περίγελως: *He's the ~ of the school*, εἶναι ὁ περίγελως τοῦ σχολείου. **~er** *οὐσ.* ‹C› σκώπτης, εἴρων, χλευαστής. **~·ing·ly** *ἐπίρ.* χλευαστικά, περιπαιχτικά.

²**scoff** /skof/ *ρ.μ.* (*λαϊκ.*) χάφτω, καταβροχθίζω: *Who has ~ed all the strawberries?* ποιός καταβρόχθισε ὅλες τίς φράουλες; __*οὐσ.* ‹C› (*λαϊκ.*) **1**. ‹C› μάσα: *We had a good ~*, κάναμε καλή μάσα. **2**. ‹U› φαΐ: *Where's all the ~ gone?* ποῦ πῆγε ὅλο τό φαΐ;

scold /skəʊld/ *ρ.μ/ἀ.* κατσαδιάζω, ἀποπαίρνω, γκρινιάζω: *~ a child for being lazy*, κατσαδιάζω ἕνα παιδί γιατί εἶναι τεμπέλης. *She's always ~ing*, διαρκῶς γκρινιάζει, ὅλο παρατηρήσεις εἶναι. __*οὐσ.* ‹C› (γυναίκα) φωνακλοῦ, μέγαιρα, στρίγγλα. **~·ing** *οὐσ.* ‹C› κατσάδα: *give sb/get a good ~ing*, δίνω σέ κπ/τρώω γερή κατσάδα.

scol·lop /`skoləp/ *οὐσ.* ‹C› & *ρ.μ.* *βλ. scallop.*

sconce /skons/ *οὐσ.* ‹C› ἀπλίκα.

scone /skon/ *οὐσ.* ‹C› μικρό πρόχειρο κέκ.

scoop /skup/ *οὐσ.* ‹C› **1**. σέσουλα, κουτάλα, κοντόχερο φτυάρι (*πχ* γιά τά κάρβουνα). **2**. φτυαριά, κουταλιά. ***at one ~***, μέ μιά φτυαριά, (*μεταφ.*) μονοκοπανιά: *He won £50 at one ~*, κέρδισε 50 λίρες μονοκοπανιά. **3**. (*καθομ.*) δημοσιογραφική ἤ ἐμπορική ἐπιτυχία (κάτι πού κάνει κανείς πρίν ἀπό τούς ἀνταγωνιστές του): *That piece of news was a great ~*, αὐτή ἡ εἴδησις ἦταν μεγάλη ἐπιτυχία (ἦταν λαυράκι!). __*ρ.μ.* **1**. *~ **sth out/up***, φτυαρίζω, μαζεύω, βγάζω, ἀδειάζω (μέ τή σέσουλα). **2**. ἀνοίγω (τρύπα), κοιλώνω, κουφώνω: *~ out a hole in the sand*, ἀνοίγω τρύπα στήν ἄμμο. **3**. (*καθομ.*) πετυχαίνω (καλή δουλειά, καλό κέρδος).

scoot /skut/ *ρ.ἀ.* (*μόνο στό ἀπαρέμφ. ἤ τήν προστακτ.*) (*καθομ., ἀστειολ.*) τρέχω, στρίβω: *S~!* δρόμο! στρίβε! *Tell him to ~*, πές του νά στρίβη, νά τοῦ δίνη.

scooter /`skutə(r)/ *οὐσ.* ‹C› **1**. (`**motor-**)**~**, σκοῦτερ, βέσπα. **2**. πατίνι.

scope /skəʊp/ *οὐσ.* ‹U› εὐκαιρία/περιθώριο/πεδίον (δράσεως), ὅρια (ἀντιλήψεως), κύκλος/σφαῖρα (ἐνδιαφερόντων, κλπ): *That work gives ~ for his abilities*, αὐτή ἡ δουλειά τοῦ δίνει εὐκαιρία (περιθώρια) ν' ἀναπτύξη τίς ἱκανότητές του. *give full/free ~ to one's imagination*, ἀφήνω ἐλεύθερο πεδίο δράσεως στή φαντασία μου. *That's beyond the ~ of a* *child's mind*, αὐτό ξεπερνάει τά ὅρια ἀντιλήψεως ἑνός παιδιοῦ. *That falls within the ~ of my activities*, αὐτό ἐμπίπτει στόν κύκλο (στή σφαῖρα) τῶν δραστηριοτήτων μου.

scor·bu·tic /skɔˋbjutɪk/ *ἐπ.* σκορβουτικός.

scorch /skɔtʃ/ *ρ.μ/ἀ.* **1**. κοκκινίζω, καίω/-ομαι, ξεραίνω, καψαλίζω: *You ~ed my shirt when you ironed it*, μοῦκαψες/μοῦ κοκκίνησες τό πουκάμισο ὅταν τό σιδέρωνες. *The hot sun ~ed the grass*, ὁ καυτός ἥλιος ξέρανε τή χλόη. *The fields were ~ed*, τά χωράφια ἦταν καψαλισμένα. ˈ**~ed ˋearth policy**, (*στρατ.*) τακτική ἐρημώσεως τῶν πάντων. **2**. (*καθομ.*) ὁδηγῶ μέ ὑπερβολική ταχύτητα, τρέχω σάν τρελλός. —*οὐσ.* ‹C› *(α)* κάψιμο, καψάλισμα, κοκκίνισμα (ρούχου). *(β)* τρελλό τρέξιμο. **~er** *οὐσ.* ‹C› (*καθομ.*) πολύ ζεστή μέρα, τρελλός ὁδηγός: *It's a ~er today*, καμίνι εἶναι σήμερα. *Isn't he a ~er!* σάν τρελλός τρέχει! τί φοβερός ὁδηγός! **~·ing** *ἐπ.* & *ἐπίρ.* καυτός, ζεματιστός: *a ~ing day*, φοβερά ζεστή μέρα. *It's ~ing hot today*, κάνει φοβερή ζέστη, ζεματάει σήμερα.

[1]**score** /skɔ(r)/ *οὐσ.* ‹C› **1**. ρωγμή, σκάσιμο, χαρακιά, ἐγκοπή: *~s on a rock/on the ground*, ρωγμές σέ βράχο/σκασίματα στό ἔδαφος. *~s on a slave's back*, χαρακιές στήν πλάτη δούλου. **2**. λογαριασμός (ὀφειλή, ἐκκρεμής διαφορά): *run up a ~ at a pub*, ἀνοίγω λογαριασμό/μπαίνω χρέος σέ μιά ταβέρνα. ***pay/settle/wipe off old ~s***, (*μεταφ.*) κανονίζω παληούς λογαριασμούς: *I have some old ~s to settle with him*, ἔχω κάτι παληούς λογαριασμούς μαζί του. **3**. (*ἀθλ.*) ἀποτέλεσμα, βαθμολογία, σκόρ: *The half-time ~ was 2–1*, τό σκόρ στό ἡμιχρόνιο ἦταν 2–1. ***keep the ~***, σημειώνω τό σκόρ. ˋ**~-board/-book/-card**, πίνακας/βιβλίο/κάρτα ἀναγραφῆς τοῦ σκόρ. **4**. αἰτία, λόγος: *He was rejected on the ~ of ill health*, τόν ἀπέρριψαν γιά λόγους ὑγείας. ***on more ~s than one***, γιά περισσοτέρους ἀπό ἕναν/γιά πολλούς λόγους. ***on that ~***, γι᾽αὐτό τό λόγο, ἐπ᾽αὐτοῦ τοῦ σημείου: *You need have no anxiety on that ~*, δέν εἶναι ἀνάγκη νά ἀνησυχῆς γι᾽αὐτό τό θέμα. **5**. (*μουσ.*) παρτιτούρα. **6**. (*ἀμετάβλ. στόν πληθ.*) εἰκοσάδα: *three ~ and seven years ago*, πρό ἑξήντα ἑπτά ἐτῶν. ***~s of***, (*καθομ.*) ντουζίνες, ἕνα σωρό: *I've been there ~s of times*, ἔχω πάει ἐκεῖ ἕνα σωρό φορές. **7**. (*λαϊκ.*) ἐπιτυχία, διάνα, ἀπάντησις-καρφί: *make ~s off sb*, καρφώνω κπ στήν κουβέντα.

[2]**score** /skɔ(r)/ *ρ.μ/ἀ.* **1**. χαρακώνω, αὐλακώνω, σημαδεύω, ξεγδέρνω: *The mountain side is ~d by torrents*, ἡ βουνοπλαγιά εἶναι αὐλακωμένη ἀπό τούς χείμαρρους. *You'll ~ the floor by pushing that heavy desk*, θά κάνης χαρακιές στό πάτωμα ἄν σπρώχνης αὐτό τό βαρύ γραφεῖο. *His essay was ~d with corrections in red ink*, ἡ ἔκθεσίς του ἦταν σημαδεμένη μέ κόκκινες διορθώσεις. ***~ out***, διαγράφω (λέξεις). **2**. ***~ (up)***, κρατῶ σημείωση τοῦ σκόρ, σημειώνω τούς πόντους. **3**. σημειώνω (τέρμα), κερδίζω (πόντους): *~ a goal*, βάζω γκόλ. ***~ an advantage/a success***, σημειώνω ἐπιτυχία. ***~ a point (over sb); ~ off sb***, (*καθομ.*) τή φέρνω ὡραῖα σέ κπ, τόν καρφώνω (τόν νικῶ) στή συζήτηση. **4**. ***~ sth up against sb***, χρεώνω κπ, γράφω κτ στό λογαριασμό του: *That remark will be ~d up against you*, αὐτό πού εἶπες θά τό γράψω στό λογαριασμό σου (θά τό θυμᾶμαι). **scorer** *οὐσ.* ‹C› σκορέρ, μαρκαδόρος.

sco·ria /ˋskɔrɪə/ *οὐσ.* ‹U› σκωρία, ἀφρός (λυωμένου μετάλλου).

scorn /skɔn/ *οὐσ.* ‹U› **1**. περιφρόνησις, καταφρόνια: *dismiss a suggestion with ~*, ἀπορρίπτω μιά πρόταση μέ περιφρόνηση. ***laugh sb/sth to ~***, γελοιοποιῶ κπ/κτ, γελάω περιφρονητικά σέ βάρος του. **2**. περίγελως: *He's the ~ of the village*, εἶναι ὁ περίγελως τοῦ χωριοῦ. —*ρ.μ.* **1**. περιφρονῶ: *~ a liar/sb's advice*, περιφρονῶ τούς ψεῦτες/τή συμβουλή κάποιου. **2**. θεωρῶ ἀνάξιο, ἀπαξιῶ: *I ~ telling lies/to tell a lie*, τό θεωρῶ ἀνάξιο/ἀπαξιῶ νά πῶ ψέματα. **~·ful** /-fl/ *ἐπ.* περιφρονητικός: *a ~ful smile*, περιφρονητικό χαμόγελο. *be ~ful of material things*, περιφρονῶ τά ὑλικά ἀγαθά. **~·fully** /-fəlɪ/ *ἐπίρ.* περιφρονητικά.

Scor·pio /ˋskɔpɪəʊ/ *οὐσ.* (*ἀστρολ.*) Σκορπιός.

scor·pion /ˋskɔpɪən/ *οὐσ.* ‹C› (*ζωολ.*) σκορπιός.

scot /skot/ *οὐσ.* (*μόνον στίς φρ.*) ***pay ~ and lot***, πάω ρεφενέ, πληρώνω κατ᾽ἀναλογίαν. ˈ***~-ˋfree***, ἀτιμώρητος, χωρίς ζημιά, σῶος καί ἀβλαβής: *get off/escape ~-free*, τή γλυτώνω φτηνά, τή βγάζω καθαρή.

Scot /skot/ *οὐσ.* ‹C› Σκῶτος, Σκωτσέζος. **the ~s**, οἱ Σκωτσέζοι.

Scotch /skotʃ/ *ἐπ.* σκωτσέζικος, σκωτικός: *a ˈ~ ˋterrier*, σκωτικό τερριέ, γκριφφόν. —*οὐσ.* **1**. ‹U› οὐΐσκυ. **2**. **the ~**, οἱ Σκωτσέζοι.

scotch /skotʃ/ *ρ.μ.* (*ἀπηρχ.*) θέτω ἐκτός μάχης, πληγώνω: *~ a snake*, πληγώνω ἕνα φίδι.

Scots /skots/ *ἐπ.* σκωτικός. ˋ**~·man** /-mən/, Σκωτσέζος. ˋ**~·woman**, Σκωτσέζα.

Scot·tish /ˋskotɪʃ/ *ἐπ.* *βλ.* *Scotch.*

scoun·drel /ˋskaʊndrl/ *οὐσ.* ‹C› ἀχρεῖος, παληάνθρωπος. **~ly** /-rəlɪ/ *ἐπ.* ἀχρεῖος, παληανθρωπίστικος.

[1]**scour** /ˋskaʊə(r)/ *ρ.μ/ἀ.* **1**. τρίβω (καί καθαρίζω/γυαλίζω/πλένω): *~ the pots and pans*, τρίβω τά κατσαρολικά. *~ out a saucepan*, καθαρίζω μιά κατσαρόλα (μέ σύρμα). *~ the tiles/the floor*, πλένω τά πλακάκια/γυαλίζω τό πάτωμα (τρίβοντάς τα). **2**. ***~ sth off/away***, βγάζω (λεκέ, σκουριά, κλπ) μέ σύρμα ἤ πολύ νερό. **3**. κόβω, ξεπλένω, ξεβουλώνω (μέ πολύ νερό): *The torrent ~ed a channel down the hillside*, ὁ χείμαρρος ἔκοψε (ἄνοιξε) αὐλάκι στήν πλαγιά τοῦ λόφου. —*οὐσ.* ‹C› τρίψιμο, καθάρισμα, γυάλισμα, πλύσιμο: *give the dirty pots a good ~*, κάνω ἕνα καλό τρίψιμο (καθάρισμα) στίς βρώμικες κατσαρόλες. **~er** *οὐσ.* ‹C› σύρμα καθαρισμοῦ, σκληρό σφουγγάρι.

[2]**scour** /ˋskaʊə(r)/ *ρ.μ/ἀ.* **1**. διατρέχω, πηγαίνω γρήγορα ἀπό τὄνα μέρος στό ἄλλο, ψάχνω παντοῦ: *~ the countryside/the woods*, τρέχω στίς ἐξοχές/στά δάση. *The police ~ed London for the thief*, ἡ ἀστυνομία ἔψαξε σ᾽ὅλο τό Λονδῖνο γιά τόν κλέφτη. **2**. ***~ about/after/for sb/sth***, κυνηγῶ/τρέχω/ψάχνω γιά κπ/κτ.

scourge /skɜdʒ/ *οὐσ.* ‹C› **1**. (*πεπαλ.*) φραγγέλιον. 2. (*μεταφ.*) μάστιγα, πληγή: *Attila, the ~ of God*, ὁ 'Αττίλας, ἡ μάστιγα τοῦ Θεοῦ. *War is a ~*, ὁ πόλεμος εἶναι πληγή (μάστιγα, κατάρα). *—ρ.μ.* μαστιγώνω, τυραννῶ, τιμωρῶ, βασανίζω.

[1] **scout** /skaʊt/ *οὐσ.* ‹C› **1**. (*στρατ.*) ἀνιχνευτής, ἀνιχνευτικό πλοῖο: *send out ~s*, στέλνω ἀνιχνευτές. **2**. **Boy S~**, πρόσκοπος. **Girl S~**, (*ΗΠΑ*) προσκοπίνα, ὁδηγός, (*πρβλ. ΜΒ: Girl Guide*). **`~·master**, ἀρχιπρόσκοπος. **3**. (*αὐτοκ.*) περιπολικό τῆς 'Οδικῆς Βοήθειας. **4**. κυνηγός ταλέντων. **5**. ὑπηρέτης κολλεγίου (στήν 'Οξφόρδη). *—ρ.ὰ.* **~ *about/around (for sb/sth)***, ἀνιχνεύω, κάνω ἀναγνώριση, ψάχνω (γιά κπ/κτ).

[2] **scout** /skaʊt/ *ρ.μ.* ἀπορρίπτω (ἰδέα, πρόταση, κλπ) μέ περιφρόνηση.

scow /skaʊ/ *οὐσ.* ‹C› μαούνα.

scowl /skaʊl/ *οὐσ.* ‹C› κατσούφιασμα, βλοσυρό ὕφος. *—ρ.ὰ.* **~ *(at)***, κοιτάζω μουτρωμένος/βλοσυρά: *The prisoner ~ed at the judge*, ὁ κρατούμενος κοίταξε μοβόρικα τό δικαστή.

[1] **scrabble** /ˈskræbl/ *οὐσ.* ‹U› παιχνίδι συναρμολογήσεως λέξεων μέ κύβους.

[2] **scrabble** /ˈskræbl/ *ρ.ὰ.* **1**. γράφω ὀρνιθοσκαλίσματα, κακογράφω. **2**. **~ *about (for sth)***, ψάχνω ψαχουλευτά (νά βρῶ κτ): *He ~d about for the coin under the bed*, ψαχούλευε κάτω ἀπό τό κρεββάτι γιά τό νόμισμα.

scrag /skræg/ *οὐσ.* ‹C› **1**. σκέλεθρο (κοκκαλιάρης ἄνθρωπος ἤ ζῶο). **2**. **ˈ~(-ˈend)**, σβέρκος. *—ρ.μ. (-gg-)* **1**. (*καθομ.*) στρίβω τό λαρύγγι κάποιου. **2**. στραγγαλίζω. **~gy** *ἐπ. (-ier, -iest)* κοκκαλιάρης.

scram /skræm/ *ρ.ὰ. βλ. scoot.*

scramble /ˈskræmbl/ *ρ.μ/ὰ.* **1**. σκαρφαλώνω (μέ τά τέσσερα): *~ up a cliff/over a rocky hillside*, σκαρφαλώνω μέ τά τέσσερα σ' ἕνα βράχο/σέ μιά ἀπόκρημνη πλαγιά λόφου. **2**. ***~ for sth/to get sth***, ἀγωνίζομαι, παλεύω, σπρώχνομαι γιά κτ: *The players ~d for the ball*, οἱ παῖχτες ἀγωνίζονταν γιά τή μπάλλα. *The children ~d for the coins we threw to them*, τά παιδιά πάλευαν/σπρώχνονταν γιά τά νομίσματα πού τούς πετάξαμε. **3**. χτυπῶ αὐγά. **~d eggs**, αὐγά σφουγγᾶτο. **4**. (*ραδιόφ., τηλέγρ.*) μπερδεύω, διαταράσσω (τή μετάδοση). *—οὐσ.* ‹C› *(α)* σκαρφάλωμα, τρέξιμο, ἀγώνας μέ μοτοσυκλέττες σέ ἀνώμαλο ἔδαφος. *(β)* ἀγώνας, συμπλοκή, σπρωξίδι: *There was a ~ for the best seats*, ἔγινε μεγάλο σπρωξίδι (μεγάλος ἀγώνας) γιά τά καλύτερα καθίσματα.

[1] **scrap** /skræp/ *οὐσ.* **1**. ‹C› κομματάκι, θρύψαλο: *~s of paper/of broken porcelain*, κομματάκια χαρτί/θρύψαλα πορσελάνης. *~s of conversation*, μέσες – ἄκρες ἀπό μιά συζήτηση. ***not a ~***, οὔτε ἴχνος, καθόλου: *not a ~ of evidence/comfort*, οὔτε ἴχνος ἀποδείξεως/παρηγοριᾶς. ***not care a ~***, δέν δίνω δεκαράκι, δέν μοῦ καίγεται καρφί. **2**. ‹U› ἀπορρίμματα, πράγματα γιά πέταμα: *collect ~*, μαζεύω παληοπράγματα. *I'll sell my car for ~*, θά πουλήσω τό αὐτοκίνητό μου γιά παληοσίδερα. **`~-heap**, σωρός παληοσιδερικῶν. ***throw sb/sth on the ~-heap***, πετάω κπ/κτ στά σκουπίδια. **`~-iron**, παληοσιδερικά. **3**. (*πληθ.*) ὑπολείμματα, ἀπομεινάρια, ἀποφάγια: *Give the ~s to the dog*, δῶσε τ' ἀποφάγια στό σκυλί. **4**. ‹C› ἀπόκομμα (ἐφημερίδας, περιοδικοῦ, κλπ γιά φύλαξη). **`~-book**, ἄλμπουμ μέ ἀποκόμματα. *—ρ.μ. (-pp-)* πετῶ (ὡς ἄχρηστο): *You must ~ this old bicycle and buy a new one*, πρέπει νά πετάξης αὐτό τό παληό ποδήλατο καί ν' ἀγοράσης καινούργιο. **~py** *ἐπ. (-ier, -iest)* ἑτερόκλητος, ἀσύνδετος, ἀποσπασματικός, ὄχι ὁλοκληρωμένος: *a ~py essay*, ἀσύνδετη ἔκθεσις/χωρίς ὀργάνωση ἤ ὁμοιογένεια. *a ~py education/knowledge*, ἐλλιπής μόρφωσις/γνώσεις ἀπό δῶ κι' ἀπό κεῖ. *a ~py dinner*, γεῦμα ἀπό διάφορα ὑπολείμματα. **~·pily** /-əlɪ/ *ἐπίρ.* κομματιαστά, ἀσύνδετα, ἀπό δῶ κι' ἀπό κεῖ.

[2] **scrap** /skræp/ *οὐσ.* ‹C› (*καθομ.*) καυγᾶς: *I had a bit of a ~ with him*, τά τσούγκρισα λιγάκι μαζί του. *—ρ.ὰ. (-pp-)* καυγαδίζω, τσακώνομαι: *Tell them to stop ~ping*, πές τους νά σταματήσουν τόν καυγᾶ/νά πάψουν νά τσακώνονται.

[1] **scrape** /skreɪp/ *ρ.μ/ὰ.* **1**. ξύνω, τρίβω, καθαρίζω: *~ carrots*, ξύνω καρόττα. *~ the rust off sth*, ξύνω τή σκουριά ἀπό κτ. *~ paint from a door*, ξύνω τήν μπογιά ἀπό μιά πόρτα (πρίν τήν ξαναβάψω). *~ one's shoes*, ξύνω/καθαρίζω τά παπούτσια μου (ἀπό λάσπη). *~ out a saucepan*, τρίβω μιά κατσαρόλα. **2**. ξεγδέρνω, γρατσουνίζω (ἀπό τρίψιμο): *He fell and ~d his knee/~d the skin off his knee*, ἔπεσε κι' ἔγδαρε τό γόνατό του/ξέγδαρε τό δέρμα στό γόνατό του. *He ~d the side of his car/~d the paintwork of his car*, γρατσούνισε τό αὐτοκίνητό του στό πλάϊ/ἔγδαρε (ἔξυσε) τό χρῶμα στό αὐτοκίνητό του. *~ (out) a hole*, ἀνοίγω τρύπα (μέ τό τρίψιμο). **3**. τρίζω, σέρνω: *Don't ~ your pen on the paper/your feet on the floor*, μήν τρίζης (γρατσουνίζης) τήν πέννα σου στό χαρτί/μή σέρνης τά πόδια σου στό πάτωμα. ***bow and ~***, (*μεταφ.*) εἶμαι ὅλο ὑποκλίσεις, κάνω τεμενάδες. **4**. περνῶ ξυστά/ἀκουμπιστά/μέ δυσκολία: *~ along a wall*, περνῶ ξυστά σ' ἕνα τοῖχο. *These branches ~ against the shutters*, αὐτά τά κλαδιά ξύνουν τά παντζούρια. **5**. ***~ along***, φυτοζωῶ, μόλις τά καταφέρνω, μέ δυσκολία τά βγάζω πέρα. ***~ through***, μόλις καί μετά βίας περνῶ: *He just ~d through (his exams)*, μόλις πού κατάφερε νά περάση (στίς ἐξετάσεις του), μέ χίλια βάσανα πέρασε. ***~ together***, μαζεύω μέ πολλή δυσκολία: *We managed to ~ together an audience of fifty people*, καταφέραμε νά μαζέψωμε μέ χίλια βάσανα καμιά πενηνταριά ἀκροατές. *We ~d together enough money for a week's holiday*, μαζέψαμε μέ χίλια βάσανα τά χρήματα πού χρειάζονταν γιά διακοπές μιᾶς βδομάδας. ***~ up an acquaintance with sb***, καταφέρνω νά πιάσω γνωριμιά μέ κπ, πιάνω γνωριμιά μαζί του μέ τό σπαθί μου. ***~ a living***, ψευτοζῶ, φυτοζωῶ, μόλις τά βγάζω πέρα. ***~ into a team***, καταφέρνω νά χωθῶ σέ μιά ὁμάδα.

[2] **scrape** /skreɪp/ *οὐσ.* ‹C› **1**. τρίξιμο, ξύσιμο, γρατσούνισμα: *the ~ of a pen on paper*, τό τρίξιμο μιᾶς πέννας στό χαρτί. *Give your shoes a good ~*, καθάρισε καλά τά παπούτσια σου. *the ~ of sb's fingernail on the blackboard*, τό γρατσούνισμα τοῦ νυχιοῦ κάποιου στόν πίνακα. **2**. γδάρσιμο: *a bad ~ on the elbow*,

ἕνα ἄσχημο γδάρσιμο στόν ἀγκῶνα. **3**. δύσκολη θέση (ἀπό ἀνόητη συμπεριφορά), μπελᾶς, μπλέξιμο: *He's always getting into ~s*, διαρκῶς δημιουργεῖ μπελάδες, συνεχῶς μπλέκει ἄσχημα. *We are in a nice ~!* ὡραῖα μπλέξαμε! *get sb out of a ~*, βοηθάω κπ νά ξεμπλέξη, ξελασπώνω κπ. **scraper** *οὐσ.* ‹C› ξύστρα, ξυστήρι, σίδερο (στό κατώφλι) γιά τό καθάρισμα παπουτσιῶν (ἀπό λάσπες). **scrapings** *οὐσ. πληθ.* ξέσματα.

scrappy /ˋskræpı/ *ἐπ. βλ.* [1]*scrap*.

[1]**scratch** /skrætʃ/ *ρ.μ/ἀ.* **1**. γρατσουνίζω, (ξε)γδέρνω, κάνω ἀμυχές: *The cat ~ed me*, ἡ γάτα μέ γρατσούνισε. *He ~ed his hands badly while pruning the rose-bushes*, γρατσούνισε τά χέρια του ἄσχημα ἐνῶ κλάδευε τίς τριανταφυλλιές. *~* ***the surface***, (*μεταφ.*) ἀναφέρομαι ἀκροθιγῶς, θίγω ἐπιφανειακῶς (ἕνα θέμα): *The lecturer merely ~ed the surface of his subject*, ὁ ὁμιλητής ἁπλῶς ἔθιξε τό θέμα του. **2**. *~* ***out***, διαγράφω, σβύνω (λέξεις): *S~ out his name from the list*, σβύσε τ' ὄνομά του ἀπό τόν κατάλογο. *His essay was full of 'ˋ~ings-ˋout/of ~ed-out words*, ἡ ἔκθεσή του ἦταν γεμάτη σβυσίματα/σβυσμένες λέξεις. **3**. ἀποσύρω/-ομαι (ἀπό διαγωνισμό, ἀγώνισμα, κλπ): *His horse was ~ed*, τό ἄλογό του ἀπεσύρθη. *I hope you're not going to ~ at the last moment*, ἐλπίζω νά μήν ἀποσυρθῆς τήν τελευταία στιγμή. **4**. ξύνω: *Stop ~ing (yourself)*, πάψε νά ξύνεσαι! *~* ***one's head***, ξύνω τό κεφάλι μου (ἀπό ἀμηχανία). ***If you'll ~ my back, I'll ~ yours***, (*μεταφ.*) ξύσε με νά σέ ξύσω (βόηθα με νά σέ βοηθήσω). **5**. γράφω βιαστικά: *~ a few lines to a friend*, γράφω στά πεταχτά δυό ἀράδες σ' ἕνα φίλο. **6**. τρίζω, γρατσουνίζω: *Don't ~ your pen on the paper*, μήν τρίζης τήν πέννα σου πάνω στό χαρτί. *This pen ~es*, αὐτή ἡ πέννα τρίζει/γρατσουνίζει. **7**. σκαλίζω, ψάχνω/βρίσκω (σκαλίζοντας): *~ out a hole*, ἀνοίγω τρύπα σκαλίζοντας. *The chickens were ~ing about in the yard*, τά πουλερικά σκάλιζαν μέσα στήν αὐλή. *The dog ~ed up a bone*, ὁ σκύλος ξέχωσε ἕνα κόκκαλο. **8**. *~* ***up/together***, μαζεύω μέ πολλή δυσκολία: *~ up/together a few pounds*, μαζεύω μέ χίλια βάσανα λίγες λίρες.

[2]**scratch** /skrætʃ/ *οὐσ.* ‹C› **1**. γρατσούνισμα, γρατσουνιά, νυχιά, ξέγδαρμα: *His hands were covered with ~es*, τά χέρια του ἦταν σκεπασμένα μέ γρατσουνιές/νυχιές. *He escaped without a ~*, τή γλύτωσε χωρίς οὔτε μιά γρατσουνιά. *The table was full of ~es*, τό τραπέζι ἦταν γεμᾶτο ξεγδάρματα. **2**. τρίξιμο. ***a ~ of the pen***, τρίξιμο τῆς πέννας, (*μεταφ.*) δυό λόγια (γραμμένα στά πεταχτά). **3**. ξύσιμο: *give the dog/one's head a ~*, ξύνω λίγο τό σκυλί/τό κεφάλι μου. **4**. (*μόνον στόν ἑν., χωρίς ἄρθρ.*) (*ἀθλ.*) ἀφετηρία. **ˋ~-race**, κούρσα χωρίς χάντικαπ. ***start from ~***, ξεκινῶ ἀπό τήν ἀφετηρία, (*μεταφ.*) ἀρχίζω ἀπό τό μηδέν/ἀπό τό τίποτα. ***be/come up to ~***, (*μεταφ.*) εἶμαι στό ὕψος τῶν περιστάσεων/ἀνταποκρίνομαι στίς προσδοκίες. ***bring sb up to ~***, (*μεταφ.*) προετοιμάζω καλά κπ, τόν φέρνω σέ ἱκανοποιητικό ἐπίπεδο: *I'll bring you up to ~ before the exams*, θά σᾶς ἑτοιμάσω καλά ὥς τίς ἐξετάσεις. **5**. (*ἐπιθ.*) ἑτερόκλητος, πρόχειρος, αὐτοσχέδιος: *a ~ dinner*, πρόχειρο/αὐτοσχέδιο γεῦμα (ἀπ' ὅ,τι βρέθηκε). *a ~ crew*, ἑτερόκλητο πλήρωμα (ἀπό κάθε λογῆς ἀνθρώπους). **~y** *ἐπ. (-ier, -iest)* (*γιά γράψιμο*) πρόχειρο, ἀπρόσεχτο, (*γιά σκίτσο*) ἀδέξιο, (*γιά πέννα*) πού τρίζει.

scrawl /skrɔl/ *ρ.μ/ἀ.* κακογράφω, γράφω ὀρνιθοσκαλίσματα, γράφω βιαστικά: *He ~ed a few words on a postcard to his wife*, ἔγραψε βιαστικά λίγες λέξεις σέ μιά κάρτα γιά τή γυναίκα του. *Who has ~ed over the wall?* ποιός γέμισε ὀρνιθοσκαλίσματα ὅλο τόν τοῖχο; __*οὐσ.* ‹C› ὀρνιθοσκαλίσματα, καλικατζοῦρες, βιαστικό γράψιμο, πρόχειρο σημείωμα: *What a ~!* τί ὀρνιθοσκαλίσματα!

scrawny /ˋskrɔnı/ *ἐπ. (-ier, -iest)* κοκκαλιάρης, κάτισχνος.

scream /skrim/ *ρ.μ/ἀ.* σκούζω, οὐρλιάζω, στριγγλίζω, ξεφωνίζω: *~ with pain/anger*, οὐρλιάζω ἀπό πόνο/θυμό. *~ with fear*, στριγγλίζω/ξεφωνίζω ἀπό φόβο. *He ~ed himself red in the face*, τοῦ ἀνέβηκε τό αἷμα στό κεφάλι ἀπό τό σκούξιμο. *The wind ~ed through the trees*, ὁ ἄνεμος οὔρλιαζε μέσα στά δέντρα. *Give it to me or I'll ~*, ἄν δέν μοῦ τό δώσης θά βάλω τίς φωνές. *~ out a command*, δίνω μιά διαταγή οὐρλιάζοντας. *~* ***with laughter***, ξεκαρδίζομαι στά γέλια. *~* ***one's head off***, κοντεύω νά σκάσω ἀπό τίς φωνές. *~* ***oneself hoarse***, βραχνιάζω ἀπό τά ξεφωνητά. __*οὐσ.* ‹C› **1**. σκούξιμο, κραυγή, στριγγλιά, ξεφωνητό, ἔκρηξις (γέλιου): *~s of pain*, κραυγές πόνου. **2**. (*καθομ.*) κάτι φοβερά ἀστεῖο, κάτι ξεκαρδιστικό: *He/It was a perfect ~*, ἦταν φοβερά ἀστεῖο(ς), ἦταν νά ξεραίνεσαι στά γέλια. **~·ing·ly** *ἐπίρ.* (*ἰδ. στή φρ.*) *~ingly funny*, ξεκαρδιστικά ἀστεῖος.

scree /skri/ *οὐσ.* ‹C,U› σάρα (πλαγιά σκεπασμένη μέ χαλίκια).

screech /skritʃ/ *οὐσ.* ‹C› (διαπεραστική) κραυγή, στριγγλιά, τσίριγμα: *the ~ of tyres/brakes*, τό τσίριγμα τῶν τροχῶν/τό στρίγγλισμα τῶν φρένων. __*ρ.μ.* στριγγλίζω, σκληρίζω, τσιρίζω: *The brakes ~ed as the car stopped*, τά φρένα στρίγγλισαν καθώς σταμάτησε τό αὐτοκίνητο. *She ~es instead of singing*, τσιρίζει ἀντί νά τραγουδάη. **ˋ~-owl**, κλαψοπούλι.

screed /skrid/ *οὐσ.* ‹C› μεγάλο πληκτικό γράμμα ἤ ὁμιλία, κατεβατό.

screen /skrin/ *οὐσ.* ‹C› **1**. παραπέτασμα, προπέτασμα, παραβάν: *a folding ~*, παραβάν πού διπλώνει. *a ~ of trees*, προπέτασμα δέντρων (*ἰδ.* ὡς φράγμα κατά τοῦ ἀνέμου). *a ˋsmoke-~*, προπέτασμα καπνοῦ. *a ~ of indifference*, μιά μάσκα ἀδιαφορίας. *a ˋdoor/ˋwindow ~*, συρμάτινο παραβάν σέ πόρτα ἤ παράθυρο (γιά μύγες, κουνούπια, κλπ). *a church ~*, τό τέμπλο (πού χωρίζει τό ἱερό ἀπό τόν κυρίως ναό). *a ˋchoir-~*, κιγκλίδωμα τοῦ χοροῦ. **2**. ὀθόνη (κινηματογράφου, τηλεοράσεως, κλπ): *ˋ~ actors*, ἠθοποιοί τοῦ κινηματογράφου ἤ τῆς τηλεοράσεως. **3**. κόσκινο (ἄμμου, κλπ). __*ρ.μ/ἀ.* **1**. προστατεύω, κρύβω, χωρίζω (μέ παραβάν): *The garden is ~ed by a row of trees*, ὁ κῆπος προστατεύεται ἀπό μιά γραμμή δέντρων. *The trees ~ our house from public view*, τά δέντρα κρύβουν τό σπίτι μας ἀπό τά μάτια τοῦ κόσμου. *One corner of the room was ~ed off*, μιά γωνιά τοῦ δωματίου ἦταν χωρισμένη μέ παραβάν. *We ~ed the doors and the windows against mosquitoes*, βάλαμε σύρμα στίς πόρτες καί τά παράθυρα γιά τά κουνούπια. **2**. (*μεταφ.*) (συγ)καλύπτω: *~ sb's faults*, συγκαλύπτω τά ἐλαττώματα κάποιου. *~ sb from the police*, κρύβω κπ ἀπό τήν ἀστυνομία. **3**. προβάλλω (φίλμ), διασκευάζω γιά τήν ὀθόνη. ***~ well/badly***, (*γιά ἔργο, ἠθοποιό, κλπ*) κάνω/δέν κάνω γιά τήν ὀθόνη. **4**. κοσκινίζω: *~ gravel/sand/coal*, κοσκινίζω χαλίκι/ἄμμο/κάρβουνο. **5**. ἐξετάζω, περνῶ ἀπό ψιλό κόσκινο (τό παρελθόν ἤ τίς ἱκανότητες κάποιου, *πχ* πρίν ἀπό τό διορισμό του σέ ἐμπιστευτική ἤ ὑπεύθυνη θέση).

1 **screw** /skru/ *οὐσ.* ‹C› **1**. βίδα. ***a ~ loose***, (*μεταφ.*) ἀνωμαλία, λασκαρισμένη βίδα: *There's a ~ loose somewhere*, κάτι δέν πάει καλά. *He has a ~ loose*, εἶναι λιγάκι λοξός, τοὔχει στρίψει λίγο. **ˋ~driver**, κατσαβίδι. **ˌ~-ˋtopped**, (*γιά βάζο, κλπ*) μέ βιδωτό καπάκι. **2**. στρίψιμο, σφίξιμο (βίδας): *This isn't tight enough yet; give it another ~*, δέν εἶναι ἀρκετά σφιχτό ἀκόμη, σφίξε το κι' ἄλλο. **3**. (*μεταφ.*) πίεσις. ***put the ~(s) on sb***, ἀσκῶ πίεση πάνω σέ κπ. ***give sb another turn of the ~***, πιέζω κπ ἀκόμα περισσότερο. **4**. ἕλιξ, προπέλλα: *a twin-~ steamer*, πλοῖο μέ διπλῆ προπέλλα. *an air-~*, ἕλιξ ἀεροπλάνου. **5**. (*στό μπιλλιάρδο*) φάλτσο, σπινάρισμα τῆς μπάλλας. **6**. χάρτινο χωνάκι: *a ~ of tea*, ἕνα χωνάκι τσάϊ. **7**. (*καθομ.*) τσιγγούνης, σπαγγοραμμένος. **8**. (*λαϊκ.*) μασούρι (*δηλ.* μισθός, μεροκάματο): *He's paid a good ~*, παίρνει καλό μασούρι, τά 'κονομάει καλά. **9**. (*λαϊκ.*) δεσμοφύλακας.

2 **screw** /skru/ *ρ.μ/ἀ.* **1**. βιδώνω, στερεώνω μέ βίδες: *~ a lock on a door*, βιδώνω μιά κλειδαριά σέ πόρτα. *~ up a window*, κλείνω ἕνα παράθυρο μέ βίδες. ***have one's head ~ed on (the right way)***, τἄχω τετρακόσια. **2**. στρίβω, σφίγγω: *~ a lid on/off*, βιδώνω/ξεβιδώνω ἕνα καπάκι. ***~ one's head round***, στρίβω τό κεφάλι μου (γιά νά δῶ πάνω ἀπό τόν ὦμο μου). ***~ up one's face/features/eyes***, στραβώνω τό πρόσωπό μου/ζαρώνω τά μάτια (ὅπως ὅταν βγαίνει κανείς ἀπό σκοτάδι σέ φῶς). ***~ up one's courage***, συγκεντρώνω τό θάρρος μου, ὑπερνικῶ τούς φόβους μου. **3**. στίβω, ξεζουμίζω, βγάζω: *~ water out of a sponge*, στίβω τό νερό ἀπό ἕνα σφουγγάρι. *~ more taxes out of the people*, βγάζω (παίρνω πιεστικά) κι' ἄλλους φόρους ἀπό τό λαό. **4**. (*λαϊκ.*) ***be ~ed***, τἄχω κοπανίσει. **5**. (*χυδ.*) κανονίζω (γυναίκα). **screwy** *ἐπ.* (*καθομ.*) λοξός, παλαβός: *He's a bit ~y*, εἶναι λιγάκι λοξός.

scribble /ˋskrɪbl/ *οὐσ.* ‹C,U› βιαστικό γράψιμο, ὀρνιθοσκαλίσματα. —*ρ.μ/ἀ.* γράφω βιαστικά, μουτζουρώνω χαρτιά. **ˋscribbling-block**, σημειωματάριο. **~r** *οὐσ.* ‹C› γραφιάς, (*πεπαλ., καθομ.*) παρακατιανός συγγραφέας.

scribe /skraɪb/ *οὐσ.* ‹C› (ἀντι)γραφεύς, (*στούς Ἑβραίους*) γραμματεύς, (*χιουμορ.*) καλαμαρᾶς.

scrim·mage /ˋskrɪmɪdʒ/ *οὐσ.* ‹C› **1**. συμπλοκή, σπρωξίδι, ἀναμπαμπούλα. **2**. (*ΗΠΑ, ποδόσφ.*) συνωστισμός (τῶν παικτῶν γύρω ἀπό τήν μπάλλα). —*ρ.μ/ἀ.* συμπλέκομαι, συνωστίζομαι.

scrimp /skrɪmp/ *ρ.μ/ἀ.* *βλ. συνηθέστ. skimp.*

scrip /skrɪp/ *οὐσ.* **1**. ‹C,U› προσωρινή ἀπόδειξις (μετοχῶν). **2**. ‹U› χαρτονόμισμα (*ἰδ.* στρατοῦ κατοχῆς).

script /skrɪpt/ *οὐσ.* **1**. ‹U› γραφή: *Gothic ~*, γοτθική γραφή. **2**. ‹C› χειρόγραφο, κόλλα (ἐξετάσεων). *ˋtype~*, δακτυλογραφημένο κείμενο. **3**. ‹C› σενάριο. **ˋ~·writer**, σεναριογράφος. **~ed** *ἐπ.* ἀπό χειρογράφου, προετοιμασμένος: *a ~ed discussion*, συζήτησις ἀπό χειρογράφου.

scrip·ture /ˋskrɪptʃə(r)/ *οὐσ.* ‹C› Γραφή. **The (Holy) S~s**, ἡ Ἁγία Γραφή. **scrip·tural** /ˋskrɪptʃərl/ *ἐπ.* βιβλικός, τῆς Ἁγ. Γραφῆς.

scriv·ener /ˋskrɪvənə(r)/ *οὐσ.* ‹C› (*ἀπηρχ.*) δημόσιος γραφεύς.

scrof·ula /ˋskrofjʊlə/ *οὐσ.* ‹U› (*ἰατρ.*) χελώνι, χοιράδωσις. **scrofu·lous** /-ləs/ *ἐπ.*

scroll /skrəʊl/ *οὐσ.* ‹C› **1**. ρόλλος/κύλινδρος (περγαμηνῆς), πάπυρος. **2**. (*ἀρχιτ.*) ἕλιξ (ἰωνικοῦ κιονοκράνου). **3**. (*τυπογρ.*) κόσμημα (τίτλου ἤ πρώτου γράμματος), διακόσμησις.

scro·tum /ˋskrəʊtəm/ *οὐσ.* ‹C› (*ἀνατ.*) ὄσχεον.

scrounge /skraʊndʒ/ *ρ.μ/ἀ.* (*καθομ.*) βουτάω, σουφρώνω, τρακάρω. **~r** *οὐσ.* ‹C› τρακαδόρος, σελέμης.

1 **scrub** /skrʌb/ *οὐσ.* **1**. ‹C› κατσιασμένο δέντρο ἤ θάμνος, χαμόκλαδο. **2**. ‹U› θαμνότοπος, λόγγος: *walk through miles of ~*, διασχίζω χιλιόμετρα λόγγου. **3**. ‹C› κατσιασμένος ἄνθρωπος ἤ ζῶο: *a little ~ of a man*, ἕνα ἀνθρωπάκι, ἕνας κοντοστούμπης. **~by** *ἐπ.* *(-ier, -iest)* **1**. καχεκτικός, κατσιασμένος. **2**. (*γιά γῆ*) γεμᾶτος θάμνους, ἀγκάθια, κλπ. **3**. (*γιά γένια*) ἄγριος, (*γιά πρόσωπο*) ἀξύριστος: *a ~by chin*, ἀξύριστο πρόσωπο, πηγούνι σκεπασμένο μέ κοντά ἄγρια γένια.

2 **scrub** /skrʌb/ *ρ.μ/ἀ.* *(-bb-)* **1**. τρίβω, καθαρίζω (μέ βούρτσα): *~ out a pan*, τρίβω μιά κατσαρόλα. *~ the floor/the walls clean*, καθαρίζω τό πάτωμα/τούς τοίχους. **ˋ~bing-brush**, ἀγριόβουρτσα. **2**. ἀγνοῶ, ἀκυρώνω (*πχ* μιά διαταγή). —*οὐσ.* ‹C› τρίψιμο: *Give the floor a good ~*, τρίψε γερά τό πάτωμα.

scruff /skrʌf/ *οὐσ.* (*μόνο στή φρ.*) ***the ~ of the neck***, τό δέρμα τοῦ σβέρκου: *lift up/seize/take an animal by the ~ of the neck*, σηκώνω/βουτάω/πιάνω ἕνα ζῶο ἀπό τό σβέρκο.

scruffy /ˋskrʌfɪ/ *ἐπ.* *(-ier, -iest)* (*καθομ.*) ἀπεριποίητος, βρώμικος.

scrum·mage /ˋskrʌmɪdʒ/ *οὐσ.* ‹C› (*καθομ. βραχυλ.* **scrum**) (*MB, ποδόσφ.*) συνωστισμός (τῶν παικτῶν γύρω ἀπό τήν μπάλλα).

scrump·tious /ˋskrʌmpʃəs/ *ἐπ.* (*καθομ.*) (*γιά φαγητό*) πεντανόστιμος.

scrunch /skrʌnʃ/ *οὐσ.* ‹C› & *ρ.μ.* *βλ. crunch.*

scruple /ˋskrupl/ *οὐσ.* **1**. ‹C› (*φαρμακ.* μονάς) βάρος 20 κόκκων. **2**. ‹C,U› ἐνδοιασμός, δισταγμός (τῆς συνειδήσεως): *remove sb's ~s*, αἴρω τούς ἐνδοιασμούς κάποιου. *tell lies without ~*, λέω ψέματα χωρίς δισταγμό. *a man of no ~s*, ἀδίστακτος ἄνθρωπος. ***have no***

~s about doing sth, δέν ἔχω κανένα δισταγμό νά κάμω κτ: *He has no ~s about telling lies*, δέν διστάζει καθόλου νά πῆ ψέματα. —*ρ.ἀ.* (*συνήθ. ἀρνητ.*) **~ to do sth**, διστάζω: *He doesn't ~ to tell lies*, δέν διστάζει νά πῆ ψέματα.

scru·pu·lous /ˋskrupjʊləs/ *ἐπ.* εὐσυνείδητος, σχολαστικός: *act with ~ care/honesty*, ἐνεργῶ μέ σχολαστική προσοχή/ἐντιμότητα. *He is not over-~ in his business dealings*, εἶναι λίγο τσαπατσούλης στίς συναλλαγές του. **~·ly** *ἐπίρ.* εὐσυνείδητα, σχολαστικά.

scru·ti·neer /ˈskrutɪˋnɪə(r)/ *οὐσ.* ‹C› διαλογεύς (σέ ψηφοφορία).

scru·ti·nize /ˋskrutɪnaɪz/ *ρ.μ.* ἐξετάζω προσεχτικά, περιεργάζομαι, διερευνῶ: *~ a proposal/sb's face*, ἐξετάζω προσεχτικά μιά πρόταση/τό πρόσωπο κάποιου.

scru·tiny /ˋskrutɪnɪ/ *οὐσ.* **1**. ‹U› λεπτομερής ἐξέτασις, ἐξονυχιστική ἔρευνα: *be subjected to close ~*, ὑποβάλλομαι σέ αὐστηρή ἐξέταση. **2**. ‹C› νέα καταμέτρησις ψήφων (κατόπιν ἐνστάσεως): *demand a ~*, ὑποβάλλω ἔνσταση νέας καταμετρήσεως.

scud /skʌd/ *ρ.ἀ.* (*-dd-*) τρέχω γρήγορα, γλιστράω (ἀθόρυβα): *The clouds ~ded across the sky*, τά σύννεφα γλιστροῦσαν στόν οὐρανό. *The yacht was ~ding along before the wind*, τό γιώτ γλιστροῦσε μαλακά μέ τόν ἀέρα στήν πρύμνη. —*οὐσ.* **1**. ‹C› ἀθόρυβη τρεχάλα, γλίστρημα. **2**. ‹U› πούσι, ἀντάρα (πού τρέχει μέ τόν ἀέρα).

scuff /skʌf/ *ρ.μ/ἀ.* **1**. περπατῶ σέρνοντας τά πόδια. **2**. χαλῶ, λυώνω (τά παπούτσια) σέρνοντας τά πόδια.

scuffle /ˋskʌfl/ *οὐσ.* ‹C› συμπλοκή, καυγᾶς: *There was a ~ between the police and some young hooligans*, ἔγινε συμπλοκή μεταξύ τῆς ἀστυνομίας καί μερικῶν νεαρῶν ἀλητῶν. —*ρ.ἀ.* συμπλέκομαι, τσακώνομαι.

scull /skʌl/ *οὐσ.* ‹C› μικρό κουπί. —*ρ.μ/ἀ.* κωπηλατῶ. **~er** *οὐσ.* ‹C› κωπηλάτης.

scul·lery /ˋskʌlərɪ/ *οὐσ.* ‹C› πλυντήριο μαγειρείου, λάντζα. **ˋ~-maid**, λαντζέρισσα.

scul·lion /ˋskʌlɪən/ *οὐσ.* ‹C› (*ἀπηρχ.*) λαντζέρης (σέ πύργο).

sculpt /skʌlpt/ *ρ.μ/ἀ.* **1**. εἶμαι γλύπτης. **2**. σκαλίζω, φιλοτεχνῶ γλυπτόν: *~ a statue out of marble*, σκαλίζω ἄγαλμα σέ μάρμαρο.

sculp·tor /ˋskʌlptə(r)/ *οὐσ.* ‹C› γλύπτης. **sculp·tress** /ˋskʌlptrəs/ *οὐσ.* ‹C› γλύπτρια.

sculp·ture /ˋskʌlptʃə(r)/ *οὐσ.* **1**. ‹U› γλυπτική. **2**. ‹C› γλυπτό, ἄγαλμα. —*ρ.μ/ἀ.* φιλοτεχνῶ γλυπτόν: *~d columns*, γλυπτοί κίονες. **sculp·tural** /ˋskʌlptʃərl/ *ἐπ.* γλυπτός, γλυπτικός, πλαστικός, ἀγαλματένιος: *sculptural beauty*, ἀγαλματένια ὀμορφιά.

scum /skʌm/ *οὐσ.* ‹U› βρώμικος ἀφρός, ἀπόβρασμα, ἐπιπλέουσα ἀκαθαρσία (σέ λίμνη, κλπ). ***the ~ of society/of the earth***, τά ἀπορρίματα/τά κατακάθια/τά ἀποβράσματα τῆς κοινωνίας. **~my** *ἐπ.* ἀφρώδης, βρώμικος, (*μεταφ.*) τιποτένιος.

scup·per /ˋskʌpə(r)/ *οὐσ.* ‹C› (*ναυτ.*) εὐδίαιος, μπούνι. —*ρ.μ.* βουλιάζω πλοῖο. ***be ~ed***, (*καθομ.*) καταστρέφομαι, χάνομαι: *Now we're ~ed!* τώρα τήν πάθαμε (χαθήκαμε)!

scurf /skɜf/ *οὐσ.* ‹U› πιτυρία (τοῦ κεφαλιοῦ). **~y** *ἐπ.* γεμᾶτος πιτυρίδα.

scur·ri·lous /ˋskʌrɪləs/ *ἐπ.* χυδαῖος, πρόστυχος, ὑβριστικός: *a ~ attack on the Prime Minister*, χυδαία/ὑβριστική ἐπίθεσις κατά τοῦ Πρωθυπουργοῦ. **scur·ril·ity** /skəˋrɪlətɪ/ *οὐσ.* ‹U› χυδαιότης, προστυχιά, βρωμιά, ‹C› ὑβρεολόγιο, βρισιά.

scurry /ˋskʌrɪ/ *ρ.ἀ.* ***~ about/for/through***, τρέχω (μέ μικρά γρήγορα βήματα), κάνω κτ βιαστικά: *The rain sent everyone ~ing for shelter*, ἡ βροχή τούς ἔκανε ὅλους νά τρέξουν γιά καταφύγιο. *Don't ~ through your work*, μήν κάνης βιαστικά τή δουλειά σου. —*οὐσ.* **1**. ‹C,U› τρεχάλα, φυγή: *There was a ~ towards the buffet*, τρέξανε ὅλοι στό μπουφέ. *a general ~*, γενική φυγή, ὅπου φύγει-φύγει. *the ~ and scramble of town life*, ἡ τρεχάλα καί τό σπρωξίδι (ὁ ἀγχώδης ρυθμός) τῆς ζωῆς στήν πόλη. **2**. ‹C› στρόβιλος (χιονιοῦ, σκόνης).

scurvy /ˋskɜvɪ/ *οὐσ.* ‹U› (*ἰατρ.*) σκορβοῦτο. —*ἐπ.* ἄτιμος, πρόστυχος, χυδαῖος: *a ~ trick*, ἀτιμία, βρωμοδουλειά. **scurv·ily** /-əlɪ/ *ἐπίρ.* ἄτιμα.

scut /skʌt/ *οὐσ.* ‹C› οὐρίτσα (κουνελιοῦ, λαγοῦ).

scutch·eon /ˋskʌtʃən/ *οὐσ.* ‹C› *βλ. escutcheon.*

1 **scuttle** /ˋskʌtl/ *οὐσ.* ‹C› κουβᾶς γιά κάρβουνα.

2 **scuttle** /ˋskʌtl/ *ρ.ἀ.* ***~ off/away***, τρέπομαι εἰς φυγήν, τό βάζω στά πόδια. —*οὐσ.* ‹C› φυγή, τρεχάλα: *a policy of ~*, πολιτική φυγῆς, φυγομαχία.

3 **scuttle** /ˋskʌtl/ *οὐσ.* ‹C› (*ναυτ.*) φινιστρίνι, τρύπα κουβουσιοῦ, καταρράχτης. —*ρ.μ.* βουλιάζω πλοῖο (ἀνοίγοντας τρύπες στά ὕφαλα): *The captain ~d his ship to avoid its being captured by the enemy*, ὁ καπετάνιος βούλιαξε τό πλοῖο του γιά νά μήν πέση στά χέρια τοῦ ἐχθροῦ.

Scylla /ˋsɪlə/ *οὐσ.* (*μυθ.*) Σκύλλα. ***between ~ and Charybdis*** /kəˋrɪbdɪs/, ἀνάμεσα στή Σκύλλα καί τή Χάρυβδη.

scythe /saɪð/ *οὐσ.* ‹C› δρεπάνι. —*ρ.μ.* θερίζω.

sea /si/ *οὐσ.* **1**. (*ἐν. μέ the*) θάλασσα: *at the bottom of the ~*, στόν πάτο τῆς θάλασσας. **2**. (*πληθ. ἤ μέ ἀόρ. ἄρθρ.*) κῦμα: *There was a heavy ~*, εἶχε πολύ κῦμα. *The ~s were mountains high*, τά κύματα ἦταν βουνά. **3**. ‹C› (*μεταφ.*) πλῆθος: *a ~ of faces/troubles*, ἕνα πλῆθος πρόσωπα/σκοτοῦρες. **4**. (*σέ ἰδιωμ. φράσεις*): ***follow the ~/go to ~***, πάω στή θάλασσα, γίνομαι ναυτικός. ***put to ~***, ἀποπλέω, σαλπάρω. ***at ~***, στόν ὠκεανό: *He was buried at ~*, τάφηκε στόν ὠκεανό. ***be all/completely at ~***, (*μεταφ.*) τά ἔχω ἐντελῶς χαμένα, εἶμαι πελαγωμένος: *He was all at ~ when he began his new job*, ἦταν ὁλότελα πελαγωμένος ὅταν ἄρχισε τή νέα του δουλειά. ***beyond/over the ~(s)***, πέρα ἀπό τίς θάλασσες/τούς ὠκεανούς (ὑπερπόντιος). ***by ~***, διά θαλάσσης, μέ πλοῖο: *travel by ~ and land*, ταξιδεύω διά θαλάσσης καί ξηρᾶς. ***on the ~***, ἐπί τῆς θαλάσσης, παραλιακός: *Brighton is on the ~*, τό Μπράϊτον εἶναι παραλιακή πόλις. ***be half ~s over***, (*καθομ.*) εἶμαι στουπί στό μεθύσι. ***the freedom of the ~s***, ἡ ἐλευθερία τῶν θαλασσῶν (τῆς ναυσιπλοΐας). ***the high ~s***, τ' ἀνοιχτά, τό πέλαγος. **5**. (*σέ συνθ. λέξεις*): **ˋ~ anemone**, (*ζωολ.*) ἀκτίνιο, θαλάσσιο ρόδο. `~-**animal**, ζῶον τῆς θάλασσας. `~-**bathing**, μπάνιο στή θάλασσα. `~·**bed**, ὁ πάτος τῆς θάλασσας. `~-**bird**, θαλασσοπούλι. `~·**board**, ἀκτή, παραλία, αἰγιαλός. `~-**boat**, καράβι: *a good/bad ~-boat*, καλοτάξιδο καράβι/σκυλοπνίχτης. `~-**borne** *ἐπ.* διαθαλάσσιος: *~-borne commerce*, ἐμπόριο διά θαλάσσης. `~-**breeze**, θαλασσινή αὔρα. `~-**cow**, θαλάσσιο κῆτος. `~-**dog**, *(α)* θαλασσόλυκος. *(β)* σκυλόψαρο. *(γ)* φώκια. `~·**faring** /-feərɪŋ/ *ἐπ.* ναυτικός: *a ~-faring people*, ναυτικός λαός. `~ **fog**, θαλασσινή ὁμίχλη. `~·**food**, θαλασσινά: *a ~food restaurant/cocktail*, ἑστιατόριο/κοκτέϊλ μέ θαλασσινά. `~-**front**, παραλία (πόλεως): *The best hotels are on the ~-front*, τά καλύτερα ξενοδοχεῖα εἶναι στήν παραλία. `~-**girt** *ἐπ.* *(ποιητ.)* ζωσμένος ἀπό θάλασσα. `~-**god**, θεός τῆς θάλασσας. `~-**going** *ἐπ.* ποντοπόρος, θαλασσινός: *~-going vessels/trade/people*, ποντοπόρα σκάφη/θαλασσινό ἐμπόριο/-ός λαός. '~-`**green** *ἐπ.* γαλαζοπράσινος. `~·**gull**, γλάρος. `~-**horse**, ἱππόκαμπος, ἀλογάκι τῆς θάλασσας. '~-**island** `**cotton**, βαμβάκι ἐκλεκτῆς ποιότητος (μέ μακρές ἶνες). `~-**kale**, ψευτοκράμβη ἤ παράλιος. `~-**legs** *οὐσ. πληθ.* ἱκανότητα νά περπατάη κανείς στό κατάστρωμα πλοίου πού κουνάει: *get/find one's ~-legs*, συνηθίζω τή θάλασσα (*δηλ.* νά περπατῶ στό πλοῖο). `~-**level**, ἐπιφάνεια τῆς θαλάσσης: *3000 metres above ~-level*, 3000μ. πάνω ἀπό τήν ἐπιφάνεια τῆς θάλασσας. `~-**lion**, μεγάλη φώκηα τοῦ Εἰρηνικοῦ. `**S~ Lord**, Λόρδος τοῦ Ναυαρχείου. `~·**man** /-mən/, *(πολ. ναυτ.)* ναύτης, *(γενικά)* ναυτικός, θαλασσινός. `~·**manship**, ναυτική τέχνη/ἱκανότης. `~·**plane**, ὑδροπλάνο. `~·**port**, πόρτο, λιμάνι μέ πόλη. `~-**power**, ναυτική δύναμις. `~-**rover**, πειρατής, πειρατικό πλοῖο. `~·**scape**, θαλασσινό τοπεῖο, θαλασσογραφία. `~-**shell**, θαλασσινό κοχύλι. `~-**shore**, ἀκροθαλασσιά, παραλία, ἀκτή. `~·**sick** *ἐπ.* πάσχων ἐκ ναυτίας: *I'm feeling ~sick*, μ' ἔχει πιάσει ἡ θάλασσα. `~·**sick·ness**, ναυτία. `~·**side** *οὐσ.* *(μόνον ἑν.)* παραλία: *go to the ~side for one's holidays*, πάω στή θάλασσα γιά τίς διακοπές μου. __*ἐπ.* παραλιακός: *a ~side town*, παραθαλάσσια πόλις. `~-**urchin**, ἀχινός. '~-`**wall**, μῶλος. `~·**ward** /-wəd/ *ἐπ.* & *ἐπίρ.* (*καί* -**wards** /-wədz/ *ἐπίρ.*) πρός τή θάλασσα. `~-**water**, θαλασσινό νερό. `~-**way**, δρόμος πλοίου, ἀπόνερα, θαλασσία ὁδός. `~·**weed**, φύκι. `~·**worth·i·ness**, πλοϊμότης. `~·**worthy** *ἐπ.* *(γιά πλοῖο)* ἱκανό νά πλεύση, πλόϊμο.

[1]**seal** /sil/ *οὐσ.* ‹C› φώκια. `~·**skin**, δέρμα φώκιας, λούτρ. __*ρ.ἀ.* κυνηγῶ φώκιες. ~**er** *οὐσ.* ‹C› ἄνθρωπος/πλοῖο πού κυνηγάει φώκιες.

[2]**seal** /sil/ *οὐσ.* ‹C› σφραγίδα, βούλα: *break the ~ of a letter*, ἀποσφραγίζω ἕνα γράμμα. ***under ~ of secrecy***, ὑπό τόν ὅρο τῆς μυστικότητος, στά κρυφά. ***given under my hand and ~***, *(νομ.)* ὑπεγραφή καί ἐσφραγίσθη ὑπ' ἐμοῦ. ***put/set the ~ of approval on sth***, *(μεταφ.)* θέτω τή σφραγίδα τῆς ἐγκρίσεως σέ κτ. `~-**ring**, δακτυλίδι μέ σφραγίδα. __*ρ.μ.* σφραγίζω, κλείνω: *~ a document/letter*, σφραγίζω ἕνα ἔγγραφο/κλείνω γράμμα. *~ up a window/drawer*, κλείνω ἑρμητικά ἕνα παράθυρο/ἕνα συρτάρι. *His fate is ~ed*, ἡ μοῖρα του ἔχει κριθῆ. ***My/His, etc. lips are ~ed***, δέν ἔχω/ἔχει τό δικαίωμα νά μιλήσω. ***~ed orders***, ἐνσφράγιστες διαταγές (σέ κλειστό φάκελλο). `~·**ing-wax**, βουλοκέρι.

seam /sim/ *οὐσ.* ‹C› **1**. ραφή (σέ ροῦχα). **2**. ραφή, ἕνωσις, ἁρμός (σέ σανίδες, σωλῆνες, κλπ). **3**. φλέβα (μετάλλου), γραμμή διαχωρισμοῦ (στρωμάτων). **4**. *(στό πρόσωπο)* οὐλή, ράμμα, ρυτίδα, σημάδι (σά ραφή). ***~ed with***, σημαδεμένος μέ. ~·**less** *ἐπ.* χωρίς ραφή: *~less stockings*, κάλτσες χωρίς ραφή.

seam·stress /`simstrəs/, **semp·stress** /`sempstrəs/ *οὐσ.* ‹C› ράφτρα.

seamy /`simɪ/ *ἐπ.* *(-ier, -iest)* *(κυρίως μεταφ. στή φρ.)* ***the `~ side (of life)***, ἡ ἄσχημη πλευρά (τῆς ζωῆς).

sé·ance /`seɪɑ̃s/ *οὐσ.* ‹C› πνευματιστική συγκέντρωσις.

[1]**sear** /sɪə(r)/ *ρ.μ.* **1**. καυτηριάζω (πληγή), καίω, σημαδεύω (μέ πυρακτωμένο σίδερο). `~·**ing-iron**, καυτήρας. **2**. *(μεταφ.)* σκληραίνω, ξεραίνω: *His heart/soul had been ~ed by injustice*, ἡ ἀδικία εἶχε κάμει τήν καρδιά του/τήν ψυχή του σκληρή σάν πέτρα.

[2]**sear, sere** /sɪə(r)/ *ἐπ.* *(λογοτ.)* *(γιά λουλούδια, φύλλα)* μαραμένος.

search /s3tʃ/ *ρ.μ/ἀ.* **1**. ἐρευνῶ, ψάχνω: *~ a room/a drawer*, ἐρευνῶ ἕνα δωμάτιο/ἕνα συρτάρι. *~ one's memory/pockets*, ψάχνω τή μνήμη μου/τίς τσέπες μου. *~ through a dictionary for sth*, ψάχνω σ' ἕνα λεξικό γιά κτ. ***~ one's heart/conscience***, ἐξετάζω προσεχτικά τήν καρδιά μου/τή συνείδησή μου. ***S~ me!*** *(καθομ.)* δέν ἔχω ἰδέα (τί μέ ρωτᾶς, τί μοῦ λές)! **2**. ***~ out/for***, ἀναζητῶ: *~ out an old friend*, ἀναζητῶ ἕναν παληό φίλο. *What are you ~ing for?* τί ζητᾶς (τί ψάχνεις νά βρῆς); **3**. *(λογοτ.)* διεισδύω παντοῦ: *The cold wind ~ed the street*, ὁ κρύος ἄνεμος σάρωνε κάθε γωνιά τοῦ δρόμου. __*οὐσ.* ‹C,U› ἔρευνα, ἀναζήτησις: *a ~ for contraband*, ἔρευνα γιά λαθραῖα. ***go in ~ of***, πηγαίνω εἰς ἀναζήτησιν. ***make a ~ for sth***, κάνω ἔρευνα γιά κτ. ***right of ~***, δικαίωμα ἐρεύνης (ὑπό πολεμικῶν πλοίων). `~·**light**, προβολεύς, δέσμη ἠλεκτρικοῦ φωτός: *flash a ~light on sth*, ρίχνω τό φῶς προβολέως πάνω σέ κτ. `~-**party**, ὁμάδα ἐρεύνης/ἀναζητήσεως. `~-**warrant**, ἔνταλμα ἐρεύνης. ~·**ing** *ἐπ.* ἐρευνητικός, διεισδυτικός: *a ~ing look*, ἐρευνητική ματιά. ~·**ing·ly** *ἐπίρ.* ἐρευνητικά.

[1]**sea·son** /`sizn/ *οὐσ.* ‹C› **1**. ἐποχή, σαιζόν: *the four ~s*, οἱ τέσσερες ἐποχές. ***in/out of ~***, στήν ἐποχή του/ἐκτός τῆς ἐποχῆς του: *Strawberries are in ~ now/are out of ~*, οἱ φράουλες εἶναι στήν ἐποχή τους τώρα/δέν εἶναι στήν ἐποχή τους. ***a word in ~/out of ~***, ἐπίκαιρη συμβουλή, στήν ὥρα της/ἄκαιρη συμβουλή. ***in and out of ~***, σ' ὅλες τίς ἐποχές, ἐπικαίρως ἤ μή, χωρίς διάκριση. ***the ~'s greetings***, εὐχές τῶν ἑορτῶν (τά Χριστούγεννα). **the `busy ~**, ἡ ἐποχή τῆς δουλειᾶς. **the `close/`open ~**, ἡ ἐποχή πού ἀπαγορεύεται/ἐπιτρέπεται τό κυνήγι. **the**

`dead/`off ~, ἡ νεκρή ἐποχή (τοῦ ἐμπορίου, τουρισμοῦ, κλπ). **the`dry/`rainy ~**, ἡ ἐποχή τῆς ξηρασίας/τῶν βροχῶν. **the `holiday/ `tourist ~**, ἡ ἐποχή τῶν διακοπῶν/τοῦ τουρισμοῦ. **the `mating ~**, ἡ ἐποχή τοῦ ζευγαρώματος (τῶν ζώων). **the `nesting ~**, ἡ ἐποχή πού τά πουλιά φτιάχνουν τίς φωλιές τους καί γεννᾶνε. **2**. περίοδος: *a ~ of peace*, περίοδος εἰρήνης. ***for a ~***, γιά λίγο, γιά μιά ὡρισμένη περίοδο. ***in due ~***, ἐν καιρῷ. **3**. (*καθομ. βραχυλ. γιά* **`~-ticket**) εἰσιτήριο διαρκείας (σέ τραῖνο), εἰσιτήριο συνδρομητοῦ (σέ θέατρο, κλπ). ***take out a ~(-ticket)***, βγάζω διαρκές (εἰσιτήριο).

[2]**sea·son** /`sizn/ *ρ.μ/ὰ.* **1**. ψήνω, σκληραίνω, ἐγκλιματίζω, ἐθίζω, προσαρμόζω: *~ed wood/ wine/soldiers*, ψημένο ξύλο/κρασί/-οι στρατιῶτες. *I'm not yet ~ed to the rigorous climate*, δέν ἔχω προσαρμοσθῆ ἀκόμα στό τραχύ κλῖμα. **2**. καρυκεύω, ἀρτύω, (*μεταφ.*) νοστιμίζω: *mutton ~ed with garlic*, ἀρνί καρυκευμένο μέ σκόρδο. *highly ~ed dishes*, φαγητά μέ πολλά μπαχαρικά/πατημένα στά μπαχαρικά. *conversation ~ed with wit*, συζήτησις διανθισμένη μέ πνεῦμα. **~·ing** *οὐσ.* ‹C,U› καρύκευμα, ἄρτυμα, μπαχαρικό: *There's not enough ~ing in this sausage*, δέν ἔχει ἀρκετά μπαχαρικά αὐτό τό λουκάνικο. *Salt, pepper and garlic are ~ings*, τό άλάτι, τό πιπέρι καί τό σκόρδο εἶναι καρυκεύματα. **3**. (*λογοτ.*) μαλακώνω, ἁπαλύνω, μετριάζω: *when mercy ~s justice*, ὅταν ἡ εὐσπλαχνία ἁπαλύνει τήν δικαιοσύνη.

sea·son·able /`siznəbl/ *ἐπ.* **1**. κανονικός, τῆς ἐποχῆς: *We're having ~ weather*, ἔχομε καιρό τῆς ἐποχῆς (ἀνάλογο πρός τήν ἐποχή). **2**. ἔγκαιρος, ἐπίκαιρος: *~ help/advice/gifts*, ἐπίκαιρη βοήθεια/συμβουλή/-α δῶρα.

sea·sonal /`sizn l/ *ἐπ.* ἐποχιακός: *a ~ occupation/~ business/~ trade*, ἐποχιακή ἀπασχόλησις/-ές δουλειές/-ό ἐμπόριο.

seat /sit/ *οὐσ.* ‹C› **1**. κάθισμα, θέσις: *an adjustable ~*, ρυθμιζόμενο κάθισμα. *an ejector ~*, ἐκτινασσόμενο κάθισμα. *the driver's/pilot's ~*, ἡ θέσις τοῦ ὁδηγοῦ/τοῦ πιλότου. ***book ~s***, βγάζω εἰσιτήρια/κλείνω θέσεις (στό θέατρο). ***keep one's ~***, παραμένω στή θέση μου. ***lose one's ~***, χάνω τή θέση μου. ***take a ~***, κάθομαι: *Won't you take a ~?* δέν θά καθίστε; ***take one's ~***, κάθομαι στή θέση μου. **2**. (*στή Βουλή*) ἕδρα: *win a ~ (in the House of Commons)*, κερδίζω ἕδρα (στή Βουλή). *keep/lose one's ~*, διατηρῶ/χάνω τήν ἕδρα μου. **`marginal ~**, ἐπισφαλής/ἀμφισβητούμενη ἕδρα. **3**. (*μεταφ.*) ἕδρα, κέντρον, ἑστία: *Washington is the ~ of government*, ἡ Οὐάσιγκτον εἶναι ἡ ἕδρα τῆς Κυβερνήσεως. *New York is the ~ of commerce*, ἡ Νέα Ὑόρκη εἶναι τό κέντρον τοῦ ἐμπορίου. *A university is a ~ of learning*, τό πανεπιστήμιο εἶναι κέντρον παιδείας. **'country-`~**, μεγάλη ἔπαυλη, ἀρχοντικό στήν ἐπαρχία. **4**. πάτος (καθίσματος), καβάλλος (παντελονιοῦ), ὀπίσθια, πισινός: *a chair with a rush ~*, καρέκλα μέ ψάθινο πάτο. *The ~ of my trousers has worn thin*, ὁ καβάλλος τοῦ παντελονιοῦ μου ἔχει τριφτῆ. *He came down on his ~*, ἔπεσε μέ τόν πισινό. **5**. κάθισμα (τρόπος καθίσματος, *ἰδ.* σέ ἄλογο): *He has a good/poor ~*, κάθεται καλά/δέν ξέρει νά καθίση καλά (σέ ἄλογο). __*ρ.μ.* **1**. καθίζω: *~ oneself, be ~ed*, κάθομαι. *Please be ~ed, gentlemen*, παρακαλῶ, κύριοι, καθίστε. **2**. χωράω, ἔχω θέσεις γιά: *This hall ~s over a thousand*, αὐτή ἡ αἴθουσα χωράει πάνω ἀπό χίλιους. **`~·ing-room** *οὐσ.* ‹U› χῶρος γιά καθημένους, θέσεις: *We have ~ing-room for 30 pupils in each classroom*, ἔχομε θέσεις γιά 30 μαθητές σέ κάθε αἴθουσα. **3**. (*συνήθ.* **re~** /'ri`sit/) διορθώνω τόν πάτο (καρέκλας, παντελονιοῦ, κλπ): *~ a chair/an old pair of trousers*, βάζω καινούργιο πάτο σέ καρέκλα/καινούργιο καβάλλο σέ παντελόνι.

seca·teurs /`sekətɜz/ *οὐσ. πληθ.* ψαλίδα κλαδέματος.

se·cede /sɪ`sid/ *ρ.ὰ.* ***~ (from)***, ἀποσχίζομαι, ἀποχωρῶ, ἀποσκιρτῶ (ἀπό κόμμα, ἀπό ὁμοσπονδία, ἀπό κράτος, κλπ).

se·cession /sɪ`seʃn/ *οὐσ.* ‹C,U› ἀπόσχισις, ἀποχώρησις, ἀποσκίρτησις, σχῖσμα: *the War of S~*, ὁ Χωριστικός Πόλεμος (στίς ΗΠΑ). **~·ist** *οὐσ.* ‹C› ὀπαδός χωριστικοῦ κινήματος.

se·clude /sɪ`klud/ *ρ.μ.* ἀπομονώνω: *~ oneself from society*, ἀπομονώνομαι/ἀποτραβιέμαι ἀπό τόν κόσμο. *They keep women ~d in harems*, κρατοῦν τίς γυναῖκες ἀπομονωμένες σέ χαρέμια. **~d** *ἐπ.* (*γιά τόπο, ζωή, κλπ*) ἥσυχος, παράμερος, ἀπομονωμένος.

se·clu·sion /sɪ`kluʒn/ *οὐσ.* ‹U› (ἀπο)μόνωσις, μοναξιά: *live in ~*, ζῶ ἀπομονωμένος/μοναχός. *in the ~ of his own home*, στήν ἀπομόνωση τοῦ σπιτιοῦ του.

[1]**sec·ond** /`sekənd/ *ἐπ.* **1**. δεύτερος: *Thessalonica is the ~ largest city in Greece*, ἡ Θεσσαλονίκη εἶναι ἡ δεύτερη πόλις τῆς Ἑλλάδος σέ μέγεθος. *I need a ~ pair of shoes*, χρειάζομαι καί δεύτερο ζευγάρι παπούτσια. *He thinks he's a ~ Einstein*, νομίζει ὅτι εἶναι δεύτερος Ἀϊνστάϊν. *~ cousin*, δεύτερος ἐξάδελφος, δευτέρα ἐξαδέλφη. **S~ Advent/ Coming**, ἡ Δευτέρα Παρουσία. **~ ballot**, ἐπαναληπτική ψηφοφορία (μεταξύ τῶν δύο πρώτων ὑποψηφίων). **~ chamber**, Ἄνω Βουλή. **~ childhood**, παλιμπαιδισμός, ξεμωράματα. **~ floor**, δεύτερο πάτωμα (στίς ΗΠΑ τό α! μετά τό ἰσόγειο, στήν ΜΒ τό β! μετά τό ἰσόγειο). **~ lieutenant**, ἀνθυπολοχαγός. **'~ in com`mand**, ὑπαρχηγός. **~ nature**, δευτέρα φύσις: *Habit is ~ nature*, ἡ συνήθεια εἶναι δευτέρα φύσις. **~ sight**, (*ψυχ.*) διόρασις, ἱκανότης προβλέψεως τοῦ μέλλοντος. **2**. (*σέ ἰδιωμ. φράσεις*): ***~ to none***, κατώτερος οὐδενός: *In intelligence he is ~ to none*, σέ ἐξυπνάδα δέν εἶναι κατώτερος οὐδενός/δέν τόν ξεπερνάει κανένας. ***in the ~ place***, ἐκ δευτέρου, κατά δεύτερο λόγο. ***~ thoughts***, ὡριμώτερη σκέψις: *On ~ thoughts I decided to accept their offer*, ὕστερα ἀπό ὡριμώτερη σκέψη ἀποφάσισα νά δεχθῶ τήν προσφορά τους. *I'm having ~ thoughts about buying that house*, διστάζω/τό ξανασκέφτομαι ἄν πρέπη ν'ἀγοράσω αὐτό τό σπίτι. ***play ~ fiddle (to sb)***, παίζω δευτερεύοντα ρόλο (κοντά σέ κπ). **3**. (*σέ σύνθ. λέξεις*): **'~-`best** *ἐπ.* δεύτερος (μετά τόν καλύτερο): *my ~-best suit*, τό δεύτερο

κοστούμι μου. *It's the ~-best*, (*οὐσ.*) εἶναι τό μή χεῖρον. ***come off ~-best***, (*ἐπίρ.*) νικιέμαι, τίς τρώω. '**~-`class** *ἐπ., οὐσ. & ἐπίρ.* *(α)* δευτέρας κατηγορίας, β! θέσις: *a ~-class hotel*, ξενοδοχεῖον δευτέρας κατηγορίας. *~-class citizens*, πολῖτες δευτέρας κατηγορίας. *travel ~-class*, ταξιδεύω β! θέση. *(β)* λίαν καλῶς (σέ ἐξετάσεις): *take a ~-class in law*, παίρνω λίαν καλῶς στά νομικά. '**~-`hand** *ἐπ. & ἐπίρ.* μεταχειρισμένος, ἀπό δεύτερο χέρι: *~-hand furniture/books*, μεταχειρισμένα ἔπιπλα/βιβλία. *get news ~-hand*, μαθαίνω νέα ἀπό δεύτερο χέρι. '**~-`rate** *ἐπ.* μέτριος, δευτέρας ποιότητος: *a man with a ~-rate brain*, ἄνθρωπος μέ μέτρια εὐφυΐα. '**~-`rater** *οὐσ.* ‹C› μετριότης: *a Cabinet made up of ~-raters*, κυβέρνηση μετριοτήτων. —*ἐπίρ.* δεύτερος: *The English team came (in) ~*, ἡ Ἀγγλική ὁμάδα ἦλθε δεύτερη. **~·ly** *ἐπίρ.* δεύτερον, ἐκ δευτέρου, κατά δεύτερον λόγον.

2 **sec·ond** /`sekənd/ *οὐσ.* **1**. ‹C› δεύτερος: *the ~ of May*, ἡ δευτέρα Μαΐου. *King George the S~*, ὁ Βασιλεύς Γεώργιος ὁ Β! *You are the ~ to ask me the same question*, εἶσαι ὁ δεύτερος πού μοῦ κάνεις τήν ἴδια ἐρώτηση. **2**. (*πληθ.*) εἴδη δευτέρας διαλογῆς. **3**. (*σέ ἐξετάσεις*) βαθμός λίαν καλῶς. ***get a ~***, παίρνω "λίαν καλῶς". **4**. (*σέ μονομαχία*) μάρτυς, (*σέ πυγμ.*) βοηθός.

3 **sec·ond** /`sekənd/ *οὐσ.* ‹C› δευτερόλεπτο: *I'll be back in a ~*, θά γυρίσω ἀμέσως. `**~-hand**, δείκτης δευτερολέπτων (σέ ρολόϊ).

4 **sec·ond** /`sekənd/ *ρ.μ.* **1**. βοηθῶ κπ (*σέ πυγμαχικό ἀγῶνα*), εἶμαι μάρτυς (*σέ μονομαχία*). **2**. ὑποστηρίζω (πρόταση), σιγοντάρω: *Mr Hill, ~ed by Mr Smith, proposed that...*, ὁ κ. Χίλλ, συνεπικουρούμενος ἀπό τόν κ. Σμίθ, πρότεινε ὅπως...

5 **sec·ond** /sɪ`kond/ *ρ.μ.* (*ἰδ. στρατ.*) ἀποσπῶ, θέτω εἰς διάθεσιν: *Captain Hill was ~ed for service on the General's staff*, ὁ λοχαγός Χίλλ ἀπεσπάσθη δι' ὑπηρεσίαν εἰς τό ἐπιτελεῖον τοῦ Στρατηγοῦ (ἐτέθη εἰς τήν διάθεσιν τοῦ...). **~·ment** *οὐσ.* ‹C,U› ἀπόσπασις.

sec·ond·ary /`sekəndrɪ/ *ἐπ.* δευτερεύων, ὑποδεέστερος: *~ causes*, δευτερεύοντα αἴτια. *a ~ stress*, δευτερεύων/ὑποδεέστερος τόνος. *~ education*, μέση ἐκπαίδευσις. *a ~ school*, σχολεῖο μέσης ἐκπαιδεύσεως.

se·crecy /`sikrəsɪ/ *οὐσ.* ‹U› ἐχεμύθεια, μυστικότης: *rely on sb's ~*, βασίζομαι στήν ἐχεμύθεια κάποιου. ***in/with (great) ~***, μέ (μεγάλη) μυστικότητα, (πολύ) κρυφά. ***swear/bind sb to ~***, ὁρκίζω κπ/τοῦ ἐπιβάλλω νά τηρήσῃ ἐχεμύθεια.

se·cret /`sikrət/ *ἐπ.* μυστικός, κρυφός: *keep sth ~ from one's friends*, κρατῶ κτ μυστικό ἀπό τούς φίλους μου. *a ~ marriage*, μυστικός (κρυφός) γάμος. *a ~ place*, κρυφό, ἀπόμερο μέρος. '**~ `agent**, μυστικός πράκτωρ. **the '~ `service**, οἱ μυστικές ὑπηρεσίες (κατασκοπίας καί ἀντικατασκοπίας). —*οὐσ.* ‹C› μυστικό: *a professional ~*, ἐπαγγελματικό μυστικό. *What's the ~ of his success?* ποιό εἶναι τό μυστικό τῆς ἐπιτυχίας του; *the ~s of nature*, τά μυστικά τῆς φύσεως. *I have no ~s from you*, δέν ἔχω μυστικά ἀπό σένα. ***in ~; as a ~***, ἐμπιστευτικά: *I was told about it in ~*, μοῦ τό εἶπαν ἐμπιστευτικά. ***an open ~***, κοινό μυστικό. ***be in/let sb into the ~***, εἶμαι μπασμένος/μπάζω κπ στό μυστικό, τόν μυῶ σέ κτ: *Is your brother in the ~?* εἶναι ὁ ἀδελφός σου μπασμένος στήν ὑπόθεση; ***keep a ~***, κρατῶ ἕνα μυστικό. ***make no ~ of sth***, δέν κρύβω κτ: *He makes no ~ of the fact that...*, δέν κρύβει τό γεγονός ὅτι... ***tell a ~***, λέω (κοινολογῶ) ἕνα μυστικό. **~·ly** *ἐπίρ.* μυστικά, κρυφά.

sec·re·tar·ial /'sekrə`teərɪəl/ *ἐπ.* (ἔργα, καθήκοντα) γραμματέως. **~ school**, σχολή γραμματέων.

sec·re·tariat /'sekrə`teərɪæt/ *οὐσ.* ‹C› γραμματεία (μεγάλου ὀργανισμοῦ): *get a position on the ~ of UNO*, διορίζομαι στή γραμματεία τοῦ ΟΗΕ.

sec·re·tary /`sekrətrɪ/ *οὐσ.* ‹C› **1**. γραμματεύς, ὑπάλληλος γραφείου: *private ~*, ἰδιαίτερος/-έρα γραμματεύς. *honorary ~*, ἐπίτιμος γραμματεύς (συλλόγου, κλπ). **2**. **S~ of State**, (*MB*) ὑπουργός: *the S~ of State for Defence*, ὁ Ὑπουργός Ἀμύνης. **Permanent S~**, μόνιμος Ὑφυπουργός. '**S~-`General**, Γενικός Γραμματεύς.

se·crete /sɪ`krit/ *ρ.μ.* **1**. ἐκκρίνω (ὑγρόν). **2**. (ἀπο)κρύπτω (σέ κρυφό μέρος): *~ sth in a hole in the earth*, κρύβω κτ σέ μιά τρύπα στή γῆ. **se·cre·tion** /sɪ`kriʃn/ *οὐσ.* **1**. ‹C,U› ἔκκρισις. **2**. ‹U› ἀπόκρυψις (*πχ* κλοπιμαίων).

se·cret·ive /`sikrətɪv/ *ἐπ.* κρυψίνους, ἐχέμυθος. **~·ly** *ἐπίρ.* **~·ness** *οὐσ.* ‹U› κρυψίνοια.

sect /sekt/ *οὐσ.* ‹C› αἵρεσις, σχισματική ὁμάδα.

sec·tarian /sek`teərɪən/ *οὐσ.* ‹C› & *ἐπ.* φατριαστικός, φανατικός, διασπαστικός, σεχταριστής: *~ jealousies/politics*, φατριαστικές ἀντιζηλίες/σεχταριστική πολιτική. **~·ism** /-ɪzm/ *οὐσ.* ‹U› σεχταρισμός, τάσις κατακερματισμοῦ σέ ἀντιμαχόμενες ὁμάδες.

sec·tion /`sekʃn/ *οὐσ.* ‹C› τμῆμα, τεμάχιον, τομεύς, τομή, (*τυπογρ.*) παράγραφος: *the shopping ~ of a town*, τό ἐμπορικό τμῆμα μιᾶς πόλεως. *all ~s of the population*, ὅλα τά τμήματα τοῦ πληθυσμοῦ. *the ~s of an orange*, τά τεμάχια/οἱ φέτες ἑνός πορτοκαλιοῦ. *plane/vertical ~*, ἐπίπεδος/κάθετος τομή. *the `Postal S~*, ὁ Ταχυδρομικός Τομεύς. `**~-mark**, σημεῖον παραγράφου (§). **~al** *ἐπ.* *(α)* τμηματικός: *~al furniture*, λυόμενα ἔπιπλα. *(β)* φατριαστικός, τοπικιστικός: *~al interests/jealousies*, ἰδιαίτερα συμφέροντα/ἀντιζηλίες μεταξύ διαφόρων κοινωνικῶν ὁμάδων. **~·al·ism** /-ʃənlɪzm/ *οὐσ.* ‹U› τοπικισμός, φατριασμός.

sec·tor /`sektə(r)/ *οὐσ.* ‹C› τομεύς (κύκλου, πολεμικοῦ μετώπου, οἰκονομίας): *the public and private ~s of industry*, ὁ δημόσιος καί ὁ ἰδιωτικός τομεύς τῆς βιομηχανίας.

secu·lar /`sekjʊlə(r)/ *ἐπ.* κοσμικός, λαϊκός, ἐγκόσμιος, ἐπίγειος: *~ music/art/education*, κοσμική (μή θρησκευτική) μουσική/τέχνη/παιδεία. *the ~ power*, ἡ κοσμική ἐξουσία. *the ~ clergy*, ὁ λαϊκός κλῆρος (ὁ ἐκτός τῶν μοναστηρίων). *~ justice*, ἀνθρώπινη (ὄχι θεία) δικαιοσύνη. **~·ism** /-ɪzm/ *οὐσ.* ‹U› λαϊκισμός, ἀντικληρισμός (*ἰδ.* στήν ἐκπαίδευση). **~·ist** /-ɪst/ *οὐσ.* ‹C› ἀντικληρικός. **~·ize** /-aɪz/ *ρ.μ.* κοσμικοποιῶ: *~ize property/*

education, ἀφαιρῶ τήν περιουσία/τήν παιδεία ἀπό τόν κλῆρο.

se·cure /sɪˋkjʊə(r)/ ἐπ. ἀσφαλής, βέβαιος, σίγουρος, ἀσφαλισμένος: *feel ~ about/as to one's future*, αἰσθάνομαι ἀσφαλής γιά τό μέλλον μου. *Our victory is ~*, ἡ νίκη μας εἶναι βεβαία. *He has a ~ position*, ἔχει μιά σίγουρη θέση. *Are the windows ~?* εἶναι τά παράθυρα ἀσφαλισμένα/κλεισμένα καλά; ***~ from/against***, ἐξασφαλισμένος ἀπό, μή διατρέχων κίνδυνον: *We are ~ from/against attack*, εἴμαστε ἐξασφαλισμένοι (ἀσφαλεῖς) ἀπό ἐπίθεση. —*ρ.μ.* **1**. σιγουρεύω, στερεώνω: *S~ all the windows before leaving the house*, στερέωσε (κλεῖσε καλά) ὅλα τά παράθυρα πρίν φύγης ἀπό τό σπίτι. **2**. ***~ from/against***, ἀσφαλίζω: *~ a village against/from floods*, ἀσφαλίζω ἕνα χωριό ἀπό τίς πλημμύρες. **3**. ἐξασφαλίζω: *Can you ~ me two good seats for the concert?* μπορεῖς νά μοῦ ἐξασφαλίσης δυό καλές θέσεις γιά τή συναυλία; *They've ~d a good cook*, πέτυχαν/βρῆκαν μιά καλή μαγείρισσα. **~·ly** *ἐπίρ.*

se·cur·ity /sɪˋkjʊərətɪ/ *οὐσ.* ‹C,U› **1**. ἀσφάλεια: *Is there any ~ from/against H-bombs?* ὑπάρχει ἀσφάλεια κατά τῶν ὑδρογονικῶν βομβῶν; ***in ~***, ἐν ἀσφαλείᾳ. **public ~**, δημοσία ἀσφάλεια. **social ~**, κοινωνική ἀσφάλισις. **the S~ Council**, τό Συμβούλιον Ἀσφαλείας (τοῦ Ο Η Ε). **~ forces/police**, δυνάμεις/ἀστυνομία ἀσφαλείας. **~ risk**, ἄνθρωπος ἐπικίνδυνος γιά τήν ἐθνική ἀσφάλεια. **2**. ἀσφάλεια, ἐγγύησις: *give sth as (a) ~*, δίνω κτ σάν ἐγγύηση. *lend money on ~*, δανείζω χρήματα μέ ἀσφάλεια (πχ μέ ἐνέχυρο ἤ ὑποθήκη). ***stand ~ for sb***, ἐγγυῶμαι γιά κπ. **3**. (*συνήθ. πληθ.*) τίτλοι, ἀξίες, χρεώγραφα: *government securities*, κρατικά χρεώγραφα.

se·dan /sɪˋdæn/ *οὐσ.* ‹C› **1**. ˋ**~(-ˋchair)**, ἀτομικό φορεῖο (στό 17ο καί 18ο αἰῶνα). **2**. κλειστό αὐτοκίνητο, λιμουζίνα.

se·date /sɪˋdeɪt/ *ἐπ.* ἤρεμος, γαλήνιος, σοβαρός, νηφάλιος. **~·ly** *ἐπίρ.* σοβαρά, ἀτάραχα, ἤρεμα. **~·ness** *οὐσ.* ‹U› σοβαρότης, ἠρεμία, νηφαλιότης.

se·da·tion /sɪˋdeɪʃn/ *οὐσ.* ‹U› (*ἰατρ.*) νάρκωσις, καταπράϋνσις.

seda·tive /ˋsedətɪv/ *ἐπ.* & *οὐσ.* ‹C› καταπραϋντικός, ἠρεμιστικό: *take ~s in order to sleep*, παίρνω ἠρεμιστικά γιά νά κοιμηθῶ.

sed·en·tary /ˋsedntrɪ/ *ἐπ.* καθιστικός: *a ~ job/life*, καθιστική δουλειά/ζωή.

sedge /sedʒ/ *οὐσ.* ‹U› σπαθόχορτο (εἶδος βούρλου ἤ καλαμιοῦ). **sedgy** *ἐπ.* γεμᾶτος βοῦρλα.

sedi·ment /ˋsedɪmənt/ *οὐσ.* ‹U› κατακάθι, ἴζημα, πουρί, τρυγία. **sedi·men·tary** /ˋsedɪˋmentrɪ/ *ἐπ.* ἰζηματογενής: *~ary rocks*, ἰζηματογενῆ πετρώματα.

se·di·tion /sɪˋdɪʃn/ *οὐσ.* ‹U› στάσις, ἀνταρσία: *incitement to ~*, ὑποκίνησις εἰς στάσιν. **se·di·tious** /sɪˋdɪʃəs/ *ἐπ.* στασιαστικός: *seditious speeches/writings*, στασιαστικοί λόγοι/-ά γραπτά.

se·duce /sɪˋdjus/ *ρ.μ.* **1**. ***~ sb (from/into sth)***, παρασύρω, δελεάζω, ἐκμαυλίζω: *~ sb from his duty*, παρασύρω κπ (μέ ἀπατηλά μέσα) ἀπό τό καθῆκον του. *He was ~d by the offer of money into betraying his country*, δελεάστηκε μέ χρήματα πού τοῦ ἔδωσαν καί πρόδωσε τή χώρα του. **2**. ἀποπλανῶ, ξελογιάζω: *~ a friend's wife*, ξελογιάζω τή γυναῖκα ἑνός φίλου μου. **se·ducer** *οὐσ.* ‹C› διαφθορεύς, ξελογιαστής, γυναικοκατακτητής.

se·duc·tion /sɪˋdʌkʃn/ *οὐσ.* **1**. ‹C,U› ἀποπλάνησις, δέλεαρ, ξελόγιασμα: *She has great powers of ~*, ἔχει μεγάλες ἱκανότητες ξελογιάσματος. **2**. ‹C› θέλγητρο, γοητεία: *the ~s of town life*, τά θέλγητρα τῆς ζωῆς στήν πόλη. **se·duc·tive** /sɪˋdʌktɪv/ *ἐπ.* δελεαστικός, γοητευτικός, σαγηνευτικός: *a seductive offer/smile*, δελεαστική προσφορά/σαγηνευτικό χαμόγελο. **se·duc·tive·ly** *ἐπίρ.*

sedu·lous /ˋsedjʊləs/ *ἐπ.* ἐπιμελής, φιλόπονος, ἐπίμονος: *He paid her ~ attention*, ἦταν ἀκούραστος στίς περιποιήσεις του πρός αὐτήν. **~·ly** *ἐπίρ.* ἐπίμονα.

[1]**see** /si/ *ρ.μ/ὰ. ἀνώμ.* (*ἀόρ. saw* /sɔ/, *π.μ. seen* /sin/) (*συνήθ. δέν χρησιμοποιεῖται στούς συνεχεῖς χρόνους ἐκτός ἰδιωματικῶς ἤ μέ τήν ἔννοια "συναντῶ", βλ. κατωτ. 5.*) **1**. βλέπω: *Blind people cannot ~*, οἱ τυφλοί δέν βλέπουν. *Can you ~/Do you ~ that ship on the horizon?* βλέπεις αὐτό τό πλοῖο στό βάθος τοῦ ὁρίζοντα; *I looked hard but saw nothing*, κοίταξα μέ προσοχή ἀλλά δέν εἶδα τίποτα. *I saw him beating the boy*, τόν εἶδα νά δέρνη τό παιδί. *I saw him hit the policeman and run off*, τόν εἶδα νά χτυπάη τόν ἀστυφύλακα καί νά τό σκάη. *I saw him beaten*, εἶδα νά τόν χτυπᾶνε. *He was ~n to hit the policeman*, τόν εἶδαν νά χτυπάη τόν ἀστυφύλακα. *I can't ~ people starve without trying to help them*, δέν μπορῶ νά βλέπω ἀνθρώπους νά λιμοκτονοῦν καί νά μήν κάνω κάτι νά τούς βοηθήσω. *There was not a house to be ~n*, δέν φαινόταν οὔτε ἕνα σπίτι. *There is nothing to ~*, δέν ὑπάρχει τίποτα νά δοῦμε. *S~, here he comes!* κοίτα, ἔρχεται! *S~ page 9*, ὅρα (βλ.) σελ. 9. ***be ˋ~ing things***, ἔχω παραισθήσεις: *You're ~ing things–there's nobody here!* ἔχεις παραισθήσεις–δέν ὑπάρχει κανείς ἐδῶ. ***~ the back of sb***, ξεφορτώνομαι κπ, τόν βλέπω νά φεύγη: *This fellow's a nuisance; I'll be glad to ~ the back of him*, αὐτός ὁ τύπος εἶναι μπελᾶς, πολύ θά χαρῶ νά τόν δῶ νά ξεκουμπίζεται. ***~ the last of sb/sth***, δέν ξαναβλέπω στά μάτια μου: *I'll be glad to ~ the last of this place/man*, θά χαρῶ νά μήν ξαναδῶ στά μάτια μου αὐτό τό μέρος/αὐτόν τόν ἄνθρωπο. ***~ the sights***, ἐπισκέπτομαι τά ἀξιοθέατα. ***~ stars***, βλέπω τόν οὐρανό μέ τ᾿ ἄστρα/τόν οὐρανό σφοντύλι: *I'll give you one on the head and make you ~ stars*, θά σοῦ δώσω μιά στό κεφάλι νά δῆς τόν οὐρανό σφοντύλι. ***~ visions***, βλέπω τά μελλούμενα. ***~ one's way (clear) to doing sth***, μπορῶ/εἶμαι διατεθειμένος νά κάμω κτ: *He didn't ~ his way to lending me the money I needed*, δέν μπόρεσε/δέν θέλησε νά μέ δανείση τά χρήματα πού εἶχα ἀνάγκη. **2**. καταλαβαίνω, ἀντιλαμβάνομαι, διαπιστώνω, ἐξακριβώνω: *I can't ~ the joke/your point*, δέν καταλαβαίνω τό ἀστεῖο/τήν ἄποψή σου. *Do you ~ what I mean?* καταλαβαίνεις τί ἐννοῶ; *As far as I*

can ~, ἀπ' ὅ,τι ἀντιλαμβάνομαι... *I'll go and ~ if he has come*, θά πάω νά δῶ (νά διαπιστώσω) ἄν ἦλθε. *I ~ what you're driving at*, καταλαβαίνω πού τό πᾶς/ποῦ θέλεις νά καταλήξης. ***See****?* (*λαϊκ.*) μπῆκες; κατάλαβες; ***you ~***, (*χρησιμοποιούμενο παρενθετικῶς*) ἀντιλαμβάνεσαι... **~*ing that***, λαμβάνοντας ὑπ' ὄψη ὅτι, μιᾶς καί, δεδομένου ὅτι. ***~ for oneself***, διαπιστώνω ὁ ἴδιος: *If you don't believe me, go and ~ for yourself*, ἄν δέν μέ πιστεύης, πήγαινε νά τό διαπιστώσης ὁ ἴδιος/νά τό δῆς μέ τά μάτια σου. ***not ~ the use/good/advantage of (doing) sth***, δέν καταλαβαίνω τί ὠφελεῖ (νά κάνω) κτ: *I don't ~ the use/good of it*, δέν βλέπω τή σκοπιμότητά του. *I don't ~ the advantage of taking him with us*, δέν καταλαβαίνω τί ὠφελεῖ νά τόν πάρωμε μαζί μας. ***not ~ the fun of it***, δέν καταλαβαίνω ποῦ βρίσκεται τό ἀστεῖο. ***it remains to be ~n***, θά τό δείξη τό μέλλον: *It remains to be ~n whether he'll pay*, μένει νά δοῦμε/τό μέλλον θά δείξη ἄν θά πληρώση. *That remains to be ~n*, αὐτό θά τό δοῦμε. ***~ fit to do sth***, θεωρῶ σωστό νά κάμω κτ. **3**. βλέπω, διαβάζω (στίς ἐφημερίδες): *I ~ the Prime Minister has been in Rhodes*, βλέπω ὅτι ὁ Πρωθυπουργός πῆγε στή Ρόδο. **4**. βλέπω (στή ζωή), δοκιμάζω, περνῶ: *I never saw such rudeness*, ποτέ μου δέν εἶδα τέτοια ἀγένεια. *He has ~n a good deal in his life*, ἔχει δεῖ/περάσει πολλά στή ζωή του. ***have ~n better days***, ἔχω δεῖ καλύτερες μέρες, ἤμουν κάποτε σέ καλύτερη κατάσταση ἀπ' ὅ,τι εἶμαι τώρα. ***will never ~ 40/50/60 again***, ἔχω περάσει τά 40/50/60: *She'll never ~ 40 again*, τἄχει περάσει τά σαράντα. (*βλ. & λ. service*). **5**. βλέπω, συναντῶ, δέχομαι, ἐπισκέπτομαι: *Can I ~ you on business?* μπορῶ νά σᾶς δῶ/νά σᾶς συναντήσω γιά δουλειές; *He can't ~ you*, δέν μπορεῖ νά σᾶς δεχθῆ. *I'm ~ing my solicitor this afternoon*, θά δῶ (θά ἐπισκεφθῶ) τό δικηγόρο μου σήμερα τό ἀπόγευμα. *S~ you on Sunday*, (ὠρεβουάρ γιά) τήν Κυριακή! ***Be `~ing you/'S~ you `soon***, (*καθομ.*) ὠρεβουάρ, ἀντίο. **6**. φροντίζω, κοιτάζω νά: *S~ that the doors are locked*, φρόντισε/κοίτα νά εἶναι κλειδωμένες οἱ πόρτες. *I'll ~ that the car is ready*, θά φροντίσω νά εἶναι ἕτοιμο τό αὐτοκίνητο. ***~ sb in hell/damned first***, (*γιά ἐμφατική ἄρνηση*) ὄχι, πού νά χτυπιέται/πού νά κόψη τό σβέρκο του: *Me lend him all that money? I'll ~ him damned first!* Ἐγώ νά τοῦ δανείσω τόσα λεφτά; Δέν τοῦ τά δίνω πού νά χτυπιέται. ***~ you don't; ~ and don't***, (*καθομ.*) κοίτα νά μή: *S~ you don't/S~ and don't break it!* κοίτα νά μήν τό σπάσης! **7**. φαντάζομαι: *I can't ~ him/myself dancing!* δέν μπορῶ νά τόν φανταστῶ/νά φανταστῶ τόν ἑαυτό μου νά χορεύη! **8**. (*μέ ἐπιρ. καί προθέσεις*):

see about sth, φροντίζω, ἀσχολοῦμαι: *He promised to ~ about the matter*, ὑποσχέθηκε ν' ἀσχοληθῆ μέ τό θέμα. ***~ sb about sth***, βλέπω/συμβουλεύομαι κπ γιά κτ: *I must ~ my solicitor about it*, πρέπει νά συμβουλευθῶ τό δικηγόρο μου γι' αὐτό.

see sb across sth, βοηθῶ κπ νά περάση: *I'll ~ him across the street*, θά τόν βοηθήσω νά περάση τό δρόμο.

see sb back/home, συνοδεύω κπ πίσω: *May I ~ you back/home?* μπορῶ νά σᾶς συνοδεύσω στό γυρισμό/ὥς τό σπίτι σας;

see sb off, ξεπροβοδίζω κπ, συνοδεύω κπ (μέχρι τό σημεῖο ἀναχωρήσεως): *I was ~n off by many of my friends*, μέ ξεπροβόδισαν/κατευόδωσαν πολλοί φίλοι μου. ***~ sb off a place***, βγάζω κπ (ἀνεπιθύμητο ἤ φορτικό) ἔξω: *He asked the commissionaire to ~ them off the premises*, φώναξε τόν κλητῆρα νά τούς βγάλη ἔξω.

see sb out, συνοδεύω κπ μέχρι τήν ἔξοδο: *My secretary will ~ you out*, ἡ γραμματεύς μου θά σᾶς συνοδεύση ὥς τήν ἔξοδο. *Don't bother, I'll ~ myself out*, μήν ἐνοχλεῖσαι, θά βγῶ μόνος μου.

see over sth, ἐπισκέπτομαι γιά νά ἐξετάσω κτ, ἐπιθεωρῶ (*πχ* σπίτι γιά ἀγορά ἤ ἐνοικίαση).

see through sb/sth, ἀντιλαμβάνομαι/δέν ξεγελιέμαι ἀπό κπ/κτ: *We all saw through him*, ἀντιληφθήκαμε ὅλοι τί ἄνθρωπος εἶναι/τί σκοπούς εἶχε. *I ~ through your little game*, καταλαβαίνω τό κόλπο σου, δέν μέ γελᾶς ἐμένα. ***~ sb through (sth)***, βοηθῶ κπ ὥς τό τέλος: *You'll have a difficult time, but I'll ~ you safely through*, θά εἶναι δύσκολη περίοδος γιά σένα, ἀλλά θά σέ βοηθήσω νά τήν περάσης μέ ἐπιτυχία. ***~ sth through***, βλέπω κτ μέχρι τέλους: *Rain or no rain I'll ~ the match through*, βρέχει-ξεβρέχει ἐγώ θά δῶ τό μάτς μέχρι τέλους.

see to sth, φροντίζω γιά κτ: *I'll ~ to the tickets*, θά φροντίσω γιά τά εἰσιτήρια.

[2]**see** /si/ *οὐσ.* ‹C› (ἐπισκοπική) ἕδρα: *the Holy S~*, ἡ Ἁγία Ἕδρα (τοῦ Πάπα). *the S~ of Athens*, ἡ Μητρόπολις τῶν Ἀθηνῶν.

seed /sid/ *οὐσ.* ‹C› (*πληθ.* ~*s ἤ ἀμετάβλ.*) **1**. σπόρος, σπειρί, κουκούτσι: *a packet of ~(s)*, ἕνα πακέτο σπόροι. *melon ~s*, σπόροι πεπονιοῦ. ***run/go to ~***, (*γιά φυτά*) ξεσποριάζω, (*γιά ἄνθρ.*) (*μεταφ.*) παραμελῶ τήν ἐμφάνισή μου, ἐγκαταλείπω τόν ἑαυτό μου, μαραίνομαι: *Poor John, he has run to ~ since his wife died*, ὁ καϋμένος ὁ Γ., μαράθηκε (ἔρρεψε) ἀπό τότε πού πέθανε ἡ γυναίκα του. **`~-bed**, φυτώριο. **`~-cake**, κέκ μέ γλυκάνισο. **`~-corn**, στάρι γιά σπόρο. **`~s·man** /-mən/, ἔμπορος σπόρων. **`~-oil**, σπορέλαιον. **`~-pearls**, μικροσκοπικά μαργαριτάρια. **`~-potato**, πατάτα φύτρο. **`~·time**, ἐποχή τῆς σπορᾶς. **`~·less** *ἐπ.* χωρίς κουκούτσια: *~less raisins*, σταφίδες χωρίς κουκούτσια. **~·ling** /ˈsidlɪŋ/ *οὐσ.* ‹C› φυτάδι (ἀπό σπόρο). **2**. σπέρμα (ἀνδρικό), ἀπόγονοι, (*μεταφ.*) σπέρμα: *the ~ of Abraham*, οἱ ἀπόγονοι/τό γένος τοῦ Ἀβραάμ. *sow the ~s of discord*, ρίχνω τά σπέρματα τῆς διχόνοιας. —*ρ.μ/ἀ.* **1**. (*γιά φυτό*) βγάζω/ρίχνω σπόρους. **2**. σπέρνω: *~ a field with wheat*, σπέρνω ἕνα χωράφι μέ στάρι. **3**. ξεκουκουτσιάζω, ἐκκοκίζω: *~ raisins*, βγάζω τά κουκούτσια ἀπό σταφίδες. **4**. (*στό τέννις*) ἐπιλέγω (τούς παῖκτες κατά τήν ἀξία τους).

seedy /ˈsidɪ/ *ἐπ.* *(-ier, -iest)* **1**. σποριασμένος, μεστωμένος (*πχ* στάρι). **2**. φθαρμένος, λυωμένος, παλιωμένος: *a ~-looking person/school*, ἕνας κουρελῆς/ἕνα σαραβαλιασμένο σχολεῖο.

3. (*καθομ.*) ἀδιάθετος: *I'm feeling ~*, νοιώθω ἀδιάθετος, δέν εἶμαι στά καλά μου. **seed·ily** /-əlɪ/ *ἐπίρ.* ἄθλια. **seedi·ness** *οὐσ.* ‹U› λυώσιμο, φθορά, ἀτονία.

seek /sik/ *ρ.μ. ἀνώμ.* (*ἀόρ.* & *π.μ. sought* /sɔt/) **1**. (ἀνα)ζητῶ, γυρεύω, ψάχνω: *~ one's fortune in Australia*, ἀναζητῶ τήν τύχη μου στήν Αὐστραλία. *~ shelter from the rain*, ζητῶ καταφύγιο (νά προφυλαχθῶ) ἀπό τή βροχή. *Are you ~ing a quarrel?* καυγᾶ γυρεύεις; *The reason is not far to ~*, δέν εἶναι ἀνάγκη νά ψάξη κανείς μακριά γιά τήν αἰτία. *~ sb's advice/~ satisfaction from sb*, ζητῶ τή συμβουλή κάποιου/ἱκανοποίηση ἀπό κπ. **2**. (*πεπαλ.*) ἐπιχειρῶ: *They sought to kill him*, ἐπιχείρησαν νά τόν σκοτώσουν. **3**. *~* ***for***, ἐπιζητῶ, ἐπιδιώκω: *unsought-for fame*, φήμη πού δέν τήν ἐπιδίωξε κανείς. ***(much) sought after***, περιζήτητος: *He is greatly/much sought after at parties*, εἶναι περιζήτητος στά πάρτυ.

seem /sim/ *ρ.ἀ.* φαίνομαι, δίνω τήν ἐντύπωση: *It ~s that he is honest; He ~s to be honest*, φαίνεται ὅτι εἶναι/νά εἶναι τίμιος. *There ~ to be no objections to the proposal*, φαίνεται νά μήν ὑπάρχουν ἀντιρρήσεις στήν πρόταση. *I shall act as ~s best (as it ~s best to me)*, θά ἐνεργήσω ὅπως νομίζω καλύτερα (ὅπως μοῦ φαίνεται καλύτερα). *I ~ to love you more and more*, μοῦ φαίνεται ὅτι σ' ἀγαπῶ ὅλο καί περισσότερο. *He ~s to trust you; It ~s that he trusts you*, φαίνεται νά σοῦ ἔχη ἐμπιστοσύνη. *I can't ~ to give up smoking*, φαίνεται ὅτι δέν μπορῶ νά κόψω τό τσιγάρο. **~·ing** *ἐπ.* φαινομενικός, δῆθεν: *in spite of his ~ing friendship*, παρά τή φαινομενική του φιλία. **~·ing·ly** *ἐπίρ.* κατά τά φαινόμενα, φαινομενικά.

seem·ly /ˋsimlɪ/ *ἐπ.* (*-ier, -iest*) κόσμιος, εὐπρεπής, ὀρθός: *Strip-tease is not a ~ occupation for any girl*, τό στριπτήζ δέν εἶναι κόσμιο ἐπάγγελμα γιά ἕνα κορίτσι. *It isn't ~ to praise oneself*, δέν εἶναι σωστό νά ἐπαινῆ κανείς τόν ἑαυτό του. **seem·li·ness** *οὐσ.* ‹U› κοσμιότης, εὐπρέπεια, ὀρθότης.

seen /sin/ *π.μ. τοῦ ρ.* [1]*see.*

seep /sip/ *ρ.ἀ.* (*γιά ὑγρό*) διαρρέω, (δια)ποτίζω, στάζω, περνῶ: *Water ~ed through the roof of the tunnel*, πότισε νερό ἡ ὀροφή τοῦ τοῦνελ. **~·age** /ˋsipɪdʒ/ *οὐσ.* ‹U› διαρροή, διαπότισις, στάξιμο.

seer /sɪə(r)/ *οὐσ.* ‹C› μάντης, προφήτης.

seer·sucker /ˋsɪəsʌkə(r)/ *οὐσ.* ‹U› (ὕφασμα) ριγέ γκοφρέ.

see·saw /ˋsi-sɔ/ *οὐσ.* ‹C,U› τραμπάλα: *play at ~*, κάνω τραμπάλα. __*ρ.ἀ.* τραμπαλίζομαι, (*μεταφ.*) ταλαντεύομαι: *~ between two opinions*, ταλαντεύομαι μεταξύ δύο γνωμῶν.

seethe /sið/ *ρ.μ/ἀ.* *~* ***(with)***, βράζω, κοχλάζω, ξεχειλίζω: *~ with anger*, κοχλάζω/βράζω ἀπό θυμό. *a country seething with discontent*, χώρα σέ ἀναβρασμό ἀπό δυσαρέσκεια. *streets seething with people*, δρόμοι κατάμεστοι ἀπό κόσμο.

seg·ment /ˋsegmənt/ *οὐσ.* ‹C› τμῆμα, τεμάχιον: *a ~ of a circle/of an orange*, τό τμῆμα ἑνός κύκλου/ἡ φέτα πορτοκαλιοῦ. __*ρ.μ/ἀ.* /segˋment/ τέμνω/-ομαι, τεμαχίζω/-ομαι. **~a·tion** /ˋsegmənˋteɪʃn/ *οὐσ.* ‹U› κατάτμησις, μερισμός.

seg·re·gate /ˋsegrɪgeɪt/ *ρ.μ.* (δια)χωρίζω, ἀπομονώνω (*ἀντίθ. integrate*): *~ the sexes/the races*, χωρίζω τά φῦλα/τίς φυλές. *~ people with infectious diseases*, ἀπομονώνω ἀνθρώπους μέ μεταδοτικές ἀρρώστειες. **seg·re·ga·tion** /ˋsegrɪˋgeɪʃn/ *οὐσ.* ‹U› (δια)χωρισμός: *racial segregation*, φυλετικός διαχωρισμός.

seign·ior /ˋseɪnjə(r)/ *οὐσ.* ‹C› ἄρχων, φεουδάρχης.

seine /seɪn/ *οὐσ.* ‹C› (*ναυτ.*) σαγήνη, ἁπλάδι, τράτα. __*ρ.μ.* ψαρεύω μέ ἁπλάδι.

seis·mic /ˋsaɪzmɪk/ *ἐπ.* σεισμικός. **seis·mo·graph** /ˋsaɪzməgraf/ *οὐσ.* ‹C› σεισμογράφος. **seis·mol·ogy** /saɪzˋmolədʒɪ/ *οὐσ.* ‹C› σεισμολογία. **seis·mol·ogist** /saɪzˋmolədʒɪst/ *οὐσ.* ‹C› σεισμολόγος.

seize /siz/ *ρ.μ/ἀ.* **1**. κατάσχω: *~ stolen goods*, κατάσχω κλοπιμαῖα. **2**. καταλαμβάνω, κυριεύω: *~ a fortress*, κυριεύω ἕνα φρούριο. *I was ~d with fear/panic*, μέ κατέλαβε φόβος/πανικός. **3**. συλλαμβάνω, πιάνω, βουτάω: *~ an enemy ship*, συλλαμβάνω ἐχθρικό πλοῖο. *He ~d my arm*, μοῦ ἔπιασε/ἔσφιξε τό μπράτσο. *~ a thief by the collar*, βουτάω ἕναν κλέφτη ἀπό τό γιακᾶ. **4**. *~* ***(on/upon)***, ἁρπάζω, δράττομαι: *~ upon an idea/a chance*, ἁρπάζω μιά ἰδέα/μιά εὐκαιρία. *I should like to ~ this opportunity of thanking you for all your generosity*, δράττομαι τῆς παρούσης εὐκαιρίας νά σᾶς εὐχαριστήσω γιά ὅλες σας τίς γενναιοδωρίες. **5**. *~* ***(up)***, (*γιά μηχανή*) παθαίνω ἐμπλοκή, κολλῶ: *The bearings have ~d (up)*, τά κουζινέτα κόλλησαν. **seiz·ure** /ˋsiʒə(r)/ *οὐσ.* (*α*) ‹C,U› σύλληψις, κατάσχεσις, κατάληψις, ἐμπλοκή. (*β*) ‹C› (*ἰατρ.*) προσβολή (*ἰδ.* ἀποπληξίας): *heart seizure*, καρδιακή προσβολή.

sel·dom /ˋseldəm/ *ἐπίρ.* σπανίως: *I've ~ seen such big apples*, σπανίως ἔχω δεῖ τόσο μεγάλα μῆλα. *They ~ go out*, σπανίως βγαίνουν. *They go out very ~*, βγαίνουν πολύ σπάνια. *He ~, if ever, (He ~ or never) gives his wife a present*, σπανίως, γιά νά μήν πῶ ποτέ, δίνει δῶρα στή γυναῖκα του.

se·lect /sɪˋlekt/ *ρ.μ.* διαλέγω, ἐπιλέγω: *~ a book/a present for a child*, διαλέγω ἕνα βιβλίο/ἕνα δῶρο γιά ἕνα παιδί. __*ἐπ.* ἐκλεκτός, ἐπίλεκτος: *~ passages from Byron*, ἐκλεκτά ἀποσπάσματα ἀπό τόν Μπάϋρον. *a ~ audience*, ἐπίλεκτο ἀκροατήριο. *a ~ school/club*, ἀριστοκρατικό σχολεῖο/κλειστή λέσχη. *~* **committee**, (*στή Βουλή*) εἰδική ἐξεταστική ἐπιτροπή. **se·lec·tor** /-tə(r)/ *οὐσ.* ‹C› ἐπιλογεύς, ἐκλέκτωρ.

se·lec·tion /sɪˋlekʃn/ *οὐσ.* **1**. ‹U› διαλογή, ἐκλογή, ἐπιλογή. *~* **committee**, ἐπιτροπή ἐπιλογῆς. **natural** *~*, φυσική ἐπιλογή (ἡ θεωρία τοῦ Δαρβίνου). **2**. ‹C› ἐκλογή, συλλογή, ποικιλία: *S~s from Shelley*, ἐκλογή ἀπό τό ἔργο τοῦ Σέλλεϋ. *a large ~ of old books*, μεγάλη συλλογή παλαιῶν βιβλίων. *The shop has a good ~ of hats*, τό μαγαζί ἔχει μεγάλη ποικιλία καπέλλων.

se·lec·tive /sɪˋlektɪv/ *ἐπ.* ἐκλεκτικός, ἐπιλογικός: *~ service*, (*ΗΠΑ*) ὑπηρεσία ἐπιλογῆς στρατευσίμων. **~·ly** *ἐπίρ.* ἐκλεκτικά, κατ' ἐπιλογήν. **sel·ec·tiv·ity** /sɪˈlekˋtɪvətɪ/ *οὐσ.* ‹U› ἐκλεκτικότης, ἐπιλεκτικότης, (*ραδιοφ.*) διαχωριστικότης (σταθμῶν).

se·le·nium /sɪˋlinɪəm/ *οὐσ.* ‹C› (*χημ.*) σελήνιον.

[1]**self** /self/ (*πληθ.* *selves* /selvz/) (*κατάληξις χρησιμοποιουμένη διά τόν σχηματισμόν τῶν αὐτοπαθῶν ἤ ἐμφατικῶν ἀντωνυμιῶν myself, yourself, himself, herself, itself, oneself, ourselves, yourselves, themselves*) **1**. (*ὡς αὐτοπαθής*) ἑαυτός (μου, σου, του, κλπ): *He killed himself*, σκοτώθηκε (σκότωσε τόν ἑαυτό του). *I cut myself while shaving*, κόπηκα καθώς ξυριζόμουν. *She ought to be ashamed of herself*, θἄπρεπε νά ντρέπεται (γιά λογαριασμό της). *One should never praise oneself*, δέν πρέπει κανείς ποτέ νά ἐπαινῆ τόν ἑαυτό του (νά παινεύεται). *Did you enjoy yourself at the party?* διασκεδάσατε στό πάρτυ; *(**all**) **by myself, yourself, etc***, ὁλομόναχος, μόνος (μου, σου, κλπ): *Can they do it by themselves?* μποροῦν νά τό κάνουν μόνοι τους; *He lives all by himself*, ζεῖ ὁλομόναχος. **2**. (*ὡς ἐμφατική*) ὁ ἴδιος: *He said so himself*, ὁ ἴδιος τό εἶπε. *She saw them herself*, τούς εἶδε ἡ ἴδια. *I saw the manager himself*, εἶδα τόν ἴδιο τό διευθυντή. *We did it ourselves*, τό κάναμε ἐμεῖς οἱ ἴδιοι (μόνοι μας). **3**. ὁ συνήθης ἑαυτός (μου, σου, του, κλπ): *I'm not quite myself today*, δέν εἶμαι στά καλά μου σήμερα (ὅπως εἶμαι συνήθως). *After a couple of drinks he was himself again*, ὕστερα ἀπό ἕνα-δυό ποτηράκια ξαναβρῆκε τόν ἑαυτό του.

[2]**self** /self/ *οὐσ.* ‹C,U› (*πληθ.* *selves* /selvz/) **1**. (*μετά ἀπό ἐπίθετο*) ἑαυτός: *one's better/worse* ~, ὁ καλύτερος/χειρότερος ἑαυτός μου. *He's my second* ~, εἶναι ὁ δεύτερος ἑαυτός μου. *He is the shadow of his former* ~, εἶναι ἡ σκιά τοῦ παληοῦ του ἑαυτοῦ. **2**. τό ἐγώ, τό συμφέρον (μου, σου, του, κλπ): *She has no thought of* ~, δέν σκέφτεται ποτέ τόν ἑαυτό της (τό ἐγώ της, τό συμφέρον της). *analysis of the* ~; ~*-analysis*, ἀνάλυσις τοῦ ἐγώ. **3**. (*πεπαλ. ἐμπ.*) ἐγώ (σύ, αὐτός, κλπ) ὁ ἴδιος: *pay to* ~, πληρώσετε εἰς ἐμέ τόν ἴδιον. *your good selves*, σεῖς. **4**. (*λαϊκ. ἤ ἀστειολ.*) (*ἀντί τῶν αὐτοπαθῶν ἀντωνυμιῶν*) ἐμαυτός: *I want a room for* ~ *and wife*, θέλω ἕνα δωμάτιο γιά τόν ἑαυτό μου (δι' ἐμαυτόν) καί τήν σύζυγόν μου.

self- /self/ *πρόθεμα* αὐτό-: ˈ~*-ˋgoverning*, αὐτοκυβερνώμενος. ˈ~*-ˋtaught*, αὐτοδίδακτος. ˈ**~-aˋbasement**, αὐτοταπείνωσις. ˈ**~-abˋsorbed** *ἐπ.* ἐγωκεντρικός, ἐγωπαθής. ˈ**~-aˋbuse**, αὐνανισμός. ˈ**~-ˋacting** *ἐπ.* αὐτόματος. ˈ**~-ˋactivating** *ἐπ.* αὐτενεργός. ˈ**~-adˋdressed** *ἐπ.* ἀπευθυνόμενος εἰς ἑαυτόν: *I enclose a stamped (~-)addressed envelope*, ἐσωκλείω ἕνα φάκελλο γραμματοσημασμένο καί μέ τή διεύθυνσή μου. ˈ**~-apˋpointed** *ἐπ.* αὐτόκλητος, αὐτοδιορισμένος: *a ~-appointed arbiter*, αὐτόκλητος διαιτητής. ˈ**~-asˋsertion**, αὐτοπροβολή, ἐπιβολή, αὐταρχικότης. ˈ**~-asˋsertive** *ἐπ.* αὐταρχικός, ἐπιτακτικός. ˈ**~-asˋsurance**, αὐτοπεποίθησις. ˈ**~-asˋsured** *ἐπ.* γεμᾶτος αὐτοπεποίθηση, βέβαιος γιά τόν ἑαυτό του, ἐπηρμένος. ˈ**~-ˋcentred** *ἐπ.* ἐγωκεντρικός. ˈ**~-colˋlected** *ἐπ.* ψύχραιμος, ἤρεμος. ˈ**~-ˋcoloured** *ἐπ.* μονόχρωμος, μέ ἑνιαῖο χρῶμα. ˈ**~-comˋmand**, αὐτοκυριαρχία. ˈ**~-comˋplacency**, αὐταρέσκεια. ˈ**~-comˋplacent** *ἐπ.* αὐτάρεσκος. ˈ**~-conˋfessed** *ἐπ.* κατά τήν ἰδίαν του ὁμολογίαν. ˈ**~-ˋconfidence**, αὐτοπεποίθησις. ˈ**~-ˋconfident** *ἐπ.* *βλ.* ~*-assured*. ˈ**~-ˋconscious** *ἐπ.* ἐνσυνείδητος, (*καθομ.*) ἄτολμος, ἀμήχανος, δειλός, βεβιασμένος. ˈ**~-ˋconsciousness**, αὐτοσυνειδησία, αὐτεπίγνωσις, ἀτολμία, ἀμηχανία. ˈ**~-conˋtained** *ἐπ.* (*γιά ἄνθρ.*) κλειστός, μή ἐκδηλωτικός, (*γιά διαμέρισμα*) ἀνεξάρτητο, αὐτοτελές. ˈ**~-conˋtrol**, αὐτοκυριαρχία, ψυχραιμία: *exercise/lose one's ~-control*, διατηρῶ/χάνω τήν ψυχραιμία μου. ˈ**~-deˋfence**, αὐτοάμυνα: *kill sb in ~-defence*, σκοτώνω κπ εὑρισκόμενος ἐν ἀμύνῃ. ˈ**~-deˋnial**, αὐταπάρνησις, λιτότης. ˈ**~-deˋnying** *ἐπ.* λιτός, ὀλιγαρκής, γεμᾶτος αὐταπάρνηση. ˈ**~-deˋtermiˋnation**, αὐτοδιάθεσις: *the right to ~-determination*, τό δικαίωμα αὐτοδιαθέσεως. ˈ**~-ˋeducated** *ἐπ.* αὐτοδίδακτος. ˈ**~-efˋfacing** *ἐπ.* ταπεινός, σεμνός, ἀποτραβηγμένος. ˈ**~-emˋployed** *ἐπ.* ἔχων ἰδίαν ἐργασίαν, ἀνεξάρτητος. ˈ**~-eˋsteem**, αὐτοεκτίμησις, ἔπαρσις, ἐγωϊσμός. ˈ**~-ˋevident** *ἐπ.* αὐταπόδεικτος, ὁλοφάνερος. ˈ**~-exˋamiˋnation**, αὐτοέλεγχος. ˈ**~-exˋplanatory** *ἐπ.* αὐτεξήγητος. ˈ**~-ˋgovernment**, αὐτοκυβέρνησις, αὐτοδιοίκησις. ˈ**~-ˋhelp**, ἀτομική προσπάθεια, αὐτοβοήθεια. ˈ**~-imˋportance**, ἀλαζονία, ἔπαρσις. ˈ**~-imˋportant** *ἐπ.* φαντασμένος, ἐγωϊστής. ˈ**~-imˋposed** *ἐπ.* ἐπιβαλλόμενος ὑπό τοῦ ἰδίου: *a ~-imposed duty*, καθῆκον πού τό ἔχει ἐπιβάλλει ὁ ἴδιος στόν ἑαυτό του. ˈ**~-inˋdulgence**, τρυφηλότης, μαλθακότης. ˈ**~-inˋdulgent** *ἐπ.* τρυφηλός, μαλθακός. ˈ**~-ˋinterest**, ἰδιοτέλεια, προσωπικό συμφέρον. ˈ**~-ˋlocking** *ἐπ.* πού κλειδώνει αὐτομάτως. ˈ**~-ˋmade** *ἐπ.* αὐτοδημιούργητος. ˈ**~-oˋpinionated** *ἐπ.* ἰσχυρογνώμων, ξεροκέφαλος, πείσμων. ˈ**~-ˋpity**, παθολογική αὐτολύπηση, μεμψιμοιρία. ˈ**~-posˋsessed** *ἐπ.* ψύχραιμος, ἤρεμος, φλεγματικός, ἀτάραχος. ˈ**~-posˋsession**, αὐτοκυριαρχία, ψυχραιμία: *lose/regain one's ~-possession*, χάνω/ξαναβρίσκω τήν αὐτοκυριαρχία μου. ˈ**~-ˈpreserˋvation**, αὐτοσυντήρησις: *the instinct of ~-preservation*, τό ἔνστικτο τῆς αὐτοσυντηρήσεως. ˈ**~-ˋraising** *ἐπ.* (*γιά ἀλεύρι*) πού φουσκώνει μόνο του. ˈ**~-reˋliance**, αὐτοδυναμία. ˈ**~-reˋliant** *ἐπ.* αὐτοδύναμος, στηριζόμενος στίς δυνάμεις του. ˈ**~-reˋspect**, αὐτοσεβασμός. ˈ**~-reˋspecting** *ἐπ.* σεβόμενος ἑαυτόν: *No ~-respecting man can do such a thing*, κανένας ἄνθρωπος πού σέβεται τόν ἑαυτό του δέν μπορεῖ νά κάνη κάτι τέτοιο. ˈ**~-ˋrighteous** *ἐπ.* φαρισαϊκός. ˈ**~-ˋrule**, αὐτοδιοίκησις. ˈ**~-ˋsacrifice**, αὐτοθυσία. ˈ**~-ˋsacrificing** *ἐπ.* ἀνιδιοτελής, πρόθυμος νά θυσιαστῆ. ˈ**~-ˋsame** *ἐπ.* ἴδιος ἀκριβῶς. ˈ**~-ˋsatisˋfaction**, αὐτοϊκανοποίησις, αὐταρέσκεια. ˈ**~-ˋsatisfied** *ἐπ.* ἱκανοποιημένος ἀπό τόν ἑαυτό του, αὐτάρεσκος. ˈ**~-ˋsealing** *ἐπ.* αὐτοσφραγιζόμενος. ˈ**~-ˋseeker**, συμφεροντολόγος, ἰδιοτελής. ˈ~-

ˈ**seeking** *οὐσ.* ἰδιοτέλεια. —*ἐπ.* συμφεροντολογικός, ἰδιοτελής. ˈ~-ˈ**service**, αὐτοεξυπηρέτησις. ˈ~-ˈ**sown** *ἐπ.* (*γιά φυτό*) αὐτοφυής. ˈ~-ˈ**starter**, αὐτόματη μίζα. ˈ~-ˈ**styled** *ἐπ.* αὐτοκαλούμενος, αὐτοτιτλοφορούμενος, ὑποτιθέμενος, δῆθεν. ˈ~-**sufˈficiency**, αὐτάρκεια. ˈ~-**sufˈficient** *ἐπ.* αὐτάρκης, μέ ὑπερβολική αὐτοπεποίθηση. ˈ~-**sufˈficing** *ἐπ.* (*γιά οἰκον. μονάδα*) ἀνεξάρτητος, αὐτάρκης. ˈ~-**supˈporting** *ἐπ.* οἰκονομικά ἀνεξάρτητος, (*γιά ἐπιχείρηση*) πού βγάζει τά ἔξοδά της. ˈ~-ˈ**will**, ἐπιμονή, ἰσχυρογνωμοσύνη. ˈ~-ˈ**willed** *ἐπ.* ἰσχυρογνώμων, ξεροκέφαλος. ˈ~-ˈ**winding** *ἐπ.* (*γιά ρολόϊ*) αὐτομάτως κουρδιζόμενο.

self·ish /ˈselfɪʃ/ *ἐπ.* ἰδιοτελής, ἐγωϊστής: ~ *motives*, ἰδιοτελῆ κίνητρα. ~·**ly** *ἐπίρ.* ἰδιοτελῶς, ἐγωϊστικά. ~·**ness** *οὐσ.* ‹U› ἰδιοτέλεια, ἐγωϊσμός.

self·less /ˈselflɪs/ *ἐπ.* ἀνιδιοτελής. ~·**ly** *ἐπίρ.*

sell /sel/ *ρ.μ/ἀ.* *ἀνώμ.* (*ἀόρ.* & *π.μ.* *sold* /səʊld/) **1**. πουλῶ, πωλῶ: ~ *sth at a high/low/good price*, πουλῶ κτ σέ μεγάλη/χαμηλή/καλή τιμή. ~ *sth by auction*, πουλῶ κτ σέ δημοπρασία. *I'll ~ it to you for £5*, θά σοῦ τό πουλήσω 5 λίρες. *Do you ~ needles?* (*σέ μαγαζί*) ἔχετε (πουλᾶτε) βελόνες; ~ ***off***, πουλῶ σέ χαμηλή τιμή, ξεκάνω: *He sold off his possessions and left for Canada*, ξέκανε (πούλησε ὅσο-ὅσο) τήν περιουσία του κι᾽ ἔφυγε γιά τόν Καναδᾶ. ~ ***out***, *(α)* πουλῶ (τό μερίδιό μου): *He sold out his share of the business and retired*, πούλησε τό μερίδιό του στήν ἐπιχείρηση καί ἀπεχώρησε. *(β)* ξεπουλῶ, ἐξαντλοῦμαι: *We have sold out of small sizes*, μᾶς τέλειωσαν (μᾶς ἐξαντλήθηκαν) τά μικρά νούμερα. *This edition is sold out*, αὐτή ἡ ἔκδοσις εἶναι ἐξαντλημένη. *(γ)* προδίδω, ξεπουλῶ: ~ *out the country to the enemy*, ξεπουλῶ τή χώρα στούς ἐχθρούς. ˈ~-**out**, *(α)* (ἐμπορικός) θρίαμβος: *His concert was a ~-out*, ἡ συναυλία του ἦταν θρίαμβος (ὅλα τά εἰσιτήρια πουλήθηκαν). *(β)* προδοσία: *This is a regular ~-out*, αὐτό εἶναι καθαρή προδοσία/κανονικό ξεπούλημα. ~ ***up***, ἐκποιῶ τήν περιουσία ὀφειλέτου: *I went bankrupt and was sold up*, πτώχευσα καί μοῦ τά ἔβγαλαν ὅλα στό σφυρί. **2**. (*γιά ἐμπόρευμα*) πουλῶ, πουλιέμαι: *These articles ~ best in summer*, αὐτά τά εἴδη πουλιοῦνται καλύτερα τό καλοκαίρι. *The first edition sold 100 000 copies*, ἡ πρώτη ἔκδοσις πούλησε 100.000 ἀντίτυπα. *What is it that ~s his books?* τί εἶναι ἐκεῖνο πού κάνει τά βιβλία του νά πουλιοῦνται; ˈ~·**ing price**, τιμή πωλήσεως (λιανική). **3**. (*μεταφ.*) πουλῶ: *I'll ~ my life dearly*, θά πουλήσω ἀκριβά τή ζωή μου. ~ ***oneself***, *(α)* πουλιέμαι (γιά χρήματα). *(β)* δημιουργῶ εὐμενεῖς ἐντυπώσεις, προβάλλομαι: *He knows how to ~ himself*, ξέρει πῶς νά προβάλλεται/πῶς νά δημιουργῇ ἐντυπώσεις γιά τόν ἑαυτό του. ***be sold on sth***, (*καθομ.*) πιστεύω, γίνομαι ὀπαδός (μιᾶς ἰδέας): *Are they sold on the idea of profit-sharing?* πιστεύουν στήν ἰδέα τῆς συμμετοχῆς τῶν ἐργατῶν στά κέρδη; (*βλ.* & *λ.* [1]*pass*). **4**. ἐξαπατῶ, κοροϊδεύω, τή σκάω σέ κπ: *I've been sold*, μοῦ τήν ἔσκασαν! *Sold again!* τήν ξανάπαθα πάλι! —*οὐσ.* (*συχνά ἑν.*) (*καθομ.*) ἀπάτη, κοροϊδία, ἀπογοήτευσις: *What a ~!* τί κοροϊδία! τί ἀπογοήτευσις! ~**er** *οὐσ.* ‹C› **1**. πωλητής. ***a ~er's market***, (*ἐμπ.*) παράδεισος γιά ὅσους πουλᾶνε (ὅταν ἡ προσφορά εἶναι μικρή καί ἡ ζήτησις μεγάλη). **2**. ἐμπόρευμα: *This book is a good/bad ~er*, αὐτό τό βιβλίο πουλιέται πολύ/λίγο. ˈ**best-**ˈ~**er**, ἐκδοτικός θρίαμβος, βιβλίο μέ μεγάλη ἐπιτυχία.

sel·vage, sel·vedge /ˈselvɪdʒ/ *οὐσ.* ‹C,U› οὔγια.

selves /selvz/ *οὐσ.* *πληθ.* *βλ.* [1]*self* & [2]*self*.

sem·an·tic /sɪˈmæntɪk/ *ἐπ.* σημασιολογικός, ἐννοιολογικός. ~**s** *οὐσ.* *πληθ.* (*μέ ρ. ἑν.*) σημασιολογία.

sema·phore /ˈseməfɔ(r)/ *οὐσ.* ‹U› σηματοφόρος, μετάδοσις σημάτων μέ κινήσεις τῶν χεριῶν, ὀπτικός τηλέγραφος. —*ρ.μ/ἀ.* μεταδίδω διά σηματοφόρου ἤ μέ τά χέρια.

sem·blance /ˈsembləns/ *οὐσ.* ‹C› ὁμοιότης, ὄψις, ἐμφάνισις: *bear no ~*, δέν ἔχω ὁμοιότητα. *put on a ~ of gaiety*, παίρνω ὄψη εὔθυμη, κάνω τόν κεφᾶτο.

se·men /ˈsimən/ *οὐσ.* ‹U› (*φυσιολ.*) σπέρμα.

sem·es·ter /sɪˈmestə(r)/ *οὐσ.* ‹C› (*ΗΠΑ*) ἑξάμηνο (σχολικό).

semi- /semɪ/ *πρόθεμα* ἡμι-: ˈ~-ˈ**autoˈmatic** *ἐπ.* ἡμιαυτόματος. ˈ~-**barˈbarian**, ἡμιβάρβαρος. ˈ~·**circle**, ἡμικύκλιον. ˈ~·ˈ**circular** *ἐπ.* ἡμικυκλικός. ˈ~-ˈ**colon**, ἄνω τελεία. ˈ~-ˈ**conscious** *ἐπ.* ἡμιαναίσθητος. ˈ~-**deˈtached** *ἐπ.* (*γιά σπίτι*) μισοανεξάρτητος (ἐλεύθερο ἀπό τή μιά πλευρά καί μεσοτοιχία ἀπό τήν ἄλλη). ˈ~-ˈ**final** *ἐπ.* ἡμιτελικός (*πχ* ἀγώνας). ˈ~-ˈ**finalist**, παίκτης ἤ ὁμάδα πού φθάνει στούς ἡμιτελικούς. ˈ~-**ofˈficial** *ἐπ.* ἡμιεπίσημος. ˈ~-ˈ**tropical** *ἐπ.* ἡμιτροπικός. ˈ~-**vowel**, ἡμίφωνον. ˈ~·**breve**, (*μουσ.*) ὁλόκληρη νότα.

semi·nal /ˈsemɪnl/ *ἐπ.* **1**. σπερματικός: ~ *fluid*, σπερματικό ὑγρό. **2**. ἐμβρυώδης, (*μεταφ.*) δημιουργικός, γονιμοποιός: *in the ~ state*, σέ ἐμβρυώδη κατάσταση. ~ *ideas*, δημιουργικές ἰδέες (πού κλείνουν μέσα τους τό σπέρμα ἀναπτύξεως).

sem·inar /ˈsemɪnɑ(r)/ *οὐσ.* ‹C› σεμινάριο.

sem·inary /ˈsemɪnərɪ/ *οὐσ.* ‹C› **1**. ἱεροδιδασκαλεῖον. **2**. (*παλαιότ.*) ἐκπαιδευτήριον. **semin·ar·ist** *οὐσ.* ‹C› ἱεροσπουδαστής.

Sem·ite /ˈsimaɪt/ *οὐσ.* ‹C› Σημίτης. —*ἐπ.* σημιτικός. **Se·mitic** /sɪˈmɪtɪk/ *ἐπ.* σημιτικός: *Semitic languages*, σημιτικές γλῶσσες.

semo·lina /ˈseməˈlinə/ *οὐσ.* ‹U› σιμιγδάλι.

semp·stress /ˈsempstrəs/ *οὐσ.* ‹C› *βλ.* *seamstress*.

sen·ate /ˈsenət/ *οὐσ.* ‹C› **1**. (*ἀρχ. Ρώμη*) σύγκλητος. **2**. (*ΗΠΑ, κλπ*) Γερουσία. **3**. σύγκλητος (Πανεπιστημίου). **sena·tor** /ˈsenətə(r)/ *οὐσ.* ‹C› γερουσιαστής. **sena·torial** /ˈsenəˈtɔrɪəl/ *ἐπ.* γερουσιαστικός.

send /send/ *ρ.μ/ἀ.* *ἀνώμ.* (*ἀόρ.* & *π.μ.* *sent* /sent/) **1**. στέλνω: *I'll ~ him a telegram/some money*, θά τοῦ στείλω ἕνα τηλεγράφημα/μερικά χρήματα. **2**. κάνω, προκαλῶ: *The fire sent everybody running out of the theatre*, ἡ φωτιά τούς ἔκανε ὅλους νά βγοῦν τρέχοντας ἀπό τό θέατρο. *The earthquake sent the china crashing to the ground*, ὁ σεισμός τίναξε κάτω

τά γυαλικά. *The noise sent a shiver down my spine*, ὁ θόρυβος μοῦ προκάλεσε ρῖγος στήν πλάτη. *This noise is ~ing me crazy*, αὐτός ὁ θόρυβος μέ τρελλαίνει (μέ κάνει σάν τρελλό). *This music/This gorgeous girl really ~s me*, (*λαϊκ.*) αὐτή ἡ μουσική/αὐτός ὁ κορίτσαρος πραγματικά μέ ἀνάβει (μοῦ θολώνει τό μυαλό). (*βλ.* & *λ.* ²*pack, business*). **3**. (*ἀπηρχ.*) δίδω, στέλλω: *Heaven ~ that he arrives safely*, ὁ Θεός νά δώση νά φθάση καλά. **4**. (*μέ ἐπιρ. καί προθέσεις*):
send away, διώχνω, ἀπολύω κπ. ~ ***away for sth***, παραγγέλνω (ἐμπορεύματα) μακριά.
send down, *(α)* ἀποβάλλω (φοιτητή). *(β)* ρίχνω: *The glut of fruit sent the prices down*, ἡ ὑπεραφθονία φρούτων ἔρριξε τίς τιμές. *The rain sent the temperature down*, ἡ βροχή ἔρριξε τή θερμοκρασία.
send for sb/sth, στέλνω νά φωνάξουν κπ/νά πάρουν κτ. ~ *for a doctor*, στέλνω γιά γιατρό. *Please keep them until I ~ for them*, σέ παρακαλῶ κράτησέ τα ὥσπου νά στείλω νά τά πάρω.
send forth, (*λόγ.*) βγάζω: *The trees sent forth leaves*, τά δέντρα ἔβγαλαν φύλλα. ~ *forth a bad smell*, ἀναδίδω ἄσχημη μυρουδιά.
send in, ὑποβάλλω: ~ *in a report for consideration*, ὑποβάλλω ἔκθεσιν πρός μελέτην. ~ *in one's resignation*, ὑποβάλλω τήν παραίτησίν μου. ~ *in two oil paintings*, ὑποβάλλω δύο ἐλαιογραφίες (*πχ* σέ κριτική ἐπιτροπή ἐκθέσεως). ~ *in one's name/card*, ἀναγγέλομαι/στέλνω τό μπιλιέτο μου.
send sb off, προπέμπω, ξεπροβοδίζω (*συνηθέστ. see off*): *We went to the airport to ~ him off*, πήγαμε στό ἀεροδρόμιο νά τόν ξεπροβοδίσωμε. **`~-off**, ξεπροβόδισμα: *He was given a good ~-off*, τοῦ ἔκαμαν καλό ξεπροβόδισμα. ~ ***sth off***, ἐξαποστέλλω: *See that these parcels are sent off at once*, φρόντισε νά φύγουν ἀμέσως αὐτά τά δέματα.
send on, *(α)* στέλνω μπροστά: ~ *on one's luggage*, στέλνω μπροστά τίς ἀποσκευές μου. *(β)* (*γιά γράμματα*) προωθῶ, μεταβιβάζω: *The local Post Office will ~ all our letters on while we are on holiday*, τό τοπικό ταχυδρομεῖο θά προωθήση ὅλα μας τά γράμματα ὅσο εἴμαστε σέ διακοπές.
send out, ἐκπέμπω, ἐκβάλλω: *The sun ~s out light and warmth*, ὁ ἥλιος ἐκπέμπει φῶς καί θερμότητα. *The trees ~ out new leaves in spring*, τά δέντρα βγάζουν καινούργια φύλλα τήν ἄνοιξη.
send up, *(α)* ἀνεβάζω: *The heavy demand for meat sent the price up*, ἡ μεγάλη ζήτησις κρέατος ἀνέβασε τίς τιμές. *(β)* παρωδῶ, διακωμωδῶ. **`~-up**, παρωδία, διακωμώδησις.
sender /ˈsendə(r)/ *οὐσ.* ‹C› ἀποστολεύς.
se·nescent /səˈnesnt/ *ἐπ.* γεροντίστικος, μέ σημεῖα γήρατος. **se·nescence** /-sns/ *οὐσ.* ‹U› γηρασμός.
se·nile /ˈsinaɪl/ *ἐπ.* γεροντικός, ξεμωραμένος: ~ *decay*, γεροντική ἄνοια.
sen·ior /ˈsiniə(r)/ *ἐπ.* **1**. ~ ***(to)***, πρεσβύτερος, μεγαλύτερος (*ἀντίθ. junior*): *He is five years ~ to me*, εἶναι πέντε χρόνια μεγαλύτερος ἀπό μένα. *A. Hill (Sen.)*, Α. Χίλλ (Πρεσβύτερος) (ὅταν πατέρας καί γυιός ἔχουν τό ἴδιο ὄνομα). **2**. παλαιότερος, ἀρχαιότερος, ἀνώτερος: *He is the ~ partner in the firm*, εἶναι ὁ διευθύνων ἑταῖρος στήν ἐπιχείρηση. ~ **citizen**, (*εὐφημ.*) συνταξιοῦχος. __*οὐσ.* ‹C› **1**. πρεσβύτερος, μεγαλύτερος: *He is my ~ by five years*, εἶναι μεγαλύτερός μου κατά πέντε χρόνια. **2**. μαθητής τῆς τελευταίας τάξεως, τελειόφοιτος (*ἰδ.* τεταρτοετής) φοιτητής. **~-ity** /ˈsiniˈɒrətɪ/ *οὐσ.* ‹U› ἀρχαιότης (βαθμοῦ), πρεσβεῖα (ἡλικίας): *Should promotion be through merit or through ~ity?* πρέπει ἡ προαγωγή νά γίνεται κατ᾽ ἀξίαν ἤ κατ᾽ ἀρχαιότητα; *Remember the precedence due to ~ity*, μήν ξεχνᾶς τήν προτεραιότητα πού ὀφείλεται στά πρεσβεῖα/στήν ἡλικία.
sen·sa·tion /senˈseɪʃn/ *οὐσ.* ‹C,U› αἴσθησις, αἴσθημα, ἐντύπωσις: *I lost all ~ in my legs*, ἔχασα κάθε αἴσθηση στά πόδια μου (δέν τἄνοιωθα καθόλου). *I had a ~ of falling*, εἶχα τήν αἴσθηση ὅτι ἔπεφτα. *The news created a great ~*, τά νέα ἔκαναν αἴσθηση (μεγάλη ἐντύπωση). ***make/cause a ~***, κάνω/προκαλῶ αἴσθηση. **~al** /-nl/ *ἐπ.* ἐντυπωσιακός, πολύκροτος: *a ~al piece of news*, μιά ἐντυπωσιακή εἴδησις. *a ~al murder*, πολύκροτο ἔγκλημα. *a ~al writer/newspaper*, συγγραφεύς/ἐφημερίδα πού ἐπιδιώκει νά κάνη θόρυβο, νά προκαλῆ ἐντυπώσεις. **~·ally** /-nəlɪ/ *ἐπίρ.* **~·al·ism** /-nəlɪzm/ *οὐσ.* ‹U› φτηνή ἐπιδίωξις ἐντυπωσιασμοῦ, δημοσιογραφικός κιτρινισμός.
sense /sens/ *οὐσ.* **1**. ‹C› αἴσθησις: *the five ~s*, οἱ πέντε αἰσθήσεις. *satisfy one's ~s*, ἱκανοποιῶ τίς αἰσθήσεις μου. *have a keen ~ of hearing/smell*, ἔχω ὀξεῖα ἀκοή/ὄσφρηση. *I am in the enjoyment of all my ~s*, ἔχω ἀκμαῖες ὅλες τίς αἰσθήσεις μου. **`~-organ**, αἰσθητήριο ὄργανο. **ˈsixth `~**, ἡ ἕκτη αἴσθησις, τό ἔνστικτο. **2**. (*πληθ.*) λογικό, πνευματική ὑγεία: *any man in his ~s*, κάθε λογικός ἄνθρωπος. ***be in one's (right) ~s***, εἶμαι πνευματικά ὑγιής, ἔχω τά λογικά μου: *Are you in your right ~s?* εἶσαι στά καλά σου; ***be out of one's ~s***, δέν εἶμαι στά λογικά μου: *Surely you are out of your ~s*, σίγουρα σοῦστριψε. ***bring sb to his ~s***, φέρνω κπ στά λογικά του. ***come to one's ~s***, συνέρχομαι, ξαναβρίσκω τό λογικό μου. ***frighten sb out of his ~s***, κάνω κπ νά τρελλαθῆ ἀπό τό φόβο του. ***take leave of one's ~s***, τρελλαίνομαι, μοῦ στρίβει, παίρνω διαζύγιο ἀπό τή λογική. **3**. (*μέ ἀόρ. ἄρθρ. ἤ κτητ. ἐπ. ἀλλ᾽ ὄχι στόν πληθ.*) (συν)-αίσθημα, συνείδησις, (συν)αίσθησις, ἐπίγνωσις: *have a ~ of humour*, ἔχω αἴσθημα χιοῦμορ. *have no ~ of direction*, δέν ἔχω αἴσθημα προσανατολισμοῦ. *my ~ of duty*, ἡ συναίσθησις τοῦ καθήκοντός μου. *He has no ~ of beauty/time*, δέν ἔχει αἴσθηση τοῦ ὡραίου/τοῦ χρόνου. *She has no ~ of shame/responsibility*, δέν ἔχει αἴσθημα ντροπῆς/εὐθύνης. *He has a high ~ of his own importance*, ἔχει μεγάλη ἰδέα γιά τόν ἑαυτό του. **4**. ‹U› κρίσις, λογική: *There's a lot of ~ in what he says*, εἶναι πολύ λογικό αὐτό πού λέει. *What's the ~ of going?* τί νόημα ἔχει νά πᾶμε; ***have the ~ to***, ἔχω τήν ἐξυπνάδα/τό μυαλό νά: *if he has the ~ to accept*, ἄν ἔχη τήν

ἐξυπνάδα νά δεχτῆ. ***talk*** ~, μιλῶ λογικά. **ˈcommon** ˋ~, κοινή λογική, κοινός νοῦς. **5**. ‹C› ἔννοια, νόημα, σημασία: *a word with several* ~*s*, λέξεις μέ πολλές ἔννοιες/σημασίες. *in the literal* ~, στήν κυριολεξία. *in the full* ~ *of the word*, μέ ὅλη τή σημασία τῆς λέξεως. *in the strict* ~ *of the word*, μέ τή στενή/τήν αὐστηρή ἔννοια τῆς λέξεως. ***in a*** ~, ὑπό μίαν ἔννοιαν/ἔποψιν: *What you say is true in a* ~, αὐτό πού λές εἶναι ἀλήθεια ὑπό μίαν ἔποψιν. ***make*** ~, ἔχω νόημα: *What he says makes no* ~ *at all*, αὐτά πού λέει δέν ἔχουν κανένα ἀπολύτως νόημα. ***make*** ~ ***of sth***, βγάζω νόημα ἀπό κτ: *Can you make* ~ *of this poem?* μπορεῖς νά βγάλης νόημα ἀπ' αὐτό τό ποίημα; **6**. ‹U› βολιδοσκόπησις: *take the* ~ *of a public meeting*, κάνω βολιδοσκόπηση σέ μιά δημόσια συγκέντρωση/παίρνω γνῶμες. —*ρ.ἀ.* (δι)αισθάνομαι, ἔχω τό αἴσθημα: *He* ~*d that his presence was unwelcome*, διαισθάνθηκε/εἶχε τό αἴσθημα ὅτι ἡ παρουσία του ἦταν ἀνεπιθύμητη.

sense·less /ˈsensləs/ *ἐπ*. **1**. ἀνόητος, παράλογος: *a* ~ *remark*, ἀνόητη παρατήρησις. *What a* ~ *fellow he is!* τί παράλογος ἄνθρωπος εἶναι! **2**. ἀναίσθητος: *fall* ~ *to the ground*, πέφτω χάμω ἀναίσθητος. ~**·ly** *ἐπίρ*. ἀνόητα. ~**·ness** *οὐσ*. ‹U› παραλογισμός.

sen·si·bil·ity /ˈsensəˋbɪlətɪ/ *οὐσ*. ‹C,U› εὐαισθησία, αἰσθαντικότης, αἴσθημα: *the* ~ *of an artist*, ἡ εὐαισθησία ἑνός καλλιτέχνη. *wound sb's sensibilities*, πληγώνω τά αἰσθήματα/τήν εὐαισθησία κάποιου.

sen·sible /ˈsensəbl/ *ἐπ*. **1**. λογικός: *a* ~ *woman/gesture*, λογική γυναίκα/χειρονομία. *That was very* ~ *of you*, αὐτό ἦταν πολύ λογικό ἐκ μέρους σου. ***be*** ~ ***of***, (*λόγ.*) ἀντιλαμβάνομαι, τελῶ ἐν συνειδήσει: *He is* ~ *of the dangers*, ἀντιλαμβάνεται τούς κινδύνους. **2**. αἰσθητός: *a* ~ *fall in temperature*, αἰσθητή πτῶσις τῆς θερμοκρασίας. ~ *phenomena*, αἰσθητά φαινόμενα. **sen·sibly** /-əblɪ/ *ἐπίρ*. λογικά, αἰσθητά.

sen·si·tive /ˈsensətɪv/ *ἐπ*. **1**. ~ ***(to)***, εὐαίσθητος: *The eyes are* ~ *to light*, τά μάτια εἶναι εὐαίσθητα στό φῶς. *a* ~ *skin/nerve*, εὐαίσθητο δέρμα/νεῦρο. ~ *instruments*, εὐαίσθητα ὄργανα. **2**. εὐαίσθητος, εὔθικτος, εὐπαθής: *be* ~ *to criticism*, εἶμαι εὐαίσθητος στήν κριτική. *She's very* ~ *about her big nose*, εἶναι πολύ εὔθικτη στό θέμα τῆς μεγάλης της μύτης. *I am* ~ *to the cold*, ἔχω εὐπάθεια στό κρύο ~**·ly** *ἐπίρ*. **sen·si·tiv·ity** /ˈsensəˋtɪvətɪ/ *οὐσ*. ‹U› εὐαισθησία, εὐπάθεια.

sen·sory /ˈsensərɪ/ *ἐπ*. αἰσθητήριος: ~ *organs/nerves*, αἰσθητήρια ὄργανα/νεῦρα.

sen·sual /ˈsenʃʊəl/ *ἐπ*. αἰσθησιακός, σαρκικός, φιλήδονος: ~ *enjoyment*, αἰσθησιακή/σαρκική ἀπόλαυσις. ~ *lips*, φιλήδονα χείλη. ~**·ist** /-ɪst/ *οὐσ*. ‹C› φιλήδονος. ~**·ity** /ˈsenʃʊˋælətɪ/, ~**·ism** /-ɪzm/ *οὐσ*. ‹U› φιληδονία.

sen·su·ous /ˈsenʃʊəs/ *ἐπ*. (*ἔχει τήν ἴδια ἔννοια μέ τό ἐπ. sensual χωρίς ὅμως τήν κάποια ἠθική ἀποδοκιμασία πού συνοδεύει τοῦτο*) αἰσθησιακός: ~ *music/painting*, αἰσθησιακή μουσική/ζωγραφική. ~**·ly** *ἐπίρ*. αἰσθησιακά. ~**·ness** *οὐσ*. ‹U› αἰσθησιασμός.

sent /sent/ *ἀόρ. & π.μ. τοῦ ρ. send*.

sen·tence /ˈsentəns/ *οὐσ*. ‹C› **1**. (*γραμμ.*) πρότασις. **2**. καταδικαστική ἀπόφασις, ποινή: *The* ~ *of the court was three years' imprisonment*, ἡ ἀπόφασις τοῦ δικαστηρίου ἦταν τριετής φυλάκισις. ~ *of death*, ποινή θανάτου. *under* ~ *of death*, μέ θανατική καταδίκη, καταδικασμένος σέ θάνατο. ***pass*** ~ ***on sb***, καταδικάζω κπ, ἐπιβάλλω ποινή. ***serve one's*** ~, ἐκτίω τήν ποινή μου. —*ρ.μ.* καταδικάζω: *He was* ~*d to death/to pay a fine*, καταδικάστηκε σέ θάνατο/σέ χρηματική ποινή (νά πληρώση πρόστιμο).

sen·ten·tious /senˋtenʃəs/ *ἐπ*. **1**. (*πεπαλ.*) ἀποφθεγματικός. **2**. πομπώδης, πληκτικός. ~**·ly** *ἐπίρ*.

sen·ti·ent /ˈsenʃənt/ *ἐπ*. αἰσθανόμενος, εὐαίσθητος, αἰσθητήριος: ~ *experience*, πεῖρα διά τῶν αἰσθήσεων.

sen·ti·ment /ˈsentɪmənt/ *οὐσ*. **1**. ‹C,U› αἴσθημα, συναίσθημα, συναισθηματισμός: *animated by noble/lofty* ~*s*, κινούμενος ἀπό εὐγενικά/ὑψηλά αἰσθήματα. *What are your* ~*s towards my sister?* ποιά εἶναι τά αἰσθήματά σου ἀπέναντι στήν ἀδελφή μου; *There's no place for* ~ *in business*, δέν ὑπάρχει χῶρος γιά αἰσθήματα (γιά συναισθηματισμούς) στό ἐμπόριο. **2**. ‹C› αἴσθημα, γνώμη, ἄποψις: *He explained the* ~*s of his government on the question*, ἐξήγησε τίς ἀπόψεις τῆς κυβερνήσεώς του ἐπί τοῦ θέματος.

sen·ti·men·tal /ˈsentɪˋmentl/ *ἐπ*. (συν)αισθηματικός: *do sth for* ~ *reasons*, κάνω κτ ἀπό συναισθηματικούς λόγους. ~ *songs/plays*, αἰσθηματικά τραγούδια/ἔργα. *Please stop being* ~, σέ παρακαλῶ ἄφησε τούς συναισθηματισμούς. *The bracelet had only* ~ *value*, τό βραχιόλι εἶχε μόνο προσωπική (συναισθηματική) ἀξία. ~**ly** /-təlɪ/ *ἐπίρ*. συναισθηματικά. ~**·ist** *οὐσ*. ‹C› αἰσθηματίας. ~**·ity** /ˈsentɪmenˋtælətɪ/ *οὐσ*. ‹U› αἰσθηματολογία, συναισθηματισμός. ~**·ize** /-təlaɪz/ *ρ.μ/ἀ.* αἰσθηματολογῶ, παρασύρω/-ομαι σέ συναισθηματισμούς.

sen·ti·nel /ˈsentɪnl/ *οὐσ*. ‹C› φρουρός (*ἐν χρήσει: sentry*): *stand* ~ *over sth*, (*λογοτ.*) φρουρῶ κτ, ἐπαγρυπνῶ.

sen·try /ˈsentrɪ/ *οὐσ*. ‹C› φρουρός, σκοπός: *stand/relieve* ~, εἶμαι σκοπός/ἀντικαθιστῶ σκοπό. ˋ~**-box**, σκοπιά. ˋ~***-go***, *οὐσ*. φρουρά, περιπολία (βηματισμός πάνω-κάτω): *be on* ~*-go*, εἶμαι φρουρά.

sep·ar·able /ˈsepərəbl/ *ἐπ*. εὐδιαχώριστος, πού χωρίζεται. **sep·ar·ably** /-əblɪ/ *ἐπίρ*. **sep·ar·abil·ity** /ˈsepərəˋbɪlətɪ/ *οὐσ*. ‹U› διαχωριστικότης.

[1]**sep·ar·ate** /ˈseprət/ *ἐπ*. χωριστός, ἰδιαίτερος: *They sleep in* ~ *beds*, κοιμοῦνται σέ χωριστά/ἰδιαίτερα κρεββάτια. *They live* ~ *now*, ζοῦνε χώρια τώρα. —*οὐσ*. (*μόνον πληθ.*) (*ἐμπ.*) μπλοῦζες, φοῦστες κλπ. πού φοροῦνται χωριστά ἤ μαζί. ~**·ly** *ἐπίρ*. χωριστά.

[2]**sep·ar·ate** /ˈsepəreɪt/ *ρ.μ/ἀ.* χωρίζω/-ομαι: ~ *two boys who are fighting*, χωρίζω δυό παιδιά πού μαλώνουν. *We* ~*d at midnight*, χωρίσαμε τά μεσάνυχτα. ~ *milk*, ἀποβουτυρώνω τό γάλα. ~ ***sth (up) into***, χωρίζω σέ: *The land was* ~*d up into small fields*, ἡ γῆ χωρίστηκε

σέ μικρά χωράφια. ~ ***the sheep from the goats***, χωρίζω τά πρόβατα ἀπό τά γίδια. **sep·ar·at·ist** /ˈsepərətɪst/ *οὐσ.* ‹C› χωριστικός, αὐτονομιστής. **sep·ar·ator** /ˈsepəreɪtə(r)/ *οὐσ.* ‹C› διαχωριστήρας, μηχάνημα ἀποβουτυρώσεως.

sep·ar·ation /ˈsepəˈreɪʃn/ *οὐσ.* ‹C,U› χωρισμός: *S~ from his children made him sad*, ὁ χωρισμός ἀπό τά παιδιά του τόν ἔθλιβε. *after a ~ of ten years*, ὕστερα ἀπό δεκάχρονο χωρισμό. ~ **allowance**, ἐπίδομα χωρισμοῦ πρός σύζυγον (*ἰδ.* στρατιωτικοῦ). **judicial ~**, χωρισμός ἀπό τραπέζης καί κοίτης.

se·pia /ˈsipɪə/ *οὐσ.* ‹U› (χρῶμα) σέπια.

Sep·tem·ber /sepˈtembə(r)/ *οὐσ.* Σεπτέμβριος.

sep·tic /ˈseptɪk/ *ἐπ.* σηπτικός: ~ *poisoning*, σηψαιμία. *The wound has become ~*, τό τραῦμα μολύνθηκε. ~**tank**, σηπτικός βόθρος.

sep·ti·cemia /ˈseptɪˈsimɪə/ *οὐσ.* ‹U› (*ἰατρ.*) σηψαιμία.

sep·tua·gen·arian /ˈseptjʊədʒɪˈneərɪən/ *οὐσ.* ‹C› ἑβδομηκοντούτης, ἑβδομηντάρης.

Sep·tua·gesima /ˈseptjʊəˈdʒesɪmə/ *οὐσ.* Κυριακή τοῦ Ἀσώτου.

Sep·tua·gint /ˈseptjʊədʒɪnt/ *οὐσ.* ἡ Μετάφρασις τῶν Ἑβδομήντα (τῆς Παλαιᾶς Διαθήκης).

sep·ul·chral /sɪˈpʌlkrl/ *ἐπ.* ἐπιτάφιος, σπηλαιώδης, πένθιμος: ~ *looks*, πένθιμη ὄψις. *a ~ vault*, κενοτάφιον. *a ~ voice*, σπηλαιώδης φωνή (σάν νά βγαίνη ἀπό τάφο).

sep·ulchre /ˈseplkə(r)/ *οὐσ.* ‹C› τάφος, μνῆμα. **the Holy S~**, ὁ Πανάγιος Τάφος. (*βλ.* & *λ.* *white*).

sep·ul·ture /ˈsepltʃʊə(r)/ *οὐσ.* ‹U› ἐνταφιασμός.

se·quel /ˈsikwl/ *οὐσ.* ‹C› **1**. συνέπεια, ἐπακόλουθον: *Famine was the ~ of war*, ὁ λιμός ἦταν συνέπεια τοῦ πολέμου. *Her action had an unfortunate ~*, ἡ ἐνέργειά της εἶχε ἕνα δυσάρεστο ἐπακόλουθο. ***in the ~***, μετέπειτα, ἐν συνεχείᾳ. **2**. αὐτοτελής συνέχεια (μυθιστορήματος, φίλμ, κλπ).

se·quence /ˈsikwəns/ *οὐσ.* ‹C,U› τάξις, σειρά, διαδοχή, ἀλληλουχία: *in historical ~*, μέ ἱστορική τάξη. *the ~ of events*, ἡ σειρά τῶν γεγονότων. *a ~ of disasters*, μιά σειρά καταστροφῶν. *a logical ~*; λογική ἀλληλουχία. ~ **of tenses**, (*γραμμ.*) συμφωνία χρόνων. **se·quent** /-ənt/, **se·quen·tial** /sɪˈkwenʃl/ *ἐπ.* ἐπακόλουθος, (παρ)επόμενος, διαδοχικός.

se·ques·ter /sɪˈkwestə(r)/ *ρ.μ.* **1**. χωρίζω, ἀπομονώνω: ~ *oneself from the world*, ἀποτραβιέμαι ἀπό τόν κόσμο. *lead a ~ed life*, ζῶ ἀποτραβηγμένη ζωή. **2**. (*νομ.*) *βλ.* *sequestrate*. ~**ed** *ἐπ.* (*γιά μέρος*) ἥσυχος, ἀπομονωμένος, (*νομ.*) κατασχεθείς.

se·ques·trate /sɪˈkwestreɪt/ *ρ.μ.* (*νομ.*) κατάσχω (τήν περιουσία ὀφειλέτου), δημεύω. **se·ques·tra·tion** /ˈsikwəˈstreɪʃn/ *οὐσ.* ‹C,U› κατάσχεσις, δήμευσις.

se·quin /ˈsikwɪn/ *οὐσ.* ‹C› πούλια.

se·ra·glio /sɪˈralɪəʊ/ *οὐσ.* ‹C› (*πληθ.* ~*s*) σεράϊ, χαρέμι.

ser·aph /ˈserəf/ *οὐσ.* ‹C› (*πληθ.* ~*s ἤ -phim* /-fɪm/) σεραφείμ. ~**ic** /sɪˈræfɪk/ *ἐπ.* σεραφικός, ἀγγελικός.

sere /sɪə(r)/ *βλ.* [2]*sear*.

ser·en·ade /ˈserəˈneɪd/ *οὐσ.* ‹C› σερενάτα. __*ρ.μ.* κάνω σερενάτα.

ser·ene /sɪˈrin/ *ἐπ.* αἴθριος, καθαρός, γαλήνιος, ἤρεμος: *a ~ sky*, αἴθριος οὐρανός. *a ~ smile*, καθαρό χαμόγελο. *a ~ expression*, γαλήνια ἔκφρασις. ~**·ly** *ἐπίρ.* **ser·en·ity** /sɪˈrenətɪ/ *οὐσ.* ‹U› καθαρότης, γαλήνη, ἠρεμία.

serf /sɜf/ *οὐσ.* ‹C› δουλοπάροικος. ~**·dom** /-dəm/ *οὐσ.* ‹U› δουλοπαροικία.

serge /sɜdʒ/ *οὐσ.* ‹U› (ὕφασμα) σέρζ.

ser·geant /ˈsadʒənt/ *οὐσ.* ‹C› **1**. λοχίας. ˈ~-ˈ**major**, ἐπιλοχίας. **2**. ἐνωματάρχης.

ser·ial /ˈsɪərɪəl/ *ἐπ.* **1**. ἀναφερόμενος εἰς ἤ σχηματίζων σειράν: *the ~ number of a banknote*, ὁ αὔξων ἀριθμός χαρτονομίσματος. **2**. (*γιά ἱστορία*) τμηματικός. __*οὐσ.* ‹C› φίλμ/ἔργο σέ συνέχειες, μέ διαδοχικά ἐπεισόδια. **seri·ally** /-iəlɪ/ *ἐπίρ.* σέ συνέχειες. ~**·ize** /-laɪz/ *ρ.μ.* δημοσιεύω κτ σέ συνέχειες.

seri·atim /ˈsɪərɪˈeɪtɪm/ *ἐπίρ.* (*Λατ.*) διαδοχικά, μέ τή σειρά.

seri·cul·ture /ˈserɪkʌltʃə(r)/ *οὐσ.* ‹U› σηροτροφία. **seri·cul·tur·ist** /-tʃərɪst/ *οὐσ.* ‹C› σηροτρόφος.

se·ries /ˈsɪəriz/ *οὐσ.* ‹C› (*ἀμετάβλ. εἰς πληθ.*) σειρά: *a ~ of stamps*, σειρά (σέτ) γραμματοσήμων. *a ~ of good harvests*, σειρά (διαδοχή) καλῶν ἐσοδειῶν. *a TV ~*, προγράμματα στήν τηλεόραση. ***in ~***, στή σειρά.

serio-comic /ˈsɪərɪəʊ ˈkomɪk/ *ἐπ.* μισο-σοβαρός μισο-κωμικός.

seri·ous /ˈsɪərɪəs/ *ἐπ.* σοβαρός: *look ~*, ἔχω σοβαρή ὄψη. *a ~ character/face*, σοβαρός χαρακτήρας/-ὁ πρόσωπο. *a ~ illness/mistake*, σοβαρή ἀρρώστεια/-ὁ λάθος. *The international situation looks ~*, ἡ διεθνής κατάστασις φαίνεται σοβαρή/κρίσιμη. *He's never ~ about anything*, ποτέ δέν παίρνει τίποτα στά σοβαρά. ~**·ly** *ἐπίρ.* σοβαρά: *~ly ill*, σοβαρά ἄρρωστος. *speak ~ly to sb*, μιλῶ σοβαρά σέ κπ. ~**·ness** *οὐσ.* ‹U› σοβαρότης: *the ~ness of the situation/of his illness*, ἡ σοβαρότης τῆς καταστάσεως/τῆς ἀρρώστειας του. ***in all ~ness***, μέ κάθε σοβαρότητα, πολύ σοβαρά: *I tell you this in all ~ness*, σοῦ τό λέω αὐτό πολύ σοβαρά.

ser·jeant /ˈsadʒənt/ *οὐσ.* ‹C› ˈ**S~-at-ˈarms**, κλητήρας δικαστηρίου, φρούραρχος τῆς Βουλῆς, τελετάρχης.

ser·mon /ˈsɜmən/ *οὐσ.* ‹C› κήρυγμα, ὁμιλία: *the S~ on the Mount*, ἡ ἐπί τοῦ Ὄρους Ὁμιλία. ~**·ize** /-aɪz/ *ρ.μ/ἀ.* νουθετῶ, κάνω κήρυγμα: *Stop ~izing!* ἄσε τά κηρύγματα!

ser·pent /ˈsɜpənt/ *οὐσ.* ‹C› ὄφις, φίδι: *the (old) S~*, ὁ Ὄφις, (ὁ Σατανᾶς). *He is a ~!* εἶναι φίδι κολοβό!

ser·pen·tine /ˈsɜpəntaɪn/ *ἐπ.* φιδίσιος, ἑλισσόμενος σπειροειδῶς.

ser·rated /seˈreɪtɪd/ *ἐπ.* ὀδοντωτός, πριονωτός: ~ *leaves*, φύλλα μέ ὀδοντωτές ἄκρες. *a ~ knife*, πριονωτό μαχαίρι.

serum /ˈsɪərəm/ *οὐσ.* ‹C,U› (*ἰατρ.*) ὀρός.

ser·vant /ˈsɜvənt/ *οὐσ.* ‹C› **1**. ὑπηρέτης: *a ˈ~-girl*, ὑπηρέτρια. *keep a ~*, ἔχω ὑπηρέτη. *a large staff of ~s*, μεγάλο ὑπηρετικό προσωπικό. *engage/dismiss a ~*, προσλαμβάνω/ἀπολύω ἕναν ὑπηρέτη. *Fire is a good ~ but a* *bad master*, (*μεταφ.*) ἡ φωτιά εἶναι καλός ὑπηρέτης ἀλλά κακός ἀφέντης. ***Your humble*** **~**, (*παλαιότ. στήν ἀλληλογραφία*) ταπεινός σας δοῦλος. **2**. ὑπάλληλος. **ˈcivil ˋ~**, πολιτικός/κρατικός ὑπάλληλος. **ˈpublic ˋ~**, δημόσιος ὑπάλληλος (πχ ἀστυνομικός, πυροσβέστης, κλπ).

serve /s3v/ *ρ.μ/ἀ.* **1**. ὑπηρετῶ, βοηθῶ, ἐξυπηρετῶ: *She ~d the family well for twenty years*, ὑπηρέτησε καλά τήν οἰκογένεια εἴκοσι χρόνια. *~ one's country/a year in the Army*, ὑπηρετῶ τή χώρα μου/ἕνα χρόνο στό στρατό. *Can I ~ you in any way?* μπορῶ νά σᾶς ἐξυπηρετήσω σέ τίποτα; *~ a priest at mass*, βοηθῶ ἱερέα στή λειτουργία. ***~ two masters***, (*μεταφ.*) ὑπηρετῶ δύο κυρίους. ***~ on a committee***, εἶμαι μέλος μιᾶς ἐπιτροπῆς. ***~ under sb***, (*στρατ.*) ὑπηρετῶ κάτω ἀπό κπ: *My grandfather ~d under Nelson*, ὁ παπποῦς μου ὑπηρέτησε κάτω ἀπό τίς διαταγές τοῦ Νέλσωνα. **2**. ἐξυπηρετῶ, σερβίρω: *There was no-one in the shop to ~ me*, δέν ὑπῆρχε κανείς στό μαγαζί νά μ' ἐξυπηρετήση. *We are all well ~d with gas in this town*, ἐξυπηρετούμεθα καλά ἀπό γκάζι σ' αὐτή τήν πόλη. *~ sb with soup; ~ soup to sb*, σερβίρω σούπα σέ κπ. *Beef is ~d with tomato sauce*, τό βωδινό σερβίρεται μέ σάλτσα ντομάτας. *Dinner is ~d*, τό τραπέζι εἶναι ἕτοιμο! ***~ out***, μοιράζω: *Rum was ~d out to the troops*, μοιράστηκε ροῦμι στούς στρατιῶτες. **3**. (*γιά πρᾶγμα*) ἐξυπηρετῶ, χρησιμεύω, εἶμαι χρήσιμος: *It isn't very good but it will ~ me*, δέν εἶναι πολύ καλό ἀλλά θά μ' ἐξυπηρετήση. *This box will ~ for a seat*, αὐτό τό κουτί θά χρησιμεύση γιά κάθισμα. *That will not ~ you as an excuse*, αὐτό δέν θά σοῦ χρησιμεύση σά δικαιολογία. *This accident ~s to show the foolishness of such behaviour*, αὐτό τό δυστύχημα χρησιμεύει γιά νά δείξη τήν ἀνοησία τέτοιας συμπεριφορᾶς. ***if my memory ~s me right***, ἄν δέν μέ ἀπατᾶ ἡ μνήμη. ***~ sb's needs/purpose(s)***, ἐξυπηρετῶ τίς ἀνάγκες/τό σκοπό κάποιου: *That will ~ my purpose*, αὐτό μοῦ κάνει. ***as occasion ~s***, ἀνάλογα μέ τήν περίσταση. **4**. μεταχειρίζομαι, φέρομαι (σέ κπ): *He has ~d me shamefully*, μοῦ φέρθηκε αἰσχρά. *I hope I'll never be ~d such a trick again*, ἐλπίζω νά μήν μοῦ ξανασκάσουν τέτοια δουλειά. ***It ~s him/you, etc right***, καλά νά πάθη, τοῦ/σοῦ ἀξίζει: *It ~s you right for being such a fool*, καλά νά πάθης, τέτοιος βλάκας πού εἶσαι. ***~ sb out (for sth)***, ἐκδικοῦμαι κπ: *I'll ~ him out for it*, θά τόν ἐκδικηθῶ γι' αὐτό, θά μοῦ τό πληρώση. **5**. ἐκτελῶ (ὑπηρεσία, κλπ): *~ one's apprenticeship/time*, κάνω/συμπληρώνω τή μαθητεία μου. ***~ time/a sentence***, ἐκτίω ποινή. **6**. (*νομ.*) ἐπιδίδω, κοινοποιῶ: *~ a summons on sb*, ἐπιδίδω κλῆσιν σέ κπ. ***~ a writ on sb; ~ sb with a writ***, κοινοποιῶ ἔνταλμα σέ κπ. **7**. (*στό τέννις*) σερβίρω. **8**. (*γιά ἀρσεν. ζῶα*) ἐπιβαίνω, βατεύω. *__οὐσ.* ‹C› (*ἀθλ.*) σερβίρισμα. **serv·er** *οὐσ.* ‹C› *(α)* βοηθός (παπᾶ), σερβί (στό τέννις). *(β)* δίσκος σερβιρίσματος. *(γ)* κουταλοπήρουνα (σερβιρίσματος): *ˋsalad-servers.* **serv·ing** *οὐσ.* ‹C› σερβίρισμα, μερίδα: *This recipe will be enough for five servings*, αὐτή ἡ συνταγή βγάζει πέντε μερίδες.

ser·vice /ˋs3vis/ *οὐσ.* **1**. ‹U› ὑπηρεσία (οἰκιακή): *She's been in our ~ for ten years*, εἶναι στήν ὑπηρεσία μας δέκα χρόνια. ***be in/go into ~***, εἶμαι/πάω ὑπηρέτης (ὑπηρέτρια). **2**. ‹C,U› ὑπηρεσία (δημόσια, στρατιωτική, κλπ): *the Civil/Diplomatic S~*, ἡ Δημοσία/Διπλωματική Ὑπηρεσία. *the three fighting ~s*, τά τρία ὅπλα (στρατός, ναυτικό, ἀεροπορία). *~men/~women*, ἄνδρες/γυναῖκες τῶν ἐνόπλων δυνάμεων. ***fit for ~***, ἱκανός (πρός ὑπηρεσίαν). ***be on active ~***, εἶμαι ἐν ἐνεργείᾳ. ***do one's military ~***, κάνω τή θητεία μου. ***see ~ in***, (*στρατ.*) ὑπηρετῶ: *He saw ~ in both World Wars*, ὑπηρέτησε καί στούς δύο παγκοσμίους πολέμους. ***have seen (good/long) ~***, (ἐξ)υπηρετῶ καλά/πολύ καιρό: *This car has seen good ~*, αὐτό τό αὐτοκίνητο μ' ἔχει ἐξυπηρετήσει καλά/πολύ. **ˋ~ dress**, στολή ἐκστρατείας. **ˋ~ rifle**, πολεμικό ὅπλο. **3**. ‹C,U› ὑπηρεσία, ἐκδούλευσις: *his ~s to our country*, οἱ ὑπηρεσίες του πρός τήν πατρίδα μας. *for ~s rendered*, διά προσφερθείσας ὑπηρεσίας. *I need the ~s of a doctor/lawyer*, χρειάζομαι τίς ὑπηρεσίες ἑνός γιατροῦ/ἑνός δικηγόρου. ***be at sb's ~***, εἶμαι στή διάθεση κάποιου: *'At your ~, sir!'*–Στίς διαταγές σας, κύριε! *My car is at your ~*, τό αὐτοκίνητό μου εἶναι στή διάθεσή σας. ***be of ~ to sb***, ἐξυπηρετῶ κπ, φαίνομαι χρήσιμος σέ κπ: *He was of great ~ to me*, μέ ἐξυπηρέτησε πολύ. *This tool is of no ~*, αὐτό τό ἐργαλεῖο εἶναι ἄχρηστο. ***do sb a ~***, προσφέρω ὑπηρεσία σέ κπ. **4**. ‹C› ὑπηρεσία (δημοσίας ὠφελείας), συγκοινωνία, γραμμή, δρομολόγιο: *the ˋpostal/ˋtelephone ~*, ἡ ταχυδρομική/τηλεφωνική ὑπηρεσία. *a ˋbus/ˋtrain ~*, συγκοινωνία μέ λεωφορεῖα/τραῖνα. **5**. ‹U› ὑπηρεσία, ἐξυπηρέτησις (σέ ξενοδοχεῖο, ἑστιατόριο, κλπ): *The food is good at this hotel, but the ~ is poor*, τό φαΐ εἶναι καλό σ' αὐτό τό ξενοδοχεῖο, ἀλλά ἡ ἐξυπηρέτησις εἶναι χάλια. *10% for ~*, 10% γιά ὑπηρεσία. **ˋ~ charge**, ποσοστό ὑπηρεσίας. **ˋ~ flat**, ἐπιπλωμένο διαμέρισμα μέ ὑπηρεσία. **6**. ‹C› θεία λειτουργία: *attend morning ~*, πηγαίνω στήν πρωϊνή λειτουργία. **7**. ‹C› σερβίτσιο: *a ˋtea/ˋdinner ~*, σερβίτσιο τσαγιοῦ/φαγητοῦ. **8**. ‹U› συντήρησις, ἐπισκευή (μηχανημάτων): *free ~ for one year*, δωρεάν συντήρησις ἐπί ἕνα χρόνο. *take the car in for ~*, πάω τό αὐτοκίνητο γιά σέρβις/γιά συντήρηση. **ˋ~ station**, γκαράζ γιά σέρβις. **9**. ‹U› (*νομ.*) ἐπίδοσις, κοινοποίησις (κλήσεως, κλπ). **10**. ‹C› (*στό τέννις*) σερβίς. *__ρ.μ.* κάνω συντήρηση (σέ αὐτοκίνητο, ἀεροπλάνο, κλπ): *I have the car ~d every 5000 kilometres*, κάνω σέρβις στό αὐτοκίνητο κάθε 5000 χιλιόμ. **~·able** /-əbl/ *ἐπ.* ἐξυπηρετικός, χρήσιμος, ὠφέλιμος: *~able clothes for schoolchildren*, ἐξυπηρετικά ροῦχα γιά μαθητές.

ser·vi·ette /ˈs3viˋet/ *οὐσ.* ‹C› πετσέτα φαγητοῦ: *I prefer a linen napkin to a paper ~*, προτιμῶ τίς λινές ἀπό τίς χαρτοπετσέτες.

ser·vile /ˋs3vail/ *ἐπ.* δουλικός, δουλοπρεπής: *~ flattery/behaviour*, δουλοπρεπής κολακεία/συμπεριφορά. *be ~ to sb*, φέρομαι δουλικά σέ κπ. *a ~ revolt*, ἐπανάστασις δούλων. **~·ly** /-aɪlɪ/ *ἐπίρ.* δουλικά. **ser·vil·ity** /sɜ-ˈvɪlətɪ/ *οὐσ.* ‹U› δουλικότης.

ser·vi·tor /ˈsɜvɪtə(r)/ *οὐσ.* ‹C› (*ἀπηρχ.*) ὑπηρέτης.

ser·vi·tude /ˈsɜvɪtjud/ *οὐσ.* ‹U› δουλεία, σκλαβιά. (*βλ.* & *λ. penal*).

servo-brake /ˈsɜvəʊ breɪk/ *οὐσ.* ‹C› σεβρόφρενο.

servo-motor /ˈsɜvəʊ məʊtə(r)/ *οὐσ.* ‹C› βοηθητικό μοτέρ.

ses·ame /ˈsesəmɪ/ *οὐσ.* ‹U› σουσάμι. ***Open ~!*** ἄνοιξε σουσάμι! (μαγικό ξόρκι ὑπερνικήσεως κάθε δυσκολίας).

ses·qui·ped·alian /ˈseskwɪpɪˈdeɪlɪən/ *ἐπ.* μακαρονοειδής (λέξις).

session /ˈseʃn/ *οὐσ.* ‹C› **1**. συνεδρίασις, σύνοδος (*ἰδ.* δικαστηρίου, Βουλῆς, κλπ): *the autumn ~ of Parliament*, ἡ φθινοπωρινή σύνοδος τῆς Βουλῆς. *at the opening of the ~*, κατά τήν ἔναρξη τῆς συνεδριάσεως. *a five-hour reˈcording ~*, πεντάωρη ἠχογράφησις. ***in ~***, ἐν συνεδριάσει. ***go into secret ~***, συνεδριάζω κεκλεισμένων τῶν θυρῶν. **petty ~s**, συνεδρίασις εἰρηνοδικείου. **Court of S~**, (*Σκωτ.*) τό Ἀκυρωτικόν. **2**. (*ΗΠΑ* & *Σκωτ.*) Πανεπιστημιακή περίοδος.

[1]**set** /set/ *ρ.μ/ἀ.* (*-tt-*) (*ἀόρ.* & *π.μ.* ~) **1**. κάνω, προξενῶ, προκαλῶ: *The news ~ me thinking*, τά νέα μ᾽ἔβαλαν σέ σκέψεις, μ᾽ἔκαναν νά σκεφτῶ. *His jokes ~ everybody laughing*, τ᾽ἀστεῖα του προκάλεσαν γενικό γέλιο, ἔκαναν ὅλους νά γελάσουν. *It's time we ~ the machines going*, καιρός νά βάλωμε μπρός τίς μηχανές. **2**. ***~ sb to do sth/~ sb sth***, βάζω, ἀναθέτω, ὁρίζω: *He ~ me to chop wood*, μ᾽ἔβαλε νά κόψω ξύλα. *I've ~ myself to learn English*, βάλθηκα νά μάθω Ἀγγλικά. *I ~ myself a difficult task/to finish in ten days*, ἀνέλαβα δύσκολο ἔργο/νά τό τελειώσω σέ δέκα μέρες. *He ~ the class a difficult problem*, ἔβαλε στήν τάξη ἕνα δύσκολο πρόβλημα. *He ~ her various tasks*, τῆς ἀνάθεσε διάφορα καθήκοντα. *Who will ~ the exam papers?* ποιός θά ὁρίση τά θέματα τῶν ἐξετάσεων; *What books have been ~ for next year?* τί βιβλία ἔχουν ὁρισθῆ γιά τόν ἐρχόμενο χρόνο; ˈ**~ book**, ὑποχρεωτικό/καθωρισμένο βιβλίο (γιά ἐξετάσεις). ***~ (sb) an example***, δίνω τό παράδειγμα σέ κπ. ***~ the fashion***, ἐπιβάλλω τή μόδα, λανσάρω τίς μόδες. ***~ the pace***, δίνω τό βῆμα/τόν τόνο. ***~ the stroke***, (*στήν κωπηλασία*) δίνω τό ρυθμό. ˈ***~ a thief to ˈcatch a thief***, (*παροιμ.*) βάζω ἕναν κλέφτη νά πιάση ἄλλο κλέφτη, στόν κλέφτη κλέφτης. **3**. θέτω, βάζω, φέρω, ἀκουμπῶ: *He ~ his seal to the document*, ἔθεσε τή σφραγῖδα του στό ἔγγραφο. *She ~ the dishes on the table*, ἔβαλε τά πιάτα στό τραπέζι. *He ~ the glass to his lips*, ἔφερε τό ποτήρι στά χείλη του. ***~ a bone***, βάζω (ἐξαρθρωμένο) κόκκαλο στή θέση του. ***~ a butterfly***, καρφώνω πεταλούδα (σέ συλλογή). ***~ a clock/watch***, βάζω ἕνα ρολόϊ (στή σωστή ὥρα). ***~ sb at his ease***, κάνω κπ νά νοιώθη ἄνετα/νά μή νοιώθη ἀμηχανία. ***~ eggs/a hen***, βάζω αὐγά (γιά κλώσσισμα)/βάζω κλῶσσα. ***~ foot in***, μπαίνω: *He shall never ~ foot in my house again*, δέν θά ξαναμπῆ (δέν θά ξαναπατήση τό πόδι του) στό σπίτι μου. ***~ sb free/at liberty***, ἐλευθερώνω κπ, ἀφήνω κπ ἐλεύθερο. ***~ one's hair***, ὀντουλάρω/χτενίζω τά μαλλιά μου. ***~ one's hand to***, ἐπιχειρῶ: *He was successful in everything he ~ his hand to*, πέτυχε σέ κάθετί πού ἐπιχείρησε. ***~ one's (own) house in order***, βάζω τό σπίτι μου σέ τάξη. ***~ people at loggerheads/variance***, προκαλῶ διχόνοια ἀνάμεσα σέ ἀνθρώπους. ***~ a match/~ light to sth***, βάζω σπίρτο/φωτιά σέ κτ. ***~ sb's mind at ease/rest***, καθησυχάζω κπ. ***~ sb right***, διορθώνω κπ, φτιάχνω κπ (στήν ὑγεία). ***~ a saw***, τροχίζω πριόνι. ***~ the scene***, (*θέατρ.*) στήνω τό σκηνικό, τοποθετῶ τή δράση. ***~ the table***, στρώνω τραπέζι. ***~ one's teeth***, σφίγγω τά δόντια, (*μεταφ.*) γίνομαι ἄκαμπτος. ***~ a trap***, στήνω παγίδα. ***~ (up) type***, στοιχειοθετῶ. ***~ sb on his way***, (συνοδεύω κπ λίγο καί) τοῦ δείχνω τό δρόμο. (*βλ.* & *λ. cap, defiance,* [1]*ear,* [1]*edge,* [1]*eye,* [1]*face,* [1]*fire,* [1]*foot, heart,* [1]*hope,* [1]*mind,* [1&3]*right,* [1]*sail*). **4**. ***~ sth in sth; ~ sth with sth***, σφηνώνω, δένω (κοσμήματα): *~ a diamond in gold*, δένω ἕνα διαμάντι σέ χρυσό. *a crown ~ with jewels*, στέμμα διακοσμημένο μέ πετράδια. *We must ~ the top of the wall with broken glass*, πρέπει νά μπήξωμε σπασμένα γυαλιά στήν κορφή τοῦ τοίχου. *The sky seemed to be ~ with diamonds*, ὁ οὐρανός φαινόταν σπαρμένος διαμάντια. **5**. (*γιά παλίρροια, ρεῦμα, κλπ*) κινοῦμαι: *The current ~s in towards the shore*, τό ρεῦμα κινεῖται πρός τήν ἀκτή. *The wind ~s from the west*, ὁ ἄνεμος ἔρχεται ἀπό τά δυτικά, φυσάει ἀπό τή δύση. *Public opinion is ~ting against him*, ἡ κοινή γνώμη στρέφεται ἐναντίον του. *The tide has ~ in his favour*, (*μεταφ.*) τό ρεῦμα ἐστράφη ὑπέρ αὐτοῦ. **6**. δύω: *The sun has/is ~*, ὁ ἥλιος ἔδυσε. *His star has ~*, (*μεταφ.*) τό ἄστρο του ἔδυσε. **7**. μελοποιῶ, βάζω: *~ a poem to music*, μελοποιῶ ἕνα ποίημα. *~ new words to an old tune*, βάζω καινούργια λόγια σέ παληό σκοπό. **8**. (*γιά ροῦχα*) πέφτω, ἐφαρμόζω: *This dress ~s rather badly*, αὐτό τό φόρεμα σά νά πέφτη ἄσχημα (κρεμάει λίγο). **9**. (*γιά κυνηγετικό σκυλί*) φερμάρω. **10**. (*σέ χορό*) ***~ to partners***, κάνω μπαλανσέ. **11**. (*γιά ἄνθη, γλυκά, χαρακτῆρα, κλπ*) δένω, πήζω, σχηματίζομαι, διαμορφοῦμαι: *The apple-blossom hasn't/The apples haven't ~ well this year*, οἱ μηλιές/τά μῆλα δέν ἔδεσαν καλά φέτος. *The jelly hasn't/isn't ~ yet*, ὁ ζελές δέν ἔδεσε/δέν ἔπηξε ἀκόμα. *Some kinds of concrete ~ more quickly than others*, μερικά εἴδη τσιμέντου σφίγγουν πιό γρήγορα ἀπό ἄλλα. *His character is ~ by now*, ὁ χαρακτήρας του ἔχει τώρα πιά διαμορφωθῆ. **12**. (*στήν π.μ.*) *(α)* ἀκίνητος, καρφωμένος: *a ~ look*, καρφωμένη ματιά. *a ~ face/smile*, ἀκίνητο πρόσωπο/μόνιμο χαμόγελο. *(β)* (*ἀθλ.*) ἕτοιμος: *We are all ~*, εἴμαστε ὅλοι ἕτοιμοι. *Get ~!* στίς θέσεις σας! *(γ)* καθωρισμένος, σταθερός, στερεότυπος: *at ~ prices/hours*, σέ σταθερές τιμές/καθωρισμένες ὧρες. *a man of ~ opinions*, ἄνθρωπος μέ σταθερές πεποιθήσεις. *at a ~*

time, σέ προκαθωρισμένο χρόνο. ~ *lunches*, γεύματα τάμπλ ντ' ὅτ. ~ *phrases*, στερεότυπες φράσεις, κλισσέ. *He's* ~ *in his ways*, εἶναι ἀμετακίνητος στίς συνήθειές του. ~ **fair**, (*γιά τόν καιρό*) καλός χωρίς μεταβολές. **13**. (*μέ ἐπιρ. καί προθέσεις*):

set about sth, ἀρχίζω κτ, καταπιάνομαι μέ κτ: *I must* ~ *about my packing*, πρέπει ν' ἀρχίσω νά φτιάχνω τίς βαλίτσες μου. *I don't know how to* ~ *about this job*, δέν ξέρω πῶς νά καταπιαστῶ μ' αὐτή τή δουλειά (ἀπό ποῦ νά τήν πιάσω). ~ **about sb**, (*καθομ.*) ρίχνομαι σέ κπ, ἐπιτίθεμαι: *They* ~ *about each other fiercely*, ρίχτηκαν ὁ ἕνας στόν ἄλλον μέ μανία. ~ **sth about**, διαδίδω, θέτω σέ κυκλοφορία: *Who* ~ *it about that I am resigning?* ποιός διέδωσε ὅτι θά παραιτηθῶ;

set against, στρέφω ἐναντίον, ἀντισταθμίζω: *He has* ~ *everybody against me*, τούς ἔστρεψε ὅλους ἐναντίον μου.

set aside/apart, θέτω κατά μέρος, (*νομ.*) ἀπορρίπτω: ~ *apart some money*, βάζω κατά μέρος μερικά χρήματα. ~ *aside one's personal feelings*, παραμερίζω τά προσωπικά μου αἰσθήματα. ~ *a claim aside*, (*νομ.*) ἀπορρίπτω μιά ἀξίωση.

set back, *(α)* βάζω πίσω (πχ ρολόϊ), βάζω σέ ἀπόσταση: *The house is well* ~ *back from the road*, τό σπίτι εἶναι σέ ἀρκετή ἀπόσταση ἀπ' τό δρόμο. *(β)* (*λαϊκ.*) κοστίζω: *This dinner* ~ *me back £30*, αὐτό τό γεῦμα μοῦ κόστισε 30 λίρες. *(γ)* παρεμποδίζω, ἀνακόπτω: *All our efforts at reform have been* ~ *back*, ὅλες μας οἱ προσπάθειες γιά μεταρρύθμιση ἐμποδίστηκαν. `**~-back**, ὀπισθοδρόμησις, ἀτυχία, ἀναποδιά: *meet with many* ~*-backs*, μέ βρίσκουν πολλές ἀναποδιές. *have a* ~*-back in one's career/business*, ἔχω μιά ἀτυχία στήν καριέρα μου/στίς δουλειές μου.

set down, *(α)* κατεβάζω (ἐπιβάτη): *I'll* ~ *you down at the corner*, θά σέ κατεβάσω στή γωνία. *(β)* ἀποδίδω: *He* ~ *his success down to luck*, ἀπέδωσε τήν ἐπιτυχία του στήν τύχη. *(γ)* γράφω, σημειώνω: ~ *down sb's name*, σημειώνω τό ὄνομα κάποιου. *(δ)* θεωρῶ, ἐκλαμβάνω, περιγράφω κπ: *We must* ~ *him down as either a knave or a fool*, πρέπει νά τόν θεωρήσωμε ἤ ἀπατεώνα ἤ βλάκα. *He* ~ *himself down in the hotel register as a journalist*, δηλώθηκε στή ρεσεψιόν τοῦ ξενοδοχείου σά δημοσιογράφος.

set forth, (*λόγ.*) ξεκινῶ (σέ ταξίδι), (*λόγ.*) (ἐκ)θέτω: *They* ~ *forth at dawn*, ξεκίνησαν τήν αὐγή. ~ *forth one's views*, ἐκθέτω τίς ἀπόψεις μου. *conditions* ~ *forth in the contract*, ὅροι τεθέντες εἰς τό συμβόλαιον.

set in, ἀρχίζω γιά καλά, ἐμφανίζομαι καί ἀναπτύσσομαι βαθμιαῖα, σημειώνομαι: *It* ~ *in to rain*, ἄρχισε νά βρέχη γιά καλά. *Winter is* ~*ting in*, μπαίνει ὁ χειμώνας. *The tide is* ~*ting in*, ἡ παλίρροια ἀρχίζει (ἀνεβαίνει). *A reaction is* ~*ting in*, σημειώνεται (ἀρχίζει) ἀντίδρασις.

set off, *(α)* ἀρχίζω (ταξίδι), ξεκινῶ: *They* ~ *off on a journey round the world*, ξεκίνησαν γιά τό γύρο τοῦ κόσμου. *(β)* πυροδοτῶ (νάρκη), ρίχνω (πυροτεχνήματα). *(γ)* ἀναδεικνύω, προβάλλω, τονίζω, ὑπογραμμίζω: *The gold frame* ~*s off this painting very well*, τό χρυσό κάδρο ἀναδεικνύει/τονίζει πολύ ὡραῖα αὐτόν τόν πίνακα. *A large hat* ~*s off a pretty face*, ἕνα μεγάλο καπέλλο ὑπογραμμίζει ἕνα ὄμορφο πρόσωπο. *(δ)* ἀντισταθμίζω, συμψηφίζω: ~ *off gains against losses*, συμψηφίζω τά κέρδη μέ τή χασούρα. *(ε)* χωρίζω: ~ *off a clause by a comma*, χωρίζω μιά πρόταση μέ κόμμα. *(στ')* ~ **sb off** (**doing sth**), κάνω, ἀρχίζω, βάζω: *This answer* ~ *him off laughing*, αὐτή ἡ ἀπάντηση τόν ἔκανε νά γελάση.

set on, ρίχνομαι, ἐπιτίθεμαι, βάζω: *She has been* ~ *on by a savage dog*, τῆς ρίχτηκε ἕνα ἀγριόσκυλο. *He* ~ *his dog on me*, ἔβαλε τό σκυλί του νά μοῦ ἐπιτεθῆ.

set out, *(α)* ξεκινῶ: *They* ~ *out at dawn*, ξεκίνησαν τήν αὐγή. *He* ~ *out with the best intentions*, ξεκίνησε μέ τίς καλύτερες προθέσεις. ~ **out to do sth**, ξεκινῶ μέ τό σκοπό νά: *He* ~ *out to make money*, ξεκίνησε μέ τό σκοπό (ἀποφασισμένος) νά κάνη χρήματα. *(β)* ἐκθέτω: ~ *out one's ideas clearly*, ἐκθέτω τίς ἰδέες μου καθαρά. *They* ~ *out their goods on stalls*, ἐκθέτουν τά ἐμπορεύματά τους σέ πάγκους. ~ *out a table with food*, ἁπλώνω φαγητά πάνω σ' ἕνα τραπέζι.

set to, *(α)* στρώνομαι (στή δουλειά, κλπ): *The engineers* ~ *to and repaired the bridge*, τό μηχανικό στρώθηκε στή δουλειά καί ἐπισκευάσανε τή γέφυρα. *They were all hungry and* ~ *to at once*, πεινοῦσαν ὅλοι καί στρωθήκανε ἀμέσως στό φαΐ. *(β)* (*μέ ὑποκείμ. πληθ.*) ἔρχομαι στά χέρια. '**~-`to**, καυγᾶς, μαλλιοτράβηγμα: *The women had a regular* ~*-to*, οἱ γυναῖκες μαλλιοτραβήχτηκαν γιά καλά.

set up, *(α)* τοποθετῶ, στήνω: ~ *up a statue*, στήνω ἄγαλμα. *(β)* ἱδρύω, ὀργανώνω, σχηματίζω, προβάλλω: ~ *up a tribunal/a school*, ἱδρύω δικαστήριο/σχολεῖο. ~ *up a business*, φτιάχνω ἐπιχείρηση. ~ *up an argument*, προβάλλω ἐπιχείρημα. `**~-up**, (*καθομ.*) ὀργάνωσις: *What's the* ~*-up of the company?* πῶς εἶναι ὀργανωμένη ἡ ἑταιρία; *(γ)* προξενῶ, προκαλῶ: *What has* ~ *up this rash on your face?* τί προκάλεσε αὐτή τήν κοκκινίλα στό πρόσωπό σου; *(δ)* ἐκβάλλω, ἀφήνω: ~ *up a yell*, ἀφήνω κραυγή. *(ε)* στοιχειοθετῶ. *(στ')* ~ **sb up**, ἀποκαθιστῶ τήν ὑγεία κάποιου: *Her holiday in the country has* ~ *her up again*, οἱ διακοπές της στήν ἐξοχή τήν συνέφεραν (τῆς ξανάδωσαν τήν ὑγειά της). *(ζ)* ~ (**oneself**) **up as**, ἀρχίζω (ἐμπόριο), παριστάνω (ἰσχυρίζομαι πώς εἶμαι): *He has* ~ *(himself) up as a bookseller*, ἄνοιξε βιβλιοπωλεῖο. *I've never* ~ *myself up as an expert*, ποτέ δέν ἔκανα τόν εἰδικό. *(η)* ~ **sb up** (**as sth**), βοηθῶ κπ ν' ἀρχίση μιά δουλειά: *His father* ~ *him up in business/as a bookseller*, ὁ πατέρας του τοῦ ἄνοιξε μαγαζί/τοῦ ἄνοιξε βιβλιοπωλεῖο. ~ **up house** (**with sb**), ἀνοίγω (δικό μου) σπίτι/ζῶ μέ κπ. *(θ)* **be well ~ up**, εἶμαι καλά ἐφοδιασμένος: *She's well* ~ *up with clothes/reading material*, εἶναι καλά ἐφοδιασμένη μέ ροῦχα/μέ βιβλία γιά διάβασμα.

be set (up)on sth, εἶμαι ἀποφασισμένος: *He is ~ upon being a lawyer*, εἶναι ἀποφασισμένος νά γίνη δικηγόρος.

[2]**set** /set/ *οὐσ.* **1**. ‹C› σειρά, ὁμάδα (πραγμάτων), εἴδη, σύνολον, σερβίτσιο, σέτ: *a ~ of spanners/tools*, σειρά γαλλικῶν κλειδιῶν/ἐργαλείων. *a `tea-~*, σερβίτσιο τοῦ τσαγιοῦ. *a ~ of false teeth*, ψεύτικη ὀδοντοστοιχία. *a `desk/`smoker's ~*, εἴδη γραφείου/καπνιστοῦ. *a `dressing-table ~*, εἴδη τουαλέτας. *a ~ of golf-clubs*, σέτ μπαστουνιῶν τοῦ γκόλφ. **2**. ‹C› κύκλος, συντροφιά, ὁμάδα, κόσμος: *the `literary/po`litical ~*, οἱ φιλολογικοί/πολιτικοί κύκλοι. *the `fast/`racing ~*, ὁ κόσμος τῶν διασκεδάσεων/τοῦ ἱπποδρόμου. *the `smart ~*, ὁ κομψός κόσμος. *the `jet ~*, ὁ κύκλος τῶν διεθνῶν πλαιημπόϋδων, ἡ διεθνής ἀριστοκρατία τοῦ χρήματος. **3**. ‹C› συσκευή, δέκτης: *a `wireless/`T`V ~*, ραδιόφωνο/τηλεόρασις. *an 'all-`mains ~*, δέκτης γιά ὅλα τά ἠλεκτρικά ρεύματα. *a `battery/tran`sistor ~*, δέκτης μπαταρίας/μέ τρανζίστορ. **4**. (*μόνον ἑν.*) κατεύθυνσις, ρεῦμα, τάσις: *the ~ of the tide/of public opinion*, ἡ κατεύθυνσις τῆς παλίρροιας/τό ρεῦμα τῆς κοινῆς γνώμης. **5**. (*μόνον ἑν.*) στάσις, κόψιμο, φόρμα, διαμόρφωσις: *I recognized him by the ~ of his head/shoulders*, τόν γνώρισα ἀπό τή στάση τοῦ κεφαλιοῦ του/τῶν ὤμων του. *I don't like the ~ of this coat*, δέν μ᾽ἀρέσει τό κόψιμο (ἡ φόρμα) αὐτοῦ τοῦ σακκακιοῦ. *the ~ of his features/mind*, ἡ φόρμα (ἡ διαμόρφωσις) τῶν χαρακτηριστικῶν του/τοῦ μυαλοῦ του. **6**. (*μόνον ἑν.*) (*ποιητ.*) ἡλιοβασίλεμα. **7**. ‹C› (*στό τέννις*) γῦρος, σέτ. **8**. (*συνήθ. ἑν.*) (*γιά κυνηγ. σκυλί*) φερμάρισμα. ***make a dead ~ at sb***, ρίχνομαι σέ κπ (τοῦ ἐπιτίθεμαι μέ λόγια ἤ, *παλαιότ.*, προσπαθῶ νά τόν γοητεύσω). **9**. ‹C› πρότυπος κυβόλιθος (γιά λιθόστρωση). **10**. ‹C› (*σέ θέατρο ἤ στούντιο*) σκηνικό, διάκοσμος. **11**. ‹C› φυτάδι, καταβολάδα, βολβός (γιά φύτεμα). **12**. ‹C› τρύπα (ἀσβοῦ). **13**. ‹C› μίζ-αν-πλί, χτένισμα: *shampoo and ~, £3*, λούσιμο καί χτένισμα, 3 λίρες.

set-square /`set skweər/ *οὐσ.* ‹C› γνώμων, γωνιά, ὀρθογώνιο.

set·tee /se`ti/ *οὐσ.* ‹C› καναπές.

set·ter /`setə(r)/ *οὐσ.* ‹C› **1**. σέττερ (ράτσα κυνηγετικοῦ σκύλου). **2**. (*ὡς β! συνθ.*) τοποθετῶν: *a `type-~*, στοιχειοθέτης.

set·ting /`setıŋ/ *οὐσ.* ‹C› **1**. δέσιμο (κοσμήματος), πήξιμο, κατεύθυνσις. **2**. περιβάλλον, φόντο, σκηνικό: *a beautiful natural ~*, ὡραῖο φυσικό περιβάλλον. **3**. μελοποίησις, μουσική ἐπένδυσις. **4**. δύσις, ἡλιοβασίλεμα.

[1]**settle** /`setl/ *οὐσ.* ‹C› πάγκος.

[2]**settle** /`setl/ *ρ.μ/ἀ.* **1**. ἐγκαθιστῶ, ἐγκαθίσταμαι, ἀποικῶ: *~ refugees in a place*, ἐγκαθιστῶ πρόσφυγες σ᾽ἕνα μέρος. *He ~d in London*, ἐγκαταστάθηκε στό Λονδῖνο. *Canada was ~d by the French*, ὁ Καναδᾶς ἀποικίστηκε ἀπό Γάλλους. **2**. κουρνιάζω, (κατα)κάθομαι: *The bird ~d on a branch*, τό πουλί κούρνιασε (κάθισε) σ᾽ἕνα κλαδί. *The dust ~d on everything*, ἡ σκόνη κατακάθισε παντοῦ. **3**. τακτοποιῶ/-οῦμαι, φτιάχνω: *The nurse ~d the patient for the night*, ἡ νοσοκόμα τακτοποίησε/ἔφτιαξε τόν ἄρρωστο γιά τή νύχτα. *Then she ~d (herself) in an armchair*, κι᾽ἔπειτα τακτοποιήθηκε (βολεύτηκε) σέ μιά πολυθρόνα. *He ~d his feet in the stirrups*, ἔφτιαξε (τακτοποίησε) καλά τά πόδια του στούς ἀναβολεῖς. **4**. κανονίζω, λύνω, ρυθμίζω: *Have you ~d where to go?* ἔχεις κανονίσει ποῦ θά πᾶς; *What have you ~d to do about it?* τί ἔχεις κανονίσει νά κάνης γι᾽αὐτό; *Nothing is ~d yet*, τίποτα δέν εἶναι κανονισμένο ἀκόμα (ὅλα εἶναι ἐκκρεμῆ). *~ a dispute/one's affairs*, λύνω διαφορά/κανονίζω τίς ὑποθέσεις μου. *That ~s the matter*, αὐτό λύνει τό ζήτημα. *~ a lawsuit out of court*, ρυθμίζω δικαστική διαφορά ἐξωδίκως. *Let them ~ it among themselves*, ἅς τους νά τά βροῦν μονάχοι τους. *The matter is as good as ~d*, ἡ δουλειά εἶναι σχεδόν τελειωμένη. **5**. πληρώνω, ἐξοφλῶ: *~ a bill*, ἐξοφλῶ λογαριασμό. *S~ for all of us*, πλήρωσε γιά ὅλους μας. **6**. καταπραΰνω, καθησυχάζω: *That pill will ~ your nerves*, αὐτό τό χάπι θά καταπραΰνη τά νεῦρα σου. *~ sb's fears/doubts/scruples*, καθησυχάζω τούς φόβους/τίς ἀμφιβολίες/τούς ἐνδοιασμούς κάποιου. **7**. κατασταλάζω, κατακαθίζω, κατακάθομαι, στρώνω: *The coffee has ~d*, ὁ καφές καταστάλαξε. *Wait until the excitement has ~d*, περίμενε ὥσπου νά κατασταλάξη/νά κοπάση ἡ ἔξαψις. *The rain has ~d the dust*, ἡ βροχή ἔκανε τή σκόνη νά κατακαθίση (ἔστρωσε τή σκόνη). *The cold has ~d on my chest*, τό κρύο καταστάλαξε (ἐντοπίστηκε τελικά) στό στῆθος μου. *The storm will perhaps ~ the weather*, ἡ καταιγίδα ἴσως στρώση/καθαρίση τόν καιρό. *Things are settling into shape*, τά πράγματα στρώνουν/ἀρχίζουν νά ξεκαθαρίζουν. **8**. βουλιάζω: *The road-bed ~d*, τό κατάστρωμα τοῦ δρόμου βούλιαξε. *The ship was settling*, τό πλοῖο ἄρχισε νά βουλιάζη. **9**. (*μέ ἐπιρ. καί προθέσεις*):

settle (down), *(α)* βολεύομαι, καλοκάθομαι: *He ~d down in his armchair to read*, βολεύτηκε στήν πολυθρόνα του νά διαβάση. *(β)* ἡσυχάζω, ἠρεμῶ: *Wait until the children have ~d down*, περίμενε ὥσπου νά ἡσυχάσουν τά παιδιά. *He tried to ~ the class down*, προσπάθησε νά ἡσυχάση τήν τάξη. *(γ)* συγκεντρώνομαι: *I can't ~ (down) to anything today*, δέν μπορῶ νά συγκεντρωθῶ σέ τίποτα σήμερα. *(δ)* στρώνω/-ομαι: *He ~d down well in his new job*, ἔστρωσε καλά στήν καινούργια του δουλειά. *~ down to dinner/work*, στρώνομαι στό φαΐ/στή δουλειά. *(ε)* φρονιμεύω, νοικοκυρεύομαι: *She has no desire to ~ down*, δέν ἔχει καμιά διάθεση νά φρονιμέψη. *At your age you ought to have ~d down*, στήν ἡλικία σου ἔπρεπε νά εἶχες νοικοκυρευτῆ. *marry and ~ down*, παντρεύομαι καί φρονιμεύω/νοικοκυρεύομαι.

settle for sth, δέχομαι, συμβιβάζομαι: *He ~d for half the price he had asked originally*, συμβιβάστηκε στή μισή τιμή ἀπ᾽ὅ,τι εἶχε ζητήσει ἀρχικά. *I won't ~ for less than £1000*, δέν θά δεχθῶ λιγώτερο ἀπό 1000 λίρες.

settle in, τακτοποιοῦμαι σέ νέο σπίτι: *We haven't ~d in yet*, δέν τακτοποιηθήκαμε ἀκόμα στό νέο μας σπίτι.

settle sth (up)on sb, (*νομ.*) μεταβιβάζω, γράφω: *He ~d all his property on his wife*, ἔγραψε ὅλη του τήν περιουσία στή γυναίκα του. ~ *an annuity on sb*, συνιστῶ ἰσόβιο πρόσοδο ὑπέρ κάποιου. ***settle (up)on sth***, διαλέγω, καθορίζω: *Which of the hats have you ~d on?* ποιό καπέλλο διαλέξατε; *We must ~ on a time and place to meet*, πρέπει νά ὁρίσωμε χρόνο καί τόπο γιά νά συναντηθοῦμε. ***settle (up) (with sb)***, πληρώνω, ἐξοφλῶ: *I'll ~ up with you next week*, θά σ' ἐξοφλήσω (θά τακτοποιηθῶ μαζί σου) τήν ἄλλη βδομάδα. *I've ~d up with the waiter*, πλήρωσα τό γκαρσόνι. ***'have an ac'count to ~ with sb***, (*καθομ.*) ἔχω νά ξεκαθαρίσω ἕνα λογαριασμό μέ κπ. ***Now to ~ with you!*** (*καθομ.*) καί τώρα οἱ δυό μας (νά λογαριαστοῦμε ἐμεῖς)!

settled /ˈsetld/ *ἐπ.* **1**. σταθερός, μόνιμος: ~ *weather*, σταθερός καιρός. *a man of ~ convictions/habits*, ἄνθρωπος μέ σταθερές πεποιθήσεις/συνήθειες. ~ *melancholy*, μόνιμη μελαγχολία. **2**. ἐξωφλημένος (λογαριασμός), ρυθμισμένος, καθωρισμένος.

settle·ment /ˈsetlmənt/ *οὐσ.* ‹C,U› **1**. ἐποικισμός, ἀποικισμός, ἐγκατάστασις: *empty lands awaiting ~*, ἀκατοίκητες περιοχές πού περιμένουν ἐποικισμό. **2**. ἀποικία, τοπική ὀργάνωσις κοινωνικῶν λειτουργῶν: *overseas ~s*, ὑπερπόντιες ἀποικίες. *penal ~s*, ἀποικίες καταδίκων. **3**. συνοικισμός, καταυλισμός: *refugees' ~s*, καταυλισμοί προσφύγων. **4**. ἐξόφλησις, πληρωμή, διακανονισμός: *a cheque in ~ of your account*, ἐπιταγή εἰς ἐξόφλησιν τοῦ λογαριασμοῦ σας. *The terms of ~ seem just*, οἱ ὅροι τοῦ διακανονισμοῦ φαίνονται δίκαιοι. **5**. συμφωνία, συμβιβασμός, ρύθμισις, διευθέτησις: *reach a ~ with sb*, καταλήγω σέ συμφωνία/συμβιβασμό μέ κπ. *a lasting ~*, μιά μόνιμος ρύθμισις. **6**. μεταβίβασις περιουσίας, σύστασις: ~ *of an annuity*, σύστασις ἐτησίας προσόδου. *a ˈmarriage ~*, σύστασις προικός, προικοσύμφωνον.

set·tler /ˈsetlə(r)/ *οὐσ.* ‹C› ἄποικος: *the early ~s in Canada*, οἱ πρῶτοι ἄποικοι τοῦ Καναδᾶ.

seven /ˈsevn/ *ἐπ.* & *οὐσ.* ‹C› ἑπτά: *the ~ wonders of the world*, τά ἑπτά θαύματα τοῦ κόσμου. **ˈ~·fold** /-fəʊld/ *ἐπ.* ἑπταπλάσιος. __*ἐπίρ.* ἑπταπλασίως. **~th** /ˈsevnθ/ *ἐπ.* & *οὐσ.* ‹C› ἕβδομος. ***in my/his, etc ~th heaven***, στόν ἕβδομο οὐρανό. **~·teen** /ˈsevnˈtin/ *ἐπ.* & *οὐσ.* ‹C› δεκαεπτά. **~·teenth** /ˈsevnˈtinθ/ *ἐπ.* & *οὐσ.* ‹C› δέκατος ἕβδομος. **~ty** /ˈsevntɪ/ *οὐσ.* ‹C› & *ἐπ.* ἑβδομήντα: *in the seventies*, στή δεκαετία τοῦ 70. **~·ti·eth** /ˈsevntɪəθ/ *ἐπ.* & *οὐσ.* ‹C› ἑβδομηκοστός.

sever /ˈsevə(r)/ *ρ.μ/ἀ.* **1**. κόβω/-ομαι, ἀποκόπτω, (ἀπο)χωρίζω: ~ *a rope*, κόβω ἕνα σκοινί. *The rope ~ed under the strain*, τό σκοινί κόπηκε ἀπό τό τέντωμα. ~ *the head of a sheep from the body*, ἀποκόπτω/ἀποχωρίζω τό κεφάλι ἑνός ἀρνιοῦ ἀπό τό σῶμα. **2**. διακόπτω, διαρρηγνύω: ~ *one's connections with sb*, διακόπτω τίς σχέσεις μου μέ κπ. **~·ance** /ˈsevərəns/ *οὐσ.* ‹U› (δια)κοπή: *the ~ance of diplomatic relations*, ἡ διακοπή διπλωματικῶν σχέσεων.

sev·eral /ˈsevrl/ *ἐπ.* **1**. πολλοί, ἀρκετοί, διάφοροι: *I've read it ~ times*, τὄχω διαβάσει ἀρκετές φορές. **2**. διαφορετικός, χωριστός, ἰδιαίτερος: *They went their ~ ways*, τράβηξαν ὁ καθένας τό δικό του δρόμο. __*ἀντων.* πολλοί, ἀρκετοί: ~ *of us*, πολλοί ἀπό μᾶς. **~·ly** /-rəlɪ/ *ἐπίρ.* χωριστά, ἰδιαιτέρως.

se·vere /səˈvɪə(r)/ *ἐπ.* **1**. αὐστηρός: *He is ~ with his children*, εἶναι αὐστηρός στά παιδιά του. *be ~ on a pupil*, εἶμαι αὐστηρός (ἄτεγκτος) μ' ἕνα μαθητή. ~ *looks/measures*, αὐστηρές ματιές/-ά μέτρα. **2**. σοβαρός: *a ~ cold/wound*, σοβαρό κρυολόγημα/τραῦμα. **3**. δριμύς, σφοδρός, ἄγριος, σκληρός: *a ~ winter*, δριμύς χειμώνας. *a ~ storm*, σφοδρή καταιγίδα. ~ *fighting*, σκληρός /ἄγριος ἀγώνας. **4**. ἀπαιτητικός, ὀξύς, δύσκολος: ~ *competition*, ὀξύς συναγωνισμός. **5**. (*γιά ὕφος*) λιτός, ἀπέριττος, σοβαρός: *a ~ style/~ beauty*, ἀπέριττο ὕφος/σοβαρή ὀμορφιά. **~·ly** *ἐπίρ.* αὐστηρά, σοβαρά. **se·ver·ity** /səˈverətɪ/ *οὐσ.* ‹C,U› αὐστηρότης, δριμύτης, σοβαρότης, κακουχία: *punish sb with severity*, τιμωρῶ κπ μέ αὐστηρότητα. *the severities of the winter campaign*, οἱ κακουχίες τῆς χειμερινῆς ἐκστρατείας.

sew /səʊ/ *ρ.μ/ἀ.* ἀνώμ. (*ἀόρ.* ~*ed*, *π.μ.* ~*n* /səʊn/ *ἤ* ~*ed*) ράβω: ~ *a button on*, ράβω ἕνα κουμπί. ~ *a dress*, ράβω ἕνα φόρεμα. ~*n by hand/ˈhand-ˈ~n*, ραμένο μέ τό χέρι. ***~ sth up***, συρράπτω (πχ τά χείλη μιᾶς πληγῆς), κλείνω, ὁλοκληρώνω: *The deal is ~n up*, ἡ δουλειά εἶναι κλεισμένη. *All the details are ~n up*, ὅλες οἱ λεπτομέρειες ἔχουν ὁλοκληρωθῆ. **~er** /ˈsəʊə(r)/ *οὐσ.* ‹C› ράπτης, ράπτρια. **~·ing** *οὐσ.* ‹U› ράψιμο. **ˈ~·ing-machine**, ραπτομηχανή.

sew·age /ˈsjuɪdʒ/ *οὐσ.* ‹U› βρωμόνερα, ἀκαθαρσίες ὑπονόμων: *a ~ system*, σύστημα ἀποχετεύσεως.

[1] **sewer** /ˈsjuə(r)/ *οὐσ.* ‹C› ὑπόνομος, ὀχετός. **ˈ~-gas**, ἀναθυμίασις ὑπονόμων. **ˈ~·age** /-ɪdʒ/ *οὐσ.* ‹U› ἀποχέτευσις, ἀποχετευτικόν δίκτυον.

[2] **sewer** /ˈsəʊə(r)/ *οὐσ.* *βλ.* *sew*.

sewn /səʊn/ *π.μ.* *τοῦ ρ.* *sew*.

sex /seks/ *οὐσ.* **1**. ‹C› φύλο: *the ˈfair ~*, τό ὡραῖο φύλο. *the ˈsterner ~*, τό ἰσχυρό φύλο. **2**. ‹U› γενετήσιος ὁρμή, σεξουαλισμός, (σαρκικός) ἔρωτας, σέξ: *the ˈ~ instinct*, τό γενετήσιο ἔνστικτο. *ˈ~ appeal*, αἰσθησιακή ἕλξις, σέξ-ἀπήλ. *a film with too much ~ in it*, φίλμ μέ πολύ σέξ. ***have ~ with sb***, κάνω ἔρωτα μέ κπ. **~ed** *ἐπ.* (*ὡς β! συνθ.*) *highly-~ed*, μέ ἔντονο σεξουαλισμό. *under-~ed*, σεξουαλικά ὑποτονικός, ψυχρός. **~·ist** /ˈseksɪst/ *ἐπ.* & *οὐσ.* ‹C› ἄνδρας πού θεωρεῖ τίς γυναῖκες κατώτερες. **~·less** *ἐπ.* οὐδέτερος, χωρίς φύλο, ψυχρός. **~y** *ἐπ.* (*-ier, -iest*) σεξουαλικά ἑλκυστικός.

sexa·gen·arian /ˈseksədʒɪˈneərɪən/ *ἐπ.* & *οὐσ.* ‹C› ἑξηντάρης, ἑξηκοντούτης.

Sexa·gesima /ˈseksəˈdʒesɪmə/ *οὐσ.* Κυριακή τῶν Ἀπόκρεω.

sex·tant /ˈsekstənt/ *οὐσ.* ‹C› (*ναυτ.*) (ὁ) ἑξᾶς.

sex·tet, -·tette /seksˈtet/ *οὐσ.* ‹C› (*μουσ.*) σεξτέτο.

sex·ton /ˈsekstən/ *οὐσ.* ‹C› νεωκόρος (καντηλανάφτης, κωδωνοκρούστης, νεκροθάφτης).

sex·ual /ˋsekʃʊəl/ *ἐπ.* σεξουαλικός: ~ *intercourse*, σεξουαλική ἐπαφή. **~·ity** /ˈsekʃʊˋæləti/ *οὐσ.* ‹U› σεξουαλισμός.

shabby /ˋʃæbɪ/ *ἐπ. (-ier, -iest)* **1**. παληός, φθαρμένος, ἄθλιος, κουρελιάρικος, σαραβαλιασμένος: ~ *clothes*, παληόρουχα. *a ~ room/house*, ἄθλιο δωμάτιο/σαραβαλιασμένο σπίτι. *You look ~ in these clothes*, ἔχεις τά χάλια σου (φαίνεσαι κουρελῆς) μ' αὐτά τά ροῦχα. ˈ**~-genˋteel** *ἐπ.* ξεπεσμένος, πού προσπαθεῖ νά κρύψη τή φτώχεια του. **2**. (*γιά ἄνθρ. ἤ συμπεριφορά*) πρόστυχος, τιποτένιος, ἄθλιος, ἀχρεῖος: *play a ~ trick on sb*, σκαρώνω βρωμοδουλειά σέ κπ. *a ~ excuse*, ἄθλια δικαιολογία. **shab·bily** /ˋʃæbəlɪ/ *ἐπίρ.* ἄθλια. **shab·bi·ness** *οὐσ.* ‹U› ἀθλιότης.

shack /ʃæk/ *οὐσ.* ‹C› καλυβόσπιτο, καλύβι. —*ρ.ἀ.* ~ ***up with sb***, (*λαϊκ.*) στήνω τσαρδί μέ κπ, (συζῶ παρανόμως).

shackle /ˋʃækl/ *οὐσ.* ‹C› (*συνήθ. πληθ.*) ἁλυσσίδες, δεσμά: *the ~s of convention*, τά δεσμά τῶν κοινωνικῶν συμβατικοτήτων. —*ρ.μ.* ἁλυσσοδένω, δεσμεύω.

shad·dock /ˋʃædək/ *οὐσ.* ‹C› πομελό (τό τροπικό δέντρο καί ὁ καρπός του).

[1]**shade** /ʃeɪd/ *οὐσ.* **1**. ‹U› σκιά, ἴσκιος: *light and ~*, φῶς καί σκιά, (*ζωγρ.*) φωτοσκίασις. *The temperature was 35°C in the ~*, ἡ θερμοκρασία ἦταν 35° ὑπό σκιάν. ***put sb/sth in(to) the ~***, (*μεταφ.*) ἐπισκιάζω κπ/κτ. **2**. ‹C› ἀπόχρωσις, τόνος: *all ~s of green*, ὅλες οἱ ἀποχρώσεις (ὅλοι οἱ τόνοι) τοῦ πράσινου. *a word with many ~s of meaning*, λέξις μέ πολλές ἀποχρώσεις ἐννοίας. **3**. ‹C› (*καθομ.*) λιγουλάκι: *He's a ~ better today*, εἶναι λιγουλάκι (κάπως) καλύτερα σήμερα. *a ~ of jealousy*, μιά ἰδέα/μιά ὑποψία/ἕνα ἴχνος ζήλειας. **4**. ‹C› ἀλεξίφωτο, σκίαστρο (κάτι πού κόβει τό πολύ φῶς): *an ˋeye-~*, γεῖσο, κεραμίδι καπέλλου. *a ˋlamp-~*, ἀμπαζούρ. *a ˋwindow-~*, στόρ παραθύρου. **5**. (*πληθ., καθομ.*) γυαλιά ἡλίου. **6**. (*πληθ., λογοτ.*) σκοτάδι: *the ~s of night*, τό σκοτάδι τῆς νύχτας. **7**. ‹C› σκιά, φάντασμα (νεκροῦ). **the ~s**, ὁ Ἅδης, τό βασίλειο τῶν σκιῶν.

[2]**shade** /ʃeɪd/ *ρ.μ/ἀ.* **1**. σκιάζω: *Trees ~ our house*, δέντρα σκιάζουν τό σπίτι μας. *He ~d his eyes with his hand*, σκίασε τά μάτια του μέ τό χέρι του (ἔβαλε τό χέρι του ἀντήλιο). *~ a lamp*, βάζω ἀμπαζούρ σέ λάμπα. **2**. (*ζωγρ.*) βάζω σκιά σέ σχέδιο: *S~ in this part of the drawing*, βάλε σκιά σ' αὐτό τό μέρος τοῦ σχεδίου. **3**. ἀλλάζω βαθμηδόν ἀπόχρωση: *scarlet shading off into pink*, βαθύ κόκκινο πού σιγά-σιγά γίνεται ρόζ. *a colour that ~s from blue into green*, χρῶμα πού ἁπλώνεται σ' ὅλους τούς τόνους ἀπό τό μπλέ ὥς τό πράσινο. **shad·ing** *οὐσ.* ‹C,U› *(α)* σκίασις: *a shading mat*, καλαμωτή γιά ἴσκιο. *(β)* φωτοσκίασις. *(γ)* διαβάθμισις, ἁπάλυνσις χρώματος: *shading-off tints*, βαθμιαῖες ἀποχρώσεις.

shadow /ˋʃædəʊ/ *οὐσ.* ‹C› **1**. ἴσκιος, σκιά, σκοτεινιά: *the earth's ~*, ἡ σκιά τῆς γῆς. *stand in the ~ of a doorway*, στέκομαι στόν ἴσκιο/στό σκοτάδι μιᾶς πόρτας. *the ~s of evening*, οἱ σκιές τῆς νύχτας, τό σούρουπο. ***be afraid of one's own ~***, φοβοῦμαι καί τόν ἴσκιο μου. ***be worn to a ~***, γίνομαι πετσί καί κόκκαλο, ἔχω φωτίσει. ***be a ~ of one's former self***, εἶμαι ἡ σκιά τοῦ παληοῦ μου ἑαυτοῦ. ***cast a ~ over sth***, σκιάζω κτ, ἀμαυρώνω κτ: *This cast a ~ over the festivities*, αὐτό ἔρριξε κάποια σκιά στή γιορτή. ***catch at ~s/run after a ~***, κυνηγῶ σκιές/ἴσκιους. ***Coming events cast their ~s before them***, τά μελλούμενα στέλνουν προμηνύματα. **2**. μαῦρος γύρος, μαυρίλα: *have ~s under/round the eyes*, ἔχω μαύρους γύρους στά μάτια. **3**. (*μεταφ.*) σκιά, ἀχώριστος σύντροφος: *He is my ~*, εἶναι ἡ σκιά μου. **4**. (*μόνον ἑν.*) ἴχνος: *without/beyond a ~ of doubt*, χωρίς ἴχνος ἀμφιβολίας. *a ~ of suspicion*, ἴχνος ὑποψίας. **5**. (*ἐπιθ.*) σκιώδης. ~ ***cabinet***, σκιῶδες ὑπουργικό συμβούλιο. ˋ**~-boxing**, πυγμαχική προπόνησις χωρίς ἀντίπαλο. —*ρ.μ.* **1**. (ἐπι)σκιάζω. **2**. παρακολουθῶ κπ παντοῦ, γίνομαι σκιά κάποιου: *He was ~d by the police*, ἡ ἀστυνομία παρακολουθοῦσε κάθε του κίνηση. **~y** *ἐπ. (α)* σκιερός: *~y woods*, σκιερά δάση. *(β)* ἀόριστος, ἀσαφής, θαμπός: *a ~y figure*, μιά θαμπή φιγούρα, μιά σκιά (ἀνθρώπου).

shady /ˋʃeɪdɪ/ *ἐπ. (-ier, -iest)* **1**. σκιερός: *the ~ side of a street*, ἡ σκιερή πλευρά ἑνός δρόμου. **2**. ὕποπτος, σκοτεινός, ἀμφιβόλου ἐντιμότητος: *a ~ transaction*, ὕποπτη συναλλαγή. *a ~ financier*, ἄνθρωπος ὑπόπτων ἐπιχειρήσεων, ἀεριτζής. *Politics has its ~ side*, ἡ πολιτική ἔχει τή σκοτεινή της πλευρά. *There's something ~ in this business*, ὑπάρχει κάτι σκοτεινό/ὕποπτο σ' αὐτή τή δουλειά.

shaft /ˋʃaft/ *οὐσ.* ‹C› **1**. ἀκόντιο, βέλος, (*μεταφ.*) αἰχμή, πείραγμα: *the ~s of satire/jealousy*, τά βέλη τῆς σάτιρας/τῆς ζήλειας. **2**. ἀχτίδα (φωτός), ἀστραπή (κεραυνοῦ). **3**. λαβή, στυλιάρι (ἐργαλείου). **4**. (*ἀρχιτ.*) κορμός (κολώνας). **5**. φρέαρ (ὀρυχείου, ἀνελκυστῆρος, ἀερισμοῦ). **6**. ἄξων: *a cranked ~*, (*μηχ.*) στροφαλοφόρος ἄξων. **7**. ρυμοί (στάγγα κάρρου).

shag /ʃæg/ *οὐσ.* ‹U› ψιλοκομμένος καπνός.

shaggy /ˋʃægɪ/ *ἐπ. (-ier, -iest)* **1**. (*γιά μαλλιά*) σκληρός, ἀχτένιστος. **2**. τριχωτός, δασύτριχος, πυκνός, μαλλιαρός: *a ~ dog*, μαλλιαρό σκυλί. *~ eyebrows*, πυκνά φρύδια. **shaggily** /ˋʃægəlɪ/ *ἐπίρ.* **shag·gi·ness** *οὐσ.* ‹U› πυκνό, ἄγριο τρίχωμα, δασυτριχία.

sha·green /ʃəˋgrin/ *οὐσ.* ‹U› δέρμα σαγρέ.

shah /ʃa/ *οὐσ.* ‹C› σάχης.

shaikh /ʃeɪk/ *οὐσ.* ‹C›, **shaikh·dom** /ˋʃeɪkdəm/ *οὐσ.* ‹C› *βλ. sheikh, sheikhdom.*

[1]**shake** /ʃeɪk/ *ρ.μ/ἀ.* ἀνώμ. (*ἀόρ.* shook /ʃʊk/, *π.μ.* shaken /ˋʃeɪkən/) **1**. κουνῶ, σείω, τινάζω: *~ the dice*, κουνῶ τά ζάρια. *~ a tree/a rug*, κουνάω ἕνα δέντρο/τινάζω χαλί. ~ ***one's finger/fist at sb***, κουνάω (ἀπειλητικά) τό δάχτυλο/τή γροθιά σέ κπ, φοβερίζω κπ (μέ τό δάχτυλο/μέ τή γροθιά). ~ ***hands with sb***, δίνω τό χέρι, ἀνταλλάσσω χειραψία μέ κπ. ~ ***one's head (at sb)***, κουνάω τό κεφάλι μου (ἀρνητικά, ἀποδοκιμαστικά). ~ ***oneself free***, ἐλευθερώνομαι μ' ἕνα τίναγμα. **2**. τρέμω: *The earth shook under us*, ἡ γῆ ἔτρεμε κάτω ἀπό τά πόδια μας. *He was shaking with cold/fear/laughter*, ἔτρεμε ἀπό τό κρύο/ἀπό τό φόβο/ἀπό τά γέλια. *His voice shook*

with emotion, ἡ φωνή του ἔτρεμε ἀπό συγκίνηση. ***be shaking in one's shoes***, τρέμω ἀπό τό φόβο μου. **3**. (συγ)κλονίζω, τραντάζω: ~ *sb's faith/courage*, κλονίζω τήν πίστη/τό θάρρος κάποιου. *They were badly* ~*n by the news*, τά νέα τούς συγκλόνισαν κυριολεχτικά. *Ten days that shook the world*, δέκα μέρες πού συγκλόνισαν τόν κόσμο. **4**. (*μέ ἐπιρ. καί προθέσεις*):
shake down, προσαρμόζομαι, συνηθίζω, στρώνω (σέ μιά δουλειά): *The new teaching staff is shaking down nicely*, τό καινούργιο διδακτικό προσωπικό ἄρχισε καί προσαρμόζεται καλά. **`~-down**, (*καθομ.*) στρωματσάδα, πρόχειρο κρεββάτι.
shake from/out of, τινάζω: ~ *apples from a tree*, τινάζω μῆλα ἀπό μιά μηλιά. ~ *sand out of one's shoes*, τινάζω τήν ἄμμο ἀπό τά παπούτσια μου.
shake off, *(α)* ξεφεύγω ἀπό: *He shook off his pursuers*, ξέφυγε ἀπό τούς διῶκτες του. *(β)* ἀπαλλάσσομαι, ἀποτινάσσω, ἐλευθερώνομαι: ~ *off a cold*, ξεφορτώνομαι (ἀπαλλάσσομαι ἀπό) ἕνα κρυολόγημα. ~ *off the yoke/one's prejudices*, ἀποτινάσσω τό ζυγό/ἐλευθερώνομαι ἀπό τίς προλήψεις μου.
shake out, *(α)* (*στρατ.*) σκορπίζω: *The troops were ordered to* ~ *out when crossing open country*, οἱ στρατιῶτες διατάχθηκαν νά σκορπίσουν ὅταν θά περνοῦσαν ἀκάλυπτο ἔδαφος. *(β)* ἁπλώνω: ~ *out a sail/tablecloth*, ἁπλώνω πανί/τραπεζομάντηλο. **`~-out**, ἀπόλυσις ἐργατῶν (ὡς πλεοναζόντων).
shake up, *(α)* ἀναμιγνύω (κουνώντας): ~ *up a bottle of medicine*, κουνάω καλά ἕνα μπουκάλι φάρμακο. *(β)* ἀναφουφουλιάζω (μαξιλάρι). *(γ)* ταρακουνῶ κπ, τόν βγάζω ἀπό τόν λήθαργο, ἀπό τήν ἀπάθεια: *Some of them need shaking up—they're asleep on the job*, μερικοί ἀπ᾽ αὐτούς θέλουν ταρακούνημα–κοιμοῦνται ὄρθιοι. **`~-up**, ταρακούνημα, δραστηριοποίησις, πλήρης ἀναδιοργάνωσις. **shak·ing** *οὐσ.* ‹C,U› τίναγμα, κλονισμός, τρεμούλα. **shaker** *οὐσ.* ‹C› δονητής, χτυπητήρι, σέϊκερ: *a `cocktail-*~*r*, χτυπητήρι γιά κοκτέϊλ.

²**shake** /ʃeɪk/ *οὐσ.* ‹C› **1**. κούνημα, τίναγμα, τρεμούλα: *with a* ~ *of the head*, μ᾽ ἕνα (ἀρνητικό) κούνημα τοῦ κεφαλιοῦ. *Give it a good* ~, δῶστου ἕνα καλό τίναγμα/κούνημα. ***be all of a*** ~, τρέμω ὁλόκληρος. **2**. (*καθομ.*) στιγμή. ***in half a*** ~, ὥσπου νά πῆς κίμινο, στό πί καί φί. ***in two*** ~***s***, στό λεπτό, ἀμέσως. **3**. ***no great*** ~***s*** (*λαϊκ.*) τίποτα σπουδαῖο, ὄχι σπουδαῖα πράγματα: *His party was no great* ~*s*, τό πάρτυ του δέν ἔλεγε πολλά πράγματα. *He's no great* ~*s*, δέν λέει πολλά πράγματα, δέν εἶναι τίποτα τό ἰδιαίτερο. **4**. ποτό (πού γίνεται μέ κούνημα). **`milk-**~, ἀναψυκτικό μέ χτυπημένο γάλα.

Shake·spear·ian /ʃeɪk`spɪərɪən/ *ἐπ.* Σαιξπηρικός.

shaky /`ʃeɪkɪ/ *ἐπ.* *(-ier, -iest)* **1**. τρεμάμενος, κλονιζόμενος: ~ *hands/a* ~ *voice*, τρεμάμενα χέρια/-η φωνή. ***be*** ~ ***on one's legs***, τρέμουν τά πόδια μου. ***feel*** ~, νοιώθω τρεμούλα. **2**. ἀσταθής, ἑτοιμόρροπος: *a* ~ *table*, τραπέζι πού κουνιέται. **3**. ἐπισφαλής, ἀναξιόπιστος: *He's rather* ~, εἶναι μᾶλλον ἀναξιόπιστος. *My French is rather* ~, τά Γαλλικά μου δέν λένε καί πολλά πράγματα. **shak·ily** /-əlɪ/ *ἐπίρ.* τρεμάμενα. **shaki·ness** *οὐσ.* ‹U› ἀστάθεια.

shale /ʃeɪl/ *οὐσ.* ‹U› σχιστόλιθος.

shall /*συνήθ:* ʃl, *ἐμφ:* ʃæl/ *βοηθ. ρ. ἀνώμ.* (*συγκεκ. ἀρνητ. shan't* /ʃɑnt/, *β! πρόσ. ἐν. ἀπηρχ. shalt* /ʃælt/, *ἀόρ. ἤ ὑποθετ. should* /ʃʊd, *ἄτονο:* ʃəd/) **1**. (*σχηματίζει τό α! πρόσ. ἐν καί πληθ. τοῦ μέλλοντος*) θά: *I/We* ~ *(I'll, We'll) arrive tomorrow*, θά φθάσω/θά φθάσωμε αὔριο. *I told him I should (I'd) go*, τοῦ εἶπα ὅτι θά πήγαινα. **2**. (*στό β! καί γ! πρόσ. περιγράφει τήν πρόθεση ἤ θέληση τοῦ ὁμιλητοῦ ἤ, ὅταν τονίζεται ἰσχυρῶς, καταναγκασμόν*): *You say you will not do it but I say you* ~ *do it*, ἐσύ λές ὅτι δέν θά τό κάμης ἀλλά ἐγώ λέω ὅτι θά τό κάμης. **3**. (*στίς εὐθεῖες καί πλάγιες ἐρωτήσεις χρησιμοποιεῖται σέ ὅλα τά πρόσωπα ὅταν ρωτᾶμε γιά τίς ἐπιθυμίες κάποιου*): *S*~ *I open the window?* ν᾽ ἀνοίξω (θέλετε ν᾽ ἀνοίξω) τό παράθυρο; *S*~ *the boy wait?* νά περιμένη τό παιδί; *I asked him whether the boy should wait*, τόν ρώτησα ἄν θἄθελε νά περιμένη τό παιδί. **4**. (*σέ ὅλα τά πρόσωπα, γιά τό σχηματισμό τῆς περιφραστικῆς ὑποτακτικῆς*): *I lent him the book so that he should study for his exams*, τοῦ δάνεισα τό βιβλίο νά μελετήση γιά τίς ἐξετάσεις του. *It's surprising that he should be so foolish*, εἶναι ἐκπληκτικό νά εἶναι τόσο ἀνόητος. **5**. (*τό should χρησιμοποιεῖται μετά ἀπό τά ἐρωτηματικά how καί why γιά νά περιγράψη ἀπορίαν τοῦ ὑποκειμένου*): *How should I know?* πῶς νά ξέρω; *Why should he go?* γιατί νά πάη; **6**. (*τό should χρησιμοποιεῖται μέ τήν ἔννοια*) θἄπρεπε: *They should be there by now*, θἄπρεπε νά εἶναι ἐκεῖ τώρα. *You should go and see it*, θἄπρεπε νά πᾶς νά τό δῆς. *You should have gone and seen it*, θἄπρεπε νά εἶχες πάει νά τό δῆς (*ὑπονοεῖται:* ἀλλά δέν πῆγες).

shallop /`ʃæləp/ *οὐσ.* ‹C› βαρκούλα, φελούκα.

shal·lot /ʃə`lot/ *οὐσ.* ‹C› εἶδος κρεμμυδιοῦ.

shal·low /`ʃæləʊ/ *ἐπ.* **1**. ρηχός: ~ *water/dishes*, ρηχό νερό/-ά πιάτα. **2**. (*μεταφ.*) ρηχός, ἐπιπόλαιος: ~ *knowledge*, ἐπιπόλαιες γνώσεις. *a* ~ *argument/*~ *talk*, ρηχό ἐπιχείρημα/-ή κουβέντα. __*οὐσ.* ‹C› (*συνήθ. πληθ.*) ἀβαθῆ νερά, ρηχά. __*ρ.ἀ.* ρηχαίνω.

sha·lom /ʃæ`lom/ *ἐπιφ.* (*Ἑβραϊκ.*) εἰρήνη!

shalt /ʃælt/ (*ἀπηρχ.*) *β! πρόσ. τοῦ shall: Thou* ~ *not kill*, οὐ φονεύσεις.

sham /ʃæm/ *ρ.μ/ἀ.* *(-mm-)* προσποιοῦμαι, ὑποκρίνομαι: *He* ~*med death/dead*, ἔκανε τόν πεθαμένο. ~ *sickness*, κάνω τόν ἄρρωστο. *He's* ~*ming*, ψέματα τά κάνει. __*οὐσ.* ‹C,U› **1**. ὑποκρισία, ψευτιά, ἀπάτη: *What he says is all* ~, ὅλα ὅσα λέει εἶναι ψευτιά. *His love was a mere* ~, ὁ ἔρωτάς του ἦταν καθαρή ἀπάτη/κωμωδία. *His life was a long* ~, ἡ ζωή του ἦταν μιά συνεχής ὑποκρισία. **2**. ψεύτης, ὑποκριτής: *He's a* ~, εἶναι ψεύτης/ὑποκριτής/ἀπατεώνας. __*ἐπ.* ψεύτικος, ὑποκριτικός, ψευτο-: ~ *piety*, ψευτοευλάβεια. *a* ~ *battle*, ψευτομάχη. `~-`*classic*, (*σέ ἀρχιτ. στύλ*) ψευτοκλασσικός.

shamble /`ʃæmbl/ *ρ.ἀ.* περπατῶ σέρνοντας τά πόδια, παραπαίω: *The old man* ~*d up to me*, ὁ γέρος μέ πλησίασε σέρνοντας τά βήματά του. —*οὐσ.* ‹U› σούρσιμο τῶν ποδιῶν, τρέκλισμα.

shambles /ˈʃæmblz/ *οὐσ.* (*μέ σύνταξη ἑν.*) **1**. σφαγεῖο: *The place became a* ~, τό μέρος ἔγινε πραγματικό σφαγεῖο (γέμισε αἵματα). **2**. (*μεταφ.*) μακελλειό, χάος, κυκεώνας: *His room was a complete* ~, τό δωμάτιό του ἦταν θάλασσα/ἄνω-κάτω. *He made a* ~ *of the task*, τήν ἔκανε ρόϊδο τή δουλειά (τά θαλάσσωσε, τἄκανε σαλάτα).

shame /ʃeɪm/ *οὐσ.* ‹U› ντροπή, αἶσχος, καταισχύνη, ὄνειδος: *She has no* ~*/is quite without* ~*/is lost to* ~, δέν ἔχει ἴχνος ντροπῆς, εἶναι ξετσίπωτη. *It's a* ~ *to deceive an old man*, εἶναι αἶσχος νά ξεγελάσης γέρο ἄνθρωπο. *He's a* ~ *to his family*, εἶναι τό ὄνειδος τῆς οἰκογενείας του. *I feel* ~ *at having failed*, νοιώθω ντροπή πού ἀπέτυχα. *He hung his head for* ~, κρέμασε τό κεφάλι του ἀπό ντροπή. *To my* ~, *I was unable to answer*, πρός μεγάλη μου ντροπή, δέν μπόρεσα ν' ἀπαντήσω. ***bring ~ on sb/oneself***, ἀτιμάζω κπ/ἀτιμάζομαι. ***cover oneself with ~***, καταντροπιάζομαι. ***cry ~ on sb***, καταφέρομαι ἐναντίον κάποιου. ***put sb to ~***, ἐξευτελίζω κπ. ***For ~!*** ντροπή! ***S~ on you!*** ντροπή σου! ***What a ~!*** τί ντροπή! τί κρῖμα! ***It's a ~ that***..., εἶναι ντροπή/εἶναι κρῖμα πού... **ˈ~·faced** *ἐπ.* ντροπιασμένος, ντροπαλός. **ˈ~·faced·ly** /ˈʃeɪmfeɪstlɪ/ *ἐπίρ.* ντροπιασμένα, ντροπαλά. **ˈ~-making** *ἐπ.* (*καθομ.*) ἐπονείδιστος. —*ρ.μ.* **1**. ντροπιάζω: ~ *one's family*, ντροπιάζω τήν οἰκογένειά μου. **2**. ***~ sb into/out of doing sth***, φέρνω κπ στό φιλότιμο καί κάνει/καί δέν κάνει κτ: *I* ~*d him into returning the stolen money*, τόν ἔφερα στό φιλότιμο καί ἐπέστρεψε τά κλεμμένα λεφτά. **~·ful** /-fl/ *ἐπ.* ἐπαίσχυντος: ~*ful conduct*, ἐπαίσχυντη διαγωγή. **~·fully** /-fəlɪ/ *ἐπίρ.* **~·less** *ἐπ.* ἀναίσχυντος, ξεδιάντροπος: *The* ~*less hussy had nothing on*, δέν φοροῦσε τίποτα, ἡ ξεδιάντροπη. **~·less·ly** *ἐπίρ.* **~·less·ness** *οὐσ.* ‹U› ξεδιαντροπιά.

shammy /ˈʃæmɪ/ *οὐσ.* *βλ. chamois.*

sham·poo /ʃæmˈpu/ *οὐσ.* ‹C,U› σαμπουάν, λούσιμο: *give sb a* ~, λούζω κπ. *a* ~ *and set*, λούσιμο καί ὀντουλάρισμα. —*ρ.μ.* λούζω.

sham·rock /ˈʃæmrok/ *οὐσ.* ‹C› τριφύλλι (τό ἐθνικό ἔμβλημα τῆς Ἰρλανδίας).

shandy /ˈʃændɪ/ *οὐσ.* ‹C,U› ποτό (μπύρα καί λεμονάδα ἤ τζίτζερ).

shank /ʃæŋk/ *οὐσ.* ‹C› **1**. κνήμη, γάμπα. ***go on ~s's mare/pony***, (*παροιμ.*) πάω μέ τό νούμερο δύο (μέ τά πόδια). **2**. στέλεχος, μίσχος, κορμός (κλειδιοῦ, βίδας, ἄγκυρας, κλπ).

shan't /ʃant/ = *shall not.*

shan·tung /ʃænˈtʌŋ/ *οὐσ.* ‹U› (ὕφασμα) κουκουλάρικο μεταξωτό.

[1]**shanty** /ˈʃæntɪ/ *οὐσ.* ‹C› παράγκα, ψευτοκαλύβα. **ˈ~-town**, μαχαλᾶς, παράγκες.

[2]**shanty** /ˈʃæntɪ/ *οὐσ.* ‹C› ναυτικό τραγούδι.

[1]**shape** /ʃeɪp/ *οὐσ.* **1**. ‹C,U› σχῆμα, μορφή: *What* ~ *is the earth?* τί σχῆμα ἔχει ἡ γῆ; *hats of all* ~*s*, καπέλλα παντός σχήματος. *That hat has a queer* ~, αὐτό τό καπέλλο ἔχει περίεργο σχῆμα. ***in ~/in the ~ of***, στό σχῆμα, μέ μορφή, σουλούπι: *He's like a barrel in* ~, εἶναι σά βαρέλι στό σουλούπι. *a devil in human* ~, διάβολος μέ ἀνθρώπινη μορφή. *a bay in the* ~ *of a crescent*, ὅρμος σέ σχῆμα μισοφέγγαρου. ***get/put sth into ~***, δίνω συγκεκριμένη μορφή σέ κτ, βάζω σέ τάξη: *get/put one's ideas into* ~, δίνω συγκεκριμένη μορφή στίς ἰδέες μου (τίς βάζω σέ τάξη). ***give ~ to sth***, διατυπώνω, ἐκφράζω καθαρά: *give* ~ *to one's ideas*, διατυπώνω καθαρά τίς ἰδέες μου. ***knock sth into/out of ~***, φτιάχνω/στραπατσάρω κτ: *He knocked my hat out of* ~, μοῦ στραπατσάρισε τό καπέλλο. ***take ~***, διαμορφώνομαι, παίρνω συγκεκριμένη μορφή: *His plans are taking* ~, τά σχέδιά του ἀρχίζουν νά παίρνουν συγκεκριμένη μορφή. **2**. (*μόνον ἑν.*) εἶδος, μορφή: *a command in the* ~ *of a request*, διαταγή ὑπό μορφήν (ἐν εἴδει) παρακλήσεως. ***in any ~ or form***, κανενός εἴδους, οἱασδήποτε μορφῆς: *I've had no proposals from him in any* ~ *or form*, δέν εἶχα κανενός εἴδους πρόταση ἐκ μέρους του. **3**. ‹U› φόρμα, κατάστασις. ***in good/bad ~***, σέ καλή/κακή κατάσταση: *He's in good* ~, εἶναι σέ καλή φόρμα. *His affairs are in bad* ~, οἱ ὑποθέσεις του εἶναι σέ ἄσχημη κατάσταση (πᾶνε ἄσχημα). ***keep in ~***, διατηρῶ τή φόρμα μου. **4**. ‹C› φιγούρα, μορφή, σιλουέττα: *Two* ~*s could be discerned in the darkness*, δυό φιγοῦρες διακρίνονταν μέσ' στό σκοτάδι. **5**. ‹C› καλοῦπι, φόρμα (μαγειρικῆς, καπέλλου, κλπ).

[2]**shape** /ʃeɪp/ *ρ.μ./ἀ.* **1**. διαμορφώνω/-ομαι, (δια)πλάθω, δίνω σχῆμα σέ κτ: ~ *one's life according to certain principles*, διαμορφώνω (φτιάχνω) τή ζωή μου σύμφωνα μέ ὡρισμένες ἀρχές. ~ *clay into pots;* ~ *pots out of clay*, φτιάχνω ἀγγεῖα ἀπό πηλό. ~*d like an orange*, σέ σχῆμα πορτοκαλιοῦ. **2**. προχωρῶ, ἐξελίσσομαι: *The boy is shaping satisfactorily*, τό παιδί προχωρεῖ (ἀναπτύσσεται) ἱκανοποιητικά. *Our plans are shaping well*, τά σχέδιά μας ἐξελίσσονται καλά. **~·less** *ἐπ.* ἄμορφος, ἀκανόνιστος, δύσμορφος. **~·less·ly** *ἐπίρ.* **~·less·ness** *οὐσ.* ‹U› ἔλλειψις σχήματος, ἀσυμμετρία, δυσμορφία.

shape·ly /ˈʃeɪplɪ/ *ἐπ.* (*-ier, -iest*) καλοφτιαγμένος, τορνευτός: *a* ~ *figure*, καλοφτιαγμένο σῶμα. ~ *legs*, τορνευτές γάμπες.

shard /ʃad/ *οὐσ.* ‹C› θραῦσμα ἀγγείου.

[1]**share** /ʃeə(r)/ *οὐσ.* **1**. ‹C,U› μερίδιο, μερίδα, συνεισφορά: *Please let me take a* ~ *in the expenses*, σέ παρακαλῶ ἄφησέ με νά πληρώσω καί γώ τό μερίδιό μου στά ἔξοδα. *have a* ~ *in the profits*, ἔχω μερίδιο στά κέρδη. ***the lion's ~***, ἡ μερίδα τοῦ λέοντος. ***do one's ~***, κάνω τό μερίδιό μου (σέ δουλειά, κλπ). ***go ~s (with sb) (in sth)***, μοιράζομαι (κτ μέ κπ): *We'll go* ~*s in the taxi-fare*, θά μοιραστοῦμε τά ἔξοδα στό ταξί. ***have one's (full) ~ of sth***, ἔχω πλούσιο μερίδιο σέ κτ: *I've had my full* ~ *of worries in life*, εἶχα κι' ἐγώ βάσανα στή ζωή μέ τό παραπάνω. ***take a ~ in sth***, συμμετέχω σέ κτ: *You're not taking much* ~ *in the conversation*, δέν συμμετέχεις πολύ στή συζήτηση. **ˈ~-cropper**, κολλῆγος, σέμπρος. **legal ~**, (*νομ.*) νόμιμος μοῖρα. **2**. ‹C› μετοχή: *hold* ~*s in a company*,

ἔχω μετοχές σέ μιά ἑταιρία. **`ordinary/ `preference ~**, κοινές/ προνομιοῦχες μετοχές. **`~ certificate**, τίτλος κυριότητος μετοχῶν. **`~·holder**, μέτοχος. **`~ index**, δελτίον τιμῶν τοῦ χρηματιστηρίου. __*ρ.μ/ἀ.* **1**. μοιράζω/-ομαι: ~ *out £1000 among five men*, μοιράζω 1000 λίρες μεταξύ πέντε ἀνθρώπων. *He would* ~ *his last pound with me*, μοιραζόνταν καί τήν τελευταία του δραχμή μαζί μου. **`~-out**, μοιρασιά, διανομή. **2**. μοιράζομαι, ἔχω ἀπό κοινοῦ, συμμερίζομαι: ~ *a room with sb*, μένω στό ἴδιο δωμάτιο μέ κπ. *Do you* ~ *his optimism?* συμμερίζεσαι τήν αἰσοδοξία του; *I don't* ~ *his political convictions*, δέν ἔχω τίς ἴδιες πολιτικές πεποιθήσεις μ' αὐτόν. **3**. ~ ***(in) sth***, μοιράζομαι κτ, συμμετέχω σέ κτ: *He ~s (in) my troubles as well as (in) my joys*, συμμετέχει καί στά βάσανά μου καί στίς χαρές μου. ~ ***and*** ~ ***alike***, μοιραζόμαστε στά ἴσια.

²**share** /ʃeə(r)/ *οὐσ.* ‹C› ὑνί.

shark /ʃɑk/ *οὐσ.* ‹C› **1**. καρχαρίας, σκυλόψαρο. **`~·skin**, εἶδος ὑφάσματος. **2**. (*μεταφ.*) ἅρπαγας, ἁγιογδύτης, ἐκμεταλλευτής.

¹**sharp** /ʃɑp/ *ἐπ.* *(-er, -est)* **1**. (*γιά ὄργανα*) κοφτερός, μυτερός: *a* ~ *knife/needle*, κοφτερό μαχαίρι/μυτερή βελόνα. **2**. (*γιά φωτογραφία, χαρακτηριστικά, κλπ*) καθαρός, ἔντονος: *a* ~ *outline/contrast*, καθαρό περίγραμμα/ἔντονη ἀντίθεση. *a ~-featured man*, ἄνθρωπος μέ ἔντονα χαρακτηριστικά/μέ τραχύ πρόσωπο. **3**. (*γιά ἔδαφος*) ἀπότομος: *a* ~ *bend/descent*, ἀπότομη στροφή/κατηφοριά. **4**. (*γιά ἦχο*) ὀξύς, διαπεραστικός: *a* ~ *cry*, διαπεραστική κραυγή. **5**. ἔξυπνος, ὀξύνους: *a* ~ *child/ intelligence*, ἔξυπνο παιδί/μυαλό πού κόβει. ~ *at arithmetic*, ἔξυπνος στά μαθηματικά. **'~-`witted**, *ἐπ.* ὀξύνους, ὀξυδερκής. **6**. (*γιά τίς αἰσθήσεις*) ὀξύς: *a* ~ *sense of smell*, ὀξεῖα ὄσφρησις. *have* ~ *eyes/ears*, ἔχω ὀξεῖα ὅραση/ ἀκοή (κόβει τό μάτι μου/πιάνει τ' αὐτί μου). **'~-`eyed/-`sighted**, *ἐπ.* μέ ὀξεῖα ὅραση, ἀνοιχτομάτης. **`~-shooter**, δεινός σκοπευτής. **7**. (*γιά αἰσθήματα, καιρό, κλπ*) δυνατός, ὀξύς, (*γιά γεύση*) πικάντικος, δριμύς, ἀψύς: *a* ~ *pain/frost/cold*, ὀξύς πόνος/δυνατή παγωνιά/τσουχτερό κρύο. *a* ~ *flavour*, πικάντικη γεύση. **8**. (*γιά λόγια*) αὐστηρός, δηκτικός, σκληρός, ἀπότομος: ~ *words*, σκληρά λόγια. *a* ~ *rebuke*, αὐστηρή κατσάδα. *a* ~ *tongue*, φαρμακερή γλῶσσα. *make a* ~ *retort*, ἀπαντῶ ἀπότομα. **'~-`tongued**, φαρμακογλώσσης. **9**. (*γιά ἐνέργεια*) γρήγορος, δραστήριος, σφοδρός, ζωηρός, σβέλτος: *That was* ~ *work*, αὐτή ἦταν σβέλτη δουλειά. *a* ~ *struggle*, σφοδρός ἀγώνας. *a* ~ *walk*, γρήγορος περίπατος. **10**. πονηρός, κατεργάρης, ἀσυνείδητος, ἀνέντιμος: *a* ~ *lawyer*, ἀσυνείδητος δικηγόρος. *He's too* ~ *for you*, δέν τοῦ βγαίνεις στήν πονηράδα (σέ πουλάει καί σέ ἀγοράζει). ~ ***practice***, κατεργαριά, πονηριά. **~er** *οὐσ.* ‹C› ἀπατεώνας, κατεργάρης. **`card-~er**, χαρτοκλέφτης. **11**. (*μουσ.*) μέ δίεση. __*οὐσ.* ‹C› δίεσις, νότα μέ δίεση. **~·ly** *ἐπίρ.* κοφτερά, ἀπότομα, ζωηρά. **~·ness** *οὐσ.* ‹U› ὀξύτης, σαφήνεια, σφοδρότης, αὐστηρότης.

²**sharp** /ʃɑp/ *ἐπίρ.* **1**. ἀκριβῶς: *at ten (o'clock)* ~, στίς δέκα ἀκριβῶς. **2**. ἀπότομα: *He turned* ~ *round/to the left*, ἔστριψε ἀπότομα πίσω/ ἀριστερά. **3**. (*μουσ.*) φάλτσα: *sing* ~, τραγουδῶ φάλτσα. **4**. γρήγορα, σβέλτα: *Look* ~! κάνε γρήγορα! κουνήσου! **5**. **`~-set** *ἐπ.* πεινασμένος, λιμασμένος.

sharpen /ˈʃɑpən/ *ρ.μ.* τροχίζω, ἀκονίζω: ~ *a knife/a pencil*, ἀκονίζω μαχαίρι/ξύνω μολύβι. ~ ***sb's appetite***, ἀνοίγω (ἀκονίζω) τήν ὄρεξη: *The walk has ~ed my appetite*, ὁ περίπατος μοῦ ἄνοιξε τήν ὄρεξη. **~er** *οὐσ.* ‹C› ἀκόνι, ξύστρα: *a `knife-~er*, ἀκόνι γιά μαχαίρια. *a `pencil-~er*, ξύστρα μολυβιῶν.

shat·ter /ˈʃætə(r)/ *ρ.μ/ἀ.* θρυμματίζω/-ομαι, σπάζω (σέ κομματάκια), (*μεταφ.*) καταστρέφω, κλονίζω, γκρεμίζω: *The explosion ~ed every window in the building*, ἡ ἔκρηξη ἔσπασε ὅλα τά παράθυρα τοῦ κτιρίου. *The vase/His arm was ~ed*, τό βάζο/τό χέρι του ἔγινε κομμάτια. *Our hopes were ~ed*, οἱ ἐλπίδες μας συντρίφτηκαν. *a nerve-~ing noise*, θόρυβος πού σοῦ σπάει τά νεῦρα.

shave /ʃeɪv/ *ρ.μ/ἀ.* **1**. ξυρίζω/-ομαι: *Do you* ~ *yourself or do you go to the barber's?* ξυρίζεσαι μόνος σου ἤ πᾶς στό κουρεῖο; *I* ~ *every day*, ξυρίζομαι κάθε μέρα. *He ~ed off his moustache*, ξύρισε τό μουστάκι του. **`shaving-brush**, πινέλο τοῦ ξυρίσματος. **2**. ~ ***off***, κόβω (λεπτή φέτα ἀπό κτ). **3**. ψαύω, περνῶ/ ἀγγίζω ξυστά: *The bus just ~d me by an inch*, παρά τρίχα νά μέ χτυπήση τό λεωφορεῖο (πέρασε ξυστά πλάϊ μου). **4**. **shaven** (*παλαιά π.μ. χρησιμοποιουμένη ὡς ἐπ.*) ξυρισμένος: *'clean-/'well-`~n*, ξυρισμένος, χωρίς γένι ἤ μουστάκι. __*οὐσ.* **1**. ‹C› *(a)* ξύρισμα: *give sb/have a* ~, ξυρίζω κπ/ξυρίζομαι. *a close* ~, κόντρα (ξύρισμα) **2**. ***(have) a close/ narrow*** ~, (γλυτώνω) παρά τρίχα: *I had a close* ~ */It was a narrow* ~, τή γλύτωσα παρά τρίχα. **shaver** *οὐσ.* ‹C› *(a)* ἠλεκτρική ξυριστική μηχανή. *(β)* (*χιουμορ.*) **a young shaver**, μυξιάρικο, παιδάκι. **shav·ings** *οὐσ. πληθ.* πριονίδια, ροκανίδια, ρινίσματα.

Shav·ian /ˈʃeɪvɪən/ *ἐπ.* τοῦ Μπέρναρ Σῶ: ~ *wit*, χιοῦμορ τοῦ Σῶ. __*οὐσ.* ‹C› φανατικός θαυμαστής τοῦ Μπ. Σῶ.

shawl /ʃɔl/ *οὐσ.* ‹C› σάλι, μαντήλα.

she /ʃi/ **1**. *προσ. ἀντων. θηλ. ὀνομ. ἑν.* αὐτή. **2**. *πρόθεμα*, θῆλυ: *a `~-goat*, κατσίκα. *a `~-ass*, γαϊδούρα.

sheaf /ʃif/ *οὐσ.* ‹C› (*πληθ. sheaves* /ʃivz/) **1**. χερόβολο, δεμάτι (στάρι, κλπ). **2**. δέσμη (ξύλα, χαρτιά, βέλη, κλπ).

shear /ʃɪə(r)/ *ρ.μ.* (*ἀόρ. ~ed, π.μ. shorn* /ʃɔn/ *ἤ ~ed*) κουρεύω (πρόβατα): *They'll be ~ing next week*, θ' ἀρχίσουν τόν κοῦρο τήν ἑπόμενη ἑβδομάδα. **shorn of**, (*μεταφ.*) ἀπογυμνωμένος, ἔχοντας χάσει: *He came home shorn of his money*, ἦρθε σπίτι μαδημένος σάν κοτόπουλο (ἔχοντας χάσει ὅλα του τά λεφτά).

shears /ʃɪəz/ *οὐσ. πληθ.* (*ἐπίσης* **a pair of** ~) μεγάλο ψαλίδι (γιά κούρεμα ζώων, κόψιμο ὑφάσματος, κλπ).

sheath /ʃiθ/ *οὐσ.* ‹C› (*πληθ.* ~*s* /ʃiðz/) **1**. θήκη, κολιός, θηκάρι (ξίφους, κλπ): *Put the dagger back in its* ~, βάλε τό στιλέτο πίσω στή θήκη του. **`~-knife**, μαχαίρι μέ θήκη. **2**. περίβλημα, περικάλυμμα. **(protective)**

~, προφυλακτικόν. 3. (ἐπιθ.) ἐφαρμοστός: *a ~ corset/gown*, ἐφαρμοστός κορσές/-ό φόρεμα.

sheathe /ʃið/ ρ.μ. 1. βάζω (ξίφος, κλπ) στή θήκη. 2. ἐπενδύω, ἐπικαλύπτω: *~ a ship's bottom with copper*, ἐπενδύω τά ὕφαλα πλοίου μέ χαλκό. **sheath·ing** οὐσ. ‹U› ἐπένδυσις (μέ ξύλο, μέταλλο, κλπ).

[1]**shed** /ʃed/ οὐσ. ‹C› ὑπόστεγο, παράγκα, ἀποθήκη: *a `cattle-~*, λότζα γιά ζῶα. *a `coal-~*, καρβουναποθήκη. *an `engine-~*, μηχανοστάσιο. *a `wood-~*, ξυλαποθήκη.

[2]**shed** /ʃed/ ρ.μ. ἀνώμ. (ἀόρ. & π.μ. ~) (-dd-) 1. ἀποβάλλω, χάνω, ρίχνω: *Trees ~ their leaves in autumn*, τά δέντρα ρίχνουν (χάνουν) τά φύλλα τους τό φθινόπωρο. *~ one's clothes*, ἀποβάλλω τά ροῦχα μου, γδύνομαι. 2. χύνω. ***~ blood***, χύνω αἷμα: *~ one's blood for one's country*, χύνω τό αἷμα μου γιά τήν πατρίδα μου. ***~ tears***, χύνω δάκρυα. `**blood·~**, αἱματοχυσία. 3. σκορπῶ (ἐκπέμπω, ἐκχέω, διαχέω): *a woman who ~s happiness around*, γυναίκα πού σκορπάει εὐτυχία γύρω της. *a lamp that ~s a soft light*, λάμπα πού σκορπάει ἁπαλό φῶς. *a fire that ~s warmth*, φωτιά πού σκορπάει ζεστασιά. ***~ light on sth***, (μεταφ.) ρίχνω φῶς, διαφωτίζω κτ.

she'd /ʃid/ = *she had* ἤ *she would*.

sheen /ʃin/ οὐσ. ‹U› γυαλάδα, λαμποκόπημα, ἀνταύγεια: *the ~ of silver*, ἡ γυαλάδα τῶν ἀσημικῶν. *the ~ of the sea*, τό λαμποκόπημα τῆς θάλασσας. *Her hair has a ~ like gold*, τά μαλλιά της ἔχουν χρυσές ἀνταύγειες.

sheep /ʃip/ οὐσ. ‹C› (ἀμετάβλ. στόν πληθ.) πρόβατο: *a lost/stray ~*, πρόβατον ἀπολωλός. ***as well be hanged for a ~ as a lamb***, καλύτερα νά κρεμαστῆς γιά ἕνα πρόβατο παρά γιά ἕνα ἀρνάκι (ἄν ἡ τιμωρία εἶναι ἡ ἴδια καλύτερα νά κάνη κανείς κάτι σοβαρό). ***cast/make ~'s eyes at sb***, κάνω τά γλυκά μάτια σέ κπ (βλ. & λ. *black*, [2]*separate*, *wolf*). `**~·dog**, τσοπανόσκυλο. `**~-fold**, μαντρί. `**~-run**, λιβάδι γιά πρόβατα, βοσκότοπος. `**~·skin**, προβιά, χαλί ἀπό προβιά, περγαμηνή, (βιβλιοδ.) δέρμα προβάτου. `**~·ish** /-ɪʃ/ ἐπ. ἄτολμος, σαστισμένος, ἀδέξιος, ντροπαλός: *a ~ish-looking boy*, ἕνα ντροπαλό, ἀδέξιο παιδί. `**~·ish·ly** ἐπίρ. ντροπαλά, σαστισμένα, δειλά. `**~·ish·ness** οὐσ. ‹U› δειλία, ἀμηχανία.

[1]**sheer** /ʃɪə(r)/ ἐπ. 1. καθαρός (= πλήρης, ὁλοσχερής): *~ nonsense/madness*, καθαρή βλακεία/τρέλλα. *a ~ waste of time*, καθαρή σπατάλη χρόνου. *by ~ chance*, ἀπό καθαρή τύχη. *out of ~ malice*, ἀπό σκέτη κακία. 2. κάθετος, κατακόρυφος, ἀπότομος: *a ~ drop of 100 metres*, κατακόρυφος γκρεμός 100 μέτρων. *a ~ rock*, ἀπότομος βράχος. 3. (γιά ὕφασμα) λεπτότατος, διαφανής: *stockings of ~ nylon*, κάλτσες ἀπό λεπτότατο νάϋλον. —ἐπίρ. ἀπότομα, κατακόρυφα: *a cliff that rises ~ from the beach*, βράχος πού ὑψώνεται ἀπότομα/ἴσια ἀπό τήν ἀκτή. *He fell 100 metres ~*, ἔπεσε κατακόρυφα 100 μέτρα.

[2]**sheer** /ʃɪə(r)/ ρ.ἀ. 1. ***~ off/away***, (γιά πλοῖο) παρεκκλίνω τῆς πορείας μου. 2. ***~ off***, (μεταφ., γιά ἄνθρ.) στρίβω, λοξοδρομῶ, ἀποφεύγω.

[1]**sheet** /ʃit/ οὐσ. ‹C› 1. σεντόνι: *Put clean ~s on the bed*, βάλε καθαρά σεντόνια στό κρεββάτι. 2. φύλλο (χαρτιοῦ, μετάλλου, κλπ): *~s of paper/glass/copper*, φύλλα χαρτιοῦ/γυαλιοῦ/χαλκοῦ. *The book is in ~s*, τό βιβλίο εἶναι σέ τυπογραφικά φύλλα (γιά δέσιμο). `**baking-~s**, λαμαρίνες (τοῦ φούρνου). 3. ἐκτεταμένο στρῶμα (νεροῦ, φλογῶν, πάγου, χιονιοῦ, κλπ): *The rain came down in ~s*, ἡ βροχή ἔπεφτε κρουνηδόν. `**~-lightning**, διάχυτες ἀστραπές (ὄχι μέ ζίγκ-ζάγκ). **~·ing** οὐσ. ‹U› σεντονόπανο.

[2]**sheet** /ʃit/ οὐσ. ‹C› (ναυτ.) πόδι (ἱστίου), σκότα. `**~-anchor**, (μεταφ.) ἡ ἄγκυρα (ἡ τελευταία σανίδα σωτηρίας).

sheikh, sheik, shaikh /ʃeɪk/ οὐσ. ‹C› σεΐχης. **~·dom** /-dəm/ οὐσ. ‹C› σεΐχᾶτο.

shekel /`ʃekl/ οὐσ. ‹C› ἀρχαῖο ἑβραϊκό νόμισμα, (πληθ.) λεφτά, παράδες.

shelf /ʃelf/ οὐσ. ‹C› (πληθ. *shelves* /ʃelvz/) 1. ράφι: *`bookshelves*, ράφια βιβλιοθήκης. ***on the ~***, (καθομ.) στό ράφι: *She's on the ~*, ἔμεινε στό ράφι/γεροντοκόρη. 2. προεξοχή (βράχου). 3. ὑφαλοκρηπίς.

shell /ʃel/ οὐσ. ‹C› 1. ὄστρακο, κέλυφος, καβούκι (χελώνας), τσόφλι (αὐγοῦ, καρυδιοῦ, κλπ). ***come out of one's ~***, βγαίνω ἀπό τό καβούκι μου. ***go/retire into one's ~***, κλείνομαι/χώνομαι στό καβούκι μου. `**~·fish** οὐσ. ‹C› (ἀμετάβλ. στόν πληθ.) θαλασσινά (στρείδια, μύδια, καβούρια, κλπ). 2. σκελετός, κουφάρι (πλοίου, κτιρίου, κλπ): *Only the ~ of the factory was left when the fire had been put out*, μονάχα ὁ σκελετός τοῦ ἐργοστασίου ἔμενε ὅταν σβύστηκε ἡ φωτιά. 3. βλῆμα, ὀβίδα. `**~-proof** ἐπ. ἀπρόσβλητος ἀπό ὀβίδες. `**~-shock**, (ἰατρ.) τραυματική ψύχωσις (συνεπεία ἐκρήξεων). 4. λέμβος κωπηλατικῶν ἀγώνων. —ρ.μ./ἀ. 1. ξεφλουδίζω/-ομαι: *~ nuts*, ξεφλουδίζω καρύδια. *These peas ~ easily*, αὐτά τά μπιζέλια ξεφλουδίζονται εὔκολα. 2. βομβαρδίζω: *~ the enemy's trenches*, βομβαρδίζω τά χαρακώματα τοῦ ἐχθροῦ. 3. ***~ out***, (καθομ.) πληρώνω, ξηλώνομαι, πέφτω.

she'll /ʃil/ = *she will, she shall*.

shel·lac /ʃə`læk/ οὐσ. ‹U› γομμαλάκκα.

shel·ter /`ʃeltə(r)/ οὐσ. 1. ‹U› καταφύγιο, ἄσυλο. ***take ~***, προφυλάσσομαι: *take ~ from the rain*, προφυλάσσομαι ἀπό τή βροχή. ***get under ~***, βρίσκω καταφύγιο. ***seek/afford ~***, ζητῶ/προσφέρω καταφύγιο, ζητῶ/παρέχω ἄσυλο. 2. ‹C› σκέπαστρο, καταφύγιο: *an `air-raid ~*, ἀντιαεροπορικό καταφύγιο. *a `bus ~*, σκέπαστρο σέ στάση λεωφορείου. *a taxi-drivers' ~*, σταθμός ταξί. —ρ.μ./ἀ. 1. προφυλάσσω, προστατεύω, δίνω ἄσυλο: *~ sb from the rain/wind*, προφυλάσσω κπ ἀπό τή βροχή/ἀπό τόν ἀέρα. *~ an escaped prisoner*, δίνω ἄσυλο σέ δραπέτη φυλακῶν. **~ed trade**, προστατευόμενο ἐπάγγελμα. 2. προφυλάσσομαι: *~ from the rain/under the trees*, προφυλάσσομαι ἀπό τή βροχή/κάτω ἀπό τά δέντρα.

[1]**shelve** /ʃelv/ ρ.μ. 1. βάζω κτ σέ ράφι. 2. (μεταφ.) βάζω (πρόβλημα, κλπ) στό χρονοντούλαπο, ἀναβάλλω ἐπ' ἀόριστον: *The question has been ~d*, τό θέμα μπῆκε στό χρονο-

ντούλαπο. **3**. παύω νά παρέχω ἐργασία σέ κπ.

[2]**shelve** /ʃelv/ ρ.ἀ. (γιά ἔδαφος) κατηφορίζω: *The fields ~ down to the sea*, τά χωράφια κατηφορίζουν πρός τή θάλασσα.

shelves /ʃelvz/ οὐσ. πληθ. τοῦ *shelf*.

shep·herd /ˈʃepəd/ οὐσ. ‹C› ποιμήν, τσοπάνης. **the Good S~**, ὁ Καλός Ποιμήν (ὁ Χριστός). **~'s pie**, κιμᾶς σκεπασμένος μέ πουρέ καί ψημένος στό φοῦρνο. **~'s plaid**, καρρωτό ὕφασμα. __ρ.μ. ποιμαίνω, ὁδηγῶ, συνοδεύω: *The passengers were ~ed to the airliner*, οἱ ἐπιβάτες ὁδηγήθηκαν (ὁμαδικά) πρός τό ἀεροπλάνο. ˋ**~·ess** /-es/ οὐσ. ‹C› τσοπάνα, βοσκοπούλα.

sher·bet /ˈʃ3bət/ οὐσ. ‹C,U› σερμπέτι, (*ΗΠΑ*) εἶδος παγωτοῦ, (*MB*) παγωμένος (συχνά ἀεριοῦχος) χυμός.

sher·iff /ˈʃerɪf/ οὐσ. ‹C› **1**. (*MB*) ἀνώτερος διοικητικός ὑπάλληλος. **2**. (*ΗΠΑ*) ἀρχηγός ἀστυνομίας, σερίφης.

sherry /ˈʃerɪ/ οὐσ. ‹C,U› σέρυ.

she's /ʃiz/ = *she is* ἤ *she has*.

shew /ʃəʊ/ ρ.μ. βλ. [2]*show*.

shield /ʃild/ οὐσ. ‹C› **1**. (*κυριολ.* & *μεταφ.*) ἀσπίδα. **2**. προστατευτικόν κάλυμμα. ˋ**wind-~**, (*ΗΠΑ*) παρμπρίζ. __ρ.μ. προστατεύω, προφυλάσσω: *~ one's eyes with one's hands*, προστατεύω τά μάτια μου μέ τά χέρια μου. *~ sb with one's body*, προφυλάσσω/προασπίζω κπ μέ τό σῶμα μου.

[1]**shift** /ʃɪft/ οὐσ. ‹C› **1**. μετατόπισις, μεταβολή, μετάπτωσις: *a ~ in emphasis*, μετατόπισις στήν ἔμφαση. **2**. βάρδια: *work in ~s*, δουλεύω μέ βάρδιες. *the ˋnight ~*, ἡ νυχτερινή βάρδια. *an eight-hour ~*, ὀκτάωρη βάρδια. **3**. μέσον, τρόπος, κόλπο, ὑπεκφυγή: *resort to dubious ~s in order to get sth*, καταφεύγω σέ ὕποπτα μέσα γιά νά πετύχω κτ. *As a last desperate ~, he pawned his wedding-ring*, στήν ἀπελπισία του (σάν ἔσχατο μέσο) ἐνεχυρίασε τή βέρα του. *nothing but ~s and excuses*, ὅλο ὑπεκφυγές καί δικαιολογίες. ***make ~ (with sth/ to do sth)***, τά καταφέρνω, τά βολεύω, τά βγάζω πέρα: *We must make ~ with the money we have*, πρέπει νά τά βολέψωμε μέ τά χρήματα πού ἔχομε. *Can we make ~ without help?* μποροῦμε νά τά βγάλωμε πέρα χωρίς βοήθεια; **4**. ριχτό φόρεμα, (*παλ.*) πουκαμίσα, καμιζόλα. **5**. (*αὐτοκ.*) ἀλλαγή ταχυτήτων: *a manual/an automatic ~*, ταχύτητες μέ τό χέρι/αὐτόματες ταχύτητες. ˋ**~-key**, πλῆκτρο κεφαλαίων σέ γραφομηχανή. **~·less** ἐπ. ἀδρανής, νωθρός, ὀκνηρός, ἀνίκανος.

[2]**shift** /ʃɪft/ ρ.μ/ἀ. **1**. μετατοπίζω/-ομαι, μετακινῶ/-οῦμαι, μεταθέτω: *~ a desk/the furniture*, μετατοπίζω ἕνα γραφεῖο/μετακινῶ τά ἔπιπλα. *The cargo has ~ed*, τό φορτίο (τοῦ πλοίου) μετατοπίστηκε/μετακινήθηκε. *~ a burden from one shoulder to the other*, μετατοπίζω ἕνα φορτίο ἀπό τόν ἕναν ὦμο στόν ἄλλο. *~ the responsibility/the blame (on)to sb else*, μεταθέτω τήν εὐθύνη/τό φταίξιμο σέ κπ ἄλλον. *~ sb from one job to another*, μεταθέτω κπ ἀπό μιά δουλειά σέ ἄλλη. **2**. ἀλλάζω (θέση ἤ κατεύθυνση): *The wind has ~ed to the north*, ὁ ἀέρας γύρισε σέ βοριά. ***~ one's ground***, ἀλλάζω θέση/ἀπόψεις (σέ μιά συζήτηση). ***~ gears***, ἀλλάζω ταχύτητα: *~ into second/third gear*, βάζω δεύτερη/τρίτη. **3**. ***~ for oneself***, τά καταφέρνω/βολεύομαι μόνος μου: *When I die you'll have to ~ for yourselves*, ὅταν πεθάνω θά πρέπει νά τά βγάλετε πέρα μονάχοι σας. **shifty** ἐπ. (*-ier, -iest*) ἀνειλικρινής, ἀναξιόπιστος, ὕπουλος, ἀνέντιμος: *He's a ~y customer*, εἶναι ὕπουλος τύπος. *~y eyes*, ἀνειλικρινῆ (δολερά) μάτια. *~y behaviour*, ἀνέντιμη συμπεριφορά. **~·ily** /-əlɪ/ ἐπίρ. **~i·ness** οὐσ. ‹U› ὑπουλότης.

shil·ling /ˈʃɪlɪŋ/ οὐσ. ‹C› (*μέχρι τοῦ 1971*) σελλίνι (1/20 τῆς λίρας): *a ~'s-worth of bread*, ψωμί ἑνός σελλινίου. ***cut sb off with a ~***, ἀποκληρώνω κπ.

shilly-shally /ˈʃɪlɪ ˋʃælɪ/ ρ.ἀ. διστάζω, κλωθογυρίζω, ἀμφιταλαντεύομαι: *Stop ~ing!* ἄσε τά κλωθογυρίσματα (τούς δισταγμούς)! __οὐσ. ‹U› ἀναποφασιστικότης.

shim·mer /ˈʃɪmə(r)/ ρ.ἀ. λαμπυρίζω, σπιθοβολῶ, τρεμοφέγγω: *a lake ~ing in the moonlight*, μιά λίμνη πού λαμπυρίζει στό φεγγαρόφωτο. __οὐσ. ‹U› λαμπύρισμα, λαμποκόπημα, ἀνταύγεια, μαρμαρυγή: *the ~ of pearls/of the sea*, τό λαμποκόπημα μαργαριταριῶν/ἡ μαρμαρυγή τῆς θάλασσας.

shin /ʃɪn/ οὐσ. ‹C› καλάμι (τῆς κνήμης). ˋ**~-bone**, κνημιαῖον ὀστοῦν. __ρ.ἀ. (*-nn-*) ***~ up***, σκαρφαλώνω (μέ χέρια καί μέ πόδια): *~ up a tree*.

shin·dig /ˈʃɪndɪg/ οὐσ. ‹C› (*λαϊκ.*) **1**. γλέντι, ξεφάντωμα. **2**. καυγᾶς, σαματᾶς, πατιρντί.

shindy /ˈʃɪndɪ/ οὐσ. ‹C› (*καθομ.*) φασαρία, καυγᾶς. ***kick up a ~***, κάνω φασαρία, στήνω καυγᾶ.

shine /ʃaɪn/ ρ.μ/ἀ. ἀνώμ. (*ἀόρ.* & *π.μ.* *shone* /ʃɒn/) **1**. λάμπω: *The moon/The sun is shining*, τό φεγγάρι/ὁ ἥλιος λάμπει. *His face shone with joy/health*, τό πρόσωπό του ἔλαμπε ἀπό χαρά/ἀπό ὑγεία. **2**. (*μεταφ.*) διαπρέπω, διακρίνομαι: *He doesn't ~ in conversation/at tennis*, δέν διαπρέπει στή συζήτηση/στό τέννις. **3**. (*καθομ. μέ π.μ. ~d*) γυαλίζω: *Have you ~d your shoes/the brass?* γυάλισες τά παπούτσια σου/τούς μπρούντζους; __οὐσ. *(α)* (*μόνον ἑν.*) γυάλισμα, γυαλάδα: *give one's shoes a good ~*, κάνω ἕνα καλό γυάλισμα στά παπούτσια μου. *How can I take the ~ out of the seat of my trousers?* πῶς μπορῶ νά βγάλω τή γυαλάδα ἀπό τόν καβάλλο τοῦ παντελονιοῦ μου; *(β)* ‹U› λιακάδα: *Come rain or ~!* βροχή-ἥλιος, ἐσύ ἔλα! (*μεταφ.*) ἔλα ὅ,τι καί νά συμβῆ! **shiny** ἐπ. (*-ier, -iest*) γυαλισμένος, γυαλιστερός, (*γιά ροῦχα*) μέ γυαλάδα (ἀπό τή χρήση).

[1]**shingle** /ˈʃɪŋgl/ οὐσ. ‹U› κροκάλη, βότσαλο. **shin·gly** /ˈʃɪŋglɪ/ ἐπ. μέ χαλίκια: *I prefer a sandy beach to a shingly beach*, προτιμῶ παραλία μέ ἄμμο παρά μέ χαλίκια.

[2]**shingle** /ˈʃɪŋgl/ οὐσ. ‹C› **1**. ξυλοκέραμος, ταβανοσάνιδο. **2**. (*ΗΠΑ*) πινακίδα, ταμπέλα (γραφείου, ἰατρείου, κλπ): *put up one's ~*, βάζω τήν ταμπέλα μου (ἀνοίγω γραφεῖο, ἰατρεῖο, κλπ). __ρ.μ. καλύπτω μέ ξυλοκεράμους.

[3]**shingle** /ˈʃɪŋgl/ ρ.μ. (*γιά γυναίκα*) κουρεύω ἀ-λά-γκαρσόν. __οὐσ. ‹C› κούρεμα ἀ-λά-γκαρσόν.

shingles /ˈʃɪŋglz/ οὐσ. πληθ. (*μέ ρ. ἑν.*) (*ἰατρ.*)

ἕρπης ζωστήρ.

[1]**ship** /ʃɪp/ *οὐσ.* ‹C› **1**. πλοῖο, σκάφος: *a `merchant-~*, ἐμπορικό πλοῖο. *a `sailing-~*, ἱστιοφόρο. *a `war~*, πολεμικό πλοῖο. ***take ~***, ἐπιβιβάζομαι, μπαρκάρω. ***when my ~ comes in/home***, (*μεταφ.*) ὅταν κάνω χρήματα. ***on `~·board***, ἐπί τοῦ πλοίου. **~'s articles/papers**, ναυτολόγιο, ναυτιλιακά ἔγγραφα. **2**. ἀερόπλοιο, διαστημόπλοιο. **3**. (*σέ συνϑ. λέξεις*): **`~('s) biscuit**, γαλέτα. **`~-breaker**, ἐργολάβος διαλύσεως (παλαιῶν) πλοίων. **`~-broker**, ναυλομεσίτης, ναυτικός πράκτωρ. **`~·builder**, ναυπηγός. **`~·building**, ναυπηγική. **`~-canal**, πλωτή διῶρυξ. **`~'s-chandler**, προμηθευτής, τροφοδότης πλοίων. **`~·load**, καραβιά: *a ~load of gold*, μιά καραβιά χρυσάφι. **`~·mate**, συνάδελφος ναυτικός (στό ἴδιο πλοῖο). **`~·owner**, πλοιοκτήτης, ἐφοπλιστής. **`~·shape** *ἐπ.* & *ἐπίρ.* ἐν τάξει: *All is ~shape*, ὅλα εἶναι ἐν τάξει/περίφημα. **`~-way**, ναυπηγική κλίνη, νεωλκός. **`~·wreck** *οὐσ.* ‹C,U› ναυάγιο. __*ρ.ἀ.* ναυαγῶ. **`~·wright**, ναυπηγός. **`~·yard**, ναυπηγεῖον.

[2]**ship** /ʃɪp/ *ρ.μ/ἀ.* (*-pp-*) **1**. φορτώνω, μεταφέρω, στέλνω ἐμπορεύματα (διά θαλάσσης ἤ ξηρᾶς): *~ goods to Australia/to Germany by train*, στέλνω ἐμπορεύματα στήν Αὐστραλία/στήν Γερμανία μέ τραῖνο. ***~ off***, ἐξαποστέλλω: *~ off young men to the colonies*, στέλνω νέους στίς ἀποικίες. ***~ oars***, βάζω μέσα (μαζεύω) τά κουπιά. ***~ water/a sea***, μπάζω νερά/μᾶς σαρώνει τό κῦμα. **2**. μπαρκάρω: *~ a crew*, μπαρκάρω/παίρνω πλήρωμα. *He ~ped as a steward on a liner*, μπάρκαρε καμαρότος σέ ὑπερωκεάνιο. **~·ment** *οὐσ.* ‹C,U› φόρτωσις, ἀποστολή ἐμπορευμάτων, φορτίο. **~·per** *οὐσ.* ‹C› φορτωτής, ἀποστολεύς, ναυλωτής. **~·ping** *οὐσ.* ‹U› ναυτιλία. **~·ping-agent**, ναυτικός πράκτωρ. **~-ping-office**, ναυτικό γραφεῖο, γραφεῖο ναυτολογήσεως.

shire /ʃaɪə(r)/ *οὐσ.* ‹C› (*ἐν χρήσει κυρίως ὡς β! συνϑετ. προφερόμενον* /-ʃə(r)/): *Yorkshire* /`jɔkʃə(r)/ κομητεία τῆς Ὑόρκης. **the ~s**, οἱ κεντρικές κομητεῖες τῆς Ἀγγλίας. **`~ horse**, δυνατό ἄλογο γιά κάρρα.

shirk /ʃɜk/ *ρ.μ/ἀ.* ἀποφεύγω (δουλειά): *~ going to school/to the office*, ἀποφεύγω νά πάω στό σχολεῖο/στό γραφεῖο. *He's ~ing*, τήν κάνει κοπάνα. **~er** *οὐσ.* ‹C› φυγόπονος, κοπανατζῆς.

shirt /ʃɜt/ *οὐσ.* ‹C› **1**. πουκάμισο: *put on a clean ~*, βάζω καθαρό πουκάμισο, ἀλλάζω πουκάμισο. ***be in one's `~-sleeves***, εἶμαι μέ τό πουκάμισο (δέν φορῶ σακκάκι). ***keep one's ~ on***, (*λαϊκ.*) διατηρῶ τήν ψυχραιμία μου. ***put one's ~ on sth***, παίζω/στοιχηματίζω ὅ,τι ἔχω καί δέν ἔχω. **`sports ~**, κοντομάνικο πουκάμισο. **`~-front**, πλαστρόν. **2**. μπλούζα (πού μπαίνει μέσα στή φούστα). **~·ing** *οὐσ.* ‹U› ὕφασμα γιά πουκάμισα. **~y** *ἐπ.* (*-ier, -iest*) (*λαϊκ.*) τσαντίλας, ζοχαδιακός.

shish kebab /'ʃɪʃ kə`bæb/ *οὐσ.* ‹C› σουβλάκι κρέας.

shit /ʃɪt/ *οὐσ.* ‹U› (χυδ.) **1**. σκατά. **2**. (*λαϊκ.*) χασίς. **3**. τύπος. **4**. ἀηδίες, τρίχες. __*ρ.ἀ.* (*-tt-*) χέζω. ***~ on sb***, (*λαϊκ.*) καρφώνω κπ (στήν ἀστυνομία).

[1]**shiver** /`ʃɪvə(r)/ *ρ.ἀ.* ριγῶ, τουρτουρίζω, τρέμω: *~ all over with cold*, τουρτουρίζω ὁλόκληρος ἀπό τό κρύο. *be ~ing like a leaf*, τρέμω σάν ψάρι. __*οὐσ.* ‹C› ρῖγος, τρεμούλα, κρύος ἱδρώτας, τουρτούρισμα: *The sight sent cold ~s down my back*, τό θέαμα μοῦφερε ρῖγος στήν πλάτη. *A ~ ran down my back*, μ'ἔκοψε κρύος ἱδρώτας. ***have/get the ~s***, (*καθομ.*) ἔχω/μέ πιάνει ρῖγος. ***give sb the ~s***, (*καθομ.*) φέρνω ρῖγος σέ κπ: *It gives me the ~s to think of it*, μέ πιάνει ρῖγος μόνο πού τό σκέφτομαι. **~y** *ἐπ.* τουρτουριάρης, φοβιτσιάρης.

[2]**shiver** /`ʃɪvə(r)/ *ρ.μ/ἀ.* θρυμματίζω/-ομαι. __*οὐσ.* ‹C› (*συνήϑ. πληϑ.*) θρύψαλα: *break sth into ~s*, κάνω κτ θρύψαλα. *burst into ~s*, γίνομαι θρύψαλα.

[1]**shoal** /ʃəʊl/ *οὐσ.* ‹C› κοπάδι (ψαριῶν), πλῆθος (ἀνθρώπων), σωρός (πραγμάτων). __*ρ.ἀ.* (*γιά ψάρια*) σχηματίζω κοπάδι.

[2]**shoal** /ʃəʊl/ *οὐσ.* ‹C› ὕφαλος, ξέρα, (*μεταφ., πληϑ.*) κρυμμένος κίνδυνος.

[1]**shock** /ʃɒk/ *οὐσ.* **1**. ‹C› δόνησις, κροῦσις, τράνταγμα: *earthquake ~s*, σεισμικές δονήσεις. *the ~ of a fall*, τό τράνταγμα ἀπό μιά πτώση. **`~ absorber**, ἀμορτισέρ. **`~-brigade/-workers**, ἐργάτες κρούσεως, σταχανοβίτες. **`~ tactics**, τακτική κρούσεως. **`~ troops**, στρατεύματα κρούσεως. **`~ wave**, κῦμα ἐκρήξεως. **2**. ‹C› ἠλεκτροπληξία: *get a ~*, παθαίνω ἠλεκτροπληξία. **3**. ‹C,U› (συγ)κλονισμός, πλῆγμα, συγκλονιστική ἐμπειρία, (*ἰατρ.*) καταπληξία, σόκ: *Her death was a terrible ~ to him*, ὁ θάνατός της ἦταν τρομερό πλῆγμα γι'αὐτόν. *It gave me quite a ~ to learn that...*, συγκλονίστηκα μαθαίνοντας ὅτι... *He died of ~ following an operation on the brain*, πέθανε ἀπό σόκ συνεπεία ἐγχειρήσεως στόν ἐγκέφαλο. **`~ treatment/therapy**, θεραπεία μέ ἠλεκτροσόκ. __*ρ.μ.* συγκλονίζω, καταπλήσσω, σοκάρω, σκανδαλίζω: *I was ~ed at the news of her death*, μέ συγκλόνισε ἡ εἴδηση τοῦ θανάτου της. *I was ~ed to hear her swearing*, σοκαρίστηκα ἀκούγοντάς την νά βλαστημάη. *I'm not easily ~ed, but that book really is obscene*, δέν σκανδαλίζομαι εὔκολα ἀλλά αὐτό τό βιβλίο εἶναι πραγματικά αἰσχρό. **~er** *οὐσ.* ‹C› πρόσωπο ἤ πρᾶγμα πού σοκάρει: *This man/hat is a ~er*, αὐτός ὁ ἄνθρωπος/αὐτό τό καπέλλο εἶναι φρίκη. **~·ing** *ἐπ.* (*α*) (*καθομ.*) ἀπαίσιος: *~ing behaviour*, ἀπαίσια συμπεριφορά. *a ~ing dinner*, ἀπαίσιο γεῦμα. (*β*) σκανδαλιστικός: *a ~ing story*, ἱστορία σόκιν. (*γ*) τρομερός: *a ~ing accident*, τρομερό ἀτύχημα. (*δ*) (*ἐπίρ. καθομ.*) φοβερά, πάρα πολύ: *a ~ing bad cold*, πάρα πολύ ἄσχημο κρύο. **~·ing·ly** *ἐπίρ.* (*α*) ἀπαίσια: *He behaved ~ingly*, φέρθηκε ἀπαίσια. (*β*) φοβερά, πάρα πολύ: *~ingly expensive*, φοβερά ἀκριβός.

[2]**shock** /ʃɒk/ *οὐσ.* ‹C› θημωνιά (*συνήϑ.* ὄρθια δεμάτια σέ σχῆμα πυραμίδος).

[3]**shock** /ʃɒk/ *οὐσ.* ‹C› (*συνήϑ. a ~ of hair*) φουντωτά ἄγρια μαλλιά. **'~-`headed** *ἐπ.* μέ πλούσια ἀχτένιστα μαλλιά, ἀναμαλλιάρης.

shod /ʃɒd/ *ἀόρ.* & *π.μ. τοῦ ρ. shoe.*

shoddy /ˈʃodɪ/ *ἐπ.* (*-ier, -iest*) σκάρτος, φτηνός, κακῆς ποιότητος: ~ *goods*, φτηνοπράγματα. *a* ~ *piece of work*, φτηνοδουλειά. —*οὐσ.* ‹U› κουρελλοῦ, φτηνοΰφασμα.

shoe /ʃu/ *οὐσ.* ‹C› **1**. παπούτσι: *put on/take off one's* ~*s*, φορῶ/βγάζω τά παπούτσια μου. ***be in/put oneself in another man's*** ~***s***, εἶμαι/μπαίνω (νοερά) στή θέση ἄλλου: *I wish I were in your* ~*s*, μακάρι νά ἤμουν στή θέση σου. ***know where the*** ~ ***pinches***, ἔχω πεῖρα ἀπ' αὐτά τά πράγματα, ξέρω τί θά πῆ πόνος/δυστυχία, κλπ. ***shake in one's*** ~***s***, κατέχομαι ἀπό φόβο ἤ νευρικότητα, τρέμω. **ˋ~·black**, λοῦστρος, στιλβωτής παπουτσιῶν. **ˋ~·horn**, κόκκαλο γιά τά παπούτσια. **ˋ~-lace**/(*ΗΠΑ*)**ˋ~·string**, κορδόνι παπουτσιῶν. ***do sth on a ˋ~string***, κάνω κτ μέ ἐλάχιστα κεφάλαια. **ˋ~-leather**, δέρμα παπουτσιῶν. **ˋ~-maker**, ὑποδηματοποιός, παπουτσής. **2**. (**ˋhorse-**)~ /ˈhɔːʃu/, πέταλο ἀλόγου. **3**. σιαγόνα (φρένου). —*ρ.μ.* (*ἀόρ.* & *π.μ. shod* /ʃod/) ποδαίνω, πεταλώνω: *well shod for wet weather*, ἐφοδιασμένος μέ καλά παπούτσια γιά βροχερό καιρό. *an iron-shod stick*, μπαστούνι μέ σιδερένια μύτη.

sho·gun /ˈʃəʊgun/ *οὐσ.* ‹C› σογκούν (κληρονομικός ἀρχιστράτηγος στήν Ἰαπωνία).

shone /ʃon/ *ἀόρ.* & *π.μ. τοῦ ρ. shine.*

shoo /ʃu/ *ἐπιφ. γιά διώξιμο πουλιῶν* σού! ξού! σσσσ! —*ρ.μ.* ~ ***sth off/away***, διώχνω πουλιά.

shook /ʃʊk/ *ἀόρ. τοῦ ρ.* [1]*shake.*

[1]**shoot** /ʃut/ *οὐσ.* ‹C› **1**. βλαστάρι (φυτοῦ). **2**. ὑδατόπτωσις. **3**. χοάνη. **4**. παρέα κυνηγῶν, κυνηγετική ἐκδρομή. **5**. κυνηγετική περιοχή.

[2]**shoot** /ʃut/ *ρ.μ/ἀ. ἀνώμ.* (*ἀόρ.* & *π.μ. shot* /ʃot/) **1**. κινῶ/-οῦμαι ἀπότομα καί γρήγορα (*ἡ ἀπόδοσις στά Ἑλληνικά ἐξαρτᾶται κάθε φορά ἀπό τήν πρόθεση καί τά συμφραζόμενα, πχ "ἐκτοξεύω, ρίχνω, πετῶ, ἐκτινάσσω, διασχίζω, τρέχω", κλπ, κλπ*): *She shot an angry look at him; She shot him an angry look*, τοὔρριξε μιά θυμωμένη ματιά. *The snake shot out its tongue*, τό φίδι πέταξε ἔξω τή γλῶσσα του. *The snake's tongue shot out*, ἡ γλῶσσα τοῦ φιδιοῦ τινάχτηκε ἔξω. *Flames were* ~*ing up from the burning house*, φλόγες πετάγονταν ἀπό τό καιόμενο σπίτι. *As the car hit the tree the driver was shot out*, καθώς τό αὐτοκίνητο χτύπησε στό δέντρο ὁ ὁδηγός ἐκτινάχτηκε ἔξω. *Rents have shot up this year*, τά ἐνοίκια πήγανε στά ὕψη φέτος. *The meteor shot across the sky*, ὁ μετεωρίτης διέσχισε σάν ἀστραπή τόν οὐρανό. *The dog shot across the street*, ὁ σκύλος διέσχισε τό δρόμο σά βολίδα. *I shot down/up the hill*, κατέβηκα/ἀνέβηκα σά βολίδα τό λόφο. ~ ***a bolt***, κλείνω σύρτη. ~ ***one's bolt***, κάνω ὅ,τι μπορῶ, καταβάλλω κάθε προσπάθεια. ~ ***dice***, ρίχνω ζάρια. ~ ***rubbish***, ξεφορτώνω/ἀδειάζω σκουπίδια. **ˈ~ing ˋstar**, διάττων ἀστήρ. **2**. πυροβολῶ, ρίχνω, σκοτώνω, τουφεκίζω, κάνω σκοποβολή: *Don't* ~*!* μήν πυροβολεῖς! ~ *an arrow*, ρίχνω βέλος. *They shot at him but missed (him)*, τοὔρριξαν ἀλλά δέν τόν πέτυχαν. *They shot him dead*, τοὔρριξαν καί τόν σκότωσαν. *The soldier was shot for desertion*, ὁ στρατιώτης τουφεκίστηκε γιά λιποταξία. *Can you* ~*?* ξέρετε σκοποβολή; ~ ***to kill***, ρίχνω/χτυπάω στό ψαχνό: *The police did not* ~ *to kill*, ἡ ἀστυνομία δέν ἔρριχνε στό ψαχνό. ~ ***away***, πυροβολῶ/ρίχνω συνέχεια: *He shot away all his ammunition*, ἔρριξε ὅλες του τίς σφαῖρες. ~ ***down***, καταρρίπτω: *Two enemy planes were shot down*, κατερρίφθησαν δυό ἐχθρικά ἀεροπλάνα. ~ ***off***, κόβω (μέ ὀβίδα): *He had his arm shot off*, μιά ὀβίδα τοῦ ἔκοψε τό χέρι. **ˋ~·ing-gallery**, σκοπευτήριο. **ˋ~·ing-range**, πεδίον βολῆς. **ˋ~·ing-stick**, μπαστούνι-κάθισμα. **ˋ~·ing-war**, θερμός πόλεμος. **3**. κυνηγῶ: *He neither fishes nor* ~*s*, δέν πάει οὔτε γιά ψάρεμα οὔτε γιά κυνήγι. *He's in Africa* ~*ing lions*, εἶναι στήν Ἀφρική καί κυνηγάει λιοντάρια. ~ *an estate*, κυνηγῶ σ' ἕνα χτῆμα. *fall like a shot rabbit*, πέφτω σά νά μέ χτύπησε κεραυνός. **~·ing** *οὐσ.* ‹U› κυνήγι (τό δικαίωμα κυνηγιοῦ καί τό θήραμα): *sell the* ~*ing on an estate*, πουλῶ τό κυνήγι ἑνός χτήματος. **ˋ~·ing-box**, κυνηγετικό περίπτερο. **ˋ~·ing-brake**, κυνηγετική ἅμαξα. **4**. (*γιά πόνο*) τρυπῶ, σουβλίζω: *a* ~*ing pain*, σουβλιά πόνου. *A pain shot up my back*, ἕνας πόνος μοῦ τρύπησε τή μέση. **5**. περνῶ γρήγορα μέ βάρκα: ~ *the bridge*, περνῶ γρήγορα κάτω ἀπό τή γέφυρα. **6**. (*γιά φυτά*) πετάω βλαστάρια: *The rose bushes are beginning to* ~, οἱ τριανταφυλλιές ἀρχίζουν νά πετᾶνε βλαστάρια. **7**. (*γιά σινεμά*) τραβῶ/γυρίζω (ταινία): ~ *a scene*, τραβῶ μιά σκηνή. **8**. (*ποδόσφ.*) σουτάρω.

shooter /ˈʃutə(r)/ *οὐσ.* ‹C› (*ὡς β! συνθετ.*) ὅπλο: *a ˋsix-*~, ἑξάσφαιρο ὅπλο.

shop /ʃop/ *οὐσ.* **1**. ‹C› μαγαζί, κατάστημα (*πρβλ. ΗΠΑ, store*): *a ˋbutcher's* ~, χασάπικο/κρεοπωλεῖον. *a ˋchemist's* ~, φαρμακεῖο. *a ˋfruit-*~, ὀπωροπωλεῖον, μανάβικο. *We buy bread at the baker's (*~*)*, ἀγοράζομε ψωμί στό φοῦρνο. ***come/go to the wrong*** ~, (*μεταφ.*) ἔρχομαι/πάω σέ λάθος διεύθυνση (γιά πληροφορίες, κλπ), χτυπάω λάθος πόρτα. ***keep*** ~, προσέχω τό μαγαζί (πχ κατά τή διάρκεια ἀπουσίας τοῦ ἰδιοκτήτη). ***keep a*** ~, ἔχω μαγαζί, εἶμαι καταστηματάρχης. ***set up*** ~, ἀνοίγω μαγαζί, ἀνοίγω δουλειά. ***ˈall ˋover the*** ~, (*λαϊκ.*) *(α)* ἄνω-κάτω: *My things are all over the* ~, τά πράγματά μου εἶναι ἄνω-κάτω. *(β)* παντοῦ: *I've looked for it all over the* ~, ἔψαξα παντοῦ γι' αὐτό. **ˋ~-assistant**, ὑπάλληλος (μαγαζιοῦ). **ˋ~-bell**, κουδούνι πάνω ἀπό τήν πόρτα τοῦ μαγαζιοῦ. **ˋ~-boy/-girl**, μικρός τοῦ καταστήματος/πωλήτρια. **ˋ~-front**, προθήκη, μόστρα. **ˋ~-keeper**, καταστηματάρχης. **ˋ~-lift**, κάνω κλοπή (σέ μαγαζί). **ˋ~-lifter**, κλέφτης ἐκτεθειμένων εἰδῶν σέ μαγαζί. **ˋ~-lifting**, κλοπή σέ μαγαζί (*ἰδ. στά μεγάλα καταστήματα*). **ˋ~-soiled/-worn** *ἐπ.* (*γιά εἶδος*) στραπατσαρισμένος ἀπό ἔκθεση στή βιτρίνα. **ˋ~-walker**, προϊστάμενος τμήματος, ἐπόπτης σέ μεγάλο κατάστημα. **ˈ~ ˋwindow**, βιτρίνα. ***put all one's goods in the*** ~***-window***, (*μεταφ.*) κάνω ἐπίδειξη ὅλων μου τῶν γνώσεων, ἱκανοτήτων, κλπ, μέ ἐπιπολαιότητα. **2**. ‹U› ἐπάγγελμα, δουλειές. ***shut up*** ~, (*καθομ.*) σφαλίζω τό μαγαζί, παύω νά κάνω μιά δουλειά (ὄχι μόνον ἐμπόριο). ***talk*** ~, μιλῶ γιά ἐπαγγελματικά θέματα: *Won't you ever stop talking ~?* δέν θά σταματήσετε καμιά φορά τά ἐπαγγελματικά σας; **3**. ‹C› ἐργαστήρι, κατάστημα: *a ma'chine-~*, μηχανουργεῖο. *the men on the '~ 'floor*, οἱ ἐργάτες (ἐν ἀντιθέσει πρός τήν Διεύθυνση). **'~-'steward**, συνδικαλιστικό στέλεχος. ***closed ~***, κλειστό ἐπάγγελμα, ἐργοστάσιο ὅπου δουλεύουν μόνον μέλη ὡρισμένου σωματείου. —*ρ.ἀ.* *(-pp-)* ἀγοράζω, κάνω ψώνια. ***go ~ping***, πάω γιά ψώνια. ***~ around***, (*καθομ.*) γυρίζω τά μαγαζιά, ρίχνω μιά ματιά (πρίν ἀγοράσω). ***~ on sb***, καταδίδω κπ (*ἰδ.* στήν ἀστυνομία). **~·ping** *οὐσ.* ‹U› ἀγορές, ψώνια: *do one's ~ping*, κάνω τά ψώνια μου. *a '~ping basket*, τσάντα γιά τά ψώνια. *a '~ping street/centre*, ἐμπορικός δρόμος/-ό κέντρο πόλεως. **~·per** *οὐσ.* ‹C› πελάτης, ἀγοραστής: *crowds of Christmas ~pers*, πλήθη κόσμου πού κάνουν τά Χριστουγεννιάτικα ψώνια τους.

[1]**shore** /ʃɔ(r)/ *οὐσ.* ‹C› ἀκτή, ὄχθη (λίμνης): *go on ~*, πηγαίνω στήν ξηρά, ἀποβιβάζομαι. *a house on the ~(s) of Lake Geneva*, σπίτι στίς ὄχθες τῆς λίμνης τῆς Γενεύης.

[2]**shore** /ʃɔ(r)/ *οὐσ.* ‹C› ἀντέρεισμα, ὑποστήριγμα. —*ρ.μ.* ***~ sth up***, στυλώνω, (ὑπο)στηρίζω (μέ δοκούς, κλπ).

shorn /ʃɔn/ *π.μ. τοῦ ρ. shear.*

[1]**short** /ʃɔt/ *ἐπ. (-er, -est)* **1**. βραχύς, σύντομος, κοντός: *a ~ vowel/syllable*, βραχύ φωνῆεν/βραχεῖα συλλαβή. *~ waves*, βραχέα κύματα. *a ~ holiday*, σύντομες διακοπές. *a ~ distance*, μικρή ἀπόσταση. *for a ~ time*, γιά λίγο καιρό. *a ~ story*, διήγημα. *have one's hair cut ~*, κόβω τά μαλλιά μου κοντά. *In December the days are ~ and the nights are long*, τό Δεκέμβρη οἱ ἡμέρες εἶναι μικρές καί οἱ νύχτες μεγάλες. *a ~ man and a tall man*, ἕνας κοντός ἄνθρωπος κι' ἕνας ψηλός. ***by a ~ head***, (*ἰδ.* νικῶ) βραχεία κεφαλῇ. **'~-cut**, συντομώτερος τρόπος. ***take a '~-cut***, κόβω δρόμο, πάω ἀπό σύντομο δρόμο, (*μεταφ.*) κάνω κτ μέ συντομώτερο τρόπο. **'~ 'circuit**, *οὐσ.* ‹C› βραχυκύκλωμα. **'~-'circuit** *ρ.μ/ἀ.* βραχυκυκλώνω/-ομαι. **'~ list** *οὐσ.* ‹C› τελικός κατάλογος ὑποψηφίων: *be on the ~ list*, εἶμαι στόν τελικό κατάλογο. **'~-list** *ρ.μ.* βάζω στόν τελικό κατάλογο: *those candidates who have been ~-listed*, οἱ ὑποψήφιοι τῶν ὁποίων τά ὀνόματα εἶναι στόν τελικό κατάλογο ἐπιλογῆς... **'~-'lived** *ἐπ.* βραχύβιος: *a ~-lived triumph*, θρίαμβος πού κράτησε πολύ λίγο. **'~ 'memory**, ἀδύνατη μνήμη. **'~-range** *ἐπ.* πρόσκαιρος, περιωρισμένου χρόνου (πχ σχέδια, κλπ), μικροῦ βεληνεκοῦς. **'~-'tempered** *ἐπ.* εὐέξαπτος. ***have a ~ temper***, εἶμαι εὐέξαπτος, παίρνω εὔκολα φωτιά. **'~-'term** *ἐπ.* βραχυπρόθεσμος: *~-term loans*, βραχυπρόθεσμα δάνεια. **2**. ἐλλιπής, λειψός, ἀνεπαρκής, λιποβαρής. ***~ weight/change***, ἐλλειμματικό ζύγι/-ά ρέστα: *give ~ weight*, κλέβω στό ζύγι. *The apples are 50 grams ~*, τά μῆλα εἶναι 50 γραμμάρια ἔλλειμμα (λείπουν 50 γραμμ.). *give ~ change*, κλέβω στά ρέστα. *The change is 10 drachmas ~*, λείπουν 10 δρχ. ἀπό τά ρέστα, εἶναι 10 δρχ. λιγώτερα. **'~-'change** *ρ.μ.* δίνω λιγώτερα ρέστα. ***be ~ of sth***, μοῦ λείπεται κτ: *I am ~ of money/time*, δέν ἔχω ἀρκετά χρήματα/-ό χρόνο. ***~ of breath***, λαχανιασμένος. ***be in ~ supply***, (*γιά ἐμπόρευμα*) σπανίζω. ***be on ~ time***, (*γιά ἐργοστάσιο, ἐργάτες, κλπ*) δουλεύω μειωμένο ὡράριο, ὑποαπασχολοῦμαι. ***make ~ work of sth***, τελειώνω κτ (δουλειά, φαγητό, κλπ) στά γρήγορα. ***nothing/little ~ of***, σχεδόν, τίποτα ἄλλο ἐκτός, μόνον: *Our escape was little ~ of miraculous*, ἡ σωτηρία μας ἦταν σχεδόν θαῦμα. *Nothing ~ of violence would make him pay*, μόνο ἡ βία θά τόν ἔκανε νά πληρώση. **~ drink**, (*στήν καθομ.* **a ~**) δυνατό ποτό (οὐΐσκυ, τζίν, κλπ πού σερβίρεται σέ μικρό ποτήρι). **'~-'handed** *ἐπ.* ἔχων ἔλλειψιν ἐργατικῶν χειρῶν: *be ~-handed*, δέν ἔχω ἀρκετό προσωπικό, μοῦ λείπουν χέρια. **~ sight**, μυωπία. **'~-'sighted** *ἐπ.* μυωπικός, κοντόφθαλμος: *a ~-sighted policy*, μυωπική πολιτική. **'~-'winded** *ἐπ.* ἀσθματικός, πού λαχανιάζει εὔκολα. **3**. βραχυπρόθεσμος: *~ bills/bills at ~ date*, βραχυπρόθεσμα γραμμάτια. **'~-'dated** *ἐπ.* βραχυπρόθεσμος. **4**. σύντομος, λιγόλογος, ἀπότομος, κοφτός: *a ~ answer*, σύντομη ἀπάντησις. *He was very ~ with me*, ἦταν πολύ ἀπότομος/κοφτός μαζί μου. ***for ~***, γιά συντομία, χάριν συντομίας: *Robert, called Bob for ~*, Ροβέρτος, καί γιά συντομία Μπόμπ. ***in ~***, ἐν συντομίᾳ, μέ λίγα λόγια. ***the long and (the) ~ of it***, ἡ ὅλη ὑπόθεσις, τό ὅλον θέμα. **5**. (*γιά κέκ*) πού τρίβεται εὔκολα. **~ pastry**, γλυκά μέ πολύ βούτυρο. **'~·bread/·cake**, ψωμί/κέκ πού τρίβεται εὔκολα. **~·ly** *ἐπίρ.* *(α)* σύντομα, λίγο: *He is ~ly to leave for Paris*, πρόκειται νά φύγη σύντομα γιά τό Παρίσι. *~ly before noon*, λίγο πρίν ἀπό τό μεσημέρι. *~ly afterwards*, λίγο ἀργότερα. *(β)* ἐν συντομίᾳ, μέ λίγα λόγια. *(γ)* ἀπότομα, κοφτά: *answer ~ly*, ἀπαντῶ κοφτά. **~·ness** *οὐσ.* ‹U› βραχύτης, συντομία, ἔλλειψις.

[2]**short** /ʃɔt/ *ἐπίρ.* **1**. ἀπότομα: *pull up ~*, σταματῶ (ὄχημα) ἀπότομα. *stop ~*, κοντοστέκομαι, σταματῶ ἀπότομα. ***take sb up ~; cut sb ~***, διακόπτω κπ ἀπότομα. ***be taken up ~***, (*καθομ.*) θέλω νά πάω ἀμέσως στό μέρος, μέ πιάνει ἀπότομα κόψιμο. **2**. λειψά. ***come/fall ~ of***, ὑπολείπομαι, ὑστερῶ: *The box-office receipts fell ~ of the manager's expectations*, οἱ εἰσπράξεις τοῦ ταμείου ὑπελήφθησαν τῶν προσδοκιῶν τοῦ διευθυντοῦ τοῦ θεάτρου. ***go ~ (of)***, στεροῦμαι: *I don't want you to go ~ on my behalf*, δέν θέλω νά στερηθῆς ἐξ αἰτίας μου/γιά χάρη μου. ***run ~ (of)***, φθάνω στό τέλος, ἐξαντλῶ: *We're running ~ of coal*, τό κάρβουνο μᾶς τελειώνει, ἄρχισε καί ἐξαντλεῖται. ***~ of***, ἐκτός ἀπό: *They would commit any crime ~ of murder*, ἦταν ἱκανοί γιά κάθε ἔγκλημα ἐκτός ἀπό φόνο. *S~ of a miracle we are ruined*, ἄν δέν γίνη κανά θαῦμα χαθήκαμε. **3**. ***sell ~***, (*ἐμπ.*) πουλῶ ἀκάλυπτα/ἀνοιχτά. ***sell sb ~***, πουλάω/προδίδω κπ.

short·age /'ʃɔtɪdʒ/ *οὐσ.* ‹C,U› ἔλλειψις, ἔλλειμμα: *'food ~s*, ἐλλείψεις τροφίμων. *a ~ of 50 tons*, ἔλλειμμα 50 τόννων. *owing to ~ of staff*, ἐξ αἰτίας τῆς ἐλλείψεως προσωπικοῦ.

short·coming /'ʃɔtkʌmɪŋ/ *οὐσ.* ‹C› (*συνήθ.*

πληθ.) ἔλλειψις, ἐλάττωμα, ἀδυναμία: *Like everybody else I have my ~s*, ὅπως ὅλος ὁ κόσμος ἔχω κι' ἐγώ τά ἐλαττώματά μου/τίς ἀδυναμίες μου.

shorten /ˈʃɔtn/ ρ.μ/ὰ. κονταίνω, μικραίνω: *have a skirt ~ed*, κονταίνω μιά φούστα. *The days are beginning to ~*, οἱ ἡμέρες ἄρχισαν νά μικραίνουν.

shorten·ing /ˈʃɔtnɪŋ/ οὐσ. ‹U› μεῖγμα βουτύρου γιά γλυκίσματα.

short·hand /ˈʃɔthænd/ οὐσ. ‹U› στενογραφία: *take a speech down in ~*, γράφω στενογραφικά ἕνα λόγο. **ˈ~-ˈtypist**, στενοδακτυλογράφος.

shorts /ʃɔts/ οὐσ. πληθ. σόρτς.

[1]**shot** /ʃot/ οὐσ. ‹C› **1**. πυροβολισμός, τουφεκιά: *I hear ~s in the distance*, ἀκούω τουφεκιές μακριά. *without firing a ~*, χωρίς νά πέση τουφεκιά. *a ˈpistol ~*, πιστολιά. ***be off like a ~***, φεύγω σά βολίδα. ***do sth like a ~***, κάνω κτ ἀμέσως/χωρίς δισταγμό. **2**. βολή, ριξιά, εἰκασία, προσπάθεια: *At each ~ he got nearer to the centre of the target*, μέ κάθε βολή πλησίαζε πιό πολύ στό κέντρο τοῦ στόχου. *Good ~, Sir!* ὡραία βολή/προσπάθεια, κύριε! *be successful at the first ~*, πετυχαίνω μέ τήν πρώτη. *The remark was a ~ at me*, ἡ παρατήρησις ἦταν μπηχτή γιά μένα/στρεφόταν ἐναντίον μου. ***a ~ in the dark***, εἰκασία στήν τύχη/στά τυφλά. ***a long ~***, τολμηρή εἰκασία/ὑπόθεσις (γιατί δέν βασίζεται σέ ἀποδείξεις): *It's a long ~ but I think he knows who the murderer is*, εἶναι τολμηρή ὑπόθεσις, ἀλλά νομίζω ὅτι ξέρει ποιός εἶναι ὁ δολοφόνος. ***not by a long ~***, οὔτε ἀκόμα καί στήν καλύτερη περίπτωση. ***have a ~ (at sth)***, κάνω μιά προσπάθεια: *Let me have a ~ at it/at solving it*, γιά νά δοκιμάσω κι' ἐγώ/νά τό λύσω. *He made several lucky ~s at the exam papers*, ἔκανε πολλές ἐπιτυχίες στήν τύχη στά θέματα τῶν ἐξετάσεων. **3**. βλῆμα, σφαῖρα, μπάλλα, σκάγια. **lead ~**, σκάγια ἀπό μολύβι. **ˈ~-gun**, κυνηγετικό ὅπλο. **4**. σκοπευτής: *He's a good/poor ~*, εἶναι καλός/μέτριος σκοπευτής. **5**. (κινημ.) φωτογραφία, πλάνο: *The exterior ~s were taken in Crete*, τά ἐξωτερικά (τά πλάνα) γυρίστηκαν στήν Κρήτη. **ˈlong ~**, σκηνή τραβηγμένη ἀπό μακριά (ἀντίθ. *close-up*). **6**. (ἰδ. ΗΠΑ) ἔνεσις (ἰδ. μορφίνης): *give sb a ~ in the arm*, κάνω μιά ἔνεση στό χέρι κάποιου, (μεταφ.) τοῦ κάνω τονωτική ἔνεση. **7**. (λαϊκ.) **ˈbig ~**, μέγας καί πολύς (μεγάλη προσωπικότητα).

[2]**shot** /ʃot/ οὐσ. ‹C› (καθομ.) μερίδιο (σέ ἔξοδα): *I'll pay my ~*, θά πληρώσω τό μερίδιό μου.

should /ʃəd, ἐμφ: ʃud/ βλ. *shall*.

shoul·der /ˈʃəuldə(r)/ οὐσ. ‹C› ὦμος: *He has one ~ a little higher than the other*, ἔχει τόν ἕναν ὦμο λίγο ψηλότερο ἀπό τόν ἄλλο (εἶναι λίγο μονόπαντος, γέρνει λίγο). *The coat is narrow across the ~s*, τό σακκάκι εἶναι στενό στούς ὤμους. *have broad ~s*, ἔχω φαρδεῖς ὤμους, γερές πλάτες. ***~ to ~***, πλάϊ-πλάϊ, (μεταφ.) ἑνωμένοι. ***stand head and ~s above (others)***, ὑπερέχω κατά πολύ, εἶμαι ἕνα κεφάλι πάνω ἀπό (τούς ἄλλους). ***(talk to sb) straight from the ~***, (τά λέω σέ κπ) ἔξω ἀπό τά δόντια. (βλ. & λ. [1]*cold, wheel*). **ˈ~-blade**, ὠμοπλάτη. **ˈ~-flash**, (στρατ.) διάσημα ἐπωμίδος. **ˈ~-strap**, ἀορτή, (στρατ.) ἐπωμίς, τιράντα, (σέ γυναικεῖο φόρεμα) μπρετέλλα. __ρ.μ. **1**. ἐπωμίζομαι, φορτώνομαι στούς ὤμους: *~ a burden*, φορτώνομαι ἕνα φορτίο. *~ a task/the responsibility for sth/sb's debts*, ἐπωμίζομαι ἕνα καθῆκον/τήν εὐθύνη γιά κτ/τά χρέη κάποιου. ***~ arms***, (στρατ.) φέρω ὅπλον εἰς τήν ἐπ' ὦμου θέσιν. **2**. σπρώχνω μέ τόν ὦμο: *~ one's way through the crowd*, ἀνοίγω δρόμο μέσα ἀπό πλῆθος σπρώχνοντας μέ τόν ὦμο. *~ sb aside*, σπρώχνω κπ στό πλάϊ.

shout /ʃaut/ οὐσ. ‹C› κραυγή: *~s of joy/alarm*, κραυγές χαρᾶς/κινδύνου. ***give a ~***, ἀφήνω/βγάζω κραυγή. __ρ.μ/ὰ. κραυγάζω, φωνάζω: *~ at the top of one's voice*, φωνάζω μ' ὅλη τή δύναμη τῆς φωνῆς μου. *~ one's approval/disapproval*, ἐπιδοκιμάζω/ἀποδοκιμάζω μέ κραυγές. *~ with pain*, οὐρλιάζω ἀπό πόνο. *~ (out) an order*, δίνω μιά διαταγή μέ δυνατή φωνή. ***~ oneself hoarse***, βραχνιάζω ἀπό τίς φωνές. ***~ at sb***, μπήγω τίς φωνές σέ κπ: *Don't ~ at me!* μή μοῦ βάζεις ἐμένα τίς φωνές! ***~ to sb***, φωνάζω σέ κπ (γιά νά προσελκύσω τήν προσοχή του): *He ~ed to her to go back*, τῆς φώναξε νά γυρίση πίσω. ***~ sb down***, γιουχαΐζω κπ: *The crowd ~ed the speaker down*, τό πλῆθος διέκοψε τόν ὁμιλητή μέ γιουχαΐσματα. ***~ for help***, φωνάζω βοήθεια. **~·ing** οὐσ. ‹U› φωνές, κραυγές. ***It's all over bar the ~ing/but the ~ing***, ὅλα τέλειωσαν ἐκτός ἀπό τίς ζητωκραυγές, τό ἀποτέλεσμα εἶναι πλέον βέβαιο.

shove /ʃʌv/ ρ.μ/ὰ. (καθομ.) σπρώχνω: *~ a boat into the water*, σπρώχνω μιά βάρκα στό νερό. *Stop shoving!* πᾶψε νά σπρώχνης. *~ one's way through a crowd*, ἀνοίγω δρόμο σέ πλῆθος σπρώχνοντας. ***~ off***, *(α)* ἀβαράρω βάρκα, ξεκινῶ ἀπό τήν ἀκτή σπρώχνοντας. *(β)* (λαϊκ.) φεύγω, στρίβω: *I'm sick of this place; let's ~ off*, σιχάθηκα αὐτό τό μέρος, πᾶμε νά φύγωμε. *S~ off!* στρῖβε! δρόμο! **ˈ~-ˈha'penny** /ˈʃʌv ˈheɪpnɪ/ βλ. *shovel-board*.

shovel /ˈʃʌvl/ οὐσ. ‹C› φτυάρι, φαράσι: *a ˈfire-/ˈcoal-~*, φτυάρι τῆς φωτιᾶς/γιά τό κάρβουνο. __ρ.μ. *(-ll-)* φτυαρίζω, καθαρίζω (μέ φτυάρι): *~ the snow away from the garden path*, καθαρίζω μέ φτυάρι τό χιόνι ἀπό τό δρόμο τοῦ κήπου. *~ a path through the snow*, ἀνοίγω μέ τό φτυάρι δρόμο μέσα ἀπό τό χιόνι. **ˈ~-board**, παιχνίδι μέ δίσκους ἤ νομίσματα πού μετακινοῦνται πρός ἕνα στόχο πάνω σέ ταμπλό. **~·ful** /-ful/, φτυαριά.

[1]**show** /ʃəu/ οὐσ. **1**. ‹U› δείξιμο: *(vote) by (a) ~ of hands*, (ψηφίζω) δι' ἀνατάσεως τῶν χειρῶν. **2**. ‹C› ἔκθεσις: *the ˈmotor ~*, ἡ ἔκθεσις αὐτοκινήτου. *a ˈflower/ˈcattle ~*, ἀνθοκομική/κτηνοτροφική ἔκθεσις. ***on ~***, ἐκτεθειμένος: *They are on ~ on our premises*, ἐκτίθενται στά καταστήματά μας. **3**. ‹C› (καθομ.) θέαμα: *Have you seen any good ~s lately?* εἶδες κανά καλό θέαμα τελευταῖα; **4**. (μόνον ἑν.) (λαϊκ.) παράστασις, ἐμφάνισις, ἐντύπωσις. ***make a good/poor ~***, κάνω καλή/κακή ἐμφάνιση ἤ ἐντύπωση: *England made a good ~ in the men's singles*, ἡ

'Αγγλία ἔκανε καλή ἐμφάνιση στούς διπλούς (ἀγῶνες τέννις) ἀνδρῶν. ***put up a good* ~**, κάνω κτ καλά, ἐντυπωσιάζω μέ κτ. ***steal the* ~**, κλέβω τήν παράσταση ἀπό κπ (συγκεντρώνω τήν προσοχή τοῦ κόσμου ἐπάνω μου). **5**. ‹C› (*καθομ.*) δουλειά, ἐπιχείρησις, ὑπόθεσις: *It was the first time our regiment was in a big* ~, ἦταν ἡ πρώτη φορά πού τό σύνταγμά μας ἔπαιρνε μέρος σέ μεγάλη μάχη. ***give the (whole)* ˋ~ *away***, προδίδω τήν ὑπόθεση, τά βγάζω ὅλα στή φόρα: *I'm afraid she'll give the* ~ *away*, φοβᾶμαι ὅτι θά μᾶς τά βγάλη ὅλα στή φόρα. ***run/boss the* ~**, κάνω κουμάντο/εἶμαι τ' ἀφεντικό σέ κτ: *Who's running/bossing this* ~? ποιός κάνει κουμάντο ἐδῶ μέσα/σ' αὐτή τή δουλειά; **6**. (*μόνον ἑν.*) (*πεπαλ. καθομ.*) εὐκαιρία: *Give him a fair* ~, δῶσ' του κι' αὐτοῦ μιά εὐκαιρία. *He had no* ~ *at all*, δέν τοῦ δόθηκε καθόλου ἡ εὐκαιρία (νά δείξη τί ἀξίζει). **7**. (*μόνον ἑν.*) ἐπίφασις, προσποίησις: *a* ~ *of generosity/honesty*, ἐπίφασις γενναιοδωρίας/τιμιότητος. *He didn't offer even a* ~ *of resistance*, δέν ἀντιστάθηκε οὔτε κἄν γιά τά μάτια τοῦ κόσμου. ***make a* ~ *of***, κάνω τάχα πώς: *He made a* ~ *of being angry/of leaving*, ἔκανε τάχα πώς θύμωσε/πώς θά φύγη. **8**. ‹U› ἐπίδειξις, λαμπρότης, φιγούρα: *They're fond of* ~, τούς ἀρέσει ἡ ἐπίδειξις. ***for* ~**, γιά ἐπίδειξη, γιά φιγούρα: *a house furnished for* ~, *not for comfort*, σπίτι ἐπιπλωμένο γιά φιγούρα, ὄχι γιά ἄνεση. **9**. (*σέ σύνθ. λέξεις*): **ˋ~-boat**, πλωτό θέατρο (*ἰδ.* στό Μισσισσιπῆ). **ˋ~-business**; **ˋ~-biz** /-bɪz/ (*καθομ.*), ἐπιχειρήσεις θεαμάτων. **ˋ~-case**, βιτρίνα (σέ μουσεῖο, κλπ). **ˋ~-down**, (*καθομ.*) ἀποφασιστική ἀναμέτρησις, ἀποκάλυψις (*ἰδ.* ἐχθρικῶν) προθέσεων, (*χαρτοπ.*) ἄνοιγμα τῶν χαρτιῶν: *If it comes to a* ~-*down*..., ἄν ἡ ὑπόθεσις καταλήξη σέ ἀναμέτρηση... *call for a* ~-*down*, καλῶ σέ ἀναμέτρηση, καλῶ κπ νά ἀποκαλύψη καθαρά τίς προθέσεις του. *the Russo-American* ~-*down over Cuba*, ἡ Ρωσσο-'Αμερικανική ἀναμέτρησις στήν Κούβα. **ˋ~-girl**, κορίστα, καλλιτέχνις τοῦ βαριετέ. **ˋ~-jumping**, ἐπίδειξις ἱππασίας. **ˋ~·man** /-mən/, ἐπιχειρηματίας θεαμάτων, (*μεταφ.*) θεατρίνος, ρεκλαμαδόρος: *Some politicians are great* ~*men and very little else*, μερικοί πολιτικοί εἶναι σπουδαῖοι θεατρίνοι ἀλλά τίποτα παραπάνω. **ˋ~·man·ship** /-mənʃɪp/ *οὐσ.* ‹U› καλλιτεχνία. **ˋ~-place**, τουριστικόν ἀξιοθέατον: *palaces, castles and other* ~-*places*, παλάτια, κάστρα κι' ἄλλα ἀξιοθέατα. **ˋ~-room**, ἔκθεσις (αἴθουσα ἐκθέσεως προϊόντων). **ˋ~-window**, βιτρίνα. **~y** *ἐπ.* (*-ier, -iest*) φανταχτερός, ἐπιδεικτικός, φιγουρᾶτος: ~*y flowers/dresses/patriotism*, φανταχτερά λουλούδια/ἐπιδεικτικά φορέματα/φιγουρᾶτος πατριωτισμός. **~·ily** /-əlɪ/ *ἐπίρ.* **~i·ness** *οὐσ.* ‹U›.

[2]**show** (*ἐνίοτε* **shew**) /ʃəʊ/ *ρ.μ/ἀ.* ἀνώμ. (*ἀόρ.* ~*ed*, *π.μ.* ~*n* /ʃəʊn/ *ἤ σπάνια* ~*ed*) **1**. δείχνω: *S~ your ticket/passport*, δεῖξε τό εἰσιτήριό σου/τό διαβατήριό σου. ~ *mercy on sb*/~ *contempt for sb*, δείχνω οἶκτο/περιφρόνηση γιά κπ. *He* ~*ed me great kindness*, μοῦ ἔδειξε πολλή καλωσύνη. *She* ~*ed great courage/interest*, ἔδειξε μεγάλο θάρρος/ἐνδιαφέρον. *He* ~*s no sign of intelligence*, δέν δείχνει σημάδια εὐφυΐας. *This* ~*s him to be very mean*, αὐτό δείχνει ὅτι εἶναι πολύ τσιγγούνης. *That* ~*s how little you know him*, αὐτό δείχνει πόσο λίγο τόν ξέρεις. *Will you* ~ *me how to do it?* θά μοῦ δείξης πῶς νά τό κάνω; **2**. ἐκθέτω: ~ *goods in a window*, ἐκθέτω ἐμπορεύματα σέ βιτρίνα. *He won several prizes for the flowers he* ~*ed*, κέρδισε ἀρκετά βραβεῖα γιά τά λουλούδια πού ἐξέθεσε. **3**. προβάλλω, παίζω (φίλμ): *What films are they* ~*ing at the local cinemas this week?* τί φίλμ παίζουν τά σινεμά τῆς συνοικίας μας αὐτή τή βδομάδα; *It will be* ~*n in Athens next month*, θά προβληθῆ/θά παιχθῆ στήν 'Αθήνα τόν ἄλλο μῆνα. **4**. ἀποκαλύπτω, ἀφήνω νά φανῆ: *That dress* ~*s your petticoat*, αὐτό τό φόρεμα ἀφήνει νά φανῆ τό μεσοφόρι σου. *A dark suit will not* ~ *the dirt*, τό σκοῦρο κοστούμι δέν ἀφήνει νά φανῆ ἡ βρώμα. **5**. φαίνομαι: *The buds are beginning to* ~, ἄρχισαν νά φαίνονται τά μπουμπούκια. *Your panties are* ~*ing, Mary!* Μαίρη, φαίνεται ἡ κυλότα σου! *His fear* ~*ed in his eyes*, ὁ φόβος φαινόταν στά μάτια του. *Does the mark of the wound still* ~? φαίνεται ἀκόμα τό σημάδι ἀπό τό τραῦμα; **6**. **~ *itself***, φανερώνεται: *His annoyance* ~*ed itself in his looks*, ἡ δυσαρέσκειά του φανερώθηκε στήν ἔκφραση τοῦ προσώπου του. **~ *oneself***, κάνω τήν ἐμφάνισή μου: *Ought we to* ~ *ourselves at her reception?* πρέπει νά κάνωμε τήν ἐμφάνισή μας στή δεξίωσή της; **~ *one's cards/hand***, δείχνω τά χαρτιά μου, (*μεταφ.*) φανερώνω τίς προθέσεις μου. **~ *one's face***, ἐμφανίζομαι: *He's ashamed to* ~ *his face at the club*, ντρέπεται νά ἐμφανισθῆ στή λέσχη. **~ *fight***, δείχνω διάθεση καυγᾶ/μάχης. **~ *a leg***, (*καθομ.*) σηκώνομαι ἀπό τό κρεββάτι. **~ *one's teeth***, (*μεταφ.*) δείχνω τά δόντια μου, δείχνω θυμό/ἀπειλή. ***have nothing to* ~ *for it***, δέν ἔχω καμιά ἀπόδειξη γι' αὐτό. **~ *sb the way***, δείχνω σέ κπ τό δρόμο, τοῦ δίνω τό παράδειγμα. ***I'll* ~ *you!*** θά σοῦ δείξω/θά σέ μάθω ἐγώ! ***Time will* ~**, ὁ καιρός θά τό δείξη, θά φανῆ μέ τόν καιρό. **7**. ὁδηγῶ, συνοδεύω: *The boy will* ~ *you to your room*, ὁ μικρός θά σᾶς ὁδηγήση στό δωμάτιό σας. *S~ him in/into my study*, ὁδήγησέ τον μέσα/πέρασέ τον στό γραφεῖο μου. *S~ him out/upstairs/downstairs*, ὁδήγησέ τον ἔξω/πάνω/κάτω. **~ *sb to the door***, βγάζω κπ ἔξω. **~ *sb round/over sth***, γυρίζω κπ, δείχνω κτ σέ κπ: *I'll* ~ *you round the town/over the castle*, θά σέ γυρίσω στήν πόλη/στό κάστρο (θά σοῦ δείξω τήν πόλη/τό κάστρο). **8**. **~ *off***, (*α*) ἐπιδεικνύω, κάνω ἐπίδειξη: *She likes to* ~ *off her daughters/her knowledge*, τῆς ἀρέσει νά ἐπιδεικνύη τίς θυγατέρες της/τίς γνώσεις της. *He's always* ~*ing off*, διαρκῶς κάνει ἐπίδειξη (ὅλο ἐπίδειξη εἶναι). (*β*) ἀναδεικνύω, προβάλλω, τονίζω: *That swim-suit* ~*s off her figure well*, αὐτό τό μαγιό τονίζει τίς γραμμές της. **ˋ~-off**, ἐπιδειξίας: *He's a dreadful* ~-*off*, εἶναι φοβερός ἐπιδειξίας. **9**. **~ *up***, (*α*) φαίνομαι πολύ, ξεχωρίζω: *Her wrinkles* ~ *up in the strong sunlight*, οἱ ρυτίδες της φαίνονται πολύ

στό δυνατό φῶς τοῦ ἥλιου. *(β)* (*καθομ.*) κάνω τήν ἐμφάνισή μου, παρουσιάζομαι: *Why didn't you ~ up at the party?* γιατί δέν φάνηκες στό πάρτυ; *(γ)* ἀποκαλύπτω, ξεσκεπάζω, βγάζω στή φόρα: *~ up a fraud/an impostor*, βγάζω στή φόρα μιά ἀπάτη/ξεσκεπάζω ἕναν ἀπατεῶνα. **`~·ing** *οὐσ.* (*συνήθ. ἑν.*) ἐκδήλωσις, ἐμφάνισις, παρουσίασις: *a firm with a poor financial ~ing*, ἑταιρία μέ κακή οἰκονομική κατάσταση. ***on one's own ~ing***, σύμφωνα μέ τά λεγόμενά μου: *He's in the wrong on his own ~ing*, ἀπό τά ἴδια του τά λόγια φαίνεται ὅτι ἔχει ἄδικο.

shower /`ʃaʊə(r)/ *οὐσ.* ‹C› **1**. μπόρα: *be caught in a ~*, μέ πιάνει μπόρα. *a light ~*, βροχούλα. **2**. **`~(-bath)** ντούς: *have a ~ every morning*, κάνω ντούς κάθε πρωΐ. **3**. (*μεταφ.*) βροχή, πλῆθος, σωρός: *a ~ of arrows/gifts/insults*, βροχή βελῶν/δώρων/ὕβρεων. ***in ~s***, βροχηδόν. **4**. (*ΗΠΑ*) πάρτυ στό ὁποῖο προσφέρονται δῶρα σέ μέλλουσα νύφη. *__ρ.μ/ὰ.* **1**. ***~ sb with sth; ~ sth upon sb***, κατακλύζω, πνίγω: *They ~ed him with honours/~ed honours upon him*, τόν κατέκλυσαν/τόν γέμισαν μέ τιμές. *He was ~ed with invitations/gifts*, τόν ἔπνιξαν στίς προσκλήσεις/στά δῶρα. **2**. ***~ (down) upon sb***, πέφτω βροχηδόν: *Curses/Blows/Gifts ~ed down upon him*, οἱ κατάρες/οἱ γροθιές/τά δῶρα ἔπεφταν βροχή πάνω του. **~y** *ἐπ.* βροχερός, μέ μπόρες.

shown /ʃəʊn/ *π.μ. τοῦ ρ.* [2]*show*.

shrank /ʃræŋk/ *ἀόρ. τοῦ ρ. shrink*.

shrap·nel /`ʃræpnl/ *οὐσ.* ‹U› βολιδοφόρο βλῆμα, σράπνελ.

shred /ʃred/ *οὐσ.* ‹C› **1**. κομματάκι (ὕφασμα, κρέας, κλπ): *~s of cloth*, κουρέλια. *meat cooked to ~s*, κρέας πού ἔχει λυώσει ἀπό τό βράσιμο. ***tear sth to ~s***, κομματιάζω, (*μεταφ.*) κουρελιάζω: *They've torn her reputation to ~s*, τήν ἐξευτέλισαν, κουρέλιασαν τήν ὑπόληψή της. **2**. (*μεταφ.*) ἴχνος: *not a ~ of truth/evidence*, οὔτε ἴχνος ἀληθείας/ἀποδείξεως. *__ρ.μ.* *(-dd-)* κομματιάζω, ξεσκίζω, κουρελιάζω.

shrew /ʃru/ *οὐσ.* ‹C› **1**. μέγαιρα, στρίγγλα. **2**. **`~(-mouse)**, μυγαλῆ. **`~·ish** /-ɪʃ/ *ἐπ.* (*γιά γυναίκα*) φωνακλοῦ, καυγατζοῦ, δύστροπη. **`~·ish·ly** *ἐπίρ.* **`~·ish·ness** *οὐσ.* ‹U› ἐριστικότης, στριμμένος χαρακτήρας.

shrewd /ʃrud/ *ἐπ.* *(-er, -est)* **1**. ἔξυπνος, καπάτσος, πονηρός, δαιμόνιος: *a ~ argument/businessman*, ἔξυπνο ἐπιχείρημα/καπάτσος ἐπιχειρηματίας. **2**. εὔστοχος, πετυχημένος: *a ~ answer/blow*, εὔστοχη ἀπάντηση/-ο χτύπημα. **~·ly** *ἐπίρ.* ἔξυπνα, εὔστοχα. **~·ness** *οὐσ.* ‹U› ἐξυπνάδα, καπατσοσύνη.

shriek /ʃrik/ *ρ.μ/ὰ.* σκληρίζω, στριγγλίζω, σκούζω: *~ with pain/laughter*, στριγγλίζω ἀπό πόνο, ξεκαρδίζομαι στά γέλια. *~ out a warning*, βγάζω στριγγιά φωνή προειδοποιήσεως. *__οὐσ.* ‹C› διαπεραστική κραυγή, στριγγλιά, σκούξιμο, σφύριγμα (ἀτμομηχανῆς): *~s of girlish laughter*, τσιριχτά κοριτσίστικα γέλια.

shrift /ʃrɪft/ *οὐσ.* ‹U› (*πεπαλ.*) ἐξομολόγησις, ἄφεσις. ***give sb/get short ~***, (*μεταφ.*) δίνω σέ κπ/μοῦ δίνουν πολύ λίγη σημασία ἤ προσοχή.

shrill /ʃrɪl/ *ἐπ.* ὀξύς, διαπεραστικός, στριγγός: *a ~ voice/cry*, στριγγιά φωνή/διαπεραστική κραυγή. **~y** /`ʃrɪlɪ/ *ἐπίρ.* **~·ness** *οὐσ.* ‹U›.

shrimp /ʃrɪmp/ *οὐσ.* ‹C› **1**. γαρίδα. **2**. (*γιά ἄνθρ. χιουμορ.*) κατσαρίδα, ἀνθρωπάκι. *__ρ.ὰ.* ψαρεύω γαρίδες.

shrine /ʃraɪn/ *οὐσ.* **1**. λειψανοθήκη. **2**. σκήνωμα ἁγίου, βωμός, προσκυνητάρι. **3**. ναός, ἱερός τόπος: *worship at the ~ of Mammon*, λατρεύω τό Μαμωνᾶ. *__ρ.μ. βλ. enshrine*.

shrink /ʃrɪŋk/ *ρ.μ/ὰ. ἀνώμ.* (*ἀόρ. shrank* /ʃræŋk/ *ἤ shrunk* /ʃrʌŋk/, *π.μ. shrunk ἤ ὡς ἐπ. shrunken* /`ʃrʌŋkən/) **1**. μαζεύω, μπαίνω, συρρικνοῦμαι, ἐλαττώνομαι, μικραίνω: *material that ~s in the wash*, ὕφασμα πού μπαίνει στό πλύσιμο. *His gums have shrunk since his teeth were extracted*, τά οὖλα του μάζεψαν/σούφρωσαν ἀπό τότε πού ἔβγαλε τά δόντια. *His income has shrunk*, τό εἰσόδημά του μίκρυνε/περιωρίστηκε. **2**. ***~ from/back***, διστάζω, ὀπισθοχωρῶ, δέν ἀποτολμῶ, ἀποφεύγω: *He is shy and ~s from meeting strangers*, εἶναι ντροπαλός καί ἀποφεύγει/διστάζει νά συναντιέται μέ ἀγνώστους. *He shrank back from the horrifying spectacle*, ὀπισθοχώρησε μέ ἀποτροπιασμό μπροστά στό φρικιαστικό θέαμα. **`~·age** /-ɪdʒ/ *οὐσ.* ‹U› μπάσιμο (ὑφάσματος), μείωσις: *Make it a little longer, and allow for ~age*, φτιάξε το λίγο πιό μακρύ ὑπολογίζοντας καί τό μπάσιμο. *The ~age in our export trade/in the value of the pound is serious*, ἡ μείωσις τοῦ ἐξαγωγικοῦ μας ἐμπορίου/τῆς ἀξίας τῆς λίρας εἶναι σοβαρή.

shrive /ʃraɪv/ *ρ.μ/ὰ. ἀνώμ.* (*ἀόρ. ~d ἤ shrove* /ʃrəʊv/, *π.μ. ~d ἤ shriven* /`ʃrɪvn/) (*πεπαλ.*) ἐξομολογῶ, δίνω ἄφεση.

shrivel /`ʃrɪvl/ *ρ.μ/ὰ.* *(-ll-)* ***~ (up)***, ζαρώνω, μαραίνομαι, ξεραίνω/-ομαι (ἀπό γηρατειά, ζέστη, παγωνιά, ξηρασία): *a ~led-up old face*, ἕνα γέρικο ζαρωμένο πρόσωπο. *The heat ~led up the leaves/the leather*, ἡ ζέστη ξέρανε (μάρανε) τά φύλλα/τό πετσί.

shriven /`ʃrɪvn/ *π.μ. τοῦ ρ. shrive*.

shroud /ʃraʊd/ *οὐσ.* ‹C› **1**. σάβανο: *wrap a corpse in a ~*, σαβανώνω νεκρόν. **2**. (*μεταφ.*) πέπλος: *a ~ of mist/mystery*, πέπλος ὁμίχλης/μυστηρίου. **3**. (*πληθ.*) ξάρτια, σκοινιά ἀλεξιπτώτου. *__ρ.μ.* **1**. σαβανώνω. **2**. τυλίγω, κρύβω: *~ed in darkness/mystery/mist*, τυλιγμένος στό σκοτάδι/σέ μυστήριο/στήν ὁμίχλη.

shrove /ʃrəʊv/ *ἀόρ. τοῦ ρ. shrive*.

Shrove Tues·day /`ʃrəʊv `tjuzdɪ/ *οὐσ.* Καθαρή Τρίτη, τελευταία ἡμέρα τῆς ἀποκριᾶς τῶν Δυτικῶν.

shrub /ʃrʌb/ *οὐσ.* ‹C› χαμόδεντρο, θάμνος (μέ κορμό). **~·bery** /`ʃrʌbərɪ/ *οὐσ.* ‹C› λόγγος, θαμνότοπος.

shrug /ʃrʌg/ *ρ.μ.* *(-gg-)* **1**. σηκώνω τούς ὤμους (σέ ἔνδειξη ἀδιαφορίας, ἀμφιβολίας, κλπ). **2**. ***~ sth off***, ἀπορρίπτω κτ (περιφρονητικά), ἀψηφῶ. *__οὐσ.* ‹C› σήκωμα τῶν ὤμων: *with a ~ of the shoulders*, μ' ἕνα σήκωμα τῶν ὤμων. *with a ~ of despair/indifference/resignation*, μέ μιά κίνηση ἀπελπισίας/ἀδιαφορίας/ὑποταγῆς στή μοῖρα.

shrunk /ʃrʌŋk/, **shrunken** /`ʃrʌŋkən/ *ἐπ.* μαζεμένος, ζαρωμένος.

shuck /ʃʌk/ *οὐσ.* (*ΗΠΑ*) **1**. φλούδα (ὀσπρίου, κλπ). **2**. (*πληθ.*) (*ἐπιφ.*) ἀνοησίες, τρίχες! —*ρ.μ.* ξεφλουδίζω: ~ *peas/maize*, ξεφλουδίζω μπιζέλια/ἀραποσίτι.

shud·der /ˈʃʌdə(r)/ *ρ.ἀ.* τρέμω, ριγῶ, φρικιῶ, ἀνατριχιάζω: ~ *with fear/cold*, τρέμω ἀπό φόβο/κρύο. ~ *at the sight of blood*, μέ πιάνει ρῖγος/φρίκη στή θέα αἵματος. *I* ~ *to think of it/at the thought of it*, ἀνατριχιάζω μονάχα πού τό σκέφτομαι. —*οὐσ.* ‹C› ρῖγος, φρικίασις, τρεμούλα: *A* ~ *passed over him*, ἔννοιωσε (τόν διέτρεξε) ρῖγος. ***It gives me the ~s***, (*καθομ.*) μοῦ φέρνει τρόμο/ρῖγος.

shuffle /ˈʃʌfl/ *ρ.μ/ἀ.* **1**. σέρνω τά πόδια: *Don't* ~ *your feet!* μή σέρνεις τά πόδια σου! *He* ~*ed into/out of the room*, μπῆκε στό/βγῆκε ἀπό τό δωμάτιο σέρνοντας τά πόδια. **2**. ἀνακατεύω: ~ *a pack of cards/the papers in a drawer*, ἀνακατεύω μιά τράπουλα/τά χαρτιά σ'ἕνα συρτάρι. **3**. κάνω κτ ἀνάμελα: ~ *one's clothes on/off*, φορῶ/βγάζω ἀνάμελα τά ροῦχα μου. ~ *through one's work*, κάνω τή δουλειά μου ἀνάμελα. **4**. μεταθέτω, μετατοπίζω: ~ *off responsibility upon others*, μεταθέτω (περνῶ) τήν εὐθύνη σ' ἄλλους. **5**. εἶμαι ὅλο ὑπεκφυγές, τά στρίβω: *Don't* ~, *give a clear answer*, μήν τά στρίβης, δῶσε καθαρή ἀπάντηση. —*οὐσ.* ‹C› **1**. σύρσιμο τῶν ποδιῶν, συρτό περπάτημα/ χορός: *walk with a* ~, περπατῶ σέρνοντας τά πόδια. *ˈsoft-shoe* ˋ~, χορός μέ βήματα σημειωτόν. **2**. ἀνακάτωμα (τράπουλας, κλπ): *a Cabinet* ~ *; a* ~ *of the Cabinet*, κυβερνητικός ἀνασχηματισμός. **3**. τέχνασμα, ὑπεκφυγή.

[1]**shun** /ʃʌn/ *ρ.μ.* (*-nn-*) ἀποφεύγω: ~ *publicity/society/temptation*, ἀποφεύγω τή δημοσιότητα/τόν κόσμο/τούς πειρασμούς.

[2]**shun** /ʃʌn/ *ἐπιφ.* (*στρατ. παράγγελμα*) (*βραχυλ. τῆς λ. attention*) προσοχή!

shunt /ʃʌnt/ *ρ.μ/ἀ.* **1**. μετακινῶ (τραῖνο, βαγόνια) σέ ἄλλη γραμμή, μετακινοῦμαι: ~ *a train on to a siding*, μετακινῶ τραῖνο σέ πλαϊνή γραμμή. **2**. (*καθομ.*) (μετα)στρέφω: ~ *the conversation on to less morbid topics*, στρέφω τή συζήτηση σέ λιγώτερο νοσηρά θέματα. **3**. (*μεταφ.*) σπρώχνω στήν μπάντα, ἐγκαταλείπω (πχ ἕνα σχέδιο), παραμερίζω κπ. ~**er** *οὐσ.* ‹C› διαλογεύς συρμῶν.

shush /ʃʊʃ/ *ρ.μ/ἀ.* ἐπιβάλλω σιωπή.

shut /ʃʌt/ *ρ.μ/ἀ.* *ἀνώμ.* (*ἀόρ. & π.μ.* ~) (*-tt-*) **1**. κλείνω: ~ *a window/a drawer/a book*, κλείνω ἕνα παράθυρο/ἕνα συρτάρι/ἕνα βιβλίο. *That door won't* ~, αὐτή ἡ πόρτα δέν κλείνει. *The window* ~*s easily*, τό παράθυρο κλείνει εὔκολα. ~ *one's eyes/mouth*, κλείνω τά μάτια μου/τό στόμα μου. *They* ~ *the door in her face/on her/against her*, τῆς ἔκλεισαν τήν πόρτα κατάμουτρα. ***~ one's eyes/ears to sth***, (*μεταφ.*) ἀρνοῦμαι νά δῶ/ν'ἀκούσω κτ: *She* ~*s her eyes to his faults*, δέν θέλει νά δῆ τά ἐλαττώματά του. *He* ~ *his ears to my appeals*, δέν θέλησε ν'ἀκούση τίς ἐκκλήσεις μου. ***~ the door upon negotiations***, κλείω τήν θύρα τῶν διαπραγματεύσεων. ˋ~**-eye**, (*καθομ.*) ὑπνάκος: *It's time for half an hour's* ~*-eye*, εἶναι καιρός γιά ἕνα ὑπνάκο μισῆς ὥρας. **2**. πιάνω, μαγγώνω (κλείνοντας): *I* ~ *my finger/dress in the door*, μάγγωσα στήν πόρτα (ἡ πόρτα μοῦπιασε) τά δάχτυλά μου/τό φόρεμά μου. **3**. (*μέ ἐπιρ. καί προθέσεις*):

shut down, κλείνω, διακόπτω τή λειτουργία (ἐργοστασίου, κλπ): *They* ~ *down their factory*, ἔκλεισαν τό ἐργοστάσιό τους. *The factory* ~ *down*, τό ἐργοστάσιο ἔκλεισε. ˋ~**-down**, κλείσιμο.

shut in, περιβάλλω, ἐγκλείω: *The town is* ~ *in by hills*, ἡ πόλις περιβάλλεται ἀπό λόφους. *They* ~ *him in the cellar*, τόν ἔκλεισαν στό ὑπόγειο.

shut off, κόβω (φῶς, νερό, κλπ), (ἀπο)κλείω (ἕνα δρόμο, μιά περιοχή).

shut out, ἀποκλείω, κλείνω ἔξω, κόβω: ~ *out immigrants*, ἀποκλείω τούς μετανάστες. ~ *sb out in the rain*, κλείνω κπ ἔξω στή βροχή. *These trees* ~ *out the view*, αὐτά τά δέντρα κόβουν τή θέα.

shut up, *(α)* κλειδώνω, ἀσφαλίζω, κλείνω: ~ *up the house before going away for a holiday*, ἀσφαλίζω καλά τό σπίτι πρίν φύγω γιά διακοπές. *He* ~ *himself up in his room*, κλειδώθηκε/κλείστηκε στό δωμάτιό του. ~ *up one's jewels in a safe*, κλείνω τά κοσμήματά μου σέ χρηματοκιβώτιο. *They've* ~ *him up in a mental hospital*, τόν ἔκλεισαν σέ φρενοκομεῖο. ***~ up shop***, κλείνω τό μαγαζί, σταματῶ τό ἐμπόριο. *(β)* ***~ (sb) up***, (*λαϊκ.*) τό βουλώνω, κάνω κπ νά τό βουλώση: *Tell him to* ~ *up*, πές του νά τό βουλώση. *Can't you* ~ *him up?* δέν μπορεῖς νά τόν κάνης νά πάψη νά μιλάη (νά τό βουλώση);

shut·ter /ˈʃʌtə(r)/ *οὐσ.* ‹C› **1**. παντζούρι, παραθυρόφυλλο: *folding* ~*s*, γαλλικά παντζούρια. *rolling* ~*s*, ρολλά. ***put up the ~s***, κλείνω τό μαγαζί (γιά τή νύχτα ἤ γιά πάντα). **2**. (*φωτογρ.*) φωτοφράκτης (διαφράγματος). —*ρ.μ.* **1**. ἐφοδιάζω μέ παντζούρια. **2**. κλείνω τά παντζούρια, κατεβάζω τά ρολλά.

shuttle /ˈʃʌtl/ *οὐσ.* ‹C› σαΐτα ἀργαλειοῦ. ˋ~**-cock**, (*σέ παιχνίδια*) φτερωτή σφαῖρα, βολάν. ˋ~ **service**, δρομολόγιο πήγαινε-ἔλα, συνεχής συγκοινωνία. ˋ~**-winder**, μασούρι (ραπτομηχανῆς). —*ρ.μ/ἀ.* πηγαινοέρχομαι (σά σαΐτα).

[1]**shy** /ʃaɪ/ *ἐπ.* (*-er, -est*) **1**. (*γιά ζῶο*) ἄγριος, ἀπλησίαστος, πού τρομάζει εὔκολα. **2**. (*γιά ἀνθρ.*) δειλός, ντροπαλός, ἄτολμος: *He's* ~ *with girls*, δέν ἔχει θάρρος μέ τά κορίτσια. *She gave him a* ~ *look/smile*, τοῦ ἔρριξε μιά δειλή ματιά/τοῦ χαμογέλασε δειλά. ***be ~ of***, ντρέπομαι, διστάζω, φοβᾶμαι: *Don't be* ~ *of telling me what you want*, μή διστάζης/μή φοβᾶσαι νά μοῦ πῆς τί θέλεις. *They're* ~ *of speaking to each other*, ντρέπονται νά μιλήσουν ὁ ἕνας στόν ἄλλο. (*βλ. & λ.* [2]*fight*). ~**·ly** *ἐπίρ.* δειλά, συνεσταλμένα. ~**·ness** *οὐσ.* ‹U› ἀτολμία, δειλία: *throw off one's* ~*ness*, ἀποβάλλω τή δειλία μου, ξεθαρρεύω.

[2]**shy** /ʃaɪ/ *ρ.ἀ.* (*ἀόρ. & π.μ. shied* /ʃaɪd/) ~ ***(at sth)***, κωλώνω, κοντοστέκομαι, λοξοδρομῶ (ἀπό φόβο): *The horse shied when it saw the snake*, τό ἄλογο κώλωσε (λοξοδρόμησε φοβισμένο) ὅταν εἶδε τό φίδι.

[3]**shy** /ʃaɪ/ *ρ.μ.* (*ἀόρ. & π.μ. shied* /ʃaɪd/) (*καθομ.*) ρίχνω, πετῶ: ~ *stones at sth*, πετῶ πέτρες σέ κτ. —*οὐσ.* ‹C› **1**. βολή, ριξιά: *five pence a* ~, πέντε πέννες ἡ ριξιά (πχ σέ λούνα-πάρκ). **2**.

(*καθομ.*) ἀπόπειρα, δοκιμή, προσπάθεια: *I'll have a ~ at the examination*, θά κάνω μιά ἀπόπειρα νά δώσω ἐξετάσεις.
shy·ster /ˈʃaɪstə(r)/ *οὐσ.* ‹C› (*ΗΠΑ, καθομ.*) λοβιτουρατζῆς, ἀσυνείδητος δικηγόρος/γιατρός, κλπ.
Sia·mese /ˈsaɪəˈmiz/ *ἐπ.* Σιαμαῖος. **~ twins**, σιαμαῖοι ἀδελφοί.
sibi·lant /ˈsɪbələnt/ *ἐπ.* συριστικός. __*οὐσ.* ‹C› συριστικόν σύμφωνον.
sib·ling /ˈsɪblɪŋ/ *οὐσ.* ‹C› ἀμφιθαλής (ἀδελφός ἤ ἀδελφή).
sibyl /ˈsɪbl/ *οὐσ.* ‹C› (*μυθ.*) Σίβυλλα, (*ὑποτιμ.*) μάντισσα, γρηά-μάγισσα. **ˈ~·line** /ˈsɪbəlaɪn/ *ἐπ.* σιβυλλικός.
sic /sɪk/ *ἐπίρ.* (*Λατ.*) οὕτω.
Si·cil·ian /sɪˈsɪlɪən/ *οὐσ.* ‹C› Σικελός. __*ἐπ.* Σικελικός.
[1]**sick** /sɪk/ *ἐπ.* **1**. ναυτιῶν, ἔχων τάσιν πρός ἔμετον, (*μεταφ.*) ἀηδιασμένος: *be ~*, κάνω ἐμετό. *feel ~*, μοῦρχεται ἐμετός. *It makes me ~ just to think of it*, ἀηδιάζω μονάχα πού τό σκέφτομαι. *You make me ~*, μοῦ φέρνεις ἀηδία. *It's enough to make one ~*, εἶναι ν' ἀηδιάζῃς/νά ξερνᾶς. **2**. ἄρρωστος: *He's been ~ for months*, εἶναι ἄρρωστος ἐπί μῆνες. *He's a ~ man*, εἶναι ἄρρωστος ἄνθρωπος. **the ~**, οἱ ἄρρωστοι. ***fall ~***, ἀρρωσταίνω. ***go/report ~***, (*στρατ.*) βγαίνω ἀσθενής. **ˈ~-bay**, θεραπευτήριο πλοίου/πανεπιστημίου. **ˈ~-bed**, κρεββάτι ἀσθενοῦς, κρεββάτι τοῦ πόνου. **ˈ~-benefit**, ἐπίδομα ἀσθενείας. **ˈ~-ˈheadache**, ἡμικρανία. **ˈ~-leave**, ἀναρρωτική ἄδεια: *be on ~-leave*, εἶμαι μέ ἀναρρωτική. **ˈ~-list**, (*στρατ.*) κατάλογος ἀσθενῶν: *be on the ~-list*, βγαίνω ἀσθενής. **ˈ~-parade**, (*στρατ.*) ἐξέτασις ἀσθενῶν. **ˈ~-pay**, ἐπίδομα ἀσθενείας. **ˈ~-room**, αἴθουσα ἀσθενῶν. **ˈ~-ward/-quarters**, ἀναρρωτήριον. **3**. ***be ~ at/about sth***, (*καθομ.*) νοιώθω ἀπογοητευμένος/πικραμένος: *He was ~ at failing to pass the examinations*, τοῦ κόστισε πολύ πού δέν πέρασε στίς ἐξετάσεις. ***be ~ at heart***, εἶμαι ἀποκαρδιωμένος. ***be ~ for***, νοσταλγῶ πολύ: *I'm ~ for home/home-~*, νοσταλγῶ τήν πατρίδα. ***be ~ of sth/~ and tired of sth/~ to death of sth***, (*καθομ.*) εἶμαι ἀηδιασμένος/μπουχτισμένος ἀπό κτ/κπ: *I'm ~ of everything*, τά σιχάθηκα ὅλα. *I'm ~ and tired of being told what to do*, βαρέθηκα πιά νά μοῦ λένε τί νά κάμω. **4**. (*καθομ.*) ἀρρωστημένος, νοσηρός: *~ humour*, νοσηρό χιοῦμορ. __*ρ.μ.* ***~ sth up***, (*καθομ.*) ξερνῶ, βγάζω (ἀπό τό στομάχι).
[2]**sick** /sɪk/ *ρ.μ.* (*συνήθ. στήν προστακτ., γιά σκυλί*) ἐπιτίθεμαι: *S~ him!* πάνω του!
sicken /ˈsɪkən/ *ρ.μ/ἀ.* **1**. ***~ (for sth)***, ἐμφανίζω συμπτώματα ἀρρώστειας: *The boy is ~ing for sth*, τό παιδί πάει γιά ἀρρώστεια. **2**. ***~ (at/to do sth)***, ἀηδιάζω, προκαλῶ ἀηδία, (*μεταφ.*) ἀρρωσταίνω: *Their methods ~ me*, οἱ μέθοδοί τους μέ ἀηδιάζουν. *I was ~ed at the sight of such misery/to see such misery*, ἀρρώστησα βλέποντας τόση δυστυχία. ***~ of sth***, μπουχτίζω: *He ~ed of trying to...*, μπούχτισε (ἀπηύδησε) προσπαθώντας νά... **~·ing** /ˈsɪkənɪŋ/ *ἐπ.* ἀηδιαστικός: *~ing smells/behaviour*, ἀηδιαστικές μυρουδιές/-ή συμπεριφορά. **~·ing·ly** *ἐπίρ.* ἀηδιαστικά.
sick·ish /ˈsɪkɪʃ/ *ἐπ.* λιγάκι ἄρρωστος, λίγο ἀηδιαστικός: *I feel ~*, νοιώθω ἀδιάθετος. *a ~ smell*, λίγο δυσάρεστη μυρουδιά.
sickle /ˈsɪkl/ *οὐσ.* ‹C› δρεπάνι.
sick·ly /ˈsɪklɪ/ *ἐπ.* (*-ier, -iest*) **1**. φιλάσθενος, ἀρρωστιάρικος: *a ~ child*. **2**. ἀσθενικός, κακεχτικός, ὠχρός: *~ plants*, κακεχτικά φυτά. *look ~*, φαίνομαι ὠχρός. *a ~ smile*, ὠχρό χαμόγελο. **3**. νοσηρός, ἀηδιαστικός, σαχλός: *a ~ smell/taste*, ἀηδιαστική μυρουδιά/γεύση. *~ sentiments*, σαχλά/γλυκανάλατα αἰσθήματα.
sick·ness /ˈsɪknəs/ *οὐσ.* **1**. ‹U› ἀρρώστεια, ἀσθένεια: *be absent because of ~*, ἀπουσιάζω λόγω ἀσθενείας. **ˈ~ benefit**, ἐπίδομα ἀσθενείας. **2**. ‹C,U› νόσος: *ˈmountain/ˈair-~*, νόσος τῶν ὀρειβατῶν/τῶν ἀεροπόρων. **3**. ‹U› ναυτία, ἐμετός: *suffer from ˈsea-~*, μέ πιάνει ἡ θάλασσα.
[1]**side** /saɪd/ *οὐσ.* ‹C› **1**. πλευρά (ἐπιφανείας): *the six ~s of a cube*, οἱ ἕξη πλευρές ἑνός κύβου. *the ~s of a triangle*, οἱ πλευρές τριγώνου. *the ~ of a house*, ἡ πλευρά ἑνός σπιτιοῦ. *a ~ entrance*, πλαϊνή εἴσοδος. *the ~ of a hill*, ἡ πλευρά (πλαγιά) ἑνός λόφου. *the ~ of a lake*, ἡ πλευρά (ὄχθη) μιᾶς λίμνης. *the right/wrong ~ of a piece of cloth*, ἡ καλή/ἡ ἀνάποδη (πλευρά) ἑνός ὑφάσματος. *Write on one ~ of the paper only*, γράψτε μόνο στή μία πλευρά (ὄψη) τῆς κόλλας. *He put his socks on the wrong ~ out*, φόρεσε τίς κάλτσες του ἀνάποδα. *the ~s of a cave*, οἱ πλευρές (τά τοιχώματα) ἑνός σπηλαίου. *the inner ~ of a box*, ἡ ἐσωτερική πλευρά ἑνός κουτιοῦ. **2**. πλευρό, πλευρά (ἀνθρώπου, ζώου): *He was wounded in the right ~*, τραυματίστηκε στό δεξί πλευρό. *Come and sit by/at my ~*, ἔλα καί κάθισε πλάϊ μου. ***~ by ~***, πλάϊ-πλάϊ. ***by the ~ of/by his, her, etc ~***, σέ σύγκριση μέ/μπροστά του, της, κλπ: *She looks small by the ~ of her husband*, φαίνεται μικροσκοπική σέ σύγκριση μέ (πλάϊ στόν) ἄντρα της. ***split/burst one's ~s (laughing/with laughter)***, ξεκαρδίζομαι (στά γέλια). **ˈ~-splitting** *ἐπ.* ξεκαρδιστικός. **3**. πλευρά, ἄκρη, στήλη, διεύθυνσις, μεριά: *the left/right ~ of a street*, ἡ ἀριστερή/δεξιά πλευρά τοῦ δρόμου. *the east ~ of a town*, ἡ ἀνατολική πλευρά μιᾶς πόλεως. *the debit/credit ~ of an account*, ἡ στήλη χρεώσεως/πιστώσεως ἑνός λογαριασμοῦ. *He crossed to the far/the other ~ of the room*, πῆγε στήν ἀπέναντι πλευρά τοῦ δωματίου. ***on the ~***, *(α)* συμπληρωματικά, ἐπί πλέον: *He works in a bank but does some English teaching on the ~*, δουλεύει σέ Τράπεζα, ἀλλά συμπληρωματικά/ἐπί πλέον διδάσκει καί Ἀγγλικά. *(β)* στά κρυφά, στή ζούλα: *He lives with his wife but sees his mistress on the ~*, ζεῖ μέ τή γυναίκα του ἀλλά βλέπει καί τή φιλενάδα του στή ζούλα. ***on/from all ~s; on/from every ~***, σέ/ἀπό κάθε πλευρά, παντοῦ: *We are surrounded on all ~s*, εἴμαστε περικυκλωμένοι ἀπό παντοῦ/ἀπό ὅλες τίς πλευρές. *People came from all ~s*, ἦρθαν ἄνθρωποι ἀπό παντοῦ/ἀπό ὅλες τίς διευθύνσεις. ***on the right/wrong ~ of*** *50, 60, etc*, κάτω/πάνω ἀπό 50, 60, κλπ: *He's still on*

the right ~ *of forty*, δέν ἔχει ἀκόμα πατήσει τά σαράντα. ***put sth on one*** ~, *(α)* βάζω κτ κατά μέρος. *(β)* ἀναβάλλω (θέμα) γιά ἀργότερα. ***take sb on one*** ~, παίρνω κπ παράμερα/ἰδιαιτέρως. **4**. παράταξις, πλευρά, ὁμάδα, κόμμα: *The school has a strong* ~, τό σχολεῖο ἔχει καλή ὁμάδα. *Both* ~*s are at fault*, καί οἱ δυό πλευρές φταῖνε. *We are on the same* ~, εἴμαστε στήν ἴδια παράταξη/ στό ἴδιο κόμμα. ***be on sb's*** ~, ὑποστηρίζω κπ, εἶμαι μέ τό μέρος κάποιου: *God is on our* ~, ὁ Θεός εἶναι μαζί μας. *Whose* ~ *are you on?* μέ ποιόν εἶσαι σύ; ποιόν ὑποστηρίζεις; ***be on the winning/losing*** ~, εἶμαι μέ τούς κερδισμένους/μέ τούς χαμένους. ***change*** ~***s***, ἀλλάζω παράταξη/κόμμα. ***let the*** ~ ***down***, ἀπογοητεύω τούς συντρόφους μου. ***pick*** ~***s***, κληρώνω τίς ὁμάδες. ***take*** ~***s (with sb)***, παίρνω τό μέρος (κάποιου): *An arbiter must not take* ~*s*, ὁ διαιτητής δέν πρέπει νά παίρνη τό μέρος κανενός. ***off*** ~, (*ποδόσφ.*) ὄφ-σάϊντ. **5**. πλευρά, ὄψις, ἄποψις: *the dark* ~ *of things/of life*, ἡ σκοτεινή πλευρά τῶν πραγμάτων/τῆς ζωῆς. *There are two* ~*s to every question*, κάθε ζήτημα ἔχει δυό ὄψεις. *study all* ~*s of a question*, ἐξετάζω ὅλες τίς πλευρές ἑνός θέματος. ***on the `short/`high, etc*** ~, μᾶλλον κοντός/ψηλός, κλπ: *Prices were on the high* ~, οἱ τιμές ἦταν μᾶλλον ψηλές. *The weather is on the cold* ~, ὁ καιρός εἶναι μᾶλλον ψυχρός. ***look on the `bright*** ~ ***(of things)***, βλέπω τήν εὐχάριστη πλευρά (τῶν πραγμάτων). **6**. γραμμή, πλευρά, σόϊ: *on my mother's* ~, ἀπό τήν πλευρά τῆς μητέρας μου. *a first cousin on my father's side*, πρῶτος ξάδελφος ἀπό τό σόϊ τοῦ πατέρα μου. **7**. ‹U› (*καθομ.*) σπουδαιοφάνεια. ***have no/be without*** ~, δέν κάνω τόν σπουδαῖο/τόν καμπόσο. ***put on*** ~, παριστάνω τόν σπουδαῖο, κάνω τόν καμπόσο. **8**. (*σέ σύνθ. λέξεις & φράσεις*): **`~-arms**, ἀγχέμαχα ὅπλα (*πχ* ξίφη, ξιφολόγχη, κλπ). **`~-board**, μπουφές. **`~-burns/-boards**, φαβορίτες. **`~-car**, καλάθι (μοτοσυκλέττας). **`~-chapel**, πλευρικό παρεκκλήσιο. **`~-dish**, συμπληρωματικό φαγητό. **`~-drum**, ταμποῦρλο. **`~ effect**, παρενέργεια: *a medicine with no* ~*-effects*, φάρμακο χωρίς παρενέργειες. **`~-face** *ἐπίρ.* προφίλ: *photograph sb* ~*-face*, φωτογραφίζω κπ προφίλ. **`~ glance**, λοξή ματιά. **`~ issue**, δευτερεῦον ζήτημα. **`~·light**, φῶς ἀπό τό πλάϊ, πλαϊνός φωτισμός, (*μεταφ.*) τυχαία πληροφορία/γνῶσις. **`~-line**, συμπληρωματική ἐργασία: *He does photography as a* ~*-line*, κάνει τό φωτογράφο συμπληρωματικά (ἐκτός ἀπό τήν κύρια ἐργασία του). **`~-lines**, πλαϊνές γραμμές γηπέδου, ὁ ἐκτός αὐτῶν χῶρος. ***on the*** ~***-lines***, (*μεταφ.*) ἀμέτοχος, ὡς θεατής. **`~-long** *ἐπ.* λοξός. —*ἐπίρ.* λοξά: *a* ~*long glance/look* ~*long at sb*, λοξή ματιά/κοιτάζω κπ λοξά. **`~-road**, πάροδος. **`~-saddle** *οὐσ.* ‹C› γυναικεία σέλλα. —*ἐπίρ.* γυναικεῖα: *ride* ~*-saddle*, ἱππεύω γυναικεῖα. **`~-show**, *(α)* θέαμα (σέ ἐμποροπανήγυρη, κλπ). *(β)* ὑπόθεσις, μάχη, κλπ, δευτερευούσης σημασίας. **`~-slip** *οὐσ.* ‹C› ντεραπάρισμα. —*ρ.ἀ.* ντεραπάρω. **`~s·man** /-zmən/, βοηθός ἐπιτρόπου (στήν ἐκκλησία). **`~·step** *οὐσ.* ‹C› βῆμα στό πλάϊ. —*ρ.ἀ.* παραμερίζω, ἀποφεύγω (χτύπημα, ἐρωτήσεις, κλπ). **`~-stroke**, κολύμπι στό πλάϊ. **`~-track** *οὐσ.* ‹C› (*σιδηρ.*) παρακαμπτήριος/δευτερεύουσα γραμμή. —*ρ.μ.* βάζω (τραῖνο) σέ πλαϊνή γραμμή, (*μεταφ.*) παραμερίζω (θέμα), ξεστρατίζω (ἀπό τό σκοπό μου). **`~-view**, πλαϊνή ὄψις. **`~·walk**, (*ΗΠΑ*) πεζοδρόμιο. **`~-whiskers**, φαβορίτες. **`~·wards** /-wədz/, **`~·ways** /-weɪz/ *ἐπίρ.* λοξά, μέ τό πλάϊ: *look* ~*ways at sb*, κοιτάζω κπ λοξά. *walk* ~*ways through a narrow opening*, περπατῶ μέ τό πλάϊ μέσα ἀπό ἕνα στενό ἄνοιγμα. **-sided** /saɪdɪd/ *ὡς β! συνθ.* μέ πλευρές: *four-sided*, τετράπλευρος.

[2]**side** /saɪd/ *ρ.ἀ.* ~ ***with***, συντάσσομαι μέ κπ, παίρνω τό μέρος κάποιου: ~ *with the stronger party*, πάω μέ τό μέρος τοῦ ἰσχυροτέρου.

sid·ereal /saɪ`dɪərɪəl/ *ρ.ἀ.* ἀστρικός: *the* ~ *year*, ἀστρικόν ἔτος.

sid·ing /`saɪdɪŋ/ *οὐσ.* ‹C› παρακαμπτήριος/ δευτερεύουσα γραμμή.

sidle /`saɪdl/ *ρ.ἀ.* προχωρῶ λοξά/δειλά: *The little girl* ~*d up to me*, τό κοριτσάκι μέ πλησίασε δειλά.

siege /sidʒ/ *οὐσ.* ‹C,U› πολιορκία. ***lay*** ~ ***to (a town)***, πολιορκῶ (μιά πόλη). ***raise the*** ~, αἴρω τήν πολιορκία. **`~ artillery/guns**, πολιορκητικό πυροβολικό.

si·enna /sɪ`enə/ *οὐσ.* ‹U› χρωστική οὐσία ἀπό πηλό: *burnt* ~, κοκκινωπό καφέ. *raw* ~, κιτρινοκαφέ.

si·erra /sɪ`erə/ *οὐσ.* ‹C› ὀροσειρά (*ἰδ.* εἰς Ἱσπανίαν & Ἀμερικήν).

si·esta /sɪ`estə/ *οὐσ.* ‹C› μεσημεριανός ὕπνος: *have a* ~, κοιμᾶμαι τό μεσημέρι.

sieve /sɪv/ *οὐσ.* ‹C› κόσκινο, κρισάρα. ***have a head/memory like a*** ~, τό μυαλό μου/ἡ μνήμη μου δέν κρατάει τίποτα (ξεχνῶ πολύ). —*ρ.μ.* κοσκινίζω.

sift /sɪft/ *ρ.μ/ἀ.* **1**. κοσκινίζω, κρισαρίζω, ξεχωρίζω: ~ *flour*, κρισαρίζω ἀλεύρι. ~ *sugar on to a cake*, κρισαρίζω ζάχαρη πάνω σέ κέκ. ~ *the wheat from the chaff*, ξεχωρίζω τό στάρι ἀπό τ᾽ ἄχυρο. **2**. (*μεταφ.*) περνῶ ἀπό κόσκινο, ἐξετάζω: ~ *the evidence*, ἐξετάζω σχολαστικά τίς ἀποδείξεις.

sigh /saɪ/ *ρ.μ/ἀ.* **1**. ἀναστενάζω: ~ *heavily*, ἀναστενάζω βαριά. ~ ***for***, νοσταλγῶ: ~ *for the good old times*, νοσταλγῶ τόν παληό καλό καιρό. **2**. λέγω ἀναστενάζοντας: ~ *out a prayer*, λέγω μιά προσευχή ἀναστενάζοντας. —*οὐσ.* ‹C› ἀναστεναγμός: *heave/utter a* ~, ἀφήνω/βγάζω ἀναστεναγμό. *with a* ~ *of relief*, μέ ἀναστεναγμό ἀνακουφίσεως.

[1]**sight** /saɪt/ *οὐσ.* **1**. ‹U› ὅρασις: *lose one's* ~, χάνω τήν ὅρασή μου. *have long/short* ~, εἶμαι πρεσβύωψ/μύωψ. *have good/poor* ~, ἔχω καλή/κακή ὅραση. ***know sb by*** ~, γνωρίζω κπ ἐξ ὄψεως. **2**. (U, *καί ἐνίοτε μέ ἀόρ. ἄρθρ.*) θέα: *Their first* ~ *of land came after a week at sea*, πρωτοεῖδαν στεριά ὕστερα ἀπό μιά βδομάδα στή θάλασσα. ***catch*** ~ ***of; have/get a*** ~ ***of***, διακρίνω, παίρνει τό μάτι μου: *I caught* ~ *of him in the crowd*, τόν πῆρε τό μάτι μου μέσα στό πλῆθος. ***keep*** ~ ***of; keep sb/sth in*** ~, παρακολουθῶ/δέν χάνω ἀπό τά μάτια μου: *We must keep* ~ *of the*

fact that..., πρέπει νά ἔχωμε πρό ὀφθαλμῶν τό γεγονός ὅτι... ***lose ~ of***, δέν βλέπω, χάνω ἀπό τά μάτια μου: *I've lost ~ of him*, τόν ἔχασα ἀπό τά μάτια μου. ***at/on ~***, ἐπί τῇ ἐμφανίσει: *a draft payable at ~*, συναλλαγματική πληρωτέα ἐπί τῇ ἐμφανίσει. *shoot at/on ~*, πυροβολῶ ἀμέσως μόλις ἰδῶ ὕποπτον. *play music at ~*, παίζω μουσική πρίμα βίστα. ***at first ~***, ἐκ πρώτης ὄψεως, μέ τήν πρώτη ματιά: *At first ~ the problem appears easy*, ἐκ πρώτης ὄψεως τό πρόβλημα φαίνεται εὔκολο. *love at first ~*, κεραυνοβόλος ἔρωτας. ***at (the) ~ of***, βλέποντας: *At ~ of the police they scattered*, βλέποντας τήν ἀστυνομία σκορπίσανε. **3**. ‹U› ὀπτική ἀκτίς, πεδίον ὁράσεως. ***be in/within ~ (of)***, φαίνομαι, βλέπω: *The train was not yet in ~*, τό τραῖνο δέν εἶχε φανεῖ ἀκόμα. *We are not yet within ~ of land*, δέν εἴμαστε ἀκόμα σέ ἀπόσταση νά δοῦμε τή στεριά. ***be out of ~***, χάνομαι, χάνω ἀπό τά μάτια: *Within seconds the plane was out of ~*, μέσα σέ δευτερόλεπτα τό ἀεροπλάνο χάθηκε ἀπό τά μάτια μας. ***come into/go out of ~***, ἐμφανίζομαι/ἐξαφανίζομαι: *When the island came into ~*, ὅταν φάνηκε τό νησί... ***keep out of (sb's) ~***, παραμένω ἀθέατος, ἀποφεύγω νά ἐμφανισθῶ (σέ κπ): *Tell him to keep out of my ~*, πές του νά μήν ἐμφανισθῇ μπροστά μου. ***Out of ~ out of mind***, (*παροιμ.*) ματάκια πού δέν βλέπονται γρήγορα λησμονιοῦνται. **4**. ‹U› ἀντίληψις, τρόπος τοῦ βλέπειν, μάτια: *All men are equal in the ~ of God*, ὅλοι οἱ ἄνθρωποι εἶναι ἴσοι στά μάτια τοῦ Θεοῦ. *Do what is right in your own ~*, κάνε ὅ,τι εἶναι σωστό κατά τήν ἀντίληψή σου. ***in the ~/eyes of the law***, στά μάτια τοῦ νόμου, ἐνώπιον τοῦ νόμου. **5**. ‹C› ἀξιοθέατο, μνημεῖο: *one of the ~s of Athens*, ἕνα ἀπό τ'ἀξιοθέατα τῆς Ἀθήνας. ***see the ~s***, ἐπισκέπτομαι τ'ἀξιοθέατα. **`~-seeing** *οὐσ.* ‹U› ἐπίσκεψις τῶν ἀξιοθεάτων. **`~·seer** /-siə(r)/ *οὐσ.* ‹C› ἐπισκέπτης, περιηγητής. ***a ~ for sore eyes***, χαρά τῶν ματιῶν. **6**. (*ἑν. μέ ἀόρ. ἄρθρ.*) (*καθομ.*) θέαμα (= γελοία ἐμφάνισις): *She looks a ~ in that hat*, εἶναι σωστός καραγκιόζης μ'αὐτό τό καπέλλο. *You `do look a ~!* εἶσαι πραγματικό θέαμα (ἔχεις τά χάλια σου)! **7**. ‹C› σκόπευσις, ὄργανον σκοπεύσεως, κλισιοσκόπιον, στόχαστρον: *take a careful ~ before firing*, σκοπεύω προσεχτικά πρίν πυροβολήσω. *take a ~ at the sun*, (*ναυτ.*) παρατηρῶ τόν ἥλιο. **8**. (*ἑν. μέ ἀόρ. ἄρθρ.*) (*λαϊκ.*) σωρός: *It cost him a ~ of money/trouble*, τοῦ κόστισε ἕνα σωρό χρήματα/σκοτοῦρες. *He's a ~ too clever for you*, εἶναι πολύ πιό πονηρός ἀπό σένα, σέ βάζει στήν τσέπη του. ***not by a `long ~***, καθόλου. **-~ed** *ἐπ.* (*ὡς β' συνθετ.*) μέ ὅραση, πού βλέπει: *`far-~ed*, πού βλέπει μακριά, διορατικός. *`weak-~ed*, μέ ἀδύνατη ὅραση.

[2]**sight** /sait/ *ρ.μ.* **1**. βλέπω, διακρίνω: *~ land*, διακρίνω ξηρά. **2**. παρατηρῶ. **3**. σκοπεύω, σημαδεύω. **4**. ἐφαρμόζω στόχαστρο (σέ ὅπλο, κλπ), ρυθμίζω στόχαστρο. **~·ing** *οὐσ.* ‹C› ὅρασις, ἐμφάνισις, σκόπευσις: *new ~ings of the Loch Ness monster*, νέες ἐμφανίσεις τοῦ τέρατος τοῦ Λοχνές.

sight·less /`saitləs/ *ἐπ.* ἀόμματος.

sight·ly /`saitli/ *ἐπ.* (*παλαι. καθομ.*) ἀξιοθέατος, χαριτωμένος, θελκτικός.

[1]**sign** /sain/ *οὐσ.* ‹C› **1**. σύμβολον: *a `negative/`positive ~*, (*μαθ.*) ἀρνητικό/θετικό σύμβολο. **2**. πινακίδα, σῆμα, ταμπέλλα, ἐπιγραφή: *`shop-~s*, ταμπέλλες μαγαζιῶν. *`traffic ~s*, σήματα κυκλοφορίας. *`neon ~s*, φωτεινές ἐπιγραφές. **`~-painter**, ἐπιγραφοποιός. **`~-post** *οὐσ.* ‹C› πινακίδα (τῆς τροχαίας). —*ρ.μ.* βάζω πινακίδες. **3**. σημεῖον, νεῦμα: *make a ~ with one's hand/head*, κάνω σημεῖο μέ τό χέρι/νεῦμα μέ τό κεφάλι. ***make the ~ of the cross***, κάνω τό σημεῖο τοῦ σταυροῦ, σταυροκοπιέμαι. **`~-language**, γλῶσσα μέ νεύματα. **~ and countersign**, (*στρατ.*) σύνθημα καί παρασύνθημα. **4**. σημάδι, ἴχνος, ἔνδειξις: *give no ~ of fear*, δέν δείχνω ὅτι φοβᾶμαι. *He had the ~s of suffering on his face*, εἶχε τά σημάδια/τά ἴχνη τοῦ πόνου στό πρόσωπό του. *a sure ~ of rain*, ἀσφαλής ἔνδειξις βροχῆς. ***a ~ of the times***, σημεῖον τῶν καιρῶν.

[2]**sign** /sain/ *ρ.μ/ἀ.* **1**. ὑπογράφω: *~ a letter/a cheque/one's name*, ὑπογράφω ἕνα γράμμα/μιά ἐπιταγή/τ'ὄνομά μου. ***~ sth away***, παραχωρῶ (περιουσία, δικαιώματα, κλπ) διά τῆς ὑπογραφῆς μου. **2**. ***~ on/up***, *(α)* προσλαμβάνω (ἐργάτες, παῖκτες, κλπ) βάσει συμβολαίου: *The firm ~ed on fifty more workers yesterday*, ἡ ἑταιρία πῆρε κι'ἄλλους πενήντα ἐργάτες χθές. *(β)* (*γιά ἐργάτη, κλπ*) ἀναλαμβάνω ἐργασία, ὑπογράφω τό βιβλίο ἀφίξεως: *He ~ed on for one voyage*, ἔπιασε δουλειά (μπάρκαρε) γιά ἕνα ταξίδι. *(γ)* ἐγγράφομαι: *I'll ~ up for evening classes*, θά ἐγγραφῶ γιά βραδυνά μαθήματα. **3**. κάνω σῆμα/νόημα: *The policeman ~ed (for) them to stop*, ὁ ἀστυφύλακας τούς ἔκαμε σῆμα νά σταματήσουν. *He ~ed to me to be quiet*, μοὔκανε νόημα νά μήν κινηθῶ/νά μή μιλήσω.

[1]**sig·nal** /`signl/ *οὐσ.* ‹C› σῆμα, σύνθημα, σινιάλο: *`hand/`traffic ~s*, σινιάλα μέ τό χέρι/σήματα κυκλοφορίας. *a `radio/`T`V ~*, σῆμα ραδιοφώνου/τηλεοράσεως. *A red light is a ~ of danger*, τό κόκκινο φῶς εἶναι σῆμα κινδύνου. *give the ~ for a retreat*, δίνω τό σύνθημα ὑποχωρήσεως. *send out a distress ~*, ἐκπέμπω σῆμα κινδύνου. *His arrival was the ~ for an outburst of cheering*, ἡ ἄφιξή του ἔδωσε τό σύνθημα γιά θυελλώδεις ἐπευφημίες. **The Royal Corps of S~s**, (*καθομ.* **the S~s**,) (*στρατ.*) τό Σῶμα Διαβιβάσεων, οἱ Διαβιβάσεις. **`~-box**, (*σιδηρ.*) φυλάκιον σηματοδοσίας. **`~·man** /-mən/, (*σιδηρ.*) σημειωτής, σηματωρός. —*ρ.μ/ἀ.* *(-ll-)* κάνω σῆμα/σινιάλο: *~ a message*, μεταβιβάζω μήνυμα διά σημάτων. *~ (to) sb to stop*, κάνω σινιάλο σέ κπ νά σταματήση. *He ~led that he was about to turn left*, ἔκανε σῆμα ὅτι θἄστριβε ἀριστερά. **~·ler** /`signələ(r)/ *οὐσ.* ‹C› σηματωρός (στρατιώτης).

[2]**sig·nal** /`signl/ *ἐπ.* ἐξαίρετος, σημαντικός, θαυμάσιος, περιφανής: *a ~ success*, ἐξαίρετη ἐπιτυχία. *a ~ victory/achievement*, περιφανής νίκη/θαυμάσιο ἐπίτευγμα. **~·ly** /-nəli/ *ἐπίρ.* ἀξιοσημείωτα, ἐξαιρετικά.

sig·nal·ize /`signəlaiz/ *ρ.μ.* ἐπισημαίνω,

ἐξαίρω (πχ νίκη, ἐπιτυχία, κλπ).
sig·na·tory /ˈsɪgnətrɪ/ *οὐσ.* ‹C› & *ἐπ.* ὑπογράφων: *the signatories to the treaty*, οἱ ὑπογράφοντες τήν συνθήκην, οἱ συμβαλλόμενοι. *the ~ powers*, αἱ συμβαλλόμεναι δυνάμεις.
sig·na·ture /ˈsɪgnətʃə(r)/ *οὐσ.* ‹C› ὑπογραφή: *put one's ~ to a document*, βάζω τήν ὑπογραφή μου σ'ἕνα ἔγγραφο. *send the letters in for ~*, στέλνω τά γράμματα μέσα γιά ὑπογραφή. ˈ**~ tune**, σῆμα (ραδιοφώνου, ἐκπομπῆς). ˈ**key ~**, (*μουσ.*) ὁπλισμός κλειδιοῦ.
sig·net /ˈsɪgnɪt/ *οὐσ.* ‹C› μικρή σφραγίδα, σφραγιδόλιθος. ˈ**~-ring**, δαχτυλίδι μέ σφραγίδα.
sig·nifi·cance /sɪgˈnɪfɪkəns/ *οὐσ.* ‹U› σημασία, σπουδαιότης, νόημα: *a look of great/deep ~*, ματιά μέ μεγάλο/βαθύ νόημα. *a matter of little ~*, ὑπόθεσις ἄνευ σημασίας. *understand the ~ of a remark*, καταλαβαίνω τό νόημα/τή σημασία μιᾶς παρατηρήσεως.
sig·nifi·cant /sɪgˈnɪfɪkənt/ *ἐπ.* σημαντικός: *a ~ speech*, σημαντικός λόγος. **~·ly** *ἐπίρ.*
sig·nifi·cat·ive /sɪgˈnɪfɪkətɪv/ *ἐπ.* δηλωτικός: *be ~ of sth*, ὑποδηλῶ, σημαίνω, μαρτυρῶ κτ.
sig·nify /ˈsɪgnɪfaɪ/ *ρ.μ/ά.* **1**. δηλοποιῶ, καθιστῶ γνωστόν, ἐκφράζω: *He signified his agreement by nodding*, ἐξεδήλωσε τή συμφωνία του κουνώντας τό κεφάλι. **2**. σημαίνω, φανερώνω: *What does this word ~?* τί σημαίνει αὐτή ἡ λέξις; *Does a high forehead ~ intelligence?* φανερώνει ἐξυπνάδα τό μεγάλο μέτωπο; **3**. ἔχω σημασία: *It doesn't ~*, δέν ἔχει σημασία. *It signifies much/little*, ἔχει μεγάλη/μικρή σημασία.
si·lage /ˈsaɪlɪdʒ/ *οὐσ.* ‹U› φρέσκο χορτάρι (γιά ζῶα).
si·lence /ˈsaɪləns/ *οὐσ.* ‹C,U› σιωπή, σιγή, σιγαλιά: *dead ~*, νεκρική σιγή. *the ~ of the night/of the grave*, ἡ σιγαλιά τῆς νύχτας/ἡ σιωπή τοῦ τάφου. *maintain stubborn ~*, τηρῶ ἐπίμονη σιγή. *There was a short ~*, ἔγινε σύντομη διακοπή. ***in ~***, σιωπηλός: *suffer/listen in ~*, ὑποφέρω/ἀκούω σιωπηλός. *pass sth over in ~*, ἀποσιωπῶ, ἀφήνω κτ νά περάση σιωπηρά. ***call for ~***, ζητῶ νά γίνη σιωπή. ***reduce sb to ~***, ἀναγκάζω κπ νά σιωπήση, τόν κάνω νά μήν ξέρη τί νά πῆ. ***S~ gives consent***, (*παροιμ.*) ἡ σιωπή σημαίνει συγκατάθεση. —*ρ.μ.* ἐπιβάλλω σιγή σέ κπ, ἀναγκάζω κπ νά σιωπήση: *~ a baby's crying*, σταματῶ τά κλάματα μωροῦ. *~ one's critics*, ἀναγκάζω τούς ἐπικριτές μου νά σιωπήσουν. **~r** *οὐσ.* ‹C› (*αὐτοκ.*) σιλανσιέ.
si·lent /ˈsaɪlənt/ *ἐπ.* **1**. σιωπηλός: *become ~*, σωπαίνω, βουβαίνομαι. *Be ~!* σώπα! *keep ~*, τηρῶ σιγή, σιωπῶ. *be ~ about sth*, δέν μιλῶ γιά κτ, κρατῶ ἐχεμύθεια. ***as ~ as the grave***, ἐχέμυθος σάν τάφος. ˈ**~ partner**, (*ΗΠΑ*) ἑτερόρρυθμος ἑταῖρος. **2**. ἀθόρυβος: *~ footsteps*, ἀθόρυβα βήματα. *a ~ film*, βουβό φίλμ. **3**. ἄφωνος, μή προφερόμενος: *~ letters*, γράμματα πού δέν προφέρονται. **~·ly** *ἐπίρ.* σιωπηλά.
sil·hou·ette /ˈsɪluˈet/ *οὐσ.* ‹C,U› σιλουέττα, σκιαγραφία, περίγραμμα: *see sb in ~*, βλέπω τή σιλουέττα/τό περίγραμμα κάποιου. —*ρ.μ.* (*συνήθ. στήν παθ. φων.*) σκιαγραφῶ: *It was ~d against the eastern sky at dawn*, ἡ σιλουέττα του διαγραφόταν στόν ἀνατολικό ὁρίζοντα τήν αὐγή.
sil·ica /ˈsɪlɪkə/ *οὐσ.* ‹U› (*χημ.*) πυρίτιον.
sili·co·sis /ˈsɪlɪˈkəʊsɪs/ *οὐσ.* ‹U› (*ἰατρ.*) πνευμονοκονίασις.
silk /sɪlk/ *οὐσ.* **1**. ‹U› μετάξι: *raw ~*, ἀκατέργαστο μετάξι. *sewing ~*, μεταξωτή κλωστή γιά ράψιμο. *~ stockings*, μεταξωτές κάλτσες. ˈ**~·worm**, μεταξοσκώληξ. **2**. (*πληθ.*) μεταξωτά ροῦχα: *dressed in ~s*, ντυμένη στά μεταξωτά. **3**. ‹C› Σύμβουλος τοῦ Βασιλέως. ***take ~***, γίνομαι Σύμβουλος τοῦ Βασιλέως.
silken /ˈsɪlkən/ *ἐπ.* **1**. ἁπαλός, στιλπνός, μετάξινος: *a ~ voice*, ἁπαλή φωνή. *~ hair*, ἁπαλά γυαλιστερά μαλλιά. **2**. (*ἀπηρχ.*) μεταξωτός: *~ dresses*.
silky /ˈsɪlkɪ/ *ἐπ.* *(-ier, iest)* ἁπαλός, στιλπνός, γλυκός, μετάξινος: *a ~ voice*, ἁπαλή γλυκειά φωνή. *~ lustre*, μεταξένια λάμψις. *~ manners*, (*ὑποτιμ.*) μελιστάλαχτοι τρόποι. **silki·ness** *οὐσ.* ‹U› ἁπαλότης.
sill /sɪl/ *οὐσ.* ‹C› περβάζι.
sil·la·bub /ˈsɪləbʌb/ *οὐσ.* ‹C,U› γλυκό (ἀπό κρέμα καί κρασί).
silly /ˈsɪlɪ/ *ἐπ.* *(-ier, -iest)* ἀνόητος: *Don't be ~!* μήν εἶσαι ἀνόητος! *How ~ of you to do that!* τί ἀνοησία ἐκ μέρους σου νά κάμης τέτοιο πρᾶγμα! *He's a ~ ass*, εἶναι χαζός/βλάκας. *say ~ things*, λέω ἀνοησίες. —*οὐσ.* ‹C› (*ἰδ. μεταξύ παιδιῶν*) χαζούλιακας: *You little ~!* χαζούλιακα! **sil·li·ness** *οὐσ.* ‹U› ἀνοησία.
silo /ˈsaɪləʊ/ *οὐσ.* ‹C› (*πληθ. ~s*) σιλό.
silt /sɪlt/ *οὐσ.* ‹U› ἰλύς, βοῦρκος (ποταμοῦ). —*ρ.μ/ά.* ***~ (sth) up***, κλείνω/φράσσω μέ λάσπη: *The harbour has ~ed up*, τό λιμάνι ἔφραξε ἀπό τή λάσπη.
sil·van /ˈsɪlvən/ *ἐπ.* *βλ. sylvan.*
sil·ver /ˈsɪlvə(r)/ *οὐσ.* ‹U› **1**. ἄργυρος, ἀσήμι, (*ἐπιθ.*) ἀσημένιος: *made of ~*, φτιαγμένο ἀπό ἀσήμι. ***be born with a ~ ˈspoon in one's mouth***, (*παροιμ.*) γεννιέμαι ἀσημωμένος ἀπό τή μοῖρα (προωρισμένος νά γίνω πλούσιος). **2**. ἀργυρᾶ σκεύη/νομίσματα (ἀσημικά/ἀργύρια): *sell one's ~ to pay a debt*, πουλῶ τ'ἀσημικά μου γιά νά πληρώσω χρέη. *a handful of ~*, μιά χούφτα ἀσημένια νομίσματα. **3**. (*ἐπιθ.*) ἀσημένιος, (*γιά ἦχο*) καθαρός: *the ~ moon*, τ'ἀσημένιο φεγγάρι. *~ hair*, ἀσημένια (ψαρά) μαλλιά. ***He has a ~ tongue; He's ˈ~-ˈtongued***, ἔχει εὐφράδεια/εἶναι γλυκομίλητος. **the ~ screen**, ἡ κινηματογραφική ὀθόνη. **~ medal**, ἀργυροῦν μετάλλιον. ˈ**~-fish**, ἀσημόψαρα. **~ grey** *ἐπ.* ψαρής, γκρί-ἀρζαντέ. **~ paper**, (*καθομ.*) ἀσημόχαρτο. ˈ**~-ˈplated** *ἐπ.* ἐπάργυρος, ἀσημοκαπνισμένος. ˈ**~side**, σπάλα μοσχαριοῦ, οὐρά. ˈ**~·smith**, ἀργυροχόος. ˈ**~·ware**, ἀσημικά. ˈ**~ ˈwedding**, ἀργυροῖ γάμοι (ἡ 25η ἐπέτειος). —*ρ.μ/ά.* ἐπαργυρώνω, (*γιά μαλλιά*) ἀσπρίζω. **~y** *ἐπ.* ἀργυρόηχος: *~y laughter*, ἀργυρόηχα γέλια.
sil·vern /ˈsɪlvən/ *ἐπ.* (*ἀπηρχ., μόνο στή φρ.*) ***Speech is ~ but silence is golden***, ἡ σιγή κόσμον φέρει.
sim·ian /ˈsɪmɪən/ *ἐπ.* πιθηκοειδής, μαϊμουδίσιος.
simi·lar /ˈsɪmələ(r)/ *ἐπ.* ***~ (to)***, ὅμοιος,

παρεμφερής: *Gold is ~ to brass in colour*, ὁ χρυσός εἶναι ὅμοιος μέ τόν μπροῦντζο στό χρῶμα. *We have ~ tastes in music*, ἔχομε παρόμοια γοῦστα στή μουσική. *in ~ cases*, σέ παρεμφερεῖς/ἀναλόγους περιπτώσεις. **~·ly** *ἐπίρ.* παρόμοια. **~·ity** /ˌsɪmə`lærətɪ/ *οὐσ.* ‹C,U› ὁμοιότης.

sim·ile /`sɪməlɪ/ *οὐσ.* ‹C,U› (*ρητ.*) παρομοίωσις.

sim·ili·tude /sɪ`mɪlɪtjud/ *οὐσ.* **1**. ‹U› ὁμοιότης, ὁμοίωσις: *God made man in his own ~*, ὁ Θεός ἔπλασε τόν ἄνθρωπο καθ'ὁμοίωσίν του. **2**. ‹C› ἀλληγορία, παραβολή.

simi·tar /`sɪmɪtə(r)/ *οὐσ.* ‹C› *βλ. scimitar.*

sim·mer /`sɪmə(r)/ *ρ.μ/ὰ.* **1**. σιγοβράζω: *Let the soup ~ for ten minutes*, ἄφησε τή σούπα νά σιγοβράση ἐπί δέκα λεπτά. **2**. (*μεταφ.*) σιγοβράζω, ὑποβόσκω: *~ with rage*, σιγοβράζω ἀπό θυμό, εἶμαι ἕτοιμος νά ξεσπάσω. *~* ***down***, κατευνάζομαι, καλμάρω, ξαναβρίσκω τήν ψυχραιμία μου. __*οὐσ.* (*μόνον ἑν.*) σιγοβράσιμο. ***keep sth at a ~/on the ~***, ἀφήνω κτ νά σιγοβράση.

sim·ony /`sɪmənɪ/ *οὐσ.* ‹U› (*παλαιότ.*) σιμωνία.

si·moom /sɪ`mum/, **si·moon** /sɪ`mun/ *οὐσ.* ‹C› σιμούν.

simp /sɪmp/ *οὐσ.* ‹C› (*καθομ. βραχυλ. γιά simpleton*) χαζός.

sim·per /`sɪmpə(r)/ *ρ.ὰ.* χαμογελῶ χαζά/ναζιάρικα. __*οὐσ.* ‹C› χαζό χαμόγελο. **~·ing** *ἐπ.* **~·ing·ly** *ἐπίρ.*

simple /`sɪmpl/ *ἐπ.* (*-r, -st*) **1**. ἁπλός (= εὔκολος, λιτός, ἀνεπιτήδευτος, ὄχι περίπλοκος): *a ~ problem*, ἁπλό πρόβλημα. *a ~ style of architecture*, ἁπλό στύλ ἀρχιτεκτονικῆς. *a ~ life*, ἁπλῆ ζωή. *a ~ machine*, ἁπλῆ μηχανή. *~ forms of life*, ἁπλές, πρωτόγονες μορφές ζωῆς. *in ~ English*, σέ ἁπλᾶ Ἀγγλικά. *a ~ sentence*, (*γραμμ.*) ἁπλῆ, ἀνεξάρτητη πρόταση. *~ cooking*, ἁπλῆ κουζίνα. *~ tastes*, ἁπλᾶ γοῦστα. *~ folk*, ἁπλοῖ ἄνθρωποι. **ˈ~-`hearted** *ἐπ.* εἰλικρινής, ἀγαθός. **2**. ἁπλοϊκός, ἀφελής, ἀγαθός: *I'm not so ~ as to believe that*, δέν εἶμαι τόσο ἁπλοϊκός (ἀφελής) ὥστε νά τό πιστέψω. *a ~ soul*, ἀγαθή ψυχή. **ˈ~-`minded** *ἐπ.* ἀφελής, ἀπονήρευτος, εὔπιστος. **3**. γυμνός, σκέτος, καθαρός: *the ~ truth*, ἡ γυμνή ἀλήθεια. *It's ~ robbery*, εἶναι καθαρή ληστεία. ***pure and ~***, (*καθομ.*) ἁπλᾶ καί καθαρά, ἀσυζητητί: *It's a case of kill or be killed, pure and ~*, ἡ περίπτωσις, ἁπλᾶ καί καθαρά, εἶναι: ἤ σκοτώνεις ἤ σέ σκοτώνουν.

simple·ton /`sɪmpltən/ *οὐσ.* ‹C› χαζός, κορόϊδο, κουτορνίθι.

sim·plic·ity /sɪm`plɪsətɪ/ *οὐσ.* ‹U› ἁπλότης, λιτότης, ἀφέλεια: *speak with ~*, μιλῶ μέ ἁπλότητα. *a look of ~*, ἀφελές ὕφος. ***It's ~ itself***, (*καθομ.*) εἶναι ἁπλούστατο/εὐκολώτατο.

sim·plify /`sɪmplɪfaɪ/ *ρ.μ.* ἁπλοποιῶ, ἁπλουστεύω: *That will ~ my task*, αὐτό θ'ἁπλοποιήση (θά κάμη εὔκολη) τή δουλειά μου. *That simplifies things*, αὐτό ἁπλοποιεῖ τά πράγματα. *~ a text*, ἁπλουστεύω ἕνα κείμενο. **sim·pli·fi·ca·tion** /ˌsɪmplɪfɪ`keɪʃn/ *οὐσ.* ‹C,U› ἁπλοποίησις, ἁπλούστευσις.

sim·ply /`sɪmplɪ/ *ἐπίρ.* *(α)* ἁπλᾶ: *behave ~*, φέρομαι ἁπλᾶ. *(β)* ἁπλούστατα, τελείως: *You look ~ lovely*, εἶσαι ἁπλούστατα ὑπέροχη. *I was ~ flabbergasted*, ἔμεινα τελείως ἄναυδος. *(γ)* μόνον, ἁπλῶς: *It's ~ a matter of time*, εἶναι ἁπλῶς ζήτημα χρόνου. *He's ~ a workman*, εἶναι μονάχα ἕνας ἐργάτης, εἶναι ἕνας ἁπλός ἐργάτης.

simu·lac·rum /ˈsɪmjʊ`leɪkrəm/ *οὐσ.* ‹C› (*πληθ. -cra* /-krə/) ὁμοίωμα, ἐπίφασις.

simu·late /`sɪmjʊleɪt/ *ρ.μ.* ὑποκρίνομαι, προσποιοῦμαι, ἀπομιμοῦμαι: *~ innocence*, κάνω τόν ἀθῶο. *~d enthusiasm*, ὑποκριτικός/ψεύτικος ἐνθουσιασμός. *insects that ~ dead leaves*, ἔντομα πού ἀπομιμοῦνται τά ξερά φύλλα. **simu·la·tion** /ˈsɪmjʊ`leɪʃn/ *οὐσ.* ‹U› προσποίησις, ἀπομίμησις.

sim·ul·ta·neous /ˈsɪml`teɪnɪəs/ *ἐπ.* ταυτόχρονος. **~·ly** *ἐπίρ.* ταυτόχρονα. **~·ness, sim·ul·ta·ne·ity** /ˈsɪmltə`nɪətɪ/ *οὐσ.* ‹U› τό ταυτόχρονον.

sin /sɪn/ *οὐσ.* **1**. ‹C,U› ἁμαρτία, ἁμάρτημα: *confess one's ~s*, ἐξομολογοῦμαι τίς ἁμαρτίες μου. ***live/die in ~***, ζῶ/πεθαίνω μέσα στήν ἁμαρτία. ***`deadly/`mortal ~***, θανάσιμο ἁμάρτημα: *the seven deadly ~s (pride, covetousness, lust, anger, gluttony, envy, sloth)*, τά ἑπτά θανάσιμα ἁμαρτήματα (ἀλαζονεία, πλεονεξία, λαγνεία, θυμός, λαιμαργία, φθόνος, ὀκνηρία). ***o`riginal ~***, τό προπατορικόν ἁμάρτημα. **2**. ‹C› (*μεταφ.*) ἁμαρτία, κρῖμα: *It's a ~ to stay indoors on such a fine day*, εἶναι ἁμαρτία (κρῖμα) νά μένης κλεισμένος μέσα τέτοια ὡραία μέρα. **`~·ful** /-fl/ *ἐπ.* ἁμαρτωλός. **`~·fully** /-fəlɪ/ *ἐπίρ.* ἐν ἁμαρτίᾳ. **`~·ful·ness** *οὐσ.* ‹U›. **`~·less** *ἐπ.* ἀναμάρτητος. **`~·less·ness** *οὐσ.* ‹U› τό ἀναμάρτητον. **~·ner** /`sɪnə(r)/ *οὐσ.* ‹C› ἁμαρτωλός. __*ρ.ὰ.* (*-nn-*) ἁμαρτάνω: *We are all liable to ~*, ὅλοι ἁμαρτάνομε. *~* ***against***, προσβάλλω, παραβαίνω: *~ against decency*, προσβάλλω τήν αἰδῶ. *~ against God/society*, ἁμαρτάνω ἐνώπιον τοῦ Θεοῦ/εἰς βάρος τῆς κοινωνίας.

since /sɪns/ *πρόθ.* ἀπό: *I haven't seen him ~ Monday*, δέν τόν ἔχω δεῖ ἀπό τή Δευτέρα. __*σύνδ.* *(α)* (*χρον.*) ἀπό τότε πού, ἀφότου: *Where have you been ~ I last saw you?* ποῦ πῆγες ἀπό τότε πού σέ εἶδα τελευταῖα; *(β)* (*αἰτιολ.*) μιᾶς καί, ἀφοῦ: *S~ you have no money, you can't stay*, ἀφοῦ δέν ἔχεις χρήματα δέν μπορεῖς νά μείνης. __*ἐπίρ.* *(α)* ἔκτοτε: *He left home in 1973 and has not been heard of ~/ and has not ~ been heard of*, ἔφυγε ἀπό τό σπίτι στά 1973 καί ἔκτοτε δέν ἔδωσε σημεῖα ζωῆς. ***ever ~***, συνεχῶς, ἔκτοτε: *He went to Cyprus in 1970 and has lived there ever ~*, πῆγε στήν Κύπρο στά 1970 καί ζεῖ ἐκεῖ συνεχῶς ἔκτοτε. *(β)* (*μέ ἁπλοῦς χρόνους*) πρό, πρίν ἀπό: *How long ~ is it?* πρίν πόσο καιρό εἶναι αὐτό; *He did it many years ~*, τὄκανε πρίν ἀπό πολλά χρόνια.

sin·cere /sɪn`sɪə(r)/ *ἐπ.* εἰλικρινής: *a ~ man*, εἰλικρινής/εὐθύς ἄνθρωπος. *~ wishes*, εἰλικρινεῖς εὐχές. *It's my ~ belief that...*, πιστεύω εἰλικρινά ὅτι... **~·ly** *ἐπίρ.* εἰλικρινά. **sin·cer·ity** /sɪn`serətɪ/ *οὐσ.* ‹U› εἰλικρίνεια: *speaking in all sincerity*, μιλώντας μέ κάθε εἰλικρίνεια.

sin·ecure /`saɪnɪkjʊə(r)/ *οὐσ.* ‹C› ἀργομισθία.

sine die /ˈsaɪnɪ ˋdaɪi/ *ἐπίρ.* (*Λατ.*) ἐπ᾽ ἀόριστον: *adjourn a meeting* ~, ἀναβάλλω μιά συνεδρίαση ἐπ᾽ ἀόριστον.
sine qua non /ˈsɪneɪ kwɑ ˋnəʊn/ *οὐσ.* (*Λατ.*) οὐκ ἄνευ, ἀπολύτως ἀπαραίτητη προϋπόθεσις, οὐσιώδης ὅρος.
sinew /ˋsɪnju/ *οὐσ.* ‹C› **1**. (*ἀνατ.*) τένων, νεῦρο. **2**. (*πληθ.*) μύες, νεῦρα, ρώμη: *the ~s of war*, (*μεταφ.*) τά νεῦρα τοῦ πολέμου (τά χρήματα). **~y** *ἐπ.* νευρώδης, ρωμαλέος, γεροδεμένος.
sing /sɪŋ/ *ρ.μ/ἀ.* *ἀνώμ.* (*ἀόρ. sang* /sæŋ/, *π.μ. sung* /sʌŋ/) **1**. τραγουδῶ, κελαηδῶ: *She ~s well*, τραγουδάει καλά. *Will you ~ us a song/ ~ a song for us?* θά μᾶς πῆς ἕνα τραγούδι; *The birds were ~ing*, τά πουλιά κελαηδοῦσαν. *~ to the guitar*, τραγουδῶ μέ συνοδεία κιθάρας. *~ a baby to sleep*, ἀποκοιμίζω ἕνα μωρό μέ τό τραγούδι, νανουρίζω ἕνα μωρό. ***~ in tune/out of tune***, τραγουδῶ σωστά/ φάλτσα. ***~ another tune***, (*μεταφ.*) λέω ἄλλο τραγούδι, φέρομαι διαφορετικά. ***~ small***, (*καθομ.*) μιλῶ/φέρομαι μαζεμένα (ὕστερα ἀπό κατσάδα), μοῦ κόβεται ὁ βήχας/ὁ ἀέρας. **2**. σφυρίζω: *The kettle was ~ing (away) on the cooker*, ἡ κατσαρόλα σφύριζε πάνω στήν κουζίνα. *My ears are ~ing*, τ᾽ αὐτιά μου σφυρίζουν/βουΐζουν. **3**. ***~ (of) sth***, ψάλλω, ἐξυμνῶ: *~ (of) sb's exploits*, ψάλλω/ἐξυμνῶ τ᾽ ἀνδραγαθήματα κάποιου. ***~ sb's praises***, ἀνεβάζω κπ στά οὐράνια, τόν ἐξυμνῶ. **4**. ***~ out (for)***, φωνάζω, ζητῶ φωνάζοντας: *~ out an order*, δίνω φωναχτά μιά διαταγή. *~ out for sth*, ζητῶ κτ φωναχτά. ***~ up***, τραγουδῶ δυνατώτερα: *S~ up, boys!* πιό δυνατά τό τραγούδι παιδιά! **~·able** /-əbl/ *ἐπ.* πού μπορεῖ νά τραγουδηθῆ. **ˋ~er** *οὐσ.* ‹C› τραγουδιστής. **ˋ~·ing** *οὐσ.* ‹U› τραγούδι, ᾠδική: *take ~ing lessons*, παίρνω μαθήματα τραγουδιοῦ. **ˋ~ing-master**, καθηγητής τῆς μουσικῆς.
singe /sɪndʒ/ *ρ.μ/ἀ.* (*ἐνεργ. μετ. ~ing*) καψαλίζω, τσουρουφλίζω/-ομαι, καίω ἐλαφρά: *~ chickens*, καψαλίζω (καθαρίζω) κοτόπουλα. *~ one's hair*, τσουρουφλίζω τά μαλλιά μου. *If the iron is too hot you'll ~ that skirt*, ἄν παρακαίη τό σίδερο θά τήν κάψης τή φούστα. __*οὐσ.* ‹C› τσουρούφλισμα, ἐλαφρό κάψιμο.
single /ˋsɪŋgl/ *ἐπ.* **1**. μόνος, μοναδικός: *not a ~ example*, οὔτε ἕνα μοναδικό παράδειγμα. ***in ~ file***, εἰς φάλαγγα κατ᾽ ἄνδρα, στή γραμμή, ὁ ἕνας πίσω ἀπό τόν ἄλλο. **ˈ~-ˋbreasted** *ἐπ.* (γιά σακκάκι) μονόπετο. **ˈ~ ˋcombat**, μονομαχία. **ˈ~-ˋhanded** *ἐπ.* & *ἐπίρ.* μόνος, χωρίς βοήθεια ἄλλου: *He killed two lions ~-handed*, σκότωσε δυό λιοντάρια ἐντελῶς μόνος. **ˈ~-ˋminded** *ἐπ.* ἀφοσιωμένος σ᾽ ἕνα μοναδικό σκοπό: *~-minded determination*, ἀποφασιστικότης κατευθυνομένη σ᾽ ἕνα μοναδικό στόχο. **ˋ~·stick**, ράβδος: *~stick play*, ραβδομαχία. **~ ticket**, ἁπλό εἰσιτήριο (ἄνευ ἐπιστροφῆς). **2**. ἄγαμος, ἀνύπαντρος: *remain ~*, μένω ἀνύπαντρος. **3**. μονός: *a ~ bed/room*, μονό κρεββάτι/δωμάτιο. **4**. (*βοτ.*) ἁπλός: *a ~ tulip*, ἁπλῆ τουλίπα (μέ μιά σειρά πέταλα μόνον). __*οὐσ.* ‹C› *(α) (τέννις, γκόλφ)* μονό παιχνίδι (μ᾽ ἕναν ἀντίπαλο ἑκατέρωθεν). *(β)* ἁπλό εἰσιτήριο. __*ρ.μ.* ***~ out***, ξεχωρίζω: *~ out a minor incident*, ξεχωρίζω/ἀπομονώνω ἕνα ἀσήμαντο περιστατικό. *~ sb out for punishment*, διαλέγω κπ γιά τιμωρία. **sing·ly** /ˋsɪŋglɪ/ *ἐπίρ.* χωριστά, ἕνας-ἕνας, σέ κατάσταση ἀγαμίας. **~·ness** *οὐσ.* ‹U› μοναδικότης, ἀγαμία. ***~ness of purpose***, ἀφοσίωσις σ᾽ ἕνα σκοπό καί μόνο.
sin·glet /ˋsɪŋglət/ *οὐσ.* ‹C› (*MB*) ἐσωτερική φανέλλα, ἀθλητική φανέλλα (χωρίς μανίκια).
single·ton /ˋsɪŋgltən/ *οὐσ.* ‹C› (*χαρτοπ.*) μονό χαρτί, σέκο.
sing·song /ˋsɪŋsɒŋ/ *οὐσ.* **1**. ‹C› αὐθόρμητο τραγούδι παρέας: *have a ~ on the beach/ round the camp fire*, τραγουδᾶμε ὁμαδικά στήν ἀκρογιαλιά/γύρω ἀπό τή φωτιά σέ κατασκήνωση. **2**. ***in a ~***, μονότονα, τραγουδιστά: *speak in a ~*, μιλῶ μονότονα/τραγουδιστά. *say sth in a ~ voice/manner*, (*ἐπιθ.*) λέω κτ μέ μονότονη φωνή/σάν ψαλμωδία.
sin·gu·lar /ˋsɪŋgjʊlə(r)/ *ἐπ.* **1**. (*γραμμ.*) ἑνικός. **2**. (*παλ.*) ξεχωριστός, παράξενος, ἰδιόμορφος, ἀλλόκοτος: *make oneself ~ in dress*, ξεχωρίζω στό ντύσιμο (ντύνομαι παράξενα/ἀλλόκοτα). **3**. μοναδικός, ἐξαιρετικός, σπάνιος, καταπληκτικός: *a man of ~ courage/honesty*, ἄνθρωπος μέ ἐξαιρετικό θάρρος/μοναδικῆς ἐντιμότητος. __*οὐσ.* ‹C› (*γραμμ.*) ἑνικός ἀριθμός. **~·ly** *ἐπίρ.* μοναδικά, ἐξαιρετικά, περιέργως: *~ly strong*, ἐξαιρετικά δυνατός. **~·ity** /ˈsɪŋgjʊˋlærətɪ/ *οὐσ.* ‹C,U› μοναδικότης, ἰδιομορφία, τό παράξενον/περίεργον (πράγματος). **ˋ~·ize** /-aɪz/ *ρ.μ.* ξεχωρίζω.
sin·is·ter /ˋsɪnɪstə(r)/ *ἐπ.* **1**. δυσοίωνος: *a ~ beginning*, δυσοίωνη ἀρχή. **2**. μοχθηρός, ἀπαίσιος, ἀπειλητικός: *a ~ face*, μοχθηρό πρόσωπο. *~ looks*, ἀπαίσια/ἀπειλητική ὄψις. **3**. (*ἐραλδ.*) ἀριστερός. **bar ~**, (*σέ ἀσπίδα*) ἔνδειξις νόθου καταγωγῆς.
[1]**sink** /sɪŋk/ *οὐσ.* ‹C› **1**. νεροχύτης (κουζίνας): *spend one's life at the kitchen-~*, περνῶ ὅλη μου τή ζωή στό νεροχύτη. **2**. βόθρος, ὀχετός, (*μεταφ.*) καταγώγιον, ἄντρο: *a ~ of iniquity*, φωλιά/ἄντρο ἀνομίας.
[2]**sink** /sɪŋk/ *ρ.μ/ἀ.* *ἀνώμ.* (*ἀόρ. sank* /sæŋk/, *π.μ. sunk* /sʌŋk/ *ἤ ὡς ἐπ. sunken* /ˋsʌŋkən/) **1**. βουλιάζω, βυθίζω/-ομαι: *~ a ship*, βουλιάζω ἕνα πλοῖο. *The ship sank*, τό πλοῖο βούλιαξε. ***~ or swim***, (*μεταφ.*) ὅλα γιά ὅλα, ἤ τοῦ βάθους ἤ τοῦ ὕψους. ***~ like stone***, βουλιάζω σά μολύβι. **2**. κατηφορίζω, πέφτω: *The ground ~s to the sea*, τό ἔδαφος κατηφορίζει πρός τή θάλασσα. **3**. παθαίνω καθίζηση: *The foundations have sunk*, τά θεμέλια ἔπαθαν καθίζηση/ βούλιαξαν. ***one's heart ~s***, (*μεταφ.*) μοῦ λύνονται τά γόνατα: *His heart sank at the thought of failure*, τοῦ λύθηκαν τά γόνατα στήν ἰδέα τῆς ἀποτυχίας. ***a ~ing feeling***, παράλυσις, λίγωμα (ἀπό φόβο ἤ πεῖνα). **4**. ***~ in/into***, (*γιά ὑγρά, καί μεταφ.*) εἰσχωρῶ, χώνομαι, (δια)ποτίζω: *The dye must be allowed to ~ in*, πρέπει ν᾽ ἀφήσωμε τό χρῶμα νά ποτίση. *The rain sank into the dry ground*, ἡ βροχή ἀπορροφήθηκε ἀπό τήν ξερή γῆ. *His words began to ~ in*, τά λόγια του ἄρχισαν νά πιάνουν/νά εἰσχωροῦν στό μυαλό τους. ***~ into one's mind***, καρφώνομαι/εἰσχωρῶ στό νοῦ: *Let this warning ~ into your mind*, αὐτή ἡ προειδοποίησις νά καρφωθῆ στό μυαλό σου (νά τήν χωνέψης). **5**. χαμηλώνω,

πέφτω, βυθίζομαι: *He sank his voice to a whisper*, ἔκανε τή φωνή του ψιθυριστή. *His voice sank to a whisper*, ἡ φωνή του ἔγινε ψιθυριστή. ~ *into vice/a deep sleep/oblivion*, βυθίζομαι στήν ἁμαρτία/σέ βαθύ ὕπνο/στή λήθη. *He was sunk in thought/despair*, ἦταν βυθισμένος σέ σκέψεις/σέ ἀπελπισία. **6**. σωριάζομαι, πέφτω χάμω, γέρνω: *The wounded soldier sank to the ground*, ὁ πληγωμένος στρατιώτης σωριάστηκε χάμω. *He sank into a chair*, σωριάστηκε σέ μιά πολυθρόνα. *He sank onto his knees*, ἔπεσε στά γόνατά του. *His head sank on his chest*, τό κεφάλι του ἔγυρε στό στῆθος του. *The sun was ~ing in the west*, ὁ ἥλιος ἔγερνε στή δύση. **7**. πέφτω (σέ ἀξία), ἐξασθενίζω, ξεπέφτω: *Prices are ~ing*, οἱ τιμές πέφτουν. *The patient is ~ing fast*, ὁ ἄρρωστος ἐξασθενίζει/σβύνει γρήγορα. *His cheeks have sunk in*, τά μάγουλά του κούφωσαν. *He has sunken cheeks*, ἔχει ρουφηγμένα μάγουλα. *He sank in the estimation of his friends*, ξέπεσε στήν ἐκτίμηση τῶν φίλων του. ~ *into insignificance*, γίνομαι ἀσήμαντος. ***~ low***, ξεπέφτω πολύ χαμηλά. **8**. παραμερίζω: *Let's ~ our differences and work together*, ἄς παραμερίσωμε τίς διαφορές μας νά συνεργαστοῦμε. **9**. ἐπενδύω, τοποθετῶ (χρήματα), ἀποσβεννύω (χρέος). **`~ing fund**, χρεωλυτικόν ταμεῖον/κεφάλαιον. **10**. ἀνοίγω (σκάβοντας): ~ *a well*, ἀνοίγω πηγάδι.

sinker /`sɪŋkə(r)/ *οὐσ.* ‹C› βαρίδι (πετονιᾶς). ***hook, line and ~***, (*μεταφ.*) ἐντελῶς, ὁλοκληρωτικά.

Sino- /`saɪnəʊ/ *ἐπ.* Κινεζο-, σινο-: *~-American relations*, οἱ σχέσεις Κίνας-'Αμερικῆς.

Si·nol·ogy /saɪ`nolədʒɪ/ *οὐσ.* ‹U› σινολογία. **Si·nol·ogist** /-dʒɪst/ *οὐσ.* ‹C› σινολόγος.

sinu·ous /`sɪnjʊəs/ *ἐπ.* ἑλικοειδής, ὅλο στροφές.

sinus /`saɪnəs/ *οὐσ.* ‹C› (*πληθ.* *~es*) (*ἀνατ.*) κόλπος, κοιλότης (ὀστοῦ), ἰγμόρειον ἄντρον.

sip /sɪp/ *ρ.μ/ἀ.* *(-pp-)* ἀργοπίνω, ρουφῶ γουλιά-γουλιά: ~ *(up) one's coffee*, ἀργοπίνω τόν καφέ μου. __*οὐσ.* ‹C› γουλιά, ρουφηξιά: *a ~ of brandy*, μιά γουλιά κονιάκ.

si·phon /`saɪfən/ *οὐσ.* ‹C› σιφόν(ι). __*ρ.μ/ἀ.* ***~ sth off/out***, ἀναρροφῶ, μεταγγίζω μέ σιφόνι: ~ *petrol out of the tank*, ἀναρροφῶ βενζίνα ἀπό τό ρεζερβουάρ.

sir /sɜ(r)/ *οὐσ.* **1**. (*σέ προσφώνηση*) κύριε: *Yes, ~*, μάλιστα, κύριε. *Dear S~; (My) dear S~*, ἀγαπητέ κύριε. **2**. σέρ (τίτλος βαρωνέτου ἤ ἱππότου).

sire /saɪə(r)/ *οὐσ.* ‹C› **1**. (*ἀπηρχ.*) πατήρ, πρόγονος. **2**. (*ἀπηρχ.*) (*τίτλος προσφωνήσεως αὐτοκράτορος ἤ ἡγεμόνος*) Μεγαλειότατε. **3**. (*γιά ἄλογα*) πατέρας, ἐπιβήτωρ. __*ρ.μ.* (*γιά ἐπιβήτορα*) εἶμαι πατέρας, γεννῶ.

si·ren /`saɪərən/ *οὐσ.* ‹C› **1**. (*μυθ.*) Σειρήνα, (*μεταφ.*) ξελογιάστρα γυναίκα, γόησσα. **2**. σειρήνα: *an `air-raid ~*, ἀντιαεροπορική σειρήνα. *an `ambulance ~*, σειρήνα αὐτοκινήτου πρώτων βοηθειῶν. *the wailing of a ~*, τό οὔρλιασμα μιᾶς σειρήνας.

sir·loin /`sɜlɔɪn/ *οὐσ.* ‹C,U› κόντρα φιλέτο.

sir·occo /sɪ`rokəʊ/ *οὐσ.* ‹C› (*πληθ.* *~s*) σιρόκος (ἄνεμος).

sir·rah /`sɪrə/ *οὐσ.* ‹C› (*ἀπηρχ.*) τύπος, ἄνθρωπος.

sirup /`sɪrəp/ *οὐσ.* ‹C,U› *βλ.* *syrup*.

sissy /`sɪsɪ/ *οὐσ.* ‹C› (*καθομ.*) θηλυπρεπής νέος, ἀδελφή.

sis·ter /`sɪstə(r)/ *οὐσ.* ‹C› **1**. ἀδελφή: *my ~ Mary*, ἡ ἀδελφή μου Μαίρη. *She has been a ~ to me*, μοῦ στάθηκε σάν ἀδελφή, ὑπῆρξε ἀδελφή γιά μένα. **`half-~**, ἑτεροθαλής ἀδελφή. **`~-in-law** (*πληθ.* *~s-in-law*) νύφη (σύζυγος τοῦ ἀδελφοῦ), κουνιάδα. **2**. μοναχή, καλογρηά: *S~s of Mercy*, 'Αδελφαί τοῦ 'Ελέους. **3**. νοσοκόμα, προϊσταμένη. **4**. (*ἐπιθ.*) τοῦ αὐτοῦ εἴδους: ~ *ships*, ἀδελφά πλοῖα, ὅμοια πλοῖα. **~·ly** *ἐπ.* ἀδελφικός: *~ly love/kisses*, ἀδελφική ἀγάπη/-ά φιλιά. **~·hood** /-hʊd/ *οὐσ.* **1**. ‹U› ἀδελφότης. **2**. ‹C› θρησκευτική ὀργάνωσις γυναικῶν.

sit /sɪt/ *ρ.μ/ἀ.* *ἀνώμ.* *(-tt-)* (*ἀόρ.* & *π.μ.* *sat* /sæt/) **1**. κάθομαι: ~ *on a chair/in an armchair*, κάθομαι σέ καρέκλα/σέ πολυθρόνα. ~ *at a table/desk*, κάθομαι σέ τραπέζι/σέ γραφεῖο. ~ *by the fire*, κάθομαι στή φωτιά. ~ *on the floor/on a horse*, κάθομαι στό πάτωμα/σ' ἕνα ἄλογο. ***~ for a borough***, ἀντιπροσωπεύω στή Βουλή μιά περιφέρεια. ***~ (for) an examination***, δίνω ἐξετάσεις. ***~ to an artist/for one's portrait***, ποζάρω σέ ζωγράφο/γιά τό πορτραῖτο μου. ***~ in Parliament/on a committee***, εἶμαι μέλος τῆς Βουλῆς/μιᾶς ἐπιτροπῆς. ***~ tight***, κάθομαι καλά (*ἰδ.* στή σέλλα), (*μεταφ.*) μένω ἀκλόνητος (στό σκοπό μου, στίς ἰδέες μου, κλπ). ***the sitting member***, ὁ ὑποψήφιος (σέ βουλευτικές ἐκλογές) πού ἦταν μέλος στή διαλυθεῖσα Βουλή. **2**. καθίζω: *He lifted the child and sat him at the table*, ἀνασήκωσε τό παιδάκι καί τό κάθισε στό τραπέζι. *S~ you down*, (*παλ.*) καθῖστε. **3**. (*γιά Βουλή, δικαστήριο, ἐπιτροπή, κλπ*) συνεδριάζω: *The House of Commons was still ~ting at 3 a.m.*, ἡ Βουλή ἀκόμα συνεδρίαζε στίς 3 π.μ. *The Courts do not ~ in August*, τά δικαστήρια ἀργοῦν τόν Αὔγουστο. **4**. καβαλλῶ, ἱππεύω, κάθομαι στή σέλλα: *She ~s her horse well*, κάθεται ὡραῖα στ' ἄλογό της. *He couldn't ~ his mule*, δέν μποροῦσε νά κρατηθῆ πάνω στό μουλάρι. **5**. (*γιά πουλιά*) κουρνιάζω, κάθομαι: ~ *on a branch*, κάθομαι/κουρνιάζω σ' ἕνα κλαδί. **'~ting `tenant**, ὁ ἐνοικιαστής πού βρίσκεται μέσα στό μίσθιο. ***'~ting `duck***, (*μεταφ.*) εὔκολος στόχος. **6**. (*γιά κόττα*) κλωσσῶ: *The hen wants to ~*, ἡ κόττα θέλει νά κλωσσήση. **7**. (*γιά ροῦχα*) ἐφαρμόζω, πέφτω: *The coat ~s badly across the shoulders*, τό σακκάκι δέν πέφτει καλά στούς ὤμους. **8**. (*μέ ἐπιρ. καί προθέσεις*):

sit back, κάθομαι ἀναπαυτικά, ξεκουράζομαι, (*μεταφ.*) παραμένω ἄπρακτος/ἀδρανής. ~ *back in an armchair*, ξαπλώνω σέ μιά πολυθρόνα. *I'll ~ back for a while*, θά καθίσω νά ξεκουραστῶ γιά λίγο. *How can you ~ back when I am being insulted?* πῶς μπορεῖς νά παραμένης ἀδρανής ὅταν μέ βρίζουν;

sit down, *(a)* κάθομαι. ***`~-down strike***, λευκή ἀπεργία. *(β)* ***~ down under*** *(insults, etc)*, ἀνέχομαι ἀδιαμαρτύρητα (νά μέ βρίζουν, κλπ).

sit in, καταλαμβάνω (ἐργοστάσιο, Πανεπιστήμιο, κλπ) σέ ἔνδειξη διαμαρτυρίας. **`~-in** *οὐσ.* ‹C› κατοχή. **~ *in on*** *(a meeting, etc)*, παρευρίσκομαι ὡς παρατηρητής (σέ συνεδρίαση, κλπ).

sit on sth, *(α)* εἶμαι μέλος: *~ on a committee*, εἶμαι μέλος ἐπιτροπῆς. *(β)* (*μεταφ.*) ἀμελῶ νά ἀσχοληθῶ μέ κτ: *They've been ~ting on my application for months*, κρατᾶνε τήν αἴτησή μου μῆνες τώρα χωρίς νά κάνουν καμιά ἐνέργεια.

sit out, *(α)* μένω μέχρι τέλους: *~ out a play/match*, μένω ὥς τό τέλος ἑνός ἔργου/ἑνός ἀγῶνος. *(β)* μένω ἀπέξω, δέν συμμετέχω (*ἰδ.* σέ χορό): *I'll ~ out the next dance*, δέν θά χορέψω τόν ἑπόμενο χορό.

sit up, *(α)* ξαγρυπνῶ, κοιμᾶμαι ἀργά: *I can't ~ up all night waiting for you*, δέν μπορῶ νά μείνω ἄγρυπνος ὅλη τή νύχτα γιά νά σέ περιμένω. *The children shouldn't be allowed to ~ up late*, δέν πρέπει ν' ἀφήνετε τά παιδιά νά μένουν ἀργά τό βράδυ. **~ *(sb) up (in bed)***, ἀνακάθομαι, ἀνασηκώνω κπ (στό κρεββάτι): *He's well enough to ~ up in bed now*, εἶναι ἀρκετά καλά τώρα γιά νά ἀνασηκωθῆ στό κρεββάτι του. *Just ~ me up a little, please*, ἀνασήκωσέ με λίγο, παρακαλῶ. ***~ up straight***, κάθομαι ἴσια: *S~ up straight boys!* καθῖστε ἴσια, παιδιά! ***make sb ~ up (and take notice)***, (*καθομ.*) προκαλῶ φόβο/ ἀνησυχία/ὀργή σέ κπ, κάνω κπ νά βγῆ ἀπό τό λήθαργό του: *I've written him a letter that will make him ~ up*, τοὔγραψα ἕνα γράμμα πού θά τόν τσούξη. ***~ (up)on sb***, (*καθομ.*) ἀποπαίρνω κπ, τόν βάζω στή θέση του: *That rude fellow needs to be sat on*, κάποιος πρέπει νά βάλη στή θέση του αὐτόν τόν ἀγενέστατο τύπο. ***~ (up)on sth***, (*γιά ἐπιτροπή, δικαστήριο, κλπ*) διερευνῶ, ἐξετάζω κτ.

si·tar /ˈsɪta(r)/ *οὐσ.* ‹C› σίταρ (Ἰνδικό ἔγχορδο ὄργανο).

site /saɪt/ *οὐσ.* ‹C› θέσις, τοποθεσία: *It's built on the ~ of an old fortress*, εἶναι χτισμένο στή θέση ἑνός παληοῦ φρουρίου. *a good ~ for a school*, καλή τοποθεσία γιά σχολεῖο. **`build-ing ~**, γιαπί, ἐργοτάξιον, οἰκόπεδο πρός ἀνοικοδόμηση. —*ρ.μ.* ἀνεγείρω, ἐγκαθιστῶ: *The new factory will be ~d outside the town*, τό νέο ἐργοστάσιο θά ἐγκατασταθῆ/θά γίνη ἔξω ἀπό τήν πόλη.

sit·ter /ˈsɪtə(r)/ *οὐσ.* ‹C› **1**. ἄνθρωπος πού ποζάρει (σέ ζωγράφο). **2**. κλῶσσα. **3**. καθισμένο πουλί, (*μεταφ.*) εὔκολος στόχος, κάτι πολύ εὔκολο: *miss a ~*, (*ποδόσφ.*) χάνω σίγουρο τέρμα. *That's a ~ for me*, αὐτό εἶναι παιχνιδάκι γιά μένα. (*βλ.* & *λ.* *baby*).

sit·ting /ˈsɪtɪŋ/ *οὐσ.* ‹C› **1**. συνεδρίασις (Βουλῆς, κλπ): *during a long ~*, κατά τήν διάρκεια μιᾶς μακρᾶς συνεδριάσεως. **2**. ποζάρισμα: *How many ~s will it take?* πόσες φορές θά χρειαστῆ νά ποζάρω; **3**. καθισιά: *read a book at one ~*, διαβάζω ἕνα βιβλίο σέ μιά καθισιά (συνέχεια, μονορρούφι). **4**. κλώσσημα, ὅλα τ' αὐγά τῆς κλώσσας. **5**. **`~-room**, μικρό σαλόνι, καθημερινό δωμάτιο.

situ·ated /ˈsɪtʃʊeɪtɪd/ *κατηγ.* *ἐπ.* κείμενος, εὑρισκόμενος. ***be ~***, κεῖμαι, εὑρίσκομαι (σέ ὡρισμένη θέση): *The village is ~ on a hillside*, τό χωριό βρίσκεται/κεῖται στήν πλαγιά ἑνός λόφου. *I am awkwardly ~ just now*, εἶμαι σέ δύσκολη θέση αὐτό τόν καιρό. *How is he ~?* ποιά εἶναι ἡ (οἰκονομική) κατάστασή του;

situ·ation /ˈsɪtʃʊˈeɪʃn/ *οὐσ.* ‹C› **1**. θέσις, τοποθεσία: *a good ~ for a cottage*, καλή θέσις γιά βίλλα. **2**. θέσις κατάστασις: *be in an embarassing ~*, εἶμαι σέ δύσκολη θέση. *the international ~*, ἡ διεθνής κατάστασις. **3**. θέσις, δουλειά: *get a good ~*, βρίσκω καλή θέση/ δουλειά. ***S~s vacant***, (*ἀγγελίες σέ ἐφημερίδα*) Ζητοῦνται ὑπάλληλοι. ***S~s wanted***, Ζητοῦν ἐργασίαν. ***be in a/out of a ~***, ἔχω δουλειά/εἶμαι ἄνεργος.

six /sɪks/ *ἐπ.* & *οὐσ.* ‹C› ἕξη. ***in ~es***, ἀνά ἑξάδες. ***at ~s and sevens***, ἄνω-κάτω, κουλουβάχατα, φύρδην-μίγδην. ***It's ~ of one and half a dozen of the other***, εἶναι ἴδια κι' ἀπαράλλαχτα, πάρε τό ἕνα καί χτύπα τ' ἄλλο. **'~-`footer**, (*καθομ.*) ἄνθρωπος ἕξη πόδια ψηλός. **`~·pence**, νόμισμα ἀξίας (*παλαιότ.*) ἕξη πεννῶν (*τώρα*) δυόμιση πεννῶν. **`~·penny** *ἐπ.* ἕξη πεννῶν: *a ~penny ice-cream*, παγωτό ἕξη πεννῶν. **~-shooter**, ἑξάσφαιρο πιστόλι. **`~·fold** /-fəʊld/ *ἐπ.* ἑξαπλάσιος. —*ἐπίρ.* ἑξαπλασίως. **~·teen** /sɪkˈstin/ *ἐπ.* & *οὐσ.* ‹C› δεκαέξη. **~·teenth** /sɪkˈstinθ/ *ἐπ.* & *οὐσ.* ‹C› δέκατος ἕκτος. **~th** /sɪksθ/ *ἐπ.* & *οὐσ.* ‹C› ἕκτος. **`~th form** (*MB*) ἕκτη (τελευταία) τάξις τοῦ γυμνασίου. **`~th-former**, (*MB*) τελειόφοιτος γυμνασίου. **'~th `sense**, ἕκτη αἴσθησις. **`~th·ly** *ἐπίρ.* ἕκτον. **~·ty** /ˈsɪkstɪ/ *ἐπ.* & *οὐσ.* ‹C› ἑξήντα. **~·ti·eth** /ˈsɪkstɪəθ/ *ἐπ.* & *οὐσ.* ‹C› ἑξηκοστός. **~ties**, ἡ δεκαετία τοῦ '60.

[1]**size** /saɪz/ *οὐσ.* **1**. ‹U› μέγεθος, διάστασις, μπόϊ: *arranged according to ~*, τακτοποιημένα κατά μέγεθος. *of large/small ~*, μεγάλου/ μικροῦ μεγέθους. *a hall of vast ~*, αἴθουσα τεραστίων διαστάσεων. *He's half/double my ~*, ἔχει τό μισό/τό διπλό μπόϊ ἀπό μένα. ***be (all) of a ~***, ἔχομε (ἔχουν) ὅλοι τό ἴδιο μέγεθος. ***the ~ of***, μεγέθους: *hail the ~ of an egg*, χαλάζι μεγέθους αὐγοῦ. ***That's about the ~ of it***, (*καθομ.*) αὐτό εἶναι περίπου, ἔτσι ἔχουν περίπου τά πράγματα, δέν ἔπεσες πολύ ἔξω. **2**. ‹C› νούμερο (ρούχων, παπουτσιῶν, κλπ): *What ~ do you take?* τί νούμερο φορᾶτε; *I take ~ ten*, φορῶ νούμερο δέκα. *~ five shoes*, παπούτσια νούμερο πέντε. *all ~s of gloves*, γάντια σ' ὅλα τά νούμερα. —*ρ.μ.* ταξινομῶ κατά μέγεθος. ***~ sb/sth up***, (*καθομ.*) ζυγίζω κπ/κτ, μετρῶ τί ἀξίζει. **-sized** /-saɪzd/ *ἐπ.* (*ὡς β! συνθ.*) μεγέθους: *medium-~d*, μετρίου μεγέθους. **`siz·able, `size·able** /-əbl/ *ἐπ.* ἀρκετά μεγάλος.

[2]**size** /saɪz/ *οὐσ.* ‹U› κόλλα (γιά ροῦχα, χαρτί, κλπ). —*ρ.μ.* κολλαρίζω.

sizzle /ˈsɪzl/ *ρ.ἀ.* τσιτσιρίζω: *sausages sizzling in the pan*, λουκάνικα πού τσιτσιρίζουν στό τηγάνι. *sizzling hot*, πολύ ζεστός, καυτός (καιρός, φαγητό, κλπ). —*οὐσ.* ‹C› τσιτσίρισμα.

[1]**skate** /skeɪt/ *οὐσ.* ‹C› παγοπέδιλο, πατίνι. —*ρ.ἀ.* πατινάρω. **~ *over/round*** *(a difficulty/a problem)*, (*μεταφ.*) παρακάμπτω (μιά δυσκολία/ἕνα πρόβλημα). ***~ on thin ice***, (*μεταφ.*) εὑρίσκομαι σέ ὀλισθηρό ἔδαφος, μιλῶ γιά λεπτό θέμα. **`skat·ing** *οὐσ.* ‹U›

παγοδρομία, πατινάζ. **`skat·ing-rink**, παγοδρόμιον, αἴθουσα πατινάζ. **`skater** *οὐσ.* ‹C› παγοδρόμος, πατινέρ.

²**skate** /skeɪt/ *οὐσ.* ‹C› (*ἀμετάβλ. εἰς πληθ.*) (*ἰχθ.*) σαλάχι.

ske·daddle /skɪˋdædl/ *ρ.ἀ.* (*συνήθ. στήν προστακτ.*) (*MB, καθομ.*) φεύγω, στρίβω: *S~!* δρόμο! στρῖβε!

skein /skeɪn/ *οὐσ.* ‹C› κουβάρι, ματσάκι, κούκλα (μεταξωτῆς κλωστῆς).

skel·eton /ˋskelɪtn/ *οὐσ.* ‹C› **1**. σκελετός (ἀνθρώπου, ζώου): *be a mere ~*, εἶμαι πετσί καί κόκκαλο. ***be reduced to a ~***, γίνομαι πετσί καί κόκκαλο. ***the family ~; the ~ in the cupboard***, ἡ κρυφή ντροπή τῆς οἰκογένειας, τό ἀτιμωτικό οἰκογενειακό μυστικό. **2**. (*μεταφ.*) σκελετός, σκαρί, κουφάρι (πλοίου), προσχέδιο: *the steel ~ of a new building*, ὁ ἀτσάλινος σκελετός ἑνός νέου κτιρίου. **`~ key**, πασπαρτοῦ, γενικό ἀντικλείδι. **`~ staff/crew/service**, προσωπικό/πλήρωμα/ὑπηρεσία μειωμένο/-η στό ἐλάχιστο.

skep /skep/ *οὐσ.* ‹C› πανέρι, καφάσι, ψάθινη ἤ πλεχτή κυψέλη.

skep·tic /ˋskeptɪk/ *οὐσ.* ‹C› *βλ. sceptic.*

sketch /sketʃ/ *οὐσ.* ‹C› **1**. σκαρίφημα, σχέδιον, σκίτσο: *a free-hand ~*, ἐλεύθερο σχέδιο. *make a ~ of sth*, σκιτσάρω κτ. **`~-book/-block**, τετράδιο ἰχνογραφίας/μπλόκ σχεδίου. **`~-map**, σχεδιάγραμμα. **2**. γενικό διάγραμμα: *He gave me a ~ of his plans*, μοῦ ἔδωσε ἕνα γενικό διάγραμμα τῶν σχεδίων του. **3**. (*θεατρ.*) σκέτς. __*ρ.μ/ἀ.* σκιτσάρω, σχεδιάζω: *She often goes into the country to ~*, πάει συχνά στήν ἐξοχή γιά νά κάμη σκίτσα/νά σχεδιάση. ***~ sth out***, διατυπώνω σέ γενικές γραμμές: *~ out proposals for sth*, κάνω γενικές προτάσεις γιά κτ. **~er** *οὐσ.* ‹C› σκιτσογράφος, σχεδιαστής. **~y** *ἐπ.* (*-ier, -iest*) πρόχειρος, στοιχειώδης, ἀτελής (πχ γνῶσις). **~·ily** /-əlɪ/ *ἐπίρ.* πρόχειρα, σέ γενικές γραμμές. **~·i·ness** *οὐσ.* ‹U› προχειρότης, ἔλλειψις λεπτομερειῶν, κενά (γνώσεων).

skew /skju/ *ἐπ.* λοξός, σκεβρωμένος. **`~-eyed** *ἐπ.* (*καθομ.*) ἀλλοίθωρος. ***on the ~***, (*καθομ.*) στραβά, λοξά.

skewer /ˋskjuə(r)/ *οὐσ.* ‹C› σουβλάκι (γιά κρέας). __*ρ.μ.* περνῶ σέ σούβλα.

ski /ski/ *οὐσ.* ‹C› σκί: *a pair of ~(s)*, ἕνα ζευγάρι σκί. *bind on one's ~(s)*, φορῶ τά σκί μου. **`~-bob**, χιονοποδήλατο. **`~-jump**, ἅλμα μέ σκί. **`~-lift**, τελεφερίκ γιά σκιέρ. **`~-plane**, ἀεροπλάνο μέ χιονολισθητῆρες. **`water ~**, θαλάσσιο σκί. __*ρ.ἀ.* (*ἀόρ. & π.μ. ~'d, ἐνεργ. μετ. ~ing*) κάνω σκί: *go in for ~ing*, ἀσχολοῦμαι μέ τό σκί. ***go ~ing***, πάω γιά σκί. **skier** /ˋskiə(r)/ *οὐσ.* ‹C› χιονοδρόμος, σκιέρ.

skid /skɪd/ *οὐσ.* ‹C› **1**. τροχοπεδητικό πέδιλο (σέ ὄχημα). **2**. μαδέρι (γιά τό ξεφόρτωμα βαρελιοῦ ἀπό κάρρο). **3**. ντεραπάρισμα (αὐτοκινήτου). ***put the ~s under sb***, (*λαϊκ.*) βάζω νέφτι σέ κπ. __*ρ.ἀ.* (*-dd-*) ντεραπάρω.

skiff /skɪf/ *οὐσ.* ‹C› σκίφ, ἐλαφριά ἀτομική βάρκα.

skil·ful /ˋskɪlfl/ *ἐπ.* ἐπιδέξιος: *He's not ~ with his hands/at using a paintbrush*, δέν εἶναι ἐπιδέξιος στά χέρια/στή χρησιμοποίηση τοῦ πινέλου. **~ly** /-fəlɪ/ *ἐπίρ.* ἐπιδέξια.

skill /skɪl/ *οὐσ.* ‹C,U› ἱκανότης, ἐπιδεξιότης: *technical ~*, τεχνική ἐπιδεξιότης. **~ed** *ἐπ.* **1**. εἰδικευμένος, γυμνασμένος: *~ed workers*, εἰδικευμένοι ἐργάτες. **2**. πού ἀπαιτεῖ εἰδίκευση: *~ed work*.

skil·let /ˋskɪlɪt/ *οὐσ.* ‹C› **1**. κατσαρόλα (μέ μακρύ χέρι καί πόδια). **2**. (*ΗΠΑ*) τηγάνι.

skilly /ˋskɪlɪ/ *οὐσ.* ‹U› χυλός, ἀραιή σούπα.

skim /skɪm/ *ρ.μ/ἀ.* (*-mm-*) **1**. ξαφρίζω (ὑγρό), ἀποβουτυρώνω (γάλα): *~ the soup*, ξαφρίζω τή σούπα. *~ milk/the cream from milk*, παίρνω τήν κρέμα ἀπό γάλα. **`~·med-milk**, ἀποβουτυρωμένο γάλα. **2**. περνῶ ξυστά: *The swallows were ~ming (over) the water/along the ground*, τά χελιδόνια περνοῦσαν ξυστά πάνω ἀπό τό νερό/ἀπό τό ἔδαφος. **3**. ***~ (through) sth***, διαβάζω κτ γρήγορα/στά πεταχτά: *~ (through) a newspaper/a catalogue*, περνῶ στά γρήγορα μιά ἐφημερίδα/ἕναν κατάλογο. **~·mer** *οὐσ.* ‹C› τρυπητή κουτάλα, ξαφριστήρι.

skimp /skɪmp/ *ρ.μ/ἀ.* τσιγγουνεύομαι, κάνω οἰκονομία: *Don't ~ the butter when making cakes*, μήν τσιγγουνεύεσαι τό βούτυρο ὅταν φτιάχνης γλυκά. *They are so poor that they have to ~*, εἶναι τόσο φτωχοί πού πρέπει νά τά μετρᾶνε (νά τά τσιγγουνεύονται) ὅλα. **~y** *ἐπ.* (*-ier, -iest*) (*α*) τσιγγούνης, σφιχτοχέρης. (*β*) τσιγγουνεμένος, τσουρούτικος: *a ~y skirt*, στενή/τσουρούτικη φούστα (πού δέν ἔχει ὅσο ὕφασμα θά ἔπρεπε). *a ~y meal*, φτωχό γεῦμα. **~·ily** /-əlɪ/ *ἐπίρ.* τσιγγούνικα.

skin /skɪn/ *οὐσ.* **1**. ‹U› δέρμα, πετσί, ἐπιδερμίδα: *wet to the ~*, βρεγμένος ὥς τό κόκκαλο. ***next to the ~***, κατάσαρκα: *wear sth next to the ~*, φορῶ κτ κατάσαρκα. **'~ and `bone**, πετσί καί κόκκαλο. ***get under one's ~***, (*μεταφ.*) ἐρεθίζω κπ, ξετρελλαίνω κπ. ***save one's ~***, γλυτώνω τό τομάρι μου. (*βλ. & λ. tooth*). ***have a thin/thick ~***, εἶμαι εὔθικτος/ἀναίσθητος. **'thin-`~ned** *ἐπ.* εὐαίσθητος, εὔθικτος. **'thick-`~ned** *ἐπ.* ἀναίσθητος, χοντρόπετσος. **'dark-`~ned** *ἐπ.* μελαχρινός. **'~-`deep** *ἐπ.* (*γιά αἰσθήματα, κλπ*) ἐπιφανειακός, ξώπετσος, ἐπιπόλαιος. **`~-diving**, ὑποβρύχιο κολύμπι. **`~·flint**, σπαγγοραμμένος, ἐξηνταβελόνης. **`~ game**, ἀπάτη, παπᾶς (παιχνίδι). **`~-graft**, (*ἰατρ.*) μεταμόσχευσις δέρματος. **`~head**, νεαρός ταραχοποιός. **'~-`tight** *ἐπ.* ἐφαρμοστός. **2**. ‹C› δέρμα, τομάρι (ζώου). *raw ~s*, ἀκατέργαστα δέρματα. *fur ~s*, γοῦνες. **3**. ‹C› ἀσκί, τουλούμι: *a `wine-~*, ἀσκί γιά κρασί. **4**. ‹C,U› περίβλημα (σαλαμιοῦ), φλούδα (φρούτου, φυτοῦ): *`grape ~s*, φλοῦδες σταφυλιῶν. *slip on a banana ~*, γλιστρῶ σέ μπανανόφλουδα. **5**. ‹U› πέτσα (βρασμένου γάλατος, κλπ). __*ρ.μ/ἀ.* (*-nn-*) (*α*) γδέρνω ζῶον: *~ a rabbit*, γδέρνω ἕνα κουνέλι. ***keep one's eyes ~ned***, (*καθομ.*) ἔχω τά μάτια μου δεκατέσσερα. (*β*) (*καθομ.*) γδέρνω, ἐξαπατῶ, μαδῶ κπ (*ἰδ.* στά χαρτιά): *He was ~ned of all his money*, τοῦ πῆραν μέ ἀπάτη ὅλα του τά λεφτά, τόν ἔγδαραν. (*γ*) ***~ over***, (*γιά πληγή*) κλείνω, κάνω πέτσα, ἐπουλώνομαι: *The wound ~ned over*, τό τραῦμα ἔκλεισε. **~ny** *ἐπ.* (*-ier, -iest*) κοκκαλιάρης, (*καθομ.*) τσιγγούνης.

skint /skɪnt/ ἐπ. (*MB, λαϊκ.*) ἀπένταρος, μπατίρης.

[1]**skip** /skɪp/ ρ.μ/ἀ. (*-pp-*) **1**. πηδῶ ἀνάλαφρα, χοροπηδῶ: ~ *over an obstacle/a brook*, ὑπερπηδῶ ἕνα ἐμπόδιο/ἕνα ποταμάκι. ~ *out of the way of a bus*, παραμερίζω (πηδώντας) ἀπό τό δρόμο λεωφορείου. **ˋ~·ping-rope**, (*παιχνίδι*) σκοινάκι. **2**. πετάγομαι (σέ κάποιο μέρος), πηδῶ (ἀπό θέμα σέ θέμα): ~ *over/across to Paris for the weekend*, πετάγομαι στό Παρίσι γιά τό Σαββατοκύριακο. ~ *from one subject to another*, πηδῶ ἀπό τό ἕνα θέμα στό ἄλλο. **3**. πηδῶ, παραλείπω: *We'll ~ the next chapter*, θά πηδήξωμε τό ἑπόμενο κεφάλαιο. __*οὐσ.* ‹C› πήδημα, σκίρτημα.

[2]**skip** /skɪp/ *οὐσ.* ‹C› μεγάλος κάδος (ἐκσκαφέως, καθόδου σέ ὀρυχεῖο, ἀποκομιδῆς ἀπορριμάτων).

skip·per /ˋskɪpə(r)/ *οὐσ.* ‹C› **1**. καραβοκύρης. **2**. (*καθομ., ἀθλ.*) ἀρχηγός ὁμάδος.

skirl /skɜl/ *οὐσ.* ‹C,U› τσίριγμα: *the ~ of the bagpipes*, τό τσίριγμα ἀπό τίς πίπιζες.

skir·mish /ˋskɜmɪʃ/ *οὐσ.* ‹C› ἀψιμαχία. __*ρ.ἀ.* ἀψιμαχῶ. **~er** *οὐσ.* ‹C› ἀκροβολιστής.

skirt /skɜt/ *οὐσ.* ‹C› **1**. φούστα: *a ˋmini~*, φούστα μίνι. ***a piece of ~***, (*λαϊκ., μεταφ.*) φουστάνι, γυναίκα. **2**. μπάσκα, ποδιά. **3**. (*πληθ.*) παρυφές, κράσπεδα (πόλεως, δάσους, κλπ). __*ρ.μ/ἀ.* περιτρέχω, φέρνω γύρω: *The road ~s the forest*, ὁ δρόμος πάει γύρω ἀπό τό δάσος. *Our path ~ed along the lake*, τό μονοπάτι μας ἀκολουθοῦσε τήν ἄκρη τῆς λίμνης. **ˋ~·ing-board**, σοβατεπί.

skit /skɪt/ *οὐσ.* ‹C› (*θέατρ.*) σατυρικό σκέτς, νούμερο, παρωδία.

skit·tish /ˋskɪtɪʃ/ *ἐπ.* **1**. (*γιά ἄλογο*) νευρικός, ζωηρός. **2**. (*γιά γυναίκα*) φιλάρεσκη, ναζιάρα, ἐπιπόλαιη: *She's a ~ little thing*, εἶναι αὐτή μιά ναζοῦ! **~·ly** *ἐπίρ.* φιλάρεσκα. **~·ness** *οὐσ.* ‹U› φιλαρέσκεια.

skittle /ˋskɪtl/ *οὐσ.* ‹C› τσούνι. **~s** (*παιχνίδι*) τσούνια. ***beer and ~s***, ψυχαγωγία, γλέντι: *Life is not all beer and ~s*, ἡ ζωή δέν εἶναι ὅλο γλέντι.

skivvy /ˋskɪvɪ/ *οὐσ.* ‹C› (*ὑποτιμ.*) δούλα, δουλικό.

skulk /skʌlk/ *ρ.ἀ.* κρύβομαι, λουφάζω, ἐνεδρεύω, τριγυρίζω στή ζούλα. **~er** *οὐσ.* ‹C›.

skull /skʌl/ *οὐσ.* ‹C› κρανίο. **ˈ~ and ˋcross-bones**, νεκροκεφαλή (ἡ σημαία τῶν πειρατῶν). **ˋ~-cap**, σκοῦφος (πχ καθολικοῦ παπᾶ).

skull·dug·gery /skʌlˋdʌgərɪ/ *οὐσ.* ‹U› (*ΗΠΑ*) κατεργαριά, ματσαράγκα, ἔξυπνη ἀπάτη.

skunk /skʌŋk/ *οὐσ.* **1**. ‹C› (*ζωολ.*) μεφῖτις, ‹U› ἡ γούνα της. **2**. παλιάνθρωπος, παλιοτόμαρο.

sky /skaɪ/ *οὐσ.* ‹C› οὐρανός: *under the open ~*, κάτω ἀπό τόν οὐρανό, στό ὕπαιθρο. ***praise/extol/laud sb to the skies***, ἀνεβάζω κπ στά οὐράνια. **ˈ~-ˋblue** *οὐσ.* & *ἐπ.* οὐρανί, ἀνοιχτό γαλάζιο. **ˈ~-ˋhigh** *ἐπίρ.* στά οὐράνια: *The bridge was blown ~-high*, ἡ γέφυρα ἀνατινάχτηκε στά οὐράνια. **ˋ~·lark**, κορυδαλλός. **ˋ~·light**, φεγγίτης. **ˋ~·line** γραμμή τοῦ ὁρίζοντα: *the ~line of Paris*, ἡ εἰκόνα τοῦ Παρισιοῦ (στό φόντο τοῦ οὐρανοῦ). **ˋ~-rocket** *ρ.ἀ.* ἀνέρχομαι στά ὕψη: *Prices ~-rocketed*, οἱ τιμές ἀνεβήκανε στά ὕψη. **ˋ~-scraper**, οὐρανοξύστης. **ˋ~-writing**, ἐναέριος διαφήμησις (μέ γράμματα ἀπό καπνό, κλπ). **ˋ~·ward** /ˋskaɪwəd/, **ˋ~·wards** /-wədz/ *ἐπ.* & *ἐπίρ.* πρός τόν οὐρανό.

slab /slæb/ *οὐσ.* ‹C› πλάκα: *paved with ~s of marble*, στρωμένος μέ μαρμάρινες πλάκες. *a mortuary ~*, πλάκα (τράπεζα) νεκροτομείου. *a ~ of cake/cheese*, μεγάλη φέτα κέκ/τυρί.

[1]**slack** /slæk/ *ἐπ.* **1**. ἀργοκίνητος, νωθρός, ὀκνηρός, τεμπέλης: *Don't get ~ at your work*, μήν τεμπελιάζεις στή δουλειά σου. *I feel ~ today*, ἔχω τεμπελιές σήμερα. **2**. χαλαρός, ἄτονος, στάσιμος: *Business is ~*, οἱ δουλειές ἔχουν κόψει. *a ~ demand for sth*, χαλαρή (μικρή) ζήτησις γιά κτ. ~ *time/hours*, περίοδος/ὧρες στασιμότητος (ἀναδουλειά, κεσάτια). ~ *water*, παλιρροιοστάσιον. **3**. μπόσικος, χαλαρός: *a ~ rope*, μπόσικο σκοινί. __*ρ.ἀ.* **1**. ~ (***off***), παραμελῶ, τεμπελεύω, χαλαρώνω (τή δραστηριότητά μου, κλπ): *Don't ~ off in your studies*, μήν παραμελῆς τίς σπουδές σου. **2**. ~ ***up***, κόβω ταχύτητα: *S~ up before you reach the cross-roads*, κόψε ταχύτητα πρίν φθάσης στό σταυροδρόμι. **3**. ~ ***off/away***, λασκάρω (σκοινί, κλπ). **~er** *οὐσ.* ‹C› (*καθομ.*) τεμπέλης, ὀκνός, κοπανατζῆς (στή δουλειά). **~·ly** *ἐπίρ.* χαλαρά, νωθρά, ἄτονα. **~·ness** *οὐσ.* ‹U› χαλαρότης, νωθρότης, ὀκνηρία, ἀναδουλειά, ἀπραξία.

[2]**slack** /slæk/ *οὐσ.* **1**. **the ~**, κοιλιά (σκοινιοῦ), μπόσικο. ***take up the ~***, παίρνω τά μπόσικα, τεντώνω, τεζάρω, (*μεταφ.*) δραστηριοποιῶ. **2**. (*πληθ.*) σπόρ παντελόνι. **3**. ‹C› καρβουνόσκονη. **4**. ‹U› ἀπραξία, στασιμότης, κεσάτια.

slacken /ˋslækən/ *ρ.μ/ἀ.* **1**. κόβω, πέφτω (=ἐλαττώνω/-ομαι, ἐξασθενῶ, ὑποχωρῶ, κάμπτομαι): ~ *speed*, κόβω ταχύτητα. *The ship's speed ~ed*, ἡ ταχύτητα τοῦ πλοίου ἔπεσε. *The gale is ~ing*, ἡ θύελλα ἄρχισε νά κόβη (νά ὑποχωρῆ). **2**. χαλαρώνω, λασκάρω, ξεσφίγγω: ~ *the reins*, χαλαρώνω τά ἡνία, ντώνω τά λουριά. ***S~ away/off!*** λάσκα!

slag /slæg/ *οὐσ.* ‹U› σκωρία (μεταλλεύματος). **ˋ~-heap**, σωρός σκωρίας.

slain /sleɪn/ *π.μ. τοῦ ρ. slay.*

slake /sleɪk/ *ρ.μ.* ἱκανοποιῶ, σβήνω: ~ *one's thirst/wish for revenge*, σβήνω τή δίψα μου/τήν ἐπιθυμία μου γιά ἐκδίκηση. ~ *lime*, σβήνω ἀσβέστη.

slam /slæm/ *ρ.μ/ἀ.* (*-mm-*) **1**. κλείνω μέ πάταγο/ὁρμητικά: ~ *the window shut*, κλείνω τό παράθυρο μέ πάταγο. *He ~med the door in my face*, μοὔκλεισε κατάμουτρα τήν πόρτα. **2**. χτυπῶ, πετῶ ὁρμητικά: *He ~med the box down on the table*, πέταξε ὁρμητικά τό κουτί στό τραπέζι. __*οὐσ.* ‹C› *(α)* χτύπημα, κλείσιμο: *the ~ of a car door*, τό ἀπότομο κλείσιμο/ὁ χτύπος μιᾶς πόρτας αὐτοκινήτου. *(β)* (*μπρίτζ*) σλέμ.

slan·der /ˋslandə(r)/ *οὐσ.* ‹C,U› δυσφήμησις, συκοφαντία: *bring a ~ action against sb*, κάνω ἀγωγή δυσφημήσεως ἐναντίον κάποιου. __*ρ.μ.* δυσφημῶ, κακολογῶ, συκοφαντῶ. **~er** *οὐσ.* ‹C› συκοφάντης. **~·ous** /-əs/ *ἐπ.* συκοφαντικός, δυσφημιστικός: *~ous rumours*, συκοφαντικές διαδόσεις.

slang /slæŋ/ *οὐσ.* ‹U› λαϊκό ἰδίωμα, μάγκικα, ἀργκό: *army/school ~*, ἀργκό τοῦ στρατοῦ/

τῶν μαθητῶν. __ρ.μ. βρίζω, ἀποπαίρνω, κατσαδιάζω: *Stop ~ing me*, πάψε νά μέ βρίζης. ***a ~ing match***, διαγωνισμός στό βρισίδι, ἀλληλοβρίσιμο. **~y** *ἐπ. (-ier, -iest)* λαϊκός, μάγκικος. **~·ily** /-əlɪ/ *ἐπίρ.*

slant /slant/ *ρ.μ/ἀ.* **1**. γέρνω, κλίνω: *His handwriting ~s from right to left*, τό γράψιμό του γέρνει ἀπό τά δεξιά στ' ἀριστερά. **2**. παραποιῶ ἐλαφρά, διαστρέφω: *~ the news*, διαστρέφω τίς εἰδήσεις (τίς ἐμφανίζω μέ τρόπο πού νά εὐνοοῦν μιά ὡρισμένη ἄποψη). __*οὐσ.* ‹C› **1**. κλίσις. ***on a/the ~***, κεκλιμένος, λοξά. **2**. ἀντίληψις, ἄποψις (συχνά προκατειλημμένη): *get a new ~ on the political situation*, βλέπω μιά νέα ὄψη/πλευρά τῆς πολιτικῆς κατάστασης. **~·ing·ly, ~·wise** /-waɪz/ *ἐπίρ.* λοξά, πλαγίως.

slap /slæp/ *ρ.μ. (-pp-)* **1**. μπατσίζω, σκαμπιλίζω, ραπίζω, χτυπῶ μέ τήν παλάμη: *She ~ped his face/~ped him on the face*, τόν μπάτσισε (χαστούκισε) στό πρόσωπο. *~ sb on the back as a greeting*, χαιρετῶ κπ χτυπώντας τον στήν πλάτη. **2**. ***~ sth down***, πετῶ κτ χάμω μέ δύναμη: *He ~ped the book down on the table*, πέταξε (βρόντηξε) τό βιβλίο μέ ὁρμή στό τραπέζι. __*οὐσ.* ‹C› μπάτσος, χαστούκι, σκαμπίλι, καρπαζιά. ***give sb/get a ~ in the face***, (*μεταφ.*) δίνω/τρώω χαστούκι (προσβολή). __*ἐπίρ.* στά ἴσια, κατ' εὐθεῖαν, στά γεμᾶτα: *The car ran ~ into the wall*, τό αὐτοκίνητο ἔπεσε ἴσια ἐπάνω στόν τοῖχο. **'~-'bang** *ἐπίρ.* βίαια, ὁρμητικά, ἀπότομα. **'~·dash** *ἐπ.* φουριόζος, τσαπατσούλης: *a ~dash worker*, τσαπατσούλης ἐργάτης. *in a ~dash manner*, μέ τσαπατσούλικο τρόπο. __*ἐπίρ.* φουριόζικα, τσαπατσούλικα: *do one's work ~dash*, κάνω τή δουλειά μου φουριόζικα, ἄτσαλα. **'~-happy** *ἐπ.* ἀνέμελος, ξένοιαστος. **'~·stick**, χοντροκομμένη φάρσα (*συνήθ. μέ πολλή βία*): *a ~stick comedy*, χοντροκομμένη κωμῳδία. **'~-up** *ἐπ.* (*λαϊκ.*) πρώτης τάξεως: *a ~-up restaurant*, ἄλφα-ἄλφα ρεστωράν.

slash /slæʃ/ *ρ.μ/ἀ.* **1**. (πετσο)κόβω, χτυπῶ (μέ πλατειές κινήσεις): *His face has been ~ed with a razor-blade*, τό πρόσωπό του ἦταν πετσοκομμένο μέ ξυραφάκι. *He ~ed at the tall weeds with his stick*, χτυποῦσε τά ψηλά ἀγριόχορτα μέ τό μπαστούνι του. *~ grass*, κόβω χλόη. *He cut and ~ed*, χτυποῦσε στήν τύχη. **2**. (*κυριολ.* & *μεταφ.*) μαστιγώνω: *~ a horse cruelly*, μαστιγώνω ἕνα ἄλογο ἀπάνθρωπα. *~ a new book/play*, ἐπικρίνω σφοδρά ἕνα καινούργιο βιβλίο/ἔργο. *a ~ing attack on the government*, μιά βίαιη ἐπίθεση κατά τῆς κυβερνήσεως. **3**. περικόπτω, ψαλιδίζω δραστικά: *~ prices/taxes*, περικόπτω τίς τιμές/τούς φόρους. *~ salaries*, ψαλιδίζω τούς μισθούς. **4**. (*συνήθ. σέ παθ. φων.*) ἀφήνω ἀνοίγματα (σέ ροῦχα): *a ~ed coat/~ed sleeves*, σχιστό σακκάκι/-ά μανίκια. __*οὐσ.* ‹C› κόψιμο, κοψιά, καμτσικιά.

slat /slæt/ *οὐσ.* ‹C› πηχάκι (πχ γρίλλιας). **~·ted** *ἐπ.* μέ γρίλλιες.

slate /sleɪt/ *οὐσ.* **1**. ‹U› σχιστόλιθος, πλάκα: *a ~-covered roof*, πλακόστρωτη σκεπή. *a '~ quarry*, νταμάρι γιά πλάκες. **'~-coloured**, γκριζόμαυρος. **2**. ‹C› πλάκα γραφῆς. ***a clean ~***, (*μεταφ.*) λευκό μητρῶο, καθαρό παρελθόν: *start with a clean ~*, ἀρχίζω καινούργια ζωή. ***sweep the ~ clean***, (*μεταφ.*) σβήνω τά παληά/τό παρελθόν. **'~-'pencil**, κοντύλι (πλάκας). __*ρ.μ.* **1**. πλακοστρώνω (*πχ* ὀροφή). **2**. (*καθομ.*) κριτικάρω αὐστηρά: *The critics ~d his latest play*, οἱ κριτικοί κουρέλιασαν τό τελευταῖο του ἔργο (τὄκαμαν μέ τά κρεμμυδάκια). **3**. (*ΗΠΑ καθομ.*) προτείνω ὡς ὑποψήφιον. **slaty** *ἐπ.* πλακοειδής, γκριζόμαυρος. **slat·ing** *οὐσ.* ‹C› αὐστηρή ἐπίκρισις: *give sb a sound slating*, κάνω κπ μέ τά κρεμμυδάκια.

slat·tern /ˈslætən/ *οὐσ.* ‹C› (*γιά γυναίκα*) ἀπεριποίητη, βρωμιάρα, γύφτισσα. **~·ly** *ἐπ.* ἀπεριποίητος, βρώμικος, ἀτημέλητος.

slaugh·ter /ˈslɔtə(r)/ *οὐσ.* ‹U› **1**. σφάξιμο (ζώων). **'~-house**, σφαγεῖον. **2**. (ἀνθρωπο)σφαγή, μακελλειό: *the ~ on the roads*, τό μακελλειό στούς δρόμους (τά αὐτοκινητιστικά δυστυχήματα). __*ρ.μ.* σφάζω. **~er** *οὐσ.* ‹C› σφαγεύς, μακελλάρης.

Slav /slav/ *οὐσ.* ‹C› Σλαῦος. __*ἐπ.* σλαυϊκός.

slave /sleɪv/ *οὐσ.* ‹C› **1**. σκλάβος, δοῦλος. **'~-driver**, ἐπιστάτης δούλων, σκληρό ἀφεντικό, σκληρός/ἀπαιτητικός προϊστάμενος. **'~ ship**, δουλεμπορικό πλοῖο. **'~-trade/-traffic**, δουλεμπόριο: *white ~-traffic/-trade*, σωματεμπόριο, ἐμπόριο λευκῆς σαρκός. **2**. (*μεταφ.*) σκλάβος: *a ~ to duty/convention/drink/passion*, σκλάβος τοῦ καθήκοντος/τῶν κοινωνικῶν συμβατικοτήτων/τοῦ ποτοῦ/τοῦ πάθους. *~s of fashion*, σκλάβοι στή μόδα. *Don't make a ~ of her*, μήν τήν μεταχειρίζεσαι σά σκλάβα. __*ρ.ἀ.* ***~ (away) (at sth)***, δουλεύω σά ραγιᾶς: *I've been slaving away at this dictionary for years*, χρόνια δουλεύω σά ραγιᾶς σ' αὐτό τό λεξικό. **~r** *οὐσ.* ‹C› δουλέμπορος, δουλεμπορικό πλοῖο. **slav·ery** /ˈsleɪvərɪ/ *οὐσ.* ‹U› δουλεία, σκλαβιά: *the abolition of ~ry*, ἡ κατάργησις τῆς δουλείας. *He was sold into ~ry*, πουλήθηκε (γιά) σκλάβος. *This job is pure ~ry*, αὐτή ἡ δουλειά εἶναι καθαρή σκλαβιά. **slav·ish** /ˈsleɪvɪʃ/ *ἐπ.* δουλικός: *a slavish imitation*, δουλική ἀπομίμησις. **slav·ish·ly** *ἐπίρ.* δουλικά.

slaver /ˈslævə(r)/ *ρ.ἀ.* ***~ (over sth)***, σαλιαρίζω, τρέχουν τά σάλια μου (γιά κτ). __*οὐσ.* ‹U› σάλιο.

slavey /ˈsleɪvɪ/ *οὐσ.* ‹C› (*πληθ. ~s*) (*λαϊκ.*) δουλάκι, δουλικό.

Slav·onic /sləˈvonɪk/ *ἐπ.* σλαυϊκός.

slaw /slɔ/ *οὐσ.* ‹U› (*συχνά* **'cole·~**) λάχανο σαλάτα.

slay /sleɪ/ *ρ.μ. ἀνώμ.* (*ἀόρ. slew* /slu/, *π.μ. slain* /sleɪn/) (*λογοτ. ἤ χιουμορ.*) σκοτώνω, θανατώνω. **~er** *οὐσ.* ‹C› φονεύς.

sleazy /ˈslizɪ/ *ἐπ. (-ier, -iest)* (*καθομ.*) ἀπεριποίητος, βρώμικος, ἀκατάστατος: *a ~ lodging house*, ἕνα βρώμικο σπίτι (πού νοικιάζει δωμάτια).

sled /sled/, **sledge** /sledʒ/ *οὐσ.* ‹C› ἔλκηθρο. __*ρ.ἀ.* ταξιδεύω/μεταφέρω μέ ἔλκηθρο.

sledge /sledʒ/ *οὐσ.* ‹C› (*καί* **'~-hammer**) βαρειά (*πχ* σιδηρουργοῦ).

sleek /slik/ *ἐπ.* **1**. στιλπνός, λεῖος: *~ hair*, λεῖα/στιλπνά μαλλιά. **2**. (*γιά τρόπους*) μελιστάλαχτος, γλοιώδης: *as ~ as a cat*, πολύ μαλαγάνας. __ρ.μ. λειαίνω, στρώνω (γούνα), στιλπνώνω. **~·ly** *ἐπίρ.* **~·ness** *οὐσ.* ‹U›.

[1]**sleep** /slip/ *οὐσ.* ‹U› (*ἤ μέ ἀόρ. ἄρθρ.*) ὕπνος: *have a short/good/heavy/sound ~*, κοιμᾶμαι λίγο/καλά/βαριά/βαθιά. *I didn't get much ~*, δέν κοιμήθηκα ἀρκετά. *three hours' ~*, τρεῖς ὧρες ὕπνος. *talk in one's ~*, μιλῶ στόν ὕπνο μου. ***drop off (to sleep)/go to sleep***, ἀποκοιμιέμαι: *He went to ~ over his newspaper*, ἀποκοιμήθηκε ἐνῶ διάβαζε τήν ἐφημερίδα του. ***get to ~***, καταφέρνω νά κοιμηθῶ: *I couldn't get to ~ last night*, δέν κατάφερα/δέν μποροῦσα νά κοιμηθῶ χθές βράδυ. ***not have a wink of ~***, δέν κλείνω μάτι. ***have one's ~ out***, χορταίνω τόν ὕπνο μου: *Don't wake her up – let her have her ~ out*, μήν τήν ξυπνᾶς–ἄστην νά χορτάση τόν ὕπνο της. ***put sb to ~***, ἀποκοιμίζω κπ. ***read sb/oneself to ~***, διαβάζω ὥσπου ν' ἀποκοιμηθῆ κάποιος/ὥσπου ν' ἀποκοιμηθῶ. **`~-walker**, ὑπνοβάτης. **~·less** *ἐπ.* ἄγρυπνος, ἄϋπνος: *spend a ~less night*, περνῶ ἄγρυπνη νύχτα. **~·less·ly** *ἐπίρ.* χωρίς ὕπνο. **~·less·ness** *οὐσ.* ‹U› ἀγρύπνια, ἀϋπνία.

[2]**sleep** /slip/ *ρ.μ/ἀ. ἀνώμ.* (*ἀόρ & π.μ. slept /slept/*) **1**. κοιμᾶμαι: *~ well/badly/soundly*, κοιμᾶμαι καλά/ἄσχημα/βαθιά. ***~ like a top/log***, κοιμᾶμαι σάν κούτσουρο. ***~ round the clock; ~ the clock round***, κοιμᾶμαι δώδεκα ὧρες συνέχεια. **2**. κοιμίζω (παρέχω κρεββάτι): *This hotel ~s 300 guests*, αὐτό τό ξενοδοχεῖο ἔχει 300 κρεββάτια. **3**. (*μέ ἐπιρ. καί προθέσεις*):

sleep around, (*καθομ.*) πλαγιάζω (κάνω ἔρωτα) μ' ὅποιον τύχει.

sleep in/out, κοιμᾶμαι μέσα/ἔξω (στό σπίτι πού δουλεύω).

sleep sth off, γιατρεύω κτ μέ τόν ὕπνο: *I slept off my headache*, κοιμήθηκα καί μοῦ πέρασε ὁ πονοκέφαλος.

sleep on sth, ἀναβάλλω ἀπόφαση ὥς τήν ἑπομένη: *You'd better ~ on it*, καλύτερα νά τ' ἀφήσης γι' αὔριο, νά τό σκεφτῆς ὥς αὔριο.

sleep through sth, δέν ξυπνῶ ἐνῶ γίνεται κάτι: *I slept through the earthquake/the alarm clock*, δέν μέ ξύπνησε ὁ σεισμός/τό ξυπνητήρι.

sleep with sb, πλαγιάζω (κάνω ἔρωτα) μέ.

sleeper /`slipə(r)/ *οὐσ.* ‹C› **1**. κοιμώμενος: *a light/heavy-~*, ἄνθρωπος πού κοιμᾶται ἐλαφρά/βαριά. **2**. κουκέττα, βαγκόν-λί. **3**. τραβέρσα (σιδηροδρ. γραμμῆς *πρβλ. ΗΠΑ: tie*).

sleep·ing /`slipiŋ/ *ἐπ.* κοιμισμένος, τοῦ ὕπνου, γιά ὕπνο. **`~-bag**, σάκκος ὕπνου, σλήπινμπάγκ. **`~-car**, βαγκόν-λί, κλινάμαξα. **`~-draught/-pill**, ὑπνωτικό φάρμακο/χάπι. **`~ partner**, ἑτερόρρυθμος ἑταῖρος (*πρβλ. ΗΠΑ silent partner*). **`~-sickness**, ἀσθένεια τοῦ ὕπνου, τρυπανοσωμίασις. __*οὐσ.* ‹U› ὕπνος.

sleepy /`slipi/ *ἐπ.* *(-ier, -iest)* **1**. νυσταλέος, νυσταγμένος: *feel/look ~*, νυστάζω. **`~-head**, κοιμήσης, κοιμισμένος ἄνθρωπος: *You ~-head!* κοιμισμένε! **2**. (*γιά μέρος*) (ἀπο)κοιμισμένος: *a ~ little town*, μιά κοιμισμένη πολιτειούλα. **3**. (*γιά ἀχλάδια, μπανάνες*) παραγινωμένος. **sleep·ily** /-əli/ *ἐπίρ.* νυσταλέα, νυσταγμένα. **sleepi·ness** *οὐσ.* ‹U› νύστα, ὑπνηλία.

sleet /slit/ *οὐσ.* ‹U› νερόχιονο. __*ρ.ἀ.* *It's ~ing*, ρίχνει χιονόνερο. **~y** *ἐπ.* (μέρα, καιρός) μέ χιονόνερο.

sleeve /sliv/ *οὐσ.* ‹C› **1**. μανίκι: *roll up one's `shirt-~s*, ἀνασκουμπώνω τά μανίκια τοῦ πουκαμισιοῦ μου. ***have sth up one's ~***, ἔχω κρυφές ἐφεδρεῖες (*πχ* σχέδια, ἰδέες, κλπ), ἔχω ρεζέρβα: *He has a plan/plenty of tricks up his ~*, ἔχω ἕτοιμο σχέδιο/πολλά κόλπα ἐφεδρεία. (*βλ.* & *λ.* [1]*laugh, heart*). **2**. θήκη (δίσκου γραμμοφώνου). **3**. (*ἀερ.*) ἀνεμοδείκτης. **-sleeved** *ἐπ.* (*ὡς β! συνθ.*) μέ μανίκια: *long-~ed*, μέ μακριά μανίκια. **~-less** *ἐπ.* ἀμάνικος.

sleigh /slei/ *οὐσ.* ‹C› ἔλκηθρο (συρόμενο ἀπό ἕνα ἄλογο): *ride in a ~; go for a `~-ride*, πάω καβάλλα μέ ἔλκηθρο. __*ρ.μ/ἀ.* πηγαίνω/μεταβαίνω μέ ἔλκηθρο.

sleight /slait/ *οὐσ.* (*ἰδ. στή φρ.*) **'~ of `hand**, ταχυδακτυλουργία: *a ~-of-hand trick*, ταχυδακτυλουργικό κόλπο.

slen·der /`slendə(r)/ *ἐπ.* **1**. λεπτός: *a ~ waist*, λεπτή μέση. *~ fingers*, λεπτά δάχτυλα. *a glass with a ~ stem*, ποτήρι μέ λεπτό πόδι. **2**. (*γιά ἄνθρ.*) λυγερός: *a ~ girl*, λυγερή κοπέλλα. *a woman with a ~ figure*, γυναίκα μέ λυγερό σῶμα. **3**. λιγοστός, πενιχρός, ἰσχνός: *~ hopes*, λιγοστές ἐλπίδες. *a ~ income*, πενιχρό εἰσόδημα. *~ means*, ἰσχνά μέσα. **~·ly** *ἐπίρ.* **~·ness** *οὐσ.* ‹U› λεπτότης.

slept /slept/ *ἀόρ.* & *π.μ. τοῦ ρ.* [2]*sleep*.

sleuth(-hound) /`sluθ (haυnd)/ *οὐσ.* ‹C› **1**. λαγωνικό. **2**. (*καθομ.* **sleuth**) ντέτεκτιβ, λαγωνικό (τῆς ἀστυνομίας).

[1]**slew** /slu/ *π.μ. τοῦ ρ. slay.*

[2]**slew** /slu/ *ρ.μ/ἀ.* περιστρέφω/-ομαι, γυρίζω: *The crane ~ed round*, ὁ γερανός ἔκανε στροφή. *The driver ~ed the crane round*, ὁ ὁδηγός γύρισε τό γερανό.

slice /slais/ *οὐσ.* ‹C› **1**. φέτα, κομμάτι: *a ~ of bread/lemon/sausage*, μιά φέτα ψωμί/λεμόνι/λουκάνικο. *a ~ of cake/meat*, ἕνα κομμάτι κέκ/κρέας. *cut a pear/an onion into thin ~s*, κόβω ἕνα ἀχλάδι/κρεμμύδι σέ λεπτές φέτες. **2**. κομμάτι, μερίδιο: *a ~ of good luck*, καλοτυχιά. *He took a large ~ of the credit for our success*, πῆρε/οἰκειοποιήθηκε μεγάλο μέρος ἀπό τήν τιμή τῆς ἐπιτυχίας μας. **3**. σπάτουλα (γιά ψάρι, αὐγά, κλπ). **4**. (*γκόλφ, τέννις*) φάλτσο χτύπημα. __*ρ.μ/ἀ.* **1**. κόβω φέτες, τεμαχίζω: *~ (up) a loaf*, κόβω ἕνα καρβέλι φέτες. *~ the beef thin*, κόβω τό βωδινό ψιλές φέτες. *The butcher ~d off a thick steak*, ὁ χασάπης ἔκοψε μιά χοντρή μπριτζόλα. **2**. χτυπῶ τήν μπάλλα φάλτσα.

slick /slik/ *ἐπ.* (*καθομ.*) **1**. γλιστερός, λεῖος: *The roads were ~ with mud*, οἱ δρόμοι γλιστροῦσαν ἀπό τή λάσπη. **2**. ἐπιδέξιος, ἔξυπνος, μαλαγάνας: *a ~ business deal*, μιά ἔξυπνη/καλοστημένη δουλειά. *a ~ salesman*, μαλαγάνας πλασιέ. __*οὐσ.* ‹C› **`oil ~**, κηλίδα πετρελαίου (στή θάλασσα). __*ἐπίρ.* ἀκριβῶς, στά γρήγορα: *hit sb ~ on the jaw*, χτυπῶ κπ ἀκριβῶς στό σαγόνι. *run ~ away*, στρίβω γρήγορα. **~er** *οὐσ.* ‹C› μαλαγάνας, κομπιναδόρος: *a city ~*.

[1]**slide** /slaid/ *οὐσ.* ‹C› **1**. γλίστρημα, ὀλίσθησις, γλίστρα: *have a ~ on the ice*, παίρνω μιά

γλίστρα (γλιστρῶ) στόν πάγο. **2**. τσουλήθρα: *The boy climbed to the top of the* ~, τό παιδί ἀνέβηκε στήν κορφή τῆς τσουλήθρας. **3**. σλάϊντ, διαφάνεια. **4**. ἀντικειμενοφόρος πλάξ (μικροσκοπίου). **5**. ὀλισθαῖνον τμῆμα (μηχανῆς, μουσικοῦ ὀργάνου, κλπ). (*βλ.* & *λ. hair,* [1]*land*).

[2]**slide** /slaɪd/ *ρ.μ/ὰ.* *ἀνώμ.* (*ἀόρ.* & *π.μ.* *slid* /slɪd/) **1**. γλιστρῶ, ὀλισθαίνω: *The children were sliding on the ice*, τά παιδιά γλιστροῦσαν στόν πάγο. *The book slid off my knee*, τό βιβλίο γλίστρησε κι' ἔπεσε ἀπό τό γόνατό μου. ~ *logs down a hill*, κατρακυλάω κορμούς δέντρων σέ μιά πλαγιά. *The drawers* ~ *in and out easily*, τά συρτάρια μπαινοβγαίνουν εὔκολα. ***let things*** ~, ἀδιαφορῶ γιά κτ, ἀφήνω τά πράγματα κι' ὅπου βγοῦν. ~ ***into***, πέφτω σιγά-σιγά, ὀλισθαίνω: ~ *into bad habits*, ἀποκτῶ σιγά-σιγά κακές συνήθειες. ~ *into dishonesty/vice*, ὀλισθαίνω στήν ἀτιμία/στή διαφθορά. ~ ***over sth***, μόλις πού θίγω (ἕνα λεπτό ζήτημα, πρόβλημα, κλπ), παρακάμπτω: *He just slid over the question of his imprisonment*, μόλις πού ἔθιξε (παρέκαμψε σχεδόν) τό θέμα τῆς φυλακίσεώς του. **2**. γλιστρῶ, χώνω/-ομαι: *She slid a coin into his hand*, τοῦ γλίστρησε/τοῦ ἔχωσε ἕνα νόμισμα στό χέρι. *The thief slid behind the curtains*, ὁ κλέφτης (γλίστρησε) χώθηκε πίσω ἀπό τίς κουρτίνες. **3**. (*σέ σύνθ. λέξεις*): **\`~-rule**, λογαριθμικός κανών. **slid·ing door**, συρτή πόρτα. **slid·ing scale**, κινητή κλῖμαξ: *Income tax is arranged on a sliding scale*, ὁ φόρος εἰσοδήματος ὑπολογίζεται βάσει κινητῆς κλίμακος. **slid·ing seat**, συρόμενο κάθισμα (πχ αὐτοκινήτου).

[1]**slight** /slaɪt/ *ἐπ.* **1**. λεπτός, ἀδύνατος, λεπτοκαμωμένος: *a* ~ *figure/girl*, μικροκαμωμένο σῶμα/κορίτσι. **2**. μικρός, ἀσήμαντος, ἐλαφρός: *a* ~ *error*, μικρολαθάκι. *a* ~ *headache*, ἐλαφρός πονοκέφαλος. *without the* ~*est difficulty*, χωρίς τήν παραμικρή δυσκολία. *take offence at the* ~*est thing*, θίγομαι μέ τό παραμικρό. ***not in the*** ~***est***, οὔτε κατ' ἐλάχιστον, καθόλου: *I wasn't embarrassed in the* ~*est*, δέν μέ στενοχώρησε καθόλου. **~·ly** *ἐπίρ.* λεπτά, ἀδύνατα, λίγο, ἐλαφρῶς: *a* ~*ly built boy*, ἕνα λεπτοκαμωμένο παιδί. *know sb* ~*ly*, ξέρω κπ λίγο. ~*ly better*, ἐλαφρῶς καλύτερα. **~·ness** *οὐσ.* ‹U› ἰσχνότης, λεπτότης, ἐλαφρότης.

[2]**slight** /slaɪt/ *ρ.μ.* προσβάλλω, ταπεινώνω, μειώνω: *She felt* ~*ed because nobody spoke to her*, ἐθίγη/ἔνοιωσε ταπεινωμένη πού δέν τῆς μίλησε κανείς. __*οὐσ.* ‹C› προσβολή, ταπείνωσις, μείωσις: *suffer* ~*s*, ὑφίσταμαι ταπεινώσεις/προσβολές. ***put a*** ~ ***on sb***, φέρομαι ταπεινωτικά/προσβλητικά σέ κπ. **~·ing·ly** *ἐπίρ.* προσβλητικά, μειωτικά.

slim /slɪm/ *ἐπ.* (*-mer, -mest*) **1**. λεπτός, λυγερός, ἀδύνατος: *a* ~*-waisted girl*, κορίτσι μέ λυγερή μέση. ***grow/get*** ~, ἀδυνατίζω. ***keep*** ~, διατηρῶ τή σιλουέττα μου. **2**. πενιχρός, ἀσθενής, ἐλάχιστος: *a* ~ *excuse*, πενιχρή δικαιολογία. ~ *hopes/chances of success*, ἐλάχιστες ἐλπίδες/πιθανότητες ἐπιτυχίας. *be condemned upon the* ~*mest (of) evidence*, καταδικάζομαι μέ ἀσθενέστατες ἀποδείξεις. __*ρ.ὰ.* ἀδυνατίζω: ~*ming exercises*, γυμναστική γι' ἀδυνάτισμα. **~·ly** *ἐπίρ.* λεπτοκαμωμένα. **~·ness** *οὐσ.* ‹U› λυγεράδα.

slime /slaɪm/ *οὐσ.* ‹U› **1**. ἰλύς, λάσπη, βοῦρκος. **2**. γλοιῶδες ὑγρό (πχ ἀπό γυμνοσάλιαγκα). **slimy** /\`slaɪmɪ/ *ἐπ.* (*-ier, -iest*) λασπωμένος, γλιστερός, γλιτσιασμένος, γλοιώδης: *I hate that slimy(-tongued) liar*, σιχαίνομαι αὐτόν τόν γλοιώδη ψεύτη.

[1]**sling** /slɪŋ/ *οὐσ.* ‹C› **1**. σφεντόνα. **2**. ἐκσφενδόνησις. **3**. κούνια (γιά χέρι σέ γύψο). **4**. λουρί (παγουριοῦ, σακκιδίου, κλπ), ἀορτήρ (ὅπλου), ζωστήρα (ξίφους). **5**. βρόχος, θηλειά (γιά ἀνύψωση πραγμάτων). __*ρ.μ/ὰ.* *ἀνώμ.* (*ἀόρ.* & *π.μ.* *slung* /slʌŋ/) **1**. ἐκσφενδονίζω, πετῶ: ~ *stones at street lamps*, πετῶ πέτρες στά φῶτα τοῦ δρόμου. ~ ***mud at sb***, (*μεταφ.*) ρίχνω λάσπη σέ κπ, κακολογῶ, συκοφαντῶ κπ. ~ ***sb out***, πετῶ κπ ἔξω διά τῆς βίας. ***S*~ *your hook!*** (*λαϊκ.*) στρῖβε! δίνε του! **2**. ἀναρτῶ, κρεμῶ: ~ *(up) a barrel*, σηκώνω βαρέλι μέ θηλειά. ~ *a rifle over one's shoulder*, ἀναρτῶ/κρεμῶ τό ὅπλο μου στόν ὦμο. **~er** /\`slɪŋə(r)/ *οὐσ.* ‹C› σφενδονιστής, ἐκτοξευτής. **\`mud-~er**, συκοφάντης.

[2]**sling** /slɪŋ/ *οὐσ.* ‹C› ποτό (μέ ρούμι, κονιάκ ἤ τζίν, νερό καί φρουτοχυμούς).

slink /slɪŋk/ *ρ.μ/ὰ.* *ἀνώμ.* (*ἀόρ.* & *π.μ.* *slunk* /slʌŋk/) ~ ***off/away/in/out/by***, φεύγω/μπαίνω/βγαίνω/περνῶ κρυφά (ἤσυχα, ἀπαρατήρητα): *He slunk off*, ἔφυγε στή ζούλα/χωρίς νά τόν πάρη χαμπάρι κανείς.

[1]**slip** /slɪp/ *οὐσ.* ‹C› **1**. γλίστρημα, ὀλίσθημα, παραπάτημα. ***give sb the*** ~; ***give the*** ~ ***to sb***, ξεφεύγω/ξεγλιστρῶ (ἀπό διῶκτες, κλπ): *He gave me the* ~, μοῦ ξέφυγε. ***make a*** ~, κάνω μιά ἀπροσεξία, διαπράττω ὀλίσθημα. ***a*** ~ ***of the tongue/pen***, παραδρομή τῆς γλώσσας/τῆς πέννας. ***There's many a*** ~ ***'twixt (the) cup and (the) lip***, (*παροιμ.*) μεταξύ κύλικος καί χειλέων πολλά πέλει, ὅλα μποροῦν νά συμβοῦν τήν τελευταία στιγμή. **2**. (**\`pillow-**)~, μαξιλαροθήκη. **3**. μεσοφόρι, κομπιναιζόν. **4**. **\`gym-**~, κυλόττα γυμναστικῆς. **5**. **\`bathing-~s** (*ἐν χρήσει: swimming-/bathing-trunks*) μαγιό (ἀνδρικό). **6**. λουρίδα χαρτί, τυπογραφικό δοκίμιο. **7**. παραφυάδα, κλωνί (γιά φύτεμα), κεντρί. **8**. λεπτοκαμωμένο παιδί ἤ κορίτσι: *a (mere)* ~ *of a boy/girl*. **9**. (*πληθ.* *ἤ* **\`~·way**) ναυπηγική κλίνη, σκαριά. **10**. (*πληθ.*) παρασκήνια (*συνηθέστ. wings*): *watch the performance from the* ~*s*, παρακολουθῶ τήν παράσταση ἀπό τά παρασκήνια. **11**. (*κρίκετ*) κυνηγός πού στέκεται δεξιά τοῦ φύλακος. **12**. ‹U› (*κεραμική*) ἀλοίφωμα. **13**. (*σέ σύνθ. λέξεις*): **\`~-carriage/-coach**, ρυμουλκούμενο βαγόνι. **\`~-cover**, κάλυμμα ἐπίπλων. **\`~-knot**, βρόχος, συρτοθηλειά. **\`~·over**, ἐλαφρό ἀμάνικο πουλόβερ. **\`~-road**, παραδρόμι, δρόμος ἐξόδου πρός ἤ ἀπό αὐτοκινητόδρομο. **\`~-stream**, ρεῦμα ἕλικος. **\`~-up**, (*καθομ.*) σφάλμα, γκάφα. **\`~·way** *βλ. 9 ἀνωτέρω.*

[2]**slip** /slɪp/ *ρ.μ/ὰ.* (*-pp-*) **1**. γλιστρῶ, πέφτω: *He* ~*ped on the ice and broke his leg*, γλίστρησε στόν πάγο κι' ἔσπασε τό πόδι του. **2**. γλιστρῶ, φεύγω, περνῶ (ἀθόρυβα ἤ ἀπαρατήρητα): *The blanket* ~*ped off the bed*, ἡ κουβέρτα

γλίστρησε κι'ἔπεσε ἀπό τό κρεββάτι. *He ~ped away*, ἔφυγε στά κρυφά. *He ~ped into the house without being seen*, γλίστρησε μέσα στό σπίτι χωρίς νά τόν δοῦν. *The years ~ped by*, τά χρόνια πέρασαν χωρίς νά τό καταλάβωμε. ***let sth ~***, ἀφήνω νά μοῦ ξεφύγη κτ: *Don't let the opportunity ~*, μήν ἀφήσης νά σοῦ ξεφύγη ἡ εὐκαιρία. *He let it ~ that I was married*, τοῦ ξέφυγε ὅτι ἤμουν παντρεμένος. ***~ through one's fingers***, (*κυριολ. & μεταφ.*) γλιστρῶ μέσα ἀπό τά δάχτυλα. ***~ one's mind***, ξεχνῶ: *His name ~s my mind*, μοῦ ξεφεύγει (ξεχνῶ) τό ὄνομά του. ***~ sth on; ~ into sth***, φορῶ κτ στά γρήγορα: *He ~ped on his coat/~ped into his coat*, ἔβαλε τό παλτό του γρήγορα. ***~ sth off; ~ out of sth***, βγάζω κτ γρήγορα: *She ~ped her clothes off (~ped out of her clothes) and ~ped into bed*, πέταξε τά ροῦχα της καί χώθηκε στό κρεββάτι. **3**. (*γιά λάθος*) παρεισφρύω: *errors that have ~ped into the text*, λάθη πού παρεισέφρυσαν στό κείμενο. ***~ up***, (*καθομ.*) κάνω λάθος/ἀπροσεξία/γκάφα. **`~-up**, λάθος, ἀστοχιά. **4**. (ξε)γλιστρῶ, χώνω, ξεφεύγω, ἐλευθερώνω/-ομαι: *The fish ~ped out of my hands*, τό ψάρι μοῦ ξεγλίστρησε ἀπό τά χέρια. *The ship ~ped through the water*, τό πλοῖο γλιστροῦσε πάνω στό νερό. *Just ~ round to the post*, πετάξου ὥς τό ταχυδρομεῖο. *He ~ped a coin into my hand*, μοῦ γλίστρησε (μοῦχωσε) ἕνα νόμισμα στό χέρι. *I ~ped my arm round her waist*, γλίστρησα τό χέρι μου γύρω ἀπό τή μέση της. *He ~ped the hounds from the leash*, ἀμόλησε τά λαγωνικά. *The dog ~ped its collar*, ὁ σκύλος ξέφυγε ἀπό τή λαιμαργιά του. *The cow ~ped her calf*, ἡ ἀγελάδα ἔρριξε (γέννησε πρόωρα) τό μοσχάρι της. *It ~ped my mind*, τό ξέχασα.

slip·per /ˋslɪpə(r)/ *οὐσ.* ‹C› παντόφλα.

slip·pery /ˋslɪpərɪ/ *ἐπ.* *(-ier, -iest)* **1**. γλιστερός, ὀλισθηρός: *a ~ road*, ὀλισθηρός δρόμος. *It's ~ walking/under foot*, ὁ δρόμος γλιστράει. ***be on ~ ground***, (*μεταφ.*) εἶμαι σέ ὀλισθηρό ἔδαφος, ἔχω νά κάμω μέ λεπτό θέμα. **2**. (*μεταφ. γιά ἄνθρ.*) πονηρός, ἀναξιόπιστος: *a ~ customer*, κατεργάρης ἄνθρωπος. ***as ~ as an eel***, πού γλιστράει σά χέλι, πού δέν πιάνεται πουθενά.

slippy /ˋslɪpɪ/ *ἐπ.* (*καθομ.*) **1**. γλιστερός. **2**. (*πεπαλ.*) σβέλτος: *Look ~!* κάνε σβέλτα!

slip·shod /ˋslɪpʃod/ *ἐπ.* πρόχειρος, κακοφτιαγμένος, ἀπρόσεκτος, ἀπεριποίητος: *a ~ piece of work*, προχειροδουλειά. *The report was written in a ~ manner*, ἡ ἔκθεσις ἦταν γραμμένη στό πόδι.

slit /slɪt/ *οὐσ.* ‹C› σχισμή, χαραμάδα: *the ~ of a letter-box*, ἡ σχισμή ἑνός γραμματοκιβωτίου. *the ~s of her eyes*, τά μικρά σκιστά μάτια της (σά χαραμάδες). *a `~ trench*, πολύ στενό χαράκωμα, ἀτομικό ὄρυγμα μάχης. *a ~ skirt*, σκιστή φούστα. __*ρ.μ/ἀ. ἀνώμ. (-tt-)* (*ἀόρ. & π.μ.* ~) σχίζω/-ομαι: *~ an envelope open*, ἀνοίγω φάκελλο (μέ χαρτοκόπτη). *~ sb's throat*, σκίζω τό λαιμό κάποιου. *~ cloth into strips*, κάνω ἕνα ὕφασμα λουρίδες. *The shirt has ~ down the back*, τό πουκάμισο σκίστηκε στήν πλάτη (ἀπό πάνω πρός κάτω).

slither /ˋslɪðə(r)/ *ρ.ἀ.* **1**. γλιστρῶ, παραπαίω (σέ ὀλισθηρό ἔδαφος). **2**. ἕρπω (σά φίδι). **~y** *ἐπ.* γλιστερός.

sliver /ˋslɪvə(r)/ *οὐσ.* ‹C› **1**. σκλήθρα, πελεκούδι. **2**. λεπτή μακρουλή φέτα: *a ~ of cheese*, ἕνα λεπτό κομμάτι τυρί. __*ρ.μ/ἀ.* κόβω/-ομαι σέ φέτες, (γιά ξύλο) σκίζομαι.

slob /slob/ *οὐσ.* ‹C› (*λαϊκ.*) ἀτζαμής, μπουνταλᾶς.

slob·ber /ˋslobə(r)/ *οὐσ.* ‹U› **1**. σάλια. **2**. (*μεταφ.*) σαλιαρίσματα. __*ρ.μ/ἀ.* **1**. τρέχουν τά σάλια μου. **2**. γεμίζω σάλια, (*μεταφ.*) σαλιαρίζω. **3**. ***~ over sb***, πολυχαϊδεύω κπ.

sloe /sləʊ/ *οὐσ.* ‹C› (ἀγριο)κορόμηλο. **ˈ~-ˋgin**, ρακί ἀπό κορόμηλα.

slog /slog/ *ρ.μ/ἀ.* *(-gg-)* **1**. χτυπῶ σκληρά (*ἰδ.* στό μπόξ), κοπανάω: *~ (at) the ball*, (*κρίκετ*) χτυπῶ δυνατά τήν μπάλλα. **2**. μοχθῶ, δουλεύω σκληρά καί σταθερά: *~ away at one's work*, μοχθῶ στή δουλειά μου. **3**. βαδίζω σταθερά (κάτω ἀπό δύσκολες συνθῆκες): *He ~ged through the snow*, περπατοῦσε ἀποφασιστικά μέσα στό χιόνι. **~·ger** *οὐσ.* ‹C› δουλευτής, δουλευταράς.

slo·gan /ˋsləʊgən/ *οὐσ.* ‹C› πολεμική ἰαχή, σύνθημα: *political ~s*, πολιτικά συνθήματα.

sloop /slup/ *οὐσ.* ‹C› **1**. μικρό καΐκι, κόττερο, σλούπ. **2**. μικρό πολεμικό σκάφος.

[1]**slop** /slop/ *ρ.μ/ἀ.* *(-pp-)* **1**. (*γιά ὑγρό*) ξεχειλίζω, ξεχύνομαι: *The tea ~ped (over) into the saucer*, τό τσάϊ ξεχείλισε καί χύθηκε στό πιατάκι. **2**. ***~ over sb***, ἀναλύομαι σέ ἐκδηλώσεις ἀγάπης, σαλιαρίζω μέ κπ. **3**. χύνω: *~ beer over the table*, χύνω μπύρα στό τραπέζι. ***~ out***, ἀδειάζω (*πχ* βρωμόνερα). **4**. πασαλείφω: *~ paint all over the floor*, πασαλείφω ὅλο τό πάτωμα μέ μπογιές. **5**. πλατσαρίζω, τσαλαβουτῶ: *children ~ping about in puddles*, παιδιά πού πλατσαρίζουν σέ γοῦρνες. __*οὐσ.* **1**. (*πληθ.*) βρωμόνερα, νερά τῆς κουζίνας, βρῶμες (*πχ* σέ βούτα φυλακῆς). **`~-basin**, δοχεῖο γιά τό ἄδειασμα τοῦ περισσεύματος ποτῶν. **`~-pail**, τενεκές/βούτα ἀποχωρητηρίου. **2**. (*πληθ.*) νερόπλυμα (γιά τά γουρούνια), ὑγρά τροφή (γιά ἀρρώστους): *be on ~s*, τρέφομαι μόνο μέ σοῦπες.

[2]**slop** /slop/ *οὐσ.* ‹C› (*συνήθ. πληθ.*) **1**. φτηνά ἕτοιμα ροῦχα. **`~-shop**, φτηνοκατάστημα, ἑτοιματζίδικο. **2**. στρωσίδια. **3**. ρουχισμός ναύτη.

slope /sləʊp/ *οὐσ.* ‹C,U› **1**. κλίσις (ἐδάφους): *a slight/steep ~*, ἐλαφρά/ἀπότομος κλίσις. *the ~ of a roof*, ἡ κλίσις ὀροφῆς. **2**. πλαγιά, κλιτύς: *a `mountain ~*, βουνοπλαγιά. **3**. (*στρατ.*) θέσις ὅπλου "ἐπ' ὤμου." __*ρ.μ/ἀ.* **1**. κλίνω, γέρνω: *Our garden ~s (down) to the river*, ὁ κῆπος μας κατηφορίζει πρός τό ποτάμι. **2**. θέτω (ὅπλον) ἐπ' ὤμου: *S~ arms!* ἐπ' ὤμου, ἄρμ! **3**. ***~ off***, (*ἐπίσης **do a ~***), (*καθομ.*) στρίβω, φεύγω. **slop·ing** *ἐπ.* κλίνων. **slop·ing·ly** *ἐπίρ.*

sloppy /ˋslopɪ/ *ἐπ.* *(-ier, -iest)* **1**. (*γιά δρόμο*) λασπερός, γεμᾶτος νερά/λακκοῦβες/λάσπες. **2**. (*γιά τραπέζι*) βρεμένο/ὑγρό (ἀπό χυμένα ποτά). **3**. (*γιά τροφή*) ζουμερός. **4**. (*καθομ.*) τσαπατσούλικος, κακοφτιαγμένος, πρόχειρος: *a ~ piece of work*, τσαπατσούλικη δουλειά. **5**. (*καθομ.*) γλυκανάλατος, σαχλός: *~ sentiments*, γλυκανάλατα αἰσθήματα. ~

talk, σαχλοκουβέντα. *a* ~ *story*, δακρύβρεκτη αἰσθηματική ἱστορία. **slop·pily** /-əlı/ ἐπίρ. ἀτημέλητα, ἀπρόσεχτα, τσαπατσούλικα: *sloppily dressed*, κακοντυμένος. **slop·pi·ness** οὐσ. ‹U› σαχλή αἰσθηματολογία, τσαπατσουλιά.

slosh /slɒʃ/ ρ.μ/ἀ. **1**. (λαϊκ.) χτυπῶ: *He* ~*ed him on the chin*, τοῦχωσε μιά στό σαγόνι. **2**. ~ ***about***, πλατσουρίζω, τσαλαβουτῶ. **3**. ~ ***sth about***, περιχύνω, σκορπῶ (ὑγρό, μπογιά, κλπ): *She was* ~*ing the water about in the bucket*.

slot /slɒt/ οὐσ. ‹C› **1**. σχισμή, χαραμάδα, τρύπα (κουμπαρᾶ, τζιούκ-μπόξ, τηλεφώνου, κλπ). '~**-machine**, αὐτόματος πωλητής, κερματοδέκτης. **2**. ἐγκοπή, ἐντομή, αὐλακιά. **3**. (καθομ.) θεσούλα, καλή δουλειά: *find a* ~ *in a radio programme*, βρίσκω θέση (χώνομαι) σ'ἕνα ραδιοφωνικό πρόγραμμα. —ρ.μ. (-tt-) χώνω, βάζω, τοποθετῶ: *He tried to* ~ *some of his songs into a programme*, προσπάθησε νά χώση μερικά τραγούδια του σ'ἕνα πρόγραμμα. ~ *thousands of graduates into jobs*, βάζω (τακτοποιῶ) χιλιάδες πτυχιούχους σέ δουλειές.

sloth /sləυθ/ οὐσ. **1**. ‹U› νωθρότης, ὀκνηρία, τεμπελιά: *sink into* ~, βουλιάζω στήν ὀκνηρία. **2**. ‹C› (ζωολ.) βραδύπους. ~**·ful** /-fl/ ἐπ. ὀκνός, νωθρός, τεμπέλης.

slouch /slaυtʃ/ ρ.ἀ. κοπροσκυλιάζω, κάθομαι/στέκομαι/περπατῶ τεμπέλικα ἤ βαρυεστημένα: ~ *about at street corners all day*, κοπροσκυλιάζω στίς γωνιές τῶν δρόμων ὅλη τήν ἡμέρα. *He* ~*ed away*, ἔφυγε σέρνοντας τά πόδια/σά νά τόν ἔσπρωχναν. —οὐσ. ‹C› βαρύ, ἀργό, συρτό βῆμα: *walk with a* ~, περπατῶ σά νά μέ σέρνουν. '~-'**hat**, πλατύγυρη ρεπούμπλικα. ~**·ing·ly** ἐπίρ.

[1]**slough** /slaυ/ οὐσ. ‹C› τέλμα, βάλτος.

[2]**slough** /slʌf/ οὐσ. ‹C› **1**. φιδοπουκάμισο. **2**. κέλυφος (ἐντόμου, κλπ). —ρ.μ/ἀ. ~ ***(off)***, ἀποβάλλω/-ομαι: *Snakes* ~ *(off) their skins*, τά φίδια ἀποβάλλουν τό δέρμα τους. ~ *off bad habits*, ἀποβάλλω/κόβω κακές συνήθειες.

sloven /'slʌvn/ οὐσ. ‹C› λέτσος. ~**·ly** ἐπ. ἀπεριποίητος, ἀτημέλητος, ἀπρόσεχτος, ἄτσαλος, τσαπατσούλικος: *a* ~*ly appearance*, ἀτημέλητη ἐμφάνισις. *be* ~*ly in one's dress*, δέν προσέχω τό ντύσιμό μου. ~**·li·ness** οὐσ. ‹U› ἀτημελησία, τσαπατσουλιά.

[1]**slow** /sləυ/ ἐπ. (-er, -est) **1**. ἀργός, βραδύς: *a* ~ *train/journey*, ἀργό τραῖνο/ταξίδι. *with* ~ *steps*, μέ ἀργά βήματα. *a* ~ *reader*, ἄνθρωπος πού διαβάζει ἀργά. *trees* ~ *of growth*, δέντρα πού μεγαλώνουν ἀργά. *He is* ~ *of speech*, εἶναι ἀργός στήν κουβέντα του. ***a*** ~ ***march***, ἀργό βῆμα (πχ σέ κηδεία). ***in*** ~ ***motion***, (κινημ.) στό ραλαντί, σέ ἀργό ρυθμό. ***be*** ~, (γιά ρολόϊ) πάω πίσω: *My watch is five minutes* ~, τό ρολόϊ μου πάει πέντε λεπτά πίσω. ***be*** ~ ***to***, (γιά ἄνθρ.) ἀργῶ νά: *He is* ~ *to anger/to make up his mind*, ἀργεῖ νά θυμώση/νά πάρη ἀπόφαση. *He was not* ~ *to defend himself*, δέν ἄργησε νά ὑπερασπισθῆ τόν ἑαυτό του. **2**. κουτός, βραδύνους: *a* ~ *child*, παιδί χωρίς ἐξυπνάδα. *He's frightfully* ~, εἶναι φοβερά ἀργοκίνητος στό μυαλό. *He's* ~ *at accounts*, δέν κόβει τό μυαλό του ἀπό λογαριασμούς. '~**·coach**, ἀργοκίνητος, κοιμισμένος ἤ ὀπισθοδρομικός ἄνθρωπος: *He's a* ~*coach*, εἶναι ἀργοκίνητο καράβι. **3**. ἀνιαρός, πληκτικός: *The party was rather* ~, τό πάρτυ ἦταν μᾶλλον ἀνιαρό. ~**·ly** ἐπίρ. ἀργά. ~**·ness** οὐσ. ‹U› βραδύτης, βραδύνοια.

[2]**slow** /sləυ/ ἐπίρ. (-er, -est) ἀργά: *Tell the driver to go* ~*er*, πές στόν ὁδηγό νά πηγαίνη πιό ἀργά. *How* ~*(ly) time passes!* πόσο ἀργά περνάει ἡ ὥρα! ***go*** ~, *(α)* (γιά ἐργάτες) ἐπιβραδύνω τή δουλειά (σέ ἔνδειξη διαμαρτυρίας). '**go**-'~, ἐπιβράδυνσις. *(β)* κόβω τήν πολλή δουλειά: *You ought to go* ~ *until you feel well again*, θἄπρεπε νά τό πᾶς μέ τό μαλακό (νά μετριάσης τή δουλειά) ὥσπου νά ξαναγίνης ἐντελῶς καλά. '~-'**going**/-'**moving**/-'**spoken**, ἀργός/ἀργοκίνητος/ἀργομίλητος.

[3]**slow** /sləυ/ ρ.μ/ἀ. ~ ***up/down***, ἐπιβραδύνω, μειώνω (ταχύτητα, ρυθμό δουλειᾶς, κλπ): *S*~ *up/down before you reach the crossroads*, κόψε ταχύτητα πρίν φθάσης στό σταυροδρόμι. *You should* ~ *up a bit*, θά πρέπει νά κόψης λίγο τήν πολλή δουλειά. *This scene* ~*s down the action*, αὐτή ἡ σκηνή ἐπιβραδύνει τή δράση. ~ *down production*, μειώνω τήν παραγωγή (γιά διαμαρτυρία). '~**-down**, ἐπιβράδυνσις τῆς παραγωγῆς.

slow-worm /'sləυ wɜm/ οὐσ. ‹C› σαμιαμίδι.

sludge /slʌdʒ/ οὐσ. ‹U› **1**. λάσπη, βοῦρκος, μισολυωμένο χιόνι. **2**. (λασπώδη) ἀπόβλητα ὑπονόμου. **3**. καμένο λάδι, βρώμικο γράσσο.

slug /slʌg/ οὐσ. **1**. γυμνοσάλιαγκας. **2**. σφαῖρα, βλῆμα (μέ ἀκανόνιστο σχῆμα). **2**. ἀράδα λινοτυπίας.

slug·gish /'slʌgıʃ/ ἐπ. ἀργοκίνητος, βραδύς, νωθρός: *a* ~ *river*, ἀργοκίνητο ποτάμι. *a* ~ *pulse*, βραδύς σφυγμός. *a* ~ *liver*, ὑπεραιμικό σηκώτι. ~ *digestion*, δυσπεψία. ~**·ly** ἐπίρ. ἀργά, νωθρά. ~**·ness** οὐσ. ‹U› βραδύτης, νωθρότης.

sluice /slus/ οὐσ. ‹C› **1**. '~**(-gate/-valve)**, ὑδροφράκτης, θυρίς ἐκροῆς, φράγμα: *open the* ~*s* (ἤ ~*-gates*) *of a reservoir*, ἀνοίγω τά φράγματα δεξαμενῆς. **2**. '~**(-way)**, τάφρος πλύσεως χρυσοφόρου ἄμμου. **3**. ἀγωγός ὑπερεκχειλίσεως δεξαμενῆς. —ρ.μ/ἀ. **1**. ξεπλένω μέ ἄφθονο νερό: ~ *ore*, ξεπλένω μετάλλευμα. **2**. ἀνοίγω τίς δεξαμενές διαρροῆς. **3**. ~ ***out***, ξεχύνομαι, ἀδειάζω.

slum /slʌm/ οὐσ. ‹C› φτωχογειτονιά, μαχαλᾶς, φτωχοσόκακο, τρώγλη: *the New York* ~*s*, οἱ φτωχογειτονιές τῆς Ν. Ὑόρκης. *live in a* ~, ζῶ σέ τρωγλοσυνοικία. *a* '~-'*clearance campaign*, ἐκστρατεία γιά τήν ἐξαφάνιση τῶν φτωχομαχαλάδων. —ρ.ἀ. (-mm-) **1**. ἐπισκέπτομαι τίς φτωχογειτονιές γιά φιλανθρωπικούς σκοπούς: *go* ~*ming*. **2**. (καθομ.) ζῶ φτωχικά: *They've been* ~*ming for years*, φτωχοδέρνουν χρόνια τώρα. ~**my** ἐπ. φτωχικός: *the* ~*my parts/streets of a big city*, οἱ φτωχογειτονιές/τά φτωχοσόκακα μιᾶς μεγαλούπολης.

slum·ber /'slʌmbə(r)/ ρ.μ/ἀ. (λογοτ.) κοιμᾶμαι ἥσυχα (σάν ἀρνάκι). ~ ***away***, περνῶ κοιμισμένος, κοιμᾶμαι: ~ *away a hot afternoon*, περνῶ μέ ὕπνο ἕνα ζεστό ἀπόγευμα. —οὐσ.

‹C› (*συχνά πληθ.*) ὕπνος: *disturb sb's ~(s)*, ταράσσω τόν ὕπνο κάποιου. *fall into a troubled ~*, πέφτω σέ ἀνήσυχο ὕπνο. **~·ous** /-əs/ *ἐπ.* νυσταλέος, (μισο)κοιμισμένος.

slump /slʌmp/ *ρ.ἀ.* **1**. σωριάζομαι: *He ~ed into a chair/to the floor*, σωριάστηκε σέ μιά καρέκλα/στό πάτωμα. **2**. (*γιά τιμές, ἐμπόριο, κλπ*) πέφτω ἀπότομα, κατρακυλῶ. __*οὐσ.* ‹C› οἰκονομική κρίσις, ξαφνική καί ἀπότομη πτῶσις (τιμῶν, κλπ).

slung /slʌŋ/ *ἀόρ. & π.μ. τοῦ ρ.* [1]*sling*.

slunk /slʌŋk/ *ἀόρ. & π.μ. τοῦ ρ. slink*.

slur /slɜ(r)/ *ρ.μ/ἀ. (-rr-)* **1**. τρώγω (τά λόγια μου), μπερδεύω (γράμματα, τυπωμένες σειρές). **2**. (*μουσ.*) ἑνώνω δυό φθόγγους. **3**. ***~ over***, ἀντιπαρέρχομαι, θίγω ἐπιτροχάδην: *~ over details*, ἀντιπαρέρχομαι τίς λεπτομέρειες. __*οὐσ.* ‹C› **1**. μομφή, ὕβρις, (*μεταφ.*) κηλίδα, στῖγμα: *cast a ~ on sb's reputation*, κηλιδώνω τήν ὑπόληψη κάποιου. *keep one's reputation free from (all) ~s*, διατηρῶ τήν ὑπόληψή μου ἀκηλίδωτη. **2**. κακή ἄρθρωσις, μπέρδεμα (λόγων, κλπ). **3**. (*τυπογρ.*) θολή ἐκτύπωσις. **4**. (*μουσ.*) σύζευξις, σημεῖον συζεύξεως.

slurry /ˈslʌrɪ/ *οὐσ.* ‹U› ἀραιή (ἀδύνατη) τσιμεντόλασπη.

slush /slʌʃ/ *οὐσ.* ‹U› **1**. χιονόλασπη, λασπονέρια. **2**. (*μεταφ.*) σαχλός συναισθηματισμός, σιρόπια. **~y** *ἐπ.* λασπωμένος, λασπερός, (*γιά αἰσθήματα*) γλυκανάλατος.

slut /slʌt/ *οὐσ.* ‹C› ἀπεριποίητη γυναίκα, (*μεταφ.*) γύφτισσα. **~·tish** /-ɪʃ/ *ἐπ.* (*γιά γυναίκα*) ἀπεριποίητη, τσαπατσούλα.

sly /slaɪ/ *ἐπ. (-er, -est)* **1**. ὕπουλος, πανοῦργος, πονηρός, κατεργάρης: *a ~ look*, πονηρή ματιά. ***a ~ dog***, (*μεταφ.*) κρυφή σουπιά. ***on the ~***, στά κρυφά. **2**. ζαβολιάρης, τσαχπίνης. **~·ly** *ἐπίρ.* πονηρά, ὕπουλα. **~·ness** *οὐσ.* ‹U› πονηριά, κατεργαριά, τσαχπινιά.

[1]**smack** /smæk/ *οὐσ.* ‹C› **1**. στράκα (μαστιγίου), πλατάγισμα (γλώσσας, χειλιῶν): *I heard the ~ of a whip*, ἄκουσα μιά καμτσικιά. *give sb a ~ on the cheek*, δίνω σέ κπ ἕνα σκαστό φιλί στό μάγουλο. *He put down his glass with a ~ of his tongue/lips*, ἄφησε κάτω τό ποτήρι του μ' ἕνα πλατάγισμα τῆς γλώσσας/τῶν χειλιῶν. **2**. μπάτσος, κόλαφος, χαστούκι: *a ~ in the face*, χαστούκι στό πρόσωπο. **3**. χτύπημα: *give the ball a hard ~*, δίνω ἕνα γερό χτύπημα στή μπάλλα. ***get a ~ in the eye***, (*καθομ.*) τρώω μιά στό μάτι, (*μεταφ.*) παθαίνω ψυχρολουσία, δοκιμάζω μεγάλη ἀπογοήτευση. ***have a ~ at sth***, (*καθομ.*) κάνω ἀπόπειρα, δοκιμάζω νά κάμω κτ. __*ἐπίρ.* ξαφνικά καί δυνατά, ἀκριβῶς: *He hit me ~ in the eye*, μοῦ κάρφωσε μιά (μέ χτύπησε ξαφνικά) στό μάτι. *run ~ into a wall*, πέφτω ἴσια ἐπάνω σέ τοῖχο. __*ρ.μ.* **1**. χαστουκίζω: *I'll ~ you*, θά σοῦ τίς βρέξω. **2**. ***~ one's lips***, πλαταγίζω τά χείλη (ἀπό εὐχαρίστηση ἤ προσδοκία). **~er** *οὐσ.* ‹C› (*καθομ.*) *(α)* σκαστό φιλί. *(β)* λίρα ἤ δολλάριο. **~·ing** *οὐσ.* ‹C,U› ξύλο (μέ τήν παλάμη): *That boy needs a good ~ing*, αὐτό τό παιδί θέλει ἕνα γερό ξύλο.

[2]**smack** /smæk/ *οὐσ.* ‹C› ψαράδικο.

[3]**smack** /smæk/ *οὐσ.* (*συχνά ἑν.*) ἐλαφρά γεῦσις, ἴχνος, χροιά, δόσις: *He has a ~ of obstinacy in his character*, ἔχει μιά δόση ἰσχυρογνωμοσύνης στό χαρακτῆρα του. __*ρ.ἀ.* ***~ of***, ἔχω ἐλαφρά γεύση ἤ ὀσμή, (*μεταφ.*) ὄζω, μυρίζω: *This medicine ~s of sulphur*, αὐτό τό φάρμακο θυμίζει (ἔχει μιά γεύση/μιά μυρουδιά σά) θειάφι. *His opinions ~ of heresy*, οἱ γνῶμες του μυρίζουν λιγάκι αἵρεση.

small /smɔl/ *ἐπ. (-er, -est)* **1**. μικρός (σέ μέγεθος, ἀριθμό, ἔκταση): *a ~ boy/man*, παιδάκι/ἀνθρωπάκος. *a ~ town/party*, μικρή πόλις/συντροφιά. *a ~ room/sum of money*, μικρό δωμάτιο/ποσόν. **2**. μικρός, περιωρισμένος: *~ farmers/shopkeepers*, μικροκτηματίες/μικρέμποροι. *a ~ eater*, ἄνθρωπος πού δέν τρώει πολύ, λιγοφάγανος. ***in a ~ way***, μέτρια, ταπεινά: *They live/do business in a ~ way*, ζοῦνε μέτρια/ἐμπορεύονται σέ μικρή κλίμακα. **3**. μικρός, ἀσήμαντος: *~ matters/details*, ἀσήμαντα ζητήματα/-ες λεπτομέρειες. ***be thankful for ~ mercies***, εἶμαι εὐγνώμων γιά τίς μικροευεργεσίες. **ˈ~ talk**, ψιλοκουβέντα (γιά ἀσήμαντα καθημερινά πράγματα). **4**. μικρός (στήν ψυχή ἤ στό νοῦ), μικρόψυχος, μικροπρεπής: *Only a ~ man/a man with a ~ mind would behave so badly*, μονάχα ἕνας μικρός ἄνθρωπος/ἕνας ἄνθρωπος μέ ταπεινό μυαλό θά φερνόταν τόσο ἄσχημα. **ˈ~-ˈminded**, στενόμυαλος, μικρόψυχος, ταπεινός. **5**. λίγο ἤ καθόλου: *I have ~ cause for gratitude*, δέν ἔχω κανένα λόγο νά εἶμαι εὐγνώμων. *He failed, and ~ wonder!* ἀπέτυχε, καί δέν εἶναι ἀπορίας ἄξιον/καθόλου περίεργο! *pay ~ attention to sb*, δέν δίνω πολλή προσοχή σέ κτ. **6**. (*σέ φράσεις καί σύνθ. λέξεις*): **ˈ~-arms** *οὐσ. πληθ.* ἐλαφρά/ἀτομικά ὅπλα. **~ change**, ψιλά: *Can you give me ~ change for this note?* μπορεῖτε νά μοῦ χαλάσετε αὐτό τό χαρτονόμισμα; **ˈ~-holder**, (*MB*) μικροϊδιοκτήτης. **ˈ~·holding**, (*MB*) μικρό ἀγρόκτημα, κλῆρος. **the ˈ~ hours**, οἱ πρῶτες πρωϊνές ὧρες. **~ letters**, μικρά/πεζά γράμματα. **ˈ~·pox**, βλογιά. **ˈ~·time** *ἐπ.* (*καθομ.*) παρακατιανός, ἀσήμαντος. ***the still, ~ voice***, ἡ φωνή τῆς συνειδήσεως. ***on the ˈ~ side***, μᾶλλον μικρός. ***look/feel ~***, δείχνω ἀνόητος, γελοῖος/νοιώθω ταπεινωμένος. (*βλ. & λ. beer, sing*). __*οὐσ.* **1**. (*μέ ὁριστ. ἄρθρ.*) τό λεπτότερο μέρος, ἡ μέση (ἀνθρώπου ἤ ζώου): *the ~ of the back*, ἡ μέση (τῆς πλάτης). **2**. (*πληθ. καθομ.*) ἐσώρρουχα (γιά πλύσιμο). **~·ness** *οὐσ.* ‹U› μικρότης.

smarmy /ˈsmamɪ/ *ἐπ.* (*MB, καθομ.*) ὑπερβολικά πρόθυμος, ὑποκριτικός, κόλακας.

[1]**smart** /smat/ *ἐπ. (-er, -est)* **1**. κομψός, ὡραῖος, καλοντυμένος, μοντέρνος: *a ~ hat/dress/car*, κομψό καπέλλο/φόρεμα/αὐτοκίνητο. *You look very ~*, στίς ὀμορφιές σου εἶσαι (ὅλο κομψότητα). *the ˈ~ set/ˈ~ people*, ὁ καλός κόσμος, οἱ μοντέρνοι, οἱ κομψευόμενοι. **2**. ἔξυπνος, δραστήριος, ξύπνιος, καπάτσος: *a ~ boy/businessman*, ἔξυπνο παιδί/καπάτσος ἐπιχειρηματίας. *a ~ retort*, ἔξυπνη ἀπάντησις. **3**. γρήγορος, ζωηρός, σβέλτος: *a ~ walk*, γρήγορος περίπατος. *go at a ~ pace*, πηγαίνω μέ ζωηρό βῆμα. ***Look ~!*** κάνε γρήγορα! κουνήσου! **4**. αὐστηρός, δυνατός, τσουχτερός: *~ punishment*,

αὐστηρή τιμωρία. *a ~ box on the ear*, τσουχτερός μπάτσος. *a ~ rebuke*, δυνατή κατσάδα. **~·ly** *ἐπίρ.* κομψά, ἔξυπνα, σβέλτα, γρήγορα. **~·ness** *οὐσ.* ‹U› ἐξυπνάδα, κομψότης, γρηγοράδα. **~en** /ˈsmatən/ *ρ.μ/ὰ.* **~ (oneself) up**, κομψεύω, περιποιοῦμαι (τόν ἑαυτό μου): *She has ~ened up since I met her last*, κόμψηνε ἀπό τήν τελευταία φορά πού τήν εἶχα δεῖ. *~en oneself up to receive visitors*, περιποιοῦμαι τόν ἑαυτό μου γιά νά δεχθῶ ἐπισκέπτες.

[2]**smart** /smat/ *ρ.μ.* **1**. τσούζω, πονῶ, ὑποφέρω: *The smoke made my eyes ~*, ὁ καπνός μοῦ ἔτσουξε τά μάτια. *My eyes are ~ing*, μέ καῖνε (μέ τσούζουν) τά μάτια μου. *~ under an injustice/insult*, μέ πονάει (ὑποφέρω ἀπό) μιά ἀδικία/μιά προσβολή. **2**. **~ for sth**, πληρώνω γιά κτ: *He'll make you ~ for this impudence*, θά τήν πληρώσης ἀκριβά/θά σέ κάνη νά πληρώσης γι᾿αὐτή τήν ἀναίδεια. __*οὐσ.* ‹U› τσούξιμο, ὀξύς πόνος, στενοχώρια, ἀγωνία.

smash /smæʃ/ *ρ.μ/ὰ.* **1**. συντρίβω, κομματιάζω/-ομαι: *The drunken man ~ed up all the furniture*, ὁ μεθυσμένος κομμάτιασε ὅλα τά ἔπιπλα (τἄκανε γυαλιά-καρφιά). *~ a door open*, ἀνοίγω μιά πόρτα σπάζοντάς την. *The vase fell from the table and ~ed*, τό βάζο ἔπεσε ἀπό τό τραπέζι κι᾿ἔγινε κομμάτια. **ˈ~-and-ˈgrab raid**, κλοπή μέ σπάσιμο βιτρίνας. **2**. προσκρούω μέ ὁρμή, ὁρμῶ: *The car ~ed into the wall*, τό αὐτοκίνητο χτύπησε βίαια στόν τοῖχο (καί συνετρίβη). **3**. ἐκμηδενίζω, διαλύω: *~ the enemy*, ἐκμηδενίζω τόν ἐχθρό. *~ a record*, ἐκμηδενίζω ἕνα ρεκόρ. *a ~ing blow*, ἐξουθενωτικό χτύπημα. **4**. (*στό τέννις*) χτυπῶ (τήν μπάλλα) πρός τά κάτω, σμασάρω. **5**. χρεωκοπῶ: *Several firms ~ed*, πολλές ἑταιρίες χρεωκόπησαν. __*οὐσ.* ‹C› χτύπημα, κομμάτιασμα, σύγκρουσις, πάταγος, χρεωκοπία, κράχ, συντριβή: *He hit her an awful ~*, τῆς κατάφερε ἕνα φοβερό χτύπημα. *There has been a terrible ~ (-up) on the railway*, ἔγινε μιά τρομερή σιδηροδρομική σύγκρουσις. *The vase fell with a ~*, τό βάζο ἔπεσε μέ πάταγο. **a (~) hit**, (*καθομ.*) (γιά ἔργο, τραγούδι, κλπ) καταπληκτική ἐπιτυχία. __*ἐπίρ.* *run ~ into a wall*, πέφτω μέ ὁρμή σ᾿ἕναν τοῖχο. **go ~**, χρεωκοπῶ. **~er** *οὐσ.* ‹C› **1**. βίαιο χτύπημα, συντριπτικό πλῆγμα. **2**. (*καθομ.*) καταπληκτικός τύπος: *She's a ~er!* εἶναι καταπληκτική, κάνει θραύση! **~·ing** *ἐπ.* (*λαϊκ.*) περίφημος, καταπληκτικός, μούρλια.

smat·ter·ing /ˈsmætərɪŋ/ *οὐσ.* (*συνήθ. ἑν. μέ ἀόρ. ἄρθρ.*) πασάλειμμα, ψευτογνώσεις: *a ~ of French*, πασάλειμμα Γαλλικά, κάτι Γαλλικούλια. *acquire a ~ of Greek*, μαθαίνω λίγα Ἑλληνικά.

smear /smɪə(r)/ *ρ.μ/ὰ.* **1**. **~ sth on/over/with**, ἀλείφω, πασαλείφω/-ομαι: *~ one's hands with paint*, πασαλείφω τά χέρια μου μέ μπογιές. *hands ~ed with blood*, χέρια πασαλειμμένα στό αἷμα. **2**. μουτζουρώνω/-ομαι, μουτζαλώνω: *~ a word/a page with ink*, μουτζαλώνω μιά λέξη/μιά σελίδα μέ μελάνι. **3**. (*μεταφ.*) δυσφημῶ, κατασπιλώνω, κηλιδώνω: *~ sb's reputation*, κηλιδώνω τήν ὑπόληψη κάποιου. **ˈ~(ing) campaign**, δυσφημιστική ἐκστρατεία. __*οὐσ.* ‹C› κηλίδα, μουτζούρα: *a ~ of ink/paint/blood*, κηλίδα ἀπό μελάνι/χρῶμα/αἷμα. **ˈ~-word**, δυσφημηστικός/ἀτιμωτικός χαρακτηρισμός.

[1]**smell** /smel/ *οὐσ.* **1**. ‹U› ὄσφρησις: *S~ is more acute in dogs than in man*, τά σκυλιά ἔχουν ὀξύτερη ὄσφρηση ἀπό τούς ἀνθρώπους. **2**. ‹C,U› μυρουδιά, ὀσμή: *a nice/nasty ~*, μιά ὡραία/ἄσχημη μυρουδιά. **have/take a ~ of sth**, μυρίζομαι κτ: *Have a ~ at this egg and tell me whether it's good*, μύρισε αὐτό τό αὐγό καί πές μου ἄν εἶναι καλό. **3**. (*χωρίς ἐπ.*) δυσοσμία: *What a ~!* τί δυσοσμία! τί ἄσχημη μυρουδιά!

[2]**smell** /smel/ *ρ.μ/ὰ.* ἀνώμ. (*ἀόρ.* & *π.μ.* *smelt* /smelt/) **1**. (*ὄχι στούς συνεχεῖς χρόνους*) ὀσφραίνομαι, ἔχω ὄσφρηση: *Can all animals ~?* ἔχουν ὄσφρηση ὅλα τά ζῶα; **2**. (*ὄχι στούς συνεχεῖς χρόνους*) συλλαμβάνω τήν ὀσμή (κάποιου πράγματος), κάτι μοῦ μυρίζει, μυρίζομαι: *Can/Do you ~ anything unusual?* σοῦ μυρίζει τίποτα παράξενο; *I can ~ something burning*, μοῦ μυρίζει κάψιμο. *The camels smelt the water a mile off*, οἱ καμῆλες μυρίστηκαν τό νερό ἀπό ἕνα μίλι. **3**. (*μέ συνεχεῖς χρόνους*) μυρίζομαι (χρησιμοποιῶ τήν ὄσφρησή μου): *S~ this and tell me what it is*, μύρισε αὐτό καί πές μου τί εἶναι. *The dog was ~ing (at) the lamp-post*, ὁ σκύλος μύριζε τήν κολώνα. **~ round/about**, μυρίζομαι ἐδῶ κι᾿ἐκεῖ, γυρίζω καί ψάχνω. **~ sth out**, μυρίζομαι, (*μεταφ.*) ξετρυπώνω, ἀνακαλύπτω κτ. **4**. **~ (of sth)**, μυρίζω (=βγάζω/ἔχω μυρουδιά): *The flowers ~ sweet*, τά λουλούδια μυρίζουν γλυκά. *The dinner ~s good*, τό φαγητό μυρίζει ὡραῖα. *Her breath ~s*, ἡ ἀναπνοή της μυρίζει. *Fish soon ~s in hot weather*, τό ψάρι μυρίζει γρήγορα μέ τή ζέστη. *Your breath ~s of brandy*, ἡ ἀναπνοή σου μυρίζει κονιάκ. *The lamb ~s of garlic*, τό ἀρνάκι μυρίζει σκόρδο. **~ of the lamp**, (*γιά γραπτή ἐργασία*) μυρίζει νυχτέρι/ξενύχτι. (*βλ.* & *λ. rat, oil*). **ˈ~·ing-bottle**, μπουκαλάκι μέ ἀμμωνία. **ˈ~·ing-salts**, ἀμμωνία μέ λεβάντα. **smelly** *ἐπ.* (*-ier, -iest*) (*καθομ.*) δύσοσμος.

[1]**smelt** /smelt/ *ρ.μ.* λυώνω μετάλλευμα: *a ˈcopper-~ing works*, χυτήριον χαλκοῦ. **ˈ~-ing-furnace**, ὑψικάμινος.

[2]**smelt** /smelt/ *ἀόρ.* & *π.μ. τοῦ ρ.* [2]*smell*.

[3]**smelt** /smelt/ *οὐσ.* ‹C› (*πληθ.* *~s ἤ ~*) (*ἰχθ.*) εἶδος μαρίδας.

smile /smaɪl/ *οὐσ.* ‹C› χαμόγελο: *There was an ironical ~ on her face*, ὑπῆρχε ἕνα εἰρωνικό χαμόγελο στό πρόσωπό της. **be all ~s**, εἶμαι ὅλο χαμόγελα. __*ρ.ὰ.* **1**. χαμογελῶ: *What are you smiling at?* γιατί (τί σέ κάνει καί) χαμογελᾶς; *Fortune has not always ~d upon me*, ἡ τύχη δέν μοῦ χαμογέλασε πάντα. **2**. ἐκφράζω μέ χαμόγελο: *She smiled her thanks/approval*, ἐξέφρασε μ᾿ἕνα χαμόγελο τίς εὐχαριστίες της/τήν ἐπιδοκιμασία της. **smil·ing·ly** *ἐπίρ.* χαμογελαστά.

smirch /smɜtʃ/ *οὐσ.* ‹C› κηλίδα. __*ρ.μ.* λερώνω, (*μεταφ.*) κηλιδώνω: *~ one's reputation*, κηλιδώνω τήν ὑπόληψή μου/τ᾿ὄνομά μου.

smirk /smɜk/ *οὐσ.* ‹C› χαζό χαμόγελο αὐταρέσκειας. __*ρ.ὰ.* χαμογελῶ μέ ἀνόητη αὐταρέσκεια.

smite /smaɪt/ *ρ.μ/ὰ.* ἀνώμ. (*ἀόρ.* *smote*

/sməʊt/, *π.μ.* *smitten* /ˈsmɪtn/) (*ἀπηρχ.*) (*ἐν χρήσει λογοτ.* *ἤ χιουμορ.*) **1**. χτυπῶ, τύπτω: *His conscience smote him*, τόν ἔτυπτε ἡ συνείδησίς του. *He was smitten with remorse/blindness*, τόν βασάνιζαν οἱ τύψεις/τυφλώθηκε. *be smitten with a girl*, εἶμαι τσιμπημένος (ἐρωτοχτυπημένος) μ'ἕνα κορίτσι. *A sound smote my ears*, ἕνας ἦχος χτύπησε τ'αὐτιά μου. *His knees smote together*, τά γόνατά του χτυποῦσαν (ἀπό φόβο). **2**. κατατροπώνω, πλήττω: *God will ~ our enemies*, ὁ Θεός θά πλήξη τούς ἐχθρούς μας.

smith /smɪθ/ *οὐσ.* ‹C› σιδηρουργός, σιδερᾶς. **ˋblack~**, γύφτος. **ˋgold~**, χρυσοχόος. **smithy** /ˈsmɪθɪ/ *οὐσ.* ‹C› σιδηρουργεῖον.

smith·er·eens /ˈsmɪðəˈriːnz/ *οὐσ. πληθ.* θραύσματα, θρύψαλα, σμπαράλια: *smash sth to/into ~*, κάνω κτ θρύψαλα.

smit·ten /ˈsmɪtn/ *π.μ. τοῦ ρ. smite.*

smock /smɒk/ *οὐσ.* ‹C› φόρμα, μπλούζα (μέ σούρα, μέ πιέτες). **~·ing** *οὐσ.* ‹U› πιέτες, 'σφηκοφωλιά'.

smog /smɒg/ *οὐσ.* ‹U› (*ἀπό τίς λέξεις smoke καί fog*) ὁμίχλη καί καπνιά.

[1]**smoke** /sməʊk/ *οὐσ.* **1**. ‹U› καπνός: *ˈcigaˈrette ~*, καπνός τσιγάρου. ***end up in ~***, ἀποτυγχάνω, πάω στό βρόντο. ***go up in ~***, καίγομαι, γίνομαι καπνός, (*μεταφ.*) χάνομαι, ἐξανεμίζομαι. (*βλ.* & *λ.* [1]*fire*). **ˋ~-bomb**, καπνογόνος βόμβα. **ˋ~-dried** *ἐπ.* (*γιά κρέας*) καπνιστός. **ˋ~-screen**, προπέτασμα καπνοῦ. **ˋ~-stack**, φουγάρο (πλοίου, ἀτμομηχανῆς), καπνοδόχος (ἐργοστασίου). **2**. ‹C› κάπνισμα (τσιγάρου, κλπ): *Let's have a ~*, ἄς κάνωμε τσιγάρο, ἄς καπνίσωμε. **~·less** *ἐπ.* ἄκαπνος, καθαρός: *~less fuels*, καύσιμα πού δέν βγάζουν καπνό. *a ~less zone*, καθαρή ζώνη (περιοχή ὅπου δέν ἐπιτρέπονται καύσιμα πού καπνίζουν). **smoky** /ˈsməʊkɪ/ *ἐπ.* (*-iest, -iest*) καπνίζων, γεμᾶτος καπνό, σάν καπνός: *a smoky fire/atmosphere*, φωτιά πού καπνίζει/ἀτμόσφαιρα γεμάτη καπνούς. *a smoky smell*, μυρουδιά καπνίλας.

[2]**smoke** /sməʊk/ *ρ.μ/ἀ.* καπνίζω: *That oil-lamp ~s badly*, αὐτή ἡ λάμπα καπνίζει πολύ. *Do you ~?* καπνίζετε (εἶσθε καπνιστής); *He ~d himself sick*, τοὖρθε ἐμετός ἀπό τό πολύ κάπνισμα. *A good cigar will ~ for half an hour*, ἕνα καλό ποῦρο κρατάει μισή ὥρα (στό κάπνισμα). *~ pork/fish*, καπνίζω χοιρινό/ψάρι. *a ~d ceiling*, καπνισμένο ταβάνι. *~* ***out***, ξετρυπώνω (ἀλεποῦ, σφῆκες, φίδια, κλπ) μέ καπνό. **ˋsmoking-car/-carriage/-compartment**, βαγόνι καπνιζόντων. **ˋsmoking-room**, (*σέ ξενοδοχεῖο*) αἴθουσα καπνιζόντων. **smoker** /ˈsməʊkə(r)/ *οὐσ.* ‹C› καπνιστής, βαγόνι/αἴθουσα καπνιζόντων. *He's a heavy smoker*, εἶναι μανιώδης καπνιστής. **smoker's throat**, φαρυγγῖτις καπνιστῶν.

smol·der /ˈsmoldə(r)/ *ρ.ἀ. βλ. smoulder.*

smooth /smuːð/ *ἐπ.* (*-er, -est*) **1**. λεῖος, ἐπίπεδος, ὁμαλός, στρωτός: *~ paper/skin*, λεῖο χαρτί/δέρμα. *a ~ road*, λεῖος/ἐπίπεδος δρόμος. *a ~ sea*, στρωτή/γαλήνια θάλασσα. ***make things ~ for sb***, (*μεταφ.*) ἐξομαλύνω τά πράγματα γιά κπ. ***take the rough with the ~***, καί τά καλά καί τά κακά δεχούμενα. **ˈ~-ˋfaced** *ἐπ.* (*μεταφ.*) μελιστάλαχτος, γαλίφης, ὑποκριτής. **2**. (*γιά κίνηση*) ἥσυχος, ὁμαλός, καλός (χωρίς σκαμπανεβάσματα): *a ~ flight/ride/voyage*, καλό ταξίδι μέ ἀεροπλάνο/μέ αὐτοκίνητο/μέ πλοῖο. *~ running*, καλή λειτουργία (μηχανῆς). **3**. (*γιά ὑγρό μῖγμα*) ἁπαλός, χωρίς γρόμπους: *a ~ paste*, ἁπαλή/στρωτή ζύμη. **4**. ρέων, ἁπαλός: *~ verse*, στῖχος πού κυλάει. *a ~ voice*, ἁπαλή φωνή. *~ whisky/wine*, γλυκόπιοτο οὐΐσκυ/κρασί. **5**. (*γιά ἄνθρ. καί τρόπους*) ἤρεμος, εὐγενικός: *a ~ temper*, ἤρεμος χαρακτήρας. *~ manners*, εὐγενικοί τρόποι. *a ~ face*, μελιστάλαχτο πρόσωπο. **ˈ~-ˋfaced/-ˋtongued/-ˋspoken**, μελιστάλαχτος/γλυκομίλητος (καί μᾶλλον ἀνειλικρινής). __*οὐσ.* ‹C› σιάξιμο, στρώσιμο: *give one's hair a ~*, στρώνω τά μαλλιά μου. __*ρ.μ/ἀ.* **1**. *~* ***sth (down/out/away/over)***, λειαίνω, ἰσιώνω, στρώνω, ἐξομαλύνω: *~ wood*, λειαίνω/πλανίζω ξύλο. *~ down one's dress*, στρώνω τό φόρεμά μου. *~ away/over difficulties, obstacles, etc*, ἐξομαλύνω δυσκολίες, ἐμπόδια, κλπ. *~* ***sb's path***, (*μεταφ.*) διευκολύνω κπ. **2**. γαληνεύω, ἠρεμῶ: *The sea has ~ed down*, ἡ θάλασσα γαλήνεψε. *~ sb's ruffled feelings*, ἠρεμῶ κπ, κατευνάζω τά αἰσθήματα κπ. **ˋ~·ing-iron**, (*παλαιότ.*) σίδερο (τοῦ σιδερώματος). **ˋ~·ing plane**, (*ἐργαλ.*) μικρή πλάνη. **~·ly** *ἐπίρ.* λεῖα, ὁμαλά, ἤρεμα: *Things are going ~ly*, τά πράγματα ἐξελλίσονται ὁμαλά. **~·ness** *οὐσ.* ‹U› λειότης, ἠρεμία, ὁμαλότης, κάλμα, ψεύτικη γλυκύτης, ὑποκρισία.

smote /sməʊt/ *ἀόρ. τοῦ ρ. smite.*

smother /ˈsmʌðə(r)/ *ρ.μ.* **1**. πνίγω, προκαλῶ ἀσφυξία: *~ sb with a pillow*, πνίγω κπ μ'ἕνα μαξιλάρι. **2**. σβήνω (φωτιά): *~ a fire with ashes*, σβήνω φωτιά (σκεπάζοντάς την) μέ στάχτη. **3**. (*μεταφ.*) (κατα)πνίγω: *~ a yawn/one's anger/a curse*, πνίγω ἕνα χασμουρητό/τό θυμό μου/μιά βλαστήμια. *~ (up) a scandal*, καταπνίγω (κουκουλώνω) ἕνα σκάνδαλο. *~ sb with kisses/kindness/gifts*, πνίγω κπ στά φιλιά/μέ ἐκδηλώσεις ἀγάπης/στά δῶρα. __*οὐσ.* (*συνήθ ἐν. μέ ἀόρ. ἄρθρ.*) σύννεφο (σκόνης, καπνοῦ, ἀτμοῦ, κλπ).

smoul·der /ˈsməʊldə(r)/ *ρ.ἀ.* σιγοκαίω, κρυφοκαίω, ὑποβόσκω: *a ~ing fire*, φωτιά πού κρυφοκαίει. *~ing discontent/hatred*, (*μεταφ.*) δυσαρέσκεια/μῖσος πού ὑποβόσκει. __*οὐσ.* ‹U› ὑποβόσκουσα φωτιά.

smudge /smʌdʒ/ *οὐσ.* ‹C› μουτζούρα, μουτζαλιά: *You've got a ~ on your cheek*, ἔχεις μιά μουτζούρα στό μάγουλό σου. *You've made ~s on the paper*, ἔκανες μουτζαλιές στό χαρτί. __*ρ.μ/ἀ.* μουτζουρώνω, μουτζαλώνω, λεκιάζω: *This pen ~s badly*, αὐτή ἡ πέννα μουτζαλώνει πολύ.

smug /smʌg/ *ἐπ.* (*-ger, -gest*) ἀνόητα αὐτάρεσκος: *a ~ smile*, αὐτάρεσκο χαμόγελο. *~ optimism*, ἀνόητη αἰσιοδοξία/μακαριότης. **~-ly** *ἐπίρ.* αὐτάρεσκα. **~·ness** *οὐσ.* ‹U› αὐταρέσκεια, μακαριότης.

smuggle /ˈsmʌgl/ *ρ.μ.* περνῶ κτ λαθραῖα, κάνω λαθρεμπόριο: *~ a letter into a prison*, μπάζω κρυφά ἕνα γράμμα σέ φυλακή. *~ goods through the customs/across the frontier/into a country*, περνῶ ἐμπορεύματα λαθραῖα στό τελωνεῖο/ἀπό τά σύνορα/μέσα σέ μιά χώρα.

smug·gler /ˈsmʌglə(r)/ *οὐσ.* ‹C› λαθρέμπορος.

smut /smʌt/ *οὐσ.* **1**. ‹C› λεκές, μουτζούρα. **2**. ‹U› καπνιά (ἀρρώστεια φυτῶν). **3**. (*συλλογ.*) αἰσχρολογίες, βρωμιές, προστυχιές, πορνογραφία: *talk* ~, λέω αἰσχρολογίες. __*ρ.μ.* *(-tt-)* μουτζουρώνω, λεκιάζω. **~ty** *ἐπ.* *(-ier, -iest (α)* λεκιασμένος, μουτζουρωμένος, λερωμένος: *~ty yellow*, λερωμένο κίτρινο (χρῶμα). *(β)* αἰσχρός, σόκιν: *~ty stories*, αἰσχρές ἱστορίες. **~·tily** /-təlɪ/ *ἐπίρ.* πρόστυχα, αἰσχρά. **~·ti·ness** *οὐσ.* ‹U› μουτζούρωμα, λέκιασμα, αἰσχρότης.

snack /snæk/ *οὐσ.* ‹C› κολατσό, φαγητό στό πόδι, μεζές. **ˈ~-bar/-counter**, σνάκμπαρ.

snaffle /ˈsnæfl/ *οὐσ.* ‹C› χαλινάρι (ἀλόγου). __*ρ.μ.* (*Μ.Β., λαϊκ.*) σουφρώνω, τσιμπάω, κλέβω.

snag /snæg/ *οὐσ.* ‹C› **1**. ρίζα/πέτρα πού προεξέχει (καί ἀποτελεῖ κίνδυνο). **2**. (*μεταφ.*) ἐμπόδιο, ἐμπλοκή, σκάλωμα, δυσκολία: *come upon/strike a* ~, πέφτω σέ δυσκολία, σκοντάφτω σέ κτ. *There's a ~ in it somewhere*, ὑπάρχει κάποια ἐμπλοκή, κάπου σκαλώνει ἡ δουλειά.

snail /sneɪl/ *οὐσ.* ‹C› σαλιγκάρι. ***at a ˈ~'s pace***, μέ βῆμα χελώνας.

snake /sneɪk/ *οὐσ.* ‹C› φίδι: *poisonous ~s*, δηλητηριώδη φίδια. ***a ~ in the grass***, (*μεταφ.*) κρυφό φίδι, δόλιος ἄνθρωπος. ***see ~s***, ἔχω παραισθήσεις. ***warm a ~ in one's bosom***, (*μεταφ.*) ζεσταίνω φίδι στόν κόρφο μου. **ˈ~-bite**, δάγκωμα φιδιοῦ. **ˈ~-charmer**, γητευτής φιδιῶν. __*ρ.ἀ.* προχωρῶ σά φίδι: *The road ~s through the mountains*, ὁ δρόμος προχωράει σά φίδι μέσα ἀπό τά βουνά. **snaky** *ἐπ.* φιδίσιος, φιδωτός, (*μεταφ.*) φαρμακερός, δόλιος.

[1]**snap** /snæp/ *ρ.μ/ἀ.* *(-pp-)* **1**. ***~ (at) sth***, προσπαθῶ νά δαγκώσω, ἁρπάζω: *The dog ~ped at my leg*, ὁ σκύλος προσπάθησε νά μέ δαγκάση στό πόδι. *The fish ~ped at the bait*, τό ψάρι ἅρπαξε τό δόλωμα. *~ at an opportunity/offer*, ἁρπάζω μιά εὐκαιρία/μιά προσφορά. ***~ sth up***, ἀναρπάζω (ἐμπορεύματα): *The cheapest articles were quickly ~ped up*, τά φτηνότερα εἴδη ἔγιναν ἀνάρπαστα. **2**. σπάζω, κόβομαι (*ἰδ.* ἀπό τέντωμα, βάρος, κλπ): *The rope ~ped*, τό σκοινί ἔσπασε/κόπηκε. *He stretched the rubber band till it ~ped*, τέντωσε τό λαστιχάκι ὥσπου ἔσπασε. **3**. κροταλίζω, κάνω στράκες, ἀνοίγω/κλείνω μέ ἀπότομο κρότο: *He ~ped his whip*, κροτάλισε τό μαστίγιό του. *The whip ~ped over the horse's head*, τό μαστίγιο κροτάλισε πάνω ἀπό τό κεφάλι τοῦ ἀλόγου. *He ~ped his briefcase open*, ἄνοιξε τό χαρτοφύλακά του (πατώντας τό ἐλατήριο). *Stop ~ping your fingers*, πᾶψε νά τρίζης (νά χτυπᾶς, νά κάνης στράκες μέ) τά δάχτυλά σου. ***~ one's fingers at sb/in sb's face***, περιφρονῶ, προκαλῶ κπ (χτυπώντας τόν ἀντίχειρα στά δάχτυλα). **4**. μιλῶ ἀπότομα/κοφτά: *The sergeant ~ped out his orders*, ὁ λοχίας ἔδωσε τίς διαταγές μέ κοφτή φωνή. *'Mind your own business,' he ~ped*, -Κοίτα τή δουλειά σου, εἶπε ξερά/κοφτά. ***~ at sb***, μιλῶ ἀπότομα/ἀγριομιλῶ σέ κπ. ***~ sb's nose/head off***, ἀποπαίρνω κπ, ξεσπῶ νευρικά σέ κπ, διακόπτω κπ ἀπότομα. **5**. παίρνω ἐνσταντανέ, τραβῶ φωτογραφία. **6**. ***~ (in)to it***, (*λαϊκ.*) ἀρχίζω κτ σύντονα/μ' ἐνεργητικότητα. ***~ out of it***, (*καθομ.*) ἀφήνω (μιά συνήθεια, μιά διάθεση).

[2]**snap** /snæp/ *οὐσ.* ‹C› **1**. δάγκωμα, ἅρπαγμα: *The dog made a ~ at the meat*, ὁ σκύλος προσπάθησε ν' ἁρπάξη τό κρέας. **2**. ξηρός κρότος (ἀνοίγματος, κλεισίματος, σπασίματος), κράκ, στράκα: *The lid shut with a ~*, τό καπάκι ἔκλεισε μ' ἕνα ξηρό κρότο/μ' ἕνα κράκ. *The oar broke with a ~*, τό κουπί ἔσπασε μ' ἕνα κράκ. *with a ~ of the fingers/whip*, μέ μιά στράκα τῶν δακτύλων/τοῦ καμτσικιοῦ. **3**. ‹U› (*καθομ.*) δραστηριότης, ζωντάνια, σφρῖγος: *Put some ~ into it*, κουνήσου/σφίξου λιγάκι, βάλε λίγη ζωντάνια! **4**. μπισκοτάκι. **5**. ἐλατήριο, σούστα (βαλίτσας, γαντιοῦ, βραχιολιοῦ, κλπ) πού κλείνει μέ πίεση. **6**. (*ἐπιθ.*) γρήγορος, στά πεταχτά, αἰφνιδιαστικός: *a ~ vote/election*, αἰφνιδιαστική ψηφοφορία/ἐκλογή. **7**. **cold ~**, ἀπότομη ψύχρα. **ˈ~·shot**, ἐνσταντανέ, στιγμιότυπο: *take a ~-shot*, τραβῶ ἐνσταντανέ. *a ~shot album*, ἄλμπουμ φωτογραφιῶν. **~py** *ἐπ.* *(-ier, -iest)* ζωηρός, νευρώδης, ζωντανός: *Make it/Look ~py!* (*καθομ.*) κάνε σβέλτα! κουνήσου! **~-pish** /-ɪʃ/ *ἐπ.* ἀπότομος, ὀξύθυμος, δηκτικός. **~·pish·ly** *ἐπίρ.* ἀπότομα. **~·pish·ness** *οὐσ.* ‹U› στριφνότης.

snare /sneə(r)/ *οὐσ.* ‹C› **1**. (*κυριολ. & μεταφ.*) παγίδα, βρόχος, θηλειά, δίχτυ (γιά πουλιά): *be caught in a ~*, πιάνομαι στά βρόχια/σέ παγίδα. **2**. (*μεταφ.*) δόλωμα: *His promises are a ~ and a delusion*, οἱ ὑποσχέσεις του εἶναι δόλωμα καί ψευτιά. __*ρ.μ.* παγιδεύω, πιάνω στά βρόχια: *~ a rabbit*, πιάνω λαγό στά βρόχια.

[1]**snarl** /snɑl/ *οὐσ.* ‹C› γρύλλισμα (σκύλου, ἀνθρώπου). __*ρ.ἀ.* ***~ (at)***, γρυλλίζω: *The dog ~ed at me*, ὁ σκύλος μοῦ γρύλλιζε δείχνοντας τά δόντια του. *~ out an answer*, ἀπαντῶ γρυλλίζοντας.

[2]**snarl** /snɑl/ *οὐσ.* ‹C› μπέρδεμα, ἀνακάτωμα, μπλέξιμο: *a traffic ~*, μπλέξιμο τῆς κυκλοφορίας. __*ρ.μ/ἀ.* μπλέκω, μπερδεύω/-ομαι: *The traffic ~ed up*, ἡ κυκλοφορία μπλέχτηκε.

snatch /snætʃ/ *ρ.μ/ἀ.* **1**. ἁρπάζω, βουτῶ: *He ~ed the letter from/out of my hand*, μοῦ ἅρπαξε τό γράμμα ἀπό τό χέρι μου. *He ~ed up his gun and fired*, βούτηξε τό ὅπλο του καί πυροβόλησε. ***~ at sth***, προσπαθῶ ν' ἁρπάξω κτ: *~ at a lady's bag*, προσπαθῶ νά βουτήξω τήν τσάντα μιᾶς γυναίκας. *~ at an opportunity*, ἁρπάζω μιά εὐκαιρία. **2**. ἁρπάζω, κλέβω (= παίρνω στά γρήγορα ὅταν βρῶ εὐκαιρία): *~ an hour's sleep*, κλέβω μιᾶς ὥρας ὕπνο. *~ a kiss*, κλέβω ἕνα φιλί. *~ a meal*, τσιμπῶ κτ στό πόδι. __*οὐσ.* ‹C› **1**. ἅρπαγμα, βούτηγμα: *make a ~ at sth*, κάνω βουτιά σέ κτ, προσπαθῶ νά τό βουτήξω. *a ~ decision*, ἀπόφασις ἐξ ὑφαρπαγῆς. **2**. σύντομο διάστημα: *work in ~es*, δουλεύω κατά διαστήματα. **3**. κομμάτι, ἀπόσπασμα: *overhear ~es of conversation*, παίρνει τ' αὐτί μου ἀποσπάσματα συνομιλίας/ξεκομμένες κουβέντες. *short ~es of verse*, σύντομα ποιητικά ἀποσπάσματα, σκόρπιοι στίχοι.

sneak /snik/ *ρ.μ/ὰ.* **1**. ~ *(**in/out/away/ back/past/off**)*, κινοῦμαι κρυφά ἤ ὕποπτα: ~ *into/out of a room*, μπαίνω/βγαίνω κρυφά ἀπό ἕνα δωμάτιο. *He ~ed off/away*, τὄσκασε στά κρυφά. **2**. ~ *(**on sb**)*, *(σχολ. καθομ.)* προδίδω, καταδίδω, μαρτυρῶ κπ. **3**. *(σχολ. λαϊκ.)* σουφρώνω, κλέβω. __*οὐσ.* ‹C› **1**. *(σχολ. λαϊκ.)* μαρτυριάρης, καταδότης. **2**. δόλιος/ὕπουλος ἄνθρωπος. **3**. **`~-thief**, μικροκλέφτης, λωποδυτάκος. **~·ing** *ἐπ.* κρυφός, ἀνομολόγητος: *have a ~ing respect/admiration for sb*, νοιώθω κρυφό σεβασμό/θαυμασμό γιά κπ. *a ~ing suspicion*, μιά ἀόριστη/ἀνομολόγητη ὑποψία. **~·ing·ly** *ἐπίρ.* ὕπουλα, κρυφά. **~y** *ἐπ.* κρυφός, ὕπουλος. **~·ers**, *(ἐπίσης a pair of ~ers)* πάνινα ἤ λαστιχένια παπούτσια.

sneer /snɪə(r)/ *ρ.ὰ.* ~ *(**at**)*, γελῶ περιφρονητικά, χλευάζω, σαρκάζω: ~ *at religion*, χλευάζω τή θρησκεία. __*οὐσ.* ‹C› περιπαιχτικό χαμόγελο, σαρκασμός: *ignore sb's ~s*, δέν δίνω σημασία στούς χλευασμούς κάποιου. **~·ing·ly** *ἐπίρ.*

sneeze /sniz/ *οὐσ.* ‹C› φτάρνισμα: *stifle a ~*, συγκρατῶ (πνίγω) ἕνα φτάρνισμα. __*ρ.ὰ.* φταρνίζομαι. ***not to be ~d at***, *(καθομ.)* δέν εἶναι περιφρονητέος/γιά πέταμα.

snick /snɪk/ *οὐσ.* ‹C› χαρακιά, κοψιά. __*ρ.μ.* χαράσσω, κάνω κοψιά, *(κρίκετ)* χτυπῶ κοφτά.

snicker /`snɪkə(r)/ *οὐσ.* ‹C› *(γιά ἄλογο)* χρεμέτισμα, *(γιά ἄνθρ.)* χαχάνισμα. __*ρ.ὰ.* χαχανίζω.

snide /snaɪd/ *ἐπ.* κοροϊδευτικός, εἰρωνικός.

sniff /snɪf/ *ρ.μ/ὰ.* **1**. ρουφῶ μέ τή μύτη, εἰσπνέω μέ θόρυβο, σουσουνίζω: *They all had colds and were ~ing and sneezing*, ἦταν ὅλοι συναχωμένοι καί σουσούνιζαν καί φταρνίζονταν. **2**. ~ ***up***, ἀναρροφῶ, εἰσπνέω: ~ *sth up through the nostrils*, εἰσπνέω κτ ἀπό τή μύτη. **3**. ~ *(**at**)*, *(α)* μυρίζω (μέ εἰσπνοές ἀπό τή μύτη): ~ *(at) a rose/a bottle of perfume*, μυρίζω ἕνα τριαντάφυλλο/ἕνα μπουκαλάκι ἄρωμα. *(β)* ρουθουνίζω περιφρονητικά: *His offer/idea is not to be ~ed at*, ἡ προσφορά του/ἡ ἰδέα του δέν εἶναι γιά πέταμα (δέν εἶναι περιφρονητέα). __*οὐσ.* ‹C› εἰσπνοή, ρουφηξιά: *get a ~ of sea air*, παίρνω μιά ρουφηξιά θαλασσινό ἀέρα. **~y** *ἐπ.* *(καθομ.)* περιφρονητικός, δύσοσμος.

sniffle /`snɪfl/ *ρ.ὰ.* *βλ. snuffle.*

snig·ger /`snɪgə(r)/ *οὐσ.* ‹C› μισοπνιγμένο γέλιο, κρυφόγελο, χαχανητό. __*ρ.ὰ.* ~ *(**at/ over**)*, κρυφογελῶ, χαχανίζω, γελῶ πονηρά ἤ νευρικά.

snip /snɪp/ *ρ.μ/ὰ.* *(-pp-)* ~ *(**at**)* ***sth/sth off***, ψαλιδίζω, κόβω μέ ψαλίδι: ~ *off the ends*, ψαλιδίζω τίς ἄκρες. ~ *cloth/paper*, κόβω ὕφασμα/χαρτί. __*οὐσ.* ‹C› **1**. ψαλίδισμα, ψαλιδιά, ἀπόκομμα. **2**. *(καθομ.)* κελεπούρι: *Only 50p? It's a ~!* μόνο μισή λίρα; εἶναι κελεπούρι! **~·ping** *οὐσ.* ‹C› κομμάτι, ἀπόκομμα, κοψίδι.

[1]**snipe** /snaɪp/ *οὐσ.* ‹C› *(πληθ. ἀμετάβλ.)* βαλτομπεκάτσα.

[2]**snipe** /snaɪp/ *ρ.μ/ὰ.* ~ *(**at**)*, πυροβολῶ ὡς ἐλεύθερος σκοπευτής: *be ~d at*, πυροβολοῦμαι ἀπό ἐλεύθερους σκοπευτές. **~r** *οὐσ.* ‹C› ἐλεύθερος σκοπευτής.

snip·pet /`snɪpɪt/ *οὐσ.* ‹C› κομματάκι, *(πληθ.)* εἰδησοῦλες.

snitch /snɪtʃ/ *ρ.μ/ὰ.* *(λαϊκ.)* **1**. σουφρώνω, τσιμπῶ, κλέβω. **2**. ~ *(**on sb**)*, καταδίδω κπ.

snivel /`snɪvl/ *ρ.ὰ.* *(-ll-)* μυξοκλαίω, κλαψουρίζω: *~ling children*, παιδιά πού κλαψουρίζουν. **~·ler** *οὐσ.* ‹C› κλαψούρης.

snob /snob/ *οὐσ.* ‹C› σνόμπ, ψευτοαριστοκράτης. **~·bish** /-ɪʃ/ *ἐπ.* φαντασμένος. **~·bish·ly** *ἐπίρ.* ξιππασμένα. **~·bish·ness**, **~·bery** /`snobərɪ/ *οὐσ.* ‹U› σνομπισμός.

snood /snud/ *οὐσ.* ‹C› φιλές (μαλλιῶν).

snook /snuk/ *οὐσ.* *(μόνο στή φρ.)* ***cock a ~ (at sb)***, κοροϊδεύω κπ περιφρονητικά (μέ τόν ἀντίχειρα στή μύτη καί τά δάχτυλα ἁπλωμένα).

snooker /`snukə(r)/ *οὐσ.* ‹U› εἶδος μπιλλιάρδου (μέ πολλές μπίλλιες). ***be ~ed*** *(καθομ.)* εἶμαι στριμωγμένος/σέ δύσκολη θέση.

snoop /snup/ *ρ.ὰ.* *(καθομ.)* ~ ***around***, κατασκοπεύω, παραφυλάω: ~ *around sb's house*, παραφυλάω τό σπίτι κάποιου. ~ ***into***, χώνω τή μύτη μου, ἀνακατεύομαι: ~ *into other people's business*. **~er** *οὐσ.* ‹C› ἀδιάκριτος.

snooty /`snutɪ/ *ἐπ.* *(-ier, -iest)* *(καθομ.)* ἀκατάδεχτος, ψηλομύτης. **snoot·ily** /-əlɪ/ *ἐπίρ.* ὑπεροπτικά.

snooze /snuz/ *οὐσ.* ‹C› *(καθομ.)* ὑπνάκος: *have a ~ after lunch*, τόν κλέβω λίγο ὕστερα ἀπό τό μεσημεριανό. __*ρ.ὰ.* κοιμᾶμαι λίγο, τόν παίρνω.

snore /snɔ(r)/ *οὐσ.* ‹C› ροχάλισμα. __*ρ.ὰ.* ροχαλίζω. **~r** *οὐσ.* ‹C› αὐτός πού ροχαλίζει.

snor·kel /`snɔkl/, **schnor·kel** /`ʃnɔkl/ *οὐσ.* ‹C› **1**. ἀναπνευστικός σωλήνας (κολυμβητῆ). **2**. σωλήνας ἀερισμοῦ ὑποβρυχίων.

snort /snɔt/ *ρ.ὰ.* **1**. ξεφυσῶ, ρουθουνίζω, φρουμάζω: *The horse ~ed*, τό ἄλογο φρούμαξε. ~ *with rage*, φρουμάζω ἀπό θυμό. **2**. ἐκφράζω (περιφρόνηση, ἀνυπομονησία, κλπ) φρουμάζοντας/ξεφυσώντας: ~ *defiance at sb*, προκαλῶ κπ ξεφυσώντας. ~ *out an answer*, ἀπαντῶ ξεφυσώντας. **3**. *(καθομ.)* κοροϊδεύω (γελώντας θορυβωδῶς). __*οὐσ.* ‹C› *(α)* φρούμασμα, ξεφύσημα: *give a ~ of contempt*, ξεφυσῶ μέ περιφρόνηση. *(β) βλ. snorkel (2).* **~y** *ἐπ.* *(καθομ.)* πικρόχολος. **~er** *οὐσ.* ‹C› *(καθομ.)* *(α)* ζόρικη δουλειά: *That problem is a real ~er*, αὐτό τό πρόβλημα εἶναι πραγματικά ζόρικη ὑπόθεση. *(β)* ἀνεμοθύελλα.

snot /snot/ *οὐσ.* ‹U› *(χυδ.)* μύξα. **~ty** *(χυδ.)* *ἐπ.* *(α)* μυξιάρικος. *(β)* **`~ty-nosed**, ψηλομύτης.

snout /snaʊt/ *οὐσ.* ‹C› ρύγχος, μουσούδα, μπέκ.

[1]**snow** /snəʊ/ *οὐσ.* ‹U› χιόνι: *There has been a heavy fall of ~*, ἔπεσε πολύ χιόνι. **`~·ball** *οὐσ.* ‹C› χιονόμπαλλα. __*ρ.μ/ὰ.* *(α)* παίζω χιονοπόλεμο, χτυπῶ μέ χιονόσφαιρες. *(β)* αὐξάνομαι συνεχῶς (σά χιονόμπαλλα πού κυλάει), διαδίδομαι γρήγορα. **`~·blind** *ἐπ.* τυφλωμένος, θαμπωμένος (ἀπό τή λάμψη τοῦ χιονιοῦ). **`~·blind·ness**, τύφλωσις (ἀπό τό χιόνι). **`~·bound** *ἐπ.* (ἀπο)κλεισμένος ἀπό τά χιόνια. **`~-capped/-clad/-covered** *ἐπ.* χιονοσκεπής. **`~·drift**, χιονοστιβάδα. **`~-drop**, *(φυτ.)* γάλανθος. **`~·fall**, χιονόπτωσις. **`~-field**, ἔκτασις μέ αἰώνια χιόνια. **`~-flake**, νιφάδα χιονιοῦ. **`~-line**, γραμμή

(ὑψόμετρο) ὅπου ἀρχίζουν αἰώνια χιόνια. **`~·man** /-mæn/, χιονάνθρωπος. **`~-plough**, ἐκχιονιστήρ. **`~-shoes**, χιονοπέδιλα. **`~·storm**, χιονοθύελλα. **'~-`white** *ἐπ.* κατάλευκος, χιονᾶτος. __*οὐσ.* **'S~ `White**, ἡ Χιονάτη (τοῦ παραμυθιοῦ).

[2]**snow** /snəʊ/ *ρ.μ/ἀ.* **1**. (ἀπρόσωπον) χιονίζει: *It ~ed all day*, χιόνιζε ὅλη τήν ἡμέρα. **2**. *~ **in***, πέφτω βροχηδόν, κατακλύζω: *Gifts and messages ~ed in on her birthday*, τά δῶρα καί τά χαιρετιστήρια μηνύματα ἦρθαν βροχή στά γενέθλιά της. ***be ~ed in/up***, ἀποκλείομαι ἀπό τά χιόνια. ***be ~ed under (with)***, κατακλύζομαι (ἀπό), πνίγομαι εἰς: *He was ~ed under with work/invitations*, κατακλύσθηκε ἀπό δουλειά/ἀπό προσκλήσεις (πνίγηκε στή δουλειά/στίς προσκλήσεις).

snowy /`snəʊi/ *ἐπ. (-ier, -iest)* **1**. χιονοσκεπής: *~ roofs*, στέγες σκεπασμένες μέ χιόνι. **2**. χιονώδης: *~ weather*, χιονόκαιρος. **3**. κατάλευκος, χιονᾶτος: *~ hair*, χιονᾶτα μαλλιά. *a ~ tablecloth*, χιονᾶτο τραπεζομάντηλο.

[1]**snub** /snʌb/ *ρ.μ. (-bb-)* ἀποπαίρνω κπ, φέρομαι ἀπότομα ἤ ταπεινωτικά, ἀποποιοῦμαι προσβλητικά: *be/get ~bed by a civil servant*, μέ προσβάλλει ἕνας δημόσιος ὑπάλληλος. __*οὐσ.* ‹C› προσβολή, ἀπότομο φέρσιμο, ταπεινωτική ἀποποίησις: *suffer a ~*, ὑφίσταμαι μιά προσβολή, μέ ταπεινώνουν.

[2]**snub** /snʌb/ *ἐπ.* (*μόνο στή φρ.*) **a ~ nose**, κοντόχοντρη, ἀνασηκωτή μύτη. **`~-nosed** *ἐπ.* μέ κοντόχοντρη ἀνασηκωτή μύτη.

[1]**snuff** /snʌf/ *οὐσ.* ‹C› & *ρ.μ/ἀ. βλ. sniff.*

[2]**snuff** /snʌf/ *οὐσ.* ‹U› **1**. ταμπάκος σκόνη: *take a pinch of ~*, παίρνω μιά πρέζα ταμπάκο. **`~-box**, ταμπακοθήκη. **2**. ***be up to ~***, (*καθομ.*) *(a)* εἶμαι ἀτσίδα, ἀετονύχης. *(β)* εἶμαι γερός (στήν ὑγεία μου). **`~-coloured** *ἐπ.* καφεκίτρινος.

[3]**snuff** /snʌf/ *ρ.μ/ἀ.* **1**. κόβω τήν κάφτρα (κεριοῦ). **2**. ***~ sth out***, (*κυριολ.* & *μεταφ.*) σβήνω: *~ out a candle/sb's hopes*, σβήνω ἕνα κερί/τίς ἐλπίδες κάποιου. *~ out a rebellion*, καταπνίγω μιά ἀνταρσία. **3**. ***~ out***, (*καθομ.*) πεθαίνω. **~·ers** *οὐσ. πληθ.* ψαλίδι (γιά τό κόψιμο τῆς κάφτρας).

snuffle /`snʌfl/ *ρ.ἀ.* σουσουνίζω. __*οὐσ.* ‹C› σουσούνισμα: *speak in a sanctimonious ~*, μιλῶ μέ ὑποκριτική ἔρρινη φωνή.

snug /snʌg/ *ἐπ. (-gg-)* **1**. ἀναπαυτικός, συμμαζεμένος, μικρός καί περιποιημένος: *a ~ little bed*, ἀναπαυτικό κρεββατάκι. *a ~ cabin*, συμμαζεμένη μικρή καμπίνα. **2**. ζεστός, χουζουρεμένος, γεμᾶτος θαλπωρή: *a ~ little fire*, μιά ζεστή φωτίτσα. *a ~ woollen vest*, ζεστή μάλλινη ἐσωτερική φανέλλα. *~ and cosy by the fireside*, χουζουρεμένος πλάϊ στή φωτιά. *be ~ in bed*, εἶμαι χωμένος στό κρεββάτι, εἶμαι στή θαλπωρή τοῦ κρεββατιοῦ μου. **3**. βολικός, ἄνετος: *a ~ job*, βολική θεσούλα. *a ~ little income*, ἄνετο εἰσοδηματάκι. ***make oneself ~***, βολεύομαι καλά. **4**. ἐφαρμοστός: *a ~ jacket/a ~-fitting coat*, ἐφαρμοστό σακκάκι/παλτό. __*οὐσ.* ‹C› *βλ. snuggery.* **~·ly** *ἐπίρ.* ἀναπαυτικά, βολικά, ἥσυχα ζεστά. **~-ness** *οὐσ.* ‹U› ἄνεσις, χουζούρι, ζεστασιά.

snug·gery /`snʌgəri/ *οὐσ.* ‹C› φωλίτσα, ἄνετο ζεστό δωματιάκι.

snuggle /`snʌgl/ *ρ.μ/ἀ.* μαζεύω/-ομαι, χώνομαι, σφίγγω/-ομαι: *The child ~d up to its mother/~d into its mother's arms*, τό μικρό μαζεύτηκε κοντά στή μητέρα του/χώθηκε στήν ἀγκαλιά τῆς μητέρας του. *The children ~d up (together) in bed*, τά παιδιά σφίχτηκαν κοντά-κοντά μέσα στό κρεββάτι. *She ~d the child close to her*, ἔσφιξε τό μικρό πάνω της, ἔχωσε τό μικρό στήν ἀγκαλιά της.

[1]**so** /səʊ/ *ἐπίρ. ποσοτικόν* **1**. τόσο: *I can't stay ~ long*, δέν μπορῶ νά μείνω τόσο πολύ. *I'm not ~ sure of that*, δέν εἶμαι καί τόσο βέβαιος γι' αὐτό. *He's not ~ rich as you say*, δέν εἶναι τόσο πλούσιος ὅσο λές. *He was not ~ much angry as disappointed*, ἦταν περισσότερο ἀπογοητευμένος παρά θυμωμένος. *He is not ~ stupid as to do that*, δέν εἶναι τόσο ἀνόητος ὥστε νά κάμη τέτοιο πρᾶγμα. *Would you be ~ kind as to help me?* θά εἴχατε τήν καλωσύνη νά μέ βοηθήσετε; *He was ~ angry/S~ angry was he that he couldn't speak*, ἦταν τόσο θυμωμένος πού δέν μποροῦσε νά μιλήση. *He is not ~ clever a boy as his brother*, δέν εἶναι τόσο ἔξυπνο παιδί ὅσο ὁ ἀδελφός του. **2**. (*καθομ., μέ ἰσχυρό τόνο*) πάρα πολύ: *I'm ~ glad to see you*, χαίρομαι πάρα πολύ πού σέ βλέπω. *Thank you `ever ~ much!* σ' εὐχαριστῶ πάρα πολύ. **3**. (*σέ φράσεις*): ***~ far***, μέχρις ἐδῶ, μέχρι τώρα: *Everything is all right ~ far*, ὅλα εἶναι ἐν τάξει ὥς ἐδῶ. ***~ far, ~ good***, μέχρις ἐδῶ καλά. ***~ far from***, ὄχι μόνον: *S~ far from being a help, he was a hindrance*, ὄχι μονάχα δέν βοήθησε, ἀλλά ἦταν καί ἐμπόδιο. ***~ long as***, ἐφ' ὅσον, ὑπό τόν ὅρον ὅτι, ἀρκεῖ νά: *You may borrow it ~ long as you keep it clean*, μπορεῖς νά τό δανεισθῆς ὑπό τόν ὅρον ὅτι θά τό διατηρήσης καθαρό. ***~ much***, ἐντελῶς, ὅλος: *What you have written is ~ much nonsense*, ὅ,τι ἔγραψες εἶναι ὅλα ἀνοησίες. ***`~ much/many***, τόσο/τόσοι: *~ much butter*, τόσο βούτυρο. *~ many eggs*, τόσα αὐγά. ***not ~ much as***, οὔτε κἄν: *He didn't ~ much as ask me to sit down*, δέν μοῦ εἶπε κἄν νά καθίσω. ***`~ much for***, αὐτά γιά: *S~ much for our holidays*, αὐτά γιά τίς διακοπές μας. ***~ much ~ that***, σέ τέτοιο σημεῖο, τόσο πολύ πού: *His is rich, ~ much ~ that he doesn't know what he is worth*, εἶναι πλούσιος, σέ τέτοιο σημεῖο (τόσο πολύ) πού δέν ξέρει τί ἔχει.

[2]**so** /səʊ/ *ἐπίρ. τροπικόν* **1**. ἔτσι: *S~, and only ~, can it be done*, ἔτσι, καί μόνον ἔτσι, μπορεῖ νά γίνη. *We have ~ arranged matters that...*, κανονίσαμε ἔτσι τά πράγματα ὥστε... ***~ that; ~ as to***, οὕτως ὥστε: *Speak clearly ~ that I may understand you*, μίλα καθαρά ὥστε νά μπορέσω νά σέ καταλάβω. *I'll be ready ~ as not to keep you waiting*, θά εἶμαι ἕτοιμος οὕτως ὥστε νά μή σέ κάνω νά περιμένης. **`~-called**, δῆθεν, ἐπονομαζόμενος: *your ~-called friends*, οἱ δῆθεν φίλοι σου. **2**. (*σέ ἀντικατάσταση λέξεως, φράσεως ἤ προτάσεως*) ἔτσι, αὐτό, τό: *I told you ~!* σοῦ τό εἶπα ἐγώ! *I thought ~!* τό σκέφτηκα! *I believe/hope/think/suppose ~*, ἔτσι πιστεύω/ἐλπίζω/νομίζω/ὑποθέτω. *S~ I believe/hope/suppose*, τό πιστεύω/ἐλπίζω/ὑποθέτω. ***if ~***, σέ τέτοια περίπτωση, ἄν ναί. **3**. (*γιά νά ἐκφράση*

συμφωνία, συνήθ. μέ κάποια ἔκπληξη) πράγματι: *'The door is open.' 'S~ it is!'* -'Η πόρτα εἶναι ἀνοιχτή. -Πράγματι εἶναι! **4**. (*στή σύνταξη: so + βοηθ. ρῆμα + ὑποκείμενον*) τό ἴδιο, καί: *I'm Greek and ~ is my teacher*, εἶμαι "Ελληνας καί τό ἴδιο εἶναι κι' ὁ δάσκαλός μου. *'I speak English.' 'S~ do I!'* -Μιλῶ 'Αγγλικά. -Κι' ἐγώ! **5**. (*σέ φράσεις*): **or ~**, (*ἄτονον*) περίπου: *He must be forty or ~*, πρέπει νά εἶναι περίπου σαράντα χρονῶν. **and (~ forth and) ~ on**, καί τά λοιπά (καί τά λοιπά), καί οὕτω καθεξῆς. **just ~**, (*α*) ταχτοποιημένα, στή θέση του: *He likes everything to be just ~*, θέλει ὅλα τά πράγματα στή θέση τους. (*β*) (*γιά νά ἐκφράση συμφωνία*) ἀκριβῶς. **~ to speak/say**, οὕτως εἰπεῖν, τρόπος τοῦ λέγειν. **ˋ~-~**, (*καθομ.*) ἔτσι κι' ἔτσι: *I'm feeling ~-~*, νοιώθω ἔτσι κι' ἔτσι, δέν αἰσθάνομαι πολύ καλά. **~-and-~**, /ˋsəʊ n səʊ/ (*ὅταν ἀποφεύγομε νά ὀνομάσωμε ἤ νά χαρακτηρίσωμε κπ*) (ὁ) τάδε, (ὁ) λεγάμενος: *Mr ~-and-~*, ὁ κύριος τάδε. *He's an old ~-and-~*, εἶναι ἕνας – νά μήν πῶ τί. **~ what?** καί λοιπόν; ἔ, κι' ἔπειτα; καί τί μ' αὐτό;

[3]**so** /səʊ/ *σύνδ.* **1**. κι' ἔτσι, γι' αὐτό: *She asked me to go, ~ I went*, μοῦ εἶπε νά πάω, κι' ἔτσι πῆγα. *They cost a lot of money, ~ use them carefully*, κοστίζουν ἕνα σωρό λεφτά, γι' αὐτό νά τά χρησιμοποιῆς προσεχτικά. **2**. (*ἐπιφωνηματικά*) λοιπόν: *S~ you're not coming!* λοιπόν δέν θά ἔλθης!

soak /səʊk/ *ρ.μ/ὰ.* **1**. διαποτίζω/-ομαι, μουσκεύω: *~ dirty clothes in water*, μουσκεύω (μουλιάζω) ροῦχα σέ νερό. *~ bread in milk*, παπαριάζω ψωμί σέ γάλα. **~ sth up**, ἀπορροφῶ: *Blotting-paper ~s up ink*, τό στυπόχαρτο ἀπορροφᾶ μελάνι. **~ oneself in sth**, (*μεταφ.*) (δια)ποτίζομαι ἀπό κτ: *~ oneself in the atmosphere of a place*, διαποτίζομαι (γεμίζω) ἀπό τήν ἀτμόσφαιρα ἑνός τόπου. **~ (through); be ~ed to the skin**, μουσκεύω, βρέχομαι ὥς τό κόκκαλο. *We all got ~ed (through)*, γίναμε ὅλοι μούσκεμα. **~ through sth**, διαποτίζω, περνῶ κτ: *The rain ~ed through the roof*, ἡ βροχή πέρασε τή στέγη. **2**. (*λαϊκ.*) φορολογῶ βαριά, γδέρνω: *~ the rich*, φορολογῶ βαριά (γδέρνω) τούς πλούσιους. **3**. (*καθομ.*) μπεκρουλιάζω, πίνω σά σφουγγάρι. __*οὐσ.* ‹C› **1**. μούσκεμα, μούλιασμα: *Give the sheets a good ~*, βάλε τά σεντόνια νά μουσκέψουν καλά. **in ~**, στό μούσκιο. **2**. (*λαϊκ.*) κρασοκανάτα, μπεκρούλιακας: *He's an old ~*, εἶναι μεγάλη κρασοκανάτα. **~er** *οὐσ.* ‹C› (*α*) (*καθομ.*) μεγάλη μπόρα, νεροποντή: *What a ~er!* τί μπόρα! (*β*) (*λαϊκ.*) μεθύστακας, μπεκρῆς.

soap /səʊp/ *οὐσ.* ‹U› σαπούνι: *a bar/cake of ~*, μιά πλάκα/ἕνα σαπούνι. **ˋ~-box**, πρόχειρη ἐξέδρα ὑπαιθρίου ρήτορος: *~-box oratory*, ρητορική τοῦ πεζοδρομίου. **ˋ~-bubble**, σαπουνόφουσκα. **ˋ~-opera**, (*ραδιόφ., τηλεόρ.*) αἰσθηματικό μελοδραματικό σήριαλ. **ˋ~-powder**, σαπούνι-σκόνη. **ˋ~-suds**, σαπουνάδες, σαπουνόνερο. __*ρ.μ.* **1**. σαπουνίζω: *~ oneself down*, σαπουνίζομαι ὁλόκληρος. **2**. (*καθομ.*) κολακεύω κπ, εἶμαι ὅλο γαλιφιές σέ κπ. **~y** *ἐπ.* (*-ier, -iest*) σαπουνισμένος, σαπουνίσιος, (*μεταφ.*) γαλίφικος: *in a ~y voice/manner*, μέ γαλίφικη φωνή/-ους τρόπους.

soar /sɔ(r)/ *ρ.ὰ.* ἀνέρχομαι, πετῶ, ὑψώνομαι (πολύ ψηλά): *~ like an eagle*, πετῶ ψηλά σάν ἀετός. *The church spire ~s above the town*, ὁ ὀβελίσκος τῆς ἐκκλησίας ὑψώνεται πάνω ἀπό τήν πόλη. *Prices ~ed when war broke out*, οἱ τιμές ἀνέβηκαν στά ὕψη ὅταν ξέσπασε ὁ πόλεμος. *His ambitions ~ high*, οἱ φιλοδοξίες του τραβᾶνε πολύ ψηλά, ἔχει μεγάλες φιλοδοξίες.

sob /sob/ *ρ.μ/ὰ.* (*-bb-*) **1**. κλαίω μέ λυγμούς/μέ ἀναφυλλητά. *She ~bed her heart out*, πνίγηκε στ' ἀναφυλλητά. *She ~bed herself to sleep*, ἔκλαψε μέ ἀναφυλλητά ὥσπου ἀποκοιμήθηκε. **2**. λέω μέ ἀναφυλλητά: *She ~bed out her sad story*, εἶπε τή θλιβερή της ἱστορία μέ ἀναφυλλητά. __*οὐσ.* ‹C› λυγμός, ἀναφυλλητό: *Her ~s slowly died down*, οἱ λυγμοί της σιγά-σιγά σταμάτησαν. **ˋ~-stuff** *οὐσ.* ‹U› δακρύβρεκτο ἔργο/μυθιστόρημα, κλπ. **~bing·ly** *ἐπίρ.* μέ λυγμούς, μέ ἀναφυλλητά.

so·ber /ˋsəʊbə(r)/ *ἐπ.* **1**. νηφάλιος, σοβαρός, ἐγκρατής: *~ colours*, σοβαρά (σκοῦρα) χρώματα. *a ~ estimate*, νηφάλιος ὑπολογισμός. *a ~-minded man*, σοβαρός (θετικός, μυαλωμένος) ἄνθρωπος. **as ~ as a judge**, νηφάλιος/σοβαρός σά δικαστής. **in ~ earnest**, μέ ἀπόλυτη σοβαρότητα. **in ~ fact**, στήν πραγματικότητα. **2**. νηφάλιος, ἀμέθυστος: *He never goes to bed ~*, ποτέ δέν πάει στό κρεββάτι του ξεμέθυστος. __ *ρ.μ/ὰ.* **~ (sb) (down)**, σοβαρεύω, φρονιμεύω, συνεφέρω: *The bad news ~ed all of us*, τά ἄσχημα νέα μᾶς συνέφεραν ὅλους. *The children ~ed down when they heard...*, τά παιδιά φρονίμεψαν (σοβάρεψαν) ὅταν ἄκουσαν... **~ (sb) up**, ξεμεθάω, συνεφέρνω/συνέρχομαι (ἀπό μεθύσι): *Put him to bed until he ~s up*, βάλ' τον στό κρεββάτι ὥσπου νά ξεμεθύση. *A pail of water will ~ him up*, ἕνας κουβᾶς νερό θά τόν συνεφέρη. **~·ly** *ἐπίρ.* σοβαρά, νηφάλια. **so·bri·ety** /səˋbraɪətɪ/ *οὐσ.* ‹U› σοβαρότης, νηφαλιότης, ἐγκράτεια.

so·bri·quet /ˋsəʊbrɪkeɪ/ *οὐσ.* ‹C› παρατσούκλι.

soc·cer /ˋsokə(r)/ *οὐσ.* ‹U› (*καθομ.*) ποδόσφαιρο.

so·ciable /ˋsəʊʃəbl/ *ἐπ.* κοινωνικός, ὁμιλητικός. **so·ciab·ly** /-əblɪ/ *ἐπίρ.* κοινωνικά. **so·cia·bil·ity** /ˈsəʊʃəˋbɪlətɪ/ *οὐσ.* ‹U› κοινωνικότης.

so·cial /ˋsəʊʃl/ *ἐπ.* κοινωνικός: *Man is a ~ animal*, ὁ ἄνθρωπος εἶναι κοινωνικόν ζῶον. *~ reforms/problems*, κοινωνικές μεταρρυθμίσεις/-ά προβλήματα. *the ~ ladder*, ἡ κοινωνική κλίμακα. *mix with one's ~ equals*, κάνω παρέα μέ ἀνθρώπους τῆς ἴδιας κοινωνικῆς θέσεως. *~ advancement*, κοινωνική ἄνοδος. *a ~ evening*, φιλική ἑσπερίδα/συντροφιά. **ˈS~ ˋDemocrat**, σοσιαλδημοκράτης. **ˈ~ seˋcurity**, κοινωνική ἀσφάλισις: *He's on ~ security*, εἶναι ἀσφαλισμένος. **ˋ~ worker**, κοινωνικός λειτουργός. __*οὐσ.* ‹C› φιλική συγκέντρωσις, συναναστροφή. **~·ly** /-ʃəlɪ/ *ἐπίρ.* κοινωνικά.

so·cial·ism /ˋsəʊʃəlɪzm/ *οὐσ.* ‹U› (*καί S~*) σοσιαλισμός. **so·cial·ist** /-ɪst/ *οὐσ.* ‹C› σοσιαλιστής. **so·cial·ize** /-aɪz/ *ρ.μ.* κοινωνικο-

ποιῶ, ἐθνικοποιῶ. **so·cial·iz·ation** /ˈsəʊʃəlaɪˋzeɪʃn/ *οὐσ.* ‹U› κοινωνικοποίησις.
so·cial·ite /ˈsəʊʃəlaɪt/ *οὐσ.* ‹C› (*καθομ.*) κοσμικός ἄνθρωπος.
so·ciety /səˋsaɪətɪ/ *οὐσ.* **1**. ‹U› κοινωνία: *He's a danger to* ~, εἶναι κίνδυνος γιά τήν κοινωνία. *pests of* ~, πληγές τῆς κοινωνίας. **2**. ‹U› συντροφιά, παρέα: *spend an evening in the* ~ *of one's friends*, περνῶ μιά βραδυά παρέα μέ τούς φίλους μου. **3**. ‹U› ἡ καλή κοινωνία, ὁ καλός κόσμος, (*ἐπιθ.*) κοσμικός: *high* ~, ἡ ἀνωτέρα κοινωνία, οἱ κοσμικοί κύκλοι. ~ *weddings*, κοσμικοί γάμοι. ~ *man/woman/people*, κοσμικός/-ή/-οί. ~ *news/*~ *gossip/a* ~ *column*, κοσμικά νέα/-ό κουτσομπολιό/-ή στήλη (ἐφημερίδος). **4**. ‹C› ἑταιρία, ὀργάνωσις: *the S*~ *of Friends*, ἡ Ἑταιρία τῶν Φίλων, Φιλική Ἑταιρία. *a charitable* ~, φιλανθρωπική ὀργάνωσις.
so·ci·ol·ogy /ˈsəʊsɪˋɒlədʒɪ/ *οὐσ.* ‹U› κοινωνιολογία. **so·ci·ol·ogist** /-dʒɪst/ *οὐσ.* ‹C› κοινωνιολόγος. **so·cio·logi·cal** /ˈsəʊsɪəˋlɒdʒɪkl/ *ἐπ.* κοινωνιολογικός. **so·cio·logi·cally** /-klɪ/ *ἐπίρ.*
[1]**sock** /sɒk/ *οὐσ.* ‹C› **1**. κοντή κάλτσα: *ˋankle* ~*s*, σοσόνια. ***pull up one's*** ~***s***, (*μεταφ.*) ἐντείνω τίς προσπάθειές μου. ***Put a*** ~ ***in it***! (*λαϊκ.*) βούλωστο! **2**. ἐσωτερική σόλα, πάτος.
[2]**sock** /sɒk/ *οὐσ.* ‹C› (*λαϊκ.*) χτύπημα: *Give him a* ~ *on the jaw!* δῶσ' του μιά στό σαγόνι! __*ρ.μ.* (*λαϊκ.*) χτυπῶ, βαρῶ: *S*~ *him on the jaw!* βάρα του στό σαγόνι! *S*~ *a brick at him!* κοπάνα τον! δῶσ' του! __*ἐπίρ.* (*λαϊκ.*) ἴσια, ἀκριβῶς: *I hit him* ~ *in the eye*, τοῦ τήν ἔδωσα ἀκριβῶς/ἴσια στό μάτι (μπάμ μέσα στό μάτι)!
socket /ˋsɒkɪt/ *οὐσ.* ‹C› κόγχη (ματιοῦ), ντουΐ (λάμπας), πρίζα, κοίλωμα, ὑποδοχή (πράγματος).
So·cratic /səˋkrætɪk/ *ἐπ.* Σωκρατικός.
[1]**sod** /sɒd/ *οὐσ.* ‹C,U› χλοοτάπης, χορταριασμένο χῶμα. ***under the*** ~, (*λαϊκ.*) θαμμένος, στά θυμαράκια.
[2]**sod** /sɒd/ *οὐσ.* ‹C› (*χυδ. βραχυλ.*) *βλ.* *sodomite*.
soda /ˋsəʊdə/ *οὐσ.* ‹U› σόδα. **ˋ~-fountain**, πρατήριον παγωτῶν καί ἀναψυκτικῶν, ἀναψυκτήριον. **ˋ~-water**, σόδα, ἀεριοῦχο νερό.
sod·den /ˋsɒdn/ *ἐπ.* **1**. μουσκεμένος, βρεγμένος: *clothes* ~ *with rain*, ροῦχα μουσκεμένα στή βροχή. **2**. (*γιά ψωμί*) ἄψητος, λασπωμένος, κακοψημένος. **3**. (**ˋdrink-**)~, ἀποκτηνωμένος (ἀπό τό πιστό).
so·dium /ˋsəʊdɪəm/ *οὐσ.* ‹U› (*χημ.*) νάτριον.
sod·om·ite /ˋsɒdəmaɪt/ *οὐσ.* ‹C› ἀρσενοκοίτης, σοδομίτης.
sod·omy /ˋsɒdəmɪ/ *οὐσ.* ‹U› σοδομία, παρά φύσιν ἀσέλγεια.
sofa /ˋsəʊfə/ *οὐσ.* ‹C› καναπές.
soft /sɒft/ *ἐπ.* *(-er, -est)* **1**. μαλακός, ἁπαλός: *in a* ~ *voice*, μέ ἁπαλή, γλυκειά φωνή. ~ *music*, ἁπαλή, γλυκειά μουσική. *a* ~ *breeze*, ἁπαλή αὔρα. ~ *weather*, μαλακός καιρός. ~ *consonants*, μαλακά σύμφωνα. *as* ~ *as butter/wax*, μαλακός σά βούτυρο/σάν κερί. *as* ~ *as velvet*, ἁπαλός σά βελοῦδο. ***a*** ~ ***job***, (*λαϊκ.*) εὔκολη καλοπληρωμένη δουλειά. ***have a*** ~ ***heart***, ἔχω μαλακή καρδιά. ***have a*** ~ ***spot for sb***, ἔχω ἀδυναμία σέ κπ, τόν ἔχω στήν καρδιά μου. ***have a*** ~ ***tongue***, εἶμαι γλυκομίλητος. ***the*** ~***er sex***, τό ἀδύνατο φύλο. **2**. θαμπός: *a* ~ *outline*, θαμπό περίγραμμα. **3**. πλαδαρός, μαλθακός: ~ *muscles*, πλαδαροί μύες. *get* ~, γίνομαι μαλθακός. **4**. (*καθομ.*) χαζός, λωλός: *He's not as* ~ *as he looks*, δέν εἶναι τόσο χαζός ὅσο φαίνεται. *He's gone* ~, ἀποβλακώθηκε, ξεκουτιάθηκε. *He's* ~ *about Mary*, ἔχει λωλαθῆ μέ τή Μαίρη. **5**. (*σέ φράσεις καί σύνθ. λέξεις*): **ˈ~-ˋboiled** *ἐπ.* (*γιά αὐγά*) μελᾶτος. **ˈ~ ˋcurrency**, ἀδύνατο/μή μετατρέψιμο νόμισμα. **ˈ~ ˋdrink**, ἀναψυκτικό (χωρίς οἰνόπνευμα). **ˋ~ drug**, ἤπιο ναρκωτικό. **ˈ~-ˋfooted** *ἐπ.* ἀλαφροπόδης. **ˋ~ goods**, ὑφάσματα. **ˈ~-ˋheaded** *ἐπ.* χαζός, λωλός. **ˈ~-ˋhearted** *ἐπ.* εὐαίσθητος, συμπονετικός. **ˈ~-ˋland** *ρ.μ/ἀ.* προσγειώνω/-ομαι ὁμαλά. **ˈ~ ˋlanding**, ὁμαλή προσγείωσις. **ˈ~ ˋoption**, εὔκολη λύσις. **ˈ~-ˋpedal** *ρ.μ/ἀ.* ἀμβλύνω, ἁπαλύνω, μετριάζω. **ˋ~ soap** *οὐσ.* ‹U› *(α)* χλωρό σαπούνι. *(β)* μαλαγανιές, κολακεῖες, γαλιφιές. **ˈ~-ˋsoap** *ρ.μ.* κολακεύω. **ˈ~-ˋsolder** *οὐσ.* ‹U› καλάϊ. __*ρ.μ.* κολλῶ μέ καλάϊ. **ˈ~-ˋspoken** *ἐπ.* γλυκομίλητος, μέ ἁπαλή γλυκειά φωνή. **ˈ~-ˋwitted** *ἐπ.* χαζός. **ˋ~·wood**, μαλακό ξύλο (ἀπό πεῦκο, κλπ). **ˋ~·ish** /-ɪʃ/ *ἐπ.* μαλακούτσικος, χαζούτσικος. **~·ly** *ἐπίρ.* μαλακά, ἁπαλά. **~·ness** *οὐσ.* ‹U› ἁπαλότης, μαλακότης, πλαδαρότης. **ˋ~y** *οὐσ.* ‹C› χαζός, λωλός, ξεκούτης: *You big* ~*y!* χαζούλιακα!
soften /ˋsɒfn/ *ρ.μ/ἀ.* ἁπαλύνω, γίνομαι μαλθακός, μαλακώνω: *curtains that* ~ *the light*, κουρτίνες πού ἁπαλύνουν τό φῶς. *people* ~*ed by luxurious living*, ἄνθρωποι πού ἔγιναν μαλθακοί ἀπό τήν καλοπέραση. ~ *at the sight of sth*, μαλακώνω/συγκινοῦμαι βλέποντας κτ. ~ ***up***, ἐξασθενίζω (πχ τήν ἀντίσταση ἐχθροῦ), φέρνω βόλτα/πείθω σιγά-σιγά κπ, μειώνω τήν ἀντίσταση κάποιου. **~er** *οὐσ.* ‹C› ἀποσκληρυντικόν ὕδατος.
soggy /ˋsɒgɪ/ *ἐπ.* *(-ier, -iest)* πολύ ὑγρός, λασπερός, λασπωμένος: ~ *ground*, ὑγρό, λασπερό ἔδαφος. ~ *bread*, λασπωμένο ψωμί. **sog·gi·ness** *οὐσ.* ‹U› ὑγρασία.
soil /sɔɪl/ *οὐσ.* ‹C,U› ἔδαφος, γῆ, χῶμα: *rich/good/poor/sandy* ~, πλούσιο/καλό/φτωχό/ἀμμῶδες ἔδαφος. *a man of the* ~, ἄνθρωπος τῆς γῆς, πού δουλεύει τή γῆ. *one's native* ~, τό πάτριον ἔδαφος, ἡ γενέτειρα. **ˋ~-pipe**, κιούγκι τοῦ καμπινέ. __*ρ.μ/ἀ.* λερώνω/-ομαι: ~*ed linen/underwear*, λερωμένα σεντόνια/ἐσώρρουχα. ~ *one's hands*, λερώνω τά χέρια μου. *material that* ~*s easily*, ὕφασμα πού λερώνεται εὔκολα.
soi·rée /ˋswɑreɪ/ *οὐσ.* ‹C› ἑσπερίς.
so·journ /ˋsɒdʒən/ *ρ.ἀ.* (*λογοτ.*) ~ ***with sb/in/at a place***, παρεπιδημῶ, διαμένω ἐπ' ὀλίγον. __*οὐσ.* ‹C› διαμονή.
sol·ace /ˋsɒlɪs/ *οὐσ.* ‹C,U› παρηγορία, παραμυθία, ἀνακούφισις: *find* ~ *in music*, βρίσκω παρηγοριά στή μουσική. __*ρ.μ.* παρηγορῶ, ἀνακουφίζω: *He* ~*d himself with whisky*, βρῆκε παρηγοριά στό οὐΐσκυ.
so·lar /ˋsəʊlə(r)/ *ἐπ.* ἡλιακός. **the ~ system/year**, τό ἡλιακόν σύστημα/ἔτος. **ˈ~ ˋplexus** /ˋpleksəs/, (*ἀνατ.*) ἡλιακόν/κοιλιακόν πλέγμα.
so·larium /səʊˋleərɪəm/ *οὐσ.* ‹C› (*πληθ.* *-ria*

/-rɪə/) λιακωτό, χῶρος γιά ἡλιόλουτρα.

sold /səʊld/ ἀόρ. & π.μ. τοῦ ρ. *sell*.

sol·der /ˈsoldə(r)/ οὐσ. ‹U› ὑλικό συγκολλήσεως μετάλλων, καλάϊ. —ρ.μ. συγκολλῶ. ˈ**~·ing-iron**, κολλητήρι, ἐργαλεῖον συγκολλήσεως.

sol·dier /ˈsəʊldʒə(r)/ οὐσ. ‹C› **1**. στρατιώτης: *play at ~s*, παίζω τούς στρατιῶτες. ***a ~ of fortune***, μισθοφόρος, τυχοδιώκτης. **private ~**, ἁπλοῦς στρατιώτης. **2**. στρατιωτικός: *He was a great ~ but a poor statesman*, ἦταν μεγάλος στρατιωτικός ἀλλά κακός πολιτικός. —ρ.ἀ. **1**. ὑπηρετῶ σά στρατιώτης: *I'm tired of ~ing*, βαρέθηκα τό στρατιωτικό. **2**. ***~ on***, συνεχίζω τολμηρά/ἀποφασιστικά (πχ δουλειά, δρόμο, κλπ). **~·ly**, **~-like** ἐπ. στρατιωτικός, γενναῖος, ἀντάξιος στρατιώτη: *~ly bearing*, στρατιωτικό παράστημα. **~y** οὐσ. (*συλλογ., πάντα ἑν.*) στρατός, στρατιῶτες, στρατεύματα: *undisciplined ~y*, ἀπείθαρχα στρατεύματα.

1 **sole** /səʊl/ οὐσ. ‹C,U› (*ἰχθ.*) γλῶσσα.

2 **sole** /səʊl/ οὐσ. ‹C› σόλα (παπουτσιοῦ), πέλμα (ποδιοῦ). —ρ.μ. σολιάζω: *have one's shoes ~d*, δίνω τά παπούτσια μου γιά σόλιασμα. *rubber-~d shoes*, παπούτσια μέ λαστιχένιες σόλες.

3 **sole** /səʊl/ ἐπ. **1**. μόνος, μοναδικός: *the ~ cause*, ἡ μοναδική αἰτία. **2**. ἀποκλειστικός: *a ~ agent*, ἀποκλειστικός ἀντιπρόσωπος. *I have the ~ right of selling it here*, ἔχω τό ἀποκλειστικό δικαίωμα νά τό πουλῶ ἐδῶ. **~·ly** ἐπίρ. ἀποκλειστικά: *He is ~ly responsible for the accident*, εἶναι ἀποκλειστικά ὑπεύθυνος γιά τό ἀτύχημα. *~ly because of you*, μόνον καί μόνον ἐξ αἰτίας σου.

sol·ecism /ˈsolɪsɪzm/ οὐσ. ‹C› σολοικισμός, γλωσσικό λάθος, παράβασις τῶν κανόνων καλῆς συμπεριφορᾶς.

sol·emn /ˈsoləm/ ἐπ. **1**. ἐπίσημος: *a ~ oath*, ἐπίσημος ὅρκος. *a ~ duty*, ἱερό καθῆκον. *a ~ ceremony*, ἐπίσημη (σεμνή) τελετή. *~ silence*, ἐπίσημη (κατανυκτική) σιγή. *a ~ agreement*, ἐπίσημη (πανηγυρική) συμφωνία. **2**. σοβαρός: *look ~*, ἔχω σοβαρό ὕφος. *as ~ as a judge*, σοβαρός σά δικαστής. **~·ly** ἐπίρ. σοβαρά, ἐπίσημα.

sol·em·nity /səˈlemnətɪ/ οὐσ. ‹U› (*ἐπίσης πληθ.*) ἐπισημότης, ἱεροτελεστία: *with all ~/with all the proper solemnities*, μετά πάσης ἐπισημότητος.

sol·em·nize /ˈsoləmnaɪz/ ρ.μ. τελῶ (γάμο, κλπ) μέ ἐπισημότητα, ἑορτάζω, πανηγυρίζω, προσδίδω ἐπισημότητα. **sol·em·niz·ation** /ˌsoləmnaɪˈzeɪʃn/ οὐσ. ‹U› ἀπόδοσις ἐπισημότητος.

sol·icit /səˈlɪsɪt/ ρ.μ/ἀ. **1**. ***~ sb (for sth)***, ζητῶ, ἐκλιπαρῶ: *Both the candidates ~ed my vote*, καί οἱ δυό ὑποψήφιοι ζήτησαν τήν ψῆφο μου. *~ sb's attention*, ἐπικαλοῦμαι τήν προσοχή κάποιου. *~ sb for his custom*, ζητῶ ἀπό κπ νά γίνη πελάτης μου. **2**. (*γιά πόρνη*) ψωνίζω (πελάτη), παρενοχλῶ μέ προτάσεις: *S~ing is a punishable offence*, τό ψώνισμα τιμωρεῖται ἀπό τό νόμο. **~·ation** /səˌlɪsɪˈteɪʃn/ οὐσ. ‹C,U› παράκλησις, ἐπίκλησις, πρόσκλησις, ἄγρα πελατῶν.

sol·ici·tor /səˈlɪsɪtə(r)/ οὐσ. ‹C› **1**. (*MB*) νομικός σύμβουλος (ἐπιτελῶν χρέη δικηγόρου καί συμβολαιογράφου). **2**. (*ΗΠΑ*) πλασιέ, ψηφοθήρας.

sol·ici·tous /səˈlɪsɪtəs/ ἐπ. **~ (*for/about/to do sth*)**, ἐπιθυμῶν, ἐπιδιώκων, ἐνδιαφερόμενος, περίφροντις: *be ~ about sth/sb*, ἔχω ἔγνοια κτ/κπ, μέ ἀπασχολεῖ κτ. *He is ~ for our comfort*, ἐνδιαφέρεται γιά τήν ἄνεσή μας. **~·ly** ἐπίρ. **sol·ici·tude** /səˈlɪsɪtjud/ οὐσ. ‹U› φροντίδα, ἔγνοια, ἐνδιαφέρον.

solid /ˈsolɪd/ ἐπ. **1**. στερεός: *~ fuels*, στερεά καύσιμα. *~ foundations*, στερεά (γερά) θεμέλια. *be on ~ ground*, πατάω σέ στέρεο ἔδαφος. *~ food, not slops*, στερεά τροφή, ὄχι νεροζούμια. *~ geometry*, στερεομετρία. ˈ**~-ˈstate** ἐπ. μέ τρανζίστορ (χωρίς λυχνίες). **2**. συμπαγής, ἀτόφιος, ἀκέραιος: *a ~ mass/sphere*, συμπαγής μᾶζα/σφαῖρα. *of ~ gold*, ἀπό ἀτόφιο χρυσάφι. *a man of ~ character*, ἄνθρωπος μέ ἀκέραιο χαρακτῆρα. **3**. γερός: *a man of ~ build*, γεροδεμένος ἄνδρας. *a ~ business firm*, γερή (ἀκμάζουσα) ἐμπορική ἐπιχείρησις. *~ arguments*, γερά (ἀτράνταχτα) ἐπιχειρήματα. *~ furniture*, γερά (μασίφ) ἔπιπλα. **4**. ὁμόφωνος, ὁμόθυμος, σύσσωμος: *a ~ vote*, ὁμόφωνος (συμπαγής) ψῆφος. *We are ~ on that issue*, εἴμαστε ὅλοι σύμφωνοι (εἴμαστε ὅλοι ἕνα) σ'αὐτό τό θέμα. **5**. ὁλόκληρος, συνεχής, ἀδιάκοπος: *sleep ten ~ hours*, κοιμᾶμαι δέκα ὁλόκληρες (συνεχεῖς) ὧρες. *three days' ~ rain*, τρεῖς μέρες ἀδιάκοπη βροχή. *wait for a ~ hour*, περιμένω μιά ὁλόκληρη ὥρα. —οὐσ. ‹C› στερεόν σῶμα. **~·ly** ἐπίρ. στερεά, σταθερά, συμπαγῶς, ὁμόφωνα. **sol·id·ity** /səˈlɪdətɪ/, **~·ness** οὐσ. ‹U› στερεότης, ἀντοχή, ἐγκυρότης, (τό) συμπαγές.

soli·dar·ity /ˌsolɪˈdærətɪ/ οὐσ. ‹U› ἀλληλεγγύη, συμπαράστασις: *international ~*, διεθνής ἀλληλεγγύη.

sol·id·ify /səˈlɪdɪfaɪ/ ρ.μ/ἀ. στερεοποιῶ/-οῦμαι, σταθεροποιῶ/-οῦμαι. **sol·idi·fi·ca·tion** /səˌlɪdɪfɪˈkeɪʃn/ οὐσ. ‹U› στερεοποίησις, σταθεροποίησις.

sol·il·oquy /səˈlɪləkwɪ/ οὐσ. ‹C,U› μονόλογος. **sol·il·oquize** /-waɪz/ ρ.ἀ. μονολογῶ.

sol·ip·sism /ˈsolɪpsɪzm/ οὐσ. ‹U› (*φιλοσ.*) σολιψισμός, αὐτοκρατία.

soli·taire /ˌsolɪˈteə(r)/ οὐσ. **1**. ‹C› μονόπετρο κόσμημα. **2**. ‹U› (*χαρτοπ.*) πασιέντζα.

soli·tary /ˈsolɪtrɪ/ ἐπ. **1**. μοναχικός, ἀσυντρόφευτος: *a ~ life/walk*, μοναχική ζωή/-ός περίπατος. ˈ**~ conˈfinement**, ἀπομόνωσις (στή φυλακή). **2**. μοναδικός: *not a ~ instance*, οὔτε μιά μοναδική περίπτωσις. **3**. ἀπόμερος, ἔρημος, ἀπομονωμένος: *a ~ valley*, ἀπόμερη κοιλάδα. **soli·tar·ily** /ˈsolɪtrɪlɪ/ ἐπίρ. μοναχικά, ἀπομονωμένα.

soli·tude /ˈsolɪtjud/ οὐσ. **1**. ‹U› ἀπομόνωσις, μοναξιά: *live in ~*, ζῶ μόνος/ἀπομονωμένος. *be fond of ~*, μοῦ ἀρέσει ἡ μοναξιά. **2**. ‹C› ἐρημιά: *the ~s of the Antarctic*, οἱ ἐρημιές τῆς Ἀνταρκτικῆς.

solo /ˈsəʊləʊ/ οὐσ. ‹C› (*πληθ. ~s*) σόλο: *a violin ~*, σόλο βιολί. *a ~ flight*, πτῆσις σόλο. **~·ist** /-ɪst/ οὐσ. ‹C› σολίστ.

sol·stice /ˈsolstɪs/ οὐσ. ‹C› ἡλιοστάσιο: *summer/winter ~*, θερινό/χειμερινό ἡλιοστάσιο.

sol·uble /ˈsoljʊbl/ ἐπ. διαλυτός: *~ in alcohol*,

διαλυτός στό οἰνόπνευμα. **solu·bil·ity** /'soljʊ`bɪlətɪ/ *οὐσ.* ‹U› διαλυτότης.

sol·ution /sə`luʃn/ *οὐσ.* **1**. ‹C,U› λύσις: *This is the best ~ to/of our problem*, αὐτή εἶναι ἡ καλύτερη λύσις στό πρόβλημά μας. *problems that defy ~*, προβλήματα πού δέν ἐπιδέχονται λύση, ἄλυτα προβλήματα. **2**. ‹U› διάλυσις: *the ~ of salt in water*, ἡ διάλυσις τοῦ ἁλατιοῦ στό νερό. **3**. ‹C,U› διάλυμα: *a ~ of salt*, διάλυμα ἁλατιοῦ.

solve /solv/ *ρ.μ.* λύνω: *~ a problem/a crossword puzzle*, λύνω ἕνα πρόβλημα/ἕνα σταυρόλεξο. **solv·able** /-əbl/ *ἐπ.* **1**. πού μπορεῖ νά διαλυθῆ. **2**. πού μπορεῖ νά λυθῆ.

sol·vent /`solvənt/ *ἐπ.* **1**. διαλυτικός: *the ~ action of water*, ἡ διαλυτική δρᾶσις τοῦ νεροῦ. **2**. ἀξιόχρεος: *The firm is not ~*, ἡ ἑταιρία δέν εἶναι ἀξιόχρεος. —*οὐσ.* ‹C› διαλυτικόν: *grease ~s*, διαλυτικά λίπους. **solvency** /-nsɪ/ *οὐσ.* ‹U› (τό) ἀξιόχρεον.

sombre /`sombə(r)/ *ἐπ.* σκοῦρος, σκοτεινός, μελαγχολικός: *~ clothes*, σκοῦρα ροῦχα. *a ~ day*, σκοτεινή (ζοφερή) μέρα. *a ~ face*, μελαγχολικό πρόσωπο. **~·ly** *ἐπίρ.* σκοτεινά, μελαγχολικά. **~·ness** *οὐσ.* ‹U› μελαγχολία.

some /səm, *ἐμφ:* sʌm/ *ἐπ.* & *ἀντων.* **1**. (*κυρίως σέ καταφατικές προτάσεις καθώς καί σέ ἐρωτήσεις εὐγενείας ἤ βεβαιότητος*) μερικός, ἀρκετός, λίγοι, μερικοί, ἀρκετοί: *Give me ~ milk/stamps*, δῶστε μου λίγο γάλα/μερικά γραμματόσημα. *Will you have ~ tea?* θά πάρετε λίγο τσάϊ; *Aren't there ~ stamps in that drawer?* δέν ὑπάρχουν κάτι γραμματόσημα σ' αὐτό τό συρτάρι; (*ὑπονοεῖται:* εἶμαι βέβαιος ὅτι ὑπάρχουν). *Have ~ more* /sə `mɔ(r)/, πάρτε λίγο/λίγα ἀκόμα. *If we had ~ (ἤ any) money we could buy it*, ἄν εἴχαμε λίγα χρήματα θά μπορούσαμε νά τ' ἀγοράσωμε. *S~ (people) like it, others don't*, σέ μερικούς (ἀνθρώπους) ἀρέσει, σέ ἄλλους ὄχι. **2**. /sʌm/ (*μέ ἀριθμήσιμα οὐσιαστικά στόν ἑνικό*) κάποιος: *He lives in ~ place in W. Africa*, ζεῖ σέ κάποιο μέρος τῆς Δυτ. 'Αφρικῆς. *S~ girl at the door wants to see you*, κάποια κοπέλλα στήν πόρτα θέλει νά σέ δῆ. ***~ ... or other***, ἕνας κάποιος: *S~ doctor or other advised me to...*, ἕνας κάποιος γιατρός μέ συμβούλεψε νά... **3**. /sʌm/ (*πρό ἀριθμῶν καί τοῦ ἐπ. few*) κάπου, περίπου: *That was ~ twenty years ago*, αὐτό συνέβη κάπου εἴκοσι χρόνια πρίν. **4**. /sʌm/ (*μέ ἰσχυρό τόνο*) ἀρκετός, πολύς: *I'll be away for ~ time*, θά λείψω ἀρκετόν καιρό. *He spoke at ~ length*, μίλησε πολύ ἐκτεταμένα. *The station is at ~ distance*, ὁ σταθμός εἶναι σέ ἀρκετή ἀπόσταση. **5**. /sʌm/ (*μέ ἰσχυρό τόνο*) ὥς ἕνα σημεῖο, ἕνας, μιά: *That is `~ help*, αὐτό εἶναι μιά (κάποια) βοήθεια, αὐτό βοηθάει ὥς ἕνα σημεῖο.

some·body /`sʌmbədɪ/, **some·one** /`sʌmwʌn/ *ἀντων.* **1**. κάποιος: *There's ~ at the door*, κάποιος εἶναι στήν πόρτα. **2**. (*συχνά μέ ἀόρ. ἄρθρ. ἤ στόν πληθ.*) κάποιος, προσωπικότης: *He's nobody here in town but he's someone/(a) somebody in his own village*, στήν πόλη δέν εἶναι τίποτα ἀλλά στό χωριό του εἶναι προσωπικότης.

some·how /`sʌmhaʊ/ *ἐπίρ.* **1**. μέ τόν ἕνα ἤ τόν ἄλλο τρόπο, ὁπωσδήποτε: *We must find money for the rent ~ (or other)*, πρέπει νά βροῦμε τά χρήματα γιά τό νοῖκι μέ τόν ἕνα ἤ τόν ἄλλο τρόπο. *We'll get there ~*, θά φθάσωμε ἐκεῖ ὁπωσδήποτε. **2**. γιά κάποιο ἀόριστο λόγο: *S~ I don't trust that man*, δέν ξέρω γιατί ἀλλά δέν ἐμπιστεύομαι αὐτόν τόν ἄνθρωπο.

some·one /`sʌmwʌn/ *ἀντων. βλ. somebody.*

some·place /`sʌmpleɪs/ *ἐπίρ.* (*ΗΠΑ, καθομ.*) κάπου: *I've left my umbrella ~*, κάπου ἄφησα τήν ὀμπρέλλα μου.

som·er·sault /`sʌməsolt/ *οὐσ.* ‹C› τούμπα: *turn/throw a ~*, κάνω μιά τούμπα. —*ρ.ἀ.* παίρνω τούμπα, ἀνατρέπομαι πλήρως.

some·thing /`sʌmθɪŋ/ *ἀντων.* κάτι: *I want ~ to eat*, θέλω κάτι νά φάω. *It's ~ to be home again*, εἶναι κάτι (εἶναι ὡραῖο) νά βρίσκεσαι πάλι στό σπίτι. ***or ~***, ἤ κάτι τέτοιο: *He broke an arm or ~*, ἔσπασε ἕνα χέρι ἤ κάτι τέτοιο. ***~ of***, λιγάκι: *He's ~ of a liar*, εἶναι λιγάκι ψεύτης. *I'm ~ of a carpenter*, εἶμαι λιγάκι μαραγκός. —*ἐπίρ.* ***~ like***, *(α)* κάτι σάν, περίπου σάν: *The airship was shaped ~ like a cigar*, τό ἀερόπλοιο ἦταν κάτι σάν ποῦρο στό σχῆμα. *(β)* περίπου: *He spent ~ like £1000 in one month*, ξόδεψε περίπου 1000 λίρες σ' ἕνα μῆνα. *(γ)* (*καθομ.*) ἐν τάξει, ἱκανοποιητικά: *Now that's ~ like it*, τώρα εἶναι ἐν τάξει.

some·time /`sʌmtaɪm/ *ἐπίρ.* **1**. κάποια μέρα, κάποτε: *I met him ~ in May*, τόν συνήντησα κάποια μέρα τό Μάη. *I'll speak to him about it ~*, κάποτε θά τοῦ μιλήσω γι' αὐτό. **2**. πρώην, τέως, ἄλλοτε: *Mr X, ~ headmaster of the local school*, ὁ κ. Χ., πρώην γυμνασιάρχης τοῦ τοπικοῦ σχολείου.

some·times /`sʌmtaɪmz/ *ἐπίρ.* μερικές φορές, πότε-πότε: *S~ we go to the cinema and at other times we go for a walk*, μερικές φορές πᾶμε σινεμά κι' ἄλλοτε πάλι πᾶμε περίπατο. *I ~ have letters from him*, παίρνω γράμμα του πότε-πότε. *She likes ~ the one and ~ the other*, τῆς ἀρέσει πότε τό ἕνα καί πότε τό ἄλλο.

some·way /`sʌmweɪ/ *ἐπίρ.* (*ΗΠΑ, καθομ.*) *βλ. somehow.*

some·what /`sʌmwot/ *ἐπίρ.* **1**. μᾶλλον, κάπως: *I was ~ surprised*, μᾶλλον ἐξεπλάγην. *He is ~ better today*, εἶναι κάπως καλύτερα σήμερα. **2**. ***~ of***, λιγάκι: *He's ~ of a liar*, εἶναι λιγάκι ψεύτης.

some·where /`sʌmweə(r)/ *ἐπίρ.* κάπου: *It must be ~ in this room*, πρέπει νά εἶναι κάπου σ' αὐτό τό δωμάτιο.

som·nam·bu·lism /som`næmbjʊlɪzm/ *οὐσ.* ‹U› ὑπνοβασία. **som·nam·bu·list** /-ɪst/ *οὐσ.* ‹C› ὑπνοβάτης.

som·nol·ent /`somnələnt/ *ἐπ.* νυσταλέος, νυσταγμένος. **~·ly** *ἐπίρ.* νυσταγμένα. **somnol·ence** /-əns/ *οὐσ.* ‹U› ὑπνηλία, νύστα.

son /sʌn/ *οὐσ.* ‹C› υἱός, τέκνον, γυιός: *the S~ of God*, ὁ Υἱός τοῦ Θεοῦ. *He's an only ~*, εἶναι μοναχογυιός. *~s of freedom*, τά τέκνα τῆς ἐλευθερίας. *a ~ of the soil*, τέκνο τῆς γῆς. **`~-in-law** (*πληθ. ~s-in-law*) γαμπρός.

so·nata /sə`natə/ *οὐσ.* ‹C› (*πληθ. ~s* /-təz/) (*μουσ.*) σονάτα: *the moonlight ~*, ἡ σονάτα τοῦ σεληνόφωτος.

song /soŋ/ *οὐσ.* **1**. ‹U› τραγούδι, κελάηδημα:

burst into ~, τό ρίχνω στό τραγούδι. *the ~ of the birds*, τό κελάηδημα τῶν πουλιῶν. `~·**bird**, ᾠδικό πτηνό. **2**. ‹C,U› ᾆσμα, ποίημα, ᾠδή: *renowned in* ~, χιλιοτραγουδημένος. *a ~ of victory*, ἐπινίκιος ᾠδή. ***buy sth for a ~***, ἀγοράζω κτ σχεδόν τζάμπα. ***go for a ~***, πουλιέμαι τζάμπα. ***make a ~ and dance about sth***, (*καθομ.*) χαλῶ τόν κόσμο γιά κτ, κάνω φασαρία. `~-**book**, συλλογή τραγουδιῶν. `~·**ster** /-stə(r)/ *οὐσ.* ‹C› τραγουδιστής, ᾠδικό πτηνό. `~·**stress** /-strəs/ *οὐσ.* ‹C› τραγουδίστρια.

sonic /`sonɪk/ *ἐπ.* ἠχητικός: *the ~ barrier*, τό φράγμα τοῦ ἤχου. *a ~ boom/bang*, (*ἀερ.*) ἠχητική ἔκρηξις (κατά τήν διάβασιν τοῦ φράγματος τοῦ ἤχου).

son·net /`sonɪt/ *οὐσ.* ‹C› σονέτο.

sonny /`sʌnɪ/ *οὐσ.* ‹C› (*καθομ. φιλική προσφώνησις*) μικρέ μου, ἀγόρι μου, παλληκαράκι μου: *Come here, ~*, ἔλα ἐδῶ, ἀγοράκι μου.

son·or·ous /sə`nɔrəs/ *ἐπ.* **1**. ἠχηρός, δυνατός, πλούσιος, μελωδικός: *a ~ voice*, δυνατή/πλούσια φωνή. **2**. βαρύγδουπος: *a ~ title*, βαρύγδουπος τίτλος. ~·**ly** *ἐπίρ.* ἠχηρά. **son·or·ity** /sə`norətɪ/ *οὐσ.* ‹U› ἠχηρότης.

soon /sun/ *ἐπίρ.* **1**. σύντομα, σέ λίγο: *We'll ~ be home*, σύντομα θἄμαστε στό σπίτι. *He'll be here very ~*, θἄναι ἐδῶ πολύ σύντομα. *It will ~ be five years since we left Greece*, σέ λίγο συμπληρώνονται πέντε χρόνια ἀφ' ὅτου φύγαμε ἀπό τήν Ἑλλάδα. ~ ***after***, λίγο μετά (ἀπό): *He arrived ~ after noon*, ἔφθασε λίγο μετά τό μεσημέρι. **2**. νωρίς: *Must you leave so ~?* πρέπει νά φύγετε τόσο νωρίς; ***how ~***, σέ πόση ὥρα: *How ~ can you be ready?* σέ πόση ὥρα μπορεῖς νά ἑτοιμαστῇς; **3**. ***as/so ~ as***, εὐθύς ὡς, ἀμέσως μόλις: *I'll give it to him as ~ as he arrives*, θά τοῦ τό δώσω ἀμέσως μόλις ἔλθη. *as ~ as possible*, ὅσο τό δυνατόν νωρίτερα/συντομώτερα. ***no ~er ... than***, πρίν καλά-καλά..., δέν προλαβαίνω νά... καί: *He had no ~er left home than the rain began* (*ἤ, ἐμφατικά: No ~er had he left home than...*), πρίν καλά-καλά βγῇ ἀπό τό σπίτι ἄρχισε ἡ βροχή (δέν πρόλαβε νά βγῇ ἀπό τό σπίτι κι' ἄρχισε ἡ βροχή). ***No ~er said than done***, ἅμ' ἔπος ἅμ' ἔργον. ***~er or later***, ἀργά ἤ γρήγορα. ***the ~er the better***, ὅσο νωρίτερα τόσο τό καλύτερο. **4**. ***would (just) as ~***, δέν μέ πειράζει, τό ἴδιο μοῦ κάνει: *I would (just) as ~ stay at home (as go for a walk)*, δέν μέ πειράζει νά μείνω σπίτι (ἤ νά πάω βόλτα), τό ἴδιο μοῦ κάνει εἴτε μείνω σπίτι εἴτε πάω βόλτα. ***as ~ as not***, πολύ προτιμώτερο, καλύτερα: *I'd go there myself as ~ as not*, θά προτιμοῦσα καλύτερα νά πάω ὁ ἴδιος. ***(would) ~er than***, κάλλιο, προτιμῶ νά... παρά: *Death ~er than slavery*, κάλλιο ὁ θάνατος παρά σκλαβιά. *I would ~er resign than do such a thing* (*ἤ: S~er than do such a thing I would resign*), κάλλιο (προτιμῶ) νά παραιτηθῶ παρά νά κάμω τέτοιο πρᾶγμα.

soot /sʊt/ *οὐσ.* ‹U› καπνιά, κάπνα, φοῦμος: *sweep the ~ out of the chimney*, καθαρίζω τήν καπνιά ἀπό τήν καμινάδα. —*ρ.μ.* γεμίζω μέ κάπνα. ~**y** *ἐπ.* γεμᾶτος καπνιές, μαῦρος ἀπό/σάν τήν κάπνα: *~y walls*, μαῦροι/καπνισμένοι τοῖχοι. *a ~y atmosphere*, ἀτμόσφαιρα γεμάτη κάπνες.

sooth /suθ/ *οὐσ.* ‹U› (*ἀρχ.*) ἀλήθεια. ***in ~***, τῇ ἀληθείᾳ, τῷ ὄντι. `~·**sayer** /-seɪə(r)/, προφήτης, μάντης.

soothe /suð/ *ρ.μ.* καταπραΰνω, καλμάρω, μαλακώνω, ἡσυχάζω: *~ sb's anger*, μαλακώνω τό θυμό κάποιου. *~ a crying baby*, ἡσυχάζω ἕνα μωρό πού κλαίει. *~ an aching tooth*, καλμάρω τόν πόνο ἑνός δοντιοῦ. **soothing** *ἐπ.* κατευναστικός, ἠρεμιστικός, καταπραϋντικός, ἀνακουφιστικός: *a soothing lotion for the skin*, κρέμα πού ἀνακουφίζει τό δέρμα. *in a soothing voice*, μέ καθησυχαστική (κατευναστική) φωνή. **sooth·ing·ly** *ἐπίρ.*

sop /sop/ *οὐσ.* ‹C› **1**. μουσκεμένο ψωμί, παπάρα. **2**. ἐξιλαστήριο δῶρο: *throw a ~ to sb*, δίνω κτ σέ κπ γιά νά τόν ἐξευμενίσω, βουλώνω τό στόμα κάποιου μέ δῶρο. —*ρ.μ.* (*-pp-*) **1**. παπαριάζω, βουτῶ ψωμί (σέ σάλτσα, σέ γάλα, κλπ). **2**. ***~ sth up***, μαζεύω νερό (μέ ἀπορρόφηση): *S~ up the water with this towel*, μάζεψε τό νερό μ' αὐτή τήν πετσέτα. ~·**ping** *ἐπ.* μουσκεμένος, πολύ βρεγμένος: *~ping clothes*, μουσκεμένα ροῦχα. —*ἐπίρ.* ἐντελῶς: *~ping wet*, ἐντελῶς μούσκεμα.

soph·ism /`sof-ɪzm/ *οὐσ.* ‹C,U› σόφισμα, σοφιστεία. **soph·ist** /-ɪst/ *οὐσ.* ‹C› σοφιστής.

soph·is·ti·cated /sə`fɪstɪkeɪtɪd/ *ἐπ.* **1**. ραφινᾶτος, ἐκλεπτυσμένος, ἐξεζητημένος, ἐπιτηδευμένος, μπλαζέ: *a ~ woman*, ραφινάτη (καί λίγο μπλαζέ) γυναίκα. *~ tastes*, ἐξεζητημένα/ἐκλεπτυσμένα γοῦστα. **2**. (*τεχν.*) περίπλοκος, ὑπερμοντέρνος: *~ modern weapons*, περίπλοκα σύγχρονα ὅπλα. **3**. λεπτός, φίνος, ραφιναρισμένος: *a ~ argument*, φίνος/περίπλοκος συλλογισμός. *a ~ discussion*, λεπτή/ραφιναρισμένη συζήτησις. **soph·is·ti·ca·tion** /sə`fɪstɪ`keɪʃn/ *οὐσ.* ‹U› ἐκζήτησις, ἐπιτήδευσις, ἐκλέπτυνσις, περίπλοκος φύσις.

soph·is·try /`sofɪstrɪ/ *οὐσ.* ‹C,U› σοφιστεία, σοφιστική: *indulge in ~*, εἶμαι ὅλο σοφιστεῖες.

sopho·more /`sofəmɔ(r)/ *οὐσ.* ‹C› (*ΗΠΑ*) δευτεροετής φοιτητής.

sop·or·ific /`sopə`rɪfɪk/ *ἐπ.* ὑπνωτικός. —*οὐσ.* ‹C› ὑπνωτικόν.

soppy /`sopɪ/ *ἐπ.* (*-ier, -iest*) **1**. διάβροχος, μουσκεμένος. **2**. (*καθομ.*) γλυκανάλατος, σαχλός.

so·prano /sə`pranəʊ/ *ἐπ.* & *οὐσ.* ‹C› (*πληθ. ~s*) σοπράνο.

sor·bet /`sɔbɪt/ *οὐσ.* ‹C› *βλ. sherbet.*

sor·cerer /`sɔsərə(r)/ *οὐσ.* ‹C› μάγος. **sor·cer·ess** /`sɔsərəs/ *οὐσ.* ‹C› μάγισσα. **sor·cery** /`sɔsərɪ/ *οὐσ.* ‹C,U› μαύρη μαγεία, μάγια.

sor·did /`sɔdɪd/ *ἐπ.* **1**. ἄθλιος, βρώμικος, ἀποκρουστικός: *a ~ slum*, ἄθλια φτωχογειτονιά. *live in ~ poverty*, ζῶ μέσα στήν ἐξαθλίωση. **2**. (*γιά ἄνθρ., συμπεριφορά, κλπ*) χυδαῖος, πρόστυχος, ποταπός, ἰδιοτελής. ~·**ly** *ἐπίρ.* ἄθλια, πρόστυχα, ἐλεεινά. ~·**ness** *οὐσ.* ‹U› ἀθλιότης, βρωμιά, χυδαιότης, τσιγγουνιά.

sore /sɔ(r)/ *ἐπ.* **1**. πονεμένος: *a ~ knee*, πονεμένο γόνατο. *~ eyes/feet*, ἐρεθισμένα μάτια/πονεμένα, πληγιασμένα πόδια. *a ~ place*, πονεμένο μέρος. ***(have) a ~ throat***, (ἔχω) πονόλαιμο. ***like a bear with a ~***

head, κακότροπος, γκρινιάρης. ***a ~ point/ subject***, εὐαίσθητο σημεῖο/ἀλγεινό θέμα. (*βλ.* & *λ.* ¹*sight*). **2**. πικραμένος, θλιμμένος: *be ~ at heart*, εἶμαι συντριμμένος, γεμᾶτος πόνο. **3**. πειραγμένος, χολωμένος: *She felt ~ about not being invited to the party*, πειράχτηκε πολύ πού δέν τήν κάλεσαν στό πάρτυ. **4**. (*λόγ.*) ὀξύς, ὀδυνηρός, (*ὡς ἐπίρ.*) ἀλγεινῶς: *be in ~ need of help*, ἔχω ἀπόλυτη ἀνάγκη βοηθείας. *a ~ trial*, ὀδυνηρή δοκιμασία. *in ~ distress*, σέ μεγάλη δυστυχία. __*οὐσ.* ‹C› (*κυριολ.*& *μεταφ.*) πληγή, ἕλκος: *a beggar displaying his ~s*, διακονιάρης πού δείχνει τίς πληγές του. *Let's not recall old ~s*, (*μεταφ.*) ἄς μή θυμώμαστε (ξύνωμε) παληές πληγές. **~·ly** *ἐπίρ.* σοβαρά, σκληρά, πολύ: *be ~ly tempted/afflicted*, μπαίνω σέ μεγάλο πειρασμό/σέ μεγάλη δοκιμασία. *Your help is ~ly needed*, ὑπάρχει μεγάλη ἀνάγκη τῆς βοήθειάς σου. **~·ness** *οὐσ.* ‹U› πόνος, ἄλγος, χόλιασμα, πίκρα, εὐαισθησία.

sor·or·ity /sə`rorətı/ *οὐσ.* ‹C› (*ΗΠΑ*) σύλλογος φοιτητριῶν.

¹**sor·rel** /`sorl/ *οὐσ.* ‹U› λάπαθο, ξινόχορτο.

²**sor·rel** /`sorl/ *οὐσ.* ‹C,U› (*χρῶμα*) καστανοκόκκινο, (*ἄλογο*) ντορῆς. __*ἐπ.* καστανοκόκκινος.

sor·row /`sorəʊ/ *οὐσ.* ‹C,U› λύπη, θλῖψις, στενοχώρια: *express ~ for having done wrong*, ἐκφράζω τή λύπη μου γιά κάτι κακό πού ἔκαμα. *to my great ~*, πρός μεγάλην μου λύπην. *in ~ and in joy*, στίς χαρές καί στίς λύπες. *more in ~ than in anger*, περισσότερο λυπημένος παρά θυμωμένος. *His ~s had turned his hair white*, οἱ στενοχώριες τοῦ εἶχαν ἀσπρίσει τά μαλλιά. __*ρ.ἀ.* ***~ (at/for/ over)***, θλίβομαι, θρηνῶ: *~ over sb's death*, θρηνῶ τό θάνατο κάποιου. **~·ful** /-fl/ *ἐπ.* θλιμμένος, περίλυπος, θλιβερός, λυπητερός. **~-fully** /-flı/ *ἐπίρ.* θλιμμένα, περίλυπα, θλιβερά.

sorry /`sorı/ *ἐπ.* **1**. (*κατηγ.*) λυπημένος: *I'm ~ to hear of his death*, λυπᾶμαι πού μαθαίνω ὅτι πέθανε. ***be/feel ~ (about/for sth)***, λυποῦμαι, μετανοιώνω (γιά κτ): *Aren't you ~ for/ about what you've done?* δέν μετανοιώνεις γιά ὅ,τι ἔκαμες; ***be/feel ~ for sb***, *(α)* λυπᾶμαι κπ: *I'm ~ for his father*, λυπᾶμαι τόν πατέρα του. *(β)* οἰκτίρω: *I'm ~ for you*, σέ λυπᾶμαι/ σέ οἰκτίρω. **2**. *(-ier, -iest)* ἀξιολύπητος, ἄθλιος, ἀξιοθρήνητος: *be in a ~ state*, εἶμαι σέ ἀξιολύπητη κατάσταση. *a ~ excuse*, ἄθλια/ ἀξιοθρήνητη δικαιολογία.

¹**sort** /sɔt/ *οὐσ.* ‹C› εἶδος: *What ~ of fruit is this?* τί εἴδους φροῦτο εἶναι αὐτό; *We can't approve of this ~ of thing*, δέν μποροῦμε νά ἐπιδοκιμάσωμε αὐτοῦ τοῦ εἴδους τά πράγματα. *all ~s of difficulties*, ὅλων τῶν εἰδῶν δυσκολίες. ***of a ~; of ~s***, (*καθομ.*) δῆθεν, ψευτο-: *They served coffee of a ~*, σερβίρανε ἕναν δῆθεν καφέ (ἕναν ψευτοκαφέ/κάτι πού ὁ θεός νά τό κάμη καφέ). *an artist of ~s*, ἕνας ψευτοζωγράφος. ***~ of***, (*καθομ.*) κάπως, κατά κάποιο τρόπο: *I ~ of thought this would happen*, κατά κάποιο τρόπο τό φαντάστηκα ὅτι θά συνέβαινε. *The good news ~ of cheered him up*, τά καλά νέα κάπως τοῦ φτιάξανε τό κέφι. ***after a ~; in a ~***, ὥς ἕνα σημεῖο. ***a good ~***, (*καθομ.*) καλός τύπος, καλό παιδί. ***be out of ~s***, (*καθομ.*) δέν εἶμαι στά καλά μου, εἶμαι ἀδιάθετος.

²**sort** /sɔt/ *ρ.μ/ἀ.* **1**. ***~ sth (out)***, ξεχωρίζω, ξεδιαλέγω, ταξινομῶ: *~ out the good apples from the bad*, ξεχωρίζω τά καλά μῆλα ἀπό τά χαλασμένα. *He was ~ing out/over his foreign stamps*, ταξινομοῦσε (τακτοποιοῦσε) τά ξένα γραμματόσημά του. ***~ sth out***, (*καθομ.*) ξεδιαλύνω: *We'll ~ that out later on*, θά τό ξεδιαλύνωμε αὐτό ἀργότερα. *Let's leave that pair to ~ themselves out*, ἄς ἀφήσωμε αὐτό τό ζευγάρι νά τά βροῦνε μονάχοι τους. **2**. ***~ well/ill with***, (*λογοτ.*) ταιριάζω/δέν ταιριάζω: *His heroic death ~ed well with his character*, ὁ ἡρωϊκός του θάνατος ἦταν σύμφωνος μέ τόν χαρακτῆρα του. **~er** *οὐσ.* ‹C› ταξινόμος (στό ταχυδρομεῖο).

sor·tie /`sɔtı/ *οὐσ.* ‹C› **1**. ἔξοδος (πολιορκουμένων). **2**. ἔξοδος, πτῆσις (μαχητικῶν ἀεροπλάνων): *make a ~*, κάνω ἔξοδο.

S O S /`es əʊ `es/ *οὐσ.* ΣΟΣ, διεθνές σῆμα κινδύνου.

so-so /`səʊ səʊ/ *ἐπ.* & *ἐπίρ.* *βλ.* ²*so*.

sot /sot/ *οὐσ.* ‹C› ἄνθρωπος ἀποκτηνωμένος ἀπό τό πιοτό, μπεκρούλιακας. **~·tish** /`sotıʃ/ *ἐπ.* ἀποβλακωμένος ἀπό τό πιοτό, μέθυσος. **`~·tishly** *ἐπίρ.* **`~·tish·ness** *οὐσ.* ‹U› ἀποβλάκωσις.

sotto voce /`sotəʊ `vəʊtʃı/ *ἐπίρ.* (*Ἰταλ.*) χαμηλόφωνα.

sou /su/ *οὐσ.* ‹C› (*Γαλλ.*) δεκάρα, πεντάρα.

sou·brette /su`bret/ *οὐσ.* ‹C› (*θέατρ.*) σουμπρέττα.

sou·bri·quet /`subrıkeı/ *οὐσ.* ‹C› *βλ.* *sobriquet*.

sough /sʌf/ *οὐσ.* ‹C› θρόϊσμα. __*ρ.ἀ.* θροΐζω.

sought /sɔt/ *ἀόρ.* & *π.μ.* *τοῦ ρ.* *seek*.

soul /səʊl/ *οὐσ.* ‹C› **1**. ψυχή: *the immortality of the ~*, ἡ ἀθανασία τῆς ψυχῆς. *commend one's ~ to God*, ἐμπιστεύομαι τήν ψυχή μου στό Θεό. *That man has no ~*, αὐτός ὁ ἄνθρωπος δέν ἔχει καρδιά, εἶναι ἀναίσθητος. ***have a ~ above sth***, εἶμαι ἀνώτερος ἑνός πράγματος: *He has a ~ above money*, εἶναι ἀνώτερος χρημάτων. ***keep body and ~ together***, διατηροῦμαι στή ζωή. ***put one's heart and ~ into sth***, βάζω ὅλη μου τήν ψυχή σέ κτ. ***the life and ~ of the party***, ἡ ψυχή τῆς συντροφιᾶς. ***Upon my ~!*** (*πεπαλ.*) μά τό Θεό! νά μή χαρῶ τή ζωή μου! **2**. προσωποποίησις: *He's the ~ of honour/ discretion/virtue*, εἶναι ἡ προσωποποίησις τῆς τιμιότητας/τῆς ἐχεμύθειας/τῆς ἀρετῆς. **3**. ἄνθρωπος: *There wasn't a ~ to be seen*, δέν φαινόταν ψυχή. *He's a cheery ~*, εἶναι κεφᾶτος τύπος. *He's lost all his money, poor ~*, ἔχασε ὅλα τά λεφτά του, ὁ καϋμένος. **4**. μακαρίτης, πεθαμένος. **'All `S~s' Day**, ἡ ἡμέρα τῶν νεκρῶν, τό Ψυχοσάββατο. **5**. (*σέ σύνθ. λέξεις*): **`~ brother/sister**, ψυχαδερφός/ψυχαδερφή. **`~-destroying** *ἐπ.* ψυχοφθόρος, ἀποκτηνωτικός (*πχ* δουλειά). **`~ music**, νέγρικη παθητική λαϊκή μουσική. **`~-searching**, ἐνδοσκόπησις. **`~-stirring** *ἐπ.* βαθειά συγκινητικός, συγκλονιστικός. **~·ful** /-fl/ *ἐπ.* παθιασμένος, ἐκφραστικός, γεμᾶτος συγκίνηση: *~ful music*, παθιασμένη μουσική. *~ful eyes/glances*, ἐκφραστικά μάτια/-ές ματιές. **~·fully** /-flı/ *ἐπίρ.* **~·less**

ἐπ. ἄψυχος, πεζός, χωρίς αἴσθημα ἤ συγκίνηση. **~·less·ly** *ἐπίρ.*

[1]**sound** /saʊnd/ *ἐπ.* **1**. ὑγιής, γερός: *have a ~ constitution*, ἔχω γερή κράση. *a ~ financial position*, ὑγιής οἰκονομική κατάστασις. ***a ~ mind in a ~ body***, νοῦς ὑγιής ἐν σώματι ὑγιεῖ. ***~ in wind and limb***, (*καθομ.*) ὑγιής σωματικά. (*βλ.* & *λ.* [1]*safe*). **2**. γερός, βάσιμος, ὀρθός, φρόνιμος: *a ~ business firm*, γερή (ἀκμαία) ἐπιχείρησις. *a ~ policy/~ advice*, ὀρθή πολιτική/φρόνιμη συμβουλή. *a ~ argument*, βάσιμο (εὔλογο) ἐπιχείρημα. **3**. ἱκανός, προσεχτικός: *a ~ tennis player*, ἱκανός παίχτης τοῦ τέννις. **4**. (*γιά ὕπνο*) βαθύς, (*γιά ξύλο*) γερός: *have a ~ sleep/be a ~ sleeper/be ~ asleep*, κοιμᾶμαι βαθιά/κάνω βαρύ ὕπνο/εἶμαι βαθιά κοιμισμένος. *give sb a ~ thrashing*, δίνω σέ κπ ἕνα γερό ξύλο. **~·ly** *ἐπίρ.* βαθιά, γερά, ὁλοκληρωτικά: *sleep ~ly*, κοιμᾶμαι βαθιά. *be ~ly beaten at chess*, νικιέμαι κατά κράτος στό σκάκι. **~·ness** *οὐσ.* ‹U› ὀρθότης, ὑγεία, καλή κατάστασις, πληρότης.

[2]**sound** /saʊnd/ *οὐσ.* ‹C,U› ἦχος: *a clear/musical ~*, καθαρός/μουσικός ἦχος. *We heard the ~ of voices/of bells*, ἀκούσαμε τόν ἦχο φωνῶν/κωδωνοκρουσίες. *I don't like the ~ of it*, δέν μ'ἀρέσει αὐτό πού ἀκούω. **'~ 'archives**, μουσικό ἀρχεῖο (δισκοθήκη/ταινιοθήκη). **'~ barrier**, φρᾶγμα ἤχου: *break the ~ barrier*, περνῶ τό φρᾶγμα τοῦ ἤχου. **'~-box**, διάφραγμα (παλαιοῦ γραμμοφώνου), ἠχεῖον (μουσ. ὀργάνου). **'~ effects**, ἠχητικά ἐφφέ. **'~-film**, ὁμιλοῦσα ταινία. **'~-proof** *ἐπ.* ἀδιαπέραστος ἀπό τόν ἦχο, ἠχομονωτικός. **'~·proofed** *ἐπ.* μέ ἠχομόνωση. **'~-recording**, ἠχογράφησις. **'~-track**, ἠχητική ζώνη ταινίας. **'~-wave**, ἠχητικόν κῦμα. **~·less** *ἐπ.* ἄηχος, ἀθόρυβος. **~·less·ly** *ἐπίρ.* ἀθόρυβα, σιωπηλά.

[3]**sound** /saʊnd/ *ρ.μ/ἀ.* **1**. ἠχῶ, σημαίνω (σάλπιγγα, καμπάνα, κλπ): *~ a trumpet*, σαλπίζω. *The trumpet ~ed*, ἡ σάλπιγγα ἤχησε. ***~ the alarm***, σημαίνω συναγερμό. ***~ the retreat***, χτυπῶ (σημαίνω) ὀπισθοχώρηση. **2**. ἠχῶ, φαίνομαι (στό αὐτί): *That ~s interesting/funny/strange*, αὐτό φαίνεται ἐνδιαφέρον/ἀστεῖο/παράξενο. *That ~s like heresy/a promise*, αὐτό μοιάζει μέ αἵρεση/μέ ὑπόσχεση. *How sweet that music ~s!* πόσο γλυκειά εἶναι (πόσο γλυκά ἀκούγεται) αὐτή ἡ μουσική! **3**. προφέρω, ἐκφράζω: *Don't ~ the h in 'hour'*, μήν προφέρης τό h στή λέξη 'hour'. *~ a note of danger/alarm*, δίνω σῆμα κινδύνου/ἐκφράζω ἀνησυχία. **4**. στηθοσκοπῶ: *The doctor ~ed the patient*, ὁ γιατρός στηθοσκόπησε τόν ἀσθενή. **'~·ing-board**, ἀντηχεῖον (ἄμβωνος).

[4]**sound** /saʊnd/ *ρ.μ/ἀ.* **1**. (*ναυτ.*) βυθομετρῶ, σκανταγιάρω, βολίζω, ἐρευνῶ (στή θάλασσα ἤ στήν ἀτμόσφαιρα). **'~·ings** *οὐσ. πληθ.* βυθομετρήσεις, βάθη: *be in ~ings*, βρίσκω πάτο (μέ τό σκαντάγιο). **'~·ing-balloon**, ἀερόστατο μετεωρολογικῶν ἐρευνῶν. **'~·ing-line**, σχοινί βολίδος. **'~·ing-rod**, καταμετρητική ράβδος, μπουρσᾶς. **2**. ***~ sb (out) (about/on sth)***, βολιδοσκοπῶ: *I will ~ the manager on/about the question of holidays*, θά βολιδοσκοπήσω τό διευθυντή στό θέμα τῶν διακοπῶν. *I haven't ~ed him out yet*, δέν τόν βολιδοσκόπησα ἀκόμα. **~·ing** *οὐσ.* ‹C› βυθομέτρησις, βολιδοσκόπησις.

[5]**sound** /saʊnd/ *οὐσ.* ‹C› πορθμός.

[1]**soup** /sup/ *οὐσ.* ‹C,U› σούπα, ζωμός: *chicken/pea/tomato ~*, κοτόσουπα/μπιζελόσουπα/τοματόσουπα. ***in the ~***, (*καθομ.*) σέ δύσκολη θέση, μπλεγμένος: *We're in the ~ now*, τώρα μπλέξαμε ἄσχημα. **'~-kitchen**, συσσίτιο ἀπόρων, συσσίτιο ἀρωγῆς.

[2]**soup** /sup/ *ρ.μ.* ***~ sth up***, (*λαϊκ.*) πουσσάρω (κινητῆρα).

sour /saʊə(r)/ *ἐπ.* **1**. ξινός, ξινισμένος: *~ grapes*, ξινά σταφύλια (*βλ.* & *λ.* *grape*). *This wine tastes ~*, αὐτό τό κρασί φαίνεται ξινισμένο. *smell ~*, μυρίζω ξινίλας. ***turn ~***, ξινίζω. **2**. (*γιά ἄνθρ., μεταφ.*) στριφνός, ἀνάποδος, γκρινιάρης: *What a ~ face she has!* τί ξινό πρόσωπο πού ἔχει! *look ~*, φαίνομαι στριμένος/χολωμένος. __*ρ.μ/ἀ.* (*κυριολ.* & *μεταφ.*) ξινίζω, γίνομαι στριφνός/στριμένος: *The hot weather has ~ed the milk*, ὁ ζεστός καιρός ξίνισε τό γάλα. *Her temper has ~ed*, ἔγινε στριμένη, χολώθηκε. **~·ly** *ἐπίρ.* ξινά, στριφνά. **~·ness** *οὐσ.* ‹U› ξινίλα, στριφνότης.

source /sɔs/ *οὐσ.* ‹C› πηγή (ἑστία, αἰτία, ἀρχή): *the ~s of the Nile*, οἱ πηγές τοῦ Νείλου. *The news comes from a reliable ~*, τά νέα προέρχονται ἀπό ἀξιόπιστη πηγή. *~ of energy/heat*, πηγή ἐνεργείας/θερμότητος. *the ~ of his troubles*, ἡ πρώτη αἰτία (ἡ ἀρχή) τῶν προβλημάτων του. *the ~ of an infection*, ἡ ἑστία μιᾶς μολύνσεως. ***Idleness is the ~ of all evil***, (*παροιμ.*) ἀργία μήτηρ πάσης κακίας. **~ materials**, (*ἐπιθ.*) συλλογή κειμένων γιά μελέτη.

souse /saʊs/ *ρ.μ.* **1**. βουτῶ στό νερό, καταβρέχω: *They ~d him in the pond*, τόν βούτηξαν στή λιμνούλα. *~ sb with a bucket of water*, καταβρέχω κπ μ'ἕναν κουβᾶ νερό. **2**. παστώνω, βάζω σέ ἅλμη: *~d herrings*, παστές ρέγγες. **~d** *ἐπ.* (*λαϊκ.*) σουρωμένος, μεθυσμένος.

south /saʊθ/ *οὐσ.* νότος, νοτιάς, μεσημβρία: *a house facing ~*, σπίτι μέ πρόσοψη πρός τό νότο, μεσημβρινό σπίτι. ***on the ~***, ἀπό τά νότια: *bounded on the ~ by...*, ὁριζόμενος πρός νότον ἀπό... ***to the ~ of***, νοτίως τοῦ, στά νότια: *to the ~ of London/England*, νοτίως τοῦ Λονδίνου/στά νότια τῆς Ἀγγλίας. __*ἐπίρ.* νοτίως. **due ~**, πρός τά νότια: *The ship was sailing due ~*, τό πλοῖο ἔπλεε πρός τό νότο. **'~-'east/-'west** (*ἤ, ναυτ.* **sou'-east** /'saʊ 'ist/, **sou'-west** /'saʊ 'west/) νοτιοανατολικά/νοτιοδυτικά. **'~-'easter**, σιρόκος. **'~-'wester**, γαρμπῆς. **'~-'easter·ly/-'wester·ly** *ἐπ.* νοτιο-ανατολικός, νοτιο-δυτικός (ἄνεμος). **'~-'eastern/-'western** *ἐπ.* (*γιά τοποθεσία, προέλευση, κλπ*) νοτιο-ανατολικός/-δυτικός. **~·ward** /-wəd/ *ἐπ.*, **~·ward(s)** /-wəd(z)/ *ἐπίρ.* πρός τά νότια.

south·er·ly /'sʌðəli/ *ἐπ.* νότιος (ἄνεμος, κατεύθυνση). __*ἐπίρ.* πρός τά νότια.

south·ern /'sʌðən/ *ἐπ.* (*γιά τοποθεσία*) νότιος: *the S~ States of the USA*, οἱ νότιες πολιτεῖες τῶν ΗΠΑ. **'~·most** /-məʊst/ *ἐπ.* νοτιώτατος. **~er** *οὐσ.* ‹C› νότιος (κάτοικος

τοῦ νότου).
sou·venir /ˈsuvəˋnɪə(r)/ *οὐσ.* ‹C› ἐνθύμιον.
sov·er·eign /ˋsovrɪn/ *ἐπ.* **1**. ὑπέρτατος, ὕπατος: ~ *ruler*, ἀνώτατος ἄρχων. ~ *power*, ὑπερτάτη ἐξουσία. **2**. ἀνεξάρτητος, κυρίαρχος: *a* ~ *state*, ἀνεξάρτητο κράτος. ~ *rights*, κυριαρχικά δικαιώματα. **3**. θαυμάσιος, ἀποτελεσματικός. *a* ~ *remedy*, ἀποτελεσματικό φάρμακο. __*οὐσ.* ‹C› **1**. ἄρχων, ἡγεμών. **2**. (*παλαιότ.*) χρυσῆ λίρα. ~**ty** /ˋsovrəntɪ/ *οὐσ.* ‹U› ἐθνική κυριαρχία, ἀνωτάτη ἀρχή.
so·viet /ˋsəʊvɪət/ *οὐσ.* ‹C› σοβιέτ, συμβούλιο. **the ˈS~ ˋUnion**, ἡ Σοβιετική Ἕνωσις. **ˋ~·ize** /-aɪz/ *ρ.μ.* σοβιετοποιῶ.
[1]**sow** /saʊ/ *οὐσ.* ‹C› γουρούνα.
[2]**sow** /səʊ/ *ρ.μ/ἀ. ἀνώμ.* (*ἀόρ.* ~*ed*, *π.μ.* ~*n* /səʊn/) σπέρνω: ~ *wheat*, σπέρνω σιτάρι. ~ *a field with wheat*, σπέρνω ἕνα χωράφι μέ σιτάρι. ~ *(the seeds of) discord/hatred*, (*μεταφ.*) ἐνσπείρω τή διχόνοια/τό μῖσος. ~**er** *οὐσ.* ‹C› σπορεύς.
sox /soks/ *οὐσ.* (*ἐμπορ. πληθ. τοῦ sock*) κάλτσες.
soy /sɔɪ/, **soya** /ˋsɔɪə(r)/ *οὐσ.* ‹U› (*ἐπίσης* **ˋ~-bean**) σόγια. **ˋ~ sauce**, πικάντικη σάλτσα ἀπό σόγια.
soz·zled /ˋsozld/ *ἐπ.* (*MB λαϊκ.*) τύφλα στό μεθύσι.
spa /spa/ *οὐσ.* ‹C› λουτρόπολις, ἰαματική πηγή.
space /speɪs/ *οὐσ.* **1**. ‹U› διάστημα, κενόν, χῶρος: *The universe exists in* ~, τό σύμπαν ὑπάρχει στό χῶρο. ***stare into*** ~, ἔχω τά μάτια καρφωμένα στό κενό. **ˋ~·craft/·ship**, διαστημόπλοιο. **ˋ~-helmet/-suit**, κράνος/ στολή ἀστροναύτη. **ˋ~ travel/flight**, διαστημικό ταξίδι/-ή πτῆσις. **ˋ~-traveller**, ταξιδιώτης τοῦ διαστήματος. **ˈ~-ˋtime**, χωροχρόνος. **2**. ‹C› ἀπόστασις, διάστημα: *the* ~*s between lines/words*, οἱ ἀποστάσεις μεταξύ τῶν γραμμῶν/τῶν λέξεων. *They are separated by a* ~ *of ten feet*, χωρίζονται ἀπό μία ἀπόσταση δέκα ποδῶν. **ˈblank ˋ~**, κενό (διάστημα): *Leave a blank* ~ *for my name*, ἄφησε ἕνα κενό γιά τ'ὄνομά μου. **ˋ~bar**, πλῆκτρο διαστήματος (στή γραφομηχανή). **3**. ‹C,U› ἐλεύθερος χῶρος, θέσις, τόπος: *open* ~*s*, ἀνοιχτοί χῶροι. *Clear a* ~ *on the platform for the speakers*, ἀνοῖχτε χῶρο στήν ἐξέδρα γιά τούς ὁμιλητές. *There isn't enough* ~ *in here for thirty desks*, δέν ὑπάρχει ἀρκετός χῶρος ἐδῶ μέσα γιά τριάντα θρανία. *leave* ~ *for sth*, ἀφήνω θέση γιά κτ. **4**. (*μόνον ἑν.*) περίοδος, χρονικό διάστημα: *within a* ~ *of two years*, σέ διάστημα δύο ἐτῶν. __*ρ.μ.* ~ ***sth out***, ἀραιώνω (τοπικῶς ἤ χρονικῶς): ~ *out the type more*, ἀραιώνω τίς λέξεις περισσότερο. ~ *out payments over ten years*, κλιμακώνω (ἁπλώνω) τίς πληρωμές σέ δέκα χρόνια. *a well-*~*ed family*, οἰκογένεια μέ τά παιδιά γεννημένα σέ κανονικά διαστήματα μεταξύ τους. **ˈsingle-/ˈdouble-ˋspacing**, μονό/ διπλό διάστημα.
spacious /ˋspeɪʃəs/ *ἐπ.* εὐρύχωρος, πλατύς, ἁπλόχωρος. ~**·ly** *ἐπίρ.* ~**·ness** *οὐσ.* ‹U› εὐρυχωρία, ἁπλοχωριά.
spade /speɪd/ *οὐσ.* ‹C› **1**. φτυάρι, τσάπα. **ˋ~-work**, χοντροδουλειά, ξεχέρσωμα, (*μεταφ.*) προκαταρτική δουλειά. ***call a*** ~ ***a*** ~, λέω τά σῦκα-σῦκα καί τή σκάφη-σκάφη. **2**. (*χαρτοπ.*) μπαστούνι, πίκα: *the queen of* ~*s*, ἡ ντάμα μπαστούνι. __*ρ.μ.* ~ ***sth (up)***, σκάβω μέ τήν τσάπα. **ˋ~·ful** /-fʊl/ *οὐσ.* ‹C› φτυαριά.
spa·ghetti /spəˋgetɪ/ *οὐσ.* ‹U› σπαγέττο, μακαρόνι.
spake /speɪk/ (*ἀρχ.*) *ἀόρ. τοῦ ρ. speak*: *Thus* ~ *Zarathustra*, Τάδε ἔφη Ζαρατούστρας.
span /spæn/ *οὐσ.* ‹C› **1**. (σ)πιθαμή, ἄνοιγμα (χεριῶν, φτερῶν, πτερύγων ἀεροπλάνου). **2**. ἄνοιγμα, πλάτος ἀψίδας (μεταξύ δύο στηριγμάτων): *a single-*~ *bridge*, γέφυρα μ'ἕνα τόξο. *The arch has a* ~ *of 50 metres*, ἡ καμάρα ἔχει ἄνοιγμα 50 μέτρων. **3**. διάστημα χρόνου (μεταξύ δύο σημείων), διάρκεια: *the* ~ *of life*, ἡ διάρκεια τῆς ζωῆς. *for a short* ~ *of time*, γιά ἕνα μικρό χρονικό διάστημα. ~ **roof**, ἀμφικλινής/δίρριχτη στέγη (*ἀντίθ. a lean-to roof*, μονοκλινής στέγη). __*ρ.μ.* *(-nn-)* **1**. (*γιά γέφυρα*) συνδέω, ζευγνύω (ποταμό): *The Thames is* ~*ned by many bridges*, πολλές γέφυρες συνδέουν τόν Τάμεσι. **2**. καλύπτω (χρονικά): *His life* ~*ned almost the whole of the 19th c.*, ἡ ζωή του ἐκάλυψε (ἁπλώθηκε σέ) ὅλο σχεδόν τόν 19ο αἰῶνα. **3**. μετρῶ μέ σπιθαμές.
spangle /ˋspæŋgl/ *οὐσ.* ‹C› πούλια (φορέματος). __*ρ.μ.* στολίζω μέ πούλιες: ~*d with silver*, ἀσημοκέντητος. **the ˈStar-S~d ˋBanner**, ἡ Ἀστερόεσσα (ἡ σημαία τῶν ΗΠΑ).
Span·iard /ˋspænɪəd/ *οὐσ.* ‹C› Ἱσπανός.
span·iel /ˋspænɪəl/ *οὐσ.* ‹C› σπάνιελ, σκυλί μέ μακρυά μαλλιά καί κρεμαστά αὐτιά.
Span·ish /ˋspænɪʃ/ *ἐπ.* ἱσπανικός. __*οὐσ.* ‹U› ἡ ἱσπανική (γλῶσσα).
spank /spæŋk/ *ρ.μ/ἀ.* **1**. δέρνω (παιδί) στόν πισινό. **2**. ~ ***(along)***, (*γιά ἄλογο ἤ πλοῖο*) προχωρῶ γρήγορα. ~**·ing** *οὐσ.* ‹C› ξύλο στόν πισινό: *give a child a good* ~*ing*, τίς βρέχω σ'ἕνα παιδί. __*ἐπ.* (*καθομ. πεπαλ.*) πρώτης τάξεως, θαυμάσιος: *have a* ~*ing time*, περνῶ θαυμάσια. *a* ~*ing breeze*, οὔριος ἄνεμος.
span·ner /ˋspænə(r)/ *οὐσ.* ‹C› γαλλικό κλειδί (ἐργαλεῖο). ***throw a*** ~ ***in(to) the works***, (*μεταφ.*) παρεμβάλλω ἐμπόδια, κάνω δολιοφθορά.
[1]**spar** /spa(r)/ *οὐσ.* ‹C› πάσσαλος, κοντάρι, στύλος, δοκός, κατάρτι.
[2]**spar** /spa(r)/ *ρ.ἀ.* *(-rr-)* προπονοῦμαι στήν πυγμαχία, (*μεταφ.*) λογομαχῶ, λογοφέρνω. **ˋ~·ring-match**, προπόνησις πυγμάχου, λογομαχία. **ˋ~·ring-partner**, ἀντίπαλος (σέ πυγμαχική προπόνηση ἤ σέ φιλική διένεξη).
[1]**spare** /speə(r)/ *ἐπ.* **1**. διαθέσιμος, περίσσιος, ἐλεύθερος, ἐφεδρικός: *have no* ~ *time/money*, δέν ἔχω διαθέσιμο χρόνο/χρῆμα. *in my* ~ *time*, στίς ἐλεύθερες ὧρες μου. ~ **parts**, ἀνταλλακτικά (μηχανῆς). **ˋ~ room**, διαθέσιμο δωμάτιο. ~ **wheel**, ρεζέρβα αὐτοκινήτου. **2**. (*γιά ἄνθρ.*) ξερακιανός: *be of* ~ *build*, εἶμαι ξερακιανός. *a tall,* ~ *man*, ἕνας ψηλός ξερακιανός. **3**. (*ἐπιθ.*) λιτός: *a* ~ *meal*, λιτό φαγητό. *be on a* ~ *diet*, εἶμαι σέ δίαιτα, τρώω λίγο. __*οὐσ.* ‹C› ἀνταλλακτικό. ~**·ly** *ἐπίρ.* ἀδύνατα, λιτά: ~*ly built*, λεπτοκαμωμένος, λιγνόκορμος. ~**·ness** *οὐσ.* ‹U› ἀδυ-

ναμία, λιτότης.

[2]**spare** /speə(r)/ ρ.μ/ὰ. **1**. φείδομαι, λυπᾶμαι, γλυτώνω: ~ *sb's life*, φείδομαι τῆς ζωῆς κάποιου. ~ *sb his life*, τοῦ χαρίζω τή ζωή. *He doesn't* ~ *himself*, δέν λυπᾶται (ταλαιπωρεῖ) τόν ἑαυτό του. *We may meet again if we are* ~*d*, μπορεῖ νά ξανασυναντηθοῦμε ἄν γλυτώσωμε. *He* ~*d no pains/expense(s) to please her*, δέν ἐφείσθη κόπων/δαπανῶν (δέν λυπήθηκε κόπους/ἔξοδα) γιά νά τήν εὐχαριστήση. ***~ sb's feelings***, ἀποφεύγω νά πληγώσω/νά θίξω κπ. ***S~ the rod and spoil the child***, (*παροιμ.*) τό ξύλο βγῆκε ἀπ' τόν Παράδεισο. **2**. διαθέτω, δίδω: *Can you ~ me a few minutes/a few litres of petrol/ten pounds?* μπορεῖς νά μοῦ διαθέσης λίγα λεπτά/νά μοῦ δώσης λίγα λίτρα βενζίνη/δέκα λίρες; *Can you ~ one of your two bicycles for me?* μπορεῖς νά μοῦ διαθέσης τό ἕνα ἀπό τά δυό σου ποδήλατα; *We can't ~ the time for a holiday at present*, δέν ἔχομε χρόνο γιά διακοπές ἐπί τοῦ παρόντος. ***enough and to ~***, ὑπεραρκετός: *We have enough and to ~*, μᾶς φτάνει καί μᾶς περισσεύει. ***sparing of*** *ἐπ.* φειδωλός, οἰκονόμος, λιτός: *You should be more sparing of your energy*, θά πρέπει νά εἶσαι πιό φειδωλός στίς δυνάμεις σου. **spar·ing·ly** *ἐπίρ.* μέ φειδώ.

[1]**spark** /spak/ *οὐσ.* ‹C› (*κυριολ.* & *μεταφ.*) σπινθήρας, σπίθα: *a ~ of fire/wit*, μιά σπίθα φωτιᾶς/ἐξυπνάδας. *not a ~ of generosity*, οὔτε ἴχνος γενναιοδωρίας. *a shower of ~s*, βροχή ἀπό σπίθες. __*ρ.μ/ὰ.* σπιθοβολῶ, βγάζω/πετῶ σπίθες. ***~ off***, (*μεταφ.*) προκαλῶ, ἀποτελῶ ἔναυσμα γιά: *His statement ~ed off a big political row*, ἡ δήλωσίς του προκάλεσε πολιτικό σάλο. **ˋ~(·ing)-plug**, (*αὐτοκ.*) μπουζί.

[2]**spark** /spak/ *οὐσ.* ‹C› δανδῆς.

sparkle /ˋspakl/ *ρ.ὰ.* σπινθηροβολῶ, σπιθίζω: *Her eyes/diamonds ~d*, τά μάτια της/τά διαμάντια της σπινθηροβολοῦσαν. __*οὐσ.* ‹C› σπινθηροβόλημα, λάμψις, σπίθα. **spark·ler** *οὐσ.* ‹C› πρᾶγμα πού σπινθηροβολεῖ (πχ πυροτέχνημα, διαμάντια, κλπ). **spark·ling** /ˋspaklıŋ/ *ἐπ.* σπινθηροβόλος, πνευματώδης, (*γιά κρασί*) ἀφρώδης: *sparkling eyes/wine*, σπινθηροβόλα μάτια/ἀφρώδης οἶνος.

spar·row /ˋspærəʊ/ *οὐσ.* ‹C› σπουργίτι.

sparse /spas/ *ἐπ.* ἀραιός, σποραδικός: *a ~ population/beard*, ἀραιός πληθυσμός/-ά γένια. **~·ly** *ἐπίρ.* ἀραιά: *~ly populated/furnished*, ἀραιοκατοικημένος/μέ λιγοστά ἔπιπλα. **~-ness, spar·sity** /ˋspasətı/ *οὐσ.* ‹U› ἀραιότης, σπάνις.

Spar·tan /ˋspatn/ *ἐπ.* σπαρτιατικός, λιτός: *live a ~ life/in ~ simplicity*, ζῶ σπαρτιατικά/μέ σπαρτιατική ἁπλότητα.

spasm /ˋspæzm/ *οὐσ.* ‹C› **1**. σπασμός, σύσπασις: *an asthma ~*, στηθάγχη. *a ~ of pain*, σύσπασις πόνου. **2**. παροξυσμός, κρίσις, ξέσπασμα: *a ~ of coughing*, παροξυσμός βήχα. *in a ~ of grief/temper*, σέ μιά κρίση λύπης/θυμοῦ. *a ~ of energy*, ξέσπασμα (παροξυσμός) δραστηριότητος. *work in ~s*, δουλεύω σπασμωδικά.

spas·modic /spæzˋmodık/ *ἐπ.* σπασμωδικός, σπαστικός. **~ally** /-klı/ *ἐπίρ.* σπασμωδικά.

spas·tic /ˋspæstık/ *ἐπ.* & *οὐσ.* ‹C› (*ἰατρ.*) σπαστικός.

[1]**spat** /spæt/ *οὐσ.* **~s; a pair of ~s**, γκέτα (πάνω ἀπό τό παπούτσι).

[2]**spat** /spæt/ *ἀόρ.* & *π.μ. τοῦ ρ.* [2]*spit*.

[3]**spat** /spæt/ *οὐσ.* ‹C› γόνος (στρειδιῶν). __*ρ.ὰ.* (*-tt-*) (*γιά στρείδια*) γεννῶ.

spatch·cock /ˋspætʃkok/ *οὐσ.* ‹C› κοτόπουλο πού σφάζεται καί ψήνεται ἀμέσως, κοτόπουλο τῆς ὥρας. __*ρ.μ.* (*καθομ.*) παρεμβάλλω: *He ~ed into his speech a curious passage about God*, παρενέβαλε στό λόγο του ἕνα περίεργο ἀπόσπασμα γιά τό Θεό.

spate /speıt/ *οὐσ.* ‹C,U› **1**. πλημμύρα/φούσκωμα ποταμοῦ: *The river was in ~*, τό ποτάμι εἶχε φουσκώσει πολύ. **2**. (*μεταφ.*) πλημμύρα: *a ~ of orders/of new books*, πλημμύρα παραγγελιῶν/νέων βιβλίων.

spa·tial /ˋspeıʃl/ *ἐπ.* διαστημικός, τοῦ χώρου: *temporal and ~ existence*, ζωή στό χρόνο καί στό χῶρο. **~ly** /-ʃəlı/ *ἐπίρ.*

spat·ter /ˋspætə(r)/ *ρ.μ/ὰ.* **1**. ***~ sth (on/over), ~ sb (with sth)***, πιτσιλίζω: *~ grease on one's clothes/over the table*, πιτσιλίζω τά ροῦχα μου/τό τραπέζι μέ λῖπος. *As the bus went by it ~ed us with mud*, καθώς τό λεωφορεῖο προσπέρασε μᾶς γέμισε λάσπες. **2**. πέφτω/χτυπῶ στάλα-στάλα: *We heard the rain ~ing down on the tin roof*, ἀκούγαμε τή βροχή νά χτυπάη στούς τσίγγους τῆς στέγης. __*οὐσ.* ‹C› πιτσίλισμα, ψιχάλα, (*μεταφ.*) βροχή: *a ~ of rain*, μιά ψιχάλα. *a ~ of bullets*, βροχή σφαῖρες.

spat·ula /ˋspætjʊlə/ *οὐσ.* ‹C› σπάτουλα.

spawn /spɔn/ *οὐσ.* ‹U› **1**. αὐγά/γόνος (ψαριῶν, βατράχων). **2**. μυκήλλιον (μύκητος). __*ρ.μ/ὰ.* (*γιά ψάρι*) γεννῶ, (*γιά ἄνθρ.*) γεννοβολῶ (δημιουργῶ/παράγω πληθωρικά), προκαλῶ: *departments which ~ committees and subcommittees*, ὑπηρεσίες πού δημιουργοῦν ἕνα σωρό ἐπιτροπές και ὑποεπιτροπές. *Dirt ~s disease*, ἡ ἀκαθαρσία προκαλεῖ ἀρρώστειες.

speak /spik/ *ρ.μ/ὰ. ἀνώμ.* (*ἀόρ. spoke* /spəʊk/, *π.μ. spoken* /ˋspəʊkən/) **1**. μιλῶ: *Please ~ more slowly*, παρακαλῶ, μιλᾶτε πιό ἀργά. *'Who's ~ing?' 'Smith ~ing.'* (*στό τηλέφωνο*) -Ποιός εἶναι ἐκεῖ; -Ἐδῶ Σμίθ. ***~ for sb***, *(α)* μιλῶ ἐκ μέρους κάποιου. *(β)* μιλῶ ὑπέρ κάποιου. ***~ for oneself***, μιλῶ γιά λογαριασμό μου, γιά τόν ἑαυτό μου: *I'm ~ing for myself, not for my brother*, μιλῶ γιά τόν ἑαυτό μου, ὄχι γιά λογαριασμό τοῦ ἀδελφοῦ μου. ***~ to sb about sth***, *(α)* μιλῶ σέ κπ γιά κτ: *I was ~ing to him about my plans*, τοῦ μιλοῦσα γιά τά σχέδιά μου. *(β)* κάνω παρατηρήσεις σέ κπ: *She's late again – I must ~ to her about it*, ἄργησε πάλι – πρέπει νά τῆς κάνω παρατήρηση γι' αὐτό. ***~ to sth***, *(α)* ἐπιβεβαιῶ κτ: *She spoke to his having been at the scene of the crime*, ἐπιβεβαίωσε ὅτι αὐτός ἦταν στόν τόπο τοῦ ἐγκλήματος. *(β)* μιλῶ σχετικά μέ κτ: *He spoke to the subject*, μίλησε ἐπί τοῦ θέματος (χωρίς παρεκβάσεις). ***~ with sb about sth***, συνομιλῶ/κουβεντιάζω μέ κπ γιά κτ. ***~ out/up***, *(α)* μιλῶ δυνατώτερα. *(β)* μιλῶ καθαρά καί ξάστερα. ***be well/highly spoken of***, ἔχω καλή φήμη, μιλᾶνε μέ καλά λόγια γιά μένα. ***strictly/***

roughly/generally* ~ing**, ἀκριβολογώντας/μιλώντας πρόχειρα/γενικά. ***not be on ~ing terms with sb, δέν μιλῶ μέ κπ (ἤ *(α)* γιατί δέν τό ξέρω καλά, ἤ *(β)* γιατί ἔχω μαλώσει μαζί του). ***nothing to ~ of***, τίποτα ἄξιον λόγου. ***so to ~***, οὕτως εἰπεῖν, σά νά λέμε: *You are, so to ~, one of the family*, εἶσαι, σά νά λέμε, τῆς οἰκογενείας. **ˋ~·ing-trumpet**, χωνί βαρυκοΐας. **ˋ~·ing-tube**, φωναγωγός. **2**. μιλῶ (= ἐκφράζω, δείχνω, μαρτυρῶ): *Actions ~ louder than words*, τά ἔργα μιλᾶνε δυνατώτερα ἀπό τά λόγια. *The portrait ~s/is a ~ing likeness*, τό πορτραῖτο μιλάει/εἶναι ὁλοζώντανο. *The facts ~ for themselves*, τά γεγονότα μιλᾶνε μόνα τους. **~ *volumes for***, μαρτυρῶ, λέω πολλά γιά: *This action ~s volumes for his honesty*, αὐτή ἡ πρᾶξις λέει πολλά γιά τήν τιμιότητά του/ἀποτελεῖ ἀναμφισβήτητη ἀπόδειξη τῆς τιμιότητάς του. **~ *well for***, ἀποδεικνύω: *The portrait ~s well for his skill*, τό πορτραῖτο δείχνει τή μαστοριά του. **3**. προφέρω, λέγω: *When he spoke these words*, ὅταν πρόφερε αὐτά τά λόγια... *Not a word was spoken*, δέν εἰπώθηκε οὔτε μιά λέξη. **~ *one's mind***, λέω τή γνώμη μου εἰλικρινά/χωρίς περιστροφές. **~ *the truth***, λέω τήν ἀλήθεια. **4**. μιλῶ (γλῶσσα): *Do you ~ English?* μιλᾶτε Ἀγγλικά; *Is English spoken here?* μιλοῦν Ἀγγλικά ἐδῶ; **5**. (*ναυτ.*) μιλῶ σέ πλοῖο, ἀνταλλάσσω πληροφορίες (μέ σήματα, κλπ). **6**. ἐκφωνῶ λόγο, ἀγορεύω, λαμβάνω τό λόγο: *He's good at ~ing in public*, εἶναι καλός νά ἐκφωνῆ λόγους. *He spoke at the meeting*, μίλησε στή συγκέντρωση. **ˋ~er** *οὐσ.* ‹C› *(α)* ὁμιλητής, ρήτωρ. *(β)* μεγάφωνο. **the S~er**, ὁ Πρόεδρος τῆς Βουλῆς. **ˋ~er·ship** /-ʃɪp/ *οὐσ.* ‹C,U› ἀξίωμα/διάρκεια τοῦ ἀξιώματος τοῦ Προέδρου τῆς Βουλῆς.

spear /ˋspɪə(r)/ *οὐσ.* ‹C› δόρυ, ἀκόντιο, λόγχη, καμάκι, μίσχος (φυτοῦ). __*ρ.μ.* λογχίζω, τρυπῶ μέ ἀκόντιο, καμακώνω. **ˋ~-head** *οὐσ.* ‹C› αἰχμή δόρατος, (*μεταφ.*) αἰχμή ἐπιθέσεως. __*ρ.μ.* ἀποτελῶ τήν αἰχμή: *Armoured vehicles ~-headed the offensive*, τά τεθωρακισμένα ἀποτέλεσαν τήν αἰχμή τῆς ἐπιθέσεως.

spear·mint /ˋspɪəmɪnt/ *οὐσ.* ‹U› δυόσμος.

spec /spek/ *οὐσ.* (*καθομ., βραχυλ. γιά*) *speculation*. ***on ~***, στά κουτουρού.

special /ˋspeʃl/ *ἐπ.* **1**. εἰδικός, ἰδιαίτερος, ἔκτακτος: *He did it for her as a ~ favour*, τὄκανε γι' αὐτή σάν εἰδική χάρη. *make a ~ study of a subject*, εἰδικεύομαι σ' ἕνα θέμα. *What are your ~ interests?* ποιά εἶναι τά ἰδιαίτερα ἐνδιαφέροντά σου; *put on ~ trains*, βάζω ἔκτακτες ἁμαξοστοιχίες. **~ constable**, ἔκτακτος ἀστυνομικός. **~ correspondent**, εἰδικός ἀπεσταλμένος (ἐφημερίδος). **~ delivery**, (*γιά ταχυδρομεῖο*) ἐξπρές. **~ licence**, ἄδεια γάμου κατ' οἰκονομίαν. **2**. ξεχωριστός, ἰδιαίτερος: *take ~ care*, φροντίζω ξεχωριστά, λαμβάνω ἰδιαίτερη φροντίδα. *~ treatment*, ἰδιαίτερη μεταχείρισις. __*οὐσ.* ‹C› ἔκτακτος ἀστυνομικός, ἔκτακτη ἁμαξοστοιχία, ἔκτακτη ἔκδοσις ἐφημερίδος. **~ly** /-ʃəlɪ/ *ἐπίρ.* εἰδικά: *I came here ~ly to see you*, ἦλθα ἐδῶ εἰδικά γιά νά σέ δῶ. **~·ist** /-ʃəlɪst/ *οὐσ.* ‹C› εἰδικός, εἰδικευμένος: *an ˋeye ~ist*, εἰδικός ὀφθαλμολόγος. *He's a ~ist in plastic surgery*, εἶναι εἰδικός στίς πλαστικές ἐγχειρήσεις.

spe·ci·al·ity /ˈspeʃɪˋælətɪ/ *οὐσ.* ‹C› **1**. ἰδιαίτερο χαρακτηριστικό. **2**. (*ἐπίσης:* **spe·cialty** /ˋspeʃəltɪ/) εἰδικότης: *Embroidery is her ~*, τό κέντημα εἶναι ἡ εἰδικότητά της, ἔχει εἰδικότητα στό κέντημα.

spe·cial·ize /ˋspeʃəlaɪz/ *ρ.μ/ἀ.* **~ *(in sth)***, εἰδικεύω/-ομαι, ἐξειδικεύω: *~ in Greek history*, εἰδικεύομαι στήν Ἑλληνική Ἱστορία. *~d knowledge*, ἐξειδικευμένες γνώσεις. **spe·cial·iz·ation** /ˈspeʃəlaɪˋzeɪʃn/ *οὐσ.* ‹C,U› (ἐξ)ειδίκευσις.

spe·cialty /ˋspeʃəltɪ/ *οὐσ.* ‹C› *βλ. speciality (2)*.

specie /ˋspiʃi/ *οὐσ.* ‹U› κέρματα: *payment in ~*, πληρωμή μέ κέρματα.

spe·cies /ˋspiʃiz/ *οὐσ.* ‹C› (*ἀμετάβλ. εἰς πληθ.*) **1**. εἶδος, γένος: *the human ~*, τό ἀνθρώπινον γένος. *The 'Origin of ˋS~*, ἡ Καταγωγή τῶν Εἰδῶν (τό κλασσικό ἔργο τοῦ Δαρβίνου). **2**. εἶδος, τύπος: *weapons of various ~*, ὅπλα διαφόρων εἰδῶν. *Blackmail is a ~ of crime*, ὁ ἐκβιασμός εἶναι ἕνα εἶδος ἐγκλήματος.

spe·ci·fic /spəˋsɪfɪk/ *ἐπ.* εἰδικός, ἰδιάζων, εἰδοποιός, συγκεκριμένος, ρητός, σαφής: *a ~ distinction*, εἰδοποιός διαφορά. *What are your ~ aims?* ποιοί εἶναι οἱ συγκεκριμένοι σκοποί σου; *The money is to be used for a ~ purpose*, τά χρήματα πρέπει νά χρησιμοποιηθοῦν γιά ἕναν εἰδικό/συγκεκριμένο σκοπό. *I have ~ instructions about it*, ἔχω σαφεῖς/ρητές ὁδηγίες γι' αὐτό. **~ gravity/weight**, εἰδικόν βάρος. **~ name**, (*βιολ.*) ἰδιάζον (ἴδιον) ὄνομα. **~ remedy**, εἰδικό φάρμακο. __*οὐσ.* ‹C› εἰδικό φάρμακο: *Quinine is a ~ for malaria*, ἡ κινίνη εἶναι εἰδικό φάρμακο κατά τῆς ἑλονοσίας. **~ally** /-klɪ/ *ἐπίρ.* εἰδικά, συγκεκριμένα, κατηγορηματικά.

spec·ifi·ca·tion /ˈspesɪfɪˋkeɪʃn/ *οὐσ.* **1**. ‹U› (ἐξ)ειδίκευσις. **2**. (*συνήθ. πληθ.*) προδιαγραφή, χαρακτηριστικόν, προσδιορισμός, καθορισμός, περιγραφή: *~s of a patent*, εἰδική περιγραφή (προσδιορισμός) ἑνός προνομίου. *~s for building a garage*, προδιαγραφή γιά τήν ἀνέγερση γκαράζ. *~s of work to be done*, συγγραφή ὑποχρεώσεων ἔργου. *technical ~s of a new car*, τεχνικά χαρακτηριστικά ἑνός νέου αὐτοκινήτου.

spec·ify /ˋspesɪfaɪ/ *ρ.μ.* (καθ)ορίζω, προδιαγράφω, ἀναφέρω λεπτομερῶς: *This is specified in the contract*, αὐτό ὁρίζεται ρητῶς εἰς τό συμβόλαιον.

speci·men /ˋspesɪmən/ *οὐσ.* ‹C› **1**. δεῖγμα: *~s of ores*, δείγματα μεταλλευμάτων. *a ~ of one's urine/blood*, δεῖγμα οὔρων/αἵματος. **ˈ~ ˋcopy**, ἀντίτυπο πρός ἐνημέρωσιν. **2**. (*καθομ., γιά ἄνθρ.*) τύπος: *What a queer ~ he is!* τί περίεργος τύπος πού εἶναι!

spe·cious /ˋspiʃəs/ *ἐπ.* ἀπατηλός, εὔσχημος (μόνον κατ' ἐπίφασιν ὀρθός), ἀληθοφανής: *a ~ argument*, ἀπατηλό (παραπειστικό) ἐπιχείρημα. *a ~ reason*, εὔσχημη αἰτία. **~·ly** *ἐπίρ.* ἀπατηλά, εὐσχήμως. **~·ness** *οὐσ.* ‹U› ἀληθοφάνεια, ἀπατηλή ἐντύπωσις.

speck /spek/ *οὐσ.* ‹C› κηλίδα, μόριον, ψῆγμα, κουκίδα, στίγμα: *a ~ of ink*, κηλίδα μελανιοῦ. *a ~ of dust*, μόριο σκόνης. *a ~ of gold*, ψῆγμα χρυσοῦ. *The ship was a mere ~*

on the horizon, τό πλοῖο ἦταν μονάχα μιά κουκίδα στόν ὁρίζοντα. *see ~s in front of one's eyes*, βλέπω στίγματα μπροστά στά μάτια μου. **~ed** *ἐπ.* σημαδεμένος, διάστικτος. **~less** *ἐπ.* ἀκηλίδωτος.

speckle /ˈspekl/ *οὐσ.* ‹C› στίγμα, σημαδάκι, πιτσίλα: *~s on a bird's plumage*, στίγματα/πιτσίλες στά φτερά πουλιοῦ. **~d** *ἐπ.* πιτσιλωτός, διάστικτος: *the ~d skin of a snake*, τό διάστικτο δέρμα ἑνός φιδιοῦ.

specs /speks/ *οὐσ. πληθ.* (*καθομ., βραχυλ. γιά spectacles (2)*). ματογυάλια: *Where are my ~?* ποῦ εἶναι τά γυαλιά μου;

spec·tacle /ˈspektəkl/ *οὐσ.* ‹C› **1.** θέαμα: *The marching soldiers were a fine ~*, οἱ στρατιῶτες πού παρήλαυναν ἦταν ὡραῖο θέαμα. *The burning house was a terrible ~*, τό καιόμενο σπίτι ἦταν τρομερό θέαμα. *The drunken man was a sad ~*, ὁ μεθυσμένος παρουσίαζε θλιβερό θέαμα. ***make a ~ of oneself***, γίνομαι θέαμα, γελοιοποιοῦμαι. **2.** (*πληθ.*) γυαλιά: *a pair of ~s*, ἕνα ζευγάρι ματογυάλια. ***see everything through rose-coloured ~s***, (*μεταφ.*) τά βλέπω ὅλα ρόδινα. **~d** *ἐπ.* διοπτροφόρος.

spec·tacu·lar /spekˈtækjʊlə(r)/ *ἐπ.* θεαματικός, ἐκπληκτικός: *a ~ jump*, θεαματικό ἅλμα. *a ~ achievement*, ἐκπληκτικό ἐπίτευγμα. **~·ly** *ἐπίρ.* θεαματικά.

spec·ta·tor /spekˈteɪtə(r)/ *οὐσ.* ‹C› θεατής.

spec·tral /ˈspektrəl/ *ἐπ.* φασματικός, σά φάντασμα: *a ~ ship*, ἕνα πλοῖο-φάντασμα. *~ analysis*, φασματική ἀνάλυσις. *the ~ colours*, τά χρώματα τοῦ φάσματος.

spectre /ˈspektə(r)/ *οὐσ.* ‹C› φάσμα, φάντασμα: *the ~ of war/famine*, τό φάσμα τοῦ πολέμου/τοῦ λιμοῦ. *a living ~*, ζωντανό φάντασμα.

spec·tro·scope /ˈspektrəskəʊp/ *οὐσ.* ‹C› φασματοσκόπιον. **spec·tro·scopic** /ˌspektrəˈskɒpɪk/ *ἐπ.* φασματοσκοπικός.

spec·trum /ˈspektrəm/ *οὐσ.* ‹C› (*πληθ. -tra* /-trə/) (*φυσ.*) φάσμα, (*μεταφ.*) φάσμα, ἔκτασις, κλίμακα: *the whole ~ of modern philosophical thought*, τό ὅλον φάσμα (ὅλη ἡ κλίμακα) τῆς σύγχρονης φιλοσοφίας.

specu·late /ˈspekjʊleɪt/ *ρ.ἀ.* **1.** *~* (***about/upon***), διαλογίζομαι, κάνω ὑποθέσεις/σκέψεις: *~ about the future of mankind*, κάνω σκέψεις γιά τό μέλλον τῆς ἀνθρωπότητος. **2.** κερδοσκοπῶ, σπεκουλάρω: *~ on the Stock Exchange*, κερδοσκοπῶ/παίζω στό Χρηματιστήριο. **specu·la·tor** /-tə(r)/ *οὐσ.* ‹C› κερδοσκόπος, σπεκουλαδόρος.

specu·la·tion /ˌspekjʊˈleɪʃn/ *οὐσ.* ‹C,U› **1.** διαλογισμός, σκέψις, θεώρησις, ὑπόθεσις, εἰκοτολογία: *break in upon sb's ~s*, διακόπτω τούς διαλογισμούς/τή ρέμβη κάποιου. *~s about life on Mars*, ὑποθέσεις γιά τήν ὕπαρξη ζωῆς στόν Ἄρη. ***on ~*** (*καθομ.* ***on spec***), στήν τύχη, στά κουτουρού, κατ' εἰκασίαν. **2.** κερδοσκοπία: *a good ~*, καλή δουλειά/καλό κόλπο. *buy sth as a ~*, ἀγοράζω κτ γιά κερδοσκοπία.

specu·la·tive /ˈspekjʊlətɪv/ *ἐπ.* **1.** θεωρητικός, ὑποθετικός, ἀναπόδεικτος: *~ philosophy*, θεωρητική φιλοσοφία. *~ assumptions*, ἀναπόδεικτες ὑποθέσεις. **2.** κερδοσκοπικός: *~ purchases*, κερδοσκοπικές ἀγορές. **~·ly** *ἐπίρ.* θεωρητικά, κερδοσκοπικά.

sped /sped/ *ἀόρ. & π.μ. τοῦ ρ.* [2]*speed.*

speech /spiːtʃ/ *οὐσ.* **1.** ‹U› λόγος, ὁμιλία, λαλιά, μιλιά: *Man is the only animal that has the faculty of ~*, ὁ ἄνθρωπος εἶναι τό μόνο ζῶον πού ἔχει τήν ἱκανότητα τοῦ λόγου. *Fear deprived him of ~*, ἔχασε τή λαλιά του ἀπό τό φόβο. **2.** ‹C› λόγος, ἀγόρευσις: *make a ~ on/about sth*, βγάζω λόγο γιά κτ. *an after-dinner ~*, λόγος κατά τά ἐπιδόρπια. **maiden ~**, παρθενικός λόγος (στή Βουλή). **freedom of ~**, ἐλευθερία τοῦ λόγου. **direct/indirect ~**, (*γραμμ.*) εὐθύς/πλάγιος λόγος. **ˈ~-day**, (*σχολ.*) ἑορτή ἀπονομῆς τῶν βραβείων καί ἐνδεικτικῶν. **~·less** *ἐπ.* ἄφωνος, ἄναυδος, βουβός, ἄλαλος: *~less with rage*, ἄφωνος ἀπό θυμό. *~less rage*, βουβή λύσσα. **~·less·ly** *ἐπίρ.* ἄφωνα, βουβά, ἄναυδα. **~less·ness** *οὐσ.* ‹U› βουβαμάρα. **~·ify** /ˈspiːtʃɪfaɪ/ *ρ.ἀ.* ρητορεύω, ἀγορεύω, βγάζω δεκάρικους.

[1]**speed** /spiːd/ *οὐσ.* ‹C,U› **1.** ταχύτης, σπουδή, γρηγοράδα: *It's dangerous to corner at ~*, εἶναι ἐπικίνδυνο νά παίρνης μιά στροφή μέ ταχύτητα. ***at full/top ~***, ὁλοταχῶς. ***at (a) high/low ~***, μέ μεγάλη/μικρή ταχύτητα. ***pick up ~***, ἀναπτύσσω ταχύτητα. ***More haste, less ~***, (*παροιμ.*) σπεῦδε βραδέως. **2.** (*λαϊκ.*) ναρκωτικά. **3.** (*σέ σύνθ. λέξεις*): **ˈ~-boat**, ταχύπλοη βενζινάκατος, κρίς-κράφτ. **ˈ~-cop**, (*λαϊκ.*) τροχαῖος ἀστυφύλακας. **ˈ~-indicator**, (*αὐτοκ.*) ταχύμετρο, κοντέρ. **ˈ~-limit**, ὅριο ταχύτητος. **ˈ~ merchant**, (*λαϊκ.*) ὁδηγός πού τρέχει τρελλά. **ˈ~·way**, *(α)* πίστα ἀγώνων μοτοσυκλεττῶν ἤ αὐτοκινήτων. *(β)* (*ΗΠΑ*) αὐτοκινητόδρομος.

[2]**speed** /spiːd/ *ρ.μ/ἀ. ἀνώμ.* (*ἀόρ. & π.μ. sped* /sped/) **1.** σπεύδω, τρέχω: *He sped down the street*, κατέβηκε τό δρόμο τρέχοντας. *cars ~ing past*, αὐτοκίνητα πού προσπερνᾶνε τρέχοντας ὁλοταχῶς. **2.** ρίχνω, ἐκτοξεύω: *~ an arrow from a bow*, ρίχνω βέλος ἀπό τόξο. **3.** (*ἀπηρχ.*) *God ~ you*, ὁ Θεός νά σοῦ δίνη εὐημερία. **4.** (*ὡς ὁμαλό ρῆμα*) **~ up**, ἐπιταχύνω, δίνω ταχύτητα: *They have ~ed up production*, ἐπιτάχυναν τήν παραγωγή. *He ~ed up the engine*, ἀνέβασε τήν ταχύτητα τῆς μηχανῆς, μαρσάρισε τή μηχανή. *The train soon ~ed up*, τό τραῖνο σέ λίγο ἀνέπτυξε ταχύτητα. **ˈ~-up**, ἐπιτάχυνσις. **~·ing** *οὐσ.* ‹U› ὑπερβολική ταχύτης: *He was fined £10 for ~ing*, τιμωρήθηκε 10 λίρες γιά ὑπερβολική ταχύτητα. **~y** *ἐπ.* *(-ier, -iest)* ταχύς: *wish sb a ~y recovery*, εὔχομαι σέ κπ ταχεῖαν ἀνάρρωσιν.

speed·om·eter /spiˈdɒmɪtə(r)/ *οὐσ.* ‹C› ταχύμετρο, κοντέρ.

spelae·ol·ogy (*καί* **spele-**) /ˌspiːlɪˈɒlədʒɪ/ *οὐσ.* ‹U› σπηλαιολογία. **spelae·ol·ogist** (*καί* **spele-**) *οὐσ.* ‹C› σπηλαιολόγος.

[1]**spell** /spel/ *οὐσ.* ‹C› **1.** ξόρκι, μάγια: *cast a ~ over sb; put a ~ on sb; lay sb under a ~*, κάνω μάγια σέ κπ, μαγεύω κπ. ***break the ~***, λύνω τά μάγια. ***be under a ~***, μοῦ ἔχουν κάμει μάγια. **ˈ~·bound** /-baʊnd/ *ἐπ.* (σά) μαγεμένος: *He held his audience ~bound*, μάγεψε τό ἀκροατήριό του. **ˈ~·binder** /-baɪndə(r)/,

συναρπαστικός ὁμιλητής, μάγος τοῦ λόγου. **2**. γοητεία, μαγεία: *He was under the ~ of her beauty*, βρισκόταν κάτω ἀπό τή γοητεία τῆς ὀμορφιᾶς της. *the mysterious ~ of music*, ἡ μυστηριώδης μαγεία τῆς μουσικῆς.

[2]**spell** /spel/ *οὐσ.* ‹C› περίοδος: *a long ~ of warm weather*, μακρά περίοδος ζεστοῦ καιροῦ. *rest for a (short) ~*, ἀναπαύομαι γιά λίγο. *We are in for a ~ of wet/cold weather*, θά ἔχωμε μιά περίοδο βροχῆς/κρύου. *take ~s at the wheel*, ὁδηγῶ κατά διαστήματα, βοηθῶ τόν ὁδηγό στό τιμόνι. —*ρ.μ.* ἀντικαθιστῶ κπ (σέ δουλειά): *Will you ~ me at the wheel?* θά μέ βοηθήσης στήν ὁδήγηση;

[3]**spell** /spel/ *ρ.μ/ἀ.* (*ἀόρ.* & *π.μ.* *~ed* /speld/ *ἤ spelt* /spelt/) **1**. συλλαβίζω, ὀρθογραφῶ (λέξιν): *~ one's name*, προφέρω τά γράμματα τοῦ ὀνόματός μου ἕνα-ἕνα. *He can't ~*, δέν ξέρει ὀρθογραφία. **2**. *~* ***sth out***, *(α)* συλλαβίζω μέ κόπο: *It took him an hour to ~ out a page of German*, τόν πῆρε μιά ὥρα νά διαβάση συλλαβιστά μιά σελίδα Γερμανικά. *(β)* ἐξηγῶ καθαρά/λεπτομερῶς: *~ out one's request*, ἐξηγῶ καθαρά τί ζητῶ. **3**. συνεπάγομαι, σημαίνω, ἔχω σά συνέπεια: *That would ~ disaster/death for you*, αὐτό θά συνεπήγετο (θά σήμαινε) καταστροφή/θάνατο γιά σένα. *Laziness ~s failure*, ἡ τεμπελιά ἔχει σά συνέπεια τήν ἀποτυχία. **~er** *οὐσ.* ‹C› ὀρθογράφος: *be a good/bad ~er*, εἶμαι καλός/κακός στήν ὀρθογραφία. **~·ing** *οὐσ.* ‹C,U› ὀρθογραφία: *~ing mistakes*, ὀρθογραφικά λάθη.

[1]**spelt** /spelt/ *ἀόρ.* & *π.μ. τοῦ ρ.* [3]*spell*.

[2]**spelt** /spelt/ *οὐσ.* ‹U› καλή ποιότητα σταριοῦ.

spend /spend/ *ρ.μ/ἀ. ἀνώμ.* (*ἀόρ.* & *π.μ. spent* /spent/) **1**. *~* ***money*** *(****on sth****)*, ξοδεύω/δαπανῶ χρήματα (γιά κτ): *She ~s £20 a week/a lot of money on clothes*, ξοδεύει 20 λίρες τή βδομάδα/ἕνα σωρό λεφτά γιά ροῦχα. **'~-thrift**, σπάταλος. **2**. ξοδεύω, διαθέτω, ἀφιερώνω, καταβάλλω, καταναλίσκω: *~ a lot of time and care on sth*, διαθέτω (ἀφιερώνω) πολύ χρόνο καί φροντίδα γιά κτ. *He spent all his energies in trying to...*, κατέβαλε ὅλη του τή δραστηριότητα στήν προσπάθεια νά... *They spent all their ammunition*, κατανάλωσαν ὅλα τους τά πυρομαχικά. **3**. περνῶ (χρόνον): *How do you ~ Sundays/your leisure?* πῶς περνᾶς τίς Κυριακές σου/τή σχόλη σου; **~er** *οὐσ.* ‹C› ἄνθρωπος πού ξοδεύει: *He's an extravagant ~er*, ξοδεύει σπάταλα. **spent** *ἐπ.* ἐξαντλημένος, χρησιμοποιημένος: *a spent horse/runner/swimmer*, ἐξαντλημένο ἄλογο/-ος δρομεύς/κολυμβητής. *a spent cartridge*, ἄδειο (χρησιμοποιημένο) φυσίγγι.

sperm /spɜm/ *οὐσ.* ‹C› (*πληθ.* *~s ἤ ~*) (*φυσιολ.*) σπέρμα (ἄρρενος). **sper·mato·zoa** /ˈspɜmətəˈzəʊə/ *οὐσ. πληθ.* σπερματόζωα.

spew /spju/ *ρ.μ/ἀ.* ξερνῶ.

sphere /sfɪə(r)/ *οὐσ.* ‹C› **1**. (*ἀστρον.*) σφαῖρα: *celestial ~s*, οὐράνιες σφαῖρες, ἄστρα. **2**. τομεύς, σφαῖρα, κύκλος, περιοχή (δράσεως, συμφερόντων, κλπ): *He is distinguished in many ~s*, ἔχει διακριθῆ σέ πολλούς τομεῖς. *~s of influence*, σφαῖρες ἐπιρροῆς. *That lies outside the ~ of my activities/interests*, αὐτό βρίσκεται ἔξω ἀπό τόν κύκλο τῶν δραστηριοτήτων μου/τῶν ἐνδιαφερόντων μου. **spheri·cal** /ˈsferɪkl/ *ἐπ.* σφαιρικός. **sphe·roid** /ˈsfɪərɔɪd/ *οὐσ.* ‹C› & *ἐπ.* σφαιροειδής.

sphinx /sfɪŋks/ *οὐσ.* ‹C› σφίγγα.

spice /spaɪs/ *οὐσ.* ‹C,U› **1**. μπαχαρικό, καρύκευμα, (*μεταφ.*) νοστιμιά: *mixed ~(s)*, ἀνάμικτα μπαχαρικά. *Don't put too much ~ in the cake*, μή βάζης πολλά καρυκεύματα στό κέκ. *the ~ of adventure*, ἡ νοστιμιά τῆς περιπέτειας. **2**. ἴχνος, δόσις: *She has a ~ of malice in her character*, ἔχει μιά δόση κακεντρέχειας στό χαρακτῆρα της. —*ρ.μ.* καρυκεύω, νοστιμεύω: *stories ~d with humour*, ἱστορίες καρυκευμένες μέ χιοῦμορ. **spicy** *ἐπ.* *(-ier, -iest)* καρυκευμένος, (*μεταφ.*) πικάντικος, τολμηρός: *spicy details*, πικάντικες (σκαμπρόζικες) λεπτομέρειες. **spic·ily** /-əlɪ/ *ἐπίρ.* **spici·ness** *οὐσ.* ‹U› γευστικότης, νοστιμιά.

spick /spɪk/ *ἐπ.* (*μόνο στή φρ.*) *~* ***and span***, πεντακάθαρος, ἄψογος, στήν τρίχα, τοῦ κουτιοῦ.

spi·der /ˈspaɪdə(r)/ *οὐσ.* ‹C› ἀράχνη. **~y** *ἐπ.* ἀράχνινος, ἀραχνοειδής.

spiel /ʃpil/ *ρ.μ/ἀ.* (*λαϊκ.*) παρλάρω. —*οὐσ.* ‹U› πάρλα, πειστική ὁμιλία.

spigot /ˈspɪgət/ *οὐσ.* ‹C› πεῖρος (βαρελιοῦ), κάνουλα.

spike /spaɪk/ *οὐσ.* ‹C› **1**. μύτη, καρφί (ἀθλητικῶν παπουτσιῶν), ἀκίδα (σέ κάγκελα). *a ~ heel*, ψηλό μυτερό τακούνι. **2**. στάχυ: *~s of lavender*, ἄνθη λεβάντας. —*ρ.μ.* βάζω καρφιά, τρυπῶ μέ καρφί: *~d running-shoes*, παπούτσια δρομέων μέ καρφιά. *~* ***sb's guns***, ἐξουδετερώνω τά σχέδια κάποιου, τόν κάνω ἀνίκανο νά βλάψη. **spiky** *ἐπ.* *(-ier, -iest)* ἀγκαθωτός, μυτερός, (*μεταφ. γιά ἄνθρ.*) δύσκολος, δυσκολομεταχείριστος.

[1]**spill** /spɪl/ *ρ.μ/ἀ. ἀνώμ.* (*ἀόρ.* & *π.μ. spilt* /spɪlt/ ἤ *~ed*) **1**. χύνω/-ομαι: *Who has spilt/~ed the milk?* ποιός ἔχυσε τό γάλα; *The ink has spilt on the desk*, τό μελάνι χύθηκε στό γραφεῖο. *~* ***blood***, χύνω αἷμα. (*βλ.* & *λ. bean*). **2**. (*γιά ἄλογο, ὄχημα, κλπ*) ρίχνω, πετῶ, ἀδειάζω: *His horse spilt him*, τό ἄλογό του τόν ἔρριξε. *We were all spilt into the ditch*, πεταχτήκαμε ὅλοι στό χαντάκι. —*οὐσ.* ‹C› πτῶσις (ἀπό ἄλογο, ὄχημα, κλπ): *I had a nasty ~*, ἔφαγα μιά ἄσχημη τούμπα. **'~-over**, ξεχείλισμα, πλεόνασμα: *new towns for London's ~over (population)*, νέες πόλεις γιά τόν πλεονάζοντα πληθυσμό τοῦ Λονδίνου. **'~·way**, ὑπερχειλιστήρ, διάρρους.

[2]**spill** /spɪl/ *οὐσ.* ‹C› ξυλαράκι, στριμμένο χαρτί (γιά τό ἄναμμα τσιμπουκιοῦ, λάμπας, κλπ).

spilt /spɪlt/ *ἀόρ.* & *π.μ. τοῦ ρ.* [1]*spill*.

spin /spɪn/ *ρ.μ/ἀ. ἀνώμ.* *(-nn-)* (*ἀόρ. spun* /spʌn/ *ἤ span* /spæn/, *π.μ. spun*) **1**. γνέθω, κλώθω: *~ wool/yarn*, γνέθω μαλλί/φτιάχνω νῆμα. **'~·ning-factory/-mill**, κλωστήριον. **'~·ing-wheel**, ἀνέμη. **2**. ὑφαίνω: *spiders ~ning their webs*, ἀράχνες πού ὑφαίνουν τόν ἱστό τους. *silkworms ~ning cocoons*, μεταξοσκώληκες πού ὑφαίνουν κουκούλι. **3**. (*μεταφ.*) *~* ***a yarn***, ἀφηγοῦμαι ἱστορίες. *~* ***sth out***, παρατείνω, τραβῶ κτ σέ μάκρος: *~ out the time by talking*, περνῶ τήν ὥρα μέ τήν κουβέντα. *~ out one's farewells*, παρατείνω τά ἀποχαιρετιστήρια. *make one's money ~ out until pay-day*, κάνω τά λεφτά μου νά φτάσουν ὥς τήν ἡμέρα τῆς μισθοδοσίας. **4**. στριφογυρίζω, στρίβω, στροβιλίζω, σβουρίζω: *My head is ~ning*, τό κεφάλι μου (στριφο)γυρίζει. *~ a top/a coin*, στρίβω μιά σβούρα/ἕνα νόμισμα. *The blow sent him ~ning to the wall*, τό χτύπημα τόν ἔστειλε σά σβούρα στόν τοῖχο. **5**. γυρίζω ἀπότομα, κινοῦμαι ταχέως: *He spun round*, γύρισε ἀπότομα/σά σβούρα. *The carriage was ~ning along at a good speed*, ἡ ἅμαξα ἔτρεχε μέ μεγάλη ταχύτητα. —*οὐσ.* ‹C› *(α)* στριφογύρισμα, στρίψιμο, σβούρισμα: *give a ~ to the ball*, σβουρίζω τή μπάλλα *(β)* βόλτα μέ ὄχημα: *have/go for a ~*, πάω βόλτα (μέ αὐτοκίνητο, κλπ). *(γ)* (*γιά ἀεροπλάνο*) σπινάρισμα. ***in a flat ~***, σέ πανικό, πανικόβλητος.

spin·ach /ˈspɪnɪdʒ/ *οὐσ.* ‹U› σπανάκι.

spi·nal /ˈspaɪnl/ *ἐπ.* σπονδυλικός: *the ~ column*, ἡ σπονδυλική στήλη. *the ~ cord*, ὁ νωτιαῖος μυελός. *a ~ injury*, κάταγμα στή σπονδυλική στήλη.

spindle /ˈspɪndl/ *οὐσ.* ‹C› ἀδράχτι, ἄξονας. **ˈ~-legged/-shanked** *ἐπ.* καλαμοπόδαρος. **spin·dly** /ˈspɪndlɪ/ *ἐπ.* ψιλόλιγνος, μακρύς καί λεπτός.

spin·drift /ˈspɪndrɪft/ *οὐσ.* ‹U› μπουχός (τῆς θάλασσας), σταγονίδια ἀφροῦ (κύματος).

spine /spaɪn/ *οὐσ.* ‹C› **1**. σπονδυλική στήλη. **2**. ράχη (βιβλίου). **3**. ἀγκάθι (σκαντζόχοιρου, κάκτου, κλπ). **~·less** *ἐπ.* ἀσπόνδυλος, (*μεταφ.*) ἄβουλος. **spiny** *ἐπ.* *(-ier, -iest)* ἀγκαθωτός, ἀκανθώδης.

spin·ney /ˈspɪnɪ/ *οὐσ.* ‹C› (*πληθ.* *~s*) λόχμη, λόγγος.

spin·ster /ˈspɪnstə(r)/ *οὐσ.* ‹C› γεροντοκόρη, (*νομ.*) ἄγαμος γυναίκα. **ˈ~·hood** /-hʊd/ *οὐσ.* ‹U› ἀγαμία.

spi·ral /ˈspaɪərl/ *ἐπ.* ἑλικοειδής: *A snail's shell is ~*, τό καβούκι ἑνός σαλίγκαρου εἶναι ἑλικοειδές. —*οὐσ.* ‹C› σπεῖρα, ἕλιξ, σπειροειδής γραμμή/κίνησις: *The rocket went up in a ~*, ἡ ρουκέτα ἀνέβηκε ἑλικοειδῶς. —*ρ.ἀ.* *(-ll-)* κινοῦμαι, ἀνέρχομαι ἑλικοειδῶς: *The smoke ~led up*, ὁ καπνός ἀνέβηκε ψηλά σπειροειδῶς. *Prices are still ~ling*, οἱ τιμές ἐξακολουθοῦν ν' ἀνεβαίνουν.

spire /ˈspaɪə(r)/ *οὐσ.* ‹C› ὀβελίσκος, βέλος (κτίσματος).

spirit /ˈspɪrɪt/ *οὐσ.* ‹C,U› **1**. πνεῦμα: *the poor in ~*, οἱ πτωχοί τῷ πνεύματι. *I'll be with you in (the) ~*, θά εἶμαι μαζί σου μέ τή σκέψη μου. ***The ~ is willing but the flesh is weak***, τό μέν πνεῦμα πρόθυμον ἡ δέ σάρξ ἀσθενής. **2**. πνεῦμα, ἀσώματο ὄν, φάντασμα: *God is pure ~*, ὁ Θεός εἶναι καθαρόν πνεῦμα. *believe in ~s*, πιστεύω στά πνεύματα. **the evil ~**, τό πονηρόν πνεῦμα. **the Holy S~**, τό Ἅγιον Πνεῦμα. **ˈ~-rapper**, μέντιουμ. **3**. (*πάντα μέ ἐπ.*) ἄνθρωπος, πνεῦμα, προσωπικότης: *What a noble/generous ~ he is!* τί εὐγενικός/γενναιόφρων ἄνθρωπος πού εἶναι! *He was one of the leading ~s of the Reform Movement*, ἦταν ἕνας ἀπό τούς πρωτεργάτες τῆς Μεταρρύθμισης. **4**. πνεῦμα, διάθεσις, στάσις: *the ~ of change/of the times*, τό πνεῦμα τῆς ἀλλαγῆς/τῆς ἐποχῆς. *obey the ~, not the letter of the law*, ὑπακούω στό πνεῦμα, ὄχι στό γράμμα τοῦ νόμου. *in a ~ of mischief*, μέ διάθεση ζαβολιᾶς, μέ σκανταλιάρικο πνεῦμα. ***take sth in the wrong ~***, παίρνω κτ στραβά, παρεξηγῶ κτ. ***That's the ~!*** ἔτσι μπράβο! αὐτή εἶναι ἡ σωστή στάσις! **5**. ζωντάνια, ψυχή, καρδιά, κουράγιο: *Put a little more ~ into your work*, βάλε λίγη ψυχή ἀκόμα στή δουλειά σου! *You haven't the ~ of a mouse!* δέν ἔχεις οὔτε τό κουράγιο ποντικοῦ! **6**. (*πληθ.*) διάθεσις, κέφι. ***be in high ~s***, ἔχω κέφια. ***be in low/poor ~s; be out of ~s***, εἶμαι ἄκεφος. ***keep up one's ~s***, διατηρῶ τό ἠθικό μου. **7**. οἰνόπνευμα, οἰνοπνευματῶδες ποτό: *I drink no ~(s)*, δέν πίνω οἰνοπνευματώδη. **ˈ~-lamp/-stove**, λάμπα/καμινέτο οἰνοπνεύματος. **ˈ~-level**, ἀλφάδι. —*ρ.μ.* ***~ sb/sth away/off***, ἐξαφανίζω μυστηριωδῶς ἤ γρήγορα: *The police ~ed him away before the crowd could reach him*, ἡ ἀστυνομία τόν πῆρε στά γρήγορα πρίν τόν προλάβη τό πλῆθος. *as if he were ~ed off to another planet*, σά νά μεταφέρθηκε διά μαγείας σ' ἕναν ἄλλο πλανήτη. **~ed** /ˈspɪrɪtɪd/ *ἐπ.* *(α)* τολμηρός, πνευματώδης, νευρώδης, ζωηρός: *a ~ed attack*, μιά τολμηρή ἐπίθεσις. *a ~ed reply*, πνευματώδης ἀπάντησις. *a ~ed horse/conversation*, ζωηρό ἄλογο/-ή συζήτησις. *(β)* (*ὡς β! συνθ.*) μέ κέφι: *ˈhigh-/ˈlow-~ed*, κεφᾶτος/ἄκεφος. **~·less** *ἐπ.* ἄτολμος, ἄψυχος, ἄκεφος.

spiri·tual /ˈspɪrɪtʃʊəl/ *ἐπ.* **1**. πνευματικός, ψυχικός: *~ power*, πνευματική/ψυχική δύναμις. *I'm concerned about your ~ welfare*, γνοιάζομαι γιά τήν πνευματική σου προκοπή/γιά τήν ψυχική σου ὑγεία. **2**. ἐκκλησιαστικός, κληρικός: *lords ~*, κληρικοί λόρδοι. —*οὐσ.* ‹C› νέγρικο θρησκευτικό τραγούδι. **~·ly** /-tʃʊlɪ/ *ἐπίρ.* πνευματικά. **~·ity** /ˈspɪrɪtʃʊˈælətɪ/ *οὐσ.* ‹U› πνευματικότης, θρησκευτικότης.

spiri·tu·al·ism /ˈspɪrɪtʃʊlɪzm/ *οὐσ.* ‹U› πνευματισμός. **spiri·tu·al·ist** /-ɪst/ *οὐσ.* ‹C› πνευματιστής. **spiri·tu·al·is·tic** /ˈspɪrɪtʃʊˈlɪstɪk/ *ἐπ.* πνευματιστικός.

spiri·tu·al·ize /ˈspɪrɪtʃʊlaɪz/ *ρ.μ.* πνευματοποιῶ, ἐξαϋλώνω. **spiri·tu·al·iz·ation** /ˈspɪrɪtʃʊlaɪˈzeɪʃn/ *οὐσ.* ‹U› πνευματοποίησις, ἐξαΰλωσις.

spiri·tu·ous /ˈspɪrɪtjʊəs/ *ἐπ.* οἰνοπνευματώδης, οἰνοπνευματοῦχος: *~ liquors*, οἰνοπνευματώδη ποτά.

spirt /spɜt/ *ρ.ἀ.* & *οὐσ.* ‹C› *βλ.* *spurt*.

[1] **spit** /spɪt/ *οὐσ.* ‹C› **1**. σούβλα. **2**. ἀμμώδης γλῶσσα ξηρᾶς. —*ρ.μ.* *(-tt-)* σουβλίζω.

[2] **spit** /spɪt/ *ρ.μ/ἀ.* *ἀνώμ.* *(-tt-)* (*ἀόρ.* & *π.μ.* *spat* /spæt/) **1**. ***~ (at/upon)***, φτύνω: *If you ~ in a London bus you may be fined £5*, ἄν φτύσης μέσα σ' ἕνα λεωφορεῖο στό Λονδῖνο μπορεῖ νά πληρώσης πέντε λίρες πρόστιμο. *She spat in his face/at him*, τόν ἔφτυσε στό πρόσωπο. **2**. ***~ sth (out)***, βγάζω φτύνοντας, πετῶ (=λέω μέ θυμό ἤ περιφρόνηση), κάνω τό θόρυβο φτυσίματος: *~ blood*, φτύνω αἷμα. *~ out a curse at sb*, πετῶ μιά βλαστήμια σέ κπ. *The baby spat out the pill*, τό μωρό ἔφτυσε τό χάπι. *The guns were ~ting fire*, τά κανόνια ξερνοῦσαν φωτιά. *The cat spat at the dog*, ἡ γάτα ἀγριεύτηκε στό σκύλο (σφύριξε ἐχθρικά). *The engine is ~ting*, ἡ μηχανή ρετάρει.

S~ it out! (*καθομ.*) πές το! ξεφούρνισέ το! **`~-fire**, (*καθομ.*) ἀράθυμος ἄνθρωπος. **3**. (*γιά βροχή, χιόνι*) πέφτω ἐλαφρά: *It isn't raining heavily, only ~ting*, δέν βρέχει δυνατά, ψιχαλίζει μόνο. —*οὐσ.* ‹U› φτύσιμο, σάλιο (ἀνθρώπου ἤ ἐντόμου): *~ and polish*, γυάλισμα, τέλειο καθάρισμα. ***the ~ting image of; the ~ and image of; the dead ~ of***, φτυστός, ὁλόϊδιος: *He's the dead ~ of his father*, εἶναι φτυστός ὁ πατέρας του.

[3]**spit** /spɪt/ *οὐσ.* ‹C,U› βάθος τσάπας: *Dig the garden two ~(s) deep*, σκάψε τόν κῆπο δυό τσάπες βάθος.

spite /spaɪt/ *οὐσ.* ‹U› κακία, ἔχθρα, πεῖσμα: *have a ~ against sb*, ἔχω ἔχθρα γιά κπ. *do sth to satisfy one's ~*, κάνω κτ γιά νά ἱκανοποιήσω τήν κακία μου. ***(do sth) from/out of ~***, (κάνω κτ) ἀπό πεῖσμα. ***in ~ of***, παρά: *in ~ of my advice/efforts*, παρά τίς συμβουλές μου/τίς προσπάθειές μου. —*ρ.μ.* πεισμώνω, φουρκίζω: *He did that just to ~ me*, τὄκανε μόνο καί μόνο γιά νά μέ φουρκίση. **~·ful** /-fl/ *ἐπ.* μοχθηρός, κακεντρεχής. **~·fully** /-flɪ/ *ἐπίρ.* ἐκδικητικά, μοχθηρά. **~·ful·ness** *οὐσ.* ‹U› μοχθηρία, κακία.

spittle /ˈspɪtl/ *οὐσ.* ‹U› σάλιο, φτύμα.

spit·toon /spɪˈtun/ *οὐσ.* ‹C› πτυελοδοχεῖο.

spiv /spɪv/ *οὐσ.* ‹C› (*MB, λαϊκ.*) κομπιναδόρος, ἀεριτζῆς.

splash /splæʃ/ *ρ.μ/ἀ.* **1**. πιτσιλίζω, χτυπῶ/πετῶ (νερά): *This tap ~es*, αὐτή ἡ βρύση πιτσιλίζει. *The children were ~ing water over one another*, τά παιδιά πετοῦσαν νερό μεταξύ τους. *~ water about*, πετῶ νερά, καταβρέχω. *~ the floor with water*, πιτσιλίζω τό πάτωμα μέ νερό. *~ water on/over the floor*, πετῶ νερά στό πάτωμα. ***~ one's money about***, (*λαϊκ.*) σκορπῶ τά λεφτά μου δεξιά κι'ἀριστερά (γιά νά κάμω ἐντύπωση). **2**. τσαλαβουτῶ, πέφτω μέ παφλασμό: *We ~ed (our way) across the stream*, περάσαμε τό χείμαρρο τσαλαβουτώντας. *The fish were ~ing about in the river*, τά ψάρια τινάζονταν/χτυποῦσαν μέ παφλασμό μέσα στό ποτάμι. *The spacecraft ~ed down in the Pacific*, τό διαστημόπλοιο προσθαλασσώθηκε (ἔπεσε μέ παφλασμό) στόν Εἰρηνικό. **`~-down**, προσθαλάσσωσις διαστημοπλοίου. —*οὐσ.* ‹C› **1**. παφλασμός, πιτσίλα, κηλίδα (χρώματος): *jump into a pool with a ~*, πηδῶ σέ μιά πισίνα μέ παφλασμό (κάνοντας πλάφ). *~es of mud/ink/paint*, πιτσίλες λάσπη/μελάνι/μπογιά. *a white dog with black ~es*, ἕνα ἄσπρο σκυλί μέ μαῦρες κηλίδες. **2**. (*καθομ.*) λίγη σόδα: *a whisky and ~*, ἕνα οὐΐσκυ καί λίγη σόδα. **3**. ***make a ~***, (*καθομ., μεταφ.*) κάνω ἐντύπωση, κάνω μπάμ.

splay /spleɪ/ *ρ.μ/ἀ.* (*ἀρχιτ.*) διευρύνω/-ομαι: *a ~ed window*, παράθυρο (σέ παχύ τοῖχο) πού πλαταίνει πρός τά ἔξω. *~ an opening*, διευρύνω ἕνα ἄνοιγμα. —*οὐσ.* ‹C› πλάταιμα πρός τά ἔξω (σέ παράθυρο, ποτήρι, κλπ). **`~-foot**, πλατυποδία. **`~-footed**, πλατύπους, πάσχων ἐκ πλατυποδίας.

spleen /splin/ *οὐσ.* **1**. ‹C› σπλήνα. **2**. ‹U› μελαγχολία, κακοθυμία, ὀργή: *in a fit of ~*, σέ στιγμή μελαγχολίας. *vent one's ~ on sb*, ξεθυμαίνω τήν ὀργή μου/χύνω τή χολή μου πάνω σέ κπ.

splen·did /ˈsplendɪd/ *ἐπ.* μεγαλοπρεπής, ἐκθαμβωτικός, θαυμάσιος, ἔξοχος, λαμπρός, ὑπέροχος: *a ~ sunset*, μιά μεγαλοπρεπής/ἐκθαμβωτική δύσις. *a ~ victory*, λαμπρή νίκη. *a ~ dinner*, θαυμάσιο γεῦμα. *a ~ idea*, ἔξοχη ἰδέα. **~·ly** *ἐπίρ.* λαμπρά, ἔξοχα.

splen·dif·er·ous /splenˈdɪfərəs/ *ἐπ.* (*καθομ., συχνά χιουμορ. ἤ εἰρων.*) ἔξοχος.

splen·dour /ˈsplendə(r)/ *οὐσ.* **1**. ‹U› λαμπρότης, μεγαλοπρέπεια. **2**. (*συχνά πληθ.*) μεγαλεῖο, δόξα.

sple·netic /splɪˈnetɪk/ *ἐπ.* δύστροπος, κακοδιάθετος, ὀργίλος, χολερικός.

splice /splaɪs/ *ρ.μ.* ματίζω, ἑνώνω, συγκολλῶ (σκοινιά, ξύλα, φίλμ, μαγνητοταινία, κλπ). ***get ~d***, (*λαϊκ.*) παντρεύομαι. —*οὐσ.* ‹C› μάτισμα, ἕνωσις, συγκόλλησις. **~r** *οὐσ.* ‹C› συνδετήρας, συγκολλητικό πιεστήριο.

splint /splɪnt/ *οὐσ.* ‹C› (*χειρουργ.*) νάρθηξ: *put a broken arm in ~s*, βάζω ἕνα σπασμένο χέρι σέ νάρθηκα.

splin·ter /ˈsplɪntə(r)/ *οὐσ.* ‹C› θραῦσμα, σκλήθρα, ἀγκίθα: *get a glass/a wood ~ into one's finger*, μοῦ μπαίνει στό δάχτυλο ἕνα θραῦσμα γυαλιοῦ/μιά σκλήθρα ξύλου. **`~ group/party**, ἀποσχισθεῖσα ὁμάδα/κόμμα ἀποσχισθέντων. **`~-proof** *ἐπ.* (*γιά γυαλί*) ἀντιθραυσματικός. —*ρ.μ/ἀ.* ***~ (off)***, κάνω/γίνομαι κομμάτια. **~y** *ἐπ.* πού σκίζεται εὔκολα, πού εἶναι γεμᾶτος ἀγκίθες.

split /splɪt/ *ρ.μ/ἀ.* *ἀνώμ.* *(-tt-)* (*ἀόρ. & π.μ.* ~) **1**. ***~ sth (into)***, σκίζω/-ομαι (*ἰδ.* ἀπό πάνω πρός κάτω): *~ logs/wood*, σκίζω κούτσουρα/ξύλα. *This kind of wood ~s easily*, αὐτό τό ξύλο σκίζεται εὔκολα. *~ slate into layers*, σχίζω σχιστόλιθο σέ πλάκες. *His coat has ~ at the seams*, τό σακκάκι του ξηλώθηκε στίς ραφές. *~ sb's head open*, ἀνοίγω τό κεφάλι κάποιου. **2**. ***~ (sth) (up/into)***, διασπῶ, διαιρῶ, μοιράζω: *~ the atom*, διασπῶ τό ἄτομο. *~ up a compound into its parts*, χωρίζω σύνθεση στά συστατικά της μέρη. *~ a party/the vote*, διασπῶ ἕνα κόμμα/τίς ψήφους. ***Let's ~***, (*καθομ.*) ἄς τό διαλύσωμε τώρα (πάρτυ, παρέα). ***~ the cost***, μοιράζομαι τά ἔξοδα (μέ ἄλλους). ***~ the difference***, μοιράζω τή διαφορά (σέ παζάρεμα). ***~ hairs***, ψιλολογῶ/λεπτολογῶ ὑπερβολικά. **`hair-~ting** *οὐσ.* ‹U› ψιλολόγημα. —*ἐπ.* λεπτολόγος. ***a ~ting headache***, ἐξουθενωτικός πονοκέφαλος. ***~ an infinitive***, χωρίζω ἀπαρέμφατο διά τῆς παρεμβολῆς ἐπιρρήματος (*πχ to greatly insist*). ***~ one's sides with laughter***, κρατάω τά πλευρά μου ἀπό τά γέλια, λύνομαι στά γέλια. **`side-~ting** *ἐπ.* ξεκαρδιστικός. ***~ on sb***, (*λαϊκ.*) καταδίδω, καρφώνω κπ. **~ mind/personality**, σχιζοφρένεια/διχασμός προσωπικότητος. **~ peas**, φάβα. **a ~ second**, δέκατο τοῦ δευτερολέπτου. —*οὐσ.* ‹C› **1**. σκίσιμο (σέ ροῦχο), σκάσιμο (δέρματος), ρωγμή (τοίχου). **2**. διάσπασις (κόμματος, κλπ). **3**. (*καθομ.*) μικρό μπουκάλι (σόδας, μπύρας, κλπ). **4**. **the ~s**, κάθισμα (ἀκροβάτη) μέ τά πόδια ἐντελῶς ἀνοιγμένα: *do the ~s*.

splodge /splɒdʒ/ *οὐσ.* ‹C› *βλ. splotch*.

splosh /splɒʃ/ *ρ.μ. βλ. splash*.

splotch /splɒtʃ/, **splodge** /splɒdʒ/ *οὐσ.* ‹C›

πασάλειμμα, πιτσίλισμα.
splurge /splɜdʒ/ *οὐσ.* ‹C› (*καθομ.*) θορυβώδης ἐπίδειξις, ἐπιδεικτική προσπάθεια, φιγούρα. —*ρ.ἀ.* (*καθομ.*) κάνω ἐπίδειξη, κάνω φιγούρα.
splut·ter /ˋsplʌtə(r)/ *ρ.μ/ἀ.* **1**. ψελλίζω, τραυλίζω (ἀπό ταραχή, κλπ): ~ *out a threat*, ψελλίζω ἀπειλητικά, ἐκτοξεύω ἀπειλή τραυλίζοντας. ~ *a few words of apology*, λέω ψελλίζοντας λίγα λόγια συγγνώμης. **2**. τσιρίζω, ρετάρω, πιτσιλίζω, πετῶ σάλια (μιλώντας), ἐκτινάσσω ὑγρό: *The swimmers dived and came ~ing to the surface*, οἱ κολυμβητές ἔκαναν βουτιά κι᾿ ἀνέβηκαν στήν ἐπιφάνεια πετώντας νερό ἀπό τό στόμα.
spoil /spɔɪl/ *ρ.μ/ἀ.* (*ἀόρ.* & *π.μ.* ~*t* ἤ ~*ed*) **1**. χαλῶ, καταστρέφω: *fruit ~t by insects*, φροῦτα χαλασμένα ἀπό ἔντομα. *holidays ~t by bad weather*, διακοπές πού τίς χάλασε ἡ κακοκαιρία. *a ~t ballot paper*, ἄκυρα ψηφοδέλτια. ~ *the fun/sb's pleasure*, χαλῶ τό κέφι/τή χαρά κάποιου. ~ *one's appetite*, χαλῶ/κόβω τήν ὄρεξή μου. **ˋ~-sport**, ἄνθρωπος πού χαλάει τό κέφι τῆς παρέας: *Don't be a ~-sport!* μήν εἶσαι ἀνάποδος! μή μᾶς χαλᾶς τό κέφι! **2**. παραχαϊδεύω, χαλῶ, κακομαθαίνω: *His wife ~s him*, ἡ γυναίκα του τόν παραχαϊδεύει/τόν κακομαθαίνει. ~ *a child*, κακομαθαίνω ἕνα παιδί. ***a ~t child of fortune***, χαϊδόπαιδο τῆς τύχης. **3**. (*γιά τρόφιμα*) χαλῶ, σαπίζω, βρωμίζω: *Fish ~s in hot weather*, τό ψάρι χαλάει μέ τή ζέστη. **4**. ***be ~ing for***, κάνω πῶς καί πῶς γιά: *He's ~ing for a fight*, ἔχει ὄρεξη γιά καυγᾶ, ἀμάν-ἀμάν κάνει γιά καυγᾶ. **5**. ~ ***sb (of sth)***, (*ἀπηρχ.*) (*ἀόρ.* & *π.μ.* ~*ed*) ἀπογυμνώνω, λεηλατῶ, κλέβω: *They ~ed widows of their savings*, ἀπογύμνωσαν τίς χῆρες ἀπό τίς οἰκονομίες τους. —*οὐσ.* **1**. (*συνήθ. πληθ.*) λεία, λάφυρα: *The thieves divided up the ~(s)*, οἱ κλέφτες μοίρασαν τά λάφυρα/τή λεία. **2**. (*πληθ.*) κέρδη, ὠφελήματα: *the ~s of office*, τά ὠφελήματα (ὁ λουφές) τῆς ἐξουσίας. **the ˋ~s system**, τό σύστημα διανομῆς τῶν δημοσίων θέσεων στούς ὀπαδούς τοῦ κόμματος πού νίκησε. **3**. ‹U› ἀπορρίματα, χῶμα ἐκσκαφῆς.
[1]**spoke** /spəʊk/ *οὐσ.* ‹C› **1**. ἀχτίνα τροχοῦ. ***put a ~ in sb's wheel***, (*μεταφ.*) παρεμβάλλω ἐμπόδια στά σχέδια κάποιου. **2**. σκαλοπάτι (φορητῆς σκάλας).
[2]**spoke** /spəʊk/, **spoken** /ˋspəʊkən/ *ἀόρ.*, *π.μ. τοῦ ρ. speak.*
spokes·man /ˋspəʊksmən/ *οὐσ.* ‹C› (*πληθ.* *-men*) ἐκπρόσωπος: *the ~ of a party/trade union*, ὁ ἐκπρόσωπος ἑνός κόμματος/ἑνός σωματείου.
spo·li·ation /ˈspəʊlɪˋeɪʃn/ *οὐσ.* ‹U› (κατα)λήστευσις, κούρσεμα (*ἰδ.* ἐμπορικῶν πλοίων τοῦ ἐχθροῦ).
spon·dee /ˋspɒndi/ *οὐσ.* ‹C› (*προσῳδ.*) σπονδεῖος. **spon·daic** /spɒnˋdeɪɪk/ *ἐπ.* σπονδειακός.
sponge /spʌndʒ/ *οὐσ.* ‹C› σπόγγος, σφουγγάρι. ***pass the ~ over sth***, περνῶ σφουγγάρι σέ κτ, τά λησμονῶ, τά συγχωρῶ. ***throw up/in the ~***, ἐγκαταλείπω τόν ἀγῶνα, παραδέχομαι τήν ἧττα μου. **ˋ~-cake**, παντεσπάνι. —*ρ.μ/ἀ.* **1**. ~ ***sth (out)***, σφογγίζω, σβύνω: ~ *a wound/a child's face*, σφογγίζω, καθαρίζω μιά πληγή/τό πρόσωπο ἑνός παιδιοῦ. ~ *out a memory*, σβύνω μιά ἀνάμνηση. **2**. ~ ***sth up***, μαζεύω μέ σφουγγάρι: ~ *up the milk*. **3**. ~ ***(up)on sb***, (*καθομ.*) ζῶ σέ βάρος κάποιου: *He ~s on his friends*, ζεῖ σέ βάρος τῶν φίλων του. ~ ***sth (from sb)***, (*καθομ.*) κάνω τράκα (ἀπό κπ): ~ *a dinner/a fiver from an old acquaintance*, κάνω τράκα ἕνα γεῦμα/ἕνα πεντόλιρο ἀπό ἕναν παληό γνώριμο. **sponger** *οὐσ.* ‹C› (*καθομ.*) σελέμης, τρακαδόρος, παράσιτο. **spongy** *ἐπ.* *(-ier, -iest)* σπογγώδης, πορώδης, ἐλαστικός. **spongi·ness** *οὐσ.* ‹U› ἐλαστικότης.
spon·sor /ˋspɒnsə(r)/ *οὐσ.* ‹C› ἀνάδοχος, ἐγγυητής, ὁ εἰσηγούμενος πρότασιν, ὁ προσφέρων ραδιοφ. ἤ τηλεοπτικόν πρόγραμμα. —*ρ.μ.* ἀναδέχομαι, εἰσηγοῦμαι, προσφέρω πρόγραμμα.
spon·ta·neous /spɒnˋteɪnɪəs/ *ἐπ.* αὐθόρμητος: *a ~ offer of help*, αὐθόρμητη προσφορά βοηθείας. *Nothing he says is ~*, τίποτα ἀπ᾿ ὅ,τι λέει δέν εἶναι αὐθόρμητο. ~ **combustion**, (*μηχ.*) αὐτοανάφλεξις. **~·ly** *ἐπίρ.* αὐθόρμητα. **spon·ta·neity** /ˈspɒntəˋneɪətɪ/, **~·ness** *οὐσ.* ‹U› αὐθορμητισμός.
spoof /spuf/ *οὐσ.* ‹C› (*λαϊκ.*) ἀπάτη, μπλόφα. —*ρ.μ.* (*λαϊκ.*) ξεγελῶ: *You've been ~ed*, σοῦ τήν ἔσκασαν.
spook /spuk/ *οὐσ.* ‹C› (*χιουμορ.*) στοιχειό. **~y** *(-ier, -iest)* *ἐπ.* στοιχειωμένος.
spool /spul/ *οὐσ.* ‹C› κουβαρίστρα, μασούρι, καρούλι, μπομπίνα (γιά τύλιγμα κλωστῆς, ταινίας, κλπ).
[1]**spoon** /spun/ *οὐσ.* ‹C› κουτάλι: *a ˋsoup-/ˋtea/ˋtable/desˋsert-~*, κουτάλι τῆς σούπας/τοῦ τσαγιοῦ/τοῦ φαγητοῦ/τοῦ γλυκοῦ. (*βλ.* & *λ.* *silver*). **ˋ~·feed** *ρ.μ.* ταΐζω μέ τό κουτάλι (μωρό), (*μεταφ.*) τά δίνω ὅλα ἕτοιμα στό μαθητή. —*ρ.μ.* ~ ***sth up/out***, τρώω/σερβίρω μέ κουτάλι. **ˋ~·ful** /-fʊl/ *οὐσ.* ‹C› (*πληθ.* ~*s*) κουταλιά.
[2]**spoon** /spun/ *ρ.ἀ.* (*πεπαλ.*, *χιουμορ.*) χαϊδολογιέμαι: *young couples ~ing on park seats*, ζευγαράκια πού χαϊδολογιοῦνται στούς πάγκους τῶν πάρκων.
spoon·er·ism /ˋspunərɪzm/ *οὐσ.* ‹C› παραδρομή τῆς γλώσσας (*ἰδ.* μετάθεσις ἀρχικῶν φθόγγων δύο συνεχομένων λέξεων, *πχ well-boiled icicle* ἀντί γιά *well-oiled bicycle*).
spoor /spɔ(r)/ *οὐσ.* ‹C› ἀχνάρι (ἀγρίου ζώου).
spor·adic /spəˋrædɪk/ *ἐπ.* σποραδικός: ~ *firing*, σποραδικοί πυροβολισμοί. **~ally** /-klɪ/ *ἐπίρ.* σποραδικά.
spore /spɔ(r)/ *οὐσ.* ‹C› (*βιολ.*) σπόριον.
spor·ran /ˋspɒrən/ *οὐσ.* ‹C› τσαντάκι (πού κρεμᾶνε οἱ Σκωτσέζοι μπροστά στή φούστα).
sport /spɔt/ *οὐσ.* **1**. ‹U› παιχνίδι, ἀστεϊσμός, διασκέδασις: *be the ~ of Fortune*, εἶμαι παιχνιδάκι στά χέρια τῆς τύχης. ***in ~***, στ᾿ ἀστεῖα: *say sth in ~*, λέω κτ στ᾿ ἀστεῖα. ***make ~ of sb/sth***, γελοιοποιῶ κπ, γελῶ μέ κπ/κτ: *make ~ of sb's suffering*, γελῶ μέ τά βάσανα κάποιου. **2**. ‹C,U› σπόρ, ἀθλοπαιδιά, ἄθλημα, ἀγώνισμα: *athletic ~s*, ἀθλητισμός. *country ~s*, ὑπαίθρια σπόρ (κυνήγι, ψάρεμα, κλπ). **the ˋ~s-page**, ἡ ἀθλητική σελίδα (ἐφημερίδας). **3**. (*πληθ.*) ἀθλητικοί ἀγῶνες: *the school ~s*, σχολικοί ἀγῶνες.

4. (*καθομ.*) ἐν τάξει παίχτης, γνήσιος ἀθλητής, καλόβολος τύπος: *Come on, be a ~!* ἔλα τώρα, φέρσου ἐν τάξει! *He's a real ~,* εἶναι (πολύ) ἐντάξει τύπος. **5**. ‹C› ἀντικανονικός τύπος (ζώου ἤ φυτοῦ). **6**. (*σέ σύνθ. λέξεις*): **`~s-car**, αὐτοκίνητο σπόρ. **`~s-coat/-jacket**, πανωφόρι/σακκάκι σπόρ. **`~s-editor**, ἀθλητικός συντάκτης. **`~s-man** /-mən/ *οὐσ.* ‹C› (*πληθ. -men*) φίλαθλος, γνήσιος ἀθλητής, καλός παίχτης: *Come on, be a ~sman!* ἔλα τώρα, φέρσου ἐντάξει. **`~s-man·like** *ἐπ.* (συμπεριφορά, κλπ) ἀντάξια ἀθλητοῦ. **`~s·man·ship** /-ʃɪp/ *οὐσ.* ‹U› ἀθλητικά προσόντα, τίμιο φέρσιμο. —*ρ.μ/ἀ.* **1**. παίζω, διασκεδάζω: *dolphins ~ing about in the sea,* δελφίνια πού παίζουν στή θάλασσα. **2**. (*καθομ.*) φέρω/φορῶ ἐπιδεικτικά: *be ~ing a moustache/a flower in the buttonhole of one's jacket,* φέρω περήφανα μουστάκι/λουλούδι στή μπουτουνιέρα. **~·ing** *ἐπ.* φίλαθλος, ριψοκίνδυνος, ἀντάξιος καλοῦ ἀθλητῆ: *a ~ing man,* φίλαθλος ἄνθρωπος/πού ἀγαπάει τά σπόρ. *I'll make you a ~ing offer,* θά σοῦ κάνω μιά τίμια προσφορά. *It was ~ing of him to accept,* ἦταν πολύ ἐντάξει ἀπό μέρους του νά δεχθῆ. *in a ~ing spirit,* μέ ἱπποτικό/ἀθλητικό πνεῦμα. ***give sb a ~ing chance***, δίνω σέ κπ μιά καλή εὐκαιρία/μιά πιθανότητα νά κερδίση. **~·ing·ly** *ἐπίρ.*

sport·ive /ˈspɔtɪv/ *ἐπ.* εὔθυμος, εὐτράπελος, παιχνιδιάρης. **~·ly** *ἐπίρ.* εὐτράπελα. **~·ness** *οὐσ.* ‹U› παιχνιδίσματα, σκέρτσα, εὐτράπελη διάθεσις.

spot /spot/ *οὐσ.* ‹C› **1**. (*κυριολ. & μεταφ.*) κηλίδα, λεκές, βούλα (χρώματος), στίγμα: *ˈsun-~s,* ἡλιακές κηλῖδες. *~s of ink/grease,* λεκέδες ἀπό μελάνι/ἀπό λῖπος. *a white dress with blue ~s,* ἄσπρο φόρεμα μέ μπλέ βοῦλες. *a leopard's ~s,* τά στίγματα τῆς λεοπαρδάλεως. *~s on one's face,* φακίδες στό πρόσωπο. *There isn't a ~ on his reputation,* δέν ὑπάρχει κηλίδα στό ὄνομά του. **2**. σταγόνα, στάλα: *a few ~s of rain,* λίγες στάλες βροχῆς. **3**. (*ΜΒ, καθομ.*) (*μόνον ἑν.*) μικρή ποσότητα: *a ~ of brandy,* μιά στάλα κονιάκ. *What about doing a ~ of work?* τί λέτε, κάνουμε καί λίγη δουλειά; *He's having a ~ of bother with his wife,* ἔχει λίγη στενοχώρια μέ τή γυναίκα του. **4**. τόπος, μέρος, θέσις, σημεῖον: *This is the very ~ where he was murdered,* ἐδῶ εἶναι ἀκριβῶς τό μέρος ὅπου σκοτώθηκε. **TV/radio ~**, διαφημιστική σφήνα σέ τηλεοπτικό ἤ ραδιοφωνικό πρόγραμμα. **~check**, αἰφνιδιασμός, αἰφνιδιαστικός ἔλεγχος. ***in a ~***, (*καθομ.*) σέ δύσκολη θέση: *We are all in a ~,* εἴμαστε ὅλοι στριμωγμένοι/σέ ἀδιέξοδο. ***on the ~***, ἐπί τόπου: *He was killed on the ~,* σκοτώθηκε ἐπί τόπου/ἀμέσως. *He fell dead on the ~,* ἔμεινε στόν τόπο. *The police were on the ~ in no time,* ἡ ἀστυνομία ἔφθασε ἀμέσως ἐπί τόπου. *the man on the ~,* ὁ ἄνθρωπος πού βρίσκεται ἐπί τόπου. ***knock ~s off sb***, (*καθομ.*) ξεπερνῶ/νικῶ κπ εὐκολώτατα. ***put sb on the ~***, *(α)* (*καθομ.*) στριμώχνω κπ, τόν φέρνω σέ δύσκολη θέση: *You've put me on the ~ here; I can't answer your question,* ἐδῶ μέ στρίμωξες, δέν μπορῶ ν' ἀπαντήσω στό ἐρώτημά σου. *(β)* (*λαϊκ.*) καθαρίζω/ξεπαστρεύω κπ. ***put one's finger on/find sb's weak ~***, βρίσκω τό ἀδύνατο σημεῖο κάποιου. ***a tender ~***, εὐαίσθητο σημεῖο: *That's his tender ~,* αὐτό εἶναι τό εὐαίσθητο σημεῖο του. **4**. (*ἐμπ.*) **~ cash**, πληρωμή ἐπί τῇ παραδόσει τῶν ἐμπορευμάτων. **~ prices**, τιμές τῆς μετρητοῖς. —*ρ.μ/ἀ. (-tt-)* **1**. κηλιδώνω, λεκιάζω: *a table ~ted with ink,* τραπέζι λεκιασμένο μέ μελάνι. *material that ~s easily,* ὕφασμα πού λεκιάζει εὔκολα. **2**. διακρίνω, ξεχωρίζω (μεταξύ πολλῶν): *I ~ted him right away in the crowd,* τόν διέκρινα ἀμέσως μέσα στό πλῆθος. *~ the winner in a race,* μαντεύω τόν νικητή μιᾶς κούρσας. **3**. (*καθομ., ἀπρόσ.*) ψιχαλίζει: *It's ~ting with rain/It's beginning to ~,* ψιχαλίζει/ἀρχίζει νά ψιχαλίζη. **~-ted** *ἐπ.* (*γιά δέρμα ζώου, πτέρωμα πουλιῶν, κλπ*) διάστικτος, πιτσιλωτός. **ˈ~·ted ˈfever**, (*ἰατρ.*) κηλιδώδης πυρετός. **~·less** *ἐπ.* ἀκηλίδωτος, πεντακάθαρος: *a ~less reputation/kitchen,* ἀκηλίδωτη ὑπόληψις/πεντακάθαρη κουζίνα. **~·less·ly** *ἐπίρ.* ἄψογα: *~lessly clean,* πεντακάθαρος/κάτασπρος. **~·ty** *ἐπ. (-ier, -iest) (α)* πιτσιλωτός, λεκιασμένος: *a ~ty complexion/tablecloth,* πιτσιλωτό δέρμα/λεκιασμένο τραπεζομάντηλο. *(β)* (*γιά δουλειά*) ἄνισος, ἀνομοιογενής, ὄχι τοῦ ἴδιου ἐπιπέδου: *a ~ty piece of work,* ἄνιση δουλειά (ἄλλοῦ καλή κι' ἀλλοῦ κακή). **~·ter** *οὐσ.* ‹C› παρατηρητής (ἀντιαεροπορικῆς ἀμύνης).

spot·light /ˈspotlaɪt/ *οὐσ.* ‹C› προβολεύς, φῶς προβολέως. ***be in/hold the ~***, (*μεταφ.*) εἶμαι στό προσκήνιο, κατέχω τό κέντρο τῆς σκηνῆς. —*ρ.μ.* κατευθύνω τούς προβολεῖς, ἀποκαλύπτω μέ δραματικό τρόπο.

spouse /spaʊz/ *οὐσ.* ‹C› (*νομ. ἤ ἀρχ.*) σύζυγος.

spout /spaʊt/ *οὐσ.* ‹C› **1**. ὑδρορρόη, σούελο, λαιμός τσαγιέρας, στόμιον ἀντλίας, χοάνη μύλου. **2**. κρουνός (νεροῦ). **3**. ***up the ~***, (*λαϊκ.*) *(α)* σέ κακά χάλια. *(β)* ἐνέχυρο, ἀμανάτι: *put one's watch up the ~,* βάζω τό ρολόϊ μου ἀμανάτι. —*ρ.μ/ἀ.* **1**. (*γιά ὑγρό*) ἀναπηδῶ, ἐκτινάσσω/-ομαι: *water ~ing from a broken water-main,* νερό πού πετιέται μέ ὁρμή ἀπό σπασμένο σωλῆνα ὑδρεύσεως. *blood ~ing from a severed artery,* αἷμα πού ἐκτινάσσεται ἀπό κομμένη ἀρτηρία. *The whales were ~ing,* οἱ φάλαινες ἐκτόξευαν συντριβάνια νεροῦ. **2**. (*καθομ.*) μιλῶ/ἀπαγγέλλω πομπωδῶς, φαφλατίζω.

sprain /spreɪn/ *ρ.μ.* στραμπουλίζω, ἐξαρθρώνω: *~ one's wrist/ankle,* στραμπουλίζω τό χέρι μου/τό πόδι μου. —*οὐσ.* ‹C› στραμπούλισμα, ἐξάρθρωσις.

sprang /spræŋ/ *ἀόρ. τοῦ ρ.* ³*spring.*

sprat /spræt/ *οὐσ.* ‹C› (*ἰχθ.*) γάβρος.

sprawl /sprɔl/ *ρ.ἀ.* ξαπλώνω/-ομαι φαρδύς-πλατύς, ἁπλώνομαι ἀκατάστατα: *I found him ~ing on the sofa,* τόν βρῆκα ξαπλωμένον φαρδύ-πλατύ στόν καναπέ. *suburbs ~ing out into the countryside,* προάστεια πού ἁπλώνονται ἄτακτα (χωρίς σχέδιο ἤ τάξη) στήν ἐξοχή. *His signature ~ed over half the page,* ἡ ὑπογραφή του ἔπιανε τή μισή σελίδα. ***send sb/go ~ing***, ξαπλώνω κπ/πέφτω φαρδιά-πλατιά. —*οὐσ.* ‹C› ἅπλωμα, ξάπλωμα, ξάπλα, ἄτακτα χτισμένη περιοχή.

[1]**spray** /spreɪ/ *οὐσ.* ‹C› κλωνάρι (μέ φύλλα καί λουλούδια), κόσμημα σέ μορφή κλώνου.

[2]**spray** /spreɪ/ *οὐσ.* **1**. ‹U› ψιχάλες, σταγονίδια, μπουχός: *`sea-~*, μπουχός τῆς θάλασσας (ἀφρός παρασυρμένος ἀπό τόν ἀέρα). *the ~ of a waterfall*, ὁ μπουχός ἑνός καταρράκτη. **2**. ‹C,U› ψεκασμός, σπρέϊ. **3**. ‹C› ψεκαστήρι, βαποριζατέρ. **`~-gun**, πιστόλι ψεκασμοῦ. —*ρ.μ.* ψεκάζω, ραντίζω: *~ mosquitoes/plants*, ψεκάζω κουνούπια/ραντίζω φυτά. **~er** *οὐσ.* ‹C› ραντιστής, ψεκαστήρι.

[1]**spread** /spred/ *ρ.μ/ἀ. ἀνώμ.* (*ἀόρ. & π.μ.* ~) **1**. ἁπλώνω/-ομαι: *~ a cloth on a table*, ἁπλώνω ἕνα τραπεζομάντηλο σέ τραπέζι. *~ out a map*, ἁπλώνω ἕνα χάρτη. *~ out one's arms*, ἁπλώνω/ἀνοίγω τά χέρια μου. *The bird ~ its wings*, τό πουλί ἅπλωσε/ἄνοιξε τά φτερά του. *~ butter on bread*, ἁπλώνω βούτυρο στό ψωμί. *The desert ~s for hundreds of miles*, ἡ ἔρημος ἁπλώνεται/ἐκτείνεται σέ ἑκατοντάδες μίλια. *The water ~ over the floor*, τό νερό ἅπλωσε σ' ὅλο τό πάτωμα. ***~ the table***, στρώνω τό τραπέζι. **2**. ***~ with***, σκεπάζω, ἀλείφω: *~ the bed with a blanket*, σκεπάζω τό κρεββάτι μέ κουβέρτα. *~ the table with food*, σκεπάζω (γεμίζω) τό τραπέζι μέ φαγητά. *~ a slice of bread with butter*, ἀλείφω μιά φέτα μέ βούτυρο. *fields ~ with daisies*, χωράφια σκεπασμένα/γεμᾶτα μέ μαργαρίτες. **3**. μεταδίδω/-ομαι, διαδίδω/-ομαι: *Flies ~ disease*, οἱ μύγες μεταδίδουν ἀρρώστειες. *The fire ~ from the factory to the houses nearby*, ἡ φωτιά μεταδόθηκε ἀπό τό ἐργοστάσιο στά πλαϊνά σπίτια. *~ knowledge*, διαδίδω γνώσεις. *~ rumours*, διαδίδω/διασπείρω φῆμες. *The news ~ through the village*, τά νέα διαδόθηκαν γρήγορα στό χωριό. **4**. κλιμακώνω/-ομαι, καλύπτω, ἁπλώνω/-ομαι: *We'll ~ payment over two years*, θά κλιμακώσωμε (θ' ἁπλώσωμε) τίς πληρωμές σέ δύο χρόνια. *This course of studies ~s over three years*, αὐτές οἱ σπουδές καλύπτουν (ἁπλώνονται σέ) τρία χρόνια. **5**. ***~ oneself***, *(α)* ξαπλώνομαι φαρδιά-πλατιά. *(β)* ἐπεκτείνομαι (σέ ὁμιλία ἤ γράψιμο). *(γ)* ξανοίγομαι (πχ σέ γενναιοδωρία, φιλοξενία, κλπ). **`~·eagle** *οὐσ.* ‹C› (*οἰκόσημο*) ἀετός μέ ἀνοιγμένα τά φτερά. —*ρ.μ.* ἁπλώνομαι μέ χέρια καί πόδια ἀνοιγμένα καί τεντωμένα: *sunbathers ~eagled on the sands*, ἄνθρωποι πού κάνουν ἡλιοθεραπεία ξαπλωμένοι στήν ἀμμουδιά μέ ὀρθάνοιχτα χέρια καί πόδια. **`~-over**, κατανομή τῶν ὡρῶν ἐργασίας σύμφωνα μέ τίς ἀνάγκες, ἐλαστικό ὡράριο. **~er** *οὐσ.* ‹C› ἁπλωτής, διαδοσίας.

[2]**spread** /spred/ *οὐσ.* ‹U› (*σπανίως πληθ.*) **1**. ἄνοιγμα, πλάτος: *the ~ of a bird's wings*, τό ἄνοιγμα τῶν φτερῶν ἑνός πουλιοῦ. *develop (a) middle-age ~*, ἀποκτῶ γεροντόπαχα, παχαίνω στή μέση. **2**. μετάθεσις, διάδοσις, ἐξάπλωσις: *the ~ of disease/news*, ἡ μετάδοσις ἀσθενειῶν/εἰδήσεων. *the ~ of new ideas*, ἡ διάδοσις τῶν νέων ἰδεῶν. *the ~ of education*, ἡ ἐξάπλωσις τῆς παιδείας. **3**. (*καθομ.*) ἁπλωμένα φαγητά σέ τραπέζι: *What a ~!* τί τσιμπούσι! **4**. ‹C› κάλυμμα: *a `bed~*, κάλυμμα κρεββατιοῦ. *a double-~*, δισέλιδη διαφήμησις. **5**. (*γιά τροφή σέ σωληνάρια*) κρέμα: *cheese ~*, κρέμα τυριοῦ γιά ἄλειμμα.

spree /spri/ *οὐσ.* ‹C› γλέντι, ξεφάντωμα. ***have a ~/go out on a ~/be on the ~***, τό ρίχνω ἔξω, διασκεδάζω, γλεντάω. ***`spending/`buying ~***, ξεφάντωμα σέ ἔξοδα/σέ ψώνια: *have a spending/buying ~*, ξοδεύω/ψωνίζω μέ τήν ψυχή μου.

sprig /sprɪg/ *οὐσ.* ‹C› βλασταράκι, κλαδάκι: *a ~ of mistletoe*, ἕνα κλαδάκι γκύ. *a ~ of the nobility*, (*ὑποτιμ.*) νεαρός γόνος τῆς ἀριστοκρατίας. **~·ged** *ἐπ.* (*γιά ὕφασμα*) κλαδωτός, λουλουδᾶτος.

spright·ly /`spraɪtlɪ/ *ἐπ.* (*-ier, -iest*) ζωηρός, σβέλτος. **spright·li·ness** *οὐσ.* ‹U› ζωηρότης, σβελτάδα.

[1]**spring** /sprɪŋ/ *οὐσ.* **1**. ‹C› πήδημα, ἅλμα: *The tiger made a ~ at the hunter*, ἡ τίγρη πήδηξε πάνω στόν κυνηγό. **2**. πηγή: *`hot-~s*, θερμές/ἰαματικές πηγές. *`~ water*, νερό ἀπό πηγή. **3**. (*συχνά πληθ.*) προέλευσις, πηγή, καταγωγή: *the ~(s) of a custom*, ἡ προέλευσις (καταγωγή) ἑνός ἐθίμου. *the ~s of human conduct*, οἱ πηγές τῆς ἀνθρώπινης συμπεριφορᾶς. **4**. ‹U› ἐλαστικότης: *These rubber bands have lost their ~*, αὐτά τά λαστιχάκια ἔχουν χάσει τήν ἐλαστικότητά τους. **5**. ‹C› ἐλατήριο, σούστα: *the ~ of a watch*, τό ἐλατήριο ἑνός ρολογιοῦ. *the ~s of a car*, οἱ σοῦστες ἑνός αὐτοκινήτου. **'~-`balance**, κανταράκι, ζυγαριά μέ ἐλατήριο. **`~-bed**, κρεββάτι μέ σομιέ. **`~-board**, (*σέ πισίνα*) σανίδα καταδύσεων. **'~-`mattress**, στρωματέξ. **~ tide**, παλίρροια τῶν συζυγιῶν (κοντά στήν πανσέληνο ἤ σέ νέο φεγγάρι). **~·less** *ἐπ.* χωρίς σοῦστες. **~y** *ἐπ.* (*-ier, -iest*) ἐλαστικός, πηδηχτός: *walk with a ~y step*, περπατῶ μέ πηδηχτό βῆμα.

[2]**spring** /sprɪŋ/ *οὐσ.* ἄνοιξις: *S~ is in the air*, ὁ ἀέρας μυρίζει ἄνοιξη. **'~-`clean** *ρ.μ.* κάνω τό ἀνοιξιάτικο γενικό καθάρισμα τοῦ σπιτιοῦ. **'~-`cleaning** *οὐσ.* ‹U› ἀνοιξιάτικο γενικό καθάρισμα. **`~·time** (*καί ποιητ.* **`~·tide**), ἐποχή τῆς ἀνοίξεως. **`~·like** *ἐπ.* σάν ἀνοιξιάτικος.

[3]**spring** /sprɪŋ/ *ρ.μ/ἀ. ἀνώμ.* (*ἀόρ. sprang* /spræŋ/, *π.μ. sprung* /sprʌŋ/) **1**. (ἀνα)πηδῶ, ἀνατινάσσομαι, ἐκτινάσσομαι: *He sprang to his feet/out of bed/up from his seat*, πήδηξε ὄρθιος/ἀπό τό κρεββάτι/τινάχτηκε ἀπό τό κάθισμά του. *The branch sprang back and hit me in the face*, τό κλαδί τινάχτηκε πίσω καί μέ χτύπησε στό πρόσωπο. ***~ at sb***, πηδῶ πάνω σέ κπ, ὁρμῶ ἐναντίον του. **2**. ***~ (up)***, ξεπετάγομαι, φυτρώνω: *A wind has sprung up*, ἔπιασε ξαφνικά ἀέρας, ἔβαλε ἀέρα. *Weeds are ~ing up everywhere*, ξεφυτρώνουν παντοῦ χορτάρια. *The wheat is beginning to ~ up*, τό σιτάρι ἄρχισε νά φυτρώνη. *A suspicion/doubt sprang up in her mind*, μιά ὑποψία/μιά ἀμφιβολία γεννήθηκε στό μυαλό της. **3**. ***~ from***, προέρχομαι, κατάγομαι, ξεφυτρώνω: *He is sprung from royal blood*, κατάγεται ἀπό βασιλική γενιά. *Where have you sprung from?* ἀπό ποῦ ξεφύτρωσες ἐσύ; **4**. ***~ sth on sb***, κάνω κτ αἰφνιδιαστικά, αἰφνιδιάζω κπ μέ κτ: *~ a surprise on sb*, κάνω ἔκπληξη σέ κπ. *~ a proposal/a theory on sb*, αἰφνιδιάζω κπ μέ μιά πρόταση/μέ μιά θεωρία. **5**. ἀνατινάσ-

σω, ἐκτινάσσω, ἀποδεσμεύω (μηχανισμό): ~ *a mine*, ἀνατινάσσω μιά νάρκη. ~ *a trap*, κλείνω μιά παγίδα. *The lid sprang open*, τό καπάκι ἄνοιξε (μέ τή λειτουργία ἐλατηρίου). **6**. ραγίζω, σκεβρώνω, σπάζω: *My tennis racket has sprung*, ἡ ρακέτα μου τοῦ τέννις σκέβρωσε. *I've sprung my racket*, ράγισα/ἔσπασα τή ρακέτα μου. ~ ***a leak***, (*γιά πλοῖο*) μπάζω νερά.

spring·bok /ˋsprɪŋbok/ *οὐσ.* ‹C› δορκάς (τῆς Ν. Ἀφρικῆς).

sprinkle /ˋsprɪŋkl/ *ρ.μ.* ~ ***(on/with)***, ραντίζω, καταβρέχω, σκορπίζω: ~ *water on a dusty path*, ραντίζω νερό σέ σκονισμένο δρόμο. ~ *a path with water*, καταβρέχω δρόμο μέ νερό. ~ *the floor with sand*, σκορπίζω ἄμμο σέ δάπεδο. **~r** /ˋsprɪŋklə(r)/ *οὐσ.* ‹C› καταβρεχτήρι, ἐκτοξευτής τεχνητῆς βροχῆς (σέ κήπους), ἁγιαστούρα. **sprink·ling** *οὐσ.* ‹C› λίγο, λίγοι: *a sprinkling of French/of young people*, λίγα Γαλλικά/λίγοι νεαροί.

sprint /sprɪnt/ *ρ.ἀ.* τρέχω ὁλοταχῶς (σέ μικρή ἀπόσταση), σπριντάρω. __*οὐσ.* ‹C› φουλάρισμα (κοντά στό τέρμα), σπρίντ. **~er** *οὐσ.* ‹C› δρομεύς ταχύτητος.

sprit /sprɪt/ *οὐσ.* ‹C› (*ναυτ.*) σταλίς, κοντάρι.

sprite /spraɪt/ *οὐσ.* ‹C› ξωτικό, δαιμόνιο.

sprocket /ˋsprokɪt/ *οὐσ.* ‹C› δόντι (τροχοῦ). **ˋ~-wheel**, ὀδοντωτός τροχός, τροχός καδένας.

sprout /spraʊt/ *ρ.μ/ἀ.* ~ ***(up)***, ξεπετῶ, ξεπετιέμαι, βλαστάνω, βγάζω, ἀρχίζω νά ἀναπτύσσομαι: *The wheat has ~ed*, τό στάρι ξεπετάχτηκε. ~ *shoots/buds*, βγάζω βλαστάρια/μπουμπούκια. *The rain has ~ed the beans*, ἡ βροχή ξεπέταξε (βοήθησε νά μεγαλώσουν) τά φασόλια. *John has really ~ed up in the past year*, ὁ Γ. ξεπετάχτηκε (μεγάλωσε) πραγματικά στό χρόνο πού πέρασε. ~ *a moustache*, βγάζω/ἀφήνω μουστάκι. ~ *horns*, (*γιά ζῶο*) βγάζω κέρατα. __*οὐσ.* ‹C› βλαστάρι.

[1]**spruce** /sprus/ *ἐπ.* κομψός, καλοντυμένος, περιποιημένος. __*ρ.μ/ἀ.* ~ ***sb/oneself (up)***, περιποιοῦμαι, φτιάχνομαι: *Go and ~ yourself up*, πήγαινε νά φτιαχτῆς/νά ντυθῆς. *They were all ~d up for the party*, ἦταν ὅλοι κομψοντυμένοι γιά τό πάρτυ. **~·ly** *ἐπίρ.* κομψά. **~·ness** *οὐσ.* ‹U› κομψότης, περιποιημένη ἐμφάνισις.

[2]**spruce** /sprus/ *οὐσ.* ‹C› ~ **(fir)**, ἔλατο.

sprung /sprʌŋ/ *π.μ.* *τοῦ ρ.* [3]*spring*.

spry /spraɪ/ *ἐπ.* *(-er, -est)* ζωηρός, εὐκίνητος, σβέλτος: *He's still ~ at eighty*, εἶναι ἀκόμα σβέλτος στά ὀγδόντα.

spud /spʌd/ *οὐσ.* ‹C› **1**. (*καθομ.*) πατάτα. **2**. σκαλιστήρι.

spue /spju/ *ρ.μ/ἀ.* *βλ. spew.*

spume /spjum/ *οὐσ.* ‹U› ἀφρός.

spun /spʌn/ *π.μ.* *τοῦ ρ. spin.*

spunk /spʌŋk/ *οὐσ.* ‹U› (*καθομ.*) θάρρος, λεβεντιά, ψυχή: *He has no ~*, δέν ἔχει ψυχή/λεβεντιά. *He has plenty of ~*, τό λέει ἡ καρδιά του. **~y** *ἐπ.* ψυχωμένος, λεβέντης.

spur /spɜ(r)/ *οὐσ.* ‹C› **1**. σπιρούνι. ***win one's ~s***, (*ἱστορ.*) γίνομαι ἱππότης, (*μεταφ.*) διακρίνομαι, ἀποκτῶ φήμη. **2**. (*μεταφ.*) κίνητρο, ἐλατήριο, κέντρισμα: *the ~ of necessity*, ἡ πίεσις (τό κέντρισμα) τῆς ἀνάγκης. *the ~ of ambition*, τό κεντρί τῆς φιλοδοξίας. ***on the ~ of the moment***, ξαφνικά, ἔτσι στή στιγμή, στά καλά καθούμενα. **3**. νύχι (πετεινοῦ). **4**. παρακλάδι (ὀροσειρᾶς). __*ρ.μ/ἀ.* *(-rr-)* **1**. ~ ***(on)***, σπιρουνιάζω, κεντρίζω, παρακινῶ: *It's foolish to ~ on a willing horse*, εἶναι ἀνόητο νά σπιρουνιάζης ἕνα πρόθυμο ἄλογο. *He was ~red on by ambition*, τόν κέντριζε ἡ φιλοδοξία. **2**. καλπάζω: *The rider ~red on to his destination*, ὁ καβαλλάρης κάλπαζε πρός τόν προορισμό του.

spu·ri·ous /ˋspjʊərɪəs/ *ἐπ.* κίβδηλος, νόθος, πλαστός: ~ *coins/love*, κίβδηλα νομίσματα/-η ἀγάπη. **~·ly** *ἐπίρ.* ψεύτικα, κίβδηλα. **~-ness** *οὐσ.* ‹U› νοθεία, πλαστότης.

spurn /spɜn/ *ρ.μ.* ἀποκρούω/ἀπορρίπτω περιφρονητικά (*πχ* προσφορά, πρόταση, κλπ).

spurt /spɜt/ *ρ.ἀ.* **1**. (*γιά ὑγρό, φλόγα, κλπ*) ξεπετάγομαι, ἀναβλύζω ὁρμητικά: *Blood ~ed (out) from the wound*, τό αἷμα ξεπετάχτηκε ἀπό τήν πληγή. **2**. φουλάρω, φορτσάρω (κάνω μιά σύντομη ἐντατική προσπάθεια): *The runner ~ed as he approached the winning-post*, ὁ δρομέας φουλάρισε καθώς πλησίαζε στό τέρμα. __*οὐσ.* ‹C› **1**. ἀνάβλυσις, ἀναπήδησις, ξέσπασμα, ἔκρηξις: *~s of water/fire*, πίδακες νεροῦ/γλῶσσες φωτιᾶς. *a ~ of anger*, ἔκρηξις θυμοῦ. **2**. ἐντατική προσπάθεια, φορτσάρισμα, σφίξιμο, φουλάρισμα: *a final ~*, τελική ἐξόρμησις. ***put on a ~***, βάζω τά δυνατά μου, σφίγγομαι.

sput·nik /ˋspʊtnɪk/ *οὐσ.* ‹C› σπούτνικ.

sput·ter /ˋspʌtə(r)/ *ρ.μ/ἀ.* **1**. τσιρίζω: *The sausages were ~ing in the frying-pan*, τά λουκάνικα τσίριζαν στό τηγάνι. ~ ***out***, σβύνω τσιρίζοντας: *The candle ~ed out*, τό κερί ἔσβυσε τσιρίζοντας. **2**. *βλ. splutter* (*1*).

spu·tum /ˋspjutəm/ *οὐσ.* ‹U› (*ἰατρ.*) πτύελον.

spy /spaɪ/ *οὐσ.* ‹C› κατάσκοπος: *police spies*, χαφιέδες τῆς ἀστυνομίας. **ˋ~-ring**, δίκτυον κατασκοπείας. __*ρ.μ/ἀ.* **1**. ~ ***into sth***, προσπαθῶ νά πληροφορηθῶ κτ (*πχ* ἕνα μυστικό). ~ ***on sb***, κατασκοπεύω κπ. ~ ***out a position***, κατασκοπεύω μιά θέση. **2**. διακρίνω. ἀνακαλύπτω: *I ~ someone coming up the garden path*, διακρίνω/βλέπω κπ νά ἀνεβαίνη τό δρόμο τοῦ κήπου. *You are quick at ~ing her faults*, εἶσαι σβέλτος στό νά ἀνακαλύπτης τίς ἀδυναμίες της. **ˋ~-glass**, κυάλια, μικρό τηλεσκόπιο. **ˋ~-hole**, τρύπα παρακολουθήσεως, ματάκι.

squab /skwob/ *οὐσ.* ‹C› **1**. πιτσούνι. **2**. φουσκωτό μαξιλαράκι (*ἰδ.* γιά αὐτοκίνητο).

squabble /ˋskwobl/ *οὐσ.* ‹C› λογομαχία καυγαδάκι: *family ~s*, οἰκογενειακά καυγαδάκια. __*ρ.ἀ.* καυγαδίζω: *He ~s with his sister every day*, καυγαδίζει μέ τήν ἀδελφή του κάθε μέρα.

squad /skwod/ *οὐσ.* ‹C› οὐλαμός, ὁμάδα: *a ˋrescue ~*, ὁμάδα διασώσεως. **ˋfiring ~**, ἐκτελεστικό ἀπόσπασμα. **the ˋflying ~**, ἡ ὑπηρεσία ἀμέσου δράσεως (τῆς Σκώτλαντ Γυάρντ). **ˋ~ car**, (*ΗΠΑ*) περιπολικό τῆς ἀστυνομίας.

squad·ron /ˋskwodrən/ *οὐσ.* ‹C› (*στρατ.*) ἐπιλαρχία (τεθωρακισμένων), ἴλη (ἱππικοῦ), μοῖρα (ἀεροπορική, ναυτική). **ˋ~-leader**, ἐπισμηναγός.

squalid /ˋskwolɪd/ *ἐπ.* βρώμικος, ἄθλιος, ἐλεεινός: *live in ~ conditions*, ζῶ σέ ἄθλιες συνθῆκες. **~·ly** *ἐπίρ.*

squall /skwɔl/ *οὐσ.* ‹C› **1**. στριγγλιά, σκουξιά (πόνου ἤ φόβου). **2**. ριπή (ἀνέμου, βροχῆς), σπιλιάδα, μπουρίνι. *Look out for ~s!* πρόσεχε τίς κακοτοπιές! τά μάτια σου τέσσερα! __*ρ.ἀ.* στριγγλίζω, σκούζω: *~ing babies*, μωρά πού στριγγλίζουν. *The boy ~ed as soon as he saw the dentist*, τό παιδί ἔβαλε τίς στριγγλιές ἀμέσως μόλις εἶδε τόν ὀδοντογιατρό. **~y** *ἐπ.* θυελλώδης, μέ μπουρίνια: *a ~y day*, ἡμέρα μέ ἀπότομους ἀέρηδες (ἤ μέ μπόρες).

squalor /ˈskwolə(r)/ *οὐσ.* ‹U› βρώμα, ἀθλιότης: *the ~ of slums*, ἡ βρώμα τῶν φτωχομαχαλάδων.

squan·der /ˈskwondə(r)/ *ρ.μ.* σπαταλῶ, διασπαθίζω (χρόνο, χρῆμα, κλπ). **~er** *οὐσ.* ‹C› σπάταλος.

[1]**square** /skweə(r)/ *ἐπ.* **1**. τετράγωνος, τετραγωνικός: *a ~ table/jaw/chin*, τετράγωνο τραπέζι/σαγόνι/πηγούνι. *a ~ metre/root*, τετραγωνικό μέτρο/-ή ρίζα. *a carpet six metres ~*, ἕνα τετράγωνο χαλί μέ πλευρές ἕξη μέτρων (*δηλ.* ἐμβαδοῦ 36 μ²). *a carpet of six ~ metres*, ἕνα χαλί ἕξη τετραγωνικῶν μέτρων. **ˈ~-ˈbuilt/-ˈshouldered** *ἐπ.* γεροδεμένος/μέ τετράγωνους ὤμους. **ˈ~ dance**, ἀντικρυστός χορός σέ σχῆμα τετραγώνου. **a ~ meal**, γερό χορταστικό φαΐ. **ˈ~-toed**, (*γιά παπούτσια*) μέ τετράγωνες μύτες, (*γιά ἄνθρ.*) σχολαστικός, τυπικός. **ˈ~-ˈtoes**, σχολαστικός/πολύ τυπικός ἄνθρωπος. (*βλ.* & *λ.* [1]*peg*). **2**. ρητός, κατηγορηματικός: *meet with a ~ refusal*, συναντῶ κατηγορηματική ἄρνηση. **3**. εὐθύς, ἔντιμος, δίκαιος: *~ dealings*, τίμιες δουλειές. ***be (all) ~***, εἴμαστε πάτσι, ἴσια κι' ἴσια: *Let's call it all ~, shall we?* λοιπόν εἴμαστε πάτσι, ἔ; ***get one's accounts ~***, τακτοποιῶ τούς λογαριασμούς μου. ***give sb/get a ~ deal***, μεταχειρίζομαι κπ/μέ μεταχειρίζονται τίμια. ***play a ~ game***, παίζω τίμιο, καθαρό παιχνίδι. __*ἐπίρ.* καθέτως, ἴσια: *stand/sit ~*, στέκομαι/κάθομαι ἴσια. *hit sb ~ on the jaw*, χτυπῶ κπ ἴσια στό σαγόνι. ***fair and ~***, τίμια, δίκαια. **~·ly** *ἐπίρ.* **1**. καθέτως. **2**. ξεκάθαρα, τίμια: *act ~ly*, ἐνεργῶ τίμια. **3**. ἀκριβῶς ἀπέναντι, κατάντικρυ: *He faced me ~ly across the table*, ἦταν ἀκριβῶς ἀπέναντί μου στό τραπέζι. **~·ness** *οὐσ.* ‹U› εὐθύτης, ἐντιμότης, τετραγωνικότης.

[2]**square** /skweə(r)/ *οὐσ.* ‹C› **1**. (*γεωμ.*) τετράγωνον, (*μαθ.*) τετράγωνον ἀριθμοῦ. ***out of the ~***, μή ὀρθογωνισμένος. **2**. (*ἐργαλ.*) γνώμων, ὀρθογώνιον. **3**. οἰκοδομικό τετράγωνο, (*στρατ. σχηματισμός*) τετράγωνο. **4**. πλατεία, αὐλή: *a ˈbarrack ~*, αὐλή στρατῶνος. **ˈ~-bashing**, (*λαϊκ., στρατ.*) γυμνάσια. **5**. τετραγωνίδιον (σκακιέρας, κλπ). ***back to ˈ~ ˈone***, πίσω ἀπό τήν ἀρχή. **6**. ***on the ~***, τίμια, ντόμπρα, καθαρά: *act on the ~*, ἐνεργῶ τίμια. *Is their business on the ~?* εἶναι ἡ δουλειά τους καθαρή/τίμια; **7**. (*λαϊκ.*) ὀπισθοδρομικός ἄνθρωπος.

[3]**square** /skweə(r)/ *ρ.μ/ἀ.* **1**. τετραγωνίζω (πέτρα, ξύλο, ἀριθμό). **2**. ἰσιώνω (τούς ὤμους). ***~ the circle***, (*μεταφ.*) ἐπιχειρῶ τά ἀδύνατα. **3**. ***~ sth off***, χωρίζω κτ σέ τετράγωνα. **4**. ***~ (up) (with sb)***, (*κυριολ.* & *μεταφ.*) κανονίζω τούς λογαριασμούς μέ κπ: *We must ~ our accounts*, πρέπει νά τακτοποιήσωμε τούς λογαριασμούς μας. *It's time I ~d up with you/we ~d up*, καιρός νά λογαριαστῶ μαζί σου/νά λογαριαστοῦμε. **5**. δωροδοκῶ, ἐξαγοράζω: *~ an official*, δωροδοκῶ ἕναν ὑπάλληλο. *He's been ~d to hold his tongue*, ἐξαγόρασαν τή σιωπή του, τόν πλήρωσαν νά μήν πῆ τίποτα. **6**. ***~ (sth) with***, ἐναρμονίζω, συμφωνῶ: *You should ~ your practice with your principles*, θἄπρεπε νά ἐναρμονίσης τά ἔργα σου μέ τίς ἀρχές σου. *The facts don't ~ with your explanations*, τά γεγονότα δέν συμφωνοῦν μέ τίς ἐξηγήσεις σου. **7**. ***~ up to sb***, (*πυγμ.*) λαμβάνω ἐπιθετική στάση, (*μεταφ.*) παίρνω θέση μάχης.

[1]**squash** /skwoʃ/ *ρ.μ/ἀ.* **1**. συνθλίβω, στίβω, ζουλῶ/-ιέμαι: *~ oranges*, στίβω πορτοκάλια. *Soft fruits ~ easily*, τά μαλακά φροῦτα ζουλιοῦνται εὔκολα. **2**. στριμώχνω/-ομαι, συνωστίζομαι: *~ too many people into a bus*, στριμώχνω πάρα πολύ κόσμο σ' ἕνα λεωφορεῖο. *They all tried to ~ into the lift together*, προσπάθησαν νά στριμωχτοῦνε ὅλοι μαζί στό ἀσανσέρ. **3**. (*καθομ.*) ἀποστομώνω, ἀποπαίρνω: *I was/felt completely ~ed*, ἀποστομώθηκα τελείως. **4**. (*καθομ.*) καταστέλλω, καταπνίγω: *~ a rebellion*, καταστέλλω μιά ἀνταρσία. __*οὐσ.* (*σπανίως πληθ.*) *(α)* συνωστισμός, στριμωξίδι: *There was a frightful ~ at the gate*, ἔγινε φοβερός συνωστισμός στήν πύλη. *(β)* ζούλισμα, σύνθλιψις, "πλάτς" (ἦχος συνθλίψεως): *The ripe tomato hit the speaker in the face with a ~*, ἡ γινομένη ντομάτα βρῆκε τόν ὁμιλητή στό πρόσωπο μ' ἕνα πλάτς. *(γ)* ‹C,U› χυμός φρούτων: *orange/lemon ~*, χυμός πορτοκαλιοῦ/λεμονιοῦ. *(δ)* **ˈ~(-rackets)**, παιχνίδι (μέ μπάλλα καί ρακέτες). **~y** *ἐπ.* ζουμερός, χυμώδης, προζυμᾶτος.

[2]**squash** /skwoʃ/ *οὐσ.* ‹C› (*ἀμετάβλ. εἰς πληθ.*) κολοκύθι, κολοκυθάκια.

squat /skwot/ *ρ.ἀ.* *(-tt-)* **1**. κάθομαι σταυροπόδι/ὀκλαδόν: *He ~ted down by the fire*, ἐκάθισε σταυροπόδι πλάϊ στή φωτιά. **2**. (*γιά ζῶο*) ζαρώνω, μαζεύομαι. **3**. (*καθομ.*) κάθομαι: *Find somewhere to ~!* βρές κάπου νά κάτσης! **4**. κάνω κατοχή (*ἰδ.* σέ κτήματα τοῦ δημοσίου ἤ σέ ἀκατοίκητο σπίτι). __*ἐπ.* κοντόχοντρος, πλατσουκωτός. **~·ter** *οὐσ.* ‹C› καταπατητής, τρωγλοδύτης.

squaw /skwɔ/ *οὐσ.* ‹C› Ἐρυθρόδερμη, Ἰντιάνα.

squawk /skwɔk/ *ρ.ἀ.* **1**. (*γιά πουλιά*) κρώζω. **2**. (*γιά ἄνθρ.*) διαμαρτύρομαι ἔντονα, σκούζω. __*οὐσ.* ‹C› κραυγή.

squeak /skwik/ *οὐσ.* ‹C› **1**. σκούξιμο (ποντικοῦ), τρίξιμο (πόρτας, κλπ). **2**. (*καθομ.*) ***a narrow ~***, (σωτηρία) παρά τρίχα: *That was/We had a narrow ~*, τή γλυτώσαμε παρά τρίχα. __*ρ.μ/ἀ.* **1**. τσιρίζω, στριγγλίζω, σκληρίζω, τρίζω: *My new shoes ~*, τά καινούργια μου παπούτσια τρίζουν. **2**. ***~ (out)***, ξεφωνίζω, λέω τσιριχτά: *She ~ed out in fear*, ξεφώνισε τρομαγμένη. **~y** *ἐπ.* *(-ier, -iest)* πού τρίζει/τσιρίζει: *a ~y door*, πόρτα πού τρίζει. *a ~y voice*, ψιλή τσιριχτή φωνή.

squeal /skwil/ *οὐσ.* ‹C› ὀξύς διαπεραστικός ἦχος (μακρότερος ἀπό τό *squeak*), στρίγγλισμα, στριγγλιά: *the ~ of brakes*, τό στρίγγλισμα τῶν φρένων. __*ρ.μ/ἀ.* **1**. στριγγλίζω, σκληρίζω, σκούζω: *A frightened pig ~s*, ἕνα τρομαγμένο γουρούνι στριγγλίζει/σκληρίζει. *He ~ed like a pig*, ἔσκουζε σά γουρούνι πού τό σφάζουν. **2**. *βλ. squeak (2)*. **3**. (*λαϊκ.*) μαρτυράω: *The old man ~ed (to the police)*, ὁ γέρος τά ξέρασε (στήν ἀστυνομία). **~er** *οὐσ.* ‹C› *(α)* (*καθομ.*) καταδότης. *(β)* ζῶο πού στριγγλίζει (*ἰδ.* γουρούνι).

squeam·ish /ˋskwimɪʃ/ *ἐπ.* **1**. μέ τάση πρός ἐμετό, ἐπιρρεπής στούς ἐμετούς: *feel ~*, νοιώθω ἀναγούλα, μοῦρχεται ἐμετός. *have a ~ stomach*, ἔχω ντελικᾶτο στομάχι (πού γυρίζει εὔκολα). **2**. σιχασιάρης, ὑπερευαίσθητος: *He was ~ about changing the baby's nappies*, σιχαινόταν ν'ἀλλάξη τίς πάνες τοῦ μωροῦ. **3**. μυγιάγγιαχτος, σεμνότυφος, σχολαστικός: *The songs were coarse but the audience was not ~*, τά τραγούδια ἦταν λίγο χοντρά ἀλλά οἱ ἀκροατές δέν ἦταν μυγιάγγιαχτοι/σεμνότυφοι. **~·ly** *ἐπίρ.* σιχασιάρικα. **~·ness** *οὐσ.* ‹U› προδιάθεσις πρός ἐμετό, ὑπερευαισθησία.

squee·gee /ˋskwidʒɪ/ *οὐσ.* ‹C› λαστιχένια σκούπα (γιά πατώματα, τζάμια, κλπ). __*ρ.μ.* σκουπίζω (νερά).

squeeze /skwiz/ *ρ.μ/ἀ.* **1**. (συμ)πιέζω, ζουλῶ/-ιέμαι, στίβω/-ομαι, σφίγγω: *~ a tube of toothpaste*, πιέζω ἕνα σωληνάρι ὀδοντόπαστα. *I got my fingers ~d in the door*, ζούληξα τά δάχτυλά μου στήν πόρτα (μοῦ τἄπιασε ἡ πόρτα). *~ a lemon dry*, στίβω ἐντελῶς ἕνα λεμόνι. *A sponge/An orange ~s easily*, ὁ σπόγγος/τό πορτοκάλι ζουλιέται εὔκολα. *~ sb's hand*, σφίγγω τό χέρι κάποιου. **2**. ***~ sth (from/out of)***, βγάζω στίβοντας, παίρνω πιέζοντας, ἀποσπῶ: *~ (the juice out of) a lemon*, στίβω (τό χυμό ἀπό) ἕνα λεμόνι. *S~ the water out!* στίψε/βγάλε τό νερό! *~ more money out of the public*, ἀποσπῶ κι'ἄλλα χρήματα ἀπό τόν κόσμο (*πχ* μέ φόρους). *The blackmailers ~d the last penny out of him*, οἱ ἐκβιαστές τοῦ πήρανε καί τήν τελευταία του δεκάρα, τόν ξεζούμισαν. **3**. στριμώχνω/-ομαι: *~ into/out of a crowded bus*, μπαίνω/βγαίνω στριμωγμένα ἀπό ἕνα γεμᾶτο λεωφορεῖο. *~ more clothes into a suitcase*, στριμώχνω (χώνω) κι'ἄλλα ροῦχα σέ μιά βαλίτσα. *~ (oneself) through a gap in a hedge*, περνῶ μέ ζόρι μέσα ἀπό ἕνα ἄνοιγμα σέ φράχτη. __*οὐσ.* ‹C› **1**. (συμ)πίεσις, σφίξιμο, στίψιμο, ζούληγμα: *a ~ of lemon*, στρίψιμο λεμονιοῦ. *give sb a hug and a ~*, ἀγκαλιάζω καί σφίγγω κπ. **ˋcredit ~**, συμπίεσις τῶν πιστώσεων. **2**. συνωστισμός, στρίμωγμα, σπρωξίδι: *It was a tight ~*, ἦταν μεγάλος συνωστισμός. ***a close/narrow/tight ~***, (σωτηρία) παρά τρίχα: *We had a tight ~*, γλυτώσαμε παρά τρίχα. **~r** *οὐσ.* ‹C› στίφτης: *a ˋlemon-~r*, λεμονοστίφτης.

squelch /skweltʃ/ *ρ.μ/ἀ.* πλατσουρίζω, περπατῶ κάνοντας πλάτς-πλούτς (κάτι σάν τόν ἦχο βεντούζας): *~ through mud*, περνῶ πλατσουρίζοντας μέσα ἀπό λάσπες. *The water ~ed in my boots*, τό νερό ἔκανε πλάτς-πλούτς μέσα στίς μπότες μου. __*οὐσ.* ‹C› πλατσούρισμα, πλάτς (ὁ ἦχος): *We could hear the ~ of their feet in the mud*, ἀκούγαμε τό πλάτς-πλούτς τῶν ποδιῶν τους στή λάσπη.

squib /skwɪb/ *οὐσ.* ‹C› (*πληθ.* *~s ἤ ~*) **1**. τρακατρούκα, κροτίδα: *let off ~s*, ρίχνω τρακατροῦκες. **2**. σάτιρα, σατιρικό δημοσίευμα.

squid /skwɪd/ *οὐσ.* ‹C› (*πληθ.* *~ ἤ ~s*) (*ἰχθ.*) καλαμαράκι.

squiffy /ˋskwɪfɪ/ *ἐπ.* (*λαϊκ.*) λίγο πιωμένος: *He was ~*, τἄχε μισοκοπανίσει.

squiggle /ˋskwɪgl/ *οὐσ.* ‹C› τζίφρα, καλλικαντζούρα: *This ~ is supposed to be his signature*, αὐτή ἡ καλλικαντζούρα ὑποτίθεται ὅτι εἶναι ἡ ὑπογραφή του. **squig·gly** /ˋskwɪglɪ/ *ἐπ.* στριμμένος.

squint /skwɪnt/ *ρ.ἀ.* ἀλλοιθωρίζω, εἶμαι γκαβός. ***~ at sth/sb***, κοιτάζω κτ λοξά/στραβοκοιτάζω κπ. __*οὐσ.* ‹C› **1**. ἀλλοιθώρισμα, στραβισμός: *He has a slight ~*, ἀλλοιθωρίζει λίγο, εἶναι λιγάκι γκαβός. **ˋ~-eyed** *ἐπ.* ἀλλοίθωρος, γκαβός. **2**. (*καθομ.*) ματιά: *Let me have a ~ at it*, γιά νά ρίξω μιά ματιά.

squire /ˋskwaɪə(r)/ *οὐσ.* ‹C› **1**. τσιφλικᾶς, προύχοντας τοῦ χωριοῦ. **2**. (*ἱστ.*) ἀκόλουθος ἱππότη. **3**. (*χιουμορ.*) συνοδός κυρίας, καβαλλιέρος. **4**. (*ΗΠΑ*) εἰρηνοδίκης, τοπικός δικαστής. __*ρ.μ.* συνοδεύω κυρίαν. **ˋ~·ar·chy** /-akɪ/ *οὐσ.* ‹C› οἱ προύχοντες.

squirm /skwɜm/ *ρ.ἀ.* στριφογυρίζω (σά σκουλήκι), νοιώθω τρομερή δυσφορία ἤ ἀμηχανία: *~ with shame/embarrassment*, στριφογυρίζω ἀπό ντροπή/ἀπό ἀμηχανία. ***make sb ~***, κάνω κπ νά μήν μπορῆ νά σταθῆ στή θέση του (τόν φέρνω σέ δύσκολη θέση, σέ τρομερή ἀμηχανία). __*οὐσ.* ‹C› στριφογύρισμα.

squir·rel /ˋskwɪrl/ *οὐσ.* ‹C› σκίουρος.

squirt /skwɜt/ *ρ.μ/ἀ.* (*γιά ὑγρό*) ἐκτοξεύω/-ομαι. __*οὐσ.* ‹C› **1**. πίδακας (ὑγροῦ). **2**. σύριγγα, κλύσμα, (παιδικό) νεροπίστολο. **3**. (*καθομ., σά βρισιά*) ἀσήμαντο ἀλλά φαντασμένο ἀνθρωπάκι, (*μεταφ.*) φουσκωμένος βάτραχος.

stab /stæb/ *ρ.μ/ἀ.* *(-bb-)* **1**. μαχαιρώνω, καρφώνω: *~ sb to death*, σκοτώνω κπ μέ μαχαίρι. *~ sb to the heart*, πληγώνω κπ κατάκαρδα. ***~ sb in the back***, (*κυριολ. & μεταφ.*) καρφώνω (χτυπῶ) κπ πισώπλατα. **2**. (*μεταφ.*) σουβλίζω, σφάζω: *~bing pains in the back*, σουβλιές στήν πλάτη. __*οὐσ.* ‹C› **1**. μαχαιριά: *a ~ of pain*, σουβλιά πόνου. ***a ~ in the back***, μαχαιριά στήν πλάτη, (*μεταφ.*) μπαμπεσιά. **2**. (*καθομ.*) προσπάθεια, δοκιμή, ἀπόπειρα: *Let me have a ~ at it*, γιά νά δοκιμάσω κι'ἐγώ. **~·ber** *οὐσ.* ‹C› μαχαιροβγάλτης, (*ἐργαλ.*) σουβλί.

[1]**stable** /ˋsteɪbl/ *ἐπ.* σταθερός: *a ~ government/job*, σταθερή κυβέρνησις/δουλειά. **sta·bil·ity** /stəˋbɪlətɪ/ *οὐσ.* ‹U› σταθερότης. **sta·bil·ize** /ˋsteɪbəlaɪz/ *ρ.μ.* σταθεροποιῶ. **sta·bi·lizer** *οὐσ.* ‹C› σταθεροποιητής, ζυγοσταθμιστής (πλοίου ἤ ἀεροσκάφους). **sta·bil·iz·ation** /ˌsteɪbəlaɪˋzeɪʃn/ *οὐσ.* ‹U› σταθεροποίησις.

[2]**stable** /ˋsteɪbl/ *οὐσ.* ‹C› σταῦλος. **ˋ~-boy/-man**, ἱπποκόμος. **ˋ~-companion**, ἄλογο τοῦ ἴδιου σταύλου, (*μεταφ.*) συνάδελφος. __*ρ.μ.* σταυλίζω. **stab·ling** /ˋsteɪbəlɪŋ/ *οὐσ.* ‹U› σταύλωσις.

stac·cato /stəˋkatəʊ/ *ἐπ.* & *ἐπίρ.* (*μουσ.*) στακκάτο, κοφτός: *speak in a ~ voice*, μιλῶ σπασμωδικά/μέ σύντομες κοφτές φράσεις.

stack /stæk/ *οὐσ.* ‹C› **1**. θημωνιά. **2**. πυραμίδα

ὅπλων. **3**. στήλη, στοίβα (βιβλίων, κλπ), ράφια. **4**. ἀεροπλάνα πού κάνουν κύκλους σέ διάφορα ὕψη περιμένοντας σειρά νά προσγειωθοῦν. **5**. δέσμη καμινάδων. **6**. (*καθομ.*) σωρός, πλῆθος: *I have ~s of work waiting for me*, ἔχω ἕνα σωρό δουλειά πού μέ περιμένει. ***make ~s of money***, κάνω χρήματα μέ τό τσουβάλι. —*ρ.μ/ἀ.* **1**. ~ ***(up)***, θημωνιάζω, στοιβάζω: ~ *up hay/wood/dishes*, θημωνιάζω χόρτο/στοιβάζω ξύλα/πιάτα. **2**. (*χαρτοπ.*) φτιάχνω τά χαρτιά, κλέβω: *I had the cards ~ed against me*, μοῦχανε φτιάξει τά χαρτιά, (*μεταφ.*) ἤμουν σέ μειονεκτική θέση.

sta·dium /ˈsteɪdɪəm/ *οὐσ.* ‹C› στάδιο.

staff /stɑf/ *οὐσ.* ‹C› **1**. ραβδί, ράβδος, κοντάρι, (*μεταφ.*) στύλος, στήριγμα: *a pastoral ~*, ποιμαντορική ράβδος, πατερίτσα. *a ˈflag-~*, κοντάρι σημαίας. *He's the ~ of my old age*, εἶναι ὁ στύλος/τό ἀποκούμπι τῶν γηρατειῶν μου. *Bread is the ~ of life*, τό ψωμί εἶναι τό στήριγμα (ἤ βάσις) τῆς ζωῆς. **2**. (*συλλογ. μέ ρ. πληθ.*) προσωπικόν: *the school ~*, τό προσωπικό τοῦ σχολείου. *the teaching/medical/domestic ~*, τό διδακτικό/ἰατρικό/ὑπηρετικό προσωπικό. ***be on the ~ of...***, εἶμαι μέλος τοῦ προσωπικοῦ τοῦ... **ˈ~-manager**, προσωπάρχης. **ˈ~-office**, ὑπηρεσία προσωπικοῦ. **ˈoffice-~**, προσωπικό γραφείου. **3**. (*στρατ.*) ἐπιτελεῖον: *the General S~*, τό Γενικό Ἐπιτελεῖο. *ˈ~ officers*, ἀξιωματικοί τοῦ Ἐπιτελείου. **4**. (*μουσ.*) (*πληθ. staves* /ˈsteɪvz/) πεντάγραμμο (μουσικῆς). —*ρ.μ.* ἐπανδρώνω: *~ a new school*, ἐφοδιάζω ἕνα καινούργιο σχολεῖο μέ δασκάλους. *a well-~ed hospital/hotel*, νοσοκομεῖο/ξενοδοχεῖο μέ πλήρες προσωπικό. *an over-/under-~ed office*, γραφεῖο μέ ὑπεράριθμο/μέ ἀνεπαρκές προσωπικό.

stag /stæg/ *οὐσ.* ‹C› **1**. ἀρσενικό ἐλάφι. **ˈ~-party**, (*καθομ.*) ἀντροπαρέα. **2**. (*χρημ.*) κερδοσκόπος, σπεκουλαδόρος.

stage /steɪdʒ/ *οὐσ.* ‹C› **1**. σκηνή (θεάτρου): *come on the ~*, ἐμφανίζομαι ἐπί σκηνῆς. ***the ~***, τό θέατρο, τό ἐπάγγελμα τοῦ ἠθοποιοῦ. *write for the ~*, γράφω γιά τό θέατρο. ***be/go on the ~***, εἶμαι/βγαίνω στό θέατρο. **ˈ~-craft**, θεατρική τέχνη. **ˈ~ designer**, σκηνογράφος. **ˈ~ directions**, σκηνικές ὁδηγίες. **ˈ~ director**, σκηνοθέτης. **ˈ~ fright**, τράκ, ἄγχος τῆς σκηνῆς. **ˈ~ ˈmanager**, διευθυντής σκηνῆς. **ˈ~-struck** *ἐπ.* θεατρόπληκτος. **ˈ~-ˈwhisper**, μονόλογος ἠθοποιοῦ, σκηνικός ψίθυρος. **2**. θέατρον, πεδίον δράσεως. **3**. φάσις, στάδιο, βαθμίδα: *the successive ~s of an operation*, οἱ διαδοχικές φάσεις (τά διαδοχικά στάδια) μιᾶς ἐπιχειρήσεως. *at an early ~ of our history*, στίς ἀρχές τῆς ἱστορίας μας. *The baby has reached the ˈtalking ~*, τό μωρό ἔφθασε στό στάδιο τῆς ὁμιλίας. *reach a critical ~*, φθάνω σέ κρίσιμη φάση/σέ κρίσιμο σημεῖο. *pass through all the ~s*, περνῶ ὅλα τά στάδια. ***in/by (successive) ~s***, βαθμηδόν. **4**. τμῆμα διαδρομῆς, στάσις: *travel by easy ~s*, ταξιδεύω μέ μικρές διαδρομές. *Horses were changed at every ~*, τά ἄλογα ἀλλάζονταν σέ κάθε στάση. **ˈ~(-coach)**, ταχυδρομική ἅμαξα. **ˈfare-~**, διαδρομή ὡρισμένου εἰσιτηρίου. **5**. σκαλωσιά, ἐξέδρα: *ˈlanding-~*, ἀποβάθρα. —*ρ.μ/ἀ.* **1**. ἀνεβάζω (ἔργο): *a well-~d play*, καλοανεβασμένο ἔργο. **2**. (*γιά ἔργο*) κάνω γιά τό θέατρο: *His plays ~ well/badly*, τά ἔργα του εἶναι/δέν εἶναι καλά στή σκηνή. **3**. ὀργανώνω, σκηνοθετῶ: *~ a demonstration*, ὀργανώνω μιά διαδήλωση. **ˈ~ a ˈcome-back**, (*μεταφ.*) (*ἰδ. γιά καλλιτέχνες, πολιτικούς, κλπ*) ἐπανεμφανίζομαι ἐπί σκηνῆς (ξαναγυρίζω στήν ἐνεργό δράση) μετά ἀπό ἀποχώρηση ἤ ἀποτυχία.

stager /ˈsteɪdʒə(r)/ *οὐσ.* ‹C› (*καθομ.*) ***an old ~***, παληά καραβάνα, παληά καραμπίνα.

stag·ger /ˈstægə(r)/ *ρ.μ/ἀ.* **1**. τρεκλίζω, παραπατῶ: *~ along/across/out/in*, περπατῶ/διασχίζω/βγαίνω/μπαίνω τρικλίζοντας. *He ~ed to his feet*, σηκώθηκε ὄρθιος τρεκλίζοντας. *~ from side to side of the street*, πηγαίνω τρικλίζοντας ἀπό τή μιά πλευρά τοῦ δρόμου στήν ἄλλη. **2**. ζαλίζω, καταπλήσσω, συγκλονίζω: *a ~ing blow*, χτύπημα πού ζαλίζει, ἐξουθενωτικό χτύπημα. *I was ~ed to hear/on hearing that...*, ἔμεινα κατάπληκτος μαθαίνοντας ὅτι... **3**. κλιμακώνω: *~ holidays/office hours*, κλιμακώνω τίς διακοπές/τίς ὧρες ἐργασίας τοῦ γραφείου. —*οὐσ.* **1**. (*ἑν.*) τρίκλισμα. **2**. **the ~s**, (*καθομ.*) ἴλιγγος, ζάλη: *have the ~s*.

stag·ing /ˈsteɪdʒɪŋ/ *οὐσ.* **1**. ‹C,U› σκαλωσιά, ἰκρίωμα. **2**. ‹U› ἀνέβασμα (ἔργου).

stag·nant /ˈstægnənt/ *ἐπ.* στάσιμος, λιμνάζων: *~ water*, στάσιμα/λιμνάζοντα νερά. *Business is ~*, δέν ὑπάρχει κίνησις, οἱ δουλειές εἶναι στάσιμες. ***lie ~***, λιμνάζω.

stag·nate /stægˈneɪt/ *ρ.ἀ.* λιμνάζω, (*μεταφ.*) εἶμαι στάσιμος/ἀδρανής. **stag·na·tion** /-neɪʃn/ *οὐσ.* ‹U› λίμνασμα, στασιμότης, ἀπραξία.

stagy /ˈsteɪdʒɪ/ *ἐπ.* θεατρινίστικος. **stag·ily** /-əlɪ/ *ἐπίρ.* θεατρινίστικα. **stagi·ness** *οὐσ.* ‹U› θεατρινισμός.

staid /steɪd/ *ἐπ.* (*γιά ἄνθρ., ντύσιμο, συμπεριφορά*) σοβαρός, συντηρητικός, μετρημένος. **~·ly** *ἐπίρ.* σοβαρά. **~·ness** *οὐσ.* ‹U› σοβαρότης.

stain /steɪn/ *οὐσ.* **1**. ‹U› μπογιά, βαφή (γιά ξύλο, κλπ). **2**. ‹C› κηλίδα, λεκές: *ˈblood-/ˈink-~s*, κηλίδες αἷμα/μελανιές. *a ~ on one's reputation*, (*μεταφ.*) κηλίδα στό ὄνομά μου. —*ρ.μ/ἀ.* **1**. βάφω: *He ~ed the wood brown*, ἔβαψε τό ξύλο καφέ. *blood-~ed hands*, ματοβαμμένα χέρια. *fingers ~ed with nicotine*, δάχτυλα βαμμένα (κιτρινισμένα) ἀπό τή νικοτίνη. **~ed glass**, χρωματιστό γυαλί, ὑαλογράφημα: *~ed glass windows*, βιτρῶ. **2**. κηλιδώνω, σπιλώνω, λεκιάζω, λερώνω: *~ one's reputation*, σπιλώνω τ' ὄνομά μου (κηλιδώνω τήν ὑπόληψή μου). *a tablecloth ~ed with gravy*, τραπεζομάντηλο λεκιασμένο μέ σάλτσες. *This material ~s easily*, αὐτό τό ὕφασμα λερώνει εὔκολα. **~·less** *ἐπ.* *(α)* ἀκηλίδωτος: *a ~less reputation*, ἄσπιλο ὄνομα. *(β)* ἀνοξείδωτος: *~less steel*, ἀνοξείδωτο ἀτσάλι.

stair /steə(r)/ *οὐσ.* ‹C› **1**. σκαλοπάτι: *He was sitting on the bottom ~*, καθόταν στό κάτω σκαλοπάτι. ***a flight of ~s***, σειρά σκαλοπάτια (ἀπό τό ἕνα πλατύσκαλο στό ἄλλο). **ˈ~-carpet**, διάδρομος σκάλας. **ˈ~·case/**

·way, σκάλα (μέ κάγκελα). `**~-rod**, βέργα πού κρατάει τό διάδρομο. **2**. (*συνήϑ. πληϑ.*) σκάλα: *run up/down the ~s*, ἀνεβαίνω/κατεβαίνω τίς σκάλες τρέχοντας. *I passed her on the ~s*, τήν συνάντησα στή σκάλα. *at the foot/head of the ~s*, στό κάτω/πάνω μέρος τῆς σκάλας. ***below ~s***, στό ὑπόγειο, στά δωμάτια τῶν ὑπηρετῶν: *The affair is being discussed below ~s*, ἡ ὑπόθεσις σχολιάζεται ἀπό τούς ὑπηρέτες.

stake /steɪk/ *οὐσ.* ‹C› **1**. πάσσαλος, παλούκι. **2**. πυρά (μαρτυρίου): *be condemned to the ~*, καταδικάζομαι εἰς τόν διά πυρᾶς θάνατον (ὡς αἱρετικός). *perish/die at the ~*, ἀποθνήσκω ἐπί τῆς πυρᾶς. ***go to the ~***, καίγομαι ζωντανός, (*μεταφ.*) ὑφίσταμαι τίς συνέπειες τῆς ἀνοησίας μου. **3**. (*σέ παιχνίδι*) στοίχημα, μίζα, ποντάρισμα: *What are the ~s?* τί ποσά παίζετε; ***be at ~***, διακυβεύομαι: *His life/reputation is at ~*, διακυβεύεται ἡ ζωή του/ἡ ὑπόληψίς του (παίζει τή ζωή του/τήν ὑπόληψή του). `**~-holder**, αὐτός πού κρατάει τά στοιχήματα. **4**. συμφέρον, μερίδιο, ἐνδιαφέρον: *He has a ~ in this business*, ἔχει συμφέροντα σ' αὐτή τήν ἐπιχείρηση. __*ρ.μ.* **1**. ὑποστηρίζω μέ πασσάλους: *~ plants*, στηρίζω φυτά μέ πασσάλους. **2**. ***~ sth (out/off)***, χωρίζω/ὁριοθετῶ μέ πασσάλους. **3**. ***~ sth on sth***, βάζω στοίχημα σέ κτ: *~ £5 on a horse*, παίζω 5 λίρες σ' ἕνα ἄλογο. *I'd ~ my life/my all on it*, θἄπαιζα καί τό κεφάλι μου/ὅ,τι ἔχω καί δέν ἔχω σ' αὐτό.

stal·ac·tite /ˋstæləktaɪt/ *οὐσ.* ‹C› σταλακτίτης.

stal·ag·mite /ˋstæləgmaɪt/ *οὐσ.* ‹C› σταλαγμίτης.

stale /steɪl/ *ἐπ.* μπαγιάτικος, πολυκαιρινός: *~ bread*, μπαγιάτικο ψωμί. *~ beer*, ξεθυμασμένη μπύρα. *a ~ smell*, μυρουδιά κλεισούρας/μούχλας. *~ news/jokes*, μπαγιάτικα νέα/χιλιοειπωμένα ἀστεῖα. ***become ~***, (*γιά ἀϑλητή, κλπ*) παθαίνω ὑπερκόπωση, πέφτω: *He's become ~*, ἔπεσε ἡ ἀπόδοσή του. __*ρ.ἀ.* μπαγιατεύω, ξεθυμαίνω: *All pleasures ~ with time*, ὅλες οἱ ἡδονές μπαγιατεύουν (ξεθυμαίνουν) μέ τόν καιρό. **~·ness** *οὐσ.* ‹U› μπαγιάτεμα.

stale·mate /ˋsteɪlmeɪt/ *οὐσ.* ‹C,U› **1**. (*στό σκάκι*) πάτ. **2**. (*μεταφ.*) ἀδιέξοδο. __*ρ.μ.* κάνω πάτ/φέρνω σέ ἀδιέξοδο (τόν ἀντίπαλο).

[1]**stalk** /stɔk/ *οὐσ.* ‹C› μίσχος, κοτσάνι.

[2]**stalk** /stɔk/ *ρ.μ/ἀ.* **1**. περπατῶ μέ ἀργά ἀγέρωχα βήματα/μέ μεγάλες δρασκελιές: *He ~ed out of the room*, βγῆκε ἀπό τό δωμάτιο μέ ἀγέρωχο βῆμα. **2**. (*μεταφ.*) προχωρῶ ἀμείλικτα: *Famine ~ed through the land*, ὁ λιμός ἁπλωνόταν ἀμείλικτα (σάρωνε) ὅλη τή χώρα. **3**. πλησιάζω (θήραμα) ἀθόρυβα, καταδιώκω ἤ παρακολουθῶ ἀθέατος, παραφυλάω. `**~·ing-horse**, (*μεταφ.*) δούρειος ἵππος, πρόσχημα. **~er** *οὐσ.* ‹C› κυνηγός.

stall /stɔl/ *οὐσ.* ‹C› **1**. πάγκος (ὑπαίθριου μικροπωλητή), ὑπαίθριο μαγαζί, περίπτερο: *a `book-/`flower-/`coffee-~*, περίπτερο ἐφημερίδων/ὑπαίθριο ἀνθοπωλεῖο/περίπτερο μέ ἀναψυκτικά. **2**. χώρισμα σταύλου (γιά ἕνα ζῶο). **3**. στασίδι κληρικοῦ. **4**. (*ἰατρ.*) (`**finger-**)~, δαχτυλήθρα. **5**. (*πληϑ.*) καθίσματα κοντά στή σκηνή (θεάτρου). **6**. (*ἀερ.*) ἀπώλεια ταχύτητος στηρίξεως, στολλάρισμα. __*ρ.μ/ἀ.* **1**. σταυλίζω ζῶον (*ἰδ.* γιά πάχυνση). **2**. (*ἀερ.*) μειώνω τήν ταχύτητα κάτω τοῦ κρισίμου σημείου, (*γιά κινητήρα αὐτοκ.*) μπλοκάρω, σβύνω, σταματῶ. **3**. ἀναβάλλω, χρονοτριβῶ, καθυστερῶ: *~ for time*, προσπαθῶ νά κερδίσω καιρό. *~ off creditors*, ρίχνω (πίσω) πιστωτές. *Quit ~ing!* ἄσε τίς ὑπεκφυγές!

stal·lion /ˋstælɪən/ *οὐσ.* ‹C› βαρβᾶτο ἄλογο.

stal·wart /ˋstɔlwət/ *ἐπ.* **1**. ψηλός καί γεροδεμένος, ρωμαλέος. **2**. σταθερός, πιστός, ἀκλόνητος: *~ supporters*, σταθερός ὑποστηρικτής. __*οὐσ.* ‹C› πιστός ὑποστηρικτής, ἀφοσιωμένος ὀπαδός.

sta·men /ˋsteɪmən/ *οὐσ.* ‹C› στήμων (λουλουδιοῦ).

stam·ina /ˋstæmɪnə/ *οὐσ.* ‹U› ζωτικότης, ἀντοχή, σφρῖγος (*ἰδ.* πνευματικό): *a man of great ~*, ἄνθρωπος γεμᾶτος ζωτικότητα.

stam·mer /ˋstæmə(r)/ *ρ.μ/ἀ.* τραυλίζω, ψευδίζω: *~ out*, λέω τραυλίζοντας. *~ out a request*, παρακαλῶ γιά κάτι τραυλίζοντας. __*οὐσ.* ‹C› τραύλισμα, βραδυγλωσσία. **~er** *οὐσ.* ‹C› τραυλός, ψευδός, βραδύγλωσσος. **~·ing·ly** *ἐπίρ.* ψελλίζοντας.

[1]**stamp** /stæmp/ *ρ.μ/ἀ.* **1**. χτυπῶ κάτω (τά πόδια): *They clapped their hands and ~ed their feet*, χτυποῦσαν τά χέρια τους καί τά πόδια τους. *~ on a spider*, πατῶ μέ τό πόδι μιά ἀράχνη. *~ with rage*, χτυπῶ τά πόδια ἀπό λύσσα. *~ the ground to keep one's feet warm*, χτυπῶ τό χῶμα νά κρατήσω ζεστά τά πόδια μου. ***~ sth out***, σβύνω/συνθλίβω (χτυπώντας μέ τό πόδι), (*μεταφ.*) καταπνίγω, ἐξαλείφω, ξερριζώνω, συντρίβω: *~ out a fire*, σβύνω μιά φωτιά μέ τά πόδια. *~ out a rebellion*, καταπνίγω (συντρίβω) μιά ἀνταρσία. *~ out an epidemic disease*, ἐξαλείφω μιά ἐπιδημία. `**~·ing-ground**, στέκι (μέρος ὅπου συχνάζουν ὡρισμένα ζῶα ἤ ὡρισμένοι ἄνθρωποι). **2**. χαρτοσημαίνω, γραμματοσημαίνω: *The letter is insufficiently ~ed*, τό γράμμα δέν ἔχει κανονικά γραμματόσημα. **~ed addressed envelope** (*βραχ.* **s a e**), γράμμα μέ διεύθυνση καί γραμματόσημο. **3**. σφραγίζω (ἔγγραφο), μαρκάρω (ἐμπορεύματα), σταμπάρω: *~ one's name and address on an envelope*, σταμπάρω τ' ὄνομά μου καί τή διεύθυνσή μου σ' ἕνα φάκελλο. **4**. κόβω (στήν πρέσσα). **5**. ἐντυπώνω/-ομαι, ἀποτυπώνω/-ομαι, σημαδεύω: *That memory has ~ed itself on my mind*, αὐτή ἡ ἀνάμνησις ἔχει ἐντυπωθῆ στό μυαλό μου. *a face ~ed with suffering*, πρόσωπο σφραγισμένο (σημαδεμένο) ἀπό τά βάσανα. *Cruelty was ~ed on his face*, ἡ σκληρότης ἦταν ἀποτυπωμένη στό πρόσωπό του. **6**. χαρακτηρίζω, σταμπάρω κπ ὡς κτ: *These actions ~ him as a man of high principles*, αὐτές οἱ πράξεις τόν χαρακτηρίζουν ὡς ἄνθρωπο ὑψηλῶν ἀρχῶν.

[2]**stamp** /stæmp/ *οὐσ.* ‹C› **1**. χτύπημα τοῦ ποδιοῦ: *with a ~ of impatience*, μ' ἕνα ἀνυπόμονο χτύπημα τοῦ ποδιοῦ. **2**. σφραγίδα: *a rubber ~*, λαστιχένια σφραγίδα. *a `figure-~*, ἀριθμητήρας. **3**. (*συνήϑ. ἑν.*) καλούπι: *men of the same ~*, ἄνθρωποι ἀπό τό ἴδιο καλούπι. *He's not a man of that ~*, δέν εἶναι

τέτοιος ἄνθρωπος. **4**. (*συνήθ. ἑν.*) στάμπα, ἀποτύπωμα, σφραγίδα, μάρκα: *He bears the ~ of genius*, φέρει τή σφραγίδα τῆς ἰδιοφυΐας. **5**. γραμματόσημο, χαρτόσημο. **`~-album/-collector/-dealer**, λεύκωμα/συλλέκτης/ἔμπορος γραμματοσήμων. **`~-duty**, τέλος χαρτοσήμου.

stam·pede /stæm`pid/ *οὐσ.* ‹C› πανικόβλητη φυγή (ζώων ἤ ἀνθρώπων), πανικός, φευγιό. —*ρ.μ/ἀ.* **1**. τρέπομαι σέ ἄτακτη φυγή. **2**. ***~ sb into (doing) sth***, πανικοβάλλω κπ καί τόν ἀναγκάζω νά κάμη κτ ἀπερίσκεπτο: *Don't be ~d into buying it*, μή σέ πάρουν ἀπό μπρός καί τ' ἀγοράσης!

stance /stæns/ *οὐσ.* ‹C› **1**. στάσις παίκτου (ὅταν χτυπᾶ τήν μπάλλα, *ἰδ.* στό γκόλφ ἤ στό κρίκετ). **2**. (*μεταφ.*) στάσις, θέσις (ἀπέναντι σέ κτ).

stan·chion /`stantʃən/ *οὐσ.* ‹C› στύλος, ὀρθοστάτης.

[1]**stand** /stænd/ *οὐσ.* ‹C› **1**. στάσις, σταμάτημα: *come to a ~*, σταματῶ, ἀκινητοποιοῦμαι. *bring sth to a ~*, σταματῶ, ἀκινητοποιῶ κτ. ***make a ~ for/against***, ὑπερασπίζομαι/ἀντισκέκομαι, ἀντιτάσσομαι: *make a ~ for one's principles*, ὑπερασπίζομαι τίς ἀρχές μου. *make a ~ against terrorism*, ἀντιστέκομαι στήν τρομοκρατία. ***'one-night `~***, μιά μόνον παράστασις (περιοδεύοντος θιάσου), (*μεταφ.*) συνάντησις πού δέν θά ἔχη συνέχεια. **2**. στάσις, θέσις: *He took his ~ near the window*, στάθηκε (ἔλαβε θέση) κοντά στό παράθυρο. ***take one's ~***, παίρνω θέση. ***take one's ~ upon sth***, στηρίζομαι σέ κτ, βασίζω τίς ἀπόψεις μου σέ κτ. **3**. στήριγμα, βάσις, βάθρο: *a `hat-~*, κρεμάστρα γιά καπέλλα, *a `music-~*, ἀναλόγιο μουσικῆς, *an um`brella-~*, κρεμάστρα γιά ὀμπρέλλες. *a `wash-~*, νιπτήρας, λαβαμπό. **4**. ὑπαίθριο κατάστημα, πάγκος, περίπτερο (σέ ἔκθεση): *a `news-~*, πάγκος μέ ἐφημερίδες. *the British ~ at the Salonica Fair*, τό Βρεταννικό περίπτερο στήν Ἔκθεση Θεσσαλονίκης. **5**. ἐξέδρα (σέ γήπεδο). **6**. σταθμός (ὀχημάτων): *a `taxi-~*, σταθμός/πιάτσα ταξί. **7**. (*ΗΠΑ*) θέσις ἐξεταζομένου μάρτυρος σέ δικαστήριο: *take the ~*, ἐξετάζομαι ὡς μάρτυς. **8**. ἐσοδεία (σέ ὡρισμένη περιοχή): *a good ~ of wheat*, καλή σοδειά σταριοῦ. **9**. (*σέ σύνθ. λέξεις*): **`~-pipe**, κατακόρυφος σωλήνας. **`~point**, ἄποψις, σκοπιά: *from the ~point of the consumer*, ἀπό τήν ἄποψη τοῦ καταναλωτοῦ. *from your ~point*, ἀπό τή δική σου σκοπιά. **`~·still**, ἀκινητοποίησις, σταμάτημα. ***bring sth to/come to a ~still***, ἀκινητοποιῶ/-οιοῦμαι, σταματῶ: *Production/The train came to a ~still*, ἡ παραγωγή/τό τραῖνο σταμάτησε. *Several mills are at a ~still*, πολλά ἐργοστάσια ἔχουν σταματήσει/ἀργοῦν. *a ~still order/agreement*, διαταγή/συμφωνία ἀκινητοποιήσεως.

[2]**stand** /stænd/ *ρ.μ/ἀ. ἀνώμ.* (*ἀόρ. & π.μ. stood* /stʊd/) **1**. στέκομαι, εἶμαι ὄρθιος: *He was too weak to ~*, ἦταν τόσο ἀδύνατος πού δέν μπορούσε νά κρατηθῆ στά πόδια του. *We had to ~ all the way back in the train*, ὑποχρεωθήκαμε νά σταθοῦμε ὄρθιοι στό τραῖνο σ' ὅλη τήν ἐπιστροφή. *Don't ~ there arguing about it*, μή στέκεστε ἐκεῖ καί συζητᾶτε. *I stood looking at her*, καθόμουν καί τήν κοίταζα. *He ~s six foot (tall)*, ἔχει ἕξη πόδια μπόϊ. ***~ still***, στέκομαι ἀκίνητος. ***S~ing room only!*** χῶρος μόνον γιά ὀρθίους! **2**. ***~ (up)***, σηκώνομαι ὄρθιος: *We stood (up) to see better*, σηκωθήκαμε ὄρθιοι νά δοῦμε καλύτερα. **3**. στήνω κπ/κτ ὄρθιο: *~ a bottle on the table*, βάζω ἕνα μπουκάλι στό τραπέζι. *~ a ladder against a wall*, στήνω/ἀκουμπῶ μιά σκάλα σ' ἕναν τοῖχο. *She stood the baby on a chair*, ἔβαλε ὄρθιο τό μωρό σέ μιά καρέκλα. *He was stood up against the wall and shot*, τόν ἔστησαν στόν τοῖχο καί τό ἐκτέλεσαν. *If you do that again you'll be stood in the corner*, ἄν τό ξανακάνης θά στηθῆς τιμωρία στή γωνία. **4**. κεῖμαι, εὑρίσκομαι, εἶμαι: *The house ~s on a hill*, τό σπίτι βρίσκεται (ὑψώνεται) σέ λόφο. *Where do you ~ in class?* ποιά εἶναι ἡ θέση σου (ἡ σειρά σου) στήν τάξη; *A poplar tree once stood there*, μιά λεύκα ἦταν κάποτε ἐκεῖ. *The dictionary ~s on the top shelf*, ἡ θέσις τοῦ λεξικοῦ εἶναι στό πάνω ράφι. **5**. (παρα)μένω, κρατῶ, διατηροῦμαι, ἰσχύω: *The house will ~ for another century*, τό σπίτι θά κρατήση (θά διατηρηθῆ) κι' ἄλλα ἑκατό χρόνια. *The agreement ~s*, ἡ συμφωνία ἰσχύει. *This clause must ~*, αὐτός ὁ ὅρος πρέπει νά (παρα)μείνη. ***~ firm/fast***, κρατῶ γερά, δέν ὑποχωρῶ. ***~ or fall***, ἤ κρατάω ἤ χάνομαι: *We ~ or fall together*, ἤ θά σωθοῦμε ὅλοι ἤ θά χαθοῦμε ὅλοι (ἡ τύχη μας εἶναι κοινή). ***~ one's ground***, κρατῶ τίς θέσεις μου, δέν ὑποχωρῶ. **6**. ***~ sb sth***, κερνῶ κπ: *~ drinks all round*, κερνῶ ποτά ὅλο τόν κόσμο. *I'll ~ you champagne*, θά σέ κεράσω σαμπάνια. *~ sb a good dinner*, προσφέρω ἕνα καλό γεῦμα σέ κπ. ***~ treat***, πληρώνω τό κέρασμα. **7**. ὑποφέρω, ἀνέχομαι: *I can't ~ that woman/hot weather*, δέν μπορῶ νά ὑποφέρω αὐτή τή γυναίκα/τό ζεστό καιρό. *I will ~ no nonsense*, δέν σηκώνω ἀστεῖα, δέν ἀνέχομαι ἀνοησίες. *I can't ~ being kept waiting*, δέν ἀνέχομαι νά μέ κάνουν νά περιμένω. **8**. εἶμαι (σέ ὡρισμένη θέση ἤ κατάσταση): *The balance ~s at £100*, τό ὑπόλοιπο τοῦ λογαριασμοῦ εἶναι 100 λίρες. *The matter ~s thus*, τό θέμα ἔχει ὡς ἑξῆς. *As affairs now ~*, ὅπως ἔχουν τά πράγματα τώρα... *They ~ ready to help*, εἶναι ἕτοιμοι νά βοηθήσουν. *I don't know where I ~*, δέν ξέρω ποῦ βρίσκομαι (ποιά εἶναι ἡ κατάστασίς μου/ἡ θέσις μου). **9**. (*σέ φράσεις*): ***~ alone***, ξεχωρίζω, εἶμαι ἀσυναγώνιστος: *He ~s alone among his colleagues*, ξεχωρίζει ἀπ' ὅλους τούς συναδέλφους του. ***~ a (good/poor) chance***, ἔχω (μεγάλες/λίγες) πιθανότητες. ***~ clear (of sth)***, ἀπομακρύνομαι/στέκομαι μακριά (ἀπό κτ): *S~ clear of the gates*, ἀπομακρυνθῆτε ἀπό (μήν ἐγγίζετε) τίς πόρτες. ***~ convicted of***, καταδικάζομαι γιά. ***~ corrected***, δέχομαι τή διόρθωση/τήν παρατήρηση. ***~ godfather/godmother (to a child)***, γίνομαι νουνός/νουνά (ἑνός παιδιοῦ). ***~ in need/in danger of***, ἔχω ἀνάγκη/διατρέχω τόν κίνδυνο νά: *We ~ in need of help*, ἔχομε ἀνάγκη βοηθείας. *He ~s in danger of getting killed*, διατρέχει τόν κίνδυνο νά σκοτωθῆ. ~

*(one's) **trial***, περνῶ ἀπό δίκη, δικάζομαι. **~ to win/gain/lose sth**, πρόκειται νά κερδίσω/νά χάσω: *What do we ~ to gain by the treaty?* τί πρόκειται νά κερδίσωμε ἀπό τή συνθήκη; *We ~ to lose everything*, κινδυνεύομε νά τά χάσωμε ὅλα. (*βλ. & λ. ceremony, [1]ease, easy, [1]reason, stead*). **10**. (*μέ ἐπιρ. καί προθέσεις*):

stand aside, *(α)* παραμερίζω, στέκω παράμερα: *~ aside to let sb pass*, παραμερίζω γιά νά περάση κπ. *(β)* (*γιά ὑποψήφιο*) ἀποσύρομαι: *He stood aside in favour of Mr X*, ἀπέσυρε τήν ὑποψηφιότητά του ὑπέρ τοῦ κ. Χ. *(γ)* παραμένω ἀδρανής: *He's not a man to ~ aside when there's work to be done*, δέν εἶναι ἄνθρωπος πού θά μείνη ἀδρανής (θά κάτση στήν ἄκρη) ὅταν ὑπάρχη δουλειά.

stand at, εἶμαι σέ ὡρισμένο ἐπίπεδο/ὕψος: *The temperature stood at 30° C*, ἡ θερμοκρασία ἦταν στούς 30 βαθμούς.

stand back, *(α)* στέκω/τραβιέμαι πίσω: *The policeman ordered us to ~ back*, ὁ ἀστυφύλακας μᾶς διέταξε νά τραβηχτοῦμε πίσω. *(β)* βρίσκομαι σέ ἀπόσταση: *The house ~s back from the road*, τό σπίτι εἶναι πίσω (σέ ἀπόσταση) ἀπό τό δρόμο.

stand by, *(α)* παραμένω ἀπαθής, παρακολουθῶ χωρίς νά ἐπεμβαίνω: *How can you ~ by and see such cruelty?* πῶς μπορεῖς νά παραμένης ἀπαθής θεατής τόσης σκληρότητος; *(β)* παραμένω ἕτοιμος/σέ ἐπιφυλακή: *The troops are ~ing by*, τά στρατεύματα εἶναι σέ ἐπιφυλακή. *(γ)* στέκομαι πλάϊ, ὑπερασπίζω, ὑποστηρίζω κπ: *I'll ~ by you whatever happens*, θά σταθῶ πλάϊ σου ὅ,τι κι᾿ ἄν συμβῆ. *(δ)* μένω πιστός, τηρῶ: *I'll ~ by the agreement/by my promise*, θά τηρήσω τή συμφωνία/τήν ὑπόσχεσή μου. **'~·by**, *(α)* ἑτοιμότης: *The troops are on 24-hour ~by*, τά στρατεύματα μπορεῖ νά εἶναι ἕτοιμα σέ 24 ὧρες. *(β)* ὑποστηρικτής, ἐφεδρεία, ἀποκούμπι, (*ἐπιθ.*) ἐφεδρικός: *Aspirin is a good ~by for headaches*, ἡ ἀσπιρίνη εἶναι καλό ἀποκούμπι γιά τόν πονοκέφαλο. *a ~by generator*, μιά ἐφεδρική γεννήτρια.

stand down, (*γιά ὑποψήφιο*) ἀποσύρομαι, ἀποχωρῶ, παραιτοῦμαι.

stand for, *(α)* σημαίνω, ἀντιπροσωπεύω, συμβολίζω: *U N O ~s for United Nations Organization*, τό U N O σημαίνει United Nations Organization. *We admire Christianity and all it ~s for*, θαυμάζομε τόν Χριστιανισμό καί ὅλα ὅσα ἀντιπροσωπεύει/συμβολίζει. *(β)* ὑποστηρίζω, εἶμαι ὑπέρ: *I ~ for freedom and democracy*, εἶμαι ὑπέρ τῆς ἐλευθερίας καί τῆς δημοκρατίας. *(γ)* εἶμαι ὑποψήφιος: *~ for Parliament*, εἶμαι ὑποψήφιος βουλευτής. *(δ)* (*καθομ.*) ἀνέχομαι: *I'm not going to ~ for my own children disobeying me*, δέν πρόκειται ν᾿ ἀνεχθῶ νά μή μέ ἀκοῦνε τά ἴδια μου τά παιδιά.

stand in for sb, (*θέατρ.*) ἀντικαθιστῶ κπ (σ᾿ ἕνα ρόλο). **'~-in**, ἀντικαταστάτης. ***~ in with sb***, μοιράζομαι μιά δαπάνη: *Let me ~ in with you if it's expensive*, ἄσε με νά πληρώσω καί γώ ἕνα μερίδιο ἄν κοστίζη πολύ.

stand off, μένω παράμερα, ἀπομακρύνομαι. ***~ sb off***, ἀπολύω κπ (*συνήθ.* προσωρινά). **'~-'off·ish** *ἐπ.* ἀκατάδεχτος, ψυχρός, ἐπιφυλακτικός. **'~-'off·ish·ly** *ἐπίρ.* ἀκατάδεχτα. **'~-'off·ish·ness**, ἀκαταδεξιά, ἐπιφυλακτικότης, ψυχρότης.

stand out, *(α)* συνεχίζω ν᾿ ἀντιστέκομαι: *They stood out against the enemy until...*, συνέχισαν ν᾿ ἀντιστέκωνται στόν ἐχθρό ἕως ὅτου... *(β)* ξεχωρίζω: *His house ~s out from the others*, τό σπίτι του ξεχωρίζει ἀπό τ᾿ ἄλλα. ***~ out a mile***, ξεχωρίζω ἀπό ἕνα μίλι μακρυά, κάνω μπάμ ἀπό μακρυά.

stand over, *(α)* ἐποπτεύω, παρακολουθῶ κπ: *Unless I ~ over him he makes all sorts of foolish mistakes*, ἄν δέν σταθῶ ἀπό πάνω του κάνει ὅ,τι ἀνόητα λάθη μπορεῖς νά φανταστῆς. *(β)* παραμένω ἐκκρεμής, ἀναβάλλω: *Let the matter ~ over until the next meeting*, ἄς μείνη ἐκκρεμές τό θέμα ὥς τήν ἑπόμενη συνεδρίαση. *We'll let it ~ over till next week*, θά τό ἀναβάλλωμε γιά τήν ἄλλη ἑβδομάδα.

stand to, (*στρατ.*) παραμένω ἐν ἐπιφυλακῇ/ἐν συναγερμῷ: *The company (was) stood to for an hour*, ὁ λόχος ἦταν ἐπιφυλακή (ἕτοιμος ν᾿ ἀποκρούση ἐπίθεση) μιά ὥρα. **'~-to**, συναγερμός.

stand up for sb, ὑποστηρίζω, ὑπερασπίζω κπ. ***~ up to***, ἀντέχω: *Steel ~s up well to high temperatures*, τό ἀτσάλι ἀντέχει στίς ὑψηλές θερμοκρασίες. ***~ sb up***, (*καθομ.*) στήνω κπ (σέ ραντεβοῦ), κάνω κπ νά περιμένη: *See you don't ~ me up again!* κοίτα νά μή μέ ξαναστήσης! **'~-up** *ἐπ.* ὄρθιος, στό πόδι, (*γιά καυγᾶ*) σκληρός: *a ~-up collar*, ὄρθιος γιακᾶς. *a ~-up buffet*, μπουφές στό πόδι (στά ὄρθια). *a ~-up fight*, σκληρός ἀγώνας (μέ ἀνηλεῆ χτυπήματα).

stand (well) with sb, τά πηγαίνω καλά/ἔχω καλές σχέσεις μέ κπ: *How do you ~ with your boss?* πῶς τά πᾶς μέ τ᾿ ἀφεντικό σου; *I ~ well with the bank manager*, τἄχω καλά μέ τό διευθυντή τῆς Τραπέζης.

stan·dard /ˈstændəd/ *οὐσ.* ‹C› **1**. σημαία, λάβαρο, παντιέρα: *the royal ~*, ἡ βασιλική σημαία. *raise the ~ of revolt*, ὑψώνω τό λάβαρο τῆς ἀνταρσίας. **'~-bearer**, σημαιοφόρος. **2**. ἐπίπεδον, στάθμη, βαθμός, μέτρον: *the ~ of living*, βιοτικό ἐπίπεδο. *his ~ of knowledge*, ἡ στάθμη τῶν γνώσεών του. *reach a high ~ of efficiency*, φθάνω σέ ὑψηλό βαθμό ἀποδοτικότητος. *We can't judge everybody by the same ~*, δέν μποροῦμε νά κρίνωμε ὅλους μέ τό ἴδιο μέτρο. *set a high ~ for sb*, καθορίζω ὑψηλό μέτρο (ἐπίπεδο) γιά κπ. *conform to the ~s of society*, συμμορφώνομαι μέ τά μέτρα (μέ τίς ἀπαιτήσεις) τῆς κοινωνίας. *The ~ of the entrance examinations is very high*, τό μέτρο (τό ἐπίπεδο) τῶν εἰσαγωγικῶν ἐξετάσεων εἶναι πολύ ὑψηλό. ***be up to/below ~***, εἶμαι/δέν εἶμαι ἱκανοποιητικός: *Your work is up to ~ now*, ἡ δουλειά σου εἶναι ἱκανοποιητική τώρα. *Your essays are below ~*, οἱ ἐκθέσεις σας δέν εἶναι ἱκανοποιητικές (εἶναι κάτω ἀπό τό κανονικό). **3**. (*ἐπιθ.*) κανονικός, ἐπίσημος, καθιερωμένος, συνήθης: *~ weights and measures*, κανονικά/ἐπίσημα μέτρα καί σταθμά. *~ size*, κανονικό/συνηθισμένο μέγεθος. *~ authors*, καθιερωμένοι/κλασσικοί συγγραφεῖς. *a ~ dictionary*, κλασσικό λεξικό (ἀναγνωρισμένης ἀξίας). ~ **time**, ἡ ἐπίσημη ὥρα (μιᾶς χώρας): *Greek ~ time*, ὥρα Ἑλλάδος. **4**. μονάς, κανών: *monetary ~*, νομισματική μονάς. **the 'gold ~**, ὁ χρυσοῦς κανών. **5**. (*παλαιότ.*) τάξις (δημοτικοῦ σχολείου). **6**. (*συνήθ. ἐπιθ.*) ὄρθιο στήριγμα, στύλος: *a ~ lamp*, λαμπατέρ.

stan·dard·ize /'stændədaɪz/ *ρ.μ.* τυποποιῶ: *~d products*, τυποποιημένα προϊόντα. **stan·dard·iz·ation** /'stændədaɪ'zeɪʃn/ *οὐσ.* ‹U› τυποποίησις.

stand·ing /'stændɪŋ/ *οὐσ.* **1**. ‹U› διάρκεια: *a debt/dispute of long ~*, χρέος/διαμάχη πού χρονολογεῖται ἀπό πολύ καιρό. *a friendship of long ~*, μακροχρόνια φιλία. **2**. ‹C,U› (κοινωνική) θέσις, ὑπόληψις: *a man of high ~*, ἄνθρωπος ἀνωτέρας κοινωνικῆς θέσεως. *a family of good ~*, καλή οἰκογένεια. *a member in full ~*, πλῆρες/κανονικό μέλος (πχ λέσχης). —*ἐπ*. **1**. μόνιμος, σταθερός, ἀμετάβλητος: *a ~ army*, μόνιμος στρατός. *a ~ committee*, μόνιμη ἐπιτροπή. *~ expenses*, σταθερά ἔξοδα. *a ~ rule*, ἀμετάβλητος κανόνας. *a ~ joke*, μόνιμο/κλασσικό ἀστεῖο. *have a ~ invitation*, ἔχω μόνιμη πρόσκληση, ἔχω τό ἐλεύθερο νά πηγαίνω ὅποτε θέλω. ~ **order**, μόνιμος (σταθερή) παραγγελία. ~ **orders**, κανονισμός. **2**. ὄρθιος, ἱστάμενος: *~ wheat*, ἀθέριστο στάρι. *~ trees*, ἄκοπα δέντρα. *a ~ jump*, ἅλμα χωρίς φόρα.

stank /stæŋk/ *ἀόρ. τοῦ ρ. stink*.

stanza /'stænzə/ *οὐσ.* ‹C› στροφή (ποιήματος).

[1]**staple** /'steɪpl/ *οὐσ.* ‹C› **1**. καρφί σέ σχῆμα ἀγκύλης (U). **2**. ὑποδοχή σύρτη, κλάπα. **3**. (*βιβλιοδ.*) καρφίτσα, συνδετήρας. —*ρ.ἀ.* στερεώνω, συνδέω (μέ συνδετῆρες). **'stapling-machine**, ραπτική βιβλιοδετική μηχανή (γιά καρφίτσα). **sta·pler** /'steɪplə(r)/ *οὐσ.* ‹C› συνδετήρας τῆς χειρός.

[2]**staple** /'steɪpl/ *οὐσ.* **1**. ‹C› κύριο προϊόν (χώρας): *Cotton is one of the ~s of Egypt*, τό βαμβάκι εἶναι ἕνα ἀπό τά κύρια προϊόντα τῆς Αἰγύπτου. **2**. (*ἐπιθ.*) βασικός: *Is coffee still the ~ product of Brazil?* εἶναι ἀκόμα ὁ καφές τό βασικό προϊόν τῆς Βραζιλίας; *Rice is the ~ food in Asia*, τό ρύζι εἶναι ἡ βασική τροφή στήν Ἀσία. **3**. ‹C› κύριο θέμα, βασικό ὑλικό: *The weather forms the ~ of their conversation*, ὁ καιρός ἀποτελεῖ τό βασικό ὑλικό τῆς κουβέντας τους. **4**. ‹U› ἶνα, κλωστή (μαλλιοῦ, λιναριοῦ, κλπ): *cotton of long ~; long-~ cotton*, μακρύϊνο βαμβάκι.

star /stɑ(r)/ *οὐσ.* ‹C› **1**. ἀστήρ, ἀστέρι, ἄστρο, ἀστερίσκος: *fixed ~s*, ἀπλανεῖς ἀστέρες. *the evening/North ~*, ὁ ἀποσπερίτης/ὁ πολικός ἀστήρ. *shooting ~s*, διάττοντες. *a five-~ hotel*, ξενοδοχεῖο πέντε ἀστέρων. *an officer's stars*, τ' ἀστέρια ἑνός ἀξιωματικοῦ. *What do the ~s foretell?* τί λένε τ' ἄστρα; ***born under a lucky ~***, γεννημένος σέ τυχερό ἀστέρι. ***see ~s***, βλέπω τόν οὐρανό σφοντύλι. ***sleep under the ~s***, κοιμᾶμαι στό ὕπαιθρο. ***thank one's lucky ~s***, εὐχαριστῶ τήν καλή μου τύχη/τό καλό μου ἄστρο. **'~-crossed** *ἐπ.* κακότυχος, κακορρίζικος. **'~-fish**, (*ἰχθ.*) ἀστερίας. **'~-gazer**, (*χιουμορ.*) ἀστρολόγος, ἀστρονόμος, φαντασιοκόπος, ὀνειροπόλος. **'~·light**, ἀστροφεγγιά: *walk by ~light*, περπατῶ μέ τήν ἀστροφεγγιά. **'~-lit** *ἐπ.* ἀστροφωτισμένος: *a ~lit night*, ἀστροφώτιστη νύχτα. **the 'S~-Spangled 'Banner**, ἡ Ἀστερόεσσα (ἡ σημαία/ὁ ἐθνικός ὕμνος τῶν ΗΠΑ). **the ~s and stripes**, ἡ σημαία τῶν ΗΠΑ. **2**. ἀστήρ, πρωταγωνιστής, στάρ: *the ~s of stage and screen*, οἱ ἀστέρες τῆς σκηνῆς καί τῆς ὀθόνης. *'film~s*, κινηματογραφικοί ἀστέρες. **an all-~ cast**, ἔργο μέ ἀστέρια σ' ὅλους τούς ρόλους. **the ~ turn**, τό κυριώτερο νούμερο, ὁ σπουδαιότερος ρόλος. —*ρ.μ/ἀ.* (*-rr-*) **1**. διακοσμῶ/κεντῶ/σπέρνω μέ (ἤ σάν) ἀστέρια: *a mantle ~red with jewels*, μανδύας κεντημένος μέ πετράδια. *a field ~red with daisies*, χωράφι σπαρμένο μέ μαργαρίτες. **2**. πρωταγωνιστῶ: *~ in a new film/play*, πρωταγωνιστῶ σ' ἕνα φίλμ/ἔργο. **'~·dom** /-dəm/ *οὐσ.* ‹U› ἡ ἰδιότης τοῦ νά εἶναι κανείς στάρ, καλλιτεχνικό στερέωμα: *rise to ~dom*, γίνομαι στάρ. **'~·let** /-lət/ *οὐσ.* ‹C› στάρλετ. **'~·less** *ἐπ.* ἄναστρος: *a ~less night/sky*, ἄναστρη νύχτα/-ος οὐρανός. **~·ry** /-starɪ/ *ἐπ.* ἔναστρος, λαμπερός σάν ἄστρο: *a ~ry night*, ἔναστρη νύχτα. *~ry eyes*, μάτια λαμπερά σάν ἄστρα. **'~ry-'eyed** *ἐπ.* (*καθομ.*) ὀνειροπαρμένος, ὑπερρωμαντικός, ἀφελῶς ἐνθουσιώδης: *~ry-eyed reformers*, ὀνειροπαρμένοι μεταρρυθμιστές.

star·board /'stabəd/ *οὐσ.* ‹C› δεξιά πλευρά (τοῦ πλοίου ἤ ἀεροπλάνου). —*ρ.μ.* στρίβω δεξιά.

starch /statʃ/ *οὐσ.* ‹U› **1**. ἄμυλον. **2**. κόλλα τοῦ κολλαρίσματος. **3**. (*μεταφ.*) πόζα, τυπική (κολλαριστή) συμπεριφορά. —*ρ.μ.* κολλάρω (ροῦχα). *~ed manners*, κολλαρισμένοι/ποζᾶτοι τρόποι. **~y** *ἐπ.* ἀμυλοῦχος: *~y foods*, ἀμυλοῦχες τροφές.

stare /steə(r)/ *ρ.μ/ἀ.* ~ ***(at)***, ἀτενίζω, κοιτάζω ἐπίμονα, καρφώνω τά μάτια, (*γιά μάτια*) γουρλώνω: *I don't like being ~d at*, δέν μ' ἀρέσει νά μέ κοιτάζουν ἐπίμονα. *She was staring into the distance*, εἶχε καρφωμένα τά μάτια της μακριά. *We all ~d with astonishment*, γουρλώσαμε ὅλοι τά μάτια ἀπό κατάπληξη. *He gazed at the scene with staring eyes*, κοίταζε τή σκηνή μέ γουρλωμένα μάτια. ***make sb ~***, καταπλήσσω κπ. ***~ sb out/down***, κάνω κπ νά κατεβάση τά μάτια κοιτάζοντάς τον κατάματα. ***~ one in the face***, *(α)* κοιτάζω κπ κατάματα. *(β)* εἶμαι μπροστά στά μάτια: *The book I was looking for was staring me in the face*, τό βιβλίο πού ἔψαχνα νά βρῶ ἦταν μπροστά στά μάτια μου. *(γ)* προβάλλω ἀπειλητικά: *Defeat was staring us in the face*, ἀντιμετωπίζαμε βέβαιη ἧττα. (*βλ. & λ. countenance*). —*οὐσ.* ‹C› βλέμμα, ἐπίμονη ματιά: *give sb a rude ~*, καρφώνω τά μάτια μου ἀγενέστατα σέ κπ. *with a ~ of horror/astonishment*, μ' ἕνα βλέμμα φρίκης/κατάπληξης. *with a vacant/glassy ~*, μέ ἕνα ἄδειο/ἀπλανές βλέμμα. **star·ing** *ἐπ.* χτυπητός: *a ~ing red*, χτυπητό κόκκινο. ***(be) stark staring mad***, (εἶμαι) τρελλός γιά δέσιμο.

stark /stak/ *ἐπ.* **1**. ἄκαμπτος (*ἰδ.* γιά νεκρό): *He lay ~ in death*, ἔκειτο μέ τήν ἀκαμψία τοῦ θανάτου. **2**. καθαρός, πλήρης: *~ madness/folly*, καθαρή τρέλλα/ἀνοησία. —*ἐπίρ.* ἐντελῶς: *~ naked*, ὀλόγυμνος.

star·ling /ˈstalıŋ/ *οὐσ.* ‹C› (πουλί) ψαρόνι.

starry /ˈstarı/ *ἐπ. βλ. star.*

[1]**start** /stat/ *οὐσ.* ‹C› **1**. ἀρχή, ξεκίνημα: *make a good/an early* ~, ξεκινάω καλά/νωρίς. *a false* ~, ἐσφαλμένη ἐκκίνησις. *make a fresh* ~, ξαναρχίζω ἀπό τήν ἀρχή, κάνω νέα ἀπόπειρα. *from* ~ *to finish*, ἀπό τήν ἀρχή ὥς τό τέλος. *at the very* ~, στήν ἀρχή-ἀρχή. *from the very* ~, ἐξαρχῆς. **2**. (*μόνον ἐν.*) περιθώριο/πλεονέκτημα/πρωτοπορεία (στό ξεκίνημα): *give sb a 50 metres* ~, δίνω σέ κπ 50 μέτρα περιθώριο (τοῦ χαρίζω 50 μέτρα πρωτοπορεία). *He got the* ~ *of his rivals*, προηγήθηκε τῶν ἀντιπάλων του. *get a good* ~ *in life/business*, ξεκινῶ πλεονεκτικά στή ζωή/στό ἐμπόριο. **3**. (ἀνα)τίναγμα, ξάφνιασμα: *He sat up with a* ~, ἀνασηκώθηκε στό κρεββάτι του ξαφνιασμένος. *The news gave me a* ~, τά νέα μέ ξάφνιασαν. *wake with a* ~, ξυπνῶ τρομαγμένος. (*βλ. & λ.* [3]*fit*).

[2]**start** /stat/ *ρ.μ/ἀ.* **1**. ~ ***(out)***, ξεκινῶ: *We must* ~ *(out) early*, πρέπει νά ξεκινήσωμε νωρίς. *At last the train* ~*ed*, ἐπιτέλους τό τραῖνο ξεκίνησε. **2**. ἀρχίζω: *It* ~*ed raining/to rain*, ἄρχισε νά βρέχη. ~ *work*, ἀρχίζω δουλειά. **3**. ~ ***(on) sth***, κάνω ἀρχή σέ κτ: ~ *(on) one's journey home*, ἀρχίζω τό ταξίδι τῆς ἐπιστροφῆς. *Have you* ~*ed (on) another book?* ἄρχισες (νά διαβάζης) ἄλλο βιβλίο; **4**. ἀναπηδῶ, τινάζομαι, πετάγομαι: *He* ~*ed at the sound of my voice*, ἀναπήδησε μόλις ἄκουσε τή φωνή μου. *He* ~*ed up from his seat*, τινάχτηκε ἀπό τό κάθισμά του. *His eyes nearly* ~*ed out of his head*, παρά λίγο νά πεταχτοῦν τά μάτια του ἀπό τίς κόγχες τους. *Tears* ~*ed to her eyes*, δάκρυα ἀνέβηκαν στά μάτια της. **5**. (*γιά σανίδες*) ξεκολλῶ/ξεπετιέμαι ἀπό τή θέση μου: *The planks have* ~*ed*, οἱ σανίδες πετάχτηκαν/ξεκόλλησαν. **6**. προκαλῶ, προξενῶ, ἀρχίζω, βάζω ἐμπρός: *The news* ~*ed me thinking*, τά νέα μέ ἔβαλαν σέ σκέψεις (μοῦ προκάλεσαν σκέψεις). *The smoke* ~*ed her coughing*, ὁ καπνός τῆς ἔφερε βήχα. ~ *a car/a newspaper*, βάζω μπρός ἕνα αὐτοκίνητο/μιά ἐφημερίδα. ~ ***a baby***, (*καθομ.*) βάζω μπρός γιά μωρό, μένω ἔγκυος. **7**. (*μέ ἐπιρ. καί προθέσεις*): ~ ***back***, ξεκινῶ γιά τήν ἐπιστροφή. ~ ***in (on sth/to do sth)***, (*καθομ.*) ἀρχίζω νά κάνω κτ: *She's* ~*ed in on a huge pile of ironing*, ἄρχισε ἕναν πελώριο σωρό ροῦχα γιά σιδέρωμα. ~ ***off***, ξεκινῶ, ἀρχίζω νά κινοῦμαι: *The horse* ~*ed off at a good pace*, τό ἄλογο ξεκίνησε μέ καλό βῆμα. ~ ***out (to do sth)***, (*καθομ.*) ξεκινῶ, κάνω τά πρῶτα βήματα: ~ *out to write a novel*, ξεκινῶ νά γράψω ἕνα μυθιστόρημα. ~ ***up***, *(α)* ἀνακύπτω ἀπροσδόκητα: *Many difficulties have* ~*ed up*, πολλές δυσκολίες ἀνέκυψαν ἀπροσδόκητα. *(β)* βάζω μπρός: ~ *up a car*, βάζω μπρός ἕνα αὐτοκίνητο. *(γ)* ἀναπηδῶ. ***to*** ~ ***with***, *(α)* στήν ἀρχή: *What shall we have to* ~ *with?* τί θά φᾶμε στήν ἀρχή, μέ τί θ'ἀρχίσωμε; *(β)* ἐν πρώτοις, πρῶτα-πρῶτα: *To* ~ *with, we haven't enough money, and secondly...*, ἐν πρώτοις δέν ἔχομε ἀρκετά χρήματα, καί ἐκ δευτέρου... **8**. **ˈ~·ing-gate**, ἀφετηρία στόν ἱππόδρομο. **ˈ~·ing-point**, σημεῖον ἐκκινήσεως. **ˈ~·ing-post**, (*ἀθλ.*) ἀφετηρία.

starter /ˈstatə(r)/ *οὐσ.* ‹C› **1**. πρόσωπο ἤ ζῶο πού ξεκινάει (σέ ἀγῶνα): *In the last race there were only five* ~*s*, στήν τελευταία κούρσα μετεῖχαν μόνο πέντε ἄλογα. **2**. ἀφέτης (σέ ἀγῶνα). ***under*** ~***'s orders***, ἕτοιμοι στήν ἀφετηρία. **3**. μίζα αὐτοκινήτου. **4**. (*καθομ.*) τό πρῶτο φαγητό σέ τραπέζι.

startle /ˈstatl/ *ρ.μ.* ξαφνιάζω, τρομάζω, αἰφνιδιάζω, πετάγομαι τρομαγμένος: *She was* ~*d to see him looking so ill*, τρόμαξε βλέποντάς τον τόσο ἄρρωστο στήν ὄψη. *be* ~*d out of one's sleep/wits*, πετάγομαι τρομαγμένος ἀπό τό ὕπνο μου/χάνω τό μυαλό μου ἀπό τό φόβο. *a startling resemblance*, καταπληκτική ὁμοιότης. *startling news*, ἐντυπωσιακά/ἀνησυχητικά νέα.

starve /stav/ *ρ.μ/ἀ.* **1**. λιμοκτονῶ: ~ *to death*, πεθαίνω ἀπό τήν πεῖνα. *I'd* ~ *rather than beg for food*, θά προτιμοῦσα νά λιμοκτονήσω παρά νά ζητιανέψω φαΐ. *They* ~*d the garrison into surrender*, ἀνάγκασαν τή φρουρά μέ τήν πεῖνα νά παραδοθῆ. ***be*** ~***d of/for***, (*μεταφ.*) πεθαίνω γιά κτ, λαχταρῶ κτ πολύ: *The orphans were* ~*d of/were starving for affection*, τά ὀρφανά ἦταν λιμασμένα/πέθαιναν γιά στοργή. **2**. (*καθομ.*) πεινῶ πολύ: *I'm simply starving!* πεθαίνω κυριολεκτικά τῆς πείνας!

star·va·tion /staˈveıʃn/ *οὐσ.* ‹U› λιμοκτονία: *die of starvation*, πεθαίνω ἀπό πεῖνα. *starvation wages*, μεροκάματα πείνας. **~·ling** /ˈstavlıŋ/ *οὐσ.* ‹C› λιμασμένος.

[1]**state** /steıt/ *οὐσ.* **1**. (*μόνον ἐν.*) κατάστασις: *be in a good/bad* ~, εἶμαι σέ καλή/κακή κατάσταση. *a* ~ *of mind*, πνευματική/ψυχική κατάστασις. *A pretty* ~ *of things!* (*εἰρων.*) ὡραία κατάστασις! *his* ~ *of health*, ἡ κατάστασις τῆς ὑγείας του. *She's in a poor* ~ *of health*, δέν εἶναι πολύ καλά στήν ὑγειά της. ***be in/get into a*** ~, εἶμαι ἀναστατωμένος/ἀναστατώνομαι: *Now don't get into a* ~*!* (*καθομ.*) ἔλα τώρα, μήν κάνεις ἔτσι! **2**. ‹U› κράτος, πολιτεία, (*ἐπιθ.*) κρατικός: *Church and S*~, Ἐκκλησία καί Κράτος. ~ *affairs/documents*, κρατικές ὑποθέσεις/-ά ἔγγραφα. **ˈS~·house**, Βουλή Πολιτείας (τό κτίριο). **ˈS~ school**, κρατικό/δημόσιο σχολεῖο. **3**. ‹U› (κοινωνική) τάξις, θέσις: *persons in every* ~ *of life*, ἄνθρωποι κάθε κοινωνικῆς τάξεως. **4**. ‹U› ἐπισημότης: *He was received in* ~, ἔγινε δεκτός ἐπισήμως. *The Queen was in her robes of* ~, ἡ Βασίλισσα φοροῦσε τήν ἐπίσημη στολή της. *a* ~ *coach/visit/ball*, ἐπίσημη ἅμαξα/ἐπίσκεψις/-ος χορός. ~ *apartments*, ἐπίσημη κατοικία. ***lie in*** ~, (*γιά νεκρό*) ἐκτίθεμαι σέ (λαϊκό) προσκύνημα. **5**. **ˈ~-craft**, πολιτική ἱκανότης, διπλωματία, ἡ τέχνη τῆς πολιτικῆς. **ˈ~·room**, καμπίνα πολυτελείας. **~·ly** *ἐπ.* *(-ier, -iest)* μεγαλοπρεπής, ἀρχοντικός, ἐπιβλητικός: ~*ly bearing/grace*, ἀρχοντικό παράστημα/-ή χάρις. *the* ~*ly homes of England*, τά ἀρχοντικά τῆς Ἀγγλίας. **~·li·ness** *οὐσ.* ‹U› ἀρχοντιά, ἐπιβλητικότης, μεγαλοπρέπεια. **~·less** *ἐπ.* ἄνευ ὑπηκοότητος, ἄπατρις.

[2]**state** /steıt/ *ρ.μ.* δηλώνω, ἐκθέτω: *He* ~*d positively that...*, ἐδήλωσε κατηγορηματικά ὅτι... ~ *one's views*, ἐκθέτω τίς ἀπόψεις μου. **~d** *ἐπ.* καθωρισμένος, τακτός: *at* ~*d times/*

intervals, σέ καθωρισμένο χρόνο/σέ τακτά διαστήματα.

state·ment /ˈsteɪtmənt/ οὐσ. ‹C› **1**. δήλωσις, ἀνακοίνωσις, ἔκθεσις: *make a* ~, κάνω δήλωση. *issue a* ~, ἐκδίδω ἀνακοίνωση. *a bare* ~ *of facts*, ἁπλῆ/λιτή ἔκθεσις γεγονότων. **2**. κατάθεσις (σέ δικαστήριο), ἰσχυρισμός: *contradict a* ~, ἀντικρούω ἕναν ἰσχυρισμό/μιά κατάθεση. **3**. (*ἐμπ.*) κατάστασις/ἀντίγραφον λογαριασμοῦ: *a monthly* ~, μηνιαία κατάστασις. *a ˈbank* ~, ἀντίγραφον κινήσεως τραπεζιτικοῦ λογαριασμοῦ.

states·man /ˈsteɪtsmən/ οὐσ. ‹C› (*πληθ. -men*) πολιτικός ἄνδρας, πολιτική προσωπικότης: *Churchill was a great* ~, ὁ Τσῶρτσιλ ἦταν μεγάλος πολιτικός. **ˈ~·like** ἐπ. προικισμένος πολιτικά, ὀξυδερκής. **ˈ~·ship** /-ʃɪp/ οὐσ. ‹U› πολιτική ἱκανότης, ἐπιστήμη τῆς πολιτικῆς.

static /ˈstætɪk/ ἐπ. στατικός: ~ *electricity*, στατικός ἠλεκτρισμός. **stat·ics** οὐσ. (*πληθ. μέ ρ. ἑν.*) **1**. στατική. **2**. (*ἀσυρμ.*) (ἀτμοσφαιρικά) παράσιτα.

sta·tion /ˈsteɪʃn/ οὐσ. ‹C› **1**. σταθμός: *a poˈlice/ˈbroadcasting/ˈfire* ~, ἀστυνομικός/ραδιοφωνικός/πυροσβεστικός σταθμός. **2**. σιδηροδρομικός σταθμός: *a ˈgoods/ˈpassenger* ~, σταθμός ἐμπορευμάτων/ἐπιβατῶν. **ˈ~-master**, σταθμάρχης. **3**. (*στρατ.*) βάσις: *a naval* ~, ναυτική βάσις. *an outlying* ~, προκεχωρημένη βάσις. **4**. κοινωνική θέσις: *people in all* ~*s of life*, ἄνθρωποι ὅλων τῶν κοινωνικῶν τάξεων. *marry below one's* ~, παντρεύομαι κπ κατώτερον κοινωνικά. *people of exalted* ~, ἄνθρωποι ὑψηλῆς περιωπῆς. ***maintain one's ~ in life***, κρατῶ τή θέση μου. **5**. (*Αὐστραλία*) ἀγρόκτημα: *a ˈsheep-*~, κτηνοτροφικό ἀγρόκτημα. **6**. **the S~s of the Cross**, ἡ πορεία πρός τό μαρτύριο (14 εἰκόνες ἀπό τά Πάθη τοῦ Χριστοῦ). **7**. **ˈ~-wagon**, (*αὐτοκ.*) στέϊσον-βάγκον. —*ρ.μ.* τοποθετῶ: *The detective ~ed himself behind a tree*, ὁ ντέτεκτιβ πῆρε θέση πίσω ἀπό ἕνα δέντρο. ***be ~ed at***, (*πολ. ναυτ.*) τοποθετοῦμαι, ἔχω τή βάση μου εἰς.

sta·tion·ary /ˈsteɪʃnrɪ/ ἐπ. στάσιμος, ἀκίνητος, σταθερός, μόνιμος: *remain* ~, παραμένω στάσιμος/ἀκίνητος. *collide with a* ~ *van*, συγκρούομαι μέ φορτηγό ἐν στάσει. *a* ~ *crane*, μόνιμος γερανός (μή μετακινούμενος).

sta·tioner /ˈsteɪʃənə(r)/ οὐσ. ‹C› χαρτοπώλης. **~y** /ˈsteɪʃnrɪ/ οὐσ. ‹U› χαρτικά, γραφική ὕλη. **ˈS~y Office**, Ὑπηρεσία Κρατικῶν Ἐκδόσεων.

stat·is·tics /stəˈtɪstɪks/ οὐσ. **1**. (*μέ ρ. πληθ.*) στατιστικές μελέτες. **2**. (*μέ ρ. ἑν.*) στατιστική. **stat·is·ti·cal** /stəˈtɪstɪkl/ ἐπ. στατιστικός. **stat·is·ti·cally** /-klɪ/ ἐπίρ. στατιστικά. **stat·is·ti·cian** /ˈstætɪˈstɪʃn/ οὐσ. ‹C› στατιστικολόγος.

statu·ary /ˈstætʃʊərɪ/ οὐσ. ‹U› ἀγαλματοποιΐα, (*συλλογ.*) ἀγάλματα. —ἐπ. (τέχνη, κλπ) ἀγαλματοποιΐας: ~ *marble*, μάρμαρο γιά ἀγάλματα.

statue /ˈstætʃu/ οὐσ. ‹C› ἄγαλμα: *a* ~ *in bronze*, ὀρειχάλκινο ἄγαλμα. **statu·ette** /ˈstætʃʊˈet/ οὐσ. ‹C› ἀγαλματίδιον. **statu·esque** /ˈstætʃʊˈesk/ ἐπ. ἀγαλμάτινος (πχ ὀμορφιά).

stat·ure /ˈstætʃə(r)/ οὐσ. ‹U› ἀνάστημα: *be short of* ~, εἶμαι μικροῦ ἀναστήματος. *his intellectual/moral* ~, τό πνευματικό/ἠθικό του ἀνάστημα.

status /ˈsteɪtəs/ οὐσ. ‹U› (*νομ.*) κατάστασις (τοῦ ἀτόμου), κοινωνική θέσις, ἰδιότης: *personal* ~, προσωπική κατάστασις. *marital* ~, οἰκογενειακή κατάστασις. *the* ~ *of women*, ἡ κατάστασις/θέσις τῶν γυναικῶν. *I have no official* ~, δέν ἔχω ἐπίσημη ἰδιότητα/θέση. *Most girls desire* ~ *and security*, τά περισσότερα κορίτσια θέλουν κοινωνική θέση καί ἀσφάλεια. **ˈ~ symbol**, σύμβολον κοινωνικῆς θέσεως: *a Mercedes is a* ~ *symbol*.

status quo /ˈsteɪtəs ˈkwəʊ/ (*Λατ.*) στάτους κβό, καθεστώς, ὑπάρχουσα κατάστασις.

stat·ute /ˈstætʃut/ οὐσ. ‹C› **1**. θέσπισμα, ψήφισμα, νόμος, νομοθέτημα. **~ law**, γραπτόν δίκαιον. **ˈ~-book**, κῶδιξ νόμων. **2**. (*πληθ.*) καταστατικόν (ἑταιρίας). **statu·tory** /ˈstætʃʊtrɪ/ ἐπ. νομοθετημένος, θεσπισμένος διά νόμου.

[1]**staunch** /stɔntʃ/ ρ.μ. σταματῶ αἱμορραγία.

[2]**staunch** /stɔntʃ/ ἐπ. πιστός, ἀφοσιωμένος: *a* ~ *friend/supporter*, πιστός φίλος/ἀφοσιωμένος ὀπαδός. **~·ly** ἐπίρ. πιστά, ἀφοσιωμένα. **~·ness** οὐσ. ‹U› πίστη, ἀφοσίωσις.

[1]**stave** /steɪv/ οὐσ. ‹C› **1**. δόγα, ντούγια, βαρελοσανίδα. **2**. στροφή (ποιήματος). **3**. (*μουσ.*) γραμμή (τοῦ πενταγράμμου).

[2]**stave** /steɪv/ ρ.μ/ἀ. ἀνώμ. (*ἀόρ. & π.μ.* ~*d ἤ stove* /stəʊv/) **1**. ~ ***in***, ἀνοίγω, σπάζω, τρυπῶ: *The boat ~d in when it struck the rocks*, ἡ βάρκα τρύπησε ὅταν χτύπησε στά βράχια. **2**. ~ ***sth off***, ἀπομακρύνω: ~ *off a dog/the enemy*, κρατῶ μακριά ἕνα σκυλί/ἀποκρούω τόν ἐχθρό. ~ *off danger/a disaster*, ἀποτρέπω κίνδυνο/ἀποφεύγω καταστροφή.

[1]**stay** /steɪ/ ρ.μ/ἀ. **1**. (παρα)μένω: ~ *in the house/at home/in bed*, (παρα)μένω στό σπίτι/στό κρεββάτι. ~ *at a hotel/with friends*, μένω σέ ξενοδοχεῖο/σέ φίλους. *I'm too busy to* ~, ἔχω δουλειές καί δέν μπορῶ νά μείνω. *I can only* ~ *a few minutes*, μπορῶ νά μείνω λίγα λεπτά μόνον. *I ~ed to see what would happen*, ἔμεινα νά δῶ τί θά γινόταν. ~ ***for/to sth***, μένω γιά κτ: *Won't you* ~ *for lunch/to lunch?* δέν θά μείνης γιά φαγητό; ~ ***in***, μένω μέσα/στό σπίτι, μένω στό σχολεῖο: *The doctor advised me to* ~ *in for a few days*, ὁ γιατρός μέ συμβούλεψε νά καθίσω σπίτι λίγες μέρες. *make a pupil* ~ *in*, κρατῶ ἕναν μαθητή στήν τάξη (μετά τό μάθημα) γιά τιμωρία. ~ ***out***, μένω ἔξω, ξενοκοιμᾶμαι, συνεχίζω ἀπεργία: *Don't* ~ *out after dark*, μή μένετε ἔξω μετά τό σούρουπο. *The miners ~ed out for several weeks*, οἱ ἀνθρακωρύχοι συνέχισαν τήν ἀπεργία ἀρκετές ἑβδομάδες. ~ ***up***, ἀγρυπνῶ, μένω ἀργά τό βράδυ: *I ~ed up reading until midnight*, ἔμεινα ὥς τά μεσάνυχτα διαβάζοντας. *If I'm late, please don't* ~ *up for me*, ἄν ἀργήσω, σέ παρακαλῶ μή μέ περιμένης. ***come to*** ~, (*καθομ.*) ἐπιβάλλομαι, μένω μονίμως: *Television has come to* ~, ἡ τηλεόρασις θά μείνη γιά πάντα πιά (δέν εἶναι κτ περαστικό). *These foreign words have come to* ~, αὐτές οἱ ξένες λέξεις ἐπιβλήθηκαν (θά μείνουν γιά πάντα). **ˈ~-at-home**, σπιτόγατος, ἄνθρωπος πού δέν βγαίνει ἀπό τό σπίτι.

2. (παρα)μένω (σέ ὡρισμένη κατάσταση): ~ *single*, μένω ἀνύπαντρος. *He never ~s sober for long*, ποτέ δέν μένει ξεμέθυστος πολλή ὥρα. **~ put**, (*καθομ.*) μένω στήν ἴδια θέση: *I wish this hairpin would ~ put instead of falling out every time*, γιατί δέν μένει αὐτή ἡ φουρκέτα στή θέση της ἀντί νά πέφτη κάθε τόσο; **3**. ἀναχαιτίζω, σταματῶ, ἀναβάλλω, ἀναστέλλω: ~ *the progress of a disease*, ἀναχαιτίζω/κόβω τήν ἐξέλιξη μιᾶς ἀρρώστειας. ~ *one's hand*, σταματῶ/κρατῶ τό χέρι κάποιου. ~ *judgement*, ἀναβάλλω τήν ἔκδοση ἀποφάσεως. ~ *the execution*, ἀναστέλλω τήν ἐκτέλεση. **4**. κρατῶ, ἀντέχω: *The horse lacks* `~*ing power*, τό ἄλογο δέν ἔχει ἀντοχή. **~ the course**, ἀντέχω ὥς τό τέλος (τῆς κούρσας, τοῦ ἀγῶνα). **5**. ἱκανοποιῶ προσωρινά: ~ *one's hunger*, ξεγελῶ τήν πείνα μου. **6**. (*πεπαλ.*) σταματῶ: *S~! You've forgotten one thing*, στάσου! κάτι ξέχασες! __*οὐσ.* ‹C› *(α)* διαμονή, παραμονή: *a short ~ in London*, μιά σύντομη παραμονή στό Λονδῖνο. *(β)* (*νομ.*) ἀναστολή, ἀναβολή: *a ~ of execution/proceedings*, ἀναστολή ἐκτελέσεως/ἀναβολή δίκης. **~er** *οὐσ.* ‹C› πρόσωπο ἤ ζῶον μεγάλης ἀντοχῆς.

[2]**stay** /steɪ/ *οὐσ.* ‹C› **1**. στήριγμα, (*μεταφ.*) ἀποκούμπι: *He's the ~ of my old age*, αὐτός εἶναι τό στήριγμα τῶν γερατειῶν μου. **2**. στύλος, (*ναυτ.*) στάντζο, στράλιο. **3**. (*πληθ.*) **~s**, κορσές. __*ρ.μ.* ~ *(**up**)*, (ὑπο)στηρίζω (μέ σκοινί/σύρμα/στύλο).

stead /sted/ *οὐσ.* ‹U› θέσις: *in sb's ~*, στή θέση κάποιου. ***stand sb in good ~***, ἐξυπηρετῶ κπ, φαίνομαι χρήσιμος, ἀποδεικνύομαι πολύτιμος: *This knowledge has stood him in good ~*, αὐτές οἱ γνώσεις τόν βοήθησαν πολύ/τοῦ φάνηκαν πολύ χρήσιμες.

stead·fast /ˈstedfast/ *ἐπ.* σταθερός, ἀκλόνητος, ἀπτόητος: *a ~ gaze*, σταθερό βλέμμα. *be ~ in adversity/to one's principles*, μένω ἀπτόητος στή δυστυχία/ἀκλόνητος στίς ἀρχές μου. **~·ly** *ἐπίρ.* σταθερά. **~·ness** *οὐσ.* ‹U› σταθερότης.

steady /ˈstedɪ/ *ἐπ.* *(-ier, -iest)* **1**. στερεός: ~ *foundations*, στέρεα θεμέλια. *make a table ~*, στερεώνω ἕνα τραπέζι. *He's not very ~ on his legs*, δέν κρατιέται καλά στά πόδια του (*ἰδ.* ὕστερα ἀπό ἀρρώστεια). **2**. σταθερός, ἀμετακίνητος, κανονικός, ἐπιμελής: *a ~ wind/speed/improvement*, σταθερός ἄνεμος/-ή ταχύτης/βελτίωσις. *a ~ faith/purpose*, ἀμετακίνητη πίστις/-ος σκοπός. ~ *rain*, συνεχής/ἐπίμονη βροχή. *a ~ pulse/pace*, κανονικός σφυγμός/-ό βῆμα. *a ~ worker/student*, ἐπιμελής ἐργάτης/σπουδαστής. ***Keep her ~!*** (*ναυτ.*) ἴσια τό τιμόνι! ***S~ (on)!*** (*καθομ.*) σιγά-σιγά! μέ τό μαλακό! (προσοχή νά μήν πέσης!) __*ἐπίρ.* ***go ~***, (*καθομ.*) γυρίζω μέ κπ, τἄχω φτιάξει/μπλέξει: *Are John and Mary going ~?* τἄχουν φτιάξει ὁ Γ. καί ἡ Μ.; __*οὐσ.* ‹C› (*λαϊκ.*) γκόμενος, γκόμενα. __*ρ.μ/ἀ.* στερεώνω, σταθεροποιῶ/-οῦμαι: ~ *a table-leg*, στερεώνω τό πόδι τραπεζιοῦ. ~ *a ship*, σταθεροποιῶ ἕνα πλοῖο. ~ *oneself*, κρατιέμαι σταθερός/ὄρθιος. ~ *one's nerves*, καταπραΰνω τά νεῦρα. *Prices are ~ing*, οἱ τιμές σταθεροποιοῦνται. **stead·ily** /ˈstedəlɪ/ *ἐπίρ.* σταθερά, στερεά. **steadi·ness** *οὐσ.* ‹U› σταθερότης.

steak /steɪk/ *οὐσ.* ‹C,U› φέτα (κρέατος, ψαριοῦ), μπριτζόλα, φιλέτο.

steal /stil/ *ρ.μ/ἀ.* ἀνώμ. (*ἀόρ.* *stole* /stəʊl/, *π.μ.* *stolen* /ˈstəʊlən/) **1**. κλέβω: *They stole a watch from him*, τοῦ ἔκλεψαν ἕνα ρολόϊ. *I have had my wallet stolen*, μοῦ κλέψανε τό πορτοφόλι. **2**. παίρνω κλεφτά: ~ *a kiss from sb*, κλέβω ἕνα φιλί ἀπό κπ. ~ *a glance at sb*, ρίχνω μιά κλεφτή ματιά σέ κπ. ***~ a march on sb***, προηγοῦμαι, προλαμβάνω κπ. ***~ in/out/up/down/away***, μπαίνω/βγαίνω/ἀνεβαίνω/κατεβαίνω/φεύγω κλεφτά: *He stole out of the room*, βγῆκε κλεφτά ἀπό τό δωμάτιο. *A tear stole down her cheek*, ἕνα δάκρυ γλίστρησε στό μάγουλό της. *The morning light was ~ing through the shutters*, τό πρωϊνό φῶς γλιστροῦσε μέσα ἀπό τά παντζούρια.

stealth /stelθ/ *οὐσ.* ‹U› (*μόνον στή φρ.*) ***by ~***, στά κρυφά, μυστικά: *do good by ~*, κάνω καλό στά κρυφά. **~y** *ἐπ.* *(-ier, -iest)* κρυφός, φευγαλέος, κλεφτός: *a ~y glance*, μιά κρυφή ματιά. *with ~y steps*, μέ ἀθόρυβα, κλεφτά βήματα. **~·ily** /-əlɪ/ *ἐπίρ.* κρυφά, κλεφτά.

[1]**steam** /stim/ *οὐσ.* ‹U› **1**. ἀτμός, ἀχνός: *work by ~*, κινοῦμαι μέ ἀτμό. *~-covered windows*, παράθυρα σκεπασμένα μέ ἀχνό. ***Full ~ ahead!*** (*ναυτ.*) πρόσω ὁλοταχῶς! ***get up/raise ~***, ἀνεβάζω τήν πίεση ἀτμομηχανῆς. **2**. (*μεταφ.*) δραστηριότης, ἐνεργητικότης, ἔξαψις. ***get up ~***, βάζω ὅλα τά δυνατά μου, θυμώνω, ἐξάπτομαι. ***let off ~***, ξεθυμώνω, χαλαρώνομαι, ξοδεύω τήν παραπανίσια δραστηριότητά μου. ***run out of ~***, ξεθυμαίνω, χάνω τήν ὁρμή μου: *The housing programme has run out of ~*, τό στεγαστικό πρόγραμμα ξεθύμανε/ἔχασε τήν ὁρμή του. ***under one's own ~***, μέ τίς δικές μου δυνάμεις, χωρίς βοήθεια ἄλλου: *The ship was able to proceed under her own ~*, τό πλοῖο μπόρεσε νά προχωρήση μέ τίς δικές του μηχανές. **3**. (*σέ σύνθ. λέξεις*): `**~·boat/·ship**, ἀτμόπλοιο. '**~-`boiler**, ἀτμολέβης. **~ brake/hammer/whistle, etc**, ἀτμόφρενο/ἀτμόσφυρα/ἀτμοσφυρίχτρα, κλπ. '**~-`coal**, κάρβουνο ἀτμοπαραγωγῆς. `**~-engine**, ἀτμομηχανή. '**~-`heat** *οὐσ.* ‹U› ἀτμοθέρμανσις. __*ρ.μ.* θερμαίνω μέ καλοριφέρ ἀτμοῦ. `**~-roller** *οὐσ.* ‹C› ἀτμοκίνητος ὁδοστρωτήρας. __*ρ.μ.* συντρίβω: *~-roller all opposition*, συντρίβω κάθε ἀντίδραση.

[2]**steam** /stim/ *ρ.μ/ἀ.* **1**. βγάζω ἀτμούς, ἀχνίζω: *The kettle was ~ing (away) on the stove*, ἡ κατσαρόλα ἄχνιζε πάνω στήν κουζίνα. *~ing hot coffee*, ἀχνιστός καφές. **2**. κινοῦμαι μέ ἀτμό, προχωρῶ: *a ship ~ing up the river*, ἀτμόπλοιο πού ἀνεβαίνει τό ποτάμι. *The train ~ed into the station*, τό τραῖνο μπῆκε στό σταθμό. **3**. βράζω στόν ἀτμό, καθαρίζω/ἀνοίγω μέ ἀτμό: ~ *fish*, μαγειρεύω ψάρι στόν ἀχνό. ~ *open an envelope*, ἀνοίγω φάκελλο μέ ἀτμό. **4**. **~ up**, θολώνω ἀπό ἀχνούς: *The windows ~ed up*, τά παράθυρα θόλωσαν. ***be/get (all) ~ed up***, (*καθομ.*) παίρνω φωτιά, γίνομαι μπαρούτι: *Now don't get all ~ed up over nothing!* ἔλα τώρα, μήν ἀρπάζεσαι μέ τό τίποτα. **~er** *οὐσ.* ‹C› ἀτμόπλοιο, χύτρα ἀτμοῦ. **~y** *ἐπ.* *(-ier, -iest)* θολός,

θαμπός, γεμᾶτος ἀχνούς: *~y windows*, θαμπά παράθυρα. *the ~y heat in the tropics in the rainy season*, ἡ ὑγρή ζέστη στούς τροπικούς τήν ἐποχή τῶν βροχῶν.

steed /stid/ *οὐσ.* ‹C› (*λογοτ.* ἤ *χιουμορ.*) ἄτι.

steel /stil/ *οὐσ.* **1**. ‹U› χάλυψ, ἀτσάλι: *stainless ~*, ἀνοξείδωτος χάλυψ. **`~-clad** *ἐπ.* σιδηρόφρακτος (*πχ* ἱππότης). **'~-`plated** *ἐπ.* θωρακισμένος. **`~-works** *οὐσ. πληθ.* (*συχνά μέ ρ. ἑν.*) χαλυβδουργεῖον. **~ wool**, σύρμα καθαρίσματος (οἰκιακῶν σκευῶν). **2**. ‹C› σπαθί, μαχαίρι: *an enemy worthy of one's ~*, ἐχθρός ἄξιος τοῦ ξίφους μου. __*ρ.μ.* ἀτσαλώνω: *~ oneself/one's heart (against pity/to do sth)*, ἀτσαλώνομαι/ἀτσαλώνω τήν καρδιά μου (νά μήν τήν ἀγγίξη ὁ οἶκτος/γιά νά κάμω κτ). **~y** *ἐπ.* ἀτσαλένιος, (*μεταφ.*) ἄσπλαχνος, σκληρός: *a ~y glance*, σκληρή ματιά.

steel·yard /`stiljad/ *οὐσ.* ‹C› καντάρι.

[1]**steep** /stip/ *ἐπ.* *(-er, -est)* **1**. ἀπότομος, ἀπόκρημνος: *a ~ gradient/climb/descent*, ἀπότομη κλίσις/ἀνηφοριά/κατηφοριά. **2**. (*καθομ.*) ὑπερβολικός, παράλογος, ἐξωφρενικός: *£10 for a shirt – isn't that a bit ~?* δέκα λίρες γιά ἕνα πουκάμισο – δέν εἶναι λίγο παράλογο; *That story's rather ~*, αὐτή ἡ ἱστορία εἶναι κάπως ἐξωφρενική. **~·ly** *ἐπίρ.* ἀπότομα. **~·ness** *οὐσ.* ‹U› κατηφοριά, ἀνηφοριά, κλίσις. **~en** /`stipən/ *ρ.μ/ἀ.* ἀνηφορίζω, γίνομαι ἀπότομος/ἀπόκρημνος. **`~·ish** /-ɪʃ/ *ἐπ.* λιγάκι ἀπότομος.

[2]**steep** /stip/ *ρ.μ/ἀ.* **~ sth (in sth) 1**. μουσκεύω, βάζω/βουτῶ (σέ ὑγρό): *~ gherkins in vinegar*, βάζω ἀγγουράκια στό ξύδι. **2**. (*μεταφ.*) ἐμποτίζω, διαποτίζω: *~ed in ignorance/prejudice/vice*, βουτηγμένος στήν ἀμάθεια/στίς προλήψεις/στή διαφθορά. *~ed in the classics*, διαποτισμένος ἀπό τούς κλασσικούς.

steeple /stipl/ *οὐσ.* ‹C› καμπαναριό, ὀβελίσκος καμπαναριοῦ. **`~·chase**, (*ἀθλ.*) ἀνώμαλος δρόμος, ἱπποδρομία μετ' ἐμποδίων. **`~·jack**, ἐπιδιορθωτής ἤ καθαριστής καμπαναριῶν, καπνοδόχων ἐργοστασίων, κλπ.

[1]**steer** /stɪə(r)/ *οὐσ.* ‹C› εὐνουχισμένος νεαρός ταῦρος.

[2]**steer** /stɪə(r)/ *ρ.μ/ἀ.* διευθύνω (πλοῖο), ὁδηγῶ (αὐτοκίνητο), πηδαλιουχῶ (ἀεροπλάνο): *~ north/by the stars*, πλέω πρός βορρᾶν/ὁδηγοῦμαι ἀπό τ' ἀστέρια. *a ship that ~s well/badly*, εὐκολοκυβέρνητο/δυσκολοκυβέρνητο πλοῖο. **~ for**, βάζω πλώρη γιά. **~ clear of sb/sth**, (*μεταφ.*) ἀποφεύγω κπ/κτ. **`~·ing-gear**, πηδάλιον, μηχανισμός πηδαλιουχήσεως. **`~-ing-wheel**, τιμόνι. **~s·man** /-zmən/ *οὐσ.* ‹C› (*πληθ.* *-men*) πηδαλιοῦχος, τιμονιέρης.

steer·age /`stɪərɪdʒ/ *οὐσ.* (*μόνον ἑν.* ἤ *ἐπιθ.*) πηδαλιουχία, χῶρος κοντά στό πηδάλιο γιά ἐπιβάτες τοῦ καταστρώματος. **travel ~**, (*πεπαλ.*) ταξιδεύω κατάστρωμα (*ἐν χρήσει: travel tourist/third class*). **`~-way**, ταχύτης πηδαλιουχήσεως.

stele /`stilɪ/ *οὐσ.* ‹C› (*πληθ.* *stelae* /-lɪ/) (*Ἑλλην. ἀρχαιολ.*) στήλη.

stel·lar /`stelə(r)/ *ἐπ.* ἀστρικός.

[1]**stem** /stem/ *οὐσ.* ‹C› **1**. μίσχος (λουλουδιοῦ), πόδι (ποτηριοῦ), ρίζα (λέξεως), κορμός (βίδας), σωλήνας (τσιμπουκιοῦ). *'thick-/'thin-/'short-/'long-`~med*, μέ παχύ/λεπτό/κοντό/μακρύ μίσχο. **2**. (*ναυτ.*) στεῖρα τῆς πλώρης: *from ~ to stern*, ἀπό τήν πλώρη ὥς τήν πρύμνη. __*ρ.ἀ.* *(-mm-)* **~ from**, προέρχομαι, κατάγομαι, ἀπορρέω ἀπό.

[2]**stem** /stem/ *ρ.μ.* *(-mm-)* **1**. συγκρατῶ, ἀναχαιτίζω, φράζω: *~ an epidemic/a stream*, ἀναχαιτίζω ἐπιδημία/φράζω χείμαρρο. **2**. ἀντιπαλαίω, ἀντιμάχομαι, πάω κόντρα: *~ the current*, πηγαίνω κόντρα στό ρεῦμα.

stench /stentʃ/ *οὐσ.* ‹C› ἀπαίσια βρώμα, δυσωδία.

sten·cil /`stensl/ *οὐσ.* ‹C› μεμβράνη πολυγράφου: *cut a ~*, χτυπῶ μεμβράνη. __*ρ.μ.* *(-ll-)* πολυγραφῶ.

sten·ogra·phy /stə`nogrəfɪ/ *οὐσ.* ‹U› (*πεπαλ.*) στενογραφία. **sten·ogra·pher** /-fə(r)/ *οὐσ.* ‹C› (*πεπαλ.*) στενογράφος.

sten·torian /sten`tɔrɪən/ *ἐπ.* στεντόρειος.

[1]**step** /step/ *ρ.μ/ἀ.* *(-pp-)* **1**. βηματίζω, βαδίζω: *~ into a boat*, μπαίνω σέ μιά βάρκα. *~ on to/off a platform*, ἀνεβαίνω σέ/κατεβαίνω ἀπό μιά ἐξέδρα. *~ across to the grocer's*, πετάγομαι ἀπέναντι στό μπακάλικο. ***S~ this way***, περᾶστε ἀπό δῶ, ἀκολουθῆστε με. ***~ on the gas; ~ on it***, *(α)* πατάω γκάζι. *(β)* (*καθομ.*) κάνω γρήγορα. **`~·ping-stone**, *(α)* πέτρα σέ ποτάμι γιά πέρασμα. *(β)* (*μεταφ.*) σκαλοπάτι: *the first ~ping-stone to success*, τό πρῶτο σκαλοπάτι πρός τήν ἐπιτυχία. **2**. ***~ aside***, παραμερίζω, (*μεταφ.*) παραχωρῶ τή θέση μου. ***~ down***, παραιτοῦμαι (ὑπέρ ἄλλου προσώπου). ***~ in***, παρεμβαίνω (γιά βοήθεια ἤ ἐμπόδιο). ***~ sth off/out***, μετρῶ μέ βήματα (γιά ἀπόσταση). ***~ out***, *(α)* ἐπιταχύνω/ἀνοίγω τό βῆμα. *(β)* (*καθομ.*) τό ρίχνω λίγο ἔξω, διασκεδάζω. ***~ up***, ἐπιταχύνω, ἀνεβάζω, ζωηρεύω: *~ up production*, ἀνεβάζω/αὐξάνω τήν παραγωγή. *~ up a campaign*, ζωηρεύω μιά ἐκστρατεία.

[2]**step** /step/ *οὐσ.* ‹C› **1**. βῆμα: *It's only a few ~s farther*, εἶναι μονάχα λίγα βήματα πιό πέρα. *walk with slow ~s*, περπατῶ μέ ἀργά βήματα. ***~ by ~***, βῆμα πρός βῆμα, σιγά-σιγά, λίγο-λίγο. ***at every ~***, σέ/μέ κάθε βῆμα. ***it's a long ~ to***, εἶναι μεγάλη ἀπόσταση ἕως... ***make a long ~ towards***, κάνω ἕνα μεγάλο βῆμα πρός. ***retrace one's ~s***, ἐπιστρέφω ἀπό τόν ἴδιο δρόμο, κάνω τόν ἴδιο δρόμο πίσω. ***take a ~ back/forward***, κάνω ἕνα βῆμα πίσω/ἐμπρός. ***turn/bend one's ~s towards***, κατευθύνω τά βήματά μου πρός. ***watch one's ~***, προσέχω τά βήματά μου/τίς ἐνέργειές μου. **2**. (**`foot·**)**~**, βῆμα (ὁ ἦχος): *We heard (foot)~s outside*, ἀκούσαμε βήματα ἔξω. **3**. βηματισμός, (*μεταφ.*) συγχρονισμός. ***be in/keep ~ (with sb)***, πηγαίνω μέ τό ἴδιο βῆμα, συμβαδίζω μέ κπ. ***be out of ~***, δέν πηγαίνω μέ κανονικό βῆμα, δέν συμβαδίζω. ***fall out of/break ~***, χάνω τό βῆμα μου. ***get into ~***, βρίσκω τό βῆμα μου. **4**. ἐνέργεια, μέτρο: *a false ~*, ἐσφαλμένη ἐνέργεια. *a rash ~*, ριψοκίνδυνη ἐνέργεια. ***take ~s (to do sth)***, λαμβάνω μέτρα (νά κάμω κτ). **5**. σκαλοπάτι, πάτημα: *Mind the ~!* προσέχετε τό σκαλοπάτι! *The child was sitting on the bottom ~*, τό παιδάκι καθόταν στό τελευταῖο σκαλί. *cut ~s in the*

ice, φτιάχνω πατήματα στόν πάγο. *When do you get your next ~ up?* (*μεταφ.*) πότε θά πάρης τήν ἑπόμενη προαγωγή σου; **~s**; **a pair of ~s**; **a `~-ladder**, μικρή (*συνήθ.* πτυσσόμενη) σκάλα οἰκιακῆς χρήσεως.

step- /step/ *πρόθεμα* **`~child/son/daughter**, προγόνι/προγονός/προγονή. **`~brother/sister**, ἑτεροθαλής ἀδελφός/ἀδελφή. **`~-father/mother**, πατρυιός/μητρυιά. **`~-parents**, πατρυιός καί μητρυιά.

steppe /step/ *οὐσ.* ‹C› στέππα.

stereo /`steriəʊ/ *οὐσ.* ‹C,U› στερεοφωνικό γραμμόφωνο.

stereo·phonic /'steriə`fonik/ *ἐπ.* στερεοφωνικός.

stereo·scope /`steriəskəʊp/ *οὐσ.* ‹C› στερεοσκόπιον. **stereo·scopic** /'steriəʊ`skopik/ *ἐπ.* στερεοσκοπικός.

stereo·type /`steriətaip/ *οὐσ.* ‹C,U› **1**. στερεοτυπία. **2**. στερεότυπη φράσις, κλισέ. —*ρ.μ.* τυπώνω διά στερεοτυπίας. **~d** *ἐπ.* στερεότυπος (ἔκθεσις, φράσις).

ster·ile /`sterail/ *ἐπ.* **1**. στεῖρος (γυναίκα, συζήτησις, κλπ). **2**. ἄγονος (γῆ). **3**. (*μεταφ.*) ἄκαρπος (*πχ* προσπάθεια). **4**. ἀποστειρωμένος. **ste·ril·ity** /stə`rıləti/ *οὐσ.* ‹U› στειρότης. **ster·il·ize** /`sterəlaiz/ *ρ.μ.* (ἀπο)στειρώνω. **ster·il·iz·ation** /'sterəlai`zeiʃn/ *οὐσ.* ‹U› (ἀπο)στείρωσις.

ster·ling /`stɜlıŋ/ *ἐπ.* **1**. (*γιά νόμισμα, χρυσό, κλπ*) κανονικῆς περιεκτικότητος. **pound ~** (*συντομ.* **stg**), λίρα στερλίνα. **the `~ area**, ἡ περιοχή τῆς στερλίνας. **2**. (*καθομ.*) καλῆς ποιότητος, γνήσιος: *a man of ~ character*, ἄνθρωπος μέ ἐξαιρετικό χαρακτῆρα. *What a ~ fellow he is!* εἶναι ἄνθρωπος μάλαμα! —*οὐσ.* ‹U› στερλίνα: *payable in ~*, πληρωτέον εἰς στερλίνας.

[1]**stern** /stɜn/ *ἐπ.* (*-er, -est*) ἀπαιτητικός, ἄτεγκτος, αὐστηρός, βλοσυρός: *a ~ taskmaster*, ἀπαιτητικό/ἄτεγκτο ἀφεντικό. *a ~ face*, αὐστηρό πρόσωπο. *a ~ look*, βλοσυρή ματιά. *~ treatment*, αὐστηρή μεταχείρισις. **~·ly** *ἐπίρ.* αὐστηρά, βλοσυρά. **~·ness** *οὐσ.* ‹U› αὐστηρότης, βλοσυρότης.

[2]**stern** /stɜn/ *οὐσ.* ‹C› πρύμνη.

ster·num /`stɜnəm/ *οὐσ.* ‹C› (*ἀνατ.*) στέρνον.

ster·tor·ous /`stɜtərəs/ *ἐπ.* (*ἰατρ.*) ρεγχώδης. **~·ly** *ἐπίρ.*

stetho·scope /`steθəskəʊp/ *οὐσ.* ‹C› στηθοσκόπιον.

stet·son /`stetsn/ *οὐσ.* ‹C› πλατύγυρο καπέλλο.

steve·dore /`stivədɔ(r)/ *οὐσ.* ‹C› στοιβαδόρος (πλοίου), λιμενεργάτης.

stew /stju/ *ρ.μ/ά.* σιγοβράζω, σιγοψήνω/-ομαι: *~ed chicken*, κοτόπουλο ἐντράδα. *~ed fruit*, φροῦτα κομπόστα. ***let sb ~ (for a bit)***, ἀφήνω κπ νά ὑποφέρω (λίγο). ***~ in one's own juice***, (*μεταφ.*) βράζω στό ζουμί μου: *Let him ~ in his own juice*, ἄστον νά βράση στό ζουμί του (*δηλ.* νά ὑποστῆ τίς συνέπειες τῆς ἀνοησίας του). —*οὐσ.* ‹C,U› **1**. φαγητό τῆς κατσαρόλας (γιαχνί, στιφάδο, κλπ). **2**. ἔξαψις, ταραχή, ἀναστάτωσις. ***be in/get into a ~ (about sth)***, (*καθομ.*) εἶμαι/γίνομαι ἀνάστατος (γιά κτ). **~ed** *ἐπ.* (*λαϊκ.*) σουρωμένος, σκνίπα στό μεθύσι.

stew·ard /`stjuəd/ *οὐσ.* ‹C› **1**. τροφοδότης (πλοίου), οἰκονόμος (κολλεγίου, κλπ). **2**. καμαρότος (πλοίου): *chief ~*, πρῶτος καμαρότος. **3**. διαχειριστής (περιουσίας), οἰκονόμος (πύργου, κλπ). **4**. ἐπόπτης/ἐπιμελητής (συγκεντρώσεως), ὀργανωτής (χοροῦ, κλπ): *The hecklers were thrown out by the ~s*, οἱ ἐπόπτες (τῆς συγκεντρώσεως) πέταξαν ἔξω τούς ταραχοποιούς. **~·ess** /`stjuə`des/ *οὐσ.* ‹C› γυναίκα καμαρότος. **~·ship** /-ʃip/ *οὐσ.* ‹C,U› θέσις οἰκονόμου/καμαρότου/διαχειριστοῦ.

[1]**stick** /stık/ *οὐσ.* ‹C› **1**. κλαρί, βέργα, παλούκι: *gather ~s to make a fire*, μαζεύω κλαριά (ξύλα, φρύγανα) ν᾽ ἀνάψω φωτιά. *cut ~s to support the beans*, κόβω παλουκάκια νά στηρίξω τίς φασολιές. **2**. μπαστούνι, ραβδί, ξυλιά: *The old man couldn't walk without his ~*, ὁ γέρος δέν μποροῦσε νά περπατήση χωρίς τό ραβδί του. *Give the naughty boy the ~*, δῶσε λίγες ξυλιές στό παληόπαιδο. *a few ~s of furniture*, λίγα ἔπιπλα τῆς κακιᾶς ὥρας. ***the big ~***, (*μεταφ.*) ἀπειλή προσφυγῆς στή βία: *adopt a policy of the big ~*, υἱοθετῶ πολιτική ἰσχύος. ***get hold of the wrong end of the ~***, τἄχω θαλασσωμένα, δέν ξέρω τί μοῦ γίνεται, ἔχω τέλεια παρανόηση. **3**. κομμάτι (σέ σχῆμα βέργας): *a ~ of chalk/sealing-wax/celery, etc*, μιά κιμωλία/ἕνα κομμάτι βουλοκέρι/ἕνα γουλί σέλινο, κλπ. **4**. (*καθομ.*) ἀνιαρός, μονοκόμματος ἄνθρωπος, στυλιάρι: *He's a dull old ~*, εἶναι ἕνα στυλιάρι καί μισό. **5**. **the ~s**, (*καθομ.*) καθυστερημένες/ἀπομονωμένες ἀγροτικές περιοχές. ***be out in the ~s***, εἶμαι ἔξω ἀπό τά πράγματα, τελείως ἀκατατόπιστος. —*ρ.μ.* στυλώνω φυτά μέ βέργες.

[2]**stick** /stık/ *ρ.μ/ά.* *ἀνώμ.* (*ἀόρ.* & *π.μ.* *stuck* /stʌk/) **1**. μπήγω/-ομαι, χώνω/-ομαι: *~ a fork into a potato*, μπήγω ἕνα πηρούνι σέ μιά πατάτα. *~ pins into the teacher's chair*, χώνω καρφίτσες στήν καρέκλα τοῦ δασκάλου. *The cushion was stuck full of pins*, τό μαξιλαράκι ἦταν γεμᾶτο καρφίτσες. *The needle stuck in my finger*, ἡ βελόνα χώθηκε στό δάχτυλό μου. *I found a nail ~ing in the tyre*, βρῆκα ἕνα καρφί χωμένο στό λάστιχο. **2**. (*καθομ.*) χώνω βάζω (σέ ὡρισμένη θέση): *He stuck the pen/flower behind his ear*, ἔβαλε τήν πέννα/τό λουλούδι στ᾽ αὐτί του. *He stuck his hands into his pockets*, ἔχωσε τά χέρια στίς τσέπες του. **3**. κολλῶ: *~ a stamp on an envelope*, κολλῶ ἕνα γραμματόσημο σέ φάκελλο. *~ bills*, κολλῶ ἀφίσες. *The meat has stuck to the bottom of the pan*, τό κρέας κόλλησε στήν κατσαρόλα. *The key stuck in the lock*, τό κλειδί κόλλησε στήν κλειδαριά. *The door has stuck*, ἡ πόρτα κόλλησε/ἔσφιξε. *We stuck in the mud*, κολλήσαμε στή λάσπη. ***be/get stuck (with sb/sth)***, (*λαϊκ.*, *μεταφ.*) φορτώνομαι γιά καλά, δέν μπορῶ νά γλυτώσω: *It looks as if I'm stuck with that job/that woman*, φαίνεται ὅτι τή φορτώθηκα γιά καλά αὐτή τή δουλειά/αὐτή τή γυναίκα. ***~ in one's throat***, (*μεταφ.*) μοῦ κάθεται/μοῦ κολλάει στό λαιμό: *This proposal ~s in my throat*, αὐτή ἡ πρότασις μοῦ κάθεται στό λαιμό. *The words stuck in her throat*, τά λόγια κόλλησαν στό λαιμό της. **`~-in-the-mud** *ἐπ.* & *οὐσ.* ‹C› νωθρός, ὀπισθοδρομικός, ἀρτηριοσκλη-

ρωτικός. `~·**ing-plaster**, λευκοπλάστης. **4**. (*καθομ.*) ἀνέχομαι, ὑποφέρω: *How can you ~ that fellow?* πῶς ἀνέχεσαι αὐτόν τόν τύπο; *I can't ~ it any longer*, δέν μπορῶ νά τό βαστάξω ἄλλο πιά! **5**. (*μέ ἐπιρ. καί προθέσεις*): ***stick around***, (*καθομ.*) δέν ἀπομακρύνομαι, τριγυρίζω κοντά: *S~ around; we may need you*, μήν ἀπομακρύνεσαι, μπορεῖ νά σέ χρειαστοῦμε.
stick at sth, ἀφοσιώνομαι, κολλῶ: *He ~s at his work 10 hours a day*, ἀφοσιώνεται στή δουλειά του 10 ὧρες τήν ἡμέρα. *Don't ~ at trifles*, μήν κολλᾶς σέ ἀσήμαντα πράγματα. ***~ at nothing***, εἶμαι ἀδίστακτος, ἱκανός γιά ὅλα/δέν ὀρρωδῶ πρό οὐδενός.
stick down, *(α)* (*καθομ.*) ἀφήνω κάτω: *S~ it down anywhere you like*, ἀκούμπησέ το ὅπου θέλεις. *(β)* (*καθομ.*) γράφω, σημειώνω: *S~ down my telephone number*, σημείωσε τόν ἀριθμό τοῦ τηλεφώνου μου. *(γ)* κολλῶ: *~ down an envelope*, κολλῶ ἕνα φάκελλο.
stick on, *(α)* μένω ἐπάνω εἰς: *Can you ~ on a horse?* μπορεῖς νά κρατηθῇς πάνω σέ ἄλογο; *(β)* ἐπικολλῶ: *S~ on these labels*, κόλλησε αὐτές τίς ἐτικέττες. `~-**on label**, ἐτικέττα γιά κόλλημα (*ἀντίθ. tie-on label*). ***~ it on***, (*λαϊκ.*) ἀνεβάζω τίς τιμές: *The hotel-keepers ~ it on in summer*, οὔτε ξέρουν τί ζητᾶν οἱ ξενοδόχοι τό καλοκαίρι.
stick sth out, βγάζω ἔξω, προεκτείνω, προεξέχω: *Don't ~ your head out of the window*, μή βγάζῃς τό κεφάλι σου ἀπό τό παράθυρο. *with his chest stuck out*, μέ τό στῆθος του προτεταμένο. ***~ one's tongue out at sb***, βγάζω τή γλῶσσα μου σέ κπ. ***~ it out***, (*καθομ.*) ἀντέχω/κρατῶ μέχρι τέλους. ***~ out for sth***, ἐπιμένω νά ζητῶ κτ: *They're ~ing out for a 30% increase*, ἐπιμένουν γιά αὔξηση 30%. (*βλ. & λ. neck*).
stick to, μένω πιστός, ἀρνοῦμαι νά ἐγκαταλείψω, ἐμμένω, ἐπιμένω: *~ to a friend*, μένω πιστός σ'ἕνα φίλο. *~ to a resolution*, ἐμμένω σέ μιά ἀπόφαση. *~ to a task until it's finished*, ἐπιμένω σέ μιά δουλειά ὥσπου νά τελειώσῃ. ***S~ to it!*** κουράγιο! μήν ἐγκαταλείπῃς! (*βλ. & λ. gun*).
stick together, (*γιά φίλους, συγγενεῖς, κλπ*) παραμένομε ἑνωμένοι/πιστοί ὁ ἕνας στόν ἄλλον.
stick up, *(α)* ὑψώνομαι, ξεπροβάλλω: *The branch was ~ing up out of the water*, τό κλαδί ξεπρόβαλε μέσα ἀπό τό νερό. *(β)* ***~ up for sb/oneself***, (*μεταφ.*) ὑποστηρίζω, παίρνω τό μέρος: *~ up for one's friends/rights*, ὑποστηρίζω τούς φίλους μου/τά δικαιώματά μου. ***~ up a bank***, (*λαϊκ.*) ληστεύω μιά τράπεζα. `~-**up**, ληστεία. ***S~ them/your hands up!*** ψηλά τά χέρια!
stick with sb/sth, παραμένω πιστός σέ κπ/κτ: *~ with a friend/one's principles*, παραμένω πιστός σ'ἕνα φίλο/στίς ἀρχές μου.
sticker /ˈstɪkə(r)/ *οὐσ.* ‹C› **1**. τοιχοκολλητής. **2**. ἀκούραστος ἐργάτης, δουλευτής. **3**. (*μεταφ.*) βδέλλα, τσιμπούρι. **4**. αὐτοκόλλητη ἐτικέττα.
stick·ler /ˈstɪklə(r)/ *οὐσ.* ‹C› ***~ for***, ἄνθρωπος ἀπαιτητικός/αὐστηρός σέ κτ, (*κοινῶς* ψείρας): *He's a ~ for discipline*, εἶναι αὐστηρός στό θέμα τῆς πειθαρχίας.
sticky /ˈstɪkɪ/ *ἐπ.* (*-ier, -iest*) **1**. κολλώδης, γλοιώδης: *~ fingers*, δάχτυλα πού κολλᾶνε. *a ~ road*, λασπωμένος δρόμος/πού κολλάει. ***be on a ~ wicket***, (*μεταφ., καθομ.*) εἶμαι σέ δύσκολη θέση, τἄχω βρεῖ σκοῦρα. ***come to a ~ end***, (*καθομ.*) δέν ἔχω καλό τέλος, πεθαίνω ἄσχημα. ***have a ~ time***, (*καθομ.*) περνάω δύσκολες ὧρες. **2**. δύσκολος, δύστροπος, στριμμένος: *The Bank Manager was ~ about the loan*, ὁ διευθυντής τῆς τραπέζης δυστροποῦσε γιά τό δάνειο.
stiff /stɪf/ *ἐπ.* (*-er, -est*) **1**. ἄκαμπτος, δύσκαμπτος, σκληρός, ἀλύγιστος: *a ~ collar/~ cardboard*, σκληρό κολλάρο/χαρτόνι. *have a ~ leg/back*, τό πόδι μου/ἡ μέση μου ἔχει πιαστεῖ. *I feel ~ after my long walk*, νοιώθω πιασμένος ὕστερα ἀπό τόν μακρυνό περίπατό μου. ˈ~-ˋ**necked** *ἐπ.* σκληροτράχηλος, ξεροκέφαλος, ἐπίμονος. (*βλ. & λ. lip*). **2**. δύσκολος: *a ~ examination*, δύσκολες ἐξετάσεις. *The book is ~ reading*, τό βιβλίο δέν διαβάζεται εὔκολα. **3**. σφιχτός, σκληρός: *a ~ paste*, σφιχτή ζύμη. *~ resistance*, σκληρή/πεισματική ἀντίστασις. **4**. (*γιά συμπεριφορά, κλπ*) ψυχρός, ἀκατάδεχτος, τυπικός: *~ manners*, ψυχροί τρόποι. *get a ~ reception*, μέ ὑποδέχονται ψυχρά/ὑπεροπτικά. *be ~ with one's neighbours*, εἶμαι ἀκατάδεχτος/τυπικός μέ τούς γειτόνους μου. **5**. δυνατός, ὑπερβολικός: *a ~ breeze/drink*, δυνατό ἀεράκι/ποτό. *a ~ price*, ὑπερβολική/μεγάλη τιμή. *a ~ bill*, ἐξωφρενικός λογαριασμός. __*ἐπίρ.* (ἐπιτατ.) πάρα πολύ: *I was bored ~*, ἔπληξα μέχρι θανάτου. *He was scared ~*, κοκκάλωσε ἀπό τό φόβο του. __*οὐσ.* ‹C› (*λαϊκ.*) **1**. πτῶμα. **2**. βλάκας, κούτσουρο: *You big ~!* κούτσουρο! **~·ly** *ἐπίρ.* **~·ness** *οὐσ.* ‹U› ἀκαμψία, ψυχρότης, δυσκολία. **~en** /ˈstɪfn/ *ρ.μ/ὰ.* σκληρύνω, γίνομαι ἄκαμπτος, πιάνομαι, δυσκολεύω. **~-en·ing** /ˈstɪfnɪŋ/ *οὐσ.* ‹U› κόλλα (ὑφασμάτων), καναβάτσο, στύλωμα. **~·ener** /ˈstɪfənə(r)/ *οὐσ.* ‹C› δυναμωτικό ποτό (πού στυλώνει), ἐνισχυτικό ἔλασμα.
stifle /ˈstaɪfl/ *ρ.μ/ὰ.* (κατα)πνίγω: *~ a yawn/a cry/a rebellion*, πνίγω ἕνα χασμουρητό/μιά κραυγή/μιά ἀνταρσία. *The heat was stifling*, ἡ ζέστη ἦταν ἀποπνικτική. *I was ~d by the smoke*, μ'ἔπνιξε ὁ καπνός. *~ a scandal*, συγκαλύπτω/κουκουλώνω ἕνα σκάνδαλο.
stigma /ˈstɪgmə/ *οὐσ.* ‹C› **1**. (*πληθ. ~s* /-məz/) στίγμα: *the ~ of illegitimacy*, τό στίγμα τῆς νόθου καταγωγῆς. **2**. (*πληθ.*) **stigmata** /stɪgˈmatə/, Τά Στίγματα (τοῦ Χριστοῦ). **3**. (*βοτ.*) στίγμα.
stig·ma·tize /ˈstɪgmətaɪz/ *ρ.μ.* ***~ as***, στιγματίζω: *be ~d as a liar*, στιγματίζομαι ὡς ψεύτης.
stile /staɪl/ *οὐσ.* ‹C› σκαλοπάτι (σέ φράχτη). (*βλ. & λ.* [1]*dog*).
sti·letto /stɪˈletəʊ/ *οὐσ.* ‹C› (*πληθ. ~s ἤ ~es*) στιλέττο. **~ heel**, πολύ ψηλό καί μυτερό τακούνι.
[1]**still** /stɪl/ *ἐπ. & ἐπίρ.* **1**. γαλήνιος, ἥσυχος, ἀκίνητος: *keep/stand ~*, μένω ἀκίνητος. *How ~ everything is!* πόσο ἥσυχα εἶναι ὅλα. `~-**birth**, γέννησις θνησιγενοῦς τέκνου. `~-**born** *ἐπ.* θνησιγενής. ˈ~ˋ**life**, (*ζωγρ.*) νεκρή φύσις. __*οὐσ.* **1**. (*μόνον ἑν.*) (*ποιητ.*) βαθειά

γαλήνη, σιγαλιά: *in the ~ of the night*, στή σιγαλιά τῆς νύχτας. **2.** ‹C› φωτογραφία. __ρ.μ. γαληνεύω, καθησυχάζω: *~ sb's fears*, καθησυχάζω τούς φόβους κάποιου. **~·ness** *οὐσ.* ‹U› ἡσυχία, γαλήνη, ἠρεμία.

[2]**still** /stɪl/ *ἐπίρ.* **1.** ἀκόμη: *He's ~ there*, εἶναι ἀκόμη ἐκεῖ. *I ~ love him; I love him ~*, τόν ἀγαπῶ ἀκόμη. *Is he ~ in London?* εἶναι ἀκόμη στό Λονδῖνο; **2.** (*μέ συγκρ. βαθμό*) ἀκόμη: *He is ~ taller than me*, εἶναι ἀκόμη πιό ψηλός ἀπό μένα. __*σύνδ.* ὡστόσο, παρ'ὅλα αὐτά: *He's not very bright; ~, he's a good pupil*, δέν εἶναι πολύ ἔξυπνος, ὡστόσο εἶναι καλός μαθητής.

[3]**still** /stɪl/ *οὐσ.* ‹C› ἄμβυξ, ἀποστακτήρ. **'~-room**, κελλάρι σέ ἀρχοντικό.

stilt /stɪlt/ *οὐσ.* ‹C› ξυλοπόδαρο: *walk on ~s*, περπατῶ μέ ξυλοπόδαρα.

stilted /'stɪltɪd/ *ἐπ.* (*γιά ὕφος, κλπ*) ἐπιτηδευμένος, ἐξεζητημένος, δύσκαμπτος. **~·ly** *ἐπίρ.*

stimu·lant /'stɪmjʊlənt/ *οὐσ.* ‹C› διεγερτικόν, τονωτικόν.

stimu·late /'stɪmjʊleɪt/ *ρ.μ.* **~ *to***, διεγείρω, ἐρεθίζω, κεντρίζω, παρακινῶ: *~ sb to further efforts*, κεντρίζω/παρακινῶ κπ νά καταβάλη κι' ἄλλες προσπάθειες. *~ sb to try harder*, κεντρίζω κπ νά προσπαθήση περισσότερο. **stimu·lat·ing** *ἐπ.* διεγερτικός, ἐνθαρρυντικός: *set a stimulating example*, δίνω ἕνα παράδειγμα πού ἐμπνέει.

stimu·lus /'stɪmjʊləs/ *οὐσ.* ‹C› (*πληθ. -li* /-laɪ/) ‹C› ὤθησις, κίνητρο, διεγερτικόν, κέντρισμα, ἐρέθισμα: *give a ~ to trade*, δίνω ὤθηση στό ἐμπόριο. *act as a ~*, ἐπενεργῶ ἐρεθιστικά/διεγερτικά. *a ~ to further exertions*, κίνητρο γιά περαιτέρω προσπάθειες. *under the ~ of praise*, μέ τόν ἔπαινο σάν ἐρέθισμα/κέντρισμα.

[1]**sting** /stɪŋ/ *οὐσ.* **1.** ‹C› κεντρί (σφήκας, σκορπιοῦ, κλπ). **2.** τρίχα (τσουκνίδας). **3.** ‹C› κέντρισμα, τσίμπημα: *a face covered with ~s*, πρόσωπο γεμᾶτο τσιμπήματα. **4.** ‹C,U› κέντρισμα, τσούξιμο, ὀξύς πόνος: *the ~ of the rain/wind on their faces*, τό κέντρισμα τῆς βροχῆς/τό τσούξιμο τοῦ ἀέρα στά πρόσωπά τους. *the ~ of hunger/of remorse*, τό κέντρισμα τῆς πείνας/ὁ νυγμός τῶν τύψεων. *His satire has no ~ in it*, ἡ σάτυρά του δέν πονάει/δέν ἔχει κεντρί.

[2]**sting** /stɪŋ/ *ρ.μ/ἀ. ἀνώμ.* (*ἀόρ. & π.μ. stung* /stʌŋ/) **1.** κεντρίζω, τσιμπῶ: *A wasp stung me on the cheek*, μιά σφήκα μέ τσίμπησε στό μάγουλο. *Anger stung him to action*, ὁ θυμός τόν κέντρισε νά δράση. **2.** τσούζω, πονῶ, καίω: *He was stung by her words*, τά λόγια της τόν ἔτσουξαν. *The blows of the cane stung the boy's fingers*, οἱ βεργιές ἔτσουξαν τά δάχτυλα τοῦ παιδιοῦ. *Nothing ~s like the truth*, τίποτα δέν πονάει ὅσο ἡ ἀλήθεια. *The nettles stung my legs*, οἱ τσουκνίδες μοῦκαψαν τά πόδια. *His cheek was still ~ing from the slap*, τό μάγουλό του ἔκαιγε ἀκόμα ἀπό τό χαστούκι. **3.** ~ ***sb*** *(**for sth**)*, (*καθομ.*) μαδῶ, γδέρνω κπ, τόν ἀναγκάζω νά πληρώση πολλά: *How much did they ~ you for?* πόσα σοῦ πῆραν; πόσο σέ μάδησαν; *He was stung for £10*, τόν ἀνάγκασαν νά πληρώση 10 λίρες. **~er** *οὐσ.* ‹C› τσουχτερό χτύπημα.

stingy /'stɪndʒɪ/ *ἐπ.* *(-ier, -iest)* τσιγγούνης, σφιχτοχέρης: *Don't be so ~ with the butter*, μήν τσιγγουνεύεσαι τόσο τό βούτυρο. **stin·gily** /-dʒəlɪ/ *ἐπίρ.* τσιγγούνικα. **stin·gi·ness** *οὐσ.* ‹U› τσιγγουνιά: *He's notorious for his stinginess*, εἶναι περιβόητος γιά τήν τσιγγουνιά του.

stink /stɪŋk/ *ρ.μ/ἀ. ἀνώμ.* (*ἀόρ. stank* /stæŋk/ *ἤ stunk* /stʌŋk/, *π.μ. stunk*) **1.** ~ *(**of sth**)*, βρωμάω: *That fish/The whole business ~s*, αὐτό τό ψάρι/ἡ ὅλη ὑπόθεσις βρωμάει. *Her breath stank of garlic/brandy*, ἡ ἀναπνοή της βρωμοῦσε σκόρδο/κονιάκ. ***~ of money***, (*καθομ.*) κολυμπάω στό χρῆμα. ***cry ~ing fish***, κατηγορῶ τά προϊόντα μου. **2.** ***~ sb/sth out***, *(α)* διώχνω μέ τή βρώμα: *~ out a fox*, ξεπετάω μιά ἀλεποῦ μέ καπνό. *(β)* βρωμίζω, φλομώνω (ἕνα μέρος): *You'll ~ the place out with your cheap cigars*, θά βρωμίσης (θά φλομώσης) ὅλον τόν τόπο μέ τά παληοποῦρα σου. __*οὐσ.* ‹C› βρώμα. ***raise/kick up a ~*** *(**about sth**)*, (*καθομ.*) κάνω φασαρία, δημιουργῶ θέμα γιά κτ. **~er** *οὐσ.* (*λαϊκ.*) *(α)* ἀντιπαθητικός ἄνθρωπος, κάθαρμα, βρωμιάρης. *(β)* πανταχοῦσα (γράμμα γεμᾶτο κατσάδα/βρισιές, κλπ). *(γ)* κάτι πολύ δύσκολο, παλούκι, μανίκι: *The translation paper was a ~er*, τό θέμα τῆς μεταφράσεως ἦταν παλούκι/μανίκι. **~·ing** *ἐπ.* (*καθομ.*) βρωμερός, ἀπαίσιος, βρωμο-: *That's a ~ing lie*, αὐτό εἶναι βρωμοψέμα.

stint /stɪnt/ *ρ.μ/ἀ.* ~ *(**sb of sth**)*, τσιγγουνεύομαι, στεροῦμαι, περιορίζω, δίνω μέ τό σταγονόμετρο: *She ~ed herself of food in order to let the children have enough*, ἐστερεῖτο ἡ ἴδια τό φαΐ (περιόριζε τό δικό της φαΐ) γιά νἄχουν ἀρκετό τά παιδιά. *Don't ~ the food*, μήν τσιγγουνεύεσαι τό φαΐ. __*οὐσ.* **1.** περιορισμός. (*συνήθ.*) ***without ~***, ἀπεριόριστα, χωρίς τσιγγουνιά, ἀλογάριαστα. **2.** ‹C› καθωρισμένη δουλειά, νόρμα: *do one's daily ~*, κάνω τήν καθημερινή μου δουλειά.

sti·pend /'staɪpend/ *οὐσ.* ‹C› μισθός, ἀπολαυές (*ἰδ.* κληρικοῦ). **sti·pen·di·ary** /staɪ'pendɪərɪ/ *ἐπ.* ἔμμισθος, μισθοδοτούμενος. __*οὐσ.* ‹C› ἔμμισθος εἰρηνοδίκης.

stipple /'stɪpl/ *ρ.μ.* σχεδιάζω/ζωγραφίζω μέ κουκίδες.

stipu·late /'stɪpjʊleɪt/ *ρ.μ/ἀ.* **1.** συνομολογῶ, ὁρίζω/συμφωνῶ ρητῶς: *It was ~d that the goods should be delivered in Athens*, συμφωνήθηκε ρητά νά παραδοθοῦν τά ἐμπορεύματα στήν Ἀθήνα. **2.** ~ ***for***, βάζω ὅρο: *He ~d for the best materials to be used*, ἔβαλε ὅρο νά χρησιμοποιηθοῦν τά καλύτερα ὑλικά. **stipu·la·tion** /'stɪpjʊ'leɪʃn/ *οὐσ.* ‹C› ὅρος: *make a stipulation*, θέτω ὅρον. *on the stipulation that*, ὑπό τόν ὅρον ὅτι...

stir /stɜ(r)/ *ρ.μ/ἀ.* *(-rr-)* **1.** κινῶ/-οῦμαι, σαλεύω: *Not a leaf was ~ring*, δέν κουνιόταν φύλλο. *She's not ~ring yet*, δέν σαλεύει ἀκόμη (κοιμᾶται). *I haven't ~red out for a week*, δέν βγῆκα καθόλου ἔξω μιά βδομάδα. ***not ~ an eyelid***, παραμένω ἀπαθής, δέν μοῦ καίγεται καρφί. ***not ~ a finger***, δέν κουνάω τό μικρό μου δαχτυλάκι. ***~ one's stumps***, (*καθομ.*) περπατῶ γρηγορώτερα, κουνάω τά πόδια μου λιγάκι. ***S~ yourself!*** κουνήσου! ***Don't ~ an inch!*** μήν κουνηθῆς βῆμα! **2.** ἀνακατεύω, ἀναδεύω: *~ one's tea*, ἀνακατεύω τό τσάϊ μου. ~ *the fire*, ἀνακατεύω/συδαυλίζω τή φωτιά. **3**. κεντρίζω, προκαλῶ, (ὑπο)κινῶ, ξυπνῶ, συγκινῶ: *a story that ~s the imagination*, ἱστορία πού κεντρίζει τήν φαντασία. ~ *sb to pity*, προκαλῶ/κινῶ τόν οἶκτο κάποιου, τόν συγκινῶ. ~ *up trouble among the crew*, ὑποκινῶ φασαρία μεταξύ τοῦ πληρώματος. *He wants ~ring up*, θέλει ξύπνημα/ταρακούνημα. *Pity ~red in his heart*, ξύπνησε μέσα του ὁ οἶκτος. ***~ the blood***, κάνω τό αἷμα νά κοχλάζη, προκαλῶ συγκίνηση/ἐνθουσιασμό. __*οὐσ.* (*συνήθ. ἐν. μέ ἀόρ. ἄρθρ.*) ταραχή, ἔξαψις, συγκίνησις: *The news caused a ~ in the village*, τά νέα προκάλεσαν μεγάλη συγκίνηση στό χωριό. **~·ring** *ἐπ.* συνταρακτικός, συγκινητικός, συναρπαστικός: *We live in ~ring times*, ζοῦμε σέ συνταρακτική ἐποχή. *a ~ring sight*, συγκινητικό θέαμα. *~ring tales of adventure*, συναρπαστικές ἱστορίες περιπετειῶν. *~ring events*, συγκλονιστικά γεγονότα. **~·ring·ly** *ἐπίρ.* συναρπαστικά, συγκινητικά.

stir·rup /ˋstɪrəp/ *οὐσ.* ‹C› ἀναβολεύς. **ˋ~-cup**, ἀποχαιρετιστήριο ποτήρι (πού τό πίνη κανείς καβάλλα πρίν φύγει). **ˋ~-bone**, (*ἀνατ.*) ἀναβολεύς (τοῦ αὐτιοῦ).

stitch /stɪtʃ/ *οὐσ.* ‹C› **1**. βελονιά, πόντος: *long ~es*, μεγάλες βελονιές, ἀραιό γαζί. ***drop a ~***, μοῦ φεύγει ἕνα πόντος. ***take up a ~***, πιάνω ἕναν πόντο. ***put ~es into/take ~es out of a wound***, ράβω πληγή/κόβω τά ράμματα. ***have not a ~ on***, (*καθομ.*) εἶμαι ὁλόγυμνος. ***A ~ in time saves nine***, (*παροιμ.*) μέ μιά βελονιά στήν ὥρα της γλυτώνεις δέκα. **2**. σουβλιά πόνου στό πλευρό. __*ρ.μ/ἀ.* ράβω.

stoat /stəʊt/ *οὐσ.* ‹C› ἰκτίς, ἑρμίνα.

[1]**stock** /stok/ *οὐσ.* **1**. ‹C,U› ἐμπορεύματα, ἀπόθεμα, στόκ: *old/surplus ~*, ὑπόλοιπα/πλεονάσματα. ***be in/out of ~***, (*γιά ἐμπόρευμα*) ὑπάρχω/δέν ὑπάρχω στό μαγαζί: *This book is out of ~*, αὐτό τό βιβλίο μᾶς ἔχει ἐξαντληθῆ. *Have you any linen sheets in ~?* ἔχετε λινά σεντόνια στό μαγαζί; ***take ~***, κάνω ἀπογραφή (σέ μαγαζί, ἀποθήκη, κλπ). ***take ~ of***, ἐξετάζω προσεκτικά (ἄνθρωπο, μέρος), ἐκτιμῶ (κατάσταση): *After taking ~ of the situation, he decided to leave*, ὕστερα ἀπό ἐκτίμηση τῆς καταστάσεως, ἀποφάσισε νά φύγη. **ˋ~-taking**, ἀπογραφή ἐμπορευμάτων. **ˋ~-list**, κατάλογος ἐμπορευμάτων (σέ μαγαζί). **ˋ~-room**, ἀποθήκη. **ˈ~-in-ˋtrade**, ἐμπορεύματα καί λοιπά χρειώδη σ' ἕνα μαγαζί, (*μεταφ.*) συνηθισμένο ρεπερτόριο, διαρκής παρακαταθήκη (ἀστείων, ἀνεκδότων, κλπ). **2**. (*ἐπιθ.*) συνηθισμένος, κανονικός: ~ *sizes*, συνηθισμένα/κανονικά νούμερα. *a ~ car*, αὐτοκίνητο τῆς σειρᾶς. ~ *arguments/jokes*, χιλιοειπωμένα ἐπιχειρήματα/ἀστεῖα. **~ company**, θίασος ρεπερτορίου. **3**. ‹C› ἀπόθεμα: *He has a good ~ of information on this subject*, ἔχει μαζέψει πολλές πληροφορίες γι' αὐτό τό θέμα. *lay in ~s of coal for the winter*, κάνω ἀποθέματα κάρβουνου γιά τό χειμῶνα. **ˋ~-piling**, δημιουργία ἀποθεμάτων (*ἰδ.* ἀπό τήν Κυβέρνηση). **4**. ‹U› (**ˋlive-**)**~**, ζῶα, ζωντανά, κοπάδι: *fat ~*, ζῶα κρεατοπαραγωγῆς. **ˋ~-breeder/-farmer**, κτηνοτρόφος. **ˋ~·car**, βαγόνι ζώων. **ˋ~·yard**, μάντρα ζώων. **5**. ‹C,U› χρεώγραφα, ἀξίες, τίτλοι, μετοχές: *government ~*, κρατικά χρεώγραφα. *I have all my money in ~s*, ἔχω ὅλα μου τά λεφτά σέ τίτλους. *invest one's money in (a) safe ~*, ἐπενδύω τά χρήματά μου σέ ἀσφαλεῖς ἀξίες. **ˋ~·broker**, χρηματιστής. **ˋ~ exchange**, χρηματιστήριον ἀξιῶν. **ˋ~-holder**, μέτοχος. **ˋ~-jobber**, χρηματιστής συναλλασσόμενος μόνον μέ χρηματιστές. **ˋ~-list**, δελτίον τιμῶν χρηματιστηρίου. **ˋ~-market**, χρηματιστήριον ἀξιῶν, συναλλαγαί ἐπί χρεωγράφων. **6**. ‹U› γενιά, σόϊ: *He's of Irish/Puritan/farming ~*, κρατάει ἀπό Ἰρλανδούς/πουριτανούς/ἀγρότες. **7**. ‹U› πρώτη ὕλη: *ˋpaper ~*, πρῶτες ὕλες χαρτιοῦ (*πχ* κουρέλια, κλπ). **8**. ‹U› ζωμός, κονσομέ. **ˋ~-cube**, κύβος ζωμοῦ/σούπας. **ˋ~·fish**, ψάρι ξεραμένο στόν ἀέρα. **ˋ~·pot**, κατσαρόλα σούπας. **9**. ‹C› κοντάκι (ὅπλου), λαβή (μαστιγίου ἤ ἐργαλείου). (*βλ.* & *λ.* [1]*lock*). **10**. ‹C› κεντρωμένο δέντρο. **11**. ‹C› κούτσουρο δέντρου (τό κάτω μέρος τοῦ κορμοῦ). **12**. (*πληθ.*) κούτσουρο βασανισμοῦ (μέ τρύπες γιά νά σφίγγονται τά πόδια τοῦ κατάδικου). **13**. (*πληθ.*) σκαριά (ναυπηγείου): *on the ~s*, στά σκαριά (πού ἐπισκευάζεται ἤ ναυπηγεῖται). **14**. ‹C› (*ἀπηρχ.*) περιλαίμιο, προστήθιο (κληρικοῦ), πλατειά γραβάτα. **15**. ‹C› βιόλα, ἀγριοβιολέττα. **16**. **~s and stones**, ἄψυχα πράγματα. **ˋlaughing-~**, περίγελως: *He's the laughing-~ of the town*, εἶναι ὁ περίγελως τῆς πόλης. **ˈ~-ˋstill** *ἐπίρ.* ἐντελῶς ἀκίνητος: *He stood ~-still*, στάθηκε ξερός (ἐντελῶς ἀκίνητος).

[2]**stock** /stok/ *ρ.μ.* ἐφοδιάζω, γεμίζω: ~ *a shop with goods*, ἐφοδιάζω ἕνα μαγαζί μέ ἐμπορεύματα. ~ *a lake with fish/~ a farm*, γεμίζω λίμνη μέ ψάρια/ἀγρόκτημα (μέ ζῶα). *well-~ed with the latest fashions in hats*, πλήρως ἐφοδιασμένοι μέ μοντέρνα καπέλλα. *Do you ~ raincoats?* πουλᾶτε/ἔχετε ἀδιάβροχα; **~·ist** /-ɪst/ *οὐσ.* ‹C› χονδρέμπορος (πού ἔχει ἀποθήκη).

stock·ade /stoˋkeɪd/ *οὐσ.* ‹C› πασσαλόπηγμα, τεῖχος ἀπό κούτσουρα. __*ρ.μ.* περιφράσσω.

stock·in·ette /ˈstokɪˋnet/ *οὐσ.* ‹U› (ὕφασμα) ζέρσεϋ.

stock·ing /ˋstokɪŋ/ *οὐσ.* ‹C› γυναικεία κάλτσα. ***in one's ~ feet***, ξυπόλυτος (μόνον μέ κάλτσες).

stocky /ˋstokɪ/ *ἐπ.* (*-ier, -iest*) (*γιά ἄνθρ., ζῶο, φυτό*) κοντόχοντρος, χοντροδέματος. **stock·ily** /-əlɪ/ *ἐπίρ.*

stodge /stodʒ/ *οὐσ.* ‹U› (*καθομ.*) βαρύ φαΐ.

stodgy /ˋstodʒɪ/ *ἐπ.* **1**. (*γιά φαΐ*) βαρύς, δύσπεπτος. **2**. (*γιά βιβλίο*) βαρύς, παραφορτωμένος (μέ λεπτομέρειες, κλπ). **3**. (*γιά ἄνθρ.*) βαρύς, ἀνιαρός, δυσκίνητος.

stoic /ˋstəʊɪk/ *οὐσ.* ‹C› στωϊκός. **sto·ical** /-kl/ *ἐπ.* στωϊκός. **sto·ically** /-klɪ/ *ἐπίρ.* στωϊκά. **sto·icism** /ˋstəʊɪsɪzm/ *οὐσ.* ‹U› στωϊκισμός, στωϊκή φιλοσοφία.

stoke /stəʊk/ *ρ.μ/ἀ.* **1**. τροφοδοτῶ (φωτιά): ~ *(up) the furnace*, τροφοδοτῶ τόν κλίβανο. **2**. (*χιουμορ.*) τήν ταρατσώνω, τρώω καλά. **ˋ~r** *οὐσ.* ‹C› θερμαστής.

[1]**stole** /stəʊl/ *οὐσ.* ‹C› **1**. πετραχήλι. **2**. σάρπα (γυναικεία).

[2]**stole** /stəʊl/, **stolen** /ˋstəʊlən/ *ἀόρ., π.μ. τοῦ ρ. steal.*

stolid /ˋstolɪd/ *ἐπ.* φλεγματικός, ἀπαθής. **~·ly** *ἐπίρ.* φλεγματικά. **~·ity** /stəˋlɪdətɪ/, **~·ness** *οὐσ.* ‹U› ἀπάθεια, φλέγμα.

stom·ach /ˋstʌmək/ *οὐσ.* **1**. ‹C› στομάχι. ***on a full/on an empty ~***, μέ γεμᾶτο/ἄδειο στομάχι. ***turn sb's ~***, ἀνακατώνω τό στομάχι κάποιου, προκαλῶ ἀηδία: *The sight turned my ~/My ~ turned at the sight*, τό θέαμα μοῦ ἀνακάτωσε τό στομάχι/τό στομάχι μου γύρισε μέ τό θέαμα. **ˋ~-pump**, (*ἰατρ.*) στομαχική ἀντλία. **2**. ‹C› (*ἡ συνήθης λέξις γιά*) κοιλιά. **ˋ~-ache**, στομαχόπονος, κοιλόπονος. **3**. ‹U› ὄρεξις, διάθεσις, θάρρος. ***have no ~ for sth***, δέν ἔχω ὄρεξη/κουράγιο γιά κτ, δέν ἀντέχω κτ: *I have no ~ for bull-fighting/for boxing*, δέν ἀντέχω νά βλέπω ταυρομαχίες/μπόξ. __*ρ.μ.* (*συνήθ. ἐρωτ. ἤ ἀρνητ.*) ἀνέχομαι, ὑποφέρω, χωνεύω: *I can't ~ such behaviour*, δέν μπορῶ νά χωνέψω τέτοια συμπεριφορά.

stomp /stomp/ *ρ.ἀ.* ***~ about***, τριγυρίζω βαρυπερπατώντας.

stone /stəʊn/ *οὐσ.* **1**. ‹C,U› πέτρα, λίθος: *a wall made of ~*, τοῖχος ἀπό πέτρα. *~ buildings*, πέτρινα χτίρια. *a heart of ~*, καρδιά ἀπό πέτρα. *a road covered with ~s*, λιθόστρωτος δρόμος. *throw ~s at sb*, λιθοβολῶ κπ. ***within a ˋ~'s throw (of)***, πολύ κοντά: *The school is within a ~'s throw of the station*, τό σχολεῖο εἶναι δυό βήματα ἀπό τό σταθμό. ***leave no ~ unturned (to do sth)***, κάνω τ' ἀδύνατα δυνατά, κινῶ γῆ καί οὐρανό (γιά νά κάμω κτ). **the ˋS~ Age**, λιθίνη ἐποχή. **ˋ~-breaker**, ἐργάτης δρόμων (πού σπάζει πέτρες), λιθοθραύστης. **ˋ~-mason**, χτίστης. **ˋ~-pit**, νταμάρι, λατομεῖον. **ˈ~-ˋwall** *ρ.μ.* (*στή Βουλή*) κωλυσιεργῶ, (*στό κρίκετ*) παίζω ἀμυντικά. **ˈ~-ˋwaller**, κωλυσιεργός, (*χαρτοπ.*) καραμπίνα. **ˈ~-ˋwalling**, κοινοβουλευτική κωλυσιεργία, (*κρίκετ*) ἀμυντικό παιχνίδι. **ˋ~-ware**, κεραμικά ἀπό ψαμμάργιλο. **ˋ~-work**, τοιχοποιΐα, χτίσιμο. **2**. ‹C› πετράδι: *precious ~s*, πολύτιμοι λίθοι, πετράδια. **3**. ‹C› πέτρα (ὡρισμένου σχήματος ἤ προορισμοῦ): *a ˋcorner~*, ἀγκωνάρι, ἀκρογωνιαῖος λίθος. *a ˋmill~*, λιθάρι τοῦ μύλου. *a ˋtomb~/ˋgrave~*, ταφόπετρα. *a ˋwhet~*, ἀκονόπετρα. **4**. ‹C› κουκούτσι (βερύκοκκου, δαμάσκηνου, κερασιοῦ). **ˋ~-fruit**, φροῦτα μέ κουκούτσι. **ˋgall·~**, πέτρα τῆς χολῆς. **ˋhail·~**, σπυρί χαλάζι. **~·less** *ἐπ.* χωρίς κουκούτσι. **5**. (*ἀμετάβλ. εἰς πληθ.*) στόουν (μέτρον βάρους ἴσο πρός 14 λίβρες ἤ 6,35 κιλά): *He weighs 12 ~*, ζυγίζει 75 κιλά. __*ἐπίρ.* ἐντελῶς (*ἰδ. ὡς a! συνθ.*): **ˈ~-ˋblind** *ἐπ.* θεόστραβος. **ˈ~-ˋcold** *ἐπ.* ἐντελῶς κρύος: *The tea is ~-cold*, τό τσάϊ εἶναι πάγος. **ˈ~-ˋdead** *ἐπ.* τελείως νεκρός, μαρμαρωμένος. **ˈ~-ˋdeaf** *ἐπ.* θεόκουφος. **ˈ~-ˋsober** *ἐπ.* ἐντελῶς ξεμέθυστος. __*ρ.μ.* **1**. λιθοβολῶ: *~ sb to death*, σκοτώνω διά λιθοβολισμοῦ. **2**. ξεκουκουτσιάζω: *~ plums*, ξεκουκουτσιάζω δαμάσκηνα. **~d** *ἐπ.* (*καθομ.*) στουπί στό μεθύσι.

stony /ˋstəʊnɪ/ *ἐπ.* (*-ier, -iest*) **1**. πετρώδης: *~ soil/~ ground/a ~ road*, πετρῶδες χῶμα/ἔδαφος/-ης δρόμος. **2**. (*μεταφ.*) παγερός, σκληρός, ἀσυγκίνητος: *a ~ heart*, σκληρή/ἀσυγκίνητη καρδιά. *ˈ~-ˋhearted*, σκληρόκαρδος. *~ politeness*, ψυχρή εὐγένεια. *a ~ ˋstare*, παγερή ματιά. **3**. **ˈ~-ˋbroke** *ἐπ.* (*λαϊκ.*) τελείως ἀπένταρος, πανί μέ πανί. **ston·ily** /-əlɪ/ *ἐπίρ.* παγερά: *stonily polite*, παγερά εὐγενικός.

stood /stʊd/ *ἀόρ. & π.μ. τοῦ ρ. ²stand.*

stooge /studʒ/ *οὐσ.* ‹C› ἀνδρείκελο, τυφλό ὄργανο, κορόϊδο (ἄλλου). __*ρ.ἀ.* ***~ for sb***, κάνω τό χαμάλη ἄλλου.

stool /stul/ *οὐσ.* **1**. ‹C› σκαμνί: *a ˋfolding ~*, πτυσσόμενο σκαμνί. *a ˋfoot-~*, σκαμνάκι γιά τά πόδια. *a ˋpiano ~*, ταμπουρέ τοῦ πιάνου. ***fall between two ~s***, κυνηγῶ δυό λαγούς καί δέν πιάνω κανένα, χάνω μιά εὐκαιρία ἀπό διστακτικότητα στήν ἐκλογή. **2**. ‹U› (*ἰατρ.*) κόπρανα, (*ἀπηρχ.*) ἀπόπατος. **3**. **ˋ~-pigeon**, (*μεταφ.*) κράχτης, χαφιές (τῆς ἀστυνομίας), ἄνθρωπος-παγίδα, δόλωμα.

[1]**stoop** /stup/ *ρ.μ/ἀ.* **1**. σκύβω, γέρνω, (*γιά γεράκι*) ἐφορμῶ: *~ to pick sth up*, σκύβω νά σηκώσω κτ. *~ one's head to get into a car*, σκύβω τό κεφάλι νά μπῶ σέ αὐτοκίνητο. *~ing with old age*, γέρνοντας ἀπό τά γηρατειά. **2**. ***~ to sth***, (*μεταφ.*) ξεπέφτω, καταδέχομαι (νά κάμω κτ ἄσχημο): *~ to cheating/to lies*, ξεπέφτω σέ ἀπάτες/σέ ψέματα. *He would ~ to anything*, εἶναι ἀδίστακτος/ἱκανός γιά κάθε προστυχιά. __*οὐσ.* (*συνήθ. ἑν.*) σκύψιμο, καμπούριασμα: *walk with a ~*, περπατῶ σκυφτός/καμπουριασμένος.

[2]**stoop** /stup/ *οὐσ.* ‹C› (*ΗΠΑ*) βεράντα εἰσόδου.

[1]**stop** /stop/ *οὐσ.* ‹C› **1**. σταμάτημα, στάσις: *The train goes from London to Leeds with only two ~s*, τό τραῖνο πηγαίνει ἀπό τό Λονδῖνο στό Λήντς μέ δυό στάσεις μόνον. *frequent ~s*, συχνές στάσεις. ***bring sth to a ~; put a ~ to sth***, σταματῶ κτ: *He brought the train to a ~*, σταμάτησε τό τραῖνο. **2**. στάσις (τό μέρος): *a ˋbus ~*, στάσις λεωφορείου. **reˋquest ~**, μή ὑποχρεωτική στάσις. **3**. ρετζίστρο (ἐκκλησ. ὀργάνου), τρύπα (φλάουτου), κλειδί (κλαρίνου), δακτυλοθέσιον (κιθάρας). ***pull out all the ~s***, (*καθομ.*) βάζω τά δυνατά μου, βάζω τά μεγάλα μέσα (νά συγκινήσω κπ). **4**. (*σέ φωτογρ. μηχανή*) διάφραγμα. **5**. σφήνα, τάκος, σύστημα ἀναχαιτίσεως. **6**. ἄφωνον σύμφωνον. **7**. **full ~**, τελεία (σημεῖον στίξεως). **8**. (*σέ σύνθ. λέξεις*): **ˋ~·cock**, ἀπομονωτικός κρουνός. **ˋ~·gap**, (*μεταφ.*) προσωρινή λύσις, λύσις ἀνάγκης. **ˋ~-press**, ἐπί τοῦ πιεστηρίου: *~-press news*, εἰδήσεις ἐπί τοῦ πιεστηρίου. **ˋ~-watch**, χρονόμετρο μέ διακόπτη. **ˋ~·per**, τάπα. ***put the ~pers on sth***, (*μεταφ., καθομ.*) βουλώνω, καταπνίγω κτ.

[2]**stop** /stop/ *ρ.μ/ἀ.* (*-pp-*) **1**. σταματῶ: *~ a train*, σταματῶ ἕνα τραῖνο. *My watch/The rain ~ped*, τό ρολόϊ μου/ἡ βροχή σταμάτησε. *The train ~s at Corinth*, τό τραῖνο σταματάει στήν Κόρινθο. ***~ dead/short***, σταματῶ ἀπότομα. ***~ work***, σταματῶ τή δουλειά. ***~ doing sth***, σταματῶ/παύω νά κάνω κτ: *I think I'll ~ smoking*, νομίζω ὅτι θά σταματήσω τό κάπνισμα/θά πάψω νά καπνίζω. *It has ~ped raining*, σταμάτησε νά βρέχη. ***~ to do sth***, σταματῶ (κάτι πού κάνω) γιά νά κάμω κτ: *Let's ~ now to have a smoke*, ἅς σταματήσωμε

τώρα γιά νά καπνίσωμε. **2**. σταματῶ, ἐμποδίζω: *There's no-one to ~ him*, δέν ὑπάρχει κανείς νά τόν σταματήση/νά τόν συγκρατήση. *Nothing will ~ her/She'll ~ at nothing*, δέν κρατιέται μέ τίποτα/τίποτα δέν τήν σταματάει. ***~ sb (from) doing sth***, ἐμποδίζω κπ νά κάμη κτ: *Can't you ~ the boys (from) getting into mischief?* δέν μπορεῖς νά ἐμποδίσης τά παιδιά νά μήν κάνουν ἀταξίες; *What can ~ our going/~ us from going?* τί μπορεῖ νά μᾶς ἐμποδίση νά πᾶμε; **3**. σταματῶ, διακόπτω, κόβω: *~ a cheque*, σταματῶ μιά ἐπιταγή (δέν τήν πληρώνω). *~ sb's pension/supply of electricity*, κόβω τή σύνταξη/τό ἠλεκτρικό κάποιου. *All leave is ~ped*, κόπηκαν ὅλες οἱ ἄδειες. *~ payment*, σταματῶ τίς πληρωμές, πτωχεύω. *~ sth out of sb's salary*, κόβω κτ, κάνω κρατήσεις ἀπό τό μισθό κάποιου. **4**. ***~ sth (up)***, ταπώνω, βουλώνω, κλείνω: *~ a leak in a pipe*, κλείνω μιά διαρροή σέ σωλήνα. *~ up a mouse-hole*, βουλώνω μιά τρύπα ποντικῶν. *~ one's ears*, βουλώνω τ' αὐτιά μου. ***have a tooth ~ped***, σφραγίζω ἕνα δόντι. **~·ping**, σφράγισμα. **5**. (*καθομ.*) (παρα)μένω: *I'll ~ at home tomorrow*, θά μείνω σπίτι αὔριο. *We'll ~ at the Rex Hotel*, θά μείνωμε στό ξενοδοχεῖο "Ρέξ". **6**. ***~ off (at/in)***, σταματῶ, διακόπτω ἕνα ταξίδι γιά λίγο: *I'll ~ off at a shop to buy sth*, θά σταματήσω σ' ἕνα μαγαζί ν' ἀγοράσω κτ. ***~ off/over (at/in)***, σταματῶ, διακόπτω (προσωρινά) ταξίδι, κάνω (ἐνδιάμεση) στάση: *We'll ~ off/over at a hotel for the night*, θά σταματήσωμε/θά μείνωμε σ' ἕνα ξενοδοχεῖο γιά τή νύχτα. **`~-over**, διακοπή ταξιδιοῦ, σύντομη παραμονή: *a ~-over ticket*, εἰσιτήριο μέ δικαίωμα διακοπῆς τοῦ ταξιδιοῦ γιά λίγο. ***~ up (late)***, ξαγρυπνῶ, μένω ἀργά τό βράδυ: *He ~ped up late reading*, ἔμεινε ὥς ἀργά διαβάζοντας. **7**. (*μουσ.*) πιέζω (χορδή), κλείνω (τρύπα πνευστοῦ ὀργάνου).

stop·page /ˋstopɪdʒ/ *οὐσ.* ‹C› **1**. σταμάτημα, διακοπή: *~ of traffic/business/payments*, σταμάτημα τῆς κυκλοφορίας/διακοπή τῶν ἐργασιῶν/τῶν πληρωμῶν. **2**. στάσις, παῦσις: *~ of work*, στάσις ἐργασίας. **3**. φράξιμο, βούλωμα (σωλῆνος, κλπ).

stor·age /ˋstɔrɪdʒ/ *οὐσ.* ‹U› **1**. (ἐν)αποθήκευσις: *put one's furniture in ~*, βάζω τά ἔπιπλά μου σέ ἀποθήκη. *keep fish in cold ~*, διατηρῶ ψάρι στήν κατάψυξη. *`~ tanks*, δεξαμενές ἀποθηκεύσεως. **2**. τέλη ἀποθηκεύσεως.

store /stɔ(r)/ *οὐσ.* **1**. ‹C› ἀπόθεμα: *have a good ~ of provisions*, ἔχω πλούσια ἀποθέματα τροφίμων. *lay in ~s of sth*, κάνω ἀπόθεμα ἀπό κτ, δημιουργῶ ἀποθέματα. **2**. ‹U› ***in ~***, μελλοντικός: *That's a treat in ~*, αὐτή εἶναι μελλοντική χαρά/χαρά πού μᾶς περιμένει. ***have/be in ~ for***, ἐπιφυλάσσω/-ομαι: *Who knows what the future has in ~ for us?* ποιός ξέρει τί μᾶς ἐπιφυλάσσει τό μέλλον; *I have a surprise in ~ for him*, τοῦ ἐπιφυλάσσω ἔκπληξη. *What's in ~ for me?* τί μοῦ ἐπιφυλάσσεται; τί μέ περιμένει; ***set great/little/no ~ by sth***, ἀποδίδω μεγάλη/μικρή/καθόλου σημασία σέ κτ: *He sets great ~ by punctuality*, ἀποδίδει μεγάλη σημασία στήν ἀκρίβεια. **3**. (*πληθ.*) ὑλικά, ἐφόδια: *military ~s*, στρατιωτικό ὑλικό. **4**. **`~(-house)**, ἀποθήκη: *This book is a ~-house of information*, αὐτό τό βιβλίο εἶναι θησαυρός πληροφοριῶν. **`~·room**, ἀποθήκη σέ σπίτι, κελλάρι. **5**. (*ΗΠΑ*) μαγαζί, (*ΜΒ*) κατάστημα: *a `clothing ~*, κατάστημα ρούχων. *~ clothes*, ἕτοιμα ροῦχα. **de`partment ~**, μεγάλο κατάστημα (μέ πολλά τμήματα). **general ~(s)**, (*ἰδ.* σέ χωριό) μαγαζί γενικοῦ ἐμπορίου. **`~·keeper**, καταστηματάρχης, ἀποθηκάριος. __*ρ.μ.* **1**. ***~ sth (up)***, ἐναποθηκεύω, συγκεντρώνω, μαζεύω, κάνω ἀποθέματα: *Squirrels ~ up food for the winter*, οἱ σκίουροι ἀποθηκεύουν/μαζεύουν τροφές γιά τό χειμῶνα. **2**. βάζω σέ ἀποθήκη (*ἰδ.* πρός φύλαξιν): *~ one's furniture*, βάζω τά ἔπιπλά μου σέ ἀποθήκη. **3**. ἐφοδιάζω, γεμίζω: *a mind well-~d with facts*, μυαλό πλούσια ἐφοδιασμένο/γεμᾶτο μέ γνώσεις.

storey /ˋstɔrɪ/ *οὐσ.* ‹C› (*πληθ.* ~s) ὄροφος: *a house of two ~s*, σπίτι μέ δύο ὀρόφους. *a ten-~ed building*, ἕνα δεκαόροφο κτίριο.

stor·ied /ˋstɔrɪd/ *ἐπ.* χιλιοτραγουδισμένος: *the ~ Rhine*, ὁ χιλιοτραγουδισμένος Ρῆνος.

stork /stɔk/ *οὐσ.* ‹C› πελαργός, λελέκι.

storm /stɔm/ *οὐσ.* ‹C› **1**. θύελλα, καταιγίδα, φουρτούνα, τρικυμία: *a `rain~*, νεροποντή. *a `sand~*, ἀμμοθύελλα. *a `thunder~*, θύελλα μέ κεραυνούς, καταιγίδα. *a `wind~*, ἀνεμοθύελλα. *travel in a ~*, ταξιδεύω μέ θύελλα/μέ τρικυμία. ***a ~ in a teacup***, τρικυμία σ' ἕνα ποτήρι νερό, μεγάλο κακό γιά τό τίποτα. **`~-beaten** *ἐπ.* ἀνεμοδαρμένος. **`~-bound** *ἐπ.* ἀποκλεισμένος ἀπό καταιγίδα, (*ναυτ.*) ποδισμένος. **`~-centre**, (*μετεωρ.*) κέντρον θυέλλης, (*μεταφ.*) ἑστία ἀναταραχῆς. **`~-cloud**, μαῦρο σύννεφο (καταιγίδας). **`~-cone/-signal**, κῶνος/σῆμα θυέλλης. **`~-lantern**, φανός θυέλλης. **`~-proof** *ἐπ.* ἀνθεκτικός σέ καταιγίδες. **`~-tossed** *ἐπ.* (*γιά πλοῖο*) θαλασσοδαρμένος, (*μεταφ.*) τυραννισμένος, πολύπαθος. **`~-warning**, προαναγγελία θυέλλης. **2**. (*μεταφ.*) θύελλα: *a ~ of protests/cheering/applause/abuse*, θύελλα διαμαρτυριῶν/ἐπευφημιῶν/χειροκροτημάτων/ὕβρεων. ***bring a ~ about one's ears***, προκαλῶ μέ ἐνέργειές μου τή γενική ἐχθρότητα. **3**. (*στρατ.*) ἔφοδος. ***take by ~***, (*στρατ.*) καταλαμβάνω ἐξ ἐφόδου, (*μεταφ.*) συναρπάζω, κατακτῶ (ἀκροατήριο, κλπ). **`~-troops** *οὐσ. πληθ.* μονάδες ἐφόδου, ΛΟΚ. **`~-trooper**, λοκατζῆς. __*ρ.μ./ἀ.* **1**. ***~ (at)***, μαίνομαι (ἐναντίον), λυσσομανῶ, χαλῶ τόν κόσμο. **2**. καταλαμβάνω ἐξ ἐφόδου: *The troops ~ed the fort/~ed (their way) into the fort*, οἱ στρατιῶτες κατέλαβον ἐξ ἐφόδου τό φρούριο/μπῆκαν μ' ἔφοδο στό φρούριο. **~y** *(-ier, -iest)* *ἐπ.* θυελλώδης: *~y weather/meetings*, θυελλώδης καιρός/-εις συνεδριάσεις. **~·ily** /-əlɪ/ *ἐπίρ.* θυελλωδῶς.

story /ˋstɔrɪ/ *οὐσ.* ‹C› **1**. ἱστορία: *ghost/crime stories*, ἱστορίες γιά φαντάσματα/ἀστυνομικές ἱστορίες. *The ~ goes that...*, λένε/λέγεται ὅτι... *a `short ~*, διήγημα. *tell a ~*, λέω μιά ἱστορία. **`~-teller**, ἀφηγητής, παραμυθᾶς. **`~-book**, βιβλίο διηγημάτων/ἱστοριῶν. ***according to his own ~***, σύμφωνα μέ τά λεγόμενά του. ***That's (quite) another ~***, αὐτό εἶναι ἄλλη ἱστορία/ἄλλο θέμα.

It's a long **~**, εἶναι μεγάλη ἱστορία. ***The best of the ~ is that***..., τό πιό νόστιμο εἶναι ὅτι... ***That (bruise, etc) tells its own ~***, αὐτή (ἡ μαυρίλα, κλπ) λέει/μαρτυρεῖ πολλά. **2**. (*δημοσιογρ.*) ἄρθρο, κομμάτι: *That will make a good ~*, αὐτό θά γίνη ὡραῖο ἄρθρο. **3**. (*μεταξύ παιδιῶν*) παραμύθι, ψευτιά: *Don't tell stories, Tom*, ἄσε τά παραμύθια, Τόμ.

stoup /stup/ *οὐσ.* ‹C› **1**. (*ἀπηρχ.*) κανάτα. **2**. ἁγιασματάρι (σέ ἐκκλησία).

stout /staʊt/ *ἐπ.* *(-er, -est)* **1**. γερός, χοντρός, ἀνθεκτικός: *~ shoes*, γερά/χοντρά παπούτσια. **2**. ρωμαλέος, θαρραλέος, ἀποφασιστικός: *offer a ~ resistance to the enemy*, προβάλλω ρωμαλέα ἀντίσταση στόν ἐχθρό. *a ~ fellow*, θαρραλέος/ἀποφασιστικός ἄνθρωπος. **'~-'hearted** *ἐπ.* ἀτρόμητος. **3**. (*γιά ἄνθρ.*) εὔσωμος, κάπως παχύς: *get/grow ~*, ἀρχίζω νά παχαίνω. __*οὐσ.* ‹U› μαύρη δυνατή μπύρα. **~·ly** *ἐπίρ.* θαρραλέα, ἀποφασιστικά. **~·ness** *οὐσ.* ‹U› πάχος, ἀποφασιστικότης, παλληκαριά, ἀντοχή.

[1]**stove** /stəʊv/ *οὐσ.* ‹C› θερμάστρα, σόμπα. **'~-pipe**, μπουρί (σόμπας).

[2]**stove** /stəʊv/ *ἀόρ. & π.μ. τοῦ ρ.* [2]*stave*.

stow /stəʊ/ *ρ.μ.* **1**. **~ *sth (away/in/into)***, τακτοποιῶ, στοιβάζω: *~ cargo in a ship's holds*, στοιβάζω φορτίο στ' ἀμπάρια πλοίου. *~ things away in an attic*, βάζω/φυλάω πράγματα σέ μιά σοφίτα. **'~·away**, λαθρεπιβάτης. **2**. **~ *with***, γεμίζω μέ: *~ a trunk with clothes*, γεμίζω ἕνα μπαοῦλο μέ ροῦχα.

straddle /'strædl/ *ρ.μ/ἀ.* κάθομαι ἤ στέκομαι μέ τά πόδια ἀνοιχτά/δρασκελιστά: *~ a ditch*, στέκομαι δρασκελιστά πάνω ἀπό ἕνα χαντάκι. *~ a chair/window/horse*, κάθομαι καβαλλικευτά σέ μιά καρέκλα/σ' ἕνα παράθυρο/σ' ἕνα ἄλογο.

strafe /straf/ *ρ.μ.* (*καθομ.*) **1**. σφυροκοπῶ, βομβαρδίζω ἀνηλεῶς. **2**. κατσαδιάζω/τιμωρῶ ἄγρια.

straggle /'strægl/ *ρ.ἀ.* **1**. ἁπλώνομαι ἄτακτα/ἀκανόνιστα/ἀραιά: *a straggling village*, ἕνα σκόρπιο χωριό (μέ τά σπίτια ἀκανόνιστα ἐδῶ κι' ἐκεῖ). *vines straggling over the fences*, κλήματα πού ἁπλώνονται ἄτακτα πάνω στούς φράχτες. **2**. ξεκόβω, μένω πίσω (σέ πορεία): *Don't let the small children ~ behind*, μήν ἀφήσης τά μικρά παιδιά νά ξεκόψουν/νά μείνουν πίσω. **~r** /'stræglə(r)/ *οὐσ.* ‹C› βραδυπορῶν, ξεκομμένος. **strag·gly** /'strægəlɪ/ *ἐπ.* σκόρπιος, ἄτακτος.

[1]**straight** /streɪt/ *ἐπ.* **1**. εὐθύς, ἴσιος: *a ~ line/road*, εὐθεῖα γραμμή/ἴσιος δρόμος. **2**. κάθετος, ἴσιος, ἰσορροπημένος: *Your tie/hat isn't ~*, ἡ γραββάτα σου/τό καπέλλο σου δέν εἶναι ἴσια (εἶναι στραβά). *Put the picture ~*, ἴσιωσε αὐτό τό κάδρο. **3**. (*γιά ποτό*) σκέτο: *Two ~ whiskies, please*, δυό σκέτα οὐΐσκυ, παρακαλῶ. **4**. τακτοποιημένος, συγυρισμένος: *put a room/one's desk ~*, τακτοποιῶ ἕνα δωμάτιο/τό γραφεῖο μου. ***put the record ~***, (*μεταφ.*) βάζω τά πράγματα στή θέση τους. **5**. τίμιος, εἰλικρινής, ἀκέραιος: *He is perfectly ~ in his dealings*, εἶναι ἀπολύτως τίμιος στίς συναλλαγές του. *keep sb ~*, κρατῶ κπ στόν ἴσιο δρόμο. *give a ~ answer*, δίνω καθαρή/ντόμπρα ἀπάντηση. *play a ~ game*, παίζω τίμια/καθαρά. *I'll be ~ with you*, θά εἶμαι εἰλικρινής μαζί σου. **6**. (*σέ φράσεις*): **~ fight**, ἀναμέτρησις μεταξύ δύο μόνον ὑποψηφίων. **~ play**, κανονικό θεατρικό ἔργο. **~ tip**, σίγουρη πληροφορία (γιά κοῦρσες, μετοχές, κλπ). ***keep a ~ face***, κρατιέμαι νά μή γελάσω. **~en** /'streɪtn/ *ρ.μ/ἀ.* ἰσιώνω, τακτοποιῶ, σιάζω: *~en out an iron bar*, ἰσιώνω μιά σιδερένια βέργα. *~en things out*, τακτοποιῶ τά πράγματα. *~en one's tie*, σιάζω τή γραββάτα μου. ***~en (oneself) up***, ὀρθώνω τό σῶμα μου, ἰσιώνω τό κορμί μου. **~·ness** *οὐσ.* ‹U› εὐθύτης.

[2]**straight** /streɪt/ *ἐπίρ.* ἴσια, κατ' εὐθεῖαν: *shoot/walk ~*, πυροβολῶ/περπατῶ ἴσια. *keep ~ on*, συνεχίζω νά προχωρῶ ἴσια. *Look ~ ahead!* κοίταξε ἴσια μπροστά σου! *The smoke rose ~ up*, ὁ καπνός ὑψώθηκε ἴσια πάνω/κατακόρυφα. *He went ~ home*, πῆγε κατ' εὐθεῖαν στό σπίτι. *~ from London*, κατ' εὐθεῖαν ἀπό τό Λονδῖνο. *~ across the street*, ἀκριβῶς ἀπέναντι στό δρόμο. ***come ~ to the point***, μπαίνω κατ' εὐθεῖαν στό θέμα. ***look sb ~ in the face***, κοιτάζω κπ κατάματα. **~ *off/away***, αὐτοστιγμεί, ἀμέσως: *answer ~ off*, ἀπαντῶ ἀμέσως/αὐτοστιγμεί. *guess sth ~ away*, μαντεύω κτ ἀμέσως. **~ *out***, ἀδίστακτα, ἀπερίφραστα, καθαρά: *I told him ~ out what I thought of it*, τοῦ εἶπα καθαρά τί γνώμη εἶχα γι' αὐτό. ***go ~***, (*γιά κακοποιό*) μπαίνω στόν ἴσιο δρόμο, διορθώνομαι, ζῶ τίμια: *He promised to go ~*, ὑποσχέθηκε νά ζήση τίμια/νά διορθωθῆ.

[3]**straight** /streɪt/ *οὐσ* (*συνήθ. ἑν. μέ ὁριστ. ἄρθρ.*) **1**. εὐθεῖα: *That wall is out of the ~*, αὐτό ὁ τοῖχος γέρνει, δέν εἶναι στήν εὐθεῖα. *cut material on the ~*, κόβω ἕνα ὕφασμα στήν εὐθεῖα (ὄχι λοξά). ***be on the ~***, ζῶ τίμια, εἶμαι στόν ἴσιο δρόμο. ***enter the final ~***, (*ἀθλ.*) μπαίνω στήν τελική εὐθεῖα. **2**. (*χαρτοπ.*) κέντα.

straight·for·ward /streɪt'fɔwəd/ *ἐπ.* **1**. εὐθύς, τίμιος, εἰλικρινής: *a ~ answer*, ντόμπρα ἀπάντηση. **2**. ἁπλός, στρωτός, καθαρός: *a ~ question*, ἁπλῆ/καθαρή ἐρώτησις. *written in ~ language*, γραμμένο σέ ἁπλῆ/στρωτή γλῶσσα. **~·ly** *ἐπίρ.*

straight·way /streɪt'weɪ/ *ἐπίρ.* ἀμέσως, τήν ἴδια στιγμή.

[1]**strain** /streɪn/ *οὐσ.* ‹C,U› **1**. τέντωμα, τάσις, πίεσις: *The rope broke under the ~*, τό σκοινί ἔσπασε ἀπό τό τέντωμα. *What's the breaking ~ of this cable?* ποιά εἶναι ἡ τάσις θραύσεως αὐτοῦ τοῦ καλωδίου; *That beam bears a heavy ~*, αὐτό τό δοκάρι δέχεται μεγάλη πίεση. **2**. ἔντασις, κούρασις, ζόρισμα, δοκιμασία: *the ~ of modern life*, ἡ ἔντασις τῆς σύγχρονης ζωῆς. *Small print is a ~ on the eyes*, τά μικρά στοιχεῖα κουράζουν (ζορίζουν) τά μάτια. *That would be a great ~ on my resources*, αὐτό θά ἔβαζε σέ μεγάλη δοκιμασία τά οἰκονομικά μου. *speak/write without ~*, ὁμιλῶ/γράφω ἀβίαστα (χωρίς ζόρισμα). ***be under (severe) ~***, περνῶ (μεγάλη) δοκιμασία, ζορίζομαι πολύ. **3**. ὑπερέντασις, ὑπερκόπωσις: *suffer from mental/nervous ~*, ὑποφέρω ἀπό πνευματική/νευρική ὑπερένταση. ***suffer***

from `over~, πάσχω ἀπό ὑπερκόπωση. **4**. (*ἰατρ.*) ἐξάρθρωσις: ~ *in the back*, ξεγόφιασμα. **5**. (*ποιητ.*, *συνήθ. πληθ.*) μελωδία, ἦχοι, μουσική: *the ~s of an organ*, ἡ μελωδία ἑνός ἁρμόνιου. *We marched to the ~s of the school band*, παρελάσαμε ὑπό τούς ἤχους τῆς μπάντας τοῦ σχολείου. **6**. τόνος, ὕφος (στήν ὁμιλία ἤ τό γράψιμο): *He said much more in the same ~*, εἶπε καί ἄλλα πολλά στόν ἴδιο τόνο/στό ἴδιο ὕφος. *speak in a pessimistic ~*, μιλῶ μέ ἀπαισιοδοξία. **7**. (κληρονομική) τάσις, ροπή, κλίσις: *There's a ~ of insanity in the family*, ὑπάρχει μιά τάσις τρέλλας στήν οἰκογένεια. *There's a criminal ~ in him*, ἔχει μιά ροπή πρός τό ἔγκλημα μέσα του. **8**. ράτσα, εἶδος, σόϊ: *a dog of good ~*, σκύλος καλῆς ράτσας.

[2]**strain** /streɪn/ *ρ.μ/ὰ*. **1**. τεντώνω/-ομαι, τεζάρω: ~ *a rope to breaking-point*, τεντώνω ἕνα σκοινί ὅσο παίρνει. *The dog was ~ing at its lead*, ὁ σκύλος τεντωνόταν στό λουρί του. **2**. τεντώνω, ἐντείνω, ὑπερτείνω: ~ *one's eyes/ears*, τεντώνω τά μάτια μου/τ'αὐτιά μου, ἐντείνω τήν προσοχή μου νά δῶ/ν'ἀκούσω. *He ~ed every nerve to...*, ἐνέτεινε ὅλες του τίς δυνάμεις (ἐπιστράτευσε ὅλη του τή θέληση) γιά νά... **3**. καταπονῶ, κουράζω, ζορίζω, στραμπουλίζω: ~ *one's heart*, κουράζω τήν καρδιά μου. ~ *one's eyes/voice*, ζορίζω τά μάτια μου/τή φωνή μου. ~ *a muscle*, παθαίνω νευροκαβαλλίκεμα. **4**. ~ ***(at/on)***, καταβάλλω μεγάλη προσπάθεια, ἀγωνίζομαι: ~ *to succeed*, ἀγωνίζομαι νά ἐπιτύχω. ~ *at the oars/on a rope*, τραβῶ κουπί/τεντώνω ἕνα σκοινί μέ ὅλη μου τή δύναμη. ~ ***at sth***, διστάζω πολύ νά δεχθῶ κτ, λεπτολογῶ κτ πολύ. ~ ***after***, κυνηγῶ, ἐπιδιώκω: ~ *after praise*, κυνηγῶ τούς ἐπαίνους. ~ *after effects*, προσπαθῶ νά κάμω ἐντύπωση, κυνηγῶ τά ἐφφέ. **5**. βιάζω, διαστρέφω, παρατραβάω, παρατεντώνω κτ, κάνω κατάχρηση: ~ *the meaning of a word*, βιάζω (διαστρέφω) τήν ἔννοια μιᾶς λέξεως. ~ *sb's patience/credulity*, κάνω κατάχρηση τῆς ὑπομονῆς/τῆς εὐπιστίας κάποιου. ~ *one's authority/rights*, κάνω κατάχρηση τῆς ἐξουσίας μου/τῶν δικαιωμάτων μου. **6**. (*λογοτ.*) σφίγγω: *She ~ed the boy to her bosom*, ἔσφιξε τό παιδί στό στῆθος της. **7**. σουρώνω, στραγγίζω: ~ *the soup*, σουρώνω τή σούπα. ~ *off the water from the vegetables*, στραγγίζω τό νερό ἀπό τά λάχανα. **~er**, στραγγιστήρι, σουρωτήρι. **8**. **~ed** *ἐπ*. τεταμένος, βεβιασμένος, ψεύτικος, καταπονημένος: *~ed relations*, τεταμένες σχέσεις. *a ~ed smile/laugh*, βεβιασμένο χαμόγελο/γέλιο. *~ed cordiality*, βεβιασμένη/ψεύτικη ἐγκαρδιότης.

[1]**strait** /streɪt/ *ἐπ*. (*ἀπηρχ.*, *μόνο στίς φρ.*): ~ **gate**, στενή πύλη. **`~-jacket**, ζουρλομανδύας. **'~-`laced** *ἐπ*. πουριτανικός. ***be in ~ened circumstances***, πένομαι, ἔχω φτώχειες.

[2]**strait** /streɪt/ *οὐσ*. **1**. ‹C› (*γεωγρ.*) στενόν: *the S~s of Gibraltar*, τά στενά τοῦ Γιβραλτάρ. *the Magellan S~*, τό Στενόν τοῦ Μαγγελάνου. **2**. (*συνήθ. πληθ.*) δυσκολίες, στενοχώριες: *be in great ~s*, εἶμαι σέ πολύ δύσκολη θέση, ἔχω μεγάλες στενοχώριες. *be in financial ~s*, ἔχω οἰκονομικές στενοχώριες.

[1]**strand** /strænd/ *οὐσ*. ‹C› (*ποιητ.*) ἀκτή, ὄχθη, αἰγιαλός. —*ρ.μ/ὰ*. **1**. ἐξοκέλλω, ρίχνω ἔξω (πλοῖο). **2**. ***be (left) ~ed***, ξεμένω, βρίσκομαι μόνος κι'ἔρημος/χωρίς πόρους ἤ βοήθεια: *I was (left) ~ed in a foreign country*, ξέμεινα μόνος κι'ἔρημος (μέ παράτησαν ἀβοήθητο) σέ μιά ξένη χώρα.

[2]**strand** /strænd/ *οὐσ*. ‹C› **1**. νῆμα, κλῶνος (σκοινιοῦ ἤ καλωδίου): *a four-~ rope*, τετράκλωνο σκοινί. **2**. πλεξούδα (μαλλιῶν). **3**. (*μεταφ.*) νῆμα (ἱστορίας).

strange /streɪndʒ/ *ἐπ*. *(-r, -st)* **1**. παράξενος, περίεργος: *a ~ noise/man*, ἕνας παράξενος θόρυβος/ἄνθρωπος. *I feel ~*, αἰσθάνομαι περίεργα, δέν νοιώθω πολύ καλά. ***~ to say***..., περιέργως, κατά περίεργον τρόπον. **2**. ***~ to sth***, ἀσυνήθιστος, ἄμαθος: *He is still ~ to city life/to the work*, εἶναι ἀκόμη ἀσυνήθιστος στή ζωή τῆς πόλεως/ἄμαθος στή δουλειά. **~·ly** *ἐπίρ*. περίεργα, παράξενα. **~·ness** *οὐσ*. ‹U› (τό) παράξενον, περίεργον.

stran·ger /`streɪndʒə(r)/ *οὐσ*. ‹C› ξένος, ἄγνωστος: *A ~ came up to me*, μέ πλησίασε ἕνας ξένος. *He's a perfect ~ to me*, μοῦ εἶναι τελείως ἄγνωστος. *I'm a ~ in these parts*, εἶμαι ξένος ἐδῶ, δέν εἶμαι ἀπό δῶ. *You're quite a ~*, (*καθομ.*) μαῦρα μάτια κάναμε νά σέ δοῦμε. ***be no ~ to sth***, δέν μοῦ εἶναι ἄγνωστο, ξέρω ἀπό κτ: *I am no ~ to misfortune*, ἡ δυστυχία δέν μοῦ εἶναι ἄγνωστη, ξέρω ἀπό δυστυχία.

strangle /`stræŋgl/ *ρ.μ*. στραγγαλίζω, πνίγω: ~ *sb to death*, σκοτώνω κπ διά στραγγαλισμοῦ. *in a ~d voice*, μέ πνιγμένη φωνή. **`~·hold**, ἀσφυκτικό πιάσιμο, λαβή στραγγαλισμοῦ: *The oil-producing countries have a ~hold on our economy*, οἱ πετρελαιοπαραγωγικές χῶρες κρατᾶν τήν οἰκονομία μας ἀπό τό λαιμό. **stran·gu·la·tion** /'stræŋgjʊ`leɪʃn/ *οὐσ*. ‹U› στραγγαλισμός.

strap /stræp/ *οὐσ*. ‹C› λουρίδα, ἱμάντας, λουρί. **`~-hanger**, ἐπιβάτης πού ταξιδεύει ὄρθιος καί κρατιέται ἀπό χειρολαβή. —*ρ.μ. (-pp-)* **1**. ~ ***sth on/up***, δένω, σφίγγω (μέ λουρί): ~ *on a wrist-watch*, φορῶ ἕνα ρολόϊ τοῦ χεριοῦ. ~ *up a suitcase*, σφίγγω μιά βαλίτσα (μέ λουρίδα). **2**. δέρνω (μέ λουρίδα). **~·ping** *ἐπ*. ψηλός, γεροδεμένος: *a ~ping girl*, κοπελλάρα.

strata /`strɑtə/ *οὐσ. πληθ. βλ. stratum*.

strat·agem /`strætədʒəm/ *οὐσ*. ‹C› στρατήγημα.

stra·tegic /strə`tidʒɪk/, **stra·tegi·cal** /-kl/ *ἐπ*. στρατηγικός: *a ~ retreat*, στρατηγική ὑποχώρησις. **stra·tegi·cally** /-klɪ/ *ἐπίρ*. **stra·tegics** *οὐσ*. ‹U› στρατηγική.

strat·egy /`strætədʒɪ/ *οὐσ*. ‹C,U› στρατηγική. **strat·egist** /-dʒɪst/ *οὐσ*. ‹C› γνώστης τῆς στρατηγικῆς.

strat·ify /`strætɪfaɪ/ *ρ.μ/ὰ*. χωρίζω/-ομαι σέ στρώματα, σχηματίζω στρώματα: *English society is highly stratified*, ἡ Ἀγγλική κοινωνία εἶναι ἔντονα χωρισμένη σέ στρώματα, σέ κοινωνικές τάξεις. **strat·ifi·ca·tion** /'strætɪfɪ`keɪʃn/ *οὐσ*. ‹U› διάστρωσις, σχηματισμός στρωμάτων.

strato·sphere /`strætəsfɪə(r)/ *οὐσ*. ‹C› στρατόσφαιρα.

stra·tum /ˈstratəm/ *οὐσ.* ‹C› (*πληθ.* *-ta* /-tə/) στρῶμα (γεωλογικό ἢ κοινωνικό): *the various strata in society*, τά διάφορα κοινωνικά στρώματα.

straw /strɔ/ *οὐσ.* **1**. ‹U› ἄχυρο: *a ~ mattress*, ἀχυρένιο στρῶμα. *a ~ hat*, ψαθάκι. **ˈ~-board**, χαρτόνι ἀπό ἄχυρο. **ˈ~-coloured**, κιτρινωπός. ***man of ~***, ἀχυράνθρωπος, ἀνδρείκελο. **2**. ‹C› καλαμιά, καλαμάκι: *suck lemonade through a ~*, ρουφῶ λεμονάδα μέ καλαμάκι. ***catch at a ~; clutch at ~s***, ἁρπάζομαι ἀπό τόν ἀέρα/ἀπ' ὅπου βρῶ. ***not care a ~***, (*καθομ.*) δέν δίνω μιά πεντάρα. ***not worth a ~***, δέν ἀξίζει τίποτα. ***a ~ in the wind***, δεῖγμα κατά ποῦ φυσάει ὁ ἄνεμος, ἔνδειξις μελλοντικῶν ἐξελίξεων. ***a ~ vote***, δειγματοληπτική ψηφοφορία. ***the last ~***, ἡ τελευταία σταγόνα (πού κάνει τό ποτήρι νά ξεχειλίση). __*ρ.ὰ.* στρώνω/σκεπάζω μέ ἄχυρο.

straw·berry /ˈstrɔbri/ *οὐσ.* ‹C› φράουλα. **ˈ~ mark**, κόκκινη κηλίδα στό δέρμα.

stray /streɪ/ *ρ.ὰ.* περιπλανῶμαι, ξεστρατίζω, ξεκόβω, παραστρατῶ: *One of the sheep ~ed from the flock*, ἕνα πρόβατο ξέκοψε ἀπό τό κοπάδι. *Don't ~ from the point*, μή φεύγης ἀπό τό θέμα. __*οὐσ.* ‹C› ζῶο πού ἔχει ξεκόψει ἀπό τό κοπάδι. (*βλ.* & *λ.* *waif*). __*ἐπ.* ἀδέσποτος, σκόρπιος: *~ dogs/sheep*, ἀδέσποτα σκυλιά/πρόβατα. *~ houses/passers-by*, σκόρπια σπίτια/-ιοι διαβάτες. *a ~ bullet*, ἀδέσποτη σφαῖρα.

streak /strik/ *οὐσ.* ‹C› **1**. γραμμή, λωρίδα, ρίγα: *a ~ of light*, μιά λουρίδα φῶς. ***like a ~ of lightning***, σάν ἀστραπή (πολύ γρήγορα). **2**. δόσις, τάσις: *There's a ~ of vanity/cruelty in his character*, ὑπάρχει μιά δόσις κενοδοξίας/σκληρότητος στόν χαρακτῆρα του. **3**. φλέβα (μεταλλεύματος). ***hit a winning ~; have a ~ of good luck***, *(α)* (*χαρτοπ.*) ἔχω ρέντα. *(β)* (*μεταφ.*) εἶμαι τυχερός. __*ρ.μ/ὰ.* **1**. ριγώνω, σχηματίζω ραβδώσεις: *white marble ~ed with green*, ἄσπρο μάρμαρο μέ πράσινες ραβδώσεις. **2**. (*καθομ.*) φεύγω σάν ἀστραπή: *The children ~ed off as fast as they could go*, τά παιδιά ἔφυγαν ὅσο πιό γρήγορα μποροῦσαν. **3**. τρέχω γυμνός στούς δρόμους, κάνω στρήκιν. **~y** *ἐπ.* *(-ier, -iest)* ριγωτός: *~y bacon*, ριγωτό μπέϊκον.

stream /strim/ *οὐσ.* ‹C› **1**. χείμαρρος, ποτάμι, ρεῦμα. ***go up/down ~***, ἀνεβαίνω/κατεβαίνω ἕνα ποτάμι. ***go with/against the ~***, (*μεταφ.*) πηγαίνω μέ τό ρεῦμα/ἀντίθετα πρός τό ρεῦμα. **2**. ροή, (*μεταφ.*) χείμαρρος: *a ~ of blood*, ἀδιάκοπη ροή αἵματος, ποτάμι αἷμα. *a ~ of abuse/words*, χείμαρρος ὕβρεων/λόγων. *~s of tears*, ποτάμια δάκρυα. *~s of people*, κύματα κόσμου. *a ~ of telegrams/invitations*, κατακλυσμός τηλεγραφημάτων/προσκλήσεων. ***~ of consciousness***, (*λογοτ.*) ἐσωτερικός μονόλογος (τεχνική συγγραφῆς μυθιστορήματος). **ˈ~·line** *ρ.μ.* ὀργανώνω πιό ἀποδοτικά (*πχ* τήν παραγωγή ἐργοστασίου). **ˈ~·lined** *ἐπ.* ἀεροδυναμικός, ἀποδοτικός, ἐκσυγχρονισμένος: *~lined cars/methods*, ἀεροδυναμικά αὐτοκίνητα/ἐκσυγχρονισμένες μέθοδοι. **3**. (*σχολ.*) τμῆμα τάξεως (ἀνάλογα μέ τήν ἐπίδοση τῶν μαθητῶν). __*ρ.ὰ.* **1**. κυλῶ, τρέχω, ρέω: *Sweat was ~ing down his face*, ὁ ἱδρῶτας ἔτρεχε/κυλοῦσε ποτάμι στό πρόσωπό του. *His face was ~ing with sweat*, τό πρόσωπό του κολυμποῦσε στόν ἱδρῶτα. **2**. κυματίζω (στόν ἀέρα): *The flags/Her long hair ~ed in the wind*, οἱ σημαῖες/τά μακρυά μαλλιά της κυμάτιζαν στόν ἀέρα. **3**. (*σχολ.*) κατατάσσω σέ τμήματα. **~er** *οὐσ.* ‹C› μακρόστενο λάβαρο, (*ναυτ.*) ἐπισείων, σερπαντίνα. **ˈ~·let** /-lət/ *οὐσ.* ‹C› ποταμάκι.

street /strit/ *οὐσ.* ‹C› δρόμος, ὁδός: *meet a friend in the ~*, συναντῶ ἕνα φίλο στό δρόμο. *a ˈ~-map/-plan (of Athens, London, etc)*, ὁδικός χάρτης (τῆς Ἀθήνας, τοῦ Λονδίνου, κλπ). **ˈ~·car**, (*ΗΠΑ*) τράμ. **~ door**, ἐξώθυρα. **ˈ~-girl/-walker**, γυναίκα τοῦ πεζοδρομίου. ***the man in the ~***, ὁ κοινός ἄνθρωπος. ***not in the same ~ (as)***, ὄχι τόσο καλό (ὅσο). ***~s ahead (of)***, (*καθομ.*) σκάλες ἀνώτερος (ἀπό). ***(not) up my ~***, (*καθομ.*) (ὄχι) τῆς εἰδικότητός μου. ***go on the ~s***, (*γιά γυναίκα*) βγαίνω στό πεζοδρόμιο.

strength /streŋθ/ *οὐσ.* ‹U› **1**. δύναμις, ἰσχύς: *a man of great ~*, ἄνθρωπος μεγάλης δυνάμεως. *God is my ~*, ὁ Θεός εἶναι ἡ ἰσχύς μου. *I had no ~ left to walk*, δέν μοῦ εἶχαν μείνει δυνάμεις νά περπατήσω. ***regain/get back one's ~***, ξαναβρίσκω τίς δυνάμεις μου. ***on the ~ of***, ἐπί τῇ βάσει, βασιζόμενος: *I employed him on the ~ of your recommendation*, τόν προσέλαβα βασιζόμενος στίς συστάσεις σου. **2**. δύναμις, ἀριθμός: *The Smiths were present in full ~*, οἱ Σμίθ ἦταν ὅλοι (οἰκογενειακῶς) παρόντες. *The enemy were in great ~*, ὁ ἐχθρός εἶχε μεγάλες δυνάμεις. ***below ~***, κάτω τῆς κανονικῆς δυνάμεως/τοῦ κανονικοῦ ἀριθμοῦ. ***be/bring up to ~***, ἔχω κανονική δύναμη/συμπληρώνω τή δύναμη: *If the police-force is 500 below ~, it must be brought up to ~*, ἄν ἡ ἀστυνομία ἔχει ἔλλειψη 500 ἀνδρῶν, πρέπει νά συμπληρωθῆ ἡ δύναμίς της. **~en** /ˈstreŋθn/ *ρ.μ/ὰ.* δυναμώνω, ἐνισχύω/-ομαι.

strenu·ous /ˈstrenjʊəs/ *ἐπ.* **1**. (*γιά προσπάθεια, δουλειά, κλπ*) σκληρός, ἐπίπονος, κουραστικός, σύντονος: *a ~ life/~ work*, σκληρή, ἐπίπονη ζωή/δουλειά. *make ~ efforts*, καταβάλλω σύντονες/σκληρές προσπάθειες. **2**. (*γιά ἄνθρ.*) δραστήριος, ἐνεργητικός, ἐργατικός. **~·ly** *ἐπίρ.* σκληρά, ἐντατικά, σύντονα, δραστήρια. **~·ness** *οὐσ.* ‹U› ἐπιμονή, ἔντασις, δραστηριότης.

strep·to·coc·cus /ˈstreptəˈkokəs/ *οὐσ.* ‹C› (*πληθ.* *-ci* /-kaɪ/) στρεπτόκοκκος.

strep·to·my·cin /ˈstreptəʊˈmaɪsɪn/ *οὐσ.* ‹U› στρεπτομυκίνη.

stress /stres/ *οὐσ.* **1**. ‹U› πίεσις, ζόρι, ἔντασις, σφοδρότης: *He agreed to do it under great ~*, δέχτηκε νά τό κάμη κάτω ἀπό μεγάλη πίεση. *We live in times of ~*, ζοῦμε σ' ἐποχή ἐντάσεως. *~ of weather*, σφοδρότης τοῦ καιροῦ, κακοκαιρία. ***under the ~ of***, κάτω ἀπό τήν πίεση, πιεζόμενος ἀπό: *under the ~ of poverty/fear*, κάτω ἀπό τήν πίεση τῆς φτώχειας/τοῦ φόβου. **2**. ‹U› ἔμφασις, βαρύτης. ***lay ~ on***, δίνω ἔμφαση/βαρύτητα εἰς: *The school lays ~ on foreign languages*, τό σχολεῖο δίνει ἔμφαση στίς ξένες γλῶσσες. **3**. ‹C,U› τόνος (λέξεως). **4**. ‹C,U› (*μηχ.*) ἔντασις, τάσις. __*ρ.μ.* τονίζω, ὑπογραμμίζω: *He ~ed the fact that...*, τόνισε τό γεγονός ὅτι...

stretch /stretʃ/ *ρ.μ/ὰ.* **1**. τεντώνω, ἁπλώνω: *~ a rope tight*, τεντώνω/τεζάρω ἕνα σκοινί. *~ a pair of gloves*, ἁπλώνω ἕνα ζευγάρι γάντια. *~ one's neck*, τεντώνω τό λαιμό μου (γιά νά δῶ). *He ~ed out his arm for the book*, ἅπλωσε τό χέρι του νά πιάση τό βιβλίο. *He stood up and ~ed himself*, σηκώθηκε ὄρθιος καί τεντώθηκε/ἀνακλαδίστηκε. ***~ one's legs***, ξεμουδιάζω περπατώντας (ὕστερα ἀπό πολύωρο κάθισμα): *Let's go out to ~ our legs*, πᾶμε ἔξω νά ξεμουδιάσωμε. **2**. ***~ (oneself) out (on)***, ξαπλώνω/-ομαι: *They were ~ed out on the lawn*, ἦταν ξαπλωμένος στό γρασίδι. *He ~ed himself out on the sands*, ξάπλωσε φαρδύς-πλατύς στήν ἀμμουδιά. **3**. παρατεντώνω, παραβιάζω λίγο, ὑπερβαίνω τά ὅρια: *Can't we ~ the rules to allow them to join our club?* δέν μποροῦμε νά παραβιάσωμε λίγο τόν κανονισμό γιά νά μπορέσουν νά γίνουν μέλη στή λέσχη μας; *~ the law/one's principles*, παραβιάζω λίγο τό νόμο/τίς ἀρχές μου. *~ the truth*, ὑπερβαίνω τά ὅρια τῆς ἀλήθειας, τό παρατραβάω. ***~ a point***, κάνω μιά ἐξαίρεση/παραχώρηση: *~ a point in sb's favour*, κάνω ἐξαίρεση/χατήρι γιά κπ. **4**. ἐντείνω, χρησιμοποιῶ πλήρως: *~ one's powers*, ἐντείνω τίς δυνάμεις μου. *~ one's intelligence*, χρησιμοποιῶ ὅλη μου τήν ἐξυπνάδα. ***be fully ~ed***, δουλεύω ἐντατικά, χρησιμοποιῶ ὅλες μου τίς δυνάμεις, ἀποδίδω τό μάξιμουμ: *I know I'll be fully ~ed in that post*, ξέρω ὅτι θά δουλέψω ἐντατικά (θά μοῦ βγῆ τό λάδι) σ'αὐτή τή θέση. **5**. ἐκτείνομαι, ἁπλώνομαι: *The forest ~es for miles around*, τό δάσος ἐκτείνεται μίλια ὁλόγυρα. __*οὐσ.* ‹C› **1**. τέντωμα, ἅπλωμα: *He got up with a ~ and a yawn*, σηκώθηκε μέ ἀνακλάδισμα καί χασμουρητό. *The cat woke and gave a ~*, ἡ γάτα ξύπνησε καί τεντώθηκε. ***at full ~***, στό μάξιμουμ τῆς ἀποδόσεως: *The factory was at full ~*, τό ἐργοστάσιο ἦταν στό μάξιμουμ τῆς ἀποδόσεώς του. ***by a ~ of language***, μέ ἐπέκταση τῆς ἔννοιας τῶν λέξεων, βιάζοντας λίγο τή γλῶσσα. ***by `any/`no ~ of the imagination***, μ'ὅση φαντασία κι'ἄν βάλη κανείς. **2**. ἔκτασις, συνεχής περίοδος: *a beautiful ~ of wooded country*, μιά ὄμορφη δασώδης ἔκτασις. *a long ~ of sand*, μιά ἐκτεταμένη ἀμμουδιά. *a long ~ of time*, μιά μεγάλη χρονική περίοδος. ***at a ~***, συνέχεια, χωρίς διακοπή: *Can you work (for) 16 hours at a ~?* μπορεῖς νά δουλέψης 16 ὧρες χωρίς διακοπή; **3**. (*στόν ἱππόδρομο, κλπ*) εὐθεῖα.

stretch·er /ˈstretʃə(r)/ *οὐσ.* ‹C› **1**. φορεῖο. **`~-bearer**, τραυματιοφορεύς. **`~-party**, ὁμάδα τραυματιοφορέων. **2**. καλαπόδι (γιά ν'ἁπλώνουν παπούτσια, γάντια, κλπ).

strew /stru/ *ρ.μ.* (*ἀόρ. ~ed, π.μ. ~ed ἤ strewn* /strun/) **1**. ***~ sth (on/over)*** σκορπίζω: *~ sand over the floor/flowers over a path*, σκορπίζω ἄμμο στό δάπεδο/λουλούδια σ'ἕνα δρόμο. **2**. ***~ sth with sth***, στρώνω: *~ the floor with sand/a path with flowers*, στρώνω τό δάπεδο μέ ἄμμο/ἕνα δρόμο μέ λουλούδια. *The road was strewn with broken glass*, ὁ δρόμος ἦταν σπαρμένος (στρωμένος) μέ σπασμένα γυαλιά.

stri·ated /straɪˈeɪtɪd/ *ἐπ.* ραβδωτός, αὐλακωτός.

stricken /ˈstrɪkən/ *ἐπ.* πληγείς, προσβεβλημένος, πάσχων, τσακισμένος: *`terror-~*, πανικόβλητος. *`fever-~*, πυρέσσων. *~ with pestilence*, προσβεβλημένος ἀπό πανούκλα. *~ in years*, τσακισμένος ἀπό τά χρόνια (ἀπό τήν ἡλικία).

strict /strɪkt/ *ἐπ.* (*-er, -est*) αὐστηρός: *a ~ father*, αὐστηρός πατέρας. *~ discipline/neutrality*, αὐστηρή πειθαρχία/οὐδετερότης. *~ rules against smoking*, αὐστηροί κανόνες κατά τοῦ καπνίσματος. ***be ~ with sb***, εἶμαι αὐστηρός σέ κπ. ***in ~(est) confidence***, ὑπό αὐστηράν ἐχεμύθειαν. ***in the ~ sense of the word***, μέ τήν αὐστηρή (ἀκριβῆ) ἔννοια τῆς λέξεως. ***the ~ truth***, ἡ καθαρή ἀλήθεια. **~·ly** *ἐπίρ.* αὐστηρά: *It is ~ly prohibited*, ἀπαγορεύεται αὐστηρά. *~ly speaking*, γιά νά κυριολεκτήσωμε. **~·ness** *οὐσ.* ‹U› αὐστηρότης.

stric·ture /ˈstrɪktʃə(r)/ *οὐσ.* ‹C› **1**. (*συχνά πληθ.*) ἔντονη ἐπίκρισις, μομφή: *pass ~s (up)on sb*, ἐπικρίνω, μέμφομαι κπ. **2**. (*ἰατρ.*) στένωσις.

stride /straɪd/ *ρ.μ/ὰ.* *ἀνώμ.* (*ἀόρ. strode* /strəʊd/, *π.μ.* (*σπάνια*) *stridden* /ˈstrɪdn/) **1**. βαδίζω μέ μεγάλα βήματα: *He strode off/away*, ἔφυγε μέ μεγάλα βήματα. **2**. ***~ over/across***, δρασκελίζω: *~ over a ditch*, δρασκελίζω ἕνα χαντάκι. **3**. καβαλλικεύω (κάθομαι/στέκομαι καβαλλικευτά). __*οὐσ.* ‹C› δρασκελισμός, δρασκελιά: *walk with vigorous ~s*, περπατῶ μέ γρήγορες δρασκελιές. ***make great ~s***, σημειώνω μεγάλη πρόοδο, προοδεύω ἁλματωδῶς. ***take sth in one's ~***, κάνω κτ εὔκολα/χωρίς ἰδιαίτερη προσπάθεια.

stri·dent /ˈstraɪdnt/ *ἐπ.* στριγγός, ὀξύς, διαπεραστικός: *the ~ notes of the cicadas*, τό στριγγό λάλημα τῶν τζιτζικιῶν. **~·ly** *ἐπίρ.* στριγγά.

strife /straɪf/ *οὐσ.* ‹U› πάλη, διαμάχη, σύγκρουσις: *industrial ~*, διαμάχη/σύγκρουσις μεταξύ ἐργατῶν καί ἐργοδοτῶν.

1 **strike** /straɪk/ *οὐσ.* ‹C› **1**. ἀπεργία: *There have been numerous ~s lately*, ἔγιναν πολλές ἀπεργίες τελευταῖα. *a general ~*, γενική ἀπεργία. *a sympathetic ~*, ἀπεργία ἀλληλεγγύης. ***be (out) on ~***, εἶμαι σέ ἀπεργία, ἀπεργῶ. ***come out/go (out) on ~***, κατεβαίνω σέ ἀπεργία, ἀπεργῶ. **`~-bound** *ἐπ.* ἀκινητοποιημένος λόγῳ ἀπεργίας. **`~-breaker**, ἀπεργοσπάστης. **`~-fund**, ἀπεργιακό ταμεῖο. **`~-pay**, ἐπίδομα ἀπεργίας. **2**. (*ὀρυκτ.*) ἀνακάλυψις φλέβας/κοιτάσματος. **3**. (*ἀερ.*) ἐπιδρομή, πλῆγμα.

2 **strike** /straɪk/ *ρ.μ/ὰ.* *ἀνώμ.* (*ἀόρ. & π.μ. struck* /strʌk/) **1**. χτυπῶ: *He struck me on the chin/in the face*, μέ χτύπησε στό σαγόνι/στό πρόσωπο. *He seized a stick and struck at me*, βούτηξε ἕνα ραβδί καί μοῦ ρίχτηκε. *~ a blow at sb*, δίνω ἕνα χτύπημα σέ κπ. *Who struck the first blow?* ποιός χτύπησε πρῶτος; *He struck his forehead with his hand*, χτύπησε τό μέτωπό του μέ τό χέρι. ***~ at the root of sth***, χτυπῶ κτ στή ρίζα του. ***~ fear/terror/alarm into sb***, γεμίζω κπ φόβο/τρόμο/ἀνησυχία: *The attack struck fear into their hearts*, ἡ ἐπίθεσις γέμισε φόβο τήν καρδιά τους. ***~ sb blind/***

dead, τυφλώνω/σκοτώνω κπ: *He was struck dead by lightning*, τόν σκότωσε ἕνας κεραυνός. **`~/`striking force**, δύναμις κρούσεως. (*βλ.* & *λ.* [1]*iron, heap*). **2**. χτυπῶ, ἀνάβω: ~ *a light/match*, ἀνάβω ἕνα φῶς/ἕνα σπίρτο. *These matches won't* ~, αὐτά τά σπίρτα δέν ἀνάβουν. **3**. χτυπῶ, ἠχῶ: ~ *a chord on the piano*, χτυπῶ μιά χορδή στό πιάνο. *The clock has just struck (five)*, τό ρολόϊ μόλις χτύπησε (πέντε). ***The/His hour has struck***, ἦρθε ἡ κρίσιμη ὥρα/ἡ ὥρα του. ***~ a note of** (warning/optimism, etc)*, προειδοποιῶ/φαίνομαι αἰσιόδοξος. **4**. φαίνομαι, κάνω (ὡρισμένη) ἐντύπωση, ἔρχομαι στό νοῦ: *How does the idea/suggestion ~ you?* πῶς σοῦ φαίνεται ἡ ἰδέα/ἡ πρότασις; *The plan ~s me as ridiculous*, τό σχέδιο μοῦ φαίνεται γελοῖο. *The room ~s (me as) warm and comfortable*, τό δωμάτιο (μοῦ) φαίνεται ζεστό καί ἄνετο. **5**. ἀπεργῶ: ~ *for higher wages*, ἀπεργῶ ζητώντας μεγαλύτερα μεροκάματα. **6**. ἀνακαλύπτω: ~ *gold*, ἀνακαλύπτω χρυσάφι. ***~ oil***, ἀνακαλύπτω πετρέλαιο, (*μεταφ.*) κάνω τήν τύχη μου, ἔχω τύχη βουνό. ***~ it rich***, πιάνω τήν καλή. **7**. βρίσκω, πέφτω ἐπάνω εἰς: ~ *the right path*, βρίσκω/πέφτω πάνω στό σωστό δρόμο. ~ *a mine/rock*, πέφτω πάνω σέ μιά νάρκη/σέ βράχο. **8**. πετυχαίνω. ***~ a balance** (**between**)*, πετυχαίνω ἰσορροπία (μεταξύ): ~ *a balance between anarchy and tyranny*, πετυχαίνω ἰσορροπία μεταξύ ἀναρχίας καί τυραννίας. ***~ a bargain** (**with sb**)*, κλείνω συμφωνία (μέ κπ). **9**. κόβω (νόμισμα, μετάλλιο, κλπ). **10**. τραβῶ (πρός ὡρισμένη κατεύθυνση), ξεκινῶ: *The boys struck (out) across the fields*, τά παιδιά τράβηξαν μέσα ἀπό τά χωράφια. *They struck out at dawn*, ξεκίνησαν τήν αὐγή. **11**. χαμηλώνω (πανιά πλοίου), (δια)λύω. ***~ one's flag***, ὑποστέλλω τή σημαία μου, παραδίνομαι. ***~ tents/camp***, λύνω τίς σκηνές/διαλύω στρατόπεδο. **12**. παίρνω (ὡρισμένη στάση): ~ *an attitude of defiance*, παίρνω προκλητική στάση. ***~ a pose***, παίρνω πόζα. **13**. φυτεύω. ***~ a cutting***, βάζω φυτάδι. ***~ root***, πιάνω ρίζα, (ριζο)πιάνω. **14**. (*μέ ἐπιρ. καί προθέσεις*): ***strike sb down***, (*λόγ.*) χτυπῶ (καί ρίχνω κάτω): *He was struck down in the prime of life*, χτυπήθηκε στό ἄνθος τῆς ἡλικίας του. ***strike off***, *(α)* κόβω μέ χτύπημα. *(β)* τυπώνω: ~ *off 10 000 copies of a book*, τυπώνω 10.000 ἀντίτυπα ἑνός βιβλίου. *(γ)* σβύνω, διαγράφω, ἀφαιρῶ ἀπό: ~ *sb's name off a list*, σβύνω τό ὄνομα κάποιου ἀπό ἕναν κατάλογο. ***strike out***, *(α)* διαγράφω, σβύνω: ~ *out a word/a name*, διαγράφω μιά λέξη/ἕνα ὄνομα. *(β)* κολυμπῶ μέ ἁπλωτές: *He struck out for the shore*, κολύμπησε σβέλτα πρός τήν ἀκτή. *(γ)* μοιράζω χτυπήματα, χτυπῶ στά στραβά: *He struck out wildly*, μοίραζε χτυπήματα ἀριστερά-δεξιά. *(δ)* τραβῶ (πρός ὡρισμένη κατεύθυνση): *He struck out in a new direction*, πῆρε καινούργιο δρόμο. *He struck out on his own*, τράβηξε μονάχος του, ἔκαμε δική του δουλειά. ***strike up***, *(α)* (*γιά μπάντα*) ἀρχίζω νά παίζω, ἀνακρούω: *The band struck up a march*, ἡ μπάντα ἄρχισε νά παίζη ἕνα μάρς. *(β)* πιάνω γνωριμιά: ~ *up an acquaintance with sb on the train*, πιάνω γνωριμιά μέ κπ στό τραῖνο. *The two boys quickly struck up a friendship*, τά δυό παιδιά πιάσαν γρήγορα φιλίες. ***strike (up)on***, βρίσκω ξαφνικά ἤ ἀπροσδόκητα: ~ *upon a good idea/plan*, μοὔρχεται μιά καλή ἰδέα/ἕνα καλό σχέδιο.

striker /ˈstraikə(r)/ *οὐσ.* ‹C› **1**. ἀπεργός. **2**. (*ποδόσφ.*) κυνηγός.

strik·ing /ˈstraikiŋ/ *ἐπ.* **1**. πού χτυπάει: *a ~ clock*, ρολόϊ πού χτυπάει τίς ὧρες. **2**. χτυπητός, ἐντυπωσιακός: *a ~ change*, χτυπητή ἀλλαγή. *a ~ resemblance*, καταπληκτική ὁμοιότης. **~·ly** *ἐπίρ.* χτυπητά, ἐντυπωσιακά: *a ~ly beautiful woman*, μιά ἐντυπωσιακά ὡραία γυναίκα.

[1]**string** /striŋ/ *οὐσ.* **1**. ‹C,U› σπάγγος, κορδόνι: *a piece/ball of ~*, ἕνα κομμάτι/κουβάρι σπάγγος. (*βλ.* & *λ. apron*). **2**. ‹C› χορδή (τόξου, μουσικοῦ ὀργάνου). ***keep harping on the same/on one ~***, λέω συνεχῶς τά ἴδια. ***the first/second ~***, (*μεταφ.*) ἡ πρώτη/δεύτερη λύσις (πρῶτο/δεύτερο μέσον). **the ~s; the ~ed instruments**, τά ἔγχορδα (ὀρχήστρας). (*βλ.* & *λ.* [1]*bow*). **3**. ‹C› σκοινί (γιά τίς φιγοῦρες τοῦ κουκλοθέατρου). ***have sb on a ~***, κάνω κπ ὅ,τι θέλω, τόν ἔχω τοῦ χεριοῦ μου. ***pull (the) ~s***, κινῶ τά νήματα, διευθύνω ἀπό τά παρασκήνια. ***without ~s; no ~s (attached)***, (*καθομ.*) χωρίς ὅρους: *generous aid without ~s/with no ~s attached*, γενναιόδωρη βοήθεια χωρίς ὅρους. **4**. ‹C› ὁρμαθός (πράγματα περασμένα σέ σκοινί): *a ~ of beads/pearls/onions*, κομπολόϊ/μαργαριταρένιο κολλιέ/πλεξούδα ἀπό κρεμμύδια. **5**. ‹C› σειρά, (*μεταφ.*) κομπολόϊ: *a ~ of cars/tourists*, σειρά αὐτοκίνητα/τουρίστες. *a ~ of abuse/lies*, κομπολόϊ ἀπό βρισιές/ἀπό ψέματα. **6**. ‹C› ἶνα, κλωστή (φυτοῦ, κρέατος). **~ bean**, φρέσκο φασολάκι, ἀμπελοφάσουλο. **~y** *ἐπ.* *(-ier, -iest)* μέ κλωστές, ἰνώδης, σκληρός: *~y meat*, σκληρό κρέας (ὅλο κλωστές). *~y beans*, φασόλια μέ κλωστές.

[2]**string** /striŋ/ *ρ.μ/ά. ἀνώμ.* (*ἀόρ.* & *π.μ. strung* /strʌŋ/) **1**. περνῶ χορδή (σέ τόξο, μουσικό ὄργανο, κλπ), τανύω χορδή. ***strung up***, σέ ὑπερδιέγερση, σέ ὑπερένταση, νευρωτικός: *I was strung up just before the examination*, ἤμουν σέ ὑπερένταση λίγο πρίν ἀπό τίς ἐξετάσεις. ***(to be) highly strung***, (εἶμαι) πολύ εὐαίσθητος (νευρωτικός) τύπος. **2**. περνῶ σέ κλωστή, ὁρμαθιάζω: ~ *beads*, φτιάχνω κομπολόϊ. **3**. κρεμῶ σέ σκοινί: ~ *up lanterns among the trees*, κρεμῶ φαναράκια σέ σκοινιά ἀνάμεσα στά δέντρα. ~ *sentences/words together*, παρατάσσω φράσεις/λέξεις. **4**. ***~ sb along***, (*καθομ.*) κοροϊδεύω κπ, κρατῶ σέ ἀναμονή (μέ ψεύτικες ὑποσχέσεις): *He won't marry her – he's just ~ing her along*, δέν θά τήν παντρευτῆ – ἔτσι τήν κοροϊδεύει μέ ψευτιές. ***~ along with sb***, (*καθομ.*) συνεχίζω σχέσεις μέ κπ ὅσο μέ βολεύει: *He'll ~ along with her for a few months and then…*, θά συνεχίση σχέσεις μαζί της λίγους μῆνες κι' ἔπειτα θά… ***~ out***, ἀραιώνω στή σειρά, παρατάσσω/-ομαι: *police strung out along the street*, ἡ ἀστυνομία ἁπλώθηκε γραμμή (παρατάχτηκε) σέ ὅλο τό μῆκος τοῦ δρόμου. *The*

horses strung out towards the end of the race, τά ἄλογα ἀραίωσαν πρός τό τέλος τῆς κούρσας. ~ ***up***, (*λαϊκ.*) ἀπαγχονίζω κπ.

strin·gent /ˈstrɪndʒənt/ *ἐπ.* **1**. (*γιά κανονισμό, κλπ*) αὐστηρός, σκληρός, ἄκαμπτος: ~ *rules against smoking*, αὐστηροί κανόνες κατά τοῦ καπνίσματος. **2**. (*γιά χρῆμα*) δυσεύρετος, (*γιά τή χρηματαγορά*) σφιχτός: *The money market is* ~, ἡ χρηματαγορά ἔχει στενότητα, εἶναι σφιχτή. **~·ly** *ἐπίρ.* αὐστηρά, σφιχτά. **strin·gency** /-nsɪ/ *οὐσ.* ‹U› αὐστηρότης, στενότης, ἔλλειψις (χρήματος).

strip /strɪp/ *ρ.μ/ὰ.* (*-pp-*) **1**. ~ ***sth (from/ off sth)***; ~ ***sth/sb (of sth)***, ἀφαιρῶ, βγάζω, ἀπογυμνώνω: ~ *the bark off/from a tree*, βγάζω τή φλούδα ἀπό ἕνα δέντρο. ~ *a tree of its bark*, γυμνώνω ἕνα δέντρο ἀπό τή φλούδα του, ξεφλουδίζω ἕνα δέντρο. *They ~ped him of his titles/possessions*, τοῦ ἀφαίρεσαν τούς τίτλους/τά ὑπάρχοντά του. *They ~ped off their clothes and jumped into the sea*, ἔβγαλαν τά ροῦχα τους (γδύθηκαν) καί πήδηξαν στή θάλασσα. *They ~ped him naked/ ~ped him of his clothes*, τόν γύμνωσαν/τοῦ βγάλανε τά ροῦχα του. ˈ**~-ˈtease**, ˈ**~-show**, στριπτήζ. ˈ**~·per**, στριπτιζέζ, χορεύτρια πού κάνει στριπτήζ. **2**. ~ ***(down)***, λύνω (μηχανή), χαλῶ: ~ *a gear/a screw*, χαλῶ τά δόντια ἑνός γραναζιοῦ/μιᾶς βίδας. **3**. ἀρμέγω τελείως (ἀγελάδα). —*οὐσ.* ‹C› λουρίδα, ταινία, κορδέλλα: *a* ~ *of garden*, μιά στενή λουρίδα κήπου. *a* ~ *of paper*, μιά ταινία χαρτί. ~ **cartoon/comic** ~, ἱστορία σέ σκίτσα/ σειρά χιουμοριστικῶν σκίτσων, κόμικς. ˈ**~-lighting**, φωτισμός μέ ράβδους φθορίου.

stripe /straɪp/ *οὐσ.* ‹C› **1**. ρίγα, ράβδωσις, λουρίδα (χρώματος): *a tiger's ~s*, οἱ ραβδώσεις μιᾶς τίγρης. *a white tablecloth with red ~s*, ἄσπρο τραπεζομάντηλο μέ κόκκινες ρίγες. **the Stars and S~s**, ἡ ἀστερόεσσα (ἡ σημαία τῶν ΗΠΑ). **2**. (*στρατ.*) γαλόνι, σαρδέλλα: *give a soldier a* ~, δίνω ἕνα βαθμό/ μιά σαρδέλλα σ' ἕνα στρατιώτη. *lose one's ~s*, χάνω τά γαλόνια μου, καθαιροῦμαι. **3**. (*ἀπηρχ.*) καμτσικιά. **~d** *ἐπ.* ριγωτός (ὕφασμα). **stripy** *ἐπ.* ριγέ: *a stripy tie*, ριγέ γραββάτα.

strip·ling /ˈstrɪplɪŋ/ *οὐσ.* ‹C› ἔφηβος, νεαρός, νεανίσκος.

strive /straɪv/ *ρ.ὰ. ἀνώμ.* (*ἀόρ. strove* /strəʊv/, *π.μ. striven* /ˈstrɪvn/) **1**. ~ ***with/against***, παλεύω, ἀγωνίζομαι, μάχομαι μέ/ἐναντίον: ~ *against disease*, μάχομαι ἐναντίον τῶν ἀσθενειῶν. **2**. ~ ***for/to do sth***, ἀγωνίζομαι, πασχίζω γιά κτ/νά πετύχω κτ.

strode /strəʊd/ *ἀόρ. τοῦ ρ. stride.*

1 **stroke** /strəʊk/ *οὐσ.* **1**. χτύπημα: *with one* ~ *of his sword*, μ' ἕνα χτύπημα τοῦ σπαθιοῦ του. *a* ~ *of the lash/sword*, μιά βουρδουλιά/μιά σπαθιά. *a* ~ *of the pen/brush*, μιά πεννιά/μιά πινελιά. *the* ~ *of a hammer/clock*, τό χτύπημα ἑνός σφυριοῦ/ἑνός ρολογιοῦ. *on the* ~ *of three*, ὅταν τό ρολόϊ χτύπησε τρεῖς. ***on the*** ~, ἀκριβῶς: *He arrived on the* ~, ἔφθασε ἀκριβῶς στήν ὥρα. **2**. (*ἀθλ.*) κίνησις (στό κολύμπι, γκόλφ, κωπηλασία, κλπ): *swim/row with a slow/fast* ~, κολυμπῶ/κωπηλατῶ μέ ἀργές/γρήγορες κινήσεις. *ˈswimming ~s*, στύλ κολυμβήσεως. *(the) ˈbreast-/ˈside-/ˈback-*~, κολύμπι πρόσθιο/στό πλάϊ/ἀνάσκελο. **3**. (*γιά ἄνθρ.*) ἐπίκωπος, κωπηλάτης πού δίνει τό ρυθμό στήν ὁμάδα. **4**. ἀποπληξία, ἐγκεφαλική συμφόρησις: *have a* ~, παθαίνω συμφόρηση/ἐγκεφαλικό ἐπεισόδιο. ˈ**sun-**~, ἡλίασις. **5**. μιά προσπάθεια, μιά ἐνέργεια: *I haven't done a* ~ *of work today*, δέν ἔκαμα καθόλου δουλειά σήμερα. *a good* ~ *of business*, καλή δουλειά. ***a*** ~ ***of luck***, τύχη, εὔνοια τῆς τύχης. ***at a/one*** ~, μέ τήν πρώτη, μέ μιᾶς, μονοκοπανιά.

2 **stroke** /strəʊk/ *ρ.μ.* χαϊδεύω: ~ *a cat/one's beard*, χαϊδεύω μιά γάτα/τά γένια μου. ~ ***sb the wrong way***, ἐξερεθίζω κπ ἀντί νά τόν κατευνάσω. ~ ***sb down***, κατευνάζω, μαλακώνω κπ. —*οὐσ.* ‹C› χάδι, χάϊδεμα: *give the cat a* ~, χαϊδεύω τή γάτα.

stroll /strəʊl/ *οὐσ.* ‹C› ἀργός περίπατος, βόλτα, σουλάτσο: *go for/have a* ~, πάω περίπατο. —*ρ.ὰ.* κάνω βόλτα, σουλατσάρω. **~er** *οὐσ.* ‹C› περιπατητής.

strong /strɒŋ/ *ἐπ.* (*-er, -est*) δυνατός, ἰσχυρός, γερός, σταθερός, ἔντονος: *a* ~ *wind/army/ man/candidate*, δυνατός ἄνεμος/στρατός/ἄνθρωπος/ἰσχυρός ὑποψήφιος. *a* ~ *will/personality/imagination*, ἰσχυρή θέλησις/προσωπικότητα/φαντασία. ~ *smells/onions/cheese*, δυνατές μυρουδιές/-ά κρεμμύδια/-ό τυρί. ~ *tea/coffee*, δυνατό τσάϊ/-ός καφές. *I feel* ~ *again*, νοιώθω γερός πάλι (ὕστερα ἀπό ἀρρώστεια). *have* ~ *eyes/nerves*, ἔχω γερά μάτια/ νεῦρα. ~ *shoes/clothes*, γερά παπούτσια/ ροῦχα. ~ *beliefs/convictions*, σταθερές ἰδέες/ πεποιθήσεις. ***as*** ~ ***as a horse***, δυνατός σάν ταῦρος. ***one's*** ~ ***point***, τό δυνατό μου σημεῖο. ***go it (rather/a bit)*** ~, (*καθομ.*) τά παραλέω λίγο, τό παρακάνω λίγο. ***going*** ~, (*καθομ.*) πάω καλά, κρατιέμαι καλά: *He is ninety and still going* ~, εἶναι ἐνενήντα καί κρατιέται ἀκόμη καλά. *(a battalion)* ***700*** ~, (τάγμα δυνάμεως) 700 ἀνδρῶν. ˈ**~-arm** *ἐπ.* (*γιά τακτική, μέθοδο, κλπ*) βίαιος, ἐκφοβιστικός. ˈ**~-box**, χρηματοφυλάκιο, κάσα. ~ **drink**, οἰνοπνευματῶδες/δυνατό ποτό (*ἀντίθ. soft drink*). ˈ**~·hold**, φρούριο, (*μεταφ.*) προπύργιο: *a ~hold of the Labour Party*, προπύργιο τοῦ Ἐργατικοῦ Κόμματος. ~ **language**, ἔντονες (*ἰδ.* ὑβριστικές) ἐκφράσεις. ~ **measure**, δραστικό μέτρο. ˈ**~-ˈminded** *ἐπ.* ἀποφασιστικός, θεληματικός. ˈ**~-room**, θησαυροφυλάκιον (Τραπέζης). ~ **verb**, ἀνώμαλο ρῆμα (*πού σχηματίζει τούς ἀρχικούς χρόνους του μέ ἀλλαγή τοῦ φωνήεντος, πχ sing—sang—sung*). **~·ly** *ἐπίρ.* ἔντονα, ἀποφασιστικά, γερά: *I am ~ly in favour of*, εἶμαι ἀποφασιστικά ὑπέρ... *~ly built*, γερά χτισμένος, γεροδεμένος.

stron·tium /ˈstrɒntɪəm/ *οὐσ.* ‹U› (*χημ.*) στρόντιον.

strop /strɒp/ *οὐσ.* ‹C› λουρί γιά τό τρόχισμα ξυραφιοῦ. —*ρ.μ.* (*-pp-*) τροχίζω ξυράφι.

strophe /ˈstrəʊfɪ/ *οὐσ.* ‹C› (*ποιητ.*) στροφή.

strove /strəʊv/ *ἀόρ. τοῦ ρ. strive.*

struck /strʌk/ *ἀόρ. & π.μ. τοῦ ρ.* [2]*strike.*

struc·ture /ˈstrʌktʃə(r)/ *οὐσ.* **1**. ‹U› κατασκευή, δομή, συγκρότησις, διάρθρωσις: *the* ~ *of the human body*, ἡ κατασκευή τοῦ ἀνθρωπίνου σώματος. *the* ~ *of the atom*, ἡ δομή τοῦ ἀτόμου. *the* ~ *of a sentence*, ἡ διάρθρωσις/ἡ σύνταξις μιᾶς προτάσεως. **2**. ‹C› οἰκοδόμημα: *The Parthenon was a magnificent* ~, ὁ Παρθενώνας ἦταν ἕνα ἔξοχο οἰκοδόμημα. *the social* ~, τό κοινωνικόν οἰκοδόμημα. **struc·tural** /ˋstrʌktʃərl/ *ἐπ.* κατασκευαστικός, δομικός, ὀργανικός. **struc·tur·ally** /-rəlɪ/ *ἐπίρ.* δομικά, ἀπό ἀπόψεως κατασκευῆς.

stru·del /ˋstrudl/ *οὐσ.* ‹C› τάρτα φρούτων.

struggle /ˋstrʌgl/ *ρ.ἀ.* ἀγωνίζομαι, παλεύω, τσακώνομαι: ~ *against difficulties/with sb/for power/to get free*, ἀγωνίζομαι ἐναντίον δυσκολιῶν/μέ κπ/γιά τήν ἐξουσία/νά ἐλευθερωθῶ. __*οὐσ.* ‹C› ἀγώνας: *the* ~ *for freedom*, ὁ ἀγώνας γιά τήν ἐλευθερία. *surrender without a* ~, παραδίδομαι χωρίς ἀγῶνα.

strum /strʌm/ *ρ.μ/ἀ.* *(-mm-)* ~ ***(on)***, γρατσουνίζω (κιθάρα), κοπανάω (πιάνο). __*οὐσ.* ‹C,U› γρατσούνισμα, κοπάνισμα.

strung /strʌŋ/ *ἀόρ.* & *π.μ. τοῦ ρ.* [2]*string*.

[1]**strut** /strʌt/ *οὐσ.* ‹C› στύλος, ὀρθοστάτης, δοκός.

[2]**strut** /strʌt/ *ρ.ἀ.* *(-tt-)* περπατῶ κορδωτά/ἀγέρωχα/καμαρωτά: *He* ~*ted out of the room*, βγῆκε κορδωτός ἀπό τό δωμάτιο. __*οὐσ.* ‹C› κορδοπερπάτημα.

strych·nine /ˋstrɪknin/ *οὐσ.* ‹U› στρυχνίνη.

stub /stʌb/ *οὐσ.* ‹C› **1**. ἀπομεινάρι: *a ˋpencil/cigaˋrette* ~, ἕνα ἀπομόλυβο/ἀποτσίγαρο. **2**. στέλεχος (ἐπιταγῆς). __*ρ.μ.* *(-tt-)* **1**. χτυπῶ, σκοντάφτω: ~ *one's toes*, χτυπῶ τά δάχτυλα τοῦ ποδιοῦ μου. **2**. ~ ***out***, σβύνω (πιέζοντας): ~ *out one's cigarette*, σβύνω τό τσιγάρο μου.

stubble /ˋstʌbl/ *οὐσ.* ‹U› **1**. καλαμιά (θερισμένου χωραφιοῦ). **2**. γένια (λίγων ἡμερῶν): *three days'* ~, γένια τριῶν ἡμερῶν. **stub·bly** /ˋstʌblɪ/ *ἐπ.* σάν ἤ μέ καλαμιά: *a stubbly field/chin*, χωράφι μέ καλαμιά/ἀξύριστο πρόσωπο.

stub·born /ˋstʌbən/ *ἐπ.* πείσμων, ἐπίμονος, δύσκολος, ἀτίθασος: *a* ~ *man*, πεισματάρης ἄνθρωπος. *meet with* ~ *resistance*, βρίσκω πείσμονα ἀντίσταση. *a* ~ *illness*, ἐπίμονη ἀρρώστεια. ~ *soil*, σκληρό/δυσκολοκαλλιέργητο ἔδαφος. ***as* ~ *as a mule***, πεισματάρης σά μουλάρι. **~·ly** *ἐπίρ.* πεισματικά. **~·ness** *οὐσ.* ‹U› ἐπιμονή, πεῖσμα.

stubby /ˋstʌbɪ/ *ἐπ.* *(-ier, -iest)* κοντόχοντρος: ~ *fingers*, κοντόχοντρα δάχτυλα.

stucco /ˋstʌkəʊ/ *οὐσ.* ‹C,U› *(πληθ.* ~*s ἤ* ~*es)* στόκος. __*ρ.μ.* στοκάρω.

stuck /stʌk/ *ἀόρ.* & *π.μ. τοῦ ρ.* [2]*stick*. **ˈ~-ˋup** *ἐπ.* *(καθομ.)* φαντασμένος, ψηλομύτης.

[1]**stud** /stʌd/ *οὐσ.* ‹C› **1**. κουμπί κολλάρου. **2**. πλατυκέφαλο καρφί (σέ ἀθλητ. παπούτσια, σέ πόρτες γιά διακόσμηση, σέ δρόμο γιά τίς διαβάσεις πεζῶν, κλπ). ***~ded with***, διάστικτος, στολισμένος, *(μεταφ.)* σπαρμένος μέ: *a crown* ~*ded with jewels*, στέμμα στολισμένο μέ πετράδια. *a sea* ~*ded with islands*, θάλασσα σπαρμένη μέ νησιά.

[2]**stud** /stʌd/ *οὐσ.* ‹C› σταῦλος ἀλόγων (*ἰδ.* γιά ἀναπαραγωγή ἤ ἱπποδρομίες). **ˋ~-book**, γενεαλογικό βιβλίο καθαρόαιμων ἀλόγων. **ˋ~-farm**, ἱπποτροφεῖον. **ˋ~-mare**, φοράδα ἀναπαραγωγῆς.

stu·dent /ˋstjudnt/ *οὐσ.* ‹C› σπουδαστής, φοιτητής, μελετητής.

stu·dio /ˋstjudɪəʊ/ *οὐσ.* ‹C› *(πληθ.* ~*s)* στούντιο (καλλιτέχνη, κινηματογράφου, ραδιοφωνίας). **ˋ~ couch**, ντιβάνι.

stu·di·ous /ˋstjudɪəs/ *ἐπ.* **1**. ἐπιμελής, μελετηρός, φιλομαθής: *a man of* ~ *habits*, ἄνθρωπος ἀφοσιωμένος στή μελέτη. **2**. ἐξεζητημένος, μελετημένος, σκόπιμος: *with* ~ *politeness*, μέ ἐξεζητημένη εὐγένεια. **~·ly** *ἐπίρ.* ἐπιμελῶς. **~·ness** *οὐσ.* ‹U› ἐπιμέλεια, μελετηρότης, προσοχή.

[1]**study** /stʌdɪ/ *οὐσ.* **1**. ‹C,U› μελέτη: *be fond of* ~, ἀγαπῶ τή μελέτη. *give all one's leisure time to* ~, ἀφιερώνω ὅλο τόν ἐλεύθερο χρόνο μου στή μελέτη. *make a* ~ *of a subject*, μελετῶ ἕνα θέμα. **2**. ‹C› σπουδή, θέμα (γιά ἔρευνα), μελέτη: *humane studies*, ἀνθρωπιστικές σπουδές. *post-graduate studies*, μεταπτυχιακές σπουδές. *His face was a* ~, τό πρόσωπό του ἦταν ἄξιο μελέτης, ἄξιζε νά δῆς τό πρόσωπό του. *I've read your* ~ *of Greek customs with great interest*, διάβασα τή μελέτη σου γιά τά Ἑλληνικά ἔθιμα μέ μεγάλο ἐνδιαφέρον. **3**. ***be in a brown*** ~, εἶμαι χαμένος σέ ὀνειροπολήσεις/σέ ρεμβασμό. **4**. ‹C› δωμάτιο μελέτης, γραφεῖο (σέ σπίτι). **5**. ‹C› *(ζωγρ., μουσ.)* σπουδή, ἐτύντ. **6**. ‹U› *(ἀπηρχ.)* μέλημα: *Her constant* ~ *was how to please her husband*, τό ἀδιάκοπο μέλημά της ἦταν πῶς νά εὐχαριστήση τόν ἄνδρα της.

[2]**study** /ˋstʌdɪ/ *ρ.μ/ἀ.* **1**. σπουδάζω: *I* ~ *law*, σπουδάζω νομικά. *I'm* ~*ing to be a lawyer/doctor*, σπουδάζω δικηγόρος/γιατρός. **2**. μελετῶ, ἐξετάζω: ~ *a map*, μελετῶ ἕνα χάρτη. **3**. ἀσχολοῦμαι, ἐπιμελοῦμαι, φροντίζω γιά: *I* ~ *the wishes of my friends/* ~ *only my own interests*, φροντίζω γιά τίς ἐπιθυμίες τῶν φίλων μου/γιά τά συμφέροντά μου μόνον. **studied** *ἐπ.* σκόπιμος, ἐσκεμμένος, ὑπολογισμένος: *a studied insult*, σκόπιμη προσβολή.

[1]**stuff** /stʌf/ *οὐσ.* ‹C,U› **1**. ὑλικό, στόφα, ὕφασμα: *There's good* ~ *in him*, εἶναι ἀπό καλό ὑλικό, εἶναι καλή πάστα. *He's not the* ~ *heroes are made of*, δέν εἶναι ἀπό τή στόφα τῶν ἡρώων. **2**. πράμα (τροφή, ποτό, φάρμακο, κλπ): *Do you call this* ~ *beer?* μπύρα τό λές αὐτό τό πράμα; *Whisky is strong* ~, τό οὐΐσκυ εἶναι γερό πράμα. *ˋdoctor's* ~, γιατροσόφια, φάρμακα. *Have you brought the* ~*?* ἔφερες τό πράμα; (*δηλ.* τά χρήματα ἤ ὅ,τι ἄλλο βγαίνει ἀπό τά συμφραζόμενα). **ˋgreen/ˋgarden** ~, λαχανικά. **3**. ***S*~ *and nonsense!*** *(λαϊκ.)* σαχλαμάρες! μποῦρδες! ***That's the* ~ *to give 'em!*** *(λαϊκ.)* τέτοια μεταχείριση θέλουν αὐτοί! αὐτό θέλουν αὐτοί! ***Do your* ~!** *(λαϊκ.)* δεῖξε τί ἀξίζεις! ***know one's* ~**, *(λαϊκ.)* ξέρω ἐγώ ἀπ' αὐτά, ξέρω ἐγώ τή δουλειά μου.

[2]**stuff** /stʌf/ *ρ.μ.* **1**. (παρα)γεμίζω, φουσκώνω: ~ *a mattress*, γεμίζω ἕνα στρῶμα. ~ *a bag with clothes;* ~ *clothes into a bag*, παραγεμίζω μιά τσάντα μέ ροῦχα. ~ *sb's head with silly romantic ideas*, φουσκώνω τά μυαλά κάποιου μέ ἀνόητες ρωμαντικές ἰδέες. **2**. ~ ***(up)***, βουλώνω, κλείνω: *My nose is* ~*ed up*, ἡ μύτη μου εἶναι κλεισμένη (ἀπό συνάχι). ~ *up a hole*, βουλώνω μιά τρύπα. ~ *one's ears with cotton-wool*, βουλώνω τ' αὐτιά μου μέ βαμβάκι. ***a* ~*ed shirt***, *(λαϊκ.)* φουσκωμένος διάνος,

ἀνόητος, φαντασμένος. **3**. ταριχεύω, βαλσαμώνω (ζῶον). **4**. (*καθομ.*) παρατρώω: *If you go on ~ing (yourself) like that...*, ἄν συνεχίσης νά παρατρῶς ἔτσι... **5**. (*καθομ.*) κοροϊδεύω, πουλῶ (ψέματα, κλπ): *He's ~ing you with big words*, σοῦ πουλάει (σέ μπουκώνει μέ) μεγάλα λόγια. ***Get ~ed!*** δέ μέ παρατᾶς λέω' γώ! (ἄρνησις μέ χυδαῖο τρόπο). **6**. (*μαγειρ.*) παραγεμίζω: *~ a turkey*, παραγεμίζω γαλοπούλα. *~ed vineleaves/aubergines*, ντολμαδάκια/γεμιστές μελιτζάνες. **~·ing** *οὐσ.* ‹U› γέμιση: *The ~ing came out of the pillow/turkey*, ἡ γέμιση βγῆκε ἀπό τό μαξιλάρι/ἀπό τή γαλοπούλα. ***knock the ~ing out of sb***, *(α)* ξεφουσκώνω ἕναν ψωροπερήφανο, τόν ταπεινώνω. *(β)* (*γιά ἀρρώστεια*) ἐξαντλῶ: *The flu knocked the ~ing out of me*, ἡ γρίππη μοῦκοψε τά πόδια.

stuffy /ˋstʌfɪ/ *ἐπ.* *(-ier, -iest)* **1**. (*γιά δωμάτιο*) ἀποπνικτικός, χωρίς ἀερισμό: *It's ~ here*, μυρίζει κλεισούρα ἐδῶ μέσα, δέν μπορεῖ ν' ἀναπνεύση κανείς ἐδῶ. **2**. (*καθομ.*) κακόκεφος, μουτρωμένος. **3**. (*καθομ.*) εὔθικτος, μυγιάγγιαχτος. **4**. βαρύς, στενοκέφαλος, ἀκοινώνητος. **stuff·ily** /-əlɪ/ *ἐπίρ.* **stuffi·ness** *οὐσ.* ‹U› πνιγηρότης, εὐθιξία, στενοκεφαλιά.

stul·tify /ˋstʌltɪfaɪ/ *ρ.μ.* γελοιοποιῶ, ρεζιλεύω, ἀχρηστεύω, ματαιώνω: *~ efforts to reach agreement*, ματαιώνω τίς προσπάθειες ἐπιτεύξεως συμφωνίας. **stul·ti·fi·ca·tion** /ˈstʌltɪfɪˋkeɪʃn/ *οὐσ.* ‹U› γελοιοποίησις, ματαίωσις, ἀχρήστευσις.

stumble /ˋstʌmbl/ *ρ.ἀ.* **1**. σκοντάφτω: *~ over the root of a tree*, σκοντάφτω στή ρίζα ἑνός δέντρου. ***~ across/upon sth***, πέφτω ἐπάνω, βρίσκω τυχαῖα κτ. **ˋstumbling-block**, κακοτοπιά, ἐμπόδιο. **2**. κομπιάζω (στήν ὁμιλία), (*μεταφ.*) σφάλλω: *~ over long words*, κομπιάζω στίς μεγάλες λέξεις. *~ through a recitation*, ἀπαγγέλω κομπιάζοντας. **3**. τρεκλίζω, παραπατῶ: *He ~d out of the room*, βγῆκε ἀπό τό δωμάτιο παραπατώντας. __*οὐσ.* ‹C› σκόνταμα, παραπάτημα.

stump /stʌmp/ *οὐσ.* ‹C› **1**. κούτσουρο (ριζιμιό). **~ oratory/speeches**, ρητορεία/λόγοι τοῦ πεζοδρομίου. ***on the ~***, (*καθομ.*) σέ περιοδεία ἐκφωνήσεως (*ἰδ.* πολιτικῶν) λόγων. **2**. κολοβό κομμάτι, ἀπομεινάρι (*πχ* ἀποτσίγαρο, κομμάτι μολυβιοῦ, ρίζα δοντιοῦ, στέλεχος ἐπιταγῶν, κλπ). ***stir one's ~s***, (*χιουμορ.*) κουνάω τά κανιά μου, παίρνω τά πόδια μου, περπατῶ γρήγορα. **3**. (*στό κρίκετ*) πάσσαλος (τέρματος). __*ρ.μ/ἀ.* **1**. περπατῶ βαριά καί ἄχαρα: *He ~ed across the room in his big boots*, διέσχισε τό δωμάτιο βαριά μέ τίς μπότες του. **2**. (*καθομ.*) κολλῶ κπ στόν τοῖχο, κάνω κπ νά ἀποτύχη: *The problem ~ed me*, τό πρόβλημα μέ κόλλησε στόν τοῖχο. *All the candidates were ~ed by the second question*, ὅλοι οἱ ὑποψήφιοι τήν πάτησαν στή δεύτερη ἐρώτηση. **3**. γυρίζω βγάζοντας λόγους: *He ~ed up and down the country*, γύρισε ὅλη τή χώρα ἐκφωνώντας λόγους. **4**. (*κρίκετ*) ἀποκλείω (παίκτη). **5**. ***~ (sth) up***, (*λαϊκ.*) πέφτω, ξηλώνομαι (= πληρώνω): *He had to ~ up (£50) for his son's debts*, ἀναγκάστηκε νά πέση (50 λίρες) γιά τά χρέη τοῦ γιοῦ του. **~er** *οὐσ.* ‹C› (*καθομ.*) δύσκολη ἐρώτησις, μανίκι, παλούκι.

stumpy /ˋstʌmpɪ/ *ἐπ.* *(-ier, -iest)* κοντόχοντρος.

stun /stʌn/ *ρ.μ.* *(-nn-)* **1**. ρίχνω κπ ἀναίσθητον (*ἰδ.* μέ χτύπημα στό κεφάλι): *The blow ~ned him*, τό χτύπημα τόν ἄφησε ἀναίσθητο. **2**. ζαλίζω, καταπλήσσω: *The news ~ned me*, ἡ εἴδησις μέ ἄφησε κατάπληκτο. **ˋ~·ning** *ἐπ.* (*καθομ.*) καταπληκτικός, ἔξοχος: *What a ~ning dress!* τί ἔξοχο φόρεμα! **ˋ~·ning·ly** *ἐπίρ.* **ˋ~·ner** *οὐσ.* ‹C› (*καθομ.*) καταπληκτικός (ἄνθρωπος ἤ πρᾶγμα), χάρμα: *Isn't she a ~ner!* εἶναι χάρμα!

stung /stʌŋ/ *ἀόρ.* & *π.μ.* *τοῦ ρ.* *[2]sting.*

stunk /stʌŋk/ *π.μ.* *τοῦ ρ.* *stink.*

[1]**stunt** /stʌnt/ *οὐσ.* ‹C› **1**. (ἐντυπωσιακό) κόλπο, ρεκλάμα, πυροτέχνημα: *advertising ~s*, διαφημηστικά κόλπα. **2**. ἆθλος, κατόρθωμα (*ἰδ.* ἀκροβατικό): *~ flying*, πτῆσις δεξιοτεχνίας. *perform ~s*, κάνω ἀκροβατικούς ἄθλους. **ˋ~ man**, ἀντικαταστάτης κινηματογραφικοῦ ἀστέρα σέ ἐπικίνδυνες σκηνές.

[2]**stunt** /stʌnt/ *ρ.μ.* ἐμποδίζω κπ/κτ νά ἀναπτυχθῆ, κατσιάζω: *~ed trees*, κατσιασμένα δέντρα. *a ~ed mind*, ὑποανάπτυκτο μυαλό.

stu·pefy /ˋstjuːpɪfaɪ/ *ρ.μ.* **1**. ἀποβλακώνω: *He was stupefied with drink*, ἦταν ἀποβλακωμένος ἀπό τό ποτό. **2**. ζαλίζω, καταπλήσσω, ἀφήνω κπ ἄναυδο: *I am stupefied by what happened*, εἶμαι κατάπληκτος/τἄχω χαμένα μέ ὅ,τι συνέβη. **stu·pefac·tion** /ˈstjuːpɪˋfækʃn/ *οὐσ.* ‹U› ἀποβλάκωσις, κατάπληξις.

stu·pen·dous /stjuˋpendəs/ *ἐπ.* τεράστιος, πελώριος, φοβερός, καταπληκτικός: *a ~ sum of money*, ἕνα τεράστιο ποσόν. *a ~ error*, πελώριο σφάλμα. *What ~ folly!* τί φοβερή ἀνοησία! *a ~ achievement*, καταπληκτικό ἐπίτευγμα. **~·ly** *ἐπίρ.* φοβερά, καταπληκτικά.

stu·pid /ˋstjuːpɪd/ *ἐπ.* ἀνόητος, ἠλίθιος: *A ~ question deserves no answer*, οἱ ἀνόητες ἐρωτήσεις δέν ἀξίζουν ἀπάντηση. *a ~ mistake*, ἀνόητο λάθος. __*οὐσ.* ‹C› (*καθομ.*) χαζός: *I was only teasing you, ~!* σέ πείραζα, χαζέ! **~·ly** *ἐπίρ.* ἀνόητα. **~·ity** /stjuˋpɪdətɪ/ *οὐσ.* ‹C,U› ἀνοησία.

stu·por /ˋstjuːpə(r)/ *οὐσ.* ‹C,U› νάρκη, χαύνωσις, καταπληξία: *He was in a drunken ~*, ἦταν ἀναίσθητος (ἀποχαυνωμένος) ἀπό τό ποτό.

sturdy /ˋstɜːdɪ/ *ἐπ.* *(-ier, -iest)* γεροδεμένος, ρωμαλέος, σθεναρός: *~ children*, γεροδεμένα παιδιά. *offer a ~ resistance*, προβάλλω σθεναρή ἀντίσταση. *~ common sense*, ρωμαλέα λογική. **sturd·ily** /-əlɪ/ *ἐπίρ.* γερά, σθεναρά. **stur·di·ness** *οὐσ.* ‹U› ρώμη, δύναμις.

stur·geon /ˋstɜːdʒən/ *οὐσ.* ‹C,U› (ψάρι) ὀξύρρυγχος, μουρούνα.

stut·ter /ˋstʌtə(r)/ *ρ.μ/ἀ.* τραυλίζω. __*οὐσ.* ‹C› τραύλισμα. **~er** *οὐσ.* ‹C› τραυλός, βραδύγλωσσος. **~·ing·ly** *ἐπίρ.*

[1]**sty** /staɪ/ *οὐσ.* ‹C› (*πληθ.* *sties*) *βλ.* *pig.*

[2]**sty** /staɪ/ *οὐσ.* ‹C› (*πληθ.* *sties* ἤ *~s*) (*ἰατρ.*) χαλάζιον, κριθαράκι.

style /staɪl/ *οὐσ.* **1**. ‹C,U› στύλ, ὕφος, τεχνοτροπία, ρυθμός: *written in a delightful ~*, γραμμένο σέ θαυμάσιο στύλ. *commercial ~*, ἐμπορικό ὕφος. *Gothic ~*, γοτθικός ρυθμός. *painted in the ~ of Picasso*, ζωγραφισμένο σέ στύλ Πικασσό, μέ τήν τεχνοτροπία τοῦ

Πικασσό. **2.** ‹U› τρόπος (ζωῆς, συμπεριφορᾶς, ὁμιλίας, κλπ): *in English/Italian* ~, ὅπως κάνουν οἱ Ἄγγλοι/ἀλά Ἰταλικά. *live in grand* ~, κάνω μεγάλη ζωή. ***in*** ~, μέ ἀρχοντιά, μέ ὅλους τούς τύπους, πλουσιοπάροχα: *do things in* ~, τά κάνω ὅλα ἀρχοντικά/μέ ὅλους τούς τύπους. **3.** ‹C,U› μόδα, μοντέλλο: *the latest ~s in hats*, ἡ τελευταία μόδα στά καπέλλα. *made in all sizes and ~s*, κατασκευαζόμενα σέ ὅλα τά νούμερα καί τά μοντέλλα. **4.** ‹C› τίτλος, προσηγορία, ὀρθή προσφώνησις. **5.** ‹C› (παλαιά) γραφίδα. **6.** ‹C› (*βοτ.*) στύλος, ὕπερος (λουλουδιοῦ). —*ρ.μ.* **1.** προσαγορεύω: *Should he be ~d 'Mr' or 'Sir'?* θά πρέπει νά προσαγορεύεται 'Mr' ἤ 'Sir'; **2.** σχεδιάζω: *new cars ~d by...*, νέα αὐτοκίνητα σχεδιασμένα ἀπό...

styl·ish /ˋstaılıʃ/ *ἐπ.* μοντέρνος, κομψός, σίκ: ~ *clothes*, σίκ ροῦχα. **~·ly** *ἐπίρ.* κομψά: *~ly dressed*, κομψά ντυμένος. **~·ness** *οὐσ.* ‹U› κομψότης.

sty·list /ˋstaılıst/ *οὐσ.* ‹C› **1.** στυλίστας. **2.** σχεδιαστής: *a ˋhair-~*, κομμωτής κυριῶν.

sty·lis·tic /staıˋlıstık/ *ἐπ.* τοῦ ὕφους: *stylistic elegance*, κομψότης ὕφους. **styl·is·ti·cally** /-klı/ *ἐπίρ.* ἀπό ἀπόψεως ὕφους.

sty·lize /ˋstaılaız/ *ρ.μ.* στυλιζάρω.

sty·lus /ˋstaıləs/ *οὐσ.* ‹C› (*πληθ.* *~es*) βελόνη γραμμοφώνου.

styp·tic /ˋstıptık/ *οὐσ.* ‹C› στυπτικόν. —*ἐπ.* στυπτικός: *a ~ pencil*, στυπτικό/αἱμοστατικό κοντύλι (ὅταν κόβεται κανείς στό ξύρισμα).

suave /swav/ *ἐπ.* εὐχάριστος, μειλίχιος, εὐγενικός, ἁβρός: ~ *manners*, εὐχάριστοι τρόποι. *a ~ young man*, ἕνας εὐγενικός νέος. **~·ly** *ἐπίρ.* εὐγενικά. **suav·ity** /-ətı/ *οὐσ.* ‹U› εὐγένεια, ἁβρότης, μειλιχιότης.

sub /sʌb/ *οὐσ.* ‹C› **1.** (*καθομ.*) προκαταβολή (μισθοῦ): *ask for a ~*, ζητῶ προκαταβολή. **2.** (*καθομ., βραχυλ. γιά*) ὑποβρύχιο, ἀντικαταστάτης, συνδρομή, ὑπολοχαγός, ὑφιστάμενος.

sub·al·tern /ˋsʌbltən/ *οὐσ.* ‹C› κατώτερος ἀξιωματικός (ὑπολοχαγός ἤ ἀνθυπολοχαγός).

sub-com·mit·tee /ˋsʌb kəmıtı/ *οὐσ.* ‹C› ὑποεπιτροπή.

sub·con·scious /ˈsʌbˋkonʃəs/ *ἐπ.* ὑποσυνείδητος. —*οὐσ.* **the ~**, τό ὑποσυνείδητον. **~·ly** *ἐπίρ.* ὑποσυνειδήτως.

sub·con·ti·nent /ˈsʌbˋkontınənt/ *οὐσ.* ‹C› μικρά ἤπειρος (τμῆμα μεγαλυτέρας).

sub·con·tract /ˈsʌbˋkontrækt/ *οὐσ.* ‹C› ὑπεργολαβία. —*ρ.μ/ἀ.* /ˈsʌbkənˋtrækt/ ἀναλαμβάνω ἤ ἀναθέτω ὑπεργολαβίαν. **~or** /ˈsʌbkənˋtræktə(r)/ *οὐσ.* ‹C› ὑπεργολάβος.

sub·cu·taneous /ˈsʌbkjuˋteınıəs/ *ἐπ.* ὑποδόριος: *a ~ injection*, ὑποδόριος ἔνεσις.

sub·di·vide /ˈsʌbdıˋvaıd/ *ρ.μ/ἀ.* ὑποδιαιρῶ/-οῦμαι. **sub·di·vi·sion** /-ˋvıʒn/ *οὐσ.* ‹C,U› ὑποδιαίρεσις.

sub·due /səbˋdju/ *ρ.μ.* **1.** (καθ)υποτάσσω: ~ *savages/one's passions*, ὑποτάσσω ἀγρίους/τά πάθη μου. **2.** ἁπαλύνω, χαμηλώνω: *~d lights/voices*, ἁπαλά φῶτα/χαμηλές φωνές.

sub-editor /sʌbˋedıtə(r)/ *οὐσ.* ‹C› βοηθός δημοσιογράφος.

sub·fusc /ˈsʌbˋfʌsk/ *ἐπ.* σκοῦρος, (*καθομ.*) ὑποτονικός, ἀσήμαντος, μέτριος.

sub·head·ing /ˋsʌbhedıŋ/ *οὐσ.* ‹C› ὑπότιτλος.

sub·hu·man /ˋsʌbˋhjumən/ *ἐπ.* ζωώδης, ὑπανθρώπινος.

[1]**sub·ject** /ˋsʌbdʒıkt/ *ἐπ.* **1.** ὑποτελής, ὑποκείμενος, ὑποταγμένος: ~ *tribes*, ὑποτελεῖς φυλές. **2.** ***be ~ to***, *(α)* ὑπόκειμαι: *We are all ~ to the law*, ὅλοι ὑποκείμεθα εἰς τούς νόμους. *Prices ~ to 5% discount*, τιμαί ὑποκείμεναι εἰς ἔκπτωσιν 5%. *The plan is ~ to modifications*, τό σχέδιο ἐπιδέχεται τροποποιήσεις. *(β)* ἔχω τάση πρός, ἔχω εὐαισθησία εἰς: *The trains are ~ to delays in winter*, τά τραῖνα ἔχουν τήν τάση ν' ἀργοῦν τόν χειμῶνα. *Are you ~ to colds?* ἔχεις εὐαισθησία στό κρύο (συναχώνεσαι εὔκολα); **3.** ***~ to***, ὑπό τόν ὅρον, ὑπό τήν ἐπιφύλαξιν: ~ *to his approval*, ὑπό τόν ὅρον τῆς ἐγκρίσεώς του. ***~ to contract***, (*νομ.*) ὑπό τόν ὅρον ὑπογραφῆς τῆς συμφωνίας.

[2]**sub·ject** /ˋsʌbdʒıkt/ *οὐσ.* ‹C› **1.** ὑπήκοος: *British ~s*, Βρεταννοί ὑπήκοοι. **2.** θέμα: *He can write about/on any ~ under the sun*, μπορεῖ νά γράψη γιά ὁποιοδήποτε θέμα στόν κόσμο. *the ~ of a fugue*, (*μουσ.*) τό θέμα μιᾶς φούγκας. ***change the ~***, ἀλλάζω τό θέμα (συζητήσεως). ***on the ~ of***, ἐπί τοῦ θέματος, στό θέμα: *While we are on the ~ of money*, ἐνῶ συζητᾶμε γιά λεφτά... **ˋ~-matter**, περιεχόμενον (βιβλίου, πίνακος, κλπ). **3.** ***~ for***, περίπτωσις, ὑπόθεσις: *It's a ~ for pity*, εἶναι (ὑπόθεσις) νά λυπᾶσαι. *a ~ for ridicule*, γελοία ὑπόθεσις. **4.** (*σχολ.*) μάθημα: *Which ~ did you fail in?* σέ ποιό μάθημα ἀπέτυχες; **5.** ὑποκείμενον, ἀντικείμενο: *the ~ of an experiment*, τό ὑποκείμενο πειράματος. **6.** πρόσωπο, ἄτομο: *a hysterical ~*, ὑστερικό ἄτομο. **7.** (*γραμμ.*) ὑποκείμενο (ρήματος).

[3]**sub·ject** /səbˋdʒekt/ *ρ.ἀ.* ***~ to***, **1.** ὑποτάσσω: *Rome ~ed most of Europe to her rule*, ἡ Ρώμη ὑπέταξε τό μεγαλύτερο μέρος τῆς Εὐρώπης στήν κυριαρχία της. **2.** ὑποβάλλω, ἐκθέτω: ~ *sb to criticism/danger*, ὑποβάλλω κπ σέ κριτική/ἐκθέτω κπ σέ κίνδυνο. *be ~ed to torture*, ὑποβάλλομαι σέ βασανιστήρια. **subjec·tion** /-ˋdʒekʃn/ *οὐσ.* ‹U› ὑποταγή, καθυπόταξις, ὑποτέλεια, ἐξάρτησις: *The ~ion of the rebels took a year*, ἡ καθυπόταξις τῶν ἐπαναστατῶν πῆρε ἕνα χρόνο. ***bring into ~ion***, ὑποτάσσω, ὑποδουλώνω. ***keep/hold sb in ~ion***, κρατῶ κπ ὑποταγμένον, ἔχω κπ στήν ὑποταγή μου.

sub·jec·tive /səbˋdʒektıv/ *ἐπ.* ὑποκειμενικός: *a ~ impression*, ὑποκειμενική ἐντύπωσις. **the ~ case**, (*γραμμ.*) ἡ ὀνομαστική πτῶσις. **~·ly** *ἐπίρ.* ὑποκειμενικά. **sub·jec·tiv·ity** /ˈsʌbdʒekˋtıvətı/ *οὐσ.* ‹U› ὑποκειμενικότης.

sub·join /sʌbˋdʒɔın/ *ρ.μ.* προσθέτω, παραθέτω: ~ *a postscript to a letter*, προσθέτω ὑστερόγραφο σέ γράμμα. *the ~ed details*, οἱ παρατιθέμενες λεπτομέρειες.

sub judice /ˈsʌb ˋdʒudısı/ *ἐπ.* (*Λατ.*) ὑπό ἐκδίκασιν, ἐκκρεμής στά δικαστήρια.

sub·ju·gate /ˋsʌbdʒugeıt/ *ρ.μ.* (καθ)υποτάσσω, ὑποδουλώνω. **sub·ju·ga·tion** /ˈsʌbdʒʊˋgeıʃn/ *οὐσ.* ‹U› καθυπόταξις, ὑποδούλωσις.

sub·junc·tive /səbˋdʒʌŋktıv/ *ἐπ.* & *οὐσ.* ‹C› (*γραμμ.*) ὑποτακτική.

sub·lease /ˈsʌbˋlis/ *ρ.μ/ἀ.* ὑπενοικιάζω, ὑπεκμισθώνω. —*οὐσ.* ‹C› ὑπενοικίασις. ὑπεκμί-

σθωσις.
sub·let /'sʌb'let/ ρ.μ/ὰ. *(-tt-)* **1**. ὑπενοικιάζω. **2**. παραχωρῶ (δουλειά) σάν ὑπεργολαβία.
sub·lieu·ten·ant /'sʌblə'tenənt/ *οὐσ.* ‹C› ἀνθυποπλοίαρχος.
sub·li·mate /'sʌblimeit/ *ρ.μ.* **1**. *(χημ.)* ἐξαχνῶ/-οῦμαι. **2**. *(ψυχ.)* ἐξαγνίζω, ἐξευγενίζω, ἐξιδανικεύω. __*οὐσ.* ‹C› *(χημ.)* ἐξάχνωμα, σουμπλιμέ. **sub·li·ma·tion** /'sʌbli'meiʃn/ *οὐσ.* ‹U› ἐξάχνωσις, ἐξευγενισμός, ἐξιδανίκευσις.
sub·lime /sə'blaim/ *ἐπ.* **1**. θεῖος, ἀνυπέρβλητος, ὑπέροχος, θαυμαστός: ~ *heroism/scenery*, ἀνυπέρβλητος ἡρωϊσμός/ὑπέροχα τοπεῖα. **2**. ἀνήκουστος, ἀπόλυτος, *(εἰρων.)* μακάριος: ~ *impudence/indifference*, ἀνήκουστη ἀναίδεια/μακάρια (ἀπόλυτη) ἀδιαφορία. __*οὐσ.* **the ~**, τό θεῖον, τό ὑψηλόν. ***from the ~ to the ridiculous***, ἀπό τό ὑψηλόν εἰς τό γελοῖον. **~·ly** *ἐπίρ.* ἀνυπέρβλητα, θαυμαστά, ἀπόλυτα: *He was ~ly unconscious of how foolish he looked*, δέν εἶχε ἀπολύτως καμιά συναίσθηση γιά τό πόσο ἀνόητος φαινόταν. **sub·lim·ity** /sə'bliməti/ *οὐσ.* (‹U› & *εἰς πληθ.*) μεγαλεῖον, μεγαλοπρέπεια *(πχ* ἑνός τοπείου).
sub·lim·inal /'sʌb'liminl/ *ἐπ.* ὑποσυνείδητος.
sub·mar·ine /'sʌbmə'rin/ *ἐπ.* ὑποβρύχιος: ~ *life/plants*, ὑποβρύχια ζωή/-α φυτά. __*οὐσ.* ‹C› /'sʌbmərin/ ὑποβρύχιον. **~r** /sʌb'mærinə(r)/ *οὐσ.* ‹C› ναύτης τῶν ὑποβρυχίων.
sub·merge /səb'mɜdʒ/ *ρ.μ/ὰ.* **1**. χώνω/-ομαι στό νερό. **2**. *(γιά γῆ)* κατακλύζω/-ομαι. **3**. *(γιά ὑποβρύχιο)* καταδύομαι. **~d** *ἐπ.* σκεπασμένος ἀπό νερό: *~d rocks/land*, βράχια κάτω ἀπό τήν ἐπιφάνεια τῆς θάλασσας/πλημμυρισμένη γῆ. **sub·merg·ence** /-dʒəns/, **sub·mer·sion** /-'mɜʃn/ *οὐσ.* ‹U› κατάδυσις, πλημμύρα.
sub·mission /səb'miʃn/ *οὐσ.* **1**. ‹U› ὑποταγή: *make one's ~ to sb*, δηλώνω ὑποταγή σέ κπ. *The enemy were starved into ~*, ὁ ἐχθρός ἀναγκάστηκε ἀπό τήν πεῖνα νά ὑποταχθῆ/νά παραδοθῆ. **2**. ‹U› ὑπακοή, ταπεινότης, σέβας: *with all due ~*, μέ ὅλο τόν ὀφειλόμενο σεβασμό. **3**. ‹C,U› *(νομ.)* ἄποψις, ἰσχυρισμός: *My ~ is/It is my ~ that...*, ἡ ἄποψίς μου εἶναι/ἰσχυρίζομαι ὅτι... *in my ~*, κατά τήν ἄποψίν μου.
sub·miss·ive /səb'misiv/ *ἐπ.* ὑπάκουος, ταπεινός, πειθαρχικός, πρᾶος: *a ~ wife*, ὑπάκουη γυναίκα. **~·ly** *ἐπίρ.* ὑπάκουα, ταπεινά. **~·ness** *οὐσ.* ‹U› ὑποτακτικότης, ὑποχωρητικότης, πραότης.
sub·mit /səb'mit/ *ρ.μ/ὰ.* *(-tt-)* **1**. ὑποβάλλω: ~ *plans/proposals to sb*, ὑποβάλλω σχέδια/προτάσεις σέ κπ. ~ *proofs of identity*, ὑποβάλλω/προσκομίζω πιστοποιητικά ταυτότητος. **2**. ~ ***oneself to***, ὑποβάλλομαι, ὑποτάσσομαι: ~ *oneself to discipline*, ὑποβάλλομαι σέ πειθαρχία. *Should a wife ~ herself to her husband?* πρέπει ἡ γυναίκα νά ὑποτάσσεται στόν ἄντρα της; **3**. *(νομ.)* ἰσχυρίζομαι. **4**. ~ ***to***, ὑποκύπτω, παραδίδομαι, δέχομαι ἀδιαμαρτύρητα: ~ *to the enemy*, ὑποκύπτω/παραδίδομαι στόν ἐχθρό. ~ *to ill treatment*, δέχομαι νά μέ κακομεταχειρίζονται.
sub·nor·mal /'sʌb'nɔml/ *ἐπ.* μή φυσιολογικός, κάτω τοῦ κανονικοῦ: ~ *temperatures/intelligence*, θερμοκρασία/νοημοσύνη κάτω ἀπό τό κανονικό.
sub·or·di·nate /sə'bɔdinət/ *ἐπ.* ~ ***(to)***, ὑποδεέστερος, κατώτερος, δευτερεύων: *be in a ~ position*, εἶμαι σέ ὑποδεέστερη θέση. *A captain is ~ to a major*, ὁ λοχαγός εἶναι κατώτερος ἀπό τόν ταγματάρχη. *play a ~ part*, παίζω δευτερεύοντα ρόλο. ~ **clause**, *(γραμμ.)* δευτερεύουσα πρότασις. __*οὐσ.* ‹C› ὑφιστάμενος. __*ρ.μ.* /sə'bɔdineit/ ~ ***sth (to)***, ὑποτάσσω: ~ *one's interests to those of the nation*, ὑποτάσσω τά συμφέροντά μου στό συμφέρον τοῦ ἔθνους. **sub·or·di·na·tion** /sə'bɔdi'neiʃn/ *οὐσ.* ‹U› ὑπαγωγή, ὑποταγή, ὑποτέλεια.
sub·orn /sə'bɔn/ *ρ.μ.* ἐξαγοράζω, δωροδοκῶ (μάρτυρα). **sub·or·na·tion** /'sʌbɔ'neiʃn/ *οὐσ.* ‹U› δωροδοκία, ἐξαγορά.
sub·poena /sə'pinə/ *οὐσ.* ‹C› *(πληθ. ~s) (νομ.)* κλῆσις. __*ρ.μ.* *(ἀόρ. & π.μ. ~ed)* κλητεύω.
sub rosa /'sʌb 'rəuzə/ *ἐπ.* *(Λατ.)* ὑπό ἐχεμύθειαν, στά κρυφά.
sub·scribe /səb'skraib/ *ρ.μ/ὰ.* **1**. συνεισφέρω: *He ~s liberally to charities*, συνεισφέρει γενναιόδωρα σέ φιλανθρωπικά ἱδρύματα. *He ~d £100 to the flood relief fund*, συνεισέφερε 100 λίρες στό ταμεῖον ἀρωγῆς πλημμυροπαθῶν. **2**. ~ ***for***, προεγγράφομαι: ~ *for a book/for shares*, προεγγράφομαι γιά ἕνα βιβλίο/γιά μετοχές. **3**. *(λόγ.)* ὑπογράφω: ~ *one's name to a petition*, θέτω τήν ὑπογραφή μου εἰς μίαν αἴτησιν. **4**. ~ ***to***, *(α)* ἐγγράφομαι συνδρομητής: ~ *to a periodical/newspaper*. *(β)* προσυπογράφω, ἐπιδοκιμάζω: *I don't ~ to such ideas*, δέν προσυπογράφω (δέν ἐγκρίνω) τέτοιες ἰδέες. **~r** *οὐσ.* ‹C› συνδρομητής.
sub·scrip·tion /səb'skripʃn/ *οὐσ.* **1**. ‹U› συνεισφορά: *a monument erected by public ~*, μνημεῖον ἀνεγερθέν διά συνεισφορῶν τοῦ κοινοῦ (δι' ἐράνων). **2**. ‹U› προεγγραφή: *a ~ concert*, συναυλία διά προεγγραφῶν. **3**. ‹U› προσυπογραφή, ἐπιδοκιμασία. **4**. ‹C› συνδρομή: *renew one's ~*, ἀνανεώνω τή συνδρομή μου. ***take out a ~***, ἐγγράφομαι συνδρομητής.
sub·se·quent /'sʌbsikwənt/ *ἐπ.* ἑπόμενος, μεταγενέστερος, ἐπακολουθῶν: *at one of the ~ meetings*, σέ μιά ἀπό τίς ἑπόμενες συνεδριάσεις. *S~ events proved that...*, τά μεταγενέστερα (ἐπακολουθήσαντα) γεγονότα ἀπέδειξαν ὅτι... ~ ***to***, μετά ἀπό, ἐν συνεχείᾳ πρός: ~ *to this event*, μετά ἀπό τό γεγονός αὐτό. **~·ly** *ἐπίρ.* μετά ταῦτα, μεταγενέστερα.
sub·serve /sʌb'sɜv/ *ρ.μ.* ὑποβοηθῶ, συντρέχω, προάγω.
sub·ser·vi·ent /səb'sɜviənt/ *ἐπ.* ~ ***(to)*** **1**. δουλικός, δουλοπρεπής: ~ *shopkeepers*, δουλοπρεπεῖς καταστηματάρχες. **2**. χρήσιμος, ὑποβοηθητικός. **3**. ὑποταγμένος, ἐπικουρικός, ὑποβοηθητικός. **~·ly** *ἐπίρ.* **sub·ser·vi·ence** /-əns/ *οὐσ.* ‹U› δουλοπρέπεια, ὑποταγή.
sub·side /səb'said/ *ρ.μ.* **1**. ὑποχωρῶ, κατακαθίζω: *when the flood waters ~d*, ὅταν ὑποχώρησαν οἱ πλημμύρες. **2**. *(γιά γῆ, κτίρια, κλπ)* ὑποχωρῶ, βουλιάζω, παθαίνω καθίζηση. **3**. κοπάζω: *The storm/pain/commotion ~d*, ἡ θύελλα/ὁ πόνος/ἡ ἀναταραχή κόπασε. **4**. *(γιά ἄνθρ.)* *(χιουμορ.)* πέφτω, βουλιάζω: *He ~d into an armchair*, βούλιαξε σέ μιά πολυθρόνα. *He ~d into silence*, ἔπεσε σέ σιωπή, σιώπησε.

sub·sid·ence /səb`saɪdns/ *οὐσ.* ‹C,U› ὑποχώρηση, καθίζηση.
sub·sidi·ary /səb`sɪdɪərɪ/ *ἐπ.* ~ ***(to)***, ἐπικουρικός, (ἐπι)βοηθητικός, ἐξηρτημένος: *a ~ runway*, ἐπικουρικός διάδρομος προσγειώσεως. *a ~ company*, θυγατρική ἑταιρία. __*οὐσ.* ‹C› *(α)* ἐπικουρικός ἄνθρωπος. *(β)* θυγατρική ἑταιρία.
sub·si·dize /`sʌbsɪdaɪz/ *ρ.μ.* ἐπιδοτῶ, ἐπιχορηγῶ: *subsidized industries*, ἐπιδοτούμενες βιομηχανίες.
sub·sidy /`sʌbsədɪ/ *οὐσ.* ‹C› ἐπιχορήγησις, ἐπιδότησις: *subsidies to farmers*, ἐπιδοτήσεις στούς ἀγρότες.
sub·sist /səb`sɪst/ *ρ.ἀ.* ~ ***(on)***, ζῶ, τρέφομαι, συντηροῦμαι: ~ *on vegetables/charity*, ζῶ (τρέφομαι) μέ λαχανικά/συντηροῦμαι ἀπό ἐλεημοσύνες. **~ence** /-əns/ *οὐσ.* ‹U› ὕπαρξις, συντήρησις: *a bare ~ence wage*, μισθός συντηρήσεως μόνον, μεροκάματο πείνας. *means of ~ence*, μέσα συντηρήσεως. *~ence crops*, σοδειά πού προορίζεται γιά κατανάλωση ἀπό τόν καλλιεργητή (*ἀντίθ. cash crops*, σοδειά γιά τό ἐμπόριο). **~ence level**, ἐπίπεδο στοιχειώδους συντηρήσεως.
sub·soil /`sʌbsɔɪl/ *οὐσ.* ‹U› ὑπέδαφος.
sub·sonic /`sʌb`sonɪk/ *ἐπ.* (*γιά ταχύτητα*) μικρότερη τοῦ ἤχου (*ἀντίθ. supersonic*).
sub·stance /`sʌbstəns/ *οὐσ.* **1**. ‹C,U› οὐσία: *Water and similar ~s are called liquids*, τό νερό καί οἱ ὅμοιες οὐσίες ὀνομάζονται ὑγρά. *The Son is the same ~ with the Father*, ὁ Υἱός εἶναι ὁμοούσιος τῷ Πατρί. **2**. ‹U› οὐσία, περιεχόμενο, ἔννοια: *the ~ of a speech*, ἡ οὐσία/ἡ ἔννοια ἑνός λόγου. *arguments of little ~*, ἀδύνατα ἐπιχειρήματα (χωρίς περιεχόμενο). ***in ~***, οὐσιαστικά, στήν οὐσία: *I agree in ~ with what you say*, στήν οὐσία συμφωνῶ μέ ὅσα λές. **3**. ‹U› στερεότης, ἀντοχή: *This material has some ~*, αὐτό τό ὕφασμα ἔχει ἀρκετή ἀντοχή. **4**. ‹U› περιουσία: *a man of ~*, εὔπορος ἄνθρωπος. *waste one's ~*, σπαταλῶ τήν περιουσία μου.
sub·stan·dard /`sʌb`stændəd/ *ἐπ.* κάτω τοῦ μέσου ὅρου, κατώτερος, παρακατιανός.
sub·stan·tial /səb`stænʃl/ *ἐπ.* **1**. οὐσιώδης, μεγάλος, σημαντικός: *a ~ improvement/difference*, οὐσιώδης βελτίωσις/διαφορά. *a ~ meal*, χορταστικό/κανονικό γεῦμα. *a ~ loan*, σημαντικό δάνειο. **2**. γερός, στέρεος: *a man of ~ build*, γεροδεμένος ἄνθρωπος. *~ furniture*, στέρεα ἔπιπλα. **3**. εὔπορος, πλούσιος: *~ farmers*, εὔποροι ἀγρότες. *a ~ business firm*, πλούσια ἐπιχείρησις. **4**. πραγματικός, ὑπαρκτός: *Was what you saw something ~ or only a ghost?* ἦταν πραγματικό αὐτό πού εἶδες ἤ μόνο φάντασμα; **5**. οὐσιαστικός, οὐσιώδης: *We are in ~ agreement*, οὐσιαστικά εἴμαστε σύμφωνοι. **~ly** /-ʃəlɪ/ *ἐπίρ.* σημαντικά, οὐσιωδῶς: *contribute ~ly to sth*, συμβάλλω σημαντικά/συνεισφέρω γενναῖα σέ κτ.
sub·stan·ti·ate /səb`stænʃɪeɪt/ *ρ.μ.* ἀποδεικνύω τό βάσιμον, στηρίζω: *Can you ~ your charges/claims?* μπορεῖς νά ἀποδείξης τό βάσιμο τῶν κατηγοριῶν/τῶν ἀξιώσεών σου; **sub·stan·ti·ation** /səb'stænʃɪ`eɪʃn/ *οὐσ.* ‹U› ἀπόδειξις, ὑποστήριξις.
sub·stan·ti·val /'sʌbstən`taɪvl/ *ἐπ.* (*γραμμ.*) ὀνοματικός: *a ~ clause*, ὀνοματική πρότασις.
sub·stan·tive /`sʌbstəntɪv/ *ἐπ.* ἀνεξάρτητος, αὐθύπαρκτος, πραγματικός: *a ~ nation*, ἀνεξάρτητο ἔθνος. ~ /səb`stæntɪv/ **rank**, (*στρατ.*) πραγματικός βαθμός. __*οὐσ.* ‹C› (*γραμμ.*) οὐσιαστικόν, ὄνομα.
sub·sta·tion /`sʌbsteɪʃn/ *οὐσ.* ‹C› ὑποσταθμός.
sub·sti·tute /`sʌbstɪtjut/ *οὐσ.* ‹C› **1**. ὑποκατάστατο: *~s for sugar*, ὑποκατάστατα τῆς ζάχαρης. *`rubber ~*, τεχνητό καουτσούκ. **2**. ἀντικαταστάτης, ἀναπληρωτής: *find a ~*, βρίσκω ἀντικαταστάτη/ἀναπληρωτή. __*ρ.μ./ἀ.* ~ ***for***, ἀντικαθιστῶ, ὑποκαθιστῶ: *~ margarine for butter*, χρησιμοποιῶ μαργαρίνη ἀντί γιά βούτυρο, ἀντικαθιστῶ τό βούτυρο μέ μαργαρίνη. *I'll ~ for your teacher this week*, θ' ἀντικαταστήσω τό δάσκαλό σας αὐτή τή βδομάδα. **sub·sti·tu·tion** /'sʌbstɪ`tjuʃn/ *οὐσ.* ‹U› ἀντικατάστασις, ὑποκατάστασις.
sub·stra·tum /'sʌb`stratəm/ *οὐσ.* ‹C› (*πληθ. -ta* /-tə/) ὑπόστρωμα: *a ~ of rock/truth*, ἕνα ὑπόστρωμα βράχου/ἀληθείας.
sub·struc·ture /`sʌbstrʌktʃə(r)/ *οὐσ.* ‹C› ὑποδομή, βάσις, θεμέλιο: *the social ~*, οἱ βάσεις τῆς κοινωνίας.
sub·sume /səb`sjum/ *ρ.μ.* ὑπάγω, ἐντάσσω.
sub·ter·fuge /`sʌbtəfjudʒ/ *οὐσ.* ‹C,U› τέχνασμα, πρόφασις, ὑπεκφυγή, πρόσχημα: *His illness is only a ~ to stay in bed*, ἡ ἀρρώστεια του εἶναι ἁπλῶς πρόσχημα γιά νά μείνη στό κρεββάτι.
sub·ter·ranean /'sʌbtə`reɪnɪən/ *ἐπ.* ὑπόγειος: *a ~ passage/river*, ὑπόγειος διάβασις/ποταμός.
sub·title /`sʌbtaɪtl/ *οὐσ.* ‹C› ὑπότιτλος (σέ βιβλίο, φίλμ, κλπ).
subtle /`sʌtl/ *ἐπ.* **1**. λεπτός: *a ~ distinction/difference/charm*, μιά λεπτή διάκρισις/διαφορά/γοητεία. *a ~ flavour*, λεπτό ἄρωμα, λεπτή γεῦσις. *~ humour*, λεπτό χιοῦμορ. **2**. ἔξυπνος, λεπτός, περίπλοκος, ραφιναρισμένος: *a ~ device/design*, ἔξυπνη ἐπινόησις/περίπλοκο σχέδιο. *a ~ argument*, λεπτός/περίπλοκος συλλογισμός. **3**. ὀξυδερκής, εὐαίσθητος: *a ~ observer*, ὀξυδερκής παρατηρητής. *a ~ critic*, κριτικός μέ εὐαισθησία. **sub·tly** /`sʌtlɪ/ *ἐπίρ.* λεπτά, ἔξυπνα. **~ty** /`sʌtltɪ/ *οὐσ.* ‹C,U› λεπτότης, φινέτσα, λεπτολογία.
sub·topia /'sʌb`təupɪə/ *οὐσ.* ‹U› μονότονα, ὁμοιόμορφα πληκτικά προάστεια.
sub·tract /səb`trækt/ *ρ.μ.* ἀφαιρῶ: *~ 6 from 9*, ἀφαιρῶ τό 6 ἀπό τό 9. **~ion** /-`trækʃn/ *οὐσ.* ‹C,U› ἀφαίρεσις.
sub·tropi·cal /'sʌb`tropɪkl/ *ἐπ.* μισοτροπικός: *a ~ plant/climate*, μισοτροπικό φυτό/κλῖμα.
sub·urb /`sʌbɜb/ *οὐσ.* ‹C› προάστειο: *the ~s of Athens*, τά προάστεια τῆς Ἀθήνας. **~an** /sə`bɜbən/ *ἐπ.* τῶν προαστείων, (*μεταφ.*) συμβατικός, μικροαστικός, στενόμυαλος: *a ~an shop*, μαγαζί σέ προάστειο. **~ia** /sə`bɜbɪə/ *οὐσ.* ‹U› (*ὑποτιμ.*) τά προάστεια, ἡ περιωρισμένη ζωή καί νοοτροπία τῶν προαστείων.
sub·ven·tion /səb`venʃn/ *οὐσ.* ‹C› ἐπιχορήγησις, ἐπίδομα.
sub·vers·ive /səb`vɜsɪv/ *ἐπ.* ἀνατρεπτικός: *~ speeches/activities*, ἀνατρεπτικοί λόγοι/-ή

δρᾶσις.
sub·vert /sʌb`vɜt/ ρ.μ. ὑπονομεύω, ἀνατρέπω: ~ *the regime*, ὑπονομεύω τό καθεστώς. **sub·ver·sion** /səb`vɜʃn/ οὐσ. ‹U› ὑπονόμευσις, ἀνατροπή.
sub·way /`sʌbwei/ οὐσ. ‹C› **1**. ὑπόγεια διάβασις. **2**. ὑπόγειος σιδηρόδρομος.
suc·ceed /sək`sid/ ρ.μ/ἀ. **1**. ~ *(in)*, ἐπιτυγχάνω: ~ *in the exams*, πετυχαίνω στίς ἐξετάσεις. *I* ~*ed in meeting him*, πέτυχα/κατάφερα νά τόν συναντήσω. **2**. διαδέχομαι: *Who* ~*ed Churchill as Prime Minister?* ποιός διαδέχθηκε τόν Τσῶρτσιλ ὡς Πρωθυπουργός; ~ **to**, διαδέχομαι, κληρονομῶ: ~ *sb to the throne*, διαδέχομαι κπ στό θρόνο. ~ *to an estate/to a title*, κληρονομῶ μιά περιουσία/ἕναν τίτλο.
suc·cess /sək`ses/ οὐσ. ‹C,U› ἐπιτυχία: *I wish you* ~, σοῦ εὔχομαι καλή ἐπιτυχία. ***meet with*** ~, στέφομαι ὑπό ἐπιτυχίας, ἐπιτυγχάνω: *Our efforts met with* ~, οἱ προσπάθειές μας ἐστέφθησαν ὑπό ἐπιτυχίας. ***score a*** ~, σημειώνω ἐπιτυχία: *He has scored a big* ~ *in...*, σημείωσε μεγάλη ἐπιτυχία εἰς... ***turn out/be a*** ~, σημειώνω/ἔχω ἐπιτυχία: *His visit turned out/was a big* ~, ἡ ἐπίσκεψίς του εἶχε μεγάλη ἐπιτυχία. *The party was a great* ~, τό πάρτυ σημείωσε μεγάλη ἐπιτυχία. ***Nothing succeeds like*** ~, ἡ μιά ἐπιτυχία φέρνει τήν ἄλλη. ~**·ful** /-fl/ ἐπ. ἐπιτυχής, πετυχημένος, ἐπιτυχών: *He is* ~*ful in everything*, πετυχαίνει σέ ὅλα. ~*ful candidates*, ἐπιτυχόντες ὑποψήφιοι. ~**·fully** /-fəli/ ἐπίρ. ἐπιτυχῶς.
suc·cession /sək`seʃn/ οὐσ. **1**. ‹U› διαδοχή, κληρονομία: *He is first in* ~ *to the throne*, εἶναι πρῶτος στή διαδοχή τοῦ θρόνου. **right of** ~, κληρονομικόν δικαίωμα. ~ **duties**, φόροι κληρονομίας. **2**. ‹C,U› διαδοχή, ἐναλλαγή: *the* ~ *of the seasons*, ἡ ἐναλλαγή τῶν ἐποχῶν. *a* ~ *of successes and failures*, ἐναλλαγή ἐπιτυχιῶν καί ἀποτυχιῶν. **3**. ‹C› διαδοχή, ἀδιάκοπη σειρά: *a long* ~ *of wet days/victories*, μεγάλη σειρά βροχερῶν ἡμερῶν/νικῶν. ***in*** ~, συνέχεια, διαδοχικά: *fail three times in* ~, ἀποτυγχάνω τρεῖς φορές συνέχεια/στή σειρά. ***in quick*** ~, τό ἕνα ἀμέσως μετά τό ἄλλο.
suc·cess·ive /sək`sesiv/ ἐπ. διαδοχικός, ἀλλεπάλληλος: *win five* ~ *games*, κερδίζω πέντε παιχνίδια συνέχεια/τό ἕνα κατόπιν τοῦ ἄλλου. ~**·ly** ἐπίρ. διαδοχικά.
suc·ces·sor /sək`sesə(r)/ οὐσ. ‹C› διάδοχος: *appoint a* ~ *to a headmaster*, διορίζω διάδοχο ἑνός γυμνασιάρχη.
suc·cinct /sək`siŋkt/ ἐπ. περιληπτικός, περιεκτικός, λακωνικός. ~**·ly** ἐπίρ. λακωνικά, περιεκτικά. ~**·ness** οὐσ. ‹U› περιεκτικότης, συντομία.
suc·cour /`sʌkə(r)/ οὐσ. ‹U› (*λογοτ.*) ἀρωγή. —ρ.μ. συντρέχω, συνδράμω.
suc·cu·lent /`sʌkjulənt/ ἐπ. χυμώδης, νόστιμος, σαρκώδης: *a* ~ *steak*, νόστιμη τρυφερή μπριτζόλα. ~ *leaves*, παχιά, σαρκώδη φύλλα. —οὐσ. ‹C› σαρκῶδες φυτό (πχ κάκτος). **suc·cu·lence** /-əns/ οὐσ. ‹U› νοστιμιά, ζουμεράδα.
suc·cumb /sə`kʌm/ ρ.ἀ. ~ **to**, ὑποκύπτω: *He* ~*ed to his injuries/to the temptation*, ὑπέκυψε στά τραύματά του/στόν πειρασμό.
such /sʌtʃ/ ἐπ. **1**. τέτοιος: *I've never heard of* ~ *a thing!* ποτέ δέν ξανάκουσα τέτοιο πρᾶγμα! *on* ~ *a day/an occasion*, μιά τέτοια μέρα/σέ μιά τέτοια περίσταση. *I said no* ~ *thing*, δέν εἶπα τίποτε τέτοιο. ~ ***as***, (τέτοιος) ὅπως, σάν: *poets* ~ *as Keats and Shelley*, ποιητές ὅπως ὁ Κήτς καί ὁ Σέλλεϋ (σάν τόν Κ. καί τόν Σ.). ~ ***as it is***, στήν κατάσταση πού εἶναι, καίτοι δέν λέει πολλά πράγματα: *You can use my bicycle,* ~ *as it is*, μπορεῖς νά χρησιμοποιήσης τό ποδήλατό μου, καίτοι δέν λέει πολλά πράγματα. ~ ***as to***, τέτοιος πού νά: *His illness is not* ~ *as to cause anxiety*, ἡ ἀρρώστεια του δέν εἶναι τέτοια πού νά προκαλῆ ἀνησυχίες. ~ ***that***, τέτοιος πού: *His behaviour was* ~ *that everyone disliked him*, τό φέρσιμό του ἦταν τέτοιο πού ἔγινε ἀντιπαθής σέ ὅλους. **2**. τόσος: *It was* ~ *a good day that...*, ἦταν μιά τόσο καλή μέρα ὥστε... (*συγκρ. It was so good a day that...*). *Don't be in* ~ *a hurry*, μήν εἶσαι τόσο βιαστικός. *You gave me* ~ *a fright!* μέ τρόμαξες τόσο! πῆρα τέτοια τρομάρα! **3**. (*ὡς ἐπ. ἤ ἀντων.*) αὐτός, ἐκεῖνος, τέτοιος, ὅσος: *S*~ *is not my intention*, δέν εἶναι αὐτή ἡ πρόθεσίς μου. *S*~ *were his words*, αὐτά ἦταν τά λόγια του. *S*~ *is life!* ἔτσι εἶναι ἡ ζωή! αὐτά ἔχει ἡ ζωή! ~ *people as believe in God*, ἐκεῖνοι οἱ ἄνθρωποι πού πιστεύουν στό Θεό... *I haven't many specimens but I'll send you* ~ *as I have*, δέν ἔχω πολλά δείγματα ἀλλά θά σοῦ στείλλω ἐκεῖνα πού ἔχω (ὅσα ἔχω). ***as*** ~, σάν τέτοιος: *He is my teacher and as* ~ *he can tell me...*, εἶναι δάσκαλός μου καί σάν τέτοιος (καί ὑπό τήν ἰδιότητά του αὐτή) μπορεῖ νά μοῦ πῆ... ~**-and-**~, τάδε: *on* ~*-and-*~ *a day*, τήν τάδε ἡμέρα. *in* ~*-and-*~ *a place*, στό τάδε μέρος. *about* ~*-and-*~ *a man*, γιά τόν τάδε ἄνθρωπο. `~**·like** ἐπ. (*καθομ.*) παρόμοιος: *I have no time for concerts, theatres, cinemas and* ~*like*, δέν ἔχω καιρό γιά συναυλίες, θέατρα, σινεμά καί τά παρόμοια.
suck /sʌk/ ρ.μ/ἀ. **1**. ἐκμυζῶ, (ἀναρ)ροφῶ, ρουφάω: ~ *the juice from an orange*, ρουφάω τό χυμό ἀπό ἕνα πορτοκάλι. ~ *an orange dry*, ρουφῶ ἕνα πορτοκάλι ὡς τήν τελευταία σταγόνα. ~ *poison out of a wound*, ρουφῶ τό δηλητήριο ἀπό μιά πληγή. ~ *an egg*, ρουφῶ ἕνα αὐγό (ἄβραστο). ~ *in knowledge*, ρουφάω γνώσεις. ~ *at one's pipe*, ρουφῶ/τραβῶ τό τσιμπούκι μου. **2**. βυζαίνω, γλείφω: *The baby was* ~*ing at its mother's breast*, τό μωρό βύζαινε στό στῆθος τῆς μητέρας του. (*συγκρ. A mother feeds/nurses/breastfeeds/suckles a baby*, μιά μητέρα θηλάζει ἕνα μωρό). ~ *a lollipop/sweets*, γλείφω ἕνα γλειφιτζούρι/καραμέλες. *The child still* ~*s its thumb*, τό παιδί ἀκόμα βυζαίνει/γλείφει τό δάχτυλό του. `~**·ing-pig**, γουρουνόπουλο τοῦ γάλακτος. **3**. τραβῶ κάτω, ρουφῶ, καταπίνω: *The canoe was* ~*ed (down) into the whirlpool*, τό κανώ ρουφήχτηκε ἀπό τή ρουφήχτρα (τό κατάπιε ἡ ρουφήχτρα). **4**. ~ ***up***, ἀπορροφῶ, παίρνω: *Plants* ~ *up moisture from the soil*, τά φυτά ἀπορροφοῦν (παίρνουν) ὑγρασία ἀπό τό ἔδαφος. ~ ***up (to)***, (*σχολ. λαϊκ.*) κολακεύω, γλείφω. —οὐσ. ‹C› γλείψιμο, βύζαγμα: *have/*

take a ~ at a lollipop, γλείφω ἕνα μαντζούνι. ***give ~ to** (a baby)*, γαλουχῶ, θηλάζω (μωρό).
sucker /ˈsʌkə(r)/ *οὐσ.* ‹C› **1**. ρουφηχτής, ἀναρροφητής. **2**. λαστιχένια βεντούζα (πού κολλάει σέ τοῖχο, κλπ). **3**. παραβλάσταρο, ριζοβλάσταρο. **4**. (*καθομ.*) κορόϊδο, χάνος.
suckle /ˈsʌkl/ *ρ.μ.* θηλάζω: *~ a baby*, θηλάζω μωρό. **suck·ling** /ˈsʌklɪŋ/ *οὐσ.* ‹C› βυζανιάρικο (παιδί ἤ ζῶο), νεογνόν. ***babes and sucklings***, ἀθῶα μωρά.
suc·tion /ˈsʌkʃn/ *οὐσ.* ‹U› ἀναρρόφησις.
sud·den /ˈsʌdn/ *ἐπ.* ξαφνικός, ἀπότομος: *a ~ shower*, ξαφνική μπόρα. *a ~ turn in the road*, μιά ἀπότομη στροφή στό δρόμο. —*οὐσ.* (*μόνο στή φρ.*) ***all of a ~***, ἐντελῶς ξαφνικά/ἀπροσδόκητα. **~·ly** *ἐπίρ.* ξαφνικά, ἀπότομα. **~·ness** *οὐσ.* ‹U› ξαφνικότητα, αἰφνιδιασμός.
suds /sʌds/ *οὐσ. πληθ.* σαπουνάδες.
sue /su/ *ρ.μ/ἀ.* ***~ for***, **1**. ἐνάγω, κάνω ἀγωγή: *~ sb for damages*, ἐνάγω κπ γιά ἀποζημίωση, ἐγείρω ἀγωγή ἀποζημιώσεως κατά τινός. *~ for a divorce*, κάνω ἀγωγή διαζυγίου. **2**. ζητῶ, ἐκλιπαρῶ: *~ for mercy/peace*, ἐκλιπαρῶ ἔλεος/ζητῶ εἰρήνη.
suede, suède /sweɪd/ *οὐσ.* ‹U› (δέρμα) καστόρι, σουέντ.
suet /ˈsuɪt/ *οὐσ.* ‹U› μπόλια (ξύγκι πού σκεπάζει τά νεφρά).
suf·fer /ˈsʌfə(r)/ *ρ.μ/ἀ.* **1**. ***~ (from)***, ὑποφέρω, πονῶ πολύ, πάσχω: *~ from headaches*, ὑποφέρω ἀπό πονοκεφάλους. *We could see he was ~ing*, τό βλέπαμε ὅτι πονοῦσε πολύ. *~ from loss of memory*, πάσχω ἀπό ἀμνησία. **2**. δοκιμάζομαι, τιμωροῦμαι: *His business ~ed while he was ill*, ἡ ἐπιχείρησίς του δοκιμάστηκε (ἔπαθε ζημιά) στή διάρκεια τῆς ἀρρώστειας του. *You will ~ for it one day*, μιά μέρα θά τιμωρηθῆς γι' αὐτό. **3**. ὑφίσταμαι, δοκιμάζω, παθαίνω: *~ great losses*, ὑφίσταμαι/παθαίνω μεγάλες ζημιές. *~ bitter disappointment*, δοκιμάζω πικρή ἀπογοήτευση. *~ defeat/death*, νικιέμαι/θανατώνομαι. **4**. (*ἀπηρχ.*) ἐπιτρέπω, ἀφήνω: *S~ little children to come unto me*, (*Α.Γ.*) ἄφετε τά παιδία ἐλθεῖν πρός με. **5**. (*λόγ.*) ἀνέχομαι: *He will ~ no retort*, δέν ἀνέχεται ἀντίρρηση. *How can you ~ such insolence?* πῶς ἀνέχεσαι τέτοια ἀναίδεια; ***~ fools gladly***, ἀνέχομαι τούς βλάκες, τούς ὑποφέρω. **~er** /ˈsʌfərə(r)/ *οὐσ.* ‹C› ὑποφέρων, πάσχων: *fellow-~ers*, ὁμοιοπαθεῖς. **~·able** /ˈsʌfrəbl/ *ἐπ.* ὑποφερτός, ἀνεκτός. **~·ing** *οὐσ.* ‹U› πόνος, (*πληθ.*) βάσανα.
suf·fer·ance /ˈsʌfərəns/ *οὐσ.* ‹U› ἀνοχή, ἀνεκτικότης. ***on ~***, κατ' ἀνοχήν, μέ δυσκολία ἀνεκτός: *He's here on ~*, (δέν τόν θέλομε ἐδῶ) ἁπλῶς τόν ἀνεχόμεθα.
suf·fice /səˈfaɪs/ *ρ.μ/ἀ.* ἐπαρκῶ, φθάνω: *£10 will ~ for my needs*, δέκα λίρες θά ἐπαρκέσουν γιά τίς ἀνάγκες μου. *Your word will ~*, ὁ λόγος σου φθάνει/μοῦ ἀρκεῖ. *One meal a day won't ~ a growing boy*, ἕνα γεῦμα τήν ἡμέρα δέν φθάνει σ' ἕνα παιδί πού εἶναι σέ ἀνάπτυξη. *S~ it to say that…*, ἀρκεῖ νά πῶ ὅτι…
suf·fi·cient /səˈfɪʃnt/ *ἐπ.* ἀρκετός, ἐπαρκής: *Is £10 ~?* εἶναι ἀρκετές δέκα λίρες; **~·ly** *ἐπίρ.* ἐπαρκῶς, ἀρκετά. **suf·fi·ciency** /-nsɪ/ *οὐσ.* (*συνήθ. ἑν. μέ ἀόρ. ἄρθρ.*) ἐπάρκεια. (*βλ. & λ. self-*).
suf·fix /ˈsʌfɪks/ *οὐσ.* ‹C› (*γραμμ.*) πρόσφυμα, παραγωγική κατάληξις.
suf·fo·cate /ˈsʌfəkeɪt/ *ρ.μ/ἀ.* πνίγω/-ομαι, ἀσφυκτιῶ, θανατώνω δι' ἀσφυξίας: *The fumes almost ~d me*, παρ' ὀλίγο νά μέ πνίξουν οἱ ἀναθυμιάσεις. *He was suffocating with rage*, πνιγόταν (πήγαινε νά σκάση) ἀπό τό θυμό του. *He was ~d to death*, πέθανε ἀπό ἀσφυξία. **suf·fo·ca·tion** /ˈsʌfəˈkeɪʃn/ *οὐσ.* ‹U› ἀσφυξία.
suf·frage /ˈsʌfrɪdʒ/ *οὐσ.* ‹C,U› ψῆφος, ψηφοφορία, δικαίωμα ψήφου: *universal ~*, καθολική ψηφοφορία. **suf·fra·gette** /ˈsʌfrəˈdʒet/ *οὐσ.* ‹C› σουφραζέττα.
suf·fuse /səˈfjuz/ *ρ.μ.* (*γιά φῶς, χρῶμα, δάκρυα*) διαχέω, ἁπλώνω, πλημμυρίζω, κατακλύζω: *A blush ~d her face*, τό πρόσωπό της ἔγινε κατακόκκινο. *eyes ~d with tears*, μάτια πλημμυρισμένα στά δάκρυα. *a sky ~d with light*, οὐρανός πλημμυρισμένος στό φῶς. **suf·fu·sion** /səˈfjuʒn/ *οὐσ.* ‹U› διάχυσις, πλημμύρισμα, κῦμα (φωτός, χρώματος, αἵματος), κοκκίνισμα (προσώπου).
sugar /ˈʃʊgə(r)/ *οὐσ.* ‹U› ζάχαρη. **ˈ~-beet**, ζαχαρότευτλον. **ˈ~-cane**, ζαχαροκάλαμο. **ˈ~-ˈcoated** *ἐπ.* μέ περίβλημα ἀπό ζάχαρη, ζαχαρωμένος: *~-coated pills*, σακχαρόπηκτα. **ˈ~ daddy**, (*καθομ.*) γερο-παραλῆς (πού συντηρεῖ νέα γυναίκα). **ˈ~-loaf**, κῶνος ζαχάρεως. **ˈ~-refinery**, διϋλιστήριο ζαχάρεως. **ˈ~-tongs** *οὐσ. πληθ.* τσιμπίδα γιά τή ζάχαρη. —*ρ.μ.* ζαχαρώνω. (*βλ. & λ. pill*). **~y** *ἐπ.* ζαχαρένιος, γλυκερός, (*μεταφ.*) γλυκανάλατος, μελιστάλαχτος.
sug·gest /səˈdʒest/ *ρ.μ/ἀ.* **1**. προτείνω: *I ~ Skyros for our holidays*, προτείνω τή Σκύρο γιά τίς διακοπές μας. *What did you ~ to the manager?* τί πρότεινες στό Διευθυντή; *I ~ meeting him/that we (should) meet him*, προτείνω νά τόν συναντήσω/νά τόν συναντήσωμε. **2**. ὑποβάλλω (μιά ἰδέα, ἐντύπωση, κλπ), θυμίζω, δείχνω: *That ~ed to me the idea of travelling*, αὐτό μοῦ ὑπέβαλε τήν ἰδέα νά ταξιδέψω. *His ears ~ a rabbit*, τ' αὐτιά του θυμίζουν κουνέλι. *The paleness on his face ~ed fear*, ἡ χλωμάδα στό πρόσωπό του ἔδειχνε φόβο. **3**. ***~ itself***, ἔρχεται στό νοῦ: *An idea ~ed itself to me*, μοῦ ἦρθε μιά ἰδέα στό μυαλό. **~·ible** /-əbl/ *ἐπ.* (*γιά ἰδέα*) πού μπορεῖ νά προταθῆ, (*γιά ἄνθρ.*) πού ἐπηρεάζεται εὔκολα.
sug·ges·tion /səˈdʒestʃən/ *οὐσ.* ‹C,U› **1**. ὑπόδειξις, εἰσήγησις, πρότασις, ἰδέα: *Any ~s?* καμιά πρόταση/ἰδέα; ***at/on his, her, etc ~***, καθ' ὑπόδειξίν του, της, κλπ/τῇ εἰσηγήσει τοῦ: *at the ~ of my father*, καθ' ὑπόδειξιν τοῦ πατέρα μου. ***make/offer a ~***, κάνω μιά πρόταση: *I have no ~ to offer/to make*, δέν ἔχω τίποτα νά προτείνω. **2**. ἴχνος, τόνος: *There was a ~ of displeasure in his voice*, ὑπῆρχε ἕνα ἴχνος/ἕνας τόνος δυσαρέσκειας στή φωνή του. **3**. ὑποβολή: *hypnotic ~*, ὑποβολή δι' ὑπνωτισμοῦ.
sug·ges·tive /səˈdʒestɪv/ *ἐπ.* ὑποβλητικός, ὑπαινισσόμενος, ὑποδηλωτικός, συγκεκαλυμμένα σκανδαλιστικός: *a ~ remark*, παρατήρησις πού ὑποβάλλει ἰδέες/εἰκόνες, κλπ.

~ *jokes*, ἀστεῖα γεμᾶτα ὑπονοούμενα (τολμηρά ἀστεῖα). **~·ly** *ἐπίρ.*

sui·cide /ˈsuɪsaɪd/ *οὐσ.* **1**. ‹U› αὐτοκτονία: *commit ~*, αὐτοκτονῶ. *attempt ~*, κάνω ἀπόπειρα αὐτοκτονίας. *political ~*, πολιτική αὐτοκτονία. **2**. ‹C› αὐτόχειρ. **sui·cidal** /ˈsuɪˈsaɪdl/ *ἐπ.* σχετικός μέ αὐτοκτονία, αὐτοκαταστροφικός: *suicidal tendencies*, τάσεις πρός αὐτοκτονίαν. *It would be suicidal to accept*, θά ἦταν καθαρή αὐτοκτονία νά δεχθῆς.

[1]**suit** /sut/ *οὐσ.* ‹C› **1**. κοστούμι: *a ~ of armour*, πανοπλία. *a man's ~*, ἀνδρικό κοστούμι. *a woman's ~*, γυναικεῖο ἀνσάμπλ. *a ˋdress ~*, ἀνδρικό βραδυνό κοστούμι. **ˋ~·case**, βαλίτσα. **~·ing**, (*ἐμπ.*) ὕφασμα γιά κοστούμι. **2**. (*λόγ.*) αἴτησις (πρός ἡγεμόνα, κλπ): *grant sb's ~*, ἱκανοποιῶ τήν αἴτηση κάποιου. *press one's ~*, ὑποστηρίζω μετ' ἐπιμονῆς τήν αἴτησίν μου. **3**. (*ἀπηρχ.*) αἴτησις εἰς γάμον. **4**. (**ˋlaw·**)**~**, δίκη: *a ˋcivil/ˋcriminal ~*, ἀστική/ποινική δίκη. *bring a ~ against sb*, κάνω ἀγωγή ἐναντίον κάποιου. ***be a party in a ~***, εἶμαι διάδικος. **5**. (*χαρτοπ.*) χρῶμα: *the four ~s*, τά τέσσερα χρώματα. ***follow ~***, *(α)* ἀκολουθῶ τό χρῶμα πού παίχτηκε. *(β)* (*μεταφ.*) κάνω τό ἴδιο (ὅπως καί οἱ ἄλλοι), μιμοῦμαι.

[2]**suit** /sut/ *ρ.μ/ὰ.* **1**. ἱκανοποιῶ, ἐξυπηρετῶ, βολεύω: *The changes did not ~ my plans*, οἱ ἀλλαγές δέν ἱκανοποιοῦσαν/δέν ἐξυπηρετοῦσαν τά σχέδιά μου. *The midnight train ~s me very well*, τό τραῖνο τοῦ μεσονυκτίου μέ βολεύει μιά χαρά. *Will Monday ~ you?* σέ βολεύει ἡ Δευτέρα (πχ γιά συνάντηση); ***~ oneself***, κάνω τό κέφι μου/ὅπως μοῦ ἀρέσει, κάνω τοῦ κεφαλιοῦ μου. **2**. ταιριάζω, πηγαίνω: *Does this hat ~ me?* μοῦ πάει αὐτό τό καπέλλο; *Green doesn't ~ your complexion*, τό πράσινο δέν ταιριάζει μέ τό χρῶμα τοῦ προσώπου σου. *It doesn't ~ you/your age to wear mini-skirts*, δέν σοῦ πάει/δέν ταιριάζει στήν ἡλικία σου νά φορᾶς μίνι. **3**. προσαρμόζω: *~ one's style to one's audience*, προσαρμόζω τό ὕφος μου στό ἀκροατήριο. *~ the punishment to the crime*, ἐπιβάλλω τιμωρία ἀνάλογη μέ τό ἔγκλημα. ***~ the action to the word***, συνοδεύω τά λόγια μου μέ πράξεις. ***be ~ed to/for***, εἶμαι κατάλληλος γιά: *He is not ~ed to be a teacher/for teaching*, δέν εἶναι κατάλληλος γιά δάσκαλος. *They seem well ~ed to one another*, φαίνονται νά ταιριάζουν μεταξύ τους (νά εἶναι φτιαγμένοι ὁ ἕνας γιά τόν ἄλλον).

suit·able /ˈsutəbl/ *ἐπ.* κατάλληλος, βολικός: *clothes ~ for cold weather*, ροῦχα κατάλληλα γιά τό κρύο. *a ~ place for a holiday*, κατάλληλο μέρος γιά διακοπές. **suit·ably** /-əblɪ/ *ἐπίρ.* κατάλληλα. **suit·abil·ity** /ˈsutəˋbɪlətɪ/, **~·ness** *οὐσ.* ‹U› καταλληλότης.

suite /swit/ *οὐσ.* ‹C› **1**. συνοδεία, ἀκολουθία (πχ ἡγεμόνος). **2**. πλήρης ἐπίπλωσις: *a bedroom ~*, ἐπίπλωσις κρεββατοκάμαρας. **3**. διαμέρισμα ξενοδοχείου, σουῖτα. **4**. (*μουσ.*) σουῖτα.

suitor /ˈsutə(r)/ *οὐσ.* ‹C› **1**. ἐνάγων. **2**. μνηστήρ, θαυμαστής: *the ~s of Penelope*, οἱ μνηστῆρες τῆς Πηνελόπης.

sulk /sʌlk/ *ρ.ὰ.* κρατῶ μοῦτρα, κατσουφιάζω: *What are you ~ing for?* γιατί κατσούφιασες; γιατί κρατᾶς μοῦτρα; —*οὐσ.* (*πληθ.*) μοῦτρα, κατσούφιασμα, κακοκεφιές. ***be in the ~s; have (a fit of) the ~s***, (*καθομ.*) εἶμαι κατσούφης, ἔχω τίς κακές μου. **~y** *ἐπ.* *(-ier, -iest)* μουτρωμένος, κατσουφιασμένος, χολωμένος, κακόκεφος: *be/get ~y with sb about a trifle*, κρεμῶ μοῦτρα σέ κπ γιά τό τίποτα. **~·ily** /-əlɪ/ *ἐπίρ.* κατσούφικα, μουτρωμένα. **~i·ness** *οὐσ.* ‹U› κατσούφιασμα.

sul·len /ˈsʌlən/ *ἐπ.* **1**. σκυθρωπός, βλοσυρός, βαρύς, ἀμίλητος: *~ silence*, βαρειά σιωπή. *~ looks*, βλοσυρό ὕφος. **2**. σκοτεινός, μελαγχολικός: *a ~ sky*, μελαγχολικός οὐρανός. **~·ly** *ἐπίρ.* σκυθρωπά, σκοτεινά. **~·ness** *οὐσ.* ‹U› βλοσυρότης, σκοτεινιά.

sully /ˈsʌlɪ/ *ρ.μ.* (*μεταφ.*) ἀμαυρώνω, κηλιδώνω, λερώνω: *~ one's reputation*, κηλιδώνω τ' ὄνομά μου.

sulpha /ˈsʌlfə/ *βλ. sulphonamides.*

sul·phate /ˈsʌlfeɪt/ *οὐσ.* ‹C,U› (*χημ.*) θειϊκόν ἅλας. *~ of copper*, θειϊκός χαλκός, γαλαζόπετρα.

sul·phide /ˈsʌlfaɪd/ *οὐσ.* ‹C,U› (*χημ.*) θειοῦχον.

sul·phona·mides /sʌlˋfonəmaɪdz/ *οὐσ. πληθ.* (*ἐπίσης the ˋsulpha drugs*) σουλφαμίδες.

sul·phur /ˈsʌlfə(r)/ *οὐσ.* ‹U› (*χημ.*) θεῖον, θειάφι. **~·etted** /ˈsʌlfjʊˋretɪd/ *ἐπ.* θειϊκός. **~eous** /sʌlˋfjʊərɪəs/ *ἐπ.* θειοῦχος, σά θειάφι, πού μυρίζει θειάφι. **~ic** /sʌlˋfjʊərɪk/ *ἐπ.* θειϊκός. **~ic acid**, βιτριόλι. **~·ous** /-əs/ *ἐπ.* θειοῦχος, θειώδης.

sul·tan /ˈsʌltən/ *οὐσ.* ‹C› σουλτᾶνος. **~·ate** /ˈsʌltəneɪt/ *οὐσ.* ‹C› σουλτανᾶτον. **sul·tana** /sʌlˋtanə/ *οὐσ.* ‹C› σουλτάνα.

sul·try /ˈsʌltrɪ/ *ἐπ.* *(-ier, -iest)* **1**. (*γιά τήν ἀτμόσφαιρα*) ἀποπνικτικός, πνιγηρός, ὑγρός καί ζεστός. **2**. (*γιά ἄνθρ.*) φλογερός, παθιασμένος. **sul·trily** /-trəlɪ/ *ἐπίρ.* πνιγηρά. **sul·tri·ness** *οὐσ.* ‹U› πνιγηρότης.

sum /sʌm/ *οὐσ.* ‹C› **1**. (*ἐπίσης* **~ total**) σύνολον, ἄθροισμα, σούμα. **2**. πρόβλημα (ἀριθμητικῆς): *be good at ~s*, εἶμαι καλός στήν ἀριθμητική. *do a ~ in one's head*, λύνω ἕνα πρόβλημα μέ τό μυαλό. *set sb a ~*, δίνω ἕνα πρόβλημα σέ κπ. **3**. ποσόν: *a large/small ~ of money*, μεγάλο/μικρό χρηματικό ποσόν. *It comes up to the ~ of £100*, ἀνέρχεται στό ποσό τῶν 100 λιρῶν. ***in ~***, ἐν συνόψει, μέ λίγα λόγια. —*ρ.μ/ὰ.* *(-mm-)* ***~ (sb/sth) up***, *(α)* ἀθροίζω. *(β)* συνοψίζω, ἀνακεφαλαιώνω: *~ up a speech*, συνοψίζω ἕνα λόγο. *The chairman ~med up what had been said at the meeting*, ὁ πρόεδρος ἀνακεφαλαίωσε τά λεχθέντα κατά τήν συνεδρίασιν. *(γ)* ἐκτιμῶ, κρίνω, ζυγιάζω: *He ~med up the situation at a glance*, ζύγιασε (ἀντιλήφθηκε) τήν κατάσταση μέ μιά ματιά. ***~ sb up***, κρίνω, ζυγιάζω κπ, μορφώνω γνώμη γιά κπ. **ˈ~-ming-ˋup** *οὐσ.* ‹C› ἀνακεφαλαίωσις.

sum·mary /ˈsʌmərɪ/ *ἐπ.* σύντομος, συνοπτικός: *a ~ account*, ἀφήγησις μέ λίγα λόγια. *~ procedure/justice*, συνοπτική διαδικασία/ἀπονομή δικαιοσύνης. *~ punishment*, συνοπτική τιμωρία (χωρίς πολλές διατυπώσεις). —*οὐσ.* ‹C› περίληψις. **sum·mar·ily** /ˈsʌmərəlɪ/ *ἐπίρ.* περιληπτικά, συνοπτικά. **sum·mar·ize** /ˈsʌməraɪz/ *ρ.μ.* συνοψίζω.

sum·ma·tion /sə`meɪʃn/ *οὐσ.* ‹C,U› πρόσθεσις, ἄθροισις, σύνολον, σωρευτικόν ἀποτέλεσμα.
sum·mer /`sʌmə(r)/ *οὐσ.* καλοκαίρι: *In (the) ~ we have no school,* τό καλοκαίρι δέν ἔχομε σχολεῖο. *this/next/last ~,* τό φετεινό/τό ἑπόμενο/τό περυσινό καλοκαίρι. *a girl of twenty ~s,* (*λογοτ.*) κορίτσι εἴκοσι ἀνοίξεων. *'Indian`~,* γαϊδουροκαλόκαιρο. `**~-house**, *(α)* περίπτερο κήπου. *(β)* ἔπαυλις. `**~·time**, καλοκαίρι. `**~ time**, θερινή ὥρα. __*ρ.ἀ.* ξεκαλοκαιριάζω: *~ at the seaside/in the mountains,* ξεκαλοκαιριάζω στή θάλασσα/στό βουνό. **~y** *ἐπ.* καλοκαιριάτικος, καλοκαιρινός: *a ~y dress.*
sum·mit /`sʌmɪt/ *οὐσ.* ‹C› κορυφή, (*μεταφ.*) ἀποκορύφωμα: *reach the ~,* φθάνω στήν κορυφή (βουνοῦ). *the ~ of his ambition/power,* τό ἀποκορύφωμα τῶν φιλοδοξιῶν του/τῆς ἰσχύος του. *talks at the ~; `~ talks,* συνομιλίες κορυφῆς/ἀνωτάτου ἐπιπέδου. `**~ (meeting)**, διάσκεψις κορυφῆς.
sum·mon /`sʌmən/ *ρ.μ.* **1.** (συγ)καλῶ: *~ Parliament,* συγκαλῶ τό Κοινοβούλιον. *~ shareholders to a general meeting,* συγκαλῶ γενικήν συνέλευσιν τῶν μετόχων. *~ sb to appear as a witness,* καλῶ κπ νά ἐμφανισθῆ ὡς μάρτυς. *~ sb to surrender,* καλῶ κπ νά παραδοθῆ. **2.** ***~ sth up***, συγκεντρώνω: *~ up one's courage/energy to do sth,* συγκεντρώνω τό θάρρος μου/τίς δυνάμεις μου γιά νά κάμω κτ.
sum·mons /`sʌmənz/ *οὐσ.* ‹C› (*πληθ.* *~es*) **1.** (*νομ.*) κλῆσις, κλήτευσις: *issue a ~,* ἐκδίδω κλῆσιν. ***serve a ~ on sb***, ἐπιδίδω κλῆσιν σέ κπ. **2.** πρόσκλησις: *send the commander of a garrison a ~ to surrender,* προσκαλῶ τόν διοικητή φρουρᾶς νά παραδοθῆ. __*ρ.μ.* κλητεύω.
sump /sʌmp/ *οὐσ.* ‹C› **1.** κάρτερ (αὐτοκ.) **2.** λεκάνη ἀποστραγγίσεως.
sump·tu·ous /`sʌmptʃʊəs/ *ἐπ.* πολυτελής, μεγαλοπρεπής, πολυδάπανος: *a ~ house,* πολυτελές σπίτι. *~ clothes,* πανάκριβα ροῦχα. **~·ly** *ἐπίρ.* πολυτελῶς. **~·ness** *οὐσ.* ‹U› πολυτέλεια, μεγαλοπρέπεια.
sun /sʌn/ *οὐσ.* **1. the ~**, ἥλιος, λιακάδα: *rise with the ~,* σηκώνομαι μέ τόν ἥλιο. *the midnight ~,* ὁ ἥλιος τοῦ μεσονυκτίου. *sit in the ~,* κάθομαι στόν ἥλιο/στή λιακάδα. *have the ~ in one's eyes,* ἔχω τόν ἥλιο στά μάτια μου. *draw the curtains to shut out/let in the ~,* τραβῶ τίς κουρτίνες νά κλείσω τόν ἥλιο/γιά νά μπῆ μέσα ἥλιος. ***under the ~***, ὑπό τόν ἥλιον, στόν κόσμο: *the best wine under the ~,* τό καλύτερο κρασί τοῦ κόσμου. ***have/give sb a place in the ~***, ἔχω/δίνω σέ κπ μιά θέση στόν ἥλιο. **2.** ‹C› ἥλιος (ἀστέρι): *There are many ~s larger than ours,* ὑπάρχουν πολλοί ἥλιοι μεγαλύτεροι ἀπό τόν δικό μας. **3.** (*σέ σύνθ. λέξεις*): `**~·baked** *ἐπ.* ἡλιοψημένος: *~baked fields,* χωράφια καμένα ἀπό ἥλιο. `**~·bathe** *ρ.ἀ.* κάνω ἡλιοθεραπεία, λιάζομαι. `**~·beam**, ἡλιαχτίδα. `**~·blind**, τέντα παραθύρου, παντζούρι, γρίλλια. `**~-bonnet/-hat**, καπέλλο γιά τόν ἥλιο. `**~-burn**, ἡλιακό ἔγκαυμα. `**~·burnt/·burned**, καμένος (μέ ἐγκαύματα) ἀπό τόν ἥλιο. `**~-burst**, ξαφνικό φανέρωμα τοῦ ἥλιου (μέσα ἀπό σύννεφα). `**~·dial**, ἡλιακόν ὡρολόγιον. `**~·down**, δύσις. `**~-drenched**, ἡλιόλουστος: *~-drenched beaches,* ἡλιόλουστες ἀκρογιαλιές. `**~-dried**, (*γιά φροῦτα*) ξεραμένος στόν ἥλιο. `**~·flower**, (*φυτ.*) ἡλιοτρόπιον, ἥλιος. `**~-glasses** *οὐσ. πληθ.* γυαλιά τοῦ ἥλιου. `**~-god**, ὁ θεός-ἥλιος. `**~-helmet**, κάσκα τοῦ ἥλιου. `**~-lamp**, προβολέας (γιά τεχνητή ἡλιοθεραπεία). `**~·light**, ἡλιοφῶς. `**~·lit**, ἡλιοφώτιστος, ἡλιόλουστος. `**~-lounge/-parlour/-porch**, λιακωτό, τζαμωτή βεράντα. `**~-ray**, ἡλιαχτίδα. `**~·rise**, ἀνατολή ἡλίου. `**~-roof**, συρόμενο τμῆμα τῆς σκεπῆς αὐτοκινήτου (γιά τόν ἥλιο). `**~·set**, δύσις, ἡλιοβασίλεμα. `**~·shade**, ὀμπρέλλα τοῦ ἥλιου, τέντα μαγαζιοῦ, σκίαστρο. `**~·shine**, λιακάδα. `**~-spot**, ἡλιακή κηλίδα. `**~·stroke**, ἡλίασις. `**~·tan**, μαύρισμα στόν ἥλιο. `**~-trap**, ἀπάγκιο, ἡλιόλουστη γωνιά. `**~-up**, (*καθομ.*) ἀνατολή. `**~-worship**, ἡλιολατρεία. __*ρ.μ.* *(-nn-)* λιάζω: *The cat was ~ning itself on the roof,* ἡ γάτα λιαζόταν στή σκεπή. `**~·less** *ἐπ.* ἀνήλιαγος, ἀνήλιος: *a ~less room/day.* **~ny** *ἐπ.* *(-ier, -iest)* *(α)* ἡλιόλουστος: *a ~ny room/day.* *(β)* χαρούμενος: *a ~ny disposition/smile,* χαρούμενη διάθεσις/-ο χαμόγελο. **~-nily** /-əlɪ/ *ἐπίρ.* χαρούμενα, ἡλιόλουστα.
sun·dae /`sʌndɪ/ *οὐσ.* ‹C› (*πληθ.* *~s*) παγωτό μέ φροῦτο καί σιρόπι.
Sun·day /`sʌndeɪ/ *οὐσ.* Κυριακή. ***one's ~ clothes/best***, τά γιορτινά μου. `**~ school**, κατηχητικό. ***a month of ~s***, χρόνια καί ζαμάνια, ἀτέλειωτος/μακρύς χρόνος.
sun·der /`sʌndə(r)/ *ρ.μ.* (*λογοτ.*) χωρίζω κτ (στά δυό). __*οὐσ.* (*μόνο στή φρ.*) ***in ~***, χώρια.
sun·dries /`sʌndrɪz/ *οὐσ. πληθ.* διάφορα (πχ εἴδη/ἔξοδα).
sun·dry /`sʌndrɪ/ *ἐπ.* διάφορος: *on ~ occasions,* σέ διάφορες περιστάσεις. *~ expenses,* διάφορα ἔξοδα. ***all and ~***, ὅλοι ἀνεξαιρέτως: *invite all and ~,* καλῶ ὅλο τόν κόσμο.
sung /sʌŋ/ *π.μ. τοῦ ρ. sing.*
sunk /sʌŋk/ *π.μ. τοῦ ρ. ²sink.*
sunny /`sʌnɪ/ *ἐπ. βλ. sun.*
¹**sup** /sʌp/ *ρ.μ/ἀ.* *(-pp-)* ρουφῶ σιγά-σιγά, πίνω μέ μικρές γουλιές. __*οὐσ.* ‹C,U› γουλιά: *I've had neither bite nor ~ since morning,* δέν ἔβαλα οὔτε μπουκιά οὔτε γουλιά ἀπό τό πρωΐ.
²**sup** /sʌp/ *ρ.ἀ.* *(-pp-)* (*σπαν.*) δειπνῶ: *~ on bread and cheese,* δειπνῶ μέ ψωμοτύρι. ***He that ~s with the devil must have a long spoon***, (*παροιμ.*) ὅποιος κάνει παρέα μέ τό σατανᾶ πρέπει νά κρατάη τά μάτια του ἀνοιχτά.
super /`supə(r)/ *ἐπ.* (*καθομ.*) ἀπίθανος, ἔξοχος.
super·abun·dant /'supərə`bʌndənt/ *ἐπ.* ὑπεράφθονος, ὑπεραρκετός. **super·abun·dance** /-əns/ *οὐσ.* ‹U› πληθώρα.
super·an·nu·ate /'supər`ænjʊeɪt/ *ρ.μ.* συνταξιοδοτῶ/ἀπολύω κπ (λόγω ὁρίου ἡλικίας). **~d** *ἐπ.* ὑπέργηρος, (*καθομ.*) ἀπηρχαιωμένος, περασμένης μόδας, παρωχημένος. **super·an·nu·ation** /'supər'ænjʊ`eɪʃn/ *οὐσ.* ‹U› συνταξιοδότησις λόγω γήρατος.
su·perb /su`pɜb/ *ἐπ.* ἔξοχος, θαυμάσιος. **~·ly** *ἐπίρ.* ἔξοχα.
super·cargo /`supəkɑgəʊ/ *οὐσ.* ‹C› (*πληθ.*

~*es*) ἐπόπτης φορτίου (σέ πλοῖο).
super·cili·ous /ˈsupəˋsɪlɪəs/ ἐπ. ὑπεροπτικός, ἀγέρωχος, ψηλομύτης, περιφρονητικά ἀδιάφορος. **~·ly** ἐπίρ. ἀγέρωχα. **~·ness** οὐσ. ‹U› ὑπεροψία.
super·fi·cial /ˈsupəˋfɪʃl/ ἐπ. ἐπιφανειακός, ἐπιπόλαιος: *a ~ wound/mind*, ἐπιπόλαιο τραῦμα/μυαλό. *~ knowledge*, ἐπιφανειακές γνώσεις. **~·ly** /-ʃəlɪ/ ἐπίρ. ἐπιφανειακά, ἐπιπόλαια. **~·ity** /ˈsupəˈfɪʃɪˋæləti/ οὐσ. ‹U› ἐπιπολαιότης.
super·fine /ˋsupəfaɪn/ ἐπ. λεπτότατος: *a ~ distinction*, ὑπέρ τό δέον λεπτή διάκρισις.
su·per·flu·ous /suˋpɜflʊəs/ ἐπ. περιττός, πλεοναστικός: *~ words*, περιττές λέξεις. **~·ly** ἐπίρ. περιττά. **super·flu·ity** /ˈsupəˋfluətɪ/ οὐσ. ‹C,U› πλεονασμός, περίσσεια: *have a superfluity of hands*, ἔχω ὑπεράριθμους ἐργάτες.
super·hu·man /ˈsupəˋhjumən/ ἐπ. ὑπεράνθρωπος: *a ~ effort*, ὑπεράνθρωπη προσπάθεια.
super·im·pose /ˈsupərɪmˋpəʊz/ ρ.μ. βάζω κτ πάνω σέ κτ ἄλλο, ὑπερθέτω.
super·in·tend /ˈsupərɪnˋtend/ ρ.μ/ἀ. διευθύνω, διοικῶ, ἐπιστατῶ, ἐποπτεύω. **~·ence** /-əns/ οὐσ. ‹U› (τεχνική) διεύθυνσις, ἐπιστασία, ἐπίβλεψις. **~·ent** /-ənt/ οὐσ. ‹C› διευθυντής, ἐργοδηγός, ἐπιστάτης, ἐπιθεωρητής (ἀστυνομίας, σιδηροδρόμων, κλπ).
su·perior /səˋpɪərɪə(r)/ ἐπ. **1**. *~ (to)*, ἀνώτερος (σέ ποιότητα/ποσότητα/βαθμό): *This cloth is ~ to that*, αὐτό τό ὕφασμα εἶναι ἀνώτερο ἀπό κεῖνο. *a boy of ~ intelligence*, παιδί μέ πολύ μεγάλη εὐφυΐα. *The enemy attacked with ~ forces*, ὁ ἐχθρός ἐπετέθη μέ ὑπέρτερες δυνάμεις. *I am ~ to flattery/temptation*, εἶμαι ὑπεράνω κολακειῶν/πειρασμῶν. **2**. ὑπεροπτικός: *speak with a ~ air*, μιλῶ μέ ὑπεροπτικό ὕφος. __οὐσ. ‹C› ἀνώτερος: *my ~s in rank*, οἱ ἀνώτεροί μου σέ βαθμό. **Mother S~**, ἡ ἡγουμένη. **~·ity** /səˈpɪərɪˋorətɪ/ οὐσ. ‹U› ἀνωτερότης: *the ~ity of one thing to another*, ἡ ἀνωτερότης ἑνός πράγματος ἔναντι ἄλλου. *his ~ity in talent*, ἡ ἀνωτερότης τοῦ ταλέντου του. **~ity complex**, σύμπλεγμα ἀνωτερότητος.
su·per·la·tive /suˋpɜlətɪv/ ἐπ. **1**. ὑπέρτατος, ἔξοχος, ἐξαίσιος: *a ~ painting*, πίνακας ἔξοχης τέχνης. *a man of ~ wisdom*, ἄνθρωπος ἀσύγκριτης σοφίας. __οὐσ. ‹C› *(α)* ὑπερβολή: *speak in ~s*, μιλῶ μέ ὑπερβολές/μέ ὑπερθετικά. *(β)* ὑπερθετικός, λέξις στόν ὑπερθετικό.
super·man /ˋsupəmæn/ οὐσ. ‹C› (πληθ. *-men*) ὑπεράνθρωπος.
super·mar·ket /ˋsupəmakɪt/ οὐσ. ‹C› ὑπεραγορά, σουπερμάρκετ.
su·per·nal /sjuˋpɜnl/ ἐπ. (λογοτ.) θεῖος, οὐράνιος: *~ loveliness*, θεία ὀμορφιά.
super·natu·ral /ˈsupəˋnætʃərl/ ἐπ. ὑπερφυσικός. **the ~**, τό ὑπερφυσικόν. **~·ly** ἐπίρ.
super·nor·mal /ˈsupəˋnɔml/ ἐπ. ἐξαιρετικός, ἄνω τοῦ κανονικοῦ.
super·nu·mer·ary /ˈsupəˋnjumərərɪ/ οὐσ. ‹C› & ἐπ. **1**. ὑπεράριθμος. **2**. (θέατρ.) κομπάρσος.
super·scrip·tion /ˋsupəskrɪpʃn/ οὐσ. ‹C› ἐπιγραφή, ἐπικεφαλίδα.
super·sede /ˈsupəˋsid/ ρ.μ. ἀντικαθιστῶ, ἐκτοπίζω, παραγκωνίζω: *Motorcars have ~d horses on the road*, τά αὐτοκίνητα ἔχουν ἀντικαταστήσει τά ἄλογα στούς δρόμους. **super·session** /-ˋseʃn/ οὐσ. ‹U› ἀντικατάστασις, ἐκτόπισις.
super·sonic /ˈsupəˋsonɪk/ ἐπ. ὑπερηχητικός: *~ speed/aircraft*, ὑπερηχητική ταχύτης/-ά ἀεροπλάνα.
super·sti·tion /ˈsupəˋstɪʃn/ οὐσ. ‹C,U› πρόληψις, δεισιδαιμονία: *They're sunk in ignorance and ~*, εἶναι βυθισμένοι στήν ἀμάθεια καί στίς προλήψεις. **super·sti·tious** /-ˋstɪʃəs/ ἐπ. δεισιδαίμων, προληπτικός. **super·sti·tious·ly** ἐπίρ.
super·struc·ture /ˋsupəstrʌktʃə(r)/ οὐσ. ‹C› ἐποικοδόμημα.
super·tax /ˋsupətæks/ οὐσ. ‹C,U› πρόσθετος φόρος.
super·vene /ˈsupəˋvin/ ρ.ἀ. ἐπισυμβαίνω, παρεμπίπτω, ἐπέρχομαι: *Should death ~...*, ἄν ἐπέλθη ὁ θάνατος...
super·vise /ˋsupəvaɪz/ ρ.μ/ἀ. διευθύνω, ἐποπτεύω, ἐπιστατῶ, ἐπιβλέπω (πχ ἐργασία, ἐργάτες, κλπ). **super·vi·sor** /-zə(r)/ οὐσ. ‹C› ἐπόπτης, ἐπιστάτης. **super·vi·sion** /ˈsupəˋvɪʒn/ οὐσ. ‹U› ἐπιτήρησις, ἐπίβλεψις, ἐπιθεώρησις: *be under police supervision*, εἶμαι ὑπό ἀστυνομικήν ἐπιτήρησιν. **super·vis·ory** /ˈsupəˋvaɪzərɪ/ ἐπ. ἐποπτικός.
su·pine /ˋsupaɪn/ ἐπ. **1**. ὕπτιος, ἀνάσκελα: *lie ~*, εἶμαι ξαπλωμένος ἀνάσκελα. **2**. ἄτονος, νωχελικός, ράθυμος, ἀδρανής. **~·ly** ἐπίρ.
sup·per /ˋsʌpə(r)/ οὐσ. ‹C,U› δεῖπνον: *have cold meat for ~*, τρώω κρύο κρέας γιά δεῖπνο. **~·less** ἐπ. χωρίς δεῖπνο: *go to bed ~less*, πάω γιά ὕπνο νηστικός.
sup·plant /səˋplant/ ρ.μ. **1**. ἀντικαθιστῶ: *Trams have been ~ed by buses*, τά τράμ ἀντικατασταθήκανε ἀπό λεωφορεῖα. **2**. ὑποσκελίζω, ἐκτοπίζω, παραγκωνίζω, παίρνω τή θέση κάποιου: *She has been ~ed in his affections by another woman*, μιά ἄλλη γυναίκα πῆρε τή θέση της στήν καρδιά του. **~er** οὐσ. ‹C› ἀντικαταστάτης.
supple /ˋsʌpl/ ἐπ. εὔκαμπτος, εὐλύγιστος, μαλακός, εὐέλικτος: *A child has ~ limbs*, τά παιδάκια ἔχουν εὔκαμπτα μέλη. *a ~ mind/figure*, εὐέλικτο μυαλό/λυγερό σῶμα. **supply** ἐπίρ. εὐλύγιστα, εὐέλικτα. **~·ness** οὐσ. ‹U› εὐελιξία.
sup·ple·ment /ˋsʌpləmənt/ οὐσ. ‹C› **1**. συμπλήρωμα, παράρτημα (πχ τηλεφωνικοῦ καταλόγου, ἐγκυκλοπαιδείας, κλπ). **2**. παράρτημα (ἐφημερίδος, περιοδικοῦ, κλπ): *the Times Literary S~*, τό Φιλολογικό Παράρτημα τῶν Τάϊμς. __ρ.μ. /ˋsʌpləment/ συμπληρώνω: *~ one's income by teaching*, συμπληρώνω τό εἰσόδημά μου διδάσκοντας. **~ary** /ˈsʌpləˋmentrɪ/ ἐπ. *(α)* συμπληρωματικός. *(β)* (γιά *γωνία*) παραπληρωματικός.
sup·pli·ant /ˋsʌplɪənt/ οὐσ. ‹C› (λόγ.) ἱκέτης: *like a ~ at the altar*, ὡς ἱκέτης εἰς τόν βωμόν. __ἐπ. ἱκετευτικός: *in a ~ attitude*, σέ στάση ἱκεσίας.
sup·pli·cant /ˋsʌplɪkənt/ οὐσ. ‹C› ἱκέτης.
sup·pli·cate /ˋsʌplɪkeɪt/ ρ.μ/ἀ. (λόγ. & λογοτ.) ἱκετεύω, ἐκλιπαρῶ: *~ sb to help me*, ἱκετεύω

κπ νά μέ βοηθήση. ~ *sb's protection*, ἐκλιπαρῶ τήν προστασία κάποιου. **sup·pli·ca·tion** /ˈsʌplɪˋkeɪʃn/ *οὐσ.* ‹C,U› ἱκεσία.

sup·ply /səˋplaɪ/ *ρ.μ.* **1**. ~ ***sth to sb*** ; ~ ***sb with sth***, προμηθεύω, ἐφοδιάζω, τροφοδοτῶ: ~ *gas to consumers*, προμηθεύω γκάζι στούς καταναλωτές. ~ *consumers with gas*, ἐφοδιάζω τούς καταναλωτές μέ γκάζι. **2**. καλύπτω (ἀνάγκες): *This shop supplies all our needs*, αὐτό τό μαγαζί καλύπτει ὅλες τίς ἀνάγκες μας. —*οὐσ.* **1**. ‹C,U› προμήθεια, ἀπόθεμα, ἐφοδιασμός: *have a good* ~ *of reading matter for a long journey*, εἶμαι καλά ἐφοδιασμένος μέ ὑλικό γιά διάβασμα σ' ἕνα μακρυνό ταξίδι. *receive new supplies of goods*, παραλαμβάνω νέα ἀποθέματα ἐμπορευμάτων. ~ ***and demand***, προσφορά καί ζήτησις. ***(be) in short*** ~, (*γιά εἶδος*) (εἶμαι) σπάνιος, σπανίζω: *Sugar is in short* ~, ὑπάρχει ἔλλειψις ζαχάρεως. **2**. (*πληϑ.*) ἐφόδια, εἴδη: *ˋfood/ˋmedical supplies*, τρόφιμα/φαρμακευτικά εἴδη. **Minister of S**~, (*MB, παλαιότ.*) Ὑπουργός Ἐφοδιασμοῦ. **3**. (*πληϑ.*) (*Κοινοβ.*) πιστώσεις. **4**. (*πληϑ.*) ἐπίδομα: *Tom's father cut off the supplies*, ὁ πατέρας τοῦ Τόμ τοῦκοψε τό ἐπίδομα. **5**. (προσωρινός) ἀναπληρωτής, ἀντικαταστάτης. ***be/go on*** ~, εἶμαι/πάω ἀναπληρωτής. **sup·plier** *οὐσ.* ‹C› προμηθευτής.

sup·port /səˋpɔt/ *ρ.μ.* **1**. (ὑπο)βαστάζω, (ὑπο)βοηθῶ, κρατῶ: *The nurse* ~*ed him to the window*, ἡ νοσοκόμα τόν βοήθησε νά πάη ὥς τό παράθυρο (τόν πῆγε στό παράθυρο κρατώντας τον). **2**. (*κυριολ.* & *μεταφ.*) (ὑπο)στηρίζω: ~ *a political party/a motion*, ὑποστηρίζω ἕνα πολιτικό κόμμα/μιά πρόταση. *The gallery is* ~*ed by pillars*, ἡ στοά στηρίζεται σέ κολῶνες. *Your theory/claim is not* ~*ed by facts*, ἡ θεωρία σου/ὁ ἰσχυρισμός σου δέν στηρίζεται σέ γεγονότα. **3**. συντηρῶ, διατρέφω: *a hospital* ~*ed by voluntary contributions*, νοσοκομεῖο συντηρούμενο μέ ἐθελοντικές εἰσφορές. *He has a large family to* ~, ἔχει νά διαθρέψη μεγάλη οἰκογένεια. **4**. (*λόγ.*) ὑποφέρω, ἀνέχομαι: *I can't* ~ *her impudence any longer*, δέν μπορῶ νά ἀνεχθῶ τήν ἀναίδειά της ἄλλο πιά. —*οὐσ.* ‹C,U› (ὑπο)στήριγμα, (ὑπο)στήριξις, συντήρησις: *Dick is the chief* ~ *of the family*, ὁ Ντίκ εἶναι τό κυριώτερο στήριγμα τῆς οἰκογένειας. *The bridge needs more* ~, ἡ γέφυρα θέλει κι' ἄλλη στήριξη. *I hope to have your* ~ *in the election*, ἐλπίζω νά ἔχω τήν ὑποστήριξή σου στίς ἐκλογές. *The divorced wife claimed* ~ *for her children*, ἡ διαζευγμένη σύζυγος ἀξίωσε διατροφή γιά τά παιδιά της. ***in*** ~ ***of***, ὑπέρ: *speak in* ~ *of a proposal*, ὁμιλῶ ὑπέρ μιᾶς προτάσεως. ***means of*** ~, μέσα συντηρήσεως. **price** ~**s**, (*ΗΠΑ*) ἐπιδοτήσεις τιμῶν (τῶν ἀγροτικῶν προϊόντων). ~**·able** /-əbl/ *ἐπ.* ὑποστηρίξιμος, ὑποφερτός. ~**er** *οὐσ.* ‹C› ὑποστηρικτής, ὀπαδός.

sup·pose /səˋpəʊz/ *ρ.μ.* **1**. ὑποθέτω: *Let us* ~ *(that) the news is true*, ἄς ὑποθέσωμε ὅτι τά νέα εἶναι ἀλήθεια. *S*~ *he doesn't come – what then?* ὑποτεθείσθω ὅτι δέν ἔρχεται – τί γίνεται τότε; *Everyone is* ~*d to know the rules*, ὑποτίθεται ὅτι ὅλοι ξέρουν τούς κανόνες. **2**. νομίζω, φαντάζομαι, πιστεύω: *What do you* ~ *he wanted?* τί νομίζεις ὅτι ἤθελε; *I* ~ *you want to borrow money again*, φαντάζομαι ὅτι θέλεις νά δανειστῆς πάλι χρήματα. *We all* ~*d him to be English*, ὅλοι πιστεύαμε ὅτι ἦταν Ἄγγλος. *I don't* ~ *for one minute that...*, δέν πιστεύω οὔτε μιά στιγμή ὅτι... ***I*** ~ ***so/not***, ἔτσι νομίζω/δέν τό νομίζω. **3**. (*γιά τή διατύπωση προσταγῆς ἤ προτάσεως*): *S*~ *you start work now*, ἐμπρός, ἀρχῖστε δουλειά τώρα. *S*~ *we go for a swim*, τί λές, πᾶμε γιά μπάνιο; **4**. προϋποθέτω: *Creation* ~*s a creator*, ἡ δημιουργία προϋποθέτει ἕναν δημιουργό. **5**. ***be*** ~***d to***, *(α)* θεωροῦμαι: *He is* ~*d to be rich*, θεωρεῖται πλούσιος. *(β)* εἶμαι ὑποχρεωμένος νά: *Am I* ~*d to clean my room?* εἶμαι ὑποχρεωμένος νά καθαρίζω τό δωμάτιό μου; *(γ)* (*ἀρνητικῶς*) δέν μοῦ ἐπιτρέπεται: *Teachers are not* ~*d to smoke in class*, οἱ δάσκαλοι δέν ἐπιτρέπεται νά καπνίζουν στήν τάξη. **sup·pos·ing** *σύνδ.* ἐάν, ὑποτεθείσθω: *Supposing it rains, what shall we do?* ὑποτεθείσθω ὅτι βρέχει, τί θά κάνωμε; **sup·posed** *ἐπ.* ὑποτιθέμενος, δῆθεν: *his* ~*d generosity*, ἡ ὑποτιθέμενη/ἡ δῆθεν γενναιοδωρία του. **sup·pos·ed·ly** /-ɪdlɪ/ *ἐπίρ.* ὑποθετικά, δῆθεν, τάχα: *He went off* ~*dly to fetch help, but...*, ἔφυγε δῆθεν νά φέρη βοήθεια, ἀλλά...

sup·po·si·tion /ˈsʌpəˋzɪʃn/ *οὐσ.* ‹C,U› ὑπόθεσις, προϋπόθεσις: *Your suspicions are based on* ~, οἱ ὑποψίες σου βασίζονται σέ ὑποθέσεις. *Our* ~*s were fully confirmed*, οἱ ὑποθέσεις μας ἐπιβεβαιώθηκαν πλήρως. ***on the*** ~ ***that***, μέ τήν (προ)ϋπόθεση ὅτι...

sup·posi·tory /səˋpɒzɪtrɪ/ *οὐσ.* ‹C› (*φαρμ.*) ὑπόθετον.

sup·press /səˋpres/ *ρ.μ.* **1**. καταπνίγω, (*ψυχ.*) ἀπωθῶ: ~ *a yawn/the truth*, καταπνίγω ἕνα χασμουρητό/τήν ἀλήθεια. ~ *a rising*, καταπνίγω/καταστέλλω μιά ἐξέγερση. ~ *one's feelings*, πνίγω/ἀπωθῶ τά συναισθήματά μου. **2**. ἀπαγορεύω, παύω, συγκαλύπτω, ἀποσιωπῶ, ἐξαφανίζω: ~ *a newspaper*, ἀπαγορεύω τήν κυκλοφορία μιᾶς ἐφημερίδας. ~ *sb's pension*, παύω/κόβω τήν σύνταξη κάποιου. ~ *a scandal*, συγκαλύπτω ἕνα σκάνδαλο. ~ *one's suspicions*, ἀποσιωπῶ τίς ὑποψίες μου. ~ *all evidence*, ἐξαφανίζω κάθε ἀπόδειξη. ~**·ion** /səˋpreʃn/ *οὐσ.* ‹C,U› καταστολή, κατάπνιξις, ἀπαγόρευσις, ἀποσιώπησις, παῦσις, ἐξαφάνισις. ~**·ive** *ἐπ.* κατασταλτικός: ~*ive measures*, κατασταλτικά μέτρα. ~**·or** /-sə(r)/ *οὐσ.* ‹C› καταπιεστής, καταστολεύς, (*ἀσύρμ.*) ἀναστολεύς (στοιχεῖον ἐξαφανίσεως παρασίτων).

sup·pu·rate /ˋsʌpjʊreɪt/ *ρ.ἀ.* (*λόγ.*) ἐμπυοῦμαι, πυορροῶ. **sup·pu·ra·tion** /ˈsʌpjʊˋreɪʃn/ *οὐσ.* ‹U› διαπύησις.

supra·na·tional /ˈsuprəˋnæʃnl/ *ἐπ.* ὑπερεθνικός: *a* ~ *authority*, ὑπερεθνική ἐξουσία.

su·prem·acy /səˋpreməsɪ/ *οὐσ.* ‹U› ὑπεροχή, ἀνωτερότης, κυριαρχία, ἀνωτάτη ἀρχή/ἐξουσία: *nuclear* ~, πυρηνική ὑπεροχή. *His* ~ *was unchallenged*, ἡ ὑπεροχή του ἦταν ἀδιαφιλονίκητη. ***have*** ~ ***(over sb)***, ὑπερέχω (ἔναντι κάποιου).

su·preme /səˋprim/ *ἐπ.* ὑπέρτατος, ἀνώτατος: *the S*~ *Being*, τό Ὑπέρτατον Ὄν. *the S*~ *Court/Soviet*, τό Ἀνώτατον Δικαστήριον/Σοβιέτ. *make the* ~ *sacrifice*, κάνω τήν

ὑπέρτατη θυσία. ~·**ly** *ἐπίρ.* στόν ὑπέρτατο βαθμό, ἐξαιρετικά: ~*ly happy*, πανευτυχής.
sur·charge /ˈsɜtʃadʒ/ *οὐσ.* ‹C› **1**. ὑπερφόρτωσις. **2**. πρόσθετος ἐπιβάρυνσις, προσαύξησις. **3**. πρόσθετον τέλος. **4**. (*ταχυδρ.*) ἐπισήμασμα. —*ρ.μ.* **1**. ὑπερφορτώνω. **2**. ἐπιβάλλω πρόσθετον τέλος. **3**. ἐπιβαρύνω ἐπιπροσθέτως, προσαυξάνω.
sure /ʃʊə(r)/ *ἐπ.* **1**. (*μόνον κατηγ.*) σίγουρος, βέβαιος: *I'm not quite* ~, δέν εἶμαι ἀπολύτως βέβαιος. *I'm not* ~ *why he wants it*, δέν ξέρω μετά βεβαιότητος γιατί τό θέλει. *We're* ~ *of a welcome*, εἶναι βέβαιο ὅτι θά μᾶς καλοδεχθοῦν. ***be/feel* ~ *(about sth)***, εἶμαι πεπεισμένος/βέβαιος, δέν ἔχω ἀμφιβολίες (γιά κτ): *I think the answer's right, but I'm not* ~ *about it*, νομίζω ὅτι ἡ ἀπάντησις εἶναι σωστή ἀλλά δέν εἶμαι βέβαιος γι'αὐτό. ***be/feel* ~ *of sth/that***, εἶμαι βέβαιος, ἔχω ἐμπιστοσύνη: *Can we be* ~ *of his honesty/that he is honest?* μποροῦμε νά εἴμαστε βέβαιοι γιά τήν τιμιότητά του/ὅτι εἶναι τίμιος; ***be/feel* ~ *of oneself***, ἔχω αὐτοπεποίθηση. ***make* ~ *of sth/that***, βεβαιώνομαι, σιγουρεύομαι: *Make* ~ *that the door is locked*, νά βεβαιωθῆς ὅτι ἡ πόρτα εἶναι κλειδωμένη. *We'd better make* ~ *of seats before we go to the theatre*, καλύτερα νά ἐξασφαλίσωμε θέσεις πρίν πᾶμε στό θέατρο. ***be* ~ *to***; (*καθομ.*) ***be* ~ *and***, (*στήν προστ.*) μήν ἀμελήσης νά, κοίτα νά: *Be* ~ *to write and give me all the news*, μήν ἀμελήσης νά γράψης καί νά μοῦ πῆς ὅλα τά νέα. *Be* ~ *and lock the door*, κοίτα νά κλειδώσης τήν πόρτα. ***to be* ~**, *(α)* πράγματι, ὁμολογουμένως: *She's not pretty, to be* ~, *but she's very intelligent*, δέν εἶναι ὄμορφη, ὁμολογουμένως, ἀλλά εἶναι πολύ ἔξυπνη. *(β)* (*ἐπιφ. ἐκπλήξεως*): σοβαρά; γιά κοίτα! *(γ)* βέβαια, ἀσφαλῶς, δέν θέλει συζήτηση: *'What shall we drink?' 'Ouzo, to be* ~*!'* -Τί θά πιοῦμε; -Ἀσφαλῶς οὖζο! ***Well I'm* ~*!*** (*ἐπιφ. ἐκπλήξεως*) σοβαρά; γιά κοίτα! **2**. (*ἐπιθ.* & *κατηγ.*) σίγουρος, ἀξιόπιστος: *There's no* ~ *remedy/proof*, δέν ὑπάρχει σίγουρο φάρμακο/-η ἀπόδειξις. *Dark clouds are a* ~ *sign of rain*, τά μαῦρα σύννεφα εἶναι σίγουρο σημάδι βροχῆς. *Send the letter by a* ~ *messenger*, στεῖλε τό γράμμα μέ ἀξιόπιστο ἀγγελιοφόρο. ˈ~-ˈ**footed** *ἐπ.* μέ σίγουρο πόδι: *as* ~*-footed as a goat*, σίγουρος στό πάτημα σάν κατσίκα. —*ἐπίρ.* βεβαίως, σίγουρα, ἀσφαλῶς, ἀναμφιβόλως: *S*~ *I will come*, (*καθομ.*) ἀσφαλῶς θά ἔλθω. *It* ~ *was cold*, (*ΗΠΑ, καθομ.*) βεβαίως ἔκανε κρύο. ***for* ~**, στά σίγουρα, μετά βεβαιότητος: *I don't know for* ~, δέν ξέρω στά σίγουρα. ~ ***enough***, πράγματι, βεβαίως: *I said it would happen, and* ~ *enough it did (happen)*, τὄπα ὅτι θά συνέβαινε καί πράγματι συνέβη. ***as* ~ *as fate/as my name's...*** (+ τό ὄνομα τοῦ ὁμιλοῦντος), χωρίς καμιά ἀμφιβολία, ὅπως σέ βλέπω καί μέ βλέπεις. ~·**ness** *οὐσ.* ‹U› βεβαιότης, σιγουριά.
sure·ly /ˈʃʊəlɪ/ *ἐπίρ.* **1**. σίγουρα, σταθερά: *He will* ~ *fail*, σίγουρα θ'ἀποτύχη. *He works slowly but* ~, δουλεύει ἀργά ἀλλά σταθερά. **2**. (*πρό τοῦ ὑποκειμένου ἤ εἰς τό τέλος τῆς προτάσεως, γιά νά δείξη βεβαιότητα ἤ δυσπιστία*) ἀσφαλῶς, δέν φαντάζομαι νά: *S*~ *I've met you before somewhere*, εἶμαι βέβαιος ὅτι κάπου ἔχομε ξανασυναντηθῆ. *S*~ *you aren't going out without your overcoat!* δέν φαντάζομαι νά βγῆς χωρίς τό παλτό σου! **3**. (*σέ ἀπάντηση, ἰδ. ΗΠΑ*) βεβαίως: *'Will you help me?' 'S*~*!'* -Θά μέ βοηθήσης; -Βεβαίως!
surety /ˈʃʊərətɪ/ *οὐσ.* **1**. ‹U› (*ἀπηρχ.*) βεβαιότης. ***of a* ~**, βεβαίως. **2**. ‹C,U› ἀσφάλεια, ἐγγύησις, ἐγγυητής: *stand* ~ *for sb*, μπαίνω ἐγγυητής γιά κπ.
surf /sɜf/ *οὐσ.* ‹U› ἀντιμάμαλο, σπάσιμο/ἀφρός κυμάτων. ~·**ing**, ˈ~-**riding**, κυματοδρομία (σπόρ ἰσορροπήσεως πάνω σέ στενή σανίδα πού τήν παρασύρει στήν ἀμμουδιά ὁ ἀφρός μεγάλου κύματος). ˈ~-**board/-boat**, σανίδα/βάρκα κυματοδρομίας.
sur·face /ˈsɜfɪs/ *οὐσ.* ‹C› **1**. ἐπιφάνεια: *Glass has a smooth* ~, τό γυαλί ἔχει λεία ἐπιφάνεια. *the* ~ *of the sea*, ἡ ἐπιφάνεια τῆς θαλάσσης. *One should not look only at the* ~ *of things*, δέν πρέπει νά βλέπη κανείς μόνο τήν ἐπιφάνεια τῶν πραγμάτων. *He never goes below the* ~, ποτέ δέν ἐξετάζει τά πράγματα βαθύτερα. ***on the* ~**, ἐπιφανειακά, φαινομενικά: *His faults are all on the* ~, τά ἐλαττώματά του εἶναι ὅλα ἐπιφανειακά. *On the* ~ *everything was well*, φαινομενικά ὅλα ἦταν ἐν τάξει. ˈ~ **mail**, ἁπλό ταχυδρομεῖο (ὄχι ἀεροπορικό). ˈ~ **noise**, θόρυβος ἀπό τή βελόνα γραμμοφώνου στήν ἐπιφάνεια δίσκου. ˈ~-**to**-ˈ**air** *ἐπ.* (*γιά πυραύλους*) ἐπιφανείας-ἀέρος. **2**. (*ἐπιθ.*) ἐπιφανειακός, ἐπιπόλαιος, φαινομενικός: ~ *impressions*, ἐπιπόλαιες/ἐπιφανειακές ἐντυπώσεις. ~ *politeness*, ἐπιφανειακή/φαινομενική εὐγένεια. —*ρ.μ/ἀ.* **1**. στρώνω: ~ *a road with tarmac/gravel*, στρώνω ἕνα δρόμο μέ πίσσα/μέ χαλίκι. **2**. (*γιά ὑποβρύχιο*) ἀναδύομαι.
sur·feit /ˈsɜfɪt/ *οὐσ.* (*συνήθ. μέ ἀόρ. ἄρθρ.*) πληθώρα, κόρος, κορεσμός, φούσκωμα (ἀπό πολυφαγία): *have a* ~ *of cakes/wine*, τρώω γλυκά/πίνω κρασί μέχρι κορεσμοῦ. *There's a* ~ *of gold on the market*, ὑπάρχει ὑπεραφθονία χρυσοῦ στήν ἀγορά. —*ρ.μ/ἀ.* (παρα)χορταίνω, μπουχτίζω, φουσκώνω: ~ *oneself with fruit*, παρατρώω φροῦτα. *be* ~*ed with pleasure*, εἶμαι κορεσμένος (μπουχτισμένος) ἀπό ἡδονές.
surge /sɜdʒ/ *ρ.ἀ.* ξεχύνομαι σέ κύματα, φουσκώνω/ἀναβλύζω/πλημμυρίζω σάν κῦμα: *The floods* ~*d over the valley*, τά νερά τῆς πλημμύρας ξεχύθηκαν σά θάλασσα πάνω ἀπό τήν κοιλάδα. *The crowds* ~*d out of the sports stadium*, τά πλήθη ξεχύθηκαν σέ κύματα ἀπό τό στάδιο. *Anger* ~*d (up) within him*, φούσκωσε μέσα του ὁ θυμός. —*οὐσ.* ‹C› ὁρμητική κίνησις πρός τά μπρός ἤ πρός τά πάνω, (*μεταφ.*) κῦμα: *the* ~ *of the sea*, φουσκοθαλασσιά. *A* ~ *of pity/anger rose within her*, ἕνα κῦμα οἴκτου/θυμοῦ τήν πλημμύρισε.
sur·geon /ˈsɜdʒən/ *οὐσ.* ‹C› χειροῦργος, (*πολ. ναυτ.*) ἰατρός. ˈ**dental** ~, χειροῦργος ὀδοντίατρος. ˈ**house** ~, χειροῦργος ἐσωτερικός σέ νοσοκομεῖο.
sur·gery /ˈsɜdʒərɪ/ *οὐσ.* **1**. ‹U› χειρουργική. **2**. ‹C› (*ΜΒ*) ἰατρεῖον: ˈ~ *hours*, ὧρες ἰατρείου. *a political* ~, (*καθομ.*) πολιτικό γραφεῖο βουλευτοῦ.

sur·gi·cal /ˋsɜdʒɪkl/ ἐπ. χειρουργικός: *undergo ~ treatment*, κάνω ἐγχείρηση. *~ instruments*, χειρουργικά ἐργαλεῖα. **~·ly** /-klɪ/ ἐπίρ. χειρουργικῶς.

sur·ly /ˋsɜlɪ/ ἐπ. (*-ier, -iest*) κατσούφης, στριμμένος, σκαιός, (μεταφ.) ξυνός: *a ~ old man*, ἕνας γεροστριμμένος. *a ~ face*, ξυνά μοῦτρα. **sur·lily** /-əlɪ/ ἐπίρ. κατσούφικα, ἀπότομα, δύστροπα. **sur·li·ness** οὐσ. ‹U› δυστροπία, σκαιότης, κατήφεια.

sur·mise /səˋmaɪz/ ρ.μ/ἀ. εἰκάζω, μαντεύω, ὑποθέτω (= φαντάζομαι, ὑποψιάζομαι): *I ~d as much*, τό ὑπέθεσα, τό φαντάστηκα. __οὐσ. ‹C› /ˋsɜmaɪz/ εἰκασία, ὑπόθεσις: *You were right in your ~*, σωστά μάντεψες, καλά τό ὑπέθεσες.

sur·mount /səˋmaʊnt/ ρ.μ. ὑπερνικῶ, ὑπερπηδῶ: *~ obstacles/difficulties*, ὑπερνικῶ ἐμπόδια/δυσκολίες. ***be ~ed by/with***, ἔχω στήν κορυφή/ἀπό πάνω μου: *a spire ~ed by a weather-vane*, ἕνας ὀβελίσκος μ' ἕναν ἀνεμοδείκτη στήν κορυφή/ἀπό πάνω του. **~·able** /-əbl/ ἐπ. ὑπερνικήσιμος.

sur·name /ˋsɜneɪm/ οὐσ. ‹C› ἐπώνυμο. __ρ.μ. ἐπονομάζω.

sur·pass /səˋpas/ ρ.μ. ξεπερνῶ (= ὑπερέχω, ὑπερακοντίζω): *~ sb in strength/speed*, ξεπερνῶ κπ στή δύναμη/στήν ταχύτητα. *The beauty of the scenery ~ed my expectations*, ἡ ὀμορφιά τοῦ τοπίου ξεπέρασε τίς προσδοκίες μου. **~·ing** ἐπ. ἀσύγκριτος: *of ~ing beauty*, ἀσύγκριτης ὀμορφιᾶς. **~·ing·ly** ἐπίρ. ἀνυπέρβλητα, πάρα πολύ: *~ingly ugly*, φοβερά ἄσχημος.

sur·plice /ˋsɜplɪs/ οὐσ. ‹C› (ἐκκλ.) λευκόν ἄμφιον.

sur·plus /ˋsɜpləs/ οὐσ. **1**. ‹C› πλεόνασμα, περίσσευμα: *a budget/coffee ~*, πλεόνασμα τοῦ προϋπολογισμοῦ/καφέ. **2**. (ἐπιθ.) πλεονάζων: *~ labour*, πλεονάζον ἐργατικό δυναμικό. *a sale of ~ stock*, ἐκποίησις πλεονασμάτων. *~ population*, πλεονάζων πληθυσμός.

sur·prise /səˋpraɪz/ οὐσ. **1**. ‹C,U› ἔκπληξις: *It caused great ~*, προκάλεσε μεγάλη ἔκπληξη. *What a ~!* τί ἔκπληξις! *to the ~ of everyone*, πρός ἔκπληξιν ὅλων. *have a ~ in store for sb*, ἐπιφυλάσσω ἔκπληξη σέ κπ. ***in ~***, ἔκπληκτος: *look at sb in ~*, κοιτάζω κπ ἔκπληκτος. *He started up in ~*, ἀναπήδησε ἔκπληκτος/ξαφνιασμένος. ***take sb/sth by ~***, καταλαμβάνω κπ/κτ ἐξαπίνης, αἰφνιδιάζω κπ/κτ. *take a town/fort by ~*, καταλαμβάνω μιά πόλη/ἕνα φρούριο δι' αἰφνιδιασμοῦ. **2**. (ἐπιθ.) αἰφνιδιαστικός: *a ~ visit/attack*, αἰφνιδιαστική ἐπίσκεψις/ἐπίθεσις. __ρ.μ. **1**. ἐκπλήττω: *You ~ me!* μέ ἐκπλήττεις! ***be ~d***, ἐκπλήττομαι, ξαφνιάζομαι: *I was ~d at the news/to hear he failed*, ἐξεπλάγην μέ τά νέα/ἀκούγοντας ὅτι ἀπέτυχε. *We were ~d at finding the house empty*, ξαφνιαστήκαμε βρίσκοντας τό σπίτι ἄδειο. *It's nothing to be ~d about/at*, δέν εἶναι νά ἐκπλήσσεται κανείς. **2**. αἰφνιδιάζω: *~ the enemy*, αἰφνιδιάζω τόν ἐχθρό. *~ a burglar in the act of stealing*, καταλαμβάνω ἕναν διαρρήκτη ἐπ' αὐτοφώρῳ νά κλέβη. ***~ sb into doing sth***, ἀναγκάζω κπ δι' αἰφνιδιασμοῦ νά κάμη κτ: *I ~d him into admitting he had stolen my watch*, τοῦ ἀπέσπασα μέ αἰφνιδιασμό τήν ὁμολογία ὅτι εἶχε κλέψει τό ρολόϊ μου. **sur·pris·ing** ἐπ. ἐκπληκτικός: *a surprising admission*, ἐκπληκτική ὁμολογία. **sur·pris·ing·ly** ἐπίρ. ἐκπληκτικά: *surprisingly young*, ἐκπληκτικά νέος. **sur·prised** ἐπ. ἔκπληκτος: *a ~d look*, μιά ἔκπληκτη ματιά.

sur·real·ism /səˋrɪəl-ɪsm/ οὐσ. ‹U› σουρρεαλισμός, ὑπερρεαλισμός. **sur·real·ist** /-ɪst/ οὐσ. ‹C› σουρρεαλιστής. **sur·real·is·tic** /səˌrɪəˋlɪstɪk/ ἐπ. σουρρεαλιστικός.

sur·ren·der /səˋrendə(r)/ ρ.μ/ἀ. **1**. παραδίδω/-ομαι: *~ a fort*, παραδίδω ἕνα φρούριο. *We will never ~*, δέν θά παραδοθοῦμε ποτέ. *~ unconditionally*, παραδίδομαι ἄνευ ὅρων. ***~ (oneself) to***, παραδίδομαι εἰς: *He ~d (himself) to the police/to despair*, παραδόθηκε στήν ἀστυνομία/ἐγκαταλείφθηκε στήν ἀπελπισία. **2**. ἐκχωρῶ, παραχωρῶ, παραιτοῦμαι ἀπό: *We'll never ~ our liberty*, ποτέ δέν θά ἐκχωρήσωμε τήν ἐλευθερία μας. *He ~d his property to his creditors*, παραχώρησε τήν περιουσία του στούς πιστωτές του. *~ an insurance policy*, παραιτοῦμαι ἀπό (ἐξαγοράζω) μιά ἀσφάλεια. __οὐσ. ‹C› παράδοσις, ἐκχώρησις, ἐγκατάλειψις: *demand the ~ of a town/of all fire-arms*, ἀπαιτῶ τήν παράδοση μιᾶς πόλεως/ὅλων τῶν πυροβόλων ὅπλων.

sur·rep·ti·tious /ˌsʌrəpˋtɪʃəs/ ἐπ. κρυφός, λαθραῖος. **~·ly** ἐπίρ. κρυφά.

sur·ro·gate /ˋsʌrəgeɪt/ οὐσ. ‹C› ἀναπληρωτής, τοποτηρητής (ἰδ. ἐπισκόπου).

sur·round /səˋraʊnd/ ρ.μ. (περι)κυκλώνω, (περι)τριγυρίζω, περιβάλλω: *a house ~ed with trees/a high wall*, σπίτι τριγυρισμένο ἀπό δέντρα/ἀπό ψηλό τοῖχο. *The enemy are ~ed*, οἱ ἐχθροί εἶναι περικυκλωμένοι. *We are ~ed by/with dangers*, περιβαλλόμεθα ἀπό κινδύνους. __οὐσ. ‹C› μπορντούρα (στό πάτωμα): *a linoleum ~*, μπορντούρα ἀπό μουσαμᾶ (μεταξύ τῶν τοίχων καί τοῦ χαλιοῦ). **~·ing** ἐπ. περιβάλλων: *the town and the ~ing countryside*, ἡ πόλις καί ἡ γύρω ἐξοχή. **~·ings** οὐσ. πληθ. περιβάλλον, περίχωρα, τά πέριξ: *live in pleasant ~ings*, ζῶ σ' εὐχάριστο περιβάλλον.

sur·tax /ˋsɜtæks/ οὐσ. ‹C,U› πρόσθετος φόρος. __ρ.μ. ἐπιβάλλω πρόσθετο φόρο.

sur·veil·lance /sɜˋveɪləns/ οὐσ. ‹U› ἐπιτήρησις: *be under police ~*, εἶμαι ὑπό ἀστυνομικήν ἐπιτήρησιν.

sur·vey /səˋveɪ/ ρ.μ. **1**. ἐπισκοπῶ, κατοπτεύω: *He ~ed the valley from the top of the hill*, ἐπισκόπησε τήν κοιλάδα ἀπό τήν κορυφή τοῦ λόφου. **2**. ἐξετάζω, ἀνασκοπῶ: *The President ~ed the international situation*, ὁ Πρόεδρος ἔκαμε ἀνασκόπηση τῆς διεθνοῦς καταστάσεως. **3**. χωρογραφῶ, τοπογραφῶ, χωρομετρῶ, χαρτογραφῶ, ἀποτυπώνω (σέ χάρτη): *~ an island*, κάνω χωροταξική μελέτη ἑνός νησιοῦ. *~ a railway*, ἀποτυπώνω τά σχέδια σιδηροδρομικῆς γραμμῆς. *a ~ing ship*, ὑδρογραφικό πλοῖο. **4**. ἐξετάζω τήν κατάσταση (κτιρίου, πλοίου, κλπ), ἐπιθεωρῶ, ἀξιολογῶ, ἐκτιμῶ: *have a house ~ed before buying it*, προβαίνω σέ ἐκτίμηση/ἀξιολόγηση/ἐξέταση ἑνός σπιτιοῦ πρίν τό ἀγοράσω. __οὐσ. ‹C› /ˋsɜveɪ/ **1**. ἐπισκόπησις, ἀνασκόπησις, ἐξέτασις, ἔρευνα: *make a general ~ of the situation/*

of a subject, κάνω γενική ἀνασκόπηση τῆς καταστάσεως/ἐπισκόπηση ἑνός θέματος. **2**. χωρογράφησις, χωρομέτρησις, τοπογράφησις, ὑδρογράφησις, τοπογραφικός χάρτης: *an aerial ~*, ἀεροφωτογραφική χωρογράφησις. (*βλ.* & *λ. ordnance*). **3**. ἐπιθεώρησις, ἀξιολόγησις, ἐκτίμησις. **~or** /sə`veiə(r)/ *οὐσ.* ‹C› *(α)* τοπογράφος. *(β)* κτηματογράφος. *(γ)* ἐπιθεωρητής, ἐπόπτης: *the ~or of highways/ of weights and measures*, ἐπόπτης ὁδῶν/ ἐλεγκτής μέτρων καί σταθμῶν.

sur·vival /sə`vaivl/ *οὐσ.* **1**. ‹U› ἐπιβίωσις: *the ~ of the fittest*, (*βιολ.*) ἡ ἐπιβίωσις τῶν ἱκανοτέρων. **2**. ‹C› ὑπόλειμμα, ἐπιβίωσις (ἐθίμου, κλπ): *a ~ of past times*, ὑπόλειμμα τοῦ παρελθόντος.

sur·vive /sə`vaiv/ *ρ.μ/ἀ.* ἐπιζῶ (ἑνός γεγονότος ἤ προσώπου), διασώζομαι: *~ an earthquake/a shipwreck/a war*, ἐπιζῶ ἑνός σεισμοῦ/ἑνός ναυαγίου/ἑνός πολέμου. *He will ~ us all*, θά ζήση περισσότερο ἀπ' ὅλους μας, θά μᾶς θάψη ὅλους. *~ one's usefulness*, παύω πλέον νά εἶμαι χρήσιμος. **sur·vivor** /-və(r)/ *οὐσ.* ‹C› ἐπιζῶν: *the survivors of the shipwreck*, οἱ ἐπιζήσαντες τοῦ ναυαγίου.

sus·cep·tible /sə`septəbl/ *ἐπ.* **1**. εὐαίσθητος, συναισθηματικός, εὐεπηρέαστος: *a girl with a ~ nature*, κορίτσι μέ εὐαίσθητο χαρακτῆρα (πού ἐπηρεάζεται εὔκολα). *a ~ young man*, συναισθηματικός νέος (πού ἐρωτεύεται εὔκολα). **2**. ***~ to***, εὐαίσθητος, εὐπαθής, ἐπιρρεπής, εὐάλωτος εἰς: *I'm ~ to colds*, ἔχω εὐαισθησία στό κρύο, κρυώνω εὔκολα. *He's ~ to flattery*, εἶναι εὐάλωτος στήν κολακεία, κολακεύεται εὔκολα. **3**. ***~ of***, (ἐπι)δεκτικός: *Is your statement ~ of proof?* εἶναι δεκτικός ἀποδείξεως (μπορεῖ νά ἀποδειχθῆ) ὁ ἰσχυρισμός σου; *This is ~ of two interpretations*, αὐτό ἐπιδέχεται δυό ἑρμηνεῖες. **sus·cep·ti·bil·ity** /sə'septə`biləti/ *οὐσ.* **1**. ‹U› εὐαισθησία, εὐπάθεια, (ἐπι)δεκτικότης: *susceptibility to cold*, εὐαισθησία (εὐπάθεια) στό κρύο. **2**. (*πληθ.*) εὐαίσθητα σημεῖα: *We must avoid wounding their susceptibilities*, πρέπει ν' ἀποφύγωμε νά θίξωμε τά εὐαίσθητα σημεῖα τους.

sus·pect /sə`spekt/ *ρ.μ.* **1**. ὑποπτεύομαι, ὑποψιάζομαι, φαντάζομαι: *He ~ed an ambush*, ὑποπτευόταν ἐνέδρα. *I ~ (that) he is a liar*, ὑποψιάζομαι ὅτι εἶναι ψεύτης. *She has more intelligence than I ~ed her to possess*, ἔχει περισσότερο μυαλό ἀπ' ὅσο τή φανταζόμουνα. **2**. ἀμφιβάλλω γιά: *I ~ the truth of his story*, ἔχω ἀμφιβολίες γιά τήν ἀλήθεια τῆς ἱστορίας του. **3**. ***~ sb (of sth)***, ὑποπτεύομαι (πιθανολογῶ) κπ ὡς ἔνοχον (γιά κτ): *~ sb of a crime*, ὑποπτεύομαι κπ γιά ἕνα ἔγκλημα. *He is ~ed of being a spy*, τόν ὑποψιάζονται γιά κατάσκοπο. —*οὐσ.* ‹C› /`sʌspekt/ ὕποπτος: *All ~s were questioned by the police*, ὅλοι οἱ ὕποπτοι ἀνακρίθηκαν ἀπό τήν ἀστυνομία. —*κατηγ. ἐπ.* /`sʌspekt/ ὕποπτος: *His statement is ~*, ἡ δήλωσίς του εἶναι ὕποπτη.

sus·pend /sə`spend/ *ρ.μ.* **1**. ἀναρτῶ, κρεμῶ: *lamps ~ed from the ceiling*, λάμπες κρεμασμένες ἀπό τό ταβάνι. **2**. (*παθ. φων.*) αἰωροῦμαι: *dust/smoke ~ed in the still air*, σκόνη/καπνός πού αἰωρεῖται στόν ἀκίνητο ἀέρα. **3**. θέτω εἰς διαθεσιμότητα (ὑπάλληλο, κλπ), ἐπιβάλλω ποινήν ἀργίας (*πχ* σέ ποδοσφαιριστή). **4**. ἀναστέλλω, ἀναβάλλω: *~ payment/the constitution/a newspaper*, ἀναστέλλω τίς πληρωμές/τό σύνταγμα/τήν ἔκδοση ἐφημερίδος. *~ judgement*, ἀναβάλλω τήν ἔκδοση ἀποφάσεως. ***in a state of ~ed animation***, ζωντανός ἀλλά ἀναίσθητος, (*χιουμορ.*) προσωρινά ἀδρανής. **~ed sentence**, καταδίκη μέ ἀναστολή.

sus·penders /sə`spendəz/ *οὐσ. πληθ.* (*ἐπίσης* **a pair of ~**) τιράντες, καλτσοδέτες. **sus`pender belt**, ζώνη μέ ζαρτιέρες.

sus·pense /sə`spens/ *οὐσ.* ‹U› ἀβεβαιότης, ἐκκρεμότης, ἀγωνία, ἐναγώνιος ἀναμονή: *after a long period of ~*, ὕστερα ἀπό μεγάλη περίοδο ἀβεβαιότητος. *The question remains in ~*, τό θέμα παραμένει ἐκκρεμές. *wait for sth in great ~*, περιμένω κτ ἀγωνιωδῶς. *keep sb in ~*, κρατῶ κπ σέ ἀγωνία. *a story full of ~*, ἱστορία γεμάτη ἀγωνία.

sus·pen·sion /sə`spenʃn/ *οὐσ.* ‹U› **1**. ἀνάρτησις (*ἰδ.* αὐτοκινήτου), αἰώρησις. **~ bridge**, κρεμαστή γέφυρα. **2**. ἀναστολή, ἀναβολή, θέσις εἰς διαθεσιμότητα: *~ of hostilities*, ἀναστολή ἐχθροπραξιῶν.

sus·pi·cion /sə`spiʃn/ *οὐσ.* **1**. ‹C,U› ὑποψία, ὑπόνοια: *I have a ~ that...*, ἔχω μιά ὑποψία/ ὑπόνοια ὅτι... *He was looked upon with ~*, τόν κοίταζαν μέ καχυποψία. *be arrested on (the) ~ of having done sth*, συλλαμβάνομαι μέ τήν ὑποψία ὅτι ἔκαμα κτ. *Don't let ~ fall upon you*, μήν ἀφήσης νά σέ ὑποψιαστοῦνε, μήν ἐκτεθῆς σέ ὑποψίες. ***above ~***, ὑπεράνω ὑποψίας. ***arouse ~***, προκαλῶ/γεννῶ ὑποψίες. ***fall under ~***, γίνομαι ὕποπτος. ***lay oneself open to ~***, ἐκτίθεμαι σέ ὑποψίες. **2**. (*ἑν. μέ ἀόρ. ἄρθρ.*) ὑπόνοια, τόνος, ἴχνος: *There was a ~ of sadness in her voice*, ὑπῆρχε μιά ὑπόνοια (ἕνας τόνος) θλίψης στή φωνή της.

sus·pi·cious /sə`spiʃəs/ *ἐπ.* **1**. ὕποπτος: *The affair looks ~ to me*, ἡ ὑπόθεσις μοῦ φαίνεται ὕποπτη. *He's a ~ character*, εἶναι ὕποπτος τύπος. ***be/feel ~ of/about sth***, ἔχω ὑποψία γιά κτ, ὑποπτεύομαι κτ, δυσπιστῶ σέ κτ. **2**. καχύποπτος, δύσπιστος: *a ~ look*, καχύποπτη ματιά. **~·ly** *ἐπίρ.* καχύποπτα, ὕποπτα.

sus·tain /sə`stein/ *ρ.μ.* **1**. (συγ)κρατῶ, στηρίζω, βαστάζω: *Will this shelf ~ the weight of all these books?* θά κρατήση (θά βαστάξη) αὐτό τό ράφι τό βάρος ὅλων αὐτῶν τῶν βιβλίων; *These columns ~ the roof*, αὐτές οἱ κολῶνες στηρίζουν τή σκεπή. **2**. συντηρῶ, δυναμώνω, διατηρῶ, κρατῶ (σέ μεγάλη ἔνταση ἤ διάρκεια): *~ life*, συντηρῶ τή ζωή. *~ing food*, δυναμωτική τροφή. *It was only hope that ~ed us*, μόνο ἡ ἐλπίδα μᾶς κρατοῦσε. *~ a note*, κρατῶ μιά νότα. *~ an attack/ attempt*, κρατῶ ἀμείωτη μιά ἐπίθεση/μιά προσπάθεια. *a ~ed effort*, μιά ἀδιάπτωτη προσπάθεια. **3**. ὑφίσταμαι, παθαίνω: *~ a defeat/ ~ serious injuries*, ὑφίσταμαι ἧττα/παθαίνω σοβαρά τραύματα. **4**. (*νομ.*) δέχομαι: *The court ~ed his claim*, τό δικαστήριο ἔκαμε δεκτή τήν ἀξίωσή του.

sus·ten·ance /`sʌstinəns/ *οὐσ.* ‹U› συντήρησις, θρεπτική ἀξία, τροφή: *There's more ~ in cocoa than in tea*, τό κακάο ἔχει μεγαλύτερη

θρεπτική ἀξία ἀπό τό τσάϊ.
su·ture /ˈsutʃə(r)/ *οὐσ.* ‹C› (*χειρουργ.*) ραφή, ράψιμο.
su·ze·rain /ˈsuzəreɪn/ *οὐσ.* ‹C› ἄρχων, ἡγεμών, ἐπικυρίαρχον κράτος. **~ty** /ˈsuzərntɪ/ *οὐσ.* ‹U› (ἐπι)κυριαρχία.
svelte /svelt/ *ἐπ.* (*γιά γυναῖκα*) λυγερή.
swab, swob /swob/ *οὐσ.* ‹C› **1**. μάκτρον, πατσαβούρα (γιά τό πάτωμα, κατάστρωμα, κλπ). **2**. (*ἰατρ.*) ξέστρον, ταμπόν, ἔκκριμα. __*ρ.μ.* *(-bb-)* σφογγίζω, σφουγγαρίζω: ~ *up water*, μαζεύω νερά μέ τό σφουγγάρι. ~ *down the deck*, σφουγγαρίζω τό κατάστρωμα.
swaddle /ˈswodl/ *ρ.μ.* φασκιώνω (μωρό). **swaddling-clothes**, φασκιές, σπάργανα.
swag /swæg/ *οὐσ.* ‹U› **1**. (*λαϊκ.*) κλοπιμαῖα, μπάζα. **2**. μπόγος (ἀλήτη).
swag·ger /ˈswægə(r)/ *ρ.ἀ.* κορδώνομαι, κομπορρημονῶ: ~ *about sth*, κομπάζω γιά κτ. ~ *into a room*, μπαίνω κορδωτός σ' ἕνα δωμάτιο. __*οὐσ.* ‹C› κόρδωμα, καμάρι, κομπασμός: *with a* ~, καμαρωτά. __*ἐπ.* (*λαϊκ.*) σίκ. **~er** *οὐσ.* ‹C› φανφαρόνος.
swain /sweɪn/ *οὐσ.* ‹C› (*ποιητ. ἤ ἀπηρχ.*) βουκόλος, ἐραστής, θαυμαστής (κοριτσιοῦ).
[1]**swal·low** /ˈswoləʊ/ *οὐσ.* ‹C› χελιδόνι. ***One ~ doesn't make a summer***, (*παροιμ.*) ἕνα χελιδόνι δέν φέρνει τήν ἄνοιξη. **ˈ~ dive**, βουτιά-ψαλίδι (μέ τά χέρια ὀλάνοιχτα). **ˈ~-tailed** *ἐπ.* μέ ψαλιδωτή οὐρά.
[2]**swal·low** /ˈswoləʊ/ *ρ.μ/ἀ.* **1**. ~ ***(up)***, καταπίνω, καταβροχθίζω, (*μεταφ.*) ρουφῶ: *The earth seemed to ~ them up*, ἦταν σά νά τούς ρούφηξε (νά τούς κατάπιε) ἡ γῆ. *The aeroplane was ~ed (up) in the clouds*, τό ἀεροπλάνο χάθηκε μέσα στά σύννεφα. **2**. (*μεταφ.*) καταπίνω, χάφτω: ~ *an insult/affront*, καταπίνω μιά προσβολή. ~ *one's words/pride/tears*, καταπίνω τά λόγια μου/τήν περηφάνεια μου/τά δάκρυά μου. ~ *a story/the bait*, χάφτω μιά ἱστορία/τό δόλωμα.
swam /swæm/ *ἀόρ. τοῦ ρ. swim*.
swamp /swomp/ *οὐσ.* ‹C,U› ἕλος, βάλτος, τέλμα. __*ρ.μ.* **1**. πλημμυρίζω, γεμίζω νερά: *A big wave ~ed the boat*, ἕνα μεγάλο κῦμα πλημμύρισε τή βάρκα. *Everything in the boat was ~ed*, ὅλα στό πλοῖο γέμισαν νερά. **2**. (*μεταφ.*) πνίγω, κατακλύζω: *We are ~ed with work/orders*, εἴμαστε πνιγμένοι στή δουλειά/στίς παραγγελίες. **~y** *(-ier, -iest)* *ἐπ.* ἑλώδης.
swan /swon/ *οὐσ.* ‹C› κύκνος. **ˈ~-song**, κύκνειον ἆσμα. **ˈ~'s-down** *οὐσ.* ‹U› χνούδι (κύκνου), ἐκλεκτή φανέλλα (τό ὕφασμα). __*ρ.ἀ.* *(-nn-)* **~ *off/around***, (*καθομ.*) (*ἰδ.* γιά πλούσιους ἀργόσχολους) τριγυρίζω ἄσκοπα, φέρνω βόλτες: ~ *off to Paris*, πάω βόλτα στό Παρίσι.
swank /swæŋk/ *ρ.ἀ.* (*καθομ.*) κορδώνομαι, κομπάζω, ἐπιδεικνύομαι, κάνω φιγούρα. __*οὐσ.* **1**. ‹U› ἐπίδειξις: *wear sth just for* ~, φορῶ κτ μόνο καί μόνο γιά ἐπίδειξη/γιά φιγούρα. **2**. ‹C› φιγουρατζῆς. **~y** *ἐπ.* ἐπιδεικτικός, φιγουρᾶτος, σνόμπ: *a ~y sports car*, ἕνα φιγουρᾶτο σπόρ αὐτοκίνητο. *Mary and her ~y friends*, ἡ Μαίρη καί οἱ σνόμπ φίλοι της.
swap /swop/ *ρ.μ/ἀ.* *(-pp-)* *βλ. swop*.
[1]**swarm** /swɔm/ *οὐσ.* ‹C› σμῆνος, πλῆθος: *a ~ of bees/locusts*, σμῆνος μελισσῶν/ἀκρίδων. *~s of children*, πλήθη παιδιῶν. __*ρ.ἀ.* **1**. συρρέω, συγκεντρώνομαι (κατά μᾶζες): *When the rain started the crowds ~ed into the cinemas*, ὅταν ἄρχισε ἡ βροχή τά πλήθη συνέρρευσαν στούς κινηματογράφους. *Beggars ~ed round the rich tourists*, οἱ ζητιάνοι μαζεύτηκαν κοπάδι γύρω ἀπό τούς πλούσιους τουρίστες. **2**. (*γιά μέρος*) **~ *with*; *be ~ing with***, βρίθω: *The stables ~ed with flies*, οἱ σταῦλοι ἦταν γεμᾶτοι μύγες. *The beaches were ~ing with bathers*, οἱ πλάζ ἦταν πλημμυρισμένες ἀπό λουομένους.
[2]**swarm** /swɔm/ *ρ.μ.* ~ ***(up)***, σκαρφαλώνω (μέ χέρια καί μέ πόδια): ~ *up a tree/mast*, σκαρφαλώνω σ' ἕνα δέντρο/σ' ἕνα κατάρτι.
swarthy /ˈswɔðɪ/ *ἐπ.* μελαψός.
swash·buck·ler /ˈswoʃbʌklə(r)/ *οὐσ.* ‹C› ψευτοπαλληκαρᾶς, κουτσαβάκης, νταῆς. **swash·buck·ling** /-klɪŋ/ *ἐπ.* κουτσαβάκικος. __*οὐσ.* ‹U› νταηλίκι.
swas·tika /ˈswostɪkə/ *οὐσ.* ‹C› σβάστικα, ἀγκυλωτός σταυρός.
swat /swot/ *ρ.μ.* *(-tt-)* χτυπῶ (μέ κάτι πλατύ): ~ *a fly*, χτυπῶ μιά μύγα. __*οὐσ.* ‹C› **1**. χτύπημα. **2**. μυγοσκοτώστρα: *a ˈfly-~*.
swath /swoθ/ *οὐσ.* ‹C› **1**. δρεπανιά (χόρτου, κλπ). **2**. θερισμένη λουρίδα σέ χωράφι.
swathe /sweɪð/ *ρ.μ.* τυλίγω, ἐπιδένω: *a leg ~d in bandages*, πόδι τυλιγμένο μέ ἐπιδέσμους.
sway /sweɪ/ *ρ.μ/ἀ.* **1**. ταλαντεύομαι, κουνῶ, κουνιέμαι, λικνίζω/-ομαι: ~ *between hope and fear*, ταλαντεύομαι μεταξύ ἐλπίδος καί φόβου. *The branches of the trees were ~ing in the wind*, τά κλαδιά τῶν δέντρων κουνιόνταν στόν ἀέρα. *The dancers ~ed to the music*, οἱ χορευτές λικνίζονταν στό ρυθμό τῆς μουσικῆς. **2**. κατευθύνω, ἐξουσιάζω, ἐπηρεάζω ἀποφασιστικά: *He is ~ed by his feelings*, ἐξουσιάζεται, κατευθύνεται ἀπό τά αἰσθήματά του. *His speech ~ed the voters*, ὁ λόγος του ἐπηρέασε ἀποφασιστικά τούς ψηφοφόρους. __*οὐσ.* ‹U› **1**. ταλάντευσις, κούνημα, λίκνισμα. **2**. ἐξουσία, κυριαρχία, ἐπιβολή, ἐπιρροή: *be under sb's* ~, εἶμαι ὑπό τήν ἐξουσία κάποιου. *the peoples under the ~ of Rome*, οἱ λαοί ὑπό τήν κυριαρχία τῆς Ρώμης. *the ~ of fashion*, ἡ ἐπιβολή/ἡ τυραννία τῆς μόδας.
swear /sweə(r)/ *ρ.μ/ἀ.* *ἀνώμ.* (*ἀόρ.* *swore* /swɔ(r)/, *π.μ.* *sworn* /swɔn/) **1**. ὁρκίζω/-ομαι: *He swore to tell the truth*, ὁρκίστηκε νά πῆ τήν ἀλήθεια. *I could have sworn that they were brothers*, θἄπαιρνα ὅρκο ὅτι ἦταν ἀδέλφια. **~ *sb in***, ὁρκίζω κπ (πρό τῆς ἀναλήψεως καθηκόντων): *The new government was sworn in at noon*, ἡ νέα κυβέρνησις ὡρκίστηκε τό μεσημέρι. **~ *by sth***, ὁρκίζομαι σέ κτ: *I ~ by all the gods/by all that I hold dear that...*, ὁρκίζομαι σέ ὅλους τούς θεούς/σ' ὅ,τι ἀγαπῶ πιό πολύ ὅτι... *He ~s by aspirin*, (*καθομ.*) ὁρκίζεται στήν ἀσπιρίνη (ἔχει μεγάλη ἐμπιστοσύνη). **~ *off sth***, (*καθομ.*) ὁρκίζομαι νά κόψω κτ: *He swore off smoking/alcohol*, ὡρκίστηκε νά κόψη τό τσιγάρο/τά οἰνοπνευματώδη. **~ *to sth***, παίρνω ὅρκο γιά κτ: *I think I've met him somewhere but I wouldn't ~ to it*, νομίζω ὅτι κάπου τόν ἔχω συναντήσει

ἀλλά δέν θἄπαιρνα ὅρκο. *He swore to having lost his ticket*, ὡρκιζόταν ὅτι εἶχε χάσει τό εἰσιτήριό του. ~ ***sb to secrecy***, (ἐξ)ορκίζω κπ νά κρατήση ἐχεμύθεια. ~ ***revenge***, ὁρκίζομαι νά ἐκδικηθῶ. ***sworn friends/ enemies***, ὡρκισμένοι φίλοι/ἐχθροί. **2**. δηλῶ ἐνόρκως: ~ *a charge/an accusation against sb*, κάνω ἔνορκη καταγγελία ἐναντίον κάποιου. **sworn evidence**, ἔνορκος κατάθεσις. **3**. ~ ***(at sb)***, βλαστημῶ, βρίζω κπ: *The captain swore at his crew*, ὁ καπετάνιος ἔλουσε βλαστήμιες τό πλήρωμά του. *He swore himself hoarse*, βράχνιασε ἀπό τίς βλαστήμιες. ~ ***like a trooper***, (*καθομ.*) βλαστημῶ σά βαρκάρης, βρίζω σάν καρροτσιέρης. **`~-word**, βλαστήμια, βρισιά. **~er** *οὐσ.* ‹C› βλάστημος, βωμολόχος.

sweat /swet/ *οὐσ.* **1**. ‹U› ἱδρῶτας: *wipe the ~ off one's brow*, σκουπίζω τόν ἱδρῶτα ἀπό τό μέτωπό μου. *by the ~ of one's brow*, μέ τόν ἱδρῶτα τοῦ προσώπου μου. ***be in a ~***, εἶμαι καταϊδρωμένος. ***be in a cold ~***, μ'ἔχει περιλούσει κρύος ἱδρῶτας. ***be all of a ~***, (*καθομ.*) *(α)* εἶμαι μουσκίδι στόν ἱδρῶτα. *(β)* μ'ἔχει κόψει ἱδρῶτας (ἀπό φόβο ἤ ἀγωνία). **2**. (*μέ ἀόρ. ἄρθρ.*) (*καθομ.*) σκυλίσια δουλειά, ξεθέωμα: *This job is a frightful ~*, αὐτή ἡ δουλειά εἶναι πραγματικό ξεθέωμα. **`~-shop**, κάτεργο (μέρος ὅπου ἐκμεταλλεύονται τούς ἐργάτες). **3**. ‹C› **an old ~**, (*λαϊκ.*) παληά καραβάνα (στρατιώτης ἤ γενικά ἄνθρωπος μέ μεγάλη πεῖρα). **4**. ‹U› ὑγρασία (τοίχων), ἐξίδρωσις. __*ρ.μ/ἀ.* **1**. ἱδρώνω: ~ *profusely*, ἱδρώνω πολύ, ἱδροκοπῶ. ~ *up a hill*, ἀνεβαίνω ἕνα λόφο ἱδρώνοντας. ~ *one's horse*, ἱδρώνω τό ἄλογό μου. ~ ***blood***, χύνω αἷμα, (*μεταφ.*) ψοφάω στή δουλειά. ~ ***out a cold***, θεραπεύω ἕνα κρύο προκαλώντας μεγάλη ἐφίδρωση. **2**. ἐκμεταλλεύομαι (ἐργάτες), βγάζω τό λάδι (στή δουλειά). **~ed goods**, προϊόντα παραγόμενα μέ ἐκμετάλλευση τῶν ἐργατῶν. **~ed labour**, σκυλίσια κακοπληρωμένη δουλειά. **~y** *ἐπ.* *(-ier, -iest)* ἱδρωμένος, σκυλίσιος: *~y underwear*, ἱδρωμένα ἐσώρρουχα. *~y work*, σκυλίσια δουλειά.

sweater /ˋswetə(r)/ *οὐσ.* ‹C› πουλόβερ, μάλλινη μπλούζα.

Swede /swid/ *οὐσ.* ‹C› Σουηδός.

Swed·ish /ˋswidɪʃ/ *ἐπ.* Σουηδικός. __*οὐσ.* ‹U› ἡ Σουηδική γλῶσσα.

[1]**sweep** /swip/ *οὐσ.* ‹C› **1**. ***`~(-up/-out)***, σάρωμα, σκούπισμα, καθάρισμα: *give the room a good ~-out*, κάνω ἕνα καλό σκούπισμα στό δωμάτιο. *Let's have a thorough ~-up*, ἄντε νά κάνωμε ἕνα γερό καθάρισμα. ***make a clean ~ of sth***, ἀπαλλάσσομαι μιά γιά πάντα ἀπό κτ, βάζω γερή σκούπα: *They made a clean ~ of their old furniture*, ἔβαλαν σκούπα στά παληά τους ἔπιπλα (τά πούλησαν, τά πέταξαν). *I'll make a clean ~ of the staff*, θά βάλω σκούπα στό προσωπικό. **2**. κυκλοτερής κίνησις: *with a ~ of his arm/scythe*, μέ μιά πλατειά κυκλική κίνηση τοῦ χεριοῦ του/τοῦ δρεπανιοῦ του. *He killed everyone who came within the ~ of his sword*, σκότωνε ὅποιον ἔπεφτε στό δρόμο τοῦ σπαθιοῦ του πού ἀνέμιζε. **3**. πλατειά ἁπαλή καμπύλη (δρόμου, ποταμοῦ, ἀκτῆς), ὁμαλή κατηφορική γῆ: *The fine ~ of Phaleron Bay*, ἡ ἔξοχη καμπύλη τοῦ Φαληρικοῦ Ὅρμου. *a ~ of grassy land*, μιά καταπράσινη ὁμαλή πλαγιά. **4**. (*μόνον ἑν.*) ροή. **5**. μεγάλο κουπί. **6**. γεράνι (πηγαδιοῦ). **7**. (**`chimney-)~**, καπνοδοχοκαθαριστής. **8**. **`~(-stake)**, σουήπστέϊκ, ἀμοιβαῖο ἱπποδρομιακό στοίχημα.

[2]**sweep** /swip/ *ρ.μ/ἀ.* *ἀνώμ.* (*ἀόρ & π.μ. swept* /swept/) **1**. σαρώνω, σκουπίζω: ~ *the floor/ carpets*, σκουπίζω τό πάτωμα/τά χαλιά. ~ *the crumbs under the carpet/into the dustpan*, σκουπίζω τά ψίχουλα καί τά χώνω κάτω ἀπό τό χαλί/καί τά μαζεύω στό φαράσι. ~ *up dead leaves*, μαζεύω ξερά φύλλα μέ τή σκούπα. **2**. σαρώνω, καθαρίζω: *A huge wave swept over the deck*, ἕνα πελώριο κῦμα σάρωσε τό κατάστρωμα. ~ *the seas of pirates*, καθαρίζω τίς θάλασσες ἀπό τούς πειρατές. **3**. σαρώνω, διατρέχω, διασχίζω, περιφέρομαι, περνῶ σά σίφουνας: *The wind swept along the street*, ὁ ἄνεμος σάρωνε τό δρόμο. *A blizzard swept the country*, μιά χιονοθύελλα σάρωσε τή χώρα. *The searchlights swept the sky*, οἱ προβολεῖς σάρωναν (ἔσκιζαν) τούς οὐρανούς. *Her eyes swept the room*, ἀγκάλιασε τό δωμάτιο μέ τή ματιά της, περιέφερε τά μάτια της σ' ὅλο τό δωμάτιο. **4**. (*μεταφ.*) σαρώνω, κερδίζω, σημειώνω σαρωτική νίκη. ~ ***all before one***, σαρώνω τά πάντα, ἔχω συνεχεῖς ἐπιτυχίες. ~ ***the board***, *(α)* (*χαρτοπ.*) τά παίρνω/τά σαρώνω ὅλα. *(β)* κερδίζω/σαρώνω ὅλα τά βραβεῖα. **5**. ~ ***off/along/away, etc***, παρασύρω: *The current swept the logs along*, τό ρεῦμα παρέσυρε τά κούτσουρα στό δρόμο του. *We were almost swept off our feet by the waves*, λίγο ἔλειψε νά μᾶς πάρουν τά κύματα. *He was swept overboard*, τόν παρέσυρε ἡ θάλασσα πάνω ἀπό τό πλοῖο. *The wind swept my hat off/the clouds away*, ὁ ἄνεμος μοῦ πῆρε τό καπέλλο/ἔδιωξε τά σύννεφα. *Many bridges were swept away by the floods*, οἱ πλημμύρες παρέσυραν πολλά γεφύρια. ***be swept off one's feet***, (*μεταφ.*) παρασύρομαι, ἐνθουσιάζομαι: *The audience were swept off their feet*, τό ἀκροατήριο ξετρελλάθηκε ἀπό ἐνθουσιασμό. **6**. κινοῦμαι μεγαλοπρεπῶς: *She swept out of the room*, βγῆκε ἀπό τό δωμάτιο μέ ὕφος βασίλισσας. **7**. ἐγγίζω ἀνάλαφρα καί γρήγορα: *Her fingers swept the keys of the piano*, τά δάχτυλά της ἔψαυσαν μέ ταχύτητα τά πλῆκτρα τοῦ πιάνου. *Her dress swept the ground*, τό φόρεμά της σύρθηκε ἀνάλαφρα στό δάπεδο. **8**. ἐκτείνομαι κυκλοτερῶς, ἁπλώνομαι: *The road ~s round the lake*, ὁ δρόμος ἀγκαλιάζει τή λίμνη. *The coast ~s northwards in a wide curve*, ἡ ἀκτή ἁπλώνεται βορεινά σέ μιά πλατειά καμπύλη. **~er** *οὐσ.* ‹C› καθαριστής: *a `street ~er*, ὁδοκαθαριστής. **~·ing** *ἐπ.* *(α)* εὐρύτατος: *~ing changes/reforms*, εὐρύτατες ἀλλαγές/μεταρρυθμίσεις. *(β)* πολύ γενικός, περιεκτικότατος: *a ~ing statement*, μιά πολύ γενική δήλωσις. *~ing generalizations*, ὑπεραπλουστευμένες γενικεύσεις. *(γ)* σαρωτικός: *a ~ing victory*, σαρωτική νίκη. *~ing reductions*, πολύ μεγάλες ἐκπτώσεις. *(δ)* πλατύς, φιγουρᾶτος, ὁρμητικός, κυκλικός: *a ~ing gesture*, μιά πλατειά/ὁρμητική χειρονομία. *a ~ing curtsey*, φιγουράτη ὑπόκλισις.

a ~ing glance, γρήγορη κυκλική ματιά. **~·ing·ly** *ἐπίρ.* πλατιά, ὁρμητικά, γενικά. **~·ings** *οὐσ. πληθ.* σκουπίδια.

sweet /swit/ *ἐπ.* *(-er, -est)* **1**. γλυκός: *Do you like your coffee ~?* πίνετε τόν καφέ σας γλυκό; ~ *wine*, γλυκό κρασί. ***have a ~ tooth***, μοῦ ἀρέσουν τά γλυκίσματα. **2**. δροσερός, φρέσκος, καθαρός: ~ *milk*, φρέσκο γάλα. ~ *breath*, δροσερή ἀναπνοή. ~ *water*, γλυκό/πόσιμο νερό. **3**. γλυκός, μυρωδᾶτος, μυρωμένος: *The hills are ~ with thyme*, οἱ λόφοι μυρίζουν γλυκά ἀπό τό θυμάρι. *Don't the roses smell ~!* τί γλυκά πού μυρίζουν τά τριαντάφυλλα! **'~-'scented** *ἐπ.* γλυκομύριστος. **4**. γλυκός, εὐχάριστος, χαριτωμένος: *a ~ face/voice*, γλυκό πρόσωπο/γλυκειά φωνή. *Isn't the baby ~!* γλύκα εἶναι τό μωρό! *a ~ little hat*, ἕνα χαριτωμένο καπελλάκι. *have a ~ temper*, ἔχω γλυκό, ἤρεμο χαρακτῆρα. ***at one's own ~ will***, κατά τό κέφι μου. ***be ~ on sb***, (*καθομ.*) εἶμαι ἐρωτευμένος μέ κπ. **5**. (*σέ σύνθ. λέξεις*): **'~·bread**, γλυκάδια ζώου. **'~·heart**, ἀγαπημένος, ἀγαπημένη: *his ~heart*, ἡ καλή του. **'~·meat**, κουφέτο, καραμέλα, ζαχαρωτό, φρουΐ γκλασέ. **'~ 'pea**, γλυκομπίζελο. **'~ potato**, γλυκοπατάτα. —*οὐσ.* ‹C› **1**. καραμέλα. **2**. γλυκό (ἐπιδόρπιο). **3**. (*πληθ.*) χαρές, ἀπολαύσεις: *the ~s of success/life*, οἱ χαρές τῆς ἐπιτυχίας/τῆς ζωῆς. **4**. ἀγαπούλα: *Yes, my ~*, ναί, ἀγάπη μου. **~en** /ˈswitn/ *ρ.μ.* γλυκαίνω. **~·en·ing** /ˈswitnɪŋ/ *οὐσ.* ‹C,U› γλυκαντική οὐσία, γλύκανσις. **'~ie** (*ἐπιφ.*) γλύκα (μου). **~·ish** /-ɪʃ/ *ἐπ.* γλυκούτσικος. **~·ly** *ἐπίρ.* γλυκά. **~·ness** *οὐσ.* ‹C,U› γλυκύτης.

swell /swel/ *ρ.μ/ἀ.* *ἀνώμ.* *(ἀόρ. ~ed /sweld/, π.μ. swollen /ˈswəʊlən/ ἤ σπάν. ~ed)* φουσκώνω, πρήζομαι: *Wood often ~s when wet*, τό ξύλο συχνά φουσκώνει ἅμα βραχῆ. *The river was swollen with melted snow*, τό ποτάμι εἶχε φουσκώσει ἀπό τά λυωμένα χιόνια. *The sails ~ed out in the wind*, τά πανιά φούσκωναν στόν ἀέρα. *The wind ~ed (out) the sails*, ὁ ἀέρας φούσκωσε τά πανιά. *eyes swollen with tears*, μάτια πρησμένα ἀπό τά δάκρυα. *a swollen face/knee*, πρησμένο πρόσωπο/γόνατο. ***have/suffer from a swollen head***, (*μεταφ.*) ἔχουν πάρει τά μυαλά μου ἀέρα. **'swollen-headed** *ἐπ.* φαντασμένος, ξιππασμένος. —*οὐσ.* **1**. ‹C› βαθμιαία αὔξησις ἤχου: *the ~ of an organ*. **2**. (*μόνον ἑν.*) φουσκοθαλασσιά: *There was a heavy ~ after the storm*, ὑπῆρχε μεγάλη φουσκοθαλασσιά μετά τή θύελλα. **3**. ‹C› (*πεπαλ., καθομ.*) φιγουρίνι (= πολύ κομψός): *What a ~ you look in your new suit!* φιγουρίνι εἶσαι μέ τό καινούργιο σου κοστούμι! ***come the heavy ~ over sb***, (*λαϊκ.*) πουλάω φιγούρα σέ κπ. —*ἐπ.* (*πεπαλ. καθομ.*) **1**. κομψός, μοντέρνος, σίκ. **2**. πρώτης τάξεως, θαυμάσιος, φίνος: *a ~ tennis player*, ἕνας θαυμάσιος παίκτης τοῦ τέννις. **~·ing** *οὐσ.* ‹C,U› πρήξιμο, φλεγμονή, διόγκωσις.

swel·ter /ˈsweltə(r)/ *ρ.ἀ.* σκάω/λυώνω ἀπό τή ζέστη: *a ~ing hot day*, ἡμέρα καμίνι.

swept /swept/ *ἀόρ. & π.μ. τοῦ ρ.* ²*sweep*.

swerve /swɜv/ *ρ.μ/ἀ.* παρεκκλίνω, λοξοδρομῶ, στρίβω ἀπότομα: *The car ~d to avoid knocking me down*, τό αὐτοκίνητο ἔστριψε ἀπότομα γιά νά μή μέ χτυπήση. *Don't ~ from your purpose*, μήν παρεκκλίνης ἀπό τό σκοπό σου. —*οὐσ.* ‹C› λοξοδρόμισμα, στραβοτιμονιά.

swift /swɪft/ *ἐπ.* *(-er, -est)* ταχύς, γοργός, ἄμεσος: *a ~ revenge*, ἄμεση ἐκδίκηση. ~ *of foot*, (*λογοτ.*) ταχύπους, γοργοπόδαρος. ~ *to anger*, (*λόγ.*) ὀξύθυμος. ***as ~ as thought***, γρήγορος σάν ἀστραπή. —*οὐσ.* ‹C› (*ὀρνιθ.*) κλαδευτήρα, πετροχελίδονο. **~·ly** *ἐπίρ.* γρήγορα. **~·ness** *οὐσ.* ‹U› ταχύτης, γρηγοράδα.

swig /swɪg/ *ρ.μ/ἀ.* *(-gg-)* (*καθομ.*) πίνω, ρουφῶ (μέ μεγάλες γουλιές): *He was ~ging beer*, ἔπινε μπύρα. ***~ off***, πίνω μονορρούφι: *He ~ged off a glass of brandy*, ἄδειασε μονορρούφι ἕνα ποτήρι κονιάκ. —*οὐσ.* ‹C› μεγάλη ρουφηξιά: *take a ~ at a bottle of beer*, τραβῶ μιά γερή ρουφηξιά ἀπό ἕνα μπουκάλι μπύρα.

swill /swɪl/ *ρ.μ/ἀ.* **1**. ***~ sth out***, ξεπλένω: ~ *out a dirty tub*, ξεπλένω μιά βρώμικη μπανιέρα. **2**. (*καθομ.*) πίνω λαίμαργα, κοπανῶ, κατεβάζω: *They ~ed beer all evening*, κοπανοῦσαν μπύρα ὅλο τό βράδυ. —*οὐσ.* **1**. ‹C› πλύσιμο: *Give the bucket a good ~ out*, δῶσε ἕνα καλό πλύσιμο στόν κουβᾶ. **2**. ‹U› ξέπλυμα (γιά τά γουρούνια).

swim /swɪm/ *ρ.μ/ἀ.* *ἀνώμ.* *(-mm-)* (*ἀόρ. swam /swæm/, π.μ. swum /swʌm/*) **1**. κολυμπῶ: *go ~ming*, πάω γιά μπάνιο, πάω κολύμπι. ~ *across the Channel*, διασχίζω τή Μάγχη κολυμπώντας. ***~ with the tide/stream***, (*μεταφ.*) πάω μέ τό ρεῦμα (ὅπου πᾶνε κι' οἱ πολλοί). **'~·ming-bath**, στεγασμένη πισίνα. **'~·ming-pool**, ὑπαίθρια πισίνα. **'~-ming-costume**; **'~-suit**, (μονοκόμματο γυναικεῖο) μαγιό. **'~·ming-trunks** *οὐσ. πληθ.* (ἀνδρικό) μαγιό. **2**. ***~ with; ~ in/on***, (*μεταφ.*) πλημμυρίζω, κολυμπῶ εἰς: *eyes ~ming with tears*, μάτια πλημμυρισμένα στά δάκρυα. *meat ~ming in gravy*, κρέας πού κολυμπάει στή σάλτσα. **3**. ἰλιγγιῶ, στριφογυρίζω: *My head began to ~*, τό κεφάλι μου ἄρχισε νά γυρίζη, μ' ἔπιασε ἴλιγγος. *The room swam before his eyes*, τό δωμάτιο στριφογύριζε μπρός στά μάτια μου. —*οὐσ.* **1**. κολύμπι: *go for/have a ~*, πάω γιά κολύμπι/κάνω μπάνιο. **2**. (*ἑν. μέ the*) ρεῦμα, ἐπικαιρότης. ***be in/out of the ~***, εἶμαι μέσα στά πράγματα (ἐνημερωμένος)/ἔξω ἀπό τά πράγματα. **~·mer** *οὐσ.* ‹C› κολυμβητής. **~·ming·ly** *ἐπίρ.* ὁμαλά καί καλά, περίφημα: *We're getting along ~mingly*, τά πᾶμε μιά χαρά.

swindle /ˈswɪndl/ *ρ.μ/ἀ.* ~ ***(out of)*** κοροϊδεύω, ἐξαπατῶ, παίρνω μέ ἀπάτη: ~ *money out of sb*, παίρνω μέ ἀπάτη χρήματα ἀπό κπ. *They ~d him out of his money*, τόν κοροΐδεψαν καί τοῦ πῆραν τά λεφτά του. —*οὐσ.* ‹C› ἀπάτη, κοροϊδία. **~r** /ˈswɪndlə(r)/ *οὐσ.* ‹C› ἀπατεώνας.

swine /swaɪn/ *οὐσ.* ‹C› (*ἀμετάβλ. στόν πληθ.*) (*ἀπηρχ.*) χοῖρος, (*χυδ. βρισιά*) γουρούνι. **'~-herd**, (*ἀπηρχ.*) χοιροβοσκός. **swin·ish** /-ɪʃ/ *ἐπ.* γουρουνίσιος.

¹**swing** /swɪŋ/ *ρ.μ/ἀ.* *ἀνώμ.* (*ἀόρ. & π.μ. swung /swʌŋ/*) **1**. κουνῶ/-ιέμαι, αἰωροῦμαι: *He was ~ing his arms/His arms swung as he walked*, κουνοῦσε τά χέρια του/τά χέρια του κουνιόν-

ταν ὅπως περπατοῦσε. *The door swung shut/swung to*, ἡ πόρτα ἔκλεισε. ~ ***for sth***, (*καθομ.*) κρεμιέμαι, ἀπαγχονίζομαι (γιά φόνο). ***no room to ~ a cat in***, καθόλου χῶρος. **2**. περπατῶ μέ βῆμα πεταχτό: *The soldiers advanced at a ~ing trot*, οἱ στρατιῶτες προχωροῦσαν μέ βῆμα πεταχτό. **3**. χορεύω σουΐγκ. **4**. παίρνω στροφή, γυρίζω ἀπότομα: *He swung round and faced his pursuers*, γύρισε ἀπότομα/ἔκαμε μεταβολή κι' ἀντιμετώπισε τούς διῶκτες του. *The car swung round the corner*, τό αὐτοκίνητο πῆρε ἀπότομα τή στροφή.

[2]**swing** /swɪŋ/ *οὐσ.* ‹C› **1**. κούνημα, αἰώρησις, παλινδρόμησις: *the ~ of the pendulum*, τό κούνημα (ἡ παλινδρόμησις) τοῦ ἐκκρεμοῦς. **2**. (μετα)στροφή: *a sudden ~ of public opinion*, αἰφνίδια μεταστροφή τῆς κοινῆς γνώμης. **3**. ρυθμική κίνησις, ἔντονος ρυθμός: *walk with a ~*, περπατῶ μέ ρυθμό/πεταχτά. ***in full ~***, στό φόρτε: *The party was in full ~*, τό πάρτυ ἦταν στό φόρτε του. ***go with a ~***, *(α)* (*γιά μουσική, ποίηση, κλπ*) ἔχω καλό ρυθμό. *(β)* (*μεταφ.*) ἐξελίσσομαι ὁμαλά: *The party/meeting went with a ~*, τό πάρτυ/ἡ συγκέντρωσις πῆγε ρολόϊ. ***get into the ~ of sth***, ἐξοικειώνομαι μέ κπ. **4**. (*χορός, μουσική*) σουΐγκ. **5**. κούνια, τραμπάλα. **~·ing** *ἐπ.* (*καθομ.*) **1**. γλεντζές, μοντέρνος: *a ~ing young man*, μοντέρνος, γλεντζές νεαρός. *a ~ing chick*, μοντέρνα κοπελλιά. **2**. ταιριαστός: *a ~ing couple*, ταιριαστό ζευγάρι. **3**. (*γιά μέρος*) τῆς μόδας, τοῦ γλεντιοῦ: *~ing London*, τό Λονδῖνο τῶν διασκεδάσεων/τοῦ γλεντιοῦ/τῆς μόδας. **4**. παλινδρομικός: *a ~ing door*, παλινδρομική πόρτα.

swinge /swɪndʒ/ *ρ.μ.* (*ἀπηρχ.*) χτυπῶ σκληρά. **~·ing** *ἐπ.* κολοσσιαῖος, τρομαχτικός: *~ing damages*, κολοσσιαία ἀποζημίωσις. *~ing taxation*, τρομαχτική φορολογία.

swipe /swaɪp/ *ρ.μ.* (*καθομ.*) **1**. χτυπῶ γερά (*πχ* τήν μπάλλα). **2**. σουφρώνω, κλέβω. __*οὐσ.* ‹C› χτύπημα: *have/take a ~ at the ball*, δίνω χτύπημα στήν μπάλλα.

swirl /swɜl/ *οὐσ.* ‹C› **1**. δίνη, στρόβιλος, (*μεταφ.*) ἴλιγγος: *a ~ of dust*, στρόβιλος σκόνης. *the ~ of modern life*, ὁ ἴλιγγος τῆς σύγχρονης ζωῆς. **2**. κρέπι (καπέλλου), κοτσίδα (γύρω στό κεφάλι). __*ρ.μ/ἀ.* στροβιλίζω/-ομαι: *dead leaves ~ing about in the street*, ξερά φύλλα πού στροβιλίζονται στό δρόμο.

swish /swɪʃ/ *ρ.μ/ἀ.* **1**. κινῶ/-οῦμαι (μέ ἦχο σφυρίγματος): *The horse ~ed its tail*, τό ἄλογο χτύπησε τήν οὐρά του στόν ἀέρα. *He ~ed off the tops of the thistles with his stick*, χτύπησε κι' ἔκοψε τίς κορφές τῶν γαϊδουράγκαθων μέ τό μπαστούνι του. **2**. (*γιά φόρεμα*) φουρφουρίζω, (*γιά νερό*) κελαρύζω: *Her long silk dress ~ed as she came in*, τό μακρύ μεταξωτό φόρεμά της φουρφούρισε καθώς μπῆκε μέσα. __*οὐσ.* ‹C› σφύριγμα, θρόϊσμα: *the ~ of a whip*, τό σφύριγμα ἑνός μαστιγίου, μιά καμτσικιά. *the ~ of a dress*, τό θρόϊσμα ἑνός φορέματος. __*ἐπ.* (*καθομ.*) κομψός, σίκ, ἀκριβός: *a ~ restaurant*, σίκ ἑστιατόριο.

[1]**switch** /swɪtʃ/ *οὐσ.* ‹C› **1**. (*σιδηροδρ.*) κλειδί. **ˋ~·man** /-mən/, κλειδοῦχος. **2**. (*ἠλεκτρ.*) διακόπτης. **ˋ~·board**, πίνακας μέ διακόπτες, ταμπλώ, (*τηλέφ.*) μεταλλάκτης. **3**. βέργα: *He urged the horse on with a ~*, βίαζε τ' ἄλογο νά προχωρήση μέ μιά βέργα. **4**. ψεύτικη πρόσθετη κοτσίδα, ποστίς. **5**. μετατροπή, ἀλλαγή, μεταστροφή: *a ~ from government stock to shares*, μετατροπή ἀπό κυβερνητικά χρεώγραφα σέ μετοχές. *a ~ of public opinion*, μεταστροφή τῆς κοινῆς γνώμης. **6**. **ˋ~·back**, τραῖνο πού ἀνεβοκατεβαίνει σέ λούνα-πάρκ. **~back road**, δρόμος γεμᾶτος στροφές/γεμᾶτος ἀνηφοριές καί κατηφοριές.

[2]**switch** /swɪtʃ/ *ρ.μ/ἀ.* **1**. ~ ***on/off***, ἀνοίγω/κλείνω (μέσῳ διακόπτη): *~ on the light/~ it off*, ἀνοίγω τό φῶς/τό κλείνω. **2**. ~ ***sb on***, (*λαϊκ.*) ἀνάβω, διεγείρω: *This music really ~es me on!* αὐτή ἡ μουσική πραγματικά μέ ἀνάβει/μοῦ τή δίνει! **3**. μεταφέρω συρμό (σέ ἄλλη γραμμή). **4**. ~ ***(over) to***, ἀλλάζω ξαφνικά, μεταπηδῶ: *~ the conversation to a more pleasant subject*, γυρίζω τήν κουβέντα σέ πιό εὐχάριστο θέμα. *~ over to modern methods*, υἱοθετῶ (μεταπηδῶ σέ) σύγχρονες μεθόδους. **5**. χτυπῶ μέ βέργα. **6**. βουτάω, γυρίζω ἀπότομα: *He ~ed it out of my hands*, μοῦ τό βούτηξε ἀπό τά χέρια.

swivel /ˋswɪvl/ *οὐσ.* ‹C› στροφεύς: *a ˋ~-chair/-gun*, περιστρεφόμενη καρέκλα/-ο ὅπλο. __*ρ.μ/ἀ.* *(-ll-)* στριφογυρίζω, περιστρέφω/-ομαι: *He ~led round in his chair/~led his chair round to see sth*, γύρισε μέ τήν/τήν καρέκλα του νά δῆ κτ.

swiz /swɪz/ *οὐσ.* ‹C› (*καθομ.*) πικρή ἀπογοήτευσις, ἀπάτη.

swizzle /ˋswɪzl/ *οὐσ.* ‹C› (*καθομ.*) κοκτέηλ σέ ψηλό ποτήρι.

swob /swɒb/ *οὐσ.* ‹C› & *ρ.μ. βλ. swab.*

swol·len /ˋswəʊlən/ *π.μ. τοῦ ρ. swell.*

swoon /swun/ *οὐσ.* ‹C› λιποθυμία. __*ρ.ἀ.* λιποθυμῶ.

swoop /swup/ *ρ.ἀ.* ~ ***down (on)***, ἐφορμῶ, ἐπιπίπτω: *The soldiers ~ed down on the enemy patrol*, οἱ στρατιῶτες πέσανε πάνω στήν ἐχθρική περίπολο. *The hawk ~ed down on its prey*, τό γεράκι ἐφώρμησε/ἐπέπεσε στό θῦμα του. __*οὐσ.* ‹C› βουτιά, βούτηγμα, ἅρπαγμα. ***at one (fell) ~***, μονομιᾶς, μέ μιά ξαφνική ἐπίθεση/κίνηση.

swop, swap /swɒp/ *ρ.μ/ἀ.* *(-pp-)* (*καθομ.*) ἀνταλλάσσω, κάνω τράμπα: *~ stamps/yarns*, ἀνταλλάσσω γραμματόσημα/ἱστορίες. *~ places with sb*, ἀλλάζω θέση μέ κπ. ***Don't ~ horses in mid-stream***, (*παροιμ.*) μήν ἀλλάζης ἄλογα στή μέση στό ποτάμι, μήν κάνης ἀλλαγές στήν κρίσιμη ὥρα. __*οὐσ.* ‹C› ἀνταλλαγή: *Let's do a ~.*

sword /sɔd/ *οὐσ.* ‹C› ξῖφος: *He came into the room ~ in hand*, μπῆκε στό δωμάτιο μέ τό σπαθί στό χέρι. ***cross ~s (with sb)***, (*μεταφ.*) κάνω καυγά. ***draw the ~***, ξιφουλκῶ, (*μεταφ.*) ἀρχίζω τόν πόλεμο. ***sheathe the ~***, βάζω τό ξῖφος στή θήκη του, τερματίζω τόν πόλεμο. ***put sb to the ~***, (*λόγ.*) σφάζω, περνῶ ἀπό μαχαίρι. ***at the point of the ~***, ὑπό τήν ἀπειλήν τοῦ ξίφους. **ˋ~-cane/-stick**, μπαστούνι μέ κρυφή λεπίδα ξίφους. **ˋ~-cut**, σπαθιά, σημάδι ἀπό σπαθί. **ˋ~-dance**, χορός τῶν σπαθιῶν. **ˋ~·fish**, (*ἰχθ.*) ξιφίας. **ˋ~-play**, ξιφομαχία, ξιφασκία, (*με-*

ταφ.) διαξιφισμός. **`~s·man** /-zmən/, ξιφομάχος. **~s·man·ship** /-zmənʃɪp/, ξιφομαχία.
swore /swɔ(r)/, **sworn** /swɔn/ *ἀόρ.* & *π.μ.* *τοῦ ρ. swear.*
swot /swot/ *ρ.μ/ὰ.* (*-tt-*) (*καθομ.*) **1.** ~ (**for sth**), μελετῶ ἐντατικά, σπάω στό διάβασμα: *I've been ~ting for the Cambridge exams*, μελετῶ ἐντατικά γιά τίς ἐξετάσεις τοῦ Καῖμπριτζ. **2.** ~ **sth up**, ἐπαναλαμβάνω κτ: *~ up one's vocabulary/geometry*, ἐπαναλαμβάνω τό λεξιλόγιό μου/τή γεωμετρία μου. __*οὐσ.* **1.** ‹C› σπασίλας. **2.** ‹U› ἐντατική μελέτη, σκληρή δουλειά.
swum /swʌm/ *π.μ. τοῦ ρ. swim.*
swung /swʌŋ/ *ἀόρ.* & *π.μ. τοῦ ρ.* [1]*swing.*
syb·ar·ite /ˈsɪbəraɪt/ *οὐσ.* ‹C› συβαρίτης, μαλθακός ἄνθρωπος. **syb·ar·itic** /ˈsɪbəˈrɪtɪk/ *ἐπ.* μαλθακός, τρυφηλός.
syca·more /ˈsɪkəmɔ(r)/ *οὐσ.* ‹C,U› σφεντάμι, συκομουριά.
syco·phant /ˈsɪkəfənt/ *οὐσ.* ‹C› κόλακας, τσανακογλείφτης. **~ic** /ˈsɪkəˈfæntɪk/ *ἐπ.* γλοιώδης, δουλοπρεπής.
syl·lable /ˈsɪləbl/ *οὐσ.* ‹C› συλλαβή. **syl·labic** /sɪˈlæbɪk/ *ἐπ.* συλλαβικός. **syl·lab·ify** /sɪˈlæbɪfaɪ/, **syl·la·bize** /ˈsɪləbaɪz/ *ρ.μ.* χωρίζω σέ συλλαβές. **syl·labi·fi·ca·tion** /sɪˈlæbɪfɪˈkeɪʃn/, **syl·labi·ca·tion** /sɪˈlæbɪˈkeɪʃn/ *οὐσ.* ‹C,U› συλλαβισμός.
syl·la·bus /ˈsɪləbəs/ *οὐσ.* ‹C› (*πληθ.* *~es* /-bəsɪz/ *ἤ -bi* /-baɪ/) πρόγραμμα μαθημάτων σχολείου, περίληψις σπουδῶν.
syl·lo·gism /ˈsɪlədʒɪzm/ *οὐσ.* ‹C› (*λογικ.*) συλλογισμός.
sylph /sɪlf/ *οὐσ.* ‹C› συλφίδα, (*μεταφ.*) ὄμορφη λυγερή κοπέλλα. **~-like** *ἐπ.* λυγερός σά συλφίδα.
syl·van, sil·van /ˈsɪlvən/ *ἐπ.* (*λόγοτ.*) τῶν δέντρων, τοῦ δάσους: ~ *gods*, θεοί τοῦ δάσους. *a ~ retreat*, καταφύγιο ἀνάμεσα στά δέντρα.
sym·bol /ˈsɪmbl/ *οὐσ.* ‹C› σύμβολο. **~ic** /ˈsɪmˈbolɪk/, **~i·cal** /-kl/ *ἐπ.* συμβολικός. **~i·cally** /-klɪ/ *ἐπίρ.* συμβολικά. **~·ize** /ˈsɪmbəlaɪz/ *ρ.μ.* συμβολίζω. **~-iz·ation** /ˈsɪmbəlaɪˈzeɪʃn/, **~·ism** /ˈsɪmbəlɪzm/ *οὐσ.* ‹C,U› συμβολισμός.
sym·me·try /ˈsɪmətrɪ/ *οὐσ.* ‹U› συμμετρία, ἁρμονία: *spoil the ~ of sth*, χαλῶ τή συμμετρία. **sym·met·ric** /sɪˈmetrɪk/, **sym·met·ri·cal** /-kl/ *ἐπ.* συμμετρικός. **sym·met·ri·cally** /-klɪ/ *ἐπίρ.*
sym·path·etic /ˈsɪmpəˈθetɪk/ *ἐπ.* συμπονετικός, φιλικός, εὐμενής: *a ~ heart/look*, συμπονετική καρδιά/ματιά. *a ~ audience*, φιλικό ἀκροατήριο. ***be/feel ~ to/towards sb***, νοιώθω συμπόνοια γιά κπ, συμμερίζομαι κπ. ~ **ink**, συμπαθητική (ἀόρατη) μελάνη. **sym·path·eti·cally** /-klɪ/ *ἐπίρ.*
sym·path·ize /ˈsɪmpəθaɪz/ *ρ.ὰ.* ~ ***with***, συμμερίζομαι, συμπονῶ, λυπᾶμαι: *I don't ~ with your ambition to go on the stage*, δέν συμμερίζομαι/δέν μοῦ ἀρέσει ἡ φιλοδοξία σου νά γίνης θεατρίνος. *I ~ with you in your anxiety*, συμμερίζομαι τήν ἀγωνία σου. *I ~ with you in your loss*, συμπονῶ μαζί σου γιά τήν ἀπώλεια πού ὑπέστης. *I don't ~ with him*, δέν τόν λυπᾶμαι. ***I ~ with you***, σᾶς συλλυποῦμαι. **~r** *οὐσ.* ‹C› συμπαθῶν (πολιτικοῦ κόμματος ἤ ἰδεολογίας).
sym·pathy /ˈsɪmpəθɪ/ *οὐσ.* **1.** ‹U› συμπόνια, οἶκτος, συλλυπητήρια: *feel ~ for sb*, νοιώθω συμπόνια γιά κπ. *send a letter of ~*, στέλνω συλλυπητήριο γράμμα. **2.** ‹U› κατανόηση, συμπάθεια: *I have no ~ with such foolish opinions*, δέν συμμερίζομαι τέτοιες ἀνόητες ἰδέες. *I have some ~ with their views*, ἔχω κάποια συμπάθεια γιά τίς ἀπόψεις του (τίς συμμερίζομαι κάπως). ***in ~ with***, σύμφωνος, ἀλληλέγγυος: *We are all in ~ with your proposals*, εἴμαστε ὅλοι σύμφωνοι μέ τίς προτάσεις σας. *The bus workers will strike in ~ with the railway workers*, οἱ ἐργαζόμενοι στά λεωφορεῖα θά ἀπεργήσουν σ'ἔνδειξη ἀλληλεγγύης πρός τούς σιδηροδρομικούς. **3.** (*πληθ.*) εὐαισθησία, προτίμησις, συμπάθεια: *a man of wide sympathies*, πολύ εὐαίσθητος ἄνθρωπος, ἄνθρωπος μέ αἰσθήματα. *My sympathies are with the miners*, οἱ συμπάθειές μου εἶναι μέ τούς ἀνθρακωρύχους (εἶμαι μέ τό μέρος τους).
sym·phony /ˈsɪmfənɪ/ *οὐσ.* ‹C› (*μουσ.*) συμφωνία. **sym·phonic** /sɪmˈfonɪk/ *ἐπ.* συμφωνικός.
sym·po·sium /sɪmˈpəʊzɪəm/ *οὐσ.* ‹C› (*πληθ.* *~s ἤ -sia* /-zɪə/) συμπόσιον (συλλογή ἄρθρων ἤ πνευματική διάσκεψις).
symp·tom /ˈsɪmptəm/ *οὐσ.* ‹C› σύμπτωμα. **~atic** /ˈsɪmptəˈmætɪk/ *ἐπ.* συμπτωματικός, ἐνδεικτικός. **~ati·cally** /-klɪ/ *ἐπίρ.* συμπτωματικά, ἐνδεικτικά.
syna·gogue /ˈsɪnəgog/ *οὐσ.* ‹C› συναγωγή.
syn·chro·mesh /ˈsɪŋkrəʊmeʃ/ *οὐσ.* ‹U› (*αὐτοκ.*) σύστημα συγχρονισμένων ταχυτήτων.
syn·chron·ize /ˈsɪŋkrənaɪz/ *ρ.μ/ὰ.* συγχρονίζω/-ομαι: ~ *all the clocks in a building*, συγχρονίζω ὅλα τά ρολόγια σ'ἕνα κτίριο. **syn·chron·iz·ation** /ˈsɪŋkrənaɪˈzeɪʃn/ *οὐσ.* ‹U› συγχρονισμός.
syn·co·pate /ˈsɪŋkəpeɪt/ *ρ.μ.* συγκόπτω, (*μουσ.*) ἀλλάζω τό ρυθμό διά συγκοπῆς, παίζω μέ συγκοπτόμενο ρυθμό. **syn·co·pa·tion** /ˈsɪŋkəˈpeɪʃn/ *οὐσ.* ‹U› (*μουσ.*) συγκοπή.
syn·cope /ˈsɪŋkəpɪ/ *οὐσ.* ‹U› (*ἰατρ.*) συγκοπή, λιποθυμία (ἀπό ὑπόταση).
syn·dic /ˈsɪndɪk/ *οὐσ.* ‹C› σύνδικος, ἐπίτροπος, μέλος ἐπιτροπῆς.
syn·di·cal·ism /ˈsɪndɪkəlɪzm/ *οὐσ.* ‹U› συνδικαλισμός. **syn·di·cal·ist** /-ɪst/ *οὐσ.* ‹C› συνδικαλιστής.
syn·di·cate /ˈsɪndɪkət/ *οὐσ.* ‹C› **1.** δημοσιογραφικό συνδικᾶτο (ὀργάνωσις πού ἐφοδιάζει ἐφημερίδες καί περιοδικά μέ ἄρθρα). **2.** κοινοπραξία ἐμπορικῶν ἐπιχειρήσεων. __*ρ.μ.* /ˈsɪndɪkeɪt/ δημοσιεύω (ἄρθρα, κλπ) σέ πολλές ἐφημερίδες ταυτοχρόνως.
syn·drome /ˈsɪndrəʊm/ *οὐσ.* ‹C› (*ἰατρ.*) σύνδρομον.
synod /ˈsɪnəd/ *οὐσ.* ‹C› (*ἐκκλ.*) σύνοδος.
syn·onym /ˈsɪnənɪm/ *οὐσ.* ‹C› συνώνυμον. **syn·ony·mous** /sɪˈnonɪməs/ *ἐπ.* συνώνυμος.
syn·op·sis /sɪˈnopsɪs/ *οὐσ.*‹C› (*πληθ.* *-opses* /-siz/) σύνοψις, περίληψις. **syn·op·tic** /sɪˈnoptɪk/ *ἐπ.* συνοπτικός. **syn·op·ti·cally** /-klɪ/ *ἐπίρ.*
syn·tax /ˈsɪntæks/ *οὐσ.* ‹U› (*γραμμ.*) σύνταξις.

syn·tac·tic /sɪnˋtæktɪk/ *ἐπ.* συντακτικός. **syn·tac·ti·cally** /-klɪ/ *ἐπίρ.* συντακτικῶς.
syn·thesis /ˋsɪnθəsɪs/ *οὐσ.* ‹C› (*πληθ. -theses* /-siz/) σύνθεσις. **syn·thetic** /sɪnˋθetɪk/ συνθετικός: *synthetic rubber*, συνθετικό καουτσούκ. **syn·theti·cally** /-klɪ/ *ἐπίρ.*
syph·ilis /ˋsɪfəlɪs/ *οὐσ.* ‹U› σύφιλις. **syph·il·itic** /ˈsɪfəˋlɪtɪk/ *ἐπ.* & *οὐσ.* ‹C› συφιλιδικός.
syphon /ˋsaɪfən/ *οὐσ.* ‹C› *βλ. siphon.*
syr·inge /sɪˋrɪndʒ/ *οὐσ.* ‹C› σύριγγα, σερβιτσάλι, τρόμπα κήπου. __*ρ.μ.* **1**. κάνω ἔνεση/κλύσμα. **2**. ραντίζω.
syrup /ˋsɪrəp/ *οὐσ.* ‹U› σιρόπι. **~y** *ἐπ.* σοροπιασμένος, πολύ γλυκός, γλυκανάλατος.
sys·tem /ˋsɪstəm/ *οὐσ.* ‹C,U› σύστημα, ὀργάνωσις, ὀργανισμός: *the ˋnervous/diˋgestive/reˋspiratory* ~, τό νευρικό/πεπτικό/ἀναπνευστικό σύστημα. *a ~ of philosophy/government*, φιλοσοφικό σύστημα/σύστημα διακυβερνήσεως. *Too much alcohol is bad for the* ~, τό πολύ ἀλκοόλ βλάπτει τόν ὀργανισμό. *You must work with* ~, πρέπει νά δουλεύης μέ σύστημα. **~·atic** /ˈsɪstəˋmætɪk/ *ἐπ.* συστηματικός. **~·ati·cally** /-klɪ/ *ἐπίρ.* συστηματικά. **~·atize** /ˋsɪstəmətaɪz/ *ρ.μ.* συστηματοποιῶ. **~·ati·za·tion** /ˈsɪstəmətaɪˋzeɪʃn/ *οὐσ.* ‹C,U› συστηματοποίησις.

T t

T, t /ti/ **1**. τό 20ό γράμμα τοῦ ἀλφάβητου. **2**. σχήματος Τ: *a T-aerial*, κεραία σχήματος Τ.
ta /tɑ/ *ἐπιφ.*(*στή γλῶσσα τῶν νηπίων, καί ἀπό μεγάλους ἀστειολ.*) εὐχαριστῶ.
tab /tæb/ *οὐσ.* ‹C› **1**. κρεμαστάρι, θηλειά (*πχ* σακακκιοῦ, κλπ, γιά τό κρέμασμα). **2**. ἐτικέττα, μάρκα. **3**. σιδεράκι (στήν ἄκρη κορδονιοῦ). **4**. (*καθομ.*) λογαριασμός, ἔλεγχος. ***keep ~s on/a ~ on sb/sth***, παρακολουθῶ κπ/κτ, κρατῶ λογαριασμό, ἐλέγχω: *keep a ~ on the expenses*, παρακολουθῶ/ἐλέγχω τά ἔξοδα.
tabby /ˋtæbɪ/ *οὐσ.* ‹C› ˋ**~(-cat)**, γάτα μέ ραβδωτό τρίχωμα.
tab·er·nacle /ˋtæbənækl/ *οὐσ.* ‹C› **1**. **the T~**, (*Α.Γ.*) σκήνωμα, φορητός ναός τῶν Ἑβραίων. **2**. (*ἐκκλ.*) ἀρτοφόριον. **3**. ναός.
table /ˋteɪbl/ *οὐσ.* **1**. ‹C› τραπέζι: *a ˋdining-/ˋdressing-/ˋbilliard-~*, τραπέζι τοῦ φαγητοῦ/τῆς τουαλέττας/τοῦ μπιλιάρδου. ***at ~***, στό φαγητό: *They were at ~*, ἦταν στό τραπέζι (ἔτρωγαν). ***lay/clear the ~***, στρώνω/σηκώνω τό τραπέζι. ˋ**~-cloth**, τραπεζομάντηλο. ˋ**~-knife**, τραπεζομάχαιρο. ˋ**~-lifting/-rapping/-turning**, σήκωμα/χτύπημα/κίνησις τοῦ τραπεζιοῦ (σέ πνευματιστικές συγκεντρώσεις). ˋ**~-linen**, πετσέτες καί τραπεζομάντηλα. ˋ**~-mat**, ψάθα γιά τά ζεστά πιάτα, σού-πλά. ˋ**~-spoon**, κουτάλι σερβιρίσματος. ˋ**~-talk**, κουβέντα στή διάρκεια τοῦ φαγητοῦ. ˋ**~ tennis**, πίγκ-πόγκ. ˋ**~-ware** *οὐσ.* ‹U› ἐπιτραπέζια σκεύη. **2**. (*μόνον ἑν.*) τραπέζι (=συνδαιτημόνες, φαγητό): *His jokes amused the whole ~*, τ' ἀστεῖα του διασκέδασαν ὅλο τό τραπέζι. *He keeps a good ~*, ἔχει πλούσιο τραπέζι (καλό φαΐ καί ποτό). **3**. ˋ**~(-land)** /-lænd/ ὀροπέδιο. **4**. ‹C› πίνακας: *a ~ of contents*, πίνακας περιεχομένων. *multiplication ~s*, πίνακες πολλαπλασιασμοῦ. *a railway ˋtime~*, πίνακας δρομολογίων τραίνου. **5**. ‹C› δέλτος, πλάκα: *the Twelve T~s*, ἡ Δωδεκάδελτος. *the ~s of the law*, οἱ πλάκες τοῦ Μωσαϊκοῦ νόμου. **6**. ***lay sth on the ~***, (*κοινοβ.*) ἀναβάλλω ἐπ' ἀόριστον τήν συζήτησιν νομοσχεδίου. ***turn the ~s on sb***, ἀντιστρέφω ἐπιχείρημα σέ βάρος κάποιου, φέρνω κπ ξαφνικά καπάκι. __*ρ.μ.* **1**. ἀναβάλλω ἐπ' ἀόριστον τήν συζήτησιν νομοσχεδίου. **2**. καταθέτω (στή Βουλή) πρός συζήτησιν: *~ a Bill/an amendment/a motion*, καταθέτω νομοσχέδιο/τροποποίηση/πρόταση. **3**. συνοψίζω ὑπό μορφήν πίνακος.
tab·leau /ˋtæbləʊ/ *οὐσ.* ‹C› (*πληθ. ~x* /-ləʊz/) (*συνήθ.* ˈ~ ˋ**vivant** /ˋvivɔ̃/) εἰκόνα, ταμπλόβιβάν.
table d'hôte /ˈtabl ˋdəʊt/ *οὐσ.* ‹U› τάμπλ-ντ' ὄτ (*ἀντίθ. à la carte*): *a ~ dinner*, γεῦμα τάμπλ ντ' ὄτ (σέ καθωρισμένη τιμή).
tab·let /ˋtæblət/ *οὐσ.* ‹C› **1**. ἀναμνηστική ἤ ἀναθηματική πλάκα, δέλτος. **2**. σημειωματάριο. **3**. πλακίδιον (*πχ* σαπουνιοῦ). **4**. δισκίον, ταμπλέτα: *~s of aspirin*, δισκία ἀσπιρίνης. *throat ~s*, ταμπλέτες γιά τό λαιμό.
tab·loid /ˋtæblɔɪd/ *οὐσ.* ‹C› λαϊκή ἐφημερίδα μικροῦ σχήματος (μέ πολλές εἰκόνες, μεγάλους τίτλους καί λίγο κείμενο).
ta·boo /təˋbu/ *οὐσ.* ‹C,U› ταμπού. __*ἐπ.* ἀπαγορευμένος,· πού δέν ἐπιτρέπεται νά συζητηθῆ: *Sex problems were once ~*, τά προβλήματα τοῦ σέξ ἦταν κάποτε ταμπού. __*ρ.μ.* ἀπαγορεύω.
ta·bor /ˋteɪbə(r)/ *οὐσ.* ‹C› ντέφι, νταούλι.
tabu·lar /ˋtæbjʊlə(r)/ *ἐπ.* συνοπτικός, ὑπό μορφήν πίνακος: *You can see the results of the research in ~ form*, μπορεῖς νά δῆς τά ἀποτελέσματα τῆς ἐρεύνης διατυπωμένα σέ πίνακες.
tabu·late /ˋtæbjʊleɪt/ *ρ.μ.* συνοψίζω, ταξινομῶ σέ πίνακες. **tabu·la·tion** /ˈtæbjʊˋleɪʃn/ *οὐσ.* ‹U› σύνοψις, ταξινόμησις σέ πίνακα. **tabu·la·tor** /-tə(r)/ *οὐσ.* ‹C› ρυθμιστής πινάκων, ταμπουλατέρ.
tacit /ˋtæsɪt/ *ἐπ.* σιωπηρός: *~ consent/agreement*, σιωπηρά συναίνεσις/συμφωνία. **~·ly** *ἐπίρ.*
taci·turn /ˋtæsɪtɜn/ *ἐπ.* λιγόλογος, λιγομίλητος, ἐπιφυλακτικός. **~·ly** *ἐπίρ.* λακωνικά. **taci·tur·nity** /ˈtæsɪˋtɜnətɪ/ *οὐσ.* ‹U› ὀλιγολογία, σιωπηλότης.
[1]**tack** /tæk/ *οὐσ.* **1**. κοσκινόπροκα, πινέζα,

καρφάκι. ***get down to brass ~s***, (*καθομ.*) μπαίνω στήν οὐσία, μιλῶ καθαρά (γιά ἕνα θέμα), ἔρχομαι στό ψητό. **2**. τρύπωμα. —*ρ.μ.* **1**. καρφιτσώνω, καρφώνω (μέ καρφάκια): ~ *a map on the blackboard*, καρφιτσώνω ἕνα χάρτη στόν πίνακα. ~ *down a carpet*, καρφώνω ἕνα χαλί. **2**. τρυπώνω, ράβω πρόχειρα: *She ~ed up the hem of her dress*, τρύπωσε τό στρίφωμα τοῦ φορέματός της. ~ *a ribbon onto a hat*, πιάνω (μέ βελονιά) μιά κορδέλλα σ' ἕνα καπέλλο. **3**. (*μεταφ.*) κολλῶ, προσθέτω ἐκ τῶν ὑστέρων: ~ *an appeal for money on to a speech*, προσθέτω στό τέλος ἑνός λόγου μιά ἔκκληση γιά χρήματα.

[2]**tack** /tæk/ *οὐσ.* **1**. (*ναυτ.*) πορεία (μέ βάση τόν ἄνεμο): *sail on the port/starboard* ~, πλέω μέ τόν ἄνεμο ἀριστερά/δεξιά. ***be on the right/wrong ~***, (*μεταφ.*) ἀκολουθῶ σωστή/λανθασμένη τακτική ἤ κατεύθυνση. **2**. γαλέτα. —*ρ.ὰ.* (*γιά πλοῖο*) προχωρῶ μέ ζίγκ-ζάγκ, κόβω βόλτες.

tackle /ˈtækl/ *οὐσ.* **1**. ‹U› σύνεργα: *ˈfishing* ~, σύνεργα ψαρικῆς. **2**. ‹C,U› παλάγκο, βίντζι, τροχαλία. **3**. ‹C› (*ράγκμπυ*) βούτηγμα καί ρίξιμο κάτω (τοῦ παίχτη πού ἔχει τή μπάλλα), (*στό ποδόσφαιρο*) ἄγριο μαρκάρισμα. —*ρ.μ/ὰ.* **1**. ἀντιμετωπίζω, καταπιάνομαι μέ: *I don't know how to ~ this problem*, δέν ξέρω πῶς ν' ἀντιμετωπίσω αὐτό τό πρόβλημα. **2**. σταματῶ, ἁρπάζω, βουτάω (*ἰδ.* κπ πού τρέχει): ~ *an opponent/a thief*, ἁρπάζω ἕναν ἀντίπαλο/ἕναν κλέφτη. *He ~s fearlessly*, ρίχνεται μέσ' στά ὅλα. **3**. ***~ sb about/over sth***, ρίχνομαι σέ κπ γιά κτ, τοῦ μιλῶ ἔξω ἀπό τά δόντια: *I'll ~ him about his behaviour*, θά τοῦ τά πῶ ἔξω ἀπό τά δόντια γιά τό φέρσιμό του.

tacky /ˈtækɪ/ *ἐπ.* κολλώδης, λίγο ὑγρός: *The paint is still ~*, ἡ μπογιά δέν στέγνωσε (κολλάει) ἀκόμα.

tact /tækt/ *οὐσ.* ‹U› τάκτ: *show/have great ~ in sth*, δείχνω/ἔχω πολύ τάκτ σέ κτ. **~·ful** /fl/ *ἐπ.* διακριτικός, λεπτός. **~·fully** /-fəlɪ/ *ἐπίρ.* **~·less** *ἐπ.* χωρίς τάκτ, ἀγενής. **~·lessly** *ἐπίρ.* **~·less·ness** *οὐσ.* ‹U› ἀδιακρισία.

tac·tic /ˈtæktɪk/ *οὐσ.* ‹C› τακτική: *win by surprise ~s*, κερδίζω μέ τήν τακτική τοῦ αἰφνιδιασμοῦ. *These ~s are unlikely to help you*, εἶναι ἀπίθανο νά σέ βοηθήση αὐτή ἡ τακτική. **tac·ti·cal** /-kl/ *ἐπ.* τακτικός: *commit a ~al error*, διαπράττω σφάλμα τακτικῆς. **tac·ti·cally** /-klɪ/ *ἐπίρ.* **tac·ti·cian** /tækˈtɪʃn/ *οὐσ.* ‹C› εἰδικός στήν τακτική.

tac·tile /ˈtæktaɪl/, **tac·tual** /ˈtækʃəl/ *ἐπ.* ἁπτός, τῆς ἁφῆς: *a ~ organ*, ὄργανον ἁφῆς.

tad·pole /ˈtædpəʊl/ *οὐσ.* ‹C› γυρῖνος (βατράχου).

taf·feta /ˈtæfɪtə/ *οὐσ.* ‹U› ταφτᾶς.

Taffy /ˈtæfɪ/ *οὐσ.* ‹C› (*καθομ.*) Οὐαλλός.

tag /tæg/ *οὐσ.* ‹C› **1**. ἐτικέττα (πού κρέμεται): *put ~s on one's luggage*, κρεμῶ ἐτικέττες στίς ἀποσκευές μου. *ˈprice ~s*, ἐτικέττες μέ τίς τιμές. **2**. μεταλλική ἄκρη (κορδονιοῦ, κλπ), κάθε λογῆς ἄκρη (πού κρέμεται χαλαρά). **3**. συνήθης φράσις, παροιμιώδης ἔκφρασις: *That's one of his favourite ~s*, εἶναι μιά ἀπό τίς ἐκφράσεις πού συνηθίζει. *Latin/Ancient Greek ~s*, τετριμμένες φράσεις στά Λατινικά/στ' ἀρχαῖα Ἑλληνικά. ***question ~s***, (*γραμμ.*) ἐρωτηματικές φράσεις. **4**. (*παιχνίδι*) ἀμπάριζα, κυνηγητό. —*ρ.μ/ὰ.* (*-gg-*) **1**. δένω ἐτικέττα σέ κτ. **2**. ***~ on***, κολλῶ, στερεώνω, βάζω, προσδένω: ~ *a flower on to a hat*, κολλῶ ἕνα λουλούδι σέ καπέλλο. **3**. συγκολλῶ, συρράπτω, ἑνώνω πρόχειρα: ~ *old newspaper articles together to make a book*, συρράπτω παληά ἄρθρα ἐφημερίδων γιά νά φτιάξω ἕνα βιβλίο. **4**. ***~ along/behind/after***, ἀκολουθῶ κατά πόδι: *T~ along with us if you like*, ἔλα μαζί μας ἄν θέλης. *The children ~ged after their mother*, τά παιδιά ἀκολουθοῦσαν παντοῦ τή μητέρα τους.

tail /teɪl/ *οὐσ.* ‹C› **1**. οὐρά: *the ~ of a horse/kite/comet/an aircraft*, ἡ οὐρά ἑνός ἀλόγου/ἀετοῦ/κομήτη/ἀεροπλάνου. *The dog wagged its ~*, ὁ σκύλος κουνοῦσε τήν οὐρά του. ***turn ~***, στρίβω, γυρίζω καί φεύγω. ***There's a sting in the ~***, (*παροιμ.*) πίσω ἔχει ἡ ἀχλάδα τήν οὐρά. **ˋ~-board**, πισινή πόρτα κάρρου ἤ φορτηγοῦ (πού πέφτει πρός τά κάτω). **ˈ~-ˋcoat**, (*καθομ.* **~s**) φράκο. **(the) ˈ~-ˋend**, οὐρά, τελευταῖο τμῆμα: *the ~-end of a procession/concert*, τό τελευταῖο τμῆμα μιᾶς πομπῆς/μιᾶς συναυλίας. **ˋ~·gate**, πισινή πόρτα αὐτοκινήτου. **ˋ~-light**, πισινό φανάρι ὀχήματος. **ˋ~·piece**, (*τυπογρ.*) βινιέτα (στό τέλος κεφαλαίου). **ˋ~-spin**, (*ἀεροπ.*) κατακόρυφη περιδίνησις. **2**. (*πληθ.*) *(α)* φράκο. *(β)* (ὀπισθία ὄψις νομίσματος μέ τά) γράμματα: *Heads or ~s?* κορώνα ἤ γράμματα; **3**. (*καθομ.*) ὁ παρακολουθῶν: *The police put a ~ on him*, ἡ ἀστυνομία ἔβαλε κάποιον νά τόν παρακολουθῆ. —*ρ.μ/ὰ.* **1**. ***~ (after) sb***, (παρ)ακολουθῶ στενά κπ: *The detective ~ed the suspect*, ὁ ντέτεκτιβ πῆρε ἀπό πίσω τόν ὕποπτο. *The children ~ed after their mother*, τά παιδάκια πήγαιναν πίσω ἀπό τή μητέρα τους. **2**. ***~ off/away***, μένω πίσω, ἐλαττώνομαι βαθμηδόν (σέ μέγεθος ἤ ἀριθμό), ἀραιώνω: *The demonstration ~ed away*, ἡ διαδήλωση κατέληγε σέ σκόρπιες ἀραιές ὁμάδες. **-tailed** /teɪld/ (*ὡς β! συνθ.*) μέ οὐρά: *ˈlong-/ˈshort-ˋ~ed*, μέ μακρυά/μικρή οὐρά. **ˋ~·less** *ἐπ.* κολοβός, χωρίς οὐρά.

tailor /ˈteɪlə(r)/ *οὐσ.* ‹C› ράφτης. **ˈ~-ˋmade** *ἐπ.* (*γιά ροῦχα*) φτιαγμένος στό ράφτη, (*μεταφ.*) κομμένος στά μέτρα (κάποιου), πολύ κατάλληλος: *He seems ~-made for the job*, φαίνεται νά εἶναι κομμένος καί ραμμένος γιά τή δουλειά. —*ρ.μ.* ράβω, φτιάχνω: *a well-~ed suit*, καλοραμμένο κοστούμι. ***~ed for sth***, εἰδικῶς φτιαγμένος γιά κτ: *a play ~ed for the radio*, ἔργο εἰδικά γραμμένο γιά τό ραδιόφωνο.

taint /teɪnt/ *οὐσ.* ‹C,U› μόλυνσις, μίασμα, κηλίδα, ἴχνος: *the ~ of anarchism*, τό μίασμα τῆς ἀναρχίας. *free from ~*, ἀμόλυντος, ἀκηλίδωτος. *There is a ~ of insanity in the family*, ὑπάρχει ἕνα ἴχνος τρέλλας στήν οἰκογένεια. —*ρ.μ/ὰ.* μολύνω/-ομαι: *~ed meat/morals*, μολυσμένο κρέας/χαλασμένα ἤθη.

[1]**take** /teɪk/ *ρ.μ/ὰ.* ἀνώμ. (*ἀόρ.* *took* /tʊk/, *π.μ.* *taken* /ˈteɪkən/) **1**. παίρνω: *I don't want you to ~ my books*, δέ θέλω νά παίρνης τά βιβλία μου. *Can I ~ your bicycle?* μπορῶ νά πάρω (νά χρησιμοποιήσω, νά δανειστῶ) τό ποδήλατό σου; *Someone has ~n my umbrella*, κάποιος

μοῦ πῆρε (μοῦ βούτηξε) τήν ὀμπρέλλα μου. ~ *notes/sb's name/his telephone number*, παίρνω (κρατῶ) σημειώσεις/τό ὄνομα κάποιου/τό τηλέφωνό του. ~ *a photograph*, παίρνω (βγάζω) φωτογραφία. *The doctor took my temperature*, ὁ γιατρός μοῦ πῆρε τή θερμοκρασία. ~ *cold/an illness*, παίρνω κρύο/μιά ἀρρώστεια. ~ *a medicine*, παίρνω ἕνα φάρμακο. *The tailor took my measurements*, ὁ ράφτης μοῦ πῆρε τά μέτρα μου. *Which paper do you ~?* ποιά ἐφημερίδα παίρνεις (διαβάζεις); ~ *a deep breath*, παίρνω βαθειά ἀναπνοή. *Let's go out to ~ the air*, πᾶμε ἔξω νά πάρωμε ἀέρα. ~ *driving/English lessons*, παίρνω μαθήματα ὁδηγήσεως/Ἀγγλικῆς. *Which teacher will ~ the new class?* ποιός δάσκαλος θά πάρη τήν καινούργια τάξη; *He took the first prize*, πῆρε τό πρῶτο βραβεῖο. ~ *one's degree*, παίρνω τό δίπλωμά μου. ~ *a partner into a business*, παίρνω συνεταῖρο σέ μιά δουλειά. *Will you ~ tea or coffee?* θά πάρης τσάϊ ἤ καφέ; *I never ~ breakfast*, ποτέ δέν παίρνω πρόγευμα. ~ ~ *a bath/a walk/a holiday/a nap*, παίρνω (κάνω) μπάνιο/περίπατο/διακοπές/ἕναν ὑπνάκο. ~ *a chair/a seat*, παίρνω ἕνα κάθισμα, κάθομαι. *Is this seat ~n?* εἶναι πιασμένη αὐτή ἡ θέσις; ~ *an example*, παίρνω παράδειγμα. ~ *a lawyer's/doctor's advice*, παίρνω τή συμβουλή δικηγόρου/γιατροῦ. ~ *a taxi/the bus, etc*, παίρνω ταξί/τό λεωφορεῖο, κλπ. *He took the road to London*, πῆρε τό δρόμο γιά τό Λονδῖνο. *T~ the first turning on the left*, πάρε τόν πρῶτο δρόμο ἀριστερά. *If it's cheap I'll ~ it*, ἄν εἶναι φτηνό θά τό πάρω (θά τό ἀγοράσω ἤ θά τό νοικιάσω). *She took the baby in her arms*, πῆρε τό μωρό στήν ἀγκαλιά της. *He took her on his back*, τήν πῆρε στήν πλάτη του. **~ *a look***, ρίχνω μιά ματιά. **~ *examinations***, δίνω ἐξετάσεις. **~ *all responsibility***, παίρνω ὅλη τήν εὐθύνη. **~ *things calmly/coolly***, παίρνω τά πράγματα ψύχραιμα. **~ *sth ill/well***, παίρνω κτ ἄσχημα/καλά. **~ *sth seriously***, παίρνω κτ στά σοβαρά. (*βλ.* & *λ. easy, amiss*). **2**. πιάνω: *He took my hands/my arm*, μοῦ ἔπιασε τά χέρια/τό μπράτσο. ~ *sb by the hand/neck/throat*, πιάνω κπ ἀπό τό χέρι/ἀπό τό σβέρκο/ἀπό τό λαιμό. *He took it up with his fingers/with a pair of tongs*, τὄπιασε (τό σήκωσε) μέ τά δάχτυλά του/μέ μιά τσιμπίδα. ~ *sth in/with one's teeth*, πιάνω κτ μέ τά δόντια μου. **3**. πιάνω, συλλαμβάνω, καταλαμβάνω: ~ *a thief*, πιάνω (συλλαμβάνω) ἕναν κλέφτη. *be ~n in a trap*, πιάνομαι σέ παγίδα. ~ *prisoners*, πιάνω αἰχμαλώτους. ~ *a town/fortress*, καταλαμβάνω μιά πόλη/ἕνα φρούριο. **~ *sb at a disadvantage***, πιάνω/βρίσκω κπ σέ μειονεκτική θέση. **4**. **~ *sb/sth somewhere***, πηγαίνω κπ/κτ κάπου: *T~ it in/out/up/down/away/back, etc*, πήγαινέ το μέσα/ἔξω/ἐπάνω/κάτω/μακρυά/πίσω, κλπ. *I'll ~ you home/to the theatre/for a walk*, θά σέ πάω σπίτι/στό θέατρο/βόλτα. *I took her some flowers*, τῆς πῆγα μερικά λουλούδια. *T~ these letters to the post*, πήγαινε αὐτά τά γράμματα στό ταχυδρομεῖο. **ˈ~-home pay/wages**, (*καθομ.*) καθαρός μισθός/-ό μεροκάματο (αὐτό πού πηγαίνει κανείς στό σπίτι, μετά τίς κρατήσεις). **5**. δέχομαι, ἀνέχομαι: *Do you ~ this man to be your lawful wedded husband?* δέχεσαι αὐτόν τόν ἄνδρα ὡς νόμιμον σύζυγον; *I won't ~ a penny less than £500 for my car*, δέν θά δεχθῶ οὔτε μιά πέννα λιγώτερο ἀπό 500 λίρες γιά τ' αὐτοκίνητό μου. *You must ~ me as you find me*, πρέπει νά μέ δεχθῆς ὅπως εἶμαι. *I won't ~ any more of your insolence*, δέν θ' ἀνεχθῶ ἄλλο πιά τήν ἀναίδειά σου. *He will ~ no nonsense*, δέν σηκώνει σαχλαμάρες. **be able to ~ it; can ~ it**, (εἶμαι ἄνθρωπος πού) ἀντέχω σέ τέτοια. **~ *it from me***, ἄκουσέ με ἐμένα πού σοῦ μιλάω, ἄκου τί σοῦ λέω ἐγώ. **~ *a chance (on)***, δοκιμάζω μήπως: *I'll ~ a chance on finding him at home*, θά δοκιμάσω μήπως τόν βρῶ σπίτι του. **6**. (*γιά χρόνο*) ἀπαιτῶ, χρειάζομαι, παίρνω: *The wound took a long time to heal*, τό τραῦμα χρειάστηκε (πῆρε) πολύν καιρό νά κλείση. *It took me/I took five hours to finish it*, μέ πῆρε/χρειάστηκα (ἔκαμα) πέντε ὧρες νά τό τελειώσω. *How long does it ~ you to shave?* πόση ὥρα κάνεις νά ξυριστῆς; *It will ~ five men to lift it*, θά χρειαστοῦν πέντε ἄνθρωποι γιά νά τό σηκώσουν. **~ *one's time (over sth)***, κάνω κτ μέ τό πάσο μου, χωρίς βιασύνη. ***It ~s two to make a quarrel***, (*παροιμ.*) γιά νά γίνη καυγᾶς χρειάζονται δύο (ὅταν γίνεται καυγᾶς φταῖνε καί οἱ δύο). **~ *a lot of doing***, ἀπαιτῶ μεγάλη προσοχή/προσπάθεια: *This kind of job ~s a lot of doing*, αὐτοῦ τοῦ εἴδους ἡ δουλειά θέλει μεγάλη προσοχή/εἶναι πολύ δύσκολη. **7**. θεωρῶ, ἐκλαμβάνω: *I took him to be an honest man*, τόν θεωροῦσα ἔντιμο ἄνθρωπο. ***I ~ it for granted***, τό θεωρῶ ὡς δεδομένο. ***I ~ it that...***, ὑποθέτω, τό θεωρῶ, τό παίρνω σάν: *May I ~ it that you agree?* μπορῶ νά τό ἐκλάβω ὡς συμφωνία ἐκ μέρους σας; **8**. πιάνω (ἔχω ἐπιτυχία): *His new songs didn't ~*, τά καινούργια του τραγούδια δέν ἔπιασαν. *My vaccination hasn't ~n yet*, τό μπόλι μου δέν ἔπιασε ἀκόμα. **9**. εἰσπράττω: *This small shop ~s £100 a day*, αὐτό τό μαγαζάκι ἔχει 100 λίρες εἴσπραξη τήν ἡμέρα. (*Γιά τίς ἰδιωματικές χρήσεις τοῦ take μέ οὐσιαστικά, ὅπως: ~ account/advantage/aim/care/charge/courage/delight/effect/exception/fright/heart/leave/liberties, etc, βλ. τά κατ' ἰδίαν λήμματα*). **10**. (*μέ ἐπιρ. καί προθέσεις*):

take after, μοιάζω: *She ~s after her mother*, μοιάζει τῆς μητέρας της. *Who has he ~n after?* τίνος ἔμοιασε;

take apart/to pieces, τεμαχίζω, διαλύω (μηχανή): *He took my watch to pieces*, ἔκανε βίδες τό ρολόϊ μου.

take away, (*a*) παίρνω, ἀφαιρῶ, μειώνω: *She took her son away from school*, πῆρε τό γυιό της ἀπό τό σχολεῖο. *His pension has been ~n away from him*, τοῦ ἀφαίρεσαν (τοῦ κόψανε) τή σύνταξη. *That doesn't ~ away from his credit as a historian*, αὐτό δέν ἀφαιρεῖ τίποτα ἀπό (δέν μειώνει) τή φήμη του ὡς ἱστορικοῦ.

take back, παίρνω πίσω, ξαναπηγαίνω, ξαναγυρίζω: *I ~ back what I said*, παίρνω πίσω ὅ,τι εἶπα. *When I found it was defective I took it back to the shop but they wouldn't ~*

it back, ὅταν ἀνακάλυψα ὅτι ἦταν ἐλαττωματικό τό ξαναπῆγα στό μαγαζί ἀλλά ἀρνήθηκαν νά τό πάρουν πίσω. *These stories took me back to my childhood days*, (*μεταφ.*) αὐτές οἱ ἱστορίες μέ ξαναγύρισαν στά παιδικά μου χρόνια.

take down, *(α)* κατεβάζω, διαλύω, γκρεμίζω: ~ *down a picture/a scaffold*, κατεβάζω ἕναν πίνακα/διαλύω μιά σκαλωσιά. *(β)* σημειώνω, γράφω (καθ᾽ὑπαγόρευσιν): *He took down my name and address*, σημείωσε τ᾽ὄνομά μου καί τή διεύθυνσή μου. *He took down all I said*, ἔγραψε ὅλα ὅσα εἶπα. *(γ)* ***~ sb down a peg (or two)***, ταπεινώνω, κόβω λίγο τόν ἀέρα σέ κπ: *This fellow needs to be ~n down a peg or two*, αὐτός ὁ τύπος πρέπει νά μπῆ λίγο στή θέση του, νά τοῦ κοπῆ ὁ βῆχας.

take for, θεωρῶ, ἐκλαμβάνω: *I took him for his brother*, τόν πῆρα γιά τόν ἀδελφό του. *Do you ~ me for a fool?* μέ θεωρεῖς βλάκα;

take in, *(α)* παίρνω (δουλειά ἤ ἐνοικιαστές) στό σπίτι: *She earns a living by taking in washing/sewing/lodgers*, βγάζει τό ψωμί της παίρνοντας πλύσιμο/ράψιμο/νοικιάρηδες στό σπίτι. *(β)* μπάζω, μαζεύω: ~ *in a dress at the waist*, μαζεύω/μπάζω ἕνα φόρεμα στή μέση. *(γ)* (περι)λαμβάνω: *The tour ~s in six European capitals*, τό τούρ περιλαμβάνει ἕξη Εὐρωπαϊκές πρωτεύουσες. *How many periodicals and papers do you ~ (in)?* πόσα περιοδικά καί ἐφημερίδες λαμβάνεις (σέ πόσα εἶσαι συνδρομητής); *(δ)* ἀντιλαμβάνομαι, πιάνω, ρουφάω: *He took in the full meaning of my words*, ἀντελήφθη ὅλη τή σημασία τῶν λόγων μου (κατάλαβε καλά τί ἤθελα νά πῶ). *She took in the situation at a glance*, ἀντελήφθη/ἔπιασε τήν κατάσταση μέ μιά ματιά. *The children took in the spectacle open-mouthed*, τά παιδιά ρουφοῦσαν κυριολεκτικά τό θέαμα. *(ε)* ξεγελάω, ἐξαπατῶ: *Don't be ~n in by his big words*, μή σέ ξεγελᾶνε τά παχιά του λόγια. *He was badly ~n in when he bought that second-hand car*, τοῦ τή σκάσαν ἄσχημα ὅταν ἀγόρασε αὐτό τό μεταχειρισμένο αὐτοκίνητο.

take off, *(α)* ἀπογειώνομαι: *Our plane ~s off at five o'clock*, τό ἀεροπλάνο μας ἀπογειώνεται στίς πέντε. *(β)* ἀπομιμοῦμαι, παριστάνω: *She's clever at taking off her teachers*, εἶναι ἱκανή στό νά μιμεῖται (νά παριστάνη) τούς δασκάλους της. **`~-off**, *α)* ἀπογείωσις: *What time is (the) ~-off?* τί ὥρα εἶναι ἡ ἀπογείωσις; *β)* ἀπομίμησις: *His ~-off of the headmaster was very amusing*, ἡ ἀπομίμησις (ἡ καρικατούρα) τοῦ γυμνασιάρχη ἦταν πολύ διασκεδαστική. *(γ)* παίρνω, πηγαίνω κπ: *T~ your hand off my shoulder*, πᾶρε τό χέρι σου ἀπό τόν ὦμο μου. *They took him off to prison*, τόν πῆγαν φυλακή. ***~ one's eyes/mind off sth***, παίρνω τά μάτια μου/τό μυαλό μου ἀπό κτ: *He couldn't ~ his eyes off her*, δέν μποροῦσε νά ξεκολλήση τά μάτια του ἀπό πάνω της. *I can't ~ my mind off the terrible accident*, δέν μπορῶ νά ξεκολλήσω τή σκέψη μου ἀπό τό φοβερό δυστύχημα. *(δ)* ἀφαιρῶ, κόβω: *T~ off your shoes*, βγάλε τά παπούτσια σου. *I ~ my hat off to you!* (*μεταφ.*) σοῦ βγάζω τό καπέλλο (σέ παραδέχομαι)! *The midnight express to Salonica will be ~n off next month*, ἡ ταχεῖα τοῦ μεσονυκτίου γιά Θεσσαλονίκη θά καταργηθῆ τόν ἄλλο μῆνα. *The surgeon took her leg off*, ὁ χειροῦργος τῆς ἔκοψε τό πόδι. *Why don't you ~ off that silly beard?* γιατί δέν κόβεις αὐτή τήν ἀνόητη γενειάδα; *Can you ~ something off the price?* μπορεῖς νά κόψης τίποτα ἀπό τήν τιμή;

take on, *(α)* προσλαμβάνω: ~ *on extra staff*, προσλαμβάνω ἔκτακτο προσωπικό. *(β)* ἀναλαμβάνω: ~ *on heavy responsibilities*, ἀναλαμβάνω βαρειές εὐθύνες. *Don't ~ on too much work*, μήν παίρνης πάνω σου πάρα πολλή δουλειά. *(γ)* τά βάζω μέ κπ (ὡς ἀντίπαλο): *I'm ready to ~ on both of you*, εἶμαι ἕτοιμος νά τά βάλω καί μέ τούς δυό σας. ***~ on a bet***, δέχομαι ἕνα στοίχημα. *(δ)* παίρνω (ἔκφραση, ἐπιβάτες): *His face took on an angry look*, τό πρόσωπό του πῆρε μιά θυμωμένη ἔκφραση. *The bus stopped to ~ on some children*, τό λεωφορεῖο σταμάτησε νά πάρη μερικά παιδιά. *(ε)* μεταφέρω μακρύτερα (πέραν τοῦ προορισμοῦ): *I fell asleep in the train and was ~n on to Salonica*, ἀποκοιμήθηκα στό τραῖνο κι᾽ἔφθασα ὥς τή Θεσσαλονίκη (ἀντί πχ νά κατέβω στή Λάρισα). (στ´) πιάνω (ἔχω ἐπιτυχία, γίνομαι τῆς μόδας): *The midi-skirt didn't ~ on*, ἡ φούστα μίντι δέν ἔπιασε. *(ζ)* (*καθομ.*) κάνω φασαρία, γίνομαι πῦρ καί μανία: *She took on something dreadful when I said she'd told us a pack of lies*, ἔκανε σάν τρελλή (ἔγινε μπουρλότο) ὅταν εἶπα ὅτι μᾶς εἶχε πεῖ ἕνα σωρό ψέματα.

take out, *(α)* βγάζω (ἀφαιρῶ): *have a tooth ~n out*, βγάζω ἕνα δόντι. ~ *out some stains from a dress*, βγάζω μερικούς λεκέδες ἀπό ἕνα φόρεμα. *(β)* βγάζω, παίρνω: ~ *out a driving licence/an insurance policy*, βγάζω ἄδεια ὁδηγήσεως/κάνω ἀσφάλεια. *(γ)* βγάζω, πηγαίνω: ~ *one's children out for a walk*, βγάζω τά παιδιά περίπατο. *I'll ~ you out for dinner*, θά σέ πάρω νά φᾶμε ἔξω. *(δ)* ***~ it out in (sth)***, τό κλείνω σέ (κτ): *I'll ~ it out in books if the bookseller can't return the money I lent him*, θά τά κλείσω σέ βιβλία ἄν ὁ βιβλιοπώλης δέν μπορεῖ νά μοῦ ἐπιστρέψη τά λεφτά πού τόν δάνεισα. ***~ it out of sb***, ἐξαντλῶ κπ: *His recent illness has ~n it out of him*, ἡ τελευταία του ἀρρώστεια τόν ἐξάντλησε (τόν τσάκισε). ***~ it out on sb***, ξεσπῶ, ξεθυμαίνω σέ κπ: *He lost his job and took it out on his wife*, ἔχασε τή δουλειά του καί ξεθύμανε στή γυναίκα του.

take over, ἀναλαμβάνω (τή διεύθυνση, τή διοίκηση), καταλαμβάνω (τήν ἀρχή), ἐξαγοράζω (ἑταιρία): *When will the new government ~ over?* πότε θ᾽ἀναλάβη ἡ νέα κυβέρνησις; *He took over the business when his father died*, ἀνέλαβε τήν ἐπιχείρηση ὅταν πέθανε ὁ πατέρας του. *The military took over in Banania*, οἱ στρατιωτικοί κατέλαβαν τήν ἀρχή στήν Μπανανία. **`~·over**, ἀνάληψις, κατάληψις (τῆς ἀρχῆς), ἐξαγορά (ἑταιρίας).

take to, *(α)* ἐπιδίδομαι, τό ρίχνω εἰς: *When I retire I'll ~ to gardening*, ὅταν πάρω σύνταξη θά ἐπιδοθῶ στήν κηπουρική. *After his wife's death he took to drink(ing)*, ὕστερα ἀπό τό θάνατο τῆς γυναίκας του τὄρριξε στό πιοτό. *He took to the road*, τὄρριξε στήν ἀλητεία. *(β)* καταφεύγω: *During the floods we took to the hills*, στή διάρκεια τῶν πλημμυρῶν καταφύγαμε στούς λόφους. ~ *to the boats/jungle/mountains*, καταφεύγω στίς βάρκες/στή ζούγκλα/στά βουνά. **~ *to flight/to one's heels***, τό βάζω στά πόδια. *(γ)* μοῦ ἀρέσει, παίρνω μέ καλό μάτι: *I took to him as soon as I saw him*, μοῦ ἄρεσε ἀπό τήν πρώτη στιγμή πού τόν εἶδα. *The class have ~n to their new teacher*, ἡ τάξη πῆρε μέ καλό μάτι τόν καινούργιο δάσκαλο. *I never took to cricket*, ποτέ δέν κατάφερα νά συμπαθήσω τό κρίκετ.

take up, *(α)* σηκώνω, μαζεύω, παίρνω: ~ *up a carpet/one's books/passengers*, σηκώνω ἕνα χαλί/μαζεύω τά βιβλία μου/παίρνω ἐπιβάτες. *(β)* καταλαμβάνω (χῶρο), ἀπασχολῶ (χρόνο): *This desk ~s up too much room*, αὐτό τό γραφεῖο πιάνει πολύ χῶρο. *This work ~s up all my spare time*, αὐτή ἡ δουλειά μέ ἀπασχολεῖ (μοῦ παίρνει) ὅλο τόν ἐλεύθερο χρόνο μου. *(γ)* (ἀρχίζω νά) ἀπασχολοῦμαι μέ: *He's ~n up gardening/climbing*, ἀσχολεῖται μέ τήν κηπουρική/τήν ὀρειβασία. *(δ)* ἀπορροφῶ: *Blotting-paper ~s up ink*, τό στυπόχαρτο ἀπορροφᾶ τό μελάνι. *His attention was ~n up by...*, ἡ προσοχή του ἦταν ἀπορροφημένη ἀπό... *(ε)* συνεχίζω, ἀρχίζω ἐκ νέου: *He took up the story at the point where I had left off*, συνέχισε τήν ἱστορία ἀπό τό σημεῖο ὅπου εἶχα σταματήσει. *(στ')* τυλίγω (φίλμ, ταινία). **ˋ~-up spool**, ἄδεια μπομπίνα γιά τό τύλιγμα ταινίας. *(ζ)* ἀποδέχομαι: ~ *up a challenge/a bet*, ἀποδέχομαι μιά πρόκληση/ἕνα στοίχημα. *(η)* **~ *sth up (with sb)***, συζητῶ κτ μέ κπ, θέτω ἕνα ζήτημα σέ κπ: *I'll ~ your case up with the headmaster*, θά συζητήσω τήν περίπτωσή σου μέ τόν γυμνασιάρχη. **~ *up with sb***, πιάνω φιλίες, τά μπλέκω μέ κπ: *He took up with an English girl*, τἄφτιαξε μέ μιά Ἀγγλίδα. ***be ~n up with sb/sth***, εἶμαι ἀπορροφημένος μέ κπ/κτ: *He seems to be completely ~n up with that French girl*, φαίνεται ἐντελῶς ξελογιασμένος μέ κείνη τή Γαλλιδούλα. **~ *sb up on sth***, ἀντικρούω κπ, φέρνω ἀντιρρήσεις σέ κπ ἐπί ἑνός θέματος. **~ *sb up short/sharp***, διακόπτω καί διορθώνω (ὁμιλητή): *He took me up short when I suggested that...*, μ' ἔκοψε ἀπότομα ὅταν πρότεινα νά... **~ *up one's residence at***, *(λόγ.)* ἐγκαθίσταμαι εἰς.

take sth upon oneself, ἀναλαμβάνω μόνος μου, ἀναλαμβάνω τήν εὐθύνη: *I can't ~ it upon myself to make such an important decision*, δέν μπορῶ ν' ἀναλάβω τήν εὐθύνη νά πάρω μόνος μου μιά τόσο σοβαρή ἀπόφαση.

²**take** /teɪk/ *οὐσ.* ‹C› **1**. λῆψις. **2**. ποσόν ληφθέν. **3**. *(κινηματογρ.)* σκηνή γυρισμένη ἤ γιά γύρισμα.

tak·ing /ˋteɪkɪŋ/ *ἐπ.* ἑλκυστικός, γοητευτικός. —*οὐσ. πληθ.* εἰσπράξεις.

talc /tælk/ *οὐσ.* ‹U› σκόνη τάλκ. (ἤ **talcum** /ˋtælkəm/ **powder**), πούδρα.

tale /teɪl/ *οὐσ.* ‹C› **1**. ἱστορία, διήγημα: *ˋfairy-~s*, παραμύθια. *~s of adventure*, περιπετειώδεις ἱστορίες. ***(It) tells its own ~***, μιλάει μόνο του, τά λέει ὅλα: *The tobacco smell in the room tells its own ~*, ἡ μυρουδιά τοῦ καπνοῦ στό δωμάτιο τά λέει ὅλα! **2**. διάδοσις. ***tell ~s***, προδίδω, μαρτυρῶ, κουτσομπολεύω. **ˋ~-bearer/-teller**, μαρτυριάρης, κουτσομπόλης, σπερμολόγος. **ˋ~-bearing/-telling**, κατάδοσις, κουτσομπολιό. **3**. *(ἀπηρχ.)* συνολικός ἀριθμός.

tal·ent /ˋtælənt/ *οὐσ.* **1**. ‹C,U› ταλέντο, ἰδιοφυΐα: *a man of great ~*, ἄνθρωπος μέ μεγάλο ταλέντο. **~ scout**, *(καθομ.)* κυνηγός ταλέντων. ***have a ~ for***, ἔχω ταλέντο εἰς: *He has a ~ for music*, ἔχει ταλέντο στή μουσική. *He has not much ~ for painting*, δέν ἔχει πολύ ταλέντο στή ζωγραφική. **2**. ‹C› τάλαντο (νομισμ. μονάς τῶν ἀρχαίων). **~ed** *ἐπ.* ταλαντοῦχος, προικισμένος: *a ~ed musician*, προικισμένος μουσικός.

tal·is·man /ˋtælɪzmən/ *οὐσ.* ‹C› φυλαχτό, γούρι.

¹**talk** /tɔk/ *οὐσ.* **1**. ‹C› ὁμιλία, διάλεξις: *give a ~ to a girls' school on sth*, κάνω διάλεξη σ' ἕνα σχολεῖο θηλέων γιά κτ. **2**. ‹C,U› συζήτησις, συνομιλία: *I've had several ~s with him about it*, εἶχα ἀρκετές συζητήσεις μαζί του γύρω ἀπ' αὐτό. *The two governments are having ~s about trade*, οἱ δυό κυβερνήσεις διεξάγουν ἐμπορικές συνομιλίες. ***the ~ of the town***, θέμα γενικῆς συζητήσεως: *This scandal is the ~ of the town*, ὅλη ἡ πόλις μιλάει γι' αὐτό τό σκάνδαλο. **ˋsmall ~**, κουβεντούλα, κουβεντολόϊ. **3**. ‹U› λόγια, διάδοσις: *There's too much ~ and not enough work being done*, πολλά λόγια λέγονται καί λίγη δουλειά γίνεται. *He's all ~*, εἶναι ὅλο λόγια (καί καθόλου ἔργα). *There is some ~ of his resigning*, γίνεται λόγος (κυκλοφορεῖ ἡ διάδοση) ὅτι θά παραιτηθῆ.

²**talk** /tɔk/ *ρ.μ/ά.* **1**. μιλῶ: *Can the baby ~ yet?* ἄρχισε νά μιλάη τό μωρό; *Parrots can ~*, οἱ παπαγάλοι μποροῦν νά μιλήσουν. ~ *Greek/English*, μιλῶ Ἑλληνικά/Ἀγγλικά. *They tortured him to make him ~*, βασάνισαν γιά νά τόν κάνουν νά μιλήση. **~ *sense/treason***, μιλῶ λογικά/σάν προδότης. **~ *nonsense***, λέω ἀνοησίες. **2**. συζητῶ γιά: ~ *music/business/politics*, συζητῶ γιά μουσική/γιά δουλειές/πολιτικά. **ˋ~·ing-point**, θέμα συζητήσεως. **~ *oneself hoarse***, βραχνιάζω ἀπό τή συζήτηση. **~ *big***, καυχιέμαι, κομπορρημονῶ. **3**. μιλῶ, κουβεντιάζω: *They've been ~ing all afternoon*, κουβεντιάζουν ὅλο τό ἀπόγευμα. *Were they ~ing in English or in Greek?* κουβέντιαζαν Ἀγγλικά ἤ Ἑλληνικά; **4**. *(μέ ἐπιρ. καί προθέσεις)*:

talk about sth *(σπανιώτερα of sth)*, μιλῶ γιά κτ: *I was ~ing to a friend about it the other day*, μιλοῦσα μ' ἕνα φίλο γι' αὐτό τίς προάλλες. *What are they ~ing about?* περί τίνος ὁμιλοῦν; γιά τί πρᾶγμα κουβεντιάζουν; ***get oneself/be ~ed about***, γίνομαι ἀντικείμενο κουτσομπολιοῦ: *You'll get yourself ~ed about if you go on seeing her so often*, θ' ἀρχίση ὁ κόσμος νά σέ κουβεντιάζη ἄν συνεχίσης νά τήν βλέπης τόσο συχνά.

talk at sb, μιλῶ σέ κπ χωρίς νά προσέχω τί λέει ὁ ἴδιος: *Instead of ~ing at me you'd better ~ with me*, ἀντί νά μοῦ μιλᾶς χωρίς νά προσέχης τί λέω κι' ἐγώ, θἄταν καλύτερα νά κουβεντιάσης μαζί μου.

talk away, συνεχίζω νά κουβεντιάζω: *They*

were still ~ing away at midnight, ἦρθαν μεσάνυχτα κι᾿ αὐτοί συνέχιζαν ἀκόμα τήν κουβέντα τους.
talk back (to sb), ἀντιμιλῶ σέ κπ, ἀπαντῶ μέ ἀναίδεια: *Don't ~ back to me like that!* μήν ἀντιμιλᾶς ἔτσι σέ μένα!
talk sb down, *(α)* ἀναγκάζω κπ νά σωπάση (μιλώντας δυνατώτερα ἀπ᾿ αὐτόν). *(β)* καθοδηγῶ πιλότο πῶς νά προσγειωθῆ. ***~ down to sb***, μιλῶ σέ κπ ἀφ᾿ ὑψηλοῦ, μιλῶ συγκαταβατικά: *What did the silly man mean by ~ing down to us?* τί ἤθελε νά παραστήση ὁ ἀνόητος μιλώντας μας μέ τόσο τουπέ;
talk sb into/out of doing sth, πείθω κπ νά κάμη/νά μήν κάμη κτ πού σχεδιάζει: *It's hard to ~ a woman out of buying new clothes*, εἶναι δύσκολο νά πείσης μιά γυναίκα νά μήν ἀγοράση καινούργια ροῦχα.
talking of, μιλώντας γιά: *T~ing of travel, have I told you what happened to me...*, μιλώντας (μιᾶς καί μιλᾶμε) γιά ταξίδια, σᾶς ἔχω πεῖ τί μοῦ συνέβη...
talk sb over/round, καταφέρνω κπ ν᾿ ἀλλάξη γνώμη, νά συμφωνώση μαζί μου: *We ~ed them over/round to our way of thinking*, τούς καταφέραμε μέ τή συζήτηση νά δεχθοῦν τίς ἀπόψεις μας. ***~ sth over***, συζητῶ κτ λεπτομερῶς: *We'll ~ it over after lunch*, θά τό συζητήσωμε ἐν ἐκτάσει μετά τό φαγητό. ***~ round sth***, γυρίζω γύρω ἀπό ἕνα θέμα (χωρίς νά καταλήγω πουθενά).
talk to sb, *(α)* *(σπανιώτερα with sb)*, μιλῶ σέ κπ. *(β)* *(καθομ.)* παραπονοῦμαι σέ κπ, ἐπιτιμῶ κπ: *The new suit fits badly – I'll have to ~ to my tailor about it*, τό καινούργιο κοστούμι δέν μοῦ πέφτει καλά – θά πρέπει νά τά πῶ ἕνα χεράκι μέ τό ράφτη μου. **ˋ~·ing-to**, *(καθομ.)* κατσάδα: *My father gave me a good ~ing-to*, ὁ πατέρας μου μέ κατσάδιασε γιά καλά. *(βλ. & λ. hat)*.
talka·tive /ˋtɔkətɪv/ *ἐπ.* ὁμιλητικός.
talker /ˋtɔkə(r)/ *οὐσ.* ‹C› **1**. ὁμιλητής: *a brilliant ~*, θαυμάσιος ὁμιλητής. **2**. φλύαρος: *What a ~ that woman is!* τί φλύαρη πού εἶναι αὐτή ἡ γυναίκα! **3**. φαφλατᾶς, φανφαρόνος: *Great ~s are little doers*, αὐτοί πού λένε πολλά λόγια δέν κάνουν τίποτα.
talkie /ˋtɔkɪ/ *οὐσ.* ‹C› *(πεπαλ.)* ὁμιλοῦσα ταινία.
tall /tɔl/ *ἐπ.* *(-er, -est)* **1**. *(κυρίως γιά πρόσωπα, ἀλλ᾿ ὅμως καί γιά πράγματα πού εἶναι λεπτά καί ψηλά, πχ δέντρο, κτίριο, κολώνα, ἀλλά ὄχι γιά λόφους ἤ βουνά)* ψηλός: *She wears high heels to make herself look ~er*, φοράει ψηλά τακούνια γιά νά φαίνεται ψηλότερη. *How ~ are you?* τί ὕψος ἔχεις; **ˋ~·boy**, *(MB)* ψηλό κομό. **2**. *(καθομ.)* παράλογος, ἀπίθανος, ὑπερβολικός. **a ~ order**, δύσκολη δουλειά, ζόρικη ἀπαίτηση. **a ~ story**, ἀπίθανη ἱστορία, ἀρλούμπα. **~·ish** /-ɪʃ/ *ἐπ.* ψηλούτσικος.
tal·low /ˋtæləʊ/ *οὐσ.* ‹U› ξύγκι, ζωϊκό λίπος (γιά κεριά, πομάδες, κλπ).
tally /ˋtælɪ/ *οὐσ.* ‹C› **1**. *(παλαιότ.)* σκυτάλη, τσέτουλα. **2**. ἐτικέττα, κέρμα, σημάδεμα, μάρκα. **ˋ~-clerk**, ἐλεγκτής ἐμπορευμάτων (πλοίου). **ˋ~·man**, *(πεπαλ.)* ἔμπορος πού γυρίζει καί πουλάει μέ δόσεις, δοσατζῆς. *—ρ.ἀ.* ***~ (with)***, ἀντιστοιχῶ, συμφωνῶ, ταιριάζω: *Does your list ~ with mine?* συμφωνεῖ ὁ κατάλογός σου μέ τόν δικό μου; *The stories of the two men don't ~*, οἱ ἱστορίες τῶν δύο ἀνθρώπων δέν συμφωνοῦν/δέν συμπίπτουν.
talon /ˋtælən/ *οὐσ.* ‹C› νύχι (ἁρπακτικοῦ πουλιοῦ).
tam·bour /ˋtæmbʊə(r)/ *οὐσ.* ‹C› συρόμενο ἤ κυλιόμενο κάλυμμα (γραφείου, τηλεοράσεως) ἀπό πηχάκια κολλημένα σέ ὕφασμα.
tam·bour·ine /ˌtæmbəˋrin/ *οὐσ.* ‹C› ντέφι.
tame /teɪm/ *ἐπ.* **1**. ἥμερος: *The deer in the park are very ~*, τά ἐλάφια στό πάρκο εἶναι πολύ ἥμερα. **2**. ἄβουλος, πειθήνιος, πρᾶος: *Her husband is a ~ little man*, ὁ ἄντρας της εἶναι ἕνα ἄβουλο ἀνθρωπάκι. **3**. ἄψυχος, ἀνιαρός, σαχλός: *a ~ football match*, ἄψυχο ποδοσφαιρικό μάτς. *a story/film with a ~ ending*, ἱστορία/φίλμ μέ σαχλό τέλος. *—ρ.μ.* δαμάζω, ἐξημερώνω: *~ a lion*, ἐξημερώνω λιοντάρι. **tamer**, *(συνήθ. ὡς β! συνθ.)* δαμαστής: *a ˋlion-~r*, θηριοδαμαστής. **tam·able** /-əbl/ *ἐπ.* ἐξημερώσιμος. **~·ly** *ἐπίρ.* ἥμερα, δειλά, πειθήνια. **~·ness** *οὐσ.* ‹U› ἡμεράδα.
tam-o'-shan·ter /ˌtæm ə ˋʃæntə(r)/, **tammy** /ˋtæmɪ/ *οὐσ.* ‹C› σκούφια (μέ φούντα στήν κορυφή).
tamp /tæmp/ *ρ.μ.* ***~ sth down***, χτυπῶ, στουπώνω: *He ~ed down the tobacco in his pipe*, στούπωσε τόν καπνό μέσα στήν πίπα του.
tam·per /ˋtæmpə(r)/ *ρ.ἀ.* ***~ with***, ἀνακατεύομαι (χωρίς δικαίωμα), χαλῶ (μαστορεύοντας), κάνω λαθροχειρία: *Someone has been ~ing with my papers/the lock/the cash*, κάποιος ἔβαλε χέρι στά χαρτιά μου/στήν κλειδωνιά/στό ταμεῖο. *This letter has been ~ed with*, κάποιος ἔβαλε χέρι σ᾿ αὐτό τό γράμμα.
tan /tæn/ *οὐσ.* ‹C,U› & *ἐπ.* καφέ, μελαψό (χρῶμα), μαύρισμα (ἀπό τόν ἥλιο): *~ shoes*, καφέ παπούτσια. *You've got a beautiful ~*, ἔχεις ὡραῖο μαῦρο χρῶμα (μαύρισες ὡραῖα στόν ἥλιο). *—ρ.μ/ἀ.* *(-nn-)* **1**. βυρσοδεψῶ, κατεργάζομαι δέρμα. ***~ sb's hide***, *(λαϊκ.)* ἀργάζω τό τομάρι κάποιου, τόν ξυλοφορτώνω. **2**. μαυρίζω (στόν ἥλιο): *Some people ~ quickly*, μερικοί μαυρίζουν γρήγορα. *a ~ned face*, ἡλιοψημένο πρόσωπο. **~·ner** *οὐσ.* ‹C› βυρσοδέψης. **~·nery** /ˋtænərɪ/ *οὐσ.* ‹C› βυρσοδεψία.
tan·dem /ˋtændəm/ *οὐσ.* ‹C› δίδυμο ποδήλατο (μέ δυό σέλλες καί δυό ζευγάρια πεντάλ). *—ἐπίρ.* ἕνας πίσω ἀπό τόν ἄλλον.
tang /tæŋ/ *οὐσ.* ‹C› ἔντονη μυρουδιά, χαρακτηριστική γεῦσις: *the ~ of wood smoke*, ἡ χαρακτηριστική μυρουδιά τοῦ καπνοῦ ξύλων. *the salt ~ of the sea air*, ἡ ἁψιά ἁρμύρα τοῦ θαλασσινοῦ ἀέρα. *fruit with a pleasant ~*, φροῦτο μέ εὐχάριστη δική του γεύση.
tan·gent /ˋtændʒənt/ *οὐσ.* ‹C› *(γεωμ.)* ἐφαπτομένη (γραμμή). ***go/fly off at a ~***, *(μεταφ.)* ἀλλάζω ἀπότομα θέμα: *We were talking politics when he went off at a ~ about holidays*, συζητούσαμε πολιτικά ὅταν ξαφνικά τό γύρισε ἀπότομα στίς διακοπές.
tan·ger·ine /ˌtændʒəˋrin/ *οὐσ.* ‹C› μανταρίνι.
tan·gible /ˋtændʒəbl/ *ἐπ.* ἁπτός, αἰσθητός, χειροπιαστός: *the ~ world*, ὁ αἰσθητός κόσμος. *~ results/proofs*, χειροπιαστά ἀποτελέσματα/-ές ἀποδείξεις. **tan·gibly** /-əblɪ/ *ἐπίρ.*

χειροπιαστά. **tan·gi·bil·ity** /ˈtændʒəˋbɪlətɪ/ *οὐσ.* ‹U› ἁπτότης.

tangle /ˋtæŋgl/ *οὐσ.* ‹C› μπλέξιμο, μπέρδεμα, ἀνακάτωμα: *The dog's hair was full of ~s*, τά μαλλιά τοῦ σκύλου ἦταν ἐντελῶς κουβαριασμένα. *The kitten has made a ~ of my ball of wool*, τό γατάκι μπέρδεψε φοβερά τό κουβάρι μου τό μαλλί. *The traffic was / His affairs were (in) a hopeless ~*, ἡ κυκλοφορία/οἱ ὑποθέσεις του ἦταν μαλλιά-κουβάρια. —*ρ.μ/ὰ.* μπερδεύω/-ομαι, μπλέκω/-ομαι. ***~ with sb***, (*καθομ.*) μπερδεύομαι, τά βάζω μέ κπ: *I shouldn't ~ with Peter – he's bigger than you*, ἐγώ δέν θά τἄβαζα μέ τόν Π. – εἶναι πιό σωματώδης ἀπό σένα.

tango /ˋtæŋgəʊ/ *οὐσ.* ‹C› (*πληθ. ~s*) ταγκό.

tank /tæŋk/ *οὐσ.* ‹C› **1**. ντεπόζιτο, δεξαμενή: *the ˋpetrol-~ of a car*, τό ντεπόζιτο βενζίνης (τό ρεζερβουάρ) ἑνός αὐτοκινήτου. *a ˋrain-water ~*, δεξαμενή βρόχινου νεροῦ. **ˋ~-car**, βυτιοφόρο αὐτοκίνητο. **2**. (*στρατ.*) τάνκ. —*ρ.ὰ.* ***get ~ed up***, (*λαϊκ.*) μεθάω (*ἰδ.* μέ μπύρα), πίνω τό καταπέτασμα. **~er** *οὐσ.* ‹C› δεξαμενόπλοιο, τάνκερ.

tank·ard /ˋtæŋkəd/ *οὐσ.* ‹C› κούπα, μεγάλο κύπελλο (γιά μπύρα).

tan·ner /ˋtænə(r)/ *οὐσ.* ‹C› **1**. (*πεπαλ. λαϊκ.*) ἀσημένιο νόμισμα 2½ πεννῶν (παλαιότ. 6 πεννῶν). **2**. *βλ. tan*.

tan·nin /ˋtænɪn/ *οὐσ.* ‹U› (*χημ.*) ταννίνη.

tan·noy /ˋtænɔɪ/ *οὐσ.* ‹C› μεγάφωνο.

tan·ta·lize /ˋtæntəlaɪz/ *ρ.μ.* ταντaλίζω, βασανίζω: *a tantalizing desire*, βασανιστική ἐπιθυμία.

tan·ta·mount /ˋtæntəmaʊnt/ *ἐπ.* ***~ to***, ἰσοδύναμος πρός: *Your request is ~ to a command*, ἡ παράκλησίς σας ἰσοδυναμεῖ μέ διαταγή.

tan·trum /ˋtæntrəm/ *οὐσ.* ‹C› θυμός, μπουρίνι: *He's in one of his ~s again*, ἔχει πάλι τίς κακές του/εἶναι στά μπουρίνια του. *He's always having ~s*, ἔχει διαρκῶς τά νεῦρα του.

[1]**tap** /tæp/ *οὐσ.* ‹C› **1**. βρύση, κάνουλα: *turn the ~ on/off*, ἀνοίγω/κλείνω τή βρύση. ***on ~***, (*γιά μπύρα, κλπ*) σέ βαρέλι μέ κάνουλα, (*μεταφ.*) ἕτοιμος πρός χρῆσιν, διαθέσιμος: *eloquence always on ~*, εὐγλωττία διαθέσιμη ἀνά πᾶσαν στιγμήν. **ˋ~-room**, καπηλειό. **ˋ~-root**, (*βοτ.*) κάθετη ρίζα, ἡ κύρια ρίζα πού πάει ἴσια μέσα στή γῆ. **2**. πεῖρος (βαρελιοῦ). —*ρ.μ.* *(-pp-)* **1**. ἀντλῶ, τραβῶ (πχ κεφάλαια, μπύρα, κλπ): *~ (off) wine from a cask*, τραβῶ κρασί ἀπό βαρέλι. **2**. ***~ sb for sth***, παίρνω, κάνω τράκα: *He tried to ~ me for information*, προσπάθησε νά μοῦ πάρη πληροφορίες. *~ a man for £5*, παίρνω (τρακάρω) πέντε λίρες ἀπό κάποιον. **3**. παγιδεύω (τηλέφωνο): *~ a line/a telephone*, παγιδεύω μιά γραμμή/ἕνα τηλέφωνο. **4**. βάζω πεῖρο σέ βαρέλι, χαράζω δέντρο (γιά ρετσίνι).

[2]**tap** /tæp/ *οὐσ.* ‹C› **1**. ἐλαφρό χτύπημα: *a ~ on the shoulder/window*, ἕνα χτύπημα στόν ὦμο/στό παράθυρο. **ˋ~-dancing**, κλακέτες. **2**. (*πληθ., ΗΠΑ, στρατ.*) σιωπητήριο: *sound the ~s*, βαρῶ σιωπητήριο. —*ρ.μ/ὰ.* *(-pp-)* χτυπῶ ἐλαφρά: *~ at/on a door/window*, χτυπῶ ἐλαφρά σέ μιά πόρτα/σ' ἕνα παράθυρο. *~ one's foot impatiently on the floor*, χτυπῶ τό πόδι ἀνυπόμονα στό πάτωμα.

tape /teɪp/ *οὐσ.* ‹C,U› κορδέλλα, ταινία, λουρίδα: *do up the ~s of an apron into bows*, δένω φιόγκο τίς κορδέλλες μιᾶς ποδιᾶς. ***breast the ~***, (*ἀθλ.*) κόβω τήν ταινία τοῦ τέρματος, νικῶ. **ˋ~ deck**, μαγνητόφωνον ἐγγραφῆς μόνον (ὄχι ἀναμεταδόσεως). **ˋ~-measure**, μετροταινία. **ˋ~-recorder**, μαγνητόφωνο. **ˋ~·worm**, (*ἰατρ.*) ταινία τῶν ἐντέρων. **ˋinsulating ~**, μονωτική ταινία. **magˋnetic ~**, μαγνητοταινία. **'red ˋ~**, γραφειοκρατία. **ˋticker-~**, ταινία τηλετύπου. —*ρ.μ.* **1**. δένω μέ κορδέλλα. **2**. ἐγγράφω σέ ταινία. **3**. (*καθομ.*) ***have sb/sth ~d***, ξέρω (καταλαβαίνω) κπ/κτ τέλεια.

taper /ˋteɪpə(r)/ *οὐσ.* ‹C› λεπτό κερί, λαμπαδίτσα. —*ρ.μ/ὰ.* λεπτύνω/-ομαι στήν ἄκρη, παίρνω/δίνω σχῆμα κωνοειδές: *~ a stick with a knife*, κάνω ἕνα ραβδί μυτερό μέ μαχαίρι. *One end ~s off to a point*, ἡ μιά ἄκρη λεπταίνει καί σχηματίζει μύτη.

tap·es·try /ˋtæpɪstrɪ/ *οὐσ.* ‹C,U› τάπης τοίχου, ταπετσαρία: *hang a wall with ~*, κρεμῶ χαλιά στόν τοῖχο. **tap·es·tried** *ἐπ.* ταπετσαρισμένος.

tapi·oca /'tæpɪˋəʊkə/ *οὐσ.* ‹U› ταπιόκα.

tapis /ˋtæpɪ/ (*Γαλ.*) (*μόνον εἰς*) ***on the ~***, ἐπί τάπητος.

tap·ster /ˋtæpstə(r)/ *οὐσ.* ‹C› (*πεπαλ.*) κάπελας.

[1]**tar** /tɑ(r)/ *οὐσ.* ‹U› πίσσα, κατράμι. —*ρ.μ.* *(-rr-)* πισσώνω. ***~ and feather sb***, πασαλείφω κπ μέ πίσσα καί πούπουλα (γιά τιμωρία). ***~red with the same brush***, (*μεταφ.*) ἀπό τήν ἴδια πάστα, μέ τά ἴδια ἐλαττώματα, τοῦ ἴδιου φυράματος.

[2]**tar** /tɑ(r)/ *οὐσ.* ‹C› (*πεπαλ.*) (**Jack**) ~, θαλασσόλυκος.

tar·an·tella /'tærənˋtelə/, **tar·an·telle** /-ˋtel/ *οὐσ.* ‹C› ταραντέλλα (χορός).

ta·ran·tula /təˋræntjʊlə/ *οὐσ.* ‹C› ταραντούλη (μαλλιαρή φαρμακερή ἀράχνη).

tar·boosh /tɑˋbuʃ/ *οὐσ.* ‹C› φέσι.

tardy /ˋtɑdɪ/ *ἐπ.* (*λόγ.*) *(-ier, -iest)* βραδύς, βραδυκίνητος, ἀργός, καθυστερημένος, ὄψιμος: *~ progress*, βραδεῖα πρόοδος. *a ~ offer of help*, καθυστερημένη προσφορά βοηθείας. *~ fruit*, ὄψιμα φροῦτα. **tar·dily** /-əlɪ/ *ἐπίρ.* ἀργά. **tar·di·ness** *οὐσ.* ‹U› καθυστέρησις, βραδύτης.

tare /teə(r)/ *οὐσ.* ‹C› **1**. ἦρα. **2**. τάρα, ἀπόβαρο.

tar·get /ˋtɑgɪt/ *οὐσ.* ‹C› στόχος, ἀντικειμενικός σκοπός: *hit the ~*, πετυχαίνω τό στόχο. *He's the ~ of bitter criticism*, εἶναι στόχος ἔντονης κριτικῆς. *the ~ of the new plan is free education*, ὁ στόχος τοῦ νέου σχεδίου εἶναι δωρεάν παιδεία.

tar·iff /ˋtærɪf/ *οὐσ.* ‹C› **1**. τιμολόγιο, διατίμησις (ξενοδοχείου, κλπ). **2**. δασμολόγιο.

tar·mac /ˋtɑmæk/ *οὐσ.* ‹C,U› ἀσφαλτικό σκυρόδερμα, (*ἀεροπ.*) διάδρομος προσγειώσεως.

tarn /tɑn/ *οὐσ.* ‹C› ὀρεινή λιμνούλα.

tar·nish /ˋtɑnɪʃ/ *ρ.μ/ὰ.* **1**. θαμπώνω, μαυρίζω: *Brass ~es quickly but chromium doesn't*, ὁ μπροῦτζος μαυρίζει εὔκολα ἀλλά ὄχι τό χρώμιο. **2**. (*μεταφ.*) ἀμαυρώνω, κηλιδώνω: *His reputation is ~ed for ever*, ἡ ὑπόληψή του κηλιδώθηκε γιά πάντα.

tar·pau·lin /tɑˋpɔlɪn/ *οὐσ.* ‹C,U› πισσωτό ὕφασμα, μουσαμᾶς: *cover the goods on the lorry with a* ~, σκεπάζω τά πράγματα σ' ἕνα φορτηγό μέ μουσαμᾶ.

[1]**tarry** /ˈtarɪ/ ἐπ. πισσωμένος: ~ *hands/roads.*

[2]**tarry** /ˈtærɪ/ ρ.μ. (*λογοτ.*) **1**. παραμένω: ~ *a few days at/in a place.* **2**. ἀργῶ, καθυστερῶ, χρονίζω.

tar·sal /ˈtasl/ ἐπ. ‹C› (*ἀνατ.*) ταρσικός.

tar·sus /ˈtasəs/ οὐσ. ‹C› (*πληϑ. tarsi* /-sɪ/) (*ἀνατ.*) ταρσός.

[1]**tart** /tat/ οὐσ. ‹C› τάρτα.

[2]**tart** /tat/ ἐπ. **1**. δριμύς, ἄψύς, ξινός, ὀξύς, καυστικός, ἀπότομος: *a* ~ *flavour*, ἔντονη γεῦσις. **2**. (*μεταφ.*) καυστικός, τσουχτερός, ἀπότομος: ~ *humour*, καυστικό χιοῦμορ. *in a* ~ *manner*, μέ ἀπότομο τρόπο. **~·ly** *ἐπίρ.* **~·ness** *οὐσ.* ‹U› ἀψάδα, δριμύτης, καυστικότης.

[3]**tart** /tat/ οὐσ. ‹C› (*λαϊκ.*) κοκότα, τσούλα. —*ρ.μ.* ~ ***sth/sb up***, (*καϑομ.*) στολίζω φανταχτερά.

tar·tan /ˈtatən/ οὐσ. ‹U› Σκωτσέζικο ὕφασμα.

[1]**tar·tar** /ˈtatə(r)/ οὐσ. ‹U› πουρί (σέ δόντια, βαγένια, κλπ), τρυγία. **cream of ~**, (*χημ.*) τρυγικόν κάλιον. **~ic** /taˈtærɪk/ ἐπ. τρυγικός: ~*ic acid*, τρυγικόν ὀξύ.

[2]**tar·tar** /ˈtatə(r)/ οὐσ. ‹C› **1**. Τάταρος. **2**. σκληρός, βίαιος τύπος.

[3]**tar·tar** /ˈtatə(r)/ οὐσ. **~sauce**, σάλτσα μέ μαγιονέζα, κρεμμυδάκια, τουρσί, κλπ.

task /task/ οὐσ. ‹C› καθῆκον, (ἐπίπονη) δουλειά: *I was given the* ~ *of informing him*, μοῦ ἀνετέθη τό καθῆκον νά τόν πληροφορήσω. *I find housekeeping an irksome* ~, βρίσκω τίς δουλειές τοῦ νοικοκυριοῦ ἀγγαρεία (ἐκνευριστική δουλειά). ***set sb a ~***, ἀναθέτω δουλειά σέ κπ. ***take sb to ~ (about/for sth)***, κατσαδιάζω κπ (γιά κτ), τόν βάζω μπροστά: *Don't take him to* ~ *for such trifles*, μήν τόν μαλώνης γιά τέτοια μικροπράγματα. **ˋ~-force**, (*στρατ.*) εἰδικό ἀπόσπασμα (γιά ὡρισμένη ἀποστολή). **ˋ~-master/-mistress**, ἄντρας/γυναίκα πού ἀπαιτεῖ πολλή δουλειά: *Our teacher is a hard* ~*-master*, ὁ δάσκαλός μας εἶναι τύραννος (μᾶς παιδεύει στή δουλειά). —*ρ.μ.* καταπονῶ, ἐξαντλῶ: *Maths* ~*s my brain*, τά μαθηματικά μέ καταπονοῦν διανοητικῶς.

tas·sel /ˈtæsl/ οὐσ. ‹C› φούντα (κουρτίνας, σημαίας, κλπ), θύσσανος (ἀραποσιτιοῦ). **~-led** ἐπ. φουντωτός, θυσσανωτός.

[1]**taste** /teɪst/ οὐσ. **1**. **the ~**, γεῦσις (αἴσθησις): *sour/sweet to the* ~, ξυνός/γλυκός στή γεύση. **ˋ~ bud**, (*ἀνατ.*) γευστική ἀπόληξις (στή γλῶσσα). **2**. ‹C,U› γεῦσις (εἶδος γεύσεως): *Sugar has a sweet* ~, ἡ ζάχαρη ἔχει γλυκειά γεύση. *It has a bitter/queer* ~, ἔχει πικρή/περίεργη γεύση. ***leave a bad ~ in the mouth***, (*κυριολ. & μεταφ.*) ἀφήνω μιά ἄσχημη γεύση στό στόμα/ἕνα αἴσθημα ἀηδίας. **3**. (*συνήϑ. ἑν. μέ ἀόρ. ἄρϑρ.*) κάτι λίγο, μιά ἰδέα, δεῖγμα: *Won't you have a* ~ *of this cake?* δέν θά πάρετε λίγο ἀπό (δέν θά δοκιμάσετε) αὐτό τό κέκ; *Give him a* ~ *of the whip*, δῶσε του μερικές μέ τό μαστίγιο/κάν' τον νά νοιώση τό μαστίγιο. *He gave us a* ~ *of his bad temper*, μᾶς ἔδωσε μιά ἰδέα (ἕνα δεῖγμα) τοῦ θυμοῦ του. **4**. ‹C,U› γοῦστο, προτίμησις: *have expensive* ~*s in clothes*, ἔχω ἀκριβά γοῦστα στά ροῦχα, μοῦ ἀρέσουν τά ἀκριβά ροῦχα. ***develop a ~ for sth***, ἀρχίζει νά μοῦ ἀρέσει κτ. ***have a ~ for sth***, μοῦ ἀρέσει κτ: *I have a* ~ *for cigars*, μοῦ ἀρέσουν τά ποῦρα. ***to one's taste***, τοῦ γούστου μου: *Pop music is not to my* ~, ἡ μουσική πόπ δέν εἶναι τοῦ γούστου μου, δέν μ' ἀρέσει. ***It's a matter of ~***, εἶναι θέμα γούστου. ***There's no accounting for ~s***, περί ὀρέξεως οὐδείς λόγος. **5**. ‹U› γοῦστο, καλαισθησία: *She has excellent* ~ *in dresses/in music*, ἔχει θαυμάσιο γοῦστο στό ντύσιμο/στή μουσική. *a room furnished in good* ~, δωμάτιο ἐπιπλωμένο μέ καλαισθησία. *a joke in bad* ~, κακόγουστο ἀστεῖο. *It would be bad* ~ *to refuse*, θά ἦταν ἀπρέπεια ν' ἀρνηθοῦμε. **~·ful** /-fl/ ἐπ. νόστιμος (καλαίσθητος): *Your dress is very* ~*ful*, τό φόρεμά σου εἶναι πολύ νόστιμο. **~·fully** /-fəlɪ/ ἐπίρ. καλαίσθητα. **~·less** ἐπ. ἄνοστος, ἀκαλαίσθητος. **~·less·ly** ἐπίρ. **tasty** ἐπ. (*-ier, -iest*) νόστιμος (εὔγευστος): *tasty food*, νόστιμο φαΐ. **tast·ily** /-əlɪ/ ἐπίρ.

[2]**taste** /teɪst/ ρ.μ/ἀ. **1**. (*ὄχι εἰς τούς συνεχεῖς χρόνους – συχνά μέ can, could*) γεύομαι, ἀντιλαμβάνομαι μέ τή γεύση: *I can* ~ *something strange in this soup*, βρίσκω μιά παράξενη γεύση σ' αὐτή τή σούπα. *I have a bad cold and cannot* ~ *(anything)*, εἶμαι πολύ συναχωμένος καί ἔχω χάσει τή γεύση μου (ἐντελῶς). **2**. ~ ***(of)***, ἔχω/δίνω γεύση: *This sauce* ~*s sweet/bitter/sour*, αὐτή ἡ σάλτσα ἔχει γλυκειά/πικρή/ξινή γεύση. *It* ~*s of garlic/like honey*, ἔχει τή γεύση σκόρδου/σά μέλι. **3**. δοκιμάζω μέ τή γεύση: *Look! The cook is tasting the soup to see whether he has put enough salt in it*, κοίτα, ὁ μάγειρας δοκιμάζει τή σούπα γιά νά δῆ ἄν ἔχει βάλει ἀρκετό ἁλάτι. **4**. (*μεταφ.*) γεύομαι, ἀπολαμβάνω: ~ *happiness/the joy of freedom*, γεύομαι τήν εὐτυχία/τίς χαρές τῆς ἐλευθερίας. ~ ***of***, (*λογοτ.*) γνωρίζω, δοκιμάζω: *The valiant* ~ *of death but once*, οἱ γενναῖοι γεύονται (γνωρίζουν) τό θάνατο μόνο μιά φορά. **tas·ter** οὐσ. ‹C› δοκιμαστής (κρασιῶν, τσαγιοῦ, κλπ).

[1]**tat** ρ.μ/ἀ. (*-tt-*) (*ἐργόχ.*) κάνω φριβολιτέ. **~-ting** οὐσ. ‹U› φριβολιτέ (εἶδος κεντήματος/βελονιᾶς).

[2]**tat** /tæt/ οὐσ. *βλ. tit.*

ta ta /ˈtæ ˋta/ ἐπιφ. (*στή γλῶσσα νηπίου*) **1**. ἀντίο. **2**. (*πληϑ.*) ἄτα, περίπατος: *go* ~*s*, πάω ἄτα.

tat·ter /ˈtætə(r)/ οὐσ. ‹C› (*συνήϑ. πληϑ.*) κουρέλι: *a coat in* ~*s*, κουρελιασμένο σακκάκι. *tear sb's reputation to* ~*s*, (*μεταφ.*) ἐξευτελίζω κπ, κάνω κπ κουρέλι. **~ed** ἐπ. κουρελιασμένος, κουρελής.

tattle /ˈtætl/ ρ.μ/ἀ. φλυαρῶ, κουτσομπολεύω, κακολογῶ. —*οὐσ.* ‹U› φλυαρία, κουτσομπολιό. **tat·tler** /ˈtætlə(r)/ οὐσ. ‹C› φλύαρος, κουτσομπόλης.

[1]**tat·too** /təˈtu/ οὐσ. (*πληϑ.* ~*s*) **1**. (*μόνον ἑν.*) ἀνακλητικό (σάλπισμα ἤ τυμπανοκρουσία): *beat/sound the* ~, βαρῶ ἀνακλητικό. **2**. ‹C› συνεχές χτύπημα (ταμποῦρλο): *He was beating a* ~ *on the table with his fingers*, ἔπαιζε ταμποῦρλο στό τραπέζι μέ τά δάχτυλά του. **3**. ‹C› (*συχνά* **torchlight ~**) λαμπαδηφορία,

νυχτερινή παρέλασις.

[2]**tat·too** /tə`tu/ οὐσ. ‹C› (πληθ. ~s) τατουάζ, δερματοστιξία. —ρ.μ. κάνω τατουάζ.

tatty /`tætɪ/ ἐπ. (-ier, -iest) (λαϊκ.) τσαλακωμένος, κακοντυμένος: *He looks ~*, ἔχει τά χάλια του. **tat·tily** /-əlɪ/ ἐπίρ.

taught /tɔt/ ἀόρ. & π.μ. τοῦ ρ. *teach*.

taunt /tɔnt/ οὐσ. ‹C› σαρκασμός, λοιδωρία, κοροϊδία: *endure the ~s of a successful rival*, ὑπομένω τούς σαρκασμούς τοῦ νικητῆ ἀντιπάλου. *His ~s about my defeat drove me wild*, οἱ κοροϊδίες του γιά τήν ἧττα μου μέ κάνανε μπουρλότο. —ρ.μ. **~ sb with sth**, λοιδωρῶ, χλευάζω, προκαλῶ μέ κοροϊδίες: *They ~ed him with cowardice/with being a coward*, τόν κορόϊδευαν ὅτι ἦταν δειλός. **~·ing** ἐπ. σαρκαστικός, χλευαστικός. **~·ing·ly** ἐπίρ.

Taurus /`tɔrəs/ οὐσ. (ἀστρολ.) Ταῦρος.

taut /tɔt/ ἐπ. (γιά νεῦρα, σκοινί, κλπ) τεντωμένος, τεταμένος: *haul a rope ~*, τεντώνω/τεζάρω ἕνα σκοινί. *a ~ atmosphere*, τεταμένη ἀτμόσφαιρα. **~·ly** ἐπίρ. **~·ness** οὐσ. ‹U› ἔντασις, τέντωμα.

taut·ol·ogy /tɔ`tolədʒɪ/ οὐσ. ‹C,U› ταυτολογία, περιττή ἐπανάληψις. **tauto·logi·cal** /`tɔtə`lodʒɪkl/ ἐπ. ταυτολογικός.

tav·ern /`tævən/ οὐσ. ‹C› ταβέρνα.

taw /tɔ/ οὐσ. ‹C› μπίλια, βῶλος (παιδιῶν).

taw·dry /`tɔdrɪ/ ἐπ. (-ier, -iest) φανταχτερός, κακόγουστος: *~ jewellery/dresses*, ψευτοκοσμήματα/φανταχτερά ροῦχα. **taw·drily** /-əlɪ/ ἐπίρ. **taw·dri·ness** οὐσ. ‹U› φανταχτερότητα.

tawny /`tɔnɪ/ ἐπ. κοκκινωπός, καστανόξανθος.

tawse /`tɔz/ οὐσ. ‹C› (Σκωτ.) μαστίγιο (γιά τιμωρία μαθητῶν).

[1]**tax** /tæks/ οὐσ. **1**. ‹C,U› φόρος: *direct/indirect ~es*, ἄμεσος/ἔμμεσος φόρος. *`income ~*, φόρος εἰσοδήματος. *levy a ~ on sth*, βάζω φόρο σέ κτ. *pay £100 in ~es*, πληρώνω 100 λίρες φόρο. **`~-collector**, εἰσπράκτωρ φόρων. **`~ evasion**, φοροδιαφυγή. **`~·payer**, φορολογούμενος. **'~-`free** ἐπ. ἀφορολόγητος, ἀπηλλαγμένος φόρου. **2**. **a ~ on**, (μόνον ἑν.) καταπόνησις, δοκιμασία: *That was a ~ on my patience*, αὐτό ἦταν δοκιμασία γιά (ἔβαλε σέ δοκιμασία) τήν ὑπομονή μου. *a ~ on one's health/strength/resources*, δοκιμασία γιά τήν ὑγεία μου/τή δύναμή μου/τούς πόρους μου.

[2]**tax** /tæks/ ρ.μ. **1**. φορολογῶ: *~ tobacco/luxuries*, φορολογῶ τόν καπνό/τά εἴδη πολυτελείας. **2**. θέτω σέ δοκιμασία: *~ sb's patience/health*, θέτω σέ δοκιμασία τήν ὑπομονή/τήν ὑγεία κάποιου. **3**. ***~ sb with sth***, κατηγορῶ: *~ sb with neglect/ingratitude*, κατηγορῶ κπ γιά ἀμέλεια/γιά ἀγνωμοσύνη. **4**. (νομ.) ἐπιβάλλω (τά ἔξοδα τῆς δίκης). **~-able** /-əbl/ ἐπ. φορολογήσιμος, φορολογητέος. **~·ation** /tæk`seɪʃn/ οὐσ. ‹U› φορολογία: *reduce ~ation*, μειώνω τή φορολογία. *grumble at high ~ation*, γογγύζω γιά τή μεγάλη φορολογία.

taxi /`tæksɪ/ οὐσ. ‹C› (πληθ. ~s) (καί **`~-cab**) ταξί: *call/take a ~*, φωνάζω/παίρνω ταξί. **`~·meter**, ταξίμετρο. **`~ rank**, πιάτσα/σταθμός ταξί.

taxi·der·mist /`tæksɪdɜmɪst/ οὐσ. ‹C› ζωταριχευτής.

taxi·dermy /`tæksɪdɜmɪ/ οὐσ. ‹U› ταρίχευσις, μπαλσάμωμα (πουλιῶν, ζώων).

tea /ti/ οὐσ. **1**. ‹U› τσάϊ (τά φύλλα καί τό ρόφημα): *China ~*, Κινέζικο τσάϊ. *weak/strong ~*, ἐλαφρό/βαρύ τσάϊ. *Who's going to make (the) ~?* ποιός θά φτιάξει (τό) τσάϊ; *have a cup of ~*, πίνω ἕνα φλυτζάνι τσάϊ. ***not my cup of ~***, (μεταφ.) δέν εἶναι αὐτό πού μοῦ ἀρέσει, δέν εἶναι τοῦ γούστου μου. **2**. ‹C,U› τσάϊ (τό ρόφημα μέ βουτήματα, γλυκά, κλπ): *We have ~ at five*, παίρνομε τσάϊ στίς πέντε. *They were at ~ when I called*, ἔπαιρναν τό τσάϊ τους ὅταν πῆγα. (βλ. & λ. [1]*high*). **3**. (σέ σύνθ. λέξεις): **`~-bag**, ἀτομικό φακελλάκι μέ τσάϊ. **`~-break**, διάλειμμα γιά τσάϊ. **`~-caddy**, κουτί τοῦ τσαγιοῦ. **`~-cake**, κουλουράκι (πού τρώγεται ζεστό μέ βούτυρο) γιά τό τσάϊ, βούτημα. **`~-cloth**, *(α)* μικρό τραπεζομάντηλο τοῦ τσαγιοῦ. *(β)* πετσέτα γιά τό σκούπισμα τῶν φλυτζανιῶν τοῦ τσαγιοῦ. **`~-cosy**, κάλυμμα τσαγιέρας. **`~·cup**, φλυτζάνι τοῦ τσαγιοῦ. (βλ. & λ. *storm*). **`~-dance**, χορευτικόν τέϊον. **`~-garden**, κατάστημα ὅπου σερβίρεται τσάϊ στό ὕπαιθρο. **`~·house**, τεϊοπωλεῖον (στήν Ἰαπωνία). **`~-kettle**, τσαγιερό (κατσαρόλα ὅπου βράζει τό νερό γιά τό τσάϊ). **`~-leaf**, φύλλο τσαγιοῦ. **`~-party**, τέϊον (πάρτυ). **`~·pot**, τσαγιέρα. **`~·room**, ζαχαροπλαστεῖο, αἴθουσα γιά τσάϊ. **`~-service/-set**, σερβίτσιο τοῦ τσαγιοῦ. **`~·spoon**, κουταλάκι τοῦ τσαγιοῦ. **`~·spoon·ful** /-fl/ κουταλιά τοῦ τσαγιοῦ. **`~-strainer**, σουρωτήρι. **`~-table**, τραπεζάκι τοῦ τσαγιοῦ. **`~-things** οὐσ. πληθ. σερβίτσιο τοῦ τσαγιοῦ. **`~-time**, ὥρα γιά τσάϊ. **`~-trolley**, τραπεζάκι τοῦ τσαγιοῦ μέ ρόδες. **`~-urn**, σαμοβάρι. **`~-wagon**, βλ. *tea-trolley*.

teach /titʃ/ ρ.μ/ἀ. ἀνώμ. (ἀόρ. & π.μ. *taught* /tɔt/), διδάσκω, μαθαίνω κπ: *I'll ~ you (how) to swim*, θά σέ μάθω κολύμπι. *He ~es for a living*, παραδίδει μαθήματα γιά νά ζήση. *~ history/maths*, διδάσκω ἱστορία/μαθηματικά. ***(I'll) ~ you (not) to...***, (καθομ.) θά σέ μάθω ἐγώ νά (μή)..., (σάν ἀπειλή): *That will ~ him not to be late again*, αὐτό θά τοῦ γίνη μάθημα νά μήν ξαναργήση. **a ~-yourself method**, μέθοδος αὐτοδιδασκαλίας. **`~-in**, (καθομ.) μακρά δημόσια συζήτησις πάνω σέ ἐπίκαιρο θέμα (συνήθ. σέ Πανεπιστήμιο). **~·able** /-əbl/ ἐπ. εὐκολοδίδακτος. **~er** οὐσ. ‹C› δάσκαλος. **~·ing** οὐσ. **1**. ‹U› διδασκαλία: *go in for ~ing*, πάω γιά δάσκαλος. **2**. (συνήθ. πληθ.) διδάγματα, δόγματα, διδασκαλία: *the ~ings of experience/of Plato*, τά διδάγματα τῆς πείρας/ἡ διδασκαλία τοῦ Πλάτωνος.

teak /tik/ οὐσ. ‹C,U› τήκ (τό δέντρο καί τό ξύλο του).

teal /til/ οὐσ. ‹C› (ἀμετάβλ. στόν πληθ.) ἀγριόπαπια (ποταμῶν ἤ λιμνῶν).

team /tim/ οὐσ. ‹C› **1**. ζευγάρι (βόδια, ἄλογα, κλπ). **2**. (ἀθλ.) ὁμάδα: *a football ~*, ποδοσφαιρική ὁμάδα. **`~-work** οὐσ. ‹U› ὁμαδική ἐργασία. **~ spirit**, ὁμαδικό πνεῦμα, πνεῦμα συνεργασίας. —ρ.ἀ. ***~ up (with sb)***, (καθομ.) συνεργάζομαι, κάνω κοινή προσπάθεια μέ κπ. **`~·ster** /`tim-stə(r)/ οὐσ. ‹C› ζευγολάτης, (ΗΠΑ) φορτηγατζῆς, ὁδηγός φορτηγοῦ.

tear /tɪə(r)/ *οὐσ.* ‹C› δάκρυ: *Her eyes filled with ~s*, τά μάτια της γέμισαν δάκρυα. *with ~s in one's eyes*, μέ δακρυσμένα μάτια. *be in ~s*, εἶμαι βουτηγμένος στά δάκρυα. *They laughed till ~s came*, δάκρυσαν ἀπό τά πολλά γέλια. ***burst into ~s***, ξεσπῶ σέ δάκρυα. ***check/ hold back one's ~s***, συγκρατῶ τά δάκρυά μου. ***be moved to ~s***, συγκινοῦμαι μέχρι δακρύων. ***shed ~s of joy***, χύνω δάκρυα χαρᾶς. **`~-drop**, δάκρυ (σταγόνα). **`~-gas**, δακρυγόνο (ἀέριο): *`~-gas bombs*, βόμβες δακρυγόνων. **~·ful** /-fl/ *ἐπ.* δακρυσμένος, κλαμένος. **~·fully** /-fəlɪ/ *ἐπίρ.* μέ δάκρυα. **~·less** *ἐπ.* στεγνός, χωρίς δάκρυα: *~less eyes/grief*, στεγνά μάτια/βουβός πόνος, χωρίς δάκρυα.

tear /teə(r)/ *ρ.μ/ὰ. ἀνώμ.* (*ἀόρ. tore* /tɔ(r)/, *π.μ. torn* /tɔn/) **1**. σχίζω/-ομαι: *I tore my dress/ hand on a nail*, ἔσκισα τό φόρεμά μου/τό χέρι μου σ' ἕνα καρφί. *This material ~s easily*, αὐτό τό ὕφασμα σκίζεται εὔκολα. ***~ sth open***, ἀνοίγω κτ σχίζοντάς το: *He tore the letter open*, ἄνοιξε τό γράμμα σχίζοντας τό φάκελλο. ***~ to pieces/to bits/up***, (σχίζω καί) κάνω κομματάκια: *T~ up his letter and throw it away*, κάνε κομματάκια τό γράμμα του καί πέταξε το! *I'll ~ you to pieces/ribbons!* (*μεταφ.*) θά σέ σκίσω! θά σέ κάνω κομμάτια! ***be torn***, σπαράσσομαι, βασανίζομαι: *a country torn by civil war*, χώρα σπαρασσομένη ἀπό ἐμφύλιο πόλεμο. *He was torn between fear and desire*, βασανιζόταν ἀνάμεσα στό φόβο καί τήν ἐπιθυμία. *She was torn by/with jealousy*, τήν βασάνιζε ἡ ζήλεια. **2**. (ξε)σχίζω, ἀποσπῶ, τραβῶ βίαια, ξερριζώνω: *He tore a page out of the book*, τράβηξε (ἔσκισε) μιά σελίδα ἀπό τό βιβλίο. *~ a poster down from a wall*, ξεσκίζω μιά ἀφίσσα ἀπό τοῖχο. *He tore at the wrapping of the parcel*, τράβηξε ἀπότομα τό περιτύλιγμα τοῦ δέματος. *A shell tore off his right arm*, μιά ὀβίδα τοὔκοψε τό δεξί του χέρι. *He tore his hair with rage*, ξερρίζωνε τά μαλλιά του ἀπό τή λύσσα του. ***~ oneself away***, (*καθομ.*) ξεκολλῶ: *She couldn't ~ herself away from the book*, δέν μποροῦσε νά ξεκολλήση ἀπό τό βιβλίο της. ***~ down***, κατεδαφίζω, καταστρέφω. ***~ from***, ἁρπάζω, βουτάω (ἀπό). **3**. τρέχω, ὁρμῶ: *He tore through the town on his motorbike*, διέσχισε ὁλοταχῶς τήν πόλη μέ τή μοτοσυκλέττα του. *The children tore out of the school-gates*, τά παιδιά ὥρμησαν ἔξω ἀπό τήν πόρτα τοῦ σχολείου. *He tore down the hill*, ὥρμησε κάτω στό λόφο. **`~·away**, νεαρός κακοποιός, κουτσαβάκης. —*οὐσ.* ‹C› σχίσιμο.

tease /tiz/ *ρ.μ.* **1**. πειράζω, ἐνοχλῶ, τυραννῶ: *She ~d him about his bald head*, τόν πείραξε γιά τή φαλάκρα του. *Stop teasing the cat*, πᾶψε νά τυραννᾶς τή γάτα! **2**. ξεφτίζω, ξαίνω ὕφασμα. —*οὐσ.* ‹C› (*πεπαλ.*) πειραχτήρι: *What a ~ she is!* τί πειραχτήρι πού εἶναι! **teaser** *οὐσ.* ‹C› **1**. πειραχτήρι. **2**. (*καθομ.*) σπαζοκεφαλιά. **teas·ing·ly** *ἐπίρ.* πειραχτικά.

teat /tit/ *οὐσ.* ‹C› ρώγα (μαστοῦ ζώου ἤ τοῦ μπιμπεροῦ).

tech·ni·cal /`teknɪkl/ *ἐπ.* τεχνικός: *~ terms/ difficulties*, τεχνικοί ὅροι/-ές δυσκολίες. *a `~ college*, τεχνική σχολή. **~ly** *ἐπίρ.* **~·ity** /`teknɪ`kæləti/ *οὐσ.* ‹C› τεχνική λεπτομέρεια, τεχνικός ὅρος: *lose oneself in ~ities*, χάνομαι στίς τεχνικές λεπτομέρειες.

tech·ni·cian /tek`nɪʃn/ *οὐσ.* ‹C› τεχνικός, τεχνίτης.

tech·nique /tek`nik/ *οὐσ.* ‹C,U› τεχνική: *a pianist's ~*, ἡ τεχνική ἑνός πιανίστα. *His ~ is faultless*, ἡ τεχνική του εἶναι ἄψογη. *teaching ~s*, τρόποι διδασκαλίας.

tech·noc·racy /tek`nokrəsɪ/ *οὐσ.* ‹C,U› τεχνοκρατία. **tech·no·crat** /`teknəkræt/ *οὐσ.* ‹C› τεχνοκράτης.

tech·nol·ogy /tek`nolədʒɪ/ *οὐσ.* ‹U› τεχνολογία: *Our life depends on ~*, ἡ ζωή μας ἐξαρτᾶται ἀπό τήν τεχνολογία. **tech·nol·ogist** /-dʒɪst/ *οὐσ.* ‹C› τεχνικός, τεχνολόγος. **tech·nol·ogi·cal** /`teknə`lodʒɪkl/ *ἐπ.* τεχνολογικός: *technological problems/advances*, τεχνολογικά προβλήματα/-ή πρόοδος.

techy /`tetʃɪ/ *ἐπ. βλ. tetchy.*

teddy bear /`tedɪ beə(r)/ *οὐσ.* ‹C› ἀρκουδάκι (παιδιοῦ).

Teddy boy /`tedɪ bɔɪ/ *οὐσ.* ‹C› (*καί* **Ted** /ted/) τεντυμπόϋς.

Te Deum /teɪ `deɪəm/ *οὐσ.* (*Λατ.*) Δοξολογία: *the ~ on 25th March*, ἡ δοξολογία τῆς 25ης Μαρτίου.

tedi·ous /`tidɪəs/ *ἐπ.* πληκτικός, κουραστικός, ἀνιαρός, βαρετός: *a ~ lecture(r)*, πληκτική ὁμιλία (-ός ὁμιλητής). *~ work*, ἀνιαρή δουλειά. **~·ly** *ἐπίρ.* βαρετά, ἀνιαρά. **te·dium** /`tidɪəm/, **~·ness** *οὐσ.* ‹U› μονοτονία, πλῆξις.

tee /ti/ *οὐσ.* ‹C› (*στό γκόλφ*) ἀνάχωμα ἤ πάσσαλος ὅπου τοποθετεῖται ἡ μπάλλα στήν ἀρχή τοῦ παιχνιδιοῦ. ***to a ~***, στήν ἐντέλεια. —*ρ.μ/ὰ.* **1**. ***~ (up)***, *(α)* βάζω τήν μπάλλα στήν ἀφετηρία. *(β)* (*μεταφ.*) κανονίζω, ὀργανώνω: *Our travel agent will ~ everything up*, ὁ ταξιδιωτικός μας πράκτωρ θά τά κανονίση ὅλα. **2**. ***~ off***, χτυπῶ τήν μπάλλα στήν ἀφετηρία.

[1]**teem** /tim/ *ρ.ὰ.* ἀφθονῶ: *Fish ~ in this river*, τά ψάρια ἀφθονοῦν σ' αὐτό τό ποτάμι. ***~ with***, βρίθω, εἶμαι γεμᾶτος, ξεχειλίζω ἀπό: *The lakeside ~ed with gnats and mosquitoes*, οἱ ὄχθες τῆς λίμνης ἦταν γεμᾶτες σκνίπα καί κουνούπι. *His head is ~ing with new ideas*, τό μυαλό του ξεχειλίζει ἀπό νέες ἰδέες.

[2]**teem** /tim/ *ρ.ὰ.* ***~ (down)***, (*γιά βροχή*) πέφτω καταρρακτωδῶς: *It was ~ing (down) with rain; The rain was ~ing down*, ἡ βροχή ἔπεφτε καταρρακτωδῶς.

teens /tinz/ *οὐσ. πληθ.* ἐφηβική ἡλικία (ἀπό 13–19): *She's still in her ~*, δέν ἔφτασε ἀκόμα τά εἴκοσι, εἶναι ἀκόμα στήν ἐφηβεία της. **teen·age** /`tineɪdʒ/ *ἐπ.* γιά τήν ἡλικία τῶν 13–19: *teenage fashions*, μοντέλλα γιά ἐφήβους. **teen·ager** /`tineɪdʒə(r)/ *οὐσ.* ‹C› νεαρός, νεαρά (ἀπό 13–19 ἐτῶν).

teeny /`tinɪ/ *ἐπ. βλ. tiny.*

tee·ter /`titə(r)/ *ρ.ὰ.* ταλαντεύομαι, παραπαίω: *~ on the edge of a cliff/of disaster*, ταλαντεύομαι στό χεῖλος ἑνός βράχου/τῆς καταστροφῆς.

teeth /tiθ/ *οὐσ. πληθ. βλ. tooth.*

teethe /tið/ *ρ.ὰ.* (*μόνον στούς συνεχεῖς χρόνους*) βγάζω δόντια: *The baby is teething*, τό μωρό βγάζει δόντια. ˋ**teething troubles**, πόνοι ὀδοντοφυΐας, (*μεταφ.*) δυσκολίες στό ξεκίνημα μιᾶς δουλειᾶς.

tee·to·tal /tiˋtəʊtl/ *ἐπ.* ἀντιαλκοολικός, πού δέν πίνει οἰνοπνευματώδη: *a ~ party*, πάρτυ χωρίς οἰνοπνευματώδη. **~·ler** /-tələ(r)/ *οὐσ.* ‹C› ἄνθρωπος πού δέν πίνει καθόλου οἰνοπνευματώδη.

tele·cast /ˋtelɪkɑst/ *ρ.μ.* ἐκπέμπω μέ τηλεόραση. —*οὐσ.* ‹C› τηλεοπτική ἐκπομπή.

tele·com·muni·ca·tions /ˈtelɪkəˈmjuniˋkeɪʃnz/ *οὐσ. πληθ.* τηλεπικοινωνίες.

tele·gram /ˋtelɪgræm/ *οὐσ.* ‹C› τηλεγράφημα: *a ˋgreetings ~*, εὐχετήριο τηλεγράφημα. ˋ**~ form**, ἔντυπον τηλεγραφήματος.

tele·graph /ˋtelɪgrɑf/ *οὐσ.* ‹C,U› τηλέγραφος: *by ~*, τηλεγραφικῶς. ˋ**~-post/-pole**, τηλεγραφοκολώνα. ˋ**~-line/-wire**, τηλεγραφική γραμμή/-ό σύρμα. —*ρ.μ/ἀ.* τηλεγραφῶ (*συχνότερα: send a cable/telegram*): *He ~ed (to) his father*, τηλεγράφησε στόν πατέρα του. **~ic** /ˈtelɪˋgræfɪk/ *ἐπ.* τηλεγραφικός: *a ~ic address*, τηλεγραφική διεύθυνσις. **~i·cally** /-klɪ/ *ἐπίρ.* **tel·egra·pher** /təˋlegrəfə(r)/, **tel·egra·phist** /-ɪst/ *οὐσ.* ‹C› τηλεγραφητής. **tel·egra·phese** /ˈtelɪgrɑˋfiz/ *οὐσ.* ‹U› τηλεγραφικό στύλ. **tel·egra·phy** /təˋlegrəfɪ/ *οὐσ.* ‹U› τηλεγραφία.

te·lem·etry /təˋlemətrɪ/ *οὐσ.* ‹U› τηλεμετρία.

tele·ol·ogy /ˈtelɪˋolədʒɪ/ *οὐσ.* ‹U› τελεολογία. **teleo·logi·cal** /ˈtelɪəˋlodʒɪkl/ *ἐπ.* τελεολογικός.

tel·epa·thy /təˋlepəθɪ/ *οὐσ.* ‹U› τηλεπάθεια. **tele·pathic** /ˈtelɪˋpæθɪk/ *ἐπ.* τηλεπαθητικός. **tel·epa·thist** /təˋlepəθɪst/ *οὐσ.* ‹C› θιασώτης τῆς τηλεπαθείας, ἄνθρωπος μέ τηλεπαθητικές ἱκανότητες.

tele·phone /ˋteləfəʊn/ *οὐσ.* ‹C,U› τηλέφωνο (*συγκεκ. phone*): *You are wanted on the ~*, σᾶς ζητοῦν στό τηλέφωνο. *answer the ~*, ἀπαντῶ στό τηλέφωνο, σηκώνω τό ἀκουστικό. *I told him the news by ~*, τοῦ εἶπα τά νέα ἀπό τό τηλέφωνο. *I spoke to him over the ~*, τοῦ μίλησα στό τηλέφωνο. ˋ**~ booth**, τηλεφωνικός θάλαμος. ˋ**~ directory** (*καί* ˋ**phone book**), τηλεφωνικός κατάλογος: *look up a number in the (~) directory*, βρίσκω ἕναν ἀριθμό στόν κατάλογο. ˋ**~ exchange**, τηλεφωνικό κέντρο. —*ρ.μ/ἀ.* τηλεφωνῶ: *I'll ~/phone you tomorrow*, θά σοῦ τηλεφωνήσω αὔριο. *~ a telegram*, στέλνω ἕνα τηλεγράφημα τηλεφωνικῶς. **tel·eph·ony** /təˋlefənɪ/ *οὐσ.* ‹U› τηλεφωνία. **tel·ephon·ist** /təˋlefənɪst/ *οὐσ.* ‹C› τηλεφωνητής, τηλεφωνήτρια.

tele·photo /ˈtelɪˋfəʊtəʊ/ *ἐπ.* (*βραχυλ. γιά telephotographic*) τηλεφωτογραφικός. **~ lens**, τηλεφακός. **~·graph** /-ˋfəʊtəgrɑf/ τηλεφωτογραφία (φωτογραφία λαμβανομένη ἤ μεταβιβαζομένη ἐξ ἀποστάσεως). **tele·pho·togra·phy** /ˈtelɪfəˋtogrəfɪ/ *οὐσ.* ‹U› τηλεφωτογραφία (ἡ τεχνική).

tele·prin·ter /ˋtelɪprɪntə(r)/ *οὐσ.* ‹C› τηλέτυπον.

tele·scope /ˋteləskəʊp/ *οὐσ.* ‹C› τηλεσκόπιον. —*ρ.μ/ἀ.* συμπτύσσω/-ομαι, γίνομαι σά φυσαρμόνικα: *When the two trains collided, the first two cars ~d/were ~d*, ὅταν τά δυό τραῖνα συγκρούστηκαν, τά πρῶτα δύο βαγόνια ἔγιναν φυσαρμόνικα. **tele·scopic** /ˈteləˋskopɪk/ *ἐπ.* τηλεσκοπικός, πτυσσόμενος: *a telescopic view/aerial*, θέα μέ τηλεσκόπιο/πτυσσόμενη κεραία.

tele·vise /ˋteləvaɪz/ *ρ.μ.* μεταδίδω τηλεοπτικῶς: *The Olympic Games will be ~d*, οἱ Ὀλυμπιακοί Ἀγῶνες θά μεταδοθοῦν τηλεοπτικῶς.

tele·vi·sion /ˋtelɪvɪʒn/ *οὐσ.* (*βραχυλ.* **TV** ἤ (*καθομ.*) **telly**) **1**. ‹U› τηλεόρασις: *watch ~*, βλέπω τηλεόραση. *Did you see the match on (the) ~?* εἶδες τό μάτς στήν τηλεόραση; **2**. ‹C› ˋ**~ (set)**, συσκευή τηλεοράσεως.

telex /ˋteleks/ *οὐσ.* ‹C,U› τέλεξ.

tell /tel/ *ρ.μ/ἀ. ἀνώμ.* (*ἀόρ.* & *π.μ. told* /təʊld/) **1**. λέγω, πληροφορῶ, ἀφηγοῦμαι: *He told me his name*, μοῦ εἶπε τό ὄνομά του. *T~ me what happened*, πές μου τί συνέβη. *I promise to ~ nobody*, ὑπόσχομαι νά μήν πῶ τίποτα σέ κανέναν. *I ~ you, he's an out and out rascal*, σοῦ τό λέω ἐγώ, εἶναι τέλειος μασκαρᾶς. *I've been told...*, μοῦ εἶπαν... *I'll ~ you all about it*, θά σοῦ τά πῶ ὅλα. ***~ lies/the truth***, λέω ψέματα/τήν ἀλήθεια. ***~ the news/a story***, λέω τά νέα/μιά ἱστορία. ***~ the tale***, (*καθομ.*) λέω τό παραμύθι (*δηλ.* μιά θλιβερή ἱστορία γιά νά μέ λυπηθῆ κάποιος). ***~ the time***, λέω τήν ὥρα. ***~ the world***, (*καθομ.*) τό διαλαλῶ, τό κάνω βούκινο, τό φωνάζω σ'ὅλο τόν κόσμο. ***I told you so***, καλά στό εἶπα ἐγώ, σοῦ τό εἶχα πεῖ ἐγώ, δέν μ'ἄκουσες ἐμένα. ***So I've been told***, τὄμαθα αὐτό, τό ἄκουσα, τό ξέρω. ˈ***You're ~ing ˋme!*** μήν τά λές σέ μένα! τά ξέρω ἐγώ αὐτά! ἐμένα μοῦ τά λές; ***T~ me another!*** ἀλλοῦ αὐτά! δέν πιάνουν αὐτά σέ μένα! (*βλ.* & *λ. tale, what*). **2**. λέω, παραγγέλω, διατάσσω: *Do what you are told*, κάνε ὅ,τι σοῦ λένε. *I told him not to go*, τοῦ εἶπα νά μήν πάη. *The officer told his men to fire*, ὁ ἀξιωματικός διέταξε τούς ἄνδρες του νά πυροβολήσουν. ***~ off***, (*καθομ.*) κατσαδιάζω κπ, τά ψέλνω σέ κπ: *I'll ~ him off for being late again*, θά τόν ψάλλω πού ἄργησε πάλι. **3**. (ἀνα)γνωρίζω, διακρίνω, ξεχωρίζω (*ἰδ.* μέ *can, could*): *They are so much alike I can't ~ one from the other*, μοιάζουν τόσο πολύ πού δέν μπορῶ νά ξεχωρίσω τόν ἕναν ἀπό τόν ἄλλον. *I can ~ him by his voice*, τόν ἀναγνωρίζω ἀπό τή φωνή του. *How can I ~ what he will do?* πῶς νά ξέρω τί θά κάμη; *Who can ~?* ποιός ξέρει; ***You can never ~; You never can ~***, δέν μπορεῖς ποτέ νά εἶσαι βέβαιος, δέν ξέρεις τί γίνεται καμιά φορά. ***there's no ~ing***, δέν μπορεῖ νά ξέρει κανείς, εἶναι ἀδύνατο νά μαντέψης. **4**. (κατα)μετρῶ. ***all told***, συνολικά: *All told I made £20 out of it*, συνολικά κέρδισα 20 λίρες ἀπ'αὐτή τή δουλειά. *There were fifty people all told*, ὑπῆρχαν καμιά πενηνταριά ἄνθρωποι ὅλοι-ὅλοι. **~er** *οὐσ.* (*α*) ταμίας Τραπέζης. (*β*) καταμετρητής ψήφων. **5**. ***~ (on sb)***, (*καθομ.*) μαρτυρῶ, προδίδω κπ: *I'll ~ you if you don't ~ anybody*, θά σοῦ τό πῶ ἄν δέν τό μαρτυρήσεις σέ κανέναν. *She always ~s on her brother*, διαρκῶς προδίδει τόν ἀδελφό της. ˋ**~·tale** /ˋtelteɪl/ *οὐσ.* ‹C› μαρτυριάρης, (*ἐπιθ.*) ἀποκαλυπτικός: *You disgusting ~tale!* σιχαμένε μαρτυριάρη! *There was a ~tale smell of tobacco in the room,* ὑπῆρχε μιά μυρουδιά καπνοῦ στό δωμάτιο πού ἔλεγε πολλά! **6.** ~ *(**on/upon**)*, ἔχω ἐπίδραση, φαίνομαι: *All this hard work is~ing on him/on his health,* ὅλη αὐτή ἡ σκληρή δουλειά ἔχει ἐπίδραση πάνω του/στήν ὑγεία του. *His years are beginning to ~ on him,* τά χρόνια του ἀρχίζουν νά τοῦ φαίνονται. *Every blow ~s,* τό κάθε χτύπημα ἔχει τήν ἐπίδρασή του (κάτι ἀφήνει!). **~·ing** *ἐπ.* ἐντυπωσιακός, ἀποτελεσματικός, εὔστοχος: *a ~ing achievement,* ἐντυπωσιακό ἐπίτευγμα. *a ~ing blow/remark,* ἀποτελεσματικό χτύπημα/εὔστοχη παρατήρηση. **~·ing·ly** *ἐπίρ.*

telly /ˈtelɪ/ *οὐσ.* ‹C› (*καθομ.*) τηλεόρασις, τί-βί.

tel·pher /ˈtelfə(r)/ *οὐσ.* ‹C,U› τελεφερίκ.

Tel·star /ˈtelstɑ(r)/ *οὐσ.* τηλεπικοινωνιακός δορυφόρος.

te·mer·ity /tɪˈmerətɪ/ *οὐσ.* ‹U› τόλμη, ἀποκοτιά.

[1]**tem·per** /ˈtempə(r)/ *οὐσ.* **1.** ‹U› σκληρότης, ἐλαστικότης (μετάλλων). **2.** ‹C› διάθεσις, ψυχραιμία, χαρακτήρας: *have a violent ~,* ἔχω βίαιο χαρακτῆρα. ***be in a ~***, ἔχω τίς κακές μου, εἶμαι νευριασμένος. ***be in a good/bad ~***, εἶμαι σέ καλή/κακή διάθεση. ***be out of ~ (with sb)***, εἶμαι θυμωμένος μέ κπ. ***get/fly into a ~***, γίνομαι ἔξω φρενῶν. ***lose/keep one's ~***, χάνω/διατηρῶ τήν ψυχραιμία μου. **-tem·pered** /ˈtempəd/ *ἐπ.* (*ὡς β! συνθ.*) μέ διάθεση: *ˈbad-~ed,* κακοδιάθετος. *ˈgood-~ed,* καλοδιάθετος, καλότροπος. *ˈquick-/ˈhot-~ed,* εὐέξαπτος. *ˈsweet-~ed,* πρᾶος, μαλακός.

[2]**tem·per** /ˈtempə(r)/ *ρ.μ/ὰ.* **1.** ψήνω, βάφω (μέταλλο), ζυμώνω (πηλό, κλπ), ἀναμιγνύω. **2.** ἁπαλύνω, μετριάζω: *~ justice with mercy,* ἁπαλύνω τή δικαιοσύνη μέ εὐσπλαχνία.

tem·pera /ˈtempərə/ *οὐσ.* ‹U› τέμπερα.

tem·pera·ment /ˈtemprəmənt/ *οὐσ.* ‹C,U› ἰδιοσυγκρασία, ψυχοσύνθεσις, ταμπεραμέντο: *She has an artistic ~,* ἔχει καλλιτεχνική ἰδιοσυγκρασία. *She's got ~!* ἔχει ταμπεραμέντο! **tem·pera·men·tal** /ˈtemprəˈmentl/ *ἐπ.* **1.** ἐξ ἰδιοσυγκρασίας: *She has a ~al dislike for study,* ἀπεχθάνεται τή μελέτη ἐκ φύσεως. **2.** εὐμετάβλητος, ἄστατος, θερμόαιμος, ἰδιότροπος, ἰδιόρρυθμος: *Great artists are usually ~al,* οἱ μεγάλοι καλλιτέχνες ἔχουν μεταπτώσεις/εἶναι ἰδιόρρυθμοι. *a ~al player,* ἀσταθής παίχτης (πού πότε παίζει καλά καί πότε ὄχι). **~·ally** /-təlɪ/ *ἐπίρ.* ἐκ φύσεως: *~ally optimistic,* αἰσιόδοξος ἐκ φύσεως.

tem·per·ance /ˈtempərəns/ *οὐσ.* ‹U› μετριοπάθεια, αὐτοσυγκράτησις, ἐγκράτεια, ἀποχή ἀπό οἰνοπνευματώδη: *a ˈ~ society,* ἀντιαλκοολική ἑταιρία.

tem·per·ate /ˈtempərət/ *ἐπ.* **1.** ἐγκρατής, λιτός, μετρημένος, συγκρατημένος: *~ habits,* συνήθειες ἐγκρατείας. **2.** εὔκρατος, ἤπιος: *the ~ zones,* οἱ εὔκρατες ζῶνες. *a ~ climate,* ἤπιο κλῖμα. **~·ly** *ἐπίρ.*

tem·pera·ture /ˈtemprətʃə(r)/ *οὐσ.* ‹C,U› θερμοκρασία: *normal ~,* κανονική θερμοκρασία. *a high/low ~,* μεγάλη/χαμηλή θερμοκρασία. ***have/run a ~***, ἔχω/κάνω πυρετό. ***take sb's ~***, θερμομετρῶ κπ.

tem·pest /ˈtempɪst/ *οὐσ.* ‹C› θύελλα, φουρτούνα, τρικυμία: *a ~ of applause,* (*μεταφ.*) θύελλα χειροκροτημάτων. **ˈ~-swept/-tossed** *ἐπ.* (*λογοτ.*) ἀνεμοδαρμένος, καραβοτσακισμένος. **tem·pes·tu·ous** /temˈpestʃʊəs/ *ἐπ.* θυελλώδης: *a ~uous meeting,* θυελλώδης συνεδρίασις. *be in a ~uous mood,* εἶμαι φουρτουνιασμένος/σέ ἐκρηκτική διάθεση.

tem·plate, tem·plet /ˈtemplət/ *οὐσ.* ‹C› (*ξυλουργ., μεταλλουργ.*) περίγραμμα, φόρμα.

temple /ˈtempl/ *οὐσ.* ‹C› **1.** ναός. **2.** κρόταφος.

tem·plet /ˈtemplət/ *οὐσ. βλ. template.*

tempo /ˈtempəʊ/ *οὐσ.* ‹C› (*πληθ. ~s ἤ* (*μουσ.*) *tempi* /-pɪ/) χρόνος, ρυθμός: *the ~ of life/production,* ὁ ρυθμός τῆς ζωῆς/τῆς παραγωγῆς.

tem·poral /ˈtempərl/ *ἐπ.* **1.** χρονικός: *~ conjunctions,* χρονικοί σύνδεσμοι. **2.** κοσμικός (*ἀντίθ. spiritual*): *the ~ power of the Pope,* ἡ κοσμική ἐξουσία τοῦ Πάπα. **~·ity** /ˈtempəˈrælətɪ/ *οὐσ.* ‹C› (*συνήθ. πληθ.*) κτήματα, εἰσοδήματα (ἐκκλησιαστικά). **~ty** /ˈtempərəltɪ/ *οὐσ.* (*συλλογ.*) οἱ λαϊκοί.

tem·por·ary /ˈtempərərɪ/ *ἐπ.* προσωρινός, πρόχειρος: *~ employment,* προσωρινή δουλειά. *a ~ bridge,* πρόχειρη γέφυρα. **tem·por·arily** /ˈtempərəlɪ/ *ἐπίρ.* προσωρινά. **tem·por·ari·ness** /ˈtempərərɪnɪs/ *οὐσ.* ‹U› προσωρινότης.

tem·por·ize /ˈtempəraɪz/ *ρ.ὰ.* χρονοτριβῶ, ἀναβάλλω, προσπαθῶ νά κερδίσω χρόνο, καιροσκοπῶ: *a temporizing politician,* καιροσκόπος πολιτικός.

tempt /tempt/ *ρ.μ.* **1.** παραπλανῶ, ξεγελῶ, παρασύρω: *The serpent ~ed Eve,* ὁ ὄφις ἠπάτησε τήν Εὔα. *They ~ed him into stealing,* τόν παράσυραν νά κλέψῃ. **2.** βάζω/μπαίνω σέ πειρασμό, καταφέρνω, δελεάζω/-ομαι: *I was greatly ~ed to try,* μπῆκα σέ μεγάλο πειρασμό νά δοκιμάσω. *The warm weather ~ed us to go for a swim,* ὁ ζεστός καιρός μᾶς ἔβαλε στόν πειρασμό (μᾶς ἄνοιξε τήν ὄρεξη) νά πᾶμε γιά μπάνιο. *She ~ed the child to have some more soup,* κατάφερε τό παιδάκι νά φάῃ λίγη σούπα ἀκόμα. *a ~ing offer,* δελεαστική προσφορά. **3.** (*ἀρχαϊκ.*) θέτω ὑπό δοκιμασίαν, δοκιμάζω. **~ Providence**, παίζω μέ τήν τύχη, κάνω κτ πολύ ἐπικίνδυνο. **~·ing·ly** *ἐπίρ.* **~er** *οὐσ.* ‹C› πειρασμός, ἐκμαυλιστής. **the T~er**, ὁ Πειρασμός, ὁ Σατανᾶς. **temp·tress** /-trəs/ *οὐσ.* ‹C› ξεμυαλίστρα.

temp·ta·tion /tempˈteɪʃn/ *οὐσ.* ‹C,U› πειρασμός: *the ~ of easy profits,* ὁ πειρασμός τοῦ εὔκολου κέρδους. *The blue sea was a strong/an irresistible ~,* ἡ γαλάζια θάλασσα ἦταν μεγάλος/ἀκατανίκητος πειρασμός. ***give way/yield to ~***, ἐνδίδω στόν πειρασμό. ***put ~ in sb's way***, βάζω κπ σέ πειρασμό. ***resist a ~***, ἀντιστέκομαι σ' ἕναν πειρασμό.

ten /ten/ *ἐπ. & οὐσ.* ‹C› δέκα: *some ~ years ago,* πρίν ἀπό καμιά δεκαριά χρόνια. *~s of thousands,* δεκάδες χιλιάδες. ***in ~s***, κατά δεκάδες. ***~ to one***, (στοίχημα) δέκα πρός ἕνα: *T~ to one he'll be late,* πάω στοίχημα δέκα πρός ἕνα ὅτι θ' ἀργήσῃ. **tenth** /tenθ/ *ἐπ.* δέκατος. **tenth·ly** *ἐπίρ.* **ˈten·fold** *ἐπ.* δεκαπλάσιος. __*ἐπίρ.* δεκαπλάσια. **ˈten·pence**

οὐσ. ‹C› νόμισμα δέκα πεννῶν.

ten·able /ˈtenəbl/ ἐπ. ὑποστηρίξιμος, πού μπορεῖ νά κρατηθῆ (ἀντίθ. *untenable*): *a ~ argument*, βάσιμο ἐπιχείρημα. *a ~ position*, θέσις πού μπορεῖ νά τήν κρατήση/νά τήν ὑπερασπίση κανείς. *This post is ~ for three years*, ὁ διορισμός σ' αὐτή τή θέση ἰσχύει γιά τρία χρόνια. **ten·abil·ity** /ˈtenəˈbɪlətɪ/ οὐσ. ‹U› ὀρθότης, (τό) βάσιμον.

ten·acious /təˈneɪʃəs/ ἐπ. πού κολλάει, πού δέν ὑποχωρεῖ, ἀνθεκτικός, ἐπίμονος, πεισματικός: *a ~ spirit*, ἀνυποχώρητο (ἀνένδοτο) πνεῦμα. *a ~ defence*, πεισματική ἄμυνα. *a ~ memory*, γερή μνήμη. *~ efforts*, ἐπίμονες προσπάθειες. ***be ~ of sth***, κολλῶ πάνω σέ κτ, ἐπιμένω, δέν ὑποχωρῶ: *He's ~ of his rights*, ἐπιμένει στά δικαιώματά του. **~·ly** ἐπίρ. πεισματικά, ἀκλόνητα. **~·ness, ten·ac·ity** /təˈnæsətɪ/ οὐσ. ‹U› πεῖσμα, ἐμμονή, προσκόλλησις, δύναμις (μνήμης).

ten·ancy /ˈtenənsɪ/ οὐσ. ‹U› μίσθωσις, διάρκεια μισθώσεως: *a life ~*, μίσθωσις ἐφ' ὅρου ζωῆς.

ten·ant /ˈtenənt/ οὐσ. ‹C› ἐνοικιαστής, μισθωτής: *evict a ~ for non-payment of rent*, κάνω ἔξωση σέ ἐνοικιαστή λόγῳ καθυστερήσεως τοῦ ἐνοικίου. **ten·an·try** /ˈtenəntrɪ/ οὐσ. (*συλλογ., μέ ρ. ἑν.*) οἱ ἔνοικοι, οἱ κολλῆγοι.

[1]**tend** /tend/ ρ.μ. φροντίζω, περιποιοῦμαι: *~ a flock/the fire*, φυλάω ἕνα κοπάδι/φροντίζω μιά φωτιά. *~ a store*, (ἰδ. ΗΠΑ) κρατῶ μαγαζί.

[2]**tend** /tend/ ρ.ἀ. τείνω, κλίνω: *Prices are ~ing upwards*, οἱ τιμές ἔχουν τάση ἀνυψώσεως. *He ~s to exaggerate*, ἔχη τήν τάση νά ὑπερβάλλη. *I ~ to believe it*, τείνω νά τό πιστέψω. *He ~s towards pessimism*, ἔχει πεσσιμιστικές τάσεις. **ten·dency** /ˈtendənsɪ/ οὐσ. ‹C› τάσις, κλίσις, ροπή: *He shows a ~ency to improve*, δείχνει μιά τάση βελτιώσεως. *I have a ~ency to catch cold*, ἔχω τάση νά κρυολογῶ. *a strong upward ~ency*, ἰσχυρή ὑψωτική τάσις.

ten·den·tious /tenˈdenʃəs/ ἐπ. (λόγ.) ὑποβολιμαῖος, μεροληπτικός: *~ reports*, ὑποβολιμαῖες ἀναφορές/ἀνακοινώσεις. **~·ly** ἐπίρ. **~·ness** οὐσ. ‹U› μεροληψία.

[1]**ten·der** /ˈtendə(r)/ ἐπ. τρυφερός, λεπτός, ντελικᾶτος: *a ~ age/heart/steak*, τρυφερή ἡλικία/καρδιά/μπριτζόλα. *~ flowers*, λεπτά, ντελικᾶτα λουλούδια. *a ~ subject*, (μεταφ.) λεπτό θέμα. ***touch (sb on) a ~ spot***, ἐγγίζω κπ σ' ἕνα εὐαίσθητο σημεῖο. **ˈ~-ˈhearted** ἐπ. εὐαίσθητος, πονόψυχος. **ˈ~-foot** οὐσ. (πληθ. *-foots*) νεοφερμένος ἄποικος (πού δέν ἔχει συνηθίσει στή σκληρή ζωή). **ˈ~·loin**, μπονφιλέ, ψαρονέφρι. **~·ly** ἐπίρ. **~·ness** οὐσ. ‹U› τρυφερότης.

[2]**ten·der** /ˈtendə(r)/ οὐσ. ‹C› **1**. φροντιστής. **2**. ἀνθρακοφόρο βαγόνι. **3**. βοηθητικό πλοῖο.

[3]**ten·der** /ˈtendə(r)/ ρ.μ/ἀ. προσφέρω: *~ one's resignation/services*, δίνω τήν παραίτησή μου/προσφέρω τίς ὑπηρεσίες μου. *~* ***for***, κάνω προσφορά: *Several firms ~ed for building the new bridge*, πολλές ἑταιρίες ἔκαναν προσφορές γιά τήν κατασκευή τῆς νέας γέφυρας. —οὐσ. ‹C› προσφορά: *invite ~s for sth*, καλῶ τούς ἐνδιαφερομένους νά ὑποβάλλουν προσφορές γιά κτ. *put in/send in/make a ~*, κάνω προσφορά. *accept the lowest ~*, δέχομαι τήν χαμηλότερη προσφορά. **legal ~**, νόμιμον νόμισμα.

ten·don /ˈtendən/ οὐσ. ‹C› (ἀνατ.) τένων.

ten·dril /ˈtendrɪl/ οὐσ. ‹C› (βοτ.) ψαλίδα (κλήματος).

ten·ement /ˈtenəmənt/ οὐσ. ‹C› **1**. ˈ~ **(-house)**, λαϊκή πολυκατοικία. **2**. (νομ.) κατοικία.

tenet /ˈtenet/ οὐσ. ‹C› ἀρχή, ρητόν, ἀξίωμα.

ten·ner /ˈtenə(r)/ οὐσ. ‹C› (καθομ.) δεκάλιρο.

ten·nis /ˈtenɪs/ οὐσ. ‹U› τέννις: *lawn ~*, τέννις σέ γκαζόν. **~-court**, γήπεδο τέννις. **ˈ~-ˈelbow**, (ἰατρ.) κράμπα ἀπό τό τέννις.

tenon /ˈtenən/ οὐσ. ‹C› τόρμος, δόντι (ξύλου).

[1]**tenor** /ˈtenə(r)/ οὐσ. **the ~**, γενική κατεύθυνσις/ἔννοια: *The ~ of his speech was that there will be no war*, ἡ ἔννοια γενικά τῆς ὁμιλίας του ἦταν ὅτι δέν θά γίνη πόλεμος. *Nothing disturbs the quiet ~ of our life here*, τίποτα δέν ταράσσει τό ἥσυχο κύλισμα τῆς ζωῆς μας ἐδῶ. *The ~ of his policies is this*, ἡ γενική γραμμή τῆς πολιτικῆς του εἶναι ἡ ἑξῆς.

[2]**tenor** /ˈtenə(r)/ οὐσ. ‹C› τενόρος: *a ~ voice/part*, φωνή/ρόλος τενόρου.

ten·pins /ˈtenpɪnz/ οὐσ. πληθ. τσούνια (παιχνίδι).

[1]**tense** /tens/ οὐσ. ‹C› (γραμμ.) χρόνος.

[2]**tense** /tens/ ἐπ. *(-r, -st)* τεντωμένος, τεταμένος, σέ ὑπερένταση: *faces ~ with anxiety*, πρόσωπα τεταμένα ἀπό ἀνησυχία. *a moment of ~ excitement*, στιγμή ὑπερεντάσεως, γεμάτη ἀγωνία. *a ~ situation/atmosphere/silence*, τεταμένη κατάστασις/ἀτμόσφαιρα/σιωπή. *We were ~ with expectancy*, εἴμαστε σέ ὑπερένταση ἀπό τήν ἀναμονή. —ρ.μ/ἀ. σφίγγω, τεντώνω: *He ~d up his muscles for the effort*, σφίχτηκε γιά τήν προσπάθεια. ***be/get ~d up***, νοιώθω (βρίσκομαι σέ) ὑπερένταση: *He's always ~d up before an exam*, ἔχει πάντα νευρική ὑπερένταση πρίν ἀπό τίς ἐξετάσεις. **~·ly** ἐπίρ. τεταμένα. **~·ness** οὐσ. ‹U› τέντωμα, ὑπερέντασις.

ten·sile /ˈtensaɪl/ ἐπ. πού μπορεῖ νά τεντώνεται, ἐκτατός, ἐλαστικός: *the ~ strength of copper wire*, ἡ ἐλαστική δύναμις τοῦ χάλκινου σύρματος.

ten·sion /ˈtenʃn/ οὐσ. ‹U› **1**. τέντωμα, τεζάρισμα: *the ~ of a violin string*, τό τεζάρισμα μιᾶς χορδῆς βιολιοῦ. **2**. ἔντασις: *political/racial ~(s)*, πολιτική/φυλετική ἔντασις. *The situation reached a point of high ~*, ἡ κατάστασις ἔφθασε σέ μεγάλη ἔνταση. **3**. τάσις, βολτάζ: *high ~ wires*, σύρματα ὑψηλῆς τάσεως.

tens·ity /ˈtensətɪ/ οὐσ. = *tenseness*. βλ. [2]*tense*.

tent /tent/ οὐσ. ‹C› τέντα, σκηνή: *pitch/put up/pull down a ~*, μπήγω/στήνω/ξηλώνω μιά τέντα. **ˈoxygen ~**, (φορητός) θάλαμος ὀξυγόνου γιά ἄρρωστο. **ˈ~-peg**, παλούκι σκηνῆς.

ten·tacle /ˈtentəkl/ οὐσ. ‹C› πλόκαμος, κεραία (ζώου).

ten·ta·tive /ˈtentətɪv/ ἐπ. δοκιμαστικός, ἀνιχνευτικός: *a ~ suggestion*, δοκιμαστική ἰδέα. *a ~ conclusion*, προσωρινό συμπέρασμα. *a ~ offer*, μιά πρώτη προσφορά/μιά κροῦσις. **~·ly** ἐπίρ. δοκιμαστικά, ἀνιχνευτικά, πειραματικά.

ten·ter·hooks /ˋtentəhʊks/ *οὐσ. πληθ. (μόνον στή φρ.)* **on ~**, σέ ἀγωνία: *keep sb on ~*, κρατῶ κπ σέ ἀγωνία. *be on ~*, κάθομαι σ᾿ἀναμμένα κάρβουνα.
tenth /tenθ/ *βλ. ten.*
tenu·ous /ˋtenjʊəs/ *ἐπ.* **1**. πολύ λεπτός: *the ~ web of a spider*, ὁ λεπτός ἱστός μιᾶς ἀράχνης. *a ~ distinction*, λεπτή διάκρισις. **2**. ἰσχνός, ἀσήμαντος: *~ evidence*, ἰσχνές ἀποδείξεις. **ten·uity** /tɪˋnjuətɪ/ *οὐσ.* ‹U› λεπτότης, ἰσχνότης, πενιχρότης.
ten·ure /ˋtenjʊə(r)/ *οὐσ.* ‹C,U› χρόνος, διάρκεια (μισθώσεως, ἀξιώματος, κλπ): *The ~ of office of the President is four years*, ἡ διάρκεια τοῦ ἀξιώματος τοῦ Προέδρου εἶναι τέσσερα χρόνια.
tepee /ˋtipi/ *οὐσ.* ‹C› κωνική σκηνή Ἰνδιάνων.
tepid /ˋtepɪd/ *ἐπ. (κυριολ. & μεταφ.)* χλιαρός: *~ water/a ~ welcome*, χλιαρό νερό/-ή ὑποδοχή. **~·ly** *ἐπίρ.* **~·ness**, **~·ity** /teˋpɪdətɪ/ *οὐσ.* ‹U› χλιαρότης.
ter·cen·ten·ary /ˋtɜsenˋtinərɪ/ *οὐσ.* ‹C› 300ή ἐπέτειος, τριακοσιετία. **ter·cen·ten·nial** /ˋtɜsenˋtenɪəl/ *οὐσ.* ‹C› & *ἐπ.* τριακοσιοστός.
ter·gi·ver·sate /ˋtɜdʒɪvəseɪt/ *ρ.ἀ. (λόγ.)* ἀντιφάσκω, παλινῳδῶ. **ter·gi·ver·sa·tion** /ˋtɜdʒɪvəˋseɪʃn/ *οὐσ.* ‹U› παλινῳδία.
term /tɜm/ *οὐσ.* ‹C› **1**. περίοδος, προθεσμία: *The loan will be of a ~ of 20 years*, τό δάνειο θά εἶναι γιά περίοδο 20 ἐτῶν (γιά μιά εἰκοσαετία). *during his ~ of office as President*, κατά τή διάρκεια τῆς προεδρίας του. *a long ~ of imprisonment*, μακροχρόνια φυλάκισις. *a ~ of six months*, ἑξάμηνος προθεσμία. **ˋshort-~/ˋlong-~ loans**, βραχυπρόθεσμα/μακροπρόθεσμα δάνεια. **2**. *(σχολ.)* τρίμηνο: *the autumn/spring ~*, τό φθινοπωρινό/ἀνοιξιάτικο τρίμηνο. **3**. ὅρος (ἐξισώσεως, συλλογισμοῦ, κλπ). **4**. *(πληθ.)* ὅροι, συμφωνίες: *~s of surrender*, ὅροι παραδόσεως. *dictate the ~s*, ὑπαγορεύω τούς ὅρους. *Have you agreed on the ~s of payment?* συμφωνήσατε στούς ὅρους πληρωμῆς; ***come to ~s/make ~s with sb***, καταλήγω σέ συμφωνία μέ κπ. ***come to ~s with sth***, (παρα)δέχομαι κτ, συμβιβάζομαι μέ κτ: *It's hard to come to ~s with the idea of death*, εἶναι δύσκολο νά δεχθῆ κανείς τήν ἰδέα τοῦ θανάτου. ***on one's own/on sb else's ~s***, μέ τούς δικούς μου ὅρους/μέ τούς ὅρους κάποιου ἄλλου: *If he agrees to help he'll do it on his own ~s*, ἄν δεχθῆ νά βοηθήση θά τό κάμη μέ τούς δικούς του ὅρους (ὅπως τό θέλει ἐκεῖνος). ***on these ~s***, ὑπ᾿αὐτούς τούς ὅρους. ***on equal ~s***, ἐπί ἴσοις ὅροις. **5**. ὅρος, ἔκφρασις, λέξις, ὀνοματολογία: *technical/legal/scientific ~s*, τεχνικοί/νομικοί/ἐπιστημονικοί ὅροι. *The legal ~ "intestate" means "without a will"*, ὁ νομικός ὅρος "ἀδιάθετος" σημαίνει "ἄνευ διαθήκης". ***in ~s (of)***, ἀπό τήν ἄποψη: *In box-office ~s, the film was a failure*, ἀπό τήν ἄποψη τῶν εἰσπράξεων, τό φίλμ ἦταν ἀποτυχία. *In ~s of circulation it is not the first paper in Greece but in ~s of prestige and influence it is*, ἀπό τήν ἄποψη κυκλοφορίας δέν εἶναι ἡ πρώτη ἐφημερίδα στήν Ἑλλάδα, ἀλλά ἀπό τήν ἄποψη κύρους καί ἐπιρροῆς εἶναι. ***a contradiction in ~s***, ἀντίφασις ἐξ ὁρισμοῦ: *a "generous miser" is a contradiction in ~s*, ἕνας "γενναιόδωρος τσιγγούνης" εἶναι ἀντίφασις ἐξ ὁρισμοῦ. **6**. *(πληθ.)* λόγια, τρόπος: *He spoke of your work in ~s of high praise/in flattering ~s*, μίλησε γιά τή δουλειά σου μέ πολύ ἐπαινετικά/κολακευτικά λόγια. *How dare you speak of her in such abusive ~s?* πῶς τολμᾶς νά μιλᾶς γι᾿αὐτή μέ τέτοιο προσβλητικό τρόπο/μέ τέτοια ὑβριστικά λόγια; ***be on friendly/good/bad ~s (with sb)***, ἔχω φιλικές/καλές/κακές σχέσεις (μέ κπ). ***be on ˋspeaking ~s with sb***, μιλῶ μέ κπ: *I'm not on speaking ~s with him*, δέν μιλιέμαι μ᾿αὐτόν (εἴμαστε μαλωμένοι). —*ρ.μ.* ὁρίζω, καλῶ, ὀνομάζω.
ter·ma·gant /ˋtɜməgənt/ *οὐσ.* ‹C› στρίγγλα, μέγαιρα.
ter·min·able /ˋtɜmɪnəbl/ *ἐπ.* πού μπορεῖ νά τερματισθῆ.
ter·minal /ˋtɜmɪnl/ *ἐπ.* **1**. *(σχολ.)* τριμηνιαῖος. **2**. ἀκραῖος, τελικός: *the ~ ward, (σέ νοσοκομεῖο)* πτέρυξ τῶν ἑτοιμοθανάτων. —*οὐσ.* ‹C› *(συγκοιν.)* τέρμα, τελικός σταθμός: *the East Air T~*, ὁ Ἀνατολικός Ἀερολιμήν. **~·ally** *ἐπίρ.* τριμηνιαίως, κατά τό τέλος.
ter·min·ate /ˋtɜmɪneɪt/ *ρ.μ./ἀ.* τερματίζω/-ομαι: *~ a contract/pregnancy*, θέτω τέρμα σέ μιά σύμβαση/διακόπτω μιά ἐγκυμοσύνη. *The meeting ~d at midnight*, ἡ συνεδρίασις τερματίστηκε τά μεσάνυχτα. *words terminating in -s*, λέξεις λήγουσαι εἰς -ς.
ter·mi·na·tion /ˋtɜmɪˋneɪʃn/ *οὐσ.* ‹C,U› τερματισμός, διακοπή, λῆξις, κατάληξις: *the ~ of a contract/pregnancy*, ἡ λῆξις ἑνός συμβολαίου/ἡ διακοπή τῆς κυήσεως. *adverb ~s*, καταλήξεις ἐπιρρημάτων. *put a ~ to sth; bring sth to a ~*, θέτω τέρμα σέ κτ.
ter·mi·nol·ogy /ˋtɜmɪˋnɒlədʒɪ/ *οὐσ.* ‹C,U› ὁρολογία. **ter·mi·no·logi·cal** /ˋtɜmɪnəˋlɒdʒɪkl/ *ἐπ.* ὁρολογικός, ὀνοματολογικός.
ter·mi·nus /ˋtɜmɪnəs/ *οὐσ.* ‹C› *(πληθ. -ni* /-naɪ/ *ἤ ~es* /-nəsɪz/) τέρμα (τραίνου, κλπ), τελικός σταθμός.
ter·mite /ˋtɜmaɪt/ *οὐσ.* ‹C› τερμίτης.
tern /tɜn/ *οὐσ.* ‹C› γλαρονάκι (θαλασσοπούλι).
ter·race /ˋterəs/ *οὐσ.* ‹C› **1**. ταράτσα. **2**. πεζούλα (σέ πλαγιά). **3**. σειρά ὁμοιόμορφων σπιτιῶν ἑνωμένων μαζί τους. **ter·raced** *ἐπ.* **1**. πεζουλωτός: *~d hillsides/fields*, πεζουλωτές πλαγιές/-ά χωράφια. **2**. *(γιά σπίτια)* ἑνωμένος: *~d houses*, σπίτια ἑνωμένα σέ μακριά γραμμή.
terra-cotta /ˋterə ˋkɒtə/ *οὐσ.* ‹U› τερρακότα.
terra firma /ˋterə ˋfɜmə/ *οὐσ. (Λατ.)* στερεό ἔδαφος: *I'm glad to be on ~ again*, χαίρομαι πού ξαναβρίσκομαι στή στερηά.
terra in·cog·nita /ˋterə ɪnˋkɒgnɪtə/ *οὐσ. (Λατ.)* ἄγνωστη γῆ.
ter·rain /teˋreɪn/ *οὐσ.* ‹C› ἔδαφος *(ἰδ.* ἀπό ἄποψη μορφολογίας).
ter·ra·pin /ˋterəpɪn/ *οὐσ.* ‹C› χελώνα τοῦ γλυκοῦ νεροῦ.
ter·res·trial /təˋrestrɪəl/ *ἐπ.* **1**. γήϊνος, ἐπίγειος. **2**. χερσαῖος, στεριανός.
ter·rible /ˋterəbl/ *ἐπ.* τρομερός: *He died in ~ agony*, πέθανε σέ τρομερή (φριχτή) ἀγωνία. *The heat was ~*, ἡ ζέστη ἦταν τρομερή

(ἀνυπόφορη). *His room was in a ~ state of disorder*, (*καθομ.*) τό δωμάτιό του ἦταν σέ τρομερή (φοβερή) ἀκαταστασία. *The food was ~*, (*καθομ.*) τό φαγητό ἦταν ἀπαίσιο. **ter·ribly** /-əblı/ *ἐπίρ.* (*καθομ.*) τρομερά.

ter·rier /ˋterıə(r)/ *οὐσ.* ‹C› (σκυλί) τερριέ.

ter·rific /təˋrıfık/ *ἐπ.* **1**. τρομαχτικός. **2**. (*καθομ.*) φοβερός, καταπληκτικός, τεράστιος, θαυμάσιος: *He's ~*, εἶναι καταπληκτικός. *go at a ~ pace*, πηγαίνω μέ φοβερή ταχύτητα. **ter·rifi·cally** /-klı/ *ἐπίρ.* τρομερά, πάρα πολύ, καταπληκτικά.

ter·rify /ˋterıfaı/ *ρ.μ.* τρομοκρατῶ, κατατρομάζω, ἐκφοβίζω: *~ sb into doing sth*, τρομοκρατῶ κπ καί τόν ἀναγκάζω νά κάμη κτ. *She was terrified out of her wits*, εἶχε τρελλαθῆ ἀπό τό φόβο της. *He was terrified of being left alone*, ἔτρεμε νά μή μείνη μονάχος του. *a ~ing experience*, μιά τρομακτική ἐμπειρία.

ter·ri·tor·ial /ˌterıˋtɔrıəl/ *ἐπ.* ἐδαφικός, τοπικός: *~ claims*, ἐδαφικές ἀξιώσεις. **~ waters**, χωρικά ὕδατα. **the T~ Army**, ἡ ἐθνοφρουρά. —*οὐσ.* ‹C› ἐθνοφρουρός.

ter·ri·tory /ˋterətrı/ *οὐσ.* ‹C,U› ἔδαφος, περιοχή: *on Greek ~*, ἐπί Ἑλληνικοῦ ἐδάφους. *a salesman's ~*, περιοχή ἑνός πλασιέ.

ter·ror /ˋterə(r)/ *οὐσ.* **1**. ‹C,U› τρόμος, φρίκη. ***in ~***, ἔντρομος: *He ran away in ~*, ἔφυγε ἔντρομος. *He was in ~ of his life*, ἔτρεμε γιά τή ζωή του. ***strike ~ into sb***, γεμίζω κπ μέ τρόμο, τρομοκρατῶ κπ. **ˋ~-struck/-stricken** *ἐπ.* τρομοκρατημένος. ***have a ~ of sth***, τρέμω κτ: *I have a ~ of fire/snakes*, τρέμω τή φωτιά/τά φίδια. ***a reign of ~***, τρομοκρατία, καθεστώς τρομοκρατίας. **2**. ‹C› (*καθομ.*) τρομερός ἄνθρωπος, ὁ φόβος καί ὁ τρόμος: *This child is a perfect ~*, αὐτό τό παιδί εἶναι σατανᾶς! *He's the ~ of the school*, εἶναι ὁ φόβος καί ὁ τρόμος τοῦ σχολείου. **ˋ~·ism** /-ızm/ *οὐσ.* ‹U› τρομοκρατία. **ˋ~·ist** /-ıst/ *οὐσ.* ‹C› τρομοκράτης. **ˋ~·ize** /-aız/ *ρ.μ.* τρομοκρατῶ.

terse /tɜs/ *ἐπ.* (*-r, -st*)(*γιά ὕφος*) λιτός, ξηρός, λακωνικός. **~·ly** *ἐπίρ.* μέ σαφήνεια, λακωνικά. **~·ness** *οὐσ.* ‹U› σαφήνεια, λακωνικότης.

ter·tian /ˋtɜʃn/ *ἐπ.* (*γιά πυρετό*) τριταῖος.

ter·ti·ary /ˋtɜʃərı/ *ἐπ.* τριτογενής, τριτογόνος, τριτοβάθμιος: *the T~ period*, (*γεωλ.*) ἡ τριτογενής περίοδος. *~ syphilis/burns*, τριτογόνος σύφιλις/ἐγκαύματα τρίτου βαθμοῦ.

tery·lene /ˋterəlin/ *οὐσ.* ‹U› τερυλήνη.

tes·sel·lated /ˋtesəleıtıd/ *ἐπ.* ψηφιδωτός, μωσαϊκός: *a ~ floor*, μωσαϊκό δάπεδο.

test /test/ *οὐσ.* ‹C› δοκιμή, δοκιμασία, τέστ, ἐξέτασις: *stand the ~ of time*, ἀντέχω στή δοκιμασία τοῦ χρόνου. *an endurance/intelligence ~*, τέστ ἀντοχῆς/νοημοσύνης. *a ˋblood ~*, ἐξέτασις αἵματος. *an oral/a written ~*, προφορική/γραπτή ἐξέτασις. **ˋ~ bore**, δοκιμαστική γεώτρησις. **ˋ~ case**, (*νομ.*) ὑπόθεσις πού δημιουργεῖ νομολογία/προηγούμενο. **ˋ~ drive/flight**, δοκιμαστική ὁδήγησις/πτῆσις. **ˋdriving ~**, ἐξετάσεις γιά δίπλωμα ὁδηγοῦ. **ˋ~ match**, (*ἀθλ.*) διεθνής συνάντησις κρίκετ. **ˋ~ pilot**, πιλότος δοκιμῶν. **ˋ~-tube**, πειραματικός σωλήνας: *a ˋ~-tube baby*, βρέφος ἐκ τεχνητῆς γονιμοποιήσεως. ***put sth to the ~***, θέτω κτ σέ δοκιμασία, περνῶ κτ ἀπό τέστ. ***undergo a ~***, ὑφίσταμαι ἔλεγχον/δοκιμασίαν, περνῶ ἀπό τέστ. —*ρ.μ.* ἐλέγχω, ἐξετάζω, δοκιμάζω: *have one's eyesight/blood ~ed*, ἐξετάζω τά μάτια μου/τό αἷμα μου. *a well-~ed remedy*, καλοδοκιμασμένο φάρμακο. *The long climb ~ed our powers of endurance*, ἡ μεγάλη ἀνάβαση ἔβαλε σέ δοκιμασία τήν ἀντοχή μας. *~ the brakes*, δοκιμάζω τά φρένα.

tes·ta·ment /ˋtestəmənt/ *οὐσ.* ‹C› διαθήκη. ***last Will and T~***, διάταξις τελευταίας βουλήσεως (διαθήκη). **the Old/New T~**, ἡ Παλαιά/Καινή Διαθήκη. **tes·ta·men·tary** /ˌtestəˋmentrı/ *ἐπ.* (τῆς/διά) διαθήκης.

tes·tate /ˋtesteıt/ *οὐσ.* ‹C› & *ἐπ.* (ὁ) καταλιπών διαθήκην. **tes·ta·tor** /teˋsteıtə(r)/ *οὐσ.* ‹C› ὁ διαθέτης. **tes·ta·trix** /teˋsteıtrıks/ *οὐσ.* ‹C› ἡ διαθέτις.

tes·ticle /ˋtestıkl/ *οὐσ.* ‹C› (*ἀνατ.*) ὄρχις.

tes·tify /ˋtestıfaı/ *ρ.μ./ὰ.* **1**. καταθέτω, βεβαιῶ: *~ under oath*, καταθέτω ἐνόρκως. *~ in favour of/against sb*, καταθέτω ὑπέρ/ἐναντίον κάποιου. ***~ to sth***, βεβαιῶ κτ: *He will ~ to my honesty*, θά βεβαιώση τήν τιμιότητά μου. *~ to a fact/to the truth*, βεβαιῶ ἕνα γεγονός/τήν ἀλήθεια. **2**. μαρτυρῶ, ἀποτελῶ ἀπόδειξη: *Her tears testified her grief*, τά δάκρυά της μαρτυροῦσαν τόν πόνο της.

tes·ti·mo·nial /ˌtestıˋməʊnıəl/ *οὐσ.* ‹C› **1**. πιστοποιητικό, βεβαίωσις: *give an employee a ~*, δίνω πιστοποιητικό ὑπηρεσίας σέ ὑπάλληλο. **2**. δῶρο, τεκμήριον ἐκτιμήσεως (*πχ* κατά τήν ἀποχώρηση ἑνός ἐκ τῆς ὑπηρεσίας).

tes·ti·mony /ˋtestımənı/ *οὐσ.* ‹C,U› μαρτυρία, κατάθεσις, βεβαίωσις: *false ~*, ψευδομαρτυρία. *in ~ whereof*, (*ἀπηρχ.*) εἰς πίστωσιν τοῦ ὁποίου. ***bear ~ to sth***, (ἐπι)βεβαιῶ, μαρτυρῶ.

testy /ˋtestı/ *ἐπ.* (*-ier, -iest*) εὐερέθιστος, μυγιάγγιαχτος, δύστροπος. **tes·tily** /-əlı/ *ἐπίρ.* **tes·ti·ness** *οὐσ.* ‹U› δυστροπία, ὀξυθυμία.

teta·nus /ˋtetənəs/ *οὐσ.* ‹U› (*ἰατρ.*) τέτανος.

tetchy /ˋtetʃı/ *ἐπ.* (*-ier, -iest*) (*καθομ.*) ἰδιότροπος, στριμμένος, εὐέξαπτος. **tetch·ily** /-əlı/ *ἐπίρ.* **tetchi·ness** *οὐσ.* ‹U› ἰδιοτροπία.

tête-à-tête /ˌteıt α ˋteıt/ *οὐσ.* ‹C›, *ἐπ.* & *ἐπίρ.* ἐμπιστευτικός, κατ' ἰδίαν, ἐμπιστευτικά, τέτ-α-τέτ: *have a ~ with sb; have a ~ talk*, ἔχω ἰδιαίτερη/ἐμπιστευτική συνομιλία μέ κπ. *dine ~ with sb*, γευματίζω μέ κπ τέτ-α-τέτ.

tether /ˋteðə(r)/ *οὐσ.* ‹C› σκοινί, τριχιά (γιά τό δέσιμο ζώου ὅταν βόσκη). ***be at the end of one's ~***, (*μεταφ.*) εἶμαι στό ἔσχατο ὅριο τῆς ἀντοχῆς μου (σωματικῆς, ψυχικῆς, οἰκονομικῆς). —*ρ.μ.* δένω: *He ~ed his horse to a tree*, ἔδεσε τ' ἄλογό του σ' ἕνα δέντρο.

Teu·ton /ˋtjutn/ *οὐσ.* ‹C› Τεύτων. **~ic** /tjuˋtonık/ *ἐπ.* Τευτονικός.

text /tekst/ *οὐσ.* ‹C,U› κείμενο: *restore a ~*, ἀποκαθιστῶ ἕνα κείμενο. **ˋ~·book** /ˋteksbʊk/ *οὐσ.* ‹C› ἐγχειρίδιο. **tex·tual** /ˋtekstʃʊəl/ *ἐπ.* τοῦ κειμένου, πιστός, αὐτούσιος: *~ual errors*, λάθη κειμένου.

tex·tile /ˋtekstaıl/ *οὐσ.* ‹C,U› ὕφασμα, ὑφαντό: *They are dealing in ~s*, ἐμπορεύονται ὑφάσματα. *the* `~ *industry*, ἡ ὑφαντουργική βιομηχανία.

tex·ture /ˈtekstʃə(r)/ *οὐσ.* ‹C,U› **1**. ὕφανσις: *cloth with a loose/close* ~, ὕφασμα μέ ἀραιή/πυκνή ὕφανση. **2**. ὑφή, σύστασις: *the* ~ *of his speech*, ἡ ὑφή τοῦ λόγου του. *the* ~ *of a mineral/of soil*, ἡ σύστασις ἑνός ὀρυκτοῦ/τοῦ ἐδάφους.

than /ðən, *ἐμφ*: ðæn/ *σύνδ.* (*εἰσάγει τόν β! ὅρο τῆς συγκρίσεως ἐπί συγκρ. βαθμοῦ*) ἀπό: *He's better* ~ *me*, εἶναι καλύτερος ἀπό μένα. (*Μέ μεταβατικά ρήματα ἡ πτῶσις μετά τό than ἐξαρτᾶται ἀπό τήν ἔννοια*): *I hate you more* ~ *he (does)*, σέ μισῶ περισσότερο ἀπ' ὅ,τι (σέ μισεῖ) αὐτός. *I hate you more* ~ *(I hate) him*, σέ μισῶ περισσότερο ἀπ' (ὅ,τι μισῶ) αὐτόν. (*βλ.* & *λ. rather, sooner, different*). **2**. ***no other*** ~, αὐτός οὗτος, ὁ ἴδιος, κανείς ἄλλος ἀπό: *It was no other* ~ *my brother*, ἦταν ὁ ἴδιος ὁ ἀδελφός μου. ***nothing else*** ~, τίποτα ἄλλο ἀπό, μόνον καί μόνον, ἀποκλειστικά: *His failure was due to nothing else* ~ *bad luck*, ἡ ἀποτυχία του ὀφείλετο μόνο καί μόνο σέ ἀτυχία. ***other*** ~, ἄλλος ἐκτός ἀπό: *Have you any books other* ~ *English?* ἔχεις ἄλλα βιβλία ἐκτός ἀπό Ἀγγλικά;

thank /θæŋk/ *ρ.μ.* **1**. ~ ***sb (for sth)***, εὐχαριστῶ: *He* ~*ed me for my help*, μέ εὐχαρίστησε γιά τή βοήθειά μου. *T~ you for coming*, σ' εὐχαριστῶ πού ἦλθες. *T~ God/Heaven she is safe*, δόξα τῷ Θεῷ πού εἶναι ἀσφαλής. *You have only yourself to* ~ *for it*, (*καθομ.*) ἐσύ φταῖς γι' αὐτό (τόν ἑαυτό σου πρέπει νά αἰτιᾶσαι). **2**. (*μέ Μέλλοντα ἐκφράζει λίγο ἀπότομη παράκληση*): *I'll* ~ *you for that book*, κάνε μου τή χάρη νά μοῦ δώσης αὐτό τό βιβλίο. *I'll* ~ *you to mind your own business*, κοίτα τή δουλειά σου σέ παρακαλῶ (κάνε μου τή χάρη νά κοιτάζης τή δουλειά σου). —*οὐσ.* (*πάντα στόν πληθ. ἐκτός ἄν εἶναι α! συνθ.*) εὐχαριστίες, εὐγνωμοσύνη: *give* ~*s to God*, ἀναπέμπω εὐχαριστίες στό Θεό. *Give him my best* ~*s*, διαβίβασέ του τίς θερμότερες εὐχαριστίες μου. ~***s to***, χάρις εἰς: ~*s to you/to your help*, χάρις σέ σένα/στή βοήθειά σου. ***small*** ~***s to***, (*εἰρων.*) ἄς εἶσαι καλά πού βοήθησες: *I was successful, but small* ~*s to you*, πέτυχα, κι' ἄς εἶσαι καλά πού μέ βοήθησες! `~**-offering**, δῶρον εὐχαριστίας, (*Α.Γ.*) θυσία αἰνέσεως. '~**s-`giving**, εὐχαριστία, δοξολογία. '**T~s-`giving Day**, (*ΗΠΑ*) Ἡμέρα τῶν Εὐχαριστιῶν (ἡ τελευταία Πέμπτη τοῦ Νοεμβρίου). ~**·ful** /-fl/ *ἐπ.* εὐγνώμων. ~**·ful·ness** *οὐσ.* ‹U› εὐγνωμοσύνη. `~**·fully** /-flɪ/ *ἐπίρ.* μέ εὐγνωμοσύνη. ~**·less** *ἐπ.* ἀγνώμων, ἄχαρις: *a* ~*less task*, ἄχαρο ἔργο, ἄχαρη δουλειά.

[1]**that** /ðət, *ἐμφ*: ðæt/ *σύνδ.* **1**. (*σέ εἰδικ. προτάσεις*) ὅτι, νά: *I know* ~ *she is there*, ξέρω ὅτι εἶναι ἐκεῖ. *It so happens* ~ *I know him*, τυχαίνει νά τόν ξέρω. *I'll see to it* ~ *everything is ready*, θά φροντίσω νά εἶναι ὅλα ἕτοιμα. **2**. (*σέ ὑποθετ. προτάσεις*) ὅτι: *supposing/on condition* ~, ἄς (ἄν) ὑποθέσωμε/ὑπό τόν ὅρον ὅτι... **3**. (*σέ τελικές ἤ τροπικές προτάσεις*) ὥστε: *He behaved in such a way* ~ *we all left*, φέρθηκε μέ τέτοιο τρόπο ὥστε ὅλοι φύγαμε. *He's so rich* ~..., εἶναι τόσο πλούσιος ὥστε... ***so*** ~ ; ***in order*** ~, οὕτως ὥστε, γιά νά: *Bring it nearer so* ~ *I may see it better*, φέρε το κοντύτερα οὕτως ὥστε νά (γιά νά) τό δῶ καλύτερα. **4**. (*σέ προτάσεις εὐχῆς, ἀγανακτήσεως, κλπ*) νά: *Oh,* ~ *I could see him again!* ἄχ, νά μποροῦσα νά τόν ξαναδῶ! *Oh,* ~ *I should live to see such things!* ποιός νά μοῦ τὄλεγε ὅτι θά ζοῦσα νά δῶ τέτοια πράγματα!

[2]**that** /ðæt/ *δεικτ. ἐπ. ἤ ἀντων.* (*πληθ. those* /ðəʊz/) ἐκεῖνος, αὐτός ἐκεῖ: *This book is better than* ~ *(one)*, αὐτό τό βιβλίο εἶναι καλύτερο ἀπό κεῖνο. *Look at* ~ *man/those men*, κοίταξε αὐτόν ἐκεῖ τόν ἄνθρωπο/ἐκείνους τούς ἀνθρώπους. *I don't like* ~ *friend of yours*, δέν μοῦ ἀρέσει αὐτός ὁ φίλος σου. *What do you mean by* ~? τί θέλεις νά πῆς μ' αὐτό; ***in those days***, ἐκεῖνο τόν καιρό. ***So*** ~***'s*** ~***!*** (*φράσις πού κλείνει μιά συζήτηση*) αὐτά, λοιπόν! τέρμα ἡ συζήτηση! τό θέμα ἔληξε! ~***'s what/where/why/how/when***, (*ἐμφ.*) αὐτό/ἐκεῖ/γι' αὐτό/ἔτσι/τότε (*ἤ:* νά τί/νά ποῦ/νά γιατί/νά πῶς/νά πότε): *T~'s what he gave me*, αὐτό (νά τί) μοῦ ἔδωσε. *Is* ~ *what he told you?* αὐτό σοῦ εἶπε; *Is* ~ *where I told you to put it?* ἐκεῖ σοῦ εἶπα νά τό βάλης; *Is* ~ *why you are angry?* γι' αὐτό εἶσαι θυμωμένος; *T~'s how you must do it*, ἔτσι (νά πῶς) πρέπει νά τό κάμης. *T~ was when I gave it to him*, τότε τοῦ τό ἔδωσα. ~ ***is***, δηλαδή. ***at*** ~, καί μάλιστα: *He's only a teacher, and a bad one at* ~, εἶναι μονάχα (δέν εἶναι παρά) ἕνας δάσκαλος, καί μάλιστα κακός. ***like*** ~, ἔτσι: *Don't talk to me like* ~, μή μοῦ μιλᾶς ἐμένα ἔτσι. ***and all*** ~, καί τά λοιπά. ***for all*** ~, παρ' ὅλα αὐτά. ***after*** ~, μετά ταῦτα, ἐν συνεχεία. —*ἐπίρ.* (*καθομ.*) τόσο: *I can't walk* ~ *far*, δέν μπορῶ νά περπατήσω τόσο μακρυά. *It's about* ~ *high*, εἶναι περίπου τόσο ψηλό (ὅσο δείχνω). *It isn't all* ~ `*cold*, ἔλα δά, δέν κάνει καί τόσο κρύο. *I was* ~ *angry I could have hit him*, τόσο θύμωσα πού μοὖρθε νά τόν χτυπήσω.

[3]**that** /ðət, *ἐμφ*: ðæt/ *ἀναφ. ἀντων.* (*ἀντί τῶν who, whom, which, when στίς προσδιοριστικές ἀναφορικές προτάσεις. Στήν αἰτιατ. πτώση κατά κανόνα παραλείπεται. βλ.* & *λ. which, who*) ὁ ὁποῖος, πού: *This is the dog/the man* ~ *attacked me*, αὐτός εἶναι ὁ σκύλος/ὁ ἄνθρωπος πού μοῦ ἐπετέθη. *The records (*~*) he gave me*..., οἱ δίσκοι πού μοῦ ἔδωσε... *The man (*~*) we were talking about yesterday*..., ὁ ἄνθρωπος γιά τόν ὁποῖον συζητούσαμε χθές... *It was during the year (*~*) my father died*, ἦταν τή χρονιά πού πέθανε ὁ πατέρας μου.

thatch /θætʃ/ *οὐσ.* ‹U› ἀχυροσκεπή, καλαμοσκεπή, (*καθομ.*) πυκνά ἀχτένιστα μαλλιά. —*ρ.μ.* σκεπάζω μέ ἀχυροσκεπή.

thaw /θɔ/ *ρ.μ/ἀ.* ~ ***(out)***, τήκω/-ομαι, λυώνω, ξεπαγώνω: *It is* ~*ing*, ἄρχισαν νά λυώνουν τά χιόνια/οἱ πάγοι. *Leave frozen meat to* ~ *before you cook it*, ἄφησε τό κατεψυγμένο κρέας νά ξεπαγώση πρίν τό μαγειρέψης. *After a bottle of wine he begins to* ~, (*μεταφ.*) ὕστερα ἀπό ἕνα μπουκάλι κρασί ἀρχίζει νά ξανοίγεται (νά γίνεται διαχυτικός).

the /ðə, δι πρό φωνηέντων, *ἐμφ:* ði/ *ὁριστ.*

ἄρθρο (γιά τά τρία γένη, ἑν. & πληθ.) ὁ, ἡ, τό, οἱ, τά: *Where is the book/are the books I gave you?* ποῦ εἶναι τό βιβλίο/τά βιβλία πού σοῦ ἔδωσα; *the Smiths*, οἱ Σμίθ (ἡ οἰκογένεια τῶν Σ.) *the Atlantic*, ὁ Ἀτλαντικός. *the Nile*, ὁ Νεῖλος. *the Alps*, οἱ Ἄλπεις. *the Times*, οἱ Τάϊμς (ἡ ἐφημερίδα). *the Rex Hotel*, τό ξενοδοχεῖον Ρέξ. *The tiger is a fierce animal*, ἡ τίγρις (γενικά) εἶναι ἄγριο ζῶο (πρβλ. *Tigers are fierce animals*). *Where's the sugar I brought?* ποῦ εἶναι ἡ ζάχαρη πού ἔφερα; (πρβλ. *Sugar is sweet*). *play the piano*, παίζω πιάνο. *My car does 20 miles to the gallon*, τό αὐτοκίνητό μου κάνει 20 μίλια στό γαλόνι. *He's paid by the day*, πληρώνεται μέ τήν ἡμέρα. —ἐπίρ. (πρίν ἀπό ἐπ. συγκριτ. βαθμοῦ) ὅσο, τόσο: *The more we are the better*, ὅσο περισσότεροι εἴμαστε τόσο τό καλύτερο.

the·atre /ˈθɪətə(r)/ οὐσ. **1**. ‹C› θέατρο (τό κτίριο): *go to the ~*, πάω στό θέατρο. *an open-air ~*, ὑπαίθριο θέατρο. **ˈ~-goer**, θεατρόφιλος. **2**. (συνήθ. ἑν. μέ *the*) θέατρο (ἡ τέχνη): *the English ~*, τό Ἀγγλικό θέατρο. *His plays don't make good ~*, τά ἔργα του δέν εἶναι κατάλληλα γιά τό θέατρο (γιά νά παιχθοῦν). **3**. ‹C› (μεταφ.) θέατρο: *Belgium has often been a ~ of war*, τό Βέλγιο ἔχει γίνει πολλές φορές θέατρο πολέμου. **4**. ‹C› ἀμφιθέατρο (σέ Πανεπιστήμιο). **ˈoperating ~**, χειρουργεῖο.

the·atri·cal /θɪˈætrɪkl/ ἐπ. **1**. θεατρικός: *~ scenery/performances*, σκηνικά τοῦ θεάτρου/θεατρικές παραστάσεις. **2**. (γιά συμπεριφορά, κλπ) θεατρινίστικος. —οὐσ. (συνήθ. πληθ.) ἐρασιτεχνική παράστασις. **~ly** /-klɪ/ ἐπίρ.

thee /ði/ ἀντων. (ἀπηρχ.) ἐσένα, σέ.

theft /θeft/ οὐσ. ‹C,U› κλοπή: *petty ~*, μικροκλοπή. *commit (a) ~*, διαπράττω (κάνω) κλοπή.

their /ðeə(r)/ κτητ. ἀντων. (δικός) τους: *~ books*, τά βιβλία τους.

theirs /ðeəz/ κτητ. ἀντων. δικός τους: *These books are ~*, αὐτά τά βιβλία εἶναι δικά τους.

the·ism /ˈθi-ɪzm/ οὐσ. ‹U› θεϊσμός. **the·ist** /ˈθi-ɪst/ οὐσ. ὀπαδός τοῦ θεϊσμοῦ. **the·is·tic** /θiˈɪstɪk/, **the·is·ti·cal** /-kl/ ἐπ. θεϊστικός.

them /ðəm, ἐμφ: ðem/ προσωπ. ἀντων. αἰτ. αὐτούς, τούς, τους, αὐτοί: *instead of ~*, ἀντί γι' αὐτούς. *I see ~*, τούς βλέπω. *Listen to ~*, ἄκουσέ τους. *It's ~*, αὐτοί εἶναι!

theme /θim/ οὐσ. ‹C› θέμα: *the ~ of a conversation/an essay*, τό θέμα μιᾶς συνομιλίας/μιᾶς ἐκθέσεως. *a ~ with variations*, (μουσ.) θέμα μέ παραλλαγές. **ˈ~ song**, μοτίβο (σέ φίλμ, κλπ). **them·atic** /θiˈmætɪk/ ἐπ. θεματικός.

them·selves /ðəmˈselvz/ βλ. [1]*self*.

then /ðen/ ἐπίρ. **1**. τότε: *I was at school ~*, εἴμουν στό σχολεῖο τότε (ἐκεῖνο τόν καιρό). *I'll see you ~*, θά σέ δῶ τότε. *the ~ Mayor*, ὁ τότε δήμαρχος. ***from ~ onwards***, ἀπό τότε κι' ἔπειτα. ***since ~***, ἔκτοτε. ***until then***, ὥς τότε. (βλ. & λ. *now*, [1]*there*). **2**. μετά, ἔπειτα, ἐν συνεχείᾳ: *I had supper and ~ I went to bed*, ἔφαγα γιά βράδυ κι' ἔπειτα πῆγα γιά ὕπνο. **3**. (συνήθ. στήν ἀρχή ἤ στό τέλος προτάσεως) λοιπόν, σέ τέτοια περίπτωση: *He says he's hungry; ~ we must give him some food*, λέει ὅτι πεινάει, λοιπόν πρέπει νά τοῦ δώσουμε κάτι νά φάη. **4**. κι' ἀκόμη, ἐπιπλέον: *My mother was there. T~ there was Mrs Hill...*, ἦταν ἡ μητέρα μου ἐκεῖ. Ἐπιπλέον ἦταν ἡ κ. Χίλ... **5**. ***Now ~***, (ἐπιφ.) δέν μοῦ λές, γιά νά σοῦ πῶ: *Now ~, what do you want of me?* δέν μοῦ λές, τί θέλεις ἀπό μένα;

thence /ðens/ ἐπίρ. (λόγ.) ἐντεῦθεν, ἐκεῖθεν. **~·forth** /ˈðensˈfɔθ/, **~·forward** /ˈðensˈfɔwəd/ ἐπίρ. ἔκτοτε, ἀπό τότε κι' ἔπειτα.

the·oc·racy /θiˈokrəsɪ/ οὐσ. ‹C,U› θεοκρατία. **theo·cratic** /ˈθiəˈkrætɪk/ ἐπ. θεοκρατικός.

the·ol·ogy /θiˈolədʒɪ/ οὐσ. ‹U› θεολογία. **theo·lo·gian** /ˈθiəˈləʊdʒən/ οὐσ. ‹C› θεολόγος. **theo·logi·cal** /ˈθiəˈlodʒɪkl/ ἐπ. θεολογικός. **theo·logi·cally** /-klɪ/ ἐπίρ.

the·orem /ˈθɪərəm/ οὐσ. ‹C› θεώρημα.

the·or·etic /θɪəˈretɪk/, **the·or·eti·cal** /-kl/ ἐπ. θεωρητικός. **~ally** /-klɪ/ ἐπίρ. θεωρητικά.

the·ory /ˈθɪərɪ/ οὐσ. ‹C,U› θεωρία: *the ~ and practice of navigation*, ἡ θεωρία καί ἡ πρᾶξις τῆς ναυσιπλοΐας. *Darwin's ~*, ἡ θεωρία τοῦ Δαρβίνου. ***in ~***, θεωρητικά, στή θεωρία. **the·or·ist** /ˈθɪərɪst/ οὐσ. ‹C› θεωρητικός. **the·or·ize** /ˈθɪəraɪz/ ρ.ἀ. ***~ (about sth)***, θεωρητικολογῶ.

the·os·ophy /θiˈosəfɪ/ οὐσ. ‹U› θεοσοφία. **the·os·oph·ist** /-fɪst/ οὐσ. ‹C› θεοσοφιστής. **theo·sophi·cal** /ˈθiəˈsofɪkl/ ἐπ. θεοσοφικός.

thera·peutic /ˈθerəˈpjutɪk/, **thera·peutical** /-ˈpjutɪkl/ ἐπ. θεραπευτικός. **thera·peutics** /-ˈpjutɪks/ οὐσ. (συνήθ. μέ ρ. ἑν.) θεραπευτική.

ther·apy /ˈθerəpɪ/ οὐσ. ‹U› θεραπεία: *occupational ~*, ἐργασιοθεραπεία. **thera·pist** /ˈθerəpɪst/ οὐσ. ‹C› θεραπευτής.

[1]**there** /ðeə(r)/ ἐπίρ. (τόπου ἤ κατευθύνσεως) **1**. ἐκεῖ: *Put it ~*, βάλτο ἐκεῖ. *We're nearly ~*, σχεδόν φθάσαμε. **2**. (στήν ἀρχή προτάσεως, ἐπιφωνηματικῶς καί πάντα μέ ἰσχυρό τόνο) νά: *T~ goes your brother!* νά, φεύγει ὁ ἀδελφός σου! *T~ he goes!* νάτος, φεύγει! *T~'s the bell ringing for church!* νά, χτυπάει ἡ καμπάνα γιά τήν ἐκκλησία! *T~'s a fine ripe pear for you!* νά ἕνα ὡραῖο γινωμένο ἀχλάδι γιά σένα! ***T~'s a good boy/girl***, (προτρεπτικῶς) ἄντε μπράβο (ἄντε, τό καλό μας τό παιδί/κορίτσι): *Run off now, ~'s a good boy!* δρόμο τώρα, ἄντε μπράβο. **3**. σ' αὐτό τό σημεῖο: *T~ you're mistaken*, σ' αὐτό τό σημεῖο κάνεις λάθος! *I don't agree with you ~*, δέν συμφωνῶ μαζί σου σ' αὐτό τό σημεῖο. **4**. (σέ φράσεις): ***get ~***, φθάνω στό σκοπό μου, ἐπιτυγχάνω. ***~ and back***, ἐκεῖ καί πίσω: *Can I go ~ and back in one day?* μπορῶ νά πάω καί νά γυρίσω σέ μιά μέρα; ***over ~***, ἐκεῖ πέρα: *Do you see that man over ~?* βλέπεις αὐτόν τόν ἄνθρωπο ἐκεῖ πέρα; ***then and ~; ~ and then***, ἐπί τόπου: *He gave me £100 then and ~*, μοῦ ἔδωσε 100 λίρες ἐπί τόπου. (βλ. & λ. *here*). **5**. (στήν καθομ., μετά ἀπό ἀντων. ἤ οὐσ. γιά ἔμφαση, χωρίς ἔννοια τοπική) ἐκεῖ: *Hi, you ~!* ἔ, σύ ἐκεῖ! *that woman ~*, αὐτή ἐκεῖ ἡ γυναίκα.

[2]**there** /ðeə(r)/ ἐπίρ. (χρησιμοποιούμενο ὡς τυπικό ὑποκείμενο μέ τό ρ. *to be* καί ἄλλα ἀμετάβατα ρήματα, ὅταν τό πραγματικό ὑποκείμενο πού ἀκολουθεῖ εἶναι οὐσιαστικό. Στά Ἑλληνι-

κά μένει ἀμετάφραστο): *T~ comes a day when...*, ἔρχεται μιά μέρα πού... *T~ seems (to be) no doubt about it*, φαίνεται νά μήν ὑπάρχη ἀμφιβολία γι' αὐτό. *I don't want ~ to be any misunderstanding*, δέν θέλω νά ὑπάρξη καμιά παρανόησις. **~ is/are**, ὑπάρχει/ ὑπάρχουν: *T~'s a book on the table*, ὑπάρχει ἕνα βιβλίο στό τραπέζι. **~ is no** + *γερούνδιον*, (εἶναι) ἀδύνατο νά: *T~ is no stopping her when she starts talking*, ἀδύνατο νά τή σταματήσης ὅταν ἀρχίζη νά μιλάη.

[3]**there** /ðeə(r)/ *ἐπιφ.* (*μέ ἰσχυρό τόνο*) **1**. (*ἰδ. πρός παιδιά, παρηγορητικά*) ἔλα: *T~! T~! Never mind, you'll soon feel better!* ἔλα! ἔλα! μή στενοχωριέσαι, σέ λίγο θά εἶσαι καλύτερα! **2**. (*μέ τήν ἔννοια ὅτι ὁ ὁμιλητής ἔχει δίκηο*) ὁρῖστε! εἶδες; *T~! You've upset the ink!* ὁρῖστε! ἔχυσες τό μελάνι! *T~ now! What did I tell you?* εἶδες λοιπόν! τί σοῦ ἔλεγα ἐγώ! *T~ you are!* ὁρῖστε! νά, πάρε! *T~ you/they, etc go!* πάλι τά ἴδια! νάτα μας πάλι!

there·about(s) /ˈðeərəbaʊts/ *ἐπίρ.* (*συνήθ. or ~*), ἐκεῖ κοντά/γύρω, περίπου, πάνω-κάτω: *in Larissa or ~*, στή Λάρισσα ἤ ἐκεῖ κοντά. *at five o'clock or ~*, στίς πέντε ἡ ὥρα ἤ ἐκεῖ γύρω.

there·after /ðeərˈɑftə(r)/ *ἐπίρ.* (*λόγ.*) μετά ταῦτα.

there·at /ˈðeərˈæt/ *ἐπίρ.* (*λόγ.*) ἐπ' αὐτοῦ, γι' αὐτό.

there·by /ðeəˈbaɪ/ *ἐπίρ.* (*λόγ.*) ὡς ἐκ τούτου, τοιουτοτρόπως.

there·fore /ˈðeəfɔ(r)/ *ἐπίρ.* ἑπομένως, συνεπῶς, ἄρα.

there·in /ðeərˈɪn/ *ἐπίρ.* (*ἀπηρχ.*) ἐν τούτῳ.

there·in·after /ˈðeərɪnˈɑftə(r)/ *ἐπίρ.* (*νομ.*) κατωτέρω, ἐν συνεχείᾳ, ἐφεξῆς.

there·of /ðeərˈɒv/ *ἐπίρ.* (*λόγ.*) ἐκ τούτου, ἐξ αὐτοῦ, περί τούτου, ἐπ' αὐτοῦ.

there·on /ˈðeərˈɒn/ *ἐπίρ.* ἐπ' αὐτοῦ, ἐκ τούτου.

there·to /ðeəˈtu/ *ἐπίρ.* (*λόγ.*) εἰς τοῦτο, ἔτι.

there·under /ðeərˈʌndə(r)/ *ἐπίρ.* (*λόγ.*) ὑπ' αὐτό, κάτωθεν.

there·upon /ˈðeərəˈpɒn/ *ἐπίρ.* (*λόγ.*) ἔπειτα, ἀπ' αὐτοῦ, συνεπείᾳ τούτου.

there·withal /ˈðeəwɪðɔl/ *ἐπίρ.* (*ἀπηρχ.*) προσέτι.

therm /θɜm/ *οὐσ.* ‹C› θερμίς (μονάς θερμότητος).

ther·mal /ˈθɜml/ *ἐπ.* θερμικός, θερμαντικός: *~ springs*, θερμικές πηγές.

ther·mi·onic /ˈθɜmɪˈɒnɪk/ *ἐπ.* θερμιονικός, θερμοϊονικός. **~ valve/tube**, ἠλεκτρονική λυχνία.

thermo- /ˈθɜməʊ/ *πρόθεμα* θερμο-. **ˈ~-dyˈnam·ics**, θερμοδυναμική. **ˈ~-ˈnu·clear** *ἐπ.* θερμοπυρηνικός. **ˈ~·stat** /ˈθɜməstæt/, θερμοστάτης. **~·static** /ˈθɜməˈstætɪk/ *ἐπ.* θερμοστατικός.

ther·mom·eter /θəˈmɒmɪtə(r)/ *οὐσ.* ‹C› θερμόμετρο.

ther·mos /ˈθɜmɒs/ *οὐσ.* ‹C› (*ἐπίσης* **ˈ~ flask**) θέρμος.

the·sau·rus /θɪˈsɔrəs/ *οὐσ.* ‹C› (*πληθ. -ri* /-raɪ/ *ἤ ~es* /-rəsɪz/) θησαυρός (ἐγκυκλοπαιδικός).

these /ðiz/ *βλ. this.*

the·sis /ˈθisɪs/ *οὐσ.* ‹C› (*πληθ. theses* /-siz/) θέσις, διατριβή.

thews /θjuz/ *οὐσ. πληθ.* (*λογοτ.*) μύες, νεῦρα: *He's all ~ and sinews*, εἶναι πολύ νευρώδης (ὅλο δύναμη).

they /ðeɪ/ *προσωπ. ἀντων. ὀνομ.* αὐτοί: *T~ are Greeks*, εἶναι Ἕλληνες.

they're /ðeə(r)/ = *they are.*

thick /θɪk/ *ἐπ.* (*-er, -est*) **1**. χοντρός: *~ cloth*, χοντρό ὕφασμα. *~ lips*, χοντρά χείλη. *~ walls*, χοντροί τοῖχοι. **ˈ~-ˈskinned** *ἐπ.* χοντρόπετσος, (*μεταφ.*) ἀναίσθητος. **2**. πυκνός: *a ~ forest/crowd*, πυκνό δάσος/πλῆθος. *~ fog*, πυκνή ὁμίχλη. *~ hair*, πυκνά μαλλιά. **ˈ~-ˈset** *ἐπ.* (*γιά ἄνθρ.*) χοντροδέματος, (*γιά φράχτη*) πυκνός. **3**. (*γιά ὑγρά*) παχύρρευστος: *~ soup/oil*, παχειά σούπα/-ύ λάδι. **~ with**, γεμᾶτος, πηγμένος, πήχτρα: *The air was ~ with dust/snow*, ὁ ἀέρας ἦταν πήχτρα στή σκόνη/στό χιόνι. *The water was ~ with fish*, τό νερό ἦταν πήχτρα στό ψάρι. **4**. βραχνός, κλεισμένος: *a ~ voice*, βραχνή, κλεισμένη φωνή. *~ weather*, κλειστός καιρός. **5**. κουτός: *He's a bit ~*, (*λαϊκ.*) εἶναι λιγάκι κουτός (ἀργονόητος). **ˈ~-ˈheaded** *ἐπ.* χοντροκέφαλος. **6**. (*καθομ.*) στενός, πολύ συνδεδεμένος: *They're very ~ together*, εἶναι πολύ συνδεδεμένοι. *He's very ~ with Mary*, ἔχει στενές σχέσεις μέ τή Μαίρη. ***They are as ~ as thieves***, εἶναι τάτσι-μίτσι-κότσι, εἶναι ἀχώριστοι. **7**. (*λαϊκ.*) ὑπερβολικός, χοντρός. ***It's a bit ~/a little too ~/rather too ~***, αὐτό παραεῖναι/ παραπάει: *Three weeks of snow is a bit too ~*, τρεῖς βδομάδες χιόνι, ἔ, παραπάει! ***give sb a ~ ear***, πρήζω κπ στό ξύλο. ***lay it on ~***, (*λαϊκ.*) τά παραλέω, τό παρακάνω (*ἰδ.* σέ κομπλιμέντα). —*οὐσ.* ‹U› **1**. τό πιό πυκνό σημεῖο, τό σημεῖο τῆς μεγαλύτερης δραστηριότητας. ***in the ~ of it***, (*μεταφ.*) καταμεσίς: *There was a large crowd and we were in the ~ of it*, ὑπῆρχε ἕνα τεράστιο πλῆθος καί μεῖς εἴμαστε καταμεσίς. *in the ~ of the fight*, καταμεσίς στόν καυγᾶ (στό σημεῖο τῆς μεγαλύτερης φασαρίας). ***through ~ and thin***, κάτω ἀπό ὁποιεσδήποτε συνθῆκες. **2**. τό παχύ τμῆμα (ἑνός πράγματος): *I was hit on the ~ of the arm/leg*, χτυπήθηκα στό ψαχνό τοῦ μπράτσου/ τοῦ ποδιοῦ. —*ἐπίρ.* παχιά, πυκνά: *spread the butter too ~*, ἁπλώνω τό βούτυρο σέ πολύ παχύ στρῶμα. *The blows came ~ and fast*, οἱ γροθιές ἔπεφταν βροχή. **~·ly** *ἐπίρ.* πυκνά, παχιά, βαριά. **~·en** /ˈθɪkən/ *ρ.μ/ἀ.* χοντραίνω, πυκνώνω, περιπλέκομαι: *The crowd ~ened*, τό πλῆθος πύκνωσε. *The plot ~ens*, ὁ μῦθος περιπλέκεται. *~en the gravy*, δένω τή σάλτσα (τήν κάνω πιό παχύρευστη). **~·ness** *οὐσ.* ‹C,U› πυκνότης, πάχος, στρῶμα.

thicket /ˈθɪkɪt/ *οὐσ.* ‹C› σύδεντρο, θαμνώνας, λόχμη.

thief /θif/ *οὐσ.* ‹C› (*πληθ. thieves* /θivz/ κλέφτης, λωποδύτης. **thieve** /θiv/ *ρ.μ/ἀ.* κλέβω, εἶμαι κλέφτης. **thiev·ery** /ˈθivərɪ/ *οὐσ.* ‹C,U› (*συν. theft*) κλεψιά. **thiev·ish** /ˈθivɪʃ/ *ἐπ.* πού ἔχει τήν τάση νά κλέβη, κλέφτικος. **thiev·ish·ly** *ἐπίρ.*

thigh /θaɪ/ *οὐσ.* ‹C› μηρός, μπούτι. **ˈ~-bone**, μηριαῖον ὀστοῦν.

thimble /ˈθɪmbl/ *οὐσ.* ‹C› δαχτυλήθρα. **~·ful** /-fʊl/ (*καθομ.*) ὅσο χωράει μιά δαχτυλήθρα:

a ~ ful of brandy, (*καθομ.*) ἕνα δαχτυλάκι (μιά ρουφηξιά) κονιάκ.

thin /θɪn/ *ἐπ.* (*-ner, -nest*) **1**. λεπτός, ψιλός: *a ~ slice of ham/bread*, λεπτή φέτα ζαμπόν/ψωμί. *a ~ sheet of paper*, μιά ψιλή κόλλα. **'~-'skinned** *ἐπ.* (*μεταφ.*) μυγιάγγιαχτος, εὔθικτος, εὐαίσθητος. **2**. ἰσχνός, ἀδύνατος, λιγνός: *a ~ face*, ἰσχνό πρόσωπο. *His illness has left him very ~*, ἡ ἀρρώστεια του τόν ἀδυνάτισε πολύ. ***as ~ as a rake***, ἀδύνατος σάν τσίρος/σά στέκα. **3**. ἀραιός: *a ~ mist*, ἀραιή ὁμίχλη. *I'm getting ~ on the top*, ἀρχίζουν ν'ἀραιώνουν τά μαλλιά μου στήν κορφή, ἀρχίζω νά κάνω φαλάκρα. *a ~ audience*, ἀραιό ἀκροατήριο. ***vanish into ~ air***, (*μεταφ.*) γίνομαι καπνός, ἐξαφανίζομαι μυστηριωδῶς. **4**. (*γιά ὑγρά*) ἀραιός, νερουλός, ἀδύνατος: *a ~ soup*, ἀραιή σούπα. *~ beer/wine*, ἀδύνατη μπύρα/-ο κρασί. **5**. πενιχρός, χωρίς περιεχόμενο. *a ~ excuse*, φτωχή δικαιολογία. *a ~ disguise*, διαφανής μεταμφίεσις, πού δέν γελάει κανέναν. *~ humour*, φτωχό/κρύο χιοῦμορ. *That's a ~ story*, πολύ φτωχή ἱστορία (δέν πείθει κανέναν). ***have a ~ time***, (*μεταφ.*) περνῶ ἄσχημα. __*ἐπίρ.* λεπτά, ἀραιά: *spread the butter ~*, ἁπλώνω τό βούτυρο σέ λεπτό στρῶμα. __*ρ.μ/ἀ.* (*-nn-*) ἀραιώνω, ἀδυνατίζω, λεπταίνω: *~ out the seedlings*, ἀραιώνω τά φυτάδια. *The crowd/The fog has ~ned (out)*, τό πλῆθος/ἡ ὁμίχλη ἀραίωσε. **~·ly** *ἐπίρ.* ἀραιά. **~·ness** /ˈθɪnnəs/ *οὐσ.* ‹U› λεπτότης, ἀραιότης, ἰσχνότης, λεπτό στρῶμα.

thine /ðaɪn/ *κτητ. ἐπ. & ἀντων.* (*ἀπηρχ.*) σου, δικός σου.

thing /θɪŋ/ *οὐσ.* ‹C› **1**. πρᾶγμα (ὑλικό ἤ ἄϋλο ἀντικείμενο): *I like sweet ~s*, μοῦ ἀρέσουν τά γλυκά πράγματα. *What's that ~ on her head?* τί εἶναι αὐτό τό πρᾶγμα στό κεφάλι της; *Love is a wonderful ~*, ἡ ἀγάπη εἶναι θαυμάσιο πρᾶγμα. ***be 'seeing ~s***, (*μεταφ.*) βλέπω ὄνειρα, ἔχω παραισθήσεις: *You're seeing ~s!* **2**. πρόσωπο, πρᾶγμα, ὕπαρξις: *She's a sweet little ~*, εἶναι ἕνα γλυκό πλασματάκι. *Poor ~, he's been ill for months*, τόν καημένο (τόν φουκαρᾶ), εἶναι μῆνες ἄρρωστος. *You silly ~!* ἀνόητη! *dumb ~s*, τά ἄφωνα πλάσματα (τά ζῶα). **3**. (*πληθ.*) πράγματα (εἴδη, ὑπάρχοντα, σύνεργα, κλπ): *Put your ~s down*, ἀκούμπησε κάτω τά πράγματά σου. *Take your swimming/fishing ~s with you*, πάρε μαζί σου τά εἴδη τοῦ μπάνιου/τοῦ ψαρέματος. *They lost all their ~s in the earthquake*, ἔχασαν ὅλα τους τά ὑπάρχοντα στό σεισμό. **4**. πρᾶγμα, ζήτημα, κατάστασις, θέμα, συμβάν: *That only made ~s worse*, αὐτό χειροτέρεψε τά πράγματα/τήν κατάσταση. *take ~s too seriously*, παίρνω τά πράγματα πολύ σοβαρά. ***The '~ 'is***, τό θέμα/τό πρόβλημα εἶναι: *The ~ is, must we buy it now or not?* τό θέμα εἶναι, πρέπει νά τ'ἀγοράσωμε τώρα ἤ ὄχι; ***(the) first/last ~***, τό πρῶτο/τό τελευταῖο πρᾶγμα: *I'll ring him up first ~ in the morning*, ἡ πρώτη δουλειά πού θά κάμω τό πρωΐ θά εἶναι νά τοῦ τηλεφωνήσω. *He has a cup of milk last ~ before he goes to bed*, τό τελευταῖο πρᾶγμα πού κάνει πρίν κοιμηθῆ εἶναι νά πιῆ ἕνα ποτήρι γάλα. ***all ~s***, (*ἀκολουθούμενο ἀπό ἐπίθετο*) κάθε τι: *He hates all ~s Japanese*, μισεῖ κάθε τι Γιαπωνέζικο. ***Well, of all ~s!*** (*ἐπιφ. ἐκπλήξεως, ἀγανακτήσεως, κλπ*) γιά κοίτα ἐκεῖ! (*δηλ.* τί πῆγε κι'ἔκαμε, τί εἶπε, τί ἔτυχε, κλπ). ***one ~ ... and another***, ἄλλο ... κι'ἄλλο: *It's one ~ to talk and another to act*, ἄλλο εἶναι νά λές λόγια κι'ἄλλο νά κάνης ἔργα. ***Taking one ~ with another***, συνολικά, λαμβάνοντας ὑπ'ὄψιν ὅλα τά πράγματα. ***(It's) (just) one of those ~s***, (εἶναι) ἀπ'αὐτά τά πράγματα πού τυχαίνουν/πού σέ βρίσκουν. ***a near ~***, (*καθομ.*) λίγο ἔλειψε νά (μή) γίνη κτ: *We caught the train but it was a near ~*, μόλις πού προλάβαμε τό τραῖνο. ***no such ~***, τίποτα τέτοιο, οὔτε κατά διάνοια. ***an understood ~***, εἶναι συνήθειο, εἶναι παραδεδεγμένο, ἐξυπακούεται. ***do one's (own) ~***, (*καθομ.*) κάνω τό κέφι μου/κάτι πού μοῦ ἀρέσει ἤ πού τό καταφέρνω καλά. ***have a ~ about sth***, (*καθομ.*) ἔχω μανία μέ κτ: *He has a ~ about sex*, ἔχει σεξομανία. ***know a ~ or two***, κάτι ξέρω κι'ἐγώ, δέν εἶμαι χαζός. (*βλ. & λ.* [1]*one*). **5**. (*ἑν. μέ the*) αὐτό πού χρειάζεται, πού πρέπει, πού ἔχει σημασία: *That's the ~ for me*, αὐτό εἶναι πού θέλω/πού μοῦ ἀρέσει. **the 'general/'common/'usual '~**, τό συνήθως συμβαῖνον. (*βλ. & λ.* [1]*very, quite*).

thing·amy, thing·ummy /ˈθɪŋəmɪ/, **thing·ama·bob, thing·uma·bob** /ˈθɪŋəməbɒb/, **thing·uma·jig** /ˈθɪŋəmədʒɪg/ *οὐσ.* ‹C› (*καθομ.*) ὁ μυστήριος, ὁ ἀποτέτοιος, τό μαραφέτι, αὐτό πῶς τό λένε (γιά πρόσωπο ἤ πρᾶγμα πού δέν θυμόμαστε τ'ὄνομά του).

[1]**think** /θɪŋk/ *ρ.μ/ἀ. ἀνώμ.* (*ἀόρ. & π.μ.* *thought* /θɔːt/) **1**. σκέπτομαι, συλλογίζομαι: *T~ hard*, σκέψου ἐντατικά! *He doesn't say much but he ~s a lot*, δέν λέει πολλά ἀλλά σκέφτεται πολύ. *You should ~ before doing that*, πρέπει νά τό σκεφτῆς πρίν τό κάμης. ***~ aloud***, σκέφτομαι μεγαλοφώνως. ***~ to oneself***, σκέφτομαι μέσα μου. **2**. νομίζω, θεωρῶ: *I ~ it'll rain*, νομίζω ὅτι θά βρέξη. *I ~ I'll go for a swim*, νομίζω ὅτι θά πάω γιά μπάνιο. *I thought I heard a knock*, μοῦ φάνηκε ὅτι ἄκουσα χτύπο. *Do you ~ it likely?* τό θεωρεῖς πιθανό; ***I ~ so/I don't think so***, ἔτσι νομίζω/δέν τό νομίζω. **3**. (*μέ can't/couldn't*) καταλαβαίνω, φαντάζομαι: *I can't ~ what you mean*, δέν μπορῶ νά καταλάβω τί θέλεις νά πῆς. *You can't '~ how glad I am to see you*, δέν μπορεῖς νά φανταστῆς πόσο χαίρομαι πού σέ βλέπω. **4**. περιμένω, φαντάζομαι: *I never thought I'd see you/to see you here*, ποτέ δέν περίμενα νά σέ δῶ ἐδῶ. *Who would have thought it!* ποιός θά τό φανταζότανε ποτέ (ποιός νά τὄλεγε)! **5**. (*μέ ἐπιρ. καί προθέσεις*): ***think about***, *(α)* σκέπτομαι, ἐξετάζω: *I'm ~ing about emigrating to Canada*, ἐξετάζω τό ἐνδεχόμενο νά μεταναστεύσω στόν Καναδᾶ. *T~ about my proposal and let me have your views*, σκέψου τήν πρότασή μου καί γνώρισέ μου τίς ἀπόψεις σου. *(β)* ἀναλογίζομαι, θυμᾶμαι: *She was ~ing about her childhood days*, ἀναλογιζόταν τά παιδικά της χρόνια. ***think of***, *(α)* σκέπτομαι, λαμβάνω ὑπ'ὄψιν: *We must ~ of everything before we decide*,

πρέπει νά τά σκεφτοῦμε (νά τά λάβωμε ὑπ' ὄψη μας) ὅλα πρίν ἀποφασίσωμε. *Just ~ of the cost/danger*, σκέψου τά ἔξοδα/τόν κίνδυνο! *(β)* σκέφτομαι (χωρίς νἄχω ἀποφασίσει ἀκόμα): *I'm ~ing of going to Crete for Easter*, σκέφτομαι νά πάω στήν Κρήτη τό Πάσχα. *(γ)* διανοοῦμαι, μοῦ περνᾶ ἀπό τό νοῦ: *Surrender is not to be thought of*, ἡ παράδοσις εἶναι ἀδιανόητος. *I would never ~ of doing such a thing!* ποτέ δέν θά μοῦ περνοῦσε ἀπό τό νοῦ νά κάμω τέτοιο πρᾶγμα. *(δ)* σκέφτομαι: *I ~ of you day and night*, σέ σκέφτομαι νύχτα-μέρα. *(ε)* θυμᾶμαι: *I can't ~ of his name just now*, δέν μπορῶ νά θυμηθῶ τ' ὄνομά του αὐτή τή στιγμή. *(στ')* σκέφτομαι, προτείνω: *Who first thought of the idea?* ποιός πρωτοεῖχε τήν ἰδέα; *Can you ~ of a quiet place for a holiday?* μπορεῖς νά προτείνης κανένα ἥσυχο μέρος γιά διακοπές; *I couldn't ~ of an answer*, δέν μποροῦσα νά σκεφτῶ (νά βρῶ) μιά ἀπάντηση. *(η)* ***~ better of sb***, ἐκτιμῶ κπ περισσότερο: *I ~ better of him for doing it*, τόν ἐκτιμῶ περισσότερο γι' αὐτό πού ἔκαμε. ***~ better of sth***, σκέφτομαι κτ καλύτερα (καί δέν τό κάνω): *I hope you'll ~ better of it*, ἐλπίζω νά τό σκεφτῆς καλύτερα. ***~ nothing of***, δέν λογαριάζω καθόλου, δέν τὄχω σέ τίποτα: *He ~s nothing of spending £200 a week/of walking 20 miles a day*, δέν τὄχει σέ τίποτα νά ξοδέψη 200 λίρες τή βδομάδα/νά περπατήση 20 μίλια τήν ἡμέρα. ***not ~ much of/~ little of sb/sth***, δέν ἔχω σέ μεγάλη ὑπόληψη κπ/κτ: *His work is highly thought of by the critics, but personally I don't ~ much of it*, οἱ κριτικοί ἔχουν σέ μεγάλη ὑπόληψη τή δουλειά του ἀλλά ἐγώ προσωπικῶς δέν τήν ἐκτιμῶ πολύ. ***~ well/highly of sb/sth***, ἔχω καλή γνώμη γιά κτ/κπ.

think out, μελετῶ προσεχτικά: *That needs ~ing out*, αὐτό θέλει προσεχτική μελέτη. *a well-thought out plan*, ἕνα καλομελετημένο σχέδιο.

think over, ξανασκέφτομαι: *I'll ~ it over and let you know*, θά τό ξανασκεφτῶ καί θά σοῦ πῶ. *Give me time to ~ it over*, ἄφησέ μου χρόνο (ἄφησέ με) νά τό σκεφτῶ καλά (μέ τήν ἡσυχία μου).

think up, ἐπινοῶ, σκαρώνω, βρίσκω: *There's no knowing what he'll ~ up next*, δέν μπορεῖ νά ξέρη κανείς τί θά σκαρώση πάλι. *It's difficult but I'll ~ up a plan*, εἶναι δύσκολο ἀλλά κάποιο σχέδιο θά βρῶ.

²**think** /θɪŋk/ *οὐσ.* *(μόνον ἑν.)* *(καθομ.)* διαλογισμός, σκέψις: *have a ~*, σκέφτομαι, συλλογίζομαι.

think·able /ˈθɪŋkəbl/ *ἐπ.* νοητός: *It's not ~/It's un~ that he should get half of the profits*, δέν εἶναι νοητό νά πάρη αὐτός τά μισά κέρδη.

thinker /ˈθɪŋkə(r)/ *οὐσ.* ‹C› στοχαστής, φιλόσοφος, διανοούμενος: *He's a great ~.*

think·ing /ˈθɪŋkɪŋ/ *ἐπ.* σκεπτόμενος: *all ~ men*, ὅλοι οἱ σκεπτόμενοι ἄνθρωποι. —*οὐσ.* ‹U› σκέψις, συλλογισμός: *do some hard ~*, σκέπτομαι ἐντατικά. *deep ~*, βαθειές σκέψεις. *You are of my way of ~*, σκέφτεσαι ὅπως κι' ἐγώ. ***to my (way of) ~***, κατά τή γνώμη μου, μέ τήν ἄποψή μου: *He is, to my ~, a great composer*, κατά τή γνώμη μου εἶναι μεγάλος συνθέτης. *I brought him round to my way of ~*, τόν ἔκαμα νά συμφωνήση μαζί μου. ***put one's ˋ~-cap on***, *(καθομ.)* σκέφτομαι, μελετῶ προσεχτικά κτ, βάζω τό μυαλό μου νά δουλέψη.

third /θ3d/ *ἐπ.* τρίτος: *get a ~ in history*, παίρνω "καλῶς" στήν ἱστορία. ***~ degree***, τρίτου βαθμοῦ. **~-party**, τρίτος (ἐκτός τῶν ἀμέσως ἐνδιαφερομένων). **ˈ~-ˋrate**, τρίτης κατηγορίας, εὐτελής, παρακατιανός. **the T~ World**, ὁ τρίτος κόσμος, οἱ ὑποανάπτυκτες χῶρες. *(ἐπιθ.)* *Third World countries*, χῶρες τοῦ τρίτου κόσμου. **~·ly** *ἐπίρ.* τρίτον, κατά τρίτον λόγον.

thirst /θ3st/ *οὐσ.* ‹U› *(καί μέ ἀόρ. ἄρθρ.)* δίψα, *(μεταφ.)* λαχτάρα: *die of ~*, πεθαίνω ἀπό δίψα. *It gives me a ~*, μοῦ φέρνει δίψα. *satisfy one's ~*, σβύνω τή δίψα μου. *a ~ for knowledge/adventure*, δίψα γιά μόρφωση/περιπέτεια. —*ρ.ἀ.* ***~ (for)***, διψῶ: *~ for revenge*, διψάω ἐκδίκηση. **thir·sty** *ἐπ.* *(-ier, -iest)* διψασμένος: *be/feel ~y*, διψῶ/ἔχω δίψα. *It makes me ~y*, μοῦ φέρνει δίψα. *a field ~y for rain*, χωράφι διψασμένο γιά βροχή. *a heart ~y for love*, καρδιά πού διψάει γι' ἀγάπη. **~·ily** /-əlɪ/ *ἐπίρ.* διψασμένα, ἀχόρταγα.

thir·teen /ˈθ3ˋtin/ *ἐπ.* & *οὐσ.* ‹C› δεκατρία. **thir·teenth** /ˈθ3ˋtinθ/ *ἐπ.* & *οὐσ.* ‹C› δέκατος τρίτος.

thirty /ˈθ3tɪ/ *ἐπ.* & *οὐσ.* ‹C› τριάντα: *He's in his thirties*, εἶναι στά τριάντα του. **thir·ti·eth** /ˈθ3tɪəθ/ *ἐπ.* & *οὐσ.* ‹C› τριακοστός.

this /ðɪs/ *δεικτ. ἐπ.* & *ἀντων.* *(πληθ. these /ðiz/)* **1**. αὐτός: *~ book*, αὐτό τό βιβλίο. *T~ or that?* αὐτό ἤ ἐκεῖνο; *~ morning/afternoon/evening*, σήμερα τό πρωΐ/τό ἀπόγευμα/τό βράδυ. *~ week/month/year*, αὐτή τή βδομάδα/αὐτό τό μῆνα/φέτος. *~ dog of yours*, αὐτός ὁ σκύλος σου. ***like ~***, ἔτσι, μ' αὐτό τόν τρόπο. ***~ time***, τέτοιον καιρό, τέτοια ὥρα: *~ time last year*, τέτοιον καιρό πέρυσι. *~ time tomorrow*, τέτοιαν ὥρα αὔριο. ***by ~ time***, ὥς αὐτή τήν ὥρα, ἐν τῷ μεταξύ. ***What's all ~?*** τί εἶναι αὐτά; τί συμβαίνει ἐδῶ; ***these days***, αὐτό τόν καιρό, στίς ἡμέρες μας. **2**. *(καθομ., σέ ἀφήγηση)* ἕνας, κάποιος (γιά τόν ὁποῖον θά λεχθοῦν περισσότερα ἐν συνεχείᾳ): *Then ~ little man came up to me*, τότε μ' ἐπλησίασε ἕνας ἀνθρωπάκος. *We ended up at ~ pub*, καταλήξαμε σέ μιά ταβέρνα. —*ἐπίρ.* *(καθομ.)* τόσο (ὅσο δείχνει ἤ λέει ὁ ὁμιλητής): *~ high/far*, τόσο ψηλά/μακρυά. *Can you give me ~ much?* μπορεῖς νά μοῦ δώσης τόσο; *I know ~ much, that he is a liar*, ἐγώ ξέρω μόνο αὐτό, ὅτι εἶναι ψεύτης.

thistle /ˈθɪsl/ *οὐσ.* ‹C› γαϊδουράγκαθο. **ˋ~-down**, χνούδι/ἀνθός τοῦ γαϊδουράγκαθου.

thither /ˋðɪðə(r)/ *ἐπίρ.* *(ἀπηρχ.)* πρός τά κεῖ. ***hither and ~***, ἐδῶ κι' ἐκεῖ, πρός πᾶσαν κατεύθυνσιν.

tho' /ðəʊ/ *ἐπίρ.* & *σύνδ.* *βλ.* *though.*

thong /θɒŋ/ *οὐσ.* ‹C› λουρί (γιά μαστίγιο ἤ δέσιμο).

tho·rax /ˈθɔræks/ *οὐσ.* ‹C› θώραξ.

thorn /θɔn/ *οὐσ.* ‹C,U› ἀγκάθι. ***a ~ in one's flesh/side***, *(μεταφ.)* μόνιμη πηγή στενοχώριας, μόνιμος μπελᾶς, μαράζι, καϋμός. **~y** ἐπ. (-ier, -iest) ἀγκαθωτός, (μεταφ.) ἀκανθώδης: *a ~y bush*, θάμνος μέ ἀγκάθια. *a ~y problem/question*, ἀκανθῶδες πρόβλημα/θέμα.

thor·ough /ˋθʌrə/ ἐπ. **1**. λεπτομερής, ἐξονυχιστικός, πλήρης, τέλειος: *~ instructions*, λεπτομερεῖς ὁδηγίες. *a ~ investigation*, ἐξονυχιστική ἔρευνα. *a ~ command of English*, τέλεια γνῶσις τῆς Ἀγγλικῆς. *a ~ cleaning*, τέλειο/γενικό καθάρισμα. **2**. προσεχτικός, ἐπιμελέστατος: *a ~ worker*, ἐπιμελής ἐργάτης. *He's ~ in his work*, κάνει τή δουλειά του τέλεια. ˋ**~-going** ἐπ. ὁλοκληρωτικός, πλήρης, τέλειος: *a ~-going scoundrel/revision*, τέλειος παλιάνθρωπος/πλήρης ἀναθεώρησις. **~·ly** ἐπίρ. τέλεια, ὁλοκληρωτικά. **~-ness** οὐσ. ‹U› ἐπιμέλεια, τελειότης.

thor·ough·bred /ˋθʌrəbred/ ἐπ. καθαρόαιμος. —οὐσ. ‹C› καθαρόαιμο ἄλογο.

thor·ough·fare /ˋθʌrəfeə(r)/ οὐσ. ‹C› ὁδός, δίοδος: *'No ~'*, -Ἀπαγορεύεται ἡ δίοδος. -Ἀδιέξοδον.

those /ðəuz/ πληθ. τοῦ *that*.

thou /ðau/ προσωπ. ἀντων. β! ἑν. προσώπου (ἀπηρχ.) ἐσύ.

though /ðəu/ σύνδ. (ἐπίσης **al·~** /ɔlˋðəu/) ἄν καί, μολονότι, καίτοι: *T~ it was sunny, it was cold*, ἄν καί ἦταν λιακάδα, ἔκανε κρύο. *I'll try to come, ~ I don't think I'll manage it*, θά προσπαθήσω νά ἔλθω, καίτοι δέν νομίζω ὅτι θά τά καταφέρω. *Strange ~ it may appear...*, ὅσο παράξενο κι' ἄν φανῆ (ἄν καί μπορεῖ νά φαίνεται παράξενο)... (βλ. & λ. *as*, [2]*even*, *what*). —ἐπίρ. παρ' ὅλα αὐτά, ὡστόσο: *He said he would come; he didn't ~*, εἶπε ὅτι θἀρχόταν, ὡστόσο δέν ἦλθε.

[1]**thought** /θɔt/ ἀόρ. & π.μ. τοῦ ρ. [1]*think*.

[2]**thought** /θɔt/ οὐσ. **1**. ‹U› σκέψις, διαλογισμός: *T~ is free*, ἡ σκέψις εἶναι ἐλεύθερη. ***in ~***, σέ σκέψεις, σκεπτόμενος, στή σκέψη: *He was lost/deep in ~*, ἦταν ἀπορροφημένος ἀπό (βυθισμένος σέ) σκέψεις. **2**. ‹U› σκέψις, τρόπος τοῦ σκέπτεσθαι: *Greek/scientific/modern ~*, ἡ Ἑλληνική/ἡ ἐπιστημονική/ἡ σύγχρονη σκέψη. **3**. ‹U› (περί)σκεψις, φροντίδα, ἔγνοια: *after serious ~*, ὕστερα ἀπό πολλή σκέψη. *act without ~*, ἐνεργῶ ἀπερίσκεπτα, χωρίς νά σκεφθῶ. *be full of ~ for sb*, εἶμαι γεμᾶτος ἔγνοια/φροντίδα γιά κπ. ***take ~ for sth***, (λόγ.) νοιάζομαι γιά κτ: *He takes no ~ for the future*, δέν νοιάζεται (ἀδιαφορεῖ) γιά τό μέλλον. **4**. ‹C,U› σκέψις, ἰδέα, πρόθεσις: *~s on education*, σκέψεις περί παιδείας. *a happy ~*, λαμπρή ἰδέα. *He had no ~ of coming*, δέν εἶχε πρόθεση (σκοπό) νά ἔλθη. *You must give up all ~(s) of marrying him*, πρέπει νά ἐγκαταλείψης κάθε σκέψη ὅτι θά τόν παντρευτῆς. *His one ~ is to make money*, ἡ μόνη του σκέψη εἶναι νά κάνη χρήματα. ***A penny for your ~s***, (καθομ.) πές μου τί σκέφτεσαι. ***be in sb's ~s***, εἶμαι στίς σκέψεις κάποιου: *You are always in my ~s*, δέν φεύγεις καθόλου ἀπό τή σκέψη (ἀπό τό μυαλό) μου. ***collect one's ~s***, συγκεντρώνω τίς σκέψεις μου. ***give sth a/some ~***, σκέφτομαι κτ: *Don't give it another ~*, μήν τό ξανασκέφτεσαι! *We must give it some ~*, πρέπει νά τό σκεφτοῦμε προσεχτικά. ***have ~s of***, σκέπτομαι νά, στριφογυρίζω στό μυαλό μου νά. ***have second ~s about sth***, ξανασκέφτομαι κτ (καί ἀλλάζω γνώμη). ***on ˋsecondˋ~s***, ὕστερα ἀπό ὡριμώτερη σκέψη (ἀφοῦ τό καλοσκέφτηκα). ***read sb's ~s***, διαβάζω τίς σκέψεις κάποιου. ˋ**~-reader**, πρόσωπο πού μπορεῖ νά διαβάση τή σκέψη ἄλλου. ˋ**~ transference**, τηλεπάθεια, μεταβίβασις σκέψεως. **~·ful** /-fl/ ἐπ. (α) συλλογισμένος, σκεφτικός, στοχαστικός: *~ful looks*, συλλογισμένη ἔκφρασις. (β) εὐγενικός, ἁβρός, πού σκέφτεται τούς ἄλλους: *It was ~ful of you to remember my birthday*, ἦταν εὐγενικό ἀπό μέρους σου νά θυμηθῆς τά γενέθλιά μου. **~·fully** /-fəlı/ ἐπίρ. συλλογισμένα, εὐγενικά, στοχαστικά. **~·ful·ness** οὐσ. ‹U› περίσκεψις, ἔγνοια, φροντίδα, ἁβρότης. **~·less** ἐπ. ἀσυλλόγιστος, ἐπιπόλαιος, ἀδιάφορος: *be ~less of the future/of others*, ἀδιαφορῶ γιά τό μέλλον/γιά τούς ἄλλους. **~·less·ly** ἐπίρ. ἀσυλλόγιστα, ἐπιπόλαια, ἀδιάφορα. **~·less·ness** οὐσ. ‹U› ἀπερισκεψία, ἐπιπολαιότης.

thou·sand /ˋθauznd/ ἐπ. & οὐσ. ‹C› χίλια: *a ~ thanks*, χίλιες εὐχαριστίες. *a ~ and one excuses*, χίλιες δυό δικαιολογίες. ***a ~ to one (chance)***, (γιά κτ ἀπίθανο) χίλια πρός ἕνα. ***one in a ~***, (γιά κτ πολύ σπάνιο) ἕνα στά χίλια. **thou·sandth** /ˋθauznθ/ ἐπ. & οὐσ. ‹C› χιλιοστός. **~·fold** /-fəuld/ ἐπ. χιλιαπλάσιος. —ἐπίρ. χιλιαπλασίως, χιλιάκις.

thrall /θrɔl/ οὐσ. ‹C,U› (μεταφ.) δοῦλος, σκλαβιά: *He is ~ to his passions*, εἶναι δοῦλος τῶν παθῶν του. **thral·dom** /-dəm/ οὐσ. ‹U› δουλεία.

thrash /θræʃ/ ρ.μ/ἀ. **1**. ραβδίζω, δέρνω: *~ a donkey*, χτυπῶ ἕνα γάϊδαρο. *~ the life out of sb*, τσακίζω κπ στό ξύλο. **2**. (καθομ.) τσακίζω, νικῶ, κατατροπώνω. **3**. ***~ sth out***, ξεδιαλύνω, ἐξονυχίζω (μέ τή συζήτηση): *~ out a problem/the truth*, ξεδιαλύνω ἕνα πρόβλημα/ἐξακριβώνω τήν ἀλήθεια. **4**. χτυπῶ, δέρνω: *The whale ~ed the water with its tail*, ἡ φάλαινα ἔδερνε τό νερό μέ τήν οὐρά της. *The branches ~ed against the window*, τά κλαδιά χτυποῦσαν στό παράθυρο. ***~ about***, χτυπιέμαι, σφαδάζω: *The swimmer ~ed about in the water*, ὁ κολυμβητής χτυπιόταν μέσα στό νερό. **5**. ἁλωνίζω. **~·ing** οὐσ. δάρσιμο: *give sb/get a good ~ing*, δίνω σέ κπ/τρώω ἕνα γερό ξύλο. *Our team got a ~ing yesterday*, ἡ ὁμάδα μας τίς ἔφαγε χθές.

thread /θred/ οὐσ. **1**. ‹C,U› κλωστή, νῆμα: *a reel of silk ~*, ἕνα καρούλι μεταξωτή κλωστή. ***hang by a ~***, (μεταφ.) κρέμομαι ἀπό μιά κλωστή. **2**. ‹C,U› (μεταφ.) νῆμα, εἱρμός: *the ~ of one's life*, τό νῆμα τῆς ζωῆς μου. *gather/pick up the ~s of a story*, μαζεύω τό νῆμα μιᾶς ἱστορίας. ***lose the ~ of one's thoughts/argument***, χάνω τό νῆμα τῶν σκέψεών μου/τοῦ συλλογισμοῦ μου. **3**. ‹C› (μεταφ.) λεπτή γραμμή: *A ~ of light came in through the keyhole*, μιά λεπτή γραμμή φῶς ἔμπαινε μέσα ἀπό τήν κλειδαρότρυπα. **4**. σπείρωμα/βόλτες βίδας. —ρ.μ. **1**. βελονιάζω (κλωστή), περνῶ σέ κλωστή (πχ χάντρες), περνῶ ταινία (σέ μηχάνημα προβολῆς). ***~ one's way through***, περνῶ μέ ἑλιγμούς ἀνάμεσα ἀπό: *He ~ed his way through the cars.* **2**. διαγραμμίζω: *black hair ~ed with silver*, μαῦρα μαλλιά μέ λίγες ἄσπρες τρίχες. **`~-bare** /-beə(r)/ ἐπ. (*γιά ὕφασμα*) ξεφτισμένος, (*μεταφ.*) τετριμμένος, κοινότυπος: *a ~bare coat*, ξεφτισμένο σακκάκι. *~bare jokes*, χιλιοειπωμένα ἀστεῖα. **`~·like** ἐπ. νηματοειδής, λεπτότατος.

threat /θret/ *οὐσ.* ‹C› **1**. ἀπειλή, φοβέρα: *utter a ~*, ἐκστομίζω ἀπειλή. *carry out a ~*, πραγματοποιῶ μιά ἀπειλή. *be under the ~ of dismissal*, ἀπειλοῦμαι μέ ἀπόλυση. **2**. σημεῖο, προειδοποίησις: *There is a ~ of rain in the sky*, ὑπάρχουν σημάδια βροχῆς στόν οὐρανό.

threat·en /`θretn/ *ρ.μ/ὰ.* φοβερίζω, ἀπειλῶ: *~ an employee with dismissal*, ἀπειλῶ ἕναν ὑπάλληλο μέ ἀπόλυση. *They ~ed to murder him*, φοβέρισαν ὅτι θά τόν σκοτώσουν. *The clouds ~ed rain*, τά σύννεφα ἀπειλοῦσαν (ἔδειχναν) βροχή. *Knowing that danger ~ed, the sentry...*, ξέροντας ὅτι ὑπῆρχε κίνδυνος, ὁ φρουρός... **~·ing** ἐπ. ἀπειλητικός: *~ing looks/words*. **~·ing·ly** ἐπίρ.

three /θri/ ἐπ. & *οὐσ.* ‹C› τρία, τρεῖς. **'~-`act** ἐπ. τρίπρακτος (*πχ* κωμωδία). **'~-`cornered** ἐπ. τριγωνικός, τρίκωχος. **'~-`D** ἐπ. (*βραχυλ. γιά '~-di`mensional*) τρισδιάστατος. **'~-`decker**, *(α)* πλοῖο μέ τρία καταστρώματα. *(β)* τρίτομο μυθιστόρημα. **'~-`figure** ἐπ. τριψήφιος (ἀριθμός). **~-half-pence** /-`heipəns/, τρία μισόπεννα (ἀξία). **~-halfpenny** /-`heipni/ ἐπ. τριῶν μισόπεννων. **'~-`lane** ἐπ. (δρόμος) μέ τρεῖς λωρίδες. **'~-`legged** /-`legid/ ἐπ. τρίπους. **~·pence** /`θrəpəns/, τρεῖς πέννες (ἀξία). **~·penny** /`θrəpni/ ἐπ. ἀξίας τριῶν πεννῶν. **'~-`piece** ἐπ. (κοστούμι) τριῶν τεμαχίων. **'~-`ply** ἐπ. (*γιά νῆμα*) τρίκλωνος, (*γιά ξύλο*) τρίφυλλο κόντρα-πλακέ **~-score** ἐπ. ἑξήντα. **`~-some** /-səm/, παιχνίδι γκόλφ μέ τρεῖς. **'~-`story(ed)** ἐπ. τριώροφος. **'~-`wheeled** ἐπ. τρίτροχος. **`~·fold** /-fəuld/ ἐπ. τριπλάσιος. ἐπίρ. τριπλάσια.

thresh /θreʃ/ *ρ.μ/ὰ.* ἁλωνίζω, κοπανάω: *~ corn by hand*, κοπανάω στάρι μέ τό χέρι. **`~-ing-floor**, ἁλώνι. **`~·ing-machine**, ἁλωνιστική μηχανή. **~er** *οὐσ.* ‹C› **1**. ἁλωνιστής, ἁλωνιστική μηχανή. **2**. μεγάλος καρχαρίας μέ μακριά οὐρά.

thresh·old /`θreʃhəuld/ *οὐσ.* ‹C› (*κυριολ.* & *μεταφ.*) κατώφλι: *cross the ~*, περνῶ τό κατώφλι. *He was on the ~ of his career*, ἦταν στό κατώφλι τῆς καριέρας του. *We are on the ~ of a new era*, εἴμαστε στό κατώφλι (στήν ἀρχή) μιᾶς καινούργιας ἐποχῆς.

threw /θru/ *ἀόρ. τοῦ ρ.* [1]*throw*.

thrice /θrais/ ἐπίρ. (*ἀπηρχ.*) τρίς, τρεῖς φορές.

thrift /θrift/ *οὐσ.* ‹U› οἰκονομία, ἀποταμίευσις, φειδώ. **~y** ἐπ. *(-ier, -iest)* οἰκονόμος, φειδωλός. **~·ily** /-əli/ ἐπίρ. οἰκονομικά, μετρημένα. **~·less** ἐπ. σπάταλος.

thrill /θril/ *οὐσ.* ‹C› ρῖγος, ἀνατριχίλα, συγκίνησις: *a ~ of joy*, ρῖγος συγκινήσεως. *a ~ of horror*, ἀνατριχίλα φρίκης. *That film gave me the ~ of a lifetime*, αὐτό τό φίλμ μοῦ ἔδωσε μιά πρωτόγνωρη συγκίνηση. __*ρ.μ/ὰ.* προκαλῶ/δοκιμάζω ρίγη συγκινήσεως: *His speech ~ed the audience*, ὁ λόγος του ἠλέκτρισε τό ἀκροατήριο. *We were ~ed with joy/horror*, δοκιμάσαμε ρίγη χαρᾶς/φρίκης. *be ~ed with delight*, ριγῶ/τρέμω ἀπό εὐχαρίστηση. *There was a ~ing finish to the race*, τό φίνις τῆς κούρσας ἦταν συναρπαστικό/συγκλονιστικό. **~er** *οὐσ.* ‹C› μυθιστόρημα/φίλμ ἀγωνίας.

thrive /θraiv/ *ρ.ὰ. ἀνώμ.* (*ἀόρ.* *~d* ἤ *throve* /θrəuv/, *π.μ.* *thriven* /`θrivən/) **~ (on sth)**, εὐδοκιμῶ, εὐημερῶ, εὐτυχῶ, ἀναπτύσσομαι: *Children ~ on milk*, τό γάλα ὠφελεῖ πολύ τά παιδιά. *These plants ~ in warm climates*, αὐτά τά φυτά εὐδοκιμοῦν στά θερμά κλίματα. *a thriving business*, μιά εὐημεροῦσα ἐπιχείρησις.

thro', thro /θru/ *βλ.* *through*.

throat /θrəut/ *οὐσ.* ‹C› λαιμός, λαρύγγι: *seize/grip sb by the ~*, βουτάω κπ ἀπό τό λαιμό. *cut sb's ~*, κόβω τό λαιμό κάποιου. *cut-~ competition*, ἐξοντωτικός ἀνταγωνισμός. *A bone has stuck in my ~*, μοῦ κόλλησε ἕνα κόκκαλο στό λαιμό. *That story sticks in my ~*, (*μεταφ.*) δέν τό χάφτω αὐτό τό παραμύθι. ***clear one's ~***, ξεροβήχω. ***force/thrust sth down sb's ~***, (*μεταφ.*) ἐπιβάλλω κτ μέ τό ζόρι σέ κπ, τόν ὑποχρεώνω νά δεχθῆ (τίς ἀπόψεις μου, κλπ). ***have a sore ~***, ἔχω πονόλαιμο. **~ed** ἐπ. (*ὡς β! συνθ.*) μέ λαιμό: *a red-~ed bird*, κοκκινολαίμης (πουλί). **~y** ἐπ. *(-ier, -iest)* λαρυγγικός, βραχνός: *a ~y voice*, βραχνή φωνή.

throb /θrob/ *ρ.ὰ.* *(-bb-)* πάλλομαι, χτυπῶ γρήγορα, σφύζω, βουίζω: *His heart was ~bing with joy*, ἡ καρδιά του ἔπαλλε ἀπό χαρά. *My head is ~bing*, τό κεφάλι μου χτυπάει (πάει νά σπάση ἀπό πόνο). __*οὐσ.* ‹C› παλμός, χτύπημα, (*γιά ἦχο*) μούγκρισμα, σουβλιά (πόνου): *~s of joy/excitement*, σπαρτάρισμα χαρᾶς/συγκίνησης. *the distant ~ of gun-fire*, τό μακρυνό μούγκρισμα τῶν κανονιῶν. **~-bing** ἐπ. παλλόμενος, δονούμενος, σφύζων.

throes /θrəuz/ *οὐσ. πληθ.* ὠδῖνες, πόνοι: *the ~ of childbirth*, οἱ ὠδῖνες τοῦ τοκετοῦ. ***be in the ~ of***, (*καθομ.*) εἶμαι στή μέση (ἑνός ἀγῶνος): *We were in the ~ of moving house*, εἴμασταν στή μέση μετακομίσεως. *a country in the ~ of a general election*, χώρα πού εἶναι στήν ἀναστάτωση τῶν ἐκλογῶν (σέ ἔντονη προεκλογική περίοδο).

throm·bo·sis /θrom`bəusis/ *οὐσ.* ‹U› (*ἰατρ.*) θρόμβωσις.

throne /θrəun/ *οὐσ.* ‹C› θρόνος: *come to/ascend the ~*, ἀνέρχομαι στό θρόνο.

throng /θroŋ/ *οὐσ.* ‹C› πλῆθος, κοσμοσυρροή. __*ρ.μ/ὰ.* συνωστίζομαι, συρρέω, γεμίζω μέ κόσμο: *The streets were ~ed with people*, οἱ δρόμοι ἦταν κατάμεστοι ἀπό κόσμο. *People ~ed to see the new play*, οἱ ἄνθρωποι συνωστίζονταν νά δοῦν τό νέο ἔργο.

throttle /`θrotl/ *ρ.μ/ὰ.* **1**. στραγγαλίζω, πνίγω: *He ~d her in her sleep*, τήν στραγγάλισε ἐνῶ κοιμόταν. *The tyrant ~d freedom in his country*, (*μεταφ.*) ὁ τύραννος κατέπνιξε τήν ἐλευθερία στή χώρα του. **2**. (*μηχ.*) κόβω τό γκάζι: *He ~d down as he approached the corner*, ἔκοψε τό γκάζι καθώς πλησίαζε στή στροφή. __*οὐσ.* ‹C› (*μηχ.*) **`~ (-valve)**, ρυθμιστική βαλβίδα. ***open out/close the ~***, ἀνοίγω/κλείνω τό γκάζι. ***with the ~ full open***, μέ τό γκάζι πατημένο τέρμα. **mixture ~**, πεταλούδα τοῦ καρμπυρατέρ.

[1]**through** (*ΗΠΑ = thru*) /θru/ *ἐπίρ.* **1**. διά μέσου, ἀπ᾽ἄκρη σ᾽ἄκρη, ἀπό πλευρά σέ πλευρά, ἀπ᾽ ἀρχῆς μέχρι τέλους: *They wouldn't let us ~*, δέν μᾶς ἄφησαν νά περάσωμε. *get ~*, περνῶ (ἐξετάσεις, κλπ). *He slept the whole night ~*, κοιμήθηκε ὅλη τή νύχτα χωρίς διακοπή. *read a book ~*, διαβάζω ἕνα βιβλίο ἀπ᾽ ἀρχῆς μέχρι τέλους. *My trousers are ~ at the knees*, τό παντελόνι μου εἶναι τρύπιο στά γόνατα. ***all ~***, ὅλο τόν καιρό: *I knew that all ~*, τὄξερα ὅλο τόν καιρό. ***~ and ~***, πέρα ὥς πέρα, τελείως, καθ᾽ ὁλοκληρίαν: *He's a rascal ~ and ~*, εἶναι πέρα ὥς πέρα παληάνθρωπος. *I'm wet ~ (ἤ ~ and ~)*, εἶμαι βρεγμένος ὥς τό κόκκαλο. **2**. ὥς τό τέλος. ***be ~ with (sb/sth)***, τέλειωσα, βαρέθηκα: *I'm not yet ~ with him/with my work*, δέν τέλειωσα ἀκόμα μαζί του/τή δουλειά μου. *I'm ~ with this job*, βαρέθηκα αὐτή τή δουλειά. ***go ~ with sth***, βγάζω κτ πέρα, τό συνεχίζω ὥς τό τέλος. ***hear sb/see sth ~***, ἀκούω κπ/βλέπω κτ ὥς τό τέλος. **3**. (*στό τηλέφωνο*) συνδεδεμένος: *You're ~, Sir*, σᾶς ἔχω συνδέσει, κύριε. ***get ~ to sb***, συνδέομαι μέ κπ: *I couldn't get ~ to our head office*, δέν μπόρεσα νά συνδεθῶ μέ τά κεντρικά μας γραφεῖα. ***put sb ~ to sb***, συνδέω κπ μέ κπ. **4**. κατ᾽ εὐθεῖαν: *travel ~ to Paris*, ταξιδεύω κατ᾽ εὐθεῖαν Παρίσι. *book one's luggage ~ to London*, στέλνω τίς ἀποσκευές μου κατ᾽ εὐθεῖαν Λονδῖνο. **~train/ticket**, (*ἐπιθ.*) κατ᾽ εὐθεῖαν τραῖνο/εἰσιτήριο. **`~·way**, δρόμος ταχείας κυκλοφορίας.

[2]**through** /θru/ *πρόθ.* **1**. διά μέσου, ἀπ᾽ ἄκρη σ᾽ ἄκρη, ἀπό πλευρά σέ πλευρά: *The river flows ~ the town*, τό ποτάμι διασχίζει τήν πόλη. *There's a path ~ the fields*, ὑπάρχει ἕνα μονοπάτι διά μέσου τῶν χωραφιῶν. *She put her fingers ~ her hair*, πέρασε τά δάχτυλά της στά μαλλιά της. *go ~ a red light*, περνῶ μέ κόκκινο. *see ~ a telescope*, κοιτάζω μέσα ἀπό ἕνα τηλεσκόπιο. *get ~ an examination/one's money*, περνῶ τίς ἐξετάσεις/ξοδεύω ὅλα τά λεφτά μου. *see ~ a trick*, καταλαβαίνω ἕνα κόλπο. **2**. καθ᾽ ὅλη τή διάρκεια: *~ the night*, ὅλη τή νύχτα. *sit ~ a lecture*, κάθομαι σέ μιά διάλεξη μέχρι τέλους. **3**. διά μέσου, μέ τή βοήθεια: *get a post ~ a friend*, πιάνω θέση μέ τή βοήθεια φίλου. *learn sth ~ a newspaper*, μαθαίνω κτ μέσῳ ἐφημερίδος. **4**. λόγῳ, ἐξ αἰτίας, ἀπό: *~ ignorance*, ἀπό ἀμάθεια/ἄγνοια. *It all happened ~ him*, ὅλα ἔγιναν ἐξ αἰτίας του. *We got lost ~ not knowing the way*, χαθήκαμε ἐπειδή δέν ξέραμε τό δρόμο.

through·out /θru`aʊt/ *ἐπίρ. & πρόθ.* παντοῦ, καθ᾽ ὁλοκληρίαν: *The coat is lined with fur ~*, τό παλτό εἶναι ὅλο φοδραρισμένο μέ γούνα. *~ the year*, ὁλόκληρο τό χρόνο, καθ᾽ ὅλη τή διάρκεια τοῦ χρόνου. *You're wrong ~*, ἔχεις ἄδικο σ᾽ ὅλα τά σημεῖα.

throve /θrəʊv/ *ἀόρ. τοῦ ρ. thrive*.

[1]**throw** /θrəʊ/ *ρ.μ/ὰ. ἀνώμ.* (*ἀόρ. threw* /θru/, *π.μ. thrown* /θrəʊn/) **1**. ρίχνω, πετῶ: *He threw the ball to me/a stone at me*, μοῦ πέταξε τή μπάλλα (γιά νά τήν πιάσω)/μιά πέτρα (γιά νά μέ χτυπήσῃ). *The drunken man was ~n out*, πέταξαν ἔξω τό μεθυσμένο. *He threw me an angry look*, μοῦρριξε μιά θυμωμένη ματιά. *He threw the book to the ground*, πέταξε χάμω τό βιβλίο. *The horse threw its rider*, τό ἄλογο ἔρριξε τόν καβαλλάρη. *Who's ~ing the dice now?* ποιός ρίχνει τά ζάρια τώρα; *She threw on/off her clothes*, φόρεσε/ἔβγαλε γρήγορα τά ροῦχα της. *He threw up his arms in despair*, σήκωσε ψηλά τά χέρια του ἀπελπισμένος. *He threw out his chest*, πέταξε μπρός (φούσκωσε) τό στῆθος του. *He threw back his head*, τίναξε πίσω τό κεφάλι του. **2**. (*γιά φίδια*) ρίχνω (τό δέρμα), (*γιά ζῶα*) γεννῶ, (*στήν κεραμική*) τορνάρω. **3**. ***~ a fit***, μέ πιάνει ὑστερία. ***~ a party***, (*λαϊκ.*) κάνω πάρτυ. ***~ sth open***, ἀφήνω ἐλεύθερη τήν εἴσοδο ἤ τή συμμετοχή. (*βλ. & λ.* [1]*cold*, [1]*doubt*, [1]*dust*, [1]*gauntlet*, [3]*light*, *sop*, *weight*). **4**. (*μέ ἐπιρ. καί προθέσεις*):

throw about, σκορπίζω (χρήματα, ροῦχα, χαρτιά, κλπ).

throw oneself at, ρίχνομαι σέ κπ: *He threw himself at the burglar*, ρίχτηκε πάνω στόν κλέφτη. *She threw herself at him at the party*, τοῦ ρίχτηκε (τοῦ κόλλησε) στό πάρτυ.

throw away, πετῶ, χάνω (ἀπό ἀμέλεια), χαραμίζω: *Don't ~ it away*, μήν τό πετᾶς. *~ away an opportunity/advantage*, χάνω μιά εὐκαιρία/ἕνα πλεονέκτημα. *My advice is ~n away on him*, οἱ συμβουλές μου πᾶνε τζάμπα (χαραμίζονται) σ᾽ αὐτόν. **`~·away**, (*ἐπιθ.*) γιά πέταμα: *a ~away ballpen*, στυλό διαρκείας πού πετιέται ὅταν χρησιμοποιηθῆ. *a ~away remark*, παρατήρησις πού πετιέται (δῆθεν) στήν τύχη. *__οὐσ.* ‹C› φεϊγ-βολάν, διαφημιστικό φυλλάδιο.

throw back, ἐμφανίζω ἀταβιστικά χαρακτηριστικά. **`~-back**, ὅμοιος (μέ τούς προγόνους του), ἀταβισμός: *He's a ~-back to his great-grandfather*, ἔχει μοιάσει τοῦ προπάππου του. ***be ~n back (up)on***, χρησιμοποιῶ, βάζω χέρι εἰς: *After he had gambled away his own money, he was thrown back upon his wife's*, ἀφοῦ ἔχασε στά χαρτιά ὅλα τά δικά του χρήματα, ἔβαλε χέρι στῆς γυναίκας του.

throw in, δίνω κτ ἐπιπλέον (χωρίς πρόσθετη πληρωμή): *I'll pay you £60 for the piano if you ~ in the stool*, θά σοῦ δώσω 60 λίρες γιά τό πιάνο ἄν μοῦ δώσης καί τό ταμπουρέ. ***~ in one's hand***, ἐγκαταλείπω τήν προσπάθεια, τά βάζω κάτω. ***~ in the towel/sponge***, (*καθομ.*) (*πυγμ.*) ἐγκαταλείπω τόν ἀγῶνα. ***~ oneself into sth***, ρίχνομαι μέ τά μοῦτρα σέ κτ, ἀρχίζω κτ μέ μεγάλη ἐνεργητικότητα.

throw off, ξεφορτώνομαι, ἀπαλλάσομαι, ξεφεύγω: *~ off a cold/an unwelcome visitor*, ἀπαλλάσσομαι ἀπό ἕνα κρύο/ἀπό ἕναν ἀνεπιθύμητο ἐπισκέπτη. *~ off one's pursuers*, ξεφεύγω ἀπό τούς διῶκτες μου. ***~ sth off***, φτιάχνω μέ εὐκολία, σκαρώνω: *~ off an epigram*, σκαρώνω ἕνα ἐπίγραμμα.

throw oneself (up)on sb/sth, ἐμπιστεύομαι τήν τύχη μου εἰς, καταφεύγω εἰς: *He threw himself upon the mercy of the court/his enemies*, ἀφέθηκε στό ἔλεος τοῦ δικαστηρίου/τῶν ἐχθρῶν του.

throw out, *(α)* πετῶ (δῆθεν τυχαῖα), ρίχνω,

ἀμολάω: ~ *out a remark/suggestion/challenge*, πετῶ μιά παρατήρηση/μιά πρόταση/μιά πρόκληση. *(β)* ἀπορρίπτω, πετῶ ἔξω: ~ *out a Bill*, ἀπορρίπτω νομοσχέδιο. *(γ)* κατασκευάζω, φτιάχνω: ~ *out a new wing*, φτιάχνω καινούργια πτέρυγα (*πχ* σέ νοσοκομεῖο). *(δ)* μπερδεύω: ~ *sb out in his calculations*, μπερδεύω κπ στούς λογαριασμούς του.

throw over, ἐγκαταλείπω: ~ *over one's girlfriend*, παρατάω τή φιλενάδα μου.

throw together, μαζεύω βιαστικά, φέρω σ' ἐπαφή (ἀνθρώπους): *He threw together a few clothes and went off*, μάζεψε βιαστικά λίγα ροῦχα κι' ἔφυγε. *Chance threw us together at a party*, ἡ τύχη μᾶς ἔρριξε μαζί (μᾶς ἔφερε κοντά) σ' ἕνα πάρτυ.

throw up, ξερνῶ, παραιτοῦμαι ἀπό, βγάζω: ~ *up one's food/job*, κάνω ἐμετό τό φαΐ μου/παρατάω τή δουλειά μου.

[2]**throw** /θrəʊ/ *οὐσ.* ‹C› ρίξιμο, βολή, ριξιά: *a* ~ *of the dice*, μιά ριξιά στά ζάρια. ***within a `stone's ~ (of)***, πολύ κοντά (σέ), δυό βήματα ἀπό: *We live within a stone's ~ of the station*, μένομε δυό βήματα ἀπό τό σταθμό.

thru /θru/ (*ΗΠΑ*) *βλ. through*.

thrum /θrʌm/ *ρ.μ/ὰ.* *(-mm-)* ~ ***(on)***, παίζω μονότονα, χτυπῶ μέ τά δάχτυλα: ~ *(on) a guitar*, γρατζουνίζω μιά κιθάρα. ~ *on the table/window*, παίζω ταμποῦρλο μέ τά δάχτυλα στό τραπέζι/στό παράθυρο.

thrush /θrʌʃ/ *οὐσ.* **1**. ‹C› τσίχλα (πουλί). **2**. ‹U› (*ἰατρ.*) ἄφτρα, στοματῖτις.

thrust /θrʌst/ *ρ.μ/ὰ.* *ἀνώμ.* (*ἀόρ. & π.μ.* ~) σπρώχνω, μπήγω, χώνω, ἐπιβάλλω: ~ *a knife into sb*, μπήγω ἕνα μαχαίρι σέ κπ. *He ~ his hands into his pockets*, ἔχωσε τά χέρια του στίς τσέπες του. *We ~ our way through the crowd*, ἀνοίξαμε δρόμο μέσα ἀπό τό πλῆθος. *He had the presidency ~ upon him*, τοῦ φορτώσανε τήν προεδρία. __*οὐσ.* **1**. ‹C› σπρώξιμο, ἐπίθεσις, προσπάθεια διεισδύσεως: *make a ~ against the enemy lines*, κάνω προσπάθεια διεισδύσεως στίς ἐχθρικές γραμμές. **2**. ‹U› (*τεχν.*) πίεσις, ὤθησις, ὦσις.

thud /θʌd/ *οὐσ.* ‹C› γδοῦπος: *He fell to the ground with a ~*, ἔπεσε χάμω μέ γδοῦπο. __*ρ.ὰ.* *(-dd-)* κάνω ὑπόκωφο κρότο, χτυπῶ/πέφτω μέ γδοῦπο.

thug /θʌg/ *οὐσ.* ‹C› φονηᾶς, μαχαιροβγάλτης, μπράβος. **~·gery** *οὐσ.* ‹U› κτηνώδης βία.

thumb /θʌm/ *οὐσ.* ‹C› ἀντίχειρ. ***have sb under one's ~***, ἔχω κπ τοῦ χεριοῦ μου, τόν κάνω ὅ,τι θέλω. ***rule of ~***, ἐμπειρική μέθοδος. ***T~s up!*** (*καθομ.*, *ἐπιφ. θριάμβου*) μπράβο! ζήτω μας! **`~-mark**, δαχτυλιά. **`~-nail**, νύχι τοῦ ἀντίχειρα: *a ~-nail sketch*, μικροσκοπικό σκίτσο, συνοπτική περιγραφή. **`~·screw/-nut**, βίδα/παξιμάδι τοῦ χεριοῦ, (*παλαιότ.*) δαχτυλήθρα βασανισμοῦ. **`~-stall**, (*ἰατρ.*) δαχτυλήθρα τοῦ ἀντίχειρα. __*ρ.μ.* **1**. φυλλομετρῶ, τσακίζω (φύλλο), λερώνω τίς σελίδες (βιβλίου): ~ *the pages of a dictionary*, τσακίζω τίς σελίδες λεξικοῦ. *a well-~ed book*, πολυχρησιμοποιημένο βιβλίο. **2**. ~ ***a lift***, κάνω ὠτοστόπ. ~ ***one's nose at sb***, (*πεπαλ.*) κοροϊδεύω κπ (ἀκουμπώντας τόν ἀντίχειρα στή μύτη κι' ἔχοντας τά δάχτυλα ἁπλωμένα).

thump /θʌmp/ *οὐσ.* ‹C› **1**. γδοῦπος: *The baby fell out of its cot with a ~*, τό μωρό ἔπεσε ἀπό τήν κούνια του μέ γδοῦπο. **2**. γροθιά, χτύπημα: *give sb a friendly ~ on the back*, χτυπῶ κπ φιλικά στήν πλάτη μέ τή γροθιά μου. __*ρ.μ/ὰ.* χτυπῶ δυνατά, γρονθοκοπῶ: ~ *(on) the door/table*, χτυπῶ τήν πόρτα/τό τραπέζι μέ τή γροθιά. ~ *a cushion flat*, ἰσιώνω ἕνα μαξιλάρι χτυπώντας το μέ τό χέρι. ~ *the keys of the piano*, κοπανάω τά πλῆκτρα τοῦ πιάνου. *My heart was ~ing*, ἡ καρδιά μου χτυποῦσε δυνατά. ~ *out a tune on the piano*, παίζω θορυβωδῶς ἕνα σκοπό στό πιάνο. **~·ing** *ἐπ. & ἐπίρ.* (*καθομ.*) μεγάλος, πελώριος: *a ~ing great lie!* ψέμα μέ οὐρά!

thun·der /`θʌndə(r)/ *οὐσ.* ‹U› **1**. βροντή, κεραυνός: *a roll of ~*, ἕνα μπουμπουνητό. *a peal of ~*, μιά βροντή. *There's ~ in the air*, προμηνύεται θύελλα, ἡ ἀτμόσφαιρα εἶναι ἠλεκτρισμένη. **`~·bolt**, (*κυριολ. & μεταφ.*) ἀστροπελέκι. **`~·clap**, βροντή. **`~·cloud**, σύννεφο καταιγίδος. **`~·storm**, καταιγίδα, θύελλα. **`~·struck** *κατηγ. ἐπ.* κεραυνόπληκτος, ἄναυδος. **2**. (*συνήθ. μέ πληθ.*) βροντή: *the ~ of guns/of the sea*, ἡ βροντή τῶν κανονιῶν/ὁ βρυχηθμός τῆς θάλασσας. *~s of applause*, θυελλώδη χειροκροτήματα. ***steal sb's ~***, κόβω τή φόρα κάποιου. __*ρ.μ/ὰ.* **1**. (*ἀπρόσ.*) *It's ~ing*, βροντάει, μπουμπουνίζει. **2**. βροντῶ: *Someone was ~ing at the door*, κάποιος βροντοῦσε στήν πόρτα. *The train ~ed through the station*, τό τραῖνο πέρασε μέσ' ἀπ' τό σταθμό μ' ἐκκωφαντικό κρότο. *The sea ~ed against the rocks*, ἡ θάλασσα ἔσπαγε μέ πάταγο πάνω στά βράχια. **3**. ~ ***against***, ἐπιτίθεμαι μέ βιαιότητα, ἐξαπολύω κεραυνούς: *They ~ed against the establishment*, ἐπετίθοντο μέ βιαιότητα κατά τοῦ κατεστημένου. *He ~ed out an order*, ἔδωσε μιά διαταγή μέ βροντερή φωνή. **~·ing** *ἐπ.* βίαιος, πελώριος: *He was in a ~ing rage*, ἐμαίνετο ἀπό ὀργή. *a ~ing lie*, πολύ μεγάλο ψέμα. **~·ous** /-əs/ *ἐπ.* θυελλώδης, ἐκκωφαντικός, βροντώδης: *~ous applause*, θυελλώδη χειροκροτήματα. **~y** *ἐπ.* (*γιά τόν καιρό*) θυελλώδης, πού προμηνύει θύελλα.

Thurs·day /`θɜzdɪ/ *οὐσ.* Πέμπτη. **Maundy T~**, Μεγάλη Πέμπτη.

thus /ðʌs/ *ἐπίρ.* οὕτως, ἔτσι, τοιουτοτρόπως: ~ *far*, ὡς ἐδῶ/ἐκεῖ. ~ *much*, τόσο.

thwack /θwæk/ *οὐσ. & ρ.μ. βλ. whack*.

[1]**thwart** /θwɔt/ *οὐσ.* ‹C› θέσις κωπηλάτου, πάγκος βάρκας.

[2]**thwart** /θwɔt/ *ρ.μ.* χαλῶ, ἐμποδίζω: ~ *sb's plans*, χαλῶ (ἀνατρέπω, ματαιώνω, τορπιλλίζω) τά σχέδια κάποιου. *be ~ed in one's aims/ambitions*, βρίσκω ἐμπόδια στούς σκοπούς μου/στίς ἐπιδιώξεις μου.

thy /ðaɪ/ *κτητ. ἐπ.* (*ἀπηρχ.*) (δικός) σου. **~-self** *αὐτοπ. ἀντων.* (*ἀπηρχ.*) *βλ. yourself*.

thyme /taɪm/ *οὐσ.* ‹U› θυμάρι, θρούμπη.

thy·roid /`θaɪrɔɪd/ *οὐσ.* ‹C› `~ **(gland)**, θυρεοειδής (ἀδένας).

ti·ara /tɪ`ɑrə/ *οὐσ.* ‹C› (*πληθ.* ~*s*) τιάρα.

tibia /`tɪbɪə/ *οὐσ.* ‹C› (*πληθ.* ~*e* /-bii/) (*ἀνατ.*) ὀστοῦν τῆς κνήμης, καλάμι τοῦ ποδιοῦ.

tic /tɪk/ *οὐσ.* ‹C› (*ἰατρ.*) τίκ, νευρική σύσπασις.

[1]**tick** /tɪk/ *οὐσ.* ‹C› **1**. τίκ (ρολογιοῦ): `~-`*tock*,

τίκ-τάκ (ἦχος ρολογιοῦ). **2**. (*καθομ.*) στιγμή: *Half a ~!* μιά στιγμή! *I'll be back in two ~s*, θά γυρίσω στή στιγμή. ***on ~***, στήν ὥρα, στό τσάκ. **3**. σημάδι, σημεῖον: *Put a ~ against each item you have checked*, βάλε σημάδι σέ κάθε εἶδος πού ἔχεις ἐλέγξει. —*ρ.μ/ά*. **1**. (*γιά ρολόϊ*) ἠχῶ, κάνω τίκ-τάκ: *The (taxi)metre was ~ing away*, τό ταξίμετρο συνέχιζε νά δουλεύη. **2**. ***~ over***, (*γιά μηχανή*) δουλεύω στό ραλαντί. **3**. ***~ sth off***, σημαδεύω, μαρκάρω: *~ off items in an account*, σημαδεύω τά κονδύλια σ' ἕνα λογαριασμό. ***~ sb off***, (*καθομ.*) κατσαδιάζω: *get ~ed off*, μέ κατσαδιάζουν. *give sb a good '~ing-'off*, τά ψέλνω σέ κπ, τοῦ δίνω μιά γερή κατσάδα.

[2]**tick** /tɪk/ *οὐσ*. ‹C› τσιμπούρι.

[3]**tick** /tɪk/ *οὐσ*. ‹C,U› στρωματόπανο.

[4]**tick** /tɪk/ *οὐσ*. ‹U› (*καθομ.*) βερεσές: *buy sth on ~*, ἀγοράζω κτ βερεσέ. *get ~*, μοῦ κάνουν βερεσέ.

ticker /'tɪkə(r)/ *οὐσ*. ‹C› **1**. τηλετυπωτής (τηλέγραφος πού καταγράφει αὐτομάτως σέ ταινία). **'~-tape**, ταινία καταγραφῆς. *a ~-tape reception*, θριαμβευτική ὑποδοχή (μέ ταινίες, χαρτοπόλεμο, κλπ). **2**. (*καθομ.*) ρολόϊ. **3**. (*λαϊκ.*) καρδιά: *He's got a dicky ~*, ἔχει σαραβαλιασμένη καρδιά.

ticket /'tɪkɪt/ *οὐσ*. ‹C› **1**. εἰσιτήριο (ταξιδιοῦ, θεάτρου), ἀπόδειξις (ἀποσκευῶν): *a single/return ~*, εἰσιτήριο ἁπλῆς διαδρομῆς (μεταβάσεως)/μετ' ἐπιστροφῆς. *a platform ~*, εἰσιτήριο ἀποβάθρας. *a luggage ~*, διπλότυπος ἀπόδειξις ἀποσκευῶν. **'~-collector**, ἐλεγκτής (σέ τραῖνο). **2**. ἐτικέττα (τιμῶν, κλπ). **3**. (*ΗΠΑ*) κομματικό ψηφοδέλτιο/πρόγραμμα. **4**. (*καθομ.*) κλῆσις τροχαίας: *get a ~*, παίρνω κλήση (*πχ* γιά παράνομη στάθμευση). **5**. δίπλωμα (πιλότου, καπετάνιου). **6**. **the ~**, (*καθομ.*) τό σωστό, ὅ,τι πρέπει: *That's (just) the ~!* αὐτό εἶναι! **7**. ***~ of leave***, (*ΜΒ*) ἀπόλυσις (κρατουμένου) ὑπό ὅρους. —*ρ.μ*. μαρκάρω (μέ ἐτικέττες).

tick·ing /'tɪkɪŋ/ *οὐσ*. ‹U› ὕφασμα γιά στρώματα ἤ μαξιλάρια.

tickle /'tɪkl/ *ρ.μ/ά*. **1**. γαργαλάω: *~ sb in the ribs/under the arms*, γαργαλάω κπ στά πλευρά/στή μασχάλη. **2**. (*καθομ.*) διασκεδάζω, εὐχαριστῶ, κολακεύω: *The story ~d her fancy*, ἡ ἱστορία κέντρισε τή φαντασία της. *We were ~d to death/~d pink at the news*, ἡ εἴδηση μᾶς γέμισε χαρά, μᾶς διασκέδασε φοβερά (τρελλαθήκαμε μέ τά νέα). *~ sb's vanity*, κολακεύω τή ματαιοδοξία κάποιου. **3**. προκαλῶ/ἔχω φαγούρα: *My hand/nose ~s*, μέ τρώει τό χέρι μου/ἡ μύτη μου. **tick·lish** /'tɪklɪʃ/ *ἐπ*. (*γιά ἄνθρ.*) πού γαργαλιέται εὔκολα, (*γιά πρόβλημα*) λεπτός, δύσκολος, δυσεπίλυτος: *a ticklish question*, λεπτό θέμα. *be in a ticklish situation*, εἶμαι σέ λεπτή/δύσκολη θέση.

ti·dal /'taɪdl/ *ἐπ*. παλιρροιακός: *a ~ river*, ποτάμι μέ παλίρροια. *a '~ wave*, παλιρροιακό κύμα, (*μεταφ.*) λαϊκό κύμα (ἐνθουσιασμοῦ, ἀγανακτήσεως, κλπ).

tid·bit /'tɪdbɪt/ *οὐσ*. *βλ*. *titbit*.

tid·dler /'tɪdlə(r)/ *οὐσ*. ‹C› (*καθομ.*) ψαράκι, πιστιρίκι.

tid·dley /'tɪdlɪ/ *ἐπ*. (*καθομ.*) **1**. μικρός, ἀμελητέος. **2**. ἐλαφρά μεθυσμένος.

tid·dly·winks /'tɪdlɪwɪŋks/ *οὐσ*. ‹U› παιχνίδι τοῦ ψύλλου.

tide /taɪd/ *οὐσ*. **1**. ‹C,U› παλίρροια: *'high/'low ~*, πλημμυρίς/ἄμπωτις. *spring and neap ~*, μεγίστη καί ἐλαχίστη παλίρροια. ***Time and ~ wait for no man***, (*παροιμ.*) θέρος, τρύγος, πόλεμος! **'~·mark**, γραμμή ἀνωτάτης στάθμης τῆς παλιρροίας. **2**. ‹C› (*μεταφ.*) τάσις, ρεῦμα, κύμα: *the rising ~ of public discontent*, τό ὀγκούμενον κύμα τῆς λαϊκῆς δυσφορίας. *The Labour Party hoped for a turn of the ~*, οἱ Ἐργατικοί ἤλπιζαν σέ μιά μεταστροφή τοῦ ρεύματος (τῆς κοινῆς γνώμης). *The ~ of the war turned*, ἡ πορεία (ὁ ροῦς) τοῦ πολέμου μετεστράφη. **3**. (*ὡς β! συνθ.*) χρόνος, περίοδος: *'Easter~*, Πασχαλινή περίοδος, τό Πάσχα. *'even~*, τό βράδυ. —*ρ.μ*. ***~ over***, (ξε)περνῶ: *~ over a crisis*, ξεπερνῶ μιά κρίση. *This money will ~ us over until I get another job*, αὐτά τά χρήματα θά μᾶς βοηθήσουν νά περάσωμε ὥσπου νά βρῶ ἄλλη δουλειά.

tid·ings /'taɪdɪŋz/ *οὐσ. πληθ*. (*λογοτ., μέ ρ. ἑν. ἤ πληθ.*) εἰδήσεις, μαντάτα, νέα: *Have you heard the glad ~?* ἄκουσες τά εὐχάριστα νέα;

tidy /'taɪdɪ/ *ἐπ*. (*-ier, -iest*) **1**. περιποιημένος, συγυρισμένος, καθαρός, (*γιά ἄνθρ.*) τακτικός: *a ~ room/desk*, συγυρισμένο δωμάτιο/γραφεῖο. *a ~ little town*, καθαρή, συμμαζεμένη πολιτειούλα. *a ~ man*, τακτικός, νοικοκυρεμένος ἄνθρωπος. *have ~ habits*, ἔχω τακτικές συνήθειες. *Make yourself ~!* συμμαζέψου! εὐπρεπίσου! **2**. (*καθομ.*) σημαντικός, ἀρκετά μεγάλος: *a ~ sum of money*, ἕνα στρογγυλούτσικο ποσό. —*οὐσ*. ‹C› δοχεῖο, κουτί (γιά μικροπράγματα): *a 'sink-~*, δοχεῖο τῆς κουζίνας (γιά τά ἀποφάγια). —*ρ.μ/ά*. ***~ (up)***, συγυρίζω, τακτοποιῶ, εὐπρεπίζω: *~ oneself (up)*, φτιάχνομαι, εὐπρεπίζομαι. *We must ~ up (the room) before he comes*, πρέπει νά συγυρίσωμε πρίν ἔλθη. **ti·dily** /'taɪdəlɪ/ *ἐπίρ*. συγυρισμένα, νοικοκυρεμένα. **ti·di·ness** *οὐσ*. ‹U› τάξις, συγύρισμα, νοικοκυρωσύνη.

[1]**tie** /taɪ/ *οὐσ*. ‹C› **1**. δεσμός, συνδετήρας: *the ~s of blood/friendship*, οἱ δεσμοί αἵματος/φιλίας. *family ~s*, οἰκογενειακοί δεσμοί. **2**. ἐμπόδιο (στίς κινήσεις κάποιου): *Her children are a ~*, δέν μπορεῖ νά κινηθῆ ἐξ αἰτίας τῶν παιδιῶν της. *She was more of a ~ than a companion*, ἦταν περισσότερο ἐμπόδιο παρά παρέα. **3**. ἰσοπαλία: *The game ended in a ~*, τό παιχνίδι ἔληξε ἰσόπαλο. *The ~ will be played off on Sunday*, ὁ (ἰσόπαλος) ἀγώνας θά ἐπαναληφθῆ τήν Κυριακή. **4**. (*μουσ.*) σύνδεσμος (γραμμή πού ἑνώνει δυό νότες). **5**. γραββάτα, παπιγιόν. **'~-pin**, καρφίτσα γραββάτας.

[2]**tie** /taɪ/ *ρ.μ/ά*. (*ἐνεργ. μετ. tying*) **1**. δένω: *~ sb's hands together*, δένω τά χέρια κάποιου. *~ one's shoe-laces*, δένω τά κορδόνια μου. *~ a knot/tie/ribbon*, δένω κόμπο/γραββάτα/κορδέλλα. *~ up a parcel*, δένω ἕνα δέμα. *~ a horse to a fence*, δένω ἕνα ἄλογο σέ φράχτη. *He's ~d to his mother's apron-strings*, εἶναι κρεμασμένος στό φουστάνι τῆς μάνας του. **2**. ***~ on***, δένω, προσαρτῶ, κρεμῶ (μέ σπάγγο): *~ a label on*, κρεμῶ μιά ἐτικέττα. **'~-on**

ἐπιϑ. κρεμαστός. **3**. ~ ***down (to)***, δεσμεύω, περιορίζω τήν ἐλευθερία, καθηλώνω: *Young children ~ a woman down*, τά μικρά παιδιά δεσμεύουν μιά γυναίκα (δέν τήν ἀφήνουν νά κινηθῆ ἐλεύθερα). *We must ~ him down to a contract*, πρέπει νά τόν δεσμεύσωμε μέ συμβόλαιο. *He ~d himself down to a hard task*, ἀνέλαβε (δεσμεύτηκε μέ) δύσκολη δουλειά. **4**. ~ ***in with sth***, συνδέομαι, ἔχω σχέση: *Does this ~ in with what we heard last week?* συνδέεται αὐτό μέ ὅ,τι ἀκούσαμε τήν περασμένη βδομάδα; **5**. ~ ***up***, ἀκινητοποιῶ, ὁριστικοποιῶ, δεσμεύω: *~ up one's capital/property*, δεσμεύω τά κεφάλαιά μου/ ἐπιβάλλω περιορισμούς στήν ἀπαλλοτρίωση μιᾶς περιουσίας. *We are ~d up for want of materials*, ἔχομε ἀκινητοποιηθῆ ἀπό ἔλλειψη πρώτων ὑλῶν. *~ up an agreement*, ὁριστικοποιῶ μιά συμφωνία. *I am ~d up with a lot of work*, εἶμαι δεσμευμένος μέ ἕνα σωρό δουλειά. *Is this company ~d up with the National Bank?* συνδέεται αὐτή ἡ ἑταιρία μέ τήν Ἐθνική Τράπεζα; **`~-up**, δεσμός, σύνδεσις, συγχώνευσις (ἑταιριῶν). **6**. ~ ***for/with***, ἰσοψηφῶ, ἔρχομαι ἰσοπαλία: *They ~d for (the) first place*, ἦλθαν ἰσοπαλία στήν πρώτη θέση. *~ with sb/a team*, ἰσοψηφῶ μέ κπ/ ἔρχομαι ἰσοπαλία μέ μιά ὁμάδα.

tier /tɪə(r)/ *οὐσ.* ‹C› σειρά (καθισμάτων), κερκίδα, βαθμίδα (ἀμφιθεάτρου): *a first ~ box*, θεωρεῖον πρώτης σειρᾶς. *the ~s of a stadium*, οἱ κερκίδες ἑνός σταδίου. *hills rising ~ upon ~/rising in ~s*, λόφοι πού ὑψώνονται κλιμακωτά.

tiff /tɪf/ *οὐσ.* ‹C› (*καθομ.*) καυγαδάκι (μεταξύ φίλων): *She has had a ~ with her boyfriend*, εἶχε καυγαδάκι (τά τσούγκρισε λίγο) μέ τό φίλο της.

ti·ger /ˋtaɪgə(r)/ *οὐσ.* ‹C› τίγρις. **`~·ish** /-ɪʃ/ *ἐπ.* τιγροειδής, σκληρός, αἱμοβόρος, θηριώδης. **ti·gress** /ˋtaɪgrəs/ *οὐσ.* ‹C› θηλυκή τίγρις.

tight /taɪt/ *ἐπ.* *(-er, -est)* **1**. σφιχτός, σφιγμένος, στριμωγμένος, παραγεμισμένος: *a ~ knot*, σφιχτός κόμπος. *This drawer is so ~ that I can't open it*, αὐτό τό συρτάρι ἔχει σφίξει τόσο πολύ πού δέν μπορῶ νά τ' ἀνοίξω. *pack a suitcase ~*, γεμίζω σφιχτά μιά βαλίτσα. ***be in a ~ corner/spot***, εἶμαι στριμωγμένος, σέ δύσκολη θέση. ***a ~ schedule***, παραφορτωμένο πρόγραμμα. ***a ~ squeeze***, μεγάλο στριμωξίδι: *We got everybody into the bus, but it was a ~ squeeze*, μπήκαμε ὅλοι στό λεωφορεῖο ἀλλά εἴμαστε πολύ στριμωγμένοι. **'~-`laced** *ἐπ.* σφιγμένος μέ κορσέ, (*μεταφ.*) ἄκαμπτος, σεμνότυφος. **'~-`lipped** *ἐπ.* μέ σφιγμένα χείλη, βλοσυρός. **2**. (*γιά ροῦχα, κλπ*) στενός: *My new shoes are very ~ and hurt me*, τά καινούργια μου παπούτσια εἶναι πολύ στενά καί μέ πιάνουν. *My coat is too ~ under the arms*, τό σακκάκι μου μέ σφίγγει στίς μασχάλες. **3**. (*ἰδ. ὡς β! συνθ.*) στεγανός: *`air-~*, ἀεροστεγής. *`water-~*, ὑδατοστεγής. **4**. τεντωμένος, τεζαρισμένος: *a ~ rope*, τεντωμένο σκοινί. *a `~-rope walker*, σχοινοβάτης. **5**. (*γιά χρήματα*) δυσεύρετος, σπανίζων: *Money is ~*, τό χρῆμα σπανίζει. **6**. (*καθομ.*) μεθυσμένος: *be/get ~*, εἶμαι/ γίνομαι σκνίπα στό μεθύσι. **7**. (*καθομ.*) τσιγγούνης: *He's very ~ with his money*, εἶναι πολύ σφιχτός στά λεφτά του. **'~-`fisted** *ἐπ.* σφιχτοχέρης, φιλάργυρος. —*ἐπίρ.* σφιχτά, γερά: *hold/squeeze sth ~*, κρατῶ κτ σφιχτά/ στίβω κτ γερά. **~·ly** *ἐπίρ.* σφιχτά, γερά: *~ly packed*, σφιχτά πακεταρισμένος. **~·ness** *οὐσ.* ‹U› σφίξιμο. **~en** /ˋtaɪtn/ *ρ.μ/ὰ.* σφίγγω/ -ομαι: *~en (up) the screws*, σφίγγω τίς βίδες ὅσο παίρνει, (*μεταφ.*) γίνομαι αὐστηρότερος. ***~en one's belt***, (*μεταφ.*) σφίγγω τή λουρίδα.

tights /taɪts/ *οὐσ. πληϑ.* καλτσόν (γυναικῶν, ἀκροβατῶν, χορευτῶν).

tilde /ˋtɪld/ *οὐσ.* ‹C› (*τυπογρ.*) κυματοειδής γραμμή (σάν περισπωμένη).

tile /taɪl/ *οὐσ.* ‹C› κεραμίδι, πλακάκι. ***be (out) on the ~s***, (*λαϊκ.*) τὄχω ρίξει ἔξω, ἀσωτεύω. —*ρ.μ.* σκεπάζω μέ πλακάκια/κεραμίδια.

[1]**till** /tɪl/ *σύνδεσμος* (*ἐπίσης* **until** /ən`tɪl/ *τό ὁποῖον συχνά προτιμᾶται ὅταν ἡ χρονική πρότασις προηγεῖται τῆς κυρίας*) ἕως ὅτου, ὥσπου νά: *Let's wait ~ the rain stops*, ἄς περιμένωμε ἕως ὅτου σταματήση ἡ βροχή. *Until you told me, I had heard nothing of what had happened*, ὥς τή στιγμή πού μοῦ μίλησες δέν εἶχα μάθει τίποτα γιά τό τί εἶχε συμβῆ. —*πρόϑ.* ἕως, μέχρις, ὥς: *~ now/then*, ὥς τώρα/τότε. *from morning ~ night*, ἀπό τό πρωΐ ἕως τό βράδυ. *Good-bye ~ tomorrow*, ὠρεβουάρ γιά αὔριο. ~ ***afterwards***, παρά μόνον ἀφοῦ.

[2]**till** /tɪl/ *οὐσ.* ‹C› συρτάρι ταμείου.

[3]**till** /tɪl/ *ρ.μ.* καλλιεργῶ (τή γῆ), ὀργώνω. **~·age** /ˋtɪlɪdʒ/ *οὐσ.* ‹U› καλλιέργεια. **~er** *οὐσ.* ‹C› γεωργός, καλλιεργητής.

tiller /ˋtɪlə(r)/ *οὐσ.* ‹C› (*ναυτ.*) δοιάκι (τοῦ πηδαλίου).

tilt /tɪlt/ *ρ.μ/ὰ.* **1**. γέρνω: *Don't ~ the table*, μή γέρνης τό τραπέζι! *T~ the barrel (up) to empty it*, ἀνασήκωσε (γύρε) τό βαρέλι γιά νά τό ἀδειάσης. **2**. ~ ***(at)***, (*πεπαλ. μεταφ.*) κονταροχτυπιέμαι, ἐπιτίθεμαι: *~ at gambling*, ἐπιτίθεμαι κατά τῶν τυχηρῶν παιχνιδιῶν. (*βλ. & λ. windmill*). —*οὐσ.* ‹C› **1**. γέρσιμο, κλίσις. **2**. ἐπίθεσις: *have a ~ at sb*, (*μεταφ.*) κάνω (φιλική) ἐπίθεση σέ κπ (στή συζήτηση). ***(at) full ~***, ὁλοταχῶς, μέ δύναμη: *He ran full ~ into me*, ἔπεσε πάνω μου μέ ὅλη του τή δύναμη.

tilth /tɪlθ/ *οὐσ.* ‹C› ὄργωμα, βάθος καλλιεργείας, σκάψιμο.

tim·ber /ˋtɪmbə(r)/ *οὐσ.* **1**. ‹C,U› ξυλεία: *dressed/rough ~*, κατεργασμένη/ἀκατέργαστη ξυλεία. *cut down/fell ~*, κόβω δέντρα, ὑλοτομῶ. *standing ~*, δέντρα γιά ὑλοτομία. *put land under ~*, φυτεύω γῆ γιά ξύλευση. **`~-merchant**, ξυλέμπορος. **`~-yard**, ἀποθήκη ξυλείας. **2**. ‹C› δοκάρι. **~ed** *ἐπ.* ξύλινος.

timbre /tæ̃br/ *οὐσ.* (*μόνον ἑν*) (*μουσ.*) χρῶμα, τόνος, τέμπρο.

[1]**time** /taɪm/ *οὐσ.* **1**. ‹U› χρόνος: *Only ~ will show who is right*, μόνον ὁ χρόνος θά δείξη ποιός ἔχει δίκηο. *There's no ~ to lose*, δέν ὑπάρχει χρόνος γιά χάσιμο. *That takes ~*, αὐτό ἀπαιτεῖ (πολύ) χρόνο. ***do sth in record ~***, κάνω κτ σέ χρόνο-ρεκόρ. ***for the ~ being***, ἐπί τοῦ παρόντος. ***behind ~***, καθυστερημένος: *The train is ten minutes behind ~*, τό τραῖνο ἔχει δέκα λεπτά καθυ-

στέρηση. *He's always behind ~ with his rent*, πάντα καθυστερεῖ τό ἐνοίκιό του. ***in ~***, *(α)* ἐγκαίρως: *We were in ~ for the train/to catch the train*, φθάσαμε ἐγκαίρως γιά (νά πάρωμε) τό τραῖνο. *(β)* μέ τόν καιρό, μέ τό πέρασμα τοῦ χρόνου: *You will learn how to do it in ~*, μέ τόν καιρό θά μάθης πῶς νά τό κάνης. ***all in good ~***, τό κάθε τι στήν ὥρα του, μέ τή σειρά του, ἐν εὐθέτῳ χρόνῳ. ***in ˋno ~***, πολύ γρήγορα, στό ἄψε-σβύσε: *She was ready in no ~*, ἑτοιμάστηκε σβέλτα. ***on ~***, ἀκριβῶς: *The train was on ~*, τό τραῖνο ἦταν στήν ὥρα του. ***~ immemorial; ~ out of mind***, ἀπό (πρό) ἀμνημονεύτων χρόνων. ***all the ~***, διαρκῶς, ὅλη τήν ὥρα: *She's busy all the ~*, εἶναι διαρκῶς ἀπασχολημένη. *I'll be at home all the ~*, θά εἶμαι σπίτι ὅλη τήν ὥρα. ***half the ~***, στό μισό χρόνο, τόν μισό καιρό: *I could do it in half the ~*, θά μποροῦσα νά τό κάμω στό μισό χρόνο. *He's day-dreaming half the ~*, (*καθομ.*) τό μισό καιρό ὀνειροπολεῖ. ***gain ~***, κερδίζω χρόνο. **2.** ‹C,U› ὥρα, καιρός: *What ~ is it?/What's the ~?* τί ὥρα εἶναι; *It's ~ for lunch*, εἶναι ὥρα γιά τό μεσημεριανό. *There's a ~ for everything*, τό κάθε πρᾶγμα ἔχει τήν ὥρα του. *The/Your etc. ~ is up*, ἡ ὥρα πέρασε. *It's ~ I went*, ὥρα νά πηγαίνω. ***keep good/bad ~***, (*γιά ρολόϊ*) πάω/δέν πάω καλά. ***pass the ~ of day (with sb)***, ἀνταλλάσσω λίγες λέξεις, λέω λίγα λόγια μέ κπ. ***(work) against ~***, (δουλεύω) μέσα σέ περιωρισμένα χρονικά ὅρια, ὑπό τήν πίεση τοῦ χρόνου. ***at the same ~***, ταυτοχρόνως, ὡστόσο: *He laughed and cried at the same ~*, γελοῦσε κι' ἔκλαιγε ταυτοχρόνως. *I'm sure it is his fault; at the same ~ I can't help feeling sorry for him*, εἶμαι βέβαιος ὅτι φταίει ὁ ἴδιος, ὡστόσο δέν μπορῶ νά μήν τόν λυπᾶμαι. ***from ~ to ~***, ἀπό καιρό σέ καιρό. ***at ~s***, ἐνίοτε, σποραδικά. ***at all ~s***, πάντοτε. ***at my ~ of life***, στήν ἡλικία μου. ***My ~ is drawing near***, πλησιάζει ἡ ὥρα μου (πού κάτι κρίσιμο θά γίνη). ***She's near her ~***, (*γιά ἔγκυο γυναίκα*) πλησιάζει ἡ ὥρα της (νά γεννήση). ***Take your ~!*** μέ τό πάσσο σου, σιγά-σιγά, μή βιάζεσαι. ***do ~***, ἐκτίω ποινή. ***serve one's ~***, *(α)* ἐκτίω ποινή. *(β)* κάνω τή μαθητεία μου, δουλεύω ὡς μαθητευόμενος. **3.** ‹C› ἐποχή, καιρός, περίστασις: *in the ~ of Napoleon*, τήν ἐποχή τοῦ Ναπολέοντος. *the good old ~s*, ἡ παληά καλή ἐποχή. *He was head of (the) school in my ~*, ἦταν διευθυντής τοῦ σχολείου στήν ἐποχή μου. *We live through terrible ~s*, περνᾶμε φοβερά χρόνια. *T~s are good/bad*, εἶναι καλή/ἄσχημη ἐποχή. ***be ahead of one's ~***, προπορεύομαι τῆς ἐποχῆς μου. ***before one's ~***, πρόωρα, πρίν τῆς ὥρας μου. ***at the best of ~s***, στήν πιό εὐνοϊκή περίπτωση. ***behind the ~s***, καθυστερημένος, μέ σκουριασμένες ἰδέες. ***have a good ~***, περνῶ καλά, διασκεδάζω: *Did you have a good ~?* περάσατε καλά; ***have the ~ of one's life***, (*καθομ.*) περνῶ περίφημα/ἀξέχαστα. **4.** ‹C› φορά: *Three ~s five is/are fifteen (3 × 5 = 15)*, τρεῖς φορές τό πέντε μᾶς κάνει δεκαπέντε. *this/that/next/last ~*, αὐτή/ἐκείνη/τήν ἄλλη/τήν τελευταία φορά. *I've told you a hundred ~s not to go*, σοῦ εἶπα ἑκατό φορές νά μήν πᾶς. ***at a ~***, τή φορά: *They came in three at a ~*, ἔμπαιναν μέσα δυό τή φορά (δυό-δυό, ἀνά δύο). ***at one ~***, μιά φορά, κάποτε, παληά: *At one ~ I used to play football*, παληά ἔπαιζα ποδόσφαιρο. ***at other ~s***, ἄλλες φορές. ***~ and again***, κατ' ἐπανάληψη. ***~s without number***, ἀναρίθμητες φορές. ***many a ~; many ~s***, πολλές φορές. **5.** ‹U› (*μουσ.*) ρυθμός, χρόνος: *ˋwaltz ~*, ρυθμός βάλς. *quicken/slow the ~*, ἐπιταχύνω/ἐπιβραδύνω τό ρυθμό. ***keep ~***, πάω μέ χρόνο/μέ ρυθμό. ***out of/in ~***, χωρίς/μέ ρυθμό. ***beat ~***, κρατῶ τό χρόνο/τό ρυθμό. ***in double-quick ~***, πολύ γρήγορα, τροχάδην. **6.** (*σέ σύνθ. λέξεις*): **ˋ~-bomb**, ὡρολογιακή βόμβα. **ˋ~-card/-sheet**, φύλλον παρουσίας (σέ ἐργοστάσιο). **ˋ~-expired** *ἐπ.* (*γιά στρατιῶτες*) συμπληρώσας τή θητεία του. **ˋ~-exposure**, (*φωτογρ.*) πόζα. **ˋ~-fuse**, ἐγκαιροφλεγής πυροσωλήν, πυροδοτικός μηχανισμός ὡρολογιακῆς βόμβας. **ˋ~-honoured** *ἐπ.* καθιερωμένος ἀπό τό χρόνο, γεραρός, σεβαστός. **ˋ~·keeper**, χρονομέτρης, ρολόϊ. **ˋ~-lag** *βλ.* [1]*lag*. **ˋ~-limit**, προθεσμία, χρονικό ὅριο: *set a ~-limit for the completion of a job*, βάζω προθεσμία γιά τό τέλειωμα μιᾶς δουλειᾶς. **ˋ~-piece**, ρολόϊ. **ˋ~-saving**, πού ἐξοικονομεῖ χρόνο. **ˋ~-server**, καιροσκόπος. **ˋ~-serving** *ἐπ.* καιροσκοπικός. **ˋ~-signal**, σῆμα τῆς ὥρας (πχ στό ραδιόφωνο). **ˋ~-switch**, χρονοδιακόπτης. **ˋ~·table**, χρονοδιάγραμμα, ὡρολόγιον πρόγραμμα. **ˋ~-work**, δουλειά μέ τήν ὥρα. **ˋ~-worn** *ἐπ.* φθαρμένος, παληωμένος.

[2]**time** /taɪm/ *ρ.μ.* **1.** κανονίζω (τό χρόνο): *He ~d his arrival to coincide with mine*, κανόνισε τήν ἄφιξή του νά συμπέση μέ τή δική μου. *The remark was well/ill-~d*, ἡ παρατήρησις ἐλέχθη σέ κατάλληλη/ἀκατάλληλη στιγμή. **2.** χρονομετρῶ: *~ a journey/race*, χρονομετρῶ ἕνα ταξίδι/μιά κούρσα. **3.** ρυθμίζω: *~ the speed of a machine*, ρυθμίζω τήν ταχύτητα μιᾶς μηχανῆς. **timing**, ρύθμισις, χρονομέτρησις, συγχρονισμός. **~·less** *ἐπ.* (*λογοτ.*) αἰώνιος, ἄχρονος.

time·ly /ˋtaɪmlɪ/ *ἐπ.* *(-ier, -iest)* ἐπίκαιρος, ἔγκαιρος. **time·li·ness** *οὐσ.* ‹U› ἐπικαιρότης.

timid /ˋtɪmɪd/ *ἐπ.* δειλός, συνεσταλμένος: *as ~ as a rabbit*, φοβιτσιάρης σά λαγός. **~·ly** *ἐπίρ.* **~·ity** /tɪˋmɪdətɪ/, **~·ness** *οὐσ.* ‹U› δειλία, ἀτολμία.

tim·or·ous /ˋtɪmərəs/ *ἐπ.* (*λόγ.*) δειλός, φοβιτσιάρης. **~·ly** *ἐπίρ.*

tim·pani /ˋtɪmpənɪ/ *οὐσ. πληθ.* τύμπανα (ἡμισφαιρικά). **tim·pan·ist** /-nɪst/ *οὐσ.* ‹C› τυμπανιστής.

tin /tɪn/ *οὐσ.* **1.** ‹U› κασσίτερος, καλάϊ, τενεκές. **ˋ~·foil**, ἀσημόχαρτο. **ˋ~-plate**, τενεκές. **ˋ~·smith**, φαναρτζῆς. ***a (little) ~ god***, (*καθομ.*) ψευτοθεός, δικτατορίσκος, τυραννίσκος. ***a ~ hat***, (*λαϊκ.*) κράνος. **2.** κονσέρβα: *a ~ of sardines/meat*, μιά κονσέρβα σαρδέλλες/κρέας. **ˋ~-opener**, ἀνοιχτήρι (γιά κονσέρβες). __*ρ.μ.* *(-nn-)* κασσιτερώνω, γανώνω, κονσερβάρω: *~ned peaches*, κονσέρβα ροδάκινα. **tinny** *ἐπ.* τενεκεδένιος.

tinc·ture /ˈtɪŋktʃə(r)/ *οὐσ.* **1.** ‹C› βάμμα (ἰωδίου). **2. a ~ (of)**, (*μεταφ.*) μυρωδιά, πασάλειμμα: *a ~ of Latin*, μιά μυρουδιά/ἕνα πασάλειμμα Λατινικά. __*ρ.μ.* χρωματίζω, δίνω χροιά: *views ~d with heresy*, ἀπόψεις πού μυρίζουν αἵρεση/αἱρετικῆς ἀποχρώσεως.
tin·der /ˈtɪndə(r)/ *οὐσ.* ‹U› ὕσκα, φυτίλι. ˈ**~-box**, κουτί τῆς ἴσκας, τσακμάκι.
tine /taɪn/ *οὐσ.* ‹C› δόντι (πηρουνιοῦ, δικέλλας, κλπ): *a three-~d hayfork*, δεκριάνι μέ τρία δόντια.
ting /tɪŋ/ *ρ.μ/ἀ.* & *οὐσ. βλ. tinkle.*
tinge /tɪndʒ/ *ρ.μ.* βάφω ἐλαφρά: *sky ~d with pink*, οὐρανός μέ ρόδινες ἀποχρώσεις. *His admiration was ~d with envy*, ὁ θαυμασμός του εἶχε μιά χροιά φθόνου. __*οὐσ.* ‹C› τόνος, χροιά: *There was a ~ of sadness/irony in his voice*, ὑπῆρχε ἕνας τόνος θλίψης/εἰρωνίας στή φωνή του.
tingle /ˈtɪŋgl/ *ρ.ἀ.* (*γιά τό δέρμα*) καίω, μυρμηκιάζω, τρώω, (*μεταφ.*) τρέμω: *His cheek ~d from her slap*, τό μάγουλό του ἔκαιγε ἀπό τόν μπάτσο της. *My fingers ~d with cold*, τά δάχτυλά μου μ' ἔτρωγαν ἀπό τό κρύο. *The children were tingling with excitement*, τά παιδιά ἔτρεμαν ἀπό ἀνυπομονησία. __*οὐσ.* ‹C› μυρμηκίασις, τσούξιμο, φαγούρα, ρῖγος: *have a ~ in one's legs*, ἔχω φαγούρα στά πόδια μου (*πχ* ἀπό μούδιασμα).
tin·ker /ˈtɪŋkə(r)/ *οὐσ.* ‹C› **1.** γανωτζής, γανωματής, γύφτος. ***not care/give a ~'s cuss/damn***, δέν δίνω δεκάρα, δέν μέ νοιάζει καθόλου. **2.** μαστόρεμα: *have an hour's ~ at the radio-set*, μαστορεύω μιά ὥρα τό ραδιόφωνο. __*ρ.ἀ.* μαστορεύω, σκαλίζω, ψευτοδιορθώνω: *~ (away) at a broken machine*, μαστορεύω μιά χαλασμένη μηχανή. *Don't ~ with my watch*, μή σκαλίζης τό ρολόϊ μου.
tinkle /ˈtɪŋkl/ *ρ.μ/ἀ.* κουδουνίζω. __*οὐσ.* (*μόνον ἑν.*) κουδούνισμα: *the ~ of a bell/of glasses on a tray*, τό κουδούνισμα μιᾶς καμπάνας/ποτηριῶν σέ δίσκο.
tinny /ˈtɪnɪ/ *ἐπ. βλ. tin.*
tin·sel /ˈtɪnsl/ *οὐσ.* ‹U› **1.** πούλιες, λαμέ κλωστές/ταινίες: *trim a Christmas tree/a dress with ~*, στολίζω ἕνα Χριστουγεννιάτικο δέντρο/ἕνα φόρεμα μέ πούλιες. **2.** φανταχτερή ψεύτικη λαμπρότητα. **~ly** /-səlɪ/ *ἐπ.* φανταχτερός, στολισμένος μέ πούλιες. __*ρ.μ.* (*-ll-*) στολίζω μέ πούλιες.
tint /tɪnt/ *οὐσ.* ‹C› τόνος, ἀπόχρωσις: *~s of pink in the sky at dawn*, ρόδινοι τόνοι στόν οὐρανό τήν αὐγή. __*ρ.μ.* δίνω τόνο, χρωματίζω ἐλαφρά.
tiny /ˈtaɪnɪ/ *ἐπ.* (*-ier, -iest*) μικροσκοπικός.
[1]**tip** /tɪp/ *οὐσ.* ‹C› ἄκρη: *ˈfinger-~s*, ἄκρες δαχτύλων. *asparagus ~s*, κορφές σπαραγγιῶν. *cigarettes with filter-~s; ˈfilter-~ped cigarettes*, τσιγάρα μέ φίλτρο. *the ~ of one's nose/tongue*, ἡ ἄκρη τῆς μύτης/τῆς γλώσσας μου. ***(have sth) on the ~ of one's tongue***, (ἔχω κτ) στήν ἄκρη τῆς γλώσσας μου/τὄχω στό στόμα μου (δηλ. ἑτοιμάζομαι νά τό πῶ). ˈ**~-ˈtop** *ἐπ.* (*πεπαλ. καθομ.*) πρώτης τάξεως: *a ~-top dinner*. ***(on)* ~·toe** *ἐπίρ.* ἀκροποδητί, στά νύχια τῶν ποδιῶν, (*μεταφ.*) σέ ἀδημονία. __*ρ.ἀ.* περπατῶ στά νύχια τῶν ποδιῶν, ἀδημονῶ: *He entered the room on ~toe; He ~toed into the room*, μπῆκε στό δωμάτιο ἀκροποδητί.
[2]**tip** /tɪp/ *ρ.μ/ἀ.* (*-pp-*) γέρνω, κλίνω. ***~ the scale***, κλίνω τήν πλάστιγγα, κάνω νά γείρῃ ἡ ζυγαριά: *This argument ~ped the scale*, αὐτό τό ἐπιχείρημα ἔκανε νά γείρῃ ἡ πλάστιγγα. *What ~ped the scale was...*, ἐκεῖνο πού ἐπέδρασε ἀποφασιστικά ἦταν... ***~ sth over***, ἀναποδογυρίζω, ἀνατρέπω κτ: *Careful! You'll ~ the canoe over!* πρόσεχε! θ' ἀναποδογυρίσῃς τό κανώ! ***~ (out/into)***, ἀδειάζω: *She ~ped the slops out of the bucket into the sink*, ἄδειασε τά ἀποπλύματα ἀπό τόν κουβά στό νεροχύτη. *'No rubbish to be ~ped here'*, -'Απαγορεύεται ἡ ἀπόρριψις σκουπιδιῶν. ***~ up***, ἀνασηκώνω: *~ up a barrel*, ἀνασηκώνω (γέρνω) ἕνα βαρέλι. *a ~-up seat*, ἀναδιπλούμενο κάθισμα (ὅπως ἐκεῖνα στά σινεμά). __*οὐσ.* ‹C› **1.** σκουπιδότοπος, χωματερή. **2.** σωρός (χωμάτων, ἀπορριμμάτων ὀρυχείου, κλπ). **3.** (*καθομ.*) τρώγλη, κοτέτσι: *They live in a ~*, ζοῦν σ' ἕνα κοτέτσι.
[3]**tip** /tɪp/ *οὐσ.* ‹C› **1.** φιλοδώρημα, πουρμπουάρ: *leave a ~ on/under one's plate*, ἀφήνω πουρμπουάρ στό πιάτο μου. *give sb a ~*, δίνω φιλοδώρημα σέ κπ. **2.** κρυφή πληροφορία, συμβουλή (*ἰδ.* στίς ἱπποδρομίες): *give sb a good ~ for a race*, δίνω ἕνα "σίγουρο" σέ κπ γιά μιά κούρσα. *an article with useful ~s about gardening*, ἄρθρο μέ χρήσιμες πληροφορίες γιά τόν κῆπο. __*ρ.μ.* (*-pp-*) **1.** φιλοδωρῶ: *~ a waiter/porter*, φιλοδωρῶ ἕνα γκαρσόνι/ἕναν ἀχθοφόρο. **2.** δίνω πληροφορία. ***~ sb off***, (*καθομ.*) προειδοποιῶ κπ μυστικά: *He ~ped off the police about it*, εἰδοποίησε κρυφά τήν ἀστυνομία γι' αὐτό. ˈ**~-off**, πληροφορία: *Give the police a ~-off*, πληροφόρησε/προειδοποίησε τήν ἀστυνομία. ***~ sb the wink***, (*καθομ.*) δίνω μυστική πληροφορία σέ κπ. ***~ the winner***, πληροφορῶ ποιό ἄλογο θά νικήσῃ. **3.** ἐγγίζω/χτυπῶ ἐλαφρά: *He ~ped his hat to the vicar*, ἄγγιξε τό καπέλλο του σ' ἔνδειξη χαιρετισμοῦ πρός τόν ἐφημέριο.
tip·pet /ˈtɪpɪt/ *οὐσ.* ‹C› (*ἀπηρχ.*) πελερίνα, γούνινη ἐσάρπα.
tipple /ˈtɪpl/ *ρ.μ/ἀ.* κουτσοπίνω, τό τσούζω. __*οὐσ.* ‹U› ποτό. **tip·pler** *οὐσ.* ‹C› μπέκρος.
tip·ster /ˈtɪpstə(r)/ *οὐσ.* ‹C› (*ἱπποδρ.*) πληροφοριοδότης.
tipsy /ˈtɪpsɪ/ *ἐπ.* (*καθομ.*) ἐλαφρά μεθυσμένος, ζαλισμένος.
tip·toe /ˈtɪptəʊ/ *ἐπίρ.* & *ρ.ἀ. βλ.* [1]*tip.*
ti·rade /taɪˈreɪd/ *οὐσ.* ‹C› ἐξάψαλμος, ἀναβαλλόμενος, βρισίδι: *break into a violent ~ against sb*, ἀρχίζω τόν ἐξάψαλμο σέ κπ.
[1]**tire** /ˈtaɪə(r)/ *οὐσ.* ‹C› (*ΗΠΑ*) *βλ. tyre.*
[2]**tire** /ˈtaɪə(r)/ *ρ.μ/ἀ.* κουράζω/-ομαι: *The long walk ~d me (out)*, ὁ μακρυνός περίπατος μέ κούρασε (μέ ἐξάντλησε). *She never ~s of talking about her children*, ποτέ δέν κουράζεται νά μιλάῃ γιά τά παιδιά της. **tired** /ˈtaɪəd/ *ἐπ.* κουρασμένος, βαρυεστημένος: *make sb ~d*, κουράζω κπ. ***tired out***, ἐξαντλημένος, πεθαμένος στήν κούραση. ***be tired of***, βαρυέμαι, εἶμαι κουρασμένος: *I'm ~d of life*, βαρέθηκα τή ζωή. **tired·ness** *οὐσ.* ‹U› κόπωσις, κούρασις. **~·less** *ἐπ.*

ἀκούραστος, ἄοκνος. **~·less·ly** *ἐπίρ.* **`~-some** /-səm/ *ἐπ.* βαρετός, πληκτικός. **tiring** *ἐπ.* κουραστικός: *A teacher's work may be tiring but it isn't tiresome*, ἡ δουλειά τοῦ δάσκαλου μπορεῖ νά εἶναι κουραστική ἀλλά δέν εἶναι βαρετή.

[3]**tire** /taɪə(r)/ *ρ.μ.* (*ἀρχ.*) ἐνδύω.

tis·sue /`tɪʃu/ *οὐσ.* **1**. ‹C,U› λεπτό ὕφασμα. **2**. ‹C,U› (*φυτ.*) ἱστός: *`muscular ~*, μυώδης ἱστός. **3**. **`~ paper**, λεπτό χαρτί: *`toilet ~*, χαρτί τουαλέττας. *`face ~s*, χαρτομάντηλα τοῦ προσώπου. **4**. ‹C› (*μεταφ.*) πλέγμα: *a ~ of lies*, πλέγμα ψεμάτων.

tit /tɪt/ *οὐσ.* ‹C› **1**. διάφορα εἴδη μικρῶν πουλιῶν. **2**. *~ **for tat***, ἕνα σου κι' ἕνα μου, ὀφθαλμόν ἀντί ὀφθαλμοῦ. **3**. (*λαϊκ.*) ρώγα στήθους, (*χυδ.*) βυζί.

Ti·tan /`taɪtn/ *οὐσ.* ‹C› (*μυθολ.*) Τιτάν. **ti·tanic** /taɪ`tænɪk/ *ἐπ.* τιτανικός, τιτάνιος.

tit·bit /`tɪtbɪt/ *οὐσ.* ‹C› μεζές, ὡραῖο κομματάκι: *a ~ of news/cake*, εἰδησούλα/κομματάκι κέκ.

tithe /taɪð/ *οὐσ.* ‹C› **1**. δεκάτη (φόρος). **2**. (*ρητορ.*) δέκατον.

tit·il·late /`tɪtɪleɪt/ *ρ.μ.* γαργαλάω, διεγείρω. **tit·il·la·tion** /ˈtɪtɪ`leɪʃn/ *οὐσ.* ‹C,U› γαργάλισμα, διέγερσις, ἐρεθισμός.

titi·vate /`tɪtɪveɪt/ *ρ.μ/ἀ.* (*καθομ.*) στολίζω/-ομαι: *She was titivating (herself) before the mirror*, φτιαχνόταν μπροστά στόν καθρέφτη.

title /`taɪtl/ *οὐσ.* **1**. ‹C› τίτλος: *give sb a ~*, ἀπονέμω τίτλο σέ κπ. *the ~d people*, οἱ εὐγενεῖς, οἱ τιτλοῦχοι. *the ~ of a book/play*, ὁ τίτλος βιβλίου/ἔργου. **`~-page**, σελίδα τοῦ ἐσωφύλλου. **`~-role**, (*θέατρ.*) ὁμώνυμος ρόλος (μέ τόν τίτλο τοῦ ἔργου). **`credit ~s**, (*κινηματ.*) τίτλοι (τά ὀνόματα τῶν δημιουργῶν τοῦ φίλμ). **2**. ‹C,U› (*νομ.*) δικαίωμα: *He has no ~ to the throne/land*, δέν ἔχει δικαίωμα στό θρόνο/στά χτήματα. **`~-deed**, τίτλος κυριότητος. **titled** /`taɪtld/ *ἐπ.* μέ τίτλο.

tit·mouse /`tɪtmaʊs/ *οὐσ.* ‹C› (*πληθ. -mice* /-maɪs/) παπαδίτσα (πουλί).

tit·ter /`tɪtə(r)/ *οὐσ.* ‹C› χάχανο, πνιχτό γέλιο. *—ρ.ἀ.* γελῶ πνιχτά, κρυφογελῶ.

tittle /`tɪtl/ *οὐσ.* ‹C› ἴχνος, κόκκος (*μόνο στή φρ.*) ***not one jot or ~***, οὔτε ἴχνος, οὔτε κουκουτσάκι. **`~-tattle** /-tætl/ *οὐσ.* ‹U› κουτσομπολιό. *—ρ.ἀ.* κουτσομπολεύω.

titu·lar /`tɪtjʊlə(r)/ *ἐπ.* κατ' ὄνομα μόνον, ὀνομαστικός, τιμητικός, ψιλῷ ὀνόματι: *a ~ ruler*, κατ' ὄνομα μόνον ἄρχων.

tizzy /`tɪzɪ/ *οὐσ.* ‹C› (*καθομ.*) ***be in a ~***, εἶμαι ἐκνευρισμένος.

to /tə, *ἐμφ:* tu/ *πρόθ.* **1**. (*δηλοῦσα: κίνηση ἤ κατεύθυνση*) πρός, εἰς: *go ~ school*, πάω στό σχολεῖο. *fall ~ the ground*, πέφτω στό ἔδαφος. *point ~ sth*, δείχνω κτ. *(be) kind ~ sb*, (εἶμαι) καλός ἔναντι κάποιου/σέ κπ. *with his feet ~ the fire*, μέ τά πόδια του πρός τή φωτιά. *turn (~ the) right*, στρίβω (πρός τά) δεξιά. *Scotland is ~ the north of England*, ἡ Σκωτία βρίσκεται βορείως τῆς Ἀγγλίας. **2**. (*τάση*) πρός: *a tendency ~ laziness*, τάσις πρός τεμπελιά. **3**. (*τό ἔμμεσο ἀντικείμενο*) εἰς: *I gave it ~ your father*, τό ἔδωσα στόν πατέρα σου. **4**. (*χρονικό ἤ τοπικό σημεῖο*) ἕως, ὥς, μέχρι: *from beginning ~ end*, ἀπό τήν ἀρχή ὥς τό τέλος. *from top ~ bottom*, ἀπό πάνω ὥς κάτω. *faithful ~ the end*, πιστός μέχρι τέλους. *wet ~ the skin*, βρεγμένος ὥς τό κόκκαλο. *from one ~ ten*, ἀπό τό ἕνα ἕως τό δέκα. *from morning ~ night*, ἀπό τό πρωΐ ὥς τό βράδυ. *from Friday ~ Monday*, ἀπό τήν Παρασκευή ὥς τή Δευτέρα. *a quarter ~ ten*, δέκα παρά τέταρτο. **5**. (*σύγκριση, σχέση*) σέ σύγκριση μέ, ἀπό, πρός: *He's quite rich now ~ what he used to be*, εἶναι πολύ πλούσιος τώρα σέ σύγκριση μέ ὅ,τι ἦταν πρίν. *I prefer tea ~ coffee/swimming ~ climbing*, προτιμῶ τό τσαΐ ἀπό τόν καφέ/τό κολύμπι ἀπό τήν ὀρειβασία. *win by five goals ~ three*, κερδίζω μέ πέντε γκώλ πρός τρία. *This is inferior/superior ~ yours*, αὐτό εἶναι κατώτερο/ἀνώτερο ἀπό τό δικό σου. *—μόριον* (*εἰσάγον τό ἀπαρέμφατον*) νά, γιά νά: *He wants ~ go*, θέλει νά πάη. *He got up ~ greet me*, σηκώθηκε γιά νά μέ χαιρετίση. *He tried ~ save the boy only ~ get drowned himself*, προσπάθησε νά σώση τό παιδί μέ μόνο ἀποτέλεσμα νά πνιγῆ ὁ ἴδιος. *—ἐπιρ. μόριον* /tu/ κλειστός: *Push the door ~*, σπρῶξε τήν πόρτα νά κλείση. *Leave the door ~*, ἄφησε τήν πόρτα κλειστή (*βλ.* & *λ.* *bring, come,* [2]*fall, fro*).

toad /təʊd/ *οὐσ.* ‹C› βάτραχος, μπράσκα, φρῦνος. **ˈ~-in-the-`hole**, λουκάνικα στό φοῦρνο. **`~-stool**, μανιτάρι (*ἰδ.* δηλητηριώδες).

toady /`təʊdɪ/ *οὐσ.* ‹C› χαμερπής κόλακας, τσανακογλείφτης. *—ρ.μ.* ***~ (to sb)***, κολακεύω ταπεινά, γλείφω κπ.

[1]**toast** /təʊst/ *οὐσ.* ‹U› φρυγανιά: *two slices of ~*, δυό φρυγανιές. **`~·rack**, φρυγανοθήκη. *—ρ.μ/ἀ.* φρυγανίζω/-ομαι, ζεσταίνω/-ομαι: *~ bread/one's feet at the fire*, φρυγανίζω ψωμί/ζεσταίνω τά πόδια μου στή φωτιά. **`~-ing-fork**, πηρούνι γιά τό φρυγάνισμα ψωμιοῦ. **~er** *οὐσ.* ‹C› ἠλεκτρική φρυγανιέρα.

[2]**toast** /təʊst/ *οὐσ.* ‹C› πρόποσις: *drink/propose a ~ to sb*, προπίνω/ὑψώνω τό ποτήρι εἰς ὑγείαν κάποιου. *respond/reply to a ~*, ἀπαντῶ σέ πρόποση. **`~-master**, πρόσωπο πού ἀναγγέλει τίς προπόσεις σέ ἐπίσημο γεῦμα. *—ρ.μ.* προπίνω, ἐγείρω πρόποση.

to·bacco /tə`bækəʊ/ *οὐσ.* ‹U› καπνός. **~·nist** /tə`bækənɪst/ *οὐσ.* ‹C› καπνοπώλης.

to·bog·gan /tə`bɒgən/ *οὐσ.* ‹C› τόμπογκαν, εἶδος ἑλκήθρου γιά σπόρ στό χιόνι. *—ρ.ἀ.* πηγαίνω μέ ἕλκηθρο.

toby-jug /`təʊbɪ dʒʌg/ *οὐσ.* ‹C› κούπα τῆς μπύρας (στή μορφή γέρου μέ τρίκωχο καπέλλο).

toc·cata /tə`kɑtə/ *οὐσ.* ‹C› (*πληθ. ~s*) (*μουσ.*) τοκάτα.

toc·sin /`tɒksɪn/ *οὐσ.* ‹C› (*ἰδ. μεταφ.*) συναγερμός, κώδων κινδύνου.

to·day /tə`deɪ/ *ἐπίρ.* & *οὐσ.* ‹U› **1**. σήμερα: *~ week; a week ~*, σά σήμερα ὀχτώ. *What day is it ~?* τί μέρα ἔχομε σήμερα; *~'s paper*, ἡ σημερινή ἐφημερίδα. **2**. ἡ παροῦσα ἐποχή: *writers of ~*, σύγχρονοι συγγραφεῖς. *the young people of ~*, ἡ σημερινή νεολαία.

toddle /`tɒdl/ *ρ.ἀ.* **1**. στρατουλίζω (ὅπως τά μωρά). **2**. (*καθομ.*) πηγαίνω, περπατῶ, πάω βόλτα: *~ round to see a friend*, πάω νά δῶ ἕνα φίλο. *It's time I ~d off*, ὥρα νά τοῦ δίνω (νά φεύγω). **tod·dler** /ˋtodlə(r)/ *οὐσ.* ‹C› μωρό πού μόλις ἄρχισε νά περπατάη.

toddy /ˋtodɪ/ *οὐσ.* ‹C,U› **1**. ζεστό γκρόγκ. **2**. ποτό ἀπό χουρμάδες.

to-do /tə ˋdu/ *οὐσ.* ‹C› (*καθομ.*) φασαρία: *He made quite a ~ about it*, χάλασε τόν κόσμο γι' αὐτό. *There was quite a ~!* γινόταν χαλασμός κυρίου!

toe /təʊ/ *οὐσ.* ‹C› δάχτυλο ποδιοῦ: *turn one's ~s in/out*, στρίβω τά πόδια μου μέσα/ἔξω (στό περπάτημα). ***from top to ~***, ἀπ' τήν κορφή ὥς τά νύχια. ***be on one's ~s***, (*μεταφ.*) εἶμαι ἐπί ποδός (ἕτοιμος γιά δράση). ***step/tread on sb's ~s***, (*μεταφ.*) πατῶ κπ στόν κάλο. **ˋ~-cap**, ψίδι (τοῦ παπουτσιοῦ). **ˋ~-hold**, μικρό, ἐπισφαλές πάτημα (*ἰδ.* στήν ὀρειβασία). **ˋ~-nail**, νύχι τοῦ ποδιοῦ. —*ρ.μ.* ἀγγίζω μέ τά δάχτυλα τοῦ ποδιοῦ. ***~ the line***, (*ἀθλ.*) παρατάσσομαι, (*μεταφ.*) συμμορφώνομαι, πειθαρχῶ (στό κόμμα ἤ ἄλλη ὁμάδα).

toffee, toffy /ˋtofɪ/ *οὐσ.* ‹C› (*πληθ. ~s, -fies*) καραμέλλα βουτύρου.

tog /tog/ *ρ.μ.* (*-gg-*) ***~ oneself up/out (in)***, (*καθομ.*) στολίζομαι, καλοντύνομαι. **togs** *οὐσ. πληθ.* (*καθομ.*) ροῦχα: *put on one's best ~s*, φορῶ τά καλά μου.

toga /ˋtəʊgə/ *οὐσ.* ‹C› (*ἱστορ.*) τήβεννος.

to·gether /təˋgeðə(r)/ *ἐπίρ.* **1**. μαζί: *We are working ~*, δουλεύομε μαζί. *They went for a walk ~*, πήγανε περίπατο μαζί. *Don't speak all ~*, μή μιλᾶτε ὅλοι μαζί! *Tie the ends ~*, δέσε τίς ἄκρες μαζί. *We stand or fall ~*, ἡ τύχη μας εἶναι ἀλληλένδετη. ***~ with***, μαζί μέ: *These facts, ~ with the new evidence*, αὐτά τά γεγονότα, μαζί μέ τίς νέες ἀποδείξεις... ***put our heads ~***, ἀνταλλάσσομε ἀπόψεις. **2**. συνέχεια, χωρίς διακοπή: *They talked for hours ~*, κουβέντιαζαν ἐπί ὧρες συνέχεια. *for weeks ~*, ἐπί ὁλόκληρες ἑβδομάδες. **~·ness** *οὐσ.* ‹U› σύμπνοια.

toggle /ˋtogl/ *οὐσ.* ‹C› (*ναυτ.*) σκαλμίσκος, μπαρέτα.

toil /tɔɪl/ *ρ.ἀ.* μοχθῶ, δουλεύω σκληρά: *~ at sth*, βασανίζομαι μέ κτ. *~ up a hill*, ἀνεβαίνω ἕνα λόφο μέ κόπο. **~er** *οὐσ.* ‹C› δουλευτής. **~·some** /-səm/ *ἐπ.* ἐπίπονος, κοπιώδης.

toilet /ˋtɔɪlət/ *οὐσ.* ‹C,U› **1**. τουαλέτα: *spend time on one's ~*, φροντίζω τήν τουαλέτα μου. **ˋ~ articles/set**, εἴδη τουαλέτας. **ˋ~-powder**, πούδρα. **2**. (*σέ ξενοδοχεῖα, γραφεῖα, κλπ*) ἀποχωρητήριο. **ˋ~-paper/-roll**, χαρτί τουαλέτας/ρόλος χαρτιοῦ.

toils /tɔɪlz/ *οὐσ. πληθ.* (*συνήθ. μεταφ.*) δίχτυα, βρόχια: *be caught in the ~ of the law*, πιάνομαι στά βρόχια τοῦ νόμου.

to·ken /ˋtəʊkən/ *οὐσ.* ‹C› **1**. τεκμήριον, ἔνδειξις, δεῖγμα: *as a ~ of friendship*, σά δεῖγμα φιλίας. ***in ~ of***, εἰς ἔνδειξιν, ὡς τεκμήριον: *in ~ of our gratitude*, εἰς ἔνδειξιν τῆς εὐγνωμοσύνης μας. **2**. κουπόνι. **ˋbook/ˋrecord/ˋgift ~**, κουπόνι βιβλίων/δίσκων/δώρου. **3**. (*ἐπιθ.*) ἐνδεικτικός, συμβολικός: *put up ~ resistance*, προβάλλω συμβολική ἀντίσταση (γιά τήν τιμή τῶν ὅπλων). **~ money**, συμβολικό, πιστωτικό κέρμα. **~ payment**, συμβολική πληρωμή. **~ strike**, προειδοποιητική ἀπεργία.

told /təʊld/ *ἀόρ. & π.μ. τοῦ ρ. tell.*

tol·er·able /ˋtolərəbl/ *ἐπ.* ἀνεκτός, καλούτσικος, ὑποφερτός: *The food was just ~*, τό φαγητό ἦταν ἀνεκτό, τίποτα παραπάνω. *She is in ~ heath*, εἶναι καλούτσικα στήν ὑγεία της. **tol·er·ably** /-əblɪ/ *ἐπίρ.* ὑποφερτά, καλούτσικα, ἀρκετά: *I feel tolerably certain that...*, νοιώθω ἀρκετά βέβαιος ὅτι...

tol·er·ance /ˋtolərns/, **tol·er·ation** /ˌtoləˋreɪʃn/ *οὐσ.* ‹U› ἀνοχή, ἀνεκτικότης: *political tolerance*, πολιτική ἀνοχή. *show great tolerance*, δείχνω ἀνεκτικότητα/ἐπιείκεια. *religious tolerance*, ἀνεξιθρησκεία.

tol·er·ant /ˋtolərnt/ *ἐπ.* ἀνεκτικός, ὄχι μισαλλόδοξος: *He's not ~ of criticism/contradiction*, δέν ἀνέχεται κριτική/ἀντίρρηση. **~·ly** *ἐπίρ.*

tol·er·ate /ˋtoləreɪt/ *ρ.μ.* ἀνέχομαι, ὑποφέρω: *I won't ~ your cheek/your smoking in the classroom*, δέν θ' ἀνεχθῶ πιά τήν ἀναίδειά σου/νά καπνίζετε μέσα στήν τάξη. *How can you ~ that rude fellow?* πῶς ὑποφέρεις αὐτόν τόν χυδαῖο τύπο;

[1]**toll** /təʊl/ *οὐσ.* ‹C› **1**. διόδια. **ˋ~-gate/-bar**, σταθμός διοδίων. **ˋ~ road**, δρόμος μέ διόδια. **2**. (*μεταφ.*) φόρος αἵματος: *the ~ of the roads*, ὁ φόρος αἵματος (τά θανατηφόρα ἀτυχήματα) τῶν δρόμων. *The war took a heavy ~ of the nation's manhood*, τό ἔθνος πλήρωσε βαρύ φόρο αἵματος στόν πόλεμο (ὁ πόλεμος θέρισε τούς ἄνδρες τοῦ ἔθνους). **3**. **ˋ~ call**, ὑπεραστικό τηλεφώνημα (μικρῆς ἀποστάσεως).

[2]**toll** /təʊl/ *ρ.μ/ἀ.* χτυπῶ πένθιμα: *For whom the bell ~s*, γιά ποιόν χτυπᾶ ἡ καμπάνα. *The funeral bell ~ed solemnly*, ἡ νεκρική καμπάνα χτυποῦσε μέ πένθιμη ἐπισημότητα. —*οὐσ.* (*μόνον ἑν.*) πένθιμη κωδωνοκρουσία.

Tom /tom/ *κύρ. ὄν. ὑποκορ. τοῦ Thomas*, Θωμᾶς. **Tom, Dick and Harry**, κι' ἡ κουτσή Μαρία. **Tom-Thumb**, Κοντορεβυθούλης.

toma·hawk /ˋtoməhɔk/ *οὐσ.* ‹C› πολεμικό τσεκούρι τῶν Ἰνδιάνων.

tom·ato /təˋmatəʊ/ *οὐσ.* ‹C› (*πληθ. ~es*) τομάτα. **~ salad**, τοματοσαλάτα.

tomb /tum/ *οὐσ.* ‹C› τάφος, μνῆμα, τύμβος. **ˋ~-stone**, ταφόπετρα.

tom·bola /tomˋbəʊlə/ *οὐσ.* ‹C› (*πληθ. ~s*) (*παιχν.*) τόμπολα.

tom·boy /ˋtombɔɪ/ *οὐσ.* ‹C› ἀγοροκόριτσο.

tom·cat /ˋtomkæt/ *οὐσ.* ‹C› γάτος.

tome /təʊm/ *οὐσ.* ‹C› ὀγκώδης τόμος.

tom·fool /ˈtomˋful/ *οὐσ.* ‹C› (*πεπαλ.*) βλάκας, κουτεντές. (*ἐπιθ.*) ἠλίθιος. **~·ery** /-ərɪ/ *οὐσ.* ‹U› βλακεία, χαζομάρες.

tommy-gun /ˋtomɪ gʌn/ *οὐσ.* ‹C› τόμμιγκαν, ἐλαφρό ὁπλοπολυβόλο.

tommy-rot /ˋtomɪ rot/ *οὐσ.* ‹U› (*πεπαλ. καθομ.*) βλακεῖες, κουταμάρες: *That's all ~; You're talking ~*, αὐτά εἶναι/λές βλακεῖες.

to·mor·row /təˋmorəʊ/ *ἐπίρ. & οὐσ.* ‹U› αὔριον. *~ morning/afternoon/evening*, αὔριο τό πρωΐ/τό ἀπόγευμα/τό βράδυ. *~'s paper*, ἡ αὐριανή ἐφημερίδα. *~ week*, σάν αὔριο ὀκτώ. ***Never put off till ~ what you can do today***, (*παροιμ.*) μήν ἀφήνης γιά αὔριο ὅ,τι μπορεῖς νά κάνης σήμερα. ***T~***

never comes, (*παροιμ.*) τό αὔριο σημαίνει ποτέ.

tom·tom /ˈtomtom/ *οὐσ.* ‹C› τάμ-τάμ (τῶν ἀγρίων).

ton /tʌn/ *οὐσ.* ‹C› **1**. τόννος. **2**. (*καθομ.*) πολύ: *~s of money*, ἕνα σωρό χρήματα. **3**. **the ~**, (*καθομ.*) ταχύτητα 100 μιλίων: *Will your motor-bike do the ~?* πιάνει ἡ μοτοσυκλέτα σου τά ἑκατό;

to·nal /ˈtəʊnl/ *ἐπ.* τονικός. **~·ity** /təʊˈnæləti/ *οὐσ.* ‹C› τονικότης.

[1]**tone** /təʊn/ *οὐσ.* ‹C› τόνος, ἦχος (φωνῆς, μουσικοῦ ὀργάνου): *the sweet ~s of a violin*, οἱ γλυκεῖς τόνοι τοῦ βιολιοῦ. *speak in an angry/entreating ~*, μιλῶ μέ θυμωμένο/ἱκετευτικό τόνο. **ˈ~-poem**, (*μουσ.*) συμφωνικό ποίημα. **2**. ‹C› τόνος, ἀπόχρωσις: *all ~s of green*, ὅλες οἱ ἀποχρώσεις τοῦ πράσινου. *a picture in warm ~s*, πίνακας μέ ζεστά χρώματα. **3**. (*μεταφ.*, *μόνον ἑν.*) τόνος, χαρακτήρας, ἀτμόσφαιρα: *There was a ~ of quiet elegance in the room*, ὑπῆρχε ἕνας τόνος διακριτικῆς κομψότητος στό δωμάτιο. *The ~ of the school is excellent*, ἡ ὅλη ἀτμόσφαιρα τοῦ σχολείου εἶναι θαυμάσια. **4**. ‹C› (*μουσ.*) τόνος (*πρβλ. semitone*). **5**. ‹U› (*ἰατρ.*) τόνος, τονικότης: *muscular ~*, μυϊκός τόνος. *recover ~*, συνέρχομαι, ἀνακτῶ τίς δυνάμεις μου. **-toned** *ἐπ.* (*ὡς β! συνθ.*) μέ τόνο, μέ ἦχο: *silver-~d trumpets*, ἀργυρόηχες σάλπιγγες. **~·less** *ἐπ.* ἄτονος. **~·less·ly** *ἐπίρ.*

[2]**tone** /təʊn/ *ρ.μ/ἀ.* **1**. χρωματίζω, δίνω τόνο. **2**. **~ down**, ἀπαλύνω, μετριάζω/-ομαι: *The excitement ~d down*, ἡ ἔξαψις ἔπεσε λίγο. *You'd better ~ down parts of your article*, καλύτερα νά μετριάσης (νά κατεβάσης) τόν τόνο σέ ὡρισμένα σημεῖα τοῦ ἄρθρου σου. **~ up**, τονώνω/-ομαι, δυναμώνω: *Exercise ~s up the muscles*, ἡ γυμναστική δυναμώνει τούς μῦς. **3**. **~ in (with)** (*γιά χρώματα*) ἐναρμονίζομαι: *These curtains ~ in well with our carpets*, αὐτές οἱ κουρτίνες ἐναρμονίζονται (πᾶνε καλά) μέ τά χαλιά μας.

tongs /toŋz/ *οὐσ. πληθ.* τσιμπίδα, λαβίδα: *a pair of ~*, μιά τσιμπίδα. *ˈsugar/ˈice ~*, τσιμπίδα γιά ζάχαρη/γιά παγάκια. (*βλ. & λ. hammer*).

tongue /tʌŋ/ *οὐσ.* ‹C› **1**. γλῶσσα. ***find/lose one's ~***, ξαναβρίσκω/χάνω τή φωνή μου. ***have a ready ~***, μιλῶ μ' εὐκολία. ***stick/put one's ~ out (at sb)***, βγάζω τή γλῶσσα (σέ κπ) (γιά νά τή δείξω ἤ γιά νά κοροϊδέψω). ***watch one's ~***, προσέχω τί λέω. ***keep a civil ~ in one's head***, μιλῶ εὐγενικά. (*βλ. & λ. cheek*, [1]*hold*, [1]*tip*). **ˈ~-tied** *ἐπ.* σιωπηλός, πού ἔχει πάθει γλωσσοδέτη. **ˈ~-twister**, δυσκολοπρόφερτη λέξις. **2**. γλῶσσα, διάλεκτος: *our mother ~*, ἡ μητρική μας γλῶσσα. **3**. ‹C,U› (*μαγειρ.*) γλῶσσα ζώου: *ˈox-~*, βωδινή γλῶσσα. **4**. γλῶσσα, γλωσσίδι (ἀντικείμενο πού ἔχει σχῆμα γλώσσας): *a ~ of land*, γλῶσσα ξηρᾶς, ἀκρωτήρι. *~s of flame*, γλῶσσες φωτιᾶς. *the ~ of a shoe/bell*, τό γλωσσίδι παπουτσιοῦ/καμπάνας. **-tongued** *ἐπ.* (*ὡς β! συνθ.*) μέ γλῶσσα: *a sharp-~d woman*, φαρμακόγλωσση γυναίκα. *a smooth-~d man*, γλυκομίλητος ἄνθρωπος.

tonic /ˈtonik/ *ἐπ.* τονωτικός, δυναμωτικός: *the ~ qualities of sea air*, οἱ τονωτικές/δυναμωτικές ἰδιότητες τοῦ θαλασσινοῦ ἀέρα. *__οὐσ.* ‹C› τονωτικό, δυναμωτικό: *The good news acted as a ~ on us all*, τά καλά νέα ἐπενήργησαν σάν τονωτικό σ' ὅλους μας (μᾶς ἀναστήλωσαν τό ἠθικό). *a bottle of ~ (water)*, ἕνα μπουκάλι τονωτικό. **ˈ~ ˈsol-ˈfa** /ˈsol ˈfa/, (*μουσ.*) σύστημα σολφέζ.

to·night /təˈnait/ *ἐπίρ. & οὐσ.* ‹U› ἀπόψε.

ton·nage /ˈtʌnidʒ/ *οὐσ.* ‹C,U› τοννάζ, χωρητικότης.

ton·sil /ˈtonsl/ *οὐσ.* ‹C› ἀμυγδαλή: *have one's ~s out*, κόβω τίς ἀμυγδαλές μου. **~·itis** /ˈtonsəlˈaitis/ *οὐσ.* ‹U› ἀμυγδαλῖτις.

ton·sor·ial /tonˈsɔriəl/ *ἐπ.* (*χιουμορ.*) τοῦ κουρέα: *the ~ art*, ἡ κομμωτική τέχνη.

ton·sure /ˈtonʃə(r)/ *οὐσ.* ‹C› (*ἐκκλ.*) κουρά. *__ρ.μ.* κείρω.

too /tu/ *ἐπίρ.* **1**. ἐπίσης, καί: *I, ~, have been to Paris*, καί ἐγώ ἔχω πάει στό Παρίσι. *I've been to Paris ~*, ἔχω πάει καί στό Παρίσι. *She plays the piano, and sings ~*, παίζει πιάνο, καί τραγουδάει ἐπίσης. **2**. καί μάλιστα: *There was snow, and in May ~*, εἴχαμε χιόνι, καί μάλιστα τό Μάη! **3**. πάρα πολύ: *These shoes are ~ small for me*, αὐτά τά παπούτσια εἶναι πολύ μικρά γιά μένα. *I am ~ tired to walk any further*, εἶμαι πολύ κουρασμένος γιά νά βαδίσω ἄλλο. ***all ~ soon/quickly, etc***, πολύ νωρίς/γρήγορα, κλπ: *The holidays ended all ~ soon*, οἱ διακοπές τέλειωσαν πολύ γρήγορα. ***none ~ soon/early, etc***, καθόλου νωρίς, κλπ: *We were none ~ early for the train*, δέν εἴμασταν καθόλου νωρίς γιά τό τραῖνο (μόλις πού τό προλάβαμε). (*βλ. & λ.* [2]*far, many*, [1&2]*much*, [2]*only*).

took /tʊk/ *ἀόρ. τοῦ ρ. take.*

tool /tul/ *οὐσ.* ‹C› **1**. ἐργαλεῖο: *ˈgardening ~s*, ἐργαλεῖα κηπουρικῆς. ***A bad workman blames his ~s***, (*παροιμ.*) στόν κακό τεχνίτη φταῖνε πάντα τά ἐργαλεῖα του. **ˈ~-bag/-box**, τσάντα/κουτί μέ ἐργαλεῖα. (*βλ. & λ. machine*). **2**. (*μεταφ.*) ὄργανο: *He was a mere ~ in their hands*, ἦταν ἁπλό ὄργανο στά χέρια τους (τόν ἔκαναν ὅ,τι ἤθελαν). *__ρ.μ.* **1**. ἐπιχρυσώνω (ράχη βιβλίου). **2**. **~ up**, ἐξοπλίζω (ἐργοστάσιο) μέ ἐργαλεῖα.

toot /tut/ *οὐσ.* ‹C› κορνάρισμα. *__ρ.μ/ἀ.* κορνάρω, σφυρίζω, σαλπίζω.

tooth /tuθ/ *οὐσ.* ‹C› (*πληθ. teeth* /tiθ/) **1**. δόντι: *I have all my own teeth*, ἔχω ὅλα μου τά δόντια. *a bad ~*, χαλασμένο δόντι. *have a ~ out*, βγάζω ἕνα δόντι (στόν ὀδοντογιατρό). *a set of artificial teeth*, τεχνητή ὀδοντοστοιχία. ***armed to the teeth***, ὡπλισμένος ὥς τά δόντια. ***cut one's teeth***, (*γιά μωρό*) βγάζω δόντια. ***escape by the skin of one's teeth***, γλυτώνω παρά τρίχα. ***get one's teeth into sth***, ρίχνομαι μέ τά μοῦτρα (σέ μιά δουλειά). ***have a sweet ~***, μοῦ ἀρέσουν τά γλυκά. ***lie through one's teeth***, ψεύδομαι ἀσυστόλως. ***be long in the ~***, δέν εἶμαι πιά νέος: *She's a bit long in the ~*, τἄχει τά χρονάκια της. ***show one's teeth***, δείχνω τά δόντια μου, παίρνω ἀπειλητική στάση. ***in the teeth of***, στό πεῖσμα, παρά τήν ἀντίδραση. (*βλ. & λ. nail*). **ˈ~-**

ache, πονόδοντος. `~·**brush**, ὀδοντόβουρτσα. `~·**paste/·powder**, ὀδοντόπαστα/σκόνη γιά τά δόντια. `~·**pick**, ὀδοντογλυφίδα. ~·**less** *ἐπ.* ξεδοντιάρης, φαφούτης. ~**ed** /tuθt/ *ἐπ.* ὀδοντωτός. **2**. δόντι (χτενιοῦ, τσουγκράνας, κλπ). '**fine**-`~ **comb**, χτένι μέ λεπτά δόντια. ***go over/through sth with a fine-~ comb***, (*μεταφ.*) περνῶ κτ ἀπό ψιλή κρισάρα (τό ἐξετάζω πολύ σχολαστικά). **3**. (*πληθ.*) ἰσχύς: *The law has no teeth yet*, ὁ νόμος δέν ἔχει τεθῆ ἐν ἰσχύι ἀκόμη.

tootle /`tutl/ *ρ.ἀ.* σφυρίζω ἐλαφρά καί συνέχεια (*πχ* μέ φλάουτο).

[1]**top** /tɒp/ *οὐσ.* **1**. (*συνήθ. ἐν. μέ the*) κορυφή: *the ~ of the hill; the `hill~*, ἡ κορυφή τοῦ λόφου. *at the ~ of the page*, στό πάνω μέρος/στήν ἀρχή τῆς σελίδος. *line five from the ~*, πέμπτη σειρά ἀπό πάνω. *the ~s of flowers/trees*, οἱ κορυφές λουλουδιῶν/δέντρων. ***on ~***, πάνω-πάνω (σέ σωρό, στήλη, κλπ): *The dictionary is on ~*, τό λεξικό εἶναι πάνω-πάνω. ***on (the) ~ of***, ἀποπάνω, ἐπιπλέον: *Put the dictionary on (the) ~ of the others*, βάλε τό λεξικό ἀπό πάνω ἀπό τ' ἄλλα. *He borrowed my car and then, on ~ of that, asked me if I could lend him £100!* δανείστηκε τό αὐτοκίνητό μου, κι' ἔπειτα, σά νά μήν ἔφτανε αὐτό, μοῦ ζήτησε νά τόν δανείσω 100 λίρες. ***from ~ to bottom/toe***, ἀπό τήν κορφή ὥς τά νύχια. ***blow one's ~***, (*καθομ.*) γίνομαι ἔξω φρενῶν, γίνομαι μπουρλότο. **2**. ‹C› ἄνω ἐπιφάνεια, ἄνω ὄροφος λεωφορείου: *polish the ~ of a table*, γυαλίζω τήν ἐπιφάνεια ἑνός τραπεζιοῦ. *put the luggage on the ~ of a car*, βάζω τίς ἀποσκευές στή σκεπή τοῦ αὐτοκινήτου. ***(feel) on ~ of the world***, (*καθομ.*) νοιώθω πανευτυχής. ***get on ~ of***, ὑπερνικῶ (*πχ* μιά δυσκολία), καταβάλλω: *Things are getting on ~ of me*, παραγίνεται δύσκολη ἡ κατάστασις (μέ τσακίζει, δέν τήν ἀντέχω). ***go over the ~***, (*στρατ.*) ὁρμῶ ἔξω ἀπό τό χαράκωμα, (*μεταφ.*) παίρνω μεγάλη ἀπόφαση, ἐνεργῶ ἀποφασιστικά (ὕστερα ἀπό περίοδο δισταγμῶν). **3**. ἀνώτατο σημεῖο, κορυφή, πλέον διακεκριμένη θέσις: *sit at the ~ of the table*, κάθομαι στήν κεφαλή τοῦ τραπεζιοῦ. *He is at the ~ of the class*, εἶναι πρῶτος στήν τάξη. *He came out ~*, ἦρθε πρῶτος (σέ ἐξετάσεις). ***be at/reach the ~ of the ladder/tree***, (*μεταφ.*) εἶμαι/φθάνω στήν κορυφή τῆς κλίμακος (κοινωνικῆς, ἐπαγγελματικῆς, κλπ). ***come to the ~***, (*μεταφ.*) γίνομαι διάσημος. ***at the ~ of one's voice***, (φωνάζω) μ' ὅλη μου τή δύναμη. ***in ~***, (*αὐτοκ.*) μέ τήν ἀνώτερη ταχύτητα. **4**. (*ἐπιθ.*) κορυφαῖος: *~ speed/shelf/prices*, ἡ ἀνώτερη ταχύτητα/τό ψηλότερο ράφι/οἱ μεγαλύτερες τιμές. `~-**boot**, (*πεπαλ.*) ψηλή μπότα (ὥς τό γόνατο) μέ ρεβέρ. `~-**coat**, παλτό. (**be**) ~ **dog**, (*λαϊκ.*) (εἶμαι) νικητής, ἀφεντικό. `~ **drawer**, τό πάνω συρτάρι, (*μεταφ.*) ἡ ἀνώτερη κοινωνική τάξη: *She's out of the ~ drawer*, κρατάει ἀπό ἀριστοκρατία. *She's very ~drawer*, εἶναι πολύ ἀριστοκράτισσα. '~-`**dressing**, λίπανσις τῆς ἐπιφανείας. '~-`**dress** *ρ.μ.* ρίχνω λίπασμα στήν ἐπιφάνεια. '~-`**flight**/-`**notch** *ἐπιθ.* (*μεταφ.*) πρώτης τάξεως, πρώτης γραμμῆς. '~ `**hat**, ἡμίψηλο. '~-`**heavy** *ἐπ.* πολύ βαρύς στήν κορυφή, ἀσταθής. `~·**mast** *οὐσ.* ‹C› (*ναυτ.*) ἀρμπουρέτο, ἐπιστήλιον. '~-`**ranking** *ἐπ.* κορυφαῖος, ἀνώτατος. `~ **secret**, ἄκρως ἀπόρρητο μυστικό. `~·**less** *ἐπ.* τόπλες, μέ τά στήθη ἔξω: *a ~less swimsuit*, μαγιό τόπλες. `~·**most** /-məʊst/ *ἐπ.* ἀνώτατος.

[2]**top** /tɒp/ *ρ.μ.* (*-pp-*) **1**. σκεπάζω τήν κορυφή, ἔχω στήν κορυφή: *She ~ped the cake with sugar*, σκέπασε τό πάνω μέρος τοῦ κέκ μέ ζάχαρη. *a mountain ~ped with snow*, βουνό μέ χιόνι στήν κορυφή. *The church is ~ped by/with a steeple*, ἡ ἐκκλησία ἔχει στήν κορυφή ἕνα καμπαναριό. **2**. φθάνω στήν κορυφή: *When we ~ped the hill we had a fine view*, ὅταν φθάσαμε στήν κορυφή τοῦ λόφου εἴχαμε θαυμάσια θέα. **3**. ~ ***up***, γεμίζω ὥς ἐπάνω, ξεχειλίζω: *~ up a battery/drink/car tank*, γεμίζω μιά μπαταρία/ἕνα ποτήρι/τό ρεζερβουάρ αὐτοκινήτου. ~ ***out***, γιορτάζω τό χτίσιμο μεγάλου κτιρίου: *a '~ping-`out ceremony*, τελετή ὁλοκληρώσεως κτιρίου (μέ ποτά, λόγους, κλπ). **4**. ὑπερβαίνω, ξεπερνῶ: *Our exports ~ped the 1 million mark*, οἱ ἐξαγωγές μας ξεπέρασαν τό ἕνα ἑκατομμύριο. ***to ~ it all***, ὡς ἐπιστέγασμα, σάν νά μήν ἔφταναν ὅλα αὐτά. **5**. κορφολογῶ (φυτά, κλπ), κόβω τίς κορφές.

[3]**top** /tɒp/ *οὐσ.* ‹C› σβούρα. ***sleep like a ~***, κοιμᾶμαι σά μολύβι.

to·paz /`təʊpæz/ *οὐσ.* ‹C,U› τοπάζι.

toper /`təʊpə(r)/ *οὐσ.* ‹C› μπεκρῆς.

topi /`təʊpɪ/ *οὐσ.* ‹C› κάσκα (ἡλίου).

topi·ary /`təʊpɪərɪ/ *ἐπ.* **the** `~ **art**, διακοσμητικό κλάδεμα (ὥστε νά σχηματίζονται διάφορα σχήματα). —*οὐσ.* ‹C› κῆπος μέ τέτοια δέντρα.

topic /`tɒpɪk/ *οὐσ.* ‹C› θέμα (συζητήσεως). **topi·cal** /-kl/ *ἐπ.* ἐπίκαιρος: *a ~al song*, τραγούδι μέ ὑπαινιγμούς στά τρέχοντα γεγονότα. *a ~al `news film*, φίλμ ἐπικαίρων. **topi·cally** /-klɪ/ *ἐπίρ.*

top·ogra·phy /tə`pɒgrəfɪ/ *οὐσ.* ‹U› τοπογραφία. **topo·graphi·cal** /'tɒpə`græfɪkl/ *ἐπ.* τοπογραφικός. **topo·graphi·cally** /-klɪ/ *ἐπίρ.*

top·per /`tɒpə(r)/ *οὐσ.* ‹C› (*καθομ.*) ἡμίψηλο.

top·ping /`tɒpɪŋ/ *ἐπ.* (*καθομ.*) θαυμάσιος, ἔξοχος, πρώτης τάξεως. —*οὐσ.* ‹C› ἐπικάλυψις.

topple /`tɒpl/ *ρ.μ./ἀ.* γέρνω, κλονίζομαι καί πέφτω, γκρεμίζω/-ομαι, σωριάζομαι, ἀνατρέπω/-ομαι: *The chimney ~d and fell*, ἡ καμινάδα ἔγυρε κι' ἔπεσε. *The pile of books ~d over/down*, ἡ στήλη τῶν βιβλίων σωριάστηκε κάτω. *The dictator ~d from power*, ὁ δικτάτορας γκρεμίστηκε ἀπό τήν ἐξουσία.

tops /tɒps/ *οὐσ. πληθ.* (*καθομ.*) **the** ~, τά καλύτερα πράγματα, ὁ ἀθέρας, ὁ ἀνθός.

topsy-turvy /'tɒpsɪ `tɜvɪ/ *ἐπ.* & *ἐπίρ.* ἄνω-κάτω: *The whole world has turned/is ~*, ὅλα ἔγιναν/εἶναι ἄνω-κάτω.

toque /təʊk/ *οὐσ.* ‹C› (γυναικεία) τόκα.

tor /tɔ(r)/ *οὐσ.* ‹C› βραχώδης κορυφή.

torch /tɔtʃ/ *οὐσ.* ‹C› **1**. δάδα, δαυλί, δαυλός, πυρσός, λαμπάδα. ***the ~ of learning***, (*μεταφ.*) ὁ πυρσός τῆς μαθήσεως. ***hand on the ~***, (*μεταφ.*) μεταβιβάζω τήν δάδα στούς ἐπιγενομένους. ***carry a ~ for sb***, (*καθομ.*)

εἶμαι ἐρωτευμένος (χωρίς ἀνταπόκριση) μέ κπ. `~·**light**, φῶς λαμπάδων ἤ πυρσῶν: *a ~light procession/tattoo*, λαμπαδηφορία. `~-**race**, λαμπαδηδρομία. **2**. (**electric**) ~, ἠλεκτρικός φακός.

tore /tɔ(r)/ *ἀόρ. τοῦ ρ.* [2]*tear.*

tor·ea·dor /`torɪədɔ(r)/ *οὐσ.* ‹C› ταυρομάχος.

tor·ment /`tɔment/ *οὐσ.* ‹C,U› μαρτύριο, βάσανο: *be in ~*, βασανίζομαι. *suffer ~(s) from an aching tooth*, ὑποφέρω μαρτύρια ἀπό ἕνα χαλασμένο δόντι. *the ~s of jealousy*, τά μαρτύρια τῆς ζήλειας. *That child is a positive ~!* αὐτό τό παιδί εἶναι ἀληθινό βάσανο! —*ρ.μ.* /tɔ`ment/ βασανίζω: *Stop ~ing the poor animal*, πᾶψε νά βασανίζῃς τό καϋμένο τό ζῶο. *be ~ed with neuralgia/hunger/mosquitoes*, βασανίζομαι ἀπό νευραλγία/πεῖνα/κουνούπια. ~**or** /-tə(r)/ *οὐσ.* ‹C› βασανιστής.

torn /tɔn/ *π.μ. τοῦ ρ.* [2]*tear.*

tor·nado /tɔ`neɪdəʊ/ *οὐσ.* ‹C› (*πληθ. ~es*) σίφουνας, ἀνεμοστρόβιλος, λαίλαψ.

tor·pedo /tɔ`pidəʊ/ *οὐσ.* ‹C› (*πληθ. ~es*) τορπίλλη. ~-**boat**, τορπιλλοβόλον. ~-**tube**, τορπιλλοβλητικός σωλήν. —*ρ.μ.* (*κυριολ. & μεταφ.*) τορπιλλίζω: *~ a ship/conference*, τορπιλλίζω ἕνα πλοῖο/μιά διάσκεψη.

tor·pid /`tɔpɪd/ *ἐπ.* **1**. χαυνωμένος, ληθαργικός, ἀδρανής. **2**. (*γιά ζῶο*) ναρκωμένος, μουδιασμένος. ~·**ly** *ἐπίρ.*

tor·por /`tɔpə(r)/ *οὐσ.* ‹U› ἀποχαύνωσις, νάρκη, μούδιασμα, ἀδράνεια.

torque /tɔk/ *οὐσ.* **1**. ‹C› (*ἀρχαιολ.*) περιλαίμιο. **2**. ‹U› (*μηχ.*) ροπή στρέψεως.

tor·rent /`torənt/ *οὐσ.* ‹C› (*κυριολ. & μεταφ.*) χείμαρρος: *mountain ~s*, ὀρεινοί χείμαρροι. *The rain was falling in ~s*, ἡ βροχή ἔπεφτε καταρρακτωδῶς. *a ~ of words/insults/tears*, χείμαρρος λέξεων/ὕβρεων/δακρύων. **tor·ren·tial** /tə`renʃl/ *ἐπ.* καταρρακτώδης, χειμαρρώδης.

tor·rid /`torɪd/ *ἐπ.* φλογερός, πολύ ζεστός. **the `~ zone**, ἡ διακεκαυμένη ζώνη.

tor·sion /`tɔʃn/ *οὐσ.* ‹U› στρίψιμο, στρέψις, συστροφή.

torso /`tɔsəʊ/ *οὐσ.* ‹C› (*πληθ. ~s*) (*γλυπτ.*) τόρσο, κορμός.

tort /tɔt/ *οὐσ.* ‹C› (*νομ.*) ζημία, βλάβη.

tor·toise /`tɔtəs/ *οὐσ.* ‹C› χελώνα. `~-**shell**, καύκαλο χελώνας, ταρταρούγα.

tor·tu·ous /`tɔtʃʊəs/ *ἐπ.* ἑλικοειδής, γεμᾶτος στροφές, (*μεταφ.*) στριφνός, στριμμένος, πανοῦργος, ὕπουλος: *a ~ path*, ἑλικοειδές μονοπάτι. *a ~ politician*, ὕπουλος/πανοῦργος πολιτικός. *a ~ argument/style*, στριφνό ἐπιχείρημα/ὕφος. ~·**ly** *ἐπίρ.*

tor·ture /`tɔtʃə(r)/ *ρ.μ.* βασανίζω: *~ sb to make him confess*, βασανίζω κπ γιά νά τόν κάνω νά ὁμολογήσῃ. *be ~d with anxiety/remorse*, βασανίζομαι ἀπό ἀγωνία/τύψεις. —*οὐσ.* ‹C,U› βασανιστήριο: *put sb to the ~*, ὑποβάλλω κπ σέ βασανιστήρια. *instruments of ~*, ὄργανα βασανιστηρίων. *suffer ~ from toothache*, ὑποφέρω μαρτύρια ἀπό πονόδοντο. *the ~s of the damned*, τά βασανιστήρια τῶν κολασμένων. **tor·turer** *οὐσ.* ‹C› βασανιστής.

Tory /`tɔrɪ/ *οὐσ.* ‹C› ὀπαδός τοῦ Συντηρητικοῦ Κόμματος. ~·**ism** /-ɪzm/ *οὐσ.* ‹U› (*πολ.*) συντηρητισμός.

toss /tos/ *ρ.μ/ὰ.* **1**. ρίχνω, πετῶ, τινάζω: *~ a ball to sb*, ρίχνω μιά μπάλλα σέ κπ. *The horse ~ed its rider*, τό ἄλογο ἔρριξε τόν ἀναβάτη του. *~ sth aside/away*, πετῶ κτ στήν ἄκρη/πέρα. *She ~ed her head back*, τίναξε πίσω τό κεφάλι της. *~ a coin up*, στρίβω νόμισμα στόν ἀέρα. ~ ***for sth***, παίζω κορώνα-γράμματα γιά κτ: *Who's going to pay for the drinks? Let's ~ up!/~ for it!* ποιός θά πληρώσῃ τά ποτά; ἄς τό παίξωμε κορώνα-γράμματα! `~-**up**, στρίψιμο νομίσματος, (*μεταφ.*) ζήτημα τύχης, κορώνα-γράμματα: *It's a ~-up whether he will get here in time*, εἶναι ἀμφίβολο ἄν θά φτάσῃ ἐγκαίρως. **2**. κλυδωνίζω/-ομαι, στριφογυρίζω: *The ship (was) ~ed about on the stormy sea*, τό πλοῖο κλυδωνιζόταν στή φουρτουνιασμένη θάλασσα. *The sick man ~ed about in his sleep all night*, ὁ ἄρρωστος στριφογύριζε στόν ὕπνο του ὅλη τή νύχτα. **3**. ~ ***off***, πίνω/φτιάχνω στά γρήγορα: *He ~ed off a pint of beer and went off*, κατέβασε μονορούφι ἕνα ποτήρι μπύρα κι' ἔφυγε. *~ off a poem/an article*, σκαρώνω στά γρήγορα ἕνα ποίημα/ἕνα ἄρθρο. —*οὐσ.* ‹C› τίναγμα, ρίξιμο (ἀπό ἄλογο): *with a contemptuous ~ of the head*, μ' ἕνα περιφρονητικό τίναγμα τοῦ κεφαλιοῦ. ***take a ~***, μέ ρίχνει τ' ἄλογο, παίρνω τούμπα. ***win/lose the ~***, κερδίζω/χάνω στό κορώνα-γράμματα.

[1]**tot** /tot/ *οὐσ.* ‹C› **1**. (*συχνά* **tiny** ~) μπόμπιρας, πιτσιρικάκι. **2**. (*καθομ.*) ποτηράκι (ποτό).

[2]**tot** /tot/ *ρ.μ/ὰ.* (*-tt-*) ~ (***sth***) ***up***, (*καθομ.*) ἀθροίζω, συμποσοῦμαι: *~ up a column of figures*, ἀθροίζω μιά στήλη ἀριθμούς. *Our expenses ~ up to £10*, τά ἔξοδά μας ἀνέρχονται σέ 10 λίρες.

to·tal /`təʊtl/ *ἐπ.* πλήρης, ὁλοκληρωτικός, ὁλικός: *~ silence/ignorance/loss*, πλήρης σιωπή/ἄγνοια/ἀπώλεια. *a ~ eclipse of the sun*, ὁλική ἔκλειψις ἡλίου. ~ **war**, ὁλοκληρωτικός πόλεμος. —*οὐσ.* ‹C› σύνολον: *What's the ~?* ποιό εἶναι τό σύνολο; *Our expenses reach a ~ of £100*, τά ἔξοδά μας ἀνέρχονται συνολικά σέ 100 λίρες. —*ρ.μ/ὰ.* (*-ll-*) ἀνέρχομαι, συμποσοῦμαι: *The visitors to the exhibition ~led 20 000*, οἱ ἐπισκέπτες τῆς ἐκθέσεως ἀνῆλθαν σέ 20.000. *It ~s up to £20*, συμποσοῦται σέ 20 λίρες. ~·**ly** /`təʊtəlɪ/ *ἐπίρ.* συνολικά. ~·**ity** /təʊ`tælətɪ/ *οὐσ.* ‹C,U› ὁλότης, πλήρης κάλυψις (σέ ἔκλειψη).

to·tali·tar·ian /'təʊ'tælɪ`teərɪən/ *ἐπ.* ὁλοκληρωτικός: *a ~ state/regime*, ὁλοκληρωτικόν κράτος/καθεστώς. ~·**ism** /-ɪzm/ *οὐσ.* ‹U› ὁλοκληρωτισμός.

to·tal·iz·ator /`təʊtəlaɪzeɪtə(r)/ *οὐσ.* ‹C› ἀθροιστής, συγκεντρωτής (στοιχημάτων).

[1]**tote** /təʊt/ *οὐσ.* ‹C› (*καθομ. βραχυλ. γιά*) *totalizator.*

[2]**tote** /təʊt/ *ρ.μ.* (*λαϊκ.*) κουβαλῶ (*ἰδ.* ὅπλο), ἔχω μαζί μου.

to·tem /`təʊtəm/ *οὐσ.* ‹C› τοτέμ. `~-**pole**, στῦλος τοτέμ.

tot·ter /`totə(r)/ *ρ.ὰ.* **1**. παραπαίω, τρεκλίζω: *The wounded man ~ed to his feet*, ὁ πληγωμένος σηκώθηκε ὄρθιος μέ δυσκολία/παραπαίοντας. **2**. κλονίζομαι: *The tall chimney ~ed and then fell*, ἡ ψηλή καμινάδα ἔγυρε πέρα-δῶθε κι' ἔπειτα ἔπεσε. ~**y** *ἐπ.* ἀσταθής, παραπαίων.

[1]**touch** /tʌtʃ/ *οὐσ.* **1**. ‹C› ἁφή, ἄγγιγμα: *I felt a ~ on my arm*, ἔνοιωσα ἕνα ἄγγιγμα στό χέρι μου. ***at a ~***, στό παραμικρότερο ἄγγιγμα: *A bubble will break at a ~*, μιά φυσαλλίδα σκάει στό ἐλάχιστο ἄγγιγμα. **2**. ‹U› ἁφή, ἡ αἴσθησις τῆς ἁφῆς: *things soft/rough to the ~*, πράγματα μαλακά/τραχιά στήν ἁφή. *the cold ~ of marble*, ἡ κρύα αἴσθηση τοῦ μαρμάρου. *know sth by the ~*, ἀναγνωρίζω κτ ἀπό τήν ἁφή. **ˋ~·stone**, λυδία λίθος. **3**. ‹C› ἐλαφρό χτύπημα/ἄγγιγμα (μέ σπηρούνι, πινέλο, πέννα, κλπ): *give a horse a ~ of the spurs*, ἀγγίζω ἕνα ἄλογο ἐλαφρά μέ τά σπηρούνια, τοῦ δίνω μιά ἐλαφρή σπηρουνιά. *add a few finishing ~es to a picture/poem*, βάζω τίς τελευταῖες πινελιές σ᾿ ἕναν πίνακα/κάνω τίς τελευταῖες διορθώσεις σ᾿ ἕνα ποίημα. **4**. ‹C› ὕφος, τόνος, μέθοδος, τεχνοτροπία, χέρι: *write with a light ~*, γράφω μέ ἀνάλαφρο ὕφος. *a dress with an individual ~*, φόρεμα μέ προσωπικό τόνο. *This picture has the ~ of a master*, αὐτός ὁ πίνακας φανερώνει (φαίνεται δουλεμένος ἀπό) μεγάλο καλλιτέχνη. *a sculptor with a bold ~*, γλύπτης μέ τολμηρή τεχνοτροπία. *The young pianist/typist has a light ~*, ἡ νεαρή πιανίστρια/δακτυλογράφος ἔχει ἐλαφρό χέρι. **ˋ~-type** *ρ/ἀ.* δακτυλογραφῶ μέ τό τυφλό σύστημα. **5**. ***a ~ of***, λίγο, μικρή δόσις, ἐλαφρός τόνος: *There was a ~ of frost in the air*, ὑπῆρχε λίγη παγωνιά στόν ἀέρα. *have a ~ of the sun*, παθαίνω ἐλαφρά ἡλίαση. *a ~ of irony/bitterness*, ἕνας τόνος εἰρωνίας/πικρίας. *a ~ of rheumatism*, ἐλαφρά προσβολή ρευματισμῶν. **6**. ‹U› ἐπαφή, ἐπικοινωνία. ***be out of/in ~ (with sb)***, δέν ἔχω/ἔχω ἐπαφή μέ κπ: *I'm out of ~ with the political scene in Greece*, δέν εἶμαι ἐνημερωμένος στίς πολιτικές ἐξελίξεις τῆς Ἑλλάδος. ***get in ~ with sb***, ἔρχομαι σ᾿ ἐπαφή μέ κπ. ***keep in/lose ~ with sb***, διατηρῶ/χάνω τήν ἐπαφή μου μέ κπ: *keep in ~ with old friends*, διατηρῶ τήν ἐπαφή μου μέ παληούς φίλους. ***put sb in ~ with sb***, φέρνω κπ σ᾿ ἐπαφή μέ κπ. **7**. (*ποδόσφ.*) ἡ πλαϊνή περιοχή ἔξω ἀπό τό γήπεδο. **ˋ~-lines**, πλαϊνές γραμμές. **8**. ***a near ~***, παρά τρίχα, παρά λίγο: *It was a near ~*, λίγο ἔλειψε νά... **ˊ~-and-ˋgo** *ἐπ.* ἀμφίβολος, ἀβέβαιος: *It was ~-and-go whether we should catch the train*, κινδυνεύαμε νά χάσωμε τό τραῖνο (ἦταν πολύ ἀμφίβολο ἄν θά τό προλαβαίναμε). **9**. ***a soft/easy ~***, (*λαϊκ.*) εὔκολος ἄνθρωπος γιά τράκα.

[2]**touch** /tʌtʃ/ *ρ.μ/ἀ.* **1**. ἀγγίζω, ἐγγίζω: *The branches were ~ing the water*, τά κλαδιά ἄγγιζαν τό νερό. *Can you ~ the ceiling?* μπορεῖς νά φτάσης τό ταβάνι; *He ~ed his hat to me*, μέ χαιρέτισε ἀγγίζοντας τό καπέλλο του. *She ~ed the keys of the piano*, ἄγγιξε τά πλῆκτρα τοῦ πιάνου. ***~ bottom***, πατώνω, (*μεταφ.*) φθάνω στό ἔσχατο σημεῖο: *Can you ~ bottom there?* πατώνεις ἐκεῖ; ***~ the spot***, (*καθομ.*) εἶμαι ὅ,τι χρειάζεται: *A glass of iced beer ~es the spot on a hot day*, ἕνα ποτήρι παγωμένη μπύρα εἶναι ὅ,τι χρειάζεται μιά ζεστή μέρα. ***~ wood***, χτυπῶ ξύλο (γιά νά ξορκίσω τή γρουσουζιά). **2**. (*συνήθ. ἀρνητ.*) συγκρίνομαι, παραβάλλομαι: *There's nothing to ~ mountain air for giving you an appetite*, τίποτα δέν συγκρίνεται μέ τόν βουνήσιο ἀέρα στό ἄνοιγμα τῆς ὄρεξης (τίποτα δέν ἀνοίγει τήν ὄρεξη καλύτερα ἀπό τό βουνήσιο ἀέρα). *No one can ~ him as a composer*, κανένας δέν παραβάλλεται μαζί του σά συνθέτης. **3**. (*συνήθ. ἀρνητ.*) ἀγγίζω, τρώω, πίνω: *He hasn't ~ed food/alcohol for weeks*, δέν ἔχει ἀγγίξει τροφή/ποτό ἐπί ἑβδομάδες. **4**. συγκινῶ: *Her sad story ~ed us/~ed our hearts*, ἡ θλιβερή της ἱστορία μᾶς συγκίνησε/συγκίνησε τήν καρδιά μας. ***be ~ed with***, νοιώθω: *We were all ~ed with pity/remorse*, νοιώσαμε ὅλοι οἶκτο/τύψεις. **5**. θίγω, προσβάλλω: *Your words ~ed his pride*, τά λόγια σου ἔθιξαν τόν ἐγωϊσμό του. ***~ sb to the quick***, θίγω κπ πολύ, τσούζω κπ: *The remark ~ed her to the quick*, ἡ παρατήρησις τήν ἔτσουξε/τήν πόνεσε. ***~ sb on a tender spot***, θίγω κπ σ᾿ ἕνα εὐαίσθητο σημεῖο. **6**. ἔχω σχέση, θίγω, ἀφορῶ: *What you say doesn't ~ the point at issue*, αὐτά πού λές δέν ἔχουν σχέση μέ τό προκείμενο θέμα. *The question ~es our interests closely*, τό ζήτημα θίγει πολύ τά συμφέροντά μας. **7**. πειράζομαι, βλάπτομαι: *The paintings were not ~ed by the fire*, οἱ πίνακες δέν πειράχτηκαν ἀπό τή φωτιά. *flowers ~ed by frost*, λουλούδια πού τἄχει πειράξει ἡ παγωνιά. **8**. ***be ~ed***, (*καθομ.*) εἶμαι πειραγμένος (στό μυαλό). **9**. (*μέ ἐπιρ. καί προθέσεις*):

touch at, (*γιά πλοῖο*) προσεγγίζω: *Our steamer ~ed at Naples*, τό πλοῖο μας προσέγγισε (ἔπιασε) στή Νεάπολη.

touch down, (*γιά ἀεροπλάνο*) προσγειώνομαι. **ˋ~-down**, προσγείωσις.

touch sb for sth, (*λαϊκ.*) κάνω τράκα: *He ~ed me for a fiver*, μοὔκανε τράκα ἕνα πεντόλιρο.

touch off, πυροδοτῶ, (*μεταφ.*) ἀποτελῶ ἔναυσμα, προκαλῶ: *The arrest of the strikers' leaders ~ed off a riot*, ἡ σύλληψις τῶν ἡγετῶν τῶν ἀπεργῶν προκάλεσε ταραχές.

touch (up)on, θίγω (θέμα) δι᾿ ὀλίγων: *He ~ed on the question of new taxes*, ἔθιξε δι᾿ ὀλίγων τό θέμα τῶν νέων φόρων.

touch up, κάνω μικροδιορθώσεις, ρετουσάρω: *~ up a picture/text*, ρετουσάρω ἕναν πίνακα/χτενίζω ἕνα κείμενο.

touch·able /ˋtʌtʃəbl/ *ἐπ.* ἁπτός.

touch·ing /ˋtʌtʃɪŋ/ *ἐπ.* συγκινητικός: *a ~ scene/appeal*, συγκινητική σκηνή/ἔκκλησις. —*πρόθ.* σχετικά μέ, ἀφορῶν: *all questions ~ national defence*, ὅλα τά θέματα πού ἀφοροῦν τήν ἐθνική ἄμυνα. **~·ly** *ἐπίρ.* συγκινητικά.

touchy /ˋtʌtʃɪ/ *ἐπ.* (*-ier, -iest*) μυγιάγγιαχτος, εὔθικτος, εὐερέθιστος. **touch·ily** /-əlɪ/ *ἐπίρ.* εὔθικτα, ἐρεθισμένα, τσαντισμένα. **touchi·ness** *οὐσ.* ‹U› εὐθιξία, ἐρεθισμός.

tough /tʌf/ *ἐπ.* (*-er, -est*) **1**. σκληρός, ἀνθεκτικός: *~ meat/wood/leather*, σκληρό κρέας/ξύλο/δέρμα. **2**. σκληραγωγημένος, γερός, ψημένος: *a ~ constitution*, γερή κρᾶσις. *~ soldiers*, σκληραγωγημένοι στρατιῶτες. *a ~ criminal*, ψημένος, ἀδίστακτος κακοῦργος. **3**. δύσκολος, ζόρικος, ἐπίπονος, ἄκαμπτος: *a*

~ *job/problem*, δύσκολη δουλειά/-ο πρόβλημα. *He's a ~ man to deal with*, εἶναι δύσκολος ἄνθρωπος στίς συναλλαγές του. *adopt a ~ policy*, υἱοθετῶ σκληρή, ἄκαμπτη πολιτική. **a ~ customer**, (*καθομ.*) ζόρικος, δύσκολος ἄνθρωπος. **be/get ~ (with sb)**, εἶμαι/γίνομαι σκληρός, ἄκαμπτος (ἔναντι κάποιου): *The employers got ~ with their workers*, οἱ ἐργοδότες σκλήρυναν τή στάση τους ἀπέναντι στούς ἐργάτες τους. **~ luck!** (*καθομ.*) ἀτυχία! __*οὐσ.* ‹C› (*ἐπίσης* **~ie**) (*καθομ.*) κακοποιός, γκάγκστερ: *He was attacked by some ~s (toughies)*, τοῦ ἐπετέθησαν κάτι κακοποιοί. **~·ly** *ἐπίρ.* σκληρά, βίαια. **~-ness** *οὐσ.* ‹U› σκληρότης, ἀντοχή. **~en** /ˋtʌfn/ *ρ.μ./ἀ.* σκληρύνω/-ομαι, σκληραγωγῶ/-οῦμαι.

tou·pee /ˋtupeɪ/ *οὐσ.* ‹C› ψεύτικα μαλλιά σέ φαλακρό σημεῖο τοῦ κεφαλιοῦ, μικρή περούκα.

tour /tʊə(r)/ *οὐσ.* ‹C› ταξίδι, γύρος, περιοδεία, ἐκδρομή, περιήγησις: *a round-the-world ~*, γύρος τοῦ κόσμου. *a (motor-)coach ~ of Europe*, γύρος τῆς Εὐρώπης μέ πούλμαν. *make a business ~*, κάνω ἐμπορική περιοδεία. *take a company on ~*, πηγαίνω περιοδεία ἕνα θίασο. **conducted ~**, τουριστική ἐκδρομή μέ συνοδό. **package ~**, ὀργανωμένη ἐκδρομή μέ ὅλα τά ἔξοδα πληρωμένα. __*ρ.μ/ἀ.* περιοδεύω, γυρίζω: ~ *Greece*, γυρίζω τήν Ἑλλάδα. *The play will ~ the provinces*, τό ἔργο θά παιχθῆ (θά γυρίσῃ) στίς ἐπαρχίες. **~·ing** *ἐπ.* περιοδεύων, τουριστικός. **~·ist** /-ɪst/ *οὐσ.* ‹C› & *ἐπιθ.* τουρίστας: *a ˋ~ist agency*, τουριστικό γραφεῖο. **~·ism** /ˋtʊərɪzm/ *οὐσ.* ‹U› τουρισμός. **~·istic** *ἐπ.* τουριστικός.

tour de force /ˈtʊə də ˋfɔs/ *οὐσ.* ‹C› κατόρθωμα.

tour·na·ment /ˋtɔnəmənt/ *οὐσ.* ‹C› **1**. σειρά ἀγώνων, τουρνουά, πρωτάθλημα: *a ˋtennis/ˋchess ~*, ἀγῶνες τέννις/σκακιοῦ. **2**. (*στό Μεσαίωνα*) κονταροχτύπημα, ἱππευτικοί ἀγῶνες.

tour·ni·quet /ˋtʊənɪkeɪ/ *οὐσ.* ‹C› (*ἰατρ.*) αἱμοστατικός ἐπίδεσμος.

tousle /ˋtaʊzl/ *ρ.μ.* ἀνακατώνω (μαλλιά), τσαλακώνω ροῦχα: *a girl with ~d hair*, κορίτσι μέ ἀνακατωμένα μαλλιά.

tout /taʊt/ *οὐσ.* ‹C› κράχτης, ὁ ἀγρεύων πελάτες (μέ φορτικότητα): *a ˋticket ~*, ἄνθρωπος πού πουλάει εἰσιτήρια ἀγώνων σέ μαύρη ἀγορά. __*ρ.ἀ.* **~ (for)**, κάνω τόν κράχτη, ψαρεύω πελάτες: *There were men outside the station ~ing for the hotels*, ἔξω ἀπό τό σταθμό ὑπῆρχαν ἄνθρωποι πού ψάρευαν πελάτες γιά τά ξενοδοχεῖα.

[1]**tow** /təʊ/ *ρ.μ.* ρυμουλκῶ: ~ *a ship/broken-down car*, ρυμουλκῶ πλοῖο/χαλασμένο αὐτοκίνητο. **ˋ~(·ing)-line/-rope**, ρυμούλκα (τό σκοινί). **ˋ~-path**, μονοπάτι πλάϊ σέ κανάλι γιά τ' ἄλογα πού ρυμουλκοῦν πλοῖο. __*οὐσ.* ‹C,U› ρυμούλκησις: *take a ship in ~*, ρυμουλκῶ ἕνα πλοῖο. *Can you give me a ~?* (*γιά αὐτοκ.*) μπορεῖς νά μέ τραβήξῃς; **have sb in ~**, (*καθομ.*) σέρνω κπ μαζί μου: *He usually has his family in ~*, συνήθως σέρνει μαζί του τήν οἰκογένειά του.

[2]**tow** /təʊ/ *οὐσ.* ‹U› στουπί.

to·ward(s) /təˋwɔd(z)/ *πρόθ.* **1**. πρός, πρός τήν κατεύθυνση: *walk ~ the sea*, περπατῶ πρός τή θάλασσα. *We are drifting ~ war*, τραβᾶμε σιγά-σιγά γιά πόλεμο. *the first steps ~ peace*, τά πρῶτα βήματα πρός τήν κατεύθυνση τῆς εἰρήνης. **2**. πρός, ἔναντι: *His attitude ~ me is friendly*, ἡ στάσις του ἀπέναντί μου εἶναι φιλική. **3**. γιά, γιά τό σκοπό: *I save money ~ the children's education*, ἀποταμιεύω χρήματα γιά τή μόρφωση τῶν παιδιῶν. **4**. πρός, κοντά: ~ *the end of the war*, κοντά στό τέλος (κατά τά τέλη) τοῦ πολέμου. ~ *evening*, πρός τό βράδυ.

towel /ˋtaʊəl/ *οὐσ.* ‹C› πετσέτα: *dry one's hands on a ~*, σκουπίζω τά χέρια μου σέ μιά πετσέτα. *a ˋhand-/ˋface-/ˋbath-~*, πετσέτα τῶν χεριῶν/τοῦ προσώπου/τοῦ μπάνιου. *a ˋroller-~*, περιστρεφόμενη, κυλιόμενη πετσέτα. **ˋ~-rack/-horse**, στεγνωτήρι γιά τίς πετσέτες. **ˋ~-rail**, κρεμάστρα γιά τίς πετσέτες. (*βλ.* & *λ.* [1]*throw*). __*ρ.μ.* (*-ll-*) σκουπίζω/τρίβω μιά πετσέτα. **~·ling** *οὐσ.* ‹U› πετσετόπανο.

tower /ˋtaʊə(r)/ *οὐσ.* ‹C› πύργος: *the T~ of London*, ὁ Πύργος τοῦ Λονδίνου. **ˋchurch ~**, κωδωνοστάσιο. **conˋtrol ~**, πύργος ἐλέγχου (σέ ἀεροδρόμιο). **ˋwater ~**, ὑδραγωγεῖο. **ˋ~-block**, ψηλή πολυκατοικία, πύργος. ***a ~ of strength***, (*μεταφ. γιά ἄνθρ.*) ἀκλόνητος βράχος. __*ρ.ἀ.* ὑψώνομαι, ὑπερέχω, δεσπόζω: *the skyscrapers that ~ over New York*, οἱ οὐρανοξύστες πού ὑψώνονται πάνω ἀπό τή Ν. Ὑόρκη. *He ~s above his contemporaries*, (*μεταφ.*) ὑπερέχει/δεσπόζει τῶν συγχρόνων του. **~·ing** *ἐπ.* πανύψηλος, ἀπέραντος, ἔξαλλος: *~ing heights*, πολύ μεγάλα ὕψη. *~ing ambition*, ἀπέραντη φιλοδοξία. *be in a ~ing rage*, εἶμαι σέ ἔξαλλη κατάσταση, πνέω μένεα.

town /taʊn/ *οὐσ.* ‹C› **1**. πόλις, πολιτεία: *Would you rather live in a ~ or in the country?* θά προτιμοῦσες νά ζοῦσες στήν πόλη ἤ στήν ἐξοχή; *The whole ~ is talking about it*, ὅλη ἡ πόλις κουβεντιάζει γι' αὐτό. ***go out on the ~***, βγαίνω στήν πόλη γιά διασκέδαση. **~ centre**; (*ΗΠΑ*) **down~**, τό κέντρο τῆς πόλεως. **~ clerk**, πρῶτος γραμματεύς ἤ νομικός σύμβουλος τοῦ Δήμου. **~ council/councillor**, Δημοτικό Συμβούλιο/-ός Σύμβουλος. **~ crier**, τελάλης. **ˋ~-gas**, Δημοτικό Φωταέριο. **~ hall**, Δημαρχεῖο. **ˋ~ house**, σπίτι στήν πόλη. **~ planning**, πολεοδομία, σχέδιον πόλεως. **ˋ~s·folk/ˋ~s·people**, οἱ ἄνθρωποι τῆς πόλεως, ἀστοί. **ˋ~s·man** /-zmən/ κάτοικος τῆς πόλεως, ἀστός: *ˈfellow-ˋ~sman*, συμπολίτης. **2**. (*χωρίς ἄρθρο*) τό κέντρο τῆς πόλεως (σέ ἀντίθεση μέ τά προάστεια): *I'll go to ~ to do some shopping*, θά πάω στήν πόλη νά κάνω μερικά ψώνια. ***go to ~***, (*καθομ.*) τό ρίχνω ἔξω. **3**. (*χωρίς ἄρθρο*) ἡ κυριώτερη πόλις τῆς περιοχῆς (γιά τή ΜΒ τό Λονδῖνο): *He went up to ~ from Manchester*, ἀνέβηκε στήν πόλη (στό Λονδῖνο) ἀπό τό Μάντσεστερ. *He's not in ~/He's out of ~*, δέν εἶναι στήν πόλη/λείπει (εἶναι σέ ταξίδι ἤ στήν ἐξοχή). ***man about ~***, κοσμικός τύπος.

town·ship /ˋtaʊnʃɪp/ *οὐσ.* ‹C› πολίχνη.

toxic /ˈtoksɪk/ *ἐπ.* τοξικός, δηλητηριώδης. **~·ity** /tokˈsɪsətɪ/ *οὐσ.* ‹U› τοξικότης. **toxi·col·ogy** /ˈtoksɪˈkolədʒɪ/ *οὐσ.* ‹U› τοξικολογία. **toxi·col·ogist** /-dʒɪst/ *οὐσ.* ‹C› τοξικολόγος.

toxin /ˈtoksɪn/ *οὐσ.* ‹C› τοξίνη.

toy /tɔɪ/ *οὐσ.* ‹C› παιχνίδι: *children's ~s*, παιδικά παιχνίδια. *~ soldiers*, μολυβένια στρατιωτάκια. *~ guns*, παιδικά πιστόλια. *a ~ dog*, σκυλάκι τοῦ σαλονιοῦ. **ˈ~·shop**, κατάστημα παιχνιδιῶν. —*ρ.ἀ.* **~ with sth**, παίζω μέ κτ: *He was ~ing with his pencil/gloves*, ἔπαιζε μέ τό μολύβι του/μέ τά γάντια του. *He's ~ing with the idea of buying a yacht*, παίζει μέ τήν ἰδέα (τό σκέφτεται, ἀλλά ὄχι σοβαρά) ν' ἀγοράση ἕνα γιώτ.

[1]**trace** /treɪs/ *οὐσ.* ‹C› ἴχνος, ἀχνάρι, ὑπόλειμμα, σημάδι: *The police found no ~ of the thief*, ἡ ἀστυνομία δέν ἀνεκάλυψε κανένα ἴχνος τοῦ κλέφτη. *~s of an ancient civilization*, ἴχνη ἀρχαίου πολιτισμοῦ. *~s of poison*, ἴχνη (ὑπολείμματα) δηλητηρίου. *not a ~ of truth*, οὔτε ἴχνος ἀλήθειας. *There were ~s of torture/emotion on his face*, ὑπῆρχαν ἴχνη (σημάδια) βασανισμοῦ/συγκίνησης στό πρόσωπό του.

[2]**trace** /treɪs/ *ρ.μ/ἀ.* **1**. χαράσσω, καθορίζω, σχεδιάζω: *~ (out) one's route on the map*, χαράσσω/καθορίζω τήν πορεία μου πάνω σ' ἕνα χάρτη. *The boy ~d the map in the atlas onto a sheet of transparent paper*, τό παιδί σχεδίασε (ξεσήκωσε) τό χάρτη τοῦ ἄτλαντα σ' ἕνα διαφανές φύλλο. **2**. ἀνευρίσκω (ἴχνη), ἀνακαλύπτω: *The criminal was ~d to Paris*, ἀνευρέθησαν τά ἴχνη τοῦ κακούργου στό Παρίσι. *Archeologists have ~d many Roman roads in Britain*, οἱ ἀρχαιολόγοι ἔχουν ἀνακαλύψει πολλούς Ρωμαϊκούς δρόμους στή Βρεταννία. *I cannot ~ any letter from you dated 2nd May*, δέν μπορῶ νά βρῶ κανένα γράμμα σου μέ ἡμερομηνία 2 Μαΐου. ***~ back (to)***, *(α)* ἀνατρέχω, ὀφείλομαι: *His fear of dogs ~s back/can be ~d back to a childhood experience*, ὁ φόβος του γιά τά σκυλιά ἀνατρέχει (ὀφείλεται) σέ ἕνα συμβάν τῆς παιδικῆς του ἡλικίας. *(β)* ἀνάγω/-ομαι: *He ~s his descent back to a Norman family*, ἀνάγει τήν καταγωγή του σέ μιά Νορμανδική οἰκογένεια. *(γ)* ἀνιχνεύω, ἐντοπίζω, ἐξιχνιάζω: *The rumour was ~d back to a journalist*, ἡ διάδοσις ἐντοπίστηκε σ' ἕναν δημοσιογράφο (διαπιστώθηκε ὅτι πηγή τῆς διαδόσεως ἦταν ἕνας δημοσιογράφος). **ˈ~·able** /-əbl/ *ἐπ.* ἀνιχνεύσιμος, ἐξιχνιάσιμος, πού μπορεῖ νά ἀντιγραφῆ. **tracer** *οὐσ.* ‹C› (*ἐπίσης* **ˈ~r bullet/shell**) τροχιοδεικτικόν βλῆμα. **ˈ~r element**, ραδιενεργός ἀνιχνευτής. **trac·ing** *οὐσ.* ‹C,U› ἀντιγραφή, ξεσήκωμα. **ˈtracing-paper** *οὐσ.* ‹U› διαφανής χάρτης ἀντιγραφῆς.

[3]**trace** /treɪs/ *οὐσ.* ‹C› πλευρικό λουρί (πού συνδέει τό ἄλογο σέ ἅμαξα). ***kick over the ~s***, (*μεταφ.*) σηκώνω κεφάλι, ἐπαναστατῶ, ἀρνοῦμαι νά ὑπακούσω.

tracery /ˈtreɪsərɪ/ *οὐσ.* ‹C,U› διακοσμητικό σχέδιο (*ἰδ.* ἀπό πέτρα).

tra·chea /trəˈkɪə/ *οὐσ.* ‹C› (*πληθ.* *~e* /-kɪɪ/) (*ἀνατ.*) τραχεῖα.

tra·choma /trəˈkəʊmə/ *οὐσ.* ‹U› (*ἰατρ.*) τράχωμα.

track /træk/ *οὐσ.* ‹C› **1**. ἴχνος, πατημασιά, πέρασμα, διάβα: *~s in the snow/sand*, ἴχνη πάνω στό χιόνι/στήν ἄμμο. *the ~s of an animal/a vehicle*, οἱ πατημασιές ἑνός ζώου/οἱ ροδιές ἑνός ὀχήματος. ***on the ~***, ἐπί τά ἴχνη: *The police are on his ~/on the ~ of the robbers*, ἡ ἀστυνομία βρίσκεται ἐπί τά ἴχνη του/στά ἴχνη τῶν ληστῶν. ***cover up one's ~s***, σκεπάζω τά ἴχνη μου. ***have a ˈone-~ˈmind***, εἶμαι μονοκόμματος στή σκέψη, τό μυαλό μου δουλεύει πρός μιά κατεύθυνση μόνο. ***keep/lose ~ of***, παρακολουθῶ/χάνω τά ἴχνη κάποιου: *Read the newspapers to keep ~ of current events*, διάβαζε τίς ἐφημερίδες γιά νά παρακολουθῆς τά τρέχοντα γεγονότα. ***make ~s***, (*καθομ.*) φεύγω βιαστικά, παίρνω δρόμο: *He made ~s when he caught sight of the policeman*, πῆρε δρόμο ὅταν εἶδε τόν ἀστυφύλακα. ***make ~s for***, (*καθομ.*) τραβῶ πρός: *It's time we made ~s for home*, καιρός νά τραβήξωμε γιά τό σπίτι. ***in one's ~s***, (*λαϊκ.*) ἐκεῖ πού στεκόμουν, στή θέση μου, ἐπί τόπου: *He fell dead in his ~s*, σωριάστηκε νεκρός ἐκεῖ πού στεκόταν. ***off the ~***, (*μεταφ.*) ἐκτός θέματος, λάθος κατεύθυνσις: *You're off the ~*, εἶσαι ἐκτός θέματος (ἤ ἀκολουθεῖς στραβό δρόμο). ***throw sb off the ~***, κάνω κπ νά χάση τά ἴχνη μου, ξεφεύγω. **2**. τροχιά: *the ~ of a comet/spacecraft/storm*, ἡ τροχιά ἑνός κομήτη/ἑνός διαστημόπλοιου/μιᾶς θύελλας. **3**. (*σιδηροδρ.*) γραμμή: *single/double ~*, μονή/διπλῆ γραμμή. ***go off/leave the ~s***, (*γιά τραῖνο*) ἐκτροχιάζομαι. **4**. μονοπάτι: *a ˈsheep-~*, μονοπάτι προβάτων. *a ˈmule-~*, μουλαρόδρομος. *a ~ through the forest*, μονοπάτι μέσα ἀπό τό δάσος. ***the beaten ~***, ἡ πεπατημένη: *off the beaten ~*, πρωτότυπος. **5**. (*ἀθλ.*) πίστα, στίβος: *ˈ~ events*, ἀγωνίσματα στίβου. **ˈ~ suit**, ἀθλητική φόρμα. **6**. ἐρπύστρια (τρακτέρ): *a ~ed vehicle*, ἐρπυστριοφόρο ὄχημα. **7**. κανάλι ἐγγραφῆς (σέ μαγνητοταινία): *a ˈfour-~ˈtape-recorder*, μαγνητόφωνο τεσσάρων ἐγγραφῶν. —*ρ.μ.* παρακολουθῶ, ἰχνηλατῶ: *~ an animal to its den*, παρακολουθῶ ἕνα ζῶο (ἀπό τά ἴχνη του) ὥς τή φωλιά του. **ˈ~·ing-station**, σταθμός παρακολουθήσεως (διαστημοπλοίου). ***~ down***, ἀνακαλύπτω (ψάχνοντας), ἐντοπίζω: *~ down a bear/reference*, ἀνακαλύπτω μιά ἀρκούδα/μιά παραπομπή. ***~ out***, διαπιστώνω, ἀνιχνεύω. **~er** *οὐσ.* ‹C› κυνηγός: *ˈ~er dogs*, ἀστυνομικά σκυλιά. **~·less** *ἐπ.* ἀπάτητος, ἀδιάβατος: *~less forests*, ἀπάτητα δάση.

[1]**tract** /trækt/ *οὐσ.* ‹C› **1**. ἔκτασις, περιοχή: *vast ~s of desert*, ἀπέραντες ἐκτάσεις ἐρήμου. **2**. σύστημα: *the dīˈgestive/reˈspiratory ~*, τό πεπτικό/ἀναπνευστικό σύστημα.

[2]**tract** /trækt/ *οὐσ.* ‹C› φυλλάδιο, μπροσούρα.

tract·able /ˈtræktəbl/ *ἐπ.* μαλακός, ὑπάκουος, βολικός: *a ~ child*. **trac·ta·bil·ity** *οὐσ.* ‹U› εὐπείθεια.

trac·tion /ˈtrækʃn/ *οὐσ.* ‹U› ἕλξις, κίνησις: *steam/electric ~*, κίνησις μέ ἀτμό/μέ ἠλεκτρισμό. **ˈ~-engine**, μηχανή ἕλξεως.

trac·tor /ˈtræktə(r)/ *οὐσ.* ‹C› τρακτέρ.

[1]**trade** /treɪd/ *οὐσ.* **1**. ‹C,U› ἐμπόριο: *ˈforeign/doˈmestic ~*, ἐξωτερικό/ἐσωτερικό ἐμπόριο.

*He's in the `cotton/`furniture/`book* ~, κάνει ἐμπόριο βαμβακιοῦ/ἐπίπλων/βιβλίων. *We do a lot of ~ with Italy*, ἔχομε μεγάλες συναλλαγές μέ τήν Ἰταλία. **`~·mark**, ἐμπορικόν σῆμα. **`~ name**, φίρμα, ἐμπορική ἐπωνυμία. **`~ price**, τιμή γιά ἐμπόρους, χονδρική τιμή. **'~(s)-`union**, συνδικᾶτο, ἐργατικό σωματεῖο. **T~ Union Congress**, Συμβούλιο Ἐργατικῶν Συνδικάτων (ἡ Γενική Συνομοσπονδία Ἐργατῶν τῆς ΜΒ). **'~-`unionism**, συνδικαλισμός. **'~-`unionist**, συνδικαλιστής. **2.** ‹C,U› ἐπάγγελμα, ἐπιτήδευμα, τέχνη: *learn a ~*, μαθαίνω μιά τέχνη. ***by ~***, κατά τό ἐπάγγελμα: *He's a tailor by ~*, εἶναι ράφτης τό ἐπάγγελμα. ***everyone to his ~***, (*παροιμ.*) ὁ καθένας στήν τέχνη του. **`~s·folk; ~s-people** *οὐσ.* (*συλλογ.*) οἱ ἐμπορευόμενοι, ὁ ἐμπορικός κόσμος. **`~s·man** /-zmən/ *οὐσ.* ‹C› λιανέμπορος, καταστηματάρχης.

[2]**trade** /treɪd/ *ρ.μ/ἀ.* **1.** ***~ in/with***, ἐμπορεύομαι: *He ~s in furs*, ἐμπορεύεται γουναρικά. *We ~ with all countries*, κάνομε ἐμπόριο μέ ὅλες τίς χῶρες. **`trad·ing stamp**, κουπόνι δώρων (πού δίνουν τά καταστήματα σέ πελάτες τους). **2.** ***~ for***, ἀνταλλάσσω μέ, κάνω τράμπα: *They ~ hides for food*, ἀνταλλάσσουν δέρματα μέ τρόφιμα. **3.** ***~ (up)on***, ἐκμεταλλεύομαι: *They ~ upon people's ignorance*, ἐκμεταλλεύονται τήν ἀμάθεια τοῦ κόσμου. **4.** ***~ in***, δίνω κτ μεταχειρισμένο ὡς τμῆμα τῆς πληρωμῆς ἑνός νέου εἴδους: *He ~d in his old car for a new model*, ἔδωσε τό παληό του αὐτοκίνητο καί πῆρε καινούργιο μοντέλο. **trader** *οὐσ.* ‹C› ἔμπορος.

tra·di·tion /trə`dɪʃn/ *οὐσ.* ‹C,U› παράδοσις: *based/founded on ~*, βασιζόμενος στήν παράδοση. *It's a ~ in our family that we extend hospitality*, εἶναι παράδοσις στήν οἰκογένειά μας νά προσφέρωμε φιλοξενία. **~al** /-nl/ *ἐπ.* πατροπαράδοτος, λαϊκός, παραδοσιακός: *~al songs/dances*, λαϊκά τραγούδια/-οἱ χοροί. **~·ally** /-nəlɪ/ *ἐπίρ.* κατά παράδοσιν, ἐκ παραδόσεως. **~·al·ism** /-nəlɪzm/ *οὐσ.* ‹U› λατρεία τῶν παραδόσεων. **~·al·ist** /-nəl-ɪst/ *οὐσ.* ‹C› λάτρης τῶν παραδόσεων.

tra·duce /trə`djus/ *ρ.μ.* (*λόγ.*) συκοφαντῶ, διαστρέφω. **~r** *οὐσ.* ‹C› συκοφάντης.

traf·fic /`træfɪk/ *οὐσ.* ‹U› **1.** κυκλοφορία, κίνησις: *road ~*, ὁδική κυκλοφορία. *a `~ accident*, τροχαῖον ἀτύχημα. *a (`~) indicator*, φῶς/δείκτης, πορείας. *`~ lights*, φωτεινός σηματοδότης, φῶτα κυκλοφορίας. *`railway/`goods/`passenger ~*, σιδηροδρομική/ἐμπορική/ἐπιβατική κίνησις. **2.** συναλλαγή, (παράνομο) ἐμπόριο: *the ~ in liquor/drugs*, τό ἐμπόριο οἰνοπνεύματος/ναρκωτικῶν. __*ρ.ἀ.* *(-ck-)* ***~ in sth***, κάνω ἐμπόριο: *~ in drugs/hides*, ἐμπορεύομαι ναρκωτικά/δέρματα. **traf·ficker** *οὐσ.* ‹C› (*ὑποτιμ.*) ἔμπορος: *a `drug ~ker*, ἔμπορος ναρκωτικῶν.

tra·gedy /`trædʒədɪ/ *οὐσ.* ‹C,U› τραγωδία. **tra·gedian** /trə`dʒidɪən/ *οὐσ.* ‹C› τραγωδός (ἠθοποιός ἤ συγγραφεύς). **tra·gedi·enne** /trə'dʒidɪ`en/ *οὐσ.* ‹C› ἡ τραγωδός (ἠθοποιός).

tra·gic /`trædʒɪk/ *ἐπ.* τραγικός: *a ~ actor/event*, τραγικός ἠθοποιός/-ό γεγονός. **tragi·cally** /-klɪ/ *ἐπίρ.* τραγικά.

tragi-com·edy /'trædʒɪ `komədɪ/ *οὐσ.* ‹C,U› ἱλαροτραγωδία. **'tragi-`comic** /`komɪk/ *ἐπ.* κωμικοτραγικός.

trail /treɪl/ *οὐσ.* **1.** γραμμή, ἴχνος: *a ~ of smoke/light/destruction*, μιά γραμμή καπνοῦ/φωτός/καταστροφῆς. *The wounded animal left a ~ of blood*, τό πληγωμένο ζῶο ἄφησε μιά γραμμή αἵματος. *The dogs are on the ~ of the fox*, τά σκυλιά εἶναι ἐπί τά ἴχνη τῆς ἀλεποῦς. ***be hot on the ~***, ἀκολουθῶ κατά πόδας. **2.** μονοπάτι (μέσα ἀπό τό δάσος, κλπ) (*βλ.* & *λ.* [3]*blaze*). __*ρ.μ/ἀ.* **1.** ρυμουλκῶ, τραβῶ, σέρνω/-ομαι: *The child was ~ing a toy cart*, τό παιδί ἔσερνε ἕνα ψεύτικο καρροτσάκι. *Her long skirt was ~ing on the floor*, ἡ μακρυά της φούστα σερνόταν στό πάτωμα. **2.** παρακολουθῶ, ἀκολουθῶ τά ἴχνη: *~ a wild animal/a criminal*, ἀκολουθῶ τά ἴχνη ἀγρίου ζώου/ἑνός ἐγκληματίου. **3.** (*γιά φυτά*) ἀναρριχῶμαι, σέρνομαι: *roses ~ing over a wall*, τριανταφυλλιές πού ἀναρριχῶνται σέ τοῖχο. **4.** (*γιά ἄνθρ.*) σέρνομαι, περπατῶ κουρασμένα: *The tired children ~ed after their mother*, τά κουρασμένα παιδιά πήγαιναν ἀργά πίσω ἀπό τή μητέρα τους. **~er** *οὐσ.* ‹C› **1.** ρυμούλκα (αὐτοκινήτου), τροχόσπιτο. **2.** ἀναρριχητικό φυτό. **3.** (*κινηματ.*) σκηνές (γιά διαφήμιση) ἀπό τό φίλμ πού θά προβληθῆ προσεχῶς.

[1]**train** /treɪn/ *οὐσ.* ‹C› **1.** τραῖνο: *travel by ~*, ταξιδεύω μέ τραῖνο. *miss/catch the ~*, χάνω/προλαβαίνω τό τραῖνο. *get out of/off the ~*, κατεβαίνω ἀπό τό τραῖνο. *have lunch on the ~*, γευματίζω στό τραῖνο. *a `passenger/`goods ~*, ἐπιβατηγό/φορτηγό τραῖνο. **2.** ἀκολουθία, πομπή: *the king's ~*, ἡ ἀκολουθία τοῦ βασιλῆᾶ. *a ~ of camels*, μιά πομπή (γραμμή) ἀπό καμῆλες. **`baggage ~**, (*στρατ.*) μεταγωγικά ἀποσκευῶν. **3.** (*ἑν.*) εἱρμός, σειρά, ἀλληλουχία, ἀκολουθία: *The telephone interrupted my ~ of thought*, τό τηλέφωνο διέκοψε τόν εἱρμό τῶν σκέψεών μου. *What an unlucky ~ of events*, τί ἄτυχη ἀλληλουχία γεγονότων! *War often brought pestilence in its ~*, ὁ πόλεμος συχνά ἔφερνε πίσω του (ἀκολουθιόταν ἀπό) πανούκλα. **4.** οὐρά (φορέματος, πέπλου, μανδύα). **`~-bearer**, πρόσωπο πού κρατάει τήν οὐρά πέπλου, κλπ. **5.** γραμμή (πυρίτιδος).

[2]**train** /treɪn/ *ρ.μ/ἀ.* **1.** (ἐκ)γυμνάζω/-ομαι, ἐκπαιδεύω/-ομαι, προπονῶ/-οῦμαι: *~ horses/seals for a circus*, γυμνάζω ἄλογα/φώκηες γιά τσίρκο. *They are ~ing for the boat-race*, ἐκγυμνάζονται (προπονοῦνται) γιά τίς λεμβοδρομίες. *They are ~ed in street warfare*, εἶναι ἐκπαιδευμένοι γιά ὁδομαχίες. *There's a shortage of ~ed nurses*, ὑπάρχει ἔλλειψις ἐκπαιδευμένων νοσοκόμων. **2.** κατευθύνω, ὁδηγῶ (ἀναρριχητικό φυτό): *~ roses over a wall*, ρίχνω τριανταφυλλιές σ'ἕναν τοῖχο. **3.** ***~ (up)on sth***, σκοπεύω, στρέφω: *~ a gun upon the enemy positions*, στρέφω ἕνα πυροβόλο ἐναντίον τῶν θέσεων τοῦ ἐχθροῦ. *He ~ed his binoculars on the stage*, ἔστρεψε τά κυάλια του πρός τή σκηνή τοῦ θεάτρου. **~ee** /treɪ`ni/ *οὐσ.* ‹C› ἐκπαιδευόμενος, ἐκγυμναζόμενος. **~er** *οὐσ.* ‹C› ἐκπαιδευτής, ἐκγυμναστής, προπονητής.

train·ing /`treɪnɪŋ/ *οὐσ.* ‹U› ἐκπαίδευσις, ἐκγύμνασις, προπόνησις, ἄσκησις: *~ of* *character*, ἄσκησις τοῦ χαρακτῆρος. *physical/vocational* ~, φυσική ἀγωγή/ἐπαγγελματική ἐκπαίδευσις. ***be in*** ~, εἶμαι σέ φόρμα. ***be out of*** ~, δέν εἶμαι σέ φόρμα. ***go into*** ~, ἀσκοῦμαι, προπονοῦμαι, ἐκγυμνάζομαι. `~-**college** (*ἐν χρήσει: college of education*) διδασκαλεῖον, παιδαγωγική ἀκαδημία. `~-**ship**, ἐκπαιδευτικό πλοῖο.

traipse, trapse /treɪps/ *ρ.ἀ.* (*καθομ.*) τριγυρίζω κουρασμένα: ~ *round the shops*, γυρίζω τά μαγαζιά. *I've been traipsing about all day and I'm tired out*, γύριζα ὅλη τήν ἡμέρα καί εἶμαι πεθαμένος ἀπό τήν κούραση.

trait /treɪt/ *οὐσ.* ‹C› γνώρισμα, χαρακτηριστικό: *His main ~ is honesty*, τό κυριώτερο χαρακτηριστικό του εἶναι ἡ τιμιότητα.

trai·tor /ˋtreɪtə(r)/ *οὐσ.* ‹C› προδότης: *He's a ~ to his country*, εἶναι προδότης τῆς πατρίδος του. ***turn*** ~, γίνομαι προδότης. ~**·ous** /-əs/ *ἐπ.* προδοτικός: *~ous behaviour/attitude*, προδοτική συμπεριφορά/στάσις. ~**·ous·ly** *ἐπίρ.* **trai·tress** /ˋtreɪtrəs/ *οὐσ.* ‹C› ἡ προδότις.

tra·jec·tory /trəˋdʒektərɪ/ *οὐσ.* ‹C› τροχιά (βλήματος).

tram /træm/ *οὐσ.* ‹C› **1**. (*ἐπίσης* `~**·car**, *πρβλ. ΗΠΑ `street-car*) τράμ. **2**. βαγονέττο (ὀρυχείου). `~**·line**, γραμμή τράμ.

tram·mel /ˋtræml/ *ρ.μ.* (*-ll-*) παρεμποδίζω: *~led by prejudices*, ἐμποδιζόμενος ἀπό προλήψεις. __ ~**s** *οὐσ. πληθ.* δεσμά, περιορισμοί: *the ~s of etiquette/routine*, τά δεσμά τῆς ἐτικέττας/τῆς ρουτίνας.

tramp /træmp/ *ρ.μ/ἀ.* **1**. βηματίζω βαριά: *He ~ed up and down the platform*, βημάτιζε βαριά πάνω-κάτω στήν ἀποβάθρα. **2**. πεζοπορῶ: ~ *through the mountains of Crete*, γυρίζω μέ τά πόδια τά βουνά τῆς Κρήτης. *They ~ed all day*, πεζοποροῦσαν ὅλη τήν ἡμέρα. *I enjoy ~ing the hills of Attica*, χαίρομαι νά γυρίζω μέ τά πόδια τούς λόφους τῆς Ἀττικῆς. __*οὐσ.* **1**. (*στόν ἑν. μέ the*) βάδισμα, βηματισμός, ποδοβολητό: *I heard the ~ of soldiers/horses*, ἄκουσα τό βάδισμα στρατιωτῶν/ποδοβολητό ἀλόγων. **2**. ‹C› πεζοπορία, μακρυνός περίπατος: *go for a ~ in the country*, πάω πεζοπορία στήν ἐξοχή. **3**. ‹C› ἀλήτης. **4**. ‹C› (*λαϊκ.*) πόρνη. **5**. ‹C› `~(**-steamer**), φορτηγό πλοῖο χωρίς ταχτική γραμμή πού πάει ὅπου ὑπάρχει ναῦλος.

trample /ˋtræmpl/ *ρ.μ/ἀ.* **1**. ~ ***sth (down)***, ποδοπατῶ: *The children have ~d (down) the flowers*, τά παιδιά ποδοπάτησαν τά λουλούδια. *He was ~d to death by elephants*, τόν ποδοπάτησαν οἱ ἐλέφαντες καί τόν σκότωσαν. **2**. ~ ***on***, πατῶ βαριά, θίγω, προσβάλλω: ~ *on sb's toes*, πατῶ τά δάχτυλα κάποιου, ξενυχιάζω κπ. ~ *on sb's feelings/rights*, θίγω τά αἰσθήματα/προσβάλλω τά δικαιώματα κάποιου. **3**. ~ ***about***, τριγυρίζω (βαρυπερπατώντας). __*οὐσ.* ‹C› ἦχος βημάτων, ποδοβολητό.

tram·po·line /ˋtræmpəlin/ *οὐσ.* ‹C› σουμιές (ἀκροβατῶν ἤ γυμναστῶν).

trance /trans/ *οὐσ.* ‹C› ἔκστασις, καταληψία, ὕπνωσις: *be in/go into/fall into a ~*, εἶμαι/πέφτω σέ ἔκσταση. ***send sb into a*** ~, ὑπνωτίζω κπ.

tran·quil /ˋtræŋkwɪl/ *ἐπ.* ἤρεμος, γαλήνιος: *a ~ life in the country*, ἤρεμη ζωή στήν ἐξοχή. ~**ly** /-wɪlɪ/ *ἐπίρ.* ~**·lity** /træŋˋkwɪlətɪ/ *οὐσ.* ‹U› γαλήνη, ἠρεμία. ~**·lize** /-aɪz/ *ρ.μ.* ἠρεμῶ, καλμάρω, κατευνάζω. ~**·lizer** *οὐσ.* ‹C› ἠρεμιστικό φάρμακο.

trans·act /trænˋzækt/ *ρ.μ.* διεκπεραιώνω: ~ *business with sb*, κάνω δουλειές μέ κπ.

trans·ac·tion /trænˋzækʃn/ *οὐσ.* **1**. (*στόν ἑν. μέ the*) διεκπεραίωσις, διεξαγωγή: *the ~ of business*. **2**. ‹C› συναλλαγή, ἐμπορική πρᾶξις: *cash ~s*, συναλλαγές τοῖς μετρητοῖς. **3**. (*πληθ.*) πεπραγμένα (συλλόγου).

trans·at·lan·tic /ˈtrænzətˋlæntɪk/ *ἐπ.* ὑπερατλαντικός: *a ~ flight*, πτῆσις πάνω ἀπό τόν Ἀτλαντικό.

tran·scend /trænˋsend/ *ρ.μ.* ὑπερβαίνω (τά ἀνθρώπινα ὅρια), ξεπερνῶ (τίς ἀνθρώπινες δυνάμεις, τήν ἀντοχή, κλπ). ~**ent** /-dənt/ *ἐπ.* (*λόγ.*) ἀνώτερος, ἔξοχος, ὑπερβατικός, πέραν τοῦ ἐπιστητοῦ: *a man of ~ent genius*, ἄνθρωπος ἔξοχης διάνοιας. ~**ence** /-dəns/, ~**ency** /-dənsɪ/ *οὐσ.* ‹U› ὑπερβατικότης.

tran·scen·den·tal /ˈtrænsenˋdentl/ *ἐπ.* ὑπερβατικός, ὑπερφυσικός, πέραν τῶν ὁρίων τῆς λογικῆς. ~**ly** /-təlɪ/ *ἐπίρ.* ~**·ism** /-təlɪzm/ *οὐσ.* ‹U› ὑπερβατισμός. ~**·ist** /-təlɪst/ *οὐσ.* ‹C› ὀπαδός τοῦ ὑπερβατισμοῦ.

trans·con·ti·nen·tal /ˈtrænzˈkɒntɪˋnentl/ *ἐπ.* ὑπερηπειρωτικός: *a ~ railway*, τραῖνο πού διασχίζει μιά ἤπειρο.

tran·scribe /trænˋskraɪb/ *ρ.μ.* μεταγράφω, ἀντιγράφω: ~ *a violin piece for the piano*, μεταγράφω μιά σύνθεση βιολιοῦ γιά τό πιάνο. **tran·script** /ˋtrænskrɪpt/ *οὐσ.* ‹C› ἀντίγραφον.

tran·scrip·tion /trænˋskrɪpʃn/ *οὐσ.* **1**. ‹C› μεταγραφή: *a phonetic ~*, φωνητική μεταγραφή. **2**. ‹U› ἀντιγραφή: *errors in ~*, λάθη κατά τήν ἀντιγραφή. **3**. ἠχογράφησις: *the BBC ~ service*, ἡ ὑπηρεσία ἠχογραφήσεων τοῦ Μπι-Μπι-Σί.

tran·sept /ˋtrænsept/ *οὐσ.* ‹C› (*ἀρχιτ. ἐκκλ.*) πτέρυξ ναοῦ, ἐγκάρσιον κλίτος.

[1]**trans·fer** /ˋtrænsfɜ(r)/ *οὐσ.* ‹C,U› **1**. μεταφορά, μετάθεσις, (*νομ.*) μεταβίβασις, (*ἀθλ.*) μεταγραφή. **2**. μεταβιβαστικόν ἔγγραφον. **3**. `~ **fee**, ποσόν γιά τή μεταγραφή παίχτη.

[2]**trans·fer** /trænsˋfɜ(r)/ *ρ.μ/ἀ.* (*-rr-*) **1**. μεταφέρω/-ομαι: ~ *passengers from/to*, μεταφέρω ἐπιβάτες ἀπό/εἰς. ~ *the head office of a company*, μεταφέρω τά κεντρικά γραφεῖα μιᾶς ἑταιρίας. ~ *a sum of money to another account*, μεταφέρω ποσόν σέ ἄλλο λογαριασμό. **2**. ἀλλάζω (τραῖνο ἤ δουλειά). **3**. μεταθέτω, μετατίθεμαι: *He has been ~red to the head office*, μετετέθη στά κεντρικά γραφεῖα. *He has ~red to an infantry regiment*, μετετέθη σέ σύνταγμα πεζικοῦ. **4**. (*νομ.*) μεταβιβάζω: ~ *property/rights to sb*, μεταβιβάζω περιουσία/δικαιώματα σέ κπ. ~**·able** /-əbl/ *ἐπ.* μεταβιβάσιμος, μεταθέσιμος. ~-**ence** /ˋtrænsfərəns/ *οὐσ.* ‹U› μεταφορά, μετάθεσις, μεταβίβασις.

trans·fig·ure /trænsˋfɪgə(r)/ *ρ.μ.* μεταμορφώνω: *His face was ~d with joy*, τό πρόσωπό του εἶχε μεταμορφωθῆ ἀπό τή χαρά. **trans·figur·ation** /ˈtrænsˈfɪgəˋreɪʃn/ *οὐσ.* ‹C,U› μεταμόρφωσις (*ἰδ.* τοῦ Χριστοῦ).

trans·fix /træns`fɪks/ *ρ.μ.* **1**. διατρυπῶ, διαπερῶ, καρφώνω: *~ a tiger with a spear*, διατρυπῶ μιά τίγρη μέ ἀκόντιο. *~ sb with a sword*, διαπερῶ κπ μέ ξίφος. *~ a butterfly*, καρφώνω μιά πεταλούδα. **2**. μαρμαρώνω, καθηλώνω: *He stood ~ed with horror/amazement*, στεκόταν καθηλωμένος ἀπό τή φρίκη/ἀπό τήν κατάπληξη.

trans·form /træns`fɔm/ *ρ.μ.* **1**. μεταμορφώνω, ἀλλάζω: *Success ~ed his character*, ἡ ἐπιτυχία ἄλλαξε τό χαρακτῆρα του. **2**. *~ **into***, μεταβάλλω, μετατρέπω εἰς: *~ heat into energy*, μετατρέπω τή θερμότητα σέ ἐνέργεια. *A caterpillar is ~ed into a butterfly*, ἡ κάμπια μεταβάλλεται σέ πεταλούδα. **~·able** /-əbl/ *ἐπ.* μεταμορφώσιμος. **~·ation** /ˈtrænsfə`meɪʃn/ *οὐσ.* ‹C,U› μεταμόρφωσις, μετατροπή, μετασχηματισμός: *undergo a complete ~ation*, ὑφίσταμαι πλήρη μεταμόρφωση/ἀλλαγή. **~er** *οὐσ.* ‹C› (*μηχ.*) μετασχηματιστής.

trans·fuse /træns`fjuz/ *ρ.μ.* μεταγγίζω (αἷμα). **trans·fu·sion** /-`fjuʒn/ *οὐσ.* ‹C,U› μετάγγισις.

trans·gress /trænz`gres/ *ρ.μ/ἀ.* **1**. ὑπερβαίνω: *~ the bounds of decency/one's competence*, ὑπερβαίνω τά ὅρια τῆς εὐπρεπείας/τήν ἁρμοδιότητά μου. **2**. παραβιάζω, καταπατῶ, παραβαίνω: *~ a law/a treaty/an agreement*, παραβιάζω ἕνα νόμο/μιά συνθήκη/μιά συμφωνία. **~ion** /-`greʃn/ *οὐσ.* ‹C,U› ὑπέρβασις, παράβασις, ἁμάρτημα, παρανομία. **~or** /-sə(r)/ *οὐσ.* ‹C› παραβάτης, ἔνοχος.

tran·si·ent /`trænzɪənt/ *ἐπ.* παροδικός, ἐφήμερος, περαστικός, φευγαλέος: *~ glory/happiness*, ἐφήμερη δόξα/εὐτυχία. **~·ly** *ἐπίρ.* προσωρινά, πρόσκαιρα. **tran·si·ence** /-əns/, **tran·si·ency** /-nsɪ/ *οὐσ.* ‹U› παροδικότης, προσωρινότης.

tran·sis·tor /træn`zɪstə(r)/ *οὐσ.* ‹C› τρανζίστορ, κρυσταλλικός πολλαπλασιαστής. **~-ized** /-aɪzd/ *ἐπ.* ἐφοδιασμένος μέ τρανζίστορ.

tran·sit /`trænsɪt/ *οὐσ.* ‹U› **1**. μεταφορά, διέλευσις, διαμετακόμισις, τράνζιτο: *goods lost in ~*, ἐμπορεύματα πού χάθηκαν κατά τήν διαμετακόμιση. `**~ camp**, στρατόπεδο διερχομένων (*ἰδ.* στρατιωτῶν). `**~ visa**, θεώρησις διελεύσεως. **2**. (*ἀστρον.*) διάβασις.

tran·si·tion /træn`zɪʃn/ *οὐσ.* ‹C,U› **1**. μετάβασις, ἀλλαγή, πέρασμα (ἀπό μιά κατάσταση σέ ἄλλη): *go through a period of ~*, περνῶ μεταβατική περίοδο. **2**. μετάπτωσις, μεταβολή: *The ~s from cold to warm weather*, οἱ μεταπτώσεις ἀπό τόν κρύο στό ζεστό καιρό... **~al** /-nl/ *ἐπ.* μεταβατικός. **~·ally** /-nəlɪ/ *ἐπίρ.*

tran·si·tive /`trænsətɪv/ *ἐπ.* (*γραμμ.*) μεταβατικόν (ρῆμα). **~·ly** *ἐπίρ.*

tran·si·tory /`trænsɪtrɪ/ *ἐπ. βλ. transient.*

trans·late /trænz`leɪt/ *ρ.μ.* **1**. *~ **sth** (**from** ... **into**)*, μεταφράζω (ἀπό ... σέ): *~ a book from French into English*, μεταφράζω ἕνα βιβλίο ἀπό τά Γαλλικά στά Ἀγγλικά. *~d from (the) Russian by...*, μεταφρασμένο ἀπό τά Ρωσσικά ὑπό τοῦ... **2**. ἑρμηνεύω: *How do you ~ his silence?* πῶς ἑρμηνεύεις τή σιωπή του; **trans·lat·able** /-əbl/ *ἐπ.* μεταφράσιμος. **trans·la·tor** /-tə(r)/ *οὐσ.* ‹C› μεταφραστής. **trans·la·tion** /trænz`leɪʃn/ *οὐσ.* ‹C,U› μετάφρασις.

trans·lit·er·ate /trænz`lɪtəreɪt/ *ρ.μ.* *~ **sth** (**into**)*, μεταγράφω (μέ ἄλλους χαρακτῆρες): *~ English words into phonetic symbols*, μεταγράφω Ἀγγλικές λέξεις σέ φωνητικά σύμβολα. **trans·lit·er·ation** /ˈtrænzˈlɪtə`reɪʃn/ *οὐσ.* ‹C,U› μεταγραφή.

trans·lu·cent /trænz`lusnt/ *ἐπ.* ἡμιδιαφανής. **trans·luc·ence** /-sns/, **trans·lu·cency** /-snsɪ/ *οὐσ.* ‹U› ἡμιδιαφάνεια.

trans·mi·gra·tion /ˈtrænzmaɪ`greɪʃn/ *οὐσ.* ‹U› μετανάστευσις. *~ **of the soul***, μετεμψύχωσις.

trans·mission /trænz`mɪʃn/ *οὐσ.* **1**. ‹U› μεταβίβασις, μετάδοσις: *the ~ of news/a disease/a radio programme*, μετάδοσις εἰδήσεων/ἀρρώστειας/ραδιοφ. προγράμματος. **2**. ‹C› (*αὐτοκ.*) σύστημα μεταδόσεως κινήσεως, κιβώτιον ταχυτήτων.

trans·mit /trænz`mɪt/ *ρ.μ.* (*-tt-*) μεταβιβάζω, διαβιβάζω, μεταδίδω: *~ a message/one's characteristics to one's children*, μεταβιβάζω μήνυμα/τά χαρακτηριστικά μου στά παιδιά μου. *~ an order*, διαβιβάζω διαταγή. *~ heat/electricity/a disease*, μεταδίδω θερμότητα/ἠλεκτρισμό/ἀρρώστεια. **~·ter** /-tə(r)/ *οὐσ.* ‹C› μεταδότης, (*ραδιοφ.*) πομπός.

trans·mog·rify /trænz`mogrɪfaɪ/ *ρ.μ.* (*ἀστειολ.*) μεταμορφώνω τελείως (ὡς διά μαγείας). **trans·mog·ri·fi·ca·tion** /ˈtrænzmogrɪfɪ`keɪʃn/ *οὐσ.* ‹C,U› μεταμόρφωσις.

trans·mute /trænz`mjut/ *ρ.μ.* μεταλλάσσω, μετατρέπω, μεταστοιχειώνω (μέταλλα): *Iron cannot be ~d into gold*, τό σίδερο δέν μπορεῖ νά μετατραπῆ σέ χρυσάφι. **trans·mut·able** /-əbl/ *ἐπ.* μετατρέψιμος, μεταστοιχειώσιμος. **trans·mu·ta·tion** /ˈtrænzmju`teɪʃn/ *οὐσ.* ‹C,U› μεταλλαγή, μεταστοιχείωσις.

trans·oceanic /ˈtrænzˈəʊʃɪ`ænɪk/ *ἐπ.* ὑπερωκεάνειος.

tran·som /`trænsəm/ *οὐσ.* ‹C› ἀνώφλιο, ὑπέρθυρο (ὁριζόντιος δοκός πάνω ἀπό πόρτα ἤ παράθυρο). `**~(-window)**, φεγγίτης (πάνω ἀπό πόρτα).

trans·par·ence /træn`spærns/ *οὐσ.* ‹U› διαφάνεια. **trans·par·ency** /-rnsɪ/ *οὐσ.* ‹C,U› διαφάνεια, σλάϊντ.

trans·par·ent /træn`spærnt/ *ἐπ.* **1**. διάφανος, διαφανής: *~ window-panes*, διαφανῆ τζάμια. **2**. ὁλοφάνερος, προφανής: *a ~ lie/deception*, ὁλοφάνερο ψέμα/καθαρή ἀπάτη. **3**. διαυγής: *~ style/water*, διαυγές ὕφος/γάργαρο νερό. **~·ly** *ἐπίρ.*

tran·spire /træn`spaɪə(r)/ *ρ.μ/ἀ.* **1**. ἐξιδρώνω, ἀποπνέω. **2**. διαρρέω, μαθαίνομαι, ἀποκαλύπτομαι: *It ~d that he would resign*, μαθεύτηκε ὅτι θά παραιτηθῆ. *From his answers it ~d that he had been telling lies*, ἀπό τίς ἀπαντήσεις του ἀποκαλύφθηκε ὅτι ἔλεγε ψέματα. **3**. (*καθομ.*) συμβαίνω: *His account of what ~d*, ἡ ἀφήγησίς του γιά τό τί συνέβη... **tran·spi·ra·tion** /ˈtrænspə`reɪʃn/ *οὐσ.* ‹U› ἐφίδρωσις, διαφυγή ὑγρασίας.

trans·plant /træns`plant/ *ρ.μ/ἀ.* **1**. μεταφυτεύω/-ομαι: *Some seedlings do not ~ well*, μερικά φυτάδια δέν μεταφυτεύονται (δέν πιάνουν) εὔκολα. *people ~ed into another country*, (*μεταφ.*) ἄνθρωποι πού μεταφυτεύτηκαν σέ ἄλλη χώρα. **2**. μεταμοσχεύω: ~ *kidneys/a heart*, μεταμοσχεύω νεφρά/καρδιά. —*οὐσ*. ‹C› /ˋtrænsplant/ μεταμόσχευσις: *a ˋheart ~*, μεταμόσχευσις καρδιᾶς. **trans·plan·ta·tion** /ˈtrænsplanˋteɪʃn/ *οὐσ*. ‹C,U› μεταφύτευσις.

trans·po·lar /ˈtrænzˋpəulə(r)/ *ἐπ*. ὑπεράνω τῶν πόλων: *a ~ flight*, πτῆσις ὑπεράνω τῶν πόλων (τῆς γῆς).

[1]**trans·port** /ˋtranspɔt/ *οὐσ*. ‹C,U› **1**. μεταφορά: *road ~*, ὁδικές μεταφορές. *the ~ of troops/goods*, ἡ μεταφορά στρατευμάτων/ἐμπορευμάτων. *London's ~ system*, τό συγκοινωνιακό σύστημα τοῦ Λονδίνου. *~ charges*, τέλη μεταφορᾶς. **2**. μεταφορικό μέσον: *Have you got your own ~?* ἔχετε δικό σας μεταφορικό μέσον; (ˋ**troop-**)~, μεταγωγικό στρατευμάτων (πλοῖο ἤ ἀεροπλάνο). **3**. (*λογοτ*.) παραφορά, παραλήρημα (χαρᾶς, ἐνθουσιασμοῦ): *be in a ~/in ~s of joy*, παραληρῶ ἀπό χαρά.

[2]**trans·port** /tranˋspɔt/ *ρ.μ*. **1**. μεταφέρω: *~ goods by lorry*, μεταφέρω ἐμπορεύματα μέ φορτηγό. **2**. ἐκτοπίζω (κατάδικον, *συνήθ*. σέ ἀποικία). ***be ~ed with***, (*λογοτ*.) παραληρῶ ἀπό: *The nation was ~ed with joy/enthusiasm*, τό ἔθνος παραληροῦσε ἀπό χαρά/ἀπό ἐνθουσιασμό. **~·able** /-əbl/ *ἐπ*. μεταφέρσιμος, φορητός. **~a·tion** /ˈtranspɔˋteɪʃn/ *οὐσ*. ‹U› μεταφορά, ἐξορία (καταδίκου σέ ἀποικία). **~er** *οὐσ*. ‹C› μεταφορεύς, μεταφορικό μέσον. **~er bridge**, γερανογέφυρα.

trans·pose /trænˋspəuz/ *ρ.μ*. μετατοπίζω, ἀλληλομεταθέτω, (*μουσ*.) μεταφέρω σέ ἄλλη κλίμακα. **trans·po·si·tion** /ˈtrænspəˋzɪʃn/ *οὐσ*. ‹C,U› μετατόπισις, μετάθεσις, μεταφορά.

trans·ship /trænˋʃɪp/ *ρ.μ*. μεταφορτώνω. **~-ment** *οὐσ*. ‹C,U› μεταφόρτωσις.

tran·sub·stan·ti·ation /ˈtrænsəbˈstænʃɪˋeɪʃn/ *οὐσ*. ‹U› (*θεολ*.) μετουσίωσις.

trans·verse /trænzˋvɜs/ *ἐπ*. ἐγκάρσιος, πλάγιος. **~·ly** *ἐπίρ*. ἐγκαρσίως, λοξά.

trans·vest·ism /trænzˋvest-ɪzm/ *οὐσ*. ‹U› (*ψυχ*.) παρενδυσία (ἐπιθυμία νά ντύνεται κάποιος μέ ροῦχα τοῦ ἄλλου φύλου). **trans·ves·tite** /-taɪt/ *οὐσ*. ‹C› ἀνώμαλος τύπος πού θέλει νά ντύνεται μέ τά ροῦχα τοῦ ἀντιθέτου φύλου.

trap /træp/ *οὐσ*. ‹C› **1**. παγίδα: *a ˋmouse-~*, ποντικοπαγίδα. *catch sb in a ~*, πιάνω κπ σέ παγίδα. *set a ~ for sb*, (*μεταφ*.) στήνω παγίδα σέ κπ. *fall into a ~*, (*μεταφ*.) πέφτω σέ παγίδα. **2**. (*ὑδραυλ*.) σιφώνι. **3**. δίτροχο μόνιππο. **4**. ˈ~(-ˋ**door**), καταπακτή. **5**. (*λαϊκ*.) στόμα: *Shut your ~!* βούλωσ' το! —*ρ.μ*. *(-pp-)* παγιδεύω, στήνω παγίδες. **~·per** *οὐσ*. ‹C› κυνηγός πού χρησιμοποιεῖ παγίδες.

tra·peze /trəˋpiz/ *οὐσ*. ‹C› (*γυμν*.) τραπέζιον.

trap·ezoid /ˋtræpəzɔɪd/ *οὐσ*. ‹C› (*γεωμ*.) τραπέζιον.

trap·pings /ˋtræpɪŋz/ *οὐσ*. *πληθ*. (*μεταφ*.) στολίδια, μπιχλιμπίδια, λιλιά: *He had all the ~ of high office but very little power*, εἶχε ὅλα τά λιλιά τοῦ ὑψηλοῦ ἀξιώματος, ἀλλά πολύ λίγη ἐξουσία. *He was wearing the ~ of a marshal*, φοροῦσε τά λιλιά στρατάρχη.

Trap·pist /ˋtræpɪst/ *οὐσ*. ‹C› (*ἐκκλ*.) Τραππιστής (μοναχός τοῦ Τάγματος τῶν 'Αμίλητων).

traps /træps/ *οὐσ*. *πληθ*. (*καθομ*.) πράγματα, ἀποσκευές: *Pack your ~*, μάζεψε τά πράγματα σου.

trapse, traipse /treɪps/ *ρ.ἀ*. *βλ*. *traipse*.

trash /træʃ/ *οὐσ*. ‹U› (*καθομ*.) **1**. σκύβαλα, (ἄνθρωποι, γραφτά, λόγια, κλπ) χωρίς ἀξία, τιποτένιος: *read/talk ~*, διαβάζω/λέω ἀνοησίες. *sell ~*, πουλάω φτηνοπράγματα. **white ~**, τά κατακάθια τῶν λευκῶν. **2**. (*ΗΠΑ*) σκουπίδια: *a ˋ~-can*, σκουπιδοτενεκές. **~y** *ἐπ*. τιποτένιος, εὐτελής, ἄχρηστος: *~y novels/goods*, μυθιστορήματα/ἐμπορεύματα τῆς κακιᾶς ὥρας, τῆς πεντάρας.

trauma /ˋtrɔmə/ *οὐσ*. ‹C› (*πληθ*. *~s* /-məz/ *ἤ ~-ta* /-mətə/) (*ἰατρ*., *ψυχ*.) τραῦμα. **trau·matic** /trɔˋmætɪk/ *ἐπ*. τραυματικός, πού ἀφήνει ἀνεπούλωτα τραύματα: *The Vietnam war has been a traumatic experience for Americans*, ὁ πόλεμος τοῦ Βιετνάμ ὑπῆρξε μιά τραυματική ἐμπειρία γιά τούς 'Αμερικανούς.

tra·vail /ˋtræveɪl/ *οὐσ*. ‹U› (*ἀρχ*.) ὠδῖνες: *a woman in ~*. γυναίκα στίς ὠδῖνες τοκετοῦ.

[1]**travel** /ˋtrævl/ *ρ.μ/ἀ*. *(-ll-)* **1**. ταξιδεύω: *~ round the world*, γυρίζω ὅλο τόν κόσμο. *~ for pleasure/on business*, ταξιδεύω γιά ἀναψυχή/γιά δουλειές. *~ by sea/by air*, ταξιδεύω μέ πλοῖο/ἀεροπορικῶς. ˋ**~ agency/bureau**, ταξιδιωτικό γραφεῖο. ˋ**~ agent**, ταξιδιωτικός πράκτωρ. **2**. περιοδεύω, γυρίζω σάν πλασιέ: *He ~s for a publishing company*, εἶναι πλασιέ σέ μιά ἐκδοτική ἑταιρία. **3**. κινοῦμαι: *Light ~s faster than sound*, τό φῶς κινεῖται γρηγορώτερα ἀπό τόν ἦχο. **4**. διατρέχω, περνῶ, ἐπισκοπῶ: *His eyes ~led over the distant hilltops*, τά μάτια του διέτρεξαν (πέταξαν πάνω ἀπό) τίς μακρυνές κορφές τῶν λόφων. *Her mind ~led over recent events*, ἀναπόλησε διαδοχικά στό νοῦ της τά πρόσφατα γεγονότα. **~·led** *ἐπ*. (*γιά ἄνθρ*.) πολυταξιδεμένος, (*γιά μέρος*) πολυσύχναστος: *a much ~led man/road*, πολυταξιδεμένος ἄνθρωπος/πολυσύχναστος δρόμος. **~·ler** *οὐσ*. ‹C› **1**. ταξιδιώτης. ˋ**~ler's cheque**, ταξιδιωτική ἐπιταγή. **~ler's joy**. (*βοτ*.) κουρμπένι. **2**. πλασιέ. **~·ling** *οὐσ*. ‹U› ταξίδια: *I love ~ling*, ἀγαπῶ τά ταξίδια. *a ˋ~ling bag*, ταξιδιωτικός σάκκος. *ˋ~ling expenses*, ἔξοδα ταξιδιοῦ.

[2]**travel** /ˋtrævl/ *οὐσ*. **1**. ‹U› ταξίδι: *I'm fond of ~*, ἀγαπῶ τά ταξίδια. ˋ**~-sickness**, διάρροια, ναυτία. ˋ**~-soiled/-stained/-worn**, λερωμένος/λεκιασμένος/φθαρμένος ἀπό τά ταξίδια. **~·ling fellowship**, ὑποτροφία γιά ἐκπαιδευτικό ταξίδι. **2**. (*πληθ*.) ταξίδια, περιπλανήσεις: *write a book about one's ~s*, γράφω ἕνα βιβλίο γιά τά ταξίδια μου. **3**. ‹U› (*μηχ*.) διαδρομή (ἐμβόλου, κλπ), μετακίνησις.

trav·elogue, trav·elog /ˋtrævəlog/ *οὐσ*. ‹C› ταινία ἤ διάλεξις γιά ταξίδι, ταξιδιωτική περιγραφή.

tra·verse /ˋtrævɜs/ *ρ.μ*. (*λόγ*.) διασχίζω, διαβαίνω, διέρχομαι: *Searchlights ~d the sky*, προβολεῖς διέσχιζαν τόν οὐρανό. *The railway ~s hundreds of miles of desert*, ἡ σιδηροδρομική γραμμή διασχίζει ἑκατοντάδες μίλια μέσα στήν ἔρημο. —*οὐσ*. ‹C› διάβασις, (*ὀρειβ*.) κορδέλλα.

trav·esty /ˋtrævəstɪ/ *οὐσ*. ‹C› παρωδία, διακωμώδησις: *His trial was a ~ of justice*, ἡ δίκη του ἦταν παρωδία δικαιοσύνης. —*ρ.μ.* παρωδῶ, ἀπομιμοῦμαι, διακωμωδῶ: ~ *a writer's style*, παρωδῶ τό ὕφος ἑνός συγγραφέα.

trawl /trɔl/ *οὐσ.* ‹C› `~(**-net**), τράτα. —*ρ.μ/ά.* ψαρεύω μέ τράτα. `~**er** *οὐσ.* ‹C› (ψαρᾶς) τρατάρης, μηχανότρατα, ἁλιευτικό πλοιάριο.

tray /treɪ/ *οὐσ.* ‹C› δίσκος: `*tea-*~, δίσκος τοῦ τσαγιοῦ. `**in-**/`**out-**~, δίσκος γιά εἰσερχόμενα/ἐξερχόμενα (ἔγγραφα, γράμματα, κλπ).

treach·er·ous /`tretʃərəs/ *ἐπ.* **1**. ἄπιστος: *a ~ friend*, ἄπιστος φίλος. **2**. ὕπουλος, δόλιος, προδοτικός: *My memory is ~*, ἡ μνήμη μου μέ προδίδει. ~ *weather*, ὕπουλος καιρός. ~**·ly** *ἐπίρ.* ὕπουλα, ἄπιστα. **treach·ery** /`tretʃərɪ/ *οὐσ.* ‹C,U› δολιότης, ἀπιστία, προδοσία: *an act/a piece of ~*, δόλια, ὕπουλη πρᾶξις/προδοσία.

treacle /`trikl/ *οὐσ.* ‹U› μελάσσα, σιρόπι. **treacly** /`triklɪ/ *ἐπ.* σά σιρόπι, πολύ γλυκός: *treacly sentiments*, (*μεταφ.*) αἰσθήματα ὅλο σιρόπι.

tread /tred/ *ρ.μ/ά.* ἀνώμ. (*ἀόρ. trod* /trod/, *π.μ. trodden* /`trodn/) **1**. (περ)πατῶ, βαδίζω, βηματίζω: ~ *on sb's toes*, πατῶ τό πόδι κάποιου, ξενυχιάζω κπ. *Don't ~ on the flowers*, μήν πατᾶς τά λουλούδια. *She trod lightly so as not to wake the baby*, βημάτισε ἐλαφρά γιά νά μήν ξυπνήση τό μωρό. ~ *a dangerous path*, βαδίζω σ' ἐπικίνδυνο δρόμο. ~ ***a measure***, (*πεπαλ.*) χορεύω. ~ ***on air***, (*μεταφ.*) πετῶ στά σύννεφα. ~ ***on sb's heels***, (*κυριολ.* & *μεταφ.*) παίρνω κπ ἀπό πίσω. ~ ***on sb's toes/corns***, (*μεταφ.*) πατῶ κπ στόν κάλο. ~ ***water***, κολυμπάω ὄρθιος, κάνω ποδήλατο στό κολύμπι. **2**. πατῶ, τσαλαπατῶ: ~ *out a fire*, σβύνω μιά φωτιά πατώντας την. ~ *grapes/~ out the juice from grapes*, πατῶ σταφύλια/βγάζω μοῦστο. ~ *sth underfoot*, τσαλαπατῶ κτ, τό συντρίβω μέ τά πόδια. ~ *a path across a field*, ἀνοίγω δρόμο μέσ' ἀπό ἕνα χωράφι. —*οὐσ.* ‹C› **1**. βῆμα, πατημασιά: *with a heavy/loud ~*, μέ βαρύ/δυνατό βῆμα. **2**. πέλμα ἐλαστικοῦ. **3**. σκαλοπάτι. `~**-mill**, (*παλαιότ.*) τροχός βασανιστηρίων, (*μεταφ.*) ἄχαρη, μονότονη δουλειά, μαγκανοπήγαδο.

treadle /`tredl/ *οὐσ.* ‹C› ποδοκίνητο πεντάλι (ραπτομηχανῆς, ἀργαλειοῦ, τόρνου, κλπ). —*ρ.ά.* κινῶ μέ πεντάλι.

trea·son /`trizn/ *οὐσ.* ‹U› προδοσία: `*high* `~, ἐσχάτη προδοσία. ~**·ous** /`trizənəs/, ~**·able** /`trizənəbl/ *ἐπ.* προδοτικός. ~**·ably** /-ənəblɪ/ *ἐπίρ.*

treas·ure /`treʒə(r)/ *οὐσ.* ‹C,U› (*κυριολ.* & *μεταφ.*) θησαυρός: *bury/find ~*, θάβω/βρίσκω ἕναν θησαυρό. `*art ~s*, καλλιτεχνικοί θησαυροί. *My ~!* (*πεπαλ.*) θησαυρέ μου! `~**-house**, θησαυροφυλάκιο. `~**-trove** *οὐσ.* ‹U› (*νομ.*) ἀδέσποτος θησαυρός. —*ρ.μ.* **1**. ~ ***(up)***, φυλάω (σά θησαυρό): ~ *sth up in one's memory*, φυλάω κτ μέ ἀγάπη στή μνήμη μου. ~ *memories of one's holidays*, φυλάω νοσταλγικά τίς ἀναμνήσεις τῶν διακοπῶν μου. **2**. θεωρῶ κτ πολύτιμο: *I ~ your friendship*, θεωρῶ τή φιλία σας σάν κάτι πολύτιμο.

treas·urer /`treʒərə(r)/ *οὐσ.* ‹C› ταμίας (κολλεγίου, σωματείου, κλπ), θησαυροφύλαξ.

treas·ury /`treʒərɪ/ *οὐσ.* ‹C› **1**. **the T~**, Ὑπουργεῖο Οἰκονομικῶν. **First Lord of the T~**, ὁ Πρωθυπουργός. `~ **bill**, κρατικόν ὁμόλογον. **2**. θησαυροφυλάκιον, ταμεῖον (συλλόγου): *The ~ of our club is almost empty*, τό ταμεῖο τοῦ συλλόγου μας εἶναι σχεδόν ἄδειο. **3**. θησαυρός (πληροφοριῶν, γνώσεων, κλπ): *This book is a ~ of information*, αὐτό τό βιβλίο εἶναι θησαυρός πληροφοριῶν.

treat /`trit/ *ρ.μ/ά.* **1**. μεταχειρίζομαι, φέρομαι: *He ~s his wife badly*, μεταχειρίζεται ἄσχημα τή γυναίκα του. *They ~ me as (if I were) a child*, μοῦ φέρονται σά νά εἶμαι παιδί. **2**. πραγματεύομαι: *The lecturer ~ed his subject thoroughly*, ὁ ὁμιλητής πραγματεύτηκε τό θέμα του ἐξαντλητικά. ~ ***of***, (*λόγ.*) πραγματεύομαι περί. **3**. θεωρῶ: *We'd better ~ it as a joke*, καλύτερα νά τό θεωρήσωμε ἀστεῖο, νά τό πάρωμε γι' ἀστεῖο. **4**. κουράρω, θεραπεύω: *Which doctor is ~ing him?* ποιός γιατρός τόν κουράρει; *It's difficult to ~ a person with cancer*, εἶναι δύσκολο νά θεραπεύσης ἕναν καρκινοπαθῆ. **5**. ἐπεξεργάζομαι: ~ *a metal with acid*, ἐπεξεργάζομαι ἕνα μέταλλο μέ ὀξύ. **6**. ~ ***sb/oneself to sth***, κερνῶ, προσφέρω, τρατάρω: ~ *sb to champagne*, κερνῶ κπ σαμπάνια. *It's my turn to ~ today*, σειρά μου νά κεράσω σήμερα. *I'll ~ myself to a week's holiday*, θά προσφέρω στόν ἑαυτό μου διακοπές μιᾶς ἑβδομάδας. **7**. ~ ***with sb***, (*λόγ.*) διαπραγματεύομαι: ~ *with the enemy for peace*, κάνω διαπραγματεύσεις γιά εἰρήνη μέ τόν ἐχθρό. —*οὐσ.* ‹C› **1**. ἀπόλαυσις, χαρά: *What a ~ to get into the peace and quiet of the country!* τί ἀπόλαυσις νά βρεθῆ κανείς στήν ἠρεμία καί τή γαλήνη ἐξοχῆς! *a children's ~/a school ~*, σχολική ἐκδρομή. **2**. κέρασμα, τρατάρισμα: *This is to be my ~*, αὐτό τό κερνάω ἐγώ.

treat·ise /`tritɪz/ *οὐσ.* ‹C› πραγματεία: *a ~ on ethics*, πραγματεία περί ἠθικῆς.

treat·ment /`tritmənt/ *οὐσ.* ‹C,U› μεταχείρισις, πραγμάτευσις, θεραπεία, κούρα.

treaty /`tritɪ/ *οὐσ.* **1**. ‹C› συνθήκη: *a `peace ~*, συνθήκη εἰρήνης. *enter into a ~ of commerce with a country*, συνάπτω ἐμπορική συνθήκη μέ μιά χώρα. `~ **port**, ἀνοιχτό λιμάνι (γιά ἐξωτερικό ἐμπόριο). **2**. ‹U› συμφωνία, σύμβασις: *be in ~ with sb for sth*, ἔχω συμφωνία μέ κπ γιά κτ. *sell a house by private ~*, πουλῶ ἕνα σπίτι δι' ἰδιωτικῆς συμφωνίας.

[1]**treble** /`trebl/ *ἐπ.* τριπλός, τριπλάσιος: *He earns ~ my salary*, κερδίζει τρεῖς φορές τό μισθό μου. —*ρ.μ/ά.* τριπλασιάζω/-ομαι: *He has ~d his profits in two years*, τριπλασίασε τά κέρδη του σέ δυό χρόνια. *His earnings have ~d*, τά εἰσοδήματά του ἔχουν τριπλασιαστῆ.

[2]**treble** /`trebl/ *οὐσ.* ‹C› (*μουσ.*) ὑψίφωνος, σοπράνο: *a ~ voice*, σοπράνο φωνή. ~ *pitch*, τόνος πρίμο.

tree /tri/ *οὐσ.* ‹C› **1**. δέντρο: *cut down ~s*, κόβω δέντρα. *climb a ~*, σκαρφαλώνω σέ δέντρο. *family ~*, οἰκογενειακό δέντρο. (*βλ.* & *λ.* [2]*gum*, [1]*top*). **2**. κομμάτι ξύλου (γιά ὡρισμένο σκοπό): *a `shoe-~*, καλαπόδι. ~**·less** *ἐπ.* ἄδενδρος.

tre·foil /`trifɔɪl/ *οὐσ.* ‹C› τριφύλλι.

trek /trek/ *ρ.ὰ.* *(-kk-)* ταξιδεύω μακριά (ἀρχικά μέ βοϊδάμαξα), μεταναστεύω. __*οὐσ.* ‹C› μακρινό ἐπίπονο ταξίδι.

trel·lis /ˋtrelɪs/ *οὐσ.* ‹C› ὄρθιο δικτυωτό, καφασωτό (γιά ἀναρρίχηση φυτῶν). __*ρ.μ.* τοποθετῶ, στυλώνω μέ δικτυωτό.

tremble /ˋtrembl/ *ρ.ὰ.* **1**. τρέμω, δονοῦμαι: *The ground ~d under our feet*, τό ἔδαφος ἔτρεμε κάτω ἀπό τά πόδια μας. *His voice ~d with anger*, ἡ φωνή του ἔτρεμε ἀπό θυμό. **2**. τρέμω, ριγῶ: *She ~d with fear/cold/excitement*, ἔτρεμε ἀπό φόβο/ἀπό κρύο/ἀπό συγκίνηση. *I ~ to think what we'll pay*, τρέμω ὅταν σκέφτομαι τί θά πληρώσωμε. *She ~s at the idea of meeting him*, τρέμει στήν ἰδέα ὅτι θά τόν συναντήση. *in fear and trembling*, μέ φόβο καί τρόμο (τρέμοντας ἀπό φόβο). __*οὐσ.* ‹C› τρεμούλα, τρεμούλιασμα: *He was all of a ~*, (*καθομ.*) ἔτρεμε ὁλόκληρος.

tre·men·dous /trəˋmendəs/ *ἐπ.* **1**. τρομερός, τρομαχτικός; *go at a ~ speed*, τρέχω μέ τρομερή ταχύτητα. *a ~ explosion*, τρομακτική ἔκρηξις. **2**. (*καθομ.*) καταπληκτικός, φοβερός: *The party was a ~ success*, τό πάρτυ εἶχε καταπληκτική ἐπιτυχία. *He's a ~ eater/talker*, εἶναι φοβερός φαγᾶς/πολυλογάς. *It was a ~ performance*, ἦταν περίφημη παράσταση.

trem·olo /ˋtreməlәʊ/ *οὐσ.* ‹C› (*πληθ.* *~s*) τρέμολο.

tremor /ˋtremə(r)/ *οὐσ.* ‹C› **1**. τρεμούλιασμα, δόνησις: *There was a ~ in her voice*, ἡ φωνή της ἔτρεμε. *the ~ of leaves in the breeze*, τό τρεμούλιασμα τῶν φύλλων στ' ἀεράκι. *ˋearth ~s*, σεισμικές δονήσεις. **2**. ρῖγος: *a ~ of fear/joy*, ρῖγος φόβου/χαρᾶς.

tremu·lous /ˋtremjʊləs/ *ἐπ.* **1**. τρεμάμενος, ἀσταθής: *in a ~ voice*, μέ τρεμάμενη φωνή. *with ~ hands*, μέ τρεμάμενα χέρια. *~ writing*, τρεμουλιαστό/ἀσταθές γράψιμο. **2**. ἀνήσυχος, δειλός: *with a ~ smile*, μέ ἕνα δειλό χαμόγελο. **~·ly** *ἐπίρ.* τρεμάμενα, δειλά, φοβισμένα.

trench /trentʃ/ *οὐσ.* ‹C› χαντάκι, χαράκωμα: *irrigation ~es*, ἀρδευτικοί τάφροι. *~ warfare*, πόλεμος χαρακωμάτων. ˋ**~-coat**, τρέντς-κότ, ἀδιάβροχο. ˋ**~ fever**, πυρετός τῶν χαρακωμάτων (μεταδιδόμενος μέ ψεῖρες). __*ρ.μ/ὰ.* ἀνοίγω χαντάκια/χαρακώματα: *~ a field*, φτιάχνω ἀποξηραντικά αὐλάκια σέ χωράφι.

trench·ant /ˋtrentʃənt/ *ἐπ.* **1**. (*γιά ἐργαλεῖο*) κοφτερός, αἰχμηρός. **2**. (*μεταφ.*) ὀξύς, καυστικός, δηκτικός, ἀπότομος: *~ wit*, ὀξύ, δηκτικό πνεῦμα. *a ~ speech*, ἔξυπνος, καυστικός λόγος. **~·ly** *ἐπίρ.* κοφτερά, δηκτικά. **trench·ancy** /-ənsɪ/ *οὐσ.* ‹U› δηκτικότης, δριμύτης.

trend /trend/ *οὐσ.* ‹C› γενική κατεύθυνσις, ροπή, τάσις: *the ~ of modern thought*, ἡ κατεύθυνσις τῆς σύγχρονης σκέψης. *The ~ of prices is still upwards*, ἡ τάσις τῶν τιμῶν ἐξακολουθεῖ νά εἶναι ἀνοδική. *the ~s of fashion*, οἱ τάσεις τῆς μόδας. ***set the ~***, δίνω τή γραμμή/τήν κατεύθυνση σέ κτ, κάνω τήν ἀρχή, λανσάρω μόδα: *Paris sets the ~ in fashion*, τό Παρίσι δίνει τή γραμμή στή μόδα. **~y** *ἐπ.* *(-ier, -iest)* (*καθομ.*) μοντέρνος, μέ τήν τελευταία λέξη τῆς μόδας. __*ρ.ὰ.* κατευθύνομαι, τείνω: *The river ~s towards the west*, τό ποτάμι κατευθύνεται δυτικά. *coast ~ing southwards*, παραλία ἐκτεινομένη πρός νότον.

tre·pan /trɪˋpæn/ *ρ.μ.* *(-nn-)* (*ἰατρ.*) τρυπανίζω (τό κρανίο).

tre·phine /trɪˋfin/ *οὐσ.* ‹C› ὀστεοτρύπανον. __*ρ.μ.* τρυπανίζω.

trepi·da·tion /ˈtrepɪˋdeɪʃn/ *οὐσ.* ‹U› τρεμούλα, συγκίνησις, ταραχή: *We were filled with ~*, μᾶς κατέλαβε ταραχή (φόβος καί ἔξαψις μαζί).

tres·pass /ˋtrespəs/ *ρ.ὰ.* **1**. ***~ on/upon***, καταπατῶ (*ἰδ.* κτῆμα): *~ on sb's private property*, μπαίνω χωρίς ἄδεια στήν ἰδιοκτησία κάποιου. *'No ~ing!'* ''Απαγορεύεται ἡ εἴσοδος/'Ιδιωτικόν κτῆμα!' **2**. ***~(up)on***, καταχρῶμαι: *~ upon sb's kindness/time/hospitality*, κάνω κατάχρηση τῆς καλωσύνης/τοῦ χρόνου/τῆς φιλοξενίας κάποιου. **3**. (*Α.Γ.*) διαπράττω ἀδίκημα, ἁμαρτάνω. __*οὐσ.* **1**. ‹U› καταπάτησις, κατάχρησις. **2**. ‹C› (*Α.Γ.*) παράπτωμα, ἁμαρτία, πταῖσμα: *'Forgive us our ~es as we forgive them that ~ against us'*, 'ἄφες ἡμῖν τά ὀφειλήματα ἡμῶν ὡς καί ἡμεῖς ἀφίεμεν τοῖς ὀφειλέταις ἡμῶν.' **~er** *οὐσ.* ‹C› ὁ παραβιάζων τήν ἰδιοκτησίαν ἄλλου, παραβάτης: *'T~ers will be prosecuted'*, ''Απαγορεύεται ἡ εἴσοδος!' (Οἱ εἰσερχόμενοι ἄνευ ἀδείας διώκονται).

tress /tres/ *οὐσ.* ‹C› **1**. (*συνήθ. πληθ.*) (*λογοτ.*) βόστρυχος, μπούκλα: *her golden ~es*, οἱ χρυσές της μποῦκλες. **2**. κοτσίδα, πλεξούδα.

trestle /ˋtresl/ *οὐσ.* ‹C› τρίποδο, βάσταξ, καβαλέττο. ˈ**~-ˋtable**, τραπέζι σέ τρίποδα.

trews /truz/ *οὐσ. πληθ.* σκωτσέζικο κολλητό παντελόνι.

triad /ˋtraɪæd/ *οὐσ.* ‹C› τριάδα.

trial /ˋtraɪəl/ *οὐσ.* **1**. ‹C,U› δοκιμή, δοκιμασία: *give sth a ~*, δοκιμάζω κτ. *stand a ~*, ὑφίσταμαι δοκιμασία. *put sth to ~*, θέτω κτ ὑπό δοκιμασία. *The engine performed well during its ~s*, ἡ μηχανή ἀπέδωσε καλά στίς δοκιμές της. *have a ~ of strength with sb*, δοκιμάζω/ἀναμετρῶ τίς δυνάμεις. *We'll give the new typist a ~*, θά δοκιμάσωμε τήν καινούργια δακτυλογράφο. ***by ~ and error***, μέ τή μέθοδο τῆς δοκιμῆς καί πλάνης, ψαχτά, ἐμπειρικά. ***on ~***, μέ δοκιμή, μετά δοκιμήν, δοκιμαστικά: *Take it on ~*, πάρτο μέ δοκιμή (δοκιμαστικά). *It was found good on ~*, ἀπεδείχθη καλό μετά ἀπό δοκιμή. **2**. (*ἐπιθ.*) δοκιμαστικός: *a ~ flight/order*, δοκιμαστική πτῆσις/παραγγελία. **3**. ‹C› δοκιμασία, βάσανο, μπελᾶς: *Life is full of little ~s*, ἡ ζωή εἶναι γεμάτη μικροβάσανα. *That boy is a ~ to his teachers*, αὐτό τό παιδί εἶναι μπελᾶς γιά τούς δασκάλους του. **4**. ‹C,U› δίκη. ***be/go on ~ (for sth)***, δικάζομαι γιά κτ. ***bring sb to ~; bring sb up for ~; put sb on ~***, παραπέμπω κπ σέ δίκη. ***stand (one's) ~***, περνῶ ἀπό δίκη.

tri·angle /ˋtraɪæŋgl/ *οὐσ.* ‹C› τρίγωνο. ***the eternal ~***, τό αἰώνιο (τό 'Ιψενικό) τρίγωνο. **tri·angu·lar** /traɪˋæŋgjʊlə(r)/ *ἐπ.* τριγωνικός, τριμερής.

tribal /ˋtraɪbl/ *ἐπ.* φυλετικός, τῆς φυλῆς: *~ dances/wars*, χοροί τῆς φυλῆς/πόλεμοι μεταξύ φυλῶν. **~·ism** /-ɪzm/ *οὐσ.* ‹U› φυλετισμός.

tribe /traɪb/ *οὐσ.* ‹C› **1**. φυλή: *the twelve ~s of Israel*, οἱ δώδεκα φυλές τοῦ Ἰσραήλ. *the Indian ~s in America*, οἱ φυλὲς τῶν Ἰνδιάνων στὴν Ἀμερική. **`~s·man** /-zmən/ μέλος τῆς φυλῆς. **2**. (*φυτολ., ζωολ.*) εἶδος, τάξις. **3**. (*ὑποτιμ.*) φάρα, κλίκα: *the ~ of politicians*, ἡ φάρα τῶν πολιτικῶν.

tribu·la·tion /ˌtrɪbjʊˈleɪʃn/ *οὐσ.* ‹C,U› (*λόγ.*) δοκιμασία, βάσανο, συμφορά: *The war was a time of ~ for all of us*, ὁ πόλεμος ἦταν περίοδος δοκιμασιῶν γιά ὅλους μας. *He bore his ~s bravely*, ὑπέμεινε τά βάσανά του μέ γενναιότητα.

tri·bu·nal /traɪˈbjunl/ *οὐσ.* ‹C› δικαστήριο, ἐπιτροπή κρίσεως: *the Hague T~*, τό (Διεθνές) Δικαστήριον τῆς Χάγης. *the ~ of public opinion*, τό δικαστήριο τῆς κοινῆς γνώμης.

tri·bune /ˈtrɪbjun/ *οὐσ.* ‹C› **1**. (*Ρωμ. Ἱστορ.*) δήμαρχος. **2**. δημαγωγός, δημεγέρτης. **3**. βῆμα (ρήτορος).

tribu·tary /ˈtrɪbjʊtərɪ/ *οὐσ.* **1**. παραπόταμος: *the tributaries of the Danube*, οἱ παραπόταμοι τοῦ Δούναβη. **2**. ὑποτελής (ἡγεμών, κράτος, κλπ). __*ἐπ.* ὑποτελής: *a ~ country*, ὑποτελής χώρα.

tri·bute /ˈtrɪbjut/ *οὐσ.* ‹C,U› **1**. φόρος ὑποτελείας: *pay ~ to a country/ruler*, πληρώνω φόρον ὑποτελείας σέ μιά χώρα/σ' ἕναν ἄρχοντα. ***lay sb under ~***, ἀναγκάζω κπ νά πληρώνη φόρον ὑποτελείας. **2**. φόρος τιμῆς, τιμητική ἐκδήλωσις: *pay ~ to sb's memory*, ἀποτίω φόρον τιμῆς στή μνήμη κάποιου. *There were numerous ~s to him in the papers*, ἐδημοσιεύθησαν πολλά ἄρθρα πρός τιμήν του στίς ἐφημερίδες.

trice /traɪs/ *οὐσ.* (*μόνον στή φρ.*) ***in a ~***, στή στιγμή. __*ρ.μ.* ***~ up a sail***, ἀνέλκω ἱστίον.

[1]**trick** /trɪk/ *οὐσ.* ‹C› **1**. κατεργαριά, ἀπάτη, κόλπο: *He got the money from me by a ~*, μοῦ πῆρε τά λεφτά μέ κατεργαριά, μέ ἀπάτη. ***the ~s of the trade***, τά κόλπα τοῦ ἐπαγγέλματος. **2**. ἀστεῖο, φάρσα, ζαβολιά, κόλπο: *The children are always up to amusing ~s*, τά παιδιά σκαρώνουν διαρκῶς ἀστεῖα. *I know his little ~s*, τά ξέρω τά κόλπα του. ***play a ~ on sb***, κάνω φάρσα σέ κπ. ***a dirty ~***, βρωμοδουλειά, προστυχιά, ἄσχημο ἀστεῖο. **3**. δεξιοτεχνία, ταχυδακτυλουργία, κόλπο, τρύκ: *`conjuring ~s*, ταχυδακτυλουργικά κόλπα. *He's clever at card ~s*, ξέρει πολλά κόλπα μέ τήν τράπουλα. *Does your dog know any ~s?* ξέρει ὁ σκύλος σου νά κάνη παιχνίδια/κόλπα; ***do the ~***, (*λαϊκ.*) πετυχαίνω, φέρνω ἀποτέλεσμα: *One more turn of the screwdriver should do the ~*, μ' ἕνα ἀκόμα στρίψιμο τοῦ κατσαβιδιοῦ θά γίνη ἡ δουλειά μας. **4**. ἰδιόρρυθμος τρόπος, συνήθειο: *He has a ~ of throwing his head back when he speaks*, ἔχει ἕναν ἰδιόρρυθμο τρόπο νά ρίχνη πίσω τό κεφάλι του ὅταν μιλάη. **5**. (*χαρτοπ.*) χαρτωσιά, λεβέ: *win/take a ~*, κερδίζω/παίρνω μιά χαρτωσιά. **6**. (*ναυτ.*) βάρδια (στό τιμόνι): *take one's ~ at the wheel*, κάνω τή βάρδια μου στό τιμόνι.

[2]**trick** /trɪk/ *ρ.μ.* ***~ sb (into/out of)***, ξεγελῶ, ἐξαπατῶ: *~ sb out of his money*, παίρνω τά λεφτά κάποιου μέ ἀπάτη. *She was ~ed into marrying him*, τήν ξεγέλασε καί τόν παντρεύτηκε. **~·ery** /-ərɪ/ *οὐσ.* ‹U› ἀπάτη, ζαβολιά, τέχνασμα. **~·ster** /-stə(r)/ *οὐσ.* ‹C› ἀπατεώνας, κολπατζῆς, κατεργάρης. **~y** *ἐπ.* (*-ier, -iest*) πονηρός, ἔξυπνος, (*γιά δουλειά*) δύσκολος, πού θέλει κόλπο: *a ~y politician/lawyer*, ἕνας πονηρός πολιτικός/παμπόνηρος δικηγόρος. *That's a ~y job/problem*, εἶναι ζόρικη δουλειά/δύσκολο πρόβλημα.

trickle /ˈtrɪkl/ *ρ.μ/ἀ* στάζω, σταλάζω, κυλάω (σά ρυάκι ἤ στάλα-στάλα): *~ oil into the bearing*, στάζω λάδι στό ρουλεμάν. *Blood ~d from the wound*, αἷμα ἔσταζε ἀπό τήν πληγή. *Tears ~d down her cheeks*, δάκρυα κυλοῦσαν στά μάγουλά της. *The people began to ~ out of the theatre*, οἱ ἄνθρωποι ἄρχισαν νά βγαίνουν λίγοι-λίγοι ἀπό τό θέατρο. __*οὐσ.* ‹C› στάλα, σταγόνα, λεπτή ροή: *set the tap at a ~*, ἀνοίγω τή βρύση ἴσια πού νά τρέχη. **`~ charger**, φορτιστής (μπαταριῶν) βραδείας φορτίσεως.

tri·col·our /ˈtrɪkələ(r)/ *οὐσ.* ‹C› τρίχρωμη σημαία (*ἰδ.* ἡ Γαλλική).

tri·cycle /ˈtraɪsɪkl/ *οὐσ.* ‹C› τρίκυκλον.

tri·dent /ˈtraɪdnt/ *οὐσ.* ‹C› τρίαινα.

tri·en·nial /traɪˈenɪəl/ *ἐπ.* & *οὐσ.* ‹C› τριετής, τριετές φυτό.

trier /traɪə(r)/ *οὐσ.* *βλ.* [2]*try*.

trifle /ˈtraɪfl/ *οὐσ.* **1**. ‹C› ἀσήμαντο πρᾶγμα, πραγματάκι: *It's silly to quarrel over ~s*, εἶναι ἀνόητο νά μαλώνη κανείς γιά μικροπράγματα. *The merest ~ upsets him*, μέ τό παραμικρό ἀναστατώνεται. ***(not) stick at ~s***, (νά μήν) κολλάω σέ λεπτομέρειες. **2**. ‹C› πενταροδεκάρες, μικροποσόν: *It cost me only a ~*, μοῦ κόστισε πενταροδεκάρες. **3**. ***a ~***, (*ἐπίρ.*) λιγάκι: *This dress is a ~ too short*, αὐτό τό φόρεμα εἶναι λιγάκι κοντό. *a ~ unwell*, λίγο ἀδιάθετος. **4**. ‹C,U› γλύκισμα (μέ σαβουαγιάρ, κρέμα, καί λικέρ). __*ρ.μ/ἀ.* **1**. ***~ with***, παίζω: *Don't ~ with your food/her affections*, μήν παίζης μέ τό φαΐ σου/μέ τά αἰσθήματά της. *He's not a man to be ~d with*, δέν εἶναι ἄνθρωπος πού σηκώνει ἀστεῖα (πού μπορεῖς νά παίξης μαζί του). **2**. ***~ away***, σπαταλῶ, χάνω ἄσκοπα: *~ away one's money/time*, σπαταλῶ τά λεφτά μου/τόν καιρό μου. **trif·ling** /ˈtraɪflɪŋ/ *ἐπ.* ἀσήμαντος: *of trifling value*, μηδαμινῆς ἀξίας. *trifling errors*, ἀσήμαντα λάθη. *It's no trifling matter*, δέν εἶναι ἀστεία ὑπόθεσις. **tri·fler** /ˈtraɪflə(r)/ *οὐσ.* ‹C› χωρατατζῆς, ἐπιπόλαιος.

trig·ger /ˈtrɪgə(r)/ *οὐσ.* ‹C› σκανδάλη (ὅπλου): *pull/press the ~*, τραβῶ/πατῶ τή σκανδάλη. ***have one's finger on the ~***, ἔχω τό δάχτυλο στή σκανδάλη, (*μεταφ.*) εἶμαι ὁ ὑπεύθυνος (*ἰδ.* ὅσον ἀφορᾶ τήν ἔναρξη πολεμικῶν ἐπιχειρήσεων). ***be quick on the ~***, εἶμαι γρήγορος στό πιστόλι. **`~-happy** *ἐπ.* (*λαϊκ.*) πολεμοχαρής, πού πατάει τή σκανδάλη γιά ψύλλου πήδημα. __*ρ.μ.* ***~ sth off***, ἀποτελῶ τό ἔναυσμα γιά κτ, προκαλῶ: *The king's move ~ed off a serious political crisis*, ἡ βασιλική ἐνέργεια ἀπετέλεσε τό ἔναυσμα σοβαρῆς πολιτικῆς κρίσης. *Who/What ~ed off the uprising?* ποιός/τί προκάλεσε τήν ἐξέγερση;

trig·on·om·etry /ˌtrɪgəˈnɒmətrɪ/ *οὐσ.* ‹U› τριγωνομετρία.

tri·lat·eral /ˈtraɪˈlætərl/ ἐπ. τρίπλευρος, τριμερής: *a ~ treaty/agreement*, τριμερής συνθήκη/συμφωνία.

trilby /ˈtrɪlbɪ/ οὐσ. ‹C› ρεπούμπλικα.

trill /trɪl/ οὐσ. ‹C› τρίλλια, λαρυγγισμός, τρεμουλιαστό κελάηδημα. —*ρ.μ/ἀ.* κάνω τρίλλιες, (*γιά πουλί*) κελαηδῶ.

tril·lion /ˈtrɪlɪən/ ἐπ. & οὐσ. ‹C› τρισεκατομμύριο, (*MB*) πεντάκις ἑκατομμύριο.

tril·ogy /ˈtrɪlədʒɪ/ οὐσ. ‹C› τριλογία.

trim /trɪm/ ἐπ. συγυρισμένος, περιποιημένος, φροντισμένος: *a ~ little garden*, ἕνας περιποιημένος κηπᾶκος. —*οὐσ.* ‹U› τάξις, ἑτοιμότης: *Everything was in good ~*, ὅλα ἦταν ἐν τάξει. ***be in/out of ~ (for doing sth)***, εἶμαι/δέν εἶμαι προετοιμασμένος γιά κτ: *a ship in fighting ~*, πλοῖο ἕτοιμο πρός μάχην. *The crew is out of ~ for the boat-race*, τό πλήρωμα δέν εἶναι σέ φόρμα γιά τίς λεμβοδρομίες. —*ρ.μ/ἀ.* (*-mm-*) **1**. περιποιοῦμαι, φτιάχνω (*ἰδ.* ἀφαιρώντας ὅ,τι περιττό), ξακρίζω: *~ one's beard/hair/nails*, ψαλιδίζω τά γένια μου/τά μαλλιά μου/τά νύχια μου. *~ a hedge/tree*, κουρεύω ἕνα φράχτη/κλαδεύω δέντρο. *~ the edges of a book*, ξακρίζω ἕνα βιβλίο. *~ the wick of a lamp*, κόβω λίγο τό φυτίλι λάμπας. *~ an essay*, χτενίζω μιά ἔκθεση (ἀφαιρώντας τά περιττά πράγματα). **2**. ***~ sth with***, στολίζω, γαρνίρω μέ: *a hat ~med with fur*, καπέλλο στολισμένο μέ γούνα. *a dress ~med with lace*, φόρεμα γαρνιρισμένο μέ νταντέλα. **3**. (*ναυτ.*) ἰσορροπῶ, ἰσοσταθμίζω (τό φορτίο πλοίου). **~·ming** οὐσ. (*ἰδ. πληθ.*) γαρνίρισμα: *lace ~mings*, γαρνιρίσματα ἀπό νταντέλλα. *roast beef with all the ~mings*, ψητό μοσχάρι μέ διάφορα γαρνιρίσματα. **~·ly** ἐπίρ.

trin·ity /ˈtrɪnətɪ/ οὐσ. ‹C› τριάδα. **the T~**, ἡ Ἁγία Τριάς. **ˈT~ House**, (*MB*) Ὑπηρεσία Πλοηγήσεως, Φάρων καί Σημαντήρων. **ˈT~ ˈSunday**, τῆς Ἁγίας Τριάδος. **ˈT~ term**, (*σχολ.*) τρίμηνο μετά τό Πάσχα.

trin·ket /ˈtrɪŋkɪt/ οὐσ. ‹C› μπρελόκ, μπιχλιμπίδι, ψευτοκοσμηματάκι.

trio /ˈtriəʊ/ οὐσ. ‹C› (*πληθ. ~s*) τριάς, (*μουσ.*) τρίο.

trip /trɪp/ ρ.μ/ἀ. (*-pp-*) **1**. ἀλαφροπατῶ, περπατῶ/τρέχω/χορεύω μέ γρήγορα, ἀνάλαφρα βήματα: *She ~ped across the square/She came ~ping up to me*, διέσχισε τήν πλατεῖα/μέ πλησίασε μέ γρήγορο, ἀνάλαφρο βῆμα. *They ~ped off*, ἔφυγαν ἀλαφροπατώντας. **2**. ***~ over sth***, σκοντάφτω σέ κτ: *He ~ped over the root of a tree*, σκόνταψε στή ρίζα ἑνός δέντρου. ***~ (sb) up***, βάζω τρικλοποδιά σέ κπ, σκοντάφτω: *The wrestler ~ped up his opponent*, ὁ παλαιστής ἔβαλε τρικλοποδιά στόν ἀντίπαλό του. *The lawyer tried to ~ up the witness*, (*μεταφ.*) ὁ δικηγόρος προσπάθησε νά βάλη τρικλοποδιά στό μάρτυρα. *He ~ped up and nearly fell*, σκόνταψε καί παρά λίγο νά πέση. **3**. ***~ a measure***, (*ἀπηρχ.*) χορεύω. **4**. (*λαϊκ.*) ***~ out***, μαστουρώνω. —*οὐσ.* ‹C› **1**. βόλτα, ἐκδρομούλα, ταξίδι ἀναψυχῆς: *go for a ~ to the seaside*, πάω βόλτα στήν ἀκρογιαλιά. *a sea ~*, θαλασσινή ἐκδρομή. **2**. σκόνταμα, (*μεταφ.*) παραπάτημα, λάθος: *A ~ and we are lost!* ἕνα παραπάτημα καί χαθήκαμε! **3**. (*λαϊκ.*) μαστούρωμα. **~·per** οὐσ. ‹C› **1**. ἐκδρομεύς. **2**. (*λαϊκ.*) μαστούρης. **~·ping** ἐπ. ἀνάλαφρος, πεταχτός. **~·ping·ly** ἐπίρ.

tri·par·tite /ˈtraɪˈpɑtaɪt/ ἐπ. τριμερής (*πχ* συνθήκη).

tripe /traɪp/ οὐσ. ‹U› **1**. πατσάς. **2**. (*λαϊκ.*) μποῦρδες: *Stop talking ~!* ἄσε τίς μποῦρδες, τίς σαχλαμάρες!

triple /ˈtrɪpl/ ἐπ. τριπλός: *the ~ alliance*, ἡ τριπλῆ συμμαχία. —*ρ.μ/ἀ.* τριπλασιάζω/-ομαι: *He ~d his income*, τριπλασίασε τό εἰσόδημά του. *His profits ~d*, τά κέρδη του τριπλασιάστηκαν.

trip·let /ˈtrɪplət/ οὐσ. **1**. (*πληθ.*) τρίδυμα. **2**. ‹C› σέτ τριῶν πραγμάτων.

trip·lex /ˈtrɪpleks/ ἐπ. τριπλός, τρίπλεξ.

trip·li·cate /ˈtrɪplɪkət/ ἐπ. τριπλός. —*οὐσ.* ‹U› τριπλότυπον, τριπλοῦν: *a document in ~*, ἔγγραφον εἰς τριπλοῦν. —*ρ.μ.* /ˈtrɪplɪkeɪt/ τριπλασιάζω.

tri·pod /ˈtraɪpod/ οὐσ. ‹C› τρίποδο.

tri·pos /ˈtraɪpos/ οὐσ. ‹C› ἐξετάσεις ἐπί πτυχίῳ στό Καῖμπριτζ.

trip·per /ˈtrɪpə(r)/ οὐσ. *βλ. trip.*

trip·tych /ˈtrɪptɪk/ οὐσ. ‹C› τρίπτυχο.

tri·reme /ˈtraɪrim/ οὐσ. ‹C› (*ἀρχ. Ἑλλ.*) τριήρης.

tri·sect /traɪˈsekt/ ρ.μ. τριχοτομῶ.

trite /traɪt/ ἐπ. (*γιά ἰδέες, κλπ*) τετριμμένος, κοινότοπος.

tri·umph /ˈtraɪʌmf/ οὐσ. ‹C,U› θρίαμβος: *return in ~*, ἐπιστρέφω ἐν θριάμβῳ/θριαμβευτής. *shouts of ~*, κραυγές θριάμβου. *a ~ over one's enemies*, θρίαμβος ἐναντίον τῶν ἐχθρῶν. —*ρ.ἀ.* ***~ over***, θριαμβεύω: *~ over one's enemies*, θριαμβεύω ἐναντίον τῶν ἐχθρῶν μου. *~ over opposition/adversity*, ὑπερνικῶ ἀντιδράσεις/ἀντιξοότητες. **tri·um·phal** /traɪˈʌmfl/ ἐπ. θριαμβικός: *a ~al arch*, ἁψίς θριάμβου. **tri·um·phant** /traɪˈʌmfnt/ ἐπ. θριαμβευτικός, θριαμβεύων: *our ~ant team*, ἡ θριαμβεύτρια ὁμάδα μας. *Bribery is ~ant*, ἡ δωροδοκία θριαμβεύει. **tri·um·phant·ly** ἐπίρ.

tri·um·vir·ate /traɪˈʌmvɪrət/ οὐσ. ‹C› τριανδρία.

tri·une /ˈtraɪjun/ ἐπ. τριαδικός, τρισυπόστατος.

trivet /ˈtrɪvɪt/ οὐσ. ‹C› σιδεροστιά (γιά μαγείρεμα). ***as right as a ~***, πολύ καλά, ἐν τάξει.

triv·ial /ˈtrɪvɪəl/ ἐπ. **1**. ἀσήμαντος: *a ~ offence/loss*, ἀσήμαντο παράπτωμα/-η ζημιά. *raise ~ objections*, προβάλλω ἀνάξιες λόγου ἀντιρρήσεις. **2**. μονότονος, τετριμμένος. ***the ~ round***, τά ἴδια καί τά ἴδια, ἡ καθημερινή ρουτίνα. **3**. (*γιά ἄνθρ.*) ἐλαφρός, ἐπιπόλαιος: *He's a ~ young man*, εἶναι ἕνας ἐπιπόλαιος νεαρός. **~·ity** /ˈtrɪvɪˈælətɪ/ οὐσ. ‹C,U› κοινοτοπία, ἀσημαντότης: *write/talk ~ities*, γράφω/λέω κοινοτοπίες. **~·ize** /-aɪz/ ρ.μ. ἐκχυδαΐζω, ἐξευτελίζω: *~ize politics*, ἐξευτελίζω τήν πολιτική. **~·ly** ἐπίρ. ἐπιπόλαια, ρηχά.

tro·chee /ˈtrəʊki/ οὐσ. ‹C› (*μετρ. ποιητ.*) τροχαῖος. **tro·chaic** /trəʊˈkeɪɪk/ ἐπ. τροχαϊκός.

trod, trod·den /trod, ˋtrodn/ *ἀόρ.* & *π.μ.* τοῦ *ρ. tread.*

trog·lo·dyte /ˋtrogləd aɪt/ *οὐσ.* ‹C› τρωγλοδύτης.

troika /ˋtrɔɪkə/ *οὐσ.* ‹C› τρόϊκα, τριανδρία.

Tro·jan /ˋtrəʊdʒən/ *ἐπ.* Τρωϊκός. __*οὐσ.* ‹C› Τρώς. ***work like a ~***, δουλεύω σά σκυλί. ***a ~ horse***, (*μεταφ.*) δούρειος ἵππος.

troll /trol/ *ρ.μ/ἀ.* **1**. τραγουδῶ μέ κέφι. **2**. ψαρεύω (μέ συρτή).

trol·ley /ˋtrolɪ/ *οὐσ.* ‹C› **1**. καρροτσάκι. **2**. τραπεζάκι μέ ρόδες. **3**. βαγονέττο. **4**. τρολλές.

trol·lop /ˋtroləp/ *οὐσ.* ‹C› (*πεπαλ.*) (γυναίκα) ἀναμαλλιάρα, βρωμιάρα, τσούλα.

trom·bone /tromˋbəʊn/ *οὐσ.* ‹C› τρομπόνι. **trom·bon·ist** /-ˋbəʊnɪst/ *οὐσ.* ‹C› τρομπονίστας.

troop /trup/ *οὐσ.* ‹C› **1**. ὁμάδα, μπουλούκι, τσοῦρμο, κοπάδι: *a ~ of scouts*, ὁμάδα προσκόπων. *a ~ of schoolchildren/tourists*, ἕνα τσοῦρμο μαθητές/μπουλούκι τουρίστες. *a ~ of antelope(s)*, κοπάδι ἀντιλόπες. **2**. οὐλαμός (ἱππικοῦ). **3**. (*πληθ.*) στρατιῶτες, στρατεύματα: *raise ~s*, συγκεντρώνω στρατεύματα. *air-borne ~s*, ἀεραγήματα. **ˋ~·ship/-carrier**, ὁπλιταγωγό. __*ρ.μ/ἀ.* **1**. πάω μπουλούκι: *The boys ~ed off to see the football match*, τά παιδιά πῆγαν τσοῦρμο νά δοῦν τό μάτς. **2**. ***~ the colour***, (*MB*) παρουσιάζω τή σημαία: ***~ing the colour***, τελετή τῆς σημαίας. **~er** *οὐσ.* ‹C› **1**. στρατιώτης τοῦ ἱππικοῦ/τῶν μηχανοκινήτων. **2**. (*ΗΠΑ*) ἔφιππος ἀστυνομικός. ***swear like a ~er***, βλαστημάω σάν καρροτσέρης.

trophy /ˋtrəʊfɪ/ *οὐσ.* ‹C› **1**. τρόπαιον. **2**. βραβεῖο, κύπελλο (ἀγώνων).

tropic /ˋtropɪk/ *οὐσ.* ‹C› **1**. τροπικός. **2**. **the ~s**, οἱ τροπικοί, οἱ τροπικές χῶρες. **tropical** /-kl/ *ἐπ.* τροπικός: *a ~al climate*, τροπικόν κλῖμα. **~ally** /-klɪ/ *ἐπίρ.*

trot /trot/ *ρ.μ/ἀ.* *(-tt-)* **1**. (*γιά ἄλογο*) τριποδίζω, τροχάζω: *The horse ~ted off*, τό ἄλογο ἔφυγε τριποδίζοντας. **2**. τρέχω μέ μικρά βήματα, (*καθομ.*) πηγαίνω: *Now, I must be ~ting off home*, πρέπει νά φεύγω τώρα γιά τό σπίτι. *Now, children, ~ along!* καί τώρα παιδιά, δρόμο! **3**. ***~ out***, (*ἀστειολ.*) ξεφουρνίζω: *~ out one's knowledge*, ξεφουρνίζω τίς γνώσεις μου. **4**. κάνω (ἄνθρ. ἤ ἄλογο) νά τρέξῃ: *~ sb round*, παίρνω κπ μαζί μου στή γύρα, τόν γυρίζω (*πχ* στά μαγαζιά, κλπ). __*οὐσ.* (*μόνον ἑν.*) τροχασμός, γοργό βῆμα: *go at a steady ~*, πηγαίνω μέ σταθερό γρήγορο βῆμα. *break into a ~*, ἀρχίζω τροχάδην. ***on the ~***, (*λαϊκ.*) τό ἕνα κοντά στ' ἄλλο: *He had five whiskies on the ~*, ἤπιε πέντε οὐΐσκυ τάκα-τάκα. ***keep sb/be on the ~***, (*καθομ.*) κρατῶ κπ/εἶμαι διαρκῶς σέ κίνηση, ἀπό τή μιά δουλειά στήν ἄλλη: *I've been (kept) on the ~ all morning and I'm exhausted*, εἶμαι σέ κίνηση ἀπό τό πρωΐ καί εἶμαι πεθαμένος στήν κούραση. **~·ter** *οὐσ.* **1**. ‹C› ἄλογο γυμνασμένο στόν τριποδισμό. **2**. (*πληθ.*) ποδαράκια ἀρνίσια ἤ χοιρινά.

troth /trəʊθ/ *οὐσ.* ‹U› (*ἀρχ.*) πίστις. ***in ~***, τῇ ἀληθείᾳ, ἐπί τῷ λόγῳ μου. ***plight one's ~***, δίδω τό λόγο μου (*ἰδ.* γιά γάμο).

trou·ba·dour /ˋtrubədɔ(r)/ *οὐσ.* ‹C› τροβαδοῦρος.

[1]**trouble** /ˋtrʌbl/ *οὐσ.* **1**. ‹C,U› φασαρία, σκοτούρα, βάσανο, δυσκολία: *make ~*, κάνω φασαρία. *money/family ~s*, χρηματικές/οἰκογενειακές σκοτοῦρες. *His ~s are over now*, τά βάσανά του τέλειωσαν τώρα. *The ~ is...*, ἡ δυσκολία (τό κακό) εἶναι... *What's the ~ now?* τί συμβαίνει τώρα; ***ask/look for ~***, πάω γυρεύοντας γιά φασαρία. ***be in ~***, ἔχω φασαρίες/μπελάδες/μπλεξίματα. ***get into/out of ~***, μπλέκω, βρίσκω τό μπελᾶ μου/ξεμπλέκω. ***get sb into ~***, βάζω κπ σέ μπελάδες. ***get a girl into ~***, (*καθομ.*) καθιστῶ γυναίκα ἔγκυο. ***keep out of ~***, ἀποφεύγω τούς μπελάδες. **2**. ‹C› ἐνόχλησις, ταλαιπωρία: *I don't want to be any ~ to you*, δέν θέλω νά σᾶς ἐνοχλήσω/νά γίνω ἐνοχλητικός. *It's a great ~ having to get up so early*, εἶναι μεγάλη ταλαιπωρία νά πρέπει νά σηκώνεται κανείς τόσο νωρίς. **3**. ‹U› κόπος, φασαρία, φροντίδα: *It's not worth the ~*, δέν ἀξίζει τόν κόπο. *Did you have much ~ (in) finding my house?* εἴχατε φασαρία (δυσκολευτήκατε πολύ) νά βρῆτε τό σπίτι μου; *Thank you for all your ~*, σᾶς εὐχαριστῶ γιά ὅλες σας τίς φροντίδες. *It was no ~ at all*, δέν ἦταν καθόλου κόπος. ***go to the ~ of***, μπαίνω στόν κόπο (στή φασαρία) νά... ***put sb to ~***, βάζω κπ σέ κόπο. ***take ~ over sb/sth***, προσέχω, φροντίζω κπ/κτ. **4**. ‹C,U› ταραχή, πρόβλημα: *There has been ~ in Spain*, ἔγιναν ταραχές στήν Ἰσπανία. *ˋlabour ~s*, ἐργατικά προβλήματα. **5**. ‹C,U› (*ἰατρ.*) ἐνόχλησις, πάθησις, ἀρρώστεια: *ˋchildren's ~s*, παιδικές ἀρρώστειες. *ˋliver/ˋkidney/ˋheart ~*, πάθησις τοῦ συκωτιοῦ/τῶν νεφρῶν/τῆς καρδιᾶς. **6**. **ˋ~-maker**, ταραχοποιός. **ˋ~-shooter**, ἀνιχνευτής βλαβῶν (σέ μηχανές), εἰρηνοποιός, διαιτητής (σέ διαφορές). **~·some** /-səm/ *ἐπ.* ἐνοχλητικός, ὀχληρός, βασανιστικός, ἐκνευριστικός, μπελαλίδικος. **troub·lous** /ˋtrʌbləs/ *ἐπ.* (*λογοτ.*) ταραχώδης, ταραγμένος (*πχ* ἐποχή).

[2]**trouble** /ˋtrʌbl/ *ρ.μ/ἀ.* **1**. στενοχωρῶ, βασανίζω, ἀνησυχῶ: *What ~s me is that...*, ἐκεῖνο πού μέ στενοχωρεῖ εἶναι ὅτι... *I'm ~d with a nasty cough*, μέ βασανίζει ἕνας ἄσχημος βήχας. **2**. ἐνοχλῶ: *May I ~ you for a match?* μπορῶ νά σᾶς ἐνοχλήσω γιά ἕνα σπίρτο; *May I ~ you to pass me the salt, please?* μπορεῖτε σᾶς παρακαλῶ νά μοῦ δώσετε τό ἁλάτι; **3**. (*ἰδ. σέ ἐρωτημ. & ἀρνητ. προτάσεις*) σκοτίζομαι, μπαίνω στόν κόπο: *Don't ~ to come*, μήν μπῆς στόν κόπο νά ἔλθης. *Don't ~ about that*, μή σκοτίζεσαι γι' αὐτό. *Why did they ~ to answer?* γιατί μπῆκαν στόν κόπο ν' ἀπαντήσουν; **4**. ταράσσω: *a ~d countenance*, ταραγμένο πρόσωπο. ***fish in ~d waters***, (*μεταφ.*) ψαρεύω σέ θολά νερά.

trough /trof/ *οὐσ.* ‹C› **1**. σκαφίδι (ζυμώματος). **2**. σκάφη (γιά τάϊσμα ἤ πότισμα ζώων). **3**. κοῖλον (κύματος). **4**. (*μετεωρ.*) σφήνα ὑφέσεως.

trounce /traʊns/ *ρ.μ.* (*πεπαλ.*) ξυλοφορτώνω, νικῶ, κατσαδιάζω: *We got ~d*, τίς φάγαμε. ***give sb a good trouncing***, δίνω γερό ξύλο (ἤ γερή κατσάδα) σέ κπ.

troupe /trup/ *οὐσ.* ‹C› θίασος. **~r** *οὐσ.* ‹C› μέλος θιάσου.

trouser /ˋtraʊzə(r)/ *οὐσ.* **1**. (*πάντα πληθ., ἐκτός ὅταν εἶναι ἐπίθ.*) παντελόνι: *My new ~s are too long*, τό καινούργιο μου παντελόνι εἶναι πολύ μακρύ. **a pair of ~s**, ἕνα παντελόνι. **2**. (*ἐπιθ.*) ˋ*~ pockets/buttons*, τσέπες/κουμπιά παντελονιοῦ. ˋ**~ suit**, (γυναικεῖο) κοστούμι (ζακέτα μέ παντελόνι).

trous·seau /ˋtrusəʊ/ *οὐσ.* ‹C› (*πληθ. ~x* /-səʊz/) προικιά.

trout /traʊt/ *οὐσ.* ‹C› (*ἀμετάβλ. στόν πληθ.*) πέστροφα.

trove /trəʊv/ *οὐσ. βλ. treasure.*

trowel /ˋtraʊəl/ *οὐσ.* ‹C› **1**. μυστρί. **2**. κηπουρικό ἐργαλεῖο σά μυστρί.

troy /trɔɪ/ *οὐσ.* ‹U› μονάδα βάρους (γιά τό ζύγισμα χρυσοῦ καί ἀργύρου).

tru·ant /ˋtruənt/ *οὐσ.* ‹C› **1**. σκασιάρχης. ***play ~***, κάνω σκασιαρχεῖο. **2**. (*ἐπιθ.*) ἀργός, φυγόπονος, περιπλανώμενος: *~ thoughts*, περιπλανώμενες σκέψεις. **tru·ancy** /-ənsɪ/ *οὐσ.* ‹C,U› ἀδικαιολόγητη ἀπουσία, σκασιαρχεῖο.

truce /trus/ *οὐσ.* ‹C› ἀνακωχή.

[1]**truck** /trʌk/ *οὐσ.* ‹C› **1**. ἀνοιχτό φορτηγό βαγόνι. **2**. φορτηγό αὐτοκίνητο. **3**. καρροτσάκι ἀχθοφόρου.

[2]**truck** /trʌk/ *οὐσ.* ‹U› **1**. ἀνταλλαγή. ***have no ~ with sb***, (*πεπαλ.*) δέν ἔχω δοσοληψίες μέ κπ. **2**. πληρωμή σέ εἶδος.

truckle /ˋtrʌkl/ *οὐσ.* ‹C› ˋ**~-bed**, ράντζο, χαμηλό κρεββάτι μέ ρόδες.

trucu·lent /ˋtrʌkjʊlənt/ *ἐπ.* ἄγριος, βίαιος, ἐπιθετικός. **~·ly** *ἐπίρ.* **trucu·lence** /-ləns/, **trucu·lency** /-lənsɪ/ *οὐσ.* ‹U› ἐπιθετικότης.

trudge /trʌdʒ/ *ρ.ἀ.* περπατῶ μέ κόπο, σέρνομαι: *~ through the deep snow*, σέρνομαι μέσα στό βαθύ χιόνι. —*οὐσ.* ‹C› μακρύς, κουραστικός δρόμος.

true /tru/ *ἐπ.* (*-r, -st*) **1**. ἀληθινός, ἀληθής: *Is the news ~?* εἶναι τά νέα ἀλήθεια; ***come ~***, ἐπαληθεύομαι, πραγματοποιοῦμαι: *All my dreams/hopes came ~*, ὅλα μου τά ὄνειρα/ὅλες οἱ ἐλπίδες μου πραγματοποιήθηκαν. **2**. *~ (**to**)*, πιστός: *be ~ to one's word/promise*, εἶμαι πιστός στό λόγο μου/στήν ὑπόσχεσή μου. *The portrait/The novel is ~ to life*, τό πορτραῖτο/τό μυθιστόρημα ἀπεικονίζει πιστά τήν πραγματικότητα. ˈ**~-ˋblue** *ἐπ.* πιστός, δοκιμασμένος: *a ~-blue democrat*, δοκιμασμένος δημοκράτης. ˈ**~-ˋborn** *ἐπ.* γνήσιος, (*γιά παιδί*) νόμιμος: *a ~-born Englishman*, γνήσιος Ἐγγλέζος. ˈ**~-ˋhearted** *ἐπ.* (*πεπαλ.*) πιστός, εἰλικρινής, ἀφοσιωμένος. ˋ**~-love**, πιστός στόν ἔρωτα, πολυαγαπημένος. **3**. πραγματικός, γνήσιος, εἰλικρινής: *The frog is not a ~ reptile*, ὁ βάτραχος δέν εἶναι γνήσιο ἑρπετό. *He's a ~ friend*, εἶναι πραγματικός φίλος. ***be ~ to type***, (*βιολ.*) ἀνταποκρίνομαι ἀπολύτως στόν προγονικό τύπο, ἐπαναλαμβάνω τά κληρονομικά χαρακτηριστικά. **4**. κανονικός, στή θέση του: *Is the wheel ~?* εἶναι ὁ τροχός στή θέση του; **5**. ἀκριβής: *a ~ copy of the document*, ἀκριβές ἀντίγραφον τοῦ ἐγγράφου. —*οὐσ.* (*μόνον στή φρ.*) ***out of ~***, ὄχι στή σωστή του θέση, ὄχι κανονικά. —*ἐπίρ.* (*μέ λίγα ρήματα*) σωστά, ἀληθινά: *aim ~*, σκοπεύω σωστά. *Tell me ~*, πές μου ἀληθινά. —*ρ.μ.* ***~ sth up***, εὐθυγραμμίζω κτ, τό βάζω στή σωστή του θέση.

truffle /ˋtrʌfl/ *οὐσ.* ‹C› τρούφα.

trug /trʌg/ *οὐσ.* ‹C› (*MB*) ξύλινο πανέρι (κηπουροῦ).

tru·ism /ˋtru-ɪzm/ *οὐσ.* ‹C› κοινοτοπία, αὐταπόδεικτος ἀλήθεια.

truly /ˋtrulɪ/ *ἐπίρ.* ἀληθινά, εἰλικρινά, πραγματικά: *speak ~*, μιλῶ ἀληθινά, σωστά. *feel ~ grateful*, αἰσθάνομαι εἰλικρινά εὐγνώμων. *a ~ beautiful picture*, μιά πραγματικά ὡραία εἰκόνα.

[1]**trump** /trʌmp/ *οὐσ.* ‹C› (*χαρτοπ.*) ἀτοῦ. ***play one's ~ card***, (*μεταφ.*) παίζω τό πιό γερό μου χαρτί. ***turn up ~s***, (*καθομ.*) ἔχω τύχη, μοῦρχονται εὐνοϊκά τά πράγματα: *He always turns up ~s*, τοῦρχονται ὅλα ὅπως τά θέλει. —*ρ.μ/ἀ.* **1**. παίζω ἀτοῦ. **2**. ***~ sth up***, σκαρώνω, μηχανεύομαι: *~ up an excuse*, σκαρώνω μιά δικαιολογία. *He was arrested on a ~ed-up charge*, τόν πιάσανε μέ μιά ψεύτικη/φτιαχτή κατηγορία.

[2]**trump** /trʌmp/ *οὐσ.* ‹C› (*λογοτ.*) σάλπισμα, σάλπιγγα. ***the last ~; the ~ of doom***, ἡ σάλπιγγα τῆς δευτέρας παρουσίας.

trump·ery /ˋtrʌmpərɪ/ *ἐπ.* φανταχτερός ἀλλά φτηνός: *~ ornaments*, μπιχλιμπίδια.

trum·pet /ˋtrʌmpɪt/ *οὐσ.* ‹C› **1**. τρουμπέτα, σάλπιγγα, κορνέττα. ***blow one's own ~***, (*μεταφ.*) αὐτοδιαφημίζομαι, κομπάζω. **2**. σάλπισμα. ˋ**~-call**, προσκλητήριο. **3**. χωνί φωνογράφου, σάλπιγγα (ἄνθους). —*ρ.μ/ἀ.* **1**. διαλαλῶ, σαλπίζω, θριαμβολογῶ: *~ (forth) sb's heroic deeds*, διαλαλῶ τούς ἡρωϊσμούς κάποιου. **2**. (*γιά ἐλέφαντα*) φωνάζω. **~er** *οὐσ.* ‹C› σαλπιγκτής, κορνετίστας, τρομπετίστας.

trun·cate /trʌŋˋkeɪt/ *ρ.μ.* κολοβώνω, κουτσουρεύω, περικόπτω: *~d cone/pyramid*, κόλουρος κῶνος/πυραμίδα.

trun·cheon /ˋtrʌntʃən/ *οὐσ.* ‹C› γκλόμπ (ἀστυνομικοῦ).

trundle /ˋtrʌndl/ *ρ.μ/ἀ.* κυλῶ, σπρώχνω, τσουλῶ: *~ a barrow/hoop*, κυλῶ ἕνα καρότσι/ἕνα στεφάνι.

trunk /trʌŋk/ *οὐσ.* ‹C› **1**. κορμός (δέντρου ἤ ἀνθρωπίνου σώματος). **2**. μπαοῦλο, κασέλα. **3**. προβοσκίδα (ἐλέφαντος). **4**. (πληθ.) μαγιό (κολυμβητοῦ), σλίπ (ἀθλητοῦ). ˋ**~ hose**, ἀνδρική κυλόττα (16ου αἰῶνα). **5**. ˋ**~-call**, ὑπεραστικό τηλεφώνημα. ˋ**~-line**, *(a)* ὑπεραστική γραμμή. *(β)* κύρια σιδηροδρομική γραμμή. ˋ**~-road**, ὁδική ἀρτηρία, κύριος δρόμος.

truss /trʌs/ *οὐσ.* ‹C› **1**. δεμάτι, χειρόβολο. **2**. ἀντιστήριγμα (στέγης, γεφύρας). **3**. (*ἰατρ.*) κηλεπίδεσμος. —*ρ.μ.* **1**. ***~ sth up***, κάνω δεμάτι, δένω (χέρια ἤ φτεροῦγες στό σῶμα): *~ up a chicken*, δένω κοτόπουλο (πρίν ἀπό τό ψήσιμο). *He was found gagged and ~ed up*, βρέθηκε φιμωμένος καί δεμένος. **2**. στηρίζω (ὀροφή, γέφυρα).

[1]**trust** /trʌst/ *οὐσ.* **1**. ‹U› *~ (**in**)*, ἐμπιστοσύνη, πίστη: *have perfect ~ in sb*, ἔχω ἀπόλυτη ἐμπιστοσύνη σέ κπ. *I don't place much ~ in his promises*, δέν δίνω πολύ ἐμπιστοσύνη στίς ὑποσχέσεις του. *put one's ~ in God*, ἐναποθέτω τίς ἐλπίδες μου (τήν πίστη μου) στό Θεό. ***on ~***, *(a)* ἐπί πιστώσει. *(β)* ἀνεξέλεγκτα,

ἀνεξέταστα: *buy sth on* ~, ἀγοράζω κτ βερεσέ ἤ μέ κλειστά τά μάτια. **2.** ‹U› ἐμπιστοσύνη, εὐθύνη: *a position of great* ~, ἄκρως ἐμπιστευτική/ὑπεύθυνη θέσις. **3.** ‹C,U› (*νομ.*) καταπίστευμα: *hold property in* ~, διαχειρίζομαι περιουσία ὡς καταπιστευματοδόχος. **4.** ‹C› (*οἰκον.*) τράστ: *'oil* ~, τράστ πετρελαίου. **~-ful** /-fl/, **~·ing** *ἐπ.* γεμᾶτος ἐμπιστοσύνη. **~·fully** /-fəlɪ/, **~·ing·ly** *ἐπίρ.* μέ ἐμπιστοσύνη. **'~·worthy** *ἐπ.* ἀξιόπιστος, ἄξιος ἐμπιστοσύνης. **~·worthi·ness** *οὐσ.* ‹U› ἀξιοπιστία, συνέπεια. **~y** *ἐπ. (-ier, -iest)* (*πεπαλ.*) πιστός, δοκιμασμένος (πχ φίλος). —*οὐσ.* ‹C› (*πεπαλ.*) κατάδικος πού ἔχει δείξει καλή διαγωγή καί ἀπολαύει προνομίων.

[2]**trust** /trʌst/ *ρ.μ/ἀ.* **1.** ἐμπιστεύομαι, πιστεύω: *I don't* ~ *him*, δέν τόν ἐμπιστεύομαι. *He's not a man to be* ~*ed*, δέν εἶναι ἄνθρωπος πού μπορεῖς νά τοῦ ἔχης ἐμπιστοσύνη. *I could scarcely* ~ *my eyes/ears*, δέν μποροῦσα νά πιστέψω τά μάτια μου/τ' αὐτιά μου. *We* ~*ed everything he said*, πιστεύαμε κάθε τι πού ἔλεγε. ***~ in sb***, ἔχω ἐμπιστοσύνη σέ κπ: ~ *in God/one's teacher*, ἔχω ἐμπιστοσύνη στό Θεό/στό δάσκαλό μου. ***~ to sth***, βασίζομαι σέ κτ: *Don't* ~ *to chance/to your memory*, μή βασίζεσαι στήν τύχη/στή μνήμη σου. ***~ sb with sth/to do sth***, ἀναθέτω, ἐμπιστεύομαι κτ σέ κπ: *He* ~*ed me with his money*, μοῦ ἐμπιστεύτηκε τά χρήματά του. *They* ~*ed me to arrange the meeting*, μοῦ ἀνέθεσαν νά κανονίσω τή συνάντηση. **2.** (ἔχω ἐμπιστοσύνη σέ κπ καί τόν) ἀφήνω: *My parents don't* ~ *me to go abroad alone*, οἱ γονεῖς μου δέν μ' ἐμπιστεύονται νά πάω στό ἐξωτερικό μόνος. *She won't* ~ *him out of her sight*, δέν τόν ἀφήνει στιγμή ἀπό τά μάτια της. **3.** ἐλπίζω, εὐελπιστῶ: *I* ~ *you're in good health*, ἐλπίζω νά εἶστε καλά.

trustee /trʌ'sti/ *οὐσ.* ‹C› **1.** θεματοφύλαξ, καταπιστευματοδόχος, σύνδικος, ἔφορος (μουσείου, κλπ). **the Public T~**, δημόσιος ἐπιμελητής κληρονομιῶν. **2.** μέλος τοῦ Διοικ. Συμβουλίου ἱδρύματος: *Board of T~s*, Διοικητικόν Συμβούλιον (ἱδρύματος). **~·ship** /-ʃɪp/ *οὐσ.* ‹C› καταπίστευμα, ἐπιτροπεία, κηδεμονία, διαχείρισις.

truth /truθ/ *οὐσ.* ‹C,U› ἀλήθεια: *tell the* ~, λέω τήν ἀλήθεια. *There is no* ~*/not a word of* ~ *in his assertions*, δέν ὑπάρχει ἀλήθεια/οὔτε λέξις ἀληθείας στούς ἰσχυρισμούς του. *the* ~*s of religion/science*, οἱ ἀλήθειες τῆς θρησκείας/τῆς ἐπιστήμης. ***in*** ~, (*λογοτ.*) ἀληθῶς. **~·ful** /-fl/ *ἐπ.* (*γιά ἄνθρ.*) φιλαλήθης, εἰλικρινής. (*γιά ἰσχυρισμό, κλπ*) ἀληθινός, πιστός. **~·fully** /-fəlɪ/ *ἐπίρ.* εἰλικρινά, πιστά. **~·ful·ness** *οὐσ.* ‹U› εἰλικρίνεια, πιστότης.

[1]**try** /traɪ/ *οὐσ.* ‹C› ἀπόπειρα, δοκιμή, προσπάθεια: *Let me have a* ~ *at it*, γιά νά δοκιμάσω κι' ἐγώ! *He had three tries and failed each time*, δοκίμασε τρεῖς φορές κι' ἀπέτυχε σέ ὅλες.

[2]**try** /traɪ/ *ρ.μ/ἀ.* **1.** προσπαθῶ: *I don't think I can do it but I'll* ~, δέν νομίζω ὅτι μπορῶ νά τό κάμω ἀλλά θά προσπαθήσω. *He tried to persuade me*, προσπάθησε νά μέ πείση. *I'll* ~ *my hardest*, θά προσπαθήσω τό κατά δύναμιν. *T~ to write to him tonight*, προσπάθησε νά τοῦ γράψης ἀπόψε. (*Σημειωτέον ὅτι εἰς τήν καθομ., ἰδ. στήν προστακτική, ἀντί try to χρησιμοποιεῖται try and, πχ T~ and write to him tonight; T~ and be ready in time*, προσπάθησε νά ἑτοιμαστῆς ἔγκαιρα). **2.** ***~ for sth***, προσπαθῶ νά πετύχω κτ (*ἰδ.* θέση): *I'll* ~ *for a scholarship/a position in the Bank*, θά προσπαθήσω νά πάρω ὑποτροφία/νά διοριστῶ στήν Τράπεζα. **3.** δοκιμάζω, κάνω πείραμα/δοκιμή: ~ *a new kind of detergent*, δοκιμάζω ἕνα νέο ἀπορρυπαντικό. *I'll* ~ *him for the job*, θά τόν δοκιμάσω στή δουλειά. *T~ knocking at the back door*, γιά δοκίμασε νά χτυπήσης τήν πίσω πόρτα. *Have you tried sleeping on your back as a cure for snoring?* ἔχεις δοκιμάσει νά κοιμηθῆς ἀνάσκελα γιά νά μή ροχαλίζης; ***~ sth on***, προβάρω: *I'll go to the tailor's to have a suit tried on*, θά πάω στό ράφτη νά προβάρω ἕνα κοστούμι. ***~ sth on with sb***, (*καθομ.*) δοκιμάζω, κάνω κρούση (γιά νά δῶ ἄν κτ θά γίνη ἀνεκτό/πιστευτό): *It's no use* ~*ing your tricks on with me*, δέν ὠφελεῖ νά δοκιμάζης (δέν πιάνουν) τά κόλπα σου σέ μένα. *Don't* ~ *it on with me!* δέν τά σηκώνω ἐγώ αὐτά! δέν πιάνουν αὐτά σέ μένα! **'~-on**, (*καθομ.*) δοκιμή, ἀπάτη: *He wasn't serious; it was a* ~*-on*, δέν σοβαρολογοῦσε, ἔτσι τὄπε νά μέ δοκιμάση. ***~ sth out***, δοκιμάζω κτ στήν πράξη: *The idea seems good but it needs to be tried out*, ἡ ἰδέα φαίνεται καλή ἀλλά πρέπει νά δοκιμαστῆ στήν πράξη. **'~-out**, προκριματική/προκαταρτική δοκιμή. **4.** δικάζω: *He was tried for murder*, δικάστηκε γιά φόνο. **5.** δοκιμάζω, θέτω ὑπό δοκιμασίαν, κουράζω: *Greece has been sorely tried in recent years*, ἡ Ἑλλάδα δοκιμάστηκε σκληρά τά τελευταῖα χρόνια. ~ *sb's courage/patience*, θέτω ὑπό δοκιμασίαν τό θάρρος/τήν ὑπομονή κάποιου. *Small print tries the eyes*, τά μικρά στοιχεῖα κουράζουν τά μάτια. **tried** *ἐπ.* δοκιμασμένος: *a tried friend/remedy*, δοκιμασμένος φίλος/-ο φάρμακο. **trier** *οὐσ.* ‹C› ἄνθρωπος πού προσπαθεῖ πολύ, φιλότιμος/δουλευτής ἄνθρωπος. **try·ing** *ἐπ.* δύσκολος, κουραστικός, ἐπίπονος, σκληρός, ἀπαιτητικός: *a* ~*ing man to work with*, δύσκολος ἄνθρωπος γιά νά συνεργαστῆ κανείς. *have a* ~*ing day*, ἔχω δύσκολη/κουραστική ἡμέρα.

tryst /trɪst/ *οὐσ.* ‹C› (*ἀπηρχ.*) ραντεβοῦ (*ἰδ.* ἐρωτευμένων): *keep/break* ~ *with sb*, πάω/δέν πάω στό ραντεβοῦ μέ κπ.

tsar, tzar (*καί* **czar**) /zɑ(r)/, **tsa·rina, tzarina** (*καί* **czarina**) /zɑ'rinə/ *οὐσ.* ‹C› τσάρος, τσαρίνα.

tsetse /'setsɪ/ *οὐσ.* ‹C› **'~(-fly)** μύγα τσε-τσέ.

tub /tʌb/ *οὐσ.* ‹C› **1.** κάδος, βούτα. **'~-thumper**, (*μεταφ.*) δημαγωγός, ρήτορας τοῦ πεζοδρομίου. **2.** (*καθομ.*) μπανιέρα, μπάνιο: *I have a cold* ~ *before breakfast*, κάνω κρύο μπάνιο πρίν ἀπό τό πρόγευμα. *I prefer a* ~ *to a shower*, προτιμῶ τήν μπανιέρα ἀπό τό ντούς. **3.** (*καθομ.*) παληοκάραβο, σκυλοπνίχτης. —*ρ.ἀ.* *(-bb-)* (*πεπαλ.*) μπανιαρίζομαι.

tuba /'tjubə/ *οὐσ.* ‹C› (*μουσ.*) τούμπα (ὄργανο σά μεγάλη τρουμπέτα).

tubby /'tʌbɪ/ *ἐπ.* *(-ier, -iest)* βαρελοειδής: *a* ~ *little man*, ἕνας κοντοπίθαρος.

tube /tjub/ *οὐσ.* ‹C› **1**. σωλήνας: *inner ~*, σαμπρέλα (ἐλαστικοῦ). **2**. σωληνάρι: *a ~ of toothpaste*, σωληνάρι μέ ὀδοντόκρεμα. **3**. (*ἀνατ.*) σωλήν, πόρος, αὔλαξ: *bronchial ~s*, βρογχικοί πόροι. **4**. (*ΗΠΑ*) ἠλεκτρονική λυχνία. **5**. (*ΜΒ*) ὑπόγειος (σιδηρόδρ): *travel by ~*, ταξιδεύω μέ τόν ὑπόγειο. *take the ~ to Victoria Station*, πάω στό σταθμό Βικτωρίας μέ τόν ὑπόγειο. **tub·ing** *οὐσ.* ‹U› σωλήνωσις, σωλήνας: *buy five metres of rubber tubing*, ἀγοράζω πέντε μέτρα λαστιχένιο σωλήνα. **tu·bu·lar** /ˈtjubjʊlə(r)/ *ἐπ.* σωληνωτός, σωληνοειδής, μέ σωληνώσεις: *a tubular chair*/*~ scaffolding*, καρέκλα/σκαλωσιά φτιαγμένη ἀπό σωλῆνες. **~·less** *ἐπ.* συμπαγής.

tu·ber /ˈtjubə(r)/ *οὐσ.* ‹C› (*βοτ.*) βολβώδης ρίζα, κόνδυλος, βολβός.

tu·ber·cu·lo·sis /tjuˈbɜkjʊˈləʊsɪs/ *οὐσ.* ‹U› φυματίωσις. **tu·ber·cu·lar** /tjuˈbɜkjʊlə(r)/, **tu·ber·cu·lous** /tjuˈbɜkjʊləs/ *ἐπ.* φυματικός, φυματιώδης.

tub·ing, tu·bu·lar, *βλ. tube*.

tuck /tʌk/ *οὐσ.* **1**. ‹C› πιέτα, σούρα, πτυχή: *make a ~ in a dress*/*sleeve*, φτιάχνω σούρα σ'ἕνα φόρεμα/σ'ἕνα μανίκι. **2**. ‹U› (*σχολ., λαϊκ.*) γλυκά, φαγώσιμα, λιχουδιές. **ˈ~-shop**, καντίνα σχολείου, μαγαζί μέ λιχουδιές. **ˈ~-ˈin**, πλῆρες γεῦμα: *The boys had a good ~-in*, τά παιδιά ἔφαγαν καλά, χόρτασαν. __*ρ.μ/ά*. **1**. σουρώνω (φόρεμα), χώνω, διπλώνω, μαζεύω: *~ up one's shirt-sleeves*, ἀνασκουμπώνω τά μανίκια τοῦ πουκαμισιοῦ μου. *She ~ed up her skirt and waded across the stream*, ἀνασήκωσε τή φούστα της καί διέσχισε τό ποτάμι. *Your shirt's hanging out, ~ it in*, τό πουκάμισό σου κρέμεται ἔξω, βάλτο μέσα! *The bird ~ed its head under its wing*, τό πουλί ἔχωσε τό κεφάλι του κάτω ἀπό τή φτερούγα του. *She ~ed the child up in bed*, σκέπασε (ἔχωσε) τό παιδί στό κρεββάτι. **2**. **~ *in*/*into***, (*καθομ.*) πέφτω μέ τά μοῦτρα στό φαΐ, τρώω καλά: *He ~ed into the cold ham*, ἔκανε ἐπίθεση στό ζαμπόν.

tucker /ˈtʌkə(r)/ *οὐσ.* ‹C› τραχηλιά (ἀπό ντα-ντέλλα). ***one's best bib and ~***, (*πεπαλ.*) (*καθομ.*) τά καλά μου (ροῦχα).

Tues·day /ˈtjuzdɪ/ *οὐσ.* Τρίτη.

tuft /tʌft/ *οὐσ.* ‹C› τούφα, φούντα, λοφίο, θύσσανος. **~ed** *ἐπ.* θυσσανωτός, γαρνιρισμένος μέ φοῦντες, φουντωτός.

tug /tʌg/ *οὐσ.* ‹C› **1**. (ἀπότομο) τράβηγμα: *He gave his sister's hair a ~*, τράβηξε ἀπότομα τά μαλλιά τῆς ἀδελφῆς του. *I felt a ~ at my sleeve*, ἔνοιωσα νά μοῦ τραβᾶνε τό μανίκι. ***feel a ~ (at one's heart-strings)***, νοιώθω ἕνα σφίξιμο (στήν καρδιά). **ˈ~ of ˈwar**, διελκυστίνδα. **2**. **ˈ~(-boat)**, (*ναυτ.*) ρυμουλκό. __*ρ.μ/ά*. *(-gg-)* τραβῶ, σέρνω: *We ~ged so hard that the rope broke*, τραβούσαμε τόσο δυνατά πού τό σκοινί ἔσπασε. *The kitten was ~ging at my shoe-lace*, τό γατάκι μοῦ τραβοῦσε τό κορδόνι τοῦ παπουτσιοῦ μου. *The child was ~ging his toy-cart along behind*, τό παιδί ἔσερνε πίσω του τό καρροτσάκι του.

tu·ition /tjuˈɪʃn/ *οὐσ.* ‹U› μάθημα, διδασκαλία: *private ~*, ἰδιαίτερο μάθημα. *~ in maths*, φροντιστήριο στά μαθηματικά. *~ fees*, δίδακτρα.

tu·lip /ˈtjulɪp/ *οὐσ.* ‹C› τουλίπα.

tulle /tjul/ *οὐσ.* ‹U› τούλι.

tumble /ˈtʌmbl/ *οὐσ.* ‹C› **1**. πέσιμο, τούμπα: *have a nasty ~*, τρώω ἄσχημη τούμπα. **2**. ἀνακάτωμα: *Things were all in a ~*, τά πράγματα ἦταν ὅλα ἄνω-κάτω. __*ρ.μ/ά*. **1**. πέφτω, παίρνω τούμπα, κατρακυλῶ, σωριάζομαι: *The baby is always tumbling over*, τό μωρό παίρνει διαρκῶς τοῦμπες. *~ down the stairs*, κατρακυλῶ στίς σκάλες. *~ off a horse*/*out of a window*, πέφτω ἀπό ἕνα ἄλογο/ἀπό ἕνα παράθυρο. *~ over the roots of a tree*, σκοντάφτω στίς ρίζες δέντρου καί σωριάζομαι κάτω. *The puppies were tumbling about on the floor*, τά κουταβάκια ἔκαναν τοῦμπες (κυλιόνταν) στό πάτωμα. *I threw off my clothes and ~d into bed*, πέταξα τά ροῦχα μου καί σωριάστηκα στό κρεββάτι. **2**. ρίχνω, πετῶ: *The accident ~d us all out of the bus*, τό τρακάρισμα μᾶς πέταξε ὅλους ἔξω ἀπό τό λεωφορεῖο. **3**. καταρρέω: *The old school is tumbling to pieces*, τό παληό σχολεῖο εἶναι ἑτοιμόρροπο. **ˈ~-down** *ἐπ.* σαραβαλιασμένος. **5**. ***~ to sth***, (*καθομ.*) μπαίνω στό νόημα, καταλαβαίνω: *At last he ~d to what I was hinting at*, ἐπιτέλους μπῆκε στό νόημα τοῦ τί ἤθελα νά πῶ.

tum·bler /ˈtʌmblə(r)/ *οὐσ.* ‹C› **1**. ποτήρι (χωρίς χέρι ἤ πόδι). **2**. ἀκροβάτης. **3**. εἶδος περιστεριοῦ (πού κάνει τοῦμπες στόν ἀέρα). **4**. αὐχένας (κλειδαριᾶς).

tum·brel, tum·bril /ˈtʌmbrəl, -brɪl/ *οὐσ.* ‹C› κάρρο (*ἰδ.* τό εἶδος πού ἐχρησιμοποιεῖτο στή Γαλλική ἐπανάσταση γιά τή μεταφορά τῶν μελλοθανάτων).

tu·mes·cent /tjuˈmesnt/ *ἐπ.* πρησμένος. **tu·mes·cence** /-sns/ *οὐσ.* ‹C› πρήξιμο.

tu·mid /ˈtjumɪd/ *ἐπ.* (*λόγ.*) πρησμένος, (*γιά ὕφος, μεταφ.*) φουσκωμένος, πομπώδης. **~·ity** /tjuˈmɪdətɪ/ *οὐσ.* ‹U› πρήξιμο, στόμφος.

tummy /ˈtʌmɪ/ *οὐσ.* ‹C› (*καθομ.*) κοιλιά, στομάχι. **ˈ~-ache**, (*καθομ.*) κοιλόπονος.

tu·mour /ˈtjumə(r)/ *οὐσ.* ‹C› (*ἰατρ.*) ὄγκος: *a benign*/*malignant ~*, καλοήθης/κακοήθης ὄγκος.

tu·mult /ˈtjumʌlt/ *οὐσ.* ‹C,U› **1**. θόρυβος, φασαρία, σαματᾶς, σάλος: *the ~ of battle*, ὁ σαματᾶς τῆς μάχης. **2**. ἀναταραχή, θύελλα (αἰσθημάτων): *be in a ~*, εἶμαι σέ μεγάλη ταραχή. *when the ~ in him subsided*, ὅταν κόπασε ἡ θύελλα μέσα του.

tu·mul·tu·ous /tjuˈmʌltʃʊəs/ *ἐπ.* θορυβώδης, ταραχώδης: *a ~ welcome*/*meeting*, θορυβώδης ὑποδοχή/ταραχώδης συγκέντρωσις. **~·ly** *ἐπίρ.* θορυβωδῶς.

tu·mu·lus /ˈtjumjʊləs/ *οὐσ.* ‹C› (*πληθ. -li* /-laɪ/) τύμβος.

tun /tʌn/ *οὐσ.* ‹C› (*πληθ. ~s*) **1**. βαρέλα (γιά κρασί ἤ μπύρα). **2**. μέτρο ὑγρῶν (=252 γαλλόνια).

tun·dra /ˈtʌndrə/ *οὐσ.* ‹C,U› (*γεωγρ.*) τούνδρα.

[1]**tune** /tjun/ *οὐσ.* ‹C,U› σκοπός, μελωδία, ἁρμονία, τόνος: *whistle*/*play a ~*, σφυρίζω/παίζω ἕνα σκοπό. *popular ~s*, δημοφιλεῖς μελωδίες. *His music has little ~ in it*, ἡ μουσική του δέν ἔχει πολλή μελωδία μέσα της. ***in*/*out of ~***, *(α)* στό σωστό τόνο/παράφωνος: *sing in*/*out of ~*, τραγουδῶ σωστά/παράφωνα. *The piano is out of ~*, τό πιάνο εἶναι ξεκουρδισμένο. *(β)* (*μεταφ.*) σέ ἁρμονία/δυσαρμονία: *He's out of*

~ *with his times/surroundings*, δέν εἶναι προσαρμοσμένος στήν ἐποχή του/στό περιβάλλον του. ***change one's ~; sing another ~***, (*μεταφ.*) ἀλλάζω τόνο, μεταβάλλω συμπεριφορά, ἀλλάζω τροπάρι. ***to the ~ of***, ποσόν ὕψους (μέ τήν ἔννοια μεγάλου ποσοῦ): *He was fined to the ~ of £50*, τοῦ βάλανε πολύ βαρύ πρόστιμο, 50 λίρες!

[2]**tune** /tjun/ *ρ.μ/ἀ.* **1**. κουρδίζω: ~ *a guitar/piano*, κουρδίζω κιθάρα/πιάνο. *The orchestra were tuning up when we entered*, οἱ μουσικοί κουρδίζανε τά ὄργανά τους ὅταν μπήκαμε. **`tuning-fork**, τό διαπασῶν. **2**. ~ ***in (to)***, *(α)* ἐπιλέγω, πιάνω σταθμό στό ραδιόφωνο: ~ *in to the Third Programme*, πιάνω τό Τρίτο Πρόγραμμα. *You're not properly ~d in*, δέν ἔχεις πιάσει καλά τό σταθμό. *(β)* (*μεταφ.*) εἶμαι ἐναρμονισμένος μέ: *He's not well ~d in to his new surroundings*, δέν εἶναι πολύ καλά ἐναρμονισμένος μέ τό νέο του περιβάλλον. **3**. ρυθμίζω (μηχανή): *The engine needs tuning*, ἡ μηχανή θέλει ρύθμιση. **tuner** *οὐσ.* ‹C› κουρδιστής, συντονιστής, δέκτης. **~-ful** /-fl/ *ἐπ.* μελωδικός. **~·fully** /-fəlɪ/ *ἐπίρ.* **~·ful·ness** *οὐσ.* ‹U› μελωδικότης, ἁρμονία.

tung·sten /`tʌŋstən/ *οὐσ.* ‹U› (*μεταλ.*) βολφράμιον.

tu·nic /`tjunɪk/ *οὐσ.* ‹C› **1**. χιτώνιο, ἀμπέχωνο. **2**. (ἀρχαῖος) χιτώνας. **3**. τουνίκ (ρηχτή μπλούζα πού φοριέται μέ παντελόνι).

tun·nel /`tʌnl/ *οὐσ.* ‹C› τοῦννελ, σήραγγα. —*ρ.μ/ἀ.* *(-ll-)* σκάβω σήραγγα.

tunny /`tʌnɪ/ *οὐσ.* ‹C› (*πληθ. -nies ἤ* ~) (ψάρι) τόννος.

tup·pence /`tʌpns/ *οὐσ.* ‹C› δύο πέννες (ἀξία). **tup·penny** /`tʌpnɪ/ *ἐπ.* ἀξίας δύο πεννῶν.

tur·ban /`tɜbən/ *οὐσ.* ‹C› τουρμπάνι, σαρίκι. **~ed** *ἐπ.* σαρικοφόρος.

tur·bid /`tɜbɪd/ *ἐπ.* (*γιά ὑγρό*) θολός, (*μεταφ.*) συγκεχυμένος, ζαλισμένος: ~ *waters/rivers*, θολά νερά/ποτάμια. ~ *thoughts*, συγκεχυμένες σκέψεις. **~·ness**, **~·ity** /tɜ`bɪdətɪ/ *οὐσ.* ‹U› θολούρα.

tur·bine /`tɜbaɪn/ *οὐσ.* ‹C› τουρμπίνα, στρόβιλος.

tur·bo·jet /'tɜbəʊ`dʒet/ *οὐσ.* ‹C› στροβιλωθητής.

tur·bo·prop /'tɜbəʊ`prop/ *οὐσ.* ‹C› στροβιλοκίνητο ἀεροπλάνο.

tur·bu·lence /`tɜbjʊləns/ *οὐσ.* ‹U› (ἀνα)ταραχή, βιαιότης, σάλος, στροβιλισμός.

tur·bu·lent /`tɜbjʊlənt/ *ἐπ.* φουρτουνιασμένος, βίαιος, ἀπείθαρχος, ταραχώδης, θυελλώδης: ~ *waves/passions*, φουρτουνιασμένα κύματα/βίαια πάθη. *a ~ meeting*, ταραχώδης συγκέντρωσις (χωρίς πειθαρχία). **~·ly** *ἐπίρ.*

turd /tɜd/ *οὐσ.* ‹C› (*χυδ.*) σβουνιά.

tu·reen /tjʊ`rin/ *οὐσ.* ‹C› σουπιέρα, σαλτσιέρα, γαβάθα.

turf /tɜf/ *οὐσ.* **1**. ‹U› χλόη, χορτοτάπης, πρασινάδα: *strip the ~ off a field*, ξεχορταριάζω ἕνα χωράφι. **2**. (*πληθ. turves* /tɜvz/) τύρφη. **3**. **the ~**, ὁ ἱππόδρομος, οἱ ἱπποδρομίες. **`~ accountant; ~ commission agent**, πράκτωρ ἱπποδρομιακῶν στοιχημάτων. —*ρ.μ.* **1**. σκεπάζω μέ χλόη. **2**. ~ ***out***, (*λαϊκ.*) πετῶ κπ/κτ ἔξω.

tur·gid /`tɜdʒɪd/ *ἐπ.* πρησμένος, (*μεταφ.*) φουσκωμένος, πομπώδης. **~·ity** /tɜ`dʒɪdətɪ/ *οὐσ.* ‹U› πρήξιμο, στόμφος. **~·ly** *ἐπίρ.* στομφωδῶς.

Turk /tɜk/ *οὐσ.* ‹C› **1**. Τοῦρκος. **2**. (*χιουμορ.*) σκανταλιάρικο παιδί: *You little ~!* διαβολάκο! κατεργάρη!

tur·key /`tɜkɪ/ *οὐσ.* ‹C,U› γάλος, ἰνδιάνος.

Tur·kish /`tɜkɪʃ/ *ἐπ.* & *οὐσ.* ‹U› τουρκικός, τουρκική γλῶσσα. **'~ `bath**, χαμάμ. **'~ de`light**, λουκούμι. **~ towel**, χοντρή πετσέτα.

tur·moil /`tɜmɔɪl/ *οὐσ.* ‹C,U› φασαρία, ταραχή, ἀναστάτωσις, σάλος: *The town was in ~ during the elections*, ἡ πόλις ἦταν ἄνω-κάτω στή διάρκεια τῶν ἐκλογῶν.

[1]**turn** /tɜn/ *οὐσ.* ‹C› **1**. στροφή, περιστροφή, μεταστροφή, ἀλλαγή: *a ~ of the key/of Fortune's wheel/in the road*, μιά στροφή (ἕνα γύρισμα) τοῦ κλειδιοῦ/τοῦ τροχοῦ τῆς τύχης/τοῦ δρόμου. ***on the ~***, στό γύρισμα: *The milk is on the ~*, τό γάλα εἶναι ἕτοιμο νά κόψη (νά ξινίση). ***done to a ~***, ψημένος στήν ἐντέλεια: *The chops are done to a ~*, οἱ μπριτζόλες εἶναι ψημένες στήν ἐντέλεια. ***at every ~***, (*μεταφ.*) σέ κάθε στροφή/βῆμα, ἀνά πᾶσαν στιγμήν: *I've been meeting old friends at every ~*, συναντῶ παληούς φίλους σέ κάθε βῆμα μου. ***take a ~ for the better/worse***, παίρνω στροφή πρός τό καλύτερο/πρός τό χειρότερο: *The sick man took a ~ for the better*, ὁ ἄρρωστος πῆρε τήν ἀπάνω βόλτα. **2**. σειρά: *It's my ~ to read*, εἶναι σειρά μου νά διαβάσω. *Wait your ~*, περίμενε τή σειρά σου. ***take ~s at sth; take ~s about***, κάνω κτ ἐκ περιτροπῆς: *They took ~s at riding the bicycle*, καβαλλοῦσαν τό ποδήλατο μέ τή σειρά. ***~ and ~ about***, ἐκ περιτροπῆς (γιά δύο πρόσωπα): *The two men threw the dice ~ and ~ about*, οἱ δυό ἄντρες ἔρριχναν τά ζάρια ἐκ περιτροπῆς. ***by ~s***, ἐκ περιτροπῆς (γιά πολλά πρόσωπα): *They rode the bicycle by ~s*, καβαλλοῦσαν τό ποδήλατο ἐκ περιτροπῆς. ***in ~***, μέ τή σειρά, ἐκ περιτροπῆς: *The pupils answered in ~*. ***out of ~***, ἐκτός σειρᾶς: *You mustn't speak out of ~*. **3**. πρᾶξις, ἐνέργεια (πρός ἄλλον): *do sb a good/bad ~*, κάνω καλό/κακό σέ κπ. ***One good ~ deserves another***, (*παροιμ.*) πρέπει κανείς ν' ἀνταποδίδη τίς καλές πράξεις. **4**. φυσική κλίσις: *He has a gloomy ~ of mind*, εἶναι ἀπό φυσικοῦ του ἀπαισιόδοξος. **5**. (*πεπαλ.*) σκοπός, ἀνάγκη: *That will serve my ~*, αὐτό θά ἐξυπηρετήση τό σκοπό μου/τήν ἀνάγκη μου. **6**. σύντομη βόλτα/ἀπασχόλησις: *take a ~ in the garden*, κάνω μιά βόλτα στόν κῆπο. *take a ~ at the wheel/oars*, παίρνω λίγο τό τιμόνι/τά κουπιά. **7**. (*καθομ.*) τρομάρα, σόκ: *It gave me quite a ~*, πῆρα μεγάλη τρομάρα.

[2]**turn** /tɜn/ *ρ.μ/ἀ.* **1**. γυρίζω, (περι)στρέφω/-ομαι: *The earth ~s round the sun*, ἡ γῆ γυρίζει γύρω ἀπό τόν ἥλιο. *The river ~s to the left*, τό ποτάμι κάνει στροφή πρός τ' ἀριστερά. ~ *the pages of a magazine*, γυρίζω τίς σελίδες ἑνός περιοδικοῦ. ***~ a corner***, παίρνω μιά στροφή (στό δρόμο). ***~ a deaf ear to sth***, κωφεύω, κάνω τόν κουφό, ἀρνοῦμαι ν' ἀκούσω. ***~ sb's flank***, ὑπερφαλαγγίζω κπ. ***~ one's hand to sth***, καταπιάνομαι μέ κτ: *He can ~ his hand to anything*, τά καταφέρνει

σ' ὅλα τά πράγματα. ~ ***one's mind/attention/thoughts to sth***, στρέφω τό νοῦ μου/τήν προσοχή μου/τίς σκέψεις μου σέ κτ. ~ ***one's stomach***, γυρίζω τό στομάχι: *The sight ~ed my stomach; My stomach ~ed at the sight*, τό θέαμα μοῦ ἔφερε ἐμετό. `~·**coat**, ἀποστάτης, ἄνθρωπος πού ἀλλάζει κόμμα ἤ πεποιθήσεις. **2**. ἀλλάζω, γίνομαι, μεταβάλλω/-ομαι: *He ~ed white*, ἔγινε κάτασπρος. *The milk has ~ed*, τό γάλα ξίνισε. *The leaves of the trees are ~ing yellow*, τά φύλλα τῶν δέντρων ἄρχισαν νά κιτρινίζουν. *His hair ~ed grey*, τά μαλλιά του ἔγιναν γκρίζα. *The castle was ~ed into a hotel*, τό κάστρο μετετράπη σέ ξενοδοχεῖο. ~ ***one's brain***, τρελλαίνω κπ: *Her children's death ~ed her brain*, ἔπαθε τό μυαλό της ἀπό τό θάνατο τῶν παιδιῶν της. ~ ***one's head***, γυρίζω τά μυαλά κάποιου, παίρνουν τά μυαλά μου ἀέρα: *Success has ~ed his head*, ἡ ἐπιτυχία τοῦ γύρισε τά μυαλά. **3**. περνῶ: *He has ~ed forty*, πέρασε τά σαράντα. *It has just ~ed midnight*, μόλις πέρασαν τά μεσάνυχτα. **4**. φτιάχνω, τορνάρω, φορμάρω: ~ *a bowl*, τορνάρω ἕνα κύπελλο. *a well-~ed leg/ankle*, τορνευτό πόδι/-ός ἀστράγαλος. *a well-~ed phrase*, καλοφτιαγμένη φράσις. *metal that ~s well*, μέταλλο πού δουλεύεται καλά. **5**. (*σέ σύνθετες λέξεις*): `~·**cock**, νερουλᾶς, ὑπάλληλος τῆς Ἑταιρίας Ὑδάτων. `~·**key**, δεσμοφύλακας. `~·**pike**, (*παληά*) φραγμός, πύλη διοδίων, (*ΗΠΑ*) διόδια: *a ~pike road*, δρόμος ταχείας κυκλοφορίας μέ διόδια. `~·**spit**, ψήστης, πού γυρίζει τή σούβλα. `~·**stile**, περιστροφική πόρτα. `~-**table**, περιστρεφόμενη βάσις (πχ σέ πικάπ) ἤ ἐξέδρα (πχ ἀτμομηχανῆς). **6**. (*μέ ἐπιρ. καί προθέσεις*):

turn about, κάνω μεταβολή.

turn sb adrift, διώχνω κπ, τόν ἀφήνω ἀβοήθητο: *He ~ed his son adrift in the world*, ἔδιωξε τό γυιό του μέ τά ρούχα πού φοροῦσε.

turn against, στρέφω/-ομαι ἐναντίον: *He ~ed my father against me. They all ~ed against me.*

turn aside, ἀποφεύγω (πχ χτύπημα), ἀποστρέφω, ἀπομακρύνομαι (πχ ἀπό ὡρισμένο τρόπο ζωῆς).

turn away, γυρίζω, διώχνω, ἀποστρέφω: *He ~ed his eyes/face away*, γύρισε ἀλλοῦ τά μάτια του/τό πρόσωπό του. *She ~ed the beggar away*, ἔδιωξε τό ζητιάνο.

turn back, γυρίζω πίσω: *We were ~ed back at the frontier*, μᾶς γύρισαν πίσω στά σύνορα.

turn down, *(α)* γυρίζω πρός τά κάτω: ~ *down one's collar*, γυρίζω τό γιακᾶ μου. *(β)* χαμηλώνω (τήν ἔνταση): ~ *down a lamp/radio set*, χαμηλώνω μιά λάμπα/ἕνα ραδιόφωνο. *(γ)* ἀπορρίπτω: ~ *down a proposal/an offer*, ἀπορρίπτω μιά πρόταση/μιά προσφορά. *He tried to join the police force but he was ~ed down*, δοκίμασε νά καταταγῆ στήν ἀστυνομία ἀλλά τόν ἀπέρριψαν. *He asked her to marry him but she ~ed him down*, τή ζήτησε σέ γάμο ἀλλά τόν ἀπέρριψε.

turn in, *(α)* (*καθομ.*) πλαγιάζω, κατακλίνομαι. *(β)* (*καθομ.*) παραδίδω (κπ στήν ἀστυνομία/κτ στούς ἁρμόδιους). *(γ)* γυρίζω, διπλώνω πρός τά μέσα. *(δ)* ~ ***in on oneself***, κλείνομαι στόν ἑαυτό μου.

turn (sth) inside out, ἀναποδογυρίζω: ~ *one's pockets inside out*, ἀναποδογυρίζω (ἀδειάζω) τίς τσέπες μου.

turn off, *(α)* στρίβω: *Is this where we ~ off for Mycenae?* ἐδῶ στρίβομε γιά τίς Μυκῆνες; *I ~ed off to the left*, ἔστριψα (πῆρα τό δρόμο) πρός τ' ἀριστερά. *(β)* κλείνω (φῶς, βρύση, ραδιόφωνο, κλπ). *(γ)* (*λαϊκ.*) ἀπωθῶ: *This music/man really ~s me off*, αὐτή ἡ μουσική/αὐτός ὁ ἄνθρωπος πραγματικά μέ ἀπωθεῖ.

turn sth on, ἀνοίγω κτ: ~ *on the tap/lights/radio/TV*, ἀνοίγω τή βρύση/τά φῶτα/τό ράδιο/τήν τηλεόραση. ~ ***sb on***, (*λαϊκ.*) ἐρεθίζω, ἀνάβω, φουντώνω, διεγείρω/-ομαι: *That kind of music ~s me on*, αὐτή ἡ μουσική μοῦ τή δίνει! *He ~s on easily*, ἀνάβει/φουντώνει εὔκολα. ~ ***on sth***, ἐξαρτῶμαι ἀπό: *Everything ~s on your answer*, ὅλα ἐξαρτῶνται ἀπό τήν ἀπάντησή σου. ~ ***on sb***, στρέφομαι ἐναντίον, ἐπιτίθεμαι: *The dog ~ed on me and bit me in the leg*, ὁ σκύλος μοῦ ἐπετέθη καί μοῦ δάγκωσε τό πόδι.

turn out, *(α)* βγάζω/στρέφω/γυρίζω πρός τά ἔξω. *(β)* βγαίνω, καταλήγω, ἀποδεικνύομαι: *The day ~ed out wet*, ἡ μέρα βγῆκε βροχερή. *Everything ~ed out well*, ὅλα τέλειωσαν καλά. *As it ~ed out*, ὅπως ἀπεδείχθη... *(γ)* σβύνω (φωτιά, φῶς, κλπ). *(δ)* ἀδειάζω, καθαρίζω, (τσέπες, συρτάρια). *(ε)* βγαίνω, πάω σέ συγκέντρωση: *The whole village ~ed out to welcome him*, ὅλο τό χωριό βγῆκε νά τόν ὑποδεχθῆ. *(στ')* παράγω, βγάζω: *This factory ~s out 500 cars a day*, αὐτό τό ἐργοστάσιο παράγει 500 αὐτοκίνητα τήν ἡμέρα. *Our school has ~ed out some first-rate athletes*, τό σχολεῖο μας ἔχει βγάλει μερικούς πρώτης τάξεως ἀθλητές. *(ζ)* διώχνω, πετάω ἔξω, σηκώνω κπ ἀπό τό κρεββάτι: ~ *sb out of his job*, διώχνω κπ ἀπό τή δουλειά του. ~ *out a tenant*, πετάω ἔξω ἕναν νοικιάρη. ~***ed out***, ντυμένος, στολισμένος: *a well-~ed out woman*, κομψή, καλοντυμένη γυναίκα. `~-**out**, *(α)* συγκέντρωσις, συνάθροισις, προσέλευσις: *There was a good ~-out at the funeral*, ἦταν ἀρκετός κόσμος στήν κηδεία. *(β)* καθάρισμα, ἄδειασμα (συρταριῶν, κλπ): *give a room a good ~-out*, καθαρίζω καλά ἕνα δωμάτιο. *(γ)* ἐμφάνισις, ντύσιμο. *(δ)* ἅμαξα μέ ἄλογα. *(ε)* παραγωγή: *the annual ~-out*, ἡ ἐτησία παραγωγή.

turn over, *(α)* ἀναποδογυρίζω/-ομαι: *The car ~ed right over*, τό αὐτοκίνητο ἀνετράπη ἐντελῶς (γύρισε καπάκι). *He ~ed over in bed*, στριφογύρισε στό κρεββάτι. ~ *sth over in one's mind*, στριφογυρίζω κτ στό μυαλό μου. *(β)* κάνω τζίρο: *His business ~s over £500 a week*, ἡ δουλειά του ἔχει τζίρο 500 λίρες τή βδομάδα. *(γ)* παραδίδω: ~ *over the management to sb else/a thief to the police*, παραδίδω τή διεύθυνση σέ κπ ἄλλον/ἕναν κλέφτη στήν ἀστυνομία. `~·**over**, *(α)* τζίρος: *What's the annual ~over?* ποιός εἶναι ὁ ἐτήσιος τζίρος; *(β)* ἀντικατάσταση, ἀλλαγή: *There has been a complete ~over of the English teachers in our school*, ἀντικαταστάθηκαν ὅλοι οἱ Ἄγγλοι καθηγητές στό σχολεῖο μας. *(γ)* σκαλτσούνι. *(δ)* τούμπα.

turn round, γυρίζω τό πρόσωπο, στρέφομαι. ***turn to***, στρώνομαι στή δουλειά. ~ ***to sb***, στρέφομαι/ἀπευθύνομαι σέ κπ (γιά βοήθεια): *I have nobody to ~ to*, δέν ἔχω κανέναν στόν ὁποῖον νά ἀπευθυνθῶ (γιά βοήθεια).
turn up, *(α)* ἐμφανίζομαι, φαίνομαι: *My secretary hasn't ~ed up this morning*, ἡ γραμματεύς μου δέν φάνηκε σήμερα τό πρωΐ. *(β)* βρίσκομαι (*ἰδ.* κατά τύχην): *The book you've lost may ~ up one of these days*, τό βιβλίο πού ἔχασες μπορεῖ νά βρεθῆ κάποια μέρα. *(γ)* παρουσιάζομαι: *Something is certain to ~ up*, σίγουρα κάτι θά παρουσιαστῆ (κάποια εὐκαιρία θά φανῆ). *(δ)* ἀνασηκώνω (*πχ* τό γιακᾶ), δυναμώνω (τή φωτιά, τήν ἔνταση ραδιοφώνου, κλπ). *(ε)* ξεχώνω, ξεθάβω: ~ *up some buried treasure*, ξεθάβω κάποιο θαμμένο θησαυρό. **`~-up**, ρεβέρ παντελονιοῦ. ***a ~-up for the book***, (*καθομ.*) ἀπροσδόκητο, ἐκπληκτικό γεγονός, ἔκπληξις.
turner /`tɜnə(r)/ *οὐσ.* ‹C› τορναδόρος.
turn·ing /`tɜnɪŋ/ *οὐσ.* ‹C› στροφή, διακλάδωσις: *Take the first ~ to/on the right*, πάρε τήν πρώτη στροφή/τόν πρῶτο δρόμο δεξιά. **`~-point**, (*μεταφ.*) καμπή, ἀποφασιστικό σημεῖο: *reach a ~-point in one's life/career*, φθάνω σέ μιά καμπή τῆς ζωῆς μου/τῆς σταδιοδρομίας μου.
tur·nip /`tɜnɪp/ *οὐσ.* ‹C› γογγύλι.
tur·pen·tine /`tɜpəntaɪn/ *οὐσ.* ‹U› τερεβενθίνη, νέφτι.
tur·pi·tude /`tɜpɪtjud/ *οὐσ.* ‹C› (*λόγ.*). ἀχρειότης, κακοήθεια.
turps /tɜps/ *οὐσ.* ‹U› (*βραχυλ. γιά*) *turpentine*.
tur·quoise /`tɜkwɔɪz/ *οὐσ.* ‹C› τουρκουάζ, περουζές.
tur·ret /`tʌrət/ *οὐσ.* ‹C› πυργίσκος (κάστρου, θωρηκτοῦ, τάνκ).
turtle /`tɜtl/ *οὐσ.* ‹C› θαλασσινή χελώνα. ***turn ~***, (*γιά πλοῖο*) ἀναποδογυρίζω, ἀνατρέπομαι. **`~-necked** *ἐπ.* (*γιά πουλόβερ*) μέ ψηλό κλειστό λαιμό, ζιβάγκο. **'~-`dove**, τρυγόνι.
turves /tɜvz/ *οὐσ. πληθ. τοῦ turf*.
tusk /tʌsk/ *οὐσ.* ‹C› χαυλιόδους.
tussle /`tʌsl/ *ρ.ἀ.* ~ ***(with)***, παλεύω, πιάνομαι μέ κπ. —*οὐσ.* ‹C› πάλη, καυγᾶς, συμπλοκή: *have a ~ with sb*, ἁρπάζομαι μέ κπ.
tus·sock /`tʌsək/ *οὐσ.* ‹C› πατουλιά χλόης.
tut /tʌt/, **tut-tut** /`tʌt `tʌt/ *ἐπιφ. ἀποδοκιμασίας ἤ ἀνυπομονησίας* πφ! σώπα! τς-τς! —*ρ.μ.* *(-tt-)* ἀποδοκιμάζω: *He tut-tutted the idea*, ἀπεδοκίμασε τήν ἰδέα.
tu·te·lage /`tjutəlɪdʒ/ *οὐσ.* ‹U› κηδεμονία: *a child in ~*, παιδί ὑπό κηδεμονίαν.
tu·te·lar, tu·te·lary /`tjutələ(r), -lərɪ/ *ἐπ.* προστατευτικός, κηδεμονικός.
tu·tor /`tjutə(r)/ *οὐσ.* ‹C› **1**. οἰκοδιδάσκαλος, φροντιστής. **2**. (*σέ πανεπιστ.*) ἐπιμελητής, καθοδηγητής μελέτης. —*ρ.μ.* διδάσκω, προγυμνάζω: ~ *a pupil in Latin*. **~ial** /tju`tɔrɪəl/ *ἐπ.* προπαρασκευαστικός: *~ial classes*. —*οὐσ.* ‹C› πρακτικές ἀσκήσεις, προγύμνασις, φροντιστήριο: *attend a ~ial*, πάω σέ φροντιστήριο.
tutti-frutti /`tutɪ `frutɪ/ *οὐσ.* ‹C,U› παγωτό μέ φροῦτα.
tux·edo /tʌk`sidəʊ/ *οὐσ.* ‹C› (*πληθ.* ~*s*) (*ΗΠΑ*) σμόκιν.
twaddle /`twodl/ *οὐσ.* ‹U› σαχλαμάρες, ἀνοησίες: *talk/write ~*. —*ρ.ἀ.* ἀνοηταίνω: *Stop twaddling!* πάψε νά λές ἀνοησίες!
twain /tweɪn/ *οὐσ.* (*ἀρχ.*) δύο.
twang /twæŋ/ *οὐσ.* ‹C› ὀξύς τόνος παλλομένης χορδῆς, ἔρρινος ὁμιλία: *the ~ of a guitar; speak with a ~*. —*ρ.μ/ἀ.* ἠχῶ, ἀντηχῶ, γρατζουνίζω: *The bow ~ed and the arrow whistled through the air*, τό τόξο ἤχησε καί τό βέλος σφύριξε στόν ἀέρα. *He was ~ing a banjo*, γρατζούνιζε ἕνα μπάντζο.
'twas /twoz/ (*ποιητ.*) = *it was*.
tweak /twik/ *ρ.μ.* τσιμπῶ, στρίβω: ~ *sb's nose/ear*, στρίβω τή μύτη/τό αὐτί κάποιου. —*οὐσ.* ‹C› τσιμπιά, στρίψιμο.
tweed /twid/ *οὐσ.* ‹U› τουήντ, σκωτσέζικο σεβιότ, (*πληθ.*) κοστούμι ἀπό τουήντ.
'tween /twin/ (*ποιητ.*) = *between*.
tweet /twit/ *οὐσ.* ‹C› τιτίβισμα. —*ρ.μ.* τιτιβίζω.
tweez·ers /`twizəz/ *οὐσ. πληθ.* τσιμπιδάκι (*πχ* γιά τά φρύδια): *a pair of ~*.
twelfth /twelfθ/ *ἐπ.* & *οὐσ.* ‹C› δωδέκατος. **'~ `man**, ἀναπληρωματικός παίκτης. **`~-night**, παραμονή τῶν Φώτων.
twelve /twelv/ *ἐπ.* & *οὐσ.* ‹C› δώδεκα. **`~-month**, (*ἀρχ.*) *οὐσ.* (*ἑν. μέ ἀόρ. ἄρθρ.*) δωδεκάμηνο.
twenty /`twentɪ/ *ἐπ.* & *οὐσ.* ‹C› εἴκοσι: *be in one's early/late twenties*, μόλις ἔχω μπῆ στά εἴκοσι/κοντεύω νά κλείσω τά εἴκοσι. **twen·ti·eth** /`twentɪəθ/ *ἐπ.* & *οὐσ.* ‹C› εἰκοστός.
'twere /twɜ(r)/ (= *it were*) ἦταν, (*ἀρχ.* = *it would be*) θά ἦταν.
twerp /twɜp/ *οὐσ. βλ. twirp*.
twice /twaɪs/ *ἐπίρ.* δίς, δυό φορές: *once or ~*, κανά δυό φορές. *He didn't have to be asked ~*, δέν χρειάστηκε παρακάλια/νά τοῦ τό ποῦνε δεύτερη φορά. ***~ as much/many***, δυό φορές περισσότερο/περισσότεροι. ***think ~ about doing sth***, καλοσκέφτομαι κτ πρίν τό κάμω, διστάζω.
twiddle /`twɪdl/ *ρ.μ/ἀ.* στριφογυρίζω, παίζω: *~ one's thumbs*, στριφογυρίζω τούς ἀντίχειρες, παίζω τά δάκτυλά μου. *~ with one's hair/a ring on one's finger*, παίζω μέ τά μαλλιά μου/μ' ἕνα δαχτυλίδι στό δάχτυλό μου.
[1]**twig** /twɪg/ *οὐσ.* ‹C› κλαδί, κλαδάκι, κλωνάρι: *gather a few ~s for the fire*, μαζεύω λίγα κλαριά γιά τή φωτιά. **~gy** *ἐπ.* *(-ier, -iest)* λεπτός σάν κλαδάκι, γεμᾶτος κλωνιά.
[2]**twig** /twɪg/ *ρ.μ/ἀ.* *(-gg-)* (*ΜΒ, καθομ.*) ἀντιλαμβάνομαι, πιάνω, μυρίζομαι: *I soon ~ged what he was up to*, μυρίστηκα ἀμέσως τί σκάρωνε.
twi·light /`twaɪlaɪt/ *οὐσ.* ‹U› λυκόφως, σούρουπο: *go for a walk in the ~*, πάω περίπατο μέ τό σούρουπο. *morning ~*, λυκαυγές, γλυκοχάραμα. *in the ~ of history*, (*μεταφ.*) στό θαμποχάραμα τῆς ἱστορίας.
twill /twɪl/ *οὐσ.* ‹U› διαγονάλ βαμβακερό ὕφασμα.
'twill /twəl/ (*ποιητ.*) = *it will*.
twin /twɪn/ *ἐπ.* & *οὐσ.* ‹C› δίδυμος: *one of the ~s*, ἕνα ἀπό τά δίδυμα. **~ beds**, δυό μονά κρεββάτια πλάϊ-πλάϊ. **`~-set**, πουλόβερ καί ζακέτα ἀσσορτί.
twine /twaɪn/ *οὐσ.* ‹U› στριμένο νῆμα, σπάγ-

γος. —*ρ.μ/ὰ.* συστρέφω, πλέκω/-ομαι: ~ *flowers into a garland*, φτιάχνω γιρλάντα μέ λουλούδια. *The vine ~d round the tree*, τό κλῆμα ἔπλεξε πάνω στό δέντρο. *She ~d her arms round his neck*, ἔπλεξε τά χέρια της γύρω στό λαιμό του.

twinge /twɪndʒ/ *οὐσ.* ‹C› σουβλιά πόνου: *a ~ of toothache*, ξαφνικός πονόδοντος. *~s of conscience*, τύψεις συνειδήσεως. *a ~ in the stomach*, κόψιμο στό στομάχι.

twinkle /ˈtwɪŋkl/ *ρ.ὰ.* **1**. τρεμολάμπω: *twinkling stars*, ἀστέρια πού τρεμολάμπουν. **2**. λαμπυρίζω, λάμπω φευγαλέα: *twinkling eyes*, μάτια πού λάμπουν. **3**. τρεμοπαίζω, κινοῦμαι γρήγορα: *Her eyes ~d with mischief*, τά μάτια της τρεμόπαιξαν ἀπό ζαβολιά. —*οὐσ.* ‹C,U› τρεμούλιασμα, λαμπύρισμα, σπίθισμα, φευγαλέα λάμψις, γρήγορη κίνησις: *the ~ of distant lights*, τό τρεμούλιασμα μακρινῶν φώτων. *a mischievous ~ in the eyes*, μιά φευγαλέα λάμψις τῶν ματιῶν γεμάτη ζαβολιά. *the ~ of dancing feet*, ἡ γρήγορη κίνησις τῶν ποδιῶν χορευτῶν. ***in a twinkling of an eye***, ἐν ριπῇ ὀφθαλμοῦ.

twin·ned /twɪnd/ *ἐπ.* (*γιά πόλεις*) δίδυμος, ἀδελφή (πόλις).

twirl /twɜl/ *ρ.μ/ὰ.* στριφογυρίζω, στρίβω, στροβιλίζω/-ομαι: *~ a mop to get the water out of it*, στρίβω μιά πατσαβούρα γιά νά βγάλω τό νερό. *~ (up) one's moustache*, στρίβω τό μουστάκι μου. *The old man sat ~ing his thumbs*, ὁ γέρος καθόταν κι᾽ἔπαιζε στριφογυρίζοντας τά μεγάλα του δάχτυλα. —*οὐσ.* ‹C› στριφογύρισμα, πιρουέτα, στροβίλισμα, στρίψιμο.

twirp, twerp /twɜp/ *οὐσ.* ‹C› (*λαϊκ. πεπαλ.*) τιποτένιος, ρεμάλι, λεχρίτης.

twist /twɪst/ *ρ.μ/ὰ.* **1**. στρίβω, τυλίγω, πλέκω: *~ one's handkerchief/a sheet to get the water out*, στρίβω τό μαντήλι μου/ἕνα σεντόνι γιά νά τό στίψω. *~ the cap of a tube*, στρίβω τό καπάκι ἑνός σωληναρίου. *The snake ~ed itself round my ankle*, τό φίδι τυλίχτηκε στόν ἀστράγαλό μου. *He ~ed the three ropes to make one strong rope*, ἔπλεξε τά τρία σκοινιά γιά νά φτιάξη ἕνα γερό σκοινί. *~ sb's arm*, στρίβω τό χέρι κάποιου. ***~ sb round one's little finger***, παίζω κπ στά δάχτυλα, τόν κάνω ὅ,τι θέλω. ***~ sth off***, κόβω κτ στρίβοντάς το. **2**. συστρέφω, στραμπουλίζω, στριφογυρίζω: *His features were ~ed with pain*, τά χαρακτηριστικά του εἶχαν ἀλλοιωθῆ ἀπό τόν πόνο. *~ one's ankle*, στραμπουλίζω τό πόδι μου. *The injured man ~ed about in pain*, ὁ πληγωμένος στριφογύριζε (σπαρταροῦσε) ἀπό τόν πόνο. *The thief ~ed out of the policeman's hands*, ὁ κλέφτης ξέφυγε ἀπό τά χέρια τοῦ ἀστυφύλακα συστρέφοντας τό κορμί του. *The road ~s and turns up the mountain side*, ὁ δρόμος ἀνεβαίνει τή βουνοπλαγιά ὅλο κορδέλλες. **3**. διαστρέφω, διαστρεβλώνω, παραποιῶ: *Your enemies are certain to ~ everything you say*, εἶναι βέβαιο ὅτι οἱ ἐχθροί σου θά διαστρέψουν (διαστρεβλώσουν) κάθε τι πού θά πῇς. **4**. δίνω φάλτσο (σέ μπάλλα τοῦ μπιλιάρδου). **5**. χορεύω τουΐστ. —*οὐσ.* ‹C› **1**. στρίψιμο, στραμπούληγμα: *a ~ of the arm*, στρίψιμο τοῦ χεριοῦ. *Give the rope a few more ~s!* στρῖψε ἀκόμα λίγο τό σκοινί! *a ~ of the ankle*, στραμπούληγμα τοῦ ποδιοῦ. **2**. στροφή, κουλούρα, σπείρα: *a road with numerous ~s*, δρόμος μέ πολλές στροφές. *a ~ of rope round a tree*, μιά κουλούρα σκοινί γύρω ἀπό ἕνα δέντρο. *the ~s of a snake*, οἱ σπεῖρες/κουλοῦρες ἑνός φιδιοῦ. **3**. στριμμένο ἀντικείμενο: *a ~ of hair*, μιά κοτσίδα. *a ~ of tobacco*, στριμμένος καπνός. *a ~ of thread*, στριμμένο νῆμα. **4**. διαστροφή (τῆς ἐννοίας λέξεων ἤ τοῦ μυαλοῦ): *He gave my words a most curious ~*, διέστρεψε τά λόγια μου κατά πολύ περίεργο τρόπο. *a mental ~*, πνευματική διαστροφή. *He has a criminal ~ in him*, ἔχει μιά ἐγκληματική προδιάθεση μέσα του. **5**. φάλτσο (σέ μπάλλα). **6**. τουΐστ (χορός). **~er** *οὐσ.* ‹C› **1**. (*καθομ.*) κατεργάρης, ἀπατεώνας. **2**. δύσκολο πρόβλημα: *a ˋtongue-~er*, γλωσσοκομπόδιασμα. *That's a bit of a ~er for me*, μοῦ πέφτει λιγάκι δύσκολο, τά βρίσκω μπαστούνια σ᾽αὐτό. **~y** *ἐπ.* *(-ier, -iest)* **1**. γεμᾶτος στροφές: *a ~y road*. **2**. στριμμένος.

twit /twɪt/ *οὐσ.* ‹C› (*λαϊκ.*) χαζός, ἠλίθιος.

twitch /twɪtʃ/ *οὐσ.* ‹C› **1**. νευρική σύσπασις, σπασμός: *a facial ~*, νευρικό τίκ τοῦ προσώπου. **2**. ἀπότομα τράβηγμα: *I felt a ~ at my sleeve*, ἔνοιωσα νά μοῦ τραβοῦν ἀπότομα τό μανίκι μου. —*ρ.μ/ὰ.* **1**. συσπῶ/-ῶμαι: *His face ~ed with pain*, τό πρόσωπό του συσπάστηκε ἀπό τόν πόνο. *The horse ~ed its ears*, τό ἄλογο τίναξε τ᾽αὐτιά του. **2**. τραβῶ ἀπότομα: *The wind ~ed the paper out of my hand*, ὁ ἀέρας μοῦ βούτηξε τό χαρτί ἀπό τά χέρια.

twit·ter /ˈtwɪtə(r)/ *ρ.ὰ.* (*γιά πουλιά*) τερετίζω, τιτιβίζω, (*γιά ἄνθρ.*) μιλῶ ξαναμμένα καί γρήγορα. —*οὐσ.* ‹C› τιτίβισμα. ***be all of a ~***, (*καθομ.*) τρέμω ὁλόκληρος ἀπό συγκίνηση, εἶμαι σέ νευρική ὑπερδιέγερση.

two /tu/ *ἐπ. & οὐσ.* ‹C› **1**. δύο: *one or ~*, κανά δυό. ***in ~***, στά δυό: *break/cut sth in ~*, σπάζω/κόβω κτ στά δύο. ***by ~s and threes***, ἀνά δύο καί τρεῖς. ***put ~ and ~ together***, βγάζω τά συμπεράσματά μου (μετά ἀπό προσεχτικό συλλογισμό). ***T~ can play at that game!*** (*σάν ἀπειλή*) αὐτό μποροῦν νά τό κάμουν κι᾽ἄλλοι! ἡ κατεργαριά δέν εἶναι μονοπώλιο κανενός! **2**. (*σέ σύνθ. λέξεις*): ˈ**~-ˋedged** *ἐπ.* δίκοπος: *a ~-edged knife/compliment*, δίκοπο μαχαίρι/κομπλιμέντο. ˈ**~-ˋfaced** *ἐπ.* (*μεταφ.*) διπρόσωπος. ˋ**~·fold** *ἐπ. & ἐπίρ.* διπλάσιος, διπλάσια. ˈ**~-ˋhanded** *ἐπ.* πού χρειάζεται δυό ἀνθρώπους νά τό χρησιμοποιήσουν (πχ πριόνι). ˋ**~·pence** /ˈtʌpns/ δυό πέννες. ˋ**~·penny** /ˈtʌpnɪ/ *ἐπ.* ἀξίας δύο πεννῶν. ˈ**~penny-ˋhalfpenny** /ˈtʌpnɪ ˋheɪpnɪ/ *ἐπ.* ἀξίας $2\frac{1}{2}$ πεννῶν, (*μεταφ.*) εὐτελής. ˋ**~-piece** *οὐσ.* ‹C› & *ἐπ.* (*γιά ροῦχα*) (σέ) δυό κομμάτια: *a ~-piece bathing suit*, μαγιό ντέ-πιές. ˈ**~-ˋply** *ἐπ.* δίκλωνος, δίφυλλος: *~-ply wool/wood*, δίκλωνη κλωστή/δίφυλλο κόντρα-πλακέ. ˈ**~-ˋseater**, διθέσιο (αὐτοκίνητο, ἀεροπλάνο). ˋ**~-timing** *ἐπ.* (*λαϊκ.*) ἄπιστος (*ἰδ.* στόν ἔρωτα), μπαμπέσης. ˈ**~-ˋway** *ἐπ.* (δρόμος) διπλῆς κατευθύνσεως, (διακόπτης) διπλῆς ἐνεργείας.

ˈtwould /twʊd/ (*ποιητ.*) = *it would.*

ty·coon /taɪˋkun/ *οὐσ.* ‹C› ἐπιχειρηματικός

μεγιστάν: `*oil* ~*s*, βασιλεῖς τοῦ πετρελαίου.
ty·ing /`taiŋ/ *ἐνεργ. μετ. τοῦ ρ.* ²*tie*.
tym·pa·num /`timpənəm/ *οὐσ.* ‹C› (*πληθ. -na* /-nə/) τύμπανον (τοῦ αὐτιοῦ).
type /taip/ *οὐσ.* **1**. ‹C› τύπος: *He's not the* ~ *of man to tell lies*, δέν εἶναι ἀπό τούς τύπους πού λένε ψέματα. *Her beauty is of the Italian* ~, ἡ ὀμορφιά της εἶναι Ἰταλικοῦ τύπου. *wine of the Burgundy* ~; *Burgundy* ~ *wine*, κρασί τύπου Βουργουνδίας. **2**. ‹U› τυπογραφικά στοιχεῖα: *bold* ~, μαῦρα στοιχεῖα. *large/ small* ~, μεγάλα/μικρά στοιχεῖα. ***set*** ~, στοιχειοθετῶ. ***in*** ~, στοιχειοθετημένος. `~-**script**, δακτυλογραφημένο κείμενο. `~-**setter**, στοιχειοθέτης. `~·**write** *ρ.μ/ἀ. ἀνώμ.* (*βλ. write*) (*πεπαλ.*) δακτυλογραφῶ. `~·**writer**, γραφομηχανή. __*ρ.μ/ἀ.* **1**. δακτυλογραφῶ: ~ *a letter; she* ~*s well*. **2**. ταξινομῶ, καθορίζω τόν τύπο: ~ *a virus*, καθορίζω τόν τύπο ἑνός ἰοῦ. **ty·pist** /`taipist/ *οὐσ.* ‹C› δακτυλογράφος.
type·cast /`taipkast/ *ἐπ.* (*θέατρ.*) φτιαγμένος γιά ἕνα ρόλο.
ty·phoid /`taifɔid/ *οὐσ.* ‹U› ~ (**fever**), τυφοειδής.
ty·phoon /tai`fun/ *οὐσ.* ‹C› τυφώνας.
ty·phus /`taifəs/ *οὐσ.* ‹U› τύφος.
typi·cal /`tipikl/ *ἐπ.* χαρακτηριστικός, ἀντιπροσωπευτικός: *That's* ~ *of my father*, αὐτό εἶναι χαρακτηριστικό τοῦ πατέρα μου. ~**ly** /-kli/ *ἐπίρ.*
typ·ify /`tipifai/ *ρ.μ.* συμβολίζω, ἀποτελῶ γνώρισμα.
ty·pist /`taipist/ *οὐσ. βλ. type*.
ty·pogra·phy /tai`pogrəfi/ *οὐσ.* ‹U› τυπογραφία, τυπογραφική τέχνη. **ty·pogra·pher** /-`pogrəfə(r)/ *οὐσ.* ‹C› τυπογράφος. **ty·po·graphic** /'taipə`græfik/ *ἐπ.* τυπογραφικός. **ty·po·graphi·cally** /-kli/ *ἐπίρ.*
ty·ran·ni·cal /ti`rænikl/, **tyr·an·nous** /`tirənəs/ *ἐπ.* τυραννικός: *a* ~ *father/regime*, τυραννικός πατέρας/-ό καθεστώς.
tyr·an·nize /`tirənaiz/ *ρ.μ.* τυραννῶ: ~ *over the weak/one's family*, τυραννῶ τούς ἀδυνάτους/τήν οἰκογένειά μου.
tyr·anny /`tirəni/ *οὐσ.* ‹C,U› τυραννία: *It's not worth living under a* ~, δέν ἀξίζει νά ζῆ κανείς κάτω ἀπό μιά τυραννία.
ty·rant /`taiərnt/ *οὐσ.* ‹C› τύραννος: *Down with the* ~*!* κάτω ὁ τύραννος!
tyre /taiə(r)/ *οὐσ.* ‹C› ἐλαστικό (αὐτοκινήτου).
tzar /za(r)/, **tza·rina** /za`rinə/ *οὐσ.* ‹C› *βλ. tsar*.
tzetze /`setsi/ *οὐσ. βλ. tsetse*.

U u

U, u /ju/ τό 21ο γράμμα τοῦ ἀλφάβητου. `**U-boat**, Γερμανικό ὑποβρύχιο. '**U-`turn**, στροφή 180° μοιρῶν, στροφή πρός τήν ἀντίθετη κατεύθυνση.
ubiqui·tous /ju`bikwitəs/ *ἐπ.* πανταχοῦ παρών. **ubiquity** /ju`bikwəti/ *οὐσ.* ‹U› πανταχοῦ παρουσία.
ud·der /`ʌdə(r)/ *οὐσ.* ‹C› μαστάρι ζώου.
ugh /ɜ/ *ἐπιφ.* ἀηδίας οὔφ!
ugly /`ʌgli/ *ἐπ.* (*-ier, -iest*) **1**. ἄσχημος, δύσμορφος: ~ *girls/furniture*, ἄσχημα κορίτσια/ ἔπιπλα. *She's as* ~ *as sin*, εἶναι σκιάχτρο. **2**. ἄσχημος, δυσάρεστος, ἀπειλητικός: *The news is* ~, τά νέα εἶναι ἄσχημα/δυσάρεστα. *an* ~ *situation*, ἐπικίνδυνη κατάστασις. *There was an* ~ *look on his face*, τό πρόσωπό του εἶχε ἀπειλητική ὄψη, εἶχε πάρει κακιά ἔκφραση. *an* ~ *customer*, (*καθομ.*) ζόρικος τύπος. **ug·lify** /`ʌglifai/ *ρ.μ.* ἀσχημίζω, παραμορφώνω. **ug·li·ness** *οὐσ.* ‹U› ἀσχήμια.
ukase /ju`keis/ *οὐσ.* ‹C› οὐκάζιον, (*καθομ.*) φιρμάνι.
ul·cer /`ʌlsə(r)/ *οὐσ.* ‹C› (*ἰατρ.*) ἕλκος, (*μεταφ.*) πληγή, φθοροποιός ἐπίδρασις. ~·**ous** /-əs/ *ἐπ.* ἑλκώδης, νοσογόνος. ~·**ate** /-eit/ *ρ.μ/ἀ.* ἐξελκῶ/-οῦμαι, κάνω/γίνομαι ἕλκος. ~-**ation** /'ʌlsə`reiʃn/ *οὐσ.* ‹U› ἐξέλκωσις.
ulna /`ʌlnə/ *οὐσ.* ‹C› (*πληθ. -nae* /-ni/) (*ἀνατ.*) ὠλένη.
ul·ster /`ʌlstə(r)/ *οὐσ.* ‹C› χοντρή, μακρυά κάπα μέ ζώνη.
ul·terior /ʌl`tiəriə(r)/ *ἐπ.* ἀπώτερος, κρυφός, ἀνομολόγητος. ~ **motives**, ἀπώτερα κίνητρα.
ul·ti·mate /`ʌltimət/ *ἐπ.* ὕστατος, ἔσχατος, τελικός, βασικός: *the* ~ *cause*, ἡ ἔσχατη/ τελική αἰτία. *the* ~ *principles/truths*, οἱ ἔσχατες (βασικές) ἀρχές/ἀλήθειες. **the** ~ **deterrent**, τό ὕστατο/ἔσχατο ὅπλο (*δηλ.* ἡ πυρηνική βόμβα). ~·**ly** *ἐπίρ.* τελικά, βασικά, σέ τελευταία ἀνάλυση.
ul·ti·ma·tum /'ʌlti`meitəm/ *οὐσ.* ‹C› (*πληθ.* ~*s*, *-ta* /-tə/) τελεσίγραφο.
ul·timo /`ʌltiməʊ/ *ἐπ.* (*συγκεκ.* **ult**.) (*πεπαλ. στήν ἐμπ. ἀλληλογρ.*) παρελθόντος μηνός: *your letter of the 10th ult.*, ἡ ἐπιστολή σας τῆς 10ης παρελθόντος.
ultra- /`ʌltrə/ *πρόθεμα* ὑπέρ-: '~-`*modern*, ὑπερμοντέρνος. '~-`*smart*, ὑπέρκομψος. '~-`*royalist*, ἀδιάλλακτος βασιλόφρων.
ul·tra·mar·ine /'ʌltrəmə`rin/ *ἐπ.* & *οὐσ.* ‹C,U› βαθύ μπλέ, λουλακί.
ultra·mon·tane /'ʌltrəmon`tein/ *ἐπ.* φανατικός παπικός.
ul·tra·sonic /'ʌltrə`sonik/ *ἐπ.* ὑπερηχητικός.
ul·tra·vio·let /'ʌltrə`vaiələt/ *ἐπ.* (*φυσ.*) ὑπεριώδης. ~ **rays**, ὑπεριώδεις ἀκτῖνες.
ulu·late /`juljʊleit/ *ρ.ἀ.* οὐρλιάζω, ὀλολύζω. **ulu·la·tion** /'juljʊ`leiʃn/ *οὐσ.* ‹C,U› κρωγμός, ὀλολυγμός, θρῆνος.
um·ber /`ʌmbə(r)/ *οὐσ.* ‹C,U› & *ἐπ.* ὄμπρα.
um·bili·cal /ʌm`bilikl/ *ἐπ.* ὀμφάλιος. ~ **cord**, ὀμφάλιος λῶρος.
um·brage /`ʌmbridʒ/ *οὐσ.* ‹U› (*μόνο στή φρ.*)

take ***~ (at sth)***, πειράζομαι, προσβάλλομαι (ἀπό κτ).

um·brella /ʌm`brelə/ *οὐσ.* ‹C› ὀμπρέλλα. (*μεταφ.*) προστασία, κάλυψις. **~-stand**, ἔπιπλο γιά ὀμπρέλλες.

um·pire /`ʌmpaɪə(r)/ *οὐσ.* ‹C› **1**. διαιτητής (γιά τέννις, κρίκετ, μπέηζμπωλ, κλπ) (*πρβλ. referee* γιά μπόξ καί ποδόσφαιρο). **2**. κριτής σέ διαφορά. __*ρ.μ/ἀ.* διαιτητεύω.

ump·teen /'ʌmp`tin/ *ἐπ.* (*λαϊκ.*) χιλιάδες, ἄπειροι: ~ *times/reasons*, χιλιάδες φορές/ ἄπειροι λόγοι. **ump·teenth** /'ʌmp`tinθ/ *ἐπ.* πολλοστός: *for the ~th time*, γιά πολλοστή φορά.

'un /ən/ *ἀντων.* (*καθομ. παραφθορά τοῦ one*) ἕνας: *He's a good 'un*, εἶναι καλός τύπος.

un- /ʌn/ *πρόθεμα* (*δηλοῖ στέρηση ἤ ἀνατροπή καταστάσεως*) ἀ-, ξε-: *unwilling*, ἀπρόθυμος. *unlock*, ξεκλειδώνω. (*Λόγοι χώρου δέν ἐπιτρέπουν νά καταχωρηθοῦν οἱ χιλιάδες τῶν λέξεων πού ἀρχίζουν μέ τό πρόθεμα un- ἀλλ' οὔτε καί σκόπιμον εἶναι, δοθέντος ὅτι ἡ ἔννοιά τους ἀνευρίσκεται εὔκολα μέ τήν προσθήκη τοῦ Ἑλληνικοῦ στερητικοῦ "ἀ-" ἤ τοῦ ἀρνητικοῦ "μή", πχ ὁ γνωρίζων τήν λέξιν afraid δέν ἔχει ἀνάγκη νά καταφύγη στό λεξικό γιά τό ἐπίθετο unafraid = ἄφοβος. Ἄν ἡ λέξις εἶναι ἐντελῶς ἄγνωστος, δέον νά ἀναζητηθῆ ἡ ἔννοια τῆς λέξεως χωρίς τό πρόθεμα un- εἰς τήν οἰκείαν θέσιν της πρός συναγωγήν τῆς ἐννοίας τῆς συνθέτου λέξεως. Ἄς σημειωθῆ ἀκόμη ἡ διαφορά ἐννοίας μεταξύ πολλῶν συγγενικῶν ζευγαριῶν λέξεων πού ἀρχίζουν μέ un- καί ἐκ τῶν ὁποίων ἡ μία λήγει σέ -able καί ἡ ἄλλη εἶναι ἐπιθετική παθητική μετοχή, πχ unalterable καί unaltered. Κατά κανόνα ἡ πρώτη σημαίνει "πού δέν μπορεῖ νά" καί ἡ δεύτερη "πού δέν ἔχει", δηλ. unalterable = ἀμετάβλητος, πού δέν μπορεῖ νά μεταβληθῆ, unaltered = ἀμετάβλητος, πού δέν ἔχει μεταβληθῆ*).

un·abashed /'ʌnə`bæʃt/ *ἐπ.* ἀτάραχος, ἀκλόνητος, ἀπτόητος.

un·abated /'ʌnə`beɪtɪd/ *ἐπ.* (*γιά θύελλα, πόνο, θόρυβο, κλπ*) ἀμείωτος, ἀδιάπτωτος.

un·ab·brevi·ated /'ʌnə`brivieɪtɪd/ *ἐπ.* πλήρης, ὁλόγραφος.

un·able /ʌn`eɪbl/ *κατηγ. ἐπ.* ἀνίκανος: *be ~ to do sth*, δέν μπορῶ νά κάμω κτ.

un·abridged /'ʌnə`brɪdʒd/ *ἐπ.* (*γιά βιβλίο*) χωρίς περικοπές, πλήρης.

un·ac·cept·able /'ʌnək`septəbl/ *ἐπ.* ἀπαράδεκτος.

un·accom·pan·ied /'ʌnə`kʌmpənɪd/ *ἐπ.* ἀσυνόδευτος: ~ *luggage*, ἀσυνόδευτες ἀποσκευές.

un·ac·count·able /'ʌnə`kaʊntəbl/ *ἐπ.* ἀνεξήγητος: *His disappearance is ~*, ἡ ἐξαφάνισίς του εἶναι ἀνεξήγητη. **un·ac·count·ably** /-əblɪ/ *ἐπίρ.*

un·ac·cus·tomed /'ʌnə`kʌstəmd/ *ἐπ.* **1**. ἀσυνήθιστος: *I'm ~ to getting up early*, δέν εἶμαι συνηθισμένος νά σηκώνομαι νωρίς. **2**. ἀσυνήθης: *his ~ silence*, ἡ ἀσυνήθης σιωπή του.

un·adorned /'ʌnə`dɔnd/ *ἐπ.* ἀστόλιστος, ἀπέριττος: ~ *style*.

un·adul·ter·ated /'ʌnə`dʌltəreɪtɪd/ *ἐπ.* ἀνόθευτος, καθαρός: ~ *wine/joy/malice*, ἀνόθευτο κρασί/-η χαρά/καθαρή κακία.

un·ad·vis·able /'ʌnəd`vaɪzəbl/ *ἐπ.* ἀσύμφορος, μή σκόπιμος.

un·ad·vised /'ʌnəd`vaɪzd/ *ἐπ.* ἄφρων, ἀπερίσκεπτος, παράτολμος. **~·ly** /'ʌnəd`vaɪzɪdlɪ/ *ἐπίρ.*

un·af·fec·ted /'ʌnə`fektɪd/ *ἐπ.* **1**. φυσικός, ἀπροσποίητος, ἀνεπιτήδευτος: ~ *behaviour/ manners*. **2**. ἀνεπηρέαστος: ~ *by difficulties*.

un·aided /ʌn`eɪdɪd/ *ἐπ.* ἀβοήθητος.

un·alien·able /ʌn`eɪlɪənəbl/ *ἐπ.* ἀπαράγραπτος: ~ *rights*, ἀπαράγραπτα δικαιώματα.

un·al·loyed /'ʌnə`lɔɪd/ *ἐπ.* ἀμιγής, ἀνόθευτος: ~ *joy*, ἀμιγής χαρά. ~ *happiness*, ἀνέφελη εὐτυχία.

un·al·ter·able /'ʌn`ɔltərəbl/ *ἐπ.* ἀναλλοίωτος, ἀμετάβλητος. **un·al·ter·ably** /ʌn`ɔltərəblɪ/ *ἐπίρ.*

un·am·bigu·ous /'ʌnæm`bɪgjʊəs/ *ἐπ.* σαφής, ἀπερίφραστος, ξεκάθαρος.

un·am·bi·tious /'ʌnæm`bɪʃəs/ *ἐπ.* χωρίς φιλοδοξίες.

un-Ameri·can /'ʌn ə`merɪkən/ *ἐπ.* ἀντιαμερικανικός: *U~ Activities Committee*, Ἐπιτροπή Ἀντιαμερικανικῶν Ἐνεργειῶν.

unani·mous /ju`nænɪməs/ *ἐπ.* ὁμόφωνος, ὁμόθυμος: *be elected by a ~ vote*, ἐκλέγομαι παμψηφεί. *The country is ~ in support of the Government's policy*, ἡ χώρα ὑποστηρίζει ὁμοφώνως τήν κυβερνητική πολιτική. **~·ly** *ἐπίρ.* ὁμοφώνως. **una·nim·ity** /'junə`nɪmətɪ/ *οὐσ.* ‹U› ὁμοφωνία.

un·an·nounced /'ʌnə`naʊnst/ *ἐπ.* ἀπροειδοποίητος, χωρίς νά ἀναγγελθῆ.

un·an·swer·able /'ʌn`ɑnsərəbl/ *ἐπ.* ἀναπάντητος, ἀναντίρρητος, ἀποστομωτικός: ~ *arguments*, ἀποστομωτικά ἐπιχειρήματα.

un·an·swered /'ʌn`ɑnsəd/ *ἐπ.* **1**. ἀναπάντητος: ~ *letters;* ~ *questions*. **2**. χωρίς ἀνταπόκριση: ~ *love*.

un·ap·peased /'ʌnə`pizd/ *ἐπ.* ἀκόρεστος, ἀνικανοποίητος.

un·ap·proach·able /'ʌnə`prəʊtʃəbl/ *ἐπ.* ἀπλησίαστος.

un·armed /'ʌn`ɑmd/ *ἐπ.* ἄοπλος.

un·ashamed /'ʌnə`ʃeɪmd/ *ἐπ.* ἀναίσχυντος.

un·asked /'ʌn`ɑskt/ *ἐπ.* αὐθόρμητος, ἀπρόσκλητος: *His offer of help was ~ (for)*, ἡ προσφορά του νά βοηθήση ἦταν αὐθόρμητη.

un·as·sail·able /'ʌnə`seɪləbl/ *ἐπ.* ἀπρόσβλητος, ἀκαταμάχητος.

un·as·sum·ing /'ʌnə`sjumɪŋ/ *ἐπ.* ἁπλός, μετριόφρων, σεμνός, ἀνεπιτήδευτος.

un·at·tached /'ʌnə`tætʃt/ *ἐπ.* ἀνεξάρτητος, ἐλεύθερος, ἀδέσμευτος: *an ~ young man*, ἀνύπαντρος (ὄχι λογοδοσμένος) νέος.

un·at·tain·able /'ʌnə`teɪnəbl/ *ἐπ.* ἀνέφικτος.

un·at·tended /'ʌnə`tendɪd/ *ἐπ.* **1**. ἀσυνόδευτος. **2**. παραμελημένος. **3**. μή συνεπαγόμενος.

un·avail·able /'ʌnə`veɪləbl/ *ἐπ.* δυσεύρετος, μή διαθέσιμος, μή πρόχειρος.

un·avail·ing /'ʌnə`veɪlɪŋ/ *ἐπ.* ἄσκοπος, ἀνώφελος, ἄκαρπος: ~ *tears; an ~ attempt*.

un·avoid·able /'ʌnə`vɔɪdəbl/ *ἐπ.* ἀναπόφευκτος. **un·avoid·ably** /-əblɪ/ *ἐπίρ.* ἀναποφεύκτως.

un·aware /'ʌnə`weə(r)/ *κατηγ. ἐπ.* ***be ~ of sth/~ that...***, ἀγνοῶ, δέν εἶμαι ἐν γνώσει:

I was ~ of your presence/that you were present, ἀγνοοῦσα τήν παρουσία σου/ὅτι ἤσουν παρών. **un·awares** /-`weəz/ *ἐπίρ.* **1**. ἐξαπίνης, ἐξ ἀπροόπτου, στόν ὕπνο: *take sb ~s*, καταλαμβάνω κπ ἐξ ἀπροόπτου, τόν πιάνω στόν ὕπνο. **2**. ἐν ἀγνοίᾳ, ἐξ ἀπροσεξίας, ἀνεπιγνώστως: *She threw it away ~s*, τό πέταξε κατά λάθος.

un·backed /'ʌn`bækt/ *ἐπ.* ἀνυποστήρικτος.

un·baked /'ʌn`beɪkd/ *ἐπ.* ἄψητος.

un·bal·anced /'ʌn`bælənst/ *ἐπ.* ἀνισόρροπος.

un·bar /ʌn`bɑ(r)/ *ρ.μ.* *(-rr-)* ξαμπαρώνω, ἀνοίγω, ἐλευθερώνω: *~ all the professions to women*, ἀνοίγω ὅλα τά ἐπαγγέλματα στίς γυναῖκες.

un·bear·able /ʌn`beərəbl/ *ἐπ.* ἀνυπόφορος: *This man is ~. The pain was ~.* **un·bear·ably** /-əblɪ/ *ἐπίρ.* ἀνυπόφορα: *It was unbearably hot*, ἔκανε ἀνυπόφορη ζέστη.

un·beaten /'ʌn`bitn/ *ἐπ.* ἀνίκητος, ἀχτύπητος: *an ~ record*, ἀχτύπητο ρεκόρ.

un·be·coming /'ʌnbɪ`kʌmɪŋ/ *ἐπ.* **1**. ἀνάρμοστος: *~ behaviour*. **2**. ἀταίριαστος: *an ~ dress*. **~·ly** *ἐπίρ.*

un·be·known /'ʌnbɪ`nəʊn/, **un·be·knownst** /-nst/ *ἐπ.* & *ἐπίρ.* (*καθομ.*) ἄγνωστος, ἐν ἀγνοίᾳ: *He left ~st to me*, ἔφυγε ἐν ἀγνοίᾳ μου.

un·be·lief /'ʌnbɪ`lif/ *οὐσ.* ‹U› ἀπιστία, ἔλλειψις πίστεως. **un·be·liever** /'ʌnbɪ`livə(r)/ *οὐσ.* ‹C› ἄπιστος. **un·be·liev·ing** *ἐπ.* δύσπιστος, ἄπιστος. **un·be·liev·ing·ly** *ἐπίρ.* μέ δυσπιστία.

un·bend /ʌn`bend/ *ρ.μ/ἀ.* (*ἀνώμ. βλ. bend*) **1**. χαλαρώνω/-ομαι, ξελασκάρω: *~ one's mind*, ξελασκάρω/ξεκουράζω τό μυαλό μου. **2**. γίνομαι προσηνής, ἀφήνω τούς τύπους/τίς ἐπισημότητες: *After class the teacher ~s*, μετά τό μάθημα ὁ δάσκαλος γίνεται προσηνής. **~·ing** *ἐπ.* ἄκαμπτος: *an ~ing attitude/determination*, ἄκαμπτος στάσις/ἀποφασιστικότης.

un·bi·ased, un·bi·assed /'ʌn`baɪəst/ *ἐπ.* ἀμερόληπτος, ἀπροκατάληπτος.

un·bid·den /'ʌn`bɪdn/ *ἐπ.* (*λόγ.*) ἀπρόσκλητος, αὐτόβουλος.

un·bind /ʌn`baɪnd/ *ρ.μ.* (*ἀνώμ. βλ. bind*) λύνω.

un·blush·ing /ʌn`blʌʃɪŋ/ *ἐπ.* ἀνερυθρίαστος, ξεδιάντροπος.

un·born /ʌn`bɔn/ *ἐπ.* ἀγέννητος.

un·bosom /ʌn`bʊzəm/ *ρ.μ.* *~* ***oneself (to sb)***, ἀνοίγω τήν καρδιά μου σέ κπ (λέω τόν πόνο μου, κλπ).

un·bounded /ʌn`baʊndɪd/ *ἐπ.* ἀπεριόριστος, ἀπέραντος: *~ ambition*, ἀπέραντη φιλοδοξία.

un·bridled /ʌn`braɪdld/ *ἐπ.* ἀχαλίνωτος: *an ~ tongue; ~ passions.*

un·bro·ken /ʌn`brəʊkən/ *ἐπ.* ἀδάμαστος, ἀδιατάρακτος, ἄθικτος: *an ~ horse/spirit*, ἀδάμαστο ἄλογο/πνεῦμα. *~ sleep/happiness/peace*, ἀδιατάρακτος ὕπνος/-η εὐτυχία/εἰρήνη. *an ~ record*, ρεκόρ πού δέν ἔχει καταρριφθῆ.

un·buckle /ʌn`bʌkl/ *ρ.μ.* ξεκουμπώνω.

un·bur·den /ʌn`bɜdn/ *ρ.μ.* ξαλαφρώνω: *~ one's heart/conscience of sth*, ξαλαφρώνω τήν καρδιά μου/τή συνείδησή μου ἀπό κτ. *~ oneself to a friend*, ἀνοίγω τήν καρδιά μου (ἐκμυστηρεύομαι) σ' ἕνα φίλο. *~ oneself of a secret*, ξαλαφρώνω ἀπό ἕνα μυστικό.

un·but·toned /ʌn`bʌtnd/ *ἐπ.* ξεκούμπωτος, (*μεταφ.*) ἄνετος, χωρίς τυπικότητες.

un·cal·cu·lated /'ʌn`kælkjʊleɪtɪd/ *ἐπ.* ἀνυπολόγιστος.

un·called-for /ʌn`kɔld fɔ(r)/ *ἐπ.* ἀδικαιολόγητος, περιττός, ἀπρόκλητος: *~ insults/anger*, ἀδικαιολόγητες βρισιές/ἀπρόκλητος θυμός. *~ comments*, περιττά σχόλια.

un·canny /ʌn`kænɪ/ *ἐπ.* ἀφύσικος, μυστηριώδης, ἀπόκοσμος, ἀλλόκοτος: *an ~ noise/fear.* **un·can·nily** /-əlɪ/ *ἐπίρ.*

un·cared-for /ʌn`keəd fɔ(r)/ *ἐπ.* παραμελημένος: *an ~ child/garden.*

un·ceas·ing /ʌn`sisɪŋ/ *ἐπ.* ἀκατάπαυστος, ἀδιάκοπος. **~·ly** *ἐπίρ.* ἀδιάκοπα.

un·cer·emo·ni·ous /'ʌn'serə`məʊnɪəs/ *ἐπ.* χωρίς τύπους, ἁπλός, ἀπότομος: *in an ~ manner*, μέ ἀπότομο τρόπο. *an ~ dinner*, ἁπλό γεῦμα, χωρίς τυπικότητες. **~·ly** *ἐπίρ.* ἀπότομα, ἁπλᾶ, χωρίς πολλές διατυπώσεις. **~·ness** *οὐσ.* ‹U›.

un·cer·tain /ʌn`sɜtn/ *ἐπ.* **1**. ἄστατος, ἀσταθής, εὐμετάβλητος: *~ weather/steps*, ἄστατος καιρός/ἀσταθῆ βήματα. *a man with an ~ temper*, ἄνθρωπος μέ εὐμετάβλητη διάθεση. **2**. ἀβέβαιος, ἀμφίβολος, ἀκαθόριστος: *feel ~ about/of the future*, νοιώθω ἀβεβαιότητα γιά τό μέλλον. *The outcome is ~*, ἡ ἔκβασις εἶναι ἀμφίβολος. *a lady of ~ age*, κυρία ἀκαθορίστου ἡλικίας. **~·ly** *ἐπίρ.* **~ty** *οὐσ.* ‹C,U› ἀβεβαιότης, ἀνασφάλεια, κίνδυνος: *be/remain in a state of ~ty*, εἶμαι/παραμένω σέ κατάσταση ἀβεβαιότητος. *the uncertainties of a profession*, οἱ κίνδυνοι ἑνός ἐπαγγέλματος.

un·chain /ʌn`tʃeɪn/ *ρ.μ.* λύνω, ἐλευθερώνω.

un·chal·lenge·able /ʌn`tʃæləndʒəbl/, **un·chal·lenged** /'ʌn`tʃælɪnʒd/ *ἐπ.* ἀναμφισβήτητος, ἀδιαμφισβήτητος, ἀδιαφιλονίκητος.

un·change·able /ʌn`tʃeɪndʒəbl/, **un·changed** /ʌn`tʃeɪndʒd/ *ἐπ.* ἀμετάβλητος.

un·chari·table /ʌn`tʃærɪtəbl/ *ἐπ.* αὐστηρός (*πχ* κριτής).

un·charted /ʌn`tʃɑtɪd/ *ἐπ.* ἀνεξερεύνητος, ἄγνωστος: *~ islands.*

un·checked /'ʌn`tʃekt/ *ἐπ.* ἀσυγκράτητος, ἀνεξέλεγκτος: *~ anger*, ἀχαλίνωτος θυμός.

un·chris·tian /ʌn`krɪstʃən/ *ἐπ.* μή χριστιανικός, (*καθομ.*) ἄβολος, παράλογος: *call on sb at an ~ hour*, ἐπισκέπτομαι κπ σέ μιά ἐντελῶς ἀκατάλληλη ὥρα (*πχ 4 π.μ.*).

un·civil /ʌn`sɪvl/ *ἐπ.* ἀγενής. **~ized** /-`sɪvəlaɪzd/ *ἐπ.* ἀπολίτιστος.

un·claimed /ʌn`kleɪmd/ *ἐπ.* ἀζήτητος: *~ letters/luggage.*

uncle /`ʌŋkl/ *οὐσ.* ‹C› **1**. θεῖος. **2**. (*ἀστειολ.*) ἐνεχυροδανειστής. (*βλ.* & *λ. Dutch*).

un·clean /ʌn`klin/ *ἐπ.* ἀκάθαρτος, μιαρός.

un·clench /ʌn`klentʃ/ *ρ.μ.* ξεσφίγγω: *~ one's fists*, ξεσφίγγω τίς γροθιές μου.

un·clouded /ʌn`klaʊdɪd/ *ἐπ.* ἀνέφελος: *~ happiness.* (*πρβλ. cloudless sky*).

un·col·oured /ʌn`kʌləd/ *ἐπ.* ἀχρωμάτιστος, (*μεταφ.*) χωρίς ὑπερβολές, πιστός: *an ~ description of events*, μιά πιστή περιγραφή γεγονότων.

un·come-at-able /'ʌnkʌm`ætəbl/ *ἐπ.* (*καθομ.*) ἀπρόσιτος, ἀπλησίαστος.

un·com·fort·able /ʌn`kʌmftəbl/ *ἐπ.* **1**. ἄβολος, ὄχι ἄνετος: *an ~ seat/bed*. **2**. στενόχωρος, ἐνοχλητικός, δυσάρεστος: *an ~ silence*, στενόχωρη σιωπή. *have an ~ feeling that*..., ἔχω ἕνα δυσάρεστο συναίσθημα ὅτι... **un·com·fort·ably** *ἐπίρ.*

un·com·mit·ted /'ʌnkə`mɪtɪd/ *ἐπ.* ἀδέσμευτος: *the ~ countries; remain/be ~*, παραμένω/εἶμαι ἀδέσμευτος.

un·com·mon /ʌn`komən/ *ἐπ.* ἀσυνήθης, σπάνιος, ἐξαιρετικός. **~·ly** *ἐπίρ.* ἀσυνήθιστα, ἐξαιρετικά, πολύ: *He's ~ly intelligent*, εἶναι πολύ ἔξυπνος.

un·com·plain·ing /'ʌnkəm`pleɪnɪŋ/ *ἐπ.* καρτερικός, ὑπομονητικός, ἀγόγγυστος.

un·com·pro·mis·ing /ʌn`komprəmaɪzɪŋ/ *ἐπ.* ἀδιάλλακτος, ἀνένδοτος, ἀνυποχώρητος.

un·con·cern /'ʌnkən`sɜn/ *οὐσ.* ‹U› ἀναμελιά, ἀδιαφορία, ξενοιασιά.

un·con·cerned /'ʌnkən`sɜnd/ *ἐπ.* **1**. **~ *in sth***, ἀμέτοχος. **2**. **~ *with sb/sth***, ἀδιάφορος, οὐδέτερος. **3**. ξένοιαστος, ἀμέριμνος, ἀνέμελος. **un·con·cern·ed·ly** /-`sɜnɪdlɪ/ *ἐπίρ.* ἀδιάφορα.

un·con·di·tional /'ʌnkən`dɪʃnl/ *ἐπ.* ἀνεπιφύλακτος, κατηγορηματικός, ἄνευ ὅρων: *~ acceptance*, ἀνεπιφύλακτη ἀποδοχή. *~ refusal*, κατηγορηματική ἄρνησις. *~ surrender*, παράδοσις ἄνευ ὅρων. **~ly** /-nəlɪ/ *ἐπίρ.*

un·con·firmed /'ʌnkən`fɜmd/ *ἐπ.* ἀνεπιβεβαίωτος: *an ~ item of news*, ἀνεπιβεβαίωτη εἴδησις.

un·con·scion·able /ʌn`konʃənəbl/ *ἐπ.* παράλογος, ὑπέρμετρος: *take an ~ time dressing*, κάνω πάρα πολλή ὥρα νά ντυθῶ.

un·con·scious /ʌn`konʃəs/ *ἐπ.* ἀθέλητος, ἀσυναίσθητος, ἀναίσθητος: *~ humour*, ἀθέλητο χιοῦμορ. *be ~ of having done wrong*, δέν ἔχω συναίσθηση ὅτι ἔχω κάμει τίποτα κακό. *The blow left him ~*, τό χτύπημα τόν ἄφησε ἀναίσθητο. *__οὐσ.* ‹U› **the ~**, (*ψυχολ.*) (τό) ἀσυνείδητον. **~·ly** *ἐπίρ.* **~·ness** *οὐσ.* ‹U› λιποθυμία, ἔλλειψις συναισθήσεως.

un·con·sid·ered /'ʌnkən`sɪdəd/ *ἐπ.* ἀπερίσκεπτος.

un·con·sti·tu·tional /'ʌnkonstɪ`tjuʃnl/ *ἐπ.* ἀντισυνταγματικός. **~·ly** *ἐπίρ.*

un·con·ven·tional /'ʌnkən`venʃnl/ *ἐπ.* μή συμβατικός, πρωτότυπος: *an ~ way of dressing*. **~·ly** *ἐπίρ.*

un·cork /ʌn`kɔk/ *ρ.μ.* ξεβουλώνω (μπουκάλι).

un·couple /'ʌn`kʌpl/ *ρ.μ.* ξεζεύω, λύνω, ἀποσυνδέω.

un·couth /ʌn`kuθ/ *ἐπ.* ἄξεστος: *~ manners/people*. **~·ly** *ἐπίρ.*

un·cover /ʌn`kʌvə(r)/ *ρ.μ.* ξεσκεπάζω, ἀποκαλύπτω: *~ a plot*, ἀποκαλύπτω μιά συνωμοσία.

un·critical /'ʌn`krɪtɪkl/ *ἐπ.* ἐπιπόλαιος, πρόχειρος, ἀβασάνιστος: *~ thoughts*.

un·crowned /'ʌn`kraʊnd/ *ἐπ.* χωρίς στέμμα.

unc·tion /`ʌŋkʃn/ *οὐσ.* ‹U› **1**. (*ἐκκλ.*) χρῖσμα. **'Extreme `U~**, εὐχέλαιον σέ ἑτοιμοθάνατο. **2**. (*συνήθ. ἀνειλικρινής*) ζῆλος, πάθος: *relate a scandal with great ~*, παθιάζω/ἀπολαμβάνω ἀφηγούμενος ἕνα σκάνδαλο.

unc·tu·ous /`ʌŋktʃʊəs/ *ἐπ.* (*γιά ὁμιλία ἤ τρόπο*) γλοιώδης, ὑποκριτικά κατανυκτικός, γλυκερός. **~·ly** *ἐπίρ.*

un·cul·tured /'ʌn`kʌltʃəd/ *ἐπ.* ἀμόρφωτος, ἀκαλλιέργητος.

un·cut /'ʌn`kʌt/ *ἐπ.* ἄκοπος.

un·dated /'ʌn`deɪtɪd/ *ἐπ.* ἀχρονολόγητος: *an ~ cheque/letter*.

un·daunted /'ʌn`dɔntɪd/ *ἐπ.* ἀπτόητος.

un·de·ceive /'ʌndɪ`siv/ *ρ.μ.* ἀνοίγω τά μάτια κάποιου, τόν βγάζω ἀπό πλάνη.

un·de·cided /'ʌndɪ`saɪdɪd/ *ἐπ.* ἀναποφάσιστος, ἐκκρεμής, διστακτικός.

un·de·clared /'ʌndɪ`kleəd/ *ἐπ.* (*γιά ἐμπορεύματα*) ἀδήλωτος, (*γιά πόλεμο*) ἀκήρυκτος.

un·de·fended /'ʌndɪ`fendɪd/ *ἐπ.* ἀνυπεράσπιστος.

un·de·mon·strable /'ʌndɪ`monstrəbl/ *ἐπ.* ἀναπόδεικτος.

un·de·mon·stra·tive /'ʌndɪ`monstrətɪv/ *ἐπ.* ἐπιφυλακτικός, μή ἐκδηλωτικός, συγκρατημένος.

un·de·ni·able /'ʌndɪ`naɪəbl/ *ἐπ.* ἀναντίρρητος, ἀναμφισβήτητος.

[1]**un·der** /`ʌndə(r)/ *ἐπίρ.* κάτω: *The boat went ~*, τό πλοῖο βούλιαξε. *Can you stay ~ for two minutes?* μπορεῖς νά μείνης κάτω (*δηλ.* στό νερό) δύο λεπτά; *__πρόθεμα* ὑπό: *'~`secretary*, ὑφυπουργός. *`~ gardener*, βοηθός κηπουροῦ.

[2]**un·der** /`ʌndə(r)/ *πρόθ.* ὑπό, κάτω ἀπό: **1**. (*χαμηλότερα ἀπό*): *The cat was ~ the table*, ἡ γάτα ἦταν κάτω ἀπό τό τραπέζι. *The village nestles ~ the hill*, τό χωριό εἶναι χωμένο στά ριζά τοῦ λόφου. ***There's nothing new ~ the sun***, (*παροιμ.*) οὐδέν καινόν ὑπό τόν ἥλιον. **2**. (*μέσα καί σκεπασμένος ἀπό*): *He stayed ~ the water for two minutes*, ἔμεινε κάτω ἀπό τό νερό δυό λεπτά. *He hid his face ~ the bedclothes*, ἔκρυψε τό πρόσωπό του κάτω ἀπό τά κλινοσκεπάσματα. **3**. (*λιγώτερο ἀπό*): *children ~ fourteen years of age* (*ἀντίθ. over/above*), παιδιά κάτω τῶν 14 χρονῶν. *books for the '~-`tens* (*ἀντίθ. over-tens*), βιβλία γιά παιδιά κάτω τῶν δέκα. *in ~ half an hour*, σέ λιγώτερο ἀπό μισή ὥρα. *officers ~ (the rank of) captain*, ἀξιωματικοί κάτω ἀπό τό λοχαγό (ἀπό τό βαθμό τοῦ λοχαγοῦ). **4**. (*μέ διάφορες χρήσεις*): *~ discussion*, ὑπό συζήτησιν. *~ repair*, ὑπό ἐπισκευήν. *~ American influence*, ὑπό Ἀμερικανικήν ἐπιρροήν. *France ~ Napoleon*, ἡ Γαλλία ὑπό τόν Ναπολέοντα. *groan ~ heavy taxation*, βογγῶ κάτω ἀπό τή βαρειά φορολογία. *~ a load of grief*, ὑπό τό βάρος θλίψεως. ***be ~ sentence of death***, εἶμαι καταδικασμένος σέ θάνατο. ***~ pain of death***, ἐπί ποινῇ θανάτου. ***be ~ the impression that***..., ἔχω τήν ἐντύπωση ὅτι... ***speak ~ one's breath***, μιλῶ χαμηλοφώνως.

under·act /'ʌndər`ækt/ *ρ.μ/ἀ.* (*στό θέατρο*) παίζω ὑποτονικά.

under·belly /`ʌndəbelɪ/ *οὐσ.* ‹C› ὑπογάστριον.

under·bid /'ʌndə`bɪd/ *ρ.μ.* (*ἀνώμ. βλ.* [2]*bid*) μειοδοτῶ, (*χαρτοπ.*) ἀγοράζω λιγώτερο ἀπό τή δύναμη τῶν χαρτιῶν μου.

under·bred /'ʌndə`bred/ *ἐπ.* κακοαναθρεμμένος, ἀγενής.

under·car·riage /`ʌndəkærɪdʒ/ *οὐσ.* ‹C› (*ἀεροπλ.*) σύστημα προσγειώσεως.

under·charge /ˈʌndəˋtʃadʒ/ *ρ.μ.* χρεώνω λιγώτερο ἀπό τό κανονικό. —*οὐσ.* ‹C› μειωμένη χρέωσις.

under·clothes /ˋʌndəkləʊðz/ *οὐσ. πληϑ.* (*ἐπίσης underclothing*) ἐσώρουχα.

under·cover /ˈʌndəˋkʌvə(r)/ *ἐπ.* μυστικός: *an ~ agent*, μυστικός πράκτωρ. *~ payments*, μυστικές πληρωμές (γιά δωροδοκίες, κλπ).

under·cur·rent /ˋʌndəkʌrənt/ *οὐσ.* ‹C› ρεῦμα τοῦ βάϑους, (*μεταφ.*) λανϑάνουσα τάσις: *an ~ of discontent*, συγκεκαλυμένο ρεῦμα δυσφορίας. *an ~ of melancholy*, λανϑάνουσα τάσις μελαγχολίας. *a speech with an ~ of humour*, λόγος μέ ἐλαφρῶς χιουμοριστικό τόνο.

[1]**under·cut** /ˋʌndəkʌt/ *οὐσ.* ‹U› φιλέτο.

[2]**under·cut** /ˈʌndəˋkʌt/ *ρ.μ.* (*ἀνώμ. βλ.* [1]*cut*) ὑποσκάπτω, συναγωνίζομαι κπ πουλώντας φϑηνότερα.

under·de·vel·oped /ˈʌndədɪˋveləpt/ *ἐπ.* ὑποανάπτυκτος: *~ countries/forms of life.*

under·dog /ˋʌndədog/ *οὐσ.* ‹C› (*μεταφ.*) ὁ ἀδύνατος, ὁ ἡττημένος τῆς ζωῆς, ὁ καταπιεζόμενος: *plead for the ~*, ὑποστηρίζω τούς ἀδύνατους/τούς καταπιεζόμενους.

under·done /ˈʌndəˋdʌn/ *ἐπ.* (*γιά κρέας*) ὄχι καλά ψημένο.

under·esti·mate /ˈʌndərˋestɪmeɪt/ *ρ.μ.* ὑποτιμῶ: *~ an opponent/the enemy's strength*, ὑποτιμῶ ἕναν ἀντίπαλο/τή δύναμη τοῦ ἐχϑροῦ. —*οὐσ.* ‹C› /-mət/ κακή ἐκτίμησις, ὑποτίμησις.

under·ex·pose /ˈʌndərɪkˋspəʊz/ *ρ.μ.* (*φωτογρ.*) ἐκϑέτω στό φῶς λιγότερο ἀπό τό κανονικό, τραβῶ γρήγορα. **under·expo·sure** /-ˋspəʊʒə(r)/ *οὐσ.* ‹C,U› γρήγορο τράβηγμα (φωτογραφίας).

under·fed /ˈʌndəˋfed/ *ἐπ.* ὑποσιτιζόμενος, ὑποσιτισμένος.

under·foot /ˈʌndəˋfʊt/ *ἐπίρ.* κάτω ἀπό τά πόδια, καταγῆς: *trample sth ~*, ποδοπατῶ κτ. *The ground was hard ~*, τό ἔδαφος ἦταν σκληρό κάτω ἀπό τά πόδια μας.

under·gar·ment /ˋʌndəgamənt/ *οὐσ.* ‹C› ἐσώρουχο.

under·go /ˈʌndəˋgəʊ/ *ρ.μ.* (*ἀνώμ. βλ.* [1]*go*) ὑφίσταμαι, περνῶ, ὑποφέρω, παϑαίνω: *~ a complete change*, ὑφίσταμαι πλήρη μεταβολή, ἀλλάζω τελείως. *~ a test successfully*, περνῶ μιά δοκιμασία μέ ἐπιτυχία. *~ much suffering*, ὑποφέρω πολλά βάσανα. *~ a loss*, παϑαίνω ζημιά.

under·grad·uate /ˈʌndəˋgrædʒʊət/ *οὐσ.* ‹C› φοιτητής.

under·ground /ˋʌndəgraʊnd/ *οὐσ.* ‹C› **1**. ὑπέδαφος. **2**. ὑπόγειος σιδηρόδρομος: *travel by ~*, ταξιδεύω μέ τόν ὑπόγειο. **3**. παρανομία, κίνημα ἀντιστάσεως: *a member of the French ~*, μέλος τοῦ Γαλλικοῦ κινήματος ἀντιστάσεως. —*ἐπ.* **1**. ὑπόγειος: *~ water/railways/passages*, ὑπόγειο νερό/-ος σιδηρόδρομος/-ειες διαβάσεις. **2**. (*μεταφ.*) κρυφός, μυστικός, παράνομος: *~ literature*, κρυφή φιλολογία. *~ movement*, παράνομο κίνημα. —*ἐπίρ.* (*καί* /ˈʌndəˋgraʊnd/) **1**. ὑπογείως: *work ~*, ἐργάζομαι κάτω ἀπό τή γῆ, στό βάϑος τῆς γῆς. **2**. σέ παρανομία, κρυφά, μυστικά. ***go ~***, περνῶ στήν παρανομία.

under·growth /ˋʌndəgrəʊθ/ *οὐσ.* ‹U› χαμόκλαδα.

under·hand /ˈʌndəˋhænd/ *ἐπ.* ὕπουλος, δόλιος, μπαμπέσικος: *act in an ~ way*, ἐνεργῶ μέ δόλιο τρόπο. *play an ~ game*, κάνω ὕπουλο παιχνίδι. —*ἐπίρ.* ὕπουλα, μπαμπέσικα, κρυφά.

under·lie /ˈʌndəˋlaɪ/ *ρ.μ.* **1**. βρίσκομαι κάτω ἀπό: *the strata underlying the coal*, τά στρώματα πού βρίσκονται κάτω ἀπό τό κάρβουνο. **2**. ἀποτελῶ τή βάση: *the principles underlying his theory*, οἱ ἀρχές πού ἀποτελοῦν τή βάση τῆς ϑεωρίας του.

under·line /ˈʌndəˋlaɪn/ *ρ.μ.* ὑπογραμμίζω, τονίζω. —*οὐσ.* ‹C› /ˋʌndəlaɪn/ ὑπογράμμισις.

under·ling /ˋʌndəlɪŋ/ *οὐσ.* ‹C› (*ὑποτιμ.*) ὑποτακτικός, ὑφιστάμενος, τσιράκι.

under·lying /ˈʌndəˋlaɪɪŋ/ *ἐπ.* βαϑύτερος: *the ~ causes of these events*, οἱ βαϑύτερες αἰτίες αὐτῶν τῶν γεγονότων.

under·man·ned /ˈʌndəˋmænd/ *ἐπ.* (*γιά πλοῖο, ἐργοστάσιο, κλπ*) μέ ἐλλιπές πλήρωμα/προσωπικό.

under·men·tioned /ˈʌndəˋmenʃnd/ *ἐπ.* ἀναφερόμενος κατωτέρω, κάτωϑι.

under·mine /ˈʌndəˋmaɪn/ *ρ.μ.* ὑποσκάπτω, ὑπονομεύω, φϑείρω: *~ sb's position/authority*, ὑποσκάπτω (ὑπονομεύω) τή ϑέση/τήν ἐξουσία κάποιου. *His health was ~d by drink*, τό ποτό εἶχε ὑποσκάψει τήν ὑγεία του.

under·neath /ˈʌndəˋniθ/ *πρόϑ.* & *ἐπίρ.* κάτω ἀπό, ὑποκάτω, κάτωϑεν.

under·nour·ished /ˈʌndəˋnʌrɪʃt/ *ἐπ.* ὑποσιτιζόμενος.

under·paid /ˈʌndəˋpeɪd/ *ἐπ.* ἀνεπαρκῶς ἀμειβόμενος, κακοπληρωμένος.

under·pants /ˋʌndəpænts/ *οὐσ. πληϑ.* σώβρακο.

under·pass /ˋʌndəpas/ *οὐσ.* ‹C› ὑπόγειος διάβασις, ἀνισόπεδος διασταύρωσις δρόμων.

under·pay /ˈʌndəˋpeɪ/ *ρ.μ.* (*ἀνώμ. βλ.* [2]*pay*) ἀμείβω ἀνεπαρκῶς. **~·ment** *οὐσ.* ‹C› ἀνεπαρκής ἀμοιβή.

under·pin /ˈʌndəˋpɪn/ *ρ.μ.* (*-nn-*) ὑποστηρίζω, ὑποστυλώνω, ἐνισχύω (ϑεμέλια, ϑεωρία, κλπ).

under·popu·lated /ˈʌndəˋpopjʊleɪtɪd/ *ἐπ.* ἀραιοκατοικημένος.

under·privi·leged /ˈʌndəˋprɪvəlɪdʒd/ *ἐπ.* ἀπόκληρος, ἀδικημένος.

under·pro·duc·tion /ˈʌndəprəˋdʌkʃn/ *οὐσ.* ‹U› ὑποπαραγωγή.

under·quote /ˈʌndəˋkwəʊt/ *ρ.μ.* δίνω χαμηλώτερες τιμές ἀπό κπ.

under·rate /ˈʌndəˋreɪt/ *ρ.μ.* ὑποτιμῶ: *~ an opponent*, ὑποτιμῶ ἕναν ἀντίπαλο.

under·score /ˈʌndəˋskɔ(r)/ *ρ.μ.* ὑπογραμμίζω, τονίζω.

under·sec·retary /ˈʌndəˋsekrətrɪ/ *οὐσ.* ‹C› ὑφυπουργός.

under·sell /ˈʌndəˋsel/ *ρ.μ.* (*ἀνώμ. βλ. sell*) πουλῶ φϑηνότερα ἀπό κπ/κάτω ἀπό τό κόστος.

under·sexed /ˈʌndəˋsekst/ *ἐπ.* μέ μειωμένη σεξουαλικότητα.

under·shoot /ˈʌndəˋʃut/ *ρ.μ.* (*ἀνώμ. βλ.* [2]*shoot*) (*γιά ἀεροπλ.*) ***~ the runway***, προσγειώνομαι πρίν φϑάσω στό διάδρομο προσγειώσεως.

under·sign /ˈʌndəˋsaɪn/ *ρ.μ.* ὑπογράφω: *I,*

the ~*ed*,... ὁ ὑπογεγραμμένος...

under·sized /ˈʌndəˋsaɪzd/ ἐπ. κάτω τοῦ κανονικοῦ μεγέθους, κατσιασμένος, κοντοστούμπικος.

under·staffed /ˈʌndəˋstɑft/ ἐπ. (*γιά γραφεῖο, ἐπιχείρηση, σχολεῖο, κλπ*) μέ ἀνεπαρκές προσωπικό.

under·stand /ˈʌndəˋstænd/ ρ.μ/ὰ. ἀνώμ. (ἀόρ. & π.μ. *-stood* /-ˋstʊd/) **1**. ἐννοῶ, καταλαβαίνω: *I don't* ~ *French/mathematics*, δέν καταλαβαίνω Γαλλικά/τά μαθηματικά. *You don't* ~ *me*, δέν μέ καταλαβαίνεις. *A teacher must* ~ *children*, ἕνας δάσκαλος πρέπει νά καταλαβαίνη ἀπό παιδιά. *He doesn't* ~ *what a difficult situation we are in*, δέν καταλαβαίνει σέ τί δύσκολη θέση εἴμαστε. ***(Now)***, ~ ***me***, (*φράσις πού προηγεῖται ἀπειλῆς ἤ προειδοποιήσεως*), θέλω νά καταλάβης ἕνα πρᾶγμα, θέλω νά μέ καταλάβης καλά, ἔχε ὑπ' ὄψιν σου ὅτι... ***make oneself understood***, γίνομαι κατανοητός, συνεννοοῦμαι: *Can you make yourself understood in French?* μπορεῖς νά συνεννοηθῆς στά Γαλλικά; **2**. ἀντιλαμβάνομαι, νομίζω, συνάγω, συμπεραίνω: *I* ~ *that you intend to sell your house*, ἀντιλαμβάνομαι ὅτι θέλετε νά πουλήσετε τό σπίτι σας. *I* ~ *there's something you wish to tell me*, νομίζω ὅτι θέλετε νά μοῦ πῆτε κάτι. *I understood him to be your friend*, νόμιζα (εἶχα τήν ἐντύπωση) ὅτι ἦταν φίλος σου. *Am I to* ~ *that you are resigning?* πρέπει νά συμπεράνω (θέλετε νά πῆτε) ὅτι παραιτεῖσθε; *You were, I* ~, *alone*, ἤσουν μόνος, ἀπ' ὅ,τι καταλαβαίνω/ἄν δέν κάνω λάθος. ***give sb to*** ~, δίνω σέ κπ νά καταλάβη: *We were given to* ~ *that everything was settled*, μᾶς ἔδωσαν νά καταλάβωμε (μείναμε μέ τήν ἐντύπωση) ὅτι ὅλα εἶχαν κανονιστῆ. **3**. ὑπονοῶ, ἐξυπακούω: *It is understood that*..., ἐξυπακούεται ὅτι... **~-able** /-əbl/ ἐπ. κατανοητός, εὐνόητος.

under·stand·ing /ˈʌndəˋstændɪŋ/ ἐπ. μέ κατανόηση, κατανοῶν: *with an* ~ *smile*, μέ χαμόγελο κατανοήσεως/συνεννοήσεως. *Be* ~, *please*, δεῖξε κατανόηση, παρακαλῶ. —οὐσ. **1**. ‹U› ἀντίληψις: *That's beyond my* ~, αὐτό ξεπερνάει τήν ἀντίληψή μου/μοῦ εἶναι ἀκατανόητο. **2**. ‹U› κατανόησις, συνεννόησις, συμφωνία: *display a spirit of* ~, δείχνω πνεῦμα κατανοήσεως. *come to/reach an* ~ *with sb*, καταλήγω σέ συμφωνία μέ κπ. *There was an* ~ *between us that*..., ὑπῆρχε μιά συμφωνία μεταξύ μας/εἴχαμε συμφωνήσει ὅτι... **3**. (*συνήθ. ἑν.*) ὅρος. ***on this*** ~, μέ αὐτό τόν ὅρο. ***on the*** ~ ***that***..., ὑπό τόν ὅρον ὅτι...

under·state /ˈʌndəˋsteɪt/ ρ.μ. μειώνω, ἐμφανίζω κατώτερον τοῦ πραγματικοῦ, ἀφηγοῦμαι συγκρατημένα: ~ *one's age/losses*, δηλώνω λιγώτερη ἡλικία/λιγώτερη ζημιά ἀπό τήν πραγματική. **~·ment** /ˋʌndəsteɪtmənt/ οὐσ. ‹C,U› μείωσις, συγκρατημένη περιγραφή, εὐφημισμός.

under·stood /ˈʌndəˋstʊd/ ἀόρ. & π.μ. τοῦ ρ. *understand*.

under·study /ˋʌndəstʌdɪ/ οὐσ. ‹C› (*θέατρ.*) ἀντικαταστάτης. —ρ.μ. ἀντικαθιστῶ (ἠθοποιό στό ρόλο του).

under·take /ˈʌndəˋteɪk/ ρ.μ. (ἀνώμ. βλ. [1]*take*) **1**. ἀναλαμβάνω: *He undertook to finish the work by Monday*, ἀνέλαβε νά τελειώση τή δουλειά ὥς τή Δευτέρα. *He undertook the directorship when his father died*, ἀνέλαβε τή διεύθυνση ὅταν πέθανε ὁ πατέρας του. **2**. ἐπιχειρῶ: ~ *a tour round the world*, ἐπιχειρῶ τό γύρο τοῦ κόσμου. **3**. ὑπόσχομαι, ἐγγυῶμαι: *I can't* ~ *that you will pass the exams*, δέν μπορῶ νά ἐγγυηθῶ ὅτι θά περάσης τίς ἐξετάσεις. **under·tak·ing** /ˈʌndəˋteɪkɪŋ/ οὐσ. ‹C› **1**. ἐπιχείρησις, ἐγχείρημα, δουλειά. **2**. ἐγγύησις, ὑπόσχεσις.

under·taker /ˋʌndəteɪkə(r)/ οὐσ. ‹C› ἀνάδοχος (ἔργου), ἐργολάβος κηδειῶν.

under·tone /ˋʌndətəʊn/ οὐσ. ‹C› **1**. χαμηλός τόνος: *speak in* ~*s*, μιλῶ χαμηλόφωνα. **2**. συγκεκαλυμμένος τόνος, ὑπόστρωμα: *There was an* ~ *of hostility in his attitude*, ὑπῆρχε ἕνας τόνος (ἕνα ὑπόστρωμα) ἐχθρότητος στή στάση του. **3**. ἀπόχρωσις.

under·took /ˈʌndəˋtʊk/ ἀόρ. τοῦ ρ. *undertake*.

under·tow /ˋʌndətəʊ/ οὐσ. ‹C› ρεῦμα ἐπιστροφῆς κύματος, ἀντίρρευμα, ἀντιμάμαλο: *He was caught in an* ~ *and carried out to sea*, τόν ἔπιασε τό ρεῦμα τῆς ἐπιστροφῆς τοῦ κύματος καί τόν τράβηξε μέσα στή θάλασσα.

under·value /ˈʌndəˋvælju/ ρ.μ. ἐκτιμῶ κτ κάτω τῆς ἀξίας του.

under·vest /ˋʌndəvest/ οὐσ. ‹C› (*πεπαλ.*) ἐσωτερική φανέλλα. (= *vest*).

under·water /ˋʌndəwɔtə(r)/ ἐπ. ὑποβρύχιος: ~ *fishing*, ὑποβρύχιο ψάρεμα.

under·wear /ˋʌndəweə(r)/ οὐσ. ‹U› ἐσώρρουχα.

under·went /ˈʌndəˋwent/ ἀόρ. τοῦ ρ. *undergo*.

under·world /ˋʌndəwɜld/ οὐσ. ‹C› **1**. ὑπόκοσμος. **2**. ὁ κάτω κόσμος.

under·write /ˈʌndəˋraɪt/ ρ.μ. (ἀνώμ. βλ. *write*) **1**. (*ναυτ.*) ἀσφαλίζω, ἐγγυῶμαι. **2**. (*οἰκον.*) ἀναλαμβάνω νά ἀγοράσω ὅλες τίς μετοχές πού δέν ἀγοράστηκαν ἀπό τό κοινό. **under·writer** /ˋʌndəraɪtə(r)/ οὐσ. ‹C› ἀντασφαλιστής.

un·de·served /ˈʌndɪˋzɜvd/ ἐπ. ἄδικος, παρ' ἀξίαν: *an* ~ *punishment/prize*.

un·de·signed /ˈʌndɪˋzaɪnd/ ἐπ. ἀκούσιος, ἀθέλητος, ἀπροσχεδίαστος.

un·de·sir·able /ˈʌndɪˋzaɪərəbl/ οὐσ. ‹C› & ἐπ. ἀνεπιθύμητος.

un·de·ter·red /ˈʌndɪˋtɜd/ ἐπ. ἀπτόητος: ~ *by the weather/by failure*, ἀπτόητος ἀπό τόν καιρό/ἀπό τήν ἀποτυχία.

un·de·vel·oped /ˈʌndɪˋveləpt/ ἐπ. **1**. ἀνεκμετάλλευτος, ἀναξιοποίητος: ~ *land*. **2**. ἐντελῶς ὑποανάπτυκτος/καθυστερημένος: *an* ~ *country*.

un·did /ʌnˋdɪd/ ἀόρ. τοῦ ρ. *undo*.

un·dies /ˋʌndɪz/ οὐσ. πληθ. (*καθομ.*) γυναικεῖα ἐσώρουχα.

un·dig·nified /ʌnˋdɪgnɪfaɪd/ ἐπ. ἀναξιοπρεπής: ~ *behaviour*.

un·di·luted /ˈʌndaɪˋljutɪd/ ἐπ. ἀμιγής, ἀνέρωτος: ~ *wine*.

un·dim·in·ished /ˈʌndɪˋmɪnɪʃt/ ἐπ. ἀμείωτος: *with* ~ *interest*.

un·dis·cerning /ˈʌndɪˋsɜnɪŋ/ ἐπ. χωρίς κρίση, ἄκριτος.

un·dis·charged /ˈʌndɪsˋtʃɑdʒd/ ἐπ. (*γιά*

φορτίο) ἀξεφόρτωτος, (*γιά ὑποχρέωση*) ἀνεκπλήρωτος, ἀνεξόφλητος.
un·dis·ci·plined /ʌn`dɪsəplɪnd/ *ἐπ.* ἀπειθάρχητος.
un·dis·closed /'ʌndɪ`skləʊzd/ *ἐπ.* μυστικός, ἀφανέρωτος.
un·di·vided /'ʌndɪ`vaɪdɪd/ *ἐπ.* ἀδιαίρετος, ἀκέραιος.
undo /ʌn`du/ *ρ.μ.* (*ἀνώμ. ἀόρ. -did* /-dɪd/, *π.μ. -done* /-dʌn/) **1**. λύνω: ~ *a knot/button*, λύνω ἕναν κόμπο/ξεκουμπώνω ἕνα κουμπί. *My shoe-laces have come undone*, τά κορδόνια μου λύθηκαν. **2**. χαλῶ (ὅ,τι ἔχει γίνει), ἀνατρέπω: *He has undone all the good work of his predecessor*, χάλασε ὅλα τά καλά πού εἶχε κάμει ὁ προκάτοχός του. ***What is done cannot be undone***, (*παροιμ.*) ὅ,τι ἔγινε, ἔγινε (ὅ,τι ἔγινε δέν ξεγίνεται). **3**. (*πεπαλ.*) καταστρέφω: *'I am undone', he said*, -Καταστράφηκα, εἶπε. **un·doing** *οὐσ.* ‹U› καταστροφή, ξεκούμπωμα, λύσιμο: *Drink will be his undoing*, τό ποτό θά εἶναι ἡ καταστροφή του. **un·done** *ἐπ.* λυμένος, ἀτελείωτος, ἀνεκτέλεστος, μισοτελειωμένος: *He left his work undone and went off*, ἄφησε τή δουλειά του μισοτελειωμένη κι' ἔφυγε.
un·dock /ʌn`dok/ *ρ.μ/ἀ.* ἀποσυνδέω.
un·dom·es·ti·cated /'ʌndə`mestɪkeɪtɪd/ *ἐπ.* κακονοικοκύρης, ἀδιάφορος γιά τό νοικοκυριό: *an* ~ *husband/wife*.
un·doubted /ʌn`daʊtɪd/ *ἐπ.* ἀναμφίβολος, ἀναμφισβήτητος, βέβαιος. **~·ly** *ἐπίρ.*
un·dreamed /ʌn`drimd/, **un·dreamt** /ʌn`dremt/ *ἐπ.* **~-of**, ἀδιανόητος, ἀφάνταστος: *~-of beauties*, ὀμορφιές πού δέν τίς βάζει ὁ νοῦς τοῦ ἀνθρώπου.
un·dress /ʌn`dres/ *ρ.μ/ἀ.* ξεντύνομαι. —*οὐσ.* ‹U› (*στρατ.*) ἀνεπίσημη/πρόχειρη στολή. **~ed** *ἐπ.* ξέντυτος, (*γιά φαγητό*) ἀγαρνίριστος, (*γιά τραῦμα*) ἀνεπίδετος, ἀπεριποίητος.
un·drink·able /ʌn`drɪŋkəbl/ *ἐπ.* πού δέν πίνεται.
un·due /'ʌn`dju/ *ἐπ.* ὑπερβολικός, ὑπέρμετρος, ἀνάρμοστος, ἀδικαιολόγητος: ~ *haste/zeal*, ὑπερβολική βιασύνη/ὑπέρμετρος ζῆλος. *have (an)* ~ *influence on sb*, ἐπηρεάζω κπ ὑπέρμετρα. *with* ~ *haste*, μέ ἀνάρμοστη βιασύνη. *give* ~ *attention to small problems*, δίνω ὑπερβολική (ἀδικαιολόγητη) προσοχή σέ μικροπράγματα. **un·duly** /'ʌn`djulɪ/ *ἐπίρ.* ὑπερβολικά, ὑπέρμετρα: *be unduly optimistic*, εἶμαι ὑπερβολικά (ἀδικαιολόγητα) αἰσιόδοξος.
un·du·late /`ʌndjʊleɪt/ *ρ.ἀ.* (*γιά ἐπιφάνεια*) κυματίζω: *undulating land*, κυματιστή γῆ. *a field of wheat undulating in the breeze*, χωράφι μέ στάρι πού κυματίζει στ' ἀεράκι. **un·du·la·tion** /'ʌndjʊ`leɪʃn/ *οὐσ.* ‹U› κυματισμός.
un·dy·ing /ʌn`daɪɪŋ/ *ἐπ.* αἰώνιος, ἀθάνατος: ~ *fame/love*.
un·earned /'ʌn`ɜnd/ *ἐπ.* **1**. πού δέν ἔχει κερδηθῆ μέ δουλειά: ~ *income*, εἰσόδημα ἐξ ἐπενδύσεων. **2**. ἀδικαιολόγητος: ~ *praise*, ἀδικαιολόγητος ἔπαινος.
un·earth /ʌn`ɜθ/ *ρ.μ.* ξεθάβω, ξετρυπώνω, ἀνακαλύπτω: ~ *an old manuscript*, ξετρυπώνω ἕνα παληό χειρόγραφο.
un·earth·ly /ʌn`ɜθlɪ/ *ἐπ.* **1**. ὑπερφυσικός. **2**. μυστηριώδης, μακάβριος: *an* ~ *scream/vision*, μιά μυστηριώδης κραυγή/ἕνα μακάβριο ὅραμα. **3**. παράλογος, ἀκατάλληλος: *wake sb up at an* ~ *hour*, ξυπνῶ κπ σέ παράλογη ὥρα (*πχ* στίς 4 π.μ.).
un·easy /ʌn`izɪ/ *ἐπ.* ἀνήσυχος, ταραγμένος, στενοχωρημένος: ~ *sleep*, ἀνήσυχος/ταραγμένος ὕπνος. *an* ~ *smile/silence*, στενοχωρημένο χαμόγελο/στενόχωρη σιωπή. *an* ~ *conscience*, ταραγμένη συνείδησις. *have an* ~ *feeling*, ἔχω ἕνα ἄσχημο συναίσθημα. *I am* ~ *in my mind about the future*, ἀνησυχῶ μέσα μου γιά τό μέλλον. *I grew* ~ *at his absence*, ἀνησύχησα μέ τήν ἀπουσία του. **un·eas·ily** /ʌn`izɪlɪ/ *ἐπίρ.* ἀνήσυχα. **un·easi·ness**, **un·ease** /ʌn`iz/ *οὐσ.* ‹U› ἀνησυχία.
un·eat·able /ʌn`itəbl/ *ἐπ.* πού δέν τρώγεται.
un·eaten /ʌn`itn/ *ἐπ.* ἀφάγωτος.
un·econ·omi·cal /'ʌnikə`nomɪkl/ *ἐπ.* ἀντιοικονομικός, ἀσύμφορος.
un·edited /ʌn`edɪtɪd/ *ἐπ.* ἀνέκδοτος, αὐτούσιος, χωρίς τροποποιήσεις.
un·edu·cated /ʌn`edʒʊkeɪtɪd/ *ἐπ.* ἀμόρφωτος, ἀγράμματος.
un·em·ployed /'ʌnɪm`plɔɪd/ *ἐπ.* ἄνεργος, ἀχρησιμοποίητος.
un·em·ploy·ment /'ʌnɪm`plɔɪmənt/ *οὐσ.* ‹U› ἀνεργία: ~ *benefit/pay*, ἐπίδομα ἀνεργίας.
un·end·ing /ʌn`endɪŋ/ *ἐπ.* ἀτελείωτος, ἀκατάπαυστος, συνεχής: *I'm tired of your* ~ *grumbles*, βαρέθηκα τήν ἀτέλειωτη γκρίνια σου. **~·ly** *ἐπίρ.* ἀκατάπαυστα, συνεχῶς.
un·Eng·lish /ʌn`ɪŋglɪʃ/ *ἐπ.* μή ἀγγλοπρεπής, ἀνάξιος Ἄγγλου, μή Ἀγγλικός: ~ *behaviour*.
un·en·light·ened /'ʌnɪn`laɪtnd/ *ἐπ.* ἀδιαφώτιστος, ἀμαθής, ἀπληροφόρητος, δεισιδαίμων.
un·en·vi·able /ʌn`envɪəbl/ *ἐπ.* καθόλου ἐπίζηλος: *an* ~ *task*.
un·equal /ʌn`ikwl/ *ἐπ.* **1**. ἄνισος, ἀνομοιόμορφος, διαφορετικός: *children of* ~ *age*, παιδιά διαφορετικῆς ἡλικίας. *His work is* ~, ἡ δουλειά του παρουσιάζει μεταπτώσεις (δέν εἶναι ὅλη στό ἴδιο ἐπίπεδο). **2**. ***be*** ~ ***to (doing) sth***, δέν εἶμαι σέ θέση νά ἀνταπεξέλθω σέ κτ: *I am/feel* ~ *to receiving visitors*, δέν εἶμαι σέ θέση νά δεχθῶ ἐπισκέψεις. *He is* ~ *to the task*, δέν εἶναι ἄξιος γιά τή δουλειά, δέν μπορεῖ νά τή βγάλη πέρα. **~·ly** /-kwəlɪ/ *ἐπίρ.*
un·equal·led /ʌn`ikwld/ *ἐπ.* ἀπαράμιλλος.
un·equivo·cal /'ʌnɪ`kwɪvəkl/ *ἐπ.* σαφής, κατηγορηματικός, ὄχι διφορούμενος: *give an* ~ *answer*, δίνω κατηγορηματική ἀπάντηση. **~-ly** *ἐπίρ.* κατηγορηματικά, ξεκάθαρα.
un·err·ing /ʌn`ɜrɪŋ/ *ἐπ.* ἀλάθητος, ἀκριβής. **~·ly** *ἐπίρ.*
un·ethi·cal /ʌn`eθɪkl/ *ἐπ.* ἀνέντιμος. **~·ly** *ἐπίρ.*
un·even /ʌn`ivn/ *ἐπ.* ἀνώμαλος, ἀκανόνιστος, ἄνισος, ἀνομοιογενής. **~·ly** *ἐπίρ.*
un·event·ful /'ʌnɪ`ventfl/ *ἐπ.* ἥσυχος, χωρίς γεγονότα, ἀδιατάρακτος: *an* ~ *life/journey*, ἥσυχη ζωή/-ο ταξίδι. **~·ly** *ἐπίρ.*
un·ex·ampled /'ʌnɪg`zampld/ *ἐπ.* ἀσύγκριτος, μοναδικός, χωρίς προηγούμενο: *the* ~ *heroism of our soldiers*, ὁ ἀσύγκριτος ἡρωϊσμός τῶν στρατιωτῶν μας.
un·ex·cep·tion·able /'ʌnɪk`sepʃnəbl/ *ἐπ.* ἄψογος, ἀνεπίληπτος.

un·ex·pected /ˈʌnɪkˋspektɪd/ ἐπ. ἀπροσδόκητος: *an ~ visit/visitor.*
un·ex·pur·gated /ʌnˋekspəgeɪtɪd/ ἐπ. ἀλογόκριτος, ἀνεκκαθάριστος.
un·fading /ʌnˋfeɪdɪŋ/ ἐπ. ἄφθαρτος, ἀμάραντος: *~ glory.*
un·fail·ing /ʌnˋfeɪlɪŋ/ ἐπ. ἀμείωτος, ἀδιάπτωτος, ἀνεξάντλητος: *~ interest*, ἀμείωτο ἐνδιαφέρον. *~ patience*, ἀνεξάντλητη ὑπομονή. **~·ly** *ἐπίρ.*
un·fair /ʌnˋfeə(r)/ ἐπ. ἄδικος, ἀθέμιτος: *~ competition*, ἀθέμιτος συναγωνισμός. **~·ly** *ἐπίρ.* **~·ness** *οὐσ.* ‹C,U› ἀδικία.
un·faith·ful /ʌnˋfeɪθfl/ ἐπ. ἄπιστος (*πχ* σύζυγος). **~·ly** /-fəlɪ/ *ἐπίρ.* **~·ness** *οὐσ.* ‹C,U› ἀπιστία.
un·fal·ter·ing /ʌnˋfɔltərɪŋ/ ἐπ. σταθερός, ἀκλόνητος: *with ~ steps/courage*, μέ σταθερά βήματα/μέ ἀκλόνητο θάρρος. **~·ly** *ἐπίρ.*
un·fam·il·iar /ˈʌnfəˋmɪlɪə(r)/ ἐπ. **1**. *~* ***(to)***, ἄγνωστος: *The district is ~ to me*, ἡ περιοχή μοῦ εἶναι ἄγνωστη. **2**. *~* ***with***, μή ἐξοικειωμένος: *I am ~ with the district*, δέν εἶμαι ἐξοικειωμένος μέ τήν περιοχή.
un·fath·om·able /ʌnˋfæðəməbl/ ἐπ. ἀνεξιχνίαστος. **un·fath·omed** /ʌnˋfæðmd/ ἐπ. ἀνεξερεύνητος.
un·feel·ing /ʌnˋfilɪŋ/ ἐπ. ἀναίσθητος, ἄσπλαχνος, σκληρός. **~·ly** *ἐπίρ.*
un·feigned /ʌnˋfeɪnd/ ἐπ. εἰλικρινής, ἀπροσποίητος: *~ satisfaction*, εἰλικρινής ἱκανοποίησις. **~·ly** *ἐπίρ.*
un·fet·tered /ʌnˋfetəd/ ἐπ. ἀδέσμευτος, ἐλεύθερος, ἀχαλίνωτος.
un·fin·ished /ʌnˋfɪnɪʃt/ ἐπ. ἡμιτελής, ἄγαρμπος.
un·fit /ʌnˋfɪt/ ἐπ. ἀκατάλληλος: *He's ~ for business/to be a teacher*, ἀκατάλληλος γιά ἐπιχειρήσεις/νά γίνη δάσκαλος. __*ρ.μ.* *(-tt-)* καθιστῶ ἀνίκανον: *A slipped disc ~ted him for work in the garden*, μιά δισκοπάθεια τόν ἔκανε ἀνίκανο νά δουλεύη στόν κῆπο.
un·flag·ging /ʌnˋflægɪŋ/ ἐπ. ἀμείωτος, ἀδιάπτωτος: *with ~ energy*, μέ ἀμείωτη δραστηριότητα.
un·flap·pable /ʌnˋflæpəbl/ ἐπ. (*καθομ.*) ἀτάραχος.
un·flat·tering /ʌnˋflætərɪŋ/ ἐπ. ἥκιστα κολακευτικός.
un·fledged /ʌnˋfledʒd/ ἐπ. (*γιά πουλί*) ἀμάλιαγος, χωρίς φτερά, (*μεταφ.*) νέος καί ἄπειρος.
un·flinch·ing /ʌnˋflɪntʃɪŋ/ ἐπ. ἀνένδοτος, ἀκλόνητος: *with ~ determination*, μέ ἀκλόνητη ἀποφασιστικότητα.
un·fold /ʌnˋfəʊld/ *ρ.μ/ἀ.* ξεδιπλώνω, ξετυλίγω/-ομαι, ἁπλώνω/-ομαι, ἀναπτύσσω: *~ a newspaper*, ξεδιπλώνω μιά ἐφημερίδα. *As the story ~s (itself)*, καθώς ἡ ἱστορία ξετυλίγεται. *The landscape ~ed before us*, τό τοπεῖο ἁπλωνόταν μπροστά μας. *She ~ed to him her plans for the future*, τοῦ ἀνέπτυξε τά σχέδιά της γιά τό μέλλον.
un·fore·seen /ˈʌnfɔˋsin/ ἐπ. ἀπρόβλεπτος.
un·for·get·table /ˈʌnfəˋgetəbl/ ἐπ. ἀξέχαστος, ἀλησμόνητος.
un·for·giv·able /ˈʌnfəˋgɪvəbl/ ἐπ. ἀσυγχώρητος.
un·for·giv·ing /ˈʌnfəˋgɪvɪŋ/ ἐπ. μνησίκακος, ἀνελέητος.
un·for·tu·nate /ʌnˋfɔtʃʊnət/ ἐπ. ἄτυχος, ἀτυχής: *an ~ remark*, μιά ἀτυχής παρατήρησις.
un·founded /ʌnˋfaʊndɪd/ ἐπ. ἀβάσιμος: *~ rumours*, ἀβάσιμες διαδόσεις.
un·fre·quented /ˈʌnfrɪˋkwentɪd/ ἐπ. ἀσύχναστος, ἐρημικός.
un·friend·ly /ʌnˋfrendlɪ/ ἐπ. ἐχθρικός, ψυχρός. **un·friend·li·ness** /ʌnˋfrendlɪnes/ *οὐσ.* ‹U› ἐχθρότης, ψυχρότης.
un·frock /ˈʌnˋfrok/ *ρ.μ.* (*ἐκκλ.*) καθαιρῶ.
un·fruit·ful /ʌnˋfrutfl/ ἐπ. ἄκαρπος, στεῖρος.
un·furl /ʌnˋfɜl/ *ρ.μ/ἀ.* ἀνοίγω (πανί πλοίου), (*γιά σημαία*) ξεδιπλώνω/-ομαι.
un·fur·nished /ʌnˋfɜnɪʃt/ ἐπ. χωρίς ἔπιπλα.
un·gain·ly /ʌnˋgeɪnlɪ/ ἐπ. ἄχαρος, ἀδέξιος, ἄγαρμπος.
un·gen·er·ous /ʌnˋdʒenrəs/ ἐπ. μικρόψυχος, φιλάργυρος, στενόκαρδος.
un·gentle·man·ly /ʌnˋdʒentlmənlɪ/ ἐπ. ἀνάρμοστος, ἀνάξιος ἑνός κυρίου.
un·get-at-able /ˈʌngetˋætəbl/ ἐπ. ἀπρόσιτος.
un·god·ly /ʌnˋgodlɪ/ ἐπ. ἀσεβής, ἀθεόφοβος, (*καθομ.*) ἐξωφρενικός, παράλογος: *telephone sb at an ~ hour*, τηλεφωνῶ σέ κπ μέσ' στ' ἄκραχτα μεσάνυχτα.
un·gov·ern·able /ʌnˋgʌvənəbl/ ἐπ. ἀκυβέρνητος, ἀχαλίνωτος: *~ passions*, ἀχαλίνωτα πάθη. *an ~ temper*, θυελλώδης ἰδιοσυγκρασία.
un·gra·cious /ʌnˋgreɪʃəs/ ἐπ. ἀγενής, δυσάρεστος, ἄχαρος.
un·grate·ful /ʌnˋgreɪtfl/ ἐπ. **1**. ἀγνώμων. **2**. ἄχαρος: *an ~ task*, ἄχαρη δουλειά.
un·grounded /ʌnˋgraʊndɪd/ ἐπ. ἀβάσιμος.
un·grudg·ing /ʌnˋgrʌdʒɪŋ/ ἐπ. ἁπλόχερος, ἀτσιγγούνευτος.
un·guarded /ʌnˋgadɪd/ ἐπ. ἀφρούρητος, ἀπρόσιτος, ἀπερίσκεπτος: *In an ~ moment, he gave away the secret*, σέ μιά στιγμή ἀπερισκεψίας, μαρτύρησε τό μυστικό.
un·guent /ˈʌŋgwənt/ *οὐσ.* ‹C,U› ἀλοιφή.
un·hal·lowed /ʌnˋhæləʊd/ ἐπ. ἀνίερος.
un·ham·pered /ʌnˋhæmpəd/ ἐπ. ἀνεμπόδιστος, ἀδέσμευτος, ἐλεύθερος.
un·happy /ʌnˋhæpɪ/ ἐπ. *(-ier, -iest)* **1**. δυστυχισμένος. **2**. ἀτυχής: *~ comments*, ἀτυχῆ σχόλια. **un·hap·pily** *ἐπίρ.* ἀτυχῶς, δυστυχῶς. **un·hap·pi·ness** *οὐσ.* ‹U› δυστυχία.
un·harmed /ʌnˋhamd/ ἐπ. σῶος, ἄθικτος.
un·healthy /ʌnˋhelθɪ/ ἐπ. ἀνθυγιεινός, (*καθομ.*) ἐπικίνδυνος, νοσηρός.
un·heard /ʌnˋhɜd/ ἐπ. ἀνήκουστος, μή εἰσακουσθείς: *His request for help went ~*, κανένας δέν ἄκουσε/δέν εἰσάκουσε τήν παράκλησή του γιά βοήθεια. **~-of**, ἀνήκουστος, πρωτάκουστος: *~-of tortures*, ἀνήκουστα μαρτύρια.
un·heed·ed /ʌnˋhidɪd/ ἐπ. ἀγνοηθείς.
un·help·ful /ʌnˋhelpfl/ ἐπ. ἄχρηστος, μή ἐξυπηρετικός.
un·hinge /ʌnˋhɪndʒ/ *ρ.μ.* βγάζω (πόρτα) ἀπό τούς μεντεσέδες της, κλονίζω (τό μυαλό): *His mind is ~d*, τό μυαλό του ἔχει σαλέψει. *Grief ~d his mind*, ὁ πόνος τοῦ σάλεψε τό μυαλό.
un·holy /ʌnˋhəʊlɪ/ ἐπ. ἀνόσιος, βέβηλος, (*καθομ.*) παράλογος, φοβερός: *ring sb up at*

an ~ hour, τηλεφωνῶ σέ κπ μέσ' στ' ἄκραχτα μεσάνυχτα.

un·hook /ʌnˋhʊk/ *ρ.μ.* ξεκρεμῶ, ξαγκιστρώνω, ξεκουμπώνω.

un·hoped-for /ʌnˋhəʊpt fɔ(r)/ *ἐπ.* ἀνέλπιστος: *an ~ piece of good fortune*, μιά ἀνέλπιστη τύχη.

un·horse /ˈʌnˋhɔs/ *ρ.μ.* ρίχνω (κπ) ἀπό τ' ἄλογο.

uni·corn /ˋjunɪkɔn/ *οὐσ.* ‹C› μονόκερως.

un·iden·ti·fied /ˈʌnaɪˋdentɪfaɪd/ *ἐπ.* μή ἀναγνωρισθείς, ἀγνώστου ταυτότητος: *The dead man is still ~*, δέν ἀναγνωρίστηκε ἀκόμα ὁ πεθαμένος.

uni·form /ˋjunɪfɔm/ *ἐπ.* ἑνιαῖος, ὁμοιόμορφος: *of ~ size*, ὁμοιομόρφου μεγέθους. *~ conduct*, ὁμοιόμορφη συμπεριφορά. __*οὐσ.* ‹C,U› στολή. ***in ~***, μέ στολή, ντυμένος τή στολή του. **~ed** *ἐπ.* ἐν στολῇ. **~·ity** /ˈjunɪˋfɔmətɪ/ *οὐσ.* ‹U› ὁμοιομορφία. **~·ly** *ἐπίρ.* ὁμοιόμορφα, σταθερά.

unify /ˋjunɪfaɪ/ *ρ.μ.* ἑνοποιῶ: *a unified Europe*, μιά ἑνοποιημένη Εὐρώπη. **uni·fi·ca·tion** /ˈjunɪfɪˋkeɪʃn/ *οὐσ.* ‹U› ἑνοποίησις.

uni·lat·eral /ˈjunɪˋlætrl/ *ἐπ.* μονομερής: *a ~ declaration of independence*, μονομερής κήρυξις τῆς ἀνεξαρτησίας. *~ repudiation of a treaty*, μονομερής καταγγελία συνθήκης. **~ly** *ἐπίρ.* μονομερῶς.

un·im·ag·inable /ˈʌnɪˋmædʒɪnəbl/ *ἐπ.* ἀφάνταστος, ἀκατανόητος.

un·im·agin·ative /ˈʌnɪˋmædʒɪnətɪv/ *ἐπ.* πεζός, χωρίς φαντασία.

un·im·paired /ˈʌnɪmˋpeəd/ *ἐπ.* ἀμείωτος, ἀκμαῖος.

un·im·peach·able /ˈʌnɪmˋpitʃəbl/ *ἐπ.* ἄψογος, ἄμεμπτος, ἀσφαλής: *~ behaviour/character*, ἄψογος συμπεριφορά/ἄμεμπτος χαρακτήρας. *news from an ~ source*, νέα ἀπό ἀσφαλῆ πηγή.

un·im·port·ant /ˈʌnɪmˋpɔtnt/ *ἐπ.* ἀσήμαντος.

un·in·formed /ˈʌnɪnˋfɔmd/ *ἐπ.* ἀπληροφόρητος.

un·in·hab·it·able /ˈʌnɪnˋhæbɪtəbl/ *ἐπ.* μή κατοικήσιμος.

un·in·hab·ited /ˈʌnɪnˋhæbɪtɪd/ *ἐπ.* ἀκατοίκητος, ἐγκαταλελειμμένος.

un·in·hib·ited /ˈʌnɪnˋhɪbɪtɪd/ *ἐπ.* ἀχαλίνωτος, ξετσίπωτος.

un·in·spired /ˈʌnɪnˋspaɪəd/ *ἐπ.* χωρίς ἔμπνευση, πληκτικός: *an ~ lecture*, πληκτική διάλεξις.

un·in·sured /ˈʌnɪnˋʃʊəd/ *ἐπ.* ἀνασφάλιστος.

un·in·tended /ˈʌnɪnˋtendɪd/, **un·in·ten·tional** /ˈʌnɪnˋtenʃnl/ *ἐπ.* ἀκούσιος, ἀπρομελέτητος, ἀθέλητος.

un·in·ter·ested /ʌnˋɪntrɪstɪd/ *ἐπ.* ἀδιάφορος, οὐδέτερος: *He looked quite ~ in what I said*, ἔδειχνε τελείως ἀδιάφορος σέ ὅ,τι ἔλεγα.

un·in·ter·est·ing /ʌnˋɪntrəstɪŋ/ *ἐπ.* πληκτικός, χωρίς ἐνδιαφέρον, βαρετός: *an ~ book*, βιβλίο χωρίς ἐνδιαφέρον.

un·in·ter·rupted /ˈʌnɪntəˋrʌptɪd/ *ἐπ.* ἀδιάκοπος.

un·in·vited /ˈʌnɪnˋvaɪtɪd/ *ἐπ.* ἀπρόσκλητος.

union /ˋjunɪən/ *οὐσ.* ‹C,U› **1**. ἕνωσις: *the Universal Postal U~*, ἡ Παγκόσμιος Ταχυδρομική Ἕνωσις. *the U~ of Soviet Socialist Republics* (**USSR**), ἡ Ἕνωσις τῶν Σοβιετικῶν Σοσιαλιστικῶν Δημοκρατιῶν (ΕΣΣΔ). **the U~ Jack**, ἡ Βρετανική σημαία. **2**. γάμος, ἁρμονία: *a happy ~*, εὐτυχισμένος γάμος. *They live in perfect ~*, ζοῦν πολύ ἁρμονικά. **3**. ‹C› σύλλογος, σωματεῖο, ὁμοσπονδία: *students' ~*, φοιτητικός σύλλογος. *the National U~ of Students*, ἡ Ἐθνική Ὁμοσπονδία Φοιτητῶν. **ˈtrade ˋ~**, ἐργατικό σωματεῖο. **ˋ~·ist** /-ɪst/ *οὐσ.* ‹C› **1**. συνδικαλιστής. **2**. **ˋU~·ist**, (*ἱστορ.*) ὀπαδός τῆς ἑνώσεως.

unique /juˋnik/ *ἐπ.* μοναδικός, ἀπαράμιλλος. **~·ly** *ἐπίρ.* **~·ness** *οὐσ.* ‹U› μοναδικότης.

uni·sex /ˋjunɪseks/ *ἐπ.* (*γιά ροῦχα*) γιά ἄνδρες καί γυναῖκες ταυτοχρόνως.

uni·son /ˋjunɪsn/ *οὐσ.* ‹U› ἁρμονία, συμφωνία. ***in ~***, ὁμοφώνως, ἀπό κοινοῦ: *act in ~ with sb*, ἐνεργῶ ἀπό κοινοῦ μέ κπ. *sing in ~*, (*γιά χορωδία*) τραγουδῶ μονοφωνικά.

unit /ˋjunɪt/ *οὐσ.* ‹C› μονάς, μονάδα. *a ~ of length/weight*, μονάς μήκους/βάρους. *monetary ~*, νομισματική μονάς. **ˋkitchen ~**, εἶδος (τεμάχιο) γιά τήν κουζίνα. **ˈ~ ˋfurniture**, τεμάχια ἐπιπλώσεως. **ˈ~ ˋtrust**, ἀμοιβαῖον κεφάλαιον.

Uni·tar·ian /ˈjunɪˋteərɪən/ *ἐπ.* & *οὐσ.* ‹C› (*ἐκκλ.*) ἀντιτριαδικός, μονιστικός.

unite /juˋnaɪt/ *ρ.μ/ἀ.* **1**. ἑνώνω/-ομαι: *~ one country to another*, ἑνώνω μιά χώρα μέ μιά ἄλλη. *The two countries ~d*, οἱ δυό χῶρες ἑνώθηκαν. **2**. *~* ***(in sth/to do sth)***, συνασπίζομαι, συνεργάζομαι: *Let's ~ in fighting/~ to fight poverty and injustice*, ἄς συνασπισθοῦμε γιά νά καταπολεμήσωμε τή φτώχεια καί τήν ἀδικία. **united** *ἐπ.* **1**. ἑνωμένος: *a ~d family*, ἑνωμένη οἰκογένεια. **2**. κοινός: *make a ~d effort*, κάνω κοινή προσπάθεια. *present a ~d front to the enemy*, ἐμφανίζομε κοινό μέτωπο ἐνώπιον τοῦ ἐχθροῦ. **3**. ἡνωμένος (πολιτικά): *the U~d Kingdom*, τό Ἡνωμένον Βασίλειον. *the U~d Nations*, τά Ἡνωμένα Ἔθνη. *the U~d States of America*, οἱ Ἡνωμένες Πολιτεῖες τῆς Ἀμερικῆς. **united·ly** *ἐπίρ.*

unity /ˋjunətɪ/ *οὐσ.* **1**. ‹C,U› μονάς, ἑνιαῖο σύνολο: *the family considered as a ~*, ἡ οἰκογένεια ἐξεταζομένη ὡς μονάς/ὡς ἑνιαῖο σύνολο. *the dramatic unities: ~ of place, time and action*, οἱ δραματικές ἑνότητες: ἑνότης τόπου, χρόνου καί δράσεως. **2**. ‹U› ἑνότης, σύμπνοια, ἁρμονία: *U~ is strength*, ἡ ἰσχύς ἐν τῇ ἑνώσει. *a government of national ~*, κυβέρνησις ἐθνικῆς ἑνότητος. *live in ~ with others*, ζῶ ἐν ἁρμονίᾳ μέ τούς ἄλλους.

uni·ver·sal /ˈjunɪˋvɜsl/ *ἐπ.* παγκόσμιος, γενικός, καθολικός: *a ~ language*, παγκόσμια γλῶσσα. *War causes ~ misery*, ὁ πόλεμος προκαλεῖ γενική δυστυχία. **a ~ rule**, γενικός κανόνας. **~ suffrage**, καθολική ψηφοφορία. **~·ly** *ἐπίρ.* γενικά, καθολικά. **~·ity** /ˈjunɪvɜˋsælətɪ/ *οὐσ.* ‹U› καθολικότης, παγκοσμιότης.

uni·verse /ˋjunɪvɜs/ *οὐσ.* ‹C,U› τό σύμπαν.

uni·ver·sity /ˈjunɪˋvɜsətɪ/ *οὐσ.* ‹C› πανεπιστήμιο: *a ~ student/professor/chair*, φοιτητής/καθηγητής/ἕδρα Πανεπιστημίου.

un·just /ʌnˋdʒʌst/ *ἐπ.* ἄδικος. **~·ly** *ἐπίρ.*

ἄδικα.

un·kempt /ʌn\`kempt/ ἐπ. ἀτημέλητος, (*γιά μαλλιά*) ἀχτένιστος.

un·kind /ʌn\`kaɪnd/ ἐπ. σκληρός, χωρίς καλωσύνη ἤ εὐγένεια: *an ~ master*, σκληρό ἀφεντικό. *say ~ things about sb*, κακολογῶ κπ. *It was ~ of you to…*, ἦταν ἄσχημο ἀπό μέρους σου νά… ***be ~ to sb***, δέν εἶμαι καλός μέ κπ. **~·ly** *ἐπίρ.* ἄσχημα, σκληρά: *Don't take it ~ly if I refuse*, μή σοῦ κακοφανῆ/μή μέ παρεξηγήσης ἄν ἀρνηθῶ. —*ἐπ.* τραχύς, δριμύς. **~·ness** *οὐσ.* ‹U› ἀγένεια, σκληρότης.

un·know·ing /ʌn\`nəʊɪŋ/ ἐπ. ἀγνοῶν, μή συναισθανόμενος. **~·ly** *ἐπίρ.* ἀσυναισθήτως, ἐν ἀγνοίᾳ.

un·known /ʌn\`nəʊn/ ἐπ. ἄγνωστος: *the tomb of the ~ warrior*, ὁ τάφος (τό μνημεῖο) τοῦ ἄγνωστου στρατιώτη.

un·law·ful /ʌn\`lɔfl/ ἐπ. παράνομος, ἀθέμιτος.

un·learn /\`ʌn\`lɜn/ ρ.μ. ξεμαθαίνω.

un·leash /ʌn\`liʃ/ ρ.μ. ἀμολάω (σκυλί), ἀποδεσμεύω (*πχ* πυρηνική ἐνέργεια).

un·leav·ened /\`ʌn\`levnd/ ἐπ. (*γιά ψωμί*) ἄζυμος.

un·less /ən\`les/ *σύνδ.* ἐκτός ἐάν, ἄν δέν: *You'll be late ~ you take a taxi*, θ' ἀργήσης, ἐκτός ἄν πάρης ταξί. *U~ I am mistaken…*, ἄν δέν κάνω λάθος…

un·let·tered /ʌn\`letəd/ ἐπ. ἀμόρφωτος, ἀγράμματος.

un·like /ʌn\`laɪk/ ἐπ. & *πρόθ.* διαφορετικός (ἀπό), ἀντίθετα ἀπό: *Yours is ~ mine*, τό δικό σου εἶναι διαφορετικό ἀπό τό δικό μου. *U~ me, he doesn't smoke*, ἀντίθετα ἀπό μένα, δέν καπνίζει. *It's ~ him to do such a thing*, δέν εἶναι στή φύση του νά κάμη τέτοιο πρᾶγμα.

un·like·ly /ʌn\`laɪklɪ/ ἐπ. ἀπίθανος: *It's ~ that he'll come* (*ἤ*: *He's ~ to come*), εἶναι ἀπίθανο νά ἔλθη. *an ~ explanation*, ἀπίθανη ἐξήγησις.

un·load /ʌn\`ləʊd/ ρ.μ/ἀ. ξεφορτώνω/-ομαι: *~ a ship; the ship is ~ing*. *~ a gun*, ἀδειάζω ὅπλο. *~ one's shares*, (*καθομ.*) ξεφορτώνομαι τίς μετοχές μου (τίς πουλῶ στά γρήγορα).

un·looked-for /ʌn\`lʊkt fɔ(r)/ ἐπ. ἀπροσδόκητος, ἀναπάντεχος.

un·loose /ʌn\`lus/ ρ.μ. ἐλευθερώνω, ἐξαπολύω.

un·lov·able /ʌn\`lʌvəbl/ ἐπ. ἀπωθητικός.

un·lucky /ʌn\`lʌkɪ/ ἐπ. ἄτυχος. **un·luck·ily** /ʌn\`lʌkəlɪ/ *ἐπίρ.* ἀτυχῶς.

un·make /ʌn\`meɪk/ ρ.μ. (*ἀνώμ. βλ.* [1]*make*) καταστρέφω (κπ).

un·man /ʌn\`mæn/ ρ.μ. (*-nn-*) παραλύω, τσακίζω (τό ἠθικόν): *The news ~ned him for a while*, τά νέα τόν παρέλυσαν γιά μιά στιγμή. *I was ~ned when I heard it*, μοῦ λύθηκαν τά γόνατα ὅταν τ' ἄκουσα.

un·man·age·able /ʌn\`mænɪdʒəbl/ ἐπ. ἀνοικονόμητος, δυσκυβέρνητος, ἀπείθαρχος.

un·man·ly /ʌn\`mænlɪ/ ἐπ. **1**. θηλυπρεπής. **2**. ἄνανδρος.

un·man·ned /\`ʌn\`mænd/ ἐπ. μή ἐπανδρωμένος (*πχ* διαστημόπλοιο).

un·man·nered /ʌn\`mænəd/, **un·manner·ly** /ʌn\`mænəlɪ/ ἐπ. ἀγενής, χωρίς τρόπους, ἀνάγωγος.

un·mar·ket·able /ʌn\`makɪtəbl/ ἐπ. δυσκολοπούλητος.

un·mask /ʌn\`mask/ ρ.μ/ἀ. ἀφαιρῶ τό προσωπεῖον, ξεσκεπάζω κπ, ἀνακαλύπτω/-ομαι, ξεμασκαρεύω/-ομαι: *~ a traitor*, ξεσκεπάζω ἕναν προδότη.

un·matched /ʌn\`mætʃt/, **un·match·able** /ʌn\`mætʃəbl/ ἐπ. ἀσύγκριτος, ἄφθαστος, χωρίς ταίρι.

un·meas·ured /ʌn\`meʒəd/ ἐπ. ἀμέτρητος, ἄμετρος, ὑπερβολικός.

un·men·tion·able /ʌn\`menʃənəbl/ ἐπ. ἀνομολόγητος, ἀκατανόμαστος: *an ~ vice*, ἀνομολόγητο βίτσιο.

un·mer·ci·ful /ʌn\`mɜsɪfl/ ἐπ. ἀνοικτίρμων, ἀνηλεής.

un·merited /ʌn\`merɪtɪd/ ἐπ. ἄδικος, παρ' ἀξίαν.

un·mind·ful /ʌn\`maɪndfl/ ἐπ. ***~ (of)***, ἐπιλήσμων, ἀδιαφορῶν: *be ~ of the time*, ἀδιαφορῶ γιά τό χρόνο.

un·mis·tak·able /\`ʌnmɪ\`steɪkəbl/ ἐπ. ὁλοφάνερος, ἀναμφισβήτητος, ἀνεπίδεκτος παρεξηγήσεως. *~ signs of poverty/madness*, ὁλοφάνερα σημάδια φτώχειας/τρέλλας. **un·mis·tak·ably** /-əblɪ/ *ἐπίρ.*

un·miti·gated /ʌn\`mɪtɪgeɪtɪd/ ἐπ. ἀπόλυτος, τέλειος: *He is an ~ scoundrel/ass!* εἶναι τέλειος παλιάνθρωπος/βλάκας μέ περικεφαλαία!

un·mixed /ʌn\`mɪkst/ ἐπ. ἀμιγής.

un·moved /ʌn\`muvd/ ἐπ. ἀσυγκίνητος, ἀδιάφορος: *~ by entreaties*, ἀδιάφορος στίς παρακλήσεις.

un·named /ʌn\`neɪmd/ ἐπ. ἀνώνυμος, μή κατονομασθείς.

un·natu·ral /ʌn\`nætʃərl/ ἐπ. ἀφύσικος. **~·ly** *ἐπίρ.*

un·nec·ess·ary /ʌn\`nesəsrɪ/ ἐπ. περιττός, ἄσκοπος. **un·nec·ess·ar·ily** /\`ʌn\`nesə\`serəlɪ/ *ἐπίρ.* ἀνώφελα, ἄσκοπα.

un·neigh·bour·ly /ʌn\`neɪbəlɪ/ ἐπ. ἀνάρμοστος γιά γείτονα: *~ behaviour*.

un·nerve /ʌn\`nɜv/ ρ.μ. κάνω κπ νά παραλύση/νά χάση τό θάρρος του: *The news ~d him*, τά νέα τόν παρέλυσαν.

un·not·iced /ʌn\`nəʊtɪst/ ἐπ. ἀπαρατήρητος: *He passed ~*, πέρασε ἀπαρατήρητος.

un·num·bered /ʌn\`nʌmbəd/ ἐπ. **1**. ἀναρίθμητος. **2**. μή ἀριθμημένος.

un·ob·tain·able /\`ʌnəb\`teɪnəbl/ ἐπ. ἀνεπίτευκτος, δυσεύρετος.

un·ob·trus·ive /\`ʌnəb\`trusɪv/ ἐπ. διακριτικός.

un·of·fi·cial /\`ʌnə\`fɪʃl/ ἐπ. ἀνεπίσημος: *~ strikes/news*, ἀνεπίσημες ἀπεργίες/πληροφορίες.

un·op·posed /\`ʌnə\`pəʊzd/ ἐπ. χωρίς ἀντίδραση, χωρίς ἀντίπαλο.

un·or·tho·dox /ʌn\`ɔθədoks/ ἐπ. ἀνορθόδοξος: *an ~ teaching method*, μιά ἀνορθόδοξη μέθοδος διδασκαλίας.

un·pack /ʌn\`pæk/ ρ.μ/ἀ. ξεπακετάρω, ἀδειάζω (βαλίτσα, κλπ).

un·paid /ʌn\`peɪd/ ἐπ. ἀπλήρωτος, ἄμισθος.

un·par·al·leled /ʌn\`pærəleld/ ἐπ. ἀπαράμιλλος, χωρίς προηγούμενο.

un·par·don·able /ʌn\`padənəbl/ ἐπ. ἀσυγχώρητος, ἀσύγγνωστος.

un·par·lia·men·tary /ʌnˈpɑləˋmentrɪ/ *ἐπ.* ἀντικοινοβουλευτικός.

un·pick /ʌnˋpɪk/ *ρ.μ.* ξηλώνω (ραφή, φόρεμα).

un·pin /ʌnˋpɪn/ *ρ.μ.* ξεκαρφιτσώνω.

un·pleas·ant /ʌnˋpleznt/ *ἐπ.* δυσάρεστος. **~·ness** *οὐσ.* ‹C,U› δυσαρέσκεια, ἐνόχλησις, παρεξήγησις: *There has been some ~ness between them,* ἔχουν παρεξηγηθῆ λίγο μεταξύ τους.

un·popu·lar /ʌnˋpopjʊlə(r)/ *ἐπ.* ἀντιδημοτικός. **~·ity** /ˈʌnpopjʊˋlærətɪ/ *οὐσ.* ‹U› ἀντιδημοτικότης.

un·prac·ti·cal /ʌnˋpræktɪkl/ *ἐπ.* ἀνεφάρμοστος, μή πρακτικός, ἀσύμφορος.

un·prac·tised /ʌnˋpræktɪst/ *ἐπ.* ἄπειρος, χωρίς ἐξάσκηση, ἀγύμναστος.

un·prece·dented /ʌnˋpresɪdentɪd/ *ἐπ.* πρωτοφανής, χωρίς προηγούμενο. **~·ly** *ἐπίρ.*

un·pre·dict·able /ˈʌnprɪˋdɪktəbl/ *ἐπ.* ἀπρόβλεπτος, ἀσταθής.

un·preju·diced /ʌnˋpredʒədɪst/ *ἐπ.* ἀπροκατάληπτος, ἀμερόληπτος.

un·pre·medi·tated /ˈʌnˈpriˋmedɪteɪtɪd/ *ἐπ.* ἀπρομελέτητος.

un·pre·pared /ˈʌnprɪˋpeəd/ *ἐπ.* ἀνέτοιμος, ἀπροετοίμαστος.

un·pre·pos·sess·ing /ˈʌnpripəˋzesɪŋ/ *ἐπ.* ἀντιπαθητικός, ἀσυμπαθής.

un·pre·ten·tious /ˈʌnprɪˋtenʃəs/ *ἐπ.* ταπεινός, ἁπλός, χωρίς ἀξιώσεις.

un·prin·cipled /ʌnˋprɪnsəpld/ *ἐπ.* ἀδίσταχτος, χωρίς ἀρχές, ἀσυνείδητος.

un·print·able /ʌnˋprɪntəbl/ *ἐπ.* πού δέν μπορεῖ νά τυπωθῆ, ἄσεμνος.

un·privi·leged /ʌnˋprɪvəlɪdʒd/ *ἐπ.* φτωχός, ἀδικημένος.

un·pro·duc·tive /ˈʌnprəˋdʌktɪv/ *ἐπ.* ἄγονος, ἄκαρπος, στεῖρος.

un·pro·fessional /ˈʌnprəˋfeʃnl/ *ἐπ.* ἀντιεπαγγελματικός, ἀσυμβίβαστος πρός τίς ἀρχές ἑνός ἐπαγγέλματος.

un·prof·it·able /ʌnˋprofɪtəbl/ *ἐπ.* ἀσύμφορος, χωρίς κέρδος.

un·pro·gress·ive /ˈʌnprəˋgresɪv/ *ἐπ.* ὀπισθοδρομικός.

un·prom·is·ing /ʌnˋpromɪsɪŋ/ *ἐπ.* μή ἐνθαρρυντικός, οὐδέν ὑποσχόμενος.

un·prompted /ʌnˋpromptɪd/ *ἐπ.* αὐθόρμητος, χωρίς παρακίνηση.

un·pro·pi·tious /ˈʌnprəˋpɪʃəs/ *ἐπ.* δυσμενής, μή εὐνοϊκός.

un·pro·tected /ˈʌnprəˋtektɪd/ *ἐπ.* ἀπροστάτευτος, ἀκάλυπτος.

un·pro·vided /ˈʌnprəˋvaɪdɪd/ *ἐπ.* **1.** **~ *for*,** χωρίς πόρους: *The widow was left ~ for,* ἡ χήρα ἔμεινε χωρίς πόρους. **2.** **~ *with*,** χωρίς: *~ with books,* χωρίς βιβλία.

un·pro·voked /ˈʌnprəˋvəʊkt/ *ἐπ.* ἀπρόκλητος: *an ~ attack,* ἀπρόκλητος ἐπίθεσις.

un·pun·ished /ʌnˋpʌnɪʃt/ *ἐπ.* ἀτιμώρητος.

un·quali·fied /ʌnˋkwolɪfaɪd/ *ἐπ.* **1.** ἀναρμόδιος: *I am ~ to speak.* **2.** χωρίς τά προσόντα: *an ~ teacher.* **3.** ἀπόλυτος, ἀνεπιφύλακτος: *~ denial/support,* ἀπόλυτη ἄρνησις/ ἀνεπιφύλακτη ὑποστήριξις.

un·ques·tion·able /ʌnˋkwestʃənəbl/ *ἐπ.* βέβαιος, ἀναμφισβήτητος: *a man of ~ honesty,* ἄνθρωπος ἀναμφισβήτητης τιμιότητας. **un·ques·tion·ably** /-əblɪ/ *ἐπίρ.*

un·ques·tioned /ʌnˋkwestʃənd/ *ἐπ.* χωρίς ἀμφισβήτηση, ἀδιαφιλονίκητος: *let sth pass ~,* ἀφήνω κτ νά περάση χωρίς νά τό ἀμφισβητήσω.

un·ques·tion·ing /ʌnˋkwestʃənɪŋ/ *ἐπ.* τυφλός, ἀνεξέταστος, χωρίς ἀντίρρηση: *~ obedience,* τυφλή ὑπακοή.

un·quiet /ʌnˋkwaɪət/ *ἐπ.* (*λόγ.*) ἀνήσυχος.

un·ravel /ʌnˋrævl/ *ρ.μ/ἀ.* (*-ll-*) **1.** ξεφτάω, ξεπλέκω. **2.** ξεμπερδεύω, λύνω, βρίσκω: *~ a mystery,* λύνω ἕνα μυστήριο. *~ the truth,* βρίσκω τήν ἀλήθεια.

un·reach·able /ʌnˋritʃəbl/ *ἐπ.* ἀπρόσιτος.

un·read /ʌnˋred/ *ἐπ.* ἀδιάβαστος, ἀμόρφωτος.

un·read·able /ʌnˋridəbl/ *ἐπ.* πού δέν διαβάζεται.

un·ready /ʌnˋredɪ/ *ἐπ.* ἀνέτοιμος.

un·real /ʌnˋrɪəl/ *ἐπ.* μή πραγματικός, φανταστικός, πλασματικός, ἀνύπαρκτος. **~·ity** /ˈʌnrɪˋælətɪ/ *οὐσ.* ‹U› (τό) φανταστικόν, (τό) ἀνύπαρκτον.

un·rea·son·able /ʌnˋriznəbl/ *ἐπ.* ἐξωφρενικός, παράλογος: *~ demands,* παράλογες, ἐξωφρενικές ἀπαιτήσεις.

un·reas·on·ing /ʌnˋriznɪŋ/ *ἐπ.* πού δέν λογικεύεται.

un·rec·og·niz·able /ˈʌnrekəgˋnaɪzəbl/ *ἐπ.* ἀγνώριστος.

un·rec·og·nized /ʌnˋrekəgnaɪzd/ *ἐπ.* παραγνωρισμένος.

un·re·fined /ˈʌnrɪˋfaɪnd/ *ἐπ.* ἀνεπεξέργαστος, ἄξεστος.

un·re·hearsed /ˈʌnrɪˋhɜst/ *ἐπ.* χωρίς πρόβες, αὐτοσχέδιος, πρόχειρος, συμπτωματικός.

un·re·lated /ˈʌnrɪˋleɪtɪd/ *ἐπ.* ἄσχετος, ὄχι συγγενικός.

un·re·lent·ing /ˈʌnrɪˋlentɪŋ/ *ἐπ.* ἀδιάκοπος, ἀδυσώπητος, ἄκαμπτος.

un·re·li·able /ˈʌnrɪˋlaɪəbl/ *ἐπ.* ἀναξιόπιστος.

un·re·lieved /ˈʌnrɪˋlivd/ *ἐπ.* μονότονος, συνεχής, χωρίς καμιά ποικιλία/βοήθεια: *~ boredom/poverty,* ἀτέλειωτη πλῆξις/μαύρη φτώχεια.

un·re·mark·able /ˈʌnrɪˋmɑkəbl/ *ἐπ.* μέτριος, ἀσήμαντος.

un·re·mit·ting /ˈʌnrɪˋmɪtɪŋ/ *ἐπ.* ἀδιάλειπτος, συνεχής, χωρίς χαλάρωση, χωρίς ἀνάπαυλα: *~ care/efforts,* ἀδιάλειπτη φροντίδα/συνεχεῖς προσπάθειες. *be ~ in one's attentions,* ἡ φροντίδα μου δέν χαλαρώνεται οὔτε στιγμή.

un·re·quit·ed /ˈʌnrɪˋkwaɪtɪd/ *ἐπ.* χωρίς ἀνταπόδοση: *~ love/service,* ἔρωτας/ἐκδούλευση χωρίς ἀνταπόδοση.

un·re·served /ˈʌnrɪˋzɜvd/ *ἐπ.* ἀνεπιφύλακτος. **~·ly** /-ˋzɜvɪdlɪ/ *ἐπίρ.* ἀνεπιφύλακτα: *trust sb ~ly,* ἐμπιστεύομαι κπ ἀνεπιφύλακτα.

un·re·solved /ˈʌnrɪˋzolvd/ *ἐπ.* ἄλυτος, ἀδιάλυτος.

un·re·spon·sive /ˈʌnrɪˋsponsɪv/ *ἐπ.* ἀπαθής, ἀδιάφορος.

un·rest /ʌnˋrest/ *οὐσ.* ‹U› ἀναταραχή: *social/political ~,* κοινωνική/πολιτική ἀναταραχή.

un·re·strained /ˈʌnrɪˋstreɪnd/ *ἐπ.* ἀχαλίνωτος, ἀσυγκράτητος.

un·re·stricted /ˈʌnrɪˋstrɪktɪd/ *ἐπ.* ἀπεριόριστος, χωρίς ὅριο.

un·ripe /ʌn`raɪp/ ἐπ. ἄγουρος.
un·ri·valled /ʌn`raɪvld/ ἐπ. ἀπαράμιλλος.
un·ruffled /ʌn`rʌfld/ ἐπ. ἀτάραχος, ἥρεμος.
un·ruly /ʌn`rulɪ/ ἐπ. *(-ier, -iest)* ἀνυπότακτος.
un·said /ʌn`sed/ ἐπ. ἀνείπωτος, μή λεχθείς: *Some things are better left* ~, μερικά πράγματα καλύτερα νά μή λέγονται.
un·sat·is·fied /ʌn`sætɪsfaɪd/ ἐπ. ἀνικανοποίητος, ἀκόρεστος.
un·sa·voury /ʌn`seɪvərɪ/ ἐπ. ἀνούσιος, ἀηδιαστικός, βρώμικος: *an* ~ *story/scandal*, βρώμικη ἱστορία/-ο σκάνδαλο. *a man of* ~ *reputation*, ἄνθρωπος κακῆς φήμης.
un·say /'ʌn`seɪ/ ρ.μ. *(ἀνώμ. βλ. say)* ἀνακαλῶ, ξελέω.
un·scathed /ʌn`skeɪðd/ ἐπ. ἄθικτος, ἀνέπαφος, σῶος.
un·scien·tific /'ʌnsaɪən`tɪfɪk/ ἐπ. ἀντιεπιστημονικός.
un·scratched /ʌn`skrætʃt/ ἐπ. χωρίς ἀμυχή, ἄθικτος, σῶος.
un·scru·pu·lous /ʌn`skrupjʊləs/ ἐπ. ἀσυνείδητος, ἀδίστακτος. ~**·ly** ἐπίρ.
un·seas·oned /ʌn`sizənd/ ἐπ. *(γιά κρασί, ξύλο)* ἄψητος, *(γιά φαΐ)* ἀκαρύκευτος, *(γιά ἄνθρ.)* ἄμαθος, ἄπειρος.
un·seat /'ʌn`sit/ ρ.μ. ἀνατρέπω (ἱππέα ἀπό τή σέλλα), στερῶ (βουλευτή ἀπό τήν ἕδρα του): *He was* ~*ed at the General Election*, ἔχασε τήν ἕδρα του στίς βουλευτικές ἐκλογές.
un·seem·ly /ʌn`simlɪ/ ἐπ. ἀπρεπής, ἄτοπος.
un·seen /ʌn`sin/ ἐπ. ἀόρατος, ἀπαρατήρητος, ἀθέατος. —*οὐσ.* **1**. ‹C› ἄγνωστο κείμενο (πρός μετάφραση). **2**. **the** ~, τό ὑπερπέραν.
un·self·ish /ʌn`selfɪʃ/ ἐπ. ἀνιδιοτελής.
un·settle /ʌn`setl/ ρ.μ. κλονίζω, ταράσσω: ~ *sb's reason*, κλονίζω τό λογικό κάποιου. ~*d weather*, ἄστατος καιρός.
un·sex /'ʌn`seks/ ρ.μ. στερῶ τήν ἰδιότητα τοῦ φύλου, εὐνουχίζω.
un·shake·able /ʌn`ʃeɪkəbl/ ἐπ. ἀκλόνητος.
un·shaven /ʌn`ʃeɪvən/ ἐπ. ἀξύριστος.
un·sheathe /ʌn`ʃið/ ρ.μ. ξιφουλκῶ.
un·shel·tered /ʌn`ʃeltəd/ ἐπ. ἐκτεθειμένος.
un·sight·ly /ʌn`saɪtlɪ/ ἐπ. ἄσχημος, κακόγουστος: ~ *advertisements*.
un·sis·ter·ly /ʌn`sɪstəlɪ/ ἐπ. ἀνάξιος ἀδελφῆς.
un·skilled /ʌn`skɪld/ ἐπ. ἀνειδίκευτος.
un·so·ciable /ʌn`səʊʃəbl/ ἐπ. ἀκοινώνητος.
un·sol·icited /'ʌnsə`lɪsɪtəd/ ἐπ. αὐτόκλητος.
un·soph·is·ti·cated /'ʌnsə`fɪstɪkeɪtɪd/ ἐπ. ἁπλοϊκός, ἀπονήρευτος, ἄπειρος, ἄμαθος: *There are very few* ~ *girls about nowadays*, δέν ὑπάρχουν πολλά ἄμαθα κορίτσια σήμερα.
un·sound /ʌn`saʊnd/ ἐπ. μή ὑγιής, νοσηρός, σαθρός, ἐσφαλμένος: ~ *arguments/opinion*, σαθρά ἐπιχειρήματα/ἐσφαλμένη γνώμη. ***of* ~ *mind***, μέ ἄρρωστο μυαλό, ἀνισόρροπος.
un·spar·ing /ʌn`speərɪŋ/ ἐπ. γενναιόδωρος, ἀφειδώλευτος, σπάταλος: *be* ~ *of praise/in one's efforts*, εἶμαι γενναιόδωρος στούς ἐπαίνους μου/δέν φείδομαι προσπαθειῶν.
un·speak·able /ʌn`spikəbl/ ἐπ. ἀνείπωτος: ~ *joy/wickedness*, ἀνείπωτη χαρά/κακία.
un·spec·ified /ʌn`spesɪfaɪd/ ἐπ. ἀπροσδιόριστος, μή κατονομαζόμενος.
un·spoilt /ʌn`spɔɪlt/ ἐπ. ἀπείραχτος, ὄχι κακομαθημένος.
un·spot·ted /ʌn`spotɪd/ ἐπ. ἀκηλίδωτος, ἄσπιλος: ~ *reputation*, ἄσπιλο ὄνομα.
un·stable /ʌn`steɪbl/ ἐπ. ἀσταθής, ἄστατος.
un·stinted /ʌn`stɪntɪd/ ἐπ. ἀφειδώλευτος.
un·stint·ing /ʌn`stɪntɪŋ/ ἐπ. ἀφειδής.
un·stop /ʌn`stop/ ρ.μ. *(-pp-)* ξεβουλώνω, ξεφράζω: ~ *a drain*, ξεβουλώνω νεροχύτη.
un·strung /ʌn`strʌŋ/ ἐπ. μέ σπασμένα τά νεῦρα: *She's quite* ~.
un·stuck /ʌn`stʌk/ ἐπ. ξεκολλημένος: *The flap of the envelope has come* ~, τό καπάκι τοῦ φακέλλου ξεκόλλησε. **come (badly)** ~, *(καθομ.)* ἀποτυχαίνω: *Our plans have come* ~, τά σχέδιά μας ἀπέτυχαν.
un·stud·ied /ʌn`stʌdɪd/ ἐπ. φυσικός, ἁπλός, ἀνεπιτήδευτος.
un·sub·stan·ti·ated /'ʌnsəb`stænʃɪeɪtɪd/ ἐπ. ἀναπόδεικτος, ἀβάσιμος.
un·suc·cess·ful /'ʌnsək`sesfl/ ἐπ. ἀνεπιτυχής.
un·suit·able /ʌn`sutəbl/ ἐπ. ἀκατάλληλος, ἀνάρμοστος.
un·sure /ʌn`ʃʊə(r)/ ἐπ. ἀβέβαιος.
un·sus·pected /'ʌnsəs`pektɪd/ ἐπ. ἀνύποπτος.
un·sus·pect·ing /'ʌnsəs`pektɪŋ/ ἐπ. ἀνυποψίαστος.
un·sus·pi·cious /'ʌnsəs`pɪʃəs/ ἐπ. πού δέν γεννᾶ ὑποψίες.
un·swayed /ʌn`sweɪd/ ἐπ. ἀνεπηρέαστος.
un·swerv·ing /ʌn`swɜvɪŋ/ ἐπ. σταθερός, ἀκλόνητος, ἀπαρέγκλιτος: ~ *loyalty/devotion*, σταθερή πίστις/ἀκλόνητη ἀφοσίωσις. *pursue an* ~ *course*, ἀκολουθῶ σταθερή πορεία.
un·sym·path·etic /'ʌnsɪmpə`θetɪk/ ἐπ. ἄπονος, ἀδιάφορος, ἀντιπαθής.
un·sys·tem·atic /'ʌnsɪstə`mætɪk/ ἐπ. ἀσυστηματοποίητος, ἀπρογραμμάτιστος. ~**·ly** /-klɪ/ ἐπίρ. στά κουτουρού.
un·taught /ʌn`tɔt/ ἐπ. ἀδίδαχτος.
un·teach·able /ʌn`titʃəbl/ ἐπ. ἀνεπίδεκτος μαθήσεως, πού δέν διδάσκεται.
un·ten·able /ʌn`tenəbl/ ἐπ. ἀστήριχτος, ἀβάσιμος, ἀνυποστήρικτος.
un·think·able /ʌn`θɪŋkəbl/ ἐπ. ἀδιανόητος.
un·think·ing /ʌn`θɪŋkɪŋ/ ἐπ. ἀπερίσκεπτος: *in an* ~ *moment*, σέ μιά στιγμή ἀπερισκεψίας. ~**·ly** ἐπίρ. ἀπερίσκεπτα, ἀσυλλόγιστα.
un·thought-of /ʌn`θɔt ov/ ἐπ. ἀπροσδόκητος, ἀπίθανος, ἀδιανόητος.
un·tidy /ʌn`taɪdɪ/ ἐπ. *(-ier, -iest)* ἀκατάστατος, ἀνοικοκύρευτος.
un·til /ən`tɪl/ βλ. [1] *till*.
un·time·ly /ʌn`taɪmlɪ/ ἐπ. ἄκαιρος, πρόωρος: *an* ~ *remark*, ἄκαιρη παρατήρηση. ***come to an* ~ *end***, πεθαίνω πρόωρα.
un·tir·ing /ʌn`taɪərɪŋ/ ἐπ. ἀκούραστος, ἀκαταπόνητος: ~ *efforts*, ἀκαταπόνητες προσπάθειες.
unto /'ʌntə, ἐμφ: 'ʌntu/ πρόθ. *(λογοτ.)* εἰς.
un·told /'ʌntəʊld/ ἐπ. ἀναρίθμητος, ἀπέραντος, ἀπερίγραπτος, ἀνείπωτος: ~ *times/wealth/suffering*, ἀναρίθμητες φορές/ἀπέραντος πλοῦτος/ἀπερίγραπτα βάσανα.
un·touch·able /ʌn`tʌtʃəbl/ ἐπ. ἄθικτος. —*οὐσ.* ‹C› παρίας.
un·to·ward /'ʌntə`wɔd/ ἐπ. *(λόγ.)* δυσμενής, δυσάρεστος, ἄβολος: *There were no* ~

incidents, δέν ἔγιναν δυσάρεστα ἐπεισόδια.
un·trace·able /ʌn`treɪsəbl/ ἐπ. ἀνεξιχνίαστος, ἀνεύρετος.
un·trained /ʌn`treɪnd/ ἐπ. ἀγύμναστος, ἄπειρος.
un·tram·melled /ʌn`træmәld/ ἐπ. ἀνεμπόδιστος.
un·trav·elled /ʌn`trævәld/ ἐπ. ἀταξίδευτος.
un·tried /ʌn`traɪd/ ἐπ. ἀδοκίμαστος.
un·trodden /ʌn`trodn/ ἐπ. ἀπάτητος.
un·true /ʌn`tru/ ἐπ. ἀναληθής.
un·truth /ʌn`truθ/ *οὐσ.* ‹C,U› ἀναλήθεια, ψέμα. **~·ful** /-fl/ ἐπ. ψευδόμενος, ψεύτικος. **~·fully** /-fәlɪ/ *ἐπίρ.*
un·tu·tored /ʌn`tjutәd/ ἐπ. ἀδίδακτος, ἀμαθής.
[1]**un·used** /ʌn`juzd/ ἐπ. ἀχρησιμοποίητος.
[2]**un·used** /ʌn`just/ ἐπ. **~ *to***, ἀσυνήθιστος: *I am ~ to this noise/to getting up early*, δέν εἶμαι συνηθισμένος σ' αὐτό τό θόρυβο/νά σηκώνομαι νωρίς.
un·usual /ʌn`juʒʊәl/ ἐπ. ἀσυνήθης. **~ly** *ἐπίρ.* ἀσυνήθως, πολύ.
un·ut·ter·able /ʌn`ʌtәrәbl/ ἐπ. ἀνείπωτος.
un·varied /ʌn`veәrɪd/ ἐπ. μονότονος.
un·var·nished /ʌn`vanɪʃt/ ἐπ. ἀλουστράριστος, (*μεταφ.*) ἀφτιασίδωτος, ἁπλός: *the ~ truth*, ἡ ὠμή ἀλήθεια. *an ~ description*, λιτή περιγραφή.
un·veil /ʌn`veɪl/ *ρ.μ/ἀ.* ἀποκαλύπτω: *~ a statue/memorial*, ἀποκαλύπτω ἕνα ἄγαλμα/ἕνα μνημεῖο. **~·ing** *οὐσ.* ‹C,U› ἀποκαλυπτήρια.
un·veri·fi·able /'ʌnverɪ`faɪәbl/ ἐπ. ἀνεπαλήθευτος.
un·veri·fied /ʌn`verɪfaɪd/ ἐπ. ἀνεπιβεβαίωτος.
un·versed /ʌn`vɜst/ ἐπ. ἀμύητος, ἄπειρος.
un·voiced /'ʌn`vɔɪst/ ἐπ. **1**. (*γιά σύμφωνο*) ἄφωνος. **2**. μή ἐκφρασθείς: *His objections remained ~*, οἱ ἀντιρρήσεις του δέν ἐξεφράσθησαν/δέν ἐλέχθησαν.
un·wanted /ʌn`wontɪd/ ἐπ. ἀνεπιθύμητος, περιττός.
un·war·ranted /ʌn`worәntɪd/ ἐπ. ἀδικαιολόγητος, ἀπρόκλητος.
un·wary /ʌn`weәrɪ/ ἐπ. ἀπρόσεχτος, μή ἐπαγρυπνῶν, ξένοιαστος.
un·washed /ʌn`woʃt/ ἐπ. ἄπλυτος.
un·wa·vering /ʌn`weɪvәrɪŋ/ ἐπ. ἀκλόνητος.
un·wearied /ʌn`wɪәrɪd/ ἐπ. ἀκάματος, ἀκούραστος.
un·wel·come /ʌn`welkәm/ ἐπ. ἀνεπιθύμητος, δυσάρεστος.
un·well /ʌn`wel/ ἐπ. ἀδιάθετος.
un·whole·some /ʌn`hәʊlsәm/ ἐπ. ἀνθυγιεινός.
un·wieldy /ʌn`wildɪ/ ἐπ. δυσκίνητος, δυσμεταχείριστος, ἄβολος: *~ parcels/implements*, ἄβολα δέματα/ἐργαλεῖα.
un·will·ing /ʌn`wɪlɪŋ/ ἐπ. ἀπρόθυμος.
un·wind /ʌn`waɪnd/ *ρ.μ/ἀ.* (*ἀνώμ. βλ.* [3]*wind*) ξετυλίγω, (*καθομ.*) χαλαρώνω (ὕστερα ἀπό ὑπερένταση, κούραση, κλπ).
un·wise /ʌn`waɪz/ ἐπ. ἄφρων, ἀνόητος.
un·wit·ting /ʌn`wɪtɪŋ/ ἐπ. χωρίς ἐπίγνωση, χωρίς πρόθεση. **~·ly** *ἐπίρ.* χωρίς πρόθεση, ἄθελα, ἀσυναίσθητα: *If I hurt your feelings, it was ~ly*, ἄν σέ ἔθιξα, ἔγινε ἄθελά μου.
un·woman·ly /ʌn`wʊmәnlɪ/ ἐπ. ἀνάρμοστος σέ γυναίκα.
un·work·able /ʌn`wɜkәbl/ ἐπ. ἀνεφάρμοστος.
un·worthy /ʌn`wɜθɪ/ ἐπ. ἀνάξιος, εὐτελής.
un·writ·ten /'ʌn`rɪtn/ ἐπ. ἄγραφος: *an ~ law*, ἄγραφος νόμος.
un·yield·ing /ʌn`jildɪŋ/ ἐπ. σκληρός, ἀνένδοτος, πείσμων, σκληροτράχηλος, ἄκαμπτος.
un·zip /ʌn`zɪp/ *ρ.μ. (-pp-)* ἀνοίγω φερμουάρ.
up /ʌp/ *ἐπίρ.* **1**. ἐπάνω, ὄρθιος, ἐν δράσει: *get/stand ~*, σηκώνομαι ὄρθιος. *jump ~*, πηδάω ὄρθιος. *I was ~ late last night*, ἄργησα νά πάω γιά ὕπνο χθές βράδυ. *He's already ~*, σηκώθηκε κιόλας. *She was ~ all night*, ἦταν στό πόδι ὅλη τή νύχτα. *U~ with you!* ὄρθιος! σήκω ἐπάνω! *His blood was ~*, τοῦ ἀνέβηκε τό αἷμα στό κεφάλι (θύμωσε). *This end ~*, (*ὁδηγίες σέ κιβώτιο*) μέ αὐτή τήν πλευρά ὄρθια. *You've put it the wrong way ~*, τόστησες ἀνάποδα. *The window's ~*, τό παράθυρο εἶναι ἀνεβασμένο. ***~ and about***, (*γιά ἕναν πού ἦταν ἄρρωστος*) ὄρθιος, στό πόδι. ***What's ~?*** (*καθομ.*) τί συμβαίνει; τί τρέχει; ***There's something ~***, κάτι γίνεται, κάτι τρέχει. **2**. ἐπάνω, ψηλά: *Lift your head ~*, σήκωσε πάνω τό κεφάλι σου. *Prices are still going ~*, οἱ τιμές συνεχίζουν ἀκόμη ν' ἀνεβαίνουν. *Pull your socks ~*, ἀνέβασε τίς κάλτσες σου. *He lives three floors ~*, μένει τρία πατώματα ψηλότερα. **3**. (*στά βόρεια μιᾶς χώρας ἤ σέ μεγάλη πόλη*) πάνω: *He lives ~ in Kozani*, ζεῖ πάνω στήν Κοζάνη. *He goes ~ to London every day*, ἀνεβαίνει στό Λονδῖνο κάθε μέρα. *He'll come ~ to Athens next week*, θ' ἀνέβη στήν 'Αθήνα τήν ἄλλη βδομάδα. **4**. (*μέ τήν ἔννοια ἐγγύτητος*) κοντά: *He came ~ (to me)*, μέ πλησίασε. *We all ran ~*, πλησιάσαμε ὅλοι τρέχοντας. *He went ~ to the policeman*, πλησίασε τόν ἀστυφύλακα. **5**. (*μέ τήν ἔννοια ὁλοκληρώσεως ἤ τερματισμοῦ*) τελείως, ἐντελῶς: *Fill your glass ~*, γέμισε τό ποτήρι σου ὥς ἐπάνω. *Now drink it ~*, τώρα πιέτο ἐντελῶς. *Tear it ~*, σκίστο ἐντελῶς, κάμε το κομματάκια. *Lock it ~*, κλείδωσέ το καλά. *When is your leave ~?* πότε τελειώνει ἡ ἄδειά σου; *Time's ~*, ἡ ὥρα πέρασε, τελείωσε. **6**. (*μέ τήν ἔννοια αὐξήσεως ἤ ἐπιτάσεως*) δυνατώτερα: *Speak ~!* μίλα δυνατώτερα! *Blow the fire ~!* δυνάμωσε τή φωτιά! **7**. (*ὡς ἐπ. πρό οὐσ.*) πρός τά πάνω: *the `~ train*, τό τραῖνο πού ἀνεβαίνει (σέ μεγάλη πόλη). *an `~ stroke*, μιά γραμμή (μέ τήν πέννα) πρός τά πάνω, (*μηχ.*) διαδρομή ἀνόδου. **8**. (*σέ φράσεις*): ***be ~ against***, ἀντιμετωπίζω (πχ δυσκολίες, ἐμπόδια). ***be ~ before*** *(a magistrate)*, προσάγομαι (σέ δικαστήριο). ***~ and down***, πάνω-κάτω: *walk ~ and down the platform*, πηγαινοέρχομαι στήν πλατφόρμα. **~s and downs**, (*μεταφ.*) σκαμπανεβάσματα (τῆς ζωῆς, τῆς τύχης), διακυμάνσεις. ***be on the ~ and ~***, (*καθομ.*) σημειώνω σταθερή πρόοδο/βελτίωση. ***be ~ for***, δικάζομαι, ἐκτίθεμαι, εἶμαι ὑπό μελέτην: *He's ~ for exceeding the speed limit*, δικάζεται γιά ὑπέρβαση τοῦ ὁρίου ταχύτητος. *His house is ~ for sale/auction*, τό σπίτι του εἶναι γιά πούλημα/βγαίνει στόν πλειστηριασμό. *The contract is ~ for renewal*, τό συμβόλαιο εἶναι ὑπό ἀνανέωσιν. ***(be) up to***, *(α)* σκαρώνω,

ἑτοιμάζω: *What's he ~ to again?* τί σκαρώνει πάλι; *The children are ~ to mischief*, κάποια ζαβολιά ἑτοιμάζουν τά παιδιά. *(β)* ἄξιος, ἱκανός: *I don't feel ~ to going to work today*, δέν νοιώθω ὅτι εἶμαι σέ θέση νά πάω στή δουλειά σήμερα. *He's not ~ to the job*, δέν εἶναι ἱκανός (δέν κάνει) γιά τή δουλειά. *(γ)* ἕως: *~ to here/now*, ἕως ἐδῶ/τώρα. *(δ)* ἐξαρτῶμαι: *It's ~ to you*, ἐξαρτᾶται ἀπό σένα. **'~-and-'coming**, (*γιά ἄνθρ.*) ἀνερχόμενος, μέ μέλλον: *an ~-and-coming young politician*, ἕνας ραγδαῖα ἀνερχόμενος νέος πολιτικός. —*πρόθ.* πρός τά πάνω: *go ~ a hill/the stairs*, ἀνεβαίνω ἕνα λόφο/τή σκάλα. —*ρ.μ/ὰ.* **1**. (*ἀστειολ.*) πετάγομαι, τινάζομαι: *He ~ped and gave me one in the eye*, πετάχτηκε πάνω καί μοῦχωσε μιά στό μάτι. **2**. αὐξάνω: *~ the price*, ἀνεβάζω τήν τιμή. *~ an offer*, αὐξάνω μιά προσφορά.

up- /ʌp-/ *πρόθεμα* πρός τά πάνω.

up·beat /ˋʌp bit/ *οὐσ.* ‹C› (*μουσ.*) ὕψωσις, ἀσθενής χρόνος.

up·braid /ʌpˋbreɪd/ *ρ.μ.* ***~ sb (for/with sth)***, ἐπιτιμῶ κπ γιά κτ, τοῦ κάνω παρατήρηση.

up·bring·ing /ˋʌpbrɪŋɪŋ/ *οὐσ.* ‹U› ἀνατροφή.

up·coun·try /ˈʌpˋkʌntrɪ/ *ἐπ.* & *ἐπίρ.* εἰς ἤ πρός τό ἐσωτερικό τῆς χώρας: *~ districts*, περιοχές τῆς ἐνδοχώρας. *go/travel ~*, πάω/ταξιδεύω πρός τό ἐσωτερικό.

up·date /ˈʌpˋdeɪt/ *ρ.μ.* ἐκσυγχρονίζω: *~ a dictionary*.

up·grade /ˈʌpˋgreɪd/ *ρ.μ.* προβιβάζω, ὑψώνω σέ μεγαλύτερο βαθμό. —*οὐσ.* /ˋʌpgreɪd/ ***on the ~***, σέ ἄνοδο: *His business is on the ~*, οἱ δουλειές του βρίσκονται σέ ἄνοδο.

up·heaval /ʌpˋhivl/ *οὐσ.* ‹C› ἀναστάτωσις: *social/political ~s*, κοινωνικές/πολιτικές ἀναστατώσεις.

up·held /ʌpˋheld/ *ἀόρ.* & *π.μ.* *τοῦ ρ.* *uphold*.

up·hill /ˋʌphɪl/ *ἐπ.* ἀνηφορικός, (*μεταφ.*) δύσκολος, ἐπίπονος: *an ~ road*, ἀνηφορικός δρόμος. *an ~ task*, δύσκολο καθῆκον. —*ἐπίρ.* ἀνηφορικά: *walk ~*.

up·hold /ʌpˋhəʊld/ *ρ.μ.* (*ἀνώμ. βλ.* [1]*hold*) **1**. ὑποστηρίζω, ἐπιδοκιμάζω: *I cannot ~ such conduct*, δέν μπορῶ νά ἐπιδοκιμάσω τέτοια συμπεριφορά. **2**. τηρῶ, κρατῶ: *~ the law/a tradition*, τηρῶ τόν νόμο/κρατῶ μιά παράδοση. **3**. ἐπικυρῶ: *~ a verdict/decision*, ἐπικυρῶ μιά ἐτυμηγορία/ἀπόφαση.

up·hol·ster /ʌpˋhəʊlstə(r)/ *ρ.μ.* ταπετσάρω, ντύνω, παραγεμίζω (ντιβάνι, κλπ): *armchairs ~ed in/with velvet*, πολυθρόνες ντυμένες μέ βελοῦδο. *a well-~ed lady*, (*καθομ.*) γεμάτη (μᾶλλον παχειά) κυρία. **~er** *οὐσ.* ‹C› ταπετσέρης. **~y** /-stərɪ/ *οὐσ.* ‹U› ταπετσαρία.

up·keep /ˋʌpkip/ *οὐσ.* ‹U› συντήρησις, ἔξοδα συντηρήσεως: *the ~ of a house*.

up·land /ˋʌplənd/ *οὐσ.* ‹C› (*συνήθ. πληθ.*) ὑψίπεδο.

up·lift /ʌpˋlɪft/ *ρ.μ.* ὑψώνω, βελτιώνω (ἠθικά ἤ ψυχικά). —*οὐσ.* ‹U› /ˋʌplɪft/ ἀνάτασις: *spiritual/moral ~*, πνευματική/ἠθική ἀνάτασις.

up·most /ˋʌpməʊst/ *βλ.* *uppermost*.

upon /əˋpɒn/ *πρόθ.* *βλ.* *on* (*Χρησιμοποιεῖται ὅμως ἀποκλειστικά στίς φράσεις*): ***~ my word***, στό λόγο μου. ***Once ~ a time***, μιά φορά κι' ἕναν καιρό.

up·per /ˋʌpə(r)/ *ἐπ.* ἀνώτερος, ψηλότερος, ἄνω: *the ~ lip*, τό ἄνω χεῖλος. *one of the ~ rooms*, ἕνα ἀπό τά πάνω δωμάτια. ***have/get the ~ hand (of)***, βρίσκομαι σέ πλεονεκτική θέση, εἶμαι καβάλλα. ***the ~ ten (thousand)***, οἱ ἀνώτερες τάξεις, ἡ ἀριστοκρατία, οἱ πλούσιοι. **the U~ House**, ἡ Ἄνω Βουλή. **'~-'class** *ἐπ.* τῆς ἀνωτέρας τάξεως: *~-class customs*, ἀριστοκρατικές συνήθειες. **ˋ~-cut**, (*πυγμ.*) γροθιά ἀπό κάτω πρός τά πάνω. —*οὐσ.* ‹C› ψίδι (παπουτσιοῦ). ***be (down) on one's ~s***, (*καθομ.*) εἶμαι μπατίρης. **ˋ~·most** /-məʊst/ *ἐπ.* δεσπόζων: *be ~most in one's mind*, δεσπόζω/κυριαρχῶ στό μυαλό (στίς σκέψεις). —*ἐπίρ.* στήν ἐπιφάνεια: *It's not always wise to say whatever comes ~most*, δέν εἶναι φρόνιμο νά λέη κανείς ὅ,τι τοὔρχεται στό μυαλό (ὅ,τι ἔρχεται στήν ἐπιφάνεια).

up·pish /ˋʌpɪʃ/ *ἐπ.* (*καθομ.*) φαντασμένος, ξιππασμένος, σνόμπ: *He's too ~ about it*, παρακάνει τό σπουδαῖο γι' αὐτό. *Don't get ~ with me!* μήν παίρνης ψηλά τόν ἀμανέ μαζί μου!

up·pity /ˋʌpətɪ/ *ἐπ.* (*καθομ.*) *βλ.* *uppish*.

up·right /ˋʌp-raɪt/ *ἐπ.* **1**. ὄρθιος, στητός, εὐθυτενής: *set sth ~*, στήνω κτ ὄρθιο. *hold oneself/stand ~*, κρατιέμαι/στέκομαι στητός. **an ~ piano**, ὄρθιο πιάνο. **2**. εὐθύς, ἀκέραιος, τίμιος, ἀδέκαστος: *an ~ man/judge*, εὐθύς ἄνθρωπος/ἀκέραιος δικαστής. *be ~ in one's business dealings*, εἶμαι τίμιος στίς συναλλαγές μου. —*οὐσ.* ‹C› στύλος, ὀρθοστάτης. **~·ly** *ἐπίρ.*

up·ris·ing /ˋʌpraɪzɪŋ/ *οὐσ.* ‹C› ἐξέγερσις: *the Polytechnic ~*, ἡ ἐξέγερσις τοῦ Πολυτεχνείου.

up·roar /ˋʌp-rɔ(r)/ *οὐσ.* ‹U› ὀχλοβοή, ὀχλαγωγία, φασαρία, θόρυβος: *The meeting ended in (an) ~*, ἡ συνεδρίασις κατέληξε σέ ὀχλαγωγία/τελείωσε ἐν μέσῳ φωνῶν. **~i·ous** /ʌpˋrɔrɪəs/ *ἐπ.* θορυβώδης: *burst into ~ious laughter*, ξεσπῶ σέ θορυβώδη γέλια. *give sb an ~ious welcome*, ὑποδέχομαι κπ θορυβωδῶς. **~i·ous·ly** *ἐπίρ.* θορυβωδῶς.

up·root /ʌpˋrut/ *ρ.μ.* (*κυριολ.* & *μεταφ.*) ξερριζώνω.

up·set /ʌpˋset/ *ρ.μ/ὰ.* (*ἀνώμ. βλ.* [1]*set*) *(-tt-)* **1**. ἀνατρέπω, ἀναποδογυρίζω: *~ a boat/glass*, μπατάρω μιά βάρκα/ἀναποδογυρίζω ἕνα ποτήρι. **2**. ἀνατρέπω, χαλῶ, ἀναστατώνω: *~ the enemy's plans*, ἀνατρέπω/χαλῶ τά σχέδια τοῦ ἐχθροῦ. *The rich food ~ my stomach*, τό λιπαρό φαΐ μοῦ χάλασε τό στομάχι. *The news ~ her*, τά νέα τήν ἀναστάτωσαν. *Don't get ~*, μή στενοχωριέσαι, μήν ταράζεσαι! —*οὐσ.* ‹C› /ˋʌpset/ **1**. ταραχή, ἀναστάτωσις, στενοχώρια: *have a ˋstomach ~*, ἔχω στομαχική διαταραχή. *have a terrible ~*, περνῶ μεγάλη ταραχή/κλονισμό. **2**. (*ἀθλ.*) ἀπροσδόκητο ἀποτέλεσμα, ἀνατροπή τῶν προγνωστικῶν. **~·ting** *ἐπ.* ἀνησυχητικός, πού προκαλεῖ ἀναστάτωση.

up·shot /ˋʌpʃɒt/ *οὐσ.* (*ἐν. μέ the*) ἔκβασις, ἀποτέλεσμα, κατάληξις: *The ~ was that I was fired*, τό ἀποτέλεσμα ἦταν ὅτι μέ ἀπέλυσαν. *What will be the ~ of it all?* ποῦ θά κατα-

λήξουν ὅλα αὐτά; τί θά βγῆ ἀπ' ὅλα αὐτά;
up·side-down /ˈʌpsaɪd ˋdaʊn/ *ἐπίρ.* ἀνάποδα, ἄνω-κάτω: *hold a book* ~, κρατῶ ἕνα βιβλίο ἀνάποδα. *turn a room* ~, (*μεταφ.*) κάνω ἕνα δωμάτιο ἄνω-κάτω.
up·stage /ˈʌpˋsteɪdʒ/ *ἐπ. βλ.* *uppish.* —*ἐπίρ.* (*θέατρ.*) στό βάθος τῆς σκηνῆς. —*ρ.μ.* ἐκτοπίζω κπ ἀπό τό κέντρο (καί γίνομαι ὁ ἴδιος ἐπίκεντρο τῆς προσοχῆς), (*μεταφ.*) κλέβω τήν παράσταση.
up·stairs /ˈʌpˋsteəz/ *ἐπίρ.* & *ἐπ.* τό πάνω πάτωμα: *go* ~, ἀνεβαίνω ἐπάνω. *an* ~ *room*, δωμάτιο τοῦ ἐπάνω πατώματος.
up·stand·ing /ʌpˋstændɪŋ/ *ἐπ.* στητός, γερός: *fine* ~ *children*, ὡραῖα γερά παιδιά, λεβεντόπαιδα.
up·start /ˋʌpstɑt/ *οὐσ.* ‹C› νεόπλουτος, τυχάρπαστος.
up·stream /ˈʌpˋstrim/ *ἐπίρ.* ἀντίθετα στό ρεῦμα.
up·surge /ˋʌpsɜdʒ/ *οὐσ.* ‹C› (*μεταφ.*) φούσκωμα, κῦμα: *an* ~ *of anger/indignation*, ἕνα κῦμα θυμοῦ/ἀγανάκτησης.
up·take /ˋʌpteɪk/ *οὐσ.* ἀντίληψις. (*συνήθ. στή φρ.*) ***be quick/slow on the*** ~, (*καθομ.*) εἶμαι σβέλτος στό μυαλό/ἀργονόητος.
up·tight /ˈʌpˋtaɪt/ *ἐπ.* (*λαϊκ.*) πού ἔχει τράκ, νευρική ὑπερένταση: *She's* ~ *about the exams*, ἔχει τράκ/ὑπερένταση ἐξ αἰτίας τῶν ἐξετάσεων.
up-to-date /ˈʌp tə ˋdeɪt/ *ἐπ.* (*χωρίς παῦλες ὅταν χρησιμοποιεῖται ὡς κατηγορούμενον*) μοντέρνος, σύγχρονος: ~ *methods*, σύγχρονοι μέθοδοι.
up·town /ˈʌpˋtaʊn/ *ἐπίρ.* & *ἐπ.* (*ΗΠΑ*) μακρυά ἀπό τό κέντρο πόλεως (*ἀντίθ. downtown*).
up·turn /ˋʌptɜn/ *οὐσ.* ‹C› στροφή πρός τά πάνω, βελτίωσις: *There has been an* ~ *in business*, οἱ δουλειές πῆραν τήν ἐπάνω βόλτα (καλυτέρεψαν).
up·ward /ˋʌpwəd/ *ἐπ.* ἀνοδικός: *an* ~ *trend in prices*, μιά ἀνοδική τάσις στίς τιμές. *an* ~ *curve/glance*, ἀνοδική καμπύλη/ματιά πρός τά πάνω. —*ἐπίρ.* (*συχνά* ~**s**) πρός τά πάνω: *climb* ~*s*, ἀνεβαίνω πρός τά πάνω. *The boat was on the beach, bottom* ~*s*, ἡ βάρκα ἦταν στήν παραλία, μέ τόν πάτο πρός τά πάνω (γυρισμένη ἀνάποδα).
ura·nium /jʊˋreɪnɪəm/ *οὐσ.* ‹U› (*χημ.*) οὐράνιον.
Ura·nus /jʊˋreɪnəs/ *οὐσ.* (*ἀστρον. μυθολ.*) Οὐρανός.
ur·ban /ˋɜbən/ *ἐπ.* ἀστικός, τῆς πόλεως: ~ *areas*, ἀστικές περιοχές. ~ *guerrillas*, ἀντάρτες τῶν πόλεων. ~ *planning*, πολεοδομία. **~·ize** /-aɪz/ *ρ.μ.* μετατρέπω μιά περιοχή σέ πόλη, ἀστικοποιῶ. **~·iz·ation** /ˈɜbənaɪˋzeɪʃn/ *οὐσ.* ‹U› μετατροπή σέ πόλη, ἀστικοποίησις.
ur·bane /ɜˋbeɪn/ *ἐπ.* ἁβρός, εὐγενικός, πολιτισμένος, ραφινᾶτος. **~·ly** *ἐπίρ.* **ur·ban·ity** /ɜˋbænətɪ/ *οὐσ.* ‹C,U› ἁβρότης, λεπτότης, φινέτσα.
ur·chin /ˋɜtʃɪn/ *οὐσ.* ‹C› **1**. διαβολάκος, σκανταλιάρικο παιδί. **2**. (*καί* **ˋstreet-~**) χαμίνι, ἀλητάκος. **3**. **ˋsea-~**, ἀχινός.
urge /ɜdʒ/ *ρ.μ.* **1**. πιέζω, βιάζω: ~ *a horse on(ward)*, πιέζω (σπιρουνιάζω) ἕνα ἄλογο νά προχωρήση. **2**. ~ ***sb to (do) sth***, παροτρύνω, παρακινῶ, προτρέπω ἐντόνως: *He* ~*d me to buy it*, μέ παρακινοῦσε νά τ' ἀγοράσω. *They* ~*d the peasants to revolt*, παρότρυναν τούς χωρικούς νά ἐπαναστατήσουν. **3**. ~ ***sth up(on) sb***, τονίζω, συνιστῶ ἐπιμόνως κτ σέ κπ: *He* ~*ed on his pupils the importance of hard work*, τόνιζε στούς μαθητές του τήν σημασία τῆς ἐπιμέλειας. —*οὐσ.* (*σπανίως πληθ.*) παρόρμησις, ἀκατανίκητη ὁρμή, πόθος: *I have/feel an* ~ *to travel*, ἔχω/νοιώθω λαχτάρα νά ταξιδέψω.
ur·gent /ˋɜdʒənt/ *ἐπ.* **1**. ἐπείγων, ἄμεσος: *be in* ~ *need of sth*, ἔχω ἄμεση ἀνάγκη ἀπό κτ. *an* ~ *message*, ἕνα κατεπεῖγον μήνυμα. *The matter is* ~, τό θέμα ἐπείγει. **2**. ἐπίμονος, πιεστικός: *Don't be too* ~, μήν ἐπιμένης τόσο πολύ. *an* ~ *request*, πιεστική παράκλησις. **~·ly** *ἐπίρ.* ἐπειγόντως, ἐπίμονα. **ur·gency** /ˋɜdʒənsɪ/ *οὐσ.* ‹U› κατεπείγουσα ἀνάγκη, πίεσις, πιεστικότης: *a matter of great urgency*, θέμα κατεπειγούσης ἀνάγκης.
uric /ˋjʊərɪk/ *ἐπ.* οὐρικός.
uri·nal /ˋjʊərɪnl/ *οὐσ.* ‹C› **1**. (**ˋbed** ~), οὐροδοχεῖον. **2**. **public** ~, δημόσιον οὐρητήριον.
uri·nate /ˋjʊərɪneɪt/ *ρ.ἀ.* οὐρῶ.
urine /ˋjʊərɪn/ *οὐσ.* ‹U› οὖρα. **uri·nary** /ˋjʊərɪnrɪ/ *ἐπ.* οὐρητικός, οὐρικός, οὐροδόχος, οὐροφόρος.
urn /ɜn/ *οὐσ.* ‹C› ὑδρία, τεφροδόχος, σαμοβάρι.
us /əs, *ἐμφ*: ʌs/ *ἀντων.* ἐμᾶς, μᾶς, μας, ἐμεῖς: *He's looking at* ~, κοιτάζει πρός ἐμᾶς. *He told* ~ *to go*, μᾶς εἶπε νά φύγωμε. *Listen to* ~, ἄκουσέ μας. *It's* ~, *John and Peter*, ἐμεῖς εἴμαστε, ὁ Γ. καί ὁ Π.
usage /ˋjuzɪdʒ/ *οὐσ.* **1**. ‹U› μεταχείρισις: *rough* ~, κακομεταχείρισις. **2**. ‹C,U› ἔθιμο, συνήθεια, συνήθειο, πρακτική: ~*s of trade*, ἐμπορικά ἔθιμα. **3**. ‹C,U› (*γλωσσολ.*) χρῆσις (λέξεως, κλπ).
[1]**use** /jus/ *οὐσ.* **1**. ‹U› χρῆσις, χρησιμοποίησις: *a room for the* ~ *of teachers only*, αἴθουσα πρός χρῆσιν τῶν δασκάλων μόνον. *the* ~ *of electricity for lighting*, ἡ χρῆσις τοῦ ἠλεκτρισμοῦ γιά φωτισμό. *for* ~ *only in case of fire*, διά χρῆσιν μόνον ἐν περιπτώσει πυρκαγιᾶς. ***in*** ~, ἐν χρήσει. ***out of*** ~, ἐν ἀχρηστίᾳ. ***come into*** ~, ἀρχίζω νά χρησιμοποιοῦμαι. ***go/fall out of*** ~, περιπίπτω εἰς ἀχρησίαν. ***make good*** ~ ***of sth***, ἐπωφελοῦμαι ἀπό κτ (πχ ἀπό μιά εὐκαιρία). **2**. ‹C,U› χρῆσις, σκοπός: *a tool with many* ~*s*, ἐργαλεῖο μέ πολλές χρήσεις, πού χρησιμοποιεῖται γιά πολλούς σκοπούς. ***put sth to good*** ~, κάνω καλή χρήση ἑνός πράγματος, χρησιμοποιῶ κτ καλά. ***have no*** ~ ***for***, δέν συμπαθῶ, δέν ἀνέχομαι: *I have no* ~ *for people who are always grumbling*, δέν μοῦ ἀρέσουν οἱ ἄνθρωποι πού διαρκῶς γκρινιάζουν. **3**. ‹U› ὄφελος, ἀξία, χρησιμότης. ***of*** ~, χρήσιμος. ***of no*** ~, ἄχρηστος: *This is of no* ~ *to me*, αὐτό δέν μοῦ χρησιμεύει σέ τίποτα. ***it's no*** ~ + *γερούνδιο*, δέν ὠφελεῖ: *It's no* ~ *trying to help him*, δέν ὠφελεῖ νά προσπαθῆς νά τόν βοηθήσης. ***what's the*** ~ ***(of)***, τί ὠφελεῖ (νά): *What's the* ~ *of going to school if you don't study?* τί ὠφελεῖ (τί βγαίνει) νά πηγαίνης σχολεῖο ἄν δέν μελετᾶς; **4**. ‹U› χρῆσις

(ἱκανότης/δικαίωμα/συνήθεια χρήσεως): *He has lost the ~ of his right eye*, ἔχασε τήν ἱκανότητα χρήσεως τοῦ δεξιοῦ του ματιοῦ (ἔχασε τό δεξί του μάτι). *I gave him the ~ of my motorbike*, τοῦ ἔδωσα τό δικαίωμα νά χρησιμοποιῇ τή μοτοσυκλέττα μου. *In these cases ~ is the best guide*, στίς περιπτώσεις αὐτές ἡ χρῆσις (ἡ συνήθεια) εἶναι ὁ καλύτερος ὁδηγός. **~·ful** /ˈjusfl/ *ἐπ.* χρήσιμος, σκόπιμος. **~·fully** /-fəlɪ/ *ἐπίρ.* χρήσιμα. **~·fulness** *οὐσ.* ‹U› χρησιμότης, σκοπιμότης. **~-less** *ἐπ.* ἄχρηστος, ἀνώφελος. **~·less·ly** *ἐπίρ.* ἀνώφελα. **~·less·ness** *οὐσ.* ‹U› ματαιότης.

[2]**use** /juz/ *ρ.μ.* **1**. χρησιμοποιῶ: *~ a pen/a hammer/force/sb's name*, χρησιμοποιῶ μιά πέννα/ἕνα σφυρί/βία/τό ὄνομα κάποιου. **2**. *~ **up***, καταναλίσκω, ἐξαντλῶ: *He has ~d up all his strength*, κατανάλωσε/ἐξάντλησε ὅλες τίς δυνάμεις του. **3**. μεταχειρίζομαι: *~ sb well*, μεταχειρίζομαι κπ καλά. *He thinks himself ill ~d*, πιστεύει ὅτι τόν κακομεταχειρίστηκαν. **used** /juzd/ *ἐπ.* μεταχειρισμένος: *used cars*. **us·able** /ˈjuzəbl/ *ἐπ.* χρησιμοποιήσιμος. **user** *οὐσ.* ‹C› ὁ χρησιμοποιῶν.

used /just/ *ρ. βοηθ.* (*ἔχει μόνον ἀόριστον χρόνον, σχηματίζει τήν ἐρώτηση καί ἄρνηση εἴτε ὡς βοηθητικόν εἴτε - στήν ὁμιλία - μέ did καί ἀκολουθεῖται ἀπό ἀπαρέμφατον μέ to*) συνήθιζα νά (*ἤ, συνηθέστερα, μέ τόν παρατατικό ἁπλῶς τοῦ ρήματος πού ἀκολουθεῖ τό used*): *I ~ to smoke a lot*, συνήθιζα νά καπνίζω (κάπνιζα) πολύ. *He ~ to come every day*, ἐρχόταν κάθε μέρα. *There ~ to be a tree in their garden some years ago*, ὑπῆρχε ἕνα δέντρο στόν κῆπο τους πρίν ἀπό μερικά χρόνια. *He never ~ to smoke, did he?* (*ἤ: used he?*) ποτέ δέν κάπνιζε, ἕ; *U~ he* (*ἤ: did he use*) *to stay up so late?* συνήθιζε νά μένη τόσο ἀργά τό βράδυ;

used to /ˈjust tu, tə/ *ἐπ.* συνηθισμένος. ***be ~*** *+ οὐσ. ἤ γερούνδιο*, εἶμαι ἐξοικειωμένος μέ, συνηθισμένος νά: *We are ~ the noise of the train*, εἴμαστε συνηθισμένοι στό θόρυβο τοῦ τραίνου. *I am not ~ being spoken to like that*, δέν εἶμαι συνηθισμένος νά μοῦ μιλᾶνε ἔτσι. ***get ~***, ἐξοικειώνομαι, συνηθίζω: *He'll soon get ~ it/getting up early*, σύντομα θά τό συνηθίση/θά συνηθίση νά σηκώνεται νωρίς.

usher /ˈʌʃə(r)/ *οὐσ.* ‹C› **1**. ταξιθέτης. **2**. (*σέ δικαστ.*) κλητήρας. __*ρ.μ.* **1**. ὁδηγῶ: *The girl ~ed me to my seat*, τό κορίτσι μέ ὁδήγησε στή θέση μου. **2**. ***~ sth in***, εἰσάγω, ἐγκαινιάζω: *~ in a new era*, ἐγκαινιάζω μιά καινούργια ἐποχή. **~·ette** /ˈʌʃəˈret/ *οὐσ.* ‹C› ταξιθέτρια.

usual /ˈjuʒʊəl/ *ἐπ.* συνήθης, συνηθισμένος: *at the ~ hour*, τήν συνήθη ὥρα. *the ~ terms*, οἱ συνήθεις ὅροι. *It is ~ to pay in advance*, εἶναι σύνηθες (συνηθίζεται) νά πληρώνει κανείς προκαταβολικά. ***as ~***, ὡς συνήθως. ***as is ~***, ὅπως συνηθίζεται. **~ly** /ˈjuʒəlɪ/ *ἐπίρ.* συνήθως: *I ~ly get up early*, συνήθως σηκώνομαι νωρίς.

usurer /ˈjuʒərə(r)/ *οὐσ.* ‹C› τοκογλύφος.

usuri·ous /juˈzjʊərɪəs/ *ἐπ.* τοκογλυφικός: *a ~ rate of interest*, τοκογλυφικό ἐπιτόκιο.

usurp /juˈzзp/ *ρ.μ.* σφετερίζομαι, ἁρπάζω: *~ the throne*, σφετερίζομαι τό θρόνο. **~er** *οὐσ.* ‹C› σφετεριστής. **~ation** /ˈjuzзˈpeɪʃn/ *οὐσ.* ‹C,U› σφετερισμός.

usury /ˈjuʒərɪ/ *οὐσ.* ‹U› τοκογλυφία.

uten·sil /juˈtensl/ *οὐσ.* ‹C› σκεῦος: *ˈcooking ~s*, μαγειρικά σκεύη.

uterus /ˈjutərəs/ *οὐσ.* ‹C› (*ἀνατ.*) μήτρα.

utili·tarian /juˈtɪlɪˈteərɪən/ *ἐπ.* ὠφελιμιστικός. __*οὐσ.* ‹C› **U~**, ὠφελιμιστής. **~·ism** /-ɪzm/ *οὐσ.* ‹U› ὠφελιμισμός.

util·ity /juˈtɪlətɪ/ *οὐσ.* **1**. ‹U› χρησιμότης: *be of great ~*, εἶμαι πολύ χρήσιμος. **2**. ‹C› ὠφέλεια: *public ~ services*, ὑπηρεσίες κοινῆς ὠφελείας. **3**. (*πληθ.*) χρειώδη. __*ἐπ.* πρακτικός, γενικῆς χρήσεως: *a ~ van*, φορτηγάκι γενικῆς χρήσεως.

util·ize /ˈjutɪlaɪz/ *ρ.μ.* χρησιμοποιῶ, κάνω χρήση, ἐκμεταλλεύομαι, ἀξιοποιῶ: *~ one's time*, ἀξιοποιῶ τό χρόνο μου. **util·iz·able** /-əbl/ *ἐπ.* χρησιμοποιήσιμος. **util·iz·ation** /ˈjutɪlaɪˈzeɪʃn/ *οὐσ.* ‹U› χρησιμοποίησις.

ut·most /ˈʌtməʊst/ *ἐπ.* ἔσχατος, ὑπέρτατος, μέγιστος, ὕψιστος: *in the ~ danger*, σέ ἔσχατο κίνδυνο. *of the ~ importance*, ὑψίστης σημασίας. *with the ~ contempt*, μέ ἔσχατη περιφρόνηση. __*οὐσ.* (*μόνον ἑν.*) ἔπακρον, ἄκρον ἄωτον: *do one's ~*, κάνω τ' ἀδύνατα δυνατά. *enjoy oneself to the ~*, διασκεδάζω ὅσο γίνεται περισσότερο. *exert oneself to the ~*, ἐντείνω ὅλες μου τίς δυνάμεις. *to the ~ of one's ability*, στόν ἀνώτατο βαθμό πού μπορῶ.

Uto·pia /juˈtəʊpɪə/ *οὐσ.* ‹C› οὐτοπία. **Uto·pian, uto·pian** /-pɪən/ *ἐπ.* οὐτοπικός.

[1]**ut·ter** /ˈʌtə(r)/ *ἐπ.* τέλειος, ἀπόλυτος, πλήρης, ὁλοσχερής: *He's an ~ stranger to me*, μοῦ εἶναι τελείως ἄγνωστος. *~ darkness*, ἀπόλυτο σκοτάδι. *an ~ scoundrel*, τέλειος παληάνθρωπος. *to my ~ horror*, πρός ἀπερίγραπτη φρίκη μου. **~·ly** *ἐπίρ.* τελείως, ἐξ ὁλοκλήρου, ὁλοσχερῶς.

[2]**utter** /ˈʌtə(r)/ *ρ.μ.* **1**. ἐκβάλλω, ἐκστομίζω, βγάζω: *~ a cry/sigh*, βγάζω κραυγή/ἀναστεναγμό. **2**. λέγω: *the last words he ~ed*, οἱ τελευταῖες λέξεις πού εἶπε. **3**. θέτω σέ κυκλοφορία (πλαστά χαρτονομίσματα, κλπ). **~·ance** /ˈʌtərəns/ *οὐσ.* **1**. (*μόνον ἑν.*) ἄρθρωσις, προφορά: *a clear/defective ~ance*, καθαρή/ἐλαττωματική προφορά. **2**. ‹C› λόγος: *listen to sb's ~ances*, προσέχω τά λόγια κάποιου. **3**. ‹U› ἔκφρασις: *give ~ance to one's feelings*, δίνω ἔκφραση εἰς (ἐκφράζω) τά αἰσθήματά μου.

ut·ter·most /ˈʌtəməʊst/ *βλ. utmost*.

uvula /ˈjuvjʊlə/ *οὐσ.* ‹C› (*ἀνατ.*) σταφυλή. **uvu·lar** /-lə(r)/ *ἐπ.* ὑπερωϊκός.

ux·ori·ous /ʌkˈsɔrɪəs/ *ἐπ.* γυναικόδουλος, προσηλωμένος στή σύζυγο. **~·ly** *ἐπίρ.*

V v

V, v /vi/ **1**. τό 22ο γράμμα τοῦ ἀλφάβητου. **2**. τό σχῆμα V: *the V sign*, τό σῆμα τῆς νίκης (ἀπό τή λέξη *Victory*). **V1**, **V2** /ˈvi ˋwʌn, ˋtu/ ἱπτάμενες βόμβες.

vac /væk/ *οὐσ.* ‹C› (*καθομ. βραχυλ.*) *βλ. vacation* (2).

va·cancy /ˋveɪkənsɪ/ *οὐσ.* **1**. ‹U› κενόν: *stare/gaze into* ~, ἔχω τά μάτια μου καρφωμένα στό κενόν. **2**. ‹U› κενότης (πνεύματος), ἔλλειψις συγκεντρώσεως, κενός χῶρος. **3**. ‹C› κενή θέσις: *If there is a* ~ *in our firm*..., ἄν ὑπάρξη κενή θέσις στήν ἑταιρία μας... *good vacancies for typists*, καλές θέσεις δακτυλογράφων.

va·cant /ˋveɪkənt/ *ἐπ.* **1**. (*γιά χῶρο*) κενός: *gaze into* ~ *space*, κοιτάζω στό κενό. **2**. κενός (μή κατειλημμένος): *a* ~ *room/seat*, ἄδειο δωμάτιο/κάθισμα. *apply for a* ~ *position*, κάνω αἴτηση γιά μιά κενή θέση. **~possession**, (*γιά ἀκίνητο*) ἐλεύθερο πρός ἄμεσον χρῆσιν, (*νομ.*) σχολάζουσα κατοχή. **3**. (*γιά χρόνο*) διαθέσιμος, ἐλεύθερος, (*γιά νοῦ*) ἀφηρημένος, (*γιά βλέμμα*) ἀνέκφραστος, ἀπλανής: *a* ~ *expression*, ἀφηρημένη ἔκφρασις. *a* ~ *look*, ἀπλανές βλέμμα.

va·cate /veɪˋkeɪt/ *ρ.μ.* **1**. ἀφήνω (κάθισμα, σπίτι), ἐκκενῶ, ἀδειάζω: ~ *a house/one's seat*, ἐκκενῶ σπίτι/ἀφήνω τό κάθισμά μου. **2**. (*λόγ.*) παραιτοῦμαι (τῆς κατοχῆς ἤ χρήσεως).

va·ca·tion /vəˋkeɪʃn/ *οὐσ.* **1**. ‹U› (*λόγ.*) παραίτησις (ἀπό θέση). **2**. ‹C› διακοπές (*σχολ.* & *δικαστηρ.*) **3**. ‹C› (*ΗΠΑ*) κάθε εἴδους διακοπές: *be on* ~, εἶμαι σέ διακοπές. —*ρ.ἀ.* ~ ***at/in***, (*ΗΠΑ*) περνῶ τίς διακοπές μου: *He was* ~*ing in Rhodes*, ἔκανε διακοπές στή Ρόδο.

vac·ci·nate /ˋvæksɪneɪt/ *ρ.μ.* ἐμβολιάζω: *get* ~*d*, ἐμβολιάζομαι, κάνω μπόλι. **vac·ci·na·tion** /ˈvæksɪˋneɪʃn/ *οὐσ.* ‹C,U› ἐμβόλιο, ἐμβολιασμός.

vac·cine /ˋvæksin/ *οὐσ.* ‹C,U› ἐμβόλιο, βατσίνα.

vac·il·late /ˋvæsɪleɪt/ *ρ.ἀ.* (ἀμφι)ταλαντεύομαι: ~ *between hope and fear*, ταλαντεύομαι μεταξύ ἐλπίδος καί φόβου. ~ *between two opinions*, ἀμφιταλαντεύομαι μεταξύ δύο γνωμῶν. **vac·il·la·tion** /ˈvæsɪˋleɪʃn/ *οὐσ.* ‹C,U› (ἀμφι)ταλάντευσις, δισταγμός.

vacu·ous /ˋvækjʊəs/ *ἐπ.* (*λόγ.*) ἀνέκφραστος, κενός, ἀνόητος, χαζός: *a* ~ *look/remark/laugh*, ἀνέκφραστο βλέμμα/ἀνόητη παρατήρησις/χαζό γέλιο. **~·ly** *ἐπίρ.* **vacu·ity** /vəˋkjuətɪ/ *οὐσ.* ‹C,U› κενότης, ἀνοησία.

vac·uum /ˋvækjʊəm/ *οὐσ.* ‹C› (*πληθ.* ~*s ἤ στήν ἐπιστήμη -uua* /-jʊə/) κενόν (χωρίς ἀέρα ἤ ὕλη). ˋ~ **cleaner**, ἠλεκτρική σκούπα. ˋ~ **flask/bottle**, (τό) θερμός. ˋ~ **pump**, ἀντλία κενοῦ, ἀεραντλία. ˋ~ **tube/valve**, λυχνία κενοῦ, ἠλεκτρονική λυχνία.

vade-mecum /ˈveɪdɪ ˋmikəm/ *οὐσ.* ‹C› ἐγκόλπιον.

vaga·bond /ˋvægəbond/ *ἐπ.* περιπλανώμενος, πλανόδιος: ~ *gipsies*, πλανόδιοι τσιγγάνοι. *lead a* ~ *life*, κάνω πλανόδια ζωή. —*οὐσ.* ‹C› ἀλήτης.

va·gary /ˋveɪgərɪ/ *οὐσ.* ‹C› ἰδιοτροπία, λόξα, ἀλλοπρόσαλλη ἰδέα: *the vagaries of fashion/of his imagination*, οἱ ἰδιοτροπίες τῆς μόδας/οἱ φαντασιοπληξίες του.

va·gina /vəˋdʒaɪnə/ *οὐσ.* ‹C› (*ἀνατ.*) κόλπος (γυναίκας). **vag·inal** /vəˋdʒaɪnl/ *ἐπ.* κολπικός.

va·grant /ˋveɪgrənt/ *ἐπ.* περιπλανώμενος, πλανόδιος: ~ *tribes/musicians*, πλανόδιες φυλές/-οι μουσικοί. ~ *thoughts*, περιπλανώμενες σκέψεις. *lead a* ~ *life*, κάνω πλανόδια ζωή. —*οὐσ.* ‹C› πλάνης, ἀλήτης. **va·grancy** /-rənsɪ/ *οὐσ.* ‹U› περιπλάνησις, ἀλητεία, ἐπαιτεία.

vague /veɪg/ *ἐπ.* (*-r, -st*) ἀσαφής, ἀόριστος, ἀμυδρός, ἀκαθόριστος: *a* ~ *explanation/answer*, ἀσαφής ἐξήγησις/ἀόριστη ἀπάντησις. *I haven't the* ~*st idea*, δέν ἔχω τήν παραμικρή ἰδέα. *a* ~ *shape*, ἕνα ἀκαθόριστο (θολό) σχῆμα. ***be*** ~ ***about sth***, ἀοριστολογῶ, μιλῶ ἀόριστα γιά κτ. **~·ly** *ἐπίρ.* ἀορίστως. **~·ness** *οὐσ.* ‹C,U› ἀοριστία, ἀσάφεια.

vain /veɪn/ *ἐπ.* (*-er, -est*) **1**. μάταιος, ψεύτικος, ἀνώφελος: ~ *hopes*, μάταιες ἐλπίδες. ~ *promises*, ψεύτικες ὑποσχέσεις. *a* ~ *effort*, ἀνώφελη προσπάθεια. **2**. ματαιόδοξος, καμαρωτός: *He's the* ~*st person I've ever met*, εἶναι ὁ πιό ματαιόδοξος ἄνθρωπος πού ἔχω γνωρίσει. *She's* ~ *about her beauty*, καμαρώνει γιά τήν ὀμορφιά της. ***as*** ~ ***as a peacock***, καμαρωτός σάν παγώνι, φουσκωμένος σά διάνος. **3**. ***in*** ~, *(α)* τοῦ κάκου, ματαίως, εἰς μάτην: *It was all in* ~, ἦταν ὅλα μάταια, πῆγαν ὅλα τοῦ κάκου. *(β)* ἐπί ματαίῳ: *take God's name in* ~, λαμβάνω τό ὄνομα τοῦ Θεοῦ ἐπί ματαίῳ (βλασφημῶ). ˈ**~·ˋglory**, ματαιοδοξία. ˈ**~·ˋglorious** *ἐπ.* ματαιόδοξος, κενόδοξος. **~·ly** *ἐπίρ.* *(α)* ματαίως, ἀσκόπως. *(β)* καμαρωτά, ξιππασμένα.

val·ance, val·ence /ˋvæləns/ *οὐσ.* ‹C› κουρτινάκι (σέ παράθυρο), βολάν κρεββατιοῦ.

vale /veɪl/ *οὐσ.* ‹C› (*λογοτ.*) κοιλάς.

val·edic·tion /ˈvælɪˋdɪkʃn/ *οὐσ.* ‹C› ἀποχαιρετισμός. **val·edic·tory** /ˈvælɪˋdɪktərɪ/ *ἐπ.* ἀποχαιρετιστήριος (*πχ* λόγος).

val·en·tine /ˋvæləntaɪn/ *οὐσ.* ‹C› **1**. ἀνώνυμο ἐρωτικό γράμμα ἤ κάρτα (πού στέλνονται στή γιορτή τοῦ Ἁγ. Βαλεντίνου, 14 Φεβρουαρίου). **2**. βαλεντῖνος, βαλεντίνη (πρόσωπο στό ὁποῖο στέλνεται τέτοιο γράμμα).

valet /ˋvælɪt/ *οὐσ.* ‹C› καμαριέρης, θαλαμηπόλος, ὑπηρέτης.

val·etu·di·nar·ian /ˈvælɪˈtjudɪˋneərɪən/ *ἐπ.* & *οὐσ.* ‹C› φιλάσθενος, ὑποχονδριακός.

val·iant /ˋvælɪənt/ *ἐπ.* γενναῖος. **~·ly** *ἐπίρ.*

valid /ˋvælɪd/ *ἐπ.* **1**. ἔγκυρος: *a* ~ *marriage*, ἔγκυρος γάμος. **2**. ἰσχύων: *a passport* ~ *for five years*, διαβατήριο πού ἰσχύει γιά πέντε χρόνια. *a ticket* ~ *for a month*, εἰσιτήριο πού ἰσχύει γιά ἕνα μῆνα. **3**. βάσιμος, ἰσχυρός: ~ *objections*, βάσιμες ἀντιρρήσεις. **~·ly** *ἐπίρ.* **vali·date** /ˋvælɪdeɪt/ *ρ.μ.* ἰσχυροποιῶ, καθιστῶ ἔγκυρον, κυρώνω. **valid·ity** /vəˋlɪdətɪ/ *οὐσ.* ‹U› ἐγκυρότης, ἰσχύς, κῦρος.

va·lise /vəˋliz/ *οὐσ.* ‹C› βαλίτσα, γυλιός.

val·ley /ˋvælɪ/ *οὐσ.* ‹C› (*πληθ.* ~*s*) κοιλάδα,

λαγκάδι, φαράγγι.

val·our /ˋvælə(r)/ *οὐσ.* ‹U› γενναιότης, ἀνδρεία, πολεμική ἀρετή. **val·or·ous** /ˋvælərəs/ *ἐπ.* ἀνδρεῖος, γενναῖος.

valu·able /ˋvæljubl/ *ἐπ.* πολύτιμος. —*οὐσ.* (*συνήϑ. πληϑ.*) τά τιμαλφῆ.

valu·ation /ˈvæljuˋeıʃn/ *οὐσ.* ‹C,U› **1**. ἐκτίμησις, ἀποτίμησις, ἀξιολόγησις: *The surveyors arrived at widely different* ~*s*, οἱ πραγματογνώμονες κατέληξαν σέ ἐντελῶς διαφορετικές ἐκτιμήσεις. **2**. ἡ κατ' ἀποτίμησιν ἀξία: *take a person at his own* ~, ἐκτιμῶ κπ μέ βάση τήν ἐκτίμηση πού κάνει ὁ ἴδιος γιά τόν ἑαυτό του.

value /ˋvælju/ *οὐσ.* **1**. ‹U› ἀξία, σημασία, χρησιμότης: *the* ~ *of (a) good education*, ἡ ἀξία/ἡ σημασία τῆς ὀρϑῆς παιδείας. *know the* ~ *of time*, ξέρω τήν ἀξία τοῦ χρόνου. ***be of great/little/some/no*** ~, ἔχω μεγάλη/μικρή/κάποια/καμιά ἀξία (χρησιμότητα): *This book will be of great* ~ *to me in my studies*, αὐτό τό βιβλίο ϑά ἔχη μεγάλη ἀξία γιά μένα (ϑά μοῦ εἶναι πολύ χρήσιμο) στίς σπουδές μου. **2**. ‹C,U› ἀξία (σέ χρῆμα): *the* ~ *of the dollar/pound*, ἡ ἀξία τοῦ δολλαρίου/τῆς λίρας. *The* ~ *of this property is very high*, ἡ ἀξία αὐτοῦ τοῦ ἀκινήτου εἶναι πολύ μεγάλη. ***(give/get) good*** ~ ***for one's money***, (κάτι) ἀξίζει τά λεφτά πού δίνω: *Does this encyclopedia give you good* ~ *for your money?* ἀξίζει αὐτή ἡ ἐγκυκλοπαίδεια τά λεφτά της (τά λεφτά πού πλήρωσες); *They give you good* ~ *for your money in this hotel*, αὐτό τό ξενοδοχεῖο ἀξίζει τά λεφτά πού πληρώνεις (σέ περιποιοῦνται). *It's good* ~ *for £5*, εἶναι πολύ καλό (φτηνό) γιά 5 λίρες. ***go up/down in*** ~, ἀνεβαίνω/πέφτω σέ ἀξία (ἀνατιμοῦμαι/ὑποτιμοῦμαι). ***set a high/low*** ~ ***on sth***, ἐκτιμῶ κτ πολύ/λίγο. **market** ~**s**, χρηματιστηριακές ἀξίες. ˈ~-ˋ**added tax** (*συγκεκ.* **VAT**), φόρος προστιϑέμενης ἀξίας. **3**. ‹C,U› ἀξία, νόημα, (*μαϑημ.*) τιμή, (*ζωγρ.*) τόνος, (*μουσ.*) μῆκος νότας: *moral/social* ~*s*, ἠϑικές/κοινωνικές ἀξίες. *give a note/a word its full* ~, κρατῶ μιά νότα/τονίζω μιά λέξη ὅσο πρέπει. —*ρ.μ.* **1**. ὑπολογίζω τήν ἀξία: ~ *a house at £10 000*, ὑπολογίζω τήν ἀξία ἑνός σπιτιοῦ σέ 10.000 λίρες. **2**. λογαριάζω, ἐκτιμῶ: ~ *one's life*, λογαριάζω τή ζωή μου. ~ *sb's advice/services*, ἐκτιμῶ τή συμβουλή/τίς ὑπηρεσίες κάποιου. ~**d** *ἐπ.* ἐκτιμώμενος, προσφιλής. ~**·less** *ἐπ.* ἄνευ ἀξίας, εὐτελής. **valuer** *οὐσ.* ‹C› ἐκτιμητής, πραγματογνώμων.

valve /vælv/ *οὐσ.* ‹C› **1**. βαλβίδα. **2**. (*ραδιοφ.*) λυχνία. **3**. δικλείς.

[1]**vamp** /væmp/ *οὐσ.* ‹C› ψίδι (παπουτσιοῦ). —*ρ.μ./ἀ.* **1**. βάζω καινούργια ψίδια. ~ ***sth up***, (*μεταφ.*) συρράπτω, σκαρώνω, συγκολλῶ: ~ *up a lecture from old notes*, σκαρώνω μιά διάλεξη ἀπό παληές σημειώσεις. **2**. αὐτοσχεδιάζω (*ἰδ.* σέ μουσική).

[2]**vamp** /væmp/ *οὐσ.* ‹C› (*βραχυλ. γιά vampire*) μοιραία ξελογιάστρα γυναίκα. —*ρ.μ.* ξελογιάζω (ἄνδρα).

vam·pire /ˋvæmpaıə(r)/ *οὐσ.* ‹C› **1**. βρυκόλακας, (*μεταφ.*) ἐκμεταλλευτής, βδέλλα. **2**. (*ἐπίσης* ˋ~ **bat**) νυχτερίδα πού πίνει αἷμα, βάμπιρος.

[1]**van** /væn/ *οὐσ.* ‹C› **1**. καμιόνι, κλειστό φορτηγό αὐτοκίνητο (ἤ βαγόνι). **2**. τροχόσπιτο (*ἰδ.* τσιγγάνου).

[2]**van** /væn/ *οὐσ.* ‹C› **1**. (*στρατ.*) προφυλακή. **2**. (*καί vanguard*) πρωτοπορία, πρώτη γραμμή: *in the* ~ *of scientific progress*, στήν πρωτοπορία τῆς ἐπιστημονικῆς προόδου.

van·dal /ˋvændl/ *οὐσ.* ‹C› **1**. βάνδαλος. **2**. **the V**~**s**, οἱ Βάνδαλοι. ~**·ism** /-dəl-ızm/ *οὐσ.* ‹U› βανδαλισμός.

vane /veın/ *οὐσ.* ‹C› **1**. ἀνεμοδείκτης. **2**. πτερύγιον (στροβίλου/ἀνεμιστῆρος/ἕλικος).

van·guard /ˋvæŋgad/ *οὐσ.* ‹C› ἐμπροσϑοφυλακή.

va·nilla /vəˋnılə/ *οὐσ.* ‹C,U› βανίλλια: ~ *custard*, κρέμα βανίλλιας. *two* ~ *ices*, δυό παγωτά βανίλλιας.

van·ish /ˋvænıʃ/ *ρ.ἀ.* ἐξαφανίζομαι, χάνομαι: *All prospects of success have* ~*ed*, χάϑηκε κάϑε προοπτική ἐπιτυχίας. ~ ***from sight***, ἐξαφανίζομαι ἀπό τά μάτια. ~ ***into thin air***, γίνομαι καπνός, χάνομαι ὡς διά μαγείας. ˋ~**·ing cream**, ταχέως ἀπορροφούμενη κρέμα προσώπου, κρέμα ἡμέρας. ˋ~**·ing point**, σημεῖον συμβολῆς/ἐκμηδενίσεως.

van·ity /ˋvænətı/ *οὐσ.* **1**. ‹U› ματαιοδοξία, ἐγωϊσμός: *do sth out of* ~, κάνω κτ ἀπό ματαιοδοξία/ἐγωϊσμό. ***tickle sb's*** ~, κολακεύω τή ματαιοδοξία κάποιου, γαργαλῶ τόν ἐγωϊσμό του. ***injured*** ~, πληγωμένος ἐγωϊσμός. ˋ~ **bag/case**, γυναικεῖο τσαντάκι μέ τά εἴδη καλλωπισμοῦ. **2**. ‹C,U› ματαιότης: *the* ~ *of pleasure*, ἡ ματαιότητα τῆς ἡδονῆς. *the vanities of life/of this world*, οἱ ματαιότητες τῆς ζωῆς/αὐτοῦ τοῦ κόσμου. *All is* ~, ὅλα εἶναι μάταια/ἕνα ψέμα. **V**~ **Fair**, ὁ Κόσμος τῆς Ματαιότητος.

van·quish /ˋvæŋkwıʃ/ *ρ.μ.* νικῶ, κατατροπώνω: ~ *one's passions*, ὑποτάσσω τά πάϑη μου.

van·tage /ˋvantıdʒ/ *οὐσ.* ‹C› πλεονέκτημα, ὑπεροχή. ˋ~**-ground; point of** ~, πλεονεκτική ϑέσις/σκοπιά.

vapid /ˋvæpıd/ *ἐπ.* ἀνούσιος, σαχλός: ~ *conversation/style*, σαχλή συζήτησις/ἀνούσιο ὕφος. ~**·ly** *ἐπίρ.* ~**·ness**, **va·pid·ity** /vəˋpıdətı/ *οὐσ.* ‹C,U› ἀνιαρότης.

va·por·ize /ˋveıpəraız/ *ρ.μ./ἀ.* ἐξατμίζω/-ομαι, ἀεροποιῶ/-οῦμαι. **va·por·iz·ation** /ˈveıpəraıˋzeıʃn/ *οὐσ.* ‹U› ἐξάτμισις, ἀεροποίησις.

va·por·ous /ˋveıpərəs/ *ἐπ.* γεμᾶτος ἀτμούς, ἀχνώδης, (*μεταφ., πεπαλ.*) νεφελώδης, ἀσαφής.

va·pour /ˋveıpə(r)/ *οὐσ.* **1**. ‹U› ἀτμός, ἀχνός, πάχνη: *ˋwater/alcoˋholic* ~, ὑδρατμοί/ἀτμοί οἰνοπνεύματος. ˋ~**-bath**, ἀτμόλουτρο, χαμάμ. **2**. ‹C› νεφελώδης ἰδέα, φαντασίωσις, ἀποκύημα τῆς φαντασίας. **3**. (*πληϑ. μέ the, ἀπηρχ.*) κατάϑλιψις, μελαγχολία: *suffer from the* ~*s*, πάσχω ἀπό κατάϑλιψη.

vari·able /ˋveərıəbl/ *ἐπ.* μεταβλητός, εὐμετάβλητος, ἀσταϑής: ~ *winds/costs*, μεταβλητοί ἄνεμοι/-ές δαπάνες. *His mood/temper is* ~, ἡ διάϑεσίς του εἶναι εὐμετάβλητη. —*οὐσ.* ‹C› μεταβλητόν εἶδος, ποσότης. **vari·ably** /-əblı/ *ἐπίρ.* μεταβλητά, μέ ἀστάϑεια. ~**·ness**, **vari·abil·ity** /ˈveərıəˋbılətı/ *οὐσ.* ‹U› μεταβλητότης, (τό) εὐμετάβλητον.

vari·ance /ˋveərıəns/ *οὐσ.* ‹U› ***at*** ~, σέ διαφωνία, σέ διάσταση, σέ ἀντίθεση: *They are at ~ among themselves/with all the others*, διαφωνοῦν μεταξύ τους/μέ ὅλους τούς ἄλλους. *The two sisters have been at ~ for years*, οἱ δυό ἀδελφές εἶναι σέ διάσταση (στά μαχαίρια) ἐπί χρόνια. ***set at*** **~**, ἐνσπείρω διχόνοια.

vari·ant /ˋveərɪənt/ *οὐσ.* ‹C› παραλλαγή: *spelling ~s*, ὀρθογραφικές παραλλαγές. —*ἐπ.* παραλλάσσων, διαφορετικός.

vari·ation /ˈveərɪˋeɪʃn/ *οὐσ.* ‹C,U› **1**. ἀπόκλισις, μεταβολή: *~s of species*, ἀποκλίσεις τῶν εἰδῶν. *~s in public opinion*, μεταβολές/ταλαντεύσεις τῆς κοινῆς γνώμης. *~s of temperature*, μεταβολές/ἀποκλίσεις τῆς θερμοκρασίας. **2**. παραλλαγή: *There are many ~s of this ballad*, ὑπάρχουν πολλές παραλλαγές αὐτῆς τῆς μπαλλάντας.

vari·col·oured /ˋveərɪkʌləd/ *ἐπ.* ποικιλόχρωμος, παρδαλός.

vari·cose /ˋværɪkəʊs/ *ἐπ.* κιρσώδης: *~ stockings*, κάλτσες γιά κιρσούς. **~ veins**, κιρσώδεις φλέβες, κιρσοί.

var·ied /ˋveərɪd/ *ἐπ.* ποικίλος, διάφορος, διαφορετικός: *~ opinions*, ποικίλες γνῶμες. *a ~ career*, σταδιοδρομία μέ πολλές ἀλλαγές/μεταπτώσεις.

varie·gated /ˋveərɪgeɪtɪd/ *ἐπ.* ποικιλόχρωμος, διάστικτος, παρδαλός: *The flowers of pansies are often ~*, τά λουλούδια τοῦ πανσέ εἶναι συχνά ποικιλόχρωμα/παρδαλά. **varie·ga·tion** /ˈveərɪˋgeɪʃn/ *οὐσ.* ‹C,U› ποικιλοχρωμία.

var·iety /vəˋraɪətɪ/ *οὐσ.* **1**. ‹U› ποικιλία: *a life full of ~*, ζωή γεμάτη ποικιλία. *lend ~ to a menu/programme*, ποικίλλω ἕνα μενοῦ/ἕνα πρόγραμμα. *give ~ to sth*, δίνω ποικιλία σέ κτ. *I did it for a ~ of reasons*, τὄκαμα γιά πολλούς καί διαφόρους λόγους. *deal in a ~ of goods*, ἐμπορεύομαι ποικιλία εἰδῶν, πολλά καί διάφορα εἴδη. **2**. ‹C› ποικιλία, εἶδος: *a rare/new ~ of tulips*, μιά σπάνια/μιά καινούργια ποικιλιά τουλίπες. **3**. ‹U› βαριετέ (*πρβλ. ΗΠΑ: vaudeville*): *a ~ theatre/artist*, θέατρο/καλλιτέχνης τοῦ βαριετέ.

vari·form /ˋveərɪfɔm/ *ἐπ.* ποικιλόμορφος.

vari·orum /ˈveərɪɔrəm/ *ἐπ.* (*μόνον εἰς*) **ˋ~ edition**, ἔκδοσις μέ σχόλια ὑπό πολλῶν σχολιαστῶν.

vari·ous /ˋveərɪəs/ *ἐπ.* διάφορος, ποικίλος, πολλοί καί διάφοροι: *for ~ reasons*, γιά (πολλούς καί) διαφόρους λόγους. *at ~ times*, ἐπανειλημμένως, πολλές καί διάφορες φορές. *under ~ names*, μέ ποικίλα/διαφορετικά ὀνόματα. **~·ly** *ἐπίρ.* ποικιλοτρόπως.

var·nish /ˋvanɪʃ/ *οὐσ.* ‹C,U› βερνίκι, (*κυριολ. & μεταφ.*) λοῦστρο, ἐπίχρισμα: *Don't scratch the ~ on the table*, μήν ξύσης τό βερνίκι τοῦ τραπεζιοῦ. *take the ~ off sth*, παίρνω τό λοῦστρο/τή γυαλάδα ἀπό κτ. *a ~ of good manners*, ἕνα ἐπίχρισμα καλῶν τρόπων. **ˋnail-~**, βερνίκι τῶν νυχιῶν. —*ρ.μ.* βερνικώνω, λουστράρω, βάφω: *~ furniture/one's toe-nails*, λουστράρω ἔπιπλα/βάφω τά νύχια τῶν ποδιῶν μου.

vars·ity /ˋvasətɪ/ *οὐσ.* ‹C› (*καθομ.*) πανεπιστήμιο.

vary /ˋveərɪ/ *ρ.μ/ἀ.* ποικίλλω, παραλλάσσω, διαφέρω: *Prices ~ with the season*, οἱ τιμές ποικίλλουν ἀνάλογα μέ τήν ἐποχή. *One should ~ one's diet*, θά πρέπει νά ἔχη κανείς ποικιλία στό φαγητό του. *Opinions ~ on this question*, οἱ γνῶμες διαφέρουν σ' αὐτό τό θέμα. *They ~ in size and weight*, ποικίλλουν σέ μέγεθος καί βάρος.

vas·cu·lar /ˋvæskjʊlə(r)/ *ἐπ.* ἀγγειακός.

vase /vaz/ *οὐσ.* ‹C› βάζο, δοχεῖον.

va·sec·tomy /vəˋsektəmɪ/ *οὐσ.* ‹C,U› ἀγγειοεκτομή.

vas·eline /ˋvæsəlin/ *οὐσ.* ‹U› βαζελίνη.

vas·sal /ˋvæsl/ *οὐσ.* ‹C› ὑποτελής, δουλοπάροικος.

vast /vast/ *ἐπ.* ἀπέραντος, ἀχανής, τεράστιος: *a ~ expanse of ice*, ἀχανής ἔκτασις πάγου. *a ~ amount of energy*, τεράστια ποσότης ἐνεργείας. *a ~ sum of money*, κολοσσιαῖο χρηματικό ποσό. *a ~ difference*, τεράστια διαφορά. **~·ly** *ἐπίρ.* πελώρια, ἀπέραντα, πάρα πολύ: *~ly different/rich*, πάρα πολύ διαφορετικός/πλούσιος. **~·ness** *οὐσ.* ‹U› ἀπεραντοσύνη.

vat /væt/ *οὐσ.* ‹C› μεγάλο καδί, βούτα, δεξαμενή.

Vati·can /ˋvætɪkən/ *οὐσ.* **the ~**, τό Βατικανόν.

vaude·ville /ˋvɔdəvɪl/ *οὐσ.* ‹U› (*ΗΠΑ*) βαριετέ.

[1]**vault** /vɔlt/ *οὐσ.* ‹C› **1**. θόλος: *the ~ of a church*, ὁ θόλος μιᾶς ἐκκλησίας. *the ~ of heaven*, (*ποιητ.*) ὁ οὐράνιος θόλος. **2**. κελλάρι, ὑπόγειο: *a ˋwine-~*, κελλάρι κρασιῶν, κάβα. *the ~ of a Bank*, τό θησαυροφυλάκιο Τραπέζης. **~ed** /ˋvɔltɪd/ *ἐπ.* θολωτός: *a ~ed roof/chamber*, θολωτή ὀροφή/-ό δῶμα.

[2]**vault** /vɔlt/ *ρ.μ/ἀ.* πηδῶ (στηριζόμενος στά χέρια): *~ over a wall/into the saddle*, πηδῶ ἕναν τοῖχο/στή σέλλα. **ˋ~·ing-horse**, ἄλογο γυμναστικῆς, ἐφαλτήριον. —*οὐσ.* ‹C› ἅλμα: *ˋpole-~*, ἅλμα ἐπί κοντῷ. **~er** *οὐσ.* ‹C› ἅλτης.

vaunt /vɔnt/ *ρ.μ/ἀ.* (*λογοτ.*) κομπάζω, καυχῶμαι, ἐκθειάζω. **~·ing·ly** *ἐπίρ.* κομπαστικά.

veal /vil/ *οὐσ.* ‹U› μοσχάρι (κρέας): *a ~ cutlet*, μοσχαρίσια μπριτζόλα. *roast ~*, ψητό μοσχάρι.

veer /vɪə(r)/ *ρ.ἀ.* (*γιά ἀέρα, κοινή γνώμη κλπ*) γυρίζω, ἀλλάζω (κατεύθυνση): *The wind ~ed round to the north*, ὁ ἄνεμος γύρισε βορηᾶς.

veg·etable /ˋvedʒtəbl/ *οὐσ.* ‹C› φυτό, χορταρικό, λαχανικό: *Potatoes and cabbages are ~s*, οἱ πατάτες καί τά λάχανα εἶναι χορταρικά. —*ἐπ.* φυτικός: *the ~ kingdom*, τό φυτικό βασίλειο. *~ oils*, φυτικά ἔλαια.

veg·etar·ian /ˈvedʒɪˋteərɪən/ *οὐσ.* ‹C› & *ἐπ.* φυτοφάγος, χορτοφάγος: *a ~ diet*, χορτοφαγία. **~·ism** /-ɪzm/ *οὐσ.* ‹U› χορτοφαγία.

veg·etate /ˋvedʒɪteɪt/ *ρ.ἀ.* φυτοζωῶ, ζῶ χωρίς πνευματικά ἤ ἄλλα ἐνδιαφέροντα, ζῶ χωρίς δραστηριότητα.

veg·eta·tion /ˈvedʒɪˋteɪʃn/ *οὐσ.* ‹U› βλάστησις: *tropical/alpine ~*, τροπική/ἀλπική βλάστησις. *a desert with no sign of ~*, ἔρημος χωρίς ἴχνος βλαστήσεως. *luxuriant ~*, ὀργιαστική βλάστησις.

ve·he·mence /ˋviəməns/ *οὐσ.* ‹U› βιαιότης, σφοδρότης.

ve·he·ment /ˋviəmənt/ *ἐπ.* βίαιος, φλογερός, σφοδρός: *a man of ~ character*, ἄνθρωπος μέ βίαιο χαρακτῆρα. *~ passions/hatred*, βίαια πάθη/-ο μῖσος. ~ *desires/love*, φλογερές ἐπιθυμίες/-ή ἀγάπη. *a* ~ *wind*, σφοδρός ἀέρας. **~·ly** *ἐπίρ.*

ve·hicle /ˋviːkl/ *οὐσ.* ‹C› **1**. ὄχημα τῆς ξηρᾶς (*πρβλ. γιά θάλασσα καί ἀέρα craft*). **2**. (*μεταφ.*) φορεύς, μέσον (διαδόσεως/μεταβιβάσεως): *Art should not be used as a ~ for/of propaganda*, ἡ τέχνη δέν πρέπει νά χρησιμοποιεῖται ὡς μέσον προπαγάνδας. **ve·hicu·lar** /viˋhɪkjʊlə(r)/ *ἐπ.* τῶν ὀχημάτων: *vehicular traffic*, κυκλοφορία ὀχημάτων.

veil /veɪl/ *οὐσ.* ‹C› (*κυριολ. & μεταφ.*) πέπλος: *She raised/lowered her ~*, σήκωσε/χαμήλωσε τόν πέπλο της. *a bridal ~*, νυφικός πέπλος. *a ~ of mist/secrecy*, πέπλος ὁμίχλης/μυστικότητος. *under the ~ of patriotism/anonymity*, ὑπό τό πρόσχημα τοῦ πατριωτισμοῦ/ὑπό τό κάλυμμα τῆς ἀνωνυμίας. ***draw a ~ over sth***, ἀποσιωπῶ, ἀποκρύπτω, συγκαλύπτω κτ. ***take the ~***, γίνομαι μοναχή. __*ρ.μ.* καλύπτω, κρύβω, σκεπάζω: *She ~ed her face*, ἔκρυψε τό πρόσωπό της (μέ βέλος). *hills ~ed in mist*, λόφοι σκεπασμένοι μέ (κρυμένοι στήν) ὁμίχλη. **~·ing** *οὐσ.* ‹U› συγκάλυψις, πέπλα, τούλι.

vein /veɪn/ *οὐσ.* ‹C› **1**. (*ἀνατ.*) φλέβα. **2**. νεῦρο (φύλλου ἤ φτεροῦ ἐντόμου). **3**. (*γεωλ.*) φλέβα, στρῶμα: *a ~ of gold*, φλέβα χρυσοῦ. **4**. (*μεταφ.*) φλέβα, διάθεσις, τάσις: *There is a ~ of melancholy in his character*, ὑπάρχει μιά τάσις μελαγχολίας στό χαρακτῆρα του. *He writes well when he is in the (right) ~*, γράφει καλά ὅταν εἶναι σέ διάθεση. *He is of an imaginative ~*, εἶναι εὐφάνταστος. *They said other things, too, in the same ~*, εἶπαν κι᾿ ἄλλα πράγματα τοῦ ἰδίου εἴδους/μέ τό ἴδιο πνεῦμα. **~ed** /veɪnd/ *ἐπ.* φλεβώδης, μέ φλέβες.

veldt, veld /velt/ *οὐσ.* ‹C,U› βοσκότοπος (στήν Ν. ᾿Αφρική).

vel·lum /ˋveləm/ *οὐσ.* ‹U› περγαμηνή.

vel·oc·ity /vəˋlɒsətɪ/ *οὐσ.* ‹U› ταχύτης: *at the ~ of sound/light*, μέ τήν ταχύτητα τοῦ ἤχου/τοῦ φωτός.

ve·lours, ve·lour /vəˋlʊə(r)/ *οὐσ.* ‹U› μάλλινο βελοῦδο, βελουτέ.

vel·vet /ˋvelvɪt/ *οὐσ.* ‹U› βελοῦδο. __*ἐπ.* βελούδινος. ***an iron hand in a ~ glove***, σιδερένια γροθιά σέ βελούδινο γάντι, σκληρότης κρυμμένη κάτω ἀπό φαινομενική πραότητα. **~·een** /ˌvelvɪˋtin/ *οὐσ.* ‹U› βαμβακερό βελοῦδο, φέλπα. **~y** *ἐπ.* ἁπαλός, σά βελοῦδο: *~y skin*, βελούδινο δέρμα.

ve·nal /ˋvinl/ *ἐπ.* ἀργυρώνητος, ἐξαγοραζόμενος: *~ judges/politicians*, δικαστές/πολιτικοί πού ἐξαγοράζονται. **~·ly** /-nəlɪ/ *ἐπίρ.* **~·ity** /viˋnæləti/ *οὐσ.* ‹U› (τό) ἀργυρώνητον, δωροληψία.

vend /vend/ *ρ.μ.* (*νομ.*) πωλῶ. **ˋ~·ing machine**, αὐτόματος πωλητής. **~ee** /venˋdi/ *οὐσ.* ‹C› ἀγοραστής. **~or**, **~er** /ˋvendə(r)/ *οὐσ.* ‹C› πωλητής: *ˋstreet ~or*, ὑπαίθριος μικρέμπορος. *ˋnews~or*, ἐφημεριδοπώλης.

ven·detta /venˋdetə/ *οὐσ.* ‹C› βεντέττα.

ve·neer /vɪˋnɪə(r)/ *οὐσ.* **1**. ‹C,U› καπλαμᾶς. **2**. (*μεταφ.*) ἐπίστρωμα, λοῦστρο, πασάλειμμα: *a ~ of civilization*, ἕνα λοῦστρο πολιτισμοῦ. __*ρ.μ.* καπλαμάρω, ἐπιστρώνω.

ven·er·able /ˋvenərəbl/ *ἐπ.* **1**. σεβάσμιος, σεβαστός: *a ~ old man*, ἕνας σεβάσμιος γέρος. **2**. (*γιά ἀρχιδιάκονο*) αἰδεσιμώτατος. **3**. (*καθομ. ἐκκλ.*) ὅσιος.

ven·er·ate /ˋvenəreɪt/ *ρ.μ.* σέβομαι: *~ sb's memory*, σέβομαι τήν μνήμη κάποιου. **ven·er·ation** /ˌvenəˋreɪʃn/ *οὐσ.* ‹U› σεβασμός: *hold sb in veneration*, τρέφω σέβασμό γιά κπ.

ve·nereal /vɪˋnɪərɪəl/ *ἐπ.* ἀφροδίσιος: *~ disease* (*συγκεκ.* **VD**), ἀφροδίσιο νόσημα.

Ve·ne·tian /vɪˋniʃn/ *ἐπ.* ἐνετικός. **~ blind**, παντζούρι, γρίλλια. __*οὐσ.* ‹C› ῾Ενετός.

ven·geance /ˋvendʒəns/ *οὐσ.* ‹U› **1**. ἐκδίκησις, ἀνταπόδοσις: *seek ~ upon sb for sth*, ζητῶ ἐκδίκηση ἀπό κπ γιά κτ. ***take ~ on sb***, παίρνω ἐκδίκηση ἀπό κπ. **2**. ***with a ~***, (*καθομ.*) πολύ, μέ μανία, καί μέ τό παραπάνω: *It's raining with a ~*, βρέχει μέ τό τουλούμι.

venge·ful /ˋvendʒfl/ *ἐπ.* ἐκδικητικός.

ve·nial /ˋviniəl/ *ἐπ.* (*γιά σφάλμα, ἁμάρτημα, κλπ*) ἐλαφρός, συγχωρητέος, ἀσήμαντος.

ven·ison /ˋvenɪsn/ *οὐσ.* ‹U› κρέας ἐλαφιοῦ.

venom /ˋvenəm/ *οὐσ.* ‹U› δηλητήριο, (*μεταφ.*) φαρμάκι. **~ed** /ˋvenəmd/ *ἐπ.* (*μεταφ.*) φαρμακερός: *~ed remarks*, φαρμακερά λόγια. **~·ous** /ˋvenəməs/ *ἐπ.* δηλητηριώδης, φαρμακερός: *~ous snakes*, δηλητηριώδη φίδια. *a ~ous tongue/~ criticism*, φαρμακερή γλῶσσα/κριτική. **~·ous·ly** *ἐπίρ.*

ve·nous /ˋvinəs/ *ἐπ.* φλεβικός, νευρώδης: *~ blood*, αἷμα τῶν φλεβῶν. *~ leaves*, φύλλα μέ νεῦρα.

vent /vent/ *οὐσ.* ‹C› **1**. τρύπα, διέξοδος (γιά ὑγρό, ἀέρα, φῶς, καπνό). **ˋ~-hole**, τρύπα ἐξαερισμοῦ/φωτισμοῦ. ***give ~ to***, (*μεταφ.*) δίνω διέξοδο εἰς: *He gave ~ to his anger/indignation in a letter to the press*, ἔδωσε διέξοδο στό θυμό του/στήν ἀγανάκτησή του μ᾿ ἕνα γράμμα πρός τόν τύπο. **2**. (*ραπτ.*) σχισμή (κόψιμο) στό πίσω μέρος σακκακιοῦ. __*ρ.μ.* ***~ sth (up)on sb***, ξεθυμαίνω, ξεσπῶ πάνω σέ κπ γιά κτ: *He ~ed his ill-temper upon his poor wife*, ξεθύμανε τά νεῦρα του πάνω στή δυστυχισμένη γυναίκα του.

ven·ti·late /ˋventɪleɪt/ *ρ.μ.* **1**. ἀερίζω: *~ a room/theatre*, ἀερίζω ἕνα δωμάτιο/ἕνα θέατρο. **2**. (*καθομ.*) φέρω στή δημοσιότητα, βγάζω στή φόρα: *~ one's grievances*, διαλαλῶ τά παράπονά μου. **ven·ti·la·tion** /ˌventɪˋleɪʃn/ *οὐσ.* ‹U› ἐξαερισμός, δημοσία συζήτησις. **ven·ti·la·tor** /ˋventɪleɪtə(r)/ *οὐσ.* ‹C› ἐξαεριστήρας, ἀνεμιστήρας.

ven·tricle /ˋventrɪkl/ *οὐσ.* ‹C› (*ἀνατ.*) κοιλότης, κοιλία.

ven·tril·oquism /venˋtrɪləkwɪzm/ *οὐσ.* ‹U› ἐγγαστριμυθία. **ven·tril·oquist** /-kwɪst/ *οὐσ.* ‹C› ἐγγαστρίμυθος.

ven·ture /ˋventʃə(r)/ *οὐσ.* ‹C,U› **1**. τόλμημα, ἐγχείρημα: *He's ready for any ~*, εἶναι ἕτοιμος γιά ὅλα (γιά κάθε περιπέτεια). **2**. (*ἐμπ.*) ἐπιχείρησις, δουλειά: *I have no share in this ~*, δέν συμμετέχω σ᾿ αὐτή τή δουλειά. __*ρ.μ/ὰ.* **1**. διακινδυνεύω, ριψοκινδυνεύω, τολμῶ: *He ~d his life to save them from drowning*, διακινδύνευσε τή ζωή του γιά νά τούς σώση ἀπό πνιγμό. *Don't ~ too near the edge of the cliff*, μή ριψοκινδυνεύης πηγαίνοντας πολύ κοντά στά χεῖλος τοῦ βράχου. *He won't ~ out in such weather*, δέν θά τολμήση νά βγῆ ἔξω μέ τέτοιο καιρό. ***Nothing ~, nothing gain***. (*παροιμ.*) ὅποιος δέν διακινδυνεύει δέν κερδίζει τίποτα. **2**. (ἀπο)τολμῶ, παίρνω τό θάρρος: ~ *an opinion/a guess*, ἀποτολμῶ νά ἐκφέρω μιά γνώμη/νά κάνω μιά εἰκασία. *I ~ to disagree/to suggest that*..., παίρνω τό θάρρος νά διαφωνήσω/νά προτείνω ὅπως... **`~·some** /-səm/ *ἐπ.* (*γιά ἄνθρ.*) ριψοκίνδυνος, (*γιά ἐνέργεια*) παρακεκινδυνευμένος. **ven·tur·ous** /`ventʃərəs/ *βλ. adventurous*.

venue /`venju/ *οὐσ.* ‹C› (*καθομ.*) τόπος συναντήσεως.

Venus /`vinəs/ *οὐσ.* (*ἄστρον., μυθ.*) Ἀφροδίτη.

ver·acious /və`reiʃəs/ *ἐπ.* (*λόγ.*) ἀληθής, φιλαλήθης. **~·ly** *ἐπίρ.* **ver·ac·ity** /və`ræsətɪ/ *οὐσ.* ‹U› ἀλήθεια, φιλαλήθεια.

ve·ran·dah, ve·randa /və`rændə/ *οὐσ.* ‹C› βεράντα.

verb /vɜb/ *οὐσ.* ‹C› ρῆμα.

ver·bal /`vɜbl/ *ἐπ.* **1**. ρηματικός: *a ~ adjective*, ρηματικόν ἐπίθετον. **2**. λεκτικός: *a ~ error*, λεκτικόν λάθος. *a ~ distinction*, λεκτική διάκρισις. *a ~ dispute*, λογομαχία. **3**. προφορικός: *a ~ explanation/statement*, προφορική ἐξήγησις/δήλωσις. **4**. κατά λέξιν: *a ~ translation*, μετάφρασις κατά λέξιν. **~ly** /`vɜbəlɪ/ *ἐπίρ.* προφορικά, αὐτολεξεί. **~·ism** /-ɪzm/ *οὐσ.* ‹C› βερμπαλισμός, λογοκοπία. **~·ize** /`vɜbəlaɪz/ *ρ.μ.* ἐκφράζω (διά λόγου), λογοκοπῶ.

ver·ba·tim /vɜ`beɪtɪm/ *ἐπ.* αὐτολεξεί, κατά λέξιν: *report a speech ~*, μεταδίδω μιά ὁμιλία αὐτολεξεί.

ver·bena /vɜ`binə/ *οὐσ.* ‹C,U› (*βοτ.*) λουΐζα.

ver·bi·age /`vɜbɪɪdʒ/ *οὐσ.* ‹U› ἀπεραντολογία, φλυαρία: *The speaker lost himself in ~*, ὁ ὁμιλητής χάθηκε μέσα στήν πολυλογία.

ver·bose /vɜ`bəʊs/ *ἐπ.* φλύαρος, ἀπεραντολόγος: *a ~ speech/speaker/style*, φλύαρος λόγος/ὁμιλητής/-ο ὕφος. **~·ly** *ἐπίρ.* φλύαρα. **~·ness**, **ver·bos·ity** /vɜ`bosətɪ/ *οὐσ.* ‹U› φλυαρία, πολυλογία, ἀπεραντολογία.

ver·dant /`vɜdnt/ *ἐπ.* (*λογοτ.*) χλοερός, κατάφυτος.

ver·dict /`vɜdɪkt/ *οὐσ.* ‹C› **1**. (*νομ.*) ἐτυμηγορία: *The jury brought in a ~ of guilty/not guilty*, οἱ ἔνορκοι ἐκήρυξαν τόν κατηγορούμενο ἔνοχο/ἀθῷο. **open ~**, ἐτυμηγορία βεβαιοῦσα τό γεγονός καί τήν αἰτία τοῦ θανάτου ἀλλά ἀποφεύγουσα νά τόν χαρακτηρίση ὡς ἔγκλημα ἤ ἄλλως πως. **2**. κρίσις, γνώμη: *the ~ of the electors*, ἡ κρίσις τῶν ἐκλογέων. *the popular ~*, ἡ κοινή γνώμη, ἡ λαϊκή κρίσις.

ver·di·gris /`vɜdɪgrɪs/ *οὐσ.* ‹U› ὀξείδωσις τοῦ χαλκοῦ, γανίλα.

ver·dure /`vɜdʒə(r)/ *οὐσ.* ‹U› (*λογοτ.*) χλόη, πρασινάδα: *the ~ of spring*, ἡ χλόη/ἡ πρασινάδα τῆς ἀνοίξεως.

verge /vɜdʒ/ **1**. ‹C› ἄκρον: *grass ~*, χορταριασμένη ἄκρη (δρόμου). **2**. (*έν. μέ the*) χεῖλος. ***bring sb to/be on the ~ of***, φέρω κπ/εἶμαι στό χεῖλος: *He brought the country to the ~ of war*, ἔφερε τή χώρα στό χεῖλος τοῦ πολέμου. *She brought him to the ~ of madness*, τόν ἔφερε στό χεῖλος τῆς τρέλλας, κόντεψε νά τόν τρελλάνη. *She was on the ~ of bursting into tears*, ἦταν ἕτοιμη νά ξεσπάση σέ κλάματα. *We are on the ~ of disaster*, εἴμαστε στό χεῖλος τῆς καταστροφῆς. —*ρ.ἀ.* ***~ (up)on***, ἐγγίζω τά ὅρια, προσεγγίζω: *His behaviour ~s on madness*, ἡ συμπεριφορά του ἐγγίζει τά ὅρια τῆς τρέλλας.

verger /`vɜdʒə(r)/ *οὐσ.* ‹C› νεωκόρος, ἐκκλησάρης, ραβδοῦχος (πού φέρει τήν ράβδον ἐπισκόπου, κλπ).

ver·ify /`verɪfaɪ/ *ρ.μ.* **1**. ἐπαληθεύω: ~ *the figures/details of a report*, ἐπαληθεύω τά νούμερα/τίς λεπτομέρειες μιᾶς ἐκθέσεως. **2**. ἐπιβεβαιῶ: *My suspicions were verified*, οἱ ὑποψίες μου ἐπιβεβαιώθηκαν. **veri·fi·able** /`verɪfaɪəbl/ *ἐπ.* ἐξακριβώσιμος. **veri·fi·ca·tion** /`verɪfɪ`keɪʃn/ *οὐσ.* ‹U› ἐπαλήθευσις, ἐπιβεβαίωσις.

ver·ily /`verɪlɪ/ *ἐπίρ.* (*ἀπηρχ.*) ἀληθῶς, ὄντως.

veri·si·mili·tude /`verɪsɪ`mɪlɪtjud/ *οὐσ.* ‹C,U› ἀληθοφάνεια, πιθανότης.

veri·table /`verɪtəbl/ *ἐπ.* ἀληθινός, πραγματικός: *a ~ deluge*, ἀληθινός κατακλυσμός.

ver·ity /`verətɪ/ *οὐσ.* ‹C,U› ἀλήθεια: *the eternal verities*, οἱ αἰώνιες ἀλήθειες.

ver·mi·celli /`vɜmɪ`selɪ/ *οὐσ.* ‹U› φιδές.

ver·mi·form /`vɜmɪfɔm/ *ἐπ.* σκωληκοειδής.

ver·mil·lion /və`mɪlɪən/ *ἐπ.* κατακόκκινος, βερμιγιόν. —*οὐσ.* ‹C,U› ζωηρό κόκκινο χρῶμα.

ver·min /`vɜmɪn/ *οὐσ.* ‹U› (*μέ ρ. πληθ. ἀλλά ὄχι μέ ἀριθμ. ἐπ.*) **1**. βλαβερά ζῶα (πχ ποντίκια, ἀλεποῦδες, κλπ). **2**. ζωΰφια, παράσιτα (ψεῖρες, κλπ). **3**. (*γιά ἀνθρώπ.*) παράσιτα, βδέλλες, πληγή. **`~·ous** /-əs/ *ἐπ.* **1**. ψειριασμένος, σκουληκιασμένος: *~ous children/dogs/cheese*, ψειριασμένα παιδιά/σκυλιά/σκουληκιασμένο τυρί. **2**. προκαλούμενος ἀπό παράσιτα: *~ous sores/diseases*, πληγές/ἀρρώστειες ἀπό ζωΰφια.

ver·mouth /`vɜməθ/ *οὐσ.* ‹U› βερμούτ.

ver·nacu·lar /və`nækjʊlə(r)/ *ἐπ.* (*γιά γλῶσσα, λέξεις, κλπ*) τοπικός, ὁμιλούμενος: *the ~ press*, ὁ τοπικός τύπος. *~ Greek*, ἡ ὁμιλουμένη Ἑλληνική. —*οὐσ.* ‹C› τοπολαλιά, ἰδίωμα, καθομιλουμένη (γλῶσσα): *the ~s of the USA*, τά τοπικά ἰδιώματα τῶν ΗΠΑ. *our own ~*, ἡ μητρική μας γλῶσσα.

vernal /`vɜnl/ *ἐπ.* (*λογοτ.*) ἐαρινός. **the ~ equinox**, ἡ ἐαρινή ἰσημερία (21 Μαρτίου).

ver·sa·tile /`vɜsətaɪl/ *ἐπ.* **1**. πολύπλευρος, πολυμήχανος, γόνιμος, πολυγράφος: *a ~ genius*, πολύπλευρη ἰδιοφυΐα, καθολικό πνεῦμα. *a ~ inventor*, πολυμήχανος ἐφευρέτης. *a ~ mind/writer*, γόνιμο μυαλό/πολυγράφος συγγραφεύς. **2**. (*γιά πρᾶγμα*) πολαπλῶς χρήσιμος. **ver·sa·til·ity** /`vɜsə`tɪlətɪ/ *οὐσ.* ‹U› πολυμέρεια, γονιμότης, εὐστροφία, πολυγραφότης, πολλαπλῆ χρησιμότης.

verse /vɜs/ *οὐσ.* **1**. ‹U› ἔμμετρος λόγος, ποίησις: *prose and ~*, πεζός καί ποιητικός λόγος. *A Book of English V~*, Ἀνθολογία τῆς Ἀγγλικῆς Ποιήσεως. *a ~ translation of the 'Iliad'*, ἔμμετρη μετάφρασις τῆς Ἰλιάδος. **blank ~**, ἀνομοιοκατάληκτος στίχος. **2**. ‹C› στροφή: *a poem of three ~s*, ποίημα τριῶν στροφῶν. **3**. ‹C› στίχος: *a few ~s from Byron*, λίγοι στίχοι ἀπό τόν Βύρωνα. **4**. ‹C› (*Α.Γ.*) ἐδάφιον. ***give chapter and ~ (for sth)***, ἀναφέρω ἐπακριβῶς τίς πηγές μου, δίνω ἀκριβῆ στοιχεῖα γιά μιά παραπομπή.

versed /vɜst/ ἐπ. **(well) ~ in sth**, μυημένος, τέλειος γνώστης, πεπειραμένος: *He is well ~ in poetry/maths*, εἶναι μυημένος στήν ποίηση/ξέρει πολύ καλά μαθηματικά.
ver·sify /ˋvɜsɪfaɪ/ ρ.μ. μεταγράφω σέ στίχους, στιχουργῶ: *~ an old legend*, γράφω σέ στίχους ἕναν παληό θρῦλο. **ver·si·fier** οὐσ. ‹C› στιχουργός, στιχοπλόκος. **ver·si·fi·ca·tion** /ˌvɜsɪfɪˋkeɪʃn/ οὐσ. ‹U› στιχουργία, ἔμμετρος μεταγραφή.
ver·sion /ˋvɜʃn/ οὐσ. ‹C› **1**. ἑρμηνεία, ἐκδοχή, ἄποψις: *contradictory ~s of an event*, ἀντιφατικές ἑρμηνεῖες/ἐκδοχές ἑνός γεγονότος. *according to his ~*, σύμφωνα μέ τά λεγόμενά του/μέ τή δική του ἐκδοχή. *What's your ~ of the accident?* ποιά εἶναι ἡ δική σου ἄποψις/ἐκδοχή γιά τό ἀτύχημα; **2**. μετάφρασις: *the Authorized V~ of the Bible*, ἡ ἐπίσημη μετάφρασις τῆς Βίβλου.
verso /ˋvɜsəʊ/ οὐσ. ‹C› (πληθ. *~s*) **1**. ἀριστερή σελίδα. **2**. ἡ ἀνάποδη ὄψις νομίσματος.
ver·sus /ˋvɜsəs/ πρόθ. (Λατ. συγκεκ. εἰς **v**) ἐναντίον, κατά: *Smith v Hill*, (σέ δίκη) Σμίθ κατά Χίλ. *Arsenal v Ajax*, ἡ Ἄρσεναλ ἐναντίον τοῦ Ἄγιαξ.
ver·te·bra /ˋvɜtɪbrə/ οὐσ. ‹C› (πληθ. *~e* /-bri/) σπόνδυλος. **ver·te·bral** ἐπ. σπονδυλικός: *the vertebral column*, ἡ σπονδυλική στήλη. **ver·te·brate** /ˋvɜtɪbrət/ ἐπ. & οὐσ. ‹C› σπονδυλωτός.
ver·tex /ˋvɜteks/ οὐσ. ‹C› (πληθ. *vertices* /-tɪsiz/) **1**. κορυφή (τριγώνου, τόξου, κλπ). **2**. (μεταφ.) ἀποκορύφωμα, ζενίθ.
ver·ti·cal /ˋvɜtɪkl/ ἐπ. & οὐσ. ‹C› κατακόρυφος, κάθετος: *a ~ cliff/take-off*, κατακόρυφος βράχος/κάθετος ἀπογείωσις. **~ly** /-klɪ/ ἐπίρ.
ver·tices /ˋvɜtɪsiz/ οὐσ. πληθ. βλ. *vertex*.
ver·tigin·ous /vɜˋtɪdʒɪnəs/ ἐπ. (λόγ.) ἰλιγγιώδης, ἰλιγγιῶν.
ver·tigo /ˋvɜtɪgəʊ/ οὐσ. ‹U› (λόγ.) ἴλιγγος.
verve /vɜv/ οὐσ. ‹U› οἶστρος, ζωντάνια, σφρῖγος: *act with ~*, παίζω μέ οἶστρο/μέ ζωντάνια.
[1]**very** /ˋverɪ/ ἐπ. **1**. (σπάνιον) ἀληθινός: *V~ God of ~ God*, Θεός ἀληθινός ἐκ Θεοῦ ἀληθινοῦ. **2**. ἀκριβής, ἀκριβῶς: *This is the ~ thing/man I want*, εἶναι ἀκριβῶς τό πρᾶγμα/ὁ ἄνθρωπος πού θέλω. *at that ~ moment*, ἐκείνη ἀκριβῶς τή στιγμή. *I'll do it this ~ evening*, θά τό κάμω ἀπόψε κι' ὅλας. **3**. ἴδιος, μόνον: *These are his ~ words*, αὐτά εἶναι τά ἴδια του τά λόγια. *He knows our ~ thoughts*, ξέρει ἀκόμα καί τίς σκέψεις μας. *The ~ thought frightens me*, καί μόνον ἡ ἰδέα μέ τρομάζει. **4**. (ἐπιτατικῶς): *at the ~ beginning*, στήν ἀρχή-ἀρχή. *He lives at the ~ end of the town*, ζεῖ ἐντελῶς στήν ἄκρη τῆς πόλης. *It grieves me to the ~ heart*, μέ θλίβει κατάκαρδα.
[2]**very** /ˋverɪ/ ἐπίρ. **1**. (χρησιμοποιεῖται μέ ἐπ., ἐπιρ. καί μετοχές. Γιά τίς περιπτώσεις χρήσεως τοῦ *very* καί *much*, βλ. [2]*much*) πολύ: *He's ~ good/well*, εἶναι πολύ καλός/καλά (πρβλ. *much better*). *a ~ amusing story*, μιά πολύ διασκεδαστική ἱστορία. *He looked ~ surprised*, φάνηκε πολύ ἔκπληκτος (πρβλ. *I wasn't much surprised at the news*). **2**. (ἐπιτατικῶς, μέ τό *own* ἤ ἐπίθ. ὑπερθετικοῦ βαθμοῦ): *He was the ~ first to arrive*, ἦταν ὁ πρῶτος-πρῶτος πού ἔφθασε. *at ten o'clock at the ~ latest*, στίς δέκα ἡ ὥρα τό πολύ-πολύ. *the ~ next day*, τήν ἀμέσως ἑπομένη ἡμέρα. *It's the ~ best quality*, εἶναι ἀσυζητητί ἡ καλύτερη ποιότητα. *You can keep it for your ~ own*, μπορεῖς νά τό κρατήσης ἀποκλειστικά δικό σου.
Very, Verey /ˋverɪ/ ἐπ. **ˋ~ light**, φωτοβολίδα. **ˋ~ pistol**, πιστόλι φωτοβολίδων.
ves·icle /ˋvesɪkl/ οὐσ. ‹C› (ἰατρ.) μικρή κύστις, φλύκταινα, φουσκάλα. **ves·icu·lar** /vəˋsɪkjʊlə(r)/ ἐπ. κυστικός, φλυκταινώδης.
ves·pers /ˋvespəz/ οὐσ. πληθ. Ἑσπερινός. **ves·per** ἐπ. ἑσπερινός: *the vesper bell*, ἡ καμπάνα τοῦ ἑσπερινοῦ.
vessel /ˋvesl/ οὐσ. ‹C› **1**. ἀγγεῖον, σκεῦος: *ˋblood ~s*, αἱμοφόρα ἀγγεῖα. **2**. σκάφος, πλοῖον.
[1]**vest** /vest/ οὐσ. ‹C› **1**. ἐσωτερική φανέλλα. **2**. (ἐμπ.) γιλέκο (στήν καθομ. *waistcoat*): *a ~-pocket camera*, φωτογραφική μηχανή τῆς τσέπης (τοῦ γιλέκου). *coat, ~ and trousers*, (στό ράφτη) σακκάκι, γιλέκο καί παντελόνι.
[2]**vest** /vest/ ρ.μ/ἀ. **1**. **~ sb with sth**, περιβάλλω: *~ sb with absolute authority*, περιβάλλω κπ μέ ἀπόλυτη ἐξουσία. *Congress is ~ed with the power to declare war*, τό Κογκρέσσο εἶναι περιβεβλημένο μέ (ἔχει) τό δικαίωμα τῆς κηρύξεως πολέμου. ***have a ~ed interest (in sth)***, ἔχω ἴδιον συμφέρον σέ κτ. **~ed rights/interests**, κεκτημένα δικαιώματα. **2**. **~ (sth) in sb**, παραχωρῶ κτ σέ κπ, ἀνήκω: *~ property in sb*, παραχωρῶ περιουσία σέ κπ. *authority that ~s in the Crown*, ἐξουσία πού ἀνήκει στό Στέμμα. *In Greece authority is ~ed in the people*, στήν Ἑλλάδα ἡ ἐξουσία ἀνήκει στό λαό. **3**. (ἀπηρχ.) ἐνδύω.
ves·tal /ˋvestl/ οὐσ. ‹C› **~ (virgin)**, ἑστιάς (παρθένος). —ἐπ. ἁγνός.
ves·ti·bule /ˋvestɪbjul/ οὐσ. ‹C› **1**.χώλ, προθάλαμος: *the ~ of a theatre*. **2**. προπύλαιον ναοῦ. **3**. (ΗΠΑ) βαγόνι μέ διάδρομο (πρός τό ἑπόμενο βαγόνι).
ves·tige /ˋvestɪdʒ/ οὐσ. ‹C› ἴχνος, ὑπόλειμμα: *Not a ~ of the temple remains*, δέν σώζεται οὔτε ἴχνος τοῦ ναοῦ. *There's not a ~ of truth in the rumour*, δέν ὑπάρχει οὔτε ἴχνος ἀληθείας στή διάδοση. *A human being has the ~ of a tail*, ὁ ἄνθρωπος ἔχει ὑπολείμματα οὐρᾶς. **ves·tigial** /veˋstɪdʒɪəl/ ἐπ. ὑποτυπώδης.
vest·ment /ˋvestmənt/ οὐσ. ‹C› (ἐκκλ.) ἄμφιον.
ves·try /ˋvestrɪ/ οὐσ. ‹C› **1**. σκευοφυλάκιον. **2**. αἴθουσα ἐπιτρόπων. **3**. ἐνοριακή ἐπιτροπή. **ˋ~·man** /-mən/ μέλος ἐνοριακῆς ἐπιτροπῆς.
[1]**vet** /vet/ οὐσ. ‹C› (καθομ., βραχυλ. γιά *veterinary surgeon*) κτηνίατρος.
[2]**vet** /vet/ ρ.μ. *(-tt-)* (καθομ.) **1**. ὑποβάλλω σέ ἰατρική ἐξέταση. **2**. ἐξετάζω λεπτομερῶς: *The post was confidential and he was thoroughly ~ted before he was appointed*, ἡ θέσις ἦταν ἐμπιστευτική καί πέρασε ἀπό ἐξονυχιστική ἔρευνα πρίν διοριστῆ.
vetch /vetʃ/ οὐσ. ‹C,U› (βοτ.) βῖκος.
vet·eran /ˋvetərən/ οὐσ. ‹C› παλαίμαχος, παλαιός πολεμιστής, βετερᾶνος: *a ~ teacher*, παλαίμαχος δάσκαλος. *a ~ of two wars*, παλαίμαχος δύο πολέμων. **ˋV~s Day**,

Ἡμέρα Παλαιῶν Πολεμιστῶν (11η Νοεμβρίου).

vet·erin·ary /ˋvetrɪnərɪ/ *ἐπ.* κτηνιατρικός.

veto /ˋviːtəʊ/ *οὐσ.* ‹C› (*πληθ.* ~*es*) ἀρνησικυρία, βέτο: *exercise the* ~, ἀσκῶ βέτο. *put a* ~ *on sth*, προβάλλω βέτο σέ κτ. __*ρ.μ.* ἀπαγορεύω: *The police* ~*ed the meeting*, ἡ ἀστυνομία ἀπαγόρευσε τήν συγκέντρωση.

vex /veks/ *ρ.μ.* **1**. πειράζω, θυμώνω, ἐξοργίζω: *She was* ~*ed that I didn't help her*, πειράχτηκε/θύμωσε πού δέν τήν βοήθησα. *He was* ~*ed at his failure*, ἦταν ἐξοργισμένος ἀπό τήν ἀποτυχία του. *Don't be* ~*ed with me*, μήν τά βάζης μαζί μου. *Her silly chatter would* ~ *a saint*, ἡ ἀνόητη φλυαρία της θά ἐξόργιζε καί ἅγιο. ***a*** ~***ed question***, ἐπίμαχο θέμα. ~**·ation** /vekˋseɪʃn/ *οὐσ.* ‹C,U› ἐνόχλησις, ἐκνευρισμός: *the little* ~*ations of life*, οἱ μικροστενοχώριες τῆς ζωῆς. *We have constant* ~*ations from our neighbours*, ἔχομε συνεχεῖς ἐνοχλήσεις ἀπό τούς γειτόνους μας. *be in a state of* ~*ation*, εἶμαι σέ κατάσταση ἐκνευρισμοῦ. ~**·atious** /vekˋseɪʃəs/ *ἐπ.* ἐνοχλητικός, ἐκνευριστικός: ~*atious interruptions*, ἐκνευριστικές διακοπές.

via /ˋvaɪə/ *πρόθ.* (*Λατ.*) μέσῳ, διαμέσου: *travel from Athens to London* ~ *Rome*, ταξιδεύω ἀπό τήν Ἀθήνα στό Λονδῖνο μέσῳ Ρώμης.

vi·able /ˋvaɪəbl/ *ἐπ.* βιώσιμος: *Is the new state* ~*?* εἶναι τό νέο κράτος βιώσιμο (θά μπορέση νά ἐπιζήση); **vi·abil·ity** /ˈvaɪəˋbɪlətɪ/ *οὐσ.* ‹U› βιωσιμότης, ἱκανότης ἐπιβιώσεως.

vi·aduct /ˋvaɪədʌkt/ *οὐσ.* ‹C› ὁδογέφυρα.

vial /ˋvaɪəl/ *οὐσ.* ‹C› φιαλίδιον (*ἰδ.* μέ φάρμακο).

via media /ˈvaɪə ˋmidɪə/ (*Λατ.*) μέση ὁδός.

vi·ands /ˋvaɪəndz/ *οὐσ. πληθ.* (*λόγ.*) τροφαί, προμήθειαι.

vi·brant /ˋvaɪbrənt/ *ἐπ.* παλλόμενος, δονούμενος, σφύζων.

vi·brate /vaɪˋbreɪt/ *ρ.μ/ἀ.* **1**. δονῶ/-οῦμαι, τρέμω: *The house* ~*s whenever a heavy lorry passes*, τό σπίτι δονεῖται (τρέμει) κάθε φορά πού περνάει μεγάλο φορτηγό. **2**. πάλλω/-ομαι, σφύζω: *His voice* ~*d with emotion*, ἡ φωνή του ἔπαλλε ἀπό συγκίνηση.

vi·bra·tion /vaɪˋbreɪʃn/ *οὐσ.* **1**. ‹U› κραδασμός, δόνησις. **2**. ‹C› παλμός, ταλάντευσις.

vi·bra·tor /vaɪˋbreɪtə(r)/ *οὐσ.* ‹C› δονητής, μηχάνημα γιά μασάζ.

vicar /ˋvɪkə(r)/ *οὐσ.* ‹C› **1**. ἐφημέριος. **2**. ἀντιπρόσωπος. **the** ~ **of Christ**, ὁ ἀντιπρόσωπος τοῦ Χριστοῦ (ὁ Πάπας). **cardinal** ~, Καρδινάλιος ἀντιπρόσωπος τοῦ Πάπα στήν ἐπισκοπή τῆς Ρώμης. ˋ~**·age** /ˋvɪkərɪdʒ/ *οὐσ.* ‹C› κατοικία/ἀξίωμα ἐφημερίου.

vi·cari·ous /vɪˋkeərɪəs/ *ἐπ.* **1**. (*γιά ἐξουσία*) δοτή. **2**. ὑποκατάστατος δι' ἄλλου, παρ' ἄλλου, ὑπό ἄλλου: *feel a* ~ *pleasure/satisfaction*, αἰσθάνομαι τήν εὐχαρίστηση/ἱκανοποίηση ἄλλου σά δική μου. ~**·ly** *ἐπίρ.* δι' ἀντιπροσώπου: *I go to church* ~*ly*, πηγαίνω στήν ἐκκλησία δι' ἀντιπροσώπου (*δηλ.* στέλνω ἄλλον ἀντί νά πάω ὁ ἴδιος).

[1]**vice** /vaɪs/ *οὐσ.* ‹C,U› ἀκολασία, ἀνηθικότης, ἔκλυσις ἠθῶν, βίτσιο, ἐλάττωμα, κουσούρι: *live in/sink into* ~, ζῶ/πέφτω στήν ἀνηθικότητα. *Gluttony, gambling and drunkenness are* ~*s*, ἡ λαιμαργία, ἡ χαρτοπαιξία καί ἡ μέθη εἶναι βαριά ἐλαττώματα. *The horse is free from* ~*/has no* ~*s*, τό ἄλογο εἶναι χωρίς ἐλαττώματα/δέν ἔχει κουσούρια.

[2]**vice** /vaɪs/ *οὐσ.* ‹C› μέγγενη.

[3]**vice** /vaɪs/ (*καθομ. βραχ.*) ἀντιπρόεδρος, ἀντιπρύτανις, ὑποπρόξενος.

[4]**vice** /vaɪs/ *πρόθ.* (*Λατ. λόγ.*) ἀντί, εἰς ἀντικατάστασιν τοῦ: *He has been appointed chief accountant* ~ *Mr Smith, who has retired*, διορίστηκε ἀρχιλογιστής ἀντί τοῦ κ. Σ., ὁ ὁποῖος πῆρε σύνταξη.

vice- /vaɪs/ *πρόθεμα* ἀντί-, ὑπό-: ˈ~-ˋ*president*, ἀντιπρόεδρος. ˈ~-ˋ*consul*, ὑποπρόξενος.

viceroy /ˋvaɪsrɔɪ/ *οὐσ.* ‹C› ἀντιβασιλεύς.

vice versa /ˈvaɪsɪ ˋvɜsə/ *ἐπίρ.* (*Λατ.*) ἀντιστρόφως: *We gossip about them and* ~, ἐμεῖς κουτσομπολεύομε αὐτούς καί αὐτοί ἐμᾶς. *We work to live, and not* ~, δουλεύομε γιά νά ζοῦμε καί ὄχι ἀντιστρόφως.

vi·cin·ity /vɪˋsɪnətɪ/ *οὐσ.* ‹C,U› ἐγγύτης, γειτνίασις, γειτονιά: *in close* ~ *to the church*, πολύ κοντά στήν ἐκκλησία. *the northern vicinities of Athens*, οἱ βορεινές γειτονιές τῆς Ἀθήνας. *There isn't a good school in the* ~, δέν ὑπάρχει καλό σχολεῖο στήν περιοχή/στά πέριξ. *the factory and its* ~, τό ἐργοστάσιο καί τά γύρω του.

vi·cious /ˋvɪʃəs/ *ἐπ.* **1**. φαῦλος, αἰσχρός, ἀκόλαστος, ἀνήθικος: ~ *habits/tastes*, φαῦλες συνήθειες/αἰσχρά γοῦστα. *a* ~ *life*, ἀκόλαστη (ἀνήθικη) ζωή. **2**. κακός, μοχθηρός: *a* ~ *kick/look*, μοχθηρή κλωτσιά/ματιά. *get/become* ~, κακεύω πολύ. **3**. (*γιά ἄλογο*) τσινιάρικο. **4**. (*γιά ἐπιχείρημα*) ἐσφαλμένος, ἐλαττωματικός. ˈ~ ˋ**circle**, φαῦλος κύκλος. ~**·ly** *ἐπίρ.* αἰσχρά, ἀκόλαστα, μοχθηρά, ἐλαττωματικά: *He banged the door* ~*ly*, χτύπησε τήν πόρτα μέ κακία. ~**·ness** *οὐσ.* ‹U› μοχθηρότης.

vi·ciss·itude /vɪˋsɪsɪtjud/ *οὐσ.* ‹C› μεταστροφή: *the* ~*s of fortune*, οἱ μεταστροφές τῆς τύχης. *the* ~*s of life*, τά σκαμπανεβάσματα τῆς ζωῆς.

vic·tim /ˋvɪktɪm/ *οὐσ.* ‹C› θῦμα: *He's a* ~ *of his own foolishness*, εἶναι θῦμα τῆς ἴδιας του τῆς ἀνοησίας. *the* ~*s of the earthquake/floods/fire*, οἱ σεισμόπληκτοι/οἱ πλημμυροπαθεῖς/οἱ πυροπαθεῖς. *the* ~*s of the plague/accident*, τά θύματα τῆς πανούκλας/τοῦ ἀτυχήματος. ***fall a*** ~ ***to***, πέφτω θῦμα τοῦ: *He fell a* ~ *to his credulity*, ἔπεσε θῦμα τῆς εὐπιστίας του. ~**·ize** /-aɪz/ *ρ.μ.* κατατρέχω, μεταχειρίζομαι κπ ὡς ἐξιλαστήριον θῦμα, τιμωρῶ γιά ἀντίποινα: *Some of the strikers were* ~*ized*, μερικοί ἀπό τούς ἀπεργούς ἔγιναν τά ἐξιλαστήρια θύματα. ~**·iz·ation** /ˈvɪktəmaɪˋzeɪʃn/ *οὐσ.* ‹U› τιμωρία, διωγμός, κατατρεγμός.

vic·tor /ˋvɪktə(r)/ *οὐσ.* ‹C› νικητής.

Vic·tor·ian /vɪkˋtɔrɪən/ *οὐσ.* ‹C› & *ἐπ.* Βικτωριανός (τῆς ἐποχῆς τῆς Βασιλίσσης Βικτωρίας, 1837–1901).

vic·tori·ous /vɪkˋtɔrɪəs/ *ἐπ.* νικητής, νικηφόρος, νικητήριος: *be* ~ *over sb*, ἐξέρχομαι νικητής ἔναντι κάποιου. *our* ~ *army*, τά νικηφόρα στρατεύματά μας. ~**·ly** *ἐπίρ.* νικηφόρα.

vic·tory /ˋvɪktərɪ/ *οὐσ.* ‹C,U› νίκη: *gain/win a*

~ *over the enemy*, κερδίζω νίκη ἐναντίον τοῦ ἐχθροῦ. *lead sb to* ~, ὁδηγῶ κπ στήν νίκη.

vict·ual /ˈvɪtl/ *ρ.μ/ὰ.* (-ll-) (*λόγ.*) ἐφοδιάζω/-ομαι μέ τρόφιμα: ~ *a ship*, ἀνεφοδιάζω πλοῖο. *The ship* ~*led at Suez*, τό πλοῖο ἀνεφοδιάστηκε στό Σουέζ. —*οὐσ.* ‹C› (*συνήθ. πληθ.*) τρόφιμα, προμήθειες. ~**·ler** /ˈvɪtələ(r)/ *οὐσ.* ‹C› (*λόγ.*) τροφοδότης, ἐπισιτιστής.

vide /ˈvaɪdɪ/ (*Λατ.*) ἴδε, ὅρα: ~ ˈ*infra*/ˈ*supra*, ὅρα κατωτέρω/ἀνωτέρω.

vide·licet /vɪˈdiːlɪset/ *ἐπίρ.* (*συγκεκ.* **viz**) δηλαδή, τουτέστιν.

video /ˈvɪdɪəʊ/ *οὐσ.* ‹C,U› (*ΗΠΑ*) τηλεόρασις. ˈ~**-tape**, ταινία ἐγγραφῆς προγραμμάτων τηλεοράσεως. ~**(-tape) recording**, μαγνητοσκόπησις.

vie /vaɪ/ *ρ.ὰ.* ~ ***with sb (for sth)***, ἁμιλλῶμαι, συναγωνίζομαι, παλεύω: *The two boys* ~*d with one another for (the) first place*, τά δυό παιδιά συναγωνίζονταν μεταξύ τους γιά τήν πρώτη θέση.

[1]**view** /vju/ *οὐσ.* **1**. ‹U› ὄψις, ὅρασις, βλέμμα, μάτια: *Land in* ~*!* ξηρά ἐν ὄψει! ***in full*** ~, μπροστά σέ ὅλους, ἐνώπιον ὅλων: *He slipped and fell down in full* ~ *of the class*, γλίστρησε κι᾽ ἔπεσε μπροστά στά μάτια ὅλης τῆς τάξης. ***at first*** ~, ἐκ πρώτης ὄψεως, μέ τήν πρώτη ματιά. ***in*** ~ ***of***, ἐν ὄψει, λαμβάνοντες ὑπ᾽ ὄψιν: *in* ~ *of his age*, ἐν ὄψει τῆς ἡλικίας του, παίρνοντας ὑπ᾽ ὄψιν τήν ἡλικία του. ***on*** ~, ἐκτεθειμένος, σέ κοινή θέα: *The new fashions are now on* ~ *in the big shops*, οἱ νέες μόδες ἐκτίθενται τώρα στά μεγάλα καταστήματα. ***come in*** ~ ***of/come into*** ~, ἀντικρύζω/ἐμφανίζομαι: *As we rounded the bend we came in* ~ *of Delphi/Delphi came into* ~, καθώς πήραμε τή στροφή ἀντικρύσαμε τούς Δελφούς/φάνηκαν οἱ Δελφοί. ***pass from*** ~, ἐξαφανίζομαι: *The hill passed from our* ~, ὁ λόφος ἐξαφανίστηκε ἀπό τά μάτια μας. **2**. ‹C› θέα, εἰκόνα: *The* ~ *from the verandah is lovely*, ἡ θέα ἀπό τή βεράντα εἶναι ὑπέροχη. *You get a better* ~ *of the lake from the hilltop*, ἔχεις καλύτερη θέα τῆς λίμνης (τή βλέπεις καλύτερα) ἀπό τήν κορυφή τοῦ λόφου. ~*s of Greece*, εἰκόνες ἀπό τήν Ἑλλάδα. **3**. ‹C› ἄποψις, ἀντίληψις, γνώμη: *What are your* ~*s on this question?* ποιές εἶναι οἱ ἀπόψεις σου σ᾽ αὐτό τό θέμα; *express a* ~, ἐκφέρω μιά γνώμη. *have strong/decided/clear* ~*s on sth*, ἔχω σαφεῖς/ξεκαθαρισμένες ἀπόψεις σέ κτ. *hold extreme* ~*s on sth*, ἔχω ἀκραῖες ἀντιλήψεις γιά κτ. *He took a poor* ~ *of my conduct*, δέν τοῦ ἄρεσε ἡ συμπεριφορά μου (δέν τήν εἶδε μέ καλό μάτι). ***in my*** ~, κατά τήν ἄποψή μου, κατά τή γνώμη μου. ***fall in/meet with sb's*** ~***s***, συμφωνῶ μέ τίς ἀπόψεις κάποιου. **4**. σκοπός, πρόθεσις, βλέψις. ***have sth in*** ~, ἐπιδιώκω, κοιτάζω, σχεδιάζω κτ, ἀποβλέπω σέ κτ, ἔχω κτ ὑπ᾽ ὄψιν: *He has only his own interest in* ~, κοιτάζει μόνο τό δικό του τό συμφέρον. ***with a (ἤ the)*** ~ ***of/to doing sth***, μέ (τό) σκοπό νά κάμω κτ: *with the* ~ *of helping them*, μέ τό σκοπό νά τούς βοηθήσω. *with a* ~ *to buying it*, μέ σκοπό νά τ᾽ ἀγοράσω. (*βλ. & λ.* [1]*point*, [1]*find*).

[2]**view** /vju/ *ρ.μ.* βλέπω, ἐξετάζω, ἐπιθεωρῶ: ~ *everything in terms of profit*, βλέπω τά πάντα ἀπό τήν ἄποψη τοῦ κέρδους. *Has the matter been* ~*ed from the taxpayers' standpoint?* ἐξετάσθηκε τό θέμα ἀπό τή σκοπιά τῶν φορολογουμένων; *The subject may be* ~*ed in various ways*, τό θέμα μπορεῖ νά ἰδωθῆ (νά ἐξετασθῆ) ἀπό διάφορες πλευρές. *an order to* ~ *a house*, δικαίωμα/ἄδεια ἐπιθεωρήσεως ἑνός σπιτιοῦ. ~**er** /ˈvjuə(r)/ *οὐσ.* ‹C› θεατής: *TV* ~*ers*, τηλεθεατές.

vigil /ˈvɪdʒɪl/ *οὐσ.* ‹C,U› **1**. ἀγρύπνια, ξενύχτι, νυχτέρι: *keep* ~ *over a sick child*, ξενυχτάω ἕνα ἄρρωστο παιδί. *tired out by her long* ~*s*, ἐξαντλημένη ἀπό τίς ἀτέλειωτες ἀγρύπνιες/ἀπό τά ξενύχτια. **2**. (*ἐκκλ.*) ἀγρυπνία, ὁλονυχτία.

vi·gi·lance /ˈvɪdʒɪləns/ *οὐσ.* ‹U› ἐπαγρύπνησις, ἐγρήγορσις: *exercise* ~, ἀσκῶ ἐπαγρύπνηση.

vigi·lant /ˈvɪdʒɪlənt/ *ἐπ.* ἄγρυπνος, προσεχτικός: *follow sb with a* ~ *eye*, παρακολουθῶ κπ μέ ἄγρυπνο μάτι. ~**·ly** *ἐπίρ.* ἀγρύπνως, προσεχτικά.

vigi·lante /ˈvɪdʒɪˈlæntɪ/ *οὐσ.* ‹C› μέλος ἐπιτροπῆς ἐπαγρυπνήσεως.

vi·gnette /vɪˈnjet/ *οὐσ.* ‹C› **1**. βινιέτα. **2**. πορτραῖτο (μέ βαθμιαῖο σβύσιμο). **3**. (*δημοσιογρ.*) σκιαγράφησις ἀτόμου, σύντομο χρονογράφημα, "στά πεταχτά".

vig·or·ous /ˈvɪgərəs/ *ἐπ.* ρωμαλέος, δραστήριος, ὑγιής, ἀκμαῖος. ~**·ly** *ἐπίρ.*

vig·our /ˈvɪgə(r)/ *οὐσ.* ‹U› ρώμη, σφρῖγος, ἐνεργητικότης, σθένος, δύναμις.

Vik·ing /ˈvaɪkɪŋ/ *οὐσ.* ‹C› Βίκιγκ.

vile /vaɪl/ *ἐπ.* **1**. ποταπός, πρόστυχος, ἀχρεῖος: *a* ~ *calumny*, ποταπή συκοφαντία. ~ *language*, πρόστυχη γλῶσσα. **2**. (*καθομ.*) ἀπαίσιος, πολύ ἄσχημος: ~ *weather*, βρωμόκαιρος. *He was in a* ~ *temper*, ἦταν στίς πολύ κακές του/στά μπουρίνια του. **3**. (*ἀπηρχ.*) εὐτελής, ἄθλιος: *this* ~ *body*, αὐτό τό ἄθλιο σαρκίον. ~**·ly** /ˈvaɪllɪ/ *ἐπίρ.* ἄθλια, πρόστυχα. ~**·ness** *οὐσ.* ‹U› ἀθλιότης, ποταπότης.

vil·ify /ˈvɪlɪfaɪ/ *ρ.μ.* κακολογῶ, δυσφημῶ, διασύρω: ~ *sb in the papers*, διασύρω κπ στίς ἐφημερίδες. **vil·ifi·ca·tion** /ˈvɪlɪfɪˈkeɪʃn/ *οὐσ.* ‹U› διασυρμός.

villa /ˈvɪlə/ *οὐσ.* ‹C› βίλλα, ἔπαυλις.

vil·lage /ˈvɪlɪdʒ/ *οὐσ.* ‹C› χωριό: *a* ~ *boy/girl/woman*, χωριατόπουλο/χωριατοπούλα/χωριάτισσα. **vil·lager** /ˈvɪlɪdʒə(r)/ *οὐσ.* ‹C› χωριάτης, χωρικός.

vil·lain /ˈvɪlən/ *οὐσ.* ‹C› **1**. ὁ κακός (σ᾽ ἕνα ἔργο). **2**. (*ἀστειολ.*) μασκαρᾶς, κατεργάρης: *Come here, you little* ~*!* ἔλα ἐδῶ, παληόπαιδο/κατεργαράκο! ~**·ous** /ˈvɪlənəs/ *ἐπ.* **1**. ἄθλιος, παληανθρωπίστικος: *a* ~*ous deed*, παληανθρωπιά. **2**. (*καθομ.*) ἀπαίσιος: ~*ous handwriting*, ἀπαίσιος γραφικός χαρακτήρας. ~**y** *οὐσ.* ‹C,U› προστυχιά, παληανθρωπιά (διαγωγή ἤ πρᾶξις).

vim /vɪm/ *οὐσ.* ‹U› (*καθομ.*) ζωντάνια, δραστηριότης: *feel full of* ~, γεμᾶτος ζωντάνια. *Put more* ~ *into it!* ζωντάνεψε λίγο! κουνήσου λιγάκι!

vin·ai·grette /ˈvɪnɪˈgret/ *οὐσ.* ‹U› λαδόξιδο.

vin·di·cate /ˈvɪndɪkeɪt/ *ρ.μ.* **1**. διεκδικῶ, ὑπερασπίζω: ~ *one's rights*, διεκδικῶ τά δικαιώματά μου. **2**. δικαιολογῶ: ~ *one's behaviour/judgement*, δικαιολογῶ τό φέρσιμό μου/τήν κρίση μου. **3**. δικαιώνω: *Events have ~d my judgement/actions*, τά γεγονότα δικαίωσαν τήν κρίση μου/τίς ἐνέργειές μου. **vin·di·ca·tion** /ˈvɪndɪˋkeɪʃn/ *οὐσ*. ‹C,U› διεκδίκησις, ὑπεράσπισις, δικαίωσις.

vin·dic·tive /vɪnˋdɪktɪv/ *ἐπ*. ἐκδικητικός, μνησίκακος. **~·ly** *ἐπίρ*. ἐκδικητικά, μοχθηρά. **~-ness** *οὐσ*. ‹U› ἐκδικητικότης, μνησικακία.

vine /vaɪn/ *οὐσ*. ‹C› κλῆμα. **ˋ~ grower**, ἀμπελουργός. **ˋ~-harvest**, τρύγος. **ˋ~·yard** /ˋvɪnjəd/ ἀμπέλι.

vin·egar /ˋvɪnɪɡə(r)/ *οὐσ*. ‹U› ξίδι. **~y** /ˋvɪnɪɡərɪ/ *ἐπ*. ξιδάτος, (*μεταφ*.) ξινός, κακόκεφος.

vi·nous /ˋvaɪnəs/ *ἐπ*. κρασάτος, τοῦ κρασιοῦ, ἀπό τό κρασί.

vin·tage /ˋvɪntɪdʒ/ *οὐσ*. **1**. (*σπανίως πληθ*.) τρύγος, τρύγημα. **2**. ‹C,U› σοδειά, (καλή) χρονιά, παληό κρασί ποιότητος: *wine of the ~ of 1949*, κρασί τοῦ 1949. *rare old ~s*, σπάνια παληά κρασιά. *1950 was a ~ year*, τό 1950 ἦταν καλή χρονιά, ἔγιναν καλά κρασιά τό 1950. **3**. (*κατ' ἐπέκτασιν*) *a ~ car*, σπάνιο αὐτοκίνητο (*ἰδ*. κατασκευῆς 1916–1930).

vint·ner /ˋvɪntnə(r)/ *οὐσ*. ‹C› ἔμπορος κρασιῶν.

vi·nyl /ˋvaɪnəl/ *οὐσ*. ‹C,U› βινύλιον (εἶδος πλαστικοῦ γιά πατώματα, βιβλιοδεσία, κλπ).

[1]**vi·ola** /vɪˋəʊlə/ *οὐσ*. ‹C› (*μουσ*.) βιόλα.

[2]**vi·ola** /ˋvaɪələ/ *οὐσ*. ‹C› (*βοτ*.) γιούλι, βιόλα.

vi·ol·ate /ˋvaɪəleɪt/ *ρ.μ*. **1**. ἀθετῶ, παραβαίνω, καταπατῶ, παραβιάζω: ~ *one's oath*, παραβαίνω τόν ὅρκο μου. ~ *a treaty/ceasefire*, παραβιάζω μιά συνθήκη/μιά ἐκεχειρία. **2**. βεβηλώνω, παραβιάζω: ~ *a sacred place*, βεβηλώνω ἱερό χῶρο. ~ *sb's privacy*, παραβιάζω τό ἄσυλο κάποιου, ταράσσω τήν ἡσυχία του. **3**. βιάζω: ~ *a woman*, βιάζω γυναίκα.

vi·ol·ation /ˈvaɪəˋleɪʃn/ *οὐσ*. ‹C,U› ἀθέτησις, παραβίασις, παράβασις, βεβήλωσις, βιασμός: *the ~ of an oath*, ἡ ἀθέτησις ὅρκου. *act in ~ of a treaty/of the law*, ἐνεργῶ κατά παράβασιν τῶν ὅρων μιᾶς συνθήκης/τοῦ νόμου. *~s of human rights*, παραβιάσεις τῶν ἀνθρωπίνων δικαιωμάτων.

vi·ol·ence /ˋvaɪələns/ *οὐσ*. ‹U› βία, βιαιότης, σφοδρότης: *crimes/acts of ~*, ἐγκλήματα/πράξεις βίας. *robbery with ~*, ληστεία μετά βίας. *resort to ~*, καταφεύγω στή βία. *the ~ of the wind/pain/attack*, ἡ βιαιότης τοῦ ἀνέμου/ἡ σφοδρότης τοῦ πόνου/τῆς ἐπιθέσεως. ***do ~ to***, (*μεταφ*.) (παρα)βιάζω: *do ~ to one's principles/conscience*, παραβιάζω τίς ἀρχές μου/βιάζω τή συνείδησή μου.

vi·ol·ent /ˋvaɪələnt/ *ἐπ*. **1**. βίαιος, σφοδρός: *launch a ~ attack on sb*, ἐξαπολύω βίαιη ἐπίθεση ἐναντίον κάποιου. ~ *passions/blows*, βίαια πάθη/σφοδρά χτυπήματα. *a ~ wind*, σφοδρός ἄνεμος. *meet a ~ death*, βρίσκω βίαιο θάνατο. *He was in a ~ temper*, ἐμαίνετο, ἦταν ἔξω φρενῶν. **2**. ἔντονος, ὀξύς: ~ *contrasts*, ἔντονες ἀντιθέσεις. *a ~ toothache*, ὀξύς πονόδοντος. **~·ly** *ἐπίρ*. βίαια.

vi·olet /ˋvaɪələt/ *οὐσ*. **1**. ‹C› βιολέττα, μενεξές. **2**. ‹C,U› (χρῶμα) βιολεττί.

vi·olin /ˈvaɪəˋlɪn/ *οὐσ*. ‹C› βιολί. **~·ist** /-ɪst/ *οὐσ*. ‹C› βιολιστής.

vi·olon·cello /ˈvaɪələnˋtʃeləʊ/ *οὐσ*. ‹C› (*πληθ*. *~s*, *καθομ. βραχυλ*. **cello** /ˋtʃeləʊ/) βιολοντσέλλο. **vi·olon·cel·list** (*καθομ. βραχυλ*. **cellist** /ˋtʃelɪst/) βιολοντσελλίστας.

vi·per /ˋvaɪpə(r)/ *οὐσ*. ‹C› ὀχιά.

vir·ago /vɪˋrɑɡəʊ/ *οὐσ*. ‹C› (*πληθ*. *~s ἤ ~es*) (*πεπαλ*.) στρίγγλα, μέγαιρα.

vir·gin /ˋvɜdʒɪn/ *οὐσ*. ‹C› παρθένος: *the foolish ~s*, αἱ μωραί παρθένοι. **the (Blessed) V~ (Mary)**, ἡ Παναγία. __*ἐπ*. παρθενικός, ἁγνός, παρθένος: ~ *modesty*, παρθενική ντροπαλοσύνη. ~ *snow/forest/soil*, παρθένο χιόνι/δάσος/ἔδαφος. **~·ity** /vəˋdʒɪnətɪ/ *οὐσ*. ‹U› παρθενία, παρθενικότης.

[1]**vir·ginal** /ˋvɜdʒɪnəl/ *ἐπ*. παρθενικός.

[2]**vir·ginal** /ˋvɜdʒɪnəl/ *οὐσ*. ‹C› (*συνήθ. πληθ*.) ἀρχαῖος τύπος πιάνου.

Virgo /ˋvɜɡəʊ/ *οὐσ*. (*ἀστρολ*.) Παρθένος.

vir·gule /ˋvɜɡjul/ *οὐσ*. ‹C› κάθετος γραμμή (/).

vir·ile /ˋvɪraɪl/ *ἐπ*. **1**. ἀνδρικός, ἀρρενωπός, ρωμαλέος: ~ *style/eloquence*, ἀρρενωπόν ὕφος/ρωμαλέα εὐγλωττία. *a ~ old age*, λεβέντικα γεράματα. **2**. (*γιά ἄνδρα*) σεξουαλικά ἱκανός. **vir·il·ity** /vɪˋrɪlətɪ/ *οὐσ*. ‹U› ἀνδρικότης, ρωμαλεότης, ἀρρενωπότης, ἀνδρική σεξουαλική ἱκανότης.

virtu /vɜˋtu/ *οὐσ*. (*μόνον στή φρ*.) **articles/objects of ~**, κομψοτεχνήματα.

vir·tual /ˋvɜtʃʊəl/ *ἐπ*. οὐσιαστικός, πραγματικός, κατ' οὐσίαν: *He's the ~ head of the business*, αὐτός εἶναι ὁ πραγματικός διευθυντής τῆς ἐπιχειρήσεως. *a ~ defeat/confession*, μιά κατ' οὐσίαν ἧττα/ὁμολογία. **~ly** /-tʃʊlɪ/ *ἐπίρ*. οὐσιαστικά, κατ' οὐσίαν, στήν πραγματικότητα.

vir·tue /ˋvɜtʃu/ *οὐσ*. **1**. ‹C,U› ἀρετή: *Christian ~s*, χριστιανικές ἀρετές. *Patience is a ~*, ἡ ὑπομονή εἶναι ἀρετή. *a woman of ~*, ἐνάρετη γυναίκα. *a woman of easy ~*, γυναίκα ἀμφιβόλου ἠθικῆς (ἐλαφρῶν ἠθῶν). ***V~ is its own reward***, (*παροιμ*.) ἡ ἀρετή δέν ἔχει ἀνάγκη ἀνταμοιβῆς. (*βλ. & λ. necessity*). **2**. ‹C› πλεονέκτημα, προτέρημα, προσόν: *The great ~ of his scheme is that it costs very little*, τό μεγάλο προτέρημα τοῦ σχεδίου του εἶναι ὅτι κοστίζει πολύ λίγο. *Our climate has the ~ of being mild*, τό κλῖμα μας ἔχει τό πλεονέκτημα νά εἶναι εὔκρατο. *It has the ~ of being unbreakable*, ἔχει τό προσόν νά μή σπάη. **3**. ‹C,U› ἱκανότης, ἰδιότης, δραστικότης: *herbs with healing ~s*, βότανα μέ θεραπευτικές ἱκανότητες/ἰδιότητες. **4**. ***by/in ~ of***, δυνάμει, λόγῳ, ἐπί τῇ βάσει: *by ~ of his office*, λόγῳ τῆς θέσεώς του. *He claimed a pension in ~ of his long military service*, ἀξίωσε σύνταξη ἐπί τῇ βάσει τῆς μακρᾶς στρατιωτικῆς του ὑπηρεσίας.

vir·tu·os·ity /ˈvɜtʃʊˋɒsətɪ/ *οὐσ*. ‹U› δεξιοτεχνία.

vir·tu·oso /ˈvɜtʃʊˋəʊzəʊ/ *οὐσ*. ‹C› (*πληθ*. *~s ἤ -si* /-zi/) βιρτουόζος, δεξιοτέχνης.

vir·tu·ous /ˋvɜtʃʊəs/ *ἐπ*. ἐνάρετος, χρηστός. **vir·tu·ous·ly** *ἐπίρ*.

viru·lence /ˋvɪrjʊləns/ *οὐσ*. ‹U› τοξικότης, βιαιότης, φαρμάκι.

viru·lent /ˋvɪrjʊlənt/ *ἐπ*. **1**. τοξικός, λοιμώδης, κακοήθης: *a ~ disease*, κακοήθης/

λοιμώδης νόσος. **2**. φαρμακερός, δηλητηριώδης, σφοδρός, μοχθηρός: *a ~ attack/satire/speech*, φαρμακερή ἐπίθεσις/σάτιρα/-ός λόγος. **~·ly** *ἐπίρ.*

vi·rus /ˈvaɪərəs/ *οὐσ.* ‹C› ἰός, μικρόβιο, (*μεταφ.*) μίασμα: *the ~ of rabies/of heresy*, ὁ ἰός τῆς λύσσας/τό μίασμα τῆς αἵρεσης.

visa /ˈvizə/ *οὐσ.* ‹C› θεώρησις (διαβατηρίου), βίζα. **ˋentrance** (*ἤ* **ˋentry**)/**ˋexit ~**, βίζα εἰσόδου/ἐξόδου. __*ρ.μ.* θεωρῶ: *have one's passport ~ed*, θεωρῶ τό διαβατήριό μου.

vis·age /ˈvɪzɪdʒ/ *οὐσ.* ‹C› (*λογοτ.*) πρόσωπον, ὄψις, ἔκφρασις, μορφή. **-vis·aged** /ˈvɪzɪdʒd/ *ἐπ.* (*ὡς β! συνθετ.*) μέ πρόσωπο: *gloomy-~d*, μέ βαρύ/ἀγέλαστο πρόσωπο.

vis-à-vis /ˈviz ɑ ˈvi/ *ἐπίρ.* & *πρόθ.* **1**. (*πεπαλ.*) ἀντίκρυ, ἀντικρυνός: *They sat ~ in the train*, κάθισαν στό τραῖνο ὁ ἕνας ἀπέναντι στόν ἄλλον. **2**. (*μεταφ.*) σέ σχέση μέ, ὅσον ἀφορᾶ, ἔναντι: *My attitude ~ the Government is this*, ἡ στάσις μου ἔναντι τῆς Κυβερνήσεως εἶναι ἡ ἑξῆς.

vis·cera /ˈvɪsərə/ *οὐσ. πληθ.* σπλάχνα, σωθικά.

vis·cid /ˈvɪsɪd/, **vis·cous** /ˈvɪskəs/ *ἐπ.* παχύρευστος, γλοιώδης, γλιστερός.

vis·cos·ity /vɪsˈkosətɪ/ *οὐσ.* ‹U› (τό) γλοιῶδες.

vis·count /ˈvaɪkaʊnt/ *οὐσ.* ‹C› ὑποκόμης. **~·ess** /-es/ *οὐσ.* ‹C› ὑποκόμησσα.

vis·ible /ˈvɪzəbl/ *ἐπ.* ὁρατός, ἐμφανής, ὁλοφάνερος: *The eclipse of the sun will be ~ in Greece*, ἡ ἔκλειψις τοῦ ἡλίου θά εἶναι ὁρατή στήν Ἑλλάδα. *~ means*, ἐμφανεῖς πόροι. *with ~ satisfaction*, μέ ὁλοφάνερη ἱκανοποίηση. **vis·ibly** /-əblɪ/ *ἐπίρ.* ἐμφανῶς, ὁλοφάνερα. **vis·ibil·ity** /ˈvɪzəˈbɪlətɪ/ *οὐσ.* ‹U› ὁρατότης: *poor visibility*, κακή ὁρατότης.

vi·sion /ˈvɪʒn/ *οὐσ.* **1**. ‹U› ὅρασις: *the field of ~*, τό πεδίον ὁράσεως, τό ὀπτικόν πεδίον. *within the range of our ~*, ἐντός τοῦ ὀπτικοῦ μας πεδίου. **2**. ‹U› ὀξυδέρκεια, διορατικότης: *a man of ~*, ὀξυδερκής/διορατικός ἄνθρωπος. **3**. ‹U› ἐνόρασις: *the ~ of a prophet/poet*, προφητική/ποιητική ἐνόρασις. **4**. ‹C› ὅραμα, ὀπτασία, φάντασμα: *~s of wealth/success/fame*, ὁράματα πλούτου/ἐπιτυχίας/δόξας. ***see ~s***, βλέπω φαντάσματα.

vi·sion·ary /ˈvɪʒnrɪ/ *ἐπ.* φανταστικός, χιμαιρικός: *~ plans*, χιμαιρικά σχέδια. __*οὐσ.* ‹C› & *ἐπ.* ὀνειροπόλος, φαντασιόπληκτος, οὐτοπιστής.

visit /ˈvɪzɪt/ *ρ.μ/ἀ.* **1**. ἐπισκέπτομαι. (*ΗΠΑ*) κάνω ἐπιθεώρηση: *~ a friend/town*, ἐπισκέπτομαι ἕναν φίλο/μιά πόλη. *go ~ing*, πάω γιά ἐπισκέψεις. *The inspector ~ed our school yesterday*, ὁ ἐπιθεωρητής ἐπισκέφθηκε τό σχολεῖο μας χθές. **2**. (*ΗΠΑ*) μένω, κουβεντιάζω: *They are ~ing in Paris/at a new hotel*, μένουν στό Παρίσι/σ' ἕνα νέο ξενοδοχεῖο. *She loves ~ing with her neighbours*, τῆς ἀρέσει πολύ νά κουβεντιάζη (νά τά λέη) μέ τούς γειτόνους της. **3**. ***~ sth on sb***, (*Α.Γ.*) τιμωρῶ: *The sins of the fathers are ~ed upon the children*, ἁμαρτίαι γονέων παιδεύουσι τέκνα. __*οὐσ.* ‹C› ἐπίσκεψις: *during my first ~ to London*, κατά τήν πρώτη μου ἐπίσκεψη στό Λονδῖνο. ***pay a ~ to sb***, κάνω ἐπίσκεψη σέ κπ. ***go on a ~ to (a place)***, πάω ἐπίσκεψη (σ' ἕνα μέρος). **ˋ~·ing** *οὐσ.* ‹U› ἐπίσκεψις: *the ~ing hours at a hospital*, οἱ ὧρες ἐπισκέψεων σ' ἕνα νοσοκομεῖο. ***be on ~ing terms with sb***, ἀνταλλάσσω ἐπισκέψεις μέ κπ. **ˋ~·ing-card**, ἐπισκεπτήριο, μπιλιέτο. **visi·tor** /ˈvɪzɪtə(r)/ *οὐσ.* ‹C› ἐπισκέπτης: *summer ~ors*, παραθεριστές. *the ~ors' book*, βιβλίον ἐπισκεπτῶν.

visi·tant /ˈvɪzɪtənt/ *οὐσ.* ‹C› **1**. (*λογοτ.*) ἐπισκέπτης (*ἰδ.* ὑπερφυσικός). **2**. διαβατάρικο πουλί.

visi·ta·tion /ˈvɪzɪˈteɪʃn/ *οὐσ.* ‹C› **1**. ἐπίσκεψις, ἐπιθεώρησις, ἔλεγχος: *~ of the sick*, ἐπίσκεψις τῶν ἀσθενῶν (ὡς ἀγαθοεργία). **2**. τιμωρία, θεία δίκη: *The earthquake was a ~ of God for their sins*, ὁ σεισμός ἦταν τιμωρία ἀπό τό Θεό γιά τίς ἁμαρτίες τους.

vi·sor /ˈvaɪzə(r)/ *οὐσ.* ‹C› **1**. γεῖσο κράνους, κεραμίδι σκούφου. **2**. (**ˋsun-**)**~**, (*σέ αὐτοκ. πάνω ἀπό τή θέση τοῦ ὁδηγοῦ*) ἀλεξήλιον.

vista /ˈvɪstə/ *οὐσ.* ‹C› **1**. στενή, μακρινή θέα (σάν ἐκείνη στό βάθος μιᾶς δενδροστοιχίας). **2**. ἀναπόλησις/προοπτική (μιᾶς μακριᾶς σειρᾶς), (*μεταφ.*) ὁρίζων: *the ~ of bygone times/events*, ἡ πανοραμική ἀναπόλησις τῶν περασμένων χρόνων/γεγονότων. *This opens up new ~s*, αὐτό διανοίγει νέες προοπτικές/νέους ὁρίζοντες.

vis·ual /ˈvɪʒʊəl/ *ἐπ.* ὀπτικός: *~ focus/angle*, ὀπτική ἑστία/γωνία. *~ images*, ὀπτικές εἰκόνες. *She has a ~ memory*, ἔχει ὀπτική μνήμη (εἶναι ὀπτικός τύπος). **~aids**, ὀπτικά βοηθήματα (στή διδασκαλία). **~ly** /ˈvɪʒʊəlɪ/ *ἐπίρ.* ὀπτικά. **ˋ~·ize** /-aɪz/ *ρ.μ.* φέρνω στό νοῦ, σχηματίζω καθαρή εἰκόνα, φαντάζομαι: *I know his name but I can't ~ize him*, ξέρω τ' ὄνομά του ἀλλά δέν μπορῶ νά θυμηθῶ τή μορφή του/νά τόν φέρω στό νοῦ μου. *I can't ~ize her as a young woman*, δέν μπορῶ νά τήν φανταστῶ νέα.

vi·tal /ˈvaɪtl/ *ἐπ.* ζωτικός: *He was wounded in a ~ part*, τραυματίστηκε σέ ζωτικό σημεῖο. *~ interests*, ζωτικά συμφέροντα. *a ~ necessity/question*, ζωτική ἀνάγκη/-ό πρόβλημα. *of ~ importance*, ζωτικῆς σημασίας. **~ statistics**, *(a)* δημογραφική στατιστική. *(β)* σωματικές ἀναλογίες. **vitals** *οὐσ. πληθ.* ζωτικά ὄργανα. **~ly** /ˈvaɪtəlɪ/ *ἐπίρ.* ζωτικά. **ˋ~·ism** /-ɪzm/ *οὐσ.* ‹U› βιταλισμός, ζωτικοκρατία. **~·ist** /-ɪst/ *οὐσ.* ‹C› βιταλιστής.

vi·tal·ity /vaɪˈtælətɪ/ *οὐσ.* ‹U› ζωτικότης, σφρῖγος.

vi·tal·ize /ˈvaɪtəlaɪz/ *ρ.μ.* ζωογονῶ, ἐμψυχώνω, τονώνω.

vit·amin /ˈvɪtəmɪn/ *οὐσ.* ‹C› βιταμίνη. *~ deficiency*, ἔλλειψις/ἀνεπάρκεια βιταμινῶν. *ˋ~ tablets*, βιταμῖνες σέ χάπια.

vi·ti·ate /ˈvɪʃɪeɪt/ *ρ.μ.* **1**. μολύνω, χαλῶ: *~d blood*, χαλασμένο αἷμα. *the ~d atmosphere of an overcrowded room*, ἡ μολυσμένη ἀτμόσφαιρα μιᾶς κατάμεστης αἴθουσας. **2**. καταστρέφω, ἀκυρῶ: *This admission ~s your argument/claim*, αὐτή ἡ ὁμολογία καταστρέφει (γκρεμίζει) τό ἐπιχείρημά σου/τήν ἀξίωσή σου. *a deed ~d by a flaw*, πρᾶξις ἄκυρος λόγῳ ἐλαττώματος.

vit·reous /ˈvɪtrɪəs/ *ἐπ.* ὑαλώδης, σά γυάλινος.

vit·riol /ˈvɪtrɪəl/ *οὐσ.* ‹U› βιτριόλι, (*μεταφ.*) φαρμάκι. **ˋblue ~**, θειϊκός χαλκός, γαλαζόπετρα. **~ic** /ˈvɪtrɪˈolɪk/ *ἐπ.* (*μεταφ.*) σαρκαστικός, φαρμακερός.

vit·uper·ate /vɪˋtjupəreɪt/ *ρ.μ.* βρίζω, λοιδορῶ, κατακρίνω βίαια. **vit·uper·at·ive** /vɪˋtjupərətɪv/ *ἐπ.* ὑβριστικός. **vit·uper·ation** /vɪˈtjupəˋreɪʃn/ *οὐσ.* ‹U› βρισιά, λοιδορία, ἐπίκρισις.

vi·vace /vɪˋvatʃeɪ/ *ἐπίρ.* (*μουσ.*) ζωηρά.

vi·va·cious /vɪˋveɪʃəs/ *ἐπ.* ζωηρός, κεφάτος, ὅλο ζωντάνια: *a* ~ *girl.* ~**·ly** *ἐπίρ.* **vi·vac·ity** /vɪˋvæsətɪ/ *οὐσ.* ‹U› ζωηρότης, ζωντάνια, κέφι.

viva voce /ˋvaɪvə ˋvəʊsɪ/ *ἐπ.* προφορικός: *a* ~ *examination.* —*ἐπίρ.* προφορικά. —*οὐσ.* ‹C› (*βραχυλ.* **viva**) *βλ. oral οὐσ.*

vivid /ˋvɪvɪd/ *ἐπ.* ζωηρός, ἔντονος: ~ *green,* ζωηρό πράσινο. *a* ~ *imagination/description,* ζωηρή φαντασία/περιγραφή. *a* ~ *recollection,* ζωηρή/ἔντονη ἀνάμνησις. ~**·ly** *ἐπίρ.* ζωηρά. ~**·ness** *οὐσ.* ‹U› ζωηρότης.

vi·vi·par·ous /vɪˋvɪpərəs/ *ἐπ.* ζωοτόκος.

vivi·sect /ˋvɪvɪˋsekt/ *ρ.μ.* ζωοτομῶ. **vivi·sec·tion** /-ˋsekʃən/ *οὐσ.* ‹C,U› ζωοτομία. **vivi·sec·tion·ist** /-ʃənɪst/ *οὐσ.* ‹C› ζωοτόμος.

vixen /ˋvɪksn/ *οὐσ.* ‹C› θηλυκιά ἀλεποῦ, (*μεταφ.*) στριμμένη γυναίκα, στρίγγλα, μέγαιρα. ~**·ish** /ˋvɪksən-ɪʃ/ *ἐπ.* (*γιά γυναίκα*) στριμμένος, γκρινιάρικος, στρίγγλικος.

viz /vɪz/ *ἐπίρ. βλ. videlicet.*

vi·zier /vɪˋzɪə(r)/ *οὐσ.* ‹C› βεζύρης.

vo·cabu·lary /vəˋkæbjʊlərɪ/ *οὐσ.* ‹C,U› λεξιλόγιον.

vo·cal /ˋvəʊkl/ *ἐπ.* φωνητικός: *the* ~ *chords/organs,* οἱ φωνητικές χορδές/τά -ά ὄργανα. ~ *music,* φωνητική μουσική. ***make sb/become*** ~, κάνω κπ νά μιλήση/γίνομαι ὁμιλητικός, βρίσκω τή φωνή μου: *Indignation made her* ~, ἡ ἀγανάκτησις τήν ἔκανε νά μιλήση/τῆς ἔδωσε φωνή. *When it's about women's rights she becomes* ~, ὅταν πρόκειται γιά τά δικαιώματα τῆς γυναίκας βρίσκει τή φωνή της. ~**ly** /ˋvəʊkəlɪ/ *ἐπίρ.* ~**·ist** /ˋvəʊkəlɪst/ *οὐσ.* ‹C› τραγουδιστής. ~**·ize** /-aɪz/ *ρ.μ.* προφέρω, ἀρθρώνω, τραγουδῶ.

vo·ca·tion /vəʊˋkeɪʃn/ *οὐσ.* **1**. (*μόνον ἑν.*) ἀποστολή: *The nursing of the sick is a* ~ *as well as a profession,* ἡ περίθαλψις τῶν ἀσθενούντων δέν εἶναι μόνον ἐπάγγελμα ἀλλά καί ἀποστολή. **2**. ‹U› κλίσις: *He has little/no* ~ *for teaching,* δέν ἔχει μεγάλη/καθόλου κλίση γιά δάσκαλος. **3**. ‹C› ἐπάγγελμα, τέχνη: *mistake/miss one's* ~, κάνω λάθος στό ἐπάγγελμα πού μοῦ ταιριάζει/χάνω τόν ἀληθινό προορισμό μου. ~**al** /-nl/ *ἐπ.* ἐπαγγελματικός: ~*al guidance,* καθοδήγησις ἐπαγγελματικοῦ προσανατολισμοῦ. ~*al education,* ἐπαγγελματική ἐκπαίδευσις.

voca·tive /ˋvokətɪv/ *οὐσ.* ‹C› (*γραμμ.*) κλητική (πτῶσις).

vo·cif·er·ate /vəˋsɪfəreɪt/ *ρ.μ/ἀ.* φωνασκῶ, κραυγάζω, ἀλαλάζω. **vo·cif·er·ation** /vəsɪfəˋreɪʃn/ *οὐσ.* ‹C,U› φωνασκίες, κραυγές, ἀλαλαγμός. **vo·cif·er·ous** /vəˋsɪfərəs/ *ἐπ.* θορυβώδης, φωνακλάδικος, κραυγαλέος.

vodka /ˋvodkə/ *οὐσ.* ‹U› βότκα.

vogue /vəʊg/ *οὐσ.* ‹C› **1**. μόδα, συρμός: *Are miniskirts still the* ~*?* εἶναι οἱ μίνι φοῦστες ἀκόμα τῆς μόδας; *The* ~*s of the 18th century seem amusing today,* οἱ μόδες τοῦ 18ου αἰῶνα φαίνονται ἀστεῖες τώρα. **2**. δημοτικότης, πέραση: *His novels had a great* ~ *ten years ago,* τά μυθιστορήματά του εἶχαν μεγάλη δημοτικότητα πρό δέκα ἐτῶν. ***be in/come into*** ~, εἶμαι/γίνομαι τῆς μόδας, τοῦ συρμοῦ. ***be/go out of*** ~, εἶμαι/γίνομαι ντεμοντέ. ***all the*** ~, ἡ τελευταία λέξις (τῆς μόδας).

voice /vɔɪs/ *οὐσ.* ‹C,U› **1**. φωνή: *speak in a low/loud* ~, μιλῶ χαμηλοφώνως/μεγαλοφώνως. *in a shrill/soft* ~, μέ τσιριχτή/ἁπαλή φωνή. *the* ~ *of Nature/duty,* ἡ φωνή τῆς φύσεως/τοῦ καθήκοντος. *lose/find one's* ~, χάνω/βρίσκω τή φωνή μου. ***be in good*** ~, (*γιά ἀοιδό*) εἶμαι σέ φόρμα: *She's not in good* ~, ἡ φωνή της δέν εἶναι σέ φόρμα. ***give*** ~ ***to one's feelings***, ἐκφράζω/ἐκδηλώνω τά αἰσθήματά μου. ***raise one's*** ~, ὑψώνω φωνή. ***at the top of one's*** ~, μέ ὅλη τή δύναμη τῆς φωνῆς μου. ***with one*** ~, (*λογοτ.*) μέ μιά φωνή, ὁμοφώνως. **2**. γνώμη. ***have/demand a*** ~ ***in sth***, ἔχω/ἀπαιτῶ νά ἔχω γνώμη σέ κτ: *You have no* ~ *in the matter,* δέν ἔχεις γνώμη (δέν σοῦ πέφτει λόγος) στό θέμα. **3**. (*γραμμ.*) ἠχηρός φθόγγος, φωνή: *the active/passive* ~, ἐνεργητική/παθητική φωνή. —*ρ.μ.* ἐκφράζω: *The speaker* ~*d the feelings of the staff,* ὁ ὁμιλητής ἐξέφρασε τά αἰσθήματα τοῦ προσωπικοῦ. **-voiced** (*ὡς β! συνθετ.*) μέ φωνή: *low-*~*d,* χαμηλόφωνος. *loud-*~*d,* μεγαλόφωνος. *rough-*~*d,* μέ τραχειά φωνή. ~**·less** *ἐπ.* ἄφωνος.

void /vɔɪd/ *ἐπ.* **1**. κενός: ~ *space,* κενόν διάστημα. **2**. ἄκυρος. ***null and*** ~, (*νομ.*) ἀπολύτως ἄκυρος. **3**. ~ ***of***, ἐστερημένος, χωρίς: ~ *of interest,* ἄνευ ἐνδιαφέροντος. *a life* ~ *of excitement,* ζωή χωρίς συγκινήσεις. *a proposal* ~ *of reason,* πρότασις χωρίς λογική. —*οὐσ.* ‹C› κενόν: *There was an aching* ~ *in his heart,* (*μεταφ.*) ὑπῆρχε ἕνα ὀδυνηρό κενό στήν καρδιά του. —*ρ.μ.* (*νομ.*) ἀκυρῶ.

voile /vɔɪl/ *οὐσ.* ‹U› (ὕφασμα) τούλι.

vol·atile /ˋvolətaɪl/ *ἐπ.* **1**. (*χημ.*) πτητικός, ἐξατμιστός. **2**. (*γιά ἄνθρ.*) ζωηρός, ἄστατος, εὐμετάβολος: *a* ~ *woman,* ἄστατη γυναίκα. **vol·atil·ity** /ˈvoləˋtɪlətɪ/ *οὐσ.* ‹U› ἀστάθεια.

vol·cano /volˋkeɪnəʊ/ *οὐσ.* ‹C› (*πληθ.* ~*s ἤ* ~*es*) ἡφαίστειο: *an extinct* ~, σβυσμένο ἡφαίστειο. *an active/a dormant* ~, ἡφαίστειο ἐν ἐνεργείᾳ/ἐν ἠρεμίᾳ. **vol·canic** /volˋkænɪk/ *ἐπ.* ἡφαιστειακός, ἡφαιστειογενής, (*μεταφ.*) ἐκρηκτικός, βίαιος.

vole /vəʊl/ *οὐσ.* ‹C› ἀρουραῖος.

vo·li·tion /vəˋlɪʃn/ *οὐσ.* ‹U› θέλησις, βούλησις: *do sth of one's own* ~, κάνω κτ μέ τή θέλησή μου. ~**al** /-nl/ *ἐπ.* βουλητικός.

vol·ley /ˋvolɪ/ *οὐσ.* ‹C› **1**. ὁμοβροντία, βροχή, καταιγισμός: *a* ~ *of bullets/stones/arrows,* βροχή ἀπό σφαῖρες/πέτρες/βέλη. **2**. (*μεταφ.*) χείμαρρος (ὕβρεων), ὁμοβροντία (χειροκροτημάτων). **3**. (*στό τέννις*) βολλέ. ˋ~**·ball**, (*ἀθλ.*) βόλεϋμπωλ. —*ρ.μ/ἀ.* **1**. ρίχνω/ἐξαπολύω ὁμοβροντία. **2**. (*στό τέννις*) κάνω βολλέ.

volt /vəʊlt/ *οὐσ.* ‹C› (*βραχυλ.* **v**) βόλτ. ~**·age** /ˋvəʊltɪdʒ/ *οὐσ.* ‹U› (*ἠλεκτρ.*) βολτάζ, τάσις.

volte-face /ˋvolt ˋfas/ *οὐσ.* (*συνήθ. ἑν.*) μεταβολή, στροφή 180 μοιρῶν: *make a complete* ~, κάνω πλήρη μεταστροφή (στίς ἰδέες μου, κλπ).

vol·uble /ˋvoljʊbl/ *ἐπ.* εὐφραδής, φλύαρος, ρέων: *a ~ talker*, εὐφραδής (φλύαρος) ὁμιλητής. *~ speech*, ρέουσα ὁμιλία. **vol·ubly** /-jʊblɪ/ *ἐπίρ.* εὐφραδῶς, πολυλογάδικα, φλύαρα. **vol·ubil·ity** /ˌvoljʊˋbɪlətɪ/ *οὐσ.* ‹U› εὐφράδεια, πολυλογία, φλυαρία.

vol·ume /ˋvoljum/ *οὐσ.* **1**. ‹C› τόμος: *an encyclopedia in 24 ~s*, μιά ἐγκυκλοπαίδεια σέ 24 τόμους. ***speak ~s for***, λέω πολλά γιά, μαρτυρῶ: *This speaks ~s for his courage*, αὐτό λέει πολλά γιά τό θάρρος του. *His donations speak ~s for his generosity*, οἱ δωρεές του μαρτυροῦν (εἶναι εὔγλωττη ἀπόδειξη γιά) τή γενναιοδωρία του. **2**. ‹U› (*χημ. φυσ.*) ὄγκος (κυβικός): *the ~ of a box*, ὁ ὄγκος ἑνός κιβωτίου. *~ of displacement*, ὄγκος ἐκτοπίσματος. **3**. ‹C› ὄγκος, μεγάλη ποσότης: *the ~ of business*, ὁ ὄγκος τῶν ἐργασιῶν. *~s of smoke*, ὄγκος/σύννεφα καπνοῦ. **4**. ‹U› ἔντασις (ἤχου), εὖρος (φωνῆς): *The radio is too loud; turn down the ~*, τό ραδιόφωνο εἶναι πολύ δυνατά, χαμήλωσε τήν ἔνταση. ˋ**~ control**, (*ραδιόφ.*) κουμπί ἐντάσεως.

vol·umi·nous /vəˋlumɪnəs/ *ἐπ.* **1**. πολύτομος: *a ~ history*. **2**. πολυγράφος, γόνιμος: *a ~ writer*. **3**. ὀγκώδης, ἄφθονος, πλούσιος: *~ correspondence*, ὀγκώδης ἀλληλογραφία. *~ skirts*, πλούσιες (πολύπτυχες) φοῦστες.

vol·un·tary /ˋvoləntrɪ/ *ἐπ.* **1**. ἐθελοντικός, αὐθόρμητος: *~ work/service*, ἐθελοντική ἐργασία/ὑπηρεσία. *a ~ confession*, αὐθόρμητη ὁμολογία. *~ workers*, ἐθελοντές ἐργάτες. *a ~ nurse*, ἐθελόντρια νοσοκόμος. **2**. ἑκούσιος, θεληματικός: *~ movements*, ἑκούσιες κινήσεις. **3**. *a ~ school/hospital*, σχολεῖο/νοσοκομεῖο συντηρούμενο μέ προαιρετικές εἰσφορές. *__οὐσ.* ‹C› (*ἐκκλ. μουσ.*) σόλο ἁρμόνιο (*ἰδ.* πρίν ἤ μετά τή λειτουργία). **vol·un·tar·ily** /ˋvoləntrəlɪ/ *ἐπίρ.* ἑκουσίως, αὐθορμήτως.

vol·un·teer /ˌvolənˋtɪə(r)/ *οὐσ.* ‹C› ἐθελοντής: *a ~ corps*, σῶμα ἐθελοντῶν. *__ρ.μ/ἀ.* προσφέρω/παρουσιάζομαι ἐθελοντικῶς, αὐθορμήτως: *He ~ed some information*, ἔδωσε αὐθορμήτως μερικές πληροφορίες. *They ~ed to do overtime*, προσεφέρθησαν ἐθελοντικῶς νά κάνουν ὑπερωρίες. *He ~ed for the electoral campaign*, προσεφέρθη ἐθελοντικῶς νά δουλέψη στήν προεκλογική ἐκστρατεία. *How many ~ed?* πόσοι ἐθελοντές παρουσιάστηκαν;

vol·up·tu·ary /vəˋlʌptʃʊərɪ/ *οὐσ.* ‹C› φιλήδονος, ἡδονιστής.

vo·lup·tu·ous /vəˋlʌptʃʊəs/ *ἐπ.* φιλήδονος, αἰσθησιακός, ἡδυπαθής: *~ thoughts*, φιλήδονες σκέψεις. *a ~ beauty*, αἰσθησιακή καλλονή. *~ music*, ἡδυπαθής μουσική. **~·ly** *ἐπίρ.* φιλήδονα. **~·ness** *οὐσ.* ‹U› φιληδονία, αἰσθησιασμός, ἡδυπάθεια.

vo·lute /vəˋljut/ *οὐσ.* ‹C› σπεῖρα, ἕλιξ (*ἰδ.* σέ κιονόκρανο). **~d** *ἐπ.* ἑλικοειδής, σπειροειδής: *a ~d sea-shell*, σπειροειδές ὄστρακο.

vomit /ˋvomɪt/ *ρ.μ/ἀ.* ξερνῶ, βγάζω: *He ~ed everything he had eaten*, ξέρασε ὅλα ὅσα εἶχε φάει. *factory chimneys ~ing smoke*, φουγάρα ἐργοστασίων πού βγάζουν (ξερνᾶνε) καπνούς. *__οὐσ.* ‹U› ξεράσματα.

vo·racious /vəˋreɪʃəs/ *ἐπ.* ἀδηφάγος, ἀχόρταγος, ἀκόρεστος, ἄπληστος: *a ~ reader*, ἀδηφάγος, ἀχόρταγος ἀναγνώστης. *a ~ appetite*, ἀκόρεστη (ἀβυσσαλέα) ὄρεξη. **~·ly** *ἐπίρ.* ἀχόρταγα, λαίμαργα. **vo·racity** /vəˋræsətɪ/ *οὐσ.* ‹U› ἀπληστία, ἀδηφαγία.

vor·tex /ˋvɔteks/ *οὐσ.* ‹C› (*πληθ. ~es ἤ vortices* /-tɪsiz/) δίνη, ἴλιγγος, στρόβιλος, ρουφήχτρα (νεροῦ): *be drawn into the ~ of politics/war*, παρασύρομαι στή δίνη τῆς πολιτικῆς/τοῦ πολέμου. *in the ~ of social life/of pleasure*, στόν ἴλιγγο τῆς κοινωνικῆς ζωῆς/τῆς ἡδονῆς.

vo·tary /ˋvəʊtərɪ/ *οὐσ.* ‹C› πιστός, λάτρης, θιασώτης, ταμένος: *a ~ of art*, λάτρης τῆς τέχνης. *a ~ of peace*, ἄνθρωπος πού ἔχει ἀφιερωθῆ στήν εἰρήνη. *a ~ of freedom*, τῆς λευτεριᾶς ταμένος.

vote /vəʊt/ *οὐσ.* ‹C› **1**. ψῆφος: *give one's ~ to*, δίνω τήν ψῆφο μου εἰς. *record/cast one's ~*, ρίχνω τήν ψῆφο μου. *count/tell the ~s*, καταμετρῶ τίς ψήφους. *the number of ~s recorded*, ὁ ἀριθμός ψηφισάντων. *Do women have the ~ in Egypt?* ἔχουν οἱ γυναῖκες ψῆφο στήν Αἴγυπτο; *a ~ of confidence/thanks*, ψῆφος ἐμπιστοσύνης/εὐγνωμοσύνης. ***put (a question) to the ~***, θέτω (ἕνα θέμα) σέ ψηφοφορία. **2**. (*συλλογ.*) ψῆφοι, ποσοστόν ἐπί τῶν ψήφων: *The Labour ~ is likely to increase at the next election*, οἱ ψῆφοι τῶν Ἐργατικῶν πιθανώτατα θά αὐξηθοῦν κατά τίς ἑπόμενες ἐκλογές. *__ρ.μ/ἀ.* **1**. ψηφίζω. ***~ sth down***, καταψηφίζω κτ. ***~ for/against***, ψηφίζω ὑπέρ/κατά. ***~ on sth***, ψηφίζω σ'ἕνα θέμα. ***~ a Bill through***, (*στή Βουλή*) ψηφίζω, περνῶ ἕνα νομοσχέδιο. **2**. ψηφίζω, ἐγκρίνω: *~ a sum for education*, ἐγκρίνω ποσόν γιά τήν Παιδεία. **3**. (*καθομ.*) ἀναγνωρίζω ὁμοφώνως: *She was ~d charming*, ἀναγνωρίστηκε ὁμόφωνα ὡς γοητευτική. *He was ~d the best speaker*, κατά γενική ἀναγνώριση ἦταν ὁ καλύτερος ὁμιλητής. **4**. (*καθομ.*) προτείνω: *I ~ (that) we avoid him in future*, προτείνω νά τόν ἀποφύγωμε στό μέλλον. **voter** *οὐσ.* ‹C› ψηφοφόρος. **~·less** *ἐπ.* ἄνευ ψήφου.

vo·tive /ˋvəʊtɪv/ *ἐπ.* ἀναθηματικός: *~ offerings*, ἀναθήματα.

vouch /vaʊtʃ/ *ρ.ἀ.* ἐγγυῶμαι: *I'm ready to ~ for him*, εἶμαι ἕτοιμος νά ἐγγυηθῶ γι'αὐτόν. *I can't ~ for the truth of his story*, δέν μπορῶ νά ἐγγυηθῶ γιά τήν ἀλήθεια τῆς ἱστορίας του.

voucher /ˋvaʊtʃə(r)/ *οὐσ.* ‹C› ἀπόδειξις, δελτίον, κουπόνι: *gift/meal/petrol ~s*, κουπόνια δώρων/φαγητοῦ/βενζίνης.

vouch·safe /vaʊtʃˋseɪf/ *ρ.μ.* (*λόγ.*) συγκατατίθεμαι, καταδέχομαι: *He ~d to help*, συγκατετέθη νά βοηθήση. *He ~d (me) no reply*, δέν καταδέχτηκε νά (μοῦ) ἀπαντήση.

vow /vaʊ/ *οὐσ.* ‹C› ὅρκος, ὑπόσχεση, τάμα: *ˋmarriage ~s*, ὅρκοι τοῦ γάμου. *a ~ of chastity/celibacy*, ὅρκος ἁγνείας/ἀγαμίας. ***be under a ~ to***, ἔχω ὁρκισθῆ νά. ***keep/break a ~***, τηρῶ/παραβαίνω ἕναν ὅρκο. ***make/take a ~ to do sth***, ὁρκίζομαι νά κάνω κτ. *__ρ.μ.* ὁρκίζομαι: *He ~ed to avenge/that he would avenge the insult*, ὁρκίστηκε νά ἐκδικηθῆ γιά τήν προσβολή. *~ obedience*,

ὁρκίζομαι ὑπακοήν.
vowel /ˋvaʊəl/ *οὐσ.* ‹C› φωνῆεν.
vox populi /ˈvoks ˋpopjʊlaɪ/ (*Λατ.*) φωνή λαοῦ.
voy·age /ˋvɔɪdʒ/ *οὐσ.* ‹C› πλοῦς, θαλασσινό ταξίδι (*ἰδ.* μακρινό): *go on/send sb on/make a* ~, πηγαίνω/στέλνω κπ/κάνω ταξίδι. *on the* ~ *out; on the outward* ~, στό ταξίδι τοῦ πηγαιμοῦ. *on the* ~ *home; on the homeward* ~, στό ταξίδι τοῦ γυρισμοῦ. —*ρ.ἀ.* ταξιδεύω, πλέω. **voy·ager** /ˋvɔɪədʒə(r)/ *οὐσ.* ‹C› θαλασσοπόρος, ταξιδευτής, ἐπιβάτης.
vo·yeur /vwaˋjɜ(r)/ *οὐσ.* ‹C› ἡδονοβλεψίας.
vul·can·ite /ˋvʌlkənaɪt/ *οὐσ.* ‹U› βουλκανίτης, ἐβονίτης. **vul·can·ize** /ˋvʌlkənaɪz/ *ρ.μ.* βουλκανιζάρω. **vul·can·iz·ation** /ˈvʌlkənaɪˋzeɪʃn/ *οὐσ.* ‹U› βουλκανισμός.
vul·gar /ˋvʌlgə(r)/ *ἐπ.* **1**. χυδαῖος, κακόγουστος: ~ *language/behaviour/display of wealth*, χυδαία γλῶσσα/συμπεριφορά/ἐπίδειξη πλούτου. *a* ~ *person*, χυδαῖος/ἄξεστος ἄνθρωπος. *There was something* ~ *about her*, εἶχε κάτι χυδαῖο, κάτι πρόστυχο ἐπάνω της. **2**. κοινός, συνήθης: ~ *errors*, κοινά, συνήθη λάθη. ~ *superstitions*, κοινές δεισιδαιμονίες. **the** ~ **herd**, ὁ χύδην ὄχλος, ὁ λαουτζίκος. **the** ~ **tongue**, ἡ κοινή γλῶσσα. **~·ly** *ἐπίρ.* **vulgarian** /vʌlˋgeərɪən/ *οὐσ.* ‹C› χυδαῖος ἄνθρωπος, (*ἰδ.*) ἄξεστος νεόπλουτος. **~·ism** /-gərɪsm/ *οὐσ.* ‹C,U› λαϊκή ἔκφρασις, χυδαία συμπεριφορά. **~·ity** /vʌlˋgærətɪ/ *οὐσ.* ‹C,U› χυδαιότης, χοντροκοπιά, κοινοτοπία. **~·ize** /-gəraɪz/ *ρ.μ.* ἐκχυδαΐζω. **~·iz·ation** /ˈvʌlgəraɪˋzeɪʃn/ *οὐσ.* ‹U› ἐκχυδαϊσμός.
Vul·gate /ˈvʌlgeɪt/ *οὐσ.* **the V**~, ἡ Βουλγκάτα (ἡ Λατινική μετάφρασις τῆς Βίβλου).
vul·ner·able /ˋvʌlnərəbl/ *ἐπ.* τρωτός, εὐπρόσβλητος: *find sb's* ~ *spot*, βρίσκω τό τρωτό σημεῖο κάποιου. *This is his* ~ *spot*, αὐτό εἶναι τό εὐαίσθητο σημεῖο του, ἡ ἀχίλλειος πτέρνα του. **vul·ner·abil·ity** /ˈvʌlnərəˋbɪlətɪ/ *οὐσ.* ‹U› εὐπάθεια, τρωτότης.
vul·pine /ˋvʌlpaɪn/ *ἐπ.* ἀλεπουδίσιος, πανοῦργος.
vul·ture /ˋvʌltʃə(r)/ *οὐσ.* ‹C› γύπας, ὄρνιο, (*μεταφ.*) ἁρπακτικός ἄνθρωπος.
vul·va /ˋvʌlvə/ *οὐσ.* ‹C› (*ἀνατ.*) αἰδοῖον.
vy·ing /ˋvaɪɪŋ/ *ἐνεργ. μετ. τοῦ ρ. vie.*

W w

W, w /ˋdʌbəlju/ τό 23ο γράμμα τοῦ ἀλφάβητου.
wad /wod/ *οὐσ.* ‹C› **1**. στουπί (γιά βούλωμα), χορτάρι (γιά συσκευασία). **2**. δέσμη (ἔγγραφα), μάτσο (χαρτονομίσματα). —*ρ.μ. (-dd-)* **1**. στουπώνω, παραγεμίζω μέ χορτάρι ἤ στουπί. **2**. καπιτονάρω: *a* ~*ded jacket/quilt/dressing-gown*, καπιτοναρισμένο σακκάκι/πάπλωμα/-η ρόμπα. **3**. κάνω μάτσο. **~·ding** /ˋwodɪŋ/ *οὐσ.* ‹U› βάτα.
waddle /ˋwodl/ *ρ.ἀ.* περπατῶ ἀργά καί κουνιστά, πάω σάν πάπια: *The stout lady* ~*d off*, ἡ χοντρή ἔφυγε κουνιστή σάν πάπια. —*οὐσ.* (*μόνον ἑν.*) κουνιστό περπάτημα: *She went off with a* ~, ἔφυγε μέ βαρύ, κουνιστό βῆμα.
wade /weɪd/ *ρ.μ/ἀ.* **1**. προχωρῶ (μέ κόπο, *ἰδ.* σέ νερό), τσαλαβουτῶ, τσαλαπατῶ: ~ *in the sea/mud*, τσαλαβουτῶ στή θάλασσα/στή λάσπη. ~ *through the weeds in a field*, προχωρῶ τσαλαπατώντας τ' ἀγριόχορτα σ' ἕνα χωράφι. ~ *across a river*, διασχίζω ἕνα ποτάμι (μέ τά πόδια ἤ ἔφιππος) τσαλαβουτώντας. *He* ~*ed through the dull book*, (*μεταφ.*) τέλειωσε μέ χίλιους κόπους τό ἀνιαρό βιβλίο. **ˋwading bird**, (*ὀρνιθ.*) ὑδροβάτης. **2**. ~ ***in(to) sth/in***, ἐπιτίθεμαι ὁρμητικά, ρίχνομαι/καταπιάνομαι δραστήρια. **wader 1**. *βλ. wading bird*. **2**. (*συνήθ. πληθ.*) ἀδιάβροχες μπότες ὥς τούς γοφούς.
wadi /ˋwodɪ/ *οὐσ.* ‹C› (*πληθ.* ~*s*) ρέμα, ξεροπόταμο (*ἰδ.* στή Μ. Ἀνατολή).
wa·fer /ˋweɪfə(r)/ *οὐσ.* ‹C› **1**. λεπτό μπισκότο (σάν αὐτό πού σερβίρεται μέ παγωτό). **2**. ἄρτος (μεταλήψεως). **3**. δίσκος ἀπό κόκκινο χαρτί (ἐπικολλώμενος ἐπί ἐγγράφου ἀντί σφραγίδος).
[1]**waffle** /ˋwofl/ *οὐσ.* ‹C› κέκ φόρμας.
[2]**waffle** /ˋwofl/ *ρ.ἀ.* (*Μ.Β. καθομ.*) φλυαρῶ, λέω λόγια τοῦ ἀέρα, ἀνοηταίνω: *How that man does* ~ *on!* ἀμάν ἡ φλυαρία αὐτοῦ τοῦ ἀνθρώπου! *What's he waffling (on) about now?* τί λέει τώρα πάλι; τί ἀεροκοπανάει; —*οὐσ.* ‹U› κούφια, φουσκωμένα λόγια, φλυαρία: *There's too much* ~ *in your essay*, ἡ ἔκθεσή σου ἔχει πολλή φλυαρία.
waft /woft/ *ρ.μ.* (μετα)φέρω ἁπαλά (μέ τόν ἀέρα ἤ τό νερό): *The scent of the flowers/The soft music was* ~*ed to us by the breeze*, τό ἀεράκι ἔφερνε ὥς ἐμᾶς τήν εὐωδιά τῶν λουλουδιῶν/τήν ἁπαλή μουσική. —*οὐσ.* ‹C› πνοή (ἀνέμου), κῦμα (εὐωδιᾶς, μουσικῆς), ἐλαφρό φύσημα.
wag /wæg/ *ρ.μ/ἀ. (-gg-)* κουνῶ, κουνιέμαι: *The dog* ~*ged its tail*, ὁ σκύλος κουνοῦσε τήν οὐρά του. *Don't* ~ *your finger at me!* μή μοῦ κουνᾶς ἐμένα τό δάχτυλο! *Her tongue is always* ~*ging*, ἡ γλῶσσα της βρίσκεται διαρκῶς σέ κίνηση. *The news set tongues/beards/chins* ~*ging*, τά νέα ἔκαναν ὅλο τόν κόσμο νά μιλάη/προκάλεσαν γενική συζήτηση. **ˋ~·tail**, (*ὀρνιθ.*) σουσουράδα. —*οὐσ.* ‹C› κούνημα, κίνησις: *with a* ~ *of his finger/head*, μ' ἕνα κούνημα τοῦ δάχτυλου/τοῦ κεφαλιοῦ του.
[1]**wage** /weɪdʒ/ *οὐσ.* **1**. (*πληθ. ἐκτός σέ ὡρισμένες φράσεις ἤ ὅταν λειτουργεῖ ἐπιθετικῶς*) μεροκάματο, μισθός: *His* ~*s are £40 a week*, ὁ μισθός του εἶναι 40 λίρες τή βδομάδα. *He takes his* ~*s/his* ˋ~-*packet to his wife every Friday*, δίνει τό βδομαδιάτικο του στή γυ-

ναΐκα του κάθε Παρασκευή. *ask for a* ˋ~ *increase/rise*, ζητῶ αὔξηση μισθοῦ. **living ~**, μισθός ἀρκετός γιά συντήρηση. **minimum ~**, κατώτατα ἡμερομίσθια. ˋ**~-earner**, μεροκαματιάρης, μισθοσυντήρητος. (*βλ.* & *λ. freeze*). **2**. (*πληθ., μέ ρ. ἑν., ἀπηρχ.*) ἀνταμοιβή: *The ~s of sin is death*, τά ὀψώνια τῆς ἁμαρτίας θάνατος.

[2]**wage** /weɪdʒ/ *ρ.μ.* διεξάγω, κάνω: ~ *war/a campaign*, κάνω πόλεμο/ἐκστρατεία. ~ *war on poverty and injustice*, κάνω πόλεμο ἐναντίον τῆς φτώχειας καί τῆς ἀδικίας.

wa·ger /ˋweɪdʒə(r)/ *οὐσ.* ‹C› (*πεπαλ.*) στοίχημα: *take up a ~*, δέχομαι ἕνα στοίχημα. ***lay/make a ~***, βάζω/πάω στοίχημα. —*ρ.μ/ἀ.* στοιχηματίζω: ~ *£1 on a horse*, παίζω μιά λίρα σ'ἕνα ἄλογο. *I'm ready to ~ you that…*, εἶμαι πρόθυμος νά στοιχηματίσω μαζί σου ὅτι…

waggle /ˋwægl/ *ρ.μ/ἀ.* & *οὐσ. βλ. wag.*

wag·gon /ˋwægən/ *οὐσ.* ‹C› **1**. κάρρο. ***be on the ~***, (*καθομ.*) δέν πίνω οἰνοπνευματώδη. **2**. ἀνοιχτό φορτηγό βαγόνι. ˋ**station-~**, (*συνήθ. ΗΠΑ*) αὐτοκίνητο στέϊσον-βάγκον (*πρβλ. MB estate car*). ˋ**tea-~**, *βλ. tea-trolley.*

wa·gon-lit /ˈvægõ ˋli/ *οὐσ.* ‹C› (*πληθ. wagons-lit*) βαγκόν-λί, κλινάμαξα.

waif /weɪf/ *οὐσ.* ‹C› ἄστεγος, ἀδέσποτος (ἄνθρ. ἤ ζῶον): *~s and strays*, ἄστεγα, ἐγκαταλελειμμένα παιδιά.

wail /weɪl/ *ρ.μ/ἀ.* θρηνῶ, κλαίω, ὀλολύζω, σκούζω, στριγγλίζω: ~ *(over) one's misfortunes*, κλαίω καί ὀδύρομαι γιά τά παθήματά μου. *She was ~ing for her lost child*, θρηνοῦσε γιά τό χαμένο της παιδί. *a ~ing siren/wind*, σειρήνα/ἄνεμος πού οὐρλιάζει. —*οὐσ.* ‹C› θρῆνος, γοερή κραυγή, γόος: *the ~s of a newborn child*, οἱ κραυγές ἑνός νεογέννητου.

wain·scot /ˋweɪnskət/ *οὐσ.* ‹C› ξύλινη ἐπένδυσις, μπουαζερί (συνήθως στό κάτω μισό τοῦ ἐσωτερικοῦ τοίχου). **~ed** *ἐπ.* μέ ξύλινη ἐπένδυση: *a ~ed room*, δωμάτιο ἐπενδεδυμένο μέ ξύλο.

waist /weɪst/ *οὐσ.* ‹C› μέση (ἀνθρώπου, φορέματος, πλοίου, κλπ), στενό μέρος (βιβλιοῦ, παπουτσιοῦ, κλπ): *wear a sash round the ~*, φορῶ ζουνάρι στή μέση. *stripped to the ~*, γυμνός ὥς τή μέση. *He has no ~*, δέν ἔχει μέση (ἀπό τό πάχος). ˋ**~-band**, ζώνη (φούστας, παντελονιοῦ). ˋ**~·coat** /ˋweɪskəʊt/ γιλέκο (*πρβλ. vest*). ˈ**~-ˋdeep/-ˋhigh** *ἐπ.* & *ἐπίρ.* ὥς τή μέση (βαθύς/ψηλός): *The wheat was ~-high*, τό στάρι ἔφτανε ὥς τή μέση. *He was ~-deep in the water*, ἦταν ὥς τή μέση μέσα στό νερό. ˋ**~-line**, περίμετρος μέσης (*ἰδ.* γυναίκας).

[1]**wait** /weɪt/ *οὐσ.* ‹C,U› ἀναμονή, στάσις: *have a long ~ for the bus*, περιμένω πολύ ὥρα τό λεωφορεῖο. *The train had a long ~ at…*, τό τραῖνο ἔκανε μεγάλη στάση εἰς… ***lie in ~ for***, (*ἤ σπανιώτ.*) ***lay ~ for sb/sth***, παραμονεύω, στήνω καρτέρι σέ κπ/κτ. **the ~s**, ὁμάδες πού ψέλνουν τά κάλαντα.

[2]**wait** /weɪt/ *ρ.μ/ἀ.* **1**. ***~ (for sb/sth)***, περιμένω: *Who/What are you ~ing for?* ποιόν/τί περιμένεις; *I ~ed for him to come*, περίμενα νά ἔλθη. *We ~ed to see what would happen*, περιμέναμε νά δοῦμε τί θά γίνη. ***Everything comes to those who ~***, (*παροιμ.*) ἀγάλι-ἀγάλι γίνεται ἡ ἀγουρίδα μέλι. ***~ and see***, περιμένω νά δῶ τί θά γίνη, τηρῶ ἐπιφυλακτική στάση: *We'll ~ and see*, βλέποντας καί κάνοντας. *a ~-and-see policy*, καιροσκοπική πολιτική. ***keep sb ~ing***, κάνω κπ νά περιμένη: *Don't keep me ~ing long*, μή μέ κάνης νά περιμένω πολύ. *I was kept ~ing in the rain*, (μέ εἶχαν καί) περίμενα στή βροχή. ***~ up (for sb)***, ξαγρυπνῶ περιμένοντας κπ: *Don't ~ up for me, I'll be late*, μή μέ περιμένης (γιά ὕπνο), θ'ἀργήσω. ***No ~ing***, ἀπαγορεύεται ἡ παραμονή/ἡ στάθμευσις. **2**. περιμένω, ἀναμένω (= *await*): *He's ~ing his opportunity*, περιμένει τήν εὐκαιρία του. *You must ~ your turn*, πρέπει νά περιμένης τή σειρά σου. *I can't ~ your convenience*, δέν μπορῶ νά περιμένω πότε θά εὐκαιρήσης ἐσύ. **3**. (*πεπαλ.*) καθυστερῶ, ἀναβάλλω: *Don't ~ dinner for me*, μήν καθυστερῆτε τό φαγητό γιά μένα. **4**. ***~ (up)on sb***, (*α*) ὑπηρετῶ κπ (*βλ.* & *λ.* [1]*hand*). (*β*) (*ἀπηρχ.*) ἐπισκέπτομαι: *Our traveller will ~ upon you on Monday*, ὁ πλασιέ μας θά σᾶς ἐπισκεφθῆ τή Δευτέρα. ***~ at/on***, σερβίρω, κάνω χρέη σερβιτόρου: *~ at table*, σερβίρω στό τραπέζι, εἶμαι σερβιτόρος. **5**. (*σέ σύνθ. λέξεις*): ˋ**~·ing list**, κατάλογος προτεραιότητος: *Put me on the ~ing list for an appointment*, κλεῖσε μου σειρά γιά ἕνα ραντεβοῦ. ˋ**~·ing-maid**, (*παλαιότ.*) καμαριέρα γυναικός. ˋ**~·ing-room**, αἴθουσα ἀναμονῆς. **~er** *οὐσ.* ‹C› σερβιτόρος, γκαρσόνι. **~·ress** /ˋweɪtrəs/ *οὐσ.* ‹C› σερβιτόρα.

waive /weɪv/ *ρ.μ.* (*χωρίς πρόθ.*) παραιτοῦμαι ἀπό, ἀντιπαρέρχομαι, παραμερίζω: ~ *a claim/privilege*, παραιτοῦμαι ἀπό μιά ἀξίωση/ἀπό ἕνα προνόμιο. ~ *the age limit*, παραμερίζω τό ὅριο ἡλικίας. **waiver** /ˋweɪvə(r)/ *οὐσ.* ‹C› (*νομ.*) παραίτησις (τό ἔγγραφον καί ἡ πρᾶξις): *sign a waiver of claims against sb*, ὑπογράφω παραίτηση ἀπό τίς ἀξιώσεις μου ἔναντι κάποιου.

[1]**wake** /weɪk/ *ρ.μ/ἀ. ἀνώμ.* (*ἀόρ. woke* /wəʊk/ *ἤ ~d, π.μ. ~d, woke ἤ woken* /ˋwəʊkən/) **1**. ***~ (up)***, ξυπνῶ, ἀφυπνίζω/-ομαι: *What time do you usually ~ (up)?* τί ὥρα συνήθως ξυπνᾶτε; *Don't ~ the baby*, μή ξυπνήσης τό μωρό. *The noise woke me (up)*, μέ ξύπνησε ὁ θόρυβος. *He woke up with a start*, ξύπνησε ἀπότομα. ***~ the dead***, (*μεταφ.*) ξυπνῶ/ἀνασταίνω πεθαμένους: *The noise was enough to ~ the dead*, ὁ θόρυβος ἦταν τόσος πού μποροῦσε νά ξυπνήση καί πεθαμένο. ***~ to find oneself***, βρίσκομαι ἀπό τή μιά μέρα στήν ἄλλη: *He woke to find himself famous/in prison*, ἀπό τή μιά μέρα στήν ἄλλη ἔγινε διάσημος/βρέθηκε στή φυλακή. **2**. ξυπνῶ, ζωντανεύω, δραστηριοποιῶ/-οῦμαι: *W~ up!* ξύπνα! κουνήσου! *He needs someone to ~ him up*, θέλει κάποιον νά τόν ξυπνήση/νά τόν δραστηριοποιήση. *The incident ~d memories of his schooldays*, τό περιστατικό ζωντάνεψε ἀναμνήσεις τῆς σχολικῆς του ζωῆς. ***be waking (up) to sth***, ἀρχίζω νά ἀντιλαμβάνομαι κτ: *He's waking (up) to the truth at last*, ἐπιτέλους ἀρχίζει νά βλέπη τήν ἀλήθεια. **3**. ταράσσω (τήν ἡσυχία): ~ *echoes in a mountain valley*, κάνω ἕνα

φαράγγι ν' ἀντιλαλήση. **waking** *οὐσ.* ‹U› ἀγρύπνια, ἐγρήγορση. —*ἐπ.* ξύπνιος, ξυπνητός, ἄγρυπνος: *in his waking hours*, τίς ὧρες τῆς ἀγρύπνιας του, στό ξύπνιο του. *waking or sleeping*, ξύπνιος ἤ κοιμισμένος. **~·ful** /-fl/ *ἐπ.* ἄγρυπνος: *pass a ~ful night*, περνῶ ἄγρυπνη νύχτα. **waken** /ˈweɪkən/ *ρ.μ/ἀ.* (*λόγ.*) ξυπνῶ.

2 **wake** /weɪk/ *οὐσ.* **1**. (*συνήθ. πληθ.*) **ˋW~s Week**, ἐτήσια γιορτή στή Β. Ἀγγλία. **2**. ‹C› (*Ἰρλανδία*) ξενύχτι νεκροῦ.

3 **wake** /weɪk/ *οὐσ.* (*συνήθ. ἑν. μέ the*) ἀπόνερα (αὐλάκι στή θάλασσα ἀπό τό πέρασμα πλοίου): *be in the ~ of a ship*, ἀκολουθῶ ἕνα πλοῖο ἀκριβῶς ἀπό πίσω. ***in the ~ of***, (*μεταφ.*) ἀπό πίσω, καταπόδι, μαζί, ὡς ἐπακόλουθο: *Traders came in the ~ of explorers*, πίσω ἀπό τούς ἐξερευνητές ἦρθαν οἱ ἔμποροι. *infirmities that come in the ~ of old age*, ἀναπηρίες πού ἔρχονται μαζί μέ τά γεράματα (σάν ἐπακόλουθο τῶν γερατειῶν).

1 **walk** /wɔk/ **1**. *ρ.ἀ.* περπατῶ, πάω μέ τά πόδια: *He was ~ing up and down the platform*, περπατοῦσε πάνω-κάτω στήν πλατφόρμα. *Shall we go by bus or ~?* θά πᾶμε μέ τό λεωφορεῖο ἤ μέ τά πόδια; **ˋ~-about**, περίπατος, βόλτα, σουλάτσο. ***~ away from/with***, νικῶ/κερδίζω εὔκολα: *He ~ed away from all his competitors*, νίκησε μέ μεγάλη εὐκολία ὅλους τούς ἀντιπάλους του. *He ~ed away with the match*, κέρδισε τόν ἀγῶνα πολύ εὔκολα. **ˋ~-over**, εὔκολη νίκη: *The race was a ~-over for John*, ἡ κούρσα ἦταν παιχνιδάκι γιά τόν Γ. ***~ off with sth***, (*καθομ.*) παίρνω κτ, βουτάω: *Somebody has ~ed off with my umbrella*, κάποιος μοῦ βούτηξε τήν ὀμπρέλλα. ***~ into***, (*καθομ.*) πέφτω μόνος μου: *He just ~ed into the ambush*, ἔπεσε μονάχος του στήν ἐνέδρα. ***~ on***, (*θέατρ.*) παίζω ρόλο κομπάρσου: *a ~-on part*, βωβός ρόλος. ***~ out***, (*καθομ.*) ἀπεργῶ: *The men in the oil-refinery ~ed out yesterday*, οἱ ἐργάτες τῶν διϋλιστηρίων ἀπήργησαν χθές. **ˋ~-out**, ἀπεργία. ***~ out on sb***, (*λαϊκ.*) ἐγκαταλείπω κπ (σέ ὥρα ἀνάγκης), τόν παρατάω, τόν ἀφήνω σύξυλο: *Her friend ~ed out on her*, τήν παράτησε ὁ φίλος της. ***~ out with sb***, (*καθομ. πεπαλ.*) βγαίνω/τἄχω ψήσει μέ κπ. ***~ up***, πλησιάζω, ἀνεβαίνω: *A stranger ~ed up to me*, μέ πλησίασε ἕνας ἄγνωστος. *Let's ~ up to my study*, ἄς ἀνεβοῦμε στό γραφεῖο μου. **2**. *ρ.μ.* κάνω κπ νά βαδίση, συνοδεύω κπ (περπατώντας), περπατῶ (ἕνα μέρος): *He put his arm round her and ~ed her off*, τήν ἀγκάλιασε μέ τό χέρι του καί τήν πῆρε κι' ἔφυγαν. *He ~ed his class to the station*, πῆγε τήν τάξη του στό σταθμό μέ τά πόδια. *I've ~ed this district for miles round*, ἔχω περπατήσει αὐτή τήν περιοχή σέ ἀκτίνα μιλίων ὁλόγυρα. ***~ sb off his feet/legs***, ξεποδαριάζω κπ. ***~ one's beat/round***, (*γιά ἀστυφ.*) κάνω τήν περιπολία μου/τή βόλτα μου. ***~ the boards***, εἶμαι ἠθοποιός. ***~ the plank***, πέφτω στή θάλασσα (ἀπό τόν καιρό πού οἱ πειρατές ἀνάγκαζαν τούς αἰχμαλώτους νά βαδίσουν, μέ τά μάτια δεμένα, σ' ἕνα μαδέρι πού προεξεῖχε τοῦ πλοίου, ὥσπου ἔπεφταν στή θάλασσα). ***~ the streets***, (*γιά πόρνη*) κάνω πεζοδρόμιο. **ˋstreet-~er**, γυναίκα τοῦ πεζοδρομίου. ***~ the wards***, εἶμαι φοιτητής ἰατρικῆς. **~er** *οὐσ.* ‹C› περιπατητής. **~·ing** *οὐσ.* ‹U› περίπατος, πεζοπορία, (*ὡς α! συνθετ.*) γιά περπάτημα, πεζοπορίας: *ˋ~ing-shoes*, παπούτσια πεζοπορίας. *a ˋ~ing-stick*, μπαστούνι. *a ˋ~ing-tour*, πεζοπορία.

2 **walk** /wɔk/ *οὐσ.* ‹C› **1**. περίπατος, ποδαρόδρομος, πεζοπορία: *ten minutes' ~*, δέκα λεπτά μέ τά πόδια. *It's a short/long ~*, εἶναι κοντά/μακριά μέ τά πόδια. ***go for/take a ~***, πάω/κάνω περίπατο. ***take sb for a ~***, πάω κπ βόλτα. **2**. βάδισμα, περπάτημα, περπατησιά: *He dropped into/He slowed (down) to a ~*, ἔκοψε (τό τρέξιμο) κι' ἄρχισε νά βαδίζη κανονικά. *I recognised him by his ~*, τόν ἀναγνώρισα ἀπό τήν περπατησιά του. **3**. δρόμος, περίπατος, βόλτα: *This is my favourite ~ in the neighbourhood*, αὐτός εἶναι ὁ δρόμος/ἡ βόλτα πού μ' ἀρέσει στή γειτονιά. **4**. ***~ of life***, ἐπάγγελμα, κοινωνική θέσις: *people from all ~s of life*, κάθε λογῆς ἄνθρωποι, ἄνθρωποι ὅλων τῶν ἐπαγγελμάτων καί κοινωνικῶν τάξεων. (*βλ.* & *λ.* [1]*cock*).

walkie-talkie /ˈwɔkɪ ˋtɔkɪ/ *οὐσ.* ‹C› (*καθομ.*) φορητό ραδιοτηλέφωνο.

wall /wɔl/ *οὐσ.* ‹C› **1**. τοῖχος, ντουβάρι, μανδρότοιχος: *a ~ of stone/of brick*, τοῖχος ἀπό πέτρα/ἀπό τοῦβλα. *thick ~s*, παχεῖς τοῖχοι. *blind/blank ~s*, τοῖχοι χωρίς ἀνοίγματα. *a dry ~*, ξερολιθιά. **2**. (*κυριολ.* & *μεταφ.*) τεῖχος: *the ~s of a castle*, τά τείχη φρουρίου. *within/without the ~s of a town*, ἐντός/ἐκτός τῶν τειχῶν μιᾶς πόλεως. *the Great W~ of China*, τό Μέγα Σινικόν Τεῖχος. *a ~ of fire/water*, τεῖχος (φράγμα) φωτιᾶς/νεροῦ. **3**. (*σέ φράσεις*): ***bang/run one's head against a (brick) ~***, χτυπῶ τό κεφάλι μου στόν τοῖχο. ***be/go up the ~***, (*λαϊκ.*) εἶμαι/γίνομαι παπόρι (μπουρλότο/ἔξω φρενῶν). ***go to the ~***, μπαίνω στήν μπάντα, κατατροπώνομαι, καταστρέφομαι. ***push/drive sb to the ~***, κολλῶ κπ στόν τοῖχο, τόν φέρνω σέ δύσκολη θέση, τόν στριμώχνω. ***see through a brick ~***, εἶμαι τετραπέρατος/πανέξυπνος. (*βλ.* & *λ.* [1]*back*). **4**. (*σέ σύνθ. λέξεις*): **ˋ~flower**, *(α)* ἀγριοβιολέττα. *(β)* (*μεταφ.*) κορίτσι πού δέν χορεύει (γιατί δέν ὑπάρχει διαθέσιμος καβαλιέρος). **ˋ~-painting**, τοιχογραφία. **ˋ~-paper**, ταπετσαρία. —*ρ.μ.* **1**. περιβάλλω μέ τοῖχο/μέ τεῖχος: *a ~ed garden/city*, κῆπος κλεισμένος μέ τοῖχο/πόλη κλεισμένη μέ τείχη. **2**. ***~ sth up/off***, κλείνω/χωρίζω μέ τοῖχο: *~ up a window*, κλείνω παράθυρο μέ τοῖχο. *~ off part of a room*, χωρίζω τμῆμα δωματίου μέ τοῖχο.

wal·laby /ˈwɔləbɪ/ *οὐσ.* ‹C› εἶδος μικροῦ καγκουρώ.

wal·let /ˈwɔlɪt/ *οὐσ.* ‹C› **1**. πορτοφόλι. **2**. (*ἀπηρχ.*) δισάκι.

wal·lop /ˈwɔləp/ *οὐσ.* ‹C› (*καθομ.*) δυνατό χτύπημα: *Down he went with a ~!* μπάμ, πάρτον κάτω! —*ρ.μ.* (*λαϊκ.*) κοπανάω: *He ~ed her on the head*, τήν κοπάνισε στό κεφ[illegible] **~·ing** *οὐσ.* ‹C› (*καθομ.*) ξυλοφόρτωμ[illegible] [illegible]*ur team got a ~ing*, ἡ ὁμάδα μας τίς ἔφαγε. —*ἐπ.* (*καθομ.*) πελώριος: *a ~ing lie!* ψέμα μέ οὐρά!

wal·low /ˈwoləʊ/ *ρ.ἀ.* (συγ)κυλιέμαι (μέ ἡδονή): *pigs ~ing in the mire*, γουρούνια πού κυλιοῦνται στό βόρβορο. *~ in sensual pleasures/in vice*, κυλιέμαι στίς ἡδονές/στή διαφθορά. *~ in blood/wealth*, κολυμπῶ στό αἷμα/στά πλούτη. ***be ~ing in money***, (*καθομ.*) κολυμπῶ στό χρῆμα. —*οὐσ.* ‹C› λασπώδης λάκκος (ὅπου κυλιοῦνται τά ζῶα).

wal·nut /ˈwɔlnʌt/ *οὐσ.* ‹C,U› καρύδι, καρυδιά. —*ἐπ.* καρυδένιος, κάρινος.

wal·rus /ˈwɔlrəs/ *οὐσ.* ‹C› θαλάσσιος ἵππος. **~ moustache**, (*καθομ.*) κρεμαστό μουστάκι (μέ τίς ἄκρες πρός τά κάτω).

waltz /wɔls/ *οὐσ.* ‹C› βάλς. —*ρ.μ/ἀ.* χορεύω βάλς, στροβιλίζομαι στό ρυθμό τοῦ βάλς.

wan /won/ *ἐπ.* ὠχρός, χλωμός: *a ~ smile*, ὠχρό χαμόγελο. *a ~ light*, χλωμό φῶς. **~·ly** *ἐπίρ.* ὠχρά, χλωμά, θλιμμένα. **~·ness** /ˈwonnəs/ *οὐσ.* ‹U› ὠχρότης, χλωμάδα.

wand /wond/ *οὐσ.* ‹C› ράβδος (ταχυδακτυλουργοῦ, στρατάρχου), μπαγκέττα.

wan·der /ˈwondə(r)/ *ρ.μ/ἀ.* **1**. περιφέρομαι, τριγυρίζω: *He ~ed over the fields/up and down the road aimlessly*, τριγύριζε στά χωράφια/ἀνεβοκατέβαινε τό δρόμο ἄσκοπα. *He ~ed in to see me*, μπῆκε μέσα νά μέ δῆ. **2**. περιπλανῶμαι: *Some of the sheep have ~ed away*, μερικά πρόβατα ξέκοψαν ἀπό τό κοπάδι. *We ~ed for hours in the mist*, περιπλανηθήκαμε ὧρες μές στήν ὁμίχλη. **3**. ἀπομακρύνομαι, ξεστρατίζω, ἀφαιροῦμαι: *Don't ~ from the subject/point*, μήν ἀπομακρύνεσαι ἀπό τό θέμα. *My mind was ~ing*, εἶχα ἀφαιρεθῆ, τό μυαλό γύριζε ἀλλοῦ. *His thoughts ~ed back to the past*, οἱ σκέψεις του ξαναγύρισαν στά περασμένα. **~er** *οὐσ.* ‹C› ταξιδευτής, περιπλανώμενος. **~·ing** *ἐπ.* περιπλανώμενος, πλανόδιος, ἀφηρημένος, ἀσυνάρτητος. **~-ings** *οὐσ. πληθ.* περιπλανήσεις, παραλήρημα, παραμιλητό.

wan·der·lust /ˈwondəlʌst/ *οὐσ.* ‹U› μανία περιπλανήσεων/ταξιδίων.

wane /weɪn/ *ρ.ἀ.* **1**. (*γιά φεγγάρι*) φθίνω, εἶμαι στή χάση. **2**. ἐλαττώνομαι, μειώνομαι, ἐξασθενίζω: *His strength/influence/reputation is waning*, ἡ δύναμίς του/ἡ ἐπιρροή του/ἡ φήμη του μειώνεται (ἐξασθενίζει). —*οὐσ.* (*ἰδ. στή φρ.*) ***on the ~***, στή χάση, σέ παρακμή.

wangle /ˈwæŋgl/ *ρ.μ.* (*λαϊκ.*) καταφέρνω κτ (μέ κόλπα, μέ πλάγια μέσα): *He ~d a decoration/a week's leave*, κατάφερε μέ κόλπα καί πῆρε παράσημο/μιά βδομάδα ἄδεια. —*οὐσ.* ‹C› κόλπο, κομπίνα: *get sth by a ~*, παίρνω κτ μέ κομπίνα.

[1]**want** /wont/ *οὐσ.* **1**. ‹U› ἔλλειψις: *die from ~ of water*, πεθαίνω ἀπό ἔλλειψη νεροῦ. *It shows ~ of thought/care*, δείχνει ἔλλειψη νοῦ/φροντίδας. ***for ~ of***, ἐλλείψει: *for ~ of a better one*, ἐλλείψει καλυτέρου. *for ~ of something to do*, μή ἔχοντας τίποτα νά κάμω. **2**. ‹U› ἀνάγκη, φτώχεια: *We may one day be in ~*, μπορεῖ καμιά μέρα νά βρεθοῦμε στήν ἀνάγκη (σέ φτώχεια). ***be in ~ of***, ἔχω ἀνάγκη: *The house is in ~ of repair*, τό σπίτι ἔχει ἀνάγκη ἐπισκευῆς. **3**. (*συνήθ. πληθ.*) ἀπαίτησις, ἀνάγκη, χρεία: *He's a man of few ~s*, εἶναι ἄνθρωπος μέ λίγες ἀπαιτήσεις (εἶναι ὀλιγαρκής). *This shop can supply all our ~s*, αὐτό τό μαγαζί μπορεῖ νά ἱκανοποιήση ὅλες τίς ἀνάγκες μας.

[2]**want** /wont/ *ρ.μ/ἀ.* **1**. θέλω, ζητῶ, χρειάζομαι: *The flowers ~ water*, τά λουλούδια θέλουν νερό. *'W~ed, cook for small family,'* -Ζητεῖται μαγείρισσα γιά μικρή οἰκογένεια. *You won't be ~ed this afternoon*, δέν θά σᾶς χρειαστοῦμε σήμερα τό ἀπόγευμα. *You are ~ed on the phone*, σᾶς ζητοῦν στό τηλέφωνο. *He's ~ed by the police*, τόν ζητάει ἡ ἀστυνομία. *I don't ~ women meddling in my affairs*, δέν θέλω ν' ἀνακατεύωνται οἱ γυναῖκες στίς ὑποθέσεις μου. *Do you ~ your trousers pressed?* θέλεις νά σιδερωθῆ τό παντελόνι σου; *What do you ~ of him?* τί θέλεις ἀπ' αὐτόν; τί τόν θέλεις; **2**. θέλω, ἐπιθυμῶ: *I ~ to meet him*, θέλω νά τόν συναντήσω. *I ~ her to meet him*, θέλω νά τόν συναντήση. *She ~s a holiday*, θέλει διακοπές. (*Στή σύνταξη μέ ἀπαρέμφατο, πχ I wish to meet him, τό ρῆμα wish ἔχει τήν ἴδια ἔννοια μέ τό want ἀλλά χρησιμοποιεῖται λιγώτερο συχνά. Στή σύνταξη μέ οὐσιαστικό, ὅμως, τό ρ. wish for – πχ She wishes for a holiday – σημαίνει ὅτι ἡ ἐκπλήρωσις τῆς ἐπιθυμίας ἐμφανίζεται ὡς ἐξαιρετικά δύσκολη ἤ ἀπίθανη, ἐνῶ τό ρ. want περιορίζεται νά διατυπώση ἁπλῶς μιά συγκεκριμένη ἐπιθυμία*). **3**. θέλω (χρειάζομαι ἐξ ἀντικειμένου): *I ~ a shave*, θέλω ξύρισμα. *The dog ~s washing*, ὁ σκύλος θέλει πλύσιμο. *My room ~s repairing/painting*, τό δωμάτιό μου θέλει ἐπισκευή/βάψιμο. *That sort of thing ~s some doing*, αὐτοῦ τοῦ εἴδους ἡ δουλειά θέλει προσπάθεια/θέλει προσοχή. **4**. ὀφείλω, ἔχω ἀνάγκη: *You ~ to see a lawyer*, εἶναι ἀνάγκη (ὀφείλεις) νά δῆς ἕνα δικηγόρο. **5**. (*ὡς ἀπρόσωπο ρ.*) (*πεπαλ.*) θέλει ἀκόμα, λείπει: *It ~s an inch of the regulation length*, λείπει (θέλει) μιά ἴντσα γιά νἄχη τό κανονικό μάκρος. **6**. (*μόνον στούς συνεχεῖς χρόνους*) ***be ~ing***, (*μέ πρᾶγμα ὡς ὑποκείμενο*) λείπω: *A few pages of this book are ~ing*, λείπουν μερικές σελίδες ἀπ' αὐτό τό βιβλίο. ***be ~ing in***, (*μέ ἄνθρ. ὡς ὑποκείμενο*) ὑπολείπομαι εἰς, δέν ἔχω: *He's ~ing in courage/courtesy*, ὑπολείπεται σέ (δέν ἔχει) θάρρος/εὐγένεια (τοῦ λείπει τό θάρρος/ἡ εὐγένεια). ***be found ~ing***, ἀποδεικνύομαι ἀνεπαρκής/ἀκατάλληλος: *He was tried/put to the test and found ~ing*, δοκιμάστηκε καί ἀποδείχθηκε ἀνεπαρκής (ἀκατάλληλος). **7**. στεροῦμαι: *We mustn't let our soldiers ~ in their old age*, δέν πρέπει ν' ἀφήσωμε τούς στρατιῶτες μας νά στεροῦνται στά γεράματά τους. ***~ for nothing***, δέν στεροῦμαι/δέν μοῦ λείπει τίποτα: *His family will ~ for nothing*, δέ θά λείψη τίποτα στήν οἰκογένειά του. **~·ing** *πρόθ.* χωρίς: *W~ing money, nothing can be done.*

wan·ton /ˈwontən/ *ἐπ.* **1**. λάγνος, ἀσελγής, ἀκόλαστος: *~ thoughts*, λάγνες σκέψεις. *a ~ woman*, ἀκόλαστη γυναίκα. **2**. ἄστατος, παιχνιδιάρικος, τρελλούτσικος, ἀνυπότακτος: *a ~ breeze*, ἄστατο, τρελλό ἀεράκι. *be in a ~ mood*, εἶμαι σέ παιχνιδιάρικη διάθεση, ἔχω ὄρεξη γιά τρέλλες. **3**. ἄφθονος, ὀργιώδης: *a ~ growth*, ὀργιώδης βλάστησις. **4**. ἀναίτιος, ἄσκοπος, ἀπρόκλητος, ἀδικαιολόγητος, κακόβουλος: ~ *cruelty*, σκληρότης χωρίς λόγο, στά καλά καθούμενα. ~ *destruction/damage*, ἀδικαιολόγητη (κακόβουλη) καταστροφή/ζημιά. *a* ~ *insult*, ἀπρόκλητη προσβολή. —*οὐσ.* ‹C› ἔκλυτη γυναίκα, παληοθήλυκο. —*ρ.ἀ.* παιχνιδίζω, ὀργιάζω, ἀκολασταίνω: *The wind* ~ *ing with the leaves*, ὁ ἄνεμος πού τρελλόπαιζε' μέ τά φύλλα... **~·ly** *ἐπίρ.* παιχνιδιάρικα, ἄσκοπα, ἀναίτια, στά καλά καθούμενα, ὀργιωδῶς. **~·ness** *οὐσ.* ‹U› λαγνεία, ἀπερισκεψία, κακοβουλία.

war /wɔ(r)/ *οὐσ.* **1**. ‹C,U› πόλεμος: *a world/civil* ~, παγκόσμιος/ἐμφύλιος πόλεμος. *a* ~ *of nerves/words*, πόλεμος νεύρων/λόγων. *a* ~ *of the elements*, πόλεμος τῶν στοιχείων τῆς φύσεως. *a* ~ *of attrition*, πόλεμος φθορᾶς. *total* ~, ὁλοκληρωτικός πόλεμος. *the art of* ~, ἡ τέχνη τοῦ πολέμου. *carry the* ~ *into the enemy's camp*, μεταφέρω τόν πόλεμο στήν περιοχή τοῦ ἐχθροῦ. ***be at ~ (with)***, εἶμαι σέ/ἔχω πόλεμο (μέ). ***declare ~ (on)***, κηρύσσω πόλεμο (ἐναντίον). ***go to ~ (against)***, ἀποδύομαι σέ πόλεμο (ἐναντίον). ***have been in the ~s***, (*ἀστειολ.*) γυρίζω ἀπό τόν πόλεμο (*δηλ.* εἶμαι στραπατσαρισμένος). ***resort to ~***, καταφεύγω στόν πόλεμο. ***wage/make ~ on***, διεξάγω πόλεμο ἐναντίον. **the cold ~**, ὁ ψυχρός πόλεμος. **2**. (*σέ σύνθ. λέξεις*): **`~-baby**, παιδί πού γεννήθηκε στόν πόλεμο ἤ νόθο παιδί ἀπό πατέρα στρατιώτη. **`~-bride**, γυναίκα πού παντρεύτηκε στρατιώτη στόν πόλεμο. **`~-clouds**, τά νέφη τοῦ πολέμου. **`~ correspondent**, πολεμικός ἀνταποκριτής. **`~-cry**, πολεμική κραυγή, σύνθημα (κόμματος). **`~-dance**, πολεμικός χορός. **`~·fare** /`wɔfeə(r)/ *οὐσ.* ‹U› πόλεμος, ἐχθροπραξίες, μάχες: *naval/submarine* ~*fare*, ναυτικός/ὑποβρυχιακός πόλεμος. *the horrors of modern* ~*fare*, οἱ φρικαλεότητες τοῦ σύγχρονου πολέμου. *street* ~*fare*, ὁδομαχίες. **`~-fever**, πολεμική ψύχωση. **`~-god**, θεός τοῦ πολέμου. **`~·head**, κῶνος, κεφαλή (τορπίλλης, πυραύλου, κλπ). **`~-horse**, ἄτι, (*μεταφ.*) παλαίμαχος. **`~·like** *ἐπ.* πολεμοχαρής, ἀρειμάνιος, πολεμικός: ~*like peoples/preparations*, πολεμοχαρεῖς λαοί/πολεμικές προετοιμασίες. **`~-loan**, πολεμικό δάνειο. **`~-lord**, πολεμικός ἀρχηγός, πολέμαρχος. **`~·monger**, /-mʌŋgə(r)/ πολεμοκάπηλος. **`W~ Office**, (*πεπαλ.*) Ὑπουργεῖον Στρατιωτικῶν (*τώρα: Ministry of Defence*, Ὑπουργεῖον Ἀμύνης). **`~-paint**, *(α)* πολεμικό βάψιμο, (*μεταφ.*) ἐν μεγάλῃ στολῇ. *(β)* (*λαϊκ.*) μακιγιάρισμα, φτιασίδι. **`~-path**, (*μόνο στή φράση*) ***(be) on the ~-path***, τραβῶ γιά πόλεμο, εἶμαι ἐπί ποδός πολέμου. **`~·ship**, πολεμικό πλοῖο. **`~·time** *οὐσ.* ‹U› περίοδος πολέμου: *in* ~ *time*, ἐν καιρῷ πολέμου. ~*time restrictions*, περιορισμοί τῆς πολεμικῆς περιόδου. **`~-widow/-orphan**, χήρα/ὀρφανό πολέμου. —*ρ.ἀ.* (*-rr-*) πολεμῶ, μάχομαι, ἀγωνίζομαι: ~ *for supremacy*, ἀγωνίζομαι γιά ἐπικράτηση. ~*ring interests/ideologies*, ἀντιμαχόμενα συμφέροντα/ἰδεολογίες.

warble /`wɔbl/ *ρ.μ/ἀ.* (*γιά πουλιά*) τιτιβίζω, κελαηδῶ, (*γιά ρυάκι*) κελαρύζω. —*οὐσ.* ‹C› τιτίβισμα, κελάρυσμα. **war·bler** /`wɔblə(r)/ *οὐσ.* ‹C› ᾠδικό πτηνό, κομπογιάννης.

ward /wɔd/ *οὐσ.* **1**. ‹C› κηδεμονευόμενος. **2**. ‹U› κηδεμονία: *a child in* ~, παιδί ὑπό κηδεμονίαν. **3**. τμῆμα συνοικίας πού ἐκλέγει ἕνα δημοτικό σύμβουλο. **4**. θάλαμος, τμῆμα (νοσοκομείου, φυλακῆς): *a `children's* ~, παιδικός θάλαμος, παιδιατρικό τμῆμα. *the iso`lation* ~, ἡ ἀπομόνωσις. **5**. ἐγκοπή, δόντι (κλειδιοῦ). —*ρ.μ.* ***~ sth/sb off***, ἀποκρούω, ἀποτρέπω: ~ *off a blow/off danger*, ἀποκρούω χτύπημα/ἀποτρέπω κίνδυνο. (*βλ.* & *λ.* [1]*walk*).

war·den /`wɔdən/ *οὐσ.* ‹C› φύλακας, ἐπιστάτης: *the* ~ *of a youth hostel*, ὁ ὑπεύθυνος πανδοχείου νεότητος. **`air-raid ~**, μέλος τῆς παθητικῆς ἀεράμυνας. **church ~**, ἐπίτροπος, νεωκόρος. **`traffic ~**, τροχονόμος (ὑπεύθυνος γιά τά παρκόμετρα). **2**. πρύτανις, διευθυντής (ἀσύλου, ἱδρύματος, κλπ). **3**. (*ΗΠΑ*) δεσμοφύλακας.

war·der /`wɔdə(r)/ *οὐσ.* ‹C› (*ΜΒ*) δεσμοφύλακας. **war·dress** /`wɔdrəs/ *οὐσ.* ‹C› γυναίκα δεσμοφύλακας.

ward·robe /`wɔ-drəʊb/ *οὐσ.* ‹C› γκαρνταρόμπα: *a built-in* ~, ἐντοιχισμένη γκαρνταρόμπα. *My* ~ *needs renewing*, ἡ γκαρνταρόμπα μου θέλει ἀνανέωση.

ward·room /`wɔdrʊm/ *οὐσ.* ‹C› καρρέ (αἴθουσα) ἀξιωματικῶν πλοίου.

ware /weə(r)/ *οὐσ.* **1**. (*ὡς β! συνθ.*) εἴδη, προϊόντα: *`silver*~, ἀσημικά. *`glass*~, γυαλικά. *`hard*~, εἴδη κιγκαλερίας. **2**. (*πληθ.*) ἐμπορεύματα: *advertise one's* ~*s*, διαλαλῶ τά ἐμπορεύματά μου. **`~·house** /`weəhaʊs/ *οὐσ.* ‹C› ἀποθήκη. —*ρ.μ.* ἀποθηκεύω.

war·fare /`wɔfeə(r)/ *οὐσ. βλ. war.*

war·ily, wari·ness *ἐπίρ., οὐσ.* ‹U› *βλ. wary.*

[1]**warm** /wɔm/ *ἐπ.* (*-er, -est*) **1**. ζεστός: *It was* ~ *but not hot*, ἔκανε ζέστη ἀλλά ὄχι πάρα πολλή. *keep oneself* ~, διατηροῦμαι ζεστός, ντύνομαι ζεστά. *The weather is getting* ~*er*, ὁ καιρός ἄρχισε καί ζεσταίνει. *Come and get* ~ *by the fire*, ἔλα νά ζεσταθῇς στή φωτιά. *Red is a* ~ *colour*, τό κόκκινο εἶναι ζεστό χρῶμα. ~ ***work***, δουλειά πού ζεσταίνει, (*μεταφ.*) δύσκολη κι' ἐπικίνδυνη δουλειά. ***make things ~ for sb***, κάνω τή ζωή δύσκολη σέ κπ, τιμωρῶ κπ. **'~-`blooded** *ἐπ.* (*κυριολ.* & *μεταφ.*) θερμόαιμος: *a* ~*-blooded animal/man*. **2**. θερμός, ἐνθουσιώδης, μέ καλή διάθεση: ~ *thanks*, θερμές εὐχαριστίες. *a* ~ *welcome*, θερμή ὑποδοχή. *a* ~ *friend/supporter*, θερμός φίλος/ὑποστηρικτής. *He has a* ~ *heart*, ἔχει καλή καρδιά/ἀνθρώπινη ζεστασιά. **'~-`hearted** *ἐπ.* καλόκαρδος, ἐγκάρδιος. **3**. (*γιά ἴχνος*) φρέσκος, κοντά στό θήραμα, ἤ (*σέ παιδικά παιχνίδια*) κοντά στό ἀναζητούμενο ἀντικείμενο: *We're getting* ~, πλησιάζομε στό θήραμα. **~·ly** *ἐπίρ.* ζεστά, θερμά, ἐνθουσιωδῶς. **warmth** /wɔmθ/ *οὐσ.* ‹U› ζέστη, θερμότης, ἐνθουσιασμός.

[2]**warm** /wɔm/ *ρ.μ/ἀ.* ***~ (sth) (up)***, ζεσταίνω: ~ *oneself/one's hands at the fire*, ζεσταίνομαι/ζεσταίνω τά χέρια μου στή φωτιά. *W~ (up) this milk*, ζέστανε αὐτό τό γάλα! *He* ~*ed up as he went on with his speech*, (*μεταφ.*) ζεστάθηκε (ἐνθουσιάστηκε, πῆρε φωτιά) καθώς προχωροῦσε στήν ὁμιλία του. ***~ to one's work/to sb***, ἀρχίζω σιγά-σιγά νά συμπαθῶ

τή δουλειά μου/κπ. **`~·ing-pan**, μεταλλική θερμοφόρα (μέ κάρβουνα). —*οὐσ.* (*συνήθ. ἑν. μέ ἀόρ. ἄρθρ.*) ζέστα, πύρα: *Come and have a ~ by the fire*, ἔλα νά πάρης λίγη πύρα στή φωτιά. **~er** *οὐσ.* (*ὡς β! συνθ.*) θερμοφόρα, πού ζεσταίνει: *a `foot-/`bed-~er*, θερμοφόρα γιά τά πόδια/γιά τό κρεββάτι.

warn /wɔn/ *ρ.μ.* **~ (of/against)**, προειδοποιῶ (γιά): *I had ~ed him of the danger*, τόν εἶχα προειδοποιήσει γιά τόν κίνδυνο. *I ~ed him against smoking*, τόν προειδοποίησα νά μήν καπνίζη. *He ~ed me against strangers/pickpockets*, μέ προειδοποίησε νά προσέχω τούς ξένους/τούς πορτοφολάδες. *I ~ed him not to be late/that if he were late...*, τόν προειδοποίησα νά μήν ἀργήση/ὅτι ἄν ἀργοῦσε... **~ sb off**, εἰδοποιῶ κπ νά ἀπομακρυνθῆ/νά μήν πλησιάση.

warn·ing /`wɔnɪŋ/ *οὐσ.* ‹C,U› **1**. προειδοποίησις: *without ~*, ἀπροειδοποίητα. *pay no attention to sb's ~*, δέ δίνω προσοχή στίς προειδοποιήσεις κάποιου. *The magistrate let him off with a ~*, ὁ δικαστής τόν ἄφησε μέ ἁπλῆ ἐπίπληξη. *sound a note of ~*, ἐπισημαίνω ἐνδεχόμενο κίνδυνο. *a `gale ~*, ἀναγγελία θυέλλης. ***give sb ~***, προειδοποιῶ κπ ὅτι ἀπολύεται/ὅτι φεύγω (*συνήθ. notice*). ***give sb fair ~***, εἰδοποιῶ κπ ρητά: *I give you fair ~!* σέ εἰδοποιῶ (στό λέω καθαρά) νά τό ξέρης! **2**. μάθημα, παράδειγμα: *Let this be a ~ to you*, αὐτό νά σοῦ γίνη μάθημα! *You should take ~ from what happened to me*, θά πρέπει νά παραδειγματισθῆς ἀπ' αὐτό πού συνέβη σέ μένα. —*ἐπ.* προειδοποιητικός: *a ~ shot/look*, προειδοποιητική βολή/ματιά.

warp /wɔp/ *οὐσ.* ‹C› **1**. σκέβρωμα, παραμόρφωσις. **2**. στιμόνι. —*ρ.μ/ἀ.* σκεβρώνω, διαστρέφω/-ομαι, στραβώνω: *Boards/Records ~ in the sun*, οἱ σανίδες/οἱ δίσκοι σκεβρώνουν στόν ἥλιο. *~ the meaning*, διαστρέφω τήν ἔννοια. *a ~ed nature*, διεστραμμένη φύσις. *a ~ed mind/character*, διεστραμμένος νοῦς/χαρακτήρας. *~ed judgement*, προκατειλημένη κρίσις.

war·rant /`worənt/ *οὐσ.* **1**. ‹U› δικαιολογία, ἐντολή, ἐξουσιοδότησις, δικαίωμα: *He had no ~ for saying so/for what he did*, δέν εἶχε δικαίωμα νά πῆ/νά κάνη τέτοιο πρᾶγμα. **2**. ‹C› ἔνταλμα: *A ~ is out against him/for his arrest*, ἐξεδόθη ἔνταλμα ἐναντίον του/γιά τή σύλληψή του. *The `death-~ has been signed*, ὑπεγράφη ἡ διαταγή θανατικῆς ἐκτελέσεως. **`dividend ~**, ἔνταλμα πληρωμῆς μερίσματος. **`search ~**, ἔνταλμα κατ' οἶκον ἐρεύνης. **3**. **`~ officer**, ἀνθυπασπιστής, ἀρχικελευστής, ἀρχισμηνίας. —*ρ.μ.* **1**. δικαιολογῶ: *Nothing can ~ such conduct/insolence*, τίποτα δέν δικαιολογεῖ τέτοια συμπεριφορά/ἀναίδεια. *His interference is certainly not ~ed*, ἡ παρέμβασίς του δέν δικαιολογεῖται κατά κανένα τρόπο. **2**. ἐγγυῶμαι, (*καθομ.*) διαβεβαιῶ: *This material is ~ed (to be) pure silk*, αὐτό τό ὕφασμα εἶναι ἐγγυημένο (ὅτι εἶναι) καθαρό μετάξι. *This won't happen again, I ~ you*, σέ διαβεβαιῶ (ἔχεις τό λόγο μου) ὅτι αὐτό δέν θά ξανασυμβῆ. **war·ran·tee** /ˌworən`ti/ *οὐσ.* ‹C› ὁ λαμβάνων τήν ἐγγύησιν. **war·ran·tor** /`worəntə(r)/ *οὐσ.* ‹C› ἐγγυητής. **war·ranty** /`worəntɪ/ *οὐσ.* ‹C› ἐξουσία, δικαίωμα, δικαιολογία, ἐγγύησις (τοῦ πωλητῆ γιά τό πωλούμενο): *What ~y have you for doing this?* τί δικαίωμα ἔχεις νά κάνης αὐτό; *The car is still under ~y*, τό αὐτοκίνητο καλύπτεται ἀκόμα ἀπό τήν ἐγγύηση.

war·ren /`worən/ *οὐσ.* ‹C› κουνελότοπος, (*μεταφ.*) λαβύρινθος (δρομίσκων ἤ διαδρόμων): *I lost myself in that ~ of narrow streets*, χάθηκα σ' αὐτό τό λαβύρινθο ἀπό στενά σοκάκια.

war·rior /`worɪə(r)/ *οὐσ.* ‹C› (*λογοτ.*) πολεμιστής.

wart /wɔt/ *οὐσ.* ‹C› κρεατοελιά. **`~hog**, ἀγριόχοιρος τῆς 'Αφρικῆς.

wary /`weərɪ/ *ἐπ.* (*-ier, -iest*) προσεχτικός, ἐπιφυλακτικός δύσπιστος: *He's a ~ old fox*, εἶναι πονηρή ἀλεποῦ. *keep a ~ eye on sb*, παρακολουθῶ κπ προσεχτικά. ***be ~ of***, φυλάγομαι ἀπό, προσέχω, δυσπιστῶ πρός: *He's ~ of strangers*, φυλάγεται ἀπό τούς ξένους. *He's ~ of giving offence*, προσέχει νά μήν προσβάλη. *I am ~ of big words*, δυσπιστῶ στά μεγάλα λόγια. **war·ily** /-əlɪ/ *ἐπίρ.* προσεχτικά, ἐπιφυλακτικά, μέ περίσκεψη. **wari·ness** *οὐσ.* ‹U› προσοχή, ἐπιφυλακτικότης.

was /wəz, *ἐμφ:* woz/ *ἀόρ. τοῦ ρ. be*, ἤμουν, ἦταν.

[1]**wash** /woʃ/ *οὐσ.* **1**. (*ἑν. μέ ἀόρ. ἄρθρ.*) πλύσιμο, νίψιμο: *give the car a ~/a `~-down*, κάνω ἕνα πλύσιμο/φρεσκάρισμα στ' αὐτοκίνητο. ***have a ~ and brush-up***, φρεσκάρομαι, κάνω τήν τουαλέττα μου. **2**. (*ἑν.*) πλύση, μπουγάδα: *have a large ~*, ἔχω μεγάλη μπουγάδα. *hang out the ~*, ἁπλώνω τά ροῦχα/τήν πλύση. *My shirts are at the ~*, τά πουκάμισά μου εἶναι γιά πλύσιμο/στό πλυντήριο. *When does the ~ come back from the laundry?* πότε θά γυρίσουν τά ροῦχα ἀπό τό πλυντήριο; **3**. (*ἑν. μέ the*) παφλασμός, ἀπόνερα (πλοίου): *the ~ of the waves/propeller*, ὁ παφλασμός τῶν κυμάτων/τ' ἀπόνερα τῆς προπέλλας. **4**. (*ἑν. μέ ἀόρ. ἄρθρ.*) νερόπλυμα: *This soup/wine is a mere ~*, αὐτή ἡ σούπα/αὐτό τό κρασί εἶναι σκέτο νερόπλυμα/νεροζούμι. **5**. ‹U› ἀπόπλυμα: *Give the ~ to the pigs*, δῶσε τ' ἀποπλύματα στά γουρούνια. **6**. (*ὡς β! συνθ.*): *`eye-~*, ὑγρό γιά τά μάτια, κολλύριο. *`mouth-~*, ἀπολυμαντικό τοῦ στόματος. *`white~*, ἀσβέστης (γιά ἄσπρισμα). **7**. (*ὡς α! συνθ.*): **`~-basin**, νιπτήρας. **`~-board**, σανίδα τῆς μπουγάδας. **`~-day**, ἡμέρα τῆς μπουγάδας. **`~-house**, πλυσταριό. **`~-out**, *(α)* καθίζησις δρόμου (λόγω βροχῆς). *(β)* (*γιά ἐπιχείρηση, πάρτυ, κλπ*) φιάσκο, πλήρης ἀποτυχία. *(γ)* ἀποτυχημένος (ἄνθρωπος). **`~-room**, (*ΗΠΑ*) ἀποχωρητήριο, τουαλέττα (*ἰδ. σέ δημόσιο μέρος*). **`~-stand**, νιπτήρας, λαβομάνο. **`~-tub**, σκάφη τῆς μπουγάδας.

[2]**wash** /woʃ/ *ρ.μ/ἀ.* **1**. πλένω/-ομαι: *Go and ~ yourself/your hands*, πήγαινε νά πλυθῆς/νά πλύνης τά χέρια σου. *I never ~ in cold water*, ποτέ δέν πλένομαι μέ κρύο νερό. (*βλ. & λ.* [1]*hand, linen*). **2**. (*γιά ὕφασμα*) πλένομαι, ἀντέχω στό πλύσιμο: *This material ~es well/won't ~*, αὐτό τό ὕφασμα πλένεται εὔκολα/δέν

πλένεται (ξεβάφει, χαλάει ἄν πλυθῆ). *That argument won't* ~, (*μεταφ.*) αὐτό τό ἐπιχείρημα δέν στέκεται. *That excuse/story won't* ~, (*μεταφ.*) δέν πιάνει αὐτή ἡ δικαιολογία! ἀλλοῦ αὐτά τά παραμύθια! **3**. (*ἀναφορικά μέ τήν ἐνέργεια τῶν νερῶν τῆς θάλασσας, ποταμοῦ, λίμνης*) βρέχω, παρασύρω, χτυπῶ, σκάβω, ἐκβράζω, σαρώνω (κλπ, ἀνάλογα μέ τήν πρόθεση): *Greece is ~ed by the Mediterranean*, ἡ Ἑλλάδα περιβρέχεται ἀπό τήν Μεσόγειο. *He was ~ed overboard by a huge wave*, τόν παρέσυρε ἀπό τό πλοῖο ἕνα πελώριο κῦμα. *The waves were ~ing against the sides of our ship*, τά κύματα χτυποῦσαν στά πλευρά τοῦ πλοίου μας. *The sea ~ed a channel in the sand*, ἡ θάλασσε ἔσκαψε (ἔκοψε) ἕνα αὐλάκι στήν ἄμμο. *His body was ~ed up by the waves*, τό πτῶμα του ἐξεβράσθη ἀπό τά κύματα. *Huge waves ~ed over the deck*, πελώρια κύματα σάρωναν τό κατάστρωμα. *The rain ~ed the dry leaves into the ditch*, ἡ βροχή πῆρε τά ξερά φύλλα καί τἄρριξε στό χαντάκι. **4**. (*μέ ἐπιρ. καί προθέσεις*):

wash sth away, καθαρίζω (πλένοντας), παρασύρω: *She ~ed away her tears*, ἔπλυνε τά δάκρυα (ἀπό τό πρόσωπό) της. *The waves ~ed away his fishing nets*, τά κύματα πῆραν τά δίχτυα του.

wash sth down, πλένω (*ἰδ.* μέ τό λάστιχο), συνοδεύω (φαγητό) μέ (ποτό): ~ *down a car/the walls*, πλένω ἕνα αὐτοκίνητο/τούς τοίχους (μέ ἄφθονο νερό). *Our lunch was fish ~ed down with ouzo*, γιά μεσημεριανό εἴχαμε ψάρι πού τό συνοδεύσαμε μέ οὖζο. *What shall we have to ~ down the lobster?* τί θά πιοῦμε γιά νά βοηθήσωμε τόν ἀστακό νά κατέβη κάτω;

wash sth off/out, καθαρίζω, ξεπλένω: ~ *dirty marks off a wall*, πλένω/καθαρίζω τούς λεκέδες ἀπό ἕναν τοῖχο. ~ *out blood stains*, καθαρίζω/βγάζω λεκέδες αἵματος. ***be/feel/look ~ed out***, (*μεταφ. καθομ.*) εἶμαι/νοιώθω/φαίνομαι τελείως ἐξαντλημένος, σμπαραλιασμένος.

wash up, *(α)* ἐκβράζω: *All this timber has been ~ed up by the waves*, τά κύματα ξέβρασαν ὅλη αὐτή τήν ξυλεία. *(β)* (*γιά πιάτα, κλπ*) πλένω: *I'll help you to ~ up*, θά σέ βοηθήσω νά πλύνης τά πιάτα (*σημειωτέον ὅτι γιά ἕνα σκεῦος μόνον δέν χρησιμοποιοῦμε τό up, πχ W~ this cup*, πλύνε αὐτό τό φλυτζάνι). **'~·ing-`up**, πλύσιμο τῶν πιάτων, λάντζα. ***(all) ~ed up***, (*καθομ.*) κατεστραμμένος.

wash·able /`woʃəbl/ *ἐπ.* πού μπορεῖ νά πλυθῆ (ἀκινδύνως).

washer /`woʃə(r)/ *οὐσ.* ‹C› **1**. πλυντήριο: *a `dish-~*, πλυντήριο πιάτων. **2**. **`~-woman**, πλύστρα. **3**. (*μηχ.*) ροδέλλα: *a `tap ~*, ροδέλλα τῆς βρύσης.

wash·ing /`woʃɪŋ/ *οὐσ.* ‹U› **1**. πλύσιμο. **2**. πλύση, μπουγάδα (τά ροῦχα). **3**. **`~-day**, *βλ. wash-day*. **`~-machine**, (ἠλεκτρικό) πλυντήριο. **`~ soda**, κρυσταλλική σόδα (γιά πλύσιμο). **'~-`up** *οὐσ. βλ.* [2]*wash*.

washy /`woʃɪ/ *ἐπ.* **1**. (*γιά ποτό*) ἀραιός, ἀδύνατος, νερουλός, νερωμένος: ~ *coffee*, ἀραιός καφές. ~ *tea/wine*, ἀδύνατο τσάϊ/κρασί. **2**. (*γιά χρῶμα*) ξεπλυμένος, ξεθωριασμένος. **3**. (*γιά αἴσθημα, ὕφος, κλπ*) ἀνούσιος, σαχλός, ἄτονος.

wasp /wosp/ *οὐσ.* ‹C› σφήκα: *A ~ stings badly*, ἡ σφήκα τσιμπάει ἄσχημα. **'~-`waisted** *ἐπ.* (*πεπαλ.*) μέ δαχτυλιδένια μέση. **~·ish** /-ɪʃ/ *ἐπ.* εὐερέθιστος, δύστροπος, ἀπότομος, μοχθηρός: *in a ~ish tone*, μέ ἀπότομο ὕφος.

wast·age /`weɪstɪdʒ/ *οὐσ.* ‹U› ἀπώλεια (πχ θερμότητος), διαρροή, σπατάλη, φύρα.

[1]**waste** /weɪst/ *ἐπ.* **1**. ἔρημος, χέρσος: ~ *land*, χέρσα γῆ, ἔρημη χώρα. ***lay ~***, ἐρημώνω: *The occupation forces laid the country ~*, οἱ δυνάμεις κατοχῆς ἐρήμωσαν τή χώρα. **`~-land** /-lænd/, χερσότοπος, ἐρημωμένη χώρα, ἐρημιά, ἔρημος: *a cultural ~land*, (*μεταφ.*) πολιτιστική ἔρημος. **2**. ἄχρηστος, σκάρτος, γιά πέταμα: *~-paper*, ἄχρηστα χαρτιά. ~ *products*, ἄχρηστα ὑλικά, ἀπορρίμματα. ~ *sheets*, (*τυπογρ.*) σκάρτα φύλλα.

[2]**waste** /weɪst/ *ρ.μ/ἀ.* **1**. ***~ sth (on sth)***, σπαταλῶ, πετῶ, πάω χαμένος, χαραμίζω: *Don't ~ your time and money*, μή σπαταλᾶς τό χρόνο καί τό χρῆμα σου. ~ *one's youth/life*, σπαταλῶ (χαραμίζω) τά νιάτα μου/τή ζωή μου. *Don't ~ your breath/words*, μή χάνης τά λόγια σου. *My advice was ~d on him*, οἱ συμβουλές πού τοῦ ἔδωσα πῆγαν χαμένες. *Don't ~ your energy/efforts*, μήν κουράζεσαι/μήν προσπαθῆς ἄδικα. *Nothing is ~d*, τίποτα δέν πάει χαμένο. *We ~ nothing*, δέν πετᾶμε τίποτα. *Turn that tap off – the water is wasting*, κλεῖσε αὐτή τή βρύση – τό νερό πάει χαμένο. ***W~ not, want not***, (*παροιμ.*) ὅποιος δέν σπαταλᾶ δέν πέφτει σέ ἀνάγκη. **2**. φθίνω, φθείρω/-ομαι, ἐξαντλῶ/-οῦμαι: *He's wasting away*, ὅσο πάει κι' ἀδυνατίζει. *His body was ~d by long illness*, εἶχε μείνει πετσί καί κόκκαλο ἀπό μακρόχρονη ἀρρώστεια. *a face ~d by consumption*, πρόσωπο λυωμένο ἀπό τή φυματίωση. **3**. **3**. ἐρημώνω, καταστρέφω (γῆ).

[3]**waste** /weɪst/ *οὐσ.* **1**. ‹U› σπατάλη: *There's too much ~ in this house*, γίνεται πολλή σπατάλη σ' αὐτό τό σπίτι. *It's a ~ of time/of energy trying to teach him*, εἶναι χαμένος χρόνος/ἄδικος κόπος νά προσπαθῆς νά τόν διδάξης. *What a ~ of money!* τί λεφτά πεταμένα! ***go/run to ~***, πάω χαμένος, μένω ἀχρησιμοποίητος/ἀνεκμετάλλευτος: *What a pity to see all that water running to ~!* τί κρῖμα νά βλέπης τόσο νερό νά πηγαίνη χαμένο! *The land went to ~*, ἡ γῆ χέρσεψε. **2**. ‹U› ἀπορρίμματα, ὑπολείμματα, σκάρτα: **'~-`paper-basket**, (*MB*) κάλαθος ἀχρήστων. **`~-pipe**, σωλήν ὑπερχειλίσεως, σωλήν λυμάτων. **3**. (*πληθ.*) ἔρημες ἐκτάσεις. **~·ful** /-fl/ *ἐπ.* σπάταλος, πολυδάπανος: *~ful habits/processes*, σπάταλες συνήθειες/πολυδάπανες διαδικασίες. **~·fully** /-fəlɪ/ *ἐπίρ.*

wast·rel /`weɪstrəl/ *οὐσ.* ‹C› σπάταλος, σκορποχέρης, χαραμοφάης.

[1]**watch** /wotʃ/ *οὐσ.* ‹C› ρολόϊ: *`wrist ~*, ρολόϊ τοῦ χεριοῦ. *What time is it by your ~?* τί ὥρα εἶναι μέ τό ρολόϊ σου; **`~-glass**, κρύσταλλο ρολογιοῦ. **`~-guard/-chain**, καδένα ρολογιοῦ. **`~-key**, κουρδιστήρι ρολογιοῦ. **`~-maker**, ρολογᾶς.

[2]**watch** /wotʃ/ *οὐσ.* **1**. ‹U› ἐπαγρύπνησις, φύλα-

ξις, φρούρησις. ***be on the ~ (for)***, προσέχω: *The police were on the ~ for any trouble*, ἡ ἀστυνομία πρόσεχε νά μή γίνη φασαρία. ***keep ~ (on/over)***, κρατάω τσίλιες, φυλάω σκοπός, προσέχω, παρακολουθῶ: *keep a discreet/close ~ on sb*, παρακολουθῶ κπ διακριτικά/ἀπό κοντά. **`~-dog**, μαντρόσκυλο, (*μεταφ.*) φύλακας, κέρβερος. **`~-tower**, παρατηρητήριο, βίγλα, σκοπιά. **2**. (*παλαιότ.*) **the ~**, περίπολος (χωριοῦ ἤ πόλεως τή νύχτα τόν παληό καιρό). **3**. ‹C› (*σέ πλοῖο*) βάρδια. ***be on ~; keep ~***, εἶμαι βάρδια. **the first/middle ~**, ἡ πρώτη/ἡ μεταμεσονύχτια βάρδια. **the `dog-~es**, οἱ πρωϊνές βάρδιες. **4**. ‹C› (*ἀπηρχ.*) ἀγρύπνια: *in the ~es of the night*, τίς ὧρες τῆς νυχτερινῆς ἀγρύπνιας. **`~ night service**, (*ἐκκλ.*) μεσονύχτια ἀκολουθία τῆς Παραμονῆς τῆς Πρωτοχρονιᾶς. **~·ful** /-fl/ *ἐπ.* ἄγρυπνος, προσεκτικός: *keep a ~ful eye on sb*, παρακολουθῶ κπ ἄγρυπνα. **~·fully** /-fəlɪ/ *ἐπίρ.* **~·fulness** *οὐσ.* ‹U› ἐπαγρύπνισις. **~·man** /-mən/ *οὐσ.* ‹C› (*παλαιότ.*) μέλος περιπόλου, (*τώρα*) φύλακας: *night ~man*, νυχτοφύλακας. **`~-word** *οὐσ.* ‹C› σύνθημα.

3**watch** /wotʃ/ *ρ.μ/ἀ.* **1**. παρακολουθῶ: *~ television/a football match*, βλέπω τηλεόραση/παρακολουθῶ ἕνα ποθοσφαιρικό μάτς. *I ~ed to see what would happen*, παρακολουθοῦσα νά δῶ τί θά γίνη. *She ~ed him shave/shaving*, τόν παρακολουθοῦσε ἐνῶ ξυριζόταν. **2**. προσέχω: *We must ~ our expenses*, πρέπει νά προσέχωμε τά ἔξοδά μας. ***~ one's step***, προσέχω ποῦ πατάω, (*μεταφ.*) προσέχω τί λέω/τί κάνω: *I had to ~ my step throughout the negotiations*, ἔπρεπε νά προσέχω τήν κάθε μου λέξη σ' ὅλη τή διάρκεια τῶν διαπραγματεύσεων. ***~ the time***, προσέχω τήν ὥρα (νά μήν ἀργήσω). ***~ (out) for sth***, προσέχω νά μή φανῆ κτ, φυλάγομαι ἀπό κτ: *~ for symptoms of measles*, προσέχω μή φανοῦν σημεῖα παρωτίτιδος. *You must ~ (out) for snakes*, πρέπει νά προσέχετε (νά φυλάγεστε ἀπό) τά φίδια. ***~ over sth***, προσέχω, φυλάω, προστατεύω κτ: *Will you ~ (over) my luggage while I am away?* ἔχετε τήν καλωσύνη νά προσέχετε τίς ἀποσκευές μου ὅσο λείπω; **3**. (*ἀπηρχ.*) ἀγρυπνῶ: *~ all night at the bedside of a sick child*, ἀγρυπνῶ ὅλη τή νύχτα στό πλευρό ἑνός ἄρρωστου παιδιοῦ. **~er** *οὐσ.* ‹C› παρατηρητής, ἀγρυπνῶν.

1**water** /ˈwɔːtə(r)/ *οὐσ.* ‹U› (*πληθ. μόνον εἰς τά παραδείγματα*) **1**. νερό: *`fresh/`salt ~*, γλυκό/ἁλμυρό νερό. *Fish live in (the) ~*, τά ψάρια ζοῦνε στό νερό. *Holy W~*, ἁγιασμός. *`table/`mineral ~*, ἐπιτραπέζιο/μεταλλικό νερό. *`rose-~*, ροδόσταμο. *~ on the brain*, ὑδροκεφαλία. ***by ~***, διά θαλάσσης. ***in smooth ~***, ἄνετα, καλά. ***cast/throw one's bread upon the ~(s)***, (*παροιμ.*) κάνε τό καλό καί ρίχτο στό γιαλό. ***drink the ~s***, κάνω λουτροθεραπεία (σέ ἰαματική πηγή). ***go through fire and ~ (for sb/sth)***, πέφτω στή φωτιά (γιά κπ/κτ). ***go on the ~***, κάνω θαλάσσια ἐκδρομή. ***have the ~ laid on***, κάνω ἐγκατάσταση ὑδρεύσεως. ***make ~***, *(α)* κάνω τό νερό μου. *(β)* (*γιά πλοῖο*) μπάζω νερά. ***spend money like ~***, ξοδεύω τά λεφτά μέ τή σέσουλα. ***throw cold ~ on sb/sth***, ἀποθαρρύνω, κόβω τόν ἐνθουσιασμό κάποιου. ***written in ~***, (*γιά φήμη, κλπ*) περαστικός. ***like a fish out of ~***, σάν ψάρι ἔξω ἀπό τό νερό, ὁλότελα χαμένος. ***the ~s of forgetfulness***, τό νερό τῆς λησμονιᾶς, ἡ λήθη. (*βλ. & λ.* *4back, 1deep, 2deep, 1head, 1hold, hot, tread*). **2**. παλίρροια: *high/low ~*, πλημμυρίς/ἄμπωτις. **3**. (*πληθ.*) ὕδατα, θάλασσα: *the ~s of the Nile/of the lake*, τά νερά τοῦ Νείλου/τῆς λίμνης. *in Greek ~s*, σέ Ἑλληνικά ὕδατα. **4**. ***of the first ~***, ἀρίστης ποιότητος: *diamonds of the first ~*. **5**. (*σέ σύνθ. λέξεις*): **`~·bird**, νεροπούλι, ὑδρόβιο πτηνό. **`~-biscuit**, λεπτό σκληρό παξιμάδι. **`~-blister**, φουσκάλα. **`~-borne** *ἐπ.* μεταφερόμενος διά θαλάσσης, (*γιά ἀρρώστεια*) μεταδιδόμενος μέ τό νερό. **`~-bottle**, καράφα, παγούρι: *a 'hot `~-bottle*, θερμοφόρα. **`~cannon**, ἀντλία (*πχ* γιά τή διάλυση διαδηλωτῶν). **`~-cart**, νερουλάδικο, ὄχημα γιά κατάβρεγμα. **`~-closet**, (*συγκεκ.* **WC**), ἀποχωρητήριο. **`~-colour**, νερομπογιά, ὑδατογραφία, ἀκουαρέλα. **`~·course**, ρυάκι, χείμαρρος, κοίτη ρυακιοῦ. **`~·cress**, νεροκάρδαμο. **`~·fall**, καταρράχτης. **`~-fowl**, (*συλλογ.*) νεροπούλια. **'~-`front**, προκυμαία, παραλία πόλεως. **`~·hen**, νερόκοττα. **`~-hole**, γούρνα. **`~·ice**, γρανίτα (παγωτό). **`~-jacket**, (*μηχ.*) ὑδροχιτώνιον. **`~-level**, στάθμη ὕδατος. **`~-lily**, νούφαρο. **`~-line**, ἴσαλος: *the load/light ~-line*, ἔμφορτος/ἄφορτος ἴσαλος. **`~-logged** /-logd/ *ἐπ.* πλημμυρισμένος, διαποτισμένος, μόλις ἐπιπλέων. **`~-main**, κεντρικός ἀγωγός ὑδρεύσεως. **`~-man** /-mən/, βαρκάρης. **`~·mark**, *(α)* ὑδάτινες γραμμές (σέ χαρτί). *(β)* σημεῖον ἰσάλου. **`~·melon**, καρπούζι. **`~·mill**, νερόμυλος. **`~-nymph**, νεράϊδα. **`~-power**, ὑδραυλική ἐνέργεια. **`~·proof** *ἐπ.* ὑδατοστεγής, ἀδιάβροχος. **`~-rat/-vole**, νεροπόντικας. **`~-rate**, τιμολόγιο ὕδατος. **`~·shed**, γραμμή διαχωρισμοῦ τῶν ὑδάτων, (*μεταφ.*) διαχωριστική γραμμή γεγονότων, σταυροδρόμι. **`~·side**, ἀκροποταμιά, ἀκροθαλασσιά: *go for a walk along the ~side*. **`~-skiing**, θαλάσσιο σκί. **`~-skin**, ἀσκί. **`~-spaniel**, σκυλί γυμνασμένο νά κολυμπᾶ. **`~-spout**, *(α)* σούγελο, ὑδρορρόη. *(β)* σίφουνας (στή θάλασσα). **`~-supply**, σύστημα ὑδρεύσεως. **`~·table**, πιεζομετρική ἐπιφάνεια τοῦ ὕδατος. **`~·tight** *ἐπ.* ὑδατοστεγής, ἀδιάβροχος, (*κυριολ. & μεταφ.*) στεγανός. **`~-tower**, πύργος διανομῆς ὕδατος. **`~·way**, ὑδατίνη ὁδός, πλωτή διῶρυξ. **`~-wheel**, ὑδροτροχός. **`~-wings** *οὐσ. πληθ.* πλωτῆρες κολυμβήσεως. **`~·works** *οὐσ.* (*μέ ρ. ἑν. ἤ πληθ.*) *(α)* μηχανοστάσιον ὑδρεύσεως. *(β)* συντριβάνια. *(γ)* (*καθομ.*) οὐροποιητικό σύστημα: *Are your ~works all right?* δουλεύει καλά τό σύστημα οὐρήσεως; *(δ)* (*καθομ.*) κλάματα: *turn on the ~works*, βάζω τά κλάματα. **`~-worn** *ἐπ.* λεῖος ἀπό τό νερό: *~-worn pebbles*, λεῖα βότσαλα.

2**water** /ˈwɔːtə(r)/ *ρ.μ/ἀ.* **1**. ποτίζω, καταβρέχω: *~ the garden/a horse*, ποτίζω τόν κῆπο/ἕνα ἄλογο. *~ a road*, καταβρέχω ἕνα δρόμο. **`~·ing-can**, ποτιστήρι, καταβρεχτήρι. **`~-**

ing-cart, ὄχημα καταβρέγματος. **`~·ing-place**, *(α)* γούρνα. *(β)* ποτίστρα ζώων. *(γ)* ἰαματικά λουτρά. *(δ)* παραθαλάσσια λουτρόπολις. **2**. φέρνω δάκρυα (στά μάτια)/σάλιο (στό στόμα): *The smoke made my eyes ~*, ὁ καπνός ἔκανε τά μάτια μου νά δακρύσουν. *The sight of the grapes made my mouth ~*, μοῦ πέσανε τά σάλια βλέποντας τά σταφύλια. **3**. ***~ sth down***, νερώνω (=ἀδυνατίζω, ἀπαλύνω, μετριάζω): *~ down whisky*, νερώνω τό οὐΐσκυ. *~ down the truth*, *(μεταφ.)* ἀπαλύνω τήν ἀλήθεια. *~ down one's language/claims*, *(μεταφ.)* κατεβάζω τόν τόνο/βάζω νερό στό κρασί μου. **4**. **~ed** *ἐπ.* ἀρδευόμενος, βρεχόμενος: *a country ~ed by numerous rivers*, χώρα ἀρδευομένη ἀπό πολλούς ποταμούς. **~ed silk**, μετάξι μουαρέ (πού κάνει νερά).

Wat·er·loo /ˈwɔtəˈlu/ *οὐσ.* Βατερλώ. ***meet one's ~***, βρίσκω τό Βατερλώ μου, νικιέμαι τελειωτικά, τήν παθαίνω.

wat·ery /ˈwɔtərɪ/ *ἐπ. (-ier, -iest)* **1**. νερουλός: *~ soup*, νερουλή σούπα. **2**. *(γιά χρῶμα)* ἄτονος, ξεπλυμένος. **3**. *(γιά μάτια, χείλια)* ὑγρός. **4**. βροχερός: *a ~ moon/sky*, φεγγάρι/οὐρανός βροχῆς (πού προμηνάει βροχή).

watt /wot/ *οὐσ.* ‹C› βάτ: *a 60-~ light-bulb*, λαμπτήρας τῶν 60 βάτ. **`~·age** /ˈwotɪdʒ/ *οὐσ.* ‹C,U› ἰσχύς σέ βάτ.

wattle /ˈwotl/ *οὐσ.* ‹C,U› **1**. πλέγμα, καλαμωτή. **ˈ~ and ˈdaub**, καλαμωτή στρωμένη μέ λάσπη. **2**. ἀκακία, μιμόζα (Αὐστραλίας). **3**. λειρί (πετεινοῦ), προγούλι (γάλου), μουστάκι (ψαριοῦ).

[1]**wave** /ˈweɪv/ *ρ.μ/ἀ.* **1**. κυματίζω, ἀνεμίζω: *flags waving in the breeze*, σημαῖες πού κυματίζουν στόν ἀέρα. *The children were waving small flags*, τά παιδιά ἀνέμιζαν σημαιοῦλες. **2**. κουνῶ (κυματιστά), γνέφω (μέ τό χέρι): *They ~d their handkerchiefs to us*, μᾶς κουνοῦσαν τά μαντήλια τους. *He ~d his hand at me/~d me a greeting*, μέ χαιρέτησε κουνώντας τό χέρι. *She ~d (goodbye) to us*, μᾶς ἀποχαιρέτησε. *He ~d us on/away/out of the room*, μᾶς ἔγνεψε μέ τό χέρι νά προχωρήσωμε/νά ἀπομακρυνθοῦμε/νά βγοῦμε ἀπό τό δωμάτιο. ***~ sth aside***, *(μεταφ.)* παραμερίζω, ἀπορρίπτω: *He ~d my objections aside*, παραμέρισε τίς ἀντιρρήσεις μου. **3**. κατσαρώνω: *She had her hair permanently ~d*, ἔκανε περμανάντ στά μαλλιά της. *Her hair ~s naturally*, τά μαλλιά της εἶναι ἀπό φυσικοῦ τους κατσαρά.

[2]**wave** /ˈweɪv/ *οὐσ.* ‹C› **1**. *(κυριολ. & μεταφ.)* κῦμα: *a ~ of enthusiasm/indignation*, κῦμα ἐνθουσιασμοῦ/ἀγανακτήσεως. *a ˈheat/ˈcrime ~*, κῦμα καύσωνος/ἐγκληματικότητος. ***in ~s***, κατά κύματα: *attack in ~s*, ἐπιτίθεμαι κατά κύματα. **the ~s**, τά κύματα, *(ποιητ.)* ἡ θάλασσα. **ˈ~-band**, *(ραδιοφ.)* ζώνη συχνοτήτων. **ˈ~-length**, μῆκος κύματος. **ˈlong/ˈmedium/ˈshort ~s**, *(ραδιοφ.)* μακρά/μεσαῖα/βραχέα κύματα. **2**. κούνημα (τοῦ χεριοῦ), γνέψιμο: *with a ~ of his hand*, μέ ἕνα κούνημα τοῦ χεριοῦ του. **3**. κατσάρωμα, κυματισμός (μαλλιῶν). **wavy** *ἐπ. (-ier, -iest)* κυματιστός, κατσαρός: *a wavy line; wavy hair.*

wa·ver /ˈweɪvə(r)/ *ρ.ἀ.* **1**. ταλαντεύομαι, κλονίζομαι, παραπαίω: *The line of troops ~ed and then broke*, ἡ γραμμή τῶν στρατιωτῶν ταλαντεύθηκε καί ἔπειτα διεσπάσθη. *He ~ed in his resolution*, ταλαντεύθηκε στήν ἀπόφασή του. *His courage ~ed*, τό θάρρος του κλονίστηκε. **2**. τρεμουλιάζω: *His voice ~ed*, ἡ φωνή του τρεμούλιασε. *The flames ~ed*, οἱ φλόγες τρεμόπαιζαν. *His eyes ~ed when he looked at me*, τά μάτια του τρεμόπαιξαν ὅταν μέ κοίταξε. **3**. ἀμφιταλαντεύομαι, ἀμφιρρέπω, κυμαίνομαι: *~ between two courses of action/two opinions*, ἀμφιταλαντεύομαι ἀνάμεσα σέ δυό τρόπους ἐνεργείας/κυμαίνομαι (ἀμφιρρέπω) ἀνάμεσα σέ δυό γνῶμες. **~er** *οὐσ.* ‹C› ἀναποφάσιστος, διστακτικός.

[1]**wax** /wæks/ *οὐσ.* ‹U› κερί: *ˈbees~*, κερί μελισσῶν. *ˈparaffin ~*, κερί παραφίνης, κερεζίνη. *a ~ candle*, λαμπάδα, σπαρματσέτο. *a ~ doll*, κέρινη κούκλα. **ˈear-~**, κυψελίς τοῦ αὐτιοῦ. **ˈsealing-~**, βουλοκέρι. **ˈ~-chandler**, κηροποιός, πωλητής κεριῶν. **ˈ~-paper**, κηρόχαρτο. **ˈ~·work**, κέρινο ὁμοίωμα. *—ρ.μ.* κερώνω, ἀλείφω μέ κερί, παρκετάρω. **waxen** /ˈwæksn/ *ἐπ.* κέρινος, κίτρινος: *a ~en complexion*, κέρινο χρῶμα προσώπου. **waxy** *ἐπ.* κερένιος, μαλακός: *~y potatoes*, μαλακές πατάτες.

[2]**wax** /wæks/ *ρ.ἀ.* **1**. *(γιά τό φεγγάρι)* γεμίζω, μεγαλώνω. **2**. *(ἀπηρχ.)* γίνομαι: *~ merry/lyrical/eloquent*, μέ πιάνουν τά κέφια/ὁ λυρισμός/ἡ εὐγλωττία.

way /weɪ/ *οὐσ.* **1**. ‹C› ὁδός, δρόμος: *the Sacred W~*, ἡ Ἱερά Ὁδός. *a ˈhigh~*, δημοσιά. *a ˈby~*, πάροδος. *a ~ across the fields*, δρόμος μέσα ἀπό τά χωράφια. *There's no ~ through*, δέν ὑπάρχει διέξοδος. ***over/across the ~***, στήν ἄλλη μεριά τοῦ δρόμου, ἀπέναντι: *They live across the ~*, μένουν ἀπέναντι. **the six-foot ~**, ὁ χῶρος μεταξύ δύο σιδηροδρ. γραμμῶν. **the W~ of the Cross**, ὁ δρόμος τοῦ μαρτυρίου (τοῦ Χριστοῦ). *(βλ. & λ. pave, permanent)*. **2**. δρόμος, ὁδός (=ἀκολουθητέα ἤ ἀκολουθούμενη πορεία): *Which is the right/best/quickest/shortest ~ to the station?* ποιός εἶναι ὁ σωστός/καλύτερος/γρηγορώτερος/συντομώτερος δρόμος γιά τό σταθμό; *the ~ in/out/up/down*, εἴσοδος/ἔξοδος/ἄνοδος/κάθοδος. ***ask the ~ to***, ρωτῶ τό δρόμο γιά (πρός). ***find/lose one's ~***, βρίσκω/χάνω τό δρόμο μου. ***go one's ~(s)***, φεύγω, τραβῶ τό δρόμο μου. ***go out of one's ~***, ἀπομακρύνομαι/βγαίνω ἀπό τό δρόμο μου, *(μεταφ.)* κάνω εἰδική προσπάθεια, δέν φείδομαι κόπων: *He went out of his ~ to please us*, ἔκανε ὅ,τι μποροῦσε γιά νά μᾶς εὐχαριστήση. ***know one's ~ about***, ξέρω τό δρόμο/τά κατατόπια. ***lead the ~***, μπαίνω ἐπικεφαλῆς, δίνω τό παράδειγμα. ***make one's ~ to/up/down/into/out of, etc***, πηγαίνω εἰς/ἀνεβαίνω/κατεβαίνω/μπαίνω/βγαίνω, κλπ. ***make the best of one's ~***, προχωρῶ ὅσο πιό γρήγορα μπορῶ. ***make one's ~ in life/in the world***, τραβῶ μπροστά, πετυχαίνω στή ζωή. ***pay one's ~***, *(α)* πληρώνω τό μερίδιό μου. *(β)* τά βγάζω πέρα, καλύπτω τά ἔξοδά μου: *The shop pays its ~*, τό μαγαζί βγάζει τά ἔξοδά του. ***pick one's ~***, προχωρῶ προσεχτικά/κοιτάζω ποῦ πατάω. ***push/fight/feel one's ~***, προχωρῶ σπρώχνοντας/παλεύοντας/ψηλαφώντας. ***the parting of the ~s***, τό σταυροδρόμι, ἡ ὥρα τῶν μεγάλων ἀποφάσεων. ***by the ~***, *(α)* στήν πορεία, στό δρόμο: *I called on him by the ~*, μπῆκα σπίτι του περνώντας. *(β)* παρεμπιπτόντως, μέ τήν εὐκαιρία, μιᾶς καί τὄφερε ἡ κουβέντα: *By the ~, do you remember...?* ἀλήθεια (μέ τήν εὐκαιρία αὐτή), θυμᾶσαι...; ***by ~ of***, μέσω: *He came by ~ of Rome*, ἦλθε μέσω Ρώμης. ***on one's/the ~***, καθ' ὁδόν: *on my ~ home/to school*, πηγαίνοντας στό σπίτι/στό σχολεῖο. *on his ~ back/out/up, etc*, στήν ἐπιστροφή του, γυρίζοντας/βγαίνοντας/ἀνεβαίνοντας, κλπ. *He's on the ~ to success*, βρίσκεται στό δρόμο τῆς ἐπιτυχίας. *She's got another child on the ~*, (*καθομ.*) ἑτοιμάζει κι' ἄλλο παιδί. ***on the '~ 'out***, (*καθομ.*) ἀρχίζω νά γίνομαι ντεμοντέ: *Miniskirts are on the ~ out.* ***out of the ~***, ἀσυνήθιστος, ἐξαιρετικός: *He has done nothing out of the ~*, δέν ἔχει καταφέρει τίποτα ἐξαιρετικό ὥς τώρα. **'out-of-the-'~** *ἐπ.* ἀπόμερος, μακρυνός: *an out-of-the-~ village*, ἕνα ἀπόμερο χωριό. **3**. δρόμος (=χῶρος, ἐλευθερία κινήσεως/ἐνεργείας): *Don't stand in the ~! Get out of the ~!* μήν κλείνης τό δρόμο! κάνε στή μπάντα! ***be in sb's ~***, ἐμποδίζω, ἐνοχλῶ κπ (μέ τήν παρουσία μου): *Am I in your ~?* μήπως σᾶς ἐμποδίζω/σᾶς ἐνοχλῶ; *He's always in my ~*, βρίσκεται διαρκῶς μπροστά μου, εἶναι διαρκῶς στά πόδια μου. ***get sth out of the ~***, τακτοποιῶ, ξεφορτώνομαι, τελειώνω κτ: *Once we have got this question out of the ~...*, μόλις ρυθμίσωμε αὐτό τό θέμα... ***give ~ (to sb/sth)***, ὑποχωρῶ μπροστά σέ κπ/κτ, χάνω ἔδαφος. ***have right of ~***, ἔχω προτεραιότητα (στό δρόμο). ***keep out of sb's ~***, ἀποφεύγω νά συναντήσω κπ: *Tell him to keep out of my ~*, πές του νά μήν τόν βρῶ μπροστά μου! ***make ~ (for)***, παραμερίζω, ἀνοίγω δρόμο γιά κπ: *The crowd made ~ for him*, τό πλῆθος τοῦ ἄνοιξε δρόμο. ***put sb in the ~ of***, δίνω σέ κπ τήν εὐκαιρία νά, ἀνοίγω σέ κπ τό δρόμο γιά: *He put me in the ~ of earning a living*, μοῦ ἔδωσε τήν εὐκαιρία νά κερδίζω τά πρός τό ζῆν. ***put sb out of the ~***, βγάζω κπ ἀπό τή μέση. ***see one's ~ (clear) to doing sth***, βλέπω ὅτι μπορῶ νά κάμω κτ: *I don't see my ~ clear to helping you*, δέν βλέπω ὅτι μπορῶ (ὅτι ἔχω τή δυνατότητα) νά σέ βοηθήσω. (*βλ. & λ. harm*). **4**. (*μόνον ἑν.*) δρόμος (=ἀπόστασις, διαδρομή): *I'll come with you a little ~/part of the ~*, θἄρθῶ μαζί σου (θά σέ συνοδεύσω) λίγο δρόμο. *It's a long ~ to the station*, εἶναι μεγάλη ἀπόσταση ὥς τό σταθμό. *The roots go a long ~ down*, οἱ ρίζες προχωροῦν βαθιά μέσα στό ἔδαφος. *We walked all the ~ back*, γυρίσαμε ὅλο τό δρόμο πίσω μέ τά πόδια. *I have a long ~ to go*, ἔχω νά κάμω μεγάλο (πολύ) δρόμο. ***be a long ~ off***, ἀπέχω πολύ: *It's a long ~ off/from here*, ἀπέχει πολύ/εἶναι πολύ μακριά ἀπό δῶ. *Your work is a long ~ off perfection*, ἡ δουλειά σου ἀπέχει πολύ ἀπό τήν τελειότητα. ***go a long ~***, βοηθῶ πολύ, ἔχω μεγάλη σημασία: *This will go a long ~ in overcoming the difficulty*, αὐτό θά βοηθήση πολύ νά ὑπερνικηθῆ ἡ δυσκολία. *His name goes a long ~*, τ' ὄνομά του ἔχει μεγάλη πέραση. *A little kindness will go a long ~ with him*, μέ λίγη καλωσύνη τόν κάνεις ὅ,τι θέλεις. ***by a long ~***, κατά πολύ, ἀναμφισβήτητα: *He's the best student in the class by a long ~*, εἶναι ἀναμφισβήτητα ὁ καλύτερος μαθητής στήν τάξη. ***~ above***, πολύ πάνω ἀπό: *Your demands are ~ above what I can accept*, οἱ ἀπαιτήσεις σου εἶναι πολύ πάνω ἀπ' ὅ,τι μπορῶ νά δεχθῶ. **'~-'out** *ἐπ.* (*καθομ.*) πολύ πρωτοποριακός, ἔξαλλος: *~-out clothes/fashion*, ἔξαλλα ρουχα/-η μόδα. **5**. δρόμος (=κατεύθυνσις, μεριά): *Which ~ are you going?* τί δρόμο (ἀπό ποῦ) πᾶς; κατά ποῦ πηγαίνεις; *I'm going your ~*, πάω ἀπό κεῖ πού πᾶς κι' ἐσύ. *When he looked my ~...*, ὅταν κοίταξε πρός τό μέρος μου... *I have nothing to say one ~ or another*, δέν ἔχω νά πῶ τίποτα οὔτε πρός τή μιά οὔτε πρός τήν ἄλλη κατεύθυνση (οὔτε ὑπέρ οὔτε κατά). *He lives Patissia ~*, μένει πρός (κάπου κοντά εἰς) τά Πατήσια. ***be in a fair ~ to***, βρίσκομαι σέ καλό δρόμο πρός: *He's in a fair ~ to becoming a millionaire*, πάει νά γίνη ἑκατομμυριοῦχος. ***come/fall one's ~***, μοῦ τυχαίνει/βρίσκεται στό δρόμο μου: *Such opportunities never come/fall my ~*, τέτοιες εὐκαιρίες δέν τυχαίνουν ποτέ σέ μένα. *I do anything that comes my ~*, κάνω ὅ,τι δουλειά μοῦ τύχει, ὅ,τι βρεθῆ στό δρόμο μου. ***(down) one's ~***, στά μέρη μου, στή γειτονιά μου: *The crops are looking very good (down) our ~*, τά σπαρτά φαίνονται πολύ καλά στά μέρη μας. *He was down my ~ yesterday*, εἶχε κατέβει στή γειτονιά μου χθές. ***this ~***, ἀπό δῶ, πρός τά δῶ: *This ~, please!* ἀπό δῶ, παρακαλῶ! περᾶστε! *This ~ out*, ἀπό δῶ ἡ ἔξοδος. ***that ~***, ἀπό κεῖ, κατά κεῖ: *Don't look that ~!* μήν κοιτάζης κατά κεῖ! ***the other ~***, ἀπό/κατά τήν ἄλλη μεριά: *He looked the other ~*, γύρισε τά μάτια του ἀλλοῦ. **6**. πρόοδος, ταχύτης, συνήθης πορεία: *The ship is under ~/has ~ on*, τό πλοῖο βρίσκεται ἐν πλῷ/ἔχει ταχύτητα. ***gather/lose ~***, ἀναπτύσσω/χάνω ταχύτητα. ***get under ~***, ξεκινῶ, βάζω μπρός (σχέδιο, ἐπιχείρηση, κλπ). ***give ~***, κωπηλατῶ δυνατά. ***keep on one's ~***, συνεχίζω τό δρόμο μου. ***make ~***, προχωρῶ, προοδεύω: *He's made great ~*, σημείωσε μεγάλη πρόοδο. *The flood is making ~*, ἡ πλημμύρα ἀνεβαίνει. ***in the ~ of business***, πάνω στή δουλειά. ***in the usual/ordinary ~***, συνήθως, κανονικά, ὅπως πάντα. **7**. τρόπος, φέρσιμο, συνήθεια: *He doesn't do it the ~ I do*, δέν τό κάνει μέ τόν τρόπο πού τό κάνω ἐγώ. *I don't like the ~ he drinks/speaks/looks at me/behaves*, δέν μοῦ ἀρέσει ὁ τρόπος πού πίνει/μιλάει/μέ κοιτάζει/φέρεται. *She has a (winning) ~ with her*, ἔχει τόν τρόπο νά γίνεται συμπαθής. *It's (not) his ~ to be obliging*, (δέν) τὄχει ὁ χαρακτήρας του νά εἶναι ἐξυπηρετικός. *the English ~ of life*, ὁ 'Αγγλικός τρόπος ζωῆς, οἱ 'Αγγλικές συνήθειες. *do sth the right/wrong/best ~*, κάνω κτ σωστά/λάθος/μέ τόν καλύτερο τρόπο. *find a ~ to do sth*, βρίσκω τόν τρόπο νά κάνω κτ. ***go/take one's own ~***, κάνω τοῦ κεφαλιοῦ μου, τραβάω τό δικό μου δρόμο. ***have/get***

one's own* ~**, γίνεται τό δικό μου, ἐκεῖνο πού θέλω ἐγώ: *If she doesn't get her own* ~, ἄν δέν γίνη τό δικό της... *Have it your own* ~*!* κάνε ὅ,τι θέλεις, ὅ,τι σοῦ ἀρέσει ἐσένα! ***one* ~ *or another, μέ κάθε τρόπο, εἴτε ἔτσι εἴτε ἀλλοιῶς: *I must finish it one* ~ *or another*, μέ τόν ἕνα ἤ τόν ἄλλο τρόπο πρέπει νά τό τελειώσω. ***Where there's a will there's a* ~**, (*παροιμ.*) ὅπου ὑπάρχει θέλησις ὑπάρχει τρόπος (ἅμα θέλει κανείς νά κάνη κάτι, βρίσκει τόν τρόπο νά τό κάμη). ***~s and means***, τρόποι καί μέσα (*ἰδ.* γιά νά βρῶ χρήματα). ***to my* ~ *of thinking***, κατά τή γνώμη μου, μέ τόν τρόπο πού βλέπω ἐγώ τά πράγματα. (*βλ.*& *λ. mend*). **8**. τρόπος, σημεῖον, ἄποψις: *Can I help you in any* ~*?* μπορῶ νά σᾶς βοηθήσω σέ τίποτα; *Is there anything in the* ~ *of food?* ὑπάρχει τίποτα γιά φαΐ (ἀπό τήν ἄποψη φαγητοῦ); *In a* ~ *you are right*, ἀπό μιά ἄποψη ἔχεις δίκηο. ***in every* ~**, ἀπό κάθε ἄποψη: *He's a gentleman in every* ~, εἶναι κύριος μέ τά ὅλα του. ***in many ~s***, ποικιλλοτρόπως, ἀπό πολλές ἀπόψεις. ***in no* ~**, ἀπό καμιά ἄποψη, καθόλου: *They are in no* ~ *similar*, δέν μοιάζουν σέ τίποτα/καθόλου. ***in one* ~**, ὥς ἕνα σημεῖο, ἀπό μιά ἄποψη: *The work was well done in one* ~, ἡ δουλειά ἦταν καλοκαμωμένη ὥς ἕνα σημεῖο/κατά κάποιο τρόπο. ***in some ~s***, ἀπό ὡρισμένη ἄποψη: *He's a clever man in some* ~*s*, σέ ὡρισμένα πράγματα εἶναι ἔξυπνος. **9**. κατάστασις, θέσις, βαθμός: *Things are in a bad* ~, τά πράγματα εἶναι ἄσχημα. *Trade is in a bad* ~, τό ἐμπόριο περνάει κρίση. *She was in a terrible* ~, ἦταν σέ τρομερή κατάσταση. ***in a small* ~**, ἁπλᾶ, σέ μικρή κλίμακα: *live/do business in a small* ~, ζῶ ἁπλᾶ/κάνω δουλειές σέ μικρή κλίμακα (εἶμαι μικροεπιχειρηματίας). ***have it both ~s***, τά θέλω ὅλα δικά μου. ***in the `family* ~**, (*καθομ.*) ἔγκυος. **10**. ***by* ~ *of***, *(α)* σάν, ὑπό τήν μορφήν: *He said something by* ~ *of apology*, εἶπε κτ σά συγγνώμη. *by* ~ *of introduction*, ὑπό τήν μορφήν εἰσαγωγῆς. *(β)* (*λόγ.*) μέ τό σκοπό νά: *He made inquiries by* ~ *of learning the facts of the case*, ἔκανε ἔρευνες μέ τό σκοπό νά διαπιστώση τά πραγματικά γεγονότα. *(γ)* στήν πορεία: *by* ~ *of business*, στήν πορεία τῆς δουλειᾶς. **11**. (*σέ σύνθ. λέξεις*): **`~-bill**, φορτωτική, δελτίον ἀποστολῆς ἐμπορευμάτων. **`~·farer**, (*λογοτ.*) ὁδοιπόρος, στρατολάτης, ταξιδιώτης. **`~·faring** *ἐπ.* ὁδοιπορῶν, ταξιδεύων. **`~·side**, κράσπεδον, τό πλάϊ τοῦ δρόμου, (*ἐπιθ.*) παρόδιος: ~*side flowers/a* ~ *inn*, λουλούδια/πανδοχεῖο στήν ἄκρη τοῦ δρόμου.

way·lay /ˈweɪˈleɪ/ *ρ.μ.* (*ἀνώμ. βλ.* [1]*lay*) **1**. στήνω καρτέρι, παραφυλάω, ληστεύω (ἐξ ἐνέδρας): *He was waylaid by bandits*, ἔπεσε στά χέρια (σέ καρτέρι) ληστῶν. **2**. διπλαρώνω κπ (στό δρόμο): *He waylaid me with a request for a loan*, μέ διπλάρωσε καί μοῦ ζήτησε δάνειο.

way·ward /ˈweɪwəd/ *ἐπ.* δύστροπος, πεισματάρης, ἰδιότροπος, καπριτσιόζος: *a* ~ *child*, ἰδιότροπο παιδί. *a girl with a* ~ *disposition*, κορίτσι μέ δύστροπο χαρακτήρα.

we /wi/ *προσ. ἀντων.* ἐμεῖς.

weak /wik/ *ἐπ. (-er, -est)* ἀδύνατος, ἀσθενής: *He's too* ~ *to walk*, εἶναι πολύ ἀδύνατος (ἐξασθενημένος) γιά νά περπατήση. *a* ~ *defence*, ἀσθενής ἄμυνα. *the* ~ *points of a plan/an argument*, τά ἀδύνατα σημεῖα ἑνός σχεδίου/ἑνός ἐπιχειρήματος. ~ *tea/wine*, ἀδύνατο τσάϊ/κρασί. *be* ~ *in the legs/head*, εἶμαι ἀδύνατος στά πόδια/στό μυαλό. *have* ~ *sight/hearing/a* ~ *heart*, ἔχω ἀδύνατη ὅραση/ἀκοή/καρδιά. *He's* ~ *in grammar*, εἶναι ἀδύνατος στή γραμματική. ***the ~er sex***, τό ἀσθενές φῦλον. ~ **verb**, ὁμαλό ρῆμα (πού σχηματίζει τόν ἀόριστο μέ κατάληξη κι᾽ ὄχι μέ ἀλλαγή τοῦ ριζικοῦ φωνήεντος). **ˈ~-ˈeyed/-ˈsighted** *ἐπ.* μέ ἀδύνατη ὅραση. **ˈ~-ˈheaded** *ἐπ.* κουτός, ἄμυαλος, πνευματικά καθυστερημένος. **ˈ~-ˈhearted** *ἐπ.* μέ ἀδύνατη καρδιά, (*μεταφ.*) ἄτολμος. **ˈ~-ˈkneed** *ἐπ.* (*μεταφ.*) ἀδυνάτου χαρακτῆρος, δειλός. **ˈ~-ˈspirited** *ἐπ.* ἄτολμος, δειλός. **~·ling** *οὐσ.* ‹C› ἀσθενικό πλᾶσμα: *He's a* ~*ling*, εἶναι ἀνθρωπάκι (χωρίς ψυχή). **~·ly** *ἐπίρ.* ἀδύνατα. *ἐπ.* φιλάσθενος, ντελικᾶτος. **~·ness** *οὐσ.* ‹C,U› ἀδυναμία: *We all have our little* ~*nesses*, ὅλοι ἔχομε τίς μικροαδυναμίες μας. ***have a ~ness for sth***, ἔχω ἀδυναμία σέ κτ, μοῦ ἀρέσει κτ πολύ: *have a* ~*ness for ouzo/for pretty girls*.

weak·en /ˈwikən/ *ρ.μ/ἀ.* ἀδυνατίζω, ἐξασθενίζω: *a voice* ~*ed by illness*, φωνή ἐξασθενημένη ἀπό ἀρρώστεια.

[1]**weal** /wil/ *οὐσ.* ‹U› (*ἀπηρχ.*) εὐτυχία, καλόν (*κυρίως στίς φρ.*): *in* ~ *and woe*, στήν εὐτυχία καί τή δυστυχία, σέ καλές καί κακές μέρες. *the public/general* ~, τό κοινό καλό, τό δημόσιο συμφέρον.

[2]**weal** /wil/ *οὐσ.* ‹C› ἴχνος (χτυπήματος), βουρδουλιά.

wealth /welθ/ *οὐσ.* ‹U› (*ἤ μέ ἀόρ. ἄρθρ.*) *acquire great* ~, ἀποκτῶ μεγάλα πλούτη. *a man of* ~, πάμπλουτος ἄνθρωπος. *a* ~ *of information*, πλοῦτος πληροφοριῶν. **~y** *ἐπ.* *(-ier, -iest)* πλούσιος. **~·ily** /-əlɪ/ *ἐπίρ.*

wean /win/ *ρ.μ.* ξεκόβω μωρό ἀπό τό γάλα τῆς μάνας του. ~ ***sb from***, ξεκόβω, ἀποσπῶ κπ (ἀπό κακές παρέες, συνήθειες, κλπ).

weapon /ˈwepən/ *οὐσ.* ‹C› ὅπλον: ~*s of offence/defence*, ἐπιθετικά/ἀμυντικά ὅπλα. *nuclear* ~*s*, πυρηνικά ὅπλα. *Tears are a woman's* ~, τά δάκρυα εἶναι γυναικεῖο ὅπλο. **~·less** *ἐπ.* ξαρμάτωτος, ἄοπλος.

[1]**wear** /weə(r)/ *οὐσ.* ‹U› **1**. χρῆσις, φόρεμα: *a suit for everyday* ~, κοστούμι γιά καθημερινή χρήση. *for evening* ~, γιά φόρεμα (γιά νά φοριέται) τό βράδυ. *have sth in constant* ~, φορῶ/χρησιμοποιῶ κτ συνέχεια. **2**. (*ἐμπ.*) εἴδη ρουχισμοῦ: *ˈunder*~, ἐσώρρουχα. *ˈfoot*~, εἴδη ὑποδήσεως. *ˈmen's/ˈladies'/ˈchildren's* ~, ἀνδρικά/γυναικεῖα/παιδικά. **3**. ἀντοχή: *There's no* ~ *in cheap clothes*, τά φτηνά ροῦχα δέν ἀντέχουν. *These shoes still have plenty of* ~ *in them*, αὐτά τά παπούτσια κρατᾶνε πολύ ἀκόμα. **4**. φθορά, χάλασμα (ἀπό τή χρήση): *My shoes are showing (signs of)* ~, τά παπούτσια μου ἄρχισαν νά χαλᾶνε, νά λυώνουν. *Rough roads cause the rapid* ~ *of tyres*, οἱ ἀνώμαλοι δρόμοι φθείρουν γρήγορα τά λάστιχα. ***the worse for* ~**, (*καθομ.*) φθαρμένος ἀπό τή χρήση, λυωμένος, παληωμένος: *My*

suit is/looks the worse for ~, τό κοστούμι μου ἔλυωσε/πάλιωσε. *It's little the worse for* ~, εἶναι ἐλάχιστα φθαρμένο/σχεδόν καινούργιο. ***(fair)* ~ *and tear***, (φυσιολογική) φθορά χρήσεως: *the* ~ *and tear of time*, ἡ φθορά τοῦ χρόνου (πού προκαλεῖ ὁ χρόνος). *The tenant is not responsible for fair* ~ *and tear*, ὁ μισθωτής δέν εὐθύνεται γιά φθορές ἐκ τῆς συνήθους χρήσεως.

[2]**wear** /weə(r)/ *ρ.μ/ἀ. ἀνώμ.* (*ἀόρ. wore* /wɔ(r)/, *π.μ. worn* /wɔn/) **1**. φέρω, φορῶ, ἔχω (ἐπάνω μου): ~ *a wrist-watch/a ring/spectacles/a flower in one's buttonhole*, φορῶ (ἔχω) ρολόϊ/δαχτυλίδι/γυαλιά/λουλούδι στήν μπουτονιέρα. ~ *a beard/a troubled look/my hair long*, ἔχω γένια/ἀνήσυχη ἔκφραση/μακριά μαλλιά. *The house wore a neglected look*, τό σπίτι εἶχε παραμελημένη ὄψη. **2**. φορῶ (=ἔχω κτ φορεμένο) (*πρβλ. put on*, φορῶ = ἡ πρᾶξις τοῦ φορεῖν): *He's* ~*ing a new suit/hat*, φοράει καινούργιο κοστούμι/καπέλλο. ~ *the crown*, φορῶ τό στέμμα (εἶμαι βασιληᾶς, εἶμαι μάρτυρας). **3**. φθείρω/-ομαι, τρίβω/-ομαι, λυώνω: *My shirt is very worn at the collar*, τό πουκάμισό μου εἶναι πολύ φθαρμένο στό γιακᾶ. ~ *one's coat threadbare/to rags*, φορῶ τό σακκάκι μου ὥσπου νά λυώση/ὥσπου νά γίνη κουρέλια. ~ *one's socks into holes*, φορῶ τίς κάλτσες μου ὥσπου νά τρυπήσουν, τρυπῶ τίς κάλτσες μου ἀπό τό πολύ φόρεμα. ~ *thin/smooth*, γίνομαι λεπτός/λεῖος ἀπό τήν τριβή. ~ ***away***, σβύνω, τρώγω/-ομαι (διά τῆς τριβῆς): *The inscription on the stone has worn away*, ἡ ἐπιγραφή στήν πέτρα ἔχει σβύσει. *The river has worn away the rocks*, τό ποτάμι ἔφαγε τά βράχια. ~ ***down***, φθείρω/-ομαι, λιγοστεύω (διά τῆς φθορᾶς): *The heels of my shoes are* ~*ing down*, τά τακούνια τῶν παπουτσιῶν μου ἄρχισαν νά τρώγονται/νά πέφτουν. *We wore down the enemy's resistance*, σιγά-σιγά λυγίσαμε τήν ἀντίσταση τοῦ ἐχθροῦ. ~ ***off***, περνῶ, φεύγω, ἐξαφανίζω/-ομαι (διά τῆς φθορᾶς): *The polish on my car has worn off*, ἡ γυαλάδα τοῦ αὐτοκινήτου μου ἔφυγε. *My headache is* ~*ing off*, ὁ πονοκέφαλός μου περνάει σιγά-σιγά. ~ ***out***, φθείρω/-ομαι ἐντελῶς, ἐξαντλῶ/-οῦμαι: *Cheap shoes soon* ~ *out*, τά φτηνά παπούτσια παληώνουν γρήγορα. *My patience was at last worn out*, τελικά ἡ ὑπομονή μου ἐξαντλήθηκε. *He has worn out his welcome*, παρέτεινε τήν ἐπίσκεψή του τόσο πολύ πού τόν βαρεθήκαμε. *She has worn me out with her silly chatter*, μέ τσάκισε (μέ κούρασε) μέ τήν ἀνόητη φλυαρία της. ˈ**worn-ˋout** *ἐπ.* λυωμένος, φθαρμένος. **4**. ἀντέχω, κρατῶ/-ιέμαι: *Good leather will* ~ *for years*, τό καλό δέρμα ἀντέχει (κρατάει) χρόνια. *This cloth has worn well/badly*, αὐτό τό ὕφασμα κράτησε καλά/δέν κράτησε. *He is* ~*ing well*, κρατιέται καλά (δέν τοῦ φαίνονται τά χρόνια). **5**. ~ ***on/away, etc***, (*γιά χρόνο*) περνῶ ἀργά/σιγάσιγά: *As the evening wore on...*, καθώς ἀργοπερνοῦσε τό βράδυ... *The year was* ~*ing to its close*, ὁ χρόνος κόντευε νά τελειώση. *As the winter wore away*, καθώς ἔφευγε σιγά-σιγά ὁ χειμώνας... ~**er** *οὐσ.* ‹C› ὁ φορῶν. ~**·able** /-əbl/ *ἐπ.* φορέσιμος, πού μπορεῖ νά φορεθῆ. ~**·ing** *οὐσ.* ‹U› γιά φόρεμα. *ἐπ.* κουραστικός.

weary /ˋwɪərɪ/ *ἐπ.* (*-ier, -iest*) **1**. κουρασμένος: ~ *in body and mind*, κουρασμένος στό σῶμα καί τήν ψυχή. ~ *with writing*, ἀποκαμωμένος ἀπό τό γράψιμο. *a* ~ *sigh/smile*, ἀναστεναγμός/χαμόγελο ὅλο κούραση. **2**. ~ ***of***, βαρυεστημένος: *I'm* ~ *of her constant nagging*, βαρέθηκα τήν ἀτέλειωτη μουρμούρα της. ~ *of life/of waiting*, βαρυεστημένος ἀπό τή ζωή/ἀπό τήν ἀναμονή. **3**. κουραστικός: *a* ~ *day/march*, κουραστική ἡμέρα/πορεία. *It's* ~ *waiting*, εἶναι κουραστικό νά περιμένη κανείς. —*ρ.μ/ἀ.* ~ ***sb (with sth)***, ~ ***of sth***, κουράζω/-ομαι: ~ *sb with requests*, κουράζω κπ μέ παρακλήσεις. ~ *of living alone*, κουράζομαι νά ζῶ μόνος. **wear·ily** /-əlɪ/ *ἐπίρ.* κουρασμένα, βαρυεστημένα. **weari·ness** *οὐσ.* ‹U› κούρασις, βαρυεστημάρα. **weari·some** /ˋwɪərɪsəm/ *ἐπ.* κουραστικός, πληκτικός, βαρετός.

wea·sel /ˋwizl/ *οὐσ.* ‹C› νυφίτσα, κουνάβι.

[1]**weather** /ˋweðə(r)/ *οὐσ.* ‹U› **1**. καιρός: *The crops depend on the* ~, ἡ σοδειά ἐξαρτᾶται ἀπό τόν καιρό. *He goes out in all* ~*s*, βγαίνει ὅ,τι καιρός καί νά κάνη. *in cold/wet/bad* ~, μέ κρύο/βροχερό/ἄσχημο καιρό. ***be/feel under the*** ~, (*καθομ.*) εἶμαι/αἰσθάνομαι ἀδιάθετος, ἄκεφος. ***keep a/one's*** ~ ***eye open***, εἶμαι σέ ἐπιφυλακή, ἔχω τά μάτια μου τέσσερα. ***make good/bad*** ~, (*γιά ναυτικούς*) ἔχω καλό/ἄσχημο καιρό. ***make heavy*** ~ ***of sth***, κάνω κτ βουνό, τό παρουσιάζω σάν πολύ δύσκολο. ~ ***permitting***, καιροῦ ἐπιτρέποντος, ἄν ἐπιτρέψη ὁ καιρός. ***under stress of*** ~, πιεζόμενος ἀπό τόν καιρό. **2**. (*σέ σύνθ. λέξεις*): ˋ~**-beaten** *ἐπ.* ἀνεμοδαρμένος: *a* ~*-beaten face*. ˋ~**-boards/-boarding**, σανίδες/σανίδωμα ἐπικαλύψεως. ˋ~**-bound** *ἐπ.* καθηλωμένος ἀπό κακοκαιρία, ποδισμένος. ˋ~**-bulletin**, μετεωρολογικό δελτίο. ˋ~**-bureau**, μετεωρολογική ὑπηρεσία. ˋ~**-chart/-map**, μετεωρολογικός χάρτης. ˋ~**·cock**, ἀνεμοδείχτης, ἀνεμοδούρα. ˋ~ **forecast**, πρόβλεψις καιροῦ, δελτίον καιροῦ. ˋ~**-glass**, βαρόμετρο. ˋ~**-man** /-mæn/ (*καθομ.*) μετεωρολόγος. ˋ~**-proof** *ἐπ.* ἀδιάβροχος, ἀδιαπέραστος ἀπό τόν ἀέρα καί τή βροχή. ˋ~**-ship**, πλοῖο τῆς μετεωρολογικῆς ὑπηρεσίας. ˋ~**-station**, μετεωρολογικός σταθμός. ˋ~**-vane**, ἀνεμοδείκτης.

[2]**weather** /ˋweðə(r)/ *ρ.μ/ἀ.* **1**. ξεπερνῶ (ἀντιμετωπίζω μ' ἐπιτυχία): ~ *a crisis/storm*, ξεπερνῶ μιά κρίση/μιά θύελλα. **2**. (*ναυτ.*) καβαντζάρω, περνῶ σοβράνο: ~ *a cape*, καβαντζάρω ἕνα ἀκρωτήρι. **3**. ἐκθέτω/ξεραίνω στόν ἀέρα: ~*ed wood*, ψημένο ξύλο. **4**. ἀποσυνθέτω, ξεθωριάζω: ~*ed rocks*, βράχοι φαγωμένοι ἀπό τόν καιρό.

weave /wiv/ *ρ.μ/ἀ. ἀνώμ.* (*ἀόρ. wove* /wəʊv/, *π.μ. woven* /ˋwəʊvn/) **1**. ~ ***sth (up) into sth***; ~ ***sth from sth***, ὑφαίνω: ~ *yarn into cloth*, ὑφαίνω νῆμα καί τό κάνω ὕφασμα. *woven from/of silk*, ὑφασμένο ἀπό/μέ μετάξι. **2**. πλέκω: ~ *flowers into a wreath*, πλέκω λουλούδια καί τά κάνω στεφάνι, φτιάχνω στεφάνι μέ λουλούδια. ~ *a garland of flowers*, πλέκω ἕνα στεφάνι λουλούδια. ~ *a story* *round an incident*, (*μεταφ.*) πλέκω μιά ἱστορία γύρω ἀπό ἕνα περιστατικό. ~ *a plot*, (*μεταφ.*) ἐξυφαίνω μιά συνωμοσία. ***get weaving (on sth)***, (*λαϊκ.*) πέφτω μέ τά μοῦτρα σέ κτ, ἀρχίζω κτ δραστήρια. **3**. ἑλίσσομαι, περνῶ σά φίδι/μέ ζίγκ-ζάγκ: *The driver was weaving (his way) through the traffic*, ὁ ὁδηγός προχωροῦσε μέ ζίγκ-ζάγκ ἀνάμεσα ἀπό τ᾿ αὐτοκίνητα. *The road ~s through the valleys*, ὁ δρόμος περνάει σά φίδι μέσα ἀπό τίς κοιλάδες. —*οὐσ.* ‹C› ὕφανσις. **weaver** *οὐσ.* ‹C› ὑφαντής.

web /web/ *οὐσ.* ‹C› **1**. ἱστός: *a spider's ~*, ἱστός ἀράχνης. **2**. (*μεταφ.*) πλέγμα, μπέρδεμα: *a ~ of lies*, ἕνα πλέγμα ἀπό ψέματα. **3**. νηκτική μεμβράνη. ˈ**~-ˋfooted**, στεγανόπους. **~bed** /webd/ *ἐπ.* μεμβρανώδης.

web·bing /ˋwebıŋ/ *οὐσ.* ‹U› φάσα, οὔγια.

wed /wed/ *ρ.μ/ἀ.* (*-dd-*) (*λόγ.*) **1**. παντρεύω/-ομαι. **2**. ἑνώνω, συνδυάζω/-ομαι, συνταιριάζω: ~ *simplicity to beauty*, συνταιριάζω τήν ἁπλότητα μέ τήν ὀμορφιά. ***~ded to***, παντρεμένος μέ, (*μεταφ.*) προσηλωμένος, κολλημένος: *~ded to one's opinion/work*, προσηλωμένος στή γνώμη μου/στή δουλειά μου.

we'd /wid/ = *we had; we would*.

wed·ding /ˋwedıŋ/ *οὐσ.* ‹C› γάμος: *invite sb to/attend a ~*, καλῶ κπ/παρευρίσκομαι σ᾿ ἕνα γάμο. ˋ**~ breakfast**, τραπέζι τοῦ γάμου, γαμήλιος δεξίωσις. ˋ**~-cake**, γαμήλια τούρτα. ˋ**~-day**, ἡμέρα/ἐπέτειος τῶν γάμων. ˋ**~ dress**, νυφικό. ˋ**~-march**, γαμήλιο ἐμβατήριο. ˋ**~-party**, οἱ προσκεκλημένοι στό γάμο, ὁ γάμος. ˋ**~-ring**, ἡ βέρα. **silver/golden/diamond ~**, 25η/50ή/60ή ἤ 75η ἐπέτειος τῶν γάμων.

wedge /wedʒ/ *οὐσ.* ‹C› **1**. σφήνα: *drive a ~*, χώνω σφήνα. ***the thin end of the ~***, (*μεταφ.*) ἡ ἀρχή, τό πρῶτο βῆμα (σέ κάτι σοβαρώτερο πού ἀκολουθεῖ). **2**. σφηνοειδές, τριγωνικό κομμάτι: *a ~ of cake*, μιά φέτα κέκ (σέ σχῆμα σφήνας). —*ρ.μ.* σφηνώνω: ~ *a door open*, βάζω τάκο σέ μιά πόρτα γιά νά μήν κλείνη. *be tightly ~d between two fat men in the bus*, εἶμαι σφηνωμένος ἀνάμεσα σέ δυό χοντρούς στό λεωφορεῖο.

wed·lock /ˋwedlok/ *οὐσ.* ‹U› (*λογοτ.* & *νομ.*) γάμος: *born in lawful ~/out of ~*, γεννηθείς ἐν νομίμῳ γάμῳ/ἐκτός γάμου.

Wednes·day /ˋwenzdı/ *οὐσ.* Τετάρτη.

[1]**wee** /wi/ *ἐπ.* (*καθομ.*) μικρούλης, μικροσκοπικός: *just a ~ drop of brandy*, μόλις μιά σταγονίτσα κονιάκ. ***a ~ bit***, λιγουλάκι: *She's a ~ bit jealous*, εἶναι λιγάκι ζηλιάρα. ***the ~ folk***, τά νεραϊδικά. ***the ~ hours***, (*ΗΠΑ*) οἱ μικρές ὧρες.

[2]**wee, wee-wee** /ˋwi (wi)/ *οὐσ.* ‹C› (*γιά μικρά παιδιά*) πιπί, τσίσια: *do a ~-~*, κάνω πιπί. —*ρ.ἀ.* κάνω πιπί.

weed /wid/ *οὐσ.* ‹C› **1**. ἀγριόχορτο, ζιζάνιο, ἀγριοβότανο: *The garden is running to ~s*, ὁ κῆπος ἄρχισε νά χορταριάζη. ˋ**~-killer**, ζιζανιοκτόνο. **2**. (*μεταφ., καθομ.*) ξερακιανός ἄνθρωπος ἤ ἄλογο. —*ρ.μ/ἀ.* **1**. βοτανίζω: ~ *the garden*. **2**. ***~ out***, ξερριζώνω (προλήψεις, κλπ), ξεκαθαρίζω, ξεσκαρτάρω. **~y** *ἐπ.* (*-ier, -iest*) **1**. χορταριασμένος (πχ κῆπος). **2**. (*μεταφ., καθομ.*) ψιλόλιγνος, ξερακιανός: *a ~y young man*.

weeds /widz/ *οὐσ. πληθ.* ˋ**widow's ~**, πέπλο χηρείας.

week /wik/ *οὐσ.* ‹C› ἑβδομάδα: *this/last/next ~*, αὐτή/τήν περασμένη/τήν ἐρχόμενη βδομάδα. *next Monday ~*, τήν ἐρχόμενη Δευτέρα ὀχτώ. *yesterday ~*, σά χθές ὀχτώ. ***~ in, ~ out***, βδομάδα μπαίνει βδομάδα βγαίνει. ˋ**~-day** /-deı/, καθημερινή: *I'm always busy on ~days*, εἶμαι πάντα ἀπασχολημένος τίς καθημερινές. ˈ**~ˋend**, τό Σαββατοκύριακο. —*ρ.ἀ.* (*πεπαλ.*) περνῶ τό Σαββατοκύριακο: *I'll be ~ending on Aegina*, θά περάσω τό Σαββατοκύριακο στήν Αἴγινα. ˈ**~ˋender**, ἐκδρομεύς τοῦ Σαββατοκύριακου. **~·ly** *ἐπ.* ἑβδομαδιαῖος: *a ~ly instalment/payment*, ἑβδομαδιαία δόσις/πληρωμή. —*ἐπίρ.* ἑβδομαδιαίως, μιά φορά τή βδομάδα. —*οὐσ.* ‹C› ἑβδομαδιαῖο περιοδικό.

weeny /ˋwinı/ *ἐπ.* (*-ier, -iest*) (*συχνά* ˈ*teeny*-ˋ*~*) (*καθομ.*) μικροσκοπικός.

weep /wip/ *ρ.μ/ἀ.* ἀνώμ. (*ἀόρ.* & *π.μ.* *wept* /wept/) κλαίω, χύνω δάκρυα: *~ for joy*, κλαίω ἀπό χαρά. *~ over one's misfortunes*, κλαίω γιά τά βάσανά μου. *She wept to see him in prison*, ἔκλαψε βλέποντάς τον στή φυλακή. *~ bitter tears*, χύνω μαῦρα δάκρυα, κλαίω πικρά. **~·ing** *ἐπ.* κλαίων, κλαίουσα. **~ing willow**, κλαίουσα ἰτιά.

wee·vil /ˋwivl/ *οὐσ.* ‹C› (*ἐντομ.*) μαμούνι, σιταρόψειρα.

weft /weft/ *οὐσ.* ‹C› ὑφάδι.

weigh /weı/ *ρ.μ/ἀ.* **1**. ζυγίζω: *~ oneself*, ζυγίζομαι. *He ~ed the parcel in his hands*, ζύγισε τό δέμα στά χέρια του. ***~ in***, (*γιά τζόκεϋ, μποξέρ*) ζυγίζομαι πρίν ἀπό τόν ἀγῶνα. ***~ in (with)***, (*καθομ.*) μπαίνω στή μέση συζητήσεως μέ ὕφος θριαμβευτικό. ***~ out***, κατανέμω ποσότητες μέ τό ζύγι: *She ~ed out flour, sugar and butter for the cake*, ζύγισε τό ἀλεύρι, τή ζάχαρη καί τό βούτυρο γιά τό κέκ. ˋ**~-bridge**, γεφυροπλάστιγγα. ˋ**~·ing-machine**, μεγάλη ζυγαριά, αὐτόματη ζυγαριά. **2**. ζυγίζω, ἔχω βάρος: *This machine ~s up to 5 tons*, αὐτή ἡ ζυγαριά ζυγίζει (βάρη) μέχρι 5 τόνους. *He ~s 100 kilos*, ζυγίζει ἑκατό κιλά. **3**. ***~ sth (with/against)***, ζυγίζω, σταθμίζω: *~ one plan against another*, σταθμίζω ἕνα σχέδιο σέ σχέση μ᾿ ἕνα ἄλλο. *~ one's words/the pros and cons*, ζυγίζω τά λόγια μου/τά ὑπέρ καί τά κατά. ***~ sth (up)***, ζυγίζω, μετρῶ, ἐκτιμῶ, λογαριάζω: *~ (up) the consequences of an action*, ζυγίζω τίς συνέπειες μιᾶς πράξεως. **4**. ***~ down***, λυγίζω (κάτω ἀπό τό βάρος): *The branches were ~ed down with fruit*, τά κλαδιά λύγιζαν ἀπό τόν καρπό. *He was ~ed down with cares/anxieties/sorrow*, τόν λύγιζαν (τόν τσάκιζαν) οἱ φροντίδες/οἱ σκοτοῦρες/ὁ πόνος. ***~ on sb/sth***, βαραίνω, βασανίζω: *The responsibility ~s heavily on me*, νοιώθω νά μέ βαραίνη πολύ ἡ εὐθύνη. *This problem ~ed heavily on his mind*, αὐτό τό πρόβλημα τόν βασάνιζε. ***~ with sb***, ἐπηρεάζω, ἔχω σημασία, μετράω: *His evidence did not ~ with the jury*, ἡ κατάθεσίς του δέν ἐπηρέασε τούς ἐνόρκους (δέν τήν ἔλαβαν ὑπ᾿ ὄψιν). *His wealth doesn't ~ with me*, τά πλούτη του δέν ζυγιάζουν (δέν μετρᾶνε) σέ μένα. 5. ~ ***anchor***, σηκώνω ἄγκυρα.

weight /weɪt/ *οὐσ.* 1. ‹U› βάρος: *What's your ~?* ποιό εἶναι τό βάρος σου (πόσο ζυγίζεις); *The box is 10 kilos in ~*, τό κουτί ἔχει βάρος 10 κιλῶν. *sell by ~*, πουλῶ μέ τό ζύγι. *He's twice my ~*, ζυγίζει δυό φορές περισσότερο ἀπό μένα. *They are the same ~*, ἔχουν τό ἴδιο βάρος. *net/gross ~*, καθαρό/μικτό βάρος. *That's a great ~ off my mind*, μοῦφυγε ἕνα μεγάλο βάρος (ἀπό τό νοῦ). ***be under/over ~***, εἶμαι κάτω/πάνω ἀπό τό κανονικό βάρος. ***get one's ~ down***, ρίχνω τό βάρος μου, ἀδυνατίζω. ***lose ~***, χάνω βάρος, ἀδυνατίζω. ***pull one's ~***, *(α)* χρησιμοποιῶ τό βάρος μου (στήν κωπηλασία). *(β)* κάνω τό μερίδιό μου (σέ μιά κοινή προσπάθεια). ***put on/gain ~***, παίρνω βάρος, παχαίνω. ***throw one's ~ about***, (*καθομ.*) φέρομαι σατραπικά: *He's disgusting when he starts throwing his ~ about*, εἶναι ἀηδιαστικός ὅταν ἀρχίζη τούς σατραπισμούς. 2. ‹C› βάρος, ζύγι (ἀπό χαλκό): *~s and measures*, μέτρα καί σταθμά. *a pound ~*, ζύγι τῆς λίμπρας. 3. ‹C› βάρος, βαρίδι, βαρύ σῶμα: *a `paper-~*, πρέςπαπιέ. *the ~s of a clock/fishing-net*, τά βαρίδια ἑνός ρολογιοῦ/ἑνός διχτυοῦ. *You must not lift ~s*, δέν πρέπει νά σηκώνης βάρη. **`~-lifting**, (*ἀθλ.*) ἄρσις βαρῶν. 4. ‹U› βαρύτης, σημασία, σπουδαιότης: *His opinion carries great ~*, ἡ γνώμη του ἔχει μεγάλη βαρύτητα. *These considerations have great ~ with me*, οἱ λόγοι αὐτοί ἔχουν μεγάλη σημασία γιά μένα. *questions of great ~*, θέματα ὑψίστης σπουδαιότητος. —*ρ.μ.* βαρύνω, βαραίνω, γέρνω: *~ a walking-stick with lead*, βάζω μολύβι σ' ἕνα μπαστούνι. *He was ~ed down with packages*, ἔγερνε κάτω ἀπό τό βάρος δεμάτων. *Circumstances are ~ed in his favour*, (*μεταφ.*) οἱ συνθῆκες βαρύνουν ὑπέρ αὐτοῦ (τόν εὐνοοῦν). **~·less** *ἐπ.* χωρίς βάρος, ἀβαρής. **~·lessness** *οὐσ.* ‹U› ἔλλειψις βάρους/βαρύτητος. **~y** *ἐπ.* *(-ier, -iest)* βαρύς, βαρυσήμαντος, βαρύνων: *~y parcels/decisions*, βαριά δέματα/βαρυσήμαντες ἀποφάσεις. *~y arguments/people*, ἰσχυρά ἐπιχειρήματα/πρόσωπα μέ ἐπιρροή. **~·ily** /-əlɪ/ *ἐπίρ.* βαριά, σοβαρά. **~i·ness** *οὐσ.* ‹U› βαρύτης, σπουδαιότης.

weir /wɪə(r)/ *οὐσ.* 1. μικρό φράγμα σέ ποτάμι. 2. ἰχθυόφραγμα.

weird /wɪəd/ *ἐπ.* 1. ὑπερφυσικός, ἀπόκοσμος: *a ~ light/vision*, ἕνα ὑπερφυσικό φῶς/ὅραμα. 2. (*καθομ.*) ἀλλόκοτος, ἀκατανόητος, παράξενος: *Aren't women's shoes ~ this year!* τί ἀλλόκοτα πού εἶναι τά γυναικεῖα παπούτσια φέτος! **~·ly** *ἐπίρ.* ἀπόκοσμα, ἀλλόκοτα. **~·ness** *οὐσ.* ‹U› ὑπερφυσικότης, παραξενιά. **weirdie** /`wɪədɪ/ *οὐσ.* ‹C› (*λαϊκ.*) ἐκκεντρικός (*ἰδ.* στούς τρόπους καί τό ντύσιμο).

wel·come /`welkəm/ *ἐπ.* 1. εὐπρόσδεκτος, καλοδεχούμενος: *~ visitors/news*, εὐπρόσδεκτοι ἐπισκέπτες/-α νέα. *a ~ change*, εὐχάριστη, εὐπρόσδεκτη ἀλλαγή. ***be ~ to (do) sth***, εἶμαι ἐλεύθερος νά: *You are ~ to borrow my bicycle*, εἶσαι ἐλεύθερος (ὅποτε θέλεις μπορεῖς) νά δανειστῆς τό ποδήλατό μου. *Anyone is ~ to my share*, ὅποιος θέλει μπορεῖ νά πάρη τό μερδικό μου. *He's ~ to the use of my library*, εὐχαρίστως νά χρησιμοποιήση τή βιβλιοθήκη μου. *You are ~ to try*, (*εἰρων.*) μπορεῖς (πολύ εὐχαρίστως) νά δοκιμάσης! ***make sb ~***, καλοδέχομαι κπ. 2. (*σάν ἀπάντηση σέ εὐχαριστίες*) παρακαλῶ: *'Thank you very much.' 'You're ~!'* -Εὐχαριστῶ πάρα πολύ! -Παρακαλῶ. 3. *ἐπιφ.* καλῶς ἦρθες! καλῶς ὥρισες! *W~ home!/to my house!/to Greece!* καλῶς ὥρισες στήν πατρίδα/στό σπίτι μου/στήν Ἑλλάδα! —*οὐσ.* ‹C› ὑποδοχή: *They gave us a warm/an enthusiastic ~*, μᾶς ἔκαναν θερμή/ἐνθουσιώδη ὑποδοχή. *We received a cold ~*, ἐτύχαμε ψυχρῆς ὑποδοχῆς. —*ρ.μ.* ὑποδέχομαι: *~ a friend/suggestion coldly/warmly*, ὑποδέχομαι ἕναν φίλο/μιά πρόταση ψυχρά/θερμά.

weld /weld/ *ρ.μ/ἀ.* συγκολλῶ/-οῦμαι, (*μεταφ.*) συνδέω/-ομαι, σφυρηλατῶ: *~ two pieces of metal together*, συγκολλῶ δύο τεμάχια μετάλλου. *arguments that are closely ~ed*, σφιχτοδεμένα ἐπιχειρήματα. —*οὐσ.* ‹C› συγκόλλησις, σημεῖον συγκολλήσεως. **~er** *οὐσ.* ‹C› συγκολλητής, ὀξυγονοκολλητής.

wel·fare /`welfeə(r)/ *οὐσ.* ‹U› 1. εὐημερία, εὐτυχία: *work for the ~ of the nation*, ἐργάζομαι γιά τήν εὐημερία τοῦ ἔθνους. *be solicitous for sb's ~*, γνοιάζομαι γιά τό καλό κάποιου. 2. κοινωνική πρόνοια: *child ~*, πρόνοια τοῦ παιδιοῦ. *a `~ centre*, κέντρο κοινωνικῆς προνοίας. **the W~ State**, τό κράτος προνοίας.

[1]**well** /wel/ *οὐσ.* ‹C› 1. πηγάδι, φρέαρ: *drive/sink a ~*, ἀνοίγω πηγάδι. *`~-water*, πηγαδίσιο νερό. **`oil-/`ar`tesian-~**, φρέαρ πετρελαίου/ἀρτεσιανόν φρέαρ. 2. (*ἀπηρχ.*) πηγή, βρύση. **`~-head**, πηγή, κεφαλόβρυσο, νερομάνα. 3. φρεάτιον ἀσανσέρ, κλιμακοστάσιον, φωταγωγός. 4. χῶρος γιά τούς δικηγόρους πρό τῆς ἕδρας τῶν δικαστῶν. 5. **`~-deck**, περιφραγμένο τμῆμα καταστρώματος. —*ρ.ἀ.* ***~ out (from/of)***, κυλῶ: *The blood was ~ing out (from the wound)*, τό αἷμα κυλοῦσε ποτάμι (ἀπό τό τραῦμα). ***~ over***, πλημμυρίζω, ξεχειλίζω. ***~ up (in)***, ἀναβλύζω: *Tears ~ed up in her eyes*, δάκρυα ἀνάβλυσαν στά μάτια της. *His anger ~ed up*, φούσκωσε μέσα του ὁ θυμός.

[2]**well** /wel/ *ἐπίρ.* 1. (*μετά τό ἀντικείμενο ἤ τό ρῆμα*) καλά: *They behaved ~*, φέρθηκαν καλά. *He speaks English ~*, μιλάει Ἀγγλικά καλά. *W~ done!* μπράβο! πολύ καλά! *W~ run!* καλό τρέξιμο! *W~ played!* καλό παίξιμο! *~-behaved children*, εὐγενικά παιδιά (μέ καλή συμπεριφορά). *a ~-situated house*, σπίτι σέ καλή τοποθεσία. *I hope everything is (going) ~ with you*, ἐλπίζω ὅτι ὅλα πᾶνε καλά σέ σᾶς. ***do ~***, πάω καλά, προκόβω, εὐημερῶ: *do ~ at school/in the exams*, πάω καλά στό σχολεῖο/στίς ἐξετάσεις. ***be doing ~***, (*μόνον σέ συνεχεῖς χρόνους*) πάω καλά (σέ ἀνάρρωση): *Both mother and baby are doing ~*, καί ἡ μητέρα καί τό μωρό πᾶνε καλά. ***do oneself ~***, (*πεπαλ.*) καλοπερνῶ, καλομαθαίνω: *We did ourselves ~ for once*, τό ρίξαμε μιά φορά ἔξω καί μεῖς. ***do ~ by sb***, φέρομαι καλά/γενναιόδωρα σέ κπ. ***do ~ out of***, κερδίζω ἀπό: *I've done ~ out of him/of that business*, κέρδισα ἀπ' αὐτόν/ἀπ' αὐτή τή δουλειά. ***go ~***, ταιριάζω: *Do these colours go ~ together?*

πᾶνε καλά μαζί (ταιριάζουν) αὐτά τά χρώματα; *The carpet doesn't go* ~ *with the curtains*, τό χαλί δέν πάει μέ τίς κουρτίνες. **2**. καλά, ἐπαινετικά: *think/speak* ~ *of sb*, ἔχω καλή γνώμη/λέω καλά λόγια γιά κπ. ***it speaks ~ for***, συνιστᾶ, ἀποδεικνύει (ὅτι κτ εἶναι καλό): *That speaks* ~ *of his character*, αὐτό συνιστᾶ τό χαρακτήρα του. ***stand ~ with sb***, (*λόγ.*) ἔχω τήν εὔνοια/τή συμπάθεια κάποιου: *He stands* ~ *with his employers*, τ' ἀφεντικά του τόν συμπαθοῦνε. **3**. εὐτυχῶς, καλότυχα, σέ καλή κατάσταση. ***be ~ out of sth***, εἶναι εὐτύχημα πού εἶμαι ἔξω ἀπό κτ: *You are* ~ *out of it*, εἶσαι τυχερός/εἶναι εὐτύχημα πού ξέμπλεξες (ἤ, πού δέν ἀνακατεύτηκες). *I wish I was* ~ *out of this business*, θἄθελα νά μποροῦσα νά ξεμπλέξω ἀπό (ἤ, νά μήν εἶχα ἀνακατευτῆ σ')αὐτή τή δουλειά. ***~ off***, τυχερός, εὐκατάστατος: *He doesn't know when he's* ~ *off*, δέν καταλαβαίνει πόσο τυχερός εἶναι. *They are quite* ~ *off*, εἶναι πολύ εὐκατάστατοι. ***come off ~***, *(α)* (*γιά ἄνθρ.*) εἶμαι τυχερός: *You've come off* ~, στάθηκες τυχερός. *(β)* (*γιά πρᾶγμα*) τελειώνω καλά: *It all came off* ~, τέλειωσαν ὅλα καλά. ***do ~ to***, κάνω καλά πού/νά, εἶναι εὐτύχημα πού: *He did* ~ *to tell the truth*, ἔκανε καλά πού εἶπε τήν ἀλήθεια. *You would do* ~ *to say nothing about it*, θἄκανες καλά νά μήν πῆς τίποτα γι' αὐτό. **4**. (*στή μέση τῆς προτάσεως*) κάλλιστα, πιθανώτατα, φυσικά, δικαιολογημένα, εὐλόγως: *We may as* ~ *begin at once*, μποροῦμε κάλλιστα ν' ἀρχίσωμε ἀμέσως. *It may* ~ *be that he missed the train*, εἶναι πολύ πιθανόν (πιθανώτατα) νά ἔχασε τό τραῖνο. *You may* ~ *be surprised*, εἶναι φυσικό νά ἐκπλαγῆς (δικαιολογημένα ἐκπλήσσεσαι). *I couldn't very* ~ *refuse to help them*, δέν θά μοῦ ἦταν δυνατόν (δέν θά μποροῦσα εὔλογα) νά ἀρνηθῶ νά τούς βοηθήσω. *You may quite* ~ *give illness as an excuse*, μπορεῖς κάλλιστα νά δικαιολογηθῆς ὅτι ἦσουν ἄρρωστος. **5**. ***be just as ~***, εὐτυχῶς, καλά πού, καλύτερα: *It's just as* ~ *I didn't lend him the money*, καλά (εὐτυχῶς) πού δέν τοῦ δάνεισα τά χρήματα. ***may/might (just) as ~***, κάλλιστα, μέ τήν ἴδια λογική, καλύτερα: *You might just as* ~ *say that white is black (as say that...)*, εἶναι σά νά λές (μέ τήν ἴδια λογική θά μποροῦσες νά πῆς) ὅτι τό ἄσπρο εἶναι μαῦρο (ὅταν λές ὅτι...) *We might just as* ~ *have stayed at home*, θά μπορούσαμε κάλλιστα νά μείνουμε (καλύτερα νά μέναμε) σπίτι (*δηλ.* δέν ἄξιζε τόν κόπο νά πᾶμε). *You may as* ~ *tell me the truth*, καλύτερα νά (δέν θά εἶναι χειρότερο γιά σένα ἄν) μοῦ πῆς τήν ἀλήθεια. *You might just as* ~ *give me the money now as wait till tomorrow*, καλύτερα νά μοῦ δώσης τά λεφτά τώρα παρά νά περιμένης ὥς αὔριο (δέν χάνεις τίποτα ἄν μοῦ τά δώσης τώρα). **6**. (*στό τέλος τῆς προτάσεως*) καλά, προσεχτικά: *Shake the bottle* ~, κουνῆστε τό μπουκάλι καλά. *Examine the account* ~ *before you pay it*, νά ἐξετάσης τό λογαριασμό προσεχτικά πρίν τόν πληρώσης. **7**. πολύ, ἀρκετά, σέ μεγάλο βαθμό: *It's* ~ *worth trying*, ἀξίζει πραγματικά τόν κόπο νά δοκιμάσωμε. *He was leaning* ~ *out of the window*, εἶχε σκύψει πολύ ἔξω ἀπό τό παράθυρο. *His name is* ~ *up in the list*, τὄνομά του εἶναι σχεδόν στήν ἀρχή τοῦ καταλόγου (πολύ ψηλά στόν κατάλογο). *He must be* ~ *past forty/* ~ *over forty (years of age)*, πρέπει νἄχη περάση τά σαράντα γιά καλά/νἆναι πολύ πάνω ἀπό σαράντα. *It was* ~ *on midnight*, ἦταν κοντά (πλησίαζαν) μεσάνυχτα. ***be ~ away***, *(α)* προχωρῶ καλά. *(β)* (*καθομ.*) μπαίνω στό κέφι. ***be ~ up in a subject***, εἶμαι πολύ μπασμένος σ' ἕνα θέμα, τό κατέχω πολύ καλά. **8**. ***as ~ (as)***, ἐπιπλέον, (καθώς) καί, ἐπίσης: *I'll buy this as* ~, θ' ἀγοράσω κι' αὐτό. *He gave me advice, and money as* ~, μοῦ ἔδωσε συμβουλές, καί ἐπιπλέον καί χρήματα. *He gave me money as* ~ *as advice*, δέν μοῦ ἔδωσε μόνο συμβουλές ἀλλά καί χρήματα. **9**. ***pretty ~***, σχεδόν: *He was pretty* ~ *the only person who offered to help*, ἦταν σχεδόν ὁ μόνος πού προθυμοποιήθηκε νά βοηθήση.

[3]**well** /wel/ *κατηγ. ἐπ.* **1**. καλά, ἱκανοποιητικά: *be/look/feel* ~, εἶμαι/φαίνομαι/νοιώθω καλά. *get* ~, γίνομαι καλά. *I'm very* ~ *where I am*, εἶμαι πολύ καλά ἐδῶ (ὅπως εἶμαι). ***It's all very ~ ... but***, (*εἰρων.*) καλά εἶναι ὅλα αὐτά... ἀλλά: *It's all very* ~ *for you to say I must have a rest but...*, ἐσύ μπορεῖς νά λές (καλά ὅλα αὐτά πού λές) ὅτι πρέπει νά ξεκουραστῶ, ἀλλά... ***That's all very ~!*** ὡραῖα τά λές ἐσύ! ἔτσι σοῦ ἀρέσει νά λές! μωρέ τί μᾶς λές! ***All's ~ that ends ~***, ὅλα καλά ὅταν τελειώνουν καλά. **2**. φρόνιμο, σωστό, καλό: *It would be* ~ *to start early*, θἄταν φρόνιμο νά ξεκινήσωμε νωρίς. **3**. τυχερός, καλά, εὐτυχῶς: *It was* ~ *for you that nobody saw you*, ἦσουν τυχερός (καλά) πού δέν σέ εἶδε κανένας. —*ἐπιφ.* **1**. (*ἐκπλήξεως*): *W~ I never!* ἀπίστευτο! ἀδύνατο! *W~, who would have thought it!* γιά κοίτα, ποιός θά μποροῦσε νά σκεφτῆ τέτοιο πρᾶγμα! *W~, ~! I should never have guessed it!* τί λές! ποτέ δέν θά μποροῦσα νά τό μαντέψω! **2**. (*ἀνακουφίσεως*) λοιπόν: *W~, here we are at last!* λοιπόν, φθάσαμε ἐπιτέλους! **3**. (*ἐγκαρτερήσεως*) ἔ, τί νά γίνη: *W~, it can't be helped*, ἔ, δέν γίνεται ἀλλοιῶς. **4**. (*συμφωνίας*) ἐν τάξει: *Very* ~, *then, we'll talk about it tomorrow*, ἐν τάξει, λοιπόν, θά τό κουβεντιάσωμε αὔριο. **5**. (*παραδοχῆς ἤ ἀμηχανίας*) ναί: *W~, you may be right*, ναί, ἴσως νἄχης δίκηο. *W~, I think that...*, ναί, νομίζω ὅτι... **6**. (*εἰσαγωγικῶς ἤ συνδετικῶς*) λοιπόν: *W~, as I was saying*, λοιπόν, ὅπως ἔλεγα... *W~, the next day*, λοιπόν, τήν ἄλλη μέρα... —*οὐσ.* ‹U› καλή τύχη, καλό: *wish sb* ~, εὔχομαι καλή τύχη σέ κπ. (*βλ. & λ.* [1]*let*).

well- /wel/ *πρόθεμα* **1**. καλῶς, εὐ-: '**~-'being**, εὐημερία, εὐεξία, καλό: *work for the ~-being of the nation*, δουλεύω γιά τήν εὐημερία (γιά τό καλό) τοῦ ἔθνους. *have a sense of ~-being*, ἔχω ἕνα αἴσθημα εὐεξίας. *physical and moral ~-being*, σωματική καί ψυχική ὑγεία. '**~-'doer**, ἐνάρετος ἄνθρωπος. '**~-'doing**, ἀγαθοεργία, ἀρετή. '**~-nigh** *ἐπίρ.* σχεδόν: *It's ~-nigh impossible/midnight*, εἶναι σχεδόν ἀδύνατο/μεσάνυχτα. '**~-to-'do** *ἐπ.* εὔπορος, πλούσιος: *a ~-to-do family*, πλούσια οἰκογένεια. '**~-wisher**, εἰλικρινής φίλος, ὀπαδός, καλοθελητής. **2**. (*σέ σύνθ. λέξεις*): **'~-ad'vised** *ἐπ*. φρόνιμος, σώφρων: *a ~-advised action*, φρόνιμη ἐνέργεια. **'~-ap'pointed** *ἐπ*. καλῶς ἐξωπλισμένος/ἐφοδιασμένος, καλοβαλμένος. **'~-'balanced** *ἐπ*. λογικός, ἰσορροπημένος, συμμετρικός. **'~-'born** *ἐπ*. καλῆς οἰκογενείας/καταγωγῆς. **'~-'bred** *ἐπ*. καλοαναθρεμμένος. **'~-con'ducted** *ἐπ*. πού φέρεται/διεξάγεται καλά: *a ~-conducted meeting*, συγκέντρωσις πού ἔγινε μέ τάξη. **'~-con'nected** *ἐπ*. μέ καλές σχέσεις/γνωριμιές, ἀπό καλή οἰκογένεια. **'~-dis'posed** *ἐπ*. εὐνοϊκά διατεθειμένος. **'~-'favoured** *ἐπ*. (*ἀπηρχ.*) ὄμορφος. **'~-'founded** *ἐπ*. καλά θεμελιωμένος, βάσιμος: *~-founded suspicions*, βάσιμες ὑποψίες. **'~-'groomed** *ἐπ*. καλοπεριποιημένος. **'~-'grounded** *ἐπ*. βάσιμος, μέ καλή γνώση: *He's ~-grounded in grammar*, ἔχει καλές γνώσεις γραμματικῆς. **'~-'heeled** *ἐπ*. (*λαϊκ.*) παραλῆς. **'~-in'formed** *ἐπ*. καλά πληροφορημένος, πολύ κατατοπισμένος: *~-informed quarters*, καλῶς πληροφορημένοι κύκλοι. **'~-in'tentioned** *ἐπ*. καλοπροαίρετος. **'~-'knit** *ἐπ*. σφιχτοδεμένος. **'~-'known** *ἐπ*. πασίγνωστος. **'~-'lined** *ἐπ*. (*καθομ.*) (*γιά πορτοφόλι*) φουσκωμένος. **'~-'marked** *ἐπ*. σαφής, ἔντονος: *a ~-marked resemblance*, ἔντονη ὁμοιότητα. **'~-'meaning** *ἐπ*. καλοπροαίρετος. **'~-'meant** *ἐπ*. μέ καλή πρόθεση, καλοπροαίρετος. **'~-'read** *ἐπ*. μορφωμένος, πολυδιαβασμένος. **'~-'set** *ἐπ*. *βλ*. *~-knit*. **'~-'spoken** *ἐπ*. *(α)* γλυκομίλητος. *(β)* μέ καλό ὄνομα, μέ καλή φήμη. **'~-'timed** *ἐπ*. ἐπίκαιρος. **'~-'tried** *ἐπ*. (καλά) δοκιμασμένος. **'~-'turned** *ἐπ*. καλοδιατυπωμένος, πετυχημένος: *a ~-turned compliment*. **'~-'worn** *ἐπ*. τετριμμένος.

wel·ling·ton /ˈwelɪŋtən/ *οὐσ*. ‹C› ~ (**boot**), μπότα ὥς τό γόνατο.

Welsh /welʃ/ *οὐσ*. Οὐαλλός. —*ἐπ*. Οὐαλλικός. **'~ 'rabbit** (*ἤ* **'~ 'rarebit**) φρυγανιά μέ ψημένο τυρί.

welt /welt/ *οὐσ*. ‹C› **1**. βάρδουλο παπουτσιοῦ. **2**. βουρδουλιά.

[1]**wel·ter** /ˈweltə(r)/ *ρ.ἀ*. (συγ)κυλιέμαι: *~ in blood*, κολυμπῶ στό αἷμα. —*οὐσ*. ‹C› ἀναταραχή, ἀνακάτεμα, μπέρδεμα, σύγχυσις: *a political ~*, πολιτική ἀναταραχή/σύγχυσις. *a ~ of languages*, ἀνακάτεμα γλωσσῶν.

[2]**wel·ter** /ˈweltə(r)/ *ἐπ*. **'~ race**, κούρσα μέ βαρεῖς τζόκεϋ. **'~-weight**, (*πυγμ.*) ἡμιβαρέων βαρῶν (61–66 κιλά).

wench /wentʃ/ *οὐσ*. ‹C› (*πεπαλ. ἤ ἀστειολ.*) κοπέλλα, ὑπηρέτρια: *a buxom/strapping ~*, κοπελλάρα, κορίτσαρος. —*ρ.ἀ*. γυρίζω μέ κοκότες.

wend /wend/ *ρ.μ*. (*ἀπηρχ.*) (*μόνο στή φρ.*) **~ one's way (home)**, τραβῶ γιά (τό σπίτι).

went /went/ *ἀόρ. τοῦ ρ.* [1]*go*.

wept /wept/ *ἀόρ. & π.μ. τοῦ ρ. weep*.

were /wɜ(r)/ *ἀόρ. τοῦ ρ. be*.

we're /wɪə(r)/ = *we are*.

were·wolf /ˈwɜwʊlf/ *οὐσ*. ‹C› (*πληθ. -wolves* /-wʊlvz/) (*μυθολ.*) λυκάνθρωπος.

weren't /wɜnt/ = *were not*.

wert /wɜrt/ (*ἀρχ.*) ἦσουν: *thou ~*, ἐσύ ἦσουν.

west /west/ *οὐσ*. **1**. (*ἑν. μέ the*) δύσις: *The sun sets in the ~*, ὁ ἥλιος δύει στή δύση. *Portugal is in the ~ of Europe*, ἡ Πορτογαλλία εἶναι στά δυτικά τῆς Εὐρώπης. **2**. (*ἐπιθ.*) δυτικός: *a ~ wind*, δυτικός ἄνεμος, πουνέντες. *the ~ coast*, ἡ δυτική ἀκτή. **the W~ End**, ἡ ἀριστοκρατική συνοικία (τό Κολωνάκι) τοῦ Λονδίνου. **the '~ country**, ἡ νοτιοδυτική Ἀγγλία. —*ἐπίρ*. δυτικά: *travel ~*, ταξιδεύω πρός τή δύση. ***go ~***, (*χιουμορ.*) πεθαίνω. ***~ of***, δυτικά ἀπό. **'~·ward** /-wəd/ *ἐπ*., **'~-ward(s)** /-wəd(z)/ *ἐπίρ*. πρός τά δυτικά: *in a ~ward direction*, μέ κατεύθυνση πρός τά δυτικά. *travel ~wards*, ταξιδεύω πρός τά δυτικά.

west·er·ly /ˈwestəlɪ/ *ἐπ*. δυτικός, πρός/ἀπό τή δύση: *a ~ wind*, δυτικός ἄνεμος. —*ἐπίρ*. πρός τά δυτικά.

west·ern /ˈwestən/ *ἐπ*. δυτικός: *the W~ Hemisphere*, τόν Δυτικόν Ἡμισφαίριον. *~ science*, ἐπιστήμη τῆς Δύσεως. —*οὐσ*. ‹C› γουέστερν, καουμπόϋκο φίλμ. **~er** *οὐσ*. ‹C› κάτοικος τῆς Δύσεως. **~·ize** /-aɪz/ *ρ.μ*. ἐκδυτικοποιῶ. **~·iz·ation** /ˈwestənaɪˈzeɪʃn/ *οὐσ*. ‹U› ἐκδυτικοποίησις. **'~·most** /-məʊst/ *ἐπ*. δυτικώτατος.

wet /wet/ *ἐπ*. (*-ter, -test*) **1**. ὑγρός, βρεγμένος: *~ with tears*, ὑγρός ἀπό δάκρυα. ***get ~***, βρέχομαι. ***~ through***, βρεγμένος ὥς τό κόκκαλο. ***dripping/wringing/soaking ~***, μουσκίδι, πολύ βρεγμένος. **'~ 'dock**, ντόκος, νηοδόχος. **'~ 'paint**, φρέσκια μπογιά (πού δέν ἔχει στεγνώσει). (*βλ. & λ. blanket,* [1]*nurse*). **2**. βροχερός: *~ weather*, βροχερός καιρός. *the ~test summer for 20 years*, τό πιό βροχερό καλοκαίρι ἐδῶ καί εἴκοσι χρόνια. —*οὐσ*. **1**. **the ~**, βροχή: *Come in out of the ~*, ἔλα μέσα ἀπό τή βροχή. **2**. ‹U› ὑγρασία. —*ρ.μ*. (*ἀορ. & π.μ. ~ ἤ ~ted*) (*-tt-*) βρέχω, ὑγραίνω, μουσκεύω: *The baby has ~(ted) its bed again*, τό μωρό ξανάβρεξε τό κρεββάτι του. (*βλ. & λ. whistle*). **~·ting** *οὐσ*. ‹C› βρέξιμο, μούσκεμα: *get a ~ting*, βρέχομαι, μουσκεύω.

we've /wiv/ = *we have*.

whack /wæk/ *ρ.μ*. χτυπῶ (μέ πολύ θόρυβο). —*οὐσ*. ‹C› **1**. (δυνατό) χτύπημα. **2**. ἀπόπειρα, δοκιμή: *have a ~ at sth*, κάνω μιά δοκιμή σέ κτ. **3**. (*λαϊκ.*) μερδικό: *Have you all had a fair ~?* πῆρε ὁ καθένας τό μερδικό του; **~ed** *ἐπ*. (*καθομ.*) ψόφιος, ξεθεωμένος στήν κούραση. **~·ing** *οὐσ*. ‹C› ξύλο: *give sb a good ~ing*, δίνω γερό ξύλο σέ κπ. —*ἐπίρ. & ἐπ*. (*καθομ.*) πολύ, μεγάλος: *a ~ing (great) lie*, ἕνα (πολύ) μεγάλο ψέμα. **~er** *οὐσ*. ‹C› (*καθομ.*) κάτι πελώριο (*ἰδ*. ψέμα).

whale /weɪl/ *οὐσ*. ‹C› **1**. φάλαινα. **'~-bone**, μπανέλα. **2**. ***(have) a ~ of a (good) time***, (*καθομ.*) περνῶ περίφημα, διασκεδάζω μέ τήν ψυχή μου. —*ρ.ἀ*. κυνηγῶ φάλαινες: *go whaling*, πάω γιά φάλαινες. **whaler**, φαλαινοθηρευτικό (πλοῖο), φαλαινοκυνηγός. **'whaling-gun**, ὅπλο ἐκτοξεύσεως καμακιοῦ.

whang /wæŋ/ *ρ.μ*. (*καθομ.*) χτυπῶ (δυνατά καί μέ θόρυβο). —*οὐσ*. ‹C› χτύπημα. —*ἐπίρ*. (*καθομ.*) ἀκριβῶς: *hit the target ~ in the centre*, χτυπῶ τό στόχο τσάκ στό κέντρο.

wharf /wɔf/ *οὐσ*. ‹C› (*πληθ. ~s ἤ wharves* /wɔvz/) ἀποβάθρα, προκυμαία, προβλήτα. **'~-age** /-ɪdʒ/ *οὐσ*. ‹U› τέλη ἀποβάθρας.

what /wɒt/ *ἐπ*. (*ἐρωτημ.*) & *ἀντων*. (*ἐρωτημ.* &

ἀναφ.) 1. τί: *W~ time is it?* τί ὥρα εἶναι; *Tell me ~ time it is,* πές μου τί ὥρα εἶναι. *W~ happened?* τί συνέβη; *Tell me ~ happened,* πές μου τί συνέβη. *W~ a lovely dress!* τί ὡραῖο φόρεμα! *W~ lovely flowers!* τί ὡραῖα λουλούδια! 2. ὅ,τι, ἐκεῖνο πού, ὅλα ὅσα: *I'll tell you ~ I know,* θά σοῦ πῶ ὅ,τι ξέρω. *W~ we need most is time,* ἐκεῖνο πού χρειαζόμαστε πάνω ἀπ' ὅλα εἶναι ὁ χρόνος. *Give me ~ money you have on you,* δῶσε μου ὅ,τι χρήματα ἔχεις πάνω σου. 3. ὁ/ἡ/τό...πού: *W~ little he said was very enlightening,* τά λίγα πού εἶπε ἦταν πολύ διαφωτιστικά. *W~ few friends I have will help me,* οἱ λίγοι φίλοι πού ἔχω θά μέ βοηθήσουν. ***that's ~***, (ἐμφατ.) νά τί, αὐτό: *That's ~ I want of you,* αὐτό θέλω ἀπό σένα. ***~ for***, γιατί, γιά ποιό λόγο/σκοπό: *W~ did you do that for?* γιατί τὄκαμες αὐτό; *W~ is this tool used for?* γιά ποιό σκοπό χρησιμοποιεῖται αὐτό τό ἐργαλεῖο; **'~-`for**, (καθομ.) τιμωρία: *I'll give him ~-for,* θά τόν κανονίσω ἐγώ! ***~ ... like***, τί λογῆς, πῶς: *W~'s the weather like?* πῶς εἶναι καιρός; *W~'s he like?* τί λογῆς ἄνθρωπος εἶναι; ***~ if***, κι' ἄν, τί γίνεται ἄν: *W~ if it rains?* κι' ἄν βρέξη; ***~ though***, τί (σημασία ἔχει) κι' ἄν: *W~ though we are poor, we still have each other,* τί κι' ἄν εἴμαστε φτωχοί, ἔχομε ὁ ἕνας τόν ἄλλον. ***So ~?*** ἤ ***Well, ~ of it?*** καί λοιπόν; κι' ἔπειτα; καί τί μ' αὐτό; ***and ~ not***, (καθομ.) κι' ἄλλα τέτοια, κι' ὅ,τι ἄλλο μπορεῖς νά φανταστῆς, καί δέν ξέρω τί ἄλλο: *books, pens, pencils and ~ not,* βιβλία, στυλό, μολύβια κι' ἕνα σωρό ἄλλα τέτοια. **`~-not**, (καθομ.) ἐταζέρα. ***I know ~/I'll tell you ~***, λοιπόν, κοίτα νά δῆς τί θά γίνη/ἔχω μιά ἰδέα. ***know ~'s ~***, ξέρω τί μοῦ γίνεται, δέν εἶμαι βλάκας. ***~ is more***, τό πιό σπουδαῖο: *It's a useful book and, ~'s more, not at all expensive,* εἶναι χρήσιμο βιβλίο, καί τό πιό σπουδαῖο, καθόλου ἀκριβό. ***~ with ... and (with)***, κάτι μέ ... κάτι μέ, ἀπό τή μιά ... ἀπό τήν ἄλλη: *What with the children and the people next door I had no time to cook,* κάτι μέ τά παιδιά καί κάτι μέ τούς πλαϊνούς δέν πρόλαβα νά μαγειρέψω. (*βλ. & λ. about*). **`~-d'you-call-him(-her/-it, etc)** ἤ **`~'s-his(-her/-its, etc)-name**, πῶς τόν (τήν, τό) λένε: *Mr ~'s-his-name,* ὁ κύριος πῶς τόν λένε, ὁ κύριος τάδε. *Give me that ~-d'you-call-it,* δῶσε μου αὐτό τό τέτοιο (αὐτό πῶς τό λένε, αὐτό τό μαραφέτι).

what·e'er /'wot`eə(r)/ (ποιητ. γιά) *whatever.*

what·ever /'wot`evə(r)/ ἐπ. 1. ὅ,τιδήποτε: *Take ~ measures you think best,* πάρε ὅ,τιδήποτε μέτρα κρίνεις σκοπιμώτερο. 2. (*σέ ἀρνητική πρόταση, μετά τό οὐσιαστικό*) ἀπολύτως: *He had no reason ~ for going,* δέν εἶχε κανέναν ἀπολύτως λόγο νά πάη. *There is no doubt ~ about it,* δέν ὑπάρχει καμιά ἀπολύτως ἀμφιβολία γι' αὐτό. __ἀντων. ὅ,τιδήποτε (κι' ἄν), ὅ,τι: *W~ I have is at your service,* ὅ,τι ἔχω καί δέν ἔχω εἶναι στή διάθεσή σου. *Keep calm, ~ happens,* διατήρησε τήν ψυχραιμία σου, ὅ,τιδήποτε κι' ἄν συμβῆ.

what·so·e'er /'wotsəʊ`eə(r)/ (ποιητ. γιά) **what·so·ever** /-`evə(r)/ (*τό ὁποῖον εἶναι ἐμφατικός τύπος τοῦ whatever*).

wheat /wit/ οὐσ. ‹U› στάρι. **~en** /`witn/ ἐπ. σταρένιος: *~en bread.*

wheedle /`widl/ ρ.μ. καλοπιάνω, καταφέρνω μέ καλοπιάσματα: *She ~d a pound out of her father/~d her father into buying her a bicycle,* κατάφερε μέ καλοπιάσματα τόν πατέρα της νά τῆς δώση μιά λίρα/νά τῆς ἀγοράση ποδήλατο.

wheel /wil/ οὐσ. ‹C› 1. τροχός: *back/front ~s,* πισινοί/μπροστινοί τροχοί. ***~s within ~s***, (μεταφ.) περίπλοκη ὑπόθεσις, λαβύρινθος. ***put one's shoulder to the ~***, βοηθῶ, βάζω πλάτη/τά δυνατά μου (σέ μιά κοινή προσπάθεια). **`~·barrow**, χειράμαξα, καρροτσάκι. **`~·base**, ἀπόστασις μεταξύ δύο ἀξόνων, μεταξόνιον. **`~·chair**, ἀναπηρική πολυθρόνα (μέ ρόδες). **`~·wright**, ἁμαξοποιός. 2. τιμόνι: *the man at the ~,* ὁ ὁδηγός, ὁ τιμονιέρης. **`~·house**, τιμονιέρα (πλοίου), πηδαλιουχεῖον. 3. (στρατ.) στροφή, κλίσις: *right/left ~,* κλίσις δεξιά/ἀριστερά. (*βλ. & λ.* [1]*spoke*). __ρ.μ/ἀ. 1. κυλῶ, πηγαίνω (μέ καρροτσάκι), σπρώχνω: *~ a bike up a hill,* σπρώχνω (ἀνεβάζω κυλώντας) ἕνα ποδήλατο σέ μιά πλαγιά. *~ a baby to the park,* πηγαίνω ἕνα μωρό στό πάρκο (μέ τό καρροτσάκι του). 2. (περι)στρέφω/-ομαι, στριφογυρίζω: *The sails of the windmill were ~ing round,* τά φτερά τοῦ ἀνεμόμυλου γύριζαν. *The seagulls were ~ing in the air above us,* οἱ γλάροι διέγραφαν κύκλους (στριφογύριζαν) στόν ἀέρα ἀποπάνω μας. *Right/Left ~!* κλίνατε ἐπί δεξιά/ἐπ' ἀριστερά! *He ~ed about/round,* γύρισε ἀπότομα, ἔκαμε μεταβολή.

wheeze /wiz/ ρ.μ/ἀ. σουσουνίζω, ξεφυσῶ. ***~ sth out***, λέω σουσουνίζοντας/ἀσθμαίνοντας: *The old man ~d out a few words,* ὁ γέρος πρόφερε ἀσθμαίνοντας λίγες λέξεις. *A barrel-organ was wheezing out an old tune,* μιά λατέρνα ἔπαιζε βραχνά ἕναν παληό σκοπό. __οὐσ. ‹C› 1. σουσούνισμα, λαχάνιασμα, ἀγκομάχημα, σφύριγμα. 2. (πεπαλ. σχολ., λαϊκ.) ἰδέα, κόλπο. **wheezy** ἐπ. ἀσθματικός, πού ξεφυσᾶ, πού σφυρίζει. **wheez·ily** /-əlɪ/ ἐπίρ.

whelp /welp/ οὐσ. ‹C› 1. μικρό ζώου (σκυλάκι, λιονταράκι, τιγράκι, λυκόπουλο, κλπ). 2. παληόπαιδο, ἀλητάκι, μάγκας. __ρ.ἀ. (γιά ζῶο) γεννῶ.

when /wen/ ἐρωτημ. ἐπίρ. πότε: *W~ did he come?* πότε ἦλθε; *I don't know ~ he will leave,* δέν ξέρω πότε θά φύγη. *Till ~ can you stay?* ὥς πότε μπορεῖς νά μείνης; *Since ~ have you been here?* ἀπό πότε εἶσαι ἐδῶ; __ἀναφ. ἐπίρ. ὅταν, πού: *There are times ~ joking is not permissible,* ὑπάρχουν ὧρες πού τ' ἀστεῖα δέν ἐπιτρέπονται. __σύνδ. 1. ὅταν: *I'll tell him so ~ I see him,* θά τοῦ τό πῶ ὅταν τόν δῶ. *I often make mistakes ~ speaking French,* συχνά κάνω λάθη ὅταν μιλῶ Γαλλικά. 2. ὅταν, ἐνῶ, μολονότι: *He walks ~ he might take a taxi,* πηγαίνει μέ τά πόδια ἐνῶ θά μποροῦσε νά πάρη ταξί. 3. ὅταν, ἀφοῦ: *How can I help him ~ he won't listen to me?* πῶς μπορῶ νά τόν βοηθήσω ὅταν δέν μ' ἀκούη; 4. ὁπότε καί, καί τότε: *She will come back in May, ~ she will tell us what she has decided to do,* θά ἔλθη πίσω τό Μάη, ὁπότε καί θά μᾶς πῆ τί ἀποφάσισε νά κάμη.

whence /wens/ *ἐπίρ.* (*ἀπηρχ.*) ἀπό ποῦ, ἀπ' ὅπου: *Do you know ~ she came?* ξέρεις ἀπό ποῦ ἦλθε; *the land ~ they come*, ἡ χώρα ἀπ' ὅπου προέρχονται.

when·ever /ˈwenˈevə(r)/ *ἐπίρ.* **1**. ὁποτεδήποτε: *You can come ~ you like*, μπορεῖς νά ἔλθης ὁποτεδήποτε θέλεις. **2**. κάθε φορά πού: *W~ he comes to my office...*, κάθε φορά πού ἔρχεται στό γραφεῖο μου... ***or ~***, (*καθομ.*) ἤ ὁποτεδήποτε ἄλλοτε: *He might turn up on Monday, Tuesday, or ~, and...*, μπορεῖ νά παρουσιαστῆ τή Δευτέρα, τήν Τρίτη, ἤ ὁποιαδήποτε ἄλλη μέρα, καί...

where /weə(r)/ *ἐπίρ. ἐρωτημ.* ποῦ: *W~ does he live?* ποῦ μενει; *I don't know ~ he is/~ he comes from*, δέν ξέρω ποῦ εἶναι/ἀπό ποῦ κατάγεται. —*ἐπίρ. ἀναφ.* ὅπου: *It's still on the table ~ I put it*, εἶναι ἀκόμα στό τραπέζι ὅπου τό ἔβαλα. *Go ~ you like*, πήγαινε ὅπου θέλεις. ***that's ~***, (*ἐμφατ.*) νά ποῦ, ἐκεῖ, ἐδῶ: *That's ~ I put it*, ἐκεῖ τό ἔβαλα. *That's ~ you are mistaken*, ἐδῶ εἶναι πού κάνεις λάθος. **ˈ~-aˈbouts** *ἐπίρ.* ποῦ (περίπου), ποῦ κοντά: *W~-abouts did you find it?* ποῦ κοντά τό βρῆκες; *I wonder ~abouts he put it*, ἀναρωτιέμαι ποῦ μπορεῖ νά τὄβαλε. —*οὐσ.* (*ˈ~abouts*) (*μέ ρ. ἑν. ἤ πληθ.*) διαμονή: *His ~abouts is/are unknown*, ἡ τωρινή διαμονή του εἶναι ἄγνωστη. **ˈ~ˈas** *σύνδ.* *(α)* (*νομ.*) δοθέντος ὅτι. *(β)* ἐνῶ ἀντιθέτως: *She is fat, ~as her brother is very thin*, εἶναι χοντρή ἐνῶ ἀντιθέτως ὁ ἀδελφός της εἶναι πολύ ἀδύνατος. **ˈ~ˈat** *ἐπίρ.* (*ἀπηρχ.*) στό ὁποῖον, ὅπου. **ˈ~ˈby** *ἐπίρ.* μέ τό ὁποῖον: *He devised a plan ~by he might escape*, βρῆκε ἕνα σχέδιο γιά νά δραπετεύση. **ˈ~·fore** *ἐπίρ.* (*ἀπηρχ.*) γιατί. —*σύνδ.* γιά τόν ὁποῖον λόγο. —*οὐσ.* (*πληθ.*) αἰτία, λόγος, διότι: *the whys and the ~fores*, τά γιατί καί τά διότι. **ˈ~ˈin** *ἐπίρ.* (*λόγ.*) σέ τί, στό ὁποῖον: *W~in am I mistaken?* σέ τί (ποῦ) ἔχω λάθος; *The room ~in we slept*, τό δωμάτιο στό ὁποῖον κοιμηθήκαμε... **ˈ~ˈof** *ἐπίρ.* (*λόγ.*) ἀπό τί, ἀπό/εἰς/γιά τό ὁποῖον: *the matter ~of he spoke*, τό θέμα γιά τό ὁποῖον μίλησε. **ˈ~ˈon** *ἐπίρ.* (*λόγ.*) πάνω σέ τί, πάνω στό ὅποῖον: *the ground ~on the church is built*, τό ἔδαφος πάνω στό ὁποῖον ἡ ἐκκλησία εἶναι χτισμένη. **ˈ~·so·ˈever** *ἐπίρ.* (*ἐμφατικός τύπος γιά τό*) *wherever*. **ˈ~ˈto**, **ˈ~ˈunto** *ἐπίρ.* (*ἀπηρχ.*) σέ/πρός τί, στό ὁποῖον. **ˈ~ˈupon** *ἐπίρ.* (*λόγ.*) καί τότε, μετά τό ὁποῖον: *The headmaster came in, whereupon the children stopped talking.* **wher·ever** /ˈweərˈevə(r)/ *ἐπίρ.* ὁπουδήποτε, ὅπου κι' ἄν: *Sit ~ver you like*, κάθισε ὅπου θέλεις. *He comes from Vassaras, ~ver that may be*, κατάγεται ἀπό τό Βασσαρᾶ, ὅπου κι' ἄν εἶναι αὐτό (καί μή μέ ρωτᾶς ποῦ πέφτει). **ˈ~ˈwith** *ἐπίρ.* (*ἀπηρχ.*) μ' αὐτό, μέ τό ὁποῖον. **ˈ~·withal** /-wɪðɔl/ *ἐπίρ.* (*ἀπηρχ.*) μέ τό ὁποῖον. —*οὐσ.* (*ἑν. μέ the*) (*καθομ.*) τά ἀναγκαῖα χρήματα: *I'd like to buy it but I haven't got the ~withal*, θἄθελα νά τ' ἀγοράσω ἀλλά δέν ἔχω τά μέσα.

wherry /ˈwerɪ/ *οὐσ.* ‹C› βάρκα μέ κουπιά, μαούνα.

whet /wet/ *ρ.μ.* *(-tt-)* τροχίζω, ἀκονίζω: *~ a knife*, ἀκονίζω ἕνα μαχαίρι. ***~ one's appetite***, (*μεταφ.*) ἀκονίζω τήν ὄρεξή μου. **ˈ~·stone**, ἀκονόπετρα.

whether /ˈweðə(r)/ *σύνδ.* (*πρβλ. μέ if*) ἐάν, κατά πόσον: *I don't know ~ he's at home*, δέν ξέρω ἄν εἶναι σπίτι. *It's doubtful ~ we shall be able to come*, εἶναι ἀμφίβολο ἄν (κατά πόσον) θά μπορέσωμε νά ἔλθωμε. *It all depends upon ~ we have enough time*, ὅλα ἐξαρτῶνται ἀπό τό ἄν ἔχωμε ἀρκετό χρόνο. *I am not sure ~ to accept or refuse*, δέν εἶμαι βέβαιος ἄν πρέπη νά δεχθῶ ἤ ν' ἀρνηθῶ. (*Ἄν ὑπάρχει πρότασις μετά τό or, τό whether πρέπει νά ἐπαναληφθῆ*): *I wonder ~ we'll be in time for the last bus or ~ we'll have to walk home*, ἀναρωτιέμαι ἄν θά προλάβωμε τό τελευταῖο λεωφορεῖο ἤ ἄν θά χρειαστῆ νά πᾶμε σπίτι μέ τά πόδια. ***~ ... or not***, εἴτε... εἴτε ὄχι: *I'm going ~ it's raining or not*, θά πάω εἴτε βρέχει εἴτε ὄχι.

whew /hju/ *ἐπιφ. ταραχῆς, κούρασης, ἐκπλήξεως* οὔφ! ὤ λαλά!

whey /weɪ/ *οὐσ.* ‹U› τυρόγαλο.

which /wɪtʃ/ *ἐρωτημ. ἐπ. ἤ ἀντων.* (*γιά πρόσωπα ἤ πράγματα, μέ ἔννοια ἐπιλογῆς*) ποιός: *W~ language do you know better, English or French?* ποιά γλῶσσα ξέρεις καλύτερα, Ἀγγλικά ἤ Γαλλικά; *W~ Smith do you mean?* ποιόν Σμίθ ἐννοεῖς; *W~ of them is yours?* ποιό ἀπ' αὐτά εἶναι δικό σου; *W~ of your friends knows Chinese?* ποιός ἀπό τούς φίλους σου ξέρει Κινέζικα; —*ἀναφ. ἐπ.* (*λόγ., σπάνιον ἐκτός μετά ἀπό πρόθεση*) ὁ ὁποῖος: *He stayed for a week, during ~ time he did nothing but eat and sleep*, ἔμεινε μιά βδομάδα, κατά τή διάρκεια τῆς ὁποίας δέν ἔκανε τίποτα ἄλλο παρά νά τρώη καί νά κοιμᾶται. —*ἀναφ. ἀντων.* (*μόνο γιά πράγματα – ὄχι γιά πρόσωπα*) τό ὁποῖον, πού: **1**. (*σέ προσδιοριστικές ἀναφορικές προτάσεις*) (*Ἀντικαθίσταται συχνά ἀπό τό that καί δέν χωρίζεται μέ κόμμα ἀπό τήν λέξη τῆς ἀναφορᾶς*). *(α) ὡς ὑποκείμενον ρήματος*: *Take the book ~ is lying on my desk*, πάρε τό βιβλίο πού βρίσκεται στό γραφεῖο μου. *(β) ὡς ἀντικείμενον ρήματος* (*συνήθως παραλείπεται ἐντελῶς*): *Was the book (~) you were reading a novel?* ἦταν τό βιβλίο πού διάβαζες μυθιστόρημα; *(γ) ὡς ἀντικείμενον προθέσεως* (*ἄν ἡ πρόθεσις μετατοπισθῆ μετά τό ρῆμα, τό which ἤ παραλείπεται ἐντελῶς ἤ ἀντικαθίσταται ἀπό that*): *This is the hotel at ~ we stayed* (*πρβλ. This is the hotel (that) we stayed at*), αὐτό εἶναι τό ξενοδοχεῖο στό ὁποῖο μείναμε. **2**. (*σέ μή προσδιοριστικές προτάσεις*) (*Ἀπαντᾶται συχνότερα εἰς τόν γραπτόν παρά εἰς τόν προφορικόν λόγον. Χωρίζεται ἀπό τή λέξη τῆς ἀναφορᾶς πάντοτε μέ κόμμα, καί δέν ἀντικαθίσταται ἀπό τό that, οὔτε παραλείπεται*): *(α) ὡς ὑποκείμενον ρήματος καί ἀντικείμενον ρήματος ἤ προθέσεως*: *This desk, ~ is made of oak, cost me next to nothing*, αὐτό τό γραφεῖο, τό ὁποῖον εἶναι δρύϊνο, δέν μοῦ κόστισε σχεδόν τίποτα. *This desk, ~ I bought second hand, is made of oak*, αὐτό τό γραφεῖο, τό ὁποῖον ἀγόρασα μεταχειρισμένο, εἶναι δρύϊνο. *This desk, for ~ I paid £10, is made of oak*, αὐτό τό γραφεῖο, γιά τό ὁποῖο πλήρωσα δέκα λίρες, εἶναι δρύϊνο. *(β)* (*ὅταν ἀναφέρεται σέ ὁλόκληρη πρόταση*) πρᾶγμα πού, καί αὐτό: *He said he had been ill, ~ was not true*, εἶπε ὅτι ἦταν ἄρρωστος, πρᾶγμα πού δέν ἦταν ἀλήθεια.

which·ever /ˈwɪtʃˋevə(r)/ *ἐπ. & ἀντων.* ὁποιοσδήποτε: *Take ~ (book) you like best,* πάρε ὁποιοδήποτε (βιβλίο) σοῦ ἀρέσει καλύτερα. ˈ**which·so·ˋever**, *ἐμφατικός τύπος τοῦ whichever.*

whiff /wɪf/ *οὐσ.* ‹C› **1**. ἐλαφρά πνοή (ἀνέμου), ρουφηξιά (καπνοῦ), μυρουδιά: *a ~ of fresh air,* μιά πνοή δροσεροῦ ἀέρα. *Let me have a ~,* ἄσε με νά τραβήξω μιά ρουφηξιά. *a ~ of chloroform,* μιά εἴσπνοή (μιά δόση) χλωροφόρμιο. **2**. (*καθομ.*) πουράκι. —*ρ.μ/ἀ.* φυσῶ ἤ ρουφῶ ἐλαφρά.

Whig /wɪg/ *οὐσ.* ‹C› Οὐΐγος, μέλος τοῦ (κατοπινοῦ) Φιλελευθέρου Κόμματος.

1**while** /waɪl/ *οὐσ.* ‹U› (χρονικό) διάστημα, ὥρα, χρόνος: *Where have you been all this ~?* ποῦ ἤσουν ὅλη αὐτή τήν ὥρα; *I'll be back in a little ~,* θά ἐπιστρέψω σέ λίγο. *a short ~ ago,* πρίν ἀπό λίγο. *I haven't seen him for a long ~,* δέν τόν ἔχω δεῖ ἐδῶ καί πολύ καιρό. ***once in a ~***, πότε-πότε, κάπου-κάπου, σποραδικά. ***(make it/be) worth (one's) ~***, κάνω ἄξιο/ἀξίζει τόν κόπο μου: *It isn't worth ~ going there,* δέν ἀξίζει τόν κόπο νά πάη κανείς ἐκεῖ. *I'll make it worth your ~,* δέν θά πάη χαμένος ὁ κόπος σου (θά σέ ἀνταμείψω). —*ρ.μ.* (*μόνο στή φρ.*) ***~ away***, περνῶ, σκοτώνω (τόν καιρό): *We ~d away the afternoon lying on the sand,* περάσαμε τ' ἀπόγευμα ξαπλωμένοι στήν ἀμμουδιά.

2**while** /waɪl/ *σύνδ.* **1**. ἐνῶ: *He fell asleep ~ (he was) reading,* ἀποκοιμήθηκε ἐνῶ διάβαζε. *Mary is fat ~ her brother is thin,* ἡ Μαίρη εἶναι παχειά ἐνῶ ὁ ἀδελφός της εἶναι ἀδύνατος. **2**. μολονότι, ἄν καί: *W~ I admit that it's difficult, I don't think it's impossible,* ἄν καί παραδέχομαι ὅτι εἶναι δύσκολο, δέν τό θεωρῶ ἀδύνατο.

whilst /waɪlst/ *βλ.* 2*while.*

whim /wɪm/ *οὐσ.* ‹C› καπρίτσιο, ἰδιοτροπία: *She's full of ~s,* εἶναι γεμάτη καπρίτσια. *a passing ~,* περαστική ἰδιοτροπία. *Her every ~ is complied with,* τῆς κάνουν ὅλα τά καπρίτσια.

whim·per /ˋwɪmpə(r)/ *ρ.μ/ἀ.* κλαυθμηρίζω, κλαψουρίζω (φοβισμένα). —*οὐσ.* ‹C› κλαψούρισμα, λυγμός.

whimsy, whim·sey /ˋwɪmzɪ/ *οὐσ.* ‹C,U› καπρίτσιο, ἰδιοτροπία, παραξενιά. **whim·si·cal** /ˋwɪmzɪkl/ *ἐπ.* ἰδιότροπος, ἐκκεντρικός, παράξενος. **whim·si·cally** /-klɪ/ *ἐπίρ.*

whine /waɪn/ *οὐσ.* ‹C› κλαψούρισμα, παραπονιάρικη κραυγή, τσίριγμα. —*ρ.μ/ἀ.* κλαψουρίζω, τσιρίζω παραπονιάρικα: *The beggar was whining (out) requests for alms,* ὁ διακονιάρης ζητοῦσε κλαψουριστά ἐλεημοσύνη. *The dog was whining to come into the room,* τό σκυλί ἔσκουζε παραπονιάρικα γιά νά μπῆ στό δωμάτιο. *If that child doesn't stop whining, I'll drown him!* ἄν αὐτό τό παιδί δέν σταματήση νά τσιρίζη, θά τό πνίξω! *The bullets ~d through the air,* οἱ σφαῖρες σφύριζαν στόν ἀέρα.

whinny /ˋwɪnɪ/ *οὐσ.* ‹C› χρεμέτισμα, χλιμίντρισμα. —*ρ.ἀ.* χλιμιντρίζω, χρεμετίζω.

1**whip** /wɪp/ *οὐσ.* ‹C› **1**. μαστίγιο. ***have the ~ hand (over sb)***, ἔχω κπ τοῦ χεριοῦ μου, εἶμαι σέ πλεονεκτική θέση. ˋ**~·cord**, σκοινί γιά καμουτσίκι, γερό ριγωτό ὕφασμα. **2**. (*κοινοβ.*) ὀργανωτικός γραμματεύς ὑπεύθυνος γιά τήν κομματική πειθαρχία τῶν βουλευτῶν, κομματική ἐντολή: *The ~s are on/off,* εἶναι/δέν εἶναι θέμα κομματικῆς πειθαρχίας. ***a three-line ~***, αὐστηρή ἐντολή κομματικῆς πειθαρχίας. **3**. χτυπημένη κρέμα. **4**. (*καί* ˈ**~per-ˋin**) ὑπηρέτης πού ὁδηγεῖ τά σκυλιά στό κυνήγι. **~py** *ἐπ.* εὔκαμπτος, σβέλτος.

2**whip** /wɪp/ *ρ.μ/ἀ.* (*-pp-*) **1**. μαστιγώνω: *~ a horse/a boy,* μαστιγώνω ἄλογο/παιδί. *The rain was ~ping the window-panes,* ἡ βροχή μαστίγωνε τά τζάμια. *He ~ped the dogs off,* ἔδιωξε τά σκυλιά μέ τό μαστίγιο. *He ~ped his horse on,* μαστίγωσε τό ἄλογό του γιά νά τρέξη. **2**. χτυπῶ (αὐγά, κρέμα): *~ up eggs to put in a cake,* χτυπῶ αὐγά γιά νά τά βάλω σέ κέκ. **3**. (*καθομ.*) δέρνω, νικῶ: *Our team got a bad ~ping,* ἡ ὁμάδα μας τίς ἔφαγε ἄσχημα. **4**. δένω σφιχτά, ράβω (μέ πανωβελονιά). **5**. κινῶ/-οῦμαι ἀπότομα καί γρήγορα: *He ~ped a revolver out of his pocket,* τράβηξε ἀστραπιαῖα ἕνα περίστροφο ἀπό τήν τσέπη του. *He ~ped on/off his coat and ran out,* φόρεσε/ἔβγαλε γρήγορα τό σακκάκι του κι' ἔτρεξε ἔξω. ***~ round***, (*καθομ.*) κάνω ἔρανο. ˋ**~-round**, ἔρανος: *We had a ~-round at school to buy Christmas presents for the orphans,* κάναμε ἔρανο στό σχολεῖο ν' ἀγοράσουμε Χριστουγεννιάτικα δῶρα γιά τά ὀρφανά. ***~ up***, (*γιά αἰσθήματα*) δυναμώνω, ἐρεθίζω: *The news ~ped up their anger,* τά νέα μεγάλωσαν τήν ὀργή τους/τούς ἐρέθισαν περισσότερο. **~-ping** *οὐσ.* ‹C› μαστίγωμα (τιμωρία). ˋ**~·ping-boy**, παιδί πού τιμωρεῖται γιά τά λάθη ἄλλων, ἀποδιοπομπαῖος τράγος. ˋ**~·ping-post**, πάσσαλος προσδέσεως τῶν καταδικασμένων σέ μαστίγωση. ˋ**~·ping-top**, σβούρα (πού γυρίζει μέ χτυπήματα μαστίγιου).

whip·per-snap·per /ˋwɪpə snæpə(r)/ *οὐσ.* ‹C› (*καθομ.*) νεαρός (*συνήθ.* μικρόσωμος) πού κάνει τό σπουδαῖο, μαγκάκι.

whir /wɜ(r)/ *οὐσ. & ρ.ἀ. βλ. whirr.*

whirl /wɜl/ *οὐσ.* (*μόνον ἑν.*) δίνη, στρόβιλος, ἴλιγγος: *a ~ of dust/dead leaves,* στρόβιλος σκόνης/ξερῶν φύλλων. *My brain was in a ~,* (*μεταφ.*) τό μυαλό μου στριφογύριζε σά σβούρα (ἤμουν σέ παραζάλη). *the ~ of modern life/of fast traffic,* (*μεταφ.*) ἡ δίνη (ὁ ἴλιγγος) τῆς σύγχρονης ζωῆς/τῆς γρήγορης κυκλοφορίας. ˋ**~·pool**, δίνη, ρουφήχτρα (στή θάλασσα). ˋ**~·wind**, ἀνεμοστρόβιλος. —*ρ.μ/ἀ.* **1**. στροβιλίζω/-ομαι, στριφογυρίζω: *The wind ~ed the dead leaves about,* ὁ ἄνεμος στροβίλιζε τά ξερά φύλλα. *The dancers ~ed round the room,* οἱ χορευτές στροβιλίζονταν στό δωμάτιο. *The noise made my head ~,* ὁ θόρυβος ἔκανε τό κεφάλι μου νά γυρίζη σά σβούρα. *My thoughts ~ed,* οἱ σκέψεις μου στριφογύριζαν ἀνακατωμένες. **2**. κινῶ/-οῦμαι ἰλιγγιωδῶς: *The trees ~ed past as the train gathered speed,* τά δέντρα περνοῦσαν πλάϊ μας σάν ἀστραπή καθώς τό τραῖνο ἀνέπτυσσε ταχύτητα. *He got into his sports car and ~ed away,* μπῆκε στό σπόρ αὐτοκίνητό του κι' ἔφυγε σάν ἀστραπή.

whirli·gig /ˋwɜlɪgɪg/ *οὐσ.* ‹C› **1**. (παιχνίδι)

σβούρα. **2**. περιστροφή, γύρισμα: *the ~ of time*, τό γύρισμα τοῦ χρόνου, τά γυρίσματα τῆς τύχης.

whirr, whir /wə(r)/ *οὐσ.* (*μόνον ἑν.*) βόμβος (ἕλικος), σφύριγμα (ὀβίδος), φτεροκόπημα (πουλιοῦ). *—ρ.ἀ.* (*-rr-*) βομβῶ, σφυρίζω, φτεροκοπῶ: *A bird whirred past*, ἕνα πουλί προσπέρασε φτεροκοπώντας.

whisk /wɪsk/ *οὐσ.* ‹C› **1**. μικρή βούρτσα (γιά τά ροῦχα), φτερό (γιά ξεσκόνισμα). (**`fly-**)~, μυγοσκοτώστρα. **2**. σύρμα (χτυπητήρι αὐγῶν, κρέμας). **3**. γρήγορη ἐλαφρά κίνησις, τίναγμα: *a ~ of the brush*, μιά βουρτσιά. *with a ~ of its tail*, (*γιά ζῷο*) μ᾽ ἕνα τίναγμα τῆς οὐρᾶς του. *With a ~ of his hand he brushed the fly away*, μ᾽ ἕνα τίναγμα τοῦ χεριοῦ του ἔδιωξε τή μύγα. *—ρ.μ/ἀ.* **1**. κινῶ γρήγορα (στόν ἀέρα): *The cow stood ~ing her tail*, ἡ ἀγελάδα στεκόταν καί χτυποῦσε τήν οὐρά της. **2**. ***~ off/away***, διώχνω (μέ γρήγορη κίνηση): *He ~ed the flies away/~ed the dust off his desk*, ἔδιωξε τίς μύγες/τίναξε τή σκόνη ἀπό τό γραφεῖο του. *She ~ed away a tear*, σκούπισε ἕνα δάκρυ (μέ γρήγορη κίνηση τοῦ χεριοῦ). **3**. παίρνω, μεταφέρω, περνῶ (γρήγορα κι᾽ ἀπότομα): *He was arrested and ~ed off to prison*, τόν συνέλαβαν καί τόν πῆγαν κατ᾽ εὐθεῖαν στή φυλακή. *We were ~ed to the top floor in an express lift*, ἕνα ταχύ ἀσανσέρ μᾶς ἀνέβασε ἀστραπιαῖα στό τελευταῖο πάτωμα. *The car ~ed through the village*, τό αὐτοκίνητο διέσχισε τό χωριό σάν ἀστραπή.

whis·ker /ˈwɪskə(r)/ *οὐσ.* ‹C› (*συνήθ. πληθ.*) **1**. φαβορίτα. **2**. μουστάκι (γάτας, ποντικοῦ).

whisky, (*ΗΠΑ*) **whis·key** /ˈwɪskɪ/ *οὐσ.* ‹C,U› οὐΐσκυ: *a bottle of ~*, ἕνα μπουκάλι οὐΐσκυ. *Two whiskies/whiskeys, please*, δυό οὐΐσκυ (ποτά), παρακαλῶ.

whis·per /ˈwɪspə(r)/ *οὐσ.* ‹C› ψίθυρος, διάδοσις, θρόϊσμα, κελάρυσμα: *answer in a ~*, ἀπαντῶ ψιθυριστά. *They talked in ~s*, μιλοῦσαν ψιθυριστά. *W~s are going round that the firm is likely to go bankrupt*, κυκλοφοροῦν ψίθυροι (διαδόσεις) ὅτι μπορεῖ νά χρεωκοπήση ἡ ἑταιρία. *the ~ of the forest/stream*, τό θρόϊσμα τοῦ δάσους/τό κελάρυσμα τοῦ ρυακιοῦ. *—ρ.μ/ἀ.* ψιθυρίζω, μουρμουρίζω, διαδίδω, (*γιά φύλλα*) θροΐζω, (*γιά ποτάμι*) κελαρύζω: *She ~ed to me to stop*, μοῦ ψιθύρισε νά σταματήσω. *The wind ~ed in the pines*, ὁ ἄνεμος μουρμούριζε στά πεῦκα. *It is ~ed that he is heavily in debt*, ψιθυρίζεται (διαδίδεται) ὅτι εἶναι καταχρεωμένος. **`~·ing campaign**, ἐκστρατεία ψιθύρων, διαδόσεις. **`~·ing-gallery**, στοά μέ ἰδιόρρυθμη ἀκουστική. **~er** *οὐσ.* ‹C› ψιθυριστής, διαδοσίας.

whist /wɪst/ *οὐσ.* ‹U› (*χαρτοπ.*) οὐΐστ. **`~-drive**, τουρνουά οὐΐστ.

whistle /ˈwɪsl/ *οὐσ.* ‹C› **1**. σφυρίχτρα: *the referee's ~*, ἡ σφυρίχτρα τοῦ διαιτητῆ. **2**. σφύριγμα, κελάηδημα: *We heard the ~ of a steam engine*, ἀκούσαμε τή σφυρίχτρα μιᾶς ἀτμομηχανῆς. *the ~ of a bullet/of the wind*, τό σφύριγμα μιᾶς σφαίρας/τοῦ ἀνέμου. *the ~ of a blackbird*, τό κελάηδημα ἑνός κότσυφα. **3**. ***wet one's ~***, (*καθομ.*) βρέχω τό λαρύγγι μου, παίρνω ἕνα ποτό. *—ρ.μ/ἀ.* σφυρίζω: *The boy was whistling away merrily*, τό παιδί σφύριζε χαρούμενα. *He ~d an old tune*, σφύριζε ἕναν παληό σκοπό. *The engine driver ~d twice*, ὁ μηχανοδηγός σφύριξε δυό φορές. *The wind ~d outside*, ὁ ἀέρας σφύριζε ἔξω. *The bullets ~d past my ears*, οἱ σφαῖρες σφύριζαν πλάϊ στ᾽ αὐτιά μου. *He ~d his dog back*, σφύριξε στό σκυλί του νά γυρίση πίσω. ***~ for sth***, (*καθομ. πεπαλ.*) ζητῶ κτ εἰς μάτην: *I owe my tailor £50 but he can ~ for it*, χρωστάω στό ράφτη μου 50 λίρες ἀλλ᾽ ἄστον νά φωνάζη.

whit /wɪt/ *οὐσ.* κόκκος (*μόνον στή φρ.*) ***not a ~***, καθόλου: *not a ~ of truth*, οὔτε κόκκος ἀληθείας.

Whit /wɪt/ *οὐσ.* *βλ.* *Whitsun.*

[1]**white** /waɪt/ *ἐπ.* (*-r, -st*) ἄσπρος, λευκός: *Her face went ~*, τό πρόσωπό της ἔγινε ἄσπρο (χλώμιασε). *Her hair has turned ~*, τά μαλλιά της ἄσπρισαν. ***as ~ as a sheet***, ἄσπρος (χλωμός) σάν πανί. ***bleed sb ~***, (*κυριολ. & μεταφ.*) κάνω ἀφαίμαξη σέ κπ. **`~ alloy/`~ `metal**, λευκό μέταλλο. **`~ ant**, τερμίτης. **`~·bait**, μαρίδα, γόνος. **`~ bear**, λευκή ἄρκτος. **`~ bread**, ἄσπρο ψωμί. **`~-caps**, ἄσπρα κύματα, προβατάκια (τῆς θάλασσας). **'~-`collar** *ἐπ.* ὑπαλληλικός, γραφικός (ὄχι χειρωνακτικός): *a ~-collar job*, ὑπαλληλική/γραφική δουλειά. *~-collar workers*, ὑπάλληλοι σέ γραφεῖα (ὄχι χειρώνακτες). **'~ `coffee**, καφές μέ γάλα. **'~ `ensign**, ἡ σημαία τοῦ Βρεταν. πολεμικοῦ ναυτικοῦ. **'~ `flag**, λευκή σημαία (παραδόσεως). **'~ `frost**, πάχνη. **'~ `heat**, λευκοπύρωσις, θερμοκρασία λευκοπυρώσεως, (*μεταφ.*) πύρινο πάθος. **'~ `hot**, λευκοπυρωμένος. **the `W~ House**, Λευκός Οἶκος. **'~ `lead**, στουπέτσι. **'~ `lie**, (*μεταφ.*) ἀθῶο/συμβατικό ψέμα, δικαιολογημένο ψεματάκι. **'~-`lipped** *ἐπ.* φοβισμένος, μέ κάτωχρα χείλη. **'~-`livered** *ἐπ.* (*μεταφ.*) φοβιτσιάρης, δειλός. **`~ man**, λευκός, τῆς λευκῆς φυλῆς. **'~ `meat**, ἄσπρο κρέας (κοτόπουλο, χοιρινό, βιδέλο). **'~ `paper**, (*ΜΒ*) λευκή βίβλος. **the '~ `scourge**, ἡ φυματίωσις. **'~d `sepulchre** (*Α. Γ.*) τάφος κεκονιασμένος, (*μεταφ.*) ὑποκριτής, θεομπαίχτης. **'~ `sheet**, λευκό ράσο (μετανοούντων). **'~ `slave**, θῦμα σωματεμπορίας: *the '~-`slave traffic*, τό ἐμπόριο λευκῆς σαρκός. **`~·thorn**, λευκάκανθα. **'~ `tie**, παπιγιόν βραδυνῆς ἐνδυμασίας, (*κατ᾽ ἐπέκτασιν*) βραδυνό ἔνδυμα. **`~·wash** *οὐσ.* ‹U› ἀσβέστης (ἀσπρίσματος), (*μεταφ.*) ἐξωραϊσμός. *—ρ.μ.* ἀσπρίζω, ἀσβεστώνω, (*μεταφ.*) ἐξωραΐζω (ὑπόληψη, κλπ), ἐμφανίζω κπ σάν ἀθῶο. (*βλ. & λ. elephant*).

[2]**white** /waɪt/ *οὐσ.* **1**. ‹U› ἄσπρο (χρῶμα): *dressed in ~*, ντυμένη στ᾽ ἄσπρα. **2**. ‹C› λευκός (ἄνθρωπος τῆς λευκῆς φυλῆς). **3**. ‹C,U› ἀσπράδι (αὐγοῦ, ματιοῦ). **~·ness** *οὐσ.* ‹U› ἀσπράδα, λευκότης. **whiten** /ˈwaɪtn/ *ρ.μ/ἀ.* ἀσπρίζω, λευκαίνω.

White·hall /ˈwaɪtˈhɔl/ *οὐσ.* δρόμος τοῦ Λονδίνου μέ τά περισσότερα Ὑπουργεῖα, (*συνεκδ.*) ἡ Βρεταν. Κυβέρνησις/πολιτική.

whiten·ing /ˈwaɪtənɪŋ/ *οὐσ.* ‹U› ἄσπρισμα, λεύκανσις, λευκαντικόν.

whither /ˈwɪðə(r)/ *ἐπίρ.* (*ἀπηρχ.*) πρός τά ποῦ:

W~ China? ποῦ βαδίζει ἡ Κίνα; '**~so-`ever** *ἐπίρ.* (*ἀπηρχ.*) σέ ὁποιοδήποτε μέρος.

whit·ing /`waitiŋ/ *οὐσ.* **1**. ‹U› ἄσπρη σκόνη. **2**. ‹C› (*ἀμετάβλ. στόν πληθ.*) εἶδος μικροῦ ψαριοῦ (σάν μπακαλιάρος).

whit·low /`witləu/ *οὐσ.* ‹C› παρωνυχίδα (ἐρεθισμένη).

Whit·sun /`witsn/ *οὐσ.* (*ἐπίσης 'Whit `Sunday*) Πεντηκοστή. **`~·tide** /-taid/ *οὐσ.* Πεντηκοστή, ἡ ἑβδομάδα τῆς Πεντηκοστῆς. (*'Whit `Monday/`Tuesday, etc.* Δευτέρα/Τρίτη τῆς Πεντηκοστῆς, κλπ).

whittle /`witl/ *ρ.μ/ὰ.* **1**. λαξεύω, πελεκῶ, λιανίζω (= λεπταίνω κόβοντας λίγο-λίγο, *ἰδ.* κομμάτι ξύλο): *He was whittling at a piece of wood with a knife to make a handle for his hoe*, λιάνιζε (πελέκαγε) ἕνα ξύλο μέ τό μαχαίρι του γιά νά φτιάξη στιλιάρι γιά τό ξινάρι του. **2**. φτιάχνω (λιανίζοντας): *The boy ~d a whip handle from a branch*, τό παιδί ἔφτιαξε μιά λαβή μαστιγίου ἀπό ἕνα κλαδί. **3**. ***~ down/away***, (*μεταφ.*) περικόπτω, περιορίζω/ἀφαιρῶ σιγά-σιγά: *They won't dare to ~ down our salaries*, δέν θά τολμήσουν νά μᾶς περικόψουν τούς μισθούς. *Their power was ~d away by the government*, ἡ δύναμή τους περιορίστηκε σιγά-σιγά ἀπό τήν κυβέρνηση.

whiz /wiz/ *ἐπιφ.* βζίτ! —*οὐσ.* ‹U› σφύριγμα: *the ~ of a bullet*, τό σφύριγμα μιᾶς σφαίρας. —*ρ.ὰ.* *(-zz-)* σφυρίζω: *He ~zed past on his motorcycle*, πέρασε σάν ἀστραπή πάνω στή μοτοσυκλέττα του.

whizz-kid /`wiz kid/ *οὐσ.* ‹C› (*λαϊκ.*) παιδίθαῦμα.

who /hu/, **whom** /hum/ *ἐρωτημ. ἀντων.* (*γιά πρόσωπα*) **1**. ποιός: *Who is that man?* ποιός εἶναι αὐτός ὁ ἄνθρωπος; *Who are those men?* ποιοί εἶναι αὐτοί οἱ ἄνθρωποι; *Who does he think he is?* ποιός νομίζει πώς εἶναι; **2**. (*εἰς τήν ὁμιλία χρησιμοποιεῖται συχνά ἀντί τῆς αἰτιατικῆς whom*) ποιόν: *Who did you give it to (= To whom did you give it)?* σέ ποιόν τό ἔδωσες; *Who(m) did you see?* ποιόν εἶδες; —*ἀναφ. ἀντων.* **1**. (*γιά τή λειτουργία τῶν ἀναφ. ἀντωνυμιῶν στίς προσδιοριστικές καί μή προσδιοριστικές ἀναφορικές προτάσεις βλ. which*) ὁ ὁποῖος, πού: *This is the man who gave it to me*, αὐτός εἶναι ὁ ἄνθρωπος πού μοῦ τό ἔδωσε. *I don't know the names of the men who were present*, δέν ξέρω τά ὀνόματα τῶν ἀνθρώπων πού ἦσαν παρόντες. *That is the man (whom) I met in London*, ἐκεῖνος εἶναι ὁ ἄνθρωπος πού συνάντησα στό Λονδῖνο. *That's the man about whom you were talking (That's the man (that) you were talking about)*, αὐτός εἶναι ὁ ἄνθρωπος γιά τόν ὁποῖον κουβεντιάζατε. *My wife, who has been to London recently, will be able to inform you about it*, ἡ γυναίκα μου, ἡ ὁποία ἦταν στό Λονδῖνο προσφάτως, θά μπορέση νά σέ πληροφορήση γι' αὐτό. *His mother, whom I met yesterday, told me to look after him*, ἡ μητέρα του, τήν ὁποίαν συνάντησα χθές, μοῦ εἶπε νά τόν προσέχω. (*Μετά τήν φράση "there is" ἡ ἀναφ. ἀντων. who συχνά παραλείπεται στήν ὁμιλία: There's somebody (who) wants you on the phone*, ὑπάρχει κάποιος πού σᾶς ζητάει στό τηλέφωνο. *There was a man (who) called to see you while you were out*, πέρασε κάποιος νά σᾶς δῆ ἐνῶ λείπατε). **2**. (*ὡς ἀνεξάρτητο ἀναφορικό*) ὅποιος, ἐκεῖνος πού: *Whom the gods love die young*, ὅποιον ἀγαπᾶνε οἱ θεοί πεθαίνει νέος.

who'd /hud/ = *who had/would.*

who·ever /hu`evə(r)/ *ἀντων.* οἱοσδήποτε, ὅποιος: *W~ says that is a liar*, ὅποιος τό λέει αὐτό εἶναι ψεύτης.

whole /həul/ *ἐπ.* **1**. γερός, ἄθικτος, σῶος: *There isn't a whole plate in the house*, δέν ὑπάρχει οὔτε ἕνα πιάτο γερό στό σπίτι. *I haven't a ~ pair of stockings left*, δέν μοῦ ἔχει μείνει οὔτε ἕνα γερό ζευγάρι κάλτσες. **2**. ὁλόκληρος: *He swallowed the plum ~*, κατάπιε τό δαμάσκηνο ὁλόκληρο. *The ox was roasted ~*, ψήσανε τό βόδι ὁλόκληρο (χωρίς νά τό τεμαχίσουν) (*πρβλ. They ate the ~ ox*, φάγανε ὅλο τό βόδι). **3**. ὅλος, πλήρης: *He ate the ~ loaf*, ἔφαγε ὅλο τό καρβέλι. *We waited for a ~ hour*, περιμέναμε μιά ὁλόκληρη ὥρα. *I want to know the ~ truth*, θέλω νά μάθω ὅλη τήν ἀλήθεια. *The ~ town is talking about it*, ὅλη ἡ πόλις κουβεντιάζει γι' αὐτό. *It rained for three ~ days*, ἔβρεχε τρεῖς ὁλόκληρες ἡμέρες. *Give your ~ energies/attention to the task*, δῶσε ὅλη σου τή δραστηριότητα/τήν προσοχή στή δουλειά. *with one's ~ heart*, μέ ὅλη μου τήν καρδιά. '**~-`hearted(ly)** *ἐπ.* (*ἐπίρ.*) μέ ὅλη τήν καρδιά, ἀνεπιφύλακτος, ἀνεπιφύλακτα: *~-hearted support*, ἀνεπιφύλακτη ὑποστήριξις. *support sb ~-heartedly*, ὑποστηρίζω κπ μέ ὅλη μου τήν καρδιά/ἀνεπιφύλακτα. **`~·meal/-wheat**, ἀκοσκίνιστο/μαῦρο ἀλεύρι. **~ milk**, γάλα πού δέν ἔχει ἀποβουτυρωθῆ. **~ number**, ὁλόκληρος ἀριθμός (ὄχι κλάσμα). —*οὐσ.* ‹U› ὅλον, σύνολον: *Four quarters make a ~*, τέσσερα τέταρτα κάνουν ἕνα ὅλον. *He spent the ~ of that year in Paris*, πέρασε ὁλόκληρο ἐκεῖνο τό χρόνο στό Παρίσι. ***as a ~***, σά σύνολο, συνολικά: *We must examine this problem as a ~*, πρέπει νά ἐξετάσωμε τό πρόβλημα συνολικά. *taken as a ~*, ὅταν τό ἐξετάση (τό δῆ) κανείς στό σύνολό του... ***on the ~***, γενικά: *On the ~ he has done well*, γενικά πῆγε καλά. (*βλ. & λ. hog*).

whole·sale /`həulseil/ *οὐσ.* ‹U› χονδρεμπόριον. —*ἐπ.* **1**. χονδρικός: *~ prices*, τιμές χονδρικῆς πωλήσεως. *a ~ dealer*, χονδρέμπορος. **2**. (*μεταφ.*) γενικός: *There was ~ slaughter when the police opened fire*, ἔγινε γενική σφαγή ὅταν ἡ ἀστυνομία ἄνοιξε πῦρ. —*ἐπίρ.* χονδρικῶς: *buy/sell goods ~*, ἀγοράζω/πουλῶ ἐμπορεύματα χονδρικῶς. **`whole·saler** *οὐσ.* ‹C› χονδρέμπορος.

whole·some /`həulsəm/ *ἐπ.* ὑγιεινός, ὠφέλιμος: *~ food/work/surroundings*, ὑγιεινή τροφή/δουλειά/-ό περιβάλλον. *a ~ complexion*, χρῶμα ὑγείας. *~ advice*, ὠφέλιμες συμβουλές.

who'll /hul/ = *who will.*

wholly /`həulli/ *ἐπίρ.* τελείως, ὁλοκληρωτικά, ἐξ ὁλοκλήρου: *I ~ agree with you*, συμφωνῶ ἀπολύτως μαζί σου. *Few men are ~ bad*, λίγοι ἄνθρωποι εἶναι ὁλοκληρωτικά κακοί.

whom /hum/ *βλ. who.*

whoop /hup/ *οὐσ.* ‹C› **1**. φωνή, ξεφωνητό:

~*s of joy*, ξεφωνητά χαρᾶς. **2**. σκληρός βήχας. `~·**ing-cough**, (*ἰατρ*.) κοκκύτης. —*ρ.ἀ*. ξεφωνίζω: ~ *with joy*, ξεφωνίζω ἀπό χαρά. *We ~ed it up*, (*λαϊκ*.) σπάσαμε μεγάλη πλάκα, ἔγινε τῆς μουρλῆς.

whoopee /`wupi/ *ἐπιφ. χαρᾶς* γιούπι! ***make ~***, (*λαϊκ*.) ξεφαντώνω.

whop /wop/ *ρ.μ.* (*-pp-*) (*λαϊκ*.) δέρνω (= νικῶ). **~·per** *οὐσ*. ‹C› (*λαϊκ*.) κάτι πελώριο, τεράστιο πρᾶγμα. **~·ping** *ἐπ*. (& *ἐπίρ*.) (*λαϊκ*.) πελώριος, τεράστιος (*ἰδ*. ψέμα): *a ~ping (big) lie*, πελώριο ψέμα, ψέμα μέ οὐρά.

who're /`huə(r)/ = *who are*.

whore/`hɔ(r)/ *οὐσ*.‹C› πόρνη, πουτάνα. **whoring** *οὐσ*. ‹U› πορνεία, ἀκολασία, συναναστροφή μέ πόρνες. `**~-monger** /-mʌŋgə(r)/ *οὐσ*. ‹C› (*πεπαλ*.) ἄντρας πού γυρίζει μέ κοινές γυναῖκες.

whorl /wɜl/ *οὐσ*. ‹C› σπεῖρα, ἕλιξ: *the ~s of a shell/of fingerprints*, οἱ στροφές ἑνός κοχυλιοῦ/οἱ σπεῖρες δακτυλικῶν ἀποτυπωμάτων. **~ed** *ἐπ*. σπειρωτός, σπειροειδής.

who's /huz/ = *who is/has*.

whose /huz/ *ἀντων*. (*γενική τοῦ who. Σημειωτέον ὅτι ὡς ἀναφ. ἀντων. τό whose χρησιμοποιεῖται ὄχι μόνον γιά πρόσωπα ἀλλά καί γιά πράγματα*) τίνος, τοῦ ὁποίου: *W~ house is this?* τίνος εἶναι αὐτό τό σπίτι; *the boy ~ father died yesterday*, τό παιδί τοῦ ὁποίου ὁ πατέρας (πού ὁ πατέρας του) πέθανε χθές... *the house ~ windows are broken*, τό σπίτι τοῦ ὁποίου τά παράθυρα εἶναι σπασμένα... *Mr Smith, ~ car I borrowed yesterday, is very rich*, ὁ κ. Σμίθ, τοῦ ὁποίου τό αὐτοκίνητο δανείστηκα χθές, εἶναι πολύ πλούσιος.

who·so·ever /'husəʊ`evə(r)/ *ἀπηρχ. τύπος τοῦ whoever*.

why /wai/ *ἐπίρ*. **1**. (*ἐρωτημ*.) γιατί: *W~ did you go?* γιατί πῆγες; *Tell me ~ you went*, πές μου γιατί πῆγες. *W~ not let her do as she likes?* γιατί νά μήν τήν ἀφήσωμε νά κάνη ὅ,τι θέλει; **2**. (*ἀναφορ*.) γιατί, πού: *This is the reason (~) I was late*, αὐτός εἶναι ὁ λόγος πού ἄργησα. ***that's ~***, νά γιατί, γι' αὐτό τό λόγο: *That's ~ I hate him*, νά γιατί τόν μισῶ. —*ἐπιφ*. **1**. (*ἐκπλήξεως*) ἔ! μπᾶ! *W~, it's quite easy!* ἔ, εἶναι πολύ εὔκολο. **2**. (*διαμαρτυρίας*) μά, μά γιατί: *W~, what have I done?* μά τί ἔκανα; —*οὐσ*. (*πληθ. whys*) γιατί: *I'm sick of your ~s*, βαρέθηκα τά γιατί σου.

wick /wɪk/ *οὐσ*. ‹C,U› φυτίλι: *trim the ~ of a candle/of an oil-lamp*, καθαρίζω τό φυτίλι ἑνός κεριοῦ/μιᾶς λάμπας.

wicked /`wɪkɪd/ *ἐπ*. **1**. κακός, ἄσχημος, κακοήθης: *It was ~ of you to pull your sister's hair*, ἦταν πολύ κακό ἐκ μέρους σου νά τραβήξης τά μαλλιά τῆς ἀδελφῆς σου. *That's a ~ lie*, εἶναι κακοήθης ψευτιά/πρόστυχο ψέμα. **2**. μοχθηρός: *a ~ blow/kick*, μοχθηρό χτύπημα/κλωτσιά ὅλο κακία. **3**. πονηρός, κατεργάρικος: *She gave me a ~ look*, μοῦρριξε μιά πονηρή ματιά. **~·ly** *ἐπίρ*. κακά, μοχθηρά. **~·ness** *οὐσ*. ‹C,U› κακία, κακοήθεια, μοχθηρία.

wicker /`wɪkə(r)/ *οὐσ*. ‹U› λυγαριά. —*ἐπ*. πλεχτός: *a ~ chair*, πλεχτή καρέκλα. `**~-work**, καλαθοπλεχτική, πλεχτά πράγματα.

wicket /`wɪkɪt/ *οὐσ*.‹C› **1**. γκισές. **2**. πορτούλα, παραπόρτι (*ἰδ*. πάνω ἤ πλάϊ σέ μεγάλη πόρτα). **3**. στύλοι τοῦ κρίκετ, ὁ μεταξύ τους χῶρος.

wide /waɪd/ *ἐπ*. (*-r, -st*) **1**. πλατύς, φαρδύς: *a ~ river*, πλατύ ποτάμι. *How ~ is the road?* πόσο πλάτος ἔχει ὁ δρόμος; **2**. μεγάλος, εὐρύς, ἀπέραντος: *a ~ difference/selection of goods*, μεγάλη διαφορά/ποικιλία ἐμπορευμάτων. *in a ~r sense*, ὑπό μίαν εὐρυτέραν ἔννοιαν. *a man of ~ interests*, ἄνθρωπος μέ πολλά (πλατιά) ἐνδιαφέροντα. *the ~ ocean/world*, ὁ ἀπέραντος ὠκεανός/κόσμος. **3**. ὀρθάνοιχτος: *stare with ~ eyes*, κοιτάζω μέ ὀρθάνοιχτα μάτια. *Open your mouth ~*, ἄνοιξε τό στόμα σου καλά/ὅσο παίρνει. **4**. μακρυνός: *The answer was ~ of the mark*, ἡ ἀπάντησις ἦταν μακριά ἀπό τό στόχο (ἀστόχησε πολύ). **5**. (*λαϊκ. πεπαλ*.) ἀδίσταχτος, ἀσυνείδητος (σέ ἐμπορικές δουλειές). —*ἐπίρ*. μακριά, πλατιά, πολύ, ἐντελῶς: *The arrow fell ~ of the mark*, τό βέλος ἔπεσε μακριά ἀπό τό στόχο. *He was standing with his feet ~ apart*, στεκόταν μέ τά πόδια ὀρθάνοιχτα. *travel far and ~*, ταξιδεύω παντοῦ. *The window was ~ open*, τό παράθυρο ἦταν ὀρθάνοιχτο. *He was ~ awake*, ἦταν ἐντελῶς ξύπνιος. '**~-a`wake** *ἐπ*. (*κυριολ*.) ὁλόξυπνος. (*μεταφ*.) πανέξυπνος, καπάτσος. `**~·spread** *ἐπ*. πλατιά διαδεδομένος: *a ~-spread impression/belief*, μιά πλατιά διαδεδομένη ἐντύπωσις/πεποίθησις. **~·ly** *ἐπίρ*. ἀραιά, πολύ, εὐρύτατα: *~ly scattered*, ἀραιά σκορπισμένα. *~ly different views*, πολύ διαφορετικές ἀπόψεις. *He is ~ly known as*, εἶναι εὐρύτατα γνωστός ὡς... **widen** /`waɪdn/ *ρ.μ/ἀ*. πλαταίνω, φαρδαίνω: *road-widening in process*, ἔργα διαπλατύνσεως τῆς ὁδοῦ.

widow /`wɪdəʊ/ *οὐσ*. ‹C› χήρα. **~er** *οὐσ*. ‹C› χῆρος. **~ed** /`wɪdəʊd/ *ἐπ*. χήρα, χῆρος: *my ~ed mother*, ἡ χήρα μητέρα μου. `**~·hood** /-hʊd/ *οὐσ*. ‹U› χηρεία.

width /wɪtθ/ *οὐσ*. **1**. ‹U› πλάτος: *a road of great ~*, δρόμος μεγάλου πλάτους. *The room is 10 metres in ~*, τό δωμάτιο ἔχει δέκα μέτρα πλάτος. **2**. ‹U› εὐρύτης: *his ~ of mind/views*, (*μεταφ*.) ἡ εὐρύτης τοῦ μυαλοῦ του/τῶν ἀντιλήψεών του. **3**. ‹C› φάρδος ὑφάσματος: *single-/double-~ material*, μονόφαρδο/διπλόφαρδο ὕφασμα. *join two ~s of cloth*, ἑνώνω δυό φάρδη ὑφάσματος.

wield /wild/ *ρ.μ.* κρατῶ, χειρίζομαι, ἀσκῶ (ἔχω): *~ the sceptre*, κρατῶ τό σκῆπτρο. *~ the pen/sword*, χειρίζομαι τήν πέννα/τό ξίφος. *~ power/authority/control*, ἀσκῶ (ἔχω) δύναμη/ἐξουσία/ἔλεγχο.

wife /waɪf/ *οὐσ*. ‹C› (*πληθ. wives* /waɪvz/) **1**. γυναίκα, σύζυγος: *Smith and his ~*, ὁ Σμίθ καί ἡ γυναίκα του. *the baker's/grocer's ~*, ἡ φουρνάρισσα/ἡ μπακάλισσα. *She will make a good ~*, θά γίνη καλή σύζυγος. *a lawful, wedded ~*, νόμιμος σύζυγος. **2**. (*ἀπηρχ*.) θειά- (= γρηά γυναίκα, *ἰδ*. ἀμόρφωτη). ***old wives' tales***, ἀνόητα παραμύθια, προλήψεις, δεισιδαιμονίες. (*βλ. & λ.* [1]*house*, [1]*fish, midwife*). `**~-like**, **~·ly** *ἐπ*. συζυγικός: *~ly virtues/duties*, συζυγικές ἀρετές/-ά καθήκοντα.

wig /wɪg/ *οὐσ*. ‹C› περούκα.

wiggle/`wɪgl/ *ρ.μ/ἀ*. κουνάω/κουνιέμαι (νευρικά, πέρα-δῶθε): *Stop wiggling and sit still*, πάψε νά κουνιέσαι καί κάθισε ἥσυχος. __*οὐσ.* ‹C› κούνημα.

wig·wam /ˋwɪgwæm/ *οὐσ.* ‹C› καλύβα ἤ τέντα ἐρυθροδέρμων (μέ δέρματα ἤ ψαθιά τεντωμένα σέ παλούκια).

wild /waɪld/ *ἐπ.* *(-er, -est)* **1**. ἄγριος (= μή ἐξημερωμένος, μή καλλιεργούμενος): ~ *animals/flowers*, ἄγρια ζῶα/ἀγριολούλουδα. *a ~ cat*, ἀγριόγατα. ˋ**~·cat** *ἐπιθ.* παράτολμος, ἀλλοπρόσαλλος, ριψοκίνδυνος: *~-cat schemes*, ἀλλοπρόσαλλα σχέδια. *~cat strikes*, ἀνεπίσημες (ἀνεύθυνες) ἀπεργίες. ˋ**~-fowl**, ἀγριοπούλια (*ἰδ.* τοῦ κυνηγιοῦ). ˈ**~-ˋgoose** *ἐπιθ.* ἄσκοπος, ἀνόητος: *a ~-goose chase*, ἄσκοπη/ἀνόητη προσπάθεια. (*βλ.& λ. oat*). **2**. ἄγριος (= ὄχι ἥμερος): *The deer are rather ~*, τά ἐλάφια εἶναι λιγάκι ἄγρια (δέν μπορεῖ νά τά πλησιάση κανείς). **3**. ἄγριος (= ἀπολίτιστος): *the ~ tribes in Africa*, οἱ ἄγριες φυλές τῆς Ἀφρικῆς. **4**. ἄγριος (= ἀκαλλιέργητος, ἀκατοίκητος, ἔρημος): ~ *scenery*, ἄγριο τοπεῖο. ~ *mountainous areas*, ἄγριες ὀρεινές περιοχές. **5**. ἄγριος (= βίαιος, θυελλώδης): *on a ~ night like this*, μιά ἄγρια νύχτα σάν κι' αὐτή. **6**. μανιασμένος, ἔξαλλος, τρελλός: *It makes me ~ to think that*, γίνομαι ἔξω φρενῶν ὅταν σκέπτομαι ὅτι... *He was ~ with anger/enthusiasm*, ἦταν ἔξαλλος ἀπό θυμό/ἀπό ἐνθουσιασμό. ~ *laughter/applause*, τρελλά γέλια/φρενιτιώδη χειροκροτήματα. *The anxiety drove me almost ~*, ἡ ἀγωνία κόντεψε νά μέ τρελλάνη. ***be ~ about sth***, (*καθομ.*) κάνω σάν τρελλός γιά κτ: *He's ~ about football*, κάνει σάν τρελλός γιά τό ποδόσφαιρο. **7**. ἀπερίγραπτος: *in a state of ~ confusion*, σέ κατάσταση ἀπεριγράπτου συγχύσεως. *a room in ~ disorder*, δωμάτιο σέ ἀπερίγραπτη ἀκαταστασία. **8**. ἄτακτος, ἀπειθάρχητος, ἀχαλίνωτος, ἔκλυτος: ~ *locks of hair*, ἀνυπότακτες τοῦφες μαλλιῶν. ~ *children* ἀπειθάρχητα παιδιά. ~ *passions*, ἀχαλίνωτα πάθη. *lead a ~ life*, κάνω ἔκλυτη ζωή. ***run ~***, συμπεριφέρομαι σάν ἀγρίμι, ξεφεύγω ἀπό κάθε ἔλεγχο: *She allowed her children to run ~*, ἄφησε τά παιδιά της νά κάνουν ὅ,τι θέλουν/νά γίνουν ἀγρίμια. *The garden has run ~*, ὁ κῆπος πνίγηκε στ' ἀγριόχορτα, ἔχει μείνει τελείως ἀκαλλιέργητος. ˋ**~·fire**, τό ὑγρό πῦρ (τῶν Βυζαντινῶν), (*μεταφ. στή φρ.*): ***spread like ~fire***, (*γιά εἰδήσεις, κλπ*) διαδίδομαι ἀστραπιαίως. **9**. ἀπερίσκεπτος, ἐξωφρενικός, ἀσυλλόγιστος: ~ *talk*, ἀπερίσκεπτες κουβέντες, λόγια τοῦ ἀέρα. ~ *shooting*, πυροβολισμοί στά κουτουροῦ. *a ~ guess*, εἰκασία στά κουτουροῦ. ~ *rumours/schemes*, ἐξωφρενικές διαδόσεις/-ά σχέδια. *make ~ statements*, βεβαιώνω ἐξωφρενικά πράγματα. __*οὐσ.* **the ~s**, ἔρημη, ἄγρια, ἀνεξερεύνητη περιοχή: *the ~s of Africa*, οἱ ἄγριες ἀνεξερεύνητες περιοχές τῆς Ἀφρικῆς. **~·ly** *ἐπίρ.* τρελλά, ἄγρια, ἔξαλλα, ἐξωφρενικά: *His heart was beating ~ly*, ἡ καρδιά του χτυποῦσε τρελλά. *rush about ~ly*, τρέχω ἐδῶ καί κεῖ σάν τρελλός. *talk ~ly*, μιλῶ ἔξαλλα, παραλογίζομαι. **~·ness** *οὐσ.* ‹U› ἀγριάδα, ἐξαλλοσύνη, μανία, ἀγρία κατάστασις.

wil·der·ness /ˋwɪldənəs/ *οὐσ.* (*σπανίως στόν πληθ.*) **1**. ἔρημος, ἀγριότοπος, ἐρημιά. ***in the ~***, στήν ἐρημιά, (*μεταφ.*) ξεπεσμένος, σέ δυσμένεια. **2**. ἀπέραντη μονότονη ἔκτασις: *a ~ of roofs*, μιά ἀπεραντοσύνη ἀπό στέγες.

wile /waɪl/ *οὐσ.* ‹C› (*συνήθ. πληθ.*) πανουργία, πονηρία, τέχνασμα: *a woman's ~s*, γυναικεῖες πονηριές. *the ~s of the Devil*, τά τεχνάσματα τοῦ Σατανᾶ. __*ρ.μ.* καταφέρνω μέ δολιότητα, ξεγελῶ: ~ *sb into doing sth*, καταφέρνω κπ νά κάμη κτ.

wil·ful /ˋwɪlfl/ *ἐπ.* **1**. (*γιά ἄνθρ.*) ξεροκέφαλος, πεισματάρης: *a ~ child*, πεισματάρικο παιδί (πού θέλει νά γίνεται τό δικό του). **2**. (*γιά πράξη*) ἐσκεμμένος, προμελετημένος, θεληματικός: ~ *murder*, φόνος ἐκ προμελέτης. ~ *damage*, βλάβη ἐκ προθέσεως. ~ *negligence/disobedience*, θεληματική ἀμέλεια/ἀπειθαρχία. **~ly** /-fəlɪ/ *ἐπίρ.* **~·ness** *οὐσ.* ‹U›.

[1]**will** /l, *ἐμφ:* wɪl/ *ρ. βοηθ.* (*ἐλλειπτικόν, ἀόρ. would* /wəd, d *μετά από τά I, he, she, we, you, they, ἐμφ:* wʊd/. *Ἡ ἐρώτησις σχηματίζεται δι' ἀντιστροφῆς καί ἡ ἄρνησις μέ not, ἤτοι: will not ἤ won't* /wəʊnt/, *would not ἤ wouldn't. Οἱ συγκεκομμένοι τύποι 'll γιά τό will καί 'd γιά τό would εἶναι συνηθέστατοι, ἐκτός τῶν σημειουμένων κατωτέρω περιπτώσεων*). **1**. (*βοηθοῦν εἰς τόν σχηματισμόν τό μέν will τοῦ Μέλλοντος, τό δέ would τοῦ Δυνητικοῦ Παρατατικοῦ*) θά: *He says he ~ be at home in the afternoon*, λέει ὅτι θά εἶναι σπίτι τό ἀπόγευμα. *He said he would be at home in the afternoon*, εἶπε ὅτι θά ἦταν σπίτι τό ἀπόγευμα. *They ~ go*, θά πᾶνε. *They would go*, θά πήγαιναν. **2**. (*στό α! πρόσ. ἑν. καί πληθ. δίνουν στήν πρόταση ἕναν τόνο προθυμίας, ὑποσχέσεως, προθέσεως ἤ συναινέσεως τοῦ ὑποκειμένου*): *I'll pay back the money soon*, θά ἐπιστρέψω τά χρήματα σύντομα. *We said we would help them*, εἴπαμε ὅτι θά τούς βοηθούσαμε. ***~ you/(would you)...?*** ἔχετε (θά εἴχατε) τήν καλωσύνη νά, παρακαλῶ: *W~ you wait for a minute?* ἔχετε τήν καλωσύνη νά περιμένετε ἕνα λεπτό; *Sit down, ~ you?* καθῆστε, παρακαλῶ. *Would you help me (to) open this window?* θά εἴχατε τήν καλωσύνη νά μέ βοηθήσετε ν' ἀνοίξω αὐτό τό παράθυρο; **3**. (*Γιά νά δείξουν ἐπιμονή τοῦ ὑποκειμένου ἤ νά δώσουν τήν ἔννοια τοῦ ἀναπόφευκτου. Προφέρονται μέ ἰσχυρό τόνο καί δέν χρησιμοποιοῦνται ποτέ οἱ σύντομοι τύποι 'll καί 'd*): *He ˋ~ have his own way*, ἐπιμένει νά γίνεται τό δικό του. *Accidents ˋ~ happen*, τά δυστυχήματα εἶναι ἀναπόφευκτα. *Of course it ˋwould rain on the day we chose for our picnic*, ἦταν φυσικά ἀναπόφευκτο νά βρέχη τήν ἡμέρα πού διαλέξαμε νά πᾶμε ἐκδρομή! **4**. (*Γιά νά δείξουν ἐπίμονη ἄρνηση. Ἡ ἀπόδοσις στά Ἑλληνικά εἶναι μέ τό ρῆμα "ἀρνοῦμαι" ἤ μέ τόν ἀρνητικό τύπο τοῦ οἰκείου ρήματος*): *He won't/wouldn't help me*, ἀρνεῖται/ἀρνήθηκε νά μέ βοηθήση. *The engine won't start*, ἡ μηχανή δέν παίρνει μπροστά. *I asked him to come but he wouldn't*, τοῦ εἶπα νά ἔλθη ἀλλά ἀρνήθηκε. **5**. (*Γιά νά δείξουν ἀτομική συνήθεια ἤ κάτι πού συμβαίνει συνήθως ἤ ἀπό καιρό σέ καιρό. Στά Ἑλληνικά ἀποδίδεται ἁπλῶς μέ τόν Ἐνεστῶτα τοῦ οἰκείου ρήματος γιά τό will ἤ μέ τόν Παρατατικό γιά τό would*): *He'll sit there hour after hour looking at the traffic go by*, κάθεται ἐκεῖ μέ τίς ὧρες

κοιτάζοντας τήν κίνηση στό δρόμο. *Occasionally the machine ~ go wrong for no apparent reason*, μερικές φορές ἡ μηχανή χαλάει χωρίς καμιά φανερή αἰτία. *Sometimes the boys would play a trick on their teacher*, μερικές φορές τά παιδιά σκάρωναν φάρσες στό δάσκαλό τους. **6**. (*γιά νά δείξη πιθανότητα ἤ ὑπόθεση*): *This'll be the book you are looking for*, αὐτό θά εἶναι (ὑποθέτω ὅτι εἶναι) τό βιβλίο πού ζητᾶς. *She would be about sixty when she died*, θά ἦταν (ὑποθέτω ὅτι ἦταν) περίπου ἑξήντα ὅταν πέθανε. **7**. (*τό would χρησιμοποιεῖται γενικά στό β! καί γ! πρόσωπο τῶν ὑποθετικῶν προτάσεων, κατ' ἐξαίρεση δέ στό α! πρόσ. γιά νά τονίση τή θέληση ἤ τήν πρόθεση τοῦ ὑποκειμένου*): *They'd miss the train unless they took a taxi*, θά ἔχαναν τό τραῖνο ἄν δέν ἔπαιρναν ταξί. *They'd have missed the train unless they had taken a taxi*, θά εἶχαν χάσει τό τραῖνο ἄν δέν εἶχαν πάρει ταξί. *We would have come if it hadn't rained*, θά ἐρχόμασταν ἄν δέν ἔβρεχε.

[2]**will** /wɪl/ *ρ.μ.* *ἀνώμ.* (*ἀόρ.* *would*. *Ὅλες οἱ χρήσεις ἀπηρχ.*) **1**. θέλω: *Let him do what he ~*, ἄστον νά κάνη ὅτι θέλη. *What would you?* τί ἤθελες; **2**. (*τό ὑποκείμενο 'I' συνήθως παραλείπεται*) εὔχομαι, εἴθε: *Would that it were otherwise!* εὔχομαι νά ἦταν διαφορετικά! *Would/I would to God (that) I had not agreed!* εἴθε νά μήν εἶχα συμφωνήσει! **3**. ἐπιθυμῶ: *Come whenever you ~*, ἔλα ὁποτεδήποτε ἐπιθυμεῖς. **`would-be** *ἐπιθ.* φιλοδοξῶν, ἐπιδιώκων, ὑποψήφιος: *would-be authors*, οἱ φιλοδοξοῦντες νά γίνουν συγγραφεῖς, οἱ ὑποψήφιοι συγγραφεῖς.

[3]**will** /wɪl/ *ρ.μ/ά.* (*ἀόρ.* & *π.μ.* *~ed*) **1**. θέλω, βούλομαι, ἐπιβάλλω τή θέλησή μου: *God has ~ed it so*, ὁ θεός τό θέλησε ἔτσι, ἦταν θέλημα Θεοῦ. *Can you ~ yourself to keep/into keeping awake?* μπορεῖς νά ἐπιβληθῆς στόν ἑαυτό σου νά μείνης ξύπνιος; **2**. κληροδοτῶ, ἀφήνω διά διαθήκης: *He has ~ed all his money to his family*, ἄφησε ὅλα του τά χρήματα στήν οἰκογένειά του.

[4]**will** /wɪl/ *οὐσ.* ‹C,U› **1**. βούλησις, θέλησις: *the freedom of the ~*, ἡ ἐλευθερία τῆς βουλήσεως. *He has no ~ of his own*, δέν ἔχει δική του θέληση. *W~ can conquer habit*, ἡ θέλησις νικάει τή συνήθεια. *He has a strong/weak ~*, ἔχει δυνατή/ἀδύνατη θέληση. *the ~ to live/to succeed*, ἡ θέλησις νά ζήσης/νά ἐπιτύχης. *She has a boundless ~ to please*, ἔχει ἀπεριόριστη διάθεση νά εὐχαριστήση. ***against one's ~***, παρά τή θέλησή μου, μέ τό ζόρι. ***at ~***, κατά βούληση: *You may come and go at ~*, μπορεῖς νά πηγαινοέρχεσαι κατά βούληση. ***tenant at ~***, (*νομ.*) νομεύς κατά παράκλησιν. ***of one's own free ~***, ἀπό μόνος μου, μέ τή θέλησή μου: *He did it of his own free ~*, τό ἔκαμε μέ τή θέλησή του. ***take the ~ for the deed***, ἀρκεῖ ἡ καλή διάθεσις (*δηλ.* μέ φτάνει ἡ προθυμία σου νά βοηθήσης ἔστω κι' ἄν δέν μπόρεσες). **-~ed** *ἐπ.* (*ὡς β! συνθ.*) μέ θέληση: *`strong-/`weak-~ed*, μέ δυνατή/ἀδύνατη θέληση. **`self-~ed**, ἰσχυρογνώμων. **`~-power**, θέλησις. (*βλ.* & *λ.* *way*). **2**. ***with a ~***, μέ ὄρεξη, μέ ἐνθουσιασμό: *work with a ~*, δουλεύω μέ τήν ψυχή μου. **3**. θέλημα, ἐπιθυμία: *Thy ~ be done*, γενηθήτω τό θέλημά σου. *What is your ~?* ποιά εἶναι ἡ ἐπιθυμία σας; **4**. **good/ill ~**, καλή/κακή διάθεσις: *I feel no ill ~ towards anybody*, δέν μνησικακῶ ἐναντίον κανενός. **5**. διαθήκη (*βλ.* & *λ.* *testament*).

wil·lies /`wɪlɪz/ *οὐσ.* *πληθ.* (*λαϊκ.*) ἀνησυχία, ἐκνευρισμός, δυσφορία: *This gloomy old house gives me the ~*, αὐτό τό σκοτεινό παληό σπίτι μοῦ πλακώνει τήν ψυχή (μοῦ φέρνει ἄγχος).

will·ing /`wɪlɪŋ/ *ἐπ.* πρόθυμος: *a ~ boy/worker*, πρόθυμο παιδί/-ος ἐργάτης. *He's ~ to buy it*, εἶναι πρόθυμος νά τ' ἀγοράση. *~ obedience*, πρόθυμη ὑπακοή. **~·ly** *ἐπίρ.* πρόθυμα. **~·ness** *οὐσ.* ‹U› προθυμία.

will-o'-the-wisp /`wɪl ə ðə `wɪsp/ *οὐσ.* ‹C› φωσφορισμός πάνω ἀπό ἕλη, (*μεταφ.*) ἄπιαστο ὄνειρο, χίμαιρα.

wil·low /`wɪləʊ/ *οὐσ.* ‹C› **`~(-tree)**, ἰτιά. **`~-pattern**, μπλέ σχέδιο τοπείου μέ ἰτιές σέ ἄσπρη πορσελάνη. **~y** *ἐπ.* (*γιά ἄνθρ.*) λυγερός.

willy-nilly /`wɪlɪ `nɪlɪ/ *ἐπ.* (*πεπαλ.*) ἑκών-ἄκων, θέλοντας καί μή, ὑποχρεωτικά, μέ τό ζόρι.

[1]**wilt** /wɪlt/ (*ἀπηρχ.* *τύπος τοῦ* [2]*will*) *thou ~*, ἐσύ θά.

[2]**wilt** /wɪlt/ *ρ.μ/ά.* (*γιά πρόσ., λουλούδ., φυτ.*) μαραίνω/-ομαι.

wily /`waɪlɪ/ *ἐπ.* *(-ier, -iest)* πανοῦργος, πονηρός: *He's a ~ old fox*, εἶναι πονηρή γρηά ἀλεποῦ.

wimple /`wɪmpl/ *οὐσ.* ‹C› λινό κάλυμμα κεφαλῆς, καλύπτρα (καλογρηᾶς).

win /wɪn/ *ρ.μ/ά.* *ἀνώμ.* (*ἀόρ.* & *π.μ.* *won* /wʌn/) *(-nn-)* **1**. κερδίζω: *~ a battle/war/scholarship/prize*, κερδίζω μιά μάχη/ἕναν πόλεμο/μιά ὑποτροφία/ἕνα βραβεῖο. *~ fame and fortune*, κερδίζω φήμη καί περιουσία. *~ sb's friendship/heart*, κερδίζω τή φιλία/τήν ἀγάπη κάποιου. *~ a reputation for oneself*, ἀποκτῶ φήμη. *He won £1 from me at cards*, μοῦ κέρδισε μιά λίρα στά χαρτιά. ***~ clear***, ξεμπερδεύω. ***~ through***, ὑπερνικῶ (δυσκολίες, κλπ). ***`~ hands `down***, κερδίζω μέ πολύ μεγάλη εὐκολία. ***~ sb over (to sth)***, κερδίζω κπ (μέ τό μέρος μου), κατακτῶ κπ: *We won him over to our side/opinion/view*, τόν πήραμε μέ τό μέρος μας/μέ τήν ἄποψή μας. *He won over the audience*, κατέκτησε τό ἀκροατήριο. ***~ sb to do sth***, πείθω κπ νά κάμη κτ. **2**. φθάνω (μέ προσπάθεια): *~ the shore/the top*, φθάνω στήν ἀκτή/στήν κορυφή. —*οὐσ.* ‹C› νίκη: *Our team has had five ~s this summer*, ἡ ὁμάδα μας ἔχει πέντε νίκες φέτος τό καλοκαίρι. **`~·ning-post**, τέρμα. **`~·ner** *οὐσ.* ‹C› νικητής. **`~·ning** *ἐπ.* **1**. κερδίζων: *the ~ning horse*, τό ἄλογο πού κερδίζει. **2**. ἑλκυστικός, σαγηνευτικός, πού κατακτάει: *a ~ning smile*, σαγηνευτικό χαμόγελο. **`~-nings** *οὐσ.* *πληθ.* κέρδη (σέ τυχερά παιχνίδια, *ἰδ.* στά χαρτιά).

wince /wɪns/ *ρ.ά.* κάνω σύσπαση/μορφασμό (πόνου, φόβου, κλπ), ταράσσομαι: *He ~d under the blow/at the insult*, τό πρόσωπό του συσπάστηκε ἀπό τό χτύπημα/ἀπό τήν προσβολή. *He didn't ~ when the knife slipped and cut his thumb*, δέν ταράχτηκε καθόλου ὅταν τό μαχαίρι τοῦ ξέφυγε καί τοὔκοψε τόν ἀντίχειρα.

winch /wɪntʃ/ *οὐσ.* ‹C› βίντσι, βαροῦλκο. —*ρ.μ.* σηκώνω μέ βίντσι.

[1]**wind** /wɪnd/ *οὐσ.* **1**. ‹C,U› ἄνεμος, ἀέρας: *The ~ blew my hat off/blew down a tree*, ὁ ἀέρας μοῦ πῆρε τό καπέλλο/ἔρριξε ἕνα δέντρο. *There's a lot of ~ today*, ἔχει πολύ ἀέρα (φυσάει πολύ) σήμερα. *There's no/not much ~ today*, δέν ἔχει καθόλου/δέν ἔχει πολύ ἀέρα σήμερα. *The ~ is rising/falling*, ὁ ἀέρας σηκώνεται/πέφτει. *high ~s*, σφοδροί ἄνεμοι. *the north/south ~*, ἡ τραμουντάνα/ἡ ὄστρια. *the east/west ~*, ὁ λεβάντες/ὁ πουνέντες. *the north-east/north-west ~*, ὁ γραῖγος/ὁ μαΐστρος. *the south-east/south-west ~*, σορόκος/γαρμπῆς. ***to the four ~s***, στούς τέσσερους ἀνέμους, στά τέσσερα σημεῖα τοῦ ὁρίζοντα: *exposed to the four ~s (of heaven)*, ἐκτεθειμένος σ'ὅλους τούς ἀνέμους. ***find out/see how the ~ blows***, (*μεταφ.*) κοιτάζω νά δῶ ποῦ φυσάει ὁ ἄνεμος (εἶμαι καιροσκόπος). ***fling/throw caution/prudence, etc to the ~s***, ἀφήνω κατά μέρος κάθε προφύλαξη. ***get/have the ~ up***, (*λαϊκ.*) τρομάζω, μοῦ πάει τρίτη καί τετάρτη, πάει ἡ ψυχή μου στήν κούλουρη. ***put the ~ up sb***, (*λαϊκ.*) τρομάζω κπ, κάνω κπ νά κατουρηθῆ ἀπό τό φόβο του. ***run/go like the ~***, τρέχω/πάω σάν ἀστραπή, σά σίφουνας. ***talk to the ~***, χάνω ἄδικα τά λόγια μου: *You might as well talk to the ~*, εἶναι σά νά τά λές στόν ἄνεμο. ***there is sth in the ~***, κάτι μαγειρεύεται, κάτι γίνεται. ***take the wind out of sb's sails***, κόβω τόν ἀέρα κάποιου, ἀνατρέπω τά σχέδια κάποιου, τόν φέρνω καπάκι, τόν προλαβαίνω σέ κτ. (*βλ.* & *λ.* [2]*sail*, *whirl*). **2**. ‹U› ἀναπνοή: *lose one's ~*, λαχανιάζω. *recover/get back one's ~*, ξελαχανιάζω, παίρνω ἀνάσα. ***get one's second ~***, ξαναβρίσκω τήν ἀναπνοή μου. **3**. ‹U› μυρουδιά. ***get ~ of sth***, (*μεταφ.*) παίρνω μυρουδιά/χαμπάρι, μυρίζομαι/ψυλλιάζομαι κτ. **4**. ‹U› (*ἰατρ.*) ἀέρια στό στομάχι: *suffer from ~*, ἔχω ἀέρια/φούσκωμα. ***break ~***, βγάζω ἀέρα. ***bring up ~***, ρεύομαι. **5**. ‹U› (*μεταφ.*) κούφια λόγια: *Their promises are merely ~*, οἱ ὑποσχέσεις τους εἶναι μόνο λόγια τοῦ ἀέρα. *He's all ~*, εἶναι μόνο λόγια. **6**. (*ἑν. μέ ὁρ. ἄρθρ.*) πνευστό ὄργανο (*ἰδ.* ὀρχήστρας). **7**. (*σέ σύνθ. λέξεις*): **`~·bag**, (*καθομ.*) ἀερολόγος ἄνθρωπος, φαφλατᾶς. **`~·break**, ἀνεμοφράκτης (*πχ* ἀπό σειρά δέντρων). **`~-cheater**, ἐφαρμοστή ἐξωτερική φανέλλα, κοντό ἀδιάβροχο μέ κουκούλα. **`~·fall**, πεσμένο φροῦτο, χαμάδα, (*μεταφ.*) κελεπούρι, ἀναπάντεχη τύχη (*ἰδ.* κληρονομιά). **`~-flower**, ἀνεμώνη. **`~-gauge**, ἀνεμόμετρο. **`~-instrument**, πνευστό μουσικό ὄργανο. **`~-jammer**, (*καθομ.*) ἐμπορικό ἱστιοφόρο. **`~·mill**, ἀνεμόμυλος. ***tilt at/fight ~mills***, μάχομαι ἐναντίον τῶν ἀνεμόμυλων (σάν τόν Δόν Κιχώτη). **`~·pipe**, (*ἀνατ.*) τραχεῖα, λαρύγγι. **`~·screen** (*ΗΠΑ* **`~·shield**), παρμπρίζ. **`~·screen-wiper**, καθαριστήρας τοῦ παρμπρίζ. **`~-sock**, ἀνεμοδόχος, ἀνεμοδούρι. **`~·swept** *ἐπ.* ἀνεμοδαρμένος, ἐκτεθειμένος στούς ἀνέμους. **~·less** *ἐπ.* χωρίς ἄνεμο, ἥσυχος: *a ~less day*. **~·ward** /-wəd/ *ἐπ.* & *ἐπίρ.* προσήνεμος, πρός τήν κατεύθυνση τοῦ ἀνέμου. —*οὐσ.* ‹C› προσήνεμος πλευρά.

[2]**wind** /wɪnd/ *ρ.μ.* (*ἀόρ.* & *π.μ.* *~ed* /`wɪndɪd/) **1**. μυρίζομαι: *The hounds ~ed a hare*, τά σκυλιά μυρίστηκαν λαγό. **2**. λαχανιάζω: *He was quite ~ed by the climb*, εἶχε λαχανιάσει ἐντελῶς ἀπό τήν ἀνάβαση. **3**. παίρνω ἀνάσα: *We stopped to ~ our horses*, σταματήσαμε νά πάρουν ἀνάσα τ'ἄλογά μας.

[3]**wind** /waɪnd/ *ρ.μ/ἀ. ἀνώμ.* (*ἀόρ.* & *π.μ.* *wound* /waʊnd/) **1**. προχωρῶ/κινοῦμαι ἑλικοειδῶς: *a ~ing staircase/road/river*, ἑλικοειδής σκάλα/δρόμος/ποταμός. *The road ~s up the hillside*, ὁ δρόμος ἀνεβαίνει μέ κορδέλλες τήν πλαγιά. *The river ~s (its way) round the hills/across the plain*, τό ποτάμι προχωρεῖ σά φίδι γύρω ἀπό τούς λόφους/μέσα στόν κάμπο. *He wound his way through the traffic*, προχώρησε μέ ζίγκ-ζάγκ μέσα ἀπό τήν κυκλοφορία. *She wound herself/her way into his affections*, χώθηκε στήν καρδιά του μέ τά κόλπα της. **2**. τυλίγω: *~ (up) wool into a ball*, τυλίγω νῆμα σέ κουβάρι. *~ thread on a reel*, τυλίγω κλωστή σ'ἕνα καρούλι. ***~ round/in***, τυλίγω: *~ a shawl round a baby*, τυλίγω μιά ἐσάρπα γύρω σ'ἕνα μωρό. *~ one's arms round sb's neck/waist*, τυλίγω τά χέρια μου στό λαιμό/στή μέση κάποιου. *~ a child in one's arms*, τυλίγω ἕνα παιδί στήν ἀγκαλιά μου. *~ in the line*, τυλίγω μιά πετονιά. **`~·ing-sheet**, σάβανο, νεκροσέντονο. ***~ sth off***, ξετυλίγω κτ. ***~ sb round one's (little) finger***, ἔχω κπ τοῦ χεριοῦ μου, τόν παίζω στά δάχτυλα. **3**. γυρίζω: *~ a handle*, γυρίζω μιά μανιβέλλα. *~ up coal from a mine*, ἀνεβάζω (μέ μαγγάνι) κάρβουνο ἀπό ὀρυχεῖο. **4**. *~ **(up)***, κουρδίζω: *~ (up) a watch/clock*, κουρδίζω ἕνα ρολόϊ. ***be wound up (to)***, εἶμαι κουρδισμένος, (*μεταφ.*) εἶμαι σέ κατάσταση ὑπερδιεγέρσεως: *She was wound up to a fury*, ἦταν σέ κατάσταση ἀλλοφροσύνης. *Expectation was wound up to a high pitch*, ἡ ἀγωνία τῆς ἀναμονῆς εἶχε φθάσει στό κατακόρυφο. **5**. ***~ (sth) up***, τερματίζω/-ομαι, τελειώνω, κλείνω: *~ up a speech*, τελειώνω ἕνα λόγο. *~ up a meeting/a debate*, κλείνω μιά συνεδρίαση/μιά συζήτηση. *He wound up by assuring the committee that...*, κατέληξε μέ τή διαβεβαίωση πρός τήν ἐπιτροπή ὅτι... *How does the story ~ up?* πῶς τελειώνει ἡ ἱστορία; *~ up an evening with/by singing*, κλείνω μιά βραδυά μέ τραγούδια. *~ up a company*, ἐκκαθαρίζω/λύω μιά ἑταιρία.

wind·lass /`wɪndləs/ *οὐσ.* ‹C› βαροῦλκο, ἐργάτης ἄγκυρας.

win·dow /`wɪndəʊ/ *οὐσ.* ‹C› **1**. παράθυρο: *look out of a ~*, κοιτάζω ἀπό ἕνα παράθυρο (ἀπό μέσα πρός τά ἔξω). *look in at a ~*, κοιτάζω ἀπό ἕνα παράθυρο (ἀπέξω πρός τά μέσα). ***a ~ on the world***, (*μεταφ.*) παράθυρο στόν κόσμο. **`~-box**, ζαρντινιέρα. **`~ `envelope**, φάκελλος μέ διαφανές τμῆμα (γιά νά διαβάζεται ἡ ἐσωτερική διεύθυνσις). **`~-pane**, τζάμι. **`~-sill**, περβάζι. **2**. βιτρίνα (μαγαζιοῦ): *put sth in a ~*, βάζω κτ στή βιτρίνα. ***dress a ~***, στολίζω βιτρίνα. ***go `~-shopping***, πάω νά κοιτάξω τίς βιτρίνες.

windy /ˋwɪndɪ/ *ἐπ.* *(-ier, -iest)* **1**. μέ ἀέρα, ἀνεμόδαρτος: *a ~ day/hill*, ἡμέρα μέ ἀέρα/ ἀνεμοδαρμένος λόφος. **2**. φαφλατάδικος, ἀερολόγος. **3**. (*λαϊκ.*) τρομαγμένος.

wine /waɪn/ *οὐσ.* ‹C,U› κρασί: *dry/sweet ~*, μπροῦσκο/γλυκό κρασί. *French ~(s)*, Γαλλικά κρασιά. *a glass of ~*, ἕνα ποτήρι (μέ) κρασί. ˋ**~·glass**, κρασοπότηρο. ˋ**~·list**, κατάλογος κρασιῶν. ˋ**~·press**, πιεστήριο σταφυλιῶν. ˋ**~·skin**, τουλούμι/ἀσκί τοῦ κρασιοῦ. —*ρ.μ.* ***~ and dine sb***, περιποιοῦμαι, τραπεζώνω κπ: *We were ~d and dined at the firm's expense*, φάγαμε καί ἤπιαμε δαπάναις τῆς ἑταιρίας.

wing /wɪŋ/ *οὐσ.* ‹C› **1**. φτερούγα, φτερό (πουλιοῦ, ἐντόμου, ἀεροπλάνου). ***clip sb's ~s***, (*μεταφ.*) ψαλλιδίζω τά φτερά κάποιου. ***lend/add ~s to sb***, δίνω φτερά σέ κπ: *Fear lent him ~s*, ὁ φόβος τοῦ ἔδωσε φτερά. ***take sb under one's ~***, παίρνω κπ ὑπό τήν προστασία μου. ˋ**~-span/-spread**, ἄνοιγμα πτερύγων. **2**. πτῆσις, πέταγμα. ***on the ~***, στόν ἀέρα: *shoot a bird on the ~*, χτυπῶ ἕνα πουλί στόν ἀέρα (ἐνῶ πετάει). ***take ~***, πετῶ, σηκώνομαι στόν ἀέρα: *The partridges took ~ before we could get near*, οἱ πέρδικες πέταξαν πρίν καταφέρωμε νά πλησιάσωμε. **3**. πτέρυγα, πτέρυξ (κτιρίου, στρατοῦ, ἀεροπορίας, κόμματος): *add a new ~ to a hospital*, προσθέτω καινούργια πτέρυγα σέ νοσοκομεῖο. *the right/left ~ of a party*, ἡ δεξιά/ἡ ἀριστερά πτέρυγα ἑνός κόμματος. ˈ**right/**ˈ**left-**ˋ**~er**, δεξιός/ἀριστερός. ˋ**~-com**ˋ**mander**, ἀντισμήναρχος. **4**. (*πληθ.*) παρασκήνια (θεάτρου): *watch from the ~s*, παρακολουθῶ ἀπό τά παρασκήνια. *in the ~s*, στά παρασκήνια, σέ ἐφεδρεία, ἐν ἀναμονῇ. **5**. (*ποδόσφ.*) ἀκραῖος κυνηγός: *left ~(er)*, ὁ ἔξω ἀριστερά. —*ρ.μ/ἀ.* **1**. (*μεταφ.*) δίνω φτερά, φτερώνω: *Fear ~ed his steps*, ὁ φόβος ἔδινε φτερά στά βήματά του. **2**. πετῶ: *The planes ~ed (their way) over the Alps*, τά ἀεροπλάνα πέταξαν πάνω ἀπό τίς Ἄλπεις. **3**. τραυματίζω (*πουλί*) στό φτερό (*ἤ, ἄνθρ., καθομ.*) στό μπράτσο. **~ed** *ἐπ.* φτερωτός: *the ~ed god*, ὁ φτερωτός θεός, ὁ Ἑρμῆς. **~-less** *ἐπ.* ἄπτερος: *the statue of the ~less Victory*, τό ἄγαλμα τῆς ἀπτέρου Νίκης.

wink /wɪŋk/ *ρ.μ/ἀ.* **1**. ***~ (at)***, ἀνοιγοκλείνω τό μάτι, παίζω τό βλέφαρο: *He ~ed at me*, μοῦκλεισε τό μάτι. *She ~ed away a tear*, ἔδιωξε ἕνα δάκρυ μ' ἕνα παίξιμο τῶν βλεφάρων. *a lighthouse/star ~ing*, φάρος/ἀστέρι πού τρεμολάμπει. ***~ at sth***, κλείνω τά μάτια, παραβλέπω κτ, κάνω τό στραβό. ˋ**~·ing lights** (*καθομ.* ˋ**~ers**), (*αὐτοκ.*) φῶτα κατευθύνσεως πού ἀναβοσβύνουν, φλάς. —*οὐσ.* ‹C› **1**. γρήγορο ἀνοιγοκλείσιμο τοῦ ματιοῦ, νόημα μέ τό μάτι: *give sb a friendly ~*, κλείνω τό μάτι φιλικά σέ κπ. ***tip sb the ~***, (*λαϊκ.*) κάνω νόημα σέ κπ, συνεννοοῦμαι μέ κπ κλείνοντας τό μάτι. ***A nod is as good as a ~***, καί τό λίγο φτάνει γιά νά μπῆ κανείς στό νόημα. **2**. ἐλάχιστος χρόνος: *I haven't had a ~ of sleep*, δέν ἔκλεισα μάτι, δέν κοιμήθηκα καθόλου. ***have forty ~s***, τόν παίρνω, τόν κλέβω, κοιμᾶμαι λίγο (*ἰδ.* τήν ἡμέρα).

winkle /ˋwɪŋkl/ *οὐσ.* ‹C› (*ζωολ.*) θαλασσινό σαλιγκάρι, λιττορίνη. —*ρ.μ.* ***~ out***, ξεκολλάω, βγάζω ἀπό μέσα, ἐκμαιεύω.

win·ner, win·ning *οὐσ., ἐπ. βλ. win.*

win·now /ˋwɪnəʊ/ *ρ.μ.* λιχνίζω: *~ wheat*, λιχνίζω στάρι. *~ the chaff away/from the grain*, λιχνίζω τό ἄχυρο/ξεχωρίζω τό ἄχυρο ἀπ' τόν καρπό μέ τό λίχνισμα. *~ truth from falsehood*, (*μεταφ.*) ξεχωρίζω τήν ἀλήθεια ἀπό τό ψέμα.

win·some /ˋwɪnsəm/ *ἐπ.* (*πεπαλ.*) ἑλκυστικός, εὐχάριστος, θελκτικός: *a ~ smile/manner*, ἑλκυστικό χαμόγελο/εὐχάριστος τρόπος. **~-ly** *ἐπίρ.* θελκτικά. **~·ness** *οὐσ.* ‹U› θέλγητρον, χάρις.

win·ter /ˋwɪntə(r)/ *οὐσ.* χειμώνας: *~ sports*, χειμερινά σπόρ. ˋ**~ garden**, σέρρα, θερμοκήπιο. —*ρ.ἀ.* ξεχειμωνιάζω: *~ in Crete*, ξεχειμωνιάζω στήν Κρήτη. **win·try, ~y** /ˋwɪntrɪ/ *ἐπ.* χειμωνιάτικος, (*μεταφ.*) παγερός: *a wintry day/sky*, χειμωνιάτικη μέρα/-ος οὐρανός. *a wintry smile/greeting*, παγερό χαμόγελο/ -ός χαιρετισμός.

wipe /waɪp/ *ρ.μ/ἀ.* **1**. σκουπίζω, σφογγίζω: *~ the table with a cloth*, σκουπίζω τό τραπέζι μ' ἕνα πανί. *~ one's hands on a rag*, σκουπίζω τά χέρια μου σέ μιά πατσαβούρα. *~ one's face*, σφογγίζω τό πρόσωπό μου. *W~ your eyes/nose*, σκούπισε τά μάτια σου/καθάρισε τή μύτη σου! ***~ the slate clean***, (*μεταφ.*) σβήνω τά περασμένα. (*βλ. & λ.* [1]*floor*). **2**. (*μέ ἐπιρ. καί προθέσεις*):

wipe away, ἀφαιρῶ (σκουπίζοντας): *W~ your tears away*, σκούπισε τά δάκρυά σου.

wipe off, σβήνω: *~ off a drawing from the blackboard*, σβήνω ἕνα σκίτσο ἀπό τόν πίνακα. *~ off a debt*, σβήνω ἕνα χρέος, τό διαγράφω.

wipe out, *(α)* σκουπίζω (τό ἐσωτερικό): *~ out a jug/the bath*, σκουπίζω μιά κανάτα/ τό μπάνιο. *(β)* ἐξαλείφω, σβήνω: *~ out a disgrace*, ἐξαλείφω μιά ἀτίμωση, ἀποκαθίσταμαι. *~ out old scores*, σβήνω/ξεχνῶ τά παληά. *~ out a defeat/an insult*, ξεπλένω μιά ἧττα/μιά προσβολή. *(γ)* ἐξολοθρεύω, ἐξαφανίζω: *~ out an army/a whole population*, ἐξολοθρεύω ἕνα στρατό/ἕναν ὁλόκληρο πληθυσμό.

wipe up, μαζεύω, καθαρίζω (σφογγίζοντας): *~ up spilt milk/a mess*, καθαρίζω (μαζεύω) χυμένο γάλα/βρωμιές. —*οὐσ.* ‹C› σφόγγισμα, σκούπισμα: *Give your hands a ~*, σκούπισε τά χέρια σου. **wiper** *οὐσ.* ‹C› καθαριστής.

wire /ˋwaɪə(r)/ *οὐσ.* ‹C,U› **1**. σύρμα: *ˋtelephone ~s*, τηλεφωνικά σύρματα. *barbed ~*, ἀγκαθωτό σύρμα. *~ rope*, συρματόσκοινο. *~ netting*, συρματόπλεγμα. (*βλ. & λ.* [1]*live*). ˋ**~-cutters**, πένσα γιά τό κόψιμο σύρματος. ˈ**~-**ˋ**haired** *ἐπ.* (*ἰδ. γιά σκυλιά*) μέ σκληρό τρίχωμα. ˋ**~ tapping**, ὑποκλοπές τηλεφωνημάτων, παγίδευσις τηλεφώνου. **~ wool**, σύρμα γιά τίς κατσαρόλες. ˋ**~-worm**, (*ἐντομ.*) κάμπη. **2**. (*καθομ.*) τηλεγράφημα: *send sb a ~*, τηλεγραφῶ σέ κπ. *send off a ~*, στέλνω τηλεγράφημα. ***by ~***, τηλεγραφικῶς. —*ρ.μ/ἀ.* **1**. δένω/στερεώνω μέ σύρμα: *~ two things together*, δένω δυό πράγματα μέ σύρμα. *~ beads/pearls*, περνῶ χάντρες/πέρλες σέ λεπτό σύρμα. **2**. τοποθετῶ ἠλεκτρικά καλώδια σέ σπίτι. **3**. πιάνω (κουνέλια, κλπ) μέ βρόχια. **4**. (*καθομ.*) τηλεγραφῶ: *He ~d me to buy*, μοῦ τηλεγράφησε ν' ἀγοράσω. **wiring** *οὐσ.* ‹U› καλωδίωσις (ἠλεκτρ. ἐγκαταστάσεως). **wiry** *ἐπ.* *(-ier, -iest)* **1**. (*γιά μαλλιά*) σά σύρμα, σκληρός. **2**. (*γιά ἄνθρ.*) νευρώδης: *a youth with a wiry body*, νέος μέ ἀτσάλινο κορμί.

wire·less /ˋwaiələs/ *οὐσ.* & *ἐπ.* (*πεπαλ.*) **1**. ‹U› ἀσύρματος: *send a message by ~*, στέλνω μήνυμα μέ τόν ἀσύρματο. *~ telegram*, ραδιοτηλεγράφημα. *a ~ officer/operator*, ραδιοτηλεγραφητής. **2**. ‹C› ραδιόφωνο: *a ˋ~ set*, ραδιοφωνική συσκευή. ***listen to sth on/over the ~***, ἀκούω κτ στό ραδιόφωνο.

wis·dom /ˋwɪzdəm/ *οὐσ.* ‹U› **1**. σοφία: *a man of great ~*, σοφός ἄνθρωπος. **2**. φρόνησις, κρίσις, σύνεσις, φρονιμάδα. **ˋ~-tooth**, φρονιμίτης.

[1]**wise** /waɪz/ *ἐπ.* *(-r, -st)* σοφός, φρόνιμος, σώφρων: *the seven ~ men of ancient Greece*, οἱ ἑπτά σοφοί τῆς ἀρχαίας Ἑλλάδος. *No ~ man wants war*, κανείς σώφρων ἄνθρωπος δέν θέλει τόν πόλεμο. *I hope you'll be ~ enough not to do it*, ἐλπίζω ὅτι θά ἔχης τή σωφροσύνη νά μήν τό κάνης. ***(be) none the ~r***, δέν ἔχω μάθει τίποτα, δέν μοὔγινε μάθημα: *He's none the ~r for it*, δέν τοὔγινε αὐτό μάθημα. *He came away none the ~r*, ἔφυγε χωρίς νἄχη μάθει τίποτα παραπάνω. ***be/get ~ to sth***, (*λαϊκ.*) παίρνω κτ εἴδηση/χαμπάρι: *When he got ~ to what was happening...*, ὅταν πῆρε χαμπάρι τί γινότανε... ***put sb ~ to sth***, εἰδοποιῶ, πληροφορῶ κπ γιά κτ. **ˋ~·crack** *οὐσ.* ‹C› (*λαϊκ.*) εὐφυολόγημα, καλαμπούρι. __*ρ.ἀ.* καλαμπουρίζω. **~·ly** *ἐπίρ.* σοφά, φρόνιμα.

[2]**wise** /waɪz/ *οὐσ.* (*μόνον ἑν., ἀπηρχ.*) τρόπος: *in no ~*, κατά κανένα τρόπο. *in this ~*, μ' αὐτό τόν τρόπο.

[1]**wish** /wɪʃ/ *ρ.μ/ἀ.* **1**. (*ἀκολουθούμενο ἀπό παρωχημένο χρόνο ἐκφράζει ἀνεκπλήρωτη ἤ ἀπραγματοποίητη ἐπιθυμία*) εὔχομαι, θἄθελα, μακάρι: *I ~ (that) I were rich*, θἄθελα (μακάρι) νἄμουν πλούσιος. *They ~ed they had never gone*, θἄθελαν νά μήν εἶχαν πάει. *I ~ she knew how to cook*, μακάρι νἄξερε νά μαγειρεύη. **2**. (*ἀκολουθούμενο ἀπό would ἐκφράζει ἐλπίδα ἤ ἔντονη παράκληση*) ἐλπίζω, παρακαλῶ: *I ~ it would snow tomorrow*, ἐλπίζω (θἄθελα πολύ) νά χιονίση αὔριο. *I ~ you weren't always late*, μόνο νά μήν ἀργοῦσες πάντοτε! **3**. εὔχομαι, θέλω: *They ~ed this voyage at an end*, εὔχονταν νά τέλειωνε αὐτό τό ταξίδι. *He ~ed himself miles away*, θἄθελε νά βρισκόταν μίλια μακριά. *~ sb a pleasant journey*, εὔχομαι καλό ταξίδι σέ κπ. *~ sb good morning/goodbye*, καλημερίζω/ἀποχαιρετῶ κπ. ***~ sb well/ill***, θέλω τό καλό/τό κακό κάποιου. **4**. ἐπιθυμῶ, θέλω: *She ~es to be alone*, ἐπιθυμεῖ νά μείνη μόνη. *Do you really ~ me to go?* θέλεις πραγματικά νά φύγω; *If you ~ it*, ἄν τό ἐπιθυμῆτε... **5**. ***~ for***, ἐπιθυμῶ, λαχταρῶ (*ἰδ. μέ τήν ἔννοια ὅτι τό ἐπιθυμούμενον εἶναι δύσκολο ν' ἀποκτηθῆ εἴτε γενικά εἴτε ὑπό τίς συγκεκριμένες συνθῆκες. βλ. & λ. want*): *She had everything a woman could ~ for*, εἶχε κάθε τί πού θά μποροῦσε νά ἐπιθυμήση μιά γυναίκα. *What more can you ~ for?* τί ἄλλο μπορεῖς νά ἐπιθυμήσης; *How he ~ed for a glass of cold water!* πῶς λαχταροῦσε ἕνα ποτήρι κρύο νερό! **6**. κάνω εὐχή: *Let's ~!* ἄς κάνωμε μιά εὐχή! **ˋ~-bone**, στηθικόν ὀστοῦν (τῶν πουλιῶν). **7**. ***~ sb/sth on sb***, (*καθομ.*) φορτώνω κπ/κτ σέ κπ: *We had their children ~ed on us for a week*, μᾶς φόρτωσαν τά παιδιά τους γιά μιά βδομάδα. *I would never ~ my mother-in-law on anyone*, ποτέ δέν θά φόρτωνα τήν πεθερά μου σέ ἄνθρωπο.

[2]**wish** /wɪʃ/ *οὐσ.* ‹C,U› εὐχή, ἐπιθυμία, λαχτάρα: *express a ~*, ἐκφράζω μιά εὐχή/μιά ἐπιθυμία. *New Year's ~es*, πρωτοχρονιάτικες εὐχές. *by my father's ~*, κατ' ἐπιθυμίαν τοῦ πατέρα μου. *I have no ~ to go*, δέν ἔχω ἐπιθυμία νά φύγω. *grant/disregard sb's ~*, ἱκανοποιῶ/ἀγνοῶ τήν ἐπιθυμία κάποιου. *She got her ~*, ἔγινε τό θέλημά της, ἱκανοποιήθηκε ἡ ἐπιθυμία της. ***If ~es were horses, beggars might ride***, (*παροιμ.*) ἄν πιάναν οἱ εὐχές θἄταν ἀρχόντοι κι' οἱ ζητιάνοι. ***The ~ is father to the thought***, (*παροιμ.*) πιστεύει κανείς εὔκολα αὐτό πού λαχταρᾶ ἡ καρδιά του. **~-ful** /-fl/ *ἐπ.* ἐπιθυμῶν, ἐλπίζων. ***~ful thinking***, εὐσεβής πόθος. **~·fully** /-fəlɪ/ *ἐπίρ.*

wishy-washy /ˋwɪʃɪ wɒʃɪ/ *ἐπ.* νερουλός, ἀνούσιος, ἄτονος: *~ soup/a ~ speech*.

wisp /wɪsp/ *οὐσ.* ‹C› **1**. χερόβολο (χόρτο). **2**. τούφα, τσουλούφι (μαλλιῶν). **3**. τολύπη (καπνοῦ). **~y** *ἐπ.* *(-ier, -iest)* λεπτός.

wis·teria /wɪˋstɪərɪə/ *οὐσ.* ‹C,U› (*βοτ.*) γλυσίνα.

wist·ful /ˋwɪstfl/ *ἐπ.* συλλογισμένος, μελαγχολικός, παραπονεμένος, γεμᾶτος ἀόριστους ἤ ἀνεκπλήρωτους πόθους: *The boy looked at the toys in the shop window with ~ eyes*, τό παιδί κοίταζε τά παιχνίδια στή βιτρίνα μέ μάτια ὅλο παράπονο/ὅλο λαχτάρα. *a ~ expression*, μιά πικραμένη ἔκφραση ἀνικανοποίητης ἐπιθυμίας. *be in a ~ mood*, νοιώθω ἀόριστη μελαγχολία (σά νά θέλω κάτι καί δέν ξέρω τί). **~ly** /-fəlɪ/ *ἐπίρ.* μέ λαχτάρα ἀνακατεμένη μέ πίκρα.

[1]**wit** /wɪt/ *οὐσ.* **1**. (*ἑν.* *ἤ πληθ.*) ἀντίληψις, ἐξυπνάδα, μυαλό: *Use your ~s!* βάλε τό μυαλό σου νά δουλέψη! *He had not the ~s/hadn't ~ enough to realize that*, δέν εἶχε τήν ἐξυπνάδα/δέν ἦταν ἀρκετά ἔξυπνος γιά νά τό καταλάβη. ***be at one's wits' end***, τἄχω χαμένα, δέν ξέρω πιά τί νά κάμω. ***be out of one's ~s***, τρελλός: *Are you out of your ~s?* τρελλάθηκες; ἔχασες τό μυαλό σου; *You'll drive me out of my ~s*, θά μέ τρελλάνης. ***collect one's ~s***, συγκεντρώνομαι, μαζεύω τό μυαλό μου. ***have a ready ~***, εἶμαι σβέλτος στό μυαλό, παίρνω μέ τήν πρώτη. ***have/keep one's ~s about one***, ἔχω τά μάτια μου τέσσερα: *If you don't keep your ~s about you*, ἄν δέν ἔχης τά μάτια σου τέσσερα... ***live by one's ~s***, ζῶ μέ τήν καπατσοσύνη μου. **2**. ‹U› πνεῦμα, χιοῦμορ: *a conversation full of ~*, πνευματώδης συζήτησις. *His writings sparkle with ~*, τά γραπτά του εἶναι γεμᾶτα σπινθηροβόλο πνεῦμα. **3**. ‹C› πνευματώδης ἄνθρωπος. **~ty** *ἐπ.* *(-ier, -iest)* πνευματώδης: *a ~ty girl/remark*. **wit·tily** /-əlɪ/ *ἐπίρ.* σπιρτόζικα, ἔξυπνα. **~·ti·cism** /ˋwɪtɪsɪzm/ *οὐσ.* ‹C› εὐφυολόγημα. **~·less** *ἐπ.*

χαζός.

[2]**wit** /wɪt/ ρ. (ἀπηρχ. μόνον στή φρ.) **to** ~, (νομ.) τουτέστιν.

witch /wɪtʃ/ οὐσ. ‹C› μάγισσα, γόησσα. **`~-craft**, μαγεία, μάγια. **`~-doctor**, μάγος (σέ ἄγρια φυλή). **`~-hunt**, (μεταφ. καθομ.) μισαλλόδοξη καταδίωξη τῶν πολιτικῶν ἀντιπάλων, μακαρθισμός. **~·ery** /`wɪtʃərɪ/ οὐσ. ‹U› μαγεία, γοητεία. **~·ing** ἐπ. μαγικός.

with /wɪð/ πρόθ. **1**. μέ, μαζί: *a girl ~ blue eyes*, κορίτσι μέ γαλανά μάτια. *covered ~ snow*, σκεπασμένος μέ χιόνι. *He lives ~ his parents*, ζεῖ μέ τούς γονεῖς του. *I have no money ~ me*, δέν ἔχω χρήματα μαζί μου. *quarrel ~ sb*, τσακώνομαι μέ κπ. *~ an effort*, μέ προσπάθεια. *drive ~ care*, ὁδηγῶ μέ προσοχή. *~ open arms*, μέ ἀνοιχτές ἀγκάλες. *rise ~ the sun*, σηκώνομαι μέ τόν ἥλιο. *part ~ sb*, χωρίζω μέ κπ. *If you are not ~ us, you are against us*, ἄν δέν εἶσαι μαζί μας, εἶσαι ἐναντίον μας. ***a woman ~ child/a cow ~ young***, γυναίκα/ἀγελάδα ἔγκυος. ***be ~ sb***, συμφωνῶ μέ, παρακολουθῶ κπ: *I'm not ~ you on that question*, δέν συμφωνῶ μαζί σου σ' αὐτό τό θέμα. *Are you ~ me?* μέ παρακολουθεῖς; καταλαβαίνεις τί λέω; ***~ that***, καί τότε, εὐθύς ἀμέσως. **2**, (δηλωτικόν αἰτίας) ἀπό: *shake ~ fright/cold*, τρέμω ἀπό φόβο/ἀπό κρύο. *a face wet ~ tears*, πρόσωπο βρεγμένο ἀπό δάκρυα. *silent ~ shame*, ἀμίλητος ἀπό ντροπή. **3**. εἰς, γιά: *Leave the child ~ me*, ἄφησε τό παιδί σέ μένα. *The decision rests ~ you*, ἡ ἀπόφασις ἐναπόκειται σέ σένα. *The first object ~ him is always to make a profit*, ὁ πρῶτος σκοπός γι' αὐτόν εἶναι πάντα νά κάνη κέρδος. *W~ most children play is as important as work*, στά (γιά τά) περισσότερα παιδιά τό παιχνίδι εἶναι τό ἴδιο σπουδαῖο ὅπως καί ἡ δουλειά. **4**. παρά, μέ: *W~ all her faults I still like her*, παρ' ὅλα (μ' ὅλα) της τά ἐλαττώματα τήν συμπαθῶ ἀκόμα. *He survived ~ all his terrible injuries*, ἐπέζησε παρ' ὅλα τά τρομερά του τραύματα. **5**. (σέ ἐλλειπτικές φράσεις): *Down ~ the door!* γκρεμίστε τήν πόρτα! *Off ~ his head!* πάρτε του τό κεφάλι! *Away ~ you!* φύγε!

withal /wɪð`ɔl/ ἐπίρ. (ἀπηρχ.) ἐπίσης, ἐπιπλέον. —πρόθ. (ἀπηρχ., πάντα μετά τό ἀντικείμενο) μέ: *What shall he fill his belly ~?* μέ τί θά γεμίση τήν κοιλιά του;

with·draw /wɪð`drɔ/ ρ.μ/ἀ. (ἀνώμ. βλ. [2]*draw*) **1**. ἀποσύρω/-ομαι: *~ money from the Bank*, ἀποσύρω χρήματα ἀπό τήν Τράπεζα. *After dinner the ladies withdrew*, μετά τό γεῦμα οἱ κυρίες ἀπεσύρθησαν. *~ troops from an exposed position*, ἀποσύρω στρατεύματα ἀπό μιά ἐκτεθειμένη θέση. *~ from society*, ἀποτραβιέμαι ἀπό τήν κοινωνία. **2**. ἀνακαλῶ: *~ a charge/an offending expression*, ἀνακαλῶ μιά κατηγορία/μιά προσβλητική ἔκφραση. **~al** /-`drɔəl/ οὐσ. ‹C,U› ἀποχώρησις, ἀνάληψις, ἀνάκλησις, σύμπτυξις. **with·drawn** ἐπ. ἀποτραβηγμένος, ἀκοινώνητος, ἀφηρημένος.

withe /wɪθ/, **withy** /`wɪðɪ/ οὐσ. ‹C› βέργα (ἰτιᾶς, λυγαριᾶς).

wither /`wɪðə(r)/ ρ.μ/ἀ. **1**. ~ ***(up/away)***, μαραίνω/-ομαι, ξεραίνω/-ομαι, σβύνω: *The hot sun ~ed (up) the grass*, ὁ καυτός ἥλιος ξέρανε τό χορτάρι. *Her hopes/beauty ~ed (away)*, οἱ ἐλπίδες της ἔσβυσαν/ἡ ὀμορφιά της μαράθηκε. *a ~ed face*, μαραμένο πρόσωπο. **2**. κεραυνοβολῶ, παραλύω: *She ~ed him with a scornful look*, τόν κεραυνοβόλησε μέ μιά περιφρονητική ματιά. *She gave him a ~ing look*, τοὔρριξε μιά ματιά πού τόν παρέλυσε.

with·ers /`wɪðəz/ οὐσ. πληθ. ἀκρώμιον (τό σημεῖο ὅπου ὁ σβέρκος ἑνός ζώου ἑνώνεται μέ τή ράχη).

with·hold /wɪð`həʊld/ ρ.μ. (ἀνώμ. βλ. [1]*hold*) ἀποκρύπτω, ἀρνοῦμαι, κατακρατῶ: *~ the truth from sb*, ἀποκρύπτω τήν ἀλήθεια ἀπό κπ. *~ one's consent*, ἀρνοῦμαι τή συγκατάθεσή μου. *~ a document*, κατακρατῶ ἕνα ἔγγραφο.

with·in /wɪð`ɪn/ πρόθ. ἐντός, μέσα εἰς: *~ an hour*, ἐντός μιᾶς ὥρας. *~ a mile of the station*, σ' ἕνα μίλι ἀπό τό σταθμό. —ἐπίρ. (ἀπηρχ.) ἐντός, μέσα: *decorate a house ~ and without*, διακοσμῶ ἕνα σπίτι μέσα κι' ἔξω.

with·out /wɪð`aʊt/ πρόθ. χωρίς: *~ money/a family/hopes*, χωρίς χρήματα/οἰκογένεια/ἐλπίδες. *He passed ~ seeing me*, πέρασε χωρίς νά μέ δῆ. *He passed ~ my seeing him*, πέρασε χωρίς νά τόν δῶ. ***~ fail***, χωρίς ἄλλο, ἀνυπερθέτως. ***~ doubt***, ἀναμφιβόλως, χωρίς ἀμφιβολία. ***~ so much as; ~ even***, χωρίς κἄν: *He left ~ so much as saying good night*, ἔφυγε χωρίς κἄν νά πῆ καληνύχτα. *~ even a thank you*, χωρίς κἄν ἕνα εὐχαριστῶ. ***~ number***, ἀναρίθμητος: *times ~ number*, ἀναρίθμητες φορές. ***it goes ~ saying***, εἶναι περιττό νά λεχθῆ... —ἐπίρ. (ἀπηρχ.) ἐκτός: *within and ~*, ἐντός καί ἐκτός.

with·stand /wɪð`stænd/ ρ.μ. (ἀνώμ. βλ. [2]*stand*) ἀνθίσταμαι, ἀντέχω: *~ an attack*, ἀνθίσταμαι σέ μιά ἐπίθεση. *~ high pressure/great heat*, ἀντέχω σέ μεγάλη πίεση/θερμοκρασία.

withy /`wɪðɪ/ οὐσ. βλ. *withe*.

wit·ness /`wɪtnəs/ οὐσ. **1**. ‹C› μάρτυς (σέ δικαστήριο ἤ συμβόλαιο): *~ for the prosecution/defence*, μάρτυς κατηγορίας/ὑπερασπίσεως. **`eye-~**, αὐτόπτης μάρτυς. **`~-box**, θέσις ὅπου στέκεται ὁ ἐξεταζόμενος ὡς μάρτυς. **2**. ‹U› κατάθεσις: *give ~ on behalf of sb*, καταθέτω ὑπέρ ἑνός προσώπου. **3**. ‹C,U› μαρτυρία: *call sb to ~*, ἐπικαλοῦμαι τήν μαρτυρία κάποιου. *My clothes are a ~ to my poverty*, τά ροῦχα μου εἶναι ἀπόδειξις (μαρτυρία) τῆς φτώχειας μου. ***bear ~ to sth***, μαρτυρῶ, βεβαιῶ κτ: *I'll bear ~ to his character*, θά βεβαιώσω γιά τό χαρακτῆρα του. *This bears ~ to his honesty*, αὐτό βεβαιώνει (ἀποδεικνύει) τήν τιμιότητά του. —ρ.μ/ἀ. **1**. παρίσταμαι/εἶμαι θεατής σέ κτ: *~ an accident*, εἶμαι παρών σ' ἕνα δυστύχημα. **2**. ***~ to sth***, βεβαιῶ, καταθέτω: *He'll ~ to the truth of my statement*, θά βεβαιώση τό ἀληθές τῆς δηλώσεώς μου. *He ~ed to having seen the accused pull out a gun*, κατέθεσε ὅτι εἶχε δεῖ τόν κατηγορούμενο νά τραβάη πιστόλι. **3**. εἶμαι μάρτυς σέ συμβόλαιο. **4**. μαρτυρῶ: *Her trembling hands ~ed the agitation she felt*, τά χέρια της πού ἔτρεμαν μαρτυροῦσαν (ἀπεδείκνυαν), τήν ταραχή πού ἔνοιωθε.

wit·ti·cism /ˈwɪtɪsɪzm/ *οὐσ.*, **witty** /ˈwɪtɪ/ *ἐπ.* *βλ.* [1]*wit.*

wives /waɪvz/ *οὐσ. πληθ. βλ. wife.*

wiz·ard /ˈwɪzəd/ *οὐσ.* ‹C› **1**. μάγος. **2**. ἄνθρωπος μέ ἐκπληκτικές ἱκανότητες: *a financial* ~, ἕνας μάγος στά οἰκονομικά θέματα. —*ἐπ.* (*σχολ. λαϊκ.*) καταπληκτικός. ~**ry** /-drɪ/ *οὐσ.* ‹U› μαγεία, μαγική δύναμις.

wiz·ened /ˈwɪznd/ *ἐπ.* μαραμένος, ζαρωμένος, ρυτιδωμένος: *a* ~ *old woman*, μιά ζαρωμένη γρηούλα. *a* ~ *face*, μαραμένο, ρυτιδωμένο πρόσωπο. ~ *apples*, μαραγκιασμένα μῆλα.

wo, whoa /wəʊ/ *ἐπιφ.* (*ἰδ. σέ ἄλογο*) ντέ! στάσου!

wobble /ˈwobl/ *ρ.μ/ἀ.* κουνῶ/κουνιέμαι πέρα-δῶθε, ταλαντεύομαι: *He* ~*d on his bicycle*, ταλαντευόταν πάνω στό ποδήλατό του. *This table* ~*s*, αὐτό τό τραπέζι κουνιέται/πάει πέρα-δῶθε. *Don't* ~ *my desk*, μήν κουνᾶς τό γραφεῖο μου. *The front wheels* ~, οἱ μπροστινοί τροχοί παίζουν. *Her voice* ~*s on high notes*, ἡ φωνή της τρέμει (δέν εἶναι σταθερή) στίς ψηλές νότες. **wob·bler** /ˈwoblə(r)/ *οὐσ.* ‹C› ἄνθρωπος χωρίς σταθερές ἀντιλήψεις, παλάντζας. **wob·bly** /ˈwoblɪ/ *ἐπ.* (*-ier, -iest*) ταλαντευόμενος, ἀσταθής: *a wobbly chair*, καρέκλα πού κουνιέται.

woe /wəʊ/ *οὐσ.* (*ἰδ. ποιητ. ἤ χιουμορ.*) **1**. (*πληθ.*) συμφορά, θλίψις, πόνος: *poverty, illness and other* ~*s*, φτώχεια, ἀρρώστειες κι' ἄλλες συμφορές. **2**. ‹U› οὐαί, ἀλλοίμονον: *W*~ *to the vanquished!* οὐαί τοῖς ἡττημένοις! ~**·ful** /-fl/ *ἐπ.* θλιβερός: ~*ful ignorance*, θλιβερή ἄγνοια. ~**·fully** /-fəlɪ/ *ἐπίρ.* ˈ~**·be·gone** /ˈwəʊbɪgon/ *ἐπ.* ἀξιολύπητος, θλιμμένος: *What* ~*begone looks!* τί θλιμμένη ὄψη εἶναι αὐτή!

woke /wəʊk/, **woken** /ˈwəʊkən/ *ἀόρ., π.μ. τοῦ ρ.* [1]*wake.*

wold /wəʊld/ *οὐσ.* ‹C,U› χέρσα ἔκτασις, χερσότοπος.

wolf /wʊlf/ *οὐσ.* ‹C› (*πληθ. wolves* /wʊlvz/) **1**. λύκος: *a pack of wolves*, κοπάδι λύκων. ***cry* ~**, φωνάζω 'λύκος! λύκος!' (*δηλ.* δίνω ψεύτικο σύνθημα κινδύνου). ***a* ~ *in sheep's clothing***, λύκος ντυμένος πρόβατο. ***keep the* ~ *from the door***, κρατῶ τήν πεῖνα ἔξω ἀπό τό σπίτι, ἐξασφαλίζω τά πρός τό ζῆν. ˈ~**-cub**, λυκόπουλο, προσκοπάκι. ˈ~**-hound**, λυκόσκυλο. **2**. (*λαϊκ.*) γυναικοκατακτητής, κορτάκιας. ˈ~ **whistle**, σφύριγμα θαυμασμοῦ πρός περαστική γυναίκα. —*ρ.μ.* ~ ***(down)***, καταβροχθίζω λαίμαργα: ~ *(down) one's food.* ~**·ish** /-ɪʃ/ *ἐπ.* ἄγριος, ἁρπακτικός, σκληρός: *a* ~*ish expression.*

woman /ˈwʊmən/ *οὐσ.* ‹C› (*πληθ. women* /ˈwɪmɪn/) γυναίκα: *a single* ~, ἀνύπαντρη γυναίκα. *a* ~ *of the world*, γυναίκα πού ξέρει ἀπό κόσμο. *a* ~ *doctor*, γιατρίνα. *a* ~ *driver*, σωφερίνα. *a* ˈ*country*-~, χωριάτισσα. *He's nothing but an old* ~, δέν εἶναι παρά μιά γυναικούλα/ἕνα γραῖδιο. *run after women*, κυνηγῶ γυναῖκες, εἶμαι γυναικᾶς. **women's lib**, κίνημα ἀπελευθερώσεως τῶν γυναικῶν. ˈ~**-hater**, μισογύνης. ˈ~**·hood** /-hʊd/ **1**. (*συλλογ.*) ὅλες οἱ γυναῖκες. **2**. γυναικεία ὡριμότης/φύσις: *grow to/reach* ~*hood*, γίνομαι ὁλοκληρωμένη γυναίκα. ~**·ish** /-ɪʃ/ *ἐπ.* γυναικεῖος, θηλυπρεπής. ~**·ize** /-aɪz/ *ρ.ἀ.* κυνηγῶ γυναῖκες, εἶμαι γυναικᾶς. ~**·izer** *οὐσ.* ‹C› γυναικᾶς: *He's an incurable* ~*izer*, εἶναι ἀδιόρθωτος γυναικᾶς. ˈ~**·kind** *οὐσ.* ‹U› τό γυναικεῖο φῦλο, οἱ γυναῖκες. ˈ~**·like**, ˈ~**·ly** *ἐπ.* γυναικεῖος, προσιδιάζων σέ γυναίκα: ~*ly modesty*, γυναικεία σεμνότης. **women·folk** /ˈwɪmɪnfəʊk/ *οὐσ. πληθ.* οἱ γυναῖκες μιᾶς οἰκογένειας.

womb /wuːm/ *οὐσ.* ‹C› (*ἀνατ.*) μήτρα, (*μεταφ.*) σπλάχνα: *the fruit of thy* ~, (*Α.Γ.*) ὁ καρπός τῆς κοιλίας σου. *It still lies in the* ~ *of time*, τό μέλλον θά τό δείξη.

won /wʌn/ *ἀόρ. & π.μ. τοῦ ρ. win.*

won·der /ˈwʌndə(r)/ *οὐσ.* **1**. ‹U› ἀπορία, κατάπληξις, θαυμασμός: *filled with* ~, γεμᾶτος ἀπορία/θαυμασμό. *They looked at the conjurer in silent* ~, κοίταζαν τό θαυματοποιό βουβοί ἀπό κατάπληξη. ***no/little/small* ~**, δέν εἶναι ἀπορίας ἄξιον: *No* ~ *he failed*, δέν εἶναι ν' ἀπορῆ κανείς (εἶναι φυσικό) ὅτι ἀπέτυχε. ˈ~**-struck** *ἐπ.* κατάπληκτος, ἐμβρόντητος. **2**. ‹C› θαῦμα: *one of the* ~*s of our times*, ἕνα ἀπό τά θαύματα τῆς ἐποχῆς μας. *the seven* ~*s of the world*, τά ἑπτά θαύματα τοῦ κόσμου. ***a nine days'* ~**, τρίμερο θάμα (κτ ὡραῖο πού κρατάει πολύ λίγο). ***It's a* ~ *that***, πάλι καλά πού, εἶναι θαῦμα πού: *It's a* ~ *that you weren't killed*, εἶναι θαῦμα πού δέν σκοτώθηκες. ***work* ~*s***, κάνω θαύματα: *This medicine works* ~*s*, αὐτό τό φάρμακο κάνει θαύματα. ˈ~**·land** /-lænd/, χώρα τῶν θαυμάτων. —*ρ.μ/ἀ.* **1**. ~ ***(at sth)***, ἀπορῶ, θαυμάζω: *Frankly I* ~ *at you*, εἰλικρινῶς, ἀπορῶ μαζί σου. *I shouldn't* ~ *if*..., δέν θά μοῦ φαινόταν καθόλου περίεργο ἄν... *I* ~ *(at the fact that) he wasn't killed*, ἀπορῶ (μέ τό γεγονός) ὅτι δέν σκοτώθηκε. *I* ~ *at her cheek!* θαυμάζω τό θράσος της! *It's not to be* ~*ed at if/that*, δέν εἶναι ν' ἀπορῆ κανείς ἐάν/πού... **2**. ~ ***(about)***, ἀπορῶ, διερωτῶμαι, θἄθελα νά μάθω: *I was* ~*ing about that*, εἶχα ἀπορία γι' αὐτό. *I* ~ *who he is*, θἄθελα νά ξέρω ποιός εἶναι (ποιός νά εἶναι, ἄραγε;). *I* ~ *why/when/where he went*, ἀναρωτιέμαι γιατί/πότε/ποῦ πῆγε. ~**·ing·ly** /ˈwʌndrɪŋlɪ/ *ἐπίρ.* ἐρωτηματικά, ἔκπληκτα. ~**·ful** /-fl/ *ἐπ.* θαυμάσιος. ~**·fully** /-flɪ/ *ἐπίρ.* ~**·ment** /-mənt/ *οὐσ.* ‹U› ἔκπληξις, ἀπορία. **won·drous** /ˈwʌndrəs/ *ἐπ.* (*ἀπηρχ. ἤ λογοτ.*) θαυμαστός. —*ἐπίρ.* θαυμαστά.

wonky /ˈwoŋkɪ/ *ἐπ.* (*ΜΒ λαϊκ.*) ξεχαρβαλωμένος: *This chair is* ~, αὐτή ἡ καρέκλα εἶναι σαράβαλο. *I still feel a bit* ~ *after that attack of 'flu*, νοιώθω ἀκόμα λιγάκι κομμένος ὕστερα ἀπό κείνη τή γρίπη.

wont /wəʊnt/ *οὐσ.* (*μόνον ἑν.*) (*ἀρχ.*) συνήθειο: *He went to bed much earlier than his* ~, πῆγε γιά ὕπνο πολύ νωρίτερα ἀπό τό συνήθειό του. ***use and* ~**, ἤθη καί ἔθιμα. —*κατηγ. ἐπ.* συνηθισμένος. ***be* ~ *to***, συνηθίζω νά: *He was* ~ *to say that*, συνήθιζε νά λέη ὅτι... ~**ed** *ἐπ.* συνηθισμένος, συνήθης.

won't /wəʊnt/ = *will not.*

woo /wuː/ *ρ.μ.* κορτάρω, κυνηγῶ, ἐπιδιώκω: ~ *a woman*, (*πεπαλ.*) κορτάρω μιά γυναίκα. ~ *fame/wealth*, κυνηγῶ τή δόξα/τόν πλοῦτο.

~ *disaster*, πάω γυρεύοντας νά μ' εὕρη συμφορά. **~er** *οὐσ.* ‹C› ἐρωτευμένος, μνηστήρ, ἐρωτοτροπῶν.

wood /wʊd/ *οὐσ.* **1**. ‹U› ξύλο: *chop* ~, κόβω (σχίζω) ξύλα (γιά τή φωτιά). *put* ~ *on the fire*, βάζω ξύλα στή φωτιά. *made of* ~, κατασκευασμένο ἀπό ξύλο. *a* ~ *floor*, ξύλινο πάτωμα. ***touch*** ~*!* χτύπα ξύλο! ***in/from the*** ~, στό/ἀπό τό βαρέλι: *wine from the* ~, κρασί ἀπό τό βαρέλι. ~ **alcohol**, ξυλόπνευμα. `**~-block**, (*χαρακτ.*) πλάκα. `**~-cut**, τυπωμένη ξυλογραφία. `**~-engraving**, ξυλογραφία (ἡ τέχνη). `**~-louse**, (*πληθ. -lice*) ξυλόψειρα. `**~·pecker**, (*ὀρνιθ.*) δρυοκολάπτης, δεντροφάγος. `**~·pile**, τρακάδα (σωρός) καυσόξυλα. `**~-pulp**, ξυλοπολτός. `**~-shed**, ἀποθήκη γιά καυσόξυλα. `**~·wind**, ξύλινο πνευστό ὄργανο ὀρχήστρας. `**~-work**, ξυλουργική, ξυλουργικές ἐργασίες, ξυλεπένδυσις. `**~·worm**, σκουλήκι τοῦ ξύλου, σκουληκοφάγωμα. **2**. (*συχνά πληθ.*) δάσος, ἄλσος: *a* ~ *of pine-trees; a `pine-*~, δάσος ἀπό πεῦκα/πευκόδασος. *go for a walk in the* ~*(s)*, πάω βόλτα στό δάσος. ***be out of the*** ~, (*μεταφ.*) ἔχω ξεπεράσει τήν κρίση/τόν κίνδυνο/τίς δυσκολίες. ***be unable to see the*** ~ ***for the trees***, (*μεταφ.*) τά δέντρα μ' ἐμποδίζουν νά δῶ τό δάσος (*δηλ.* χάνομαι στίς λεπτομέρειες καί δέν βλέπω τό σύνολο). `**~·bine**, ἄγριο ἁγιόκλημα. `**~·cock**, (*ὀρνιθ.*) μπεκάτσα. `**~·cutter**, ξυλοκόπος. `**~·land** /-lənd/, δασώδης ἔκτασις. `**~·man** /-mən/ (*ΗΠΑ* `*~s·man*), δασοφύλακας, ξυλοκόπος. `**~-pigeon**, (*ὀρνιθ.*) φάσσα. `**~ed** *ἐπ.* δασωμένος. `**~y** *ἐπ.* *(-ier, -iest)* δασωμένος, ξύλινος, ξυλώδης: *a* ~*y hillside*, δασωμένη πλαγιά. ~*y tissue*, ξυλώδης ὑφή/ἱστός.

wooden /`wʊdn/ *ἐπ.* **1**. ξύλινος: *a* ~ *leg*, ξύλινο πόδι. '**~-`headed** *ἐπ.* χοντροκέφαλος, ἀνόητος. **2**. ἀδέξιος, δύσκαμπτος, ἀνέκφραστος: *a* ~ *smile/face*, ἀδέξιο χαμόγελο. *His manners were extremely* ~, τό φέρσιμό του ἦταν πολύ ἀδέξιο/μονοκόμματο.

wooer /`wuə(r)/ *οὐσ.* *βλ.* *woo*.

woof /wʊf/ *οὐσ.* ‹C› ὑφάδι.

wool /wʊl/ *οὐσ.* **1**. ‹U› μαλλί, μάλλινο νῆμα/ὕφασμα/ροῦχο: *raw* ~, ἀκατέργαστο μαλλί. *a ball of* ~, ἕνα κουβάρι μαλλί (νῆμα). *wear* ~ *next to the skin*, φορῶ μάλλινα κατάσαρκα. *the `*~ *trade/merchants*, τό ἐμπόριο/οἱ ἔμποροι μαλλιοῦ, μάλλινων. `**knitting-~**, μαλλί γιά πλέξιμο. **dyed-in-the-~** *ἐπ.* (*μεταφ.*) βαμμένος, φανατικός: *He's a dyed-in-the-~ Tory*, εἶναι βαμμένος συντηρητικός. ***pull the `~ over sb's eyes***, (*μεταφ.*) ξεγελῶ, ἐξαπατῶ κπ, τή σκάω σέ κπ, ρίχνω στάχτη στά μάτια κάποιου. `**~-gathering** *οὐσ.* ‹U› ἀφηρημάδα, ὀνειροπόλησις. —*ἐπ.* ἀφηρημένος: *He's always* ~*-gathering*, εἶναι διαρκῶς ἀφηρημένος, τό μυαλό του γυρίζει ἀλλοῦ. **(the)** ~**·sack**, μαξιλάρι πάνω στό ὁποῖο κάθεται ὁ Λόρδος Καγκελλάριος: *aspire to the* ~*sack*, φιλοδοξῶ νά γίνω Λόρδος Καγκελλάριος. **2**. ἄλλο ὑλικό σά μαλλί: *cotton-*~, ἀκατέργαστο βαμβάκι. *wire-*~, σύρμα γιά τίς κατσαρόλες. **~·len** /`wʊlən/ *ἐπ.* μάλλινος: ~*len blankets*, μάλλινες κουβέρτες. `~*len manufacturers/merchants*, βιομήχανοι/ἔμποροι μαλλίνων εἰδῶν. **~·lens** *οὐσ. πληθ.* μάλλινα εἴδη.

woolly /`wʊlɪ/ *ἐπ.* *(-ier, -iest)* **1**. μάλλινος, μαλλιαρός, χνουδωτός, σά μαλλί: *a* ~ *coat*, μάλλινο παλτό. *a* ~ *puppy*, μαλλιαρό σκυλάκι. ~ *fruit*, χνουδωτά φροῦτα. ~ *hair*, πυκνά, σγουρά μαλλιά. ~ *clouds*, ἀνάλαφρα σύννεφα. **2**. (*μεταφ.*) ἀσαφής, συγκεχυμένος, φλού: ~ *ideas/opinions*, συγκεχυμένες ἰδέες/γνῶμες. *a* ~ *picture*, μιά φλού εἰκόνα. —*οὐσ.* ‹C› (*πληθ.* *woollies*) (*καθομ.*) μάλλινο ροῦχο (*ἰδ.* πουλόβερ): *Put on an extra* ~ *when you go out*, φόρεσε κι' ἄλλο ἕνα πουλόβερ ὅταν βγῆς. *Take all your woollies with you*, πάρε ὅλα σου τά μάλλινα μαζί σου.

word /wɜd/ *οὐσ.* **1**. ‹C› λέξις: *put one's thoughts into* ~*s*, ἐκφράζω τίς σκέψεις μου μέ λέξεις. *I have no* ~*s to thank you*, δέν βρίσκω λέξεις νά σ' εὐχαριστήσω. *W*~*s fail me*, δέν βρίσκω λέξεις κατάλληλες. *I don't know a* ~ *of Latin*, δέν ξέρω οὔτε λέξη Λατινικά. ***a play (up)on*** ~***s***, λογοπαίγνιο. ***(it) isn't the*** ~ ***for it***, δέν θά πῆ τίποτα, δέν εἶναι ἡ κατάλληλη λέξις: *'Was it warm?' 'Warm's not the* ~ *for it!'* -Ἔκανε ζέστη; -Ζέστη δέν θά πῆ τίποτα! ~ ***for*** ~, λέξη πρός λέξη: *repeat/translate sth* ~ *for* ~, ἐπαναλαμβάνω/μεταφράζω κτ λέξη πρός λέξη. ***in a/one*** ~, μέ μιά λέξη, ἐν ὀλίγοις: *In a* ~*, he's mad*, μέ μιά λέξη, εἶναι τρελλός. ***by*** ~ ***of mouth***, προφορικά, μέ τό στόμα: *The news went round by* ~ *of mouth*, τά νέα διαδόθηκαν προφορικά. ***in the full sense of the*** ~, στήν κυριολεξία: *He's mad in the full sense of the* ~, εἶναι στήν κυριολεξία τρελλός. ***for*** ~***s***, ἀπερίγραπτα: *too beautiful/painful for* ~*s*, ἀπερίγραπτα ὡραῖος/ὀδυνηρός. ***in so many*** ~***s***, καθαρά, σταράτα: *I told him in so many* ~*s that if he were to do it again he'd be fired*, τοῦ τό εἶπα καθαρά ὅτι ἄν τό ξανάκανε θά ἀπολυόταν. (*βλ.* & *λ.* *edgeways*). **2**. ‹C› λέξις, λόγος: *I don't believe a* ~ *of it*, δέν πιστεύω οὔτε λέξη. *He didn't say a* ~, δέν εἶπε οὔτε λέξη. *I will now say a few* ~*s about...*, θά πῶ λίγα λόγια τώρα γιά... *Don't waste* ~*s on him*, μή χάνης τά λόγια σου μαζί του. *You can't get a* ~ *out of him*, δέν τοῦ παίρνεις λέξη. *He's a man of few* ~*s*, εἶναι λιγόλογος ἄνθρωπος. ***big*** ~***s***, μεγάλες κουβέντες, παχιά λόγια. ***fair/fine*** ~***s***, ὡραῖα λόγια: *He's only fair* ~*s*, εἶναι μονάχα γιά ὡραῖα λόγια. ***idle*** ~***s***, κούφια λόγια, τοῦ ἀέρα. ***a*** ~ ***out of/in season***, ἄκαιρη/ἐπίκαιρη κουβέντα. ***on/with the*** ~, ἀμέσως μόλις αὐτό εἰπώθηκε. ***the last*** ~ ***on sth***, ἡ τελευταία λέξις, τό τέλος: *We have not heard the last* ~ *on this question*, δέν τελειώνει ἐδῶ αὐτό τό θέμα (θά ὑπάρξουν κι' ἄλλες ἐξελίξεις). *The last* ~ *has not yet been said on this subject*, δέν ἐλέχθη ἀκόμα ἡ τελευταία λέξις σ' αὐτό τό θέμα. ***the last*** ~ ***in sth***, ἡ τελευταία λέξις, τό πιό μοντέρνο πρᾶγμα: *The new hotel is the last* ~ *in comfort*, τό νέο ξενοδοχεῖο εἶναι ἡ τελευταία λέξη σέ ἄνεση. *This style is the last* ~ *in menswear* αὐτή ἡ μόδα εἶναι ἡ τελευταία λέξη στά ἀνδρικά εἴδη. ***have a*** ~ ***with sb***, μιλῶ μέ κπ. ***have*** ~***s (with sb)***, λογοφέρνω μέ κπ, φιλονικῶ. ***never have a***

good ~ for anyone, ποτέ δέν λέω καλό λόγο γιά ἄνθρωπο. **have the last ~**, ἔχω τόν τελευταῖο λόγο, λέω τήν τελευταία λέξη. **put in/say a good ~ (for sb)**, λέω μιά καλή κουβέντα, δυό καλά λόγια (γιά κπ). **suit the action to the ~**, ἅμ' ἔπος ἅμ' ἔργον. **take the ~(s) out of sb's mouth**, προλαβαίνω κπ, παίρνω τή λέξη ἀπό τό στόμα του. (*βλ.* & *λ. eat*). **3**. (*μόνο ἑν. δίχως τό ἄρθρο*) εἴδησις, μήνυμα, παραγγελία: *send sb ~ of sth*, στέλνω μήνυμα σέ κπ/εἰδοποιῶ κπ γιά κτ. *W~ came that he was ill*, ἦρθε εἴδηση ὅτι ἦταν ἄρρωστος. *Please leave ~ for me at the office*, παρακαλῶ ἄφησέ μου παραγγελία στό γραφεῖο. **4**. (*μόνον ἑν., μέ κτητικό ἐπ.*) λόγος, ὑπόσχεσις: *He's a man of his ~*, εἶναι ἄνθρωπος πού κρατάει τό λόγο του. **be as good as one's ~**, κάνω ὅ,τι ὑπόσχομαι: *I'm sure he'll be as good as his ~*, εἶμαι βέβαιος ὅτι θά κάνη ὅ,τι ὑποσχέθηκε. *He was better than his ~*, ἔκανε περισσότερα ἀπ' ὅ,τι ὑποσχέθηκε. **give sb one's ~**, δίνω σέ κπ τό λόγο μου. **keep/break one's ~**, τηρῶ/ἀθετῶ τό λόγο μου. **take sb's ~ for it**, στηρίζομαι στό λόγο κάποιου, ἔχω τό λόγο του: *I'll pay, take my ~ for it*, θά πληρώσω, ἔχεις τό λόγο μου. **take sb at his ~**, παίρνω κπ τοῖς μετρητοῖς, δίνω βάση στά λεγόμενά του: *I took him at his ~ and began to make plans*, πῆρα τοῖς μετρητοῖς ὅ,τι μοῦ εἶπε κι' ἄρχισα νά κάνω σχέδια. **my ~ upon it**, (*ἀπηρχ.*) στήν τιμή μου, στό λόγο μου. **upon my ~**, (*πεπαλ.*) *(α)* στό λόγο μου. *(β)* ἐπιφ. ἐκπλήξεως διάβολε! θεέ μου! **5**. (*μόνον ἑν.*) διαταγή, σύνθημα, λόγος: *Who gave the ~ to fire?* ποιός ἔδωσε τή διαταγή νά πυροβολήσετε; *You must give the ~ before you can pass*, πρέπει νά δώσης τό σύνθημα γιά νά περάσης. *His ~ is law*, ὁ λόγος του εἶναι νόμος. **6**. (*ἐκκλ.*) ὁ Λόγος τοῦ Θεοῦ. **7**. (*σέ σύνθ. λέξεις*): **`~·book**, λεξιλόγιο. **`~-division**, διαίρεσις τῶν λέξεων σέ συλλαβές. **`~-painter**, παραστατικός ἀφηγητής. **'~-`perfect** *ἐπ.* ἀποστηθισμένος. **`~-picture**, ζωντανή περιγραφή μέ λόγια. **`~-splitting**, λεπτολογία, σχολαστικότης. —*ρ.μ.* (*λόγ.*) διατυπώνω (μέ λέξεις): *a well-~ed letter*, ἕνα καλοδιατυπωμένο γράμμα. *You could ~ your objections more politely*, θά μποροῦσες νά διατυπώσεις τίς ἀντιρρήσεις σου πιό εὐγενικά. **~·ing** *οὐσ.* (*μόνον ἑν.*) διατύπωσις. **~·less** *ἐπ.* βουβός, ἀνέκφραστος: *~less grief*, βουβή θλίψη. **wordy** *ἐπ.* (*-ier, -iest*) φλύαρος, πολυλογάδικος: *a ~y telegram*, φλύαρο τηλεγράφημα. **~·ily** /-əlɪ/ *ἐπίρ.* **wordi·ness** *οὐσ.* ‹U› πολυλογία.

wore /wɔ(r)/ *ἀόρ. τοῦ ρ.* [2]*wear*.

[1]**work** /wɜk/ *οὐσ.* **1**. ‹U› δουλειά: *This machine does the ~ of fifty men*, αὐτή ἡ μηχανή κάνει τή δουλειά πενήντα ἀνθρώπων. *It's hard ~ learning a foreign language*, εἶναι δύσκολη δουλειά νά μάθη κανείς μιά ξένη γλῶσσα. *It was the ~ of a moment to find the right answer*, ἦταν δουλειά (ὑπόθεσις) ἑνός λεπτοῦ νά βρῶ τή σωστή ἀπάντηση. *I've got plenty of ~ to do in the garden*, ἔχω ἕνα σωρό δουλειά νά κάμω στόν κῆπο. *I have some ~ for you to do*, ἔχω λίγη δουλειά γιά σένα. **make hard ~ of sth**, κάνω βουνό μιά δουλειά (τήν παρουσιάζω πιό δύσκολη ἀπ' ὅ,τι εἶναι). **make short ~ of sth**, τελειώνω κτ στά γρήγορα/στό πῖ καί φῖ. **set/get to ~ (on sth/to do sth)**, ἀρχίζω δουλειά: *He set/got to ~ on a new dictionary*, ἄρχισε νά δουλεύη ἕνα καινούργιο λεξικό. *She set to ~ to prepare lunch*, βάλθηκε νά ἑτοιμάζη τό μεσημεριανό. **set/go about one's ~**, ἀρχίζω, ξεκινῶ τή δουλειά μου: *You are not setting about your ~ in the right way*, δέν ξεκινᾶς τή δουλειά σου σωστά. *Now, boys, set about your ~*, λοιπόν, παιδιά, ἀρχίστε τή δουλειά σας/ἐπί τό ἔργον! **at ~ (on sth)**, ἀπασχολημένος (σέ κτ): *He's still at ~ on that dictionary*, ἀκόμα δουλεύει (εἶναι ἀκόμα ἀπασχολημένος μέ) αὐτό τό λεξικό. **it's all in the/a day's ~**, τί νά κάνωμε, αὐτά ἔχει ἡ δουλειά (*δηλ.* εἶναι κάτι φυσικό). **All ~ and no play makes Jack a dull boy**, (*παροιμ.*) ἡ πολλή δουλειά τρώει τόν ἀφέντη. **2**. ‹U› (ἐπαγγελματική) δουλειά, ἀπασχόλησις: *What time do you get to ~?* τί ὥρα πᾶς γιά δουλειά; *start/stop ~*, ἀρχίζω/σταματῶ τή δουλειά. *on my way to ~*, πηγαίνοντας στή δουλειά μου. *find ~*, βρίσκω δουλειά. **be at ~**, εἶμαι στή δουλειά μου: *My husband is at ~, and he won't be back before six o'clock*, ὁ ἄντρας μου εἶναι στή δουλειά του καί δέν θά γυρίση πρίν ἀπό τίς ἔξη. **be in ~**, ἔχω δουλειά, ἀπασχολοῦμαι: *be in regular ~*, ἔχω ταχτική δουλειά. **be out of ~**, εἶμαι ἄνεργος: *He's been in and out of ~ for a year now*, ἕνα χρόνο τώρα πότε ἔχει καί πότε δέν ἔχει δουλειά. **3**. ‹U› ἐργασία (τά πράγματα πού χρειάζεται κανείς γιά τή δουλειά του): *She took her ~ out on the verandah*, πῆρε τήν ἐργασία της (πχ ἐργόχειρο, βιβλία, κλπ) ἔξω στή βεράντα. **`~-bag/-basket/-box**, σάκκος/καλάθι/κουτί μέ τά σύνεργα (*ἰδ.* ραπτικῆς). **4**. ‹U› ἐργασία, ἔργον, χειροτέχνημα: *The villagers sell their ~ to tourists*, οἱ χωρικοί πουλᾶνε τά ἔργα του (τά χειροτεχνήματά τους) στούς τουρίστες. *What a fine piece of ~!* τί ὡραία ἐργασία! *The ~ of famous goldsmiths and sculptors can be seen in museums*, μπορεῖ κανείς νά δῆ σέ μουσεῖα τήν ἐργασία (τά ἔργα) διάσημων χρυσοχόων καί γλυπτῶν. **5**. (*πληθ., ἑν. μέ ἀόρ. ἄρθρ.*) ἔργον, πνευματικό προϊόν: *the ~s of Shakespeare/Beethoven*, τά ἔργα τοῦ Σαίξπηρ/τοῦ Μπετόβεν. *a ~ of art*, ἕνα καλλιτέχνημα. **6**. (*πληθ. καί μέ ρ. πληθ.*) μηχανισμός: *The ~s of a clock are terribly complicated*, ὁ μηχανισμός ἑνός ρολογιοῦ εἶναι φοβερά περίπλοκος. **7**. (*πληθ., ἀλλά συχνά μέ σύνταξη ἑν.*) ἐργοστάσιο: *a `steel-~s*, χαλυβδουργεῖον. *a `chemical-~s*, ἐργοστάσιον χημικῶν προϊόντων. *The `brick-~s have closed down*, τό τουβλάδικο ἔκλεισε. **`~s council/committee**, ἐργοστασιακή ἐπιτροπή (ἀπό τούς ἐργάτες καί τή διεύθυνση). **8**. (*στρατ.*) ἔργα: *defensive ~s*, ἀμυντικά ἔργα. **public ~s**, δημόσια ἔργα: *the Ministry of Public W~s*, τό Ὑπουργεῖον Δημοσίων Ἔργων. **9**. (*σέ σύνθ. λέξεις*): **`~·a·day** /`wɜkədeɪ/ *ἐπ.* βαρετός, καθημερινός, πληκτικός: *this ~aday life*, αὐτή ἡ ἄχαρη ζωή. **`~-bench**, πάγκος (τεχνίτη). **`~·book**, βιβλίον κατ' οἶκον ἀσκήσεως μαθητοῦ. **`~·day**, ἐργάσιμος ἡμέρα.

`~ **force**, ἐργατική δύναμις (δυναμικό). `~·**house**, (*MB*) πτωχοκομεῖο, (*ΗΠΑ*) ἀναμορφωτήριο. `~-**in**, ἐγκλεισμός τῶν ἐργατῶν σέ ἐργοστάσιο σέ ἔνδειξη διαμαρτυρίας. `~·**man** /-mən/, ἐργάτης, τεχνίτης: *a skilled/quick ~man*, εἰδικευμένος/ταχύς ἐργάτης. *A bad ~man blames his tools*, (*παροιμ.*) στόν κακό τεχνίτη φταῖνε τά ἐργαλεῖα του. `~·**man·like** *ἐπ.* μαστορικός. `~·**man·ship**, μαστοριά, καλή ἐργασία, τέχνη: *articles of poor/excellent ~manship*, πράγματα κακοφτιαγμένα/ἔξοχης τέχνης. `~·**out**, δοκιμή, τέστ, ἄσκησις. `~-**people**, οἱ ἐργαζόμενοι. `~·**room**, δωμάτιο ἐργασίας. `~·**shop**, ἐργαστήρι. `~-**shy** *ἐπ.* τεμπέλης, πού ἀποφεύγει τή δουλειά. `~-**study**, μελέτη ἀποδοτικότητος τῶν ἐργατῶν. `~·**table**, τραπέζι ἐργασίας (*ἰδ.* ραπτικῆς).

[2]**work** /w3k/ *ρ.μ/ἀ.* (*ἀόρ. & π.μ.* ~*ed ἤ* (*ἀπηρχ.*) *wrought* /rɔt/) **1**. δουλεύω, ἐργάζομαι: ~*hard/long hours*, δουλεύω σκληρά/πολλές ὧρες. *We ~ in order to live*, δουλεύομε γιά νά ζοῦμε. ~ *for peace*, ἐργάζομαι ὑπέρ τῆς εἰρήνης. ~ ***at sth***, δουλεύω σέ κτ, μελετῶ κτ ἐντατικά: ~ *at English*. ~ ***on sth***, δουλεύω, γράφω κτ: ~ *on a dictionary*. (*βλ. & λ.* [1]*rule*). **2**. (*γιά μηχανή, κλπ*) δουλεύω, λειτουργῶ: *The lift/telephone isn't ~ing*, τό ἀσανσέρ/τό τηλέφωνο δέν λειτουργεῖ. *I don't know how it ~s*, δέν ξέρω πῶς λειτουργεῖ. *Everything is ~ing smoothly*, ὅλα λειτουργοῦν κανονικά, πᾶνε ρολοΐ. *My brain doesn't seem to be ~ing well today*, τό μυαλό μου δέν φαίνεται νά λειτουργῆ καλά σήμερα. *This machine ~s by electricity*, αὐτή ἡ μηχανή δουλεύει μέ ἠλεκτρισμό. **3**. δρῶ, ἐπενεργῶ, φέρνω ἀποτελέσματα: *Her charm ~ed*, ἡ γοητεία της ἔδρασε/ἔπιασε. *When the medicine ~s*, ὅταν ἐπενεργήση τό φάρμακο... *If this plan doesn't ~*, ἄν δέν φέρη ἀποτελέσματα αὐτό τό σχέδιο... *This method has always ~ed*, αὐτή ἡ μέθοδος ὑπῆρξε πάντα ἀποτελεσματική. **4**. κινῶ (μηχανή), ἀναγκάζω κπ νά ἐργασθῆ: *This machine is ~ed by electricity*, αὐτή ἡ μηχανή κινεῖται μέ ἠλεκτρισμό. *Don't ~ yourself to death*, μή σκοτώνεσαι στή δουλειά. *He ~s his class/staff very hard*, πεθαίνει στή δουλειά τήν τάξη του/τό προσωπικό του. **5**. κάνω, πετυχαίνω, καταφέρνω (μιά δουλειά): ~ *wonders/mischief/harm*, κάνω θαύματα/ζαβολιά/κακό. ~ ***one's passage***, ταξιδεύω δουλεύοντας (ἔναντι τοῦ ναύλου): *He ~ed his passage from England to Australia*, ταξίδεψε ἀπό τήν Ἀγγλία στήν Αὐστραλία δουλεύοντας στό πλοῖο (ἔναντι τοῦ ναύλου). ~ ***one's way through (college, etc.)*** σπουδάζω δουλεύοντας. ~ ***a great change on sb***, ἐπιφέρω μεγάλη ἀλλαγή σέ κπ. ~ ***one's will (on sb)***, ἐπιβάλλω τή θέλησή μου σέ κπ. ~ ***it***, (*λαϊκ.*) τά καταφέρνω, τά βολεύω: *Tickets are very scarce but I think I can ~ it*, τά εἰσιτήρια σπανίζουν ἀλλά πιστεύω ὅτι θά καταφέρω νά βρῶ. **6**. κινῶ/-οῦμαι σιγά-σιγά (καί φθάνω σέ ὡρισμένη θέση ἤ κατάσταση): *He ~ed the nail loose with a knife*, κατάφερε νά λασκάρη τό καρφί μ' ἕνα μαχαίρι. *He ~ed his hands free*, σιγά-σιγά κατάφερε νά λύση τά χέρια του. *One of the screws has ~ed loose*, μιά ἀπό τίς βίδες ἔχει λασκάρει. *Your shirt has ~ed out*, τό πουκάμισό σου βγῆκε ἀπό τό παντελόνι. *The rain has ~ed through the roof*, ἡ βροχή διαπότισε σιγά-σιγά τή σκεπή. *The wind has ~ed round to the south*, ὁ ἀέρας γύρισε νοτιᾶς. ~ ***one's way***, προχωρῶ μέ κόπο: *They ~ed their way through the crowd/jungle*, ἀνοίξανε μέ κόπο δρόμο μέσα ἀπό τό πλῆθος/μέσα στή ζούγκλα. **7**. δουλεύω, ἐκμεταλλεύομαι: *The company ~s three mines*, ἡ ἑταιρία ἐκμεταλλεύεται τρία ὀρυχεῖα. *This salesman ~s the Macedonia area*, αὐτός ὁ πλασιέ δουλεύει (ἐπισκέπτεται) τόν τομέα τῆς Μακεδονίας. **8**. κατεργάζομαι, δουλεύω: ~ *clay/dough*, δουλεύω τόν πηλό/τή ζύμη. **9**. κεντῶ: ~ *a design on a cushion-cover/one's initials on a shirt*, κεντῶ ἕνα σχέδιο σέ μαξιλαράκι/τά ἀρχικά μου σ' ἕνα πουκάμισο. **10**. ζυμοῦμαι, συσπῶμαι: *The yeast began to ~*, τό προζύμι ἄρχισε νά φουσκώνη. *His face began to ~ violently*, τό πρόσωπό του ἄρχισε νά συσπᾶται τρομερά. **11**. (*μέ ἐπιρ. καί προθέσεις*):

work away (at sth), συνεχίζω νά δουλεύω (σέ κτ): *He's been ~ing away at it since breakfast*, κάνει αὐτή τή δουλειά συνέχεια ἀπό τήν ὥρα τοῦ προγεύματος.

work in/into, χώνομαι, διεισδύω, μπάζω: *The dust has ~ed in everywhere*, ἡ σκόνη ἔχει χωθεῖ παντοῦ. ~ *a few jokes into a lecture*, μπάζω μερικά ἀστεῖα σέ μιά διάλεξη.

work off, ξεφορτώνομαι, ξεκαθαρίζω: ~ *off one's excess weight*, ἀπαλλάσσομαι ἀπό τό παραπανίσιο βάρος (πχ μέ γυμναστική). ~ *off old stock/arrears of correspondence*, ξεκαθαρίζω παληό στόκ ἐμπορευμάτων/καθυστερημένη ἀλληλογραφία.

work out, λύνομαι, καταλήγω, ἐξελίσσομαι: *This sum won't ~ out*, αὐτό τό πρόβλημα δέν λύνεται. *The total ~s out at £10*, τό σύνολο καταλήγει νά εἶναι δέκα λίρες. *How will things ~ out?* πῶς θά ἐξελιχθοῦν τά πράγματα; ~ ***sth out***, *(α)* λύνω: ~ *out a problem/a coded message*, λύνω ἕνα πρόβλημα/ἀποκρυπτογραφῶ ἕνα μήνυμα. *(β)* ἐπινοῶ, βρίσκω: *I've ~ed out your share of the expenses at £10*, λογάριασα τό μερίδιό σου στά ἔξοδα σέ 10 λίρες. *(γ)* ἐπινοῶ, βρίσκω: ~ *out a plan/method*, ἐπινοῶ ἕνα σχέδιο/μιά μέθοδο. ~ *out a way of making money*, βρίσκω ἕναν τρόπο νά κάνω χρήματα. *(δ)* (*στήν παθ. φων.*) ἐξαντλοῦμαι: *This mine has been ~ed out*, αὐτό τό ὀρυχεῖο ἔχει ἐξαντληθῆ.

work up, *(α)* μεγαλώνω, ἀναπτύσσω: ~ *up a business from nothing*, ἀναπτύσσω μιά δουλειά ἀπό τό τίποτα. *(β)* διεγείρω, ἐξάπτω/-ομαι (βαθμηδόν): *Why is he so ~ed up?* γιατί ἔχει ἀνάψει (φουντώσει) ἔτσι; *He ~ed everyone up into a state of hysteria*, σιγά-σιγά τούς ἔφερε ὅλους σέ κατάσταση ὑστερίας. *He ~ed himself up into a rage*, ἔγινε σιγά-σιγά ἔξω φρενῶν. *(γ)* ἀνέρχομαι βαθμηδόν: *Our speed ~ed up to 70 miles an hour*, ἡ ταχύτητά μας ἀνέβηκε βαθμηδόν στά 70 μίλια.

work (up)on, ἐπηρεάζω: ~ *(up)on sb's mind/feelings*, ἐπηρεάζω τό μυαλό/τά αἰσθήματα κάποιου.

work·able /ˋw3kəbl/ *ἐπ.* κατεργάσιμος, ἐκμεταλλεύσιμος, πραγματοποιήσιμος.

worker /`wɜkə(r)/ *οὐσ.* ‹C› ἐργάτης: ~ *bees*, ἐργάτριες μέλισσες.

work·ing /`wɜkɪŋ/ *ἐπ.* ἐργαζόμενος: *the ~ classes*, οἱ ἐργαζόμενες τάξεις. *a ~-class family*, μιά ἐργατική οἰκογένεια. *a hard-~ man*, δουλευτής, ἄνθρωπος πού δουλεύει σκληρά. —*οὐσ.* **1**. ‹C› στοά (ὀρυχείου). **2**. (*συνήθ. πληθ.*) λειτουργία, χειρισμός: *I can't understand the ~s of his mind/of this clock*, δέν μπορῶ νά καταλάβω μέ τί τρόπο δουλεύει τό μυαλό του/τή λειτουργία αὐτοῦ τοῦ ρολογιοῦ. **3**. (*ἐπιθ.*) τῆς δουλειᾶς, τῆς λειτουργίας: `~ *clothes*, ροῦχα τῆς δουλειᾶς. *a ~ day*, ἐργάσιμος ἡμέρα. `~ *hours*, ὧρες ἐργασίας. ~ **plan/model**, τέλειο προσχέδιο/κανονικό μοντέλο. ~ **capital/expenses**, κεφάλαιον/ἔξοδα κινήσεως. ~ **majority**, ἐπαρκής πλειοψηφία. ~ **breakfast/lunch**, πρόγευμα/γεῦμα ἐργασίας. `~ **party**, ἐπιτροπή μελέτης. ***in ~ order***, ἐν λειτουργίᾳ, σέ καλή κατάσταση: *Everything is in ~ order*, ὅλα λειτουργοῦν καλά. *Are the brakes in ~ order?* λειτουργοῦν καλά τά φρένα; `~ **-out**, ἐπεξεργασία, ἐκτέλεσις: *the ~-out of a plan*, ἡ ἐπεξεργασία ἑνός σχεδίου. *Don't interfere with the ~-out of their scheme*, μήν ἐπεμβαίνης στήν ἐκτέλεση τοῦ σχεδίου τους.

world /wɜld/ *οὐσ.* ‹C› **1**. κόσμος: *the Old/New W~*, ὁ Παλαιός/Νέος Κόσμος. *make a journey round the world*, κάνω τό γύρο τοῦ κόσμου. *Are there any other ~s besides ours?* ὑπάρχουν ἄραγε κι᾽ἄλλοι κόσμοι ἐκτός ἀπό τόν δικό μας; *this ~/the next ~*, αὐτός ὁ κόσμος/ἡ μέλλουσα ζωή. *the lower ~*, ὁ κάτω κόσμος/ὁ ἅδης. *bring a child/come into the ~*, φέρνω ἕνα παιδί/ἔρχομαι στόν κόσμο. *All the ~ knows that*, ὅλος ὁ κόσμος τό ξέρει αὐτό. *I want to see the ~*, θέλω νά δῶ τόν κόσμο. *He's tired of the ~*, βαρέθηκε τόν κόσμο. *a man of the ~*, ἄνθρωπος τοῦ κόσμου. *a citizen of the ~*, πολίτης τοῦ κόσμου. *What will the ~ say?* τί θά πῆ ὁ κόσμος; *the ~ of literature/art/sport*, ὁ κόσμος τῆς φιλολογίας/τῆς τέχνης/τῶν σπόρ. *the animal ~*, τό ζωϊκό βασίλειο. **2**. (*σέ ἰδιωμ. φράσεις*): ***be all the ~ to sb***, εἶμαι τό πᾶν (ὁλόκληρος ὁ κόσμος) γιά κπ: *He's all the ~ to me*, εἶναι τό πᾶν γιά μένα. ***be dead to the ~***, (*λαϊκ.*) εἶμαι ἐντελῶς ἀποκαμωμένος: *He was dead to the ~*. ***be/feel on top of the ~***, εἶμαι πανευτυχής/αἰσθάνομαι περίφημα. ***carry the ~ before one***, προχωρῶ ἀπό ἐπιτυχία σέ ἐπιτυχία, ὑπερπηδῶ ὅλα τά ἐμπόδια. ***forsake/renounce the ~***, ἐγκαταλείπω/ἀπαρνοῦμαι τά ἐγκόσμια. ***make the best of both ~s***, τά ἔχω ὅλα δικά μου (καί τή σωτηρία τῆς ψυχῆς καί τίς ἀπολαύσεις τῆς ζωῆς). ***make a noise in the ~***, ἀκούγομαι στόν κόσμο, γίνομαι πασίγνωστος. ***make one's way in the ~***, τραβῶ μπροστά, διακρίνομαι, πετυχαίνω στή ζωή. ***think the ~ of sb***, ἔχω κπ σέ πολύ μεγάλη ἐκτίμηση. ***a ~ of***, πάρα πολύ: *do sb a ~ of good/harm*, κάνω πολύ καλό/κακό σέ κπ. *a ~ of difference/meaning*, πολύ μεγάλη διαφορά/σημασία. ***for the ~***, γιά κανένα λόγο/γιά τίποτα στόν κόσμο: *I wouldn't part with it for the ~*, δέν θά τό ἀποχωριζόμουν γιά τίποτα στόν κόσμο. ***for all the ~ like sb***, τελείως ὅμοιος μέ, ὁλόϊδιος μέ κπ: *He's for all the ~ like his father*, εἶναι ἴδιος ὁ πατέρας του. ***in the ~***, στόν κόσμο, (*ἐμφατ.*) γιά τὄνομα τοῦ θεοῦ: *Nobody in the ~ knows that better than me*, κανείς στόν κόσμο δέν τό ξέρει αὐτό καλύτερα ἀπό μένα. *What in the ~ has happened?* γιά τὄνομα τοῦ θεοῦ, τί συνέβη; ***out of this ~***, (*καθομ.*) θεσπέσιος, ἔξοχος: *The music was out of this ~*, ἡ μουσική ἦταν σάν ἀπό ἄλλο κόσμο, κάτι θεῖο, κάτι ὀνειρεμένο. *The food/wine was out of this ~*, τό φαγητό/τό κρασί ἦταν θαῦμα! ***to the ~'s end***, στήν ἄκρη τοῦ κόσμου. ***the ~ to come***, ἡ μέλλουσα ζωή. ***How goes the ~ with you?*** πῶς πᾶνε οἱ δουλειές σου; τί κάνεις; ***All the ~ and his wife***, ὅλος ὁ καλός ὁ κόσμος: *All the world and his wife were at the ball.* **3**. (*ἐπιθ.*) παγκόσμιος: *a ~ language/power*, παγκόσμια γλῶσσα/δύναμις. *a ~ war*, παγκόσμιος πόλεμος. **the W~ Bank**, ἡ Διεθνής Τράπεζα. `~-`**old** *ἐπ.* παληός ὅσο κι᾽ὁ κόσμος, πανάρχαιος: *~-old customs*, πανάρχαια ἔθιμα. ˈ~-`**wide** *ἐπ.* παγκόσμιος, ἁπλωμένος σ᾽ὅλο τόν κόσμο: *a ~-wide crisis/fame*, παγκόσμια κρίσις/φήμη. ˈ~-`**weary** *ἐπ.* κουρασμένος ἀπό τόν κόσμο, ἀπό τή ζωή. ˈ~-`**wise** *ἐπ.* μέ πεῖρα/γνώση τοῦ κόσμου. **~·ly** *ἐπ.* *(α)* ὑλικός: *my ~ly goods*, τά ὑλικά μου ἀγαθά, ἡ περιουσία μου. *(β)* ἐγκόσμιος, κοσμικός, τοῦ κόσμου: *He is a child in ~ly matters*, εἶναι παιδί (τελείως ἄπειρος) περί τά ἐγκόσμια. *~ly wisdom*, πεῖρα/γνῶσις τῆς ζωῆς. *(γ)* (*καί* ˈ*~ly-*`*minded*) ὑλιστής, ἐνδιαφερόμενος γιά τά ὑλικά ἀγαθά. **~·li·ness** *οὐσ.* ‹U› ὑλισμός. κοσμικότης.

worm /wɜm/ *οὐσ.* ‹C› **1**. σκουλήκι: `*earth/silk/*`*glow ~*, σκουλήκι τῆς γῆς/μεταξοσκώληκας/πυγολαμπίδα. ***He's a ~***, (*μεταφ. καθομ.*) εἶναι σιχαμένο σκουλήκι. ***Even a ~ will turn***, (*παροιμ.*) ἔχει κι᾽ἡ ὑπομονή τά ὅριά της. ***the ~ of conscience***, τό σαράκι τῆς συνειδήσεως, ἡ τύψις. `~**-eaten** *ἐπ.* σκουληκοφαγωμένος. `~**-hole**, σκουληκότρυπα. **~y** *ἐπ.* σκουληκιασμένος, σκουληκοφαγωμένος, σκωληκοειδής. **2**. σπεῖρα (βίδας). `~**-gear** (*μηχ.*) μηχανισμός ἀτέρμονος κοχλίου. —*ρ.μ.* **1**. ~ ***oneself/one's way in/into/through/out of, etc,*** χώνομαι, προχωρῶ σιγά κι᾽ ἀθόρυβα: *He ~ed his way through the undergrowth*, σύρθηκε σιγά-σιγά ἀνάμεσα ἀπό τούς θάμνους. *He ~ed himself into her confidence/favour*, σιγά-σιγά κατέκτησε τήν ἐμπιστοσύνη της/τήν εὔνοιά της. **2**. ~ ***sth out of sb***, ἐκμαιεύω κτ ἀπό κπ (μέ ἐπίμονες ἐρωτήσεις): *I ~ed the secret out of him*, τοῦ ξεκόλλησα τό μυστικό. **3**. ξεσκουληκιάζω (πχ ζῶα, φυτά, κλπ).

worm·wood /`wɜmwʊd/ *οὐσ.* ‹U› (*βοτ.*) ἀγριαψιθιά, (*μεταφ.*) φαρμάκι, πίκρα.

worn /wɔn/ *π.μ.* *τοῦ ρ.* [2]*wear*.

worri·some /`wʌrɪsəm/ *ἐπ.* ἐνοχλητικός, στενόχωρος.

worry /`wʌrɪ/ *ρ.μ/ἀ.* **1**. ~ ***(about/over sth)***, στενοχωρῶ/-οῦμαι: *What's ~ing you?* τί σέ στενοχωρεῖ; *Don't ~ about trifles*, μή στενοχωριέσαι μέ μικροπράγματα. *What's the use of*

~ing? τί ὠφελεῖ νά στενοχωριέται κανείς; **2**. ἀνησυχῶ: *My mother worries if I am late*, ἡ μητέρα μου ἀνησυχεῖ ἄν ἀργήσω. *His temperature worries me*, ὁ πυρετός του μέ ἀνησυχεῖ. *Don't ~ about the exams*, μήν ἀνησυχεῖς (μή σκοτίζεσαι) γιά τίς ἐξετάσεις. *She'll ~ herself to death*, θά πεθάνη ἀπό τήν ἀνησυχία/ἀπό τήν ἀγωνία. **3**. ἐνοχλῶ: *~ sb with foolish questions*, ἐνοχλῶ κπ μέ ἀνόητες ἐρωτήσεις. *She was always ~ing him for more money*, τοῦ κολλοῦσε διαρκῶς νά τῆς δώση κι' ἄλλα χρήματα. **4**. (*ἰδ. γιά σκυλιά*) σέρνω/τινάζω μέ τά δόντια: *The dog was ~ing a dead rat*, ὁ σκύλος τίναζε μέ τά δόντια του ἕναν ψόφιο ἀρουραῖο. *~ out a problem*, λύνω ἕνα πρόβλημα (ὕστερα ἀπό συνεχεῖς καί ἐπανειλημμένες προσπάθειες). —*οὐσ.* ‹C,U› ἀνησυχία, (*συνήθ. πληθ.*) σκοτούρα, μπελᾶς: *money worries*, χρηματικά προβλήματα. *What a ~ that child is!* τί μπελᾶς εἶναι αὐτό τό παιδί!

wor·ried /ˋwʌrɪd/ *ἐπ.* ἀνήσυχος, στενοχωρημένος: *I'm worried about him*, ἀνησυχῶ γι' αὐτόν. *have a worried look*, ἔχω ἀνήσυχη/στενοχωρημένη ὄψη. **~·ing** *ἐπ.* ἐνοχλητικός, στενόχωρος: *a ~ing question*, ἐνοχλητική ἐρώτησις. *have a ~ing time*, περνῶ στενοχώριες. **~·ing·ly** *ἐπίρ.* ἐνοχλητικά, ἀνήσυχα, στενόχωρα.

worse /wɜs/ *ἐπ.* **1**. χειρότερος: *He's ~ than me*, εἶναι χειρότερος ἀπό μένα. *Is there a ~ catastrophe than war?* ὑπάρχει χειρότερη συμφορά ἀπό τόν πόλεμο; *He escaped with nothing ~ than a few scratches*, γλύτωσε μέ (τίποτα σοβαρότερο ἀπό) λίγες γρατσουνιές μονάχα. ***make things ~***, χειροτερεύω τήν κατάσταση. ***be the ~ for wear***, εἶμαι λυωμένος ἀπό τό φόρεμα, (*μεταφ.*) εἶμαι ἐξαντλημένος. **2**. (*μόνον κατηγ.*) σέ χειρότερη κατάσταση (ὑγείας, οἰκονομική, κλπ): *I'm feeling ~ today*, νοιώθω χειρότερα σήμερα. —*ἐπίρ.* χειρότερα: *behave ~ than ever*, φέρομαι χειρότερα ἀπό κάθε ἄλλη φορά. ***be ~ off***, εἶμαι σέ χειρότερη οἰκονομική κατάσταση. ***none the ~***, καθόλου λιγώτερο, περισσότερο: *I like him none the ~ for being outspoken*, δέν μοῦ εἶναι καθόλου λιγώτερο συμπαθής ἐπειδή τά λέει ἔξω ἀπό τά δόντια. ***~ than ever/before***, χειρότερα (= περισσότερο) ἀπό ποτέ/ἀπό πρίν: *He hates me/It was raining ~ than before*, μέ μισεῖ/ἔβρεχε δυνατώτερα ἀπό πρίν. —*οὐσ.* (*μόνον ἑν.*) (τό) χειρότερο: *I have ~ to tell you*, ἔχω νά σοῦ πῶ καί χειρότερα. ***a change for the ~***, ἀλλαγή πρός τό χειρότερο. ***go from bad to ~***, πάω ἀπό τό κακό στό χειρότερο.

worsen /ˋwɜsn/ *ρ.μ/ἀ.* χειροτερεύω, ἐπιδεινώνω/-ομαι.

wor·ship /ˋwɜʃɪp/ *οὐσ.* ‹U› **1**. λατρεία, προσκύνησις: *places/forms/freedom of ~*, τόποι/τύποι/ἐλευθερία λατρείας. *hours of ~*, ὧρες θείας λειτουργίας. **2**. λατρεία, θαυμασμός: *ˋancestor ~*, προγονολατρεία. *ˋhero ~*, ἡρωολατρεία. *She gazed at him with ~ in her eyes*, τόν κοίταζε μέ λατρεία στά μάτια της. **3**. (*τρόπος προσφωνήσεως Δημάρχων ἤ κατωτέρων δικαστικῶν*): *His W~ the Mayor*, ἡ αὐτοῦ ἐντιμότης, ὁ κ. Δήμαρχος. *Yes, your ~*, μάλιστα κ. Δήμαρχε/κ. Δικαστά. —*ρ.μ/ἀ.* (*-pp-*) λατρεύω: *~ God*, λατρεύω τό Θεό. *She ~s her husband*, λατρεύει τόν ἄντρα της. **~·per** *οὐσ.* ‹C› λάτρης, πιστός. **~·ful** /-fl/ *ἐπ.* σεβαστός, σεβάσμιος (τίτλος γιά εἰρηνοδίκη ἤ δημοτικό σύμβουλο).

worst /wɜst/ *ἐπ.* & *ἐπίρ.* χείριστος, ὁ χειρότερος, χείριστα: *the ~ accident I've ever seen*, τό χειρότερο δυστύχημα πού ἔχω δεῖ ποτέ. *He played ~ of all*, ἔπαιξε χειρότερα ἀπό ὅλους. —*οὐσ.* (*μόνον ἑν.*) τό χειρότερο, τό χείριστο: *The ~ of the storm is over*, ἡ χειρότερη φάση τῆς θύελλας πέρασε. ***at one's ~***, στό χειρότερό μου σημεῖο: *when things were at their ~*, ὅταν ἡ κατάστασις ἦταν στό χειρότερο σημεῖο της. ***If the ~ comes to the ~***, ἄν τά πράγματα φθάσουν στό ἀπροχώρητο... ***get the ~ of it***, νικιέμαι. ***The ~ of it is that***..., τό χειρότερο στήν ὑπόθεση εἶναι ὅτι... ***at (the) ~***, στή χειρότερη περίπτωση. ***do your ~/let him do his ~***, κάνε ὅ,τι μπορεῖς/ἄς κάνη ὅ,τι μπορεῖ (*δηλ.* τό χειρότερο πού μπορεῖ): *Let them do their ~, I'm not afraid of them*, ἄς κάνουν ὅ,τι θέλουν, δέν τούς φοβᾶμαι. —*ρ.μ.* νικῶ, συντρίβω: *He ~ed his enemy*, συνέτριψε τόν ἐχθρό του.

wor·sted /ˋwʊstɪd/ *οὐσ.* ‹U› μαλλί πενιέ: *~ fabrics*, ὑφάσματα πενιέ.

worth /wɜθ/ *κατηγ. ἐπ.* **1**. ἀξίζων: *This second-hand car is ~ more than I paid for it*, αὐτό τό μεταχειρισμένο αὐτοκίνητο ἀξίζει περισσότερο ἀπ' ὅ,τι τό πλήρωσα. *It's not ~ the trouble*, δέν ἀξίζει τόν κόπο. ***for what it is ~***, μέ κάθε ἐπιφύλαξη: *That's the news I heard–I pass it on to you for what it's ~*, αὐτά εἶναι τά νέα πού ἄκουσα–σοῦ τά μεταδίδω μέ κάθε ἐπιφύλαξη. **ˈ~·ˋwhile** *ἐπ.* πού ἀξίζει τόν κόπο/χρόνο, κλπ: *a ~while experiment*, ἕνα πείραμα πού ἀξίζει τόν κόπο νά γίνη. **2**. κάτοχος περιουσίας: *When he died he was ~ a million pounds*, ὅταν πέθανε εἶχε περιουσία ἑνός ἑκατομμυρίου λιρῶν. ***for all one is ~***, (*καθομ.*) μ' ὅλη μου τή δύναμη: *He was running/working for all he was ~*, ἔτρεχε/δούλευε μ' ὅλη του τή δύναμη. **3**. ***be ~*** + *γερούνδιον*, ἀξίζει νά: *The book is ~ reading/buying*, τό βιβλίο ἀξίζει νά τό διαβάση/νά τ' ἀγοράση κανείς. *Life is not ~ living without friendship*, ἡ ζωή δέν ἀξίζει (νά τή ζῆ κανείς) χωρίς φίλους. —*οὐσ.* ‹U› ἀξία: *a book of great/little/no ~*, βιβλίο μεγάλης/μικρῆς/οὐδεμιᾶς ἀξίας. *know a friend's ~*, ξέρω τήν ἀξία ἑνός φίλου. *a pound's ~ of apples*, μῆλα ἀξίας μιᾶς λίρας. *a ˋpenny~ of sweets*, ἕνα φράγκο καραμέλες. **~·less** *ἐπ.* εὐτελής, ἄνευ ἀξίας, ἀνάξιος: *a ~less argument/man*, εὐτελές ἐπιχείρημα/ἀνάξιος ἄνθρωπος. **~·less·ly** *ἐπίρ.* **~·less·ness** *οὐσ.* ‹U› εὐτέλεια.

worthy /ˋwɜðɪ/ *ἐπ.* (*-ier, -iest*) **1**. ~ ***(of sth/to be sth)*** ἄξιος: *a cause ~ of support*, ἰδέα ἀξία ὑποστηρίξεως. *behaviour ~ of praise*, φέρσιμο πού ἀξίζει νά ἐπαινεθῆ. **2**. (*συχνά εἰρωνικά ἤ συγκαταβατικά*) ἄξιος, εὐϋπόληπτος, ἔντιμος: *a ~ gentleman*, ἔντιμος κύριος. *Give our ~ friend a shilling*, δῶσε στόν ἀνθρωπάκο ἕνα σελλίνι. *She helps only the ~ poor*, βοηθάει μόνον τούς φτωχούς πού τό ἀξίζουν. —*οὐσ.* ‹C› (*ἀπηρχ. ἤ ἀστειολ.*) προύχοντας, προσωπικότης: *the village worthies*, οἱ προεστοί τοῦ χωριοῦ. *Who are the worthies on the platform?* ποιές εἶναι αὐτές οἱ προσωπικότητες στήν ἐξέδρα; **worth·ily** /-əlɪ/ *ἐπίρ.* ἐπαξίως, δικαίως. **worthi·ness** *οὐσ.* ‹U› ἀξία.

wot /wɒt/ (*ἀρχ. α! καί γ! πρόσ. τοῦ ρ. know*) *God* ~, Κύριος οἶδε.

wot·cher /ˈwɒtʃə(r)/ *ἐπιφ.* (*MB λαϊκ.*) γειά χαραντάν! τί χαμπάρια!

would /wʊd/ *βλ.* [1]*will.*

wouldst /wʊdst/ (*ἀπηρχ., β! ἑν. τοῦ ρ. would*) *Thou* ~ *go*, θά πήγαινες.

[1]**wound** /wuːnd/ *οὐσ.* ‹C› **1**. τραῦμα, λαβωματιά, πληγή (*συνήθ. ὡς ἀποτέλεσμα ἐπιθέσεως, ἐνῶ τό injury ὡς ἀποτέλεσμα ἀτυχήματος*): *a ˋbullet/ˋknife* ~, τραῦμα ἀπό σφαῖρα/ἀπό μαχαίρι. **2**. (*μεταφ.*) πλήγωμα: *a* ~ *to his pride/vanity*, πλήγωμα στόν ἐγωϊσμό του/στή ματαιοδοξία του. —*ρ.μ.* τραυματίζω, πληγώνω: *Ten soldiers were* ~*ed*, δέκα στρατιῶτες τραυματίστηκαν (*πρβλ. Ten people were hurt/injured in the accident*). ~ ***sb's feelings***, πληγώνω κπ στά αἰσθήματά του, τόν προσβάλλω. ~ ***sb's pride***, θίγω κπ στόν ἐγωϊσμό του.

[2]**wound** /waʊnd/ *ἀόρ. & π.μ. τοῦ ρ.* [3]*wind.*

wove /wəʊv/, **woven** /ˈwəʊvn/ *ἀόρ., π.μ. τοῦ ρ. weave.*

[1]**wow** /waʊ/ *οὐσ.* ‹C› (*λαϊκ.*) καταπληκτική ἐπιτυχία: *His new play/His party was a* ~, τό καινούργιο του ἔργο/τό πάρτυ του ἔκανε μπάμ! —*ἐπιφ. θαυμασμοῦ* πωπώ! μπράβο!

[2]**wow** /waʊ/ *οὐσ.* ‹U› μεταβολές στό τόνο δίσκου ἤ κασέτας ἐξ αἰτίας ἐλαττωματικῆς ταχύτητας.

wrack /ræk/ *οὐσ.* ‹U› ἐκβρασθέντα φύκια.

wraith /reɪθ/ *οὐσ.* ‹C› φάντασμα νεκροῦ, φάσμα ζῶντος (ὡς προμήνυμα θανάτου).

wrangle /ˈræŋgl/ *ρ.ἀ.* λογομαχῶ, λογοφέρνω, καυγαδίζω: ~ *with sb about/over trifles*, καυγαδίζω μέ κπ γιά τό τίποτα. —*οὐσ.* ‹C› λογομαχία. ~**r** *οὐσ.* *(α)* καυγατζῆς. *(β)* (στό Καῖμπριτζ) φοιτητής πού ἀριστεύει στίς πτυχιακές ἐξετάσεις μαθηματικῶν.

wrap /ræp/ *ρ.μ/ἀ.* *(-pp-)* τυλίγω/-ομαι: ~ *a child in a shawl*, τυλίγω ἕνα παιδί μέ μιά ἐσάρπα. ~ *a shawl round one's shoulders*, τυλίγω μιά ἐσάρπα γύρω στούς ὤμους μου. *You'd better* ~ *(yourself) up well before you go out*, καλύτερα νά τυλιχτῆς καλά πρίν βγῆς ἔξω. *W*~ *it up in paper/W*~ *paper round it*, τύλιξέ το σέ/μέ χαρτί. ~ ***up a business deal***, (*καθομ.*) κλείνω μιά δουλειά. ***be*** ~***ped (up) in***, (*α*) εἶμαι κρυμμένος/τυλιγμένος: *The mountain top was* ~*ped in mist*, ἡ κορφή τοῦ βουνοῦ ἦταν κρυμμένη ἀπό τήν ὁμίχλη. *The affair is* ~*ped (up) in mystery*, ἡ ὑπόθεσις εἶναι τυλιγμένη σέ μυστήριο. (*β*) εἶμαι ἀπορροφημένος: *She's* ~*ped up in her children/studies*, εἶναι ἀπορροφημένη στά παιδιά της/στίς σπουδές της. ~**·per** *οὐσ.* ‹C› κάλυμμα (βιβλίου), ταινία (ἐφημερίδος), περιτύλιγμα (σαπουνιοῦ, κλπ). ~**·ping** *οὐσ.* ‹C,U› περιτύλιξις, χαρτί περιτυλίξεως.

wrath /rɒθ/ *οὐσ.* ‹U› (*λογοτ.*) ὀργή: *the Grapes of W*~, τά Σταφύλια τῆς Ὀργῆς. ~**·ful** /-fl/ *ἐπ.* ὀργίλος, ὠργισμένος. ~**·fully** /-fəlɪ/ *ἐπίρ.*

wreak /riːk/ *ρ.μ.* ~ ***sth on sb***, ξεσπῶ, ξεθυμαίνω, ἱκανοποιῶ: ~ *one's fury/vengeance on sb*, ξεθυμαίνω τήν ὀργή μου/ἱκανοποιῶ τήν ἐκδίκησή μου σέ κπ. ~ ***havoc (on sth)***, καταστρέφω κτ.

wreath /riːθ/ *οὐσ.* ‹C› (*πληθ.* ~*s*/riːðz/) στεφάνι, δαχτυλίδι (καπνοῦ), τολύπη: *a* ~ *of flowers*, στεφάνι λουλούδια. *a ˋfuneral* ~, στεφάνι κηδείας. ~*s of smoke*, δαχτυλίδια καπνοῦ.

wreathe /riːð/ *ρ.μ/ἀ.* **1**. ~ ***sth into***, τυλίγω, πλέκω: ~ *flowers into a garland*, πλέκω γιρλάντα μέ λουλούδια. ~***ed in/with***, τυλιγμένος, στεφανωμένος, στολισμένος: *hills* ~*d in mist*, λόφοι τυλιγμένοι στήν ὁμίχλη. *statues* ~*d with flowers*, ἀγάλματα στεφανωμένα μέ λουλούδια. *faces* ~*d in smiles*, πρόσωπα στολισμένα μέ χαμόγελα. **2**. (*γιά φυτό, φίδι, κλπ*) ~ ***itself round***, τυλίγομαι: *The snake/ivy* ~*d itself round the tree-trunk*, τό φίδι/ὁ κισσός τυλίχτηκε (γύρω) στόν κορμό τοῦ δέντρου. **3**. (*γιά καπνό, ὁμίχλη, κλπ*), ἀνεβαίνω σέ τολύπες/σέ δαχτυλίδια.

wreck /rek/ *οὐσ.* **1**. ‹C,U› ναυάγιο, καταστροφή: *The captain tried to save his ship from* ~, ὁ καπετάνιος προσπάθησε νά σώση τό πλοῖο του ἀπό τήν καταστροφή. *the* ~ *of one's hopes/plans*, τό ναυάγιο τῶν ἐλπίδων/τῶν σχεδίων μου. **2**. ‹C› ναυάγιο, ναυαγισμένο πλοῖο: *The sailors jumped from the* ~ *before it sank*, οἱ ναῦτες πήδηξαν ἀπό τό ναυαγισμένο πλοῖο πρίν βουλιάξη. **3**. ‹C› ἐρείπιο (ὄχημα, κτίριο, ἄνθρωπος): *The car was a worthless* ~ *after the collision*, τό αὐτοκίνητο ἦταν ἄχρηστο σαράβαλο μετά τή σύγκρουση. *The building was a* ~ *after the fire*, τό χτίριο ἦταν ἐρείπιο μετά τήν πυρκαγιά. *He is a* ~ *of his former self/a perfect* ~, ἔχει γίνει σκιά τοῦ ἑαυτοῦ του/τέλειο ράκος. ***(be) a nervous*** ~, (εἶμαι) σμπαραλιασμένος: *She's a nervous* ~ *after the exams*, τά νεῦρα της εἶναι σμπαραλιασμένα ὕστερα ἀπό τίς ἐξετάσεις. —*ρ.μ.* ναυαγῶ, καταστρέφω τελείως: *The ship/train was* ~*ed*, τό πλοῖο/τό τραῖνο καταστράφηκε τελείως. ~**·age** /ˈrekɪdʒ/ *οὐσ.* ‹U› συντρίμματα: *The* ~*age of the aircraft was scattered over the mountainside*, τά συντρίμματα τοῦ ἀεροπλάνου εἶχαν σκορπιστῆ στή βουνοπλαγιά. ~**er** *οὐσ.* ‹C› **1**. ναυαγοσώστης, ναυαγιαιρέτης. **2**. συλητής ναυαγίων. **3**. ὁ κατεδαφίζων παλαιά κτίρια.

wren /ren/ *οὐσ.* ‹C› (*ὀρνιθ.*) τρυποφράκτης.

wrench /rentʃ/ *οὐσ.* ‹C› **1**. ἀπότομο στρίψιμο ἤ τράβηγμα, στραμπούλισμα: *She pulled the bad tooth out with a* ~, ἔβγαλε τό χαλασμένο δόντι μ' ἕνα ἀπότομο τράβηγμα. *He gave his ankle a* ~, στραμπούλισε τόν ἀστράγαλό του. **2**. σπαραγμός (χωρισμοῦ): *It'll be a* ~ *to leave them*, θά ναι σπαραγμός νά τούς ἀφήσω. **3**. (*ἐργαλ.*) γαλλικό κλειδί. —*ρ.μ.* **1**. στραμπουλίζω (πόδι), διαστρέφω (ἔννοια, γεγονότα). **2**. ἀποσπῶ (στρίβοντας ἤ τραβώντας): ~ *sth from sb/out of sb's hands*, ἀποσπῶ κτ ἀπό κπ/ἀπό τά χέρια κάποιου. ~ *a door open*, ἀνοίγω μιά πόρτα μέ τό ζόρι.

wrest /rest/ *ρ.μ.* **1**. ἀποσπῶ βίαια: ~ *a knife from sb/out of sb's hands*, ἀποσπῶ ἕνα μαχαίρι ἀπό κπ/ἀπό τά χέρια του. ~ *a confession*, ἀποσπῶ ὁμολογία. ~ *a living from poor land*, ψευτοζῶ ἀπό ἄγονη γῆ. **2**. διαστρέφω (τήν ἔννοια, κλπ).

wrestle /ˋresl/ *ρ.ἀ.* παλεύω: ~ *with sb/a problem/a temptation/one's conscience*, παλεύω μέ κπ/μ'ἕνα πρόβλημα/μ'ἕναν πειρασμό/μέ τή συνείδησή μου.

wretch /retʃ/ *οὐσ.* ‹C› **1**. φουκαρᾶς, ταλαίπωρος. **2**. παληάνθρωπος, ἀχρεῖος. **3**. (*ἀστειολ.*) κατεργάρης.

wretched /ˋretʃid/ *ἐπ.* **1**. ἄθλιος, δυστυχισμένος: *lead a ~ life in a slum*, ζῶ ἄθλια ζωή σέ φτωχογειτονιά. *in ~ poverty*, σέ φοβερή φτώχεια. *a ~ house*, ἄθλιο σπίτι, τρώγλη. **2**. πολύ κακός: ~ *weather*, παληόκαιρος. ~ *food*, φαΐ τῆς κακιᾶς ὥρας. **3**. ἀξιοθρήνητος: *his ~ stupidity/ignorance*, ἡ ἀξιοθρήνητη ἀνοησία του/ἡ φοβερή του ἀμάθεια. **~·ly** *ἐπίρ.* ἄθλια. **~·ness** *οὐσ.* ‹U› ἀθλιότης.

wrick, rick /rɪk/ *ρ.μ.* στραμπουλίζω ἐλαφρά: ~ *one's back/ankle*, ξαφνιάζω τή μέση μου/τό πόδι μου. ~ *a muscle*, παθαίνω νευροκαβαλλίκεμα. —*οὐσ.* ‹C› ἐλαφρό στραμπούλισμα: *a ~ in the neck*, στραβολαίμιασμα.

wriggle /ˋrɪgl/ *ρ.μ/ἀ.* συστρέφομαι, στριφογυρίζω, σπαρταρῶ, ξεγλιστρῶ: *The worm ~d up on the leaf*, τό σκουλήκι ἀνέβηκε τό φύλλο (μέ συσπάσεις). *Children begin to ~ on their seats when they are bored*, τά παιδιά ἀρχίζουν νά στριφογυρίζουν στίς θέσεις τους ὅταν πλήττουν. *The fish ~d out of my hand*, τό ψάρι τινάχτηκε ἀπό τό χέρι μου σπαρταρώντας. *The eel ~d out of my fingers*, τό χέλι ξεγλίστρησε ἀπό τά δάχτυλά μου. ~ *through a hedge*, περνῶ ἕνα φράχτη (συστρέφοντας τό σῶμα). ~ *out of a difficulty*, ξεγλιστρῶ ἀπό μιά δυσκολία. *My criticism made him ~*, (*μεταφ.*) ἡ κριτική μου τόν ἔτσουξε. —*οὐσ.* ‹C› στριφογύρισμα, στρίψιμο, σπαρτάρισμα.

wright /raɪt/ *οὐσ.* (*μόνον ὡς β! συνθετικόν*) ἐργάτης, τεχνίτης: *ˋplay~*, θεατρικός συγγραφεύς. *ˋwheel~*, ἁμαξοποιός.

wring /rɪŋ/ *ρ.μ.* ἀνώμ. (*ἀόρ.* & *π.μ.* *wrung* /rʌŋ/) **1**. σφίγγω, στρίβω: ~ *sb's hand*, σφίγγω τό χέρι κάποιου. ~ *a hen's neck*, στρίβω τό λαιμό μιᾶς κόττας. **~ one's hands**, συστρέφω/στρίβω τά δάχτυλά μου (ἀπό ἀπελπισία, λύπη, ἀμηχανία, κλπ). **2**. **~ sth out, ~ sth out of/from sth**, στίβω, στραγγίζω κτ, (*μεταφ.*) ἀποσπῶ: ~ *out wet clothes*, στίβω βρεγμένα ροῦχα. ~ *out the water from clothes*, στραγγίζω/στίβω τό νερό ἀπό ροῦχα. ~ *a favour/a confession from sb*, ἀποσπῶ μιά χάρη/μιά ὁμολογία ἀπό κπ. **~·ing wet** (*γιά ροῦχα*) μούσκεμα. —*οὐσ.* ‹C› στρίψιμο, στίψιμο, σφίξιμο.

wrinkle /ˋrɪŋkl/ *οὐσ.* ‹C› ρυτίδα, ζάρα: *get ~s round one's eyes*, κάνω ρυτίδες γύρω ἀπό τά μάτια μου. *iron out the ~s in one's dress*, σιδερώνω τίς ζάρες στό φόρεμά μου. *Her new dress fits without a ~*, τό καινούργιο της φόρεμα ἔχει τέλεια ἐφαρμογή. —*ρ.μ/ἀ.* ρυτιδώνω, ζαρώνω, τσαλακώνω: ~ *up one's forehead*, ζαρώνω τό μέτωπό μου. *~d with age*, ρυτιδωμένος ἀπό τήν ἡλικία. *This material ~s easily*, αὐτό τό ὕφασμα ζαρώνει εὔκολα. **wrinkly** /ˋrɪŋklɪ/ *ἐπ.* ρυτιδωμένος, ζαρωμένος.

wrist /rɪst/ *οὐσ.* ‹C› καρπός τοῦ χεριοῦ. **ˋ~-band**, μανικέτι (πουκάμισου), λουράκι (ρολογιοῦ). **ˋ~-watch**, ρολόϊ τοῦ χεριοῦ. **ˋ~·let** /ˋrɪstlət/, βραχιόλι τοῦ χεριοῦ.

writ /rɪt/ *οὐσ.* **1**. ‹C› ἔνταλμα, ἐντολή, κλῆσις, κλήτευσις: *a ~ for the arrest of sb*, ἔνταλμα συλλήψεως κάποιου. **2**. **Holy W~**, ἡ Ἁγία Γραφή.

write /raɪt/ *ρ.μ/ἀ.* ἀνώμ. (*ἀόρ.* *wrote* /rəʊt/, *π.μ.* *written* /ˋrɪtn/) **1**. γράφω: *learn to read and ~*, μαθαίνω γραφή καί ἀνάγνωση. ~ *in ink/pencil*, γράφω μέ μελάνι/μέ μολύβι. *I'll ~ you a letter/~ to you to let you know*, θά σοῦ γράψω γράμμα/θά σοῦ γράψω γιά νά σ'ἐνημερώσω. *He promised to ~ to me regularly/~ to his parents every week*, ὑποσχέθηκε νά μοῦ γράφη ταχτικά/νά γράφη στούς γονεῖς του κάθε βδομάδα. *His honesty was written on his face*, ἡ τιμιότητά του ἦταν γραμμένη στό πρόσωπό του. **2**. συγγράφω: ~ *a novel*, γράφω ἕνα μυθιστόρημα. *He makes a living by writing*, ζεῖ ἀπό τή συγγραφή. **3**. (*μέ ἐπιρ. καί προθέσεις*):

write down, *(α)* μειώνω τήν τιμή. *(β)* σημειώνω: *W~ down my telephone number*, σημείωσε τόν ἀριθμό τοῦ τηλεφώνου μου. *I'd better ~ it down before I forget it*, καλύτερα νά τό σημειώσω πρίν τό ξεχάσω. **~ sb down as**, θεωρῶ, περιγράφω κπ: *I'd ~ him down as a fool*, ἐγώ θά τόν ἔλεγα βλάκα, πιστεύω ὅτι εἶναι βλάκας.

write in for, κάνω αἴτηση γιά κτ: *He wrote in for the vacancy*, ἔκανε αἴτηση γιά τήν κενή θέση.

write off, *(α)* γράφω στά γρήγορα: ~ *off an article for a newspaper*, γράφω στά πεταχτά ἕνα ἄρθρο γιά ἐφημερίδα. *(β)* διαγράφω, ξεγράφω, κάνω ἀπόσβεση: ~ *off a debt*, ξεγράφω ἕνα χρέος. **ˋ~-off**, διαγραφή, ἄχρηστος (λόγῳ καταστροφῆς). *After the accident the aeroplane was a complete ~-off*, ὕστερα ἀπό τό δυστύχημα τό ἀεροπλάνο ἦταν ἐντελῶς ἄχρηστο. **~ off for sth**, γράφω νά μοῦ στείλουν κτ: *He wrote off for a new washing machine*, ἔγραψε νά τοῦ στείλουν ἕνα καινούργιο πλυντήριο.

write out, γράφω πλήρως: *I'll make him ~ it out again*, θά τόν κάνω νά τό ξαναγράψη ὅλο. ~ *out a cheque*, ἑτοιμάζω (ἐκδίδω) μιά ἐπιταγή.

write up, *(α)* ἐνημερώνω, καθαρογράφω: ~ *up one's diary*, ἐνημερώνω τό ἡμερολόγιό μου. *I must ~ up my notes*, πρέπει νά καθαρογράψω τίς σημειώσεις μου. *(β)* γράφω ἐπαινετικά: *The critics wrote up the acting*, οἱ κριτικοί ἔγραψαν ἐπαινετικά γιά τό παίξιμο. *(γ)* περιγράφω λεπτομερῶς: ~ *up an event for a paper*, κάνω μιά λεπτομερῆ περιγραφή ἑνός γεγονότος γιά μιά ἐφημερίδα. **ˋ~-up**, κριτική ἐπαινετική: *The play got a good ~-up in the papers*, οἱ ἐφημερίδες ἔγραψαν ἐπαινετικά (καλή κριτική) γιά τό ἔργο. **writer** *οὐσ.* ‹C› συγγραφεύς, γραφεύς, ὁ γράφων.

writhe /raɪð/ *ρ.ἀ.* σφαδάζω, σπαρταρῶ, (*μεταφ.*) ὑποφέρω, ἀγωνιῶ: ~ *with pain/under an insult*, σφαδάζω ἀπό τόν πόνο/τρέμω ὁλόκληρος ἀπό μιά προσβολή.

writ·ing /ˋraɪtɪŋ/ *οὐσ.* **1**. ‹U› γράψιμο, γραφή: *put sth down in ~*, κάνω κτ γραφτό. **ˋ~-**

desk, γραφεῖο (ἔπιπλο). **`~-ink**, μελάνη γραφῆς. **`~-paper**, χάρτης γραφῆς. **2**. (*πληθ.*) γραφτά: *Swift's ~s*, τά γραφτά τοῦ Σουΐφτ.

writ·ten /ˈrɪtn/ *π.μ. τοῦ ρ. write.*

wrong /roŋ/ *ἐπ.* **1**. κακός, ἄδικος, ὄχι ὀρθός, μή ἐπιτρεπόμενος: *It was ~ of you to speak like that*, ἦταν κακό ἐκ μέρους σου νά μιλήσης ἔτσι. *It's ~ to tell lies*, δέν ἐπιτρέπεται (δέν εἶναι σωστό) νά λέη κανείς ψέματα. **2**. λαθεμένος, ἐσφαλμένος, ἀκατάλληλος: *Your answer is ~*, ἡ ἀπάντησή σου εἶναι λάθος. *take the ~ train*, παίρνω λάθος τραῖνο. *the ~ side of the cloth*, ἡ ἀνάποδη τοῦ ὑφάσματος. *The size is ~*, τό μέγεθος εἶναι λάθος/ἀκατάλληλο. ***be caught on the ~ foot***, καταλαμβάνομαι ἀνέτοιμος. ***be on the ~ side of***, (*γιά ἡλικία*) ἔχω περάσει τά: *He's on the ~ side of fifty*, ἔχει περάσει τά πενήντα. ***(the) ~ side out***, ἀνάποδα, τό μέσα ἔξω. **ˈ~-ˋheaded** *ἐπ.* στραβοκέφαλος. **ˈ~-ˋheadedness** *οὐσ.* ‹U› στραβοκεφαλιά. (*βλ. & λ. bed,* [1]*end*). **3**. χαλασμένος: *There is something ~ with the engine*, κάτι ἔχει ἡ μηχανή. *What's ~?* τί ἔχεις; τί συμβαίνει; τί τρέχει; *There's nothing ~ with me*, δέν μοῦ συμβαίνει/δέν ἔχω τίποτα. —*ἐπίρ.* (*συνήθ. στό τέλος τῆς προτάσεως*) λάθος, στραβά: *guess/answer ~*, μαντεύω/ἀπαντῶ λάθος. *You've got me ~*, μέ παρενόησες, δέν μέ κατάλαβες καλά. ***go ~***, (*α*) ἀκολουθῶ λάθος κατεύθυνση. (*β*) ἀποτυχαίνω, στραβώνω: *All our plans went ~*, ὅλα μας τά σχέδια στράβωσαν. (*γ*) χαλῶ: *The engine went ~*, ἡ μηχανή χάλασε. —*οὐσ.* ‹C,U› **1**. κακό: *do ~*, κάνω κακό. *the difference between right and ~*, ἡ διαφορά μεταξύ τοῦ καλοῦ καί τοῦ κακοῦ. *Two ~s don't make a right*, δυό κακά δέν κάνουν ἕνα καλό. **ˈ~-ˋdoer**, δράστης, κακοποιός, παραβάτης. **ˈ~-ˋdoing**, ἀδικία, παρανομία, κακή πρᾶξις. **2**. ἀδικία: *suffer ~*, ὑφίσταμαι ἀδικία. *do sb a great ~*, κάνω μεγάλη ἀδικία σέ κπ. ***be in the ~***, ἔχω ἄδικο. ***put sb in the ~***, ρίχνω τό βάρος/τό φταίξιμο σέ κπ, ἐνοχοποιῶ κπ. —*ρ.μ.* ἀδικῶ κπ: *You have ~ed me*, μέ ἀδίκησες. **~·ful** /-fl/ *ἐπ.* ἄδικος, παράνομος. **~·fully** /-fəlɪ/ *ἐπίρ.* **~·ly** *ἐπίρ.* (*ἰδ. πρό π.μ.*) λανθασμένα, ἄδικα: *~ly informed*, λάθος πληροφορημένος. *~ly accused*, ἄδικα κατηγορηθείς.

wrote /rəʊt/ *ἀόρ. τοῦ ρ. write.*

wrought /rɔt/ (*σπανιώτ.*) *ἀόρ. & π.μ. τοῦ ρ.* [2]*work*. **~ iron**, σφυρήλατος σίδηρος. **ˈ~-ˋup** *ἐπ.* ἐξημμένος, ἀναστατωμένος.

wrung /rʌŋ/ *ἀόρ. & π.μ. τοῦ ρ. wring.*

wry /raɪ/ *ἐπ.* (*wrier, wriest*) στραβός, πικρόχολος, εἰρωνικός: *make a ~ face*, στραβομουτσουνιάζω. *give a ~ smile*, χαμογελῶ βεβιασμένα, κάνω ὅτι χαμογελῶ. **~·ly** *ἐπίρ.* ἀπογοητευμένα, πικρόχολα, εἰρωνικά.

X x

X, x /eks/ **1**. τό 24ο γράμμα τοῦ ἀλφάβητου. **2**. (*μαθημ.*) ὁ ἄγνωστος X.

xeno·phobe /ˋzenəfəʊb/ *οὐσ.* ‹C› μισόξενος, ξενόφοβος.

xeno·phobia /ˈzenəˋfəʊbɪə/ *οὐσ.* ‹U› ξενοφοβία.

Xerox /ˋzɪərɔks/ *οὐσ.* ‹C› φωτοαντίγραφο. —*ρ.μ.* βγάζω φωτοαντίγραφα.

Xerxes /ˋzɜksiz/ *οὐσ.* Ξέρξης.

Xmas /ˋkrɪsməs/ *οὐσ.* ‹C› (*συνήθως βραχυλ. στήν γραφή γιά Christmas*) Χριστούγεννα.

X-ray /ˋeks reɪ/ *οὐσ.* ‹C› **1**. ἀκτῖνες X. **2**. ἀκτινογραφία. —*ρ.μ.* ἀκτινογραφῶ.

xylo·nite /ˋzaɪlənaɪt/ *οὐσ.* ‹U› σελλουλόϊντ.

xylo·phone /ˋzaɪləfəʊn/ *οὐσ.* ‹C› ξυλόφωνον.

Y y

Y, y /waɪ/ τό 25ο γράμμα τοῦ ἀλφάβητου.

yacht /jɔt/ *οὐσ.* ‹C› γιώτ, κότερο, θαλαμηγός. **ˋ~-club**, ναυτικός/ἱστιοπλοϊκός ὅμιλος. **ˋ~s·man** /-smən/ *οὐσ.* ‹C› ἱστιοπλόος, ἰδιοκτήτης θαλαμηγοῦ. **ˋ~s·man·ship** *οὐσ.* ‹U› ἱστιοπλοϊκή ἱκανότης, ἐπιδεξιότης κυβερνήτου θαλαμηγοῦ. —*ρ.ἀ.* κάνω ἱστιοπλοΐα/κρουαζιέρα μέ γιώτ. **~·ing** *οὐσ.* ‹U› ἱστιοπλοΐα, κρουαζιέρα μέ γιώτ.

yah /ja/ *ἐπιφ. ἀποστροφῆς ἤ χλευασμοῦ* πφ! ωααα!

yam /jæm/ *οὐσ.* ‹C› γλυκοπατάτα.

yam·mer /ˋjæmə(r)/ *ρ.ἀ.* (*ΗΠΑ, καθομ.*) **1**. γκρινιάζω, κλαψουρίζω. **2**. φλυαρῶ, ἀνοηταίνω.

yank /jæŋk/ *ρ.μ.* τραβῶ ἀπότομα: *~ out a tooth*, βγάζω δόντι μέ ἀπότομο τράβηγμα. *~ the bed-clothes off sb*, ξεσκεπάζω κπ ἀπότομα, τραβῶ ἀπότομα τίς κουβέρτες ἀπό κπ.

Yank /jæŋk/ *οὐσ.* (*λαϊκ. γιά*) *Yankee*.

Yan·kee /ˋjæŋkɪ/ *οὐσ.* ‹C› Γιάνκης, Ἀμερικανός.

yap /jæp/ *οὐσ.* ‹C› (κοφτό, ὀξύ, ἐπανειλημμένο) γαύγισμα (*ἰδ.* μικροῦ σκυλιοῦ). —*ρ.ἀ.*

1. γαυγίζω. **2**. (*λαϊκ.*) σαχλαμαρίζω, φωνάζω: *Stop ~ing!* κόψε τή λίμα!

[1]**yard** /jad/ *οὐσ.* ‹C› **1**. αὐλή (σπιτιοῦ, σταύλου), προαύλιο (σχολείου): *a 'farm~*, αὐλή ἀγροικίας. *a 'cattle-~*, αὐλή σταύλου. *a school ~*, προαύλιον σχολείου. (*βλ.* & *λ. back, dock, marshalling, ship, vine*). **2**. **the Y~**, (*καθομ.*) ἡ Σκώτλαντ Γιάρδ.

[2]**yard** /jad/ *οὐσ.* ‹C› **1**. γυάρδα, ὑάρδα (0.914 τοῦ μέτρου): *buy/sell by the ~*, ἀγοράζω/πουλῶ μέ τή γυάρδα. **'~-'measure**, μεζούρα τῆς γυάρδας. **'~·stick**, (*μεταφ.*) μέτρο συγκρίσεως. **2**. (*ναυτ.*) κεραία, ἀντένα. ***man the ~s***, παρατάσσω ναῦτες πρός χαιρετισμόν.

yarn /jan/ *οὐσ.* **1**. ‹U› νῆμα, κλωστή. **2**. ‹C› (*καθομ.*) ἱστορία, ἀφήγημα. ***spin a ~***, λέω μιά ἱστορία: *The beggar spun a long ~ about his misfortunes*, ὁ διακονιάρης εἶπε μιά μεγάλη ἱστορία γιά τά βάσανά του. —*ρ.ἀ.* λέω ἱστορίες: *We stayed up ~ing until midnight*, καθήσαμε ὥς τά μεσάνυχτα λέγοντας ἱστορίες.

yash·mak /'jæʃmæk/ *οὐσ.* ‹C› γιασμάκι, φερετζές.

yawn /jɔn/ *οὐσ.* ‹C› χασμουρητό. —*ρ.ἀ.* **1**. χασμουριέμαι: *~ing is catching*, τό χασμουρητό εἶναι κολλητικό. ***~ one's head off***, μοῦ φεύγουν τά σαγόνια ἀπό τό χασμουρητό. **2**. χαίνω, χάσκω: *a ~ing wound*, ὀρθάνοιχτη πληγή, χαῖνον τραῦμα. *A gulf ~ed at our feet*, ἕνα βάραθρο ἔχασκε μπρός στά πόδια μας.

ye /ji/ **1**. ἀντων. (*ἀρχ. τύπος τοῦ you*) ἐσεῖς, ἐσᾶς: *Ye fools!* ἀνόητοι ἐσεῖς! **2**. (*ἀρχ. τύπος τοῦ the, ἀπαντώμενο σέ ἐπιγραφές*): *Ye Olde Bull = The Old Bull.*

yea /jeɪ/ *ἐπίρ. ἐπιφ.* & *οὐσ.* ‹C› (*ἀρχ. τύπος τοῦ yes*) ναί: *yeas and nays*, οἱ (ψηφίζοντες) ὑπέρ καί οἱ κατά (*ἐν χρήσει: ayes and noes*).

yeah /jeə/ *ἐπίρ.* (*λαϊκ.*) ναί.

year /jɪə(r)/ *οὐσ.* ‹C› **1**. ἔτος, χρόνος: *this/next/last ~*, φέτος/τοῦ χρόνου/πέρυσι. *the ~ before last/after next*, πρόπερσι/τόν μεθεπόμενο χρόνο. *the calendar ~*, τό ἡμερολογιακόν ἔτος. *the school/academic ~*, τό σχολικό/ἀκαδημαϊκό ἔτος. *the financial/fiscal ~*, τό οἰκονομικό ἔτος. *the Thirty Years' War*, ὁ Τριακονταετής Πόλεμος. *a student in his third ~*, τριτοετής φοιτητής. *He was blinded in his tenth ~*, ἔχασε τό φῶς στά δέκα του χρόνια. ***~ in ~ out***, χρόνο μέ τό χρόνο, χρόνος μπαίνει χρόνος βγαίνει. ***all the ~ round***, ὁλοχρονίς. ***in this ~ of grace/of our Lord***, κατά τό σωτήριον ἔτος... **'~-book**, ἐπετηρίς (τοῦ Χρηματιστηρίου, Ἐμπορικοῦ Ἐπιμελητηρίου, κλπ). **'~-'long** *ἐπ.* διαρκείας ἑνός ἔτους: *our ~-long efforts*, οἱ προσπάθειές μας ἑνός ὁλόκληρου χρόνου. **2**. (*πληθ.*) ἡλικία: *a boy of ten ~s; a boy ten ~s old; a 'ten-~ old boy*, παιδί δέκα χρονῶν/ἡλικίας δέκα ἐτῶν/δεκάχρονο παιδί. *She looks young for her ~s*, φαίνεται νέα γιά τήν ἡλικία της. **~·ly** *ἐπ.* ἐτήσιος. —*ἐπίρ.* ἀνά ἔτος, μιά φορά τό χρόνο.

year·ling /'jɜlɪŋ/ *οὐσ.* ‹C› & *ἐπ.* (ζῶον) ἑνός ἔτους.

yearn /jɜn/ *ρ.ἀ.* ***~ (for/after/to do sth)***, λαχταρῶ, ποθῶ διακαῶς: *~ for/after home*, νοσταλγῶ τήν πατρίδα. *~ for affection*, λαχταρῶ στοργή. *~ to return home*, λαχταρῶ νά γυρίσω στήν πατρίδα. **~·ing** *οὐσ.* ‹C,U› (*συνήθ. πληθ.*) λαχτάρα, καϋμός. **~·ing·ly** *ἐπίρ.* μέ λαχτάρα: *look at sth ~ingly*, τρώω κτ μέ τά μάτια.

yeast /jist/ *οὐσ.* ‹U› προζύμι, μαγιά. **~y** *ἐπ.* ἀφρώδης.

yell /jel/ *ρ.μ/ἀ.* **1**. οὐρλιάζω, ὠρύομαι, σκούζω: *~ with fright/laughter/pain*, σκούζω ἀπό τρόμο/ἀπό γέλια/ἀπό πόνο. **2**. ***~ sth (out)***, λέω σκούζοντας: *~ out an order/oath*, δίνω μιά διαταγή/λέω μιά βλαστήμια σκούζοντας. —*οὐσ.* ‹C› σκούξιμο, οὔρλιασμα, κραυγή: *a ~ of terror*, κραυγή τρόμου. *~s of hate*, οὐρλιάσματα μίσους.

yel·low /'jeləʊ/ *ἐπ.* **1**. κίτρινος: *turn/go ~*, κιτρινίζω. *the ~ race/peril*, ἡ κίτρινη φυλή/ὁ κίτρινος κίνδυνος. **'~ 'fever**, κίτρινος πυρετός. **'~-flag**, κίτρινη σημαία (καραντίνας). **the ~ press**, ὁ κίτρινος (σκανδαλοθηρικός) τύπος. **2**. (*συχνά* **'~-bellied**) (*καθομ.*) δειλός: *He has a ~ streak in him*, εἶναι λιγάκι δειλός. —*οὐσ.* ‹C,U› τό κίτρινο χρῶμα. —*ρ.μ/ἀ.* κιτρινίζω: *The leaves of the book were ~ed/had ~ed with age*, τά φύλλα τοῦ βιβλίου εἶχαν κιτρινίσει ἀπό τά χρόνια. *The leaves of the trees are ~ing*, τά φύλλα τῶν δέντρων ἀρχίζουν νά κιτρινίζουν. **~·ish** /-ɪʃ/ *ἐπ.* κιτρινωπός. **~·ness** *οὐσ.* ‹U› κιτρινίλα.

yelp /jelp/ *οὐσ.* ‹C› (ἀπότομη, δυνατή) κραυγή, γαύγισμα: *a ~ of pain/excitement/anger*, μιά κραυγή πόνου/ἐνθουσιασμοῦ/θυμοῦ. —*ρ.ἀ.* γαυγίζω, κραυγάζω: *The dog ~ed/gave a ~ when I trod on its paw*, ὁ σκύλος γαύγισε δυνατά (ἔβγαλε κραυγή πόνου) ὅταν τοῦ πάτησα τό πόδι.

[1]**yen** /jen/ *οὐσ.* ‹C› & *ρ.ἀ.* (*ΗΠΑ, καθομ.*) *βλ. yearn.*

[2]**yen** /jen/ *οὐσ.* (*ἀμετάβλ. στόν πληθ.*) γιέν (νομισματική μονάς τῆς Ἰαπωνίας).

yeo·man /'jəʊmən/ *οὐσ.* ‹C› **1**. ἀγρότης μικροκτηματίας. **'~ service**, (*α*) μακροχρόνια καί ἀποδοτική ὑπηρεσία. (*β*) βοήθεια σέ ὥρα ἀνάγκης. **2**. ἐθελοντής τοῦ ἱππικοῦ. **Y~ of the Guard**, φύλακας τοῦ Πύργου τοῦ Λονδίνου, μέλος τῆς ἀνακτορικῆς φρουρᾶς. **3**. **~ of signals**, (*ΜΒ, πολεμ. ναυτ.*) βοηθός ἀποθηκάριος, (*ΗΠΑ*) ὑπαξιωματικός γραφεύς. **~ry** /-nrɪ/ *οὐσ.* (*συλλογ.*) ἱππικό ἀπό ἐθελοντές ἀγρότες.

yes /jes/ *ἐπίρ.* ναί.

yes·ter- /'jestə(r)/ *πρόθεμα* (*ἰδ. ποιητ.*) προηγούμενος: *Where are the snows of '~-year?* ποῦ εἶναι τά χιόνια τῆς προηγούμενης χρονιᾶς (τά περυσινά χιόνια);

yes·ter·day /'jestədɪ/ *ἐπίρ.* & *οὐσ.* χθές: *~ morning/afternoon/evening*, χθές τό πρωΐ/τό ἀπόγευμα/τό βράδυ (*πρβλ. last night*). *She left for London ~ week*, ἔφυγε γιά τό Λονδῖνο σά χθές ὀκτώ. *Where's ~'s paper?* ποῦ εἶναι ἡ χθεσινή ἐφημερίδα;

yet /jet/ *ἐπίρ.* **1**. (*σέ ἀρνητικές, ὑποθετικές καί προτάσεις ἀμφιβολίας. Μπαίνει στό τέλος ἤ μετά τό not*) ἀκόμη: *They are not here ~/not ~ here*, δέν ἔφθασαν ἀκόμα ἐδῶ. **2**. (*σέ ἐρωτηματικές προτάσεις*) μήπως, ἀπό/ὥς τώρα:

Has the postman been ~? μήπως πέρασε ὁ ταχυδρόμος; *Need you go ~?* εἶναι ἀνάγκη νά φύγετε ἀπό τώρα; **3**. (*σέ καταφατικές προτάσεις, μέ τήν ἔννοια τοῦ still, τό ὁποῖον καί προτιμᾶται*) ἀκόμη, μέχρι τώρα: *Be thankful you are ~ alive*, νά εὐχαριστῆς τό Θεό πού ζεῖς ἀκόμα. *while there's ~ time*, ἐνῶ ὑπάρχει ἀκόμα χρόνος. *This is ~ more difficult*, αὐτό εἶναι ἀκόμα πιό δύσκολο. **4**. κι' ὅμως... ἀκόμη: *The enemy may win ~*, κι' ὅμως μπορεῖ νά νικήση ὁ ἐχθρός ἀκόμη. *He may ~ surprise us all*, κι' ὅμως μπορεῖ ἀκόμη νά μᾶς ἐκπλήξη ὅλους. **5**. ***as ~***, μέχρι τώρα/τότε, ὥς αὐτή τή στιγμή: *We have not finished as ~*, δέν ἔχομε τελειώσει ὥς αὐτή τή στιγμή. ***nor ~***, (*λόγ.*) κι' οὔτε: *I don't like the green hat nor ~ the black one*, δέν μοῦ ἀρέσει τό πράσινο καπέλλο κι' οὔτε τό μαῦρο. __*σύνδ.* κι' ὡστόσο, κι' ὅμως, ἀλλά: *He worked hard, ~ he failed*, δούλεψε σκληρά κι' ὡστόσο ἀπέτυχε. *He's a clever, ~ lazy, boy*, εἶναι ἔξυπνο ἀλλά τεμπέλικο παιδί.

yew /ju/ *οὐσ.* ‹C,U› τάξος, ἥμερο ἔλατο.

Yid·dish /ˋjɪdɪʃ/ *οὐσ.* ‹U› ἑβραϊκή διάλεκτος πού περιέχει λέξεις ἀπό πολλές Εὐρωπαϊκές γλῶσσες.

yield /jild/ *ρ.μ/ὰ.* **1**. (ἀπο)δίδω, (ἀπο)φέρω: *Fertile land ~s good crops*, ἡ εὔφορη γῆ δίνει καλή σοδειά. *trees that ~ fruit*, δέντρα πού δίνουν καρπό. *Investments ~ing 10%*, ἐπενδύσεις πού ἀποδίδουν 10%. **2**. ***~ (to sb/ sth)***, ἐνδίδω, ὑποχωρῶ, ὑποκύπτω: *He ~ed to temptation*, ἐνέδωσε στόν πειρασμό. *We'll never ~ to force*, ποτέ δέν θά ὑποκύψωμε στή βία. *~ to sb's entreaties/wishes*, ὑποχωρῶ στίς ἱκεσίες/ἐπιθυμίες κάποιου. *The disease ~ed to treatment*, ἡ ἀσθένεια ὑπεχώρησε μέ τή θεραπεία. **3**. ***~ (up) sth (to sb)***, παραδίδω: *~ ground/a fort to the enemy*, παραδίδω ἔδαφος/ἕνα φρούριο στόν ἐχθρό. ***~ up the ghost***, (*λογοτ.*) παραδίδω τό πνεῦμα. __*οὐσ.* ‹C,U› παραγωγή, προϊόν, ἐσοδεία, ἀπόδοσις, κέρδος: *We have a good ~ of wheat/apples*, ἔχομε καλή σοδειά (παραγωγή) σταριοῦ/μήλων. *What's the ~ per acre?* ποιά εἶναι ἡ ἀπόδοσις κατά στρέμμα; **~·ing** *ἐπ.* ὑποχωρητικός, μαλακός, διαλλακτικός. **~·ing·ly** *ἐπίρ.*

yip·pee /ˋjɪpɪ/ *ἐπιφ. ἐνθουσιασμοῦ καί χαρᾶς* οὔρρα! γιούπι!

yippy, yip·pie /ˋjɪpɪ/ *οὐσ.* ‹C› γίπυ (παραλλαγή τῶν χίπυς).

yob, yobo, yobbo /job, ˋjobəʊ/ *οὐσ.* ‹C› (*λαϊκ., γιά νεαρό*) μάπας.

yodel /ˋjəʊdl/ *οὐσ.* ‹C› τυρολέζικο τραγούδι χωρίς λόγια, γιόντλ. __*ρ.μ/ὰ. (-ll-)* τραγουδῶ μέ ψιλή ψεύτικη φωνή.

yoga /ˋjəʊgə/ *οὐσ.* ‹U› γιόγκα. **yogi** /ˋjəʊgɪ/ *οὐσ.* ‹C› (*πληθ.* *~s*) γιόγκι, Ἰνδός ἀσκητής.

yo·gurt, yo·ghurt, yo·ghourt /ˋjogət/ *οὐσ.* ‹U› γιαούρτι.

yoke /jəʊk/ *οὐσ.* ‹C› **1**. (*κυριολ. & μεταφ.*) ζυγός: *the ~ of a tyrant/of convention*, ὁ ζυγός ἑνός τυράννου/τῶν συμβατικοτήτων. *under the ~ of the Turks*, ὑπό τόν ζυγό τῶν Τούρκων. ***pass/come under the ~***, (*μεταφ.*) ἀναγνωρίζω τήν ἧττα μου. ***throw off the ~***, (*μεταφ.*) ἀποτινάσσω τό ζυγό. **2**. (*ἀμετάβλ. στόν πληθ.*) ζευγάρι βόδια. **3**. ζυγός γιά μεταφορά δύο κάδων. **4**. λαιμαργιά. __*ρ.μ/ὰ.* ζεύω/-ομαι: *~d to the plough*, ζεμένος στ' ἀλέτρι. *~d to a partner*, ζεμένος μέ συνεταῖρο. *~d in marriage*, ζεμένος σέ γάμο.

yokel /ˋjəʊkl/ *οὐσ.* ‹C› χαζοχωριάτης.

yolk /jəʊk/ *οὐσ.* ‹C,U› κρόκος (αὐγοῦ).

yon /jon/ (*ἀπηρχ.*) *βλ. yonder.*

yon·der /ˋjondə(r)/ *ἐπ. & ἐπίρ.* (*λογοτ.*) ἐκεῖνος, ἐκεῖ (πέρα/πάνω/κάτω).

yore /jɔ(r)/ *οὐσ.* ‹U› (*μόνον στή φρ.*) ***of ~***, παληά, τόν παληό καιρό, ἄλλοτε.

you /ju/ *ἀντων.* **1**. (*προσωπ.*) ἐσύ, ἐσένα, σέ, ἐσεῖς, ἐσᾶς, σᾶς: *Y~ know*, (ἐσύ) ξέρεις. *I see ~*, σέ βλέπω. *This is for ~*, αὐτό εἶναι γιά σένα. **2**. (*ἀόριστη, καθομ.*) κανείς, οἱοσδήποτε: *Y~ never know*, δέν ξέρει κανείς. **3**. (*ἀμετάφραστη στήν κλητική πρό οὐσιαστικοῦ*): *Y~ silly ass!* βλάκα!

young /jʌŋ/ *ἐπ. (-er, -est)* **1**. νέος: *a ~ man/tree/animal/nation*, νέος ἄνδρας /νέο δέντρο/ζῶο/ἔθνος. *The evening is still ~*, (*ποιητ.*) ἡ βραδυά εἶναι ἀκόμη νέα, μόλις ἄρχισε ἡ βραδυά. *the ~ Smith*, ὁ νέος Σμίθ (σέ ἀντιδιαστολή μέ τόν πατέρα του). *the ~er Pliny*, ὁ Πλίνιος ὁ νεώτερος. **2**. νεαρός: *Listen to me, ~ man*, ἄκουσέ με, νεαρέ. **3**. νέος, ἄπειρος: *He's ~ in crime*, εἶναι νέος στό ἔγκλημα. **4**. νέοι: *~ and old*, μικροί καί μεγάλοι. *books for the ~*, βιβλία γιά νέους. __*οὐσ.* ‹U› μικρά (ζώων): *The cat fought to defend its ~*, ἡ γάτα πάλεψε νά ὑπερασπίση τά μικρά της. ***with ~***, (*γιά ζῶο*) ἔγκυος: *a cow with ~*, γκαστρωμένη γελάδα. **~·ish** /ˋjʌŋɪʃ/ *ἐπ.* ἀρκετά/μᾶλλον νέος. **~·ster** /ˋjʌŋstə(r)/ *οὐσ.* ‹C› νεαρός.

your /jɔ(r)/ *κτητ. ἐπ.* (δικός) σου, σας: *Is this ~ house?* εἶναι αὐτό τό σπίτι σας;

you're /jɔ(r)/ = *you are.*

yours /jɔz/ *κτητ. ἀντων.* δικός σου/σας: *Is this house ~?* εἶναι αὐτό τό σπίτι δικό σας; (*βλ. & λ. sincerely, faithfully*).

your·self /jɔˋself/ *βλ.* [1]*self.*

youth /juθ/ *οὐσ.* (*πληθ.* *~s* /juðz/) **1**. ‹U› νεότης, νιότη: *the friends of one's ~*, οἱ φίλοι τῆς νεότητός μου. *the enthusiasm of ~*, ὁ ἐνθουσιασμός τῆς νιότης. *in my ~*, στά νιάτα μου. **2**. ‹C› νέος: *As a ~ he was no genius*, σά νέος δέν ἦταν ἰδιοφυΐα. *A group of ~s*, μιά ὁμάδα νέοι. **3**. (*συλλογ.*) νιάτα, νεολαία: *the ~ of a nation*, τά νιάτα ἑνός ἔθνους. *a ˋ~ club/centre*, λέσχη/κέντρο νεότητος. **~·ful** /-fl/ *ἐπ.* νεανικός: *a ~ful appearance*, νεανική ἐμφάνιση. **~·fully** /-fəlɪ/ *ἐπίρ.* **~·ful·ness** *οὐσ.* ‹U› νεανικότης.

you've /juv/ = *you have.*

yowl /jaʊl/ *ρ.ὰ.* οὐρλιάζω, σκούζω. __*οὐσ.* ‹C› οὔρλιασμα (*ἰδ.* πόνου ἤ ἀγωνίας).

yoyo /ˋjəʊjəʊ/ *οὐσ.* ‹C› γιογιό.

yule /jul/ *οὐσ.* (*καί* **ˋ~-tide**) (*ἀπηρχ.*) Χριστούγεννα. **ˋ~-log**, κούτσουρο πού καίγεται τήν παραμονή τῶν Χριστουγέννων.

Z, z /zed/ τό 26ο γράμμα τοῦ ἀλφάβητου.
zany /ˋzeɪnɪ/ *οὐσ.* ‹C› (*παλαιότ.*) γελωτοποιός, κλόουν, παληάτσος, (*ἐν χρήσει*) χαζός, ἠλίθιος, παλαβιάρης. —*ἐπ.* παλαβός, χαζός.
zeal /zil/ *οὐσ.* ‹U› ζῆλος, ἐνθουσιασμός: *show ~ for sth*, δείχνω ζῆλο γιά κτ. *work with great ~*, δουλεύω μέ μεγάλο ζῆλο. **~·ous** /ˋzeləs/ *ἐπ.* ἔνθερμος, πρόθυμος, φλογερός, ἐνθουσιώδης: *a ~ous follower*, ἐνθουσιώδης ὀπαδός. *~ous to please*, πού φλέγεται νά εὐχαριστήση/νά ἐξυπηρετήση. *~ous for freedom and democracy*, γεμᾶτος ἐνθουσιασμό/φλόγα γιά τήν ἐλευθερία καί τή δημοκρατία. **~·ous·ly** *ἐπίρ.* ἐνθουσιωδῶς.
zealot /ˋzelət/ *οὐσ.* ‹C› ζηλωτής, φανατισμένος. **~ry** /-trɪ/ *οὐσ.* ‹U› φανατισμός, πάθος.
zebra /ˋzibrə/ *οὐσ.* ‹C› (*ζωολ.*) ζέβρα. **ˈ~ ˋcrossing**, διάβασις πεζῶν (μέ λευκές ραβδώσεις).
zen·ana /zɪˋnanə/ *οὐσ.* ‹C› (*στήν Περσία καί τίς Ἰνδίες*) γυναικωνίτης.
zen·ith /ˋzenɪθ/ *οὐσ.* ‹C› ζενίθ, ἀποκορύφωμα: *at the ~ of his career*, (*μεταφ.*) στό ζενίθ τῆς σταδιοδρομίας του.
zephyr /ˋzefə(r)/ *οὐσ.* ‹C› ζέφυρος.
zero /ˋzɪərəʊ/ *οὐσ.* ‹C› μηδέν: *The temperature fell to ~/is at ~*, ἡ θερμοκρασία ἔπεσε στό μηδέν/εἶναι στό μηδέν. *It was ten degrees below ~*, ἦταν δέκα βαθμούς ὑπό τό μηδέν. **ˋ~ hour**, ὥρα μηδέν.
zest /zest/ *οὐσ.* ‹U› **1**. κέφι, ἐνθουσιασμός, ὄρεξις: *do sth with ~*, κάνω κτ μέ κέφι/μέ ὄρεξη. *eat/fight with ~*, τρώω/πολεμάω μέ ἐνθουσιασμό, μέ ἀπόλαυση. **2**. *The possibility of danger gave (a) ~ to the adventure*, τό ἐνδεχόμενο κινδύνου ἔδινε νοστιμάδα στήν περιπέτεια/τήν ἔκανε πιό ἀπολαυστική.
zeug·ma /zɪˋugmə/ *οὐσ.* ‹C› (*ρητ.*) ζεῦγμα.
zig·zag /ˋzɪgzæg/ *ἐπ.* & *οὐσ.* ‹C› ζίγκ-ζάγκ: *move in a ~*, πηγαίνω ζίγκ-ζάγκ. *a ~ path*, ζίγκ-ζάγκ μονοπάτι. —*ρ.ἀ.* *(-gg-)* πηγαίνω ζίγκ-ζάγκ, παραπατῶ, τρεκλίζω: *The drunken man ~ged down the road*, ὁ μεθυσμένος κατέβαινε τό δρόμο τρεκλίζοντας.
zinc /zɪŋk/ *οὐσ.* ‹U› ψευδάργυρος, τσίγκος.
zin·nia /ˋzɪnɪə/ *οὐσ.* ‹C,U› (*βοτ.*) ζίννια.
Zion /ˋzaɪən/ *οὐσ.* Σιών. **~·ism** /-ɪzm/ *οὐσ.* ‹U› σιωνισμός. **~·ist** /-ɪst/ *οὐσ.* ‹C› σιωνιστής.
zip /zɪp/ *οὐσ.* ‹C› σφυριχτός ἦχος: *the ~ of a bullet*, τό σφύριγμα μιᾶς σφαίρας. —*ρ.μ.* *(-pp-)* **1**. σφυρίζω: *The bullet ~ped by me*, ἡ σφαῖρα σφύριξε πλάϊ μου. *The car ~ped past*, τό αὐτοκίνητο πέρασε σάν ἀστραπή. **2**. ἀνοίγω/κλείνω μέ φερμουάρ. **zip, zip·per, zip-fastener** /ˋzɪp fasnə(r)/ *οὐσ.* ‹C› φερμουάρ. **ˋzip code**, (*ΗΠΑ*) ταχυδρομικός κῶδιξ.
zither /ˋzɪðə(r)/ *οὐσ.* ‹C› (*μουσ.*) τσίτερ, σαντούρι.
zo·diac /ˋzəʊdɪæk/ *οὐσ.* (*ἀστρολ.*) ζωδιακός κύκλος: *the signs of the ~*, τά ζώδια, τά σύμβολα τοῦ ζωδιακοῦ κύκλου.
zone /zəʊn/ *οὐσ.* ‹C› ζώνη: *the ˋtorrid ~*, ἡ διακεκαυμένη ζώνη. *the ˋtemperate ~s*, οἱ εὔκρατες ζῶνες. *the ˋfrigid ~s*, οἱ κατεψυγμένες ζῶνες. *the war ~*, ἡ ζώνη τοῦ πολέμου, ἡ πολεμική ζώνη. *a dangerous ~*, ἐπικίνδυνη ζώνη. —*ρ.μ.* χωρίζω (πόλη, χώρα, κλπ) σέ ζῶνες.
zoo /zu/ *οὐσ.* ‹C› ζωολογικός κῆπος: *go to the ~; spend the day at the ~*.
zo·ol·ogy /zuˋolədʒɪ/ *οὐσ.* ‹U› ζωολογία. **zo·olog·ical** /ˈzuəˋlodʒɪkl/ *ἐπ.* ζωολογικός. **zo·ol·ogist** /zuˋolədʒɪst/ *οὐσ.* ‹C› ζωολόγος.
zoom /zum/ *οὐσ.* **1**. ‹U› βόμβος, βουΐσμα, βουητό. **2**. (*ἀεροπλ.*) κατακόρυφος ἀνύψωσις, (*μεταφ.*) ἀπότομη ἄνοδος. **~ lens**, ζούμ, φακός μεταβλητῆς ἑστιακῆς ἀποστάσεως. —*ρ.ἀ.* **1**. βουΐζω: *The cars ~ed past*, τά αὐτοκίνητα προσπερνοῦσαν μέ βουή. **2**. (*γιά ἀεροπλ., μεταφ.*) ἀνυψοῦμαι κατακορύφως: *Prices ~ed sharply*, οἱ τιμές ἀνέβηκαν ἀπότομα. **3**. (*φωτογρ.*) *~ **in/out***, ἐμφανίζω τό φωτογραφιζόμενο ἀντικείμενο πλησιέστερα/μακρύτερα.
zounds /zaʊndz/ *ἐπ.* (*ἀπηρχ.*) νά πάρη ἡ ὀργή!
zuc·chini /zuˋkinɪ/ *οὐσ.* (*πληθ. ἀμετάβλ. ἤ ~s*) (*ἰδ.* ΗΠΑ) κολοκυθάκια.

Παράρτημα I **Κατάλογος ἀνωμάλων ρημάτων**

(Δίνονται ἐδῶ οἱ τρεῖς βασικοί τύποι κάθε ἀνωμάλου ρήματος. Γιά τήν προφορά τους καί τήν ἔννοιά τους ὁ σπουδαστής θά πρέπη νά ἀνατρέξη στό σχετικό ἀπαρεμφατικό λῆμμα τοῦ λεξικοῦ).

Ἀπαρέμφατον	Ἀόριστος	Παθητική Μετοχή
abide	abode, abided	abode, abided
arise	arose	arisen
awake	awoke	awaked, awoke
be	was	been
bear	bore	borne
beat	beat	beaten
become	became	become
befall	befell	befallen
beget	begot, begat	begotten
begin	began	begun
behold	beheld	beheld
bend	bent	bent
bereave	bereaved, bereft	bereaved, bereft
beseech	besought	besought
beset	beset	beset
bet	bet, betted	bet, betted
bid	bade	bidden
bind	bound	bound
bite	bit	bitten
bleed	bled	bled
blend	blended, blent	blended, blent
bless	blessed, blest	blessed, blest
blow	blew	blown
break	broke	broken
breed	bred	bred
bring	brought	brought
broadcast	broadcast	broadcast
build	built	built
burn	burnt, burned	burnt, burned
burst	burst	burst
buy	bought	bought
cast	cast	cast
catch	caught	caught
chide	chided, chid	chided, chid
choose	chose	chosen
cleave	clove, cleft	cloven, cleft
cling	clung	clung
come	came	come
cost	cost	cost
creep	crept	crept
cut	cut	cut
deal	dealt	dealt
dig	dug	dug
do	did	done
draw	drew	drawn
dream	dreamed, dreamt	dreamed, dreamt
drink	drank	drunk
drive	drove	driven
dwell	dwelled	dwelt
eat	ate	eaten
fall	fell	fallen
feed	fed	fed
feel	felt	felt
fight	fought	fought
find	found	found
flee	fled	fled
fling	flung	flung
fly	flew	flown
forbear	forbore	forborne
forbid	forbade, forbad	forbidden

forecast	forecast, forecasted	forecast, forecasted
foresee	foresaw	foreseen
foretell	foretold	foretold
forget	forgot	forgotten
forgive	forgave	forgiven
forsake	forsook	forsaken
forswear	forswore	forsworn
freeze	froze	frozen
gainsay	gainsaid	gainsaid
get	got	got
gird	girded, girt	girded, girt
give	gave	given
go	went	gone
grave	graved	graven
grind	ground	ground
grow	grew	grown
hamstring	hamstrung	hamstrung
hang	hung, hanged	hung, hanged
have	had	had
hear	heard	heard
heave	heaved, hove	heaved, hove
hew	hewed	hewed, hewn
hide	hid	hidden
hit	hit	hit
hold	held	held
hurt	hurt	hurt
inlay	inlaid	inlaid
keep	kept	kept
kneel	knelt	knelt
knit	knitted, knit	knitted, knit
know	knew	known
lay	laid	laid
lead	led	led
lean	leant, leaned	leant, leaned
leap	leapt, leaped	leapt, leaped
learn	learnt, learned	learnt, learned
leave	left	left
lend	lent	lent
let	let	let
lie	lay	lain
light	lighted, lit	lighted, lit
lose	lost	lost
make	made	made
mean	meant	meant
meet	met	met
melt	melted	melted, molten
misdeal	misdealt	misdealt
mislay	mislaid	mislaid
mislead	misled	misled
misspell	misspelt	misspelt
misspend	misspent	misspent
mistake	mistook	mistaken
misunderstand	misunderstood	misunderstood
mow	mowed	mown, mowed
outbid	outbid	outbid, outbidden
outdo	outdid	outdone
outgrow	outgrew	outgrown
outride	outrode	outridden
outrun	outran	outrun
outshine	outshone	outshone
overbear	overbore	overborne
overcome	overcame	overcome
overdo	overdid	overdone
overhang	overhung	overhung
overhear	overheard	overheard
overlay	overlaid	overlaid
overleap	overleapt, overleaped	overleapt, overleaped
override	overrode	overridden

overrun	overran	overrun
oversee	oversaw	overseen
overshoot	overshot	overshot
oversleep	overslept	overslept
overtake	overtook	overtaken
overthrow	overthrew	overthrown
partake	partook	partaken
pay	paid	paid
prove	proved	proved, proven
put	put	put
read	read	read
rebuild	rebuilt	rebuilt
recast	recast	recast
redo	redid	redone
relay	relaid	relaid
remake	remade	remade
rend	rent	rent
repay	repaid	repaid
rerun	reran	rerun
reset	reset	reset
rewrite	rewrote	rewritten
rid	rid, ridded	rid, ridded
ride	rode	ridden
ring	rang	rung
rise	rose	risen
rive	rived	riven
run	ran	run
saw	sawed	sawn
say	said	said
see	saw	seen
seek	sought	sought
sell	sold	sold
send	sent	sent
set	set	set
sew	sewed	sewn, sewed
shake	shook	shaken
shave	shaved	shaved, shaven
shear	sheared	shorn, sheared
shed	shed	shed
shine	shone	shone
shoe	shod	shod
shoot	shot	shot
show	showed	shown, showed
shred	shredded	shredded
shrink	shrank, shrunk	shrunk, shrunken
shrive	shrove, shrived	shriven, shrived
shut	shut	shut
sing	sang	sung
sink	sank	sunk, sunken
sit	sat	sat
slay	slew	slain
sleep	slept	slept
slide	slid	slid
sling	slung	slung
slink	slunk	slunk
slit	slit	slit
smell	smelt	smelt
smite	smote	smitten
sow	sowed	sown
speak	spoke	spoken
speed	sped, speeded	sped, speeded
spell	spelt, spelled	spelt, spelled
spend	spent	spent
spill	spilt, spilled	spilt, spilled
spin	spun, span	spun
spit	spat	spat
split	split	split
spoil	spoilt, spoiled	spoilt, spoiled

spread	spread	spread
spring	sprang	sprung
stand	stood	stood
stave	staved, stove	staved, stove
steal	stole	stolen
stick	stuck	stuck
sting	stung	stung
stink	stank, stunk	stunk
strew	strewed	strewn, strewed
stride	strode	stridden
strike	struck	struck
string	strung	strung
strive	strove	striven
swear	swore	sworn
sweep	swept	swept
swell	swelled	swollen, swelled
swim	swam	swum
swing	swung	swung
take	took	taken
teach	taught	taught
tear	tore	torn
tell	told	told
think	thought	thought
thrive	throve, thrived	thriven, thrived
throw	threw	thrown
thrust	thrust	thrust
tread	trod	trodden
unbend	unbent	unbent
unbind	unbound	unbound
underbid	underbid	underbid, underbidden
undergo	underwent	undergone
understand	understood	understood
undertake	undertook	undertaken
undo	undid	undone
upset	upset	upset
wake	woke, waked	woken, waked, woke
waylay	waylaid	waylaid
wear	wore	worn
weave	wove	woven
wed	wedded	wedded
weep	wept	wept
win	won	won
wind	winded, wound	winded, wound
withdraw	withdrew	withdrawn
withhold	withheld	withheld
withstand	withstood	withstood
work	worked, wrought	worked, wrought
wring	wrung	wrung
write	wrote	written

Παράρτημα 2 Συνήθεις βραχυγραφίες στ' Ἀγγλικά

(Στό Παράρτημα αὐτό δίνονται οἱ συνηθέστερες βραχυγραφίες πού ἀπαντῶνται στίς ἐφημερίδες, στά περιοδικά, κλπ., καί πλάϊ τους οἱ λέξεις τίς ὁποῖες ἀντιπροσωπεύουν καί ἀπό τίς ὁποῖες προκύπτει ἡ ἔννοια κάθε βραχυγραφίας.)

'A'A Alcoholics Anonymous; Automobile Association
'AA'A Amateur Athletics Association
'A B'C Australian Broadcasting Commission
'a'c alternating current
a/c account
ack(n) acknowledge(d)
ad(vt) advertisement
'A'D *Anno Domini* in the year of the Lord
'AD'C Aide-de-camp
add(r) address
'AG'M Annual General Meeting
'a'm *ante meridiem* before noon
amp ampere(s)
anon anonymous
ANZAC /'ænzæk/ Australian and New Zealand Army Corps
appro /'æprəʊ/ approval
approx approximately
Apr April
arr arrival; arrives
assoc associate; association
asst assistant
Aug August
'A'V Audio-Visual; Authorised Version (of the Bible)
Av(e) Avenue

b born
'b & 'b bed and breakfast
'B'A (*MB*) Bachelor of Arts
'BB'C British Broadcasting Corporation
'B'C Before Christ; British Council
bk book
bldg(s) building(s)
'B'M British Museum
'BM'A British Medical Association
B Mus Bachelor of Music
'b'o body odour
Br Brother
Brig Brigadier
Brit Britain, British
Bro(s) brother(s)
B Sc /'bi es'si/ (*MB*) Bachelor of Science
'BS'T British Summer Time

C Centigrade; (Roman) 100
c cent(s); century; *circa* about; cubic
ca *circa* about, approximately
Capt Captain
CAT /kæt/ College of Advanced Technology
Cath Catholic
'c'c cubic centimetre(s)
cc *capita* chapters; centuries
'C'D *Corps Diplomatique* Diplomatic Service
Cdr Commander
Cdre Commodore
CENTO /'sentəʊ/ Central Treaty Organisation
cert certificate; certified
'c'f *confer* compare with
cg centigram
ch central heating
ch(ap) chapter
'ch'w constant hot water
'CI'A (*ΗΠΑ*) Central Intelligence Agency
'CI'D (*MB*) Criminal Investigation Department
'ci'f cost, insurance, freight
'C-in-'C Commander-in-Chief
cl class; centilitre(s)
cm centimetre(s)
Co Company
'C'O Commanding Officer
c/o care of
'CO'D Cash on Delivery
'C of 'E /'si əv'i/ Church of England
COI (*MB*) Central Office of Information
Col Colonel
Coll College
concl concluded; conclusion
Cons (*MB*) Conservative (political party)
cont contents; continued
Co-op /'kəʊ op/ Co-operative (Society)
Corp Corporation
cp compare with
CP Communist Party
Cpl Corporal
CS Civil Servant; Civil Service
cu cubic
cwt hundredweight

D Roman 500
d *denarius* penny; died
D-day Day on which a course of action is planned to start
dbl double
'd'c direct current
'DD'T (*D*ichloro-*d*iphenyl-*t*richloroethane) insecticide
dec deceased
deg degree(s)
Dem Democrat
dep departs; departure; deputy
Dept Department
diag diagram
diff difference; different
Dip Diploma
Dip Ed /'dɪp 'ed/ Diploma in Education
Dir Director
'D'J dinner jacket; disc jockey
D Litt /'di'lɪt/ Doctor of Letters/Literature
doz dozen
D Phil /'di'fɪl/ Doctor of Philosophy
Dr Debtor; Doctor; Drive (ie small road)
dr dram(s)
'D'T; (the) dts /'di'tiz/ *delirium tremens*

E east
Ed edited by; editor; edition; educated
'E E`C European Economic Community (the Common Market)
'E F`L English as a Foreign Language
EFTA /'eftə/ European Free Trade Association
'e`g *exempli gratia* for example, for instance
'E L`T English Language Teaching
encl enclosed
E N E east northeast
Eng Engineer(ing); England; English
'E`P extended-playing (record)
'E`R *Elizabeth Regina* Queen Elizabeth
E S E east southeast
'E S`P Extra-Sensory Perception
Esq Esquire
e t a estimated time of arrival
et al /'et `æl/ *et alii* and other people; *et alia* and other things
etc; & c /'et`setrə/ *et cetera* and the rest, and all the others
e t d estimated time of departure
et seq /'et `sek/ *et sequens* and the following
EUFA /`jufə/ European Football Association
eve evening
excl excluding; exclusive
ext exterior; external

F Fahrenheit; Fellow
f foot; feet; female; feminine
'F A`O Food and Agriculture Organisation
'F B`I (*НПА*) Federal Bureau of Investigation; Federation of British Industries
Feb February
Fed Federal; Federated; Federation
fem female; feminine
fig figurative; figure
fl fluid; floor
fm fathom(s)
'F`O (*MB*) Foreign Office
'fo`b free on board
fol(l) following
Fr Father; Franc; France; French
Fri Friday
'F R`S Fellow of the Royal Society
ft foot; feet
fur furlong(s)
furn furnished
fwd forward

g acceleration due to gravity; gram(s)
gal(l) gallon(s)
'G`B Great Britain
'G C`E (*MB*) General Certificate of Education
Gdn(s) Garden(s)
Gen General
'G`I (*НПА*) enlisted soldier
Gk Greek
'G L`C Greater London Council
gm gram(s)
'G M`T Greenwich Mean Time
'G N`P Gross National Product
gov(t) government
Gov Governor
'G`P General Practitioner (Medical Doctor)
'G P`O General Post Office
gr grade; grain; gross; group
grad graduate(d)
gt great

h height; hour
h & c hot and cold (water)
`H-bomb Hydrogen bomb
H E high explosive; His/Her Excellency; His Eminence
H M His/Her Majesty
'H M`S His/Her Majesty's Ship
H of C House of Commons
H of L House of Lords
Hon Honorary; Honorable
'H`P Hire Purchase; Horse Power
'H`Q Headquarters
hr hour(s)
H R H His/Her Royal Highness

I Island; Roman one
ib; ibid *ibidem* in the same place
'I C B`M Inter-Continental Ballistic Missile
'i`e *id est* which is to say, in other words
'I M`F International Monetary Fund
in inch(es)
Inc Incorporated
incl including; inclusive
Ind India(n); Independent
inf *infra* below
info /'ɪnfəʊ/ information
Inst Institute
inst *instante* of this month
int interior; internal; international
intro introduction
'I O`U I owe you
'I`Q *Intelligence Quotient* comparative measure of intelligence
'I R`A Irish Republican Army
Is Islands

Jan January
J C Jesus Christ
Jnr; Jr Junior
'J`P Justice of the Peace
Jul July
Jun June; Junior

kg kilogram(s)
'K G`B Intelligence Agency of the USSR
km kilometre(s)
'K`O knock-out
'k p`h kilometres per hour
kw kilowatt(s)

L lake; little; Roman 50
l left; length; line
lang language
Lat Latin
lat latitude
Ld Lord
lh left hand

lit literal(ly); literature; literary
long longitude
'L'P long-playing (record)
'LS'D *lysergic acid diethylamide*
Lt Lieutenant
Ltd Limited
lux luxury

M Member
m male; married; metre(s); mile(s); million
M'A Master of Arts
Maj Major
Mar March
masc masculine
maths /mæθs/ (*MB*) mathematics
max maximum
'M'C Master of Ceremonies; Military Cross
Mc Megacycle(s)
'M'D Doctor of Medicine
Med(it) Mediterranean
METO /'mitəʊ/ Middle East Treaty Organisation
mg milligram(s)
'MI'5 (*MB*) National Security Division of Military Intelligence
min minimum
misc miscellaneous
mkt market
ml mile(s), millilitre(s)
mm millimetre(s)
'M'O Mail Order; Medical Officer; Money Order
mod moderate; modern
mod cons /'mod'konz/ modern conveniences
Mon Monday
'M'P Member of Parliament (House of Commons); Military Police
mpg miles per gallon
mph miles per hour
MS(S) manuscript(s)
MSc /'em es'si/ Master of Science
Mt Mount

N north
NAAFI /'næfɪ/ (*MB*) Navy, Army and Air Force Institute
nat national; native; natural
NATO /'neɪtəʊ/ North Atlantic Treaty Organisation
'N'B *nota bene* take special note of
'NC'O Non-Commissioned Officer
NE northeast
'NH'S (*MB*) National Health Service
NNE north northeast
NNW north northwest
no(s) number(s)
Nov November
nr near
NT New Testament
NW northwest

OA'U Organisation for African Unity
ob *obiit* died
Oct October
'OHM'S (*MB*) On His/Her Majesty's Service
ono or nearest offer
op opus; operation
op cit /'op 'sɪt/ *opere citato* in the work mentioned
OPEC /'əʊpek/ Organisation of Petroleum Exporting Countries
opp opposite
OT Old Testament
oz ounce(s)

P Parking
p page; penny, pence; per
pa *per annum* per year
'P'A Personal Assistant; Press Association
para(s) paragraph(s)
'P'C Police Constable; Privy Councillor
pd paid
'P'E physical education
'P'G Paying Guest
PhD /'pi eɪtʃ 'di/ Doctor of Philosophy
Pk Park
pkt packet
Pl Place
'P'M Prime Minister
'p'm *post meridiem* after noon; per month
PO Personnel Officer; Post Office; Postal Order
'P'O Box Post Office Box
pop popular; population
poss possible; possibly
'PO'W Prisoner of War
pp pages
'p'p *per procurationem*
pr pair; price
'P'R Public Relations
Pres President
'PR'O Public Relations Officer
pro /prəʊ/ professional
pro tem /'prəʊ 'tem/ *pro tempore* for the time being
Prof (*καθομ.* /prof/) Professor
Prot Protestant
Prov Province
Ps Psalm
'P'S Postscript
pt part; payment; pint; point
'P'T Physical Training
'PT'A Parent-Teacher Association
Pte (*MB*) Private (soldier)
PTO Please turn over
pw per week

'Q'C Queen's Counsel
'QE'D *quod erat demonstrandum* which had to be proved
qt quart
Qu Queen; Question
'q'v *quod vide* which may be referred to

R River; Royal
r radius; right
'R'A Rear-Admiral; Royal Academy
RADA /'rɑdə/ Royal Academy of Dramatic Art
'RA'F (*καί* /ræf/) Royal Air Force

ˈRˌC Red Cross; Roman Catholic
Rd Road
rec(d) received
ref referee /ref/; reference; refer(red)
Rep Repertory /rep/; Representative
ret(d) retired
rev revolution
Rev(d) Reverend
rh right hand
ˈRIˌP *requiescat/requiescant in pace*
rm room
ˈRˌN Royal Navy
rpm revolutions per minute
ˈRSVˌP *répondez s'il vous plaît* please reply
rt right
Rt Hon Right Honourable

S south
s second(s)
sae stamped addressed envelope
SALT /sɔlt/ Strategic Arms Limitation Talks
Sat Saturday
s/c self-contained
Sch School
SE southeast
SEATO /ˈsitəʊ/ South East Asia Treaty Organisation
sec second(ary); secretary
Sen Senate; Senator; Senior
Sept September
sgd signed
Sgt Sergeant
Sn(r) Senior
Soc Society
Sol Solicitor
sp special; spelling
sp gr specific gravity
Sq Square
Sr Senior; Sister
ˈSRˌN State Registered Nurse
ˈSˌS Steamship
SSE south southeast
SSW south southwest
St Saint; Street
Sta Station
ˈSTˌD subscriber trunk dialling (telephone)
Str Strait; Street
sub(s) subscription; substitute
Sun Sunday
Supt Superintendent
SW southwest

T temperature
t time; ton(s)
ˈTˌB Tuberculosis
Tech /tek/ (*MB*) Technical (College)
tel telephone
temp temperature; temporary /temp/
Ter(r) Terrace; Territory
Thurs Thursday
ˈTNˌT (*Tri-nitro-toluene*) explosive
trans translated
TU Trade Union
ˈTUˌC (*MB*) Trades Union Congress
Tues Tuesday
ˈTˌV television

ˈUDˌI unilateral declaration of independence
UFO /ˈjufəʊ/ unidentified flying object
ˈUHˌF ultra high frequency
ˈUˌK United Kingdom
ˈUˌN United Nations
UNESCO /juˈneskəʊ/ United Nations Educational, Scientific and Cultural Organisation
Univ University
UNO /ˈjunəʊ/ United Nations Organisation
ˈUˌS United States
ˈUSˌA United States of America; United States Army
ˈUSAˌF United States Air Force
ˈUSˌN United States Navy
ˈUSSˌR Union of Soviet Socialist Republics

V Roman 5; Victory; Volt
v very; verse; *vide* see, refer to
vac /væk/ vacation
VAT /væt/ Value Added Tax
ˈVˌC Vice Chairman; Vice Chancellor; Vice Consul; Victoria Cross
ˈVˌD Venereal Disease
ˈVˌE Day Victory in Europe (end of Second World War in Europe: 8.5.1945)
Ven Venerable
ˈVHˌF very high frequency
ˈVIˌP very important person
viz /vɪz/ *videlicet* namely
vocab vocabulary
vol volume
vs versus

W west
w watt(s); week; width; with
ˈwˌc water closet
WCC World Council of Churches
ˈWHˌO World Health Organisation
WI West Indian; West Indies
wk week; work
Wm William
WNW west northwest
wpm words per minute
ˈWRAˌC Women's Royal Army Corps
ˈWRAˌF Women's Royal Air Force
ˈWRNˌS (*καί* /renz/) Women's Royal Naval Service
WSW west southwest
wt weight

X Roman 10; a kiss; an unknown number, thing, name, etc
Xmas Christmas

ˈYHˌA Youth Hostels Association
ˈYMCˌA Young Men's Christian Association
yr year; your
ˈYWCˌA Young Women's Christian Association

Παράρτημα 3 Ὀνόματα χωρῶν καί ἐθνικοτήτων

Χώρα	Ἐθνικότης (ἐπίθετον & οὐσιαστικόν)
Afghanistan /æf`gænɪ`stɑn/ Ἀφγανιστάν	Afghan /`æfgæn/, Afghanistani /-nɪ/ Ἀφγάν, Ἀφγανός
Albania /æl`beɪnɪə/ Ἀλβανία	Albanian /-nɪən/ Ἀλβανικός, Ἀλβανός
Algeria /æl`dʒɪərɪə/ Ἀλγερία	Algerian /-rɪən/ Ἀλγερινός, Ἀλγερῖνος
Andorra /æn`dɔrə/ Ἀνδόρρα	Andorran /-rən/ Ἀνδορρανός
Angola /æŋ`gəʊlə/ Ἀγκόλα	Angolan /-lən/ Ἀγκολανός
Argentina /`ɑdʒən`tinə/ Ἀργεντινή	Argentinian /-`tɪnɪən/ Ἀργεντινός
Australia /o`streɪlɪə/ Αὐστραλία	Australian /-lɪən/ Αὐστραλός
Austria /`ostrɪə/ Αὐστρία	Austrian /-strɪən/ Αὐστριακός
Bangladesh /`bæŋglə`deʃ/ Μπαγκλαντές	Bengali /beŋ`gɔlɪ/ Βεγγαλικός, Bangalee /`bæŋgə`li/ Βεγγαλός
Belgium /`beldʒəm/ Βέλγιον	Belgian /-dʒən/ Βελγικός, Βέλγος
Bolivia /bə`lɪvɪə/ Βολιβία	Bolivian /-vɪən/ Βολιβιανός
Brazil /brə`zɪl/ Βραζιλία	Brazilian /-lɪən/ Βραζιλιανός
Bulgaria /bʌl`geərɪə/ Βουλγαρία	Bulgarian /-rɪən/ Βουλγαρικός, Βούλγαρος
Burma /`bɜmə/ Βιρμανία	Burmese /`bɜ`miz/ Βιρμανικός, Βιρμανός
Canada /`kænədə/ Καναδός	Canadian /kə`neɪdɪən/ Καναδικός, Καναδός
Chile /`tʃɪlɪ/ Χιλή	Chilean /-lɪən/ Χιλιανός
China /`tʃaɪnə/ Κίνα	Chinese /`tʃaɪ`niz/ Κινεζικός, Κινέζος
Congo /`koŋgəʊ/ Κογκό	Congolese /`koŋgə`liz/ Κογκολέζος
Costa Rica /`kostə `rikə/ Κόστα Ρίκα	Costa Rican /-kən/ Κοσταρικανός
Cuba /`kjubə/ Κούβα	Cuban /-bən/ Κουβανικός, Κουβανός
Cyprus /`saɪprəs/ Κύπρος	Cyprian /`sɪprɪən/ Κυπριακός, Cypriot /`sɪprɪət/ Κύπριος
Czechoslovakia/`tʃekəʊ-slə`vækɪə/ Τσεχοσλοβακία	Czech /tʃek/ Τσεχικός, Τσέχος, Czechoslovak /-`sləʊvæk/ Τσεχοσλοβάκος, Czechoslovakian /-kɪən/ Τσεχοσλοβακικός
Denmark /`denmɑk/ Δανία	Danish /`deɪnɪʃ/ Δανικός, Δανός, Dane /deɪn/ Δανός
Ecuador /`ekwədɔ(r)/ Ἰσημερινός	Ecuadorian /`ekwə`dɔrɪən/ (κάτοικος) τοῦ Ἰσημερινοῦ
Egypt /`idʒɪpt/ Αἴγυπτος	Egyptian /ɪ`dʒɪpʃn/ Αἰγυπτιακός, Αἰγύπτιος
Ethiopia /`iθɪ`əʊpɪə/ Αἰθιοπία	Ethiopian /-pɪən/ Αἰθιοπικός, Αἰθίωψ
Finland /`fɪnlənd/ Φιλλανδία	Finnish /`fɪnɪʃ/ Φιλλανδικός, Finn /fɪn/ Φιλλανδός
France /frɑns/ Γαλλία	French /frentʃ/ Γαλλικός, Γάλλος, Frenchman /`frentʃmən/ Γάλλος
Germany /`dʒɜmənɪ/ Γερμανία	German /`dʒɜmən/ Γερμανικός, Γερμανός
Gibraltar /dʒɪ`brɔltə(r)/ Γιβραλτάρ	Gibraltarian /`dʒɪbrɔl`teərɪən/ (τοῦ) Γιβραλτάρ
Great Britain /`greɪt `brɪtn/ Μεγάλη Βρεταννία	British /`brɪtɪʃ/ Βρεταννικός, Briton /`brɪtn/ Βρεταννός
Greece /gris/ Ἑλλάς	Greek /grik/ Ἑλληνικός, Ἕλληνας
Guinea /`gɪnɪ/ Γουϊνέα	Guinean /gɪ`neɪən/ Γουϊνέος
Holland /`holənd/ Ὁλλάνδια (ἐπίσης The Netherlands) Κάτω Χῶραι	Dutch /dʌtʃ/ Ὁλλανδικός, Ὁλλανδός, Hollander /`holəndə(r)/ Ὁλλανδός, Dutchman /`dʌtʃmən/ Ὁλλανδός
Hungary /`hʌŋgərɪ/ Οὑγγαρία	Hungarian /hʌŋ`geərɪən/ Οὑγγρικός, Οὗγγρος
Iceland /`aɪslənd/ Ἰσλανδία	Icelandic /aɪs`lændɪk/ Ἰσλανδικός, Icelander /`aɪsləndə(r)/ Ἰσλανδός
India /`ɪndɪə/ Ἰνδίαι	Indian /-dɪən/ Ἰνδικός, Ἰνδός
Indonesia /`ɪndə`nizɪə/`Ἰνδονησία	Indonesian /-zɪən/ Ἰνδονήσιος
Iran /ɪ`rɑn/ Περσία	Iranian /ɪ`reɪnɪən/ Περσικός, Πέρσης
Iraq /ɪ`rɑk/ Ἰράκ	Iraki /ɪ`rɑkɪ/ Ἰρακινός
Ireland /`aɪələnd/ Ἰρλανδία	Irish /`aɪərɪʃ/ Ἰρλανδικός, Irishman /`aɪərɪʃmən/ Ἰρλανδός
Israel /`ɪzreɪl/ Ἰσραήλ	Israeli /ɪz`reɪlɪ/ Ἰσραηλινός, Ἰσραηλίτης
Italy /`ɪtəlɪ/ Ἰταλία	Italian /ɪ`tælɪən/ Ἰταλικός, Ἰταλός

Japan /dʒəˋpæn/ ʼΙαπωνία	Japanese /ˈdʒæpəˋniz/ ʼΙαπωνικός, ʼΙάπων
Jordan /ˋdʒɔdn/ ʼΙορδανία	Jordanian /dʒɔˋdeɪnɪən/ ʼΙορδανικός, ʼΙορδανός
Korea /kəˋrɪə/ Κορέα	Korean /-rɪən/ Κορεατικός, Κορεάτης
Laos /ˋlɑ-os/ Λάος	Laotian /ˋlaʊʃn/ Λαοτιανός
Lebanon /ˋlebənən/ Λίβανος	Lebanese /ˈlebəˋniz/ Λιβανικός, Λιβανέζος
Liberia /laɪˋbɪərɪə/ Λιβηρία	Liberian /-rɪən/ Λιβηριανός
Libya /ˋlɪbɪə/ Λιβύη	Libyan /-bɪən/ Λιβυκός, Λίβυος
Malaysia /məˋleɪzɪə/ Μαλαισία	Malaysian /-zɪən/ Μαλαισιανός, Μαλαῖος
Malta /ˋmɔltə/ Μάλτα	Maltese /mɔlˋtiz/ Μαλτέζος
Mauritania /ˈmorɪˋteɪnɪə/ Μαυριτανία	Mauritanian /-nɪən/ Μαυριτανός
Mexico /ˋmeksɪkəʊ/ Μεξικό	Mexican /-kən/ Μεξικανικός, Μεξικανός
Mongolia /moŋˋgəʊlɪə/ Μογγολία	Mongolian /-lɪən/ Μογγολικός, Mongol /ˋmoŋgl/ Μογγόλος
Morocco /məˋrokəʊ/ Μαρόκον	Moroccan /-kən/ Μαροκινός
New Zealand /ˈnju ˋzilənd/ Νέα Ζηλανδία	New Zealander /-də(r)/ Νεοζηλανδός
Nigeria /naɪˋdʒɪərɪə/ Νιγηρία	Nigerian /-rɪən/ Νιγηριανός
Norway /ˋnɔweɪ/ Νορβηγία	Norwegian /nɔˋwidʒən/ Νορβηγός
Pakistan /ˈpɑkɪˋstɑn/ Πακιστάν	Pakistani /-nɪ/ Πακιστανός
Panama /ˈpænəˋmɑ/ Παναμᾶς	Panamanian /-ˋmeɪnɪən/ Παναμαϊκός
Paraguay /ˋpærəgwaɪ/ Παραγουάη	Paraguayan /ˈpærəˋgwaɪən/ Παραγουϊανός
Peru /pəˋru/ Περοῦ	Peruvian /-ˋruvɪən/ Περουβιανός
(The) Philippines /ˋfɪlɪpinz/ Φιλιππῖνες	Philippine /ˋfɪlɪpin/ Φιλιππῖνος, Filipino /ˈfɪlɪˋpinəʊ/ Φιλιππινέζος
Poland /ˋpəʊlənd/ Πολωνία	Polish /ˋpəʊlɪʃ/ Πολωνικός, Pole /pəʊl/ Πολωνός
Portugal /ˋpɔtʃʊgl/ Πορτογαλία	Portuguese /ˈpɔtʃʊˋgiz/ Πορτογαλικός, Πορτογάλος
Rhodesia /rəˋdiʒə/ Ροδεσία	Rhodesian /-ən/ Ροδεσιανός
Rumania /ruˋmeɪnɪə/ Ρουμανία	Rumanian /-nɪən/ Ρουμανικός, Ρουμᾶνος
Russia /ˋrʌʃə/ Ρωσία	Russian /-ʃn/ Ρωσικός, Ρῶσος
Saudi Arabia /ˈsaʊdɪ əˋreɪbɪə/ Σαουδική Αραβία	Saudi Arabian /-bɪən/ Σαουδαραβικός, Σαουδάραψ
Senegal /ˈsenɪˋgɔl/ Σενεγάλη	Senegalese /ˈsenɪgəˋliz/ Σενεγαλέζος
Somalia /səˋmɑlɪə/ Σομαλία	Somalian /-lɪən/ Σομαλός
South Africa /ˈsaʊθ ˋæfrɪkə/ Νότιος ʼΑφρική	South African /-kən/ Νοτιοαφρικανικός, Νοτιοαφρικανός
Spain /speɪn/ ʼΙσπανία	Spanish /ˋspænɪʃ/ ʼΙσπανικός, ʼΙσπανός, Spaniard /ˋspænjəd/ ʼΙσπανός
Sudan /suˋdɑn/ Σουδάν	Sudanese /sudəˋniz/ Σουδανός
Sweden /ˋswidn/ Σουηδία	Swedish /-dɪʃ/ Σουηδικός, Swede /swid/ Σουηδός
Switzerland /ˋswɪtsələnd/ ʼΕλβετία	Swiss /swɪs/ ʼΕλβετικός, ʼΕλβετός
Syria /ˋsɪrɪə/ Συρία	Syrian /-rɪən/ Συριακός, Σύρος
Tibet /tɪˋbet/ Θιβέτ	Tibetan /-tn/ Θιβετιανός
Tunisia /tjuˋnɪzɪə/ Τυνησία	Tunisian /-ən/ Τυνήσιος
Turkey /ˋtɜkɪ/ Τουρκία	Turkish /ˋtɜkɪʃ/ Τουρκικός, Turk /tɜk/ Τοῦρκος
(The) Union of Soviet Socialist Republics (USSR) (ʼΗ) ῞Ενωσις τῶν Σοβιετικῶν Σοσιαλιστικῶν Δημοκρατιῶν (Ε.Σ.Σ.Δ.)	Russian /ˋrʌʃn/ Ρῶσος
(The) United States of America (USA) (Οἱ) ʼΗνωμένες Πολιτεῖες τῆς ʼΑμερικῆς (Η.Π.Α.)	American /əˋmerɪkən/ ʼΑμερικανικός, ʼΑμερικανός
Vietnam /ˈvietˋnæm/ Βιετνάμ	Vietnamese /ˈvɪetnəˋmiz/ Βιετναμικός, Βιετναμέζος
Yugoslavia /ˈjugəʊˋslɑvɪə/ Γιουγκοσλαβία	Yugoslavian /-vɪən/ Γιουγκοσλαβικός, Yugoslav /ˈjugəʊslɑv/ Γιουγκοσλάβος

Παραρτημα 4 Ἑλληνικά κύρια ονόματα

(ἀρχαῖα, κλασσικά, μυθολογικά, τοπωνυμικά)

Achaea /ə`kiə/ Ἀχαΐα
Achaean /ə`kiən/ Ἀχαιός, Ἀχαϊκός
Acheron /`ækərəʊn/ Ἀχέρων
Achilles /ə`kɪliz/ Ἀχιλλεύς
Adrian /`eɪdrɪən/ Ἀδριανός
Aegean /ə`dʒiən/ Αἰγαῖον
Aegeus /`idʒəs/ Αἰγεύς
Aegina /ɪ`dʒaɪnə, `eginə/ Αἴγινα
Aegisthus /eɪ`gɪsθəs/ Αἴγισθος
Aelean /ɪ`liən/ Αἰλιανός
Aeolia /i`əʊlɪə/ Αἰολία
Aeolian /i`əʊlɪən/ Αἰολικός
Aeolis /i`əʊlɪs/ Αἰολίς
Aeolus /`iəʊləs/ Αἴολος
Aeschines /`iskɪniz/ Αἰσχίνης
Aeschylus /`iskɪləs/ Αἰσχύλος
Aesculapius /'iskju`leɪpɪəs/ Ἀσκληπιός
Aesop /`isop/ Αἴσωπος
Aesopian /i`səʊpɪən/ Αἰσώπειος
Agamemnon /'ægə`memnon/ Ἀγαμέμνων
Agathocles /ə`gæθəkliz/ Ἀγαθοκλῆς
Aglaia /ə`gleɪə/ Ἀγλαΐα
Agnes /`ægnəs/ Ἁγνή
Ajax /`eɪdʒæks/ Αἴας
Alcestis /æl`sestɪs/ Ἄλκηστις
Alcibiades /ælsɪ`baɪədiz/ Ἀλκιβιάδης
Alexander /'æleg`zandə(r)/ Ἀλέξανδρος
Alexandrian /'æleg`zandrɪən/ Ἀλεξανδρινός
Anastasia /'ænə`steɪzɪə/ Ἀναστασία
Anastasius /'ænə`steɪzɪəs/ Ἀναστάσιος
Anaxagoras /'ænæ`ksægərəs/ Ἀναξαγόρας
Anaximander /'ænæksɪ`mændə(r)/ Ἀναξίμανδρος
Anaximenes /'ænæ`ksɪməniz/ Ἀναξιμένης
Androcles /`ændrəkliz/ Ἀνδροκλῆς
Andromache /æn`droməkɪ/ Ἀνδρομάχη
Andronicus /'ændrə`naɪkəs/ Ἀνδρόνικος
Angelica /æn`dʒelɪkə/ Ἀγγελική
Antaeus /æn`tiəs/ Ἀνταῖος
Antigone /æn`tɪgənɪ/ Ἀντιγόνη
Antonia /æn`təʊnɪə/ Ἀντωνία
Aphrodite /'æfrə`daɪtɪ/ Ἀφροδίτη
Apollo /ə`poləʊ/ Ἀπόλλων
Arcadia /ɑ`keɪdɪə/ Ἀρκαδία
Archilochus /ɑ`kɪləkəs/ Ἀρχίλοχος
Archimedes /'ɑkɪ`midiz/ Ἀρχιμήδης
Ariadne /'ærɪ`ædnɪ/ Ἀριάδνη
Aristarchus /'ærɪ`stakəs/ Ἀρίσταρχος
Aristides /'ærɪ`staɪdiz/ Ἀριστείδης
Aristophanes /'ærɪ`stofəniz/ Ἀριστοφάνης
Aristotle /`ærɪstotl/ Ἀριστοτέλης
Arrian /`ærɪən/ Ἀρριανός
Artemis /`ɑtəmɪs/ Ἄρτεμις
Aspasia /æs`peɪsɪə/ Ἀσπασία
Athena /ə`θinə/ Ἀθηνᾶ
Bacchus /`bækəs/ Βάκχος
Cheronea /'kerə`nɪə/ Χαιρώνεια
Chalcidice /kæl`kɪdɪkɪ/ Χαλκιδική
Chalcis /`kælkis/ Χαλκίς
Charon /`keərən/ Χάρων
Constantine /`konstəntaɪn/ Κωνσταντῖνος
Constantinople /'konstæntɪ`nəʊpl/ Κωνσταντινούπολις
Corfu /kɔ`fu/ Κέρκυρα
Corinth /`korɪnθ/ Κόρινθος
Cretan /`kritən/ Κρής, κρητικός
Crete /krit/ Κρήτη
Crito /`kraɪtəʊ/ Κρίτων
Cyclades /`sɪklədiz/ Κυκλάδες
Cycladic /sɪ`klædɪk/ κυκλαδικός
Cyclops /`saɪklops/ Κύκλωψ
Cyprus /`saɪprəs/ Κύπρος
Cythera /sɪ`θɪərə, `kɪθərə/ Κύθηρα
Daedalus /`didələs, `daɪdələs/ Δαίδαλος
Daphne /`dæfnɪ/ Δάφνη
Delos /`dilos/ Δῆλος
Delphi /`delfaɪ, `delfɪ/ Δελφοί
Demeter /dɪ`mitə(r)/ Δήμητρα
Democritus /də`mokrɪtəs/ Δημόκριτος
Demosthenes /dɪ`mosθeniz/ Δημοσθένης
Diana /daɪ`ænə/ Ἄρτεμις
Diogenes /daɪ`odʒəniz/ Διογένης
Dionysus /'daɪə`naɪsəs/ Διόνυσος
Dodecanese (the) /'dəʊdekə`niz/ ἡ Δωδεκάνησος
Dodona /dəʊ`dəʊnə/ Δωδώνη
Dorothea /'dorə`θiə/ Δωροθέα
Dracon /`drakən, `dreɪkəʊn/ Δράκων
Electra /ɪ`lektrə/ Ἠλέκτρα
Elias /ɪ`laɪəs, e`liæs/ Ἠλίας
Empedocles /em`pedəkliz/ Ἐμπεδοκλῆς
Ephesus /`efəsəs/ Ἔφεσος
Epictetus /'epɪ`ktitəs/ Ἐπίκτητος
Epicurus /'epɪ`kjuərəs/ Ἐπίκουρος
Epidaurus /'epɪ`dɔrəs/ Ἐπίδαυρος
Epirote /e`paɪrət, `ɪpɪrəʊt/ Ἠπειρώτης, ἠπειρωτικός
Epirus /e`paɪrəs, `ɪpɪrəs/ Ἤπειρος
Eros /`ɪəros/ Ἔρως
Eteocles /`etɪokliz/ Ἐτεοκλῆς
Euboea /ju`biə/ Εὔβοια
Euclid /`juklɪd/ Εὐκλείδης
Euclidean /ju`klɪdɪən/ Εὐκλείδιος
Eumenides (the) /ju`menɪdiz/ Αἱ Εὐμενίδες
Euripides /jʊə`rɪpɪdiz/ Εὐριπίδης
Eurydice /jʊə`rɪdɪsɪ/ Εὐρυδίκη
Gabriel /`geɪbrɪəl/ Γαβριήλ
Hades /`heɪdiz/ Ἅδης
Hector /`hektə(r)/ Ἕκτωρ
Hecuba /`hekjʊbə/ Ἑκάβη
Hellas /`helæs/ Ἑλλάς
Helle /`heli/ Ἕλλη
Heracles /`herəkliz/ Ἡρακλῆς
Heraclitus /herə`klaɪtəs/ Ἡράκλειτος
Hercules /`hɜkjʊliz/ Ἡρακλῆς
Hermes /`hɜmiz/ Ἑρμῆς
Herodotus /hə`rodətəs/ Ἡρόδοτος
Hesiod /`hisɪod/ Ἡσίοδος
Hippocrates /hɪ`pokrətiz/ Ἱπποκράτης
Hippolytus /hɪ`polɪtəs/ Ἱππόλυτος
Homer /`həʊmə(r)/ Ὅμηρος
Hymettus /haɪ`metəs/ Ὑμηττός
Icaria /aɪ`keərɪə/ Ἰκαρία
Icarus /`ɪkərəs/ Ἴκαρος
Iliad (the) /`ɪlɪæd/ ἡ Ἰλιάς

Ilium /ˈɪlɪəm/ Τροία
Iphigenia /ˈɪfɪdʒəˈnaɪə/ Ἰφιγένεια
Isidorus /ɪsɪˈdɔrəs/ Ἰσίδωρος
Ithaca /ˈɪθəkə/ Ἰθάκη
Jason /ˈdʒeɪsn/ Ἰάσων
Jocasta /dʒəˈkæstə/ Ἰοκάστη
Jupiter /ˈdʒupɪtə(r)/ Ζεύς
Justinian /dʒʌsˈtɪnɪən/ Ἰουστινιανός
Lacedaemon /ˈlæsɪˈdimən/ Λακεδαίμων
Laconia /ləˈkəʊnɪə/ Λακωνία
Laertes /laɪˈɜtiz/ Λαέρτης
Larissa /ləˈrɪsə/ Λάρισσα
Leda /ˈlidə/ Λήδα
Leonidas /lɪˈonidæs/ Λεωνίδας
Lethe /ˈliθɪ/ Λήθη
Leucadia /ljuˈkeɪdɪə/ Λευκάδα
Leuctra /ˈljuktrə/ Λεύκτρα
Lucian /ˈlusɪən/ Λουκιανός
Lycurgus /laɪˈkɜgəs/ Λυκοῦργος
Lydia /ˈlɪdɪə/ Λυδία
Macedonia /ˈmæsəˈdəʊnɪə/ Μακεδονία
Medea /meˈdɪə/ Μήδεια
Medusa /meˈdjuzə/ Μέδουσα
Melpomene /melˈpomənɪ/ Μελπομένη
Menelaus /ˈmenəˈleɪəs/ Μενέλαος
Menippus /meˈnɪpəs/ Μένιππος
Missolonghi /mɪsəˈloŋgi/ Μεσσολόγγι
Mithridates /ˈmɪθrɪˈdeɪtiz/ Μιθριδάτης
Muse /mjuz/ Μούσα
Mycenae /maɪˈsinɪ/ Μυκῆναι
Nauplia /ˈnɔplɪə/ Ναύπλιον
Nearchus /neɪˈakəs/ Νέαρχος
Nemea /neˈmɪə/ Νεμέα
Neptune /ˈneptjun/ Ποσειδών
Nestor /ˈnestɔ(r)/ Νέστωρ
Odyssey /ˈodɪsɪ/ Ὀδύσσεια
Oedipus /ˈidɪpəs/ Οἰδίπους
Olympia /əˈlɪmpɪə/ Ὀλυμπία
Olympus /əˈlɪmpəs/ Ὄλυμπος
Oresteia /ˈoresˈteɪə/ Ὀρέστεια
Orestes /oˈrestiz/ Ὀρέστης
Panathenaea /ˈpænəθɪˈnɪə/ Παναθήναια
Parmenio /paˈminɪəʊ/ Παρμενίων
Parnassus /paˈnæsəs/ Παρνασσός
Parnes /ˈpanis/ Πάρνης
Patroclus /ˈpætrəkləs/ Πάτροκλος
Pegasus /ˈpegəsəs/ Πήγασος
Peloponnese (the) /ˈpeləpəˈniz/ Πελοπόννησος
Penelope /pəˈneləpɪ/ Πηνελόπη
Periander /perɪˈændə(r)/ Περίανδρος
Pericles /ˈperəkliz/ Περικλῆς
Persephone /pɜˈsefənɪ/ Περσεφόνη
Phaedo /ˈfaɪdəʊ/ Φαίδων
Phaedra /ˈfaɪdrə/ Φαίδρα
Phaethon /ˈfaɪθəʊn/ Φαέθων
Philoctetes /ˈfɪləˈktitiz/ Φιλοκτήτης
Phoebus /ˈfibəs/ Φοῖβος
Phœnicia /fɪˈnɪʃə/ Φοινίκη
Piraeus /paɪˈriəs/ Πειραιεύς
Pisistratus /paɪˈsɪstrətəs/ Πεισίστρατος
Plato /ˈpleɪtəʊ/ Πλάτων
Pollux /ˈpoləks/ Πολυδεύκης
Polycrates /poˈlɪkrətiz/ Πολυκράτης
Polynices /ˈpolɪˈnaɪsiz/ Πολυνείκης
Polyphemus /ˈpolɪˈfiməs/ Πολύφημος
Polyxena /polɪkˈsenə/ Πολυξένη
Prometheus /proˈmiθjus/ Προμηθεύς
Pyrrho /ˈpɪrəʊ/ Πύρρος
Pythagoras /paɪˈθægərəs/ Πυθαγόρας
Pythia /ˈpɪθɪə/ Πυθία
Rhodes /rəʊdz/ Ρόδος
Rumelia /ruˈmilɪə/ Ρούμελη
Sisyphus /ˈsɪsɪfəs/ Σίσυφος
Socrates /ˈsokrətiz/ Σωκράτης
Sophocles /ˈsofəkliz/ Σοφοκλῆς
Tartarus /ˈtatərəs/ Τάρταρα
Taygetus /taɪˈgetəs/ Ταΰγετος
Telemachus /tɪˈleməkəs/ Τηλέμαχος
Thales /ˈθeɪliz/ Θαλῆς
Themistocles /θeˈmɪstokliz/ Θεμιστοκλῆς
Theocritus /θɪəˈkrɪtəs/ Θεόκριτος
Theodora /ˈθɪəˈdɔrə/ Θεοδώρα
Theodore /ˈθɪədɔ(r)/ Θεόδωρος
Theodosius /ˈθɪəˈdəʊsɪəs/ Θεοδόσιος
Theophilus /θɪˈofɪləs/ Θεόφιλος
Theophrastus /ˈθɪoˈfræstəs/ Θεόφραστος
Thermopylae /θɜˈmɔpɪli/ Θερμοπύλαι
Theseus /ˈθisjus/ Θησεύς
(Thes)salonica /(ˈθe)səˈlonɪkə/ Θεσσαλονίκη
Thessaly /ˈθesəlɪ/ Θεσσαλία
Thrace /θreɪs/ Θράκη
Thrasybulus /ˈθrəsɪˈbjuləs/ Θρασύβουλος
Thucydides /θjuˈsɪdɪdiz/ Θουκυδίδης
Trojan /ˈtrəʊdʒən/ Τρώς, Τρωϊκός
Troy /troɪ/ Τροία
Tyrtaeus /tɜˈtiəs/ Τυρταῖος
Venus /ˈvinəs/ Ἀφροδίτη
Xanthippe /zænˈθɪpɪ/ Ξανθίππη
Xanthippus /zænˈθɪpəs/ Ξάνθιππος
Xenophon /ˈzenəfon/ Ξενοφών
Xerxes /ˈzɜksiz/ Ξέρξης
Zante /ˈzæntɪ/ Ζάκυνθος
Zephyrus /ˈzefɪrəs/ Ζέφυρος
Zeus /zjus/ Ζεύς

Ἐπεξήγηση τῶν κυριώτερων βραχυγραφιῶν

Α.Γ., Ἁγ. Γρ.	Ἁγία Γραφή
ἀερ.	ἀεροπορία
ἀθλ.	ἀθλητισμός
αἰτ.	αἰτιατική
αἰτιολ.	αἰτιολογικός
ἄλγεβ.	ἄλγεβρα
ἀλληλ.	ἀλληλοπαθής, -ῶς
ἀμετάβλ.	ἀμετάβλητος, -ον
ἀνατ.	ἀνατομία
ἀναφ.	ἀναφορικόν, -ός
ἀνθ.	ἀνθοκομία
ἄνθρ.	ἄνθρωπος
ἀνθρωπολ.	ἀνθρωπολογία
ἀντίθ.	ἀντίθετον
ἀντων.	ἀντωνυμία
ἀνώμ.	ἀνώμαλον
ἀόρ.	ἀόριστος
ἀπαρέμφ.	ἀπαρέμφατον
ἀπηρχ.	ἀπηρχαιωμένος
ἀπρόσ.	ἀπρόσωπον
ἄρθρ.	ἄρθρον
ἀριθμ.	ἀριθμητική
ἀρνητ.	ἀρνητικόν, -ῶς
ἀρσ.	ἀρσενικόν
ἀρχ., ἀρχαιολ.	ἀρχαῖος, ἀρχαιολογία
ἀρχιτ.	ἀρχιτεκτονική
ἀστειολ.	ἀστειολογικά
ἀστρολ.	ἀστρολογία
ἀστρον.	ἀστρονομία
ἀσυρμ.	ἀσύρματος
ἀσφαλ.	ἀσφαλιστική
αὐτοκ.	αὐτοκίνητον
αὐτοπ.	αὐτοπαθής, -ῶς
Β.	Βόρειος
βιβλιοδ.	βιβλιοδετική
βιολ.	βιολογία
βιομ.	βιομηχανία
βλ.	βλέπε
βλ. & λ.	βλέπε καί λῆμμα
βοηθ.	βοηθητικόν
βοτ.	βοτανική
βραχ.	βραχυγραφία
βραχυλ.	βραχυλογία
Γαλλ.	γαλλικός, γαλλικά
Γερμ.	γερμανικός, γερμανικά
γεωγρ.	γεωγραφία
γεωλ.	γεωλογία
γεωμ.	γεωμετρία
γεωργ.	γεωργία
γλυπτ.	γλυπτική
γλωσσολ.	γλωσσολογία
γραμμ..	γραμματική
δεικτ.	δεικτικόν
δενδρ.	δενδροκομία
δηλ.	δηλαδή
δημοσιογρ	δημοσιογραφία
διαφήμ.	διαφήμησις
διπλ.	διπλωματία
δοτ.	δοτική
Δυτ.	Δυτικός
Ἑβραϊκ.	Ἑβραϊκά
ἐθνολ.	ἐθνολογία
εἰρων.	εἰρωνικά
ἐκκλ.	ἐκκλησιαστικῶς
ἐλλειπτ.	ἐλλειπτικόν
Ἑλλ.	Ἑλλάς, ἑλληνικός
ἐμπ.	ἐμπόριον
ἐμφ.	ἐμφατικός, -ῶς
ἑν.	ἑνικός
ἐνδ.	ἐνδοτικός
ἐνδυμ.	ἐνδυματολογία
ἐνεργ. μετ.	ἐνεργητική μετοχή
ἐνεστ.	ἐνεστῶς
ἐνν.	ἐννοεῖται
ἐντομ.	ἐντομολογία
ἐπ.	ἐπίθετον
ἐπιθ.	ἐπιθετικῶς
ἐπίρ.	ἐπίρρημα
ἐπιρ.	ἐπιρρήματα, ἐπιρρηματικῶς
ἐπιτατ.	ἐπιτατικόν, -ῶς
ἐπιφ.	ἐπιφώνημα
ἑραλδ.	ἑραλδική
ἐργαλ.	ἐργαλεῖον
ἐργόχ.	ἐργόχειρον
εὐφημ.	εὐφημιστικός, -ῶς
ζωγρ.	ζωγραφική
ζωολ.	ζωολογία
ἠλεκτρ.	ἠλεκτρολογία
ΗΠΑ	Ἡνωμέναι Πολιτεῖαι Ἀμερικῆς
θέατρ.	θέατρον
θεολ.	θεολογία
θηλ.	θηλυκόν
θρησκ.	θρησκεία, θρησκειολογία
ἰατρ.	ἰατρική
ἰδ.	ἰδίως, ἰδιαιτέρως
ἰδιωμ.	ἰδιωματικός, -ῶς
ἱππόδρ.	ἱππόδρομος
ἱστ.	ἱστορικός, -ῶς
Ἰταλ.	Ἰταλικός, -ά
ἰχθ.	ἰχθυολογία
Καθ. Ἐκκλ.	Καθολική Ἐκκλησία
καθομ.	καθομιλουμένη
katαφ.	καταφατικός, -ῶς
κατηγ. ἐπ.	κατηγορηματικόν ἐπίθετον
κεραμ.	κεραμική
κηπ.	κηπουρική
κινημ.	κινηματογράφος
κλπ	καί λοιπά
κοίνοβ.	κοινοβουλευτισμός
κπ	κάποιος
κτ	κάτι
κτην.	κτηνοτροφία
κύρ. ὄν. ἤ κ.ὄ	κύριον ὄνομα
κυριολ.	κυριολεκτικῶς
λ.	λῆμμα, λέξις
λέξ.	λέξις
λαϊκ.	λαϊκός, -ῶς
Λατ.	Λατινικός, -ά
λογικ.	λογική
λόγ.	λόγιος
λογοτ.	λογοτεχνία
λογιστ.	λογιστική
μαγειρ.	μαγειρική
μαιευτ.	μαιευτική
μαθ(ημ).	μαθηματικά
ΜΒ	Μεγ. Βρεταννία